Nous sommes heureux
de vous présenter
cette centième édition
du guide MICHELIN France
dont il a été tiré
40 000 exemplaires numérotés.

N° 21733

France
2009

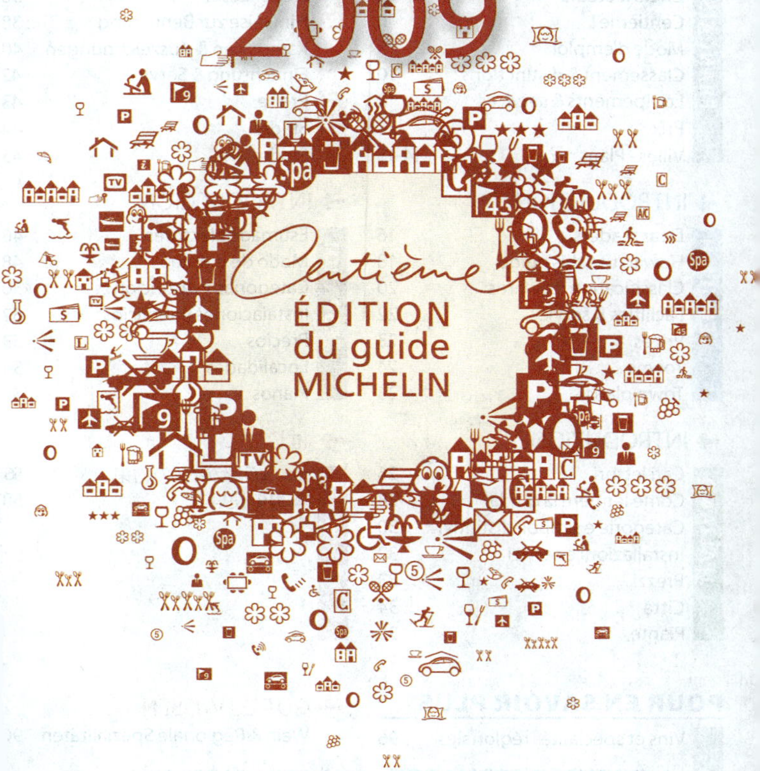

ÉDITION du guide MICHELIN
Centième

Sommaire

Contents Inhaltsverzeichnis
Sommario Sumario 目次

INTRODUCTION

FRANÇAIS
Chers lecteurs	4
Centième !	6
Mode d'emploi	8
Classement & distinctions	10
Équipements & services	12
Prix	13
Villes - Plans	14-15

→ INTRODUCTION

ENGLISH
Dear readers	16
How to use this guide	18
Classification & awards	20
Facilities & services	22
Prices	23
Towns	24
Town plans	25

→ INTRODUZIONE

ITALIANO
Cari lettori	26
Come leggere la guida	28
Categorie e simboli distintivi	30
Installazioni e servizi	32
Prezzi	33
Città	34
Piante	35

→ EINLEITUNG

DEUTSCH
Lieber Leser	36
Hinweise zur Benutzung	38
Kategorien & Auszeichnungen	40
Einrichtung & Service	42
Preise	43
Städte	44
Stadtpläne	45

→ INTRODUCCIÓN

ESPAÑOL
Estimados lectores	46
Modo de empleo	48
Categorías y distinciones	50
Instalaciones y servicios	52
Precios	53
Localidades	54
Planos	55

→ はじめに

日本語
ミシュランガイドの約束	56
本書の使い方	58

POUR EN SAVOIR PLUS
Vins et spécialités régionales 96

→ FURTHER INFORMATION
Wine & Regional Specialities 96

→ PER SAPERNE DI PIÙ
Vino & Specialità regionali 96

→ GUT ZU WISSEN
Wein & Regionale Spezialitäten 96

→ PARA SABER MÀS
Vino & Especialidades regionales 96

→ より詳しく知るには
ワインの産地とその地方の料理 96

LES DISTINCTIONS 2009

Carte des étoiles	62
Tables étoilées	66
Bib Gourmand	74
Bib Hôtel	80
Hébergements agréables	84
Restaurants agréables	92

→ AWARDS 2009

Map of stars	62
Starred establishments	66
Bib Gourmand	74
Bib Hôtel	80
Pleasant accomodation	84
Pleasant restaurants	92

→ LE DISTINZIONI 2009

Carta delle stelle	62
Esercizi con stelle	66
Bib Gourmand	74
Bib Hotel	80
Alloggio ameno	84
Ristoranti ameni	92

→ AUSZEICHNUNGEN 2009

Karte der Sterne	62
Die Sterne-Restaurants	66
Bib Gourmand	74
Bib Hotel	80
Angenehme Unterbringung	84
Angenehme Restaurants	92

→ DISTINCIONES 2009

Mapa de las estrellas	62
Estrellas de buena mesa	66
Bib Gourmand	74
Bib Hotel	80
Alojamientos agradables	84
Restaurantes agradables	92

→ 2009 年度の評価

星付きレストラン（地図）	62
星付きレストラン（リスト）	66
ビブ・グルマン	74
ビブ・ホテル	80
快適なホテル	84
快適なレストラン	92

VILLES de A à Z — **101**
→ TOWNS from A to Z — 101
→ CITTÀ da A a Z — 101
→ STÄDTE von A bis Z — 101
→ CIUDADES de A a Z — 101
→ 地名 (アルファベット順) — 101

CARTES RÉGIONALES DES LOCALITÉS — 2062

→ Regional Map of listed towns — 2062
→ Carta regionale delle località citate — 2062
→ Regionalkarten der erwähnten Orte — 2062
→ Mapas de las localidades citadas, por regiones — 2062
→ フランスの地方別地図 — 2062

Chers lecteurs,

Le millésime 2009 marque une date historique : la centième édition du guide MICHELIN France. Né en 1900, celui-ci ne fête sa centième édition qu'aujourd'hui, car sa parution fut interrompue pendant les années de guerre. Un anniversaire émouvant, donc, pour le groupe Michelin ; pour vous aussi, qui voyagez et cherchez à joindre l'utile à l'agréable, et enfin pour le monde de la gastronomie et de l'hôtellerie.

En 1900, moins de 3000 automobiles seulement roulent en France. Le voyage tourne alors, bien souvent, à l'aventure ! Malgré tout, les frères Michelin croient dur comme fer à l'avenir de l'automobile. Pour aider à son développement, et par là-même, à celui de la Manufacture Française des Pneumatiques Michelin qu'ils ont créée, ils décident de mettre à la disposition des automobilistes un document facilitant leurs déplacements, un petit carnet pratique pour améliorer la mobilité : le fameux guide MICHELIN, dont la première édition, parue en août 1900, sera tirée à près de 35 000 exemplaires… Dans la préface, André Michelin écrit : « cet ouvrage paraîtra avec le siècle. Il durera autant que lui ». Une prédiction qui ne s'est pas démentie. Mieux, la réalité l'a dépassée !

Le premier guide MICHELIN comporte beaucoup de renseignements pratiques : dans ses premières pages il indique comment changer son pneumatique, comment entretenir son véhicule, etc. Ainsi, à Paris, seule était mentionnée la liste des constructeurs d'automobiles ; il n'y avait pas encore de sélection d'hôtels et de restaurants. C'est en 1921 que les restaurants font leur entrée dans le guide, avec leur classification propre et, pour la première fois, figure une liste d'hôtels parisiens.

En 1926 naît « l'étoile de bonne table » et, en 1931, c'est au tour des deux et trois étoiles de voir le jour, tout d'abord en province, puis à Paris en 1933. Quant aux définitions (une étoile : « une très bonne table dans sa catégorie » ; deux étoiles : « mérite le détour » et trois étoiles : « mérite le voyage »), elles datent de 1936… et elles sont toujours d'actualité.

Car le guide MICHELIN est un guide pour tous, du restaurant « trois étoiles » au « Bib Gourmand » proposant un très bon rapport qualité-prix, du palace à l'hôtel de charme, et pour toutes les occasions.

La philosophie qui a présidé à la création du guide – l'aide à la mobilité – a persisté à travers les époques et elle est le socle de la Marque Michelin devenue mondiale. Le guide a suivi ce développement hors de l'Hexagone, en Europe, aux États-unis et en Asie : de l'Ouest à l'Est, il poursuit et élargit encore sa quête du meilleur en matière de gastronomie, à la recherche des talents, quels qu'ils soient. Les critères de sélection restent les mêmes, garantie de qualité fondée sur l'indépendance des inspecteurs et qui a forgé la réputation du guide au fil des années, partout dans le monde.

Cette centième édition du guide MICHELIN France ne déroge évidemment pas à la règle et nous espérons bien que vous y retrouverez tout ce qui en a fait sa richesse, d'année en année. Cet anniversaire est aussi l'occasion de vous remercier, chers fidèles lecteurs – vous êtes plusieurs millions ! – qui nous accordez votre confiance depuis des décennies, et de rendre hommage à ces milliers d'hôteliers et de restaurateurs qui, avec nous, font le guide MICHELIN depuis 109 ans.

Vous accompagner dans vos déplacements… L'idée, simple, a fait son bonhomme de chemin autour du monde ! Gageons que les chefs de demain, les futurs hôteliers, les inspecteurs du guide MICHELIN de France, d'Europe, d'Amérique et d'Asie, et vous, chers lecteurs, par vos courriers toujours riches de précieux commentaires, sauront faire vivre les prochaines éditions de ce 21e siècle.

Michel Rollier
Gérant du Groupe Michelin

Centième

« L'aide à la mobilité », cette assistance au voyageur et en particulier à l'automobiliste, est la mission de la Manufacture Française des Pneumatiques Michelin. Aussi, la première édition du « petit livre rouge » – ouvrage qui restera offert jusqu'en 1914 – présentait-elle déjà une sélection d'environ 1 300 établissements…

Passée la Première Guerre mondiale, dès le printemps qui suit l'Armistice, le Guide paraît à nouveau (1919), disponible dans tous les garages et les stockistes Michelin. Le millésime 1920 marque le début de l'ère « payante » : désormais le guide se vend, à raison de 7 francs, ce qui lui permet de supprimer toute publicité dans ses pages et, par là, d'affirmer si besoin en était sa volonté d'indépendance.

De la bonne tenue de route à la table bien tenue

C'est à cette même époque que se renforce l'objectif d'une sélection plus qualitative, fondée sur des critères qui deviendront de véritables commandements. Qualité du confort et de l'accueil, mais aussi raffinement de la table : la nouvelle ambition du guide MICHELIN se dessine déjà…

1926 voit ainsi la naissance de la fameuse « étoile de bonne table », petit symbole mettant en avant la qualité de la cuisine. En 1931, les « deux » et « trois étoiles » apparaissent en province, pour couronner deux ans plus tard les premiers établissements parisiens. Des étoiles en forme de petites fleurs qui vont asseoir rapidement l'identité originale du guide : celui-ci ne s'adresse plus aux seuls automobilistes, mais également aux gourmets. C'en est fait, Michelin a pris le virage de la gastronomie.

C'est d'ailleurs dans le même temps que le métier d'inspecteur du guide MICHELIN prend véritablement corps. La sélection des adresses, jusque là réalisée grâce aux courriers des lecteurs, se voit désormais confiée à une escouade de « voyageurs » professionnels, incorruptibles, chargés d'effectuer des visites anonymes et payant systématiquement leurs additions – garantie première de l'intégrité de leurs évaluations.

Compagnon d'hier…

Si la Seconde Guerre mondiale marque une nouvelle interruption dans la parution du guide, elle n'en altérera pas la notoriété. Anecdote de choix, l'édition de 1939 se révélera même fort utile à l'État Major Allié, qui décidera de la reproduire à Washington : les centaines de plans de villes contenus dans le Guide, tous détaillés et actualisés, constituent en effet un inappréciable outil pour permettre aux troupes de se repérer en territoire inconnu et de faciliter leur progression. C'est donc avec le guide MICHELIN en poche que les forces alliées débarqueront en 1944 ! (Inutile de dire que cette réédition 1939 compte parmi les plus recherchées des collectionneurs…)

La France à peine libérée, le millésime 1945 sort le 16 mai, soit une semaine après la signature de l'Armistice. Fidèle à ses préceptes, le guide conserve son esprit de service mais, en raison du rationnement, les étoiles de bonne table se font rares. Elles ne s'épanouiront de nouveau qu'à partir de 1951, pour la plus grande satisfaction des gastronomes.

Témoin, voire acteur de l'Histoire, le guide s'attache donc à rester attentif aux évolutions de la société française. Or, qui dit table gastronomique ne dit pas forcément dépense onéreuse : le gourmet doit pouvoir trouver la table qui sied à sa bourse. Aussi, le cru 1954 voit-il la création des « repas soignés à prix modérés », un label dont le succès se confirmera avec le Bib Gourmand et sa devise : se régaler sans se ruiner. Un critère de bon rapport qualité-prix qui s'étendra d'ailleurs à l'hôtellerie à partir de 2003 avec son pendant bleu, le Bib Hôtel.

… Et de demain

Les années passent, le guide MICHELIN demeure. Son territoire n'a même cessé de s'élargir, accompagnant l'expansion du pneumatique, tout en posant sa propre empreinte partout où gastronomie il y a. Au-delà des frontières de l'Europe, le guide a débarqué de l'autre côté de l'Atlantique, à New York, à San Francisco, Los Angeles et Las Vegas, avant de s'atteler aux savoureux comptoirs de Tokyo, de Hong Kong et de Macao. En véritable collection, le guide MICHELIN compte également ses titres thématiques, pour mieux répondre à la diversité de sa clientèle : les Bibs Gourmands ont à présent leur guide illustré, en France mais aussi en Espagne, au Portugal et au Benelux. Tout comme les plus belles chambres d'hôtes de France et les hôtels de charme d'Italie. Au total 26 titres à couverture rouge, foisonnant d'étoiles, de bonnes tables et d'hôtels en tout genre… pour que le voyage avec Michelin se poursuive toujours sous le signe de la qualité, de la nouveauté et du plaisir.

Mode d'emploi

INFORMATIONS TOURISTIQUES

Distances depuis les villes principales, offices de tourisme, sites touristiques locaux, moyens de transports, golfs et loisirs...

ABBAYE DE FONTFROIDE - 03 Aude - **344** I4 - rattac

ABBAYE DE SAINT-WANDRILLE - 18 Cher - **323**
Montrond

ABBEVILLE - 80 Somme - 24 567 h. - alt. 8 - ✉ 80100
🟩 **Nord Pas-de-Calais Picardie**
▶ Paris 186 - Amiens 51 - Boulogne-sur-Mer 79
✈ d'Avignon - ☏ 04 90 81 51 51, par N3 et N7 :
🛈 Office de tourisme, 1 place de l'Amiral Co
risme.abbeville@wanadoo.fr - Fax 03 22 3
⛳ d'Abbeville, Route du Val par rte St-Valér
- Fax 03 22 24 49 61 - ✉ 80132
◉ Vitraux contemporains★★ de l'église du
légiale St-Vulfran **AE D** - Musée Bouchei
◉ Vallée de la Somme★ - Château de Ba

L'HÉBERGEMENT

De 🏨 à 🏠, 🛖 :
catégories de confort
En rouge 🏨 ... 🏠, 🛖 :
les plus agréables

Les Jardins du Château 🍃
rte du Port – ☏ 04 79 00 00 46
– welcome@hotelmandjaro.com – Fax C
15 ch (1/2 P seult) – 17 suites 250/440 €
Rest Le Cœur d'Or – ☏ 04 79 01 46 46
Rest Terrasses du Cœur d'Or – (ferm
♦ Lauze, pierre et bois "vieilli" compos
Superbes chambres savoyardes, équ
Décor tout bois et coins "cosy" au C
Terrasses.

LES MEILLEURES ADRESSES À PETITS PRIX

😊 Bib Gourmand
🛏 Bib Hôtel

Le Relais de la Poste 🍃
rte de Lion, D 541 : 1 km – ☏ 04 75
– Fermé 31 oct.-18 nov., 19-30
42 ch – ♦ 40/60 € ♦♦ 60/65 € – s
♦ Sur la route de la grotte de M^m^
cadre actuel ou sous les fronda

LES RESTAURANTS

De 🍴🍴🍴🍴🍴 à 🍴 : catégories de confort. En rouge 🍴🍴🍴🍴🍴 ... 🍴 :
les plus agréables

Atelier des Saveurs
10 bd Croisette – ☏ 04 92 98 0
– Fax 04 93 38 97 90 – Fermé
Rest – (dîner seult) 75/190
Spéc. Bocal de foie gras d
Mad" tiède à la vanille. **Vi**
♦ Élégante verrière ouvrar
Un joli cadre pour une

LES TABLES ÉTOILÉES

✿✿✿ Vaut le voyage
✿✿ Mérite un détour
✿ Très bonne cuisine

AUTRES PUBLICATIONS MICHELIN
Références de la carte MICHELIN et du Guide Vert où vous retrouverez la localité

LOCALISER LA VILLE
Repérage de la localité sur la carte régionale en fin de guide (n° de la carte et coordonnées)

LOCALISER L'ÉTABLISSEMENT
Localisation sur le plan de ville (coordonnées et indice)

DESCRIPTION DE L'ÉTABLISSEMENT
Atmosphère, style, caractère et spécialités

LES HÔTELS TRANQUILLES
🏠 hôtel tranquille
🏠 hôtel très tranquille

ÉQUIPEMENTS ET SERVICES

PRIX

à Narbonne

– rattaché à St-Amand-

22 **C4**

01 E7

…ouen 106
…et ℰ 03 22 24 27 92 – Office.tou-
8 26
-Somme : 4 km – ℰ 03 22 24 98 58
-Sépulcre AM **B** – Façade★ de la col-
e Perthes★ BY **M**
elle★

ch 35 à 70 ①

Fermé mi-déc. -mi-avril

79 01 46 40 – Fermé mi-déc. -mi-avril   AX**b**
duplex 300 €
(iner seult) 70/125 €
undi) 25 € Enf. 16 €
t ces luxueux chalets regroupés en hameau.
ées high-tech et toutes dotées d'une loggia.
r d'Or. Cuisine du terroir et plats simples aux

00 09 – info@labastide.com – Fax 04 75 46 10 62
c., merc. soir et lundi
€ – **Rest** 16 € (déj. en sem.) 22/52 €
e Sévigné, une cuisine traditionnelle servie dans un
ns de la terrasse. En hiver, spécialités de truffes.

00 – ateliersdessaveurs@luciedurand.com
4 nov.-30 déc., dim.
t carte 100/140 €
canard. Canon d'agneau rôti au thym-citron. "Traou
s Côtes de Provence
sur le ciel azuréen et sobre décor d'inspiration Napoléon III.
ne cuisine unissant saveurs du Sud-Ouest et de Provence.

90 – bellevue@free.fr – Fax 04 93 67 81 78   voir plan d'Antibes AU**d**
de sable fin des Alpes-Maritimes.

Classement & distinctions

LES CATÉGORIES DE CONFORT

Le guide MICHELIN retient dans sa sélection les meilleures adresses dans chaque catégorie de confort et de prix. Les établissements sélectionnés sont classés selon leur confort et cités par ordre de préférence dans chaque catégorie.

🏨🏨🏨	XXXXX	**Grand luxe et tradition**
🏨🏨	XXXX	**Grand confort**
🏨🏨	XXX	**Très confortable**
🏨🏨	XX	**De bon confort**
🏨	X	**Assez confortable**
⌂		**Maison d'hôtes**
sans rest		**L'hôtel n'a pas de restaurant**
avec ch		**Le restaurant possède des chambres**

LES DISTINCTIONS

Pour vous aider à faire le meilleur choix, certaines adresses particulièrement remarquables ont reçu cette année une distinction.

Pour les adresses distinguées par une étoile ou un Bib Gourmand, la mention « **Rest** » apparaît en rouge dans le descriptif de l'établissement.

Pour les adresses distinguées par un Bib Hôtel, la mention « **ch** » apparaît en bleu dans le descriptif de l'établissement.

LES ÉTOILES : LES MEILLEURES TABLES

Les étoiles distinguent les établissements, tous styles de cuisine confondus, qui proposent la meilleure qualité de cuisine. Les critères retenus sont : le choix des produits, la personnalité de la cuisine, la maîtrise des cuissons et des saveurs, le rapport qualité-prix ainsi que la régularité.

✿✿✿	**Cuisine remarquable, cette table vaut le voyage**
26	On y mange toujours très bien, parfois merveilleusement.
✿✿	**Cuisine excellente, cette table mérite un détour**
73	
✿	**Une très bonne cuisine dans sa catégorie**
449	

LES BIBS : LES MEILLEURES ADRESSES À PETIT PRIX

😊	**Bib Gourmand**
527	Établissement proposant une cuisine de qualité au prix maximum de 29 € en province et 35 € à Paris (prix d'un repas hors boisson). En province, il s'agit le plus souvent d'une cuisine de type régional.

Bib Hôtel
293 Établissement offrant une prestation de qualité avec une majorité de chambres au prix maximum de 75 € en province et 90 € dans les grandes villes et stations touristiques importantes (prix pour 2 personnes, hors petit-déjeuner).

LES ADRESSES LES PLUS AGRÉABLES

Le rouge signale les établissements particulièrement agréables. Cela peut tenir au caractère de l'édifice, à l'originalité du décor, au site, à l'accueil ou aux services proposés.

🏠 à 🏠🏠🏠🏠	**Hôtels agréables**
⛺	**Maisons d'hôtes agréables**
X à XXXXX	**Restaurants agréables**

LES MENTIONS PARTICULIÈRES

En dehors des distinctions décernées aux établissements, les inspecteurs MICHELIN apprécient d'autres critères souvent importants dans le choix d'un établissement.

SITUATION

Vous cherchez un établissement tranquille ou offrant une vue attractive ?
Suivez les symboles suivants :

🕊	**Hôtel tranquille**
🕊	**Hôtel très tranquille**
≼	**Vue intéressante**
≼	**Vue exceptionnelle**

CARTE DES VINS

Vous cherchez un restaurant dont la carte des vins offre un choix particulièrement intéressant ?
Suivez le symbole suivant :

🍇 **Carte des vins particulièrement attractive**
Toutefois, ne comparez pas la carte présentée par le sommelier d'un grand restaurant avec celle d'une auberge dont le patron se passionne pour les vins de sa région.

Équipements & services

30 ch	Nombre de chambres
🚗 🌳	Jardin de repos – Parc
🍽	Repas servi au jardin ou en terrasse
⊐ ⊠	Piscine de plein air / couverte
Spa	Bel espace de bien-être et de relaxation
🏋 🎾	Salle de remise en forme – Court de tennis
🛗 ♿	Ascenseur – Aménagements pour personnes à mobilité réduite
AC	Air conditionné
🚭	Chambres non-fumeurs disponibles
📶 📞	Connexion Internet Wifi/ADSL dans les chambres
🍴	Salons pour repas privés
🧍	Salles de conférences
🅿	Restaurant proposant un service voiturier (pourboire d'usage)
P P	Parking / parking clos réservé à la clientèle
🚘	Garage (généralement payant)
🐕‍🦺	Accès interdit aux chiens
Ⓜ	Station de métro la plus proche
Ouvert / Fermé mai-oct	Période d'ouverture ou de fermeture communiquée par l'hôtelier

TABLES D'HÔTES

Les tables d'hôtes sont réservées exclusivement aux résidents.
Elles ne sont généralement proposées que le soir, le plus souvent sur réservation et pas forcément tous les jours.
Aussi, pensez à vérifier les jours de fermeture et à réserver votre dîner si vous souhaitez profiter de la table lors de votre séjour.

Prix

Les prix indiqués dans ce guide ont été établis à l'automne 2008. Ils sont susceptibles de modifications, notamment en cas de variation des prix des biens et des services. Ils s'entendent taxes et service compris. Aucune majoration ne doit figurer sur votre note sauf éventuellement la taxe de séjour. Les hôteliers et restaurateurs se sont engagés, sous leur propre responsabilité, à appliquer ces prix aux clients. À l'occasion de certaines manifestations : congrès, foires, salons, festivals, événements sportifs…, les prix demandés par les hôteliers peuvent être sensiblement majorés. Par ailleurs, renseignez-vous pour connaître les éventuelles conditions avantageuses accordées par les hôteliers.

RÉSERVATION ET ARRHES

Pour la confirmation de la réservation certains établissements demandent le numéro de carte de paiement ou un versement d'arrhes. Il s'agit d'un dépôt-garantie qui engage l'établissement comme le client. Bien demander à l'hôtelier de vous fournir dans sa lettre d'accord toutes précisions utiles sur la réservation et les conditions de séjour.

CARTES DE PAIEMENT

	Cartes de paiement acceptées :
VISA ⦿ AE ①	Visa – MasterCard – American Express – Diners Club

CHAMBRES

ch – ♀ 50/80 €	Prix des chambres minimum / maximum pour 1 personne
ch – ♀♀ 60/100 €	Prix des chambres minimum / maximum pour 2 personnes
⌴ 9 €	Prix du petit-déjeuner
ch ⌴	Petit-déjeuner compris

DEMI-PENSION

½ P 50/70 €   Prix de la demi-pension mini / maxi (chambre, petit-déjeuner et un repas) par personne. Ces prix s'entendent pour une chambre double occupée par deux personnes pour un séjour de trois jours minimum. Une personne seule occupant une chambre double se voit souvent appliquer une majoration. La plupart des hôtels de séjour pratiquent également la pension complète.

RESTAURANT

(13 €)	Formule entrée-plat ou plat-dessert au déjeuner en semaine
⦵	Menu à moins de 19 €
Menu 15 € (déj.)	Menu uniquement servi au déjeuner
Menu 17 € (sem.)	Menu uniquement servi en semaine
Menu 16/38 €	Menu le moins cher / le plus cher
Carte 24/48 €	**Repas à la carte hors boisson**
	Le premier prix correspond à un repas simple comprenant une entrée, un plat et un dessert. Le deuxième prix concerne un repas plus complet (avec spécialité) comprenant deux plats, fromage et dessert.
bc	Boisson comprise

Villes

GÉNÉRALITÉS

63300	Numéro de code postal de la localité *les deux premiers chiffres correspondent au numéro de département*
⌧ 57130 Ars	Numéro de code postal et nom de la commune de destination
P <SP>	Préfecture – Sous-préfecture
337 E5	Numéro de la carte « DEPARTEMENTS France » MICHELIN et coordonnées permettant de se repérer sur la carte
Jura	Voir le Guide Vert MICHELIN de la région
1057 h.	Nombre d'habitants (source : www.insee.fr)
alt. 75	Altitude de la localité
Sta. therm.	Station thermale
1200/1900	Altitude de la station et altitude maximum atteinte par les remontées mécaniques
2	Nombre de téléphériques ou télécabines
14	Nombre de remonte-pentes et télésièges
	Ski de fond
BY **b**	Lettres repérant un emplacement sur le plan de ville
9	Golf et nombre de trous
※ ≤	Panorama, point de vue
✈ 🚗	Aéroport – Localité desservie par train-auto *Renseignements au numéro de téléphone indiqué*
	Transports maritimes
	Transports maritimes pour passagers seulement
🛈	Information touristique

INFORMATIONS TOURISTIQUES

INTÉRÊT TOURISTIQUE

★★★	Vaut le voyage
★★	Mérite un détour
★	Intéressant

Les musées sont généralement fermés le mardi

SITUATION DU SITE

👁	A voir dans la ville
👁	A voir aux environs de la ville
N, S, E, O	La curiosité est située : au Nord, au Sud, à l'Est, à l'Ouest
② ④	On s'y rend par la sortie ② ou ④ repérée par le même signe sur le plan du guide
6 km	Distance en kilomètres

Plans

- Hôtels
- Restaurants

CURIOSITÉS

Bâtiment intéressant
Édifice religieux intéressant :
- Catholique – Protestant

VOIRIE

Autoroute, double chaussée de type autoroutier
Échangeurs numérotés : complet, partiels
Grande voie de circulation
Sens unique – Rue réglementée ou impraticable
Rue piétonne – Tramway
Parking – Parking Relais
Porte – Passage sous voûte – Tunnel
Gare et voie ferrée – Auto-Train
Funiculaire – Téléphérique, télécabine
Pont mobile – Bac pour autos

SIGNES DIVERS

Information touristique
Mosquée – Synagogue
Tour – Ruines – Moulin à vent – Château d'eau
Jardin, parc, bois – Cimetière – Calvaire
Stade – Golf – Hippodrome – Patinoire
Piscine de plein air, couverte
Vue – Panorama – Table d'orientation
Monument – Fontaine – Usine
Centre commercial – Cinéma Multiplex
Port de plaisance – Phare – Tour de télécommunications
Aéroport – Station de métro – Gare routière
Transport par bateau : passagers et voitures, passagers seulement
Pastille de sortie de ville
Bureau principal de poste restante et Téléphone
Hôpital – Marché couvert – Caserne
Bâtiment public repéré par une lettre :
- Chambre d'agriculture – Chambre de commerce
- Gendarmerie – Hôtel de ville – Palais de justice
- Musée – Préfecture, sous-préfecture – Théâtre
- Université, grande école
- Police (commissariat central)
Passage bas (inf. à 4 m 50) – Charge limitée (inf. à 19 t)

Attention : en France, nouvelle numérotation en cours des routes nationales et départementales.

Dear Readers,

2009 marks a historic date: the one hundredth edition of the MICHELIN Guide France. Born in 1900, it celebrates its 100th edition today because the war years interrupted its publication. A significant anniversary for the Michelin Group therefore, for you on your travels, who seek to mix business with pleasure, and for the world of good food and quality hotels.

In 1900 fewer than 3,000 automobiles motored along the roads of France, and a journey was often synonymous with adventure! The Michelin brothers were nonetheless convinced of the future of the automobile, and to further its development, and that of the Manufacture Française des Pneus Michelin which they had founded, they decided to offer motorists a small publication to help them in their travels.

Thus in August 1900, nearly 35,000 copies of the first MICHELIN Guide were printed. In the foreword, André Michelin wrote: "this volume was created at the turn of the century and will last at least as long", a prediction that has proved highly prescient!

The first MICHELIN Guide comprised a great deal of practical information – the opening pages were devoted to recommendations about how to change a tyre and look after ones motor vehicle for example, while the section on Paris only indicated a list of automobile manufacturers and did not feature hotels or restaurants.

A selection of restaurants was added to the Guide in 1921, with a specific classification system, in addition to a list of Parisian hotels for the first time.

In 1926, the good food star was born, joined in 1931 by two- and three-star rankings, first for establishments in provincial France and then in 1933 for Paris. Their definitions (one star "a very good restaurant in its category", two stars "worth a detour" and three stars "worth a special journey") date from 1936 and haven't changed since.

The MICHELIN Guide is a guide for everyone, with restaurants ranging from the thrilling three-star to the value for money Bib Gourmand, and accommodation from luxury hotels to charming guesthouses.

The assistance with mobility philosophy behind the Guide's creation has never wavered over the years and remains at the heart of what has become the worldwide Michelin brand.

The Guide has extended this development outside France, in Europe, the United States and Asia: from West to East, the MICHELIN Guide has pursued and its quest for the best good food, in search of talents, wherever they may be. The selection criteria have remained unchanged and provide a guarantee of quality, founded on the independence of inspectors, that has forged the Guide's reputation over the years and throughout the world.

This hundredth edition of the MICHELIN Guide France is, of course, no different and we sincerely trust that you will find everything that has contributed to its longstanding popularity. This anniversary also provides us with the opportunity to thank you, our several million loyal readers, who have granted us your confidence for so many decades and to pay tribute to the thousands of hotels and restaurants which have helped make the MICHELIN Guide for 109 years.

Accompanying you in your travels, a simple idea that has definitely come a long way! We wager that the chefs and hoteliers of tomorrow, inspectors of the MICHELIN guides of France, Europe, America and Asia, and you, dear readers, with your precious comments, will continue to bring life to future editions throughout the 21st century.

Michel Rollier
Chief Executive Officer Michelin

How to use this guide

TOURIST INFORMATION

Distances from the main towns, tourist offices, local tourist attractions, means of transport, golf courses and leisure activities...

ACCOMMODATION

From 🏨🏨🏨🏨 to 🏠, ⌂:
categories of comfort
In red 🏨🏨🏨🏨 ... 🏠, ⌂:
the most pleasant

GOOD FOOD AND ACCOMMODATION AT MODERATE PRICES

- 🐶 Bib Gourmand
- 🛏 Bib Hotel

RESTAURANTS

From XXXXX to X:
categories of comfort
In red XXXXX ... X:
the most pleasant

STARS

- ✲✲✲ Worth a special journey
- ✲✲   Worth a detour
- ✲   A very good restaurant

ABBAYE DE FONTFROIDE – 03 Aude – 344 I4 – rattaché

ABBAYE DE SAINT-WANDRILLE – 18 Cher – 323 K

Montrond

ABBEVILLE – 80 Somme – 24 567 h. - alt. 8 - ✉ 80100 –
🟢 Nord Pas-de-Calais Picardie
Paris 186 – Amiens 51 – Boulogne-sur-Mer 79 –
▶ d'Avignon – ✆ 04 90 81 51 51, par N3 et N7 : 8
ℹ Office de tourisme, 1 place de l'Amiral Cou
risme.abbeville@wanadoo.fr - Fax 03 22 31
🏨 d'Abbeville, Route du Val par rte St-Valér
- Fax 03 22 24 49 61 – ✉ 80132
◉ Vitraux contemporains★★ de l'église du
légiale St-Vulfran AE D – Musée Bouche
◉ Vallée de la Somme★ – Château de Ba

Les Jardins du Château
rte du Port – ✆ 04 79 00 00 46
– welcome@hotelmandjaro.com – Fax
15 ch (1/2 P seult) – 17 suites 250/440
Rest Le Cœur d'Or – ✆ 04 79 01 46 4
Rest Terrasses du Cœur d'Or – (fer
♦ Lauze, pierre et bois "vieilli" comp
Superbes chambres savoyardes,
Décor tout bois et coins "cosy" au
Terrasses.

Le Relais de la Poste
rte de Lion, D 541 : 1 km – ✆ 04
– Fermé 31 oct.-18 nov., 19
42 ch – ♦40/60 € ♦♦60/65 €
♦ Sur la route de la grotte de
cadre actuel ou sous les fr

Atelier des Saveur
10 bd Croisette - ✆ 04 9
– Fax 04 93 38 97 90 – F
Rest – (dîner seult) 75
Spéc. Bocal de foie
Mad" tiède à la van
♦ Élégante verrière
joli cadre po

OTHER MICHELIN PUBLICATIONS
References for the MICHELIN map and Green Guide which cover the area

LOCATING THE TOWN
Locate the town on the map at the end of the guide (map number and coordinates)

LOCATING THE ESTABLISHMENT
Located on the town plan (coordinates and letters giving the location)

DESCRIPTION OF THE ESTABLISHMENT
Atmosphere, style, character and specialities

QUIET HOTELS
🆂 quiet hotel
🆂 very quiet hotel

FACILITIES AND SERVICES

PRICES

---

rbonne

rattaché à St-Amand-

22 **C4**

E7

en 106

₽ 03 22 24 27 92 - Office.tou-
26
Somme : 4 km - ₽ 03 22 24 98 58

Sépulcre AM **B** - Façade★ de la col-
e Perthes★ BY **M**
elle★

🍽 ⇆ 🅰🅲 ♨ ch 35 à 70 ①
≤ ⚑ 🛜 🐾 ☒

AX **b**

79 01 46 40 – Fermé mi-déc.-mi-avril
3 duplex 300 €
(dîner seult) 70/125 €
é lundi) 25 € Enf. 16 € ♨
ent ces luxueux chalets regroupés en hameau.
uipées high-tech et toutes dotées d'une loggia.
œur d'Or. Cuisine du terroir et plats simples aux

≤ 🐾 🚗 ☒

5 00 00 09 – info@labastide.com – Fax 04 75 46 10 62
30 déc., merc. soir et lundi
– 🍽 7 € – **Rest** 16 € (déj. en sem.) 22/52 €
(déj. en sem.) 22/52 €
ᵐᵉ de Sévigné, une cuisine traditionnelle servie dans un
ndaisons de la terrasse. En hiver, spécialités de truffes.

≤ 🐾 🛜 ⚑ 🅰🅲 ch, 🆎

98 00 00 – ateliersdessaveurs@luciedurand.com
rmé 14 nov.-30 déc., dim.
190 € et carte 100/140 €
ras de canard. Canon d'agneau rôti au thym-citron. "Traou
le. **Vins** Côtes de Provence
ouvrant sur le ciel azuréen et sobre décor d'inspiration Napoléon III.
r une fine cuisine unissant saveurs du Sud-Ouest et de Provence.

≤ 🐾 ⚑ 🅢🅞🅟 ♨ 🎾 🅰🅲 rest, 🆎

voir plan d'Antibes AU **d**

20 00 – bellevue@free.fr – Fax 04 93 67 81 78
étendue de sable fin des Alpes-Maritimes.
marin.

≤ 🐾 🛜 🅰🅲 🆎

AU **c**

Classification & awards

CATEGORIES OF COMFORT

The MICHELIN guide selection lists the best hotels and restaurants in each category of comfort and price. The establishments we choose are classified according to their levels of comfort and, within each category, are listed in order of preference.

🏨	XXXXX	**Luxury in the traditional style**
🏨	XXXX	**Top class comfort**
🏨	XXX	**Very comfortable**
🏠	XX	**Comfortable**
🏠	X	**Quite comfortable**
⛺		**Guesthouse**
sans rest		**This hotel has no restaurant**
avec ch		**This restaurant also offers accommodation**

THE AWARDS

To help you make the best choice, some exceptional establishments have been given an award in this year's guide.

For those awarded a star or a Bib Gourmand, the mention "**Rest**" appears in red in the description of the establishment.

For those awarded a Bib Hotel, the mention "**ch**" appears in blue in the description of the establishment.

THE STARS: THE BEST CUISINE

MICHELIN stars are awarded to establishments serving cuisine, of whatever style, which is of the highest quality. The cuisine is judged on the quality of ingredients, the flair and skill in their preparation, the combination of flavours, the value for money and the consistency of culinary standards.

✾✾✾	**Exceptional cuisine, worth a special journey**
26	One always eats extremely well here, sometimes superbly.
✾✾	**Excellent cooking, worth a detour**
73	
✾	**A very good restaurant in its category**
449	

THE BIB : GOOD FOOD
AND ACCOMMODATION AT MODERATE PRICES

Bib Gourmand
527
Establishment offering good quality cuisine at a maximum price of 29 € or 35 € in the Paris region (price of a meal not including drinks). Outside the Paris region, these establishments generally specialise in regional cooking.

Bib Hotel
293
Establishment offering good levels of comfort and service, with most rooms priced at a maximum price of 75 € or under 90 € in the main cities and popular tourist resorts (price of a room for 2 people not including breakfast).

PLEASANT HOTELS AND RESTAURANTS

Symbols shown in red indicate particularly pleasant or restful establishments: the character of the building, its décor, the setting, the welcome and services offered may all contribute to this special appeal.

to	**Pleasant hotels**
	Pleasant guesthouses
to	**Pleasant restaurants**

OTHER SPECIAL FEATURES

As well as the categories and awards given to the establishment, MICHELIN inspectors also make special note of other criteria which can be important when choosing an establishment.

LOCATION

If you are looking for a particularly restful establishment, or one with a special view, look out for the following symbols:

	Quiet hotel
	Very quiet hotel
	Interesting view
	Exceptional view

WINE LIST

If you are looking for an establishment with a particularly interesting wine list, look out for the following symbol:

Particularly interesting wine list
This symbol might cover the list presented by a sommelier in a luxury restaurant or that of a simple inn where the owner has a passion for wine. The two lists will offer something exceptional but very different, so beware of comparing them by each other's standards.

Facilities & services

30 ch	Number of rooms
🚗 🌳	Garden – Park
🍽️	Meals served in garden or on terrace
🏊 🏊	Swimming pool: outdoor or indoor
Spa	An extensive facility for relaxation and well-being
🏋️ 🎾	Exercise room – Tennis court
🛗 ♿	Lift – Establishment at least partly accessible to those of restricted mobility
AC	Air conditioning
🚭	Rooms for non-smokers available
📶 ☎️	Wireless/broadband connection in bedrooms
🍴	Private dining rooms
👥	Equipped conference room
🅿️	Restaurant offering valet parking (tipping customary)
P 🅿	Car park / Enclosed car park for customers only
🚗	Garage (additional charge in most cases)
🐕‍🦺	No dogs allowed
Ⓜ	Nearest metro station
Ouvert / Fermé mai-oct	Dates when open or closed as indicated by the hotelier.

TABLES D'HÔTES

Tables d'hôtes serve meals – generally dinner – to residents and by reservation only.

Meals are not always available every day of the week, so don't forget to check opening times and to reserve a table if you wish to dine during your stay.

Prices

Prices quoted in this guide are for autumn 2008. They are subject to alteration if goods and service costs are revised.
By supplying the information, hotels and restaurants have undertaken to maintain these rates for our readers.
In some towns, when commercial, cultural or sporting events are taking place the hotel rates are likely to be considerably higher.
Out of season, certain establishments offer special rates. Ask when booking.

RESERVATION AND DEPOSITS

Some establishments will ask you to confirm your reservation by giving your credit card number or require a deposit which confirms the commitment of both the customer and the establishment. Ask the hotelier to provide you with all the terms and conditions applicable to your reservation in their written confirmation.

CREDIT CARDS

Credit cards accepted by the establishment:
VISA **MC** **AE** **DC** Visa – MasterCard – American Express – Diners Club

ROOMS

ch – 👤 50/80 €	Lowest price / highest price for a single room
ch – 👥 60/100 €	Lowest price / highest price for a double or a twin room
☕ 9 €	Price of breakfast
ch ☕	Breakfast included

HALF BOARD

½ P 50/70 € — Lowest and highest prices for half board (room, breakfast and a meal) per person. These prices are valid for a double room occupied by two people for a minimum stay of three nights. If a single person occupies a double room a supplement may apply. Most of the hotels also offer full board terms on request.

RESTAURANT

(13 €)	2 course meal, on weekday lunchtimes
🍽	Menu for less than 19 €
Menu 15 € (déj.)	Set menu served only at lunchtime
Menu 17 € (sem.)	Set menu served only on weekdays
Menu 16/38 €	Cheapest set meal / Highest set menu
Carte 24/48 €	**A la carte meal**, drinks not included. The first figure is for a plain meal and includes first course, main dish of the day and dessert. The second price is for a fuller meal (with speciality) including starter, main course, cheese and dessert.
bc	House wine included

Towns

GENERAL INFORMATION

63300	Local postal number *the first two numbers are the same as the département number*
⊠ 57130 Ars	Postal number and the name of the postal area
P SP	Prefecture – Sub-prefecture
337 E5	Number of the appropriate sheet and grid square reference of the Michelin road map in the "DEPARTEMENTS France" MICHELIN series
Jura	See the regional MICHELIN Green Guide
1057 h.	Population (source: www.insee.fr)
alt. 75	Altitude (in metres)
Sta. therm.	Spa
1200/1900	Altitude of resort and highest point reached by lifts
2	Number of cable-cars
14	Number of ski and chair-lifts
	Cross-country skiing
BY b	Letters giving the location of a place on a town plan
9	Golf course and number of holes
※ ≤	Panoramic view, viewpoint
✈ 🚗	Airport – Places with motorail pick-up point. *Further information from phone number listed*
🚢 ⛴	Shipping line – Passenger transport only
🛈	Tourist information

TOURIST INFORMATION

STAR-RATING

★★★	Highly recommended
★★	Recommended
★	Interesting *Museums and art galleries are generally closed on Tuesday*

LOCATION

👁	Sights in town
🧭	On the outskirts
N, S, E, O	The sight lies north, south, east or west of the town
② ④	Signs ② or ④ on the town plan show the road leading to a place of interest and correspond to the same signs on MICHELIN road maps.
6 km	Distance in kilometres

Town plans

- □ Hotels
- ■ Restaurants

SIGHTS

Place of interest
Interesting place of worship:

- Catholic – Protestant

ROAD

Motorway, dual carriageway
Numbered junctions: complete, limited
Major thoroughfare
One-way street – Unsuitable for traffic or street subject to restrictions
Pedestrian street – Tramway
Car park – Park and Ride
Gateway – Street passing under arch – Tunnel
Station and railway – Motorail
Funicular – Cable-car
Lever bridge – Car ferry

VARIOUS SIGNS

Tourist Information Centre
Mosque – Synagogue
Tower – Ruins – Windmill – Water tower
Garden, park, wood – Cemetery – Cross
Stadium – Golf course – Racecourse – Skating rink
Outdoor or indoor swimming pool
View – Panorama – Viewing table
Monument – Fountain – Factory
Shopping centre – Multiplex Cinema
Pleasure boat harbour – Lighthouse – Communications tower
Airport – Underground station – Coach station
Ferry services: passengers and cars, passengers only
Reference number common to town plans
Main post office with poste restante and telephone
Hospital – Covered market – Barracks
Public buildings located by letter:
- A C - Chamber of Agriculture – Chamber of Commerce
- G H J - Gendarmerie – Town Hall – Law Courts
- M P T - Museum – Prefecture or sub-prefecture – Theatre
- U - University, College
- POL. - Police (in large towns police headquarters)
Low headroom (15 ft. max.) – Load limit (under 19 t)

Please note: the *route nationale* and *route départementale* road numbers ar currently being changed in France.

Cari lettori,

L'edizione 2009 segna una data storica: la centesima edizione della Guida Michelin Francia. Nata nel 1900, la guida festeggia la sua centesima edizione solamente oggi perché la pubblicazione fu sospesa durante le due guerre mondiali. Si tratta quindi di una celebrazione importante per il gruppo Michelin, ma anche per i nostri lettori che viaggiano cercando di unire l'utile al dilettevole e naturalmente per l'universo della gastronomia e dell'ospitalità.

Nel 1900, in Francia, circolano meno di 3000 automobili e un viaggio si trasforma spesso in una grande avventura. Nonostante tutto, però, i fratelli Michelin sono convinti che l'automobile sia il mezzo di trasporto del futuro. Per contribuire al suo sviluppo, e a quello della società per la produzione di pneumatici che hanno appena fondato, decidono di proporre agli automobilisti una piccola guida per facilitare i loro viaggi, rendendo più immediata la mobilità: nasce così la famosa guida MICHELIN. La prima edizione dell'agosto 1900 vanta quasi 35 000 esemplari e nella prefazione André Michelin scrive: "Questa guida è data alle stampe coll'apparire di un nuovo secolo. Vivrà cent'anni come lui". Una previsione che non solo si è avverata, ma che è stata persino superata dalla realtà.

Nella prima guida MICHELIN vengono forniti molti consigli pratici: nelle prime pagine si spiega ai lettori come cambiare una gomma, come prendersi cura dell'automobile, ecc. Per la città di Parigi, per esempio, si indica solo una lista di costruttori automobilistici, ma non si fa alcuna menzione di alberghi o ristoranti.

Solo nel 1921 viene presentata una sezione dedicata unicamente ai ristoranti e nella stessa edizione figura per la prima volta una lista di alberghi parigini.

Nel 1926 viene assegnata la prima stella Michelin e nel 1931 i migliori esercizi delle regioni francesi sono ricompensati anche con due e tre stelle, che arrivano a Parigi solo nel 1933. Le definizioni che accompagnano le tavole stellate (una stella: "Ottima cucina nella sua categoria", due stelle: "Merita una deviazione", tre stelle: "Vale il viaggio") risalgono invece al 1936 e sono ancor'oggi le stesse.

La guida MICHELIN accontenta tutti, da chi ricerca un ristorante con tre stelle a chi preferisce un Bib Gourmand, offrendo al contempo un ottimo rapporto qualità-prezzo per tutte le occasioni, che si tratti di un hotel di lusso o di un alberghetto di charme.

La filosofia su cui, fin dall'inizio, si è basata la guida Michelin, destinata a facilitare la mobilità dei lettori, è rimasta inalterata in tutti questi anni, diventando al contempo il valore portante del marchio Michelin, affermatosi nel mondo intero.

Anche la guida « rossa » ha saputo imporsi oltre le frontiere francesi, prima negli altri paesi d'Europa e in seguito negli Stati Uniti e in Asia: oggi la guida porta ancora più lontano la ricerca del meglio in campo gastronomico, allargando i suoi orizzonti a tre continenti, dove si è lanciata anche alla scoperta di nuovi talenti di ogni tipo. I criteri di selezione sono rimasti inalterati: un'immutata garanzia di qualità, basata sull'indipendenza degli ispettori, su cui si è costruita la reputazione della guida anno dopo anno, in tutto il mondo.

In questa centesima edizione della guida Francia, che non fa eccezione alla regola, speriamo che i lettori ritrovino tutte le caratteristiche che costituiscono la ricchezza della guida Michelin da un secolo a questa parte.

Questo anniversario è anche un'ottima occasione per ringraziare i nostri fedeli lettori, ormai svariati milioni, che ci hanno accordato la loro fiducia da decenni, ma anche per rendere omaggio a quelle migliaia di albergatori e di chef che, insieme a noi, hanno costruito l'identità della guida MICHELIN da 109 anni.

Accompagnare i lettori nei loro spostamenti: un'idea piuttosto semplice che ha avuto un successo considerevole in tutti i paesi del mondo. Siamo sicuri che i futuri chef, gli albergatori di domani e gli ispettori della guida MICHELIN in Francia, Europa, America e Asia, insieme ai nostri lettori che ci inviano preziosi suggerimenti, sapranno rendere ancora più vive le prossime edizioni di questo ventunesimo secolo.

Michel Rollier

Gerente del Gruppo Michelin

Come leggere la guida

INFORMAZIONI TURISTICHE

Distanza dalle città di riferimento, uffici turismo, siti turistici locali, mezzi di trasporto, golfs e tempo libero...

ABBAYE DE FONTFROIDE – 03 Aude – **344** I4 – rattaché à

ABBAYE DE SAINT-WANDRILLE – 18 Cher – **323** K6
Montrond

ABBEVILLE – 80 Somme – 24 567 h. – alt. 8 – ✉ 80100 – 30
🟩 Nord Pas-de-Calais Picardie
▶ Paris 186 – Amiens 51 – Boulogne-sur-Mer 79 – R
▶ d'Avignon – ℰ 04 90 81 51 51, par N3 et N7 : 8 km
🏠 Office de tourisme, 1 place de l'Amiral Courb
ℹ risme.abbeville@wanadoo.fr - Fax 03 22 31 0
🔟8 d'Abbeville, Route du Val par rte St-Valéry-
 - Fax 03 22 24 49 61 – ✉ 80132
👁 Vitraux contemporains★★ de l'église du S
légiale St-Vulfran AE D - Musée Boucher de Baga
🟢 Vallée de la Somme★

L'ALLOGGIO

Da 🏨🏨🏨 a 🏠, ⌂:
categorie di confort
In rosso 🏨🏨🏨 ... 🏠, ⌂:
i più ameni

Les Jardins du Château
rte du Port – ℰ 04 79 00 00 46
- welcome@hotelmandjaro.com – Fax 0
15 ch (1/2 P seult) – 17 suites 250/440 €
Rest Le Cœur d'Or – ℰ 04 79 01 46 46
Rest Terrasses du Cœur d'Or – (ferm
♦ Lauze, pierre et bois "vieilli" compo
Superbes chambres savoyardes, éq
Décor tout bois et coins "cosy" au C
Terrasses.

I MIGLIORI ESERCIZI A PREZZI CONTENUTI

🔴 Bib Gourmand
🔴 Bib Hotel

I RISTORANTI

Da 🍴🍴🍴🍴🍴 a 🍴:
categorie di confort
In rosso 🍴🍴🍴🍴 ... 🍴:
i più ameni

Le Relais de la Poste
rte de Lion, D 541 : 1 km – ℰ 04 7
- Fermé 31 oct.-18 nov., 19-3
42 ch – †40/60 € ††60/65 €
♦ Sur la route de la grotte de N
cadre actuel ou sous les fro

Atelier des Saveurs
10 bd Croisette – ℰ 04 92
- Fax 04 93 38 97 90 – Fe
Rest – (dîner seult) 75/
Spéc. Bocal de foie g
Mad" tiède à la vanil
♦ Élégante verrière c

LE TAVOLE STELLATE

✸✸✸ Vale il viaggio
✸✸ Merita una deviazione
✸ Ottima cucina

ALTRE PUBBLICAZIONI MICHELIN
Riferimento alla carta MICHELIN ed alla Guida Verde in cui figura la località

LOCALIZZARE LA CITTÀ
Posizione della località sulla carta regionale alla fine della guida (n° della carta e coordinate)

LOCALIZZARE L'ESERCIZIO
Localizzazione sulla pianta di città (coordinate ed indice)

DESCRIZIONE DELL'ESERCIZIO
Atmosfera, stile, carattere e specialità

GLI ALBERGHI TRANQUILLI
🐿 Albergo tranquillo
🐿 Albergo molto tranquillo

PREZZI

INSTALLAZIONI E SERVIZI

Categorie & simboli distintivi

LE CATEGORIE DI CONFORT

Nella selezione della guida MICHELIN vengono segnalati i migliori indirizzi per ogni categoria di confort e di prezzo. Gli esercizi selezionati sono classificati in base al confort che offrono e vengono citati in ordine di preferenza per ogni categoria.

🏨🏨🏨	XXXXX	**Gran lusso e tradizione**
🏨🏨🏨	XXXX	**Gran confort**
🏨🏨	XXX	**Molto confortevole**
🏨	XX	**Di buon confort**
🏠	X	**Abbastanza confortevole**
↑		**Locande, affittacamere**
sans rest		**L'albergo non ha ristorante**
avec ch		**Il ristorante dispone di camere**

I SIMBOLI DISTINTIVI

Per aiutarvi ad effettuare la scelta migliore, segnaliamo gli esercizi che si distinguono in modo particolare.

Per gli indirizzi che si distinguono con una stella o un Bib Gourmand, la menzione "**Rest**" appare in rosso nella descrizione dell'esercizio

Per gli indirizzi che si distinguono con il Bib Hotel, la menzione "**ch**" appare in blu nella descrizione dell'esercizio.

LE MIGLIORI TAVOLE

Le stelle distinguono gli esercizi che propongono la miglior qualità in campo gastronomico, indipendentemente dagli stili di cucina. I criteri presi in considerazione sono: la scelta dei prodotti, la personalità della cucina, la padronanza delle tecniche di cottura e dei sapori, il rapporto qualità/prezzo, nonché la regolarità.

✿✿✿	**Una delle migliori cucine, questa tavola vale il viaggio**
26	Vi si mangia sempre molto bene, a volte meravigliosamente.
✿✿	**Cucina eccellente, questa tavola merita una deviazione**
73	
✿	**Un'ottima cucina nella sua categoria**
449	

I MIGLIORI ESERCIZI A PREZZI CONTENUTI

⊛ Bib Gourmand
527 Esercizio che offre una cucina di qualità, spesso a carattere tipicamente regionale, al prezzo massimo di 29 € (35 € nelle città capoluogo e turistiche importanti).
Prezzo di un pasto, bevanda esclusa.

🛌 Bib Hotel
293 Esercizio che offre un soggiorno di qualità al prezzo massimo di 75 € (90 € nelle città e località turistiche importanti) per la maggior parte delle camere. Prezzi per 2 persone, prima colazione esclusa.

GLI ESERCIZI AMENI

Il rosso indica gli esercizi particolarmente ameni. Questo per le caratteristiche dell'edificio, le decorazioni non comuni, la sua posizione ed il servizio offerto.

- 🏠 a 🏠🏠🏠🏠 **Alberghi ameni**
- 🏠 **Locande e affittacamere ameni**
- 🗙 a 🗙🗙🗙🗙🗙 **Ristoranti ameni**

LE SEGNALAZIONI PARTICOLARI

Oltre alle distinzioni conferite agli esercizi, gli ispettori MICHELIN apprezzano altri criteri spesso importanti nella scelta di un esericizio.

POSIZIONE

Cercate un esercizio tranquillo o che offre una vista piacevole?
Seguite i simboli seguenti :

- 🌿 **Albergo tranquillo**
- 🌿 **Albergo molto tranquillo**
- ≤ **Vista interessante**
- ≤ **Vista eccezionale**

CARTA DEI VINI

Cercate un ristorante la cui carta dei vini offra una scelta particolarmente interessante?
Seguite il simbolo seguente:

🍇 Carta dei vini particolarmente interessante
Attenzione a non confrontare la carta presentata da un sommelier in un grande ristorante con quella di una trattoria dove il proprietario ha una grande passione per i vini della regione.

Installazioni & servizi

30 ch	Numero di camere
🚗 🐿	Giardino – Parco
🍴	Pasti serviti in giardino o in terrazza
🏊 🏊	Piscina: all'aperto, coperta
💆	Centro attrezzato per il benessere ed il relax
🏋 🎾	Palestra – Campo di tennis
🛗 ♿	Ascensore – Esercizio accessibile in parte alle persone con difficoltà motorie
A/C	Aria condizionata
🚭	Camere disponibili per i non fumatori
📶 📞	Connessione Internet wifi in camera - Connessione Internet ad alta definizione in camera
🪑	Saloni particolari
🧑‍🏫	Sale per conferenze
🍽	Ristorante con servizio di posteggiatore (è consuetudine lasciare una mancia)
P P	Parcheggio / Parcheggio chiuso riservato alla clientela
🚗	Garage nell'albergo (generalmente a pagamento)
🐕‍🦺	Accesso vietato ai cani
Ⓜ	Stazione della metropolitana più vicina
Ouvert / Fermé mai-oct	Periodo di apertura o chiusura comunicato dal proprietario

TABLES D'HÔTES

Le «tables d'hôtes» (pasti presso la struttura ospitante) sono riservate esclusivamente ai residenti.
Generalmente vengono proposte solo la sera, la maggior parte delle volte su prenotazione e non necessariamente tutti i giorni.
Abbiate quindi cura di controllare i giorni di chiusura e di prenotare la cena se desiderate approfittare di questa opportunità durante il vostro soggiorno.

Prezzi

I prezzi che indichiamo in questa guida sono stati stabiliti nell'autunno 2008. Potranno subire delle variazioni in relazione ai cambiamenti dei prezzi di beni e servizi. Essi s'intendono comprensivi di tasse e servizio. Sul conto da pagare non deve figurare alcuna maggiorazione, ad eccezione dell'eventuale tassa di soggiorno. Gli albergatori e i ristoratori si sono impegnati, sotto la propria responsabilità, a praticare questi prezzi ai clienti. In occasione di alcune manifestazioni (congressi, fiere, saloni, festival, eventi sportivi...) i prezzi richiesti dagli albergatori potrebbero subire un sensibile aumento. Per eventuali promozioni offerte, non esitate a chiederle direttamente all'albergatore.

PRENOTAZIONE E CAPARRA

Come conferma della prenotazione alcuni esercizi chiedono il numero di una carta di credito o il versamento di una caparra. Si tratta di un deposito-garanzia che impegna sia l'albergatore che il cliente. Chiedete una lettera di conferma su ogni dettaglio della prenotazione e sulle condizioni di soggiorno.

CARTE DI CREDITO

	Carte di credito accettate :
VISA MC AE D	Visa – MasterCard – American Express – Diners Club

CAMERE

ch – 👤 50/80 €	Prezzo minimo / massimo per camera singola
ch – 👥 60/100 €	Prezzo minimo / massimo per camera doppia.
⌴ 9 €	Prezzo per la prima colazione.
ch ⌴	Prima colazione compresa

MEZZA PENSIONE

½ P 50/70 €	Prezzo minimo/massimo della mezza pensione (camera, prima colazione ed un pasto) per persona. Questi prezzi sono validi per la camera doppia occupata da due persone, per un soggiorno minimo di tre giorni; la persona singola potrà talvolta vedersi applicata una maggiorazione. La maggior parte degli alberghi pratica anche la pensione completa.

RISTORANTE

(13 €)	Pasto composto dal piatto del giorno, da un antipasto o dessert, a mezzogiorno in settimana
෩	Pasto per meno di 19 €
Menu 15 € (déj.)	Menu servito solo a mezzogiorno
Menu 17 € (sem.)	Menu servito solo nei giorni feriali
Menu 16/38 €	Menu: il meno caro / il più caro
Carte 24/48	Pasto alla carta bevanda esclusa. Il primo prezzo corrisponde ad un pasto semplice comprendente: antipasto, piatto del giorno e dessert. Il secondo prezzo corrisponde ad un pasto più completo (con specialità) comprendente: due piatti, formaggio e dessert.
bc	Bevanda compresa

Città

GENERALITÀ

63300	Codice di avviamento postale *le prime due cifre corrispondono al numero del dipartimento*
✉ 57130 Ars	Numero di codice e sede dell'Uffico Postale
P ⓢⓟ	Prefettura – Sottoprefettura
337 E5	Numero della carta "DEPARTEMENTS France" MICHELIN e coordinate riferite alla quadrettatura
Jura	Vedere la Guida Verde MICHELIN regionale
1057 h.	Popolazione residente (funte: www.insee.fr)
alt. 75	Altitudine
Sta. therm.	Stazione termale
1200/1900	Altitudine della località e altitudine massima raggiungibile con gli impianti di risalita
🚠 2	Numero di funivie o cabinovie
🚡 14	Numero di sciovie e seggiovie
🎿	Sci di fondo
BY **b**	Lettere indicanti l'ubicazione sulla pianta
⛳ 9	Golf e numero di buche
✳ ‹	Panorama, vista
✈	Aeroporto
🚗	Località con servizio auto su treno *Informarsi al numero di telefono indicato*
⛴	Trasporti marittimi
⛴	Trasporti marittimi (solo passeggeri)
🛈	Informazioni turistiche

INFORMAZIONI TURISTICHE

INTERESSE TURISTICO

★★★	Vale il viaggio
★★	Merita una deviazione
★	Interessante

I musei sono generalmente chiusi il martedì

UBICAZIONE

👁	Nella città
🧭	Nei dintorni della città
N, S, E, O	Il luogo si trova a Nord, a Sud, a Est, a Ovest della località
② ④	*Ci si va dalla uscita ② o ④ indicata con lo stesso segno sulla pianta*
6 km	Distanza chilometrica

Piante

- □ Alberghi
- ■ Ristoranti

CURIOSITÀ

Edificio interessante
Costruzione religiosa interessante:
- Cattolica – Protestante

VIABILITÀ

Autostrada, doppia carreggiata tipo autostrada
Svincoli numerati: completo, parziale
Grande via di circolazione
Senso unico – Via regolamentata o impraticabile
Via pedonale – Tranvia
Parcheggio – Parcheggio Ristoro
Porta – Sottopassaggio – Galleria
Stazione e ferrovia – Auto/Treno
Funicolare – Funivia, Cabinovia
Ponte mobile – Traghetto per auto

SIMBOLI VARI

Ufficio informazioni turistiche
Moschea – Sinagoga
Torre – Ruderi – Mulino a vento – Torre idrica
Giardino, parco, bosco – Cimitero – Via Crucis
Stadio – Golf – Ippodromo – Pista di pattinaggio
Piscina: all'aperto, coperta
Vista – Panorama – Tavola d'orientamento
Monumento – Fontana – Fabbrica
Centro commerciale – Cinema Multisala
Porto turistico – Faro – Torre per telecomunicazioni
Aeroporto – Stazione della Metropolitana – Autostazione
Trasporto con traghetto:
- passeggeri ed autovetture, solo passeggeri
Simbolo di riferimento comune alle piante particolareggiate
Ufficio centrale di fermo posta e telefono
Ospedale – Mercato coperto – Caserma
Edificio pubblico indicato con lettera:
- A C   Camera di Agricoltura – Camera di Commercio
- G H J   - Gendarmeria – Municipio – Palazzo di Giustizia
- M P T   - Museo – Prefettura, Sottoprefettura – Teatro
- U   - Università, grande scuola
- POL.   - Polizia (Questura, nelle grandi città)
Sottopassaggio (altezza inferiore a m 4,50) –
Portata limitata (inf. a 19 t)

Attenzione: in Francia, nuova numerazione per le strade nazionali regionali in corso.

Centième ÉDITION du guide MICHELIN

Liebe Leser,

das Jahr 2009 ist ein historisches Jahr, nämlich das der 100. Ausgabe des MICHELIN-Führers Frankreich. Der 1900 entstandene „Rote Führer" feiert seine 100. Ausgabe erst heute, da die Veröffentlichung des Führers während des Krieges mehrere Jahre unterbrochen wurde. Ein bewegender Geburtstag für die Michelingruppe, aber auch für Sie, die gerne reisen und das Angenehme mit dem Nützlichen verbinden, auch in der Welt der Gastronomie und des Hotelfachs.

1900 verkehrten weniger als 3000 Autos auf den Straßen Frankreichs. Und eine Reise war oft ein großes Abenteuer! Trotzdem glaubten die Michelin-Brüder fest an die Zukunft des Automobils. Um die Entwicklung des Autos und damit die Entwicklung ihrer Reifenmanufaktur zu fördern, beschlossen sie, einen kleinen Führer herauszugeben, um die Reisen mit dem Auto zu erleichtern, die Mobilität zu verbessern… Die erste Ausgabe des berühmten MICHELIN-Führers erschien im August 1900 in einer Auflage von ca. 35.000 Exemplaren. Im Vorwort schrieb André Michelin: „Dieses Werk erscheint zu Beginn des neuen Jahrhunderts und wird das gesamte Jahrhundert begleiten." Er sollte Recht behalten. Der Michelin-Führer hat das Jahrhundert sogar überlebt.

Der erste MICHELIN-Führer enthielt viele praktische Hinweise: Auf den ersten Seiten standen eine Anleitung zum Reifenwechsel, Informationen über die Wartung des Autos usw. Unter dem Stichwort Paris fand der Leser eine Liste von Automobilherstellern, aber noch keine Adressen ausgewählter Hotels und Restaurants.

Ab 1921 wurden im MICHELIN-Führer auch Restaurants mit Bewertung aufgenommen und zum ersten Mal eine Liste mit Pariser Hotels aufgeführt.

1926 wurde der Stern als Bewertung für gute Restaurants eingeführt und 1931 kamen der zweite und dritte Stern hinzu, zuerst in der französischen Provinz und ab 1933 in Paris. Das Drei-Sterne-System (ein Stern „gute Küche am Ort" – zwei Sterne „lohnt einen Umweg" und drei Sterne „eine Reise wert") wurde 1936 festgelegt und gilt heute noch.

Der MICHELIN-Führer ist ein Restaurant- und Hotelführer für jedermann und jeden Anlass mit Adressen von Drei-Sterne-Restaurants bis zu Restaurants, die ein sehr gutes Preis-Leistungs-Verhältnis bieten und mit dem „Bib Gourmand" ausgezeichnet sind, vom Luxushotel bis zum Hotel mit besonderen Charme.

„Mobil sein", die Philosophie, die der ersten Auflage des Führers zu Grunde lag, bildet heute noch die Grundlage der internationalen Marke Michelin.

Der « Rote » Führer ist der Entwicklung des Unternehmens über die Grenzen Frankreichs hinaus, nach Amerika und Asien gefolgt. Von Westen nach Osten verfolgt und erweitert der Führer seine Suche nach dem Besten im Bereich der Gastronomie, um immer neue Talente jeder Art aufzuspüren. Die Auswahlkriterien wurden beibehalten, eine Qualitätsgarantie, die auf der Unabhängigkeit der Inspektoren basiert und das Ansehen des Roten Führers über Jahre hinweg weltweit begründet hat.

Auch die 100. Ausgabe des MICHELIN-Führers Frankreich stellt keine Ausnahme von der Regel dar, und wir hoffen, dass jeder hier das wiederfinden wird, was seit jeher jedes Jahr seinen Reichtum ausmacht. Dieses Jubiläum bietet uns auch die Gelegenheit, Ihnen, unseren treuen Lesern – und Sie sind Millionen! –, zu danken, dass Sie uns seit Jahrzehnten Ihr Vertrauen schenken. Nicht unerwähnt bleiben sollen auch die Tausende von Hotel- und Restaurantchefs, die gemeinsam mit Ihnen den MICHELIN-Führer seit 109 Jahren zuwege bringen.

Sie auf Ihren Reisen zu begleiten, diese einfache Idee ist um die ganze Welt gereist. Wir bauen darauf, dass die Hotel- und Restaurantchefs von morgen, die Inspektoren des MICHELIN-Führers Frankreich, Europa, USA und Asien und Sie, liebe Leser, durch Ihre wertvollen Briefe und Kommentare den Roten Führer auch im 21. Jahrhundert weiter leben lassen.

Michel Rollier
Geschäftsleitung der Michelingruppe

Hinweise zur Benutzung

TOURISTISCHE INFORMATIONEN

Entfernungen zu größeren Städten, Informationsstellen, Sehenswürdigkeiten, Verkehrsmittel, Golfplätze und lokale Veranstaltungen...

ABBAYE DE FONTFROIDE - 03 Aude - **344** I4 - ratta

ABBAYE DE SAINT-WANDRILLE - 18 Cher - **32**

Montrond

ABBEVILLE - 80 Somme - 24 567 h. - alt. 8 - ⌧ 8010
Nord Pas-de-Calais Picardie

- Paris 186 - Amiens 51 - Boulogne-sur-Mer
- d'Avignon - ℰ 04 90 81 51 51, par N3 et N7
- Office de tourisme, 1 place de l'Amiral C
- risme.abbeville@wanadoo.fr - Fax 03 22
- d'Abbeville, Route du Val par rte St-Val
 - Fax 03 22 24 49 61 - ⌧ 80132
- Vitraux contemporains★★ de l'église
 légiale St-Vulfran AE D - Musée Bouc
- Vallée de la Somme★ - Château de P

Les Jardins du Château
rte du Port – ℰ 04 79 00 00 46
- welcome@hotelmandjaro.com – F
15 ch (1/2 P seult) – 17 suites 250/44
Rest Le Cœur d'Or – ℰ 04 79 01 46
Rest Terrasses du Cœur d'Or – (f
♦ Lauze, pierre et bois "vieilli" com
Superbes chambres savoyardes,
Décor tout bois et coins "cosy" a
Terrases.

Le Relais de la Poste
rte de Lion, D 541 : 1 km – ℰ 04
– Fermé 31 oct.-18 nov., 19
42 ch – ✝40/60 € ✝✝60/65 €
♦ Sur la route de la grotte de
cadre actuel ou sous les fre

Atelier des Saveurs
10 bd Croisette – ℰ 04 92
– Fax 04 93 38 97 90 – Fe
Rest – (dîner seult) 75
Spéc. Bocal de foie g
Mad" tiède à la vanill
♦ Élégante verrière o
Un joli cadre pou

DIE UNTERBRINGUNG

Von 🏨🏨🏨🏨 bis 🏠, ⌂:
Komfortkategorien
In rot 🏨🏨🏨🏨 ... 🏠, ⌂:
Besonders angenehme Häuser

DIE BESTEN PREISWERTEN ADRESSEN

- 😊 Bib Gourmand
- 🏠 Bib Hotel

DIE RESTAURANTS

Von XXXXX bis X:
Komfortkategorien
In rot XXXXX ... X: Besonders angenehme Häuser

DIE STERNE-RESTAURANTS

- ❀❀❀ Eine Reise wert
- ❀❀ Verdient einen Umweg
- ❀ Eine sehr gute Küche

ANDERE MICHELIN-PUBLIKATIONEN

Angabe der MICHELIN-Karte und des Grünen MICHELIN-Reiseführers, wo der Ort zu finden ist

LAGE DER STADT

Markierung des Ortes auf der Regionalkarte am Ende des Buchs (Nr. der Karte und Koordinaten)

LAGE DES HAUSES

Markierung auf dem Stadtplan (Planquadrat und Koordinate)

BESCHREIBUNG DES HAUSES

Atmosphäre, Stil, Charakter und Spezialitäten

RUHIGE HOTELS

🐦 ruhiges Hotel
🐦 sehr ruhiges Hotel

EINRICHTUNG UND SERVICE

PREISE

Kategorien & Auszeichnungen

KOMFORTKATEGORIEN

Der MICHELIN-Führer bietet in seiner Auswahl die besten Adressen jeder Komfort- und Preiskategorie. Die ausgewählten Häuser sind nach dem gebotenen Komfort geordnet; die Reihenfolge innerhalb jeder Kategorie drückt eine weitere Rangordnung aus.

🏠🏠🏠	XXXXX	**Großer Luxus und Tradition**
🏠🏠	XXXX	**Großer Komfort**
🏠🏠	XXX	**Sehr komfortabel**
🏠	XX	**Mit gutem Komfort**
🏠	X	**Mit Standard-Komfort**
⌂		**Privatzimmer**
sans rest		**Hotel ohne Restaurant**
avec ch		**Restaurant vermietet auch Zimmer**

AUSZEICHNUNGEN

Um ihnen behilflich zu sein, die bestmögliche Wahl zu treffen, haben einige besonders bemerkenswerte Adressen dieses Jahr eine Auszeichnung erhalten. Die Sterne bzw. „Bib Gourmand" sind durch das entsprechende Symbol ✿ bzw. 🙂 und **Rest** gekennzeichnet.
Ist ein Haus mit einem Bib Hotel ausgezeichnet, wird die Bezeichnung „**ch**" (für die Angabe der Zimmerzahl) in blau gedruckt.

DIE STERNE: DIE BESTEN RESTAURANTS

Die Häuser, die eine überdurchschnittlich gute Küche bieten, wobei alle Stilrichtungen vertreten sind, wurden mit einem Stern ausgezeichnet. Die Kriterien sind: die Auswahl der Produkte, die persönlichen Akzente der Küche, das Knowhow bei der Zubereitung und im Geschmack, das Preis-Leistungs-Verhältnis und die immer gleich bleibende Qualität.

✿✿✿ **Eine der besten Küchen: eine Reise wert**
26 Man isst hier immer sehr gut, öfters auch exzellent.

✿✿ **Eine hervorragende Küche: verdient einen Umweg**
73

✿ **Ein sehr gutes Restaurant in seiner Kategorie**
449

DIE BIB: DIE BESTEN PREISWERTEN HÄUSER

🙂 **Bib Gourmand**
527 Häuser, die eine gute Küche bis 29 € bieten – in Paris : bis 35 € (Preis für eine dreigängige Mahlzeit ohne Getränke).
Außerhalb von Paris handelt es sich meist um eine regional geprägte Küche.

	Bib Hotel
293	Häuser, die eine Mehrzahl ihrer komfortablen Zimmer bis 75 € anbieten – bzw. weniger als 90 € in größeren Städten und Urlaubsorten (Preis für 2 Personen ohne Frühstück).

DIE ANGENEHMSTEN ADRESSEN

Die rote Kennzeichnung weist auf besonders angenehme Häuser hin. Dies kann sich auf den besonderen Charakter des Gebäudes, die nicht alltägliche Einrichtung, die Lage, den Empfang oder den gebotenen Service beziehen.

⌂ bis ⌂⌂⌂⌂⌂	**Angenehme Hotels**
⌂	**Angenehme Privatzimmer**
✗ bis ✗✗✗✗✗	**Angenehme Restaurants**

BESONDERE ANGABEN

Neben den Auszeichnungen, die den Häusern verliehen werden, legen die MICHELIN-Inspektoren auch Wert auf andere Kriterien, die bei der Wahl einer Adresse oft von Bedeutung sind.

LAGE

Wenn Sie eine ruhige Adresse oder ein Haus mit einer schönen Aussicht suchen, achten Sie auf diese Symbole:

⌂	**Ruhiges Hotel**
⌂	**Sehr ruhiges Hotel**
≤	**Interessante Sicht**
≤	**Besonders schöne Aussicht**

WEINKARTE

Wenn Sie ein Restaurant mit einer besonders interessanten Weinauswahl suchen, achten Sie auf dieses Symbol:

         ❀   **Weinkarte mit besonders attraktivem Angebot**
                  Aber vergleichen Sie bitte nicht die Weinkarte, die Ihnen vom Sommelier eines großen Hauses präsentiert wird, mit der Auswahl eines Gasthauses, dessen Besitzer die Weine der Region mit Sorgfalt zusammenstellt.

Einrichtung & Service

30 ch	Anzahl der Zimmer
	Garten, Liegewiese – Park
	Garten-, Terrassenrestaurant
	Freibad oder Hallenbad
	Wellnessbereich
	Fitnessraum – Tennisplatz
	Fahrstuhl
	Für Körperbehinderte leicht zugängliches Haus
AC	Klimaanlage
	Nichtraucher Zimmer vorhanden
	Internetzugang mit W-Lan/ADSL in den Zimmern
	Veranstaltungsraum
	Konferenzraum
	Restaurant mit Wagenmeister-Service (Trinkgeld üblich)
P	Parkplatz / gesicherter Parkplatz für Gäste
	Garage (wird gewöhnlich berechnet)
	Hunde sind unerwünscht
M	Nächstgelegene U-Bahnstation
Ouvert / Fermé mai-oct	Öffnungszeit / Schließungszeit, vom Hotelier mitgeteilt

TABLE D'HÔTES
Mahlzeiten nur für Hausgäste. Sie werden im Allgemeinen nur abends angeboten, meistens auf Anfrage und nicht unbedingt täglich. Möchten Sie während Ihres Aufenthalts im Hause speisen, reservieren Sie das Abendessen und beachten Sie die Öffnungszeiten.

Preise

Die in diesem Führer genannten Preise wurden uns im Herbst 2008 angegeben. Sie können sich mit den Preisen von Waren und Dienstleistungen ändern. Sie enthalten Bedienung und MwSt. Es sind Inklusivpreise, die sich nur noch durch die evtl. zu zahlende Kurtaxe erhöhen können. Die Häuser haben sich verpflichtet, die von den Hoteliers selbst angegebenen Preise den Kunden zu berechnen. Anlässlich größerer Veranstaltungen, Messen und Ausstellungen werden von den Hotels in manchen Städten und deren Umgebung erhöhte Preise verlangt. Erkundigen Sie sich bei den Hoteliers nach eventuellen Sonder- bedingungen.

RESERVATION UND ANZAHLUNG

Einige Häuser verlangen zur Bestätigung der Reservierung eine Anzahlung oder die Kreditkartennummer. Diese ist als Garantie sowohl für die Häuser als auch für den Gast anzusehen. Bitten Sie den Hotelier, dass er Ihnen in seinem Bestätigungsschreiben die genauen Bedingungen mitteilt.

KREDITKARTEN

Akzeptierte Kreditkarten:
VISA MC AE DC Visa – MasterCard – American Express – Diners Club

ZIMMER

ch – 50/80 €	Mindest- und Höchstpreis für ein Einzelzimmer
ch – 60/100 €	Mindest- und Höchstpreis für ein Doppelzimmer
9 €	Preis für Frühstück
ch	Zimmerpreis inkl. Frühstück

HALBPENSION

½ P 50/70 € Mindest- und Höchstpreis für Halbpension (Zimmerpreis inkl. Frühstück und einer Mahlzeit) pro Person, bei einem von zwei Personen belegten Doppelzimmer für einen Aufenthalt von mindestens 3 Tagen. Falls eine Einzelperson ein Doppelzimmer belegt, kann ein Preisaufschlag verlangt werden. In den meisten Hotels wird auch Vollpension angeboten.

RESTAURANT

(13 €)	Preis für ein Menu, bestehend aus Vorspeise/Hauptgericht oder Hauptgericht/Dessert, das unter der Woche mittags serviert wird
⌘	Menu unter 19 €
Menu 15 € (déj.)	Menu wird nur mittags angeboten
Menu 17 € (sem.)	Menu wird nur unter der Woche angeboten
Menu 16/38 €	Mindest- und Höchstpreis der Menus
Carte 24/48 €	Der erste Preis entspricht einer einfachen Mahlzeit und umfasst Vorspeise, Hauptgericht, Dessert. Der zweite Preis entspricht einer reichlicheren Mahlzeit (mit Spezialität) bestehend aus Vorspeise, Hauptgang, Käse und Dessert.
bc	Getränke inklusiv

Städte

ALLGEMEINES

63300	Postleitzahl
	die beiden ersten Ziffern sind gleichzeitig die Departements-Nummer
✉ 57130 Ars	Postleitzahl und Name des Verteilerpostamtes
P ⊲SP⊳	Präfektur – Unterpräfektur
337 E5	Nummer der Michelin-Karte « DEPARTEMENTS France »
	MICHELIN und Koordinatenangabe
Jura	Siehe den Grünen MICHELIN-Reiseführer der Region
1057 h. alt. 75	Einwohnerzahl (Quelle: www.insee.fr) – Höhe
Sta. therm.	Thermalbad
1200/1900	Höhe des Wintersportortes und Maximalhöhe, die mit Kabinenbahn oder Lift erreicht werden kann
⛷ 2	Anzahl der Kabinenbahnen
⛷ 14	Anzahl der Schlepp- oder Sessellifte
⛷	Langlaufloipen
BY **b**	Markierung auf dem Stadtplan
⛳ 9	Golfplatz und Anzahl der Löcher
✳ ≼	Rundblick, Aussichtspunkt
✈	Flughafen
🚗	Ladestelle für Autoreisezüge
	Auskunft unter der angegebenen Telefonnummer
⛴ ⛵	Autofähre – Personenfähre
🛈	Informationsstelle

SEHENSWÜRDIGKEITEN

BEWERTUNG

★★★	Eine Reise wert
★★	Verdient einen Umweg
★	Sehenswert

Museen sind im allgemeinen dienstags geschlossen

LAGE

👁	In der Stadt
🧭	In der Umgebung der Stadt
N, S, E, O	Die Sehenswürdigkeit befindet sich: im Norden, Süden, Osten, Westen der Stadt
② ④	Zu erreichen über die Ausfallstraße ② bzw. ④, die auf dem Stadtplan identisch gekennzeichnet sind.
6 km	Entfernung in Kilometern

Stadtpläne

- □ Hotels
- ■ Restaurants

SEHENSWÜRDIGKEITEN

Sehenswertes Gebäude
Sehenswerte katholische bzw. evangelische Kirche

STRAßEN

Autobahn, Schnellstraße
Numerierte Anschlußstelle: Autobahneinfahrt – und/oder -ausfahrt
Hauptverkehrsstraße
Einbahnstraße – Gesperrte Straße oder mit Verkehrsbeschränkungen
Fußgängerzone – Straßenbahn
Parkplatz, Parkhaus – Park-and-Ride-Plätze
Tor – Passage – Tunnel
Bahnhof und Bahnlinie – Autoreisezug
Standseilbahn – Seilschwebebahn
Bewegliche Brücke – Autofähre

SONSTIGE ZEICHEN

Informationsstelle
Moschee – Synagoge
Turm – Ruine – Windmühle – Wasserturm
Garten, Park, Wäldchen – Friedhof – Bildstock
Stadion – Golfplatz – Pferderennbahn – Eisbahn
- Freibad – Hallenbad
Aussicht – Rundblick – Orientierungstafel
Denkmal – Brunnen – Fabrik
Einkaufszentrum – Multiplex-Kino
Jachthafen – Leuchtturm – Funk-, Fernsehturm
Flughafen – U-Bahnstation – Autobusbahnhof
Schiffsverbindungen: Autofähre – Personenfähre
Straßenkennzeichnung (identisch auf Michelin-Stadtplänen und Abschnittskarten)
Hauptpostamt (postlagernde Sendungen) u. Telefon
Krankenhaus – Markthalle – Kaserne
Öffentliches Gebäude, durch einen Buchstaben gekennzeichnet:
- A C - Landwirtschaftskammer – Handelskammer
- G H J - Gendarmerie – Rathaus – Gerichtsgebäude
- M P T - Museum – Präfektur, Unterpräfektur – Theater
- U - Universität, Hochschule
- POL. - Polizei (in größeren Städten Polizeipräsidium)
- 18T ⑱ Unterführung (Höhe bis 4,50 m) – Höchstbelastung (unter 19 t)

Achtung: Die Nummerierung der National-und der Landstraßen in Frankreich wird z. Zt. Geändert.

45

ÉDITION du guide MICHELIN

Estimados lectores,

El año 2009 marca una fecha histórica: la centésima edición de La Guía Michelin de Francia. ¡Aunque nacida en 1900, la Guía no celebra su 100ª edición hasta este año, ya que su publicación tuvo que interrumpirse durante los años de guerra! Un emotivo aniversario tanto para el Grupo Michelin, como para usted que viaja y que busca combinar lo útil con lo agradable, y finalmente, también para el mundo de la gastronomía y de la hostelería.

En 1900, había menos de 3.000 automóviles circulando por toda Francia. ¡En aquellos tiempos, un viaje acababa casi siempre siendo una aventura! Pero a pesar de todo, los hermanos Michelin creen firmemente en el futuro del automóvil. Para contribuir a su desarrollo, y al mismo tiempo, al de la Manufacture Française des Pneus Michelin que habían creado, deciden poner a disposición de los automovilistas un documento que les ayude en sus viajes, una pequeña guía para mejorar la movilidad…, la famosa Guía MICHELIN, cuya primera edición, publicada en agosto de 1900, tendrá una tirada de casi 35.000 ejemplares… En el prefacio, André Michelin escribe lo siguiente: «Esta obra aparece con el siglo y durará tanto como él». Una predicción que se ha cumplido. Más aún, la realidad ha superado las expectativas más halagüeñas.

La primera Guía MICHELIN incluye una gran cantidad de información práctica: sus primeras páginas facilitan información sobre cómo cambiar un neumático, cómo mantener su vehículo, etc. En París, por ejemplo, se citaba únicamente la lista de los fabricantes de automóviles. No se incluía ninguna selección de hoteles ni de restaurantes. Los restaurantes no hicieron su entrada en La Guía hasta 1921 con una clasificación propia. En esa edición figuraba también, por primera vez, una lista de hoteles parisinos.

En 1926, nace la estrella de la buena mesa y, en 1931, ven el día la segunda y la tercera estrella, primero en provincias, y más adelante, en 1933, en París. En cuanto a las definiciones (una estrella, «una muy buena mesa dentro de su categoría», dos estrellas «merece el desvío» y tres estrellas «merece el viaje») se remontan a 1936… y siguen estando de actualidad.

La Guía MICHELIN es una guía para todo el mundo y para todas las ocasiones que abarca desde el restaurante de tres estrellas hasta el Bib Gourmand -con una excelente relación calidad-precio-, del palacio al hotel con encanto.

La filosofía que ha presidido la creación de La Guía, la ayuda a la movilidad, se ha mantenido a través del tiempo, convirtiéndose en la plataforma mundial de la Marca Michelin.
La Guía «Roja» ha proseguido este desarrollo fuera de Francia, en Europa, en Estados Unidos y en Asia: del oeste al este, La Guía MICHELIN perpetúa y amplía todavía más su búsqueda de lo mejor en materia gastronómica, en busca siempre de los nuevos talentos allá donde surjan. Los criterios de selección siguen siendo los mismos, una garantía de calidad basada en la independencia de los inspectores que ha labrado la reputación de la Guía a lo largo de los años, en todos los rincones del mundo.

Y esta edición número cien de La Guía MICHELIN de Francia no es, por supuesto, una excepción a la regla. Esperamos que encuentre en ella todos los elementos que han forjado su riqueza de año en año.
Este aniversario nos ofrece también la oportunidad de agradecer a nuestros fieles lectores –¡son ustedes varios millones!– la confianza que vienen otorgándonos desde hace décadas, y de rendir un homenaje a esos miles de hoteleros y de restauradores que, junto con ustedes, han hecho realidad la Guía Michelin desde hace 109 años.
Acompañarles en sus desplazamientos… ¡Esta sencilla idea ha recorrido un largo trecho alrededor del mundo! Estamos seguros de que los chefs del mañana, los futuros hoteleros, los inspectores de La Guía MICHELIN de Francia, de Europa, de América y de Asia, y por supuesto ustedes, estimados lectores, con sus correos repletos siempre de valiosos comentarios, sabrán dar vida a las próximas ediciones de este siglo XXI.

Michel Rollier
Gerente del Grupo Michelin

Modo de empleo

INFORMACIÓN TURÍSTICA

Distancias desde las poblaciones principales, oficinas de turismo, puntos de interés turístico locales, medios de transporte, campos de golf y ocio…

ABBAYE DE FONTFROIDE - 03 Aude - **344** - I4 - ratta

ABBAYE DE SAINT-WANDRILLE – 18 Cher – 32
Montrond

ABBEVILLE - 80 Somme - 24 567 h. - alt.8 - ✉ 80100
Nord Pas-de-Calais Picardie
▶ Paris 186 - Amiens 51 - Boulogne-sur-Mer 7
▶ d'Avignon - ℰ 04 90 81 51 51, par N3 et N7 :
🛈 Office de tourisme, 1 place de l'Amiral Co
risme.abbeville@wanadoo.fr - Fax 03 22
🏨 d'Abbeville, Route du Val par rte St-Valé
 - Fax 03 22 24 49 61 - ✉ 80132
◉ Vitraux contemporains★★ de l'église d
 légiale St-Vulfran AE D - Musée Bouche
◉ Vallée de la Somme★ - Château de Ba

EL ALOJAMIENTO

De 🏨🏨🏨 a 🏠, ⌂ :
categorías de confort
En rojo 🏨🏨🏨 … 🏠, ⌂ :
los más agradables

Les Jardins du Château
rte du Port - ℰ 04 79 00 00 46
- welcome@hotelmandjaro.com – Fax
15 ch (1/2 P seult) – 17 suites 250/440 €
Rest Le Cœur d'Or – ℰ 04 79 01 46 4
Rest Terrasses du Cœur d'Or – (ferr
♦ Lauze, pierre et bois "vieilli" compo
Superbes chambres savoyardes, éq
Décor tout bois et coins "cosy" au C
Terrasses.

LAS MEJORES DIRECCIONES A PRECIOS MODERADOS

- 😊 Bib Gourmand
- 🏨 Bib Hotel

Le Relais de la Poste
rte de Lion, D 541 : 1 km – ℰ 04 75
– Fermé 31 oct.-18 nov., 19-3
42 ch – ♦ 40/60 € ♦♦ 60/65 € –
♦ Sur la route de la grotte de M
cadre actuel ou sous les fronda

RESTAURANTES

De 🍴🍴🍴🍴🍴 a 🍴: categorías de confort
En rojo 🍴🍴🍴🍴 … 🍴: los más agradables

Atelier des Saveurs
10 bd Croisette - ℰ 04 92 98
– Fax 04 93 38 97 90 – Ferm
Rest – (dîner seult) 75/190
Spéc. Bocal de foie gras
Mad" tiède à la vanille. V
♦ Élégante verrière ouvra
Un joli cadre pour une

ESTRELLAS

- ✾✾✾ Justifica el viaje
- ✾✾ Vale la pena desviarse
- ✾ Muy buena cocina

Instalaciones y servicios

30 ch	Número de habitaciones
🚗 🌳	Jardín – Parque
🍽️	Comidas servidas en el jardín o en la terraza
🏊 🏊	Piscina al aire libre o cubierta
Spa	Espacio dedicado al bienestar y la relajación
🏋️ 🎾	Gimnasio – Cancha de tenis
🛗 ♿	Ascensor – Instalaciones adaptadas para discapacitados
AC	Aire acondicionado
🚭	Habitaciones disponibles para no fumadores
📶 📞	Conexión a Internet en la habitación, con sistema de alta velocidad (Wi-Fi/ ADSL)
🍴	Salones privados en los restaurantes
👥	Salas de reuniones
🔑	Restaurante con servicio de aparcacoches (es costumbre dejar propina)
P P	Aparcamiento / Aparcamiento cerrado reservado a los clientes
🚘	Garaje (generalmente de pago)
🐕‍🦺	No se admiten perros
Ⓜ	Estación de metro más próxima
Ouvert / Fermé mai-oct	Período de apertura comunicado por el hotelero

D'HÔTES

"*les* d'hôtes" están reservadas exclusivamente a los residentes. *ante*nte, sólo se preparan para la cena, y es necesario reservarlas con *compro*mpoco tienen por qué servirse todos los días. Por ello, no olvide *especial du*rdías de cierre y reservar su cena si desea disfrutar de esta mesa su estancia.

Precios

Los precios que indicamos en esta guía nos fueron facilitados en el otoño de 2008. Pueden sufrir modificaciones debido a las variaciones de los precios de bienes y servicios. El servicio y los impuestos están incluidos. En la factura no debe figurar ningún recargo excepto una eventual tasa de alojamiento. Los hoteles y restaurantes se han comprometido, bajo su responsabilidad, a aplicar estos precios al cliente. Durante la celebración de determinados eventos (congresos, ferias, salones, festivales, pruebas deportivas…) los precios indicados por los hoteleros pueden sufrir importantes aumentos. Por otra parte, infórmese con antelación porque muchos establecimientos aplican tarifas muy ventajosas.

RESERVAS Y ARRAS

Para confirmar la reserva, algunos establecimientos piden el número de la tarjeta de crédito o el abono de arras. Se trata de un depósito-garantía que compromete tanto al establecimiento como al cliente. Pida al hotelero confirmación escrita de las condiciones de estancia así como de todos los detalles útiles.

TARJETAS DE CRÉDITO

Tarjetas de crédito aceptadas:
VISA MC AE D Visa – MasterCard – American Express – Diners Club

HABITACIONES

ch – 👤 50/80 €	Precio de las habitaciones mínimo/máximo para 1 persona
ch – 👥 60/100 €	Precio de las habitaciones mínimo/máximo para 2 personas
☕ 9 €	Precio del desayuno
ch ☕	Desayuno incluido

MEDIA PENSIÓN

½ P 50/70 € Precio mínimo/máximo de la media pensión (habitación, desayuno y una comida) por persona. Precio de la habitación doble ocupada por dos personas y durante una estancia mínima de tres días. Si una persona sola ocupa una habitación doble se le suele aplicar un suplemento. La mayoría de estos hoteles ofrecen también la pensión completa.

RESTAURANTE

(13 €)	Comida compuesta por un plato fuerte del día y una entra(da o) postre, servida generalmente a mediodía los días de sem(ana)
✿	Menú a menos de 19 €
Menu 15 € (déj.)	Menú servido sólo a mediodía
Menu 17 € (sem.)	Menú servido sólo los días de semana
Menu 16/38 €	Menú más económico / más caro
Carte 24/48 €	**Comida a la carta sin bebida.** El primer precio co(rresponde a una) comida normal que incluye: entrada, plato fuerte(y) postre. El segundo precio se refiere a una comida más c(ara con espe)cialidad) que incluye: dos platos, queso y pos(tre)
bc	Bebida incluida

Planos

- ● ▢ Hoteles
- ● ■ Restaurantes

CURIOSIDADES

Edificio interesante
Edificio religioso interesante:
- Católico – Protestante

VÍAS DE CIRCULACIÓN

- Autopista, autovía
- ❹ ❹ número del acceso : completo-parcial
- Vía importante de circulación
- Sentido único – Calle impracticable, de uso restringido
- Calle peatonal – Tranvía
- 🅿 Aparcamiento – Aparcamientos "P + R"
- Puerta – Pasaje cubierto – Túnel
- Estación y línea férrea – Auto-tren
- Funicular – Teleférico, telecabina
- Ⓑ Puente móvil – Barcaza para coches

SIGNOS DIVERSOS

- Oficina de Información de Turismo
- Mezquita – Sinagoga
- Torre – Ruinas – Molino de viento – Depósito de agua
- Jardín, parque, bosque – Cementerio – Crucero
- Estadio – Golf – Hipódromo – Pista de patinaje
- Piscina al aire libre, cubierta
- Vista – Panorama – Mesa de Orientación
- Monumento – Fuente – Fábrica
- Centro comercial – Multicines
- Puerto deportivo – Faro – Torreta de telecomunicación
- Aeropuerto – Boca de metro – Estación de autobuses
- Transporte por barco : pasajeros y vehículos, pasajeros solamente
- ③ Referencia común a los planos y a los mapas detallados Michelin
- Oficina central de lista de correos – Teléfonos
- Hospital – Mercado cubierto – Cuartel
- Edificio público localizado con letra :
- A   C   - Cámara de Agricultura – Cámara de Comercio
- G H J - Guardia civil – Ayuntamiento – Palacio de Justicia
- M P T - Museo – Gobierno civil – Teatro
- U   - Universidad, Escuela superior
- POL.   - Policía (en las grandes ciudades: Jefatura)
- 18T ⑱ Pasaje bajo (inf. a 4m 50) – Carga limitada (inf. a 1(

¡Cuidado! En Francia, nueva numeración de carreteras naciaonales y regi... es en curso.

Centième
ÉDITION
du guide
MICHELIN

読者の皆様へ

２００９年度版はひとつの歴史的な日を刻んでいます。フランス「ミシュラン・ガイド」の第百号目にあたるのです。

創刊号は１９００年でしたが、世界大戦をはさんだ数年間休刊したため、第百号の出版記念は今年になってしまいました！

したがって、本年はミシュラン・グループをはじめ、実用性と快適さを探し求める読者の皆様方、そして美食やホテル関係者の方々にとって誠に感慨深い年となりましょう。

１９００年にフランスの道路を走っていた車の数は３千台にも満たない状態でした。その頃の旅は、ほとんど冒険に近かったのです！

それでもミシュラン兄弟は鉄のように固い意志で自動車の未来を信じました。自動車の発展を願うだけでなく、ミシュラン兄弟が創設した仏ミシュランタイヤ社の発展の手助けになるよう、旅を楽にするための資料、つまりモバイリビリティを高めるための小さなガイドブックをドライバーに配布することに決めたのです。有名なミシュラン・ガイドの第１号が３万部ほどの発行部数で１９００年８月に刊行されました。創刊号の「序言」にアンドレ・ミシュランが「このガイドブックは新しい世紀とともに、その世紀と共に生き続けるだろう」と述べています。この予言は的中しました。しかも、予想を上回るほどに発展していった

本書の使い方

観光情報
主要都市からの距離、観光局、観光名所、交通手段、ゴルフ場、レジャー施設など。

宿泊施設
🏨🏨🏨🏨 から 🏠、🏡：
快適さのカテゴリー

🏨🏨🏨🏨 から 🏠、🏡：
そのカテゴリーで特に快適

手頃な値段でクオリティの高いホテル・レストラン

😊 ビブ・グルマン

🏨 ビブ・ホテル

レストラン
XXXX から X：快適さのカテゴリー

XXXX から X：そのカテゴリーで特に快適

きレストラン
そのために旅行する
値がある卓越した料理
りしてでも訪れる
ある素晴らしい料理
しいカテゴリーで特に美味

ABBAYE DE FONTFROIDE - 03 Aude - **344** I4 - rattac

ABBAYE DE SAINT-WANDRILLE - 18 Cher - **323**

ABBEVILLE - 80 Somme - 24 567 h. - alt.8 - ✉ 80100
Montrond

🟢 **Nord Pas-de-Calais Picardie**

📍 Paris 186 - Amiens 51 - Boulogne-sur-Mer 79
▶ d'Avignon - 📞 04 90 81 51 51, par N3 et N7 -
✈ Office de tourisme, 1 place de l'Amiral Co
ℹ risme.abbeville@wanadoo.fr - Fax 03 22 3
🏌 d'Abbeville, Route du Val par rte St-Valér
   - Fax 03 22 24 49 61 - ✉ 80132
◉ Vitraux contemporains★★ de l'église du
  légiale St-Vulfran **AE D** - Musée Bouche
◉ Vallée de la Somme★ - Château de Ba

Les Jardins du Château
rte du Port - 📞 04 79 00 00 46
- welcome@hotelmandjaro.com - Fax
15 ch (1/2 P seult) - 17 suites 250/440 €
Rest **Le Cœur d'Or** - 📞 04 79 01 46 46
Rest **Terrasses du Cœur d'Or** - (fern
◆ Lauze, pierre et bois "vieilli" compos
Superbes chambres savoyardes, équ
Décor tout bois et coins "cosy" au Co
Terrasses.

Le Relais de la Poste
rte de Lion, D 541 : 1 km - 📞 04 75
- Fermé 31 oct.-18 nov., 19-30
42 ch - ♦ 40/60 € ♦♦ 60/65 €
◆ Sur la route de la grotte de Mme
cadre actuel ou sous les fronda

Atelier des Saveurs
10 bd Croisette - 📞 04 92 98 0
- Fax 04 93 38 97 90 - Fermé
Rest - (dîner seult) 75/190
Spéc. Bocal de foie gras
Mad" tiède à la vanille. V
◆ Élégante verrière ouvrar
Un joli cadre pour une

ミシュランの他の刊行物

ミシュラン地図やミシュラン・グリーンガイドにおける施設の所在地

à Narbonne

– rattaché à St-Amand-

22 C4

該当地域を確認

巻末に、フランスの地方別地図を掲載しており、該当地域を確認することができます（図番号、経線・緯線間をアルファベット、数字で表記）

1 E7

ouen 106
et ℰ 03 22 24 27 92 - Office.tou-
3 26
-Somme : 4 km - ℰ 03 22 24 98 58

-Sépulcre AM **B** - Façade★ de la col-
e Perthes★ BY **M**
elle★

ホテル・レストランの所在地を確認

地域の市街地図でホテル、レストランの所在地を確認することができます（アルファベット表記）

ch 35 à 70

ホテル・レストランの簡単な説明

その雰囲気、スタイル、個性、スペシャリテなどが記載されています

AX **b**

79 01 46 40 – Fermé mi-déc.-mi-avril
duplex 300 €
îner seult) 70/125 €
undi) 25 € Enf. 16 €
t ces luxueux chalets regroupés en hameau.
ées high-tech et toutes dotées d'une loggia.
r d'Or. Cuisine du terroir et plats simples aux

静かなホテル

静かなホテル
非常に静かなホテル

00 09 – info@labastide.com – Fax 04 75 46 10 62
c., merc. soir et lundi
€ – **Rest** 16 € (déj. en sem.) 22/52 €
e Sévigné, une cuisine traditionnelle servie dans un
ns de la terrasse. En hiver, spécialités de truffes.

設備とサービス

ch, AE

00 – ateliersdessaveurs@luciedurand.com
nov.-30 déc., dim.
et carte 100/140 €
canard. Canon d'agneau rôti au thym-citron. "Traou
s Côtes de Provence
sur le ciel azuréen et sobre décor d'inspiration Napoléon III.
cuisine unissant saveurs du Sud-Ouest et de Provence.

voir plan d'Antibes AU **d**

1 00 00 – bellevue@free.fr – Fax 04 93 67 81 78
tendue de sable fin des Alpes-Maritimes.

Distinctions 2009

Awards 2009
Le distinzioni 2009
Auszeichnungen 2009
Distinciones 2009

Centième
ÉDITION
du guide
MICHELIN

Les Tables étoilées 2009

La couleur correspond à l'établissement le plus étoilé de la localité.

Paris	La localité possède au moins un restaurant 3 étoiles	✽✽✽
Rouen	La localité possède au moins un restaurant 2 étoiles	✽✽
Rennes	La localité possède au moins un restaurant 1 étoile	✽

- Bondues
- Lille
- Ligny-en-Cambrésis
- Rethondes
- Courcelles-sur-Vesle
- Reuilly-Sauvigny
- **Reims**
- Montchenot
- Vinay
- Épernay
- Châlons-en-Champagne
- Pont-Ste-Marie
- **Sens**
- **Joigny**
- Chablis
- Auxerre
- **St-Père**
- **Saulieu**
- Nevers
- Prenois
- La Bussière-sur-Ouche
- Dijon
- Pernand-Vergelesses
- Sampans
- Beaune
- Chassagne-Montrachet
- Levernois
- Dole
- Port-Lesney
- **Chagny**
- Montceau-les-Mines
- Sennecey-le-Grand
- St-Rémy
- Tournus
- **Arbois**
- Malbuisson
- Sarreguemines
- Zoufftgen
- Phalsbourg
- Stiring-Wendel
- Bitche
- Hagondange
- Lembach
- Metz
- Sarrebourg
- **Gundershoffen**
- languimberg
- Marlenheim
- Belleville
- Nancy
- **Obernai**
- **Strasbourg**
- Lunéville
- Rosheim
- Colombey-les-Deux-Églises
- **Illhaeusern**
- Épinal
- **Untermuhlthal**
- Mulhouse
- **C**
- Vauchoux
- Riedisheim
- Landser
- Montbéliard
- Sierentz
- Chamesol
- Bonnétage
- Villers-le-Lac
- Morteau

- **Roanne**
- Ambierle
- Le Coteau
- Vichy
- **Chasselay**
- **Vonnas**
- **Mionnay**
- **Veyrier-du-Lac**
- **Chamonix-Mont-Blanc**
- **Annecy**
- **Megève**
- Clermont-Ferrand
- Bort-l'Étang
- **Lyon**
- **St-Just-St-Rambert**
- **Charbonnières-les-Bains**
- **Vienne**
- **Le-Bourget-du-Lac**
- **St Martin-de-Belleville**
- **Courchevel 1850**
- **D**
- **St-Bonnet-le-Froid**
- Pont-de-l'Isère
- **Uriage-les-Bains**
- Le Puy-en-Velay
- Corrençon-en-Vercors
- Les Deux-Alpes
- Alleyras
- Lamastre
- **Granges-les-Beaumont**
- Aumont-Aubrac
- St-Agrève
- **Valence**

- **Les Baux-de-Provence**
- Moustiers-Ste-Marie
- **La Turbie**
- **Collias**
- **Tourrettes**
- **E**
- Tornac
- **Garons**
- **Bonnieux**
- **Grasse**
- **Monte-Carlo**
- Gignac
- **Arles**
- **Eygalières**
- Tourtour
- Èze
- **Beaulieu-sur-Mer**
- **Montpellier**
- Lorgues
- Callas
- Béziers
- **Marseille**
- **Cannes**
- Narbonne
- **La Napoule**
- Perpignan
- Ile de Porquerolles
- St-Tropez
- L'Î
- St-Cyprien
- Aiguebelle
- **Cal**
- Collioure
- Cala Rossa
- **B**
- chio
- **Po**

Les Tables étoilées 2009

La couleur correspond à l'établissement le plus étoilé de la localité.

Ile-de-France

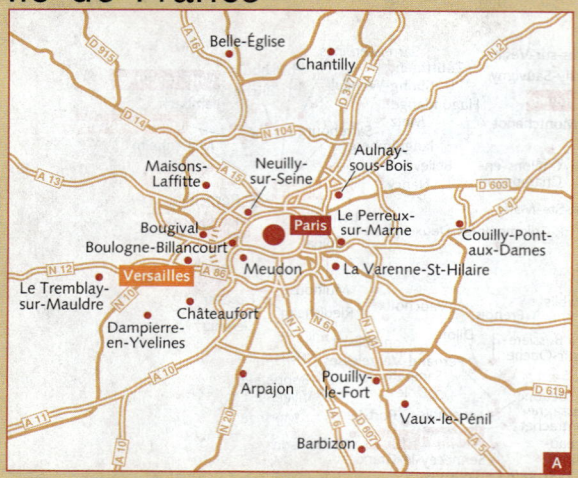

- Belle-Église
- Chantilly
- Maisons-Laffitte
- Neuilly-sur-Seine
- Aulnay-sous-Bois
- Bougival
- Boulogne-Billancourt
- **Paris**
- Le Perreux-sur-Marne
- Couilly-Pont-aux-Dames
- Meudon
- La Varenne-St-Hilaire
- Le Tremblay-sur-Mauldre
- **Versailles**
- Châteaufort
- Dampierre-en-Yvelines
- Arpajon
- Pouilly-le-Fort
- Vaux-le-Pénil
- Barbizon

Provence

- Roaix
- Vaison-la-Romaine
- Sérignan-du-Comtat
- Château-Arnoux-St-Auban
- Castillon-du-Gard
- Pujaut
- L'Isle-sur-la-Sorgue
- Joucas
- **Collias**
- Avignon
- Noves
- Gordes
- Nîmes
- St-Rémy-de-Provence
- **Bonnieux**
- **Garons**
- **Arles**
- **Eygalières**
- Lourmarin
- Cucuron
- **Les Baux-de-Provence**
- Aix-en-Provence
- Ventabren
- La Celle
- **Marseille**
- Cassis
- Le Castellet
- La Cadière-d'Azur

Alsace

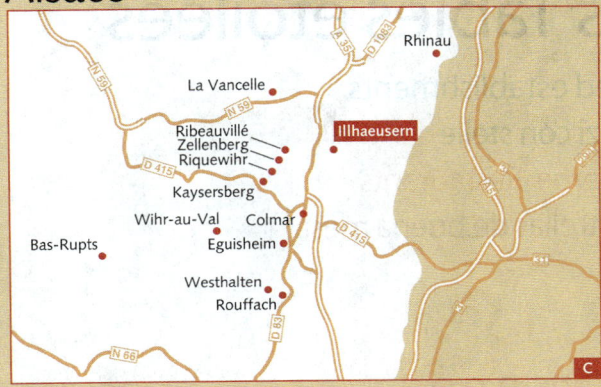

- Rhinau
- La Vancelle
- Ribeauvillé
- Zellenberg
- Riquewihr
- **Illhaeusern**
- Kaysersberg
- Wihr-au-Val
- Colmar
- Bas-Rupts
- Eguisheim
- Westhalten
- Rouffach

Rhône-Alpes

- Viré
- Montrevel-en-Bresse
- Thoiry
- Thonon-les-Bains
- Douvaine
- Chaintré
- Mâcon
- Péronnas
- Bossey
- Fleurie
- **Vonnas**
- Cordon
- **Chamonix-Mont-Blanc**
- La Chapelle-de-Guinchay
- **Chasselay**
- **Mionnay**
- **Veyrier-du-Lac**
- **Annecy**
- Bagnols
- Talloires
- **Megève**
- **Charbonnières-les-Bains**
- Rillieux-la-Pape
- **Lyon**
- Jongieux
- **Le-Bourget-du-Lac**
- Montrond-les-Bains
- Les Catons
- Chambéry-le-Vieux
- **St-Just-St-Rambert**
- La Tania
- Val-d'Isère
- **Vienne**
- **Courchevel 1850**
- St-Étienne
- Chonas-l'Amballan
- Andrezieux-Bouthéon
- **St-Martin-de-Belleville**
- Val-Thorens

Côte-d'Azur

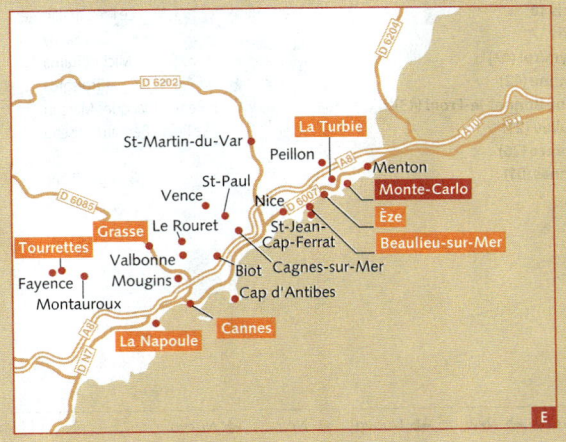

- St-Martin-du-Var
- **La Turbie**
- Peillon
- Menton
- St-Paul
- **Monte-Carlo**
- Vence
- Nice
- **Èze**
- **Tourrettes**
- **Grasse**
- Le Rouret
- St-Jean-Cap-Ferrat
- **Beaulieu-sur-Mer**
- Fayence
- Valbonne
- Biot
- Cagnes-sur-Mer
- Mougins
- Montauroux
- Cap d'Antibes
- **La Napoule**
- **Cannes**

Les Tables étoilées

Starred establishments
Esercizi con stelle
Die Sterne-Restaurants
Las estrellas de buena mesa

✾✾✾ 2009

Annecy / Veyrier-du-Lac (74)	La Maison de Marc Veyrat
Baerenthal / Untermuhlthal (57)	L'Arnsbourg
Chagny (71)	Lameloise
Eugénie-les-Bains (40)	Les Prés d'Eugénie
Illhaeusern (68)	Auberge de l'Ill
Joigny (89)	La Côte St-Jacques
Laguiole (12)	Bras
Lyon (69)	Paul Bocuse
Marseille (13)	Le Petit Nice
Monte-Carlo (MC)	Le Louis XV-Alain Ducasse
Paris 1er	le Meurice
Paris 4e	L'Ambroisie
Paris 7e	Arpège
Paris 8e	Alain Ducasse au Plaza Athénée
Paris 8e	Le Bristol **N**
Paris 8e	Ledoyen
Paris 8e	Pierre Gagnaire
Paris 16e	Astrance
Paris 16e	Le Pré Catelan
Paris 17e	Guy Savoy
Puymirol (47)	Michel Trama
Roanne (42)	Troisgros
Saint-Bonnet-le-Froid (43)	Régis et Jacques Marcon
Saulieu (21)	Le Relais Bernard Loiseau
Valence (26)	Pic
Vonnas (01)	Georges Blanc

→ **N** *Nouveau* → *New* → *Nuovo* → *Neu* → *Nuevo*

✲✲ 2009

→ **En rouge** *les espoirs 2009 pour* ✲✲✲
→ **In rosso** *le promesse 2009 per* ✲✲✲
→ **In rojo** *las mesas 2009 con posibilidades para* ✲✲✲
→ **In red** *the 2009 Rising Stars for* ✲✲✲
→ **In rote** *die Hoffnungsträger 2009 fur* ✲✲✲

Annecy (74)	Le Clos des Sens
Arbois (39)	Jean-Paul Jeunet
Arles (13)	L'Atelier de Jean Luc Rabanel **N**
Les Baux-de-Provence (13)	L'Oustaù de Baumanière
Beaulieu-sur-Mer (06)	La Réserve de Beaulieu
Béthune / Busnes (62)	Le Château de Beaulieu
Bonnieux (84)	La Bastide de Capelongue
Bordeaux / Bouliac (33)	Le St-James **N**
Le-Bourget-du-Lac (73)	Le Bateau Ivre
Calvi (2B)	La Villa
Cannes (06)	La Palme d'Or
Carantec (29)	L'Hôtel de Carantec-Patrick Jeffroy
Chamonix-Mont-Blanc (74)	Hameau Albert 1er
Chasselay (69)	Guy Lassausaie **N**
Courchevel / Courchevel 1850 (73)	Le Bateau Ivre
Courchevel / Courchevel 1850 (73)	Le Chabichou
Eygalières (13)	Bistrot d'Eygalières "Chez Bru"
Èze (06)	Château de la Chèvre d'Or
Fontjoncouse (11)	Auberge du Vieux Puits
Grasse (06)	La Bastide St-Antoine
Gundershoffen (67)	Au Cygne
L'Isle-Jourdain / Pujaudran (32)	Le Puits St-Jacques
Lorient (56)	L'Amphitryon
Lyon (69)	Auberge de l'Île
Lyon (69)	Mère Brazier **N**
Lyon (69)	Nicolas Le Bec
Lyon / Charbonnières-les-Bains (69)	La Rotonde
Magescq (40)	Relais de la Poste
Mandelieu / La Napoule (06)	L'Oasis
Megève / Leutaz (74)	Flocons de Sel
Mionnay (01)	Alain Chapel
Monte-Carlo (MC)	Joël Robuchon Monte-Carlo
Montpellier (34)	Le Jardin des Sens
Nantes / Haute-Goulaine (44)	Manoir de la Boulaie
Nîmes / Garons (30)	Alexandre
Obernai (67)	La Fourchette des Ducs
Onzain (41)	Domaine des Hauts de Loire
Paris 1er	Carré des Feuillants
Paris 1er	L'Espadon **N**
Paris 1er	Le Grand Véfour
Paris 6e	Hélène Darroze-La Salle à Manger
Paris 6e	Relais Louis XIII
Paris 7e	L'Atelier de Joël Robuchon
Paris 8e	Les Ambassadeurs
Paris 8e	Apicius
Paris 8e	Le "Cinq"
Paris 8e	Lasserre
Paris 8e	Senderens
Paris 8e	Taillevent
Paris 16e	La Table de Joël Robuchon
Paris 17e	Michel Rostang
Pauillac (33)	Château Cordeillan Bages
Pont-du-Gard / Collias (30)	Hostellerie Le Castellas **N**
Porto-Vecchio (2A)	Casadelmar
Reims (51)	L'Assiette Champenoise
Reims (51)	Château les Crayères
La Rochelle (17)	Richard et Christopher Coutanceau
Romans-sur-Isère / Granges-les-Beaumont (26)	Les Cèdres
Rouen (76)	Gill
Saint-Émilion (33)	Hostellerie de Plaisance
Saint-Jean-Pied-de-Port (64)	Les Pyrénées
Saint-Just-Saint-Rambert (42)	Le Neuvième Art
Saint-Martin-de-Belleville (73)	La Bouitte
Sens (89)	La Madeleine
Strasbourg (67)	Au Crocodile
Toulouse (31)	Michel Sarran
Toulouse / Colomiers (31)	L'Amphitryon
Tourrettes (83)	Faventia **N**
La Turbie (06)	Hostellerie Jérôme
Uriage-les-Bains (38)	Grand Hôtel
Versailles (78)	Gordon Ramsay au Trianon **N**
Vézelay / Saint-Père (89)	L'Espérance
Vienne (38)	La Pyramide

→ **N** *Nouveau*   → *New*   → *Nuovo*   → *Neu*   → *Nuevo*

❀ 2009

→ **En rouge** les espoirs 2009 pour ❀❀
→ **In rosso** le promesse 2009 per ❀❀
→ **In rojo** las mesas 2009 con posibilidades para ❀❀
→ **In red** the 2009 Rising Stars for ❀❀
→ **In rote** die Hoffnungsträger 2009 fur ❀❀

Agen (47)	Mariottat
Agen / Moirax (47)	Auberge le Prieuré
Ainhoa (64)	Ithurria
Aix-en-Provence (13)	Le Clos de la Violette
Aix-en-Provence (13)	Pierre Reboul
Albi (81)	L'Esprit du Vin
Alleyras (43)	Le Haut-Allier
Ambierle (42)	Le Prieuré **N**
Amiens / Dury (80)	L'Aubergade
Andrézieux-Bouthéon (42)	Les Iris
Anduze / Tornac (30)	Les Demeures du Ranquet
Angers (49)	Le Favre d'Anne
Annecy (74)	Le Belvédère
Annecy (74)	La Ciboulette
Antibes / Cap d'Antibes (06)	Bacon
Antibes / Cap d'Antibes (06)	Les Pêcheurs
Arles (13)	La Chassagnette **N**
Arles (13)	Le Cilantro
Arpajon (91)	Le Saint Clément
Astaffort (47)	Le Square "Michel Latrille"
Astaffort (47)	Une Auberge en Gascogne
Aulnay-sous-Bois (93)	Auberge des Saints Pères
Aumont-Aubrac (48)	Chez Camillou
Auxerre (89)	Barnabet
Avignon (84)	Christian Étienne
Avignon (84)	La Mirande
Avignon (84)	Le Saule Pleureur **N**
Azay-le-Rideau / Saché (37)	Auberge du XIIe Siècle
Bagnoles-de-l'Orne (61)	Le Manoir du Lys
Bagnols (69)	Château de Bagnols
Barbizon (77)	Les Pléiades **N**
Barneville-Carteret / Carteret (50)	De la Marine
La Baule (44)	Castel Marie-Louise
Les Baux-de-Provence (13)	La Cabro d'Or
Bayeux / Audrieu (14)	Château d'Audrieu
Bayonne (64)	Auberge du Cheval Blanc
Beaune (21)	Le Bénaton
Beaune (21)	Le Jardin des Remparts
Beaune / Levernois (21)	Hostellerie de Levernois
Beaune / Pernand-Vergelesses (21)	Le Charlemagne
Belcastel (12)	Vieux Pont
Belle-Église (60)	La Grange de Belle-Église
Belleville (54)	Le Bistroquet
Beuvron-en-Auge (14)	Le Pavé d'Auge
Les Bézards (45)	Auberge des Templiers
Béziers (34)	L'Ambassade
Béziers (34)	Octopus
Biarritz (64)	Du Palais
Biarritz (64)	Les Rosiers **N**
Biarritz / Arcangues (64)	Le Moulin d'Alotz
Bidart (64)	Table et Hostellerie des Frères Ibarboure
Billiers (56)	Domaine de Rochevilaine
Biot (06)	Les Terraillers
Bitche (57)	Le Strasbourg **N**
Blainville-sur-Mer (50)	Le Mascaret **N**
Blois (41)	Au Rendez-vous des Pêcheurs
Blois (41)	Le Médicis
Blois (41)	L'Orangerie du Château
Bonnétage (25)	L'Etang du Moulin
Bordeaux (33)	Le Chapon Fin
Bordeaux (33)	Le Pavillon des Boulevards
Bordeaux / Cenon (33)	La Cape
Bordeaux / Lormont (33)	Jean-Marie Amat
Bosdarros (64)	Auberge Labarthe
Bougival (78)	Le Camélia
Boulogne-Billancourt (92)	Au Comte de Gascogne
Boulogne-Billancourt (92)	Ducoté Cuisine **N**
Boulogne-sur-Mer (62)	La Matelote
Le Bourg-Dun (76)	Auberge du Dun
Bourg-en-Bresse / Péronnas (01)	La Marelle
Bourges (18)	L' Abbaye St-Ambroix
Bourges (18)	Le d'Antan Sancerrois **N**
Bourges (18)	Le Piet à Terre **N**
Le-Bourget-du-Lac (73)	Auberge Lamartine
Le-Bourget-du-Lac / Les Catons (73)	Atmosphères **N**
Bracieux (41)	Bernard Robin - Le Relais de Bracieux
Brantôme (24)	Le Moulin de l'Abbaye
Brantôme / Champagnac-de-Belair (24)	Le Moulin du Roc
Le Breuil-en-Auge (14)	Le Dauphin
Briollay (49)	Château de Noirieux
Le Buisson-de-Cadouin (24)	Le Manoir de Bellerive
La Bussière-sur-Ouche (21)	Abbaye de la Bussière

→ **N** Nouveau   → New   → Nuovo   → Neu   → Nuevo

La Cadière-d'Azur (83)	Hostellerie Bérard		**Cordes-sur-Ciel (81)**	Le Grand Écuyer
Caen (14)	Incognito N		**Cordon (74)**	Les Roches Fleuries
Cagnes-sur-Mer (06)	Josy-Jo		**Couilly-Pont-aux-Dames (77)**	Auberge de la Brie
Cahors / Lamagdelaine (46)	Claude et Richard Marco		**Courcelles-sur-Vesle (02)**	Château de Courcelles

La Cadière-d'Azur (83) — Hostellerie Bérard
Caen (14) — Incognito N
Cagnes-sur-Mer (06) — Josy-Jo
Cahors / Lamagdelaine (46) — Claude et Richard Marco
Cahors / Mercuès (46) — Château de Mercuès
Cahuzac-sur-Vère (81) — Château de Salettes
Cahuzac-sur-Vère (81) — La Falaise N
Callas (83) — Hostellerie Les Gorges de Pennafort
Calvi (2B) — Emile's
Calvinet (15) — Beauséjour
Carcassonne (11) — De La Cité
Carcassonne (11) — Domaine d'Auriac
Carcassonne (11) — Le Parc Franck Putelat
Carcassonne / Aragon (11) — La Bergerie N
Cassis (13) — La Villa Madie
Le Castellet (83) — Du Castellet
La Celle (83) — Hostellerie de l'Abbaye de la Celle
Chablis (89) — Hostellerie des Clos
Chaintré (71) — La Table de Chaintré
Châlons-en-Champagne (51) — D'Angleterre
Chalon-sur-Saône / Saint-Rémy (71) — Moulin de Martorey
Chambéry / Chambéry-le-Vieux (73) — Château de Candie
Chamesol (25) — Mon Plaisir
Chamonix-Mont-Blanc (74) — Le Bistrot
Champtoceaux (49) — Les Jardins de la Forge
Chantilly (60) — Dolce Chantilly
La Chapelle-de-Guinchay (71) — La Poularde N
Chartres (28) — Le Grand Monarque N
Chassagne-Montrachet (21) — Le Chassagne
Château-Arnoux-Saint-Auban (04) — La Bonne Étape
Châteaufort (78) — La Belle Époque
Chenonceaux (37) — Auberge du Bon Laboureur
Chinon / Marçay (37) — Château de Marçay
Cholet (49) — Au Passé Simple N
Clères / Frichemesnil (76) — Au Souper Fin
Clermont / Étouy (60) — L'Orée de la Forêt
Clermont-Ferrand (63) — Emmanuel Hodencq
Clermont-Ferrand (63) — Jean-Claude Leclerc
Collioure (66) — Relais des Trois Mas N
Colmar (68) — JY'S
Colmar (68) — Rendez-vous de Chasse
Colombey-les-Deux-Églises (52) — Hostellerie la Montagne
Compiègne / Rethondes (60) — Alain Blot
Condom (32) — La Table des Cordeliers
Conques (12) — Le Moulin de Cambelong
Conteville (27) — Auberge du Vieux Logis N

Cordes-sur-Ciel (81) — Le Grand Écuyer
Cordon (74) — Les Roches Fleuries
Couilly-Pont-aux-Dames (77) — Auberge de la Brie
Courcelles-sur-Vesle (02) — Château de Courcelles
Courchevel / Courchevel 1850 (73) — Le Kilimandjaro N
Courchevel / La Tania (73) — Le Farçon
Cucuron (84) — La Petite Maison N
Curzay-sur-Vonne (86) — Château de Curzay
Dampierre-en-Yvelines (78) — Auberge du Château "Table des Blot"
Dax (40) — Une Cuisine en Ville
Deauville (14) — Royal-Barrière
Les Deux-Alpes (38) — Chalet Mounier N
Dijon (21) — Hostellerie du Chapeau Rouge
Dijon (21) — Le Pré aux Clercs
Dijon (21) — Stéphane Derbord
Dijon / Prenois (21) — Auberge de la Charme N
Dole (39) — La Chaumière
Dole / Sampans (39) — Château du Mont Joly
Dourgne (81) — Les Saveurs de St-Avit N
Douvaine (74) — Ô Flaveurs
Eguisheim (68) — Caveau d'Eguisheim
Épernay (51) — Les Berceaux
Épernay / Vinay (51) — Hostellerie La Briqueterie
Épinal (88) — Ducs de Lorraine
Erbalunga (2B) — Le Pirate
Escaldes-Engordany (AN) — Aquarius
Èze (06) — Château Eza
Fayence (83) — Le Castellaras
Flers / La Ferrière-aux-Étangs (61) — Auberge de la Mine
Fleurie (69) — Le Cep
Forbach / Stiring-Wendel (57) — La Bonne Auberge
Gérardmer / Bas-Rupts (88) — Les Bas-Rupts
Gignac (34) — de Lauzun N
Gordes (84) — Les Bories et Spa
La Gouesnière (35) — Maison Tirel-Guérin
Grasse (06) — Lou Fassum "La Tourmaline"
Grenade-sur-l'Adour (40) — Pain Adour et Fantaisie
Gujan-Mestras (33) — La Guérinière
Hagondange (57) — Quai des Saveurs N
Hasparren (64) — Ferme Hégia
Le Havre (76) — Jean-Luc Tartarin N
Hennebont (56) — Château de Locquénolé
Honfleur (14) — Sa. Qua. Na
Honfleur (14) — La Terrasse et l'Assiette
Île de Noirmoutier / L'Herbaudière (85) — La Marine

→ N *Nouveau*   → *New*   → *Nuovo*   → *Neu*   → *Nuevo*

Île de Porquerolles (83)	Mas du Langoustier
Île de Ré / La Flotte (17)	Richelieu
L'Île-Rousse (2B)	Pasquale Paoli **N**
L'Isle-sur-la-Sorgue (84)	Le Vivier
Issoudun (36)	Rest. La Cognette
Jarnac / Bourg-Charente (16)	La Ribaudière
Jongieux (73)	Auberge Les Morainières
Joucas (84)	Hostellerie Le Phébus
Joucas (84)	Le Mas des Herbes Blanches
Kaysersberg (68)	Chambard
Lacave (46)	Château de la Treyne
Lacave (46)	Pont de l'Ouysse
Laguiole (12)	Grand Hôtel Auguy
Lamastre (07)	Midi
Langon (33)	Claude Darroze
Languimberg (57)	Chez Michèle **N**
Lannilis (29)	Auberge des Abers **N**
Lannion / la Ville Blanche (22)	La Ville Blanche
Lastours (11)	Le Puits du Trésor
Laval (53)	Bistro de Paris
Le Lavandou / Aiguebelle (83)	Mathias Dandine
Laventie (62)	Le Cerisier
Lembach (67)	Auberge du Cheval Blanc **N**
Lezoux / Bort-l'Étang (63)	Château de Codignat
Lièpvre / La Vancelle (67)	Auberge Frankenbourg
Ligny-en-Cambrésis (59)	Château de Ligny
Lille (59)	A L'Huîtrière
Lille (59)	La Laiterie
Lille (59)	Le Sébastopol
Lille / Bondues (59)	Val d'Auge
Limoges (87)	Amphitryon
Limoges / Saint-Martin-du-Fault (87)	La Chapelle St-Martin
Loiré (49)	Auberge de la Diligence
Lorgues (83)	Bruno
Lorient (56)	Henri et Joseph
Lourmarin (84)	Auberge La Fenière
Lunéville (54)	Château d'Adoménil
Lyon (69)	L' Alexandrin
Lyon (69)	Auberge de Fond Rose
Lyon (69)	Christian Têtedoie
Lyon (69)	Le Gourmet de Sèze
Lyon (69)	Pierre Orsi
Lyon (69)	Les Terrasses de Lyon
Lyon (69)	Les Trois Dômes
Lyon / Rillieux-la-Pape (69)	Larivoire
Mâcon (71)	Pierre
Maisons-Laffitte (78)	Tastevin
Malbuisson (25)	Le Bon Accueil
Le Mans (72)	Le Beaulieu
Marlenheim (67)	Le Cerf
Marseille (13)	L'Épuisette
Marseille (13)	Péron
Marseille (13)	Une Table au Sud
Maury (66)	Pascal Borrell
Melun / Vaux-le-Pénil (77)	La Table St-Just
Menton (06)	Mirazur
Menton (06)	Paris Rome
Metz (57)	Citadelle
Metz (57)	L'Écluse
Meudon (92)	L'Escarbille
Missillac (44)	La Bretesche
Montargis (45)	La Gloire
Montauban (82)	Crowne Plaza
Montauroux (83)	Auberge des Fontaines d'Aragon
Montbazon (37)	Chancelière "Jeu de Cartes"
Montbéliard (25)	Le St-Martin
Montceau-les-Mines (71)	Le France
Mont-de-Marsan (40)	Les Clefs d'Argent **N**
Monte-Carlo (MC)	Bar Boeuf & Co
Monte-Carlo (MC)	Grill de l'Hôtel de Paris
Monte-Carlo (MC)	Mandarine **N**
Montlivault (41)	La Maison d'à Côté **N**
Montreuil (62)	Château de Montreuil
Montreuil / La Madelaine-sous-Montreuil (62)	Auberge de la Grenouillère
Montrevel-en-Bresse (01)	Léa
Montrond-les-Bains (42)	Hostellerie La Poularde
Morteau (25)	Auberge de la Roche
Mougins (06)	Le Mas Candille
Moustiers-Sainte-Marie (04)	Bastide de Moustiers
Mulhouse (68)	Il Cortile
Mulhouse / Landser (68)	Hostellerie Paulus
Mulhouse / Riedisheim (68)	La Poste
Munster / Wihr-au-Val (68)	Nouvelle Auberge **N**
Mûr-de-Bretagne (22)	Auberge Grand'Maison **N**
Nancy (54)	Le Grenier à Sel
Nantes (44)	L'Atlantide
Narbonne (11)	La Table St-Crescent
Neuilly-sur-Seine (92)	La Truffe Noire
Nevers (58)	Jean-Michel Couron
Nice (06)	Chantecler
Nice (06)	Jouni "Atelier du Goût"
Nice (06)	Keisuke Matsushima
Nice (06)	L'Univers-Christian Plumail
Nîmes (30)	Le Lisita
Noves (13)	Auberge de Noves
Obernai (67)	Le Bistro des Saveurs
Orange / Sérignan-du-Comtat (84)	Le Pré du Moulin
Paris 1er	Gérard Besson

→ **N** *Nouveau* → *New* → *Nuovo* → *Neu* → *Nuevo*

Paris 2ᵉ	Le Céladon	**Poitiers / Saint-Benoît**	
Paris 2ᵉ	Le Pur' Grill	**(86)**	Passions et Gourmandises
Paris 4ᵉ	Benoit	**La Pomarède (11)**	Hostellerie du
Paris 5ᵉ	La Tour d'Argent		Château de la Pomarède
Paris 6ᵉ	Fogón **N**	**Pont-Aven (29)**	Moulin de Rosmadec
Paris 6ᵉ	Jacques Cagna	**Pont-Aven (29)**	La Taupinière
Paris 6ᵉ	Paris	**Pont-du-Gard / Castillon-du-Gard**	
Paris 6ᵉ	Le Restaurant	**(30)**	Le Vieux Castillon
Paris 6ᵉ	Ze Kitchen Galerie	**Port-Lesney (39)**	Château de Germigney
Paris 7ᵉ	Aida	**Port-Louis (56)**	Avel Vor
Paris 7ᵉ	Auguste	**Porto-Vecchio (2A)**	Belvédère
Paris 7ᵉ	Les Fables de La Fontaine	**Porto-Vecchio (2A)**	Grand Hôtel de Cala Rossa
Paris 7ᵉ	Gaya Rive Gauche	**Port-sur-Saône / Vauchoux**	
	par Pierre Gagnaire	**(70)**	Château de Vauchoux
Paris 7ᵉ	Il Vino d'Enrico Bernardo	**Pujaut (30)**	Entre Vigne et Garrigue **N**
Paris 7ᵉ	Le Jules Verne **N**	**Le Puy-en-Velay (43)**	François Gagnaire
Paris 7ᵉ	Le Divellec	**Questembert**	
Paris 7ᵉ	35° Ouest **N**	**(56)**	Le Bretagne et sa Résidence
Paris 7ᵉ	Vin sur Vin	**Quimper (29)**	La Roseraie de Bel Air
Paris 7ᵉ	Le Violon d'Ingres	**Reims (51)**	Le Foch
Paris 8ᵉ	L'Angle du Faubourg	**Reims (51)**	Le Millénaire
Paris 8ᵉ	L'Arôme **N**	**Reims / Montchenot (51)**	Grand Cerf
Paris 8ᵉ	Le Chiberta	**Rennes (35)**	Coq-Gadby
Paris 8ᵉ	Dominique Bouchet	**Rennes (35)**	La Fontaine aux Perles
Paris 8ᵉ	Laurent	**Rennes / Noyal-sur-Vilaine**	
Paris 8ᵉ	Stella Maris	**(35)**	Auberge du Pont d'Acigné
Paris 8ᵉ	La Table du Lancaster	**Rennes / Saint-Grégoire (35)**	Le Saison
Paris 9ᵉ	Jean	**Reuilly-Sauvigny (02)**	Auberge Le Relais
Paris 12ᵉ	Au Trou Gascon	**Rhinau (67)**	Au Vieux Couvent
Paris 14ᵉ	Montparnasse'25	**Ribeauvillé (68)**	Au Valet de Cœur
Paris 16ᵉ	etc... **N**		et Hostel de la Pépinière
Paris 16ᵉ	La Grande Cascade	**Riquewihr (68)**	Table du Gourmet
Paris 16ᵉ	Hiramatsu	**Riquewihr / Zellenberg (68)**	Maximilien
Paris 16ᵉ	Passiflore	**Roanne / Le Coteau**	
Paris 16ᵉ	Le Pergolèse	**(42)**	L'Auberge Costelloise
Paris 16ᵉ	Relais d'Auteuil	**La Roche-Bernard (56)**	L'Auberge Bretonne
Paris 16ᵉ	La Table du Baltimore	**La Roche-l'Abeille (87)**	Le Moulin de la Gorce
Paris 17ᵉ	Agapé **N**	**Rodez (12)**	Goûts et Couleurs
Paris 17ᵉ	Bath's	**Romorantin-Lanthenay**	
Paris 17ᵉ	Bigarrade **N**	**(41)**	Grand Hôtel du Lion d'Or
Paris 17ᵉ	La Braisière	**Roscoff (29)**	Le Brittany
Pau / Jurançon (64)	Chez Ruffet	**Roscoff (29)**	Le Temps de Vivre
Peillon (06)	Auberge de la Madone	**Rosheim (67)**	Hostellerie du Rosenmeer
Périgueux (24)	L'Essentiel	**Rouen (76)**	Les Nymphéas
Perpignan (66)	La Galinette	**Rouffach (68)**	Philippe Bohrer
Perpignan (66)	Park Hôtel **N**	**Le Rouret (06)**	Le Clos St-Pierre
Le Perreux-sur-Marne (94)	Les Magnolias	**Roye (80)**	La Flamiche
Perros-Guirec (22)	La Clarté	**Les Sables-d'Olonne /**	
Le-Petit-Pressigny (37)	La Promenade	**Anse de Cayola (85)**	Cayola
Phalsbourg (57)	Au Soldat de l'An II	**Sables-d'Or-les-Pins**	
La Plaine-sur-Mer (44)	Anne de Bretagne	**(22)**	La Voile d'Or - La Lagune
Plancoët (22)	Maxime et Jean-Pierre Crouzil	**Saint-Agrève (07)**	Faurie
	et Hôtel L'Ecrin	**Saint-Brieuc (22)**	Aux Pesked
Plomodiern (29)	Auberge des Glazicks	**Saint-Brieuc (22)**	Youpala Bistrot

➜ **N** *Nouveau*   ➜ *New*   ➜ *Nuovo*   ➜ *Neu*   ➜ *Nuevo*

Saint-Brieuc / Sous-la-Tour (22)	La Vieille Tour
Saint-Céré (46)	Les Trois Soleils de Montal
Saint-Cyprien (66)	L'Île de la Lagune
Saint-Étienne (42)	Nouvelle
Saint-Félix-Lauragais (31)	Auberge du Poids Public
Saint-Florent (2B)	La Roya **N**
Saint-Jean-Cap-Ferrat (06)	Le Cap
Saint-Jean-Cap-Ferrat (06)	La Table du Cap **N**
Saint-Jean-de-Luz (64)	Grand Hôtel
Saint-Joachim (44)	La Mare aux Oiseaux **N**
Saint-Julien-en-Genevois / Bossey (74)	La Ferme de l'Hospital
Saint-Malo (35)	A la Duchesse Anne
Saint-Malo (35)	Le Chalut
Saint-Malo / Saint-Servan-sur-Mer (35)	Le St-Placide
Saint-Martin-du-Var (06)	Jean-François Issautier
Saint-Maur-des-Fossés / La Varenne-Saint-Hilaire (94)	La Bretèche
Saint-Médard (46)	Gindreau
Saint-Paul (06)	Le Saint-Paul
Saint-Pée-sur-Nivelle (64)	L' Auberge Basque **N**
Saint-Rémy-de-Provence (13)	La Maison de Bournissac
Saint-Rémy-de-Provence (13)	La Maison Jaune
Saint-Rémy-de-Provence (13)	Marc de Passorio **N**
Saint-Savin (86)	Christophe Cadieu
Saint-Sulpice-le-Verdon (85)	Thierry Drapeau Logis de la Chabotterie
Saint-Tropez (83)	Résidence de la Pinède
Saint-Tropez (83)	Villa Belrose
Sainte-Sabine (24)	Étincelles-La Gentilhommière **N**
Sarlat-la-Canéda (24)	Le Grand Bleu
Sarrebourg (57)	Mathis
Sarreguemines (57)	Auberge St-Walfrid
Saubusse (40)	Villa Stings
La Saussaye (27)	Manoir des Saules
Sauveterre-de-Rouergue (12)	Le Sénéchal
Sénart / Pouilly-le-Fort (77)	Le Pouilly
Sennecey-le-Grand (71)	L'Amaryllis
Sierentz (68)	Auberge St-Laurent
Sousceyrac (46)	Au Déjeuner de Sousceyrac
Strasbourg (67)	Buerehiesel
Strasbourg (67)	La Casserole
Strasbourg (67)	Umami **N**
Talloires (74)	L'Auberge du Père Bise
Tarbes (65)	L'Ambroisie
Terrasson-Lavilledieu (24)	L'Imaginaire
Thoiry (01)	Les Cépages
Thonon-les-Bains (74)	Le Prieuré
Toulouse (31)	En Marge
Toulouse (31)	Metropolitan
Toulouse / Rouffiac-Tolosan (31)	Ô Saveurs
Le Touquet-Paris-Plage (62)	Westminster
Tournus (71)	Aux Terrasses
Tournus (71)	Rest. Greuze **N**
Tours (37)	Charles Barrier
Tours (37)	Rive Gauche **N**
Tours (37)	La Roche Le Roy
Tours / Rochecorbon (37)	Les Hautes Roches
Tourtour (83)	Les Chênes Verts
Trébeurden (22)	Manoir de Lan-Kerellec
Le Tremblay-sur-Mauldre (78)	Laurent Trochain
Trémolat (24)	Vieux Logis
Troyes / Pont-Sainte-Marie (10)	Hostellerie de Pont-Ste-Marie
Vailly-sur-Sauldre (18)	Le Lièvre Gourmand
Vaison-la-Romaine (84)	Le Moulin à Huile
Vaison-la-Romaine / Roaix (84)	Le Grand Pré
Valbonne (06)	Lou Cigalon
Val-d'Isère (73)	Les Barmes de l'Ours
Valence (26)	La Cachette **N**
Valence (26)	Flaveurs **N**
Valence / Pont-de-l'Isère (26)	Michel Chabran
Val-Thorens (73)	L'Oxalys
Vannes / Saint-Avé (56)	Le Pressoir
Vence (06)	Les Bacchanales **N**
Vence (06)	Château St-Martin & Spa **N**
Ventabren (13)	La Table de Ventabren **N**
Versailles (78)	L'Angélique **N**
Vichy (03)	Maison Decoret
Vienne / Chonas-l'Amballan (38)	Domaine de Clairefontaine
Vierzon (18)	La Maison de Célestin
Villard-de-Lans / Corrençon-en-Vercors (38)	du Golf
Villers-le-Lac (25)	Le France
Viré (71)	Relais de Montmartre **N**
Westhalten (68)	Auberge du Cheval Blanc
Wimereux (62)	Epicure
Zoufftgen (57)	La Lorraine

→ **N** *Nouveau* → *New* → *Nuovo* → *Neu* → *Nuevo*

LES ESPOIRS 2009 POUR ✿

The 2009 Rising Stars for ✿
Le promesse 2009 per ✿
Die Hoffnungsträger 2009 für ✿
Las mesas 2009
con posibilidades para ✿

Belfort / Danjoutin (90)	Le Pot d'Étain
Bormes-les-Mimosas (83)	La Rastègue
Carcassonne / Pezens (11)	L'Ambrosia
Clermont-Ferrand (63)	Fleur de Sel
Dijon / Marsannay-la-Côte (21)	Les Gourmets
Istres (13)	La Table de Sébastien
Lumio (2B)	Chez Charles
Lyon (69)	La Rémanence
Montpellier (34)	La Réserve Rimbaud
Névez / Raguenès-Plage (29)	Ar Men Du
Nice (06)	L'Aromate
Niederschaeffolsheim (67)	Au Bœuf Rouge
Porto-Vecchio (2A)	Le Troubadour
Saverne (67)	Kasbür

→ **N** *Nouveau* → *New* → *Nuovo* → *Neu* → *Nuevo*

Bib Gourmand

Repas soignés à prix modérés
Good food at moderate prices
Pasti accurati a prezzi contenuti
Sorgfältig zubereitete, preiswerte mahlzeiten
Buenas comidas a precios moderados

Abbeville (80)	La Corne
Agde / Le Grau-d'Agde (34)	L'Adagio
Agen (47)	Le Margoton
Aiguebelette-le-Lac / Novalaise (73)	Novalaise-Plage
Aire-sur-la-Lys / Isbergues (62)	Le Buffet
Aix-en-Provence / Le Canet (13)	L'Auberge Provençale
Aix-les-Bains (73)	Auberge St-Simond **N**
Aizenay (85)	La Sittelle
Ajaccio (2A)	U Licettu
Albi (81)	La Table du Sommelier **N**
Alès / Méjannes-lès-Alès (30)	Auberge des Voutins
Altwiller (67)	L'Écluse 16
Ambert (63)	Les Copains
Ambronay (01)	Auberge de l'Abbaye
Amiens (80)	Au Relais des Orfèvres
Ammerschwihr (68)	Aux Armes de France
Ancenis (44)	La Toile à Beurre
Angers (49)	Le Relais
Angoulême (16)	L'Aromate
Angoulême (16)	Le Terminus
Annecy (74)	Contresens
Annonay (07)	Marc et Christine
Antibes (06)	Oscar's
Antraigues-sur-Volane (07)	La Remise
Argoules (80)	Auberge du Coq-en-Pâte
Asnières-sur-Seine (92)	La Petite Auberge
Aube (61)	Auberge St-James
Aumont-Aubrac (48)	Le Compostelle
Aumont-Aubrac (48)	Le Gabale **N**
Autun (71)	Le Chapitre **N**
Auxerre (89)	Le Bourgogne
Auxerre / Vincelottes (89)	Auberge Les Tilleuls
Avallon / Valloux (89)	Auberge des Chenêts
Avignon (84)	L'Essentiel **N**
Ax-les-Thermes (09)	Le Chalet
Azay-le-Rideau (37)	L'Aigle d'Or
Baden (56)	Le Gavrinis
Bâgé-le-Châtel (01)	La Table Bâgésienne
Bagnères-de-Bigorre (65)	L' Auberge Gourmande **N**
Bagnoles-de-l'Orne (61)	Ô Gayot **N**
Ban-de-Laveline (88)	Auberge Lorraine
Bandol (83)	Le Clocher
Banyuls-sur-Mer (66)	Al Fanal et H. El Llagut
Barr (67)	Aux Saisons Gourmandes
Bar-sur-Aube (10)	La Toque Baralbine
Bastia (2B)	La Corniche
La Bâtie-Divisin (38)	L'Olivier
Bayonne (64)	Bayonnais
Bayonne (64)	François Miura
Beaune (21)	La Ciboulette
Beaune / Ladoix-Serrigny (21)	Les Terrasses de Corton
Beaune / Levernois (21)	La Garaudière
Beaune / Levernois (21)	Le Bistrot du Bord de l'Eau **N**
Beauzac (43)	L'Air du Temps
Beauzac / Bransac (43)	La Table du Barret
Bédarieux / Villemagne-l'Argentière (34)	Auberge de l'Abbaye
Bellême / Nocé (61)	Auberge des 3 J.
Belleville (69)	Le Beaujolais
Bergerac / Moulin de Malfourat (24)	La Tour des Vents
Bergheim (68)	Wistub du Sommelier
La Bernerie-en-Retz (44)	L'Artimon
Le Bessat (42)	La Fondue "Chez l'Père Charles"

→ **N** Nouveau → **New** → **Nuovo** → **Neu** → **Nuevo**

Béthune / Busnes (62)	Le Jardin d'Alice
Biarritz (64)	Le Clos Basque
Blangy-sur-Bresle (76)	Les Pieds dans le Plat
Blienschwiller (67)	Le Pressoir de Bacchus
Blois / Molineuf (41)	Poste **N**
Bois-Colombes (92)	Le Chefson
Bonlieu (39)	La Poutre
Bonneuil-Matours (86)	Le Pavillon Bleu
Bonneville / Vougy (74)	Le Capucin Gourmand
Bonny-sur-Loire (45)	Des Voyageurs
Bordeaux (33)	Auberge ' Inn **N**
Bordeaux (33)	Gravelier
Boudes (63)	Le Boudes La Vigne
Bourg-en-Bresse (01)	Les Quatre Saisons
Bourg-en-Bresse (01)	Mets et Vins
Bourg-Saint-Maurice (73)	L'Arssiban
Bourth (27)	Auberge Chantecler
Bouzel (63)	L'Auberge du Ver Luisant
Bozouls (12)	A la Route d'Argent
Bracieux (41)	Le Rendez vous des Gourmets
La Bresse (88)	Le Clos des Hortensias
Bretenoux / Port-de-Gagnac (46)	Hostellerie Belle Rive
Brévonnes (10)	Au Vieux Logis
Briançon (05)	Le Péché Gourmand
Brioude (43)	Poste et Champanne
Brive-la-Gaillarde (19)	La Toupine
Brou (28)	L'Ascalier
Buellas (01)	L'Auberge Bressane
Bully (69)	Auberge du Château
Buxy (71)	Aux Années Vins
Buzançais (36)	L'Hermitage
Cabourg / Dives-sur-Mer (14)	Chez le Bougnat
Caen (14)	Café Mancel
Caen (14)	Le Bouchon du Vaugueux **N**
Cahors (46)	La Garenne
Cahors (46)	L'Ô à la Bouche
Calais (62)	Au Côte d'Argent
Cambrai (59)	Auberge Fontenoise
Cancale (35)	Surcouf
Cannes (06)	Comme Chez Soi
Carhaix-Plouguer / Port-de-Carhaix (29)	Auberge du Poher
Carignan (08)	La Gourmandière
Casteljaloux (47)	La Vieille Auberge
Castellane / La Garde (04)	Auberge du Teillon
Castéra-Verduzan (32)	Le Florida
Castillon-en-Couserans / Audressein (09)	L'Auberge d'Audressein
Castres / Burlats (81)	Les Mets d'Adélaïde **N**
Caussade / Monteils (82)	Le Clos Monteils
Cauterets (65)	L' Abri du Benques **N**
Challans / La Garnache (85)	Le Petit St-Thomas
Challans / Le Perrier (85)	Les Tendelles
Chalon-sur-Saône (71)	L'Auberge des Alouettes
Chalon-sur-Saône / Saint-Loup-de-Varennes (71)	Le Saint Loup **N**
Chamonix-Mont-Blanc (74)	Atmosphère
Chamonix-Mont-Blanc (74)	La Maison Carrier
Chamonix-Mont-Blanc / Les Praz-de-Chamonix (74)	La Cabane des Praz
Chandolas (07)	Auberge les Murets
La Chapelle-d'Abondance (74)	L'Ensoleillé
La Chapelle-d'Abondance (74)	Les Gentianettes
Charette (38)	Auberge du Vernay
Charleville-Mézières (08)	La Table d' Arthur "R"
Charroux (03)	Ferme Saint-Sébastien
Chartres (28)	Le St-Hilaire
Châtelaillon-Plage (17)	Les Flots
Châtellerault (86)	Bernard Gautier
Chavanoz (38)	Aux Berges du Rhône **N**
Chénérailles (23)	Coq d'Or
Cherbourg-Octeville (50)	Café de Paris
Cherbourg-Octeville (50)	Le Pily
Cherbourg-Octeville (50)	Le Vauban
Chilleurs-aux-Bois (45)	Le Lancelot
Chinon (37)	L'Océanic
Chisseaux (37)	Auberge du Cheval Rouge
Cholet (49)	La Grange
Clères (76)	Auberge du Moulin
Clermont-Ferrand (63)	Amphitryon Capucine
Clermont-Ferrand / Orcines (63)	Auberge de la Baraque
Clermont-Ferrand / Puy de Dôme (63)	Mont Fraternité
Clisson / Gétigné (44)	La Gétignière
Col de la Schlucht (88)	Le Collet
Coligny (01)	Au Petit Relais
Colmar (68)	Aux Trois Poissons
Colmar (68)	Chez Hansi
Colmar / Ingersheim (68)	La Taverne Alsacienne
Combeaufontaine (70)	Le Balcon
Conilhac-Corbières (11)	Auberge Coté Jardin
Conques (12)	Auberge St-Jacques
Contamine-sur-Arve (74)	Le Tourne Bride
Cordon (74)	Le Cordonant
Coullons (45)	La Canardière
Coulon (79)	Le Central
Le Creusot / Montcenis (71)	Le Montcenis
Le Croisic (44)	Le Saint-Alys

→ **N** *Nouveau* → *New* → *Nuovo* → *Neu* → *Nuevo*

Crozon (29)	Le Mutin Gourmand
Cucugnan (11)	Auberge de Cucugnan
Daglan (24)	Le Petit Paris
Dax (40)	L'Amphitryon
Deauville / Touques (14)	L'Orangeraie **N**
Deauville / Touques (14)	Les Landiers **N**
Dijon (21)	Du Nord **N**
Dijon / Chenôve (21)	Le Clos du Roy
Dinan (22)	Au Coin du Feu **N**
Douarnenez (29)	Le Clos de Vallombreuse
Doué-la-Fontaine (49)	Auberge Bienvenue
Draguignan / Flayosc (83)	L'Oustau
Dreux / Chérisy (28)	Le Vallon de Chérisy **N**
Dunes (82)	Les Templiers
Dunières (43)	La Tour
Dunkerque / Coudekerque-Branche (59)	Le Soubise
Épernay (51)	La Grillade Gourmande **N**
Espalion (12)	Le Méjane
Estaing (12)	L'Auberge St-Fleuret
Évreux (27)	La Vieille Gabelle **N**
Évron (53)	Relais du Gué de Selle
Évron (53)	La Toque des Coëvrons
Eygalières (13)	Sous Les Micocouliers
Les Eyzies-de-Tayac (24)	La Métairie
Faverges (74)	Florimont
Favières (80)	La Clé des Champs
Fayence (83)	La Table d'Yves **N**
Fléré-la-Rivière (36)	Le Relais du Berry
Flers (61)	Au Bout de la Rue **N**
Florac (48)	Des Gorges du Tarn
Florac / Cocurès (48)	La Lozerette
Fondamente (12)	Baldy
Fontvieille (13)	Le Patio
Fontvieille (13)	La Table du Meunier
Fouday (67)	Julien
Fouesnant / Cap-Coz (29)	De la Pointe du Cap Coz
Fougères (35)	Haute Sève **N**
Francescas (47)	Le Relais de la Hire
Fréjus (83)	L'Amandier
Fréjus (83)	Les Potiers
Froncles-Buxières (52)	Au Château
Gagny (93)	Le Vilgacy
Gasny (27)	Auberge du Prieuré Normand
Gassin (83)	Auberge la Verdoyante
Geneston (44)	Le Pélican
Gevrey-Chambertin (21)	Chez Guy **N**
Gigondas (84)	Les Florets
Gilette / Vescous (06)	La Capeline
Gourdon (46)	Hostellerie de la Bouriane
Grandcamp-Maisy (14)	La Marée
Grandvillers (88)	Europe et Commerce
Grenoble (38)	Le Coup de Torchon
Gresse-en-Vercors (38)	Le Chalet
Le Gua (17)	Le Moulin de Châlons **N**
La Guerche-de-Bretagne (35)	La Calèche
Guilliers (56)	Au Relais du Porhoët
Le Havre (76)	La Petite Auberge
Honfleur (14)	Le Bréard
Houlgate (14)	L'Eden
L'Isle-sur-la-Sorgue (84)	L'Oustau de l'Isle **N**
L'Isle-sur-Serein (89)	Auberge du Pot d'Étain
Kaysersberg (68)	À l'Arbre Vert
Lanarce (07)	Le Provence
Langeac / Reilhac (43)	Val d'Allier
Langon / Saint-Macaire (33)	Abricotier
Lantosque (06)	La Source
Largentière / Sanilhac (07)	Auberge de la Tour de Brison
Larrau (64)	Etchemaïté
Lavelanet / Nalzen (09)	Les Sapins
Leutenheim (67)	Auberge Au Vieux Couvent
Libourne (33)	Chez Servais
Liessies (59)	Le Carillon
Lille / Capinghem (59)	La Marmite de Pierrot
Limoges (87)	Le Vanteaux
Lorris (45)	Guillaume de Lorris
Lourdes (65)	Alexandra **N**
Le Luc (83)	Le Gourmandin
Luché-Pringé (72)	Auberge du Port des Roches **N**
Luçon (85)	La Mirabelle
Lunel (34)	Chodoreille
Lyon (69)	Daniel et Denise
Lyon (69)	L'Est
Lyon (69)	Le Garet
Lyon (69)	Léon de Lyon **N**
Lyon (69)	M **N**
Lyon (69)	Les Oliviers **N**
Lyon (69)	L'Ouest
Lyon (69)	33 Cité
Lyon (69)	Le Verre et l'Assiette
Lys-Saint-Georges (36)	Auberge La Forge **N**
Madiran (65)	Le Prieuré **N**
Magalas (34)	Ô. Bontemps **N**
Malbuisson / Granges-Sainte-Marie (25)	Auberge du Coude
Mancey (71)	Auberge du Col des Chèvres
Mansle / Luxé (16)	Auberge du Cheval Blanc
Manzac-sur-Vern (24)	Le Lion d'Or
Margaux / Arcins (33)	Le Lion d'Or
Marseillan (34)	Chez Philippe
Mazaye (63)	Auberge de Mazayes
Mende (48)	Le Mazel
Mende (48)	La Safranière
Messery (74)	Atelier des Saveurs
Meyronne (46)	La Terrasse
Meyrueis (48)	Du Mont Aigoual

→ **N** Nouveau   → **New**   → **Nuovo**   → **Neu**   → **Nuevo**

Minerve (34)	Relais Chantovent	**Paimpol (22)**	De la Marne
Mittelbergheim (67)	Am Lindeplatzel	**Pamiers (09)**	De France
Mittelbergheim (67)	Gilg	**Paris 1er**	Au Gourmand
Les Molunes (39)	Le Pré Fillet	**Paris 1er**	Willi's Wine Bar N
Monestier-de-Clermont (38)	Au Sans Souci	**Paris 1er**	Zen N
Montbard / Saint-Rémy (21)	La Mirabelle N	**Paris 2e**	Aux Lyonnais
Montbrison / Savigneux (42)	Yves Thollot	**Paris 3e**	Ambassade d'Auvergne
Montech (82)	La Maison de l'Eclusier	**Paris 3e**	Café des Musées N
Montmorillon (86)	Hôtel de France et Lucullus	**Paris 3e**	Pramil N
Montpellier (34)	Prouhèze Saveurs	**Paris 4e**	Suan Thaï N
Montpon-Ménestérol / Ménestérol (24)	Auberge de l'Eclade	**Paris 5e**	Papilles
Montreuil / Inxent (62)	Auberge d'Inxent	**Paris 5e**	Ribouldingue
Montsalvy (15)	L'Auberge Fleurie	**Paris 6e**	La Maison du Jardin N
Montsoreau (49)	Diane de Méridor	**Paris 6e**	Le Timbre N
Mouzon (08)	Les Échevins N	**Paris 6e**	L'Épi Dupin
Mur-de-Barrez (12)	Auberge du Barrez	**Paris 6e**	L'Épigramme N
Najac (12)	Le Belle Rive	**Paris 7e**	L'Affriolé
Najac (12)	L' Oustal del Barry	**Paris 7e**	Au Bon Accueil
Nancy (54)	V Four	**Paris 7e**	Café Constant
Nantes (44)	La Divate	**Paris 7e**	Chez l'Ami Jean
Nantes / Couëron (44)	François II	**Paris 7e**	Chez les Anges
Nantes / Saint-Herblain (44)	Les Caudalies	**Paris 7e**	Le Clos des Gourmets
Narbonne / Bages (11)	Le Portanel	**Paris 7e**	Les Cocottes N
Natzwiller (67)	Auberge Metzger	**Paris 9e**	La Petite Sirène de Copenhague
Nestier (65)	Relais du Castéra N	**Paris 9e**	Le Pré Cadet
Neufchâtel-sur-Aisne (02)	Le Jardin	**Paris 9e**	Spring
Neuillé-le-Lierre (37)	Auberge de la Brenne	**Paris 10e**	Café Panique
Nevers (58)	Le Bengy	**Paris 10e**	Chez Michel
Nevers / Sauvigny-les-Bois (58)	Moulin de l'Étang	**Paris 10e**	Urbane
Neyrac-les-Bains (07)	Du Levant	**Paris 11e**	Auberge Pyrénées Cévennes
Nice (06)	Au Rendez-vous des Amis	**Paris 11e**	Bistrot Paul Bert N
Niedersteinbach (67)	Cheval Blanc	**Paris 11e**	Mansouria
Nîmes (30)	Aux Plaisirs des Halles	**Paris 12e**	L'Auberge Aveyronnaise N
Nîmes (30)	Le Bouchon et L'Assiette	**Paris 12e**	Jean-Pierre Frelet
Noailhac (81)	Hostellerie d'Oc N	**Paris 13e**	Les Cailloux N
Nogent-le-Roi (28)	Relais des Remparts	**Paris 13e**	Impérial Choisy N
Nogent-sur-Seine (10)	Beau Rivage	**Paris 13e**	L'Ourcine
Notre-Dame-de-Bellecombe (73)	La Ferme de Victorine	**Paris 14e**	La Cantine du Troquet N
Noyalo (56)	L'Hortensia	**Paris 14e**	La Cerisaie
Nuits-Saint-Georges (21)	La Cabotte	**Paris 14e**	L'Entêtée N
Nyons (26)	Le Petit Caveau	**Paris 14e**	La Régalade
Obernai / Ottrott (67)	À l'Ami Fritz	**Paris 15e**	Afaria
Oisly (41)	St-Vincent N	**Paris 15e**	Le Bélisaire
Orange (84)	Le Parvis N	**Paris 15e**	Beurre Noisette
Orléans (45)	La Dariole	**Paris 15e**	Caroubier
Orléans (45)	Eugène	**Paris 15e**	Le Dirigeable
Orléans / Olivet (45)	Laurendière	**Paris 15e**	Le Grand Pan
Ornans (25)	Courbet	**Paris 15e**	Jadis N
Oucques (41)	Du Commerce	**Paris 15e**	L'Os à Moëlle N
Pailherols (15)	Auberge des Montagnes	**Paris 15e**	Stéphane Martin
		Paris 15e	Le Troquet
		Paris 16e	A et M Restaurant
		Paris 16e	Chez Géraud
		Paris 17e	Chez Mathilde-Paris XVII

→ N *Nouveau* → *New* → *Nuovo* → *Neu* → *Nuevo*

Paris 17e	L'Entredgeu	Saint-Benoît-sur-Loire (45)	Grand St-Benoît
Paris 17e	Graindorge	Saint-Bonnet-le-Froid (43)	André Chatelard
Paris 17e	Chez Mathilde-Paris XVII	Saint-Bonnet-le-Froid (43)	Le Fort du Pré
Paris 17e	Meating **N**	Saint-Bonnet-le-Froid (43)	Le Clos des Cimes
Paris 18e	La Table d'Eugène **N**	Saint-Brieuc (22)	Ô Saveurs
Paris 20e	Le Baratin **N**	Saint-Brieuc / Cesson (22)	La Croix Blanche
Pau / Lescar (64)	La Terrasse	Saint-Clément-les-Places (69)	L'Auberge de Saint-Clément
Pauillac (33)	Café Lavinal **N**	Saint-Disdier (05)	La Neyrette
Perpignan (66)	Les Antiquaires	Saint-Dizier (52)	La Gentilhommière
La-Petite-Pierre / Graufthal (67)	Le Cheval Blanc	Saint-Flour (15)	Grand Hôtel de l'Étape
Plaisians (26)	Auberge de la Clue	Saint-Georges-des-Sept-Voies (49)	Auberge de la Sansonnière
Pléneuf-Val-André / Le-Val-André (22)	Au Biniou	Saint-Germain-du-Bois (71)	Hostellerie Bressane
Ploemeur / Lomener (56)	Le Vivier	Saint-Gervais-les-Bains (74)	Le Sérac **N**
Ploubalay (22)	De la Gare	Saint-Hilaire-des-Loges (85)	Le Pantagruelion
Polliat (01)	De la Place	Saint-Hippolyte (68)	Le Parc
Pons (17)	De Bordeaux	Saint-Jean-du-Bruel (12)	Du Midi-Papillon
Pont-de-Vaux (01)	Les Platanes **N**	Saint-Julien-Chapteuil (43)	Vidal
Pont-de-Vaux (01)	Le Raisin	St-Julien-du-Sault (89)	Les Bons Enfants **N**
Pontlevoy (41)	De l'École	Saint-Julien-en-Champsaur (05)	Les Chenets
Porto (2A)	Bella Vista	Saint-Justin (40)	France
Pouillon (40)	L'Auberge du Pas de Vent	Saint-Malo (35)	La Grassinais
Le Puy-en-Velay (43)	Tournayre	Saint-Malo / Saint-Servan-sur-Mer (35)	La Gourmandise **N**
Le Puy-en-Velay / Espaly-Saint-Marcel (43)	L'Ermitage	Saint-Martin-de-Londres (34)	Auberge de Saugras
Puy-Saint-Vincent (05)	La Pendine **N**	Saint-Martin-en-Bresse (71)	Au Puits Enchanté
Quarré-les-Tombes (89)	Le Morvan	Saint-Michel-en-l'Herm (85)	La Rose Trémière
Quédillac (35)	Le Relais de la Rance	Saint-Michel-Mont-Mercure (85)	Auberge du Mont Mercure
Quiberon (56)	La Chaumine	Saint-Palais-sur-Mer (17)	Les Agapes
Quimper / Ty-Sanquer (29)	Auberge de Ti-Coz	Saint-Quirin (57)	Hostellerie du Prieuré
Réalmont (81)	Les Secrets Gourmands	Saint-Romain (21)	Les Roches **N**
Rennes (35)	Le Quatre B	Saint-Suliac (35)	La Ferme du Boucanier
La Réole (33)	Aux Fontaines **N**	Saint-Thégonnec (29)	Auberge St-Thégonnec
Reugny (03)	La Table de Reugny	Saint-Vaast-la-Hougue (50)	France et Fuchsias
Rians (83)	La Roquette	Saint-Valery-en-Caux (76)	Du Port
Riom (63)	Le Flamboyant	Saint-Valery-sur-Somme (80)	Du Port et des Bains **N**
Riquewihr (68)	Le Sarment d'Or	Sainte-Cécile-les-Vignes (84)	Campagne, Vignes et Gourmandises
Roanne (42)	Le Central	Sainte-Croix-de-Verdon (04)	L'Olivier
Robion (84)	L'Escanson **N**	Sainte-Euphémie (01)	Au Petit Moulin
Rodez (12)	Les Jardins de l'Acropolis	Sainte-Menéhould (51)	Le Cheval Rouge **N**
Romorantin-Lanthenay (41)	Auberge le Lanthenay	Saintes-Maries-de-la-Mer (13)	Hostellerie du Pont de Gau
La Roque-Gageac (24)	La Belle Étoile		
Rostrenen (22)	L'Eventail des Saveurs		
Rouvres-en-Xaintois (88)	Burnel		
Les Sables-d'Olonne (85)	La Pilotine		
Saint-Alban-les-Eaux (42)	Le Petit Prince		
Saint-Amand-Montrond / Bruère-Allichamps (18)	Les Tilleuls		
Saint-Amand-Montrond / Abbaye-de-Noirlac (18)	Auberge de l'Abbaye de Noirlac		

➜ **N** *Nouveau* ➜ *New* ➜ *Nuovo* ➜ *Neu* ➜ *Nuevo*

Salies-de-Béarn / Castagnède (64)	La Belle Auberge
Salignac-Eyvigues (24)	La Meynardie
Sancerre (18)	La Pomme d'Or
Santenay (21)	Le Terroir
Le Sappey-en-Chartreuse (38)	Les Skieurs
Sassetot-le-Mauconduit (76)	Le Relais des Dalles
Saugues (43)	La Terrasse
Saumur (49)	Le Gambetta
Sauternes (33)	Saprien
Sauxillanges (63)	Restaurant de la Mairie
Savonnières (37)	La Maison Tourangelle
Seillonnaz (01)	La Cigale d'Or
Semblançay (37)	La Mère Hamard
Senones (88)	Au Bon Gîte
Sérignan (34)	L'Harmonie
Serre-Chevalier / Le Monêtier-les-Bains (05)	Le Chazal **N**
Servon (50)	Auberge du Terroir
Sète (34)	Paris Méditerranée
Sillé-le-Guillaume (72)	Le Bretagne
Sochaux / Étupes (25)	Au Fil des Saisons
Soissons (02)	Chez Raphaël
Sorges (24)	Auberge de la Truffe
Sospel (06)	Des Étrangers
La Souterraine / Saint-Étienne-de-Fursac (23)	Nougier
Steenvoorde (59)	Auprès de mon Arbre **N**
Strasbourg (67)	Le Clou
Strasbourg / Fegersheim (67)	Auberge du Bruchrhein
Tamniès (24)	Laborderie
Tarnac (19)	Des Voyageurs
Tharon-Plage (44)	Le Belem
Thonon-les-Bains / Port-de-Séchex (74)	Le Clos du Lac
Toulouse / Castanet-Tolosan (31)	La Table des Merville
Tourcoing (59)	La Baratte
Tournus / Ozenay (71)	Le Relais d'Ozenay **N**
Tournus / Le Villars (71)	L'Auberge des Gourmets
Tours (37)	L'Arche de Meslay
Tours (37)	La Deuvalière
Tours (37)	Le Bistrot de la Tranchée **N**
Tours / Vallières (37)	Auberge de Port Vallières
Trémolat (24)	Bistrot d'en Face
Troyes / Pont-Sainte-Marie (10)	Bistrot DuPont
Tulle (19)	La Toque Blanche
La Turballe (44)	Le Terminus
La Turbie (06)	Café de la Fontaine
Uchaux (84)	Côté Sud
Uchaux (84)	Le Temps de Vivre
Uzerche / Saint-Ybard (19)	Auberge St-Roch
Uzès / à St-Siffret (30)	L'Authentic
Vagney (88)	Les Lilas **N**
Vaison-la-Romaine (84)	Le Bistro du O **N**
Vaison-la-Romaine / Séguret (84)	Le Mesclun **N**
Valbonne (06)	L'Auberge Fleurie
Le-Val-d'Ajol (88)	La Résidence
Valence (26)	Le 7
Valence-sur-Baïse (32)	La Ferme de Flaran
Valloire (73)	Relais du Galibier
Valmont (76)	Le Bec au Cauchois
Valréas (84)	Au Délice de Provence **N**
Le Valtin (88)	Auberge du Val Joli
Vannes (56)	Roscanvec
Vannes (56)	Le vent d'Est
Varades (44)	La Closerie des Roses
Venarey-les-Laumes / Alise-Sainte-Reine (21)	Cheval Blanc
Vence (06)	Le Vieux Couvent
Vendôme (41)	Le Terre à TR
Vernon (27)	Les Fleurs
Vichy (03)	L'Alambic
Vic-sur-Cère / Col-de-Curebourse (15)	Hostellerie St-Clément
Vierzon (18)	Le Champêtre
Villard-de-Lans (38)	Les Trente Pas
Villars (84)	La Table de Pablo **N**
Villedieu-les-Poêles (50)	Manoir de l'Acherie
Villefranche-de-Rouergue (12)	L'Épicurien
Villefranche-sur-Saône (69)	Le Juliénas
Villeneuve-sur-Lot / Pujols (47)	Lou Calel
Villié-Morgon (69)	Le Morgon
Villiers-sur-Marne (52)	La Source Bleue
Viviers (07)	Le Relais du Vivarais
Wierre-Effroy (62)	La Ferme du Vert
Wissembourg (67)	Le Carrousel Bleu

→ **N** *Nouveau* → *New* → *Nuovo* → *Neu* → *Nuevo*

Bib Hôtel

Bonnes nuits à petits prix en province
Good accommodation at moderate prices outside the Paris region
Buona sistemazione a prezzi contenuti in provincia
Hier übernachten Sie gut und preiswert in der Provinz
Grato descanso a precios moderados en provincias

Localité	Hôtel
Aguessac (12)	Auberge le Rascalat
Aire-sur-l'Adour / Ségos (32)	Minvielle et les Oliviers **N**
Aix-les-Bains (73)	Auberge St-Simond
Ajaccio (2A)	Kallisté
Alençon (61)	Des Ducs **N**
Allevard (38)	Les Alpes
Ampuis (69)	Le Domaine des Vignes **N**
Angers (49)	Du Mail
Angers (49)	Le Progrès
Annecy (74)	Nord
Annot (04)	L'Avenue
Arêches (73)	Auberge du Poncellamont **N**
Argentat (19)	Fouillade
Aubeterre-sur-Dronne (16)	Hostellerie du Périgord
Aubrac (12)	La Dômerie
Aubusson (23)	Villa Adonis
Aulnay (17)	Du Donjon
Auray (56)	Du Loch
Aurec-sur-Loire (43)	Les Cèdres Bleus
Autrans (38)	Les Tilleuls
Autun (71)	La Tête Noire
Auxerre (89)	Normandie
Availles-Limouzine (86)	La Chatellenie
Avignon / Île de la Barthelasse (84)	La Ferme
Ax-les-Thermes (09)	Le Chalet
Azay-le-Rideau (37)	De Biencourt
Azay-le-Rideau (37)	Des Châteaux
Baerenthal (57)	Le Kirchberg
Bagnères-de-Bigorre / Beaudéan (65)	Le Catala
Baix (07)	Les Quatre Vents
Balot (21)	Auberge de la Baume
Ban-de-Laveline (88)	Auberge Lorraine
Baratier (05)	Les Peupliers
Beaugency (45)	De la Sologne
Beaune (21)	Grillon
Beaune / Levernois (21)	Le Parc
Beauzac (43)	L'Air du Temps
Beauzac / Bransac (43)	La Table du Barret
Bénodet (29)	Domaine de Kereven
Berck-sur-Mer / Berck-Plage (62)	L'Impératrice
Béthune (62)	L'Éden
Biarritz (64)	Maïtagaria
Biarritz / Arbonne (64)	Laminak
Bitche (57)	Le Strasbourg **N**
Blienschwiller (67)	Winzenberg
Bollezeele (59)	Hostellerie St-Louis
Bonifacio (2A)	Domaine de Licetto
Bonnétage (25)	L'Etang du Moulin
Bonneval-sur-Arc (73)	À la Pastourelle
La Bouilladisse (13)	La Fenière
Bourges (18)	Le Berry
Bourges (18)	Le Christina
Bourges (18)	Les Tilleuls
Bozouls (12)	A la Route d'Argent
Bracieux (41)	De la Bonnheure
Bretenoux / Port-de-Gagnac (46)	Hostellerie Belle Rive
Brissac-Quincé (49)	Le Castel
Le Bugue / Campagne (24)	Du Château
Buis-les-Baronnies (26)	Les Arcades-Le Lion d'Or
Burnhaupt-le-Haut (68)	Le Coquelicot
Buzançais (36)	L'Hermitage **N**

➜ **N** *Nouveau* ➜ *New* ➜ *Nuovo* ➜ *Neu* ➜ *Nuevo*

80

Caen (14)	Des Quatrans	**Fougères** (35)	Les Voyageurs
Calais (62)	Métropol Hôtel	**Gaillac** (81)	La Verrerie
Calais / Blériot-Plage (62)	Les Dunes	**Gennes** (49)	Les Naulets d'Anjou
Calvinet (15)	Beauséjour	**Gérardmer** (88)	Gérard d'Alsace
Camaret-sur-Mer (29)	Vauban	**Giffaumont-Champaubert** (51)	Le Cheval Blanc **N**
Cambo-les-Bains (64)	Ursula	**Gimel-les-Cascades** (19)	Hostellerie de la Vallée
Camiers (62)	Les Cèdres	**Gordes** (84)	Auberge de Carcarille
Cancale (35)	Le Chatellier	**Goumois** (25)	Le Moulin du Plain
Cannes (06)	Florian	**Gresse-en-Vercors** (38)	Le Chalet
Carennac (46)	Hostellerie Fénelon	**Guebwiller** (68)	Domaine du Lac
Carhaix-Plouguer (29)	Noz Vad	**Guilliers** (56)	Au Relais du Porhoët
Castelnaudary (11)	Du Canal	**Hagetmau** (40)	Le Jambon
Céret (66)	Les Arcades	**Hesdin** (62)	Trois Fontaines
Chagny (71)	De la Poste	**Les Houches** (74)	Auberge Le Montagny
Challans (85)	De l'Antiquité	**Île-de-Sein** (29)	Ar Men
Chamonix-Mont-Blanc /		**Île d'Yeu / Port-Joinville** (85)	Atlantic Hôtel
Les Bossons (74)	Aiguille du Midi	**Illhaeusern** (68)	Les Hirondelles
Champtoceaux (49)	Le Champalud	**L'Isle-d'Abeau** (38)	Le Relais du Çatey
Chandolas (07)	Auberge les Murets	**L'Isle-sur-Serein** (89)	Auberge du Pot d'Étain
Château-Gontier (53)	Parc Hôtel	**Itxassou** (64)	Le Chêne
Château-Gontier / Coudray (53)	L'Amphitryon **N**	**Jonzac / Clam** (17)	Le Vieux Logis
Chaudes-Aigues (15)	Beauséjour	**Jougne** (25)	La Couronne
Chaumont / Chamarandes (52)	Au Rendez-Vous des Amis	**Juliénas** (69)	Chez la Rose
Chauvigny (86)	Lion d'Or	**Juvigny-sous-Andaine** (61)	Au Bon Accueil
Chépy (80)	L'Auberge Picarde	**Kaysersberg** (68)	Constantin
Cherbourg-Octeville (50)	La Renaissance	**Kilstett** (67)	Oberlé
Chézery-Forens (01)	Commerce	**Labaroche** (68)	La Rochette
Chinon (37)	Diderot	**Lacapelle-Viescamp** (15)	Du Lac
Col de la Schlucht (88)	Le Collet	**Lac Chambon** (63)	Le Grillon
Comps-sur-Artuby (83)	Grand Hôtel Bain	**Laguiole** (12)	Régis **N**
Cordon (74)	Le Cordonant	**Lanarce** (07)	Le Provence
Coti-Chiavari (2A)	Le Belvédère	**Langeac / Reilhac** (43)	Val d'Allier
Coulon (79)	Le Central **N**	**Largentière /**	
Cour-Cheverny (41)	St-Hubert	**Sanilhac** (07)	Auberge de la Tour de Brison
La Courtine (23)	Au Petit Breuil	**Larrau** (64)	Etchemaïté
Coutras (33)	Henri IV	**Lascelle** (15)	Du Lac des Graves
Crozon (29)	De la Presqu'île	**Libourne** (33)	De France **N**
Cruis (04)	Auberge de l'Abbaye	**Lodève** (34)	Paix **N**
Dambach-la-Ville (67)	Le Vignoble	**Lons-le-Saunier** (39)	Nouvel Hôtel
Damgan (56)	Albatros	**Lorient** (56)	Astoria
Donzenac (19)	Relais du Bas Limousin	**Loudéac** (22)	Voyageurs **N**
Doué-la-Fontaine (49)	Auberge Bienvenue	**Luz-Saint-Sauveur /**	
Entraygues-sur-Truyère /		**Esquièze-Sère** (65)	Terminus
Le Fel (12)	Auberge du Fel	**Lyon** (69)	Célestins
Épaignes (27)	L'Auberge du Beau Carré	**Mandelieu / La Napoule** (06)	Villa Parisiana
Erquy (22)	Beauséjour	**Margès** (26)	Auberge Le Pont du Chalon
Espalion (12)	De France	**Masseret** (19)	De la Tour
Estaing (12)	L' Auberge St-Fleuret	**Mauriac** (15)	Auv'Hôtel
Eymet (24)	Les Vieilles Pierres	**Mazaye** (63)	Auberge de Mazayes
Le Falgoux (15)	Des Voyageurs	**Megève** (74)	La Chaumine **N**
La Ferté-Saint-Cyr (41)	Saint-Cyr	**Melle** (79)	Les Glycines **N**
Florac / Cocurès (48)	La Lozerette	**Métabief** (25)	Étoile des Neiges
Fouesnant / Cap-Coz (29)	Belle-Vue		

→ **N** *Nouveau* → *New* → *Nuovo* → *Neu* → *Nuevo*

Location	Hotel
Meyrueis (48)	Family Hôtel
Meyrueis (48)	Du Mont Aigoual
Millau (12)	Château de Creissels
Mittelhausen (67)	À l'Étoile
Molsheim (67)	Le Bugatti
Les Molunes (39)	Le Pré Fillet
Monestier-de-Clermont (38)	Au Sans Souci
Montargis / Amilly (45)	Le Belvédère
Montauban (82)	Du Commerce
Montélier (26)	La Martinière
Montigny-la-Resle (89)	Le Soleil d'Or
Montigny-sur-Avre (28)	Moulin des Planches
Montluel (01)	Petit Casset
Montmelard (71)	Le St-Cyr
Montpellier (34)	Du Parc
Montpellier (34)	Ulysse **N**
Montsalvy (15)	L'Auberge Fleurie
Mortagne-au-Perche (61)	Du Tribunal **N**
Morteau / Les Combes (25)	L'Auberge de la Motte
Mulhouse / Frœningen (68)	Auberge de Froeningen
Nantua (01)	L'Embarcadère
Natzwiller (67)	Auberge Metzger
Niederschaeffolsheim (67)	Au Bœuf Rouge
Niedersteinbach (67)	Cheval Blanc
Nogent-le-Rotrou (28)	Brit Hôtel du Perche
Nogent-le-Rotrou (28)	Sully
Nogent-sur-Seine (10)	Beau Rivage
Nontron (24)	Grand Hôtel
Le Nouvion-en-Thiérache (02)	Paix
Noyalo (56)	L'Hortensia
Oberhaslach (67)	Hostellerie St-Florent
Obersteinbach (67)	Anthon
Orléans (45)	Marguerite
Pailherols (15)	Auberge des Montagnes
Paimpol / Ploubazlanec (22)	Les Agapanthes
Patrimonio (2B)	Du Vignoble **N**
Pau (64)	Le Bourbon
Pégomas (06)	Le Bosquet
Pierre-Buffière (87)	La Providence
Pierrefort (15)	Du Midi
Pont-Aven (29)	Les Ajoncs d'Or
Pont-de-Vaux (01)	Les Platanes **N**
Pont-du-Bouchet (63)	La Crémaillère
Le Pouldu (29)	Le Panoramique
Prats-de-Mollo-la-Preste / La Preste (66)	Ribes
Le Puy-en-Velay / Espaly-Saint-Marcel (43)	L'Ermitage
Quarré-les-Tombes (89)	Le Morvan
Quédillac (35)	Le Relais de la Rance
Quintin (22)	Du Commerce **N**
Reipertswiller (67)	La Couronne
Rennes (35)	Britannia
Rennes (35)	Des Lices
Réville (50)	Au Moyne de Saire
Rieumes (31)	Auberge les Palmiers
Riom-Ès-Montagnes (15)	St-Georges
Rochefort (17)	Roca Fortis
La Rochette (73)	Du Parc
Romagnieu (38)	Auberge les Forges de la Massotte
Ronchamp / Champagney (70)	Le Pré Serroux
Roussillon (84)	Les Sables d'Ocre
Rouvres-en-Xaintois (88)	Burnel
Les Sables-d'Olonne (85)	Antoine
Les Sables-d'Olonne (85)	Les Embruns
Saillagouse (66)	Planes (La Vieille Maison Cerdane)
Saint-Agnan (58)	La Vieille Auberge
Saint-Ambroix / Larnac (30)	Le Clos des Arts
Saint-Bonnet-en-Champsaur (05)	La Crémaillère
Saint-Chély-d'Apcher / La Garde (48)	Le Rocher Blanc
Saint-Didier (05)	La Neyrette
Saint-Flour (15)	Auberge de La Providence
Saint-Gervais-d'Auvergne (63)	Le Relais d'Auvergne
Saint-Jean-de-Maurienne (73)	St-Georges
Saint-Jean-du-Bruel (12)	Du Midi-Papillon
Saint-Jean-en-Royans / Col de la Machine (26)	Du Col de la Machine
Saint-Lary (09)	Auberge de l'Isard
Saint-Malo (35)	San Pedro
Saint-Rémy-de-Provence (13)	L'Amandière
Saint-Sernin-sur-Rance (12)	Carayon
Saint-Valery-en-Caux (76)	Les Remparts
Sainte-Menéhould (51)	Le Cheval Rouge
Saintes (17)	L'Avenue
Saintes-Maries-de-la-Mer (13)	Pont Blanc
Salers (15)	Le Bailliage
Salies-de-Béarn / Castagnède (64)	La Belle Auberge
Sallanches (74)	Auberge de l'Orangerie
Sand (67)	Hostellerie la Charrue **N**
Sarlat-la-Canéda (24)	Le Mas de Castel
Sarlat-la-Canéda (24)	Le Mas del Pechs
Sarrebourg (57)	Les Cèdres
Sarreguemines (57)	Amadeus
Sars-Poteries (59)	Marquais
Saugues (43)	La Terrasse
Sauveterre-de-Béarn (64)	La Maison de Navarre
Saverne (67)	Le Clos de la Garenne

→ **N** *Nouveau* 🛏 → **N** *New* 🛏 → **N** *Nuovo* 🛏 → **N** *Neu* 🛏 → **N** *Nuevo* 🛏

Sées / Macé (61)	Île de Sées
Semblançay (37)	La Mère Hamard
Semur-en-Auxois (21)	Les Cymaises
Senones (88)	Au Bon Gîte
Servon (50)	Auberge du Terroir
Sommières (30)	De l'Estelou
Sondernach (68)	A l'Orée du Bois
Souillac (46)	Le Quercy
Sousceyrac (46)	Au Déjeuner de Sousceyrac
Strasbourg / Blaesheim (67)	Au Bœuf
Strasbourg / Entzheim (67)	Père Benoit
Tain-l'Hermitage (26)	Les 2 Côteaux **N**
Tarnac (19)	Des Voyageurs
Thann (68)	Aux Sapins
Le Thillot / Le Ménil (88)	Les Sapins
Thizy (69)	La Terrasse
Le Touquet-Paris-Plage / Stella-Plage (62)	Des Pelouses
Tournon-sur-Rhône (07)	Les Amandiers
Turckheim (68)	Le Berceau du Vigneron
Uriage-les-Bains (38)	Les Mésanges
Uzès (30)	Le Patio de Violette
Valence-sur-Baïse (32)	La Ferme de Flaran **N**
Valgorge (07)	Le Tanargue
Valleraugue (30)	Auberge Cévenole
Valmont (76)	Le Bec au Cauchois **N**
Vaux-sous-Aubigny (52)	Le Vauxois
Vézelay / Pierre-Perthuis (89)	Les Deux Ponts
Viaduc-de-Garabit (15)	Beau Site
Vic-en-Bigorre (65)	Réverbère **N**
Vichy / Abrest (03)	La Colombière
Villé (67)	La Bonne Franquette
Vittel (88)	Providence
Viviers (07)	Le Relais du Vivarais
Vougeot / Gilly-lès-Cîteaux (21)	L'Orée des Vignes
Wimereux (62)	Du Centre
Wissembourg (67)	Au Moulin de la Walk
Yvetot (76)	Du Havre **N**

→ **N** *Nouveau* 🍽   → *New* 🍽   → *Nuovo* 🍽   → *Neu* 🍽   → *Nuevo* 🍽

Hébergements agréables
Pleasant accommodation
Alloggio ameno
Angenehme Unterbringung
Alojamientos agradables

🏠🏠🏠🏠

Antibes / Cap d'Antibes (06)	Du Cap
La Baule (44)	Hermitage Barrière
Beaulieu-sur-Mer (06)	La Réserve de Beaulieu et Spa
Biarritz (64)	Du Palais
Cannes (06)	Carlton Inter Continental
Cannes (06)	Majestic Barrière
Cannes (06)	Martinez
Courchevel / Courchevel 1850 (73)	Les Airelles
Deauville (14)	Normandy-Barrière
Deauville (14)	Royal-Barrière
Évian-les-Bains (74)	Royal
Monte-Carlo (MC)	Paris
Nice (06)	Negresco
Paris 1er	Le Meurice
Paris 1er	Ritz
Paris 8e	Le Bristol
Paris 8e	Crillon
Paris 8e	Four Seasons George V
Paris 8e	Plaza Athénée
Paris 9e	Intercontinental Le Grand
Paris 16e	Raphael
Saint-Jean-Cap-Ferrat (06)	Grand Hôtel du Cap Ferrat
Saint-Tropez (83)	Byblos
Saint-Tropez (83)	Château de la Messardière
Tourrettes (83)	Four Seasons Resort Provence at Terre Blanche

🏠🏠🏠

Ablis (78)	Château d'Esclimont
Aix-en-Provence (13)	Villa Gallici
Antibes / Cap d'Antibes (06)	Impérial Garoupe
Avallon / Vault-de-Lugny (89)	Château de Vault de Lugny
Avignon (84)	La Mirande
Bagnols (69)	Château de Bagnols
Beaune (21)	Le Cep
Beaune / Levernois (21)	Hostellerie de Levernois
Belle-Île / Port-Goulphar (56)	Castel Clara
Béthune / Busnes (62)	Le Château de Beaulieu
Les Bézards (45)	Auberge des Templiers
Bidarray (64)	Ostapé
Billiers (56)	Domaine de Rochevilaine
Bordeaux (33)	Burdigala
Bordeaux (33)	The Regent Grand Hotel
Bordeaux / Martillac (33)	Les Sources de Caudalie
Briollay (49)	Château de Noirieux
Brive-la-Gaillarde / Varetz (19)	Château de Castel Novel
Cahors / Mercuès (46)	Château de Mercuès
Calvi (2B)	La Villa
Cannes (06)	3.14 Hôtel
Carcassonne (11)	De La Cité
Le Castellet / Le Castellet (83)	Du Castellet
Cavalière (83)	Le Club de Cavalière et Spa
Chamonix-Mont-Blanc (74)	Hameau Albert 1er
Colroy-la-Roche (67)	Hostellerie La Cheneaudière
Courcelles-sur-Vesle (02)	Château de Courcelles
Courchevel / Courchevel 1850 (73)	Amanresorts Le Mélézin
Courchevel / Courchevel 1850 (73)	Cheval Blanc
Courchevel / Courchevel 1850 (73)	Le Kilimandjaro
Curzay-sur-Vonne (86)	Château de Curzay
Divonne-les-Bains (01)	Le Grand Hôtel
Eugénie-les-Bains (40)	Les Prés d'Eugénie
Évian-les-Bains (74)	Ermitage
Èze (06)	Château de la Chèvre d'Or

Èze-Bord-de-Mer (06)	Cap Estel
Figeac (46)	Château du Viguier du Roy
Forcalquier / Mane (04)	Couvent des Minimes
Gordes (84)	La Bastide de Gordes et Spa
Grasse (06)	La Bastide St-Antoine
Honfleur (14)	La Ferme St-Siméon
Île de Ré / La Flotte (17)	Richelieu
Joigny (89)	La Côte St-Jacques
Juan-les-Pins (06)	Belles Rives
Juan-les-Pins (06)	Juana
Lacave (46)	Château de la Treyne
Ligny-en-Cambrésis (59)	Château de Ligny
Lille (59)	L'Hermitage Gantois
Luynes (37)	Domaine de Beauvois
Lyon (69)	Cour des Loges
Lyon (69)	Villa Florentine
Lyon / Charbonnières-les-Bains (69)	Le Pavillon de la Rotonde
Megève (74)	Les Fermes de Marie
Megève (74)	Lodge Park
Mirambeau (17)	Château de Mirambeau
Montbazon (37)	Château d'Artigny
Monte-Carlo (MC)	Hermitage
Monte-Carlo (MC)	Monte Carlo Bay Hôtel and Resort
Monte-Carlo (MC)	Métropole
Monte-Carlo / Monte-Carlo-Beach (MC)	Monte-Carlo Beach Hôtel
Mougins (06)	Le Mas Candille
Onzain (41)	Domaine des Hauts de Loire
Paris 1er	Costes
Paris 1er	De Vendôme
Paris 3e	Murano
Paris 3e	Pavillon de la Reine
Paris 8e	Champs-Élysées Plaza
Paris 8e	Napoléon
Paris 16e	Renaissance Parc-Trocadéro
Paris 16e	St-James Paris
Perros-Guirec (22)	L' Agapa
Pont-du-Gard / Castillon-du-Gard (30)	Le Vieux Castillon
Porticcio (2A)	Le Maquis
Porto-Vecchio (2A)	Casadelmar
Porto-Vecchio (2A)	Grand Hôtel de Cala Rossa
Pouilly-en-Auxois / Chailly-sur-Armançon (21)	Château de Chailly
Puymirol (47)	Michel Trama
Reims (51)	Château les Crayères
Roanne (42)	Troisgros
Roquebrune (06)	Vista Palace
Rouffach (68)	Château d'Isenbourg
Saint-Émilion (33)	Hostellerie de Plaisance
Saint-Jean-Cap-Ferrat (06)	La Voile d'Or
Saint-Jean-Cap-Ferrat (06)	Royal Riviera
Saint-Tropez (83)	La Bastide de St-Tropez
Saint-Tropez (83)	Résidence de la Pinède
Saint-Tropez (83)	Villa Belrose
Saint-Tropez (83)	Villa Marie
Sainte-Foy-la-Grande (33)	Château des Vigiers
Sainte-Maxime (83)	Le Beauvallon
Saulieu (21)	Le Relais Bernard Loiseau
Strasbourg (67)	Régent Petite France
Talloires (74)	L'Auberge du Père Bise
Valence (26)	Pic
Versailles (78)	Trianon Palace
Vienne (38)	La Pyramide
Villeneuve-lès-Avignon (30)	Le Prieuré
Vitrac (24)	Domaine de Rochebois
Vonnas (01)	Georges Blanc
Vougeot / Gilly-lès-Cîteaux (21)	Château de Gilly

Aigues-Mortes (30)	Villa Mazarin
Aillant-sur-Tholon (89)	Domaine du Roncemay
Aix-en-Provence (13)	Le Pigonnet
Aix-en-Provence / Celony (13)	Le Mas d'Entremont
Ajaccio (2A)	Palazzu U Domu
Albi (81)	La Réserve
Alpe-d'Huez (38)	Au Chamois d'Or
Amboise (37)	Le Choiseul
Amboise (37)	Le Manoir Les Minimes
Arles (13)	L'Hôtel Particulier
Avignon / Montfavet (84)	Hostellerie Les Frênes
Avignon / Le Pontet (84)	Auberge de Cassagne
Bagnoles-de-l'Orne (61)	Le Manoir du Lys
Bagnols-sur-Cèze (30)	Château de Montcaud
Barbizon (77)	Hôtellerie du Bas-Bréau
La Baule (44)	Castel Marie-Louise
Les Baux-de-Provence (13)	La Cabro d'Or
Bayeux (14)	Château de Sully
Bayeux / Audrieu (14)	Château d'Audrieu
Beaune (21)	L'Hôtel
Bénodet / Sainte-Marine (29)	Villa Tri Men
Béthune / Gosnay (62)	Chartreuse du Val St-Esprit
Biarritz (64)	Beaumanoir
Biarritz / Lac de Brindos (64)	Château de Brindos
Bordeaux / Bouliac (33)	Le St-James
Boulogne-sur-Mer (62)	La Matelote
Le-Bourget-du-Lac (73)	Ombremont
Boutigny-sur-Essonne (91)	Domaine de Bélesbat
Brantôme (24)	Le Moulin de l'Abbaye
Brantôme / Champagnac-de-Belair (24)	Le Moulin du Roc

Le Buisson-de-Cadouin (24)	Le Manoir de Bellerive
La Bussière-sur-Ouche (21)	Abbaye de la Bussière
La Cadière-d'Azur (83)	Hostellerie Bérard
Cagnes-sur-Mer (06)	Le Cagnard
Callas (83)	Hostellerie Les Gorges de Pennafort
Calvi (2B)	La Signoria
Cancale (35)	De Bricourt-Richeux
Carantec (29)	L'Hôtel de Carantec-Patrick Jeffroy
Carcassonne (11)	Domaine d'Auriac
Carcassonne / Cavanac (11)	Château de Cavanac
Carpentras / Mazan (84)	Château de Mazan
Les Carroz-d'Arâches (74)	Les Servages d'Armelle
Cassel (59)	Châtellerie de Schoebeque
La Celle (83)	Hostellerie de l'Abbaye de la Celle
Chagny (71)	Lameloise
Chambéry / Chambéry-le-Vieux (73)	Château de Candie
Chambolle-Musigny (21)	Château André Ziltener
Chamonix-Mont-Blanc (74)	Grand Hôtel des Alpes
Château-Arnoux-Saint-Auban (04)	La Bonne Étape
Chenonceaux (37)	Auberge du Bon Laboureur
Chinon / Marçay (37)	Château de Marçay
Cognac (16)	Château de l'Yeuse
Coise-Saint-Jean-Pied-Gauthier (73)	Château de la Tour du Puits
La Colle-sur-Loup (06)	Le Clos des Arts
Colmar (68)	Les Têtes
Colombey-les-Deux-Églises (52)	Hostellerie la Montagne
Condrieu (69)	Hôtellerie Beau Rivage
Connelles (27)	Le Moulin de Connelles
Cordes-sur-Ciel (81)	Le Grand Écuyer
Cordon (74)	Le Cerf Amoureux
Cordon (74)	Les Roches Fleuries
Courchevel / Courchevel 1850 (73)	La Sivolière
Courchevel / Courchevel 1850 (73)	Le Chabichou
Crillon-le-Brave (84)	Crillon le Brave
Le Croisic (44)	Le Fort de l'Océan
La Croix-Valmer / Gigaro (83)	Château de Valmer
Crozet (01)	Jiva Hill Park Hôtel
Cruseilles (74)	Château des Avenières
Deauville (14)	Hostellerie de Tourgéville
Dinard (35)	Villa Reine Hortense
Enghien-les-Bains (95)	Grand Hôtel Barrière
Épernay / Champillon (51)	Royal Champagne
Épernay / Vinay (51)	Hostellerie La Briqueterie
Èze (06)	Château Eza
Fère-en-Tardenois (02)	Château de Fère
Gargas (84)	Domaine La Coquillade
Gémenos (13)	Relais de la Magdeleine
Gérardmer (88)	Le Manoir au Lac
Gérardmer / Bas-Rupts (88)	Les Bas-Rupts
Gordes (84)	Les Bories et Spa
Grasse (06)	La Bastide St-Mathieu
Le Grau-du-Roi / Port-Camargue (30)	Spinaker
Gressy (77)	Le Manoir de Gressy
Grignan (26)	Manoir de la Roseraie
Guidel (56)	Le Domaine de Kerbastic
Hennebont (56)	Château de Locguénolé
Honfleur (14)	Le Manoir du Butin
Igé (71)	Château d'Igé
Île de Porquerolles (83)	Le Mas du Langoustier
Île de Ré / Saint-Martin-de-Ré (17)	De Toiras
Île de Ré / Saint-Martin-de-Ré (17)	Le Clos St-Martin
Joucas (84)	Hostellerie Le Phébus
Lacave (46)	Pont de l'Ouysse
Laguiole (12)	Bras
Langeais / Saint-Patrice (37)	Château de Rochecotte
Le Lavandou / Aiguebelle (83)	Les Roches
Lencloître / à Savigny-sous-Faye (86)	Château Hôtel de Savigny
Lezoux / Bort-l'Étang (63)	Château de Codignat
Lille / Emmerin (59)	La Howarderie
Limoges / Saint-Martin-du-Fault (87)	Chapelle St-Martin
Locquirec (29)	Le Grand Hôtel des Bains
Lorgues (83)	Château de Berne
Lourmarin (84)	Le Moulin de Lourmarin
Lunéville (54)	Château d'Adoménil
Lyon (69)	Le Royal Lyon
Magescq (40)	Relais de la Poste
La Malène (48)	Château de la Caze
Manigod (74)	Chalet Hôtel Croix-Fry
Marseille (13)	Le Petit Nice
Maussane-les-Alpilles / Paradou (13)	Le Hameau des Baux
Megève (74)	Chalet du Mont d'Arbois
Megève (74)	Chalet St-Georges
Megève (74)	Le Fer à Cheval
Megève (74)	Mont-Blanc
Méribel (73)	Allodis
Méribel (73)	Le Grand Cœur et Spa
Méribel (73)	Le Yéti
Missillac (44)	La Bretesche
Moëlan-sur-Mer (29)	Manoir de Kertalg
Moissac (82)	Le Manoir St-Jean
Molitg-les-Bains (66)	Château de Riell
Monaco (MC)	Columbus
Montbazon (37)	Domaine de la Tortinière
Montélimar (26)	Domaine du Colombier
Montpellier / Castelnau-le-Lez (34)	Domaine de Verchant

Montreuil (62)	Château de Montreuil
Montrichard / Chissay-en-Touraine (41)	Château de Chissay
Mougins (06)	De Mougins
Moustiers-Sainte-Marie (04)	Bastide de Moustiers
Najac (12)	Les Demeures de Longcol
Nans-les-Pins (83)	Domaine de Châteauneuf
Nice (06)	La Pérouse
Nieuil (16)	Château de Nieuil
Nîmes (30)	Jardins Secrets
Obernai (67)	A la Cour d'Alsace
Obernai (67)	Le Parc
Paris 6e	D'Aubusson
Paris 6e	Esprit Saint-Germain
Paris 6e	L'Hôtel
Paris 6e	Relais Christine
Paris 6e	Relais St-Germain
Paris 7e	Duc de St-Simon
Paris 7e	Pont Royal
Paris 8e	Daniel
Paris 8e	De Sers
Paris 8e	François 1er
Paris 11e	Les Jardins du Marais
Paris 16e	Keppler
Paris 16e	Sezz
Paris 16e	Square
Paris 16e	Trocadero Dokhan's
Paris 18e	Kube
Pau (64)	Villa Navarre
Pauillac (33)	Château Cordeillan Bages
Pérouges (01)	Ostellerie du Vieux Pérouges
Poligny / Monts-de-Vaux (39)	Hostellerie des Monts de Vaux
Pons / Mosnac (17)	Moulin du Val de Seugne
Pornichet (44)	Sud Bretagne
Port-en-Bessin (14)	La Chenevière
Port-Lesney (39)	Château de Germigney
Porto-Vecchio (2A)	Belvédère
Propriano (2A)	Grand Hôtel Miramar
Rayol-Canadel-sur-Mer (83)	Le Bailli de Suffren
Reims (51)	L'Assiette Champenoise
Ribeauvillé (68)	Le Clos St-Vincent
Roscoff (29)	Le Brittany
Saint-Arcons-d'Allier (43)	Les Deux Abbesses
Saint-Bonnet-le-Froid (43)	Le Clos des Cimes
Saint-Émilion (33)	Château Grand Barrail
Saint-Florent (2B)	Demeure Loredana
Saint-Florent (2B)	La Dimora
Saint-Germain-en-Laye (78)	La Forestière
Saint-Jean-de-Luz (64)	Grand Hôtel
Saint-Jean-de-Luz (64)	Parc Victoria
Saint-Jean-de-Luz (64)	Zazpi Hôtel
Saint-Jean-Pied-de-Port (64)	Les Pyrénées
Saint-Omer / Tilques (62)	Château Tilques
Saint-Paul (06)	La Colombe d'Or
Saint-Paul (06)	Le Mas de Pierre
Saint-Paul (06)	Le Saint-Paul
Saint-Paul-Trois-Châteaux (26)	Villa Augusta
Saint-Rémy-de-Provence (13)	Hostellerie du Vallon de Valrugues
Saint-Rémy-de-Provence (13)	Le Château des Alpilles
Saint-Rémy-de-Provence (13)	Les Ateliers de l'Image
Saint-Tropez (83)	La Tartane Saint-Amour
Saint-Tropez (83)	Le Yaca
Saint-Tropez (83)	Pan Deï Palais
Sainte-Anne-la-Palud (29)	De La Plage
Sainte-Lucie-de-Porto-Vecchio (2A)	Le Pinarello
Sainte-Maure-de-Touraine / Noyant-de Touraine (37)	Château de Brou
Sainte-Preuve (02)	Domaine du Château de Barive
Saintes (17)	Relais du Bois St-Georges
Saintes-Maries-de-la-Mer (13)	Le Mas de la Fouque
Salon-de-Provence (13)	Abbaye de Sainte-Croix
Le Sambuc (13)	Le Mas de Peint
Sarlat-la-Canéda (24)	Clos La Boëtie
Sault (84)	Hostellerie du Val de Sault
Saumur (49)	Château de Verrières
Saumur / Chênehutte-les-Tuffeaux (49)	Le Prieuré
La Saussaye (27)	Manoir des Saules
Strasbourg (67)	Régent Contades
Strasbourg / Plobsheim (67)	Le Kempferhof
Tarbes (65)	Le Rex Hotel
Théoule-sur-Mer / Miramar (06)	Miramar Beach
Thuret (63)	Château de la Canière
Tignes (73)	Les Campanules
Tournus (71)	Hôtel de Greuze
Tours / Joué-lès-Tours (37)	Château de Beaulieu
Tours / Rochecorbon (37)	Les Hautes Roches
Tourtour (83)	La Bastide de Tourtour
Trébeurden (22)	Manoir de Lan-Kerellec
Trébeurden (22)	Ti al Lannec
Trégunc (29)	Auberge Les Grandes Roches
Trémolat (24)	Le Vieux Logis
Trigance (83)	Château de Trigance
Troyes (10)	La Maison de Rhodes
Troyes (10)	Le Champ des Oiseaux
Uriage-les-Bains (38)	Grand Hôtel
Verdun / Les Monthairons (55)	Hostellerie du Château des Monthairons
Verneuil-sur-Avre (27)	Le Clos
Vervins (02)	Tour du Roy
Vézelay / Saint-Père (89)	L'Espérance
Ville-d'Avray (92)	Les Étangs de Corot
Villeneuve-lès-Avignon (30)	La Magnaneraie
Villiers-le-Mahieu (78)	Château de Villiers le Mahieu

Agde / Le Cap-d'Agde (34)	La Bergerie du Cap
Aisonville-et-Bernoville (02)	Le 1748
Aix-en-Provence (13)	Bastide du Cours
Ajaccio (2A)	Les Mouettes
Alençon / Saint-Paterne (72)	Château de St-Paterne
Alleyras (43)	Le Haut-Allier
Amboise (37)	Château de Pray
Anduze / Tornac (30)	Les Demeures du Ranquet
Argelès-sur-Mer (66)	Le Cottage
Argenton-sur-Creuse / Bouesse (36)	Château de Bouesse
Astaffort (47)	Le Square "Michel Latrille"
Auribeau-sur-Siagne (06)	Auberge de la Vignette Haute
Aurillac / Vézac (15)	Château de Salles
Auxerre (89)	Le Parc des Maréchaux
Bagnoles-de-l'Orne (61)	Bois Joli
Barneville-Carteret / Carteret (50)	Des Ormes
Le Bar-sur-Loup (06)	Hostellerie du Château
Les Baux-de-Provence (13)	La Riboto de Taven
Les Baux-de-Provence (13)	Mas de l'Oulivié
Beaulieu (07)	La Santoline
Beaune / Montagny-lès-Beaune (21)	Le Clos
Beaune / Savigny-lès-Beaune (21)	Le Hameau de Barboron
Bédarieux / Hérépian (34)	Le Couvent d'Hérépian
Belle-Île / Bangor (56)	La Désirade
Bergerac (24)	Château Rauly-Saulieut
Bergerac / Saint-Nexans (24)	La Chartreuse du Bignac
Bermicourt (62)	La Cour de Rémi
Besançon (25)	Charles Quint
Biarritz (64)	Le Château du Clair de Lune
Bidart (64)	L'Hacienda
Bidart (64)	Villa L'Arche
Bize-Minervois (11)	La Bastide Cabezac
Bonifacio (2A)	Genovese
Bonnat (23)	L'Orangerie
Bonnieux (84)	Auberge de l'Aiguebrun
Bourges (18)	D'Angleterre
Cambremer (14)	Château Les Bruyères
Cangey (37)	Le Fleuray
Cannes (06)	Cavendish
Carpentras / Monteux (84)	Domaine de Bourneereau
Carsac-Aillac (24)	La Villa Romaine
Céret (66)	Le Mas Trilles
Chablis (89)	Du Vieux Moulin
Chablis (89)	Hostellerie des Clos
Châteaudun / Flacey (28)	Domaine de Moresville
Le Châtelet / Notre-Dame d'Orsan (18)	La Maison d'Orsan
Châtillon-sur-Chalaronne (01)	La Tour
Cogolin (83)	La Maison du Monde
La Colle-sur-Loup (06)	L'Abbaye
Colmar (68)	Hostellerie Le Maréchal
Condom (32)	Les Trois Lys
Conques (12)	Le Moulin de Cambelong
Crépon (14)	Ferme de la Rançonnière
Deauville (14)	81 L'Hôtel
Les Deux-Alpes (38)	Chalet Mounier
Épernay (51)	La Villa Eugène
Épernay (51)	Le Clos Raymi
Erbalunga (2B)	Castel'Brando
Ermenonville (60)	Le Prieuré
Eugénie-les-Bains (40)	La Maison Rose
Les Eyzies-de-Tayac (24)	Ferme Lamy
Fayence (83)	Moulin de la Camandoule
Fontaine-de-Vaucluse (84)	Du Poète
Fort-Mahon-Plage (80)	Auberge Le Fiacre
Fréjus (83)	L'Aréna
Gensac (33)	Château de Sanse
Gex / Échenevex (01)	Auberge des Chasseurs
Goumois (25)	Taillard
Graveson (13)	Moulin d'Aure
Grignan (26)	Le Clair de la Plume
Guéthary (64)	Villa Catarie
Gundershoffen (67)	Le Moulin
Hauteluce (73)	La Ferme du Chozal
Le Havre (76)	Vent d'Ouest
Honfleur (14)	L'Absinthe
Honfleur (14)	L'Écrin
Honfleur (14)	La Chaumière
Honfleur (14)	La Maison de Lucie
Honfleur (14)	Les Maisons de Léa
Hossegor (40)	Les Hortensias du Lac
Île de Noirmoutier / Noirmoutier-en-l'Île (85)	Fleur de Sel
Île de Port-Cros (83)	Le Manoir
L'Île-Rousse (2B)	U Palazzu
L'Isle-sur-la-Sorgue (84)	Hostellerie La Grangette
Juan-les-Pins (06)	La Villa
Juan-les-Pins (06)	Ste-Valérie
Jumièges (76)	Le Clos des Fontaines
Jungholtz (68)	Les Violettes
Lacabarède (81)	Demeure de Flore
Lapoutroie (68)	Les Alisiers
Lille (59)	Art Déco Romarin
Limoux (11)	Grand Hôtel Moderne et Pigeon
Lourmarin (84)	La Bastide de Lourmarin
Lumbres (62)	Moulin de Mombreux
Lyons-la-Forêt (27)	La Licorne
Madières (34)	Château de Madières
La Malène (48)	Manoir de Montesquiou
Marlenheim (67)	Le Cerf
Marsolan (32)	Lous Grits
Martel (46)	Relais Ste-Anne
Maussane-les-Alpilles / Paradou (13)	Du Côté des Olivades
Megève (74)	Au Coin du Feu
Ménerbes (84)	La Bastide de Marie
Meyronne (46)	La Terrasse
Monpazier (24)	Edward 1er
Montpellier (34)	D'Aragon
Montpellier / Castries (34)	Disini

Montsoreau (49)	La Marine de Loire
Moudeyres (43)	Le Pré Bossu
Mougins (06)	Le Manoir de l'Étang
Mougins (06)	Les Muscadins
Mussidan / Sourzac (24)	Le Chaufourg en Périgord
Nancy (54)	D'Haussonville
Neauphle-le-Château (78)	Domaine du Verbois
Nice (06)	Le Grimaldi
Nîmes (30)	La Maison de Sophie
Nitry (89)	Auberge la Beursaudière
Nyons (26)	La Bastide des Monges
Oradour-sur-Vayres (87)	La Bergerie des Chapelles
Orgon (13)	Le Mas de la Rose
Osthouse (67)	À la Ferme
Paris 2ᵉ	Noailles
Paris 3ᵉ	Du Petit Moulin
Paris 4ᵉ	Bourg Tibourg
Paris 6ᵉ	Des Académies et des Arts
Paris 7ᵉ	Le Bellechasse
Paris 8ᵉ	Le A
Paris 8ᵉ	Centvingttrois
Paris 8ᵉ	Chambiges Élysées
Paris 8ᵉ	De l'Arcade
Paris 16ᵉ	Bassano
Paris 16ᵉ	Kléber
Paris 17ᵉ	Banville
Paris 17ᵉ	Waldorf Arc de Triomphe
Paris 18ᵉ	L'Hôtel Particulier
Paris 20ᵉ	Mama Shelter
Peillon (06)	Auberge de la Madone
Perros-Guirec (22)	Le Manoir du Sphinx
Petit-Bersac (24)	Château Le Mas de Montet
Le Pradet / Les Oursinières (83)	L'Escapade
Le Puy-en-Velay (43)	Du Parc
Puy-l'Évêque (46)	Bellevue
Quimper (29)	Manoir-Hôtel des Indes
Rennes (35)	Le Coq-Gadby
Rocamadour (46)	Domaine de la Rhue
Rodez (12)	La Ferme de Bourran
Romans-sur-Isère (26)	L'Orée du Parc
La Roque-sur-Pernes (84)	Château la Roque
Le Rouret (06)	Du Clos
Roussillon (84)	Le Clos de la Glycine
Saillagouse / Llo (66)	L'Atalaya
Saint-Affrique-les-Montagnes (81)	Domaine de Rasigous
Saint-Amour-Bellevue (71)	Auberge du Paradis
Saint-Émilion (33)	Au Logis des Remparts
Saint-Étienne-de-Baïgorry (64)	Arcé
Saint-Flour / Saint-Georges (15)	Le Château de Varillettes
Saint-Jean-de-Luz (64)	La Devinière
Saint-Laurent-des-Arbres (30)	Le Saint-Laurent
Saint-Paul (06)	La Grande Bastide
Saint-Paul (06)	Le Hameau
Saint-Rémy-de-Provence (13)	Gounod
Saint-Rémy-de-Provence (13)	La Maison de Bournissac
Saint-Saud-Lacoussière (24)	Hostellerie St-Jacques
Saint-Tropez (83)	Benkiraï
Saint-Tropez (83)	La Maison Blanche
Saint-Tropez (83)	La Mistralée
Saint-Tropez (83)	Pastis
Saint-Vallier (26)	Domaine des Buis
Sainte-Anne-d'Auray (56)	L'Auberge
Salers / Le Theil (15)	Hostellerie de la Maronne
Sare (64)	Arraya
Saulxures (67)	La Belle Vue
Sauternes (33)	Relais du Château d'Arche
Sauveterre (30)	Château de Varenne
Sélestat (67)	Auberge de l'Illwald
Sélestat (67)	Les Prés d'Ondine
Sézanne / Mondement-Montgivroux (51)	Domaine de Montgivroux
Strasbourg (67)	Chut - Au Bain aux Plantes
Toulouse (31)	Garonne
Tournus / Brancion (71)	La Montagne de Brancion
La Trinité-sur-Mer (56)	Le Lodge Kerisper
Turquant (49)	Demeure de la Vignole
Uchaux (84)	Château de Massillan
Uzès (30)	Hostellerie Provençale
Valaurie (26)	Le Moulin de Valaurie
Vannes (56)	Villa Kerasy
Vannes / Arradon (56)	Le Logis de Parc er Gréo
Ygrande (03)	Château d'Ygrande

🏠

Argenton-sur-Creuse (36)	Manoir de Boisvillers
Avensan (33)	Le Clos de Meyre
Beaune / Puligny-Montrachet (21)	La Chouette
Biarritz (64)	Maison Garnier
Bormes-les-Mimosas (83)	Hostellerie du Cigalou
Boulbon (13)	La Bastide de Boulbon
Cancale (35)	Auberge de la Motte Jean
Clermont-l'Hérault / Saint-Saturnin-de-Lucian (34)	Du Mimosa
Cliousclat (26)	La Treille Muscate
Crest-Voland (73)	Le Caprice des Neiges
Cuq-Toulza (81)	Cuq en Terrasses
Deauville (14)	Villa Joséphine
Eygalières (13)	Mas dou Pastré
Florac / Cocurès (48)	La Lozerette
Forcalquier (04)	Auberge Charembeau
La Garde-Guérin (48)	Auberge Régordane
Le Grand-Bornand / Le Chinaillon (74)	Les Cimes
Graveson (13)	Le Cadran Solaire
Île de Ré / Ars-en-Ré (17)	Le Sénéchal
Île de Ré / Saint-Martin-de-Ré (17)	La Maison Douce
L'Isle-sur-la-Sorgue (84)	Le Mas des Grès

Lyons-la-Forêt (27)	Les Lions de Beauclerc
Le Mans / Saint-Saturnin (72)	Domaine de Chatenay
Maubec (84)	La bastide du Bois Bréant
Montauban-sur-l'Ouvèze (26)	La Badiane
Montclus (30)	La Magnanerie de Bernas
Moustiers-Sainte-Marie (04)	La Ferme Rose
Nyons (26)	Une Autre Maison
Paris 16e	Windsor Home
Propriano (2A)	Le Lido
Puycelci (81)	L'Ancienne Auberge
Rocamadour (46)	Troubadour
Saint-Alban-sur-Limagnole (48)	Relais St-Roch
Saint-Céré (46)	Villa Ric
Saint-Disdier (05)	La Neyrette
Saint-Laurent-du-Verdon (04)	Le Moulin du Château
Saint-Malo / Saint-Servan-sur-Mer (35)	L'Ascott
Saint-Prix (95)	Hostellerie du Prieuré
Salers (15)	Saluces
Sancerre / Saint-Thibault (18)	De la Loire
Seignosse (40)	Villa de l'Étang Blanc
Serre-Chevalier / Le Monêtier-les-Bains (05)	Alliey
Le Thor (84)	La Bastide Rose
Tréguier (22)	Kastell Dinec'h
Vaison-la-Romaine / Crestet (84)	Mas d'Hélène
Valberg (06)	Blanche Neige
Val-d'Isère (73)	La Becca
Wierre-Effroy (62)	La Ferme du Vert

🏠

Alès / Saint-Hilaire-de-Brethmas (30)	Comptoir St-Hilaire
Alleins (13)	Domaine de Méjeans
Amboise (37)	Vieux Manoir
Apt / Saignon (84)	Chambre de Séjour avec Vue
Arbois (39)	Closerie les Capucines
Argelès-sur-Mer (66)	Château Valmy
Aureille (13)	Le Balcon des Alpilles
Autun (71)	Le Moulin Renaudiots
Auxerre / Appoigny (89)	Le Puits d'Athie
Avignon (84)	Lumani
Ay (51)	Le Manoir des Charmes
Ayguesvives (31)	La Pradasse
Barcelonnette / Saint-Pons (04)	Domaine de Lara
Le Barroux (84)	L'Aube Safran
Bastia (2B)	Château Cagninacci
La Bastide-Clairence (64)	Maison Maxana
La Baume (74)	La Ferme aux Ours
Bazouges-la-Pérouse (35)	Le Château de la Ballue
Beaulieu-sur-Dordogne / Brivezac (19)	Château de la Grèze
Beaune (21)	La Terre d'Or
Belle-Île / Le Palais (56)	Château de Bordenéo
Bessonies (46)	Château de Bessonies
Béziers / Villeneuve-lès-Béziers (34)	La Chamberte
Biarritz (64)	Nere-Chocoa
Biarritz (64)	Villa Le Goëland
Biarritz / Arcangues (64)	Les Volets Bleus
Bonneuil (16)	Le Maine Pertubaud-Jenssen
La Bourboule (63)	La Lauzeraie
Bourg-en-Bresse / Lalleyriat (01)	Le Nid à Bibi
Bras (83)	Une Campagne en Provence
Le Bugue (24)	Maison Oléa
Caderousse (84)	La Bastide des Princes
Cambrai (59)	Le Clos St-Jacques
Cancale (35)	Les Rimains
Cancon / Saint-Eutrope-de-Born (47)	Domaine du Moulin de Labique
Carcassonne (11)	La Maison Coste
Carpentras (84)	Château du Martinet
Cascastel-des-Corbières (11)	Domaine Grand Guilhem
Cerdon (45)	Les Vieux Guays
Cervione (2B)	Casa Corsa
Chamonix-Mont-Blanc / Le Lavancher (74)	Les Chalets de Philippe
Charolles (71)	Le Clos de l'Argolay
Chassagne-Montrachet (21)	Château de Chassagne-Montrachet
Clémont (18)	Domaine des Givrys
Collonges-la-Rouge (19)	Jeanne
Colonzelle (26)	La Maison de Soize
Cordes-sur-Ciel / Campes (81)	Le Domaine de la Borie Grande
Corvol-d'Embernard (58)	Le Colombier de Corvol
Coux-et-Bigaroque (24)	Manoir de la Brunie
Crazannes (17)	Château de Crazannes
Cucugnan (11)	La Tourette
Cult (70)	Les Egrignes
Danizy (02)	Domaine le Parc
Derchigny (76)	Manoir de Graincourt
Drain (49)	Le Mésangeau
Eccica-Suarella (2A)	Carpe Diem Palazzu
Ennordres (18)	Les Chatelains
Escatalens (82)	Maison des Chevaliers
Espelette (64)	Irazabala
Farges-Allichamps (18)	Château de la Commanderie
Fontenay (88)	La Grange
Fontenay-le-Comte (85)	Le Logis de la Clef de Bois
Fréland (68)	La Haute Grange
Fresne-Cauverville (27)	Le Clos de l'Ambroisie
Garrigues (34)	Château de Roumanières
Gramat (46)	Moulin de Fresquet
Le Grand-Bornand / Le Bouchet (74)	Le Chalet des Troncs
Grasse (06)	Moulin St-François
Grez-en-Bouère (53)	Château de Chanay

Grignan (26)	La Maison du Moulin
Guebwiller / Murbach (68)	Le Schaeferhof
Guéthary (64)	Arguibel
Hasparren (64)	Ferme Hégia
Honfleur (14)	Le Clos Bourdet
Honfleur (14)	La Petite Folie
Île de Noirmoutier / Noirmoutier-en-l'Île (85)	La Maison de Marine
Île de Ré / Saint-Martin-de-Ré (17)	Domaine de la Baronnie
Île de Ré / Saint-Martin-de-Ré (17)	La Coursive St-Martin
Île de Ré / Saint-Martin-de-Ré (17)	Le Corps de Garde - La Maison du Port
Ivoy-le-Pré (18)	Château d'Ivoy
Jarnac (16)	Château St-Martial
Jullié (69)	Domaine de la Chapelle de Vâtre
Lascabanes (46)	Le Domaine de Saint-Géry
Lavannes (51)	La Closerie des Sacres
Lestiac-sur-Garonne (33)	Les Logis de Lestiac
Libourne / La Rivière (33)	Château de La Rivière
Lille (59)	La Maison Carrée
Linières-Bouton (49)	Château de Boissimon
Lissac-sur-Couze (19)	Château de Lissac
Lodève (34)	Domaine du Canalet
Lorgues (83)	La Bastide du Pin
Lyon / Écully (69)	Les Hautes Bruyères
Mâcon / Hurigny (71)	Château des Poccards
Martigné-Briand (49)	Château des Noyers
Maussane-les-Alpilles / Paradou (13)	La Maison du Paradou
Meaux / Trilbardou (77)	M. et Mme Cantin
Meauzac (82)	Manoir des Chanterelles
Merry-sur-Yonne (89)	Le Charme Merry
Monhoudou (72)	Château de Monhoudou
Montbenoît / La Longeville (25)	Le Crêt l'Agneau
Moustiers-Sainte-Marie (04)	La Bouscatière
Muro (2B)	Casa Theodora
Mutigny (51)	Manoir de Montflambert
Le Muy (83)	Château des Demoiselles
Nancy (54)	Maison de Myon
Nantes / La Haie-Fouassière (44)	Château du Breil
Neauphle-le-Château (78)	Le Clos St-Nicolas
Notre-Dame-du-Guildo (22)	Château du Val d' Arguenon
Notre-Dame-du-Pé (72)	La Reboursière
Oinville-sous-Auneau (28)	Caroline Lethuillier
Orange (84)	Justin de Provence
Pérignac (16)	Château de Lerse
Planguenoual (22)	Manoir de la Hazaie
Plazac (24)	Béchanou
Pleudihen-sur-Rance (22)	Manoir de St-Meleuc
Plougasnou (29)	Ar Velin Avel
Pluvigner (56)	Domaine de Kerbarh
Poitiers / Lavoux (86)	Logis du Château du Bois Dousset
Poligny (05)	Le Chalet des Alpages
Portel-des-Corbières (11)	Domaine de la Pierre Chaude
Privas / Rochessauve (07)	Château de Rochessauve
Quimperlé (29)	Château de Kerlarec
Riantec (56)	La Chaumière de Kervassal
Riquewihr (68)	Le B. Espace Suites
Rochefort (17)	Palmier sur Cour
Rodez (12)	Château de Labro
Roquebrune (06)	Le Roquebrune
Rouen / Martainville-Épreville (76)	Sweet Home
Rustrel (84)	La Forge
Saint-Adjutory (16)	Château du Mesnieux
Saint-André-de-Roquelongue (11)	Demeure de Roquelongue
Saint-Bômer-les-Forges (61)	La Maison de la Maigraire
Saint-Calais (72)	Château de la Barre
Saint-Étienne-la-Thillaye (14)	La Maison de Sophie
Saint-Florent (2B)	La Maison Rorqual
Saint-Front (43)	La Vidalle d'Eyglet
Saint-Léon (47)	Le Hameau des Coquelicots
Saint-Mathurin (85)	Le Château de la Millière
Saint-Michel-Escalus (40)	La Bergerie-St-Michel
Saint-Michel-Mont-Mercure (85)	Château de la Flocellière
Saint-Palais-sur-Mer (17)	Ma Maison de Mer
Saint-Pierre-d'Albigny (73)	Château des Allues
Saint-Rémy-de-Provence (13)	La Maison du Village
Saint-Silvain-Bellegarde (23)	Les Trois Ponts
Saint-Sornin (17)	La Caussolière
Saint-Valery-en-Caux (76)	Château du Mesnil Geoffroy
Sainte-Mère-Église (50)	Château de L'Isle Marie
Sainte-Nathalene (24)	La Roche d'Esteil
Segonzac (19)	Pré Laminon
Soustons (40)	Domaine de Bellegarde
Strasbourg (67)	La Belle Strasbourgeoise
Terraube (32)	Maison Ardure
Le Thoronet (83)	Bastide des Hautes Moures
Toulouse (31)	Les Loges de St-Sernin
Tournus (71)	La Tour du Trésorier
Tourrettes-sur-Loup (06)	Histoires de Bastide
Troyes / Moussey (10)	Domaine de la Creuse
Tulette (26)	K-Za
Uzer (07)	Château d'Uzer
Uzès / Montaren-et-Saint-Médiers (30)	Clos du Léthé
Valojoulx (24)	La Licorne
Vals-les-Bains (07)	Château Clément
Vals-les-Bains (07)	Villa Aimée
Vauville (14)	Manoir de la Haulle
Vence (06)	La Colline de Vence
Vergoncey (50)	Château de Boucéel
Verteuil-sur-Charente (16)	Le Couvent des Cordeliers
Villemontais (42)	Domaine de Fontenay
Villiers-sous-Grez (77)	La Cerisaie
Vollore-Ville (63)	Château de Vollore
Vouvray (37)	Domaine des Bidaudières

Restaurants agréables
Pleasant restaurants
Ristoranti ameni
Angenehme Restaurants
Restaurantes agradables

XXXXX

Annecy / Veyrier-du-Lac (74)	La Maison de Marc Veyrat
Antibes / Cap d'Antibes (06)	Eden Roc
Les Baux-de-Provence (13)	L' Oustaù de Baumanière
Illhaeusern (68)	Auberge de l'Ill
Lyon (69)	Paul Bocuse
Monte-Carlo (MC)	Le Louis XV-Alain Ducasse
Paris 1er	L'Espadon
Paris 1er	le Meurice
Paris 5e	La Tour d'Argent
Paris 8e	Alain Ducasse au Plaza Athénée
Paris 8e	Les Ambassadeurs
Paris 8e	Apicius
Paris 8e	Le Bristol
Paris 8e	Le "Cinq"
Paris 8e	Lasserre
Paris 8e	Ledoyen
Paris 8e	Taillevent

XXXX

Baerenthal / Untermuhlthal (57)	L'Arnsbourg
Le-Bourget-du-Lac (73)	Le Bateau Ivre
Cannes (06)	La Palme d'Or
Lille (59)	A L'Huîtrière
Lyon (69)	Pierre Orsi
Lyon / Charbonnières-les-Bains (69)	La Rotonde
Mandelieu / La Napoule (06)	L'Oasis
Mionnay (01)	Alain Chapel
Monte-Carlo (MC)	Grill de l'Hôtel de Paris
Monte-Carlo (MC)	Joël Robuchon Monte-Carlo
Montpellier (34)	Le Jardin des Sens
Nice (06)	Chantecler
Nîmes / Garons (30)	Alexandre
Paris 1er	Le Grand Véfour
Paris 4e	L'Ambroisie
Paris 8e	Laurent
Paris 16e	La Grande Cascade
Paris 16e	Le Pré Catelan
La Rochelle (17)	Richard et Christopher Coutanceau
Romans-sur-Isère / Granges-les-Beaumont (26)	Les Cèdres
Saint-Bonnet-le-Froid (43)	Régis et Jacques Marcon
Tourrettes (83)	Faventia
Versailles (78)	Gordon Ramsay au Trianon

XXX

Agen (47)	Mariottat
Aix-en-Provence (13)	Le Clos de la Violette
Antibes / Cap d'Antibes (06)	Bacon
Antibes / Cap d'Antibes (06)	Les Pêcheurs
Avignon (84)	Christian Étienne
Balleroy (14)	Manoir de la Drôme
Belle-Église (60)	La Grange de Belle-Église
Bidart (64)	Table et Hostellerie des Frères Ibarboure
Biot (06)	Les Terrailles
Bonnieux (84)	La Bastide de Capelongue

Boulogne-sur-Mer (62)	La Matelote
Bourges (18)	L' Abbaye St-Ambroix
Cassis (13)	La Villa Madie
Chalon-sur-Saône / Saint-Rémy (71)	Moulin de Martorey
Champtoceaux (49)	Les Jardins de la Forge
Chasselay (69)	Guy Lassausaie
Clisson (44)	La Bonne Auberge
Compiègne / Rethondes (60)	Alain Blot
Conteville (27)	Auberge du Vieux Logis
Courchevel / Courchevel 1850 (73)	Le Bateau Ivre
Dole / Sampans (39)	Château du Mont Joly
Dunkerque / Coudekerque-Branche (59)	Le Soubise
Fayence (83)	Le Castellaras
Fontevraud-l'Abbaye (49)	La Licorne
Fontjoncouse (11)	Auberge du Vieux Puits
Forbach / Stiring-Wendel (57)	La Bonne Auberge
Grenade-sur-l'Adour (40)	Pain Adour et Fantaisie
Gundershoffen (67)	Au Cygne
Jarnac / Bourg-Charente (16)	La Ribaudière
Le Lavandou / Aiguebelle (83)	Mathias Dandine
Lourmarin (84)	Auberge La Fenière
Lyon (69)	Les Terrasses de Lyon
Maisons-Laffitte (78)	Tastevin
Malbuisson (25)	Le Bon Accueil
Megève / Leutaz (74)	Flocons de Sel
Monte-Carlo (MC)	Vistamar
Montpellier / Lattes (34)	Domaine de Soriech
Moulins (03)	Le Clos de Bourgogne
Nantes / Haute-Goulaine (44)	Mancir de la Boulaie
Obernai (67)	La Fourchette des Ducs
Orléans / Olivet (45)	Le Rivage
Ozoir-la-Ferrière (77)	La Gueulardière
Pacy-sur-Eure / Cocherel (27)	La Ferme de Cocherel
Paris 6ᵉ	Paris
Paris 7ᵉ	Le Jules Verne
Pau (64)	Au Fin Gourmet
Pont-Aven (29)	Moulin de Rosmadec
Port-sur-Saône / Vauchoux (70)	Château de Vauchoux
Le Puy-en-Velay (43)	François Gagnaire
Questembert (56)	Le Bretagne et sa Résidence
Reims / Montchenot (51)	Grand Cerf
Riquewihr (68)	Table du Gourmet
La Roche-Bernard (56)	L'Auberge Bretonne
La Roche-l'Abeille (87)	Le Moulin de la Gorce
Saint-Germain-en-Laye (78)	Cazaudehore
Saint-Saturnin-lès-Apt (84)	Domaine des Andéols
Sénart / Pouilly-le-Fort (77)	Le Pouilly
Sierentz (68)	Auberge St-Laurent
Strasbourg (67)	Buerehiesel
Toulon (83)	Les Pins Penchés
Toulouse / Colomiers (31)	L'Amphitryon
Tournus (71)	Rest. Greuze
Vannes / Saint-Avé (56)	Le Pressoir
Villeneuve-le-Comte (77)	A la Bonne Marmite
Zoufftgen (57)	La Lorraine

🍴🍴

Aire-sur-la-Lys / Isbergues (62)	Le Buffet
Ajaccio (2A)	Palm Beach
Albi (81)	L'Esprit du Vin
Alès / Saint-Privat-des-Vieux (30)	Le Vertige des Senteurs
Antibes (06)	Oscar's
Ay (51)	Le Vieux Puits
Azay-le-Rideau / Saché (37)	Auberge du XIIᵉ Siècle
Bannegon (18)	Moulin de Chaméron
Le Barroux (84)	Gajulea
Le Bar-sur-Loup (06)	La Jarrerie
Beaune (21)	Caveau des Arches
Bédoin (84)	Le Mas des Vignes
Belcastel (12)	Vieux Pont
Biarritz (64)	Campagne et Gourmandise
Blainville-sur-Mer (50)	Le Mascaret
Le-Bourget-du-Lac (73)	La Grange à Sel
Bray-et-Lû (95)	Les Jardins d'Epicure
Le Breuil-en-Auge (14)	Le Dauphin
Bully (69)	Auberge du Château
Cancale (35)	Le Coquillage
Chaintré (71)	La Table de Chaintré
Chamonix-Mont-Blanc (74)	La Maison Carrier
Chamonix-Mont-Blanc / Les Praz-de-Chamonix (74)	La Cabane des Praz
Charroux (03)	Ferme Saint-Sébastien
Châtillon-sur-Chalaronne / L'Abergement-Clémenciat (01)	St-Lazare
Clermont-l'Hérault / Saint-Guiraud (34)	Le Mimosa
Couilly-Pont-aux-Dames (77)	Auberge de la Brie
Divonne-les-Bains (01)	Le Rectiligne
Eugénie-les-Bains (40)	La Ferme aux Grives
Eygalières (13)	Bistrot d'Eygalières "Chez Bru"
Falicon (06)	Parcours
Ferrières-les-Verreries (34)	La Cour-Mas de Baumes
Gordes (84)	Le Mas Tourteron
Le Havre (76)	Jean-Luc Tartarin
Île de Ré / Saint-Martin-de-Ré (17)	Bô
L'Isle-sur-la-Sorgue (84)	La Prévôté

L'Isle-sur-Serein (89)	Auberge du Pot d'Étain
Kilstett (67)	Au Cheval Noir
Labaroche (68)	Blanche Neige
Loiré (49)	Auberge de la Diligence
Lyon (69)	Auberge de l'Île
Lyon (69)	La Rémanence
Marseille (13)	L'Épuisette
Megève / Leutaz (74)	La Sauvageonne
Meudon (92)	L'Escarbille
Mollégès (13)	Mas du Capoun
Montauroux (83)	Auberge des Fontaines d'Aragon
Montbazon (37)	Chancelière "Jeu de Cartes"
Monte-Carlo (MC)	Maya Bay
Morteau (25)	Auberge de la Roche
Nans-les-Pins (83)	Château de Nans
Nantes (44)	L'Océanide
Nice (06)	Jouni 'Atelier du Goût
Nieuil (16)	La Grange aux Oies
Orange (84)	Le Mas des Aigras - Table du Verger
Paris 6ᵉ	Le Restaurant
Paris 7ᵉ	Il Vino d'Enrico Bernardo
Paris 8ᵉ	1728
Le Pradet / Les Oursinières (83)	La Chanterelle
Le Puy-en-Velay / Espaly-Saint-Marcel (43)	L'Ermitage
La Rivière-Thibouville (27)	Le Manoir du Soleil d'Or
Le Rouret (06)	Le Clos St-Pierre
Saint-Agrève (07)	Domaine de Rilhac
Saint-Joachim (44)	La Mare aux Oiseaux
Saint-Malo / Saint-Servan-sur-Mer (35)	Le St-Placide
Saint-Martin-de-Belleville (73)	La Bouitte
Saint-Pée-sur-Nivelle (64)	L' Auberge Basque
Sassetot-le-Mauconduit (76)	Le Relais des Dalles
Sessenheim (67)	Au Bœuf
Strasbourg (67)	La Cambuse
La Turbie (06)	Hostellerie Jérôme
Uchaux (84)	Côté Sud
Vaison-la-Romaine (84)	Le Moulin à Huile
Vaison-la-Romaine / Roaix (84)	Le Grand Pré
Valbonne (06)	Lou Cigalon
Vence (06)	Le Vieux Couvent
Verdun-sur-le-Doubs (71)	Hostellerie Bourguignonne
Villefranche-sur-Mer (06)	L'Oursin Bleu

✂

Aix-en-Provence (13)	Pierre Reboul
Ansouis (84)	La Closerie
Arles (13)	La Chassagnette
Auvers-sur-Oise (95)	Auberge Ravoux
Avignon (84)	Les 5 Sens
Bairols (06)	Auberge du Moulin
Bastia (2B)	A Casarella
Beaune / Levernois (21)	Le Bistrot du Bord de l'Eau
Bédarieux / Villemagne-l'Argentière (34)	Auberge de l'Abbaye
Biarritz (64)	Philippe
Blois (41)	Au Rendez-vous des Pêcheurs
Bonnieux (84)	L'Arôme
Bonnieux (84)	Le Fournil
Cancale (35)	La Maison de la Marine
Carnac (56)	La Calypso
Cernay-la-Ville / à La Celle-les-Bordes (78)	L' Auberge de l'Élan
Chalon-sur-Saône (71)	Le Bistrot
Cherbourg-Octeville (50)	Le Pommier
Clermont-Ferrand (63)	Fleur de Sel
Cormeilles (27)	Gourmandises
Dax (40)	Une Cuisine en Ville
Dinard / Saint-Lunaire (35)	Le Décollé
Épaignes (27)	L'Auberge du Beau Carré
Erquy / Saint-Aubin (22)	Relais St-Aubin
Fontvieille (13)	Le Patio
Hendaye (64)	Ez Kecha Bar Lieu Dit Vin
Iguerande (71)	La Colline du Colombier
Langon (33)	Chez Cyril
Lavaur (24)	Auberge de Bayle Viel
Lyon (69)	Maison Clovis
Magalas (34)	Ô. Bontemps
Notre-Dame-de-Bellecombe (73)	La Ferme de Victorine
Paris 7ᵉ	L'Atelier de Joël Robuchon
Pratz (39)	Les Louvières
Le Puy-en-Velay (43)	Le Poivrier
Roussillon (84)	Le Piquebaure-Côté Soleil
Saint-Agrève (07)	Faurie
Saint-Alban-sur-Limagnole (48)	La Petite Maison
Saint-Marc-à-Loubaud (23)	Les Mille Sources
Saint-Paul (06)	La Toile Blanche
Saint-Vaast-la-Hougue (50)	Le Chasse Marée
Sainte-Cécile-les-Vignes (84)	Campagne, Vignes et Gourmandises
Sare (64)	Olhabidea
Turenne (19)	Maison des Chanoines
Vence (06)	Les Bacchanales
Vichy (03)	Brasserie du Casino
Yvetot (76)	Auberge du Val au Cesne

Pour en savoir plus

Further information
Per saperne di più
Gut zu wissen
Para saber más

Vignobles & Spécialités régionales

Vineyards & Regional Specialities
Vini e Specialità regionali
Weinberge & regionale Spezialitäten
Viñedos y Especialidades regionales

① NORMANDIE

Demoiselles de Cherbourg à la nage,
Andouille de Vire,
Sole dieppoise,
Poulet Vallée d'Auge,
Tripes à la mode de Caen,
Canard à la rouennaise,
Agneau de pré-salé,
Camembert, Livarot, Pont-l'Évêque,
Neufchâtel,
Tarte aux pommes au calvados,
Crêpes à la normande, Douillons

② BRETAGNE

Fruits de mer, Crustacés, Huîtres de Belon,
Galettes au sarrazin/blé noir, Charcuteries,
Andouille de Guéméné, St-Jacques à la bretonne,
Homard à l'armoricaine,
Poissons : bar, turbot, lieu jaune,
maquereau, etc.,
Cotriade, Kig Ha Farz,
Légumes : artichaut, chou-fleur, etc.,
Crêpes, Gâteau breton, Far, Kouing-aman

③ VAL DE LOIRE

Rillettes de Tours, Andouillette au vouvray,
Poissons de rivière : brochet, sandre, etc.,
Saumon beurre blanc, Gibier de Sologne,
Fromages de chèvre : Ste-Maure, Valençay,
Crémet d'Angers, Macarons, Nougat glacé,
Pithiviers, Tarte tatin

④ SUD-OUEST

Garbure, Ttoro, Jambon de Bayonne,
Foie gras, Omelette aux truffes,
Pipérade, Lamproie à la bordelaise,
Poulet basquaise, Cassoulet,
Confit de canard ou d'oie,
Cèpes à la bordelaise,
Tomme de brebis, Roquefort,
Gâteau basque, Pruneaux à l'armagnac

⑤ CENTRE-AUVERGNE

Cochonnailles, Tripous,
Champignons : cèpes, girolles, etc.,
Pâté bourbonnais, Aligot, Potée auvergnate,
Chou farci, Pounti, Lentilles du Puy,
Cantal, St-Nectaire, Fourme d'Ambert,
Flognarde, Gâteau à la broche

⑬ NORD-PICARDIE

Moules, Ficelle picarde,
Flamiche aux poireaux,
Poissons : sole, turbot, etc.,
Potjevlesch, Waterzoï,
Gibier d'eau,
Lapin à la bière, Hochepot,
Boulette d'Avesnes,
Maroilles, Gaufres

⑫ BOURGOGNE

Jambon persillé,
Gougère,
Escargots de Bourgogne,
Œufs en meurette,
Pochouse, Coq au vin,
Jambon chaud à la crème,
Viande de charolais,
Bœuf bourguignon,
Époisses, Poire dijonnaise,
Desserts au pain d'épice

⑪ ALSACE-LORRAINE

Charcuterie, Presskopf,
Quiche lorraine, Tarte à l'oignon,
Grenouilles, Asperges,
Poissons : sandre, carpe, anguille,
Coq au riesling, Spaetzle,
Choucroute, Baeckeoffe,
Gibiers : biche, chevreuil, sanglier,
Munster, Kougelhopf,
Tarte aux mirabelles ou aux
quetsches, Vacherin glacé

⑩ FRANCHE-COMTÉ/JURA

Jésus de Morteau, Saucisse de Montbéliard,
Croûte aux morilles, Soufflé au fromage,
Poissons de lac et rivières : brochet, truite,
Grenouilles, Coq au vin jaune, Comté, vacherin,
Morbier, Cancoillotte, Gaudes au maïs

⑨ LYONNAIS-PAYS BRESSAN

Rosette de Lyon, Grenouilles de la Dombes,
Gâteau de foies blonds, Quenelles de brochet,
Saucisson truffé pistaché, Poularde demi-deuil,
Tablier de sapeur, Cardons à la moelle,
Volailles de Bresse à la crème,
Cervelle de canut, Bugnes

⑧ SAVOIE-DAUPHINÉ

Gratin de queues d'écrevisses,
Poissons de lac : omble chevalier, perche, féra,
Ravioles du Royans, Fondue, Raclette, Tartiflette,
Diots au vin blanc, Fricassée de caïon, Potée savoyarde,
Farçon, Farcement, Gratin dauphinois,
Beaufort, Reblochon, Tomme de Savoie,
St-Marcellin, Gâteau de Savoie, Gâteau aux noix,
Tarte aux myrtilles

⑦ PROVENCE-MÉDITERRANÉE

Aïoli, Pissaladière, Salade niçoise, Bouillabaisse,
Anchois de Collioure, Loup grillé au fenouil,
Brandade nîmoise, Bourride sétoise,
Pieds paquets à la marseillaise, Petits farcis niçois,
Daube provençale,
Agneau de Sisteron,
Picodon, Crème catalane,
Calissons, Fruits confits

⑥ CORSE

Jambon, Figatelli,
Ionzo, Coppa,
Langouste,
Omelette au brocciu,
Civet de sanglier,
Chevreau,
Fromages de brebis (Niolu),
Flan de châtaignes,
Fiadone

⑦ CORSE

Jambon

BORDEAUX → Vignobles
Pomerol → Vineyards
→ Vini
Tursan → Viñedos
→ Weinberge

→ Spécialités régionales
→ Regional specialities
→ Vini e Specialità regionali
→ Viñedos y Especialidades regionales
→ Weinberge und regionale Spezialitäten

Choisir le bon vin
Choosing a good wine
Scegliere un buon vino
Der richtige Wein
Escoger el vino

	1996	1997	1998	1999	2000	2001	2002	2003	2004	2005	2006	2007
Alsace	Grande	Grande	Grande	Grande	Grande	Grande	Grande	Grande	Grande	Grande	Grande	Grande
Bordeaux blanc	Grande	Grande	Grande	Bonne	Grande	Grande	Bonne	Grande	Grande	Grande	Grande	Grande
Bordeaux rouge	Grande	Moyenne	Grande	Grande	Grande	Grande	Grande	Grande	Grande	Grande	Grande	Grande
Bourgogne blanc	Grande	Grande	Grande	Grande	Grande	Bonne	Grande	Grande	Grande	Grande	Grande	Bonne
Bourgogne rouge	Grande	Grande	Grande	Grande	Grande	Grande	Grande	Grande	Grande	Grande	Grande	Grande
Beaujolais	Bonne	Grande	Grande	Grande	Grande	Grande	Grande	Grande	Grande	Grande	Grande	Grande
Champagne	Grande	Grande	Grande	Bonne	Grande	Grande	Grande	Grande	Grande	Grande	Grande	Bonne
Côtes du Rhône Septentrionales	Grande	Grande	Grande	Grande	Grande	Grande	Grande	Grande	Grande	Grande	Grande	Grande
Côtes du Rhône Méridionales	Grande	Grande	Grande	Grande	Grande	Grande	Bonne	Grande	Grande	Grande	Grande	Grande
Provence	Grande	Grande	Moyenne	Grande	Grande	Grande	Grande	Grande	Grande	Grande	Grande	Grande
Languedoc Roussillon	Grande	Grande	Grande	Grande	Grande	Grande	Grande	Grande	Grande	Grande	Grande	Grande
Val de Loire Muscadet	Grande	Grande	Grande	Grande	Grande	Grande	Grande	Grande	Grande	Grande	Grande	Grande
Val de Loire Anjou-Touraine	Grande	Grande	Grande	Grande	Grande	Grande	Grande	Grande	Grande	Grande	Grande	Grande
Val de Loire Pouilly-Sancerre	Grande	Grande	Grande	Grande	Grande	Grande	Grande	Grande	Grande	Grande	Grande	Bonne

Grandes années
→ Great years
→ Grandi annate
→ Großen Jahrgänge
→ Añadas excelentes

Bonnes années
→ Good years
→ Buone annate
→ Gute Jahrgänge
→ Buenas añadas

Années moyennes
→ Average years
→ Annate corrette
→ Mittlere Jahrgänge
→ Añadas correcias

Les grandes années depuis 1970 : 1970 - 1975 - 1979 - 1982 - 1985 - 1989 - 1990 - 1996 - 2005
→ The greatest vintages since 1970
→ Le grandi annate dal 1970
→ Dis größten Jahrgänge seit 1970
→ Las grandes añadas desde 1970

ASSOCIER LES METS & LES VINS

→ **Suggestions for complementary dishes and wines**
→ **Suggerimento per l'abbinamento tra cibo e vini**
→ **Empfehlungen welcher Wein zum welchem Gericht**
→ **Sugerencias para combinar platos y vinos**

→ CRUSTACÉS & COQUILLAGES Blancs secs → SHELLFISH : Dry whites → CROSTACEI : Bianchi secchi → SCHALENTIERE : Trockene Weiße → CRUSTÁCEOS : Blancos seccos	Alsace Bordeaux Bourgogne Côtes du Rhône Provence Languedoc-Roussillon Val de Loire	Sylvaner/Riesling Entre-deux-Mers Chablis/Mâcon Villages St Joseph Cassis/Palette Picpoul de Pinet Muscadet/Montlouis
→ POISSONS Blancs secs → FISH : Dry whites → PESCI : Bianchi secchi → FISCHE : Trockene Weiße → PESCADOS : Blancos seccos	Alsace Bordeaux Bourgogne Côtes du Rhône Provence Corse Languedoc-Roussillon Val de Loire	Riesling Pessac-Léognan/Graves Meursault/Chassagne-Montrachet Hermitage/Condrieu Bellet/Bandol Patrimonio Coteaux du Languedoc Sancerre/Menetou-Salon
→ VOLAILLES & CHARCUTERIES Blancs et rouges légers → POULTRIES : Whites and lights reds → POLLAME : Bianchi e rossi leggeri → GEFLÜGEL : Weiße und leichte Rote → AVES : Blancos y tintos suaves	Alsace Champagne Bordeaux Bourgogne Beaujolais Côtes du Rhône Provence Corse Languedoc-Roussillon Val de Loire	Tokay-Pinot gris/Pinot noir Coteaux Champenois blanc et rouge Côtes de Bourg/Blaye/Castillon Mâcon/St Romain Beaujolais Villages Tavel (rosé)/Côtes du Ventoux Coteaux d'Aix-en-Provence Coteaux d'Ajaccio/Porto-Vecchio Faugères Anjou/Vouvray
→ VIANDES Rouges → MEATS : Reds → CARNI : Rossi → FLEISCH : Rote → CARNES : Tintos	Bordeaux/Sud-Ouest Bourgogne Beaujolais Côtes du Rhône Provence Languedoc-Roussillon Val de Loire	Médoc/St Émilion/Buzet Volnay/Hautes Côtes de Beaune Moulin à Vent/Morgon Vacqueyras/Gigondas Bandol/Côtes de Provence Fitou/Minervois Bourgueil/Saumur
→ GIBIER Rouges corsés → GAME : Hearty reds → SELVAGGINA : Rossi di corpo → WILD : Kräftige Rote → CAZAS : Tintos con cuerpo	Bordeaux/Sud-Ouest Bourgogne Côtes du Rhône Languedoc-Roussillon Val de Loire	Pauillac/St Estèphe/Madiran/Cahors Pommard/Gevrey-Chambertin Côte-Rotie/Cornas Corbières/Collioure Chinon
→ FROMAGES Blancs et rouges → CHEESES : Whites and reds → FORMAGGI : Bianchi e rossi → KÄSESORTEN : Weiße und Rote → QUESOS : Blancos y tintos	Alsace Bordeaux Bourgogne Beaujolais Côtes du Rhône Languedoc-Roussillon Jura/Savoie Val de Loire	Gewurztraminer St Julien/Pomerol/Margaux Pouilly-Fuissé/Santenay St Amour/Fleurie Hermitage/Châteauneuf-du-Pape St Chinian Vin Jaune/Chignin Pouilly-Fumé/Valençay
→ DESSERTS Vins de desserts → DESSERTS : Dessert wines → DESSERT : Vini da dessert → NACHTISCHE : Dessert-Weine → POSTRES : Vinos dulces	Alsace Champagne Bordeaux/Sud-Ouest Bourgogne Jura/Bugey Côtes du Rhône Languedoc-Roussillon Val de Loire	Muscat d'Alsace/Crémant d'Alsace Champagne blanc et rosé Sauternes/Monbazillac/Jurançon Crémant de Bourgogne Vin de Paille/Cerdon Muscat de Beaumes-de-Venise Banyuls/Maury/Muscats/Limoux Coteaux du Layon/Bonnezeaux

→*Région vinicole* →*Region of production* →*Regione vinicola* →*Wein gegend* →*Región vinícola*

→*Appellation* →*Appellation* →*Denominazione* →*Appellation* →*Denominación*

Villes
de A à Z

Towns
from A to Z

Città
da A a Z

Städte
von A bis Z

Ciudades
de A a Z

地名
アルファベット順

ABBEVILLE – 80 Somme – 301 E7 – 24 000 h. – alt. 8 m – ⌂ 80100   36 **A1**
Nord Pas-de-Calais Picardie

- Paris 186 – Amiens 51 – Boulogne-sur-Mer 79 – Rouen 106
- d'Abbeville à Abbeville Route du Val, par rte St-Valèry-s-Somme : 4 km, ☏ 03 22 24 98 58
- Vitraux contemporains★★ de l'église du St-Sépulcre - Façade★ de la collégiale St-Vulfran - Musée Boucher de Perthes★ **BY M**.
- Vallée de la Somme★ SE - Château de Bagatelle★ S.

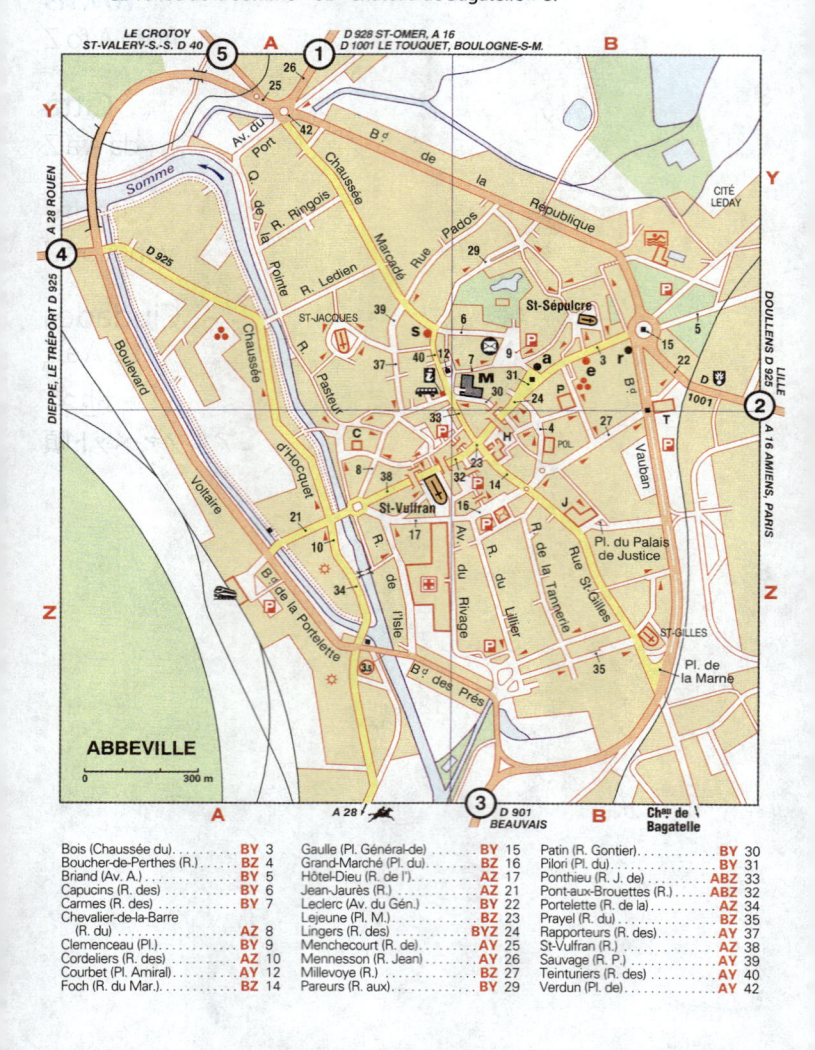

Bois (Chaussée du) . . . . **BY** 3	Gaulle (Pl. Général-de) . . . . **BY** 15	Patin (R. Gontier) . . . . **BY** 30
Boucher-de-Perthes (R.) . . . . **BZ** 4	Grand-Marché (Pl. du) . . . . . **BZ** 16	Pilori (Pl. du) . . . . **BY** 31
Briand (Av. A.) . . . . **BY** 5	Hôtel-Dieu (R. de l') . . . . **AZ** 17	Ponthieu (R. J. de) . . . . **ABZ** 33
Capucins (R. des) . . . . **BY** 6	Jean-Jaurès (R.) . . . . **AZ** 21	Pont-aux-Brouettes (R.) . . . **ABZ** 32
Carmes (R. des) . . . . **BY** 7	Leclerc (Av. du Gén.) . . . . . . **BY** 22	Portelette (R. de la) . . . . **AZ** 34
Chevalier-de-la-Barre	Lejeune (Pl. P. M.) . . . . **BZ** 23	Prayel (R. du) . . . . **BZ** 35
(R. du) . . . . **AZ** 8	Lingers (R. des) . . . . **BYZ** 24	Rapporteurs (R. des) . . . . **AZ** 37
Clemenceau (Pl.) . . . . **BY** 9	Menchecourt (R. de) . . . . **AY** 25	St-Vulfran (R.) . . . . **AZ** 38
Cordeliers (R. des) . . . . **AZ** 10	Mennesson (R. Jean) . . . . . . **AY** 26	Sauvage (R. P.) . . . . **AY** 39
Courbet (Pl. Amiral) . . . . **AY** 12	Millevoye (R.) . . . . **BZ** 27	Teinturiers (R. des) . . . . **AY** 40
Foch (R. du Mar.) . . . . **BZ** 14	Pareurs (R. aux) . . . . **BY** 29	Verdun (Pl. de) . . . . **AY** 42

Retrouvez tous les Bibs Gourmands 😊 dans notre guide des "Bonnes Petites Tables du guide Michelin". Pour bien manger à prix modérés, partout en France !

ABBEVILLE

🏨 **Mercure Hôtel de France** 📶 ♿ AK ↔ 📶 🛁 VISA ⓂⓄ AE ①
19 pl. du Pilori – ℰ *03 22 24 00 42* – *www.mercure.com* – *h5440@accor.com*
– *Fax 03 22 24 26 15*   BY **a**
72 ch – †94/115 € ††110/135 €, ⚏ 13 €
Rest – Menu (17 €), 21 € – Carte 25/44 €

♦ Ce grand établissement central à façade en briques abrite des chambres fraîches et bien équipées, ainsi qu'une suite avec baignoire balnéo. Bar feutré, façon bar à vin. Lumineuse salle à manger-véranda et coin rôtisserie ; grillades et cuisine traditionnelle.

🏠 **Relais Vauban** sans rest   📶 📶 VISA ⓂⓄ AE
4 bd Vauban – ℰ *03 22 25 38 00* – *www.relais-vauban.com*
– *contact@relais-vauban.com* – *Fax 03 22 31 75 97*
– *Fermé 1er- 9 mars et 20 déc.- 4 janv.*
22 ch – †52/55 € ††54/58 €, ⚏ 8,50 €   BY **r**

♦ Sur un boulevard passant, non loin du centre-ville, petit hôtel disposant de chambres lumineuses et fonctionnelles. Accueil aimable et tenue impeccable.

🏠 **La Fermette des Prés de Mautort** sans rest 🌿   🚗 📺 ↔ 📶 📶 🅿
10 imp. de la Croix, par ⑤ – ℰ *03 22 24 57 62*
– *http://perso.wanadoo.fr/lespresdemautort* – *fermettemautort@gmail.com*
– *Fax 03 22 24 57 62*
3 ch ⚏ – †45/50 € ††60 €

♦ Fermette typique du pays disposant de chambres de bon confort pour des nuits au calme. Petit-déjeuner dans la véranda ou en terrasse face au jardin (piscine couverte).

✕✕ **L'Escale en Picardie**   📶 VISA ⓂⓄ AE
15 r. des Teinturiers – ℰ *03 22 24 21 51* – *Fermé 20 août-4 sept., 24 fév.-10 mars,*
jeudi soir, dim. soir, lundi et fériés   AY **s**
Rest – Menu (23 € bc), 25/70 € – Carte 50/72 €

♦ Goûteuse cuisine de la mer à déguster sous les poutres d'une salle rustique où trône une cheminée en pierre : une escale picarde gourmande où l'accueil est charmant.

✕ **La Corne**   ⇔ VISA ⓂⓄ AE
😊 *32 chaussée du Bois* – ℰ *03 22 24 06 34* – *mlematelot@aol.com*
– *Fax 03 22 24 03 65* – *Fermé 15 juil.-4 août, 21 déc.-4 janv., merc. soir, sam. midi et*
dim.   BY **e**
Rest – Menu (17 €), 26 € – Carte 31/56 €

♦ La façade bleue de cette vieille maison abbevilloise dissimule un agréable intérieur rétro où l'on apprécie de généreux plats bistrotiers : ris de veau, andouillette...

à St-Riquier 9 km par ②, D 925 – **1 186 h.** – **alt. 29 m** – ✉ **80135**

🛈 Syndicat d'initiative, le Beffroi ℰ 03 22 28 91 72, Fax 03 22 28 02 73

🏨 **Jean de Bruges** sans rest   📶 VISA ⓂⓄ
18 pl. de l'Église – ℰ *03 22 28 30 30* – *www.hotel-jean-de-bruges.com*
– *jeandebruges@wanadoo.fr* – *Fax 03 22 28 00 69*
11 ch – †95/100 € ††110/115 €, ⚏ 14 €

♦ Sur le parvis de l'abbatiale, élégante demeure du 17e s. en pierres blanches. Chambres de caractère, dotées d'un mobilier ancien. Salle des petits-déjeuners sous verrière.

à Mareuil-Caubert 4 km au Sud par D 928 (direction hippodrome puis route de Rouen)
– **908 h.** – **alt. 12 m** – ✉ **80132**

✕ **Auberge du Colvert**   🅿 VISA ⓂⓄ ①
4 rte de Rouen – ℰ *03 22 31 32 32* – *auberge-du-colvert@9business.fr*
– *Fax 03 22 31 32 32* – *Fermé 29 juin-5 juil., 24-30 août, lundi soir de sept. à juin,*
dim. soir, mardi soir et merc.
Rest – Menu (14 €), 20/32 € – Carte environ 35 €

♦ Des boiseries habillent la salle de cette auberge champêtre éclairée par de larges baies et réchauffée par une cheminée suspendue. Plats traditionnels rythmés par les saisons.

L'ABERGEMENT-CLÉMENCIAT – 01 Ain – **328** C4 – rattaché à
Châtillon-sur-Chalaronne

ABLIS – 78 Yvelines – 311 G4 – 2 705 h. – alt. 151 m – ✉ 78660 — 18 A2

▶ Paris 62 – Chartres 31 – Mantes-la-Jolie 64 – Orléans 79 – Rambouillet 14 – Versailles 49

🛈 Syndicat d'initiative, Hôtel de Ville ✆ 01 30 46 06 06, Fax 01 30 46 06 07

à l'Ouest 6 km par D 168 – ✉ 28700 St-Symphorien-le-Château

Château d'Esclimont
2 r. Château d'Esclimont – ✆ 02 37 31 15 15
– www.esclimont.fr – esclimont@grandesetapes.fr
– Fax 02 37 31 57 91
52 ch – †180/890 € ††180/890 €, ⏴ 24 € – 5 suites
Rest – Menu 43 € (déj. en sem.), 59/93 € – Carte 88/113 €
♦ Goûtez à la vie de château en cette demeure des 15ᵉ et 16ᵉ s., ancienne résidence des La Rochefoucauld. Magnifique parc avec étang, rivière et jardin à la française. Cuisine actuelle servie dans la salle de style 18ᵉ s. ou dans celle réputée pour ses cuirs de Cordoue.

ABRESCHVILLER – 57 Moselle – 307 N7 – 1 481 h. – alt. 340 m — 27 D2
– ✉ 57560 ▌Alsace Lorraine

▶ Paris 433 – Baccarat 46 – Lunéville 62 – Phalsbourg 23 – Sarrebourg 17 – Strasbourg 79

🛈 Office de tourisme, 78, rue Jordy ✆ 03 87 03 77 26, Fax 03 87 03 77 26

Auberge de la Forêt
276 r. des Verriers, à Lettenbach : 0,5 km – ✆ 03 87 03 71 78
– www.aubergedelaforet57.com – aubergedelaforet2@wanadoo.fr
– Fax 03 87 03 79 96 – Fermé 1ᵉʳ-21 janv., mardi soir et lundi
Rest – Menu (18 €), 25/40 € – Carte 33/52 €
♦ Pimpante auberge de village abritant de coquettes salles à manger ; la plus récente présente un agréable cadre contemporain. Cuisine traditionnelle et spécialités régionales.

ABREST – 03 Allier – 326 H6 – rattaché à Vichy

ACCOLAY – 89 Yonne – 319 F6 – 462 h. – alt. 125 m – ✉ 89460 — 7 B2
▌Bourgogne

▶ Paris 188 – Avallon 31 – Auxerre 23 – Tonnerre 40

Hostellerie de la Fontaine avec ch
16 r. Reigny – ✆ 03 86 81 54 02 – www.coeurdelyonne.com
– hostellerie.fontaine@wanadoo.fr – Fax 03 86 81 52 78 – Ouvert 14 fév.-15 nov., et fermé dim. soir du 1ᵉʳ oct. au 31 mars, mardi midi et lundi
11 ch – †52/55 € ††53/55 €, ⏴ 10 € – ½ P 62 €
Rest – Menu (15 €), 26/50 € – Carte 31/48 €
♦ Maison bourguignonne au cœur d'un paisible village de la vallée de la Cure. On sert les repas dans les anciens chais ou, si le temps le permet, dans l'agréable jardin fleuri.

ACQUIGNY – 27 Eure – 304 H6 – 1 614 h. – alt. 19 m – ✉ 27400 — 33 D2
▶ Paris 105 – Évreux 22 – Mantes-la-Jolie 54 – Rouen 38

L'Hostellerie
1 r. d'Evreux – ✆ 02 32 50 20 05 – Fax 02 32 50 56 04 – Fermé 13 juil.-4 août, 8-22 fév., lundi et mardi
Rest – Menu (20 €), 30/72 € bc – Carte 46/70 €
♦ Cuisine au goût du jour et suggestions du marché à apprécier dans l'ambiance douillette et feutrée d'une salle aux tons chauds, discrètement contemporaine.

La Table du Béarnais
40 r. A.-Briand – ✆ 02 32 40 37 73 – jean-claude.lalane@orange.fr
– Fermé 20-27 sept., 22 déc.-2 janv., jeudi soir, dim. soir et lundi
Rest – Menu 13 € (déj. en sem.), 30/49 € – Carte 63/78 €
♦ Cette jolie maison vous reçoit dans deux salles d'esprit rustique (poutres apparentes, chandeliers sur les tables). Le Béarn et les Landes s'invitent dans les goûteuses assiettes.

LES ADRETS-DE-L'ESTÉREL – 83 Var – **340** P4 – 2 063 h. 42 **E2**
– alt. 295 m – ⊠ 83600

Paris 881 – Cannes 26 – Draguignan 44 – Fréjus 17 – Grasse 30
– Mandelieu-la-Napoule 15

Office de tourisme, place de la Mairie ℘ 04 94 40 93 57, Fax 04.94.19.36.69

Massif de l'Estérel★★★, Côte d'Azur

La Verrerie sans rest
Chemin de la Verrerie – ℘ 04 94 40 93 51 – www.laverrerie.com – reservations@laverrerie.com – Fax 04 94 44 10 35
7 ch – ♦50/75 € ♦♦50/75 €, ⊇ 8 €
◆ Bâtisse azuréenne située aux confins du village, appréciable pour la douceur de son environnement. Chambres simples, de style néo-rustique, fraîches et spacieuses.

au Sud-Est 3 km par D 237 et D N7 – ⊠ 83600 Les Adrets-de-l'Esterel

Auberge des Adrets
*– ℘ 04 94 82 11 82 – www.auberge-adrets.com – info@auberge-adrets.com
– Fax 04 94 82 11 80 – Ouvert 9 avril-13 oct.*
10 ch – ♦150/240 € ♦♦166/266 €, ⊇ 18 €
Rest – *(ouvert 9 avril-30 sept. et fermé le midi du lundi au jeudi en juil. août, dim. soir et lundi hors saison)* Menu 38 € – Carte 54/76 €
◆ Demeure de caractère où chaque chambre est personnalisée par un beau mobilier. Salon chaleureux, agréable petite piscine et joli jardin verdoyant avec hamacs. Restaurant élégant et cosy. La terrasse offre une vue splendide sur le massif de l'Esterel.

> Un week-end de charme à la mer, à la campagne ou à la montagne ? Découvrez le nouveau guide des "Chambres d'hôtes", une sélection de nos plus belles adresses en France : confort, calme et volupté garantis !

AFA – 2A Corse-du-Sud – **345** B8 – voir à Corse (Ajaccio)

AFFIEUX – 19 Corrèze – **329** L2 – 368 h. – alt. 480 m – ⊠ 19260 25 **C2**
Paris 472 – Limoges 83 – Tulle 39 – Brive-la-Gaillarde 64 – Ussel 66

Le Cantou
au bourg – ℘ 05 55 98 13 67 – Fax 05 55 98 13 67 – Fermé 1er-10 janv., dim. soir et merc.
Rest – Menu (13 €), 17/39 € – Carte 17/70 €
◆ L'hiver, on apprécie la petite salle romantique et son cantou ; l'été, on préfère la véranda. Et en toute saison, on se régale de goûteux plats mi-traditionnels, mi-régionaux.

AGDE – 34 Hérault – **339** F9 – 19 988 h. – alt. 5 m – Casino : au Cap 23 **C2**
d'Agde **BY** – ⊠ 34300 Languedoc Roussillon

Paris 754 – Béziers 24 – Lodève 60 – Millau 118 – Montpellier 56 – Sète 25

Office de tourisme, 1, place Molière ℘ 04 67 94 29 68, Fax 04 67 94 03 50

du Cap-d'Agde à Le Cap-d'Agde 4 avenue des Alizés, S : 4 km par D 32,
℘ 04 67 26 54 40

Ancienne cathédrale St-Étienne★.

Athéna sans rest
*av. F.-Mitterrand, rte Cap d'Agde, D 32^{E10} – ℘ 04 67 94 21 90
– www.cap-hotelathena.com – hotel.athena@free.fr – Fax 04 67 94 80 80 – Fermé 4-22 fév.*
32 ch – ♦48/85 € ♦♦48/85 €, ⊇ 7 €
◆ Hôtel situé aux portes de la ville. Chambres bien équipées et décorées dans un style provençal sobre (certaines avec terrasse ou loggia), plus tranquilles sur l'arrière.

LE CAP D'AGDE

Acadiens (Allée des)	CX	3
Alfonse (Av. du Chevalier d')	AX	4
Alizés (Av. des)	AXY	
Antilles (Rd-Pt des)	AY	6
Beaupré (Quai du)	CX	7
Belle Isle (Av. de)	ABX	
Bon Accueil (Rd-Pt du)	BX	9
Bouteillou (Rd-Pt des)	CX	10
Cantinières (Av. des)	CX	
Capelet (Quai du)	AX	12
Challiès (Av. du Passeur)	ABY	
Chandelles (R. des)	BX	15
Contrebandiers (Av. des)	BCX	
Corsaires (R. des)	AY	
Courette (R. de la)	CX	17
Dominico (Quai Di)	BX	18
Estacade (R. de l')	BY	19
Falaise (R. de la)	CY	21
Flânerie (Allée de la)	CX	23
Fouquet (Rd-Pt Nicolas)	BX	24
Gabelle (R. de la)	BX	26
Galères (R. des)	CX	
Gallo-Romains (R. des)	AX	
Garnison (R. du)	CXY	
Gentilshommes (Cours des)	CXY	
Gouverneur (R. du)	CX	
Grenadiers (R. des)	CX	31
Hallebardes (R. des)	CX	32
Hune (R. de la)	BX	34
Iles d'Amérique (Av. des)	AY	36
Ile (Av. de l')	BCY	
Jetée (Av. de la)	CY	
Joutes (Quai des)	BX	39
Labech (R. du)	BX	
Louisiane (Allée de la)	AY	40
Méditerranée (Av. de la)	CX	
Miquel (Quai Jean)	BCX	
Outre-Mer (Av. d')	AY	
Pacifique (R. du)	AY	
Phocéens (Quai des)	CY	42
Radoub (Rd-Pt du)	CY	43
St-Martin-des-Vignes (R.)	AX	
St-Martin (Quai)	BX	48
Sarret-de-Coussergue (R.)	ABX	
Sergents (Av. des)	BCX	
Soldats (Av. des)	CX	
Surintendant (Av. du)	BX	
Tambour (R. du)	BX	51
Tirème (Quai de la)	CXY	56
Tours-de-St-Martin (Rd-Pt des)	AX	53
Trinquette (Quai de la)	CX	54
Vaisseaux (R. des)	CX	
Vent-des-Dames (R. du)	BX	
Vieux Cap (Quai du)	BY	
Volvire-de-Brassac (R.)	AX	
2-Frères (R. des)	CY	
4-Cantons (Allée des)	CX	60

✕✕ La Table de Stéphane

2 r. des Moulins-à-Huile, (ZI Les Sept Fonts) – ✆ 04 67 26 45 22
– www.latabledestephane.com – caroline@latabledestephane.com
– Fax 04 67 26 45 22 – Fermé 20-30 oct., 2-9 janv., dim. soir sauf du 12 juil. au 30 août, sam. midi et lundi
Rest – (prévenir) Menu (18 €), 26/59 € – Carte 22/50 €
♦ Mets au goût du jour et beau choix de vins du Languedoc-Roussillon à apprécier dans un cadre actuel égayé de teintes pastel ou sur la terrasse ombragée. Apéritif et café au salon.

Le Bistrot d'Hervé

47 r. Brescou – ℰ *04 67 62 30 69*
– bistroherve@gmail.com
– Fax 04 67 62 30 72
– Fermé sam. midi, dim. midi et merc.
Rest – *(nombre de couverts limité, prévenir)* Menu (16 €) – Carte 31/49 €
♦ Une cuisine au goût du jour vous attend dans la salle à manger moderne et sans superflu de ce bistrot et, si le temps le permet, dans la cour, très agréable sous le soleil.

AGDE

✗ Larcen 🌿 VISA ⓜⓒ AE
41 r. Brescou – ✆ *04 67 00 01 01 – restaurantlarcen@orange.fr – Fermé 10-30 juin, dim. et lundi*
Rest – Carte 30/41 €

♦ Une baie vitrée permet de voir les cuisines depuis la salle à manger, spacieuse et contemporaine. Belle terrasse avec bassin, palmiers et bougainvilliers. Carte au goût du jour.

à La Tamarissière 4 km au Sud-Ouest par D 32^{E12} – ✉ 34300

✗ Le K Lamar 🌿 🅰🅲 VISA ⓜⓒ AE ⓓ
33 quai Théophile-Cornu – ✆ *04 67 94 05 06 – www.restaurant-klamar.com – contact@restaurant-klamar.com – Fermé janv. et merc. sauf du 15 juin au 31 août*
Rest – Menu (15 €), 29/49 € – Carte 33/51 €

♦ Au bord de l'Hérault, maison cosy aux couleurs du Sud dont l'agréable terrasse, ombragée par une canisse, fait face à l'eau. Cuisine soignée axée poissons (criée toute proche).

au Grau d'Agde 4 km au Sud-Ouest par D 32^E – ✉ 34300

✗✗ L'Adagio ≤ 🌿 🅰🅲 VISA ⓜⓒ AE ⓓ
3 quai Cdt-Méric – ✆ *04 67 21 13 00 – www.ladagio.fr – pascale_alric@hotmail.fr – Fax 04 67 21 13 00 – Fermé 1er déc.-15 janv., dim. soir, jeudi midi de janv. à mars et merc. le soir en saison*
Rest – Menu 15 € (sem.), 21/34 € – Carte environ 38 € 🍷

♦ Cuisine contemporaine dans une salle à manger claire, dotée d'un joli mobilier en fer forgé. En terrasse, face à l'Hérault, le va-et-vient des bateaux animera votre repas.

au Cap d'Agde 5 km au Sud-Est par D 32^{E10} – ✉ 34300

🛈 Office de tourisme, rond-point du Bon Accueil ✆ 04 67 01 04 04, Fax 04 67 26 22 99

◉ Ephèbe d'Agde ★★ au musée de l'Ephèbe.

Plans pages précédentes

🏨 Du Golfe 🚗 🏊 ⓕ🅶 🅰🅲 ⁜ ⁂ 🅟 VISA ⓜⓒ AE
Île des Loisirs – ✆ *04 67 26 87 03 – www.hotel-golfe.com – reservation@hotel-golfe.com – Fax 04 67 26 26 89 – Ouvert avril-oct.* BY **m**
50 ch – †75/175 € ††75/175 €, ☑ 15 € – 3 suites
Rest *Caladoc* – voir ci-après

♦ La façade ocre de cet hôtel situé sur la fameuse île vouée aux loisirs dissimule d'élégantes chambres dans l'air du temps (côté station ou piscine) et un beau fitness.

🏨 Palmyra Golf Hôtel sans rest 🌿 ≤ 🚗 🏊 ⓕ ℹ ⓖ 🅰🅲 ⁜ ⁂ 🅟 🚬 VISA ⓜⓒ AE
4 av. des Alizés – ✆ *04 67 01 50 15 – www.palmyragolf.com – reservation@wanadoo.fr – Fax 04 67 01 50 14 – Ouvert 27 mars-8 nov. et 28 déc.-3 janv.* AX **p**
32 ch – †95/285 € ††95/285 €, ☑ 16 € – 2 suites

♦ Spacieuses, élégantes, contemporaines, avec balcon ou terrasse face au parcours de golf : les chambres du Palmyra, réparties autour d'un patio, cumulent les atouts.

🏨 Capaô 🚗 🌿 🏊 ⓕ🅶 rest, 🅰🅲 ch, ⁜ 🕉 VISA ⓜⓒ AE
r. des Corsaires – ✆ *04 67 26 99 44 – www.capao.com – contact@capao.com – Fax 04 67 26 55 41 – Ouvert 4 avril-4 oct.* AY **b**
55 ch – †75/135 € ††82/150 €, ☑ 13 €
Rest *Capaô Beach* – ✆ *04 67 26 41 25 (ouvert 1er mai-30 sept.) (déj. seult)*
Carte 28/55 €

♦ Ce complexe hôtelier proche de la plage Richelieu propose de nombreuses activités sportives. Spacieuses chambres dotées de balcons. À midi, au Capaô Beach, salades, poissons, crustacés et grillades au bord de l'eau.

🏨 La Bergerie du Cap sans rest 🌿 🏊 🅰🅲 ⁜ 🅟 VISA ⓜⓒ AE
4 av. Cassiopée – ✆ *04 67 01 71 35 – www.labergerieducap.com – labergerieducap@hotmail.fr – Fax 04 67 26 14 11 – Ouvert 10 avril-26 sept.*
12 ch – †89/260 € ††89/260 €, ☑ 16 €

♦ Cette bergerie du 18e s. convertie en hôtel abrite des chambres (quelques duplex) de divers styles, toutes cosy. Terrasse face à l'agréable piscine bordée de plantes, jacuzzi.

AGDE

La Grande Conque sans rest
r. Estruque, La Grande Conque – ℰ 04 67 26 11 42
– www.hotelgrandeconque.com – informations@hotelgrandeconque.com
– Fax 04 67 26 24 15 – Ouvert avril-oct. CY a
20 ch – †80/130 € ††105/130 €, ⊇ 13 €
♦ Juché sur une falaise de basalte, cet hôtel bénéficie d'un beau panorama sur la mer et une plage de sable noir. Chambres fonctionnelles agrémentées d'une loggia.

Hélios sans rest
12 r. Labech – ℰ 04 67 01 37 68 – www.hotel-helios.com – info@hotel-helios.com
– Fax 04 67 01 54 68 – Ouvert 3 avril-30 sept. BX e
40 ch – †65/125 € ††65/125 €, ⊇ 10 €
♦ Élégant bâtiment de style provençal au cœur d'un admirable jardin. Salon-bar, piscine, terrasses ensoleillées et chambres offrant un décor contemporain ou exotique.

Les Grenadines sans rest
6 impasse Marie-Céleste – ℰ 04 67 26 27 40 – www.hotelgrenadines.com – hotel grenadines@hotelgrenadines.com – Fax 04 67 26 10 80 – Ouvert 15 fév.-4 nov.
20 ch – †58/98 € ††58/98 €, ⊇ 10 € AY k
♦ Adresse plaisante pour son ambiance familiale et ses chambres pratiques. La proximité des plages, de l'Aqualand et de l'Île des Loisirs séduira petits et grands.

Azur sans rest
18 av. Îles d'Amérique – ℰ 04 67 26 98 22 – www.hotelazur.com – contact@hotelazur.com – Fax 04 67 26 48 14 AX f
34 ch – †48/95 € ††48/95 €, ⊇ 8 €
♦ Une situation privilégiée au centre de la station, des chambres bien équipées – certaines avec mezzanine – et une agréable piscine : tels sont les atouts de cet hôtel.

Caladoc – Hôtel du Golfe
Île des Loisirs – ℰ 04 67 26 87 18 – www.hotel-golfe.com – reservation@hotel-golfe.com – Fax 04 67 26 26 89 – Ouvert avril-oct. et fermé dim. et lundi sauf en juil.-août BY m
Rest – (dîner seult) Menu 25/35 € – Carte 35/45 €
♦ Mobilier design et boiseries (wengé, palétuvier) : un décor zen pour une cuisine au goût du jour. Au milieu de la salle, une cave en verre honore les vins du Languedoc.

AGEN P – 47 Lot-et-Garonne – 336 F4 – 33 600 h. – alt. 50 m – ✉ 47000   4 C2
Aquitaine

▶ Paris 662 – Auch 74 – Bordeaux 141 – Pau 159 – Toulouse 116
✈ d'Agen-la-Garenne : ℰ 05 53 77 00 88, SO : 3 km.
🛈 Office de tourisme, 107, boulevard Carnot ℰ 05 53 47 36 09, Fax 05 53 47 29 98
🏌 Agen Bon-Encontre à Bon-Encontre route de Saint Ferréol, par rte de Toulouse : 7 km, ℰ 05 53 96 95 78
🏌 de Pleneselve à Bon-Encontre au NE par D 656 et rte secondaire : 8 km, ℰ 05 53 67 52 65
◉ Musée des Beaux-Arts★★ AXY M - Parc de loisirs Walibi★ 4 km par ⑤.

Plan page suivante

Château des Jacobins sans rest
1 ter pl. des Jacobins – ℰ 05 53 47 03 31 – www.chateau-des-jacobins.com – hotel@chateau-des-jacobins.com – Fax 05 53 47 02 80 AY f
14 ch – †78 € ††180 €, ⊇ 12 €
♦ Meubles et objets anciens donnent à cet hôtel particulier, construit en 1830 pour le comte de Cassaigneau, un esprit "vieille demeure bourgeoise". Chambres de belle ampleur.

Stim'Otel
105 bd Carnot – ℰ 05 53 47 31 23 – www.stimotel.com – stimotel@wanadoo.fr
– Fax 05 53 47 48 70 BY a
58 ch – †50/68 € ††50/68 €, ⊇ 9 € – ½ P 52/61 €
Rest – (fermé 1er-24 août, 24 déc.-3 janv., sam. et dim.) Menu (13 €), 17 €
♦ Une adresse bien aménagée et récemment rafraîchie pour recevoir la clientèle d'affaires et les groupes de voyageurs : salles de réunion et chambres fonctionnelles. Cadre contemporain au restaurant ; carte à l'ardoise, privilégiant les produits du terroir.

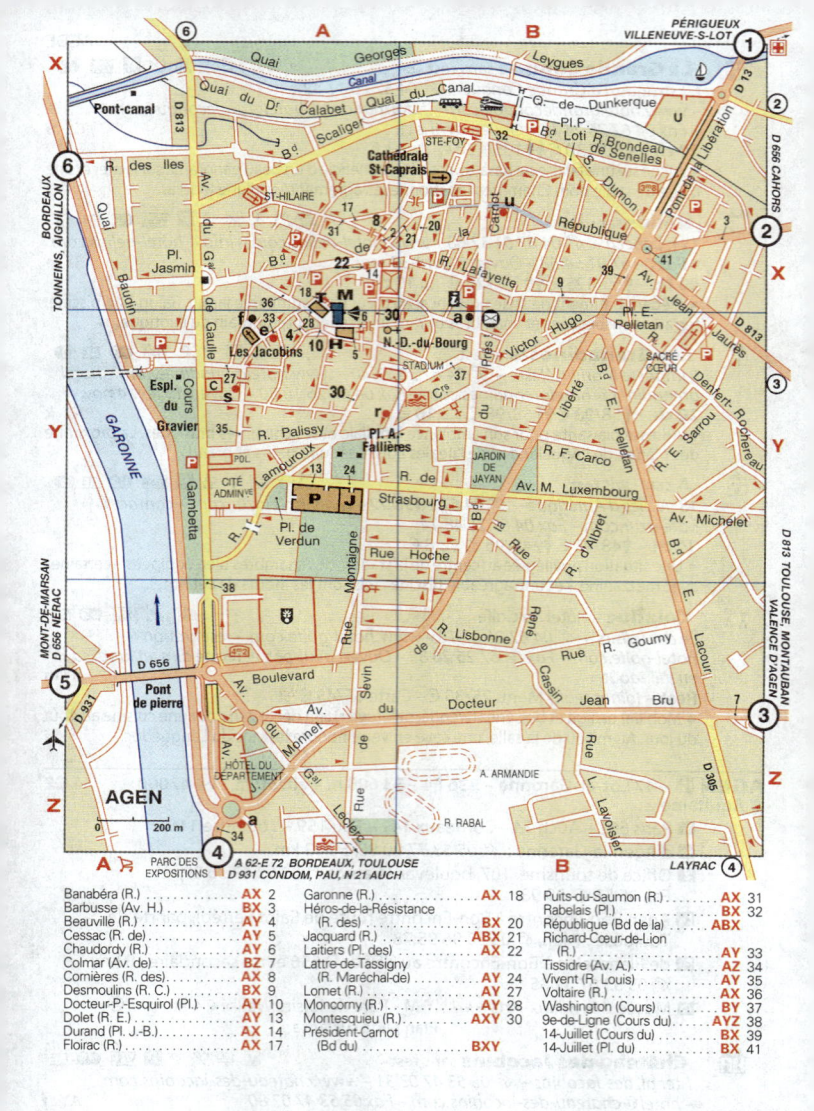

Street	Ref
Banabéra (R.)	AX 2
Barbusse (Av. H.)	BX 3
Beauville (R.)	AY 4
Cessac (R. de)	AY 5
Chaudordy (R.)	AY 6
Colmar (Av. de)	BZ 7
Cornières (R. des)	AX 8
Desmoulins (R. C.)	BX 9
Docteur-P.-Esquirol (Pl.)	AY 10
Dolet (R. E.)	AY 13
Durand (Pl. J.-B.)	AX 14
Floirac (R.)	AX 17
Garonne (R.)	AX 18
Héros-de-la-Résistance (R. des)	BX 20
Jacquard (R.)	ABX 21
Laitiers (Pl. des)	AX 22
Lattre-de-Tassigny (R. Maréchal-de)	AY 24
Lomet (R.)	AY 27
Moncorny (R.)	AY 28
Montesquieu (R.)	AXY 30
Président-Carnot (Bd du)	BXY
Puits-du-Saumon (R.)	AX 31
Rabelais (Pl.)	BX 32
République (Bd de la)	ABX
Richard-Cœur-de-Lion (R.)	AY 33
Tissidre (Av. A.)	AZ 34
Vivent (R. Louis)	AY 35
Voltaire (R.)	AX 36
Washington (Cours)	BY 37
9e-de-Ligne (Cours du)	AYZ 38
14-Juillet (Cours du)	BX 39
14-Juillet (Pl. du)	BX 41

Mariottat (Eric Mariottat)

25 r. L.-Vivent – ℰ 05 53 77 99 77 – www.restaurant-mariottat.com
– contact@restaurant-mariottat.com – Fax 05 53 77 99 79
– Fermé 20-27 avril, 1er-4 nov., 24-28 déc., merc. midi d' oct. à avril, sam. midi, dim. soir et lundi   AY s

Rest – Menu 28 € (déj. en sem.), 42/72 € – Carte 69/80 €

Spéc. Œuf de poule cassé, purée de ratte aux truffes. Pied de porc noir de Gascogne farci au homard. Le "Vert", fenouil, granny smith, avocat, verveine et huile d'olive. **Vins** Buzet, Côte de Duras.

◆ Intérieur bourgeois cossu, agréable terrasse d'été, cuisine de saison fine et personnalisée, carte des vins étoffée : cet hôtel particulier du 19e s. séduit les gourmets agenais.

AGEN

Le Washington
7 cours Washington – ℰ 05 53 48 25 50 – www.le-washington.com – contact@le-washington.com – Fax 05 53 48 25 55 – Fermé 31 juil.-23 août, sam. et dim.

AY **r**

Rest – Menu (15 € bc), 21 € (déj. en sem.)/38 € – Carte 32/70 €

♦ Dans une maison édifiée par l'architecte Charles Garnier, restaurant contemporain où l'on sert une carte traditionnelle et des plats du marché soutenus par un beau choix de vins.

La Table d'Armandie
1350 av. du Midi – ℰ 05 53 96 15 15 – latable.darmandie@orange.fr – Fermé 9-17 août, dim. et lundi

ZA **a**

Rest – Menu (16 €), 20/46 € – Carte 38/55 €

♦ Décor contemporain épuré avec grande table d'hôte, cuisine ouverte et écran géant (retransmissions sportives). Suggestions du marché et carte des vins essentiellement régionale.

Le Margoton
52 r. Richard-Cœur-de-Lion – ℰ 05 53 48 11 55 – perso.orange.fr/lemargoton – contact@lemargoton.com – Fax 05 53 48 11 55 – Fermé 18 août- 4 août, 22 déc.-6 janv., sam. midi, dim. et lundi

AY **e**

Rest – Menu (17 €), 24/35 € – Carte 38/50 €

♦ Sympathique adresse de la vieille ville : accueil familial, décor à base de matériaux traditionnels, couleurs cosy et notes actuelles. Appétissante cuisine dans l'air du temps.

La Part des Anges
14 r. Émile-Sentini – ℰ 05 53 68 31 00 – www.lapartdesanges.eu – Fax 05 53 68 03 21 – Fermé 15-31 août, vacances de fév., dim. soir et lundi

BX **u**

Rest – Menu (12 €), 19/40 € – Carte 25/40 €

♦ Livres de cuisine et vieilles caisses de vin ornent ce petit restaurant du centre-ville où l'on se sent un peu comme chez des amis. Copieux plats du terroir à prix tout doux.

à Pont-du-Casse 6 km par ② et D 656 – 4 415 h. – alt. 67 m – ⌂ 47480

Château de Cambes
– ℰ 05 53 87 46 37 – chateaudecambes@aol.com – Fax 05 53 87 46 37
8 ch ⌂ – †135/225 € ††135/225 €   **Table d'hôte** – Menu 40 €

♦ Dans un château datant du 14ᵉ s., vastes chambres dotées de meubles de style et d'une cheminée (sauf une). Grand parc, petite chapelle, bibliothèque, piscine, sauna et jacuzzi. Repas préparé sur demande par le maître de maison.

à Moirax 9 km par ④, N 21 et D 268 – 1 061 h. – alt. 154 m – ⌂ 47310

🛈 Syndicat d'initiative, Le bourg ℰ 05 53 68 30 00, Fax 05 53 68 30 00

Auberge le Prieuré (Benjamin Toursel)
Le Bourg – ℰ 05 53 47 59 55 – Fax 05 53 68 02 01 – Fermé vacances de la Toussaint, de fév., dim. soir, lundi et mardi

Rest – (nombre de couverts limité, prévenir) Menu (40 € bc), 60 € – Carte environ 60 €

Spéc. Langoustines en cappuccino de fenouil. Rouleau de thon au ketchup framboise-poivron (été). Croustillant de chocolat et sorbet passion. **Vins** Côtes du Marmandais, Côtes de Duras.

♦ Délicieuse cuisine personnalisée en cette belle maison de village, plusieurs fois centenaire. Le lieu a beaucoup de charme : intérieur campagnard (photos) et terrasse ombragée.

au Sud-Ouest 12 km par ④, rte d'Auch (N 21) puis D 268 – ⌂ 47310 Laplume

Château de Lassalle
Brimont – ℰ 05 53 95 10 58 – www.chateaudelasalle.com – info@chateaudelasalle.com – Fax 05 53 95 13 01 – Fermé vacances de Noël, de fév., sam. et dim. du 1ᵉʳ nov. au 30 avril
17 ch – †139/149 € ††139/189 €, ⌂ 13 €   **Rest** – Menu 32/42 €

♦ Douillettes chambres contemporaines (bois, pierre, tons clairs) et délicieuse ambiance guesthouse pour cette demeure du 18ᵉ s. nichée dans un parc de 8 ha. Séjours à thème. Restaurant sous verrière ou dans l'ex-salle des gardes (11ᵉ s.) ; carte traditionnelle.

AGEN
à Brax 6 km par ⑤ et D 119 – 1 615 h. – alt. 49 m – ✉ 47310

Au Colombier du Touron
187 av. des Landes – ℘ 05 53 87 87 91 – www.colombierdutouron.com
– contact@colombierdutouron.com – Fax 05 53 87 82 37 – Fermé 27 oct.-3 nov.
et 23 fév.-2 mars
9 ch – †49/57 € ††58/69 €, ☐ 10 € – ½ P 58/65 €
Rest – (fermé dim. soir et lundi) Menu (15 €), 29/52 € – Carte 31/48 €

♦ L'enseigne évoque le colombier du 18ᵉ s. qui jouxte l'hôtel. Chambres de bonne ampleur, colorées et progressivement rénovées. Cuisine gasconne proposée dans la confortable salle à manger, largement ouverte sur le jardin, ou sur la terrasse ombragée.

AGNIERES-EN-DEVOLUY – 05 Hautes-Alpes – **334** D4 – 266 h. — **40 B1**
– alt. 1 263 m – ✉ 05250

▸ Paris 690 – Marseille 204 – Gap 42 – Vizille 73 – Vif 109

Le Refuge de l'Eterlou sans rest
La Joue du Loup, 4 km à l'Est – ℘ 04 92 23 33 80 – www.hotel-eterlou.com – refuge-eterlou@orange.fr – Fax 04 92 23 19 13 – Ouvert 16 juin-15 oct. et 19 déc.-20 avril
6 ch – †60/75 € ††65/80 €, ☐ 8 €

♦ Une belle adresse sur les hauteurs de la station. Chalet moderne engageant : décoration "tout bois" pour la salle des petits-déjeuners et les chambres spacieuses d'esprit actuel.

AGUESSAC – 12 Aveyron – **338** K6 – 832 h. – alt. 375 m – ✉ 12520 — **29 D2**

▸ Paris 628 – Florac 76 – Mende 87 – Millau 9 – Rodez 60
– Sévérac-le-Château 25

Auberge le Rascalat
2 km rte de Verrières sur D 809 – ℘ 05 65 59 80 43 – www.auberge-lerascalat.fr
– societe.exploitation.rascalat@wanadoo.fr – Fax 05 65 59 73 90 – Ouvert
2 avril-2 nov.
14 ch – †60/80 € ††60/80 €, ☐ 10 €
Rest – (fermé lundi midi, mardi midi, merc. midi et jeudi midi) Menu 24 €
– Carte 28/50 €

♦ Ex-moulin à huile situé entre Causses et rivière. Chambres campagnardes, petit-déjeuner sous les voûtes de la cave et jolie piscine à débordement au jardin. Table rustique où l'on rôtit l'agneau du pays à la broche de la cheminée, au printemps. Terrasse d'été.

AHETZE – 64 Pyrénées-Atlantiques – **342** C2 – 1 452 h. – alt. 28 m — **3 A3**
– ✉ 64210

▸ Paris 767 – Bordeaux 207 – Pau 127 – Donostia-San Sebastián 52 – Irun 32

La Ferme Ostalapia avec ch
chemin d'Ostalapia, 3 km au Sud par D 855 – ℘ 05 59 54 73 79
– www.ostalapia.com – ostalapia@wanadoo.fr – Fax 05 59 54 98 85 – Fermé
15 déc.-1ᵉʳ fév., merc., jeudi sauf juil.-août et le midi en juil.-août
5 ch – †65/155 € ††65/155 €, ☐ 10 € **Rest** – Menu (15 €) – Carte 28/45 €

♦ Ancienne ferme du pays dont la réputation locale n'est plus à faire. Cuisine du terroir servie dans deux salles à manger typiquement basques ou en terrasse face aux montagnes. Chambres d'hôtes coquettes et rustiques, bien tenues.

L'AIGLE – 61 Orne – **310** M2 – 8 489 h. – alt. 220 m – ✉ 61300 — **33 C2**
▮ Normandie Vallée de la Seine

▸ Paris 137 – Alençon 68 – Chartres 79 – Dreux 61 – Évreux 56 – Lisieux 59
▮ Office de tourisme, place Fulbert-de-Beina ℘ 02 33 24 12 40,
Fax 02 33 34 23 77

Du Dauphin
pl. de la Halle – ℘ 02 33 84 18 00 – www.hoteldudauphin.free.fr – regis.ligot@free.fr – Fax 02 33 34 09 28
30 ch – †62/85 € ††62/85 €, ☐ 10 €
Rest – (fermé dim. soir) Menu 35/40 € – Carte 46/80 €
Rest *La Renaissance* – brasserie Menu (12 €) – Carte 16/37 €

♦ Le plus ancien des deux bâtiments hébergeait déjà une hôtellerie en 1618. Chambres au confort actuel, salon-cheminée, boutique de produits régionaux. Carte dans l'air du temps et cadre traditionnel au restaurant. Joli décor de brasserie rétro à La Renaissance.

L'AIGLE

※ **Toque et Vins** VISA ⓜⓒ ⓘ
35 r. L.-Pasteur, (rte d'Argentan) – ℰ 02 33 24 05 27 – Fermé 25 juil.-15 août, merc. soir, dim. soir et lundi
Rest – Menu 11 € (sem.), 17/33 € – Carte 20/35 €
♦ Un cadre bistrot tout simple mais convivial pour apprécier une cuisine impeccable dans le registre traditionnel, comme la tête de veau poêlé à la sauce ravigote.

rte de Dreux 3,5 km à l'Est sur N 26 – ⊠ 61300 St-Michel-Tubœuf

※※ **Auberge St-Michel** P VISA ⓜⓒ AE
– ℰ 02 33 24 20 12 – aubergesaintmichel@yahoo.fr – Fax 02 33 34 96 62 – Fermé mardi soir, merc. soir et jeudi
Rest – Menu (17 € bc), 25/38 € – Carte 32/51 €
♦ Le salon d'antiquités, original et cossu, donne le ton de cette élégante auberge de pays. Chaleureuses petites salles rustiques disposées en enfilade et recettes du terroir.

AIGUEBELETTE-LE-LAC – 73 Savoie – **333** H4 – 224 h. – alt. 410 m 46 **F2**
– ⊠ 73610 ▌Alpes du Nord
▶ Paris 552 – Belley 34 – Chambéry 22 – Grenoble 76 – Voiron 35
◉ Lac★ - Panorama★★ sur la route du col de l'Épine N.

à la Combe (rive Est) 4 km par D 921ᵈ – ⊠ 73610

※※ **La Combe "chez Michelon"** avec ch ≤ 斎 P VISA ⓜⓒ
– ℰ 04 79 36 05 02 – www.chez-michelon.fr – chezmichelon@aol.com
– Fax 04 79 44 11 93 – Fermé mi nov.-mi déc., lundi sauf le midi de mai à sept. et mardi
5 ch – †59/71 € ††59/80 €, ⊇ 8,50 €
Rest – Menu (19 €), 24/48 € – Carte 35/56 € 🍷
♦ Accueillante maison au cadre naturel privilégié ; sublime carte de vins régionaux escortant plats traditionnels, spécialités de poissons des lacs d'Annecy ou du Bourget.

à Novalaise-Lac (rive Ouest) 7 km par D 921 – 1 612 h. – alt. 427 m – ⊠ 73470

🏠 **Novalaise-Plage** ≤ 斎 斎 ⇌ ⁽ᵗ⁾ P VISA ⓜⓒ AE ⓘ
Le Neyret – ℰ 04 79 36 02 19 – www.le-chaletdulac.com – reservation@le-chaletdulac.com – Fax 04 79 36 04 22 – Fermé 2 janv.-5 fév.
13 ch – †57/68 € ††75/88 €, ⊇ 8 € – ½ P 58/75 €
Rest – (fermé mardi soir et merc. d'oct. à mars) Menu 28/88 € – Carte 60/84 €
♦ Pour se ressourcer en pleine nature, sur le Lac d'Aiguebelette, chalet proposant des chambres simples, avec vue sur l'eau. Cuisine actuelle soignée et goûteuse, servie au sein d'un cadre élégant éclairé par de grandes baies ou sur une terrasse panoramique en été.

à St-Alban-de-Montbel (rive Ouest) 7 km par D 921 – 447 h. – alt. 400 m – ⊠ 73610

🏠 **Les Lodges du Lac** 斎 斎 ⊐ ⇌ ⁽ᵗ⁾ 涵 P VISA ⓜⓒ
La Curiaz, D 921 – ℰ 04 79 36 00 10 – www.leslodgesdulac.com – bienvenue@leslodgesdulac.com – Fax 04 79 44 10 57 – Fermé dim. soir et lundi du 15 sept. au 15 juin
13 ch – †50/70 € ††50/70 €, ⊇ 8 € – 3 suites – ½ P 51/60 €
Rest – (fermé une sem. en mars et une sem. à Noël) Menu (14 €), 19/26 €
– Carte 28/42 €
♦ Hôtel situé en retrait du lac. Les chambres de l'annexe donnent de plain-pied sur le jardin ; les duplex conviennent particulièrement aux familles. Barques sur place. Au restaurant, cuisine traditionnelle et menus diététiques sur demande.

AIGUEBELLE – 83 Var – **340** N7 – rattaché au Lavandou

AIGUES-MORTES – 30 Gard – **339** K7 – 6 798 h. – alt. 3 m – ⊠ 30220 23 **C2**
▌Provence
▶ Paris 745 – Arles 49 – Montpellier 38 – Nîmes 42 – Sète 56
🛈 Office de tourisme, place Saint-Louis ℰ 04 66 53 73 00, Fax 04 66 53 65 94
◉ Remparts★★ et tour de Constance★★ : ※★★ - Eglise Notre-Dame des Sablons★.

AIGUES-MORTES

Villa Mazarin sans rest
35 bd Gambetta – ℘ 04 66 73 90 48 – www.villamazarin.com – am@villamazarin.com – Fax 04 66 73 90 49 – Fermé 12 janv.-12 fév.
20 ch – †95/220 € ††120/255 €, ⊊ 14 €
♦ Ce superbe hôtel particulier vous accueille dans ses salons raffinés et son beau jardin ombragé de vieux platanes. Chambres confortables, piscine intérieure et espace détente.

St-Louis
10 r. Am.-Courbet – ℘ 04 66 53 72 68 – www.lesaintlouis.fr – hotel.saint-louis@wanadoo.fr – Fax 04 66 53 75 92 – Ouvert 2 avril-4 oct.
22 ch – †62/94 € ††79/112 €, ⊊ 12 € – ½ P 65/77 €
Rest – (fermé sam. midi, mardi et merc.) Menu (15 €), 19/32 € – Carte 30/45 €
♦ Intra-muros, à deux pas de la tour de Constance, élégante bâtisse du 18ᵉ s. dont les chambres, confortables et colorées, sont plus spacieuses au 2ᵉ étage. L'hiver, la cheminée réchauffe la salle à manger provençale ; l'été, le patio ombragé devient incontournable.

Canal sans rest
440 rte de Nîmes – ℘ 04 66 80 50 04 – www.hotelcanal.fr – contact@hotelcanal.fr – Fax 04 66 80 50 32 – Fermé 15 nov.-15 déc. et 10 janv.-20 fév.
25 ch – †68/152 € ††68/152 €, ⊊ 12 €
♦ À l'entrée de la ville, face au canal, hôtel d'esprit contemporain. Les chambres, fonctionnelles et climatisées, bénéficient d'une bonne insonorisation. Piscine et solarium.

Les Arcades avec ch
23 bd Gambetta – ℘ 04 66 53 81 13 – www.les-arcades.fr – info@les-arcades.fr – Fax 04 66 53 75 46 – Fermé 3-25 mars, 6-22 oct., mardi midi, jeudi midi et lundi sauf le soir en juil.-août
9 ch ⊊ – †95/110 € ††95/145 €   **Rest** – Menu (24 €), 36/48 € – Carte 46/62 €
♦ Cadre provençal raffiné (pierres apparentes), terrasse dressée sous les arcades, cuisine du terroir et chambres plaisantes dans cette belle maison du 16ᵉ s., très tranquille.

La Salicorne
9 r. Alsace-Lorraine – ℘ 04 66 53 62 67 – www.la-salicorne.com – Fermé 3 janv.-7 fév. et mardi sauf vacances scolaires
Rest – (dîner seult) Carte 52/70 €
♦ Pierres et poutres apparentes, cheminée, fer forgé, jolie terrasse d'été et saveurs aux accents du Sud : un concentré de Provence à découvrir derrière l'église des Sablons.

AILEFROIDE – 05 Hautes-Alpes – 334 G3 – rattaché à Pelvoux (Commune de)

AILLANT-SUR-THOLON – 89 Yonne – 319 D4 – 1 416 h. – alt. 112 m   7 B1
– ✉ 89110

▶ Paris 144 – Auxerre 20 – Briare 70 – Clamecy 61 – Gien 80 – Montargis 59
🛈 Office de tourisme, 1, cour de la Halle aux Grains ℘ 03 86 63 54 17, Fax 03 86 63 54 17

au Sud-Ouest 7 km par D 955, D 57 et rte secondaire – ✉ 89110 Chassy

Domaine du Roncemay
– ℘ 03 86 73 50 50
– www.roncemay.com – info@roncemay.com – Fax 03 86 73 69 46 – Fermé de mi déc. à début janv.
18 ch – †100/220 € ††100/220 €, ⊊ 18 € – 3 suites
Rest – (fermé lundi hors saison) Menu (22 €), 35 € (sem.)/54 € – Carte 55/68 €
♦ Ce bel hôtel construit dans la pure tradition régionale est associé à un vaste golf. Séduisantes chambres rustiques. Fitness doté d'un superbe hammam. Cuisine actuelle aux notes bourguignonnes servie dans une agréable salle ouverte sur le parc.

AIMARGUES – 30 Gard – **339** K6 – 4 090 h. – alt. 6 m – ✉ 30470   23 **C2**

▶ Paris 740 – Montpellier 40 – Aigues-Mortes 16 – Alès 62 – Arles 41
– Nîmes 25

✗✗ **Un Mazet sous les platanes**   VISA ⦿
3 bd St-Louis – ✆ 04 66 51 73 03 – lemazetsouslesplatanes@wanadoo.fr
– Fax 04 66 51 73 03 – Fermé 20 déc.-19 janv., sam. midi, dim. midi et lundi
Rest – Menu (16 €), 28 €
◆ Jolie maison dotée d'une cour-terrasse offrant la vue sur les cuisines. Coquettes salles à manger panachant, à l'instar de la carte, influences provençales et orientales.

AINCILLE – 64 Pyrénées-Atlantiques – **342** E6 – rattaché à St-Jean-Pied-de-Port

AINHOA – 64 Pyrénées-Atlantiques – **342** C5 – 651 h. – alt. 130 m   3 **A3**
– ✉ 64250 ▌Pays Basque

▶ Paris 791 – Bayonne 28 – Biarritz 29 – Cambo-les-Bains 11 – Pau 125
– St-Jean-de-Luz 26

◉ Village basque caractéristique ★.

🏠 **Ithurria** (Xavier Isabal)
❀ pl. du Fronton – ✆ 05 59 29 92 11 – www.ithurria.com – hotel@ithurria.com
– Fax 05 59 29 81 20 – Ouvert 11 avril-2 nov.
28 ch – †95/110 € ††135/155 €, ☐ 12 € – ½ P 107/120 €
Rest – (fermé jeudi midi sauf juil.-août et merc.) (prévenir le week-end)
Menu 37/61 € – Carte 50/78 € 🍴
Spéc. Rossini de pied de porc. Ventrèche de thon et chipirons sautés en persillade
(juin à août). Délice à l'Izarra et son coulis de cerises noires. **Vins** Irouléguy,
Jurançon sec.
◆ Belle maison basque du 17e s. face au fronton de pelote du village. Salon bourgeois, chambres confortables (meubles chinés). Vieux fourneaux, poutres, tomettes, cheminée et bibelots en cuivre font le charme du restaurant ; appétissante cuisine régionale un peu allégée.

🏠 **Argi Eder**
rte de la Chapelle – ✆ 05 59 93 72 00 – www.argi-eder.com – argi.eder@
wanadoo.fr – Fax 05 59 93 72 13 – Ouvert 5 avril-1er nov.
19 ch – †100/125 € ††100/125 €, ☐ 13 € – 7 suites – ½ P 91/124 €
Rest – (fermé merc. sauf le soir en juil.-août, lundi midi et vend. midi)
Menu 32/50 € – Carte 40/60 € 🍴
◆ À flanc de colline, grande bâtisse régionale et sa piscine dans un parc tourné vers la campagne. Vastes chambres refaites et joli salon-bar (belle collection d'armagnacs). Salle à manger basque ; plats du terroir et superbe carte de bordeaux.

✗✗ **Oppoca** avec ch
r. Principale – ✆ 05 59 29 90 72 – www.oppoca.com – contact@oppoca.com
– Fax 05 59 29 81 03 – Fermé 15 nov.-16 déc., 5 janv.-5 fév., dim. soir et lundi
10 ch **Rest** – Menu (20 €), 26/46 € – Carte environ 53 €
◆ Deux salles rustiques rafraîchies dans cette auberge du pays : l'une avec vaisselier et meubles basques, l'autre plus claire, côté jardin. Cuisine traditionnelle. Terrasse. Chambres neuves, confortables et bien équipées.

AIRAINES – 80 Somme – **301** E8 – 2 101 h. – alt. 30 m – ✉ 80270   36 **A1**
▌Nord Pas-de-Calais Picardie

▶ Paris 172 – Abbeville 22 – Amiens 30 – Beauvais 69 – Le Tréport 51
🛈 Syndicat d'initiative, place de la Mairie ✆ 03 22 29 34 07, Fax 03 22 29 47 50

à Allery 5 km à l'Ouest par D 936 – 760 h. – alt. 50 m – ✉ 80270

✗ **Relais Forestier du Pont d'Hure**
rte du Treport – ✆ 03 22 29 42 10 – www.pontdhure.com – lepontdhure@
wanadoo.fr – Fax 03 22 2722 91 – Fermé 1er-19 août, 2-20 janv. et le soir sauf sam.
Rest – Menu (15 €), 18 € (sem.)/37 € – Carte 25/45 €
◆ Après une promenade en forêt, restaurez-vous dans le cadre campagnard de ce relais décoré de trophées de chasse. Au programme, rôtisserie et grillades au feu de bois.

AIRE-SUR-L'ADOUR – 40 Landes – 335 J12 – 6 070 h. – alt. 80 m — 3 B3
– ✉ 40800 ▌Aquitaine

- ◘ Paris 722 – Auch 84 – Condom 68 – Dax 77 – Mont-de-Marsan 33 – Orthez 59 – Pau 51
- ◘ Office de tourisme, place Général-de-Gaulle ℘ 05 58 71 64 70, Fax 05 58 71 64 70
- ◘ Sarcophage de Ste-Quitterie★ dans l'église St-Pierre-du-Mas.

Chez l'Ahumat avec ch
2 r. Mendès-France – ℘ 05 58 71 82 61 – *Fermé 17-31 mars, 1er-16 sept.*
12 ch – ♦28/32 € ♦♦35/42 €, ⊃ 5 €
Rest – *(fermé mardi soir et merc.)* Menu 12/30 € – Carte 21/35 €
♦ Restaurant tenu par la même famille depuis trois générations. Salles rustiques agrémentées d'une collection d'assiettes anciennes ; cuisine régionale.

rte de Bordeaux par N 124 – ✉ 40270 Cazères-sur-l'Adour

Aliotel
– ℘ 05 58 71 72 72 – http://pro.pagesjaunes.fr/aliotel/ – aliotel@free.fr
– Fax 05 58 71 81 94
34 ch – ♦39 € ♦♦46 €, ⊃ 6 €   **Rest** – Menu 12/15 €
♦ Établissement fonctionnel offrant de petites chambres standardisées, pratiques et bien insonorisées. Équipements sportifs bien conçus, ouverts sur la nature. Repas sans prétention servis dans une vaste salle à manger aux allures de cafétéria.

à Ségos (32 Gers) 9 km par N 134 et D 260 – 234 h. – alt. 111 m – ✉ 32400

Domaine de Bassibé
– ℘ 05 62 09 46 71 – www.bassibe.fr – bassibe@relaischateaux.com
– Fax 05 62 08 40 15 – *Ouvert 9 avril-2 janv. et fermé mardi et merc. sauf juil.-août*
9 ch – ♦140/210 € ♦♦140/210 €, ⊃ 16 € – 7 suites – ½ P 134/169 €
Rest – *(dîner seult sauf sam., dim. et juil.-août)* Menu 48/60 €
♦ En pleine campagne, cette propriété cultive le romantisme avec ses chambres douillettes. Salons campagnards. Restaurant aménagé dans l'ancien pressoir du domaine (cheminée et poutres de chêne blanchies à la chaux). Paisible terrasse à l'ombre des platanes.

Minvielle et les Oliviers
– ℘ 05 62 09 40 90 – lminvielle@wanadoo.fr – Fax 05 62 08 48 62
18 ch – ♦45/52 € ♦♦52/59 €, ⊃ 7 € – ½ P 60/67 €
Rest – *(fermé dim. soir d'oct. à avril et sam. midi)* Menu (13 € bc), 15 € bc (sem.)/28 € – Carte 30/45 €
♦ Dans un petit village du Gers, construction moderne d'esprit régional. Les chambres de l'annexe, plus récentes, proposent un coquet décor provençal et un grand balcon. Vaste salle à manger rustique où l'on sert une cuisine traditionnelle.

AIRE-SUR-LA-LYS – 62 Pas-de-Calais – 301 H4 – 9 651 h. – alt. 30 m — 30 B2
– ✉ 62120 ▌Nord Pas-de-Calais Picardie

- ◘ Paris 236 – Arras 56 – Boulogne-sur-Mer 68 – Calais 60 – Lille 62
- ◘ Office de tourisme, Grand-Place ℘ 03 21 39 65 66, Fax 03 21 39 65 66
- ◘ Bailliage★ - Tour★ de la Collégiale St-Pierre★.

Hostellerie des 3 Mousquetaires
Château de la Redoute, rte de Béthune (D 943) – ℘ 03 21 39 01 11
– www.hostelleriedes3mousquetaires.com – hotel.mousquetaires@wanadoo.fr
– Fax 03 21 39 50 10 – *Fermé 21 déc.-10 janv.*
33 ch – ♦55/110 € ♦♦110/150 €, ⊃ 15 € – 2 suites – ½ P 119/130 €
Rest – Menu (19 €), 24 € (sem.)/46 € – Carte 55/71 €
♦ Charme bucolique d'une demeure du 19e s. dans un parc agrémenté d'une pièce d'eau et d'arbres centenaires. Chambres personnalisées. Cuisines visibles de tous ou baies tournées sur la vallée de la Lys : le restaurant laisse le choix du spectacle.

AIRE-SUR-LA-LYS

à Isbergues 6 km au Sud-Est par D 187 – 9 836 h. – alt. 25 m – ⌧ 62330

Le Buffet avec ch
22 r. de la Gare – ✆ 03 21 25 82 40 – www.le-buffet.com – lebuffetisbergues@
wanadoo.fr – Fax 03 21 27 86 42 – Fermé 3-21 août, vacances de fév., lundi sauf
fériés le midi et dim. soir
5 ch – †62 € ††70 €, ⌧ 10 €
Rest – Menu (17 €), 20 € (sem.)/88 bc – Carte 45/65 €

◆ L'ancien buffet de la gare a aujourd'hui fière allure : deux élégantes salles à manger, mise en place soignée et goûteuse cuisine régionale concoctée selon le marché.

AISONVILLE-ET-BERNOVILLE – 02 Aisne – **306** D3 – 300 h. 37 **C1**
– alt. 155 m – ⌧ 02110

▶ Paris 200 – Amiens 115 – Laon 50 – Saint-Quentin 31 – Valenciennes 65

Le 1748
9 r. de Condé – ✆ 03 23 66 85 85 – http://le1748.monsite.orange.fr – le1748@
wanadoo.fr – Fax 03 23 66 85 70 – Fermé 1er-12 janv.
16 ch – †55/95 € ††55/95 €, ⌧ 8 € – ½ P 58/70 €
Rest – Menu (20 € bc), 28/45 € – Carte 28/47 €

◆ Un hôtel d'exception logé dans l'ancienne ferme d'un château et dans ses écuries, répertoriées parmi les plus belles de France. Chambres douillettes et personnalisées. Plats du terroir et bière locale, la Bernoville, servis dans un cadre d'esprit estaminet.

AIX (ÎLE-D') – 17 Charente-Maritime – **324** C3 – voir à Île-d'Aix

AIX-EN-PROVENCE – 13 Bouches-du-Rhône – **340** H4 40 **B3**
– 141 200 h. – alt. 206 m – Casino AY – ⌧ 13100 ▌Provence

▶ Paris 752 – Avignon 82 – Marseille 30 – Nice 177 – Sisteron 102 – Toulon 84
ℹ Office de tourisme, 2, place du Général-de-Gaulle ✆ 04 42 16 11 61,
Fax 04 42 16 11 62
Set Golf 1335 chemin de Granet, O : 6 km par D 17, ✆ 04 42 29 63 69
d'Aix-Marseille à Les Milles Domaine de Riquetti, par rte de Marignane et D 9 : 8 km, ✆ 04 42 24 20 41
Sainte-Victoire Golf Club à Fuveau, Lieu dit "Château l'Arc", par rte d'Aubagne et D 6 : 14 km, ✆ 04 42 29 83 43

◉ Le Vieil Aix★★ - Cours Mirabeau★★ - Cathédrale St-Sauveur★ : triptyque du Buisson Ardent★★ - Cloître★ BX B⁸ - Place Albertas★ BY 3 - Place★ de l'hôtel de ville BY 37 - Cour★ de l'hôtel de ville BY H - Quartier Mazarin★ : fontaine des Quatre-Dauphins★ BY D - Musée Granet★ CY M⁶ - Musée des Tapisseries★ BX M² - Fondation Vasarely★ AV M⁵.

Plans pages suivantes

Villa Gallici
18 bis av. de la Violette – ✆ 04 42 23 29 23 – www.villagallici.com – reservation@
villagallici.com – Fax 04 42 96 30 45 – Fermé 20-26 déc. et 3 janv.-6 fév.
17 ch – †220/780 € ††220/780 €, ⌧ 28 € – 5 suites BV **k**
Rest – (fermé merc. d'oct. à mai et mardi sauf juil.) (nombre de couverts limité, prévenir) Carte 90/110 €

◆ Platanes, cyprès, fontaine, piscine, cigales... ou le cadre idylliquement provençal de cette villa juchée sur les hauteurs d'Aix. Chambres personnalisées au charme très 19e s. Cuisine classique gorgée de soleil. L'été, profitez de la ravissante terrasse ombragée.

Le Pigonnet
5 av. du Pigonnet ⌧ 13090 – ✆ 04 42 59 02 90 – www.hotelpigonnet.com
– reservation@hotelpigonnet.com – Fax 04 42 59 47 77 AV **a**
51 ch – †135/175 € ††160/320 €, ⌧ 26 €
Rest – (fermé 22-30 déc., sam. midi et dim. d'oct. à mars) Menu (39 €), 59 €
– Carte 68/89 €

◆ Dans cette maison au calme, avec parc fleuri et vue sur la Sainte-Victoire, Cézanne s'imprégna des parfums et couleurs de la Provence. Décor cosy, romantique et cossu. Élégantes salles à manger et terrasse tournées sur la verdure ; carte au goût du jour.

AIX-EN-PROVENCE

Berger (Av. G.) . . . . **BV** 7
Brossolette (Av.) . . . . **AV** 13
Club Hippique (Av.) . . . . . **AV** 18
Dalmas (Av. J.) . . . . **AV** 23
Ferrini (Av. F.) . . . . **AV** 30
Fourane (Av. de la) . . . . . . **AV** 32
Galice (Rte de) . . . . **AV** 33
Isaac (Av. J.) . . . . **BV** 41
Malacrida (Av. H.) . . . . **BV** 48
Minimes (Crs des) . . . . . . **AV** 52
Moulin (Av. J.) . . . . **BV** 56
Pigonnet (Av. du) . . . . **AV** 62
Poilus (Bd des) . . . . **BV** 67
Prados (Av. E.) . . . . **AV** 68
Solari (Av. Ph.) . . . . **AV** 76

Aquabella
2 r. des Étuves – ✆ *04 42 99 15 00* – *www.aquabella.fr* – *info@aquabella.fr* – *Fax 04 42 99 15 01* AX **a**
110 ch – †149/169 € ††169/195 €, ⊇ 18 € – ½ P 129 €
Rest *L'Orangerie* – Menu (22 €), 27/51 € – Carte 45/71 €

♦ Accolé aux Thermes Sextius, hôtel moderne offrant une ambiance provençale stylisée, bien dans l'air du temps. Aux derniers étages, chambres avec terrasse et vue sur la ville. Restaurant contemporain à la structure "verre et acier"; terrasse face à la piscine.

Grand Hôtel Mercure Roi René
24 bd du Roi-René – ✆ *04 42 37 61 00* – *www.mercure.com* – *h1169@accor.com* – *Fax 04 42 37 61 11* BZ **b**
134 ch – †205/245 € ††225/265 €, ⊇ 22 € – 3 suites
Rest *La Table du Roi* – Menu 38 € – Carte environ 38 €

♦ Si l'architecture de cet hôtel s'inspire sobrement du style régional, les chambres dévoilent un décor contemporain et zen. Patio fleuri et piscine. Cuisine classique au restaurant La Table du Roi (en cours de rénovation).

Des Augustins sans rest
3 r. de la Masse – ✆ *04 42 27 28 59* – *www.hotel-augustins.com* – *hotel.augustins@wanadoo.fr* – *Fax 04 42 26 74 87* BY **x**
29 ch – †99/200 € ††99/250 €, ⊇ 10 €

♦ Patrimoine historique qui hébergea en son temps Luther, ce couvent du 15ᵉ s. abrite de belles chambres personnalisées, au confort actuel. Réception dans la chapelle du 12ᵉ s.

Le Galice
5 rte Galice – ✆ *04 42 52 75 27* – *www.bestwestern-legalice.com* – *hotelgalice@bestwestern-aix.com* – *Fax 04 42 52 75 28* AV **u**
90 ch – †140/180 € ††140/180 €, ⊇ 12 €
Rest – (*fermé sam. midi et dim.*) Menu (19 €) – Carte 28/36 €

♦ Derrière la façade vitrée de ce bâtiment moderne, retrouvez le confort de chambres spacieuses, insonorisées et bien équipées ; les plus agréables donnent sur la piscine. Cuisine traditionnelle aux touches méditerranéennes servie dans un cadre cosy ou sur la terrasse.

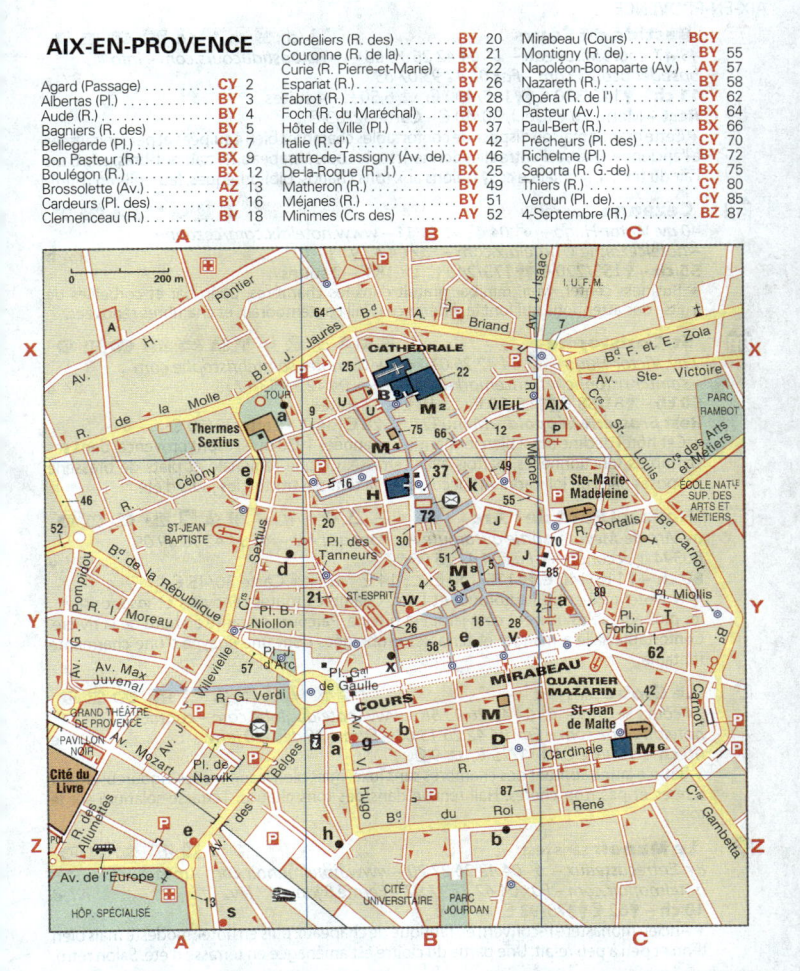

AIX-EN-PROVENCE

Agard (Passage) . . . . **CY** 2	Cordeliers (R. des) . . . . **BY** 20	Mirabeau (Cours) . . . . **BCY**
Albertas (Pl.) . . . . **BY** 3	Couronne (R. de la) . . . . **BY** 21	Montigny (R. de) . . . . **BY** 55
Aude (R.) . . . . **BY** 4	Curie (R. Pierre-et-Marie) . . . . **BX** 22	Napoléon-Bonaparte (Av.) . . . **AY** 57
Bagniers (R. des) . . . . **BY** 5	Espariat (R.) . . . . **BY** 26	Nazareth (R.) . . . . **BY** 58
Bellegarde (Pl.) . . . . **CX** 7	Fabrot (R.) . . . . **BY** 28	Opéra (R. de l') . . . . **CY** 62
Bon Pasteur (R.) . . . . **BX** 9	Foch (R. du Maréchal) . . . . . . **BY** 30	Pasteur (Av.) . . . . **BX** 64
Boulégon (R.) . . . . **BX** 12	Hôtel de Ville (Pl.) . . . . **BY** 37	Paul-Bert (R.) . . . . **BX** 66
Brossolette (Av.) . . . . **AZ** 13	Italie (R. d') . . . . **BY** 42	Prêcheurs (Pl. des) . . . . **CY** 70
Cardeurs (Pl. des) . . . . **BY** 16	Lattre-de-Tassigny (Av. de) . . **AY** 46	Richelme (Pl.) . . . . **BY** 72
Clemenceau (R.) . . . . **BY** 18	Matheron (R.) . . . . **BY** 49	Saporta (R. G.-de) . . . . **BX** 75
	Méjanes (R.) . . . . **BY** 51	Thiers (R.) . . . . **CY** 80
	Minimes (Crs des) . . . . **AY** 52	Verdun (Pl. de) . . . . **CY** 85
		4-Septembre (R.) . . . . **BZ** 87

Novotel Beaumanoir
r. Marcel-Arnaud, Résidence Beaumanoir, sortie autoroute 3 Sautets –
℘ 04 42 91 15 15 – www.novotel.com – h0393 @ accor.com – Fax 04 42 91 15 05
102 ch – †132/145 € ††132/145 €, ⊆ 14 € **Rest** – Carte 22/46 € BV **r**
◆ Chambres confortables à l'image de l'esprit de la chaîne, majoritairement rénovées.
L'hôtel jouit d'un environnement assez calme, avec jardin paysager et minicircuit
botanique. Salle à manger claire et actuelle prolongée d'une terrasse donnant sur la
piscine.

Kyriad Prestige
42 rte de Galice – ℘ 04 42 95 04 41 – www.kyriadprestige.fr – aixenprovence@
kyriadprestige.fr – Fax 04 42 59 47 29 AV **x**
84 ch – †103/120 € ††103/120 €, ⊆ 14 €
Rest – Menu 19/26 € – Carte 24/34 €
◆ Bâtiment moderne en arc de cercle, bordant une rocade animée. Chambres uniformes,
colorées et insonorisées (toutefois plus calmes aux derniers étages). Petit fitness. À table,
formules buffet servies dans un décor d'inspiration marine. Terrasse face à la piscine.

AIX-EN-PROVENCE

Bastide du Cours
🚗 ♿ ch, 🆎 ch, 📞 🛁 VISA 🆑 AE ①

43-47 cours Mirabeau – ✆ 04 42 26 10 06 – www.bastiducours.com – info@bastiducours.com – Fax 04 42 93 07 65
BY **e**
11 ch – †145/330 € ††145/400 €, ☐ 6,50 € – 4 suites
Rest – Menu 20 € (déj.), 30/40 € – Carte 32/63 €

◆ Cette grande maison dispose de confortables chambres bien équipées et personnalisées à l'ancienne. Quatre d'entre elles donnent sur le cours Mirabeau. Restaurant-brasserie dans l'air du temps, ambiance cosy (salons aux tons chauds, bibliothèques, fauteuils en rotin).

Cézanne sans rest
🛗 🆎 ⇆ 🍸 VISA 🆑 AE

40 av. Victor-Hugo – ✆ 04 42 91 11 11 – www.hotelaix.com/cezanne
– hotelcezanne@hotelaix.com – Fax 04 42 91 11 10
BZ **h**
55 ch – †155/220 € ††175/240 €, ☐ 18 € – 2 suites

◆ Business center, wi-fi, minibar gratuit dans les chambres, open bar et corbeilles de fruits : des attentions qui font la différence ! Hall contemporain et chambres rénovées.

St-Christophe
🚗 🛗 ♿ ch, 🆎 ⇆ 🍸 🛁 ☁ VISA 🆑 AE ①

2 av. Victor-Hugo – ✆ 04 42 26 01 24 – www.hotel-saintchristophe.com
– saintchristophe@francemarket.com – Fax 04 42 38 53 17
BY **a**
60 ch – †81/88 € ††88/98 €, ☐ 12 € – 12 suites
Rest *Brasserie Léopold* – Menu (21 €), 28 € (déj.) – Carte 29/50 €

◆ Cet hôtel décline aussi bien le charme des années 1930 que l'esprit provençal dans ses chambres fonctionnelles, parfois avec terrasse. Cuisine régionale et plats de brasserie proposés dans un joli cadre Art déco ou sur la terrasse-trottoir les jours d'été.

Novotel Pont de l'Arc
🚗 🏊 🛗 ♿ 🆎 ⇆ 🍸 🛁 P VISA 🆑 AE ①

av. Arc-de-Meyran, sortie autoroute Aix Pont de l'Arc – ✆ 04 42 16 09 09
h0394@accor.com – Fax 04 42 26 00 09
BV **v**
80 ch – †115/140 € ††115/140 €, ☐ 14 € **Rest** – Carte 30/45 €

◆ Novotel calé entre l'autoroute et l'Arc. Chambres toutes rénovées et insonorisées ; les plus agréables ouvrent côté jardin et piscine. Parcours de santé au bord de la rivière. Confortable salle à manger et terrasses ombragées dont une égayée d'une charmante fontaine.

Le Globe sans rest
🛗 🆎 ⇆ ❌ 🍸 🛁 ☁ VISA 🆑 AE ①

74 cours Sextius – ✆ 04 42 26 03 58 – www.hotelduglobe.com – contact@hotelduglobe.com – Fax 04 42 26 13 68 – Fermé 20 déc.-20 janv.
AY **e**
46 ch – †59/62 € ††71/75 €, ☐ 9 €

◆ Bâtisse jaune abritant des chambres sans luxe, mais bien insonorisées, rigoureusement tenues et pas trop chères. Hall rénové dans des tons chauds. Terrasse-solarium sur le toit.

Le Manoir sans rest
🛗 ❌ P VISA 🆑 AE ①

8 r. Entrecasteaux – ✆ 04 42 26 27 20 – www.hotelmanoir.com – msg@hotelmanoir.com – Fax 04 42 27 17 97 – Fermé 8 janv.-1er fév.
AY **d**
40 ch – †62 € ††75/92 €, ☐ 10 €

◆ Ancien monastère reconverti en fabrique de chapeaux puis en hôtel, modeste mais bien tenu et peu à peu refait. Une partie du cloître est aménagée en terrasse d'été. Salon rétro.

XXX Le Clos de la Violette (Jean-Marc Banzo)
🚗 🆎 ❌ ⇔ VISA 🆑 AE
❀

10 av. de la Violette – ✆ 04 42 23 30 71 – www.closdelaviolette.fr – restaurant@closdelaviolette.fr – Fax 04 42 21 93 03 – Fermé en août, dim. et lundi
BV **a**
Rest – (nombre de couverts limité, prévenir) Menu 50 € (déj. en sem.), 90/130 €
– Carte 108/115 € 🍷

Spéc. Charlotte de truffe noire à la moelle (déc. à mars). Pigeon fermier en sanguette paysanne. Petits babas bouchons au rhum. **Vins** Coteaux d'Aix-en-Provence.

◆ Situé dans un jardin à l'écart du vieux centre, Le Clos de la Violette a fait peau neuve : *camaïeu de bruns pour le côté feutré, larges baies vitrées et terrasse au vert.*

XX Les 2 Frères
🚗 ♿ 🆎 P VISA 🆑 AE

4 av. Reine-Astrid – ✆ 04 42 27 90 32 – www.les2freres.com – les-deuxfreres@wanadoo.fr – Fax 04 42 12 47 08
AZ **s**
Rest – Menu (19 €), 33 € – Carte 45/65 €

◆ En cuisine, le frère aîné réalise d'appétissants plats actuels, retransmis sur plusieurs écrans en salle où le cadet reçoit les hôtes. Ambiance de bistrot trendy, belle terrasse.

AIX-EN-PROVENCE

Amphitryon
2 r. Paul-Doumer – ℘ *04 42 26 54 10 – www.restaurant-anphitryon.fr
– amphitryon22@wanadoo.fr – Fax 04 42 38 36 15 – Fermé 15 août-1ᵉʳ sept., dim.
et lundi* BY **s**
Rest – Menu (20 €), 23 € (déj.), 28/37 € – Carte 45/55 €
◆ Près du cours Mirabeau, dans un décor mi-classique, mi-actuel, en salle ou au comptoir (plus informel), goûtez une cuisine régionale servie avec enthousiasme. Calme patio.

Pierre Reboul
11 Petite-Rue-St-Jean – ℘ *04 42 20 58 26 – www.restaurant-pierre-reboul.com
– restaurant-pierre-reboul@orange.fr – Fax 04 42 38 79 67
– Fermé 20 déc.-4 janv., dim. et lundi* CY **a**
Rest – *(nombre de couverts limité, prévenir)* Menu 39 € (sem.)/110 €
– Carte 80/100 €
Spéc. Escalope de foie gras à la pomme et au fruit de la passion. Truffe melanosporum (hiver). Macaron chocolat. **Vins** Vin de Pays des Bouches du Rhône, Cassis.
◆ Au cœur de la vieille ville, dans un cadre élégant, résolument contemporain, le chef signe une séduisante cuisine inventive qui fait la part belle aux produits.

Le Passage
10 r. Villars – ℘ *04 42 37 09 00 – www.le-passage.fr – contact@le-passage.fr
– Fax 04 42 37 09 09* BY **b**
Rest – Menu (13 € bc), 25/35 € – Carte 29/58 €
◆ Métal, passerelles et mobilier contemporain rajeunissent cette confiserie du 19ᵉ s. faisant bistrot, œnothèque, bar à tapas, école de cuisine et salon de thé (trois niveaux).

Le Formal
32 r. Espariat – ℘ *04 42 27 08 31 – Fax 04 42 27 08 31 – Fermé
26 avril-4 mai, 23 août-7 sept., 27 déc.-4 janv., sam. midi, dim. et lundi*
Rest – Menu (20 €), 23 € bc (déj. en sem.), 34/58 € BY **w**
◆ Restaurant situé dans de belles caves voûtées du 15ᵉ s., accueillant des expositions de tableaux. Autre objet de spectacle, la cuisine, inventive et bien tournée.

Chez Féraud
8 r. du Puits-Juif – ℘ *04 42 63 07 27 – marcferaud@cegetel.net – Fermé août, dim.
et lundi* BY **k**
Rest – Menu (22 €), 30 € – Carte 40/55 €
◆ Dissimulée dans une ruelle du vieil Aix, sympathique adresse familiale recelant un puits du 12ᵉ s. Recettes provençales (soupe au pistou, daube) et grillades préparées en salle.

Yamato
21 av. des Belges – ℘ *04 42 38 00 20 – www.restaurant-yamato.com – contact@
restaurant-yamato.com – Fax 04 42 38 52 65 – Fermé lundi sauf le soir en juil. et
mardi midi* AZ **e**
Rest – Menu 49/98 € – Carte 12/45 €
◆ Madame Yuriko, propriétaire de ce restaurant dédié à la cuisine japonaise, vous accueille en costume traditionnel. Salon nippon, véranda, terrasse, jardin. Menus "découvertes".

Yôji
7 av. Victor-Hugo – ℘ *04 42 38 48 76 – www.yoji.fr – Fax 04 42 38 47 01 – Fermé
lundi midi et dim.* BY **g**
Rest – Menu 18 € (déj.), 23/30 € – Carte 22/60 €
◆ On peut se trouver au cœur de "l'empire du soleil" et vouloir s'évader au pays du Soleil Levant : cuisine japonaise, barbecue coréen et bar à sushis dans un décor zen.

rte de St-Canadet 9 km par ①, D 96 et D 13 – ✉ 13100 Aix-en-Provence

Domaine de La Brillane sans rest
195 rte de Couteron, par D 13 et rte secondaire – ℘ *06 74 77 01 20
– www.labrillane.com – domaine@labrillane.com – Fax 04 42 54 31 25 – Fermé
20 déc.-4 janv.*
5 ch ⊡ – †130/160 € ††130/160 €
◆ Chambres douillettes aux noms de cépages, vue sur les vignes ou la montagne Ste Victoire, dégustation de bons vins bio du domaine… Un paradis pour les amoureux de Bacchus !

AIX-EN-PROVENCE

au Canet 8 km par ② par D 7n – ✉ 13590 Meyreuil

XX L'Auberge Provençale   AC P VISA ❻❺ ⓘ
au lieu-dit Le Canet de Meyreuil – ℰ *04 42 58 68 54 – www.auberge-provencale.fr
– aubergiste@aol.com – Fax 04 42 58 68 05 – Fermé 15-30 juil., mardi sauf le midi
de sept. à mai et merc.*
Rest – Menu 25/49 € – Carte environ 65 € 🍷
♦ Jolie auberge de bord de route disposant de plaisantes salles à manger méridionales.
Cuisine traditionnelle, généreuse et soignée ; belle carte de vins régionaux.

par ③ 5 km D9 ou A 51, sortie Les Milles – ✉ 13546 Aix-en-Provence

🏨 Château de la Pioline
260 r. Guillaume-du-Vair – ℰ *04 42 52 27 27 – www.chateaudelapioline.fr – info@
chateaudelapioline.fr – Fax 04 42 52 27 28*
30 ch – †170/235 € ††170/235 €, ⇆ 20 € – 3 suites
Rest – *(résidents seult)* Menu (28 € bc), 45/68 € – Carte 50/80 €
♦ Belle demeure, classée monument historique, abritant de vastes chambres joliment
meublées ; celles de l'aile récente, plus petites, ont une terrasse. Jardin à la française.
Restaurant de style Louis XVI décoré d'esquisses au fusain. Plats classiques ; dîners-
concerts.

à Celony 3 km sur D 7n – ✉ 13090 Aix-en-Provence

🏨 Le Mas d'Entremont ⚜
315 rte Nationale 7 – ℰ *04 42 17 42 42*
*– www.masdentremont.com – entremont@wanadoo.fr – Fax 04 42 21 15 83
– Ouvert 15 mars-31 oct.*   AV **g**
14 ch – †150/155 € ††150/190 €, ⇆ 18 € – 6 suites – ½ P 130/184 €
Rest – *(fermé dim. soir et lundi midi)* Menu 41 € – Carte 55/65 €
♦ Sur les hauteurs d'Aix, belle bastide ocre nichée dans un parc avec bassin, jeux d'eau et
colonnes antiques. Grandes chambres personnalisées et suites. Chaleureux restaurant
d'hiver et divine terrasse ombragée l'été. Cuisine classique de saison.

AIX-LES-BAINS – 73 Savoie – 333 I3 – 27 500 h. – alt. 200 m – Stat.   46 **F2**
therm. : mi janv.-mi déc. – Casinos : Grand Cercle CZ, Nouveau Casino BZ
– ✉ 73100 ▮ **Alpes du Nord**

◘ Paris 539 – Annecy 34 – Bourg-en-Bresse 115 – Chambéry 18 – Lyon 107
✈ de Chambéry-Savoie : ℰ 04 79 54 49 54, à Viviers-du-Lac par ③ : 8 km.
🛈 Office de tourisme, place Maurice Mollard ℰ 04 79 88 68 00,
Fax 04 79 88 68 01
⛳ d'Aix-les-Bains Avenue du Golf, par rte de Chambéry : 3 km,
ℰ 04 79 61 23 35
◉ Esplanade du Lac★ - Escalier★ de l'Hôtel de Ville CZ **H** - Musée Faure★ -
Vestiges Romains★ - Casino Grand Cercle★.
◉ Lac du Bourget★★ - Abbaye de Hautecombe★★ - Les Bauges★.

Plan page ci-contre

🏨 Radisson SAS
av. Ch.-de-Gaulle – ℰ *04 79 34 19 19 – www.aixlesbains.radissonsas.com
– info.aixlesbains@radissonsas.com – Fax 04 79 88 11 49*   CZ **x**
92 ch – †150/205 € ††150/205 €, ⇆ 18 € – 10 suites – ½ P 85/97 €
Rest – brasserie – Menu (21 €), 26 € – Carte environ 38 €
♦ Au cœur du parc du casino, doté d'un jardin japonais, imposant hôtel moderne dont les
chambres, fonctionnelles, bénéficient d'équipements complets. Spa. Espaces séminaires.
Petite carte d'inspiration brasserie servie dans un décor actuel ou sur l'agréable terrasse.

🏨 Mercure Ariana ⚜
111 av. de Marlioz, à Marlioz : 1,5 km – ℰ *04 79 61 79 79 – h2945@accor.com
– Fax 04 79 61 79 00 – Fermé 5-11 janv.*   AX **a**
60 ch – †98/160 € ††110/172 €, ⇆ 16 € – ½ P 88/119 €
Rest – Menu (23 €), 28 € – Carte 45/55 €
♦ Dans le parc des thermes de Marlioz, cet établissement dispose de chambres spacieuses
et d'un centre de balnéothérapie dernier cri, décoré à la manière d'un bateau. Lumineuse
salle à manger et plaisante terrasse tournée vers un parc ombragé d'arbres centenaires.

AIX-LES-BAINS

Bains (R. des)	CZ 2
Berthollet (Bd)	CZ 3
Boucher (Sq. A.)	CY 5
Carnot (Pl.)	CZ 6
Casino (R. du)	CZ 8
Chambéry (R. de)	CZ 9
Charcot (Bd J.)	AX 10
Clemenceau (Pl.)	BY 12
Dacquin (R.)	CZ 13
Davat (R.)	CZ 15
Fleurs (Av. des)	CZ 16
Garibaldi (Bd)	AX 17
Garrod (R. Sir A.)	CZ 18
Gaulle (Av. de)	CZ 19
Georges-1er (R.)	CZ 21
Lamartine (R.)	CZ 22
Lattre-de-Tassigny (Bd. Mar.-de)	AX, BY 23
Liège (R. de)	CZ 24
Marlioz (Av. de)	AX 25
Mollard (Pl. M.)	CZ 26
Monard (R. S.)	CZ 27
Petit Port (Av. du)	AX, BYZ 28
Pierpont-Morgan (Bd)	BY 29
Près-Riants (R.)	BY 30
République (R.)	CY 32
Revard (Pl. du)	CZ 33
Roche-du-Roi (Bd de la)	CZ 34
Roosevelt (Av. F.)	AX 35
Rops (Av. D.)	AX 37
Russie (Bd de)	AX 39
Seyssel (R. C.-de)	CZ 40
Temple-de-Diane (Sq.)	CZ 45
Temple (R. du)	CZ 43
Verdun (Av. de)	BZ 46
Victoria (Av.)	CZ 47

123

AIX-LES-BAINS

🏨 Astoria
pl. des Thermes – ℰ 04 79 35 12 28 – www.hotelastoria.fr – hotel.astoria-savoie@
wanadoo.fr – Fax 04 79 35 11 05 – Ouvert 1er avril-30 nov.   CZ z
94 ch – †85 € ††105 €, ⊊ 11 € – ½ P 69 €   **Rest** – Menu 24 €

◆ Cet ancien palace (1906) situé face aux thermes témoigne du passé fastueux d'Aix-les-Bains. Décor Belle Époque habilement rénové, confort moderne et chambres agréables. Le style Art nouveau a été préservé dans la grande et élégante salle à manger.

🏨 Le Manoir
37 r. Georges-1er – ℰ 04 79 61 44 00 – www.hotel-lemanoir.com
– hotel-le-manoir@wanadoo.fr – Fax 04 79 35 67 67 – Fermé 21-31 déc.
73 ch – †89/129 € ††99/179 €, ⊊ 14 € – ½ P 89/129 €   CZ r
Rest – Menu 29/69 € – Carte 32/80 €

◆ Hôtel aménagé dans les dépendances des anciens palaces Splendide et Royal. La Villa Grimotière, de style 1900, abrite les chambres les plus raffinées. Paisible jardin fleuri, espace bien-être. Salle à manger prolongée d'une véranda ouverte sur la verdure. Agréable terrasse.

🏨 Agora
1 av. de Marlioz – ℰ 04 79 34 20 20 – www.hotel-agora.com – reception@
hotel-agora.com – Fax 04 79 34 20 30 – Fermé 19 déc.-4 janv.   CZ u
61 ch – †67/89 € ††79/101 €, ⊊ 13 € – ½ P 72/83 €
Rest – Menu (24 €) – Carte 28/52 €

◆ Adoptez cet hôtel pour sa situation centrale et la bonne qualité de ses aménagements. Chambres fonctionnelles (plus calmes sur l'arrière). Piscine, sauna, hammam. Restaurant résolument contemporain ; cuisine internationale (tajine, wok, tartare...).

🏨 Grand Hôtel du Parc
28 r. de Chambéry – ℰ 04 79 61 29 11 – www.grand-hotel-du-parc.com – info@
grand-hotel-du-parc.com – Fax 04 79 88 33 49 – Fermé 21 déc.-7 fév.   CZ n
38 ch – †49 € ††59/71 €, ⊊ 9 € – ½ P 60/75 €
Rest *La Bonne Fourchette* – (fermé merc. midi hors saison, dim. soir et lundi)
Menu (23 €), 30/70 € – Carte 55/70 €

◆ Immeuble bâti en 1817 près du théâtre de verdure. Chambres simples et spacieuses. Le salon a conservé son joli décor d'origine. À La Bonne Fourchette, salle à manger agréablement rétro et carte traditionnelle.

🏨 Auberge St-Simond
130 av. St-Simond – ℰ 04 79 88 35 02 – www.saintsimond.com – auberge@
saintsimond.com – Fax 04 79 88 38 45 – Fermé 1er-10 nov., 20 déc.-25 janv., lundi
midi du 1er oct. au 30 avril et dim. soir   AX e
24 ch – †55/62 € ††60/75 €, ⊊ 11 € – ½ P 54/69 €
Rest – Menu 23 € (déj. en sem.), 28/37 € – Carte 31/44 €

◆ Auberge appréciée pour son ambiance conviviale, ses chambres personnalisées bien tenues et son jardin doté d'une jolie piscine d'été. Cuisine de tradition. Terrasse à la belle saison.

🏨 Revotel sans rest
198 r. de Genève – ℰ 04 79 35 03 37 – www.revotel.fr – revotel@wanadoo.fr
– Fax 04 79 88 82 99 – Fermé 1er déc.-5 fév.   CZ v
18 ch – †34/41 € ††34/41 €, ⊊ 6 €

◆ Adresse pour petits budgets, à proximité des quartiers animés. Mobilier "seventies" et aménagements fonctionnels dans les chambres (plus tranquilles sur l'arrière). Bon accueil.

🍴 Auberge du Pont Rouge
151 av. du Grand-Port – ℰ 04 79 63 43 90 – alain.accorsi@orange.fr
– Fax 04 79 63 43 90 – Fermé dim. soir, mardi soir, merc. soir et lundi   AX f
Rest – Menu (24 €), 28/39 €

◆ Profitez d'un cadre chaleureux et moderne (tons rouges) et d'une terrasse aux beaux jours. Menus du marché à l'ardoise, incontournables spécialités du Sud-Ouest et poissons du lac.

🍴 L'Annexe
205 bord du Lac – ℰ 04 79 35 25 64 – www.restaurant-lannexe.com
– Fax 04 79 35 20 45 – Fermé 25 oct.-10 nov., 20-27 déc., 15 fév.-3 mars, dim. et lundi
Rest – Menu (12 €), 16 € (déj. en sem.), 27/42 € – Carte 34/64 €   AX b

◆ Ce pavillon moderne, dominant le lac, vous reçoit dans un cadre contemporain épuré ou sur sa terrasse panoramique meublée en teck. Cuisine fusion.

AIZENAY – 85 Vendée – **316** G7 – **7 147 h.** – **alt. 62 m** – ✉ 85190   34 **B3**
- Paris 435 – Challans 26 – Nantes 60 – La Roche-sur-Yon 18 – Les Sables-d'Olonne 33
- Office de tourisme, avenue de la Gare ✆ 02 51 94 62 72, Fax 02 51 94 62 72

XX **La Sittelle**
33 r. Mar- Leclerc – ✆ 02 51 34 79 90 – Fax 02 51 94 81 77 – Fermé août, 1er-7 janv., lundi et le soir sauf sam.
Rest – (nombre de couverts limité, prévenir) Menu 24/35 €
♦ Cheminées en briques, plafonds moulurés, parquet à l'ancienne : les salles de cette discrète maison bourgeoise sont raffinées. Cuisine classique soignée et personnalisée.

AJACCIO – 2A Corse-du-Sud – **345** B8 – voir à Corse

ALBAN – 81 Tarn – **338** G7 – **848 h.** – **alt. 600 m** – ✉ 81250   29 **C2**
- Paris 723 – Albi 29 – Castres 54 – Toulouse 106
- Syndicat d'initiative, 21, place des Tilleuls ✆ 05 63 55 93 90, Fax 05 63 55 93 90

X **Au Bon Accueil** avec ch
49 av. de Millau – ✆ 05 63 55 81 03 – Bardyj@wanadoo.fr – Fax 05 63 55 82 97 – Fermé janv.
11 ch – ♦45/66 € ♦♦45/66 €, ⊇ 8 € – ½ P 55/60 €
Rest – (fermé vend. soir, dim. soir et lundi) Menu (17 €), 22/34 € – Carte 33/55 €
♦ Pratique pour l'étape, entre Albi et Pau, cette petite auberge familiale propose une généreuse cuisine traditionnelle. Cadre rustique (boiseries et poutres d'origine). Chambres simples et rafraîchies, plus au calme sur l'arrière.

ALBERT – 80 Somme – **301** I8 – **10 065 h.** – **alt. 65 m** – ✉ 80300   36 **B1**
Nord Pas-de-Calais Picardie
- Paris 156 – Amiens 30 – Arras 50 – St-Quentin 53
- Office de tourisme, 9, rue Léon Gambetta ✆ 03 22 75 16 42, Fax 03 22 75 11 72

Royal Picardie
138 av. du Gén. Leclerc, (rte d'Amiens) – ✆ 03 22 75 37 00 – www.royalpicardie.com – reservation@royalpicardie.com – Fax 03 22 75 60 19
23 ch – ♦78/153 € ♦♦89/173 €, ⊇ 10 €
Rest – (dîner seult) Menu 27/35 € – Carte 32/59 €
♦ Édifice imposant en sortie de ville proposant des chambres fonctionnelles. Quelques détails soignés : les presse-pantalons électriques et les plateaux de courtoisie. Côté restauration, carte traditionnelle servie dans une salle à manger garnie de mobilier Louis XIII.

à Authuille 5 km au Nord par D 50 – 167 h. – alt. 85 m – ✉ 80300

XX **Auberge de la Vallée d'Ancre**
6 r. Moulin – ✆ 03 22 75 15 18 – Fermé 17 août-2 sept., 8-22 fév., dim. soir, merc. soir et lundi
Rest – Menu 23/33 € – Carte 35/55 €
♦ Au bord d'une rivière, sympathique auberge de pays. L'accueil y est charmant et les habitués saluent le chef qui mitonne, dans sa cuisine ouverte, des plats de tradition.

ALBERTVILLE – 73 Savoie – **333** L3 – **18 300 h.** – **alt. 344 m**   46 **F2**
– ✉ 73200 **Alpes du Nord**
- Paris 581 – Annecy 46 – Chambéry 51 – Chamonix-Mont-Blanc 64
- Office de tourisme, place de l'Europe ✆ 04 79 32 04 22, Fax 04 79 32 87 09
- Bourg de Conflans★, porte de Savoie ≤★ B, Grande Place★ - Route du fort du Mont★★ E.

ALBERTVILLE

Million
8 pl. de la Liberté – ℰ 04 79 32 25 15 – www.hotelmillion.com – hotel.million@wanadoo.fr – Fax 04 79 32 25 36 – Fermé 27 avril-4 mai
26 ch ⊃ – ♦93/121 € ♦♦137/181 €
Rest – (fermé 3-17 août, 26 oct.-2 nov., sam. midi, dim. soir et lundi) Menu 28/80 € – Carte 63/77 €
♦ Cette fière demeure du centre-ville abrite un hôtel depuis 1770. Les chambres, en partie climatisées, sont garnies de meubles de styles variés. La salle de restaurant ouvre sur une agréable terrasse verdoyante. Cuisine au goût du jour.

Albert 1er
38 av. Victor-Hugo – ℰ 04 79 37 77 33 – www.alberter.fr – contact@albert1er.fr – Fax 04 79 37 89 01
16 ch ⊃ – ♦59/72 € ♦♦76/83 € – ½ P 71/85 €
Rest – (fermé dim. soir) Menu 12 € (sem.)/26 € – Carte 22/37 €
♦ L'hôtel date de 1880 et se trouve à proximité de la gare. Chambres simples et fonctionnelles ; celles du premier étage, décorées dans l'esprit montagnard, sont plus plaisantes. Restaurant de type brasserie proposant quelques plats régionaux.

Le Bistrot Gourmand
8 pl. Charles-Albert – ℰ 04 79 32 79 06 – danielandré96@neuf.fr – Fax 04 79 31 77 30 – Fermé 27 juil.-15 août, vacances de Noël, dim. soir, mardi soir et merc.
Rest – Menu (16 €), 24/35 € – Carte 41/65 €
♦ Ambiance simple et conviviale dans ce restaurant aux allures de bistrot. On aperçoit l'animation des cuisines depuis la salle à manger. Cuisine renouvelée au fil des saisons.

à Monthion 7 km au Sud par rte de Chambéry (sortie 26) et D 64 – ⊠ 73200

Les 16 Clochers
91 chemin des 16 Clochers – ℰ 04 79 31 30 39 – Fax 04 79 31 30 39 – Fermé 14-21 avril, 1er-8 sept., 23 déc.-15 janv., dim. soir, mardi soir et lundi
Rest – Menu (24 €), 33/49 € – Carte 49/65 €
♦ Chaleureux intérieur façon chalet et terrasse d'été panoramique offrant une vue superbe sur la vallée et les montagnes. La cuisine, traditionnelle, ose les saveurs créatives.

Le rouge est la couleur de la distinction : nos valeurs sûres !

ALBI – 81 Tarn – **338** E7 – 48 600 h. – alt. 174 m – ⊠ 81000   29 **C2**
Midi-Pyrénées

▶ Paris 694 – Béziers 150 – Clermont-Ferrand 286 – Toulouse 76
☐ Office de tourisme, place Sainte-Cécile ℰ 05 63 49 48 80, Fax 05 63 49 48 98
☐ Albi Lasbordes Château de Lasbordes, O : 4 km par r. de la Berchère, ℰ 05 63 54 98 07
☐ de Florentin-Gaillac à Marssac-sur-Tarn Al Bosc, par rte de Toulouse : 11 km, ℰ 05 63 55 20 50

Circuit automobile ℰ 05 63 43 23 00, 2 km par ⑤.

☐ Cathédrale Ste-Cécile★★★ : Jubé★★★ - Palais de la Berbie★ : musée Toulouse-Lautrec★★ - Le Vieil Albi★★ : hôtel Reynès★ Z C - Pont Vieux★ - Pharmacie des Pénitents★ - ≤★ depuis les moulins albigeois.

Plan page ci-contre

La Réserve
rte de Cordes, par ⑥ : 3 km – ℰ 05 63 60 80 80
– www.relaischateaux.fr/reservealbi – reservealbi@relaischateaux.com
– Fax 05 63 47 63 60 – Ouvert 1er mai-31 oct.
24 ch – ♦158/328 € ♦♦228/468 €, ⊃ 20 € – 2 suites
Rest – (fermé le midi sauf dim. et fériés) Menu 40/60 € – Carte 70/90 €
♦ Dans un parc au bord du Tarn, grande villa accueillante dont les chambres personnalisées (mobilier chiné et contemporain) ont vue sur la piscine et la reposante rivière. Lumineuse salle à manger actuelle et vaste terrasse surplombant le cours d'eau.

ALBI

Street	Grid
Alsace-Lorraine (Bd)	V
Andrieu (Bd Ed.)	X 2
Archevêché (Pl. de l')	Y 3
Berchère (R. de la)	Z
Bodin (Bd P.)	X 5
Cantepau (R. de)	V
Carnot (Bd)	X
Castelviel (R. du)	Y 7
Choiseul (Quai)	Y 8
Croix-Blanche (R. de la)	Z 9
Croix-Verte (R.)	V, YZ 12
Dembourg (Av.)	Y 13
Dr-Camboulives (R. du)	Z 14
Empeyralots (R. d')	Z 15
Foch (Av. Mar.)	X
Gambetta (Av.)	X
Gaulle (Av. Gén.-de)	X
Genève (R. de)	Y 17
Gorsse (Pl. H. de)	Y 18
Grand (R. E.)	Y
Hôtel-de-Ville (R. de l')	Z 19
Jean-Jaurès (Pl.)	Y
Joffre (Av. Mar.)	X 22
Lacombe (Bd)	X 23
Lamothe (R. de)	V, Y
Lapérouse (Pl.)	Z
Lattre-de-Tassigny (Av. Mar.-de)	V 24
Loirat (Av. du)	V
Lude (Bd du)	X
Malroux (R. A.)	Y 25
Maquis (Pl. du)	X 26
Mariès (R.)	Y
Montebello (Bd)	X 27
Moulin (Lices J.)	Z
Nobles (R. des)	Z 28
Oulmet (R. de l')	Z 29
Palais (Pl. du)	Z 30
Palais (R. du)	Z 31
Partisans (Espl. des)	Y
Pénitents (R. des)	Y 33
Peyrolière (R.)	YZ 34
Pompidou (Lices G.)	YZ
Porta (R.)	Y
Porte-Neuve (R. de la)	Y 35
Puech-Bérenguier (R.)	Z 37
République (R. de la)	V, Y
Rinaldi (R.)	Y
Rivière (R. de la)	Y 40
Roquelaure (R.)	Y 41
Ste-Cécile (Pl.)	Y 46
Ste-Cécile (R.)	Y 47
Ste-Claire (R.)	Y 48
St-Afric (R.)	Y 42
St-Amarand (Pl.)	V 69
St-Antoine (R.)	Y 43
St-Clair (R.)	Y 44
St-Julien (R.)	Y 45
Saunal (R. de)	Z 49
Savary (R. H.)	Z 51
Sel (R. du)	Z 52
Séré-de-Rivière (R.)	Z 53
Sibille (Bd Gén.)	Z
Soult (Bd)	X
Strasbourg (Bd de)	V, X 54
Teyssier (Av. Col.)	X
Thomas (Av. A.)	V 57
Timbal (R.)	Y 58
Toulouse-Lautrec (R. H.-de)	Z 60
Valmy (Bd)	VX
Verdier (Av. F.)	X 62
Verdun (Pl. de)	X 63
Verdusse (R. de)	Z 64
Vigan (Pl. du)	Y 65
Visitation (R. de la)	Y 67
8-Mai-1945 (Pl. du)	X

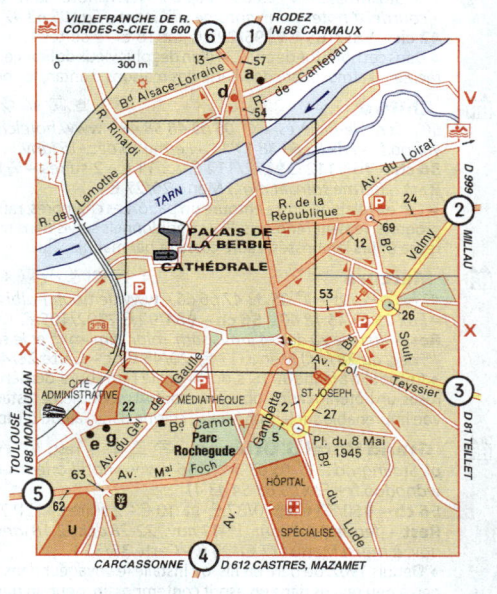

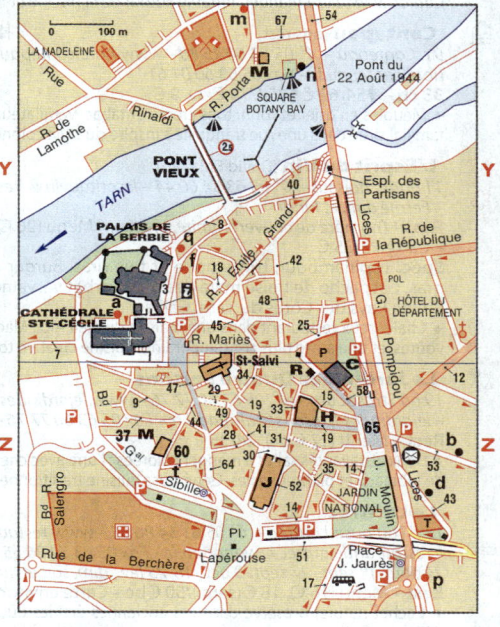

ALBI

Hostellerie St-Antoine sans rest
17 r. St-Antoine – ℘ 05 63 54 04 04 – www.hotel-saint-antoine-albi.com
– courriel @ hotel-saint-antoine-albi.com – Fax 05 63 47 10 47
42 ch – †85/165 € ††95/225 €, ⊇ 18 € – 2 suites   Z d

♦ Dans cet hôtel fondé en 1734 (l'un des plus vieux de France), le jardin et le mobilier ancien recréent l'atmosphère douillette des maisons d'antan, le confort moderne en plus.

Chiffre
50 r. Séré-de-Rivières – ℘ 05 63 48 58 48 – www.hotelchiffre.com – hotel.chiffre @ yahoo.fr – Fax 05 63 38 11 15 – Fermé 15 déc.-15 janv.   Z b
36 ch – †67/112 € ††72/112 €, ⊇ 11 € – 2 suites – ½ P 71/86 €
Rest – (fermé sam. et dim.) Menu 20/27 €

♦ Cet ex-relais de poste entoure un patio. Les chambres, raffinées et personnalisées, sont progressivement rénovées. Plats traditionnels servis dans une salle de restaurant chaleureuse (murs lambrissés, cadre cossu et bar marin).

Mercure
41 bis r. Porta – ℘ 05 63 47 66 66 – www.lemoulin-albi.com – h1211-gm @ accor.com
– Fax 05 63 46 18 40 – **56 ch** – †84/92 € ††92/105 €, ⊇ 12 €   Y n
Rest – (fermé 20 déc.-4 janv., sam. midi, dim. midi et le soir du vend. au dim. du 1er déc. au 28 fév.) Menu (17 €), 20/45 € bc – Carte 28/42 €

♦ Ce moulin à farine du 18e s. dominant le Tarn abrite, derrière sa typique façade en briques roses, un hôtel au cadre sobre et au confort moderne. Le restaurant et la terrasse offrent une vue imprenable sur la cathédrale ; cuisine dans l'air du temps.

Grand Hôtel d'Orléans
pl. Stalingrad – ℘ 05 63 54 16 56 – www.hotel-orleans-albi.com – hoteldorleans @ wanadoo.fr – Fax 05 63 54 43 41   X e
56 ch – †60/77 € ††70/87 €, ⊇ 10 € – 2 suites – ½ P 70/74 €
Rest – (fermé 3-16 août, 1er-11 nov., 22-28 déc., 2-18 janv., 16-22 fév., sam. soir de nov. à mars) Menu (17 €), 23 € – Carte 38/55 €

♦ Depuis 1902, de père en fils, on installe le voyageur dans des chambres fonctionnelles peu à peu revues dans un esprit contemporain, pour un quiet séjour au pays de Lautrec. Confortable salle à manger, terrasse autour de la piscine et recettes traditionnelles.

Cantepau sans rest
9 r. Cantepau – ℘ 05 63 60 75 80 – www.hotelcantepau.fr – contact @ hotelcantepau.fr – Fax 05 63 60 01 61   V a
33 ch – †54/69 € ††54/75 €, ⊇ 9 €

♦ Meubles en osier et rotin, tons crème et tabac, ventilateurs : le décor de ce petit hôtel familial situé dans une rue tranquille s'inspire du style colonial. Accueil aimable.

L'Esprit du Vin (David Enjalran)
11 quai Choiseul – ℘ 05 63 54 60 44 – lespritduvin @ free.fr – Fax 05 63 54 54 79
– Fermé dim. et lundi   Y q
Rest – (nombre de couverts limité, prévenir) Menu (26 €), 30 € (déj.)/95 €
– Carte 73/85 €
Spéc. Topinambour, truffe noire et foie gras. Burger de bœuf charolais et foie gras. Gaspacho de fraise mara des bois, sorbet verveine citron (juin à sept.). **Vins** Vin de Pays des Côtes du Tarn, Gaillac.

♦ Chaleureux restaurant dans une maison du vieil Albi. Magnifique salle logée sous des voûtes, et une autre plus contemporaine. Cuisine créative tout en finesse et subtilité.

Le Jardin des Quatre Saisons
19 bd Strasbourg – ℘ 05 63 60 77 76 – www.lejardindes4saisons.fr.st
– lejardindes4saisons @ aliceadsl.fr – Fax 05 63 60 77 76 – Fermé dim. soir et lundi
Rest – Menu (17 € bc), 24/35 €   V d

♦ Deux attrayantes salles à manger colorées : l'une avec cheminée et l'autre agrémentée de tableaux et plantes vertes. Généreuse cuisine traditionnelle et belle carte des vins.

Le Lautrec
13 r. Toulouse-Lautrec – ℘ 05 63 54 86 55 – www.restaurant-le-lautrec.com
– restaurantlelautrec @ wanadoo.fr – Fax 05 63 54 86 55 – Fermé
24 août-1er sept., 27 sept.-3 oct., 18-25 fév., dim. soir et lundi   Z t
Rest – Menu (16 €), 18 € (sem.)/50 € bc – Carte environ 32 €

♦ Cachet naturel préservé dans ces anciennes écuries où trône un vieux puits chargé d'histoire. Patio-terrasse pour les beaux jours et recettes à base de produits frais régionaux.

ALBI

La Table du Sommelier
20 r. Porta – ℰ 05 63 46 20 10 – www.latabledusommelier.fr
– latabledusommelier@orange.fr – Fax 05 63 46 20 10 – Fermé dim. et lundi
Rest – Menu (13 €), 16 € (sem.), 25/40 € – Carte 24/33 €   Y m
• L'enseigne et les caisses de bois empilées dans l'entrée annoncent la couleur. Petits plats bistrotiers revisités accompagnés, comme il se doit, d'une belle sélection de vin.

L'Épicurien
42 pl. Jean-Jaurès – ℰ 05 63 53 10 70 – www.restaurantlepicurien.com
– l-epicurien@wanadoo.fr – Fax 05 63 43 16 90 – Fermé dim. et lundi   Z p
Rest – Menu (17 €), 20 € (déj. en sem.), 28/65 € – Carte 61/70 €
• C'est l'adresse branchée d'Albi. Cadre épuré mais néanmoins chaleureux avec ses banquettes, ses baies vitrées et sa vue directe sur les cuisines. Carte dans l'air du temps.

La Fourchette Adroite
7 pl. de l'Archevêché – ℰ 05 63 49 77 81 – lafourchetteadroite81@orange.fr
– Fax 05 63 49 77 81   Y f
Rest – Menu (13 €), 16 € (déj.), 28/42 € bc – Carte 33/45 €
• Une architecture moderne dans un cadre ancien : ce restaurant aux allures de loft se révèle aussi tendance que convivial. Cuisine inventive, bien en phase avec le concept.

Stéphane Laurens
10 pl. Monseigneur-Mignot – ℰ 05 63 43 62 41 – www.stephanelaurens.com
– stephanelaurens.restaurant@orange.fr – Fax 05 63 43 67 79   Y a
Rest – Menu 19/24 € – Carte 28/54 €
• Cette belle maison dévoile deux impressionnantes salles (hautes et profondes) au style épuré quelque peu japonisant. Plats traditionnels remis au goût du jour, riches en saveurs.

à Castelnau-de-Lévis 7 km par ⑥, D 600 et D 1 – 1 520 h. – alt. 221 m – ⊠ 81150

La Taverne avec ch
r. Aubijoux – ℰ 05 63 60 90 16 – www.tavernebesson.com – contact@tavernebesson.com – Fax 05 63 60 96 73
8 ch – †58/65 € ††58/85 €, ⊇ 9 €
Rest – (fermé vacances de fév., dim. soir et lundi hors saison) Menu 23/61 €
– Carte 44/60 €
• Ancienne coopérative boulangère dont les fours en briques agrémentent l'une des deux confortables salles à manger. Cuisine raffinée s'inspirant du terroir et de la tradition.

ALENÇON ℙ – 61 Orne – 310 J4 – 28 400 h. – alt. 135 m – ⊠ 61000   33 C3
Normandie Cotentin

▶ Paris 190 – Chartres 119 – Évreux 119 – Laval 90 – Le Mans 54 – Rouen 150

🛈 Office de tourisme, place de la Magdeleine ℰ 02 33 80 66 33, Fax 02 33 80 66 32

⛳ d'Alençon-en-Arçonnay à Arçonnay Le Petit Maleffre, par rte du Mans : 3 km, ℰ 02 33 28 56 67

◉ Église Notre-Dame★ - Musée des Beaux-Arts et de la Dentelle★ : collection de dentelles★ BZ M².

Plan page suivante

Mercure sans rest
187 av. Gén.-Leclerc, 2 km par ④ – ℰ 02 33 28 64 64 – www.mercure.com
– H1359@accor.com – Fax 02 33 28 64 72 – Fermé 24 déc.-4 janv.
53 ch – †66/72 € ††68/76 €, ⊇ 10 €
• Établissement situé dans une petite zone commerciale. Les chambres, pratiques et bien insonorisées, sont toutes rénovées (style plus contemporain au 2e étage). Plaisant salon-bar.

Des Ducs sans rest
hoteldesducs@orange.fr – ℰ 02 33 29 03 93 – www.hotelducs-alencon.fr
– hotelducs@orange.fr – Fax 02 33 29 28 59   AY r
24 ch – †49/59 € ††55/65 €, ⊇ 8 €
• Véritable cure de jouvence pour cet hôtel face à la gare, qui a pour atout des chambres modernes (couleurs tendance), fonctionnelles et bien équipées. Bar, jardin et terrasse.

ALENÇON

Argentan (R. d')	**AY** 2
Basingstoke (Av. de)	**AY** 3
Bercail (R. du)	**BZ** 4
Capucins (R. des)	**CZ** 6
Clemenceau (Cours)	**BCZ**
Duchamp (Bd)	**AY** 8
Écusson (R. de l')	**AY** 9
Fresnay (R. de)	**BZ** 13
Grandes-Poteries (R. des)	**BZ** 14
Grande-Rue	**BZ** 15
Halle-au-Blé (Pl. de la)	**BZ** 17
Lattre-de-Tassigny (R. du Mar.-de)	**BCZ** 19
Leclerc (Av. du Gén.)	**AY** 20
La Magdeleine (Pl.)	**CZ** 18
Mans (R. du)	**AY** 24
Marguerite-de-Lorraine (Pl.)	**BZ** 25
Porte-de-la-Barre (R.)	**BZ** 30
Poterne (R. de la)	**CZ** 33
Quakenbruck (Av. de)	**AY** 34
Rhin-et-Danube (Av.)	**AY** 35
Sieurs (R. aux)	**BZ**
Tisons (R. des)	**BZ** 39
1er Chasseurs (Bd)	**AY** 40
14e Hussards (R. du)	**AY** 42

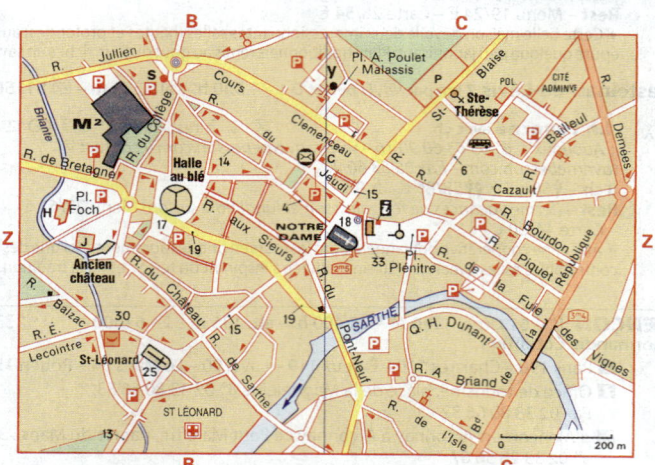

Ibis sans rest

13 pl. Poulet-Malassis – ℰ 02 33 80 67 67 – www.ibishotel.com – h0982@accor.com – Fax 02 33 26 02 88
52 ch – †50/73 € ††50/73 €, ⊡ 8 €   CZ y

◆ À deux pas du centre-ville et dans un quartier résidentiel calme. Mobilier contemporain dans les chambres et la salle des petits-déjeuners. Ambiance feutrée au salon-bar.

Au Petit Vatel

72 pl. Cdt-Desmeulles – ℰ 02 33 26 23 78 – aupetitvatel@orange.fr – Fax 02 33 82 64 57 – Fermé 22 juil.-12 août, 18 fév.-4 mars, dim. soir, mardi soir et merc.   BZ s

Rest – Menu (17 € bc), 20/70 € bc – Carte 33/63 €

◆ Il règne une atmosphère champêtre dans cette maison en pierres du pays. Tons pastel et exposition de tableaux à l'intérieur. Cuisine sans fausse note qui fleure bon le terroir.

130

ALENÇON

par ① N 138 et rte secondaire - ✉ 61250 Valframbert

⌂ **Château de Sarceaux** ⌘ 🐾 P VISA ⦾
– ℰ 02 33 28 85 11 – www.chateau-de-sarceaux.com – chateaudesarceaux@
yahoo.fr – Fax 02 33 28 85 11 – Fermé 2 fév.-5 mars
5 ch ⊇ – †110/150 € ††110/150 €   **Table d'hôte** – Menu 49 € bc
♦ Un parc de 12 ha avec étang entoure ce château des 17ᵉ et 19ᵉ s. dont les chambres raffinées, décorées d'authentiques meubles et tableaux de famille, sont toutes orientées au sud. Dîner aux chandelles à la table d'hôte ; registre culinaire traditionnel.

à St-Paterne (72 Sarthe) 4 km par ③ – 1 635 h. – alt. 160 m – ✉ 72610

🏠 **Château de St-Paterne** ⌘ 🌿 ⚡ P VISA ⦾ AE
1 r. Perseigne – ℰ 02 33 27 54 71 – www.chateau-saintpaterne.com – contact@
chateau-saintpaterne.com – Fax 02 33 29 16 71 – Fermé 1ᵉʳ janv.-15 mars
10 ch – †135/240 € ††135/240 €, ⊇ 13 €
Rest – (dîner seult) (résidents seult) Menu 47 €
♦ Un séjour romantique vous attend dans ce château avec son grand parc aux arbres séculaires. Salon d'époque, décor personnalisé des chambres (historique ou plus tendance). Ambiance chaleureuse autour de repas aux chandelles préparés par le châtelain (menu unique).

ALÉRIA – 2B Haute-Corse – **345** G7 – **voir à Corse**

ALÈS ◉ – 30 Gard – **339** J4 – 40 000 h. – alt. 136 m – ✉ 30100   23 **C1**
▌**Languedoc Roussillon**

■ Paris 706 – Albi 226 – Avignon 72 – Montpellier 70 – Nîmes 46
🛈 Office de tourisme, place de la Mairie ℰ 04 66 52 32 15, Fax 04 66 52 57 09
◉ Musée minéralogique de l'Ecole des Mines★ N - Musée-bibliothèque
Pierre-André-Benoît★ O : 2 km - Mine-témoin★ O : 3 km.

Plan page suivante

🏠 **Ibis** sans rest   ⚡ & AC 🌿 📞 ⌘ VISA ⦾ AE ⦿
18 r. E.-Quinet – ℰ 04 66 52 27 07 – www.ibishotel.com – h0338@accor.com
– Fax 04 66 52 36 33   B e
75 ch – †55/79 € ††55/79 €, ⊇ 8 €
♦ Bâtiment des années 1970 situé au cœur d'Alès. Les chambres, spacieuses et bien insonorisées, sont toutes rénovées. Bar-salon. Local à vélos.

✕✕ **Le Riche** avec ch   AC 🌿 📞 VISA ⦾ AE ⦿
42 pl. Sémard – ℰ 04 66 86 00 33 – www.leriche.fr – reception@leriche.fr
– Fax 04 66 30 02 63 – Fermé août   B n
19 ch – †49 € ††65 €, ⊇ 8,50 € – ½ P 54 €
Rest – Menu 21/50 € – Carte 30/45 €
♦ Bel immeuble du début du 20ᵉ s. Sous un haut plafond, salle à manger Art nouveau aux lambris restaurés et aux couleurs vives. Cuisine classique. Chambres au design contemporain.

✕ **L'Atelier des Saveurs**   🐾 VISA ⦾ AE
16 fg de Rochebelle – ℰ 04 66 86 27 77 – www.latelierdessaveurs.net
– gouny.henri@wanadoo.fr – Fax 04 66 86 27 77 – Fermé 24 août-13 sept., sam.
midi, dim. soir et lundi   A t
Rest – Menu (19 €), 28/62 € – Carte 35/53 €
♦ Lumineux intérieur un brin champêtre, délicieux patio ombragé, ambiance conviviale et attrayantes recettes actuelles où s'invitent les saveurs du Sud : laissez-vous bercer...

à St-Martin-de-Valgalgues 2 km par ① – 4 283 h. – alt. 148 m – ✉ 30520

⌂ **Le Mas de la Filoselle**   🌿 AC rest, 🌿 ⚡
344 r. du 19 mars 1962 – ℰ 04 66 24 74 60 – http://filoselle.free.fr/
– filoselle@wanadoo.fr
3 ch ⊇ – †69 € ††80 € – ½ P 65 €   **Table d'hôte** – Menu 25 € bc
♦ On se sent très vite chez soi dans cette ex-magnanerie perchée sur les hauteurs du village. Ravissantes chambres thématiques (Lavande, Olivier, etc.) et beau jardin en terrasses.

ALÈS

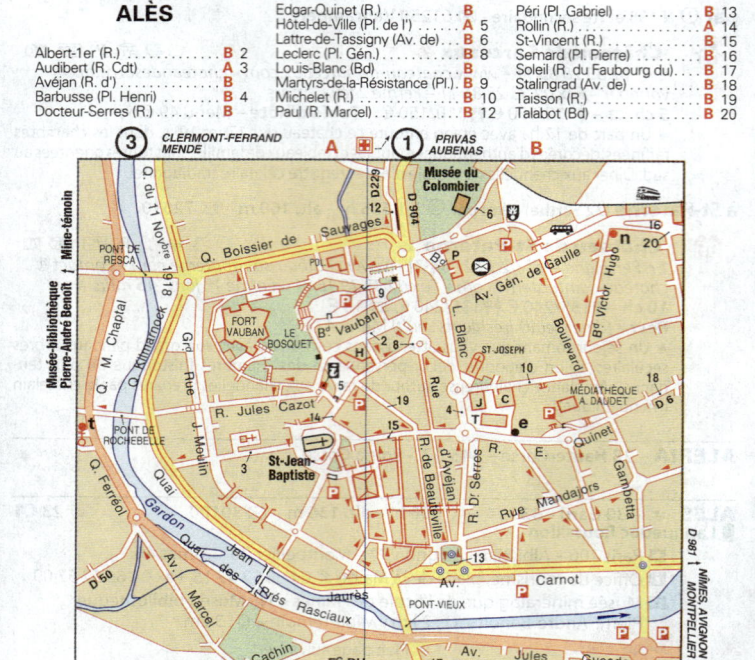

Albert-1er (R.)	**B** 2
Audibert (R. Cdt)	**A** 3
Avéjan (R. d')	**B**
Barbusse (Pl. Henri)	**B** 4
Docteur-Serres (R.)	**B**
Edgar-Quinet (R.)	**B**
Hôtel-de-Ville (Pl. de l')	**A** 5
Lattre-de-Tassigny (Av. de)	**B** 6
Leclerc (Pl. Gén.)	**B** 8
Louis-Blanc (Bd)	**B**
Martyrs-de-la-Résistance (Pl.)	**B** 9
Michelet (R.)	**B** 10
Paul (R. Marcel)	**B** 12
Péri (Pl. Gabriel)	**B** 13
Rollin (R.)	**A** 14
St-Vincent (R.)	**B** 15
Semard (Pl. Pierre)	**B** 16
Soleil (R. du Faubourg du)	**B** 17
Stalingrad (Av. de)	**B** 18
Taisson (R.)	**B** 19
Talabot (Bd)	**B** 20

à St-Hilaire-de-Brethmas 3 km par ② et D 936 – 4 099 h. – alt. 125 m – ✉ 30560

🏠 Comptoir St-Hilaire 🍃

Mas de la Rouquette, 2 km à l'Est – 𝒞 04 66 30 82 65
– www.comptoir-saint-hilaire.com – contact@comptoir-saint-hilaire.com
– Fax 04 66 25 64 02

7 ch ⌑ – †250/390 € ††250/390 €   **Table d'hôte** – Menu 30/50 €

◆ Catherine Painvin a entièrement repensé ce mas du 17ᵉ s. : chambres et suites follement originales, luxe omniprésent mais discret, superbe parc avec les Cévennes à perte de vue. Avec ses dîners à thèmes, la table d'hôte procure des moments inédits et magiques.

XXX Auberge de St-Hilaire

5 r. André Schenk – 𝒞 04 66 30 11 42 – Fax 04 66 86 72 79 – Fermé dim. soir et lundi

Rest – Menu 26/75 € – Carte 65/85 €

◆ Goûteuse cuisine classique revisitée pour cet élégant pavillon recelant une confortable salle mi-contemporaine, mi-méridionale. Agréable terrasse d'été où trône un olivier.

à St-Privat-des-Vieux 4 km par ②, rte de Montélimar, D 216 et rte secondaire – 4 349 h. – alt. 180 m – ✉ 30340

XX Le Vertige des Senteurs

35 chemin de l'Usclade – 𝒞 04 66 91 08 84 – www.vertige-des-senteurs.fr
– stephane.delsuc@neuf.fr – Fax 04 66 91 08 84 – Fermé 1ᵉʳ-10 janv., sam. midi en juil.-août, dim. soir et lundi

Rest – Menu (19 €), 35/70 €

◆ Joli mas restauré proposant des plats inventifs et soignés. Salles contemporaines raffinées (une avec cheminée) d'où le regard se perd sur les Cévennes. Boutique et cave à vins.

ALÈS

à Méjannes-lès-Alès 7,5 km par ② et D 981 – 975 h. – alt. 141 m – ⌧ 30340

XX **Auberge des Voutins**
rte d'Uzès – ℘ 04 66 61 38 03 – Fax 04 66 61 04 19 – Fermé mardi midi, dim. soir et lundi sauf fériés
Rest – Menu 28/60 € – Carte 50/60 €
♦ Maison de pays bien protégée de la route par un rideau d'arbres. Recettes traditionnelles à goûter dans une salle à manger campagnarde ou sur la terrasse, à l'ombre d'un tilleul.

ALFORTVILLE – 94 Val-de-Marne – **312** D3 – **101** 27 – **voir à Paris, Environs**

ALGAJOLA – 2B Haute-Corse – **345** C4 – **voir à Corse**

ALISE-STE-REINE – 21 Côte-d'Or – **320** G4 – **rattaché à Venarey-les-Laumes**

ALIX – 69 Rhône – **327** G4 – 690 h. – alt. 287 m – ⌧ 69380 **43 E1**
▶ Paris 442 – L'Arbresle 12 – Lyon 28 – Villefranche-sur-Saône 12

XX **Le Vieux Moulin**
chemin du Vieux-Moulin, – ℘ 04 78 43 91 66 – www.lemoulindalix.com
– lemoulindalix@wanadoo.fr – Fax 04 78 47 98 46 – Fermé lundi et mardi
Rest – Menu (16 €), 26/53 € – Carte 34/56 €
♦ Moulin rhodanien en pierre converti en auberge villageoise. Intérieur champêtre et paisible terrasse ombragée, très prisée en été. Carte traditionnelle et suggestions du moment.

ALLAIN – 54 Meurthe-et-Moselle – **307** G7 – 459 h. – alt. 306 m **26 B2**
– ⌧ 54170
▶ Paris 305 – Nancy 34 – Neufchâteau 28 – Toul 16 – Vittel 49

La Haie des Vignes sans rest
0,5 km à l'échangeur A 31, rte Neufchâteau – ℘ 03 83 52 81 82
– hotel.haiedesvignes.free.fr – hotel.haiedesvignes@free.fr – Fax 03 83 52 04 27
39 ch – †42/57 € ††42/57 €, ⌧ 6,50 €
♦ Construction de style motel proche de l'autoroute, mais au calme de la campagne lorraine. Chambres fonctionnelles, sobres et bien tenues, de plain-pied avec le jardin.

ALLAS-LES-MINES – 24 Dordogne – **329** H6 – **rattaché à St-Cyprien**

ALLEINS – 13 Bouches-du-Rhône – **340** F3 – 2 368 h. – alt. 180 m **42 E1**
– ⌧ 13980
▶ Paris 725 – Marseille 63 – Aix-en-Provence 34 – Avignon 47

Domaine de Méjeans
D.71B – ℘ 04 90 57 31 74 – www.domainedemejeans.com – info@domainedemejeans.com – Fax 04 90 57 31 74
5 ch ⌧ – †160/180 € ††160/220 € **Table d'hôte** – Menu 40/50 €
♦ Une allée de peupliers mène à cette demeure confortable et luxueuse. Un domaine profitant du calme (étang, jardin, piscine), doté de chambres cossues et bien équipées.

ALLERY – 80 Somme – **301** E8 – **rattaché à Airaines**

ALLEVARD – 38 Isère – **333** J5 – 3 571 h. – alt. 470 m – Sports d'hiver : **46 F2**
au Collet d'Allevard 1 450/2 100 m ⫯13 – Stat. therm. : début mars-mi-oct.
– Casino – ⌧ 38580 ▌**Alpes du Nord**
▶ Paris 593 – Albertville 50 – Chambéry 33 – Grenoble 40
▌ Office de tourisme, place de la Résistance ℘ 04 76 45 10 11,
Fax 04 76 97 59 32
◉ Route du Collet ★★ par D525ᴬ.

ALLEVARD

Baroz (R. Emma) 2
Bir-Hakeim (R. de) 3
Charamil (R.) 5
Chataing (R. Laurent) 6
Chenal (R.) 7
Davallet (Av.) 8
Docteur-Mansord (R.) 9
Gerin (Av. Louis) 15
Grand Pont (R. du) 19
Libération (R. de la) 21
Louaraz (Av.) 22
Niepce (R. Bernard) 23
Ponsard (R.) 24
Rambaud (Pl. P.) 25
Résistance (Pl. de la) 27
Savoie (Av. de) 28
Thermes (R. des) 29
Verdun (Pl. de) 32
8-Mai-1945 (R. du) 34

Rues piétonnes en saison thermale

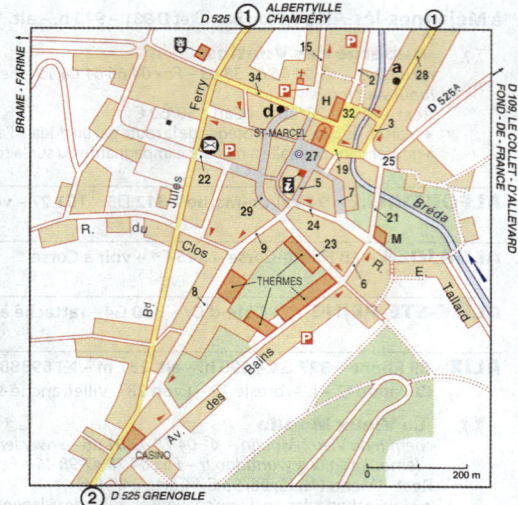

Les Alpes
pl. du Temple – ℰ 04 76 45 94 10 – www.lesalpesallevard.com – hotel@lesalpesallevard.com – Fax 04 76 45 80 81 – Fermé 10-26 avril, 24 oct.-5 nov. et dim. soir en hiver
15 ch ⊇ – †58 € ††66 €
Rest – *(fermé vend. soir hors saison et dim. soir)* Menu 17 € (déj. en sem.), 30/48 € – Carte 25/40 €

♦ Cet hôtel familial, repérable à sa façade jaune et verte, se trouve au cœur de la station thermale. Chambres assez vastes, personnalisées et propres. Salle à manger récemment refaite dans un style classique, au diapason d'une cuisine traditionnelle.

Les Terrasses
29 av. de Savoie – ℰ 04 76 45 84 42 – www.hotellesterrasses.com – responsable@hotellesterrasses.com – Fax 04 76 13 57 65 – Fermé 21 mars-6 avril et 7-26 nov.
16 ch – †37/44 € ††37/51 €, ⊇ 6,50 € – ½ P 45/52 €
Rest – *(fermé dim. soir, lundi midi et merc.)* Menu (11 €), 14 € (sem.)/25 € – Carte 25/32 €

♦ Près du Bréda (rivière), maison de style 1930 vous réservant un bon accueil. Chambres sobres et rustiques, à choisir sur l'arrière, côté jardin, pour plus de quiétude. Cuisine traditionnelle et du terroir servie dans une salle boisée, de style montagnard.

à Pinsot 7 km au Sud par D 525 A – 175 h. – alt. 730 m – ✉ 38580

Pic de la Belle Étoile
– ℰ 04 76 45 89 45 – www.pbetoile.com – hotel@pbetoile.com – Fax 04 76 45 89 46 – Fermé 24 avril-9 mai, 17 juil.-13 août, 23 oct.-2 nov., vend. soir, sam. et dim. sauf 6-14 avril, 19 déc.-4 janv. et 6 fév.-9 mars
40 ch – †67/98 € ††82/122 €, ⊇ 12 € – ½ P 78/100 € **Rest** – Menu 24/47 €

♦ À l'entrée du village, imposante maison régionale récemment agrandie dont le jardin dégringole jusqu'à un torrent. Optez pour les chambres situées dans l'aile neuve. Recettes traditionnelles et régionales servies dans une salle à manger moderne ou en terrasse.

au Sud 17 km par D 525A et rtre secondaire - ✉ 38580 Allevard

Auberge Nemoz
au hameau "La Martinette" – ℰ 04 76 45 03 10 – www.auberge-nemoz.com – aubergenemoz@wanadoo.fr – Fax 04 76 45 03 10 – Fermé 14-28 avril et nov.
5 ch ⊇ – †77 € ††87 € **Table d'hôte** – Menu 23/32 €

♦ Dans la vallée du Haut Bréda, chalet en bois et en pierre abritant des chambres personnalisées (meubles anciens et objets de famille). Promenades à cheval ou en raquettes (l'hiver). Restaurant rustique et très convivial ; la cheminée sert aux raclettes. Plats du terroir.

ALLEX – 26 Drôme – 332 C5 – 2 413 h. – alt. 160 m – ⊠ 26400   44 B3
◘ Paris 588 – Lyon 126 – Valence 24 – Romans-sur-Isère 46 – Montélimar 34
◙ Syndicat d'initiative, avenue Henri Seguin ✆ 04 75 62 73 13, Fax 04 75 62 69 20

⌂ **La Petite Aiguebonne** sans rest 🌿   🚗 🏊 ⇄ 🛇 📶 🅿
chemin d'Aiguebonne, 2 km à l'Est par D 93 – ✆ 04 75 62 60 68
– www.petite-aiguebonne.com – contact@petite-aiguebonne.com
5 ch ⊇ – †85/100 € ††85/120 €
♦ Zanzibar, Pondichéry, Toscane, Louisiane... Autant d'inspirations décoratives pour les coquettes chambres de cette vieille ferme drômoise (13ᵉ s.), fort bien équipées.

ALLEYRAS – 43 Haute-Loire – 331 E4 – 183 h. – alt. 779 m – ⊠ 43580   6 C3
◘ Paris 549 – Brioude 71 – Langogne 43 – Le Puy-en-Velay 32 – St-Chély-d'Apcher 59

🏨 **Le Haut-Allier** (Philippe Brun) 🌿   ≤ 🛋 🏋 🎹 rest, ⇄ 🛇 ch,
❀ 2 km au Pont d'Alleyras, au Nord par D 40   📶 🅿 VISA ⦿ Æ
– ✆ 04 71 57 57 63 – www.hotel-lehautallier.com
– hot.rest.hautallier@wanadoo.fr – Fax 04 71 57 57 99
– Ouvert de mi-mars à mi-nov. et fermé lundi et mardi sauf juil.-août
12 ch – †95/125 € ††95/125 €, ⊇ 13 € – ½ P 98/110 €
Rest – (fermé lundi et mardi sauf le soir en juil.-août) Menu 28 € (déj. en sem.), 48/95 € – Carte 50/88 € 🍷
Spéc. Déclinaison autour des champignons. Pièce de bœuf fin gras du Mézenc (printemps). Fruits rouges et noirs des monts du Velay (été). **Vins** Saint-Joseph, Boudes.
♦ Il est un peu perdu au fond d'une vallée, mais cet hôtel longeant les gorges de l'Allier mérite le détour. Belles chambres traditionnelles ou zen, fitness et accueil charmant. Au restaurant, luxe discret et délicieuse cuisine inventive puisant dans le terroir.

LES ALLUES – 73 Savoie – 333 M5 – rattaché à Méribel

ALLY – 15 Cantal – 330 B3 – 700 h. – alt. 720 m – ⊠ 15700   5 A3
◘ Paris 532 – Clermont-Ferrand 119 – Aurillac 46 – Tulle 71 – Ussel 69

⌂ **Château de la Vigne** sans rest 🌿   🎵 🅿
1 km au Nord-Est par D 680 – ✆ 04 71 69 00 20 – www.chateaudelavigne.com
– la.vigne@wanadoo.fr – Fax 04 71 69 00 20 – Ouvert d'avril à oct.
3 ch – †110/140 € ††110/140 €, ⊇ 7 €
♦ Dans la même famille depuis son édification (15ᵉ-18ᵉ s.), ce château propose des chambres dont le décor traverse les époques : la "Louis XV", la "Troubadour", la "Directoire"...

ALOXE-CORTON – 21 Côte-d'Or – 320 J7 – rattaché à Beaune

ALPE D'HUEZ – 38 Isère – 333 J7 – 1 479 h. – alt. 1 860 m – Sports   45 C2
d'hiver : 1 250/3 330 m ⭐15 ⭐69 ⭐ – ⊠ 38750 ▌**Alpes du Nord**
◘ Paris 625 – Le Bourg-d'Oisans 12 – Briançon 71 – Grenoble 63
Altiport ✆ 04 76 11 21 73, SE.
◙ Office de tourisme, place Paganon ✆ 04 76 11 44 44
◉ Pic du Lac Blanc ✵ ★★★ par téléphérique - Route de Villars-Reculas ★ 4 km par D 211ᴮ.

Plan page suivante

🏨 **Au Chamois d'Or** 🌿   ≤ 🍽 📺 📶 🎹 🎮 ch, 📶 🅿 🛇 VISA ⦿
rd-pt des pistes – ✆ 04 76 80 31 32 – www.chamoisdor.alpedhuez.com – resa@chamoisdor-alpedhuez.com – Fax 04 76 80 34 90 – Ouvert 15 déc.-20 avril
40 ch ⊇ – †247/350 € ††267/490 € – 5 suites – ½ P 215/305 €   B e
Rest – Menu 32 € (déj.), 35/67 € – Carte 39/95 €
♦ Grand chalet au pied des pistes : intérieur relooké, spa complet, espace enfants, terrasse plein sud et chambres chaleureuses (certaines ont vue sur le massif de l'Oisans). Joli restaurant dans le style montagnard chic et cuisine classique bien faite.

135

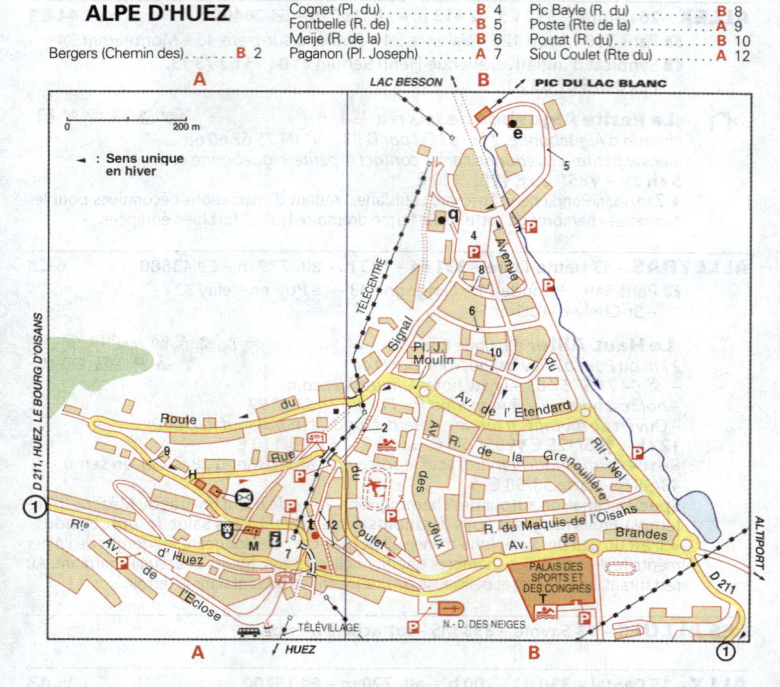

ALPE D'HUEZ

Bergers (Chemin des)...... **B** 2	Cognet (Pl. du)...... **B** 4	Pic Bayle (R. du)...... **B** 8
	Fontbelle (R. de)...... **B** 5	Poste (Rte de la)...... **B** 9
	Meije (R. de la)...... **B** 6	Poutat (R. du)...... **B** 10
	Paganon (Pl. Joseph)...... **A** 7	Siou Coulet (Rte du)...... **A** 12

🏨 Le Pic Blanc
r. Rif-Briant – ℰ 04 76 11 42 42 – www.hmc-hotels.com – hotel.pic.blanc@hmc-hotel.com – Fax 04 76 11 42 43 – Ouvert 1er juin-31 août et 1er déc.-25 avril
94 ch – †141/278 € ††189/463 €, ⛌ 18 € – ½ P 105/242 €
Rest – (dîner seult) Menu 27 €
♦ Grande construction moderne d'esprit chalet campée sur les hauteurs de la station. Chambres spacieuses, de style anglais, toutes dotées d'un balcon. Solarium, piscine, sauna. Le restaurant propose une cuisine traditionnelle.

🏨 Le Printemps de Juliette sans rest
av. des Jeux – ℰ 04 76 11 44 38 – www.leprintempsdejuliette.com – info@leprintempsdejuliette.com – Fax 04 76 11 44 37 – Ouvert juil.-août et 15 déc.-15 avril
8 ch – †140/380 € ††140/380 €, ⛌ 14 € – 4 suites   **B a**
♦ Une véritable bonbonnière au cœur de la station : chambres et suite personnalisées dans les tons pastel (balcons), salon de thé animé par un saxophoniste certains soirs en saison.

🏨 Le Dôme
pl. du Cognet – ℰ 04 76 80 32 11 – www.dome-alpedhuez.com – info@dome-alpedhuez.com – Fax 04 76 80 66 48 – Ouvert juil.-août et déc.-avril
23 ch – †82/179 € ††96/198 €, ⛌ 13 € – ½ P 103/154 €   **B q**
Rest – (ouvert déc.-avril) Menu (18 €), 30 € – Carte 28/51 €
♦ Hôtel fondé par le grand-père de l'actuel patron, à l'emplacement de l'ex-refuge du Touring Club. Chambres récemment refaites, dans l'esprit local. Galerie marchande. Petite salle à manger à l'atmosphère montagnarde ; plats traditionnels et régionaux.

✕ Au P'tit Creux
chemin des Bergers – ℰ 04 76 80 62 80 – ptit.creux@wanadoo.fr
– Fax 04 76 80 39 37 – Fermé 8 mai-25 juin, 11 nov.-6 déc., lundi midi, mardi midi du 1er janv. au 8 mai, lundi soir et mardi soir du 1er sept. au 11 nov.   **A t**
Rest – (prévenir) Menu 48 € – Carte 28/50 €
♦ Boiseries anciennes, nappage beige et rouge et chaises en paille composent le nouveau décor alpin de ce coquet restaurant agrandi d'une véranda. Cuisine traditionnelle.

ALPE D'HUEZ

à Huez 3,5 km au Sud-Ouest par D 211 – 1 327 h. – alt. 1 495 m – ✉ 38750

L' Ancolie
av. de l'Église – ℰ 04 76 11 13 13 – www.ancolie-hotel.com – forestieryves@aol.com – Fax 04 76 11 13 11 – Ouvert 1er juin-23 août, 2-30 sept. et 30 nov.-26 avril
16 ch – †59/106 € ††68/115 €, ⍿ 11 € – ½ P 68/92 €
Rest – Menu (13 €), 15 € (déj. en sem.), 27/50 € – Carte 30/52 €
♦ Belle maison de pays située dans un vieux village préservé. Intérieur rénové dans un esprit montagnard (décor "pierre et bois"), chambres coquettes et environnement paisible. Cuisine traditionnelle, fondues au fromage et jolie vue sur l'Oisans.

ALPUECH – 12 Aveyron – **338** J2 – 80 h. – alt. 1 082 m – ✉ 12210   **29 D1**
◪ Paris 566 – Toulouse 213 – Rodez 66 – Aurillac 81 – Onet-le-Château 64

Air Aubrac
La Violette, au Sud 5 km par rte de Laguiole – ℰ 05 65 44 33 64 – www.airaubrac.fr – airaubrac@wanadoo.fr – Fax 05 65 44 33 64 – Ouvert 11 avril-4 oct.
5 ch ⍿ – †56 € ††62 € – ½ P 49/51 € **Table d'hôte** – Menu 20 € bc
♦ Un pilote de montgolfières (vol possible) vous accueille dans cette ancienne ferme typique alanguie au milieu des pâturages de l'Aubrac. Chambres coquettes et confortables. La patronne prépare une cuisine simple avec les produits du potager et de la région.

ALTENSTADT – 67 Bas-Rhin – **315** L2 – rattaché à Wissembourg

---

ALTHEN-DES-PALUDS – 84 Vaucluse – **332** C9 – 1 988 h. – alt. 34 m   **42 E1**
– ✉ 84210
◪ Paris 676 – Avignon 18 – Carpentras 12 – Cavaillon 24 – Orange 22

Hostellerie du Moulin de la Roque
rte de la Roque – ℰ 04 90 62 14 62
– www.moulin-de-la-roque.com – hotel@moulin-de-la-roque.com
– Fax 04 90 62 18 50
28 ch ⍿ – †70/130 € ††85/160 €
Rest – (fermé lundi sauf le soir en saison, sam. sauf le soir hors saison et dim. soir hors saison) Menu 27/55 € – Carte 45/55 €
♦ Une belle allée de platanes conduit à ce moulin du 17e s. Chambres personnalisées, ouvertes sur le parc traversé par la Sorgue (pêche). Cuisine de saison à savourer dans la plaisante salle à manger bourgeoise ou sur la terrasse ombragée.

ALTKIRCH – 68 Haut-Rhin – **315** H11 – 5 526 h. – alt. 312 m   **1 A3**
– ✉ 68130 ▌ **Alsace Lorraine**
◪ Paris 457 – Basel 33 – Belfort 35 – Montbéliard 52 – Mulhouse 19 – Thann 27
🛈 Office de tourisme, 5, place Xavier Jourdain ℰ 03 89 40 02 90, Fax 03 89 40 02 90
☒ de la Largue à Seppois-le-Bas Rue du Golf, S : 23 km par D 432, ℰ 03 89 07 67 67

à Wahlbach 10 km à l'Est par D 419 et D 19[8] – 323 h. – alt. 320 m – ✉ 68130

Auberge de la Gloriette avec ch
9 r. Principale – ℰ 03 89 07 81 49 – www.lagloriette68.com – la-gloriette2@wanadoo.fr – Fax 03 89 07 40 56 – Fermé 26 janv.-10 fév.
8 ch – †48 € ††60 €, ⍿ 9 €
Rest – (fermé lundi et mardi) Menu 15 € (déj. en sem.), 28/58 €
– Carte 15/58 €
♦ Cadre engageant mêlant l'ancien et le moderne dans cette ferme proposant une cuisine classique soignée. Chambres plus confortables (mobilier chiné) dans le bâtiment principal.

ALTWILLER – 67 Bas-Rhin – 315 F3 – 399 h. – alt. 220 m – ✉ 67260 — 1 **A1**

▶ Paris 412 – Metz 86 – Nancy 73 – Le Haras 10 – Strasbourg 94

L'Écluse 16
Bonne Fontaine, Sud-Est : 3,5 km – ℰ 03 88 00 90 42 – www.ecluse16.com
– clerouxmugler@aol.com – Fax 03 88 00 91 94 – Fermé 1ᵉʳ-6 mars, 27 sept.-7 oct., 20 déc.-1ᵉʳ janv., lundi et mardi
Rest – Menu 18 € (sem.), 29/42 € – Carte environ 35 €

◆ Cet ancien relais de halage posé au bord du canal des Houillères de la Sarre abrite une lumineuse salle à manger au décor simple. On y sert une goûteuse cuisine actuelle.

ALVIGNAC – 46 Lot – 337 G3 – 632 h. – alt. 400 m – ✉ 46500 — 29 **C1**

▶ Paris 529 – Brive-la-Gaillarde 52 – Cahors 65 – Figeac 43 – Rocamadour 8 – Tulle 65

🛈 Syndicat d'initiative, le bourg ℰ 05 65 33 66 42, Fax 05 65 33 60 62

Du Château
rte de Rocamadour Padirac – ℰ 05 65 33 60 14
– www.hotel-chateau-alvignac.com – hotel-du-chateau@wanadoo.fr
– Fax 05 65 33 69 28 – Ouvert 4 avril-5 nov.
20 ch – †39/43 € ††39/43 €, ☐ 8 € – ½ P 44/49 €
Rest – (fermé merc. soir et dim. soir sauf juil.-août) Menu 13 € (déj. en sem.), 17/27 € – Carte 15/34 €

◆ Adossée à l'église, bâtisse séculaire à la façade en pierre tapissée de vigne vierge. Chambres fonctionnelles et bien tenues, progressivement rajeunies. Agréable jardin. Salle à manger simple et chaleureuse en accord avec la cuisine du terroir.

AMBÉRIEU-EN-BUGEY – 01 Ain – 328 F5 – 12 600 h. – alt. 300 m — 44 **B1**
– ✉ 01500 ▮ Franche-Comté Jura

▶ Paris 468 – Bourg-en-Bresse 31 – Lyon 55 – Nantua 44

Ambotel
(Z.A. Pragnat Nord), Nord par D 1075 dir. Bourg-en-Bresse – ℰ 04 74 46 42 22
– www.ambotel.fr – Fax 04 74 46 87 92
35 ch – †56 € ††64 €, ☐ 6,50 € **Rest** – Menu (12 €), 20/35 € – Carte 25/45 €

◆ Construction récente reconnaissable à son architecture contemporaine et à sa façade ocre. Chambres sobres et pratiques, meublées en bois clair. Salle à manger lumineuse et colorée ; cuisine traditionnelle sans fioriture.

AMBÉRIEUX-EN-DOMBES – 01 Ain – 328 C5 – 1 442 h. – alt. 296 m — 43 **E1**
– ✉ 01330

▶ Paris 437 – Bourg-en-Bresse 40 – Lyon 35 – Mâcon 43 – Villefranche-sur-Saône 18

🛈 Syndicat d'initiative, 289, rue Gombette ℰ 04 74 00 84 15, Fax 04 74 00 84 04

Auberge des Bichonnières
545 rte du 3-Septembre-1944 – ℰ 04 74 00 82 07
– www.aubergedesbichonnieres.com – bichonnier@wanadoo.fr
– Fax 04 74 00 89 61 – Fermé 20 déc.-25 janv., dim. soir sauf hôtel en juil.-août, lundi et mardi midi
9 ch – †50 € ††57/67 €, ☐ 9 € – ½ P 59/72 €
Rest – (nombre de couverts limité, prévenir) Menu (18 € bc), 25/33 € – Carte 40/48 €

◆ Cette ancienne ferme typique de la Dombes abrite des chambres proprettes, ornées de fresques représentant des scènes champêtres. En été, on s'attable volontiers dans l'avenante cour-terrasse fleurie. Cuisine mi-classique, mi-terroir à goûter dans un cadre rustique.

Rouge = agréable. Repérez les symboles 🍴 et 🏠 passés en rouge.

AMBERT ⊗ – 63 Puy-de-Dôme – 326 J9 – 7 309 h. – alt. 535 m — 6 **C2**
– ⊠ 63600 🛈 Auvergne

- ▶ Paris 438 – Brioude 63 – Clermont-Ferrand 77 – Thiers 53
- 🛈 Office de tourisme, 4, place de Hôtel de Ville ☏ 04 73 82 61 90, Fax 04 73 82 48 36
- ◉ Église St-Jean★ - Vallée de la Dore★ N et S - Moulin Richard-de-Bas★ 5,5 km à l'Est par D 996 - Musée de la Fourme et du fromage - Train panoramique★ (juil.-août).

※※ **Les Copains** avec ch   🅰🄲 ⚡ ch, 📶 VISA ⓜⓒ
42 bd Henri-IV – ☏ 04 73 82 01 02 – www.hotelrestaurantlescopains.com – info@hotelrestaurantlescopains.com – Fax 04 73 82 67 34 – Fermé 12-19 avril, 6 sept.-5 oct., 20 fév.-1ᵉʳ mars, dim. soir, sam. et soir fériés
10 ch – †46/48 € ††48/60 €, ⊇ 7 € – ½ P 50/70 €
Rest – Menu 13 € (déj. en sem.), 25/52 € – Carte 33/44 €

◆ Face à la pittoresque rotonde (mairie) célébrée par Jules Romains dans Les Copains. Plats régionaux et fameuse fourme à déguster dans une salle aux couleurs ensoleillées.

AMBIALET – 81 Tarn – 338 G7 – 436 h. – alt. 220 m – ⊠ 81430 — 29 **C2**
🛈 Midi-Pyrénées

- ▶ Paris 718 – Albi 23 – Castres 55 – Lacaune 52 – Rodez 71 – St-Affrique 60
- 🛈 Syndicat d'initiative, le bourg ☏ 05 63 55 39 14, Fax 05 63 55 39 14
- ◉ Site★.

🏨 **Du Pont**   ≤ 🚗 🍴 🏊 🅰🄲 🆂🅰 🅿 VISA ⓜⓒ AE ①
– ☏ 05 63 55 32 07 – www.hotel-du-pont.com – hotel-restaurant.pont@wanadoo.fr – Fax 05 63 55 37 21 – Fermé 2 janv.-13 fév. et dim. soir
20 ch – †57/59 € ††63/65 €, ⊇ 8 € – ½ P 60/63 €
Rest – Menu (15 €), 23/34 € – Carte 39/57 €

◆ Au bord du Tarn, maison régionale ayant vue sur Ambialet et son prieuré. Chambres fraîches, climatisées, ouvertes sur la campagne ou sur la rivière. Attablez-vous dans la salle à manger rustique ou sur la terrasse panoramique, autour de petits plats traditionnels.

AMBIERLE – 42 Loire – 327 C3 – 1 813 h. – alt. 467 m – ⊠ 42820 — 44 **A1**
🛈 Lyon et la vallée du Rhône

- ▶ Paris 379 – Lapalisse 33 – Roanne 18 – Thiers 81 – Vichy 58
- ◉ Église★.

※※※ **Le Prieuré** (Thierry Fernandes)   🍴 🅰🄲 VISA ⓜⓒ
❀ r. de la Mairie – ☏ 04 77 65 63 24 – www.restaurant-le-prieure-ambierle.com – leprieureambierle@wanadoo.fr – Fax 04 77 65 69 90 – Fermé dim. soir, mardi et merc.
Rest – Menu 26/63 € – Carte 55/80 €
Spéc. Pains surprises de foie gras. Quasi de veau fermier en cuisson de douze heures. Trilogie chocolat.

◆ Au centre du village, face à un ancien prieuré, restaurant confortable au décor épuré. Accueil aimable et cuisine tout en finesse, pleine de caractère et de saveurs.

L'AMBITION – 28 Eure-et-Loir – 311 B6 – rattaché à Nogent-le-Rotrou

AMBOISE – 37 Indre-et-Loire – 317 O4 – 12 400 h. – alt. 60 m — 11 **A1**
– ⊠ 37400 🛈 Châteaux de la Loire

- ▶ Paris 223 – Blois 36 – Loches 37 – Tours 27 – Vierzon 96
- 🛈 Office de tourisme, quai Général de Gaulle ☏ 02 47 57 09 28, Fax 02 47 57 14 35
- ◉ Château★★ : ≤★★ de la terrasse, ≤★★ de la tour des Minimes - Clos-Lucé★ - Pagode de Chanteloup★ 3 km par ④.
- ◉ Lussault-sur-Loire : aquarium de Touraine★ O : 8 km par ⑤.

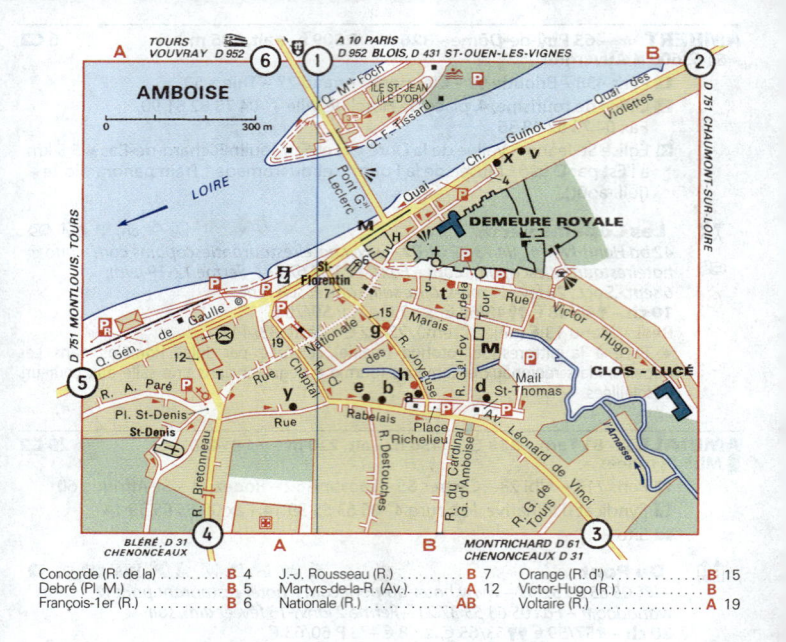

Concorde (R. de la) .... **B** 4	J.-J. Rousseau (R.) .... **B** 7	Orange (R. d') .... **B** 15
Debré (Pl. M.) .... **B** 5	Martyrs-de-la-R. (Av.) ...... **A** 12	Victor-Hugo (R.) .... **B**
François-1er (R.) .... **B** 6	Nationale (R.) .... **AB**	Voltaire (R.) .... **A** 19

Le Choiseul
36 quai Ch.-Guinot – ℘ *02 47 30 45 45 – www.le-choiseul.com – choiseul@grandesetapes.fr – Fax 02 47 30 46 10*   B v
32 ch ⊃ – †112/312 € ††124/312 € – 4 suites – ½ P 130/260 €
Rest – *(fermé le midi sauf dim. et fériés)* Menu 60 €/90 € – Carte 45/82 €
Rest *Le 36* – *(fermé dim. et fériés) (déj. seult)* Menu (25 €), 32 €
◆ Belle propriété érigée face à la Loire, avec un jardin fleuri et une piscine. Chambres bourgeoises. Cuisine au goût du jour servie dans la salle à manger panoramique tournée vers l'île Saint-Jean. Atmosphère de jardin d'hiver et recettes plus simples au 36.

Le Manoir Les Minimes sans rest
34 quai Ch.-Guinot – ℘ *02 47 30 40 40 – www.manoirlesminimes.com – reservation@manoirlesminimes.com – Fax 02 47 30 40 77*
– Ouvert 11 mars-11 nov.   B x
13 ch – †122/190 € ††122/190 €, ⊃ 13 € – 2 suites
◆ Cette demeure (18ᵉ s.) des quais de la Loire vous réserve un accueil attentionné. Beaux salons bourgeois et chambres raffinées garnies de superbes meubles de divers styles.

Le Manoir St Thomas sans rest
1 Mail St-Thomas – ℘ *02 47 23 21 82 – www.manoir-saint-thomas.com – info@manoir-saint-thomas.com – Fax 02 47 23 24 96 – Fermé 12 nov.-15 déc. et janv.*
8 ch – †120/180 € ††120/180 €, ⊃ 17 € – 2 suites   B d
◆ Ce manoir Renaissance met tout en œuvre pour le confort de ses clients. Jardin avec piscine, agréables salons et chambres de caractère (poutres apparentes ou plafonds peints).

Novotel
17 rue des Sablonnières, 2 km au Sud par ③ rte de Chenonceaux –
℘ *02 47 57 42 07 – www.novotel.com – novotel.amboise@wanadoo.fr*
– Fax 02 47 30 40 76
121 ch – †118/148 € ††118/148 €, ⊃ 14 € **Rest** – Carte 28/40 €
◆ Ce bâtiment domine Amboise et la vallée de la Loire. Chambres spacieuses et de style actuel, à l'image du dernier concept de la chaîne ; certaines ont vue sur le château. Salle à manger trendy et carte "Novotel Café", conformes au nouveau look de l'enseigne.

AMBOISE

Château de Pray
3 km, rte de Chargé par ② et D 751 – ✆ 02 47 57 23 67 – http://praycastel.online.fr
– chateau.depray@wanadoo.fr – Fax 02 47 57 32 50 – Fermé 16-30 nov. et
5-26 janv.
19 ch – †115/190 € ††115/190 €, ⊇ 17 € – 1 suite – ½ P 118/155 €
Rest – *(fermé lundi et mardi de déc. à mars)* Menu 50/90 € – Carte 51/84 €
♦ Dans un vaste parc arboré, ancienne forteresse datant des croisades puis agrandie au 17ᵉ s. Chambres au mobilier de style. Salle à manger d'esprit Renaissance où l'on déguste une cuisine au goût du jour ; terrasse dominant le potager.

Clos d'Amboise sans rest
27 r. Rabelais – ✆ 02 47 30 10 20 – www.leclosamboise.com – le-clos-amboise@
wanadoo.fr – Fax 02 47 57 33 43 – Fermé 6 déc.-5 fév.   B **b**
17 ch – †75/135 € ††75/135 €, ⊇ 12 €
♦ Un beau jardin avec piscine chauffée et de coquettes chambres personnalisées font l'attrait de cette maison de maître proche du château. Fitness logé dans d'anciennes écuries.

Domaine de l'Arbrelle
Berthellerie, par D31 – ✆ 02 47 57 57 17 – www.arbrelle.com – contact@
arbrelle.com – Fax 02 47 57 64 89 – Fermé 29 nov.-15 janv.
21 ch – †70/140 € ††70/140 €, ⊇ 11 €
Rest – *(dîner seult)* Menu 25/41 € – Carte 40/49 €
♦ Au cœur d'un parc situé en lisière de forêt, établissement abritant un salon cossu et d'agréables chambres contemporaines. Petite salle à manger de style rustico-bourgeois ; pergola et terrasse tournées sur le jardin.

Le Vinci Loire Valley sans rest
12 av. E. Gounin, 1 km au Sud par ④ – ✆ 02 47 57 10 90
– www.vinciloirevalley.com – reservation@vinciloirevalley.com
– Fax 02 47 57 17 52
26 ch – †75/92 € ††75/92 €, ⊇ 11 €
♦ Cet hôtel des faubourgs de la ville a bénéficié d'un programme de rénovation et affiche un décor aux lignes contemporaines. Chambres confortables et bien équipées.

Le Blason sans rest
11 pl. Richelieu – ✆ 02 47 23 22 41 – www.leblason.fr – hotel@leblason.fr
– Fax 02 47 57 56 18 – Fermé 11 janv.-11 fév.   B **a**
25 ch – †45 € ††49/60 €, ⊇ 8 €
♦ Une engageante façade à colombages du 15ᵉ s. fait le charme de cet hôtel situé sur une placette légèrement en retrait du centre-ville. Chambres pratiques.

Vieux Manoir sans rest
13 r. Rabelais – ✆ 02 47 30 41 27 – www.le-vieux-manoir.com – info@
le-vieux-manoir.com – Fax 02 47 30 41 27 – Ouvert 15 fév.-15 nov.   A **y**
6 ch ⊇ – †135/145 € ††135/150 €
♦ Dans un jardin à la française, maison bourgeoise (18ᵉ s.) et son pavillon abritant un appartement de charme. Chambres décorées à la mode rétro : armoires et tableaux anciens.

Au Charme Rabelaisien sans rest
25 r. Rabelais – ✆ 02 47 57 53 84 – www.au-charme-rabelaisien.com
– aucharmerabelaisien@wanadoo.fr – Fax 02 47 57 53 84 – Ouvert 15 fév.-15 nov.
3 ch ⊇ – †80/90 € ††125/145 €   B **e**
♦ Cette demeure bourgeoise qui abrita banque, école et étude notariale, propose aujourd'hui des chambres soignées. Accueil familial et tranquillité ; petit jardin avec piscine.

Le Pavillon des Lys avec ch
9 r. Orange – ✆ 02 47 30 01 01 – www.pavillondeslys.com – pavillondeslys@
wanadoo.fr – Fax 02 47 30 01 90 – Fermé 20 nov.-4 fév., mardi et le midi sauf sam.
et dim.   B **g**
7 ch – †95/210 € ††95/210 €, ⊇ 12 € **Rest** – Menu 28/39 €
♦ Cette demeure (18ᵉ s.) dispose de deux petites salles à manger cossues. En été, terrasse dressée dans la cour intérieure. Cuisine du marché inventive ; menu légumes.

AMBOISE

※※ L'Alliance
14 r. Joyeuse – ℰ 02 47 30 52 13 – www.lalliance-amboise.fr
– restaurant.lalliance@wanadoo.fr – Fax 02 47 30 52 13 – Fermé 2 janv.-13 fév.,
mardi et merc. sauf le soir de juin à août   B h
Rest – Menu (16 €), 21/50 € – Carte 36/50 €
♦ A deux pas du centre-ville, engageant restaurant tenu par un jeune couple : décoration actuelle pour la salle ; fer forgé pour la terrasse-véranda. Carte au goût du jour.

※ L'Épicerie
46 pl. M-Debré – ℰ 02 47 57 08 94 – Fax 02 47 57 08 89 – Fermé 15 déc.-4 fév.,
lundi et mardi sauf de juil. à sept.   B t
Rest – Menu 12 € (déj. en sem.), 22/34 € – Carte 40/60 €
♦ Maison à colombages (1338) et sympathique terrasse profitant d'une situation privilégiée face au château. Intérieur rustique où l'on mange au coude à coude. Cuisine régionale.

à St-Ouen-les-Vignes 6,5 km par ① et D 431 – 1 020 h. – alt. 80 m – ⌧ 37530

※※※ L'Aubinière avec ch
29 r. Jules-Gautier – ℰ 02 47 30 15 29 – www.aubiniere.com
– restaurant-laubiniere@wanadoo.fr – Fax 02 47 30 02 44 – Fermé fév.
6 ch – †85/110 € ††110/140 €, ⌧ 13 € – ½ P 105/135 €
Rest – (fermé dim. soir d'oct. à mai, merc. sauf le soir de juin à sept. et lundi)
Menu (22 €), 26 € (déj. en sem.), 35/64 € – Carte 50/75 € ⌘
♦ Belle salle à manger, terrasse tournée sur un jardin, cuisine actuelle, cave riche en vins régionaux et chambres douillettes en sus : cette auberge a tout pour plaire.

à Limeray 7 km par ① et D 952 – 1 030 h. – alt. 70 m – ⌧ 37530

※※ Auberge de Launay avec ch
9 r. de la Rivière – ℰ 02 47 30 16 82 – www.aubergedelaunay.com – info@
aubergedelaunay.com – Fax 02 47 30 15 16 – Fermé mi-déc.-mi-janv.
15 ch – †55/73 € ††55/73 €, ⌧ 8 € – ½ P 51/62 €
Rest – (fermé dim. soir de nov. à fév. et sam. midi) Menu (19 €), 25/35 € ⌘
♦ Cette ancienne ferme (18ᵉ s.) abrite une jolie salle campagnarde, une véranda et une agréable terrasse. Herbes et légumes du potager. Chambres rénovées dans des tons chauds.

AMBONNAY – 51 Marne – 306 H8 – 938 h. – alt. 95 m – ⌧ 51150   13 B2
▷ Paris 169 – Châlons-en-Champagne 24 – Épernay 19 – Reims 28
– Vouziers 65

※※ Auberge St-Vincent avec ch
1 r. St. Vincent – ℰ 03 26 57 01 98 – www.auberge-st-vincent.com – info@
auberge-st-vincent.com – Fax 03 26 57 81 48
– Fermé 18 août-3 sept.,10 fév.-12 mars, mardi midi, dim. soir et lundi
10 ch – †55 € ††58 €, ⌧ 10 €   **Rest** – Menu (25 €), 30/71 € – Carte 66/96 €
♦ La carte fait la part belle au terroir dans cette pimpante auberge champenoise. De vieux ustensiles de cuisine ornent la cheminée. Chambres simples et bien tenues.

AMBRONAY – 01 Ain – 328 F4 – 2 219 h. – alt. 250 m – ⌧ 01500   44 B1
Franche-Comté Jura

▷ Paris 463 – Belley 53 – Bourg-en-Bresse 28 – Lyon 59 – Nantua 39

※ Auberge de l'Abbaye
47 pl. des Anciens-Combattants – ℰ 04 74 46 42 54
– www.aubergedelabbaye-ambronay.com – lavaux.ivan@wanadoo.fr
– Fax 04 74 38 82 68 – Fermé 6-10 avril, 27 juil.-10 août,19-26 oct., merc. soir, dim.
soir et lundi
Rest – Menu (22 €), 29/36 € ⌘
♦ Une adorable auberge où le chef annonce de vive voix l'appétissant menu unique que lui a inspiré le marché. On peut aller choisir sa bouteille soi-même dans la cave voûtée.

※ Le Comptoir des Moines
45 pl. des Anciens-Combattants – ℰ 04 74 36 56 28 – lecomptoirdesmoines@
yahoo.fr – Fermé 13-20 avril, 3-20 août, merc. soir, dim. et lundi
Rest – Menu 26 €
♦ Dans ce bistrot gourmand au décor d'épicerie villageoise (bouteilles de vins et conserves en vente), la cuisine simple, généreuse et canaille s'affiche à l'ardoise, à prix sages.

AMÉLIE-LES-BAINS-PALALDA – 66 Pyrénées-Orientales – **344** H8 – 3 644 h. – alt. 230 m – Stat. therm. : fin janv.-fin déc. – Casino – ⊠ 66110 ▌Languedoc Roussillon 22 **B3**

▶ Paris 882 – Céret 9 – Perpignan 41 – Prats-de-Mollo-la-Preste 24
🛈 Office de tourisme, 22, avenue du Vallespir ℰ 04 68 39 01 98, Fax 04 68 39 20 20
🏌 de Falgos à Saint-Laurent-de-Cerdans Domaine de Falgos, S : 4 km par D 3 et D 3A, ℰ 04 68 39 51 42
◉ Bourg médiéval de Palalda★.

Des Bains et des Gorges

6 pl. Arago – ℰ 04 68 39 29 02 – www.hotel-restaurant-bains-gorges.com – hotel-bains-gorges@wanadoo.fr – Fax 04 68 39 82 52 – Fermé 15 déc.-15 fév.
43 ch – ♦33/39 € ♦♦37/45 €, ⊇ 6 € – ½ P 34/38 €
Rest – Menu 14/16 €

◆ L'intérêt de cet hôtel tient avant tout à sa proximité avec les thermes. Chambres sobres et propres, disposant parfois d'un balcon. Cuisine catalane dans une spacieuse salle à manger associant meubles rustiques et décor seventies.

L'AMÉLIE-SUR-MER – 33 Gironde – **335** E2 – rattaché à Soulac-sur-Mer

---

Le rouge est la couleur de la distinction : nos valeurs sûres !

AMIENS Ⓟ – 80 Somme – **301** G8 – 136 600 h. – Agglo. 160 815 h. – alt. 34 m – ⊠ 80000 ▌Nord Pas-de-Calais Picardie 36 **B2**

▶ Paris 142 – Lille 123 – Reims 173 – Rouen 122 – St-Quentin 81
🛈 Office de tourisme, 6 bis, rue Dusevel ℰ 03 22 71 60 50, Fax 03 22 71 60 51
🏌 d'Amiens à Querrieu D 929, par rte d'Albert : 7 km, ℰ 03 22 93 04 26
🏌 de Saloul à Saloul Rue Robert Mallet, SO : 5 km, ℰ 03 22 95 40 49
◉ Cathédrale Notre-Dame★★★ (stalles★★★) - Hortillonnages★ - Hôtel de Berny★ CY M³ - Quartier St-Leu★ - Musée de Picardie★★ - Théâtre de marionnettes "ché cabotans d'Amiens" CY T².

Plans pages suivantes

Carlton

42 r. Noyon – ℰ 03 22 97 72 22 – www.lecarlton.fr – reservation@lecarlton.fr – Fax 03 22 97 72 00 CZ **s**
24 ch – ♦75 € ♦♦105/130 €, ⊇ 10 € – ½ P 76 €
Rest – Menu (13 € bc), 18/25 € – Carte 29/48 €

◆ Cet immeuble du 19ᵉ s. proche de la gare abrite des chambres feutrées – mobilier en bois foncé, fresque murale – très bien insonorisées. Au restaurant, ambiance conviviale et esprit brasserie (banquettes, boxes…).

All Seasons Cathédrale sans rest

17 pl. au Feurre – ℰ 03 22 22 00 20 – www.allseasons.com – allseasons.amiens@escalotel.com – Fax 03 22 91 86 57 BY **r**
47 ch ⊇ – ♦99/104 € ♦♦109/114 €

◆ Au cœur du centre-ville, ce magnifique édifice du 18ᵉ s. abrite un hôtel aux chambres récemment rénovées, insonorisées et bien équipées (certaines conçues pour les familles).

Le Saint-Louis

24 r. des Otages – ℰ 03 22 91 76 03 – www.le-saintlouis.com – info@le-saintlouis.com – Fax 03 22 92 78 75 – Fermé 1ᵉʳ-15 août CZ **h**
15 ch – ♦56 € ♦♦56/69 €, ⊇ 8 € – ½ P 78 €
Rest – Menu (17 €), 19/33 € – Carte 33/68 €

◆ Accueil souriant dans cet établissement de charme situé aux portes du centre-ville. Chambres très bien tenues, pour des nuits au confort douillet. D'agréables teintes pastel habillent la salle de restaurant lumineuse où l'on propose une cuisine traditionnelle.

AMIENS

Street	Grid	#
Aguesseau (Pl.)	CY	3
Alsace-Lorraine (Bd d')	CY	5
Beauvais (R. de)	BY	
Briand (Pl. A.)	CXY	10
Cange (Pt du)	CY	15
Catelas (R. Jean)	BY	
Cauvin (R. E.)	CY	17
Célestins (Bd des)	CX	19
Chapeau-des-Violettes (R.)	BY	20
Châteaudun (Bd de)	AZ	21
Chaudronniers (R. des)	BY	23
Cormont (R.)	CY	27
Courbet (R. de l'Amiral)	CY	29
Défontaine (R. du Cdt)	BY	31
Delambre (R.)	BY	32
Denfert-Rochereau (R.)	AZ	33
Déportés (R. des)	CX	34
Dodane (Pont de la)	CY	36
Dodane (R. de la)	CY	35
Don (Pl. du)	CY	37
Duméril (R.)	BY	38
Engoulvent (R. d')	CY	40
Fil (Pl. au)	BY	43
Fiquet (Pl. Alphonse)	CZ	44
Flatters (R.)	CY	45
Francs-Mûriers (R. des)	CY	51
Fusillés (Bd des)	CX	52
Gambetta (Pl.)	BY	53
Gde-Rue de la Veillère	BY	57
Gloriette (R.)	CY	54
Goblet (Pl. René)	CY	55
Granges (R. des)	CY	58
Gresset (R.)	BY	59

Street	Ref	Num
Henri-IV (R.)	CY	60
Hocquet (R. du)	CY	62
Jacobins (R. des)	CY	65
Jardin-des-Plantes (Bd)	BX	67
Lattre-de-Tassigny (R. Mar.-de)	BY	76
Leclerc (R. du Gén.)	BY	78
Lefèvre (R. Adéodat)	CY	80
Leroux (R. Florimond)	BY	81
Lin (R. au)	BY	83
Majots (R. des)	CY	85
Marché-aux-Chevaux (R. du)	BY	87
Marché-de-Lanselles (R. du)	BY	88
Motte (R.)	BY	89
Noyon (R. de)	CZ	91
Oratoire (R. de l')	CY	93
Otages (R. des)	CZ	94
Parmentier (Pl.)	CY	96
Prémontrées (R. des)	AY	102
République (R. de la)	BZ	105
Résistance (R. de la)	BX	106
St-Fuscien (R.)	CZ	108
Sergents (R. des)	CY	115
Trois-Cailloux (R. des)	CY	120
Vanmarcke (R.)	BY	121
Vergeaux (R. des)	CY	122
Victor-Hugo (R.)	CY	123
2e-D.-B. (Av. de la)	BY	124

AMIENS

Victor Hugo sans rest
2 r. Oratoire – ℰ 03 22 91 57 91 – www.hotel-a-amiens.com – hotelvictorhugo@wanadoo.fr – Fax 03 22 92 74 02
10 ch – †43 € ††43 €, ⊇ 7 € CY **v**
- Petit hôtel familial à deux pas de la cathédrale gothique et de son célèbre Ange pleureur. Un vénérable escalier en bois mène à des chambres simples et bien tenues.

Les Marissons
pont Dodane – ℰ 03 22 92 96 66 – www.les-marissons.fr – les-marissons@les-marissons.fr – Fax 03 22 91 50 50 – Fermé merc. midi, sam. midi et dim.
Rest – Menu 19/46 € – Carte 50/65 € CY **n**
- Atelier de bateaux du 15ᵉ s. sur un bras de la Somme du quartier St-Leu. Salle à manger cossue sous une belle charpente. Plaisant jardin-terrasse. Plats classiques.

Le Vivier
593 rte de Rouen – ℰ 03 22 89 12 21 – restaurantlevivieramiens.com – vivier.le@wanadoo.fr – Fax 03 22 45 27 36 – Fermé 3-29 août, 24 déc.-5 janv., dim. et lundi
Rest – Menu 30 € (sem.)/85 € – Carte 40/100 € AZ **d**
- Un vivier à crustacés trône au centre de cette salle de restaurant, décorée dans un style célébrant le monde de la mer. Élégant jardin d'hiver sous une véranda. Cuisine iodée.

La Table du Marais
472 chaussée Jules-Ferry – ℰ 03 22 46 17 44 – latabledumarais@clubinternet.fr – Fax 03 22 95 21 73 – Fermé 21 déc.-4 janv., dim. soir et lundi
Rest – Menu (26 €), 32/46 € – Carte 50/59 €
- Aux portes de la ville, cette maison s'inscrit dans un paysage de verdure ; terrasse tournée vers les étangs. Le jeune chef talentueux y réalise une délicieuse cuisine actuelle.

Au Relais des Orfèvres
14 r. des Orfèvres – ℰ 03 22 92 36 01 – Fax 03 22 91 83 30 – Fermé 10-31 août, vacances de fév., sam. midi, dim. et lundi CY **m**
Rest – Menu (23 € bc), 28/49 € – Carte environ 55 €
- Après avoir visité la superbe cathédrale, prenez place dans cette jolie salle à manger contemporaine de couleur bleue pour savourer une cuisine au goût du jour à prix doux.

Le Bouchon
10 r. A.-Fatton – ℰ 03 22 92 14 32 – www.lebouchon.fr – Fax 03 22 91 12 58 – Fermé dim. soir CY **t**
Rest – Menu (13 €), 18/38 € bc – Carte 30/50 €
- Un bouchon chic où l'on retrouve les plats traditionnels mais aussi les fameuses spécialités lyonnaises (à l'ardoise). Cadre aux tonalités tendance et tableaux contemporains.

L'Orée de la Hotoie
17 r. Jean-Jaurès – ℰ 03 22 91 37 05 – loreedelahotoie@aol.com – Fax 03 22 9137 05 – Fermé 25 juil.-20 août, 22-28 déc., sam. midi, dim. soir et lundi
Rest – Menu 21 € (sem.)/57 € – Carte 35/53 € BY **f**
- Appréciée pour son calme, cette petite maison, face à un parc, propose une cuisine traditionnelle concoctée par un chef passionné. Plaisante salle à manger aux teintes douces.

rte de Roye 7 km par ③, N 29 et D 934 – ✉ 80440 Boves

Novotel
bd Michel-Strogoff – ℰ 03 22 50 42 42 – www.novotel.com – H0396@accor.com – Fax 03 22 50 42 49
94 ch – †135 € ††135 €, ⊇ 14 €   **Rest** – Menu (19 €) – Carte environ 28 €
- Rénovation réussie pour cet hôtel des années 1970 : chambres répondant aux derniers critères de confort Novotel et salles de bains façon "cabine de bateau". Salle à manger actuelle ouverte sur la terrasse dressée au bord de la piscine ; carte traditionnelle.

à Dury 6 km par ④ – 1 248 h. – alt. 115 m – ✉ 80480

Petit Château sans rest
2 r. Grimaux – ℰ 03 22 95 29 52 – http://perso.wanadoo.fr/am.saguez – a.saguez@wanadoo.fr – Fax 03 22 95 29 52
5 ch ⊇ – †55 € ††70/78 €
- Un accueil charmant vous attend dans cette ancienne ferme, jadis dépendance du château local. Si vous aimez les voitures anciennes, le patron vous ouvrira les portes de son atelier.

AMIENS

XXX L'Aubergade (Eric Boutté)
78 rte Nationale – ✆ 03 22 89 51 41 – www.aubergade-dury.com
– aubergade.dury@wanadoo.fr – Fax 03 22 95 44 05
– Fermé 19 avril-4 mai, 9-24 août, 20 déc.-3 janv., dim. et lundi
Rest – Menu 39/75 € – Carte 69/96 €
Spéc. Coquilles Saint-Jacques (oct. à avril). Canard sauvage en deux services (oct. à déc). Boule craquante de chocolat noir en forêt noire, crème glacée à la pistache (oct à mai).
♦ Mobilier en bois cérusé, colonnes à l'antique et tons pastel composent le décor de la salle à manger ; une verrière ouvre sur la terrasse. Savoureuse carte au goût du jour.

X La Bonne Auberge
63 rte Nationale – ✆ 03 22 95 03 33
– Fermé 12 juil.-11 août, dim. soir, lundi et mardi
Rest – Menu (20 €), 25 € (sem.)/50 € – Carte 45/60 €
♦ Cette pimpante façade régionale est abondamment fleurie en été. Dans la salle à manger, récemment rajeunie, vous sera proposée une cuisine au goût du jour.

AMILLY – 45 Loiret – **318** N4 – **rattaché à Montargis**

AMMERSCHWIHR – 68 Haut-Rhin – **315** H8 – 1 875 h. – alt. 215 m   2 **C2**
– ✉ 68770 Alsace Lorraine
▶ Paris 441 – Colmar 9 – Gérardmer 49 – St-Dié 44 – Sélestat 29

A l'Arbre Vert
7 r. des Cigognes – ✆ 03 89 47 12 23 – www.arbre-vert.net – info@arbre-vert.net
– Fax 03 89 78 27 21 – Fermé 21 fév.-12 mars, lundi de nov. à avril et mardi
17 ch – ♦42 € ♦♦51/64 €, ⛛ 9 € – ½ P 59/65 €
Rest – (dîner seult) Menu 22/49 € – Carte 38/50 €
♦ Dans un village au pied de coteaux plantés de vignes, maison alsacienne abritant des chambres fonctionnelles, plus grandes et actuelles à l'annexe. Au restaurant, belles boiseries sculptées de scènes vigneronnes et cuisine régionale soignée. Service agréable.

XXX Aux Armes de France avec ch
1 Grand'Rue – ✆ 03 89 47 10 12 – www.aux-armes-de-france.com – contact@armesfrance.fr – Fax 03 89 47 38 12 – Fermé merc.
10 ch – ♦69/84 € ♦♦69/94 €, ⛛ 12 €
Rest – Menu (18 €), 27 € (sem.)/48 € – Carte 37/80 €
♦ Poussez la porte de cette hôtellerie de style régional pour découvrir les saveurs d'une carte classique pimentée de modernité, dans un cadre alsacien actualisé et cossu. Terrasse à la belle saison.

X Aux Trois Merles
5 r. de la 5ème Division Blindée – ✆ 03 89 78 24 35 – www.troismerles.com
– info@trois-merles.com – Fax 03 89 78 13 06 – Fermé sam. midi, dim. soir et lundi
Rest – Menu (13 €), 28/38 €
♦ Plaisante adresse située dans l'un des villages de la célèbre route des Vins. Intérieur sagement rustique, terrasse ombragée tournée vers le jardin et cuisine traditionnelle.

AMNÉVILLE – 57 Moselle – **307** H3 – 10 017 h. – alt. 162 m   26 **B1**
– Stat. therm. : début mars-début déc. – Casino – ✉ 57360 Alsace Lorraine
▶ Paris 319 – Briey 17 – Metz 21 – Thionville 16 – Verdun 67
🛈 Office de tourisme, 2, rue du casino ✆ 03 87 70 10 40, Fax 03 87 71 90 94
🅟 d'Amneville BP 99, S : 2 km, ✆ 03 87 71 30 13
◉ Parc zoologique du bois de Coulange★★.
◉ Parc d'attraction Walibi-Schtroumpf★ 3 km S.

au Parc de Loisirs 2,5 km, bois de Coulange au Sud – ✉ 57360 Amnéville

Diane sans rest
r. de la Source – ✆ 03 87 70 16 33 – www.accueil-amneville.com
– accueilhotel.diane@wanadoo.fr – Fax 03 87 72 36 72
48 ch – ♦69 € ♦♦78 €, ⛛ 9 € – 3 suites
♦ Au cœur du parc de loisirs, hôtel disposant de chambres confortables, récemment rénovées dans un style sobre et contemporain. Salle des petits-déjeuners ouverte sur la nature.

AMNÉVILLE

Marso
– ℰ 03 87 15 15 40 – www.hotel-marso.com – matt.hotel@orange.fr
– Fax 03 87 58 39 88
50 ch – †82/85 € ††82/85 €, ⊇ 12 € – ½ P 95/98 €
Rest – *(Fermé sam. midi, lundi et mardi)* Carte 23/50 €

◆ Bâtiment récent qui profite de sa situation proche du parc de loisirs (piste de ski artificielle, zoo, cinéma...). Chambres fonctionnelles, toutes avec une petite terrasse ; bar et salon de coiffure. Plats à base des produits du terroir, servis dans la grande salle du restaurant.

La Forêt
1 r. de la Source – ℰ 03 87 70 34 34 – www.restaurant-laforet.fr
– resto.laforet@wanadoo.fr – Fax 03 87 70 34 25 – Fermé 26 juil.-9 août,
21 déc.-6 janv., dim. soir, lundi et soirs fériés
Rest – Menu 21 € (sem.)/42 € – Carte 32/50 €

◆ Carte traditionnelle à l'affiche de cette table familiale. À déguster dans l'ample et claire salle relookée ou sur la terrasse, face au bois de Coulange. Belle carte de vins.

AMOU – 40 Landes – **335** G13 – 1 583 h. – alt. 44 m – ⊠ 40330   3 **B3**

▶ Paris 760 – Aire-sur-l'Adour 51 – Dax 31 – Mont-de-Marsan 47 – Orthez 14 – Pau 50

🛈 Office de tourisme, 10, place de la poste ℰ 05 58 89 02 25,
Fax 05 58 89 02 25

Au Feu de Bois
20 av. des Pyrénées – ℰ 05 58 89 06 76 – www.hotel-aufeudebois.fr
– postmaster@hotel-aufeudebois.fr – Fax 05 58 89 05 95
11 ch – †45/75 € ††45/75 €, ⊇ 7 € – ½ P 53/83 €
Rest – *(Fermé mardi soir de sept. à mai)* Menu (12 € bc), 16/35 € – Carte 19/33 €

◆ Cet ancien relais routier a fait peau neuve et propose dorénavant un ensemble confortable, bien dans l'air du temps. Bar cosy, agréable salon, chambres actuelles et feutrées. Au restaurant, espace contemporain associant pierre et bois. Cuisine traditionnelle.

Le Commerce
(près de l'église) – ℰ 05 58 89 02 28 – www.hotel-lecommerceamou.com
– lecommerceamou@orange.fr – Fax 05 58 89 24 45 – Fermé 10 nov.-1er déc.,
9-22 fév., dim. soir et lundi sauf juil.-août
15 ch – †55 € ††65 €, ⊇ 7 €   **Rest** – Menu (15 €), 25/45 € – Carte 35/50 €

◆ Affaire familiale ayant su garder tout le charme des anciennes auberges de village. Chambres d'une excellente tenue, bar au rez-de-chaussée. Spécialités maison (pâté, terrine et confit) servies dans la salle à manger joliment campagnarde ou sous la tonnelle.

AMPHION-LES-BAINS – 74 Haute-Savoie – **328** M2 – ⊠ 74500   46 **F1**
🟩 Alpes du Nord

▶ Paris 573 – Annecy 81 – Évian-les-Bains 4 – Genève 40 – Thonon-les-Bains 6

🛈 Office de tourisme, 215, rue de la Plage ℰ 04 50 70 00 63, Fax 04 50 70 03 03

Princes
21 av. de la Rive – ℰ 04 50 75 02 94 – www.hoteldesprinces.fr
– hotel.des.princes@wanadoo.fr – Fax 04 50 75 59 93 – Ouvert de fin avril à fin sept.
33 ch – †63/100 € ††70/134 €, ⊇ 11 € – 2 suites – ½ P 60/118 €
Rest – *(fermé merc. sauf du 9 juil. au 20 août)* Menu (19 €), 23/38 €
– Carte 35/65 €

◆ Cet hôtel du 19e s. posé sur une rive du Léman dispose d'un atout indéniable : son petit port privé. Les chambres côté lac sont à choisir en priorité, pour la vue et le calme. Salles à manger panoramiques dont une à fleur d'eau ; cuisine axée sur le poisson.

Le Tilleul   avec ch
252 RN5 – ℰ 04 50 70 00 39 – www.letilleul.fr – letilleul@aol.com
– Fax 04 50 70 05 57 – Fermé 22 déc.-5 janv., 29 juin-14 juil., dim. soir et lundi
19 ch – †61/70 € ††65/80 €, ⊇ 9 € – ½ P 68/78 €
Rest – Menu (12 €), 18/45 € – Carte 40/61 €

◆ Poutres, meubles régionaux et cuivres font le cachet rétro de ce restaurant proposant des spécialités locales (perches et féras du lac Léman). Service dans le jardin en été.

AMPUIS – 69 Rhône – **327** H7 – 2 538 h. – alt. 150 m – ✉ 69420   44 **B2**
  ◘ Paris 492 – Condrieu 5 – Givors 17 – Lyon 37 – Rive-de-Gier 33 – Vienne 7

Le Domaine des Vignes sans rest
41 rte Taquière - D 386 – ℘ *04 74 59 21 24* – *www.hoteldomainedesvignes.com*
– *contact@hoteldomainedesvignes.com* – *Fax 04 37 02 20 09*
12 ch ⇌ – †75 € ††85 €
♦ Confort et modernité caractérisent cette grande villa au cœur du célèbre vignoble de la Côte Rôtie. Jolies chambres dans l'air du temps agrémentées de tableaux. Une valeur sûre.

> Un week-end de charme à la mer, à la campagne ou à la montagne ? Découvrez le nouveau guide des "Chambres d'hôtes", une sélection de nos plus belles adresses en France : confort, calme et volupté garantis !

ANCENIS – 44 Loire-Atlantique – **316** I3 – 7 010 h. – alt. 13 m   34 **B2**
– ✉ 44150 ▍ **Châteaux de la Loire**
  ◘ Paris 347 – Angers 55 – Châteaubriant 48 – Cholet 49 – Laval 100 – Nantes 41
  ❱ Office de tourisme, 27, rue du Château ℘ 02 40 83 07 44, Fax 02 40 83 07 44

Akwaba
bd Dr-Moutel – ℘ *02 40 83 30 30* – *www.hotel-akwaba.com* – *hotelakwaba@yahoo.fr* – *Fax 02 40 83 25 10*
57 ch – †60/70 € ††66/76 €, ⇌ 8 € – 1 suite
Rest – *(fermé août et dim. midi)* Menu (12 €), 18/24 € – Carte 21/40 €
♦ "Bienvenue" ivoirien dans cet hôtel situé au cœur d'un petit centre commercial. Chambres fonctionnelles. Salon et salle à manger rénovés dans un esprit contemporain proposant une cuisine épicée tournée vers le Sud.

La Charbonnière
au bord de la Loire par bd Joubert – ℘ *02 40 83 25 17*
– *www.restaurant-la-charbonniere.com* – *cuasante.pierre@wanadoo.fr*
– *Fax 02 40 98 85 00* – Fermé sam. midi d'oct. à mars, dim. soir, merc. soir et soirs fériés
Rest – Menu 16 € (sem.)/53 € – Carte 60/78 €
♦ Espace et tranquillité caractérisent le lieu : la véranda et la terrasse dressée dans le jardin offrent une jolie vue sur la Loire et le pont suspendu. Plats traditionnels.

Les Terrasses de Bel Air
1 km à l'Est rte d'Angers – ℘ *02 40 83 02 87* – *http://terrassebelair.free.fr*
– *terrassebelair.jpg@wanadoo.fr* – *Fax 02 40 83 33 46* – Fermé 1er-12 juil., dim. soir et lundi
Rest – Menu 17 € (déj. en sem.), 29/53 €
♦ En bordure de route passante, mais face à la Loire, deux salles à manger aménagées dans l'esprit d'une maison particulière avec cheminée, parquet et mobilier de style.

La Toile à Beurre
82 r. St-Pierre – ℘ *02 40 98 89 64* – *latoileabeurre@wanadoo.fr*
– *Fax 02 40 96 01 49* – Fermé 17-31 mars, 1er-18 sept., dim. soir, lundi et mardi
Rest – Menu (19 €), 27/55 € – Carte 33/42 €
♦ Pierres, poutres, tomettes et belle cheminée composent l'authentique cadre rustique de cette maison bâtie en 1753. Jolie terrasse. Plats traditionnels et poissons de la Loire.

ANCY-LE-FRANC – 89 Yonne – **319** H5 – 1 090 h. – alt. 180 m   7 **B1**
– ✉ 89160 ▍ **Bourgogne**
  ◘ Paris 215 – Auxerre 54 – Châtillon-sur-Seine 38 – Montbard 27 – Tonnerre 18
  ❱ Syndicat d'initiative, 59, Grande Rue ℘ 03 86 75 03 15, Fax 03 86 75 04 41
  ◉ Château★★.

ANCY-LE-FRANC

Hostellerie du Centre 🛜 🖼 AC ch, 📞 ⚿ 🅿 VISA 🚗 AE
*34 Grande-Rue – ℰ 03 86 75 15 11 – www.diaphora.com/hostellerieducentre
– hostellerieducentre@diaphora.com – Fax 03 86 75 14 13 – Fermé 18 janv.-10 fév.,
dim. soir et lundi du 15 nov.-15 mars*
22 ch – ♦44/54 € ♦♦49/62 €, ☑ 7 € – ½ P 44/54 €
Rest – Menu (12 €), 18/46 € – Carte 23/66 €
◆ Petit immeuble ancien disposant de chambres pratiques et fraîches (moquette ou parquet), plus spacieuses à l'annexe. La piscine couverte permet de se détendre toute l'année. Sobre salle à manger, recettes traditionnelles et quelques spécialités bourguignonnes.

LES ANDELYS ⊚ – 27 Eure – **304** I6 – 8 208 h. – alt. 28 m – ✉ 27700   33 **D2**
▮ Normandie Vallée de la Seine

▶ Paris 93 – Évreux 38 – Gisors 30 – Mantes-la-Jolie 54 – Rouen 40
🛈 Syndicat d'initiative, rue Philippe Auguste ℰ 02 32 54 41 93, Fax 02 32 54 41 93
👁 Ruines du Château Gaillard★★ ≤★★ - Église Notre-Dame★.

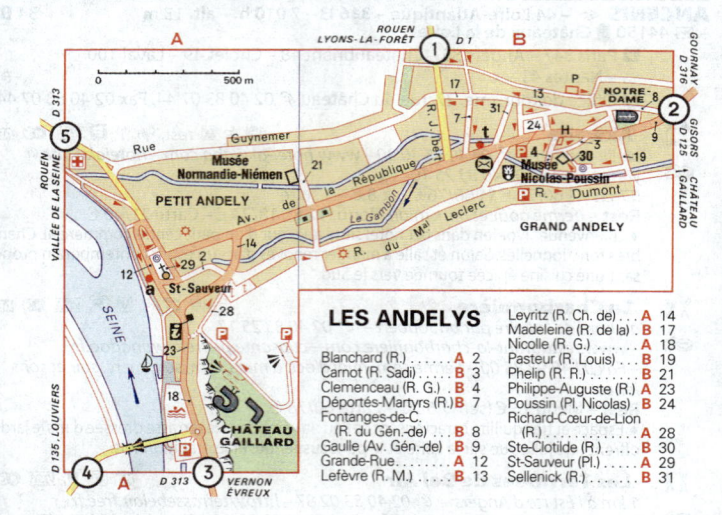

LES ANDELYS

Blanchard (R.) . . . . A 2
Carnot (R. Sadi) . . . . . . B 3
Clemenceau (R. G.) . . . B 4
Déportés-Martyrs (R.) B 7
Fontanges-de-C.
  (R. du Gén.-de) . . . . B 8
Gaulle (Av. Gén.-de) . . B 9
Grande-Rue . . . . A 12
Lefèvre (R. M.) . . . . . . B 13
Leyritz (R. Ch. de) . . . A 14
Madeleine (R. de la) . . B 17
Nicolle (R. G.) . . . . . . B 18
Pasteur (R. Louis) . . . B 19
Phelip (R. R.) . . . . B 21
Philippe-Auguste (R.) A 23
Poussin (Pl. Nicolas) . B 24
Richard-Coeur-de-Lion
  (R.) . . . . A 28
Ste-Clotilde (R.) . . . . . B 30
St-Sauveur (Pl.) . . . . . B 29
Sellenick (R.) . . . . B 31

La Chaîne d'Or avec ch 🌿   ≤ 🌳 🛜 ⚿ 🅿 VISA 🚗 AE ①
*25 r. Grande – ℰ 02 32 54 00 31 – www.hotel-lachainedor.com – chaineor@
wanadoo.fr – Fax 02 32 54 05 68 – Fermé vacances de la Toussaint, de Noël,
2-22 janv., vacances de fév., lundi et mardi d'oct. à mai*   A **a**
12 ch – ♦80/135 € ♦♦80/135 €, ☑ 12 €
Rest – Menu (21 €), 29 € (sem.)/88 € – Carte 58/100 €
◆ Ce relais de poste du 18ᵉ s. faisait aussi office d'octroi : une chaîne barrait alors la Seine. Élégante salle à manger tournée vers le fleuve et cuisine au goût du jour.

De Paris avec ch   🛜 ⚿ ⚿ 🅿 VISA 🚗
*10 av. de la République – ℰ 02 32 54 00 33 – www.hotel-andelys.fr
– h.paristhierry@wanadoo.fr – Fax 02 32 54 65 92*   B **t**
11 ch ☑ – ♦63/72 € ♦♦71/80 €
Rest – *(fermé 2-12 janv., dim. soir, lundi midi et merc.)* Menu (17 €), 24/38 €
– Carte 25/38 €
◆ Ce restaurant, logé dans une maison de maître (1880), a élégamment repensé sa décoration dans un esprit classique et intimiste. Cuisine traditionnelle et agréable cour-terrasse. Les chambres sont sobrement aménagées (trois plus actuelles dans l'annexe).

ANDLAU – 67 Bas-Rhin – **315** I6 – 1 788 h. – alt. 215 m – ✉ 67140   **2 C1**
Alsace Lorraine

- Paris 501 – Erstein 25 – Le Hohwald 8 – Molsheim 25 – Sélestat 18 – Strasbourg 43
- Syndicat d'initiative, 5, rue du Général-de-Gaulle ℰ 03 88 08 22 57, Fax 03 88 08 42 22
- Église St-Pierre-et-St-Paul★ : portail★★, crypte★.

Zinckhotel sans rest
13 r. de la Marne – ℰ *03 88 08 27 30 – www.zinckhotel.com – zinck.hotel@wanadoo.fr – Fax 03 88 08 42 50*
18 ch – †59/95 € ††59/95 €, ⊆ 8 €

♦ Ancien moulin à l'esprit décalé : chambres personnalisées (zen, pop, jazzy, Empire), couloirs semblables à des ponts de bateau... L'annexe contemporaine donne sur le vignoble.

Kastelberg
10 r. Gén.-Koenig – ℰ *03 88 08 97 83 – www.kastelberg.com – kastelberg@wanadoo.fr – Fax 03 88 08 48 34*
29 ch – †59 € ††62/71 €, ⊆ 10 € – ½ P 61/66 €
Rest – *(ouvert 12 mars-2 nov. et 28 nov.-4 janv.) (dîner seult)* Menu 19/45 € – Carte 25/56 €

♦ Au cœur des vignes, une plaisante façade alsacienne cache des chambres sobres et fonctionnelles (mansardées ou avec balcon). Au restaurant, rustique mais coquet avec ses tables bien dressées, vous attend une cuisine familiale du terroir.

Bœuf Rouge
6 r. du Dr-Stoltz – ℰ *03 88 08 96 26 – auboeufrouge@wanadoo.fr – Fax 03 88 08 99 29 – Fermé 24 juin-10 juil., 6-22 fév., merc. et jeudi sauf du 11 juil. au 30 sept.*
Rest – Menu (10 €), 16/31 € – Carte 15/60 €

♦ Ce restaurant convivial typiquement alsacien est aménagé dans un ancien relais de poste (17ᵉ s.). On y mange des spécialités locales, dans une élégante salle lambrissée.

ANDORRE (PRINCIPAUTE D') – **343** H9 – voir en fin de guide

ANDREZÉ – 49 Maine-et-Loire – **317** D5 – 1 798 h. – alt. 87 m   **34 B2**
– ✉ 49600

- Paris 371 – Nantes 59 – Angers 80 – Cholet 16 – Rezé 71

Le Château de la Morinière
– ℰ *02 41 75 40 30 – www.chateau-de-la-moriniere.com – pringarbe.pascal@wanadoo.fr*
5 ch ⊆ – †84/89 € ††84/89 €   **Table d'hôte** – Menu 32 € bc

♦ Construit sur les ruines d'un château médiéval détruit pendant les guerres de Vendée, édifice romantique d'architecture Napoléon III. Chambres personnalisées, au grand calme. Dîner aux chandelles autour de la table d'hôte. Cours de cuisine.

ANDRÉZIEUX-BOUTHÉON – 42 Loire – **327** E6 – 9 153 h.   **44 A2**
– alt. 395 m – ✉ 42160

- Paris 460 – Lyon 76 – Montbrison 20 – Roanne 71 – St-Étienne 19
- Office de tourisme, 11, rue Charles-de-Gaulle ℰ 04 77 55 37 03, Fax 04 77 55 88 46
- Lac de retenue de Grangent★★ S : 9 km **Vallée du Rhône**

Novotel
1 r. 18-juin-1827 – ℰ *04 77 36 10 50 – www.accorhotels.com – h0435@accor.com – Fax 04 77 36 10 57*
98 ch – †67/125 € ††67/125 €, ⊆ 14 €
Rest – Menu (19 €), 22 € – Carte 25/50 €

♦ Hôtel de chaîne bâti en 1974, bien conservé. Hall, salon et bar spacieux ; pool de salles de réunion. Préférez les chambres dernièrement redécorées. Le restaurant bénéficie d'un cadre contemporain simple et gai. Terrasse face à la piscine.

ANDRÉZIEUX-BOUTHÉON

Les Iris (Lionel Githenay) avec ch
32 av. J.-Martouret, (en direction de la gare) – ℰ 04 77 36 09 09 – www.les-iris.com – les-iris42@orange.fr – Fax 04 77 36 09 00 – Fermé 20-30 août, 1ᵉʳ-22 janv. et dim. soir
10 ch – †75 € ††85 €, ⊇ 12 € – ½ P 89 €
Rest – (fermé dim. soir, lundi et mardi) Menu (35 €), 48/95 € – Carte 70/90 €
Spéc. Salade de homard bleu (juin à août). Pigeon "comme un rôti" (février à avril). Moelleux tiède au potimarron (oct. à déc.). **Vins** Côtes du Forez.
♦ Belle cuisine inventive servie dans un cadre plaisant, ayant retrouvé son lustre grâce à une rénovation. Décor classique désormais agrémenté de touches design : parquet, moulures, teintes et mobilier tendance. Petites chambres à l'annexe ; certaines sur jardin.

ANDUZE – 30 Gard – 339 I4 – 3 243 h. – alt. 135 m – ✉ 30140   23 C2
Languedoc Roussillon

▶ Paris 718 – Montpellier 60 – Alès 15 – Florac 68 – Lodève 84 – Nîmes 46 – Le Vigan 52

🛈 Office de tourisme, plan de Brie ℰ 04 66 61 98 17, Fax 04 66 61 79 77

◉ Bambouseraie de Prafrance★★ N : 3 km par D 129.

◉ Grottes de Trabuc★★ NO : 11 km - Le Mas soubeyran : musée du Désert★ (souvenirs protestants 17ᵉ-18ᵉ s.) NO : 7 km.

au Nord-Ouest par rte de St-Jean-du-Gard – ✉ 30140 Anduze

La Porte des Cévennes
à 3 km – ℰ 04 66 61 99 44 – www.porte-cevennes.com – reception@porte-cevennes.com – Fax 04 66 61 73 65 – Ouvert 1ᵉʳ avril-15 oct.
34 ch – †76/83 € ††76/83 €, ⊇ 10 € – ½ P 68/72 €
Rest – (dîner seult) Menu 24/30 € – Carte 32/45 €
♦ Non loin de la bambouseraie où fut tourné "Le Salaire de la peur", paisible maison disposant de grandes chambres fonctionnelles pour la moitié tournées sur la vallée du Gardon. Table traditionnelle au décor champêtre, et terrasse panoramique en prime.

Le Moulin de Corbès avec ch
à 4 km – ℰ 04 66 61 61 83 – www.moulin-corbes.com – contact@moulin-corbes.com – Fax 04 66 61 68 06
6 ch – †80 € ††80/90 €, ⊇ 12 €   **Rest** – Menu 36/90 € bc
♦ Sur les bords du Gardon, ce restaurant lumineux vous reçoit dans trois salons ensoleillés, décorés sur le thème du vin (stage de dégustation). Chambres fonctionnelles et calmes.

à Générargues 5,5 km au Nord-Ouest par D 129 et D 50 – 639 h. – alt. 160 m – ✉ 30140

Auberge des Trois Barbus
rte de Mialet – ℰ 04 66 61 72 12 – www.aubergeles3barbus.com – les3barbus@free.fr – Fax 04 66 61 72 74 – Fermé 2 janv.-15 mars, dim. soir d'oct. à avril, mardi de nov. à mars, mardi midi de mai à sept. et lundi sauf le soir de mai à sept.
32 ch – †61/125 € ††61/125 €, ⊇ 10 € – ½ P 65/96 €
Rest – Menu (17 €), 27/49 € – Carte 43/60 €
♦ Cet hôtel bâti à flanc de coteau aux confins du "Désert" cévenol dispose de grandes chambres garnies de meubles régionaux et orientées sur la vallée des Camisards. Restaurant soigné. Au menu, carte classique (produits frais) ; grillades au bord de la piscine.

à Tornac 6 km au Sud-Est par D 982 – 718 h. – alt. 140 m – ✉ 30140

Les Demeures du Ranquet (Anne Majourel)
rte St-Hippolyte-du-Fort : 2 km –
ℰ 04 66 77 51 63 – www.ranquet.com – contact@ranquet.com
– Fax 04 66 77 55 62 – Ouvert 19 mars-15 nov.
10 ch – †130/175 € ††130/175 €, ⊇ 16 € – ½ P 125/160 €
Rest – (fermé mardi et merc. sauf le soir du 1ᵉʳ juin au 15 sept. et lundi midi en été) Menu 58/80 € – Carte 75/108 €
Spéc. Bonbon de brandade de morue, calamar, tagliatelle de courgette et huile d'herbes. Duo d'agneau, noisette rosée et souris confite. Déclinaison de "4 C son", café, cacao, chicorée, chocolat. **Vins** Vin de Pays du Gard, Costières de Nîmes.
♦ Ce charmant mas cévenol et ses pavillons récents bien aménagés ont pour cadre un beau parc niché dans le maquis. Calme, expositions d'art, practice de golf sont au rendez-vous. Belle cuisine inventive à base de produits du potager et du jardin aromatique.

ANET – 28 Eure-et-Loir – **311** E2 – 2 626 h. – alt. 73 m – ⌧ 28260   11 **B1**

🚗 Paris 76 – Chartres 51 – Dreux 16 – Évreux 37 – Mantes-la-Jolie 28 – Versailles 58

ℹ️ Syndicat d'initiative, 8, rue Delacroix ✆ 02 37 41 49 09, Fax 02 37 41 49 09

◉ Château★ ▮ Normandie Vallée de la Seine

XX Auberge de la Rose

6 r. Ch.-Lechevrel – ✆ 02 37 41 90 64 – Fax 02 37 41 47 88 – Fermé 12 déc.-3 janv., dim. soir et lundi

Rest – Menu 25 € – Carte 47/65 €

♦ Une auberge familiale déjà citée au Guide Michelin en 1900 ! Repas traditionnels servis dans trois salles à manger soignées et dotées de mobilier de style Louis XIII.

XX Manoir d'Anet

3 pl. du Château – ✆ 02 37 41 91 05 – www.lemanoirdanet.com – Fax 02 37 41 91 04 – Fermé mardi et merc.

Rest – Menu 26 € (sem.)/48 € – Carte 53/75 €

♦ Table idéalement située face au château de Diane de Poitiers. Une imposante cheminée en pierre trône au milieu de la salle à manger rustique et fleurie. Bar-salon de thé.

ANGERS Ⓟ – 49 Maine-et-Loire – **317** F4 – 153 000 h. –   35 **C2**
Agglo. 226 843 h. – alt. 41 m – ⌧ 49000 ▮ Châteaux de la Loire

🚗 Paris 294 – Laval 79 – Le Mans 97 – Nantes 88 – Rennes 129 – Tours 108

✈ Aéroport d'Angers-Loire, ✆ 02 41 33 50 20, par ① : 20 km.

ℹ️ Office de tourisme, 7, place Kennedy ✆ 02 41 23 50 00, Fax 02 41 23 50 09

⛳ d'Avrillé à Avrillé Château de la Perrière, NO : 5 km par D 175, ✆ 02 41 69 22 50

⛳ d'Angers à Brissac-Quincé Moulin de Pistrait, par rte de Cholet et D 751 : 8 km, ✆ 02 41 91 96 56

⛳ Golf d'Anjou à Champigné Route de Cheffes, N : 24 km par D 775 et D 768, ✆ 02 41 42 01 01

◉ Château★★★ : tenture de l'Apocalypse★★★, tenture de la Passion et Tapisseries mille-fleurs★★, ≤★ de la tour du Moulin - Vieille ville ; cathédrale★, galerie romane★★ de la préfecture★ BZ P, galerie David d'Angers★ BZ B, - Maison d'Adam★ BYZ K - Hôtel Pincé★ - Chœur★★ de l'église St-Serge★ - Musée Jean Lurçat et de la Tapisserie contemporaine★★ dans l'ancien hôpital St-Jean★ - La Doutre★ AY - Musée régional de l'Air★.

◎ Château de Pignerolle★ : musée européen de la Communication★★ E : 8 km par D 61.

Plans pages suivantes

🏨 Anjou

1 bd Mar.-Foch – ✆ 02 41 21 12 11 – www.hoteldanjou.fr – info@hoteldanjou.fr – Fax 02 41 87 22 21   CZ **h**

53 ch – †109/162 € ††119/173 €, ⌑ 16 €

Rest *La Salamandre* – ✆ 02 41 88 99 55 *(fermé dim. sauf le midi de sept. à juin)* Menu (22 €), 28 € (sem.)/75 € – Carte 40/65 €

♦ Cet immeuble bâti en 1845 offre une belle décoration intérieure : salons ornés de mosaïques Art déco et chambres cossues, meublées dans des styles variés. Au restaurant, séduisante atmosphère Renaissance : fresques, plafond à la française et salamandres...

🏨 Hôtel de France

8 pl. de la Gare – ✆ 02 41 88 49 42 – www.hoteldefrance-angers.com – reservation@hoteldefrance-angers.com – Fax 02 41 87 19 50   AZ **t**

55 ch – †80/165 € ††80/165 €, ⌑ 14 € – 1 suite

Rest *Les Plantagenêts* – ✆ 02 41 88 02 27 *(fermé août, sam. midi, dim. soir et merc.)* Menu (21 €), 31/45 € – Carte 46/57 €

♦ Chambres cossues et bien équipées, petits coins-salons, salle de séminaires et bon petit-déjeuner (produits locaux) : la clientèle d'affaires – entre autres – apprécie. Ambiance feutrée, cuisine actuelle et bon choix de vins du cru aux Plantagenêts.

ANGERS

Mercure Centre
pl. Mendès-France, (Centre des Congrès) – ℰ 02 41 60 34 81 – www.mercure.com
– h0540@accor.com – Fax 02 41 60 57 84 CY a
84 ch – †65/169 € ††70/179 €, ⊇ 15 €
Rest *Le Grand Jardin* – (fermé 24 déc.-2 janv.) Menu (16 €), 21 € (déj.)/29 €
– Carte 21/38 €

♦ Adossé à un centre de congrès, hôtel dont les chambres, fonctionnelles et bien insonorisées, profitent parfois de la vue sur le Jardin des Plantes. Plaisant bar à vins. Restaurant ouvert sur la végétation, carte et décor dans l'air du temps, vins d'Anjou.

Du Mail sans rest
8 r. des Ursules – ℰ 02 41 25 05 25 – www.hotel-du-mail.com
– hoteldumailangers@yahoo.fr – Fax 02 41 86 91 20 CY b
26 ch – †40/90 € ††65/90 €, ⊇ 15 €

♦ Hôtel de caractère établi dans une discrète demeure du 17ᵉ s. (ancien couvent). Chambres personnalisées, pour la plupart assez vastes.

Le Progrès sans rest
26 av. D.-Papin – ℰ 02 41 88 10 14 – www.hotelleprogres.com – hotel.leprogres@
wanadoo.fr – Fax 02 41 87 82 93 – Fermé 7-16 août et 24 déc.-3 janv. AZ f
41 ch – †55/60 € ††55/66 €, ⊇ 8 €

♦ Face à la gare, adresse accueillante mettant à votre disposition ses chambres actuelles, claires et pratiques. Agréable salle où l'on petit-déjeune devant une courette fleurie.

Continental sans rest
14 r. L.-de-Romain – ℰ 02 41 86 94 94 – www.hotellecontinental.com
– reservation@hotellecontinental.com – Fax 02 41 86 96 60 BYZ n
25 ch – †60/70 € ††70/79 €, ⊇ 10 €

♦ Situation centrale, chambres lumineuses, récemment refaites et bien tenues, bonne insonorisation, salle des petits-déjeuners colorée, prix sages sont les atouts de cet hôtel.

De l'Europe sans rest
3 r. Châteaugontier – ℰ 02 41 88 67 45 – www.hoteldeurope-angers.com
– hoteldeurope-angers@wanadoo.fr – Fax 02 41 86 17 42 CZ a
29 ch – †57 € ††68 €, ⊇ 8 €

♦ Sympathique ambiance familiale en cet hôtel situé dans un quartier commerçant. Chambres sans ampleur égayées de chaleureuses couleurs. Plaisante salle des petits-déjeuners.

Grand Hôtel de la Gare sans rest
5 pl. de la Gare – ℰ 02 41 88 40 69 – www.hotel-angers.fr – info@hotel-angers.fr
– Fax 02 41 88 45 41 – Fermé 31 juil.-22 août, et 18 déc.-3 janv. BZ a
52 ch – †48/80 € ††58/80 €, ⊇ 8 €

♦ Un artiste-peintre a égayé de fresques les couloirs et la salle des petits-déjeuners. Coquettes chambres contemporaines tournées vers le jet d'eau qui trône devant la gare.

Le Favre d'Anne (Pascal Favre d'Anne)
18 quai des Carmes – ℰ 02 41 36 12 12 – www.lefavredanne.fr – contact@
lefavredanne.fr – Fermé 26 juil.-13 août, dim. et lundi AY t
Rest – Menu (20 €), 40/90 €
Rest *L' R du Temps* – (fermé lundi en juil.-août et dim.) (déj. seult) Menu (20 €), 24 € (sem.)/32 €

Spéc. Tarte fine aux langoustines, glace au beurre blanc (été). Filet de bœuf "Maine Anjou" et sushi de foie gras cru (automne). Framboises du pays, sorbet au poivron rouge et biscuit à l'huile d'olive (été). **Vins** Savennières, Saumur-Champigny.

♦ Dans cet hôtel particulier, le chef propose une belle cuisine actuelle et créative qui a déjà séduit sa clientèle. Cadre contemporain et petite vue sur le château et la Maine. L'R du Temps porte bien son nom : décor actuel pour des plats tendance.

Le Relais
9 r. de la Gare – ℰ 02 41 88 42 51 – www.destination.anjou.com/relais
– c.noel10@wanadoo.fr – Fax 02 41 24 75 20 – Fermé 1ᵉʳ-4 mai, 9 août-2 sept.,
20 déc.-4 janv., dim. et lundi BZ u
Rest – Menu (19 €), 24/43 €

♦ Banquettes, sol en mosaïque, belles fresques sur le thème du vin et du "bien vivre" résument le lieu contemporain, sobre mais élégant. Appétissante cuisine traditionnelle.

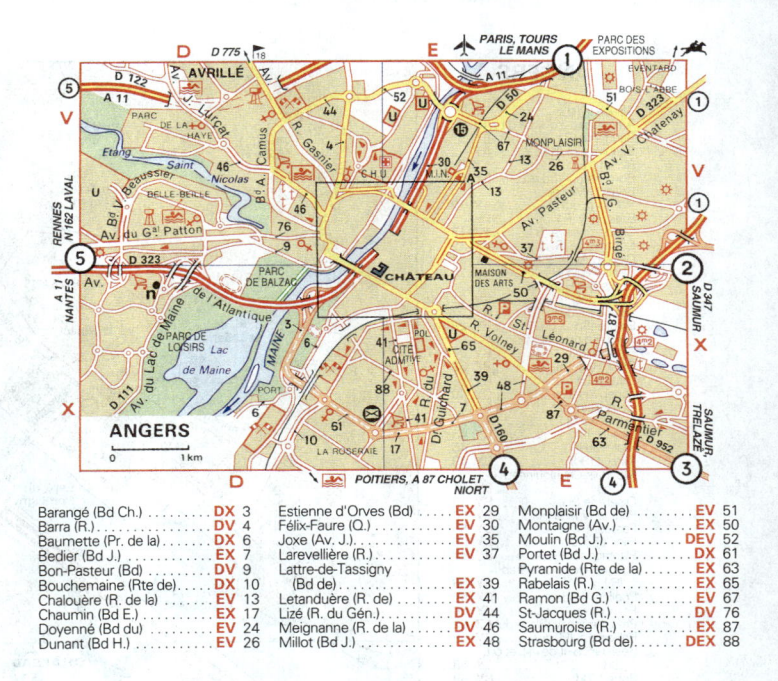

Barangé (Bd Ch.) . . . . **DX** 3	Estienne d'Orves (Bd) . . . . . **EX** 29	Monplaisir (Bd de) . . . . **EV** 51
Barra (R.) . . . . **DV** 4	Félix-Faure (Q.) . . . . **EV** 30	Montaigne (Av.) . . . . **EX** 50
Baumette (Pr. de la) . . . . **DX** 6	Joxe (Av. J.) . . . . **EV** 35	Moulin (Bd J.) . . . . **DEV** 52
Bedier (Bd J.) . . . . **EX** 7	Larevellière (R.) . . . . **EV** 37	Portet (Bd J.) . . . . **DX** 61
Bon-Pasteur (Bd) . . . . **DV** 9	Lattre-de-Tassigny	Pyramide (Rte de la) . . . . **EX** 63
Bouchemaine (Rte de) . . . . . **DX** 10	(Bd de) . . . . **EX** 39	Rabelais (R.) . . . . **EX** 65
Chalouère (R. de la) . . . . **EV** 13	Letanduère (R. de) . . . . **EX** 41	Ramon (Bd G.) . . . . **EV** 67
Chaumin (Bd E.) . . . . **EX** 17	Lizé (R. du Gén.) . . . . **DV** 44	St-Jacques (R.) . . . . **DV** 76
Doyenné (Bd du) . . . . **EV** 24	Meignanne (R. de la) . . . . . . **DV** 46	Saumuroise (R.) . . . . **EX** 87
Dunant (Bd H.) . . . . **EV** 26	Millot (Bd J.) . . . . **EX** 48	Strasbourg (Bd de) . . . . **DEX** 88

XX **Provence Caffé**   AC VISA MC
9 pl. Ralliement – ℰ 02 41 87 44 15 – www.provence-caffe.com – f_derouet@yahoo.fr – Fax 02 41 87 44 15 – Fermé dim. et lundi   **BCY e**
Rest – (prévenir) Menu (16 €), 20 € (sem.)/32 € – Carte environ 26 €
♦ Mobilier design, éclairages tamisés et fond musical : nouvelle ambiance lounge et épurée pour ce "Caffè" demeurant fidèle aux saveurs du Sud (épices, poissons, etc.).

X **Le Petit Comptoir**   AC VISA MC
40 r. David-d'Angers – ℰ 02 41 88 81 57 – lepetitcomptoir@9business.fr – Fax 02 41 88 81 57 – Fermé 28 juil.-18 août, 5-12 mai, 19-31 janv., dim. et lundi   **CZ d**
Rest – Menu (19 €), 30/35 €
♦ La façade rouge carmin de ce bistrot angevin dissimule une salle à manger exiguë mais chaleureuse. Ambiance décontractée et généreuse cuisine exprimant une belle inventivité.

X **Le Crèmet d'Anjou**   ♿ AC VISA MC
21 r. Delaâge – ℰ 02 41 88 38 38 – Fax 02 41 88 38 38 – Fermé 18 juil.-17 août, 24 déc.-4 janv., sam. et dim.   **BZ e**
Rest – Menu (16 €), 23 € (sem.)/27 €
♦ Du nom d'un fameux dessert régional, enseigne réputée pour la joyeuse ambiance distillée par le patron et pour ses robustes plats traditionnels, préparés sous vos yeux.

à Trélazé par ③ – 12 200 h. – alt. 20 m – ✉ 49800

🏨 **Hôtel de Loire**
328 r. Jean-Jaurès – ℰ 02 41 818 918 – www.hoteldeloire.com – bateliers@hoteldeloire.com – Fax 02 41 818 920
49 ch – ♦67/93 € ♦♦74/100 €, ⊇ 8,50 € – ½ P 69/82 €
Rest – Menu (12 €), 15 € (déj. en sem.), 25/32 € – Carte 30/50 €
♦ Cet hôtel récent qui borde un axe fréquenté abrite des chambres non-fumeurs, aménagées avec une séduisante simplicité (mobilier épuré façon acajou, tons chocolat...). Au restaurant, décor contemporain agrémenté de références à la Loire et repas de type brasserie.

ANGERS

Rue	Réf
Alsace (R. d')	CZ
Aragon (Av. Yolande d')	AY 2
Baudrière (R.)	BY 5
Beaurepaire (R.)	AY
Bichat (R.)	AY 8
Bon-Pasteur (Bd du)	AY 9
Bout-du-Monde (Prom. du)	AY 12
Bressigny (R.)	CZ
Chaperonnière (R.)	BYZ 15
Commerce (R. du)	CY 19
David-d'Angers (R.)	CY 21
Denis-Papin (R.)	BZ 22
Droits-de-l'Homme (Av. des)	CY 25
Espine (R. de l')	BY 27
Estoile (Sq. J. de l')	AY 28
Foch (Bd du Mar.)	BCZ
Freppel (Pl.)	BY 31
Gare (R. de la)	BZ 32
Laiterie (Pl.)	AY
Lenepveu (R.)	CY 40
Lices (R. des)	BZ
Lionnaise (R.)	AY
Lise (R. P.)	CY 43
Marceau (R.)	AZ 45
Mirault (Bd)	BY 49
Mondain-Chanlouineau (Sq.)	BY 51
Oisellerie (R.)	BY 53
Parcheminerie (R.)	BY 54
Pasteur (Av.)	CY 55
Pilori (Pl. du)	BY 56
Plantagenêt (R.)	BY 57
Pocquet-de-Livonnières (R.)	CY 58
Poëliers (R. des)	CY 59
Pompidou (Allées)	CY 60
Prés.-Kennedy (Place d)	AZ 62
Ralliement (Pl. du)	BY 66
Résistance-et-de-la-Déport. (Bd)	CY 68
Robert (Bd)	CY 69
La Rochefoucauld Liancourt (Pl.)	ABY 38
Roë (R. de la)	BY 70
Ronceray (Bd du)	AY 71
Ste-Croix (Pl.)	BZ 86
St-Aignan (R.)	AY 72
St-Aubin (R.)	BZ 73
St-Étienne (R.)	CY 75
St-Julien (R.)	BCZ
St-Laud (R.)	BY 77
St-Lazare (R.)	AY 79
St-Martin (R.)	BZ 80
St-Maurice (Mtée)	BY 82
St-Maurille (R.)	CY 83
St-Michel (Bd)	CY 84
St-Samson (R.)	CY 85
Talot (R.)	BZ 89
Tonneliers (R. des)	AY 90
Ursules (R. des)	CY 91
Voltaire (R.)	BZ 93
8-Mai-1945 (Av. du)	CZ 94

à l'Ouest – ⊠ 49000 Angers

Mercure Lac de Maine
2 allée du Grand-Launay – ℘ 02 41 48 02 12 – www.mercure.com
– mercureangers.directeur@club-internet.fr – Fax 02 41 48 57 51

DX n

77 ch – ♦55/145 € ♦♦90/180 €, ⊇ 15 €
Rest *Le Diffen* – *(fermé sam. et dim.)* Menu 19/28 € – Carte 32/45 €

♦ Derrière une façade un peu austère, un hôtel presque entièrement rénové : chambres fonctionnelles, bien équipées et bien insonorisées, belle structure pour séminaires. Plats traditionnels servis dans une grande salle tendance : tons vifs, claustras design.

à Beaucouzé 7 km par ⑤ – 4 578 h. – alt. 54 m – ✉ 49070

XXX **L'Hoirie**
r. Henri-Faris, (Zone commerciale D 723)
✆ 02 41 72 06 09
– lhoirie@wanadoo.fr
– Fax 02 41 36 35 48
– Fermé dim. soir et lundi
Rest – Menu 24 € (sem.)/55 € – Carte 48/58 €
♦ Salle à manger-véranda claire et moderne, cuisine actuelle et poissons sauvages pour cette table proche de la rocade, où défile à midi la clientèle d'affaires.

ANGERS
au Nord-Ouest 8 km rte de Laval par N 162 - **DV** – ⌂ 49240 Avrillé

Le Cavier
La Croix-Cadeau – ℰ 02 41 42 30 45 – www.lacroixcadeau.fr – lecavier@lacroixcadeau.fr – Fax 02 41 42 40 32
43 ch – †59/75 € ††59/75 €, ⌑ 10 € – ½ P 59/62 €
Rest – *(fermé 20 déc.-3 janv. et dim.)* Menu 22/40 € – Carte 32/53 €

♦ Un moulin à vent de 1730 permet de repérer facilement cette construction récente offrant 3 types de chambres : anciennes et rustiques, petites et pratiques, ou plus spacieuses. Insolite restaurant dont les salles occupent les ex-caves de stockage de la farine.

ANGERVILLE – 91 Essonne – **312** A6 – 3 384 h. – alt. 141 m – ⌂ 91670   18 **B3**

▶ Paris 70 – Ablis 29 – Chartres 46 – Étampes 21 – Évry 54 – Orléans 56 – Pithiviers 29

France
2 pl. du Marché – ℰ 01 69 95 11 30 – www.hotelfrance3.com – hotel-de-france3@wanadoo.fr – Fax 01 64 95 39 59 – *Fermé dim. soir et lundi midi*
20 ch – †75/105 € ††105/135 €, ⌑ 13 €   **Rest** – Menu 30 € – Carte 45/60 €

♦ Tomettes vernies au 16e s., petits coins-salons, objets chinés, chambres coquettes et confortables ornées de mobilier de style... Une auberge rustique pétrie de charme. Une cheminée en pierres réchauffe l'élégante salle de restaurant. Cuisine traditionnelle.

ANGLARDS-DE-ST-FLOUR – 15 Cantal – **330** G5 – rattaché à Viaduc de Garabit

---

ANGLARS-JUILLAC – 46 Lot – **337** D5 – rattaché à Puy-l'Évêque

---

LES ANGLES – 30 Gard – **339** N5 – rattaché à Villeneuve-lès-Avignon

---

ANGLES-SUR-L'ANGLIN – 86 Vienne – **322** L4 – 391 h. – alt. 100 m   39 **D1**
– ⌂ 86260 ▌ **Poitou Vendée Charentes**

▶ Paris 336 – Châteauroux 78 – Châtellerault 34 – Montmorillon 34 – Poitiers 51

ℹ Office de tourisme, 1, rue de l'Église ℰ 05 49 48 86 87, Fax 05 49 48 27 55

◉ Site★ - Ruines du château★.

Le Relais du Lyon d'Or
4 r. d'Enfer – ℰ 05 49 48 32 53 – www.lyondor.com – contact@lyondor.com – Fax 05 49 49 02 28 – *Fermé janv. et fév.*
10 ch – †75/125 € ††75/135 €, ⌑ 15 € – ½ P 78/113 €
Rest – *(ouvert 21 mars-7 nov.) (dîner seult)* Carte environ 34 €

♦ Cette maison du 14e s. propose de jolies chambres garnies d'un mobilier chiné et un délicieux jardin de repos. Repas servis auprès de l'âtre ou dans la cour si le temps le permet. Livre de cave élaboré par le propriétaire, ex-négociant en vins.

ANGLET – 64 Pyrénées-Atlantiques – **342** C4 – 37 500 h. – alt. 20 m   3 **A3**
– ⌂ 64600 ▌ **Pays Basque**

▶ Paris 769 – Bayonne 5 – Biarritz 4 – Cambo-les-Bains 18 – Pau 114 – St-Jean-de-Luz 21

✈ de Biarritz-Anglet-Bayonne ℰ 05 59 43 83 83, SO : 2 km.

ℹ Office de tourisme, 1, avenue de la Chambre d'Amour ℰ 05 59 03 77 01, Fax 05 59 03 55 91

▣ de Chiberta 104 boulevard des Plages, N : 5 km par D 5, ℰ 05 59 52 51 10

Plan : voir Biarritz-Anglet-Bayonne

ANGLET

De Chiberta et du Golf
104 bd des Plages – ℰ 05 59 58 48 48
– www.hmc-hotels.com – hotelchiberta@hmc-hotels.com
– Fax 05 59 63 57 84   AB
92 ch – ♦115/260 € ♦♦115/260 €, ⊋ 14 €   **Rest** – Menu 27 € – Carte 42/50 €
♦ Cette demeure des années 1920 située le long du prestigieux golf de Chiberta dispose de chambres confortables offrant une vue sur les greens et le lac. Salle à manger-véranda et jolie terrasse ombragée ; carte traditionnelle.

Atlanthal
153 bd des Plages – ℰ 05 59 52 75 75
– www.atlanthal.com – info@atlanthal.com – Fax 05 59 52 75 13   AB
99 ch – ♦110/266 € ♦♦160/392 €, ⊋ 11 € – ½ P 109/225 €
Rest – Menu 29 € – Carte environ 49 €
♦ Complexe moderne érigé en temple du bien-être avec ses centre de thalassothérapie et fitness très complets. Vue idéale sur l'Atlantique. Chambres spacieuses. Cuisine traditionnelle au restaurant-véranda tourné vers le large. Plats basques et bar à tapas en appoint.

Novotel Biarritz Aéroport
68 av. d'Espagne, (D 810) – ℰ 05 59 58 50 50
– www.novotel.com – h0994@accor.com – Fax 05 59 03 33 55   BXm
121 ch – ♦99/143 € ♦♦103/150 €, ⊋ 14 €
Rest – Menu (16 € bc) – Carte 23/54 €
♦ Vaste établissement bâti en lisière d'un parc. Grandes chambres pour la plupart rénovées (celles donnant sur la verdure garantissent plus de calme) ; équipements de loisirs. Agréable salle à manger où dominent bois, brique et coloris ensoleillés.

XX La Fleur de Sel
5 av. de la Fôret – ℰ 05 59 63 88 66 – jf.fleurdesel@wanadoo.fr
22 fév.-8 mars, 22 juin-2 juil., 16 nov.-1er déc., mardi midi en juil.-août, dim. soir
hors saison, merc. midi et lundi   BX a
Rest – Menu (25 €) – Carte 36/49 €
♦ Cette maison conviviale abrite une spacieuse et lumineuse salle à manger, ouverte sur une terrasse d'été. Décoration actuelle et cuisine traditionnelle au diapason du marché.

ANGOULÊME P – 16 Charente – 324 K6 – 41 700 h. –   39 C3
Agglo. 103 746 h. – alt. 98 m – ⊠ 16000 ▌Poitou Vendée Charentes

▶ Paris 447 – Bordeaux 119 – Limoges 105 – Niort 116 – Périgueux 85
▶ d'Angoulême-Brie Champniers : ℰ 05 45 69 88 09, 15 km au NE
▶ Office de tourisme, 7 bis, rue du Chat ℰ 05 45 95 16 84, Fax 05 45 95 91 76
▶ de l'Hirondelle Chemin de l'Hirondelle, S : 2 km, ℰ 05 45 61 16 94
▶ Site★ – La Ville haute★★ – Cathédrale St-Pierre★ : façade★★ Y F – C.N.B.D.I.
  (Centre national de la bande dessinée et de l'image)★ Y.

Plan page suivante

Mercure Hôtel de France
1 pl. des Halles-Centrales – ℰ 05 45 95 47 95
– h1213@accor.com – Fax 05 45 92 02 70   Y e
89 ch – ♦101/112 € ♦♦111/122 €, ⊋ 14 €
Rest – (fermé dim. midi et sam.) Menu 20/40 € – Carte 34/43 €
♦ L'hôtel occupe la maison natale de Guez de Balzac agrandie d'une aile moderne. Agréables chambres de style actuel et joli jardin avec échappée sur la Charente. Petite salle à manger contemporaine ouverte sur une paisible terrasse d'été.

Européen sans rest
1 pl. G.-Perot – ℰ 05 45 92 06 42 – www.europeenhotel.com – europeenhotel@
wanadoo.fr – Fax 05 45 94 88 29 – Fermé 19 déc.-3 janv.   Y a
31 ch – ♦49/75 € ♦♦49/75 €, ⊋ 9 €
♦ À deux pas des remparts, établissement familial abritant des chambres fonctionnelles en cours de rénovation, bien insonorisées, un peu plus personnalisées au 3e étage.

ANGOULÊME

Aguesseau (Rampe d')	Y	2
Arsenal (R. de l')	Z	4
Basseau (R. de)	X	6
Beaulieu (Rempart de)	Y	8
Belat (R. de)	Z	10
Bouillaud (Pl.)	Z	12
Briand (Bd A.)	Y	14
Chabasse (Bd R.)	X	17
Churchill (Bd W.)	Z	20
Corderie (R. de la)	Y	24
Desaix (Rempart)	Z	26
Dr-E.-Roux (Bd du)	Z	28
Fontaine-du-Lizier (R.)	Y	30
Frères-Lumière (R. des)	Y	32
Gambetta (Av.)	Y	34
Gaulle (Av. du Gén.-de)	Y	36
Guérin (R. J.)	Y	37
Guillon (Pl. G.)	Y	38
Iéna (R. d')	Z	40
Lattre-de-Tassigny (Av. du Mar. de)	X, Y	42
Liedot (Bd)	Y	44
Louvel (Pl. F.)	Y	46
Marengo (Av.)	YZ	47
Midi (Rempart du)	Y	48
Monlogis (R.)	Y	50
Papin (R. D.)	Y	52
Paris (R. de)	Y	
Pasteur (Bd)	Y	53
Périgueux (R. de)	X	55
Postes (R. des)	Y	57
Renoleau (R.)	Z	58
République (Bd de la)	X, Y	59
La Rochefoucauld (R. de la)	Y	41
Saintes (R.)	Y	
St-André (R.)	Y	60
St-Antoine (R.)	X	61
St-Martial (Pl. et R.)	Z	65
St-Roch (R.)	X, Y	67
Soleil (R. du)	Y	70
Tharaud (Bd J. et J.)	Z	72
Turenne (R. de)	Y	73
3-Fours (R. des)	Y	75
8-Mai-1945 (Bd du)	X	80

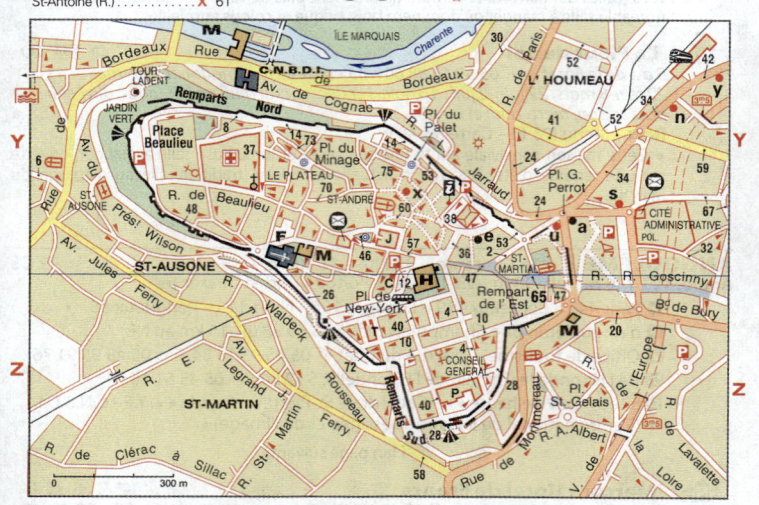

🏠 **L'Épi d'Or** sans rest
66 bd René-Chabasse – ℰ *05 45 95 67 64*
– www.hotel-epidor.fr – info@hotel-epidor.fr
– Fax 05 45 92 97 23
X v
33 ch – †55/75 € ††60/80 €, ⚏ 10 €
◆ Adresse pratique à faible distance de la place Victor-Hugo où se tient un marché animé. Les chambres, de bonne ampleur sont plus calmes sur l'arrière.

ANGOULÊME

Le Palma
4 rampe d'Aguesseau – ✆ 05 45 95 22 89 – lepalma@aliceadsl.fr
– Fax 05 45 94 26 66 – Fermé 19 déc.-5 janv., sam. midi et dim.
9 ch – †62 € ††66 €, ⊇ 8 €   **Rest** – Menu (13 €), 15/34 € – Carte 40/50 €
♦ Confortables chambres non-fumeurs, soigneusement décorées et garnies d'un mobilier en bois massif brut ou peint. Restaurant sobre et lumineux (carte traditionnelle) comprenant une salle spécialement dédiée aux plats du jour et à quelques spécialités espagnoles.

Champ Fleuri sans rest
Chemin de l'Hirondelle, (au golf), 2 km, au sud du plan – ✆ 06 85 34 47 68
– www.champ-fleuri.com – xbparlant@free.fr
5 ch ⊇ – †60/80 € ††60/80 €
♦ Belle maison ancienne dans un jardin clos, attenante au golf. Jolies chambres personnalisées, vue panoramique sur Angoulême, terrasse et piscine : la ville à la campagne.

Le Terminus
3 pl. de la Gare – ✆ 05 45 95 27 13 – www.le-terminus.com – Fax 05 45 94 04 09
– Fermé dim.
Rest – Menu (17 €), 25/31 € – Carte 40/55 €
♦ Brasserie contemporaine chic, tout en noir et blanc. La cuisine, au goût du jour, prend les couleurs du terroir et s'enrichit des arrivages de la côte Atlantique. Belle terrasse.

L'Aromate
41 bd René-Chabasse – ✆ 05 45 92 62 18 – Fermé 1er-11 mai, 25 juil.-25 août,
21 déc.-5 janv., mardi soir, merc. soir, dim. soir et lundi
Rest – (nombre de couverts limité, prévenir) Menu 16 € (sem.), 29/36 €
– Carte 33/40 €
♦ Accueil charmant, convivialité d'un cadre rustique sans chichi, belle cuisine traditionnelle un brin actualisée : ce petit bistrot de quartier ne désemplit pas.

Côté Gourmet
23 pl. de la Gare – ✆ 05 45 95 00 27 – cotegourmet@gmail.com
– Fax 05 45 95 00 27 – Fermé 2-8 mars, 2-24 août, mardi soir, sam. midi et dim.
Rest – Menu (16 € bc), 23/33 € – Carte 36/42 €
♦ Décor de bistrot moderne à l'étage, tables hautes au rez-de-chaussée, confort simple et cuisine dans l'air du temps : une adresse bienvenue pour les gourmets angoumois.

La Cité
28 r. St-Roch – ✆ 05 45 92 42 69 – gicebet@aol.com
– Fermé 1er-25 août, 15 fév.-3 mars, dim. et lundi
Rest – Menu 15 € (déj. en sem.), 19/30 € – Carte 22/36 €
♦ Mobilier d'esprit rustique et tons frais et lumineux composent le cadre de cet établissement familial proposant une cuisine traditionnelle axée sur le poisson.

à Soyaux 4 km par ③ – 10 177 h. – alt. 133 m – ⊠ 16800

La Cigogne
5 imp. Cabane Bambou, à la Mairie, prendre r. A.-Briand et 1,5 km
✆ 05 45 95 89 23 – www.la-cigogne-angouleme.com – lacigogne16@wanadoo.fr
– Fermé 14-21 mars, 25 oct.-10 nov., 22 déc.-3 janv., merc. soir, dim. soir et lundi
Rest – Menu (20 € bc), 38/50 € – Carte 59/84 €
♦ Accolée à une ancienne champignonnière, salle à manger-véranda lumineuse et moderne, complétée par une terrasse côté campagne. La carte vagabonde entre tradition et modernité.

à Roullet 14 km par ⑤ et N 10, dir. Bordeaux – 3 686 h. – alt. 50 m – ⊠ 16440

La Vieille Étable
rte Mouthiers : 1,5 km – ✆ 05 45 66 31 75 – http://hotel-vieille-etable.com
– vieille.etable@wanadoo.fr – Fax 05 45 66 47 45 – Fermé dim. d'oct. à mi-mai
29 ch – †67/125 € ††67/140 €, ⊇ 13 €
Rest – Menu (14 €), 18 € (sem.)/52 € – Carte 45/61 €
♦ Dans un parc avec étang, cette ferme restaurée abrite des chambres de style néo-rustique ; huit ont été refaites et personnalisées avec soin. Carte traditionnelle servie dans une salle bourgeoise ou sur la terrasse ombragée ; un menu "gastronomique" spécial enfant.

ANNECY – 74 Haute-Savoie – 328 J5 – 51 000 h. – Agglo. 136 815 h. 46 F1
– alt. 448 m – Casino : l'Impérial – ⌧ 74000 – Alpes du Nord

- Paris 536 – Aix-les-Bains 34 – Genève 42 – Lyon 138 – St-Étienne 187
- d'Annecy-Haute-Savoie ℘ 04 50 27 30 06, par N 508 BU et D 14 : 4 km.
- Office de tourisme, 1, rue Jean Jaurès, Bonlieu ℘ 04 50 45 00 33, Fax 04 50 51 87 20
- du Belvédère à Saint-Martin-Bellevue Chef Lieu, par rte de la Roche-sur-Foron : 6 km, ℘ 04 50 60 31 78
- du Lac d'Annecy à Veyrier-du-Lac Route du Golf, par rte de Talloires : 10 km, ℘ 04 50 60 12 89
- de Giez-Lac-d'Annecy à Giezpar rte d'Albertville : 24 km, ℘ 04 50 44 48 41
- Le Vieil Annecy★★ : Descente de Croix★ dans l'église St-Maurice EY E, Palais de l'Isle★★ EY M², rue Ste-Claire★ - pont sur le Thiou ≤★ EY N - Musée-château d'Annecy★ - Les Jardins de l'Europe★ - Les bords du lac★★ ≤★*.
- Tour du lac★★★ - Gorges du Fier★★ : 11 km par ⑥ - Col de la Forclaz★★ - Forêt du crêt du Maure★ : ≤★★ 3 km par D 41 CV.

Plans pages suivantes

L'Impérial Palace
allée de l'Impérial – ℘ 04 50 09 30 00
– www.hotel-imperial-palace.com – reservation@hotel-imperial-palace.com
– Fax 04 50 09 33 33 CV s
91 ch – †300/450 € ††300/450 €, ⌧ 25 € – 8 suites
Rest *La Voile* – Carte 49/82 €
◆ Ce palace de 1913 se dresse fièrement dans un parc situé juste au bord du lac. Chambres contemporaines bien équipées, centre de congrès, casino, fitness et institut de beauté. Belle salle à manger et sa superbe terrasse ouverte sur les flots et les jardins.

Les Trésoms
3 bd de la Corniche – ℘ 04 50 51 43 84
– www.lestresoms.com – info@lestresoms.com
– Fax 04 50 45 56 49 CV f
50 ch – †119/219 € ††139/279 €, ⌧ 16 €
Rest *La Rotonde* – (fermé sam. midi, dim. soir, lundi et le midi du 15 juil. au 30 août) Menu (25 €), 29 € (déj. en sem.), 35/89 € – Carte 65/85 €
Rest *La Coupole* – (fermé mardi soir, merc. soir, jeudi soir et le midi sauf juil.-août) Menu (28 €), 35 €
◆ Dans un calme jardin, demeure des années 1930 rénovée mais gardant son cachet Art déco. Chambres aux tons chauds, pour moitié tournées vers le lac. Spa. Cuisine dans l'air du temps à La Rotonde (panorama splendide en terrasse). Repas plus simples à La Coupole.

Le Pré Carré sans rest
27 r. Sommeiller – ℘ 04 50 52 14 14 – www.hotel-annecy.net – precarre@hotel-annecy.net – Fax 04 50 63 26 19 EX b
27 ch – †152/202 € ††182/232 €, ⌧ 14 € – 2 suites
◆ Hôtel récent proche de la vieille ville et du lac. Chambres très contemporaines, traitées dans un camaïeu de teintes douces. Petit-déjeuner sous une verrière. Jacuzzi, sauna.

Novotel Atria
1 av. Berthollet – ℘ 04 50 33 54 54 – www.novotel.com – h1357@accor.com
– Fax 04 50 45 50 68 DX h
95 ch – †85/165 € ††85/165 €, ⌧ 15 €
Rest – Menu (19 €), 22 € (sem.) – Carte 22/42 €
◆ Derrière la gare, bâtiment en verre attenant à un centre de congrès bien équipé. Les chambres sont confortables et insonorisées. Accueil tout sourire. Restaurant fonctionnel, petite terrasse et prestations culinaires "Novotel".

Splendid sans rest
4 quai E.-Chappuis – ℘ 04 50 45 20 00 – www.splendidhotel.fr – info@splendidhotel.fr – Fax 04 50 45 52 23 EY d
47 ch – †107/139 € ††118/154 €, ⌧ 14 €
◆ Hôtel d'esprit Art déco situé entre le centre historique et le lac. Grandes chambres pratiques et bien insonorisées, parfaitement adaptées à la clientèle d'affaires.

ANNECY

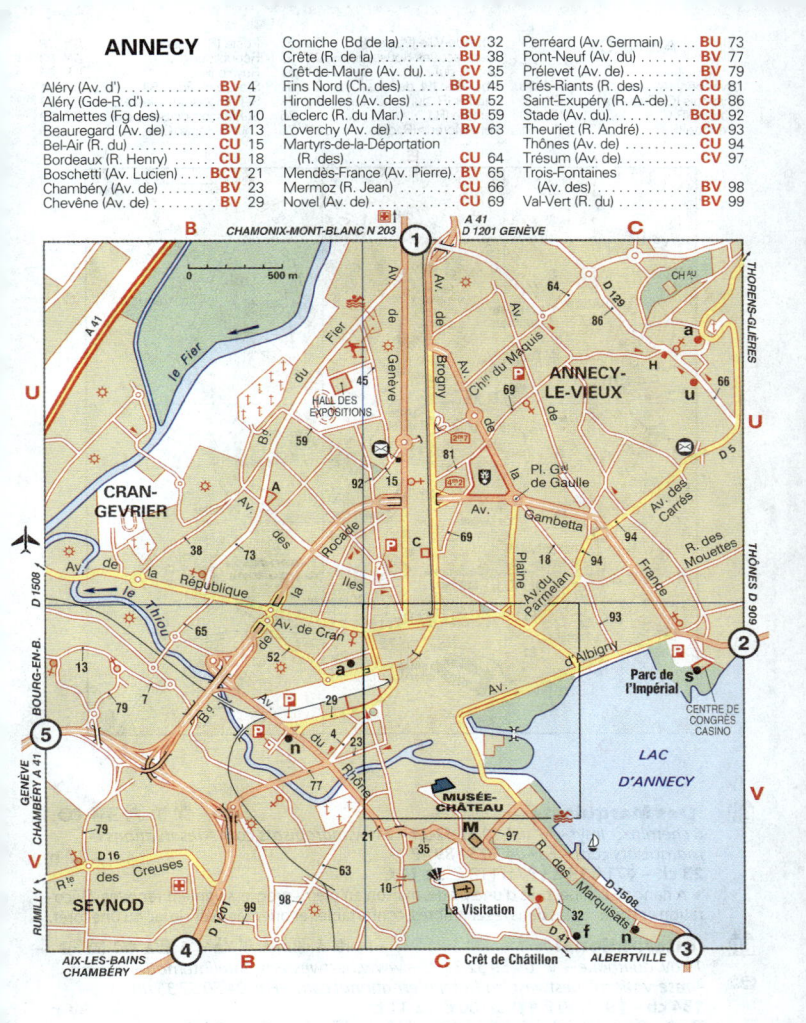

Aléry (Av. d')	**BV** 4
Aléry (Gde-R. d')	**BV** 7
Balmettes (Fg des)	**CV** 10
Beauregard (Av. de)	**BV** 13
Bel-Air (R. du)	**CU** 15
Bordeaux (R. Henry)	**CU** 18
Boschetti (Av. Lucien)	**BCV** 21
Chambéry (Av. de)	**BV** 23
Chevêne (Av. de)	**BV** 29
Corniche (Bd de la)	**CV** 32
Crête (R. de la)	**BU** 38
Crêt-de-Maure (Av. du)	**CV** 45
Fins Nord (Ch. des)	**BCU** 45
Hirondelles (Av. des)	**BV** 52
Leclerc (R. du Mar.)	**BU** 59
Loverchy (Av. de)	**BV** 63
Martyrs-de-la-Déportation (R. des)	**CU** 64
Mendès-France (Av. Pierre)	**BV** 65
Mermoz (R. Jean)	**CU** 66
Novel (Av. de)	**CU** 69
Perréard (Av. Germain)	**BU** 73
Pont-Neuf (Av. du)	**BV** 77
Prélevet (Av. de)	**BV** 79
Prés-Riants (R. des)	**CU** 81
Saint-Exupéry (R. A.-de)	**CU** 86
Stade (Av. du)	**BCU** 92
Theuriet (R. André)	**CV** 93
Thônes (Av. de)	**CU** 94
Trésum (Av. de)	**CV** 97
Trois-Fontaines (Av. des)	**BV** 98
Val-Vert (R. du)	**BV** 99

Carlton sans rest

5 r. Glières – ℘ 04 50 10 09 09 – www.bestwestern-carlton.com – contact@bestwestern-carlton.com – Fax 04 50 10 09 60   **DY g**

55 ch – ♦80/160 € ♦♦107/180 €, ⊇ 15 €

♦ Voisin de la gare et du château, cet immeuble du début du 20e s. dispose de chambres fonctionnelles, vastes et confortables, au décor ancré dans les années 1980.

Le Flamboyant sans rest

52 r. des Mouettes, à Annecy-le-Vieux – ℘ 04 50 23 61 69
– www.hotel-le-flamboyant.com – leflamboyant74@wanadoo.fr
– Fax 04 50 23 05 03   **CU g**

31 ch – ♦57/93 € ♦♦69/116 €, ⊇ 12 €

♦ Grandes chambres refaites (avec cuisinette, balcon ou terrasse), aménagées dans trois bâtiments de type chalet. Bar façon pub anglais. Petit-déjeuner sous la véranda.

ANNECY

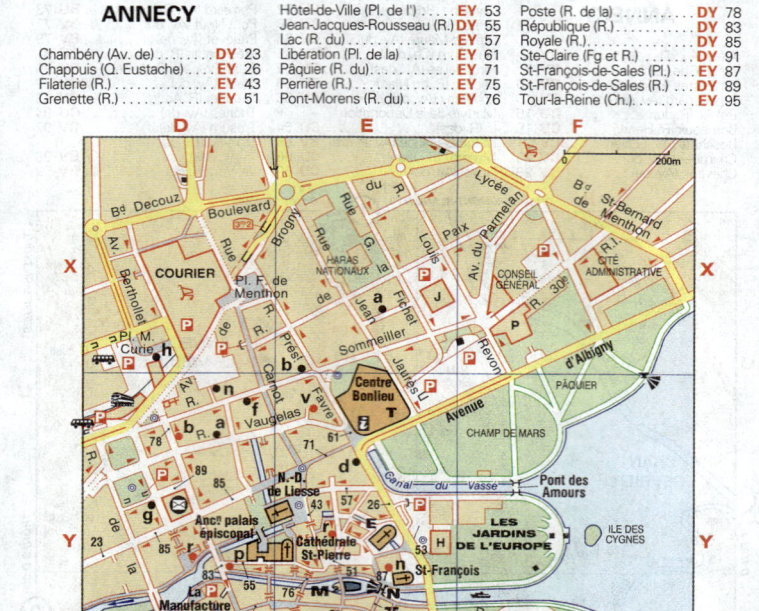

Chambéry (Av. de) .... **DY** 23	Hôtel-de-Ville (Pl. de l') ..... **EY** 53	Poste (R. de la) .... **DY** 78
Chappuis (Q. Eustache) .... **EY** 26	Jean-Jacques-Rousseau (R.)**DY** 55	République (R.) .... **DY** 83
Filaterie (R.) .... **EY** 43	Lac (R. du) .... **EY** 57	Royale (R.) .... **DY** 85
Grenette (R.) .... **EY** 51	Libération (Pl. de la) .... **EY** 61	Ste-Claire (Fg et R.) .... **DY** 91
	Pâquier (R. du) .... **EY** 71	St-François-de-Sales (Pl.) .. **EY** 87
	Perrière (R.) .... **EY** 75	St-François-de-Sales (R.) ... **DY** 89
	Pont-Morens (R. du) .... **EY** 76	Tour-la-Reine (Ch.) .... **EY** 95

Des Marquisats sans rest
6 chemin Colmyr – ℰ 04 50 51 52 34 – www.marquisats.com – reservations@marquisats.com – Fax 04 50 51 89 42
23 ch – †71/118 € ††71/118 €, ⇆ 11 €   **CV n**
◆ À flanc de colline, près d'une plage, maison en pierre progressivement rénovée. Décoration et styles variés dans les chambres, confortables et orientées vers le lac ou une forêt.

International
19 av. du Rhône – ℰ 04 50 52 35 35 – www.bestwestern-hotelinternational.com – reservation@bestwestern-hotelinternational.com – Fax 04 50 52 35 00
134 ch – †95/160 € ††95/160 €, ⇆ 11 €   **BV n**
Rest – *(fermé vend. soir, sam. et dim.)* Menu 15/35 € – Carte 24/46 €
◆ Chambres récentes et fonctionnelles (certaines avec balcon), à choisir de préférence de l'autre côté de la rocade. Bons espaces séminaires et bar d'esprit anglais. Le bois domine au restaurant ; carte traditionnelle.

Mercure sans rest
26 r. Vaugelas – ℰ 04 50 45 59 80 – h2812@accor.com – Fax 04 50 45 21 99
39 ch – †95/140 € ††105/140 €, ⇆ 14 €   **DY a**
◆ Les chambres fonctionnelles, calmes et colorées en bleu et jaune (clin d'œil à la Provence), rendent cet hôtel central bien pratique. Formule buffet au petit-déjeuner.

Allobroges Park sans rest
11 r. Sommeiller – ℰ 04 50 45 03 11 – www.allobroges.com – info@allobroges.com – Fax 04 50 51 88 32
47 ch – †68/88 € ††78/98 €, ⇆ 8,50 € – 3 suites   **DY n**
◆ L'enseigne de cet hôtel du centre-ville rend hommage à la tribu celte qui peuplait jadis la région. Les chambres, refaites et contemporaines, baignent dans un camaïeu de beige.

ANNECY

Amiral sans rest
61 r. Centrale, à Annecy-le-Vieux par ② ⊠ 74940 – ℰ 04 50 23 29 26
– www.amiral-hotel.com – contact@amiral-hotel.com – Fax 04 50 23 74 18
36 ch – ♦57/62 € ♦♦67/80 €, ⊇ 8,50 € – 1 suite
♦ Non loin du lac et de ses plages, bâtisse d'esprit colonial abritant de petites chambres refaites à neuf.

Nord sans rest
24 r. Sommeiller – ℰ 04 50 45 08 78 – www.annecy-hotel-du-nord.com
– contact@annecy-hotel-du-nord.com – Fax 04 50 51 22 04   DY f
30 ch – ♦45/68 € ♦♦55/68 €, ⊇ 7 €
♦ Idéalement situé en plein centre-ville, ce petit hôtel sans prétention se révèle fort commode pour un séjour de découverte. Décoration des chambres actuelle, gaie et colorée.

De Bonlieu sans rest
5 r. Bonlieu – ℰ 04 50 45 17 16 – www.annecybonlieuhotel.fr – info@
annecybonlieuhotel.fr – Fax 04 50 45 11 48 – Fermé 1ᵉʳ-10 nov.   EX a
35 ch – ♦78/102 € ♦♦86/110 €, ⊇ 16 €
♦ Dans une rue calme du centre-ville, petit hôtel moderne proposant des chambres un peu exiguës, mais pratiques et agencées de façon contemporaine et reposante.

Kyriad Centre sans rest
1 fg Balmettes – ℰ 04 50 45 04 12 – www.annecy-hotel-kyriad.com
– annecy.hotel.kyriad@wanadoo.fr – Fax 04 50 45 90 92   DY t
24 ch – ♦60/80 € ♦♦60/80 €, ⊇ 8 €
♦ Coincée dans le vieil Annecy, cette bâtisse du 16ᵉ s. refait progressivement peau neuve. Chambres de tailles diverses, sobrement meublées et égayées de tissus jaunes et bleus.

Les Terrasses
15 r. L.-Chaumontel – ℰ 04 50 57 08 98 – www.hotel-les-terrasses-annecy.com
– lesterrasses@wanadoo.fr – Fax 04 50 57 05 28   BV a
20 ch – ♦63/72 € ♦♦68/76 €, ⊇ 8 € – ½ P 55/61 €
Rest – (fermé 15 déc.-18 janv., sam. et dim. sauf juil.-août) (dîner seult) (résidents seult) Menu 16/23 €
♦ Dans un quartier résidentiel proche de la gare, sympathique adresse aux chambres pimpantes meublées dans un esprit campagnard. Chaleureux accueil familial. Restaurant en partie lambrissé, simple mais coquet, et terrasses côté jardin.

XXX Le Clos des Sens (Laurent Petit) avec ch
13 r. J.-Mermoz ⊠ 74940 – ℰ 04 50 23 07 90
– www.closdessens.com – artisanculinaire@closdessens.com – Fax 04 50 66 56 54
– Fermé 27 avril-5 mai, 31 août-17 sept., dim. sauf le soir en juil.-août, mardi midi et lundi   CU u
5 ch – ♦180/230 € ♦♦180/230 €, ⊇ 17 €
Rest – Menu (33 €), 48/100 € – Carte 80/100 €
Spéc. Tarte fine de légumes "sans pâte" (mars à oct.). Féra à l'ail des bois et citron confit (printemps). Madeleines tièdes au miel, gelée de myrtilles (été-automne). **Vins** Chignin-Bergeron, Vin rouge de Chautagne
♦ Cuisine inventive bien maîtrisée et joliment présentée, mise en valeur par de bons vins ainsi qu'un élégant cadre épuré. Terrasse dominant Annecy. Chambres originales et raffinées.

XXX La Ciboulette (Georges Paccard)
10 r. Vaugelas, (cour du Pré Carré) – ℰ 04 50 45 74 57
– www.laciboulette-annecy.com – laciboulette74@wanadoo.fr
– Fermé 1ᵉʳ-24 juil., vacances de la Toussaint, de fév., dim. et lundi   EY v
Rest – Menu 30 € (déj. en sem.), 45/58 € – Carte 65/85 €
Spéc. Langoustines, joue de cochon confite et cardon. Cœur de ris de veau crousti-moelleux piqué d'un bâton d'enfance. Soufflé chaud de l'Abbaye de la Grande Chartreuse, liqueur secrète et framboises (hiver). **Vins** Chignin-Bergeron, Vin de Pays de Savoie
♦ Un restaurant au décor étudié et de bon goût, mi-classique, mi-contemporain. On y prépare une belle cuisine dans l'air du temps sur des bases classiques.

ANNECY

XXX Le Belvédère (Vincent Lugrin) avec ch

7 chemin Belvédère, 2 km, rte Semnoz au Sud-Est par r. Marquisat –
ℰ 04 50 45 04 90 – www.belvedere-annecy.com – b@belvedere-annecy.com
– Fax 04 50 45 67 25 – Fermé 1ᵉʳ-14 déc., janv., dim. soir, mardi et merc.
5 ch – †80/105 € ††80/135 €, ⌒ 10 € – ½ P 98/113 € CV t
Rest – Menu 28 € (déj. en sem.), 39/85 € – Carte 75/90 €
Spéc. Foie gras de canard aux perles de vanille bourbon. Omble chevalier cuit sur peau, lait d'amande et eau de rose. Cigare en chocolat noir fourré d'une mousse café. **Vins** Chignin-Bergeron, Mondeuse d'Arbin.
♦ Appétissante cuisine actuelle à déguster dans ce restaurant surplombant le lac d'Annecy. Agréable terrasse d'été et chambres au calme, où l'on profite du panorama.

XX Le Bilboquet

14 fg Ste-Claire – ℰ 04 50 45 21 68 – www.restaurant-lebilboquet.fr
– eric.besson@neuf.fr – Fax 04 50 45 21 68 – Fermé 1ᵉʳ-15 juil., dim. sauf le soir en juil.-août et lundi DY m
Rest – Menu (20 €), 27/46 € – Carte 42/58 €
♦ Les vieux murs épais garantissent une certaine fraîcheur dans cet agréable restaurant qui jouxte la porte Ste-Claire. La table, alléchante, oscille entre tradition et modernité.

XX Auberge du Lyonnais avec ch

9 r. de la République – ℰ 04 50 51 26 10 – www.auberge-du-lyonnais.com
– aubergedulyonnais@wanadoo.fr – Fax 04 50 51 05 04 – Fermé vacances de la Toussaint DY p
10 ch – †45/70 € ††50/75 €, ⌒ 8 €
Rest – Menu 25 € (sem.)/40 € – Carte environ 55 €
♦ Vieille maison du centre historique coincée entre deux bras du canal du Thiou. Belle carte façon brasserie dans un cadre marin ou mieux, sur la belle terrasse au fil de l'eau. Chambres simples, de style montagnard.

XX Auberge de Savoie

1 pl. St-François – ℰ 04 50 45 03 05 – www.aubergedesavoie.fr
– aubergedesavoie@laposte.net – Fax 04 50 51 18 28 – Fermé 8-25 nov., 3-13 janv., mardi sauf juil.-août et merc. EY n
Rest – Menu (21 €), 27/59 € – Carte 57/72 €
♦ Accueil et service très pros dans ce restaurant contemporain et chaleureux, adossé à l'église St-François. La terrasse sur une petite place a vue sur le Thiou et le château.

XX La Brasserie St-Maurice

7 r. Collège-Chapuisin – ℰ 04 50 51 24 49 – www.stmau.com – stmau@stmau.com – Fax 04 50 51 24 49 – Fermé dim. et lundi EY r
Rest – Menu 18 € (déj. en sem.), 24/42 € – Carte 33/55 €
♦ Discret restaurant aménagé dans une magnifique maison de 1675. Les belles colonnes en bois visibles dans la salle à manger sont d'origine. Terrasse d'été et carte traditionnelle.

X Contresens

10 r. de la Poste – ℰ 04 50 51 22 10 – www.closdessens.com – artisanculinaire@closdessens.com – Fax 04 50 51 34 26 – Fermé 28 déc.-10 janv., dim. et lundi DY b
Rest – Menu (22 €), 27 €
♦ On mange un peu au coude à coude et le "Tout-Annecy" se presse dans ce restaurant proposant une séduisante cuisine actuelle et ludique, façon bistrot moderne. Terrasse-trottoir.

X Nature et Saveur

pl. des Cordeliers – ℰ 04 50 45 82 29 – www.nature-saveur.com – postmaster@nature-saveur.com – Fermé mi-juil. à mi-août, 24 déc.-4 janv., dim. et lundi
Rest – Menu (19 €), 39 € (déj.), 49/62 € bc DY r
♦ Une cuisine "originelle" et personnelle : voici le concept du petit restaurant de Laurence Salomon, naturopathe de formation et chef passionnée, qui joue la carte du bio.

X Café Brunet

18 pl. Gabriel-Fauré – ℰ 04 50 27 65 65 – www.closdessens.com
– artisanculinaire@closdessens.com – Fax 04 50 05 04 67
– Fermé 1ᵉʳ-15 janv., dim. sauf le midi en juil.-août et lundi
Rest – Menu (21 €), 27 € CU a
♦ Le temps n'a pas de prise sur ce café de 1875 (terrasse, jeu de boules). Devenu l'annexe du "Clos des Sens", il garde l'âme d'un authentique bistrot. Cuisine canaille et spécialités mijotées.

ANNECY

à Chavoires 4,5 km par ② – ✉ 74290 Veyrier-du-Lac

Demeure de Chavoire sans rest ≤ 🚗 🛁 ⁽¹⁾ 🅿 VISA ⓜ AE
71 rte d'Annecy – ✆ *04 50 60 04 38 – www.demeuredechavoire.com
– demeure.chavoire@wanadoo.fr – Fax 04 50 60 05 36*
10 ch – †134/180 € ††165/195 €, ⊇ 16 € – 3 suites
♦ La façade est discrète, mais voici un hôtel de caractère, romantique à souhait : chambres cosy, meubles d'antiquaires, tons pastel et agréable terrasse-jardin face au lac.

à Veyrier-du-Lac 5,5 km par ② – 2 138 h. – alt. 504 m – ✉ 74290

🛈 Office de tourisme, rue de la Tournette ✆ 04 50 60 22 71, Fax 04 50 60 00 90

La Veyrolaine 🕸 ≤ 🚗 🛁 ⁽¹⁾ 🅿
30 rte Crêt des Vignes – ✆ *04 50 60 15 87 – http://pagesperso-orange.fr
/laveyrolaine.annecy – la.veyrolaine@orange.fr*
3 ch ⊇ – †65/115 € ††75/115 €
Table d'hôte – *(dîner sur réservation)* Menu 30 €
♦ Proximité du lac, gentillesse des hôtes et confortable intérieur bourgeois : les raisons de venir dans cette villa cossue, où l'on se sent comme chez soi, ne manquent pas. Savoureuse cuisine de saison concoctée par le patron, jadis chef dans un palace... Terrasse d'été.

XXXXX **La Maison de Marc Veyrat** avec ch 🕸 ≤ 🚗 🛱 🗐 🕹 AC ⁽¹⁾
❀❀❀❀ *13 vieille rte des Pensières –* ✆ *04 50 60 24 00* 🍽 🅿 VISA ⓜ AE ①
– www.marcveyrat.fr – contact@marcveyrat.fr – Fax 04 50 60 23 63 – Ouvert de mi-fév. à fin oct. et fermé mardi sauf juil.-août, lundi et le midi sauf sam. et dim.
11 ch – †300/880 € ††300/880 €, ⊇ 79 € – 2 suites
Rest – Menu 368 € – Carte environ 285 € 🕸
Spéc. Yaourt virtuel de foie gras et jus d'acha. Filet de bœuf, sirop de cresson. Les trois crèmes brûlées d'ici et d'ailleurs. **Vins** Mondeuse d'Arbin, Roussette de Savoie.
♦ Brillante cuisine magnifiant herbes et fleurs des alpages, superbe décor savoyard et divine terrasse face au lac : une fée gourmande veille sur cette envoûtante maison bleue.

à Sévrier 6 km au Sud par ③ – 3 905 h. – alt. 456 m – ✉ 74320

🛈 Office de tourisme, ✆ 04 50 52 40 56, Fax 04 50 52 48 66
◉ Musée de la Cloche★.

Auberge de Létraz ≤ 🚗 🛱 🗐 ⁽¹⁾ 🅿 VISA ⓜ AE ①
921 rte d'Albertville – ✆ *04 50 52 40 36 – www.auberge-de-letraz.com – accueil@
auberge-de-letraz.com – Fax 04 50 52 63 36*
23 ch – †59/182 € ††59/182 €, ⊇ 17 € – 1 suite
Rest – *(fermé de mi-nov. à mi-déc., dim. soir et lundi d'oct. à mai)* Menu 40/75 €
– Carte 65/85 €
♦ Le jardin de cet hôtel occupe une situation de choix face au lac. Les chambres, refaites dans un style actuel, sont plus calmes côté flots. Salle de restaurant et terrasse tournés vers le joyau d'Annecy. Registre culinaire traditionnel actualisé.

Beauregard ≤ 🚗 🛱 🗐 🕹 ch, AC rest, ⁽¹⁾ 🕸 🅿 VISA ⓜ
691 rte d'Albertville – ✆ *04 50 52 40 59 – www.hotel-beauregard.com – info@
hotel-beauregard.com – Fax 04 50 52 44 71 – Fermé 13 nov.-11 janv.*
45 ch ⊇ – †62/81 € ††72/118 € – ½ P 57/76 €
Rest – *(fermé dim. d'oct. à avril)* Menu (15 €), 21/47 € – Carte 29/43 €
♦ Imposante maison d'allure savoyarde posée entre la route et le lac. Chambres fonctionnelles bien tenues ; espace séminaire de bonne ampleur. Vue plongeante sur l'eau depuis le restaurant en rotonde et les terrasses sous tonnelle. Carte traditionnelle simple.

à Pringy 8 km au Nord par ① et rte secondaire – 2 616 h. – alt. 483 m – ✉ 74370

XX **Le Clos du Château** 🛱 🕹 🅿 VISA ⓜ AE
70 rte Cuvat, dir. Promery – ✆ *04 50 66 82 23 – www.le-clos-du-chateau.com
– leclosduchateau@wanadoo.fr – Fax 04 50 66 87 18 – Fermé 27 juil.-18 août,
21 déc.-5 janv., dim. soir et lundi*
Rest – Menu (19 €), 22 € (déj. en sem.), 31/54 € – Carte 44/58 €
♦ Une nouvelle équipe a repris cette adresse jouxtant le château communal. Tendance au contemporain et à l'épure dans le décor et les assiettes. Carte au goût du jour de saison.

ANNEMASSE – 74 Haute-Savoie – 328 K3 – 27 900 h.
– Agglo. 106 673 h. – alt. 432 m – Casino : Grand Casino – ⌧ 74100

▶ Paris 538 – Annecy 46 – Bonneville 22 – Genève 8 – Thonon-les-Bains 31
ɪ Office de tourisme, place de la Gare ℰ 04 50 95 07 10, Fax 04 50 37 11 71

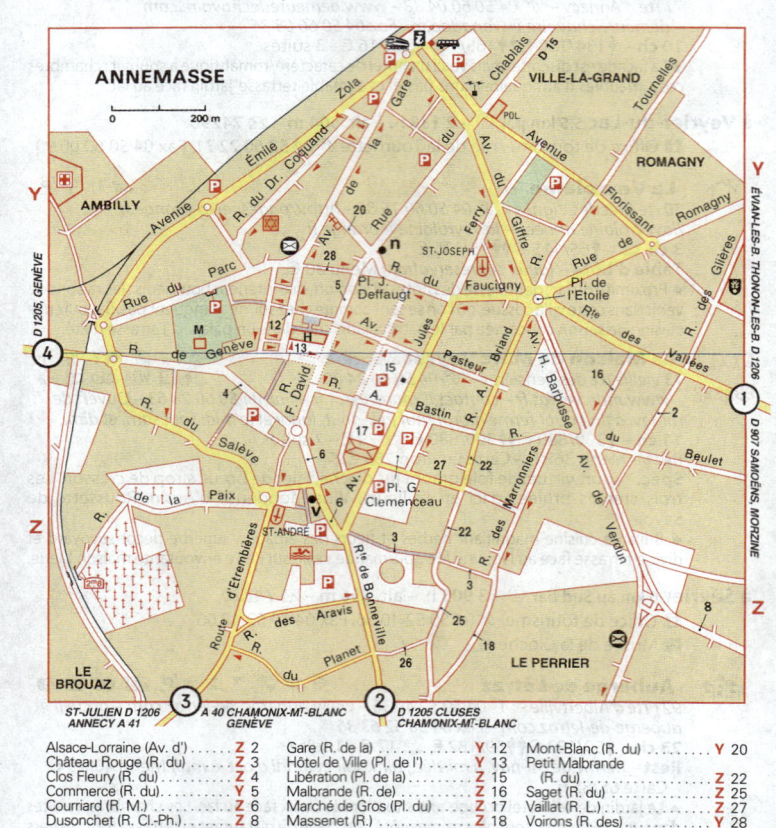

Alsace-Lorraine (Av. d') ... Z 2	Gare (R. de la) ... Y 12	Mont-Blanc (R. du) ... Y 20
Château Rouge (R. du) ... Z 3	Hôtel de Ville (Pl. de l') ... Y 13	Petit Malbrande
Clos Fleury (R. du) ... Z 4	Libération (Pl. de la) ... Z 15	(R. du) ... Z 22
Commerce (R. du) ... Y 5	Malbrande (R. de) ... Z 16	Saget (R. du) ... Z 25
Courriard (R. M.) ... Z 6	Marché de Gros (Pl. du) ... Z 17	Vaillat (R. L.) ... Z 27
Dusonchet (R. Cl.-Ph.) ... Z 8	Massenet (R.) ... Z 18	Voirons (R. des) ... Y 28

Mercure
9 r. des Jardins, par ③ et rte Gaillard ⌧ 74240 – ℰ 04 50 92 05 25
– www.mercure.com – h0343@accor.com
– Fax 04 50 87 14 50

78 ch – †69/179 € ††79/189 €, ⌑ 16 €
Rest – Carte 22/35 €

♦ Près de l'autoroute, hôtel inscrit dans un cadre de verdure, au bord d'une rivière. Chambres assez spacieuses, confortables et insonorisées. Sobre salle à manger et sa terrasse au bord de la piscine ; petits plats traditionnels.

La Place sans rest
10 pl. J.-Deffaugt – ℰ 04 50 92 06 44 – www.laplacehotel.com
– hotel.la.place@wanadoo.fr
– Fax 04 50 87 07 45

43 ch – †59/89 € ††77/122 €, ⌑ 8 €   Y n

♦ Un beau salon design, de jolies chambres d'esprit contemporain sobre et épuré et un accueil des plus sympathiques, voici une étape centrale agréable sur la route de la Suisse.

ANNEMASSE

🏨 **St-André** sans rest ♿ AC 📞 🚗 VISA MC AE
20 r. M.-Courriard – ℰ 04 50 84 07 00 – www.hotel-st-andre.com – resa@
hotel-st-andre.com – Fax 04 50 84 36 22   Z v
40 ch – †58 € ††68 €, ⊇ 8 € – 3 suites
- Hôtel récent installé dans un quartier de bureaux. Grandes chambres lumineuses, idéalement pensées pour les séjours d'affaires (mobilier pratique et équipement complet).

ANNONAY – 07 Ardèche – 331 K2 – 17 300 h. – alt. 350 m – ⌧ 07100   44 **B2**
🟢 **Lyon et la vallée du Rhône**

▶ Paris 529 – St-Étienne 44 – Valence 56 – Yssingeaux 57

ℹ Office de tourisme, place des Cordeliers ℰ 04 75 33 24 51, Fax 04 75 32 47 79

⛳ du Domaine de Saint-Clair Le Pelou, par rte de Serrières et D 820 : 6 km,
   ℰ 04 75 67 03 84

⛳ d'Albon à Saint-Rambert-d'Albon Château de Senaud, E : 19 km par D 82,
   ℰ 04 75 03 03 90

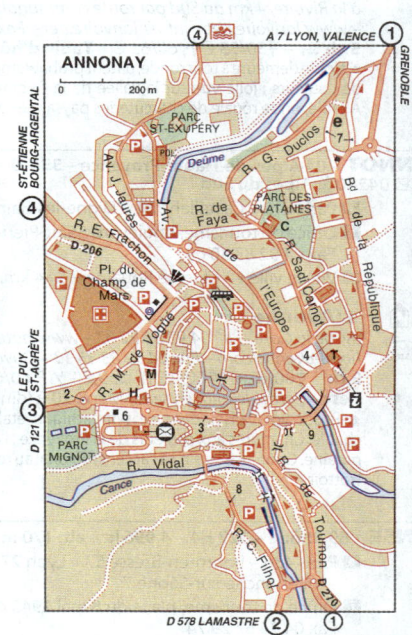

Alsace-Lorraine (Pl.)	2
Boissy-d'Anglas (R.)	3
Cordeliers (Pl. des)	4
Libération (Pl. de la)	6
Marc-Seguin (Av.)	7
Meyzonnier (R.)	8
Montgolfier (R.)	9

🍴🍴 **Marc et Christine** 🍽 VISA MC
29 av. Marc-Seguin – ℰ 04 75 33 46 97 – marc-et-christine@wanadoo.fr – Fermé
19-26 avril, 16-30 août, 22 fév.-1ᵉʳ mars, dim. soir et lundi   e
Rest – Menu 19/48 € – Carte 24/45 €
- Découvrez ce bistrot familial et gourmand, légèrement excentré. On s'y régale d'une cuisine traditionnelle de produits du terroir dans une ambiance délicieusement provinciale.

au Golf de Gourdan 6,5 km par ① et D 1082 (rte de St-Étienne) – ⌧ 07430 Annonay

🏨 **Domaine du Golf de Saint Clair** 🚗 🍽 🏊 🛋 ⛳ 🏊 ♿ ch,
rte du Golf – ℰ 04 75 67 01 00   AC ch, 📞 ⛳ 🅿 VISA AE
– www.domainestclair.fr – reception@domainestclair.fr – Fax 04 75 67 07 38
54 ch – †98/105 € ††110/120 €, ⊇ 13 € – 2 suites **Rest** – Carte 32/45 €
- Idéal pour une clientèle d'affaires, cet hôtel rénové profite de la tranquillité de son site, un golf. Chambres d'esprit contemporain (la plupart avec balcon). Centre de soins. Restaurant logé dans une grange, sous une grande charpente. Cuisine traditionnelle.

ANNONAY

à St-Marcel-lès-Annonay 8,5 km par ④, D 206 et D 1082 – 1 223 h. – alt. 450 m – ✉ 07100

🏨 Auberge du Lac

Le Ternay – ℰ *04 75 67 12 03* – *www.aubergedulac.fr* – *contact@aubergedulac.fr* – *Fax 04 75 34 90 20* – *Fermé janv. et vacances de la Toussaint*
12 ch – †80/145 €, ††80/145 €, ☐ 12 € – ½ P 82/115 €
Rest – *(fermé mardi midi sauf en juil.-août, dim. soir et lundi)* Menu 35/60 €
♦ Face au barrage, ancienne auberge métamorphosée en maison luxueuse et cosy. Chambres personnalisées sur le thème des fleurs, très bien équipées. Solarium sur le toit. Salle à manger provençale et terrasse d'où l'on admire le lac et le Pilat.

à St-Julien-Molin-Molette 10,5 km par ④, D 206 et D 1082 – 1 180 h. – alt. 589 m – ✉ 42220

🏠 La Rivoire ⌛

à la Rivoire, 4 km au Sud par route communale – ℰ *04 77 39 65 44* – *www.larivoire.net* – *info@larivoire.net* – *Fax 04 77 39 67 86*
5 ch ☐ – †50/55 € ††60/65 €   **Table d'hôte** – Menu 20 € bc
♦ Noble demeure à tour ronde, datant probablement du 15e s. Chambres fraîches aux noms de couleurs ; jolie vue sur la vallée de la Déome et les premières collines ardéchoises. À table, on se régale de charcuteries paysannes et de légumes du potager familial.

ANNOT – 04 Alpes-de-Haute-Provence – 334 I9 – 1 019 h. – alt. 708 m — 41 C2
– ✉ 04240 ▌ Alpes du Sud

▫ Paris 812 – Castellane 31 – Digne-les-Bains 69 – Manosque 112
🛈 Office de tourisme, boulevard Saint-Pierre ℰ 04 92 83 23 03, Fax 04 92 83 30 63
◉ Vieille ville★ - Clue de Rouaine★ S : 4 km.

🏨 L'Avenue

av. de la Gare – ℰ *04 92 83 22 07* – *www.hotel-avenue.com* – *contact@hotel-avenue.com* – *Fax 04 92 83 33 13* – *Ouvert 1er avril-30 oct.*
9 ch – †60/62 € ††60/75 €, ☐ 9 € – ½ P 60/65 €
Rest – *(fermé le midi en sem.)* Menu 20 € (dîner)/29 €
♦ Posez vos valises dans ce sympathique établissement familial à la tenue irréprochable. Chambres aux couleurs de la Provence ; l'une d'elles, avec salon, est plus contemporaine. Goûteuse cuisine à l'accent régional au restaurant, qui profite d'une miniterrasse-trottoir.

ANSE – 69 Rhône – 327 H4 – 4 996 h. – alt. 170 m – ✉ 69480 — 43 E1

▫ Paris 436 – Bourg-en-Bresse 57 – Lyon 27 – Mâcon 51 – Villefranche-sur-Saône 7
🛈 Office de tourisme, place du 8 mai 1945 ℰ 04 74 60 26 16, Fax 04 74 67 29 74

🏨 St-Romain ⌛

rte des Graves – ℰ *04 74 60 24 46* – *hotel-saint-romain@wanadoo.fr* – *Fax 04 74 67 12 85* – *Fermé dim. soir de nov. à avril*
24 ch – †47 € ††50/55 €, ☐ 8 € – ½ P 52 €
Rest – Menu 20 € (sem.)/35 € – Carte 40/49 €
♦ Cette vieille ferme beaujolaise rénovée dispose de chambres sobrement rustiques, mais bien tenues. Salle à manger campagnarde où l'on sert des plats plutôt traditionnels accompagnés de vins du cru.

XX Au Colombier

126 allée Colombier – ℰ *04 74 67 04 68* – *www.aucolombier.com* – *info@aucolombier.com* – *Fax 04 74 67 20 30* – *Fermé dim. soir et lundi d'oct. à mai*
Rest – Menu 19 € (déj. en sem.), 28/46 €
♦ Une solide maison du 18e s. au bord de la Saône. Terrasse pour les repas estivaux et cheminée en pierres pour les mois d'hiver. Le chef signe une cuisine dynamique et très juste.

ANSOUIS – 84 Vaucluse – **332** F11 – 1 091 h. – alt. 380 m – ⌧ 84240 — 40 **B2**

🖪 Paris 751 – Marseille 63 – Avignon 79 – Aix-en-Provence 35
🛈 Syndicat d'initiative, place du Château ✆ 04 90 09 86 98, Fax 04 90 09 86 98

La Closerie
bd des Platanes – ✆ 04 90 09 90 54 – Fax 04 9O 09 90 54 – *Fermé vacances de la Toussaint et 1ᵉʳ-15 janv.*
Rest – *(nombre de couverts limité, prévenir)* Menu 21 € (déj. en sem.)/34 € – Carte 47/57 €

◆ Pensez à réserver pour découvrir la cuisine riche en saveurs et en parfums de ce restaurant. Le chef inspiré renouvelle souvent ses menus. Jolie terrasse face au Luberon.

ANTHY-SUR-LÉMAN – 74 Haute-Savoie – **328** L2 – rattaché à Thonon-les-Bains

ANTIBES – 06 Alpes-Maritimes – **341** D6 – 75 000 h. – alt. 2 m – Casino : 42 **E2**
"la Siesta" bord de mer par ① – ⌧ 06600 ▌Côte d'Azur

🖪 Paris 909 – Aix-en-Provence 160 – Cannes 11 – Nice 21
🛈 Office de tourisme, 11, place du Général-de-Gaulle ✆ 04 92 90 53 00, Fax 04 92 90 53 01

◉ Vieille ville★ : Promenade Amiral-de-Grasse ≤★ DXY – Château Grimaldi (Déposition de Croix★, Musée donation Picasso★) DX – Musée Peynet et de la Caricature★ DX M² – Marineland★ 4 km par ①.

Plans pages suivantes

Josse sans rest
8 bd James-Wyllie – ✆ 04 92 93 38 38 – www.hotel-josse.com – hotel.josse@wanadoo.fr – Fax 04 92 93 38 39   BU **s**
26 ch – †91/183 € ††102/183 €, ⌧ 11 €

◆ Une adresse tout en sobriété mais bien pratique : près de la plage de la Salis, chambres simples avec balcon (trois "familiales"), certaines tournées vers la grande bleue.

Mas Djoliba ⌘
29 av. de Provence – ✆ 04 93 34 02 48 – www.hotel-djoliba.com – contact@hotel-djoliba.com – Fax 04 93 34 05 81 – *Ouvert 10 mars-12 nov.*   CY **d**
13 ch (½ P seult de mai à septembre) – †85/100 € ††90/130 € – ½ P 84/114 €
Rest – *(ouvert 1ᵉʳmai-30 sept.) (dîner seult) (résidents seult)*

◆ Relaxez-vous entre palmiers et bougainvillées, à la piscine ou dans les coquettes chambres de cette villa 1920 ; celle du dernier étage offre une terrasse avec vue sur le Cap.

Petit Castel sans rest
22 chemin des Sables – ✆ 04 93 61 59 37 – www.hotel-petitcastel.fr – hotel@lepetitcastel.fr – Fax 04 93 67 51 28   BU **b**
16 ch ⌧ – †77/168 € ††88/188 €

◆ Accueil convivial dans ce pavillon rénové, bâti au bord d'une voie passante. Chambres insonorisées et climatisées, solarium-jacuzzi perché, vélos à disposition.

Modern Hôtel sans rest
1 r. Fourmilière – ✆ 04 92 90 59 05 – Fax 04 92 90 59 06 – *Fermé 15 déc.-15 janv.*   CX **a**
17 ch – †58/68 € ††66/82 €, ⌧ 6 €

◆ Cet hôtel situé à l'entrée de la zone piétonne abrite des chambres à la décoration sobre, bénéficiant d'une literie neuve et d'un mobilier fonctionnel.

Les Vieux Murs
25 promenade Amiral-de-Grasse – ✆ 04 93 34 06 73 – www.lesvieuxmurs.com – lesvieuxmurs@wanadoo.fr – Fax 04 93 34 81 08 – *Fermé 12 nov.-3 déc., mardi midi, lundi de mi-sept. à mi-avril*   DY **f**
Rest – Menu (31 €), 36 € (déj.), 41/65 € – Carte 62/83 €

◆ Un chaleureux décor aux tons orangés et une belle terrasse vous attendent dans cette maison située sur les remparts, face à la mer. Cuisine actuelle. Bar lounge (expositions).

Le Figuier de St-Esprit
14 r. St-Esprit – ✆ 04 93 34 50 12 – www.christianmorisset.fr – lefiguier@christianmorisset.fr – Fax 04 93 34 94 25 – *Fermé lundi midi, merc. midi et mardi*
Rest – Menu (38 € bc), 55/75 € – Carte 75/95 €   DX **a**

◆ Belle adresse près de la cathédrale et des remparts où le chef revisite à sa façon la cuisine provençale. Salle à manger lumineuse et moderne ; patio sous le figuier...

ANTIBES

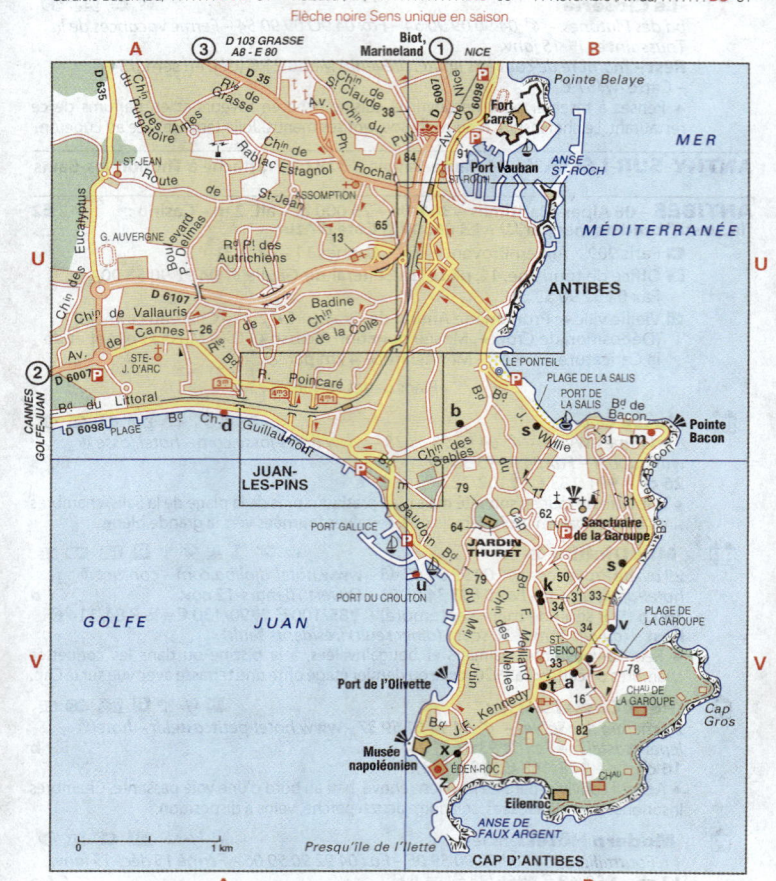

Châtaignier (Av. du)	**AU** 13
Contrebandiers (Ch. des)	**BV** 16
Ferrié (Av. Gén.)	**AU** 26
Gardiole-Bacon (Bd)	**BUV** 31
Garoupe (Bd de la)	**BV** 33
Garoupe (Ch. de la)	**BV** 34
Grec (Av. Jules)	**ABU** 38
Malespine (Av.)	**BV** 50
Phare (Rte du)	**BV** 62
Raymond (Ch.)	**BV** 64
Reibaud (Av.)	**AU** 65
Salis (Av. de la)	**BV** 77
Sella (Av. André)	**BV** 78
Tamisier (Ch. du)	**BV** 79
Tour-Gandolphe (Av. de la)	**BV** 82
Vautrin (Bd. du Gén.)	**BU** 84
11-Novembre (Av. du)	**BU** 91

Flèche noire Sens unique en saison

Oscar's
8 r. Rostan – ℰ 04 93 34 90 14 – www.oscars-antibes.com – Fax 04 93 34 90 14
– Fermé 1er-15 juin, 23 déc.-10 janv., dim. et lundi   DX s
Rest – (nombre de couverts limité, prévenir) Menu 29/56 € – Carte 70/90 €
♦ Laissez-vous surprendre par ce décor original de niches agrémentées de sculptures et paysages antiquisants. La goûteuse cuisine italo-provençale assure le succès de la maison.

Le Sucrier
6 r. des Bains – ℰ 04 93 34 85 40 – www.lesucrier.com – info@lesucrier.com
– Fermé 12-23 nov., 7-26 janv., mardi midi d'oct. à mai et lundi   DY a
Rest – Menu 20/39 € – Carte 40/65 €
♦ Cuisine italienne (pâtes fraîches, poissons, etc.) complétée d'une sélection de plats traditionnels. Côté décor : plusieurs salles coquettes, dont une voûtée, et une terrasse.

ANTIBES

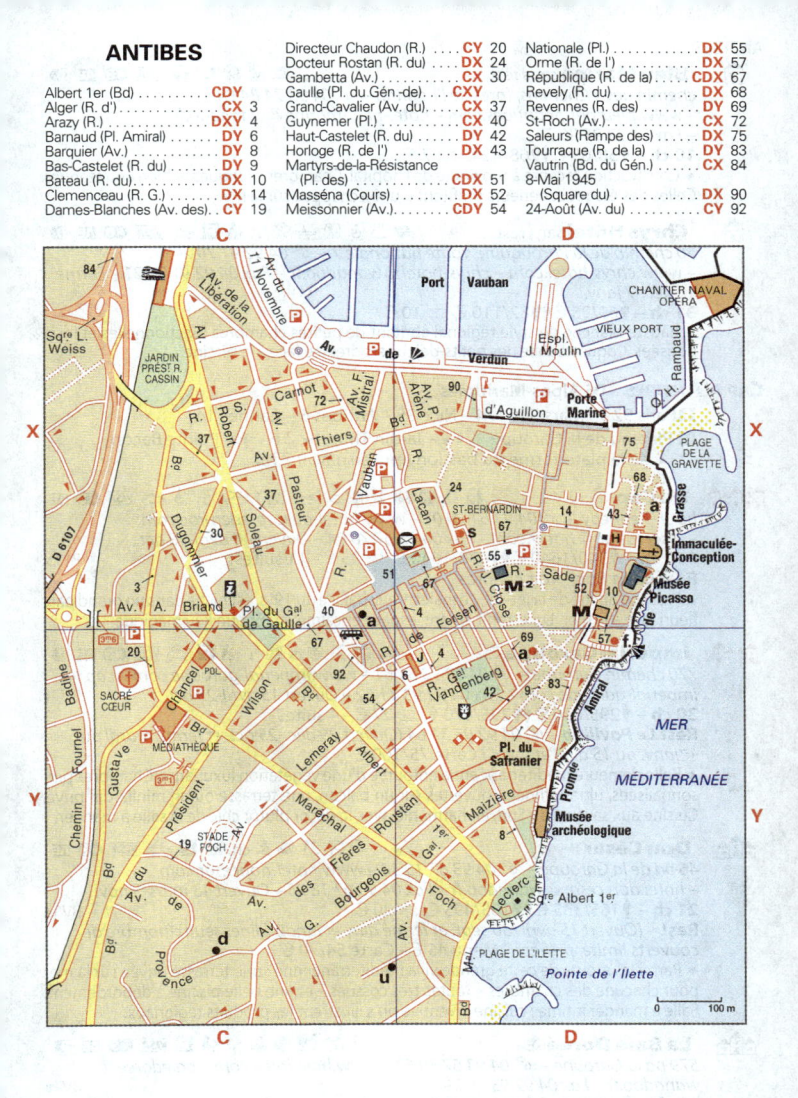

Albert 1er (Bd) .... **CDY**	Directeur Chaudon (R.) .... **CY** 20	Nationale (Pl.) .... **DX** 55
Alger (R. d') .... **CX** 3	Docteur Rostan (R. du) .... **DX** 24	Orme (R. de l') .... **DX** 57
Arazy (R.) .... **DXY** 4	Gambetta (Av.) .... **CX** 30	République (R. de la) ..... **CDX** 67
Barnaud (Pl. Amiral) .... **DY** 6	Gaulle (Pl. du Gén.-de)... **CXY**	Revely (R. du) .... **DX** 68
Barquier (Av.) .... **DY** 8	Grand-Cavalier (Av. du) .... **CX** 37	Revennes (R. des) .... **DY** 69
Bas-Castelet (R. du) .... **DY** 9	Guynemer (Pl.) .... **CX** 40	St-Roch (Av.) .... **CX** 72
Bateau (R. du) .... **DX** 10	Haut-Castelet (R. du) ...... **DY** 42	Saleurs (Rampe des) ...... **DX** 75
Clemenceau (R. G.) ...... **DX** 14	Horloge (R. de l') .... **DX** 43	Tourraque (R. de la) .... **DY** 83
Dames-Blanches (Av. des).. **CY** 19	Martyrs-de-la-Résistance (Pl. des) .... **CDX** 51	Vautrin (Bd. du Gén.) ..... **CX** 84 8-Mai 1945 (Square du) .... **DX** 90
	Masséna (Cours) .... **DX** 52	24-Août (Av. du) .... **CY** 92
	Meissonnier (Av.)......... **CDY** 54	

rte de Nice par ① et D 6007 – ⊠ 06600 Antibes

Baie des Anges-Thalazur
770 chemin Moyennes-Breguières,
(près de l'hôpital) – ℰ *04 92 91 82 00*
– www.thalazur.fr – antibes@thalazur.fr
– Fax 04 93 65 94 14 – Réouverture au printemps après travaux
164 ch – †69/299 € ††93/299 €, ⊇ 15 €
Rest – Carte 34/55 €

♦ L'hôtel et le centre de thalassothérapie sortent d'une rénovation complète. Grandes chambres bien équipées (certaines ont vue sur la baie) ; belles piscines panoramiques. Plats traditionnels ou diététiques servis dans la salle à manger-véranda au décor marin.

ANTIBES

Bleu Marine sans rest
chemin des 4 Chemins, (près de l'hôpital) – ℰ 04 93 74 84 84
– www.bleumarineantibes.com – hotel-bleu-marine@wanadoo.fr
– Fax 04 93 95 90 26
18 ch – †58/65 € ††68/82 €, ⊇ 7 €
♦ Construction récente à proximité de l'hôpital. Chambres pratiques et bien entretenues. Celles des étages supérieurs profitent d'une échappée sur la mer.

Chrys Hôtel sans rest
50 chemin de la Parouquine, route nationale 7 – ℰ 04 92 91 70 20
– www.chrys-hotel.com – chrys-hotel@wanadoo.fr – Fax 04 92 91 70 21 – Fermé 15 déc.-7 janv.
31 ch – †69/95 € ††82/110 €, ⊇ 10 €
♦ Bâtisse blanche de style régional abritant de petites chambres fonctionnelles et insonorisées. Coquette salle des petits-déjeuners dressée face à la piscine.

CAP D'ANTIBES – 06 Alpes-Maritimes
▶ Paris 922 – Marseille 174 – Nice 35 – Antibes 6 – Cannes 14
◉ Plateau de la Garoupe ✻✻✻ - Jardin Thuret✻ Z F - ≤✻ Pointe Bacon
- ≤✻ de la plate-forme du bastion (musée naval) Z M.

Du Cap
bd JF-Kennedy – ℰ 04 93 61 39 01 – www.hotel-du-cap-eden-roc.com
– reservation@hdcer.com – Fax 04 93 67 76 04 – Ouvert 10 avril-18 oct.
110 ch – †340/1640 € ††470/1640 €, ⊇ 35 € – 11 suites   BV x
Rest *Eden Roc* – voir ci-après
♦ Passage obligé de la jet-set, ce majestueux palace du 19ᵉ s. est niché dans un grand parc fleuri face à la mer. Luxe, raffinement, espace et calme en font un lieu magique.

Impérial Garoupe
770 chemin Garoupe – ℰ 04 92 93 31 61 – www.imperial-garoupe.com – cap@imperial-garoupe.com – Fax 04 92 93 31 62 – Ouvert 15 avril-25 oct.   BV r
30 ch – †295/670 € ††295/670 €, ⊇ 27 € – 4 suites
Rest *Le Pavillon* – ℰ 04 92 93 31 64 (Ouvert 29 déc.-25 oct. et fermé mardi du 1ᵉʳ janv. au 15 avril et merc.) Carte 75/100 €
♦ Belle demeure méditerranéenne entourée d'une végétation luxuriante. Chambres personnalisées, ultra-raffinées, ouvertes sur un balcon, une terrasse ou un minijardin privé. Cuisine aux saveurs du Sud, en harmonie avec le décor plutôt chic de la salle à manger.

Don César
46 bd de la Garoupe – ℰ 04 93 67 15 30 – www.hotel-doncesar.com
– hotel.don.cesar@wanadoo.fr – Fax 04 93 67 18 25 – Ouvert 13 mars-5 nov.
21 ch – †165/335 € ††165/495 €, ⊇ 20 €   BV s
Rest – (Ouvert 15 avril- 30 sept. et fermé dim. et lundi) (dîner seult) (nombre de couverts limité, prévenir) Menu 45 € – Carte 54/70 €
♦ Parmi les atouts de cette grande villa méditerranéenne : une terrasse privée sur la mer pour chacune des chambres – toutes très cossues – et une belle piscine à débordement. Salle à manger intime ; cuisine inventive où s'illustrent les produits régionaux.

La Baie Dorée
579 bd la Garoupe – ℰ 04 93 67 30 67 – www.baiedoree.com – baiedoree@wanadoo.fr – Fax 04 92 93 76 39   BV v
18 ch – †240/520 € ††240/520 €, ⊇ 20 €
Rest – (ouvert d'avril à sept.) Carte 60/90 €
♦ Cette lumineuse villa méridionale a les pieds dans l'eau. Les chambres, accueillantes et soignées, avec terrasse ou balcon, donnent toutes sur la baie. Ponton privé. Aux beaux jours, on dresse les tables du restaurant face à la mer (cuisine aux saveurs iodées).

Beau Site sans rest
141 bd Kennedy – ℰ 04 93 61 53 43 – www.hotelbeausite.net – hbeausit@club-internet.fr – Fax 04 93 67 78 16 – Ouvert 1ᵉʳ mars-5 nov.   BV t
27 ch – †70/135 € ††80/200 €, ⊇ 13 €
♦ Terrasse ombragée d'essences méditerranéennes, agréable piscine et charmantes chambres au mobilier peint dans le style régional du 18ᵉ s. : un lieu qui respire la Provence !

ANTIBES

La Garoupe et Gardiole sans rest
60 chemin Garoupe – ℰ 04 92 93 33 33 – www.hotel-lagaroupe-gardiole.com
– info@hotel-lagaroupe-gardiole.com – Fax 04 93 67 61 87
– Ouvert 27 mars-18 oct.
BV k
37 ch – †78/130 € ††98/175 €, ⊑ 12 €
♦ Piscine, jardin et belle terrasse-pergola participent au charme de ces jolies maisons décorées à la provençale. Chambres fraîches à la Garoupe et rustiques à la Gardiole.

Castel Garoupe sans rest
959 bd la Garoupe – ℰ 04 93 61 36 51 – www.castel-garoupe.com
– castel-garoupe@wanadoo.fr – Fax 04 93 67 74 88 – Ouvert de mars à oct.
25 ch – †96/145 € ††128/169 €, ⊑ 10 € – 3 suites
BV a
♦ Intérieur mêlant mobilier ancien, objets chinés et décoration actuelle. Chambres confortables avec balcons. Piscine protégée par un jardin luxuriant et tennis refait.

Eden Roc – Hôtel du Cap
bd JF-Kennedy – ℰ 04 93 61 39 01 – www.hotel-du-cap-eden-roc.com
– reservation@hdcer.com – Fax 04 93 67 76 04 – Ouvert 10 avril-18 oct.
Rest – Carte 106/296 €
BV z
♦ Superbe villa isolée sur un roc en bordure de mer : difficile de trouver meilleure situation pour goûter au luxe d'un lieu mythique où s'attabler sur la terrasse est un "must".

Bacon
bd Bacon – ℰ 04 93 61 50 02 – www.restaurantdebacon.com – contact@restaurantdebacon.com – Fax 04 93 61 65 19 – Ouvert 1er mars-31 oct. et fermé mardi midi et lundi
BU m
Rest – Menu 49 € (déj. en sem.)/79 € – Carte 80/230 €
Spéc. Délices de loup truffé. Bouillabaisse. Millefeuille tiède. **Vins** Bellet, Côtes de Provence.
♦ Belle histoire que celle de cette "guinguette" familiale (1948) devenue une référence en matière de cuisine de la mer. Côté décor, élégance discrète et flots bleus à l'infini.

Les Pêcheurs
10 bd Mar. Juin – ℰ 04 92 93 71 55 – www.lespecheurs-lecap.com
– information@lespecheurs-lecap.com – Fax 04 92 93 15 04
– Ouvert 1er mai-1er nov.
BV u
Rest – (dîner seult) Menu 80/105 € – Carte 75/137 €
Rest *La Plage* – ℰ 04 92 93 13 30 (ouvert d'avril à sept. et fermé le soir sauf en juil.-août) Carte 41/70 €
Spéc. Risotto moelleux de langoustine en parfum de crustacés. Poissons de Méditerranée cuits au plat. Intemporel feuillet des bois, fraîcheur passion et crème légère. **Vins** Les Baux-de-Provence, Côtes de Provence.
♦ Joli décor contemporain, ravissante terrasse panoramique et subtile cuisine aux saveurs marines en ce restaurant superbement ancré au bord des flots. Côté Plage, on propose une carte plus simple servie sous les pins maritimes.

ANTONY – 92 Hauts-de-Seine – **311** J3 – **101** 25 – **Voir à Paris, Environs**

ANTRAIGUES-SUR-VOLANE – 07 Ardèche – **331** I5 – 581 h. **44 A3**
– alt. 470 m – ✉ 07530 ▮ Lyon et la vallée du Rhône

◨ Paris 637 – Aubenas 15 – Lamastre 58 – Langogne 67 – Privas 42
– Le Puy-en-Velay 75

◨ Syndicat d'initiative, le village ℰ 04 75 88 23 06, Fax 04 75 88 23 06

La Remise
au pont de l'Huile – ℰ 04 75 38 70 74 – Fermé 23 juin-3 juil., 7-15 sept., 14 déc.-5 janv., dim. soir, jeudi soir et vend. sauf juil.-août
Rest – (prévenir) Menu 22/35 €
♦ Ici, le patron propose oralement ses recettes du terroir choisies en fonction du marché. "Bonne franquette" et nappes à carreaux dans une vieille grange ardéchoise.

ANZIN-ST-AUBIN – 62 Pas-de-Calais – **301** J6 – **rattaché à Arras**

AOSTE – 38 Isère – 333 G4 – 1 914 h. – alt. 221 m – ⌧ 38490　　45 C2
Alpes du Nord

> Paris 512 – Belley 25 – Chambéry 37 – Grenoble 55 – Lyon 71

à la Gare de l'Est 2 km au Nord-Est sur D 1516 – ⌧ 38490 Aoste

XXX　Au Coq en Velours avec ch
1800 rte de St-Genix – ℘ *04 76 31 60 04* – *www.au-coq-en-velours.com*
– *contact@au-coq-en-velours.com* – *Fax 04 76 31 77 55* – *Fermé 19-28 août,
31 déc.-29 janv., jeudi soir (sauf hôtel), dim. soir et lundi*
7 ch – †68/76 € ††68/76 €, ⌧ 10 €　**Rest** – Menu 29/59 € – Carte 35/55 €

♦ Décor actuel sur le thème du coq, jardin-terrasse fleuri, alléchante carte mi-bressane, mi-dauphinoise : une bonne auberge de village, tenue par la même famille depuis 1900. Chambres spacieuses, bien au calme face au jardin.

APPOIGNY – 89 Yonne – 319 E4 – rattaché à Auxerre

APREMONT – 73 Savoie – 333 I4 – 934 h. – alt. 330 m – ⌧ 73190　　46 F2

> Paris 569 – Grenoble 50 – Albertville 48 – Chambéry 9
> – St-Jean-de-Maurienne 71

▣ du Granier Apremont Chemin de Fontaine Rouge, N : 1 km par D 201, ℘ 04 79 28 21 26

◉ Col de Granier : ≤★★ des terrasses du chalet-hôtel, SO : 14 km,
Alpes du Nord

XX　Auberge St-Vincent
– ℘ *04 79 28 21 85* – *gvandenbussches@yahoo.fr* – *Fax 04 79 71 62 06*
– *Fermé dim. soir, mardi et merc.*
Rest – Menu 16 € (déj. en sem.)/30 € – Carte environ 45 €

♦ Au cœur de ce village célèbre pour son vin, charmante auberge fréquentée par une clientèle locale. Plats traditionnels dans un décor rustique ou en terrasse. Pensez à réserver.

> Rouge = agréable. Repérez les symboles X et 🏠 passés en rouge.

APT – 84 Vaucluse – 332 F10 – 11 300 h. – alt. 250 m – ⌧ 84400　　42 E1
Provence

> Paris 728 – Aix-en-Provence 56 – Avignon 54 – Digne-les-Bains 91

▣ Office de tourisme, 20, avenue Ph. de Girard ℘ 04 90 74 03 18,
Fax 04 90 04 64 30

Plan page ci-contre

⌂　Le Couvent sans rest
36 r. Louis-Rousset – ℘ *04 90 04 55 36* – *www.loucouvent.com* – *loucouvent@wanadoo.fr* – *Fax 08 71 33 50 81*
5 ch ⌧ – †85/95 € ††95/140 €　　　　　　　　　　　　　　　B d

♦ Dans les murs de cet ancien couvent (17ᵉ s.), vous oublierez que vous êtes en plein centre-ville. Chambres de charme ouvrant sur le jardin. Petit-déjeuner sous les voûtes du réfectoire.

à Saignon 4 km au Sud-Est par D 48 – 1 005 h. – alt. 450 m – ⌧ 84400

🏠　*Auberge du Presbytère* ♨
pl. de la fontaine – ℘ *04 90 74 11 50* – *www.auberge-presbytere.com*
– *auberge.presbytere@wanadoo.fr* – *Fax 04 90 04 68 51* – *Fermé mi-janv. à fin-fév.*
16 ch – †50/100 € ††50/200 €, ⌧ 11 €
Rest – *(fermé merc.) (prévenir)* Menu 29/39 €

♦ Mobilier ancien, tomettes, poutres apparentes et cheminée préservent l'âme de cette délicieuse maison. Chambres coquettes, dont deux avec terrasse offrant une vue unique. Jolie salle à manger-véranda, patio et terrasse dressée le midi sur la place du village.

APT

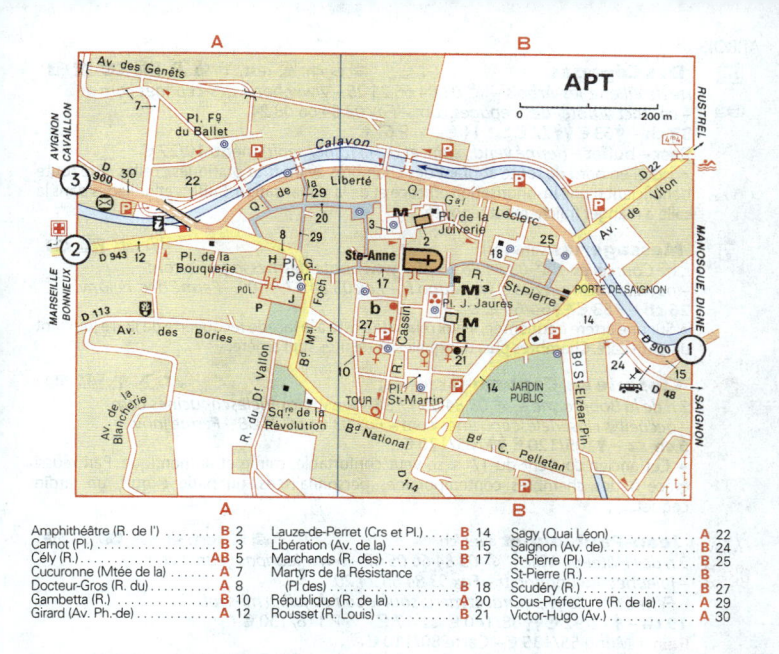

Amphithéâtre (R. de l') .... **B** 2	Lauze-de-Perret (Crs et Pl.) .... **B** 14	Sagy (Quai Léon) .... **A** 22
Carnot (Pl.) .... **B** 3	Libération (Av. de la) .... **B** 15	Saignon (Av. de) .... **B** 24
Cély (R.) .... **AB** 5	Marchands (R. des) .... **B** 17	St-Pierre (Pl.) .... **B** 25
Cucuronne (Mtée de la) .... **A** 7	Martyrs de la Résistance	St-Pierre (R.) .... **B**
Docteur-Gros (R. du) .... **A** 8	(Pl des) .... **B** 18	Scudéry (R.) .... **B** 27
Gambetta (R.) .... **B** 10	République (R. de la) .... **A** 20	Sous-Préfecture (R. de la) .... **A** 29
Girard (Av. Ph.-de) .... **A** 12	Rousset (R. Louis) .... **B** 21	Victor-Hugo (Av.) .... **A** 30

⌂ **Chambre de Séjour avec Vue** sans rest
r. de la Burgade – ℰ 04 90 04 85 01 – www.chambreavecvue.com – info@chambreavecvue.com – Fax 04 90 04 85 01 – Ouvert mars à nov.
5 ch ⌸ – †80 € ††80/100 €

◆ Maison d'hôtes, mais aussi lieu d'échange culturel et résidence d'artistes. Œuvres contemporaines partout et chambres minimalistes décorées avec la précision d'un collectionneur.

ARAGON – 11 Aude – **344** E3 – rattaché à Carcassonne

ARBIGNY – 01 Ain – **328** C2 – 349 h. – alt. 280 m – ✉ 01190   44 **B1**

▶ Paris 381 – Lyon 99 – Bourg-en-Bresse 61 – Chalon-sur-Saône 42 – Mâcon 28

🏠 **Moulin de la Brevette** sans rest
rte de Cuisery – ℰ 03 85 36 49 27 – www.moulindelabrevette.com – contact@moulindelabrevette.com – Fax 03 85 30 66 91 – Fermé une sem. en fév. et vacances de la Toussaint
17 ch – †48 € ††52 €, ⌸ 8 €

◆ Au calme dans la verdure, ce moulin du 18e s. en bord de rivière propose des chambres simples et fraîches. Petit-déjeuner dans une salle à manger champêtre ou dans la cour.

ARBOIS – 39 Jura – **321** E5 – 3 509 h. – alt. 350 m – ✉ 39600   16 **B2**
▮ Franche-Comté Jura

▶ Paris 407 – Besançon 46 – Dole 34 – Lons-le-Saunier 40 – Salins-les-Bains 13
▮ Office de tourisme, 10, rue de l'Hôtel de Ville ℰ 03 84 66 55 50, Fax 03 84 66 25 50

◉ Maison paternelle de Pasteur★ - Reculée des Planches★★ et grottes des Planches★ E : 4,5 km par D 107 - Cirque du Fer à Cheval★ S : 7 km par D 469 puis 15 mn - Église Saint-Just★.

ARBOIS

Des Cépages
rte de Villette-les-Arbois – ℰ 03 84 66 25 25 – www.hotel-des-cepages.com
– contact@hotel-des-cepages.com – Fax 03 84 66 08 24
33 ch – †63 € ††72 €, ⊇ 11 € – ½ P 62 €
Rest – buffet – *(fermé vend., sam. et dim.) (dîner seult)* Menu 19/27 €

♦ Hôtel en bord de route abritant des chambres avant tout pratiques ; celles côté route bénéficient d'une insonorisation efficace et de la climatisation. Buffets et grillades dans la salle à manger fraîchement rénovée.

Messageries sans rest
r. de Courcelles – ℰ 03 84 66 15 45 – www.hoteldesmessageries.com
– hotel.lesmessageries@wanadoo.fr – Fax 03 84 37 41 09 – Fermé déc. et janv.
26 ch – †53 € ††64/69 €, ⊇ 9 €

♦ Sur une artère fréquentée, vieux relais de poste à la façade recouverte de lierre jouxtant un petit café. Chambres plus tranquilles et refaites sur l'arrière.

Closerie les Capucines sans rest
7 r. de la Bourgogne – ℰ 03 84 66 17 38 – www.closerielescapucines.com
– accueil@closerielescapucines.com – Fax 03 84 66 21 58 – Fermé janv.
5 ch ⊇ – †105/120 € ††105/120 €

♦ Cet ancien couvent du 17e s. se veut confortable, calme et authentique. Pari réussi grâce à des chambres contemporaines personnalisées, un patio exquis, un jardin coquet...

Jean-Paul Jeunet avec ch
9 r. de l'Hôtel-de-Ville – ℰ 03 84 66 05 67 – www.jeanpauljeunet.com
– jpjeunet@wanadoo.fr – Fax 03 84 66 24 20
– Fermé déc., janv., mardi et merc. sauf le soir de juil. à mi-sept.
19 ch – †72/92 € ††88/140 €, ⊇ 17 € – ½ P 118/130 €
Rest – Menu 55/135 € – Carte 80/110 € 𝔅

Spéc. Truffes et pomme de terre ratte. Poularde de Bresse aux morilles. Macaron aux noix (automne). **Vins** Arbois, Château-Chalon.

♦ Élégante salle rustique, terrasse ombragée, cuisine du terroir saupoudrée d'inventivité et superbe carte des vins : la recette gagnante de cette halte gourmande.

Le Prieuré
– Fermé déc., janv., mardi et merc. de mi-sept. à juin
7 ch – †72/88 € ††88/130 €

♦ À 200 m de la maison mère, dans une demeure du 17e s. dotée d'un agréable jardin fleuri, chambres au confort bourgeois et mobilier de style.

La Balance Mets et Vins
47 r. de Courcelles – ℰ 03 84 37 45 00 – www.labalance.fr – contact@labalance.fr
– Fax 03 84 66 14 55 – Fermé 22-29 juin, 22 déc.-5 mars, mardi soir de sept. à juin et merc.
Rest – Menu (19 € bc), 23/55 € – Carte 37/49 € 𝔅

♦ Le chef de ce restaurant, passionné de vins, concocte ses plats en s'inspirant d'un cépage du Jura. Décor intérieur épuré, agréable terrasse et beau choix de crus régionaux.

Le Caveau d'Arbois
3 rte de Besançon – ℰ 03 84 66 10 70 – www.caveau-arbois.com – contact@caveau-arbois.com – Fax 03 84 37 49 62
Rest – Menu (14 € bc), 19/35 € – Carte 30/49 €

♦ À l'orée d'Arbois, maison de pays où les saveurs du terroir jurassien se révèlent dans un nouveau décor chaleureux et moderne. Un lustre conique original éclaire chaque table.

ARBONNE – 64 Pyrénées-Atlantiques – **342** C4 – rattaché à Biarritz

> Comment choisir entre deux adresses équivalentes ?
> Dans chaque catégorie, les établissements sont classés
> par ordre de préférence : nos coups de cœur d'abord.

L'ARBRESLE – 69 Rhône – 327 G4 – 6 020 h. – alt. 230 m – ⊠ 69210 43 **E1**

- Paris 453 – Lyon 28 – Mâcon 68 – Roanne 58 – Villefranche-sur-Saône 23
- Office de tourisme, 18, place Sapéon ℘ 04 74 01 48 87

Capucin
27 r. P.-Brossolette – ℘ 04 37 58 02 47 – restaucap@msn.com – Fermé 4-27 août, 22 déc.-2 janv., dim. et lundi
Rest – Menu 14 € bc (déj. en sem.), 19/31 € – Carte 28/42 €

◆ Cette maison du 17e s. borde une rue piétonne où l'on dresse quelques tables en été. Pierres apparentes et chaises rustiques dans la salle où l'on sert une cuisine traditionnelle.

ARCACHON – 33 Gironde – 335 D7 – 12 200 h. – alt. 5 m – Casino BZ 3 **B2**
– ⊠ 33120 ▌Aquitaine

- Paris 650 – Agen 196 – Bayonne 181 – Bordeaux 67 – Dax 145 – Royan 192
- Office de tourisme, esplanade Georges Pompidou ℘ 05 57 52 97 97, Fax 05 57 52 97 77
- d'Arcachon à La Teste-de-Buch 35 boulevard d'Arcachon, ℘ 05 56 54 44 00
- Front de mer★ : ≤★ de la jetée - Boulevard de la Mer★ - La Ville d'Hiver★ - Musée de la maquette marine : port★ BZ **M**.

Plan page suivante

Park Inn sans rest
4 r. Prof.-Jolyet – ℘ 05 56 83 99 91 – www.parkinn.fr – info.arcachon@rezidorparkinn.com – Fax 05 56 83 87 92 – Fermé 14-29 déc. BZ **r**
57 ch – †91/197 € ††101/208 €, ⊇ 15 €

◆ Face à la mer, hôtel contemporain au confort moderne. Chambres en majorité refaites ; certaines ont un balcon donnant sur le bassin d'Arcachon. Salles de conférence.

Point France sans rest
1 r. Grenier – ℘ 05 56 83 46 74 – www.hotel-point-france.com – hotel-point-france@hotel-point-france.com – Fax 05 56 22 53 24 – Ouvert de mars à début nov. BZ **q**
34 ch – †88/116 € ††98/188 €, ⊇ 13 €

◆ Plaisant hôtel des années 1970 dont les chambres, refaites, sont décorées selon des styles différents, allant du moderne au plus ethnique. Certaines ont une terrasse côté mer.

Les Vagues
9 bd de l'Océan – ℘ 05 56 83 03 75 – www.lesvagues.fr – info@lesvagues.fr – Fax 05 56 83 77 16 AZ **b**
33 ch – †73/189 € ††73/189 €, ⊇ 13 € – ½ P 89/143 €
Rest – *(ouvert 10 avril-fin oct.)* Menu 30/37 € – Carte 27/51 €

◆ Posé au bord de l'eau, cet établissement offre un accès direct à la plage ! Chambres pimpantes et bien équipées, agrandies d'un bow-window au dernier étage. Vue panoramique depuis l'agréable salle à manger au décor marin. Produits de l'océan et plats traditionnels.

Les Mimosas sans rest
77bis av. de la République – ℘ 05 56 83 45 86 – www.mimosas-hotel.com – contact.hotel@wanadoo.fr – Fax 05 56 22 53 40 – Ouvert 15 fév.-15 nov. BZ **f**
21 ch – †45/60 € ††50/85 €, ⊇ 6,50 €

◆ Dans un quartier résidentiel calme, deux maisons régionales proposant de modestes chambres rustiques, mais bien tenues. Les "plus" : une agréable terrasse d'été et des prix sages.

Le Patio
10 bd de la Plage – ℘ 05 56 83 02 72 – www.lepatio-thierryrenou.com – lepatio.sarl@wanadoo.fr – Fax 05 56 54 89 98 – Fermé 19-31 oct., 16-28 fév., dim. soir et merc. BX **t**
Rest – Menu (37 € bc), 53/70 € – Carte 56/70 €

◆ Ce restaurant affiche un nouveau décor contemporain dans les tons vert anis, chocolat et taupe. Salle ouverte sur un patio-terrasse pour savourer une cuisine axée sur l'océan.

ARCACHON

Abatilles (Av. des)	**AX** 2
Balde (Allée Jean)	**AX** 6
Bellevue (Av. de)	**AY** 9
Chapelle (Allée de la)	**AZ** 16
Expert (R. Roger)	**AZ** 21
Figuier (Rd-Pt du)	**AY** 23
Gambetta (Av.)	**BZ**
Gaulle (Av. Gén.-de)	**BZ** 25
Héricart-de-Thury (Crs)	**BZ** 31
Lamarque-de-Plaisance (Cours)	**ABZ**
Lamartine (AV. de)	**BZ** 35
Lattre-de-Tassigny (R. Mar.- de)	**AZ** 38
Legallais (R. François)	**AZ** 39
Lyautey (Av. Mar.)	**AXY** 41
Michelet (R. Jules)	**BX** 51
Molière (R.)	**BZ** 53
Parc Péreire (Av. du)	**AX** 59
Plage (Bd de la)	**ABZ**
Pompidou (Espl. G.)	**BZ** 64
Prés. Roosevelt (Pl.)	**BZ** 65
St-François-Xavier (Av.)	**AY** 67
Thiers (Pl.)	**BZ** 71

※※ **Aux Mille Saveurs** A/C VISA ◎⊙

25 bd Gén.-Leclerc – ℰ *05 56 83 40 28 – www.auxmillesaveurs.com*
– auxmillesaveurs@wanadoo.fr – Fax 05 56 83 12 14
– Fermé 26 oct.-6 nov., 15-24 fév., dim. soir sauf juil.-août, mardi soir sauf août et merc.   **BZ e**
Rest – Menu 20 € (déj. en sem.), 30/48 € – Carte 42/63 €

♦ Mille saveurs vous attendent dans l'assiette, flirtant avec l'air du temps et subtilement relevée d'épices. Grande salle à manger entièrement redécorée et agrandie d'une véranda.

ARCACHON

Chez Yvette
59 bd Gén.-Leclerc – ℘ 05 56 83 05 11 – restaurant.yvette@orange.fr
– Fax 05 56 22 51 62

BZ **b**

Rest – Menu 21 € – Carte 35/73 €

♦ Une vraie institution locale, gérée par une famille d'ostréiculteurs depuis plus de 30 ans et réputée pour ses produits de la mer. Le cadre est nautique, et l'ambiance animée.

aux Abatilles 2 km au Sud-Ouest – ⊠ 33120 Arcachon

Novotel
av. du Parc – ℘ 05 57 72 06 72 – www.novotel.com – h3382@accor.com
– Fax 05 57 72 06 82 – Fermé 4-17 janv.

AX **b**

94 ch – †118/185 € ††149/185 €, ⊡ 15 €

Rest *Côté d'Arguin* – Menu (19 € bc), 29/40 € bc – Carte 42/104 €

♦ Dans une pinède à 100 m de la plage, Novotel récent associé à un centre de thalasso-thérapie. Les chambres sont modernes et confortables. Solarium. Attrayante carte aux saveurs iodées, menus minceur et bon choix de bordeaux au Côté d'Arguin.

Parc sans rest
5 av. du Parc – ℘ 05 56 83 10 58 – www.hotelduparc-arcachon.com – b.dronne@wanadoo.fr – Fax 05 56 54 05 30 – Ouvert 1er mai-30 sept.

AX **s**

30 ch ⊡ – †70/90 € ††78/109 €

♦ Au calme, entouré de pins, cet hôtel familial, tenu par la deuxième génération, a subi une vraie cure de jouvence. Grandes chambres confortables dotées de balcons.

au Moulleau 5 km au Sud-Ouest – ⊠ 33120 Arcachon

Yatt sans rest
253 bd Côte-d'Argent – ℘ 05 57 72 03 72 – www.yatt-hotel.com. – information@yatt-hotel.com – Fax 05 56 22 51 34 – Ouvert d'avril à oct.

AY **h**

28 ch – †48/75 € ††48/75 €, ⊡ 8 €

♦ Derrière une façade d'un blanc éclatant, vous trouverez des chambres simples et bien tenues, un peu moins grandes au 1er étage. Petit-déjeuner sous forme de buffet. Terrasse.

Les Buissonnets sans rest
12 r. L.-Garros – ℘ 05 56 54 00 83 – http://hotelbuissonnets.monsite.wanadoo.fr
– hotellesbuissonnets@wanadoo.fr – Fax 05 56 22 55 13
– Fermé oct. et janv.

AY **f**

13 ch – †100 € ††100 €, ⊡ 9 €

♦ Jolie villa (1895) tapissée de vigne vierge. La plupart des chambres, pratiques et discrètement personnalisées, donnent sur le jardin fleuri. Boutique de produits régionaux.

ARCANGUES – 64 Pyrénées-Atlantiques – **342** C4 – rattaché à Biarritz

---

ARC-EN-BARROIS – 52 Haute-Marne – **313** K6 – 773 h. – alt. 270 m

14 **C3**

– ⊠ 52210 ▌Champagne Ardenne

🅿 Paris 263 – Bar-sur-Aube 55 – Châtillon-sur-Seine 44 – Chaumont 24
– Langres 30

🛈 Office de tourisme, place Moreau ℘ 03 25 02 52 17, Fax 03 25 02 52 17

🏌 d'Arc-en-Barrois Club House, S : 1 km par D 6, ℘ 03 25 01 54 54

Du Parc
1 pl. Moreau – ℘ 03 25 02 53 07 – www.relais-sud-champagne.com – parc.arc@orange.fr – Fax 03 25 02 42 84 – Fermé 28 fév.-15 avril, dim. soir et lundi du 16 avril au 15 juin, mardi soir et merc. du 1er sept. au 28 fév.

16 ch – †59 € ††65 €, ⊡ 8 € – ½ P 62 €

Rest – Menu (15 €), 19/42 € – Carte 21/52 €

♦ Cet ancien relais de poste, qui daterait en partie du 17e s., abrite de petites chambres rénovées aux couleurs chaleureuses. Cuisine classique servie dans une salle à manger dotée de parquet et de mobilier de style ; brasserie au décor contemporain.

ARCHAMPS – 74 Haute-Savoie – **328** J4 – rattaché à St-Julien-en-Genevois

---

ARCHINGEAY – 17 Charente-Maritime – **324** F4 – 597 h. – alt. 22 m — 38 **B2**
– ⌂ 17380

▸ Paris 462 – La Rochelle 55 – Niort 64 – Poitiers 128

Les Hortensias ⌂
16 r. des Sablières, – ✆ 05 46 97 85 70 – www.chambres-hotes-hortensias.com – jpmt.jacques@wanadoo.fr – Fax 05 46 97 61 89 – Fermé 22 déc.-15 janv.
3 ch ⌂ – ♦53 € ♦♦56/62 € **Table d'hôte** – Menu 24 € bc
♦ Cette ancienne ferme viticole respire la tranquillité. Les chambres et la suite abritent de beaux meubles charentais en merisier. Vous prendrez votre copieux petit-déjeuner tout en admirant le jardin fleuri, le potager et le petit verger. Cuisine familiale.

ARCINS – 33 Gironde – **335** G4 – rattaché à Margaux

ARCIZANS-AVANT – 65 Hautes-Pyrénées – **342** L7 – rattaché à Argelès-Gazost

---

LES ARCS – 73 Savoie – **333** N4 – Sports d'hiver : 1 600/3 226 m ≰ 7 — 45 **D2**
≰ 54 ⚘ – ⌂ 73700 Bourg St Maurice ▌ Alpes du Nord

▸ Paris 644 – Albertville 64 – Bourg-St-Maurice 11 – Chambéry 113 – Val-d'Isère 41

▯ Office de tourisme, 105, place de la Gare ✆ 04 79 07 12 57, Fax 04 79 07 24 90

◉ Arc 1800 ✴ ★ - Arc 1600 ≤ ★ - Arc 2000 ≤ ★ - Télécabine le Transac ✴ ★ ★ - Télésiège de la Cachette ★.

Grand Hôtel Paradiso ⌂
Les Arcs 1800, (village Charmettoger)
– ✆ 04 79 07 65 00 – www.grand-hotel-lesarcs.com – reservation@grandhotelparadiso.com – Fax 04 79 07 64 08 – Ouvert juil.-août et 23 déc.-18 avril
81 ch ⌂ – ♦215/255 € ♦♦330/380 € – 6 suites – ½ P 145/190 €
Rest – Menu 30 € (dîner) – Carte 30/50 €
♦ Décor savoyard et confort moderne sont en parfaite harmonie dans ce chalet situé au pied des pistes. Quelques chambres ont vue sur le Mont-Blanc. Piscine-solarium. Au restaurant, plats de brasserie et farniente sur la terrasse panoramique, face à la vallée.

LES ARCS – 83 Var – **340** N5 – 6 217 h. – alt. 80 m – ⌂ 83460 — 41 **C3**
▌ Côte d'Azur

▸ Paris 848 – Cannes 59 – Draguignan 11 – Fréjus 25 – St-Raphaël 29
◉ Polyptyque ★ dans l'église - Chapelle Ste-Roseline ★ NE : 4 km.

XXX Le Relais des Moines
1,5 km à l'Est par rte Ste-Roseline – ✆ 04 94 47 40 93
– www.lerelaisdesmoines.com – contact@lerelaisdesmoines.com
– Fax 04 94 47 40 93 – Fermé 22 nov.-15 déc., dim. soir de sept. à juin et lundi
Rest – Menu (28 € bc), 36/70 € – Carte 60/80 €
♦ Cette bergerie à flanc de colline abritait jadis des moines. Cadre rustique rehaussé d'arcades en pierre du 16ᵉ s. et terrasse ombragée pour apprécier des plats contemporains.

XX Logis du Guetteur avec ch ⌂
au village médiéval – ✆ 04 94 99 51 10 – www.logisduguetteur.com – contact@logisduguetteur.com – Fax 04 94 99 51 29 – Fermé 15 fév.-16 mars
13 ch – ♦90/150 € ♦♦90/230 €, ⌂ 17 €
Rest – Menu (29 €), 44/95 € – Carte 55/80 €
♦ Découvrez le charme pittoresque d'une demeure médiévale (11ᵉ s.) avec son donjon. Salles à manger logées sous les voûtes séculaires, terrasse panoramique et cuisine actuelle. Chambres de style rustique bourgeois au cœur de cette bâtisse de caractère.

ARC-SUR-TILLE – 21 Côte-d'Or – 320 L5 – 2 450 h. – alt. 219 m – ✉ 21560
8 **D1**

▸ Paris 323 – Avallon 119 – Besançon 97 – Dijon 13 – Langres 73

Auberge Les Marronniers
16 r. de Dijon – ℰ *03 80 37 09 62 – les.marronniers.arc@wanadoo.fr – Fax 03 80 37 24 94*
18 ch – ♦60 € ♦♦85 €, ⊆ 9 €   **Rest** – Menu 23 € (sem.)/66 €
◆ Chambres spacieuses et simples dotées de salles de bains bien conçues. Au restaurant, décor champêtre, vivier à crustacés et carte orientée poissons ; jolie terrasse dressée l'été sous les marronniers centenaires.

ARDENAIS – 18 Cher – 323 K7 – 195 h. – alt. 233 m – ✉ 18170
12 **C3**

▸ Paris 299 – Orléans 173 – Bourges 66 – Montluçon 46 – Issoudun 51

Domaine de Vilotte
4 km au Sud par D 38 – ℰ *02 48 96 04 96 – www.domainedevilotte.com – tour.dev@wanadoo.fr – Fax 02 48 96 04 96 – Ouvert d'avril à oct.*
5 ch ⊆ – ♦80 € ♦♦90 €   **Table d'hôte** – Menu 25 € bc
◆ Découvrez le charme bucolique de ce domaine familial entouré d'un superbe parc avec étang, au milieu de la campagne. Bel intérieur de style Empire patiné par le temps. Table d'hôte installée dans une cuisine d'antan (casseroles en cuivre, poutres). Plats du terroir.

ARDENTES – 36 Indre – 323 H6 – 3 616 h. – alt. 172 m – ✉ 36120
12 **C3**
▮ Limousin Berry

▸ Paris 275 – Argenton-sur-Creuse 43 – Bourges 66 – Châteauroux 14 – La Châtre 23

La Gare
2 r. de la Gare – ℰ *02 54 36 20 24 – Fax 02 54 36 92 07 – Fermé 21 juil.-12 août, dim. soir, merc. soir, lundi et soirs fériés*
Rest – Menu 23 € (sem.)/31 €
◆ Dans un quartier calme proche de l'ancienne gare, façade assez anodine abritant une salle de restaurant rustique et soignée, coiffée de poutres apparentes. Cuisine traditionnelle copieuse.

ARDRES – 62 Pas-de-Calais – 301 E2 – 4 171 h. – alt. 11 m – ✉ 62610
30 **A1**
▮ Nord Pas-de-Calais Picardie

▸ Paris 273 – Calais 18 – Arras 93 – Boulogne-sur-Mer 38 – Lille 90
🛈 Office de tourisme, place d'Armes ℰ 03 21 35 28 51, Fax 03 21 35 28 51

Le François 1er
pl. des Armes – ℰ *03 21 85 94 00 – www.lefrancois1er.com – lewandowski@lefrancois1er.com – Fax 03 21 85 87 53 – Fermé 1er-13 sept., 31 déc.-12 janv., dim. soir, merc. soir et lundi*
Rest – Menu 29/49 € – Carte 51/70 €
◆ Belle demeure sur la pittoresque Grand'Place. La blancheur des murs met en valeur le parquet et les belles poutres de la salle à manger, sobrement élégante. Cuisine actuelle.

ARÊCHES – 73 Savoie – 333 M3 – alt. 1 080 m – Sports d'hiver : 1 050/2 300 m ⚡15 ⚡ – ✉ 73270 Beaufort sur Doron ▮ Alpes du Nord
45 **D1**

▸ Paris 606 – Albertville 26 – Chambéry 77 – Megève 42
🛈 Office de tourisme, route Grand Mont ℰ 04 79 38 37 57, Fax 04 79 38 16 70
◉ Hameau de Boudin ★ E : 2 km.

Auberge du Poncellamont
– ℰ *04 79 38 10 23 – http://jean.peretto.free.fr – jean.peretto@free.fr – Fax 04 79 38 13 98 – Ouvert 15 juin-15 sept. et 20 déc.-15 avril et fermé dim. soir, lundi midi et merc. hors saison*
14 ch – ♦55/60 € ♦♦70/80 €, ⊆ 10 € – ½ P 60/65 €
Rest – Menu (16 €), 23/41 € – Carte 30/40 €
◆ Dans le village, chalet savoyard (entièrement non-fumeurs) abondamment fleuri en été. Chambres simples et pratiques ; certaines sont mansardées, d'autres pourvues de balcons. Agréable salle à manger campagnarde et terrasse bercée par le murmure d'une fontaine.

ARÈS – 33 Gironde – **335** E6 – 5 335 h. – alt. 6 m – ✉ 33740   3 **B1**
Pays Basque

- Paris 627 – Arcachon 47 – Bordeaux 48
- Office de tourisme, esplanade G. Dartiguelongue ℰ 05 56 60 91 85, Fax 05 56 60 39 41
- des Aiguilles Vertes à Lanton Route de Bordeaux, SE : 12 km, ℰ 05 56 82 95 71

XX St-Éloi avec ch
11 bd Aérium – ℰ *05 56 60 20 46 – www.le-saint-eloi.com – nlatour2@wanadoo.fr – Fax 05 56 60 39 41 – Fermé 5 janv.-10 fév., merc. soir, dim. soir et lundi du 15 sept. au 15 juin*
8 ch – †55/65 € ††60/85 €, ⟂ 8 € – ½ P 45/55 €
Rest – Menu (18 €), 32 € (sem.)/58 €
♦ Agréable salle à manger contemporaine, terrasse, cuisine traditionnelle et chambres ethniques vous attendent en cette maison balnéaire blanche proche du bassin d'Arcachon.

ARGELÈS-GAZOST – 65 Hautes-Pyrénées – **342** L6 – 3 255 h.   28 **A3**
– alt. 462 m – Stat. therm. : mi avril-fin oct. – Casino Y – ✉ 65400
Midi-Pyrénées

- Paris 863 – Lourdes 13 – Pau 58 – Tarbes 32
- Office de tourisme, 15, place République ℰ 05 62 97 00 25, Fax 05 62 97 50 60

Plan page ci-contre

🏨 Le Miramont
44 av. des Pyrénées – ℰ *05 62 97 01 26 – www.bestwestern-lemiramont.com – hotel-miramont@sudfr.com – Fax 05 62 97 56 67 – Fermé mi-nov. à mi-déc.*
19 ch – †52/135 € ††65/165 €, ⟂ 13 €   Z n
Rest – *(fermé merc. sauf le soir en juil.-août) (prévenir le week-end)* Menu (15 €), 22/47 € bc – Carte environ 38 €
♦ Cette villa blanche des années 1930, au look paquebot, profite d'un joli jardin et abrite des chambres de bon confort. Restaurant lumineux agrémenté d'une véranda pour déguster des plats actuels soignés.

🏨 Les Cimes
pl. Ourout – ℰ *05 62 97 00 10 – www.hotel-lescimes.com – contact@hotel-lescimes.com – Fax 05 62 97 10 19 – Fermé 2 nov.-25 déc. et 2 janv.-5 fév.*
26 ch – †48/59 € ††69/76 €, ⟂ 10 €   Z a
Rest – Menu (11 € bc), 20/45 € – Carte 20/45 €
♦ Grand édifice disposant de chambres diversement agencées et pour certaines dotées d'un balcon. Petit-déjeuner dans l'agréable patio fleuri ; piscine couverte. Carte traditionnelle au restaurant ouvert sur la verdure.

🏨 Soleil Levant
17 av. des Pyrénées – ℰ *05 62 97 08 68 – www.lesoleillevant.com – hsoleillevant@orange.fr – Fax 05 62 97 04 60*
– Fermé 30 mars-6 avril et 24 nov.-23 déc.   Y t
32 ch – †43/52 € ††43/52 €, ⟂ 8 € – ½ P 44/49 €
Rest – Menu 13 € (sem.)/44 €
♦ Hôtel de la ville basse doté de chambres pratiques bien tenues ; certaines ont vue sur les sommets alentour. Bar, salon, terrasse et jardin bien entretenu. Plats de tradition à savourer dans les salles à manger communicantes, aux airs de pension de famille.

à St-Savin 3 km au Sud par D 101 – Z – 381 h. – alt. 580 m – ✉ 65400
- Site ★ de la chapelle de Piétat S : 1 km.

XXX Le Viscos avec ch
1 r. Lamarque – ℰ *05 62 97 02 28 – www.hotel-leviscos.com – leviscos.jpsaint-martin@wanadoo.fr – Fax 05 62 97 04 95 – Fermé 3 sem. en janv., dim. soir et lundi soir de nov. à fév. sauf vacances scolaires*
7 ch – †65/109 € ††65/109 €, ⟂ 10 € – ½ P 78/88 €
Rest – *(fermé dim. soir et lundi soir sauf juil.-août et lundi midi)* Menu 28/82 € – Carte 47/80 €
♦ Auberge familiale cultivant la tradition du bon accueil depuis 1840. Salle ouverte sur la terrasse avec vue sur les cimes et cuisine gourmande du terroir. Chambres douillettes.

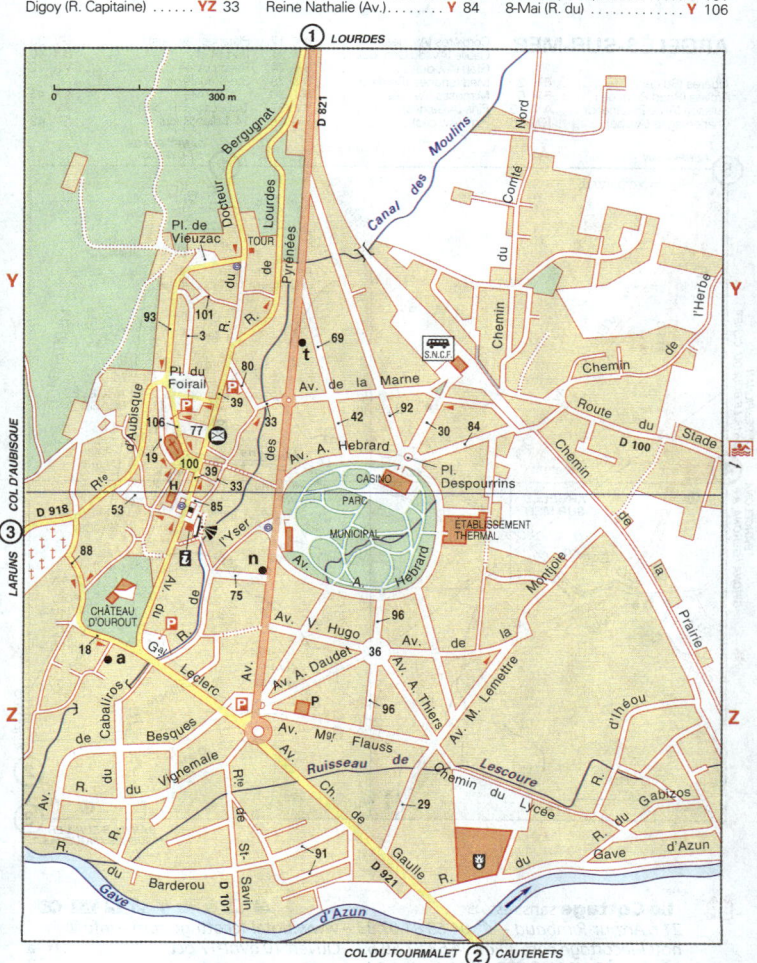

ARGELÈS-GAZOST

Alicot (R. Michel) . . . . Y 3	Edouard-VII (Pl.) . . . . Z 36	République (Pl. de la) . . . . . . Z 85
Bourdette (R. Jean) . . . . Z 18	Foch (R. du Mar.) . . . . Z 39	Sainte-Castere (R.) . . . . Z 91
Bourg Neuf (R. du) . . . . Y 19	Gassan (Av. Emile) . . . . Y 42	Saint-Orens (R.) . . . . Z 88
Coubertin (Av. P. de) . . . . . . Z 29	Joffre (Pl.) . . . . YZ 53	Sassere (Av. Hector) . . . . . . Z 92
Dambé (Av. Jules) . . . . Y 30	Nansouty (Av. du Gén.) . . . . Y 69	Sorbe (R.) . . . . Y 93
Digoy (R. Capitaine) . . . . . YZ 33	Pasteur (R.) . . . . Z 75	Sylvestre (Av. Armand) . . . . Z 96
	Pérus (Pl.) . . . . Y 77	Victoire (Pl. de la) . . . . Y 100
	Poilus (R. des) . . . . Y 80	Vieuzac (R. de) . . . . Y 101
	Reine Nathalie (Av.) . . . . Y 84	8-Mai (R. du) . . . . Y 106

à Arcizans-Avant 4,5 km au Sud par D 101 et D 13 – 352 h. – alt. 640 m – ⊠ 65400

✗ **Auberge Le Cabaliros** avec ch 🏠   🛌 🚗 🍽 📞 **P** *VISA* **MC**
   16 r. de l'Église – ☎ *05 62 97 04 31* – *www.auberge-cabaliros.com*
   – *auberge.cabaliros@wanadoo.fr* – *Fax 05 62 97 91 48* – *Fermé 3 nov.-5 fév., mardi et merc. sauf juil.-août* – **8 ch** – 🛏59/66 € 🛏🛏59/66 €, ⊇ 10 € – ½ P 55/58 €
   Rest – Menu 22/50 € – Carte 30/50 €

   ♦ Auberge villageoise tournée vers les cimes pyrénéennes. Splendide panorama de la terrasse prolongeant la salle rustique où un feu de bûches réconfortant crépite en hiver. Petits plats du terroir ; chambres pratiques.

ARGELÈS-SUR-MER – 66 Pyrénées-Orientales – **344** J7 – 9 869 h. – **22 B3**
– alt. 19 m – Casino : à Argelès-Plage **BV** – ⊠ 66700

Languedoc Roussillon

▶ Paris 872 – Céret 28 – Perpignan 22 – Port-Vendres 9 – Prades 66

🛈 Office de tourisme, place de l'Europe ℰ 04 68 81 15 85, Fax 04 68 81 16 01

ARGELÈS-SUR-MER

Albères (Bd des)	**BV** 2
Arrivée (Rond-Point de l')	**BV** 6
Buisson (Allée Ferdinand)	**AV** 10
Charlemagne (Av. de)	**BX** 16
Corbières (Av. des)	**BV** 17
Gaulle (Av. du Gén.-de)	**BV** 21
Grau (Av. du)	**BX** 24
Méditerranée (Bd de la)	**BV** 29
Mimosas (Av. des)	**BV** 30
Pins (Allée des)	**BV** 37
Pins (Av. des)	**BV** 38
Platanes (Av. des)	**BV** 39
Port (R. du)	**BX** 40
Racou (Allée du)	**BVX** 42
Ste-Madeleine (Chemin)	**AX** 43
Trabucaires (R. des)	**AV** 44
14-Juillet (R. du)	**AV** 49

🏨 **Le Cottage** sans rest 🌿   🚗 🛌 🕹 AC 📶 🏋 **P** VISA 💳

21 r. Arthur-Rimbaud – ℰ 04 68 81 07 33 – www.hotel-lecottage.com – info@hotel-lecottage.com – Fax 04 68 81 59 69 – Ouvert 10 avril-17 oct.   DY **a**

33 ch – †74/300 € ††74/300 €, ⊇ 15 €

♦ Construction moderne dotée d'espaces de loisirs et de détente (piscine, minigolf, spa). Coquettes chambres bénéficiant du jardin et de la tranquillité du quartier résidentiel.

🏠 **Château Valmy** sans rest 🌿   ⇐ 🐕 🛌 🍴 AC 📶 **P** VISA 💳

chemin de Valmy – ℰ 04 68 95 95 25 – www.chateau-valmy.com – contact@chateau-valmy.com – Fax 04 68 81 15 18 – Ouvert d'avril à nov.   AX **a**

5 ch ⊇ – †190/370 € ††190/370 €

♦ Ce château érigé en 1900 par un architecte danois se dresse majestueusement au cœur du vignoble. Chambres haut de gamme, splendide vue sur mer et dégustations de vins au chai.

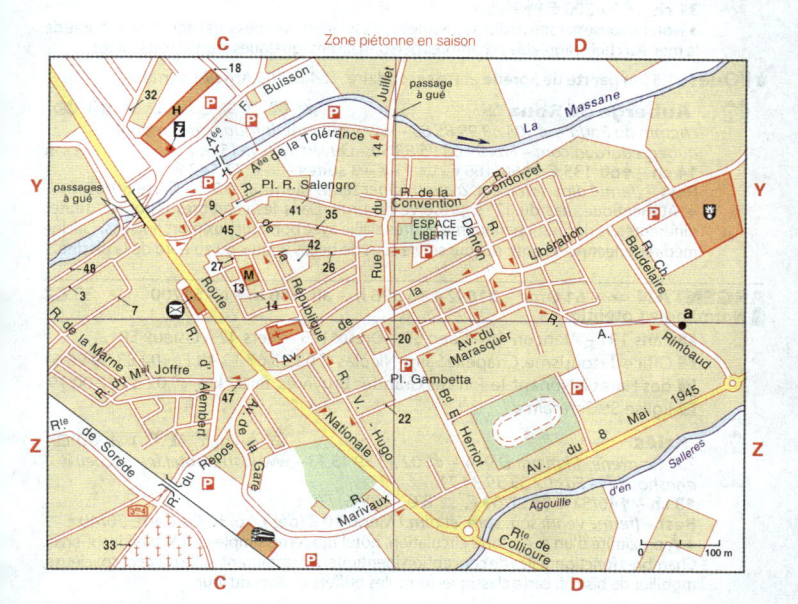

ARGELÈS-SUR-MER

Albert (R. Marcelin)	**CY** 3
Bel Air (R. de)	**CY** 7
Blanqui (R.)	**CY** 9
Castellans (Pl. des)	**CY** 13
Castellans (R.)	**CY** 14
Desclot (R.)	**CY** 18
Gambetta (R.)	**CDZ** 20
Gendarmerie (R. de la)	**CDZ** 22
Jean-Jaurès (R.)	**CY** 26
Libération (Av. de la)	**CDYZ**
Majorque (R. de)	**CY** 27
Morata (R. Juan)	**CY** 32
Nationale (Rte)	**CYZ**
Notre-Dame-de-Vie (Rte)	**CZ** 33
Paix (R. de la)	**CY** 35
Remparts (R. des)	**CY** 41
République (Pl. de la)	**CY** 42
République (R. de la)	**CY**
Travail (R. du)	**CY** 45
Wilson (R.)	**CZ** 47
11-Novembre (Av. du)	**CY** 48

à **Argelès-Plage** 2,5 km à l'Est – ⊠ 66700 Argelès-sur-Mer – Languedoc Roussillon

◉ SE : Côte Vermeille ★★.

Grand Hôtel du Lido
50 bd de la Mer – ℘ 04 68 81 10 32 – www.hotel-le-lido.com – contact@hotel-le-lido.com – Fax 04 68 81 51 89 – Ouvert 10 avril-3 oct.
66 ch – †80/108 € ††80/205 €, ⊇ 11 € – ½ P 75/140 €
Rest – buffet – Menu (19 € bc), 26 € (déj.), 28/40 € – Carte 36/55 €
BV **u**
◆ Agréablement posé en bord de plage, le Lido abrite des chambres bien équipées et pourvues de balcons ; la plupart d'entre elles donnent sur la mer. Salle à manger-véranda, terrasse au bord de la piscine et repas sous forme de buffets.

De la Plage des Pins sans rest
allée des Pins – ℘ 04 68 81 09 05 – www.plage-des-pins.com – contact@plage-des-pins.com – Fax 04 68 55 19 12 – Ouvert de mi-mai à fin sept.
50 ch – †65/150 € ††75/186 €, ⊇ 11 €
BV **r**
◆ Grande bâtisse située face à la Méditerranée. Les chambres, sobrement fonctionnelles, sont toutes dotées de balcons, mais offrent plus d'ampleur côté mer. Belle piscine.

L'Amadeus
av. des Platanes – ℘ 04 68 81 12 38 – www.lamadeus.com – contact@lamadeus.com – Fax 04 68 81 12 38
– Fermé 12 nov.-20 déc., 2 janv.-2 fév., lundi et mardi sauf le soir en saison et merc. midi du 16 juin au 14 sept.
BV **n**
Rest – Menu 24 € (sem.), 29/37 € – Carte 43/61 €
◆ Spécialités régionales dans une salle à manger contemporaine avec cheminée et plantes vertes, ou sur un agréable pont-terrasse en teck ; calme patio sur l'arrière.

ARGELÈS-SUR-MER

rte de Collioure 4 km – ⊠ 66700 Argelès-sur-Mer

Les Mouettes sans rest
– ℰ 04 68 81 82 83 – www.hotel-lesmouettes.com – info@hotel-lesmouettes.com
– Fax 04 68 81 32 73 – Ouvert 4 avril-12 oct.
31 ch – ♦90/200 € ♦♦90/200 €, ☐ 15 €
◆ Hôtel valorisé par son jardin, sa piscine et son solarium tournés vers l'immensité azurée de la mer. Au choix : agréables chambres personnalisées (quelques loggias) ou studios.

à l'Ouest 1,5 km par rte de Sorède et rte secondaire – ⊠ 66700 Argelès-sur-Mer

Auberge du Roua
chemin du Roua – ℰ 04 68 95 85 85 – www.aubergeduroua.com – magalie@aubergeduroua.com – Fax 04 68 95 83 50 – Ouvert 13 fév.-15 nov.   AX h
14 ch – ♦60/135 € ♦♦60/189 €, ☐ 11 € – 3 suites – ½ P 77/142 €
Rest – (fermé dim. soir d'oct. à avril) (dîner seult) Menu 27/75 € – Carte 50/65 €
◆ Authentique mas du 17ᵉ s. préservé du bruit. Dans les chambres rénovées, toutes différentes, la décoration moderne épurée s'allie avec bonheur aux murs anciens. Cuisine méditerranéenne au goût du jour servie sous de belles voûtes ou au bord de la piscine.

ARGENTAN – 61 Orne – **310** I2 – 16 596 h. – alt. 160 m – ⊠ 61200   33 **C2**
Normandie Cotentin

▶ Paris 191 – Alençon 46 – Caen 59 – Dreux 115 – Flers 42 – Lisieux 58
🛈 Office de tourisme, Chapelle Saint-Nicolas ℰ 02 33 67 12 48, Fax 02 33 39 96 61
⛳ des Haras à Nonant-le-Pin Les Grandes Bruyères, E : 22 km, ℰ 02 33 27 00 19
◉ Église St-Germain ★.

Ariès
Z.A. Beurrerie, 1 km par D 916 – ℰ 02 33 39 13 13 – www.arieshotel.fr – accueil@arieshotel.fr – Fax 02 33 39 34 71
43 ch – ♦46/51 € ♦♦51/60 €, ☐ 8 € – ½ P 61/70 €
Rest – (fermé vend. soir, sam. et dim.) Menu 10 € (déj.), 16/30 € – Carte 20/40 €
◆ À proximité d'un axe à forte circulation, hôtel moderne simple et très bien insonorisé. Chambres fonctionnelles de conception identique. Au restaurant, salle claire et spacieuse, mobilier de bistrot, carte classique, formules buffets et plats du jour.

XXX La Renaissance avec ch
20 av. 2ᵉ-Division-Blindée – ℰ 02 33 36 14 20 – www.hotel-larenaissance.com
– larenaissance.viel@wanadoo.fr – Fax 02 33 36 65 50 – Fermé
13 juil.-3 août, 21 fév.-1ᵉʳ mars et dim. soir
14 ch – ♦64/86 € ♦♦69/90 €, ☐ 10 € – ½ P 71/97 €
Rest – (fermé sam. midi de sept. à juin, mardi midi en juil.-août, dim. soir et lundi)
Menu (21 €), 26/65 € – Carte 59/94 €
◆ De grandes baies vitrées donnant sur le jardin éclairent cette salle à manger rustico-bourgeoise ornée d'une belle cheminée d'inspiration Renaissance. Belle cuisine inventive.

au Nord 11 km par N 26 et D 729 – ⊠ 61310 Silly-en-Gouffern

Pavillon de Gouffern
l'Orée du bois – ℰ 02 33 36 64 26 – www.pavillondegouffern.com
– pavillondegouffern@wanadoo.fr – Fax 02 33 36 53 81
20 ch – ♦45/130 € ♦♦60/200 €, ☐ 12 €   **Rest** – Menu (25 €), 38/55 € bc
◆ Dans un parc entouré de bois, pavillon de chasse du 19ᵉ s. avec façade à colombages. Chambres spacieuses, aménagées dans un esprit contemporain. Les deux salles à manger, relookées au goût du jour, offrent une belle vue sur le domaine. Cuisine traditionnelle.

à Fontenai-sur-Orne 4,5 km au Sud-Ouest – 266 h. – alt. 65 m – ⊠ 61200

XX Faisan Doré avec ch
– ℰ 02 33 67 18 11 – www.lefaisandore.com – lefaisandore@wanadoo.fr
– Fax 02 33 35 82 15 – Fermé sam. midi et dim. soir
16 ch – ♦60/150 € ♦♦60/150 €, ☐ 9 €
Rest – Menu (17 €), 23 € (sem.)/79 € bc – Carte 28/56 €
◆ Une auberge normande située au bord d'une route fréquentée. La salle à manger, précédée d'un bar-salon cosy, ose le papier peint fleuri et les couleurs vives. Carte régionale. Chambres progressivement rénovées (style contemporain et teinte chocolat dominante).

ARGENTAT – 19 Corrèze – 329 M5 – 3 111 h. – alt. 183 m – ⊠ 19400
Limousin Berry
25 C3

▶ Paris 503 – Aurillac 54 – Brive-la-Gaillarde 45 – Mauriac 49 – St-Céré 40 – Tulle 29
🛈 Office de tourisme, place da Maïa ✆ 05 55 28 16 05, Fax 05 55 28 45 16

Le Sablier du Temps
13 r. J.-Vachal – ✆ 05 55 28 94 90 – www.sablier-du-temps.com
– lesablierdutemps@wanadoo.fr – Fax 05 55 28 94 99 – Fermé 5 janv.-9 fév.
24 ch – †48/55 € ††50/88 €, ⊡ 8 €
Rest – (fermé vend. d'oct. à avril) Menu (12 €), 15 € (déj. en sem.), 21/43 €
– Carte 25/65 €

♦ Un jardin arboré agrémenté d'une piscine entoure cet hôtel proche du centre-ville. Les chambres profitent d'un décor actuel et d'aménagements fonctionnels. Cuisine du terroir servie dans une salle rustique, sous la véranda ou sur une verdoyante terrasse.

Fouillade
11 pl. Gambetta – ✆ 05 55 28 10 17 – www.fouillade.com
– hotel.fouillade.argentat@wanadoo.fr – Fax 05 55 28 90 52
– Fermé 26 nov.-26 déc.
15 ch – †48 € ††49/73 €, ⊡ 7 € – ½ P 44/55 €
Rest – (fermé dim. soir et lundi du 15 sept. au 15 juin) Menu (11 € bc),
14 € (sem.)/38 € – Carte 20/50 €

♦ Décor contemporain, mobilier ergonomique et nouvelle literie : les chambres de cet établissement centenaire connaissent une seconde jeunesse. Plats traditionnels aux accents régionaux servis sous les poutres de la salle à manger rustique ; terrasse en façade.

Saint-Jacques
39 av. Foch – ✆ 05 55 28 89 87 – www.saintjacques-ceaux.com
– lesaintjacquesceaux@orange.fr – Fax 05 55 28 86 41 – Fermé 1er-23 mars,
28 sept.-12 oct., dim. soir d'oct. à avril et lundi
Rest – Menu (19 € bc), 32/47 € – Carte 39/58 €

♦ Monsieur s'applique à réaliser une cuisine du pays tandis que madame prend soin de vous accueillir. Salle rajeunie, confortable et raffinée, véranda et terrasse ombragée.

Auberge des Gabariers
15 quai Lestourgie – ✆ 05 55 28 05 87 – pascal-jacquinot@orange.fr
– Fax 05 55 28 69 63 – Ouvert 28 mars- 10 nov. et fermé mardi soir et merc.
sauf juil.-août
Rest – Menu (16 €), 27/36 € – Carte 40/53 €

♦ Jolie maison du 16e s. en bord de Dordogne. Salle à manger rustique à souhait, cuisine à la broche et terrasse riveraine ombragée par un tilleul.

ARGENTEUIL – 95 Val-d'Oise – 305 E7 – 101 14 – voir à Paris, Environs

Petit-déjeuner compris ?
La tasse ⊡ suit directement le nombre de chambres.

ARGENTIÈRE – 74 Haute-Savoie – 328 O5 – alt. 1 252 m – Sports
d'hiver : voir Chamonix – ⊠ 74400 **Alpes du Nord**
45 D1

▶ Paris 619 – Annecy 106 – Chamonix-Mont-Blanc 10 – Vallorcine 10
🛈 Office de tourisme, 24, route du village ✆ 04 50 54 02 14, Fax 04 50 54 06 39
◉ Aiguille des Grands Montets★★★ : ❄★★★ – Réserve naturelle des Aiguilles
Rouges★★★ N : 3 km - Col de la Balme : ❄★★.

Grands Montets sans rest
340 Chemin des Arberons, (près du téléphérique de Lognan) – ✆ 04 50 54 06 66
– www.hotel-grands-montets.com – info@hotel-grands-montets.com
– Fax 04 50 54 05 42 – Ouvert 26 juin-30 août et 19 déc.-5 mai
45 ch – †110/190 € ††120/250 € – 3 suites

♦ Cet hôtel a de séduisants atouts : calme, proximité du téléphérique, décor régional au bar-salon, belle piscine et chambres avec vue (certaines très joliment refaites).

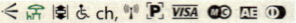

ARGENTIÈRE

Montana
24 clos du Montana – ℘ 04 50 54 14 99 – www.hotel-montana.fr – info@hotel-montana.fr – Fax 04 50 54 03 40 – Ouvert 15 juin-30 sept. et 8 déc.-11 mai
24 ch ⊑ – †137/181 € ††154/198 € – ½ P 176/196 €
Rest – *(ouvert 15 juin-30 sept.)* (dîner seult) (résidents seult) Menu 28 €
♦ Une adresse recherchée pour son ambiance familiale, particulièrement chaleureuse et amicale. Chambres sobrement meublées, dotées de balcons tournés vers les Grands Montets. Restaurant au décor alpin, terrasse face aux montagnes et plats traditionnels simples.

ARGENTON-SUR-CREUSE – 36 Indre – 323 F7 – 5 180 h. 11 B3
– alt. 100 m – ⊠ 36200 ▍Limousin Berry

▶ Paris 297 – Châteauroux 32 – Limoges 93 – Montluçon 103 – Poitiers 100
🛈 Office de tourisme, 13, place de la République ℘ 02 54 24 05 30, Fax 02 54 24 28 13
◉ Vieux pont ≤★ – ≤★ de la terrasse de la chapelle N.-D.-des-Bancs.

ARGENTON-SUR-CREUSE

Acacias (Allée des)	2
Barbès (R.)	5
Brillaud (R. Charles)	6
Chapelle-N.-D. (R. de la)	7
Châteauneuf (R.)	8
Chauvigny (R. A. de)	10
Coursière (R. de la)	12
Gare (R. de la)	14
Grande (R.)	15
Merle-Blanc (R. du)	18
Point-du-Jour (R. du)	20
Pont-Neuf (R. du)	23
Raspail (R.)	24
République (Pl. de la)	25
Rochers-St-Jean (R. des)	27
Rosette (R.)	28
Rousseau (R. Jean-J.)	29
Tanneurs (R. des)	31
Victor-Hugo (R.)	33
Villers (Impasse de)	35

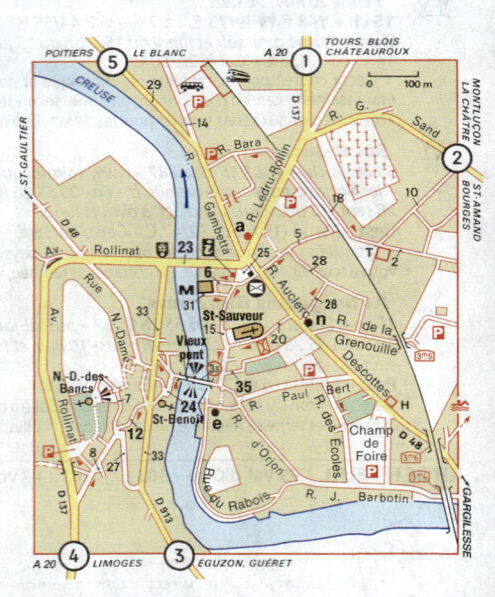

Manoir de Boisvillers sans rest
11 r. Moulin-de-Bord – ℘ 02 54 24 13 88 – www.manoir-de-boisvillers.com – manoir.de.boisvillers@wanadoo.fr – Fax 02 54 24 27 83
– Fermé 12 janv.-8 fév.
16 ch – †54/109 € ††58/109 €, ⊑ 8 €
♦ Belle demeure bourgeoise du 18ᵉ s. posée sur une rive de la Creuse. Chambres de style, ethniques ou rustiques, salon contemporain et agréable jardin autour de la piscine.

Le Cheval Noir
27 r. Auclert-Descottes – ℘ 02 54 24 00 06 – www.le-chevalnoir.fr – chevalnoirhotel@wanadoo.fr – Fax 02 54 24 11 22
– Fermé dim. soir hors saison
20 ch – †46 € ††60 €, ⊑ 7 € – ½ P 57 €
Rest – Menu (10 €), 15 € (déj.), 22/30 € – Carte 25/38 €
♦ Ancien relais de poste, géré de père en fils depuis plus d'un siècle. Chambres sobres, de styles et de tailles variés. Salle à manger contemporaine et terrasse dans une cour fleurie. Cuisine traditionnelle complétée, à midi, d'une petite formule du jour.

ARGENTON-SUR-CREUSE

La Source
9 r. Ledru-rollin – ℰ 02 54 24 30 21 – Fax 02 54 24 30 21 – Fermé 22-28 oct., 8-14 fév., mardi soir et merc.
Rest – Menu (15 €), 24/40 € – Carte 38/46 €

♦ Une adresse familiale occupant un ex-relais postal. Deux salles à manger (l'une rustique, l'autre plus classique ornée de fresques murales) et cuisine traditionnelle.

à Bouësse 11 km par ② – 394 h. – alt. 185 m – ✉ 36200

Château de Bouesse
– ℰ 02 54 25 12 20 – www.chateaubouesse.com – chateau.bouesse@wanadoo.fr – Fax 02 54 25 12 30 – Ouvert 2 avril-1er janv. et fermé lundi et mardi sauf du 16 mai au 30 sept.
8 ch – †85/150 € ††85/150 €, ⊇ 12 € – 4 suites – ½ P 88/121 €
Rest – Menu 22 € (déj. en sem.), 36/47 € – Carte 58/68 €

♦ Jeanne d'Arc aurait séjourné en ce château du 13e s. entouré d'un parc. L'intérieur allie style médiéval et confort moderne. Chambres au mobilier ancien, dont une magnifique au donjon. Au restaurant : décor du 18e s. et repas dans l'air du temps.

ARGENT-SUR-SAULDRE – 18 Cher – **323** K1 – 2 502 h. – alt. 171 m 12 **C2**
– ✉ 18410 ▮ Limousin Berry

▶ Paris 171 – Bourges 57 – Cosne-sur-Loire 46 – Gien 22 – Orléans 62 – Salbris 42 – Vierzon 54

Relais du Cor d'Argent avec ch
39 r. Nationale – ℰ 02 48 73 63 49 – cordargent@wanadoo.fr – Fax 02 48 73 37 55 – Fermé 30 juin-10 juil., 20-29 oct., 16 fév.-18 mars, mardi et merc.
7 ch – †42/44 € ††42/56 €, ⊇ 8 € – ½ P 45 €
Rest – Menu 18/58 € – Carte 45/65 €

♦ La bâtisse est abondamment fleurie l'été. Sobres salles à manger où l'on propose une cuisine traditionnelle variant selon le marché. Petites chambres simples.

ARGOULES – 80 Somme – **301** E5 – 335 h. – alt. 18 m – ✉ 80120 36 **A1**
▮ Nord Pas-de-Calais Picardie

▶ Paris 217 – Abbeville 34 – Amiens 82 – Calais 93 – Hesdin 17 – Montreuil 21
◉ Abbaye★★ et jardins★★ de Valloires NO : 2 km.

Auberge du Coq-en-Pâte
37 rte de Valloires – ℰ 03 22 29 92 09 – Fax 03 22 29 92 09 – Fermé 31 mars-7 avril, 1er-15 sept., 5-29 janvs., dim. soir, merc. soir et lundi sauf fériés
Rest – (nombre de couverts limité, prévenir) Menu 20 € – Carte 23/45 €

♦ Coquette maisonnette proche de l'abbaye de Valloires. Salle à manger égayée de gravures et peintures à thème animalier. Goûteux petits plats mi-traditionnels, mi-actuels.

ARLEMPDES – 43 Haute-Loire – **331** F4 – 114 h. – alt. 840 m 6 **C3**
– ✉ 43490 ▮ Lyon et la vallée du Rhône

▶ Paris 559 – Aubenas 67 – Langogne 27 – Le Puy-en-Velay 29
◉ Site★★.

Le Manoir
– ℰ 04 71 57 17 14 – Fax 04 71 57 19 68 – Ouvert 15 mars-25 oct. et fermé dim. soir sauf juil.-août
13 ch – †35 € ††45/60 €, ⊇ 8 € – ½ P 44 €   **Rest** – Menu 17 € (sem.)/40 €

♦ Maison de pays blottie au cœur d'un village pittoresque baigné par la Loire et dominé par un curieux piton volcanique et les ruines d'un château. Chambres modestes. Carte traditionnelle à séquences régionales ; parements de pierre et jolie cheminée en salle.

Grand luxe ou sans prétention ?
Les ※ et les 🏠 notent le confort.

ARLES – 13 Bouches-du-Rhône – **340** C3 – 52 400 h. – alt. 13 m — 40 **A3**
– ✉ 13200 ▌Provence

- ▶ Paris 719 – Aix-en-Provence 77 – Avignon 37 – Marseille 94 – Nîmes 32
- 🛈 Office de tourisme, boulevard des Lices ✆ 04 90 18 41 20, Fax 04 90 18 41 29
- ◉ Arènes★★ - Théâtre antique★★ - Cloître St-Trophime★★ et église★ : portail★★ - Les Alyscamps★ - Palais Constantin★ Y S - Hôtel de ville : voûte★ du vestibule Z H - Cryptoportiques★ Z E - Musée de l'Arles antique★★ (sarcophages★★) - Museon Arlaten★ Z M⁶ - Musée Réattu★ Y M⁴ - Ruines de l'abbaye de Montmajour★ 5 km par ①.

Plan page ci-contre

🏨 Jules César 🌿
bd des Lices – ✆ 04 90 52 52 52 – www.hotel-julescesar.fr – contact@julescesar.fr
– Fax 04 90 52 52 53 – Fermé sam. et dim. de nov. à mars   Z b
50 ch – ♦130/315 € ♦♦160/315 €, ⊊ 20 € – 1 suite
Rest *Lou Marquès* – (fermé sam. midi, dim. soir et lundi sauf fériés) Menu (21 €), 28/60 € – Carte 54/112 €

♦ Cet ex-couvent de carmélites cerné de jardins clos respire l'élégance et la sérénité. Chambres meublées d'ancien, salles de réunion voûtées, cloître et chapelle avec retable baroque. Délicieuse terrasse et saveurs du Sud mâtinées de modernité au Lou Marquès.

🏨 Nord Pinus
pl. du Forum – ✆ 04 90 93 44 44 – www.nord-pinus.com – info@nord-pinus.com
– Fax 04 90 93 34 00 – Ouvert 15 fév.-15 nov.   Z t
24 ch – ♦115 € ♦♦175/240 €, ⊊ 25 € – 2 suites
Rest – (ouvert 15 mars-15 nov. et fermé lundi et mardi) Menu (22 €), 28 €
– Carte 37/54 €

♦ Cocteau, Picasso ou encore Dominguin (son "traje de luces" illumine le bar) séjournèrent dans cette institution arlésienne au superbe décor "baroque et corrida". Agréable salle à manger aménagée dans un esprit Art déco ; plaisante carte de brasserie.

🏨 L'Hôtel Particulier 🌿
4 r. de la Monnaie – ✆ 04 90 52 51 40 – www.hotel-particulier.com – contact@hotel-particulier.com – Fax 04 90 96 16 70   Z d
8 ch – ♦209/289 € ♦♦209/289 €, ⊊ 22 € – 5 suites   **Rest** – Menu (35 €), 55 €

♦ Superbe hôtel particulier du quartier de la Roquette. Intérieur raffiné mariant l'ancien et le moderne, chambres personnalisées, ravissante cour-jardin, sauna, hammam, etc. Restauration dans l'air du temps à base de produits frais.

🏨 D'Arlatan sans rest 🌿
26 r. Sauvage, (près de la pl. du Forum) – ✆ 04 90 93 56 66
– www.hotel-arlatan.fr – hotel-arlatan@wanadoo.fr – Fax 04 90 49 68 45
– Fermé 3 janv.-4 fév.   Y f
41 ch – ♦55/85 € ♦♦85/157 €, ⊊ 14 € – 7 suites

♦ Le passé de cette gracieuse demeure du 15ᵉ s. (fondations du 4ᵉ s.) revit au travers de son exposition de vestiges archéologiques. Décor personnalisé, beau mobilier ancien.

🏨 Mercure Arles Camargue
av. 1ᵉʳᵉ-Division-Française-Libre, (près du Palais des Congrès) – ✆ 04 90 93 98 80 – www.mercure@accor.com – h2738@accor.com
– Fax 04 90 49 92 76   X t
80 ch – ♦75/130 € ♦♦87/140 €, ⊊ 13 €
Rest – Menu 20 € – Carte environ 28 €

♦ Face au musée de l'Arles antique, de confortables chambres décorées dans l'esprit régional. Fer forgé et couleurs du Midi au bar, bel espace séminaires, jardin avec plan d'eau. Salle à manger méridionale et cuisine traditionnelle aux accents du Sud.

🏨 Calendal sans rest
5 r. Porte-de-Laure – ✆ 04 90 96 11 89 – contact@lecalendal.com
– Fax 04 90 96 05 84 – Fermé 4 janv.-4 fév.   Z s
35 ch – ♦59/99 € ♦♦99/159 €, ⊊ 12 € – 3 suites

♦ Ravissantes chambres aux couleurs ensoleillées, regardant le théâtre antique, les arènes ou encore le beau jardin. Salon de thé. Salades provençales pour les déjeuners estivaux.

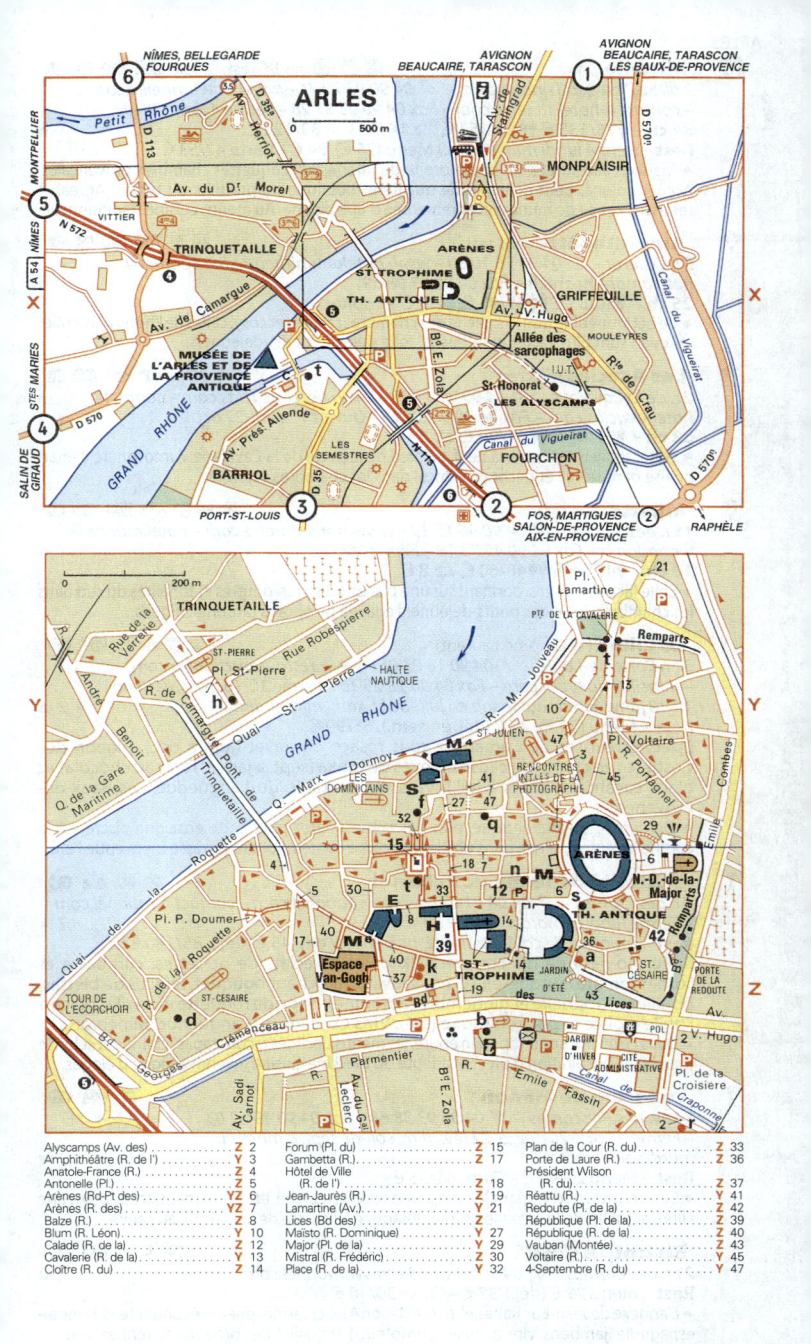

Alyscamps (Av. des) . . . . Z 2	Forum (Pl. du) . . . . Z 15	Plan de la Cour (R. du) . . . . Z 33
Amphithéâtre (R. de l') . . . . Y 3	Gambetta (R.) . . . . Z 17	Porte de Laure (R. de) . . . . Z 36
Anatole-France (R.) . . . . Z 4	Hôtel de Ville	Président Wilson
Antonelle (Pl.) . . . . Z 5	(R. de l') . . . . Z 18	(R. du) . . . . Z 37
Arènes (Rd-Pt des) . . . . YZ 6	Jean-Jaurès (R.) . . . . Z 19	Réattu (R.) . . . . Y 41
Arènes (R. des) . . . . YZ 7	Lamartine (Av.) . . . . Y 21	Redoute (Pl. de la) . . . . Z 42
Balze (R.) . . . . Z 8	Lices (Bd des) . . . . Z	République (Pl. de la) . . . . Z 39
Blum (R. Léon) . . . . Y 10	Maisto (R. Dominique) . . . . Y 27	République (R. de la) . . . . Z 40
Calade (R. de la) . . . . Z 12	Major (Pl. de la) . . . . Y 29	Vauban (Montée) . . . . Z 43
Cavalerie (R. de la) . . . . Y 13	Mistral (R. Frédéric) . . . . Z 30	Voltaire (R.) . . . . Z 45
Cloître (R. du) . . . . Z 14	Place (R. de la) . . . . Y 32	4-Septembre (R. du) . . . . Y 47

ARLES

Mireille
2 pl. St-Pierre, (à Trinquetaille) – ℰ 04 90 93 70 74 – www.hotel-mireille.com
– contact@hotel-mireille.com – Fax 04 90 93 87 28 – Fermé 4 janv.-28 fév.
34 ch – †75/135 € ††89/157 €, ⊇ 14 € – ½ P 89/122 € Y h
Rest – *(fermé lundi midi et dim.)* Menu (25 €), 34 € – Carte 42/53 €

♦ Maisons excentrées sur la rive droite du Rhône, aux coquettes chambres provençales. Accueil soigné, petit-déjeuner de qualité et boutique de produits du terroir. Agréable terrasse bordée de muriers et agrémentée d'une piscine. Au menu : cuisine traditionnelle.

Amphithéâtre sans rest
5 r. Diderot – ℰ 04 90 96 10 30 – www.hotelamphitheatre.fr – contact@
hotelamphitheatre.fr – Fax 04 90 93 98 69 Z n
25 ch – †50/55 € ††55/95 €, ⊇ 8 € – 3 suites

♦ Ce bel immeuble du 17ᵉ s. cache des chambres refaites et cosy, celles de l'hôtel particulier mitoyen sont plus vastes et raffinées. Jolie salle des petits-déjeuners.

Les Acacias sans rest
2 r. de la Cavalerie – ℰ 04 90 96 37 88 – www.hotel-acacias.com – contact@
hotel-acacias.com – Fax 04 90 96 32 51 – Ouvert 1ᵉʳ avril-22 oct. Y t
33 ch – †51/94 € ††51/94 €, ⊇ 6 €

♦ Hôtel totalement remis à neuf, au pied de la porte de la Cavalerie. Atmosphère camarguaise dans le hall et décor provençal dans les chambres colorées.

Muette sans rest
15 r. des Suisses – ℰ 04 90 96 15 39 – www.hotel-muette.com – hotel.muette@
wanadoo.fr – Fax 04 90 49 73 16 – Fermé fév. Y q
18 ch – †45/56 € ††48/60 €, ⊇ 8 €

♦ Belle façade du 12ᵉ s. donnant sur une placette. Pierres, poutres et tonalités du sud dans les chambres. Salle des petits-déjeuners égayée de photos tauromachiques.

Le Cilantro (Jérôme Laurent)
31 r. Porte-de-Laure – ℰ 04 90 18 25 05 – www.restaurantcilantro.com
– infocilantro@aol.com – Fax 04 90 18 25 10 – Fermé 10-16 mars, 8-16 nov.,
1ᵉʳ-10 janv., lundi sauf le soir en juil.-août, sam. midi et dim. Z a
Rest – Menu (25 €), 29 € (déj. en sem.), 65/99 €
Spéc. Ecrevisses de Camargue sous rosace de navet (juin à oct.). Pigeon des Costières en croûte de cacao et fèves de tonka (sept. à janv.). Tarte au chocolat et glace cacahuète (mars à juil.). **Vins** Vin de Table du Languedoc, Les Baux-de-Provence.

♦ Derrière le théâtre antique, près des arènes, optez pour cette enseigne discrète à la cuisine inventive, servie dans un élégant cadre contemporain. Terrasse bienvenue l'été.

L'Atelier de Jean Luc Rabanel
7 r. des Carmes – ℰ 04 90 91 07 69 – www.rabanel.com – contact@rabanel.com
– Fermé lundi et mardi Z k
Rest – *(nombre de couverts limité, prévenir)* Menu 45 € (déj.), 85/140 € bc
Spéc. No-nem de haricots verts "kilomètre", éclats de noisettes, cumbawa et sorbet tomate (automne). Turbot sauvage, artichaut bouquet, feuilles de blettes, bouillon citronnelle et gingembre (automne). Nage de roquette et basilic, glace à l'huile d'olive et poivron rouge (été). **Vins** Coteaux du Languedoc, Minervois.

♦ Dans ce bistrot contemporain épuré, les menus déclinés façon "tapas" changent selon le marché et l'inspiration du chef adepte du bio. Une cuisine inventive digne d'éloges.

Le Jardin de Manon
14 av. des Alyscamps – ℰ 04 90 93 38 68 – Fax 04 90 49 62 03
– Fermé 23 oct.-20 nov.,5-22 fév., dim. soir de sept. à mi-avril,
mardi soir et merc. Z r
Rest – Menu 22/46 € – Carte 44/55 €

♦ Carte dans la note régionale, composée selon le marché, et salles à manger adoptant une allure actuelle. Belle terrasse ombragée située à l'arrière de la maison, au calme.

Bistrot "A Côté"
21 r. des Carmes – ℰ 04 90 47 61 13 – www.rabanel.com Z u
Rest – Menu 29 € (déj.)/37 € – Carte 30/40 €

♦ L'annexe de Jean-Luc Rabanel, à côté de son Atelier : atmosphère décontractée à la mode espagnole (jambons, vins exposés, comptoir...) et qualité des produits au rendez-vous.

ARLES

rte du Sambuc 17 km par ④, D 570 et D 36 – ✉ 13200 Arles

✗ ✿ **La Chassagnette** (Armand Arnal) 🚗 🌳 & 🗺 ✥ P VISA ⓂⒸ 🅰🅴 ①
– ℰ 04 90 97 26 96 – www.chassagnette.fr – chassagnette@
heureuse-camargue.com – Fax 04 90 97 26 95 – Fermé 1er janv.-1er mars, mardi et
merc. sauf du 1er juil. au 31 août
Rest – (nombre de couverts limité, prévenir) Menu 37 € (déj.), 60/90 €
– Carte environ 60 €
Spéc. Ecrevisses sauvages en gelée, pousse de salade. Sole et moules au curcuma,
marmelade d'agrumes. Abricot et glace verveine.
• Mas isolé et son potager bio. Le chef défend sa philosophie à travers une cuisine
épurée misant sur le respect des saisons et la mise en valeur des produits cultivés sur place.

ARMBOUTS-CAPPEL – 59 Nord – 302 C2 – rattaché à Dunkerque

ARMOY – 74 Haute-Savoie – 328 M2 – rattaché à Thonon-les-Bains

ARNAGE – 72 Sarthe – 310 K7 – rattaché au Mans

> Une bonne table sans se ruiner ?
> Repérez les Bibs Gourmands ⓘ.

ARNAS – 69 Rhône – 327 H3 – rattaché à Villefranche-sur-Saône

ARNAY-LE-DUC – 21 Côte-d'Or – 320 G7 – 1 829 h. – alt. 375 m   8 C2
– ✉ 21230 ▌Bourgogne

🄳 Paris 285 – Autun 28 – Beaune 36 – Chagny 38 – Dijon 59 – Montbard 74
– Saulieu 29

🄸 Office de tourisme, 15, rue Saint-Jacques ℰ 03 80 90 07 55,
Fax 03 80 90 07 55

🏨 **Chez Camille**   P VISA ⓂⒸ 🅰🅴 ①
1 pl. Edouard-Herriot – ℰ 03 80 90 01 38 – www.chez-camille.fr – chez-camille@
wanadoo.fr – Fax 03 80 90 04 64
11 ch – ✝79 € ✝✝79 €, ⊃ 9 € – ½ P 85 €   **Rest** – Menu 22/45 €
• Chambres personnalisées, plutôt cosy. Certaines jouissent du privilège d'un petit salon ;
d'autres, au second étage, font admirer leur charpente apparente. Plats aux accents
bourguignons à déguster dans une salle de style jardin d'hiver avec verrière.

ARPAILLARGUES-ET-AUREILLAC – 30 Gard – 339 L4 – rattaché à Uzès

ARPAJON – 91 Essonne – 312 C4 – 9 615 h. – alt. 51 m – ✉ 91290   18 B2

🄳 Paris 32 – Chartres 71 – Évry 18 – Fontainebleau 49 – Melun 45 – Orléans 94
– Versailles 39

🄸 Office de tourisme, place de l'Hôtel de Ville ℰ 01 60 83 36 51,
Fax 01 60 83 80 00

🔞 de Marivaux à Janvry Bois de Marivaux, NO : 17 km par D 97,
ℰ 01 64 90 85 85

🏠 **Arpège** sans rest   🛗 & ♠ 🛁 P 🚗 VISA ⓂⒸ 🅰🅴 ①
23 av. J.-Jaurès – ℰ 01 69 17 10 22 – hotel.arpege@wanadoo.fr
– Fax 01 60 83 94 20 – Fermé 31 juil.-30 août
48 ch – ✝73 € ✝✝83 €, ⊃ 9 €
• Cette construction récente du centre-ville héberge de petites chambres fonctionnelles,
insonorisées et correctement équipées. Nombreuses photos de Doisneau en guise de
décor.

ARPAJON

Le Saint Clément (Jean-Michel Delrieu) 🛱 🔼 ⇔ VISA 🚳 AE
*16 av. Hoche, (D 152) – ℰ 01 64 90 21 01 – www.lesaintclement.com
– le-saint-clement@wanadoo.fr – Fax 01 60 83 32 67 – Fermé 17 août-14 sept.,
sam. midi, dim. soir et lundi*
Rest – Menu 47/57 € – Carte 90/101 €
Spéc. Millefeuille chaud de foie gras de canard (oct. à mars). Bourride du "Père Brun" au fumet de homard (oct. à mars). Tarte fine aux figues fraîches (sept. à nov.).
◆ Bâtisse de style néoclassique abritant une salle à manger sobre et confortable ; terrasse d'été ombragée. Belle cuisine classique valorisant les produits de l'Hexagone.

ARPAJON-SUR-CÈRE – 15 Cantal – 330 C5 – rattaché à Aurillac

LES ARQUES – 46 Lot – 337 D4 – 181 h. – alt. 254 m – ⊠ 46250   28 B1
Périgord

■ Paris 569 – Cahors 28 – Gourdon 27 – Villefranche-du-Périgord 19
– Villeneuve-sur-Lot 58

◉ Église St-Laurent★ : Christ★ et Pietà★ - Fresques murales★ de l'église St-André-des-Arques.

La Récréation 🛱 VISA 🚳
le bourg – ℰ 05 65 22 88 08 – Ouvert de mars à oct. et fermé merc. et jeudi
Rest – Menu 33 €
◆ L'école est finie ! À la place, une sympathique maison, un brin nostalgique : classe-salle à manger, préau-terrasse, totem-marronnier sculpté dans la cour de récré. Plats actuels.

ARRADON – 56 Morbihan – 308 O9 – rattaché à Vannes

ARRAS ℙ – 62 Pas-de-Calais – 301 J6 – 41 400 h. – Agglo. 124 206 h.   30 B2
– alt. 72 m – ⊠ 62000 **Nord Pas-de-Calais Picardie**

■ Paris 179 – Amiens 69 – Calais 110 – Charleville-Mézières 159 – Lille 54

🅘 Office de tourisme, place des Héros ℰ 03 21 51 26 95, Fax 03 21 71 07 34

🔟 d'Arras à Anzin-Saint-Aubin Rue Briquet Taillandier, NO : 5 km par D 341,
ℰ 03 21 50 24 24

◉ Grand'Place★★★ et Place des Héros★★★ - Hôtel de Ville et beffroi★ BY H -
Ancienne abbaye St-Vaast★★ : musée des Beaux-Arts★.

Plans pages suivantes

De l'Univers ⓢ |≋| & ch, 𝟰 🛋 ℙ VISA 🚳 AE ①
*3.pl. de la Croix-Rouge – ℰ 03 21 71 34 01 – www.hotel-univers-arras.com
– univers.hotel@najeti.com – Fax 03 21 71 41 42*   BZ v
38 ch – †85/130 € ††99/150 €, ⊇ 14 €   **Rest** – Menu (26 €) – Carte 43/67 €
◆ Monastère, puis hôpital et enfin hôtel : cette élégante et paisible demeure du 16ᵉ s. abrite de belles chambres personnalisées ; certaines affichent une influence provençale. Plaisant décor et appétissante cuisine au goût du jour au restaurant.

D'Angleterre sans rest |≋| & 🔼 ¶ 🛋 VISA 🚳 AE
*7 pl. Foch – ℰ 03 21 51 51 16 – www.hotelangleterre.info – info@
hotelangleterre.info – Fax 03 21 71 38 20 – Fermé 20 déc.-3 janv.*   CZ r
19 ch – †85 € ††99/160 €, ⊇ 9 €
◆ À proximité de la gare TGV, cet édifice régional en briques datant de 1929 propose des chambres au mobilier de style, spacieuses et bien équipées. Salon-bar british.

Mercure Atria |≋| & ch, 𝟰 ¶ 🛋 VISA 🚳 AE ①
*58 bd Carnot – ℰ 03 21 23 88 88 – www.mercure.com – h1560@accor.com
– Fax 03 21 23 88 89*   CZ b
80 ch – †59/112 € ††62/122 €, ⊇ 14 €
Rest – *(fermé sam. midi, dim. midi et fériés le midi)* Menu (16 €) – Carte 29/39 €
◆ Derrière sa façade de verre et de briques, cet hôtel du centre d'affaires cache des chambres rénovées dans un esprit contemporain : mobilier en bois clair et couleurs tendance. Restaurant au cadre très sobre agrémenté de plantes vertes et de compositions florales.

ARRAS

Moderne sans rest 🕪 AC rest, ⇆ ᛋ VISA ⓂⓄ AE ①
1 bd Faidherbe – ℘ *03 21 23 39 57 – www.hotel-moderne-arras.com*
– contact@hotel-moderne-arras.com – Fax 03 21 71 55 42
– Fermé 20 déc.-3 janv. CZ **m**
50 ch – †68/126 € ††78/126 €, ⊇ 9 €
◆ Face à la gare et à deux pas de la Grand'Place, ce bel immeuble (1920) abrite des chambres garnies d'un mobilier simple et fonctionnel, égayées de tissus colorés.

Express by Holiday Inn sans rest 🕪 ♿ AC ⇆ 📶 ᛋ 🅿 VISA ⓂⓄ AE ①
3 r. du Dr Brassart – ℘ *03 21 60 88 88 – www.holidayinn-arras.com*
– reservations@hiexpress-arras.com – Fax 03 21 60 89 00 CZ **y**
98 ch ⊇ – †90/150 € ††90/150 €
◆ Architecture contemporaine située à proximité immédiate de la gare. Chambres modernes dotées d'équipements parfaitement adaptés aux besoins d'une clientèle d'affaires.

Ibis sans rest 🕪 ♿ AC ⇆ 📶 VISA ⓂⓄ AE ①
11 r. de la Justice – ℘ *03 21 23 61 61*
– www.ibishotel.com – h1567@accor.com
– Fax 03 21 71 31 31 CZ **n**
63 ch – †57/95 € ††57/95 €, ⊇ 8 €
◆ Adresse idéalement postée entre les deux magnifiques places arrageoises. Les chambres offrent peu d'ampleur mais elles sont fonctionnelles et insonorisées.

3 Luppars sans rest 🕪 ♿ 📶 VISA ⓂⓄ AE ①
49 Grand'Place – ℘ *03 21 60 02 03 – www.ostel-les-3luppars.com*
– contact3.luppars@wanadoo.fr
– Fax 03 21 24 24 80 CY **r**
42 ch – †60/70 € ††75/80 €, ⊇ 8 €
◆ La plus ancienne demeure d'Arras (1467, superbe façade gothique) propose des chambres simplement agencées ; celles sur l'arrière sont plus calmes.

La Corne d'Or sans rest ⇆ ※ 📶 🅿 🚗 VISA ⓂⓄ
1 pl. Guy-Mollet – ℘ *03 21 58 85 94 – www.lamaisondhotes.com*
– franck@lamaisondhotes.com
– Fermé 19 juil.-9 août CY **a**
5 ch – †68/89 € ††78/115 €, ⊇ 7 € – 2 suites
◆ Savourez l'atmosphère romantique et le raffinement décoratif de cet hôtel particulier remanié au 18e s. Chambres classiques ou contemporaines, loft mansardé, superbes caves.

La Faisanderie VISA ⓂⓄ AE
45 Grand'Place – ℘ *03 21 48 20 76 – www.restaurant-la-faisanderie.com*
– la-faisanderie@wanadoo.fr
– Fax 03 21 50 89 18
– Fermé 3-24 août, jeudi midi, dim. soir, lundi et soirs fériés CY **f**
Rest – Menu 27 € (sem.)/65 € – Carte 73/90 €
◆ Sur la somptueuse place, demeure du 17e s. abritant une belle cave où d'imposantes colonnes en pierre soutiennent de vénérables voûtes en briques ; cuisine au goût du jour.

La Coupole d'Arras VISA ⓂⓄ AE ①
26 bd de Strasbourg – ℘ *03 21 71 88 44*
– lacoupoledarras@orange.fr
– Fax 03 21 71 52 46 CZ **x**
Rest – Menu (29 €), 34 € (sem.) – Carte 33/60 €
◆ Grand restaurant aux allures de brasserie des années folles : reproductions de Mucha, vitraux, mobilier Art déco, etc. Plats traditionnels et bon choix de pâtisseries maison.

La Clef des Sens 🌿 ♿ AC VISA ⓂⓄ AE
60 pl. des Héros – ℘ *03 21 51 00 50 – www.laclefdessens.com*
– laclefdessens@wanadoo.fr
– Fax 03 21 71 25 15 – Fermé 24 déc.-11 janv. CZ **u**
Rest – Menu (17 €), 26/59 € – Carte 31/80 €
◆ Boiseries rouges, banquettes, vivier à homards : décor et carte ad hoc pour cette brasserie bordant la place des Héros. Vue sur le beffroi depuis le 1er étage et la terrasse.

ARRAS

Adam (R. Paul)	**AY** 2
Agaches (R. des)	**BY** 3
Albert-ler-de-Belgique (R.)	**BY** 4
Ancien-Rivage (Pl. de l')	**BY** 5
Barbot (R. du Gén.)	**BY** 6
Baudimont (Rd-Pt)	**AY** 7
Carabiniers-d'Artois (R. des)	**AY** 8
Cardinal (R. du)	**CZ** 9
Delansorne (R. D.)	**BZ** 10
Doumer (R. P.)	**BY** 12
Ernestale (R.)	**BZ** 13
Ferry (R. J.)	**AY** 15
Foch (R. Maréchal)	**CZ** 16
Gambetta (R.)	**BCZ**
Gouvernance (R. de la)	**BY** 18
Guy Mollet (Pl.)	**CY** 19
Kennedy (Av. J.)	**AZ** 24
Legrelle (R. E.)	**BCZ** 25
Madeleine (Pl. de la)	**BY** 28
Marché-au-Filé (R. du)	**BY** 30
Marseille (Pl. de)	**BZ** 31
Robespierre (R.)	**BZ** 34
Ronville (R.)	**CZ** 35
Ste-Claire (R.)	**AZ** 37
Ste-Croix (R.)	**CY** 39
St-Aubert (R.)	**BY**
Strasbourg (Bd de)	**CZ** 42
Taillerie (R. de la)	**CY** 43
Teinturiers (R. des)	**BY** 45
Théâtre (Pl. et R.)	**BZ** 47
Verdun (Cours de)	**AZ** 49
Victor-Hugo (Pl.)	**AZ** 51
Wacquez-Glasson (R.)	**CZ** 52
Wetz-d'Amain (Pl. du)	**BY** 53
29-Juillet (R. du)	**BY** 54
33e (Pl. du)	**BY** 55

à Rœux 14 km à l'Est par ①, N 50, D 33 et D 42 – 1 410 h. – alt. 59 m – ✉ 62118

Le Grand Bleu ≤ 🏡 ♿ VISA ⓜ AE ①
41 r. Henri-Robert – ✆ *03 21 55 41 74* – *www.legrandbleu-roeux.fr*
– *contact@legrandbleu-roeux.fr* – *Fax 03 21 55 41 74*
– *Fermé 1er-15 oct., sam. midi, dim. soir, lundi et le soir sauf vend. et sam.*
Rest – Menu 27 € (déj.)/52 €
◆ Cette maison de style chalet vous accueille dans une salle colorée ou sur une agréable terrasse face au lac dès les beaux jours. Cuisine actuelle bien alléchante.

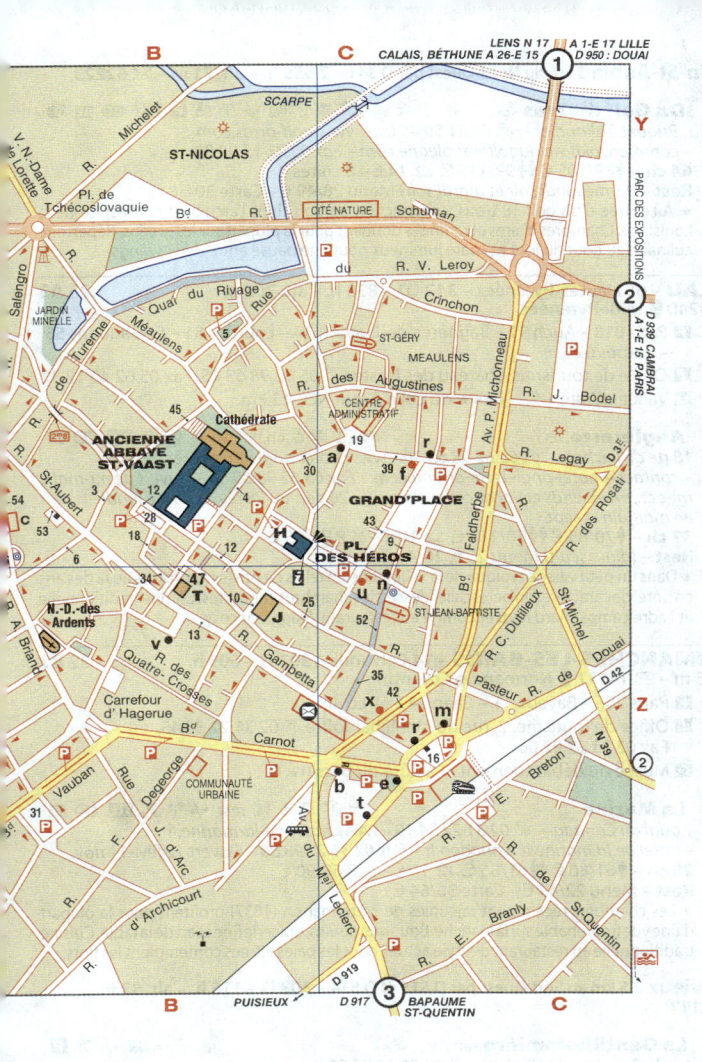

à Mercatel 8 km par ③, D 917 et D 34 – 622 h. – alt. 88 m – ✉ 62217

✗ **Mercator** VISA MC AE
24 r. de la Mairie – ℰ 03 21 73 48 33
– Fax 03 21 22 09 39
– Fermé 1ᵉʳ-16 août, 22-29 mars, sam. et le soir sauf vend.
Rest – Menu (17 €), 26/37 € – Carte 35/70 €
♦ Ambiance familiale, sobre salle à manger néo-rustique et plats traditionnels escortés de vins soigneusement choisis : à deux pas d'Arras, projetez donc un repas au Mercator.

ARRAS

à Anzin-St-Aubin 5 km au Nord-Ouest par D 341 – 2 655 h. – alt. 71 m – ✉ 62223

Du Golf d'Arras
r. Briquet-Tallandier – ℰ 03 21 50 45 04 – www.golf-arras.com
– commercial.hoteldugolf@fr.oleane.com – Fax 03 21 15 07 00
64 ch – †89/105 € ††99/115 €, ☑ 14 € – 8 suites
Rest – (fermé lundi soir et mardi soir) Menu 28/49 € – Carte 30/38 €
♦ À l'entrée d'un golf 18 trous, construction en bois dont l'architecture s'inspire de la Louisiane. Chambres claires et raffinées donnant pour la plupart sur les greens. Répertoire culinaire au goût du jour et cadre lumineux pour une pause entre deux swings.

ARREAU – 65 Hautes-Pyrénées – 342 O7 – 838 h. – alt. 705 m — 28 A3
– ✉ 65240 ▍Midi-Pyrénées

▶ Paris 818 – Auch 91 – Bagnères-de-Luchon 34 – Lourdes 81 – St-Gaudens 55 – Tarbes 62

🛈 Office de tourisme, Château des Nestes ℰ 05 62 98 63 15, Fax 05 62 40 12 32

◉ Vallée d'Aure★ S - ❋★★★ du col d'Aspin NO : 13 km.

Angleterre
18 rte de Luchon, – ℰ 05 62 98 63 30 – www.hotel-angleterre-arreau.com
– contact@hotel-angleterre-arreau.com – Fax 05 62 98 69 66 – Ouvert de mi-mai à mi-oct., week-ends et vacances scolaires du 26 déc. au 28 fév. et fermé lundi en mai-juin et sept.
17 ch – †70/85 € ††70/115 €, ☑ 10 € – ½ P 70/95 €
Rest – (dîner seult) Menu 20 €, 26/40 €
♦ Dans un petit village typique de la vallée, ancien relais de poste transformé au fil des ans en hôtel de caractère. Un bel escalier dessert les chambres coquettes. Cuisine traditionnelle et cadre campagnard revu et corrigé au restaurant. Salon-bar cosy.

ARROMANCHES-LES-BAINS – 14 Calvados – 303 I3 – 609 h. — 32 B2
– alt. 15 m – ✉ 14117 ▍Normandie Cotentin

▶ Paris 266 – Bayeux 11 – Caen 34 – St-Lô 46

🛈 Office de tourisme, 2, rue du Maréchal Joffre ℰ 02 31 22 36 45, Fax 02 31 22 92 06

◉ Musée du débarquement - La Côte du Bessin★ O.

La Marine
1 quai du Canada – ℰ 02 31 22 34 19 – www.hotel-de-la-marine.fr
– hotel.de.la.marine@wanadoo.fr – Fax 02 31 22 98 80 – Ouvert 12 fév.-11 nov.
28 ch – †61/86 € ††61/86 €, ☑ 10 € – ½ P 68/90 €
Rest – Menu 22/49 € – Carte 36/64 €
♦ Les chambres récemment rajeunies de cette maison (1837) profitent pour la plupart d'une vue imprenable sur la Manche. Boutique de vins, épicerie fine et art de la table. Cuisine traditionnelle au restaurant de style actuel, dont les baies vitrées contemplent les flots.

à Manvieux 2,5 km au Sud-Ouest par D 516 et D 514 – 303 I3 – 116 h. – alt. 53 m – ✉ 14117

La Gentilhommière sans rest
4 r. du Port, lieu dit L'Eglise – ℰ 02 31 51 97 91
– www.lagentilhommiere-arromanches.com – lagentilhommiere4@wanadoo.fr
– Fax 02 31 10 03 17
5 ch ☑ – †65 € ††65 €
♦ Cette demeure en pierre du 18e s. garantit des nuits paisibles dans ses chambres, personnalisées par une couleur. Brioche, confitures et yaourt maison au petit-déjeuner.

à La Rosière 3 km au Sud-Ouest par rte de Bayeux – ✉ 14117 Tracy-sur-Mer

La Rosière sans rest
14 rte de Bayeux – ℰ 02 31 22 36 17 – www.hotel-larosiere-arromanches.com
– hotel.larosiere@wanadoo.fr – Fax 02 31 22 19 33 – Ouvert 13 mars-11 nov.
24 ch – †51/99 € ††51/118 €, ☑ 8,50 €
♦ Un ensemble de bâtiments, en léger retrait de la route. Les chambres fonctionnelles, très bien tenues, à majorité de plain-pied, donnent sur le jardin. Petit-déjeuner buffet.

ARS-EN-RÉ – 17 Charente-Maritime – **324** A2 – **voir à Île de Ré**

ARTRES – 59 Nord – **302** J6 – **rattaché à Valenciennes**

ARVIEU – 12 Aveyron – **338** H5 – 880 h. – alt. 730 m – ✉ 12120   29 **D2**

🇩 Paris 663 – Albi 66 – Millau 59 – Rodez 31 – St-Affrique 47
– Villefranche-de-Rouergue 77

🇮 Syndicat d'initiative, Le Bourg ✆ 05 65 46 71 06, Fax 05 65 63 19 16

Au Bon Accueil
pl. du Marché – ✆ 05 65 46 72 13 – www.aubon-accueil.com
– jean-pierre.pachins@wanadoo.fr – Fax 05 65 74 28 95 – Fermé 15 déc.-20 janv.
10 ch – †42/48 € ††42/48 €, ⛛ 7 €
Rest – Menu 14 € bc (déj. en sem.), 19/34 €

♦ Les villageois se retrouvent au bar de cette charmante auberge installée sur la place centrale du bourg. Les chambres, refaites, sont sobres, confortables et bien tenues. Restaurant rustique, carte traditionnelle simple complétée par quelques plats du pays.

ARVIEUX – 05 Hautes-Alpes – **334** I4 – 347 h. – alt. 1 550 m – ✉ 05350   41 **C1**
Alpes-du-Sud

🇩 Paris 782 – Briançon 55 – Gap 80 – Marseille 254

🇮 Office de tourisme, la ville ✆ 04 92 46 75 76, Fax 04 92 46 83 03

La Ferme de l'Izoard
La Chalp, rte du Col – ✆ 04 92 46 89 00 – www.laferme.fr – info@laferme.fr
– Fax 04 92 46 82 37 – Fermé avril et 29 sept.-19 déc.
23 ch – †60/161 € ††60/161 €, ⛛ 11 € – 3 suites – ½ P 61/111 €
Rest – (fermé mardi midi et jeudi midi hors vacances scolaires) Menu (15 €), 21/51 € – Carte 28/50 €

♦ Bâtiment aux allures de ferme traditionnelle. Chambres spacieuses, dotées de balcon ou de terrasse plein sud. Chaleureux salon décoré de meubles queyrassins. Le restaurant propose une carte traditionnelle enrichie de spécialités du terroir et de grillades.

ARZ (ÎLE-D') – 56 Morbihan – **308** O9 – **voir à Île-d'Arz**

ARZON – 56 Morbihan – **308** N9 – 2 173 h. – alt. 9 m – Casino   9 **A3**
– ✉ 56640 **Bretagne**

🇩 Paris 487 – Auray 52 – Lorient 94 – Quiberon 81 – La Trinité-sur-Mer 66
– Vannes 33

🇮 Office de tourisme, rond-point du Crouesty ✆ 02 97 53 69 69,
Fax 02 97 53 76 10

◉ Tumulus de Tumiac ou butte de César ✵ ★ E : 2 km puis 30 mn.

au Port du Crouesty 2 km au Sud-Ouest – ✉ 56640 Arzon

Miramar
– ✆ 02 97 53 49 00 – www.miramarcrouesty.com – reservation@miramarcrouesty.com – Fax 02 97 53 49 99 – Fermé janv.
114 ch – †174/340 € ††174/340 €, ⛛ 19 € – 6 suites
Rest *Salle à Manger* – Menu (30 €), 50/75 € – Carte 53/93 €
Rest *Ruban Bleu* – Menu (30 €), 50 € – Carte 55/75 €

♦ Arrimé à la pointe de la presqu'île de Rhuys, cet hôtel-centre de thalassothérapie, profilé comme un paquebot, vous loge dans de grandes chambres standardisées (avec loggia). Belle vue sur l'océan et ambiance de croisière à La Salle à Manger. Plats diététiques au Ruban Bleu.

Le Crouesty sans rest
r. du Croisty – ✆ 02 97 53 87 91 – www.hotellecrouesty.com – hotellecrouesty@wanadoo.fr – Fax 02 97 53 66 76 – Ouvert vacances de fév.-15 nov.
26 ch – †69/95 € ††75/95 €, ⛛ 10 €

♦ Cette construction proche du port de plaisance abrite de petites chambres fonctionnelles, sobrement décorées, et un salon agrémenté d'une cheminée et d'un piano.

ARZON
à Port Navalo 3 km à l'Ouest – ✉ 56640 Arzon

XXX Grand Largue ≤ 余 ᐊ VISA ⓶
à l'embarcadère – ℰ 02 97 53 71 58 – www.grand-largue.ifrance.com
– largueadam@wanadoo.fr – Fax 02 97 53 92 20 – *Fermé
12 nov.-25 déc., 5 janv.-10 fév., mardi sauf juil.-août et lundi*
Rest – Menu 35 € (sem.)/78 € – Carte 50/80 €
Rest *Le P'tit Zeph* – ℰ 02 97 49 40 34 – Menu 28 € – Carte 35/52 €
♦ Cette villa fièrement dressée à l'entrée du golfe du Morbihan vous convie à savourer une cuisine du grand large inventive, avec vue panoramique sur le ballet des bateaux. Au P'tit Zeph, plats bistrotiers de poissons et fruits de mer proposés à l'ardoise.

ASNIÈRES-SUR-SEINE – 92 Hauts-de-Seine – **311** J2 – **101** 15 – **voir à Paris, Environs**

ASPRES-LES-CORPS – 05 Hautes-Alpes – **334** D4 – **rattaché à Corps**

ASTAFFORT – 47 Lot-et-Garonne – **336** F5 – 1 880 h. – alt. 65 m **4 C2**
– ✉ 47220

🅿 Paris 674 – Agen 19 – Auvillar 29 – Condom 31 – Lectoure 20
🅕 Syndicat d'initiative, 13 place de la Nation ℰ 05 53 67 13 33, Fax 05 53 67 13 33

Le Square "Michel Latrille" ⚜   余 🕾 ᐊ 🆒 🏧 🛏 🚗 VISA ⓶
5 pl. Craste – ℰ 05 53 47 20 40 – www.latrille.com – latrille.michel@wanadoo.fr
– Fax 05 53 47 10 38 – *Fermé 1ᵉʳ-26 janv. et dim. sauf juil.-août*
14 ch – †55/140 € ††65/150 €, ☑ 13 €
Rest – *(fermé 4-11 mai, 1ᵉʳ-26 janv., mardi midi, dim. soir et lundi)* Menu (28 €), 38/58 € – Carte 62/95 € ❀
Spéc. Tarte fine croustillante de Saint-Jacques sur caviar d'aubergine (oct. à avril). Suprême de pigeonneau rôti, cuisses confites et légumes de saison. Moelleux au café, sauce arabica et glace vanille. **Vins** Vin de Pays de l'Agenais, Buzet.
♦ Meubles contemporains, anciens, couleurs vives et détails raffinés personnalisent les chambres (refaites à tour de rôle) de ces belles maisons. Salles à manger cossues dont les ouvertures en arcades dévoilent un frais patio. Terrasse panoramique. Cuisine de tradition.

XXX Une Auberge en Gascogne (Fabrice Biasiolo) 余 ⇔ 🅿 VISA ⓶ AE
9 fg. Corné, (face à la poste) – ℰ 05 53 67 10 27
– www.une-auberge-en-gascogne.com – une-auberge-en-gascogne@wanadoo.fr
– Fax 05 53 67 10 22 – *Fermé 1ᵉʳ-15 janv., dim. soir et lundi midi d'oct. à mai, jeudi midi et merc.*
Rest – Menu (23 €), 42/80 € ❀
Spéc. Petit déjeuner gascon. Agneau des Pyrénées. Porc noir gascon. **Vins** Côtes du Marmandais, Cahors.
♦ Le décor actuel et épuré sied à la dégustation d'une intéressante cuisine créative honorant le terroir. Salon original et terrasse d'été au calme de la cour intérieure.

ASTEVERGE – 79 Deux-Sèvres – **322** – 1 453 h. – alt. 65 m – **rattaché à Thouars** – ✉ 79100

ATTICHY – 60 Oise – **305** J4 – 1 852 h. – alt. 73 m – ✉ 60350 **37 C2**
🅿 Paris 101 – Compiègne 18 – Laon 62 – Noyon 26 – Soissons 24

XX La Croix d'Or avec ch 🅿 VISA ⓶
13 r. Tondu-de-Metz – ℰ 03 44 42 15 37 – www.croixdor.com – lacroixdor60@aol.com – Fax 03 44 42 15 37
4 ch ☑ – †35 € ††43 €
Rest – *(fermé dim. soir, mardi soir et lundi)* Menu 18 € (sem.)/45 €
♦ Ces deux maisons régionales encadrent une cour. Dans l'une, salle de restaurant contemporaine où l'on sert une cuisine actuelle, dans l'autre, chambres simples et pratiques.

ATTIGNAT – 01 Ain – **328** D3 – 2 567 h. – alt. 227 m – ✉ 01340 — 44 **B1**

▶ Paris 420 – Bourg-en-Bresse 13 – Lons-le-Saunier 76 – Louhans 46 – Mâcon 35 – Tournus 42

※※ **Dominique Marcepoil** avec ch
481 Grande Rue, (D 975) – ℘ 04 74 30 92 24 – www.marcepoil.com – marcepoil@libertysurf.fr – Fax 04 74 25 93 48 – Fermé 10-16 août, 25-31 déc., lundi midi et dim.
12 ch – ♦57/65 € ♦♦63/71 €, ⊇ 10 € – ½ P 72 €
Rest – Menu 30 € bc/64 € bc – Carte 42/89 € dîner seulement
♦ Grenouilles, poulets de Bresse... les incontournables de la région dans votre assiette ! Des recettes actualisées sont également ici à l'honneur. Chambres calmes côté piscine.

AUBAGNE – 13 Bouches-du-Rhône – **340** I6 – 43 500 h. – alt. 102 m — 40 **B3**
– ✉ 13400 ■ Provence

▶ Paris 788 – Aix-en-Provence 39 – Brignoles 48 – Marseille 18 – Toulon 48
🛈 Office de tourisme, 8, cours Barthélémy ℘ 04 42 03 49 98, Fax 04 42 03 83 62

🏠 **Souléia**
4 cours Voltaire – ℘ 04 42 18 64 40 – www.hotel-souleia.com – info@hotel-souleia.com – Fax 04 42 08 13 21
72 ch – ♦95/110 € ♦♦95/110 €, ⊇ 10 € – ½ P 108/136 €
Rest – *(fermé sam. soir, dim. midi et vend.)* Menu 20 € – Carte 27/41 €
♦ Dans la capitale du santon, bâtiment moderne avec des chambres au confort fonctionnel (TV par satellite), certaines dotées de terrasse privée. Au rez-de-chaussée, brasserie ouverte sur la place. Restaurant panoramique sur le toit (solarium) aux menus traditionnels.

※※ **Les Arômes**
8 r. Moussard – ℘ 04 42 03 72 93 – francoisebesset@neuf.fr – Fax 04 42 03 72 93 – Fermé mardi soir, merc. soir, sam. midi, dim. et lundi
Rest – Menu (22 €), 30 € – Carte 43/60 €
♦ Vous êtes reçu comme à la maison dans ce restaurant familial soigneusement décoré par la maîtresse des lieux. Recettes traditionnelles revisitées, courte carte de saison.

à St-Pierre-lès-Aubagne 5 km au Nord par D 96 ou D 43 – ✉ 13400

🏠 **Hostellerie de la Source** sans rest
– ℘ 04 42 04 09 19 – www.hdelasource.com – hostelleriedelasource@orange.fr – Fax 04 42 04 58 72
26 ch – ♦73/84 € ♦♦90/176 €, ⊇ 12 €
♦ Dans un parc arboré d'où jaillit la source de l'hôtel, demeure du 17e s. complétée d'une annexe récente. Chambres bien tenues et belle piscine coiffée d'une verrière.

au Nord 4 km par D 44 et rte secondaire – ✉ 13400 Aubagne

※※ **La Ferme**
La Font de Mai, (chemin Ruissatel) – ℘ 04 42 03 29 67
– www.aubergelaferme.com – auberge-la-ferme@wanadoo.fr – Fermé août, vacances de fév., sam. midi, lundi et le soir sauf vend. et sam.
Rest – Menu 50 € – Carte 47/70 €
♦ Hors du temps, maison en pleine garrigue, au cœur du pays de Pagnol, servant une copieuse cuisine du marché. Repas à l'ombre du vieux chêne ou dans la salle cosy et provençale.

AUBAZINES – 19 Corrèze – **329** L4 – 798 h. – alt. 345 m – ✉ 19190 — 25 **C3**
■ Périgord

▶ Paris 480 – Aurillac 86 – Brive-la-Gaillarde 14 – St-Céré 50 – Tulle 17
🛈 Office de tourisme, le bourg ℘ 05 55 25 79 93, Fax 05 55 25 79 93
⛳ d'Aubazine à Beynat Complexe Touristique Coiroux, E : 4 km, ℘ 05 55 27 26 93
◉ Abbaye cistercienne St-Etienne★ : clocher★, mobilier★, tombeau de St-Étienne★★, armoire liturgique★.

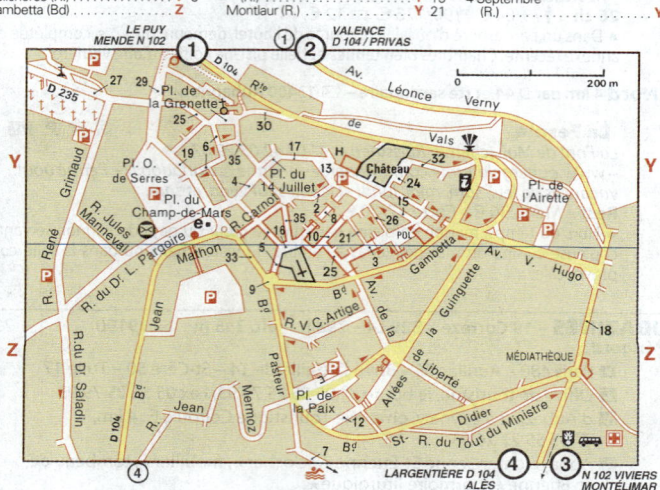

AUBAZINES

🏠 De la Tour   📶 VISA 🅾

pl. de l'Église – ✆ *05 55 25 71 17 – http://www.hoteldelatour19.com
– hoteldelatour19@orange.fr – Fax 05 55 84 61 83 – Fermé 29 déc.-19 janv., dim. soir et lundi midi sauf juil.-août*
18 ch – ♦50/70 € ♦♦50/70 €, ☲ 7 € – ½ P 60/70 €
Rest – Menu (18 €), 23/30 € – Carte 23/37 €

♦ Face à l'abbaye, vieille maison de caractère flanquée d'une tour. Chambres anciennes égayées de papiers peints colorés. Cuisine régionale servie dans des salles rustiques agrémentées de cuivres et d'étains.

AUBE – 61 Orne – 310 M2 – 1 540 h. – alt. 230 m – ⌧ 61270   33 C3
Normandie Vallée de la Seine

▶ Paris 144 – L'Aigle 7 – Alençon 55 – Argentan 47 – Mortagne-au-Perche 32

✕ Auberge St-James   VISA 🅾
👓
😊
62 rte de Paris – ✆ *02 33 24 01 40 – Fax 02 33 24 01 40 – Fermé dim. soir, mardi soir et merc.*
Rest – Menu 17/30 € – Carte 35/44 €

♦ Une adresse simple et sympathique à dénicher dans le village où vécut la comtesse de Ségur. La carte est composée de goûteux petits plats issus de diverses régions françaises.

AUBENAS – 07 Ardèche – 331 I6 – 11 800 h. – alt. 330 m – ⌧ 07200   44 A3
Lyon et la vallée du Rhône

▶ Paris 627 – Alès 76 – Montélimar 41 – Privas 32 – Le Puy-en-Velay 91
ℹ Office de tourisme, 4, boulevard Gambetta ✆ 04 75 89 02 03, Fax 04 75 89 02 04
◉ Site★ - Façade★ du château.

AUBENAS

Béranger de la Tour (R.) .... **Y** 2	Gaulle (Pl. Gén.-de) .... **Z** 9	Nationale (R.) .... **Y** 22
Bernardy (R. de) .... **YZ** 3	Grand'Rue .... **Y** 10	Parmentier (Pl.) .... **Y** 24
Bouchet (R. Auguste) .... **Y** 4	Hoche (R.) .... **Z** 12	Radal (R.) .... **Y** 25
Champalbert (R.) .... **Y** 5	Hôtel de Ville (Pl.) .... **Y** 13	République (R. de la) .... **Y** 26
Cordeliers (R. des) .... **Y** 6	Jeanne d'Arc (Pl.) .... **YZ** 16	Réservoirs (R. des) .... **Y** 27
Couderc (R. G.) .... **Z** 7	Jean-Jaurès (R.) .... **Y** 15	Roure (Pl. Jacques) .... **Y** 29
Delichères (R.) .... **Y** 8	Jourdan (R.) .... **Y** 17	St-Benoît (Rampe) .... **Y** 30
Gambetta (Bd) .... **Z**	Laprade (Bd C.) .... **Z** 18	Silhol (R. Henri) .... **Y** 32
	Lésin-Lacoste (R.) .... **Y** 19	Vernon (Bd de) .... **Z** 33
	Montlaur (R.) .... **Y** 21	4-Septembre (R.) .... **Y** 35

204

AUBENAS

Ibis sans rest
rte de Montélimar – ℰ 04 75 35 44 45 – www.ibishotel.com – Fax 04 75 93 01 01
63 ch – †69/75 € ††69/75 €, ⊇ 8 €
♦ À la sortie sud de la ville, un Ibis disposant de chambres conformes aux normes de la chaîne. Petite restauration sur place, terrasse et piscine.

Le Coyote
13 bd Mathon – ℰ 04 75 35 01 28 – marc.decker_bretel@aliceadsl.fr
– Fax 04 75 35 01 28 – Fermé 6-13 juil.,25 déc.-11 janv., dim. et lundi
Rest – (nombre de couverts limité, prévenir) Menu (15 €), 19/30 € – Carte 32/39 €
♦ Ce qui fait toute la valeur de cette petite table au cadre simple ? Son talentueux chef, incontestablement. Les fidèles se régalent de ses recettes du marché, traditionnelles.

AUBETERRE-SUR-DRONNE – 16 Charente – **324** L8 – 412 h.
– alt. 72 m – ⊠ 16390 **Poitou Vendée Charentes**   39 **C3**

▶ Paris 494 – Angoulême 48 – Bordeaux 90 – Périgueux 54
ℹ Office de tourisme, place du Château ℰ 05 45 98 57 18, Fax 05 45 98 54 13
🏌 d'Aubeterre à Saint-Séverin Le Manoir de Longeveau, NE : 7 km par D 17 et D 78, ℰ 05 45 98 55 13
◉ Église monolithe★★.

Hostellerie du Périgord
(quartier Plaisance) – ℰ 05 45 98 50 46 – www.hostellerie-perigord.com
– hpmorel@aol.com – Fax 05 45 98 31 69 – Fermé 2 sem. en janv.
12 ch – †48 € ††56/70 €, ⊇ 7 € – ½ P 65 €
Rest – (fermé dim. soir et lundi) Menu 17 € (déj. en sem.), 33/44 €
– Carte environ 38 €
♦ Cure de jouvence réussie pour ce petit hôtel familial situé au pied du célèbre village. Chambres discrètement contemporaines, insonorisées et bien tenues. Le restaurant propose une carte mi-traditionnelle, mi-actuelle. Plaisante véranda côté jardin-piscine.

AUBIGNY-SUR-NÈRE – 18 Cher – **323** K2 – 5 751 h. – alt. 180 m
– ⊠ 18700 **Limousin Berry**   12 **C2**

▶ Paris 180 – Orléans 67 – Bourges 48 – Cosne-sur-Loire 41 – Gien 30 – Salbris 32 – Vierzon 44
ℹ Office de tourisme, 1, rue de l'Église ℰ 02 48 58 40 20, Fax 02 48 58 59 13

La Chaumière
2 r. Paul-Lasnier – ℰ 02 48 58 04 01 – www.hotel-restaurant-la-chaumiere.com
– lachaumiere.hotel@wanadoo.fr – Fax 02 48 58 10 31
– Fermé 9-23 août, 8 fév.-9 mars et dim. soir sauf juil.-août et fériés
19 ch – †55/80 € ††70/125 €, ⊇ 10 € – ½ P 63/91 €
Rest – (fermé dim. soir et lundi sauf le soir en juil.-août et fériés) Menu 20/55 €
– Carte 35/50 €
♦ Une bâtisse ancienne qui soigne son image : de confortables chambres personnalisées (pierre et bois) et deux jolies salles rustiques pour déguster une cuisine traditionnelle.

Villa Stuart
12 av. de Paris – ℰ 02 48 58 93 30 – www.villastuart.com
– villastuart@wanadoo.fr
5 ch ⊇ – †70 € ††100 €   **Table d'hôte** – Menu 27 € bc
♦ Agréable séjour dans cette belle demeure bourgeoise. Quatre chambres spacieuses et claires, décorées selon une thématique (voyage, art, histoire...). Amateurs de cuisine, réjouissez-vous ! Le propriétaire réalise ses propres confitures et propose des cours culinaires.

Le Bien Aller
3 r. des Dames – ℰ 02 48 58 03 92 – jeanachard2@aol.com – Fermé mardi soir et merc. soir
Rest – Menu 18 € (sem.)/24 €
♦ Chaleureux intérieur de style bistrot, bar à vins et cuisine axée sur le terroir. Vous composerez votre menu à partir des suggestions inscrites chaque jour sur l'ardoise.

AUBRAC – 12 Aveyron – 338 J3 – alt. 1 300 m – ⊠ 12470 — 29 **D1**
Languedoc Roussillon

▶ Paris 581 – Aurillac 97 – Mende 66 – Rodez 56 – St-Flour 62

La Dômerie ॐ
– ℰ 05 65 44 28 42 – www.hoteldomerie.com – david.mc@wanadoo.fr
– Fax 05 65 44 21 47 – Ouvert 7 fév.-12 nov.
24 ch – ♦67/93 € ♦♦67/93 €, ⊃ 12 € – ½ P 67/77 €
Rest – *(fermé le midi du lundi au vend. et merc. soir sauf mi-juil. à fin août)*
Menu 24/43 € – Carte 28/49 €

♦ Belle demeure ancienne en basalte et granit située au centre du village. Deux générations de chambres confortables : rustiques ou plus cosy. Accueillante salle à manger campagnarde où vous goûterez une cuisine familiale mettant en valeur la viande d'Aubrac.

AUBUSSON ⊚ – 23 Creuse – 325 K5 – 4 239 h. – alt. 440 m – ⊠ 23200 — 25 **C2**
Limousin Berry

▶ Paris 387 – Clermont-Ferrand 91 – Guéret 41 – Limoges 89 – Montluçon 64
🛈 Office de tourisme, rue Vieille ℰ 05 55 66 32 12, Fax 05 55 83 84 51
◉ Musée départemental de la Tapisserie★ (Centre Culturel Jean-Lurçat).

AUBUSSON

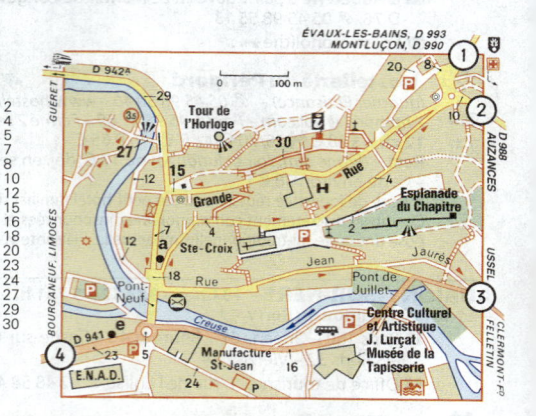

Chapitre (R. du)	2
Chateaufavier (R.)	4
Dayras (Pl. M.)	5
Déportés (R. des)	7
Espagne (Pl. Gén.)	8
Fusillés (R. des)	10
Iles (Quai des)	12
Libération (Pl. de la)	15
Lissiers (Av. des)	16
Lurçat (Pl. J.)	18
Marché (Pl. du)	20
République (Av.)	23
St-Jean (R.)	24
Terrade (Pont de la)	27
Vaveix (R.)	29
Vieille (R.)	30

Villa Adonis sans rest
14 av. de la République – ℰ 05 55 66 46 00 – www.villa-adonis.com – infos@villa-adonis.com – Fax 05 55 66 17 90 – Fermé 30 déc.-3 janv.
10 ch – ♦52/62 € ♦♦52/62 €, ⊃ 7 €   **e**

♦ Beau hall d'accueil, jolies chambres mariant confort actuel et décoration contemporaine et cosy, superbe jardin : voilà l'essentiel de cette villa bien agréable.

Le France
6 r. des Déportés – ℰ 05 55 66 10 22 – www.aubussonlefrance.com – contact@aubussonlefrance.com – Fax 05 55 66 88 64   **a**
21 ch – ♦59/95 € ♦♦59/95 €, ⊃ 12 €
Rest – *(fermé dim. soir du 2 nov. au 15 mars)* Menu (12 €bc), 20/30 € – Carte 31/54 €

♦ Entre la Creuse et le centre ancien, belle demeure du 18ᵉ s. aux chambres confortables et aménagées avec goût (meubles chinés, tissus choisis). Petit espace détente avec sauna. Élégante salle de restaurant et jolie terrasse d'été dressée dans la cour intérieure.

AUCH 🅿 – 32 Gers – 336 F8 – 21 700 h. – alt. 169 m – ⊠ 32000 — 28 **B2**
Midi-Pyrénées

▶ Paris 713 – Agen 74 – Bordeaux 205 – Tarbes 74 – Toulouse 79
🛈 Office de tourisme, 1, rue Dessoles ℰ 05 62 05 22 89, Fax 05 62 05 92 04
✈ d'Auch-Embats, O : 5 km par D 924, ℰ 05 62 61 10 11
⛳ de Gascogne à Masseube Les Stournes, S : 25 km, ℰ 05 62 66 03 10
◉ Cathédrale Ste-Marie★★ : stalles★★★, vitraux★★.

AUCH

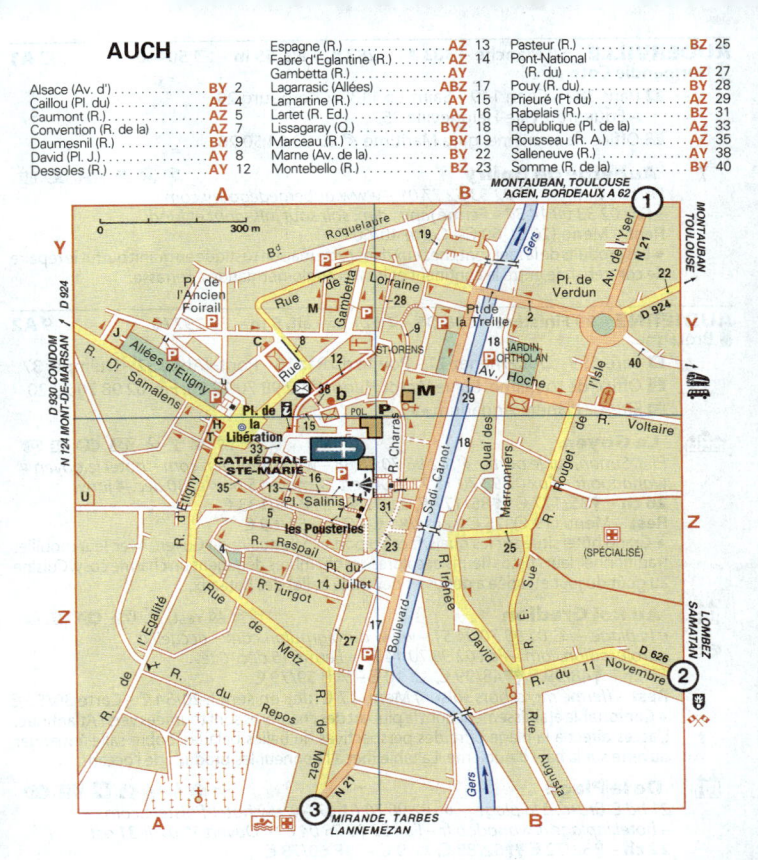

Street	Ref
Alsace (Av. d')	BY 2
Caillou (Pl. du)	AZ 4
Caumont (R.)	AZ 5
Convention (R. de la)	AZ 7
Daumesnil (R.)	BY 9
David (Pl. J.)	AY 8
Dessoles (R.)	AY 12
Espagne (R.)	AZ 13
Fabre d'Églantine (R.)	AZ 14
Gambetta (R.)	AY
Lagarrasic (Allées)	ABZ 17
Lamartine (R.)	AY 15
Lartet (R. Ed.)	AZ 16
Lissagaray (Q.)	BYZ 18
Marceau (R.)	BY 19
Marne (Av. de la)	BY 22
Montebello (R.)	BZ 23
Pasteur (R.)	BZ 25
Pont-National (R. du)	AZ 27
Pouy (R. du)	BY 28
Prieuré (Pt du)	AZ 29
Rabelais (R.)	BZ 31
République (Pl. de la)	AZ 33
Rousseau (R.J.)	BZ 35
Salleneuve (R.)	AY 38
Somme (R. de la)	BY 40

La Table d'Oste
7 r. Lamartine – ✆ *05 62 05 55 62 – www.table-oste-restaurant.com – latabledoste@hotmail.fr – Fax 05 62 05 55 62 – Fermé 14-21 juin, 20 sept.-11 oct., sam. soir en été, lundi midi et dim.*
AY **b**
Rest – *(nombre de couverts limité, prévenir)* Menu 16 € (déj. en sem.), 24/39 € bc – Carte 25/48 €

◆ Recettes du terroir à savourer dans la jolie petite salle à manger rustique (poutres apparentes, bibelots anciens...) ou sur la terrasse d'été dressée côté rue.

rte d'Agen 7 km par ① – ⊠ 32810 Montaux-les-Créneaux

Le Papillon
N 21 – ✆ *05 62 65 51 29 – www.restaurant-lepapillon.com – lepapillon@wanadoo.fr – Fax 05 62 65 54 33 – Fermé 30 juin-14 juil., 1er-8 sept., 22 fév.-8 mars, dim. soir et lundi*
Rest – Menu 17 € (sem.)/42 € – Carte 38/49 €

◆ Pavillon récent en retrait de la nationale. La salle de restaurant, lumineuse et agrémentée de tableaux, ouvre sur une jolie terrasse ombragée. Registre culinaire classique.

Une nuit douillette sans se ruiner ?
Repérez les Bibs Hôtels.

AUDERVILLE – 50 Manche – 303 A1 – 283 h. – alt. 55 m – ⌧ 50440 32 **A1**
Normandie Cotentin

> ▶ Paris 382 – Caen 149 – Saint-Lô 113 – Cherbourg 29
> – Équeurdreville-Hainneville 25
> ▷ Office de tourisme, gare Maritime ℰ 02 33 04 50 26

Auberge de Goury
Port de Goury – ℰ 02 33 52 77 01 – www.aubergedegoury.com
– *Fax 02 33 08 14 37 – Fermé janv., dim. soir sauf juil.-août et lundi*
Rest – Menu (26 €), 60 € – Carte 40/60 €

♦ Les produits de la mer sont chez eux dans cette maison rustique en granit qui fut le repaire de contrebande entre le continent et les îles anglo-normandes. Terrasse.

AUDIERNE – 29 Finistère – 308 D6 – 2 321 h. – alt. 5 m – ⌧ 29770 9 **A2**
Bretagne

> ▶ Paris 599 – Douarnenez 21 – Pointe du Raz 16 – Pont-l'Abbé 32 – Quimper 37
> ▷ Office de tourisme, 8, rue Victor Hugo ℰ 02 98 70 12 20, Fax 02 98 70 20 20
> ◉ Site ★ – Planète Aquarium ★★.

Le Goyen
Pl. J. Simon, sur le port – ℰ 02 98 70 08 88 – www.le-goyen.com – hotel.le.goyen@wanadoo.fr – Fax 02 98 70 18 77 – *Ouvert 27 mars-15 nov. et 30 déc.-4 janv.*
26 ch – ♦85/177 € ♦♦85/177 €, ⊆ 12 € – ½ P 95/133 €
Rest – Menu (19 €), 25 € (sem.)/89 € – Carte 51/69 €

♦ Grand hôtel situé sur les quais, face au port et à l'estuaire du Goyen. Avec leur mobilier traditionnel, leurs tissus fleuris et colorés, les chambres dégagent un charme cosy. Cuisine au goût du jour et iodée à déguster devant le ballet des bateaux.

Au Roi Gradlon
à la plage – ℰ 02 98 70 04 51 – www.auroigradlon.com – accueil@auroigradlon.com – Fax 02 98 70 14 73 – *Fermé 15 déc.-6 fév.*
19 ch – ♦48/99 € ♦♦48/99 €, ⊆ 10 € – ½ P 59/79 €
Rest – *(fermé merc. hors saison)* Menu 17 € (déj. en sem.), 20/54 € – Carte 30/50 €

♦ Confortable établissement dont la plupart des chambres sont tournées vers l'Atlantique. L'accès direct à la plage offre des perspectives de belles balades. Sobre salle à manger ouverte sur la baie d'Audierne. La table met à l'honneur les produits de l'océan.

De la Plage
21 bd E. Brusq, à la plage – ℰ 02 98 70 01 07 – www.hotel-finistere.com
– hotel.laplage@wanadoo.fr – Fax 02 98 75 04 69 – *Ouvert 1er avril-31 oct.*
22 ch – ♦52/72 € ♦♦52/88 €, ⊆ 9 € – ½ P 60/78 €
Rest – *(dîner seult)* Menu 20 €, 25/38 €

♦ Des chambres claires et colorées (certaines avec loggia) et des salles à manger marines et panoramiques font l'attrait de cette maison qui a presque les pieds dans l'eau.

L'Iroise
8 quai Camille-Pelletan – ℰ 02 98 70 15 80 – www.restaurant-liroise.com
– restaurant.liroise@wanadoo.fr – Fax 02 98 70 20 82 – *Fermé 5-31 janv., lundi soir et mardi sauf du 15 juil. au 31 août*
Rest – Menu 25/108 €

♦ Une terrasse d'été tournée sur les quais et le port devance cette salle à manger égayée de tons pastel et dotée de murs de pierres apparentes. Plats actuels et saveurs iodées.

AUDINCOURT – 25 Doubs – 321 L2 – 15 539 h. – alt. 323 m – ⌧ 25400 17 **C1**
Franche-Comté Jura

> ▶ Paris 476 – Basel 96 – Belfort 21 – Besançon 75 – Montbéliard 6 – Mulhouse 59
> ◉ Église du Sacré-Cœur : baptistère ★ AY **B**.

Voir plan de Montbéliard agglomération.

Les Tilleuls sans rest
51 r. Foch – ℰ 03 81 30 77 00 – http://perso.wanadoo.fr/hotel.tilleuls
– hotel.tilleuls@wanadoo.fr – Fax 03 81 30 57 20 Y **s**
47 ch – ♦51/63 € ♦♦69/77 €, ⊆ 8,50 €

♦ Hôtel composé d'une maison ancienne rénovée et d'annexes où sont aménagées des chambres fonctionnelles et bien équipées. Jardin agrémenté d'une pergola.

AUDINCOURT

à Taillecourt 1,5 km au Nord, rte de Sochaux – 989 h. – alt. 330 m – ⊠ 25400

XXX **Auberge La Gogoline** 🐴 🍴 **P** **VISA** **MC** **AE** **①**
23 r. Croisée – ℰ 03 81 94 54 82 – jacquesferrare@orange.fr – Fax 03 81 95 20 42
– Fermé 1er -23 sept., 8-23 fév., sam. midi, dim. soir, lundi et mardi Y k
Rest – Menu 28/48 € – Carte 48/74 € 🍷
◆ Préservée de la zone commerciale par son jardin, cette maison façon "chaumière" cache un confortable intérieur rustico-bourgeois. Carte traditionnelle et bon choix de vins.

AUDRESSEIN – 09 Ariège – **343** E7 – **rattaché à Castillon-en-Couserans**

AUDRIEU – 14 Calvados – **303** I4 – **rattaché à Bayeux**

AUGEROLLES – 63 Puy-de-Dôme – **326** I8 – 908 h. – alt. 540 m **6 C2**
– ⊠ 63930

▶ Paris 411 – Clermont-Ferrand 61 – Montluçon 149 – Roanne 65 – Vichy 55

X **Les Chênes** ♿ ⇔ **P** **VISA** **MC**
rte de Piboulet, 1 km à l'Ouest par D 42 – ℰ 04 73 53 50 34
🍴 – www.restaurant-les-chenes.com – info@restaurant-les-chenes.com
– Fax 04 73 53 52 20 – Fermé 30 juin-13 juil., 24 déc.-3 janv., 15-22 fév., mardi soir sauf juil.-août, dim. soir, lundi soir et sam.
Rest – Menu (12 € bc), 19 € (sem.)/47 €
◆ Auberge familiale abritant une coquette salle à manger qui panache styles rustique et contemporain. L'appétissante cuisine traditionnelle valorise les produits locaux.

AUGERVILLE-LA-RIVIÈRE – 45 Loiret – **318** L2 – 226 h. – alt. 100 m **12 C1**
– ⊠ 45330

▶ Paris 92 – Orléans 76 – Évry 59 – Corbeil-Essonnes 62 – Melun 52

🏨 **Château d'Augerville** 🌿 🎵 📺 🛗 🆎 ch, 🛁 🛀 **P** **VISA** **MC** **AE**
pl. du Château – ℰ 02 38 32 12 07 – www.chateau-augerville.com – reservation@chateau.augerville.com – Fax 02 38 32 12 15
38 ch – ♦135/265 € ♦♦175/265 €, ⊃ 16 € – 2 suites
Rest – Menu (20 €), 51 € – Carte 50/72 €
◆ Confortables chambres signées de l'architecte Patrick Ribes, superbe domaine de 112 ha et son parcours 18 trous : ce château médiéval est un paradis pour golfeurs. Belle salle à manger (boiseries en chêne) et courte carte actuelle.

AULLÈNE – 2A Corse-du-Sud – **345** D9 – **voir à Corse**

AULNAY – 17 Charente-Maritime – **324** H3 – 1 507 h. – alt. 63 m **38 B2**
– ⊠ 17470 🌿 **Poitou Vendée Charentes**

▶ Paris 424 – Angoulême 66 – Niort 41 – Poitiers 87 – La Rochelle 72
ℹ Office de tourisme, 290, avenue de l'Église ℰ 05 46 33 14 44, Fax 05 46 33 15 46
◉ Église St-Pierre★★.

🏠 **Du Donjon** sans rest ♿ 📶 **VISA** **MC**
4 r. des Hivers – ℰ 05 46 33 67 67 – www.hoteldudonjon.com – hoteldudonjon@wanadoo.fr – Fax 05 46 33 67 64
10 ch – ♦55/68 € ♦♦55/75 €, ⊃ 7 €
◆ Charmante maison saintongeaise voisine de l'église St-Pierre. Intérieur décoré avec goût : pierres et poutres anciennes, mobilier rustique et confort moderne. Joli jardin.

AULNAY-SOUS-BOIS – 93 Seine-Saint-Denis – **305** F7 – **101** 18 – **voir à Paris, Environs**

AULON – 65 Hautes-Pyrénées – 342 N7 – 76 h. – alt. 1 213 m – ⌧ 65240   28 A3

D Paris 830 – Bagnères-de-Luchon 44 – Col d'Aspin 24 – Lannemezan 38 – St-Lary-Soulan 13

✕ Auberge des Aryelets

Pl. du Village – ℰ 05 62 39 95 59 – Fax 05 62 39 95 59 – Fermé 1er-8 juin, 12 nov.-17 déc., dim. soir, lundi et mardi hors vacances scolaires
Rest – Menu (19 €), 23/37 € – Carte 40/55 €

♦ Petite maison en pierres de taille qui a su préserver sa rusticité et son authenticité. Cuisine de pays généreuse, élaborée avec de bons produits et ambiance conviviale.

AULUS-LES-BAINS – 09 Ariège – 343 G8 – 189 h. – alt. 750 m – Stat. therm. : fin avril-fin oct. – ⌧ 09140 ▊ Midi-Pyrénées   28 B3

D Paris 807 – Foix 76 – Oust 17 – St-Girons 34

i Office de tourisme, résidence Ars ℰ 05 61 96 01 79

◉ Vallée du Garbet★ N.

🏠 Hostellerie de la Terrasse

– ℰ 05 61 96 00 98 – ariege.com – jeanfrancois.maurette@wanadoo.fr – Fax 05 61 96 01 42 – Ouvert 2 mai-30 oct.
14 ch – †45/100 € ††45/100 €, ⊇ 8 € – ½ P 55/65 €
Rest – (ouvert 2 juin-29 sept.) Menu 19/45 € – Carte 25/60 €

♦ Au-delà de la rivière que l'on franchit par une passerelle, une maison presque centenaire à l'atmosphère familiale. Chambres simples, parfois dotées d'une terrasse. Restaurant campagnard et bourgeois ; terrasse ombragée bercée par le murmure du Garbet.

🏠 Les Oussaillès

– ℰ 05 61 96 03 68 – jcharrue@orange.fr – Fermé 15 nov.-15 déc.
10 ch (½ P seult) – ½ P 43/50 €   **Rest** – (dîner seult) (résidents seult) Menu 15 €

♦ Vieille demeure ariégeoise en pierre accostée d'une gracieuse tourelle, au cœur de la petite station thermale. Certaines chambres donnent sur le jardin. Lumineux restaurant, terrasse regardant la montagne, cuisine familiale et accueil aimable.

AUMALE – 76 Seine-Maritime – 304 K3 – 2 428 h. – alt. 130 m – ⌧ 76390 ▊ Normandie Vallée de la Seine   33 D1

D Paris 136 – Amiens 48 – Beauvais 49 – Dieppe 69 – Rouen 74

i Syndicat d'initiative, rue Centrale ℰ 02 35 93 41 68, Fax 02 35 93 41 68

🏨 Villa des Houx

6 av. Gén.-de-Gaulle – ℰ 02 35 93 93 30 – www.villa-des-houx.com – contact@villa-des-houx.com – Fax 02 35 93 03 94 – Fermé 1er janv.-10 fév. et dim. soir du 15 sept. au 15 mai sauf fériés
22 ch – †62/72 € ††65/100 €, ⊇ 9 €
Rest – (fermé dim. soir et lundi du 15 sept. au 15 mai sauf fériés) Menu 24/45 € – Carte 34/57 €

♦ Cette hostellerie familiale arbore une jolie façade à colombages. Vous y dormirez la conscience tranquille dans des chambres tout confort. Salle à manger, véranda et terrasse d'été ouvrent sur le paisible jardin. Carte classique inspirée du terroir.

AUMONT-AUBRAC – 48 Lozère – 330 H6 – 1 099 h. – alt. 1 040 m – ⌧ 48130   23 C1

D Paris 549 – Aurillac 115 – Espalion 57 – Marvejols 25 – Mende 40 – Le Puy-en-Velay 90

i Office de tourisme, rue de l'Église ℰ 04 66 42 88 70, Fax 04 66 42 88 70

🏨 Grand Hôtel Prouhèze

2 rte du Languedoc – ℰ 04 66 42 80 07 – www.prouheze.com – resa@prouheze.com – Fax 04 66 42 87 78 – Fermé 2 nov.-1er déc. et 18 janv.-9 fév.
23 ch – †50/90 € ††50/90 €, ⊇ 12 €
Rest *Le Compostelle* – voir ci-après
Rest – (ouvert 13 mars-1er nov. et fermé le midi sauf sam., dim. et fériés) Menu 56 € – Carte environ 56 €

♦ Sur la place de la gare, cette demeure familiale propose des chambres à la décoration harmonieuse et colorée, mêlant la simplicité des lignes actuelles aux détails anciens. Goûteuse cuisine du terroir et vins du Languedoc servis dans un cadre chaleureux.

AUMONT-AUBRAC

Chez Camillou (Cyril Attrazic)
*10 rte du Languedoc – ℰ 04 66 42 80 22 – www.hotel-camillou.com
– chezcamillou@wanadoo.fr – Fax 04 66 42 93 70 – Ouvert 1er avril-31 oct.*
38 ch – †65/160 € ††65/160 €, ⊇ 10 € – 3 suites – ½ P 57/101 €
Rest Le Gabale – voir ci-après
Rest *Cyril Attrazic* – ℰ 04 66 42 86 14 (fermé 15 nov.-15 déc., 15 janv.-21 fév., dim. soir et lundi sauf juil.-août) Menu 25 € (sem.)/108 € bc – Carte 46/70 €
Spéc. Nouilles de céleri, champignons du massif et jus gras. Pièce de bœuf fermier d'Aubrac et "croustifondant" de bœuf confit. Coupétade revisitée croustillante et parfumée à l'orange confite. **Vins** Coteaux du Languedoc.
♦ En léger retrait de la nationale, deux bâtiments récents dans un environnement boisé. Chambres de bonne ampleur, meublées dans le style rustique. Belle salle à manger contemporaine dans les tons beiges ; savoureuse cuisine au goût du jour où entre le terroir.

Le Gabale – Hôtel Chez Camillou
10 rte du Languedoc – ℰ 04 66 42 86 14 – www.camillou.com – chezcamillou@wanadoo.fr – Fax 04 66 42 91 78 – Fermé 10 janv.-14 fév., dim. soir et lundi de nov. à avril
Rest – Menu (14 €), 17/22 € – Carte 24/37 €
♦ Au rez-de-chaussée de l'hôtel Chez Camillou, confortable restaurant éclairé par de grandes baies. Fresque paysagère ; terrasse d'été. Goûteuses recettes du terroir.

Le Compostelle – Grand Hôtel Prouhèze
*2 rte du Languedoc – ℰ 04 66 42 80 07 – prouheze@prouheze.com
– Fax 04 66 42 87 78 – Fermé 2 nov.-1er déc., 18 janv.-9 fév., lundi soir, merc. midi et mardi de déc. à mars*
Rest – Menu 18/28 €
♦ Aligot, chou farci, tripoux... tout l'Aubrac dans votre assiette ! Les recettes du terroir sont mises à l'honneur dans ce petit bistrot au charme très campagnard.

AUNAY-SUR-ODON – 14 Calvados – **303** I5 – **2 902** h. – alt. 188 m **32 B2**
– ✉ 14260 ▮ Normandie Cotentin
▸ Paris 269 – Caen 36 – Falaise 42 – Flers 37 – St-Lô 53 – Vire 34
🛈 Office de tourisme, rue Verdun ℰ 02 31 77 60 32, Fax 02 31 77 65 46

St-Michel avec ch
*6 r. de Caen – ℰ 02 31 77 63 16 – saint-michel-aunay@wanadoo.fr
– Fax 02 31 77 05 83 – Fermé en nov., en janv., lundi sauf le soir en juil.-août et dim. soir de sept. à juin*
6 ch – †45 € ††45 €, ⊇ 8 € – ½ P 48 €
Rest – Menu 15 € (sem.)/45 € – Carte 36/50 €
♦ Sobre petite auberge familiale où l'on prépare une cuisine traditionnelle dans la note régionale. Salle à manger confortable et lumineuse. Chambres simples et pratiques.

Le rouge est la couleur de la distinction : nos valeurs sûres !

AUPS – 83 Var – **340** M4 – **1 903** h. – alt. 496 m – ✉ 83630 ▮ Côte d'Azur **41 C3**
▸ Paris 818 – Aix-en-Provence 90 – Digne-les-Bains 78 – Draguignan 29 – Manosque 59
🛈 Syndicat d'initiative, place Frédéric Mistral ℰ 04 94 84 00 69, Fax 04 94 84 00 69

Des Gourmets
*5 r. Voltaire – ℰ 04 94 70 14 97 – lesgourmetsaups@aol.com
– Fermé 22 juin-10 juil., 30 nov.-18 déc., dim. soir sauf juil.-août et lundi*
Rest – Menu 17 € (sem.)/36 €
♦ Adresse familiale dans ce village où se tient le plus important marché aux truffes du Var. Cadre rustique égayé de fresques murales évoquant la Provence et cuisine traditionnelle.

AUPS

à Moissac-Bellevue 7 km à l'Ouest par D9 – 263 h. – alt. 599 m – ⊠ 83630

Bastide du Calalou ⊗ ← 🚗 🍽 🏊 ✂ 🐾 👶 P VISA ◎ AE
rte de Baudinard – ℘ 04 94 70 17 91 – www.bastide-du-calalou.com
– info@bastide-du-calalou.com – Fax 04 94 70 50 11
32 ch – †78/127 € ††78/210 €, ⊇ 16 € – ½ P 84/155 €
Rest – Menu (23 €), 29 € (sem.) – Carte environ 55 €
♦ Sur les hauteurs du village, grande bastide dominant les paysages du Var. Chambres meublées avec soin et décorées de peintures à l'ancienne, œuvres de la propriétaire. Carte du terroir dans la salle provençale ou sur la terrasse fleurie et ombragée.

AURAY – 56 Morbihan – 308 N9 – 12 100 h. – alt. 35 m – ⊠ 56400   9 A3
▌Bretagne

▶ Paris 477 – Lorient 41 – Pontivy 54 – Quimper 102 – Vannes 20
▰ ℘ 3635 et tapez 42 (0,34 €/mn)
🛈 Office de tourisme, 20, rue du Lait ℘ 02 97 24 09 75, Fax 02 97 50 80 75
◉ Quartier St-Goustan★ - Promenade du Loch★ - Église St-Gildas★ - Ste-Avoye : Jubé★ et charpente★ de l'église 4 km par ①.

Du Loch ⊗ 🚗 🍽 📶 🚻 ch, ⇆ 🎃 👶 P VISA ◎ AE
2 r. Guhur, (La Forêt) – ℘ 02 97 56 48 33 – www.hotel-du-loch.com
– contact@hotel-du-loch.com – Fax 02 97 56 63 55
– Fermé 15 déc.-4 janv.
30 ch – †55/74 € ††60/74 €, ⊇ 8 € – ½ P 60/67 €
Rest – *(fermé dim. soir et sam.)* Menu (17 €), 22/45 € – Carte 28/42 €
♦ Cet hôtel à l'architecture singulière (années 1970), noyé dans une forêt préservée et bordant le Loch, invite au repos. Grandes chambres fonctionnelles. Menus traditionnels (produits de la mer) proposés dans une salle à manger-véranda tournée vers la végétation.

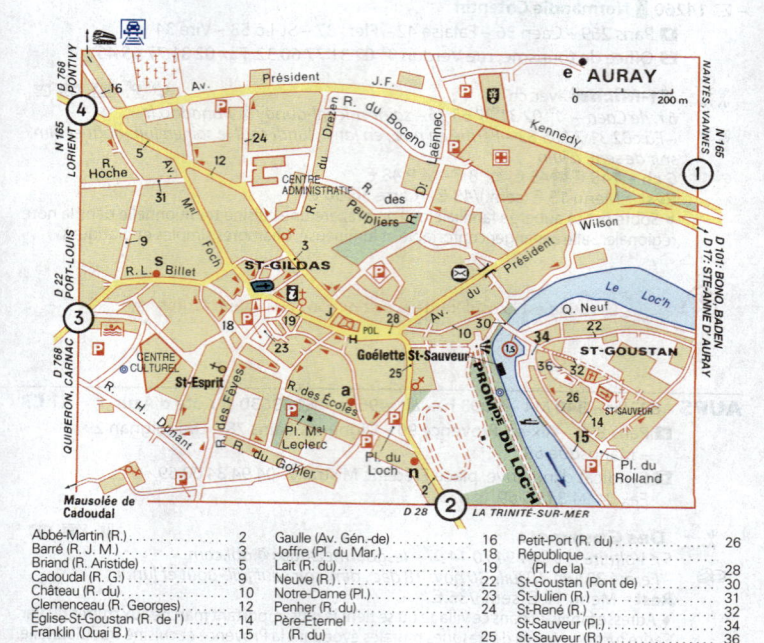

AURAY

Abbé-Martin (R.)	2
Barré (R. J. M.)	3
Briand (R. Aristide)	5
Cadoudal (R. G.)	9
Château (R. du)	10
Clemenceau (R. Georges)	12
Église-St-Goustan (R. de l')	14
Franklin (Quai B.)	15
Gaulle (Av. Gén.-de)	16
Joffre (Pl. du Mar.)	18
Lait (R. du)	19
Neuve (R.)	22
Notre-Dame (Pl.)	23
Penher (R. du)	24
Père-Éternel (R. du)	25
Petit-Port (R. du)	26
République (Pl. de la)	28
St-Goustan (Pont de)	30
St-Julien (R.)	31
St-René (R.)	32
St-Sauveur (Pl.)	34
St-Sauveur (R.)	36

AURAY

Auditel le Branhoc sans rest
à 1,5 km rte du Bono – ℰ 02 97 56 41 55 – www.auditel-hotel.fr – auditel@orange.fr – Fax 02 97 56 41 35
4 ch – ✝47/69 € ✝✝49/79 €, ⊇ 8 €
♦ Cet hôtel a fait peau neuve : meilleure fonctionnalité et tenue impeccable des chambres (vue sur le jardin), création d'un salon cosy. Accueil sympathique.

Closerie de Kerdrain
20 r. L.-Billet – ℰ 02 97 56 61 27 – www.lacloseriedekerdrain.com – closerie.kerdrain@wanadoo.fr – Fax 02 97 24 15 79 – Fermé 5 janv.-1er fév., dim. soir sauf de Pâques à Toussaint et lundi
Rest – Menu (28 €), 38/90 € – Carte 64/74 €
♦ Charmant petit manoir breton niché dans un jardin. Salles classiques, habillées de boiseries, et agréable terrasse ajoutent à l'attrait d'une appétissante cuisine actuelle.

La Table des Marées
16 r. Jeu-de-Paume – ℰ 02 97 56 63 60 – www.latabledesmarees.com – info@latabledesmarees.com – Fermé 1 sem. en mars, 3 sem. en oct., 1 sem. en déc., sam. midi, dim. soir et lundi
Rest – Menu (20 € bc), 28/38 € – Carte 55/65 €
♦ Une table au goût du jour où la carte évolue en fonction des arrivages. Le décor intimiste marie le mobilier moderne au cadre ancien (vieilles pierres et âtre).

La Chebaudière
6 r. Abbé-J.-Martin – ℰ 02 97 24 09 84 – lachebaudiere@orange.fr – Fax 02 97 24 09 84 – Fermé 16-27 oct., 17-27 fév., mardi soir, dim. soir et merc.
Rest – Menu 18 € (déj. en sem.), 28/39 € – Carte 32/43 €
♦ Petite adresse de quartier où l'on mitonne une cuisine dans l'air du temps. Salle à manger sagement contemporaine, accueillant des expositions de tableaux.

au golf de St-Laurent 10 km par ③, D 22 et rte secondaire – ✉ 56400 Auray

Du Golf de St-Laurent
– ℰ 02 97 56 88 88 – www.hotel-golf-saint-laurent.com – hotel-golf-saint-laurent@wanadoo.fr – Fax 02 97 56 88 28 – Fermé vacances de Noël
42 ch – ✝72/162 € ✝✝72/162 €, ⊇ 12 €
Rest – (fermé vacances de Noël et de fév., vend., sam. et dim. de nov. à fév.) (dîner seult) Menu 27/36 € – Carte 30/37 €
♦ Le site du très beau green garantit le grand calme ; à noter, un golf électronique à disposition. Chambres fonctionnelles dotées de terrasses privatives. Recettes traditionnelles servies dans une salle à manger ouverte sur la piscine.

Un hôtel charmant pour un séjour très agréable ?
Réservez dans un hôtel avec pavillon rouge : 🏠 ... 🏨.

AUREC-SUR-LOIRE – 43 Haute-Loire – 331 H1 – 5 165 h. – alt. 435 m   6 D2
– ✉ 43110

▪ Paris 536 – Firminy 11 – Le Puy-en-Velay 56 – St-Étienne 22 – Yssingeaux 32
▪ Office de tourisme, Château du Moine-Sacristain ℰ 04 77 35 42 65, Fax 04 77 35 32 46

Les Cèdres Bleus
rte Bas-en-Basset – ℰ 04 77 35 48 48 – www.lescedresbleus.com – lescedresbleus@yahoo.fr – Fax 04 77 35 37 04 – Fermé 2 janv.-2 fév. et dim. soir
15 ch ⊇ – ✝51 € ✝✝82 € – ½ P 60/70 €
Rest – (fermé dim. soir, lundi midi et mardi midi) Menu (17 €), 20 € (sem.)/90 € – Carte 48/67 €
♦ Entre les gorges de la Loire et le lac de Grangent, dans un parc arboré... trois chalets en bois aux confortables chambres rénovées. Vous contemplerez à loisir la verdure de la salle largement panoramique ou de la terrasse fleurie. Cuisine traditionnelle ambitieuse.

AUREILLE – 13 Bouches-du-Rhône – **340** E3 – 1 463 h. – alt. 134 m – ✉ 13930
42 E1

▶ Paris 719 – Aix-en-Provence 59 – Avignon 38 – Marseille 73

Le Balcon des Alpilles sans rest
rte de Mouries, par D24ᴬ – ℰ 04 90 59 94 24 – http://lebalcondesalpilles.com
– contact@lebalcondesalpilles.com – Fax 04 90 59 94 24 – Ouvert 16 mars-30 nov.
5 ch ⮕ – †120 € ††130 €

◆ Oliviers, pins et lavandins parfument le jardin de cette paisible maison. Coquettes chambres au mobilier de style. Délicieuse table et fraîche terrasse. Piscine chauffée.

AURIBEAU-SUR-SIAGNE – 06 Alpes-Maritimes – **341** C6 – 2 694 h. – alt. 85 m – ✉ 06810 ▮ Côte d'Azur
42 E2

▶ Paris 900 – Cannes 15 – Draguignan 62 – Grasse 9 – Nice 42 – St-Raphaël 41
🛈 Syndicat d'initiative, place en Aïre ℰ 04 93 40 79 56, Fax 04 93 40 79 56

Auberge de la Vignette Haute
370 rte du Village – ℰ 04 93 42 20 01
– www.vignettehaute.com – info@vignettehaute.com – Fax 04 93 42 31 16
16 ch – †130/170 € ††190/340 €, ⮕ 15 € – 1 suite
Rest – *(fermé lundi et mardi de nov. à avril)* Menu 49 € bc (déj.), 95 € bc/110 € bc
– Carte 80/110 € dîner seulement

◆ Confort, charme et originalité caractérisent cette ex-auberge : antiquités, objets chinés, piscine façon "bains turcs", minimusée de l'érotisme... Étonnant ! Au restaurant, vieilles pierres, bois brut, vaisselle en étain, lampes à huile et... petite bergerie.

AURILLAC ℗ – 15 Cantal – **330** C5 – 29 700 h. – alt. 610 m – ✉ 15000
▮ Auvergne
5 B3

▶ Paris 557 – Brive-la-Gaillarde 98 – Clermont-Ferrand 158 – Montauban 174
✈ Aurillac ℰ 04 71 64 50 00 par ③ : 3 km.
🛈 Office de tourisme, 7 rue des Carmes ℰ 04 71 48 46 58, Fax 04 71 48 99 39
⛳ de Haute-Auvergne à Arpajon-sur-Cère La Bladade, SO par N 122 et D 153 : 7km, ℰ 04 71 47 73 75
⛳ de Vézac Aurillac à Vézac Mairie, SE par D 990 : 8 km, ℰ 04 71 62 44 11
◉ Château St-Étienne : muséum des Volcans★.

Plan page ci-contre

Grand Hôtel de Bordeaux sans rest
2 av. de la République – ℰ 04 71 48 01 84 – www.hotel-de-bordeaux.fr
– bestwestern@hotel-de-bordeaux.fr – Fax 04 71 48 49 93
– Fermé 19 déc.-3 janv.
33 ch – †62/86 € ††84/96 €, ⮕ 11 €

BY **r**

◆ La plupart des chambres de ce bel immeuble du début du 20ᵉ s. ont été refaites dans un plaisant esprit actuel ; les autres demeurent agréables (mobilier de style ou rotin).

Delcher
20 r. Carmes – ℰ 04 71 48 01 69 – www.hotel-delcher.com – hotel.delcher@wanadoo.fr – Fax 04 71 48 86 66 – Fermé 13-19 avril, 16 juil.-2 août et 20 déc.-3 janv.
23 ch – †45 € ††50 €, ⮕ 7 € – ½ P 47 €

BZ **q**

Rest – *(fermé dim. soir et fériés)* Menu (14 €), 17/29 € – Carte environ 30 €
◆ Chambres simples, parfois agrémentées de poutres apparentes. Dans l'une d'elles et au salon, fresques de l'artiste danois Gorm Hansen, peintes en guise de loyer ! Cuisine traditionnelle sans chichi servie, en été, dans la cour-terrasse.

Le Square sans rest
15 pl. du Square – ℰ 04 71 48 24 72 – www.hotel-le-square.com – resa@hotel-le-square.com – Fax 04 71 48 47 57
18 ch – †45 € ††49 €, ⮕ 7 €

BZ **s**

◆ Immeuble moderne voisin de l'ancienne chapelle d'un couvent de cordeliers. Les chambres, avant tout pratiques, sont plus calmes sur l'arrière.

AURILLAC

Angoulême (Cours d')	**BY** 2	Gambetta (Av.)	**BZ** 23	Pupilles de la Nation
Arbre Croumaly (R. de l')	**AY** 3	Gerbert (Pl.)	**BY** 24	(Av. des.) . . . . **AZ** 33
Carmes (R. des)	**BZ**	Marchande (R.)	**BY** 25	République (Av. de la) . . . . . **AZ**
Champeil (R. J.-B.)	**BY** 6	Maynard (R. F.)	**AZ** 26	St-Géraud (Pl.) . . . . **BY** 34
Château St-Étienne (R. du)	**BY** 7	Monastère (R. du)	**BY** 27	St-Jacques (R.) . . . . **BY** 35
Consulat (R. du)	**BY** 8	Monthyon (Cours)	**BY** 28	Square (Pl. du) . . . . **BY** 36
Coste (R. de la)	**BY** 9	Mont Mouchet		Vaissière (R. Robert de la) . . **AY** 37
Duclaux (R. Émile)	**BY** 13	(R. du) . . . . **AZ** 29		Vermenouze (R. Arsène) . . . **BY** 38
Fargues (R. de)	**BY** 18	Noailles (R. de)	**BY** 30	Veyre (Av. J.-B.) . . . . **BY** 39
Ferry (R. Jules)	**BZ** 19	Pavatou (Bd du)	**BY** 31	14-Juillet (R. du) . . . . **BZ** 40
Frères (R. des)	**BY** 22	Prés.-Delzons (R. du)	**BY** 32	139e R.-I. (R. du) . . . . **BZ** 44

※※ **Reine Margot**   AC VISA MC AE ①

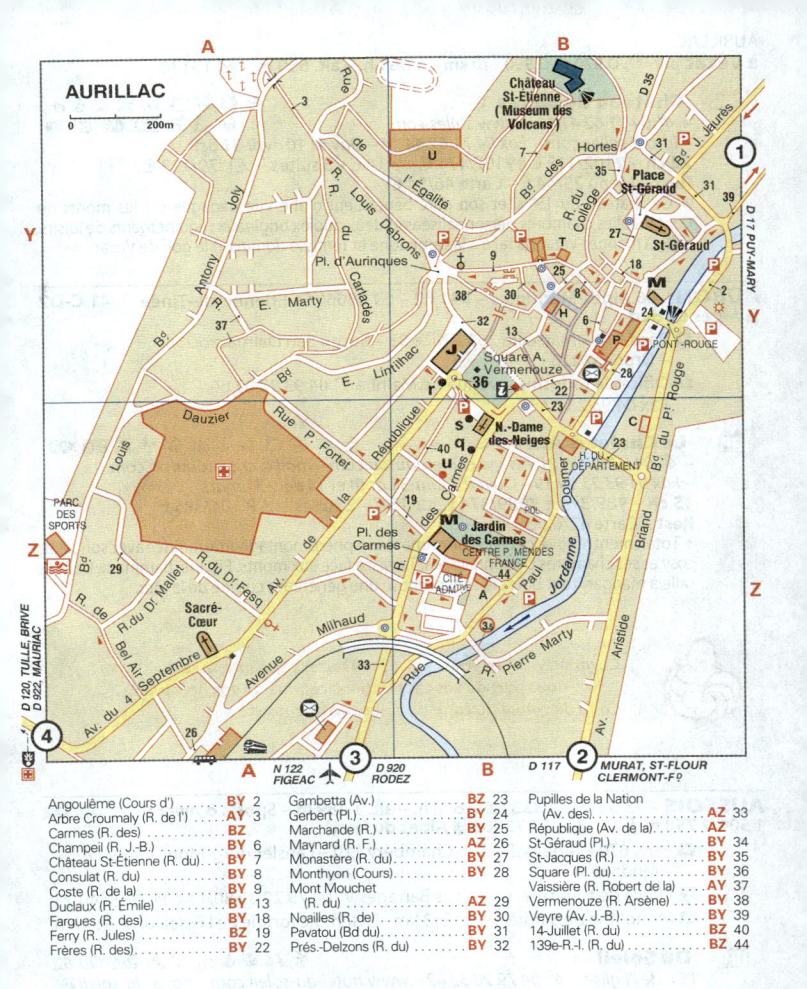

19 r. G.-de-Veyre – ℰ 04 71 48 26 46 – alexandre.cayron@wanadoo.fr
– Fermé 13 juil.-4 août, 25 oct.-3 nov., 21 fév.-1ᵉʳ mars, lundi soir, sam. midi et dim.
Rest – Menu (18 €), 24/27 €   **BZ u**
♦ Salles à manger agrémentées de boiseries sombres égayées de saynètes peintes relatant les "galanteries" de la reine Margot. Carte traditionnelle ; brasserie au rez-de-chaussée.

à Arpajon-sur-Cère 2 km par ③ rte de Rodez (D 920) – 5 835 h. – alt. 613 m
– ✉ 15130

🏠 **Les Provinciales**   🍴 🛏 & 🎵 P VISA MC AE
pl. du Foirail – ℰ 04 71 64 29 50 – www.hotel-provinciales.com – info@
hotel-provinciales.com – Fax 04 71 64 67 87 – Fermé 24 déc.-4 janv., sam. midi et
dim. du 15 sept. au 1ᵉʳ juin
20 ch – †48/57 € ††57/68 €, ⊆ 8 €   **Rest** – Menu 13 € (déj. en sem.), 16/20 €
♦ Bordant une placette, bâtisse aux façades entièrement revêtues d'ardoises. Chambres calmes et fonctionnelles. Restaurant-brasserie décoré dans un style contemporain.

AURILLAC
à Vézac par ③, D 920 et D 990 : 10 km – 1 061 h. – alt. 650 m – ⊠ 15130

Château de Salles
– ℰ 04 71 62 41 41 –
– info@salles.com – Fax 04 71 62 44 14 – Ouvert 10 avril-31 oct.
22 ch – †102/113 € ††102/171 €, ⴵ 14 € – 8 suites – ½ P 79/123 €
Rest – Menu 25/44 € – Carte 46/54 €
♦ Ce château du 15ᵉ s. et son parc bénéficient d'une vue dégagée sur les monts du Cantal. Jolies chambres personnalisées et deux duplex originaux ; équipements de loisirs. Salle à manger-véranda face à la campagne et terrasse dominant le golf de Vézac.

AURON – 06 Alpes-Maritimes – 341 C2 – ⊠ 06660 St-Etienne-de-Tinée   41 C-D2
Alpes du Sud

- Paris 914 – Marseille 263 – Nice 93 – Borgo San Dalmazzo 206 – Dronero 228
- Office de tourisme, avenue de Malhira ℰ 04 93 23 02 66, Fax 04 93 23 07 39

Le Chalet d'Auron
– ℰ 04 93 23 00 21 – www.chaletdauron.com – mail@chaletdauron.com
– Fax 04 93 23 09 19 – Ouvert 7 juin-31 août et 14 déc.-31 mars
15 ch – †89/374 € ††89/374 €, ⴵ 15 € – 2 suites – ½ P 104/385 €
Rest – Carte 42/62 €
♦ Totalement rénové, ce chalet offre une atmosphère montagnarde raffinée avec son salon cosy et ses chambres personnalisées. Terrasse face aux monts. Piscine, hammam. Dans la salle à manger "tout bois", le chef propose une généreuse cuisine de la mer.

Ce guide vit avec vous : vos découvertes nous intéressent. Faites-nous part de vos satisfactions comme de vos déceptions. Coup de colère ou coup de cœur : écrivez-nous !

AUSSOIS – 73 Savoie – 333 N6 – 668 h. – alt. 1 489 m – Sports d'hiver :   45 D2
1 500/2 750 m ⛷11 ⛷ – ⊠ 73500 **Alpes du Nord**

- Paris 670 – Albertville 97 – Chambéry 110 – Lanslebourg-Mont-Cenis 17 – Modane 7
- Office de tourisme, route des Barrages ℰ 04 79 20 30 80, Fax 04 79 20 40 23
- Monolithe de Sardières ★ NE : 3 km - Ensemble fortifié de l'Esseillon ★ S : 4 km.

Du Soleil
15 r. de l'Église – ℰ 04 79 20 32 42 – www.hotel-du-soleil.com – hotel-du-soleil@wanadoo.fr – Fax 04 79 20 37 78 – Ouvert juin à mi-oct. et mi-déc. à fin avril
22 ch – †50/59 € ††65/106 €, ⴵ 10 € – ½ P 59/84 €
Rest – (dîner seult) (prévenir) Menu 21/38 € – Carte 33/57 €
♦ Ce plaisant hôtel abrite des chambres pimpantes et confortables tournées vers la montagne ; équipement fitness, sauna, hammam... Accueil proche du client. Les résidents se régalent de belles recettes du marché accompagnées de vins sélectionnés.

Les Mottets
6 r. Mottets – ℰ 04 79 20 30 86 – www.hotel-lesmottets.com – infos@hotel-lesmottets.com – Fax 04 79 20 34 22 – Fermé mai et 1ᵉʳ nov.-14 déc.
25 ch – †42/49 € ††60/80 €, ⴵ 9 € – ½ P 58/67 €
Rest – Menu (14 €), 18/35 € – Carte 25/43 €
♦ À 200 m des pistes, chalet jouissant d'un beau point de vue sur les sommets environnants. Chambres fonctionnelles, avec balcon côté village, à prix raisonnables. On se régale dans un cadre rustique de spécialités régionales, pâtisseries, glaces maison.

AUTHUILLE – 80 Somme – 301 J7 – rattaché à Albert

AUTRANS – 38 Isère – 333 G6 – 1 541 h. – alt. 1 050 m – Sports d'hiver : 45 C2
1 050/1 710 m ⛷13 ⛸ – ⊠ 38880 ◼ Alpes du Nord

▸ Paris 586 – Grenoble 36 – Romans-sur-Isère 58 – St-Marcellin 47
 – Villard-de-Lans 16

🛈 Office de tourisme, rue du Cinéma ℰ 04 76 95 30 70, Fax 04 76 95 38 63

La Poste
– ℰ 04 76 95 31 03 – www.hotel-barnier.com – contact@hotel-barnier.com
– Fax 04 76 95 30 17 – Ouvert 11 mai-18 oct. et 4 déc.-18 avril
29 ch – †60/84 € ††64/84 €, ⊇ 10 € – ½ P 63/76 €
Rest – (fermé dim. soir et lundi sauf juil.-août et 20 déc.-14 mars) Menu 22/45 €
– Carte 32/48 €

♦ Au cœur du village, avenante maison tenue par la même famille depuis 1937. Chambres rustiques peu à peu rénovées. Ici et là, huiles sur bois anciennes. Sauna et hammam. Chaleureuse salle lambrissée, tables joliment dressées, plats traditionnels et régionaux.

Les Tilleuls
la Côte – ℰ 04 76 95 32 34 – www.hotel-tilleuls.com – tilleuls.hotel@wanadoo.fr
– Fax 04 76 95 31 58 – Fermé 14 avril-7 mai, 26 oct.-19 nov., mardi soir et merc.
hors saison et hors vacances scolaires
18 ch – †49/62 € ††56/76 €, ⊇ 9 € – 2 suites – ½ P 56/66 €
Rest – Menu 21/42 € – Carte 32/48 €

♦ Près du centre de cette station incluse dans le Parc naturel régional du Vercors, accueillante bâtisse aux chambres fonctionnelles et bien tenues, dont six refaites à neuf. Cuisine classique, gibier en saison et une spécialité maison : la caillette.

à Méaudre 5,5 km au Sud par D 106^c – 1 171 h. – alt. 1 012 m – Sports d'hiver : 1000/1600 m ⛷10 ⛸ – ⊠ 38112

🛈 Office de tourisme, le Village ℰ 04 76 95 20 68, Fax 04 76 95 25 93

Auberge du Furon avec ch
La Combe – ℰ 04 76 95 21 47 – www.auberge-furon.fr – gaultier.rg@orange.fr
– Fax 04 83 07 51 63 – Fermé 8-12 juin
9 ch – †55/60 € ††55/60 €, ⊇ 8,50 €
Rest – (fermé merc. soir, dim. soir et lundi sauf vacances scolaires) Menu (13 €),
21/34 € – Carte 27/34 €

♦ Carte traditionnelle changée régulièrement et plats régionaux font l'attrait de ce petit chalet au décor sagement montagnard, au pied des pistes. Chambres dans le style local.

AUTREVILLE – 88 Vosges – 314 D2 – 157 h. – alt. 310 m – ⊠ 88300 26 B2
▸ Paris 313 – Nancy 45 – Neufchâteau 20 – Toul 24

Le Relais Rose
24 r. Neufchâteau – ℰ 03 83 52 04 98 – loeffler.catherine@orange.fr
– Fax 03 83 52 06 03
16 ch – †44/70 € ††49/78 €, ⊇ 8,50 € – ½ P 51/70 €
Rest – Menu 13 € (déj. en sem.), 21/30 € – Carte 26/47 €

♦ Accueil jovial dans cet hôtel au confort douillet. Chambres décorées de meubles de famille de tous styles ; l'effet est un peu kitsch mais chaleureux. La carte affiche ici une cuisine classique, voire rustique, avec une spécialité : le cassoulet. Jolie terrasse.

AUTUN – 71 Saône-et-Loire – 320 F8 – 15 100 h. – alt. 326 m 8 C2
– ⊠ 71400 ◼ Bourgogne

▸ Paris 287 – Avallon 78 – Chalon-sur-Saône 51 – Dijon 85 – Mâcon 111

🛈 Office de tourisme, 2, avenue Charles de Gaulle ℰ 03 85 86 80 38,
Fax 03 85 86 80 49

⛳ d'Autun Le Plan d'Eau du Vallon, par rte de Chalon-s-Saône : 3 km,
ℰ 03 85 52 09 28

◉ Cathédrale St-Lazare★★ (tympan★★★, chapiteau★★) - Musée Rolin★ (la Tentation d'Eve★★, Nativité au cardinal Rolin★★, vierge d'Autun★★) BZ M² - Porte St-André★ - Grilles★ du lycée Bonaparte AZ B - Manuscrits★ (bibliothèque de l'Hôtel de Ville) BZ H.

AUTUN

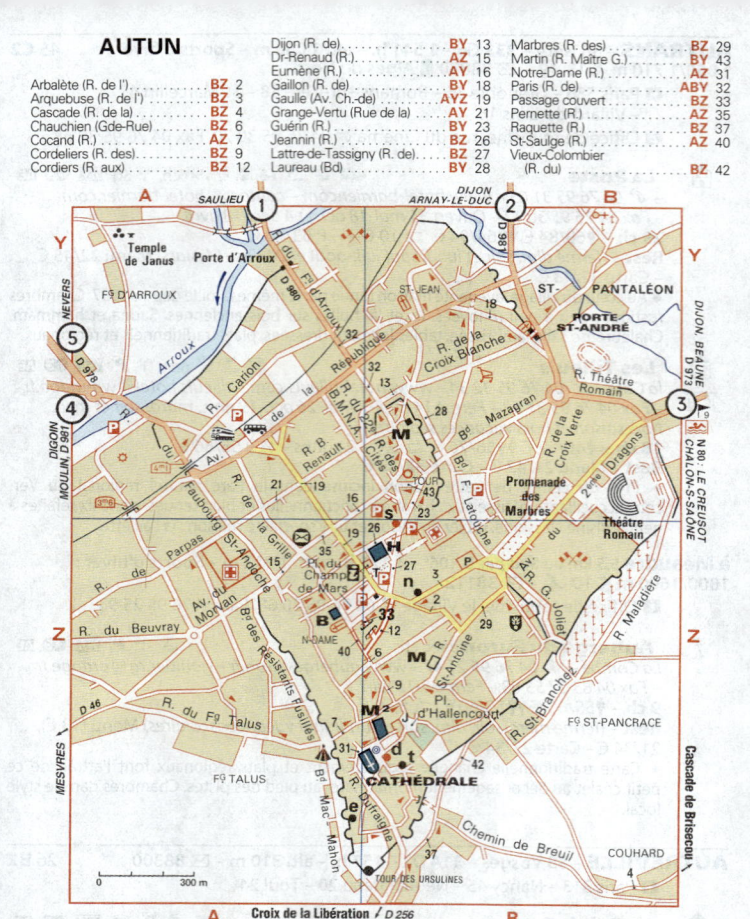

Arbalète (R. de l')	**BZ** 2
Arquebuse (R. de l')	**BZ** 3
Cascade (R. de la)	**BZ** 4
Chauchien (Gde-Rue)	**BZ** 6
Cocand (R.)	**AZ** 7
Cordeliers (R. des)	**BZ** 9
Cordiers (R. aux)	**BZ** 12
Dijon (R. de)	**BY** 13
Dr-Renaud (R.)	**AZ** 15
Eumène (R.)	**AY** 16
Gaillon (R. de)	**BY** 18
Gaulle (Av. Ch.-de)	**AYZ** 19
Grange-Vertu (Rue de la)	**AY** 21
Guérin (R.)	**BY** 23
Jeannin (R.)	**BZ** 26
Lattre-de-Tassigny (R. de)	**BZ** 27
Laureau (Bd)	**BZ** 28
Marbres (R. des)	**BZ** 29
Martin (R. Maître G.)	**BY** 30
Notre-Dame (R.)	**AZ** 31
Paris (R. de)	**ABY** 32
Passage couvert	**BZ** 33
Pernette (R.)	**AZ** 35
Raquette (R.)	**BZ** 37
St-Saulge (R.)	**AZ** 40
Vieux-Colombier (R. du)	**BZ** 42

La Tête Noire

3 r. Arquebuse – ℰ 03 85 86 59 99 – www.hoteltetenoire.fr – welcome@hoteltetenoire.fr – Fax 03 85 86 33 90 – Fermé 20 déc.-26 janv.

BZ **n**

31 ch – †63/74 € ††74/80 €, ☑ 10 € – ½ P 65/69 €
Rest – Menu (14 €), 18/50 € – Carte 23/55 €

♦ Adresse du centre-ville dont les chambres, garnies d'un mobilier rustique en bois peint, s'avèrent pratiques et bien insonorisées. Accueil familial. À table, carte régionale et menu terroir.

Ibis

2 km rte Chalon par ③ – ℰ 03 85 52 00 00 – www.ibishotel.com – h3232@accor.com – Fax 03 85 52 20 20

46 ch – †55/64 € ††55/69 €, ☑ 8 €
Rest – *(Fermé sam. et dim. hors saison) (dîner seult)* Menu 17 €

♦ Cet Ibis, installé au bord d'un plan d'eau (base de loisirs) et à deux pas du centre-ville historique, profite de chambres fonctionnelles aux dernières normes de la chaîne. Restaurant convivial et cuisine traditionnelle.

AUTUN

Le Moulin Renaudiots
chemin du Vieux-Moulin, 5 km au Sud-Est par N 80 et D 978 – ℰ 03 85 86 97 10
– www.moulinrenaudiots.com – contact@moulinrenaudiots.com – Fermé janv.
5 ch ⊂⊃ – †100 € ††125/140 €
Table d'hôte – (fermé lundi, merc., vend. et dim.) (prévenir) Menu 40 €
♦ Magnifique villa couverte de vigne vierge et son jardin à la française. Décor intérieur élégamment minimaliste, contemporain et confortable, qui invite à la sérénité. Grande table d'hôte pour les petits-déjeuners composés de produits artisanaux et les repas.

Maison Sainte-Barbe sans rest
7 pl. Ste-Barbe – ℰ 03 85 86 24 77 – www.maisonsaintebarbe.com
– maisonsaintebarbe@yahoo.fr – Fax 03 85 86 19 28
BZ t
3 ch ⊂⊃ – †60 € ††65 €
♦ Ancien logis de chanoines (15ᵉ-18ᵉ s.) au pied de la cathédrale. Grandes chambres personnalisées, jolie salle des petits-déjeuners agrémentée de meubles anciens, jardin clos.

Le Chalet Bleu
3 r. Jeannin – ℰ 03 85 86 27 30 – www.lechaletbleu.com – contact@
lechaletbleu.com – Fax 03 85 52 74 56 – Fermé 1ᵉʳ-5 janv., 1ᵉʳ-23 fév., lundi soir,
mardi et dim. soir sauf juil.-août
BYZ s
Rest – Menu 18 € (sem.)/60 € – Carte 40/70 €
♦ Derrière une devanture vitrée, salle à manger aux murs ornés de fresques représentant des paysages et jardins imaginaires. Carte mariant tradition et terroir ; menus thématiques les vendredis soirs.

Le Chapitre
11 pl. du Terreau – ℰ 03 85 52 04 01 – www.lechapitre71.com
– lechapitre.71.autun@orange.fr – Fermé vacances de Noël, 15-28 fév., dim. soir et
lundi
BZ d
Rest – (nombre de couverts limité, prévenir) Menu 15 € (déj.), 28/35 € – Carte 30/37 €
♦ Au pied de la cathédrale, petit restaurant qui réjouit par sa goûteuse cuisine actuelle. Salle lumineuse, mobilier en fer forgé et ambiance romantique le soir grâce aux bougies.

AUVERS – 77 Seine-et-Marne – **312** D5 – rattaché à Milly-la-Forêt (Essonne)

AUVERS-SUR-OISE – 95 Val-d'Oise – **305** E6 – **106** 6 – **101** 3 – voir à Paris, Environs

---

AUVILLAR – 82 Tarn-et-Garonne – **337** B7 – 994 h. – alt. 141 m   **28 B2**
– ✉ 82340

🄳 Paris 652 – Agen 28 – Montauban 42 – Auch 62 – Castelsarrasin 22
🄸 Office de tourisme, place de la Halle ℰ 05 63 39 89 82, Fax 05 63 39 89 82

L'Horloge avec ch
pl. de l'Horloge – ℰ 05 63 39 91 61 – www.horlogeauvillar.monsite.orange.fr
– hoteldelhorloge@wanadoo.fr – Fax 05 63 39 75 20 – Fermé 20 déc.-4 janv., sam.
midi et vend. du 15 oct. au 15 avril
10 ch – †45 € ††50/75 €, ⊂⊃ 11 €
Rest – (fermé vend. sauf le soir en juil.-août et sam. midi) Menu (14 €), 28/75 €
– Carte 62/80 €
Rest *Le Bouchon* – (fermé sam. sauf juil.-août et vend.) (déj. seult) Menu (14,50 €),
18 € – Carte environ 22 €
♦ Jouxtant l'élégante tour de l'Horloge, ravissante maison aux volets vert tendre et sa terrasse sous les platanes. Cadre actuel de bon ton. Recettes et vins de la région. À l'heure du déjeuner, Le Bouchon propose des petits plats bistrot orientés terroir.

à Bardigues 4 km au Sud par D 11 – 240 h. – alt. 160 m – ✉ 82340

Auberge de Bardigues
au bourg – ℰ 05 63 39 05 58 – www.aubergedebardigues.com – info@
aubergedebardigues.com – Fermé 1ᵉʳ-7 sept., 16-26 oct., 15-22 fév., merc. soir
sauf juil.-août, dim. soir et lundi
Rest – Menu (12 € bc), 17 € bc (déj. en sem.), 29/55 € bc
♦ Adresse familiale tenue entre frères au cœur d'un agréable petit village rural. Terrasse panoramique, déco contemporaine et cuisine de "bistrot-gastro".

AUXERRE ℙ – 89 Yonne – **319** E5 – 37 100 h. – alt. 130 m – ⊠ 89000
7 B1

Bourgogne

- Paris 166 – Bourges 144 – Chalon-sur-Saône 176 – Dijon 152 – Sens 59
- Office de tourisme, 1-2, quai de la République ℰ 03 86 52 06 19, Fax 03 86 51 23 27
- Cathédrale St-Étienne★★ (vitraux★★, crypte★, trésor★) - Ancienne abbaye St-Germain★★ (crypte★★).
- Gy-l'Évêque : Christ aux Orties★ de la chapelle 9,5 km par ③.

Plan page ci-contre

Le Parc des Maréchaux sans rest
6 av. Foch – ℰ 03 86 51 43 77 – www.hotel-parcmarechaux.com – contact@hotel-parcmarechaux.com – Fax 03 86 51 31 72
25 ch – †78/109 € ††89/130 €, ⊡ 12 €
AZ u

♦ Demeure Napoléon III et ses jolies chambres cosy entièrement rénovées (tons or), meublées dans le style Empire et plus calmes côté parc. Bar feutré habillé de velours rouge.

Normandie sans rest
41 bd Vauban – ℰ 03 86 52 57 80 – www.hotelnormandie.fr – reception@hotelnormandie.fr – Fax 03 86 51 54 33 – Fermé 19 déc.-4 janv.
47 ch – †63/69 € ††69/96 €, ⊡ 9 €
AY b

♦ Cette demeure bourgeoise a tout pour plaire : paisible cour-terrasse, chambres confortables (optez pour la maison principale), salon-bar meublé Art déco, billard et fitness.

Le Maxime sans rest
2 quai de la Marine – ℰ 03 86 52 14 19 – www.lemaxime.com – contact@lemaxime.com – Fax 03 86 52 21 70
26 ch – †72/118 € ††82/145 €, ⊡ 11 €
BY f

♦ Sur les bords de l'Yonne, ex-grenier à sel reconverti en hôtel familial au 19e s. Chambres joliment rénovées (mobilier de style), avec vue sur le fleuve ou au calme côté cour.

Barnabet (Jean-Luc Barnabet)
14 quai de la République – ℰ 03 86 51 68 88 – Fax 03 86 52 96 85 – Fermé 22 déc.-13 janv., dim. soir, mardi midi et lundi
BYZ s
Rest – Menu (31 €), 49/77 € bc – Carte 86/107 €
Spéc. Emincé de pied de cochon tiédi sur assiette. Ris de veau doré au four. Pressé de mangue et datte. **Vins** Bourgogne blanc, Irancy.

♦ Hôtel particulier ouvert sur une cour-terrasse fleurie. La salle à manger, élégante et feutrée, donne sur les cuisines ; plats classiques raffinés, beau choix de bourgognes.

Le Jardin Gourmand
56 bd Vauban – ℰ 03 86 51 53 52 – www.lejardingourmand.com – contact@lejardingourmand.com – Fax 03 86 52 33 82 – Fermé 10-18 mars, 16 juin-1er juil., 1er-9 sept., 10-25 nov., mardi et merc.
AY d
Rest – Menu (46 €), 58/92 € – Carte 69/93 €

♦ Ex-maison de vigneron au cadre intime et feutré, où le chef concocte une cuisine moderne tout en finesse, ensoleillée par les légumes de son potager. Service aux petits soins.

La Salamandre
84 r. de Paris – ℰ 03 86 52 87 87 – la-salamandre@wanadoo.fr – Fax 03 86 52 05 85 – Fermé merc. soir, sam. midi, dim. et fériés
AY a
Rest – Menu 39/66 € – Carte 58/100 €

♦ Apprécié pour sa cuisine à base de poissons (sauvages) et de fruits de mer, ce restaurant du vieil Auxerre vous accueille dans une salle récemment refaite, d'esprit actuel.

Le Bourgogne
15 r. Preuilly – ℰ 03 86 51 57 50 – www.lebourgogne.fr – contact@lebourgogne.fr – Fax 03 86 51 57 50 – Fermé 8-16 mars, 3-16 août, 21 déc.-4 janv., jeudi soir, dim., lundi et fériés
BZ e
Rest – (nombre de couverts limité, prévenir) Menu 29 €

♦ Sympathique cadre rustique, belle terrasse d'été et petits plats du marché aussi appétissants sur l'ardoise que dans l'assiette : reconversion réussie pour cet ancien garage !

AUXERRE

Boucheries (R. des) .... **BZ** 3	Fécauderie (R.) .... **AZ** 16	Mont-Brenn (R. du) .... **BY** 38
Bourbotte (Av.) .... **BY** 4	Foch (Av.) .... **AZ** 18	Paris (R. de) .... **AY**
Chesnez (R. M. des) .... **AZ** 5	Grand-Caire (R. du) .... **AY** 20	Puits-des-Dames (R. du) ..... **BZ** 40
Coche-d'Eau (Pl. du) .... **BY** 8	Horloge (R. de l') .... **AZ** 22	St-Germain (R.) .... **ABY** 44
Cochois (R.) .... **BY** 9	Hôtel-de-Ville (Pl. de l') ..... **AZ** 23	St-Nicolas (Pl.) .... **BY** 45
Diderot (R.) .... **AZ** 10	Jean-Jaurès (Av.) .... **BY** 26	Schaeffer (R. René) .... **AZ** 46
Dr-Labosse (R. du) .... **BY** 11	Jean-Jaurès (Pl.) .... **BZ** 27	Surugue (Pl. Ch.) .... **AZ** 47
Draperie (R. de la) .... **AZ** 12	Leclerc (Pl. du Mar.) .... **AZ** 34	Temple (R.) .... **AZ**
Eckmühl (R. d') .... **AZ** 14	Lepère (Pl. Ch.) .... **AZ** 35	Tournelle (Av. de la) .... **BY** 48
	Maison-Fort (R.) .... **BY** 36	Yonne (R. de l') .... **BY** 52
	Marine (R. de la) .... **BY** 37	24-Août (R. du) .... **AZ** 54

✂ **La P'tite Beursaude** AC VISA MC
55 r. Joubert – ✆ *03 86 51 10 21 – www.beursaudiere.com – Fax 03 86 51 10 21*
– Fermé 26 juin-3 juil., 28 août-4 sept., 30 déc.-15 janv., mardi et merc. **BZ t**
Rest – Menu (18 €), 24/27 € – Carte 30/42 €
♦ Chaleureux intérieur rustique, service en costume régional, ambiance au beau fixe et cuisine bourguignonne préparée sous vos yeux : une adresse charmante, en toute simplicité.

à Champs-sur-Yonne 10 Km par ② et D 606 – 1 578 h. – alt. 110 m – ✉ 89290

🏠 **Mas des Lilas** sans rest   🚗 AC 🛁 📶 **P** VISA MC
Hameau de la La Cour Barrée – ✆ *03 86 53 60 55 – www.lemasdeslilas.com*
– hotel@lemasdeslilas.com – Fax 03 86 53 30 81 – Fermé 28 oct.-7 nov. et une sem. en fév.
17 ch – †62 € ††62 €, ☐ 8 €
♦ Ces pavillons nichés dans un plaisant jardin fleuri abritent de petites chambres bien tenues ; toutes sont de plain-pied et bénéficient d'une terrasse ouverte sur la verdure.

AUXERRE

à Vincelottes 16 km par ② D 606 et D 38 – 310 h. – alt. 110 m – ⊠ 89290

XX   **Auberge Les Tilleuls** avec ch   🍴 ♨ VISA ⓶ AE
12 quai de l'Yonne – ℰ *03 86 42 22 13* – *www.auberge-les-tilleuls.com*
– *lestilleulsvincelottes@yahoo.fr* – *Fax 03 86 42 23 51* – *Fermé 20 déc.-24 fév., mardi et merc.*
5 ch ⊊ – †67/78 € ††78/100 € – ½ P 65/76 €
Rest – Menu 26/59 € – Carte 46/87 € 🌿
♦ Étape bucolique au bord de l'Yonne. Jolies salles ornées de tableaux d'artistes du pays et belle terrasse à fleur d'eau. Carte traditionnelle ; bon choix de bourgognes.

à Chevannes 8 km par ③ et D1 – 1 973 h. – alt. 170 m – ⊠ 89240

XX   **La Chamaille** avec ch ⌂   🕭 🍴 ♨ ch, ♨ P VISA ⓶ AE
4 rte Boiloup – ℰ *03 86 41 24 80* – *www.lachamaille.fr* – *contact@lachamaille.fr*
– *Fax 03 86 41 34 80* – *Fermé 27 oct.-3 nov., 23 fév.-9 mars, dim. soir et lundi de mars à sept.*
3 ch – †40/50 € ††50/60 €, ⊊ 10 € – ½ P 50/60 €
Rest – Menu 39/58 € – Carte 57/73 €
♦ Atmosphère agreste d'une ferme d'autrefois nichée dans la verdure. Véranda ouverte sur le parc fleuri traversé par un ruisseau où barbotent les canards. Cuisine actuelle.

près échangeur Auxerre-Nord 7 km par ⑤

🏨   **Mercure**   🚗 🍴 ⌇ 🅹 AC ♨ 🛎 ♨ P VISA ⓶ AE ⓪
D 606 – ℰ *03 86 53 25 00* – *www.mercure.com* – *h0348@accor.com*
– *Fax 03 86 53 07 47*
77 ch – †85/115 € ††95/125 €, ⊊ 15 €   **Rest** – Menu 19/30 € – Carte 20/39 €
♦ Construction de type motel aux chambres simples, disposées autour de la piscine, de plain-pied avec le jardin planté de quelques ceps de vignes. Plaisante salle à manger contemporaine où l'on sert plats traditionnels et recettes du terroir ; belle terrasse.

à Appoigny 8 km par ⑤ et D 606 – 3 091 h. – alt. 110 m – ⊠ 89380
🛈 Syndicat d'initiative, 4, rue du Fer à Cheval ℰ 03 86 53 20 90

🏠   **Le Puits d'Athie** ⌂   🚗 ♨ P VISA ⓶
1 r. de l'Abreuvoir – ℰ *03 86 53 10 59* – *www.appoigny.fr* – *puitsdathie@free.fr*
– *Fax 03 86 53 10 59*
4 ch ⊊ – †69/160 € ††69/160 €   **Table d'hôte** – *(prévenir)* Menu 45 € bc
♦ Les chambres personnalisées de cette demeure bourguignonne ravissent les yeux, en particulier Mykonos, habillée de bleu et blanc, et Porte d'Orient, décorée d'une authentique porte du Rajasthan. La patronne concocte des plats régionaux ou méditerranéens.

AVAILLES-LIMOUZINE – 86 Vienne – 322 J8 – 1 312 h. – alt. 142 m   39 **C2**
– ⊠ 86460

🛣 Paris 413 – Chauvigny 61 – Poitiers 66 – Saint-Junien 40
🛈 Office de tourisme, 6, rue Principale ℰ 05 49 48 63 05, Fax 05 49 48 63 05

🏠   **La Chatellenie**   🍴 ♨ 🛎 VISA ⓶
1 r. du Commerce – ℰ *05 49 84 31 31* – *www.chatellenie.fr* – *contact@chatellenie.fr* – *Fax 05 49 84 31 32*
9 ch – †45/55 € ††45/55 €, ⊊ 6 € – ½ P 60 €
Rest – *(fermé dim. soir et lundi)* Menu (10 €), 12 € (déj. en sem.), 18/49 €
– Carte environ 48 €
♦ Il règne une douce ambiance d'auberge familiale dans cet ex-relais de poste (1830) plaisamment restauré. Chambres de bonne taille, avec meubles en bois peint et parquets anciens. Cuisine traditionnelle proposée dans la cour fermée aux beaux jours.

AVALLON ⌘ – 89 Yonne – 319 G7 – 7 366 h. – alt. 250 m – ⊠ 89200   7 **B2**
Bourgogne

🛣 Paris 222 – Auxerre 51 – Beaune 103 – Chaumont 134 – Nevers 98
🛈 Syndicat d'initiative, 6, rue Bocquillot ℰ 03 86 34 14 19, Fax 03 86 34 28 29
◉ Site★ – Ville fortifiée★ : Portails★ de l'église St-Lazare - Miserere★ du musée de l'Avallonnais **M¹** - Vallée du Cousin★ S par D 427.

222

AVALLON

Belgrand (R.) 2
Bocquillot (R.) 3
Capucins (Prom. des) 5
Collège (R. du) 6
Fontaine-Neuve (R.) 8
Fort-Mahon (R.) 9
Gaulle (Pl. Gén.-de) 12
Gde-Rue A. Briand 13
Odebert (R. des) 14
Paris (R. de) . . . .
Porte-Auxerroise (R.) 16
Terreaux Vauban (Prom. des) 18
Vauban (Pl.) . . . .

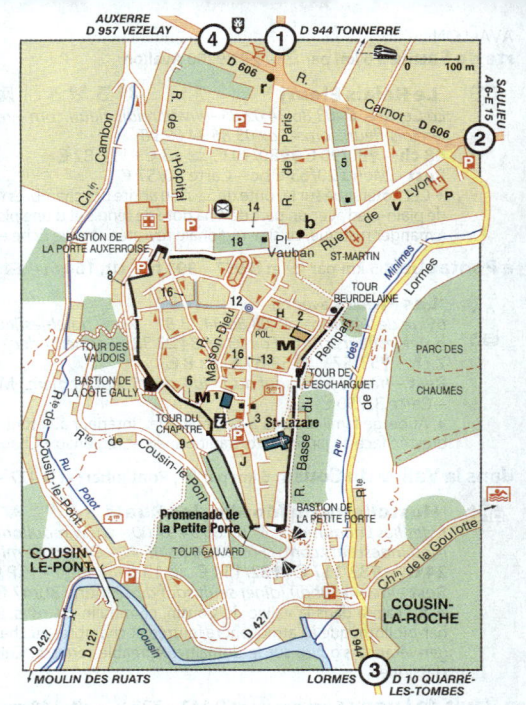

Hostellerie de la Poste
13 pl. Vauban – 03 86 34 16 16 – www.hostelleriedelaposte.com – info@ hostelleriedelaposte.com – Fax 03 86 34 19 19 – Fermé janv. et fév.   **b**
30 ch – ✝93/113 € ✝✝108/190 €, ⮽ 13 € – ½ P 102/143 €
Rest – *(ouvert 16 mars-30 nov. et fermé dim. et lundi) (dîner seult)* Menu 25 €, 35/65 € – Carte 37/43 €
Rest *Bistrot* – *(fermé 2 janv.-1er mars, dim. et lundi) (déj. seult)* Menu 15/20 €
♦ Ce beau relais de poste bourguignon bâti en 1707 hébergea, entre autres, Napoléon Ier et... Kennedy ! Jolies chambres personnalisées. Les restaurant, aménagé dans les anciennes écuries, propose une cuisine classique. Formule bistrot au déjeuner.

Avallon Vauban sans rest
53 r. de Paris – 03 86 34 36 99 – www.avallonvaubanhotel.com – contact@ avallonvaubanhotel.com – Fax 03 86 31 66 31   **r**
26 ch – ✝54/60 € ✝✝60/75 €, ⮽ 8,50 €
♦ Bordant un carrefour animé, hôtel familial ouvert sur un vaste parc où sont disséminées des sculptures du patron-artiste. Chambres confortables, plus tranquilles sur l'arrière.

Dak'Hôtel sans rest
119 r. de Lyon, rte de Saulieu par ② – 03 86 31 63 20 – www.dak-hotel.com – dakhotel@yahoo.fr – Fax 03 86 34 25 28
26 ch – ✝56 € ✝✝62 €, ⮽ 8,50 €
♦ Bâtiment cubique proche de la route nationale. Chambres fonctionnelles, bien entretenues et insonorisées. Salle des petits-déjeuners donnant sur le jardin ; piscine.

Le Gourmillon
8 r. de Lyon – 03 86 31 62 01 – www.legourmillon.com – contact@legourmillon. com – Fax 03 86 31 62 01 – Fermé 5-18 janv., jeudi soir hors saison et dim. soir
Rest – Menu (12 € bc), 17/32 € – Carte 25/40 €   **v**
♦ Petite adresse familiale du centre-ville où simplicité rime avec générosité. Fraîche salle à manger sagement champêtre. Les menus font la part belle au terroir.

AVALLON
rte de Saulieu 6 km par ② – ⊠ 89200 Avallon

Le Relais Fleuri
La Cerce – ☏ *03 86 34 02 85* – *www.relais-fleuri.com* – *relais-fleuri@lerelais-fleuri.com* – *Fax 03 86 34 09 98*
48 ch – †80/90 € ††80/90 €, ⌑ 13 € – ½ P 82 €
Rest – Menu 20/63 € bc – Carte 30/57 €

♦ Cet hôtel situé sur la route de Saulieu abrite des chambres fonctionnelles de type motel, de plain-pied avec un parc de 4 ha doté de tennis et d'une piscine chauffée. Élégante salle à manger rustique, cuisine régionale revisitée et cave riche en bourgognes.

à Pontaubert 5 km par ④ et D 957 – 391 h. – alt. 160 m – ⊠ 89200

Les Fleurs avec ch
69 rte de Vézelay – ☏ *03 86 34 13 81* – *www.hotel-lesfleurs.com* – *info@hotel-lesfleurs.com* – *Fax 03 86 34 23 32* – *Fermé 21 déc.-5 fév.*
7 ch – †53/57 € ††53/57 €, ⌑ 8 €
Rest – *(fermé jeudi sauf du 1ᵉʳ juil. au 15 sept. et merc.)* Menu 19/44 € – Carte 32/50 €

♦ Auberge familiale peu à peu rajeunie : intérieur aux tons pastel ouvert sur la terrasse dressée face au jardin. Plats traditionnels et régionaux. Chambres rafraîchies.

dans la Vallée du Cousin 6 km par ④, Pontaubert et D 427 – ⊠ 89200 Avallon

Hostellerie du Moulin des Ruats
r. des Îles Labaumes – ☏ *03 86 34 97 00* – *www.moulindesruats.com* – *contact@moulindesruats.com* – *Fax 03 86 31 65 47* – *Ouvert de mi-fév. au 11 nov.*
24 ch – †82/117 € ††82/154 €, ⌑ 13 € – 1 suite – ½ P 99/135 €
Rest – *(fermé lundi) (dîner seult sauf dim.)* Menu 30/47 € – Carte 50/59 €

♦ Au calme dans la vallée du Cousin, ce moulin du 18ᵉ s. invite à la détente : plaisant bar-bibliothèque à l'atmosphère feutrée et chambres au charme d'antan. La salle à manger-véranda s'ouvre sur le domaine. Agréable terrasse. Cuisine au diapason du décor, classique.

à Vault de Lugny 6 km par ④ et D 142 – 328 h. – alt. 148 m – ⊠ 89200

Château de Vault de Lugny
11 r. du Château – ☏ *03 86 34 07 86* – *www.lugny.fr* – *hotel@lugny.fr* – *Fax 03 86 34 16 36* – *Ouvert 9 avril-15 nov.*
16 ch – †178/595 € ††178/595 €, ⌑ 24 €
Rest – *(dîner seult)* Menu 65/105 € – Carte 55/98 €

♦ Ce luxueux château du 16ᵉ s. cultive la tradition. Ses atouts : un parc et un potager superbes, une piscine logée dans une dépendance voûtée et un site idylliquement calme.

à Valloux 6 km par ④ et D 606 – ⊠ 89200 Vault-de-Lugny

Auberge des Chenêts
10 rte Nationale 6 – ☏ *03 86 34 23 34* – *Fax 03 86 34 21 24* – *Fermé 22 juin-6 juil., 12 nov.-2 déc., mardi d'oct. à mars, dim. soir et lundi*
Rest – Menu (18 €), 26/54 € – Carte 48/62 €

♦ Au bord d'une route assez fréquentée, cette auberge de campagne est une adresse bien appréciable. Cadre rustique réchauffé par une cheminée et plats d'inspiration bourguignonne.

AVÈNE – 34 Hérault – **339** D6 – 289 h. – alt. 350 m – Stat. therm. : début avril-fin oct. – ⊠ 34260   **22 B2**

🅿 Paris 705 – Bédarieux 25 – Clermont-l'Hérault 51 – Montpellier 83
🄸 Office de tourisme, le Village ☏ 04 67 23 43 38, Fax 04 67 23 16 95

Val d'Orb
Les Bains-d'Avène, aux Thermes – ☏ *04 67 23 44 45* – *www.valdorb.com* – *val.dorb@pierre-fabre.com* – *Fax 04 67 23 39 07* – *Ouvert avril-oct.*
58 ch – †91/96 € ††96/102 €, ⌑ 9 €   **Rest** – Menu 15/28 € – Carte 33/60 €

♦ Cette construction moderne, blottie dans un vallon verdoyant, est intégrée au centre thermal. Hébergement fonctionnel et spacieux. Salle à manger actuelle et terrasse donnant sur le jardin ; cuisine traditionnelle et plats diététiques.

AVENSAN – 33 Gironde – 335 G4 – 1 753 h. – alt. 25 m – ✉ 33480   3 **B1**

▶ Paris 589 – Bordeaux 30 – Mérignac 28 – Pessac 34 – Talence 41

Le Clos de Meyre sans rest
16 rte de Castelnau – ℰ 05 56 58 22 84 – www.chateaumeyre.com
– closdemeyre@wanadoo.fr – Fax 05 57 71 23 35 – Ouvert 1er mars-1er nov.
7 ch ☑ – †90/100 € ††120/140 € – 2 suites

◆ Entre vignobles de Margaux et de Haut Médoc, ce château est une propriété viticole depuis trois siècles. Chambres de caractère, classiques ou actuelles. Piscine d'été, tennis.

AVESSAC – 44 Loire-Atlantique – 316 E2 – 2 387 h. – alt. 55 m   34 **A2**
– ✉ 44460

▶ Paris 406 – Nantes 78 – Rennes 63 – St-Nazaire 54 – Vannes 64

au Sud-Est : 3 km par D 131 (direction Plessé) – ✉ 44460 Avessac

Restaurant d'Edouard
La Villa en Pierre – ℰ 02 99 91 08 89 – www.edouardset.com
– contact@edouardset.com – Fax 02 99 91 02 44
– Fermé 29 juin-24 sept., 10-30 janv., 15-28 fév., dim. soir et jeudi soir
Rest – Menu 39/60 € – Carte 63/70 €

◆ Restaurant en pleine campagne (ex-ferme) au décor actuel étudié : cheminée, pierres apparentes, chaises design, vaisselle moderne. Cuisine au goût du jour rythmée par le marché.

AVIGNON ℗ – 84 Vaucluse – 332 B10 – 90 800 h. – Agglo. 253 580 h.   42 **E1**
– alt. 21 m – ✉ 84000 ▮ Provence

▶ Paris 682 – Aix-en-Provence 82 – Arles 37 – Marseille 98 – Nîmes 46

✈ d'Avignon : ℰ 04 90 81 51 53, par ③ et N 7 : 9 km.

☎ 3635 et tapez 42 (0,34 €/mn)

ℹ Office de tourisme, 41, cours Jean Jaurès ℰ 04 32 74 32 74,
Fax 04 90 82 95 03

⛳ de Châteaublanc à Morières-lès-Avignon Les Plans, E : 8 km par D 58,
ℰ 04 90 33 39 08

⛳ du Grand Avignon à Vedène Les Chênes Verts, E : 9 km par D 28,
ℰ 04 90 31 49 94

◉ Palais des Papes★★★ : ≤★★ de la terrasse des Dignitaires - Rocher des Doms ≤★★ - Pont St-Bénézet★★ - Remparts★ - Vieux hôtels★ (rue Roi-René) EZ **F**^{2} - Coupole★ de la cathédrale Notre-Dame-des-Doms - Façade★ de l'hôtel des Monnaies EY **K** - Vantaux★ de l'église St-Pierre EY - Retable★ de l'église St-Didier EZ – Musées : Petit Palais★★ EY, Calvet★ EZ **M**^{2}, Lapidaire★ EZ **M**^{4}, Louis Vouland (faïences★) DYZ**M**^{5} - Fondation Anglandon-Dubrujeaud★★ EZ **M**^{1}.

Plans pages suivantes

La Mirande 🕮
4 pl. Amirande – ℰ 04 90 85 93 93 – www.la-mirande.fr – mirande@la-mirande.fr
– Fax 04 90 86 26 85   EY **g**
20 ch – †310/540 € ††310/540 €, ☑ 29 € – 1 suite
Rest – *(fermé 5 janv.-3 fév., mardi et merc.)* Menu (35 €), 75/105 €
– Carte 82/96 € 🍷

Spéc. Lasagnes végétales de tomates anciennes, chèvre frais et beignets d'anchois (été). Saint-Pierre rôti, crique Ardéchoise de potimarron, jus mousseux à la muscade (automne-hiver). Soufflé tradition à l'orange, sorbet agrumes (hiver). **Vins** Vin de Table blanc de la Drôme, Côtes-du-Rhône.

◆ Décoration dans le goût provençal du 18e s., meubles d'antiquaires, objets d'art, détails ultra raffinés... La Mirande est un lieu superbe, tout simplement. Carte inventive et jolie terrasse-jardin au restaurant ; table d'hôte le soir dans les anciennes cuisines (menu unique).

AVIGNON

Street	Ref
Amandier (Av. de l')	CX
Aulnes (Av. des)	CX
Avignon (Av. d')	CX
Croix Rouge (Av. de la)	BX
Docteur-Pons (Rte Touristique)	BV
Eisenhower (Av.)	AX
Europe (Pont de l')	AX
Ferry (Bd J.)	AX
Folie (Rte de)	BCX 29
Foncouverte (Av. de)	BCX 31
Gaulle (Rocade Ch.-de)	ABX
Lyon (Rte de)	BCX
Marseille (Rte de)	BCX 51
Monclar (Av.)	AX
Monod (Bd J.)	AX 58
Montfavet (Rte de)	BCX 60
Morières (Rte de)	BCV
Moulin Notre-Dame (Av. du)	BX 61
Réalpanier (Carr.)	BX
Reine-Jeanne (Av. de la)	BX 81
Royaume (Pont du)	AV 92
St-Chamand (Av.)	BX 95
St-Ruf (Av.)	AX
Semard (Av. P.)	BX
Sixte-Isnard (Bd)	BX 112
Souspirous (Av. de)	CX
Tarascon (Av. de)	AX
1re Division Blindée (Bd de la)	BX 125

LES ANGLES

Pinède (Ch. de la)	AV

LE PONTET

Avignon (Av. d')	CV
Carpentras (Av. de)	CV
Delorme (Av. Th.)	CV
Goutarel (Av. G.)	CV 38
Pasteur (Av. L.)	CV

VILLENEUVE-LÈS-AVIGNON

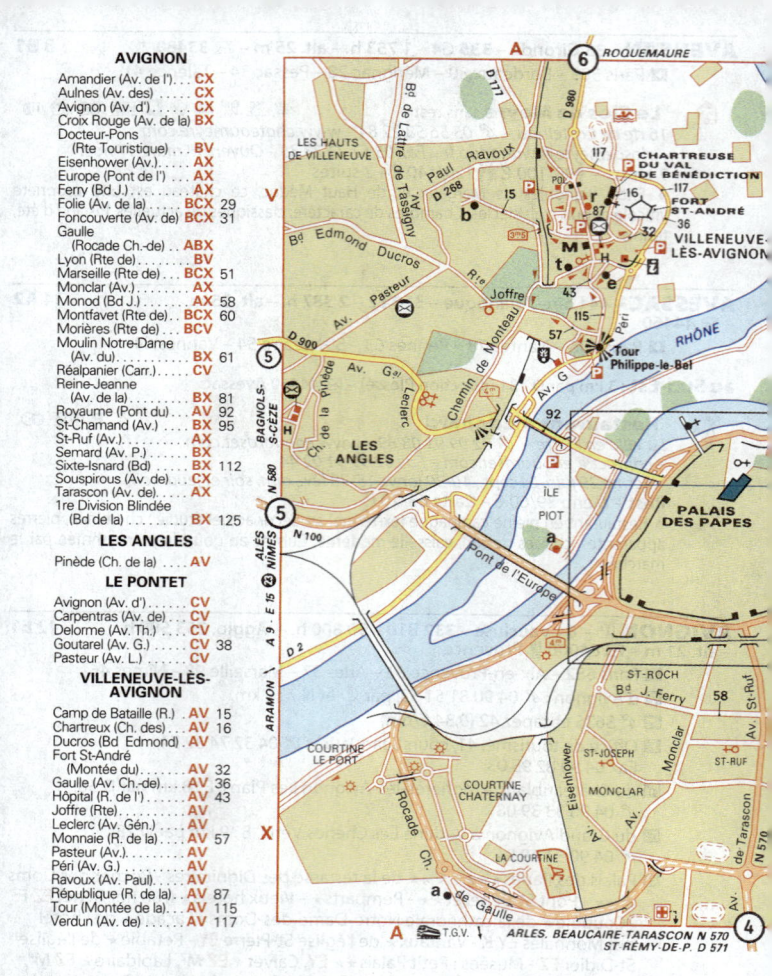

Camp de Bataille (R.)	AV 15
Chartreux (Ch. des)	AV 16
Ducros (Bd Edmond)	AV
Fort St-André (Montée du)	AV 32
Gaulle (Av. Ch.-de)	AV 36
Hôpital (R. de l')	AV 43
Joffre (Rte)	AV
Leclerc (Av. Gén.)	AV
Monnaie (R. de la)	AV 57
Pasteur (Av.)	AV
Péri (Av. G.)	AV
Ravoux (Av. Paul)	AV
République (R. de la)	AV 87
Tour (Montée de la)	AV 115
Verdun (Av. de)	AV 117

D'Europe EY d
12 pl. Crillon – ℰ 04 90 14 76 76 – www.heurope.com – reservations@heurope.com – Fax 04 90 14 76 71
41 ch – †175/480 € ††175/480 €, ⊆ 17 € – 3 suites
Rest – (fermé 22 fév.-9 mars, 2-31 août, 22-30 nov., 2-9 janv., dim. et lundi) Menu 38 € (déj.), 55/120 € – Carte 82/154 €

♦ Décor raffiné dans cet hôtel particulier du 16e s. au cœur de la Cité. Certaines suites offrent une échappée sur le palais des Papes. Salles à manger classiques et agréable terrasse bercée par le murmure d'une fontaine...

Cloître St-Louis EZ s
20 r. Portail-Boquier – ℰ 04 90 27 55 55 – www.cloitre-saint-louis.com – hotel@cloitre-saint-louis.com – Fax 04 90 82 24 01
80 ch – †175/336 € ††175/336 €, ⊆ 16 €
Rest – (fermé sam. midi) Menu (21 €), 34 € – Carte 36/55 €

♦ L'hôtel occupe un cloître du 16e s. et une aile tout en verre et acier. Les chambres allient sobriété moderne et charme des vieilles pierres. Piscine et terrasse sur le toit. Restaurant dans les galeries, ouvertes l'été sur la paisible cour aux platanes centenaires.

AVIGNON

🏠🏠🏠 **Avignon Grand Hôtel** 🌊 🛗 & ch, [AC] ch, ↔ 🧖 🚗 VISA ⓂⓄ AE ①
34 bd St-Roch, (à la Gare) – ✆ *04 90 80 98 09*
– *www.avignon-grand-hotel.com* – *reservationagh@cloitre-saint-louis.com*
– *Fax 04 90 80 98 10* **EZ t**
122 ch – †175/350 € ††175/350 €, ☲ 16 €
Rest – *(fermé sam. et dim. en hiver) (résidents seult)* Carte 26/32 €
♦ Inspirations médiévale et provençale dans cet établissement situé au pied des remparts. Chambres, suites ou duplex et petite piscine ronde perchée sur le toit. Au restaurant, meubles en fer forgé, décor aux couleurs du Midi ; cuisine et vins au diapason.

🏠🏠🏠 **Mercure Pont d'Avignon** sans rest 🌿 🛗 [AC] ↔ 📡 🧖
r. Ferruce, quartier Balance – ✆ *04 90 80 93 93* 🚗 VISA ⓂⓄ AE ①
– *www.mercure.com* – *h0549@accor.com* – *Fax 04 90 80 93 94* **EY r**
87 ch – †115/160 € ††125/190 €, ☲ 14 €
♦ Mobilier et tissus de style provençal apportent une petit touche régionale aux chambres pratiques, claires et calmes. Agréable salle des petits-déjeuners.

227

AVIGNON

Amirande (Pl. de l')	**EY** 2
Arroussaire (Av. de l')	**FZ** 3
Aubanel (R. Théodore)	**EZ** 5
Balance (R. de la)	**EY** 7
Bancasse (R.)	**EY** 9
Bertrand (R.)	**FY** 10
Bon Martinet (R. du)	**FZ** 13
Campane (R.)	**FY** 14
Collège d'Annecy (R.)	**EZ** 18
Collège du Roure (R. du)	**EY** 19
Corps Saints (Pl. des)	**EZ** 20
David (R. Félicien)	**EY** 22
Dorée (R.)	**EY** 23
Folco-de-Baroncelli (R.)	**EY** 28
Fourbisseurs (R. des)	**EY** 34
Four de la Terre (R. du)	**FZ** 35
Four (R. du)	**FY** 33
Galante (R.)	**EY** 37
Grande Fusterie (R. de la)	**EY** 39
Grottes (R. des)	**EY** 41
Italiens (Av. des)	**GY** 44
Jean-Jaurès (Cours)	**EZ**
Jérusalem (Pl.)	**FY** 45
Ledru-Rollin (R.)	**FY** 47
Manivet (R. P.)	**EFZ** 48
Marchands (R. des)	**EY** 49
Masse (R. de la)	**FZ** 52
Molière (R.)	**EY** 54
Monclar (Av.)	**EZ** 55
Mons (R. de)	**EY** 59
Muguet (R.)	**GY** 62
Ortolans (R. des)	**EZ** 63
Palais (Pl. du)	**EY** 64
Palapharnerie (R.)	**FY** 66
Petite Calade (R. de la)	**EY** 67
Petite Fusterie (R. de la)	**EY** 68

228

Street	Ref	No
Petite Saunerie (R. de la)	FY	70
Pétramale (R.)	EZ	72
Peyrollerie (R.)	EY	73
Pont (R. du)	EY	74
Président-Kennedy (Cours)	EZ	76
Prévot (R.)	EZ	77
Rascas (R. de)	GY	79
Rempart de l'Oulle (R. du)	DY	82
Rempart du Rhône (R. du)	EY	83
Rempart St-Michel (R. du)	FZ	84
Rempart St-Roch (R. du)	DEZ	86
République (R. de la)	EYZ	
Rhône (Pte du)	EY	88
Rouge (R.)	EY	90
Ste-Catherine (R.)	FY	109
St-Agricol (R.)	EY	94
St-Christophe (R.)	FZ	97
St-Dominique (Bd)	DZ	98
St-Étienne (R.)	EY	99
St-Jean le Vieux (Pl.)	FY	101
St-Jean le Vieux (R.)	FY	102
St-Joseph (R.)	FY	104
St-Michel (R.)	FY	105
St-Pierre (Pl.)	EY	106
St-Ruf (Av.)	FZ	108
Saraillerie (R. de la)	EYZ	110
Taulignan (R. de)	EY	113
Tour (R. de la)	GY	116
Vernet (R. Horace)	EZ	118
Vernet (R. Joseph)	EYZ	
Viala (R. Jean)	EY	119
Vice-Légat (R.)	EY	120
Vieux Sextier (R. du)	EFY	122
Vilar (R. Jean)	EY	123
Violette (R.)	EZ	124
3 Pilats (R. des)	EY	127
3 Faucons (R. des)	EZ	126

229

AVIGNON

Mercure Cité des Papes
1 r. J.-Vilar – ℰ *04 90 80 93 00 – www.mercure.com – h1952@accor.com*
– Fax 04 90 80 93 01   EY **b**
89 ch – †115/180 € ††125/190 €, ⊇ 13 €
Rest *Les Domaines* – ℰ *04 90 80 93 11* – Carte 31/41 €

♦ Ce bâtiment des années 1970 est apprécié pour son emplacement au cœur de la cité des Papes. Les chambres, de bon confort, s'agrémentent d'un sobre décor provençal. Cadre actuel et grande terrasse pour le restaurant qui privilégie recettes et vins régionaux.

Express by Holiday Inn sans rest
2 r. Mère-Térésa, Avenue de la Gare TGV – ℰ *04 32 76 88 00*
– www.expressbyholidayinn.fr – express.avignon@ihg.com – Fax 04 90 76 89 00
100 ch ⊇ – †72/141 € ††72/141 €   AX **a**

♦ Cet hôtel proche de la gare TGV possède les avantages d'une construction récente : insonorisation performante, équipements modernes complets, espace et sage déco contemporaine.

Bristol sans rest
44 cours Jean-Jaurès – ℰ *04 90 16 48 48 – www.bristol-avignon.com – contact@bristol-avignon.com – Fax 04 90 86 22 72*   EZ **m**
65 ch – †59/95 € ††79/116 €, ⊇ 11 € – 2 suites

♦ Un emplacement parfait entre la gare et les quartiers animés pour cet immeuble qui abritait déjà un hôtel dans les années 1920. Chambres pratiques, en général assez grandes.

De Blauvac sans rest
11 r. de la Bancasse – ℰ *04 90 86 34 11 – www.hotel-blauvac.com – blauvac@aol.com – Fax 04 90 86 27 41*   EY **m**
16 ch – †62/80 € ††62/80 €, ⊇ 8 €

♦ L'ex-résidence du marquis de Blauvac (17ᵉ s.) a conservé des traces de son passé : les murs des chambres laissent souvent apparaître la pierre d'origine. Déco rustico-provençale.

Colbert sans rest
7 r. Agricol Perdiguier – ℰ *04 90 86 20 20 – www.avignon-hotel-colbert.com – contact@avignon-hotel-colbert.com – Fax 04 90 85 97 00 – Ouvert 2 mars-31 oct.*
15 ch – †50/108 € ††60/108 €, ⊇ 10 €   EZ **a**

♦ Simplicité et esprit "comme à la maison" dans les chambres (murs patinés, objets de brocante, affiches). Le plus de cet hôtel discret : son délicieux patio où trône un palmier.

La Banasterie sans rest
11 r. de la Banasterie – ℰ *04 32 76 30 78 – www.labanasterie.com*
– labanasterie@labanasterie.com – Fax 04 32 76 30 78   EY **w**
5 ch ⊇ – †90/115 € ††100/170 €

♦ Une vierge à l'enfant orne la façade classée de cette demeure du 16ᵉ s. Intérieur cosy et romantique. Les chambres portent des noms évoquant le chocolat, passion des propriétaires.

Lumani sans rest
37 rempart St-Lazare – ℰ *04 90 82 94 11 – www.avignon-lumani.com – lux@avignon-lumani.com – Fermé 4 nov.-25 déc. et 7 janv.-7 mars*
5 ch ⊇ – †90/170 € ††90/170 €   FY **a**

♦ Les propriétaires de cette maison du 19ᵉ s. reçoivent hôtes et artistes comme des amis. Intérieur mariant ancien, moderne et matériaux naturels. Ateliers d'art, jardin clos.

Villa Agapè sans rest
13 r. St-Agricol – ℰ *04 90 85 21 92 – www.villa-agape.com – michele@villa-agape.com – Fax 04 90 82 93 34 – Fermé 10-27 avril, juil. et vacances de la Toussaint*
3 ch ⊇ – †100/150 € ††100/150 €   EY **x**

♦ Inattendu... La villa Agapè est une véritable – et douillette – petite maison posée sur le toit d'un immeuble du centre historique ! Avec piscine et terrasse fleurie en prime.

Christian Étienne
10 r. Mons – ℰ *04 90 86 16 50 – www.christian-etienne.fr – contact@christian-etienne.fr – Fax 04 90 86 67 09 – Fermé dim. et lundi sauf en juil.*
Rest – Menu 35 € (déj. en sem.), 65/120 € – Carte 83/95 €   EY **h**
Spéc. Menu "tomate" (juin à sept.). Menu "truffe" (déc. à fév.). Menu "homard".
Vins Viognier, Côtes du Rhône-Villages.

♦ Demeure des 13ᵉ et 14ᵉ s. accolée au palais des Papes. Dans ce cadre chargé d'histoire, C. Etienne réalise une belle cuisine rendant hommage aux produits de sa Provence natale.

AVIGNON

XXX Hiély-Lucullus
AC ⇔ VISA ⓒ AE
5 r. de la République, (1er étage) – ℰ 04 90 86 17 07 – www.hiely-lucullus.com
– contact@hiely-lucullus.com – Fax 04 90 86 32 38 – Fermé 13-20 janv. et sam. midi
Rest – Menu (25 €), 35 € (déj. en sem.), 70/95 € – Carte environ 100 € EY n
- La nouvelle équipe et le décor Belle Époque rajeuni (vitraux, boiseries ouvragées) apportent un second souffle à cette institution. Cuisine classique revisitée.

XX La Fourchette
AC VISA ⓒ
17 r. Racine – ℰ 04 90 85 20 93 – restaurant.la.fourchette@wanadoo.fr
– Fax 04 90 85 57 60 – Fermé 2-23 août, 24 déc.-4 janv., sam. et dim. EY u
Rest – (nombre de couverts limité, prévenir) Menu (26 €), 32 €
- Collections de fourchettes, cigales, photos, cartes de vœux, bibelots : ce bistrot – au décor chargé mais charmant – affiche souvent complet. Cuisine aux savoureux accents du Sud.

XX Piedoie
AC VISA ⓒ
26 r. 3-Faucons – ℰ 04 90 86 51 53 – t.piedoie@gmail.com – Fermé en août,
21-30 nov., vacances de fév., mardi et merc. EZ d
Rest – Menu 19 € (sem.)/65 € bc – Carte 39/54 €
- Poutres, parquet, murs blancs et tableaux contemporains composent un cadre à la fois sobre et agréable. Le chef, attentif aux saisons, propose des plats du marché assez créatifs.

XX Le Moutardier du Pape
AC VISA ⓒ AE
15 pl. Palais-des-Papes – ℰ 04 90 85 34 76 – www.restaurant-moutardier.fr
– info@restaurant-moutardier.fr – Fax 04 90 86 42 18 EY z
Rest – Menu (25 €), 33/46 € – Carte 38/62 €
- Avec ses fresques évoquant le moutardier du pape, l'intérieur a du caractère, mais optez pour la terrasse et sa vue "plein cadre" sur le palais. Accords vins au verre et mets.

X Les 5 Sens
AC VISA ⓒ AE
18 r. Joseph-Vernet, (pl. Plaisance) – ℰ 04 90 85 26 51 – www.restaurantles5sens
.com – les5sens2@wanadoo.fr – Fermé 2-7 juin, 17-31 août, 1er-7 janv., dim. et lundi
Rest – Menu (20 €), 42 € – Carte 50/70 € EY a
- Mobilier tendance et couleurs chaudes s'associent avec élégance dans ce restaurant servant une cuisine dans l'air du temps qui ravit les papilles.

X L'Essentiel
& AC
2 r. Petite-Fusterie – ℰ 04 90 85 87 12 – www.restaurantlessentiel.com
– restaurantlessentiel84@live.fr – Fermé dim. EY v
Rest – Menu 26/37 € – Carte 38/58 €
- Cette table va à l'essentiel et réjouira les amateurs d'une cuisine généreuse, aux saveurs franco-italiennes ensoleillées. Le décor, lui, joue la carte de la modernité épurée.

X Brunel
AC VISA ⓒ
46 r. Balance – ℰ 04 90 85 24 83 – www.restaurantbrunel.fr – restaurantbrunel@
wanadoo.fr – Fax 04 90 86 26 67 – Fermé une sem. en août, une sem. en nov., dim.
sauf juil. et lundi EY e
Rest – Menu (20 € bc), 26 € (déj. en sem.), 30/33 € – Carte 26/40 €
- Décor contemporain minimaliste pour ce bistrot dans le vent proposant, le soir, une carte aux accents provençaux et, au déjeuner, une formule plus resserrée (plat du jour).

X L'Isle Sonnante
AC VISA ⓒ AE
7 r. Racine – ℰ 04 90 82 56 01 – Fax 04 90 82 56 01 – Fermé 22 fév.-1er mars,
23 août-2 sept., 25 oct.-5 nov., dim. et lundi EY v
Rest – Menu 25/50 € – Carte 37/47 €
- Derrière l'opéra, une petite devanture en bois abritant une table sympathique. Intérieur cosy, façon bistrot amélioré, mariant rustique et tons chauds. Cuisine aux saveurs du Sud.

dans l'île de la Barthelasse 5 km au Nord par D 228 et rte secondaire
– ✉ 84000 Avignon

🏠 La Ferme
AC ch, 𝒲 ch, P VISA ⓒ AE
110 chemin des Bois – ℰ 04 90 82 57 53 – www.hotel-laferme.com – info@
hotel-laferme.com – Fax 04 90 27 15 47 – Ouvert 15 mars-31 oct.
20 ch – †66/73 € ††76/95 €, ⊇ 11 € – ½ P 68/79 €
Rest – (dîner seult) Menu 26/41 € – Carte 27/45 €
- Cette ferme se révèle une adresse idéale pour ceux qui recherchent le calme sans trop s'éloigner d'Avignon. Grandes chambres simples, mobilier peint de style provençal. Salle à manger campagnarde avec poutres apparentes, cheminée et vieilles pierres. Terrasse ombragée.

AVIGNON

au Pontet 6 km vers ② par rte de Lyon – 17 100 h. – alt. 40 m – ⊠ 84130

Auberge de Cassagne
450 allée de Cassagne – ℰ *04 90 31 04 18*
– www.aubergedecassagne.com – cassagne@wanadoo.fr – Fax 04 90 32 25 09
– Fermé 3-29 janv.
45 ch – †115/459 € ††115/459 €, ⊇ 25 € – 3 suites – ½ P 148/320 €
Rest – Menu (37 €), 59/106 € – Carte 93/116 € ⌘
♦ Fitness, hammam, sauna, piscine : dans cette bastide de 1850, tout concourt au bien-être des clients. Chambres provençales tournées vers le jardin. Cuisine au goût du jour et intéressante sélection de vins.

Les Agassins
52 av. Ch.-de-Gaulle – ℰ *04 90 32 42 91 – www.agassins.com – avignon@agassins.com – Fax 04 90 32 08 29 – Fermé janv. et fév.*
CV u
26 ch – †90/200 € ††100/300 €, ⊇ 20 € – ½ P 105/185 €
Rest – *(fermé sam. midi de nov. à mars)* Menu (28 € bc), 22 € (déj.), 36/68 €
– Carte 50/70 € ⌘
♦ Une grande maison d'allure régionale dans un jardin fleuri. Les chambres (meubles en rotin, couleurs du Sud) possèdent presque toutes une miniterrasse. Salle à manger ensoleillée et tables dressées dans la cour arborée en été ; mets et vins honorent la Provence.

à Montfavet - CX – ⊠ 84140

Hostellerie Les Frênes
645 av. Vertes-Rives – ℰ *04 90 31 17 93 – www.lesfrenes.com – contact@lesfrenes.com – Fax 04 90 23 95 03*
12 ch – †170/750 € ††170/750 €, ⊇ 20 € – 6 suites
Rest – Menu (29 €), 43/79 € – Carte 65/85 €
♦ Dans un parc, gracieuse demeure bourgeoise (1800) et ses dépendances plus récentes enfouies sous la végétation. Chambres de style, contemporaines ou méridionales. Salle à manger relookée dans un esprit actuel cossu et superbe terrasse sous de vieux platanes.

à l'aéroport 8 km par ③ – ⊠ 84140

Paradou
– ℰ *04 90 84 18 30 – www.hotel-paradou.fr – contact@hotel-paradou.fr*
– Fax 04 90 84 19 16
60 ch – †95/140 € ††110/170 €, ⊇ 12 €
Rest – *(fermé dim. sauf le soir d'avril à mars)* Menu 19 € (sem.)/39 €
– Carte 24/50 €
♦ On oublie vite l'architecture passe-partout, une fois la porte franchie : l'ensemble se révèle accueillant et confortable. Chambres personnalisées, avec balcon ou miniterrasse. Au restaurant, déco simple façon bistrot, cuisine et vins régionaux.

rte de Carpentras 12 km par ② D 942, sortie Althen-des-Paluds
– ⊠ 84180 Monteux :

XXX Le Saule Pleureur (Laurent Azoulay)
145 chemin de Beauregard – ℰ *04 90 62 01 35 – www.le-saule-pleureur.com*
– contact@le-saule-pleureur.fr – Fax 04 90 62 10 90 – Fermé 2-8 janv., dim. soir, lundi sauf fériés et du 3 juin au 27 sept., sam. midi
Rest – Menu 29 € (déj. en sem.), 39/89 € – Carte 65/95 €
Spéc. Cappuccino de châtaigne, royale de foie gras et œuf mollet en croûte de brioche. Cochon fermier du Ventoux, côte rôtie, boudin noir et légumes anciens. Poire williams au caramel salé, cornet de glace au poivre de Sechuan.
♦ Une grande villa protégée par un jardin fleuri qui fait oublier la voie express toute proche. Service aimable et attentif. Cuisine généreuse et délicate, sagement créative.

Voir aussi ressources hôtelières de **Villeneuve-lès-Avignon**

AVIGNON (Aéroport d') – 84 Vaucluse – **332** C10 – rattaché à Avignon

---

AVORIAZ – 74 Haute-Savoie – **328** N3 – rattaché à Morzine

AVRANCHES – 50 Manche – 303 D7 – 8 239 h. – alt. 108 m
– ⌧ 50300 ▌Normandie Cotentin

32 **A3**

- Paris 337 – Caen 105 – Rennes 85 – St-Lô 58 – St-Malo 68
- **🛈** Office de tourisme, 2, rue Général-de-Gaulle ℰ 02 33 58 00 22, Fax 02 33 68 13 29
- ◉ Manuscrits ★★ du Mont-St-Michel (musée) - Jardin des Plantes : ※★ - La "plate-forme" ※★.

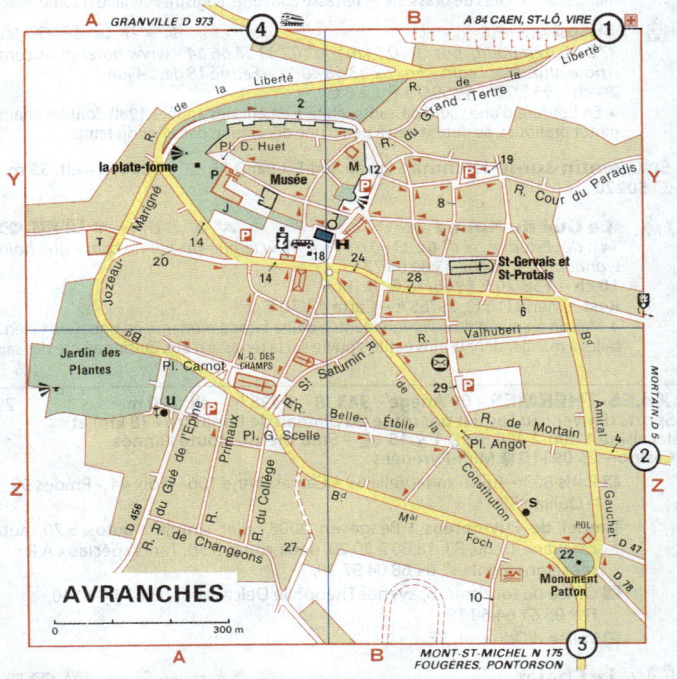

Abrincates (Bd des) .... **AY** 2	Estouteville (Pl. d') .... **BY** 12	Patton (Pl. Gén.) .... **BZ** 22
Bindel (R. du Cdt) .... **BZ** 4	Gaulle (R. Gén.-de) .... **AY** 14	Pot-d'Étain (R. du) .... **BY** 24
Bremesnil (R. de) .... **BY** 6	Littré (Pl.) .... **AY** 18	Puits-Hamel (R. du) .... **AZ** 27
Chapeliers (R. des) .... **BY** 8	Marché (Pl. du) .... **BY** 19	St-Gaudens (R.) .... **BY** 28
Constitution (R. de la) ...... **BZ**	Millet (R. L.) .... **AY** 20	St-Gervais (R.) .... **BZ** 29
Écoles (R. des) .... **BZ** 10		

🏨 **La Croix d'Or** 🍃
83 r. de la Constitution – ℰ *02 33 58 04 88 – www.hoteldelacroixdor.fr*
– hotelcroixdor@wanadoo.fr – Fax 02 33 58 06 95 – Fermé 1ᵉʳ-25 janv. et dim. soir du 15 oct. au 1ᵉʳ avril

BZ **s**

27 ch – ♦58/65 € ♦♦71/102 €, ⚏ 9 € – ½ P 74/91 €
Rest – Menu 18 € (déj. en sem.), 27/54 € – Carte 50/75 €

♦ Jolie façade à colombages, beau hall-salon (mobilier régional) et jardin fleuri que regardent la plupart des agréables chambres dans cet ancien relais de poste du 17ᵉ s. Authentique cachet normand dans la salle à manger ; carte classique et régionale.

🏨 **La Ramade** sans rest
2 r. de la Côte, 1 km par ④ à Marcey les Grèves – ℰ *02 33 58 27 40 – www.laramade.fr – hotel@laramade.fr – Fax 02 33 58 29 30 – Fermé 20-30 nov. et 28 déc.-4 fév.*

12 ch – ♦65/99 € ♦♦72/185 €, ⚏ 10 €

♦ Demeure bourgeoise des années 1950 vous logeant dans des chambres douillettes personnalisées sur le thème floral. Cheminée au salon et gloriette au jardin. Hôtel non-fumeurs.

AVRANCHES

Au Jardin des Plantes
10 pl. Carnot – ℰ *02 33 58 03 68* – *www.le-jardin-des-plantes.fr* – *contact@le.jardin.des.plantes.fr* – *Fax 02 33 60 01 72* – *Fermé 20 déc.-4 janv.*
25 ch – †50/88 € ††50/88 €, ⊆ 11 € – ½ P 68 €
Rest – Menu (15 €), 17/42 € – Carte 43/75 €

AZ **u**

♦ Cet hôtel familial se trouve à l'entrée du jardin des plantes. Accueil au bar, fréquenté par la clientèle locale. Chambres rustiques, plus spacieuses dans le bâtiment arrière. Salle à manger aux allures de brasserie et terrasse couverte. Registre culinaire traditionnel.

Altos sans rest
37 bd Luxembourg, par ③ : 0,5 km – ℰ *02 33 58 66 64* – *www.hotel-altos.com* – *hotelaltos@aol.com* – *Fax 02 33 58 40 11* – *Fermé 18 déc.-4 janv.*
29 ch – †55/79 € ††59/79 €, ⊆ 8 €

♦ En bordure d'une route passante, établissement des années 1980 dont les chambres, plutôt pratiques, se dotent peu à peu d'une décoration dans l'air du temps.

à St-Quentin-sur-le-Homme 5 km au Sud-Est par D 78 BZ – 1 090 h. – alt. 55 m – ✉ 50220

XXX Le Gué du Holme avec ch
14 r. des Estuaires – ℰ *02 33 60 63 76* – *www.le-gue-du-holme.com* – *gue.holme@wanadoo.fr* – *Fax 02 33 60 06 77*
10 ch – †58/70 € ††65/75 €, ⊆ 11 €
Rest – Menu (16 €), 29/65 € – Carte 42/70 €

♦ Maison en pierre du pays agrémentée d'une façade moderne en bois. Deux élégantes salles à manger dont la plus petite s'ouvre sur la terrasse d'été. Cuisine au gré des saisons.

AX-LES-THERMES – 09 Ariège – **343** J8 – 1 498 h. – alt. 720 m
29 **C3**
– Sports d'hiver : au Saquet par route du plateau de Bonascre ★ (8 km) et télécabine 1 400/2 400 m ≴ 1 ≴ 15 ≴ – Stat. therm. : toute l'année
– Casino – ✉ 09110 █ Midi-Pyrénées

▶ Paris 803 – Andorra-la-Vella 59 – Carcassonne 106 – Foix 44 – Prades 99 – Quillan 55

Tunnel de Puymorens : Péage en 2008, aller simple : autos 5,70, auto et caravane 11,60, P.L 18,60 à 30,20, deux-roues 3,50. Tarifs spéciaux A.R : renseignements ℰ 04 68 04 97 20.

𝐙 Office de tourisme, 6, avenue Théophile Delcassé ℰ 05 61 64 60 60, Fax 05 61 64 68 18

◉ Vallée d'Orlu ★ au SE.

Le Chalet
4 av. Turrel – ℰ *05 61 64 24 31* – *www.le-chalet.fr* – *lechalet@club-internet.fr* – *Fax 05 61 03 55 50* – *Fermé 10 jours en nov.*
19 ch – †55/72 € ††55/72 €, ⊆ 9 € – ½ P 57/65 €
Rest – (fermé dim. soir et lundi soir hors vacances scolaires et lundi midi) Menu (22 €), 26/48 € – Carte environ 47 €

♦ Hôtel-chalet entièrement rénové. Les chambres, contemporaines et reposantes, disposent d'équipements modernes et certaines sont dotées d'un balcon. Lumineuse salle à manger aux tons beiges et terrasse dominant une rivière. Savoureuse cuisine actuelle.

XX L'Orry Le Saquet avec ch
RN 20, 1 km au Sud par N 20 – ℰ *05 61 64 31 30* – *www.auberge-lorry.com* – *sylvie.heinrich@wanadoo.fr* – *Fax 05 61 64 00 31* – *Fermé vacances de printemps, nov., dim. soir et merc.*
15 ch – †55/65 € ††55/65 €, ⊆ 8 € – ½ P 54/60 €
Rest – (dîner seult sauf sam. et dim.) Menu 27 € – Carte 27/41 €

♦ Bâtisses aux allures de chalet situées sur la route de l'Andorre. Restaurant aménagé dans l'esprit des auberges de campagne. Cours de cuisine deux samedis par mois.

Ce symbole en rouge ⌂ ?
La tranquillité même, juste le chant des oiseaux au petit matin…

AY – 51 Marne – 306 F8 – 4 175 h. – alt. 76 m – ⊠ 51160   13 B2

🅿 Paris 146 – Reims 29 – Château-Thierry 60 – Épernay 4 – Châlons-en-Champagne 34

Castel Jeanson sans rest
24 r. Jeanson – ✆ 03 26 54 21 75 – www.casteljeanson.fr – info@casteljeanson.fr – Fax 03 26 54 32 19 – *Fermé 22 déc.-20 janv.*
15 ch – †110/150 € ††110/150 €, ⊇ 12 € – 2 suites

♦ Le joyau de cet hôtel particulier du 19e s. : la superbe verrière de style Art nouveau côté piscine. Chambres agréables, salon-bibliothèque et dégustation de champagne maison.

Le Manoir des Charmes sans rest
83 bd Charles de Gaulle – ✆ 03 26 54 58 49 – www.lemanoirdescharmes.com – contact@lemanoirdescharmes.fr – *Fermé 1er janv.-26 fév.*
5 ch ⊇ – †110/140 € ††110/140 €

♦ Belle demeure bâtie en 1906, ouverte sur un jardin. Chambres garnies de meubles chinés par la propriétaire, passionnée de brocante. Petit-déjeuner sous une magnifique verrière.

Le Vieux Puits
18 r. Roger-Sondag – ✆ 03 26 56 96 53 – Fax 03 26 56 96 54 – *Fermé 17-30 août, 23 déc.-7 janv., 8-21 fév., merc. et jeudi*
Rest – Menu (25 €), 35/60 € – Carte 64/86 €

♦ Cette maison abrite deux salles – l'une bourgeoise, l'autre rustique – très soignées. Terrasse dressée dans la cour fleurie, autour du vieux puits. Beau choix de champagne.

AYGUESVIVES – 31 Haute-Garonne – 343 H4 – 2 143 h. – alt. 164 m   29 C2
– ⊠ 31450 ▌ Midi-Pyrénées

🅿 Paris 704 – Colomiers 36 – Toulouse 25 – Tournefeuille 38

La Pradasse sans rest
39 chemin de Toulouse, D 16 – ✆ 05 61 81 55 96 – www.lapradasse.com – contact@lapradasse.com – Fax 05 61 81 55 96
5 ch ⊇ – †72/75 € ††85/92 €

♦ Cette grange superbement restaurée abrite des chambres qui rivalisent de charme dans leur décor en brique, bois et fer forgé conçu par les propriétaires. Délicieux parc avec étang.

AY-SUR-MOSELLE – 57 Moselle – 307 I3 – 1 550 h. – alt. 160 m   26 B1
– ⊠ 57300

🅿 Paris 327 – Briey 31 – Metz 17 – Saarlouis 56 – Thionville 16

Le Martin Pêcheur
1 rte d'Hagondange – ✆ 03 87 71 42 31 – restaurant-martin-pecheur@wanadoo.fr – Fax 03 87 71 42 31 – *Fermé 14-20 avril, 17 août-2 sept., 26 oct.-2 nov., 15-22 fév., merc. soir, sam. midi, dim. soir et lundi*
Rest – Menu 40 € (déj. en sem.), 50 € bc/100 € bc – Carte 56/73 €

♦ Entre canal et Moselle, ex-maison de pêcheurs (1928) agrémentée d'un beau jardin où l'on s'attable en été. Accueil avenant, salles colorées, cuisine actuelle et cave bien fournie.

AYTRÉ – 17 Charente-Maritime – 324 D3 – rattaché à La Rochelle

AZAY-LE-FERRON – 36 Indre – 323 C5 – 942 h. – alt. 102 m   11 B3
– ⊠ 36290

🅿 Paris 279 – Orléans 196 – Châteauroux 56 – Châtellerault 46 – Déols 60

Terre de Brenne
rte du Blanc – ✆ 02 54 39 24 43 – www.terredebrenne.com – terredebrenne@wanadoo.fr – Fax 02 54 39 24 43
Rest – Menu (11 € bc), 22/50 € – Carte 29/48 €

♦ Cet ancien relais de poste arbore un joli décor actuel se mariant bien aux poutres d'origine. On y sert une cuisine au goût du jour, généreuse et sincère.

AZAY-LE-RIDEAU – 37 Indre-et-Loire – 317 L5 – 3 337 h. – alt. 51 m – ⊠ 37190 ▌Châteaux de la Loire
11 A2

> ▶ Paris 265 – Châtellerault 61 – Chinon 21 – Loches 58 – Saumur 47 – Tours 26
> 🛈 Office de tourisme, 4, rue du Château ✆ 02 47 45 44 40, Fax 02 47 45 31 46
> ◉ Château★★★ - Façade★ de l'église St-Symphorien.

Le Grand Monarque
3 pl. de la République – ✆ 02 47 45 40 08 – www.legrandmonarque.com
– monarq@club-internet.fr – Fax 02 47 45 46 25 – Fermé 29 déc.-16 janv., dim. soir, lundi soir et mardi de nov. à mars
24 ch – †70/140 € ††80/170 €, ⊇ 13 € – ½ P 78/123 €
Rest – Menu (18 €), 29/44 € – Carte 42/64 €
♦ Cette demeure tourangelle composée de deux bâtiments séparés par une cour arborée abrite des chambres de caractère mariant poutres, pierres et mobilier ancien. Élégante salle à manger rustique réchauffée par une imposante cheminée ; ravissante terrasse.

Des Châteaux
2 rte de Villandry – ✆ 02 47 45 68 00 – www.hoteldeschateaux.com – info@hoteldeschateaux.com – Fax 02 47 45 68 29 – Ouvert 13 fév.-8 nov.
27 ch – †56/79 € ††61/79 €, ⊇ 10 € – ½ P 56/65 €
Rest – *(dîner seult)* Menu 21/28 € – Carte 24/34 €
♦ Étape idéale sur la route des châteaux qui jalonnent votre itinéraire touristique, cet hôtel, peu à peu rénové, dispose de coquettes chambres gaies et colorées. Au restaurant, cuisine traditionnelle mitonnée par la patronne.

De Biencourt sans rest
7 r. Balzac – ✆ 02 47 45 20 75 – www.hotelbiencourt.com – biencourt@infonie.fr – Fax 02 47 45 91 73 – Ouvert 28 mars-1er oct. et fermé 28 juin-4 juil.
15 ch – †51/56 € ††51/56 €, ⊇ 8 €
♦ Près du château, maison du 18e s. ayant abrité une école dont le décor porte la trace. Meubles de style rustique ou Directoire. Petit-déjeuner dans la salle refaite ou au patio.

L'Aigle d'Or
10 av. A.-Riché – ✆ 02 47 45 24 58 – Fax 02 47 45 90 18 – Fermé 2-7 sept., 12-28 nov., 21 janv.-4 mars, dim. soir et merc.
Rest – *(prévenir)* Menu (20 €), 28/50 € – Carte 40/60 €
♦ Goûteuse cuisine traditionnelle servie dans l'atmosphère feutrée d'une salle à manger coiffée de poutres apparentes et agrémentée de compositions florales. Accueil aimable.

à Saché 6,5 km à l'Est par D 17 – 1 150 h. – alt. 78 m – ⊠ 37190

Auberge du XIIe Siècle (Xavier Aubrun et Thierry Jimenez)
1 r. du Château – ✆ 02 47 26 88 77 – Fax 02 47 26 88 21 – Fermé 26 mai-4 juin, 1er-10 sept., 17-26 nov., 5-21 janv., dim. soir, mardi midi et lundi
Rest – *(prévenir le week-end)* Menu 32/72 € – Carte 70/90 €
Spéc. Œufs brouillés à la crème de morilles. Ris de veau braisé à la sauge. Marbré au chocolat fondant. **Vins** Chinon, Touraine Azay-le-Rideau.
♦ Vénérable auberge à colombages où Balzac avait ses habitudes à deux pas du château qui l'accueillit si souvent. Cadre rustique bien conservé. Recettes classiques.

BACCARAT – 54 Meurthe-et-Moselle – 307 L8 – 4 746 h. – alt. 260 m – ⊠ 54120 ▌Alsace Lorraine
27 C2

> ▶ Paris 369 – Épinal 43 – Lunéville 27 – Nancy 58 – St-Dié 29 – Sarrebourg 45
> 🛈 Office de tourisme, 2, rue Adrien Michaut ✆ 03 83 75 13 37, Fax 03 83 75 36 76
> ◉ Vitraux★ de l'église St-Rémy - Musée du cristal.

La Renaissance
31 r. des Cristalleries – ✆ 03 83 75 11 31 – www.hotel-la-renaissance.com
– renaissance.la@wanadoo.fr – Fax 03 83 75 21 09 – Fermé 1er-10 janv.
16 ch – †52 € ††52 €, ⊇ 8 € – ½ P 50 €
Rest – *(fermé sam. soir hors saison, dim. soir et vend.)* Menu (12 €), 17/37 €
– Carte 29/40 €
♦ Au pays des verriers, tout près du musée du Cristal, petite adresse pratique pour poser ses valises. Chambres fonctionnelles et bien insonorisées. Cuisine traditionnelle sans prétention servie dans une salle à manger rustique ou sur la miniterrasse fleurie.

BADEN – 56 Morbihan – **308** N9 – **3 976 h.** – alt. 28 m – ✉ 56870   9 **A3**
▶ Paris 473 – Auray 9 – Lorient 52 – Quiberon 40 – Vannes 15

Le Gavrinis
1 r. de L'Île Gavrinis, 2 km à Toulbroch par rte Vannes – ✆ *02 97 57 00 82*
– *www.gavrinis.com* – *gavrinis@wanadoo.fr* – *Fax 02 97 57 09 47*
– *Fermé 16 nov.-2 déc. et 5 janv.-5 fév.*
18 ch – †52/120 € ††52/120 €, ⊇ 12 € – ½ P 60/85 €
Rest – *(fermé dim. soir hors saison, lundi sauf le soir en saison et sam. midi)*
Menu (16 €), 20 € (sem.) 23/68 € – Carte 48/69 €

♦ Cette maison néo-bretonne, entourée par un beau jardin, subit une cure de rajeunissement. Priorité donnée au confort et à la sobriété. Belle cuisine actuelle assise sur des bases régionales. Table harmonieuse et terrasse ravissante.

BAERENTHAL – 57 Moselle – **307** Q5 – **710 h.** – alt. 220 m – ✉ 57230   27 **D1**
▶ Paris 449 – Bitche 15 – Haguenau 33 – Strasbourg 62 – Wissembourg 45
🛈 Office de tourisme, 1, rue du Printemps d'Alsace ✆ 03 87 06 50 26,
Fax 03 87 06 62 33

Le Kirchberg sans rest
8 imp. de la Forêt – ✆ *03 87 98 97 70* – *www.le-kirchberg.com*
– *resid.hotel.kirchberg@wanadoo.fr* – *Fax 03 87 98 97 91* – *Fermé 1ᵉʳ janv.-5 fév.*
20 ch – †41/54 € ††52/66 €, ⊇ 11 €

♦ Hôtel de notre temps établi au cœur du parc régional. Chambres actuelles fraîches et nettes (dix avec cuisinette) à choisir sur l'arrière pour la vue vosgienne. Air pur garanti !

à Untermuhlthal 4 km au Sud-Est par D 87 – ✉ 57230 Baerenthal

L'Arnsbourg (Jean-Georges Klein)
– ✆ *03 87 06 50 85* – *www.arnsbourg.com* – *l.arnsbourg@wanadoo.fr*
– *Fax 03 87 06 57 67* – *Fermé 1ᵉʳ-15 sept., 29 déc.-27 janv., mardi et merc.*
Rest – *(prévenir le week-end)* Menu 65 € (déj. en sem.), 125/160 €
– Carte 105/130 €
Spéc. Emulsion de pomme de terrre et truffe. Saint-Pierre infusé au laurier en croûte de sel. Tartelette tiède au chocolat, râpée de fève de tonka et crème glacée au grué de cacao. **Vins** Gewurztraminer, Muscat.

♦ En pleine campagne vosgienne, maison à fière allure vous conviant aux plaisirs d'un repas délicieusement inventif dans une élégante salle aux notes actuelles surplombant la Zinsel.

K
– ✆ *03 87 27 05 60* – *www.arnsbourg.com* – *hotelk@orange.fr*
– *Fax 03 87 06 88 65* – *Fermé 1er-15 sept., 29 déc.-27 janv., mardi et merc.*
12 ch – †215/460 € ††215/460 €, ⊇ 27 € – 6 suites

♦ Appréciez une architecture moderne tout en transparence qui fait entrer la nature dans de confortables chambres aux lignes épurées.

Nous essayons d'être le plus exact possible dans les prix que nous indiquons.
Mais tout bouge !
Lors de votre réservation, pensez à vous faire préciser le prix du moment.

BAFFIE – 63 Puy-de-Dôme – **326** J10 – **114 h.** – alt. 850 m – ✉ 63600   6 **C2**
▶ Paris 457 – Clermont-Ferrand 90 – Issoire 69 – Montbrison 44 – Thiers 71

Le Relais du Vermont
au Col de Chemintrand – ✆ *04 73 95 34 75* – *www.relaisduvermont.com*
– *auberge-vermont@wanadoo.fr* – *Fermé 21 déc.-8 fév., dim. soir, mardi soir hors saison et lundi*
Rest – Menu 15/30 €

♦ Ancien relais de diligences (1870) érigé sur un col d'où l'on profite d'une belle vue. Plats du terroir et séduisants desserts servis dans un agréable cadre rustique.

BÂGÉ-LE-CHÂTEL – 01 Ain – 328 C3 – 805 h. – alt. 209 m – ⌧ 01380　44 B1

- Paris 396 – Bourg-en-Bresse 35 – Mâcon 11 – Pont-de-Veyle 7 – St-Amour 39 – Tournus 41
- Syndicat d'initiative, 2, rue Marsale ℰ 03 85 30 56 66, Fax 03 85 30 56 66

XX La Table Bâgésienne
Gde-Rue – ℰ 03 85 30 54 22 – latablebagesienne@wanadoo.fr – Fax 03 85 30 58 33 – Fermé 25 juil.-8 août, 22-30 déc., 15-26 fév., lundi soir, mardi soir et merc.
Rest – Menu 19 € (déj. en sem.), 27/52 € – Carte 53/76 €

♦ Cheminée, boiseries, mobilier bressan et décor champêtre pour une ambiance rustique très soignée. Terrasse ombragée par un tilleul. Cuisine régionale actualisée et généreuse.

BAGES – 11 Aude – 344 I4 – rattaché à Narbonne

BAGNÈRES-DE-BIGORRE – 65 Hautes-Pyrénées – 342 M4　28 A3
– 8 048 h. – alt. 551 m – Stat. therm. : mi mars-fin nov. – Casino – ⌧ 65200
Midi-Pyrénées

- Paris 829 – Lourdes 24 – Pau 66 – St-Gaudens 65 – Tarbes 23
- Office de tourisme, 3, allées Tournefort ℰ 05 62 95 50 71, Fax 05 62 95 33 13
- de la Bigorre à Pouzac Quartier Serre Devant, NE par D 938 : 3 km, ℰ 05 62 91 06 20
- Parc thermal du Salut★ par Av. Pierre-Noguès - Grotte de Médous★★ SE : 2,5 km par D 935.

🏠 La Résidence
Vallon de Salut – ℰ 05 62 91 19 19 – http://www.residotel.com – residotel@voila.fr – Fax 05 62 95 29 88 – Ouvert 2 mai-30 sept.
26 ch – †85/90 € ††85/90 €, ⌧ 10 € – 3 suites – ½ P 75/80 €
Rest – *(dîner seult) (résidents seult)* Menu 25 €

♦ Au calme, dans le cadre champêtre du parc de la station thermale. Chambres spacieuses et rénovées, ouvertes sur le vallon de Salut. Salon-vidéothèque. Belle salle à manger cossue prolongée d'une agréable terrasse. Bar cosy et raffiné.

🏠 Hostellerie d'Asté
3,5 km rte de Campan (D 935) – ℰ 05 62 91 74 27 – www.hotel-aste.com – contacts@hotel-aste.com – Fax 05 62 91 76 74 – Fermé 11 nov.-15 déc.
21 ch – †53/61 € ††53/61 €, ⌧ 7 € – 1 suite – ½ P 50/56 €
Rest – *(fermé dim. soir sauf vacances scolaires)* Menu 16/36 € – Carte 26/52 €

♦ Imposante construction entre la route et l'Adour. Petites chambres simples ; sur l'arrière, elles sont bercées par le murmure de la rivière. Restaurant lumineux et terrasse dressée dans le jardin, au bord de l'eau. Cuisine traditionnelle orientée produits de la mer.

🏠 Les Petites Vosges sans rest
17 bd Carnot – ℰ 05 62 91 55 30 – www.lespetitesvosges.com – lpv@lespetitesvosges.com – Fax 05 62 91 55 30 – Fermé 12-30 nov.
4 ch ⌧ – †65 € ††75/90 €

♦ Le mélange d'ancien et de contemporain redonnent à cette maison une vitalité empreinte d'originalité. Chambres douillettes et salon de thé raffiné. La propriétaire saura vous conseiller de belles randonnées dans les environs.

X L'Auberge Gourmande
1 bd Lyperon – ℰ 05 62 95 52 01 – lauberge.gourmande@orange.fr – Fermé 15-30 nov., mardi sauf juil.-août et lundi
Rest – Menu (13 €), 26/55 € – Carte 37/64 €

♦ Cette jolie maison de pays abrite une salle élégante où vous apprécierez la cuisine du chef qui revisite, sans esbroufe mais avec maîtrise, les terroirs du Sud et du Sud-Ouest.

à Gerde Sud 2 km par rte de Campan – 1 140 h. – alt. 570 m – ⌧ 65200

🏠 Le Relais des Pyrénées sans rest
1 av. 8-Mai-1945 – ℰ 05 62 44 66 67 – www.relais-des-pyrenees.com – contact@relais-des-pyrenees.com – Fax 05 62 44 90 14
51 ch – †75/88 € ††83/96 €, ⌧ 10 €

♦ Ancienne usine textile sur les rives de l'Adour, aux pieds du Pic du Midi. Chambres modernes (mobilier en bois clair et couettes) et quelques duplex. Belle vue sur les Pyrénées.

BAGNÈRES-DE-BIGORRE

à Beaudéan 4,5 km au Sud par rte de Campan (D 935) – 378 h. – alt. 625 m – ⊠ 65710

ᴁ Office de tourisme, place de la Mairie ℰ 05 62 91 79 92
◉ Vallée de Lesponne★ SO.

Le Catala

12 r. Larrey – ℰ *05 62 91 75 20 – www.le-catala-hotel-pyrenees.com – le.catala@ wanadoo.fr – Fax 05 62 91 79 92 – Fermé 1ᵉʳ-8 mai, 1ᵉʳ-8 nov., vacances de Noël et dim. sauf vacances scolaires*
24 ch – †50/55 € ††52/75 €, ⊇ 8 € – 3 suites – ½ P 52/65 €
Rest – *(dîner seult) (résidents seult)* Menu 18 €

♦ La façade discrète de cet hôtel bigourdan dissimule un intérieur original : le décor des chambres s'accorde avec les fresques peintes sur les portes (sport, histoire, etc.).

à Lesponne 8 km au Sud par D 935 et D 29 – ⊠ 65710 Campan

Domaine de Ramonjuan

– ℰ *05 62 91 75 75 – www.ramonjuan.com – ramonjuan@wanadoo.fr – Fax 05 62 91 74 54*
17 ch – †65/90 € ††65/90 €, ⊇ 10 € – ½ P 60/85 €
Rest – *(fermé 10-26 nov., dim. et lundi) (dîner seult) (résidents seult)* Carte 22/40 €

♦ Cette vieille ferme de montagne reconvertie en hôtellerie offre de bons équipements de loisirs. Chambres rustiques et studios modernes. On apprécie une cuisine régionale dans la salle à manger-véranda ou sur la terrasse d'été.

BAGNÈRES-DE-LUCHON – 31 Haute-Garonne – 343 B8 – 2 619 h. 28 B3
– alt. 630 m – Sports d'hiver : à Superbagnères, 1 440/2 260 m ⸲1 ⸳14 – Stat. therm. : début mars-fin oct. – Casino Y – ⊠ 31110

Midi-Pyrénées

▶ Paris 814 – St-Gaudens 48 – Tarbes 98 – Toulouse 141
ᴁ Office de tourisme, 18, allée d'Étigny ℰ 05 61 79 21 21, Fax 05 61 79 11 23
▣ de Luchon Route de Montauban, ℰ 05 61 79 03 27

Plan page suivante

D'Étigny

face établ. thermal – ℰ *05 61 79 01 42 – www.hotel-etigny.com – etigny@ aol.com – Fax 05 61 79 80 64 – Ouvert 1ᵉʳ mai-24 oct.*
58 ch – †48/115 € ††48/125 €, ⊇ 10 € – 5 suites – ½ P 50/88 €
Rest – Menu 18/44 € – Carte 35/60 €

Z k

♦ En face des thermes, chambres de niveau standard, diversement aménagées. Trois d'entre elles, plus confortables, ont été rénovées. Restaurant sobrement bourgeois et terrasse ombragée pour une carte proposant des recettes ancrées dans la tradition.

Corneille

5 av. A.-Dumas – ℰ *05 61 79 36 22 – www.citybluee-luchon.fr – reservation.luchon@citybluee.fr – Fax 05 61 79 81 11 – Fermé 11-31 nov.*
46 ch – †60/130 € ††60/130 €, ⊇ 12 € – 4 suites
Rest – Menu 21/35 € – Carte 30/50 €

Y u

♦ Construction du 19ᵉ s. qui fut le premier casino de Luchon (vitraux d'époque) et entièrement rénovée en 2007 dans un style actuel. Chambres d'esprit zen. Vue sur les Pyrénées. Deux salles à manger dont une ouverte sur le jardin ; cuisine traditionnelle.

Apsis sans rest

19 allées d'Étigny – ℰ *05 61 79 56 97 – www.apsisluchon.com – reception.luchon@apsishotels.com – Fax 05 61 95 43 96*
47 ch – †75/99 € ††95/130 €, ⊇ 15 €

Y z

♦ Hommes d'affaires et skieurs apprécient cet hôtel flambant neuf pour sa situation centrale, ses jolies chambres contemporaines parfaitement équipées et son "business corner".

Royal Hôtel

1 cours des Quinconces – ℰ *05 61 79 00 62 – Fax 05 61 79 38 35 – Ouvert 25 mai-10 oct.*
48 ch – †41 € ††46 €, ⊇ 6 € – ½ P 43/51 €   **Rest** – Menu 15 € (dîner)/17 €

Z v

♦ Hôtel prisé des curistes pour sa proximité immédiate des thermes. Chambres diversement meublées (rustique ou classique), plus petites au dernier étage. Hauts plafonds et moulures donnent un cachet vieille France à la salle à manger par ailleurs plutôt simple.

239

BAGNÈRES-DE-LUCHON

Alexandre-Dumas (Av.)	**Y**	2
Bains (Allées des)	**Z**	3
Barrau (Av. J.)	**Z**	4
Boileau (R. P.)	**X**	8
Boularan (Av. Jean)	**Y**	6
Carnot (Av.)	**Y**	9
Colomic (R.)	**X**	12
Dardenne (Bd.)	**Y**	13
Dr-Germès (R. du)	**X**	14
Étigny (Allées d')	**YZ**	16
Fontan (Bd A.)	**XY**	17
Gambetta (R.)	**Y**	18
Joffre (Pl. Mar.)	**X**	20
Laity (R.)	**X**	22
Lamartine (R.)	**Y**	23
Nadau (R. G.)	**X**	25
Nérée-Boubée (R.)	**X**	26
Pyrénées (Av. des)	**Z**	28
Quinconces (Cours des)	**Z**	30
Rostand (Bd E.)	**Y**	32
Thiers (R.)	**XY**	33
Toulouse (Av. de)	**X**	34
Victor-Hugo (R.)	**Y**	36

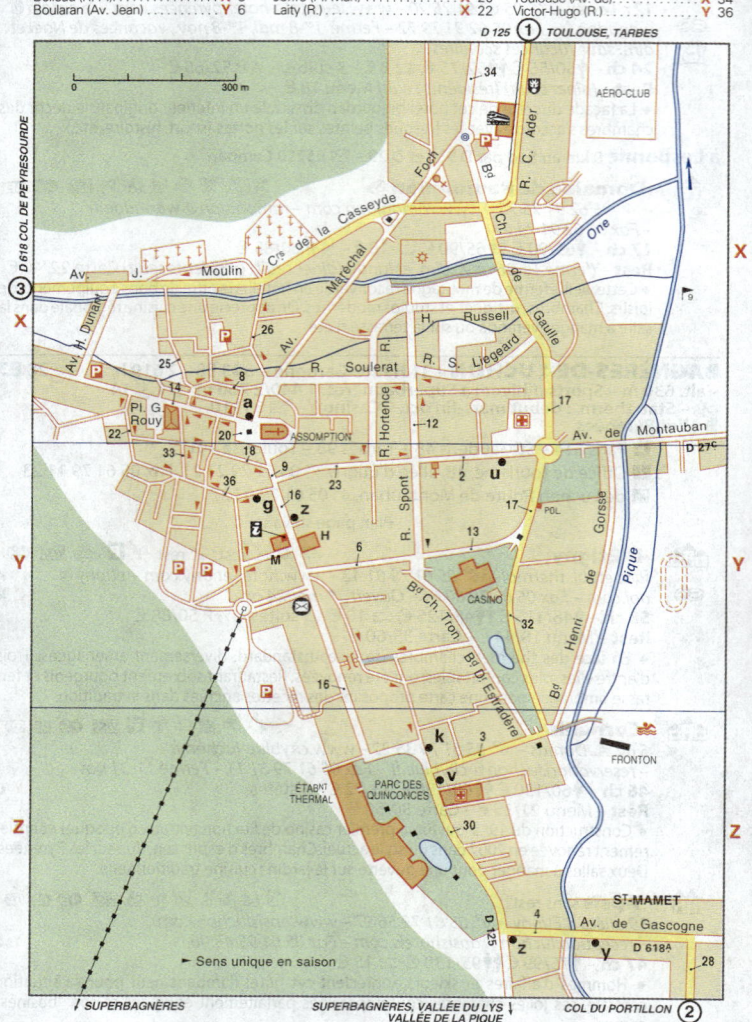

🏠 **Panoramic** sans rest 🛗 ♿ ⇔ 🐕 🛜 **P** *VISA* **MC** **AE**
6 av. Carnot – ☏ *05 61 79 30 90 – www.hotelpanoramic.fr – hotel.panoramic@wanadoo.fr – Fax 05 61 79 32 84 – Fermé 11 nov.-5 déc.*   **X a**
28 ch – †42/70 € ††52/75 €, ⇌ 8,50 €
♦ Plus de la moitié des chambres de cet édifice centenaire ont été rénovées avec soin et insonorisées. Copieux petit-déjeuner servi sous forme de buffet.

BAGNÈRES-DE-LUCHON

Deux Nations
5 r. Victor-Hugo – ℰ 05 61 79 01 71 – www.hotel-des2nations.com – infos@hotel-des2nations.com – Fax 05 61 79 27 89
27 ch – †47 € ††52 €, ⊇ 7 € – ½ P 41/43 €
Rest – (fermé 1er-14 déc., dim. soir et lundi sauf vacances scolaires) Menu (12 €), 15/28 € – Carte 30/40 €

Y g

♦ Deux bâtiments composent cet hôtel où la même famille reçoit les clients depuis 1917 ! Optez sans hésitation pour les chambres les plus récentes. Le restaurant dispose d'une entrée indépendante et ouvre sur une plaisante terrasse dressée dans un joli patio fleuri.

Pavillon Sévigné
2 av. Jacques-Barrau – ℰ 05 61 79 31 50 – www.pavillonsevigne.com – seiter@pavillonsevigne.com
5 ch ⊇ – †80 € ††90 € **Table d'hôte** – Menu 25 € bc

Z z

♦ Fresques murales, escalier en bois, meubles anciens, etc. : au cachet de ce paisible manoir du 19e s. s'ajoutent des équipements modernes (écrans plats) et un accueil délicieux. Agréable salle à manger ouverte sur le jardin et menu unique à la table d'hôte.

à Juzet-de-Luchon 3 km par ① – 390 h. – alt. 625 m – ⊠ 31110

Le Poujastou
r. du Sabotier – ℰ 05 61 94 32 88 – www.lepoujastou.com – info@lepoujastou.com – Fax 05 61 94 32 88 – Fermé en nov.
5 ch ⊇ – †43 € ††53 € **Table d'hôte** – Menu 20 € bc

♦ L'ancien café du village (18e s.) accueille aujourd'hui de petites chambres simples et soignées : murs ocre peints à la chaux, sol en jonc tressé, meubles rustiques ou en pin. Repas servi dans la jolie salle à manger de style pyrénéen ou dans le jardin.

à St-Paul-d'Oueil 8 km par ③, D618 et D51 – 53 h. – alt. 1 000 m – ⊠ 31110

Maison Jeanne sans rest
Le village – ℰ 05 61 79 81 63 – www.maison-jeanne-luchon.com – Fax 05 61 79 81 63
5 ch – †64 € ††76/133 €

♦ Cette belle maison de pays ouvre sur un jardin et sur la montagne. Chambres décorées de meubles de famille et de pochoirs réalisés par la propriétaire. Accueil vraiment charmant.

BAGNOLES-DE-L'ORNE – 61 Orne – **310** G3 – 2 477 h. – alt. 140 m – Stat. therm. : mi mars-fin oct. – Casino A – ⊠ 61140   32 **B3**
▌Normandie Cotentin

▶ Paris 236 – Alençon 48 – Argentan 39 – Domfront 19 – Falaise 48 – Flers 28
▯ Office de tourisme, place du Marché ℰ 02 33 37 85 66, Fax 02 33 30 06 75
▯ de Bagnoles-de-l'Orne Route de Domfront, ℰ 02 33 37 81 42
◉ Site ★ - Lac ★ - Parc de l'établissement thermal ★.

Plan page suivante

Le Manoir du Lys (Franck Quinton)
2 km rte Juvigny-sous-Andaine par ③
– ℰ 02 33 37 80 69 – www.manoir-du-lys.fr – manoir-du-lys@wanadoo.fr
– Fax 02 33 30 05 80 – Fermé 3 janv.-12 fév., dim. soir, mardi midi et lundi de nov. à avril sauf Pâques
23 ch – †80/165 € ††125/210 €, ⊇ 16 € – 7 suites – ½ P 110/195 €
Rest – Menu 40/110 € – Carte 60/93 €
Spéc. Andouille de Vire en papillote transparente et foin vert à la crème de camembert. Pigeonneau rôti, jus au cidre et jeunes navets. Macaron à la crème tendre, champignons des bois et sorbet trompette.

♦ Au milieu des bois, belle demeure normande avec son parc. Chambres personnalisées réparties entre le manoir et un original pavillon (les plus récentes et les plus spacieuses). Cuisine régionale servie dans une superbe salle à manger d'esprit contemporain ou sur une exquise terrasse.

BAGNOLES-DE-L'ORNE

Bois-Motté (Bd du) . . . . **A** 2	Casinos (R. des) . . . . **A** 3 Château (Av. du) . . . . **A** 4 Dr-Pierre-Noal (Av. du) . . . . **A** 7 Dr-Poulain (Av. du) . . . . **A** 8 Gaulle (Pl. Général-de) . . . . . **B** 9	Hartog (Bd G.) . . . . **A** 13 Lemeunier-de-la-Raillère (Bd) . . . . **B** 14 Rozier (Av. Ph.-du) . . . . **A** 15 Sergenterie-de-Javains (R.) . . . . **A** 18

Nouvel Hôtel
8 av. Dr-P.-Noal – ℰ 02 33 30 75 00 – www.nouvel-hotel-bagnoles.fr – contact@nouvel-hotel-bagnoles.fr – Fax 02 33 30 75 13 – Ouvert mars-nov. **A e**
30 ch – †47/78 € ††59/78 €, ⊇ 8 € – ½ P 49/62 €
Rest – Menu 18 € (sem.)/32 € – Carte 29/45 €
♦ Cette jolie villa du début du 20ᵉ s. bénéficie de chambres fonctionnelles, plaisantes et bien insonorisées. Salon doté d'un piano et paisible jardin fleuri. Trois salles dont une occupant l'agréable véranda ; menus traditionnels, diététiques et végétariens.

Bois Joli
av. Ph.-du-Rozier – ℰ 02 33 37 92 77 – www.hotelboisjoli.com – boisjoli@wanadoo.fr – Fax 02 33 37 07 56 **A w**
20 ch – †74/156 € ††74/156 €, ⊇ 11 € **Rest** – Menu 21/60 € – Carte 39/74 €
♦ Élégante maison anglo-normande du 19ᵉ s. dans un parc arboré. Intérieur cossu, meubles anciens, chambres coquettes et très romantiques. Salle à manger avec beaux lambris d'origine et cheminée en bois sculpté ; courte carte traditionnelle aux accents du terroir.

Ô Gayot
2 av. de la Ferté-Macé – ℰ 02 33 38 44 01 – www.ogayot.com – contact@ogayot-.com – Fax 02 33 38 47 71 – Fermé dim. soir du 15 nov. au 1ᵉʳ avril **A u**
16 ch – †45/95 € ††45/95 €, ⊇ 8,50 € – ½ P 48/70 €
Rest – bistrot – (fermé jeudi sauf en août, lundi midi du 15 nov. au 1ᵉʳ avril et dim. soir) Menu (15 €), 23 € – Carte 27/33 €
♦ Au centre de la station thermale, hôtel au concept "tout en un" : chambres épurées, sur le thème de l'eau ou de la forêt ; bar, salon de thé, boutique de produits régionaux. Bistrot contemporain où vous attend une cuisine actuelle à prix attractifs. Terrasse.

Bagnoles Hôtel
6 pl. de la République – ℰ 02 33 37 86 79 – www.bagnoles-hotel.com – bagnoles.hotel@wanadoo.fr – Fax 02 33 30 19 74 **A t**
20 ch – †68/88 € ††68/98 €, ⊇ 8,50 € – ½ P 58/73 €
Rest *Bistrot Gourmand* – Menu (15 €), 20 € – Carte 28/34 €
♦ Cet hôtel récemment rénové abrite des chambres fonctionnelles aux couleurs tendance, chaudes et reposantes. La plupart disposent d'un balcon couvert ou d'une terrasse aménagée. Ambiance bistrot chic au restaurant, moderne ; goûteuse cuisine du marché.

BAGNOLES-DE-L'ORNE

Les Camélias
av. Château-de-Couterne – ✆ 02 33 37 93 11 – www.cameliashotel.com
– cameliashotel@wanadoo.fr – Fax 02 33 37 48 32 – Ouvert 14 fév.-28 nov. et
fermé dim. soir, mardi midi et lundi du 14 fév. au 15 mars   A b
26 ch – ♦50/53 € ♦♦55/58 €, ☲ 8 € – ½ P 44/46 €   **Rest** – Menu 20/29 €
♦ Au cœur d'un quartier pavillonnaire, maison normande du début du 20ᵉ s. appréciée
pour son calme et son jardin fleuri. Chambres régulièrement rafraîchies, pratiques et
colorées. Cuisine traditionnelle inspirée du terroir servie dans une salle à manger
lumineuse.

Le Roc au Chien
10 r. Prof.-Louvel – ✆ 02 33 37 97 33 – www.hotelrocauchien.fr – info@
hotelrocauchien.fr – Fax 02 33 38 17 76 – Ouvert 7 mars-5 nov.   A s
39 ch – ♦52/63 € ♦♦56/77 €, ☲ 8 €
Rest – Menu (16 €), 21/30 € – Carte 19/40 €
♦ La comtesse de Ségur aurait séjourné dans cet établissement composé de deux
petits immeubles juxtaposés dont un flanqué d'une tourelle en briques. Chambres
de style rustique. Restaurant tout en longueur, tourné côté rue ; plats régionaux et
diététiques.

Le Normandie
2 av. du Dr-Lemuet – ✆ 02 33 30 71 30 – www.hotel-le-normandie.com
– hotel-le-normandie@wanadoo.fr – Fax 02 33 30 71 31 – Fermé janv.
et fév.   B v
22 ch – ♦49/115 € ♦♦62/115 €, ☲ 8,50 €
Rest – Menu 18/36 € – Carte 39/68 €
♦ Cet ancien relais de poste a gardé tout son cachet d'antan. Chambres personnalisées,
confortables et bien dans l'air du temps : mobilier en bois patiné, couleurs pastel. Au
restaurant, recettes régionales rythmées par les saisons, à base de produits locaux.

BAGNOLET – 93 Seine-Saint-Denis – **305** F7 – **101** 17 – voir à Paris, Environs

---

BAGNOLS – 69 Rhône – **327** G4 – 735 h. – alt. 400 m – ✉ 69620   43 **E1**
📗 Lyon et la vallée du Rhône
▶ Paris 444 – Lyon 30 – Tarare 20 – Villefranche-sur-Saône 14

Château de Bagnols
– ✆ 04 74 71 40 00 – www.chateaudebagnols.fr
– info@chateaudebagnols.fr – Fax 04 74 71 40 49
16 ch – ♦460/2575 € ♦♦460/2575 €, ☲ 32 € – 5 suites
Rest – Menu (48 € bc), 69/125 € – Carte 99/170 €
Spéc. Foie gras poêlé aux cocos de Paimpol (automne). Filet de charolais, pomme
de terre "dans tous ses états" et jus de betterave. Soufflé aux fruits. **Vins** Mâcon-
Villages, Morgon.
♦ Jardins ouverts sur la campagne beaujolaise, accès par pont-levis, fresques Renaissance
restaurées et superbes chambres personnalisées : c'est la vie de château ! Séduisante
cuisine servie dans la majestueuse salle des gardes (cheminée gothique et meubles
ancestraux).

BAGNOLS – 63 Puy-de-Dôme – **326** C9 – 503 h. – alt. 862 m – ✉ 63810   5 **B2**
▶ Paris 483 – La Bourboule 23 – Clermont-Ferrand 64 – Issoire 63
– Le Mont-Dore 29

Voyageurs
au bourg – ✆ 04 73 22 20 12 – www.hotelrestaurantbagnols.com
– legouffe.thierry@neuf.fr – Fax 04 73 22 21 18
18 ch ☲ – ♦30 € ♦♦45 € – ½ P 45/50 €
Rest – *(fermé dim. soir, lundi soir, mardi soir sauf vacances scolaires)* Menu (16 €),
19/58 € bc – Carte 35/50 €
♦ Dans un village auvergnat, cette construction des années 1960 de style local possède des
chambres peu à peu refaites, simples et pratiques. Modeste, le restaurant connaît pourtant
un franc succès : la table aux notes actuelles y est sûrement pour quelque chose !

BAGNOLS-SUR-CÈZE – 30 Gard – 339 M4 – 18 700 h. – alt. 51 m — 23 D1
– ⊠ 30200 ▌Provence

▶ Paris 653 – Alès 54 – Avignon 34 – Nîmes 56 – Orange 25 – Pont-St-Esprit 12
🛈 Office de tourisme, Espace Saint-Gilles ✆ 04 66 89 54 61, Fax 04 66 89 83 38
◉ Musée d'Art moderne Albert-André★.
◉ Site★ de Roques-sur-Cèze.

Château du Val de Cèze
69 rue Léon Fontaine, 1 km rte d'Avignon – ✆ *04 66 89 61 26*
– www.sud-provence.com – hotelvaldeceze@sud-provence.com
– Fax 04 66 89 97 37 – Fermé 20 déc.-4 janv.
22 ch – ♦86/120 € ♦♦96/130 €, ⊇ 12 € – 1 suite – ½ P 78/99 €
Rest – *(fermé sam. midi et dim. soir)* Menu (20 €), 26/48 €
♦ Château du 17ᵉ s. où l'on profite des salons. Chambres provençales (fer forgé, tomettes, tissus colorés), logées dans des pavillons récents au cœur du parc (piscine, tennis). Le restaurant propose une cuisine du marché, élaborée au fil des saisons.

rte d'Alès 5 km Ouest par D 6 et D 143 – ⊠ 30200 Bagnols-sur-Cèze

Château de Montcaud
Hameau de Combe – ✆ *04 66 89 60 60*
– www.chateau-de-montcaud.com – montcaud@relaischateaux.com
– Fax 04 66 89 45 04 – Ouvert 8 avril-24 oct.
26 ch – ♦175/360 € ♦♦185/460 €, ⊇ 23 € – 2 suites – ½ P 185/345 €
Rest *Les Jardins de Montcaud* – *(fermé le midi sauf dim. en saison)*
Menu 58/88 € – Carte 66/74 €
Rest *Bistrot de Montcaud* – *(fermé sam. et dim.) (déj. seult)* Menu (23 €)
– Carte 31/37 €
♦ Noble demeure du 19ᵉ s. entourée d'un parc soigné. Meubles de style et tons chauds personnalisent les chambres de ce havre de paix. Table traditionnelle d'un provençal chic et beau patio aux Jardins de Montcaud. Choix simplifié au Bistrot ; brunch dominical jazzy en été.

BAIE DES TRÉPASSÉS – 29 Finistère – 308 C6 – rattaché à Pointe du Raz

BAILLARGUES – 34 Hérault – 339 J7 – rattaché à Montpellier

BAILLEUL – 59 Nord – 302 E3 – 13 500 h. – alt. 44 m – ⊠ 59270 — 30 B2
▌Nord Pas-de-Calais Picardie

▶ Paris 244 – Armentières 13 – Béthune 31 – Dunkerque 44 – Ieper 20 – Lille 30 – St-Omer 37
🛈 Office de tourisme, 3, Grand'place ✆ 03 28 43 81 00, Fax 03 28 43 81 01
◉ ❉★ du beffroi.

Belle Hôtel sans rest
19 r. de Lille – ✆ *03 28 49 19 00 – www.bellehotel.fr – belle.hotel@wanadoo.fr*
– Fax 03 28 49 22 11 – Fermé 10-23 août, 24 déc.-3 janv.
31 ch – ♦85/160 € ♦♦85/160 €, ⊇ 13 €
♦ Deux jolies maisons typiquement flamandes : les chambres sont spacieuses et raffinées (meubles de style) dans l'une, plus actuelles et tout aussi bien tenues dans l'autre.

BAIROLS – 06 Alpes-Maritimes – 341 D4 – 109 h. – alt. 850 m — 41 D2
– ⊠ 06420

▶ Paris 836 – Digne-les-Bains 120 – Grasse 74 – Nice 53 – St Martin-Vésubie 40

Auberge du Moulin
4 r. Lou-Coulet – ✆ *04 93 02 92 93 – Fermé 15-30 nov. et lundi*
Rest – *(nombre de couverts limité, prévenir)* Menu 25/35 €
♦ Ancien moulin situé au cœur d'un village médiéval perché. Menu (unique) italien et joli cadre rustique décontracté : aphorismes du patron et vieux rouages animent la salle.

BAIX – 07 Ardèche – 331 K5 – 1 010 h. – alt. 80 m – ✉ 07210 — 44 B3
▶ Paris 588 – Crest 30 – Montélimar 22 – Privas 18 – Valence 33

Les Quatre Vents sans rest
rte Chomérac, 2 km au Nord-Ouest – ✆ 04 75 85 80 64 – hotel-les-4vents@orange.fr – Fax 04 75 85 05 30 – Fermé 21 déc.-4 janv.
21 ch – †44/50 € ††47/53 €, ⊇ 7 €

◆ Façade ocre et volets bleus pour ces deux bâtiments en léger retrait d'une route passante. Chambres pratiques rénovées. Petits-déjeuners d'été en terrasse, avec vue champêtre.

Les Quatre Vents
rte Chomérac, 2 km au Nord-Ouest – ✆ 04 75 85 84 49 – Fax 04 75 85 84 49 – Fermé 26 déc.-15 janv., sam. midi et dim. soir
Rest – Menu (14 €), 23 € (sem.)/54 € – Carte 45/60 €

◆ Au restaurant : charpente apparente, décor revu et coloré, orné de tableaux et d'un trompe-l'œil, cuisine actuelle.

BALARUC-LES-BAINS – 34 Hérault – 339 H8 – 6 180 h. – alt. 3 m — 23 C2
– Stat. therm. : début mars.-mi déc. – Casino – ✉ 34540 ▮ **Languedoc Roussillon**
▶ Paris 781 – Agde 32 – Béziers 52 – Frontignan 8 – Lodève 54 – Montpellier 33 – Sète 9
🛈 Syndicat d'initiative, Pavillon Sévigné ✆ 04 67 46 81 46, Fax 04 67 46 81 54

Le St-Clair
quai du Port – ✆ 04 67 48 48 91 – www.restaurant-saintclair.com – contact@restaurant-saintclair.com – Fax 04 67 18 86 96 – Fermé 5 janv.-6 fév.
Rest – Menu 20 € (déj. en sem.), 30/60 € – Carte 49/91 €

◆ Salle-véranda de style bourgeois donnant sur le quai, et terrasse agrémentée de palmiers face au bassin de Thau. Incontournable pour les amateurs de poissons et coquillages !

BALDENHEIM – 67 Bas-Rhin – 315 J7 – rattaché à Sélestat

BALDERSHEIM – 68 Haut-Rhin – 315 I10 – rattaché à Mulhouse

BALLEROY – 14 Calvados – 303 G4 – 754 h. – alt. 70 m – ✉ 14490 — 32 B2
▮ **Normandie Cotentin**
▶ Paris 276 – Bayeux 16 – Caen 42 – St-Lô 23 – Vire 47
◉ Château★.

Manoir de la Drôme
129 r. des Forges – ✆ 02 31 21 60 94 – www.manoir-de-la-drome.com – denisleclerc@wanadoo.fr – Fax 02 31 21 88 67 – Fermé 26 oct.-4 nov., 10-28 fév., dim. soir, lundi et merc.
Rest – Menu 49/70 € – Carte 60/90 €

◆ Cet ensemble de caractère (17ᵉ s.) fut la propriété d'un maître de forge. Dégustez des repas classiques dans un cadre soigné. Agréable jardin fleuri où se glisse la Drôme.

LA BALME-DE-SILLINGY – 74 Haute-Savoie – 328 J5 – 4 315 h. — 46 F1
– alt. 480 m – ✉ 74330
▶ Paris 524 – Annecy 13 – Bellegarde-sur-Valserine 30 – Belley 59 – Frangy 14 – Genève 48
🛈 Syndicat d'initiative, 13, route de Choisy ✆ 04 50 68 78 70, Fax 04 50 68 53 29

Les Rochers
D 1508 – ✆ 04 50 68 70 07 – www.hotellesrochers.com – hotel.restaurant.les-rochers@wanadoo.fr – Fax 04 50 68 82 74 – Fermé 1ᵉʳ-15 nov., janv., dim. soir et lundi sauf du 15 juin au 15 sept.
24 ch – †48/55 € ††52/60 €, ⊇ 10 € – ½ P 53/61 €
Rest – Menu 20 € (sem.)/54 € – Carte 22/56 €

◆ Hôtel situé dans un bourg adossé à la montagne de Mandallaz. Les chambres, plus calmes sur l'arrière, sont toutes rénovées. Ambiance "pension de famille" dans la vaste salle à manger meublée dans le style Louis XIII. À table, plats traditionnels.

La Chrissandière
à 400 m.
10 ch – †71 € ††71 €, ⊇ 10 € – ½ P 70 €

◆ Chaumière entourée d'un parc de 3 ha. Chambres refaites et joliment colorées. Parc et piscine : deux atouts indéniables pour cette annexe. L'accueil se fait aux Rochers.

LA BALME-DE-THUY – 74 Haute-Savoie – **328** K5 – rattaché à Thônes

BALOT – 21 Côte-d'Or – **320** G3 – 93 h. – alt. 272 m – ⊠ 21330   8 **C1**
 Paris 235 – Auxerre 74 – Chaumont 74 – Dijon 82 – Montbard 28 – Troyes 72

Auberge de la Baume
r. d'en haut – ℰ 03 80 81 40 15 – www.aubergedelabaume.com – la.baume@aliceadsl.fr – Fax 03 80 81 62 87 – Fermé 24 déc.-3 janv.
10 ch – †48/60 € ††48/60 €, ⊆ 8 € – ½ P 62/64 €
Rest – Menu 16 € (déj. en sem.), 24/35 € – Carte 21/34 €
♦ Cette auberge située face à l'église vous réserve un accueil attentionné et propose des chambres fonctionnelles, bien tenues. Belle collection de soupières anciennes dans la salle rustique dotée d'une grande cheminée. Cuisine traditionnelle.

BAMBECQUE – 59 Nord – **302** D2 – 673 h. – alt. 8 m – ⊠ 59470   30 **B1**
 Paris 271 – Calais 65 – Dunkerque 24 – Hazebrouck 26 – Lille 57 – St-Omer 36

La Vieille Forge
38 r. Principale – ℰ 03 28 27 60 67 – lavieilleforge@voila.fr – Fax 03 28 27 60 67
– Fermé dim. soir, lundi, mardi, merc. et jeudi
Rest – Menu 31/65 € bc
♦ Une superbe cheminée (vestige de l'ancienne forge) trône dans la belle salle à manger rustique. La carte se décline en formules que le convive compose au gré de ses envies.

> Les bonnes adresses à petit prix ?
> Suivez les Bibs : Bib Gourmand rouge ⊛ pour les tables
> et Bib Hôtel bleu ⊠ pour les chambres.

BANASSAC – 48 Lozère – **330** H8 – 863 h. – alt. 525 m – ⊠ 48500   22 **B1**
 Paris 588 – Florac 55 – Mende 47 – Millau 52
 du Sabot à La Canourgue Route des Gorges du Tarn, SE : 4 km par D 998, ℰ 04 66 32 84 00

Le Calice du Gévaudan
– ℰ 04 66 32 94 18 – www.hoelcalicegevaudan.com – calice@wanadoo.fr
– Fax 04 66 32 98 62 – Fermé 22-31 août, vacances de la Toussaint, sam. soir, dim. et fériés
28 ch – †52/54 € ††52/54 €, ⊆ 8 €   **Rest** – Menu (15 €), 19 €
– Carte 24/39 €
♦ Au bord de l'autoroute, cet hôtel joue la carte de la simplicité et de la fonctionnalité. Chambres sobres mais bien insonorisées et, pour les familles, duplex avec mezzanine. Le restaurant dispose d'une paisible terrasse donnant sur un jardin avec jeux d'enfants.

BAN-DE-LAVELINE – 88 Vosges – **314** K3 – 1 260 h. – alt. 427 m   27 **D3**
– ⊠ 88520
 Paris 411 – Colmar 59 – Épinal 67 – St-Dié 14 – Ste-Marie-aux-Mines 15 – Sélestat 39

Auberge Lorraine avec ch
5 r. du 8 mai – ℰ 03 29 51 78 17 – www.auberge-lorraine.com
– auberge-lorraine.sarl@wanadoo.fr – Fax 03 29 51 71 72 – Fermé dim. soir et lundi
7 ch – †34/49 € ††40/65 €, ⊆ 8 € – ½ P 47/57 €
Rest – Menu (14 €), 17 € (déj. en sem.), 24/40 € – Carte 27/58 €
♦ Plaisante étape gourmande en pays vosgien : ambiance de maison de poupée et service aux petits soins pour amateurs de plats du terroir, généreux et francs. Les chambres au décor chaleureux et douillet sont spacieuses et pratiques. Espace détente.

BANDOL – 83 Var – **340** J7 – 8 645 h. – alt. 1 m – Casino Y – ⊠ 83150   40 **B3**
▮ Côte d'Azur

▶ Paris 818 – Aix-en-Provence 68 – Marseille 48 – Toulon 18
Accès à l'Île de Bendor par vedette (traversée 7mn) ✆ 04 94 29 44 34.
▮ Office de tourisme, allées Vivien ✆ 04 94 29 41 35, Fax 04 94 32 50 39
▮ de Frégate à Saint-Cyr-sur-Mer Route de Bandol, par rte de Marseille : 4 km, ✆ 04 94 29 38 00
◉ Allées Jean-Moulin★.

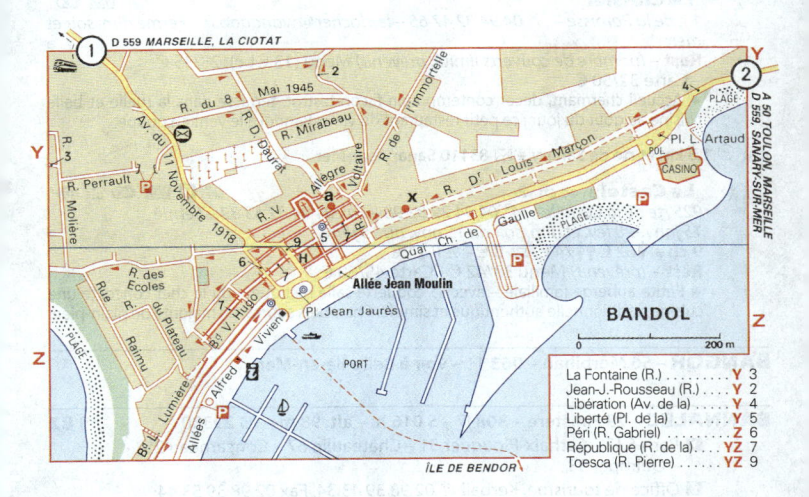

La Fontaine (R.)	Y	3
Jean-J.-Rousseau (R.)	Y	2
Libération (Av. de la)	Y	4
Liberté (Pl. de la)	Y	5
Péri (R. Gabriel)	Z	6
République (R. de la)	YZ	7
Toesca (R. Pierre)	YZ	9

🏠 **Golf Hôtel**   ≤ 🍴 AC ch, ⌀ P VISA ⦿
*sur plage Renécros par bd L. Lumière - Z – ✆ 04 94 29 45 83 – www.golfhotel.fr
– golfhotel.surplage@wanadoo.fr – Fax 04 94 32 42 47 – Ouvert mi-mars-début-nov.*
24 ch – ♦58/120 € ♦♦58/120 €, ☑ 10 €
Rest – rest. de plage – *(ouvert avril à fin- sept. et fermé le soir sauf du 21 juin au 12 sept.)* Menu 22 € – Carte 33/43 €
♦ Ancrée dans le sable fin et les pieds dans l'eau, cette villa des années 1900 abrite un hôtel accueillant. Chambres d'ampleur variable ; certaines avec loggias ou balcons. Restaurant de plage en saison.

🏠 **Bel Ombra** ⌀   🍴 ⌀ rest, VISA ⦿ AE
*r. de la Fontaine - Y – ✆ 04 94 29 40 90 – www.hotelbelombra.com
– hotel.bel.ombra@wanadoo.fr – Fax 04 94 25 01 11 – Ouvert 1er avril-15 oct.*
20 ch (½ P seult en juil-août) – ♦58/88 € ♦♦58/88 €, ☑ 8 € – ½ P 67/75 €
Rest – *(ouvert 1er juil. -20 sept.) (dîner seult) (résidents seult)* Menu 23 €
♦ Adresse conviviale dans un quartier calme, en retrait de l'animation estivale. Chambres fonctionnelles d'esprit actuel, certaines dotées d'une mezzanine (pratique pour les familles). Restauration en demi-pension pour les résidents.

🏠 **Les Galets**   ≤ 🍴 AC rest, ⌀ ⌀ P VISA ⦿ AE ①
⌘ *49 montée Voisin – ✆ 04 94 29 43 46 – www.lesgalets-bandol.com – info@lesgalets-bandol.com – Fax 04 94 32 44 36 – Ouvert 15 janv.-5 nov.*
20 ch – ♦65/85 € ♦♦80/85 €, ☑ 8 € – ½ P 68/76 €
Rest – *(ouvert 1er mai-30 sept.)* Menu 18 € (déj. en sem.), 23/31 €
♦ Cet hôtel bâti à flanc de colline bénéficie d'une vue imprenable sur la mer. Chambres sobres et lumineuses, disposant en majorité d'un balcon face à la grande bleue. On apprécie une cuisine traditionnelle dans la salle rustique ou sur la terrasse panoramique.

BANDOL

L'Espérance

21 r. L. Marçon – ℰ 04 94 05 85 29 – www.restaurant-lesperance.com
– gilles.pradines@orange.fr – Fax 04 94 05 85 29 – Fermé 26-31 nov., dim. soir de mi-sept. à mi-avril et lundi   Y x
Rest – Menu (20 € bc), 28/60 € – Carte 46/54 €
♦ Sympathique restaurant familial situé à l'écart de l'agitation touristique. Cuisine traditionnelle aux accents du Sud servie dans un cadre frais décoré de touches provençales.

Le Clocher

1 r. de la Paroisse – ℰ 04 94 32 47 65 – le.clocher@wanadoo.fr – Fermé dim. soir et merc.   Y a
Rest – (nombre de couverts limité, prévenir) Menu (13 € bc), 28/35 € – Carte 32/50 €
♦ Accueil charmant, décor contemporain façon bistrot, terrasse dans la ruelle et belle cuisine au goût du jour : ce petit restaurant du vieux Bandol a le vent en poupe.

par ② 1,5 km et rte de Sanary – ✉ 83110 Sanary-sur-Mer

Le Castel avec ch

925 rte de la Canolle – ℰ 04 94 29 82 98 – Fax 04 94 32 53 32 – Fermé 15 janv.-28 fév. et dim. soir du 15 nov. au 15 janv.
9 ch – †62 € ††74 €, ⴰ 8 € – ½ P 71 €
Rest – (prévenir) Menu 33/42 € – Carte 45/60 €
♦ Petite auberge familiale – avec sa coquette salle rustique – où le chef concocte une cuisine traditionnelle authentique et simple. Chambres sobres, en majorité de plain-pied.

BANGOR – 56 Morbihan – **063** 11 – voir à Belle-Île-en-Mer

BANNALEC – 29 Finistère – **308** I7 – 5 016 h. – alt. 98 m – ✉ 29380   9 **B2**
▶ Paris 535 – Carhaix-Plouguer 51 – Châteaulin 67 – Concarneau 25 – Quimper 33
ℹ Office de tourisme, Kerbail ℰ 02 98 39 43 34, Fax 02 98 39 53 44

rte de St-Thurien 4,5 km au Nord-Est par D 23 et rte secondaire – ✉ 29380 Bannalec

Le Manoir du Ménec

– ℰ 02 98 39 47 47 – www.manoirdumenec.com – merlinmenec@orange.fr – Fax 02 98 39 46 17
15 ch ⴰ – †80/90 € ††90/100 € – ½ P 70/75 €
Rest – (fermé le midi et merc. de mi nov. à mi mars) Menu 30/50 € – Carte 30/51 €
♦ Vastes chambres à l'ancienne dans le manoir, moins amples dans les dépendances, mais souvent dotées de lits à baldaquin. Espace détente. Table au goût du jour et au cadre rustique : poutres, vieilles pierres, âtre en granit.

BANNAY – 18 Cher – **323** N2 – 742 h. – alt. 148 m – ✉ 18300   12 **D2**
Limousin Berry
▶ Paris 196 – Orléans 128 – Bourges 55 – Gien 52 – Cosne-sur-Loire 6

La Buissonnière avec ch

58 r. du Canal – ℰ 02 48 72 42 07 – www.labuissonniere.fr – contact@labuissonniere.fr – Fax 02 48 72 35 90 – Fermé 17-30 janv., mardi midi de nov. à fév., dim. soir et lundi
7 ch – †58/79 € ††58/79 €, ⴰ 8,50 €   **Rest** – Menu 18/28 €
♦ Maison 1900 face au canal de la Loire. Saveurs dans l'air du temps à déguster dans une salle minimaliste dominée par le blanc, ou sous la pergola verdoyante. Pavillon avec des chambres contemporaines en rez-de-jardin et à l'étage desservi par une coursive.

Retrouvez tous les "Bibs Gourmands" ⓑ dans notre guide des "Bonnes Petites Tables du guide Michelin".
Pour bien manger à prix modérés, partout en France !

BANNEGON – 18 Cher – 323 M6 – 272 h. – alt. 180 m – ⊠ 18210 — 12 D3

▶ Paris 284 – Bourges 43 – Moulins 70 – St-Amand-Montrond 22 – Sancoins 23

Moulin de Chaméron avec ch
– ℰ 02 48 61 83 80 – www.moulindechameron.fr.st/ – moulindechameron@wanadoo.fr – Fax 02 48 61 84 92 – Ouvert 15 mars-30 nov. et fermé mardi midi et lundi hors saison
13 ch – †69 € ††92 €, ⊇ 13 € **Rest** – Menu 26/49 € – Carte environ 50 €
♦ Dans un cadre bucolique à souhait, moulin du 18ᵉ s. hébergeant un plaisant restaurant et un musée de la meunerie. La partie hôtel, plus récente, abrite des chambres sobres.

BANYULS-SUR-MER – 66 Pyrénées-Orientales – 344 J8 – 4 644 h. — 22 B3
– alt. 1 m – ⊠ 66650 ▌Languedoc Roussillon

▶ Paris 887 – Cerbère 11 – Perpignan 37 – Port-Vendres 7
🛈 Office de tourisme, avenue de la République ℰ 04 68 88 31 58, Fax 04 68 88 36 84
◉ ✳ ★★ du cap Réderis E : 2 km.

Les Elmes
plage des Elmes – ℰ 04 68 88 03 12 – www.hotel.des.elmes.com – contact@hotel-des-elmes.com – Fax 04 68 88 53 03
31 ch – †48/119 € ††48/119 €, ⊇ 10 €
Rest *Littorine* – (fermé 11 nov.-10 déc. et le midi du lundi au merc.) Menu 28/48 € – Carte 37/51 €
♦ Accueillant hôtel situé en bord de plage. Les chambres se partagent entre styles traditionnel, moderne et marin au 2ᵉ étage (où elles viennent d'être refaites). Poissons et coquillages jouent les vedettes dans ce restaurant avec terrasse ouvert sur la Méditerranée.

Al Fanal et H. El Llagut avec ch
av. Fontaulé – ℰ 04 68 88 00 81 – www.al-fanal.com – al.fanal@wanadoo.fr – Fax 04 68 88 13 37 – Fermé 1ᵉʳ-20 déc.
13 ch – †70/80 € ††70/80 €, ⊇ 9 € – ½ P 73/78 €
Rest – (fermé merc. et jeudi sauf juil.-août) Menu (20 €), 28/40 € – Carte 39/64 €
♦ Savoureuse cuisine catalane axée sur le poisson et très belle carte de vins régionaux à déguster dans un agréable cadre nautique ou en terrasse face à la mer. Chambres rénovées.

LA BARAQUE – 63 Puy-de-Dôme – 326 F8 – rattaché à Clermont-Ferrand

BARAQUEVILLE – 12 Aveyron – 338 G5 – 2 838 h. – alt. 792 m — 29 C1
– ⊠ 12160

▶ Paris 639 – Albi 58 – Millau 75 – Rodez 17 – Villefranche-de-Rouergue 43
🛈 Syndicat d'initiative, place du Marché ℰ 05 65 69 10 78, Fax 05 65 71 10 19

Segala Plein Ciel
rte d'Albi – ℰ 05 65 69 03 45 – www.hotel-segala-pleinciel.com – infos@hotel-pleinciel.com – Fax 05 65 70 14 54 – Fermé 22 déc.-8 janv., vend. soir et dim. soir sauf juil.-août
47 ch – †48 € ††75 €, ⊇ 10 € – ½ P 80 €
Rest – Menu (15 €), 20 € (sem.)/45 € – Carte 30/60 €
♦ Sur les hauteurs du bourg, bâtisse des années 1970 et son parc. Grandes chambres tournées vers la vallée, majoritairement rénovées dans un esprit japonais ou canadien. Longue salle à manger panoramique au décor marin, terrasse et cuisine dans la note régionale.

BARATIER – 05 Hautes-Alpes – 334 G5 – 519 h. – alt. 855 m – ⊠ 05200 — 41 C1

▶ Paris 705 – Gap 40 – Grenoble 143 – Marseille 215 – Valence 124

Les Peupliers
chemin de Lesdier – ℰ 04 92 43 03 47 – www.hotel-les-peupliers.com – info@hotel-les-peupliers.com – Fax 04 92 43 41 49 – Fermé 13 avril-6 mai et 27 sept.-22 oct.
24 ch – †42 € ††50/66 €, ⊇ 8 € – ½ P 50/58 €
Rest – (fermé mardi midi, merc. midi, jeudi midi et vend. midi sauf juil.-août)
Menu 18/41 € – Carte 22/40 €
♦ Dans un village tranquille, avenant chalet aux abords verdoyants. Coquettes chambres mi-montagnardes, mi-provençales ; balcon et vue sur un lac pour certaines. Spa complet. Plaisante salle à manger alpine réchauffée par une cheminée et terrasse ombragée.

BARBASTE – 47 Lot-et-Garonne – 336 D4 – 1 467 h. – alt. 45 m — 4 C2
– ⊠ 47230 ▮ Aquitaine

🄳 Paris 703 – Agen 34 – Bordeaux 125 – Villeneuve-sur-Lot 50
🄱 Syndicat d'initiative, place de la Mairie ✆ 05 53 65 84 85, Fax 05 53 65 51 38

La Cascade aux Fées
r. Riberotte – ✆ 05 53 97 05 96 – www.cascade-aux-fees.com – gmazurier@aol.com – Ouvert avril-déc.
4 ch – ♦70/90 € ♦♦80/100 €, ⊃ 9 € **Table d'hôte** – Menu 25 € bc/35 € bc
◆ Donnant sur un superbe parc fleuri bordé par la Gélise, cette demeure du 18ᵉ s. vous recevra chaleureusement. Décoration simple mais soignée (meubles anciens). Cuisine familiale à la table d'hôte qui s'affiche bourgeoise en salle, ombragée en terrasse.

BARBAZAN – 31 Haute-Garonne – 343 B6 – 445 h. – alt. 464 m — 28 B3
– ⊠ 31510

🄳 Paris 779 – Bagnères-de-Luchon 32 – Lannemezan 27 – St-Gaudens 14 – Tarbes 67
🄱 Syndicat d'initiative, le village ✆ 05 61 88 35 64, Fax 05 61 88 35 64

Hostellerie de l'Aristou avec ch
rte de Sauveterre – ✆ 05 61 88 30 67 – hotel.aristou@orange.fr – Fax 05 61 95 55 66 – Fermé 15 nov.-11 fév.
6 ch – ♦65/70 € ♦♦65/95 €, ⊃ 8 € – ½ P 60 €
Rest – (fermé le midi du lundi au jeudi de mai à fin août, dim. soir, lundi et mardi midi de sept. à fin avril) Menu 21 € (sem.)/45 € – Carte 34/52 €
◆ Cette ferme du 19ᵉ s. convertie en auberge champêtre offre deux accueillantes salles à manger et une petite terrasse couverte. Chambres garnies de meubles rustiques ou de style.

LA BARBEN – 13 Bouches-du-Rhône – 340 G4 – rattaché à Salon-de-Provence

BARBENTANE – 13 Bouches-du-Rhône – 340 D2 – 3 660 h. – alt. 40 m — 42 E1
– ⊠ 13570 ▮ Provence

🄳 Paris 692 – Avignon 10 – Arles 33 – Marseille 103 – Nîmes 38 – Tarascon 16
🄱 Office de tourisme, 4, le Cours ✆ 04 90 90 85 86, Fax 04 90 95 60 02
◉ Château★★.

Castel Mouisson sans rest
– ✆ 04 90 95 51 17 – www.hotel-castelmouisson.com – contact@hotel-castelmouisson.com – Fax 04 90 95 67 63 – Ouvert 15 mars-15 oct.
17 ch – ♦49/72 € ♦♦49/72 €, ⊃ 9 €
◆ Cette agréable maison provençale au pied de la Montagnette propose des chambres simples et champêtres, ouvertes sur le beau et vaste jardin arboré. Chaleureux et familial.

BARBERAZ – 73 Savoie – 333 I4 – rattaché à Chambéry

BARBEZIEUX-ST-HILAIRE – 16 Charente – 324 J7 – 4 693 h. — 38 B3
– alt. 100 m – ⊠ 16300 ▮ Poitou Vendée Charentes

🄳 Paris 480 – Bordeaux 84 – Angoulême 36 – Cognac 36 – Jonzac 24 – Libourne 70
🄱 Office de tourisme, Le Château ✆ 05 45 78 91 04, Fax 05 45 78 91 04

La Boule d'Or
9 bd Gambetta – ✆ 05 45 78 64 13 – www.labouledor.net – laboule.dor@wanadoo.fr – Fax 05 45 78 63 83 – Fermé 22 déc.-4 janv., vend. soir et dim. soir d'oct. à avril
18 ch – ♦55 € ♦♦55 €, ⊃ 6 € – ½ P 48 €
Rest – Menu (11 €), 15 € (sem.)/35 € – Carte 26/48 €
◆ Au centre de la "capitale" de la Petite Champagne cognaçaise, accueillante maison de 1852 aux grandes chambres fonctionnelles. Salle à manger rénovée, misant sur la sobriété ; paisible terrasse ombragée d'un marronnier centenaire. Cuisine traditionnelle.

BARBIZON – 77 Seine-et-Marne – 312 E5 – 1 569 h. – alt. 80 m — 19 C3
– ✉ 77630 ▌ Île de France

▶ Paris 56 – Étampes 41 – Fontainebleau 10 – Melun 13 – Pithiviers 45
🛈 Office de tourisme, 41, Grande Rue ℰ 01 60 66 41 87, Fax 01 60 66 41 87
🏌 Cély Golf Club à Cély Route de Saint Germain, O : 9 km par D64 et D11, ℰ 01 64 38 03 07
◉ Auberge du Père Ganne★.

Hôtellerie du Bas-Bréau
22 r. Grande-Rue – ℰ *01 60 66 40 05*
– www.bas-breau.com – basbreau@relaischateaux.com – Fax 01 60 69 22 89
16 ch – †260 € ††260/380 €, ⊇ 26 € – 4 suites
Rest – Menu (54 €), 76 € (dîner)/110 € – Carte 90/125 €
◆ Les séjours de R. L. Stevenson et de peintres célèbres ont fait la réputation de ce lieu. Belles chambres personnalisées donnant sur le parc aux mille fleurs. Décor bourgeois dans la salle à manger, terrasse ombragée et cuisine classique (gibier en saison).

Les Pléiades
21 Grande Rue – ℰ *01 60 66 40 25 – www.hotellespleiades.com*
– hotellespleiades@orange.fr
20 ch – †160 € ††190/260 €, ⊇ 20 € – 3 suites
Rest – *(fermé dim. soir, lundi, mardi et merc.)* Menu 70/95 € – Carte 80/105 €
Rest *L'Atelier* – *(fermé dim. soir)* Carte 31/48 €
Spéc. Nougat de foie gras. Filet de bar aux ravioles de betterave. Tendresse de pistache aux framboises.
◆ Cet hôtel des années 1920, entièrement repensé, célèbre l'art de vivre : chambres contemporaines, espace bien-être, expos de peintures et de sculptures, piscine. Dégustez des recettes actuelles renouvelées au fil des saisons dans un cadre élégant (objets anciens, cheminée). Carte brasserie à l'Atelier.

Hostellerie La Clé d'Or
73 Grande-Rue – ℰ *01 60 66 40 96 – www.hotel-restaurant-cledor.com – cle.dor@wanadoo.fr – Fax 01 60 66 42 71*
16 ch – †56/60 € ††75/97 €, ⊇ 11 € – ½ P 85 €
Rest – *(fermé dim. soir d'oct. à mars)* Menu 32/42 € – Carte 44/70 €
◆ Ancien relais de poste (18ᵉ s.) où les chambres, toutes personnalisées, se répartissent autour d'un jardin intérieur. Cuisine traditionnelle à déguster selon la saison dans une salle à manger cossue ou sur la terrasse. Large choix de vins (250 références).

XXX L'Angélus
31 r. Grande-Rue – ℰ *01 60 66 40 30 – angelusbarbizon.monsite.wanadoo.fr*
– restaurant.angelus@wanadoo.fr – Fax 01 60 66 42 12 – Fermé lundi et mardi
Rest – Carte 38/57 €
◆ Pimpante auberge rustique et sa terrasse ombragée, dont l'enseigne rend hommage à l'une des plus fameuses œuvres de Millet, peinte à Barbizon. Carte traditionnelle.

BARBOTAN-LES-THERMES – 32 Gers – 336 B6 – Stat. therm. : fin fév.-fin nov. – Casino – ✉ 32150 Cazaubon ▌ Midi-Pyrénées — 28 A2

▶ Paris 703 – Aire-sur-l'Adour 37 – Auch 75 – Condom 37 – Mont-de-Marsan 43
🛈 Office de tourisme, place Armagnac ℰ 05 62 69 52 13, Fax 05 62 69 57 71

De la Paix
24 av. des Thermes – ℰ *05 62 69 52 06 – contact@hotel-paix.fr*
– Fax 05 62 09 55 73 – Ouvert 15 mars-15 nov.
29 ch – †45/50 € ††50/75 €, ⊇ 7 € – ½ P 65/81 €
Rest – Menu (11 €), 16/26 € – Carte 20/26 €
◆ Ce bâtiment moderne, proche de l'église et du centre thermal, bénéficie de chambres spacieuses et bien tenues, garnies d'un mobilier plutôt simple. Au restaurant, grande salle rustique claire et lumineuse, où l'on sert une cuisine traditionnelle.

Les Fleurs de Lees
24 av. Henri IV, rte d'Agen – ℰ *05 62 08 36 36 – www.fleursdelees.com – contact@fleursdelees.com – Fax 05 62 08 36 37 – Ouvert avril-oct.*
11 ch – †90 € ††90 €, ⊇ 9 €, 5 suites **Rest** Menu (20 €), 39/49 € – Carte 52/73 €
◆ Pimpante maison située au cœur de l'Armagnac. Chambres feutrées, parfois avec terrasse, et belles suites à thème ("Afrique", "Asie", "Inde", etc.). Meubles et objets de Dubaï décorent le restaurant ; la cuisine panache parfums du monde et saveurs régionales.

BARBOTAN-LES-THERMES

Cante Grit
51 av. des Thermes – ℰ 05 62 69 52 12 – www.cantegrit.com – post@cantegrit.com – Fax 05 62 69 53 98 – Ouvert 16 mars-14 nov.
20 ch – †55 € ††65 €, ⊇ 9 € – ½ P 48 €
Rest – *(dîner pour résidents seult)* Menu (18 €) – Carte 22/36 €
♦ Cette jolie villa des années 1930 tapissée de vigne vierge propose des chambres assez grandes, fraîches et pratiques. Accueillant salon évoquant une demeure familiale. Chaleureuse salle à manger avec cheminée et poutres apparentes, et agréable terrasse d'été.

Beauséjour
6 av. des Thermes – ℰ 05 62 08 30 30 – www.hotelgers.com – bernard.urrutia@wanadoo.fr – Fax 05 62 09 50 78 – Ouvert mars à nov.
25 ch – †34/72 € ††36/75 €, ⊇ 10 € – ½ P 60/75 €
Rest – *(dîner pour résidents seult)* Menu 20 € (sem.)/45 €
♦ Grande maison de style régional renfermant des chambres coquettement rénovées et un petit salon d'esprit british. Joli jardin arboré. Restaurant aux tons ensoleillés et terrasse tournée vers la campagne gersoise ; repas diététiques à la demande.

Aubergade
13 av. des Thermes – ℰ 05 62 69 55 43 – www.hotel-aubergade-barbotan.com – aubergade2@wanadoo.fr – Fax 05 62 69 52 09 – Ouvert 1er mars-30 nov.
18 ch – †42 € ††44 €, ⊇ 8 € – ½ P 43 €
Rest – Menu 13 € (sem.)/27 € – Carte 28/43 €
♦ À l'entrée de cette station thermale où prospèrent les espèces exotiques, coquette maison régionale proposant des chambres fonctionnelles, correctement insonorisées. Agréable salle à manger-véranda et carte traditionnelle ou diététique (pour les curistes).

BARCELONNETTE – 04 Alpes-de-Haute-Provence – 334 H6 – 41 C2
– 2 766 h. – alt. 1 135 m – Sports d'hiver : Le Sauze/Super Sauze 1 400/2 000 m ⚐23 ⚐ et Pra-Loup 1 500/2 600 m ⚐3 ⚐29 ⚐ – ⌧ 04400 ‖ **Alpes du Sud**

🄳 Paris 733 – Briançon 86 – Cannes 161 – Digne-les-Bains 88 – Gap 68 – Nice 145

🄱 Office de tourisme, place Frédéric Mistral ℰ 04 92 81 04 71, Fax 04 92 81 22 67

◉ Église de St-Pons★ NO : 2 km.

Azteca sans rest
3 r. François-Arnaud – ℰ 04 92 81 46 36 – www.azteca-hotel.fr – hotelazteca@barcelonnette.fr – Fax 04 92 81 43 92 – Fermé 11 nov.-6 déc.
27 ch – †59/107 € ††59/107 €, ⊇ 10 €
♦ Jolie villa où meubles et objets artisanaux mexicains composent un décor original évoquant l'épopée des "Barcelonnettes" au Mexique. Trois chambres déclinent ce thème.

Le Passe-Montagne
à 3 km, rte Col de la Cayolle – ℰ 04 92 81 08 58 – Fax 04 92 81 08 58 – Ouvert 1er juil.-15 sept., 20 déc.-2 mai et fermé mardi et merc. sauf vacances scolaires
Rest – *(dîner seult) (prévenir)* Menu (25 €), 30 € – Carte 32/44 €
♦ Ambiance conviviale et cadre rustique alpin en ce petit chalet implanté à l'orée d'une pinède. Cuisine régionale sans chichi : montagnarde l'hiver et provençale l'été.

à St-Pons 2 km au Nord-Ouest par D 900 et D 9 – ⌧ 04400

Domaine de Lara sans rest
– ℰ 04 92 81 52 81 – www.domainedelara.com – arlette.signoret@wanadoo.fr – Fax 04 92 81 07 76 – Fermé 25 juin-4 juil. et 12 nov.-19 déc.
5 ch ⊇ – †81/90 € ††86/95 €
♦ Dans un parc avec une belle vue sur les sommets, bastide provençale et de caractère (poutres, tomettes, vieilles pierres, mobilier de famille, style cosy). Petit-déjeuner soigné.

BARCELONNETTE

à Jausiers 8 km au Nord-Est par D 900 – 1 002 h. – alt. 1 240 m – ⊠ 04850

🖪 Office de tourisme, Principale ℰ 04 92 81 21 45, Fax 04 92 81 59 35

XX **Villa Morelia** avec ch
- ℰ 04 92 84 67 78 – www.villa-morelia.com – inforesa@villa-morelia.com
- Fax 04 92 84 65 47 – Fermé 1er mars-30 avril et 1er nov.-26 déc.
11 ch – †150/190 € ††150/350 €
Rest – (fermé dim., lundi et mardi sauf juin, juil. et août) (dîner seult de sept. à mai) (prévenir) Menu 68 €

♦ Construite en 1900, cette fière villa "mexicaine" a gardé son cachet. Chambres soignées, jolie salle à manger et terrasse sur l'arrière face au jardin (piscine). Cuisine du marché assez inventive.

à Pra-Loup 8,5 km au Sud-Ouest par D 902, D 908 et D 109 – ⊠ 04400 Uvernet Fours
– Sports d'hiver : 1 500/2 600 m ⛷3 ⛷29 ⛷

🖪 Office de tourisme, Maison de Pra-Loup ℰ 04 92 84 10 04, Fax 04 92 84 02 93

🏠 **Le Prieuré de Molanès**
à Molanès – ℰ 04 92 84 11 43 – www.prieure-praloup.com – info@prieure.eu
– Fax 04 92 84 01 88 – Ouvert 6 juin-30 sept. et 15 déc.-25 avril
13 ch – †55/68 € ††68/90 €, ⊐ 8,50 € – ½ P 57/75 €
Rest – Menu (14 €), 20/26 € – Carte 25/44 €

♦ Près du télésiège, ex-prieuré devenu une hôtellerie familiale (non-fumeurs) estimée pour son atmosphère montagnarde et ses chambres sobres et rustiques. Repas régional axé terroir, dans un cadre agreste et chaleureux (poutres, cheminée, outils paysans).

BARCUS – 64 Pyrénées-Atlantiques – **342** H5 – 774 h. – alt. 230 m **3 B3**
– ⊠ 64130

🄿 Paris 813 – Mauléon-Licharre 14 – Oloron-Ste-Marie 18 – Pau 52
– St-Jean-Pied-de-Port 53

XXX **Chilo** avec ch
- ℰ 05 59 28 90 79 – www.hotel-chilo.com – martine.chilo@wanadoo.fr
- Fax 05 59 28 94 49 – Fermé dim. soir, lundi et mardi midi du 11 nov. au 30 avril
11 ch ⊐ – †60/95 € ††67/110 € – ½ P 70/91 €
Rest – Menu (22 €), 32/68 € – Carte 48/65 €

♦ Belle maison de pays située au cœur d'un paisible village. Cuisine régionale servie dans une chaleureuse salle à manger ouverte sur un jardin et une piscine, face à la montagne.

BARDIGUES – 82 Tarn-et-Garonne – **337** B7 – rattaché à Auvillar

BARFLEUR – 50 Manche – **303** E1 – 650 h. – alt. 5 m – ⊠ 50760 **32 A1**
🟩 Normandie Cotentin

🄿 Paris 355 – Carentan 48 – Cherbourg 29 – St-Lô 75 – Valognes 26
🖪 Office de tourisme, 2, rond-point le Conquérant ℰ 02 33 54 02 48,
Fax 02 33 54 02 48
◉ Phare de la Pointe de Barfleur : ❊★★ N : 4 km - Intérieur★ de l'église de Montfarville 2 km S.

🏠 **Le Conquérant**
18 r. St-Thomas-Becket – ℰ 02 33 54 00 82 – www.hotel-leconquerant.com
– contact@hotel-leconquerant.com – Fax 02 33 54 65 25 – Ouvert 15 mars-15 nov.
10 ch – †70 € ††70/107 €, ⊐ 10 €
Rest – crêperie – (dîner seult) (résidents seult) Menu 17/34 € – Carte 23/40 €

♦ À deux pas du port, belle demeure du 17e s. en granit et son jardin clos à la française. Les six plus grandes chambres on été redécorées et leurs salles de bains modernisées. Crêpes et galettes préparées à l'ancienne, proposées sur réservation.

XX **Moderne**
1 pl. Gén.-de-Gaulle – ℰ 02 33 23 12 44
– www.hotel-restaurant-moderne-barfleur.com – cauchemez@wanadoo.fr
– Fermé mardi soir du 15 sept.-15 juil. et merc.
Rest – Menu 20 € (sem.)/65 € – Carte environ 56 €

♦ Recettes traditionnelles revisitées et incontournables produits de la pêche locale vous attendent dans ce restaurant qui déborde, en été, sur une plaisante terrasse.

LES BARILS – 27 Eure – 304 E9 – rattaché à Verneuil-sur-Avre

BARJAC – 30 Gard – 339 L3 – 1 498 h. – alt. 171 m – ⊠ 30430   23 **D1**
- Paris 666 – Alès 34 – Aubenas 45 – Mende 114
- Office de tourisme, place Charles Guynet ℰ 04 66 24 53 44, Fax 04 66 60 23 08

Le Mas du Terme
4 km au Sud-Est par D 901 et rte secondaire – ℰ *04 66 24 56 31*
– *www.masduterme.com – info@masduterme.com – Fax 04 66 24 58 54 – Ouvert 15 mars-15 nov.*
23 ch – †89/163 € ††89/163 €, ⊇ 13 € – ½ P 89/163 €
Rest – *(fermé le midi sauf dim., juil.-août et fériés)* Menu 38 €
◆ Cette ex-magnanerie entourée de vignobles est située à deux tours de roue du féerique aven d'Orgnac. Chambres provençales, appartements ou "gîtes" très prisés des familles. Au restaurant, belles voûtes du 18ᵉ s., terrasse-patio et menu du jour (sans choix).

BAR-LE-DUC ℙ – 55 Meuse – 307 B6 – 15 800 h. – alt. 188 m   26 **A2**
– ⊠ 55000 ▌Alsace Lorraine
- Paris 255 – Metz 97 – Nancy 84 – Reims 113 – St-Dizier 26 – Verdun 56
- Office de tourisme, 7, rue Jeanne-d'Arc ℰ 03 29 79 11 13, Fax 03 29 79 21 95
- de Combles-en-Barrois à Combles-en-Barrois 38 rue Basse, par rte de St-Dizier : 5 km, ℰ 03 29 45 16 03
- "le Transi" (statue)★★ dans l'église St-Étienne AZ.

Bistro St-Jean
132 bd de La Rochelle – ℰ *03 29 45 40 40 – http://www.bistrosaintjean.fr*
– *bistrosaintjean@orange.fr – Fermé sam. midi, lundi soir et dim.*
Rest – Menu (21 €), 30 € – Carte 37/45 €
◆ Aménagé dans une ancienne épicerie, un bistrot typique – bar, banquettes, vieilles affiches – proposant une savoureuse carte saisonnière (plats bistrotiers et produits de la mer).

à Trémont-sur-Saulx 9,5 km au Sud-Ouest par D 3 – 647 h. – alt. 166 m – ⊠ 55000

La Source
2 r. de Beurey – ℰ *03 29 75 45 22 – www.hotel-restaurant-lasource.fr – contact@hotel-restaurant-lasource.fr – Fax 03 29 75 48 55 – Fermé 27 juil.-18 août, 2-18 janv., dim. soir et lundi midi*
24 ch – †67/100 € ††76/120 €, ⊇ 11 €
Rest – Menu (27 €), 30/56 € – Carte 37/64 €
◆ Motel des années 1980 profitant d'un cadre campagnard. Chambres fonctionnelles (dont deux plus vastes) très bien tenues. Accueil sympathique. Restaurant flirtant avec la tradition qui s'invite dans le décor et dans l'assiette (truffe en saison).

BARNEVILLE-CARTERET – 50 Manche – 303 B3 – 2 324 h.   32 **A2**
– alt. 47 m – ⊠ 50270 ▌Normandie Cotentin
- Paris 356 – Carentan 43 – Cherbourg 39 – Coutances 47 – St-Lô 62
- Office de tourisme, 10, rue des Ecoles ℰ 02 33 04 90 58, Fax 02 33 04 93 24
- de la Côte-des-Isles à Saint-Jean-de-la-Rivière Chemin des Mielles, SE : 5 km par D 90, ℰ 02 33 93 44 85

à Barneville-Plage

Des Isles
9 bd Maritime – ℰ *02 33 04 90 76 – www.hoteldesisles.com – hotel-des-isles@wanadoo.fr – Fax 02 33 94 53 83 – Fermé fév.*
30 ch – †75/125 € ††75/125 €, ⊇ 12 € – ½ P 72/97 €
Rest – Menu (16 €), 29 € – Carte 36/90 €
◆ Hôtel récemment rénové faisant face à la mer. Chambres de diverses tailles à la décoration soignée, dégageant une ambiance marine douillette (tons bleus, couettes moelleuses). Buffet d'entrées et de desserts à volonté pour des repas décontractés.

BARNEVILLE-CARTERET

à Carteret

🛈 Office de tourisme, 10, rue des Ecoles ℰ 02.33.04.90.58, Fax 02.33.04.93.24
◉ Table d'orientation ≤★.

De la Marine (Laurent Cesne)
11 r. de Paris – ℰ 02 33 53 83 31 – www.hotelmarine.com
– infos@hotelmarine.com – Fax 02 33 53 39 60 – Ouvert 1er mars-23 déc.
26 ch – †90/260 € ††90/260 €, ⊇ 15 € – ½ P 92/130 €
Rest – (ouvert 1er mars-11 nov. et fermé dim. soir, jeudi midi et lundi en mars, oct. et nov., lundi midi et jeudi midi en avril, mai, juin et sept.)
Menu 36/89 € – Carte 64/86 €
Spéc. Ormeau du Cotentin meunière sur vinaigrette de pomme de terre. Bar en filet sur velouté d'artichaut-poivrade, palourdes farcies. Pomme en beignets à l'orientale, glace à la fleur d'oranger.
♦ Quasiment les pieds dans l'eau, cette maison est tenue par la même famille depuis 1876. La plupart des nouvelles chambres, spacieuses et modernes, ont une terrasse côté port. Belle vue sur la mer du restaurant panoramique et de sa terrasse ; goûteuse cuisine inventive valorisant le produit.

Des Ormes
quai Barbey d'Aurevilly – ℰ 02 33 52 23 50 – www.hoteldesormes.fr
– hoteldesormes@wanadoo.fr – Fax 02 33 52 91 65 – Fermé janv.
12 ch – †79/175 € ††79/175 €, ⊇ 14 € – ½ P 85/135 €
Rest – (fermé dim. soir, lundi et mardi hors saison, lundi midi et mardi midi en saison) Menu 35/45 € – Carte 39/58 €
♦ Face au port de plaisance, demeure du 19e s. rénovée avec raffinement. Chambres délicieuses, salon cosy et beau jardin fleuri en saison. Élégante salle à manger contemporaine d'esprit romantique où l'on déguste une cuisine "terre et mer".

BARON – 60 Oise – **305** H5 – 780 h. – alt. 80 m – ⊠ 60300 ▌Île de France   36 **B3**
▶ Paris 65 – Amiens 110 – Argenteuil 63 – Montreuil 55

Le Domaine de Cyclone sans rest
2 r. de la Gonesse – ℰ 06 08 98 05 50 – domainedecyclone@wanadoo.fr
– Fax 03 44 54 26 10
5 ch ⊇ – †70 € ††80/90 €
♦ Jeanne d'Arc aurait dormi dans la tour de ce château. Les hôtes d'aujourd'hui occupent des chambres très soignées, donnant presque toutes sur le parc. Promenades à cheval.

LE BARP – 33 Gironde – **335** G7 – 4 048 h. – alt. 72 m – ⊠ 33114   3 **B2**
▶ Paris 604 – Bordeaux 45 – Mérignac 41 – Pessac 32 – Talence 34

Le Résinier avec ch
RN 10 – ℰ 05 56 88 60 07 – www.leresinier.com – hotel.le.resinier@wanadoo.fr
– Fax 05 56 88 67 37
5 ch – †80/110 € ††80/110 €, ⊇ 10 €
Rest – Menu (15 €), 17 € (sem.)/55 € – Carte 40/98 €
♦ Cette maison de pays conviviale rappelle l'atmosphère d'une auberge d'autrefois. Cuisine traditionnelle axée sur le terroir et vins à choisir dans la cave. Terrasse sous une vigne. Chambres confortables, rénovées par étape dans un style "naturel".

BARR – 67 Bas-Rhin – **315** I6 – 6 417 h. – alt. 200 m – ⊠ 67140   2 **C1**
▌Alsace Lorraine
▶ Paris 495 – Colmar 43 – Le Hohwald 12 – Saverne 46 – Sélestat 20
– Strasbourg 37
🛈 Office de tourisme, place de l'Hôtel de Ville ℰ 03 88 08 66 65,
Fax 03 88 08 66 51

Aux Saisons Gourmandes
23 r. Kirneck – ℰ 03 88 08 12 77 – www.saisons-gourmandes.com – legafferot@wanadoo.fr – Fax 03 88 08 12 77 – Fermé 6-25 juil., 3-14 janv., vacances de fév., dim. soir de janv. à avril, mardi et merc.
Rest – Menu 19 € (déj. en sem.), 25/42 € – Carte 33/46 €
♦ Cette jolie maison à colombages du centre-ville affiche un décor sobrement contemporain et propose une cuisine de marché, qui revisite en douceur la tradition.

BARR
rte du Mont Ste-Odile par D 854 – ⊠ 67140 Barr

Château d'Andlau
113 r. vallée St Ulrich, à 2 km – ℰ 03 88 08 96 78 – www.hotelduchateau-andlau.fr
– hotel.chateau-andlau@wanadoo.fr – Fax 03 88 08 00 93 – *Fermé 11-26 nov. et 3-25 janv.*
22 ch – †47/56 € ††53/68 €, ⊇ 9 € – ½ P 61/68 €
Rest – *(ouvert le soir du mardi au sam., dim. midi et fériés)* Menu 27/40 €
♦ Nuits sereines en perspective dans ce sympathique hôtel au cadre bucolique et aux chambres simples et rustiques. Salle à manger bourgeoise, mets classiques et superbe carte des vins du monde, présentée comme un manuel d'œnologie et primée pour son originalité.

LE BARROUX – 84 Vaucluse – 332 D9 – 615 h. – alt. 325 m – ⊠ 84330   42 **E1**
Provence

▸ Paris 684 – Avignon 38 – Carpentras 12 – Vaison-la-Romaine 16

Les Géraniums
pl. de la Croix – ℰ 04 90 62 41 08 – www.hotel-lesgeraniums.com
– les.geraniums@wanadoo.fr – Fax 04 90 62 41 08 – *Ouvert 1ᵉʳ mars- 10 nov. et 20 déc.-3 janv.*
20 ch – †65 € ††65 €, ⊇ 10 € – ½ P 65 €
Rest *Saveurs et Terroirs* – *(fermé jeudi de mars à avril et merc.)* Menu (20 €), 28 € (déj. en sem.), 36/40 € – Carte 47/55 €
♦ Dans un village perché sur un piton rocheux, avec un château du 12ᵉ s. Cette maison ancienne abrite des chambres sobres et rustiques. Le restaurant met à l'honneur les plats du terroir. Salle à manger coiffée d'une charpente, terrasse fleurie.

L'Aube Safran
chemin du Patifiage – ℰ 04 90 62 66 91 – www.aube-safran.com – contact@aube-safran.com – Fax 04 90 62 66 91 – *Ouvert 15 mars-15 nov.*
5 ch ⊇ – †100 € ††120 € – 1 suite   **Table d'hôte** – Menu 40 € bc
♦ Les hôtes de ce mas ont tout quitté pour ce lieu idyllique perdu au pied du Mont Ventoux, où ils font revivre la culture du safran, abandonnée à la fin du 19ᵉ s. Table d'hôtes deux fois par semaine : la fleur-épice accomode les divers plats du terroir. Vente de beaux produits.

Gajulea
cours Louise-Raymond – ℰ 04 90 62 36 94 – www.gajulea.fr – philibert@gajulea.fr – *Fermé 2-15 mars, 2-15 nov. et le midi sauf dim.*
Rest – *(nombre de couverts limité, prévenir)* Menu 35 € (dîner)/59 €
♦ Un endroit de rêve que ce restaurant cossu doté d'une superbe terrasse ouverte sur la campagne et la garrigue. Belles saveurs provençales et vins à choisir dans la cave vitrée.

BAR-SUR-AUBE – 10 Aube – 313 I4 – 5 510 h. – alt. 190 m   14 **C3**
– ⊠ 10200 **Champagne Ardenne**

▸ Paris 230 – Châtillon-sur-Seine 60 – Chaumont 41 – Troyes 53
– Vitry-le-François 65

▸ Office de tourisme, Place de l'Hôtel de Ville ℰ 03 25 27 24 25,
Fax 03 25 27 40 02

◉ Église St-Pierre ★.

Le Saint-Nicolas sans rest
2 r. du Gén.-de-Gaulle – ℰ 03 25 27 08 65 – www.lesaintnicolas.com
– lesaintnicolas2@wanadoo.fr – Fax 03 25 27 60 31
27 ch – †63 € ††66 €, ⊇ 9 €
♦ Les chambres de ces jolies maisons en pierre, assez simples mais agréables, s'articulent autour de la piscine. Établissement calme, un peu à l'écart du centre-ville.

La Toque Baralbine
18 r. Nationale – ℰ 03 25 27 20 34 – www.toquebaralbine.fr.st – toquebaralbine@wanadoo.fr – Fax 03 25 27 20 34 – *Fermé dim. soir sauf juil.-août et lundi*
Rest – Menu (20 €), 25/60 € – Carte 32/55 €
♦ Dégustez dans la chaleureuse salle à manger rustique ou sur la terrasse fleurie aux beaux jours une cuisine actuelle bien faite, où pointe l'accent du terroir.

LE BAR-SUR-LOUP – 06 Alpes-Maritimes – 341 C5 – 2 543 h. – alt. 320 m – ⌂ 06620 ▮ Côte d'Azur

42 E2

▶ Paris 916 – Grasse 10 – Nice 31 – Vence 15
🛈 Office de tourisme, place Francis Paulet ☏ 04 93 42 72 21, Fax 04 93 42 92 60
◉ Site★ - Danse macabre★ (peintures sur bois) dans l'église St-Jacques
- ≤★ de la place de l'église.

Hostellerie du Château
6 pl. Francis-Paulet – ☏ 04 93 42 41 10 – www.lhostellerieduchateau.com – info@lhostellerieduchateau.com – Fax 04 93 42 69 32
6 ch – ♦130/150 € ♦♦150/180 €, ⌂ 15 €
Rest bigaradier – ☏ 493424110 (fermé 15 déc.-1er fév., mardi midi, dim. soir et lundi) Menu (23 €), 28/52 € – Carte 42/62 €

◆ Des chambres provençales raffinées (meubles anciens, bois précieux, tomettes) caractérisent ce château ayant appartenu aux comtes de Grasse. Certaines surplombent la vallée. Accueil et service soignés, élégant cadre contemporain et savoureuse carte au goût du jour.

La Jarrerie
– ☏ 04 93 42 92 92 – www.restaurant-la-jarrerie.com – lajarrerie@orange.fr
– Fax 04 93 42 91 22 – Fermé 26 oct.-4 nov., 2-31 janv., merc. sauf le soir de mai à sept. et mardi
Rest – Menu (19 €), 27/49 € – Carte 39/52 €

◆ Autrefois monastère, puis conserverie et parfumerie, cette bâtisse régionale du 17e s. abrite une grande salle à manger rustique avec cheminée, pierres et poutres apparentes.

BAR-SUR-SEINE – 10 Aube – 313 G5 – 3 476 h. – alt. 157 m – ⌂ 10110 ▮ Champagne Ardenne

13 B3

▶ Paris 197 – Bar-sur-Aube 37 – Châtillon-sur-Seine 36 – St-Florentin 57 – Troyes 33
🛈 Office de tourisme, 33, rue Gambetta ☏ 03 25 29 94 43, Fax 03 25 29 70 21
◉ Intérieur★ de l'église St-Étienne.

Du Commerce avec ch
30 r. de la République – ☏ 03 25 29 86 36 – www.hotelrestaurantducommerce.fr – hotelducommerce.bar-sur-seine@wanadoo.fr – Fax 03 25 29 64 87 – Fermé 21-28 fév., vend. soir et dim.
13 ch – ♦43 € ♦♦45 €, ⌂ 6,50 € – ½ P 44 €
Rest – Menu (10 €), 13 € (sem.)/40 € – Carte 30/50 €

◆ Cet établissement tout simple se trouve au cœur du bourg. Salle à manger d'esprit rustique, égayée d'une cheminée. Cuisine traditionnelle sans prétention et chambres modestes.

près échangeur 9 km autoroute A5, Nord-Est par D 443 – ⌂ 10110 Magnant

Le Val Moret
– ☏ 03 25 29 85 12 – www.le-val-moret.com – contact@le-val-moret.com
– Fax 03 25 29 70 81
42 ch – ♦57/85 € ♦♦57/85 €, ⌂ 10 €
Rest – Menu 18 € (sem.)/48 € – Carte 25/52 €

◆ Les chambres, fonctionnelles et assez spacieuses, occupent quatre bâtiments de plain-pied, de type motel. Aire de jeux pour les enfants. Salles à manger actuelles dont une en véranda ; carte traditionnelle et plats régionaux.

BAS-RUPTS – 88 Vosges – 314 J4 – rattaché à Gérardmer

BASSAC – 16 Charente – 324 I6 – rattaché à Jarnac

BASSE-GOULAINE – 44 Loire-Atlantique – 316 H4 – rattaché à Nantes

BASTELICA – 2A Corse-du-Sud – 345 D7 – voir à Corse

BASTIA – 2B Haute-Corse – 345 F3 – voir à Corse

LA BASTIDE – 83 Var – 340 O3 – 122 h. – alt. 1 000 m – ⊠ 83840   41 C2

🅿 Paris 813 – Castellane 25 – Digne-les-Bains 78 – Draguignan 43 – Grasse 48

Du Lachens 🌿

Le Bas Village – ℰ 04 94 76 80 01 – hotel.lachens@orange.fr – Fax 0494768054
– *Fermé fév. et mardi sauf de juin à août*
13 ch – †52 € ††58/64 €, ⊇ 8 € – ½ P 52/67 €
Rest – Menu (15 €), 24/29 € – Carte 25/38 €

♦ Dans un hameau "perdu" du haut Var, maison provençale traditionnelle disposant de chambres pratiques et bien tenues. Agréable jardin. Carte privilégiant les viandes, à déguster dans une salle campagnarde ou en terrasse.

LA BASTIDE-CLAIRENCE – 64 Pyrénées-Atlantiques – 342 – 990 h.   3 B3
– alt. 50 m – ⊠ 64240

🅿 Paris 771 – Bayonne 27 – Irun 59 – Bordeaux 185
🄴 Office de tourisme, Place des Arceaux ℰ 05 59 29 65 05, Fax 05 59 29 65 05

Maison Maxana

r. Notre-Dame – ℰ 05 59 70 10 10 – www.maison-maxana.com
– ab@maison-maxana.com
5 ch ⊇ – †90/110 € ††100/120 €   **Table d'hôte** – Menu 35 € bc

♦ Rêveries, Romances, Voyages... Les noms des chambres de cette maison basque donnent le ton : mariage réussi de meubles anciens et d'éléments africains, asiatiques ou contemporains. Plats régionaux et recettes d'ailleurs servis à la table d'hôte (sur réservation).

LA BASTIDE-DES-JOURDANS – 84 Vaucluse – 332 G11 – 1 241 h.   40 B2
– alt. 412 m – ⊠ 84240

🅿 Paris 762 – Aix-en-Provence 39 – Apt 40 – Digne-les-Bains 77 – Manosque 17

Auberge du Cheval Blanc avec ch

– ℰ 04 90 77 81 08 – provence.luberon@wanadoo.fr – Fax 04 90 77 86 51
– *Fermé fév. et jeudi*
4 ch – †70 € ††70 €, ⊇ 10 € – ½ P 70 €
Rest – Menu (19 € bc), 30 € – Carte 45/55 €

♦ Demeure provençale située au cœur du village. Salle à manger bourgeoise aux couleurs du Midi et généreuse cuisine aux accents du terroir. Coquettes chambres personnalisées.

LA BÂTIE-DIVISIN – 38 Isère – 333 G4 – 802 h. – alt. 521 m   45 C2
– ⊠ 38490

🅿 Paris 539 – Lyon 82 – Grenoble 45 – Chambéry 41 – Saint-Martin-d'Hères 53

L'Olivier

100 rte du Vernay, (Les Etraits) – ℰ 04 76 31 00 60 – www.restaurant-l-olivier.com
– Fax 04 76 31 00 60 – *Fermé 24 oct.-5 nov., dim. soir et lundi*
Rest – Menu (13 €), 17 € (sem.), 21/49 € – Carte 23/48 €

♦ L'enseigne évoque l'un des produits préférés du chef, qui mitonne des plats fins et actuels... essentiellement à l'huile d'olive. Lumineuse salle à manger et son jardin-terrasse.

LA BÂTIE-NEUVE – 05 Hautes-Alpes – 334 F5 – rattaché à Gap

BATZ (ÎLE-DE-) – 29 Finistère – 308 G2 – voir à Île-de-Batz

BATZ-SUR-MER – 44 Loire-Atlantique – 316 B4 – 3 206 h. – alt. 12 m   34 A2
– ⊠ 44740 ▌Bretagne

🅿 Paris 457 – La Baule 7 – Nantes 84 – Redon 64 – Vannes 79
🄴 Syndicat d'initiative, 25, rue de la Plage ℰ 02 40 23 92 36, Fax 02 40 23 74 10
◎ ❋★★ de l'église St-Guénolé★ - Chapelle N.-D. du Mûrier★ - Excursions guidées★ dans les marais (musée des Marais salants) - La Côte Sauvage★.

BATZ-SUR-MER

Le Lichen sans rest
*Baie du Manerick - Côte Sauvage, 2 km au Sud-Est par D 45 – ℘ 02 40 23 91 92
– www.le-lichen.com – alain.paroux@wanadoo.fr – Fax 02 40 23 84 88*
17 ch – ❚70/250 € ❚❚70/250 €, ⊇ 12 €
◆ Sur la Côte sauvage, vaste villa néo-bretonne (1956) jouissant du spectacle unique de l'océan. La moitié des chambres, fraîches et assez grandes, donne sur les flots.

LA BAULE – 44 Loire-Atlantique – 316 B4 – 16 300 h. – alt. 31 m 34 **A2**
– Casino : Grand Casino BZ – ✉ 44500 ▌Bretagne

▸ Paris 450 – Nantes 76 – Rennes 120 – St-Nazaire 19 – Vannes 74
▪ Office de tourisme, 8, place de la Victoire ℘ 02 40 24 34 44, Fax 02 40 11 08 10
▪ de Guérande à Guérande Ville Blanche, par rte de Nantes : 6 km, ℘ 02 40 66 43 21
▪ de La Baule à Saint-André-des-Eaux Domaine de Saint Denac, NE : 9 km, ℘ 02 40 60 46 18
◉ Front de mer★ - Parc des Dryades★ DZ.

Plan page suivante

Hermitage Barrière
*5 espl. Lucien-Barrière – ℘ 02 40 11 46 46
– www.hermitage-barriere.com – hermitage@lucienbarriere.com
– Fax 02 40 11 46 45 – Ouvert 20 mars-1ᵉʳ nov. et 24 déc.-4 janv.* BZ **h**
202 ch – ❚198/808 € ❚❚198/808 €, ⊇ 21 € – 5 suites
Rest *La Terrasse* – *(ouvert vacances de Pâques, de la Toussaint, de Noël, fériés et juil.-août)* Menu (35 €), 54 € (déj.) – Carte 51/84 €
Rest *L'Eden Beach* – rest. de plage – ℘ 02 40 11 46 16 *(Ouvert 20 mars-11 nov., 19 déc.-4 janv. et dim. midi et sam. hors saison)* Menu 34 € – Carte 39/84 €
◆ Palace des années 1920 dressant son imposante architecture anglo-normande devant l'océan. Chambres personnalisées avec vue sur les flots ou le jardin. Piscine, hammam, fitness. Décor fastueux et cuisine classique à La Terrasse. Poissons et fruits de mer à L'Eden Beach.

Royal-Thalasso Barrière
*6 av. Pierre Loti – ℘ 02 40 11 48 48
– www.lucienbarriere.com – royalthalasso@lucienbarriere.com
– Fax 02 40 11 48 45 – Fermé 5-20 déc.* BZ **t**
91 ch – ❚176/502 € ❚❚176/502 €, ⊇ 23 € – 6 suites
Rest *La Rotonde* – Menu 46 € – Carte 47/62 €
Rest *Le Ponton* – rest. de plage – ℘ 02 40 60 52 05 *(fermé le soir d'oct. à mars sauf sam. et vacances scolaires)* Menu (24 € bc) – Carte 35/63 €
◆ Dans un parc face à la mer, bel édifice séculaire relié à un centre moderne de thalassothérapie. Harmonie de meubles de style et de tissus chatoyants dans les chambres. Cuisine traditionnelle et diététique à La Rotonde. Restauration de plage au Ponton.

Castel Marie-Louise
❀
1 av. Andrieu – ℘ 02 40 11 48 38 – www.castel-marie-louise.com – marielouise@relaischateaux.com – Fax 02 40 11 48 35 – Fermé 4 janv.-5 fév. BZ **g**
31 ch – ❚170/655 € ❚❚170/655 €, ⊇ 20 € – 2 suites – ½ P 167/410 €
Rest – *(fermé le midi sauf sam. en juil.-août et sauf dim.)* Menu 45 € (déj.), 65/98 € – Carte 87/120 €
Spéc. Encornet et langoustines en fricassée (printemps-été). Epaule de cochon noir cuite lentement, jus d'épices et fruits rôtis. Soufflé à la marmelade de citron jaune et pulpe de tomate en sorbet (printemps-été). **Vins** Muscadet de Sèvre-et-Maine sur lie, Anjou-Villages.
◆ Ce charmant manoir Belle Époque, entouré d'un jardin soigné, dégage une atmosphère cosy. Chambres au calme, décorées avec goût (mobilier ancien). Restaurant feutré, aménagé à la manière d'un cottage anglais et terrasse ombragée de pins. Belle cuisine actuelle.

LA BAULE

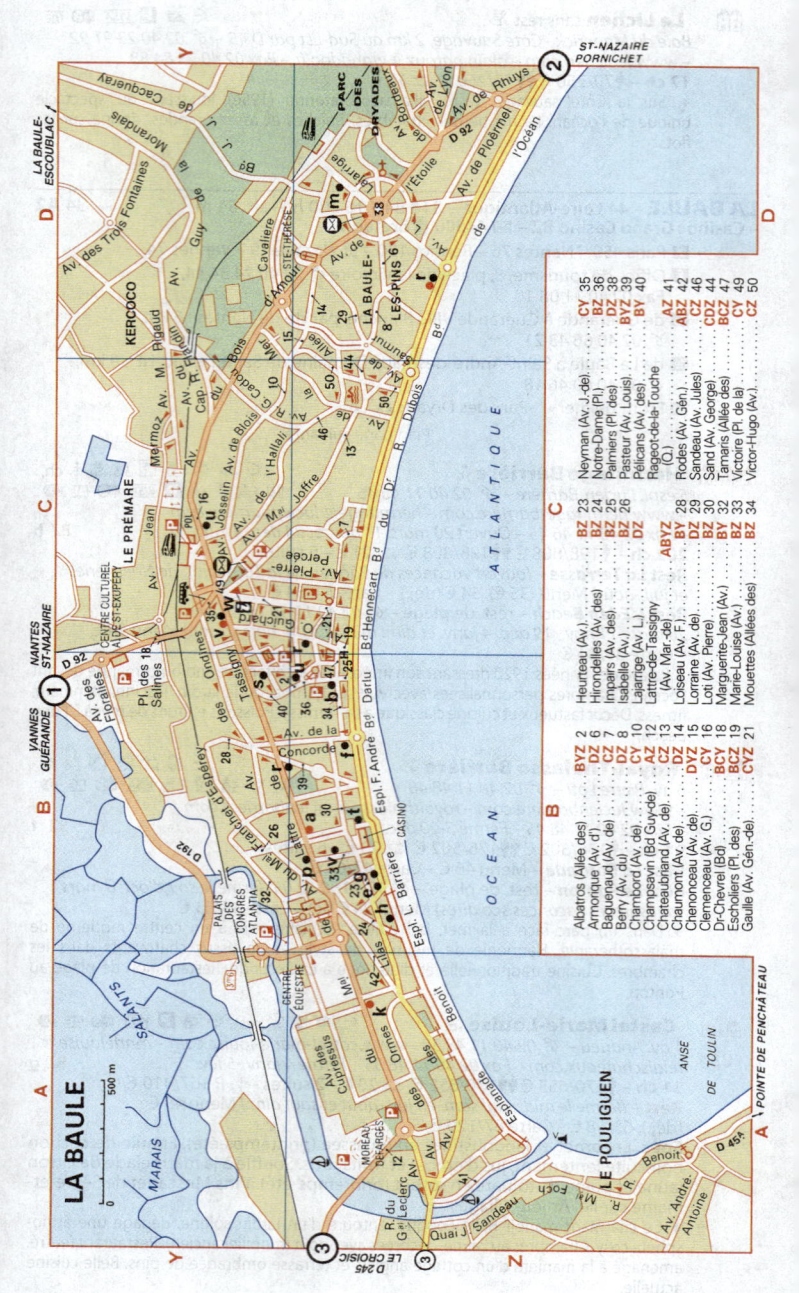

B	
Albatros (Allée des)	BYZ 2
Armorique (Av. de)	DZ 6
Baguenaud (Av. de)	C2 7
Berry (Av. du)	DZ 8
Champsavin (Bd Guy-de)	CY 10
Chambord (Av. de)	AZ 12
Chateaubriand (Av. de)	C2 13
Chenonceau (Av. de)	DVZ 14
Clemenceau (Av. G.)	CY 15
Dr-Chevrel (Bd)	BCY 18
Escholiers (Pl. des)	BCZ 19
Gaulle (Av. Gén-de)	CYZ 21

C	
Heurteau (Av.)	BZ 23
Hirondelles (Av. des)	BZ 24
Impairs (Av. des)	BZ 25
Isabelle (Av.)	DZ 26
Lajarrige (Av. L.)	ABVZ
Lattre-de-Tassigny (Av. Mar.-de)	BZ 28
Loiseau (Av. F.)	DZ 29
Lorraine (Av. de)	BZ 30
Loti (Av. Pierre)	BY 32
Marguerite-Jean (Av.)	BZ 33
Marie-Louise (Av.)	BZ 34
Mouettes (Allées des)	

Neyman (Av. J.-de)	CY 35
Notre-Dame (Pl.)	BZ 36
Palmiers (Pl. des)	DZ 38
Pasteur (Av. Louis)	BVZ 39
Pelicans (Av. des)	BY 40
Ragot-de-la-Touche (Q.)	AZ 41
Rodes (Av. Gén.)	AB2 42
Sandeau (Av. Jules)	C2 46
Sand (Av. George)	CDZ 44
Tamaris (Allée des)	BCZ 47
Victoire (Pl. de la)	CY 49
Victor-Hugo (Av.)	CZ 50

LA BAULE

Bellevue Plage
27 bd de l'Océan – ✆ 02 40 60 28 55 – www.hotel-bellevue-plage.fr – hotel@hotel-bellevue-plage.fr – Fax 02 40 60 10 18 – Fermé 15 déc.-10 fév.
DZ r
35 ch – †95/190 € ††95/195 €, ⊇ 13 €
Rest *La Véranda* – voir ci-après
♦ Orientation design et moderne pour cet hôtel très bien tenu. Chambres colorées et épurées, côté mer ou côté pins. Terrasse au dernier étage surplombant la baie.

Mercure Majestic
espl. Lucien-Barrière – ✆ 02 40 60 24 86 – www.hotelmercure-labaule.com – h5692@accor.com – Fax 02 40 42 03 13
BZ e
83 ch – †95/245 € ††105/260 €, ⊇ 16 €
Rest *Le Ruban Bleu* – Menu (20 €), 27/48 € – Carte 43/58 €
♦ Cet ancien palace, situé en bord de plage et près du casino, vit une seconde jeunesse grâce à sa totale rénovation dans un esprit Art déco réactualisé. Le cadre et le nom du restaurant évoquent l'époque de la légendaire course au Ruban bleu. Plats traditionnels.

St-Christophe
pl. Notre-Dame – ✆ 02 40 62 40 00 – www.st-christophe.com – reception@st-christophe.com – Fax 02 40 62 40 40
BZ u
45 ch – †68/194 € ††68/194 €, ⊇ 11 € – ½ P 69/136 €
Rest – Menu (20 €), 30/40 € – Carte 29/48 €
♦ Quatre villas balnéaires et familiales (trois du début du 20ᵉ s., une récente) au sein d'un beau jardin paisible. Le style des chambres varie, tantôt ancien, tantôt moderne. Cuisine classique servie dans une salle haute en couleurs et sur la terrasse verdoyante en été.

Brittany sans rest
7 av. des Impairs – ✆ 02 40 60 30 25 – www.hotelbrittany.com – info@hotelbrittany.com – Fax 02 40 24 37 30
BZ b
19 ch – †100/140 € ††100/190 €, ⊇ 13 €
♦ Chambres personnalisées et bien équipées (mobilier moderne, TV écran plat, douche à jet), toit-solarium et salon-cheminée cosy : une maison des années 1930 joliment rénovée.

Concorde sans rest
1 bis av. Concorde – ✆ 02 40 60 23 09 – www.hotel-la-concorde.com – info@hotel-la-concorde.com – Fax 02 40 42 72 14 – Ouvert 9 avril-27 sept.
BZ f
47 ch – †77/135 € ††77/135 €, ⊇ 10 €
♦ Demeure familiale (architecture balnéaire 1900, remaniée depuis), tout de blanc et de bleu, aux chambres d'un charme désuet. Certaines, avec balcon ou terrasse, regardent la mer.

Lutetia et rest. le Rossini
13 av. Olivier-Guichard – ✆ 02 40 60 25 81 – www.lutetia-rossini.com – contact@lutetia-rossini.com – Fax 02 40 42 73 52
CZ r
26 ch – †69/110 € ††69/185 €, ⊇ 12 € – ½ P 80/140 €
Rest – (fermé 9-27 nov., 3 janv.-5 mars, lundi soir du 1ᵉʳ sept. au 30 juin, dim. soir du 15 oct. au 15 avril, lundi midi et mardi midi) Menu 26 € (sem.)/50 € bc – Carte 45/52 €
♦ Établissement réparti entre Le Lutétia à la façade Art déco, abritant le restaurant classique et des chambres surannées (projet de rénovation), et une villa années 1930. La carte, plutôt traditionnelle, fait la part belle aux produits de la mer.

La Mascotte
26 av. Marie-Louise – ✆ 02 40 60 26 55 – www.la-mascotte.fr – hotel.la.mascotte@wanadoo.fr – Fax 02 40 60 15 67
BZ v
24 ch – †66/108 € ††66/108 €, ⊇ 10 € – ½ P 77/90 €
Rest – (ouvert 1ᵉʳ mars-5 nov.) (résidents seult) Menu (18 €), 26/52 €
♦ Dans un quartier résidentiel, à 50 m de la plage, cet hôtel fonctionnel profite d'un jardin arboré (pins et palmiers). Les plus grandes chambres occupent l'aile récente.

Alcyon sans rest
19 av. Pétrels – ✆ 02 40 60 19 37 – www.alcyon-hotel.com – info@alcyon-hotel.com – Fax 02 40 42 71 33 – Fermé 4-25 janv.
BY s
32 ch – †72/128 € ††72/128 €, ⊇ 12 €
♦ Côté marché, façade en angle garnie de balcons, à l'exception du dernier étage. Confort et bonne isolation dans les chambres, successivement refaites. Grand bar.

LA BAULE

Villa Cap d'Ail sans rest
145 av. de Lattre-de-Tassigny – ℰ 02 40 60 29 30 – www.villacapdail.com
– villacapdail@wanadoo.fr – Fax 02 40 11 03 96
22 ch – †60/85 € ††69/98 €, ⊆ 9 €

BZ p

♦ À 100 m de la plage. Cette villa bauloise, rénovée dans un style actuel (touches design, tons lumineux), a conservé son charme original des années vingt. Ambiance familiale.

Le Marini sans rest
22 av. G.-Clemenceau – ℰ 02 40 60 23 29 – www.residencemvm.fr
– interhotelmarini@wanadoo.fr – Fax 02 40 11 16 98 – Fermé en janv.
33 ch – †52/61 € ††57/67 €, ⊆ 8,50 €

CY u

♦ Dans une grande maison régionale, chambres de bon confort à la décoration soignée (quelques meubles anciens) et bar à l'esprit british. Agréable piscine couverte et chauffée.

Hostellerie du Bois
65 av Lajarrige – ℰ 02 40 60 24 78 – www.hostellerie-du-bois.com
– hostellerie-du-bois@wanadoo.fr – Fax 02 40 42 05 88 – Ouvert 14 mars-15 nov.
15 ch – †60/78 € ††60/78 €, ⊆ 7 € – ½ P 59/68 €

DZ m

Rest – (dîner seult) (résidents seult)

♦ Maison à colombages (1923) au charme vieille France préservé, tant dans les chambres que dans le reste de l'hôtel, bien tenu et orné d'objets rapportés de voyages. Jardin. Petit-déjeuner servi dans une salle rustique et feutrée ; repas le soir, pour les résidents.

St-Pierre sans rest
124 av. du Mar. de Lattre-de-Tassigny – ℰ 02 40 24 05 41
– www.hotel-saint-pierre.com – contact@hotel-saint-pierre.com
– Fax 02 40 11 03 41
19 ch – †54/72 € ††62/92 €, ⊆ 9 €

BYZ r

♦ L'accueil aimable et les prix doux font de cette villa typique, habillée de colombages bleus, une bonne adresse. Chambres discrètement marines. Petit-déjeuner sous la véranda.

Les Dunes sans rest
277 av. de Lattre-de-Tassigny – ℰ 02 51 75 07 10 – www.hotel-des-dunes.com
– info@hotel-des-dunes.com – Fax 02 51 75 07 11
32 ch – †46/70 € ††46/70 €, ⊆ 8 €

CY w

♦ Sympathique adresse, raisonnable dans ses tarifs, familiale dans l'âme, bien tenue et fonctionnelle (plus calme sur l'arrière) : un bon plan dans cette station balnéaire prisée.

La Véranda – Hôtel Bellevue Plage
27 bd de l'Océan – ℰ 02 40 60 57 77 – www.restaurant-laveranda.com
– courriel@restaurant-laveranda.com – Fax 02 40 24 00 22 – Fermé 15 déc.-1er fév., merc. de sept. à juin et lundi sauf le soir en juil.-août

DZ r

Rest – Menu (24 € bc), 39/85 € bc – Carte 55/95 €

♦ Lumineuse et sobre salle à manger contemporaine que l'on déguste, sur deux niveaux et sous une véranda, une savoureuse cuisine au goût du jour. La plupart des tables ont vue sur la plage.

La Maison Blanche
20 bis av. Pavie – ℰ 02 40 23 00 00 – lamaisonblanchelabaule@orange.fr
– Fax 02 40 23 03 60 – Fermé sam. midi, dim. soir et lundi hors saison et hors vacances scolaires

BZ a

Rest – Menu (16 €), 24/70 € bc – Carte 35/54 €

♦ Ce restaurant axé dans le courant culinaire contemporain occupe une belle rotonde vitrée (avec un étage). Ambiance lounge et chic grâce à une décoration très mode qui séduit.

Carpe Diem
29 av. J. Boutroux, 5 km au Nord par rte du Golf de la Baule – ℰ 02 40 24 13 14
– www.le-carpediem.fr – contact@le-carpediem.fr – Fermé 26 janv.-16 fév., dim. soir hors saison et lundi

Rest – Menu (15 €), 20/47 € bc

♦ Près du golf, profitez de cette bonne table rustique – poutres apparentes, cheminée en pierre, mobilier en bois – qui mise sur une cuisine dans l'air du temps sérieuse.

LA BAULE

✗ **La Ferme du Grand Clos** VISA MC AE
52 av. de Lattre-de-Tassigny – ✆ 02 40 60 03 30 – www.lafermedugrandclos.com
– contact@lafermedugrandclos.com – Fax 02 40 60 03 30
– Fermé 16 nov.-16 déc.,15 fév.-3 mars, mardi et merc. d'oct. à mars sauf vacances
scolaires et lundi   AZ **k**
Rest – crêperie – Carte 18/35 €
◆ Au fond d'un jardin, cette ferme plus que centenaire abrite une salle rustique et simple,
ouverte sur les fourneaux où l'on prépare galettes et autres spécialités régionales.

au Golf 7 km au Nord par N 171 – ✉ 44117 St-André-des-Eaux

🏨 **Du Golf International** ৯
rte de Brangouré – ✆ 02 40 17 57 57
– www.lucienbarriere.com – hoteldugolflabaule@lucienbarriere.com
– Fax 02 40 17 57 58 – Ouvert 4 avril-25 oct.
119 ch ⊡ – †94/344 € ††94/344 €, ⊐ 19 € – 55 suites
Rest *Le Green* – (fermé le midi sauf en juil.-août) Menu (21 €), 26 €
– Carte 31/48 €
◆ Complexe hôtelier et son parc au cœur d'un vaste golf. Spacieuses chambres bien
conçues et quelques villas indépendantes disponibles à la location. Club pour enfants.
Repas traditionnel avec vue sur la piscine ou la verdure au Green, restaurant à l'allure british.

LA BAUME – 74 Haute-Savoie – **328** M3 – 250 h. – alt. 730 m   46 **F1**
– ✉ 74430

▶ Paris 597 – Lyon 214 – Annecy 95 – Genève 52 – Lausanne 138

⌂ **La Ferme aux Ours** ৯
La Voagère – ✆ 04 50 72 19 88 – www.lafermeauxours.com – catherine.coulais@
free.fr – Fermé nov.
4 ch ⊐ – †90/110 € ††95/110 € – ½ P 70/85 € **Table d'hôte** – Menu 28 € bc
◆ Belle ferme savoyarde isolée, dominant la vallée. Jolies chambres douillettes (collection
d'ours en peluche) et accueil charmant de la propriétaire, férue de randonnées. Sauna.

BAUME-LES-DAMES – 25 Doubs – **321** I2 – 5 384 h. – alt. 280 m   17 **C2**
– ✉ 25110 ▮ Franche-Comté Jura

▶ Paris 440 – Belfort 62 – Besançon 30 – Lure 45 – Montbéliard 45
– Pontarlier 65 – Vesoul 45
ℹ Office de tourisme, 8, rue de Provence ✆ 03 81 84 27 98, Fax 03 81 84 15 61
🏌 du Château de Bournel à CubryN : 20 km par D 50, ✆ 03 81 86 00 10

✗✗✗ **Hostellerie du Château d'As** avec ch
24 r. Château-Gaillard – ✆ 03 81 84 00 66 – www.chateau-das.fr – courriel@
chateau-das.com – Fax 03 81 84 39 67 – Fermé 19 oct.-11 nov., dim. soir, mardi
midi et lundi
6 ch – †67/79 € ††67/79 €, ⊐ 10 € – ½ P 63/70 €
Rest – Menu 21 € (déj. en sem.), 31/75 € – Carte 44/77 €
◆ Cette grande villa des années 1930 cultive une atmosphère d'antan. Élégante et lumineuse salle à manger (superbe lustre en nacre) pour une cuisine actuelle. Chambres
spacieuses.

BAUME-LES-MESSIEURS – 39 Jura – **321** D6 – 196 h. – alt. 333 m   16 **B3**
– ✉ 39210 ▮ Franche-Comté Jura

▶ Paris 406 – Champagnole 27 – Dole 54 – Lons-le-Saunier 12 – Poligny 21
◉ Abbaye★ (retable à volet★ dans l'église) - Belvédère des Roches de
Baume★★★ sur cirque★★★ et grottes★ de Baume S : 3,5 km.

✗ **Des Grottes**
aux Grottes, 3 km au Sud – ✆ 03 84 48 23 15 – www.restaurantdesgrottes.com
– restaurantdesgrottes@wanadoo.fr – Fax 03 84 48 23 15
– Ouvert 1ᵉʳ avril-30 sept. et fermé lundi sauf juil.-août
Rest – (déj. seult) (prévenir) Menu 15 € (sem.)/35 € – Carte 25/50 €
◆ Pavillon champêtre 1900 situé face à une superbe cascade. Charme Belle Époque au
restaurant doublé d'un café plus informel. Plats régionaux ; vente de truites fraîches.

LES BAUX-DE-PROVENCE – 13 Bouches-du-Rhône – **340** D3 – 42 **E1**
– 381 h. – alt. 185 m – ⊠ 13520 ▌Provence

- ▶ Paris 712 – Arles 20 – Avignon 30 – Marseille 86 – Nîmes 44 – St-Rémy-de-Provence 10
- ▪ Office de tourisme, Maison du Roy ℘ 04 90 54 34 39, Fax 04 90 54 51 15
- ▪ des Baux-de-Provence Domaine de Manville, S : 2 km, ℘ 04 90 54 40 20
- ◉ Site★★★ - Village★★★ : Place★ et église St-Vincent★ - Château★ : ※★★ - Monument Charloun Rieu ≤★ - Tour Paravelle ≤★ - Musée Yves-Brayer★ - Cathédrale d'Images★ N : 1 km par D 27 - ※★★★ sur le village N : 2,5 km par D 27.

dans le Vallon

La Riboto de Taven
– ℘ 04 90 54 34 23 – www.riboto-de-taven.fr – contact@riboto-de-taven.fr
– Fax 04 90 54 38 88 – Fermé 5 janv.-12 mars
5 ch – †170/290 € ††170/290 €, ⊇ 18 € – 1 suite – ½ P 161/196 €
Rest – (fermé merc.) (dîner seult) (résidents seult) Menu 58 €

♦ Cet insolite mas ravit les yeux : vue imprenable sur les Baux, jardin fleuri, agréable piscine et chambres décorées avec goût (deux d'entre elles sont troglodytiques). Belle charpente apparente et grande cheminée dans la salle à manger, cuisine du marché.

L'Oustaù de Baumanière avec ch
– ℘ 04 90 54 33 07 – www.oustaudebaumaniere.com
– oustau@relaischateaux.com – Fax 04 90 54 40 46
– Fermé 4 janv.-5 mars, lundi midi, mardi midi, merc. midi et jeudi midi du 5 mars au 5 avril et du 2 nov. au 23 déc.
30 ch – †200/430 € ††200/430 €, ⊇ 22 € – ½ P 265/380 €
Rest – Menu 120 € (déj. en sem.)/185 € – Carte 135/190 €
Spéc. Œuf de poule en gelée de piperade et aïoli en chaud-froid. Rouget barbet, basilic et fleur de thym. Millefeuille à la crème légère vanillée, caramel pistache. **Vins** Les Baux-de-Provence, Châteauneuf-du-Pape blanc.

♦ Demeure du 16ᵉ s. aux voûtes séculaires, superbe terrasse avec les Alpilles en toile de fond : un lieu magique pour une cuisine gorgée de soleil. Belle cave. Confortables chambres et suites distinguées réparties entre la maison et le petit mas La Guigou.

Le Manoir
à 1 km rte d'Arles par D 27 – ℘ 04 90 54 33 07 – Fermé merc. de nov. à mars
7 ch – †200/430 € ††200/430 €, ⊇ 22 € – 7 suites – ½ P 265/380 €

♦ Les chambres de cette élégante bastide conjuguent confort, raffinement et charme provençal d'antan. Parc arboré (dont un splendide platane séculaire) et jardin à la française.

rte d'Arles Sud-Ouest par D 27

La Cabro d'Or
à 1 km – ℘ 04 90 54 33 21 – www.lacabrocor.com – cabro@relaischateaux.com
– Fax 04 90 54 45 98 – Fermé dim. soir, mardi midi et lundi de nov. à mars
22 ch – †150/315 € ††150/315 €, ⊇ 20 € – 8 suites – ½ P 158/240 €
Rest – Menu 49 € bc (déj. en sem.), 70/110 € – Carte 96/102 €
Spéc. Truffe d'été et artichauts violets, tomates confites au jambon jabugo (juin à sept.). Filet de rouget-barbet rôti, fleurs de courgettes et tartare de légumes (juin à sept.). Volupté croustillante aux olivettes confites, crème légère et sorbet fruits rouges (juin à sept.). **Vins** Vin de Pays des Bouches-du-Rhône, Les-Baux-de-Provence.

♦ Chambres élégantes, ravissant jardin fleuri, nombreux loisirs dont un centre d'équitation rendent cette étape champêtre chic des plus agréables. Restaurant cosy et raffiné, terrasse sous les tilleuls et belle cuisine au goût du jour... L'art de vivre à la provençale !

Mas de l'Oulivié sans rest
Quartier les Arcoules, à 2,5 km – ℘ 04 90 54 35 78 – www.masdeloulivie.com
– contact@masdeloulivie.com – Fax 04 90 54 44 31 – Ouvert 3 avril-12 nov.
27 ch – †110/280 € ††110/280 €, ⊇ 14 € – 2 suites

♦ Un mas déstressant au cœur d'une oliveraie : chambres au décor méridional, jardin avec piscine à débordement, massages. Petite restauration au déjeuner pour les résidents.

LES BAUX-DE-PROVENCE

Auberge de la Benvengudo
Vallon de l'Arcoule, D78F, à 2 km
– ℰ 04 90 54 32 54 – www.benvengudo.fr – reservations@benvengudo.com
– Fax 04 90 54 42 58 – Ouvert 20 mars-2 nov.
21 ch – †120/200 € ††120/200 €, ⊇ 15 € – 6 suites – ½ P 115/155 €
Rest – *(fermé dim.) (dîner seult)* Menu (28 €), 45 € – Carte environ 50 €
♦ Authentique bastide à l'intérieur de style classique provençal, décliné dans une gamme de blancs. Meubles, objets et tableaux choisis dans les chambres. À table, menu régional selon le marché et cadre rénové préservant une touche locale.

Ne confondez pas les couverts ✗ et les étoiles ❀ !
Les couverts définissent une catégorie de standing, tandis que l'étoile couronne les meilleures tables, dans chacune de ces catégories.

BAVAY – 59 Nord – 302 K6 – 3 436 h. – alt. 148 m – ⊠ 59570   31 D2
Nord Pas-de-Calais Picardie

▶ Paris 229 – Avesnes-sur-Helpe 24 – Lille 79 – Maubeuge 15 – Mons 25
🛈 Office de tourisme, rue Saint-Maur ℰ 03 27 39 81 65, Fax 03 27 39 81 65

Le Bagacum
r. Audignies – ℰ *03 27 66 87 00 – www.bagacum.com – contact@bagacum.com
– Fax 03 27 66 86 44 – Fermé dim. soir et lundi sauf fériés*
Rest – Menu 27 € bc (déj. en sem.), 34/50 € bc – Carte 40/60 €
♦ Murs en briques rouges, charpente apparente, bibelots et tableaux font le cachet de cette vieille grange convertie en restaurant. Terrasse fleurie. Cuisine traditionnelle.

Le Bourgogne
porte Gommeries – ℰ *03 27 63 12 58 – www.restaurantlebourgogne.fr
– restaurantlebourgogne@orange.fr – Fax 03 27 66 99 74 – Fermé 27 juil.-19 août,
5-21 janv., lundi et le soir sauf vend. et sam.*
Rest – Menu 20 € (sem.)/50 € – Carte 32/62 €
♦ Bordant un axe animé, accueillante maison typique du Nord. Agréable terrasse d'été. La cuisine oscille entre tradition et invention, et la cave fait la part belle aux bourgognes.

BAVELLA (COL DE) – 2A Corse-du-Sud – 345 E9 – voir à Corse

BAYARD (COL) – 05 Hautes-Alpes – 334 E5 – voir à Col Bayard

BAYEUX – 14 Calvados – 303 H4 – 14 600 h. – alt. 50 m – ⊠ 14400   32 B2
Normandie Cotentin

▶ Paris 265 – Caen 31 – Cherbourg 95 – Flers 69 – St-Lô 36 – Vire 60
🛈 Office de tourisme, pont Saint-Jean ℰ 02 31 51 28 28, Fax 02 31 51 28 29
🏌 AS Bayeux Omaha Beach Golf à Port-en-Bessin Ferme Saint Sauveur, par rte de Port-en-Bessin et D 514 : 11 km, ℰ 02 31 22 12 12
◉ Tapisserie dite "de la reine Mathilde" ★★★ – Cathédrale Notre-Dame★★ – Musée-mémorial de la bataille de Normandie★ Y M¹ - Maison à colombage★ (rue St-Martin) ZN.

Plan page suivante

Le Lion d'Or
71 r. St-Jean – ℰ *02 31 92 06 90 – www.liondor-bayeux.fr – lion.d-or.bayeux@
wanadoo.fr – Fax 02 31 22 15 64*   Z e
27 ch – †95/185 € ††95/185 €, ⊇ 13 € – 1 suite
Rest – *(fermé 20 déc.-15 janv., dim. soir, lundi soir de mi nov. à mi mars, lundi midi, mardi midi et sam. midi)* Menu (20 €), 25 € (déj.), 33/55 € – Carte 61/67 €
♦ Cet ancien relais de poste du 18ᵉ s. précédé d'une jolie cour pavée abrite des chambres calmes d'ambiances différentes. Celles de l'annexe sont récentes et actuelles. Table traditionnelle et soignée. Des photos des célébrités passées en ces lieux ornent le salon feutré.

BAYEUX

Aure (Bords de l')	**Z** 2
Bienvenu (R. du)	**Z** 3
Bois (Pl. au)	**Z** 4
Bouchers (R. des)	**Z**
Bourbesneur (R.)	**Z** 6
Bretagne (R. de la)	**Z**
Chanoines (R. des)	**Z** 7
Chartier (R. A.)	**Z** 8
Churchill (Bd W.)	**Y**
Clemenceau (Av. G.)	**Z**
Conseil (Av.)	**Y**
Courseulles (R. de)	**Z** 9
Cuisiniers (R. des)	**Z** 12
Dais (R. Gén.-de)	**Z**
Dr-Michel (R.)	**Z** 13
Eindhoven (Bd)	**Y**
Eisenhower (Rond-Point)	**Y** 14
Foch (R. Mar.)	**Z** 15
Franche (R.)	**Z**
Gaulle (Pl. Ch.-de)	**Z**
Laitière (R.)	**Z** 16
Larcher (R.)	**Z**
Leclerc (Bd Mar.)	**Y** 17
Leforestier (R. Lambert)	**Z** 18
Liberté (Pl. de la)	**Z** 19
Maîtrise (R. de la)	**Z** 20
Marché (R. du)	**Z** 21
Montgomery (Bd Mar.)	**Y** 23
Nesmond (R.)	**Z**
Pigache (R. de la)	**Y** 24
Pont-Trubert (R. du)	**Z** 25
Poterie (R. de la)	**Z** 28
Royale (R.)	**Z**
Sadi-Carnot (Bd)	**Y** 29
St-Jean (R.)	**Y, Z**
St-Laurent (R.)	**Y, Z**
St-Loup (R.)	**Y, Z** 30
St-Malo (R.)	**Z**
St-Martin (R.)	**Z**
St-Patrice (R. et Pl.)	**Z** 31
St-Quentin (R.)	**Y** 41
Schumann (R. M.)	**Y** 42
Tardif (R.)	**Z**
Teinturiers (R. des)	**Z** 32
Terres (R. des)	**Z** 33
Vaucelles (Rond-Point de)	**Y** 35
Verdun (R. de)	**Y** 37
Ware (Bd F.)	**Y** 38
6-Juin (Bd du)	**Y**

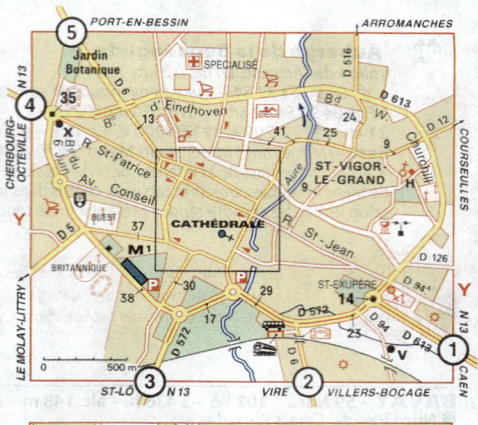

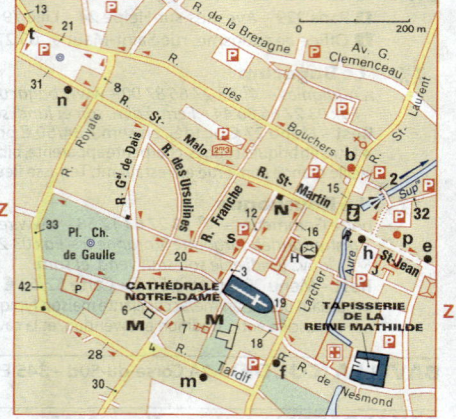

🏨 Novotel   🍽 🛋 🏊 📶 ♿ AK ch, ⛔ 📞 🧖 **P** *VISA* **MC** AE ①   **Y x**
117 r. St-Patrice – ℰ 02 31 92 16 11 – www.novotel.com – h0964@accor.com
– Fax 02 31 21 88 76
77 ch – †75/92 € ††75/165 €, ⊇ 14 €   **Rest** – *(fermé dim. midi et sam.
sauf 10 juil.-20 août)* Menu (17 €), 23/49 € bc – Carte 25/40 €
♦ Hôtel relooké aux dernières normes de la chaîne : bar et salons modernes, chambres pratiques dans l'air du temps. Le restaurant d'esprit bistrot s'ouvre sur une terrasse face à la piscine. Carte et suggestions à l'ardoise assorties d'un bon choix de vins au verre.

🏨 Château de Bellefontaine sans rest 🌳   🌼 ❄ 📶 ♿ ⛔ 📞 🧖 **P**   **Y v**
49 r. Bellefontaine – ℰ 02 31 22 00 10 – www.hotel-   *VISA* **MC** AE
bellefontaine.com – info@hotel-bellefontaine.com – Fax 02 31 22 19 09
– Fermé 2 janv.-2 fév.
14 ch – †70/115 € ††75/160 €, ⊇ 12 €
♦ Un parc arboré avec un plan d'eau sert d'écrin à ce château du 18ᵉ s. aux chambres de style *(Louis XIII, Empire)*. Duplex plus actuels pour les familles, dans les anciennes écuries.

🏨 Churchill sans rest   ♿ 📶 ❄ 📞 *VISA* **MC**
14 r. St-Jean – ℰ 02 31 21 31 80 – www.hotel-churchill.fr – info@hotel-churchill.fr
– Fax 02 31 21 41 66 – Ouvert de mars à nov.   **Z h**
32 ch – †85/105 € ††95/128 €, ⊇ 10 €
♦ Un hôtel plein d'attrait : chambres cosy (mobilier Louis XVI), salle lumineuse servant de salon de thé, bar, photos historiques sur le débarquement, épicerie fine, boutique de déco.

BAYEUX

d'Argouges sans rest
21 r. St-Patrice – ℰ 02 31 92 88 86 – www.hotel-dargouges.com
– hotel.dargouges@orange.fr – Fax 02 31 92 69 16
28 ch – †52/85 € ††68/118 €, ⊇ 9 €

Z n

♦ Profitez, en plein centre-ville, du calme du délicieux jardin qui accueille ces deux maisons de caractère (18e s.). Belles chambres rénovées au mobilier ancien ; salons classiques.

Le Bayeux sans rest
9 r. Tardif – ℰ 02 31 92 70 08 – www.lebayeux.net – lebayeux@gmail.com
– Fax 02 31 21 15 74
29 ch – †50/100 € ††60/100 €, ⊇ 8 €

Zm

♦ Bon accueil dans cet hôtel familial et fonctionnel, situé dans une rue calme, à deux pas de la cathédrale. Petit-déjeuner sous forme de buffet, servi dans un cadre rustique.

Tardif Noble Guesthouse sans rest
16 r. de Nesmond – ℰ 02 31 92 67 72 – www.hoteltardif.com – hoteltardif@orange.fr – Fax 02 31 92 67 72
5 ch – †50/140 € ††70/170 €, ⊇ 8 €

Z f

♦ Un ancien hôtel particulier avec un jardin, à deux minutes du centre historique. Meubles de style, tapisseries et tableaux confèrent un cachet certain aux chambres et au salon.

La Rapière
53 r. St-Jean – ℰ 02 31 21 05 45 – www.larapiere.net – larapierebayeux@orange.fr – Fax 02 31 21 11 81 – Fermé 19 déc.-19 janv., merc. et jeudi
Rest – Menu 15 € (déj. en sem.), 28/34 € – Carte 35/51 €

Z p

♦ Dans une rue pittoresque du vieux Bayeux, une maison du 15e s. au bel intérieur rustique, décoré d'épées croisées et de tableaux. Goûteuse cuisine du terroir normand.

La Coline d'Enzo
2 r. des Bouchers – ℰ 02 31 92 03 01 – Fax 02 31 92 03 01 – Fermé dim. et lundi
Rest – Menu (15 €), 25/35 € – Carte environ 56 €

Z b

♦ Les propriétaires de ce restaurant (du nom de leurs deux enfants) proposent une table actuelle, où dominent le marron, le turquoise, les poutres et pierres. Terrasse-trottoir.

Le Bistrot de Paris
pl. St-Patrice – ℰ 02 31 92 00 82 – Fax 02 31 92 00 82 – Fermé 17-31 août, 16 fév.-2 mars, lundi soir, merc. soir et dim.
Rest – Menu (12 €), 18 € (déj. en sem.)/30 € – Carte 23/36 €

Z t

♦ Mobilier, miroirs et cuivres reconstituent le décor et l'atmosphère d'un bistrot à l'ancienne. Cuisine traditionnelle et ardoise du jour ; formules plus simples à l'Annexe voisine.

Le Pommier
40 r. des Cuisiniers – ℰ 02 31 21 52 10 – www.restaurantlepommier.com
– contact@restaurantlepommier.com – Fax 02 31 21 06 01
– Fermé 15 déc.-15 janv. et dim. du 1er nov. au 31 mars
Rest – Menu (18 €), 23/37 € – Carte 30/46 €

Z s

♦ L'enseigne annonce d'emblée la couleur : ici, on revendique une carte normande, qui ne manque pas de finesse. Ambiance décontractée mariant rustique et détails contemporains.

rte de Port-en-Bessin 3 km par ⑤ – ⊠ 14400 Bayeux

Château de Sully
rte de Port en Bessin – ℰ 02 31 22 29 48 – www.chateau-de-sully.com
– hotel@chateau-de-sully.com – Fax 02 31 22 64 77
– Ouvert 6 mars-6 déc.
22 ch – †150/190 € ††150/250 €, ⊇ 15 € – 1 suite – ½ P 189/250 €
Rest – (fermé le midi sauf dim.) (dîner seult) (nombre de couverts limité, prévenir)
Menu 49/85 € – Carte 59/77 €

♦ Parc et château de charme pour un séjour détente. Les chambres personnalisées cultivent un luxe discret. Piscine, jacuzzi, sauna. Le restaurant propose deux cadres, l'un classique, l'autre plus actuel (véranda). Cuisine au goût du jour à base de beaux produits, souvent bio.

BAYEUX

à Audrieu 13 km par ① et D 158 – 826 h. – alt. 71 m – ⊠ 14250

Château d'Audrieu

– ℰ 02 31 80 21 52 – www.chateaudaudrieu.com – audrieu@relaischateaux.com
– Fax 02 31 80 24 73 – Fermé 6 déc.-6 fév.
25 ch – †139/491 € ††139/491 €, ⊡ 26 € – 4 suites – ½ P 156/313 €
Rest – (fermé lundi et le midi sauf sam., dim. et fériés) Menu 40 € (déj.), 56/99 €
– Carte 76/103 €

Spéc. Foie gras de canard, "anguille fumée pomme verte". Aloyau de bœuf, pasta "tomate artichaut". "Cacao spirale", potimarron et fruit de la passion.

♦ Ce château du 18ᵉ s., classé monument historique, isolé au sein d'un immense et ravissant parc, abrite de vastes chambres (meubles anciens). Salles à manger très châtelaines, cuisine inventive et soignée accompagnée d'une carte des vins étoffée pour gourmets raffinés.

Déjeunez dehors, il fait si beau !
Optez pour une terrasse :

BAYONNE – 64 Pyrénées-Atlantiques – 342 D2 – 44 200 h. – 3 A3
Agglo. 178 965 h. – alt. 3 m – ⊠ 64100 ▮ Pays Basque

▶ Paris 765 – Bordeaux 183 – Biarritz 9 – Pamplona 109 – San Sebastián 53

◪ de Biarritz-Anglet-Bayonne : ℰ 05 59 43 83 83, SO : 5 km par N 10 AZ.

▮ Office de tourisme, place des Basques ℰ 08 20 42 64 64, Fax 05 59 59 37 55

▮ Makila Golf Club à Bassussarry Route de Cambo, S : 6 km par D 932,
ℰ 05 59 58 42 42

◉ Cathédrale Ste-Marie★ et Cloître★ B – Fêtes★ (début août) – Musée Bonnat★★ BY M² – Musée basque★★★.

Plan page ci-contre

Accès et sorties : voir à Biarritz.

Auberge du Cheval Blanc (Jean-Claude Tellechea)

68 r. Bourgneuf – ℰ 05 59 59 01 33 – Fax 05 59 59 52 26 – Fermé 30 juin-9 juil.,
29 juil.-2 août, 3-12 nov., 15 fév.-11 mars, sam. midi, dim. soir et lundi   BZ **b**
Rest – Menu (30 €), 45/90 € – Carte 60/90 €

Spéc. Pressé de truite fumée maison, foie gras et poire réduite au porto. Parmentier de xamango au jus de veau truffé. Soufflé chaud au Grand Marnier. **Vins** Irouléguy, Jurançon

♦ Cuisine du terroir revisitée, bon choix d'irouléguys, tableaux d'un artiste régional, compositions florales et tons pastel font le charme de cet ancien relais de poste (1715).

François Miura

24 r. Marengo – ℰ 05 59 59 49 89 – Fermé en mars, 21-31 déc.,
dim. soir et merc.   BZ **r**
Rest – Menu 21/32 € – Carte 48/60 €

♦ Dans le vieux Bayonne, salle de restaurant voûtée agrémentée de tableaux et meubles modernes. Cuisine au goût du jour et suggestions du marché.

Bayonnais

38 quai des Corsaires – ℰ 05 59 25 61 19 – Fax 05 59 59 00 64
– Fermé 31 mai-14 juin, 29 juil.-5 août, 20 déc.-11 janv.,
lundi sauf juil.-août et dim.   BZ **s**
Rest – Menu 17 € (sem.) – Carte 30/45 €

♦ Voisin du musée basque, sympathique adresse proposant une copieuse cuisine du terroir. Salle à manger de style régional complétée par une terrasse dressée au bord de la Nive.

La Grange

26 quai Galuperie – ℰ 05 59 46 17 84 – Fermé dim.   BZ **a**
Rest – Menu 20 € – Carte 39/49 €

♦ Côté déco, cette ex-épicerie des arcades a conservé ses objets chinés, ses murs en briquettes et ses boiseries. Longue ardoise de plats basques revisités. Vins classés par prix.

Argenterie (R.)	**AZ** 3	Hugo (R. Victor)	**AZ** 125	Orbe (R.)	**AZ** 92
Bastion Royal (R. du)	**BZ** 12	Jaureguiberry (Q.)	**AZ** 57	Pannecau (Pont)	**BZ** 93
Bernède (R.)	**AY** 15	Lachepaillet		Pelletier (R.)	**BZ** 95
Bonnat (Av. Léon)	**AY** 16	(Bd du Rempart)	**AZ** 64	Port-de-Castets (R.)	**AZ** 97
Bourgneuf (R.)	**BYZ** 17	Laffitte (R. Jacques)	**BYZ** 65	Port-Neuf (R.)	**AY** 98
Château-Vieux (Pl.)	**AZ** 24	Lamarque (Av. du Chanoine)	**AZ** 23	Ravignan (R.)	**BZ** 104
Cordeliers (R. des)	**BZ** 26	Liberté (Pl. de la)	**BY** 73	Roquebert (Q. du Cdt)	**BZ** 108
Corsaires (Quai des)	**BZ** 28	Lormand (R.)	**AY** 74	Ste-Catherine (R.)	**AY** 109
Dubourdieu (Q. Amiral)	**BZ** 31	Marengo (Pont et R. de)	**BZ** 80	Thiers (R.)	**AY**
Duvergier-de-Hauranne (Av.)	**BZ** 32	Marines (Av. des Allées)	**AY** 81	Tonneliers (R. des)	**BZ** 112
Galuperie (Quai)	**BZ** 35	Mayou (Pont)	**BY** 83	Tour-de-Sault (R.)	**AZ** 120
Génie (Pont du)	**BZ** 39	Monnaie (R. de la)	**AZ** 86	11-Novembre (Av.)	**AY** 128
Gouverneurs (R. des)	**AZ** 41			49e (R. du)	**AY** 129

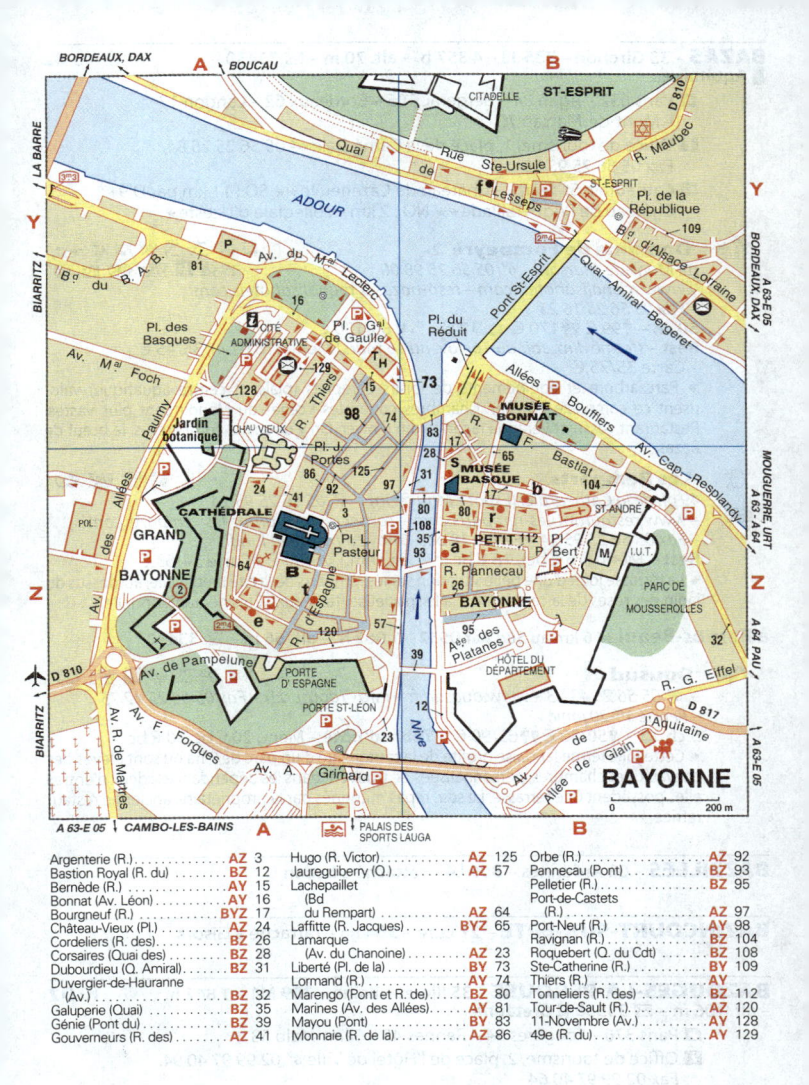

BAY-SUR-AUBE – 52 Haute-Marne – **313** K7 – 56 h. – alt. 320 m   14 **C3**
– ✉ 52160

🅳 Paris 312 – Châlons-en-Champagne 214 – Chaumont 65 – Langres 33
– Châtillon-sur-Seine 50

⛫ **La Maison Jaune** ⌘   🐕 ⊬ **P**
r. principale – ✆ 03 25 84 99 42 – jwjansen@club-internet.fr – Fax 03 25 87 57 65
– Ouvert d'avril à oct.
4 ch ⌆ – †70 € ††75 €   **Table d'hôte** – Menu 30 € bc
♦ Ancienne ferme qui ravira les passionnés d'art et de culture : superbe bibliothèque, tableaux peints par la propriétaire, mobilier chiné. Chambres belles dans leur simplicité. Les lampes d'usine des années 1930 apportent un certain cachet à la table d'hôte cosy.

BAZAS – 33 Gironde – **335** J8 – 4 357 h. – alt. 70 m – ⊠ 33430   3 **B2**
Aquitaine

▶ Paris 637 – Agen 84 – Bergerac 105 – Bordeaux 62 – Langon 17
– Mont-de-Marsan 70

ℹ Office de tourisme, 1, place de la Cathédrale ℰ 05 56 25 25 84,
Fax 05 56 25 95 59

◉ Cathédrale St-Jean ★ - Château de Cazeneuve ★★ SO : 11 km par D 9 -
Château de Roquetaillade ★★ NO : 2 km - Collégiale d'Uzeste ★.

Domaine de Fompeyre
rte Mont-de-Marsan – ℰ 05 56 25 98 00
– www.monalisahotels.com – resa-bazas@monalisahotels.com
– Fax 05 56 25 16 25
50 ch – †99 € ††170 €, ⊇ 12 € – ½ P 89/130 €
Rest – (fermé dim. soir du 16 nov. au 16 mars) Menu (18 € bc), 35/45 €
– Carte 35/75 €
◆ Parc arboré et équipements de loisirs complets (plaisant centre aquatique) valorisent ce complexe hôtelier. Chambres coquettes ; celles du Manoir sont plus vastes. Restaurant cossu et véranda façon jardin d'hiver. On y déguste, entre autres, le bœuf de Bazas.

Les Remparts
49 pl. de la Cathédrale, (Espace Mauvezin) – ℰ 05 56 25 95 24
– www.restaurant-les-remparts.com – contact@restaurant-les-remparts.com
– Fax 05 56 25 95 24 – Fermé 18 oct.-6 nov., dim. soir et lundi
Rest – Menu (16 € bc), 18 € bc (déj. en sem.), 25/50 € – Carte 34/63 €
◆ La terrasse jouit d'une belle situation sur les remparts de la cité médiévale, au-dessus du jardin des roses de la cathédrale. Salle spacieuse (tableaux). Cuisine traditionnelle.

à Bernos-Beaulac 6 km au Sud par D932 – 1 067 h. – alt. 66 m – ⊠ 33430

Dousud
– ℰ 05 56 25 43 23 – www.dousud.fr – info@dousud.fr – Fax 05 56 25 42 75
– Fermé 1ᵉʳ-20 janv.
5 ch – †50/80 € ††65/90 €   **Table d'hôte** – Menu 20 € bc/30 € bc
◆ Cette jolie ferme landaise profite de la tranquillité d'un parc de 9 ha où sont élevés des chevaux. Les chambres, personnalisées, se trouvent dans les dépendances ; deux d'entres elles possèdent une terrasse. Le soir, repas mitonnés par la propriétaire, ancienne restauratrice.

BAZEILLES – 08 Ardennes – **306** L4 – rattaché à Sedan

BAZINCOURT-SUR-EPTE – 27 Eure – **304** K6 – rattaché à Gisors

---

BAZOUGES-LA-PÉROUSE – 35 Ille-et-Vilaine – **309** M4 – 1 847 h.   10 **D2**
– alt. 106 m – ⊠ 35560 **Bretagne**

▶ Paris 376 – Fougères 34 – Rennes 45 – Saint-Malo 53

ℹ Office de tourisme, 2, place de l'Hôtel de Ville ℰ 02 99 97 40 94,
Fax 02 99 97 40 64

Le Château de la Ballue sans rest
4 km au Nord-Est – ℰ 02 99 97 47 86 – www.la-ballue.com – chateau@
la-ballue.com – Fax 02 99 97 47 70
5 ch – †160/175 € ††180/195 €, ⊇ 18 €
◆ De superbes jardins d'esprit baroque et à la française entourent ce château du 17ᵉ s. Grandes chambres raffinées : hauteur sous plafond, boiseries d'époque, mobilier ancien.

> Passée en rouge, la mention « Rest » repère l'établissement
> auquel est attribué notre distinction, ✵ (étoile) ou ⓑ (Bib Gourmand).

BEAUCAIRE – 30 Gard – **339** M6 – 14 900 h. – alt. 18 m – ✉ 30300 23 **D2**
Provence

- Paris 703 – Arles 18 – Avignon 27 – Nîmes 24
- ᴉ Office de tourisme, 24, cours Gambetta ℰ 04 66 59 26 57, Fax 04 66 59 68 51
- ⊙ Château★.

Les Vignes Blanches
67 av. de Farcinnes, (rte de Nîmes) – ℰ 04 66 59 13 12
– www.lesvignesblanches.com – contact@lesvignesblanches.com
– Fax 04 66 58 08 11 – Fermé 2 janv.-8 fév.
57 ch – †71/99 € ††71/99 €, ⊇ 9 € – ½ P 62/74 €
Rest – *(fermé 2 janv.-8 fév., mardi midi de nov. à mars, dim. soir et lundi)*
Menu (14 € bc), 20/30 € – Carte 25/45 €

♦ Cet immeuble situé sur un axe passant abrite un hôtel bien tenu : hall original, chambres (plus calmes sur l'arrière) joliment colorées, dont les noms sont associés à la décoration. Espace bistrot ou salle à manger chaleureuse. Carte traditionnelle, cuisson au four à bois.

L'Oliveraie
chemin Clapas de Cornut, rte de Nîmes – ℰ 04 66 59 16 87
– www.oliveraie-hotel.fr – fvalota@club-internet.fr – Fax 04 66 59 08 91
38 ch – †68 € ††68 €, ⊇ 10 € – ½ P 80 €
Rest – *(fermé dim. soir sauf en juil.-août et sam. midi)* Menu 16 € (déj. en sem.), 20/42 € – Carte 36/60 €

♦ Atmosphère familiale dans cet établissement composé de deux bâtiments. Chambres confortables, avec balcon ou terrasse ; celles de l'aile récente sont plus modernes. Plaisante salle à manger agrémentée par de nombreux bibelots ; véranda coiffée d'une charpente.

au Sud-Ouest 6 km (rte de St Gilles) puis à gauche, écluse de Nouriguier
– ✉ 30300 Beaucaire

Mas de Lafont sans rest
chemin du Mas d'Aillaud – ℰ 04 66 59 29 59 – www.masdelafont.com
– Fax 04 66 59 29 59 – Ouvert 1ᵉʳ mai-1ᵉʳ oct.
80 ch ⊇ – †70/80 € ††80/90 €

♦ Entre vignes et abricotiers, mas du 17ᵉ s. dont les chambres, spacieuses et dotées d'un superbe mobilier provençal, donnent toutes côté jardin. Cuisine équipée à disposition.

BEAUCENS – 65 Hautes-Pyrénées – **342** L5 – 416 h. – alt. 450 m 28 **A3**
– ✉ 65400 **Midi-Pyrénées**

- Paris 866 – Pau 59 – Tarbes 38 – Toulouse 191

Eth Béryè Petit
15 rte Vieille – ℰ 05 62 97 90 02 – www.beryepetit.com – contact@beryepetit.com
– Fax 05 62 97 90 02
3 ch ⊇ – †56/63 € ††56/63 €
Table d'hôte – *(ouvert vend. soir et sam. soir de nov. à avril)* Menu 20 € bc

♦ Accueillante maison bigourdane (1790) dont l'enseigne signifie le petit verger. Les chambres calmes, au décor alliant ancien et moderne, offrent un splendide panorama sur la vallée. Dîner et petit-déjeuner dans un joli salon au coin du feu ou en terrasse.

Le Petit Couassert
20 rte de Vieille – ℰ 05 62 97 90 25 – Fermé 25 oct.-25 nov. et merc. sauf vacances scolaires
Rest – Menu 18/25 € – Carte 27/41 €

♦ Le décor de cette auberge familiale joue le contraste : murs en pierres, cheminée, vieux miroirs et tableaux contemporains. Cuisine traditionnelle et belle vue de la terrasse.

LE BEAUCET – 84 Vaucluse – **332** D10 – rattaché à Carpentras

---

BEAUCOUZÉ – 49 Maine-et-Loire – **317** F4 – rattaché à Angers

BEAUDÉAN – 65 Hautes-Pyrénées – 342 M5 – rattaché à Bagnères-de-Bigorre

BEAUFORT – 73 Savoie – 333 M3 – 2 196 h. – alt. 750 m – ✉ 73270   45 **D1**
Alpes du Nord

- Paris 601 – Albertville 21 – Chambéry 72 – Megève 37
- Office de tourisme, Grande Rue ✆ 04 79 38 38 62, Fax 04 79 38 31 56
- Beaufortain★★.

Le Grand Mont   VISA ◎
pl. de l'Église, - ✆ 04 79 38 33 36 – www.hotelbeaufort.com
– hoteldugrandmont2@wanadoo.fr – Fax 04 79 38 39 07 – Fermé 20 avril-5 mai et 1er oct.-7 nov.,
15 ch – †48/50 € ††59/62 €, ⊇ 9 € – ½ P 51/62 €
Rest – *(fermé sam. midi et dim. soir sauf vacances scolaires)* Menu 11/32 €
– Carte 20/34 €

♦ Cette sympathique maison de village appartient à la même famille depuis quatre générations. Chambres simples et rustiques, petites ou familiales (avec mezzanine). Cuisine du terroir et spécialités fromagères à base de beaufort.

BEAUGENCY – 45 Loiret – 318 G5 – 7 648 h. – alt. 99 m – ✉ 45190   12 **C2**
Châteaux de la Loire

- Paris 152 – Blois 35 – Châteaudun 42 – Orléans 31 – Vendôme 65
- Office de tourisme, 3, place Dr Hyvernaud ✆ 02 38 44 54 42, Fax 02 38 46 45 31
- de Ganay à Saint-Laurent-Nouan Prieuré de Ganay, S : 7 km par D 925, ✆ 02 54 87 26 24
- Les Bordes Golf International à Saint-Laurent-Nouan Les Petits Rondis, S : 9 km par D 925, ✆ 02 54 87 72 13
- Église Notre-Dame★ - Donjon★ - Tentures★ dans l'hôtel de ville **H** - Musée régional de l'Orléanais★ dans le château.

BEAUGENCY

Abbaye (R. de l')	2
Bretonnerie (R. de la)	3
Change (R. du)	4
Châteaudun (R. de)	5
Cordonnerie (R. de la)	6
Dr-Hyvernaud (Pl.)	8
Dunois (Pl.)	9
Maille-d'Or (R. de la)	10
Martroi (Pl. du)	
Pellieux (Passage)	12
Pont (R. du)	
Puits-de-l'Ange (R. du)	14
Sirène (R. de la)	15
Traîneau (R. du)	17
Trois-Marchands (R. des)	18

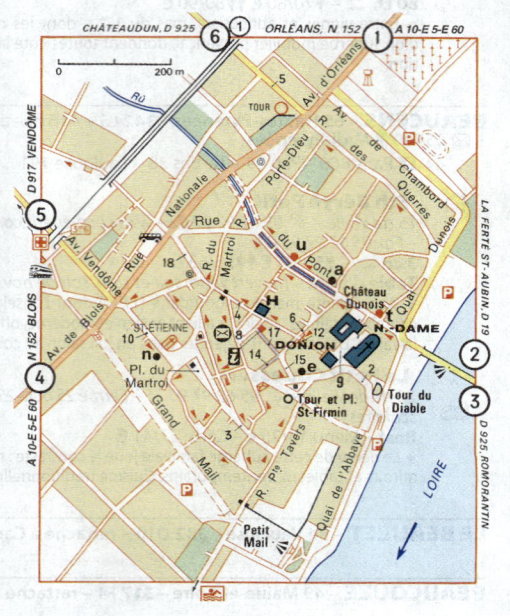

BEAUGENCY

Hostellerie de l'Écu de Bretagne
pl. Martroi – ℰ 02 38 44 67 60 – www.ecu-de-bretagne.fr – ecu-de-bretagne@wanadoo.fr – Fax 02 38 44 68 07
34 ch – †40/127 € ††50/160 €, ☑ 12 €
Rest – Menu (10 € bc), 24/36 € – Carte 51/65 €

◆ Au cœur de la cité ligérienne, ce relais de poste – qui daterait de 1607 – et son annexe retrouvent une seconde jeunesse. Agréables chambres personnalisées. Salle à manger conviviale où l'on propose une cuisine au goût du jour et une sélection de vins locaux.

De la Sologne sans rest
6 pl. St-Firmin – ℰ 02 38 44 50 27 – www.hoteldelasologne.com
– hotel-de-la-sologne.beaugency@wanadoo.fr – Fax 02 38 44 90 19
– Fermé 20 déc.-3 janv.
16 ch – †54/64 € ††54/70 €, ☑ 8,50 €

◆ Un perron joliment fleuri en été vous accueille dans cet hôtel solognot situé à deux pas de la tour St-Firmin. Petites chambres personnalisées et bien tenues, certaines rénovées.

Le Relais des Templiers sans rest
– ℰ 02 38 44 53 78 – www.hotelrelaistempliers.com – info@hotelrelaistempliers.com – Fax 02 38 46 42 55 – Fermé 26 déc.-12 janv.
15 ch – †49/52 € ††56/62 €, ☑ 8 €

◆ Aux portes du centre historique, belle façade en pierre abritant des chambres assez grandes, agencées de manière pratique et sobre. Salle des petits-déjeuners lumineuse.

Le Petit Bateau
54 r. du Pont – ℰ 02 38 44 56 38 – www.le-petit-bateau.com – lepetitbateau@wanadoo.fr – Fax 02 38 44 44 37 – Fermé 16-30 nov. et lundi
Rest – Menu (15 €), 21 € (sem.)/45 € – Carte 40/70 €

◆ Deux salles à manger : l'une au cadre rustique soigné avec poutres apparentes et cheminée ; l'autre plus petite, ouverte sur une cour-terrasse. Cuisine traditionnelle.

Le Relais du Château
8 r. du Pont – ℰ 02 38 44 55 10 – carre-philippe45@orange.fr – Fermé fév., jeudi midi de juil. à sept., jeudi soir et mardi d'oct. à juin et merc.
Rest – Menu 16/36 € – Carte 33/48 €

◆ Coquet petit restaurant situé dans une rue commerçante à proximité du donjon (11ᵉ s.). Expositions de peintures d'artistes régionaux à titre de décor. Plats traditionnels.

à Tavers 3 km par ④ et rte secondaire – 1 284 h. – alt. 100 m – ⊠ 45190

La Tonnellerie sans rest
12 r. des Eaux-Bleues, près de l'église – ℰ 02 38 44 68 15 – www.tonelri.com
– tonelri@club-internet.fr – Fax 02 38 44 10 01 – Fermé 15 déc.-15 janv.
18 ch – †105/180 € ††105/180 €, ☑ 14 € – 2 suites

◆ Hostellerie solognote encadrant un agréable jardin et une piscine. Les chambres, dotées de meubles de style, sont aménagées dans l'esprit d'une maison particulière.

BEAULIEU – 07 Ardèche – 331 H7 – 425 h. – alt. 130 m – ⊠ 07460   44 A3
▶ Paris 668 – Alès 40 – Aubenas 39 – Largentière 29 – Pont-St-Esprit 50 – Privas 71

La Santoline
Lieu-dit Bouchet, 1 km au Sud-Est de Beaulieu – ℰ 04 75 39 01 91
– www.lasantoline.com – contacts@lasantoline.com – Fax 04 75 39 38 79
– Ouvert 26 avril-14 sept.
7 ch – †75/145 € ††75/145 €, ☑ 12 € – ½ P 84/115 €
Rest – (fermé jeudi) (dîner seult) (résidents seult) Menu 31 €

◆ Accueil charmant dans cette bâtisse du 16ᵉ s. entourée par la garrigue cévenole. Agréables chambres personnalisées et garnies de meubles rustiques ou contemporains.

BEAULIEU-SUR-DORDOGNE – 19 Corrèze – 329 M6 – 1 288 h.
– alt. 142 m – ⌂ 19120 ▌Limousin Berry 25 **C3**

▶ Paris 513 – Aurillac 65 – Brive-la-Gaillarde 44 – Figeac 56
– Sarlat-la-Canéda 69 – Tulle 38

🛈 Office de tourisme, place Marbot ℘ 05 55 91 09 94, Fax 05 55 91 10 97

◉ Église St-Pierre★★ : portail méridional★★ - Vieille Ville★.

Manoir de Beaulieu
4 pl. du Champ-de-Mars – ℘ 05 55 91 01 34 – www.manoirdebeaulieu.com
– *reservation @ manoirdebeaulieu.com* – *Fax 05 55 91 23 57*
25 ch – †75/140 € ††110/140 €, ⌂ 12 € – 1 suite
Rest – Menu (25 €), 38/80 € – Carte 52/90 €

♦ Cette hôtellerie de caractère fondée en 1912 vient de retrouver l'éclat du neuf. Chambres douillettes personnalisées par du mobilier ancien et dotées de salles de bains modernes. Cuisine d'aujourd'hui servie dans un décor rustique actualisé.

Le Relais de Vellinus
17 pl. du Champ-de-Mars – ℘ 05 55 91 11 04 – www.vellinus.com – *contact @ vellinus.com* – *Fax 05 55 91 26 16* – *Fermé 22 déc.-4 janv., dim. soir et sam. midi*
20 ch – †58/95 € ††65/130 €, ⌂ 10 € – ½ P 78 €
Rest – Menu 15 € (déj. en sem.), 22/37 € – Carte 28/51 €

♦ Joliment reprise en main, cette maison s'est métamorphosée en profondeur. Confort contemporain. Chaque chambre invite à un voyage différent (mauresque, zen, mer, Afrique...). La sérénité règne dans la salle à manger et en terrasse. Cuisine traditionnelle.

Les Charmilles avec ch
20 bd St-Rodolphe-de-Turenne – ℘ 05 55 91 29 29
– www.auberge-charmilles.com – *auberge-charmilles @ club-internet.fr*
– *Fax 05 55 91 29 30* – *Fermé trois sem. en nov.*
8 ch ⌂ – †68/110 € ††68/110 €
Rest – *(fermé merc. d'oct. à mai)* Menu (12 €), 19/45 € – Carte 31/68 €

♦ Cette maison régionale a été joliment rénovée : plaisante salle à manger, charmante terrasse dressée au bord de la Dordogne, carte classique et coquettes chambres.

à Brivezac 8 km rte d'Argentat par D 940 et D 12 – 187 h. – alt. 140 m – ⌂ 19120

Château de la Grèze
– ℘ 05 55 91 08 68 – www.chateaudelagreze.com – *chateaudelagreze @ orange.fr*
– *Fermé 15 nov.-15 fév.*
5 ch ⌂ – †70/100 € ††80/110 €
Table d'hôte – *(fermé merc., sam. et dim. en juil.-août)* Menu 29 € bc

♦ Entourée d'un parc, cette élégante demeure du 18ᵉ s. propose de grandes chambres personnalisées, offrant une vue imprenable sur la vallée. Piscine et promenades équestres.

BEAULIEU-SUR-MER – 06 Alpes-Maritimes – 341 F5 – 3 720 h.
– Casino – ⌂ 06310 ▌Côte d'Azur 42 **E2**

▶ Paris 935 – Menton 20 – Nice 8

🛈 Office de tourisme, place Georges Clemenceau ℘ 04 93 01 02 21,
Fax 04 93 01 44 04

◉ Site★ de la Villa Kerylos★ - Baie des Fourmis★.

Plan page ci-contre

La Réserve de Beaulieu & Spa
5 bd Mar.-Leclerc – ℘ 04 93 01 00 01 – www.reserve
beaulieu.com – *reservation @ reservebeaulieu.com* – *Fax 04 93 01 28 99*
– *Fermé 26 oct.-19 déc.* Z **w**
28 ch – †180/1240 € ††180/1240 €, ⌂ 45 € – 11 suites
Rest – *(fermé le midi de juin à oct. et lundi)* Menu 75 € (déj.), 150/210 €
– Carte 180/250 €

Spéc. Saint Jacques et homard passion, tendre gelée de mandarine berlugane (hiver). Loup de ligne cuit au naturel contisé d'amandes fraîches et zestes de citron (été). Île flottante, gariguettes et "tagada" sans dessus-dessous. **Vins** Côtes de Provence, Bandol.

♦ Luxueux palace de bord de mer (1880) alliant la superbe d'un palais florentin de style Renaissance au confort d'aujourd'hui. Fastueuses suites et centre de beauté. Salle à manger raffinée, terrasse avec vue sur la baie et belle cuisine provençale revisitée : magique !

BEAULIEU-SUR-MER

Albert-1er (Av.)	Z
Alsace-Lorraine (Bd)	Y
Cavell (Av. Edith)	Z 4
Charles II Comte de Provence (Av.)	Z 6
Clemenceau (Pl. et R.)	Y 5
Déroulède (Bd)	Y
Doumer (R. Paul)	Z 7
Dunan (Av. F.)	Z
Edouard-VII (Bd)	Y
Eiffel (R.)	Z
Gaulle (Pl. Charles-de)	Y
Gauthier (Bd Eugène)	Y 13
Hellènes (Av. des)	Z 14
Joffre (Bd Maréchal)	Z
Leclerc (Bd Maréchal)	Z 18
Marinoni (Bd)	Y 19
May (Av. F.)	Z 21
Myrtes (Ch. des)	Z
Orangers (Montée des)	Z 22
Rouvier (Promenade de M.)	Z
St-Jean (Pont)	Z
Yougoslavie (R. de)	Z 27

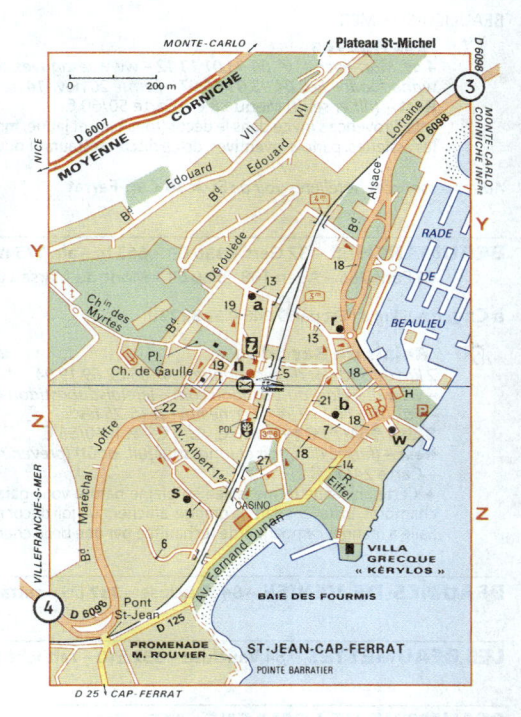

Carlton sans rest
7 av. Edith Cavell – ℘ 04 93 01 44 70 – www.carlton-beaulieu.com – info@carlton-beaulieu.com – Fax 04 93 01 44 30 – Fermé 8 janv.-12 fév.   Z s
33 ch – †79/200 € ††79/200 €, ⌑ 12 €
◆ Cette villa des années 1930, dans un quartier résidentiel proche de la plage et du casino, dispose de chambres classiques. Agréable piscine. Accueil attentionné et service pro.

Frisia sans rest
2 bd E- Gauthier – ℘ 04 93 01 01 04 – www.frisia-beaulieu.com – info@frisia-beaulieu.com – Fax 04 93 01 31 92 – Fermé 8 nov.-16 déc.   Y r
33 ch – †52/135 € ††59/135 €, ⌑ 9 € – 1 suite
◆ La moitié des chambres et le toit-solarium regardent le port de plaisance et le rivage. Dans la cour-jardin, annexe accueillerait une grande chambre et une suite avec terrasse.

Comté de Nice sans rest
bd Marinoni – ℘ 04 93 01 19 70 – www.hotel-comtedenice.com – contact@hotel-comtedenice.com – Fax 04 93 01 23 09 – Fermé 22 nov.-8 déc.   Y a
32 ch – †57/108 € ††67/118 €, ⌑ 10 €
◆ Dans un immeuble discret du centre-ville, chambres de bonne ampleur et bien équipées, à choisir côté mer pour plus de tranquillité. Salons et bar confortables.

Riviera sans rest
6 r. Paul-Doumer – ℘ 04 93 01 04 92 – www.hotel-riviera.fr – contact@hotel-riviera.fr – Fax 04 93 01 19 31 – Fermé 22 oct.-27 déc.   Z b
12 ch – †55/87 € ††55/87 €, ⌑ 8,50 €
◆ Accueil charmant des patrons dans cette villa année 1930 à la pimpante façade jaune, convertie en hôtel entièrement non-fumeurs. Petites chambres fonctionnelles et bien tenues.

BEAULIEU-SUR-MER

Les Agaves
4 av. Mar.-Foch – ℰ 04 93 01 13 12 – www.lesagaves.com – lelu.jacky@wanadoo.fr – Fax 04 93 01 65 97 – Fermé 20 nov.-14 déc.   Y n
Rest – *(dîner seult)* Menu 38 € – Carte 50/60 €

◆ La Provence s'invite dans le décor (tons bleu et jaune, moulures d'origine, boiseries) et les assiettes, parfois inventives, de ce discret restaurant ouvert seulement le soir.

Autres ressources hôtelières voir à : **St-Jean-Cap-Ferrat**

BEAUMARCHÉS – 32 Gers – **336** C8 – 663 h. – alt. 175 m – ✉ 32160   28 **A2**

▶ Paris 755 – Agen 108 – Pau 64 – Mont-de-Marsan 65 – Auch 54

à Cayron 5 km à l'Est par D 946 – ✉ 32230

Relais du Bastidou
2 km au Sud par rte secondaire – ℰ 05 62 69 19 94
– www.le-relais-du-bastidou.com – lerelaisdubastidou@libertysurf.fr
– Fax 05 62 69 19 94 – Fermé nov. et 15-25 fév.
8 ch – †64/79 € ††73/88 €, ⊑ 9 € – ½ P 40/55 €
Rest – *(fermé dim. soir et lundi sauf juil.-août)* *(prévenir)* Menu 20 € (sem.)/36 €
– Carte 24/42 €

◆ Cette ancienne ferme isolée en pleine nature vous garantit le plus grand calme. Les chambres, installées dans la grange, affichent un joli décor rustique chic. Sauna et jacuzzi. Salle à manger campagnarde réchauffée par une belle cheminée en briques.

BEAUMES-DE-VENISE – 84 Vaucluse – **332** D9 – rattaché à Carpentras

---

LES BEAUMETTES – 84 Vaucluse – **332** E10 – rattaché à Gordes

---

BEAUMONT-DE-LOMAGNE – 82 Tarn-et-Garonne – **337** B8   28 **B2**
– 3 658 h. – alt. 400 m – ✉ 82500 ▌Midi-Pyrénées

▶ Paris 662 – Toulouse 58 – Agen 60 – Auch 51 – Condom 64 – Montauban 35
▮ Office de tourisme, 3, rue Pierre Fermat ℰ 05 63 02 42 32, Fax 05 63 65 61 17

Le Commerce
58 r. Mar.-Foch – ℰ 05 63 02 31 02 – www.hotellecommerce.com
– hotelrest.lecommerce@wanadoo.fr – Fax 05 63 65 26 22 – Fermé 20 déc.-11 janv. et dim. soir
12 ch – †42/48 € ††45/51 €, ⊑ 7 € – ½ P 47 €
Rest – *(fermé vend. soir et sam. hors saison et dim. soir)* Menu (12 €), 20/27 €
– Carte 23/32 €

◆ Maison de pays bordant la traversée du village. Les chambres, rajeunies et soigneusement entretenues, offrent tout le confort désiré. La salle de restaurant a préservé son charme campagnard ; cuisine traditionnelle.

BEAUMONT-EN-AUGE – 14 Calvados – **303** M4 – 459 h. – alt. 90 m   32 **A3**
– ✉ 14950 ▌Normandie Vallée de la Seine

▶ Paris 199 – Caen 42 – Deauville 12 – Le Havre 49 – Lisieux 21
– Pont-l'Évêque 7

Auberge de l'Abbaye
2 r. de la Libération – ℰ 02 31 64 82 31 – www.aubergIabbaye.com
– chantalchevrolet@wanadoo.fr – Fax 02 31 64 58 87
– Fermé 5-14 oct., 4 janv.-4 fév., lundi soir de nov. à mars, mardi sauf juil.-août et merc.
Rest – Menu 33/56 € – Carte 50/85 €

◆ Maison normande du 18ᵉ s. couverte de vigne vierge. Trois petites salles à manger joliment rustiques servent de cadre à une généreuse cuisine préparée à l'ancienne.

BEAUNE – 21 Côte-d'Or – 320 I7 – 21 300 h. - alt. 220 m – ⊠ 21200   7 **A3**
Bourgogne

- Paris 308 – Autun 49 – Chalon-sur-Saône 29 – Dijon 45 – Dole 65
- Office de tourisme, 6, boulevard Perpeuil ⌀ 03 80 26 21 30, Fax 03 80 26 21 39
- de Beaune Levernois à LevernoisSE : 4 km par D 970, ⌀ 03 80 24 10 29
- Hôtel-Dieu★★★ : polyptique du Jugement dernier★★★, Grand'salle salle ou chambre des pauvres★★★ - Collégiale Notre-Dame★ : tapisseries★★ - Hôtel de la Rochepot★ AY B - Remparts★.

BEAUNE

Alsace (R. d')	**AZ**	2
Belin (R.)	**AZ**	4
Bourgelat (R.)	**AZ**	5
Carnot (Petite-Pl.)	**AZ**	6
Carnot (Pl.)	**AZ**	7
Carnot (R.)	**AZ**	9
Château (R. du)	**BY**	10
Dames (Rempart des)	**AZ**	13
Dr-Jorrot (Pl. du)	**BY**	15
Enfant (R. de l')	**AY**	16
Enfert (R. d')	**AZ**	17
Favart (R.)	**AZ**	18
Fleury (Pl.)	**AZ**	19
Fraysse (R. E.)	**AZ**	21
Halle (Pl. de la)	**AZ**	23
Lorraine (R. de)	**AY**	
Maufoux (R.)	**AZ**	25
Monge (Pl.)	**AY**	26
Monge (R.)	**AZ**	28
Perpreuil (Bd.)	**AZ**	29
Poterne (R.)	**AZ**	30
Rolin (R.)	**AZ**	31
Rousseau-Deslandes (R.)	**BY**	32
Ste-Marguerite (R.)	**AY**	35
St-Nicolas (R. du Fg)	**AY**	34
Tonneliers (R. des)	**AY**	37
Ziem (Pl.)	**AZ**	40

Le Cep sans rest   AZ z
27 r. Maufoux – ⌀ 03 80 22 35 48 – www.hotel-cep-beaune.com – resa @ hotel-cep-beaune.com – Fax 03 80 22 76 80
49 ch – †130/168 € ††168/248 €, ⊡ 22 € – 15 suites
◆ Hôtels particuliers (16ᵉ et 18ᵉ s.) dont les vastes chambres abritent chacune un vrai musée. Petits-déjeuners servis dans un caveau voûté ou, l'été, dans la cour Renaissance.

277

BEAUNE

Hostellerie Le Cèdre
12 bd Mar.-Foch – ℰ *03 80 24 01 01* – *www.lecedre-beaune.com* – *info@lecedre-beaune.com* – *Fax 03 80 24 09 90*   AY **t**
40 ch – †155/230 € ††155/230 €, ⊇ 18 €
Rest – *(fermé 20-27 déc.) (dîner seult)* Menu 44 €, 50/70 €
– Carte 60/95 €
◆ Belle demeure du début du 20ᵉ s. et son jardin planté d'arbres séculaires. Grandes chambres élégantes et agréable salon cossu au coin du feu. Carte actuelle au restaurant bourgeois installé dans un pavillon du 19ᵉ s. L'été, terrasse à l'ombre du vieux cèdre.

De la Poste
5 bd Clemenceau – ℰ *03 80 22 08 11* – *www.hoteldelapostebeaune.com* – *reservation@hoteldelapostebeaune.com* – *Fax 03 80 24 19 71*   AZ **f**
33 ch – †140/300 € ††140/300 €, ⊇ 18 € – 3 suites
Rest – *(fermé mardi et le midi sauf dim. et fériés)* Menu 36/60 € – Carte 50/75 €
Rest *Le Bistro* – *(fermé dim. et mardi) (déj. seult)* Menu (24 €), 26 €
– Carte 30/50 €
◆ Ce relais de poste du 19ᵉ s. a subi une importante cure de jouvence. Chambres dotées de meubles anciens ou contemporains, bar Art déco et salon-billard. Belle salle à manger classique pour savourer une cuisine au goût du jour. Recettes régionales au Bistro.

L'Hôtel
5 r. Samuel-Legay – ℰ *03 80 25 94 14* – *www.lhoteldebeaune.com* – *info@lhoteldebeaune.com* – *Fax 03 80 25 94 13* – *Fermé déc.*   AZ **p**
7 ch – †200/370 € ††200/370 €, ⊇ 25 €
Rest *Bistro de l'Hôtel* – ℰ *03 80 25 94 10* (Fermé le midi sauf sam.) Menu 80 €
– Carte 40/80 €
◆ Luxueuses chambres de style Empire, bonne insonorisation, équipements high-tech, salles de bains design et salon-bar feutré caractérisent cette demeure bourgeoise. Au Bistro (cadre chic et cuisine ouverte sur la salle) : carte inventive et menus thématiques.

Mercure
av. Ch.-de-Gaulle – ℰ *03 80 22 22 00* – *www.mercure.com* – *h1217@accor.com* – *Fax 03 80 22 91 74*   AZ **m**
107 ch – †90/140 € ††106/160 €, ⊇ 16 €
Rest – Menu (19 €), 25 € – Carte 31/60 €
◆ Hall d'accueil, lounge et bar relookés dans un style design, salle de réunions moderne et chambres actuelles bien tenues dans cet établissement de la périphérie. Table au décor de brasserie contemporaine avec terrasse et piscine. Recettes traditionnelles.

Novotel
av. Ch.-de-Gaulle, (près de l'échangeur A6 - sortie 24.1), 2 km par ③
– ℰ *03 80 24 59 00* – *www.novotel.com* – *h1177@accor.com* – *Fax 03 80 24 59 29*
127 ch – †119/155 € ††130/155 €, ⊇ 15 €
Rest – Menu (23 €), 27 € – Carte 21/45 €
◆ Hôtel des années 1990 récemment rénové et repensé dans un harmonieux style contemporain. Hall-salon côtoyant la piscine et chambres pimpantes. Salle à manger moderne et terrasse en teck au bord de l'eau ; cuisine traditionnelle.

Henry II sans rest
12 r. fg St-Nicolas – ℰ *03 80 22 83 84* – *www.beaune-henry2.com* – *info@henry2.fr* – *Fax 03 80 24 15 13*   AY **q**
58 ch ⊇ – †60/89 € ††60/89 €
◆ L'extension a été conçue en harmonie avec la partie classée : un relais de poste du 16ᵉ s. Chambres de tailles variables et de divers styles, du Louis XV à l'Art déco.

La Closerie sans rest
61 rte de Pommard, par ④ – ℰ *03 80 22 15 07*
– *www.hotel-lacloserie-beaune.com* – *closeriehotelbeaune@wanadoo.fr*
– *Fax 03 80 24 16 22* – *Fermé 23 déc.-15 janv.*
47 ch – †76/98 € ††98/145 €, ⊇ 13 €
◆ Hôtel entouré de verdure, établi entre centre-ville et voies rapides. Les chambres, toutes identiques, sont fonctionnelles et bien entretenues. Agréable piscine.

BEAUNE

Belle Époque sans rest
15 r. fg Bretonnière – ℰ *03 80 24 66 15 – www.hotel-belleepoque-beaune.com – infos@hotel-belleepoque-beaune.com – Fax 03 80 24 17 49 – Fermé 20-25 déc.*
19 ch – †85/93 € ††85/93 €, ⊇ 9 € – 3 suites AZ h
♦ Cette vieille maison a du cachet : verrière 1900, chambres rustiques dotées parfois de poutres ou de cheminées et donnant sur la cour intérieure, bar chic au charme rétro.

De la Paix sans rest
45 r. fg Madeleine – ℰ *03 80 24 78 08 – www.hotelpaix.com – contact@hotelpaix.com – Fax 03 80 24 10 18* BZ n
22 ch – †56/97 € ††72/97 €, ⊇ 10 €
♦ Accueillante étape familiale bordant une route. Chambres pratiques et bien insonorisées, plus contemporaines et spacieuses pour les nouvelles. Bar-salon avec billard.

Grillon sans rest
21 rte Seurre, 1 km par ② *–* ℰ *03 80 22 44 25 – www.hotel-grillon.fr – joel.grillon@wanadoo.fr – Fax 03 80 24 94 89 – Fermé 2 fév.-3 mars*
17 ch – †56 € ††56/98 €, ⊇ 10 €
♦ Pimpante demeure rose blottie dans son jardin clos. Coquettes chambres personnalisées, toutes non-fumeurs, salon-bar en caveau et terrasse fleurie pour petits-déjeuners d'été.

Hostellerie de Bretonnière sans rest
43 r. fg Bretonnière – ℰ *03 80 22 15 77 – www.hotelbretonniere.com – infos@hotelbretonniere.com – Fax 03 80 22 72 54* AZ v
32 ch – †55/110 € ††55/110 €, ⊇ 8,50 €
♦ Ancien relais de poste et ses dépendances agencés autour de cours intérieures. La majorité des chambres sont en rez-de-jardin ; petit-déjeuner servi dans la véranda.

La Villa Fleurie sans rest
19 pl. Colbert – ℰ *03 80 22 66 00 – www.lavillafleurie.fr – la.villa.fleurie@wanadoo.fr – Fax 03 80 22 45 46 – Fermé janv.* BY s
10 ch – †69/99 € ††69/99 €, ⊇ 8,50 €
♦ Maison-bonbonnière devancée d'un jardinet fleuri. Grandes chambres contemporaines ou garnies de meubles anciens, salon bourgeois et charmante salle des petits-déjeuners.

Alésia sans rest
4 av. de la Sablière, 1 km rte Dijon par ① *–* ℰ *03 80 22 63 27 – http://perso.wanadoo.fr/hotel.alesia/ – hotel.alesia@wanadoo.fr – Fax 03 80 24 95 28*
15 ch – †34/80 € ††34/80 €, ⊇ 8 €
♦ Aux portes de Beaune, sympathique adresse où les chambres, intimes et fraîches, sont bien tenues. Une navette gratuite vous permet de rejoindre les restaurants du centre-ville.

Beaune Hôtel sans rest
55 bis r. Fg Bretonnière – ℰ *03 80 22 11 01 – www.beaunehotel.com – beaunehotel@aol.com – Fax 03 80 22 46 66 – Ouvert 5 mars-17 nov.*
AZ u
21 ch – †71 € ††74/78 €, ⊇ 8 €
♦ Discrète bâtisse proche d'un carrefour. Les chambres, un peu petites mais fonctionnelles et scrupuleusement tenues, profitent presque toutes du calme de la cour intérieure.

La Terre d'Or sans rest
r. Izembart, (à la Montagne), 3 km par ③ *et rte secondaire –* ℰ *03 80 25 90 90 – www.laterredor.com – jlmartin@laterredor.com – Fermé fév.*
5 ch – †130/205 € ††130/205 €, ⊇ 15 €
♦ Jolies chambres (mobilier contemporain et ancien), jardin en terrasse dominant Beaune, cave de dégustation dans une grotte naturelle, accueil délicieux... Une adresse en or.

Le Jardin des Remparts (Roland Chanliaud)
10 r. Hôtel-Dieu – ℰ *03 80 24 79 41 – www.le-jardin-des-remparts.com – info@le-jardin-des-remparts.com – Fax 03 80 24 92 79 – Fermé 1ᵉʳ déc.-13 janv., dim. et lundi sauf fêtes* AZ a
Rest – Menu 35 € (déj. en sem.), 70/90 € – Carte 73/92 €
Spéc. Tartare de charolais et huître à l'écume de mer. Sandre rôti aux girolles et jus de torréfaction (automne). Gâteau tiède au chocolat et ses trois glaces. **Vins** Saint-Aubin, Savigny-lès-Beaune.
♦ Ravissante maison des années 1930 et son délicieux jardin-terrasse longeant les remparts. Cuisine très innovante et superbes vins ; piano à queue et objets viticoles au salon.

BEAUNE

XXX Loiseau des Vignes
31 r. Maufoux – ℰ *03 80 24 12 06 – www.bernard-loiseau.com*
– loiseaudesvignes@bernard-loiseau.com – Fax 03 80 22 06 22
– Fermé 1er fév. -2 mars, dim. et lundi   AZ z
Rest – Menu (23 €), 28 € (déj.), 48/98 € bc – Carte 50/78 €
♦ Une adresse "Loiseau" au cœur du vieux Beaune. Cadre raffiné et carte déclinant les "classiques" du chef (formule plus simple à midi). Remarquable choix de vins au verre.

XXX L'Écusson
pl. Malmédy – ℰ *03 80 24 03 82 – www.ecusson.fr – contact@ecusson.fr*
– Fax 03 80 24 74 02 – Fermé 2 fév.-2 mars, merc. et dim. sauf fériés   BZ f
Rest – Menu 28/64 € – Carte 56/77 €
♦ Repas au goût du jour, selon le marché et l'inspiration du chef-patron. Ambiance conviviale en salle (cadre classico-rustique raffiné) ou en terrasse. Beaux bourgognes.

XX Le Bénaton (Bruno Monnoir) ✿
25 r. fg Bretonnière – ℰ *03 80 22 00 26 – www.lebenaton.com*
– lebenaton@club-internet.fr – Fax 03 80 22 51 95
– Fermé 1er-7 juil., 5-15 déc., vacances de fév., sam. midi d'avril à nov., jeudi sauf le soir d'avril à nov. et merc.   AZ b
Rest – Menu (23 €), 45/78 € – Carte 60/100 €
Spéc. Tête de veau rôtie et grosses langoustines frites. Demi-pigeon désossé, filet rôti, cuisse farcie et jus au melilot. Gâteau au chocolat chaud et cassis. **Vins** Saint-Romain, Nuits-Saint-Georges.
♦ Original ! Ici, la vaisselle personnalisée participe à la création des recettes jouant sur les textures et les contrastes. À découvrir dans la salle contemporaine ou en terrasse.

XX Caveau des Arches
10 bd Perpreuil – ℰ *03 80 22 10 37 – www.caveau-des-arches.com – info@caveau-des-arches.com – Fax 03 80 22 76 44 – Fermé 18 juil.-19 août, 20 déc.-19 janv., dim. et lundi*   ABZ x
Rest – Menu (17 €), 22/48 € – Carte 30/45 €
♦ Insolite, ce restaurant logé dans un caveau souterrain en pierre (18e s.) intégrant les soubassements d'un pont du 15e s. Carte traditionnelle et bon choix de bourgognes.

XX Sushikai
50 fg St-Nicolas – ℰ *03 80 24 02 87 – www.sushikai.fr – sushi.kai@orange.fr*
– Fax 03 80 24 79 85 – Fermé janv., merc. et jeudi   AY u
Rest – Menu (19 €), 36/58 € – Carte 37/58 €
♦ Bois sombre, galets, bambou et jardin japonais agrémenté d'un petit pont : ce restaurant zen et épuré propose une authentique cuisine nippone assortie de vins régionaux.

XX Auberge du Cheval Noir
17 bd St-Jacques – ℰ *03 80 22 07 37 – www.restaurant-lechevalnoir.fr – contact@restaurant-lechevalnoir.fr – Fax 03 80 24 06 92 – Fermé 1er-15 mars, 15-28 fév., dim. soir de nov. à avril, mardi et merc.*   AZ t
Rest – Menu 22 € (sem.)/63 € bc – Carte 29/59 €
♦ La clientèle locale apprécie cette auberge conviviale et son joli cadre contemporain épuré. L'assiette généreuse est composée au gré du marché. Service attentif.

X Via Mokis avec ch
1 r. Eugène Spüller – ℰ *03 80 26 80 80 – www.viamokis.com – bienvenue@viamokis.com – Fax 380268262 – Fermé 1 sem. vacances de Noël*
5 ch – †150/185 € ††165/285 €, ⊇ 18 €
Rest – *(fermé 1er-15 janv.)* Menu (18 €), 28/59 € – Carte 32/39 €
♦ Cuisine créative maîtrisée, servie en mokis (petits plats) dans un cadre bistrot assez branché. Possibilité de s'attabler au comptoir ou en salle. Beau choix de vins au verre. Grandes chambres modernes, personnalisées et bien insonorisées. Spa au sous-sol.

X La Ciboulette ☺
69 r. de Lorraine – ℰ *03 80 24 70 72 – laurent.male@orange.fr*
– Fax 03 80 22 79 71 – Fermé 3 -19 août, 1er-24 fév., lundi et mardi   AY n
Rest – Menu 20/26 € – Carte 30/50 €
♦ Deux salles à manger égayées d'un mobilier en rotin vert et de boiseries. Appétissante petite carte traditionnelle mâtinée d'une touche bourguignonne.

BEAUNE

Ma Cuisine
passage Ste-Hélène – ✆ *03 80 22 30 22 – macuisine@wanadoo.fr*
– Fax 03 80 24 99 79 – Fermé août, merc., sam. et dim. AZ **s**
Rest *– (nombre de couverts limité, prévenir)* Menu 24 € (sem.) – Carte 36/65 €
♦ Tout tourne autour du vin dans ce petit restaurant aux couleurs du sud. Le livre de cave, riche de quelque 800 références, accompagne les suggestions du marché.

Aux Vignes rouges
4 bd Jules-Ferry – ✆ *03 80 24 71 28 – www.auxvignesrouges.com – contact@auxvignesrouges.com – Fax 03 80 24 68 05 – Fermé mardi et merc.* BZ **q**
Rest – Menu 18/45 € – Carte 30/51 €
♦ Décoration naturelle en pierre pour ces deux belles salles installées dans un caveau voûté. On y apprécie une cuisine régionale utilisant les produits frais locaux.

Le P'tit Paradis
25 r. Paradis – ✆ *03 80 24 91 00 – Fermé 2 sem. en août, 2 sem. en déc., 2 sem. en fév., dim. et lundi* AZ **e**
Rest *– (prévenir)* Menu 27/35 € – Carte 47/58 €
♦ Un "P'tit coin de paradis" niché dans une vieille rue pavée du centre. Salle cosy un peu petite mais joliment décorée pour déguster des recettes de saison. Terrasse en été.

Le Comptoir des Tontons
22 r. fg Madeleine – ✆ *03 80 24 19 64 – lestontons@wanadoo.fr*
– Fax 03 80 22 34 07 – Fermé 27 juil.-25 août, 1er-16 fév., dim. et lundi BZ **r**
Rest – Menu 25/32 €
♦ Une atmosphère sympathique flotte dans ce petit bistrot où l'on savoure, dans un décor dédié au film Les Tontons Flingueurs, un menu du marché qui fleure bon la Bourgogne.

Bissoh
1a r. du fg St-Jacques – ✆ *03 80 24 99 50 – www.bissoh.com – bis@bissoh.com*
– Fax 03 80 24 99 50 – Fermé 3-25 fév., mardi et merc. AZ **d**
Rest – Menu 13 € (déj. en sem.), 15/62 € – Carte 22/46 € dîner seulement
♦ Adresse simple où le chef, d'origine nipponne, réalise des plats traditionnels de son pays avec les produits du terroir français. Vins choisis pour mettre en valeur la cuisine.

à Savigny-lès-Beaune 7 km par ①, D 18 et D 2 – 1 403 h. – alt. 237 m – ✉ 21420

🛈 Syndicat d'initiative, 13, rue Vauchey Very ✆ 03 80 26 12 56, Fax 03 80 26 12 56

Le Hameau de Barboron
– ✆ *03 80 21 58 35 – www.hameaudebarboron.com – lehameaudebarboron@wanadoo.fr – Fax 03 80 26 10 59*
12 ch – †100/160 € ††100/200 €, ⊆ 15 €
Rest *– (dîner seult) (résidents seult)* Menu 35 €, 45/62 €
♦ Au milieu d'une vaste réserve de chasse, bel ensemble de fermes fortifiées (16e s.) restaurées, où vous logerez dans des chambres personnalisées, au cachet champêtre préservé. Cuisine simple, du terroir, dans une petite salle rustique à souhait.

La Cuverie
5 r. Chanoine-Donin – ✆ *03 80 21 50 03 – Fax 03 80 21 50 03 – Fermé 20 déc.-20 janv., mardi et merc.*
Rest – Menu 17/41 € – Carte 31/48 €
♦ Mobilier bourguignon, vieilles pierres et belle collection de cafetières dans cette ancienne cuverie (18e s.) vous conviant à un repas traditionnel orienté terroir.

à Pernand-Vergelesses 7 km au Nord par D18 – 292 h. – alt. 275 m – ✉ 21420

Le Charlemagne (Laurent Peugeot)
rte des Vergelesses – ✆ *03 80 21 51 45 – www.lecharlemagne.fr*
– laurent.peugeot@wanadoo.fr – Fax 03 80 21 58 52 – Fermé 29 juil.-6 août, 29 janv.-4 mars, mardi et merc.
Rest – Menu 29 € (déj. en sem.), 45/82 € – Carte 72/82 €
Spéc. Bar en paupiettes de tapenade. Pigeon cuisiné selon la saison. Moelleux au chocolat, cœur fondant banane et fraîcheur au poivre de Sichuan. **Vins** Pernand-Vergelesses, Beaune
♦ Recettes créatives à découvrir dans un cadre moderne épuré, sur la terrasse face aux vignes de Corton Charlemagne ou... dans la cuisine (le chef y a installé des tables d'hôtes) !

BEAUNE

rte de Dijon 4 km par ① – ✉ 21200 Chorey-lès-Beaune

Ermitage de Corton
- ℰ 03 80 22 05 28 – www.ermitagecorton.com – ermitage.corton@wanadoo.fr
- Fax 03 80 24 64 51 – Fermé 25-30 déc. et 22 fév.-19 mars

6 ch – †150/230 € ††170/250 €, ⊇ 17 € – 6 suites
Rest – *(fermé merc.)* Menu (28 €), 46/75 € – Carte 68/84 € 🍷

♦ Cette imposante auberge située entre la nationale et le vignoble abrite des chambres et des suites spacieuses, pour la plupart récemment rénovées dans un style tendance. Grande salle à manger classique (plafond à caisson) et belles tables. Cuisine rythmée par les saisons.

à Aloxe-Corton 6 km par ① – 181 h. – alt. 255 m – ✉ 21420

Villa Louise sans rest
9 r. Franche – ℰ 03 80 26 46 70 – www.hotel-villa-louise.fr – hotel-villa-louise@wanadoo.fr – Fax 03 80 26 47 16 – Fermé 11 janv.-15 fév.

12 ch – †85/190 € ††85/190 €, ⊇ 15 €

♦ Belle demeure vigneronne du 17e s. et son jardin (tilleul vénérable) se perdant dans les parcelles de Corton. Chambres personnalisées, toutes non-fumeurs, et ambiance cosy au salon.

à Ladoix-Serrigny 7 km par ① et D 974 – 1 710 h. – alt. 200 m – ✉ 21550

La Buissonnière
2 impasse Villot, rte de Dijon – ℰ 03 80 26 43 58
– www.restaurant-labuissonniere.com – restaurantlabuissonniere@wanadoo.fr
– Fermé 23 déc.-7 janv., jeudi de déc. à mars, mardi et merc.

Rest – Carte 29/53 €

♦ Salle contemporaine sage sous la véranda, décor champêtre dans l'ancien cellier où trône un vieux pressoir : cette adresse sympathique vous accueille sans chichi. Petite terrasse.

Les Terrasses de Corton avec ch
38-40 rte de Beaune – ℰ 03 80 26 42 37 – www.terrasses-de-corton.com
– terrasses-de-corton@orange.com – Fax 03 80 26 42 13 – Fermé 1er-8 mars,
24-27 déc., 10 janv.-28 fév., dim. soir de nov. à mars, jeudi midi et merc.

10 ch – †45 € ††58 €, ⊇ 9 € – ½ P 55 €   **Rest** – Menu 24/45 € – Carte 27/50 €

♦ Au cœur d'un petit village de vignerons, cette auberge familiale, dotée d'une terrasse ombragée, propose une carte d'inspiration régionale assortie de vins à prix doux. À l'étage, chambres bien tenues et simples.

à Challanges 4 km par ② puis D 111 – ✉ 21200

Château de Challanges sans rest
478 r. des Templiers – ℰ 03 80 26 32 62 – www.chateaudechallanges.com
– chateau.challanges@wanadoo.fr – Fax 03 80 26 32 52 – Fermé 1er déc.-31 janv.

16 ch – †96/140 € ††96/140 €, ⊇ 14 € – 4 suites

♦ Gentilhommière de 1870 nichée dans un parc. Les chambres marient charme d'antan et confort moderne. Caveau de dégustation des vins régionaux et, en été, envols de montgolfières.

à Levernois 5 km au Sud-Est par rte de Verdun-sur-le-Doubs, D 970 et D 111^L - BZ – 269 h. – alt. 198 m – ✉ 21200

Hostellerie de Levernois
r. du Golf – ℰ 03 80 24 73 58
– www.levernois.com – levernois@relaischateaux.com – Fax 03 80 22 78 00
– Fermé 25 janv.-13 mars

25 ch – †130/265 € ††130/265 €, ⊇ 20 € – 1 suite
Rest Le Bistrot du bord de l'Eau – voir ci-après
Rest – *(fermé merc. de nov. à mars et le midi sauf dim.)* Menu 65/98 €
– Carte 76/110 € 🍷

Spéc. Risotto carnaroli au vert, cuisses de grenouilles et escargots de Bourgogne. Pièce de bœuf charolais, confit d'échalote au cassis. Soufflé chaud au marc de Bourgogne, glace au pain d'épice. **Vins** Clos de Vougeot blanc, Beaune.

♦ Au cœur d'un parc traversé par un ruisseau, cette belle gentilhommière du 19e s. et ses dépendances abritent de jolies chambres de caractère. Élégante table au goût du jour ouvrant sur le jardin à la française. Soirées à thèmes ; dégustation et vente de vins.

BEAUNE

Golf Hôtel Colvert sans rest
23 r. du Golf – ℰ 03 80 24 78 20 – www.colvert-golf-hotel.com – hotelcolvert@wanadoo.fr – Fax 03 80 24 77 70
24 ch – †70/90 € ††75/120 €, ⊇ 12 €
♦ Construction moderne ouverte sur le golf. Carte du vignoble bourguignon au mur et balcon côté green agrémentent les chambres fonctionnelles. Cheminée au salon.

Le Parc sans rest
13 r. du Golf – ℰ 03 80 24 63 00 – www.hotelleparc.fr – leparc@levernois.com – Fax 03 80 24 21 19 – Fermé 24 janv.-28 fév.
17 ch – †55/70 € ††55/70 €, ⊇ 8 €
♦ Une cour fleurie et un joli parc donnant sur la campagne font de cette ancienne ferme (18e s.) une étape propice au ressourcement. Douillettes chambres classiquement aménagées.

Le Bistrot du Bord de l'Eau – Hostellerie de Levernois
r. du Golf – ℰ 03 80 24 89 58 – www.levernois.com – levernois@relaischateaux.com – Fax 03 80 22 78 00 – Fermé 24 janv.-13 mars, mardi, merc., jeudi et dim.
Rest – (déj. seult) Menu (25 €), 28/32 €
♦ Ce bistrot rustique met à l'honneur une appétissante cuisine revisitant le terroir. Terrasse au bord de l'eau.

La Garaudière
10 Grand'Rue – ℰ 03 80 22 47 70 – Fax 03 80 22 64 01 – Fermé 1er déc.-15 janv., sam. midi d'avril à nov., dim. de mi-janv. à fin mars et lundi
Rest – Menu 17 € (sem.), 21/32 € – Carte 30/55 €
♦ Ex-grange convertie en auberge sympathique : plats régionaux, grillades saisies à la braise de la cheminée, intérieur rustique chaleureux et restaurant d'été sous tonnelle.

à Montagny-lès-Beaune 3 km par ③ et D 113 – 660 h. – alt. 206 m – ⊠ 21200

Le Clos sans rest
22 r. Gravières – ℰ 03 80 25 97 98 – www.hotelleclos.com – hotelleclos@wanadoo.fr – Fax 03 80 25 94 70 – Fermé 22 nov.-15 janv.
24 ch – †80/200 € ††80/200 €, ⊇ 12 €
♦ Cette propriété (1779) au cachet vigneron vous héberge dans de jolies chambres enrichies de meubles d'antiquaire. Petit-déjeuner dans une salle façon boulangerie et beau jardin.

Adélie sans rest
1 rte de Bligny – ℰ 03 80 22 37 74 – www.hoteladelie.com – reservation@hoteladelie.com – Fax 03 80 24 23 18
19 ch – †56 € ††65 €, ⊇ 8 €
♦ Idéal pour une étape sur la route des vacances, car proche de l'autoroute mais sans en subir les nuisances. Petites chambres très bien tenues, dotées de meubles en pin.

à Meursault 8 km par ④ – 1 563 h. – alt. 243 m – ⊠ 21190
🛈 Office de tourisme, place de l'Hôtel de Ville ℰ 03 80 21 25 90, Fax 03 80 21 61 62

Les Charmes sans rest
10 pl. du Murger – ℰ 03 80 21 63 53 – www.hotellescharmes.com – contact@hotellescharmes.com – Fax 03 80 21 62 89
14 ch – †85/100 € ††95/115 €, ⊇ 10 €
♦ Ex-propriété de viticulteur du 18e s. abritant des chambres non-fumeurs, spacieuses et garnies de meubles anciens, ou contemporaines et colorées. Joli jardin arboré.

Le Relais de la Diligence
49 r. de la Gare, 2,5 km au Sud-Est par D 23 – ℰ 03 80 21 21 32 – www.relaisdeladiligence.com – diligence.la@orange.fr – Fax 03 80 21 64 69 – Fermé 18 déc.-25 janv., mardi soir et merc.
Rest – Menu (12 €), 18 € (sem.)/42 € – Carte 29/45 €
♦ Ancien relais de diligences en pierres du pays, proche de la gare. Deux salles sont largement ouvertes sur les vignes, au même titre que la terrasse. Choix traditionnel.

BEAUNE

Le Chevreuil avec ch
pl. de l'Hôtel-de-Ville – ℰ 03 80 21 23 25 – www.lechevreuil.fr – reception@lechevreuil.fr – Fax 03 80 21 65 51 – Fermé fév., jeudi midi, dim. soir et merc.
14 ch – †50 € ††58 €, ⊇ 8 €   **Rest** – Menu 19/58 € – Carte 44/55 €
◆ Cette auberge rénovée a conservé tout son attrait. Parmi ses goûteuses recettes figure l'incontournable terrine chaude, spécialité de la maison. Beau livre de cave. Chambres simples et rustiques.

Le Bouchon
1 pl. de l'Hôtel-de-Ville – ℰ 03 80 21 29 56 – www.restaurant-le-bouchon.com – aubouchon@orange.fr – Fax 03 80 21 29 56 – Fermé 22 nov.-5 janv. 23 fév.-9 mars, sam. midi, dim. soir et lundi
Rest – Menu 16 € (sem.)/28 € – Carte 30/45 €
◆ Proche de l'hôtel de ville aux tuiles vernissées, petit bistrot à l'esprit bouchon. Menus traditionnels et plats du terroir préparés dans la cuisine visible depuis la salle.

à Puligny-Montrachet 12 km par ④ et D 974 – 426 h. – alt. 227 m – ⊠ 21190

Le Montrachet
10 place des Marronniers – ℰ 03 80 21 30 06 – www.le-montrachet.com – info@le-montrachet.com – Fax 03 80 21 39 06 – Fermé 29 nov.-8 janv.
30 ch – †120/140 € ††120/140 €, ⊇ 15 € – ½ P 135/138 €
Rest – Menu 30 € (déj.), 58/78 € – Carte 63/85 €
◆ Jolie maison de village (1824) et ses ex-écuries abritant de confortables chambres et suites, rustiques ou actuelles. Salle à manger cossue, réaménagée dans la grange, et terrasse côté jardin, pour déguster une cuisine au goût du jour ; belle sélection de bourgognes.

La Maison d'Olivier Leflaive
10 pl. du Monument – ℰ 03 80 21 95 27 – www.maison-olivierleflaive.com – maison@olivier-leflaive.com – Fax 03 80 20 86 16 – Fermé 31 déc.-30 janv.
13 ch – †150/180 € ††150/180 €, ⊇ 10 €
Rest – (fermé dim.) Menu 25/50 € bc
◆ Cette maison située au cœur du village propose des chambres de charme, décorées dans différents styles : baroque, campagnard, pop, romantique, rétro... Petite restauration pour accompagner la dégustation des vins (visite des caves et vignes).

La Chouette sans rest
3 bis r. des Creux de Chagny – ℰ 03 80 21 95 60 – www.la-chouette.fr – info@la-chouette.fr – Fax 03 80 21 95 61 – Fermé 19 déc.-3 janv.
6 ch ⊇ – †125/135 € ††140/150 €
◆ De grandes chambres personnalisées et cosy vous attendent dans cette paisible maison bourguignonne. Confortable salon classico-moderne avec cheminée et jardin face aux vignes.

à Volnay par ④ et D 974 – 297 h. – alt. 290 m – ⊠ 21190

Auberge des Vignes
D 974 – ℰ 03 80 22 24 48 – www.aubergedesvignes.fr – contact@aubergedesvignes.fr – Fax 03 80 22 24 48 – Fermé 1er-8 juil., 8-22 fév., merc. soir, dim. soir et lundi sauf fériés
Rest – Menu 16 € (déj. en sem.), 19/40 € – Carte 29/54 €
◆ Ancienne ferme où mets traditionnels et suaves volnays se dégustent dans un cadre rustique. Flambées réconfortantes en hiver ; véranda et terrasses tournées vers les vignes.

à Bouze-lès-Beaune 6,5 km par ⑤ et D 970 – 300 h. – alt. 400 m – ⊠ 21200

La Bouzerotte
– ℰ 03 80 26 01 37 – www.labouzerotte.com – contact@labouzerotte.com – Fax 03 80 26 09 37 – Fermé 22 déc.-8 janv., 22 fév.-2 mars, lundi et mardi
Rest – (prévenir le week-end) Menu 18 € (déj. en sem.), 24/60 € – Carte 25/45 €
◆ Table sympathique située dans les Hautes Côtes de Beaune. Le chef propose une cuisine de saison et un menu régional dans un cadre néo-rustique ou sur la verdoyante terrasse.

Voir aussi ressource hôtelière de **Bouilland**

BEAUREPAIRE-EN-BRESSE – 71 Saône-et-Loire – 320 M9 – 515 h. – 8 D3
– alt. 147 m – ⊠ 71580

▶ Paris 383 – Châlon-sur-Saône 49 – Bourg-en-Bresse 65 – Lons-le-Saunier 13 – Tournus 45

Auberge de la Croix Blanche
– ℰ 03 85 74 13 22 – www.elphicom.com/lacroixblanche
– aubergelacroixblanche@libertysurf.fr – Fax 03 85 74 13 25 – Fermé
15-22 juin, 16 nov.-7 déc., 5-12 janv., dim. soir et lundi sauf juil.-août
14 ch – †38/43 €, ††38/49 €, ⊇ 8 € – ½ P 50/56 €
Rest – Menu (20 € bc), 15 € (sem.)/42 € – Carte 30/48 €

◆ Au bord d'un axe fréquenté, auberge repérable à la croix blanche de sa toiture et aux épis de maïs séchant sous l'appentis de sa façade. Chambres proprettes côté jardin. Table au décor bressan ; produits régionaux préparés dans un registre actuel.

> Première distinction : l'étoile ✧.
> Elle couronne les tables pour lesquelles on ferait des kilomètres !

BEAUSOLEIL – 06 Alpes-Maritimes – 341 F5 – 13 400 h. – alt. 89 m – 42 E2
– ⊠ 06240

▶ Paris 947 – Monaco 4 – Menton 11 – Monte-Carlo 2 – Nice 21
🛈 Office de tourisme, 32, boulevard de la République ℰ 04 93 78 01 55, Fax 04 93 78 85 85

Voir plan de Monaco (Principauté de).

Olympia sans rest
17 bis bd Gén.-Leclerc – ℰ 04 93 78 12 70 – www.olympiahotel.fr
– olympiahotel@hotmail.com – Fax 04 93 41 85 04   DX t
31 ch – †85/120 €, ††85/160 €, ⊇ 10 € – 1 suite

◆ Sur la frontière franco-monégasque, belle façade en pierres de taille égayée de balcons et d'une corniche ouvragés. Chambres sobres, insonorisées et de bon goût.

BEAUVAIS ℗ – 60 Oise – 305 D4 – 55 100 h. – Agglo. 100 733 h. – 36 B2
– alt. 67 m – ⊠ 60000 Nord Pas-de-Calais Picardie

▶ Paris 87 – Amiens 63 – Boulogne-sur-Mer 182 – Compiègne 60 – Rouen 82
✈ de Beauvais-Tillé ℰ 03 44 11 46 70, 3,5 km au NE
🛈 Office de tourisme, 1, rue Beauregard ℰ 03 44 15 30 30, Fax 03 44 15 30 31
⛳ du Vivier à Ons-en-Bray RN 31, par rte de Gournay-en-Bray : 15 km, ℰ 03 44 84 24 11
◉ Cathédrale St-Pierre ★★★ : horloge astronomique★ - Église St-Étienne★ : vitraux★★ et arbre de Jessé★★★ - Musée départemental de l'Oise★ dans l'ancien palais épiscopal M².

Plan page suivante

Hostellerie St-Vincent
3 km par ③ (Espace St-Germain), 241 r. de Clermont – ℰ 03 44 05 49 99
– www.stvincent-beauvais.com – h.st.vincent@wanadoo.fr – Fax 03 44 05 52 94
79 ch – †69 € ††69 €, ⊇ 10 € – 1 suite – ½ P 55 €
Rest – Menu (13 €), 18/32 € – Carte 27/44 €

◆ Près d'axes routiers et de la bretelle de l'autoroute, bâtiment récent offrant des chambres rajeunies, fonctionnelles et insonorisées. Accès Internet à disposition. Salle à manger spacieuse et claire ; menus traditionnels complétés de suggestions sur ardoise.

XX La Maison Haute
128 r. de Paris, (quartier Voisinlieu), 1,5 km par ④ – ℰ 03 44 02 61 60
– www.lamaisonhaute.fr – Fax 03 44 02 15 36
– Fermé 28 avril-2 mai, 21 juil.-17 août, 24 déc.-4 janv., sam. midi, dim. et lundi
Rest – Menu (30 €), 35/39 €

◆ Dans un quartier résidentiel, restaurant dont le cadre contemporain (tons clairs et boiseries sombres) s'accorde tout à fait à la cuisine dans l'air du temps. Accueil aimable.

BEAUVAIS

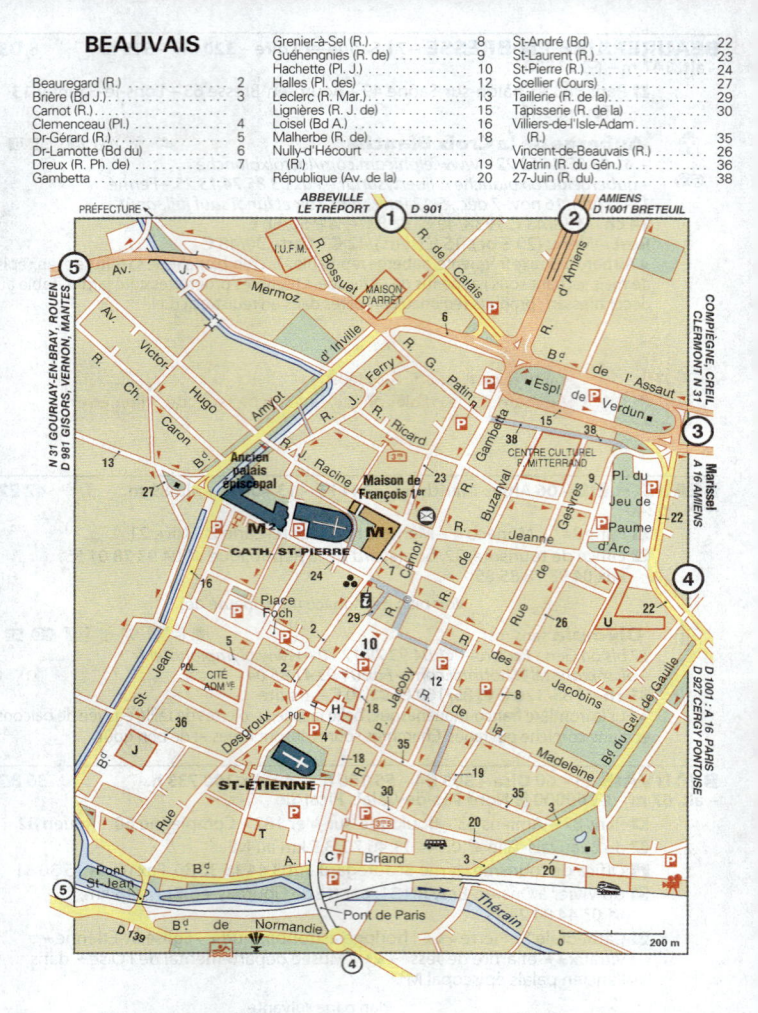

Beauregard (R.)	2
Brière (Bd J.)	3
Carnot (R.)	
Clemenceau (Pl.)	4
Dr-Gérard (R.)	5
Dr-Lamotte (Bd du)	6
Dreux (R. Ph. de)	7
Gambetta	
Grenier-à-Sel (R.)	8
Guéhengnies (R. de)	9
Hachette (Pl. J.)	10
Halles (Pl. des)	12
Leclerc (R. Mar.)	13
Lignières (R. J. de)	15
Loisel (Bd A.)	16
Malherbe (R. de)	18
Nully-d'Hécourt (R.)	19
République (Av. de la)	20
St-André (Bd)	22
St-Laurent (R.)	23
St-Pierre (R.)	24
Scellier (Cours)	27
Taillerie (R. de la)	29
Tapisserie (R. de la)	30
Villiers-de-l'Isle-Adam (R.)	35
Vincent-de-Beauvais (R.)	26
Watrin (R. du Gén.)	36
27-Juin (R. du)	38

✕ **La Baie d'Halong**   AC ✼ VISA ⦾

*32 r. de Clermont, 1 km par ③ – ℰ 03 44 45 39 83 – ta.hoang@wanadoo.fr
– Fermé 20 avril -4 mai, 14 juil.-15 août, 21 déc.-2 janv., merc. midi, sam., dim. et lundi*
Rest – Menu 23/31 €

◆ Le chef prépare une cuisine exclusivement vietnamienne alliant bons produits frais et savant dosage des épices. À apprécier sur fond de tableaux représentant la baie d'Halong.

par ④ 5 km, D 1001 (direction Paris) – ✉ 60000 Beauvais

🏨 **Mercure**   🍴 ⛱ ⚒ ch, AC rest, ↔ 🕪 SÁ P VISA ⦾ AE ①

*21 av. Montaigne – ℰ 03 44 02 80 80 – mercure;com – h0350@accor.com
– Fax 03 44 02 12 50*
60 ch – ♦105 € ♦♦115 €, ⚏ 14 €   **Rest** – Menu 25 € – Carte 25/40 €

◆ Construction des années 1970 hébergeant des chambres de bonne ampleur, rénovées et dotées d'une insonorisation efficace. Salle à manger agrémentée d'une cheminée, terrasse dressée l'été au bord de la piscine et attrayante carte traditionnelle.

BEAUVAIS

Le Bellevue 〤〤

3 av. Rhin-et-Danube – ℰ *03 44 02 17 11* – *www.restaurantbellevue.com*
– *restaurantbellevue@wanadoo.fr* – *Fax 03 44 02 54 44* – *Fermé 7-24 août, sam. et dim.*
Rest – Carte 38/60 €
♦ En périphérie, au cœur d'une zone commerciale, sobre restaurant contemporain égayé d'expositions de tableaux. Cuisine classique assortie de suggestions du marché.

BEAUVOIR-SUR-MER – 85 Vendée – 316 D6 – 3 399 h. – alt. 8 m 34 A3
– ⊠ 85230 ▌Poitou Vendée Charentes

▶ Paris 443 – Challans 15 – Nantes 59 – Noirmoutier-en-l'Île 22 – La Roche-sur-Yon 59
🛈 Office de tourisme, rue Charles Gallet ℰ 02 51 68 71 13, Fax 02 51 49 05 04

Le Relais des Touristes sans rest

rte de Gois – ℰ *02 51 68 70 19* – *www.lerelaisdestouristes.com*
– *relaisdestouristes@free.fr* – *Fax 02 51 49 33 45* – *Fermé 16 fév.-4 mars*
39 ch – ♦59/68 € ♦♦65/75 €, ⊇ 8 €
♦ Outre des chambres pratiques, sobres et bien tenues, cet hôtel propose une belle piscine intérieure et une nouvelle salle des petits-déjeuners.

BEAUVOIS-EN-CAMBRÉSIS – 59 Nord – 302 I7 – 2 093 h. 31 C3
– alt. 89 m – ⊠ 59157

▶ Paris 190 – St-Quentin 40 – Arras 48 – Cambrai 12 – Valenciennes 37

La Buissonnière 〤〤

92 r Victor Watiemez – ℰ *03 27 85 29 97* – *www.la-buissonniere.fr.st*
– *labuissonniere@aol.com* – *Fax 03 27 76 25 74* – *Fermé août, dim. soir, merc. soir et lundi*
Rest – Menu (17 €), 21 € (sem.)/35 € – Carte 30/50 €
♦ Aux portes du bourg, restaurant dont la cuisine traditionnelle s'enrichit des opportunités du marché. Deux salles dont une rustique soignée et récemment rafraîchie ouvrant sur la terrasse.

BEAUZAC – 43 Haute-Loire – 331 G2 – 2 557 h. – alt. 565 m – ⊠ 43590 6 C3
▌Lyon et la vallée du Rhône

▶ Paris 556 – Craponne-sur-Arzon 31 – Le Puy-en-Velay 45 – St-Étienne 44
🛈 Office de tourisme, place de l'Église ℰ 04 71 61 50 74, Fax 04 71 61 50 62

L'Air du Temps avec ch 〤〤

à Confolent, 4 km à l'Est par D 461 – ℰ *04 71 61 49 05* – *www.airdutemps.fr.st*
– *airdutemps.hotel@wanadoo.fr* – *Fax 04 71 61 50 91* – *Fermé janv., dim. soir et lundi*
8 ch – ♦47/52 € ♦♦47/52 €, ⊇ 8 € – ½ P 46 €
Rest – Menu 16 € (déj. en sem.), 21/53 € – Carte 30/65 €
♦ Dans cette maison de pays : salle à manger lumineuse et actuelle agrandie d'une belle véranda, carte régionale créative et variée ; chambres confortables et bien équipées.

à Bransac 3 km au Sud par D 42 – ⊠ 43590

La Table du Barret avec ch 〤〤

– ℰ *04 71 61 47 74* – *www.latabledubarret.com* – *info@latabledubarret.com*
– *Fax 04 71 61 52 73* – *Fermé 3-10 sept., 12-19 nov., 1ᵉʳ janv.-5 fév., dim. soir, mardi et merc.*
8 ch – ♦55 € ♦♦60 €, ⊇ 10 €
Rest – Menu (19 €), 29/90 € bc – Carte 40/65 €
♦ Dans un paisible hameau proche de la Loire, sobre salle de restaurant contemporaine où l'on sert une appétissante cuisine au goût du jour. Chambres confortables.

BEBLENHEIM – 68 Haut-Rhin – **315** H8 – 954 h. – alt. 212 m   2 **C2**
– ✉ 68980 ▍ **Alsace Lorraine**

▶ Paris 444 – Colmar 11 – Gérardmer 55 – Ribeauvillé 5 – St-Dié 48
– Sélestat 19

✕ Auberge Le Bouc Bleu   VISA ◉
2 r. 5-Décembre – ✆ 03 89 47 88 21 – Fax 03 89 86 01 04 – *Fermé merc. et jeudi*
Rest – *(nombre de couverts limité, prévenir)* Menu (26 €) – Carte 33/40 €
◆ Livres, vieux objets, collection de menus anciens, etc. donnent un air de brocante à ce sympathique restaurant rustique. Cour-terrasse pavée et cuisine du marché.

> Les bonnes adresses à petit prix ?
> Suivez les Bibs : Bib Gourmand rouge ◉ pour les tables
> et Bib Hôtel bleu 🛏 pour les chambres.

LE BEC-HELLOUIN – 27 Eure – **304** E6 – 414 h. – alt. 101 m   33 **C2**
– ✉ 27800 ▍ **Normandie Vallée de la Seine**

▶ Paris 153 – Bernay 22 – Évreux 46 – Lisieux 46 – Pont-Audemer 23
– Rouen 41

◉ Abbaye ★★.

🏠 Auberge de l'Abbaye   ch, ⇔ ✿ P VISA ◉ AE ①
12 pl. Guillaume-le-Conquérant – ✆ 02 32 44 86 02
– www.auberge-abbaye-bec-hellouin.com – catherine-fabrice.c@wanadoo.fr
– Fax 02 32 46 32 23 – *Fermé 30 nov.-1er fév., merc. d'oct. à mars et mardi*
8 ch – †70 € ††80 €, ⊇ 10 € – 1 suite – ½ P 78 €
Rest – Menu 22/30 € – Carte 29/42 €
◆ Accueillant les voyageurs depuis le 18e s., cette pimpante demeure à pans de bois abrite des chambres rénovées, joliment personnalisées. Cuisine traditionnelle, enrichie de produits du terroir, servie dans des salles à manger campagnardes.

✕ Le Canterbury   VISA ◉
◉ 3 r. de Canterbury – ✆ 02 32 44 14 59 – Fax 02 32 44 14 59 – *Fermé dim. soir, mardi soir et merc.*
Rest – Menu 19 € (sem.)/44 € – Carte 35/45 €
◆ Derrière sa façade à colombages tapissée de vigne vierge, cette table traditionnelle révèle un cadre actuel, en tons pastel. Aux beaux jours, profitez de la terrasse verdoyante.

BÉDARIEUX – 34 Hérault – **339** D7 – 6 518 h. – alt. 196 m – ✉ 34600   22 **B2**

▶ Paris 723 – Béziers 34 – Lodève 29 – Montpellier 70

ℹ Office de tourisme, 1, rue de la République ✆ 04 67 95 08 79,
Fax 04 67 95 39 69

✕✕ La Forge   & P VISA ◉
◉ 22 av. Abbé-Tarroux, (face à l'Office de Tourisme) – ✆ 04 67 95 13 13
– Fax 04 67 95 10 81 – *Fermé 16-30 nov., 4-25 janv., dim. soir, merc. soir sauf juil.-août et lundi*
Rest – Menu 16/36 € – Carte 43/57 €
◆ Ces voûtes du 17e s. abritaient jadis une forge et une écurie. Architecture intérieure singulière, cheminée monumentale et terrasse fleurie ombragée. Cuisine traditionnelle.

à Hérépian 6 km au Sud-Est par D 908 – 1 368 h. – alt. 191 m – ✉ 34600

ℹ Office de tourisme, espace Campanaire Malraux ✆ 04 67 23 23 96

🏨 Le Couvent d'Hérépian *sans rest*   🛜 ◉ 📶 P VISA ◉
2 r. du Couvent – ✆ 04 67 23 36 30 – www.couventherepian.com – contact@couventherepian.com – Fax 04 67 23 36 48
7 ch – †110/200 € ††110/200 €, ⊇ 10 € – 6 suites
◆ Couvent du 17e s. réaménagé en une demeure de caractère aux prestations haut de gamme. Chambres douillettes, épurées et très bien équipées. Espaces de détente ; bar à vins raffiné.

BÉDARIEUX

à Villemagne-l'Argentière 8 km à l'Ouest par D 908 et D 922 – 429 h. – alt. 193 m
– ⌂ 34600

🍴   **Auberge de l'Abbaye** avec ch   🛏 ch, VISA ⓜ AE ①
😊   *pl. du couvent* – ℰ 04 67 95 34 84 – www.aubergeabbaye.fr – auberge.abbaye@
   free.fr – Fax 04 67 95 34 84 – Fermé 15 nov.-13 fév., merc. midi de nov. à mars,
   mardi sauf le soir en saison et lundi
   3 ch ⌂ – †100 € ††130 €   **Rest** – Menu (15 € bc), 27/58 € – Carte 20/55 €
   ♦ Ambiance monacale mais non ascétique dans la salle à manger voûtée de cet ancien
   bâtiment conventuel. Recettes mariant terroir, épices et saveurs salées-sucrées. Nouvelles
   chambres thématiques.

BÉDOIN – 84 Vaucluse – **332 E9** – 2 942 h. – alt. 295 m – ⌂ 84410   **42 E1**
▌Provence

▸ Paris 692 – Avignon 43 – Carpentras 16 – Nyons 36 – Sault 35
   – Vaison-la-Romaine 21

▸ Office de tourisme, Espace Marie-Louis Gravier ℰ 04 90 65 63 95,
   Fax 04 90 12 81 55

◉ Le Paty ≤★ NO : 4,5 km.

🏨   **Des Pins** ⌂   🛏 🛏 ⛱ & ch, AC rest, ⌂ ❄ rest, "ⓟ" P VISA ⓜ AE ①
   ch. des Crans, 1 km à l'Est par rte secondaire – ℰ 04 90 65 92 92
   – www.hoteldespins.net – hoteldespins@wanadoo.fr – Fax 04 90 65 60 66
   25 ch – †60/105 € ††60/105 €, ⌂ 10 € – ½ P 63/85 €
   Rest – *(ouvert de mi-mars à oct. et fermé le midi en sem.)* Menu 27/40 €
   – Carte 31/48 €
   ♦ Au milieu d'une pinède, cette charmante maison provençale avec pièce d'eau et piscine
   propose des chambres personnalisées, en partie dotées d'une terrasse en rez-de-jardin.
   Dans une ambiance rustique ou en plein air, on déguste des plats composés au gré du
   marché.

à Ste-Colombe 4 km à l'Est par rte du Mont-Ventoux – ⌂ 84410

🏨   **La Garance** sans rest   ≤ ⛱ ⌂ "ⓟ" P VISA ⓜ
   Ste-Colombe – ℰ 04 90 12 81 00 – www.lagarance.fr – info@lagarance.fr
   – Ouvert 3 avril-31 oct.
   13 ch – †52/77 € ††52/77 €, ⌂ 8 €
   ♦ Le Ventoux pour toile de fond, un hameau entre vignes et vergers pour décor...
   Cette ancienne ferme, simple mais bien tenue, est prisée des randonneurs. Chambres avec
   terrasse.

rte du Mont-Ventoux 6 km à l'Est – ⌂ 84410 Bédoin

🍴🍴   **Le Mas des Vignes**   ≤ 🛏 P
   au virage de St-Estève – ℰ 04 90 65 63 91 – lemasdesvignes@aol.com
   – Ouvert avril-nov. et fermé mardi midi et lundi sauf juil.-août et le midi
   en juil.-août sauf dim. et fériés
   Rest – Menu 35/50 € – Carte 35/45 €
   ♦ Un cadre bucolique (jardin fleuri, rocaille, petit potager) entoure ce ravissant mas et
   sa terrasse panoramique. Beaux produits au service d'une cuisine régionale. Bon accueil.

BÈGLES – 33 Gironde – **335 H5** – rattaché à Bordeaux

BEG-MEIL – 29 Finistère – **308 H7** – ⌂ 29170 ▌Bretagne   **9 B2**
▸ Paris 560 – Concarneau 16 – Pont-l'Abbé 23 – Quimper 20 – Quimperlé 44
◉ Site★.

🏨   **Thalamot** ⌂   🛏 🛏 ⌂ ❄ rest, "ⓟ" ⛱ VISA ⓜ AE
   4-6 Le Chemin Creux – ℰ 02 98 94 97 38 – www.hotel-thalamot.com – resa@
   hotel-thalamot.com – Fax 02 98 94 49 92 – Ouvert 10 avril-30 sept.
   30 ch – †58/75 € ††59/77 €, ⌂ 9 € – ½ P 59/78 €
   Rest – Menu (17 €), 24/48 € – Carte 27/75 €
   ♦ Dans un quartier calme proche des plages, petites chambres simples et actuelles.
   Collection de tableaux du début du 20e s. représentant des scènes bretonnes. Repas aux
   saveurs iodées servis dans un restaurant ouvert sur un jardin-terrasse arboré.

LA BÉGUDE-DE-MAZENC – 26 Drôme – 332 C6 – 1 421 h. – alt. 215 m – ⌧ 26160
44 B3

Paris 621 – Lyon 160 – Montélimar 16 – Valence 56

Office de tourisme, avenue du Président Loubet ℘ 04 75 46 24 42, Fax 04 75 46 24 42

Le Jabron
5 av. Mme-de-Sévigné – ℘ 04 75 46 28 85 – www.lejabron.fr – hotel-lejabron@wanadoo.fr – Fax 04 75 46 24 31
12 ch – †58 € ††58 €, ⊇ 7 € – ½ P 58 €
Rest – Menu 12 € (déj. en sem.), 19/36 € – Carte 25/48 €
◆ Dans le village, petit hôtel toujours aussi soigné après ses récentes rénovations. Les chambres, gaies et colorées, bénéficient du double vitrage. Espace pour séminaires. Cuisine classique à déguster en terrasse ou en salle.

BÉHEN – 80 Somme – 301 D7 – 435 h. – alt. 105 m – ⌧ 80870
36 A1

Paris 195 – Amiens 77 – Abbeville 19 – Berck 59 – Eu 30

Château de Béhen
8 r. du Château – ℘ 03 22 31 58 30 – www.chateau-de-behen.com – info@cuvelier.com – Fax 03 22 31 58 39
7 ch ⊇ – †105/147 € ††115/157 €   **Table d'hôte** – Menu 41 € bc/51 € bc
◆ Vivez la vie de château le temps d'un séjour dans ce bel édifice du 18e s. au cœur d'un parc. Mobilier ancien ou de style dans le salon et les chambres (mansardées au 2e étage). Recettes traditionnelles servies dans la salle à manger classique au mobilier rustique.

BELCAIRE – 11 Aude – 344 C6 – 405 h. – alt. 1 002 m – ⌧ 11340
22 A3

Paris 810 – Ax-les-Thermes 26 – Carcassonne 81 – Foix 54 – Quillan 29

Office de tourisme, 22, avenue d'Ax les Thermes ℘ 04 68 20 75 89, Fax 04 68 20 79 13

Forêts★★ de la Plaine et Comus NO.

Belvédère du Pas de l'Ours★★ E : 13 km puis 15 mn, **Languedoc Roussillon**

Bayle avec ch
38 av. des Thermes – ℘ 04 68 20 31 05 – hotel-bayle.com – hotel-bayle@wanadoo.fr – Fax 04 68 20 35 24 – Fermé 12 nov.-5 déc.
12 ch – †25/41 € ††25/41 €, ⊇ 6 €   **Rest** – Carte 23/41 €
◆ Restaurant familial au cœur d'un village du pays cathare. Salle à manger rustique prolongée d'une terrasse face à la campagne. Plats inspirés du terroir. Chambres bien tenues.

BELCASTEL – 12 Aveyron – 338 G4 – 242 h. – alt. 406 m – ⌧ 12390
29 C1
Midi-Pyrénées

Paris 623 – Decazeville 28 – Rodez 25 – Villefranche-de-Rouergue 36

Syndicat d'initiative, Maison du Patrimoine ℘ 05 65 64 46 11, Fax 05 65 64 46 11

Vieux Pont (Nicole Fagegaltier et Bruno Rouquier) avec ch
– ℘ 05 65 64 52 29 – www.hotelbelcastel.com – hotel-du-vieux-pont@wanadoo.fr – Fax 05 65 64 44 32
– Fermé 2 janv.-15 mars, 29 juin-4 juil., dim. soir sauf juil.-août, mardi midi et lundi
7 ch – †82 € ††97 €, ⊇ 13 € – ½ P 100/105 €
Rest – (nombre de couverts limité, prévenir) Menu 28 € (déj. en sem.), 45/85 € – Carte 52/70 €
Spéc. Ris d'agneau "allaiton". Pigeon du Mont Royal croûté de cèpes secs et d'ail. Millefeuille de nougatine. **Vins** Marcillac, Vin d'Entraygues et du Fel.
◆ Un vieux pont de pierre du 15e s. sépare ces deux maisons de pays. Belle cuisine régionale actualisée servie dans un cadre moderne élégant. Chambres calmes et cosy dans l'ex-grange, de l'autre côté de la rivière, au bord de laquelle on petit-déjeune en été.

BELFORT P – 90 Territoire de Belfort – **315** F11 – 50 700 h. – **Agglo. 104 962 h. – alt. 360 m –** ⊠ **90000** ▮ **Franche-Comté Jura**   17 **C1**

- Paris 422 – Basel 78 – Besançon 93 – Épinal 95 – Mulhouse 41
- Office de tourisme, 2 bis, rue Clemenceau ℘ 03 84 55 90 90, Fax 03 84 55 90 70
- de Rougemont-le-Château à Rougemont-le-Château Route de Masevaux, NE : 16 km par D 83 et D 25, ℘ 03 84 23 74 74
- Le Lion★★ - Le camp retranché★★ - ✻★★ de la terrasse du fort - Vieille ville★ : porte de Brisach★ - Orgues★ de la cathédrale St-Christophe **Y** B - Fresque★ (parking rue de l'As-de-Carreau **Z** 6) - Cabinet d'un amateur★ : Donation Maurice Jardot **M¹**.

Plan page suivante

Novotel Atria
av. Espérance, (au centre des Congrès) – ℘ 03 84 58 85 00 – www.accorhotels.com – h1742@accor.com – Fax 03 84 58 85 01 **Y u**
79 ch – ♦129/166 € ♦♦129/166 €, ⌧ 15 €
Rest – Menu 22/39 € – Carte 25/50 €
♦ Élégante architecture futuriste pour cet hôtel intégré à un centre de congrès. Confortables chambres refaites aux normes de la chaîne ; certaines regardent les fortifications. Formule Novotel Café dans un cadre contemporain.

Boréal sans rest
2 r. Comte-de-la-Suze – ℘ 03 84 22 32 32 – www.hotelboreal.com – info@hotelboreal.com – Fax 03 84 28 15 01 – Fermé 18 déc.-3 janv. **Z r**
52 ch – ♦100 € ♦♦105 €, ⌧ 11 € – 2 suites
♦ Dans une rue calme des quartiers de la rive droite, un hôtel apprécié pour le confort de ses chambres – les plus récentes en particulier – et la prévenance de son personnel.

Grand Hôtel du Tonneau d'Or
1 r. Reiset – ℘ 03 84 58 57 56 – www.tonneaudor.fr – tonneaudor@tonneaudor.fr – Fax 03 84 58 57 50 **Y e**
52 ch – ♦80/149 € ♦♦86/149 €, ⌧ 12 €
Rest – *(fermé août, sam. et dim.)* Menu (18 € bc), 22/36 € – Carte 34/53 €
♦ Superbe façade, impressionnant hall au cadre Belle Époque préservé et chambres spacieuses garnies d'un mobilier pratique caractérisent cet immeuble de 1907. Le restaurant offre un séduisant décor inspiré des brasseries parisiennes du début du 20e s.

Les Capucins
20 fg Montbéliard – ℘ 03 84 28 04 60 – www.capucins-hotel.com – hotel-des-capucins@wanadoo.fr – Fax 03 84 55 00 92 **Z n**
35 ch – ♦55/58 € ♦♦62/65 €, ⌧ 8 € – ½ P 69/72 €
Rest – *(fermé 27 juil.-18 août, 23 déc.-5 janv., sam. midi et dim.)* Menu 15/42 € – Carte 23/48 €
♦ Ses petites chambres accueillantes, égayées de boutis et de couleurs vives, font de cet hôtel une étape plaisante ; celles du dernier étage sont mansardées. Carte traditionnelle servie dans deux salles à manger au cadre un brin rustique.

Vauban sans rest
4 r. Magasin – ℘ 03 84 21 59 37 – www.hotel-vauban.com – hotel.vauban@wanadoo.fr – Fax 03 84 21 41 67 – Fermé vacances de Noël, vacances de fév. et dim. soir **Y h**
14 ch – ♦70 € ♦♦81 €, ⌧ 8,50 €
♦ Charme discret d'une maison familiale où les chambres, aménagées comme pour recevoir des amis, sont ornées d'œuvres d'artistes locaux. Joli jardin au bord de la Savoureuse.

XX Le Pot au Feu
27 bis Grand'rue – ℘ 03 84 28 57 84 – mf.lunois@wanadoo.fr – Fax 03 84 58 17 65 – Fermé 1er-20 août, 1er-12 janv., sam. midi, lundi midi et dim. **Y s**
Rest – Menu (14 €), 29 € bc (déj. en sem.) – Carte 34/60 €
♦ Dans ce bistrot (une jolie cave aux pierres apparentes), la chef fait revivre les plats de son enfance, aux côtés de recettes régionales et d'une ardoise inspirée du marché.

BELFORT

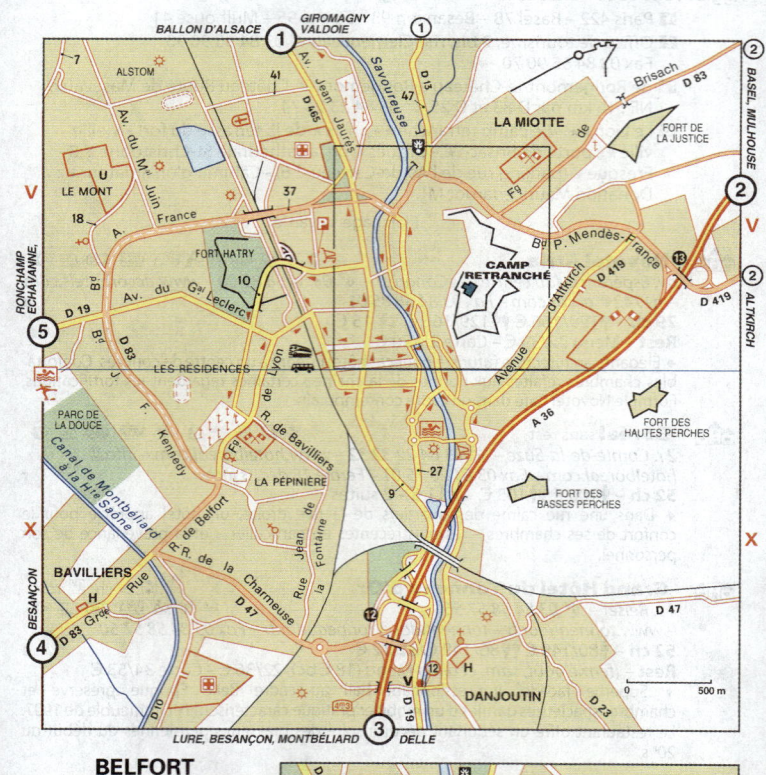

Ancêtres (Fg des)	Y	3
Armes (Pl. d')	Y	5
As-de-Carreau (R. de l')	Z	6
Auxelles (Via d')	Y	7
Besançon (R. de)	X	9
Boulloche (Pt A.)	V	10
Bourgeois (Pl. des)	Y	12
Carnot (Bd)	V	15
Château-d'Eau (Av. du)	V	18
Clemenceau (R. G.)	Y	20
Denfert-Rochereau (R.)	Z	21
Dr-Corbis (Pl. du)	Z	23
Dr-Fréry (R. du)	Y	24
Dreyfus-Schmidt (R.)	Y	25
Dunant (Bd H.)	X	27
Espérance (Av. de l')	Y	28
Foch (Av. Mar.)	Z	29
France (Fg de)	Y	30
Gaulard (R. du Gén.)	Z	31
Grande-Fontaine (Pl. de la)	Z	32
Grande-Fontaine (R.)	Z	33
Grand'Rue	Y	34
Joffre (Bd du Mar.)	VY	37
Lebleu (R. F.)	Y	40
Lille (R. de)	Y	41
Magasin (Q. du)	Y	43
Metz-Juteau (R.)	Y	45
Moulin (Av. J.)	X	47
Mulhouse (R. de)	Y	46
Pompidou (R. G.)	Y	48
République (Pl. de la)	Y	49
République (R. de la)	Y	50
Roussel (R. du Gén.)	Y	51
Sarrail (Av. du Gén.)	Z	52
Vauban (Q.)	Y	60

292

BELFORT

à Danjoutin 3 km au Sud – 3 558 h. – alt. 354 m – ⊠ 90400

XXX **Le Pot d'Étain**
4 av. de la République – ✆ 03 84 28 31 95 – www.lepotdetain90.fr – contact@lepotdetain90.fr – Fax 03 84 21 70 15 – Fermé 28 juin-12 juil., 1er-9 nov., 22 fév.-2 mars, sam. midi, dim. soir et lundi

X v

Rest – Menu 30 € (déj. en sem.), 49/80 € – Carte 55/90 €
♦ Cette maison est portée par une nouvelle équipe et un nouveau chef qui propose une cuisine convaincante. Table d'hôtes dans la première salle, décor bourgeois dans la seconde.

BELGENTIER – 83 Var – 340 L6 – 2 180 h. – alt. 152 m – ⊠ 83210   41 C3
🚊 Paris 826 – Draguignan 71 – Marseille 62 – Toulon 23

XX **Le Moulin du Gapeau**
pl. Granet – ✆ 04 94 48 98 68 – www.moulin-du-gapeau.fr – moulin-du-gapeau@wanadoo.fr – Fax 04 94 28 11 45 – Fermé 15-30 mars, 15-30 nov., lundi midi en juil.-août, dim. soir, jeudi soir sauf juilllet-août et merc.
Rest – Menu 31/85 € – Carte 60/77 €
♦ Aménagé dans un moulin à huile du 17e s., ce restaurant a conservé de vieilles meules pour le décor de sa salle. Carte inspirée par la Méditerranée. Patio-terrasse actuel.

BELLEAU – 54 Meurthe-et-Moselle – 307 I6 – 721 h. – alt. 172 m   26 B2
– ⊠ 54610
🚊 Paris 340 – Metz 47 – Nancy 25 – Vandœuvre-lès-Nancy 35

⌂ **Château de Morey**
19 r. Saint-Pierre, à Morey, sur D 44 A – ✆ 03 83 31 50 98 – www.chateaudemorey.com – chateaudemorey@wanadoo.fr
5 ch ⌑ – †55/65 € ††65/75 € – ½ P 75/85 €
Table d'hôte – Menu 20 € bc/25 € bc
♦ Dans un parc dominant la vallée, château du 16e s. dont les grandes chambres (avec salon) sont appréciées des familles. Décor simple et rustique. Piscine, VTT, salle de jeux... Table d'hôte sur réservation.

BELLE-ÉGLISE – 60 Oise – 305 E5 – 568 h. – alt. 69 m – ⊠ 60540   36 B3
🚊 Paris 53 – Beauvais 32 – Compiègne 64 – Pontoise 29

XXX **La Grange de Belle-Église** (Marc Duval)
☸ 28 bd René-Aimé-Lagabrielle – ✆ 03 44 08 49 00 – www.lagrangedebelleeglise.fr
– Fax 03 44 08 45 97 – Fermé 4-26 août, 16 fév.-3 mars, dim. soir, mardi midi et lundi
Rest – Menu (28 €), 60/85 € – Carte 87/132 €
Spéc. Fraîcheur de homard bleu en salade au safran (mai à sept.). Noisettes de chevreuil sauce grand veneur (oct. à fév.). Petit beurre à la mangue, glace aux poivres (oct. à fév.).
♦ Salle coiffée de poutres, agréable véranda ouverte sur un ravissant jardin et belles vitrines (argenterie) composent le cadre de cet élégant restaurant ; plats classiques.

BELLEGARDE – 45 Loiret – 318 L4 – 1 676 h. – alt. 113 m – ⊠ 45270   12 C2
▌Châteaux de la Loire

🚊 Paris 110 – Gien 41 – Montargis 24 – Nemours 41 – Orléans 50 – Pithiviers 30
🛈 Syndicat d'initiative, 12 bis, place Charles Desvergnes ✆ 02 38 90 25 37, Fax 02 38 90 28 32
◉ Château★.

à Montliard 7 km au Nord-Ouest par D 44 – 221 h. – alt. 126 m – ⊠ 45340

⌂ **Château de Montliard**
3 rte de Nesploy – ✆ 02 38 33 71 40 – www.chateau-de-montliard.com
– a.galizia@infonie.fr – Fax 02 38 33 86 41 – Ouvert de Pâques à Toussaint
4 ch ⌑ – †56/80 € ††68/90 €   **Table d'hôte** – Menu 23 € bc/33 € bc
♦ Dans la même famille depuis 1384, ce château entouré de douves offre un bel intérieur chargé d'histoire (escalier à vis, murs épais, vitraux). Chambres avec une cheminée. La table d'hôte sert un menu unique dans un cadre joliment rustique.

BELLEGARDE-SUR-VALSERINE – 01 Ain – 328 H4 – 11 400 h. — 45 C1
– alt. 350 m – ⊠ 01200 — Franche-Comté Jura

- Paris 497 – Annecy 43 – Bourg-en-Bresse 73 – Genève 43 – Lyon 113
- Office de tourisme, 24, place Victor Bérard ℘ 04 50 48 48 68, Fax 04 50 48 65 08
- Berges de la Valserine N : 2 km par N84.

à Lancrans 3 km au Nord par D 1084 et D 991 – 935 h. – alt. 500 m – ⊠ 01200

Le Sorgia
39 Gde-Rue – ℘ 04 50 48 15 81 – mariondo@wanadoo.fr – Fax 04 50 48 44 72
– Fermé 31 juil.-18 août, 19 déc.-11 janv., dim. et lundi
17 ch – †51/55 € ††51/55 €, ⊐ 8 € – ½ P 50 €
Rest – *(fermé sam. midi, dim. soir et lundi)* Menu (17 €), 27/48 € – Carte 22/47 €

◆ Au cœur du village, la même famille reçoit les visiteurs dans son auberge depuis 1890. Hébergement simple mais propre et régulièrement rafraîchi. Salle à manger champêtre et terrasse fleurie dressée au bord du jardin. Carte du terroir régulièrement renouvelée.

à Eloise (74 H.-Savoie) 5 km au Sud-Est par D 1508 et rte secondaire – 872 h. – alt. 511 m – ⊠ 01200

Le Fartoret
130 r. du 14 juin 1944 – ℘ 04 50 48 07 18 – www.fartoret.com – lefartoret@wanadoo.fr – Fax 04 50 48 23 85 – Fermé 23 déc.-3 janv. et dim. soir hors saison
41 ch – †42 € ††60/95 €, ⊐ 10 € – ½ P 68/87 €
Rest – Menu 20 € (déj. en sem.), 27/45 € – Carte 35/54 €

◆ Ensemble hôtelier bâti autour d'une ferme centenaire, agrémenté d'un parc avec piscine et tennis. Chambres anciennes mais bien tenues. Immense collection de coqs. Grandes salles à manger et terrasse couverte avec vue sur les arbres. Cuisine classique.

BELLE-ÎLE-EN-MER ★★ – 56 Morbihan – 308 L10 — Bretagne — 9 B3

Accès par transports maritimes pour **Le Palais** (en été **réservation indispensable** pour le passage des véhicules).

- depuis **Quiberon** (Port-Maria) - Traversée 30 mn - Renseignements et tarifs : S.M.N. ℘ 0 820 056 000 (Le Palais), Fax 02 97 29 50 34, www.smn-navigation.fr
- depuis **Port-Navalo** - (avril-oct.) - Traversée 1 h - Renseignements et tarifs ; Navix S.A. à Port-Navalo ℘ 0 825 132 120 (0,15 €/mn)
- depuis **Vannes** - (avril-oct.) - Traversée 2 h - Renseignements et tarifs : Navix S.A., Gare Maritime ℘ 0 825 132 (0,15 €/mn), Fax 02 97 46 60 29, www.navix.fr
- depuis **Lorient** - Service saisonnier - Traversée 50 mn (passagers uniquement, réservation obligatoire) - Renseignements et Tarifs S.M.N. ℘ 0 820 056 000 (0,12 €/mn) - Pour **Le Palais** et pour **Sauzon** : depuis **Quiberon** - Service saisonnier - Traversée 25 mn - Renseignements et tarifs : S.M.N. ℘ 0 820 056 000 (0,12 €/mn) - Renseignements et tarifs : Navix S.A.
- depuis **Locmariaquer** - ℘ 0 825 162 130 (0,15 €/mn) – **Auray** Le Bono ℘ 0 825 162 140 (0,15 €/mn) – **La Trinité-sur-Mer** traversée 1 h (14 juil.-22 août) – ℘ 0 825 132 150 (0,15 €/mn), Fax 02 97 46 60 29.
- Office de tourisme, quai Bonnelle, Le Palais ℘ 02 97 31 81 93, Fax 02 97 31 56 17
- Côte sauvage★★★ - Pointe des Poulains★★★.

Bangor – 56 Morbihan – 894 h. – alt. 45 m – ⊠ 56360

- Paris 513 – Rennes 162 – Vannes 53 – Auray 34 – Larmor-Plage 12
- Le Palais : citadelle Vauban★ NE : 3,5 km.

La Désirade
Le Petit Cosquet – ℘ 02 97 31 70 70 – www.hotel-la-desirade.com
– hotel-la-desirade@wanadoo.fr – Fax 02 97 31 89 63
– Ouvert 29 mars-3 nov. et 27 déc.-3 janv.
31 ch – †105/154 € ††125/168 €, ⊐ 16 € – 1 suite – ½ P 98/127 €
Rest *La Table* – *(fermé le midi hors week-end et vacances scolaires)* Menu 30/51 €
– Carte 40/60 €

◆ Un accueil chaleureux et une atmosphère cosy vous attendent dans ces maisons néo-bretonnes aux chambres personnalisées et dominées par le bois. Espace bien-être flambant neuf. Plaisante table qui concocte des recettes dans l'air du temps.

BELLE-ÎLE-EN-MER

LE PALAIS – 56 Morbihan – 2 537 h. – alt. 7 m – ⊠ 56360
- Paris 508 – Rennes 157 – Vannes 48 – Lorient 3 – Ploemeur 9
- Citadelle Vauban★.

Citadelle Vauban
– ℘ 02 97 31 84 17 – www.citadellevauban.com – reception.vauban@leshotelsparticuliers.com – Fax 02 97 31 89 47 – Ouvert avril-5 oct.
40 ch – †125/355 € ††125/355 €, ⊇ 15 € – 3 suites – ½ P 118/232 €
Rest *La Table du Gouverneur* – Menu 25 € (déj.)/68 € – Carte 45/85 €
♦ Cet hôtel-musée a conquis la citadelle Vauban et ses jardins, dominant le port. L'inspiration indienne des chambres (presque toutes côté mer) invite à des rêves de voyages. Cuisine iodée classique à goûter dans un cadre qui marie tableaux (18e-19e s.) et design actuel.

Le Clos Fleuri
rte de Sauzon, à Bellevue – ℘ 02 97 31 45 45 – www.hotel-leclosfleuri.com – hotel-leclosfleuri@wanadoo.fr – Fax 02 97 31 45 57
20 ch – †77/140 € ††77/140 €, ⊇ 10 €
Rest – (dîner seult) (résidents seult) Menu 30 €
♦ Sur les hauteurs de la ville, cet hôtel typique de l'architecture locale abrite de coquettes petites chambres, au mobilier campagnard et différemment colorées. Menu unique à l'ardoise, proposé le soir aux résidents et revu quotidiennement.

Château de Bordenéo sans rest
2 km rte de Sauzon Bordenéo au Nord Ouest – ℘ 02 97 31 80 77 – www.chateau-bordeneo.fr – chateaudebordeneo@wanadoo.fr – Fax 02 97 31 50 17
5 ch ⊇ – †122/202 € ††134/214 €
♦ Tout à sa tranquillité, cette gentilhommière du 19e s. profite de son parc planté d'arbres centenaires. Les chambres douillettes aux tons pastel ont chacune leur ambiance propre.

L'Annexe
3 quai Yser – ℘ 02 97 31 81 53 – Fax 02 97 31 81 53 – Fermé mars, lundi et mardi de nov. à fév. et merc.
Rest – Carte 25/40 €
♦ Atmosphère conviviale au coude à coude et service rapide et informel : on vient surtout ici pour la qualité des produits de la mer. Grillades au feu de bois devant les clients.

PORT-GOULPHAR – 56 Morbihan – ⊠ 56360 Bangor
- Paris 517 – Rennes 166 – Vannes 57 – Auray 38 – Larmor-Plage 16
- Site★ : ≤★.

Castel Clara
– ℘ 02 97 31 84 21 – www.castel-clara.com – contact @castel-clara.com – Fax 02 97 31 51 69 – Fermé 12 janv.-13 fév.
59 ch – †165/330 € ††165/330 €, ⊇ 25 € – 4 suites
Rest – (dîner seult) Menu 95/160 € – Carte 80/91 €
Rest *Le Buffet* – Menu (65 €)
♦ Emplacement idyllique sur la Côte sauvage, centre "thalasso", deux générations de chambres raffinées, avec vue panoramique : le luxe discret... au bout du monde ! Table actuelle et élégante, tournée vers les falaises. Restaurant à thème proposant des buffets.

SAUZON – 56 Morbihan – 860 h. – alt. 35 m – ⊠ 56360
- Paris 515 – Rennes 164 – Vannes 55 – Lorient 9 – Lanester 13
- Site★ - Pointe des Poulains★★ : ※★ NO : 3 km puis 30 mn - Port-Donnant : site★★ S : 6 km puis 30 mn.

Hostellerie La Touline sans rest
r. du Port-Vihan – ℘ 02 97 31 69 69 – www.hostellerielatouline.com – info@hostellerielatouline.com – Fax 02 97 31 66 00 – Ouvert 15 mars-12 nov.
5 ch – †110 € ††110 €, ⊇ 13 €
♦ Joli ensemble de maisonnettes villageoises, juché sur les hauteurs du petit port. La décoration se porte sur divers thèmes dépaysants : Bretagne, Zanzibar... Jardin reposant.

BELLE-ÎLE-EN-MER

Roz Avel
r. du Lieutenant Riau, (derrière l'église) – ℰ 02 97 31 61 48 – Fermé 11 nov.-15 déc., 1ᵉʳ janv.-15 mars et merc.
Rest – (nombre de couverts limité, prévenir) Menu 30/44 € – Carte 52/61 €
♦ Maison de pays possédant une salle à manger garnie de meubles bretons et une terrasse prolongée d'un jardinet. Beaux produits de l'océan préparés avec soin.

Le Contre Quai
r. St-Nicolas – ℰ 02 97 31 60 60 – lucien.coquant@wanadoo.fr
– Ouvert 26 juin-13 sept. et fermé dim. sauf juil.-août
Rest – (dîner seult) Menu 42 € – Carte 60/75 €
♦ Restaurant surplombant le pittoresque port de Sauzon. Appétissante cuisine "terre et mer" servie (le soir uniquement) dans une plaisante salle à manger au coquet décor marin.

Café de la Cale
Quai Guerveur – ℰ 02 97 31 65 74 – Fax 02 97 31 63 27 – Ouvert d'avril à fin sept., vacances de la Toussaint, de Noël et de fév.
Rest – (prévenir) Menu 19 € – Carte 32/58 €
♦ Ancienne sardinerie transformée en bistrot à la mode. Navigateurs de renom et touristes y jouent des coudes pour apprécier poissons, coquillages et cuisine régionale.

Les Embruns
Le Quai – ℰ 02 97 31 64 78 – Fax 02 97 31 63 32 – Ouvert 4 avril-4 nov.
Rest – crêperie – Carte 10/20 €
♦ Ici crêpes et galettes sont 100 % bio, de la farine aux œufs, en passant par la garniture (saumon, etc.) ! Adossées à la falaise, cette maison et sa terrasse regardent le port.

BELLÊME – 61 Orne – 310 M4 – 1 576 h. – alt. 241 m – ⌧ 61130   33 C3
Normandie Vallée de la Seine

▶ Paris 168 – Alençon 42 – La Ferté-Bernard 23 – Le Mans 55 – Mortagne-au-Perche 18

🛈 Office de tourisme, boulevard Bansard des Bois ℰ 02 33 73 09 69, Fax 02 33 83 95 17

⛳ De Bellême Saint-Martin Les Sablons, SO : 2 km, ℰ 02 33 73 12 79

◉ Forêt★.

Relais Saint-Louis
1 bd Bansard des Bois – ℰ 02 33 73 12 21 – www.relais-st-louis.com
– relais.st-louis@wanadoo.fr – Fax 02 33 83 71 19 – Fermé 15-22 fév. et 12-30 nov.
9 ch – †55/80 € ††60/85 €, ⌧ 7 €
Rest – Menu (13 €), 16 € (sem.)/44 € – Carte 25/38 €
♦ Cet ancien relais de poste bien rénové s'illustre par son atmosphère romantique. Chambres coquettes avec ciel de lit ou baldaquin (deux plus modernes dans l'annexe). Au restaurant, belle cheminée, collection de vieux outils et cuisine traditionnelle connotée terroir.

à Nocé 8 km à l'Est par D 203 – 760 h. – alt. 120 m – ⌧ 61340

Auberge des 3 J.
– ℰ 02 33 73 41 03 – Fax 02 33 83 33 66 – Fermé 15-30 sept., 1ᵉʳ-15 janv., mardi de sept. à juin, dim. soir et lundi
Rest – Menu 26/46 €
♦ Tables joliment dressées et tableaux agrémentent la salle rustique de cette auberge familiale où dominent la pierre et le bois. Cuisine soignée, mi-traditionnelle, mi-terroir.

BELLEU – 02 Aisne – 306 C6 – rattaché à Soissons

*Comment choisir entre deux adresses équivalentes ?
Dans chaque catégorie, les établissements sont classés par ordre de préférence : nos coups de cœur d'abord.*

BELLEVAUX – 74 Haute-Savoie – 328 M3 – 1 344 h. – alt. 913 m — 46 F1
– Sports d'hiver : 1 100/1 800 m ⛷23 ⛸ – ⌧ 74470 ▮ Alpes du Nord

■ Paris 572 – Annecy 70 – Bonneville 29 – Genève 44 – Thonon-les-Bains 23
🛈 Office de tourisme, les Contamines ☏ 04 50 73 71 53, Fax 04 50 73 78 60
◉ Site★.

La Cascade
Chef-lieu – ☏ 04 50 73 70 22 – www.hotel-lacascade.com – hotelacascade@wanadoo.fr – Fax 04 50 73 77 46 – Fermé 24 mars-12 avril et oct.
11 ch – ♦38 € ♦♦ €, ⌧ 6 € – ½ P 50 € **Rest** – Menu (12 €), 20 € – Carte 17/29 €
◆ Bâtisse récente au cœur de la petite station. Chambres spacieuses et claires, toutes avec balcon et vue sur les montagnes alentour. Tenue impeccable. Confortable salle à manger en rotonde, surmontée d'une terrasse jouissant d'un beau panorama.

Les Moineaux ⑤
Le Borgel – ☏ 04 50 73 71 11 – www.hotel-les-moineaux.com – info@hotel-les-moineaux.com – Fax 04 50 73 75 79 – Ouvert 16 juin-10 sept. et 20 déc.-10 avril
14 ch ⌧ – ♦50 € ♦♦69 € – ½ P 49/69 € **Rest** – Menu (19 €), 23/32 €
◆ Deux bâtiments de type chalet en contrebas du village. Les chambres, fonctionnelles, sont dotées de balcons tournés vers les montagnes. Sobre décor régional et tenue irréprochable. Restaurant au cadre actuel simple ; cuisine familiale à l'accent savoyard et menu végétarien.

à Hirmentaz 7 km au Sud-Ouest par D 26 et D 32 – ⌧ 74470 Bellevaux

Le Christania ⑤
Hirmentaz – ☏ 04 50 73 70 77 – www.hotel-christania.com – info@hotel-christania.com – Fax 04 50 73 76 08 – Ouvert 1er juin-15 sept. et 20 déc.-1er avril
35 ch – ♦52/56 € ♦♦56/58 €, ⌧ 8 € – ½ P 54/65 €
Rest – Menu (15 €), 18/30 € – Carte 26/38 €
◆ Au pied des pistes, cet hôtel familial des années 1970 a gardé son style d'origine. Chambres rustiques, majoritairement équipées de balcons et mansardées au dernier étage. Restaurant tourné vers la piscine et la terrasse. Cuisine régionale et carte snack.

BELLEVILLE – 54 Meurthe-et-Moselle – 307 H6 – 1 487 h. – alt. 190 m — 26 B2
– ⌧ 54940

■ Paris 359 – Metz 42 – Nancy 19 – Pont-à-Mousson 14 – Toul 36

Le Bistroquet
97 rte Nationale – ☏ 03 83 24 90 12 – le-bistroquet@wanadoo.fr – Fax 03 83 24 04 01
Rest – *(nombre de couverts limité, prévenir)* Menu 35 € (sem.), 54/69 € – Carte 72/91 €
Spéc. Foie gras de canard lorrain poêlé. Pigeon braisé en cocotte. Soufflé à la liqueur de mirabelle de Lorraine. **Vins** Gris de Toul, Pinot noir des Côtes de Toul.
◆ La discrète façade dissimule une salle à manger au cadre d'inspiration 1900 (miroirs, affiches et lustres). Terrasse fleurie et cuisine classique préparée avec art.

La Moselle
1 r. Prosper-Cabirol, (face à la gare) – ☏ 03 83 24 91 44 – www.restaurant-lamoselle.fr – lamoselle@wanadoo.fr – Fax 03 83 24 99 38 – Fermé 17 août-2 sept., 15 fév.-1er mars, dim. soir, mardi soir et merc.
Rest – Menu (18 € bc), 23 € (sem.)/53 € – Carte 45/75 €
◆ Les deux salles à manger de cette petite adresse familiale sont séparées par des panneaux ornés de vitraux rappelant le style de l'école de Nancy. Agréable terrasse ombragée.

BELLEVILLE – 69 Rhône – 327 H3 – 5 840 h. – alt. 192 m – ⌧ 69220 — 43 E1
▮ Lyon et la vallée du Rhône

■ Paris 416 – Bourg-en-Bresse 43 – Lyon 45 – Mâcon 31
 – Villefranche-sur-Saône 15
🛈 Office de tourisme, 27, rue du Moulin ☏ 04 74 66 44 67, Fax 04 74 06 43 56

BELLEVILLE

L'Ange Couronné
18 r. de la République – ℰ 04 74 66 42 00 – www.angecouronne.com – angecouronne@wanadoo.fr – Fax 04 74 66 49 20 – Fermé 24-28 mai, 27 sept.-6 oct., 4-26 janv., mardi midi, dim. soir et lundi
15 ch – †45 € ††50 €, ☐ 7 €   **Rest** – Menu (12 €), 17/37 € – Carte 33/39 €
♦ Ancien relais de poste bordant la rue principale de Belleville. Un atrium conçu comme un jardin d'hiver dessert les chambres, sobres et fonctionnelles. Salle à manger au décor gentiment contemporain et cuisine traditionnelle.

Le Beaujolais
40 r. Mar.-Foch, (près de la gare) – ℰ 04 74 66 05 31 – restaurant-le-beaujolais.com – postmaster@restaurant-le-beaujolais.com – Fax 04 74 07 90 46 – Fermé 14-19 avril, 2-26 août, 21-27 déc., dim. soir, mardi soir et merc.
Rest – Menu (13 €), 17 € (déj. en sem.), 26/42 € – Carte 26/34 €
♦ Tout près de la gare, cette auberge familiale et chaleureuse a fait peau neuve. Accueil et service aimables. Cuisine traditionnelle et généreuse. Jolis vins locaux.

à Pizay 5 km au Nord-Ouest par D 18 et D 69 – ✉ 69220 St-Jean-d'Ardières

Château de Pizay
– ℰ 04 74 66 51 41 – www.chateau-pizay.com – info@chateau-pizay.com – Fax 04 74 69 65 63 – Fermé 18 déc.-4 janv.
62 ch – †235 € ††235 €, ☐ 19 €   **Rest** – Menu 47/71 € – Carte 62/80 €
♦ Beau château (15e-17e s.) au cœur du vignoble. Chambres traditionnelles ou suites duplex plus contemporaines logées dans la dépendance du parc. Spa complet. Salle à manger mariant ancien et moderne, terrasse dans la cour d'honneur et carte classique.

BELLEY – 01 Ain – 328 H6 – 8 466 h. – alt. 279 m – ✉ 01300   45 C1
Franche-Comté Jura

▸ Paris 507 – Aix-les-Bains 31 – Bourg-en-Bresse 83 – Chambéry 36 – Lyon 96
🛈 Office de tourisme, 34, Grande Rue ℰ 04 79 81 29 06, Fax 04 79 81 08 80
◉ Chœur★ de la cathédrale St-Jean - Charpente★ du château des Allymes.

Sweet Home
bd du Mail – ℰ 04 79 81 01 20 – www.sweethomehotel.com – info@sweethomehotel.com – Fax 04 79 81 53 83
35 ch – †50/65 € ††50/65 €, ☐ 8,50 €
Rest – (Fermé sam. midi et dim.) Menu 15 € bc (déj.)/18 € – Carte environ 25 €
♦ Adresse utile pour l'étape en centre-ville. Chambres actuelles et fonctionnelles. Petit-déjeuner servi sous forme de buffet. Au restaurant : photos d'acteurs en noir et blanc, courte carte traditionnelle.

au Sud-Est 3 km sur rte Chambéry – ✉ 01300 Belley

La Fine Fourchette
N 504 – ℰ 04 79 81 59 33 – Fax 04 79 81 55 43
– Fermé 18 août-1er sept., 23 déc.-2 janv., dim. soir et lundi
Rest – Menu (22 €), 24/54 € – Carte 42/60 €
♦ En surplomb de la route, charmant pavillon tourné vers la campagne et le canal du Rhône. Les larges baies de la salle à manger, redécorée, s'ouvrent sur la terrasse. Cuisine classique.

à Contrevoz 9 km au Nord-Ouest sur D 32 – 464 h. – alt. 320 m – ✉ 01300

Auberge de Contrevoz
– ℰ 04 79 81 82 54 – www.auberge-de-contrevoz.com – auberge.de.contrevoz@orange.fr – Fax 04 79 81 80 17 – Fermé merc. soir, dim. soir et lundi
Rest – Menu 25 € (sem.)/40 €
♦ On se sent bien dans cette maison régionale à l'intérieur rustique. Généreuse cuisine actuelle avec des touches terroir (menus à thèmes selon les saisons, truffe du Bugey...).

BELLEY

à Pugieu 9 km au Nord-Ouest sur D 1504 – 126 h. – alt. 247 m – ⊠ 01510

Le Moulin du Martinet
– ℰ 04 79 87 82 03 – www.moulindumartinet.fr – moulindumartinet@gmail.com
– Fax 04 79 42 06 38 – Fermé 10-20 mars, 10-20 oct., 2-12 janv., dim. soir
sauf juil.-août, mardi soir et merc.
Rest – Menu 13 € (déj. en sem.), 17/48 € – Carte 29/47 €
♦ Jardin face à la montagne, canards en liberté, bassin à truites, agréable terrasse, repas au coin du feu en hiver et cuisine actuelle : un vieux moulin (1825) bien séduisant.

BELVES – 24 Dordogne – 329 H7 – 1 483 h. – alt. 175 m – ⊠ 24170

▶ Paris 552 – Bordeaux 197 – Périgueux 66 – Bergerac 56
– Villeneuve-sur-Lot 66
🛈 Office de tourisme, 1, rue des Filhols ℰ 05 53 29 10 20, Fax 05 53 29 10 20

Clément V sans rest
15 r. J.-Manchotte – ℰ 05 53 28 68 80 – www.clement5.com – contact@clement5.com – Fax 05 53 28 14 21
10 ch – †95/120 € ††95/200 €, ⊇ 12 €
♦ Dans un village perdu et haut perché, cette coquette maison possède des chambres de caractère, dont l'une occupe une cave voûtée du 11ᵉ s. Véranda sur une petite cour fleurie.

à Sagelat 2 km au Nord par D 53 – 325 h. – alt. 78 m – ⊠ 24170

Auberge de la Nauze avec ch
Fongauffier – ℰ 05 53 28 44 81 – www.aubergedelanauze.fr
– aubergedelanauze@wanadoo.fr – Fax 05 53 29 99 18 – Fermé 20-29 juin,
22 nov.-8 déc., vacances de fév., lundi sauf le soir en juil.-août, mardi soir et sam.
midi de sept. à juin
8 ch ⊇ – †44/54 € ††50/60 € – ½ P 38/48 €
Rest – Menu 14 € (déj. en sem.), 22/52 € – Carte 30/64 €
♦ Régalez-vous d'une cuisine traditionnelle dans cette maison en pierre du pays, dotée d'une salle à manger habillée de poutres et d'une terrasse. Petites chambres colorées.

BENFELD – 67 Bas-Rhin – 315 J6 – 5 315 h. – alt. 160 m – ⊠ 67230
Alsace Lorraine

▶ Paris 502 – Colmar 41 – Obernai 17 – Sélestat 19 – Strasbourg 36
🛈 Office de tourisme, 3, rue de l'Église ℰ 03 88 74 04 02, Fax 03 88 58 10 45

Au Petit Rempart
1 r. du Petit-Rempart – ℰ 03 88 74 42 26 – www.petit-rempart.fr
– Fax 03 88 74 18 58 – Fermé 15 juil.-10 août, 8-20 fév., 1ᵉʳ-6 mars, lundi soir, mardi soir, jeudi soir et merc.
Rest – Menu 10 € (déj. en sem.), 14/42 € – Carte 30/45 €
♦ L'ancienne salle de bal offre un cadre raffiné (marqueteries, fauteuils Louis XIII), tandis que la winstub est plus simple. Carte classique ; fameuse recette maison de vinaigrette.

BÉNODET – 29 Finistère – 308 G7 – 3 159 h. – Casino – ⊠ 29950 9 **A2**
Bretagne

▶ Paris 563 – Concarneau 19 – Fouesnant 8 – Pont-l'Abbé 13 – Quimper 17
– Quimperlé 47
🛈 Office de tourisme, 29, avenue de la Mer ℰ 02 98 57 00 14,
Fax 02 98 57 23 00
⛳ de l'Odet Clohars Fouesnant, N : 4 km par D 34, ℰ 02 98 54 87 88
◉ Pont de Cornouaille ≤★ - L'Odet★★ en bateau : 1h30.

Ker Moor ⩾
corniche de la Plage – ℰ 02 98 57 04 48 – www.kermoor.com – kermoor.hotel@wanadoo.fr – Fax 02 98 57 17 96 – Fermé 18 déc.-8 janv.
69 ch – †80/140 € ††80/140 €, ⊇ 10 € – 15 suites – ½ P 66/95 €
Rest – (ouvert de mars à oct.) Menu 33/77 € – Carte 33/69 €
♦ Imposant édifice 1930 et son annexe (salles de séminaires, bar) au cœur d'un parc arboré. Chambres actuelles d'ampleurs diverses et appartements pour longs séjours. Restaurant agrémenté de toiles du peintre Pierre de Belay ; chaises en skaï des années 1960.

BÉNODET

Le Grand Hôtel Abbatiale
4 av. Odet – ℘ *02 98 66 21 66 – www.hotelabbatiale.com – abbatiale.benodet@wanadoo.fr – Fax 02 98 66 21 50 – Fermé 14-28 déc.*
50 ch – †67/86 € ††77/98 €, ⊇ 11 € – ½ P 70/84 €
Rest – *(fermé sam. midi)* Menu (21 €), 23/31 € – Carte 32/45 €
♦ Atout majeur de cet hôtel entièrement rénové : son emplacement face au port de la station balnéaire bretonne. Chambres fonctionnelles dont certaines ont une belle vue sur l'océan. Cuisine traditionnelle et produits de la mer.

Domaine de Kereven sans rest
2 km rte de Quimper – ℘ *02 98 57 02 46 – www.kereven.com – domaine-de-kereven@wanadoo.fr – Fax 02 98 66 22 61 – Ouvert 11 avril-30 sept.*
12 ch – †48/58 € ††64/75 €, ⊇ 9 €
♦ Dans un parc, hameau récent et paisible, d'inspiration régionale. Chambres douillettes et cottages (gîtes). Crêpes chaudes au petit-déjeuner ; mobilier breton en salle.

Les Bains de Mer
11 r. Kerguelen – ℘ *02 98 57 03 41 – www.lesbainsdemer.com – accueilbainsdemer@lesbainsdemer.com – Fax 02 98 57 11 07 – Fermé janv.*
32 ch – †44/59 € ††52/74 €, ⊇ 8,50 € – ½ P 50/68 €
Rest – *(fermé sam. midi, mardi midi et vend. du 1er oct. à Pâques)* Menu (11 €), 13 € (déj. en sem.), 21/55 € – Carte 27/46 €
♦ Après un bain de mer, installez-vous dans l'une des chambres sobrement décorées de cet accueillant hôtel situé au centre de la cité d'adoption d'Éric Tabarly. Table traditionnelle aux tons contrastés : murs verts et tentures prune, comme les sièges.

à Clohars-Fouesnant 3 km au Nord-Est par D 34 et rte secondaire – 1 899 h. – alt. 30 m – ⊠ 29950

La Forge d'Antan
31 rte de Nors Vraz – ℘ *02 98 54 84 00 – www.laforgedantan.monsite.orange.fr – laforgedantan2@wanadoo.fr – Fax 02 98 54 89 11 – Fermé lundi et mardi*
Rest – Menu 30 € (déj. en sem.), 39/65 € – Carte 45/65 €
♦ Plaisante auberge de campagne disposant de deux salles à manger : l'une rustique chaleureuse et l'autre plus claire, côté jardin. Choix traditionnel ; poissons et coquillages.

à Ste-Marine 5 km à l'Ouest par pont de Cornouaille – ⊠ 29120 Combrit

Villa Tri Men
16 r. du Phare – ℘ *02 98 51 94 94 – www.trimen.fr – contact@trimen.fr – Fax 02 98 51 95 50 – Fermé 16 nov.-19 déc. et 4 janv.-5 fév.*
20 ch – †115/280 € ††115/280 €, ⊇ 14 €
Rest – *(fermé dim. et lundi sauf du 15 juin au 15 sept.) (dîner seult)* Menu 35 € – Carte 45/70 €
♦ Belle villa 1900 nichée dans un jardin arboré en bordure de mer. Les chambres, élégantes et sobres, sont garnies de meubles modernes. Repas au goût du jour dans une salle contemporaine agréable ou sur la séduisante terrasse dressée face à l'estuaire.

BÉNOUVILLE – 14 Calvados – 303 K4 – rattaché à Caen

BERCK-SUR-MER – 62 Pas-de-Calais – 301 C5 – 14 800 h. – alt. 5 m   30 **A2**
– Casino – ⊠ 62600 ▮ Nord Pas-de-Calais Picardie

- ◘ Paris 232 – Abbeville 48 – Arras 93 – Boulogne-sur-Mer 40 – Calais 83 – Montreuil 16
- ◙ Office de tourisme, 5, avenue Francis Tattegrain ℘ 03 21 09 50 00, Fax 03 21 09 15 60
- ▣ de Nampont Saint-Martin à Nampont-Saint-Martin Maison Forte, par D 940 et D 901 : 15 km, ℘ 03 22 29 92 90
- ◙ Parc d'attractions de Bagatelle★ 5 km par ①.

BERCK-SUR-MER

à Berck-Plage – ⌧ 62600

L'Impératrice
43 r. Division-Leclerc – ℘ *03 21 09 01 09 – www.limperatrice.com*
– *hotel-imperatrice@wanadoo.fr – Fax 03 21 09 72 80*
12 ch – †60/65 € ††60/77 € – ½ P 80/85 €
Rest – *(dîner seult) (résidents seult)* Menu 22/32 €

♦ L'impératrice Eugénie inaugura à Berck le premier hôpital maritime. Agréables petites chambres fonctionnelles. La salle à manger colorée offre un cadre accueillant où l'on savoure indifféremment plateaux de fruits de mer et attrayants plats régionaux.

La Verrière
pl. 18-Juin – ℘ *03 21 84 27 25 – nvincent@g-partouche.fr – Fax 03 21 84 14 65*
– *Fermé 16-23 mars, 16-23 nov., dim. soir et lundi*
Rest – Menu (14 € bc), 21/53 € – Carte environ 53 €

♦ Dans l'ancienne gare routière convertie en casino, grande salle de restaurant moderne, lumineuse et soignée où l'on déguste des petits plats mitonnés au goût du jour.

BERGERAC – 24 Dordogne – 329 D6 – 27 700 h. – alt. 37 m 4 **C1**
– ⌧ 24100 ▌Périgord

▶ Paris 534 – Agen 91 – Angoulême 110 – Bordeaux 94 – Périgueux 48

✈ Bergerac-Roumanières : ℘ 05 53 22 25 25, par ③ : 3 km.

🛈 Office de tourisme, 97, rue Neuve d'Argenson ℘ 05 53 57 03 11, Fax 05 53 61 11 04

⛳ Château les Merles à Mouleydier D 660, par rte de Sarlat : 15 km, ℘ 05 53 63 13 42

◉ Le Vieux Bergerac★★ : musée du Tabac★★ (maison Peyrarède★) - Musée du Vin, de la Batellerie et de la Tonnellerie★ M³.

Plan page suivante

De France sans rest
18 pl. Gambetta – ℘ *05 53 57 11 61 – www.hoteldefrance-bergerac.com*
– *hoteldefrance15@wanadoo.fr – Fax 05 53 61 25 70 – Fermé fév.*   AY **b**
20 ch ⌑ – †65/78 € ††65/78 €

♦ Face à la place ombragée du marché (mercredi et samedi), le De France, rénové, offre un nouveau visage. Les chambres sont simples et plus calmes côté piscine.

Europ Hôtel sans rest
20 r. Petit-Sol – ℘ *05 53 57 06 54 – http://www.europ-hotel-bergerac.com/*
– *europ.hotel.bergerac@wanadoo.fr – Fax 05 53 58 67 60*   AY **v**
22 ch – †43 € ††43/57 €, ⌑ 8 €

♦ Le jardin jouxtant la piscine est l'atout majeur de cet hôtel situé dans le quartier de la gare. Chambres rénovées et bien tenues (climatisation et double-vitrage côté rue).

L'Imparfait
8 r. Fontaines – ℘ *05 53 57 47 92 – www.imparfait.com – sarl.lesfontaines@orange.fr – Fermé 20 déc.-20 janv., dim. et lundi*   AZ **n**
Rest – Menu (21 € bc), 28 € (déj.), 43/56 € – Carte 48/73 €

♦ Cette maison médiévale du centre historique vous accueille dans sa grande salle à manger où pierres et poutres apparentes se donnent la réplique. Bonne cuisine traditionnelle.

Le Repaire de Savinien
15 r. Mounet-Sully – ℘ *05 53 24 35 46 – Fermé 1er-7 sept., 21-28 fév., lundi de sept. à mai, dim. et fériés*   AY **e**
Rest – Carte 31/41 €

♦ Ambiance bistrot à quelques pas de l'église Notre-Dame : repas au coude à coude et carte proposée à l'ardoise. Plats traditionnels respectueux des saisons et des produits.

301

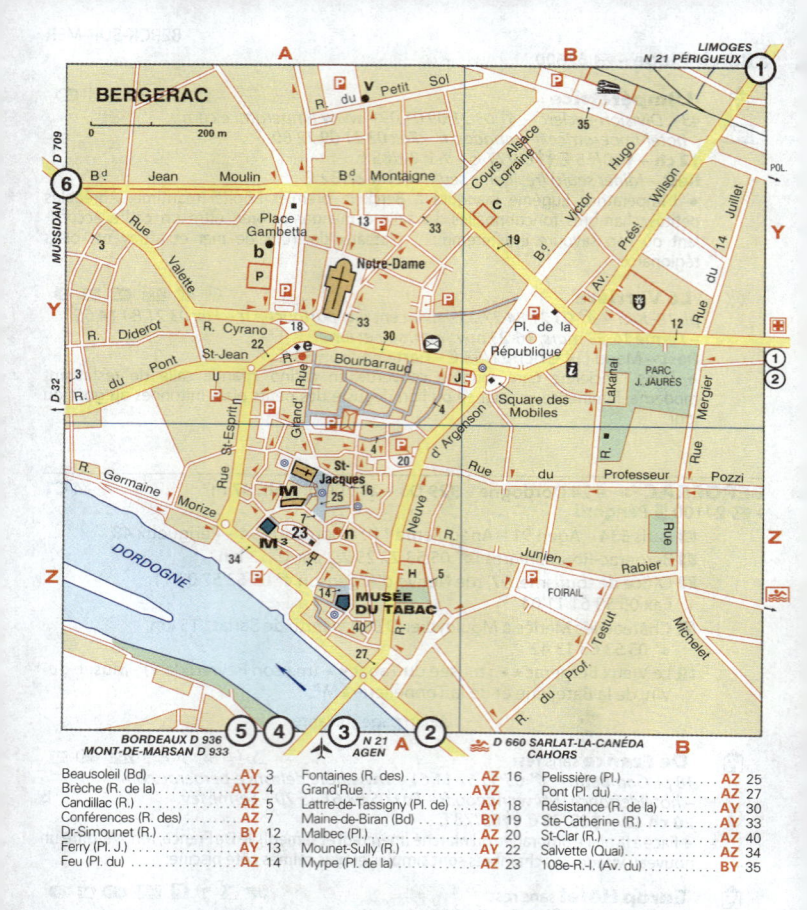

Beausoleil (Bd)	**AY** 3	Fontaines (R. des)	**AZ** 16	Pelissière (Pl.)	**AZ** 25
Brèche (R. de la)	**AYZ** 4	Grand'Rue	**AYZ**	Pont (Pl. du)	**AZ** 27
Candillac (R.)	**AZ** 5	Lattre-de-Tassigny (Pl. de)	**AY** 18	Résistance (R. de la)	**AY** 30
Conférences (R. des)	**AZ** 7	Maine-de-Biran (Bd)	**BY** 19	Ste-Catherine (R.)	**AY** 33
Dr-Simounet (R.)	**BY** 12	Malbec (Pl.)	**AY** 20	St-Clar (R.)	**AZ** 40
Ferry (Pl. J.)	**AY** 13	Mounet-Sully (R.)	**AY** 22	Salvette (Quai)	**AZ** 34
Feu (Pl. du)	**AZ** 14	Myrpe (Pl. de la)	**AZ** 23	108e-R.-I. (Av. du)	**BY** 35

à St-Julien-de-Crempse 12 km par ①, N 21, D 107 et rte secondaire – 182 h. – alt. 150 m – ⌧ 24140

🏠 Manoir du Grand Vignoble
– ✆ 05 53 24 23 18 – www.manoirdugrandvignoble.com – grand-vignoble@orange.fr – Fax 05 53 24 20 89 – Ouvert 21 mars-11 nov.
44 ch – †60/84 € ††82/112 €, ⌧ 11 € – ½ P 59/82 €
Rest – Menu 24/47 € – Carte 30/50 €
♦ Ce manoir du 17ᵉ s. au grand calme, au cœur d'un vaste domaine (avec centre équestre), propose des chambres anciennes et d'autres plus contemporaines dans les dépendances. Salle à manger rustique, véranda et terrasse ouverte sur le parc ; cuisine régionale.

à St-Nexans 10 km par ③, N 21 et D 19 – 802 h. – alt. 120 m – ⌧ 24520

🏠 La Chartreuse du Bignac
Le Bignac – ✆ 05 53 22 12 80 – www.abignac.com – info@abignac.com – Fax 05 53 22 12 81 – Fermé janv.
12 ch – †145/155 € ††145/185 €, ⌧ 17 € – 1 suite – ½ P 130/149 €
Rest – (fermé mardi) (dîner seult) (résidents seult) Menu 40 € – Carte 25/45 €
♦ Une chartreuse qui se dresse au sein d'un parc de 12 ha agrémenté d'un pigeonnier, d'un bassin et d'un étang pour la pêche. Vastes chambres raffinées (mêlant l'ancien et le moderne), dont deux se trouvent dans le chai. Cuisine familiale et bar à vins.

BERGERAC

au Moulin de Malfourat 8 km par ④, dir. Mont-de-Marsan et rte secondaire
– ✉ 24240 Monbazillac

XXX La Tour des Vents
– ℰ 05 53 58 30 10 – www.tourdesvents.com – moulin.malfourat@wanadoo.fr
– Fax 05 53 58 89 55 – Fermé une sem. en oct., janv., dim. soir et mardi midi
sauf juil.-août et lundi
Rest – Menu 27 € – Carte 40/62 €
♦ Restaurant situé au pied du moulin ruiné (15e s.). On y déguste une cuisine inventive arrosée de bergeracs. Vue imprenable sur les vignobles de Monbazillac, agréable terrasse.

à Rauly 8 km par ④, dir. Mont-de-Marsan et rte secondaire – ✉ 24240 Monbazillac

Château Rauly-Saulieut sans rest
Le Rauly – ℰ 05 53 24 92 55 – www.perigord-residences-privees.eu
– normanthies@wanadoo.fr – Fax 05 53 57 80 87 – Ouvert 16 fév.-1er nov.
5 ch – †105 € ††125/160 €, ☑ 13 € – 10 suites – ††160/185 €
♦ Tranquillité assurée dans ce château du 19e s. niché dans un parc en plein vignoble. Les appartements et les suites sont grands et meublés avec goût. Piscine, sauna.

BERGÈRES-LÈS-VERTUS – 51 Marne – 306 F9 – rattaché à Vertus

BERGHEIM – 68 Haut-Rhin – 315 I7 – 1 850 h. – alt. 235 m – ✉ 68750   2 **C2**
Alsace Lorraine
▶ Paris 449 – Colmar 18 – Ribeauvillé 4 – Sélestat 11

XX La Bacchante avec ch
Grand Rue – ℰ 03 89 73 31 15 – www.cheznorbert.com – labacchante@wanadoo.fr – Fax 03 89 73 60 65 – Fermé 2-9 juil., 12-20 nov., 5-21 janv.
12 ch – †60 € ††80/115 €, ☑ 15 €
Rest – (fermé merc. midi, vend. midi et jeudi) Menu 22 € (déj. en sem.), 28/49 €
– Carte 29/41 €
♦ Cette ancienne ferme viticole arbore un décor rustique plein de caractère. Jolie terrasse dans une cour intérieure pavée et cuisine du terroir assortie de suggestions du jour.

X Wistub du Sommelier
51 grand rue – ℰ 03 89 73 69 99 – www.wistub-du-sommelier.com – info@wistub-du-sommelier.com – Fax 03 89 73 36 58 – Fermé 15-31 juil., vacances de fév., dim. soir, mardi soir et merc.
Rest – Menu 21 € (sem.), 28/58 € bc – Carte 29/48 €
♦ Parquet et comptoir du 19e s., boiseries, poêle en faïence : un sympathique décor de wistub modernisé se cache derrière cette jolie façade alsacienne. Goûteux plats du terroir.

BERGUES – 59 Nord – 302 C2 – 3 923 h. – alt. 4 m – ✉ 59380   30 **B1**
Nord Pas-de-Calais Picardie
▶ Paris 279 – Calais 52 – Dunkerque 9 – Hazebrouck 34 – Lille 65 – St-Omer 31
🛈 Office de tourisme, Place Henri Billiaert ℰ 03 28 68 71 06, Fax 03 28 68 71 06
◉ Couronne d'Hondschoote ★.

Au Tonnelier
4 r. Mont-de-Piété, (près de l'église) – ℰ 03 28 68 70 05 – www.autonnelier.com
– contact@autonnelier.com – Fax 03 28 68 21 87 – Fermé 20 déc.-4 janv.
25 ch – †48 € ††58 €, ☑ 11 €
Rest – (fermé dim. soir) Menu (12 €), 16 € (déj. en sem.), 18/30 € – Carte 27/39 €
♦ Cette petite adresse familiale, qui occupe une maison en briques abondamment fleurie de la cité en partie fortifiée par Vauban, abrite des chambres fonctionnelles. Accueillante salle à manger (boiseries, mobilier de style bistrot) et cuisine traditionnelle.

XXX Cornet d'Or
26 r. Espagnole – ℰ 03 28 68 66 27 – Fermé dim. soir et lundi
Rest – Menu 29/41 € – Carte environ 55 €
♦ Ce restaurant à fière allure avec sa jolie façade flamande et son intérieur résolument bourgeois. La généreuse carte, traditionnelle, sait valoriser des produits simples et bons.

BERMICOURT – 62 Pas-de-Calais – 301 G5 – 152 h. – alt. 118 m – ⊠ 62130

30 **B2**

▶ Paris 234 – Lille 100 – Arras 50 – Lens 61 – Liévin 58

La Cour de Rémi ⌂

1 r. Baillet – ℰ 03 21 03 33 33 – www.lacourderemi.com – sebastien@lacourderemi.com – Fermé 14 janv.-3 fév.
8 ch – †80 € ††80/130 €, ⊇ 10 €
Rest – *(fermé sam. midi, dim. soir et lundi)* Menu 18 € (déj. en sem.), 29/34 € – Carte 33/45 €

♦ Hôtel de charme mettant à profit les dépendances d'un château de campagne. Accueil soigné et chambres cosy personnalisées. Repas au goût du jour dans une salle au style contemporain, lumineux et dépouillé, ou en plein air. Plats proposés à l'ardoise.

BERNAY – 27 Eure – 304 D7 – 10 600 h. – alt. 105 m – ⊠ 27300

33 **C2**

Normandie Vallée de la Seine

▶ Paris 155 – Argentan 69 – Évreux 49 – Le Havre 72 – Louviers 52 – Rouen 60

🛈 Syndicat d'initiative, 29, rue Thiers ℰ 02 32 43 32 08, Fax 02 32 45 82 68

◉ Boulevard des Monts ★.

Acropole Hôtel sans rest

10 rue Grande Malouve, 3 km au Sud-Ouest sur rte de Broglie (D 438) – ℰ 02 32 46 06 06 – www.hotel-acropole.com – acropolehotel@wanadoo.fr – Fax 02 32 44 01 04
51 ch – †56/66 € ††56/66 €, ⊇ 8 €

♦ Excentré dans une zone commerciale, établissement proposant un hébergement avant tout pratique, bénéficiant d'équipements fonctionnels et d'une bonne insonorisation.

Hostellerie du Moulin Fouret

3,5 km au Sud par rte St-Quentin-des-Isles – ℰ 02 32 43 19 95 – www.moulin-fouret.com – lemoulinfouret@wanadoo.fr – Fax 02 32 45 55 50 – Fermé dim. soir et lundi sauf juil.-août
Rest – Menu (28 €), 41/56 € – Carte 65/80 €

♦ Élégante salle à manger ouverte sur le bar où se trouvent les rouages de ce moulin reconverti. La paisible terrasse est prolongée par un parc fleuri bordant la rivière. Carte actuelle.

LA BERNERIE-EN-RETZ – 44 Loire-Atlantique – 316 D5 – 2 499 h. – alt. 24 m – ⊠ 44760

34 **A2**

▶ Paris 434 – Nantes 46 – Saint-Nazaire 38 – Saint-Herblain 46 – Rezé 43

🛈 Office de tourisme, 3, chaussée du Pays de Retz ℰ 02 40 82 70 99, Fax 02 51 74 61 40

L'Artimon

17 r. J. du Plessis – ℰ 02 51 74 61 60 – Fermé dim. soir, mardi et merc. de sept. à juin et lundi
Rest – *(nombre de couverts limité, prévenir)* Menu 18 € (déj. en sem.), 26/34 €

♦ Une bonne adresse face à la place du marché. Le décor épuré (bois et fresques peintes par un artiste) évoque l'univers de la mer. Intéressante cuisine au goût du jour.

Ce guide vit avec vous : vos découvertes nous intéressent.
Faites-nous part de vos satisfactions comme de vos déceptions.
Coup de colère ou coup de cœur : écrivez-nous !

BERNEUIL-SUR-AISNE – 60 Oise – 305 J4 – 998 h. – alt. 45 m — 37 C2
– ✉ 60350

▶ Paris 107 – Amiens 97 – Compiègne 17 – Creil 55

⌂ **Le Manoir de Rochefort** sans rest
– ℰ 03 44 85 81 78 – www.domainederochefort.fr – rochefort1@orange.fr
– Fax 03 44 85 81 78 – Fermé 1ᵉʳ janv.-15 mars
4 ch ⌑ – †75 € ††85 €

♦ L'ancienne chapelle (17ᵉ s.) de ce manoir abrite des chambres sobres et élégantes, toutes prolongées d'un salon de jardin installé sur la terrasse. Petits « plus » : la forêt voisine et le calme.

BERNEX – 74 Haute-Savoie – 328 N2 – 1 178 h. – alt. 955 m – Sports 46 F1
d'hiver : 1 000/2 000 m ≤13 ⋆ – ✉ 74500 ▮ Alpes du Nord

▶ Paris 590 – Annecy 97 – Évian-les-Bains 10 – Morzine 32
– Thonon-les-Bains 20

🛈 Office de tourisme, le Clos du Moulin ℰ 04 50 73 60 72, Fax 04 50 73 16 17

⌂ **Chez Tante Marie**
– ℰ 04 50 73 60 35 – www.chez-tante-marie.com – chez-tante-marie@wanadoo.fr – Fax 04 50 73 61 73 – Fermé 23 mars-11 avril et 15 oct.-20 déc.
27 ch – †65/75 € ††78/85 €, ⌑ 10 € – ½ P 70/85 €
Rest – (fermé dim. soir hors vacances scolaires) Menu (15 €), 21 € (sem.)/39 €
– Carte 23/45 €

♦ Accueil familial dans cet hôtel blotti au cœur des Alpes. Décor un brin rétro, mobilier rustique de grand-mère, chambres avec vue sur les montagnes et beau jardin-prairie. Restaurant très champêtre et terrasse panoramique (plats traditionnels et du terroir).

à La Beunaz 1,5 km au Nord-Ouest par D 52 – ✉ 74500 Bernex – alt. 1 000 m

⌂ **Bois Joli**
Saint Paul – ℰ 04 50 73 60 11 – info@hotel-bois-joli.fr – hboisjoli@wanadoo.fr
– Fax 04 50 73 65 28 – Ouvert 16 avril-16 oct. et 18 déc.-15 mars
29 ch – †60/72 € ††74/90 €, ⌑ 10 € – ½ P 62/72 €
Rest – (fermé dim. soir et merc.) Menu 26/48 € – Carte 42/59 €

♦ Pimpant chalet noyé dans la verdure. Chambres au calme et décorées à la mode savoyarde, avec balcon tourné vers la Dent d'Oche ou le mont Billiat. Espace bien-être complet. La salle à manger lambrissée et la terrasse d'été offrent de beaux panoramas.

BERNIÈRES-SUR-MER – 14 Calvados – 303 J4 – 2 373 h. – ✉ 14990 — 32 B2
▮ Normandie Cotentin

▶ Paris 252 – Caen 20 – Hérouville-Saint-Clair 21 – Le Havre 107

🛈 Syndicat d'initiative, 159, rue Victor Tesnières ℰ 02 31 96 44 02,
Fax 02 31 96 98 96

✕✕ **L'As de Trèfle**
420 r. L.-Hettier – ℰ 02 31 97 22 60 – asdetrefle3@wanadoo.fr
– Fax 02 31 97 22 60 – Fermé 6 janv.-10 fév., mardi sauf juil.-août et lundi
Rest – Menu 22 € (sem.)/39 € – Carte 35/62 €

♦ En retrait du rivage, bâtisse de 1934 d'inspiration mauresque. Des natures mortes décorent la salle à manger où l'on déguste des plats traditionnels de poissons (pêche locale).

BERNOS-BEAULAC – 33 Gironde – 335 J8 – rattaché à Bazas

BERRIC – 56 Morbihan – 308 P9 – 1 428 h. – alt. 65 m – ✉ 56230 — 10 C3
▶ Paris 474 – Rennes 113 – Vannes 24 – Saint-Nazaire 73

⌂ **Le Moulin du Bois**
3 km au Nord-Est par D 7 (rte de Questembert) – ℰ 02 97 67 04 44
– www.moulindubois.com – tgoujon@wanadoo.fr – Fax 02 97 67 06 79
3 ch ⌑ – †84/104 € ††90/110 € **Table d'hôte** – Menu 40 € bc/50 € bc

♦ Cette maison ancienne à flanc de colline abrite des chambres à la décoration soignée de bon goût. Une adresse pour les amoureux de la nature (forêt et étang à proximité).

BERRWILLER – 68 Haut-Rhin – 315 H9 – 1 058 h. – alt. 260 m – ✉ 68500 1 **A3**

▶ Paris 467 – Belfort 45 – Colmar 31 – Épinal 99 – Guebwiller 9 – Mulhouse 20

XX L'Arbre Vert
96 r. Principale – ℰ 03 89 76 73 19 – www.restaurant-koenig.com
– rest.koenig.arbrevert@wanadoo.fr – Fax 03 89 76 73 68 – Fermé 6-26 juil., dim. soir et lundi
Rest – Menu (12 €), 21 € (sem.)/46 € – Carte 30/59 €

♦ Cette charmante auberge fleurie vous offre le choix : goûteuse cuisine du terroir dans une élégante salle actuelle ou menu du jour dans un décor d'esprit bistrot marin.

BERRY-AU-BAC – 02 Aisne – 306 F6 – 521 h. – alt. 62 m – ✉ 02190 37 **D2**

▶ Paris 161 – Laon 30 – Reims 21 – Rethel 46 – Soissons 48 – Vouziers 66

XX La Cote 108
– ℰ 03 23 79 95 04 – www.lacote108.com – lacote108@orange.fr
– Fermé 26 juil.-11 août, 20 déc.-5 janv., dim. soir, lundi et mardi
Rest – (prévenir le week-end) Menu (21 €), 28/62 € – Carte 49/64 €

♦ Pause gourmande face à la cote 108 : cette maison en bord de route vous invite à goûter une cuisine d'aujourd'hui dans un cadre contemporain raffiné. Jardin fleuri.

BERRY-BOUY – 18 Cher – 323 J4 – 934 h. – alt. 136 m – ✉ 18500 12 **C3**

▶ Paris 238 – Orléans 112 – Bourges 9 – Vierzon 27 – Issoudun 41

⌂ L'Ermitage sans rest
– ℰ 02 48 26 87 46 – www.hotes-ermitage.com – domaine-ermitage@wanadoo.fr – Fax 02 48 26 03 28 – Fermé de mi-nov. à début janv.
5 ch ☑ – †50/53 € ††65/68 €

♦ Au calme dans un parc d'arbres centenaires, cette demeure viticole vous accueille dans une ambiance bien sympathique (dégustation de vins). Chambres personnalisées avec goût.

BERZE-LA-VILLE – 71 Saône-et-Loire – 320 I11 – 519 h. – alt. 350 m – ✉ 71960 ▌Bourgogne 8 **C3**

▶ Paris 408 – Mâcon 13 – Charolles 47 – Cluny 13 – Roanne 85

à la Croix-Blanche 2 km à l'Ouest – ✉ 71960

XX Le Relais du Mâconnais
lieu-dit la Croix Blanche, D 17 – ℰ 03 85 36 60 72 – www.lannuel.com – resa@lannuel.com – Fax 03 85 36 65 47 – Fermé janv., dim. soir et lundi
Rest – Menu 28/60 € bc – Carte 48/57 €

♦ Belle maison régionale au centre du bourg. La cuisine, au goût du jour, est servie dans une salle contemporaine mariant les tons chaud-froid (brun, vert d'eau).

BESANÇON ℙ – 25 Doubs – 321 G3 – 116 100 h. – Agglo. 134 376 h. – alt. 250 m – Casino BY – ✉ 25000 ▌Franche-Comté Jura 16 **B2**

▶ Paris 405 – Basel 167 – Bern 180 – Dijon 91 – Lyon 225 – Nancy 204

ℹ Office de tourisme, 2, place de la 1ère Armée Française ℰ 03 81 80 92 55, Fax 03 81 80 58 30

▬ de Besançon à Mamirolle La Chevillotte, E : 13 km par N 57, D 464 et D 104, ℰ 03 81 55 73 54

◉ Site★★★ - Citadelle★★ : musée d'Histoire naturelle★ M^3, musée comtois★ M^2, musée de la Résistance et de la Déportation★ M^4 - Vieille ville★★ ABYZ : Palais Granvelle★, cathédrale★ (Vierges aux Saints★), horloge astronomique★, façades des maisons du 17e s.★ - Préfecture★ AZ P - Bibliothèque municipale★ BZ B - Grille★ de l'Hôpital St-Jacques AZ - Musée des Beaux-Arts et d'Archéologie★★.

BESANÇON

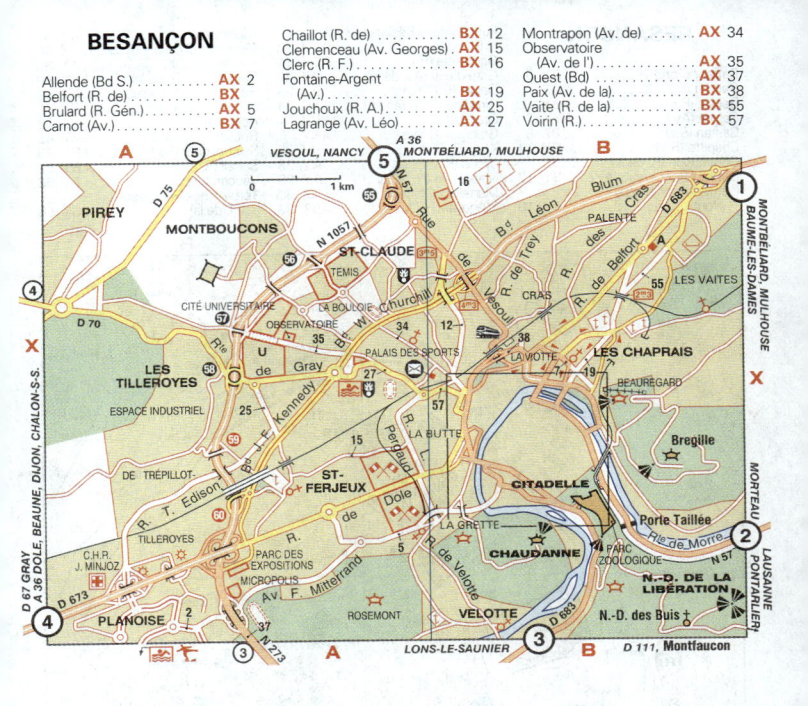

Allende (Bd S.) .... **AX** 2	Chaillot (R. de) .... **BX** 12	Montrapon (Av. de) .... **AX** 34
Belfort (R. de) .... **BX**	Clemenceau (Av. Georges) .. **AX** 15	Observatoire
Brulard (R. Gén.) .... **AX** 5	Clerc (R. F.) .... **BX** 16	(Av. de l') .... **AX** 35
Carnot (Av.) .... **BX** 7	Fontaine-Argent	Ouest (Bd) .... **AX** 37
	(Av.) .... **BX** 19	Paix (Av. de la) .... **BX** 38
	Jouchoux (R. A.) .... **AX** 25	Vaite (R. de la) .... **BX** 55
	Lagrange (Av. Léo) .... **AX** 27	Voirin (R.) .... **BX** 57

🏨 **Mercure Parc Micaud** 　 📶 AC ⇌ 🛜 🐕 P VISA 🅜 AE ①
3 av. Ed.-Droz – ☏ 03 81 40 34 34 – www.mercure.com – h1220@accor.com
– Fax 03 81 40 34 39　　　　　　　　　　　　　　　　　　　　　　　　　BY **d**
91 ch – †85/148 € ††95/158 €, ☑ 15 €
Rest – (fermé sam. midi et dim. midi) Carte 30/50 €
♦ Hôtel bien placé face au Doubs, proche de la vieille ville où Victor Hugo vit le jour en 1802.
Chambres répondant aux exigences de la clientèle d'affaires ; bar feutré. Au restaurant :
décor contemporain sur le thème du temps et vue sur les jardins du casino.

🏨 **Charles Quint** sans rest 🍃 　 🚗 🏊 & 🛜 🐕 🚗 VISA 🅜
3 r. Chapitre – ☏ 03 81 82 05 49 – www.hotel-charlesquint.com
– hotel-charlesquint@wanadoo.fr – Fax 03 81 82 61 45 – Fermé 19-25 avril et
22-28 fév.　　　　　　　　　　　　　　　　　　　　　　　　　　　　　　BZ **f**
9 ch – †89 € ††145 €, ☑ 12 €
♦ Ferronnerie d'art, mobilier chiné, moulures... Une demeure de charme (18e s.) où le sens
du détail fait toute la différence. Chambres côté jardin ou cathédrale, bon petit-déjeuner.

🏠 **Ibis La City** 　 🍴 📶 & AC ⇌ 🛜 🚗 VISA 🅜 AE ①
1 av. Louise-Michel – ☏ 03 81 85 11 70 – www.ibishotel.com – h3297@accor.com
– Fax 03 81 85 11 77　　　　　　　　　　　　　　　　　　　　　　　　　AZ **m**
119 ch – †54/76 € ††54/76 €, ☑ 8 €
Rest – Menu (18 €), 22/34 € – Carte 21/60 €
♦ Insolite vaisseau futuriste ancré sur une rive du Doubs. Les chambres, agencées selon les
normes de la chaîne, se révèlent plus spacieuses que dans la plupart des Ibis. Carte de
brasserie (fruits de mer et choucroute) servie sous une verrière ou en terrasse.

🏠 **Ibis Centre** sans rest 　 📶 & AC ⇌ 🛜 P VISA 🅜 AE ①
21 r. Gambetta – ☏ 03 81 81 02 02 – www.ibishotel.com – H1364@accor.com
– Fax 03 81 81 89 65　　　　　　　　　　　　　　　　　　　　　　　　　BY **k**
49 ch – †55/78 € ††55/78 €, ☑ 8 €
♦ Ce bâtiment industriel en pierres de taille fut une usine d'aiguilles de montres au 19e s.
Chambres conformes aux standards Ibis et salle des petits-déjeuners contemporaine.

BESANÇON

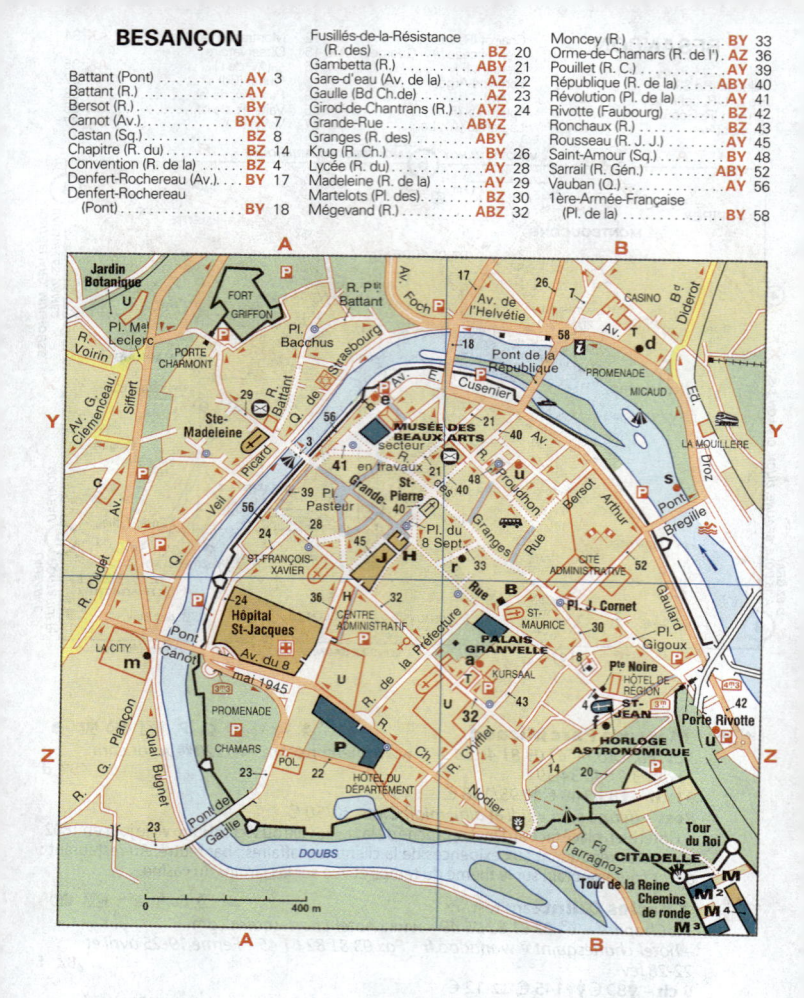

Battant (Pont)	**AY** 3
Battant (R.)	**AY**
Bersot (R.)	**BY**
Carnot (Av.)	**BYX** 7
Castan (Sq.)	**BZ** 8
Chapitre (R. du)	**BZ** 14
Convention (R. de la)	**BZ** 4
Denfert-Rochereau (Av.)	**BY** 17
Denfert-Rochereau (Pont)	**BY** 18
Fusillés-de-la-Résistance (R. des)	**BZ** 20
Gambetta (R.)	**ABY** 21
Gare-d'eau (Av. de la)	**AZ** 22
Gaulle (Bd Ch.de)	**AZ** 23
Girod-de-Chantrans (R.)	**AYZ** 24
Grande-Rue	**ABYZ**
Granges (R. des)	**ABY**
Krug (R. Ch.)	**BY** 26
Lycée (R. du)	**AY** 28
Madeleine (R. de la)	**AY** 29
Martelots (Pl. des)	**BZ** 30
Mégevand (R.)	**ABZ** 32
Moncey (R.)	**BY** 33
Orme-de-Chamars (R. de l')	**AZ** 36
Pouillet (R. C.)	**AY** 39
République (R. de la)	**ABY** 40
Révolution (Pl. de la)	**AY** 41
Rivotte (Faubourg)	**BZ** 42
Ronchaux (R.)	**BZ** 43
Rousseau (R. J.J.)	**AY** 45
Saint-Amour (Sq.)	**BY** 48
Sarrail (R. Gén.)	**ABY** 52
Vauban (Q.)	**AY** 56
1ère-Armée-Française (Pl. de la)	**BY** 58

🏠 **Hôtel du Nord** sans rest
8 r. Moncey – ℰ 03 81 81 34 56 – www.hotel-du-nord-besancon.com
– hoteldunord3@wanadoo.fr – Fax 03 81 81 85 96
44 ch – †42/47 € ††54/62 €, ⊇ 7 €   BY r

◆ Laissez votre voiture au garage et découvrez la vieille ville à pied à partir de cet immeuble du 19ᵉ s. très central. Chambres pratiques et insonorisées. Accueil attentionné.

XXX **Le Manège**
2 fg Rivotte – ℰ 03 81 48 01 48 – www.restaurant-le-manege.fr
– restaurant-le-manege@wanadoo.fr – Fax 03 81 82 74 50
– Fermé 3-17 août, sam. midi, dim. soir et lundi
Rest – Menu (16 €), 26/51 € – Carte 47/71 €   BZ u

◆ Un jeune chef autodidacte œuvre dans ce restaurant au plaisant cadre contemporain. Au menu, de goûteux plats dans l'air du temps où le superflu n'a pas sa place.

308

BESANÇON

Le Poker d'As
14 square St-Amour – ℰ 03 81 81 42 49 – Fax 03 81 81 05 59
– *Fermé 12 juil.-11 août, vacances de Noël, dim. soir et lundi*   BY u
Rest – Menu 19/49 € – Carte 30/60 €

♦ Une affaire 100% familiale : le jeune chef mitonne des plats traditionnels et régionaux dans une salle agreste ornée de sculptures en bois réalisées par son grand-père.

Le Chaland
promenade Micaud, près du pont Bregille – ℰ 03 81 80 61 61
– www.chaland.com – chaland@chaland.com – Fax 03 81 88 67 42 – *Fermé sam. midi et dim. soir*   BY s
Rest – Menu 17 € (déj.)/35 €

♦ Péniche construite en 1904 puis transformée en bateau-restaurant dans les années 1960. Le cabotage des barques sur le Doubs anime les repas. Cuisine classique et régionale.

Christophe Menozzi
11 r. Jean-Petit – ℰ 03 81 81 28 01 – menozzi.christophe@orange.fr
– Fax 03 81 83 36 97 – *Fermé trois sem. en août, une sem. en janv., dim., lundi et fériés*   AY e
Rest – Menu (17 €), 22/52 € bc – Carte 35/48 €

♦ Aux commandes de ce restaurant installé dans une vieille maison de pays, Christophe Menozzi, sommelier, propose des plats du terroir escortés d'une belle carte des vins.

à Chalezeule 5,5 km par ① et D 217 – 1 054 h. – alt. 252 m – ⊠ 25220

Les Trois Îles
1 r. des Vergers – ℰ 03 81 61 00 66 – www.hoteldes3iles.com – hotel.3iles@wanadoo.fr – Fax 03 81 61 73 09 – *Fermé 26 déc.-8 janv.*
17 ch – †56/80 € ††56/80 €, ⊇ 8 € – ½ P 56/70 €
Rest – *(fermé 23 déc.-10 janv.) (dîner seult)* Menu 20 €

♦ Adresse familiale estimée pour son environnement calme et verdoyant. Optez pour l'une des 5 chambres "Club", nettement plus spacieuses et confortables que les autres. Menu journalier unique servi dans une salle à manger-véranda aux couleurs du Sud.

à Montfaucon 9 km par ②, D 464 et D 146 – 1 372 h. – alt. 491 m – ⊠ 25660

La Cheminée
rte du Belvédère – ℰ 03 81 81 17 48 – restaurantlacheminee@wanadoo.fr
– Fax 03 81 82 86 45 – *Fermé 27 juil.-10 août, 15 fév.-8 mars, dim. soir, mardi midi et lundi*
Rest – Menu 22 € (sem.)/50 € – Carte 45/80 €

♦ On s'attarde volontiers dans ce restaurant, séduit par ses jolies salles rustiques (dont une regarde les pins), ses plats classiques et régionaux, et son douillet salon-cheminée.

à Champvans-les-Moulins 8 km par ④ sur D 70 – 319 h. – alt. 252 m – ⊠ 25170

La Source
4 r. des Sources – ℰ 03 81 59 90 57 – www.lasource-besancon.com
– lasource.ch@wanadoo.fr – Fax 03 81 59 09 39 – *Fermé 31 août-9 sept., 28 déc.-18 janv., merc. soir sauf de juin à août, dim. soir et lundi*
Rest – Menu 17 € (déj. en sem.), 23/35 € – Carte 36/55 €

♦ La clientèle locale entretient une ambiance gentiment animée dans la grande salle en mezzanine, baignée de lumière par les baies vitrées. Plats traditionnels et du terroir.

à Geneuille 13 km par ⑤, N 57 et D 1 – 1 225 h. – alt. 220 m – ⊠ 25870

Château de la Dame Blanche
1 chemin de la Goulotte – ℰ 03 81 57 64 64
– www.chateau-de-la-dame-blanche.com – contact@chateau-de-la-dame-blanche.fr – Fax 03 81 57 65 70 – *Fermé dim. soir*
26 ch – †95/147 € ††112/164 €, ⊇ 12 € – 2 suites
Rest – *(fermé dim. soir et lundi)* Menu (25 €), 39/89 € – Carte 64/80 €

♦ Grande demeure bourgeoise et ses élégantes chambres personnalisées, au cœur d'un parc à l'anglaise. Aménagements plus simples et récents à l'annexe. Cuisine classique à déguster sous les plafonds moulurés et les lustres en cristal des plaisantes salles à manger.

BESSANS – 73 Savoie – 333 O6 – 311 h. – alt. 1 730 m – Sports d'hiver : 45 D2
1 750/2 050 m ≤4 ≰ – ⊠ 73480 ▌Alpes du Nord

▶ Paris 698 – Albertville 125 – Chambéry 138 – Lanslebourg-Mont-Cenis 13 – Val-d'Isère 41

🛈 Office de tourisme, rue Maison Morte ℰ 04 79 05 96 52, Fax 04 79 05 83 11

◉ Peintures★ de la chapelle St-Antoine.

◉ Vallée d'Avérole★★.

Le Mont-Iseran
※ rest, ¶" 🕿 VISA ◉◎

pl. de la Mairie – ℰ 04 79 05 95 97 – www.montiseran.com – Fax 04 79 05 84 67
– Ouvert 20 juin-25 sept. et 15 déc.-10 avril
19 ch – †32/75 € ††32/75 €, ⊑ 7 € – ½ P 52/75 €
Rest – Menu (12 €), 12/45 € – Carte 24/45 €

♦ Près des pistes au cœur du village, chalet façon pension de famille abritant des petites chambres ; quelques-unes sont dotées d'un balcon. Espace balnéo avec supplément. Recettes de terroir servies dans un cadre rustique avec la statuette du légendaire diable de Bessans !

LE BESSAT – 42 Loire – 327 G7 – 439 h. – alt. 1 170 m – Sports d'hiver : 44 B2
1 170/1 427 m ≰ – ⊠ 42660

▶ Paris 530 – Annonay 29 – St-Chamond 19 – St-Étienne 19 – Yssingeaux 65

🛈 Syndicat d'initiative, Maison Communale ℰ 04 77 20 43 76, Fax 04 77 20 46 10

XX La Fondue "Chez l'Père Charles" avec ch

Gde-rue – ℰ 04 77 20 40 09 – Fax 04 77 20 45 20 – Ouvert 16 mars-14 nov. et fermé dim. soir et lundi midi sauf vacances scolaires
8 ch – †45 € ††55 €, ⊑ 8 € – ½ P 65 €
Rest – Menu 15 € (sem.), 23/52 € – Carte 46/68 €

♦ Les salles à manger à l'esprit champêtre sont logées dans une auberge située au centre du village. Goûteuse cuisine traditionnelle aux accents régionaux. Chambres simples.

BESSE-ET-ST-ANASTAISE – 63 Puy-de-Dôme – 326 E9 – 1 632 h. 5 B2
– alt. 1 050 m – Sports d'hiver : à Super Besse – ⊠ 63610 ▌Auvergne

▶ Paris 462 – Clermont-Ferrand 46 – Condat 28 – Issoire 30 – Le Mont-Dore 25

🛈 Office de tourisme, place du Dr Pipet ℰ 04 73 79 52 84, Fax 04 73 79 52 08

◉ Église St-André★ - Rue de la Boucherie★ - Porte de ville★ - Lac Pavin★★ ≤★ et Puy de Montchal★★ ※★★ SO : 4 km par D 978.

Les Mouflons
ⓕ⅄ 🕭 P VISA ◉◎ AE

Berthelage – ℰ 04 73 79 56 93 – www.hotel-mouflons-besse.com – info@hotel-mouflons-besse.com – Fax 04 73 79 51 18 – Fermé 15 nov.-15 déc.
51 ch – †40/75 € ††40/80 €, ⊑ 8,50 € – ½ P 50/62 €
Rest – (fermé le midi sauf week ends) Menu 20 €

♦ Imposant bâtiment des années 1970 aux allures de chalet. Préférez l'une des chambres rénovées ; les autres, plus simples, sont également un peu désuètes. Spacieux restaurant compartimenté par des éléments en pierre de lave ; cuisine régionale.

La Gazelle
≤ ⋐ 🖼 P VISA ◉◎

rte Compains – ℰ 04 73 79 50 26 – www.lagazelle.fr – Fax 04 73 79 89 03 – Fermé 16 mars-24 avril et 16 oct.-17 déc.
35 ch – †58/69 € ††58/69 €, ⊑ 8,50 € – ½ P 56/63 €
Rest – (dîner seult) Menu 19 €

♦ Fort de sa position dominante, cet hôtel offre une belle vue sur Besse la médiévale. Chambres au style montagnard. Petits-déjeuners servis dans la véranda. Plats traditionnels à déguster dans une salle à manger sobrement décorée d'où la vue est superbe.

XX Hostellerie du Beffroy avec ch
¶" VISA ◉◎ AE

26 r. Abbé-Blot – ℰ 04 73 79 50 08 – www.lebeffroy.com – lebeffroy@orange.fr – Fax 04 73 79 57 87 – Fermé 20 déc.-12 avril (sauf hôtel), mardi midi, lundi soir de sept. à juin et lundi midi
12 ch – †52/67 € ††56/120 €, ⊑ 12 € – ½ P 66/90 €
Rest – (prévenir le week-end) Menu 35 €, 39/67 € – Carte 50/60 €

♦ Autrefois logis des gardes du beffroi, cette maison du 15ᵉ s. abrite deux salles à manger rustiques garnies de meubles patinés par les ans. Cuisine au goût du jour.

BESSINES-SUR-GARTEMPE – 87 Haute-Vienne – 325 F4 – 2 885 h. – alt. 335 m – ⊠ 87250

24 **B1**

◘ Paris 355 – Argenton-sur-Creuse 58 – Bellac 29 – Guéret 55 – Limoges 38
◙ Office de tourisme, 6, avenue du 11 novembre ✆ 05 55 76 09 28, Fax 05 55 76 68 45

Bellevue
2 av. de Limoges – ✆ 05 55 76 01 99 – www.bellevue87.com – hotel.bellevue@netcourrier.com – Fax 05 55 76 68 81 – Fermé 9 janv.-9 fév., sam. midi et vend. soir sauf juil.-août
12 ch ⊇ – †52 € ††52 €, ⊇ 8 € – ½ P 67 €
Rest – Menu (11 €), 14 € (déj. en sem.), 21/51 € – Carte 31/38 €
◆ Cette auberge de village à l'ambiance familiale, idéale pour l'étape, met à votre disposition des chambres fonctionnelles, simples et bien pratiques. Salles à manger au cadre sobre, pour une table traditionnelle à composantes limousines.

Château Constant
av. 11 novembre-1918 – ✆ 05 55 76 78 42 – www.chateau-constant.com – chateau_constant@yahoo.com
5 ch ⊇ – †69 € ††77/79 € **Table d'hôte** – Menu 24 € bc
◆ Cette maison de maître, dans un parc d'arbres centenaires, est tenue par un sympathique couple d'Hollandais qui a beaucoup voyagé. Mobilier varié : de style, ancien, ethnique... Cuisine internationale servie dans une grande salle à manger claire.

à La Croix-du-Breuil 3 km au Nord sur D 220 – ⊠ 87250 Bessines-sur-Gartempe

Manoir Henri IV
– ✆ 05 55 76 00 56 – http://manoirhenriIV.free.fr – manoirhenriIV@free.fr
– Fax 05 55 76 14 14 – Fermé lundi d'oct. à mai et dim. soir
11 ch – †47/61 € ††47/67 €, ⊇ 9 €
Rest – Menu (18 €), 25 € (déj. en sem.), 28/50 € – Carte 48/71 €
◆ Henri IV aurait été l'hôte de cette ferme fortifiée du 16e s. aujourd'hui agrandie d'une aile récente. Vous serez logés dans des chambres rustiques. Plats traditionnels à déguster dans les salles à manger du manoir au cachet campagnard jalousement préservé.

BESSONIES – 46 Lot – 337 I3 – 112 h. – alt. 520 m – ⊠ 46210

29 **C1**

◘ Paris 587 – Toulouse 215 – Cahors 95 – Aurillac 34 – Figeac 39

Château de Bessonies
Le Bourg – ✆ 06 03 82 20 18 – www.chateau-bessonies.com – info@chateau-bessonies.com – Ouvert d'avril à mi-nov.
5 ch ⊇ – †139/159 € ††139/179 € **Table d'hôte** – Menu 30 €
◆ Le maréchal Ney, héros des guerres napoléoniennes, trouva refuge dans ce château (1550) avant son arrestation pour trahison. Grandes chambres dotées de mobilier de style. Table d'hôte dans la salle à manger où l'on sert une cuisine du terroir.

BÉTHUNE – 62 Pas-de-Calais – 301 I4 – 28 400 h. – Agglo. 259 198 h. – alt. 34 m – ⊠ 62400 ▮ Nord Pas-de-Calais Picardie

30 **B2**

◘ Paris 214 – Arras 34 – Calais 83 – Boulogne-sur-Mer 90 – Lille 39
◙ Office de tourisme, 42-48 rue St Pry ✆ 03 21 57 25 47, Fax 03 21 57 01 60
▣ du Vert-Parc à Illies 3 route d'Ecuelles, par rte de Lille : 18 km, ✆ 03 20 29 37 87

Plan page suivante

L'Éden sans rest
pl. de la République – ✆ 03 21 68 83 83 – www.hotel-eden.biz – hotel-eden@aliceadsl.fr – Fax 03 21 68 83 84
34 ch – †58/110 € ††58/110 €, ⊇ 9 €   Y **e**
◆ Maison en briques au cœur de la ville. Intérieur très chaleureux (bois clair, tissus colorés) : chambres d'ampleur variable, équipées pour certaines de baignoires balnéo.

BÉTHUNE

Albert-1er (R.)	**YZ**
Arras (R. d')	**Z** 3
Bruay (R. de)	**Z** 6
Buridan (R.)	**Z** 7
Clemenceau (Pl. G.)	**Z**
Egalité (R. de l')	**Y** 8
Gambetta (R.)	**YZ** 10
Grand'Place	**Z**
Haynaut (R. Eugène)	**Z** 12
Juin (Av. du Mar.)	**Z** 14
Kennedy (Av. du Prés.)	**Y** 15
Lamartine (Pl.)	**Y** 17
Lattre-de-Tassigny (Av. de)	**Z** 18
Pont de Pierre (R. du)	**Y** 20
Quai du Rivage (R. du)	**Y** 21
République (Pl. de la)	**Y** 22
Sadi-Carnot (R.)	**Y**
Treilles (R. des)	**Z** 25
Vauban (Bd)	**Z** 26
Zola (R. Emile)	**Z** 27

XXX **Au Départ**   VISA ⓂⒸ ①

1 r. F. Mitterand, face gare SNCF – ℘ 03 21 57 18 04 – jfrancois.buche@
wanadoo.fr – Fax 03 21 01 18 20 – Fermé 3-24 août, 15-21 fév., mardi midi, sam.
midi, dim. soir et lundi
Rest – Menu 20 € (déj. en sem.), 32/62 € – Carte 60/85 €

♦ Face à la gare, maison de pays modernisée par son audacieuse façade tricolore (murs blancs et noirs, bow-window plaqué en bois). Intérieur relooké et cuisine actuelle soignée.

à Labourse 4 km par ②, D 943 et D 65 – 2 188 h. – alt. 25 m – ✉ 62113

XX **Terre et Mer**   🍴 ⌘ ⇔ VISA ⓂⒸ AE
✿✿
16 r. A.-Larue – ℘ 03 21 64 03 57 – Fermé 20-26 avril, 3-24 août, sam. midi,
dim. soir et lundi
Rest – Menu (14 €), 17 € (déj. en sem.), 28/40 € – Carte 42/55 €

♦ Mur parementé de briques, cheminée en marbre et tapisserie rayée composent le cadre de ce restaurant familial de la périphérie béthunoise. Cuisine de tradition bien maîtrisée.

BÉTHUNE

à Bruay-la-Buissière 8 km par ④ et N 31 – 24 000 h. – alt. 80 m – ⌧ 62700

ℹ Syndicat d'initiative, 32, rue Hermant ✆ 03 91 80 44 45, Fax 03 91 80 44 45

Kyriad sans rest
r. des Frères Lumière, (Parc de la porte Nord) – ✆ 03 21 01 11 11 – www.kyriad-bethune-bruay.fr – kyriad.bethune@wanadoo.fr – Fax 03 21 57 35 11
69 ch – ✝69 € ✝✝69 €, ⌧ 8,50 €

♦ Idéal pour une clientèle d'affaires, cet hôtel moderne est doté de chambres sobrement contemporaines. Une étape pratique dans un environnement proposant cinémas, bowling, etc.

à Gosnay 5 km par ④, D 941 et D 181 – 1 195 h. – alt. 29 m – ⌧ 62199

Chartreuse du Val St-Esprit
1 r. Fouquières – ✆ 03 21 62 80 00
– www.lachartreuse.com – levalsaintesprit@lachartreuse.com
– Fax 03 21 62 42 50
53 ch – ✝140/380 € ✝✝140/380 €, ⌧ 17 € – 1 suite
Rest *Robert II* – Menu 59/76 € – Carte 68/138 €

♦ Bâti sur les ruines d'une ancienne chartreuse, cet élégant château (1762) abrite de belles chambres de caractère, conformes à l'esprit du lieu, tournées vers le parc arboré. Cuisine actuelle et carte des vins séduisantes, servies dans la salle cossue du Robert II.

à Busnes 14 km par ⑤, D 943 et D 187 – ⌧ 62350

Le Château de Beaulieu (Marc Meurin)
1098 rte de Lillers – ✆ 03 21 68 88 88
– www.lechateaudebeaulieu.fr – contact@lechateaudebeaulieu.fr
– Fax 03 21 68 88 89
16 ch – ✝160/280 € ✝✝160/280 €, ⌧ 22 € – 4 suites
Rest *Le Jardin d'Alice* – voir ci-après
Rest *Meurin* – (fermé 3-23 août, 4-17 janv., mardi midi, sam. midi, dim. soir et lundi) Menu 90 € bc (déj. en sem.), 95/120 € – Carte 120/140 €
Spéc. Collection d'automne, foie gras et champignons (sept.-oct.). Turbot côtier à la purée d'artichaut camus, mêlée d'asperges blanches, girolles et roquette. Trois petits desserts, figue, chocolat blanc et poire (sept. à déc.).

♦ Cet élégant château et son parc abritent un hôtel entièrement rénové. Les chambres, personnalisées dans un style contemporain, sont parfois décorées avec audace. Belle cuisine au goût du jour au Meurin.

Le Jardin d'Alice – Hôtel le Château de Beaulieu
1098 rte de Lillers – ✆ 03 21 68 88 88 – www.lechateaudebeaulieu.fr – contact@lechateaudebeaulieu.fr – Fax 03 21 68 88 89
Rest – (fermé dim. soir du 1er nov. au 1er mai) Menu (20 €), 28 €, 35/62 € bc – Carte 28/58 €

♦ Le Jardin d'Alice profite d'une agréable situation sur l'arrière du château de Beaulieu (baies vitrées et terrasse). Ambiance lounge pour une belle cuisine traditionnelle.

LE BETTEX – 74 Haute-Savoie – 328 N5 – rattaché à St-Gervais-les-Bains

---

BEUIL – 06 Alpes-Maritimes – 341 C3 – 460 h. – alt. 1 450 m – Sports d'hiver : 1 470/2 100 m ✦26 ✦ – ⌧ 06470 **Alpes du Sud**   41 **D2**

▶ Paris 809 – Barcelonnette 80 – Digne-les-Bains 117 – Nice 79 – Puget-Théniers 31

ℹ Syndicat d'initiative, quartier du Pissaïre ✆ 04 93 02 32 58, Fax 04 93 02 35 72

◉ Site★ – Peintures★ de l'église.

L'Escapade
Le village – ✆ 04 93 02 31 27 – www.monsite.wanadoo.fr/hotelescapade – hotel-escapade@wanadoo.fr – Fax 04 93 02 20 50 – Fermé 30 mars-10 avril et 1er oct.-26 déc.
11 ch – ✝55/83 € ✝✝55/83 €, ⌧ 11 € – ½ P 62/76 €   **Rest** – Menu 27/29 €

♦ Les chambres, petites et bien tenues, sont décorées dans l'esprit montagnard ; certaines sont mansardées, d'autres ont un balcon côté sud. Au restaurant, sympathique intérieur campagnard agrémenté de vieux objets agricoles et cuisine dans la note régionale.

LA BEUNAZ – 74 Haute-Savoie – **328** M2 – rattaché à Bernex

BEUVRON-EN-AUGE – 14 Calvados – **303** L4 – 213 h. – alt. 11 m   33 **C2**
– ⌧ 14430 ▮ Normandie Vallée de la Seine

▸ Paris 219 – Cabourg 14 – Caen 32 – Lisieux 25 – Pont-l'Évêque 33
◉ Village★ - Clermont-en-Auge★ NE : 3 km.

Le Pavé d'Hôtes sans rest
– ℰ 02 31 39 39 10 – www.pavedauge.com – info@pavedhotes.com
– Fax 02 31 39 04 45 – Fermé 23 nov.-26 déc. et une sem. en fév.
4 ch ☑ – ♦73/103 € ♦♦80/110 €
♦ Paisible maison aménagée dans un ancien corps de ferme du 19ᵉ s., et dont les chambres épurées marient avec goût tradition et confort. Jus de pomme et confitures maison.

Le Pavé d'Auge (Jérôme Bansard)
– ℰ 02 31 79 26 71 – www.pavedauge.com – info@pavedauge.com
– Fax 02 31 79 04 45 – Fermé 24 nov.-26 déc., 16-23 fév., lundi et mardi sauf le soir en juil.-août
Rest – Menu 36 €, 52/60 €
Spéc. Homard bleu en royale et jus à l'estragon crémé (mai à sept.). Epaule d'agneau de lait au four, citron confit et coriande (fév. à juin). Papillote d'ananas et baba dans un grog au rhum épicé (oct. à mai). **Vins** Vin de Pays du Calvados.
♦ Une atmosphère conviviale et typiquement normande (colombages, cheminée en pierres) imprègne ce restaurant occupant les anciennes halles. Cuisine traditionnelle, service soigné.

Auberge de la Boule d'Or
ℰ 02 31 79 78 78 – Fax 02 31 39 61 50 – Fermé mi-janv. à mi-fév., mardi soir et merc.
Rest – Menu 25/37 € – Carte 37/71 €
♦ Sur la place, derrière une typique façade à colombages, deux coquettes salles à manger rustiques. Celle du rez-de-chaussée est dotée d'une cheminée. Plats traditionnels axés terroir.

BEUZEVILLE – 27 Eure – **304** C5 – 3 568 h. – alt. 129 m – ⌧ 27210   32 **A3**
▮ Normandie Vallée de la Seine

▸ Paris 179 – Bernay 38 – Deauville 26 – Évreux 76 – Honfleur 16 – Le Havre 34
🛈 Office de tourisme, 52, rue Constant Fouché ℰ 02 32 57 72 10, Fax 02 32 57 72 10

à l'Ouest 3 km par N 175 – ⌧ 14130 Quetteville

Hostellerie de la Hauquerie-Chevotel
Lieu-dit La Hocquerie
– ℰ 02 31 65 62 40 – www.chevotel.com – info@chevotel.com
– Fax 02 31 64 24 52 – Ouvert 1ᵉʳ mars-30 nov.
16 ch – ♦120/190 € ♦♦120/210 €, ☑ 14 € – 2 suites – ½ P 105/152 €
Rest – (dîner seult) Menu 35/49 € – Carte 48/60 €
♦ Atmosphère "cottage" en cet hôtel-haras dédié aux amis des pur-sang. Les chambres, dont le décor évoque des étalons renommés, s'ouvrent sur la verdure. Sobriété et élégance caractérisent la petite salle à manger où l'on sert une cuisine au goût du jour.

BEYNAC ET CAZENAC – 24 Dordogne – **329** H6 – 511 h. – alt. 75 m   4 **D3**
– ⌧ 24220 ▮ Périgord

▸ Paris 537 – Brive-la-Gaillarde 63 – Gourdon 28 – Périgueux 66 – Sarlat-la-Canéda 12
🛈 Office de tourisme, La Balme ℰ 05 53 29 43 08, Fax 05 53 29 43 08
◉ Site★★ - Village★ - Calvaire ※★★ - Château★★ : ※★★.

à Vézac 2 km au Sud-Est par rte de Sarlat – 586 h. – alt. 90 m – ⌧ 24220

Le Relais des Cinq Châteaux avec ch
– ℰ 05 53 30 30 72 – www.relaisdes5chateaux.com
– 5chateaux@perigord.com – Fax 05 53 30 30 08 – Fermé de mi nov. à début mars sauf du vend. soir au dim. midi
14 ch – ♦52/135 € ♦♦52/135 €, ☑ 8 €
Rest – Menu (17 € bc), 25 € (déj.), 27/50 € – Carte 40/60 €
♦ Cette maison récente abrite une salle à manger-véranda colorée. La terrasse offre une belle vue sur la campagne et trois châteaux fortifiés. Carte régionale revisitée.

LES BÉZARDS – 45 Loiret – 318 N5 – ⊠ 45290 — 12 D2
▶ Paris 136 – Auxerre 79 – Gien 17 – Joigny 58 – Montargis 23 – Orléans 75

Auberge des Templiers
à 4km de l'autoroute A 77, sortie 19 –
℘ 02 38 31 80 01 – www.lestempliers.com – templiers@relaischateaux.com
– Fax 02 38 31 84 51 – Fermé fév. et lundi midi
20 ch – †195/285 € ††195/285 €, ⊇ 25 € – 10 suites – ½ P 180/225 €
Rest – Menu 45 € (déj.), 78/125 € – Carte 78/150 €
Spéc. Araignée de mer et bar à cru en marinade d'artichauts poivrade. Gibier de Sologne (saison). Les entremets de l'auberge. **Vins** Pouilly-Fumé, Sancerre.
♦ Hôtellerie de caractère au décor personnalisé et raffiné. Des cottages disséminés dans le parc abritent de luxueux appartements. Organisation de séjours de chasse. Cadre très chic au restaurant et terrasse entourée de rosiers ; table classique actualisée.

BÈZE – 21 Côte-d'Or – 320 L5 – 709 h. – alt. 217 m – ⊠ 21310 — 8 D2
▶ Paris 337 – Dijon 34 – Dole 86 – Chenôve 47 – Talant 37

Le Bourguignon
8 r. Porte de Bessey – ℘ 03 80 75 34 51 – www.lebourguignon.com
– hotel-le-bourguignon@wanadoo.fr – Fax 03 80 75 37 06 – Fermé 24 oct.-22 nov.
25 ch – †45 € ††60 €, ⊇ 8,50 € – ½ P 60/63 €
Rest – Menu (13 € bc), 21/40 € – Carte 30/60 €
♦ Convivialité assurée dans cet établissement regroupant trois bâtisses, dont une maison à pans de bois. Chambres bien tenues (préférez celles refaites, plus gaies). Logée derrière une façade Renaissance, la salle à manger rustique propose des plats du terroir.

BÉZIERS – 34 Hérault – 339 E8 – 71 600 h. – Agglo. 124 967 h. — 22 B2
– alt. 17 m – ⊠ 34500 ▍ Languedoc Roussillon
▶ Paris 758 – Marseille 234 – Montpellier 71 – Perpignan 93
✈ de Béziers-Vias : ℘ 04 67 80 99 09, par ③ : 10 km.
🛈 Office de tourisme, 29, avenue Saint-Saëns ℘ 04 67 76 84 00, Fax 04 67 76 50 80
⛳ de Saint-Thomas Route de Pezenas, NE : 12 km, ℘ 04 67 39 03 09
◉ Anc. cathédrale St-Nazaire★ : terrasse ≤★ - Musée du Biterois★ BZ M³ - Jardin St Jacques ≤★.

Plans pages suivantes

Mercure sans rest
33 av. Camille-St-Saëns – ℘ 04 67 00 19 96 – www.mercure.com – h5639@ accor.com – Fax 04 67 00 19 98
CY f
58 ch – †104/144 € ††120/154 €, ⊇ 13 €
♦ Hôtel moderne érigé entre l'office de tourisme et le palais des congrès. Chambres décorées dans le style "cabine de bateau" : boiseries, hublots et formes arrondies.

Champ de Mars sans rest
17 r. de Metz – ℘ 04 67 28 35 53 – www.hotel-champdemars.com
– hotel-champdemars@wanadoo.fr – Fax 04 67 28 61 42
– Fermé 22 déc.-4 janv.
CY v
10 ch – †35/53 € ††39/53 €, ⊇ 7 €
♦ Adresse familiale située dans une ruelle tranquille, à l'écart du centre-ville. Chambres d'ampleur moyenne, progressivement refaites et bénéficiant d'un équipement complet.

Des Poètes sans rest
80 Allées Paul-Riquet – ℘ 04 67 76 38 66 – www.hoteldespoetes.net
– hoteldespoetes@cegetel.net – Fax 04 67 76 25 88
– Fermé 23 déc.-15 janv.
CZ t
14 ch – †55/70 € ††60/75 €, ⊇ 8 €
♦ Chambres contemporaines et soignées dans ce petit hôtel confortable du centre. La salle des petits-déjeuners, réchauffée l'hiver par une cheminée, s'ouvre sur le parc des Poètes.

BÉZIERS

Clemenceau (Av. G.)	**AX** 9	Jussieu (R. A.)	**AX** 33	Perréal (Bd E.)	**AX** 50
Corneilhan (Rte de)	**AX** 10	Kennedy (Bd Prés.)	**AX** 35	Pont-Vieux (Av. du)	**AX** 51
Deveze (Av. de la)	**AX** 12	Lattre-de-Tassigny		Port Neuf (Quai du)	**AX** 52
Dr-Mourrut (Bd)	**AX** 15	(Bd Mar-de)	**AX** 37	Port-Notre-Dame	
Espagne (Rte d')	**AX** 20	Malbosc (R. L.)	**AX** 42	(Av. du)	**AX** 53
Four-à-Chaux (Bd du)	**AX** 25	Moulins Neufs		Sérignan (Rte de)	**AX** 62
Genève (Bd de)	**AX** 27	(Ch. des)	**AX** 45	Treille (Carr. de la)	**AX** 66
Hort-Monseigneur (R. de l')	**AX** 29	Nat (Bd Y.)	**AX** 46	Verdier (Av. P.)	**AX** 67
Injalbert (Bd A.)	**AX** 30	Pasquet (R. du Lt.)	**AX** 48	Voie Domitienne (Av. de la)	**AX** 70

⌂ Les Jardins du Rebaut sans rest

103 chemin rural, (rte de Marauss an) – ℰ 04 67 28 68 58
– www.beziers-vacances.com – lesjardinsdurebaut@wanadoo.fr
– Ouvert 1ᵉʳ mars-30 oct.

5 ch ⌑ – †75 € ††75 €

AX **w**

♦ Cadre verdoyant, calme, chambres douillettes personnalisées avec une vue imprenable sur la cathédrale (sauf celle baptisée Syrah) sont les atouts de cet ancien chai restauré.

XXX L'Ambassade (Patrick Olry)

22 bd de Verdun, (face à la gare) – ℰ 04 67 76 06 24
– www.tables-gourmandes.fr/restaurant_lambassade.php
– lambassade-beziers@wanadoo.fr – Fax 04 67 76 74 05
– Fermé dim. et lundi

CZ **n**

Rest – Menu 29 € (sem.)/110 € – Carte 55/100 €

Spéc. Marbré d'aubergines, tomate, poivron et piquillos aux amandes fraîches et chipirons (été). Saint-Pierre à la peau, cannelloni de couteaux au poireau et crème battue gratinée (été). Croustillant de mangue à la noix de coco et sorbet pinacolada (été). **Vins** Saint-Chinian, Coteaux du Languedoc.

♦ Une décoration résolument contemporaine (boiseries blondes, verre sablé), des plats savoureux et une carte des vins exceptionnelle : le "Tout-Béziers" s'y précipite !

XX Octopus (Fabien Lefebvre)

12 r. Boïeldieu – ℰ 04 67 49 90 00 – www.restaurant-octopus.com
– Fax 04 67 28 06 73 – Fermé 17 août-7 sept., vacances de Noël, dim. et lundi

CY **t**

Rest – Menu (22 € bc), 30/72 € – Carte 63/92 €

Spéc. Pot-au-feu "croq'n truffe". Loup laqué d'un caramel d'oignon, céleri et champignons sauvages (automne). Sur sablé breton, glace arabica et chocolat chaud tradition. **Vins** Faugères, Corbières

♦ Pour déguster des recettes au goût du jour bien tournées, prenez place dans l'une des salles à manger contemporaines ou en terrasse, dressée dans la cour intérieure.

BÉZIERS

Abreuvoir (R. de l')	**BZ** 2
Albert-1er (Av.)	**CY** 3
Bonsi (R. de)	**BZ** 4
Brousse (Av. Pierre)	**BZ** 5
Canterelles (R.)	**BZ** 6
Capus (R. du)	**BZ** 7
Citadelle (R. de la)	**BZ** 9
Drs-Bourguet (R. des)	**BZ** 13
Estienne-d'Orves (Av. d')	**BZ** 22
Flourens (R.)	**BY** 23
Garibaldi (Pl.)	**CZ** 26
Joffre (Av. Mar.)	**CZ** 32
Massol (R.)	**BZ** 43
Moulins (Rampe des)	**BY** 44
Orb (R. de l')	**BZ** 47
Péri (Pl. G.)	**BYZ** 49
Puits-des-Arènes (R. du)	**BZ** 54
République (R. de la)	**BY** 55
Révolution (Pl. de la)	**BZ** 57
Riquet (R. P.)	**BY** 58
St-Jacques (R.)	**BZ** 60
Strasbourg (Bd de)	**CY** 64
Tourventouse (Bd)	**BZ** 65
Victoire (Pl. de la)	**BCY** 68
Viennet (R.)	**BZ** 69
4-Septembre (R. du)	**BY** 72
11-Novembre (Pl. du)	**CY** 74

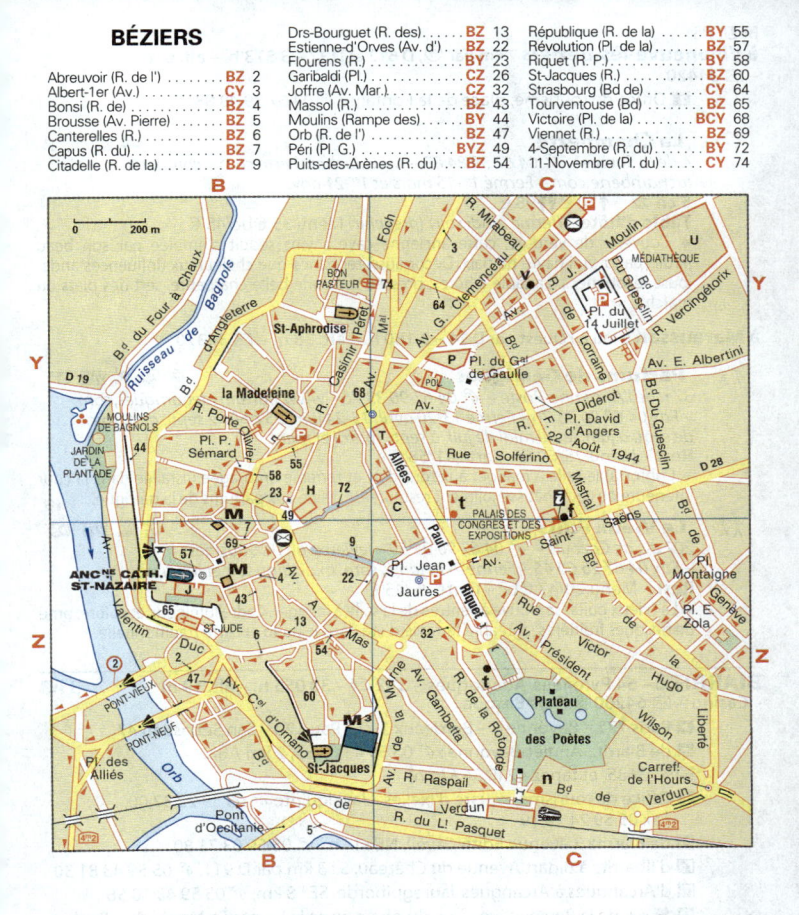

✗ **La Maison de Campagne**
22 av. Pierre Verdier – ℘ *04 67 30 91 85 – www.aupauvrejacques.fr*
– aupauvrejacques@wanadoo.fr – Fax 04 67 30 47 32 – Fermé 17 août-3 sept., 28 oct.-3 nov., dim., lundi et le soir du mardi au jeudi
Rest – Menu 18 € (sem.)/25 € bc – Carte 30/70 €
◆ Avec ses allures d'hacienda et son grand patio-terrasse, très agréable l'été, cette maison de campagne offre un beau cadre, rustique et chic. Cuisine actuelle ; bar à tapas.

par ③ **6 km près échangeur A9-Béziers-Est –** ✉ **34420 Villeneuve-lès-Béziers**

🏠 **Le Pavillon**
Z.A la Montagnette, rte Valras 1 km – ℘ *04 67 39 40 00 – hotel.pavillon@orange.fr – Fax 04 67 39 39 61 – Fermé 25 déc.-2 janv.*
78 ch – ♦65/85 € ♦♦65/85 €, ⊇ 8 €
Rest – Menu (14 €), 20/35 € – Carte 25/50 €
◆ À la périphérie de la ville, étape utile sur la route de l'Espagne. Chambres fonctionnelles et climatisées. Bons équipements sportifs et aire de jeux pour enfants. Salles à manger d'esprit actuel où l'on propose une cuisine traditionnelle et des formules buffets.

317

BÉZIERS

à Villeneuve-lès-Béziers 7 km par ③, D 612 et D 37 – 3 573 h. – alt. 6 m
– ⊠ 34420

🛈 Office de tourisme, place de la Fontaine ℰ 04 67 39 48 83

La Chamberte
r. de la Source – ℰ 04 67 39 84 83 – www.lachamberte.com – contact@lachamberte.com – Fermé 1er-15 mars et 1er-21 nov.
5 ch ⊆ – †70 € ††98 €
Table d'hôte – (fermé lundi soir) (prévenir) Menu 35 € bc/45 €

◆ Couverte de verdure, cette ancienne cave à vins séduit d'emblée par son beau jardin-patio, vrai havre de paix. Décor aussi tendance que chaleureux (influences andalouse, exotique...). La table d'hôtes, dressée sous une belle charpente, sert des plats du marché.

à Maraussan 6 km à l'Ouest par D 14 – 3 180 h. – alt. 38 m – ⊠ 34370

Parfums de Garrigues
37 r. de l'Ancienne-Poste – ℰ 04 67 90 33 76 – www.parfumsdegarrigues.com
– Fax 04 67 90 33 76 – Fermé 13-20 avril, 15-24 juin, 25 août-2 sept., dim. soir de sept. à juin, jeudi midi de juil. à sept., mardi et merc.
Rest – Menu 25/60 € – Carte 41/58 €

◆ Confortable salle à manger aux tons d'oc et terrasse ombragée installée dans la cour intérieure de cette bâtisse joliment restaurée. Cuisine aux parfums de la garrigue.

Le Vieux Puits
207 av. de Cazouls – ℰ 04 67 90 05 59 – levieuxpuits@9business.fr
– Fax 04 67 26 60 45 – Fermé 2-14 janv., sam. midi, dim. soir et lundi
Rest – Menu 20/47 € bc – Carte 25/45 €

◆ Le "vieux puits" se trouve à l'entrée de la salle à manger. Cadre lumineux et coloré, orné de fresques fruitières, agréable terrasse d'été dans le patio et carte traditionnelle.

BIARRITZ – 64 Pyrénées-Atlantiques – 342 C4 – 30 055 h. – alt. 19 m
– Casino – ⊠ 64200 ▍Pays Basque   3 A3

🇵 Paris 772 – Bayonne 9 – Bordeaux 190 – Pau 122 – San Sebastián 47

✈ de Biarritz-Anglet-Bayonne : ℰ 05 59 43 83 83, 2 km ABX.

☎ ℰ 3635 et tapez 42 (0,34 €/mn)

🛈 Office de tourisme, square d'Ixelles - Javalquinto ℰ 05 59 22 37 00, Fax 05 59 24 14 19

⛳ de Biarritz 2 avenue Edith Cavell, NE : 1 km, ℰ 05 59 03 71 80

⛳ d'Ilbarritz à Bidart Avenue du Château, S : 3 km par D 911, ℰ 05 59 43 81 30

⛳ d'Arcangues à Arcangues Jaureguiborde, SE : 8 km, ℰ 05 59 43 10 56

◉ ≤★★ de la Perspective - ≤★ du phare et de la Pointe St-Martin AX - Rocher de la Vierge★ - Musée de la mer★.

Plans pages suivantes

🏨🏨🏨🏨 Du Palais
1 av. de l'Impératrice – ℰ 05 59 41 64 00 – www.hotel-du-palais.com
– reception@hotel-du-palais.com
– Fax 05 59 41 67 99   EY k
122 ch – †300/500 € ††375/575 €, ⊆ 42 € – 30 suites
Rest *La Villa Eugénie* – (fermé fév. et le midi en juil.-août) Menu 120 €
– Carte 112/140 € ❀
Rest *La Rotonde* – (fermé fév.) Menu 65 € – Carte 60/85 €
Rest *L'Hippocampe* – rest. de piscine (ouvert d'avril à mi-oct. et fermé le soir sauf juil.-août) Menu (57 €) – Carte 68/90 €
Spéc. Velouté "Eugénie" (automne-hiver). Blanc de bar, poireau au vin blanc d'Irouléguy et caviar d'Aquitaine (sept. à mai). Ananas rôti aux épices et sa crème légère (hiver-printemps). **Vins** Irouléguy, Jurançon.

◆ Longeant la mer, ce palais, offert par Napoléon III à l'impératrice, assure le luxe d'un palace. Chambres en majorité de style Empire. Magnifique spa impérial. Salon feutré, cuisine actuelle et régionale à la Villa Eugénie. De la Rotonde, belle vue sur l'océan. Buffets et grillades à L'Hippocampe (en saison).

BIARRITZ - ANGLET BAYONNE

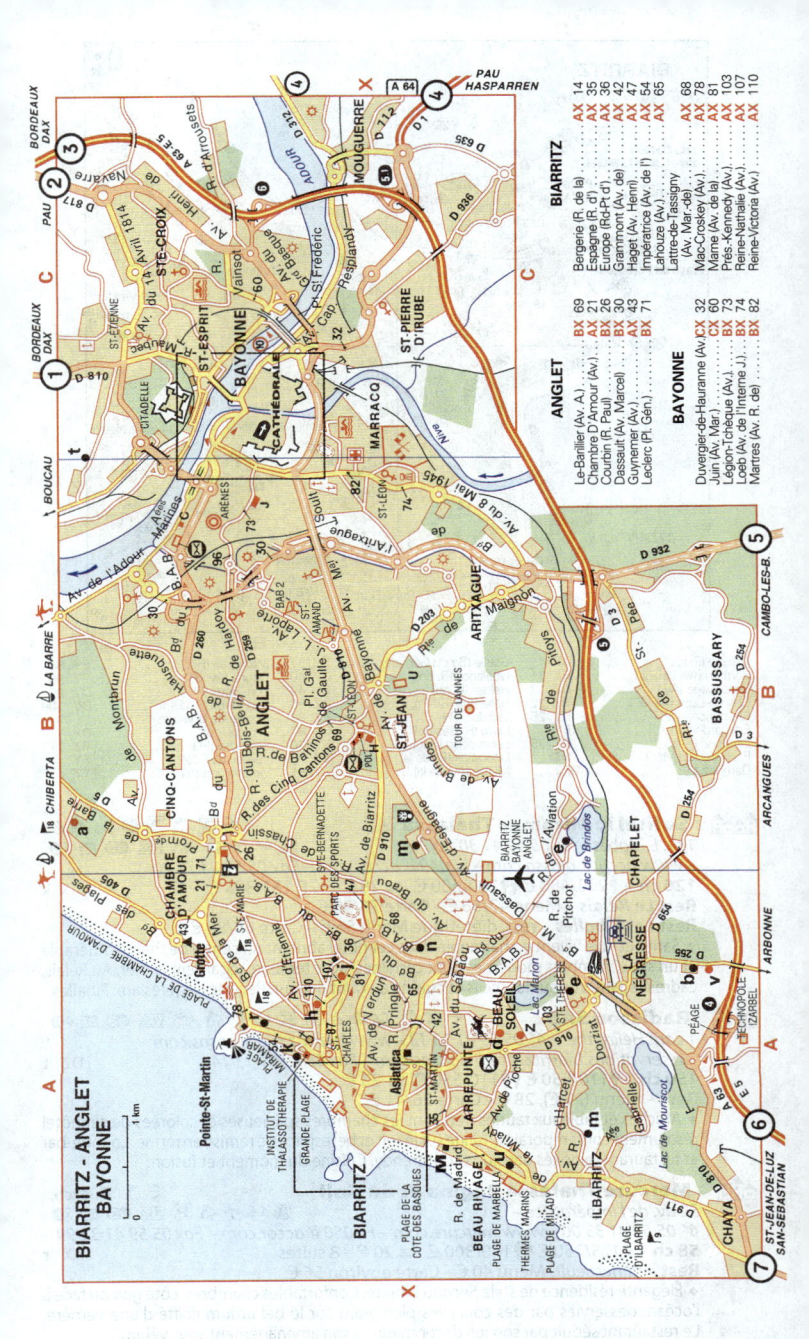

ANGLET
Le-Barillet (Av. A.)	BX	69
Chambre D'Amour (Av.)	AX	21
Courbin (R. Paul)	BX	30
Dassault (Av. Marcel)	BX	26
Guynemer (Av.)	AX	43
Leclerc (Pl. Gén.)	BX	71

BAYONNE
Duvergier-de-Hauranne (Av.)	CX	32
Juin (Av. Mar.)	CX	60
Legion-Tchèque (Av.)	BX	73
Loeb (Av. de l'Interne J.)	BX	74
Martres (Av. de)	BX	82

BIARRITZ
Bergerie (R. de la)	AX	14
Espagne (R. d')	AX	35
Europe (Rd-Pt d')	AX	36
Grammont (Av. de)	AX	42
Haget (Av. Henri)	AX	47
Impératrice (Av. de l')	AX	54
Lahouze (Av.)	AX	65
Lattre-de-Tassigny (Av. Mar.-de)	AX	68
Mac-Croskey (Av.)	AX	78
Marne (Av. de la)	AX	81
Pyrénées (Av. des)	AX	103
Reine-Nathalie (Av.)	AX	107
Reine-Victoria (Av.)	AX	110

319

BIARRITZ

Atalaye (Pl.)	**DY** 4	Gaulle (Bd du Gén.-de)	**EY** 37	Mazagran (R.)	**EY** 84
Barthou (Av. Louis)	**EY** 11	Goélands (R. des)	**DY** 40	Osuna (Av. d')	**EY** 95
Beaurivage (Av.)	**DZ** 12	Helder (R. du)	**EY** 49	Port-Vieux (Pl. du)	**DY** 99
Champ-Lacombe (R.)	**EZ** 22	Hélianthe (Rd-Pt)	**DZ** 50	Port-Vieux (R. du)	**DY** 100
Clemenceau (Pl.)	**EY** 25	Larralde (R.)	**EY** 66	Rocher de la Vierge	**DY** 114
Édouard-VII (Av.)	**EY**	Larre (R. Gaston).	**DY** 67	Sobradiel (Pl.)	**EZ** 117
Espagne (R. d')	**DZ** 35	Leclerc (Bd Mar.)	**DEY** 70	Verdun (Av. de)	**EY**
Foch (Av. du Mar.)	**EZ**	Libération (Pl. de la)	**EZ** 72	Victor-Hugo (Av.)	**EYZ**
Gambetta (R.)	**DEZ**	Marne (Av. de la)	**EY** 81		

🏨🏨🏨 Sofitel le Miramar Thalassa 🌿

13 r. L.-Bobet – ℰ 05 59 41 30 00
– www.accorthalassa.com – h2049@accor.com – Fax 05 59 24 77 20
126 ch – †200/480 € ††280/600 €, ⊇ 28 € – ½ P 183/383 € AX k
Rest *Le Relais* – Menu 42/56 € – Carte 76/98 €
Rest *Les Piballes* – rest. diététique Menu 56 € – Carte 65/88 €

♦ Santé et luxe vivent en harmonie dans cet hôtel abritant un centre de thalassothérapie et un spa. Chambres modernes dont certaines, avec terrasse, regardent la mer. Au Relais, cadre élégant, vue sur les récifs et cuisine au goût du jour. Recettes légères aux Piballes.

🏨🏨🏨 Radisson SAS

1 carr. Hélianthe – ℰ 05 59 01 13 13 – www.biarritz.radissonsas.com
– reservations.biarritz@radissonsas.com – Fax 05 59 01 13 14 DZ t
150 ch – †110/550 € ††110/550 €, ⊇ 23 €
Rest – Menu (22 €), 28 € – Carte 26/41 €

♦ Affiches et tableaux taurins décorent les chambres spacieuses et colorées de cet hôtel résolument contemporain. Piscine sur le toit et bel espace de remise en forme. Lounge-bar et restaurant relookés dans un esprit trendy. Cuisine du moment et fusion.

🏨🏨 Mercure Thalassa Regina et du Golf

52 av. de l'Impératrice
ℰ 05 59 41 33 00 – www.mercure.com – H2050@accor.com – Fax 05 59 41 33 99
58 ch – †125/250 € ††140/300 €, ⊇ 20 € – 8 suites AX r
Rest – (dîner seult) Menu 40 € – Carte environ 56 €

♦ Élégante résidence de style Second Empire. Confortables chambres, côté golf ou face à l'océan, desservies par des coursives plongeant sur le bel atrium coiffé d'une verrière. Le restaurant séduit par son joli décor marin et son aménagement sous vélum.

Mercure Plaza Centre sans rest

av. Édouard-VII – ℰ 05 59 24 74 00 – www.groupe-segeric.com – h5681@accor.com – Fax 05 59 22 22 01

EY **p**

69 ch – †124/198 € ††136/218 €, ⏢ 16 €

♦ La rénovation de l'hôtel a su préserver l'essentiel : l'esprit Art déco de la belle façade, tournée vers la plage et le casino, et aussi le joli cachet des chambres. Soirées jazz.

Tonic

58 av. Édouard-VII – ℰ 05 59 24 58 58 – www.tonichotel.com – reservation-biarritz@tonichotel.com – Fax 05 59 24 86 14

EY **d**

63 ch – †135/295 € ††155/325 €, ⏢ 18 €

Rest *La Maison Blanche* – *(Fermé dim. et lundi de nov. à mars)* Carte 40/77 €

♦ À deux pas de la Grande Plage, cet hôtel révèle un intérieur élégant et moderne. Chambres au design soigné, équipées de baignoires hydromassantes pour réveils toniques ! Agréable salle à manger contemporaine et cuisine actuelle en harmonie avec le cadre.

Beaumanoir sans rest ⌛

av. de Tamames – ℰ 05 59 24 89 29 – www.lebeaumanoir.com – reception@lebeaumanoir.com – Fax 05 59 24 89 46 – Ouvert 3 avril-11 nov.

AX **n**

5 ch – †285/385 € ††285/385 €, ⏢ 24 € – 3 suites

♦ Chambres, suites, appartements, mobilier baroque et design, salon sous une verrière, piscine, parc... Un charme luxueux règne dans ces ex-écuries proches du centre et des plages.

Édouard VII sans rest

21 av. Carnot – ℰ 05 59 22 39 80 – www.hotel-edouardvii.com – contact@hotel-edouardvii.com – Fax 05 59 22 39 71

EZ **k**

18 ch – †80/145 € ††80/145 €, ⏢ 10 €

♦ Cette jolie villa biarrote datant de la fin du 18ᵉ s. vous réserve un accueil sympathique et propose des chambres soignées, agréablement personnalisées.

Alcyon sans rest

8 r. Maison-Suisse – ℰ 05 59 22 64 60 – www.hotel-alcyon-biarritz.com – contact@hotel-alcyon-biarritz.com – Fax 05 59 22 64 64 – Fermé 1ᵉʳ-15 mars

15 ch – †75/95 € ††85/130 €, ⏢ 9 €

EY **x**

♦ Cet hôtel marie le charme des maisons anciennes aux équipements modernes : salon contemporain, salle des petits-déjeuners design et chambres rénovées avec élégance.

Windsor

19 bd du Gén. de Gaulle, (Grande Plage) – ℰ 05 59 24 08 52 – www.hotelwindsorbiarritz.com – hotelwindsor-biarritz@wanadoo.fr – Fax 05 59 24 98 90

EY **a**

48 ch – †70/265 € ††70/265 €, ⏢ 13 €

Rest *Le Galion* – ℰ 05 59 24 20 32 *(fermé dim. soir du 16 nov. au 29 fév., lundi sauf le soir du 1ᵉʳ juil. au 15 sept. et mardi midi)* Menu (18 €), 20/30 € – Carte 42/58 €

♦ Océan, ville ou cour : l'exposition des chambres de cette bâtisse voisine de la Grande Plage varie. Préférez celles rénovées, à la fois modernes et épurées. Salle à manger panoramique tournée vers l'Atlantique ; cuisine traditionnelle axée sur les produits de la mer.

Biarritz

30 av. de la Milady – ℰ 05 59 23 83 03 – www.hotel-lebiarritz-.com – info@biarritz-thalasso.com – Fax 05 59 23 88 12

AX **u**

49 ch ⏢ – †74/183 € ††108/306 € – ½ P 76/205 €

Rest – *(fermé dim. soir et lundi midi de nov. à fin fév. sauf vacances scolaires et jours fériés)* Menu 22/31 € – Carte 31/37 €

♦ À deux pas des thermes marins (accessibles à des tarifs préférentiels), cet hôtel, refait à neuf, propose de confortables chambres contemporaines d'esprit "bord de mer". Le Ponton ouvre grand ses baies sur l'océan et sert en terrasse aux beaux jours. Carte actuelle.

Maïtagaria sans rest

34 av. Carnot – ℰ 05 59 24 26 65 – www.hotel-maitagaria.com – hotel.maitagaria@wanadoo.fr – Fax 05 59 24 26 30 – Fermé 23 nov.-15 déc.

15 ch – †53/63 € ††60/90 €, ⏢ 8,50 €

EZ **m**

♦ Accueil sympathique en cette demeure de style régional qui a revu son aménagement. Le mobilier chiné des chambres (fonctionnelles ou plus confortables) est largement Art déco.

Maison Garnier sans rest
29 r. Gambetta – ℰ 05 59 01 60 70 – www.hotel-biarritz.com
– maison-garnier@hotel-biarritz.com – Fax 05 59 01 60 80
– Fermé 10-24 déc., 5-15 janv.

EZ e

7 ch – †95/155 € ††95/160 €, ⊇ 10 €

◆ Coquette villa biarrote du 19ᵉ s. agréablement aménagée dans un esprit de maison d'hôtes. Mobilier ancien et décoration soignée font le cachet des chambres, assez grandes.

Marbella
11 r. Port-Vieux – ℰ 05 59 24 04 06 – www.hotel-marbella.fr – infos@
hotel-marbella.fr – Fax 05 59 24 63 26

DY a

29 ch – †82/160 € ††82/160 €, ⊇ 10 €
Rest – (dîner seult) Menu 18 €, 20/35 € – Carte 35/55 €

◆ Immeuble bordant une rue commerçante, à quelques encablures du rocher de la Vierge et du musée de la Mer. Chambres un peu petites, mais plaisantes et bien tenues. Cuisine régionale simple annoncée sur l'ardoise du jour et servie dans un cadre rustique.

Oxo sans rest
38 av. de Verdun – ℰ 05 59 24 26 17 – www.hotel-oxo.com – oxo@
biarritz-hotel.com – Fax 05 59 24 66 08 – Fermé 23 déc.-3 janv.

EY e

20 ch – †58/85 € ††58/90 €, ⊇ 8 €

◆ Modernisation complète et nouvelle raison sociale exprimant la rencontre entre l'oxygène pyrénéen et l'océan, pour cet hôtel situé sur un axe passant, face à la médiathèque.

Villa Le Goëland sans rest
12 plateau de l'Atalaye – ℰ 05 59 24 25 76 – www.villagoeland.com – info@
villagoeland.com – Fax 05 59 22 36 83

DY w

4 ch – †130/250 € ††130/250 €, ⊇ 10 €

◆ Cette grande villa sur l'un des sites les plus agréables de Biarritz offre un superbe panorama, qui va de l'Espagne à la côte landaise. Certaines chambres ont une terrasse.

Nere-Chocoa sans rest
28 r. Larreguy – ℰ 06 08 33 84 35 – www.nerechocoa.com – maryse.cadou@
wanadoo.fr – Fax 05 59 41 07 95

AX e

5 ch – †75/115 € ††75/115 €, ⊇ 9 €

◆ Cette maison entourée de chênes a hébergé des hôtes illustres dont l'impératrice Eugénie. Vastes chambres soignées, collection de tableaux, salon convivial pour soirées musicales.

La Ferme de Biarritz sans rest
15 r. Harcet – ℰ 05 59 23 40 27 – www.fermedebiarritz.com – info@
fermedebiarritz.com – Fermé 6-17 déc.

AX m

5 ch – †55/80 € ††55/80 €, ⊇ 8 €

◆ Près de la plage, ferme basque du 17ᵉ s. bien restaurée. Coquettes chambres (non-fumeurs) mansardées, aux meubles anciens. Petit-déjeuner dans le jardin ou devant la cheminée.

Sissinou
5 av. Mar.-Foch – ℰ 05 59 22 51 50 – restaurant.sissinou@wanadoo.fr
– Fax 05 59 22 50 58 – Fermé une sem. en avril, vacances de fév., dim. et lundi
sauf août et le midi en août

EZ n

Rest – Menu 52 €

◆ Restaurant en vogue avec son décor contemporain (banquettes aubergine, murs verts, luminaires design), son service décontracté, ses recettes actuelles et ses plats classiques.

Les Rosiers (Andrée et Stéphane Rosier)
32 av. Beausoleil – ℰ 05 59 23 13 68 – www.restaurant-lesrosiers.fr

AX z

Rest – (Fermé merc. midi en été, lundi et mardi sauf le soir de mi-juil. à mi-sept.)
Menu 40 € bc (déj. en sem.)/70 € – Carte 54/66 €

Spéc. Grosses crevettes croustillantes et tartare de tomate. Saint-Pierre à la marinière mousseuse de citron. Moelleux au chocolat et crème glacée caramel.

◆ Accueillante maison tenue par un couple (dont la femme est la première MOF de l'histoire) qui réalise à quatre mains une cuisine "vérité" séduisante et raffinée. Décor sobre et élégant.

BIARRITZ

Café de la Grande Plage
1 av. Edouard-VII, (casino) – ℰ 05 59 22 77 88 – www.lucienbarriere.com
– casinobiarritz@lucienbarriere.com – Fax 05 59 22 77 99

EY h

Rest – Menu (20 €), 29 € – Carte 30/45 €
◆ Un petit creux entre deux parties de black-jack ? Au rez-de-chaussée du casino, brasserie de style Art déco ornée de mosaïques. Vue idéale sur la plage et les surfeurs.

L'Atelier
18 r. de la Bergerie – ℰ 05 59 22 09 37 – www.latelierbiarritz.com – mail@latelierbiarritz.com – Fax 05 59 22 21 50

AX h

Rest – (Fermé 2 sem. en mars et en nov., 1 sem. en juin, dim. soir et lundi sauf juil.-août) Menu (25 €), 45/70 € – Carte 45/51 €
◆ Cet atelier culinaire vous réserve la surprise de préparations actuelles relevées d'un trait de créativité ; bons vins. Côté décor, il mise sur l'élégance d'un espace feutré.

La Table d'Aranda
87 av. de la Marne – ℰ 05 59 22 16 04 – www.tabledaranda.fr – contact@tabledaranda.fr – Fax 05 59 22 16 04 – Fermé 3-18 janv., lundi sauf le soir en juil.-août et dim.

AX j

Rest – Menu (15 €), 20 € (déj. en sem.) – Carte environ 42 €
◆ Le bouche à oreille ne fait pas défaut à cette table au cadre rustique et basque, située dans les murs d'une ex-rôtisserie. Cuisine personnelle et inventive, aimant le sucré-salé.

Philippe
30 av. du Lac Marion – ℰ 05 59 23 13 12 – www.restaurantphilippe.fr – philippe@restaurant-biarritz.com – Fermé 2 sem. en mars, 2 sem. en nov., lundi sauf de juil. à sept. et mardi sauf le soir en août

AX d

Rest – (dîner seult) (nombre de couverts limité, prévenir) Carte environ 55 €
◆ Cuisines ouvertes, four à bois pour préparer agneau et cochon de lait, plats inventifs, décor avant-gardiste : ce restaurant surprend et séduit. Dépôt-vente d'art contemporain.

Le Clos Basque
12 r. L.-Barthou – ℰ 05 59 24 24 96 – leclosbasque@gmail.com
– Fax 05 59 22 34 46 – Fermé 23 juin-3 juil., 27 oct.-17 nov., 23 fév.-12 mars, dim. soir sauf juil.-août et lundi

EY v

Rest – (nombre de couverts limité, prévenir) Menu 24 €
◆ Pierres apparentes et azulejos donnent un air ibérique à la petite salle à manger où règne une ambiance conviviale. Terrasse d'été très courue. Spécialités régionales.

Chez Albert
au Port-des-Pêcheurs – ℰ 05 59 24 43 84 – www.chezalbert.fr – Fax 05 59 24 20 13
– Fermé 22 nov.-16 déc., 4 janv.-10 fév. et merc.

DY v

Rest – Menu 40 € – Carte 36/60 €
◆ Les produits de la mer sont à l'honneur dans cette adresse animée et décontractée d'où l'on aperçoit le petit port de pêche. Terrasse très prisée en été.

au lac de Brindos 4 km au Sud-Est – ⊠ 64600 Anglet

Château de Brindos
1 allée du Château – ℰ 05 59 23 89 80
– www.chateaudebrindos.com – brindos@relaischateaux.com
– Fax 05 59 23 89 81 – Fermé 15 fév.-5 mars

BX e

24 ch – †160/270 € ††210/320 €, ⊇ 25 € – 5 suites
Rest – (fermé dim. soir et lundi sauf de mai à oct.) Menu 35 € (déj.)/70 €
– Carte 60/80 €
◆ Face à un lac de 10 ha, élégante bâtisse invitant au repos et disposant de salons ornés de belles boiseries, de chambres très spacieuses et de luxueuses salles de bains. Salle à manger en rotonde et terrasse au bord de l'eau ; cuisine au goût du jour et soignée.

rte d'Arbonne 4 km au Sud par La Négresse et D 255 – ⊠ 64200 Biarritz

Le Château du Clair de Lune sans rest
48 av. Alan-Seeger – ℰ 05 59 41 53 20 – www.chateauduclairdelune.com
– hotel-clair-de-lune@wanadoo.fr – Fax 05 59 41 53 29

AX b

17 ch – †80/175 € ††80/175 €, ⊇ 10 €
◆ Dans un joli parc, charmante demeure bourgeoise (1902) abritant des chambres raffinées ; décor plus campagnard dans le pavillon. Pour contempler le clair de lune... à Biarritz !

BIARRITZ

Campagne et Gourmandise
52 av. Alan-Seeger, (rte d'Arbonne) – ℰ 05 59 41 10 11
– www.campagneetgourmandise.com – Fax 05 59 43 96 16 – Fermé dim. soir sauf
du 12 juil. au 31 août, lundi midi et merc. AX **v**
Rest – Menu 46/56 €

◆ Cette ancienne ferme nichée dans un vaste jardin, face aux Pyrénées, propose une cuisine du terroir. Intérieur campagnard chic (belle cheminée), véranda et jolie terrasse.

à Arbonne 7 km au Sud par La Négresse et D 255 – 1 460 h. – alt. 37 m – ⊠ 64210

Laminak sans rest
rte de St-Pée – ℰ 05 59 41 95 40 – www.hotel-laminak.com – info@
hotel-laminak.com – Fax 05 59 41 87 65 – Fermé 22 janv.-10 fév.
12 ch – †71 € ††71/99 €, ⊇ 10 €

◆ Ferme du 18ᵉ s. située à la sortie de ce joli village. Chambres personnalisées et redécorées. Petits-déjeuners servis sous la véranda ouvrant sur le jardin. Piscine.

à Arcangues 8 km par La Négresse, D 254 et D 3 – 2 985 h. – alt. 80 m – ⊠ 64200
🛈 Office de tourisme, le bourg ℰ 05 59 43 08 55, Fax 05 59 43 39 16

Les Volets Bleus sans rest
chemin Etchegaraya, 2 km au Sud sur ancienne rte de St-Pée – ℰ 06 07 69 03 85
– www.lesvoletsbleus.fr – maisonlesvoletsbleus@wanadoo.fr – Fax 05 59 43 39 25
– Fermé janv. et fév.
5 ch ⊇ – †95/150 € ††105/160 €

◆ Profitez de la quiétude du jardin et du raffinement mis à l'honneur dans cette villa basque restaurée avec des matériaux chinés. Chambres aux murs patinés, tomettes et boutis.

Maison Gastelhur sans rest
chemin Gastelhur, 2 km à l'Ouest par rte secondaire – ℰ 05 59 43 01 46
– www.gastelhur.com – agnes.lagrolet@orange.fr – Fax 05 59 43 12 96
– Fermé 20 fév. -8 mars
3 ch – †110/130 € ††110/130 €, ⊇ 8,50 €

◆ Posée dans un parc mitoyen du golf, cette maison bourgeoise du 18ᵉ s. invite à une halte au grand calme. Chambres spacieuses agrémentées d'objets et meubles de famille anciens.

Le Moulin d'Alotz (Benoît Sarthou)
3 km au Sud par rte d'Arbonne et rte secondaire – ℰ 05 59 43 04 54
– Fax 05 59 43 04 54 – Fermé 22-30 juin, 4-26 janv., merc. sauf le soir en juil.-août et mardi
Rest – (nombre de couverts limité, prévenir) Carte 65/75 €

Spéc. Tarte de Saint-Jacques crues et cuites, boudin et céleri caramélisés (15 oct. au 15 fév.). Pigeonneau caramélisé, foie chaud et purée truffée. Confit de tomate parfumé aux épices, frangipane à la pistache, crème glacée verveine. **Vins** Irouléguy, Jurançon.

◆ Vieux moulin basque qui daterait de 1694. Élégant cadre mariant poutres et boiseries blanchies, plaisante terrasse, jardin fleuri et cuisine au goût du jour personnalisée.

Auberge d'Achtal
pl. du Fronton, (accès piétonnier) – ℰ 05 59 43 05 56 – achtal@wanadoo.fr
– Fax 05 59 43 16 98 – Fermé 5 janv. -5 avril, mardi et merc. sauf de juil. à mi- sept.
Rest – Menu 28 € – Carte 30/45 €

◆ Luis Mariano, prince de l'opérette, repose dans ce pittoresque village basque. Intérieur rustique de caractère et terrasse ombragée face au fronton. Plats régionaux.

Voir aussi ressources à **Anglet**

BIDARRAY – 64 Pyrénées-Atlantiques – **342** D3 – 645 h. – alt. 110 m **3 A3**
– ⊠ 64780 ▌Pays Basque
🄳 Paris 799 – Biarritz 37 – Cambo-les-Bains 17 – Pau 127
– St-Jean-Pied-de-Port 21

BIDARRAY

Ostapé ⊗ ≤ 🕭 😋 🛋 🐾 🖥 🛋 🗽 🌿 rest, 🍽 🏋 🅿 🚗 VISA 🚾 AE ⓞ
Chahatoa, 4 km au Nord par D 349 – ℰ 05 59 37 91 91 – www.ostape.com
– contact@ostape.com – Fax 05 59 37 91 92 – Ouvert mars-mi-nov.
22 suites – †† 180/565 €, ⊆ 22 €   **Rest** – Menu 56/100 €
♦ Agréables villas de style basque qui se fondent dans le paysage (un parc de 45 ha). Chambres spacieuses, raffinées et dotées d'équipements dernier cri. Piscine, fitness. Cuisine régionale revisitée à découvrir dans une élégante ferme du 17ᵉ s.

Barberaenea ⊗ ≤ 🚗 🌿 🍽 🅿 VISA 🚾
pl. de l'Église – ℰ 05 59 37 74 86 – Fax 05 59 37 77 55 – Fermé 15 nov. au 15 janv.
9 ch – †33/60 € ††33/60 €, ⊆ 6,50 €   **Rest** – Menu 20/25 € – Carte 22/30 €
♦ Hôtellerie simple, authentique et chaleureuse située près du fronton. Chambres rustiques jouissant d'une belle vue sur monts et vallées environnants. Au restaurant, meubles campagnards, nappes régionales, agréable terrasse et cuisine du terroir.

BIDART – 64 Pyrénées-Atlantiques – **342** C4 – 5 614 h. – alt. 40 m   3 **A3**
– ✉ 64210 ▮ **Pays Basque**
🚊 Paris 778 – Bayonne 17 – Biarritz 7 – Pau 122 – St-Jean-de-Luz 9
🛈 Office de tourisme, rue d'Erretegia ℰ 05 59 54 93 85, Fax 05 59 54 70 51
⛳ d'Ilbarritz Avenue du Château, N : 3 km par N 10 et D 911, ℰ 05 59 43 81 30
◉ Chapelle Ste-Madeleine ✻ ★.

Villa L'Arche sans rest ⊗ ≤ 🚗 🌿 🍽 🚗 VISA 🚾 AE
chemin Camboénéa – ℰ 05 59 51 65 95 – www.villalarche.com – contact@
villalarche.com – Fax 05 59 51 65 99 – Ouvert 16 fév.-14 nov.
8 ch – †115/285 € ††115/285 €, ⊆ 14 €
♦ Face aux rivages de l'océan se dresse cette charmante villa où les chambres, avec terrasse privée, affichent chacune un décor différent. Beau jardin paysagé dominant les flots.

L'Hacienda sans rest ⊗ 🚗 🛋 🌿 🍽 🅿 VISA 🚾
50 r. Bassilour, Sud : 3 km par N10, rte Ahetze et rte secondaire – ℰ 05 59 54 92 82
– www.hacienda-bidart.com – contact@hotel-hacienda.fr – Fax 05 59 26 52 73
– Ouvert avril-nov.
14 ch – †115/180 € ††115/180 €, ⊆ 14 €
♦ Cette jolie demeure hispanisante pousse le raffinement à son comble dans le décor coloré et romantique de ses chambres (en partie refaites). Grand jardin fleuri avec piscine.

Ouessant-Ty sans rest 🛒 🌿 🖥 🌿 🍽 🚗 VISA 🚾
3 r. Erretegia, – ℰ 05 59 54 71 89 – www.ouessantty.com – hotel.ouessant.ty@
free.fr – Fax 05 59 47 58 70
12 ch – †69/105 € ††69/105 €, ⊆ 8,50 €
♦ Sympathique petit établissement récent, à la fois central et à deux pas des plages. Grandes chambres meublées en rotin (trois familiales avec cuisinette). Crêperie attenante.

Irigoian sans rest 🚗 🌿 🍽 🅿 VISA 🚾
av. de Biarritz – ℰ 05 59 43 83 00 – www.irigoian.com – irigoian@wanadoo.fr
– Fax 05 59 41 19 07
5 ch – †95/125 € ††95/125 €, ⊆ 9 €
♦ Cette ancienne ferme du 17ᵉ s. se trouve à proximité de l'océan, en lisière d'un golf. Chambres du meilleur goût et spacieuses salles de bains.

XXX **Table et Hostellerie des Frères Ibarboure** (Jean-Philippe et Xabi Ibarboure)
😊 avec ch ⊗   🚗 🕭 😋 🛋 🖥 🛋 🗽 🍽 🅿 VISA 🚾 AE
chemin de Ttalienea, 4 km au Sud par D 810, rte Ahetze et rte secondaire
– ℰ 05 59 54 81 64 – www.freresibarboure.com – contact@freresibarboure.com
– Fax 05 59 54 75 65 – Fermé 15 nov.-7 déc. et 5-20 janv.
12 ch – †120/170 € ††135/230 €, ⊆ 14 €
Rest – *(fermé merc. de sept. à juin, dim. soir sauf août et lundi midi en juil.-août)*
Menu (39 €), 49/105 € – Carte 66/93 €
Spéc. Sublimation de diverses tomates en saveurs d'automne. Pigeonneau rôti à la goutte de sang, rouelles de figues glacées au curry (saison). Craquant au chocolat et praliné, sorbet poire williams. **Vins** Jurançon
♦ Cette demeure basque jouit d'un parc arboré et fleuri. Salles joliment décorées, terrasse sur jardin ; recettes du Sud-Ouest. Spacieuses chambres personnalisées, au grand calme.

BIEF – 25 Doubs – **321** K3 – rattaché à Villars-sous-Dampjoux

BIELLE – 64 Pyrénées-Atlantiques – **342** J6 – 459 h. – alt. 448 m – ✉ 64260 ▌Aquitaine 3 **B3**

▶ Paris 803 – Laruns 9 – Lourdes 43 – Oloron-Ste-Marie 26 – Pau 31

L'Ayguelade
1 km par rte de Pau – ✆ 05 59 82 60 06 – www.hotel-ayguelade.com
– hotel.ayguelade@wanadoo.fr – Fax 05 59 82 61 17 – Fermé janv., mardi et merc. sauf juil.-août
10 ch – †46 € ††60 €, ☐ 7 € – ½ P 45/49 €
Rest – Menu 18 € (sem.)/40 € – Carte 25/45 €
◆ Accueil charmant, tenue sans faille, chambres coquettes et prix doux : cette maison béarnaise, proche d'un affluent du gave d'Ossau (pêche), cache une bonne petite adresse. Cuisine du terroir servie sous une véranda récente ou dans une salle à manger rustique.

BIESHEIM – 68 Haut-Rhin – **315** J8 – rattaché à Neuf-Brisach

BIGNAN – 56 Morbihan – **308** O7 – rattaché à Locminé

BILLIERS – 56 Morbihan – **308** Q9 – 910 h. – alt. 20 m – ✉ 56190 10 **C3**

▶ Paris 461 – La Baule 42 – Nantes 87 – Redon 39 – La Roche-Bernard 17 – Vannes 28

Domaine de Rochevilaine
à la Pointe de Pen Lan, 2 km par D 5
– ✆ 02 97 41 61 61 – www.domainerochevilaine.com
– rochevilaine@relaischateaux.com – Fax 02 97 41 44 85
34 ch – †145/416 € ††145/416 €, ☐ 20 € – 4 suites – ½ P 142/415 €
Rest – Menu 40 € (déj. en sem.), 72/130 € – Carte 85/132 €
Spéc. Huîtres creuses cuisinées en coquille. Homard de casier au beurre demi-sel. Desserts aux grands crus de chocolats noirs.
◆ Hameau de belles demeures bretonnes et centre de balnéothérapie ancrés sur une pointe rocheuse face à l'océan. Chambres spacieuses et personnalisées. Carte classique actualisée, proposée dans un cadre mêlant boiseries, miroirs, tissus rouges, et surplombant les flots.

Les Glycines sans rest
17 pl. de l'Église – ✆ 06 11 86 07 52 – les-glycines-billiers.com
– grimaud.veronique56@wanadoo.fr – Fax 02 97 45 69 68
5 ch ☐ – †82/102 € ††90/110 €
◆ Maison bleue et blanche sur la place d'un petit village. Intérieur à la décoration fraîche et colorée (piano, bibelots, livres et tableaux). Espace de jeu pour les enfants.

BIOT – 06 Alpes-Maritimes – **341** D6 – 8 995 h. – alt. 80 m – ✉ 06410 42 **E2**
▌Côte d'Azur

▶ Paris 910 – Antibes 6 – Cagnes-sur-Mer 9 – Cannes 17 – Grasse 20 – Nice 21 – Vence 18

🛈 Office de tourisme, 46, rue Saint-Sébastien ✆ 04 93 65 78 00, Fax 04 93 65 78 04

🏌 de Biot Avenue Michard Pelissier, S : 1 km, ✆ 04 93 65 08 48

◉ Musée national Fernand Léger★★ - Retable du Rosaire★ dans l'église.

Domaine du Jas sans rest
625 rte de la Mer, D 4 – ✆ 04 93 65 50 50 – www.domainedujas.com
– domaine-du-jas@wanadoo.fr – Fax 04 93 65 02 01 – Ouvert 16 mars-4 janv.
19 ch – †90/120 € ††100/235 €, ☐ 12 €
◆ Mignonnes chambres provençales (dont trois familiales et un duplex) avec balcon ou terrasse donnant sur la piscine, le jardin ou le village de Biot : vivez au rythme du Sud !

BIOT

XXX **Les Terraillers** (Michaël Fulci) 🛜 AC ⇔ P VISA ⓂⓈ AE
11 rte Chemin-Neuf, au pied du village – ℰ 04 93 65 01 59
🕸 – www.lesterraillers.com – lesterraillers@orange.fr – Fax 04 93 65 13 78
– Fermé nov., merc. et jeudi
Rest – Menu (39 €), 55 € bc (déj.), 65/110 € – Carte 89/105 €
Spéc. Gnocchi à la piémontaise sur purée de truffe. Pigeon désossé, farci de semoule de pignons, citron et raisins secs. Voile de chocolat extra-bitter, glace nesquik, mousseline de mascarpone et macarons. **Vins** Vin de Pays des Alpes Maritimes, Côtes de Provence.
♦ Poterie du 16ᵉ s. où vous choisirez de savourer une cuisine aux accents du Sud dans la belle salle à manger voûtée, l'ancien four transformé en petit salon ou la terrasse en été.

X **Chez Odile** 🛜
au village, chemin des Bachettes – ℰ 04 93 65 15 63 – Fermé du 1ᵉʳ déc.-1ᵉʳ fév., le midi en juil.-août, merc. soir et jeudi hors saison
Rest – Menu (19 €), 30 €
♦ Peynet avait son rond de serviette dans cette auberge rustique élevée au rang d'institution locale. Odile, joviale et passionnée, annonce le menu oralement (recettes du pays).

BIOULE – 82 Tarn-et-Garonne – **337** F7 – 845 h. – alt. 84 m – ✉ 82800   **28 B2**
🅳 Paris 613 – Toulouse 75 – Montauban 22 – Cahors 53 – Moissac 60

🏨 **Les Boissières** ⑤   🔊 🛜 🌐 P VISA ⓂⓈ AE
708 rte de Caussade – ℰ 05 63 24 50 02 – www.lesboissieres.com
– cyril.rosenberg@wanadoo.fr – Fax 05 63 24 60 80 – Fermé 10-22 août, vacances de la Toussaint, 2 sem. en janv., sam. midi, dim. soir et lundi
10 ch – †79/119 € ††79/119 €, ☑ 9 €
Rest – Menu (23 €), 36/55 € – Carte environ 46 €
♦ Composée d'une maison de maître (19ᵉ s.) et de son étable (18ᵉ s.) en briques rouges, cette hôtellerie, entourée par un parc, propose des chambres aux styles rustique et actuel. Salle à manger complétée par une pergola aux beaux jours. Cuisine dans l'air du temps.

> Hôtels et restaurants bougent chaque année.
> Chaque année, changez de guide Michelin !

BIRIATOU – 64 Pyrénées-Atlantiques – **342** B4 – rattaché à Hendaye

BIRKENWALD – 67 Bas-Rhin – **315** I5 – 253 h. – alt. 295 m – ✉ 67440   **1 A1**
🅳 Paris 461 – Molsheim 23 – Saverne 12 – Strasbourg 34

🏨 **Au Chasseur** ⑤   ← 🛏 🛜 🔲 🎞 🛎 AC rest, ↔ 🌐 🎯 P VISA ⓂⓈ AE ①
7 r. de l'Église – ℰ 03 88 70 61 32 – www.chasseurbirkenwald.com – contact@
🔗 chasseurbirkenwald.com – Fax 03 88 70 66 02 – Fermé 21 déc.-15 janv.
23 ch – †65/90 € ††90/100 €, ☑ 13 € – 3 suites – ½ P 74/85 €
Rest – (fermé merc. midi, lundi et mardi) Menu (12 €), 15 € (déj. en sem.), 32/75 €
– Carte 30/57 €
♦ Auberge régionale vous réservant un accueil chaleureux, familial et pro. Chambres, récemment rénovées, confortables et soignées. Certaines regardent le massif des Vosges. Élégante salle à manger agrémentée de belles boiseries en mélèze et bois de ronce. Carte classique.

BISCARROSSE – 40 Landes – **335** E8 – 12 031 h. – alt. 22 m – Casino   **3 B2**
– ✉ 40600 ▌**Aquitaine**
🅳 Paris 656 – Arcachon 40 – Bayonne 128 – Bordeaux 74 – Dax 91
– Mont-de-Marsan 84
🅸 Office de tourisme, 55, place Georges Dufau ℰ 05 58 78 20 96,
Fax 05 58 78 23 65
🔟 de Biscarrosse Route d'Ispe, E : 9 km par D 83 et D 305, ℰ 05 58 09 84 93

BISCARROSSE
à Ispe 6 km au Nord par D 652 et D 305 – ⊠ 40600 Biscarosse

La Caravelle
5314 rte des lacs – ℘ 05 58 09 82 67 – www.lacaravelle.fr – lacaravelle.40@wanadoo.fr – Fax 05 58 09 82 18 – Ouvert mi-fév.-31 oct.
15 ch – †48/72 € ††72/102 €, ⊇ 7 € – ½ P 66/81 €
Rest – (fermé lundi midi et mardi midi sauf juil.-août) Menu 16/39 € – Carte 22/56 €

♦ Toutes les chambres de cet hôtel – entièrement rénovées – profitent d'une belle vue sur le lac. Celles logées à l'annexe, de plain-pied, bénéficient d'abords verdoyants. Ambiance "vacances" dans la salle à manger-véranda et agréable terrasse ombragée.

Au Golf 7 km au Nord-Ouest par D 652 et D 305

Le Parcours Gourmand
av. du Golf – ℘ 05 58 09 84 84 – www.biscarrossegolf.com – golfdebiscarrosse@wanadoo.fr – Fax 05 58 09 84 50 – Fermé 5 janv.-12 fév. et lundi hors saison
Rest – Menu (25 €), 40 € (déj.)/75 € bc – Carte 56/79 €

♦ Carte classique valorisant les produits locaux servie dans ce restaurant posé sur le golf, au milieu d'une pinède. Élégant intérieur épuré et terrasse avec vue sur les greens.

BITCHE – 57 Moselle – **307** P4 – 5 674 h. – alt. 300 m – ⊠ 57230   27 **D1**
Alsace Lorraine

- Paris 438 – Haguenau 43 – Sarrebourg 62 – Sarreguemines 33 – Saverne 51 – Strasbourg 73
- Office de tourisme, 4, rue du glacis du Château ℘ 03 87 06 16 16, Fax 03 87 06 16 17
- Holigest Golf de Bitche 2 rue des Prés, E : 1 km par D 662, ℘ 03 87 96 15 30
- Citadelle★ - Ligne Maginot : Gros ouvrage du Simserhof★ O : 4 km.

Le Strasbourg (Lutz Janisch) avec ch
24 r. Col-Teyssier – ℘ 03 87 96 00 44 – www.le-strasbourg.fr – le-strasbourg@wanadoo.fr – Fax 03 87 96 11 57 – Fermé 13 fév.-1ᵉʳ mars
10 ch – †48/76 € ††63/90 €, ⊇ 10 €
Rest – (fermé dim. soir, mardi midi et lundi) Menu (23 €), 31/54 € – Carte 39/53 €
Spéc. Velouté de potimarron à l'oseille. Cuisse de pintade à la crème de morilles. Tiramisu à notre façon.

♦ Dans une lumineuse salle à manger d'esprit Art déco, dégustez la séduisante cuisine du chef, soignée et généreuse. Les prix savent rester sages. Confortables chambres discrètement personnalisées (Afrique, Asie, Provence, etc.).

La Tour
3 r. de la Gare – ℘ 03 87 96 29 25 – restaurant.la.tour@wanadoo.fr – Fax 03 87 96 02 61 – Fermé 12-20 janv., mardi soir et lundi
Rest – Menu (13 €), 28/58 € bc – Carte 28/50 €

♦ Entre gare et centre-ville, grande bâtisse flanquée d'une tourelle. Une décoration d'inspiration Belle Époque rend attrayantes les trois salles à manger. Carte au goût du jour.

BIZE-MINERVOIS – 11 Aude – **344** I3 – 1 022 h. – alt. 58 m – ⊠ 11120   22 **B2**
- Paris 792 – Béziers 33 – Carcassonne 49 – Narbonne 22 – St-Pons-de-Thomières 33

La Bastide Cabezac
au Hameau de Cabezac, Sud : 3 km sur D 5 – ℘ 04 68 46 66 10
– www.la-bastide-cabezac.com – contact@la-bastide-cabezac.com
– Fax 04 68 46 66 29 – Fermé 8-30 nov., 16-28 fév., le midi du lundi au merc. en saison, sam. midi, dim. soir et lundi du 16 sept. au 14 avril
12 ch – †80/130 € ††80/130 €, ⊇ 10 €
Rest – Menu (16 €), 25/75 € – Carte 50/75 €

♦ Relais de poste du 18ᵉ s. au cœur d'un hameau. Aménagements raffinés, meubles de style régional et couleurs chaleureuses en font un plaisant lieu de séjour. Élégant restaurant proposant des vins locaux et sa cuisine actuelle inspirée par les saveurs du Sud.

BLAESHEIM – 67 Bas-Rhin – **315** J5 – rattaché à Strasbourg

BLAGNAC – 31 Haute-Garonne – **343** G3 – **rattaché à Toulouse**

BLAINVILLE-SUR-MER – 50 Manche – **303** C5 – **1 483 h.** – **alt. 26 m** — 32 **A2** – ✉ 50560

▶ Paris 347 – Caen 116 – Saint-Lô 41 – Saint Helier 56 – Granville 36
🛈 Syndicat d'initiative, 12 bis, route de la mer ✆ 02 33 07 90 89, Fax 02 33 47 97 93

XX **Le Mascaret** (Philippe Hardy) avec ch
✿ 1 r. de Bas – ✆ 02 33 45 86 09 – www.restaurant-lemascaret.fr – le.mascaret@wanadoo.fr – Fax 02 33 07 90 01 – Fermé 23 nov.-5 déc. et 2-28 janv.
5 ch – ✝95/185 € ✝✝95/185 €, ⊇ 17 €
Rest – (fermé dim. soir et merc. soir sauf du 15 juil. au 30 août et lundi) Menu (25 €), 29/69 € – Carte 65/85 €
Spéc. Variation autour du coquillage. Raviole de tourteau, coques et cocos, jus de langoustine. Filet de barbue, jus aux herbes, légumes du moment.
♦ Une cour, un jardin d'herbes aromatiques et une cuisine précise et créative, conjuguant avec bonheur les saveurs "terre et mer", font tout le charme de cette maison du 18ᵉ s. Chambres originales et baroques (mélange de motifs, baignoire décorative). Espace bien-être pour la relaxation.

LE BLANC – 36 Indre – **323** C7 – **7 015 h.** – **alt. 85 m** – ✉ 36300   11 **B3**
▌**Limousin Berry**

▶ Paris 326 – Bellac 62 – Châteauroux 61 – Châtellerault 52 – Poitiers 62
🛈 Office de tourisme, place de la Libération ✆ 02 54 37 05 13, Fax 02 54 37 31 93

XX **Le Cygne**
✿ 8 av. Gambetta – ✆ 02 54 28 71 63 – Fermé 22 juin-9 juil., 20-24 déc., 2-19 janv., dim. soir, lundi et mardi
Rest – (nombre de couverts limité, prévenir) Menu 19/32 € – Carte 38/60 €
♦ Non loin de l'église réputée pour ses guérisons miraculeuses, agréable restaurant aux tables soigneusement dressées. La cuisine, au goût du jour, évolue au gré du marché.

LE BLANC-MESNIL – 93 Seine-Saint-Denis – **305** F7 – **101** 17 – **voir à Paris, Environs (Le Bourget)**

BLANGY-SUR-BRESLE – 76 Seine-Maritime – **304** J2 – **3 188 h.**   33 **D1**
– **alt. 70 m** – ✉ 76340

▶ Paris 156 – Abbeville 29 – Amiens 56 – Dieppe 55 – Neufchâtel-en-Bray 31 – Le Tréport 26
🛈 Syndicat d'initiative, 1, rue Checkroun ✆ 02 35 93 52 48, Fax 02 35 94 06 14

X **Les Pieds dans le Plat**
✿ 27 r. St-Denis – ✆ 02 35 93 38 36 – Fax 02 35 93 43 64 – Fermé vacances de fév., jeudi soir d'oct. à mai, dim. soir et lundi
Rest – Menu (14 €), 16 € (sem.), 25/32 € – Carte 30/45 €
♦ Pimpante et lumineuse salle à manger égayée de tableaux d'un artiste local et d'origi-nales fleurs en verre. Ambiance conviviale et cuisine du terroir, généreuse et soignée.

BLANQUEFORT – 33 Gironde – **335** H5 – **rattaché à Bordeaux**

BLAYE – 33 Gironde – **335** H4 – **4 687 h.** – **alt. 7 m** – ✉ 33390   3 **B1**

▶ Paris 549 – Bordeaux 57 – Mérignac 59 – Pessac 64 – Talence 62
🛈 Office de tourisme, allées Marines ✆ 05 57 42 12 09, Fax 05 57 42 91 94

🏠 **La Citadelle**
pl. d'Armes – ✆ 05 57 42 17 10 – www.hotellacitadelle.com – hotelcitadelle.blaye@orange.fr – Fax 05 57 42 10 34
21 ch – ✝80 € ✝✝90/100 €, ⊇ 12 € – ½ P 90/100 €
Rest – Menu 25 € (déj. en sem.), 35/45 € – Carte 45/70 €
♦ Bâtie sur les remparts de la citadelle, sur la place d'armes, cette maison domine l'estuaire tout en profitant du calme. Chambres rénovées, claires et bien tenues. Piscine. Salle à manger actuelle et belle terrasse panoramique.

BLENDECQUES – 62 Pas-de-Calais – **301** G3 – rattaché à St-Omer

BLÉNEAU – 89 Yonne – **319** A5 – 1 491 h. – alt. 200 m – ⌧ 89220 7 **A1**
- Paris 156 – Auxerre 56 – Clamecy 59 – Gien 30 – Montargis 42
- Syndicat d'initiative, 2, rue Aristide Briand ✆ 03 86 74 82 28, Fax 03 86 74 82 28
- Château de St Fargeau ★★ Bourgogne

Blanche de Castille
17 r. d'Orléans – ✆ 03 86 74 92 63 – hotelblanchecastille.facite.com
– blanchecastille@orange.fr – Fax 03 86 74 94 43 – Fermé dim. soir
12 ch – †50 € ††50 €, ⊇ 8 € – ½ P 55 €
Rest – (fermé 7-15 sept., 23 déc.-15 janv., dim. et jeudi) Menu 16 € (sem.)/23 € – Carte 22/35 €
♦ Cet hôtel familial, logé dans un ancien relais de poste, propose des chambres aux noms féminins, bien entretenues ; celles du dernier étage sont mansardées. Restaurant feutré et terrasse dressée dans la cour intérieure. La carte s'inscrit dans l'air du temps.

Auberge du Point du Jour
pl. de la Mairie – ✆ 03 86 74 94 38 – www.aubergedupointdujour.fr
– aubergepointdujour@orange.fr – Fax 03 86 74 85 92 – Fermé dim. soir, lundi et mardi hors saison
Rest – Menu 17 € (déj. en sem.)/35 € – Carte 40/55 €
♦ Poutres apparentes, belles boiseries et fleurs fraîches ajoutent à l'ambiance chaleureuse de ce petit restaurant. Cuisine traditionnelle aux accents de la région.

BLÉNOD-LÈS-PONT-À-MOUSSON – 54 Meurthe-et-Moselle – **307** H5
– rattaché à Pont-à-Mousson

BLÉRÉ – 37 Indre-et-Loire – **317** O5 – 5 024 h. – alt. 59 m – ⌧ 37150 11 **A1**
Châteaux de la Loire
- Paris 234 – Blois 48 – Château-Renault 36 – Loches 25 – Montrichard 16 – Tours 27
- Office de tourisme, 8, rue Jean-Jacques Rousseau ✆ 02 47 57 93 00, Fax 02 47 57 93 00

Cheval Blanc
pl. de l'Église – ✆ 02 47 30 30 14 – www.lechevalblancblere.com
– le.cheval.blanc.blere@wanadoo.fr – Fax 02 47 23 52 80 – Fermé 16-25 nov. et 2 janv.-3 fév.
12 ch – †64/67 € ††64/67 €, ⊇ 10 €
Rest – (fermé dim. soir, vend. midi et lundi sauf fériés) (prévenir) Menu (22 €), 44/61 € – Carte 49/60 €
♦ Demeure de caractère (17e s.) dont les chambres donnent pour la plupart sur une paisible cour fleurie. Piscine, jardin. Restaurant agréable : une salle sur l'arrière distille un esprit rustique, celle de l'avant est plus lumineuse. Cuisine classique, vins du Val de Loire.

BLÉRIOT-PLAGE – 62 Pas-de-Calais – **301** E2 – rattaché à Calais

BLESLE – 43 Haute-Loire – **331** B2 – 657 h. – alt. 520 m – ⌧ 43450 5 **B3**
Auvergne
- Paris 484 – Aurillac 92 – Brioude 23 – Issoire 39 – Murat 45 – St-Flour 39
- Office de tourisme, place de l'Église ✆ 04 71 76 26 90, Fax 04 71 76 28 17
- Église St-Pierre ★.

La Bougnate
pl. Vallat – ✆ 04 71 76 29 30 – www.labougnate.com – contact@labougnate.com
– Fax 04 71 76 29 39 – Fermé déc.-janv. et lundi d'oct. à avril
8 ch – †55/95 € ††55/95 €, ⊇ 9 € **Rest** – Menu 16/34 € – Carte 24/36 €
♦ Paisible et charmante auberge installée dans une vraie maison de village. Chambres simples et coquettes ; celles de la petite tour sont assez pittoresques. Boutique d'artisanat. À table, joli décor rustique, spécialités de viandes d'Aubrac et vins choisis.

BLIENSCHWILLER – 67 Bas-Rhin – **315** I6 – 286 h. – alt. 230 m — 2 **C1**
– ✉ 67650

- Paris 504 – Barr 51 – Erstein 26 – Obernai 19 – Sélestat 11 – Strasbourg 47
- Syndicat d'initiative, 4, rue du Winzenberg ✆ 03 88 92 40 16, Fax 03 88 92 40 16

Winzenberg sans rest
58 rte des Vins – ✆ 03 88 92 62 77 – www.winzenberg.fr – winzenberg@orange.fr
– Fax 03 88 92 45 22 – Fermé 24 déc.-4 janv. et 8 fév.-9 mars
13 ch – †42/45 € ††45/53 €, ⊇ 7 €

♦ Façade rose très fleurie, jolie cour intérieure, chambres coquettes (mobilier en bois peint) : cet hôtel familial aménagé dans une maison de viticulteur a du cachet.

Le Pressoir de Bacchus
50 rte des Vins – ✆ 03 88 92 43 01 – lepressoirdebacchus@wanadoo.fr
– Fax 03 88 92 43 01 – Fermé 29 juin-17 juil., 23 fév.-13 mars, merc. sauf le soir d'avril à déc. et mardi
Rest – Menu (18 € bc), 25/46 € – Carte 31/44 €

♦ Cadre à la fois simple et soigné combinant style alsacien et ambiance de bistrot. Cuisine régionale et carte de vins exclusivement issus du village. Accueil souriant.

BLOIS P – 41 Loir-et-Cher – **318** E6 – 47 900 h. – Agglo. 116 544 h. — 11 **A1**
– alt. 73 m – ✉ 41000 ▮ Châteaux de la Loire

- Paris 182 – Le Mans 111 – Orléans 61 – Tours 66
- Office de tourisme, 23, place du Château ✆ 02 54 90 41 41, Fax 02 54 90 41 48
- du Château de Cheverny à Cheverny La Rousselière, par rte de Cheverny : 15 km, ✆ 02 54 79 24 70
- Château★★★ : musée des Beaux-Arts★ - Le Vieux Blois★ : Église St-Nicolas★ - Cour avec galeries★ de l'hôtel d'Alluye YZ **E** - Jardins de l'Evêché ≤★ - Jardin des simples et des fleurs royales ≤★ Z **L** - Maison de la Magie Robert-Houdin★.

Plan page suivante

Mercure Centre
28 quai St-Jean – ✆ 02 54 56 66 66 – www.mecure.com – h1621@accor.com
– Fax 02 54 56 67 00   Y **f**
96 ch – †115/125 € ††135/145 €, ⊇ 14 €
Rest – Menu 19/29 € bc – Carte 32/50 €

♦ Chambres contemporaines et fonctionnelles, en partie desservies par une coursive ouvrant sur un bar-salon sous verrière. Petite vue sur la Loire depuis certaines. Lumineuse salle à manger ouverte sur le fleuve. Intéressante sélection de vins au verre.

Holiday Inn Garden Court
26 av. Maunoury – ✆ 02 54 55 44 88
– www.holiday-inn.fr – holiblois@wanadoo.fr – Fax 02 54 74 57 97   Y **t**
78 ch – †88/110 € ††88/110 €, ⊇ 13 €
Rest – (fermé sam. midi, dim. midi et midi fériés) Menu (15 €), 18 € – Carte 30/36 €

♦ Chambres confortables et chaleureuses pour cet hôtel rénové, légèrement excentré mais tout proche de la halle aux grains (salles de spectacle et de congrès). Restaurant d'esprit contemporain. Terrasse intérieure où l'on sert grillades et salades en saison.

Anne de Bretagne sans rest
31 av. J.-Laigret – ✆ 02 54 78 05 38 – www.annedebretagne.free.fr
– annedebretagne@free.fr – Fax 02 54 74 37 79 – Fermé 15 fév.-7 mars
27 ch – †45/51 € ††54/58 €, ⊇ 8 €   Z **k**

♦ Sur une place arborée voisine du château, une adresse familiale où il fait bon s'arrêter : salon cosy, chambres simples et joliment colorées, petit-déjeuner servi dehors l'été.

Monarque
61 r. Porte-Chartraine – ✆ 02 54 78 02 35 – http://annedebretagne.free.fr
– lemonarque@free.fr – Fax 02 54 74 82 76 – Fermé 21 déc.-25 janv.   Y **a**
22 ch – †38 € ††55/59 €, ⊇ 6,50 € – ½ P 50 €
Rest – Menu 11 € (déj. en sem.), 18/28 € – Carte environ 26 €

♦ Non loin des rues piétonnes, bâtisse du 19ᵉ s. dont les murs abritent un accueillant hôtel. Petites chambres sobres et bien tenues, toutes climatisées. Un puits de lumière central et quelques tableaux égaient le restaurant ; recettes actuelles.

BLOIS

Abbé-Grégoire (Quai de l')	**Z** 2
Anne-de-Bretagne (R.)	**Z** 3
Augustin Thierry (Sq.)	**Z** 4
Balzac (R. H. de)	**V** 5
Beauvoir (R.)	**Y** 6
Bourg-St-Jean (R. du)	**Y** 10
Cartier (R. R.)	**V** 13
Chemonton (R.)	**Y** 16
Clouseau (Mail)	**Y** 17
Commerce (R. du)	
Cordeliers (R. des)	**Y** 18
Curie (R. Pierre et Marie)	**X** 19
Déportés (Av. des).	**Z** 78
Dion (R. R.)	**Y** 20
Dupuis (Bd D.)	**X** 21
Fontaine-des-Élus (R.)	**Y** 22
Fossés-du-Château (R. des)	**Z** 23
Gambetta (Av.)	**X** 25
Gaulle (Pont Ch.-de)	**Z** 26
Gentils (Bd R.)	**X** 27
Industrie (Bd de l')	**Z** 29
Jeanne-d'Arc (R.)	**Z** 30
Laigret (Av. J.)	**Z** 32
Leclerc (Av. du Mar.)	**X** 33
Lices (Pl. des)	**Y** 34
Lion-Ferré (R. du)	**Z** 35
Maunoury (Av. du Mar.)	**Y** 39
Monsabre (R. du Père)	**Z** 41
Orfèvres (R. des)	**Z** 43
Papegaults (R. des)	**Y** 44
Papin (Escaliers Denis)	**Y** 45
Papin (R. Denis)	
Pierre-de-Blois (R.)	**Z** 46
Poids-du-Roi (R. du)	**Z** 47
Porte-Côté (R.)	**Z** 48
Président-Wilson (Av.)	**X, Z** 51
Puits-Châtel (R. du)	**Y** 52
Remparts (R. des)	**Y** 53
Résistance (Carrefour de la)	**Z** 55
Ronsard (R. P. de)	**X** 58
St-Honoré (R.)	**YZ** 59
St-Jean (Q.)	**Y** 60
St-Louis (Pl.)	**Y** 62
St-Martin (R.)	**Z** 63
Schuman (Av. R.)	**V** 64
Signeulx (R. de)	**V** 66
Trois-Marchands (R. des)	**Z** 67
Trouessard (R.)	**Y** 69
Vauvert (R.)	**Z** 70
Verdun (Av. de)	**X** 72
Vezin (R. A.)	**X** 74
Villebois-Mareuil (Q.)	**X, Z** 75

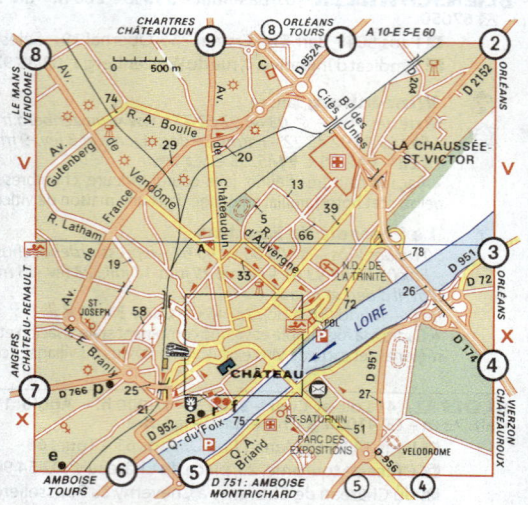

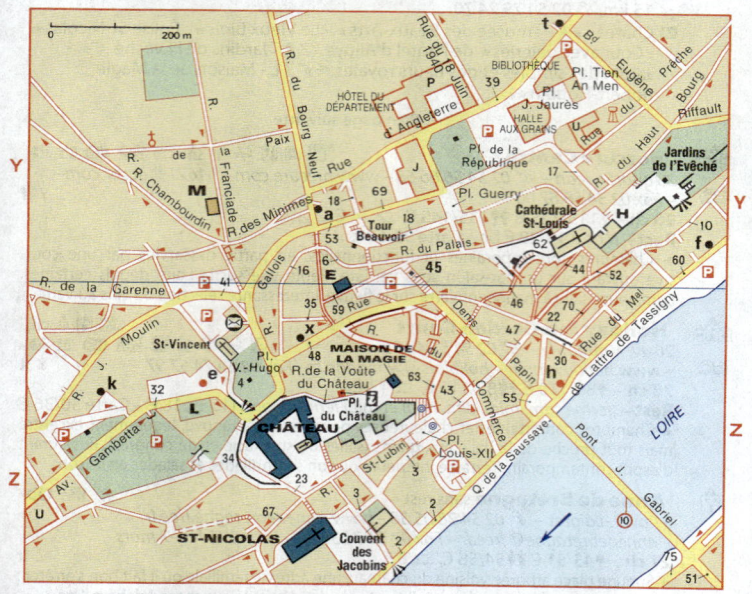

BLOIS

Ibis sans rest
3 r. Porte-Côté – ℰ 02 54 74 01 17 – www.ibishotel.com – H0920@accor.com
– Fax 02 54 74 85 69
Z x
56 ch – ♦59/82 €, ♦♦59/82 €, ⌑ 8 €
♦ Adresse centrale alliant le cachet d'un ancien hôtel particulier (mosaïque d'entrée, stucs, moulures) et la fonctionnalité de chambres pratiques et bien insonorisées.

Le Plessis sans rest
195 r. Albert-1er – ℰ 02 54 43 80 08 – www.leplessisblois.com – leplessisblois@wanadoo.fr – Fax 02 54 43 95 24
X e
5 ch ⌑ – ♦100 € ♦♦110/130 €
♦ Une propriété viticole joliment reconvertie : salon de lecture et petit-déjeuner façon brunch dans la maison principale (18e s.), chambres soignées aménagées dans l'ex-pressoir.

La Petite Fugue sans rest
9 quai du Foix – ℰ 02 54 78 42 95 – www.lapetitefugue.com – lapetitefugue@wanadoo.fr
X a
4 ch ⌑ – ♦100/135 € ♦♦108/145 €
♦ Sur les quais de la Loire, au pied de la vieille ville, demeure bourgeoise du 18e s. en tuffeau. Décor personnalisé dominé par le gris et blanc, patio, ambiance maison de famille.

L'Orangerie du Château (Jean-Marc Molveaux)
1 av. J.-Laigret – ℰ 02 54 78 05 36
– www.orangerie-du-chateau.fr – contact@orangerie-du-chateau.fr
– Fax 02 54 78 22 78 – Fermé 23-30 août, 2-8 nov., 16 fév.-13 mars, lundi midi de mai à oct., mardi soir de nov. à avril, dim. soir et merc.
Z e
Rest – Menu 36 € (sem.)/77 € – Carte 73/94 €
Spéc. Huîtres spéciales, chou-fleur, truite et foie gras. Pigeonneau du Vendômois rôti aux épices, carotte, miel et citron. Menu autour de l'asperge de Sologne (printemps). **Vins** Cour-Cheverny, Touraine.
♦ Belle dépendance du château (15e s.) et sa terrasse ménageant une vue imprenable sur le noble logis de François 1er. Salle lumineuse et raffinée ; cuisine au goût du jour.

Le Médicis (Damien Garanger) avec ch
2 allée François-1er – ℰ 02 54 43 94 04 – www.le-medicis.com – le.medicis@wanadoo.fr – Fax 02 54 42 04 05 – Fermé 9-15 nov., 5-31 janv., dim. soir de nov. à mai et lundi de nov. à mars
X p
10 ch – ♦87/130 € ♦♦87/160 €, ⌑ 12 € – ½ P 95/114 €
Rest – Menu (25 €), 30/72 € – Carte 52/74 €
Spéc. Pâtes surprise aux escargots et chèvre de Sologne (hiver). Pigeon du pays de Racan et foie gras chaud comme un cromesqui (automne). Finger lavande aux framboises et macaron glacé. (été). **Vins** Vouvray, Bourgueil.
♦ Maison 1900 proposant une belle cuisine actuelle dans une salle à manger-véranda cossue (moulures, mobilier Second Empire). Chambres modernisées, soignées et confortables.

Au Rendez-vous des Pêcheurs (Christophe Cosme)
27 r. Foix – ℰ 02 54 74 67 48 – www.rendezvousdespecheurs.com
– christophe.cosme@wanadoo.fr – Fax 02 54 74 47 67 – Fermé 3-17 août, lundi midi et dim.
X r
Rest – (nombre de couverts limité, prévenir) Menu 30 € (sem.)/76 € – Carte 50/80 €
Spéc. Fleur de courgette de la vallée de la Loire farcie aux langoustines. (fin mai à début nov.). Sandre pané au pain d'épice et ratatouille de légumes. Assiette de gourmandises. **Vins** Jasnières, Touraine.
♦ Comme un hommage à l'ex-bar de pêcheurs qui occupait autrefois ces murs : sympathique esprit bistrot rétro et cuisine inventive naviguant avec brio entre terre et mer.

Côté Loire " Auberge Ligérienne " avec ch
2 pl. de la Grève – ℰ 02 54 78 07 86 – www.coteloire.com – info@coteloire.com
– Fax 02 54 56 87 33 – Fermé 4-10 mai, 1er-7 sept., 16-29 nov., 5 janv.-3 fév.
X f
7 ch – ♦59/69 € ♦♦59/79 €, ⌑ 9 € – ½ P 65/75 €
Rest – (fermé sam. midi en juil.-août, dim. et lundi) Menu (19 €), 29 €
♦ Poutres d'origine (16e s.), vaisselier ancien, tables en bois verni et menu unique à l'ardoise évoluant au gré du marché font tout le charme de cette auberge blésoise.

BLOIS

Le Bistrot de Léonard
8 r. Mar.-de Lattre-de-Tassigny – ℰ 02 54 74 83 04 – www.lebistrotdeleonard.com – lebistrotdeleonard@orange.fr – Fax 02 54 74 85 87 – Fermé 24 déc.-1ᵉʳ janv., sam. midi et dim.   Z h
Rest – Carte 25/45 €
♦ Ambiance bistrot parisien restituée derrière une jolie façade en bois donnant sur les quais. Plats canailles notés à l'ardoise, mise de table design, clins d'œil à da Vinci.

à St-Denis-sur-Loire 6 km par ② – 867 h. – alt. 92 m – ⊠ 41000

Le Grand Atelier avec ch
r. 8-Mai-1945 – ℰ 02 54 74 10 64 – www.hotel-restaurant-atelier.com – contact@hotel-restaurant-atelier.com – Fax 02 54 58 86 37 – Fermé dim. soir et lundi
5 ch – †100/110 € ††110/125 €, ⊇ 12 €   **Rest** – Menu 30/59 €
♦ Cette jolie maison, qui fut l'atelier de Bernard Lorjou, a gardé son âme d'artiste : de nombreuses toiles ornent l'élégante salle à manger. Terrasse. Cuisine actuelle. Chambres assez cosy.

à Molineuf 9 km par ⑦ – 801 h. – alt. 115 m – ⊠ 41190

Poste
11 av. de Blois – ℰ 02 54 70 03 25 – www.restaurant-poidras.com – contact@restaurant-poidras.com – Fax 02 54 70 12 46 – Fermé 16 nov.-4 déc., 8-19 fév., mardi d'oct. à avril, dim. soir de sept. à juin et merc.
Rest – Menu 18/62 €
♦ En lisière de la forêt de Blois, auberge de pays abritant une salle à manger aux couleurs vives prolongée par une lumineuse véranda. Cuisine au goût du jour soignée.

BLONVILLE-SUR-MER – 14 Calvados – 303 M3 – 1 341 h. – alt. 10 m – ⊠ 14910   32 **A3**

🇵 Paris 205 – Caen 46 – Deauville 5 – Le Havre 50 – Lisieux 34 – Pont-l'Évêque 18
🛈 Office de tourisme, 32 bis, avenue Michel d'Ornano ℰ 02 31 87 91 14, Fax 02 31 87 11 38

L'Épi d'Or
23 av. Michel-d'Ornano – ℰ 02 31 87 90 48 – www.hotel-normand.com – epidor@hotel-normand.com – Fax 02 31 87 08 98 – Fermé 21-30 déc. et 12 janv.-19 fév.
40 ch – †55/70 € ††60/110 €, ⊇ 8 € – ½ P 65/90 €
Rest – (fermé merc. et jeudi sauf juil.-août) Menu 19/48 € – Carte 36/68 €
♦ Avenante maison de style normand bien rénovée. Les chambres, toutes semblables, sont avant tout pratiques. Sobre salle à manger actuelle et carte traditionnelle ; repas rapides à la brasserie dans un décor rustique.

BOIS-COLOMBES – 92 Hauts-de-Seine – 311 J2 – 101 15 – voir à Paris, Environs

---

BOIS DE BOULOGNE – 75 Ville-de-Paris – voir à Paris (Paris 16e)

BOIS DE LA CHAIZE – 85 Vendée – 316 C5 – voir à Île de Noirmoutier

---

BOIS-DU-FOUR – 12 Aveyron – 338 J5 – ⊠ 12780   29 **D1**

🇵 Paris 627 – Aguessac 16 – Millau 23 – Pont-de-Salars 25 – Rodez 45 – Sévérac-le-Château 18

Relais du Bois du Four
– ℰ 05 65 61 86 17 – www.boisdufour.com – contact@boisdufour.com – Fax 05 65 58 81 37 – Ouvert 20 mars-27 juin, 3 juil.-15 nov. et fermé dim. soir et merc.
26 ch – †51 € ††51 €, ⊇ 8 € – ½ P 53/58 €
Rest – Menu 12 € (déj. en sem.), 15/31 € – Carte 21/40 €
♦ On titille le goujon dans l'étang situé juste en face de cet ancien relais de poste. Les chambres du 1ᵉʳ étage, sobres et fonctionnelles, ont été refaites. Tenue sans reproche. Vaste salle de restaurant campagnarde et cuisine à l'accent aveyronnais.

BOIS-LE-ROI – 77 Seine-et-Marne – **312** F5 – 5 452 h. – alt. 80 m — 19 **C2**
– ✉ 77590

▫ Paris 58 – Fontainebleau 10 – Melun 10 – Montereau-Fault-Yonne 26
▫ U.C.P.A. Bois-le-Roi Base de loisirs, NO : 2 km, ✆ 01 64 81 33 31

XX **La Marine** VISA ⓂⓈ
52 quai O.-Metra, (près de l'écluse) – ✆ 01 60 69 61 38 – Fermé
26 oct.-5 nov., 22 fév.-6 mars, dim. soir en hiver, lundi et mardi sauf fériés
Rest – Menu 28/45 € – Carte 50/60 €
♦ Cette auberge jouit d'une situation attractive en bord de Seine, face à une écluse. Sympathique cuisine traditionnelle dans la salle sagement rustique ou sur la terrasse d'été.

BOIS-PLAGE-EN-RÉ – 17 Charente-Maritime – **324** B2 – **voir à Île de Ré**

BOISSERON – 34 Hérault – **339** J6 – **rattaché à Sommières**

BOISSET – 15 Cantal – **330** B6 – 637 h. – alt. 426 m – ✉ 15600 5 **A3**
▫ Paris 559 – Aurillac 31 – Calvinet 18 – Entraygues-sur-Truyère 48 – Figeac 36 – Maurs 14

🏠 **Auberge de Concasty** ♦
Nord-Est : 3 km par D 64 – ✆ 04 71 62 21 16 – www.auberge-concasty.com
– info@auberge-concasty.com – Fax 04 71 62 22 22 – Ouvert 1er avril-30 nov.
12 ch – †82/92 € ††82/92 €, ⊇ 10 € – 1 suite – ½ P 82/120 €
Rest – (dîner seult) (prévenir) Menu 32 €, 44/60 €
♦ Air pur et repos garantis en ce domaine ouvert sur la campagne cantalienne. Coquettes chambres actuelles, plus spacieuses dans la dépendance. Brunch auvergnat sur demande. Menu unique mariant tradition et terroir, servi dans une plaisante salle à manger rustique.

BOISSIÈRES – 46 Lot – **337** E4 – 312 h. – alt. 229 m – ✉ 46150 28 **B1**
▫ Paris 573 – Toulouse 137 – Cahors 14 – Sarlat-la-Canéda 63 – Caussade 64

⌂ **Michel & Lydia** ♦
à l' Est 1 km par rte secondaire – ✆ 05 65 21 43 29 – www.micheletlydia.fr
– micheletlydia@orange.fr – Fax 05 65 21 43 29 – Fermé 3 déc.-3 janv.
4 ch ⊇ – †60/60 € ††65/78 € **Table d'hôte** – Menu 24 € bc
♦ Les propriétaires, d'origine belge, sont aux petits soins dans cette charmante maison récente. Chambres confortables et personnalisées (mobilier ancien de famille ou chiné). Cuisine traditionnelle du patron – un ancien boulanger ! Viennoiseries et pâtisseries maison.

BOLLENBERG – 68 Haut-Rhin – **315** H9 – **rattaché à Rouffach**

BOLLEZEELE – 59 Nord – **302** B2 – 1 375 h. – alt. 40 m – ✉ 59470 30 **B1**
▫ Paris 274 – Calais 45 – Dunkerque 24 – Lille 68 – St-Omer 18

🏠 **Hostellerie St-Louis** ♦
47 r. de l'Église – ✆ 03 28 68 81 83 – www.hostelleriesaintlouis.com – contact@hostelleriesaintlouis.com – Fax 03 28 68 01 17 – Fermé 20-30 juil., 23 déc.-14 janv. et dim. soir
27 ch – †44 € ††58/68 €, ⊇ 9 €
Rest – (fermé le midi sauf dim.) Menu 25 € (dîner), 34/46 € – Carte 40/64 €
♦ Cette belle maison du début du 19e s. possède un plaisant jardin d'agrément avec bassin. Les chambres, récentes, sont spacieuses et bien agencées. Généreuse cuisine traditionnelle servie avec le sourire dans un cadre bourgeois (mobilier de style et tons pastel).

BONDUES – 59 Nord – **302** G3 – **rattaché à Lille**

BONIFACIO – 2A Corse-du-Sud – **345** D11 – **voir à Corse**

BONLIEU – 39 Jura – **321** F7 – 238 h. – alt. 785 m – ✉ 39130 — 16 **B3**
Franche-Comté Jura

▶ Paris 439 – Champagnole 23 – Lons-le-Saunier 32 – Morez 24 – St-Claude 42

La Poutre avec ch
25 Grde Rue – ℰ 03 84 25 57 77 – Fax 03 84 25 51 61 – Ouvert 7 mai-1er nov. et fermé lundi soir et mardi sauf juil.-août et lundi midi
8 ch – †46 € ††46/56 €, ☲ 8 € – ½ P 60 €
Rest – Menu 25/70 € – Carte 48/80 €
♦ Ferme familiale de 1740 située au centre du bourg. Dans la salle à manger rustique (poutres et vieilles pierres), on se régale d'une cuisine maison, régionale et soignée.

BONNAT – 23 Creuse – **325** I3 – 1 301 h. – alt. 330 m – ✉ 23220 — 25 **C1**

▶ Paris 329 – Châtre 37 – Guéret 20 – Montluçon 72 – Souterraine 53

L'Orangerie
3 bis r. de la Paix – ℰ 05 55 62 86 86 – www.hotel-lorangerie.fr – reception@hotel-lorangerie.fr – Fax 05 55 62 86 87 – Fermé de janv. à mars, le midi en sem. sauf juil.-août, dim. soir et lundi de nov. à avril
30 ch – †85 € ††95 € – ½ P 85 €   **Rest** – Menu 28/49 € – Carte environ 49 €
♦ Agréables salons, belles chambres très confortables (joli mobilier de style Louis XV) et petit-déjeuner en terrasse : cette avenante demeure bourgeoise tient ses promesses. Cuisine traditionnelle gourmande servie en été face au jardin (potager à la française).

BONNATRAIT – 74 Haute-Savoie – **328** L2 – rattaché à Thonon-les-Bains

BONNE – 74 Haute-Savoie – **328** K3 – 2 599 h. – alt. 457 m – ✉ 74380 — 46 **F1**

▶ Paris 545 – Annecy 45 – Bonneville 16 – Genève 18 – Morzine 40 – Thonon-les-Bains 31

Baud avec ch
– ℰ 04 50 39 20 15 – www.hotel-baud.com – info@hotel-baud.com – Fax 04 50 36 28 96
18 ch – †120/220 € ††120/220 €, ☲ 14 €
Rest – (fermé dim. soir) Menu (23 €), 39/72 € – Carte 44/64 €
♦ Élégant restaurant contemporain et cosy, cuisine de bistrot actualisée, séduisante carte des vins, salons cossus et insoupçonné jardin bordant la Ménoge : c'est Baud !

au Pont-de-Fillinges 2,5 km à l'Est – ✉ 74250

Le Pré d'Antoine
rte Boëge – ℰ 04 50 36 45 06 – www.lepredantoine.com – lepredantoine@aol.com – Fax 04 50 31 12 28 – Fermé 1er au 8 janv., mardi soir et merc.
Rest – Menu (20 €), 22 € (sem.)/52 € – Carte 50/65 €
♦ Construction moderne de type chalet abritant une grande salle à manger habillée de boiseries, complétée d'une terrasse bien exposée. Cuisine oscillant entre terroir et tradition.

BONNE-FONTAINE – 57 Moselle – **307** O6 – rattaché à Phalsbourg

BONNÉTAGE – 25 Doubs – **321** K3 – 714 h. – alt. 960 m – ✉ 25210 — 17 **C2**

▶ Paris 468 – Belfort 69 – Besançon 65 – Biel/Bienne 62 – La Chaux-de-Fonds 29

L'Etang du Moulin (Jacques Barnachon) avec ch
5 chemin de l'étang du Moulin, 1,5 km par D 236 et chemin privé – ℰ 03 81 68 92 78
– www.etang-du-moulin.fr – etang.du.moulin@wanadoo.fr – Fax 03 81 68 94 42 – Fermé 21-29 déc., 4 janv.-6 fév., dim. soir et lundi du 15 nov. au 15 mars, merc. midi et mardi
18 ch – †55/65 € ††65/85 €, ☲ 8,50 € – ½ P 55/60 €
Rest – Menu 24/90 € – Carte 36/78 €
Spéc. Ragoût de morilles à la crème fraîche et vin jaune. Ris de veau caramélisés au miel de sapin et vinaigre balsamique. Dessert autour du vin jaune et tuile aux noix. **Vins** Arbois Savagnin, Vin de Pays de Franche-Comté.
♦ Grand chalet posé au bord d'un étang, en pleine nature. Confortable salle à manger contemporaine, délicieuse cuisine du terroir (carte de foies gras) et beau choix de vins.

BONNÉTAGE

✗ **Les Perce-Neige** avec ch AC rest, 𝕡 ऽА P. VISA ⓜ⊙ AE
D 437 – ℰ 03 81 68 91 51 – www.hotel-les-perce-neige.com – patrick-bole@
🥜 wanadoo.fr – Fax 03 81 68 95 25 – Fermé 20-30 janv.
12 ch – †43 € ††50 €, ⊊ 7 € – ½ P 52 €
Rest – (fermé dim. soir) Menu (15 €), 19/33 € – Carte 25/50 €
♦ Plats traditionnels servis dans un cadre champêtre ; ambiance chalet pour déguster une fondue. Chambres fonctionnelles dans un bâtiment en bord d'une route assez calme la nuit.

BONNEUIL – 16 Charente – **324** J6 – 247 h. – alt. 100 m – ✉ 16120   39 **B3**
  ◘ Paris 482 – Poitiers 146 – Angoulême 34 – Saintes 59 – Cognac 25

⌂ **Le Maine Pertubaud-Jenssen** ⌇   🚗 🍽 ⛱ ※ AC ⇆
2 km à l'Est par D 669 – ℰ 05 45 96 99 50 – www.jenssen.fr   𝕡 ऽА P VISA ⓜ⊙ AE
– reception@jenssen.fr – Fax 05 45 96 99 48 – Fermé 9-16 août et 20-27 déc.
5 ch – †100/120 € ††120/140 €, ⊊ 12 € – 1 suite
Table d'hôte – Menu 35 € bc/55 € bc
♦ Au milieu d'un vignoble de 24 ha en Grande Champagne, petit hameau du 18ᵉ s. rénové luxueusement. Confort haut de gamme dans la villa récente. Distillerie du cognac Jenssen sur place. Table d'hôtes dressée dans une salle rustique. Cuisine traditionnelle.

> Retrouvez tous les Bibs Gourmands ⓐ dans notre guide
> des "Bonnes Petites Tables du guide Michelin".
> Pour bien manger à prix modérés, partout en France !

BONNEUIL-MATOURS – 86 Vienne – **322** J4 – 1 887 h. – alt. 60 m   39 **C1**
– ✉ 86210
  ◘ Paris 322 – Bellac 79 – Le Blanc 51 – Châtellerault 17 – Montmorillon 42
    – Poitiers 25
  ◪ Office de tourisme, Carrefour Maurice Fombeure ℰ 05 49 85 08 62,
    Fax 05 49 85 08 62

✗✗ **Le Pavillon Bleu**   VISA ⓜ⊙
D 749, (face au pont) – ℰ 05 49 85 28 05 – c.ribardiere@wanadoo.fr
🥜 – Fax 05 49 21 61 94 – Fermé 28 sept.-12 oct., merc. soir d'oct. à mai, dim. soir et
ⓐ lundi
Rest – Menu (13 €), 19/39 €
♦ Passez la Vienne par le pont suspendu pour rejoindre cette coquette auberge familiale que l'on apprécie pour son atmosphère reposante et ses goûteuses recettes traditionnelles.

BONNEVAL – 28 Eure-et-Loir – **311** E6 – 4 218 h. – alt. 128 m   11 **B1**
– ✉ 28800 **Châteaux de la Loire**
  ◘ Paris 121 – Chartres 31 – Lucé 34 – Orléans 66
  ◪ Office de tourisme, 2, square Westerham ℰ 02 37 47 55 89,
    Fax 02 37 96 28 62

🏠 **Hostellerie du Bois Guibert** ⌇   🐕 🍽 & ⇆ 𝕡 ऽА P. VISA ⓜ⊙ AE
à Guibert, 2 km au Sud-Ouest – ℰ 02 37 47 22 33 – www.bois-guibert.com
– bois-guibert@wanadoo.fr – Fax 02 37 47 50 69
– Fermé 15 fév.-12 mars et 26 oct. au 5 nov.
20 ch – †69/160 € ††69/160 €, ⊊ 12 € – ½ P 82/126 €
Rest – (fermé sam. midi, dim. soir et lundi de nov. a avril) Menu 28 € (sem.)/67 €
– Carte 46/84 €
♦ Au cœur d'un ravissant parc, une gentilhommière du 18ᵉ s. dont les chambres sont garnies d'un mobilier ancien. Celles de l'annexe récente sont plus spacieuses et actuelles. Élégant restaurant prolongé d'une terrasse côté jardin. Recettes classiques et menu végétarien.

BONNEVAL-SUR-ARC – 73 Savoie – 333 P5 – 239 h. – alt. 1 800 m   45 D2
– Sports d'hiver : 1 800/3 000 m ⛷10 – ⊠ 73480 ▮ Alpes du Nord

▶ Paris 706 – Albertville 133 – Chambéry 146 – Lanslebourg 21 – Val-d'Isère 30
🛈 Syndicat d'initiative, la Ciamarella ☎ 04 79 05 95 95, Fax 04 79 05 86 87
◉ Vieux village ★★.

À la Pastourelle
– ☎ 04 79 05 81 56 – www.pastourelle.com – hotel.pastourelle@wanadoo.fr
– Fax 04 79 05 85 44 – Fermé 1 sem. en juin et vacances de la Toussaint
12 ch – †50/58 € ††58/62 €, ⊇ 7 € – ½ P 55 €
Rest – (ouvert 20 déc.-20 avril) (dîner seult) Carte 15/25 €
♦ Cette maison familiale de style montagnard abrite des petites chambres bien tenues, douillettes et lambrissées. Accueil sympathique. Dégustez au coin du feu, dans un cadre rustique (poutres, voûtes en pierre), raclettes, fondues, crêpes et la spécialité régionale, le diot.

La Bergerie
– ☎ 04 79 05 94 97 – Fax 04 79 05 93 24 – Ouvert 14 juin-26 sept.
et 19 déc.-20 avril
22 ch – †42/52 € ††58/64 €, ⊇ 10 € – ½ P 60/65 €
Rest – Menu 18/23 € – Carte 28/45 €
♦ Entrez dans la Bergerie et repaissez-vous de sa douce quiétude dans des chambres lumineuses offrant une belle perspective sur le massif des Évettes. Côté assiette, cuisine de brasserie simple le midi, mais plus traditionnelle et savoyarde le soir.

BONNEVILLE – 74 Haute-Savoie – 328 L4 – 10 463 h. – alt. 450 m   46 F1
– ⊠ 74130 ▮ Alpes du Nord

▶ Paris 556 – Annecy 42 – Chamonix-Mont-Blanc 54 – Nantua 87
– Thonon-les-Bains 45
🛈 Office de tourisme, 148, place de l'Hôtel de Ville ☎ 04 50 97 38 37,
Fax 04 50 97 19 33

Bellevue
à Ayze, 2,5 km à l'Est par D 6 – ☎ 04 50 97 20 83 – eric.delajoud@wanadoo.fr
– Fax 04 50 25 28 38 – Ouvert 14 avril-11 oct., vacances de fév. et fermé dim. soir
20 ch – †45/48 € ††52/58 €, ⊇ 8 €
Rest – (ouvert 11 juin-31 août et fermé dim. soir et le midi sauf du 1er juil. au 24 août) Menu 18 € (sem.)/32 €
♦ Cet établissement familial construit dans les années 1960 dispose de chambres simples ; certaines s'ouvrent sur les vignes d'Ayze. En rez-de-jardin, salle à manger panoramique et terrasse ménagent une vue sur la plaine de l'Arve ; cuisine traditionnelle.

à Vougy 5 km à l'Est par D 1205 – 958 h. – alt. 471 m – ⊠ 74130

Le Capucin Gourmand
1520 rte de Genève, D 1205 – ☎ 04 50 34 03 50 – www.lecapucingourmand.com
– infos@lecapucingourmand.com – Fax 04 50 34 57 57
– Fermé 7-31 août, 1er-11 janv., sam. midi, dim. et lundi sauf fêtes
Rest – Menu 56 € – Carte 52/83 €
Rest *Le Bistro du Capucin* – Menu (22 € bc), 28 € – Carte 38/50 €
♦ Murs agrémentés de dessins au pochoir, meubles de style et bibelots président au cadre du restaurant où l'on propose une cuisine au goût du jour et une belle carte des vins. Côté Bistro : ambiance décontractée, décor assez sobre et plats typiques du genre.

BONNIEUX – 84 Vaucluse – 332 E11 – 1 363 h. – alt. 400 m – ⊠ 84480   42 E1
▮ Provence

▶ Paris 721 – Aix-en-Provence 49 – Apt 12 – Carpentras 42 – Cavaillon 27
🛈 Office de tourisme, 7, place Carnot ☎ 04 90 75 91 90, Fax 04 90 75 92 94
◉ Terrasse ≤★.

Le Clos du Buis sans rest
– ☎ 04 90 75 88 48 – www.leclosdubuis.com – le-clos-du-buis@wanadoo.fr
– Fax 04 90 75 88 57 – Fermé 5 janv.-1er mars et 15 nov.-22 déc.
8 ch – †84/120 € ††92/120 €, ⊇ 6 €
♦ Agrémentée d'un ravissant jardin et d'une piscine, cette vaste maison réussit le mariage de la tradition et du confort : chambres agréables, salons cosy (four à pain).

BONNIEUX

La Bastide de Capelongue (Edouard Loubet) avec ch
rte de Lourmarin, puis D 232 et voie secondaire : 1,5 km – ℰ 04 90 75 89 78 – www.edouardloubet.com – contact@capelongue.com – Fax 04 90 75 93 03 – Ouvert de mi-mars à mi-nov.
17 ch – ∤160/380 € ∤∤190/380 €, ⊇ 22 €
Rest – (fermé mardi midi et merc.) Menu 70 € (déj. en sem.), 140/190 €
– Carte 130/205 €
Spéc. Cœur de tournesol à la truffe d'été, salade de girolles et rémoulade de bulbes (juil. à sept.). Rouget de roche piqué au lard maigre et vermicelles à la crème de rouget. Pulpe de pruneaux moelleux, mousse "péché mignon". **Vins** Côtes du Luberon.

♦ Grand mas d'allure traditionnelle niché dans la garrigue. Élégante salle à manger (camaïeu de beige) et plaisante terrasse dotée d'un mobilier en fer forgé. Cuisine inventive. Chambres provençales, jouissant pour certaines d'une jolie vue sur le village.

La Ferme de Capelongue
– www.fermedecapelongue.com
1 ch – ∤220/420 €, ⊇ 22 € – 9 suites – ∤∤220/420 €

♦ Face à la Bastide, dans un petit hameau rénové, appartements et studios à la décoration épurée mettant en valeur les vieux murs de pierre. Vaste jardin agrémenté d'une piscine.

Le Fournil
pl. Carnot – ℰ 04 90 75 83 62 – Fax 04 90 75 96 19
– Fermé 20 nov.-20 déc., 6 janv.-20 fév., sam. midi et mardi sauf le soir d' avril à sept. et lundi
Rest – (nombre de couverts limité, prévenir) Menu 28 € (déj.), 42/45 €

♦ Cette maison adossée à la colline propose sa terrasse, installée sur la placette, ou son originale et fraîche salle à manger troglodytique décorée dans un esprit contemporain.

L'Arôme
2 r. Lucien-Blanc – ℰ 04 90 75 88 62 – www.larome-restaurant.com – larome.restaurant@orange.fr – Fax 04 90 04 06 27 – Fermé 16 fév.-23 mars, jeudi sauf le soir de mars à oct. et merc.
Rest – Menu (21 €), 29/39 € – Carte 36/55 €

♦ Belle maison en pierre dont les salles (caves voûtées du 14e s., grotte du 11e s.) et la terrasse sont chaleureuses et soignées. Spécialités de poissons et saveurs régionales.

au Sud-Est 6 km par D 36 et D 943 – ⊠ 84480 Bonnieux

Auberge de l'Aiguebrun
Domaine de la Tour – ℰ 04 90 04 47 00
– www.aubergedelaiguebrun.fr – resa@aubergedelaiguebrun.fr
– Fax 04 90 04 47 01 – Fermé 2 janv.-15 mars
11 ch ⊇ – ∤155/170 € ∤∤155/215 € – ½ P 128/158 €
Rest – (fermé mardi et merc. sauf le soir du 1er juil. au 15 sept.) Menu 30/65 €
– Carte 56/66 €

♦ Au milieu d'un jardin avec piscine, cette auberge, complétée par de jolis cabanons près d'une rivière, respire la sérénité. Chambres provençales. Ambiance champêtre chic et romantique au restaurant, agréable terrasse ombragée. Produits régionaux de qualité.

BONNY-SUR-LOIRE – 45 Loiret – 318 O6 – 2 005 h. – alt. 190 m   12 D2
– ⊠ 45420

Paris 167 – Auxerre 64 – Cosne-sur-Loire 25 – Gien 24 – Montargis 57
Office de tourisme, 29, Grande Rue ℰ 02 38 31 57 71, Fax 02 38 31 57 71

Des Voyageurs avec ch
10 Grande-Rue – ℰ 02 38 27 01 45 – hotel-des-voyageurs9@wanadoo.fr
– Fax 02 38 27 01 46 – Fermé 24 août-8 sept., 2-8 janv., 15 fév.-2 mars, dim. soir, mardi midi et lundi
6 ch – ∤40 € ∤∤50 €, ⊇ 6 € – ½ P 54 €
Rest – Menu 19 € (sem.)/47 € – Carte 28/52 €

♦ Les voyageurs pourront se régaler ici d'une cuisine actuelle, gourmande et sans fausse note. Atmosphère un brin bourgeoise en salle (tableaux exposés). Chambres fonctionnelles.

LE BONO – 56 Morbihan – **308** N9 – 2 148 h. – alt. 10 m – ⌧ 56400   9 **A3**
▶ Paris 475 – Auray 6 – Lorient 49 – Quiberon 37 – Vannes 17

Alicia
1 r. du Gén.-de-Gaulle – ℰ *02 97 57 88 65* – *www.hotel-alicia.com* – *hotelalicia@orange.fr* – *Fax 02 97 57 92 76* – *Fermé 1ᵉʳ janv.-9 fév. et 23-29 nov.*
21 ch – †60/95 € ††60/95 €, ⌔ 10 € – ½ P 60/78 €
Rest – *(dîner seult)* Menu 20 €, 28/30 € – Carte 24/36 €

◆ Un hôtel à l'accueil convivial près du pont et en bordure du golfe. Les chambres, impeccables et dotées pour la plupart d'un balcon, ont adopté un look moderne et épuré. Cuisine traditionnelle servie aux beaux jours sur une délicieuse terrasse dominant la rivière.

BONS-EN-CHABLAIS – 74 Haute-Savoie – **328** L3 – 3 980 h. 46 **F1**
– alt. 565 m – ⌧ 74890
▶ Paris 552 – Annecy 60 – Bonneville 30 – Genève 25 – Thonon-les-Bains 16

Le Progrès
r. Annexion – ℰ *04 50 36 11 09* – *www.hotel-le-progres.com* – *hotelleprogres2@wanadoo.fr* – *Fax 04 50 39 44 16* – *Fermé 15 juin-4 juil., 1ᵉʳ-18 janv., dim. soir et lundi*
10 ch – †52 € ††61 €, ⌔ 10 € – ½ P 59 €
Rest – Menu (15 €), 18/50 € – Carte 30/49 €

◆ Deux maisons de village dont une abritant de confortables chambres actuelles. Une base de randonnées pratique vers le Grand Signal des Voirons. Restaurant mi-rustique, mi-bourgeois décoré avec soin et registre culinaire classique.

Le pont de Pierre

BORDEAUX

P Département : 33 Gironde
Carte Michelin LOCAL : n° **335** H5
▶ Paris 579 – Lyon 537 – Nantes 323
– Strasbourg 970 – Toulouse 244
Population : 229 500 h.

Pop. agglomération : 753 931 h.
Altitude : 4 m
Code Postal : ✉ 33000
Aquitaine
Carte régionale 3 B1

PLANS DE BORDEAUX	
AGGLOMÉRATION	p. 4 et 5
BORDEAUX CENTRE	p. 6 et 7
RÉPERTOIRE DES RUES	p. 8 et 9
HÔTELS ET RESTAURANTS	p. 3 et 9 à 14

RENSEIGNEMENTS PRATIQUES

🛈 OFFICE DE TOURISME

12, cours du 30 juillet ✆ 05 56 00 66 00, Fax 05 56 00 66 01
Office de tourisme, 12, Cours du 30 Juillet ✆ 05 56 00 66 00, Fax 05 56 00 66 01

MAISON DU VIN DE BORDEAUX

(informations, dégustations) (fermé week-ends et j. fériés)
1 cours 30 Juillet ✆ 05 56 00 22 66
bar à vin ouvert tlj sauf le dim. de 11 h à 22 h.

TRANSPORTS

Auto-train ✆ 3635 et tapez 42 (0,34 €/mn)

AÉROPORT

✈ Bordeaux-Mérignac : ✆ 05 56 34 50 00, **AU** : 10 km

CASINO

de Bordeaux-Lac, r. Cardinal Richaud ✆ 05 56 69 49 00 BT

QUELQUES GOLFS

⛳ de Bordeaux-Lac Avenue de Pernon, N : 5 km par D 209, ✆ 05 56 50 92 72
⛳ du Médoc à Le Pian-Médoc Chemin de Courmateau, par rte de Castelnau : 16 km,
✆ 05 56 70 11 90
⛳ de Pessac à Pessac Rue de la Princesse, SO : 16 km par D 1250, ✆ 05 57 26 03 33

👁 À VOIR

BORDEAUX DU 18ᵉ S.

Grand théâtre★★ - Place de la Comédie - Place Gambetta - Cours de l'intendance - Église Notre-Dame★ **DX** - Place de la Bourse★★ - Place du Parlement★ - Basilique St-Michel★ Porte de la Grosse Cloche★ **EY** - Fontaines★ du monument aux Girondins, Esplanade des Quinconces.

QUARTIER DES CHARTRONS

Entrepôts de vins - Balcons★ du cours Xavier-Arnozan - Entrepôt Lainé★ : musée d'Art contemporain★ **BU** M² - Musée des Chartrons **BU** M⁵

QUARTIER PEY BERLAND

Cathédrale St-André★ - Hôtel de Ville **DY** H - ≤★★ de la tour Pey Berland★ **DY** Q Musée : Beaux-Arts★ **DY** M⁴ - Aquitaine★★ **DY** M¹ - Arts décoratifs★ **DY** M³

BORDEAUX CONTEMPORAIN

Quartier Mériadeck **CY** : espaces verts, immeuble en verre et béton (Caisse d'Épargne, Bibliothèque, Hôtel de Région, Hôtel des Impôts).

The Regent Grand Hotel

2 pl. de la Comédie – ℰ 05 57 30 44 44 – www.theregentbordeaux.com
– info.bordeaux@rezidorregent.com – Fax 05 57 30 44 45 — p.6 DX r
150 ch – †450 € ††450 €, ⊋ 30 € – 22 suites
Rest *Le Pressoir d'Argent* – ℰ 05 57 30 43 04 – Menu (59 €), 70 € (déj.), 120/180 € – Carte 96/145 €
Rest *Brasserie l'Europe* – ℰ 05 57 30 43 46 – Menu (25 €) – Carte 37/67 €

♦ Hôtel prestigieux dans un immeuble du 18ᵉ s. face au Grand Théâtre. Chambres cossues au décor néo-classique signé J. Garcia, associant élégance et aménagements haut de gamme. Carte au goût du jour au Pressoir d'Argent. La Brasserie l'Europe jouit d'une belle terrasse sur la place de la Comédie.

Burdigala

115 r. G.-Bonnac – ℰ 05 56 90 16 16 – www.burdigala.com – burdigala@burdigala.com – Fax 05 56 93 15 06 — p.6 CX r
77 ch – †210/320 € ††210/320 €, ⊋ 21 € – 6 suites
Rest *Le Jardin de Burdigala* – Menu (30 €), 40 € – Carte 50/75 €

♦ Meubles de style ou contemporains, matériaux nobles, équipements dernier cri... Les chambres de ce luxueux hôtel parfaitement insonorisé respirent l'élégance et la sérénité. Au Jardin de Burdigala, salle en rotonde raffinée avec sculpture centrale et puits de lumière.

Seeko'o sans rest

54 quai de Bacalan – ℰ 05 56 39 07 07 – www.seekoo-hotel.com – contact@seekoo-hotel.com – Fax 05 56 39 07 09 — p.5 BT h
45 ch – †189 € ††189 €, ⊋ 16 €

♦ Le nom de l'établissement, seeko'o – iceberg en inuit –, donne le ton : bâtiment à la façade recouverte de corian surgi sur les bords de la Gironde et chambres design lookées pop.

Mercure Cité Mondiale

18 parvis des Chartrons – ℰ 05 56 01 79 79 – h2877@accor.com
– Fax 05 56 01 79 00 — p.5 BU k
96 ch – †95/160 € ††110/175 €, ⊋ 14 €
Rest *Le 20* – ℰ 05 56 01 78 78 (fermé 28 juil.-18 août, 22 déc.-2 janv., vend. soir, sam. et dim.) Menu 19/38 € – Carte 24/37 €

♦ Chambres contemporaines, toit-terrasse dominant tout Bordeaux (où l'on sert le petit-déjeuner en été) et centre de congrès vous attendent dans l'enceinte de la Cité mondiale. Au "20", des dégustations de crus accompagnent des plats bistrotiers ; décor chic.

Mercure Mériadeck

5 r. R.-Lateulade – ℰ 05 56 56 43 43 – www.mercure.com – h1281@accor.com
– Fax 05 56 96 50 59 — p.6 CY v
194 ch – †115/135 € ††125/145 €, ⊋ 15 € – 2 suites
Rest – *(fermé sam. et dim.)* Menu 16 €, 22/29 € – Carte 35/50 €

♦ Décoration sur le thème du 7ᵉ art (affiches, photos, objets cinématographiques), confortables chambres majoritairement rénovées et salles de séminaires bien équipées. Café-lounge où l'on présente une carte saisonnière dans une ambiance cosy.

Bayonne Etche-Ona sans rest

4 r. Martignac – ℰ 05 56 48 00 88 – www.bordeaux-hotel.com – bayetche@bordeaux-hotel.com – Fax 05 56 48 41 60 – Fermé 19 déc.-3 janv. — p.6 DX f
58 ch – †143/160 € ††166/187 €, ⊋ 14 € – 3 suites

♦ Dans le "Triangle d'Or", cet hôtel occupant deux immeubles du 18ᵉ s. cultive tradition et élégance dans ses chambres personnalisées, soignées et équipées de façon moderne.

Novotel Bordeaux-Centre

45 cours Mar- Juin – ℰ 05 56 51 46 46
– www.novotel.com – h1023@accor.com – Fax 05 56 98 25 56 — p.6 CY m
137 ch – †92/145 € ††92/145 €, ⊋ 15 €   **Rest** – Carte 23/40 €

♦ Une architecture bien intégrée au quartier Mériadeck, des chambres spacieuses régulièrement rafraîchies et une bonne insonorisation caractérisent ce Novotel. Sobre salle de restaurant et terrasse d'où l'on aperçoit la ville. Espace café design.

D 1215 LACANAU
LE VERDON
D 1 CASTELNAU
PAUILLAC
BLANQUEFORT
MARAIS DE BRUGES
BLANQUEFORT
BORDEAUX FRET
LACANAU
ST-MÉDARD-EN-JALLES
LE VIGEAN
EYSINES
BRUGES
LE HAILLAN
Av. du Médoc
Av. du Haillan
Av. du Taillan-Médoc
Rte du Médoc
Av. de l'Hippodrome
Av. J. Mermoz
A 630-E 5
LA FORÊT
Av. Pasteur
Av. de St-Médard
Av. de Magudas
Av. de Lattre de Tassigny
Av. d'Eysines
Av. de la Libération
Rue Stehelin
D 211E3
PHARE AÉRIEN
CAP-FERRET
D 213
Av. M. Dassault
MÉRIGNAC
CAUDÉRAN
PARC BORDELAIS
Barrière St-Médard
Barrière Judaïque
CITÉ ADMVE
Barrière d'Arès
Barrière d'Ornano
D 213E2
N 563
BORDEAUX-MÉRIGNAC
PARC DE MÉRIGNAC
Av. de l'Yser
Av. de Verdun
Av. de la Marne
Av. d'Arès
Av. de la Somme
PARC PELUS
Av. de l'Argonne
TOUR DE VEYRINES
Av. de Peychotte
CHU
CHABAN-DELMAS
Av. A. Briand
BOIS DU BURCK
ARLAC
D 106
CAP-FERRET
Chin de la Princesse
Av. du Bourgailh
Crs du Mal Juin
Av. J. Jaurès
Av. Pasteur
PESSAC
Av. Schweitzer
Domaine Universitaire
ZOO DE BORDEAUX-PESSAC
Av. de Beutre
CHR X. ARNOZAN
Av. du Gal Leclerc
Av. du Dr A. Schweitzer
Crs de la Libération
CHR HAUT-L'ÉVÊQUE
Av. du Ht L'Évêque
ÉTABLISSEMENT MONÉTAIRE
A 63-E 5-E 70
D 214E9
Crs du Gal de Gaulle
GRADIGNAN
BIGANOS
D 1250
ARCACHON
BAYONNE
D 1010 BELIN-BÉLIET
T
U
V
A

BORDEAUX page 5

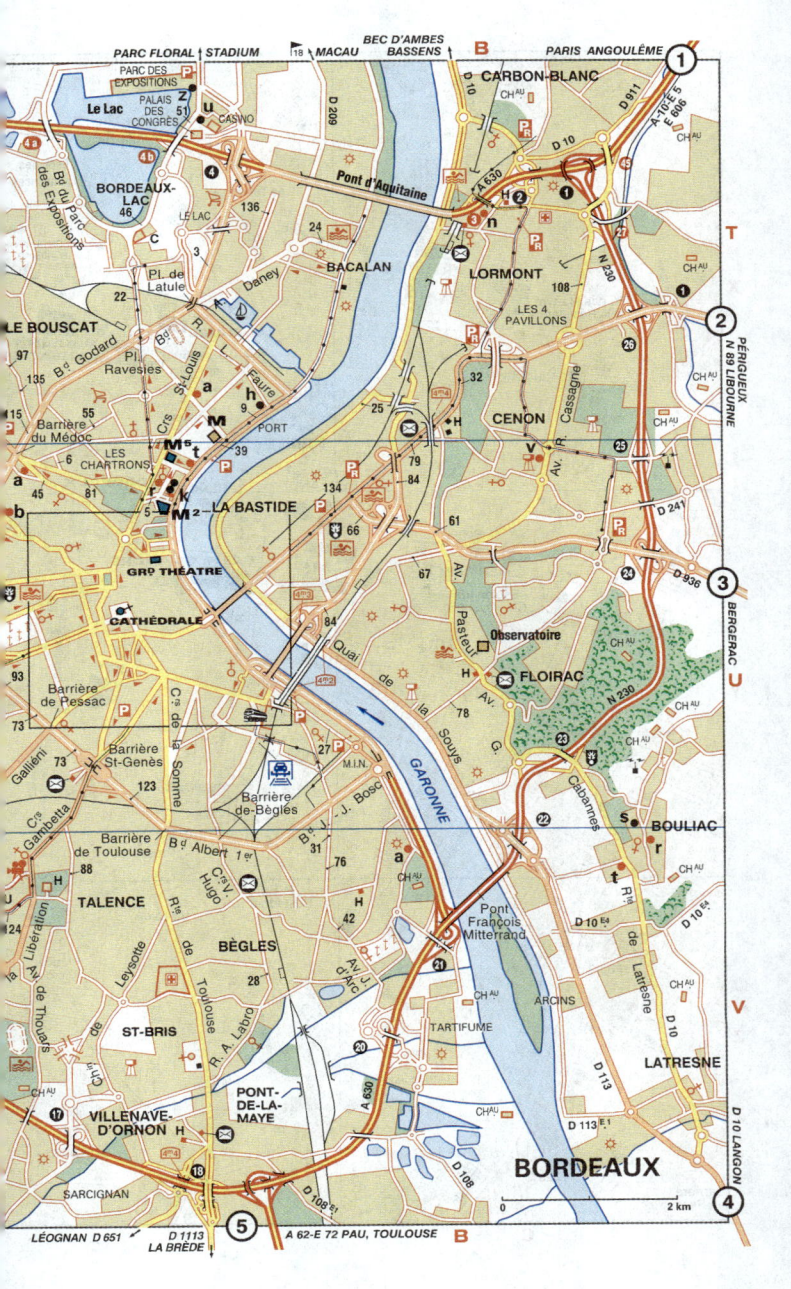

BORDEAUX page 6

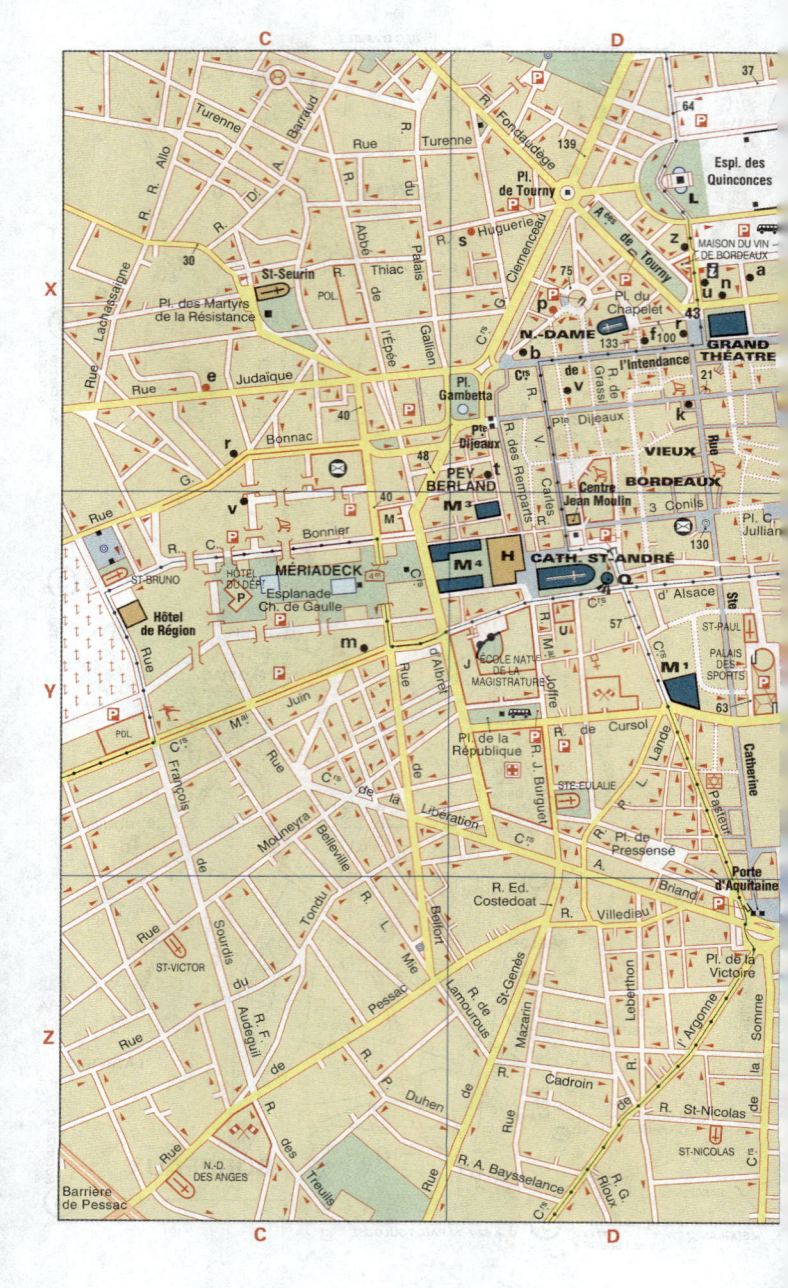

348

BORDEAUX

BORDEAUX page 7

Map features:
- LA BASTIDE
- Jardin Botanique
- STE-MARIE
- PL. DE LA BOURSE
- Musée national des Douanes
- ST-PIERRE
- Pte Cailhau
- Bordeaux monumental
- Pl. du Palais
- Pl. Lafargue
- ST ÉLOI
- Pte des Salinières
- Pl. de Stalingrad
- Pont de Pierre
- GARONNE
- ST-MICHEL
- Pl. Canteloup
- Pl. Duburg
- Pl. des Capucins
- Pl. Léon Duguit
- THÉÂTRE PORT DE LA LUNE
- I.U.T. MONTAIGNE
- CENTRE ANDRÉ MALRAUX
- Ste-Croix
- Pl. A. Meunier
- Pont St-Jean
- ST-JEAN

Streets:
- Q. Louis XVIII
- Pl. J. Jaurès
- Allée Jean Giono
- R. Nuyens
- Quai des Queyries
- R. Léonce Motelay
- R. Serr
- Av. Thiers
- R. Camelle
- R. G. Carde
- R. de la Bénauge
- Quai Deschamps
- Q. Richelieu
- R. Lorraine
- R. Neuve
- R. St-James
- R. Victor Hugo
- R. des Faures
- R. St-François
- Quai des Salinières
- Q. de la Grave
- Q. de la Monnaie
- Q. Ste-Croix
- Q. de Paludate
- R. Leyteire
- R. du Mirail
- R. du Hamel
- R. des Douves
- R. Sauvageau
- R. Peyronnet
- R. de Tauzia
- R. Kléber
- Crs de la Marne
- R. de Béglès
- R. Lafontaine
- R. de l'Yser
- R. J. Steeg
- R. Barbey
- R. Malbec
- R. Eug. le Roy

RÉPERTOIRE DES RUES DE BORDEAUX

BÈGLES

- Buisson (R. F.) ... **BV** 28
- Capelle (Av. A.) ... **BV** 31
- Chevalier-de-la-Barre (R. du) ... **BV** 42
- Guesde (Av. J.) ... **BV** 76
- Jeanne-d'Arc (Av.) ... **BV**
- Labro (R. A.) ... **BV**
- Mitterrand (Pont F.) ... **BV**
- Toulouse (Rte de) ... **BV**
- Victor-Hugo (Crs) ... **BV**

BORDEAUX

- Abbé-de-l'Épée (R.) ... **CX**
- Albert-1er (Bd) ... **BV**
- Albret (Crs d') ... **CY**
- Aliénor-d'Aquitaine (Bd) ... **BT** 3
- Allo (R. R.) ... **CX**
- Alsace-et-Lorraine (Crs d') ... **DEY**
- Aquitaine (Pont d') ... **BT**
- Arès (Av. d') ... **AU**
- Arès (Barrière d') ... **AU**
- Argentiers (R. des) ... **EY** 4
- Argonne (Crs de l') ... **DZ**
- Arsenal (R. de l') ... **BU** 6
- Ausone (R.) ... **EY** 7
- Audeguil (R. F.) ... **CZ**
- Bacalan (Quai de) ... **BT** 9
- Barbey (Crs) ... **EFZ**
- Barthou (Av. L.) ... **AU** 12
- Bayssellance (R. A.) ... **DZ**
- Bègles (Barrière de) ... **BV**
- Bègles (R. de) ... **CYZ**
- Belfort (R. de) ... **CYZ**
- Belleville (R.) ... **CY**
- Bénauge (R. de la) ... **FX**
- Bir-Hakeim (Pl. de) ... **EY**
- Bonnac (R. G.) ... **CXY**
- Bonnier (R. C.) ... **CY**
- Bordelaise (Galerie) ... **DX** 21
- Bosc (Bd J. J.) ... **BU**
- Bourse (Pl. de la) ... **EX**
- Boutaut (Allée de) ... **BT** 22
- Brandenburg (BD) ... **BT** 24
- Brazza (Quai de) ... **BT** 25
- Briand (Crs A.) ... **DYZ**
- Brienne (Quai de) ... **BU** 27
- Burguet (R. J.) ... **DY**
- Cadroin (R.) ... **DZ**
- Camelie (R. P.) ... **FX**
- Canteloup (Pl.) ... **EY**
- Capdeville (R.) ... **CX** 30
- Capucins (Pl. des) ... **EZ**
- Carde (R. G.) ... **FX**
- Carles (R. V.) ... **DXY**
- Carpenteyre (R.) ... **EFY** 33
- Chapeau-Rouge (Crs) ... **EX** 36
- Chapelet (Pl. du) ... **DX**
- Chartres (Allées de) ... **DX**
- Chartrons (Quai des) ... **BTU** 39
- Château-d'Eau (R. du) ... **CXY** 40
- Clemenceau (Crs G.) ... **DX**
- Comédie (Pl. de la) ... **DX** 43
- Costedoat (R.) ... **DZ**
- Croix-de-Seguey (R.) ... **BU, CX**
- Cursol (R. de) ... **DY**
- Daney (Bd) ... **BT**
- Dassault (Av. M.) ... **BT** 46
- Deschamps (Quai) ... **FX**
- Dr-A.-Barraud (R.) ... **CX**
- Dr-Nancel-Pénard (R.) ... **CX** 48
- Domercq (R. C.) ... **FZ** 49
- Domergue (Bd G.) ... **BT** 51
- Douane (Quai de la) ... **EX** 52
- Douves (R. des) ... **EZ**
- Duburg (Pl.) ... **EY**
- Duché (R. des Gén.) ... **BT** 55
- Duffour-Dubergier (R.) ... **DY** 57
- Duhen (R. P.) ... **CDZ**
- Esprit-des-Lois (R. de l') ... **EX** 62
- Faures (R. des) ... **EY**
- Faure (R. L.) ... **BT**
- Ferme-de-Richemont (Pl. de la) ... **DY** 63
- Foch (R. Mar.) ... **DX** 64
- Fondaudège (R.) ... **CDX**
- Fusterie (R. de la) ... **EY** 65
- Galin (R.) ... **BU** 66
- Gallieni (Crs Mar.) ... **ABU**
- Gambetta (Crs) ... **BUV**
- Gambetta (Pl.) ... **DX**
- Gaulle (Espl. Ch.-de) ... **CY**
- Gautier (Bd A.) ... **AU** 72
- Georges-V (Bd) ... **AU**
- Godard (Bd) ... **BT**
- Grands-Hommes (Pl. des) ... **DX** 75
- Grassi (R. de) ... **DX**
- Grave (Q. de la) ... **EFY**
- Hamel (R. du) ... **EZ**
- Huguerie (R.) ... **DX**
- Intendance (Crs de l') ... **DX**
- Jean-Jaurès (Pl.) ... **EX**
- Joffre (R. du Mar.) ... **DY**
- Johnston (R. D.) ... **BU, CX** 81
- Joliot-Curie (Bd) ... **BU** 84
- Judaïque (Barrière) ... **AU**
- Judaïque (R.) ... **CX**
- Juin (Crs Mar.) ... **CY**
- Jullian (Pl. C.) ... **DY**
- Kléber (R.) ... **EZ**
- Lachassaigne (R.) ... **CX**
- Lafargue (Pl.) ... **EY**
- Lafontaine (R.) ... **EZ**
- Lamourous (R. de) ... **CDZ**
- Lande (R. P.-L.) ... **DY**
- Lattre-de-Tassigny (Av. de) ... **AT**
- Latule (R. de) ... **BT**
- Leberthon (R.) ... **DZ**
- Leclerc (R. Gén.) ... **AU** 90
- Leclerc (Bd Mar.) ... **BU** 93
- Leyteire (R.) ... **EYZ**
- Libération (Crs de la) ... **CDY**
- Lombard (R.) ... **BT** 96
- Louis-XVIII (Quai) ... **EX**
- Malbec (R.) ... **FZ**
- Marne (Crs de la) ... **EZ**
- Martyrs-de-la-Résistance (Pl. des) ... **CX**
- Mautrec (R.) ... **DX** 100
- Mazarin (R.) ... **EY**
- Médoc (Barrière du) ... **BU**
- Mérignac (Av. de) ... **AU** 101
- Meunier (R. P. A.) ... **FZ**
- Meynard (Pl.) ... **EY** 102
- Mie (R. L.) ... **CZ**
- Mirail (R. du) ... **EY**
- Monnaie (Quai de la) ... **FY**
- Motelay (R. Léonce) ... **FX**
- Mouneyra (R.) ... **CYZ**
- Neuve (R.) ... **EY**
- Nuyens (R.) ... **FX**
- Orléans (Allées d') ... **EX** 106
- Ornano (Barrière d') ... **AU**
- Palais Gallien (R. du) ... **CX**
- Palais (Pl. du) ... **EY**
- Paludate (Quai de) ... **FZ**
- Parlement St-Pierre (R. du) ... **EX** 110
- Parlement (Pl. du) ... **EX** 109
- Pasteur (Crs) ... **DY**
- Pas-St-Georges (R. du) ... **EXY** 112
- Pessac (Barrière de) ... **CZ**
- Pessac (R. de) ... **CZ**
- Peyronnet (R.) ... **FZ**
- Philippart (R. F.) ... **EX** 114
- Pierre (Pont de) ... **EFY**
- Pierre-1er (Bd) ... **BT** 115
- Porte de la Monnaie (R.) ... **FY** 118
- Porte Dijeaux (R. de la) ... **DX**
- Président-Wilson (Bd) ... **AU** 119
- Pressensé (Pl. de) ... **DY**
- Queyries (Quai des) ... **EFX**
- Quinconces (Espl. des) ... **DX**
- Ravesies (Pl.) ... **BT**
- Reignier (R.) ... **FX**
- Remparts (R. des) ... **DXY**
- Renaudel (Pl. P.) ... **FZ** 120
- République (Av. de la) ... **AU** 121
- République (Pl. de la) ... **DY**
- Richelieu (Quai) ... **EY**
- Rioux (R. G.) ... **DZ**
- Roosevelt (Bd Franklin) ... **BU** 123
- Rousselle (R. de la) ... **EY** 126
- Roy (R. Eug. le) ... **BT**
- Ste-Catherine (R.) ... **DXY**
- Ste-Croix (Quai) ... **FY**
- St-François (R.) ... **EY**
- St-Genès (Barrière) ... **BU**
- St-Genès (R. de) ... **CDZ**
- St-Jarnes (R.) ... **EY**
- St-Jean (Pont) ... **FY**
- St-Médard (Barrière) ... **AU**
- St-Nicolas (R.) ... **DZ**
- St-Pierre (Pl.) ... **EX** 129
- St-Projet (R.) ... **DY** 130
- St-Rémi (R.) ... **EX** 132
- Salinières (Q. des) ... **EY**
- Sarget (Passage) ... **DX** 133
- Sauvageau (R. C.) ... **EFY**
- Serr (R.) ... **FX**
- Somme (Crs de la) ... **DZ**
- Sourdis (R. F. de) ... **CYZ**
- Souys (Quai de la) ... **BU**
- Stalingrad (Pl. de) ... **FX**
- Steeg (R. J.) ... **EZ**
- Tauzia (R. de) ... **FZ**
- Thiac (R.) ... **CX**
- Thiers (Av.) ... **FX, BU** 134
- Tondu (R. du) ... **CZ**
- Toulouse (Barrière de) ... **CZ**
- Tourny (Allées de) ... **DX**
- Tourny (Pl. de) ... **DX**
- Tourville (Av. de) ... **BT** 136
- Treuils (R. des) ... **CZ**
- Turenne (R.) ... **CDX**
- Verdun (Crs de) ... **DX** 139
- Victoire (Pl. de la) ... **DZ**
- Victor-Hugo (Crs) ... **EY**
- Vilaris (R.) ... **EZ** 142
- Villedieu (R.) ... **DZ**
- Yser (Crs de l') ... **EZ**
- 3-Conils (R. des) ... **DY**

BRUGES

- Gaulle (Av. Gén.-de) ... **AT** 70
- Médoc (Rte du) ... **AT**
- Parc des Expositions (Bd) ... **BT**
- Quatre-Ponts (R. des) ... **AT** 120

CENON

- Carnot (Av.) ... **BT** 32
- Cassagne (Av. R.) ... **BTU**
- Entre-Deux-Mers (Bd de l') ... **BU** 61
- Jean-Jaurès (Av.) ... **BU** 79

EYSINES

- Haillon (Av. du) ... **AT**
- Hippodrome (Av. de l') ... **AT**
- Libération (Av. de la) ... **AT** 94
- Médoc (Av. du) ... **AT**
- Mermoz (Av. J.) ... **AT**
- Taillon-Médoc (Av. du) ... **AT**

BORDEAUX page 9

FLOIRAC
Cabannes (Av. G.) .... **BU**
Gambetta (Crs) .... **BU** 67
Guesde (R. J.) .... **BU** 78
Pasteur (Av.) .... **BU**

GRADIGNAN
Gaulle (Crs Gén.-de) .... **AV**

LATRESNE
Latresne (Rte de) .... **BV**

LE BOUSCAT
Ezsines (Av. d') .... **AT**
Libération (Av. de la) .... **AT** 95
Louis-Blanc (Cours) .... **BT** 97
Tivoli (Av. de) .... **BT** 135
Zola (R. Émile) .... **AT** 145

LE HAILLAN
Pasteur (Av.) .... **AT**

LORMONT
Paris (Rte de) .... **BT** 108

MÉRIGNAC
Argonne (Av. de l') .... **AU**
Arlac (R. d') .... **AU**
Barbusse (Av. H.) .... **AT** 10
Beaudésert (Av. de) .... **AU** 13
Belfort (Av. de) .... **AU** 15
Bon-Air (Av.) .... **AU** 18
Briand (Av. A.) .... **AU**
Cassin (Av. M.) .... **AU** 34
Dassault (Av. M.) .... **AU**
Garros (Av. Rolland) .... **AU** 69
Gouraud (Pl. du Gén.) ... **AU** 74
Kaolack (Av. R.) .... **AU** 87
Leclerc (Av. M.) .... **AU** 91
Libération (Av. de la) .... **AU**
Magudas (Av. de) .... **AT**
Marne (Av. de la) .... **AU**
Princesse (Chemin de la) ... **AV**
St-Médard (Av. de) .... **AT**
Somme (Av. de la) .... **AU**
Souvenir (Av. du) .... **AU** 131
Verdun (Av. de) .... **AU**
Yser (Av. de l') .... **AU**

PESSAC
Beutre (Av. de) .... **AV**
Bougailh (Av. du) .... **AV**
Dr-A.-Schweitzer (Av.) .... **AV**
Dr-Nancel-Pénard (Av.) .... **AV** 47
Eiffel (Av. Gustave) .... **AV** 60
Haut-l'Evêque (Av. du) ...... **AV**
Jean-Jaurès (Av.) .... **AV**
Leclerc (Av. du Gén.) .... **AV**
Madran (R. de) .... **AV** 99
Montagne (R. P.) .... **AV** 103
Pasteur (Av.) .... **AV**
Pont-d'Orient (Av. du) ...... **AV** 117
Transvaal (Av. du) .... **AV** 137

TALENCE
Gambetta (Crs) .... **BV**
Lamartine (R.) .... **BV** 88
Libération (Crs de la) .... **BV**
Roul (Av.) .... **BV** 124
Thouars (Av. de) .... **BV**
Université (Av. de l') .... **AV** 138

VILLENAVE D'ORNON
Leysotte (Chemin de) ... **BV**
Toulouse (Rte de) .... **BV**

De Normandie sans rest
7 cours 30-Juillet – ℘ 05 56 52 16 80 – www.hotel-de-normandie-bordeaux.com
– info@hotel-de-normandie-bordeaux.com – Fax 05 56 51 68 91   *p. 6* DX z
100 ch – †62/115 € ††103/250 €, ☑ 15 €
♦ À l'entrée de ce bel hôtel, un vaste hall raffiné dessert des chambres fonctionnelles aux tons pastel, refaites au dernier étage (contemporaines, confortables et avec balcons).

Majestic sans rest
2 r. Condé – ℘ 05 56 52 60 44 – www.hotel-majestic.com – majestic@
hotel-majestic.com – Fax 05 56 79 26 70   *p. 6* DX a
49 ch – †85/230 € ††85/230 €, ☑ 9 €
♦ Chambres variées, bien entretenues, salon bourgeois cosy et coquette salle des petits-déjeuners ; le tout dans un élégant immeuble du 18e s. typiquement bordelais.

Grand Hôtel Français sans rest
12 r. du Temple – ℘ 05 56 48 10 35 – www.bestwestern-grandhotelfrancais.com
– infos@grand-hotel-francais.com – Fax 05 56 81 76 18   *p. 6* DX v
35 ch ☑ – †109/151 € ††135/184 €
♦ Très belle façade du Bordeaux historique. Cet immeuble du 18e s. a préservé son atmosphère feutrée et classique (mobilier de style dans les salons). Chambres au décor actualisé.

De la Presse sans rest
6 r. Porte-Dijeaux – ℘ 05 56 48 53 88 – www.hoteldelapresse.com – info@
hoteldelapresse.com – Fax 05 56 01 05 82 – Fermé 23 déc.-5 janv.   *p. 6* DX k
27 ch – †67/85 € ††76/96 €, ☑ 10 €
♦ Au cœur du secteur piétonnier, façade en pierres de taille abritant un hôtel récemment rénové et bien tenu. Chambres fonctionnelles. Accès automobile réglementé.

Des Quatre Sœurs sans rest
6 cours du 30-Juillet – ℘ 05 57 81 19 20 – www.4soeurs.free.fr – 4soeurs@
mailcity.com – Fax 05 56 01 04 28   *p. 6* DX u
34 ch – †85 € ††95 €, ☑ 8 €
♦ Ce vénérable hôtel bien fleuri s'enorgueillit d'avoir hébergé le musicien Richard Wagner et l'écrivain John Dos Passos. Il abrite aujourd'hui de petites chambres personnalisées.

Continental sans rest
10 r. Montesquieu – ℘ 05 56 52 66 00 – www.hotel-le-continental.com
– continental@hotel-le-continental.com – Fax 05 56 52 77 97   *p. 6* DX b
50 ch – †78/89 € ††85/104 €, ☑ 8,50 € – 1 suite
♦ Ancien hôtel particulier du 18e s. situé à proximité de la galerie des Grands Hommes. Plaisantes chambres, de tailles variées, au décor rénové. Salon cosy joliment meublé.

De l'Opéra sans rest

35 r. Esprit-des-Lois – ℰ 05 56 81 41 27 – www.hotel-de-lopera.com
– hotel.opera.bx@wanadoo.fr – Fax 05 56 51 78 80
28 ch – †50 € ††55 €, ⃞ 6 € p. 6 DX n

◆ L'atout de cet hôtel familial loti dans un immeuble du 18ᵉ s. : sa proximité avec le quartier historique. Chambres simples et bien tenues, mansardées au dernier étage. Non-fumeurs.

Notre-Dame sans rest

36 r. Notre-Dame – ℰ 05 56 52 88 24 – www.hotelnotredame33.com – hnd33@free.fr – Fax 05 56 79 12 67
22 ch – †45/51 € ††53/59 €, ⃞ 7 € p. 5 BU k

◆ Dans la pittoresque rue des Antiquaires, cet hôtel offre une halte pratique, au cœur de la ville. Fonctionnelles et actuelles, les chambres sont d'un bon rapport qualité-prix.

Une Chambre en Ville sans rest

35 r. Bouffard – ℰ 05 56 81 34 53 – www.bandb-bx.com – ucev@bandb-bx.com
– Fax 05 56 81 34 54
5 ch – †89/99 € ††89/99 €, ⃞ 9 € p. 6 DXY t

◆ En plein centre historique, chambres impeccables décorées sur des thèmes variés et baptisées Bordelaise, Nautique, Orientale... Petit-déjeuner servi dans un salon contemporain.

Le Chapon Fin

5 r. Montesquieu – ℰ 05 56 79 10 10 – www.chapon-fin.com
– contact@chapon-fin.com – Fax 05 56 79 09 10
– Fermé 26 juil.-25 août, 21-28 fév., dim., lundi et fériés p. 6 DX p
Rest – Menu 35 € (déj.), 60/90 € – Carte 90/110 €

Spéc. Langoustines et caviar d'Aquitaine "en boîte". Pigeon contisé à l'ail confit, tête de violon et noix fraîches (automne-hiver). Pressé de pain d'épice façon tatin, tuile au sésame et glace cannelle (hiver). **Vins** Côtes de Blaye, Saint-Estèphe.

◆ Une vraie institution bordelaise fréquentée par les gourmets : belle cuisine actuelle, riche carte des vins et original décor de rocaille 1900.

Le Pavillon des Boulevards (Denis Franc)

120 r. Croix-de-Seguey – ℰ 05 56 81 51 02 – pavillon.des.boulevards@orange.fr
– Fax 05 56 51 14 58 – Fermé 9-31 août, 24 déc.-3 janv., sam. midi, lundi midi et dim. p. 5 BU a
Rest – Menu 40 € (déj.), 70/100 € – Carte 80/100 €

Spéc. Saint-Jacques fumées à l'anis étoilé (oct. à mi-avril). Pigeonneau rôti et civet, arôme de chocolat et parfum de cannelle. Poire pochée au sauternes, purée de coing, émulsion cacao et châtaignes confites (sept. à déc.). **Vins** Médoc, Pessac-Léognan.

◆ Ouvert sur une verdoyante terrasse, ce restaurant illustre une belle modernité : sobriété (tons clairs, parquet), touches colorées (vaisselle, fleurs), carte inventive et soignée.

Jean Ramet

7 pl. J.-Jaurès – ℰ 05 56 44 12 51 – Fax 05 56 52 19 80
– Fermé 12-20 avril, 2-24 août, dim. et lundi p. 7 EX u
Rest – Menu 35 € (déj.), 55/65 € – Carte 60/82 €

◆ Les Bordelais se retrouvent autour d'une cuisine classique actualisée dans ce restaurant des bords de la Garonne égayé de tons ensoleillés assortis aux tentures et au mobilier.

Le Vieux Bordeaux

27 r. Buhan – ℰ 05 56 52 94 36 – www.levieuxbordeaux.com – Fax 05 56 44 25 11
– Fermé 3-24 août, 23 fév.-8 mars, dim., lundi et fériés p. 7 EY a
Rest – Menu (21 € bc), 30 € (sem.)/52 € – Carte 36/65 €

◆ Deux salles à manger redécorées avec goût (tons gris, mobilier de style et contemporain) dont une ouverte sur un agréable patio-terrasse. Généreuse cuisine classique.

L'Alhambra

111bis r. Judaïque – ℰ 05 56 96 06 91 – Fax 05 56 98 00 52
– Fermé 14 juil.-15 août, sam. midi, lundi midi et dim. p. 6 CX e
Rest – Menu 20 € (déj. en sem.), 30/42 € – Carte 42/60 €

◆ Adresse plaisamment agencée à la façon d'un jardin d'hiver : coloris verts et confortable mobilier en rotin. Les plats classiques flattent le palais de l'Alhambra.

BORDEAUX page 11

XX La Table Calvet
81 cours Médoc – ℰ 05 56 39 62 80 – www.latablecalvet.fr – latablecalvet@latablecalvet.com – Fax 05 56 39 62 80 – Fermé 1er-30 août, 24 déc.-2 janv., 23-31 mars, sam. midi, dim. et lundi p.5 BT a
Rest – Menu 20 € (déj. en sem.), 28/55 € – Carte 46/55 €
♦ Un restaurant ouvert par la maison Calvet (négoce de vin). La cuisine, inspirée et évoluant au gré des saisons, est servie dans le joli cadre d'un chai datant du 19e s.

XX Le Clos d'Augusta
339 r. Georges-Bonnac – ℰ 05 56 96 32 51 – leclosdaugusta@wanadoo.fr – Fax 05 56 51 80 46 – Fermé 26 juil.-18 août, 20-30 déc., lundi soir, sam. midi, dim. et fériés p.4 AU a
Rest – Menu 22 € (déj. en sem.), 43/65 € – Carte 50/68 €
♦ L'enseigne emprunte son nom à un célèbre golf américain : le chef a en effet deux passions, la cuisine et les greens. Beau jardin-terrasse sur l'arrière. Recettes actuelles.

XX L'Oiseau Bleu
127 av. Thiers – ℰ 05 56 81 09 39 – www.loiseaubleu.fr – sophielafon@aol.com – Fermé 12-20 avril, 26 juil.-17 août, 20-28 déc., dim. et lundi p.7 FX e
Rest – Menu (23 €), 36/80 € bc – Carte 59/67 €
♦ Nouvelle adresse installée dans une jolie maison en pierre : deux salles épurées au ton bleu dominant ouvrent sur une délicieuse terrasse côté jardin. Cuisine actuelle.

XX La Tupina
6 r. Porte-de-la-Monnaie – ℰ 05 56 91 56 37 – www.latupina.com – latupina@latupina.com – Fax 05 56 31 92 11 p.7 FY q
Rest – Menu (16 €), 32 € bc (déj. en sem.)/55 € – Carte 50/75 €
♦ Ambiance décontractée dans cette maison à l'atmosphère champêtre. Plats du Sud-Ouest rôtis dans la cheminée ou mijotés sur le fourneau, comme autrefois. Belle carte des vins.

X Gravelier
114 cours Verdun – ℰ 05 56 48 17 15 – restogravelier@yahoo.fr – Fax 05 56 51 96 07 – Fermé 26 juil.-24 août, vacances de fév., sam. et dim.
Rest – Menu (24 €), 28 €, 39/60 € – Carte 55/65 € p.5 BU r
♦ Teck, zinc, couleurs vitaminées et vue sur les cuisines vitrées restructurées. Plats inventifs influencés par l'Asie, menu "carte blanche" où s'exprime toute la créativité du chef.

X L'Estaquade
quai Queyries – ℰ 05 57 54 02 50 – www.lestacade.com – Fax 05 57 54 02 51 – Fermé 23 déc.-2 janv. p.7 EX a
Rest – (prévenir) Menu 17 € (déj. en sem.) – Carte environ 48 €
♦ Posée sur la Garonne, cette insolite construction sur pilotis contemple le vieux Bordeaux. Décor épuré, menu du jour et carte recomposée chaque saison : un lieu très prisé !

X Auberge ' Inn
245 r. de Turenne – ℰ 05 56 81 97 86 – http://auberge-inn.cartesurtables.com – auberge-inn@orange.fr – Fax 05 56 81 34 71 – Fermé 1er-24 août, 19-27 déc., 20-28 fév., sam., dim. et fériés p.5 BU b
Rest – Menu 19 € (déj. en sem.), 27/50 € – Carte 40/60 €
♦ Murs en pierre ou couleurs aubergine, décor contemporain épuré, mobilier moderne, chaleureuse petite terrasse et cuisine dans l'air du temps : une auberge vraiment "in" !

X La Petite Gironde
75 quai des Queyries – ℰ 05 57 80 33 33 – www.lapetitegironde.fr – jean-pierre.vergnolle@wanadoo.fr – Fax 05 57 80 33 31 – Fermé 24 déc.-4 janv., sam. midi et dim. soir p.7 EX b
Rest – Menu 16/33 € – Carte 31/49 €
♦ Ce restaurant posé sur la rive droite de la Garonne arbore un joli décor, parfaitement dans l'air du temps. Terrasse "les pieds dans l'eau" très prisée et plats traditionnels.

Quaizaco

80 quai des Chartrons – ℰ 05 57 87 67 72 – quaizaco@orange.fr
– Fax 05 57 87 34 42 – Fermé 8-18 août, sam. midi et dim.
Rest – Menu (11 €), 14 € (déj. en sem.) – Carte 34/42 €

p. 5 BU t

◆ Derrière la façade ancienne de ces entrepôts du 18ᵉ s. se cache un intérieur qui tranche, avec meubles et tableaux contemporains (expositions temporaires). Carte actuelle.

à Bordeaux-Lac (près parc des expositions) - ⊠ 33300 - Bordeaux

Pullman

av. J.-G.-Domergue – ℰ 05 56 69 66 66 – www.pullmanhotels.com
– h0669@accor.com – Fax 05 56 69 66 00
166 ch – †120/350 € ††140/370 €, ⊇ 22 € – 19 suites
Rest *l'Aquitania* – Menu (26 € bc), 32 € bc – Carte 48/74 €

p. 5 BT u

◆ Accès direct au Palais des Congrès, salles de réunion sur 2000 m², confortables chambres design : rénovation réussie pour cet hôtel très apprécié de la clientèle d'affaires. Décor contemporain et terrasse d'été ouverte sur le lac à l'Aquitania.

Novotel-Bordeaux Lac

av. J.-G.-Domergue – ℰ 05 56 43 65 00
– h0403@accor.com – Fax 05 56 43 65 01
175 ch – †105/160 € ††105/160 €, ⊇ 15 €
Rest – Menu 23 € (sem.) – Carte 28/46 €

p. 5 BT z

◆ Près du parc des expositions, chambres – à choisir côté lac – en partie rénovées dans le dernier style de la chaîne, actuel et plaisant. Jardin avec jeux pour enfants. Restauration dans un agréable cadre très contemporain ou en terrasse, au bord de la piscine.

par la rocade A 630 :

à Blanquefort 3 km au Nord, sortie n° 6 – 15 300 h. – alt. 17 m – ⊠ 33290

Hostellerie Des Criquets

130 av. 11-Novembre (D 210) – ℰ 05 56 35 09 24
– www.lescriquets.com – hotel@lescriquets.com – Fax 05 56 57 13 83
21 ch – †65/77 € ††88/100 €, ⊇ 12 € – ½ P 84/96 €
Rest – (fermé sam. midi, dim. soir et lundi) Menu 20 € (déj. en sem.), 40/65 €
– Carte 52/76 €

◆ Il règne une atmosphère de maison de campagne familiale dans cette ancienne ferme et ses coquettes chambres actuelles (bois, fer forgé, tissus colorés). Agréable salle à manger, terrasse face au jardin et recettes dans l'air du temps.

à Lormont Nord-Est, sortie n°2 – 21 000 h. – alt. 60 m – ⊠ 33310

🛈 Office de tourisme, 4, avenue de la Libération ℰ 05 56 74 29 17

Jean-Marie Amat

26 r. Raymond-Lis – ℰ 05 56 06 12 52 – www.jm-amat.com – Fax 05 56 74 77 89
– Fermé deux sem. en août, une sem. en déc., sam. midi, dim. et lundi
Rest – Menu 30 € (déj. en sem.) – Carte 70/100 €

p. 5 BT n

Spéc. Salade d'huîtres au caviar d'Aquitaine et crépinette grillée. Homard rôti aux pommes de terre et gousses d'ail. Croustade aux pommes et sorbet pomme-gingembre. **Vins** Côtes de Blaye blanc, Bordeaux rouge.

◆ L'ancien "enfant terrible" signe son retour avec une table contemporaine, logée dans un château réhabilité : belle cuisine actuelle, véranda épurée, vue sur la verdure et le pont d'Aquitaine.

à Cenon Est, sortie n° 25 – 23 100 h. – alt. 50 m – ⊠ 33150

La Cape (Nicolas Magie)

allée Morlette – ℰ 05 56 80 24 25 – Fax 05 56 32 37 46 – Fermé 1ᵉʳ-21 août, vacances de Noël, sam., dim. et fériés
Rest – Menu 40 € (sem.)/80 € bc – Carte 52/80 €

p. 5 BU v

Spéc. Menu du marché.

◆ On se "bouscule" au portillon de ce pavillon pour savourer une belle cuisine inventive dans un cadre très original, abondamment coloré, ou sur l'agréable jardin-terrasse.

BORDEAUX page 13

à Bouliac Sud-Est, sortie n° 23 – 3 087 h. – alt. 74 m – ⊠ 33270

Le St-James
3 pl. Camille Hostein, près de l'église – ℰ 05 57 97 06 00 – www.saintjames-bouliac.com – stjames@relaischateaux.com – Fax 05 56 20 92 58 *p. 5* BU s
15 ch – †185/310 € ††185/310 €, ⊇ 25 € – 3 suites
Rest – *(fermé 12-27 avril, 25 oct.-5 nov., 1er-18 janv., dim. et lundi)* Menu (34 €), 62 € bc/125 € – Carte 100/140 €
Rest *Côté Cour* – ℰ 05 57 97 06 06 *(fermé 1er-23 août, 18-31 janv., sam. et dim.)*
Menu (19 €), 26 € – Carte 31/50 €
Spéc. Homard bleu grillé au beurre de corail, risotto iodé. Saint-Pierre rôti sur la peau, pommes safranées, soupe de crustacés. Chocolat noir guanaja en chaud-froid et groseilles. **Vins** Saint-Estèphe, Premières Côtes de Bordeaux.
♦ Conçue par Jean Nouvel, cette maison qui surplombe les vignes s'inspire de l'architecture des séchoirs à tabac traditionnels de la région. Chambres design épurées. Le chef signe une cuisine fine et raffinée avec des mariages de saveurs subtils et harmonieux. Côté Cour, on mise sur une cuisine du marché.

Café de l'Espérance
10 r. de l'Esplanade, (derrière l'église) – ℰ 05 56 20 52 16 – www.saintjames-bouliac.com – stjames@relaischateaux.com – Fax 05 56 20 92 58 *p. 5* BV r
Rest – Menu 15 € (déj. en sem.) – Carte 28/40 €
♦ Les nostalgiques du "troquet" de village aimeront ce petit bistrot où l'on s'attarde sous la treille, autour d'un verre. Plats traditionnels et grillades proposés à l'ardoise.

à Bègles Sud-Est, sortie n°21 – 24 400 h. – alt. 6 m – ⊠ 33130

Chiopot
281 r. des Quatre-Castera – ℰ 05 56 85 62 41 – http://chiopot.free.fr – chiopot@free.fr – Fax 05 56 85 07 24 – Fermé sam. midi et dim. *p.5* BV a
Rest – Menu (22 € bc), 33 € – Carte 22/72 €
♦ Avec son cachet de bistrot-brasserie, ce lieu garantit la convivialité, en salle ou en terrasse ombragée. Carte traditionnelle, grillades, bons vins (en vente à la boutique).

à Martillac 9 km au Sud, sortie n° 18, D 1113 et rte secondaire – 2 293 h. – alt. 40 m – ⊠ 33650

Les Sources de Caudalie
chemin de Smith-Haut-Lafitte
– ℰ 05 57 83 83 83 – www.sources-caudalie.com
– sources@sources-caudalie.com – Fax 05 57 83 83 84
43 ch – †200/380 € ††200/380 €, ⊇ 22 € – 7 suites
Rest *La Grand'Vigne* – *(fermé lundi et mardi sauf en juil.-août)* Menu 85 €
– Carte 82/101 €
Rest *La Table du Lavoir* – Menu (26 €), 35 €
♦ Ce domaine incluant un institut de vinothérapie offre luxe, détente et remise en forme au milieu des vignobles. Carte actuelle et beau choix de vins au Grand'Vigne, une orangerie du 18e s. La Table, c'est le lavoir des vendangeuses reconstitué dans un chai.

Château de Lantic sans rest
10 rte de Lartigue – ℰ 05 56 72 58 68 – www.chateau-de-lantic.com
– contact@chateau-de-lantic.com – Fax 05 56 72 58 67
13 ch ⊇ – †89/159 € ††89/159 €
♦ Cet adorable château propose des chambres meublées d'ancien, souvent décorées dans un esprit romantique ; certaines ont une cuisinette. Une dépendance accueille des expositions.

au Sud-Ouest sortie n° 14 – ⊠ 33600 Pessac

Holiday Inn Bordeaux Sud
10 av. Antoine Becquerel – ℰ 05 56 07 59 59 – www.holidayinn.fr – contact@hi-pessac.com – Fax 05 56 07 59 69 *p. 4* AV f
90 ch – †80/155 € ††80/155 €, ⊇ 16 €
Rest – *(fermé sam., dim. et fériés)* Menu (19 €), 23 € – Carte 30/45 € dîner seulement
♦ Proche d'une rocade autoroutière, cet hôtel construit en 2004 propose de confortables chambres contemporaines (lits king size). Salles de réunions aux équipements dernier cri. Chaleureuse salle à manger de type bistrot et cuisine traditionnelle.

355

BORDEAUX page 14

à Mérignac Ouest, sortie n° 9 – 63 900 h. – alt. 35 m – ⊠ 33700

Kyriad Prestige
116 av. de Magudas – ℰ 05 57 92 00 00 – www.bordeaux-hotels.net
– kprestige@bordeaux-hotels.net – Fax 05 57 92 00 60
p. 4 AT r
75 ch – ♦85/115 € ♦♦85/115 €, ⊇ 13 € – 2 suites
Rest – (fermé dim.) Menu (21 €), 26/50 € – Carte 32/42 €

♦ Chambres spacieuses, insonorisées et rafraîchies, de plusieurs types : standard assez sobres, "executive" plus contemporaines (mobilier en teck) ou familiales avec mezzanine. Buffets froids ou chauds dressés dans une salle avec cheminée et charpente apparente.

à Eysines Ouest, sortie n° 9 – 19 000 h. – alt. 15 m – ⊠ 33320

Les Tilleuls
à La Forêt, 205 av. St-Médard – ℰ 05 56 28 04 56
– restotilleuls@wanadoo.fr – Fax 05 56 28 05 41 – Fermé 17-23 fév., sam. midi,
dim. soir et lundi
p. 4 AT v
Rest – Menu 19 € (déj. en sem.)/28 € – Carte 40/55 €

♦ Sympathique adresse où l'on mitonne plats traditionnels et spécialités régionales. Salle à manger campagnarde égayée de tons vifs et chaleureux. Jolie terrasse d'été.

à l'aéroport de Bordeaux-Mérignac Ouest, sortie n° 11 en venant du Sud, sortie n° 11ᵇ en venant du Nord – ⊠ 33700 Mérignac

Mercure Bordeaux Aéroport
1 av. Ch.-Lindbergh – ℰ 05 56 34 74 74
– www.mercure.com – h1508@accor.com – Fax 05 56 34 30 84
p. 4 AU e
149 ch – ♦75/135 € ♦♦85/145 €, ⊇ 17 €
Rest – Menu 21 € (sem.) – Carte 31/46 €

♦ Adresse parfaite pour se reposer entre deux vols. Bar de style anglais, salles de réunion et chambres bien pensées (leur décor décline le thème des cinq continents). Cuisine traditionnelle servie dans une élégante salle à manger tournée vers la terrasse.

Novotel Aéroport
80 av. J.F.-Kennedy – ℰ 05 57 53 13 30 – www.accor-hotels.com
– h0402@accor.com
p. 4 AU k
137 ch – ♦115/150 € ♦♦115/150 €, ⊇ 15 €
Rest – Menu 16 € (sem.)/20 € – Carte 30/40 €

♦ Plus tendance et feutré : l'hôtel renouvelle son image avec des chambres rénovées et un café répondant au dernier concept du groupe. Pinède et aire de jeux pour les enfants. À table, cuisine simple axée sur les grillades et agréable vue sur le jardin.

L'Iguane
83 av. J.F.-Kennedy – ℰ 05 56 34 07 39 – contact@liguane.fr – Fax 05 56 34 41 37
– Fermé 26 juil.-31 août, vend. soir, sam. midi et dim.
p. 4 AU b
Rest – Menu (21 €), 32/65 € – Carte 39/82 €
Rest L'Olive de Mer – Menu (21 €), 32/65 € – Carte 39/82 €

♦ Lumineuse salle tout en longueur, contemporaine et raffinée (parquet et stores en bois exotique). Service soigné, nappes blanches et carte renouvelée au gré des saisons. Un vent iodé souffle sur la carte de L'Olive de Mer (mobilier design et décor branché).

LES BORDES – 45 Loiret – **318** L5 – rattaché à Sully-sur-Loire

BORMES-LES-MIMOSAS – 83 Var – **340** N7 – 6 324 h. – alt. 180 m 　　41 **C3**
– ⊠ 83230 ▌Côte d'Azur

▶ Paris 871 – Fréjus 57 – Hyères 21 – Le Lavandou 4 – St-Tropez 35
　– Toulon 39

🛈 Office de tourisme, 1, place Gambetta ℰ 04 94 01 38 38, Fax 04 94 01 38 39

🏌 de Valcros à La Londe-les-MauresNO : 12 km, ℰ 04 94 66 81 02

◉ Site★ - Les vieilles rues★ - ≤★ du château.

BORMES-LES-MIMOSAS

Hostellerie du Cigalou
pl. Gambetta, au vieux village – ℰ 04 94 41 51 27
– www.hostellerieducigalou.com – resas@hostellerieducigalou.com
– Fax 04 94 46 20 73
17 ch – †108/254 € ††108/254 €, ⊊ 14 € – 3 suites
Rest – Menu 17/36 € – Carte 31/47 €
♦ La propriétaire de cette jolie maison a décoré son intérieur avec raffinement, mêlant styles provençal et baroque. Certaines chambres bénéficient d'une terrasse privative. Recettes régionales au café du Progrès, dans une ambiance bistrot décontractée.

La Bastide des Vignes 🌿
464 chemin du Patelin – ℰ 04 94 71 20 29 – www.bastidedesvignes.fr
– bastidedesvignes@orange.fr – Fax 04 94 15 12 71
5 ch ⊊ – †110/132 € ††110/132 €   **Table d'hôte** – Menu 40 € bc
♦ Accueillante maison de vigneron (1902) perdue au milieu des vignes. Chambres personnalisées (sans TV) aux couleurs de la Provence, ouvertes sur le jardin : un havre de paix. Dégustation de plats et vins régionaux à la table d'hôtes (sur réservation).

Les Plumbagos sans rest
88 impasse du Pin, quartier Le Pin, le Mont Roses – ℰ 06 09 82 42 86
– www.lesplumbagos.com – plumbagos@wanadoo.fr – Ouvert mars-oct.
3 ch ⊊ – †95/120 € ††105/130 €
♦ Parmi les atouts de cette belle bâtisse des années 1920 : une situation calme et privilégiée en surplomb de la baie, de coquettes chambres provençales et un agréable jardin.

La Rastègue
48 bd Levant, 2 km au Sud, quartier Le Pin – ℰ 04 94 15 19 41
– www.larastegue.com – contact@larastegue.com – Fermé 4-31 janv., le midi sauf dim. et lundi
Rest – Menu 39 €
♦ Cuisine ouverte sur la salle et cave à vin visible : le lieu (avec terrasse) est agréable et l'atmosphère plaisante. Séduisante cuisine de produits, simple et sans esbroufe.

La Tonnelle de Gil Renard
pl. Gambetta – ℰ 04 94 71 34 84 – www.la-tonnelle-bormes.com
– restau.la.tonnelle@free.fr – Fermé mi-nov.-mi-déc., le midi en juil.-août, jeudi midi et merc.
Rest – Menu 27/42 € – Carte 40/49 €
♦ La salle-véranda vous convie à un repas d'inspiration régionale, parsemé de pointes d'exotisme. Décor aux couleurs du Sud et boutique pour le bonheur des petits et des grands.

Lou Portaou
r. Cubert-des-Poètes – ℰ 04 94 64 86 37 – www.louportaou.fr – contact@louportaou.fr – Fax 04 94 64 81 43 – Fermé 15 nov.-20 déc., sam. midi en saison, dim. soir et lundi hors saison
Rest – (prévenir) Menu (26 € bc), 39 € (dîner) – Carte environ 45 € dîner seulement
♦ Cet ancien logis de guetteur (12ᵉ s.) ne manque ni de charme ni de caractère. Style médiéval et déco personnalisée dans les deux petites salles voûtées. Plats de tradition.

au Sud 1 km – ✉ 83230 Bormes-les-Mimosas

Le Domaine du Mirage
38 r. Vue-des-Îles – ℰ 04 94 05 32 60
– www.domainedumirage.com – resas@domainedumirage.com
– Fax 04 94 64 93 03 – Ouvert 27 mars-31 oct.
35 ch ⊊ – †127/272 € ††141/286 €
Rest – Menu 35 € (dîner) – Carte 36/44 € déjeuner seulement
♦ Sur les hauteurs de Bormes, bâtisse entourée d'une végétation luxuriante. Jolies chambres meublées à la mode provençale, avec balcon ou terrasse. Au restaurant, fer forgé, couleurs du Midi et fresque murale composent le décor (formule simple à midi).

BORMES-LES-MIMOSAS
à la Favière 4 km au Sud – ⊠ 83230 Bormes-les-Mimosas

De la Plage
Bd de la Plage – ℰ 04 94 71 02 74 – www.hotelbormes.com
– hoteldelaplage.bormes@wanadoo.fr – Fax 04 94 71 77 22
– Ouvert 1ᵉʳ avril-30 sept.
45 ch – ♦60/87 € ♦♦60/87 €, ⊇ 8,50 € – ½ P 60/73 €
Rest – *(dîner seult sauf dim.)* Menu 23/30 € – Carte 32/49 €

♦ À proximité du cap Bénat et du fort de Brégançon, un hôtel familial qui propose des chambres d'esprit rustique, sobrement aménagées et bien tenues. Côté cuisine, place à la tradition et au terroir provençal dans la salle lumineuse ou à l'ombre des platanes, en saison.

BORNY – 57 Moselle – **307** I4 – rattaché à Metz

BORT-L'ÉTANG – 63 Puy-de-Dôme – **326** H8 – rattaché à Lezoux

---

BOSDARROS – 64 Pyrénées-Atlantiques – **342** J5 – 998 h. – alt. 370 m   **3 B3**
– ⊠ 64290

▶ Paris 790 – Pau 14 – Lourdes 36 – Oloron-Ste-Marie 29 – Tarbes 50

Auberge Labarthe (Eric Dequin)
1 r. P.-Bidau – ℰ 05 59 21 50 13 – www.auberge-pau.com – auberge-labarthe@wanadoo.fr – Fax 05 59 21 68 55 – Fermé 1ᵉʳ-15 juil., 10-31 janv., dim. soir, lundi et mardi
Rest – *(prévenir le week-end)* Menu 27 € (sem.), 46/69 € – Carte environ 75 €
Spéc. Foie frais poêlé aux fraises, réduction de banuyls et parfum de basilic (été). Grande assiette de poissons de mer grillés à la plancha. Fondue au chocolat, mignardises et brochettes de fruits (automne-hiver). **Vins** Jurançon, Béarn rouge.

♦ Derrière l'église, maison accueillante à la belle façade fleurie. La salle sagement contemporaine prête son cadre discret à une savoureuse et généreuse cuisine régionale.

BOSSEY – 74 Haute-Savoie – **328** J4 – rattaché à St-Julien-en-Genevois

---

LES BOSSONS – 74 Haute-Savoie – **328** O5 – rattaché à Chamonix

---

BOUAYE – 44 Loire-Atlantique – **316** F5 – rattaché à Nantes

---

BOUC-BEL-AIR – 13 Bouches-du-Rhône – **340** H5 – 13 700 h.   **40 B3**
– alt. 259 m – ⊠ 13320

▶ Paris 758 – Aix-en-Provence 10 – Aubagne 41 – Marseille 22
– Salon-de-Provence 43

L'Étape Lani
au Sud sur D 6 rte de Gardane-Marseille – ℰ 04 42 22 61 90 – www.lani.fr
– etapelani@worldonline.fr – Fax 04 42 22 68 67 – Fermé sam. midi et dim. soir
33 ch – ♦70/78 € ♦♦78/88 €, ⊇ 12 €
Rest – *(fermé 23 déc.-5 janv., lundi midi, sam. midi et dim. en juil.-août)*
Menu 18 € (déj. en sem.), 27/56 € – Carte 42/56 €

♦ L'accueil, les chambres bien insonorisées du bâtiment principal et le plaisant décor provençal de l'annexe font vite oublier la proximité de la route passante. Coquet restaurant aux tons ensoleillés où l'on sert une cuisine qui fleure bon le Sud.

BOUCÉ – 03 Allier – **326** H5 – rattaché à Varennes-sur-Allier

---

LE BOUCHET – 74 Haute-Savoie – **328** L5 – rattaché au Grand-Bornand

BOUDES – 63 Puy-de-Dôme – **326** G10 – 266 h. – alt. 466 m – ✉ 63340 5 **B2**
▶ Paris 462 – Brioude 29 – Clermont-Fd 52 – Issoire 16 – St-Flour 62

※※ **Le Boudes La Vigne** avec ch 🛏 AC rest, VISA ◉◉ ÆE ①
pl. de la Mairie – ✆ *04 73 96 55 66 – Fax 04 73 96 55 55 – Fermé 30 juin-8 juil.,
25 août-3 sept., 2-22 janv., dim. soir, mardi midi et lundi*
11 ch – †40/55 € ††40/90 €, ⊇ 7 € **Rest** – Menu (17 €), 22/50 €
♦ Maison bâtie sur d'anciennes fortifications. Cuisine au goût du jour servie dans une salle rénovée, aux tons pastel et murs en pierre. La cave comprend des crus locaux.

> Nous essayons d'être le plus exact possible
> dans les prix que nous indiquons.
> Mais tout bouge !
> Lors de votre réservation, pensez à vous faire préciser le prix du moment.

BOUËSSE – 36 Indre – **323** G7 – rattaché à Argenton-sur-Creuse

BOUGIVAL – 78 Yvelines – **311** I2 – **101** 13 – voir à Paris, Environs

LA BOUILLADISSE – 13 Bouches-du-Rhône – **340** I5 – 4 904 h. 40 **B3**
– alt. 220 m – ✉ 13720
▶ Paris 776 – Aix-en-Provence 27 – Brignoles 43 – Marseille 31 – Toulon 60
ℹ Syndicat d'initiative, place de la Libération ✆ 04 42 62 97 08,
Fax 04 42 62 98 65

🏠 **La Fenière** 🛏 ℤ ch, AC rest, ↯ ℓ P VISA ◉◉ ÆE
8 r. J. Pourchier – ✆ *04 42 72 56 32 – www.hotelfeniere.com – la.feniere@
wanadoo.fr – Fax 04 42 62 30 54 – Fermé sam. midi et dim.*
10 ch – †58/65 € ††58/68 €, ⊇ 7 €
Rest – Menu (16 €), 20/24 € – Carte 20/48 €
♦ Établissement composé de deux bâtiments. Côté jardin-piscine, découvrez des petites chambres fonctionnelles, fraîches et méticuleusement tenues. Le restaurant de style provençal (poutres apparentes, cheminée), agrandi d'une terrasse, sert une cuisine régionale.

BOUILLAND – 21 Côte-d'Or – **320** I7 – 188 h. – alt. 400 m – ✉ 21420 8 **C2**
▮ Bourgogne
▶ Paris 295 – Autun 54 – Beaune 17 – Bligny-sur-Ouche 13 – Dijon 41
– Saulieu 57

🏨 **Hostellerie du Vieux Moulin** ⌾ 🐎 🛏 ℤ ℨ ch,
1 r. de la Forge – ✆ *03 80 21 51 16* AC rest, ¶ ゐ P VISA ◉◉
*– www.le-moulin-de-bouilland.com – le-moulin@le-moulin-de-bouilland.com
– Fax 03 80 21 59 90 – Ouvert 13 mars-29 nov. et 14 déc.-2 janv.*
23 ch – †90/165 € ††90/165 €, ⊇ 18 € – 3 suites – ½ P 109/189 €
Rest – *(fermé le midi du lundi au jeudi et merc. soir d'oct. à mai)* Menu 43/105 €
– Carte 88/125 €
♦ À deux pas de l'A6 et des grands vignobles bourguignons, deux bâtiments, dont un ancien moulin, aux chambres en partie rénovées. Fitness et piscine. Cuisine actuelle servie dans une salle à manger plus contemporaine. Vue sur la campagne ; service prévenant.

※ **Auberge St-Martin** 🛏 VISA ◉◉
17 rte de Beaune – ✆ *03 80 21 53 01 – auberge-saint-martin@orange.fr
– Fax 03 80 21 53 01 – Fermé 30 juin-8 juil., mardi et merc.*
Rest – Menu 20/28 € – Carte 23/37 €
♦ La petite salle campagnarde de cette accueillante auberge (18ᵉ s.) donne sur une mini-terrasse-balcon. Appétissante cuisine traditionnelle et spécialités régionales.

LA BOUILLE – 76 Seine-Maritime – 304 F5 – 808 h. – alt. 5 m — 33 D2
– ✉ 76530 ▌Normandie Vallée de la Seine

▶ Paris 132 – Bernay 44 – Elbeuf 12 – Louviers 32 – Pont-Audemer 35 – Rouen 21

Le Bellevue
13 quai Hector-Malot – ℰ 02 35 18 05 05 – www.hotel-le-bellevue.com
– bellevuehotel@wanadoo.fr – Fax 02 35 18 00 92 – Fermé 23-27 déc.
20 ch – †60/68 € ††60/68 €, ⊇ 9 € – ½ P 104/114 €
Rest – *(fermé dim. soir du 1ᵉʳ oct. au 15 avril)* Menu 15 € (sem.), 20/42 €
– Carte 42/72 €
◆ Demeure (début 20ᵉ s.) située sur une rive de la Seine. Chambres fraîches et colorées, progressivement rénovées ; certaines bénéficient d'une belle vue sur le fleuve. Plats traditionnels à déguster dans une salle de restaurant qui a conservé son âme normande.

St-Pierre
4 pl. du Bateau – ℰ 02 35 68 02 01 – www.restaurantlesaintpierre.com
– blanchardlau@wanadoo.fr – Fax 02 35 68 04 26 – Fermé 24 août-9 sept., dim. soir de sept. à Pâques, lundi et mardi
Rest – Menu (20 €), 27 € (sem.)/65 € – Carte 61/82 €
◆ Cuisine d'aujourd'hui servie dans une salle claire et actuelle ou en plein air, avec la Seine et le va-et-vient des bateaux pour toile de fond. Accueil et service avenants.

De la Poste
6 pl.du Bateau – ℰ 02 35 18 03 90 – Fax 02 35 18 18 91 – Fermé 17 déc.-9 janv., dim. soir, lundi soir et mardi
Rest – Menu 30/44 € – Carte environ 50 €
◆ Jolie façade à colombages d'un relais de poste (18ᵉ s.) ancré sur les quais. Salle rustique ou, à l'étage, cadre plus récent et plus clair avec vue sur la Seine. Carte classique.

Les Gastronomes
1 pl. du Bateau – ℰ 02 35 18 02 07 – www.lesgastronomes-labouille.com
– Fax 02 35 18 14 49 – Fermé 24 oct.-13 nov., 20 fév.-5 mars, merc. et jeudi sauf fériés
Rest – Menu 20 € (sem.)/45 € – Carte 48/56 €
◆ À côté de l'église, restaurant familial traditionnel abritant deux salles : ambiance bistrot Belle Époque dans celle du bas ; touches rustiques et coup d'œil batelier à l'étage.

BOUIN – 85 Vendée – 316 E6 – 2 242 h. – alt. 5 m – ✉ 85230 — 34 A3

▶ Paris 435 – Challans 22 – Nantes 51 – Noirmoutier-en-l'Île 29 – La Roche-sur-Yon 66

🛈 Office de tourisme, boulevard Sébastien Luneau ℰ 02 51 68 88 85

Domaine le Martinet
pl. du Gén.-Charette – ℰ 02 51 49 08 94 – www.domaine-lemartinet.com
– contact@domaine-lemartinet.com – Fax 02 51 49 83 08
30 ch – †49/95 € ††56/105 €, ⊇ 10 € – ½ P 66/115 €
Rest – *(fermé lundi midi et mardi midi)* Menu 17/32 € – Carte 25/55 €
◆ Demeure ancienne à l'ambiance familiale dans un bourg tranquille du marais breton vendéen. Les chambres en rez-de-jardin sont plus agréables et coquettes. Salle à manger de caractère (meubles et objets chinés) et jolie véranda. Produits de la pêche locale.

BOULBON – 13 Bouches-du-Rhône – 340 D2 – 1 510 h. – alt. 18 m — 42 E1
– ✉ 13150

▶ Paris 703 – Marseille 113 – Nîmes 34 – Avignon 18 – Arles 25

La Bastide de Boulbon
r. de l'Hôtel-de-Ville – ℰ 04 90 93 11 11
– www.labastidedeboulbon.com – contact@labastidedeboulbon.com
– Fax 04 90 97 04 01 – Fermé 2 nov.-1ᵉʳ avril
10 ch – †85/155 € ††85/155 €, ⊇ 14 €
Rest – *(dîner seult) (résidents seult)* Menu 34 €
◆ Au cœur d'un village, cette demeure bourgeoise de 1850 aux allures de maison d'hôtes invite à la détente avec son beau jardin aux platanes bicentenaires. Chambres actuelles. Cuisine du marché servie dans une salle intimiste ou sur la terrasse ombragée, l'été.

BOULIAC – 33 Gironde – **335** H6 – rattaché à Bordeaux

BOULIGNEUX – 01 Ain – **328** C4 – rattaché à Villars-les-Dombes

BOULOGNE-SUR-MER – 62 Pas-de-Calais – **301** C3 – 44 600 h. – 30 **A2**
Agglo. 135 116 h. – alt. 58 m – Casino (privé) Z – ✉ 62200
▮ Nord Pas-de-Calais Picardie

- Paris 265 – Amiens 130 – Arras 122 – Calais 35 – Lille 118 – Rouen 185
- Office de tourisme, 24, quai Gambetta ✆ 03 21 10 88 10, Fax 03 21 10 88 11
- de Wimereux à Wimereux Avenue François Mitterrand, par rte de Wimereux : 8 km, ✆ 03 21 32 43 20
- Nausicaa★★★ – Ville haute★★ : crypte et trésor★ de la basilique ≤★ du Beffroi Y **H** - Perspectives★ des remparts - Calvaire des marins ≤★ Y - Château-Musée★ : vases grecs★★, masques inuits et aléoutes★★ - Colonne de la Grande Armée★ : ✻★★ 5 km par ① - Côte d'Opale★ par ①.

Plan page suivante

La Matelote
70 bd Ste-Beuve – ✆ 03 21 30 33 33 – www.la-matelote.com – tony.lestienne@la-matelote.com – Fax 03 21 30 87 40
35 ch – ♦85/115 € ♦♦95/175 €, ⊡ 15 €   Y **q**
Rest *La Matelote* – voir ci-après

◆ Fière bâtisse des années 1930 postée sur le front de mer, face au Nausicaa. Ambiance chaleureuse, chambres de bon confort, nouvel espace détente moderne et service prévenant.

Métropole sans rest
51 r. Thiers – ✆ 03 21 31 54 30 – www.hotel-metropole-boulogne.com – hotel.metropol@wanadoo.fr – Fax 03 21 30 45 72
– Fermé 20 déc.-12 janv.
25 ch – ♦71 € ♦♦97 €, ⊡ 11 €   Z **e**

◆ Hôtel familial dans le centre-ville. Les chambres offrent espace et équipements actuels (literie neuve). Jolie salle des petits-déjeuners ouverte sur le jardin.

Hamiot
1 r. Faidherbe – ✆ 03 21 31 44 20 – www.hotelhamiot.com – hotelrestauranthamiot@wanadoo.fr – Fax 03 21 83 71 56
12 ch – ♦65/95 € ♦♦80/100 €, ⊡ 10 €   Z **h**
Rest *Grand Restaurant* – (fermé 25 juin- 12 juil., 1er-15 sept., 16-29 déc., dim. soir et merc.) Menu 22/39 € – Carte 41/52 €
Rest *Brasserie* – Menu 14 € (sem.)/32 € – Carte 27/46 €

◆ Ce bâtiment d'après-guerre donne sur le port et abrite des chambres refaites (beau mobilier en bois), confortables et bien insonorisées. Atmosphère feutrée et vue sur l'animation portuaire au Grand Restaurant. Ambiance animée et terrasse d'été à la Brasserie.

H. de la Plage sans rest
168 bd Ste-Beuve – ✆ 03 21 32 15 15 – hotelboulogneplage.com – hoteldelaplage4@wanadoo.fr – Fax 03 21 30 47 97
42 ch – ♦55 € ♦♦75 €, ⊡ 7 €   X **u**

◆ Enseigne vérité : l'hôtel est situé sur le front de mer. Chambres fonctionnelles à choisir sur l'arrière pour le calme ou en façade, à partir du 3e étage, pour la vue.

La Matelote (Tony Lestienne)
80 bd Ste Beuve – ✆ 03 21 30 17 97 – www.la-matelote.com – tony.lestienne@la-matelote.com – Fax 03 21 83 29 24
– Fermé 20 déc.-20 janv. et jeudi midi
Rest – Menu 33/75 € – Carte 65/85 €   Y **q**
Spéc. Salade de homard tiède, velouté de crustacés. Darne de turbot rôtie, beurre de thym. Soufflé frangipane, sorbet cassis et lait d'orgeat.

◆ Tons rouge et or, meubles de style Louis XVI et bibelots marins composent le cadre élégant et feutré de ce restaurant (terrasse d'été). Produits de la mer superbement valorisés.

BOULOGNE-SUR-MER

Adam (R. A.)	X	2
Aumont (R. d')	Z	7
Beaucerf (Bd)	X	8
Beaurepaire (R.)	X	9
Bras-d'Or (R. du)	Z	13
Colonne (R. de la)	X	17
Diderot (Bd)	X	18
Duflos (R. Louis)	X	19
Dutertre (R.)	Y	20
Égalité (R. de)	X	22
Entente-Cordiale (Pont de l')	Z	23
Faidherbe (R.)	Y	
Grande-Rue	Z	
Huguet (R. A.)	X	29
Jean-Jaurès (Bd et Viaduc)	X	30
J.-J. Rousseau (Viaduc)	X	31
Lampe (R. de la)	Z	32
Lattre-de-Tassigny (Av. de)	Y	33
Lavocat (R. Albert)	X	34
Liberté (Bd de la)	X	35
Lille (R. de)	Y	37
Marguet (Pont)	Z	38
Michelet (R. J.)	X	39
Mitterrand (Bd F.)	X	40
Montesquieu (Bd)	X	42
Mont-Neuf (R. du)	X	44
Orme (R. de l')	X	46
Perrochel (R. de)	Z	48
Porte-Neuve (R.)	Y	49
Puits-d'Amour (R.)	Z	53
Résistance (Pl.)	Y	55
Ste-Beuve (Bd)	XY	59
St-Louis (R.)	Y	56
Thiers (R. A.)	YZ	60
Tour-N.-Dame (R.)	Y	61
Victoires (R. des)	Y	63
Victor-Hugo (R.)	YZ	
Wicardenne (R. de)	X	64

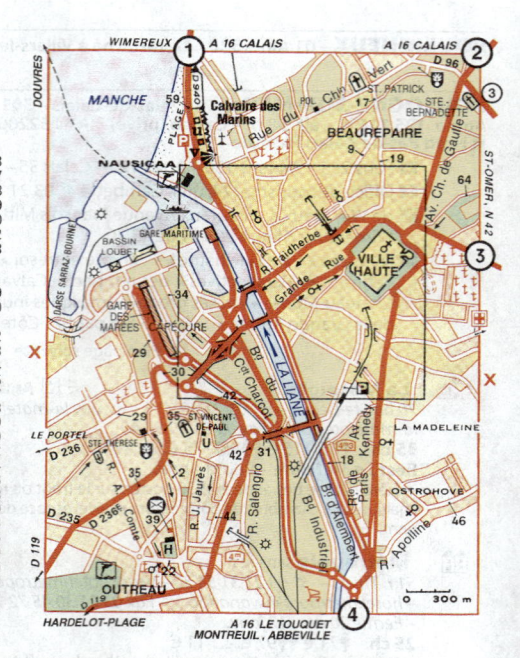

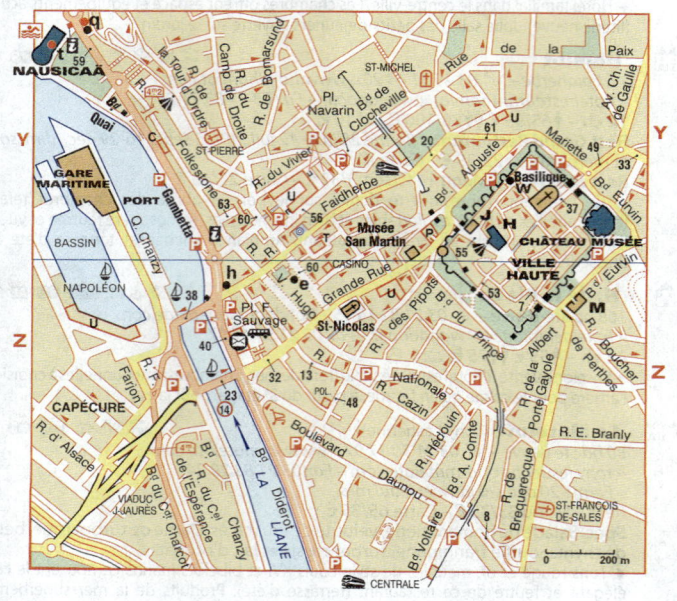

362

BOULOGNE-SUR-MER

XX **Rest. de la Plage** ⇔ VISA ◯◯ AE
124 bd Ste-Beuve – ℘ 03 21 99 90 90 – la-plage@wanadoo.fr – Fax 03 21 87 23 14
– Fermé dim. soir et lundi soir   X v
Rest – Menu 28 € bc (sem.)/59 € – Carte 39/64 € ❀

◆ Une adresse qui fait honneur à la vocation maritime de la ville en proposant une carte riche en saveurs iodées. À déguster dans un élégant décor actuel aux jolis tons pastel.

X **Rest. de Nausicaa** ≤ AC VISA ◯◯
bd Ste-Beuve – ℘ 03 21 33 24 24 – sylvie.montuy@orange.fr – Fax 03 21 30 15 63
– Fermé lundi hors saison   Y t
Rest – Menu 22/37 € bc – Carte 31/56 €

◆ Pause repas au fascinant Centre national de la mer. Ambiance animée dans deux immenses salles modernes d'esprit brasserie. Vue panoramique sur le port et la plage.

à Pont-de-Briques 5 km par ④ – ⌂ 62360

XXX **Hostellerie de la Rivière** avec ch 🚗 🍽 ⚜ VISA ◯◯ AE ①
17 r. de la Gare – ℘ 03 21 32 22 81 – www.lhostelleriedelariviere.fr
– hostelleriedelariviere@wanadoo.fr – Fax 03 21 87 45 48
– Fermé 16 août-3 sept., 7-29 janv., dim. soir, mardi midi et lundi
8 ch – ⚤70/80 € ⚤⚤95/105 €, ⌑ 10 €
Rest – Menu (30 € bc), 39/59 € – Carte 65/90 €

◆ Cette demeure retirée dans une impasse abrite une agréable salle à manger bourgeoise. Aux beaux jours, les tables investissent le jardin. Accueil familial. Cuisine actuelle.

à Hesdin-l'Abbé 9 km par ④ et D 901 – 1 915 h. – alt. 50 m – ⌂ 62360

🏨 **Cléry** ॐ ♨ ₷ & ch, ⚜ ♨ P VISA ◯◯ AE ①
r. du Château, au village – ℘ 03 21 83 19 83 – www.hotelclery-hesdin-labbe.com
– chateau-clery.hotel@najeti.com – Fax 03 21 87 52 59
27 ch – ⚤150/395 € ⚤⚤150/395 €, ⌑ 18 €
Rest – (fermé sam. midi) Menu 29 € (déj. en sem.), 35/69 € – Carte 50/68 €

◆ Castel du 18ᵉ s. et son cottage disposant de douillettes chambres personnalisées. Agréable salon de lecture. Parc fleuri aux arbres centenaires et jardin potager. Plaisante salle de restaurant et belle véranda grande ouverte sur le domaine boisé.

LE BOULOU – 66 Pyrénées-Orientales – **344** I7 – 4 858 h. – alt. 90 m   22 **B3**
– Stat. therm. : mi fév.-fin nov. – Casino – ⌂ 66160
📗 **Languedoc Roussillon**

🛣 Paris 869 – Argelès-sur-Mer 20 – Barcelona 169 – Céret 10 – Perpignan 22
🛈 Office de tourisme, 1, rue du Château ℘ 04 68 87 50 95, Fax 04 68 87 50 96

au village catalan 7 km au Nord par D 900 – ⌂ 66300 Banyuls-dels-Aspres

🏠 **Village Catalan** sans rest 🚗 🛌 & AC ⚜ ⚜ P 🍽 VISA ◯◯
accès par D 900 et A 9 – ℘ 04 68 21 66 66 – www.little-france.com/hcatalan
– hotel-catalan@wanadoo.fr – Fax 04 68 21 70 95
77 ch – ⚤65/72 € ⚤⚤85/93 €, ⌑ 10 €

◆ Sur une aire d'autoroute, hôtel d'étape doté de chambres fonctionnelles insonorisées, donnant parfois sur le jardin et la piscine. Garage privatif pour huit d'entre elles.

au Sud-Est 4,5 km par D 900, D 618 et rte secondaire – ⌂ 66160 Le Boulou

🏠 **Relais des Chartreuses** ॐ 🚗 🍽 🛌 & ch, ⚜ rest, ⚓ P VISA ◯◯
106 av. d'En-Carbouner – ℘ 04 68 83 15 88 – www.relais-des-chartreuses.fr
– contact@relais-des-chartreuses.fr – Fax 04 68 83 26 62 – Fermé 1ᵉʳ janv.-1ᵉʳ mars et 11 nov.-20 déc.
11 ch – ⚤60/98 € ⚤⚤60/150 €, ⌑ 10 € – 1 suite – ½ P 65/170 €
Rest – (dîner seult) Menu 33 €

◆ Édifié à flanc de colline, mas en pierre, sans doute du 17ᵉ s., entièrement restauré. Spacieuses chambres personnalisées. Sauna, jacuzzi et terrasse sous les tilleuls.

LE BOULOU

à Vivès 5 km à l'Ouest par D 115 et D 73 – 128 h. – alt. 228 m – ⌧ 66490

✕ **L'Hostalet de Vivès** avec ch　　　　　　　　　　　　　AC VISA ⓂⒸ
r. de la Mairie – ✆ 04 68 83 05 52 – www.hostalet-vives.com – hostalet.de.vives @
free.fr – Fax 04 68 83 51 91 – Fermé 13 janv.-5 mars, mardi hors saison et merc.
3 ch – ♦60/75 € ♦♦60/75 €, ⌧ 12 €
Rest – Menu 22 € (déj. en sem.)/33 € – Carte 40/60 €
♦ Ravissante maison en pierre du 12ᵉ s. ayant conservé son cachet d'antan. Service en costume traditionnel et "gargantuesques" plats catalans. Quelques chambres fonctionnelles.

BOURBACH-LE-BAS – 68 Haut-Rhin – **315** G10 – 618 h. – alt. 340 m　　1 **A3**
– ⌧ 68290

▶ Paris 451 – Altkirch 27 – Belfort 26 – Mulhouse 25 – Thann 10

✕ **A la Couronne d'Or** avec ch　　　　　　　　　　　　　P. VISA ⓂⒸ AE
9 r. Principale – ✆ 03 89 82 51 77 – famille.muninger @ gmail.com
– Fax 03 89 82 58 03 – Fermé 15-28 fév., mardi soir et lundi
7 ch – ♦42 € ♦♦58 €, ⌧ 8 € – ½ P 52 €
Rest – Menu (11 €), 21 € (dîner), 25/55 € – Carte 29/55 €
♦ Dans un village de la vallée de la Doller, longue maison abritant une salle rustique modulable et une autre plus intime avec poêle en faïence. Chambres simples et insonorisées.

BOURBON-LANCY – 71 Saône-et-Loire – **320** C10 – 5 502 h.　　7 **B3**
– alt. 240 m – Stat. therm. : début avril-fin oct. – Casino – ⌧ 71140
▮ Bourgogne

▶ Paris 308 – Autun 62 – Mâcon 110 – Montceau-les-Mines 55 – Moulins 36
🛈 Office de tourisme, place d'Aligre ✆ 03 85 89 18 27, Fax 03 85 89 28 38
⛳ de Givalois Givallois, E : 3 km, ✆ 03 85 89 05 48
◉ Maison de bois et tour de l'horloge★ B.

BOURBON-LANCY

Aligre (Pl. d')	2
Autun (R. d')	3
Châtaigneraie (R. de la)	4
Commerce (R. du)	5
Dr-Gabriel-Pain (R. du)	6
Dr-Robert (R. du)	7
Gaulle (Av. du Gén.-de)	
Gueugnon (R. de)	12
Horloge (R. de l')	13
Libération (Av. de la)	15
Musée (R. du)	16
Prébendes (R. des)	18
République (Pl. de la)	22
St-Nazaire (R.)	23

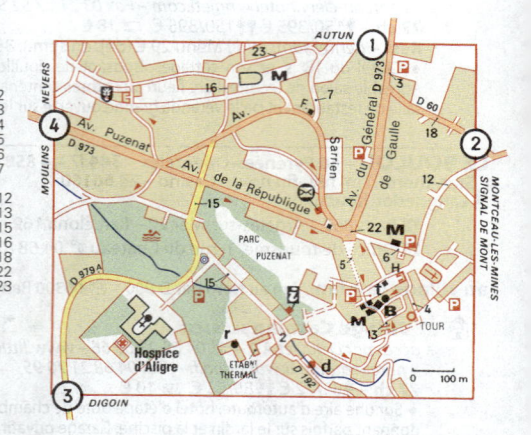

🏨 **Le Manoir de Sornat**　　　　　　　　　🛈 🍴 ⁽¹⁾ P. VISA ⓂⒸ AE ⓄⒹ
allée Sornat, 2 km rte Moulins par ④ – ✆ 03 85 89 17 39
– www.chateauxhotels.com – manoir-de-sornat @ wanadoo.fr
– Fax 03 85 89 29 47 – Fermé 2 janv.-10 fév., dim. soir sauf juil.-août et fêtes, lundi midi et mardi midi
13 ch – ♦62/110 € ♦♦62/140 €, ⌧ 12 € – ½ P 80/110 €
Rest – Menu (28 €), 32/90 € – Carte 55/95 €
♦ Joli manoir de style normand niché dans un plaisant parc arboré. Belles boiseries dans le hall et le salon. Chambres spacieuses, garnies de meubles contemporains. Le décor de la salle à manger bourgeoise évoque le peintre Monet ; cuisine classique actualisée.

BOURBON-LANCY

Le Grand Hôtel
1 parc Thermal – ℰ 03 85 89 08 87 – www.grand-hotel-bourbon.com
– ghthermal@stbl.fr – Fax 03 85 89 25 45 – Fermé 20 déc.-28 fév. r
28 ch – ☐ 7 € – ½ P 54/66 €
Rest – Menu (14 €), 18 € (déj. en sem.), 23/35 €
– Carte 29/38 €

♦ Ancien couvent bordant le parc de l'établissement thermal. Chambres spacieuses et dotées d'un mobilier moderne ou de style. Restaurant traditionnel et jolie terrasse dans l'ex-cloître ; repas diététiques sur commande.

La Tourelle du Beffroi sans rest
17 pl. de la Mairie – ℰ 03 85 89 39 20 – www.latourelle.fr – hotellatourelle@aol.com – Fax 03 85 89 39 29 t
8 ch – †55 € ††73 €, ☐ 9 €

♦ Bel emplacement à l'ombre du beffroi pour cette jolie maison 1900 à tourelle et sa terrasse à balustres. Chambres décorées avec soin. Ambiance guesthouse.

Villa du Vieux Puits avec ch
7 r. Bel-Air – ℰ 03 85 89 04 04 – hubert.perraudin@orange.fr – Fax 03 85 89 13 87
– Fermé 1er-15 mars, 24 oct.-2 nov., dim. soir et lundi d
7 ch – †50/55 € ††55/65 €, ☐ 10 € – ½ P 65/75 €
Rest – (dîner seult) Menu 20/40 € – Carte 40/52 €

♦ Coquette auberge familiale aménagée dans les murs d'une tannerie nichée dans un jardin en contrebas de la route. Salle à manger campagnarde et chambres douillettes.

BOURBON-L'ARCHAMBAULT – 03 Allier – 326 F3 – 2 576 h. 5 **B1**
– alt. 367 m – Stat. therm. : début mars-début nov. – Casino – ✉ 03160
Auvergne

▸ Paris 292 – Montluçon 53 – Moulins 24 – Nevers 54

▸ Office de tourisme, 1, place de l'Hotel de Ville ℰ 04 70 67 09 79, Fax 04 70 67 15 20

▸ Nouveau parc ≤★ – Château ≤★.

Grand Hôtel Montespan-Talleyrand
pl. des Thermes – ℰ 04 70 67 00 24
– www.hotel-montespan.com – hotelmontespan@wanadoo.fr
– Fax 04 70 67 12 00 – Ouvert 4 avril-24 oct.
42 ch – †59/62 € ††64/126 €, ☐ 13 € – 2 suites – ½ P 64/85 €
Rest – Menu (11 €), 25/53 € – Carte 37/47 €

♦ Ces trois maisons anciennes ont hébergé Mme de Montespan, Mme de Sévigné et Talleyrand. Chambres spacieuses et personnalisées. Solarium, jardin intérieur à la française. Au restaurant, poutres et pierres d'origine côtoient une décoration actuelle de bon goût.

BOURBONNE-LES-BAINS – 52 Haute-Marne – 313 O6 – 2 276 h. 14 **D3**
– alt. 290 m – Stat. therm. : début mars-fin nov. – Casino – ✉ 52400
Champagne Ardenne

▸ Paris 313 – Chaumont 55 – Dijon 124 – Langres 39 – Neufchâteau 53

▸ Office de tourisme, place des Bains ℰ 03 25 90 01 71, Fax 03 25 90 14 12

Plan page suivante

Orfeuil
29 r. Orfeuil – ℰ 03 25 90 05 71 – hotel-orfeuil@wanadoo.fr – Fax 03 25 84 46 25
– Ouvert 5 avril-24 oct. a
43 ch – †47/54 € ††52/61 €, ☐ 9 € – ½ P 40/46 €
Rest – (fermé dim. soir et lundi) Menu 14/24 €
– Carte 19/35 €

♦ La maison principale (18e s.) possède un salon bourgeois et des chambres de bon confort, régulièrement rénovées. L'annexe quant à elle dispose de spacieux studios, plus sobres. Mobilier sixties et plantes vertes dans le lumineux restaurant ; jardin bien fleuri en saison.

BOURBONNE-LES-BAINS

Bains (R. des)	2
Bassigny (R. du)	3
Capucins (R. des)	4
Daprey Blache (R.)	5
Écoles (R. des)	6
Gouby (Av. du Lieutenant)	7
Grande-Rue	9
Hôtel-Dieu (R. de l')	12
Lattre-de-Tassigny (Av. Maréchal-de)	14
Maistre (R. du Gén.)	15
Pierre (R. Amiral)	22
Porte Galon (R.)	23
Verdun (Pl. de)	25
Walferdin (R.)	26

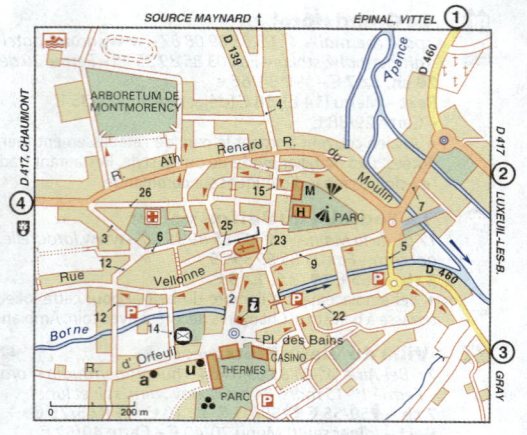

Des Sources

pl. des Bains – ℰ 03 25 87 86 00 – logis-de-france.fr – hotel-des-sources@wanadoo.fr – Fax 03 25 87 86 33 – Ouvert 5 avril-28 nov.   u
23 ch – †47/58 € ††52/68 €, ⊇ 9 € – ½ P 42/48 €
Rest – *(fermé merc. soir)* Menu 14/30 € – Carte 24/40 €
♦ Juste à côté des thermes, un établissement familial dont les chambres simples sont avant tout fonctionnelles et bien tenues. La salle à manger ouvre sur un joli patio verdoyant, agrémenté d'un petit bassin, où l'on dresse des tables par beau temps.

> Rouge = agréable. Repérez les symboles ✕ et 🏠 passés en rouge.

LA BOURBOULE – 63 Puy-de-Dôme – 326 D9 – 2 061 h. – alt. 880 m
– Stat. therm. : début février-début oct. – Casino AZ – ✉ 63150   5 **B2**
Auvergne

▶ Paris 469 – Aubusson 82 – Clermont-Ferrand 50 – Mauriac 71 – Ussel 51
🛈 Office de tourisme, place de la République ℰ 04 73 65 57 71, Fax 04 73 65 50 21
◉ Parc Fenêstre ★ - Murat-le-Quaire : musée de la Toinette ★ N : 2 km.

Plan page ci-contre

Régina

av. Alsace-Lorraine – ℰ 04 73 81 09 22 – www.hotelregina-labourboule.com
– reservation@hotelregina-labourboule.com – Fax 04 73 81 08 55
– Fermé 1er-20 déc. et 5 janv.-5 fév.   BY v
20 ch – †58/65 € ††70/140 €, ⊇ 8 €   **Rest** – Menu 16/29 € – Carte 27/42 €
♦ Une demeure du 19e s. au bord de la Dordogne dotée de chambres actuelles et bien équipées. Espace détente. Deux salles à manger : l'une de style Art déco (moulures et parquet anciens), l'autre moderne. Le chef propose une honnête cuisine traditionnelle.

Le Charlet

bd L.-Choussy – ℰ 04 73 81 33 00 – www.lecharlet.fr – contact@lecharlet.fr
– Fax 04 73 65 50 82 – Fermé 10 nov.-20 déc.   AZ g
36 ch – †47/72 € ††52/77 €, ⊇ 9 € – ½ P 47/63 €
Rest – Menu 16/35 € – Carte 23/38 €
♦ Dans un quartier assez calme, hôtel où vous disposerez de petites chambres propres en parfait état. Équipements de détente et de sport très complets. Au restaurant : mobilier de type bistrot, plantes vertes et claustras. Carte traditionnelle et régionale.

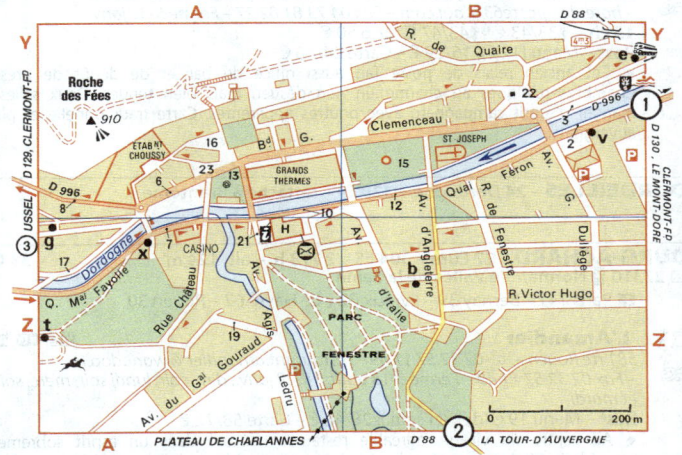

LA BOURBOULE

Alsace-Lorraine (Av.)	**BY** 2
Clemenceau (Bd G.)	**ABY**
Etats-Unis (Av. des)	**BY** 3
Féron (Quai)	**BY**
Foch (Av. Mar.)	**AY** 6
Gambetta (Quai)	**AZ** 7
Guéneau-de-Mussy (Av.)	**AY** 8
Hôtel de Ville (Quai)	**AY** 10
Jeanne-d'Arc (Quai)	**BY** 12
Jet-d'eau (Square du)	**AY** 13
Joffre (Sq. du Mar.)	**BY** 15
Lacoste (Pl. G.)	**AY** 16
Libération (Q. de la)	**AZ** 17
Mangin (Av. du Général)	**AZ** 19
République (Pl. de la)	**AZ** 21
Souvenir (Pl. du)	**BY** 22
Victoire (Pl. de la)	**AY** 23

Le Parc des Fées
107 quai Mar.-Fayolle – ℘ *04 73 81 01 77* – *www.parcdesfees.com* – *info@parcdesfees.com* – *Fax 04 73 81 30 49* – *Fermé 18 oct.-18 déc.*   AZ **x**
42 ch – ✝51/59 € ✝✝64/69 €, ⊇ 9 € – ½ P 58/66 €
Rest – Menu 14/32 € – Carte 27/32 €
♦ La moitié des chambres de cette bâtisse centenaire donne sur la Dordogne. Ampleur, décoration actuelle et confort sont au rendez-vous. Salle de jeux pour les enfants. Chaleureux restaurant où dominent les tons pastel et les miroirs. Carte traditionnelle.

Aviation
r. de Metz – ℘ *04 73 81 32 32* – *www.aviation.fr* – *aviation@nat.fr* – *Fax 04 73 81 02 85* – *Fermé 1er oct.-19 déc.*   BZ **b**
45 ch – ✝50/65 € ✝✝50/65 €, ⊇ 7 € – ½ P 47/58 €
Rest – Menu 16/20 € – Carte 15/28 €
♦ Cette maison du début du 20e s., à quelques pas du parc Fenestre, abrite des chambres fonctionnelles. Pour les loisirs : piscine, fitness, salle de jeux, billard... Recettes classiques et régionales dans une salle à manger spacieuse offrant un tout nouveau décor.

Au Val Doré
r. de Belgique – ℘ *04 73 81 06 14* – *www.hotel-val-dore.com* – *valdore@wanadoo.fr* – *Fax 04 73 65 58 79* – *Fermé 5 nov.-25 déc.*   BY **e**
29 ch – ✝54/71 € ✝✝54/71 €, ⊇ 7 € – ½ P 48/55 €
Rest – Menu 14/23 € – Carte 16/29 €
♦ Une adresse familiale située à deux pas de la gare, aux chambres sobres et actuelles. Les plus : la piscine couverte et le fitness. Apéritifs servis au salon (cheminée) ; recettes simples et traditionnelles à déguster dans une grande salle ensoleillée et fleurie.

La Lauzeraie *sans rest*
577 chemin de la Suchère – ℘ *04 73 81 15 70* – *www.lalauzeraie.net* – *goigoux.martine@wanadoo.fr* – *Fermé 15 oct.-15 nov., 24-26 déc. et 31 déc.-8 janv.*   AZ **t**
4 ch ⊇ – ✝75/100 € ✝✝95/135 €
♦ Sérénité et confort vous attendent dans cette maison récente, bâtie avec des matériaux anciens. Belles chambres au mobilier chiné ou de style. Piscine couverte, fitness, hammam.

LA BOURBOULE

à St-Sauves-d'Auvergne 5 km par ③ – 1 140 h. – alt. 791 m – ⌧ 63950

🛈 Office de tourisme, le bourg ✆ 04 73 65 50 40

De la Poste
pl. du Portique – ✆ 04 73 81 10 33 – www.hotel-poste-auvergne.com
– hoteldelaposte63@aol.com – Fax 04 73 81 02 27 – Fermé 5-31 janv.
15 ch – ♦38/43 € ♦♦43/47 €, ⌧ 6,50 €
Rest – Menu (12 €), 16/29 € – Carte 24/46 €
♦ Cet ancien relais de poste fait aussi office de bar et de dépôt de presse. Chambres rustiques au charme un rien désuet, mais bien tenues. Deux salles à manger d'esprit campagnard avec poutres apparentes. Carte traditionnelle et plats auvergnats.

BOURDEILLES – 24 Dordogne – **329** E4 – rattaché à Brantôme

BOURG-ACHARD – 27 Eure – **304** E5 – 2 773 h. – alt. 124 m   33 **C2**
– ⌧ 27310 ▊ Normandie Vallée de la Seine

▶ Paris 141 – Bernay 39 – Évreux 62 – Le Havre 62 – Rouen 30

L'Amandier
581 rte Rouen – ✆ 02 32 57 11 49 – restaurant.amandier@wanadoo.fr
– Fax 02 32 57 11 49 – Fermé 3-13 août, 18-29 janv., dim. soir, lundi soir, merc. soir et mardi
Rest – Menu 19 € (déj. en sem.), 28/48 € – Carte 58/72 €
♦ Au centre du village, agréable restaurant décoré dans un esprit sobrement actuel (baies vitrées ouvrant sur le jardin). Accueil aimable et généreuse cuisine au goût du jour.

BOURG-CHARENTE – 16 Charente – **324** I5 – rattaché à Jarnac

---

LE BOURG-DUN – 76 Seine-Maritime – **304** F2 – 457 h. – alt. 17 m   33 **C1**
– ⌧ 76740 ▊ Normandie Vallée de la Seine

▶ Paris 188 – Dieppe 20 – Fontaine-le-Dun 7 – Rouen 56
– St-Valery-en-Caux 15

🛈 Office de tourisme, 6, place du Village ✆ 02 35 97 63 05, Fax 02 35 57 24 51

◉ Tour★ de l'église.

Auberge du Dun (Pierre Chrétien)
3 rte de Dieppe, (face à l'église) – ✆ 02 35 83 05 84
– Fermé 22 sept.-6 oct., 16 fév.-1er mars, merc. sauf le midi du 1er mars au 15 sept., dim. soir et lundi
Rest – (prévenir le week-end) Menu 32 € (sem.)/87 € – Carte 75/110 €
Spéc. Foie gras chaud de canard caramélisé aux figues (août à oct.). Turbotin aux artichauts parfumé au thym-citron. Crêpes soufflées au calvados.
♦ Coquette auberge disposant de deux jolies salles à manger rustiques, séparées du spectacle des cuisines par une baie vitrée. Recettes au goût du jour soignées.

BOURG-EN-BRESSE 🅿 – 01 Ain – **328** E3 – 40 300 h. –   44 **B1**
Agglo. 101 016 h. – alt. 251 m – ⌧ 01000 ▊ Bourgogne

▶ Paris 424 – Annecy 113 – Genève 112 – Lyon 82 – Mâcon 38

🛈 Office de tourisme, 6, avenue Alsace Lorraine ✆ 04 74 22 49 40,
Fax 04 74 23 06 28

⛳ de Bourg-en-Bresse Parc de Loisirs de Bouvent, par rte de Nantua : 2 km,
✆ 04 74 24 65 17

◉ Église de Brou★★ (tombeaux★★★, stalles★★, jubé★★, vitraux★★, chapelle et oratoires★★★, portail★) X B - Stalles★ de l'église Notre-Dame Y - Musée du monastère★ X E.

BOURG-EN-BRESSE

Street	Grid
Anciens Combattants (Av. des)	Z 3
Arsonval (Av. A. d')	X 4
Bad-Kreuznach (Av. de)	X 5
Basch (R. Victor)	Z 6
Baudin (Av. A.)	Z 7
Belges (Av. des)	Z 9
Bernard (Pl.)	Y 10
Bons Enfants (R. des)	YZ 12
Bouveret (R.)	Z 13
Champ-de-Foire (Av. du)	Y 14
Citadelle (R. de la)	Y 15
Crêts (R. des)	X 16
Debeney (R. Général)	X 17
Europe (Car. de l')	X 19
Foch (R. Maréchal)	Y 20
Gambetta (R.)	Z 21
Huchet (Bd E.)	X 22
Jean-Jaurès (Av.)	X, Z 23
Joliot-Curie (Bd Irène)	X 24
Juin (Av. Maréchal)	X 26
Lévrier (Bd A.)	X 27
Lyon (Pont de)	X 28
Mail (Av. du)	X 30
Migonney (R. J.)	Z 31
Morgon (R. J.)	X 32
Muscat (Av. A.)	X 33
Neuve (Pl.)	Y 34
Notre-Dame (R.)	Y 35
Palais (R. du)	Y 36
St-Nicolas (Bd)	X 37
Samaritaine (R.)	X 38
Semard (Av. P.)	X 40
Teynière (R.)	X 42
Valéry (Bd P.)	X 43
Verdun (Cours de)	Y 44
Victoire (Av. de la)	X 45
4-Septembre (R. du)	Y 48
23e-R.I. (R. du)	X 50

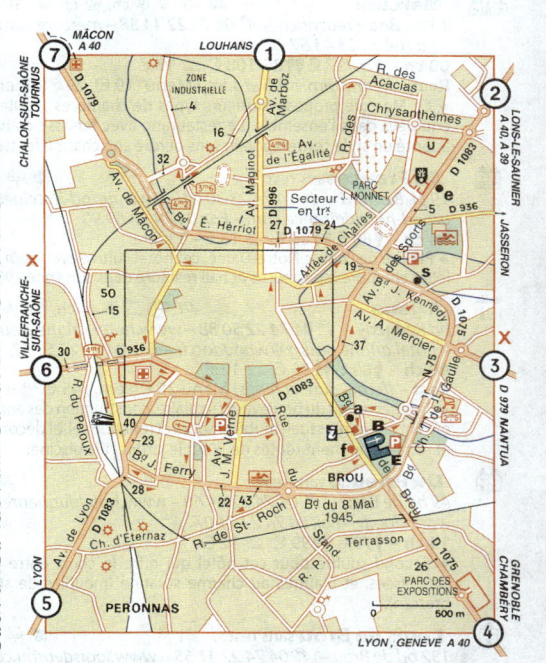

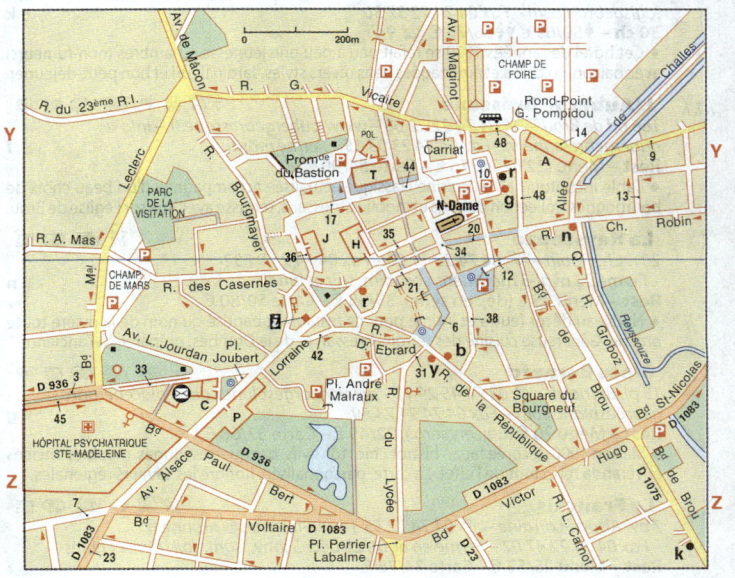

BOURG-EN-BRESSE

Mercure
10 av. Bad-Kreuznach – ℰ 04 74 22 44 88 – mercure.com – h1187@accor.com
– Fax 04 74 23 43 57 X e
60 ch – †80/97 € ††85/108 €, ⊇ 13 €
Rest – (fermé dim. midi et sam.) Menu (19 €), 29 € (dîner) – Carte 32/45 €
♦ Ce Mercure propose plusieurs types de chambres ; toutes sont confortables et bien équipées dans l'ensemble. Le restaurant, avec terrasse couverte et vue sur un jardin, a adopté un style contemporain sans perdre son charme feutré. Cuisine traditionnelle.

De France sans rest
19 pl. Bernard – ℰ 04 74 23 30 24 – www.grand-hoteldefrance.com – infos@grand-hoteldefrance.com – Fax 04 74 23 69 90 Y r
44 ch – †80 € ††89 €, ⊇ 13 € – 1 suite
♦ Proche de l'église Notre-Dame, cet hôtel cultive avec goût un style mi-cosy, mi-actuel : jolies chambres spacieuses et hall restauré dans son style 1900 d'origine.

Ariane
bd Kennedy – ℰ 04 74 22 50 88 – www.hotel-ariane-bourg.com
– hotel.ariane.bourg@wanadoo.fr – Fax 04 74 22 51 57 X s
40 ch – †80 € ††85 €, ⊇ 12 €
Rest – (fermé dim. et fériés) Menu 25 € (sem.)/45 €
♦ En léger retrait du boulevard circulaire, construction des années 1980 dont les chambres offrent un cadre actuel : mobilier sobre et fonctionnel, et décoration colorée. Salle à manger et terrasse donnent toutes deux sur le jardin et la piscine.

Du Prieuré sans rest
49 bd de Brou – ℰ 04 74 22 44 60 – www.hotelduprieure.com – hotel-du-prieure@wanadoo.fr – Fax 04 74 22 71 07 X a
14 ch – †79 € ††99 €, ⊇ 12 €
♦ Second souffle pour cet hôtel qui offre le choix entre les chambres du 1ᵉʳ étage, actualisées, et d'autres au charme suranné (meubles de style Louis XV, Louis XVI ou bressan).

Logis de Brou sans rest
132 bd de Brou – ℰ 04 74 22 11 55 – www.logisdebrou.com – citotel@logisdebrou.com – Fax 04 74 22 37 30 Z k
30 ch – †59/69 € ††66/76 €, ⊇ 9 €
♦ Cet hôtel des années 1970 se refait peu à peu une jeunesse. Chambres (non-fumeurs) avec balcon, colorées et aménagées dans divers styles. Jardin fleuri et bon petit-déjeuner.

L'Auberge Bressane
166 bd de Brou – ℰ 04 74 22 22 68 – www.aubergebressane.fr – info@aubergebressane.fr – Fax 04 74 23 03 15 – Fermé mardi X f
Rest – Menu (22 €), 28/76 € – Carte 54/90 €
♦ Table incontournable : cuisine classique actualisée accompagnée d'un beau choix de bourgognes, collection de coqs et mobilier bressans, terrasse avec vue sur l'église de Brou.

La Reyssouze
20 r. Ch.-Robin – ℰ 04 74 23 11 50 – Fax 04 74 23 94 32
– Fermé 22 avril-3 mai, merc. soir, dim. soir et lundi Y n
Rest – Menu 25 € (déj. en sem.), 35/55 € – Carte 50/80 €
♦ Nouveau décor feutré et intime pour ce restaurant baptisé du nom de la rivière toute proche. Généreuse cuisine des terroirs bressan et de la Dombes, préparée "à l'ancienne".

Place Bernard
19 pl. Bernard – ℰ 04 74 45 29 11 – www.georgesblanc.com – placebernard@georgesblanc.com – Fax 04 74 24 73 69 Y g
Rest – Menu 20 € (déj. en sem.), 22/45 € – Carte 37/66 €
♦ Maison 1900 décorée façon bistrot chic : tons vifs, banquettes rouges, meubles anciens et véranda rétro font de l'effet. La carte, personnalisée, honore les saveurs régionales.

Le Français
7 av. Alsace-Lorraine – ℰ 04 74 22 55 14 – le-francais@orange.fr
– Fax 04 74 22 47 02 – Fermé en août, 25 déc.-5 janv., sam. soir, dim. et fériés
Rest – Menu 25/52 € – Carte 34/78 € Z r
♦ Depuis 1932, la même famille vous accueille dans cette institution locale au cadre Belle Époque. Banc d'écailler, répertoire culinaire de type brasserie et touches bressannes.

BOURG-EN-BRESSE

XX **Mets et Vins** VISA MC AE
11 r. de la République – ℰ 04 74 45 20 78 – Fax 04 74 45 20 78 – Fermé lundi et
mardi   Z b
Rest – Menu (14 € bc), 19 € (sem.) 24/47 € – Carte 32/49 €
◆ Ce restaurant se distingue des nombreuses adresses voisines grâce à son appétissante cuisine dans l'air du temps. La salle à manger se veut un brin rétro (tons rose-saumon).

XX **Chalet de Brou** ≤ 🈯 VISA MC AE
168 bd. de Brou, (face à l'église) – ℰ 04 74 22 26 28 – Fax 04 74 24 72 42 – Fermé
25 juin-2 juil., 23 déc.-20 janv., dim. soir, jeudi soir et lundi   X f
Rest – Menu 17 € (sem.)/45 € – Carte 23/55 €
◆ Face à l'église de Brou, joyau architectural, ce restaurant familial perpétue la tradition culinaire locale dans un cadre au charme désuet.

X **Les Quatre Saisons** VISA MC
6 r. de la République – ℰ 04 74 22 01 86 – turc.phil@wanadoo.fr
– Fax 04 74 21 10 35 – Fermé 1er-10 mai, 15-30 août, 2-10 janv., sam. midi, dim. et
lundi   Z y
Rest – Menu 20 € (sem.), 28/55 € – Carte 29/55 € 🈯
◆ Le patron, passionné de vins et de produits locaux, vous mettra en appétit en vous commentant ses plats du terroir, aussi joliment réinventés que généreux. Ambiance conviviale.

rte de Lons-le-Saunier 6,5 km par ② N 83 – ⌧ 01370 St-Étienne-du-Bois

X **Les Mangettes** 🈯 P VISA MC AE
– ℰ 04 74 22 70 66 – Fax 04 74 22 70 66 – Fermé 18-26 juin, 1er-10 oct., 7-22 janv.,
dim. soir, lundi soir et mardi
Rest – (nombre de couverts limité, prévenir) Menu 19 € (déj. en sem.), 24/38 €
– Carte 25/36 €
◆ En pleine campagne, pavillon au décor agreste simple : plats régionaux et joli chariot de desserts servis au milieu d'animaux empaillés, de cartes postales et d'une cheminée.

à Péronnas 3 km par ⑤, D 1083 – 6 106 h. – alt. 281 m – ⌧ 01960

XXX **La Marelle** (Didier Goiffon) 🈯 🈯 ◇ P VISA MC
1593 av. de Lyon – ℰ 04 74 21 75 21 – www.lamarelle.fr – contact@lamarelle.fr
⍟ – Fax 04 74 21 06 81 – Fermé 27 avril-11 mai, 17 août-7 sept., 2-16 janv., dim. soir,
mardi et merc.
Rest – Menu 28 € (déj. en sem.), 40 € bc/80 € – Carte 39/52 € 🈯
Spéc. Foie gras. Paleron de bœuf (hiver). Poire aux morilles (saison). **Vins** Manicle, Mâcon.
◆ De la terre jusqu'au ciel, retrouvez à la Marelle une séduisante cuisine inventive dans un cadre chaleureux et raffiné mêlant le rustique chic et le contemporain.

à Lalleyriat 7 km par ⑤, N 83 et D 22 – ⌧ 01960

⛺ **Le Nid à Bibi** 🈯 🈯 🈯 🈯 🈯 P VISA MC
Les Grandes Terres – ℰ 04 74 21 11 47 – www.lenidabibi.com – lenidabibi@
wanadoo.fr – Fax 04 74 21 02 83
5 ch ⌧ – †90/115 € ††105/135 € – ½ P 70/90 €
Table d'hôte – Menu 22 € (dîner en sem.), 30/38 €
◆ Quiétude absolue, chambres coquettes et confortables, délicieux petit-déjeuner, pléiade d'activités, accueil adorable : on se sent ici comme dans sa propre maison de campagne ! Plats soignés, mitonnés avec de délicieux produits du terroir.

BOURGES P – 18 Cher – 323 K4 – 70 800 h. – Agglo. 123 584 h.   12 **C3**
– alt. 153 m – ⌧ 18000 ▌Limousin Berry

▶ Paris 244 – Châteauroux 65 – Dijon 254 – Nevers 69 – Orléans 121
▮ Office de tourisme, 21, rue Victor Hugo ℰ 02 48 23 02 60, Fax 02 48 23 02 69
▦ Bourges Golf Club Route de Lazenay, S : 5 km par D 106, ℰ 02 48 20 11 08
◉ Cathédrale St-Étienne★★★ : tour Nord ≤★★ Z - Jardins de l'Archevêché★ -
Palais Jacques-Coeur★★ - Jardins des Prés-Fichaux★ - Maisons à
colombage★ - Hôtel des Échevins★ : musée Estève★ Y M² - Hôtel
Lallemant★ Y M³ - Hôtel Cujas★ : Musée du Berry★ Y M¹ - Muséum d'histoire
naturelle★ Z - Les marais★ V - Promenade des remparts★.

BOURGES

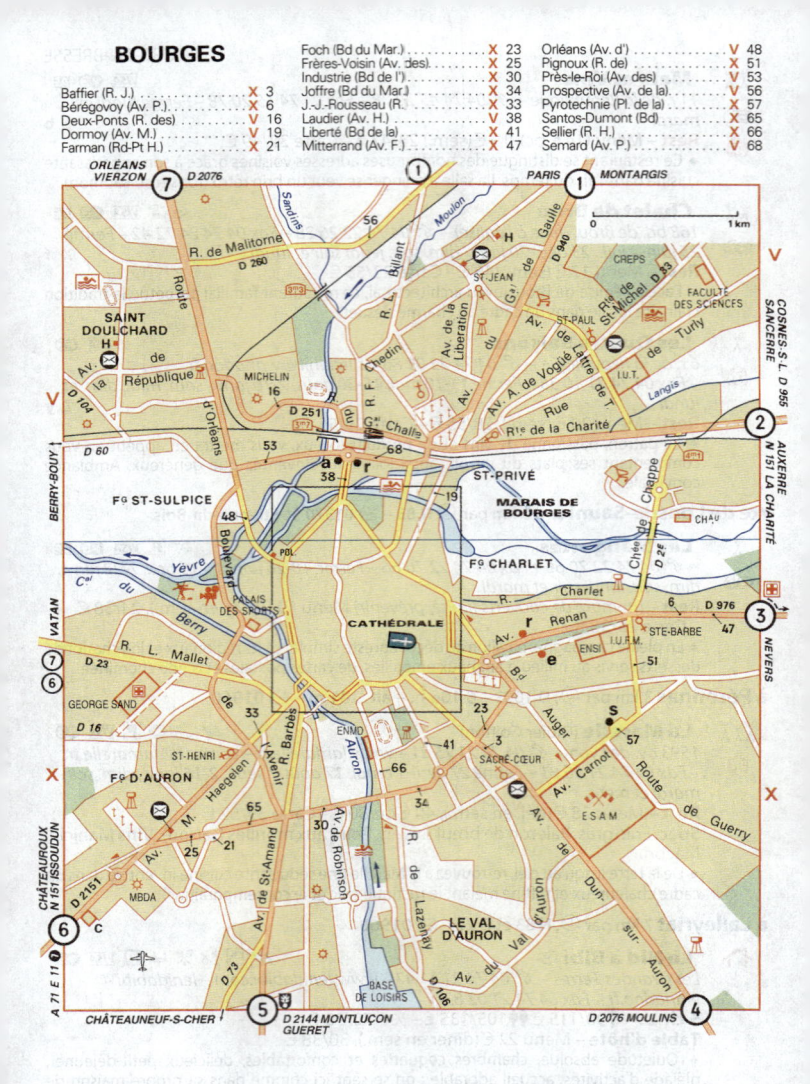

Baffier (R. J.)	X 3	Foch (Bd du Mar.)	X 23
Bérégovoy (Av. P.)	X 6	Frères-Voisin (Av. des)	X 25
Deux-Ponts (R. des)	X 16	Industrie (Bd de l')	X 30
Dormoy (Av. M.)	X 19	Joffre (Bd du Mar.)	X 34
Farman (Rd-Pt H.)	X 21	J.-J.-Rousseau (R.)	X 33
		Laudier (Av. H.)	X 38
		Liberté (Bd de la)	X 41
		Mitterrand (Av. F.)	X 47
Orléans (Av. d')	V 48		
Pignoux (R. de)	V 51		
Près-le-Roi (Av. des)	V 53		
Prospective (Av. de la)	X 56		
Pyrotechnie (Pl. de la)	X 57		
Santos-Dumont (Bd)	X 65		
Sellier (R. H.)	X 66		
Semard (Av. P.)	V 68		

De Bourbon 🛗 &. ⇄ 🛜 ⚐ 🅿 VISA ⓒ🅱 AE ①
bd de la République – ℘ *02 48 70 70 00*
– www.hoteldebourbon.fr – contact@hoteldebourbon.fr
– Fax 02 48 70 21 22   Y **b**
58 ch – †120/260 € ††135/260 €, ⇌ 16 €
Rest *L'Abbaye St-Ambroix* – voir ci-après
♦ Cet hôtel proche du centre-ville est installé dans une ancienne abbaye du 17ᵉ s. Toutes les chambres ont récemment retrouvé leur éclat. Salon-bar raffiné.

BOURGES

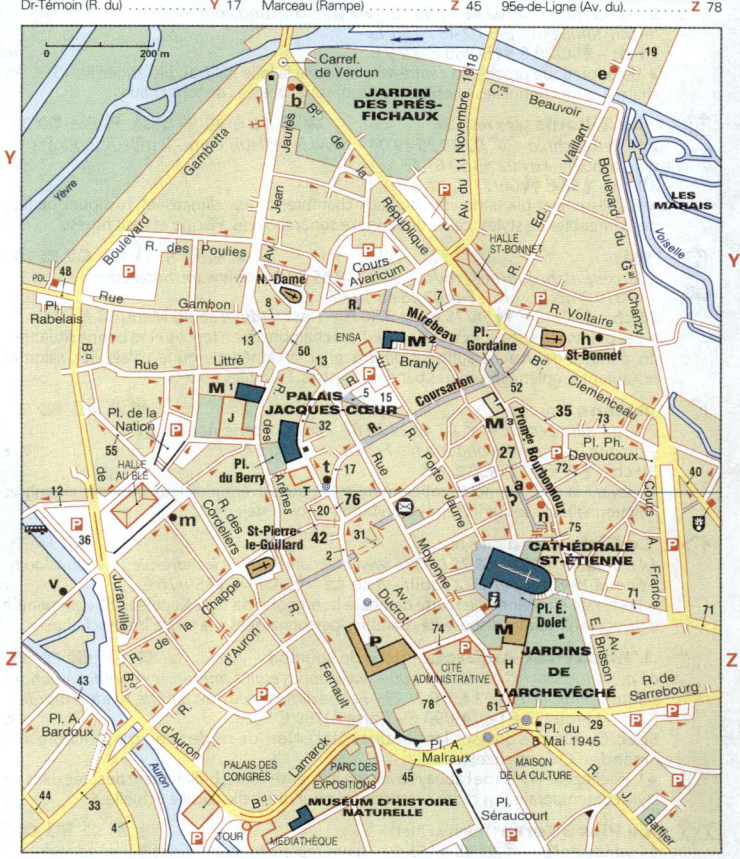

Armuriers (R. des)	**Z** 2
Auron (Bd d')	**Z**
Barbès (R.)	**Z** 4
Beaux-Arts (R. des)	**Y** 5
Bourbonnoux (Prom.)	**YZ**
Calvin (R.)	**Z** 7
Cambournac (R.)	**Y** 8
Champ-de-Foire (R. du)	**Z** 12
Commerce (R. du)	**Y** 13
Coursarlon (R.)	**Y**
Cujas (Pl.)	**Y** 15
Dr-Témoin (R. du)	**Y** 17
Dormoy (Av. Marx)	**Y** 19
Équerre (R. de l')	**Z** 20
George-Sand (Escalier)	**Y** 27
Hémerettes (R. des)	**Z** 29
Jacobins (Cour des)	**Z** 31
Jacques-Coeur (R.)	**Z** 32
Jean-Jaurès (Av.)	**Y**
Joyeuse (R.)	**Y** 35
Juranville (Pl.)	**Z** 36
J.-J. Rousseau (R.)	**Z** 33
Leblanc (R. N.)	**YZ** 40
Linières (R. de)	**Z** 42
Louis XI (Av.)	**Z** 43
Mallet (R. L.)	**Z** 44
Marceau (Rampe)	**Z** 45
Mirebeau (R.)	**Y**
Moyenne (R.)	**YZ**
Orléans (Av. d')	**Y** 48
Pelvoysin (R.)	**Y** 50
Poissonnerie (R. de la)	**Y** 52
Prinal (R. du)	**Y** 55
Rimbault (R. J.)	**Z** 61
Strasbourg (Bd de)	**Z** 71
Thaumassière (R. de la)	**Y** 72
Tory (R. G.)	**Y** 73
Victor-Hugo (R.)	**Z** 74
3-Maillets (R. des)	**Z** 75
4-Piliers (Pl. des)	**Y** 76
95e-de-Ligne (Av. du)	**Z** 78

🏨 **Le Berry** 🔲 AC ♿ ❄ ch, 📶 🅿 🚗 VISA MC AE ①
🍴 *3 pl. Gén.-Leclerc –* ✆ *02 48 65 99 30*
– www.le-berry.com – leberry.bourges@wanadoo.fr
– Fax 02 48 24 29 17

V a

64 ch – †59/65 €, ††63/69 €, ⊇ 8,50 €
Rest – *(fermé 24 déc.-1er janv., sam. midi et dim.)* Menu (17 €) – Carte 23/40 €
◆ Face à la gare, une grande bâtisse récente qui dissimule des chambres rénovées par étapes : couleurs vives, boiseries peintes et tableaux africains. Décor exotique et tour du monde des saveurs au restaurant.

BOURGES

D'Angleterre sans rest
1 pl. Quatre-Piliers – ℰ 02 48 24 68 51
– www.bestwestern-angleterre-bourges.com – hotel@
bestwestern-angleterre-bourges.com – Fax 02 48 65 21 41 – Fermé 27 déc.-3 janv.
31 ch ⊇ – †94/138 € ††114/138 €   Y t

♦ Cet hôtel bénéficie non seulement d'un bel emplacement près du palais Jacques Cœur, mais aussi d'une complète cure de jouvence qui rend l'adresse très agréable et confortable.

Le Christina sans rest
5 r. de la Halle – ℰ 02 48 70 56 50 – www.le-christina.com – info@
le-christina.com – Fax 02 48 70 58 13–
71 ch – †50/80 € ††50/80 €, ⊇ 9 €   Z m

♦ Halte pratique proche du centre-ville et face à la jolie halle au blé érigée au 19ᵉ s. Les chambres fonctionnelles (mobilier basique) sont habillées de tons chauds.

Les Tilleuls sans rest
7 pl. Pyrotechnie – ℰ 02 48 20 49 04 – www.les-tilleuls.com – lestilleul.bourges@
wanadoo.fr – Fax 02 48 50 61 73   X s
39 ch – †58 € ††66/71 €, ⊇ 8 €

♦ Établissement plaisamment fleuri aux chambres toutes climatisées, rustiques ou feutrées (meubles de style) ; celles de l'annexe sont rénovées. Piscine et petit fitness.

Ibis
r. Jankélévitch, quartier Prado – ℰ 02 48 65 89 99 – www.ibishotel.com
– h0819@accor.com – Fax 02 48 65 18 47   Z v
86 ch – †56/75 € ††56/75 €, ⊇ 8,50 € **Rest** – (dîner seult) Menu 15 €

♦ Les points forts de cet Ibis : son accueil, ses chambres bien tenues et sa bonne situation ; dix minutes de marche suffisent pour gagner la cathédrale ou le palais. Bar, salon et restaurant simplement séparés par des claustras. Formules buffets.

Arcane sans rest
2 pl. du Gén.-Leclerc – ℰ 02 48 24 20 87 – www.arcane-hotel.com
– arcane.bourges@wanadoo.fr – Fax 02 48 69 00 67   V r
30 ch – †47 € ††47 €, ⊇ 7 €

♦ Devant la gare, un hôtel entièrement refait qui s'avère judicieux pour ses chambres fonctionnelles et ses tarifs serrés. Bon buffet au petit-déjeuner.

Le Cèdre Bleu sans rest
14 r. Voltaire – ℰ 02 48 25 07 37 – www.lecedrebleu.fr – lecedre-bleu@wanadoo.fr
– Fermé 1ᵉʳ-8 mars et 1ᵉʳ-23 août – **4 ch** ⊇ – †54/71 € ††59/76 €   Y n

♦ Perle rare en pleine ville : cette demeure bourgeoise de style Napoléon III, agrémentée d'un agréable jardin, dispose de chambres personnalisées à la tenue irréprochable.

L'Abbaye St-Ambroix – Hôtel de Bourbon
60 av. J.-Jaurès – ℰ 02 48 70 80 00 – www.abbayesaintambroix.fr – contact@abbaye
saintambroix.fr – Fax 02 48 70 21 22 – Fermé dim. soir de nov. à mars, lundi et mardi
Rest – Menu (32 € bc), 49/90 € – Carte 81/89 €   Y b
Spéc. Queues de grosses langoustines (été). Noix de ris de veau croustillante aux amandes. Crêpes suzette.

♦ L'ex-chapelle (17ᵉ s.) de l'abbaye avec son immense voûte, brillamment décorée dans un style contemporain : un cadre exceptionnel pour une belle cuisine actuelle.

Le Piet à Terre (Thierry Finet)
44 bd Lahitolle – ℰ 02 48 67 95 60 – www.lepietaterre.fr – tfinet@wanadoo.fr
– Fermé 5-25 août, vacances de fév., lundi midi, sam. midi et dim.   X e
Rest – Menu 34 € (déj. en sem.), 39/96 € – Carte 75/105 €
Spéc. "Artichaut dans l'artichaut". Bar de ligne à la vapeur douce, jus acidulé à la verveine. Texture de chocolat.

♦ Dans les faubourgs de la ville, belle et agréable maison bourgeoise où le chef propriétaire propose une cuisine créative et inspirée. Accueil et service aimables.

Le Jardin Gourmand
15 bis av. E.-Renan – ℰ 02 48 21 35 91 – www.jardingourmand.fr – Fax 02 48 20
59 75 – Fermé 20 déc.-20 janv., 8-28 juil., dim. soir, mardi midi et lundi   X r
Rest – Menu 16 € (sem.)/42 € – Carte 39/50 €

♦ Discrète maison de maître sur un boulevard excentré. Le restaurant occupe trois petites salles à l'atmosphère bourgeoise. Joli salon avec cheminée en bois. Carte traditionnelle.

BOURGES

XXX **Beauvoir** AC VISA MC
1 av. Marx-Dormoy – ℰ 02 48 65 42 44 – www.restaurantlebeauvoir.com
– didier-guyot@club-internet.fr – Fax 02 48 24 80 84 – Fermé 2-23 août et
dim. soir   Y **e**
Rest – Menu 19 € (sem.)/48 € – Carte 50/65 € 🕸
◆ Recettes actuelles et belle carte des vins à découvrir dans un intérieur contemporain, lumineux et aux tons chauds : une séduisante et sympathique adresse des faubourgs.

XX **Le Bourbonnoux** AC VISA MC AE
44 r. Bourbonnoux – ℰ 02 48 24 14 76 – restaurantbourbonnoux@wanadoo.fr
– Fax 02 48 24 77 67 – Fermé 18-26 avril, 15 août-4 sept., 13-21 fév., sam. midi, dim.
soir et vend.   Y **a**
Rest – Menu 13 € (sem.)/32 € – Carte 26/40 €
◆ Coloris vifs et colombages composent le plaisant intérieur de ce restaurant situé dans une rue jalonnée de boutiques d'artisans. Accueil aimable. Cuisine classique actualisée.

XX **Le d'Antan Sancerrois** (Stéphane Rétif) AC VISA MC AE ①
✿ 50 r. Bourbonnoux – ℰ 02 48 65 96 26 – www.dantansancerrois.com
– dantan.sancerrois@wanadoo.fr – Fax 02 48 70 50 82 – Fermé 4-25 août,
23 déc.-4 janv., dim., lundi et fériés   Z **n**
Rest – Menu (32 €), 57/85 € – Carte 49/61 €
Spéc. Cœur de filet de thon façon sashimi. Dos de Saint-Pierre rôti. Croustillant au chocolat.
◆ Dans une rue piétonne pavée, une maison engageante à l'ambiance cordiale. Belle partition du chef qui signe une cuisine pleine d'originalité, aux saveurs franches et marquées.

rte de Châteauroux 7 km par ⑥, près échangeur A 71 – ⊠ 18570 Le Subdray

🏨 **Novotel** 🍽 ⌕ ♿ AC ⇄ 🛁 P VISA MC AE ①
Z.A.C Orchidée – ℰ 02 48 26 53 33 – www.novotel.com – h1302@accor.com
– Fax 02 48 26 52 22
93 ch – †115/150 € ††125/150 €, ⊇ 14 €
Rest – Menu (18 €), 22/27 € bc – Carte environ 29 €
◆ Près du péage autoroutier, ce novotel s'est relooké à la dernière mode de la chaîne (chambres Novation). Petits-déjeuners sous forme de buffet. Simple et contemporaine, la salle à manger s'ouvre sur le jardin et la terrasse bordant la piscine.

à St-Doulchard -V-vers ⑦ – 9 048 h. – alt. 158 m – ⊠ 18230

🏨 **Logitel** sans rest ℅ ℭ 🛁 P VISA MC AE
r. de Malitorne – ℰ 02 48 70 07 26 – www.logitel.fr – hotel.logitel@wanadoo.fr
– Fax 02 48 24 59 94
30 ch – †50 € ††50 €, ⊇ 6 €
◆ Chambres fonctionnelles meublées dans le style des années 1980, entretien suivi et prix raisonnables : une étape simple de la périphérie berruyère. Accueil familial.

LE BOURGET – 93 Seine-Saint-Denis – 305 F7 – 101 17 – voir à Paris, Environs

BOURG-ET-COMIN – 02 Aisne – 306 D6 – 738 h. – alt. 55 m   37 **D2**
– ⊠ 02160
🅿 Paris 141 – Reims 40 – Château-Thierry 54 – Laon 25 – Soissons 27

🏨 **De la Vallée** ⇄ ℅ P VISA MC
6 r. d'Oeuilly – ℰ 03 23 25 81 58 – www.auberge-delavallee.com – lavallee02@
aol.com – Fax 03 23 25 38 10 – Fermé 9-16 avril, 18-24 sept., janv., mardi soir et
merc.
9 ch – †50 € ††50 €, ⊇ 8 € – ½ P 52 €
Rest – Menu (13 € bc), 17/38 € – Carte 30/50 €
◆ Sympathique étape sur le circuit-mémoire du "Chemin des Dames". Les chambres, fonctionnelles et bien tenues, ont subi une récente cure de jouvence. Accueil chaleureux. Cuisine traditionnelle servie dans une lumineuse salle à manger-véranda.

LE BOURGET-DU-LAC – 73 Savoie – **333** I4 – 3 945 h. – alt. 240 m — 46 **F2**
– ✉ 73370 ■ Alpes du Nord

▶ Paris 531 – Aix-les-Bains 10 – Annecy 44 – Belley 23 – Chambéry 13 – La Tour-du-Pin 52

🛈 Office de tourisme, place Général Sevez ✆ 04 79 25 01 99, Fax 04 79 26 10 76

◉ Lac★★ - Église : frise sculptée★ du chœur.

Ombremont
2 km au Nord par D 1504 – ✆ 04 79 25 00 23
– www.hotel-ombremont.com – ombremontbateauivre@wanadoo.fr
– Fax 04 79 25 25 77
– Fermé 15-30 avril, nov., lundi et mardi de déc. à avril
17 ch – †140/260 € ††140/260 €, ⇌ 24 € – ½ P 150/210 €
Rest *Le Bateau Ivre* – voir ci-après

◆ Dans un superbe parc arboré et fleuri, vaste demeure de 1930, dont les chambres personnalisées, cosy ou bourgeoises, jouissent presque toutes d'une vue splendide. Piscine.

Le Bateau Ivre (Jean-Pierre Jacob) – Hôtel Ombremont
2 km au Nord par D 1504 – ✆ 04 79 25 00 23
– www.hotel-ombremont.com – ombremontbateauivre@wanadoo.fr
– Fax 04 79 25 25 77
– Fermé 14-30 avril, nov., lundi sauf le soir de mi-juin à mi-sept., mardi sauf le soir de mai à oct. et jeudi midi de mai à oct.
Rest – Menu 59 € (sem.), 85/170 € – Carte 97/172 €
Spéc. Quenelles de brochet, émulsion d'écrevisses (mai à oct.). Porc noir de Bigorre, croustillant de béarnaise (mai à oct.). Chocolat mi-amer en mousse soufflée chaude, sorbet (mai à oct.). **Vins** Chignin-Bergeron, Roussette de Monterminod.

◆ Au Bateau Ivre, la carte met à l'honneur les produits du terroir et de saison. Magnifique panorama sur le lac et le mont Revard.

Auberge Lamartine (Pierre Marin)
3,5 km au Nord par D 1504 – ✆ 04 79 25 01 03
– www.lamartine-marin.com – info@lamartine-marin.com
– Fax 04 79 25 20 66
– Fermé 20 déc.-20 janv., dim. soir et lundi sauf fériés
Rest – Menu 26 € (déj. en sem.), 42/82 € – Carte 72/91 €
Spéc. Croustillant de ris de veau et foie gras de canard aux griottes acidulées (juin à septembre). Homard breton rôti sur écrasé de pomme de terre (été). Framboises sur pain perdu à l'émulsion au safran (saison). **Vins** Apremont, Mondeuse.

◆ Cuisine délicate, accueil et service soignés, décor chaleureux (cheminée, cave à vins vitrée, tableaux) et terrasse face au "lac de Lamartine" : ô temps, suspends ton vol !

La Grange à Sel
– ✆ 04 79 25 02 66 – www.lagrangeasel.com – info@lagrangeasel.com
– Fax 04 79 25 25 03
– Fermé 2 janv.-12 fév., dim. soir et merc.
Rest – Menu 27 € (déj. en sem.), 38/80 € – Carte 56/80 €

◆ Pierres et poutres apparentes d'origine pour cette ancienne grange à sel devenue restaurant. Cuisine personnalisée à déguster, aux beaux jours, dans le jardin ombragé.

Beaurivage avec ch
– ✆ 04 79 25 00 38 – www.beaurivage-bourget-du-lac.com
– webmaster@beaurivage-bourget-du-lac.com – Fax 04 79 25 06 49
– Fermé 20 oct.-21 nov., 16-23 fév., merc. soir sauf juil.-août, dim. soir et lundi
4 ch – †65/70 € ††65/70 €, ⇌ 5 €
Rest – Menu (21 €), 25 € (déj. en sem.), 31/65 € – Carte 52/61 €

◆ Carte étoffée et inventive faisant la part belle aux produits régionaux et aux poissons du lac. Belle terrasse ombragée. Les chambres, confortables, profitent d'une jolie vue.

LE BOURGET-DU-LAC

aux Catons 2,5 km au Nord-Ouest par D 42 – ✉ 73370

XX **Atmosphères** (Alain Périllat-Mercerot) avec ch
❀   618 rte des Tournelles – ✆ 04 79 25 01 29
    – www.atmospheres-hotel.com – info@atmospheres-hotel.com
    – Fermé 15 oct.-15 nov., mardi et merc. sauf hôtel de mai à sept.
    4 ch – ♦100/120 € ♦♦100/120 €, ⊇ 13 €   **Rest** – Menu (25 €), 40/65 €
    Spéc. Filets de perche, potimarron et citron confit. Demi-pigeon cuit rosé et bois
    de réglisse. Cent pour cent chocolat.
    ♦ Cadre actuel superbe, avec vue sur le lac : un bel écrin pour la cuisine du chef. Sans renier
    ses bases classiques, il propose des recettes créatives aux saveurs délicates et harmonieu-
    ses. Décor épuré et couleurs à la mode rendent les chambres séduisantes.

BOURGOIN-JALLIEU – 38 Isère – **333** E4 – 22 947 h. – alt. 235 m   44 **B2**
– ✉ 38300 ‖ **Lyon et la vallée du Rhône**
▶ Paris 503 – Bourg-en-Bresse 81 – Grenoble 66 – Lyon 43 – La Tour-du-Pin 16
🛈 Syndicat d'initiative, 1, place Carnot ✆ 04 74 93 47 50, Fax 04 74 93 76 01
⛳ des Trois Vallons à L'Isle-d'Abeau Le Rival, par rte de Lyon (D 1006) : 5 km,
  ✆ 04 74 43 28 84

BOURGOIN-JALLIEU

Alpes (Av. des)	**A** 2
Belmont (R. Robert)	**B** 4
Carnot (Pl.)	**B** 5
Champ de Mars (Pl. du)	**B** 6
Clemenceau (R. Georges)	**A** 9
Diederichs (Pl. Ch.)	**B** 10
Dos de l'Âne (R. du)	**B** 12
Gambetta (Av.)	**A** 13
Génin (Av. Ambroise)	**B** 15
Halle (Pl. de la)	**B** 16
Libération (R. de la)	**B**
Liberté (R. de la)	**B** 19
Moulins (R. des)	**B** 22
Moulin (R. J.)	**B** 21
Nations-Unies (Av. des)	**B** 23
Paix (R. de la)	**A** 25
Pontcottier (R.)	**B**
Pouchelon (R. de)	**B** 26
République (Pl. de la)	**A** 29
République (R. de la)	**AB** 31
St-Michel (Pl.)	**B** 32
Seigner (R. Joseph)	**A** 35
Victor-Hugo (R.)	**B** 36
1er Atelier (R. du)	**A** 37
19-Mars-1962 (R. du)	**AB** 39
23-Août-1944 (Pl. du)	**B** 41

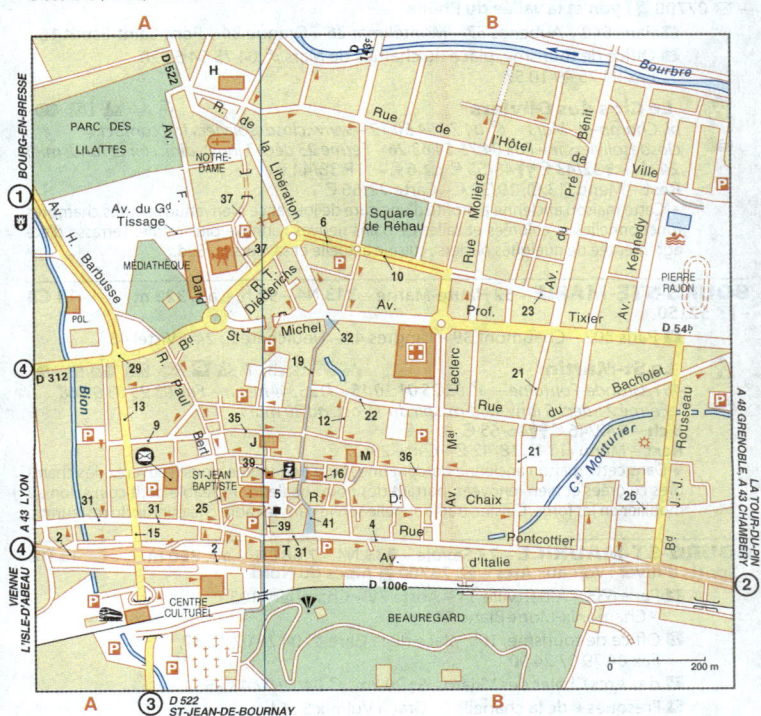

BOURGOIN-JALLIEU

Des Dauphins sans rest
8 r. François-Berrier, 1,5 km par ④ – ℰ 04 74 93 00 58 – www.hoteldesdauphins.fr
– direction@hoteldesdauphins.fr – Fax 04 74 28 27 39
20 ch – †50/60 € ††50/60 €, ⊡ 8 €
◆ Maison bourgeoise (1910) et ses deux annexes, aux chambres agréables et bien tenues. Pour la détente : terrasse face au jardin où trône un beau séquoïa et petit spa.

par ② 2 km par D 1006 et rte de Boussieu – ⊠ 38300 Bourgoin-Jallieu

Domaine des Séquoias
54 Vie-de-Boussieu – ℰ 04 74 93 78 00 – www.domaine-sequoias.com – info@domaine-sequoias.com – Fax 04 74 28 60 90
19 ch – †110/130 € ††110/200 €, ⊡ 18 €
Rest – (fermé en août, 24 déc.-5 janv., dim. soir, mardi midi et lundi) Menu 30 € (déj. en sem.), 38/110 € – Carte 61/97 €
◆ Chambres design et soignées à l'annexe. Cette belle maison de maître (18ᵉ s.) cache une salle mi-bourgeoise, mi-contemporaine, ouverte sur un parc arboré. Carte traditionnelle et attrayante sélection de côtes-du-rhône.

à La Grive 4,5 km par ④ – ⊠ 38300 Bourgoin-Jallieu

XX Bernard Lantelme
D 312 – ℰ 04 74 28 19 12 – www.restaurantlantelme.com – b.lantelme@free.fr
– Fax 04 74 93 78 88 – Fermé 26 juil.-25 août, sam. et dim.
Rest – Menu (20 €), 24/44 € – Carte 39/51 €
◆ Ferme du 19ᵉ s. transformée en restaurant. Les tableaux modernes qui égaient la coquette salle à manger rustique forment un heureux contraste avec la cuisine traditionnelle.

BOURG-ST-ANDÉOL – 07 Ardèche – 331 J7 – 7 328 h. – alt. 36 m   44 B3
– ⊠ 07700 ▌Lyon et la vallée du Rhône

▶ Paris 640 – Aubenas 57 – Montélimar 26 – Orange 34 – Pont-Saint-Esprit 16
🛈 Office de tourisme, place du champs de Mars ℰ 04 75 54 54 20,
Fax 04 75 49 10 57

Le Clos des Oliviers
pl. Champ-de-Mars – ℰ 04 75 54 50 12 – www.closdesoliviers.fr – contact@closdesoliviers.fr – Fax 04 75 54 63 26 – Fermé 23 déc.-3 janv., dim. soir et lundi midi
24 ch – †32/43 € ††48/55 €, ⊡ 6 € – ½ P 38/44 €
Rest – Menu (13 €), 19/32 € – Carte 22/56 €
◆ Cette maison ancienne a profité d'une cure de jouvence bienvenue : petites chambres fonctionnelles et colorées et salles de bains neuves ; annexe plus calme. Terrasse d'été agrémentée de quelques oliviers ; cuisine actuelle et saveurs du Sud.

BOURG-STE-MARIE – 52 Haute-Marne – 313 N4 – 92 h. – alt. 329 m   14 C3
– ⊠ 52150

▶ Paris 302 – Chaumont 39 – Langres 45 – Neufchâteau 24 – Vittel 43

Le St-Martin
46 r. Grande-Fontaine – ℰ 03 25 01 10 15 – f1253@free.fr – Fax 03 25 03 91 68
– Fermé 21 déc.-5 janv. et dim. soir du 15 oct. au 30 mars
8 ch – †42/46 € ††46/65 €, ⊡ 8 €
Rest – Menu (13 €), 18/42 € – Carte 29/77 €
◆ Dans cette maison ancienne bordant une route fréquentée, vous trouverez des chambres colorées et bien rénovées, portant des noms de fleurs. Agréable petit coin salon au mobilier en fer forgé. Cuisine traditionnelle servie dans le cadre chaleureux du restaurant.

BOURG-ST-MAURICE – 73 Savoie – 333 N4 – 7 681 h. – alt. 850 m   45 D2
– Sports d'hiver : voir aux Arcs – ⊠ 73700 ▌Alpes du Nord

▶ Paris 635 – Albertville 54 – Aosta 79 – Chambéry 103
– Chamonix-Mont-Blanc 74
🛈 Office de tourisme, 105, place de la Gare ℰ 04 79 07 12 57,
Fax 04 79 07 24 90
🏌 des Arcs Chalet des Villards, S : 20 km, ℰ 04 79 07 43 95
◎ Fresques ★ de la chapelle St-Grat à Vulmix S : 4 km.

BOURG-ST-MAURICE

L'Autantic sans rest
69 rte Hauteville – ℰ 04 79 07 01 70 – www.hotel-autantic.fr – bonjour@hotel-autantic.fr – Fax 04 79 07 51 55
29 ch – †40/130 €, ††40/130 €, ⊇ 8 €
♦ Cet hôtel abrite des chambres sobres, meublées en bois ou en fer forgé ; certaines possèdent une terrasse ou un balcon. Agréable piscine couverte.

L'Arssiban
253 av. Antoine-Borrel – ℰ 04 79 07 77 35 – Fax 04 79 07 77 35 – Fermé 21 juin-11 juil., 25 oct.-5 nov., 3-7 janv., merc. de sept. à juin et dim. soir
Rest – Menu 26/35 € – Carte 33/67 €
♦ Voûtes en pierre, carrelage ancien, tables en bois soigneusement cirées : un décor authentique qui s'accorde bien avec la généreuse cuisine au goût du jour.

Le Montagnole
26 av. du Stade – ℰ 04 79 07 11 52 – Fax 04 79 07 11 52 – Fermé 8-26 juin, 17 nov.-11 déc., lundi soir, merc. soir hors saison et mardi
Rest – Menu (15 €), 18/38 € – Carte 39/50 €
♦ Les propriétaires, tous les deux artistes, réalisent eux-mêmes les toiles et les poèmes exposés en salle. Aux fourneaux, ils relèvent les plats d'un zeste d'originalité.

BOURGUEIL – 37 Indre-et-Loire – 317 J5 – 3 923 h. – alt. 42 m — 11 **A2**
– ⊠ 37140 ▮ Châteaux de la Loire
▶ Paris 281 – Angers 81 – Chinon 16 – Saumur 23 – Tours 45
▮ Syndicat d'initiative, 16, place de l'église ℰ 02 47 97 91 39, Fax 02 47 97 91 39

La Rose de Pindare
4 pl. Hublin – ℰ 02 47 97 70 50 – Fax 02 47 97 70 50 – Fermé merc.
Rest – Menu 18/38 € – Carte 30/65 €
♦ Anagramme de Pierre Ronsard, La Rose de Pindare offre un décor simple, blanc et fleuri avec poutres apparentes. Cuisine au goût du jour. Agréable terrasse.

Le Moulin Bleu
7 rte du Moulin-Bleu, 2 km au Nord par rte de Courléon – ℰ 02 47 97 73 13 – www.lemoulinbleu.com – moulinbleu.bourgueil@wanadoo.fr – Fax 02 47 97 79 66
– Fermé de mi-nov. à fin fév., dim. soir, lundi soir, mardi soir et merc.
Rest – Menu (15 €), 19 € (sem.)/48 € – Carte 32/53 €
♦ Ce Moulin Bleu est un moulin cavier de style angevin (15e s.) Il dispose de salles à manger voûtées et d'une terrasse dominant le vignoble. Plats traditionnels et vins locaux.

BOURNEVILLE – 27 Eure – 304 D5 – 736 h. – alt. 124 m – ⊠ 27500   32 **B3**
▶ Paris 155 – Le Havre 45 – Rouen 43 – Brionne 25 – Caudebec-en-Caux 25
▮ Office de tourisme, le Bourg ℰ 02 32 57 32 23, Fax 02 32 57 15 48

Risle Seine
5 pl. de la Mairie – ℰ 02 32 42 30 22 – www.risle-seine.com – risle.seine@free.fr
– Fax 02 32 42 30 22 – Fermé vacances de nov., de fév., mardi soir et merc.
Rest – Menu 18/32 € – Carte 20/35 €
♦ Cette petite auberge située au centre du village abrite une salle rustique et une véranda de style plus actuel tournée sur la verdure. Cuisine traditionnelle mitonnée avec soin.

BOURRON-MARLOTTE – 77 Seine-et-Marne – 312 F5 – 2 850 h.   19 **C3**
– alt. 71 m – ⊠ 77780
▶ Paris 72 – Fontainebleau 9 – Melun 26 – Montereau-Fault-Yonne 26 – Nemours 11
▮ Office de tourisme, 37, rue Murger ℰ 01 64 45 88 86, Fax 01 64 45 86 80

Les Prémices
Château de Bourron – ℰ 01 64 78 33 00 – www.restaurant-les-premices.com
– lespremices@aol.com – Fax 01 64 78 36 00 – Fermé
1er-15 août, 25 déc.-1er janv., vacances de fév., dim. soir, lundi et mardi
Rest – Menu 38/75 € – Carte 70/110 €
♦ Dans les dépendances du château de Bourron (16e s.), un cadre moderne. Cuisine inventive fervente des produits exotiques ; beaux vins de Bourgogne et de Bordeaux.

BOURTH – 27 Eure – 304 E9 – 1 201 h. – alt. 182 m – ⊠ 27580 33 C2

Paris 125 – L'Aigle 16 – Alençon 78 – Évreux 46 – Verneuil-sur-Avre 11

Auberge Chantecler
face à l'église – ℰ 02 32 32 61 45 – Fax 02 32 32 61 45
– *Fermé 20 juil.-6 août, 8-21 fév., dim. soir et lundi*
Rest – Menu 16 € (déj. en sem.), 27/44 € – Carte 38/55 €

♦ Façade en briques chaulées recouverte de fleurs l'été. Une collection de coqs, enrichie par les habitués, est exposée dans les deux salles à manger. Cuisine traditionnelle.

BOUSSAC – 23 Creuse – 325 K2 – 1 412 h. – alt. 376 m – ⊠ 23600 25 C1
Limousin Berry

Paris 333 – Aubusson 50 – La Châtre 37 – Guéret 41 – Montluçon 38
Office de tourisme, place de l'Hôtel de Ville ℰ 05 55 65 05 95, Fax 05 55 65 00 94
Site ★

à Nouzerines 10 km au Nord-Ouest par D97 – 252 h. – alt. 407 m – ⊠ 23600

La Bonne Auberge avec ch
1 r. Lilas – ℰ 05 55 82 01 18 – www.la-bonne-auberge.net – labonneauberge-23@orange.fr – *Fermé 12-27 oct., 1er-10 mars, dim. soir et lundi*
5 ch – †40 € ††40 €, ☑ 7 €
Rest – Menu (13 €), 16 € (sem.)/50 € – Carte 39/63 €

♦ Cette discrète maison abrite un sympathique restaurant campagnard. Terrasse sous pergola aménagée dans le jardin ; cuisine traditionnelle aux accents du terroir.

BOUTIGNY-SUR-ESSONNE – 91 Essonne – 312 D5 – 3 002 h. 18 B3
– alt. 61 m – ⊠ 91820

Paris 58 – Corbeil-Essonnes 29 – Étampes 19 – Fontainebleau 29 – Melun 33

Domaine de Bélesbat
– ℰ 01 69 23 19 00 – www.belesbat.com
– reception@belesbat.com – Fax 01 69 23 19 01 – *Fermé 19 déc.-4 janv.*
59 ch ☑ – †370 € ††370 € – 1 suite
Rest *L'Orangerie* – ℰ 01 69 23 19 30 – Menu 40 € (déj.), 65/100 € – Carte 40/60 €

♦ Henri IV et Voltaire séjournèrent dans ce château des 15e et 18e s. Luxueuses chambres contemporaines ou classiques. Superbe parc traversé par un bras de l'Essonne et golf 18 trous. Courte carte traditionnelle à déguster à l'Orangerie, une magnifique serre horticole.

BOUZEL – 63 Puy-de-Dôme – 326 G8 – 687 h. – alt. 320 m – ⊠ 63910 6 C2

Paris 432 – Ambert 57 – Clermont-Ferrand 23 – Issoire 38 – Thiers 25 – Vichy 47

L'Auberge du Ver Luisant
2 r. Breuil – ℰ 04 73 62 93 83 – Fax 04 73 62 93 83
– *Fermé 14-20 avril, 17 août-7 sept., 1er-8 janv., dim. soir, merc. soir et lundi*
Rest – Menu (15 €), 25/48 € – Carte 35/50 €

♦ Cette sympathique maison de pays a su conserver tout le charme de la campagne. On y mange une cuisine traditionnelle soignée, de bons produits, variant au rythme des saisons.

BOUZE-LÈS-BEAUNE – 21 Côte-d'Or – 320 I7 – rattaché à Beaune

BOUZIGUES – 34 Hérault – 339 G8 – rattaché à Mèze

BOUZY – 51 Marne – 306 G8 – 967 h. – alt. 111 m – ⊠ 51150 13 B2

Paris 168 – Châlons-en-Champagne 29 – Épernay 21 – Reims 27

Les Barbotines sans rest
1 pl. A. Tritant – ℰ 03 26 57 07 31 – www.lesbarbotines.com – contact@lesbarbotines.com – Fax 03 26 58 26 36 – *Fermé 1er- 12 août, 15 déc.-1er fév.*
5 ch ☑ – †70 € ††90 €

♦ La prestigieuse route du Champagne s'offre à votre curiosité depuis cette belle maison de vigneron du 19e s. Coquettes chambres personnalisées garnies de meubles chinés chez les antiquaires.

BOYARDVILLE – 17 Charente-Maritime – **324** C4 – voir à Île d'Oléron

BOZOULS – 12 Aveyron – **338** I4 – 2 723 h. – alt. 530 m – ✉ 12340   29 **D1**
▌ Midi-Pyrénées

▶ Paris 603 – Espalion 11 – Mende 94 – Rodez 22 – Sévérac-le-Château 41
🛈 Office de tourisme, 2 bis, place de la Mairie ℰ 05 65 48 50 52,
Fax 05 65 48 50 52
◉ Trou de Bozouls ★.

A la Route d'Argent
rte d' Espalion – ℰ 05 65 44 92 27 – www.laroutedargent.com – yves.catusse@wanadoo.fr – Fax 05 65 48 81 40 – Fermé 2 janv.-15 fév.
21 ch – †45/60 € ††45/60 €, ⊋ 8 € – ½ P 50/65 €
Rest – (fermé lundi sauf le soir en juil.-août et dim. soir hors saison) Menu 20 € (sem.)/45 €
♦ Bâtisse hôtelière (fin 20ᵉ s.) vous logeant côté route ou piscine et parking, près desquels une villa abrite 6 chambres neuves (même confort). Repas traditionnel selon le marché, dans un cadre actuel : panneaux en verre sablé, lumière tamisée, toiles modernes.

Les Brunes sans rest
hameau les Brunes, 5 km au Sud par D 920 et rte secondaire – ℰ 05 65 48 50 11
– www.lesbrunes.com – lesbrunes@wanadoo.fr
5 ch ⊋ – †79/122 € ††86/129 €
♦ Hébergement calme et cosy en cette belle demeure (18ᵉ s.) à tourelle. Décor intérieur soigné, petit-déjeuner près de la cheminée, jardin-verger et campagne pour toile de fond.

Le Belvédère avec ch
11 rte du Maquis Jean-Pierre, rte de St Julien – ℰ 05 65 44 92 66
– www.belvedere-bozouls.com – belvedere.bozouls@wanadoo.fr
– Fermé 2-20 mars, 28 sept.-23 oct., dim. soir et lundi
12 ch – †45/63 € ††45/63 €, ⊋ 8 € – ½ P 50 €
Rest – Menu 18 € (sem.)/40 € – Carte 33/45 €
♦ Demeure de caractère perchée au-dessus du "Trou" (gorge du Dourdou). Cadre rustique et cuisine au goût du jour inspirée du marché. Deux générations de chambres.

BRACIEUX – 41 Loir-et-Cher – **318** G6 – 1 265 h. – alt. 70 m – ✉ 41250   11 **B1**
▌ Châteaux de la Loire

▶ Paris 185 – Blois 19 – Montrichard 39 – Orléans 64 – Romorantin-Lanthenay 30
🛈 Syndicat d'initiative, 10 Les Jardins du Moulin ℰ 02 54 46 09 15,
Fax 02 54 46 09 15

De la Bonnheure sans rest
9 bis r. R. Masson – ℰ 02 54 46 41 57 – www.hoteldelabonnheur.com
– Fax 02 54 46 05 90 – Ouvert mi-mars à début déc.
14 ch – †55/90 € ††55/90 €, ⊋ 9 € – 2 suites
♦ Chambres rustiques, jardin exposant des outils agricoles, petit-déjeuner soigné et services destinés aux cyclistes et randonneurs : cet hôtel est un vrai "bonnheure" !

Du Cygne sans rest
5 r. René-Masson – ℰ 02 54 46 41 07 – www.hotelducygne.com – autebert@wanadoo.fr – Fax 02 54 46 04 87 – Fermé 20 déc.-10 fév., dim. et lundi hors saison
19 ch – †54 € ††62/69 €, ⊋ 8 €
♦ En centre-ville, chambres simples et fonctionnelles (celles rénovées sont plus actuelles) réparties dans plusieurs bâtiments solognots. Piscine sur l'arrière, au calme.

Bernard Robin - Le Relais de Bracieux
1 av. de Chambord – ℰ 02 54 46 41 22 – www.relaisdebracieux.com – robin@relaischateaux.com – Fax 02 54 46 03 69 – Fermé 22 déc.-31 janv., merc. sauf juil.-août et mardi
Rest – (nombre de couverts limité, prévenir) Menu (32 €), 62/129 €
– Carte 75/120 € 🌿
Spéc. Croustillant de homard de Roscoff aux tomates séchées. Lièvre à la royale (saison). Croque-agrumes croustillant à l'orange, crème légère au citron, sorbet passion. **Vins** Cheverny, Gamay de Touraine.
♦ Tableaux et tapisseries anciennes président au décor provincial cossu de cette salle à manger tournée vers le jardin. Cuisine classique et très belle carte des vins.

BRACIEUX

Le Rendez vous des Gourmets
20 r. Roger-Brun – ✆ 02 54 46 03 87 – r.d.v.desgourmets@orange.fr
– Fax 02 54 56 88 32 – Fermé vacances de printemps, de Toussaint, 23 déc.-15 janv.,
dim. soir sauf juil.-août, sam. midi et merc.
Rest – Menu 17 € (déj. en sem.), 20/59 € – Carte 38/77 €

♦ Ce restaurant sobre et rustique possède le charme d'une auberge familiale. Le chef-patron y propose une cuisine actuelle. Aux beaux jours, petite terrasse côté cour.

BRANCION – 71 Saône-et-Loire – **320** I10 – rattaché à Tournus

LA BRANDE – 36 Indre – **323** H7 – rattaché à Montipouret

BRANSAC – 43 Haute-Loire – **331** G2 – rattaché à Beauzac

BRANTÔME – 24 Dordogne – **329** E3 – 2 122 h. – alt. 104 m – ⌧ 24310   4 **C1**
Périgord

▣ Paris 470 – Angoulême 58 – Limoges 83 – Nontron 23 – Périgueux 27
– Thiviers 26
🛈 Syndicat d'initiative, boulevard Charlemagne ✆ 05 53 05 80 52,
Fax 05 53 05 80 52
◉ Clocher★★ de l'église abbatiale - Bords de la Dronne★★.

Le Moulin de l'Abbaye
1 rte de Bourdeilles – ✆ 05 53 05 80 22
– www.moulinabbaye.com – moulin@relaischateaux.com – Fax 05 53 05 75 27
– Ouvert 15 avril-15 nov.
13 ch – †150/330 € ††150/330 €, ⌧ 21 € – ½ P 170/250 €
Rest – (fermé le midi sauf week-ends et fériés) Menu 60/80 € – Carte 75/95 €
Spéc. Thon rouge mariné, caviar d'aubergine et fromage frais "des Terres Vieilles". Suprême de pigeonneau à la farce fine de foie gras. Tour au chocolat noir, glace à la crème brûlée et expresso en émulsion. **Vins** Montravel, Pécharmant.

♦ Ce ravissant moulin et la maison du meunier révèlent un cadre romantique à souhait. Chambres personnalisées, bercées par le murmure d'une cascade. Fraîchement rénovés, la terrasse au bord de l'eau et l'élégant restaurant offrent une vue bucolique sur la Dronne. Cuisine régionale.

Chabrol
57 r. Gambetta – ✆ 05 53 05 70 15 – www.lesfrerescharbonnel.com
– charbonnel.freres@wanadoo.fr – Fax 05 53 05 71 85 – Fermé
15 nov.-15 déc., 1ᵉʳ fév.-10 mars, dim. soir d'oct. à juin et lundi
19 ch – †55/65 € ††65/90 €, ⌧ 14 € – ½ P 70/90 €
Rest – Menu 30 € (sem.)/70 € – Carte 48/120 €

♦ L'expression "maison de tradition" s'applique parfaitement à l'hôtel Chabrol. Les chambres, peu à peu revues, bénéficient d'une amélioration de leur confort. Salle à manger à l'atmosphère provinciale et terrasse panoramique dominent le cours de la Dronne.

Moulin de Vigonac
– ✆ 05 53 05 87 59 – www.moulin-de-vigonac.com – contact@
moulindevigonac.com – Fax 05 53 35 03 92 – Ouvert 15 mars-15 nov.
10 ch – †105/270 € ††105/270 €, ⌧ 15 €
Rest – (fermé mardi soir et merc. sauf juil.-août) (nombre de couverts limité, prévenir) Menu 45/65 € – Carte 47/74 €

♦ Tout est neuf dans ce moulin du 16ᵉ s., bercé par la Dronne. La décoration moderne, sans trahir le charme originel du lieu, lui apporte sérénité et confort. Parc privé, piscine. Cuisine traditionnelle.

Au Fil du Temps
1 chemin du Vert Galand – ✆ 05 53 05 24 12 – www.fildutemps.com
– fildutemps@fildutemps.fr – Fax 05 53 05 18 01 – Fermé lundi soir et mardi sauf juil.-août
Rest – Menu (12 €), 24/35 €

♦ Une salle avec rôtissoire, une autre cosy (avec cheminée), une terrasse ombragée par un tilleul : trois espaces exquis pour déguster plats du terroir et viandes à la broche.

BRANTÔME

Au Fil de l'Eau

21 quai Bertin – ℰ *05 53 05 73 65 – www.fildeleau.com – fildeleau@fildeleau.com – Fax 05 53 35 04 81 – Ouvert 15 avril-15 oct. et fermé merc. et jeudi sauf en juil.-août et sept.*
Rest – Menu 24/31 €
◆ Coquette guinguette décorée sur le thème de la pêche. Suivez le fil de l'eau sous les saules pleureurs de la terrasse bordant la Dronne. Fritures et matelote.

à Champagnac de Belair 6 km au Nord-Est par D 78 et D 83 – 736 h. – alt. 135 m – ⌧ 24530

Le Moulin du Roc (Alain Gardillou)

– ℰ *05 53 02 86 00 – www.moulinduroc.com – info@moulinduroc.com – Fax 05 53 54 21 31 – Ouvert 8 mai-12 oct.*
13 ch – ✝170/210 € ✝✝170/210 €, ⌧ 18 € – ½ P 170/215 €
Rest – *(fermé merc. midi et mardi)* Menu 40 € bc (déj. en sem.)/65 €
Spéc. Fine tarte croustillante à l'artichaut, betterave et foie gras. Truffe du Périgord en trois services. Croustade aux framboises soufflée à la pistache, crème glacée aux pistaches (juin à sept.) **Vins** Bergerac, Pécharmant.
◆ Le lieu est magique : ancien moulin à huile sur la Dronne cerné par la nature. Intérieur de caractère, chambres personnalisées et jardin au fil de l'eau. Cuisine du terroir revisitée (menu unique), servie dans deux salles rustiques. Terrasses bordant la rivière.

à Bourdeilles 10 km au Sud-Ouest par D 78 – 784 h. – alt. 103 m – ⌧ 24310

🛈 Syndicat d'initiative, place des Tilleuls ℰ 05 53 03 42 96, Fax 05 53 54 56 27
◉ Château★ : mobilier★★, cheminée★★ de la salle à manger.

Hostellerie Les Griffons

Le Pont – ℰ *05 53 45 45 35 – www.griffons.fr – info@griffons.fr – Fax 05 53 45 45 20 – Ouvert 1ᵉʳ avril-1ᵉʳ nov.*
10 ch – ✝85/110 € ✝✝85/110 €, ⌧ 12 € – ½ P 80/90 €
Rest – *(dîner seult)* Menu 35/40 €
◆ Au pied du château, maison bourgeoise du 16ᵉ s. dominant la Dronne. Côté chambres : meubles anciens, pierres, poutres et belles charpentes au dernier étage. Salon confortable, lumineuse véranda face à la rivière et terrasse sur le jardin. Plats classiques.

BRAS – 83 Var – 340 K5 – 1 784 h. – alt. 280 m – ⌧ 83149 — 41 C3

▶ Paris 814 – Aix-en-Provence 55 – Marseille 62 – Toulon 61
🛈 Syndicat d'initiative, place du 14 juillet ℰ 04 94 69 98 26

Une Campagne en Provence

Domaine Le Peyrourier, 3 km au Sud-Ouest par D 28 et rte secondaire – ℰ *04 98 05 10 20 – www.provence4u.com – info@provence4u.com – Fax 04 98 05 10 21 – Fermé 7 janv.-3 mars*
5 ch ⌧ – ✝85/115 € ✝✝90/120 € – **Table d'hôte** – Menu 32 € bc
◆ Dans un vaste domaine entouré de prairies et de vignes, cet ancien corps de ferme des Templiers (remontant au 12ᵉ s.) est un havre de paix. Chambres personnalisées, de style régional. À la table d'hôtes, cuisine provençale et vins de la propriété. Terrasse.

BRAX – 47 Lot-et-Garonne – 336 F4 – rattaché à Agen

BRAY-ET-LU – 95 Val-d'Oise – 305 A6 – 106 – 753 h. – alt. 28 m — 18 A1
– ⌧ 95710

▶ Paris 70 – Rouen 61 – Gisors 26 – Pontoise 36 – Vernon 18

Les Jardins d'Epicure avec ch

16 Grande-Rue – ℰ *01 34 67 75 87 – www.lesjardinsdepicure.com – info@lesjardinsdepicure.com – Fax 01 34 67 90 22 – Fermé 2 janv.-11 fév., jeudi midi, mardi et merc. de nov. à mars, mardi midi en avril-mai et sept.-oct., dim. soir et lundi d'oct. à mai*
15 ch – ✝110/350 € ✝✝110/350 €, ⌧ 25 € – 3 suites
Rest – Menu 39/105 € – Carte 63/74 €
◆ Belle maison de maître (1852) nichée dans un joli parc traversé par une rivière. Salle à manger bourgeoise ouverte sur une véranda dotée d'une piscine. Chambres de caractère.

BREBIÈRES – 62 Pas-de-Calais – 301 L5 – rattaché à Douai

BRÉDANNAZ – 74 Haute-Savoie – 328 K6 – alt. 450 m – ⊠ 74210   46 F1
▶ Paris 550 – Albertville 31 – Annecy 15 – Megève 46

à Chaparon 1,5 km au Sud par rte secondaire – ⊠ 74210 Doussard

La Châtaigneraie
325 chemin des Fontaines – ℰ *04 50 44 30 67 – www.hotelchataigneraie.com – info@hotelchataigneraie.com – Fax 04 50 44 83 71 – Ouvert 15 avril-1ᵉʳ oct. et fermé dim. soir et lundi sauf de mai à sept.*
Rest – Menu 21 € (sem.)/34 € – Carte 29/42 €
♦ Cuisine du terroir à déguster au choix dans un vaste salle à manger campagnarde dotée d'une cheminée ou en terrasse sur l'arrière, au calme d'un jardin ombragé, face aux sommets.

BRÉHAT (ÎLE-DE-) – 22 Côtes-d'Armor – 309 D1 – voir à Île-de-Bréhat

BRELES – 29 Finistère – 308 C4 – 779 h. – alt. 52 m – ⊠ 29810   9 A1
▶ Paris 616 – Rennes 264 – Quimper 99 – Brest 25 – Landerneau 47

Auberge de Bel Air
rte de Lanildut – ℰ *02 98 04 36 01 – www.aumoulindebelair.com – y.mony@orange.fr – Fax 02 98 04 36 01 – Fermé 20 sept.-10 oct. et 5-31 janv.*
3 ch ⊊ – †50/60 € ††64/70 € – ½ P 59/62 €
Table d'hôte – *(fermé mardi hors vacances scolaires, dim. soir et lundi)*
Menu 28 € bc
♦ Au bord de l'aber Ildut, dans un site verdoyant, vieille ferme en granit donnant sur un grand jardin et son étang. Coquettes chambres de bon confort ; terrasse côté rivière. Table ouverte à tous midi et soir (prévenir). Cadre rustique et menu du marché sur mesure.

BRÉLIDY – 22 Côtes-d'Armor – 309 C3 – 335 h. – alt. 100 m – ⊠ 22140   9 B1
▶ Paris 503 – Rennes 151 – Saint-Brieuc 55 – Lannion 27 – Morlaix 66

Château de Brélidy
– ℰ *02 96 95 69 38 – www.chateau-brelidy.com – chateau.brelidy@worldonline.fr – Fax 02 96 95 18 03 – Ouvert 31 mars-1ᵉʳ janv.*
15 ch – †82/96 € ††102/128 €, ⊊ 13 € – ½ P 100/133 €
Rest – *(dîner seult)* Menu 30/64 € bc
♦ Difficile de résister aux attraits de ce château du 16ᵉ s. : petites chambres personnalisées, salons cossus, salle à manger rustique, parc (parcours de pêche en rivière).

LA BRESSE – 88 Vosges – 314 J4 – 4 700 h. – alt. 636 m – Sports   27 C3
d'hiver : 650/1 350 m ≰31 ≵ – ⊠ 88250 ▮ Alsace Lorraine
▶ Paris 437 – Colmar 52 – Épinal 52 – Gérardmer 13 – Thann 39 – Le Thillot 20
▮ Office de tourisme, 2a, rue des Proyes ℰ 03 29 25 41 29, Fax 03 29 25 64 61

Les Vallées
31 r. P.-Claudel – ℰ *03 29 25 41 39 – www.labellemontagne.com – hotel.lesvallees@remy-loisirs.com – Fax 03 29 25 64 38*
56 ch – †55/69 € ††73/100 €, ⊊ 12 € – ½ P 66/79 €
Rest – *(Fermé nov.)* Menu 18 € (déj. en sem.), 29/52 € – Carte 23/60 €
♦ Chambres fonctionnelles de taille variée, équipements complets pour séminaires et installations de loisirs : cet imposant complexe hôtelier est fréquenté hiver comme été. Haute charpente en bois blond, grandes baies vitrées et plats régionaux au restaurant.

au Sud 3 km, rte de Cornimont par D 486 – ⊠ 88250 La Bresse

Le Clos des Hortensias
51 rte de Cornimont – ℰ *03 29 25 41 08 – restaurantclosdeshortensias@yahoo.fr – Fax 03 29 25 65 34 – Fermé 11-24 nov., dim. soir et lundi*
Rest – *(prévenir)* Menu 17 € (sem.), 27/40 €
♦ Une fresque représentant des hortensias agrémente la façade de ce restaurant familial. Cuisine traditionnelle soignée servie dans un intérieur aussi charmant que l'accueil.

BRESSIEUX – 38 Isère – **333** E6 – 86 h. – alt. 510 m – ✉ 38870   43 **E2**
▶ Paris 533 – Grenoble 50 – Lyon 76 – Valence 73 – Vienne 45 – Voiron 30

✗ **Auberge du Château** ≤ 🈂 **P** VISA 🇲🇨
– ✆ 04 74 20 91 01 – www.aubergedebressieux.fr – Fax 04 74 20 54 69
– Fermé 20 oct.-13 nov., 16 fév.-12 mars, dim. soir hors saison, mardi et merc.
Rest – Menu (23 €), 32/69 € – Carte 38/59 € 🈁
◆ Au faîte d'un vieux village perché, accueillante maison ancienne bien restaurée.
La terrasse ombragée offre un beau point de vue sur la vallée et les monts du Lyonnais.

BRESSON – 38 Isère – **333** H7 – rattaché à Grenoble

BRESSUIRE ⊚ – 79 Deux-Sèvres – **322** D3 – 18 200 h. – alt. 186 m   38 **B1**
– ✉ 79300 ▌**Poitou Vendée Charentes**
▶ Paris 364 – Angers 84 – Cholet 45 – Niort 64 – Poitiers 82
  – La Roche-sur-Yon 87
🄻 Office de tourisme, place de l'Hotel de Ville ✆ 05 49 65 10 27,
Fax 05 49 80 41 49

🏠 **Les 3 Marchands** & ↳ 📞 **P** VISA 🇲🇨
⊜ *les Sicaudières, (2 km par rte de Nantes)* – ✆ 05 49 65 01 19
– www.hotel-restaurant-bressuire.com – les3marchands@wanadoo.fr
– Fax 05 49 65 82 16 – Fermé 2-14 août
21 ch – ♦48 € ♦♦58 €, ⊇ 8 € – ½ P 56 €
Rest – Menu 13 € (déj. en sem.), 19/39 € – Carte 24/46 €
◆ Sur la route de Nantes, adresse familiale et sérieuse qui se révèle pratique
pour l'étape entre le Puy du Fou et le Futuroscope. Chambres fonctionnelles ; préférez les
plus récentes. Restaurant néo-rustique et lumineux proposant une cuisine traditionnelle.

BREST ⊚ – 29 Finistère – **308** E4 – 145 100 h. – Agglo. 210 055 h.   9 **A2**
– alt. 35 m – ✉ 29200 ▌**Bretagne**
▶ Paris 596 – Lorient 133 – Quimper 72 – Rennes 246 – St-Brieuc 145
✈ de Brest-Bretagne ✆ 02 98 32 86 00, 10 km au NE
🄻 Office de tourisme, Place de la Liberté ✆ 02 98 44 24 96, Fax 02 98 44 53 73
⛳ de Brest les Abers à Plouarzel Kerhoaden, NE : 24 km par D 5, ✆ 02 98 89 68 33
◉ Océanopolis★★★ - Cours Dajot ≤★★ - Traversée de la rade★ - Arsenal et
base navale ★ DZ - Musée des Beaux-Arts★ EZ M¹ - Musée de la Marine★
DZ M² - Conservatoire botanique du vallon du Stang-Alar★.
🄶 Les Abers ★★

Plans pages suivantes

🏨 **Le Continental** sans rest 📶 & 🄰🄲 ↳ ⁽ᵗᵗ⁾ 🔒 VISA 🇲🇨 AE ①
41 r. E.-Zola – ✆ 02 98 80 50 40 – www.oceaniahotels.com – continental.brest@
oceaniahotels.com – Fax 02 98 43 17 47   EY **f**
73 ch – ♦130 € ♦♦130 €, ⊇ 14 €
◆ C'est dans cet hôtel qu'ont séjourné les personnalités de passage à Brest. Intérieur décoré
de reproductions de Bernard Buffet et grandes chambres cossues, modernes ou Art déco.

🏨 **L'Amirauté** 📶 🄰🄲 ↳ ⁽ᵗᵗ⁾ 🔒 🈂 VISA 🇲🇨 AE ①
41 r. Branda – ✆ 02 98 80 84 00 – www.oceaniahotels.com – amirautebrest@
oceaniahotels.com – Fax 02 98 80 84 84   BX **t**
84 ch – ♦108/128 € ♦♦108/128 €, ⊇ 14 €
Rest – (fermé 13 juil.-23 août, 24 déc.-4 janv., sam., dim. et fériés) Menu (20 €),
30 € (sem.) – Carte 33/52 €
◆ Architecture récente aux lignes élégantes, disposant de chambres bien insonorisées et
garnies d'un mobilier contemporain de bon ton. Restaurant agencé à la façon d'une
brasserie où l'on sert une cuisine au goût du jour utilisant les produits du terroir.

🏨 **La Paix** sans rest 📶 ↳ ⁽ᵗᵗ⁾ VISA 🇲🇨 AE ①
32 r. Algésiras – ✆ 02 98 80 12 97 – www.hoteldelapaix-brest.com
– hoteldelapaixbrest@wanadoo.fr – Fax 02 98 43 30 95 – Fermé 19 déc.-3 janv.
29 ch – ♦70/85 € ♦♦88/140 €, ⊇ 11 €   EY **y**
◆ Petit hôtel du centre-ville entièrement redécoré dans un style moderne épuré. Belles
chambres neuves, bien équipées et insonorisées. Copieux buffet au petit-déjeuner.

BREST

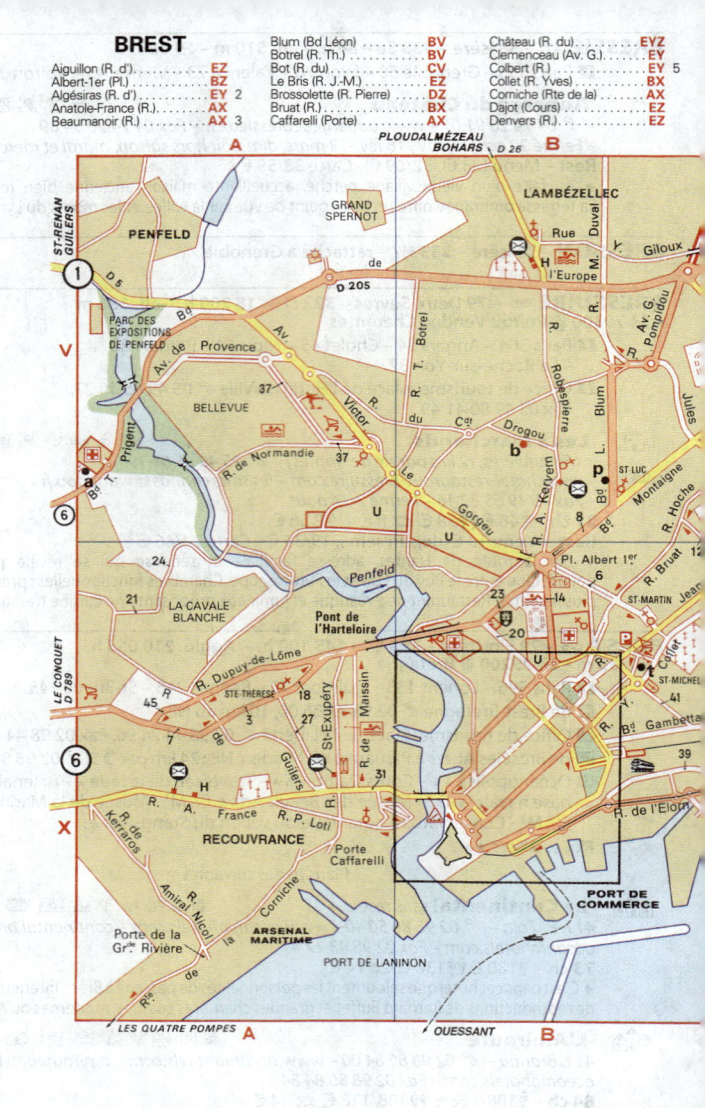

Aiguillon (R. d')	**EZ**
Albert-1er (Pl.)	**BZ**
Algésiras (R. d')	**EY** 2
Anatole-France (R.)	**AX**
Beaumanoir (R.)	**AX** 3
Blum (Bd Léon)	**BV**
Botrel (R. Th.)	**BV**
Bot (R. du)	**CV**
Le Bris (R. J.-M.)	**EZ**
Brossolette (R. Pierre)	**DZ**
Bruat (R.)	**BX**
Caffarelli (Porte)	**AX**
Château (R. du)	**EYZ**
Clemenceau (Av. G.)	**EY**
Colbert (R.)	**EY** 5
Collet (R. Yves)	**BX**
Corniche (Rte de la)	**AX**
Dajot (Cours)	**EZ**
Denvers (R.)	**EZ**

Océania ⓘ ♿ ⌘ rest, 🐕 ♨ VISA ⓜ AE ①
82 r. Siam – ℰ *02 98 80 66 66*
– www.oceaniahotels.com
– oceania.brest@oceaniahotels.com
– Fax 02 98 80 65 50   EY **r**
82 ch – ♦79/155 € ♦♦79/155 €, ⌖ 14 €
Rest – Menu (16 €), 20 € (déj. en sem.) – Carte 27/34 €
♦ Confortable hôtel de la rue de Siam, évoquée dans un célèbre poème de J. Prévert (Barbara). Les chambres ont toutes été rénovées et se répartissent en deux catégories. Table contemporaine. Recettes actuelles (viandes et produits de la mer).

Street	Ref
Desmoulins (Av. C.)	BX 6
Dr-Kerrien (R. du)	AX 7
Doumer (R. Paul)	BV 8
Dourjacq (Rte du)	CV
Drogou (R. Com.)	BV
Dupuy-de-Lôme (R.)	AX
Duquesne (R.)	EY
Duval (R. Marcellin)	BV
Eau-Blanche (R. de l')	CV
Elorn (R. de l')	BX
Europe (Bd de l')	ACV
Ferry (R. J.)	BCX 12
Foch (Av. Mar.)	BX 14
Forestou (Pont du)	CX 15
Français-Libres (Bd des)	DZ 16
Frégate-La-Belle-Poule (R. de la)	EZ 17
Gallieni (R. du Mar.)	AX 18
Gambetta (Bd)	BX
Le Gorgeu (Av. Victor)	AV
Gouesnou (R. de)	CV
Grande-Rivière (Porte de la)	AX
Guilers (R. de)	AX
Harteloire (Pt. de l')	AX
Harteloire (R. de l')	AX 20
Hoche (R.)	BV
Jean-Jaurès (R.)	EY
Kent (R. de)	AX 21
Kérabécam (R. de)	EY 22
Kérraros (R. de)	AX
Kervern (R. Auguste)	BV
Kiel (Av. de)	CX
Lamotte-Picquet (R.)	BX 23
Lesven (R. Jules)	BCV
Libération (Av. de la)	AX 24
Liberté (Pl. de la)	EY
Loti (R. Pierre)	EY
Louppe (R. Albert)	CV
Lyon (R. de)	DEY
Macé (R. Jean)	EZ
Maissin (R. de)	AX
Marine (Bd de la)	DZ 25
Michelet (R.)	DV
Montaigne (Bd)	BV
Mouchotte (Bd Cdt)	AX 27
Moulin (Bd Jean)	DY
Nicol (R. de l'Amiral)	AX
Normandie (R. de)	AV
Paris (R. de)	CV
Pompidou (R. G.)	BV
Porte (R. de la)	AX 31
Prigent (Bd T.)	AV
Provence (Av. de)	CV
Quimper (Rte de)	CV
Recouvrance (Pt de)	DZ
Réveillère (Av. Amiral)	EY 33
Richelieu (R.)	CX
Robespierre (R.)	BY
Roosevelt (Av. Fr.)	DZ 34
Saint-Exupéry (R.)	AX
St-Marc (R.)	CX
Salaün-Penquer (Av.)	EZ
Sébastopol (R.)	CX 35
Sernard (R. Pierre)	CX
Siam (R. de)	EY
Strasbourg (Pl. de)	CV
Tarente (Av. de)	AV 37
Tourbihan (R. de)	CV 38
Tourville (Porte)	DZ
Tritshler (R. du)	CX
Troude (R. Amiral)	BX 39
Valmy (R. de)	CX
Verdun (R. de)	CX 40
Victor-Hugo (R.)	BX 41
Vieux-St-Marc (R. du)	CX
Villeneuve (R. de la)	CV
Voltaire (R.)	EZ
Wilson (Pl.)	EZ
Zédé (R. G.)	CV
Zola (R. Émile)	EY
2e-R.C.I. (R. du)	DY
8-Mai-1945 (R. du)	CV
11-Martyrs (R. des)	EY 42
19-Mars-1962 (R. du)	AX 45

🏠 **Center** 🛏 🛋 ᴋ ch, 🄰🄲 rest, ♿ 📞 🆎 🅿️ 𝑽𝑰𝑺𝑨 ⓜⓒ 🄰🄴
4 bd Léon-Blum – ℘ *02 98 80 78 07*
🌐 – *www.hotelcenter.com* – *info@hotelcenter.com*
 – *Fax 02 98 80 78 78* BV **p**
146 ch – ♦63 € ♦♦66 €, ⊇ 8 €
Rest – *(fermé 22 déc.-4 janv., sam. et dim. sauf juil.-août)* Menu (12 €), 16 € (sem.)/32 €
 – Carte 24/37 €
♦ Bien agencé pour recevoir la clientèle d'affaires, cet établissement récent propose des chambres de bonne ampleur, pratiques et parfois agrandies d'une mezzanine (lit enfant). Cuisine traditionnelle sans prétention et décor nautique au restaurant.

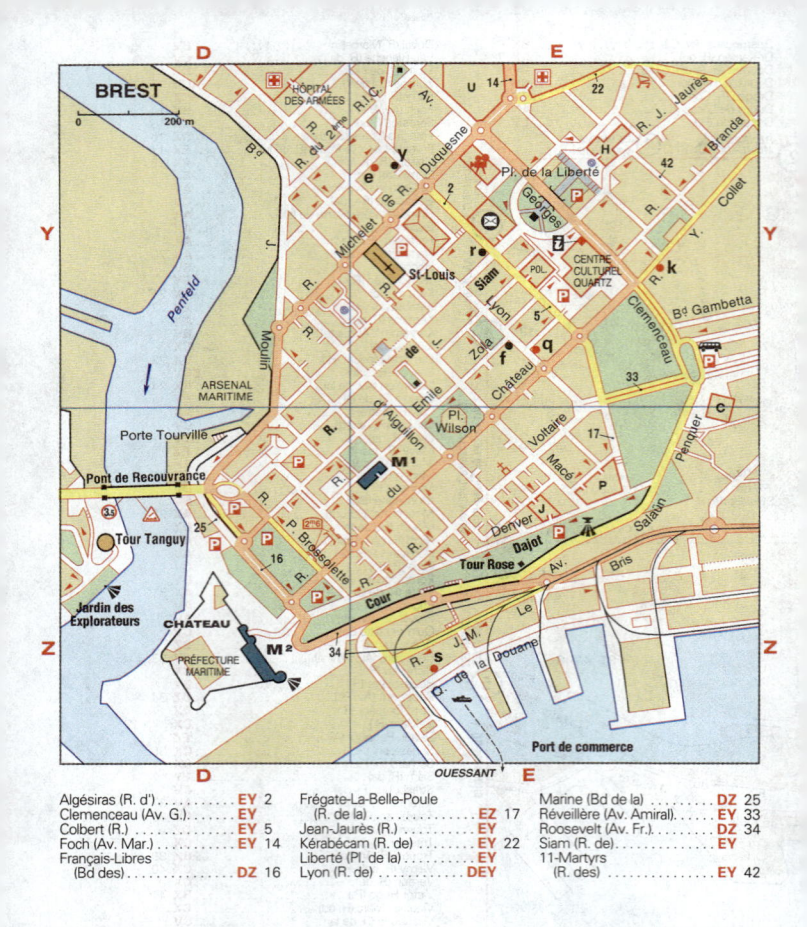

Algésiras (R. d')............ **EY** 2	Frégate-La-Belle-Poule	Marine (Bd de la).......... **DZ** 25
Clemenceau (Av. G.)....... **EY**	(R. de la)................. **EZ** 17	Réveillère (Av. Amiral).... **EY** 33
Colbert (R.).................... **EY** 5	Jean-Jaurès (R.)............ **EY**	Roosevelt (Av. Fr.)......... **DZ** 34
Foch (Av. Mar.).............. **EY** 14	Kérabécam (R. de)....... **EY** 22	Siam (R. de)................. **EY**
Français-Libres	Liberté (Pl. de la).......... **EY**	11-Martyrs
(Bd des).................... **DZ** 16	Lyon (R. de).............. **DEY**	(R. des).................... **EY** 42

🏠 **Du Questel** sans rest   🖃 & 🖇 🛇 🍴 **P.** **VISA** **MC** **AE** **①**
120 r. F.-Thomas – ℘ *02 98 45 99 20 – www.hotel-du-questel.fr*
– hotel-du-questel@orange.fr – Fax 02 98 45 94 02 AV **a**
36 ch – †39/49 € ††49/55 €, ⊡ 8 €

◆ Un hôtel flambant neuf très pratique : proximité de la rocade Nord (mais au calme), chambres fonctionnelles bien tenues, prix tout doux et, sur demande, petit service snack.

XXX **La Fleur de Sel**   ⇔ **VISA** **MC** **AE**
15 bis r. de Lyon – ℘ *02 98 44 38 65 – Fax 02 98 44 38 53 – Fermé 1er-22 août,*
1er-10 janv., sam. midi, lundi midi et dim. EY **q**
Rest – Menu (22 € bc), 30/42 € – Carte environ 55 €

◆ Le chef de cet établissement prépare une savoureuse cuisine inventive sublimant les produits du terroir, les herbes et les saveurs... Intérieur moderne épuré et accueil charmant.

XX **Le M**   🚗 🏡 ⇔ **P.** **VISA** **MC**
22 r. du Cdt-Drogou – ℘ *02 98 47 90 00 – www.le-m.fr – contact@le-m.fr*
– Fax 02 98 47 90 00 – Fermé 17 août-6 sept. BV **b**
Rest – Menu (32 €), 38/52 €

◆ Belle maison bretonne reprise par une nouvelle direction : l'intérieur a gagné en modernité et s'est doté d'un fumoir. Cuisine actuelle adepte du sucré-salé. Jardin fleuri.

BREST

Le Ruffé
1 bis r. Y.-Collet – ℰ 02 98 46 07 70 – www.leruffe.com – le-ruffe@wanadoo.fr
– Fax 02 98 44 31 46 – Fermé dim. soir et lundi   EY k
Rest – Menu (14 €), 20/36 € – Carte 23/54 €

♦ Dans une salle de restaurant mariant décor de bateau et ambiance brasserie, vous goûterez une cuisine traditionnelle réalisée avec les produits du terroir et de la mer.

L'Imaginaire
23 r. Fautras – ℰ 02 98 43 30 13 – imaginaire-restaurant@neuf.fr – Fax 02 98 43 30 13 – Fermé 10-30 août, 1ᵉʳ-16 janv., merc. soir, dim. soir et lundi   EY e
Rest – Menu (17 € bc), 28/56 € – Carte 38/54 €

♦ Ce restaurant a de nombreux fidèles et pour cause : sa cuisine actuelle "terre et mer", utilisant herbes et épices, séduit autant que son décor rafraîchi, pastel et apaisant.

La Maison de l'Océan
2 quai de la Douane, (port de commerce) – ℰ 02 98 80 44 84
– www.maisondelocean.com – Fax 02 98 46 19 83   EZ s
Rest – Menu 17/38 € – Carte 26/104 €

♦ "L'Océan" célébré dans le décor – banc d'écailler, mobilier et bibelots – et dans l'assiette (produits de la mer) : cette adresse du port compte bon nombre de fidèles.

au Nord 5 km par D 788 CV – ⊠ 29200 Brest

Oceania Brest Aéroport
32 av. Baron Lacrosse – ℰ 02 98 02 32 83 – www.oceania
hotels.com – oceania.brestaeroport@oceaniahotels.com – Fax 02 98 41 69 27
82 ch – †59/99 € ††59/130 €, ⊇ 14 €
Rest – (fermé le midi du 1ᵉʳ au 16 août, sam., dim. et fériés) Menu (18 €), 22 € (déj. en sem.) – Carte 24/34 €

♦ Construction des années 1970 bénéficiant de l'agrément d'un petit cadre de verdure. Chambres totalement rénovées, fonctionnelles et spacieuses ; certaines donnent sur la piscine. Lumineux restaurant contemporain où l'on propose des recettes traditionnelles.

au Port du Moulin Blanc 7 km par ⑤ – ⊠ 29200 Brest

Plaisance Hôtel
37 r. du Moulin Blanc – ℰ 02 98 42 33 33 – leplaisancehotel@hotmail.fr
– Fax 02 98 02 59 34
46 ch – †62/72 € ††69/79 €, ⊇ 8 € – ½ P 82/86 €
Rest – (fermé sam. midi en hiver et dim. soir) Menu (14 €), 27/38 € – Carte 31/44 €

♦ Hôtel bien situé proposant des chambres fonctionnelles, toutes identiques, pratiques et colorées. Une adresse idéale pour partir en visite à Océanopolis. Restaurant au décor sobrement contemporain proposant une carte de brasserie.

Ma Petite Folie
r. Eugène Bere – ℰ 02 98 42 44 42 – Fax 02 98 41 43 68
Rest – Menu (16 €), 22/28 € – Carte 35/50 €

♦ Ponts inférieur et supérieur aménagés en salles à manger, décor nautique, terrasse les pieds dans l'eau et belle cuisine de la mer : un second souffle pour ce langoustier de 1952.

BRETENOUX – 46 Lot – 337 H2 – 1 322 h. – alt. 136 m – ⊠ 46130   29 C1
Périgord

◘ Paris 521 – Brive-la-Gaillarde 44 – Cahors 83 – Figeac 48
– Sarlat-la-Canéda 65 – Tulle 47
◘ Office de tourisme, av. de la Libération ℰ 05 65 38 59 53, Fax 05 65 39 72 14
◘ Château de Castelnau-bretenoux★★ : ≤★ SO : 3,5 km.

au Port de Gagnac 6 km au Nord-Est par D 940 et D 14 – ⊠ 46130 Gagnac-sur-Cère

Hostellerie Belle Rive
Port de Gagnac – ℰ 05 65 38 50 04 – www.bellerive-dordogne-lot.com
– hostelleriebellerive@yahoo.fr – Fax 05 65 38 47 72 – Fermé 19 déc.-3 janv.
12 ch – †50 € ††60/75 €, ⊇ 8 € – 1 suite – ½ P 58/65 €
Rest – (fermé vend. soir et dim. soir de mi-avril à mi-juil. et de fin août à mi-oct., sam. sauf le soir de mi-oct. à mi-avril) Menu 16 € (déj. en sem.), 25/40 € – Carte 43/60 €

♦ Dans un hameau au bord de la Cère, vieille maison lotoise disposant de chambres rajeunies, chaleureuses et bien tenues. Salle à manger agréablement rénovée dans un style actuel ; cheminée originale et pressoir en bois du 19ᵉ s. Plats traditionnels revisités.

BRÉTIGNOLLES-SUR-MER – 85 Vendée – 316 E8 – 3 182 h. — 34 A3
– alt. 14 m – ⌂ 85470

▶ Paris 465 – Challans 30 – La Roche-sur-Yon 44 – Nantes 86
🛈 Office de tourisme, 1, boulevard du Nord ☏ 02 51 90 12 78, Fax 02 51 22 40 72

XX **J.-M. Pérochon et Hôtellerie des Brisants** avec ch
63 av. de la Grand'Roche – ☏ 02 51 33 65 53 – www.lesbrisants.com
– perochonjeanmarc@wanadoo.fr – Fax 02 51 33 89 10 – Fermé 12 nov.-4 déc. et 15 fév.-10 mars
15 ch – ♦53/80 € ♦♦58/85 €, ⌂ 9 € – ½ P 67/81 €
Rest – (fermé lundi sauf le soir en juil.-août, dim. soir de sept. à juin et mardi midi) Menu 33/76 € bc – Carte 56/75 €
◆ Jolie vue sur l'Atlantique depuis la grande salle à manger relookée dans un style contemporain épuré et reposant. Carte au goût du jour dictée par la marée. Chambres refaites.

> Grand luxe ou sans prétention ?
> Les X et les 🏠 notent le confort.

BRETTEVILLE-SUR-LAIZE – 14 Calvados – 303 C2 – 1 558 h. — 32 B2
– alt. 54 m – ⌂ 14680

▶ Paris 245 – Caen 18 – Hérouville-Saint-Clair 23 – Lisieux 52

🏠 **Château des Riffets** ⌂ – ☏ 02 31 23 53 21 – www.chateau-des-riffets.com – chateau.riffets@wanadoo.fr – Fax 02 31 23 75 14
4 ch ⌂ – ♦110 € ♦♦170 €   **Table d'hôte** – Menu 50 € bc
◆ Dominant un vaste parc boisé, ce joli château de 1850 abrite des chambres spacieuses et élégantes. Mobilier d'époque et équipements modernes contribuent au confort des lieux. Généreuse cuisine traditionnelle d'inspiration régionale, servie dans une salle à manger de caractère.

LE BREUIL – 71 Saône-et-Loire – 320 G9 – rattaché au Creusot

LE BREUIL-EN-AUGE – 14 Calvados – 303 N4 – 939 h. – alt. 38 m — 33 C2
– ⌂ 14130

▶ Paris 196 – Caen 55 – Deauville 21 – Lisieux 10

XX **Le Dauphin** (Régis Lecomte)
2 r. de l'Église – ☏ 02 31 65 08 11 – www.ledauphin-restaurant.com
– dauphin.le@wanadoo.fr – Fax 02 31 65 12 08 – Fermé 12 nov.-2 déc., vacances de fév., dim. soir et lundi
Rest – Menu 38/46 € – Carte 80/100 €
Spéc. Pressé de langoustines et andouille blanche de Vire. Homard façon Créances. Soufflé au Grand Marnier.
◆ Cette maison normande séduit autant par sa belle cuisine personnalisée que par son cadre rustique chaleureux et soigné (cheminée à blason, cuisinière chromée, aquarelles).

à St-Philbert-des-Champs 2,5 km au Nord-Est par D 264 – 606 h. – alt. 143 m
– ⌂ 14130

🏠 **Le Bonheur est dans le Pré** ⌂
Le Montmain – ☏ 02 31 64 29 79 – http://lebonheurdanslepre.free.fr
– lebonheurdanslepre@wanadoo.fr
3 ch ⌂ – ♦80/98 € ♦♦ €   **Table d'hôte** – Menu 25 € bc/30 € bc
◆ Envie d'un havre de paix en pleine campagne ? Cette ferme (1760) bien restaurée – avec extension plus récente et pavillons – est parfaite. Chambres simples. Petits-déjeuners maison. Assiettes généreuses et spécialités normandes (produits locaux) mitonnées par le patron.

BREUILLET – 17 Charente-Maritime – **324** D5 – 2 178 h. – alt. 28 m — 38 **A3**
– ✉ 17920

> ■ Paris 509 – Poitiers 176 – La Rochelle 69 – Rochefort 39 – Saintes 38

XX **L'Aquarelle** VISA ◎◎
22 rte du Candé – ℰ *05 46 22 11 38 – Fermé 1 sem. en juin, 1 sem. en oct., 1 sem. en janv., mardi midi et lundi*
Rest – Menu 24/66 € – Carte 48/62 €
♦ Intérieur joliment relooké dans les tons verts et carte au goût du jour laissant s'exprimer la créativité – parfois audacieuse – du chef : une vraie bonne petite adresse !

BREUREY-LES-FAVERNEY – 70 Haute-Saône – **314** E6 – rattaché à Faverney

---

BRÉVONNES – 10 Aube – **313** G3 – 584 h. – alt. 120 m – ✉ 10220 — 13 **B3**

> ■ Paris 198 – Bar-sur-Aube 30 – St-Dizier 59 – Troyes 28
> – Vitry-le-François 51

XX **Au Vieux Logis** avec ch 🚗 🍽 & rest, 🛌 📶 **P** VISA ◎◎
⊕ *1 r. Piney –* ℰ *03 25 46 30 17 – www.auvieuxlogis.com – logisbrevonnes@wanadoo.fr – Fax 03 25 46 37 20 – Fermé dim. soir et lundi*
☺ **5 ch** – †46/55 € ††46/55 €, ⊇ 8 € – ½ P 56/63 € **Rest** – Menu 17/34 €
♦ Décor rustique à souhait, douce ambiance familiale et savoureuse carte traditionnelle : tout ce qui faisait le charme des logis de nos grands-mères a été ici jalousement préservé.

BRIANÇON ◈ – 05 Hautes-Alpes – **334** H3 – 12 100 h. – alt. 1 321 m — 41 **C1**
– Sports d'hiver : 1 200/2 800 m ‑🚠 9 🎿 67 🎿 – Casino – ✉ 05100
🏔 **Alpes du Sud**

> ■ Paris 681 – Digne-les-Bains 145 – Gap 89 – Grenoble 119 – Torino 109
> 🚂 ℰ 3635 et tapez 42 (0,34 €/mn)
> 🛈 Office de tourisme, 1, place du Temple ℰ 04 92 21 08 50, Fax 04 92 20 56 45
> 🏌 de Montgenèvre à Montgenèvre Route d'Italie, NE : 12 km, ℰ 04 92 21 94 23
> ◉ Ville haute★★ : Grande Gargouille★, Statue "La France"★ **B** - Chemin de ronde supérieur★, ≤★ de la porte de la Durance - Puy St-Pierre ※★★ de l'église SO : 3 km par Rte de Puy St-Pierre.
> ◉ Croix de Toulouse ≤★★ par Av. de Toulouse et D232ᵀ : 8,5 km.

🏨 **Parc Hôtel** sans rest 📶 & 📶 🏋 **P** VISA ◎◎ AE ①
Central Parc – ℰ *04 92 20 37 47 – www.monalisahotels.com – resa-serre-che1@monalisahotels.com – Fax 04 92 20 53 74*   A **a**
60 ch – †62/114 € ††62/114 €, ⊇ 11 €
♦ Pratique et fonctionnel, cet imposant immeuble, situé en plein centre-ville, propose des chambres spacieuses toutes non-fumeurs.

🏨 **La Chaussée** 📶 VISA ◎◎ AE
4 r. Centrale – ℰ *04 92 21 10 37 – hotel-de-la-chaussee.com*
– hotel-de-la-chaussee@wanadoo.fr – Fax 04 92 20 03 94 – Fermé 28 avril-24 mai et 5-30 oct., lundi midi, mardi midi et merc. midi   A **e**
13 ch – †60/70 € ††65/85 €, ⊇ 8 € – ½ P 60/70 €
Rest – Menu 20/39 € – Carte 21/40 €
♦ D'emblée on se sent bien dans cet hôtel familial transformé en "refuge montagnard" : vieux meubles, objets anciens, chambres coquettes et douillettes, belles salles de bains. Harmonie parfaite entre le décor du restaurant et la cuisine, typiquement locale.

XX **Le Péché Gourmand** **P** VISA ◎◎
☺ *2 rte de Gap –* ℰ *04 92 21 33 21 – Fax 04 92 21 33 21 – Fermé vacances de Pâques, 14-21 sept., mardi midi, dim. soir et lundi*   A **v**
Rest – Menu 25/50 € – Carte 50/70 €
♦ Charme et gourmandise au bord de la Guisane, dans cet ancien moulin converti en restaurant. Cadre rustique égayé de tableaux. Cuisine inventive et beau chariot de fromages.

BRIANÇON

Alphand (R.)	**A** 2	Col-d'Izoard (Av.)	**A** 12	Italie (Rte d')	**A** 18
Baldenberger (Av. P.)	**A** 4	Daurelle (Av. A.)	**A** 13	Pasteur (R.)	**A** 23
Centrale (R.)	**A** 10	Gaulle (Av. Gén.-de)	**A** 16	159e-R.-I.-A. (Av.)	**A** 30

à La Vachette 3 km par ① – ⊠ 05100

Le Vach'tin P VISA ⓒ

rte d'Italie – ℰ 04 92 46 93 13
– *Fermé vacances de la Toussaint et lundi sauf juil.-août*
Rest – *(dîner seult) (prévenir)* Carte 29/49 €

◆ Vieille maison de pays dans un village typique. La salle voûtée a un certain cachet avec son décor mi-rustique, mi-régional. Carte traditionnelle et spécialités locales.

à Puy-St-Pierre 3 km à l'Ouest par D 135 – 496 h. – ⊠ 05100

La Maison de Catherine ⓈⓄ   ← 🍴 ♨ ¶ P VISA ⓒ

chemin des Blés – ℰ 04 92 20 40 89 – www.aubergecatherine.fr
– *aubergecatherine@orange.fr – Fax 04 92 23 50 46 – Fermé 20 avril-4 mai*
11 ch ⊊ – †52 € ††60 € – ½ P 45 €
Rest – *(fermé dim. soir, merc. midi et lundi)* Menu 21/35 €

◆ Une adresse idéale pour les sportifs de montagne. Cette sympathique maison familiale (réservée aux non-fumeurs) abrite des chambres meublées en pin, simples et très propres. Les plats traditionnels sont servis dans une salle à manger décorée d'objets paysans.

> Petit-déjeuner compris ?
> La tasse ⊊ suit directement le nombre de chambres.

BRIARE – 45 Loiret – 318 N6 – 5 660 h. – alt. 135 m – ⊠ 45250   12 **D2**
Châteaux de la Loire

> ◘ Paris 155 – Auxerre 76 – Cosne-sur-Loire 31 – Gien 10 – Orléans 80
> **ᵢ** Office de tourisme, 1, place de Gaulle ℰ 02 38 31 24 51, Fax 02 38 37 15 16

Le Domaine des Roches
2 r. de la Plaine – ℰ *02 38 05 09 00*
– *www.domainedesroches.com* – *contact@domainedesroches.com*
– *Fax 02 38 05 09 05*
12 ch – †95 € ††200 €, ⊇ 14 € – 1 suite   **Rest** – Menu 34/46 €

♦ Surplombant la ville de Briare, cette belle demeure (19ᵉ s.) restaurée abrite de confortables chambres d'esprit classique, et profite d'un parc paisible aménagé pour la détente. Menu-carte actuel, évoluant au gré des saisons, servi dans un cadre élégant et soigné.

BRICQUEBEC – 50 Manche – 303 C3 – 4 221 h. – alt. 145 m – ⊠ 50260   32 **A1**

> ◘ Paris 348 – Caen 115 – Saint-Lô 76 – Cherbourg 26 – Saint Helier 26
> **ᵢ** Office de tourisme, 13, place Sainte-Anne ℰ 02 33 52 21 65,
> Fax 02 33 52 21 65

L'Hostellerie du Château
Cour du Château – ℰ *02 33 52 24 49* – *www.lhostellerie-bricquebec.com*
– *lhostellerie.chateau@wanadoo.fr* – *Fax 02 33 52 62 71* – *Fermé 15 déc.-31 janv.*
17 ch – †72 € ††72/100 €, ⊇ 10 € – ½ P 73/80 €
Rest – *(fermé mardi midi)* Menu (16 €), 21/39 € – Carte 30/50 €

♦ Mélange des genres dans cette maison de caractère : façade gothique, hall moyenâgeux, salle des petits-déjeuners rustique, chambres personnalisées (la "Reine" est la plus belle). Cuisine traditionnelle servie dans un décor fait de poutres et d'énormes colonnes.

BRIDES-LES-BAINS – 73 Savoie – 333 M5 – 575 h. – alt. 580 m   46 **F2**
– **Sports d'hiver : 1 450/2 950 m ⛷ 16 ⛷ 45 ⛷ – Stat. therm. : début mars-fin oct. – Casino – ⊠ 73570** **Alpes du Nord**

> ◘ Paris 612 – Albertville 32 – Annecy 77 – Chambéry 81 – Courchevel 18
>   – Moûtiers 7
> **ᵢ** Office de tourisme, place du Centenaire ℰ 04 79 55 20 64,
> Fax 04 79 55 20 40

Grand Hôtel des Thermes
Parc Thermal – ℰ *04 79 55 38 38*
– *www.gdhotel-brides.com* – *info@gdhotel-brides.com* – *Fax 04 79 55 28 29*
– *Fermé 2 nov.-28 déc.*
102 ch ⊇ – †110 € ††110/170 € – 4 suites   **Rest** – Menu 26 € – Carte 25/35 €

♦ Immeuble du 19ᵉ s. directement relié aux thermes par une passerelle. Chambres amples, de style Art déco, et fitness complet sous la véranda. Vaste salle à manger rétro avec haut plafond et belles poutres en bois préservées. Carte actuelle et menus diététiques.

Golf-Hôtel
– ℰ *04 79 55 28 12* – *www.golfhotel-brides.com* – *golfhotel-brides@wanadoo.fr*
– *Fax 04 79 55 24 78* – *Fermé 1ᵉʳ nov.-25 déc.*
55 ch – †84/142 € ††84/142 €, ⊇ 10 € – 1 suite – ½ P 72/155 €
Rest – *(fermé le midi du 26 déc. au 9 mars)* Menu 26 €

♦ Ce bel hôtel des années 1920 retrouve peu à peu une nouvelle jeunesse. Superbe hall d'accueil, grandes chambres contemporaines offrant, pour certaines, une jolie vue sur la Vanoise. Cuisine traditionnelle servie au restaurant mi-bourgeois, mi-actuel.

Amélie
r. Émile-Machet – ℰ *04 79 55 30 15* – *www.hotel-amelie.com* – *info@hotel-amelie.com* – *Fax 04 79 55 28 08* – *Fermé 1ᵉʳ nov.-19 déc.*
40 ch ⊇ – †91/166 € ††102/177 € – ½ P 90/181 €
Rest *Les Cerisiers* – Menu 21/27 € – Carte 48/58 €

♦ Un hôtel moderne et fonctionnel situé au cœur du village. Chambres bien insonorisées ; salles de bains en marbre. Agréable lounge bar cosy. Dans la salle à manger contemporaine, spécialités du terroir et menus équilibrés.

BRIDES-LES-BAINS

Altis Val Vert
quartier de l'Olympe – ✆ 04 79 55 22 62 – www.altisvalvert.com – altisvalvert@wanadoo.fr – Fax 04 79 55 29 12 – *Fermé 31 oct.-19 déc.*
28 ch – ♦50/61 € ♦♦61/75 €, ☑ 10 € – ½ P 62/65 €
Rest – *(fermé le midi de mi-déc. à début avril)* Menu (17 €), 21 € (sem.)/26 € – Carte environ 37 €
♦ Deux jolis chalets séparés par un ravissant jardin, installés face à l'établissement thermal. Les chambres sont confortables et colorées. Sympathique ambiance locale au restaurant. Charmante terrasse dressée dans le jardin qui prend tout son éclat aux beaux jours.

Des Sources
av. des Marronniers – ✆ 04 79 55 29 22 – www.hotel-des-sources.com – les.sources.1@wanadoo.fr – Fax 04 79 55 27 06 – *Fermé 1er nov.-22 déc.*
70 ch – ♦54/64 € ♦♦56/66 €, ☑ 6 € – ½ P 71/75 €   **Rest** – Menu (16 €), 19 €
♦ Derrière son imposante façade, cet hôtel recèle bien des atouts : accueil soigné, chambres avec balcons, peu à peu rénovées, salons et piscine couverte. Petit air champêtre au restaurant décoré d'une fresque évoquant l'histoire de l'alpinisme.

Le Belvédère sans rest
r. Émile-Machet, quartier des Sources – ✆ 04 79 55 23 41 – www.hotel-73-belvedere.com – hotel.belvedere@wanadoo.fr – Fax 04 79 55 24 96 – *Fermé de fin oct. à mi-déc.*
28 ch ☑ – ♦40/55 € ♦♦74/90 €
♦ Belle maison bourgeoise tournée vers le massif de la Vanoise. Confort et charme dans les chambres, meublées façon chalet. Jacuzzi, hammam et piscine d'été chauffée.

BRIE-COMTE-ROBERT – 77 Seine-et-Marne – **312** E3 – **101** 39 – voir à Paris, Environs

---

LA BRIGUE – 06 Alpes-Maritimes – **341** G3 – rattaché à Tende

---

BRINON-SUR-SAULDRE – 18 Cher – **323** J1 – 1 042 h. – alt. 147 m   12 **C2**
– ✉ 18410

🅟 Paris 190 – Bourges 66 – Cosne-sur-Loire 59 – Gien 37 – Orléans 53 – Salbris 25

Les Bouffards
– ✆ 02 48 58 59 88 – www.bouffards.fr – bouffards@wanadoo.fr – Fax 02 48 58 32 11
5 ch ☑ – ♦70/105 € ♦♦105 € – ½ P 88/120 €   **Table d'hôte** – Menu 18/25 € bc
♦ Sympathique maison familiale pour un séjour au calme au cœur d'un joli parc avec piscine. Vous profiterez de chambres spacieuses et confortables assurant la tranquillité.

BRIOLLAY – 49 Maine-et-Loire – **317** F3 – 2 282 h. – alt. 20 m   35 **C2**
– ✉ 49125

🅟 Paris 288 – Angers 15 – Château-Gontier 44 – La Flèche 45

🆔 Syndicat d'initiative, 6, rue de la Mairie ✆ 02 41 42 16 84, Fax 02 41 37 92 89

🅖 Plafond ★★★ de la salle des Gardes du château de Plessis-Bourré NO : 10 km
   Châteaux de la Loire

par rte de Soucelles 3 km (D 109) – ✉ 49125 Briollay

Château de Noirieux
26 rte du Moulin – ✆ 02 41 42 50 05 – www.chateaudenoirieux.com – noirieux@relais chateaux.com – Fax 02 41 37 91 00
– *Fermé 15 fév.-15 mars, 15 nov.-2 déc., dim. et lundi d'oct. à mai*
19 ch – ♦175/400 € ♦♦175/400 €, ☑ 22 € – ½ P 163/264 €
Rest – *(fermé dim. soir d'oct. à mai, mardi sauf le soir d'oct. à mai et lundi)*
Menu 50 € (déj. en sem.), 62/115 € – Carte 100/125 €
Rest Côté Véranda – *(fermé mardi d'oct. à mai, dim. et lundi) (déj. seult)* Carte 32/49 €
Spéc. Lasagne d'araignée de mer à la truffe. Médaillon de ris de veau de lait légèrement fumé en croûte de thym et citron grillé. Soufflé au Cointreau. **Vins** Saumur, Anjou.
♦ Cette superbe propriété réunit un château du 17e s., un manoir du 15e s. et une chapelle dans un parc dominant le Loir. Chambres raffinées. Élégante salle à manger et terrasse ombragée ; belle cuisine au goût du jour. Le Côté Véranda n'ouvre qu'au déjeuner.

BRION – 01 Ain – **328** G3 – rattaché à Nantua

BRIONNE – 27 Eure – **304** E6 – 4 306 h. – alt. 56 m – ⊠ 27800   33 **C2**
🟩 **Normandie Vallée de la Seine**
- Paris 156 – Bernay 16 – Évreux 40 – Lisieux 40 – Pont-Audemer 27 – Rouen 44
- Office de tourisme, 1, rue du Général-de-Gaulle ✆ 02 32 45 70 51, Fax 02 32 45 70 51
- du Champ de Bataille à Le Neubourg Château du Champ de Bataille, O : 18 km par D 137 et D 39, ✆ 02 32 35 03 72
- Abbaye du Bec-Hellouin★★ N : 6 km – Harcourt : château★ et arboretum★ SE : 7 km.

XXX   Le Logis avec ch
pl. St-Denis – ✆ 02 32 44 81 73 – www.lelogisdebrionne.com – lelogisdebrionne@free.fr – Fax 02 32 45 10 92 – Fermé deux sem. en août, une sem. en nov., deux sem. fév.-mars, sam. midi, dim. soir et lundi
12 ch – †70 € ††€, ⌑ 12 € – ½ P 78/85 €
Rest – Menu (21 €), 29/55 € – Carte environ 66 €

◆ Salle à manger contemporaine agrémentée de nombreuses plantes vertes. On y déguste une cuisine au goût du jour et des spécialités du pays. Chambres garnies de meubles anciens.

BRIOUDE 👁 – 43 Haute-Loire – **331** C2 – 6 695 h. – alt. 427 m   6 **C3**
– ⊠ 43100 🟩 **Auvergne**
- Paris 479 – Clermont-Ferrand 69 – Le Puy-en-Velay 62 – St-Flour 52
- Office de tourisme, place Lafayette ✆ 04 71 74 97 49, Fax 04 71 74 97 87
- Basilique St-Julien★★ (chevet★★, chapiteaux★★).
- Lavaudieu : fresques★ de l'église et cloître★★ de l'ancienne abbaye 9,5 km par ①.

🏠   La Sapinière
av. P.-Chambriard – ✆ 04 71 50 87 30 – hotel.la.sapiniere@wanadoo.fr – Fax 04 71 50 87 39 – Fermé fév., vacances de la Toussaint et dim. soir sauf juil.-août   m
11 ch – †82/90 € ††98/107 €, ⌑ 10 €
Rest – (ouvert de Pâques au 31 déc. et fermé vacances de la Toussaint, dim. soir, lundi et le midi sauf dim.) Menu 22 €, 28/48 € – Carte 35/51 €

◆ Au cœur de la cité mais au calme d'un joli jardin, plaisante maison récente abritant d'amples chambres décorées dans un esprit champêtre. Belle piscine couverte ; jacuzzi. Charpente apparente, bois blond et agréable luminosité au restaurant.

BRIOUDE

Assas (R. d')	2
Blum (Av. Léon)	3
Briand (Bd Aristide)	4
Chambriard (Av. P.)	5
Chapitre (R. du)	6
Chèvrerie (R. de la)	7
Commerce (R. du)	8
La-Fayette (Pl.)	12
Gilbert (Pl. Eugène)	9
Grégoire-de-Tours (Pl.)	10
Lamothe (Av. de)	13
Liberté (Pl. de la)	14
Maigne (R. J.)	15
Mendès-France (Av. P.)	16
Michel-de-l'Hospital (R.)	17
Pascal (R.)	18
République (Av. de la)	19
Résistance (Pl. de la)	20
St-Jean (R.)	21
Sébastopol (R.)	22
Séguret (R.)	23
Talairat (R.)	24
Vercingétorix (Bd)	25
Victor-Hugo (R.)	26
4-Septembre (R. du)	27
14-Juillet (R. du)	28
21-Juin-1944 (R. du)	29

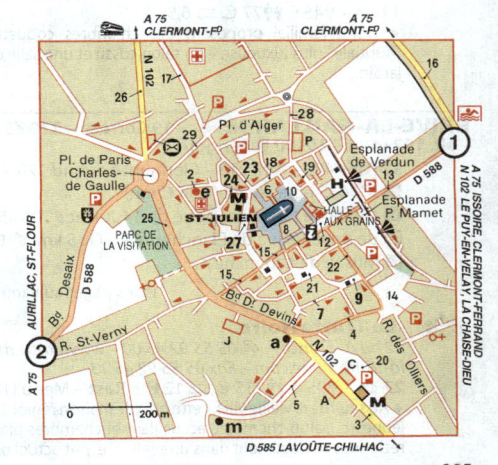

BRIOUDE

Artemis
Parc des Conchettes, Rocade N 102 : 2 km au Nord-Ouest – ℰ 04 71 50 45 04
– *www.artemis-hotel.com – info@artemis-hotel.com – Fax 04 71 50 45 05*
40 ch – †60/74 € ††60/74 €, ⊇ 8 € – ½ P 57/59 €
Rest – Menu (14 €), 17/39 € – Carte 27/56 €
♦ Au bord de la nationale contournant Brioude, cet hôtel propose chambres, jardin, piscine et salle de séminaires. Agencements contemporains et pratiques ; bonne insonorisation. Cuisine traditionnelle dans une salle à manger actuelle aux tons crème.

Poste et Champanne
1 bd Dr-Devins – ℰ 04 71 50 14 62 – *hpbrioude@wanadoo.fr – Fax 04 71 50 10 55*
– *Fermé vacances de la Toussaint, fév., dim. soir et lundi midi*   **a**
17 ch – †49 € ††49/58 €, ⊇ 7 € – ½ P 49 €   **Rest** – Menu 16 € (sem.), 23/45 €
♦ Établissement familial du centre-ville. Chambres rénovées, fonctionnelles dans l'aile principale, plus calmes et confortables à l'annexe. Le restaurant rustique et rétro respire l'authenticité, tout comme la cuisine cent pour cent auvergnate, copieuse et savoureuse.

BRISSAC – 34 Hérault – 339 H5 – 555 h. – alt. 145 m – ⊠ 34190   23 **C2**
▶ Paris 732 – Alès 55 – Montpellier 41 – Le Vigan 25

Jardin aux Sources avec ch
30 av. du Parc – ℰ 04 67 73 31 16 – *www.lejardinauxsources.com – isaje@club-internet.fr – Fax 04 67 73 31 16 – Fermé 20 oct.-8 nov., 2-20 janv., dim. soir, lundi et merc. hors saison*
3 ch ⊇ – †85/110 € ††95/125 €
Rest – *(nombre de couverts limité, prévenir)* Menu (19 €), 29 € (déj. en sem.), 31/70 € – Carte environ 43 €
♦ Maison en pierre au cœur d'un pittoresque village. Jolie salle de restaurant voûtée avec vue sur les cuisines, ravissante terrasse et carte inventive. Chambres coquettes.

BRISSAC-QUINCÉ – 49 Maine-et-Loire – 317 G4 – 2 588 h. – alt. 65 m   35 **C2**
– ⊠ 49320 ▌ Châteaux de la Loire
▶ Paris 307 – Angers 18 – Cholet 62 – Saumur 39
▌ Office de tourisme, 8, place de la République ℰ 02 41 91 21 50, Fax 02 41 91 28 12
◉ Château★★.

Le Castel sans rest
1 r. L.-Moron, (face au château) – ℰ 02 41 91 24 74 – *www.hotel-lecastel.com – le.castel.brissac@wanadoo.fr – Fax 02 41 91 71 55*
11 ch – †45 € ††77 €, ⊇ 6,50 €
♦ Hôtel familial proposant des chambres coquettes et confortables – dont une "nuptiale" plus luxueuse – un salon cossu et une salle des petits-déjeuners ouverte sur le jardin.

BRIVE-LA-GAILLARDE – 19 Corrèze – 329 K5 – 49 900 h.   24 **B3**
– alt. 142 m – ⊠ 19100 ▌ Périgord
▶ Paris 480 – Albi 218 – Clermont-Ferrand 170 – Limoges 92 – Toulouse 201
▬ ℰ 3635 et tapez 42 (0,34 €/mn)
▌ Office de tourisme, place du 14 Juillet ℰ 05 55 24 08 80, Fax 05 55 24 58 24
▬ de Brive Vallée de Planchetorte, SO : 5 km, ℰ 05 55 87 57 57
◉ Musée de Labenche★.

Plans pages suivantes

La Truffe Noire
22 bd A.-France – ℰ 05 55 92 45 00 – *www.la-truffe-noire.com – contact@la-truffe-noire.com – Fax 05 55 92 45 13*   CY **v**
27 ch – †95 € ††115 €, ⊇ 12 €   **Rest** – Menu (18 €), 28/38 € – Carte 28/50 €
♦ Au seuil de la vieille ville, cette grande maison régionale du 19e s. s'est offert une seconde jeunesse. Salon-cheminée accueillant et chambres pimpantes. Truffes et spécialités corréziennes se dégustent dans une salle d'esprit actuel ou en plein air.

BRIVE-LA-GAILLARDE

Blum (Av. L.) . . . . **AX** 4
Clemenceau (Bd) . . . . **AX** 6
Dalton (R. Gén.) . . . . **AX** 7
Dellessert (R. B.) . . . . **AX** 9
Dr-Marbeau (Bd) . . . . **AX** 10
Dormoy (Bd M.) . . . . **AX** 13
Dubois (Bd Cardinal) . . . . **AX** 15
Foch (Av. du Mar.) . . . . . **AX** 17
Germain (Bd Colonel) . . . **AX** 20
Grivel (Bd Amiral) . . . . . . **AX** 22
Hériot (Av. E.) . . . . **AX** 24
Leclerc (Av. Mar.) . . . . . . **AX** 31
Michelet (Bd) . . . . **AX** 33
Paris (Av. de) . . . . **AX** 34
Pasteur (Av.) . . . . **AX** 35
Pompidou (Av. G.) . . . . . **AX** 37

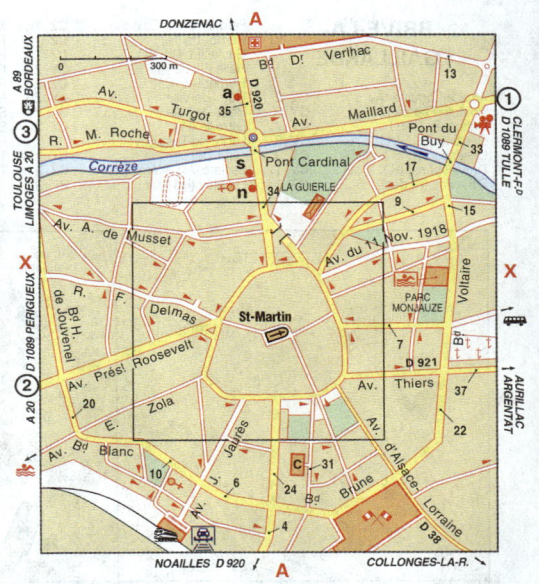

Château de Lacan
r. Jean-Macé, par ① rte de Tulle – ℰ 05 55 74 79 79 – www.chateaulacan.fr
– chateaulacan@orange.fr – Fax 05 55 23 19 83
15 ch – ✝130/250 € ✝✝130/250 €, ⊇ 12 € – ½ P 160/290 €
Rest – (fermé dim. soir et lundi) Menu (19 €), 38/68 € – Carte 45/66 €

♦ Trois maisons anciennes des 11ᵉ-12ᵉ s. qui réussissent le pari d'un décor actuel et design. Couleurs tendance et boiseries anciennes dans les chambres. Restaurant contemporain avec un large comptoir où l'on peut regarder les cuisiniers à l'œuvre. Seconde salle un peu plus classique.

Le Collonges sans rest
3 pl. W.-Churchill – ℰ 05 55 74 09 58 – www.hotel-le-collonges.com
– lecollonges@wanadoo.fr – Fax 05 55 74 11 25   CZ **n**
24 ch – ✝52/57 € ✝✝52/62 €, ⊇ 9 €

♦ Cet hôtel familial est situé en léger retrait du boulevard ceinturant le centre-ville. Salon-bar coquet et chambres sobrement modernes assurent le bien-être des voyageurs.

Le Coq d'Or sans rest
16 bd Jules-Ferry – ℰ 05 55 17 12 92 – www.hotel-coqdor.com – marc.belacel@wanadoo.fr – Fax 05 55 88 39 90   CZ **e**
8 ch – ✝55 € ✝✝60 €, ⊇ 9 €

♦ À deux pas du centre, cet hôtel rénové propose des chambres décorées de meubles anciens et de toile de Jouy. Terrasse à l'ombre d'un platane.

Les Arums
15 av. Alsace-Lorraine – ℰ 05 55 24 26 55 – www.lesarums.fr
– restaurant.lesarums@wanadoo.fr – Fax 05 55 17 13 22 – Fermé 24-31 août, sam. midi, dim. soir et lundi sauf fériés   CZ **a**
Rest – Menu (25 € bc), 38/65 € – Carte 47/65 €

♦ Restaurant au décor contemporain très épuré, rehaussé de toiles modernes colorées. Vous y dégusterez, ainsi que sur la verdoyante terrasse, une cuisine assez créative.

BRIVE-LA-GAILLARDE

Alsace-Lorraine (Av. d')	**CZ** 2
Anatole-France (Bd)	**CY** 3
Dalton (R. Gén.)	**CY** 7
Dauzier (Pl. J.-M.)	**CZ** 8
Dellessert (R. B.)	**CY** 9
Dr-Massénat (R.)	**CY** 12
Échevins (R. des)	**CZ** 14
Faro (R. du Lt-Colonel)	**CZ** 16
Gambetta (R.)	**CZ**
Gaulle (Pl. Ch. de)	**CZ** 18
Halle (Pl. de la)	**CY** 23
Herriot (Av. E.)	**CZ** 24
Hôtel-de-Ville (Pl. de l')	**CY** 26
Hôtel-de-Ville (R. de l')	**BZ** 27
Latreille (Pl.)	**CZ** 30
Lattre-de-Tassigny (Pl. de)	**CZ** 29
Leclerc (Av. Mar.)	**CZ** 31
Lyautey (Bd Mar.)	**BZ** 32
Majour (R.)	**BYZ** 36
Paris (Av. de)	**BY**
Puyblanc (Bd de)	**CZ** 19
Raynal (R. B.)	**CZ** 40
République (Pl. de la)	**BZ** 42
République (R. de la)	**BZ** 43
Salan (R. du)	**CZ** 45
Ségéral-Verninac (R.)	**BY** 46
Teyssier (R.)	**CY** 47
Toulzac (R.)	**CY** 48
14 Juillet (Av. du)	**CY** 21

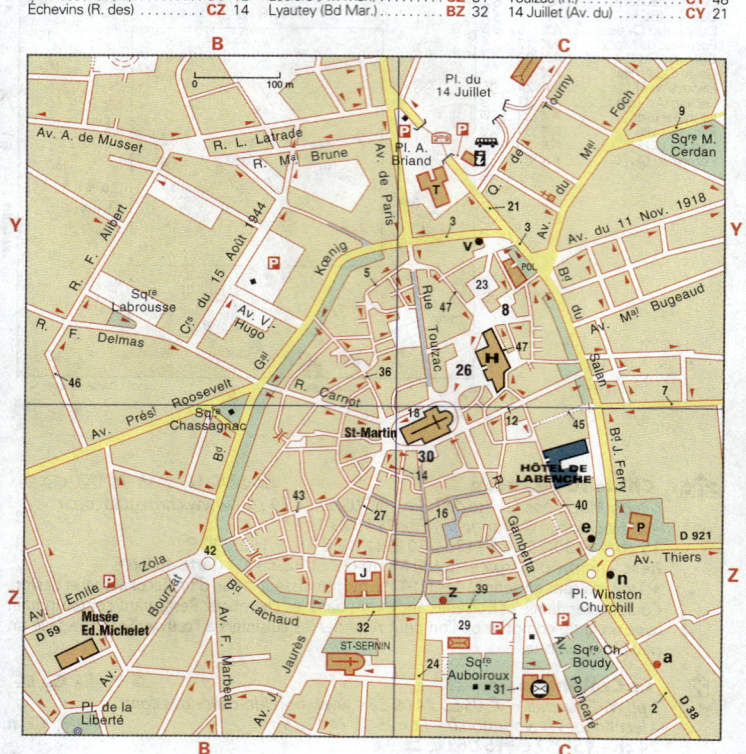

%%% **La Toupine**
😊 *27 av. Pasteur –* ℰ *05 55 23 71 58 – Fax 05 55 23 71 58*
– Fermé 1ᵉʳ-25 août, vacances de fév., dim. et lundi   AX **a**
Rest *– (prévenir)* Menu (13 €), 26/29 € – Carte 35/43 €
♦ Pour manger en toute quiétude, ce restaurant au décor contemporain, mariant avec goût l'inox et le bois de rose, régale d'une savoureuse cuisine au goût du jour.

%%% **La Crémaillère** avec ch
53 av. de Paris – ℰ *05 55 74 32 47 – www.hotel-la-cremaillere.net*
– hotel.restaurant-la.cremaillere@wanadoo.fr – Fax 05 55 74 00 15
– Fermé 21-27 déc., et dim.   AX **n**
8 ch – †49/60 € ††49/60 €, ⊆ 7 € – ½ P 59/70 €
Rest – Menu (24 €), 28/42 €
♦ Sur une artère fréquentée, contraste d'un cadre rustique avec des œuvres contemporaines peintes ou sculptées par un artiste local. Un tilleul centenaire ombrage la terrasse.

BRIVE-LA-GAILLARDE

Chez Francis
VISA MC
61 av. de Paris – ℰ 05 55 74 41 72 – www.chezfrancis.fr – contact@chezfrancis.fr
– Fax 05 55 17 20 54 – Fermé 31 mai-8 juin, 31 août-3 sept., 24-28 janv., dim. et
lundi
AX s
Rest – (nombre de couverts limité, prévenir) Menu 16 € (sem.)/25 €
– Carte 46/68 €
♦ Pubs rétro et dédicaces laissées par les clients décorent ce sympathique restaurant aux allures de bistrot parisien. Cuisine traditionnelle revisitée ; vins du Languedoc.

Auberge de Chanlat
34 r. G-Buisson, (au Sud du plan), 2 km par rte de Noailles – ℰ 05 55 24 02 03
– Fax 05 55 74 39 06 – Fermé 23 juin-1er juil., 25 août-9 sept., lundi et mardi
Rest – Menu (15 €), 28/42 € – Carte 38/68 €
♦ Auberge familiale aux abords de la campagne. Dans le décor contemporain d'une salle panoramique ouverte sur la vallée, dégustez une cuisine d'esprit terroir et à la plancha.

rte d'Aurillac Est par D 921 CZ – ⌂ 19360 Malemort

Auberge des Vieux Chênes
31 av. Honoré-de-Balzac, à 2,5km – ℰ 05 55 24 13 55
– www.aubergedesvieuxchenes.fr – aubergedesvieuxchenes@wanadoo.fr
– Fax 05 55 24 56 82 – Fermé dim. et fériés
16 ch – ♦48/58 € ♦♦50/68 €, ⌂ 6,50 € – ½ P 50/68 €
Rest – Menu (14 €), 18/36 € – Carte 38/65 €
♦ Aux portes de Brive, grande bâtisse abritant café, commerce de tabacs et de journaux et hôtel. Chambres pratiques dont quatre nouvelles, plus spacieuses et modernes. Restaurant au sobre cadre actuel ; cuisine traditionnelle à l'accent du pays.

à Varetz 10 km par ③, D 901 et D 152 – 2 109 h. – alt. 109 m – ⌂ 19240

Château de Castel Novel
à Varetz – ℰ 05 55 85 00 01 – www.castelnovel.com
– novel@relaischateaux.com – Fax 05 55 85 09 03 – Fermé 2-25 janv., dim. soir et lundi sauf juil.-août
32 ch – ♦88/365 € ♦♦108/385 €, ⌂ 20 € – 5 suites
Rest – (fermé à déj. en juil.-août sauf dim., dim. soir et lundi soir de sept. à juin, sam. midi et lundi midi) Menu (25 €), 34 € (déj. en sem.), 43/76 € – Carte 74/85 €
♦ Pour un séjour au calme, sur les pas de Colette qui vécut dans cet ancien château fort des 13e-15e s. en grès rose, au cœur d'un vaste parc. Chambres raffinées et personnalisées. Cuisine classique rendant hommage à l'auteur du Blé en Herbe.

Une nuit douillette sans se ruiner ?
Repérez les Bibs Hôtels.

BRIVEZAC – 19 Corrèze – **329** M5 – rattaché à Beaulieu-sur-Dordogne

BRON – 69 Rhône – **327** I5 – rattaché à Lyon

BROU – 28 Eure-et-Loir – **311** C6 – 3 604 h. – alt. 150 m – ⌂ 28160   11 **B1**
▶ Paris 142 – Chartres 38 – Châteaudun 22 – Le Mans 86
– Nogent-le-Rotrou 33
🛈 Office de tourisme, rue de la Chevalerie ℰ 02 37 47 01 12, Fax 02 37 47 01 12

L'Ascalier
9 pl. du Dauphin – ℰ 02 37 96 05 52 – lascalier@wanadoo.fr – Fax 02 37 47 02 41
– Fermé dim. soir, lundi soir et mardi soir
Rest – (prévenir) Menu (14 €), 19/34 €
♦ Le bel "ascalier" du 16e s. dessert la salle à manger de l'étage. Intérieur rustique, terrasse fleurie et cuisine soignée revisitant la tradition : une adresse très courue.

BROUCKERQUE – 59 Nord – 302 B2 – 1 276 h. – alt. 2 m – ⊠ 59630 — 30 **B1**

▫ Paris 283 – Calais 37 – Cassel 26 – Dunkerque 14 – Lille 74 – St-Omer 28

Middel Houck   🚹 ✥ VISA ◉◎ ㏂
pl. du Village – ℰ 03 28 27 13 46 – www.mh-receptions.com – middelhouck@wanadoo.fr – Fax 03 28 27 19 19 – Fermé 10-19 août, le soir de dim. à vend. et sam.
Rest – Menu 18 € (déj. en sem.), 26/55 € bc – Carte 34/48 €

♦ Murs en briques, superbes poutres apparentes et fleurs fraîches : une atmosphère sympathique se dégage de cet ex-relais de poste. Carte traditionnelle aux accents de la région.

BROUILLA – 66 Pyrénées-Orientales – 344 I7 – 918 h. – alt. 45 m — 22 **B3**
– ⊠ 66620

▫ Paris 873 – Montpellier 176 – Perpignan 20 – Figueres 47 – Roses 66

L'Ancienne Gare sans rest   ≤ 🅿
lieu-dit "Le Millery", 1 km au Nord par D 8 B – ℰ 04 68 89 88 21
– www.anciennegare.net – ancienne-gare@wanadoo.fr – Fermé 20 déc.-6 janv.
5 ch ⊊ – †57 € ††67 €

♦ Tout près de la frontière espagnole, l'ex-gare ferroviaire est devenue une maison d'hôtes très chaleureuse. Chambres romantiques, cachet ancien, terrasse et vue sur le Canigou.

BROUILLAMNON – 18 Cher – 323 I4 – rattaché à Charost

BROUSSE-LE-CHÂTEAU – 12 Aveyron – 338 H7 – 177 h. — 29 **D2**
– alt. 239 m – ⊠ 12480 ▮ Languedoc Roussillon

▫ Paris 696 – Albi 54 – Cassagnes-Bégonhès 35 – Lacaune 50 – Rodez 61
– St-Affrique 29

◉ Village perché★.

Le Relays du Chasteau   ≤ 🄺 rest, 🅿 VISA ◉◎
– ℰ 05 65 99 40 15 – www.le-relays-du-chasteau.com – lerelaysduchasteau@wanadoo.fr – Fax 05 65 99 21 25 – Fermé 20 déc.-20 fév., vend. soir et sam. d'oct. à mai
12 ch – †37/45 € ††37/48 €, ⊊ 7 € – ½ P 42/56 €
Rest – Menu 16/33 € bc – Carte 15/30 €

♦ Jolie maison aveyronnaise aux chambres sobres et fonctionnelles, toutes tournées vers le château médiéval. Une cheminée réchauffe le restaurant d'esprit campagnard (cuivres, bois brut) où l'on apprécie des plats fleurant bon le terroir.

LES BROUZILS – 85 Vendée – 316 I6 – 2 260 h. – alt. 64 m – ⊠ 85260 — 34 **B3**

▫ Paris 427 – Nantes 46 – La Roche-sur-Yon 37 – Cholet 77 – St-Herblain 53

Manoir de la Thébline sans rest   🄻 🞵 ⇔ 🅿
rte de l'Herbergement – ℰ 02 51 42 99 98 – www.manoirthebline.com
– contact@manoirthebline.com
3 ch ⊊ – †90 € ††90 €

♦ De beaux meubles anciens donnent un cachet aux douillettes chambres de cette jolie demeure du 19ᵉ s. Plaisant parc fleuri, salon-billard, bibliothèque. Tenue exemplaire.

BRUAY-LA-BUISSIERE – 62 Pas-de-Calais – 301 I5 – rattaché à Béthune

BRUÈRE-ALLICHAMPS – 18 Cher – 323 K6 – rattaché à St-Amand-Montrond

BRÛLON – 72 Sarthe – 310 H 7 – 1 411 h. – alt. 102 m – ⊠ 72350 — 35 **C1**

▫ Paris 239 – Nantes 167 – Le Mans 41 – Laval 55 – La Flèche 43

🄸 Office de tourisme, place Albert Liébault ℰ 02 43 95 05 10,
Fax 02 43 95 05 10

Château de l'Enclos sans rest   🄻 ⇔ 🞲 🅿
2 av. de la Libération – ℰ 02 43 92 17 85 – www.chateau-enclos.com
– jean-claude.guillou5@wanadoo.fr
4 ch ⊊ – †100 € ††100/150 €

♦ Cette belle maison bourgeoise recèle bien des trésors : salon original dans la cave, chambres cosy au château, "kota" (maison lapone en bois) perchée sur trois arbres du parc.

BRUMATH – 67 Bas-Rhin – 315 K4 – 9 825 h. – alt. 145 m – ⊠ 67170 — 1 B1

Paris 472 – Haguenau 14 – Molsheim 45 – Saverne 35 – Strasbourg 19

XXX À L'Écrevisse
4 av. de Strasbourg – ℰ 03 88 51 11 08 – www.hostellerie-ecrevisse.com
– ecrevisse@wanadoo.fr – Fax 03 88 51 89 02
Rest – Menu 38/69 € – Carte 47/71 €
Rest *Krebs'Stuebel* – (fermé lundi soir et mardi) Menu 19/27 € – Carte 29/49 €
◆ Maison alsacienne dirigée par la même famille depuis sept générations. Salle de restaurant cossue où l'on sert une cuisine classique. Au Krebs'Stuebel, atmosphère et décor de type winstub ; cuisine ad hoc et tapas.

LE BRUSC – 83 Var – 340 J7 – rattaché à Six-Fours-les-Plages

BRY-SUR-MARNE – 94 Val-de-Marne – 312 E2 – 101 18 – voir à Paris, Environs

---

BUELLAS – 01 Ain – 328 D3 – 1 538 h. – alt. 225 m – ⊠ 01310 — 43 E1

Paris 424 – Annecy 120 – Bourg-en-Bresse 9 – Lyon 69 – Mâcon 32

X L'Auberge Bressane
10 rte de Buelle – ℰ 04 74 24 20 20 – www.auberge-buellas.com
– Fax 04 74 24 20 20 – Fermé 2-8 août, vacances de Toussaint, 16-28 fév., dim. soir, mardi et merc.
Rest – Menu (12 € bc), 21/43 € – Carte 34/47 €
◆ De belles recettes du terroir, un zeste de saveurs du Sud et une dose d'inventivité : on se régale dans ce restaurant (ex-boulangerie) au décor méridional. Service attentionné.

LE BUGUE – 24 Dordogne – 329 G6 – 2 760 h. – alt. 62 m – ⊠ 24260 — 4 C3
Périgord

Paris 522 – Bergerac 47 – Brive-la-Gaillarde 72 – Périgueux 42
 – Sarlat-la-Canéda 32

Office de tourisme, porte de la Vézère ℰ 05 53 07 20 48, Fax 05 53 54 92 30

de La Marterie à Saint-Félix-de-Reillac-et-Mortemart Domaine de la Marterie, N : 13 km par D 710, ℰ 05 53 05 61 00

Gouffre de Proumeyssac★★ S : 3 km.

Domaine de la Barde
rte de Périgueux – ℰ 05 53 07 16 54 – www.domainedelabarde.com – hotel@domainedelabarde.com – Fax 05 53 54 76 19 – Fermé 3 janv.-15 mars
18 ch – †95/155 € ††95/240 €, ⊇ 15 € – ½ P 128/171 €
Rest *Le Vélo Rouge* – (fermé le midi du mardi au vend. et lundi) Menu 39 € (sem.)
– Carte environ 52 €
◆ Ce beau manoir périgourdin (18ᵉ s.) s'ouvre sur un jardin à la française. Les deux annexes, un moulin et une ancienne forge, abritent de vastes chambres décorées avec goût. Au Vélo Rouge, on fait la part belle à la tradition, sans renier quelques spécialités régionales.

rte de Sarlat 3 km à l'Est par D 703 et rte secondaire ⊠ 24260

Maison Oléa sans rest
La Combe de Leygue – ℰ 05 53 08 48 93 – www.olea-dordogne.com – info@olea-dordogne.com – Fax 05 53 08 48 93 – Fermé 21 déc.-4 janv.
5 ch ⊇ – †70/90 € ††75/95 €
◆ Une maison d'hôtes où chaque chambre possède une loggia orientée plein sud, avec vue sur la vallée de la Vézère. Décoration harmonieuse. Piscine d'été et jardin potager.

à Campagne 4 km au Sud-Est par D 703 – 317 h. – alt. 60 m – ⊠ 24260

Du Château
– ℰ 05 53 07 23 50 – hotduchateau@aol.com – Fax 05 53 03 93 69
– Ouvert 1ᵉʳ avril-15 oct.
12 ch ⊇ – †52/60 € ††52/60 €, ⊇ 8 € – ½ P 57/67 €
Rest – Menu 20/35 € – Carte 35/55 €
◆ Au cœur du Périgord Noir, face au Château de Campagne, auberge de caractère, dont les chambres anciennes et bien tenues ont un esprit champêtre. Décor rustique dans la salle à manger et la véranda ; cuisine sans prétention.

BUIS-LES-BARONNIES – 26 Drôme – 332 E8 – 2 283 h. – alt. 365 m — 44 B3
– ✉ 26170 ■ Alpes du Sud

- ▶ Paris 685 – Carpentras 39 – Nyons 29 – Orange 50 – Sault 38 – Sisteron 72 – Valence 130
- ᵢ Office de tourisme, 14, boulevard Eysserie ℘ 04 75 28 04 59, Fax 04 75 28 13 63
- ◉ Vieille ville ★.

Les Arcades-Le Lion d'Or sans rest 🚗 🏊 ⚒ ¶ 🚐 VISA ☯
pl. du Marché – ℘ 04 75 28 11 31 – www.hotelarcades.fr – info@hotelarcades.fr – Fax 04 75 28 12 07 – *Ouvert de mars à nov.*
15 ch – †45/68 € ††55/73 €, ⊇ 8,50 € – 1 suite
◆ L'entrée de l'hôtel se fait sous les belles arcades (15ᵉ s.) de la place centrale. Chambres rénovées, joliment personnalisées. Le charmant jardin intérieur vaut le coup d'œil.

LE BUISSON-CORBLIN – 61 Orne – 310 F2 – rattaché à Flers

LE BUISSON-DE-CADOUIN – 24 Dordogne – 329 G6 – 2 114 h. — 4 C3
– alt. 63 m – ✉ 24480

- ▶ Paris 532 – Bergerac 38 – Brive-la-Gaillarde 81 – Périgueux 52 – Sarlat-la-Canéda 36
- ᵢ Office du tourisme, place André Boissière ℘ 05 53 22 06 09, Fax 05 53 22 06 09

Le Manoir de Bellerive ≤ 🚗 🐾 ⚒ 🏊 ⚒ ⚒ ch, 📺 ch, ⚒ ¶ 🚐 🅿 VISA ☯ AE
rte de Siorac : 1,5 km – ℘ 05 53 22 16 16
– www.bellerivehotel.com – manoir.bellerive@wanadoo.fr – Fax 05 53 22 09 05
– *Fermé 30 nov.-12 fév.*
21 ch – †135/260 € ††135/260 €, ⊇ 18 € – ½ P 123/185 €
Rest *Les Délices d'Hortense* – *(fermé lundi sauf juil.-août, mardi d'oct. à mai et le midi du lundi au jeudi)* Menu 48/90 € – Carte 80/92 €
Rest *La Table de Louis* – bistrot *(fermé lundi midi)* Menu (22 €), 28 €
Spéc. Marbré de volaille et foie gras. Chou farci à l'araignée de mer. Épaule d'agneau du Quercy confite aux épices. **Vins** Pécharmant, Bergerac.
◆ Esprit villégiature champêtre pour les chambre de ce manoir Napoléon III : grands miroirs, tentures fleuries, meubles de style et vue sur le parc à l'anglaise ou sur la Dordogne. Élégante salle dans les tons ocre et prune ; cuisine classique personnalisée aux Délices d'Hortense. Plats traditionnels à La Table de Louis.

à Paleyrac 4 km au Sud-Est par D 25 et rte secondaire – ✉ 24480

Le Clos Lascazes sans rest 🚗 🐾 🏊 ⚒ ¶ 🅿 VISA ☯
– ℘ 05 53 74 33 94 – www.clos-lascazes.fr – clos-lascazes@wanadoo.fr
– Fax 05 53 74 03 22 – *Ouvert de mars à mi-nov.*
5 ch – †68/89 € ††68/89 €, ⊇ 8 €
◆ Trois maisons de siècles différents invitent à une étape détente très tranquille (parc, piscine d'eau salée). Chambres lumineuses aux murs blancs, tissus brodés, gravures...

BULGNEVILLE – 88 Vosges – 314 D3 – 1 284 h. – alt. 350 m — 26 B3
– ✉ 88140 ■ Alsace Lorraine

- ▶ Paris 342 – Belfort 133 – Épinal 55 – Langres 71 – Vesoul 92
- ᵢ Syndicat d'initiative, 105, rue de l'Hôtel de Ville ℘ 03 29 09 14 67, Fax 03 29 09 14 67

Benoit Breton sans rest 🚗 ¶ 🅿
74 r. des Récollets – ℘ 03 29 09 21 72 – benoitbreton.chambresdhotes@wanadoo.fr – Fax 03 29 09 21 72
4 ch ⊇ – †65 € ††70 €
◆ Antiquaire de son métier, monsieur Breton a posé sa patte dans le décor : chambres spacieuses aux meubles et bibelots raffinés. Poules, canards, chèvre... s'ébattent au jardin.

BULGNEVILLE

XX **La Marmite Beaujolaise** 🛳 VISA ◎ AE
34 r. de l'Hôtel-de-Ville – ℰ 03 29 09 16 58
☺ – www.restaurant-lamarmitebeaujolaise.com – Fermé 31 déc.-14 janv., dim. soir et lundi
Rest – Menu 14 € (déj. en sem.), 21/39 € – Carte 38/50 €
♦ Auberge du 17ᵉ s. où l'on sert une cuisine traditionnelle de bons produits et orientée sur le terroir. Cadre rustique raffiné : poutres, pierres apparentes, cheminée.

BULLY – 69 Rhône – **327** G4 – 2 003 h. – alt. 313 m – ✉ 69210 43 **E1**
▶ Paris 471 – Lyon 32 – Saint-Étienne 92 – Villeurbanne 41

XX **Auberge du Château** 🛳 ♿ VISA ◎ AE
pl. de l'Église – ℰ 04 74 01 25 36 – www.aubergedu-chateau.com
☺ – aubergeduchateau@yahoo.fr – Fax 04 74 72 50 95 – Fermé
5-11 mai, 1ᵉʳ-15 sept., 1ᵉʳ-15 janv., mardi de nov. à mars, sam. midi, dim. soir et lundi
Rest – Menu 20 € (déj. en sem.), 28/59 € – Carte 45/70 €
♦ En face de l'église du village, cette vénérable auberge de 1749 cache un restaurant rénové : salle et terrasse d'esprit actuel. Cuisines visibles ; menu-carte moderne.

Un hôtel charmant pour un séjour très agréable ?
Réservez dans un hôtel avec pavillon rouge : 🏠 ... 🏨.

BURLATS – 81 Tarn – **338** F9 – rattaché à Castres

BURNHAUPT-LE-HAUT – 68 Haut-Rhin – **315** G10 – 1 550 h. 1 **A3**
– alt. 300 m – ✉ 68520
▶ Paris 454 – Altkirch 16 – Belfort 32 – Mulhouse 17 – Thann 12

🏨 **Le Coquelicot** 🚗 🛳 ♿ ch, 🕮 rest, 🛜 🅿️ VISA ◎ AE
au Pont d'Aspach, 1 km au Nord – ℰ 03 89 83 10 10 – www.le coquelicot.fr
🍴 – info@aigleor.com – Fax 03 89 83 10 33 – Fermé 26 déc.-4 janv.
26 ch – †68 € ††68 €, ⌑ 11 € – ½ P 62/72 €
Rest – (fermé 25 juil.-10 août, 26 déc.-4 janv., sam. midi et dim. soir) Menu (12 €), 24/57 € – Carte 27/49 €
♦ Le village est aux portes de la pittoresque région du Sundgau. Hôtel proche d'axes routiers fréquentés, disposant de chambres confortables et fonctionnelles. Tons pastel et tissus fleuris créent l'ambiance printanière de la salle à manger du Coquelicot.

BUSNES – 62 Pas-de-Calais – **301** I4 – rattaché à Béthune

BUSSEAU-SUR-CREUSE – 23 Creuse – **325** J4 – ✉ 23150 Ahun 25 **C1**
▶ Paris 368 – Aubusson 27 – Guéret 17
◉ Moutier d'Ahun : boiseries★★ de l'église SE : 5,5 km - Ahun : boiseries★ de l'église SE : 6 km, ▮ **Berry Limousin**

XX **Le Viaduc** avec ch ⇐ 🛜 VISA ◎
9 Busseau Gare – ℰ 05 55 62 57 20 – www.restaurant-leviaduc.com
– ch-cl-lemestre@wanadoo.fr – Fax 05 55 62 55 80 – Fermé 5-25 janv., dim. soir et lundi
7 ch – †48 € ††48 €, ⌑ 7 € – ½ P 65 €
Rest – Menu (15 €), 26/45 € – Carte 14/20 €
♦ Cette auberge tire profit de sa situation dominante : la salle à manger rustique et la terrasse offrent une belle vue sur un viaduc de 1863 qui enjambe la Creuse. Chambres bien tenues.

LA BUSSIÈRE – 45 Loiret – **318** N5 – 774 h. – alt. 160 m – ✉ 45230 — 12 **D2**
Bourgogne

■ Paris 142 – Auxerre 74 – Cosne-sur-Loire 46 – Gien 14 – Montargis 29 – Orléans 79

◎ Château des pêcheurs★.

Le Nuage
95 bis r. Briare – ℰ 02 38 35 90 73 – www.lenuage.com – contact@lenuage.com – Fax 02 38 35 90 62 – Fermé 2-20 janv.
16 ch – †48 € ††52 €, ⊇ 7 € – 1 suite – ½ P 43 €
Rest – (dîner seult sauf week-ends) (résidents seult en sem.) Menu 12 € (dîner) – Carte 20/40 €

◆ Établissement récent de type motel situé aux portes du village. Chambres pratiques et joliment aménagées. Détente assurée, salle de fitness. Plats classiques et grillades servis dans une salle à manger toute rose surmontée d'un salon en mezzanine.

LA BUSSIÈRE-SUR-OUCHE – 21 Côte-d'Or – **320** I6 – 159 h. — 8 **C2**
– alt. 320 m – ✉ 21360 **Bourgogne**

■ Paris 297 – Dijon 34 – Chalon-sur-Saône 63 – Beaune 34 – Autun 59

Abbaye de la Bussière
D 33 – ℰ 03 80 49 02 29 – www.abbayedelabussiere.fr – info@abbayedelabussiere.fr – Fax 03 80 49 05 23
16 ch – †175/450 € ††175/450 €, ⊇ 29 € – ½ P 190/366 €
Rest – (fermé lundi, mardi et le midi sauf dim.) Menu 60 € (dîner), 80/110 € – Carte 97/141 €
Rest *Le Bistrot* – (fermé lundi et mardi) (déj. seult) Menu 29/33 €
Spéc. Les couteaux "XL" au crabe royal acidulé et crémeux iodé. Cochon cul noir et jus au poivre noir de Tasmanie. Soufflé chaud au cassis frais. **Vins** Morey Saint-Denis, Beaune blanc.

◆ Au cœur d'un superbe parc, une abbaye cistercienne (12ᵉ s.) restaurée avec soin, dotée de chambres fastueuses très confortables et de salons cossus. Le restaurant (ancien cloître) met à l'honneur une fine cuisine qui respecte la qualité des produits et les saisons. Cadre rustique et choix simplifié à midi au Bistrot.

BUSSY-ST-GEORGES – 77 Seine-et-Marne – **312** F2 – **101** 20 – voir à Paris, Environs (Marne-la-Vallée)

BUXEUIL – 86 Vienne – **317** N7 – rattaché à Descartes

BUXY – 71 Saône-et-Loire – **320** I9 – 2 164 h. – alt. 263 m – ✉ 71390 — 8 **C3**

■ Paris 351 – Chagny 25 – Chalon-sur-Saône 17 – Montceau-les-Mines 33
🛈 Office de tourisme, place de la gare ℰ 03 85 92 00 16, Fax 03 85 92 00 57

Relais du Montagny sans rest
12 rte de Chalon – ℰ 03 85 94 94 94 – www.lerelaisdumontagny.fr – le.relais.du.montagny@wanadoo.fr – Fax 03 85 92 07 19 – Fermé 19-27 déc., 3-24 janv., vend. soir et dim. soir de nov. à mars
30 ch – †52/60 € ††54/64 €, ⊇ 10 €

◆ Cet établissement abrite des chambres fonctionnelles toutes identiques, un bar et un billard. Idée d'excursion à proximité : la Voie Verte, ex-chemin de fer converti en promenade.

Aux Années Vins
2 Grande-Rue – ℰ 03 85 92 15 76 – www.aux-annees-vins.com – aux.annees.vins@wanadoo.fr – Fax 03 85 92 12 20 – Fermé 24 août-2 sept., 25 janv.-24 fév., merc. sauf le soir du 1ᵉʳ avril au 11 nov., lundi soir du 11 nov. au 31 mars et mardi
Rest – Menu (17 €), 21/59 € – Carte 35/53 €

◆ Bien située au centre du village, grande salle de restaurant ornée d'une cheminée en pierre. Terrasse intérieure agrémentée de barriques. Cuisine traditionnelle soignée.

BUZANÇAIS – 36 Indre – **323** E5 – 4 581 h. – alt. 111 m – ⊠ 36500   11 **B3**

- Paris 286 – Le Blanc 47 – Châteauroux 25 – Chatellerault 78 – Tours 91
- Syndicat d'initiative, 11, passage du Marché ℰ 02 54 84 22 00, Fax 02 54 02 13 45

L'Hermitage
1 chemin de Vilaine – ℰ 02 54 84 03 90 – www.lhermitagehotel.com
– logis-hermitage@wanadoo.fr – Fax 02 54 02 13 19 – Fermé 2-25 janv., dim. soir et lundi sauf juil.-août, lundi midi en juil.-août
12 ch – †59 € ††71 €, ⊇ 8 € – ½ P 68/85 €
Rest – *(prévenir le week-end)* Menu 16 € (déj. en sem.), 26/52 €
– Carte 40/60 €

◆ Propriété accueillante agrémentée d'un jardin arboré où se glisse l'Indre. Les chambres, de style rustique et bien équipées, profitent presque toutes de cette vue apaisante. Aux beaux jours, on sert les repas sous une pergola ouverte sur la terrasse.

CABANAC-SÉGUENVILLE – 31 Haute-Garonne – **343** E2 – 128 h.   28 **B2**
– alt. 200 m – ⊠ 31480

- Paris 668 – Colomiers 39 – Montauban 46 – Toulouse 51

Château de Séguenville
par D 1 et D 89A – ℰ 05 62 13 42 67 – www.chateau-de-seguenville.com – info@chateau-de-seguenville.com – Fermé 15 déc.-15 janv.
5 ch ⊇ – †105 € ††120 €
Table d'hôte – *(fermé sam. en juil.-août et dim.)* Menu 25/50 €

◆ Joli château gascon du 19ᵉ s. entouré d'arbres centenaires. Vastes chambres meublées avec goût ; l'une d'elles ouvre sur une immense terrasse dominant la campagne. Cuisine régionale.

CABESTANY – 66 Pyrénées-Orientales – **344** I6 – rattaché à Perpignan

CABOURG – 14 Calvados – **303** L4 – 4 027 h. – alt. 3 m – Casino   32 **B2**
– ⊠ 14390 ▌Normandie Vallée de la Seine

- Paris 220 – Caen 24 – Deauville 23 – Lisieux 35 – Pont-l'Évêque 34
- Office de tourisme, jardins de l'Hotel deVille ℰ 02 31 06 20 00, Fax 02 31 06 20 10
- Public de Cabourg Avenue de l'Hippodrome, 1 km par av. de l'Hippodrome, ℰ 02 31 91 70 53
- de Cabourg Le Home à Varaville 38 avenue du Pdt René Coty, par rte de Caen : 3 km, ℰ 02 31 91 25 56

Plan page suivante

Grand Hôtel
prom. M.-Proust – ℰ 02 31 91 01 79 – www.mercure.com – h1282@accor.com – Fax 02 31 24 03 20   **A s**
68 ch – †165/370 € ††165/370 €, ⊇ 20 € – 2 suites
Rest – *(fermé janv., lundi et mardi sauf juil.-août)* Menu (33 €), 45 €
– Carte 56/74 €

◆ Palace du front de mer hanté par le souvenir de Marcel Proust : sa chambre attitrée est reconstituée à l'identique. Les autres restent personnalisées et confortables. Cuisine traditionnelle et ambiance raffinée dans l'élégante salle à manger ouvrant côté plage.

Mercure Hippodrome
av. M.-d'Ornano, par av. Hippodrome A
– ℰ 02 31 24 04 04 – www.mercure.com
– mercurecabourghippodrome@wanadoo.fr – Fax 02 31 91 03 99
75 ch – †105/149 € ††105/149 €, ⊇ 13 €
Rest – *(ouvert 1ᵉʳ avril-15 nov.) (dîner seult)* Carte 20/30 €

◆ Deux bâtiments récents d'allure normande jouxtant l'hippodrome. Chambres aménagées dans un style contemporain et pratique. Chaleureuse et agréable salle à manger profitant d'une belle vue sur le champ de courses.

CABOURG

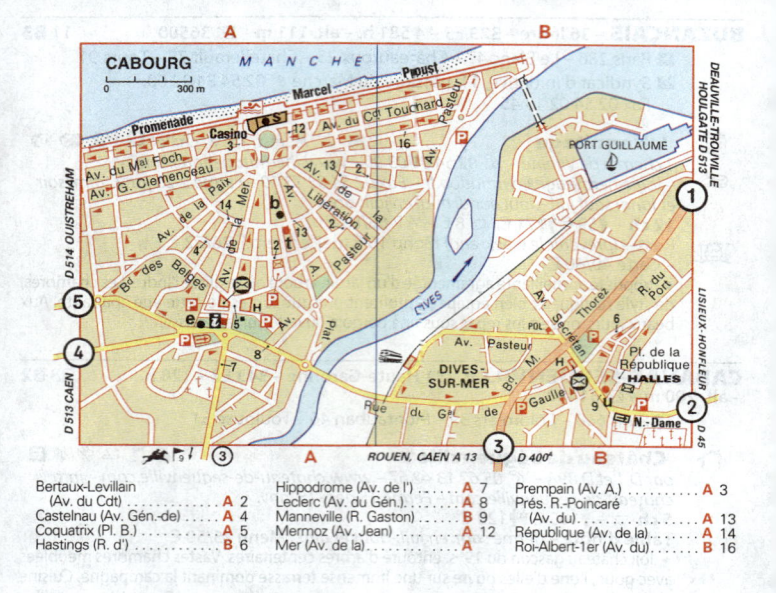

Bertaux-Levillain (Av. du Cdt) . . . . **A** 2	Hippodrome (Av. de l') . . . . **A** 7	Prempain (Av. A.) . . . . **A** 3
Castelnau (Av. Gén.-de) . . . . **A** 4	Leclerc (Av. du Gén.) . . . . **A** 8	Prés. R.-Poincaré (Av. du) . . . . **A** 13
Coquatrix (Pl. B.) . . . . **A** 5	Manneville (R. Gaston) . . . . . **B** 9	République (Av. de la) . . . . **A** 14
Hastings (R. d') . . . . **B** 6	Mermoz (Av. Jean) . . . . **A** 12	Roi-Albert-1er (Av. du) . . . . . . **B** 16
	Mer (Av. de la) . . . . **A**	

🏨 Du Golf 🚗 🍽 📺 ♿ 📶 🅿 🅿 VISA MC AE ①

av. M.-d'Ornano, par av. Hippodrome A
– ✆ 02 31 24 12 34 – www.hotel-du-golf-cabourg.com – contact@hotel-du-golf-cabourg.com – Fax 02 31 24 18 51
– *Ouvert 16 mars-15 nov.*
39 ch – †60/78 €, ††60/78 €, ⊇ 8 € – ½ P 57/66 €
Rest – *(fermé le midi du 30 sept. au 15 nov., vend. et dim.)* Menu 18 € (déj.), 25/37 € – Carte 20/45 €

♦ Cet établissement de type motel, situé en bordure du golf, abrite des chambres simples et fonctionnelles, de plain-pied avec le jardin ou la terrasse. La salle à manger, confortable et sobrement contemporaine, est tournée vers les greens.

🏠 Castel Fleuri sans rest 🚗 ♿ 📶 VISA MC AE ①

4 av. Alfred-Piat – ✆ 02 31 91 27 57 – www.castel-fleuri.com – info@castel-fleuri.com – Fax 02 31 24 03 48 – *Fermé 5-24 janv.*
22 ch ⊇ – †74 € ††79 €   A b

♦ Maison de maître de 1920 précédée d'un joli jardin où l'on sert le petit-déjeuner dès les premiers beaux jours. Chambres coquettes et fraîches. Accueil aimable et souriant.

🏠 Le Cottage sans rest 🚗 ♿ 📶 VISA MC

24 av. Gén.-Leclerc – ✆ 02 31 91 65 61
– info@hotel-cottage-cabourg.com   A e
14 ch – †49/58 € ††54/68 €, ⊇ 7 €

♦ Atmosphère de maison d'hôtes en ce cottage des années 1900 devancé par un jardinet. Les chambres, simples mais régulièrement rafraîchies, offrent toutes un décor différent.

🍴 Le Baligan 🍽 MC VISA MC

8 av. Alfred-Piat – ✆ 02 31 24 10 92
– www.lebaligan.fr – info@lebaligan.fr – Fax 02 31 28 99 09
– *Fermé 21 déc.-10 janv. et merc. sauf fériés*   A t
Rest – Menu 17 € (déj. en sem.), 27/55 € – Carte 29/48 €

♦ Dans ce bistrot au décor très marin (cannes à pêche, lithographies, fresque), on vous propose les produits de la criée locale ; fraîcheur garantie ! Terrasse d'été sur rue.

CABOURG

à Dives-sur-Mer Sud du plan – 5 881 h. – alt. 3 m – ⌧ 14160

🛈 Office de tourisme, rue du Général-de-Gaulle ✆ 02 31 91 24 66, Fax 02 31 24 42 28

◉ Halles★.

Chez le Bougnat
27 r. G.-Manneville – ✆ 02 31 91 06 13 – www.chezlebougnat.fr
– chezlebougnat@orange.fr – Fax 02 31 91 09 87 – Fermé 6-12 oct.,
22 déc.-10 janv. et le soir du dim. au merc. hors vacances scolaires   B u
Rest – Menu 17 € (déj. en sem.), 23/27 € – Carte 21/48 €

♦ Ancienne quincaillerie transformée en bistrot convivial. Murs tapissés de vieilles affiches et étonnant bric-à-brac d'objets chinés en guise de décor. Carte selon le marché.

au Hôme 2 km par ⑤ – ⌧ 14390

🛈 Syndicat d'initiative, Mairie ✆ 02 31 24 73 83, Fax 02 31 24 72 41

Manoir de la Marjolaine sans rest
5 av. du Prés.-Coty – ✆ 02 31 91 70 25 – http://manoirdelamarjolaine.free.fr
– eric.faye@orange.fr – Fax 02 31 91 77 10
5 ch – †70/80 € ††80/120 €

♦ Après être tombé sous le charme du parc arboré, vous serez séduit par ce manoir (1850) et ses spacieuses chambres personnalisées, ornées de tableaux originaux. Accueil sympathique.

Au Pied des Marais
26 av. du Prés.-Coty – ✆ 02 31 91 27 55 – Fax 02 31 91 86 13
– Fermé 16-24 juin, 15-27 déc., 26 janv.-11 fév., mardi et merc. sauf le soir
en juil.-août
Rest – Menu 21 € bc (déj. en sem.), 31/51 € – Carte 44/72 €

♦ Plats traditionnels, spécialités (dont les fameux pieds de cochon) et grillades cuites au feu de bois, à apprécier dans un cadre rustique agrémenté de touches actuelles.

CABRERETS – 46 Lot – 337 F4 – 231 h. – alt. 130 m – ⌧ 46330   29 C1
Périgord

▶ Paris 565 – Cahors 26 – Figeac 44 – Gourdon 42 – St-Céré 58
– Villefranche-de-Rouergue 44

🛈 Office de tourisme, place du Sombral ✆ 05 65 31 29 06, Fax 05 65 31 29 06

◉ Château de Gontaut-Biron★ - ≤★ de la rive gauche du Célé.

◉ Grotte du Pech Merle★★★ NO : 3 km.

Auberge de la Sagne
rte grotte de Pech-Merle – ✆ 05 65 31 26 62 – www.hotel-auberge-cabrerets.com
– contact@hotel-auberge-cabrerets.com – Fax 05 65 30 27 43 – Ouvert
15 mai-15 sept.
8 ch – †50/54 € ††50/54 €, ⌑ 7 €
Rest – (dîner seult) (nombre de couverts limité, prévenir) Carte 26/33 €

♦ Maison d'inspiration régionale aux chambres simples, mais accueillantes dans leur style campagnard ; celles du dernier étage sont mansardées. Joli jardin ombragé. Le Lot se met à la table du restaurant, sobrement rustique et réchauffé par une cheminée.

CABRIÈRES – 30 Gard – 339 L5 – 1 309 h. – alt. 120 m – ⌧ 30210   23 D2

▶ Paris 695 – Avignon 33 – Alès 64 – Arles 40 – Nîmes 15 – Orange 45
– Pont-St-Esprit 52

L'Enclos des Lauriers Roses
71 r. du 14-Juillet – ✆ 04 66 75 25 42 – www.hotel-lauriersroses.com – reception@
hotel-lauriersroses.com – Fax 04 66 75 25 21 – Ouvert 14 mars-7 nov.
20 ch – †80/110 € ††80/110 €, ⌑ 12 € – 2 suites – ½ P 70/95 €
Rest – Menu 24/43 € – Carte 33/50 €

♦ Dans le village, bâtisses gardoises ouvertes sur un joli jardin planté de cinq variétés de lauriers roses. Coquettes chambres provençales ; la plupart possèdent une terrasse. Restaurant dont le joli décor évoque la Provence. Cuisine classique et régionale.

CABRIÈRES-D'AVIGNON – 84 Vaucluse – 332 D10 – 1 744 h. – alt. 167 m – ⌧ 84220 ■ Provence

42 **E1**

▶ Paris 715 – Aix-en-Provence 74 – Avignon 34 – Marseille 88

La Bastide de Voulonne
D 148 – ℰ 04 90 76 77 55 – www.bastide-voulonne.com – contact@bastide-voulonne.com – Fax 04 90 76 77 56 – Ouvert de mi-fév. à mi-nov.
13 ch – †90/149 € ††90/149 €, ⌧ 12 € – ½ P 86/113 €
Rest – (fermé dim. sauf de juin à sept.) (dîner seult) (résidents seult) Menu 32 €
♦ En pleine campagne, au milieu des vignes et des arbres fruitiers, une bastide de 1764 joliment restaurée. Chambres coquettes et soignées, accueil charmant et séjours à thèmes. Le soir, menu unique (orienté terroir) à la table d'hôte ou sur la terrasse ombragée.

Le Vieux Bistrot avec ch
Grande-Rue – ℰ 04 90 76 82 08 – www.vieuxbistrot.com – resa@vieuxbistrot.com – Fax 04 90 76 98 98 – Fermé 1er-15 déc., 1er-20 janv., le midi de juin à août, dim. sauf le soir en saison, sam. midi et lundi
5 ch ⌧ – †65/100 € ††65/100 €
Rest – Menu (15 €), 28/37 € – Carte 28/47 €
♦ Une belle maison de village abrite cet authentique bistrot au cachet préservé (miroirs, affiches anciennes, vieux comptoir). Ambiance conviviale et cuisine régionale actualisée. Chambres personnalisées avec goût, dotées de terrasses au dernier étage.

CABRIS – 06 Alpes-Maritimes – 341 C6 – rattaché à Grasse

CADEROUSSE – 84 Vaucluse – 332 B9 – 2 712 h. – alt. 40 m – ⌧ 84860

42 **E1**

▶ Paris 667 – Marseille 124 – Avignon 28 – Nîmes 65 – Arles 92

La Bastide des Princes
chemin de Bigonnet – ℰ 04 90 51 04 59 – www.bastide-princes.com – paumel.pierre@orange.fr – Fax 04 90 51 04 59 – Ouvert 8 avril-15 nov.
5 ch ⌧ – †109/120 € ††109/135 € **Table d'hôte** – Menu 45 € bc/110 € bc
♦ Un séjour de rêve chez Pierre Paumel, Maître Cuisinier de France, dans une superbe demeure du 17e s. entourée d'un parc. Chambres cosy très soignées, piscine, espace détente. Ce chef prépare de délicieuses recettes de saison, dont il dévoile les secrets lors de cours de cuisine.

LA CADIÈRE-D'AZUR – 83 Var – 340 J6 – 4 239 h. – alt. 144 m – ⌧ 83740 ■ Côte d'Azur

40 **B3**

▶ Paris 815 – Aix-en-Provence 66 – Brignoles 53 – Marseille 45 – Toulon 22
🛈 Office du tourisme, place Général-de-Gaulle ℰ 04 94 90 12 56, Fax 04 94 98 30 13
◉ ≤★ - Le Castelet : Village★ NE : 4 km.

Hostellerie Bérard (René et Jean-François Bérard)
av. Gabriel-Péri – ℰ 04 94 90 11 43
– www.hotel-berard.com – berard@hotel-berard.com – Fax 04 94 90 01 94
– Fermé 4 janv.-13 fév.
35 ch – †93/174 € ††93/174 €, ⌧ 20 € – 2 suites – ½ P 133/173 €
Rest – (fermé mardi sauf le soir du 15 mai au 1er oct. et lundi) Menu 49/146 € – Carte 86/130 €
Rest *Le Petit Jardin* – (fermé jeudi sauf le soir du 10 juil. au 1er sept. et merc.) Carte 31/52 €
Spéc. Salade de homard version contemporaine. Poulette de Bresse rôtie à la broche, fourrée sous la peau à la brousse d'herbes. Figues gratinées au miel de romarin (automne-hiver). **Vins** Bandol, Côtes de Provence.
♦ Cette hôtellerie familiale, composée de maisons de caractère dont un couvent du 11e s., abrite de belles chambres provençales. Superbe spa d'inspiration gallo-romaine. Restaurant tourné vers le vignoble de Bandol, jolie terrasse et cuisine actuelle. Coin bistrot au Petit Jardin, idéal pour manger sur le pouce.

CADILLAC – 33 Gironde – **335** J7 – 2 435 h. – alt. 16 m – ✉ 33410 — **3 B2**
Aquitaine

- Paris 607 – Bordeaux 41 – Langon 12 – Libourne 40
- Office de tourisme, 9, place de la Libération ℘ 05 56 62 12 92, Fax 05 56 76 99 72

Du Château de la Tour
av. de la libération, (D 10) – ℘ 05 56 76 92 00
– www.hotel-restaurant-chateaudelatour.com – contact@hotel-restaurant-chateaudelatour.com – Fax 05 56 62 11 59
32 ch – †75/105 € ††90/145 €, ⊇ 11 €
Rest – *(fermé dim. soir de nov. à fév.)* Menu (15 €), 28/55 € – Carte 36/53 €

♦ Bâti dans l'ancien potager du château des ducs d'Épernon, l'hôtel, refait par étapes, abrite des chambres actuelles, un sauna et un jacuzzi. Parc bordé d'une rivière. Restaurant sous charpente, terrasse d'été, carte traditionnelle et spécialités régionales.

CAEN P – 14 Calvados – **303** J4 – 108 900 h. – Agglo. 199 490 h. — **32 B2**
– alt. 25 m – ✉ 14000 **Normandie Cotentin**

- Paris 236 – Alençon 105 – Cherbourg 125 – Le Havre 91 – Rennes 189
- de Caen-Carpiquet : ℘ 02 31 71 20 10, par D 9 : 7 km.
- Office de tourisme, 12, place Saint-Pierre ℘ 02 31 27 14 14, Fax 02 31 27 14 13
- de Caen à Biéville-Beuville Le Vallon, N : 5 km par D 60, ℘ 02 31 94 72 09
- de Garcelles à Garcelles-Secqueville Route de Lorguichon, par rte de Falaise : 15 km, ℘ 02 31 39 09 09
- Abbaye aux Hommes★★ : église St-Etienne★★ - Abbaye aux Dames★ : église de la Trinité★★ - Chevet★★, frise★★ et voûtes★★ de l'église St-Pierre★ - Église et cimetière St-Nicolas★ - Tour-lanterne★ de l'église St-Jean **EZ** - Hôtel d'Escoville★ **DY B** - Vieilles maisons★ (n° 52 et 54 rue St-Pierre) **DY K** - Musée des Beaux-Arts★★ dans le château★ **DX M¹** - Mémorial★★★ **AV** - Musée de Normandie★ **DX M²**.

Plans pages suivantes

Le Dauphin
29 r. Gemare – ℘ 02 31 86 22 26 – www.le-dauphin-normandie.com
– dauphin.caen@wanadoo.fr – Fax 02 31 86 35 14 **DY a**
37 ch – †80/185 € ††90/190 €, ⊇ 14 € – ½ P 85/130 €
Rest – *(fermé 23 juil.-10 août, 26 oct.-4 nov., 15-21 fév., sam. midi et dim.)*
Menu (19 €), 23 € (sem.)/56 € – Carte 40/80 €

♦ Ancien prieuré proche des murailles du château. Chambres personnalisées, parfois agrémentées de poutres patinées et de meubles de style. Agréable salle à manger bourgeoise et cuisine traditionnelle aux accents du terroir. Cadre normand dans le salon-bar attenant.

Moderne sans rest
116 bd Mar.-Leclerc – ℘ 02 31 86 04 23 – www.hotel-caen.com – info@hotel-caen.com – Fax 02 31 85 37 93 **DY d**
40 ch – †85/120 € ††100/260 €, ⊇ 14 €

♦ Discrète construction d'après-guerre aux chambres régulièrement rafraîchies. Au 5ᵉ étage, la salle des petits-déjeuners offre une vue sur les toits de la ville.

Mercure Port de Plaisance sans rest
1 r. Courtonne – ℘ 02 31 47 24 24
– www.mercure.com – h0869@accor.com – Fax 02 31 47 43 88 **EY b**
126 ch – †89/160 € ††89/180 €, ⊇ 15 € – 3 suites

♦ Hôtel de chaîne face au port de plaisance. Le hall expose des tableaux d'artistes locaux. Chambres de bonne ampleur, progressivement rajeunies dans un style plus actuel.

Des Quatrans sans rest
17 r. Gemare – ℘ 02 31 86 25 57 – www.hotel-des-quatrans.com – contact@hotel-des-quatrans.com – Fax 02 31 85 27 80 **DY p**
47 ch – †57 € ††66 €, ⊇ 8 €

♦ Au cœur du centre-ville, près du château, hôtel vous accueillant dans un salon-bar cosy. Chambres chaleureuses et propres, régulièrement rénovées (plus calmes sur l'arrière).

CAEN

Du Château sans rest
5 av. du 6-Juin – ℰ 02 31 86 15 37 – www.hotel-chateau-caen.com
– hotel-chateau-caen@wanadoo.fr – Fax 02 31 86 58 08
EY n
24 ch – †50 € ††60 €, ⊇ 8 €

◆ Entre le port de plaisance et le château, adresse sympathique profitant d'un emplacement de choix. Chambres assez petites et sobrement décorées dans les coloris pastel.

Du Havre sans rest
11 r. du Havre – ℰ 02 31 86 19 80 – www.hotelduhavre.com – resa@
hotelduhavre.com – Fax 02 31 38 87 67 – Fermé 17 déc.-3 janv.
EZ v
19 ch – †48 € ††55/60 €, ⊇ 8 €

◆ Cet hôtel familial, régulièrement rafraîchi, propose des chambres sans luxe mais pratiques, très tranquilles côté église. Tenue scrupuleuse et prix doux. Accueil aimable.

Bristol sans rest
31 r. 11-Novembre – ℰ 02 31 84 59 76 – www.hotelbristolcaen.com
– hotelbristol@wanadoo.fr – Fax 02 31 52 29 28
EZ s
24 ch – †55/70 € ††70/90 €, ⊇ 8 €

◆ Cet édifice de 1955 proche de l'hippodrome et de la gare abrite des chambres bien tenues, bénéficiant toutes d'un double vitrage. Petit-déjeuner sous forme de buffet.

De France sans rest
10 r. de la Gare – ℰ 02 31 52 16 99 – www.hoteldefrance-caen.com – contact@
hoteldefrance-caen.com – Fax 02 31 83 23 16
EZ e
47 ch – †64/93 € ††64/93 €, ⊇ 9 €

◆ À deux pas de la gare, établissement rénové doté de chambres d'ampleur moyenne, simples et nettes (bonne literie, mobilier en bois plaqué et double vitrage).

Le Pressoir
3 av. H.-Chéron – ℰ 02 31 73 32 71 – www.restaurant-le-pressoir.com – info@
restaurant-le-pressoir.com – Fax 02 31 26 76 64 – Fermé 8-15 août, dim. soir, sam. midi et lundi
AV v
Rest – Menu 33 € (déj. en sem.), 49/75 € – Carte 60/75 €

◆ Située dans les faubourgs de la ville, maison ancienne – autrefois relais de diligence – joliment restaurée. Décor d'esprit contemporain ; jardin d'hiver. Cuisine au goût du jour.

Incognito (Stéphane Carbone)
14 r. de la Courtonne – ℰ 02 31 28 36 60 – www.restaurant-incognito.fr – reservation@restaurant-incognito.fr – Fax 02 31 53 75 58 – Fermé août, sam. midi et dim.
Rest – Menu (26 €), 29 € (déj.), 39/95 € – Carte 45/85 €
EY u

Spéc. Foie gras de canard poêlé, réduction de vinaigre balsamique. Saint-Pierre à l'étuvée, infusion pomme-citronnelle. L'intemporel baba au rhum et ananas Victoria.

◆ Restaurant contemporain près du bassin St-Pierre : cuisines ouvertes sur la salle, espace fumoir à l'extérieur. Le chef signe des plats épurés, précis dans les cuissons et les harmonies de saveurs.

La Normande
41 bd du Mar.-Leclerc – ℰ 02 31 30 10 40 – brasserielanormande@hotmail.fr
– Fax 02 31 30 10 41
DY j
Rest – Menu 18 € bc/28 € – Carte 35/55 €

◆ Brasserie chic au cœur de Caen, tout près du théâtre. La clientèle d'affaires y vient pour sa cuisine soignée et son cadre lumineux (véranda, fresques sur les années 1900).

ArchiDona
9 r. Gémare – ℰ 02 31 85 30 30 – www.archidona.fr – contact@archidona.fr
– Fax 02 31 85 27 80 – Fermé 1er-15 août, dim. et lundi
DY h
Rest – Menu (14 €), 18 € (déj. en sem.), 25/46 € – Carte 30/42 €

◆ L'Archidona – nom d'un village andalou – est situé près du château. Cadre contemporain sobre et épuré, lumières tamisées au dîner, cuisine dans l'air du temps.

Villa Eugène
75 bd André-Detolle – ℰ 02 31 75 12 12 – info@villa-eugene.fr
– Fax 02 31 74 43 04 – Fermé sam. midi, dim. et fériés
AV q
Rest – Menu (16 €), 21 € (déj.) – Carte 28/40 €

◆ Ce nouveau restaurant plaît grâce à son décor plutôt branché aux tons prune et sa terrasse verdoyante protégée de la rue par des arbustes. Cuisine actuelle, bon choix de vins.

CAEN

Baladas (Bd des) .... **AV** 6	Côte-de-Nacre (Av. de la) ... **AV** 24	Pasteur (R. L.) .... **BV** 63
Chemin-vert (R. du) .... **AV** 19	Courseulles (Av. de) .... **AV** 25	Père-Ch.-de-Foucault (Av.) . **AV** 64
Chéron (Av. Henri) .... **AV** 20	Délivrande (R. de) .... **AV** 29	Poincaré (Bd R.) .... **BV** 66
Clemenceau (Av. G.) ...... **BV** 22	Demi-Lune (Pl. de la) ...... **BV** 30	Pompidou (Bd G.) .... **AV** 67
Copernic (Av. N.) .... **ABV** 23	Lyautey (Bd Mar.) .... **AV** 53	Rethel (Bd de) .... **AV** 70
	Montalivet (Cours) .... **BV** 59	Richemond (Bd) .... **AV** 71
	Montgomery (Av. Mar.) .... **AV** 60	Rouen (Av. de) .... **BV** 95
	Mountbatten (Av. Am.) .... **BV** 62	Trouville (Rte de) .... **BV** 84

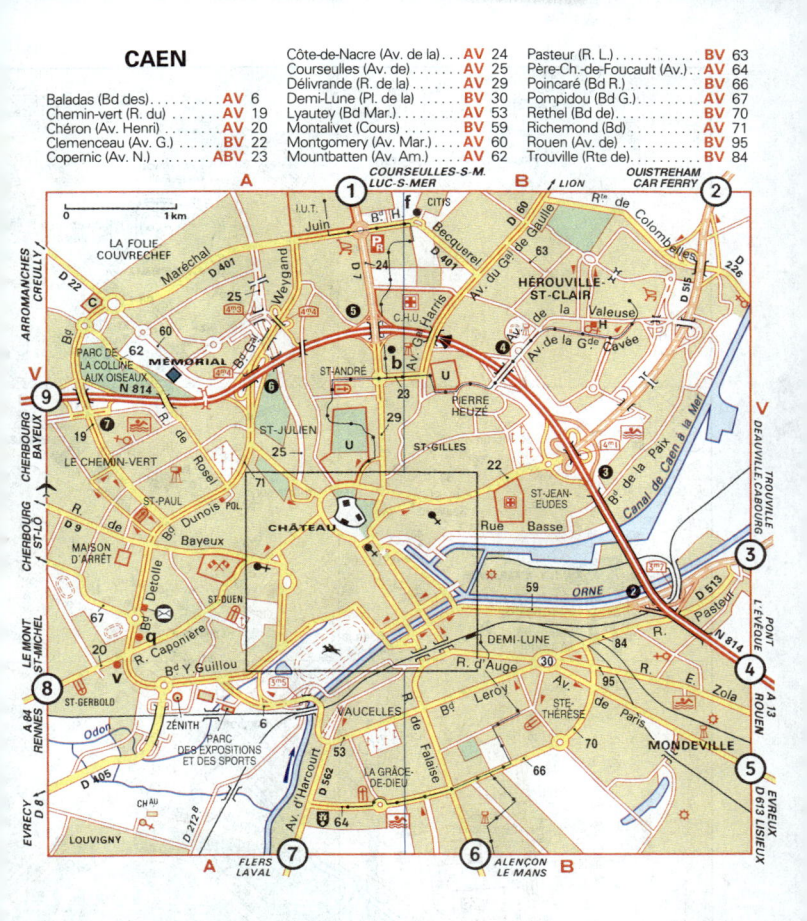

✂✂ **Le Carlotta** 🅰🅲 **VISA** 🆖 🅰🅴

16 quai Vendeuvre – 𝒞 *02 31 86 68 99 – www.lecarlotta.fr – Fax 02 31 38 92 31*
– Fermé dim.   EY **m**
Rest – Menu 23 € (sem.)/37 € – Carte 42/48 €
◆ Grande brasserie d'inspiration Art déco fréquentée pour son atmosphère animée et sa cuisine typique du genre, enrichie de plats de poissons. Véranda ouverte, l'été, sur le port.

✂ **Café Mancel** 🍴 ♿ 🅰🅲 **VISA** 🆖 🅰🅴
😊 *au Château –* 𝒞 *02 31 86 63 64 – www.cafemancel.com – cafe.mancel@*
wanadoo.fr – Fax 02 31 86 63 40 – Fermé vacances de fév., dim. soir et
lundi   DX **t**
Rest – Menu (17 €), 23/34 € – Carte 26/39 €
◆ Discret car situé dans le château, le Café du Musée des Beaux-Arts mérite le détour : sobre cadre contemporain, terrasse, soirées musicales et surtout appétissante cuisine actuelle.

✂ **Pub William's** 🍴 🅰🅲 **VISA** 🆖 🅰🅴

13 r. Prairies-St-Gilles – 𝒞 *02 31 93 45 52 – pubwilliams@aol.com*
– Fax 02 31 93 45 52 – Fermé 3-23 août et dim.   EY **t**
Rest – Menu (18 €), 23/33 € – Carte 26/50 €
◆ Près du bassin Saint-Pierre, pub chaleureux dont le décor allie comptoir en bois, poutres, cheminées, copies des tapisseries de Bayeux. À l'ardoise, plats traditionnels de saison.

Pain et Beurre   AC VISA MC
46 r. Guillaume-le-Conquérant – ✆ 02 31 86 04 57 – Fermé 1er-20 août, sam. midi, dim. soir et lundi   CY **r**
Rest – Menu (22 €), 28 €

♦ Près de l'église Saint-Étienne et de l'abbaye aux Hommes, cette maison sur trois niveaux a revu son cadre d'origine dans un esprit épuré. Carte fusion à base de produits de saison.

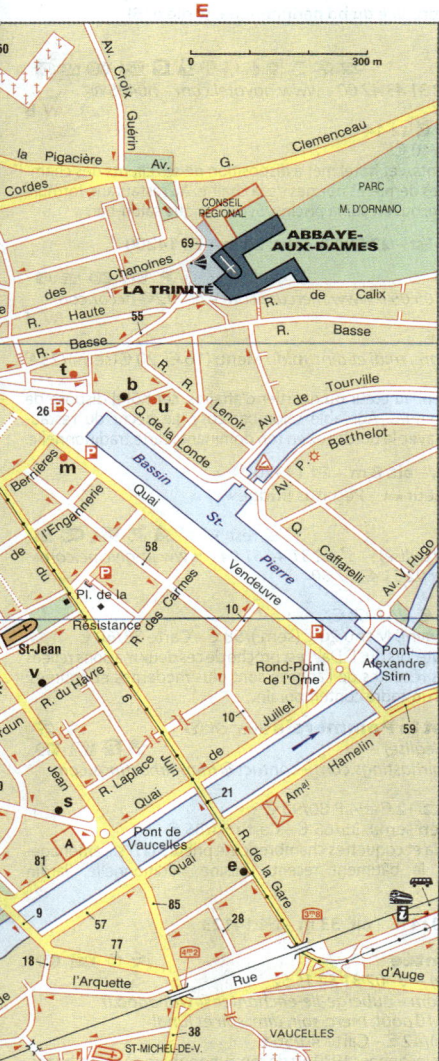

CAEN

Académie (R. de l')	**CY** 2
Alliés (Bd des)	**DY** 3
Bagatelle (Av. de)	**CX** 4
Barbey-d'Aurevilly (R.)	**CX** 7
Bayeux (R. de)	**CX** 8
Bir-Hakeim (Pont de)	**EZ** 9
Brunet (R. H.)	**EYZ** 10
Caponière (R.)	**CY** 12
Carrières-St-Julien (R. des)	**CDX** 13
Caumont (R. A. de)	**CY** 15
Chanoine X. de St-Paul (R.)	**CDX** 16
Chaussée-Ferrée (R. de la)	**EZ** 18
Churchill (Pont)	**EZ** 21
Courtonne (Pl.)	**EY** 26
Creully (Av. de)	**CX** 27
Decaen (R. Gén.)	**EZ** 28
Délivrande (R. de la)	**DX** 29
Docteur-Rayer (R.)	**CX** 32
Doumer (R. Paul)	**DY** 33
Écuyère (R.)	**CY**
Édimbourg (Av. d')	**DX** 35
Falaise (R. de)	**EZ** 38
Foch (Pl. Mar.)	**DZ** 39
Fontette (Pl.)	**CY** 40
Froide (R.)	**DY** 42
Fromages (R. aux)	**CY** 43
Guillaume-le-Conquérant (R.)	**CY** 45
Guillouard (Pl. L.)	**CY** 46
Juifs (R. aux)	**CX** 47
Lair (R. P.-A.)	**DY** 49
Lebisey (R. de)	**EX** 50
Lebret (R. G.)	**DYZ** 51
Leclerc (Bd Mar.)	**DYZ**
Libération (Av. de la)	**DXY** 52
Malherbe (Pl.)	**CDY** 54
Manissier (R.)	**EX** 55
Marot (R. J.)	**CY** 56
Meslin (Q. E.)	**EZ** 57
Miséricorde (R. de la)	**EYZ** 58
Montalivet (Cours)	**EZ** 59
Montoir-Poissonnerie (R.)	**DY** 61
Pémagnie (R.)	**CX** 63
Petit-Vallerent (Bd du)	**CZ** 65
Pont-St-Jacques (R. du)	**DY** 68
Reine-Mathilde (Pl.)	**EX** 69
Sadi-Carnot (R.)	**DZ** 72
St-Gabriel (R.)	**CX** 74
St-Jean (R.)	**DEYZ**
St-Manvieu (R.)	**CY** 75
St-Michel (R.)	**EZ** 77
St-Nicolas (R.)	**CY** 78
St-Pierre (Pl.)	**DY** 80
St-Pierre (R.)	**DY**
Sévigné (Prom. de)	**EZ** 81
Strasbourg (R. de)	**DY** 83
Vaucelles (R. de)	**EZ** 85
Vaugueux (R. du)	**DX** 86
6-Juin (Av. du)	**DEYZ**
11-Novembre (R. du)	**DEZ** 90

✗ **Le Bouchon du Vaugueux**   VISA ⓂⒸ
12 r. Graindorge – ℰ 02 31 44 26 26 – Fermé 9-24 août, dim. et lundi   **DY g**
🍽 **Rest** – bistrot – (prévenir) Menu 18 € (sem.)/26 €
😊 – Carte environ 30 €

♦ Sous ses airs simples, ce sympathique bistrot au style bouchon vous régale de plats actuels, sensibles aux saisons. Sélection de vins de petits producteurs à l'ardoise.

413

CAEN
à l'échangeur Caen-Université (bretelle du bd périphérique, sortie n° 5) – ⊠ 14000 Caen

⛨ Novotel Côte de Nacre
av. de la Côte-de-Nacre – ℰ 02 31 43 42 00 – www.novotel.com – h0405@accor.com – Fax 02 31 44 07 28

AV b

126 ch – ♦75/139 € ♦♦75/139 €, ⊇ 14 €
Rest – Menu (20 €) – Carte 24/40 €

♦ Proche d'axes routiers importants, cet hôtel met à disposition de ses clients des chambres rénovées en majorité selon les dernières normes de la chaîne. Au restaurant, formule Novotel Café dans un cadre épuré, ouvert sur la piscine. Sympathique salon-bar.

à Hérouville St-Clair 3 km au Nord-Est – 23 000 h. – alt. 20 m – ⊠ 14200

⛨ Mercure Côte de Nacre
2 pl. Boston-Citis – ℰ 02 31 44 05 05 – www.mercure.com – h5712@accor.com – Fax 02 31 44 95 94

BV f

88 ch – ♦90 € ♦♦110 €, ⊇ 14 €
Rest – (fermé 24 déc.-3 janv., sam. midi et dim. midi) Menu (16 €), 20 € (sem.)/23 € – Carte 30/44 €

♦ Tout près du Mémorial de Caen, au cœur du quartier d'affaires, cet hôtel dispose de chambres fonctionnelles, bien tenues. Agréable salon-bar cosy. Le décor du restaurant s'inscrit dans le style anglais, avec le bordeaux en ton dominant ; carte traditionnelle.

à Bénouville 10 km par ② – 1 924 h. – alt. 8 m – ⊠ 14970

Château★ : escalier d'honneur★★ - Pegasus Bridge★.

La Glycine
11 pl. Commando-n° 4, (face à l'église) – ℰ 02 31 44 61 94 – www.la-glycine.com – la-glycine@wanadoo.fr – Fax 02 31 43 67 30
– Fermé 20 déc.-10 janv.

35 ch – ♦58 € ♦♦68 €, ⊇ 8,50 € – ½ P 68 €
Rest – (fermé dim. soir d'oct. à avril) Menu 20 € (sem.)/58 € – Carte 38/60 €

♦ Le fameux Pegasus Bridge disputé lors du "D Day" est proche de ces deux maisons reliées par un patio fleuri. Les chambres récentes de l'annexe sont plus modernes et épurées. Cuisine traditionnelle servie dans un cadre contemporain.

✕✕ Le Manoir d'Hastings et la Pommeraie avec ch
18 av. Côte-de-Nacre, (près de l'église) –
ℰ 02 31 44 62 43 – www.manoirhastings.com – contact@manoirhastings.com – Fax 02 31 44 76 18

15 ch – ♦75/80 € ♦♦90/95 €, ⊇ 12 € – ½ P 80/90 €
Rest – Menu (22 €), 28 € (déj. en sem.), 35/65 € – Carte 64/85 €

♦ Salle à manger rustique, véranda et coquettes chambres côté prieuré (17ᵉ s.), aménagements plus fonctionnels dans le bâtiment récent. Cuisine traditionnelle. Jardin arboré.

à Fleury-sur-Orne 4 km par ⑦ – 4 014 h. – alt. 33 m – ⊠ 14123

✕✕ Auberge de l'Île Enchantée
1 r. St-André, (au bord de l'Orne) – ℰ 02 31 52 15 52
– www.aubergelileenchantee.com – auberge-ile-enchantee@wanadoo.fr – Fax 02 31 72 67 17 – Fermé 4-10 août, merc. soir, dim. soir et lundi
Rest – Menu (15 €), 19 € (sem.)/42 € – Carte 40/56 €

♦ Cet ancien bar de pêcheurs dans les années 1930 est devenu une auberge à colombages, tapissée en partie de vigne vierge. Les salles campagnardes donnent sur l'Orne. Plats actuels.

CAGNES-SUR-MER – 06 Alpes-Maritimes – 341 D6 – 48 800 h.
– alt. 20 m – Casino – ⊠ 06800 ▊ Côte d'Azur

42 **E2**

▶ Paris 915 – Antibes 11 – Cannes 21 – Grasse 25 – Nice 13 – Vence 9
▫ Office de tourisme, 6, boulevard Maréchal Juin ℰ 04 93 20 61 64, Fax 04 93 20 52 63
▫ Haut-de-Cagnes★ - Château-musée★ : patio★★, ※★ de la tour - Musée Renoir.

CAGNES-VILLE

Béranger (R. Gén.)	**BZ** 3
Chevalier-Martin (R.)	**BZ** 6
Gaulle (Pl. Gén.-de)	**BZ** 15
Giacosa (R. J.-R.)	**BZ** 17
Hôtel-des-Postes (Av. de l')	**BZ** 19
Hôtel-de-Ville (Av. de l')	**BZ** 20
Mistral (Av. F.)	**BZ** 24
Renoir (Av. A.)	**BZ**

CROS-DE-CAGNES

Jean-Jaurès (Av.)	**BX** 22
Leclerc (Av. Gén.)	**BX** 23
Nice (Av. de)	**BX** 25
Oliviers (Av. des)	**BX** 26
Serre (Av. de la)	**BX** 36

HAUT-DE-CAGNES

Château (Montée du)	**AZ** 4
Clergue (R. Denis J.)	**AZ** 7
Dr-Maurel (Pl. du)	**AZ** 8
Dr-Provençal (R. du)	**AZ** 10
Geniaux (R. Ch.)	**AZ** 16
Grimaldi (Pl.)	**AZ** 18
Paissoubran (R.)	**AZ** 27
Piolet (R. du)	**AZ** 28
Planastel (R. du)	**BX** 29
Pontis-Long (R. du)	**AZ** 30
St-Sébastien (R.)	**AZ** 33
Sous-Baous (Montée)	**AZ** 37

CAGNES-SUR-MER-VILLENEUVE-LOUBET

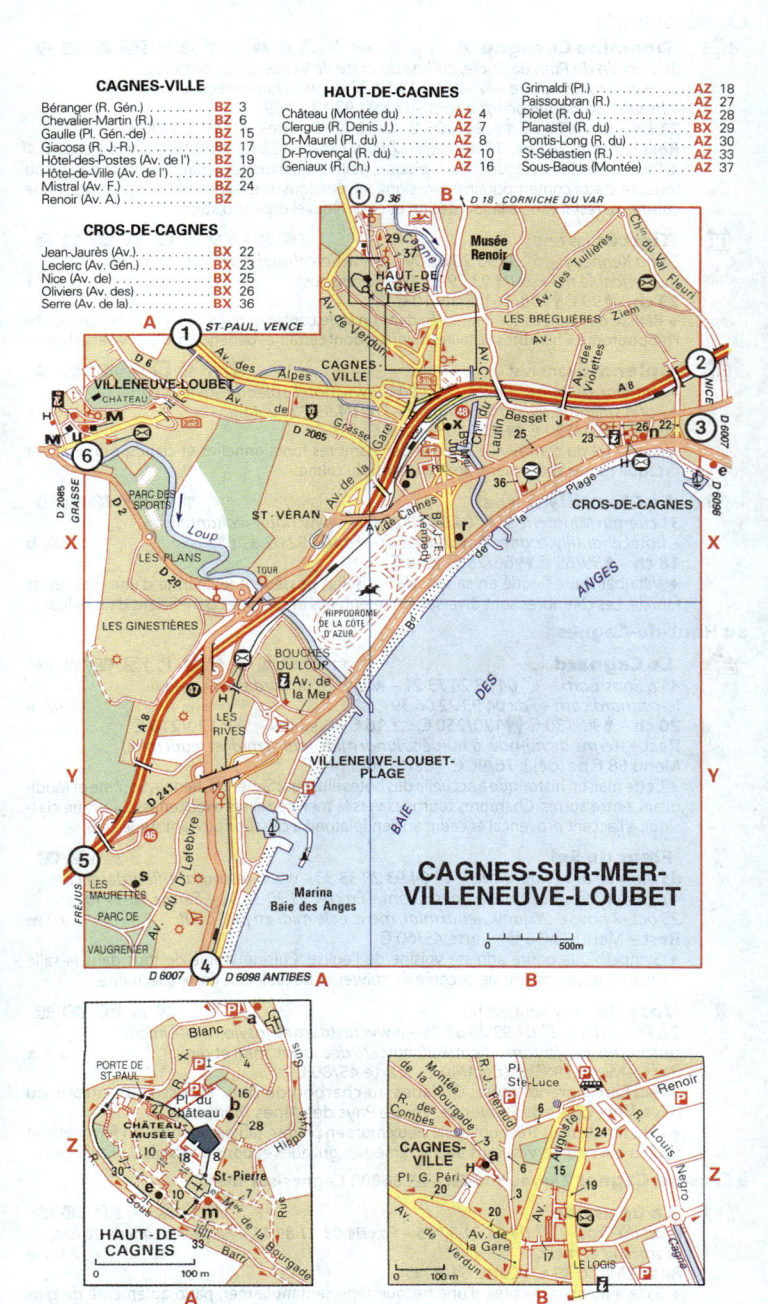

415

CAGNES-SUR-MER

Domaine Cocagne
30 chemin du Pain de Sucre, colline de la rte de Vence, 2 km par ①, D 36 et rte secondaire – ☏ 04 92 13 57 77 – www.domainecocagne.com – hotel@domainecocagne.com – Fax 04 92 13 57 89
21 ch – †190/295 € ††190/295 €, ☐ 15 € – 9 suites – ½ P 135/215 €
Rest – *(fermé 28 nov.-18 déc. et 4-17 janv.)* Menu (23 €), 28/92 € – Carte 28/69 € 🕮
♦ Dans un cadre idyllique (jardin, piscine, palmiers), luxueuses chambres avec balcon ou terrasse, décor contemporain épuré signé Jan des Bouvrie et expositions de peintures. Fine cuisine au restaurant, à la fois design et cosy. Nouvel espace bistrot.

Tiercé sans rest
33 bd Kennedy – ☏ 04 93 20 02 09 – www.tiercehotel.com – dvannson@numericable.fr – Fax 04 93 29 31 44 – Fermé nov.
BX **r**
23 ch – †90 € ††98/161 €, ☐ 10 €
♦ Bâtisse des années 1960 rénovée dans un style contemporain, proche de la plage et de l'hippodrome. Chambres de tailles diverses, dont certaines bénéficient d'une vue sur la mer.

Splendid sans rest
41 bd Mar.-Juin – ☏ 04 93 22 02 00 – www.hotel-splendid-riviera.com – hotel.splendid.riviera@orange.fr – Fax 04 93 20 12 44
BX **x**
26 ch – †67/120 € ††83/120 €, ☐ 9 €
♦ Cet hôtel du centre-ville dispose de chambres fonctionnelles et claires, qui donnent presque toutes sur l'arrière, profitant ainsi du calme.

Le Chantilly sans rest
31 chemin Minoterie – ☏ 04 93 20 25 50 – www.hotel-lechantilly.fr – hotel.chantilly.cagnes@wanadoo.fr – Fax 04 92 02 82 63
BX **b**
18 ch – †59/65 € ††66/75 €, ☐ 8 €
♦ Villa balnéaire fleurie en saison. Hall et salon possèdent le charme d'une maison de famille. Les chambres sont diversement meublées et certaines bénéficient d'un balcon.

au Haut-de-Cagnes

Le Cagnard
45 r. Sous-Barri – ☏ 04 93 20 73 21 – www.le-cagnard.com – resa@le-cagnard.com – Fax 04 93 22 06 09
AZ **e**
20 ch – †90/130 € ††120/250 €, ☐ 16 € – 6 suites – ½ P 120/210 €
Rest – *(fermé mi-nov. à mi-déc., lundi midi, mardi midi et jeudi midi)*
Menu 58 € bc (déj.), 76/96 € – Carte 106/144 €
♦ Cette maison historique a accueilli des hôtes illustres : Simenon, Renoir, Soutine et Modigliani, entre autres. Chambres tournées vers la mer, certaines avec terrasse. Cuisine classique à l'accent provençal et cadre ancien (plafond à caissons ouvrant sur le ciel).

Fleur de Sel
85 montée de la Bourgade – ☏ 04 93 20 33 33 – www.restaurant-fleurdesel.com – contact@restaurant-fleurdesel.com – Fax 04 93 20 33 33 – Fermé 10-17 juin, 25 oct.-7 nov., 6-20 janv., jeudi midi, merc. et le midi en juil.-août
AZ **m**
Rest – Menu 33/56 € – Carte 45/60 €
♦ Sympathique petite adresse voisine de l'église. Cuisine visible de tous dans la salle mi-rustique, mi-provençale décorée de cuivres et de tableaux. Carte alléchante.

Josy-Jo (Josy Bandecchi)
2 r. Planastel – ☏ 04 93 20 68 76 – www.restaurant-josyjo.com – info@restaurant-josyjo.com – Fermé 20 nov.-26 déc., sam. midi et dim.
AZ **a**
Rest – Menu 29 € bc (déj.)/40 € – Carte 45/80 €
Spéc. Farcis grand' mère. Grillades au charbon de bois. Mousse aux citrons du pays. **Vins** Côtes de Provence, Vin de Pays des Alpes Maritimes.
♦ Lieu simple mais très convivial : vieux murs en pierres, tableaux, objets en ferronerie et cuisine ouverte. Service sans tralala, fameuses grillades et bons petits plats provençaux.

à Cros-de-Cagnes 2 km au Sud-Est – ✉ 06800 Cagnes-sur-Mer

La Bourride
(port du Cros) – ☏ 04 93 31 07 75 – Fax 04 93 31 89 11 – Fermé vacances de fév., mardi soir et merc.
BX **e**
Rest – Menu 39 € – Carte 64/84 €
♦ Salle à manger décorée d'une fresque représentant la mer, patio agrémenté de pins parasols, terrasse face au port : trois espaces agréables où déguster poissons et fruits de mer.

CAGNES-SUR-MER

XX **Réserve "Loulou"** 🈯 AC VISA ◎ AE ①
91 bd de la Plage – ℰ 04 93 31 00 17 – louloulareserve@wanadoo.fr
Fax 04 93 22 09 26 – Fermé 10-25 mai, le midi du 15 juil. au 6 sept., sam. midi et dim.
Rest – Menu 42 € – Carte 48/80 €   BX **n**
♦ Adresse décontractée où l'on déguste dans un joli cadre régional (tableaux et lithographies) une cuisine axée sur les poissons et proposant aussi des grillades.

CAHORS ℙ – 46 Lot – **337** E5 – 20 300 h. – alt. 135 m – ⊠ 46000 ▌Périgord   28 **B1**
🄳 Paris 575 – Agen 85 – Albi 110 – Brive-la-Gaillarde 98 – Montauban 64
🄸 Office de tourisme, place François Mitterrand ℰ 05 65 53 20 65, Fax 05 65 53 20 74
◉ Pont Valentré★★ - Portail Nord★★ et cloître★ de la cathédrale
St-Etienne★BY E - ≤★ du pont Cabessut - Croix de Magne ≤★ O : 5 km par
D 27 - Barbacane et tour St-Jean★ - ≤★ du nord de la ville.

Plan page suivante

🏨 **Terminus** 🛗 AC 📞 🦮 ℙ VISA ◎ AE ①
5 av. Ch.-de-Freycinet – ℰ 05 65 53 32 00 – www.balandre.com
– terminus.balandre@wanadoo.fr – Fax 05 65 53 32 26 – Fermé 15-30 nov.
22 ch – †55/100 € ††65/160 €, ⊆ 12 €   AY **s**
Rest Le Balandre – voir ci-après
♦ C'est au Terminus que tout le monde descend ! Cette demeure bourgeoise des années 1910 bénéficie de grandes chambres nettes et insonorisées et d'un salon-bar Art déco.

🏨 **Jean XXII** sans rest   🦮 📞 VISA ◎ AE
2 r. E. Albe – ℰ 05 65 35 07 66 – www.hotel-jeanxxii.com – Fax 05 65 53 92 38
– Fermé en nov., en fév. et dim. d'oct. à mai   BY **v**
9 ch – †45/55 € ††55/61 €, ⊆ 7,50 €
♦ Voici un point de chute pratique et calme, au pied de la tour Jean XXII. Les murs de ce palais, édifié par la famille du pontife, abritent des chambres peu à peu refaites.

🏨 **De la Paix** sans rest   🛗 📞 VISA ◎ AE ①
30 pl. St-Maurice – ℰ 05 65 35 03 40 – www.hoteldelapaix-cahors.com
– hoteldelapaix-cahors@wanadoo.fr – Fax 05 65 35 40 88   BZ **t**
21 ch – †48/54 € ††54/75 €, ⊆ 6 €
♦ Ce petit hôtel central a retrouvé ses couleurs après une rénovation complète. Chambres tranquilles, simples et fonctionnelles. Les plus lumineuses se situent côté halles.

XXX **Le Balandre** – Hôtel Terminus   AC VISA ◎ AE ①
5 av. Ch.-de-Freycinet – ℰ 05 65 53 32 00 – www.balandre.com
– terminus.balandre@wanadoo.fr – Fax 05 65 53 32 26 – Fermé 15-30 nov., dim.
sauf fériés et lundi   AY **s**
Rest – Menu 31 € (déj.)/60 € – Carte 60/72 € 🍷
♦ Le chef invente une cuisine aux saveurs actuelles, à déguster dans une élégante salle égayée de vitraux. En prime : une superbe sélection de vins et un menu plus simple le midi.

XX **L'Ô à la Bouche**   🈯 AC VISA ◎
☺ 134 r. Ste-Urcisse – ℰ 05 65 35 65 69 – dive264@orange.fr
– Fermé vacances de Pâques et de la Toussaint, dim. et lundi   BZ **a**
Rest – Menu (19 € bc), 26/37 € – Carte 29/35 €
♦ Plats dans l'air du temps pour le bonheur des gourmands ! Vieilles pierres, briques, poutres et cheminée donnent un charme fou à ce restaurant qui met vraiment l'Ô à la bouche.

XX **Le Marché**   🈯 AC VISA ◎ AE
☺ 27 pl. Chapou – ℰ 05 65 35 27 27 – www.restaurantlemarche.com
– restaurant.le.marche@cegetel.net – Fax 05 65 21 09 98 – Fermé 11-20 avril,
25 oct.-11 nov., lundi sauf août et dim.   BZ **b**
Rest – Menu (16 €), 19 € (déj.), 30/45 €
♦ Adresse mode tant par son cadre – une salle tout en longueur (banquettes beiges et prune), un mur lumineux, un autre en ardoise – que par sa cuisine tendance et inspirée.

X **Au Fil des Douceurs**   ≤ 🈯 AC 🦮 VISA ◎
☺ 90 quai de la Verrerie – ℰ 05 65 22 13 04 – Fax 05 65 35 61 09
– Fermé 15 juin-3 juil., 2-25 janv., dim. et lundi   BY **x**
Rest – Menu 14 € (déj. en sem.), 24/55 € – Carte 35/92 €
♦ Embarquement immédiat sur ce bateau qui offre une vue imprenable sur le Lot et le vieux Cahors. Cuisine traditionnelle proposée dans deux salles à manger superposées.

417

CAHORS

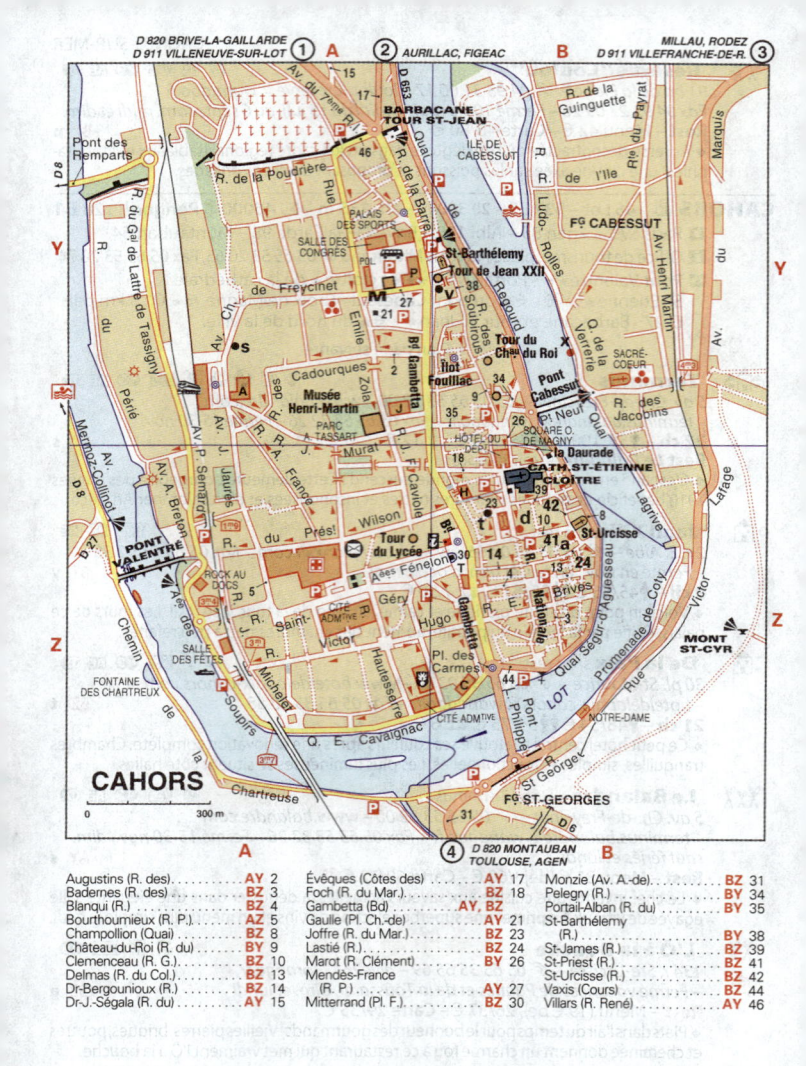

Augustins (R. des)	**AY** 2	Évêques (Côtes des)	**AY** 17	Monzie (Av. A.-de)	**BZ** 31
Badernes (R. des)	**BZ** 3	Foch (R. du Mar.)	**BZ** 18	Pelegry (R.)	**BY** 34
Blanqui (R.)	**BZ** 4	Gambetta (Bd)	**AY, BZ**	Portail-Alban (R. du)	**BY** 35
Bourthoumieux (R. P.)	**AZ** 5	Gaulle (Pl. Ch.-de)	**AY** 21	St-Barthélemy (R.)	**BY** 38
Champollion (Quai)	**BZ** 8	Joffre (R. du Mar.)	**BZ** 23	St-James (R.)	**BZ** 39
Château-du-Roi (R. du)	**BY** 9	Lastié (R.)	**BZ** 24	St-Priest (R.)	**BZ** 41
Clemenceau (R. G.)	**BZ** 10	Marot (R. Clément)	**BY** 26	St-Urcisse (R.)	**BZ** 42
Delmas (R. du Col.)	**BZ** 13	Mendès-France (R. P.)	**BZ** 27	Vaxis (Cours)	**BZ** 44
Dr-Bergounioux (R.)	**BZ** 14	Mitterrand (Pl. F.)	**BZ** 30	Villars (R. René)	**AY** 46
Dr-J.-Ségala (R. du)	**AY** 15				

à Caillac 13 km par ①, rte de Villeneuve-sur-Lot et D145 – 533 h. – alt. 161 m – ✉ 46140

Le Vinois avec ch

Le bourg – ℰ 05 65 30 53 60 – www.levinois.com – contact@levinois.com
– Fax 05 65 21 67 27 – Fermé 5-19 oct., 12 janv.-12 fév.
10 ch – ♦81/145 € ♦♦88/145 €, ⊇ 15 € – ½ P 83/112 €
Rest – *(fermé lundi sauf le soir en juil.-août, dim. soir et mardi midi)* Menu (19 €), 35/58 € – Carte 44/55 €

♦ Au cœur du vignoble de Cahors, ne ratez pas cette étonnante auberge, caractérisée par un esprit contemporain et épuré (fond musical jazzy) conforme à la cuisine proposée. L'hôtel joue aussi la carte de la sobriété chic dans les chambres : détails soignés et design.

CAHORS

à Mercuès 10 km par ① et D 811 – 1 056 h. – alt. 133 m – ⌧ 46090

Château de Mercuès
- ℰ 05 65 20 00 01 – www.chateaudemercues.com
- mercues@relaischateaux.com – Fax 05 65 20 05 72
- Ouvert de fin mars à début nov.

24 ch – †180 € ††190/380 €, ⌑ 24 € – 6 suites – ½ P 184/279 €
Rest – (fermé mardi midi, merc. midi, jeudi midi et lundi) Menu 65/120 € – Carte 86/120 €
Spéc. Foie gras de canard en terrine, marbré aux morilles et cuisses confites. Risotto de truffes au jus de céleri et croustille parmesane. Croustillant de fraises, crème brûlée à la vanille et sorbet litchi. **Vins** Cahors.

♦ Le designer François Champsaur a insufflé un style contemporain à ce château historique (13ᵉ s.), dont les points forts sont les majestueuses chambres et le beau panorama sur la vallée du Lot. Le chef concocte une cuisine inventive, au diapason du décor "griffé".

Le Mas Azemar
r. du Mas-de-Vinssou – ℰ 05 65 30 96 85 – www.masazemar.com – masazemar@aol.com – Fax 05 65 30 53 82

5 ch ⌑ – †97/107 € ††97/107 € **Table d'hôte** – Menu 34 € bc/42 € bc
♦ Cette maison de maître du 18ᵉ s., ex-dépendance du château de Mercuès, possède de confortables chambres au mobilier de style. Cuisine traditionnelle familiale dans un intérieur vaste, chaleureux et rustique (poutres, murs en pierre, cheminée, grande table d'hôte).

rte de Brive par ① et D 820 – ⌧ 46000 Cahors

La Garenne
St-Henri, à 7 km – ℰ 05 65 35 40 67 – michel.carrendier@wanadoo.fr
– Fax 05 65 35 40 67 – Fermé 1ᵉʳ fév.-15 mars, lundi soir, mardi soir et merc.
Rest – Menu 20 € (déj. en sem.), 28/50 € – Carte 35/69 €
♦ On se croirait dans l'écurie d'une ferme ancienne ! La cuisine répond à cette atmosphère d'antan à travers les recettes tantôt classiques, tantôt mâtinées de touches régionales.

à Lamagdelaine 7 km par ② – 762 h. – alt. 122 m – ⌧ 46090

Claude et Richard Marco avec ch
chemin des Ecoles – ℰ 05 65 35 30 64
– www.restaurantmarco.com – info@restaurantmarco.com – Fax 05 65 30 31 40
– Fermé 11-21 oct., 3 janv.-4 mars, dim. soir du 15 sept. au 15 juin, lundi sauf le soir du 15 juin au 15 sept. et mardi midi

5 ch – †110/145 € ††110/145 €, ⌑ 12 €
Rest – Menu 30 € (sem.)/85 € – Carte 54/84 €
Spéc. Foie gras de canard bise sur fond d'artichaut et cèpes, jus de truffe crémé. Poêlée de sole, Saint-Jacques et langoustines aux cèpes, émulsion de safran (oct. à avril). Déclinaison de fraises "mara des bois" (juin à sept.). **Vins** Cahors.
♦ Canard et produits du terroir forment les bases de la cuisine actuelle qu'on savoure ici, dans une belle salle voûtée (auparavant cave à vins) ou en terrasse. Chambres soignées.

CAHUZAC-SUR-VÈRE – 81 Tarn – 338 D7 – 1 022 h. – alt. 240 m   29 C2
– ⌧ 81140

🄿 Paris 655 – Albi 28 – Gaillac 11 – Montauban 60 – Rodez 86 – Toulouse 69
🄳 Syndicat d'initiative, Mairie ℰ 05 63 33 68 91, Fax 05 63 33 68 92

Château de Salettes
3 km au Sud par D 922 – ℰ 05 63 33 60 60 – www.chateaudesalettes.com
– salettes@chateaudesalettes.com – Fax 05 63 33 60 61
– Fermé 4-janv.-4 fév.

18 ch – †131/300 € ††145/330 €, ⌑ 18 € – ½ P 126/330 €
Rest – (fermé dim. soir, merc. midi, lundi et mardi d'oct. à avril, mardi midi et lundi en mai-juin et sept., lundi midi, mardi midi, merc. midi et jeudi midi en juil.-août)
Menu 37 € (sem.)/80 € – Carte 72/94 €
Spéc. Anneau de biscuit café et Saint-Jacques. Canard aux dragées. Palet chocolat et nougatine au piment. **Vins** Gaillac.
♦ Au cœur des vignes, château du 13ᵉ s. entièrement rebâti. Belle décoration contemporaine et mobilier design, chambres spacieuses. La salle à manger au cadre épuré offre un bel écrin pour l'intéressante cuisine du chef. Dégustations des vins de la propriété.

CAHUZAC-SUR-VÈRE

La Falaise (Guillaume Salvan)
rte de Cordes – ℰ 05 63 33 96 31 – www.lafalaiserestaurant.com
– guillaume.salvan@orange.fr – Fermé dim. soir, mardi midi et lundi
Rest – Menu (17 €), 20 € (déj. en sem.), 31/57 € – Carte 47/64 €
Spéc. Rouget grillé à la flamme, cerfeuil tubéreux et carottes fondantes. Confit de canard maison doré au four et frites à l'ail rose du Tarn. Fruits d'automne poêlés au miel de forêt, sorbet butternut et crumble (automne).

♦ À la sortie du village, une petite maison où le chef signe une séduisante cuisine riche en saveurs. Joli choix de vins du vignoble voisin de Gaillac. En été, terrasse dressée sous les saules.

à Donnazac 5 km au Nord-Est par D 922 et rte secondaire – 92 h. – alt. 291 m
– ✉ 81170

Les Vents Bleus sans rest
rte de Caussade – ℰ 05 63 56 86 11 – www.lesventsbleus.com – lesventsbleus@orange.fr – Fax 05 63 56 86 11 – Ouvert 1er avril-24 oct.
5 ch ⊇ – †80 € ††80/150 €

♦ Au cœur du vignoble de Gaillac, paisible demeure en pierre blanche (1844), flanquée d'un pigeonnier. Chambres, raffinées et personnalisées, dans l'ancien chai. Terrasse-patio.

CAILLAC – 46 Lot – **337** E5 – rattaché à Cahors

CAIRANNE – 84 Vaucluse – **332** C8 – 847 h. – alt. 136 m – ✉ 84290   40 **A2**
◘ Paris 650 – Avignon 43 – Bollène 47 – Montélimar 51 – Nyons 25
– Orange 18
◘ Office de tourisme, Avenue du Général de Gaulle ℰ 04 90 30 76 53

Auberge Castel Miréïo
rte de Carpentras par D 8 – ℰ 04 90 30 82 20 – www.castelmireio.fr – info@castelmireio.fr – Fax 04 90 30 78 39 – Fermé 31 déc.-14 fév.
8 ch – †60/65 € ††62/70 €, ⊇ 8 € – 1 suite – ½ P 57/63 €
Rest – (fermé jeudi midi en juil.-août et lundi) Menu 19 € (déj. en sem.), 23/28 € – Carte 26/38 €

♦ La demeure familiale (19e s.) a été agrandie d'une annexe pour y installer les chambres. Celles-ci, simples et égayées de tissus provençaux, portent des noms de cépages. Salle à manger rustique, fière de son carrelage centenaire, terrasse et plats du terroir.

Le Tourne au Verre
rte de Ste-Cécile – ℰ 04 90 30 72 18 – letourneauverre@wanadoo.fr
– Fax 04 90 12 71 75 – Fermé dim. soir et mardi d'oct. à avril et merc.
Rest – Menu (14 €), 23 €

♦ Maison traditionnelle (1800) et sa belle terrasse ombragée par de vieux platanes. Bar, salle contemporaine (grande cave à vins vitrée), plats régionaux proposés à l'ardoise.

CAJARC – 46 Lot – **337** H5 – 1 096 h. – alt. 160 m – ✉ 46160 ▌Périgord   29 **C1**
◘ Paris 586 – Cahors 52 – Figeac 25 – Rocamadour 59
– Villefranche-de-Rouergue 27
◘ Office de tourisme, La Chapelle ℰ 05 65 40 72 89, Fax 05 65 40 39 05

La Ségalière
380 av. François Mitterrand, (rte de Capdenac) – ℰ 05 65 40 65 35
– www.lasegaliere.com – hotel@lasegaliere.com – Fax 05 65 40 74 92 – Ouvert 15 mars-31 oct.
25 ch – †50/82 € ††65/97 €, ⊇ 10 € – ½ P 66/81 €
Rest – (fermé le midi sauf week-ends et fériés) Menu 23/38 €

♦ Adresse détente dans ce village qui vit naître Françoise Sagan. Cet hôtel moderne recèle de bien agréables chambres dotées de balcons. Les plus : la grande piscine et le jardin. La carte du restaurant allie tradition et créativité. Terrasse aux beaux jours.

CALACUCCIA – 2B Haute-Corse – 345 D5 – voir à Corse

CALAIS – 62 Pas-de-Calais – 301 E2 – 74 200 h. – Agglo. 104 852 h. 30 **A1**
– alt. 5 m – Casino CX – ✉ 62100 ▌Nord Pas-de-Calais Picardie
- ▶ Paris 290 – Boulogne-sur-Mer 35 – Dunkerque 46 – St-Omer 43
- **Tunnel sous la Manche** : Terminal de Coquelles AU, renseignements "**Le Shuttle**" ℰ 03 21 00 61 00.
- ℰ 3635 et tapez 42 (0,34 €/mn)
- 🛈 Office de tourisme, 12, boulevard Clemenceau ℰ 03 21 96 62 40, Fax 03 21 96 01 92
- ◉ Monument des Bourgeois de Calais (Rodin)★★ - Phare ✳★★ DX - Musée des Beaux-Arts et de la Dentelle★ CX **M²**.
- ⓖ Cap Blanc Nez★★ : 13 km par ④.

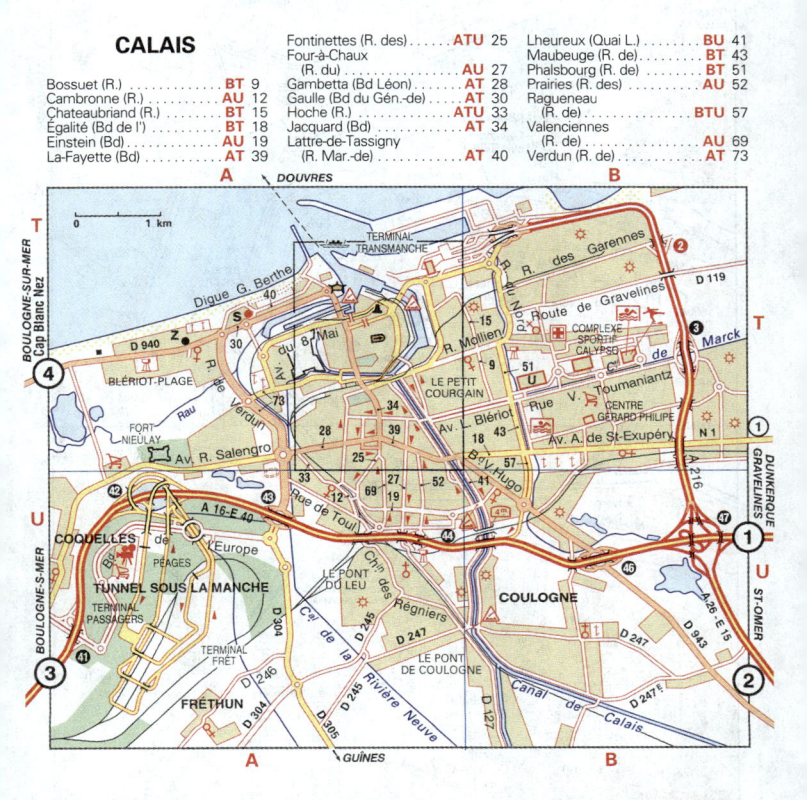

CALAIS

Bossuet (R.) .... **BT** 9	Lheureux (Quai L.) .... **BU** 41
Cambronne (R.) .... **AU** 12	Maubeuge (R. de) .... **BT** 43
Chateaubriand (R.) .... **BT** 15	Phalsbourg (R. de) .... **BT** 51
Égalité (Bd de l') ...... **BT** 18	Prairies (R. des) .... **AU** 52
Einstein (Bd) .... **AU** 19	Ragueneau
La-Fayette (Bd) .... **AT** 39	(R. de) .... **BTU** 57
Fontinettes (R. des) ... **ATU** 25	Valenciennes
Four-à-Chaux	(R. de) .... **AU** 69
(R. du) .... **AU** 27	Verdun (R. de) .... **AT** 73
Gambetta (Bd Léon) ... **AT** 28	
Gaulle (Bd du Gén.-de) . **AT** 30	
Hoche (R.) .... **ATU** 33	
Jacquard (Bd) .... **AT** 34	
Lattre-de-Tassigny	
(R. Mar.-de) .... **AT** 40	

🏨 **Meurice** 📶 🛜 VISA MC AE ①
5 r. E.-Roche – ℰ 03 21 34 57 03 – www.hotel-meurice.fr – meurice@wanadoo.fr
– Fax 03 21 96 28 12 CX **v**
41 ch – ♦85/150 € ♦♦85/150 €, ⊊ 14 €
Rest – (fermé sam. midi) Menu (15 €), 18/50 € – Carte 35/43 €
♦ Hôtel de tradition avec son vaste hall à l'atmosphère vieille France et ses grandes chambres au charme délicieusement désuet ; décor actuel dans une aile plus récente. Poutres, boiseries sculptées et meubles de style composent le cadre cossu du restaurant.

CALAIS

Amsterdam (R. d')	**DXY**	3
Angleterre (Pl. d')	**DX**	4
Barbusse (Pl. Henri)	**DX**	6
Bonnigue (R. du Cdt)	**DX**	7
Bruxelles (R. de)	**DX**	10
Chanzy (R. du Gén.)	**DY**	13
Commune-de-Paris (R. de la)	**CDY**	16
Escaut (Quai de l')	**CY**	21
La-Fayette (Bd)	**DY**	
Foch (Pl. Mar.)	**CXY**	22
Fontinettes (R. des)	**CDY**	24
Gambetta (Bd Léon)	**CY**	
Georges-V (Pont)	**CY**	31
Jacquard (Bd)	**CDY**	
Jacquard (Pont)	**CY**	36
Jean-Jaurès (R.)	**DY**	37
Londres (R. de)	**DX**	42
Mer (R. de la)	**CX**	45
Notre-Dame (R.)	**CDX**	46
Paix (R. de la)	**CX**	48
Pasteur (Bd)	**DY**	
Paul-Bert (R.)	**CDY**	49
Prés.-Wilson (Av. du)	**CY**	54
Quatre-Coins (R. des)	**CY**	55
Rhin (Quai du)	**CY**	58
Richelieu (R.)	**CX**	60
Rome (R. de)	**CY**	61
Royale (R.)	**CX**	63
Soldat-Inconnu (Pl. du)	**DY**	64
Tamise (Quai de la)	**CY**	66
Thermes (R. des)	**CX**	67
Varsovie (R. de)	**DY**	70
Vauxhall (R. du)	**CY**	72

CALAIS

Holiday Inn
bd des Alliés – ℰ 03 21 34 69 69 – www.holidayinn.fr/calais-nord – holidayinn@holidayinn-calais.com – Fax 03 21 97 09 15 CX **a**
63 ch – †136 € ††151 €, ⊇ 14 €
Rest – (fermé sam. midi, dim. midi et fériés midi) Menu (9 €), 18 € bc/24 € bc – Carte 28/36 €

♦ Agréablement située face au port de plaisance, bâtisse imposante disposant de chambres amples et confortables ; vue sur la mer pour la moitié d'entre elles. Décor actuel au restaurant dont les baies vitrées s'ouvrent sur les mâts des voiliers. Cuisine traditionnelle.

Métropol Hôtel sans rest
43 quai du Rhin – ℰ 03 21 97 54 00 – www.metropolhotel.com – metropol@metropolhotel.com – Fax 03 21 96 69 70 – Fermé 21 déc.-11 janv. CY **h**
40 ch – †46 € ††68 €, ⊇ 10 € – 1 suite

♦ Façade ancienne en briques rouges. Les chambres, pratiques et insonorisées, sont parfois rehaussées de notes décoratives anglaises, tout comme le salon-bar à l'esprit british.

Mercure Centre sans rest
36 r. Royale – ℰ 03 21 97 68 00 – www.georgev-calais.com – h6739@accor.com – Fax 03 21 97 34 73 CX **d**
41 ch – †85/100 € ††105/125 €, ⊇ 13 €

♦ Cet hôtel qui borde une artère commerçante, près du casino, arbore le nouveau concept de la chaîne : chambres contemporaines, camaïeu de gris-marron, mobilier en alu brossé.

Aquar'aile
255 r. J.-Moulin, (4ᵉ étage) – ℰ 03 21 34 00 00 – www.aquaraile.com – f.leroy@aquaraile.com – Fax 03 21 34 15 00 – Fermé dim. soir AT **s**
Rest – Menu 30/45 € – Carte 42/76 €

♦ L'atout majeur de cet agréable restaurant marin, situé au 4ᵉ étage d'un immeuble ? Son panorama unique sur la Manche, la mer du Nord et les côtes anglaises, visibles à l'horizon.

Au Côte d'Argent
1 digue G.-Berthe – ℰ 03 21 34 68 07 – www.cotedargent.com – lefebvre@cotedargent.com – Fax 03 21 96 42 10 – Fermé 17 août-7 sept., merc. soir de sept. à mars, dim. soir et lundi CX **f**
Rest – Menu 18 € (sem.), 25/40 € – Carte 32/56 €

♦ Embarquement immédiat pour un voyage gourmand riche en saveurs iodées dans un joli cadre inspiré des cabines de bateau, tout en observant le ballet des ferry-boats.

Channel
3 bd de la Résistance – ℰ 03 21 34 42 30 – www.restaurant-lechannel.com – contact@restaurant-lechannel.com – Fax 03 21 97 42 43 – Fermé 26 juil.-9 août, 22 déc.-20 janv., dim. soir et mardi CX **e**
Rest – Menu 22/58 € – Carte 50/90 € ❀

♦ Élégant décor contemporain, produits de la mer de premier choix et attrayante carte des vins (cave ouverte sur la salle) : une plaisante escale avant la traversée du "channel".

Histoire Ancienne
20 r. Royale – ℰ 03 21 34 11 20 – www.histoire-ancienne.com – p.comte@histoire-ancienne.com – Fax 03 21 96 19 58 – Fermé 1ᵉʳ-15 août, lundi soir et dim. CX **x**
Rest – Menu (12 €), 19/36 € – Carte 25/38 €

♦ Sympathique restaurant qui préserve ses airs d'authentique bistrot rétro : banquettes, chaises en bois, vieux zinc. Dans l'assiette, grillades, plats de tradition et du terroir.

Le Grand Bleu
quai de la Colonne – ℰ 03 21 97 97 98 – www.legrandbleu-calais.com – Fax 03 21 82 53 03
– Fermé 26 août-10 sept., 17-26 fév., mardi soir et merc. CX **n**
Rest – Menu (16 €), 19 € (sem.)/45 € – Carte 37/47 €

♦ L'enseigne annonce la couleur : cette table du port célèbre la mer sous toutes ses formes, tant dans son décor que dans sa cuisine actuelle qui privilégie les saveurs iodées.

CALAIS
à Coquelles 6 km a l'Ouest par av. R. Salengro AT – 2 353 h. – alt. 5 m – ✉ 62231

Holiday Inn
av. Charles de Gaulle – ℰ 03 21 46 60 60 – www.holidayinncoquelles.com – info@holidayinncoquelles.com – Fax 03 21 85 76 76
118 ch – †100/125 € ††125/145 €, ⊇ 15 € **Rest** – Menu 27 € – Carte 35/48 €
♦ Ce complexe moderne situé à 3 km de l'Eurostar (gare de Calais-Fréthun) propose des chambres de bon confort. Sauna, hammam, piscine intérieure, club de gym et de squash. Mobilier épuré dans la salle à manger, récemment revue dans un esprit actuel.

Suitehotel sans rest
pl. de Cantorbery – ℰ 03 21 19 50 00 – www.suitehotel.com – h3335@accor.com – Fax 03 21 19 50 05
AU
100 ch – †95/120 € ††95/120 €, ⊇ 12 €
♦ Votre suite ? Pas moins de 30 mètres carrés accueillant espace à vivre (bureau et salon), chambre cloisonnable et salle de bains très complète (douche et baignoire).

à Blériot-Plage AT – ✉ 62231 Sangatte
🛈 Office de tourisme, route nationale ℰ 03 21 34 97 98, Fax 03 21 97 75 13

Les Dunes
48 rte Nationale – ℰ 03 21 34 54 30 – www.les-dunes.com – p.mene@les-dunes.com – Fax 03 21 97 17 63
AT z
9 ch – †55/69 € ††55/69 €, ⊇ 9 € – ½ P 73 €
Rest – (fermé dim. soir sauf fériés et lundi de sept. au 13 juil.) Menu (16 € bc), 18 € (sem.)/40 € – Carte 39/63 €
♦ Dans la commune qui vit s'envoler Louis Blériot le 25 juillet 1909 pour une glorieuse traversée de la Manche. Chambres bien tenues, simples et pratiques ; petits balcons. Spacieux restaurant joliment aménagé. Cuisine de la mer, gibier en saison.

> Un week-end de charme à la mer, à la campagne ou à la montagne ? Découvrez le nouveau guide des "Chambres d'hôtes", une sélection de nos plus belles adresses en France : confort, calme et volupté garantis !

CALALONGA (PLAGE DE) – 2A Corse-du-Sud – 345 E11 – rattaché à Corse (Bonifacio)

CALA-ROSSA – 2A Corse-du-Sud – 345 F10 – voir à Corse (Porto-Vecchio)

CALÈS – 46 Lot – 337 F3 – 127 h. – alt. 273 m – ✉ 46350   29 C1
◘ Paris 528 – Sarlat-la-Canéda 42 – Cahors 52 – Gourdon 21 – Rocamadour 15 – St-Céré 43

Le Petit Relais
au bourg – ℰ 05 65 37 96 09 – www.hotel-petitrelais.fr – petit.relais@wanadoo.fr – Fax 05 65 37 95 93 – Fermé 18-28 déc. et 4 janv.-7 fév.
13 ch – †45/50 € ††55/60 €, ⊇ 8,50 € – ½ P 58/68 €
Rest – (fermé dim. soir et mardi d'oct. à mai) Menu (13 €), 20/38 € – Carte 32/42 €
♦ Depuis trois générations, la même famille vous accueille dans cette vieille maison quercynoise, au cœur d'un pittoresque village. Chambres bien rénovées et insonorisées. Restaurant rustique (poutres, cheminée, cuivres), terrasse ombragée et plats du terroir.

CALLAS – 83 Var – 340 O4 – 1 759 h. – alt. 398 m – ✉ 83830   41 C3
▌Côte d'Azur
◘ Paris 872 – Castellane 51 – Draguignan 14
🛈 Office de tourisme, place du 18 juin 1940 ℰ 04 94 39 06 77, Fax 04 94 39 06 79

CALLAS

rte de Muy 7 km au Sud-Est par D 25 – ✉ 83830 Callas

Hostellerie Les Gorges de Pennafort
D 25 – ℘ 04 94 76 66 51
– www.hostellerie-pennafort.com – info@hostellerie-pennafort.com
– Fax 04 94 76 67 23 – Fermé de mi-janv. à mi-mars
16 ch – †135/150 € ††185/220 €, ⊆ 19 € – 4 suites – ½ P 165/195 €
Rest – *(fermé dim. soir sauf juil.-août, lundi sauf le soir en juil.-août et merc. midi)*
Menu (47 €), 58/140 € – Carte 120/160 € ❀
Spéc. Ravioli de foie gras et parmesan. Carré d'agneau rôti au jus truffé. Bâtonnet de chocolat noir amer, pain de Gênes et parfait glacé au fruit de la passion. **Vins** Coteaux Varois, Côtes de Provence.
♦ Harmonie de couleurs et de matières où tout a été pensé pour créer une atmosphère raffinée. Le soir, jeux de lumières sur les falaises rouges des gorges. Salle à manger au style contemporain d'inspiration Art déco ; cuisine savoureuse et bonne cave.

CALVI – 2B Haute-Corse – 345 B4 – voir à Corse

CALVINET – 15 Cantal – 330 C6 – 432 h. – alt. 600 m – ✉ 15340   5 A3
▶ Paris 576 – Aurillac 34 – Entraygues-sur-Truyère 32 – Figeac 40 – Maurs 19 – Rodez 56

Beauséjour (Louis-Bernard Puech) avec ch
– ℘ 04 71 49 91 68 – www.cantal-restaurant-puech.com – beausejour.puech@wanadoo.fr – Fax 04 71 49 98 63 – Fermé 15-20 juin, 23 nov.-5 déc., 4 janv.-12 fév., dim. soir d'oct. à mai, lundi sauf le soir en juil.-août, mardi sauf le soir de mars à sept. et merc. sauf le soir de juin à sept.
8 ch – †60/75 € ††60/100 €, ⊆ 15 € – ½ P 68/90 €
Rest – *(nombre de couverts limité, prévenir)* Menu (20 € bc), 27/62 € ❀
Spéc. Gaufre de foie de canard, caramel à la gentiane. Poulet de ferme. Sablé à la châtaigne et poêlée de pommes reinettes. **Vins** Côtes d'Auvergne, Marcillac.
♦ Maison de pays où l'on s'attache à faire découvrir les saveurs d'une cuisine mariant inventivité et terroir. Vins régionaux à prix doux. Chambres modernes. Adresse non-fumeurs.

CAMARET-SUR-MER – 29 Finistère – 308 D5 – 2 618 h. – alt. 4 m   9 A2
– ✉ 29570 ▌Bretagne
▶ Paris 597 – Brest 4 – Châteaulin 45 – Crozon 11 – Morlaix 91 – Quimper 60
🛈 Office de tourisme, 15, quai Kleber ℘ 02 98 27 93 60, Fax 02 98 27 87 22
◉ Pointe de Penhir★★★ SO : 3,5 km.

De France
quai G.-Toudouze – ℘ 02 98 27 93 06 – www.hotel-thalassa.com
– hotel-france-camaret@wanadoo.fr – Fax 02 98 27 88 14 – Ouvert de Pâques au 1er nov.
20 ch – †43/93 € ††52/93 €, ⊆ 9 € – ½ P 52/72 €
Rest – *(ouvert 4 avril-1er nov.)* Menu (15 €), 20/45 € – Carte 30/120 €
♦ Chambres d'inspiration marine, bien tenues et insonorisées ; la moitié regarde les bateaux, les autres sont plus petites mais plus calmes. Le restaurant, réparti sur deux étages, vous invite à déguster ses spécialités de fruits de mer avec le port en toile de fond.

Bellevue
– ℘ 02 98 17 12 50 – hotel-france-camaret@wanadoo.fr – Fax 02 98 27 88 14
– Fermé 15 janv.-15 fév.
15 ch – †65/85 € ††65/140 € – ½ P 60/85 €
♦ Vue panoramique sur le port et tranquillité assurée dans les studios fonctionnels de l'annexe, équipés de cuisinettes.

Vauban sans rest
4 quai du Styvel – ℘ 02 98 27 91 36 – Fax 02 98 27 96 34 – Fermé déc. et janv.
16 ch – †40/50 € ††40/50 €, ⊆ 6,50 €
♦ Les navigateurs ne s'y trompent pas en faisant escale ici : l'hôtel est plutôt modeste, mais ses prix sages et son chaleureux accueil justifient qu'on change de cap !

LA CAMBE – 14 Calvados – 303 F3 – 609 h. – alt. 25 m – ⊠ 14230   32 B2
▶ Paris 289 – Bayeux 26 – Caen 56 – Saint-Lô 31

Ferme Savigny sans rest
2,5 km par D 613 et D113 – ℰ 02 31 21 12 33
– http://perso.wanadoo.fr/ferme-savigny/ – re.ledevin@libertysurf.fr
4 ch ⊑ – †40 € ††48 €

◆ Un corps de ferme (16ᵉ - 17ᵉ s.) avec un bel escalier en pierre desservant des chambres simples, d'esprit rustique. Petit-déjeuner maison servi, l'été, dans un délicieux jardin.

CAMBO-LES-BAINS – 64 Pyrénées-Atlantiques – 342 D4 – 5 849 h.   3 A3
– alt. 67 m – Stat. therm. : début mars-mi déc. – ⊠ 64250 ▌Pays Basque
▶ Paris 783 – Biarritz 21 – Pau 115
🛈 Syndicat d'initiative, avenue de la Mairie ℰ 05 59 29 70 25, Fax 05 59 29 90 77
⛳ Epherra à Souraïde Urloko Bidea, O : 13 km par D 918, ℰ 05 59 93 84 06
◉ Villa Arnaga★★ M.

Ursula sans rest
quartier Bas-Cambo, 2 km au Nord – ℰ 05 59 29 88 88 – www.hotel-ursula.fr
– infos@hotel-ursula.fr – Fax 05 59 29 22 15
– Fermé 20 déc.-10 janv.
15 ch – †46/51 € ††51/56 €, ⊑ 10 €

◆ Ce petit hôtel familial et convivial, situé dans le pittoresque quartier du Bas-Cambo, met à votre disposition de grandes chambres personnalisées et bien tenues.

Le Trinquet sans rest
r. Trinquet – ℰ 05 59 29 73 38 – www.hotel-trinquet-cambo.com
– sarl.du.trinquet@wanadoo.fr – Fax 05 59 29 25 61 – Fermé 2 nov.-8 déc. et mardi sauf du 1ᵉʳ juil. au 14 sept.
13 ch – †29/48 € ††29/48 €, ⊑ 6,50 €

◆ Cette grande maison a pris le nom d'une variante de la pelote basque. Les chambres, simples et bien entretenues, sont aménagées au-dessus d'un café. Ambiance familiale.

Le Bellevue avec ch
r. des Terrasses – ℰ 05 59 93 75 75 – www.hotel-bellevue64.fr – contact@hotel-bellevue64.fr – Fax 05 59 93 75 85 – Fermé 8 janv.-14 fév.
1 ch – †70/80 € ††80/95 €, ⊑ 7 € – 6 suites – ††90/110 €
Rest – *(fermé jeudi soir sauf juil.-août, dim. soir et lundi)* Menu (13 €), 20 € (déj. en sem.), 36/40 €

◆ Tableaux modernes sur murs immaculés et mobilier actuel créent le décor soigné de ce restaurant qui sert une cuisine dans l'air du temps. L'autre charme de cette maison du 19ᵉ s., bien rénovée : ses suites familiales d'esprit contemporain.

Auberge "Chez Tante Ursule" avec ch
fronton du Bas-Cambo, 2 km au Nord – ℰ 05 59 29 78 23
– www.tante-ursule.com – chez.tante.ursule@wanadoo.fr – Fax 05 59 29 28 57
– Fermé 15-28 fév. et mardi
7 ch – †30 € ††45 €, ⊑ 8 € – ½ P 55 €
Rest – Menu 16 € (déj. en sem.), 20/35 € – Carte 23/41 €

◆ Cet établissement situé près du fronton de pelote du Bas Cambo abrite une pimpante salle à manger agrémentée d'un joli vaisselier. Cuisine à l'âme basque. Chambres rustiques soignées (mobilier ancien).

CAMBRAI – 59 Nord – 302 H6 – 32 800 h. – alt. 53 m – ⊠ 59400   31 C3
▌Nord Pas-de-Calais Picardie
▶ Paris 179 – Amiens 98 – Arras 36 – Lille 77 – St-Quentin 51
🛈 Office de tourisme, 48, rue du Noyon ℰ 03 27 78 36 15, Fax 03 27 74 82 82
◉ Mise au tombeau★★ de Rubens dans l'église St-Géry AY - Musée Beaux-Arts : clôture du chœur★, char de procession★ AZ M.

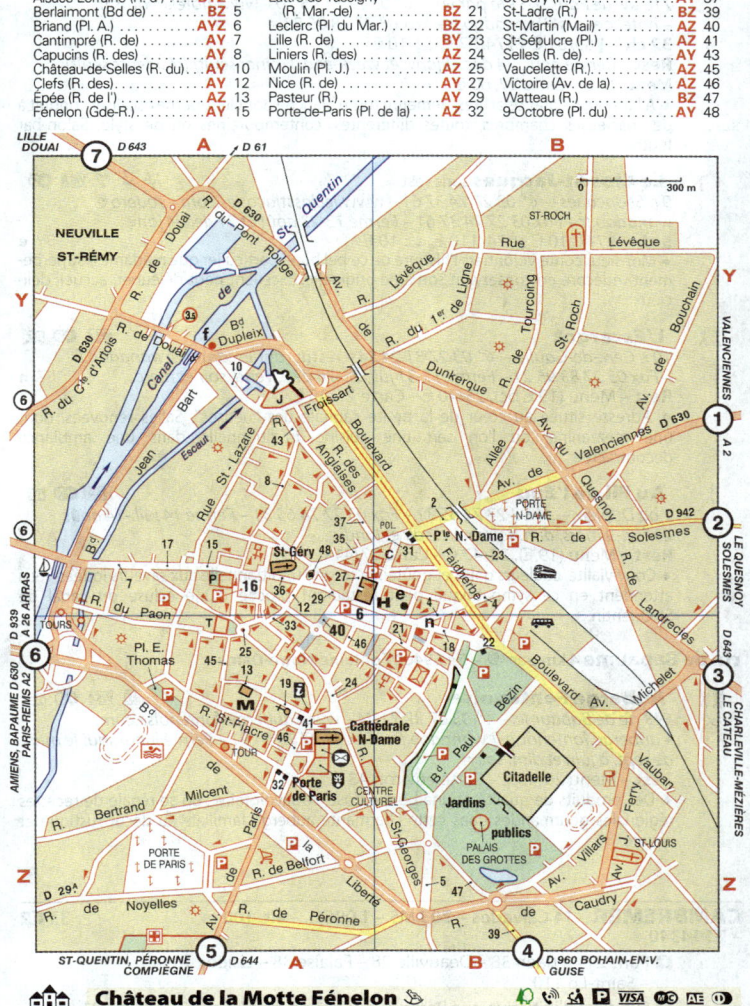

CAMBRAI

Albert-1er (Av.) . . . . **BY** 2	Fénelon (Pl.) . . . . **AY** 16	Porte-Notre-Dame (R.) . . . . **BY** 31
Alsace-Lorraine (R. d') . . . **BYZ** 4	Feutriers (R. des) . . . . **AY** 17	Râtelots (R. des) . . . . **AZ** 33
Berlaimont (Bd de) . . . . **BZ** 5	Gaulle (R. Gén.-de) . . . . **BZ** 18	Sadi-Carnot (R.) . . . . **AY** 35
Briand (Pl. A.) . . . . **AYZ** 6	Grand-Séminaire (R. du) . . **AZ** 19	St-Aubert (R.) . . . . **AY** 36
Cantimpré (R. de) . . . . **AY** 7	Lattre-de-Tassigny	St-Géry (R.) . . . . **AY** 37
Capucins (R. des) . . . . **AY** 9	(R. Mar.-de) . . . . **BZ** 21	St-Ladre (R.) . . . . **BZ** 39
Château-de-Selles (R. du) . . **AY** 10	Leclerc (Pl. du Mar.) . . . . . **BZ** 22	St-Martin (Mail) . . . . **AZ** 40
Clefs (R. des) . . . . **AY** 12	Lille (R. de) . . . . **BY** 23	St-Sépulcre (Pl.) . . . . **AZ** 41
Épée (R. de l') . . . . **AZ** 13	Liniers (R. des) . . . . **AY** 24	Selles (R. de) . . . . **AY** 43
Fénelon (Gde-R.) . . . . **AY** 15	Moulin (Pl. J.) . . . . **AZ** 25	Vaucelette (R.) . . . . **AZ** 45
	Nice (R. de) . . . . **AY** 27	Victoire (Av. de la) . . . . **AZ** 46
	Pasteur (R.) . . . . **AY** 29	Watteau (R.) . . . . **BZ** 47
	Porte-de-Paris (Pl. de la) . . **AZ** 32	9-Octobre (Pl. du) . . . . **AY** 48

🏠 **Château de la Motte Fénelon** 🍃　　🌿 📞 ♿ 🅿 VISA ㏁ AE ①
square du Château, par allée St Roch - Nord du plan **BY** – ✆ 03 27 83 61 38
– www.cambrai-chateau-motte-fenelon.com – contact @
cambrai-chateau-motte-fenelon.com – Fax 03 27 83 71 61
10 ch – ♂90/260 € ♂♂90/260 €, ⊇ 10 €
Rest – Menu 26/39 € – Carte 27/40 €

◆ Le château édifié en 1850 par l'architecte Hittorff profite d'un environnement verdoyant et abrite des chambres de caractère au mobilier de style ou cérusé. Voûtes séculaires en briques, décor soigné et carte traditionnelle caractérisent le restaurant.

Orangerie Parc 🏠　　📞 🅿 VISA ㏁ AE ①
30 ch – ♂59/85 € ♂♂59/85 €, ⊇ 10 €

◆ L'orangerie propose un hébergement confortable à quelques pas du château. La prestation est plus simple dans les bungalows nichés dans un parc de 8 ha.

CAMBRAI

Beatus
718 av. de Paris, 1,5 km par ⑤ – ℰ 03 27 81 45 70 – www.hotel.beatus.fr
– hotel.beatus@wanadoo.fr – Fax 03 27 78 00 83
32 ch – ♦69/81 € ♦♦74/87 €, ⊆ 10 €
Rest – *(fermé août, 24 déc.-4 janv. et week-ends) (dîner seult) (résidents seult)*
Menu 22 € – Carte 27/60 €

♦ À l'ombre de grands arbres, demeure toute blanche dont le superbe escalier conduit à de spacieuses chambres, toutes différentes, contemporaines ou de style. Salon-bar feutré.

Le Clos St-Jacques sans rest
9 r. St-Jacques – ℰ 03 27 74 37 61 – www.leclosstjacques.com – rquero@wanadoo.fr – Fax 03 27 74 37 61 – Fermé 12-23 août et 21 déc.-4 janv.
5 ch – ♦74/110 € ♦♦74/110 €, ⊆ 10 €   BY **e**

♦ Monsieur conte volontiers l'histoire de ce bel hôtel particulier que madame a superbement redécoré en conservant son âme originelle. Excellent petit-déjeuner, accueil délicieux.

L'Escargot
10 r. Gén.-de-Gaulle – ℰ 03 27 81 24 54 – restaurantlescargot@wanadoo.fr
– Fax 03 27 83 95 21 – Fermé 15-31 juil, 21-26 déc., vend. soir et merc.   BZ **n**
Rest – Menu (19 € bc), 25/40 € – Carte 25/48 €

♦ Adresse située au cœur de la petite capitale des "bêtises". Salles rénovées, dont une mezzanine, où l'on sert une cuisine traditionnelle dans une ambiance décontractée.

Au Fil de l'Eau
1 bd Dupleix – ℰ 03 27 74 65 31 – Fax 03 27 74 65 31 – Fermé 14 juil.-14 août, 23 fév.-9 mars, dim. soir, merc. soir et lundi   AY **f**
Rest – Menu (19 €), 23/47 € – Carte 27/41 €

♦ Convivialité, couleurs gaies et goûteuse cuisine traditionnelle aux saveurs iodées vous attendent en ce sympathique petit restaurant proche d'une écluse du canal de St-Quentin.

rte de Bapaume 4 km par ⑥ – ⊠ 59400 Fontaine-Notre-Dame

Auberge Fontenoise
543 rte de Bapaume – ℰ 03 27 37 71 24 – www.auberge-fontenoise.com
– auberge.fontenoise@wanadoo.fr – Fax 03 27 70 34 91 – Fermé lundi sauf le midi de sept. à juin et dim. soir
Rest – Menu 26/46 € – Carte environ 48 €

♦ Des produits de qualité et une bonne dose de savoir-faire : on se régale de recettes régionales gourmandes dans cette charmante auberge familiale au décor rustique et soigné.

CAMBREMER – 14 Calvados – 303 M5 – 1 096 h. – alt. 100 m   33 **C2**
– ⊠ 14340

🅿 Paris 211 – Caen 38 – Deauville 28 – Falaise 38 – Lisieux 15
– Saint-Lô 110

🅘 Syndicat d'initiative, rue Pasteur ℰ 02 31 63 08 87, Fax 02 31 63 08 21

Château Les Bruyères
rte du Cadran (D 85) – ℰ 02 31 32 22 45 – www.chateaulesbruyeres.com
– reception@chateaulesbruyeres.com – Fax 02 31 32 22 58
– Fermé 6 janv.-5 fév.
13 ch – ♦95/180 € ♦♦95/220 €, ⊆ 15 € – 1 suite – ½ P 140/225 €
Rest – *(fermé lundi et mardi hors saison) (dîner seult)* Menu 42/75 €
– Carte 55/95 €

♦ Cette noble demeure se dresse au cœur d'un agréable parc arboré. Élégant salon bourgeois et jolies chambres personnalisées pour un séjour au grand calme. Menus "terre et mer" composés selon les arrivages du marché ; plantes aromatiques et produits du potager.

CAMIERS – 62 Pas-de-Calais – **301** C4 – 2 252 h. – alt. 23 m – ✉ 62176 30 **A2**

■ Paris 244 – Arras 101 – Boulogne-sur-Mer 21 – Calais 58 – Le Touquet 10
🛈 Office de tourisme, esplanade Ste-Cécile-Plage ☏ 03 21 84 72 18, Fax 03 21 84 72 18

Les Cèdres 🌿
64 r. Vieux-Moulin – ☏ 03 21 84 94 54 – www.hotel-cedres.com – hotel-cedres@wanadoo.fr – Fermé déc. et janv.
27 ch – †50/66 € ††50/66 €, ⊇ 8 €
Rest *L'Orangeraie* – (dîner seult) Menu 25/32 €

◆ Au centre du bourg, deux maisons séparées par une agréable cour-terrasse. Les chambres, modestes mais bien tenues, s'égayent de coloris vifs. Confortable bar, salon british. Salle à manger-véranda ouverte sur la terrasse d'été ; cuisine traditionnelle et régionale.

CAMON – 09 Ariège – **343** J6 – 157 h. – alt. 349 m – ✉ 09500 29 **C3**
▮ Midi-Pyrénées

■ Paris 780 – Carcassonne 63 – Pamiers 37 – Toulouse 103
🛈 Office de tourisme, 10, rue Georges d'Armagnac ☏ 05 61 68 88 26, Fax 05 61 68 88 26

L'Abbaye-Château de Camon 🌿
– ☏ 05 61 60 31 23 – www.chateaudecamon.com – katie@chateaudecamon.com – Fax 05 61 60 31 23 – Ouvert 16 mars-31 oct.
6 ch – †100/150 € ††130/180 €, ⊇ 18 €
Table d'hôte – (fermé merc.) Menu 38/40 €

◆ Le temps semble s'être arrêté dans ce site enchanteur dont le jardin offre de multiples recoins où chacun peut s'isoler. Les chambres, personnalisées, occupent d'anciennes cellules monacales. Le soir, vous rejoindrez le cloître où vous attendent de bons petits plats régionaux.

CAMPAGNE – 24 Dordogne – **329** G6 – **rattaché au Bugue**

CAMPES – 81 Tarn – **338** D6 – **rattaché à Cordes-sur-Ciel**

CAMPIGNY – 27 Eure – **304** D6 – **rattaché à Pont-Audemer**

CANAPVILLE – 14 Calvados – **303** M4 – **rattaché à Deauville**

CANCALE – 35 Ille-et-Vilaine – **309** K2 – 5 293 h. – alt. 50 m – ✉ 35260 10 **D1**
▮ Bretagne

■ Paris 398 – Avranches 61 – Dinan 35 – Fougères 73 – St-Malo 16
🛈 Office de tourisme, 44, rue du Port ☏ 02 99 89 63 72, Fax 02 99 89 75 08
◉ Site★ - Port de la Houle★ - ⁂ de la tour de l'église St-Méen - Pointe du Hock et sentier des Douaniers ≤★.
◉ Pointe du Grouin★★.

Plan page suivante

De Bricourt-Richeux 🌿
rte du Mont-St-Michel : 6,5 km par D 76, D 155 et voie secondaire –
☏ 02 99 89 64 76 – www.maisons-de-bricourt.com – bricourt@relaischateaux.com – Fax 02 99 89 88 47
11 ch – †165/310 € ††165/310 €, ⊇ 21 € – 2 suites
Rest *Le Coquillage* – voir ci-après

◆ Dans un parc (plantes aromatiques, animaux) dominant la baie du Mont-St-Michel, superbe villa de 1922 où séjourna Léon Blum. Chambres très raffinées, accueil soigné.

CANCALE

Bricourt (Pl.)	Y 3
Calvaire (Pl. du)	Z 4
Duguay-Trouin (Quai)	Z 9
Duquesne (R.)	Y 10
Du-Guesclin (R.)	Y 8
Fenêtre (Jetée de la)	Z 12
Gallais (R.)	Y 13
Gambetta (Quai)	Y 14
Hock (R. du)	Z 16
Jacques-Cartier (Quai)	Z 17
Juin (R. du Mar.)	Z 18
Kennedy (Quai)	Z 19
Leclerc (R. Gén.)	YZ 20
Mennais (R. de la)	Y 22
Port (R. du)	Z
République (Pl. de la)	Z 23
Rimains (R. des)	Y 24
Roulette (R. de la)	Z 25
Stade (R. du)	Z 27
Surcouf (R.)	Y 28
Thomas (Quai)	Z 30

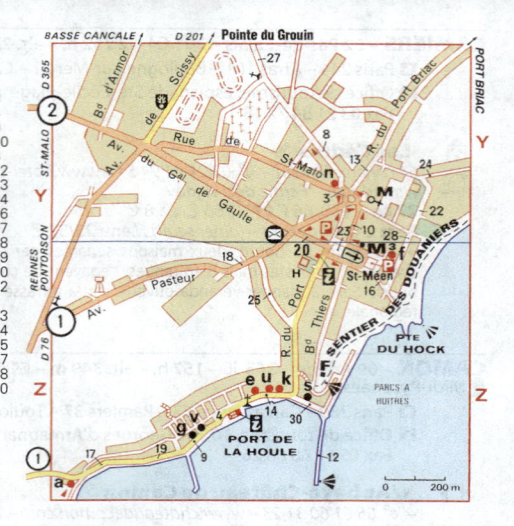

Le Continental

quai Thomas – ℘ 02 99 89 60 16 – www.hotel-cancale.com – hotel-conti@wanadoo.fr – Fax 02 99 89 69 58 – Fermé 12 janv.-9 fév.
16 ch – †70/130 € ††70/155 €, ☑ 13 €   Z s
Rest – *(fermé merc. sauf le soir de juin à sept. et mardi)* Menu 19 € (déj. en sem.), 24/45 € – Carte 31/49 €

♦ Situation privilégiée face au port, accueil sympathique, chambres confortables et très bien tenues, confitures maison au petit-déjeuner : une bonne petite adresse. Belles boiseries rehaussées de miroirs dans la salle à manger ouverte sur la flotille de pêche.

Le Querrien

7 quai Duguay-Trouin – ℘ 02 99 89 64 56 – www.le-querrien.com – le-querrien@wanadoo.fr – Fax 02 99 89 79 35
15 ch – †59/79 € ††85/138 €, ☑ 9 €   Z v
Rest – Menu 17 € (sem.)/28 € – Carte 25/65 €

♦ Maison bretonne et sa véranda en bois directement sur le quai. Ses grandes chambres aux couleurs du large portent le nom d'un bateau ; neuf donnent sur les flots. Le décor (vivier, boiseries, fresque marine) et la carte du restaurant rendent hommage à l'océan.

Auberge de la Motte Jean sans rest

2 km par ② par D 355 – ℘ 02 99 89 41 99 – www.hotelpointedugrouin.com – hotel-pointe-du-grouin@wanadoo.fr – Fax 02 99 89 92 22 – Fermé 1ᵉʳ déc.-31 janv.
13 ch – †65/78 € ††65/78 €, ☑ 8 €

♦ Ancien corps de ferme isolé dans la campagne cancalaise. Grand calme, jardin soigné avec étang. Chambres personnalisées garnies de meubles anciens. Accueil "sur mesure".

Duguay Trouin sans rest

11 quai Duguay-Trouin – ℘ 02 23 15 12 07 – www.hotelduguaytrouin.com – leduguaytrouin1@aol.com – Fax 02 99 89 75 20
7 ch – †70/85 € ††85/105 €, ☑ 8 €   Z g

♦ On vous reçoit avec simplicité et gentillesse dans cet hôtel du port de pêche entièrement rénové. Chambres sobrement marines (quelques malles-postes), côté baie ou rochers.

Le Chatellier sans rest

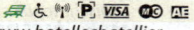

Quatrevais, 1 km par ② par D 355 – ℘ 02 99 89 81 84 – www.hotellechatellier.com – contact@hotellechatellier.com – Fax 02 99 89 61 69 – Fermé déc. et janv.
13 ch – †52/57 € ††67/85 €, ☑ 8,50 €

♦ Belle demeure bretonne au charme familial préservé et ses coquettes chambres de style "campagnard chic", mansardées à l'étage ; certaines donnent sur le jardin.

CANCALE

Les Rimains sans rest
r. Rimains – ℰ 02 99 89 64 76 – www.maisons-de-bricourt.com
– *Fax 02 99 89 88 47* – *Ouvert de mi-mars à mi-déc.*
4 ch – †170/290 € ††170/290 €, ☒ 21 €

♦ Dans ce ravissant cottage des années 1930 entouré d'un jardin surplombant la mer, Olivier Rœllinger propose des chambres décorées avec goût (meubles chinés). Ambiance guesthouse.

Le Manoir des Douets Fleuris sans rest
1,5 km par ② par D 365 – ℰ 02 23 15 13 81 – www.manoirdesdouetsfleuris.com
– *contact@manoirdesdouetsfleuris.com* – *Fax 02 99 89 98 19* – *Fermé janv.*
10 ch – †79/160 € ††79/160 €, ☒ 12 €

♦ Manoir du 17ᵉ s. avec son jardin et sa mare où barbotent des oiseaux. Chambres personnalisées dont une suite avec ciel de lit et cheminée en granit. Âtre monumental au salon.

Le Coquillage – Hôtel de Bricourt-Richeux
rte du Mont-St-Michel : 6,5 km par D 76, D 155 et voie secondaire
– ℰ 02 99 89 25 25 – www.maisons-de-bricourt.com
– *bricourt@relaischateaux.com*
Rest – *(fermé mi-janv. à mi-fév.)* Menu 29/60 €

♦ Séduisant bistrot dont la cuisine de la mer influencée par Olivier Rœllinger (un menu reprend ses créations) est servie dans une salle panoramique ou en terrasse sous les pins.

Côté Mer
4 r. E. Larmort, (rte de la corniche) – ℰ 02 99 89 66 08
– www.restaurant-cotemer.fr – *restaurant.cotemer@orange.fr*
– *Fax 02 99 89 89 20* – *Fermé 2 sem. en nov., vacances de fév., mardi soir, dim. soir hors saison et merc.*   Z a
Rest – Menu (24 €), 29/65 € – Carte 44/75 €

♦ Une cuisine au goût du jour soignée vous attend dans l'élégante salle à manger contemporaine et marine, l'agréable véranda ou la terrasse d'été de ce pavillon dominant le port.

Le Cancalais avec ch
12 quai Gambetta – ℰ 02 99 89 61 93 – *Fax 02 99 89 89 24* – *Fermé janv., dim. soir et lundi*   Z u
10 ch – †65/75 € ††80/90 €, ☒ 8 €
Rest – Menu 18 € (sem.)/65 € – Carte 40/54 €

♦ Carte mi-traditionnelle, mi-iodée, intérieur rustique (meubles d'inspiration bretonne) et véranda panoramique caractérisent cette institution cancalaise. Chambres coquettes.

La Maison de la Marine avec ch
23 r. Marine – ℰ 02 99 89 88 53 – www.maisondelamarine.com – *info@maisondelamarine.com* – *Fax 02 99 89 83 27*   Z f
5 ch – †80/90 € ††90/140 €, ☒ 12 €
Rest – *(fermé dim. soir et lundi hors saison)* Menu 24 € (déj. en sem.), 32/44 €
– Carte 38/54 €

♦ Ex-bureau des affaires maritimes superbement reconverti : décor de flibustiers intimiste, terrasse face au jardin, salon "so british". Cuisine mi-bretonne, mi-méditerranéenne. Entre meubles chinés et équipements luxueux, les chambres d'hôtes ont un charme fou.

Surcouf
7 quai Gambetta – ℰ 02 99 89 61 75
– *Fermé déc., janv., mardi et merc.*   Z k
Rest – Menu 17 € (sem.), 27/44 € – Carte 45/65 €

♦ Un joli petit bistrot marin qui sort du lot, parmi la foule d'adresses bordant le port de Cancale : vue sur la jetée (plus étendue à l'étage) et goûteuse cuisine de la mer.

Le Troquet
19 quai Gambetta – ℰ 02 99 89 99 42 – *Fermé 15 nov.-31 janv., jeudi et vend. sauf en août*   Z e
Rest – Menu 20 € (sem.)/44 € – Carte 39/65 €

♦ Un sympathique petit bistrot à dénicher parmi les nombreuses enseignes qui bordent le quai. Poissons et crustacés de premier choix, dont les fameuses huîtres de Cancale.

CANCALE

à la Pointe du Grouin ★★ 4,5 km au Nord par D 201 – ⊠ 35260 Cancale

La Pointe du Grouin ⌘
– ✆ 02 99 89 60 55 – www.hotelpointedugrouin.com
– hotel-pointe-du-grouin@wanadoo.fr – Fax 02 99 89 60 55 – Ouvert
1ᵉʳ avril-15 nov.
16 ch – ♦85/90 € ♦♦85/120 €, ⊇ 9 € – ½ P 85/100 €
Rest – (fermé jeudi midi sauf du 14 juil. au 31 août et mardi) Menu 24/77 €
– Carte 50/64 €

♦ Il règne comme un délicieux air de bout du monde autour de cette demeure bretonne perchée sur une falaise, face aux îles et au Mont-St-Michel. Agréables chambres campagnardes. Panorama exceptionnel sur le large depuis les tables proches des baies vitrées.

CANCON – 47 Lot-et-Garonne – 336 F2 – 1 287 h. – alt. 199 m – ⊠ 47290 — 4 C2

▯ Paris 581 – Agen 51 – Bergerac 40 – Bordeaux 134
🛈 Syndicat d'initiative, place de la Halle ✆ 05 53 01 09 89, Fax 05 53 01 64 70

à St-Eutrope-de-Born 9 km au Nord-Est par D 124 et D 153 – 609 h. – alt. 95 m – ⊠ 47210

Domaine du Moulin de Labique ⌘
rte de Villeréal – ✆ 05 53 01 63 90
– www.moulin-de-labique.fr – moulin-de-labique@wanadoo.fr
– Fax 05 53 01 73 17 – Fermé 17-23 nov.
6 ch – ♦75/100 € ♦♦90/115 €, ⊇ 10 € – ½ P 83/95 €
Table d'hôte – Menu 25/31 €

♦ Domaine paisible, bordé par un ruisseau et agrémenté d'une piscine, d'un potager et d'un coin pêche. Belles chambres logées dans la maison, l'écurie et la grange. Servie dans une salle à manger champêtre, la cuisine honore joliment le terroir.

CANDES-ST-MARTIN – 37 Indre-et-Loire – 317 J5 – 227 h. – alt. 35 m – ⊠ 37500 ▮ Châteaux de la Loire — 11 A2

▯ Paris 290 – Angers 76 – Chinon 16 – Saumur 13 – Tours 54
◎ Collégiale★.

Auberge de la Route d'Or
2 pl. de l'Église – ✆ 02 47 95 81 10 – routedor@club-internet.fr
– Fax 02 47 95 81 10 – Ouvert 25 mars-11 nov., mardi sauf le midi en juil.-août et merc.
Rest – (nombre de couverts limité, prévenir) Menu (17 €), 23/35 € – Carte 35/46 €

♦ Auberge rustique aménagée dans deux maisons anciennes ; l'une d'elles date du 17ᵉ s. Salle intime avec cheminée. La cuisine traditionnelle puise son inspiration dans le terroir.

CANDÉ-SUR-BEUVRON – 41 Loir-et-Cher – 318 E7 – 1 437 h. – alt. 70 m – ⊠ 41120 — 11 A1

▯ Paris 199 – Blois 15 – Chaumont-sur-Loire 7 – Montrichard 21 – Orléans 78 – Tours 51
🛈 Syndicat d'initiative, 10, route de Blois ✆ 02 54 44 00 44, Fax 02 54 44 00 44

La Caillère ⌘
36 rte de Montils – ✆ 02 54 44 03 08 – www.lacaillere.com – lacaillere2@wanadoo.fr – Fax 02 54 44 00 95 – Fermé janv. et fév.
18 ch – ♦50 € ♦♦63/66 €, ⊇ 11 € – ½ P 58/65 €
Rest – (fermé lundi midi, jeudi midi et merc.) Menu 20 € (sem.)/46 €
– Carte 40/53 €

♦ Isolée de la route par un rideau de verdure, ancienne ferme flanquée d'une aile moderne. Chambres sobres et bien tenues. Plaisante salle à manger ayant conservé son petit côté campagnard avec ses tables décorées de vieilles soupières ; cuisine actuelle de saison.

LE CANET – 13 Bouches-du-Rhône – **340** I5 – rattaché à Aix-en-Provence

---

CANET-EN-ROUSSILLON – 66 Pyrénées-Orientales – **344** J6 — 22 **B3**
– 10 182 h. – alt. 11 m – Casino **BZ** – ✉ 66140

- Paris 849 – Argelès-sur-Mer 21 – Narbonne 66 – Perpignan 11
- Office de tourisme, espace Méditerranée ℰ 04 68 86 72 00, Fax 04 68 86 72 12

Plan page suivante

à Canet-Plage – ✉ 66140

Les Flamants Roses
1 voie des Flamants-Roses –
ℰ 04 68 51 60 60 – www.hotel-flamants-roses.com – contact@hotel-flamants-roses.com – Fax 04 68 51 60 61
59 ch – ♦140/230 € ♦♦170/275 €, ⊇ 18 € – 4 suites – ½ P 118/180 €
Rest *L'Horizon* – rest. diététique *(fermé lundi midi et mardi midi)* Menu 29 € bc (déj. en sem.), 44/62 € – Carte environ 46 €
Rest *Le Canotier* – buffet *(déj. seult)* Menu 29 € bc
♦ Établissement moderne bordant la plage et couplé à un centre de thalassothérapie. Les chambres, largement ouvertes sur les flots, offrent un intérieur chaleureux. À L'Horizon : plats actuels ou "allégés" servis face à la mer. Cuisine de type brasserie au Canotier.

Le Mas de la Plage
34 av. Roussillon – ℰ 04 68 80 32 63 – www.lemasdelaplageetdespins.com
– contact@lemasdelaplageetdespins.com – Fax 04 68 80 49 19
– Ouvert 2 avril-30 oct.
AY a
16 ch (½ P seult) – ½ P 90/110 €
Rest – *(dîner seult) (résidents seult)* Menu 30/40 €
♦ À l'ombre des pins d'un parc centenaire, charmant mas catalan du 19e s. et ses confortables chambres aux couleurs du Sud. Cheminée habillée d'éclats de faïence au restaurant.

Mercure sans rest
120 prom. de la Côte-Vermeille – ℰ 04 68 80 28 59 – www.mercure.com – h3590@accor.com – Fax 04 68 80 80 60
BZ b
48 ch – ♦95/125 € ♦♦105/135 €, ⊇ 11 €
♦ Immeuble du front de mer proposant des chambres contemporaines, entièrement rénovées (lits king size), pour moitié tournées vers la grande bleue et pourvues de balcons.

Le Galion
20 bis av. Grand-large – ℰ 04 68 80 28 23 – www.hotel-le-galion.com – contact@hotel-le-galion.com – Fax 04 68 80 20 46
BZ r
28 ch – ♦64/99 € ♦♦64/99 €, ⊇ 11 € – ½ P 64/99 €
Rest – Menu (18 €), 26/30 € – Carte environ 36 €
♦ Ce Galion-là se trouve à quelque 150 m des flots : maison familiale dont la majorité des chambres, peu à peu modernisées, possèdent un balcon. Le restaurant ouvre sur la piscine et la terrasse (grillades aux beaux jours). Recettes catalanes.

Du Port
21 bd de la Jetée – ℰ 04 68 80 62 44 – www.hotel-du-port.net – info@hotel-du-port.net – Fax 04 68 73 28 83 – Hôtel : ouvert mai-oct. ; rest : ouvert juin-sept.
BY e
35 ch – ♦60/90 € ♦♦60/90 €, ⊇ 8 € – ½ P 55/75 €
Rest – *(dîner seult) (résidents seult)* Menu 15 €
♦ À mi-chemin entre le port et la plage, adresse datant des années 1980 et appréciée pour le calme et le confort de ses sobres chambres, toutes dotées d'un balcon. Cuisine traditionnelle sans prétention et ambiance marine dans la salle à manger.

La Frégate sans rest
12 r. Cerdagne – ℰ 04 68 80 22 87 – www.hotel-lafregate.fr – contact@hotel-lafregate.fr – Fax 04 68 73 82 72
BY f
27 ch – ♦58/95 € ♦♦63/103 €, ⊇ 8 €
♦ Cet hôtel situé à 100 m de la plage propose de petites chambres équipées d'un mobilier rustique de style régional ; insonorisation correcte et tenue rigoureuse.

CANET-PLAGE

Aigues Marines (R. des) .... **BZ** 2	Capcir (Galerie du) .... **BY** 12	Grande-Bretagne
Albères (R. des) .... **BY** 5	Cassanyes (Galerie) .... **BY** 14	(R. de) .... **BYZ** 29
Amandiers (R. des) .... **BY** 6	Catalogne (Av. de la) .... **BY** 15	Gratia (Av. Edmond) .... **BZ** 30
Anémones (Bd des) .... **AYZ** 7	Cerdagne (R. de) .... **BY** 18	Ile-de-France (R.) .... **BZ** 32
Balcons du Front de Mer (Av. des) **BZ** 8	Cerisiers (R. des) .... **BY** 20	Jouy d'Arnaud (R.) .... **BY** 33
Bourgogne-Morvan (R.) .... **BZ** 9	Champagne (R. de) .... **BZ** 22	Pountarrou (Av. du) .... **AY** 34
	Coquillages (R. des) .... **BZ** 25	Pyrénées (R. des) .... **BY** 35
	Corbières (R. des) .... **BY** 28	Sardane (R. de la) .... **ABY** 36

434

CANET-EN-ROUSSILLON

✕✕ **Le Don Quichotte** 🅰🅲 🆅🅸🆂🅰 🅼🅲 🅰🅴 ⓘ
🍴 22 av. de Catalogne – ℘ 04 68 80 35 17 – www.ledonquichotte.com
– ledonquichotte@wanadoo.fr – Fermé mi-janv.-mi-fév., lundi et mardi sauf fériés
Rest – Menu 18 € (déj. en sem.)/45 € – Carte 29/64 € ❀   BY **r**
◆ Le patron de ce sympathique restaurant soutient les viticulteurs locaux en proposant une belle sélection de leurs vins pour escorter sa carte mi-traditionnelle, mi-catalane.

CANGEY – 37 Indre-et-Loire – **317** P4 – 985 h. – alt. 85 m – ⌂ 37530   11 **A1**

▣ Paris 210 – Amboise 12 – Blois 28 – Montrichard 26 – Tours 35
▣ de Fleuray Route de Dame-Marie-les-Bois, N : 8 km par D 74, ℘ 02 47 56 07 07

🏠 **Le Fleuray** ❀   🚗 🌿 🏊 🅿 🐾 🆅🅸🆂🅰 🅼🅲
7 km au Nord, par D 74 rte Dame-Marie-les-Bois – ℘ 02 47 56 09 25
– www.lefleurayhotel.com – lefleurayhotel@wanadoo.fr – Fax 02 47 56 93 97
– Fermé 21 déc.-4 janv.
23 ch – †78/96 € ††78/130 €, ⌂ 13 € – ½ P 81/117 €
Rest – (fermé lundi soir de nov. à fév.) (dîner seult) (nombre de couverts limité, prévenir) Menu 29/49 € – Carte 50/80 €
◆ Ancienne ferme restaurée, d'autant plus charmante avec son jardin-verger et sa piscine. Bon accueil, chambres douillettes aux noms de fleurs. Restaurant très lumineux d'esprit campagnard chic pour une cuisine traditionnelle actualisée. Terrasse verdoyante.

CANNES – 06 Alpes-Maritimes – **341** D6 – 70 400 h. – alt. 2 m   42 **E2**
– Casinos : Palm Beach X, Croisette BZ – ⌂ 06400 ∎ **Côte d'Azur**

▣ Paris 898 – Aix-en-Provence 149 – Marseille 160 – Nice 33 – Toulon 120
▣ Office de tourisme, 1, boulevard de La Croisette ℘ 04 92 99 84 22, Fax 04 92 99 84 23
▣ Riviera Golf Club à Mandelieu Avenue des Amazones, par rte de la Napoule : 8 km, ℘ 04 92 97 49 49
▣ de Cannes Mougins à Mougins 175 avenue du Golf, NO : 9 km, ℘ 04 93 75 79 13
▣ Royal Mougins Golf Club à Mougins 424 avenue du Roi, par rte de Grasse : 10 km, ℘ 04 92 92 49 69
◉ Site★★ - Le front de Mer★★ : boulevard★★ et pointe★ de la croisette - ≤★ de la tour du Mont-Chevalier AZ - Musée de la Castre★★ AZ - Chemin des Collines★ NE : 4 km V - La Croix des Gardes X ≤★ O : 5 km puis 15 mn.

Plans pages suivantes

🏨 **Carlton Inter Continental**   ≤ 🌿 ❦ 🛌 ♿ ch,
58 bd de la Croisette – ℘ 04 93 06 40 06   🅰🅲 ⇄ 📶 🧖 🅿 🐾 🆅🅸🆂🅰 🅼🅲 🅰🅴 ⓘ
– www.ichotelsgroup.com – cannes@ichotelsgroup.com
– Fax 04 93 06 40 25   CZ **e**
342 ch – †315/1100 € ††315/1100 €, ⌂ 39 € – 39 suites
Rest *Carlton* – Menu 46 € – Carte 68/130 €
Rest *La Plage* – rest. de plage – ℘ 04 93 06 44 94 (ouvert avril-oct.) (déj. seult)
Menu (43 €) – Carte 67/134 €
◆ Hitchcock filma des scènes de La Main au collet dans le célèbre palace à deux coupoles. Luxueux intérieur Belle Époque, superbes suites, passé prestigieux : un univers d'exception. Au Carlton, décor élégant, vue sur la Croisette et carte de saison.

🏨 **Martinez**   ≤ 🌿 🏊 🍹 ❦ 🛌 ♿ ch, 🅰🅲 📶 🧖 🅿 🆅🅸🆂🅰 🅼🅲 🅰🅴 ⓘ
73 bd de la Croisette – ℘ 04 92 98 73 00 – www.hotel-martinez.com – martinez@concorde-hotels.com – Fax 04 93 39 67 82   DZ **n**
396 ch – †570/2900 € ††570/2900 €, ⌂ 35 € – 16 suites
Rest *La Palme d'Or* – voir ci-après
Rest *Relais Martinez* – ℘ 04 92 98 74 12 – Menu 38 € – Carte 60/95 €
Rest *Z. Plage* – rest. de plage – ℘ 04 92 98 74 22 (ouvert mai-sept.) (déj. seult)
Menu (37 €) – Carte 45/75 €
◆ Le mythique "pied-à-terre" des stars du festival. Chambres de style Art déco ou contemporaines, suites somptueuses, équipements très modernes, spa Givenchy et superbe fitness. Ambiance chic et décontractée, carte gourmande et terrasse d'été au Relais Martinez.

CANNES

Street	Ref	No
Albert-Édouard (Jetée)	BZ	
Alexandre-III (Bd)	X	2
Alsace (Bd)	BDY	
Anc.-Combattants-d'Afrique-du-Nord (Av.)	AYZ	4
André (R. du Cdt)	CZ	
Antibes (R. d')	BCY	
Bachaga-Saïd-Boualam (Av.)	AY	5
Beauséjour (Av.)	DYZ	
Beau-Soleil (Bd)	X	10
Belges (R. des)	BZ	12
Blanc (R. Louis)	AYZ	
Broussailles (Av. des)	V	16
Buttura (R.)	BZ	17
Canada (R. du)	DZ	
Carnot (Bd)	X	
Carnot (Square)	V	20
Castre (Pl. de la)	AZ	21
Chabaud (R.)	CY	22
Clemenceau (R. G.)	AZ	
Coteaux (Av. des)	V	
Croisette (Bd de la)	BDZ	
Croix-des-Gardes (Bd)	VX	29
Delaup (Bd)	AY	30
Dr-Pierre Gazagnaire (R.)	AZ	32
Dr-R. Picaud (Av.)	X	
Dollfus (R. Jean)	AZ	33
États-Unis (R. des)	CZ	35
Favorite (Av. de la)	X	38
Félix-Faure (R.)	ABZ	
Ferrage (Bd de la)	ABY	40
Fiesole (Av.)	X	43
Foch (R. du Mar.)	BY	44
Gallieni (R. du Mar.)	BY	48
Gaulle (Pl. Gén.-de)	BZ	51
Gazagnaire (Bd Eugène)	X	
Grasse (Av. de)	VX	53
Guynemer (Bd)	AY	
Hespérides (Av. des)	X	55
Hibert (Bd Jean)	AZ	
Hibert (R.)	AZ	
Isola-Bella (Av. d')	X	
Jean-Jaurès (R.)	BCY	
Joffre (R. du Mar.)	BY	60
Juin (Av. Mar.)	DZ	
Koening (Av. Gén.)	DY	
Lacour (Bd Alexandre)	X	62
Latour-Maubourg (R.)	DZ	
Lattre-de-Tassigny (Av. de)	AY	63
Laubeuf (Quai Max)	AZ	
Lérins (Av. de)	X	65
Liberté-Charles de Gaulle (A. de la)	AZ	70
Lorraine (Bd de)	CDY	
Macé (R.)	CZ	66
Madrid (Av. de)	DZ	
Meynadier (R.)	ABY	
Midi (Bd du)	X	
Mimont (R. de)	BY	
Montfleury (Bd)	CDY	74
Monti (R. Marius)	AY	75
Mont-Chevalier (R. du)	AZ	72
Noailles (Av. J-de)	X	
Observatoire (Bd de l')	X	84
Oxford (Bd d')	V	87
Paillassou (Av. R. et I.)	V	64
Pantiero (La)	ABZ	
Paradis-Terrestre (Corniches du)	V	88
Pasteur (R.)	DZ	
Pastour (R. Louis)	AY	90
Perier (Bd du)	V	91
Perrissol (R. Louis)	AZ	92
Petit-Juas (Av. du)	VX	
Pins (Bd des)	X	95
Pompidou (Espl. G.)	BZ	
Prince-de-Galles (Av. du)	X	97
République (Bd de la)	X	
Riouffe (R. Jean de)	BY	98
Riou (Bd du)	VX	
Roi-Albert 1er (Av.)	X	
Rouguière (R.)	BY	100
St-Antoine (R.)	AZ	102
St-Nicolas (Av.)	BY	105
St-Pierre (Quai)	AZ	
Sardou (R. Léandre)	X	108
Serbes (R. des)	BZ	110
Source (Bd de la)	X	112
Stanislas (Pl.)		
Strasbourg (Bd de)	CDY	
Teisseire (R.)	CY	114
Tuby (Bd Victor)	AYZ	115
Vallauris (Av. de)	VX	116
Vallombrosa (Bd)	AY	118
Vautrin (Bd Gén.)	DZ	
Vidal (R. du Cdt)	CY	120
Wemyss (Av. Amiral Wester)	X	122
1ère Division-Française (Bd de la)	BCY	124

LE CANNET

Street	Ref	No
Aubarède (Ch. de l')	V	8
Bellevue (Pl.)	V	13
Bréguières (Rte des)	V	14
Cannes (R. de)	V	19
Carnot (Bd)	V	
Cheval (Av. Maurice)	V	23
Collines (Ch. des)	V	
Doumer (Bd Paul)	V	31
Écoles (Av. des)	V	34
Four-à-Chaux (Bd du)	V	45
Gambetta (Bd)	V	50
Gaulle (Av. Gén.-de)	V	
Jeanpierre (Av. Maurice)	V	58
Mermoz (Av. Jean)	V	67
Monod (Bd Jacques)	V	68
Mont-Joli (Av. du)	V	73
N.-D.-des-Anges (Av.)	V	79
Olivetum (Bd d')	V	86
Olivet (Ch. de l')	V	85
Paris (R. de)	V	89
Pinède (Av. de la)	V	94
Pompidou (Av. Georges)	V	96
République (Bd de la)	V	
Roosevelt (Av. Franklin)	V	99
St-Sauveur (R.)	V	106
Victoria (Av.)	V	
Victor-Hugo (R.)	V	119

VALLAURIS

Street	Ref	No
Cannes (Av. de)	V	18
Clemenceau (Av. G.)	V	25
Golfe (Av. du)	V	52
Isnard (Pl. Paul)	V	56
Picasso (Av. Pablo)	V	93
Rouvier (Bd Maurice)	V	102
Tapis-Vert (Av. du)	V	113

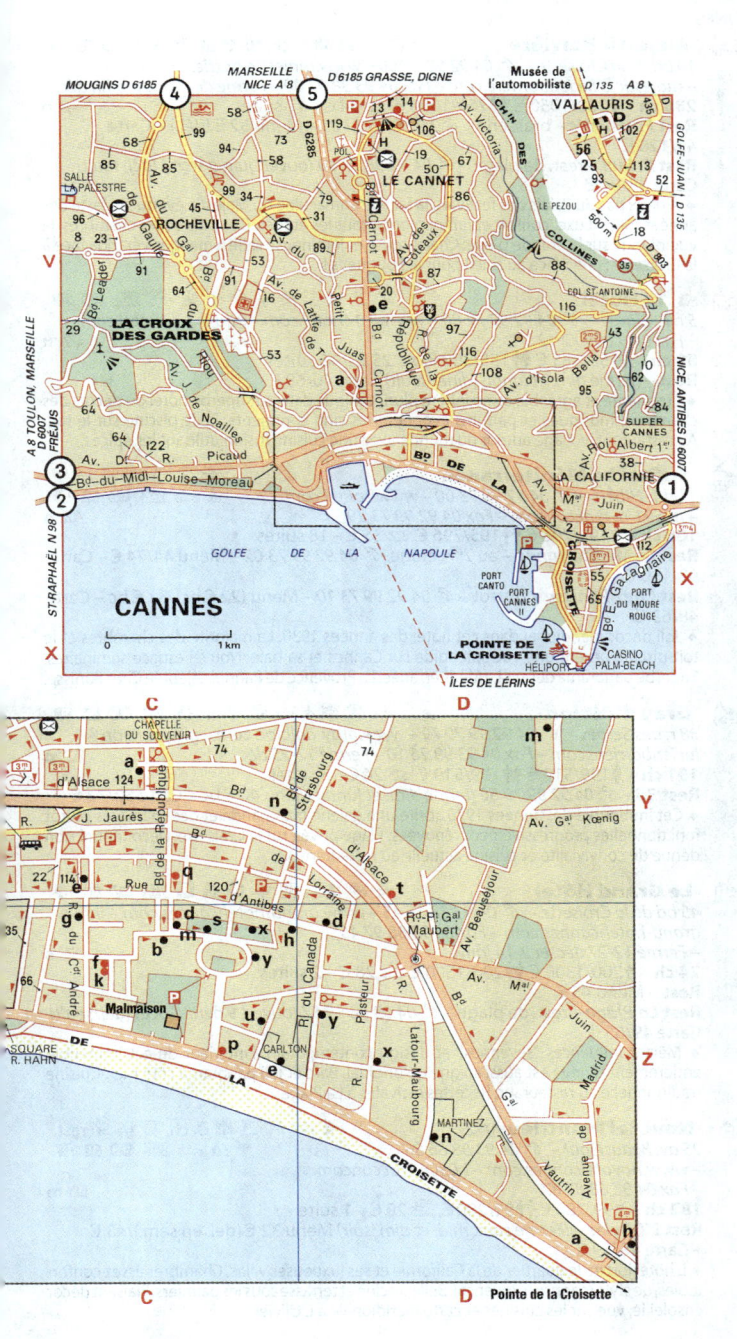

CANNES

Map references:
- MOUGINS D 6185 (4)
- MARSEILLE, NICE A 8 (5)
- D 6185 GRASSE, DIGNE
- Musée de l'automobiliste
- VALLAURIS
- CHIN DES COLLINES
- GOLFE-JUAN / D 135
- LE PEZOU
- COL ST ANTOINE
- LE CANNET
- ROCHEVILLE
- SALLE LA PALESTRE
- LA CROIX DES GARDES
- SUPER CANNES
- NICE, ANTIBES D 6007 (1)
- LA CALIFORNIE
- A 8 TOULON, MARSEILLE, D 6007 FRÉJUS (3)
- ST-RAPHAËL N 98 (2)
- GOLFE DE LA NAPOULE
- PORT CANTO
- PORT CANNES II
- PORT DU MOURÉ ROUGE
- POINTE DE LA CROISETTE
- HÉLIPORT
- CASINO PALM-BEACH
- ÎLES DE LÉRINS
- 0 — 1 km

Inset map (C–D / Y–Z):
- CHAPELLE DU SOUVENIR
- d'Alsace 124
- R. J. Jaurès
- Bd de Strasbourg
- Bd de la République
- Rue d'Antibes
- Bd d'Alsace
- Av. Gal Koenig
- R^d-P^t Gal Maubert
- Av. Beaujour
- R. Pasteur
- R. Latour-Maubourg
- Av. M^al Juin
- Av. de Madrid
- Malmaison
- SQUARE R. HAHN
- CARLTON
- MARTINEZ
- B^d DE LA CROISETTE
- Pointe de la Croisette

437

CANNES

Majestic Barrière
10 bd de la Croisette – ℰ *04 92 98 77 00* – *www.majestic-barriere.com*
– *majestic@lucienbarriere.com* – *Fax 04 93 38 97 90* – *Fermé de mi-nov. à fin déc.*
288 ch – ♦260/1050 € ♦♦260/1050 €, ⊇ 34 € – 17 suites   BZ n
Rest *Fouquet's* – brasserie – ℰ *04 92 98 77 05* – Menu 52 € (déj.) – Carte 49/126 €
Rest *B. Sud* – rest. de plage – ℰ *04 92 98 77 30 (ouvert juin à sept.) (déj. seult)*
Carte 48/84 €

♦ À deux pas du Palais des festivals, la façade immaculée du Majestic évoque le faste des années folles. Luxe, confort et raffinement à tous les étages. Des plus belles chambres, la vue plonge sur la grande bleue. Chaleureuse et lumineuse salle à manger-véranda face à la Croisette : une place au soleil pour le Fouquet's !

3.14 Hôtel
5 r. F.-Einesy – ℰ *04 92 99 72 00* – *www.3-14hotel.com* – *info@3-14hotel.com*
– *Fax 04 92 99 72 12*   CZ u
80 ch – ♦155/385 € ♦♦155/385 €, ⊇ 25 € – 15 suites
Rest – *(fermé dim. et lundi) (dîner seult)* Carte 40/68 €

♦ Étonnante et agréable atmosphère pluriethnique dans ce superbe hôtel où décors des chambres, musiques et parfums évoquent les cinq continents. Belle piscine sur le toit. Au restaurant, voyage autour du monde avec une cuisine fusion utilisant les épices.

Sofitel Le Méditerranée
1 bd J.-Hibert – ℰ *04 92 99 73 00* – *www.sofitel.com*
– *h0591-re@accor.com* – *Fax 04 92 99 73 29*   AZ n
108 ch – ♦195/796 € ♦♦195/796 €, ⊇ 35 € – 18 suites
Rest *Le Méditerranée* – au 7ème étage, ℰ *04 92 99 73 02* – Menu 44/74 € – Carte 92/110 €
Rest *Chez Panisse* – bistrot – ℰ *04 92 99 73 10* – Menu (22 € bc), 31 € bc – Carte 48/63 €

♦ Joli décor méridional dans cet hôtel des années 1930. La majorité des chambres et le toit-piscine offrent une vue splendide sur Cannes et sa baie. Nouvel espace séminaires. Superbe panorama depuis Le Méditerranée. La Provence de Pagnol célébrée Chez Panisse.

Gray d'Albion
38 r. des Serbes – ℰ *04 92 99 79 79* – *www.gray-dalbion.com* – *graydalbion@lucienbarriere.com* – *Fax 04 93 99 26 10* – *Fermé 12-25 déc.*   BZ d
191 ch – ♦199/519 € ♦♦199/519 €, ⊇ 24 € – 8 suites
Rest *38* – ℰ *04 92 99 79 60 (fermé dim. et lundi)* Menu 40 € bc – Carte 50/72 €

♦ Cet immeuble des années 1970 abrite une galerie marchande et des chambres plutôt fonctionnelles progressivement rénovées. Plage privée sur la Croisette. Décor épuré non dénué de convivialité et cuisine actuelle au restaurant 38.

Le Grand Hôtel
45 bd de la Croisette – ℰ *04 93 38 15 45* – *www.grand-hotel-cannes.com* – *info@grand-hotel-cannes.com* – *Fax 04 93 68 97 45*
– *Fermé 12-27 déc. et 2-14 janv.*   CZ s
74 ch – ♦200/1300 € ♦♦200/1300 €, ⊇ 28 € – 2 suites
Rest – Menu 45 €
Rest *La Plage* – rest. de plage – ℰ *04 93 38 19 57 (ouvert 9 avril-7 oct.) (déj. seult)*
Carte 49/65 €

♦ Mêlant influences "seventies" et design contemporain, l'intérieur de cet immeuble entièrement rénové est aussi soigné qu'original. Parc et joli panorama côté mer. Cuisine traditionnelle au restaurant. Recettes estivales à La Plage.

Novotel Montfleury
25 av. Beauséjour – ℰ *04 93 68 86 86*
– *www.novotelcannes.com* – *h0806@accor.com*
– *Fax 04 93 68 87 87*   DY m
182 ch – ♦99/280 € ♦♦99/280 €, ⊇ 20 € – 1 suite
Rest *L'Olivier* – *(Fermé sam. midi et dim. soir)* Menu 32 € (déj. en sem.)/43 €
– Carte 48/59 €

♦ L'hôtel jouxte le quartier de la Californie et ses luxueuses villas. Chambres assez confortables, de style marin ou provençal. Belle piscine et terrasse sous les palmiers. Plaisant décor ensoleillé, vue sur les cuisines et carte méridionale à L'Olivier.

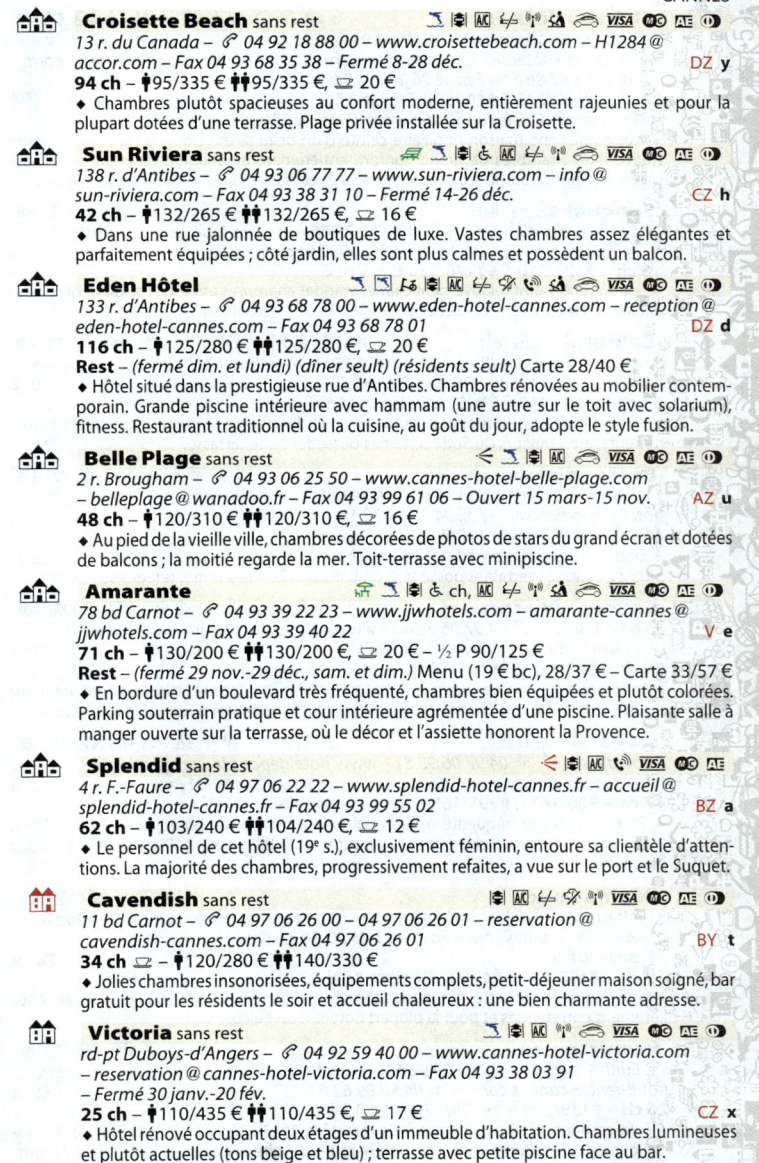

CANNES

Croisette Beach sans rest
13 r. du Canada – ℰ 04 92 18 88 00 – www.croisettebeach.com – H1284@
accor.com – Fax 04 93 68 35 38 – Fermé 8-28 déc.   DZ y
94 ch – †95/335 € ††95/335 €, ⇌ 20 €
♦ Chambres plutôt spacieuses au confort moderne, entièrement rajeunies et pour la plupart dotées d'une terrasse. Plage privée installée sur la Croisette.

Sun Riviera sans rest
138 r. d'Antibes – ℰ 04 93 06 77 77 – www.sun-riviera.com – info@
sun-riviera.com – Fax 04 93 38 31 10 – Fermé 14-26 déc.   CZ h
42 ch – †132/265 € ††132/265 €, ⇌ 16 €
♦ Dans une rue jalonnée de boutiques de luxe. Vastes chambres assez élégantes et parfaitement équipées ; côté jardin, elles sont plus calmes et possèdent un balcon.

Eden Hôtel
133 r. d'Antibes – ℰ 04 93 68 78 00 – www.eden-hotel-cannes.com – reception@
eden-hotel-cannes.com – Fax 04 93 68 78 01   DZ d
116 ch – †125/280 € ††125/280 €, ⇌ 20 €
Rest – (fermé dim. et lundi) (dîner seult) (résidents seult) Carte 28/40 €
♦ Hôtel situé dans la prestigieuse rue d'Antibes. Chambres rénovées au mobilier contemporain. Grande piscine intérieure avec hammam (une autre sur le toit avec solarium), fitness. Restaurant traditionnel où la cuisine, au goût du jour, adopte le style fusion.

Belle Plage sans rest
2 r. Brougham – ℰ 04 93 06 25 50 – www.cannes-hotel-belle-plage.com
– belleplage@wanadoo.fr – Fax 04 93 99 61 06 – Ouvert 15 mars-15 nov.   AZ u
48 ch – †120/310 € ††120/310 €, ⇌ 16 €
♦ Au pied de la vieille ville, chambres décorées de photos de stars du grand écran et dotées de balcons ; la moitié regarde la mer. Toit-terrasse avec minipiscine.

Amarante
78 bd Carnot – ℰ 04 93 39 22 23 – www.jjwhotels.com – amarante-cannes@
jjwhotels.com – Fax 04 93 39 40 22   V e
71 ch – †130/200 € ††130/200 €, ⇌ 20 € – ½ P 90/125 €
Rest – (fermé 29 nov.-29 déc., sam. et dim.) Menu (19 € bc), 28/37 € – Carte 33/57 €
♦ En bordure d'un boulevard très fréquenté, chambres bien équipées et plutôt colorées. Parking souterrain pratique et cour intérieure agrémentée d'une piscine. Plaisante salle à manger ouverte sur la terrasse, où le décor et l'assiette honorent la Provence.

Splendid sans rest
4 r. F.-Faure – ℰ 04 97 06 22 22 – www.splendid-hotel-cannes.fr – accueil@
splendid-hotel-cannes.fr – Fax 04 93 99 55 02   BZ a
62 ch – †103/240 € ††104/240 €, ⇌ 12 €
♦ Le personnel de cet hôtel (19ᵉ s.), exclusivement féminin, entoure sa clientèle d'attentions. La majorité des chambres, progressivement refaites, a vue sur le port et le Suquet.

Cavendish sans rest
11 bd Carnot – ℰ 04 97 06 26 00 – 04 97 06 26 01 – reservation@
cavendish-cannes.com – Fax 04 97 06 26 01   BY t
34 ch ⇌ – †120/280 € ††140/330 €
♦ Jolies chambres insonorisées, équipements complets, petit-déjeuner maison soigné, bar gratuit pour les résidents le soir et accueil chaleureux : une bien charmante adresse.

Victoria sans rest
rd-pt Duboys-d'Angers – ℰ 04 92 59 40 00 – www.cannes-hotel-victoria.com
– reservation@cannes-hotel-victoria.com – Fax 04 93 38 03 91
– Fermé 30 janv.-20 fév.   CZ x
25 ch – †110/435 € ††110/435 €, ⇌ 17 €
♦ Hôtel rénové occupant deux étages d'un immeuble d'habitation. Chambres lumineuses et plutôt actuelles (tons beige et bleu) ; terrasse avec petite piscine face au bar.

America sans rest
13 r. St-Honoré – ℰ 04 93 06 75 75 – www.hotel-america.com – info@
hotel-america.com – Fax 04 93 68 04 58 – Fermé 15 déc.-15 janv.   BZ r
28 ch – †90/115 € ††110/130 €, ⇌ 15 €
♦ Dans une rue calme proche de la Croisette. Les chambres, fraîches et actuelles, sont bien insonorisées et généralement spacieuses. Tenue irréprochable.

CANNES

🏨 Château de la Tour ⚜
10 av. Font-de-Veyre, par ③ – ℰ *04 93 90 52 52*
– *www.hotelchateaudelatour.com* – *hotelduchateaudelatour.com*
– *Fax 04 93 47 86 61* – *Fermé 26 janv.-19 fév.*
34 ch – ♦125/375 € ♦♦125/375 €, ⊇ 17 €
Rest – *(fermé dim. et lundi) (dîner seult)* Menu 37/49 € – Carte 51/72 €

◆ Cette ancienne maison nobiliaire ceinte d'un beau jardin clos jouit d'une délicieuse tranquillité. Chambres de grand confort, entièrement aménagées dans un esprit néo-baroque. Au restaurant, recettes régionales et plaisante salle à l'ambiance feutrée.

🏨 Fouquet's sans rest
2 rd-pt Duboys-d'Angers – ℰ *04 92 59 25 00* – *www.le-fouquets.com* – *info @ le-fouquets.com* – *Fax 04 92 98 03 39* – *Ouvert avril-8 nov.*   CZ y
13 ch – ♦120/210 € ♦♦140/250 €, ⊇ 14 €

◆ Sur un rond-point relativement calme, grandes chambres assez gaies, joliment refaites dans un esprit provençal. Accueil prévenant et tenue rigoureuse.

🏨 California sans rest
8 traverse Alexandre-III – ℰ *04 93 94 12 21* – *www.hotel-californias.com* – *resa @ californias-hotel.com* – *Fax 04 93 43 55 17*   DZ h
33 ch – ♦101/168 € ♦♦101/300 €, ⊇ 14 €

◆ Ces belles maisons ordonnées autour d'un jardin-piscine abritent des chambres (non-fumeurs) aux couleurs du Sud ; certaines possèdent une terrasse.

🏨 Le Mondial sans rest
1 r. Teisseire – ℰ *04 93 68 70 00* – *www.hotelemondial.com* – *reservation @ hotelemondial.com* – *Fax 04 93 99 39 11*   CY e
49 ch – ♦80/175 € ♦♦110/410 €, ⊇ 14 €

◆ Élégante façade de style Art déco. Les chambres, aux tons chocolat, affichent un cadre plutôt ethnique ; certaines possèdent un balcon avec vue sur mer (étages supérieurs).

🏨 Cannes Riviera sans rest
16 bd d'Alsace – ℰ *04 97 06 20 40* – *www.cannesriviera.com* – *reservation @ cannesriviera.com* – *Fax 04 93 39 20 75*   BY r
58 ch – ♦85/125 € ♦♦105/140 €, ⊇ 15 € – 5 suites

◆ La façade agrémentée d'un portrait géant de Marilyn Monroe attire le regard. Intérieur résolument provençal, chambres rénovées et piscine panoramique sur le toit-terrasse.

🏨 De Paris sans rest
34 bd d'Alsace – ℰ *04 97 06 98 81* – *www.hoteldeparis.fr* – *reservation @ hoteldeparis.fr* – *Fax 04 93 39 04 61* – *Fermé 8-25 déc. et 7-21 janv.*   CY a
47 ch – ♦80/145 € ♦♦95/165 €, ⊇ 18 € – 3 suites

◆ Proche d'un axe fréquenté mais parfaitement insonorisé, hôtel particulier du 19ᵉ s. (non-fumeurs) abritant des chambres bourgeoises bien tenues. Piscine au milieu des palmiers.

🏨 Régina sans rest
31 r. Pasteur – ℰ *04 93 94 05 43* – *www.hotel-regina-cannes.com* – *reception @ hotel-regina-cannes.com* – *Fax 04 93 43 20 54* – *Fermé 11-29 déc., 25 janv.-20 fév.*   DZ x
19 ch – ♦100/200 € ♦♦100/200 €, ⊇ 16 €

◆ Non loin de la Croisette, pimpantes chambres décorées dans le style provençal, régulièrement entretenues et pour la plupart dotées d'un balcon. Wi-fi.

🏨 Renoir sans rest
7 r. Edith-Cavell – ℰ *04 92 99 62 62* – *www.hotel-renoir-cannes.com* – *contact @ hotel-renoir-cannes.com* – *Fax 04 92 99 62 82*   BY x
26 ch – ♦139/209 € ♦♦159/229 €, ⊇ 15 €

◆ Tout neuf derrière cette façade de caractère (1913). Décor intérieur ultra-contemporain parsemé de touches néobaroques ; chambres et suites modernes, dans le même esprit.

🏨 Cézanne sans rest
40 bd d'Alsace – ℰ *04 92 59 41 00* – *www.hotel-cezanne.com* – *contact @ hotel-cezanne.com* – *Fax 04 92 99 20 99*   CY n
28 ch – ♦139/259 € ♦♦139/259 €, ⊇ 17 €

◆ Séduisantes chambres contemporaines mariant chacune le gris à une couleur vive (jaune, turquoise), fitness, hammam et petit-déjeuner sous les palmiers : rénovation réussie !

CANNES

Villa de l'Olivier sans rest
5 r. Tambourinaires – ℰ 04 93 39 53 28 – www.hotelolivier.com – reception@hotelolivier.com – Fax 04 93 39 55 85 – Fermé 21 nov.-26 déc., 7-17 janv. et 23 janv.-22 fév.
AZ e
23 ch – †100/120 € ††110/155 €, ⊇ 12 €

♦ Proche du centre-ville et du Suquet, une villa familiale dotée de chambres coquettes et bien insonorisées. Buffet des petits-déjeuners sous la véranda ou en terrasse l'été.

Festival sans rest
3 r. Molière – ℰ 04 97 06 64 40 – www.hotel-festival.com – infos@hotel-festival.com – Fax 04 97 06 64 45 – Fermé 4-14 janv.
CZ m
14 ch – †59/129 € ††69/169 €, ⊇ 10 €

♦ Dans cet hôtel, le service du petit-déjeuner se fait uniquement dans les chambres. Fraîchement rénovées dans des couleurs vives, elles sont bien isolées du bruit. Sauna, jacuzzi.

La Villa Tosca sans rest
11 r. Hoche – ℰ 04 93 38 34 40 – www.villa-tosca.com – contact@villa-tosca.com – Fax 04 93 38 73 34 – Fermé 13-28 déc.
BY e
22 ch – †61/98 € ††82/220 €, ⊇ 13 €

♦ Cette belle façade "à l'italienne" jaune citron dissimule un intérieur contemporain associant meubles et objets modernes ou anciens. Petites chambres joliment refaites.

L'Estérel sans rest
15 r. du 24-Août – ℰ 04 93 38 82 82 – www.hotellesterel.com – reservation@hotellesterel.com – Fax 04 93 99 04 18
BY d
55 ch – †50/80 € ††63/90 €, ⊇ 8 €

♦ À deux pas de la gare, hôtel flambant neuf aux chambres petites, mais correctement équipées. Petit-déjeuner sous véranda, avec vue sur l'Estérel, les toits cannois et la mer.

Le Mistral sans rest
13 r. des Belges – ℰ 04 93 39 91 46 – www.mistral-hotel.com – contact@mistral-hotel.com – Fax 04 93 38 35 17 – Fermé 13-26 déc.
BZ b
10 ch – †79/119 € ††79/119 €, ⊇ 10 €

♦ Un hôtel de poche, tout neuf, situé derrière le Palais des festivals. Les jolies petites chambres contemporaines portent chacune un nom de vent. Accueil familial et prévenant.

De Provence sans rest
9 r. Molière – ℰ 04 93 38 44 35 – www.hotel-de-provence.com – contact@hotel-de-provence.com – Fax 04 93 39 63 14 – Fermé 1er-27 déc.
CZ s
30 ch – †65/82 € ††82/122 €, ⊇ 10 €

♦ Un charmant jardin planté de palmiers devance cet hôtel idéalement proche de la Croisette. Les chambres ne sont pas très grandes mais coquettes et provençales (quelques balcons).

Florian sans rest
8 r. Cdt-André – ℰ 04 93 39 24 82 – www.hotel-leflorian.com – contact@hotel-leflorian.com – Fax 04 92 99 18 30 – Fermé 1er déc.-10 janv.
CZ g
20 ch – †50/70 € ††65/85 €, ⊇ 6 €

♦ Accueil tout sourire dans cet hôtel familial doté de chambres simples et rigoureusement tenues. Certaines possèdent un balcon où vous pourrez apprécier un bon petit-déjeuner.

La Palme d'Or – Hôtel Martinez
73 bd de la Croisette – ℰ 04 92 98 74 14 – www.hotel-martinez.com – lapalmedor@concorde-hotels.com – Fax 04 93 39 03 38 – Fermé 3 janv.-1er mars, dim. et lundi
DZ n
Rest – Menu 64 € bc (déj.), 83/189 € – Carte 140/185 €
Spéc. "Éclosion lumineuse" d'escargot (automne-hiver). "Authentique" sardine grillée comme un stockfish. Soufflé "tout pomme" (automne-hiver). **Vins** Côtes du Luberon, Côtes de Provence.

♦ Photos de stars et bois nobles subliment le séduisant intérieur Art déco ouvrant "plein cadre" sur la Croisette. Superbe terrasse panoramique. Brillante cuisine gorgée de soleil.

CANNES

XXX Le Mesclun
AC VISA MC AE

16 r. St-Antoine – ℘ *04 93 99 45 19 – www.lemesclun-restaurant.com*
– mesclun.cannes@wanadoo.fr – Fax 04 93 49 29 11 – Fermé 28 juin-8 juil.,
31 janv.-2 mars et dim. **AZ t**
Rest *– (dîner seult)* Menu 39 € – Carte 75/115 €
♦ Lumière tamisée, boiseries, tableaux et couleurs chaudes composent un cadre idéal pour déguster une cuisine méditerranéenne goûteuse et soignée. Service compétent et souriant.

XX Le Festival
AC VISA MC AE ①

52 bd de la Croisette – ℘ *04 93 38 04 81 – www.lefestival.fr – contact@lefestival.fr*
– Fax 04 93 38 13 82 – Fermé 17 nov.-26 déc. **CZ p**
Rest – Menu 28 € (déj.), 35/43 € – Carte 39/60 € – **Rest** *Grill* – Carte 35/50 €
♦ Des dessins de navires en coupe égayent les lambris blonds de cette vaste brasserie un brin rétro. Terrasse face à la Croisette pour voir... et être vu ! Au Grill, ambiance conviviale et restauration simple : salades, plats du jour, assiettes "minceur", etc.

XX Mantel
AC VISA MC AE

22 r. St-Antoine – ℘ *04 93 39 13 10 – www.restaurantmantel.fr – noel.mantel@*
wanadoo.fr – Fax 04 93 38 77 29 – Fermé 1er-15 juil., 23-29 déc., jeudi midi, merc. et
le midi en juil.-août **AZ c**
Rest – Menu 27 € (déj.), 39/60 € – Carte 50/90 €
♦ Dans une ruelle pittoresque du Suquet jalonnée de restaurants. Celui-ci se distingue par son décor intimiste et son appétissante cuisine aux saveurs provençales.

XX Il Rigoletto
AC VISA MC ①

60 bd d'Alsace – ℘ *04 93 43 32 19 – Fax 04 93 43 32 19*
– Fermé 23 nov.-15 déc., mardi soir sauf en juil.-août et dim. **DY t**
Rest – Menu (13 €), 26/52 € – Carte 55/82 €
♦ Salle à manger rétro et bonne cuisine italienne à base de produits frais (pâtes et desserts maison) : loin des paillettes, une charmante adresse familiale à prix tout doux.

XX Comme Chez Soi
AC VISA MC AE

4 r. Batéguier – ℘ *04 93 39 62 68 – info@commechezsoi.net – Fax 04 93 38 20 65*
– Fermé 22-27 déc. et lundi **CZ k**
Rest *– (dîner seult)* Menu 27/80 € – Carte 58/90 €
♦ On se sent "Comme Chez Soi" dans ces murs agrémentés de bibelots du monde entier et de meubles hétéroclites. Cuisine provençale goûteuse et soignée, escortée de plats classiques.

XX Rest. Arménien
AC VISA MC ①

82 bd de la Croisette – ℘ *04 93 94 00 58 – www.lerestaurantarmenien.com*
– infos@lerestaurantarmenien.com – Fax 04 93 94 56 12 – Fermé 11 déc.-3 janv.
Rest *– (dîner seult)* Menu 45 € **DZ a**
♦ Le menu du jour convie à une goûteuse – et très copieuse – escapade culinaire en Arménie. Cadre un peu kitsch, service jusqu'à minuit, accueil charmant et clientèle fidèle.

XX Relais des Semailles
AC VISA MC

9 r. St-Antoine – ℘ *04 93 39 22 32 – cannessemailles@orange.fr*
– Fax 04 93 39 84 73 – Fermé lundi midi **AZ z**
Rest – Menu 22 € (déj.)/34 € – Carte 53/83 €
♦ Tableaux, meubles anciens et bibelots composent le cadre cosy de ce restaurant situé dans une ruelle de la vieille ville. Cuisine à l'accent provençal.

XX Côté Jardin
AC VISA MC AE

12 av. St-Louis – ℘ *04 93 38 60 28 – www.restaurant-cotejardin.*
com@wanadoo.fr – Fax 04 93 38 60 28 – Fermé 27 oct.-5 nov., dim. et lundi
Rest – Menu 24/38 € **X a**
♦ Sympathique petit restaurant dans un quartier résidentiel. Salle à manger-véranda et jardinet-terrasse ombragé. Plats familiaux et du marché, à découvrir sur l'ardoise du jour.

X L'Affable
AC VISA MC AE

5 r. la Fontaine – ℘ *04 93 68 02 09 – www.restaurant-laffable.fr – laffable@*
wanadoo.fr – Fax 04 93 68 19 09 – Fermé août, sam. midi et dim. **CZ d**
Rest – Menu (20 €), 24 € (déj.)/38 € – Carte 60/90 €
♦ Décor épuré rehaussé d'une collection d'art africain et cuisine visible de tous dans ce bistrot contemporain proposant une carte assez courte, à la fois sage et appétissante.

CANNES

Caveau 30
45 r. F.-Faure – ℰ *04 93 39 06 33 – www.lecaveau30.com – lecaveau30@
wanadoo.fr – Fax 04 92 98 05 38* AZ **f**
Rest – brasserie – Menu (17 €), 24/36 € – Carte 40/70 €
♦ Deux grandes salles à manger façon brasserie des années 1930. Banc d'écailler et terrasse donnant sur une grande place ombragée. Poissons, coquillages et plats traditionnels.

Rendez-Vous
35 r. F.-Faure – ℰ *04 93 68 55 10 – restaurantrdv@orange.fr – Fax 04 93 38 96 21
– Fermé 26 janv.-12 fév.* AZ **g**
Rest – Menu (17 €), 22/30 € – Carte 38/55 €
♦ Rendez-Vous dans ce joli restaurant révélant un nouveau décor contemporain d'inspiration Art déco. Poissons, crustacés et plats traditionnels à l'accent méridional.

La Cave
9 bd de la République – ℰ *04 93 99 79 87 – www.restaurant-lacave.com – info@
restaurantlacave.com – Fax 04 93 68 91 19 – Fermé sam. midi et dim.*
Rest – bistrot – Menu 31 € – Carte 42/70 € CY **q**
♦ Un vrai petit bistrot, actuel et convivial, avec ses ardoises de suggestions du jour et sa riche carte des vins hexagonale particulièrement bien composée.

Aux Bons Enfants
80 r. Meynadier – Fermé 22 nov.-4 janv., dim. et lundi AZ **r**
Rest – *(nombre de couverts limité)* Menu 24 €
♦ Cette petite adresse familiale au look rétro cultive avec bonheur l'art de recevoir. Cuisine régionale et particularités maison : pas de téléphone et on paie en liquide.

au Cannet 3 km au Nord - V – 42 800 h. - alt. 80 m - ✉ 06110

🛈 Office de tourisme, avenue du Campon ℰ 04 93 45 34 27, Fax 04 93 45 28 06

Pézou
346 r. St-Sauveur – ℰ *04 93 69 32 50 – Fax 04 93 43 69 14 – Fermé 22-30 juin, nov.,
lundi midi en juil.-août, dim. soir de sept. à juin et merc.* V **r**
Rest – Menu (13 €), 18 € (déj.), 26/32 € – Carte 32/39 €
♦ Pour oublier la Croisette le temps d'un repas, sympathique restaurant situé sur une jolie placette où l'on dresse la terrasse aux beaux jours. Cuisine à l'accent provençal.

LE CANNET – 06 Alpes-Maritimes – **341** D6 – rattaché à Cannes

---

CAPBRETON – 40 Landes – **335** C13 – 7 546 h. - alt. 6 m - Casino **3 A3**
– ✉ 40130 ▌Aquitaine

▶ Paris 749 – Bayonne 22 – Biarritz 29 – Mont-de-Marsan 90
  – St-Vincent-de-Tyrosse 12

🛈 Office de tourisme, avenue Georges Pompidou ℰ 05 58 72 12 11,
Fax 05 58 41 00 29

🏌 de Seignosse Avenue du Belvédère, N : 8 km par D 152,
ℰ 05 58 41 68 30

quartier de la plage

Cap Club Hôtel
85 av. Mar.-de-Lattre-de-Tassigny – ℰ *05 58 41 80 00 – www.capclubhotel.com
– contact@capclubhotel.com – Fax 05 58 41 80 41*
75 ch – †70/276 € ††70/276 €, ⛛ 12 € **Rest** – Menu (18 €) – Carte 30/60 €
♦ Sport, remise en forme ou détente : à vous de choisir le thème de votre séjour dans cet hôtel situé face à la plage. Chambres modernes et nombreuses installations sportives. Au restaurant, cadre contemporain, belle vue sur l'océan et cuisine traditionnelle.

L'Océan
85 av. G.-Pompidou – ℰ *05 58 72 10 22 – www.hotel-capbreton.com
– hotel-capbreton@wanadoo.fr – Fax 05 58 72 08 43 – Fermé 30 nov.-20 déc.
et 4-30 janv.*
25 ch – †55/90 € ††65/109 €, ⛛ 8,50 € **Rest** – Menu 17/25 € – Carte 30/55 €
♦ Au bord du chenal, façade immaculée abritant des chambres dotées de balcons ; préférez celles situées sur l'arrière, plus au calme. L'Atlantique est à l'honneur, tant dans le décor de la brasserie que dans l'assiette. Pizzeria pour les petits creux.

CAPBRETON
quartier la Pêcherie

XXX **Le Regalty** 🈷 VISA MC AE ①
port de plaisance – ℰ 05 58 72 22 80 – leregalty@cegetel.net – Fax 05 58 72 22 80
– Fermé 1ᵉʳ-8 déc., janv., merc. soir, dim. soir et lundi
Rest – Menu (20 €), 28 € – Carte 45/65 €
♦ Restaurant aménagé au rez-de-chaussée d'un immeuble moderne. Salle à manger redécorée et nouvelle terrasse pour apprécier une carte courte du marché et les produits de l'océan.

X **Le Pavé du Port** 🈷 AC VISA MC
port de plaisance – ℰ 05 58 72 29 28 – www.le-pave-du-port.com – le-pave@hotmail.fr – Fax 05 58 72 29 28 – Fermé vacances de Noël à mi-janv., lundi midi en juil.-août, mardi et oct. à avril et merc. sauf le soir en juil.-août
Rest – Menu 18 € (sem.)/27 € – Carte 30/40 €
♦ Du poisson tout frais pêché alimente la table de ce restaurant installé sur le port de plaisance. Salles à manger aux discrètes touches marines et terrasse-véranda.

CAP COZ – 29 Finistère – **308** H7 – rattaché à Fouesnant

CAP-d'AGDE – 34 Hérault – **339** G9 – rattaché à Agde

CAP d'AIL – 06 Alpes-Maritimes – **341** F5 – 4 532 h. – alt. 51 m   42 **E2**
– ✉ 06320

▶ Paris 945 – Monaco 3 – Menton 14 – Monte-Carlo 4 – Nice 18
🅘 Office de tourisme, 87, avenue du 3 Septembre ℰ 04 93 78 02 33, Fax 04 92 10 74 36

Voir plan de Monaco (Principauté de)

🏨 **Marriott Riviera la Porte de Monaco**
au port – ℰ 04 92 10 67 67
– www.mariott.com/mcmcd – thierry.derrien@marriotthotels.com
– Fax 04 92 10 67 00   AV **n**
186 ch – ♦179/499 € ♦♦179/499 €, ⊇ 21 € – 15 suites
Rest – Menu 20 € (déj. en sem.), 35/39 € – Carte 36/54 €
♦ Immeuble moderne face au port de plaisance du cap d'Ail. Chambres très confortables, conformes aux normes de la chaîne ; la plupart sont dotées de loggias avec vue sur la mer. Élégant restaurant aménagé à la façon d'une brasserie. Cuisine traditionnelle.

CAP d'ANTIBES – 06 Alpes-Maritimes – **341** D6 – rattaché à Antibes

---

CAPDENAC-GARE – 12 Aveyron – **338** E3 – 4 601 h. – alt. 175 m   29 **C1**
– ✉ 12700

▶ Paris 587 – Aurillac 65 – Rodez 59 – Villefranche-de-Rouergue 31
🅘 Office de tourisme, place du 14 juillet ℰ 05 65 64 74 87, Fax 05 65 80 88 15

à St-Julien-d'Empare 2 km au Sud par D 86 et D 558 – ✉ 12700 Capdenac-Gare

🏠 **Auberge La Diège**
– ℰ 05 65 64 70 54 – www.diege.com – hotel@diege.com – Fax 05 65 80 81 58
– Fermé 16 déc.-7 janv.
28 ch – ♦45/60 € ♦♦52/65 €, ⊇ 8 € – 2 suites – ½ P 50/65 €
Rest – *(fermé vend. soir, dim. soir et sam. du 1ᵉʳ oct. au 1ᵉʳ avril)* Menu (15 €), 18/35 € – Carte 28/55 €
♦ Alliance audacieuse d'un bâtiment résolument contemporain (chambres fonctionnelles, sobres et bien tenues) avec une vieille ferme en grès beige accueillant le restaurant. Cuisine régionale dans un cadre rustique agrémenté de poutres, pierres et cheminée.

CAPDENAC-LE-HAUT – 46 Lot – **337** I4 – rattaché à Figeac

CAP FERRET – 33 Gironde – 335 D7 – alt. 11 m – ✉ 33970   3 B2
Aquitaine

- Paris 650 – Arcachon 66 – Bordeaux 71 – Lacanau-Océan 55 – Lesparre-Médoc 88
- ※ ★ du phare.

La Frégate sans rest
34 av. de l'Océan – ℰ 05 56 60 41 62 – www.hotel-la-fregate.net – resa@hotel-la-fregate.net – Fax 05 56 03 76 18 – Fermé déc. et janv.
29 ch – †48/155 € ††48/155 €, ⊇ 11 €

♦ Réparties autour de la piscine, ces maisons balnéaires retrouvent leur éclat : les chambres, peu à peu refaites, arborent un nouveau look à la fois sobre, actuel et chic.

Le Pinasse Café
2 bis av. de l'Océan – ℰ 05 56 03 77 87 – www.pinassecafe.com – pinassecafe@wanadoo.fr – Fax 05 56 60 63 47 – Ouvert 2 mars-11 nov.
Rest – Menu (23 € bc), 39 € – Carte 33/130 €

♦ Ce sympathique bistrot honore l'océan dans le décor (œuvres marines) et dans l'assiette : poissons et crustacés. En terrasse, belle vue sur le bassin et la dune du Pilat.

CAP FRÉHEL – 22 Côtes-d'Armor – 309 I2 – Casino **Bretagne**   10 C1

- Paris 438 – Dinan 43 – Dinard 36 – Lamballe 36 – Rennes 96 – St-Brieuc 48 – St-Malo 42
- Site ★★★ - ※ ★★★ - Fort La Latte : site ★★, ※ ★★ SE : 5 km.

La Fauconnière
à la Pointe – ℰ 02 96 41 54 20 – Ouvert 1er avril-5 nov. et fermé merc. de sept. à oct.
Rest – (déj. seult) Menu 20/28 € – Carte 26/46 €

♦ Ce restaurant situé dans un site classé uniquement accessible à pied, est ancré sur les roches rouge violacé de la Fauconnière. Décor très sobre mais vue exceptionnelle.

> Ce symbole en rouge 🐦 ?
> La tranquillité même, juste le chant des oiseaux au petit matin…

CAP GRIS-NEZ ★★ – 62 Pas-de-Calais – 301 C2 – ✉ 62179   30 A1
Audinghen **Nord Pas-de-Calais Picardie**

- Paris 288 – Arras 139 – Boulogne-sur-Mer 21 – Calais 32 – Marquise 13 – St-Omer 61

La Sirène
– ℰ 03 21 32 95 97 – Fax 03 21 32 74 75 – Fermé 15 déc.-25 janv., le soir sauf de mai à août et sam. de sept. à avril, dim. soir et lundi
Rest – Menu 24/43 € – Carte 36/57 €

♦ Point de sirènes à l'horizon, mais homards et poissons vous charmeront dans cette maison postée au bord de l'eau, face aux côtes anglaises (visibles par beau temps).

CAPINGHEM – 59 Nord – 302 F4 – rattaché à Lille

CAPPELLE-LA-GRANDE – 59 Nord – 302 C2 – rattaché à Dunkerque

CARANTEC – 29 Finistère – 308 H2 – 3 088 h. – alt. 37 m – ✉ 29660   9 B1
Bretagne

- Paris 552 – Brest 71 – Lannion 53 – Morlaix 14 – Quimper 90 – St-Pol-de-Léon 10
- Office de tourisme, 4, rue Pasteur ℰ 02 98 67 00 43, Fax 02 98 67 90 51
- de Carantec Rue de Kergrist, S : 1km par D 73, ℰ 02 98 67 09 14
- Croix de procession ★ dans l'église - "Chaise du Curé" (plate-forme) ※ ★.
- Pointe de Pen-al-Lann ※ ★★ E : 1,5 km puis 15 mn.

CARANTEC

L'Hôtel de Carantec-Patrick Jeffroy
r. du Kelenn – ℘ 02 98 67 00 47 – www.hoteldecarantec.com
– patrick.jeffroy@wanadoo.fr – Fax 02 98 67 08 25 – Fermé 16 nov.-9 déc.,
18 janv.-3 fév., dim. soir, lundi et mardi sauf fériés et sauf vacances scolaires du
14 sept. au 16 juin, lundi midi, mardi midi et jeudi midi du 17 juin au 13 sept.
12 ch – †120/190 € ††158/232 €, ⊇ 19 € – ½ P 165/203 €
Rest – (prévenir) Menu (29 €), 39/138 € – Carte 85/170 €
Spéc. Saint-Jacques de la baie de Morlaix (nov. à avril). Homard bleu et tête de veau rôtie (mai à nov.). Macaron aux framboises de Taulé (juin à oct.).
♦ Cette charmante maison de 1936 surplombe la merveilleuse baie de Morlaix. Les chambres (avec terrasse au 1er étage), contemporaines et chaleureuses, donnent toutes sur la Manche. Restaurant panoramique où l'on se régale d'une cuisine inventive, "terre et mer" à l'unisson.

Le Manoir de Kervézec sans rest
Chemin L. Le Guennec – ℘ 02 98 67 00 26 – Fax 02 98 67 00 52 – Ouvert avril à sept.
5 ch – †40/60 € ††48/68 €, ⊇ 6 €
♦ Beau manoir du 19e s. au cœur d'un vaste parc dominant les flots. Mobilier familial chargé de souvenirs, arbres séculaires, bon petit-déjeuner (produits bio) et quiétude absolue.

Le Cabestan
au port – ℘ 02 98 67 01 87 – www.lecabestan.fr – godec.michel@wanadoo.fr
– Fax 02 98 67 90 49 – Fermé 5 janv.-6 fév., mardi sauf le soir en juil.-août et lundi
Rest – Menu 19/36 € – Carte 26/45 €
♦ On vient ici pour déguster des plats de type brasserie orientés produits de la mer. Salle à manger d'esprit rustique et, à l'étage, beau panorama sur l'île Callot.

CARCASSONNE ℗ – 11 Aude – 344 F3 – 45 500 h. – alt. 110 m — 22 **B2**
– ⊠ 11000 ▌Languedoc Roussillon

▸ Paris 768 – Albi 110 – Narbonne 61 – Perpignan 114 – Toulouse 92
▸ de Carcassonne-Salvaza : ℘ 04 68 71 96 46, par ④ : 3 km.
▸ Office de tourisme, 28, rue de Verdun ℘ 04 68 10 24 30, Fax 04 68 10 24 38
▸ de Carcassonne Route de Saint Hilaire, S : 4 km par D 118 et D 104, ℘ 06 13 20 85 43
▸ La Cité★★★ - Basilique St-Nazaire★ : vitraux★★, statues★★ - Musée du château Comtal : calvaire★ de Villanière - Montolieu★ (village du livre) - Châteaux de Latours★.

Plan page ci-contre

La Maison Coste
40 r. Coste-Reboulh – ℘ 04 68 77 12 15 – www.maison-coste.com
– contact@maison-coste.com – Fax 04 68 77 59 91 – Fermé 30 janv.-8 fév.
5 ch ⊇ – †70/145 € ††85/160 €   BZ **n**
Table d'hôte – Menu 25 €
♦ Tout a été pensé pour que l'on se sente bien dans cette accueillante maison décorée dans un style contemporain sobre et du meilleur goût. Jardin-terrasse, jacuzzi et solarium. Menu unique (annoncé le soir même) à la table d'hôte ; apéritif et café offerts.

Le Parc Franck Putelat
80 chemin des Anglais, au Sud de la Cité – ℘ 04 68 71 80 80
– www.leparcfranckputelat.com – fr.putelat@wanadoo.fr – Fax 04 68 71 80 79
– Fermé janv., dim. et lundi sauf fériés
Rest – Menu (29 € bc), 48/95 € – Carte 70/120 €
Spéc. Pomme de terre du pays de Sault, brousse de brebis et truffe d'été (été). Filet de bœuf "Bocuse d'Or 2003". Guimauve à la violette de Toulouse et sablé spéculoos (été). **Vins** Corbières, Côtes du Roussillon.
♦ Au pied de Carcassonne, ce restaurant se révèle aussi raffiné que sa cuisine, actuelle et personnalisée. Lumineuse salle d'un modernisme épuré, ouverte sur la nature.

Robert Rodriguez
39 r. Coste-Reboulh – ℘ 04 68 47 37 80 – www.restaurantrobertrodriguez.com
– robert-rodriguez@orange.fr – Fax 04 68 47 37 80 – Fermé merc. et dim.   BZ **z**
Rest – (dîner seult) (nombre de couverts limité, prévenir) Menu 40/85 €
– Carte 70/80 €
♦ On sonne à la grille de cette maison confidentielle pour s'attabler dans une salle intime et chaleureuse où le chef revisite "à sa sauce" les spécialités régionales.

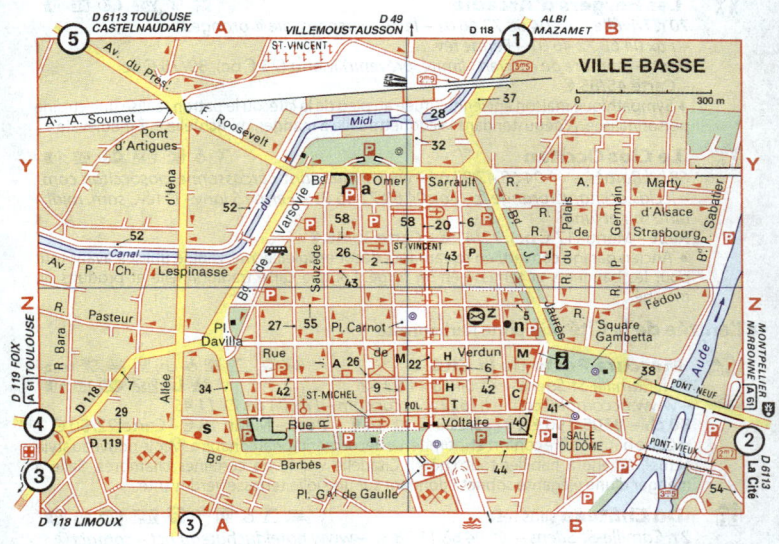

CARCASSONNE

Street	Grid
Armagnac (R. A.)	**AY** 2
Barbès (R.)	**BZ** 5
Bringer (R. Jean)	**BYZ** 6
Bunau-Varilla (Av.)	**AZ** 7
Chartran (R.)	**AZ** 9
Clemenceau (R. G.)	**BY** 20
Combéléran (Mtée G.)	**D** 21
Courtejaire (R.)	**BZ** 22
Cros-Mayrevieille (R.)	**D** 24
Dr-A.-Tomey (R.)	**AYZ** 26
Études (R. des)	**AZ** 27
Foch (Av. du Mar.)	**BY** 28
Gout (Av. Henri)	**AZ** 29
Grand-Puits (R. du)	**CD** 30
Joffre (Av. du Mar.)	**BY** 32
Marcou (Bd)	**AZ** 34
Médiévale (Voie)	**D** 36
Minervoise (Rte)	**BY** 37
Mullot (Av. Arthur)	**BZ** 38
Pelletan (Bd C.)	**BZ** 40
Pont-Vieux (R. du)	**BZ** 41
Ramon (R. A.)	**ABZ** 42
République (R. de la)	**ABY** 43
Roumens (Bd du Cdt)	**BZ** 44
St-Jean (R.)	**C** 46
St-Saëns (R. C.)	**D** 48
St-Sernin (R.)	**D** 49
Semard (Av. Pierre)	**AY** 52
Trivalle (R.)	**BZ** 54
Verdun (R. de)	**ABZ**
Victor-Hugo (R.)	**AZ** 55
Viollet-le-Duc (R.)	**C** 56
4-Septembre (R. du)	**ABY** 58

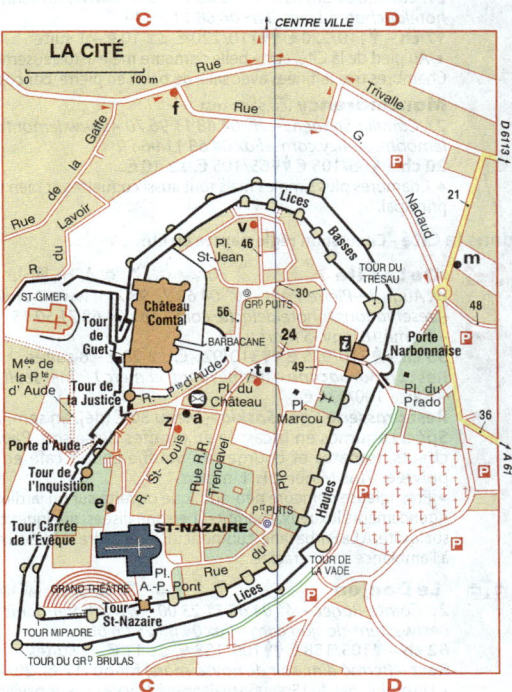

447

CARCASSONNE

XX Les Bergers d'Arcadie
70 r. Trivalle – ℰ 04 68 72 46 01 – lesbergersdarcadie@orange.fr
– Fax 04 68 72 46 01 – Fermé fév.   C f
Rest – *(nombre de couverts limité, prévenir)* Menu (25 € bc), 39/75 € bc
– Carte 45/85 €

◆ Sympathique maison ancienne située au pied de la cité, où le patron réalise une cuisine personnalisée. À déguster dans la coquette salle à manger, mi-actuelle, mi-médiévale.

XX Le Clos Occitan
68 bd Barbès – ℰ 04 68 47 93 64 – www.restaurant-carcassonne-closoccitan.com
– leclos.occitan@orange.fr – Fax 04 68 72 46 91 – Fermé 5 janv.-1er fév., sam. midi, dim. soir et lundi   AZ s
Rest – Menu (17 € bc), 22/41 € – Carte 30/48 €

◆ Ancien garage converti en restaurant : décor ensoleillé, mezzanine utilisée avant tout pour les banquets et terrasse en fer forgé. Longue carte traditionnelle et produits du marché.

à l'entrée de la Cité près porte Narbonnaise

🏠 Mercure Porte de la Cité
18 r. Camille-St-Saens – ℰ 04 68 11 92 82
– www.accorhotel.com – h1622@accor.com – Fax 04 68 71 11 45
80 ch – †105/190 € ††115/220 €, ⴰ 14 €   **Rest** – Menu 18 € – Carte 22/50 €

◆ Cette bâtisse offre confort et intimité. Le décor méridional cohabite avec le nouveau style actuel, amené à habiller tout l'hôtel. Citadelle visible de certaines chambres. Salle à manger d'une élégante sobriété donnant sur une jolie terrasse verdoyante.

🏠 Du Château sans rest
2 r. Camille-St-Saens – ℰ 04 68 11 38 38 – www.hotelduchateau.net – contact@hotelduchateau.net – Fax 04 68 11 38 39   D m
17 ch – †110/220 € ††110/220 €, ⴰ 10 € – 1 suite

◆ Au pied de la Cité, cette belle demeure mêle astucieusement ancien et contemporain. Chambres très raffinées avec salle de bains en pierre, bar cosy, belle piscine, terrasse.

Montmorency sans rest
2 r. Camille-St-Saens – ℰ 04 68 11 96 70 – www.lemontmorency.com – contact@lemontmorency.com – Fax 04 68 11 96 79
20 ch – †65/105 € ††65/105 €, ⴰ 10 €

◆ Chambres plus simples mais tout aussi coquettes et bien tenues que dans le bâtiment principal.

dans la Cité - Circulation réglementée en été

🏠 De La Cité
pl. Auguste-Pierre-Pont – ℰ 04 68 71 98 71 – www.hoteldelacite.com
– reservations@hoteldelacite.com – Fax 04 68 71 50 15
– Fermé 18 janv.-5 mars   C e
53 ch – †310/925 € ††310/925 €, ⴰ 28 € – 8 suites
Rest *La Barbacane* – *(fermé mardi et mecr.) (dîner seult)* Menu 75/160 € bc
– Carte 100/130 €
Rest *Brasserie Chez Saskia* – Menu 30 € (déj. en sem.)/45 € – Carte 35/50 €
Spéc. Légumes en fricassée aux truffes de saison. Pavé de loup braisé aux artichauts, tomates et courgettes. Soufflé chaud café et chocolat, sorbet menthe poivrée. **Vins** Minervois, Limoux.

◆ Prestigieuse demeure néo-gothique ouverte sur un jardin avec piscine côté remparts. Agencements luxueux, chambres personnalisées, quelques balcons et terrasses avec vue sur la Cité. À La Barbacane, cuisine actuelle et cadre médiéval raffiné. Chez Saskia, brasserie à l'ambiance décontractée.

🏠 Le Donjon
2 r. Comte-Roger – ℰ 04 68 11 23 00 – www.hotel-donjon.fr – info@bestwestern-donjon.com – Fax 04 68 25 06 60   C a
62 ch – †105/158 € ††105/158 €, ⴰ 11 € – 2 suites
Rest – *(fermé dim. soir de nov. à mars)* Menu (17 €), 20/29 € – Carte 31/46 €

◆ Un orphelinat du 15e s., une maison médiévale et deux pavillons dans le jardin composent cet hôtel entièrement rénové. Chambres personnalisées parfois dotées d'une miniterrasse. Cuisine traditionnelle à la brasserie, contemporaine et claire. Boutique de vins.

CARCASSONNE

XX **Comte Roger**
14 r. St-Louis – ℰ 04 68 11 93 40 – www.comteroger.com – restaurant@
comteroger.com – Fax 04 68 11 93 41 – Fermé 8 fév.-3 mars, dim. et lundi sauf en
saison et fériés   C z
Rest – Menu (20 €), 35 € (dîner)/45 € – Carte 50/60 €
♦ Vos flâneries dans la Cité vous mèneront peut-être à cette terrasse ombragée dressée au
bord d'une venelle animée. Intérieur moderne épuré et carte attentive au marché.

XX **La Marquière**
13 r. St-Jean – ℰ 04 68 71 52 00 – http://perso.orange.fr/lamarquiere
– lamarquiere@wanadoo.fr – Fax 04 68 71 30 81 – Fermé 10 janv.-10 fév.,
jeudi sauf juil.-août et merc.   C v
Rest – Menu 20 € bc/60 € – Carte 40/78 €
♦ Cette maison proche des remparts Nord vous reçoit dans un cadre sagement provincial,
ou dans sa sympathique petite cour-terrasse. Cuisine traditionnelle simple et goûteuse.

X **Auberge de Dame Carcas**
3 pl. du Château – ℰ 04 68 71 23 23 – www.damecarcas.com – contact@
damecarcas.com – Fax 04 68 72 46 17 – Fermé 23-27 déc. et merc.   C t
Rest – Menu 15/26 €
♦ Sur l'enseigne, la dame Carcas qui, selon la légende, stoppa le siège de la ville, porte un
petit cochon. Normal, cette auberge rustique est réputée pour ses plats canaille.

à Aragon 10 km par ① D 118 et D 935 – 445 h. – alt. 195 m – ✉ 11600

La Bergerie (Fabien Galibert)
allée Pech-Marie – ℰ 04 68 26 10 65
– www.labergeriearagon.com – info@labergeriearagon.com – Fax 04 68 77 02 23
– Fermé 5-21 oct. et 1er-22 janv.
8 ch – †70/90 € ††90/120 €, ☐ 10 € – ½ P 80/105 €
Rest – (fermé mardi et merc. sauf le soir de juin à sept.) Menu 25 € bc (déj.
en sem.), 37/85 € bc – Carte 64/74 €
Spéc. Filet de bar aux spaghetti de courgette. Pièce de veau à la purée de maïs.
Figues rôties.
♦ Maison récente qui se fond bien dans le décor de ce pittoresque village perché. Agréables
chambres provençales d'où l'on admire le vignoble de Cabardès. Coquet restaurant aux
tons ensoleillés ; cuisine inventive élaborée avec des produits régionaux de qualité.

au hameau de Montredon 4 km au Nord-Est par r. A. Marty BY
– ✉ 11000 Carcassonne

Hostellerie St-Martin
– ℰ 04 68 47 44 41 – www.chateausaintmartin.net – hostellerie@
chateausaintmartin.net – Fax 04 68 47 74 70 – Ouvert 15 mars-15 nov.
15 ch – †65/75 € ††80/100 €, ☐ 10 €
Rest Château St-Martin – voir ci-après
♦ Cette bâtisse récente de style régional se situe dans un paisible parc entouré par la
campagne. Les chambres, mi-provençales, mi-rustiques, sont plaisantes.

XXX **Château St-Martin "Trencavel"**
– ℰ 04 68 71 09 53 – www.chateausaintmartin.net – hostellerie@
chateausaintmartin.net – Fax 04 68 25 46 55 – Fermé 21-27 fév., dim. soir et merc.
Rest – Menu 33/57 € – Carte 46/60 €
♦ Au fond d'un parc, belle demeure des 14e et 17e s., flanquée d'une tour du 12e s. Sobre
intérieur agrémenté d'une fresque et agréable terrasse d'été. Cuisine classique.

à Floure 11 km par ② et D 6113 – 338 h. – alt. 77 m – ✉ 11800

Château de Floure
1 allée Gaston-Bonheur
– ℰ 04 68 79 11 29 – www.chateau-de-floure.com – contact@
chateau-de-floure.com – Fax 04 68 79 04 61 – Fermé 15 nov.-14 fév.
21 ch – †110/190 € ††110/190 €, ☐ 16 € – 4 suites – ½ P 116/156 €
Rest – (dîner seult) Menu 49/79 € – Carte 72/87 €
♦ Jadis villa romaine puis monastère, ce château du 12e s. arbore un cadre opulent (dorures,
tapisseries). Chambres de caractère donnant sur le jardin à la française. Restaurant relooké
dans un style contemporain avec poutres et statues du 17e s. Vue sur le mont Alaric.

CARCASSONNE

au Sud par ③ 3 km et par D104 – ✉ **11000 Carcassonne**

Domaine d'Auriac
- ℰ 04 68 25 72 22 – www.domaine-d-auriac.com
- auriac@relaischateaux.com – Fax 04 68 47 35 54
- Fermé 8-16 nov., 3 janv.-8 fév., dim. soir et lundi du 4 oct. au 6 avril

24 ch – †100/200 € ††100/450 €, ⊡ 22 € – ½ P 150/325 €

Rest – (fermé dim. soir et lundi d'oct. à mars, lundi midi, mardi midi et merc. midi d'avril à sept. sauf fériés) Menu 70/110 € – Carte 78/106 €

Rest *Bistrot d'Auriac* – ℰ 04 68 25 37 19 (fermé 24 nov.-1er déc., lundi et le soir du mardi au jeudi d'oct. à avril et dim. soir sauf fériés) Menu 17 € (déj.), 24/45 € – Carte 26/30 €

Spéc. Assiette de dégustation d'anchois de Collioure. Cassoulet. Gibier (oct. à janv.). **Vins** Cabardès, Corbières.

◆ Belle demeure du 19e s. dans un parc avec golf 18 trous. Chambres personnalisées au château, grandes et méridionales dans les dépendances. Savoureuse cuisine du terroir servie dans une salle à manger bourgeoise prolongée d'une terrasse. Club-house façon bistrot.

à Cavanac 7 km par ③ et rte de St-Hilaire – 773 h. – alt. 138 m – ✉ 11570

Château de Cavanac
- ℰ 04 68 79 61 04 – www.chateau-de-cavanac.fr – infos@chateau-de-cavanac.fr – Fax 04 68 79 79 67 – Fermé 3 sem. en nov., janv. et fév.

24 ch – †68/150 € ††78/155 €, ⊡ 12 € – 4 suites

Rest – (fermé lundi et dim.) (dîner seult) Menu 42 € bc

◆ En pleine campagne, château du 17e s. sur un domaine viticole. Ravissantes chambres baptisées de noms de fleurs. Véranda-terrasse pour les petits-déjeuners. Plats traditionnels, grillades et vins de la propriété dans une belle salle rustique (anciennes écuries).

à Pezens 10 km au Nord-Ouest par ⑤ et D 6113 – 1 114 h. – alt. 117 m – ✉ 11170

L'Ambrosia avec ch
carrefour la Madeleine, D 6113 – ℰ 04 68 24 92 53 – Fax 04 68 24 84 01
– Rest. : fermé 2-18 nov., 4-26 janv., mardi de mi-sept. à fin juin, dim. de juil. à mi-sept. et lundi ; Hôtel : ouvert d'avril à oct.

6 ch – †60/65 € ††60/65 €, ⊡ 10 €   **Rest** – Menu 27/77 € – Carte 58/72 €

◆ En léger retrait de la route, un restaurant d'hôtel au cadre simple (avec véranda). Le jeune chef démontre une étonnante maturité dans sa créativité et ses recettes tombent juste. Petites chambres fonctionnelles.

CARENNAC – 46 Lot – 337 G2 – 386 h. – alt. 123 m – ✉ 46110   29 **C1**
Périgord

▶ Paris 520 – Brive-la-Gaillarde 39 – Cahors 79 – Martel 16 – St-Céré 17 – Tulle 51

▶ Office de tourisme, le bourg ℰ 05 65 10 97 01, Fax 05 65 10 51 22

▶ Portail★ de l'église St Pierre - Mise au tombeau★ dans la salle capitulaire du cloître.

Hostellerie Fénelon
Le Bourg – ℰ 05 65 10 96 46 – www.hotel-fenelon.com – contact@hotel-fenelon.com – Fax 05 65 10 94 86 – Fermé 16 nov.-19 déc., 5 janv.-14 mars et vend. du 1er oct. - 30 avril

15 ch – †50/57 € ††54/69 €, ⊡ 10 € – ½ P 60/69 €

Rest – (fermé lundi midi, vend. midi et sam. midi sauf juil.-août et vend. du 1er oct. au 30 avril) Menu (18 €), 24/51 € – Carte 25/57 €

◆ Grande maison quercinoise à l'ambiance familiale, où vous préférerez les chambres offrant une vue sur le cours de la Dordogne. Poutres, pierres, cheminée et objets paysans font le cachet de la salle de restaurant largement ouverte sur la campagne.

CARGÈSE – 2A Corse-du-Sud – 345 A7 – voir à Corse

CARHAIX-PLOUGUER – 29 Finistère – 308 J5 – 7 667 h. – alt. 138 m – ⊠ 29270 – Bretagne — 9 **B2**

▶ Paris 506 – Brest 86 – Guingamp 49 – Lorient 74 – Morlaix 51 – Pontivy 59 – Quimper 61

🛈 Office de tourisme, rue Brizeux ℰ 02 98 93 04 42, Fax 02 98 93 23 83

Noz Vad sans rest
12 bd de la République – ℰ *02 98 99 12 12* – *www.nozvad.com* – *aemcs@nozvad.com* – *Fax 02 98 99 44 32* – *Fermé 21 déc.-11 janv.*
44 ch – ♦44/89 € ♦♦51/95 €, ⊇ 10 €

◆ Bel intérieur breton contemporain, réalisé par des artistes locaux : peintures, photos, fresque... Vous passerez une "noz vad" (bonne nuit) dans une chambre moderne et pratique.

à Port de Carhaix 6 km au Sud-Ouest par rte de Lorient – ⊠ 29270 Carhaix-Plouguer

Auberge du Poher
– ℰ *0298995118* – *www.auberge-du-poher.com* – *aubergedupoher@orange.fr*
– *Fax 0298995118* – *Fermé 26 déc.-5 janv., merc.*
Rest – Menu (13 €), 24/48 € – Carte 24/50 €

◆ Cette gentille auberge abrite une salle à manger champêtre tournée vers un jardin. Copieuse cuisine traditionnelle concoctée dans les règles de l'art et servie à des prix très doux.

CARIGNAN – 08 Ardennes – 306 N5 – 3 178 h. – alt. 174 m – ⊠ 08110 — 14 **C1**

▶ Paris 264 – Charleville-Mézières 43 – Mouzon 8 – Montmédy 24 – Sedan 20 – Verdun 70

La Gourmandière
19 av. Blagny – ℰ *03 24 22 20 99* – *www.la-gourmandiere.com*
– *la-gourmandiere2@wanadoo.fr* – *Fax 03 24 22 20 99* – *Fermé lundi sauf fériés*
Rest – Menu (20 €), 29/55 €

◆ Cette maison bourgeoise de 1890 choie ses convives : cuisine gourmande et généreuse (à base de produits du potager), belle carte des vins, intérieur feutré et terrasse-jardin.

CARNAC – 56 Morbihan – 308 M9 – 4 445 h. – alt. 16 m – Casino Z – ⊠ 56340 – Bretagne — 9 **B3**

▶ Paris 490 – Auray 13 – Lorient 49 – Quiberon 19 – Vannes 33

🛈 Office de tourisme, 74, avenue des Druides ℰ 02 97 52 13 52, Fax 02 97 52 86 10

⛳ de Villarceaux à Auray Ploemel, N : 8 km par D 196, ℰ 02 97 56 85 18

◉ Musée de préhistoire★★ **M** - Église St-Cornély★ **E** - Tumulus St-Michel★ : ≤★ - Alignements du Ménec★ par D 196 : 1,5 km - Alignements de Kermario★★ par ② : 2 km - Alignements de Kerlescan★ par ② : 4,5 km.

Plan page suivante

Le Diana
21 bd de la Plage – ℰ *02 97 52 05 38* – *www.lediana.com* – *contact@lediana.com*
– *Fax 02 97 52 87 91* – *Ouvert 10 avril-4 nov.*   Z **r**
38 ch – ♦105/250 € ♦♦120/250 €, ⊇ 21 € – 3 suites – ½ P 115/180 €
Rest – *(ouvert 2 mai-4 oct. et fermé merc. hors saison) (dîner seult sauf dim. et fériés)* Menu 39/69 € – Carte 50/69 €

◆ Atmosphère cossue dans ce grand hôtel aux chambres plutôt spacieuses ayant vue sur l'océan ou – plus calmes – sur le minigolf. Espace bien-être. Véranda et terrasse face à la plage ; cuisine dans l'air du temps et carte des vins et de rhums très étoffée.

Novotel
av. de l'Atlantique – ℰ *02 97 52 53 00* – *www.thalasso-carnac.com* – *h0406@accor.com* – *Fax 02 97 52 53 55* – *Fermé 4-18 janv.*   Z **s**
109 ch – ♦103/198 € ♦♦119/198 €, ⊇ 15 € – 1 suite
Rest *Le Clipper* – Menu (23 €), 30 € – Carte 35/55 €
Rest *Secrets de Cuisine* – Menu 30 € bc

◆ Accès direct à la "thalasso", piscine d'eau de mer, spa moderne, fitness, tennis et chambres avenantes : un Novotel ressourçant ! Au Clipper, plats traditionnels et cadre marin. Au Diététique, menus pour les curistes établis sur les conseils d'un diététicien.

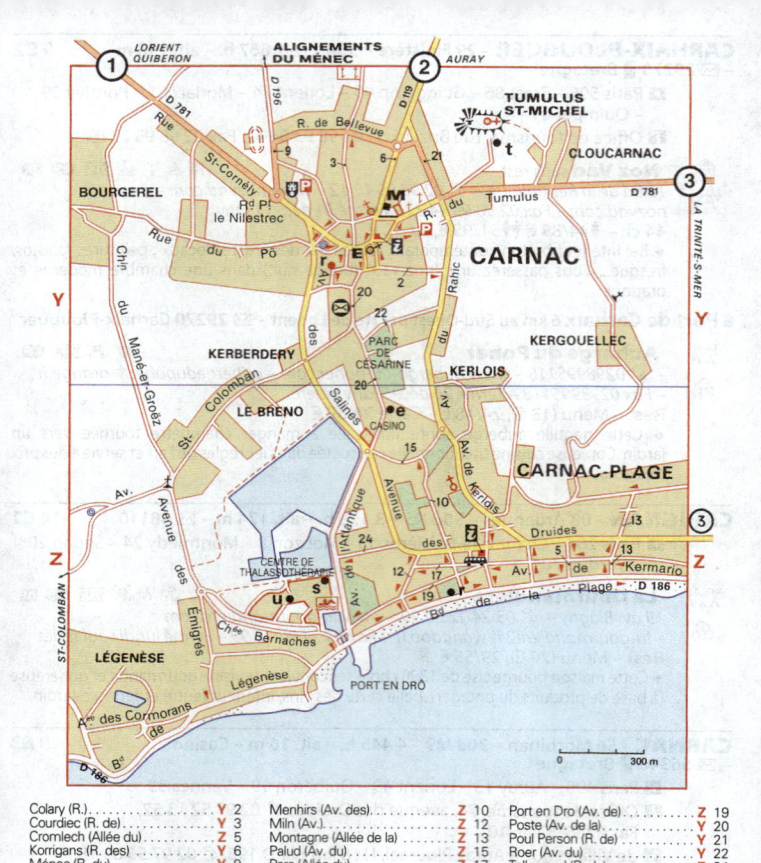

Colary (R.)	Y 2	Menhirs (Av. des)	Z 10	Port en Dro (Av. de)	Z 19
Courdiec (R. de)	Y 3	Miln (Av.)	Z 12	Poste (Av. de la)	Y 20
Cromlech (Allée du)	Z 5	Montagne (Allée de la)	Z 13	Poul Person (R. de)	Y 21
Korrigans (R. des)	Y 6	Palud (Av. de la)	Z 15	Roer (Av. de)	Y 22
Ménec (R. du)	Y 9	Parc (Allée du)	Z 17	Talleyrand (R. de)	Z 24

Celtique

82 av. des Druides – ℘ 02 97 52 14 15 – www.hotel-celtique.com
– reservation@hotelceltique.com
– Fax 02 97 52 71 10

Z h

58 ch – †70/150 € ††70/150 €, ⊇ 13 € – 6 suites
Rest – (dîner seult) Menu 29 € bc/35 € – Carte 33/45 €

♦ Immeuble entouré de pins séculaires abritant des chambres revisitées à la mode bretonne, actuelles et claires. Proximité de la plage, piscine couvrable, jacuzzi et fitness. La cuisine classique et riche en produits de la mer s'adapte aux goûts de la clientèle.

Tumulus

chemin du Tumulus – ℘ 02 97 52 08 21 – www.hotel-tumulus.com
– info@hotel-tumulus.com – Fax 02 97 52 81 88
– Fermé 5 nov.-12 fév.

Y t

23 ch – †90/285 € ††90/295 €, ⊇ 16 €
Rest – (fermé le midi du lundi au vend.) Menu 27/56 € – Carte 30/60 €

♦ Sur les hauteurs, cet hôtel des années 1920 (refait en 2006) profite de la vue sur le littoral. Chambres aux étages, bungalows dotés de terrasse, piscine et jacuzzi au jardin. Plats sagement traditionnels au restaurant, généreusement tourné vers la baie de Quiberon.

CARNAC

Ibis 🍃
av. de l'Atlantique – ℰ 02 97 52 54 00 – www.thalasso-carnac.com – h1054@accor.com – Fax 02 97 52 53 66 – Fermé 4-18 janv.   Z u
121 ch – †64/101 € ††72/141 €, ⇌ 11 € – ½ P 65/100 €
Rest – Menu 22 € – Carte 27/45 €

◆ Ensemble hôtelier bâti au ras des anciennes salines et relié au centre de thalassothérapie. Confort de rigueur et balcons pour les chambres. Belle piscine couverte. Grand buffet dressé dans une coquette salle aux tons bleu et blanc, donnant sur un jardinet.

La Côte
3 impasse er Forn (Alignements de Kermario), par ② : 2 km – ℰ 02 97 52 02 80
– www.restaurant-la-cote.com – restaurant.lacote@orange.fr
– Fermé 28 sept.-2 oct., 23-27 nov., 3 janv.-10 fév., sam. midi, dim. soir de sept. à juin, mardi midi en juil.-août et lundi
Rest – Menu (24 €), 35/85 € – Carte 55/90 €

◆ Dans une ancienne ferme, à deux pas des alignements de Kermario, le célèbre site mégalithique. Chaleureux restaurant rustique, véranda, terrasse sur jardin et plats inventifs.

La Calypso
158 r. du Pô, (zone ostréicole du Pô) – ℰ 02 97 52 06 14
– www.calypso-carnac.com – Fax 02 97 52 20 39 – Fermé 16 nov.-4 fév., dim. soir sauf juil.-août et lundi
Rest – Carte 32/108 €

◆ Les habitués ne s'y trompent pas : ils savent trouver dans ce charmant bistrot marin poissons, coquillages et crustacés d'une remarquable fraîcheur et préparés avec simplicité.

Auberge le Râtelier avec ch 🍃
4 chemin du Douet – ℰ 02 97 52 05 04 – www.le.ratelier.com
– contact@le.ratelier.com – Fax 02 97 52 76 11
– Fermé 17 nov.-10 déc. et 5 janv.-4 fév.   Y r
8 ch – †43/62 € ††43/62 €, ⇌ 8 € – ½ P 49/62 €
Rest – (fermé mardi et merc. d'oct. à Pâques, mardi midi et merc. midi en juin et sept.) Menu 20/45 € – Carte 37/77 €

◆ Ferme du 19ᵉ s. dont la façade en granit est recouverte de vigne vierge. Salle à manger conviviale ; cuisine régionale faisant la part belle au poisson. Chambres simples.

Le rouge est la couleur de la distinction : nos valeurs sûres !

CARNON-PLAGE – 34 Hérault – 339 I7 – ⊠ 34280   23 C2

◘ Paris 758 – Aigues-Mortes 20 – Montpellier 20 – Nîmes 56 – Sète 37
🛈 Office de tourisme, rue du Levant ℰ 04 67 50 51 15, Fax 04 67 50 54 04

Neptune
au port – ℰ 04 67 50 88 00 – www.hotel-neptune.fr – hotel-neptune@wanadoo.fr
– Fax 04 67 50 96 72 – Fermé 19 déc.-11 janv.
53 ch – †55/90 € ††65/105 €, ⇌ 10 € – ½ P 61/81 €
Rest – (fermé 20 déc.-11 janv., sam. midi et dim. soir sauf juil.-août) Menu (17 €), 25/35 €

◆ Face au port de plaisance, bâtiment moderne abritant des chambres claires et confortables, peu à peu rénovées dans un style contemporain. Accueil convivial. Cuisine actuelle au restaurant ouvert sur une terrasse d'été, dressée près de la piscine.

CARPENTRAS – 84 Vaucluse – 332 D9 – 27 000 h. – alt. 102 m   42 E1
– ⊠ 84200 ▌Provence

◘ Paris 679 – Avignon 30 – Digne-les-Bains 139 – Gap 146 – Marseille 105
🛈 Office de tourisme, place Aristide Briand ℰ 04 90 63 00 78, Fax 04 90 60 41 02
⛳ Provence Country Club à Saumane-de-Vaucluse Route de Fontaine de Vaucluse, par rte de Cavaillon : 18 km, ℰ 04 90 20 20 65
◉ Ancienne cathédrale St-Siffrein★ : Synagogue★.

CARPENTRAS

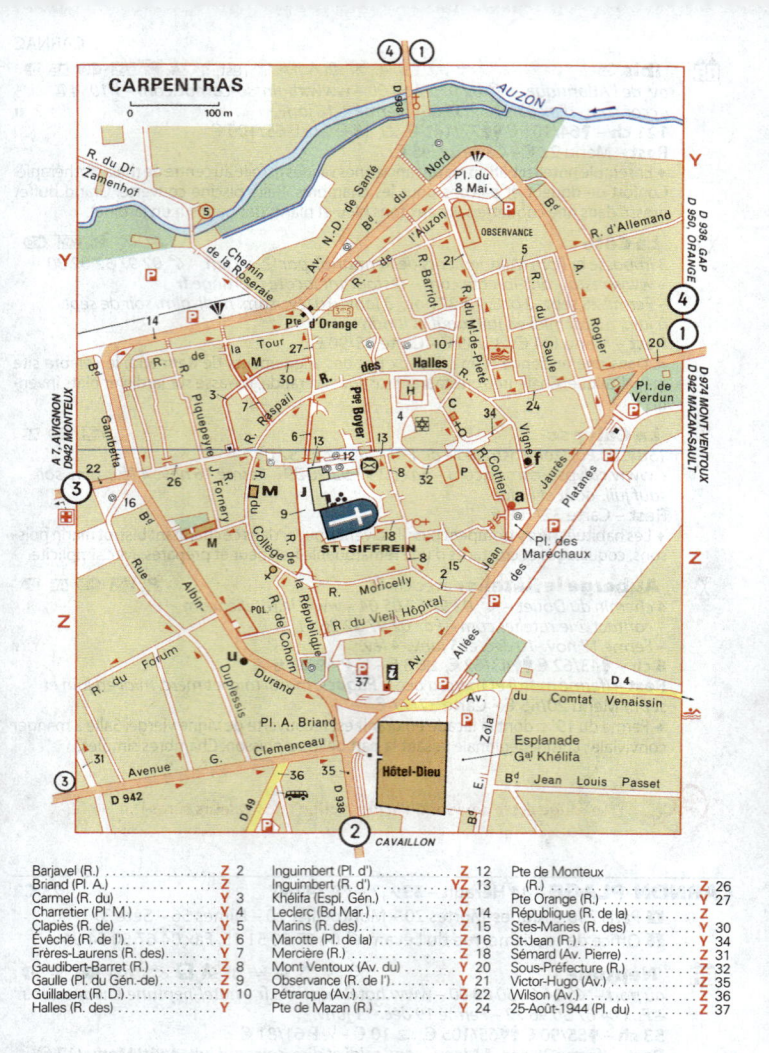

Barjavel (R.)	Z 2	Inguimbert (Pl. d')	Z 12	Pte de Monteux (R.)	Z 26
Briand (Pl. A.)	Z	Inguimbert (R. d')	YZ 13	Pte Orange (R.)	Y 27
Carmel (R. du)	Y 3	Khélifa (Espl. Gén.)	Z	République (R. de la)	Z
Charretier (Pl. M.)	Z 4	Leclerc (Bd Mar.)	Y 14	Stes-Maries (R. des)	Y 30
Clapiès (R. de)	Y 5	Marins (R. des)	Z 15	St-Jean (R.)	Y 34
Évêché (R. de l')	Y 6	Marotte (Pl. de la)	Z 16	Sémard (Av. Pierre)	Z 31
Frères-Laurens (R. des)	Y 7	Mercière (R.)	Z 18	Sous-Préfecture (R.)	Z 32
Gaudibert-Barret (R.)	Z 8	Mont Ventoux (Av. du)	Y 20	Victor-Hugo (Av.)	Y 35
Gaulle (Pl. du Gén.-de)	Z 9	Observance (R. de l')	Y 21	Wilson (Av.)	Y 36
Guillabert (R. D.)	Y 10	Pétrarque (Av.)	Z 22	25-Août-1944 (Pl. du)	Z 37
Halles (R. des)	Y	Pte de Mazan (R.)	Y 24		

🏠 Le Comtadin sans rest   & AC 😊 📶 🛎 🍴 VISA MC AE ①
65 bd Albin-Durand – ℘ 04 90 67 75 00 – www.le-comtadin.com
– Fax 04 90 67 75 01 – *Fermé 19 déc.-4 janv., et dim. d'oct. à fév.*   Z u
19 ch – †55/95 € ††75/115 €, ⊇ 12 €

◆ Bel hôtel particulier de la fin du 18ᵉ s. dont la majorité des chambres, claires et bien insonorisées, donne sur le patio où l'on petit-déjeune l'été. Agréable salon lounge.

🏠 Du Fiacre sans rest   😊 📶 VISA MC AE
153 r. de la Vigne – ℘ 04 90 63 03 15 – www.hotel-du-fiacre.com – contact@hotel-du-fiacre.com – Fax 04 90 60 49 73   Z f
18 ch – †63 € ††68 €, ⊇ 11 €

◆ Cet hôtel particulier (18ᵉ s.) de la vieille ville a conservé son atmosphère bourgeoise d'origine. Chambres personnalisées, confortables et chaleureuses ; joli patio-terrasse.

CARPENTRAS

Château du Martinet sans rest
rte de Mazan, 2,5 km par ① – ℰ 04 90 63 03 03 – www.chateau-du-martinet.fr
– contact@chateau-du-martinet.fr – Fax 04 90 30 78 96 – Ouvert d'avril à déc.
5 ch ⊇ – †179/284 € ††190/295 €

♦ Un superbe château du 18ᵉ s. au passé chargé d'histoire et aujourd'hui classé. Dans les chambres, mélange très réussi de l'ancien et du moderne. Parcours santé dans le parc.

Chez Serge
90 r. Cottier – ℰ 04 90 63 21 24 – www.chez-serge.com – restaurant@
chez-serge.com – Fax 04 90 60 30 71 – Fermé dim. de sept. à mai   Z a
Rest – Menu (19 €), 29/39 € – Carte 33/45 € 88

♦ Chez Serge, c'est une déco chaleureuse, mélant les styles campagnard, tendance, chic et industriel. Mais c'est avant tout une cuisine généreuse et une magnifique carte des vins.

à Beaumes-de-Venise 10 km par ① D 7 puis D 21 – ⊠ 84190
🛈 Office de tourisme, place du Marché ℰ 04 90 62 94 39, Fax 04 90 62 93 25

Dolium
pl. Balma-Vénitia, cave des vignerons – ℰ 04 90 12 80 00
– www.dolium-restaurant.com – dolium@orange.fr
– Fermé 15 déc.-15 janv., le soir du 16 sept. au 14 juin, jeudi midi du 15 juin au
15 sept. et merc.
Rest – Menu (18 €), 28/55 €

♦ Une table installée au sein de la cave des vignerons de Beaumes-de-Venise. Cadre résolument tendance, cuisine régionale misant sur le produit, vins du cru et d'ailleurs.

à Mazan 7 km à l'Est par D 942 – 4 943 h. – alt. 100 m – ⊠ 84380
🛈 Office de tourisme, 83, place du 8 Mai ℰ 04 90 69 74 27
◉ Cimetière ≤ ★.

Château de Mazan
pl. Napoléon – ℰ 04 90 69 62 61 – www.chateaudemazan.fr
– chateaudemazan@wanadoo.fr – Fax 04 90 69 76 62 – Fermé 3 janv.-5 mars
28 ch – †98/275 € ††98/275 €, ⊇ 17 € – 2 suites
Rest – (fermé le midi en sem., lundi de nov. à avril et mardi) Menu 42/48 €
– Carte 50/60 €

♦ L'ancienne demeure (18ᵉ s.) du marquis de Sade offre un ravissant décor mariant moulures d'époque, élégant mobilier et touches modernes. Belle piscine et séduisant jardin. Cuisine créative à déguster dans de charmants salons ou sur la superbe terrasse ombragée.

au Beaucet 11 km au Sud-Est par D 4 et D 39 – 363 h. – alt. 275 m – ⊠ 84210

Auberge du Beaucet
r. Coste Claude – ℰ 04 90 66 10 82 – www.aubergedubeaucet.fr
– aubergebeaucet@wanadoo.fr – Fermé 15 nov.-2 déc., 6 janv.-6 fév., vend. midi,
dim. soir et lundi
Rest – (nombre de couverts limité, prévenir) Menu (18 €), 38 € – Carte environ
55 €

♦ Auberge au cœur du Beaucet, pittoresque bourgade adossée à une falaise. Goûteuse cuisine provençale servie dans une coquette salle rustique ou en terrasse, installée sur le toit.

à Monteux – 10 597 h. – alt. 42 m – ⊠ 84170
🛈 Office de tourisme, place des Droits de l'Homme ℰ 04 90 66 97 52,
Fax 04 90 66 32 97

Domaine de Bournereau sans rest
579 chemin de la Sorguette, rte d'Avignon et rte secondaire – ℰ 04 90 66 36 13
– www.bournereau.com – mail@bournereau.com – Fax 04 90 66 36 93
– Ouvert de mars à oct.
12 ch – †90/110 € ††100/160 €, ⊇ 13 € – 1 suite

♦ Un majestueux platane bicentenaire trône au milieu de la cour de ce paisible mas provençal. Meubles anciens et actuels personnalisent les chambres, spacieuses et confortables.

CARQUEIRANNE – 83 Var – 340 L7 – 8 436 h. – alt. 30 m – ✉ 83320 — 41 C3
▶ Paris 849 – Draguignan 80 – Hyères 7 – Toulon 16

La Maison des Saveurs
18 av. J.-Jaurès, (centre ville) – ℰ 04 94 58 62 33 – www.maisondessaveurs.com – restaurant@maisondessaveurs.com – Fermé dim. soir et lundi sauf de mai à sept.
Rest – Menu (20 €), 26 €
♦ Menu-carte concocté par un chef autodidacte et servi dans un cadre frais et serein ou sur la jolie terrasse estivale, à l'ombre du vieux platane. Cuisine méditerranéenne.

à l'Est 2 km par D 559 – ✉ 83320 Carqueiranne

Val d'Azur sans rest
3 impasse de la Valérane – ℰ 06.09.07.23.87 – www.valdazur.com – valdazur@hotmail.fr – Fax 04 94 48 07 16
5 ch ⇌ – †90/130 € ††90/130 €
♦ Sur les hauteurs de Carqueiranne, face à la mer, belle villa contemporaine disposant de confortables chambres au décor personnalisé, exotique et soigné (bain balnéo ou hammam).

CARRIÈRES-SUR-SEINE – 78 Yvelines – 311 J2 – 101 14 – voir à Paris, Environs

LES CARROZ-D'ARÂCHES – 74 Haute-Savoie – 328 M4 — 46 F1
– alt. 1 140 m – Sports d'hiver : 1 140/2 500 m ⸓5 ⸓70 ⸓ – ✉ 74300
■ Alpes du Nord

▶ Paris 580 – Annecy 67 – Bonneville 25 – Chamonix-Mont-Blanc 47 – Thonon-les-Bains 70

🛈 Office de tourisme, 9, place Ambiance ℰ 04 50 90 00 04, Fax 04 50 90 07 00

🏌 de Pierre Carrée à Flaine, E : 12 km par D 106, ℰ 04 50 90 85 44

Les Servages d'Armelle
841 rte des Servages – ℰ 04 50 90 01 62 – www.servages.com – servages@wanadoo.fr – Fax 04 50 90 39 41 – Fermé mai et nov.
8 ch – †190/350 € ††190/350 €, ⇌ 25 € – 3 suites
Rest – *(fermé mardi et merc. hors saison et lundi)* Carte 30/75 €
♦ Vieux bois patinés, équipements high-tech et touches design se marient avec raffinement dans les chambres de ce superbe chalet restauré avec des matériaux anciens. Vue sur les cuisines ultramodernes depuis la salle à manger très montagnarde ; recettes régionales.

Les Airelles
346 rte Moulins – ℰ 04 50 90 01 02 – www.chalet-lesairelles.com – lesairelles@free.fr – Fax 04 50 90 03 75 – Ouvert 22 juin-30 sept. et 15 déc.-22 avril
12 ch – †48/54 € ††66/96 €, ⇌ 10 € – 3 suites – ½ P 69/87 €
Rest – *(fermé sam. et dim. en sept.) (dîner seult en hiver)* Menu (19 €), 25/40 € – Carte 30/50 €
♦ Les chambres du premier chalet sont petites, mais réellement délicieuses (bois, tons chauds) ; le second, flambant neuf, abrite de confortables appartements. Table résolument montagnarde dans le décor et dans l'assiette (spécialité maison : les diots au chou).

La Croix de Savoie
768 rte du Pernand – ℰ 04 50 90 00 26 – www.lacroixdesavoie.fr – info@lacroixdesavoie.fr – Fax 04 50 90 00 63
Rest – Menu 21/48 € – Carte 37/48 €
♦ Salle rustico-montagnarde, appétissantes recettes régionales revisitées par la patronne, service familial, terrasse estivale et vue splendide sur les montagnes et la vallée.

CARRY-LE-ROUET – 13 Bouches-du-Rhône – 340 F6 – 6 355 h. — 40 B3
– alt. 5 m – Casino – ✉ 13620 ■ Provence

▶ Paris 765 – Aix-en-Provence 39 – Marseille 34 – Martigues 20 – Salon-de-Provence 45

🛈 Office de tourisme, avenue Aristide Briand ℰ 04 42 13 20 36, Fax 04 42 44 52 03

CARRY-LE-ROUET

Le Madrigal
4 av. Dr G. Montus – ℰ 04 42 44 58 63 – www.restaurant-lemadrigal.com – info@restaurant-lemadrigal.com – Fax 04 42 44 58 63 – Fermé de mi-nov. à début déc., dim. soir et lundi de sept. à avril
Rest – Menu 32/55 € – Carte 41/70 €
♦ Sur les hauts de Carry et dominant le port, maison rose dont l'agréable terrasse offre un panorama de carte postale. Généreuse cuisine traditionnelle et poissons.

CARSAC-AILLAC – 24 Dordogne – 329 I6 – 1 410 h. – alt. 80 m – ✉ 24200 ▌Périgord
4 **D3**

▶ Paris 536 – Brive-la-Gaillarde 59 – Gourdon 18 – Sarlat-la-Canéda 9

La Villa Romaine
St-Rome, 3 km par rte de Gourdon – ℰ 05 53 28 52 07 – www.lavillaromaine.com – contact@lavillaromaine.com – Fax 05 53 28 58 10 – Fermé 15 nov.-6 déc. et 15 fév.-15 mars
17 ch – ♦110/160 € ♦♦110/160 €, ⛶ 15 € – 2 suites – ½ P 95/122 €
Rest – (ouvert 30 avril-30 sept. et fermé merc. sauf juil.-août) (dîner seult) Carte 36/55 €
♦ Ancienne métairie joliment restaurée, bâtie sur un site gallo-romain proche de la Dordogne. Chambres spacieuses et soignées. Terrasses, jardin et piscine sont très agréables. Au restaurant, plaisant cadre agreste, mobilier en fer forgé et recettes actuelles.

CARTERET – 50 Manche – 303 B3 – voir à Barneville-Carteret

CARVIN – 62 Pas-de-Calais – 301 K5 – 17 800 h. – alt. 31 m – ✉ 62220
31 **C2**

▶ Paris 204 – Arras 35 – Béthune 28 – Douai 23 – Lille 24

Parc Hôtel
Z.I. du Château – ℰ 03 21 79 65 65 – www.parc-hotel.com – customer@parc-hotel.com – Fax 03 21 79 80 00
46 ch – ♦50/75 € ♦♦60/85 €, ⛶ 10,50 €
Rest – (fermé dim. soir et soirs fériés) Menu 18/35 € bc – Carte 28/36 €
♦ Près de l'autoroute, hôtel d'aspect moderne proposant des chambres fonctionnelles rénovées dans un style contemporain épuré, à choisir de préférence côté campagne. Salle à manger claire et spacieuse où les repas peuvent être servis sous forme de buffets.

Le Charolais
Domaine de la Gloriette, 143 bis r. Mar.-Foch – ℰ 03 21 40 12 98 – www.le-charolais.fr – lecharolais@wanadoo.fr – Fax 03 21 40 41 15 – Fermé 5-25 août, mardi soir, dim. soir et lundi
Rest – Menu (17 € bc), 37/47 € – Carte 40/60 €
♦ Maison de style régional (façade en briques peintes en blanc) révélant un intérieur sobre égayé de tableaux. Plats classiques et spécialités de bœuf charolais.

CASAMOZZA – 2B Haute-Corse – 345 F4 – voir à Corse

CASCASTEL-DES-CORBIÈRES – 11 Aude – 344 H5 – 208 h. – alt. 140 m – ✉ 11360
22 **B3**

▶ Paris 835 – Perpignan 52 – Carcassonne 70 – Narbonne 48

Domaine Grand Guilhem sans rest
chemin du Col-de-la-Serre – ℰ 04 68 45 86 67 – www.grandguilhem.com – gguilhem@aol.com – Fax 04 68 45 29 58
4 ch ⛶ – ♦80 € ♦♦90 €
♦ Habilement restaurée, cette demeure en pierre du 19e s. a gardé toute son authenticité. Chambres pétries de charme, d'une tenue impeccable. Dégustations de vins dans le caveau.

CASCASTEL-DES-CORBIÈRES

Le Clos de Cascastel
quai de la Berre – ℰ 04 68 45 06 22 – leclosdecascastel@orange.fr
– *Fax 04 68 45 06 22 – Fermé de mi-nov. à mi-déc., mi-janv. à début fév. et mardi*
Rest – Menu (17 €), 27/39 € bc

♦ Mets régionaux et sélection de corbières à apprécier dans une chaleureuse salle relookée ou sous les canisses de la terrasse meublée en teck, où voisinent platane et oliviers.

CASSEL – 59 Nord – 302 C3 – 2 290 h. – alt. 175 m – ⌧ 59670   30 B2
Nord Pas-de-Calais Picardie

▸ Paris 250 – Calais 58 – Dunkerque 30 – Hazebrouck 11 – Lille 52 – St-Omer 21
▸ Syndicat d'initiative, 20, Grand'Place ℰ 03 28 40 52 55, Fax 03 28 40 59 17
◉ Site★

Châtellerie de Schoebeque sans rest
32 r. du Maréchal Foch – ℰ 03 28 42 42 67
– www.schoebeque.com – contact@schoebeque.com – Fax 03 28 42 21 86
14 ch – †95/159 € ††105/239 €, ⌧ 15 €

♦ Luxe, charme et quiétude dans une demeure historique du 18ᵉ s. Chambres prestigieuses, spa (soins esthétiques) et vue unique sur les Flandres depuis la véranda du petit-déjeuner.

Au Petit Bruxelles
1656 rte Nationale, au Petit-Bruxelles, Sud-Est : 3,5 km sur D 916 –
ℰ 03 28 42 44 64 – www.aupetitbruxelles.com – aupetitbruxelles@wanadoo.fr
– *Fax 03 28 40 58 13 – Fermé dim. soir, lundi soir, mardi et merc.*
Rest – Menu 30/62 € – Carte 41/59 €

♦ Ancien relais de poste à la jolie façade en briques rouges typique de la région. Chaleureux décor rustique, ambiance bon enfant et cuisine au goût du jour, gourmande et soignée.

à St-Sylvestre-Cappel 6 km au Nord-Est par D 916 – 1 093 h. – alt. 55 m – ⌧ 59114

Le St Sylvestre
57 rte Nationale – ℰ 03 28 42 82 13 – www.le-saint-sylvestre.com
– restaurantlesaintsylvestre@wanadoo.fr – *Fermé 2-26 août, vacances de fév., lundi soir, sam. midi, dim. soir et merc.*
Rest – Menu 19/49 € – Carte 42/51 €

♦ Cette devanture noire dévoile une salle très design. Couleurs vives, écrans plasma diffusant du Chaplin : un cadre en phase avec une cuisine épurée, sans cesse renouvelée.

CASSIS – 13 Bouches-du-Rhône – 340 I6 – 7 766 h. – alt. 10 m – Casino   40 B3
– ⌧ 13260 **Provence**

▸ Paris 800 – Aix-en-Provence 51 – La Ciotat 10 – Marseille 30 – Toulon 42
▸ Office de tourisme, Quai des Moulins ℰ 08 92 25 98 92, Fax 04 42 01 28 31
◉ Site★ - Les Calanques★★ (1 h en bateau) - Mt de la Saoupe ⋇★★ : 2 km par D 41A.
◉ Cap Canaille, la plus haute falaise maritime d'Europe, ≤★★★ 5 km par D 41A
– Sémaphore ⋇★★★ - Corniche des Crêtes★★ de Cassis à la Ciotat.

Plan page ci-contre

Royal Cottage sans rest
6 av. 11 Novembre, par ① –
ℰ 04 42 01 33 34 – www.royal-cottage.com – info@royal-cottage.com
– *Fax 04 42 01 06 90 – Fermé 12-28 déc.*
25 ch ⌧ – †95/227 € ††107/239 €

♦ Petit paradis provençal où s'épanouit une luxuriante végétation exotique. Intérieur contemporain. La terrasse de certaines chambres offre un splendide aperçu sur le port.

Les Jardins de Cassis sans rest
r. A. Favier, 1 km par ① – ℰ 04 42 01 84 85
– www.lesjardinsdecassis.com – contact@lesjardinsdecassis.com
– *Fax 04 42 01 32 38 – Ouvert de mi-mars à mi-nov.*
36 ch – †62/127 € ††62/127 €, ⌧ 12 €

♦ Bâtiments profilant leurs couleurs ocre sur les hauteurs de Cassis. Chambres coquettes, souvent dotées de terrasses privées. Beau jardin méridional, piscine, jacuzzi.

CASSIS

Abbé-Mouton (R.)	2
Arène (R. de l')	4
Autheman (R. V.)	5
Baragnon (Pl.)	6
Barthélémy (Bd)	7
Barthélémy (Quai Jean-Jacques)	8
Baux (Quai des)	9
Ciotat (R. de la)	10
Clemenceau (Pl.)	12
Ganteaume (Av. de l'Amiral)	14
Jean-Jaurès (Av.)	16
Leriche (Av. Professeur)	17
Mirabeau (Pl.)	22
Moulins (Quai des)	23
République (Pl.)	25
Revestel (Av. du)	26
St-Michel (Pl.)	27
Thiers (R. Adolphe)	29
Victor-Hugo (Av.)	32

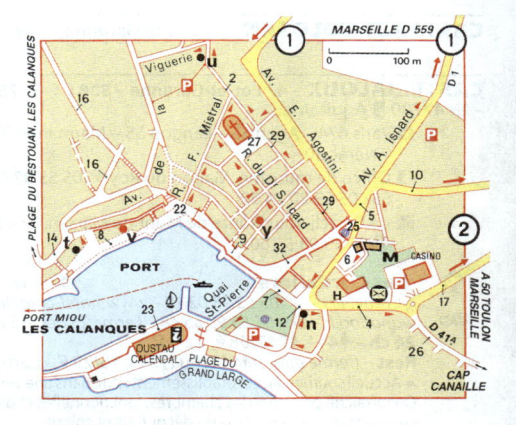

Le Golfe sans rest
3 pl. Grand Carnot – ℘ 04 42 01 00 21 – www.legolfe-cassis.fr – contact@legolfe-cassis.fr – Fax 04 42 01 92 08 – Ouvert 28 mars-8 nov.   t
30 ch – ✝70/95 € ✝✝70/95 €, ⊇ 11 €
♦ Une terrasse sous les platanes face au port et des petites chambres pratiques, climatisées, dont certaines côté mer : tels sont les atouts de cette demeure familiale sans chichi.

Le Clos des Arômes
10 r. Abbé Paul Mouton – ℘ 04 42 01 71 84 – www.le-clos-des-aromes.com – closdesaromes@orange.fr – Fax 04 42 01 31 76 – Fermé 3 janv.-25 fév.   u
14 ch – ✝55 € ✝✝75 €, ⊇ 9 €
Rest – (fermé mardi midi, merc. midi et lundi) Menu 27/43 € – Carte 33/50 €
♦ Les portes de cette maison traditionnelle ouvrent sur un charmant jardin fleuri. Les chambres, à la fois sobres et contemporaines, sont gaies et décorées avec goût. Minuscule salle à manger, jolie terrasse et cuisine méridionale : bourrides, bouillabaisses, etc.

Cassitel sans rest
pl. Clemenceau – ℘ 04 42 01 83 44 – www.hotel-cassis.com – cassitel@hotel-cassis.com – Fax 04 42 01 96 31   n
32 ch – ✝60/63 € ✝✝71/90 €, ⊇ 8 €
♦ Proche de la plage, mais aussi au cœur du Cassis animé et noctambule (discothèques, bars). Chambres pratiques, plus récentes côté port ; salle des petits-déjeuners provençale.

La Villa Madie (Jean-Marc Banzo)
av. du Revestel, (anse de Corton) – ℘ 04 96 18 00 00 – www.lavillamadie.com – contact@lavillamadie.com – Fax 04 96 18 00 01
– Fermé 17-30 nov., 2-31 janv., lundi et mardi d'oct. à avril
Rest – Menu 109/147 € – Carte 110/144 €
Spéc. Médaillon de foie de lotte et foie de canard, cœur d'artichaut et salade de salicorne. Sole de Méditerranée au beurre mousseux et pommes de terre grenaille. Chocolat croquant. **Vins** Cassis, Bandol.
♦ Table prometteuse lancée par Jean-Marc Banzo : cuisine actuelle, cadre design et épuré, terrasses étagées descendant jusqu'à la mer, vue sur le large et les pins...

Nino avec ch
port de Cassis – ℘ 04 42 01 74 32 – www.nino-cassis.com – Fax 04 42 42 01 34 51
– Fermé de mi-nov. à mi-déc., dim. soir hors saison et lundi   v
3 ch ⊇ – ✝180/200 € ✝✝180/200 €
Rest – Menu 34 € (sem.) – Carte environ 53 €
♦ Institution locale que cette maison (1432) ! Bouillabaisse et produits de la mer sont les rois dans la salle très "nautique" ouverte sur les cuisines. Terrasse fleurie côté port. Aux étages, trois belles chambres conçues comme des cabines de bateau. Vue et confort au top.

CASTAGNÈDE – 64 Pyrénées-Atlantiques – 342 G4 – rattaché à Salies-de-Béarn

CASTANET-TOLOSAN – 31 Haute-Garonne – 343 H3 – rattaché à Toulouse

CASTELJALOUX – 47 Lot-et-Garonne – 336 C4 – 4 755 h. – alt. 52 m — 4 **C2**
– ✉ 47700 ▌Aquitaine

> ▶ Paris 674 – Agen 55 – Langon 55 – Marmande 23 – Mont-de-Marsan 73 – Nérac 30
> ▪ Office de tourisme, Maison du Roy ✆ 05 53 93 00 00, Fax 05 53 20 74 32
> ▪ de Casteljaloux Route de Mont de Marsan, S : 4 km par D 933, ✆ 05 53 93 51 60

Les Cordeliers
r. Cordeliers – ✆ 05 53 93 02 19 – www.hotel-cordeliers.fr – hotel.lescordeliers@wanadoo.fr – Fax 05 53 93 55 48 – Fermé 23 déc.-13 janv.
24 ch – ♦44 € ♦♦47/68 €, ⊆ 8 €
Rest – (fermé dim. soir) Menu (12 €), 16/29 € – Carte 28/43 €
♦ Accueil souriant en cet établissement situé dans une venelle donnant sur la grande place. On rafraîchit peu à peu les chambres, fonctionnelles et bien tenues. Le restaurant sert une cuisine traditionnelle dans un décor frais et coloré.

La Vieille Auberge
11 r. Posterne – ✆ 05 53 93 01 36 – www.restaurant-la-vieille-auberge.fr – la.vieille.auberge.47@wanadoo.fr – Fax 05 53 93 18 89
– Fermé 22 juin-5 juil., 23 nov.-6 déc., 23 fév.-1ᵉʳ mars, dim. soir, mardi soir et merc.
Rest – Menu (20 €), 27/65 € – Carte 38/48 €
♦ Charmante maison de pierre bordant une ruelle de la bastide. La salle à manger, redécorée et colorée, est bien fleurie. Cuisine classique soignée.

CASTELLANE – 04 Alpes-de-Haute-Provence – 334 H9 – 1 592 h. — 41 **C2**
– alt. 730 m – ✉ 04120 ▌Alpes du Sud

> ▶ Paris 797 – Digne-les-Bains 54 – Draguignan 59 – Grasse 64 – Manosque 92
> ▪ Office de tourisme, rue Nationale ✆ 04 92 83 61 14, Fax 04 92 83 76 89
> ▪ de Taulane à La Martre Le Logis du Pin, E : 17 km par D 4085, ✆ 04 93 60 31 30
> ◉ Site★ - Lac de Chaudanne★ 4 km par ①.
> ◉ - Grand canyon du Verdon★★★.

à la Garde 6 km par D 559 et D 4085 – 84 h. – alt. 928 m – ✉ 04120

Auberge du Teillon avec ch
rte Napoléon – ✆ 04 92 83 60 88 – www.auberge-teillon.com – contact@auberge-teillon.com – Fax 04 92 83 74 08 – Ouvert 15 mars-15 nov. et fermé dim. soir et lundi sauf juil.-août et fériés, mardi midi en juil.-août
8 ch – ♦55/60 € ♦♦55/60 €, ⊆ 8 € – ½ P 57/60 €
Rest – Menu 22/49 € – Carte 38/54 €
♦ Accueil tout sourire et ambiance conviviale en cette auberge rustique de bord de route. Goûteuse cuisine traditionnelle revisitée, assortie de recettes provençales. À l'étage, petites chambres refaites, pratiques pour l'étape.

LE CASTELLET – 83 Var – 340 J6 – 4 154 h. – alt. 252 m – ✉ 83330 — 40 **B3**

> ▶ Paris 816 – Marseille 46 – Toulon 23 – Aubagne 30 – Bandol 11
> Circuit Paul Ricard ✆ 04 94 98 36 66

à Ste-Anne-du-Castellet 4,5 km au Nord par D 226 et D 26 – ✉ 83330

Castel Ste-Anne sans rest
81 chemin Chapelle – ✆ 04 94 32 60 08 – hotelcastelstanne@wanadoo.fr – Fax 04 94 32 68 16
17 ch – ♦55/65 € ♦♦60/70 €, ⊆ 8 €
♦ Quiétude, jardin fleuri et jolie piscine caractérisent l'environnement de cet hôtel familial. Chambres sobres, plus récentes et dotées de terrasses à l'annexe.

LE CASTELLET

au Circuit Paul Ricard 11 km au Nord par D 226, D 26 et D N8 – ✉ 83330 Le Beausset

Du Castellet
3001 rte Hauts du Camp – ✆ 04 94 98 37 77
– www.hotelducastellet.com – welcome@hotelducastellet.com
– Fax 04 94 98 37 78
34 ch – †320/530 € ††320/530 €, ⊇ 32 € – 13 suites
Rest Monte Cristo – Menu 50 € (déj. en sem.)/100 €
– Carte 100/200 €
Spéc. Raviole de langoustine à l'écorce de citron vert. Carré d'agneau de Provence "garam masala" aux zestes de citron confit. Arlette croustillante et poire pochée au cœur des vignes, accord épicé (automne-hiver). **Vins** Bandol.
◆ En bordure du célèbre circuit, vaste domaine luxueux, au décor soigné, entre influences architecturales provençale et toscane. Belles chambres feutrées et cosy. Recettes personnalisées aux accents du sud, dans l'élégant Monte Cristo. En été, cuisine italienne au Pool House.

Résidence des Équipages sans rest
3100 rte des Hauts du Camp – ✆ 04 94 98 37 77 – welcome@hotelducastellet.com
– Fax 04 94 98 37 78
19 ch – †120/160 € ††120/160 €, ⊇ 15 €
◆ Bienvenue aux membres d'équipage et passagers en transit. Cet hôtel moderne, accolé à l'aérogare, bénéficie d'une insonorisation efficace et d'un équipement complet.

CASTELNAUDARY – 11 Aude – **344** C3 – 10 851 h. – alt. 175 m   22 **A2**
– ✉ 11400 ■ Languedoc Roussillon

▶ Paris 735 – Carcassonne 42 – Foix 70 – Pamiers 49 – Toulouse 60
🛈 Office de tourisme, place de Verdun ✆ 04 68 23 05 73,
Fax 04 68 23 61 40

Plan page suivante

Du Canal sans rest
2 ter av. A. Vidal – ✆ 04 68 94 05 05 – www.hotelducanal.com – hotelducanal@wanadoo.fr – Fax 04 68 94 05 06   AZ **b**
38 ch – †50/59 € ††58/68 €, ⊇ 8 €
◆ Belle bâtisse ocre, autrefois usine à chaux, longée par le canal du Midi. Chambres pratiques et bien insonorisées. Petits-déjeuners servis au bord de l'eau. Joli Jardin.

Du Centre et du Lauragais
31 cours République – ✆ 04 68 23 25 95 – www.hotel-centre-lauragais.com
– hcl11@live.fr – Fax 04 68 94 01 66 – *Fermé 5-27 janv. et dim. soir*   AZ **n**
16 ch – †50 € ††70 €, ⊇ 8 € – ½ P 70 €
Rest – Menu 19 € (déj. en sem.), 25/53 € – Carte 34/64 €
◆ Engageante maison de ville installée sur l'avenue principale de Castelnaudary. Chambres fonctionnelles, équipées d'un mobilier canné. Nouveau cadre néo-rétro, pour une cuisine traditionnelle enrichie de spécialités d'ici, dont le fameux cassoulet.

Le Clos Fleuri St-Siméon
134 av. Mgr. de Langle, par ③ – ✆ 04 68 94 01 20 – www.leclosfleuri.fr – leclos@hotmail.fr – Fax 04 68 94 05 47
31 ch – †57 € ††57 €, ⊇ 6 € – ½ P 48 €
Rest – *(Fermé 1er-9 mars, 23 déc.-5 janv., sam. et dim.)* Menu (14 €)
– Carte 23/39 €
◆ Isolé des bâtiments commerciaux par son enclos de verdure, hôtel disposant de chambres aux tons pastel, bien tenues et pourvues du double vitrage. Le restaurant se prolonge d'une terrasse donnant sur le petit jardin-piscine. Carte simple et cassoulet maison.

Le Tirou
90 av. Mgr de Langle – ✆ 04 68 94 15 95 – www.letirou.com
– letirou@wanadoo.fr – Fax 04 68 94 15 96 – *Fermé 23-30 juin, 20 déc.-20 janv. et lundi*   BZ **e**
Rest – *(déj. seult)* Menu 21 € (sem.)/39 € – Carte 36/60 €
◆ Le chef prépare son cassoulet avec de la viande de porc élevé en plein air. Beau choix de vins régionaux et agréable salle ouverte sur un jardin où paissent des chèvres et un âne.

CASTELNAUDARY

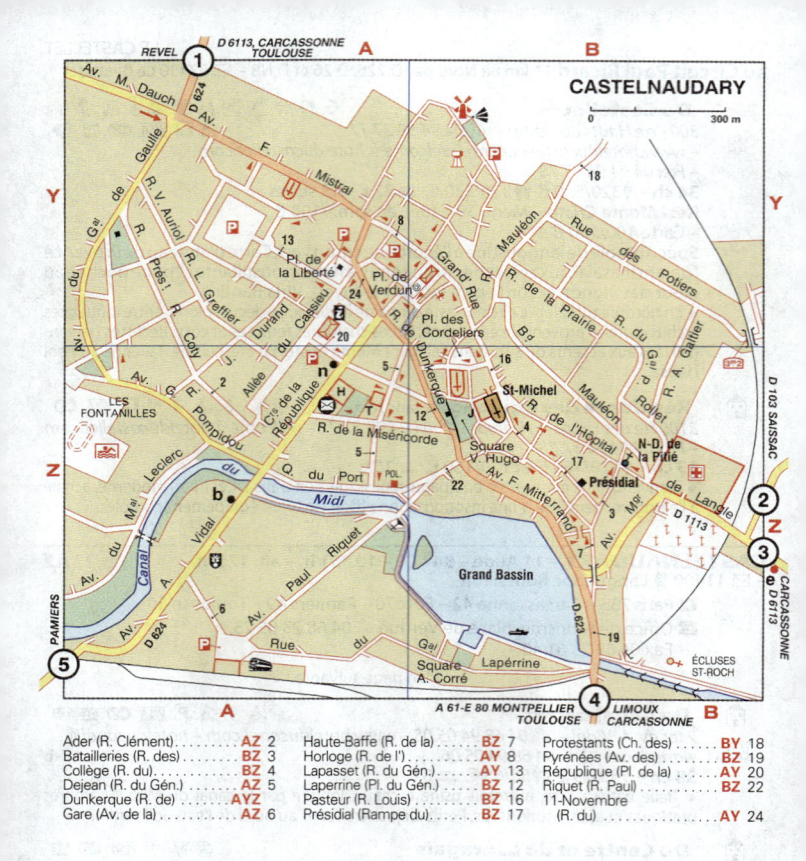

Street	Ref
Ader (R. Clément)	**AZ** 2
Batailleries (R. des)	**BZ** 3
Collège (R. du)	**BZ** 4
Dejean (R. du Gén.)	**AZ** 5
Dunkerque (R. de)	**AYZ**
Gare (Av. de la)	**AZ** 6
Haute-Baffe (R. de la)	**BZ** 7
Horloge (R. de l')	**AY** 8
Lapasset (R. du Gén.)	**AY** 13
Laperrine (Pl. du Gén.)	**BZ** 12
Pasteur (R. Louis)	**BZ** 16
Présidial (Rampe du)	**BZ** 17
Protestants (Ch. des)	**BY** 18
Pyrénées (Av. des)	**BZ** 19
République (Pl. de la)	**AY** 20
Riquet (R. Paul)	**BZ** 22
11-Novembre (R. du)	**AY** 24

Les bonnes adresses à petit prix ?
Suivez les Bibs : Bib Gourmand rouge 🟥 pour les tables
et Bib Hôtel bleu 🟦 pour les chambres.

CASTELNAU-DE-LÉVIS – 81 Tarn – 338 E7 – rattaché à Albi

CASTELNAU-DE-MONTMIRAL – 81 Tarn – 338 C7 – 895 h.   29 **C2**
– alt. 287 m – ✉ 81140

🚗 Paris 645 – Toulouse 69 – Cordes-sur-Ciel 22 – Gaillac 12
🛈 Office de tourisme, place des Arcades ✆ 05 63 33 15 11, Fax 05 63 33 17 60

🏠 **Des Consuls** sans rest   📶 ♿ 📞 **VISA** 🟠🟢
pl.des Arcades – ✆ *05 63 33 17 44* – *www.hoteldesconsuls.com*
– *hotelldesconsuls@orange.fr* – *Fax 05 63 33 78 52*
15 ch – ♂48/78 € ♂♂48/78 €, ⊇ 9 €
♦ Maisons anciennes situées sur la place centrale de la pittoresque bastide du 13ᵉ s. : les vieilles façades dissimulent des chambres au mobilier rustique, simples ou rénovées.

CASTELNAU-LE-LEZ – 34 Hérault – 339 I7 – rattaché à Montpellier

CASTÉRA-VERDUZAN – 32 Gers – **336** E7 – 901 h. – alt. 114 m   28 **A2**
– Stat. therm. : début mars-mi-déc. – Casino – ✉ 32410
- ◘ Paris 720 – Agen 61 – Auch 26 – Condom 20
- ◘ Syndicat d'initiative, avenue des Thermes ℰ 05 62 68 10 66, Fax 05 62 68 14 58

✕✕ **Le Florida**
2 r. du Lac – ℰ 05 62 68 13 22 – restaurant.florida@orange.fr – Fax 05 62 68 10 44 – Fermé vacances de fév., dim. soir et lundi sauf fériés
Rest – Menu (15 €), 25 € bc (sem.)/52 € – Carte 43/61 €
♦ Spécialités gersoises à savourer en hiver dans la salle joliment relookée, réchauffée par les crépitements d'un bon feu de cheminée, et en été sur la terrasse ombragée et fleurie.

CASTILLON-DU-GARD – 30 Gard – **339** M5 – rattaché à Pont-du-Gard

---

CASTILLON-EN-COUSERANS – 09 Ariège – **343** E7 – 399 h.   28 **B3**
– alt. 543 m – ✉ 09800 ▌Midi-Pyrénées
- ◘ Paris 787 – Bagnères-de-Luchon 61 – Foix 58 – St-Girons 14
- ◘ Office de tourisme, rue Noël Peyrevidal ℰ 05 61 96 72 64, Fax 05 34 14 06 82

à Audressein 1 km par rte de Bagnères-de-Luchon – 119 h. – alt. 509 m – ✉ 09800

✕✕ **L'Auberge d'Audressein** avec ch
– ℰ 05 61 96 11 80 – www.auberge-audressein.com – aubergeaudressein@club-internet.fr – Fax 05 61 96 82 96 – Fermé 15 oct.-15 déc., 10 janv.-15 mars, dim. soir et lundi
7 ch – ♦55/65 € ♦♦55/65 €, ⌐ 9 € – ½ P 45/65 €
Rest – Menu 16/85 € – Carte 35/60 €
♦ Ces vieux murs de pierre abritaient une forge au 19ᵉ s. Salle à manger aux tons chauds, agréable véranda surplombant la rivière et goûteuse cuisine inspirée par le terroir.

CASTRES ◉ – 81 Tarn – **338** F9 – 42 900 h. – alt. 170 m – ✉ 81100   29 **C2**
▌Midi-Pyrénées
- ◘ Paris 718 – Albi 43 – Béziers 107 – Carcassonne 70 – Toulouse 79
- ◘ de Castres-Mazamet : ℰ 05 63 70 34 77 par ③ : 8 km.
- ◘ Office de tourisme, 2, place de la Republique ℰ 05 63 62 63 62, Fax 05 63 62 63 60
- ◘ de Castres Gourjade Domaine de Gourjade, N : 3 km par rte de Roquecourbe, ℰ 05 63 72 27 06
- ◘ Musée Goya★ - Hôtel de Nayrac★ AY - Centre national et musée Jean-Jaurès AY.
- ◘ Le Sidobre★ 9 km par ① - Musée du Protestantisme à Ferrières.

Plan page suivante

🏨 **Occitan**
201 av. Ch. de Gaulle, par ③ – ℰ 05 63 35 34 20
– www.hotel-restaurant-l-occitan.fr – hotel-occitan@wanadoo.fr
– Fax 05 63 35 70 32 – Fermé 19 déc.-3 janv.
62 ch – ♦60/86 € ♦♦66/95 €, ⌐ 11 € – ½ P 58/75 €
Rest – (fermé dim. midi en août et sam. midi) Menu 15 € (sem.)/40 €
– Carte 30/50 €
♦ Hôtel pratique pour une étape aux portes de la ville. Les chambres, toutes climatisées, ont été rénovées ; certaines occupent une aile très récente. Sauna et jacuzzi. Cuisine traditionnelle servie dans un cadre contemporain ou en terrasse, face à la piscine.

🏨 **Miredames**
1 pl. R. Salengro – ℰ 05 63 71 38 18 – www.hotel-miredames.com – bienvenue@hotel-miredames.com – Fax 05 63 71 38 19   BY **f**
14 ch – ♦53/55 € ♦♦58/63 €, ⌐ 8 € – ½ P 49 €
Rest *Relais du Pont Vieux* – ℰ 05 63 35 56 14 – Menu (13 € bc), 17/33 €
– Carte 24/45 €
♦ L'enseigne de cette maison de la vieille ville évoque le coche d'eau qui remonte l'Agout. Chambres fonctionnelles et bien tenues. Le Relais du Pont Vieux donne sur une place où murmure une fontaine, mais déploie sa terrasse côté rivière. Plats traditionnels.

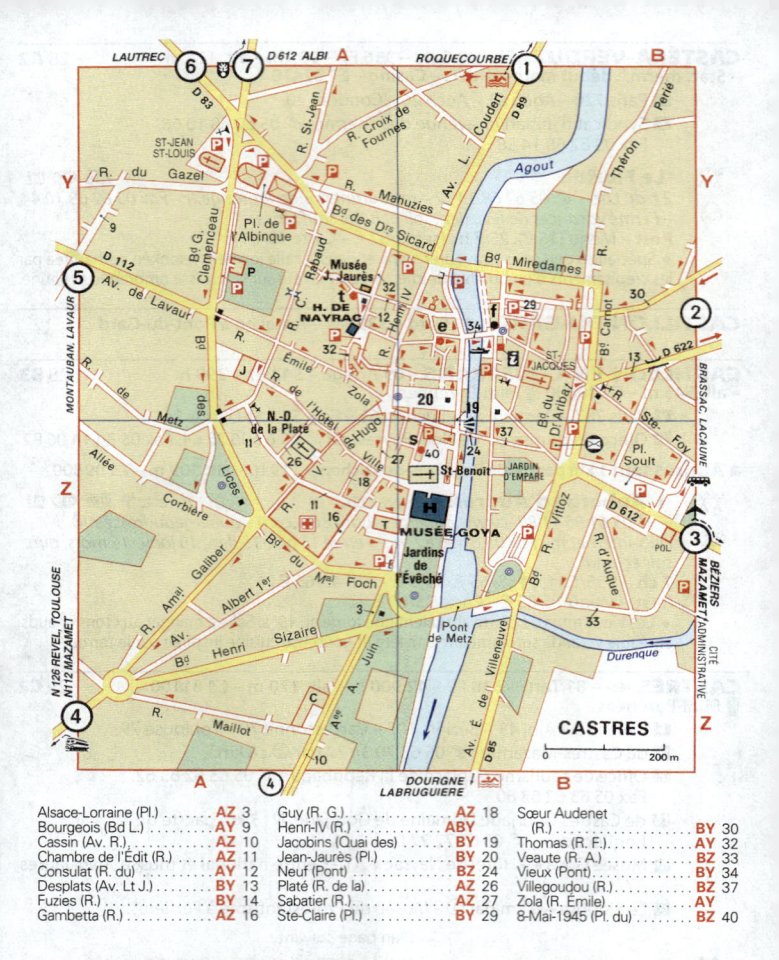

Alsace-Lorraine (Pl.) . . . . **AZ** 3	Guy (R. G.) . . . . **AZ** 18	Sœur Audenet	
Bourgeois (Bd L.) . . . . **AY** 9	Henri-IV (R.) . . . . **ABY**	(R.) . . . . **BY** 30	
Cassin (Av. R.) . . . . **AZ** 10	Jacobins (Quai des) . . . . **BY** 19	Thomas (R. F.) . . . . **AY** 32	
Chambre de l'Édit (R.) . . . . . . **AZ** 11	Jean-Jaurès (Pl.) . . . . **BY** 20	Veaute (R. A.) . . . . **BZ** 33	
Consulat (R. du) . . . . **AY** 12	Neuf (Pont) . . . . **BZ** 24	Vieux (Pont) . . . . **BY** 34	
Desplats (Av. Lt J.) . . . . **BY** 13	Platé (R. de la) . . . . **AZ** 26	Villegoudou (R.) . . . . **BZ** 37	
Fuziès (R.) . . . . **BY** 14	Sabatier (R.) . . . . **AZ** 27	Zola (R. Émile) . . . . **AY**	
Gambetta (R.) . . . . **AZ** 16	Ste-Claire (Pl.) . . . . **BY** 29	8-Mai-1945 (Pl. du) . . . . **BZ** 40	

XX **Le Victoria**   AC VISA MC

24 pl. 8-Mai-1945 – ℰ 05 63 59 14 68 – Fax 05 63 59 14 68 – Fermé sam. midi et dim.   BZ **s**

Rest – Menu (13 €), 24/45 € – Carte 28/53 €

♦ Trois salles à manger assez intimes aménagées dans un sous-sol voûté. La plus plaisante donne sur la cave à vins protégée par une vitre. Cuisine traditionnelle soignée.

XX **Mandragore**   AC VISA MC ①

1 r. Malpas – ℰ 05 63 59 51 27 – Fax 05 63 59 51 27 – Fermé 15-30 mars, 15-30 sept., dim. et lundi   BY **e**

Rest – Menu 13 € bc (déj. en sem.), 16/25 € – Carte 30/45 €

♦ Cette maison du vieux Castres est décorée dans un style contemporain, où dominent bois blond et verre dépoli. On y déguste des préparations traditionnelles.

X **La Passion du Vin**   🌿 AC ⚄ VISA MC

6 pl. Pélisson – ℰ 05 63 82 20 10 – contact@lechaisdusommelier.fr – Fax 05 63 82 20 10 – Fermé dim. et lundi   AY **t**

Rest – Menu (14 € bc), 18/37 € bc 🍷

♦ Bar à vins situé en face du musée Jean Jaurès : décor fait de caisses et de bouteilles, crus bien sélectionnés et généreuse cuisine du marché qui évolue très souvent.

CASTRES

à Burlats 9 km par ①, D 89 et D 58 – 1 844 h. – alt. 191 m – ⊠ 81100

Le Castel de Burlats ⚜
*8 pl. du 8-Mai-1945 – ℘ 05 63 35 29 20 – www.lecasteldeburlats.fr.st
– le.castel.de-burlats@wanadoo.fr – Fax 05 63 51 14 69 – Fermé 13 fév.-1er mars*
10 ch – †70/110 € ††70/110 €, ⊇ 10 €
Rest Les Mets d'Adélaïde – voir ci-après
♦ Castel des 14e et 16e s. Très beau salon de style Renaissance et vastes chambres personnalisées ouvertes sur le parc et les jardins à la française. Ambiance guesthouse.

Les Mets d'Adélaïde – Hôtel Le Castel de Burlats
8 pl.du 8-Mai-1945 – ℘ 05 63 35 78 42 – Fax 05 63 35 78 42
Rest – *(Fermé dim. soir hors saison, mardi sauf le soir en hiver et lundi) (nombre de couverts limité, prévenir)* Menu (19 €), 25/56 €
– Carte 45/60 €
♦ Un cadre cossu au charme bourgeois, complété par une agréable terrasse ombragée. Courte carte de saison déclinant des préparations soignées et vins régionaux bien conseillés.

à Lagarrigue 4 km par ③ – 1 641 h. – alt. 200 m – ⊠ 81090

Montagne Noire sans rest
*29 av. Castres, sur RN 112 – ℘ 05 63 35 52 00 – www.lamontagnenoire.com
– contact@lamontagnenoire.com – Fax 05 63 35 25 59*
30 ch – †88/106 € ††99/117 €, ⊇ 12 €
♦ Hôtel situé au bord d'une route fréquentée mais disposant néanmoins de chambres fonctionnelles bien insonorisées. Copieux petit-déjeuner servi dans une salle d'esprit provençal.

CASTRIES – 34 Hérault – **339** I6 – rattaché à Montpellier

LE CATEAU-CAMBRÉSIS – 59 Nord – **302** J7 – 7 102 h. – alt. 123 m   **31 C3**
– ⊠ 59360 ▌Nord Pas-de-Calais Picardie

▐ Paris 202 – Cambrai 24 – Hirson 44 – Lille 86 – St-Quentin 41
– Valenciennes 33

🛈 Office de tourisme, 9, place du Commandant Richez ℘ 03 27 84 10 94, Fax 03 27 77 81 52

Le Relais Fénelon avec ch
*21 r. Mar. Mortier – ℘ 03 27 84 25 80 – www.relais-fenelon.com
– Fax 03 27 84 38 60 – Fermé 4-27 août, dim. soir et lundi*
5 ch – †45 € ††45/52 €, ⊇ 6,50 € – ½ P 39 €
Rest – Menu (17 €), 21/31 € – Carte 40/50 €
♦ Cette demeure du 19e s. abrite une salle à manger au charme provincial, précédée d'un salon au confort bourgeois. Agréable terrasse d'été tournée vers un jardin arboré.

LE CATELET – Aisne – **306** B2 – 199 h. – alt. 90 m – ⊠ 02420   **37 C1**

▐ Paris 170 – Cambrai 22 – Le Cateau-Cambrésis 29 – Laon 66 – Péronne 28
– St-Quentin 19

La Coriandre
*68 r. du Gén. Augereau – ℘ 03 23 66 21 71
– sebastien.monatte@alicepro.fr – Fax 03 23 66 84 23 – Fermé 27 juil.-19 août,
2-9 janv., lundi et le soir sauf sam.*
Rest – Menu 25 € (sem.)/52 € – Carte 57/70 €
♦ Une façade anodine au bord de la nationale abrite ce restaurant d'une belle rusticité avec ses chaises paysannes et ses dallages rouges. Plats au goût du jour.

LES CATONS – 73 Savoie – **333** I4 – rattaché au Bourget-du-Lac

CAUDEBEC-EN-CAUX – 76 Seine-Maritime – 304 E4 – 2 331 h. – alt. 6 m – ⊠ 76490 – Normandie Vallée de la Seine

33 **C1**

- Paris 162 – Lillebonne 17 – Le Havre 53 – Rouen 37 – Yvetot 14
- Office de tourisme, place du General de Gaulle ℰ 02 32 70 46 32, Fax 02 32 70 46 31
- Église Notre-Dame★.
- Vallon de Rançon★ NE : 2 km.

Normotel La Marine
18 quai Guilbaud – ℰ 02 35 96 20 11 – www.normotel-lamarine.fr – contact@normotel-lamarine.fr – Fax 02 35 56 54 40
31 ch – †60/109 € ††60/109 €, ⊇ 12 € – ½ P 56/81 €
Rest – *(fermé sam. midi et dim. soir)* Menu (15 €), 26/36 € – Carte 41/61 €
◆ Face à la Seine animée par le va-et-vient des bateaux, grande bâtisse hôtelière dont les meilleures chambres ont un balcon tourné vers le fleuve. Salle de restaurant panoramique proposant des repas traditionnels ; terrasse d'été au bord de l'eau.

Le Normandie
19 quai Guilbaud – ℰ 02 35 96 25 11 – www.le-normandie.fr – info@le-normandie.fr – Fax 02 35 96 68 15 – Fermé 20 déc.-4 janv.
16 ch – †58 € ††60 €, ⊇ 8 €
Rest – *(fermé lundi midi, merc. midi et dim. soir)* Menu (15 €), 20/42 €
– Carte 32/55 €
◆ Sur le quai longeant la Seine, chambres fonctionnelles, parfois garnies de meubles rustiques ; les plus spacieuses, en façade, ont un balconnet et offrent une échappée sur le fleuve. Vue batelière par les baies du restaurant ; plats traditionnels et normands.

Le Cheval Blanc
4 pl. R. Coty – ℰ 02 35 96 21 66 – www.le-cheval-blanc.fr – le-cheval-blanc-info@wanadoo.fr – Fax 02 35 95 35 40
14 ch – †56 € ††58 €, ⊇ 6,50 € – ½ P 53 €
Rest – *(fermé 21 déc.-1ᵉʳ janv., sam. midi, dim. soir et vend.)* Menu (13 €), 15 € (sem.)/37 € – Carte 35/50 €
◆ Claires et fraîches, toutes les chambres de cet établissement du centre-ville bénéficient d'une insonorisation satisfaisante ; celles du second étage sont mansardées. Le chef-patron propose une cuisine du terroir. Terrasse fleurie aux beaux jours.

Le rouge est la couleur de la distinction : nos valeurs sûres !

CAUREL – 22 Côtes-d'Armor – 309 D5 – 384 h. – alt. 188 m – ⊠ 22530

10 **C2**

- Paris 461 – Carhaix-Plouguer 45 – Guingamp 48 – Loudéac 24 – Pontivy 22 – St-Brieuc 48

Beau Rivage avec ch
au Lac de Guerlédan, 2 km par D 111 – ℰ 02 96 28 52 15
– www.le-beau-rivage.net – stefetcie@orange.fr – Fax 02 96 26 01 16 – Fermé 15-30 mars, lundi hors saison et dim. soir
3 ch – †60 € ††60 €, ⊇ 9 €   **Rest** – Menu (21 € bc), 30/47 € – Carte 40/70 €
◆ Appréciée des gens de la région comme des touristes, cette maison profite de sa situation au bord du lac de Guerlédan. Restaurant panoramique et cuisine sagement traditionnelle. Les chambres simples donnent sur le lac.

CAURO – 2A Corse-du-Sud – 345 C8 – voir à Corse

CAUSSADE – 82 Tarn-et-Garonne – 337 F7 – 6 268 h. – alt. 109 m – ⊠ 82300

29 **C2**

- Paris 606 – Cahors 38 – Gaillac 51 – Montauban 28 – Villefranche-de-Rouergue 52
- Office de tourisme, 11, rue de la République ℰ 05 63 26 04 04, Fax 05 63 26 04 04

CAUSSADE

Dupont 🛗 &. ch, 🛏 P VISA ⓜ

r. Récollets – ℘ 05 63 65 05 00 – www.hotel-restaurant-dupont.com
– hotel-resto-dupont@cegetel.net – Fax 05 63 65 12 62
30 ch – ♦45/62 € ♦♦45/62 €, ⊇ 9 € – ½ P 55/65 €
Rest – (fermé vend. d'oct. à mai, sam. et dim.) (dîner seult) Menu 17/29 €
– Carte 21/35 €

♦ La petite capitale du chapeau de paille compte parmi ses demeures cet ancien relais de poste bâti au 18ᵉ s. Préférez les chambres sur l'arrière, plus récentes. Plaisante salle à manger rustique et cuisine d'inspiration régionale.

à Monteils 3 km au Nord-Est par D 17 – 1 163 h. – alt. 120 m – ✉ 82300

Le Clos Monteils 🍴 ℅ VISA ⓜ

7 chemin du Moulin – ℘ 05 63 93 03 51 – Fax 05 63 93 03 51 – Fermé de mi-janv. à mi-fév., mardi sauf juil.-août, sam. midi, dim. soir et lundi
Rest – (nombre de couverts limité, prévenir) Menu 17 € (déj. en sem.), 28/54 €

♦ L'ex-presbytère (1771) de ce village quercynois, transformé en restaurant, est décoré dans l'esprit d'une maison particulière. Agréable terrasse. Cuisine du terroir revisitée.

CAUTERETS – 65 Hautes-Pyrénées – **342** L7 – 1 107 h. – alt. 932 m   28 **A3**
– Sports d'hiver : 1 000/2 350 m ⛷3 ⛷18 ⛷ – Stat. therm. : début fév.-fin nov.
– Casino – ✉ 65110 ▮ **Midi-Pyrénées**

▶ Paris 880 – Argelès-Gazost 17 – Lourdes 30 – Pau 75 – Tarbes 49

🛈 Office de tourisme, place Foch ℘ 05 62 92 50 50, Fax 05 62 92 11 70

◉ La station★ - Route et site du Pont d'Espagne★★★ (chutes du Gave) au Sud par D 920 - Cascade★★ et vallée★ de Lutour S : 2,5 km par D 920.

◉ Cirque du Lys★★.

CAUTERETS

Benjamin-Dulau (Av.) 2
Bordenave (Pl.) 3
Clemenceau (Pl. G.) 4
Etigny (R. d') 5
Féria (R. de la) 6
Foch (Pl. Mar.) 8
Jean-Moulin (Pl.) 10
Latapie-Flurin (Bd) 12
Mamelon Vert (Av.) 13
Pont-Neuf (R. du) 15
Richelieu (R. de) 16
Victoire (Pl. de la) 18

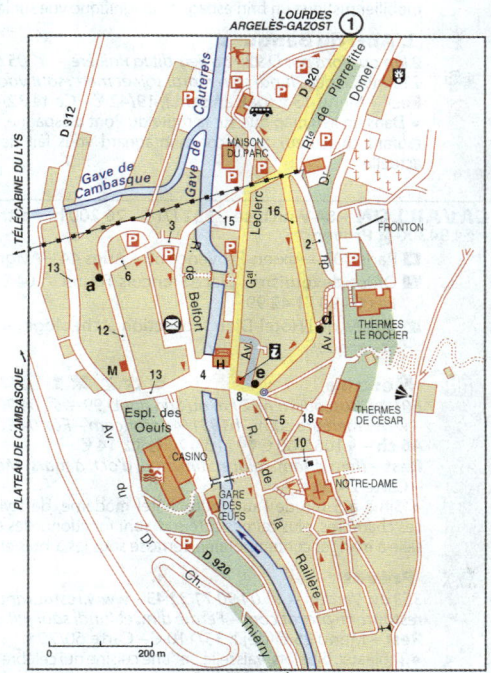

CAUTERETS

Astérides-Sacca
bd Latapie-Flurin – ☎ 05 62 92 50 02 – hotel.le.sacca@wanadoo.fr
– Fax 05 62 92 64 63 – Fermé 15 oct.-15 déc.
56 ch – †45/75 € ††45/75 €, ⇌ 8 € – ½ P 41/58 €
Rest – Menu 19/45 € – Carte 30/55 €

♦ Les chambres, dotées de balcons, sont aménagées dans un esprit actuel et fonctionnel. Hall habillé de bois blond. Salle à manger chaleureuse où l'on déguste des recettes traditionnelles et soignées.

Le Bois Joli sans rest
1 pl. Mar. Foch – ☎ 05 62 92 53 85 – www.hotel-leboisjoli.com – skibar@wanadoo.fr – Fax 05 62 92 02 23 – Fermé 26 avril-20 mai et 11 oct.-5 déc.
12 ch – †85/90 € ††90/102 €, ⇌ 9 €

♦ Au cœur de la station, bâtisse de 1905 au cachet préservé où vous logerez dans des chambres garnies d'un joli mobilier en bois. Bar agréable devancé par une terrasse ensoleillée.

Du Lion d'Or
12 r. Richelieu – ☎ 05 62 92 52 87 – www.liondor.eu – hotel.lion.dor@wanadoo.fr – Fax 05 62 92 03 67 – Fermé 26 avril-16 mai et 11 oct.-18 déc.
19 ch – †65/105 € ††70/110 €, ⇌ 10 € – ½ P 64/84 €
Rest – (dîner seult) (résidents seult) Menu 21/28 € – Carte 22/28 €

♦ Cet hôtel tenu par la même famille depuis 4 générations se repère à sa belle façade du 19ᵉ s. (portes-fenêtres et balconnets en fer forgé). Chambres douillettes personnalisées par des objets chinés. Petit patio bien fleuri en saison.

La Balaguère sans rest
– ☎ 05 62 92 91 85 – http://labalaguere.monsite.wanadoo.fr
– gitelabalagure@wanadoo.fr
4 ch ⇌ – †45/50 € ††50/60 €

♦ Cette maison neuve nichée dans un hameau propose de belles chambres garnies d'un mobilier rustique un brin espagnol. Magnifique vue sur les montagnes alentour.

L'Abri du Benques
2 km au Nord par D 920 au lieu-dit la Raillère – ☎ 05 62 92 50 15 – Fermé 12 nov.-20 déc., lundi soir, mardi soir et merc. sauf vacances scolaires
Rest – Menu 13 € (déj. en sem.), 19/42 € – Carte 32/48 €

♦ Dans un lieu magique sur la route du Pont d'Espagne, entre nature et torrents, ce restaurant chaleureux au décor montagnard vous fait découvrir une généreuse cuisine actuelle.

CAVAILLON – 84 Vaucluse – 332 D10 – 26 200 h. – alt. 75 m — 42 **E1**
– ⌧ 84300 ▌ Provence

▣ Paris 702 – Aix-en-Provence 60 – Arles 44 – Avignon 25 – Manosque 70
▣ Office de tourisme, place François Tourel ☎ 04 90 71 32 01,
  Fax 04 90 71 42 99
▣ Musée de l'Hôtel-Dieu : collection archéologique★ – ≤★ de la colline St-Jacques.

Mercure
601 av. Boscodomini, 2 km au Sud par D 99 – ☎ 04 90 71 07 79
– www.mercure.com – h1951@accor.com – Fax 04 90 78 27 94
46 ch – †106/160 € ††116/170 €, ⇌ 14 €
Rest – (fermé sam. midi et dim. midi d'oct. à mars) Menu (15 €), 20/23 €
– Carte 24/35 €

♦ Situé à 5 mn de l'autoroute, hôtel moderne, de style méridional, rénové en 2007. Les chambres, plus calmes côté sud, sont fonctionnelles et dotées de balcons. Spacieuse salle à manger contemporaine, terrasse sous les arbres et spécialités régionales.

Prévôt
353 av. Verdun – ☎ 04 90 71 32 43 – www.restaurant-prevot.com – contact@restaurant-prevot.com – Fermé dim. et lundi sauf juil.-août et fériés
Rest – Menu 25 € (déj.), 35/110 € – Carte 60/79 €

♦ Tableaux, bibelots, vaisselle... et une cuisine qui célèbre le melon (un menu entier lui est dédié). Truffes et légumes du pays occupent aussi une place de choix sur la carte.

CAVAILLON

à Cheval-Blanc 5 km à l'Est par D 973 – 4 048 h. – alt. 83 m – ⌧ 84460

XX **L'Auberge de Cheval Blanc**
481 av. de la Canebière – ℘ *04 32 50 18 55 – www.auberge-de-chevalblanc.com – contact@auberge-de-chevalblanc.com – Fax 04 32 50 18 52*
– Fermé vacances de la Toussaint, le midi en juil.-août sauf dim., sam. midi, dim. soir et lundi de sept. à juin
Rest – *(nombre de couverts limité, prévenir)* Menu (23 € bc), 38 € (déj. en sem.), 28/68 € – Carte 48/60 €
♦ Plaisante étape que cette discrète auberge de bord de route ; sa terrasse avec une fontaine est idyllique. Élégant cadre (miroirs, couleurs pâles). Cuisine actuelle de saison.

CAVALAIRE-SUR-MER – 83 Var – **340** O6 – 5 237 h. – alt. 2 m 41 **C3**
– Casino – ⌧ 83240 ▌**Côte d'Azur**

◗ Paris 880 – Draguignan 55 – Fréjus 41 – Le Lavandou 21 – St-Tropez 20 – Toulon 61

🛈 Office de tourisme, Maison de la Mer ℘ 04 94 01 92 10, Fax 04 94 05 49 89

◉ Massif des Maures★★★.

La Calanque
r.de la Calanque – ℘ *04 94 01 95 00 – www.residences-du-soleil.com/lacalanque – lacalanque@residences-du-soleil.com – Fax 04 94 64 66 20 – Ouvert 4 avril-14 nov.*
25 ch – ♦178/463 € ♦♦178/463 €, ⌴ 20 € – 3 suites
Rest – Menu 30/55 € – Carte 40/80 €
♦ Hôtel d'un quartier résidentiel, en bordure d'une calanque rocheuse du massif des Maures. Les chambres, spacieuses, actuelles et sobres, dominent la Méditerranée. Restaurant et terrasse panoramiques ouverts sur la mer ; spécialités traditionnelles.

LA CAVALERIE – 12 Aveyron – **338** K6 – 984 h. – alt. 800 m – ⌧ 12230 29 **D2**

◗ Paris 655 – Montpellier 96 – Millau 20 – Rodez 87

De la Poste
54 rte du Grand Chemin, D 809 – ℘ *05 65 62 70 66 – www.hotel-larzac.com – contact@hotel-larzac.com – Fax 05 65 62 78 24 – Fermé vend. soir, dim. soir et sam. de nov. à mars*
31 ch – ♦50 € ♦♦50 €, ⌴ 7 € – ½ P 60/65 €
Rest – Menu (14 €), 18 € (sem.)/55 € – Carte 19/55 €
♦ Hôtel commode pour l'étape sur la route des vacances, au cœur du Parc naturel régional des Grands Causses. Chambres assez spacieuses, fonctionnelles et colorées. Restaurant au décor épuré et véranda climatisée ; plats traditionnels et régionaux. Accueil tout sourire.

CAVALIÈRE – 83 Var – **340** N7 – alt. 4 m – ⌧ 83980 Le Lavandou 41 **C3**
▌**Côte d'Azur**

◗ Paris 880 – Draguignan 68 – Fréjus 55 – Le Lavandou 7 – St-Tropez 33 – Toulon 48

◉ Massif des Maures★★★.

Le Club de Cavalière & Spa
30 av. Cap Nègre – ℘ *04 98 04 34 34*
– www.clubdecavaliere.com – cavaliere@relaischateaux.com – Fax 04 94 05 73 16 – Ouvert 8 mai-27 sept.
32 ch – ♦285/400 € ♦♦385/755 €, ⌴ 25 € – 5 suites
Rest – Menu 80 € (dîner), 85/95 € – Carte 95/155 €
♦ Face à la mer, élégante demeure abritant de magnifiques chambres contemporaines. Superbes équipements de loisirs : piscine, plage privée, spa, sauna, jacuzzi, fitness, hammam... Beau restaurant provençal (toit ouvrant) et terrasses ombragées dominant les flots.

CAVANAC – 11 Aude – **344** E3 – **rattaché à Carcassonne**

CEILLAC – 05 Hautes-Alpes – **334** I4 – 297 h. – alt. 1 640 m – Sports d'hiver : 1 700/2 500 m ≰6 ⚡ – ⊠ 05600 ▌Alpes du Sud   41 **C1**

▶ Paris 729 – Briançon 50 – Gap 75 – Guillestre 14
🛈 Office de tourisme, le village ✆ 04 92 45 05 74, Fax 04 92 45 47 05
◉ Site★ – Église St-Sébastien★.
◉ Vallon du Mélezet★ – Lac Ste-Anne★★.

La Cascade
au pied du Mélezet, 2 km au Sud-Est – ✆ 04 92 45 05 92
– www.hotel-la-cascade.com – info@hotel-la-cascade.com – Fax 04 92 45 22 09
– Ouvert 29-13 sept. et 19 déc.-31 mars
22 ch – ♦44/62 € ♦♦52/74 €, ⊇ 9 € – ½ P 55/66 €
Rest – Menu 16/29 € – Carte 28/37 €

♦ L'hôtel, isolé dans un beau site alpestre, séduira les amoureux de la nature. Chambres dotées de meubles en pin ornés de sculptures au couteau, typiques du Queyras. La salle à manger et la terrasse offrent une jolie vue sur les montagnes ; cuisine régionale.

CEILLOUX – 63 Puy-de-Dôme – **326** I9 – 156 h. – alt. 615 m – ⊠ 63520   6 **C2**

▶ Paris 464 – Clermont-Ferrand 50 – Cournon-d'Auvergne 36 – Riom 62

Domaine de Gaudon sans rest
4 km au Nord par D 304 – ✆ 04 73 70 76 25 – www.domainedegaudon.fr
– domainedegaudon@wanadoo.fr
5 ch ⊇ – ♦90 € ♦♦110 €

♦ Adresse rare que cette maison du 19ᵉ s. bordée d'un parc et d'un étang de pêche. Les chambres et la salle à manger où l'on sert le petit-déjeuner sont superbes.

LA CELLE – 83 Var – **340** L5 – 1 239 h. – alt. 260 m – ⊠ 83170   41 **C3**

▶ Paris 812 – Aix-en-Provence 63 – Draguignan 62 – Marseille 65 – Toulon 48
🛈 Office de tourisme, place des Ormeaux ✆ 04 94 59 19 05

Hostellerie de l'Abbaye de la Celle
10 pl. du Gén. de Gaulle – ✆ 04 98 05 14 14
– www.abbaye-celle.com – contact@abbaye-celle.com – Fax 04 98 05 14 15
– Fermé 11 janv.-7 fév., mardi et merc. de mi-oct. à mi-avril
10 ch – ♦250/330 € ♦♦250/450 €, ⊇ 20 €
Rest – Menu 45 € (déj. en sem.), 62/82 € – Carte 66/90 €
Spéc. Légumes de printemps en vinaigrette tiède et herbes d'ici. (printemps). Encornet de Méditerranée farci puis braisé. Crêpes suzette. **Vins** Coteaux Varois en Provence

♦ Jouxtant l'abbaye, cette ravissante demeure provençale du 18ᵉ s., ex-prieuré puis magnanerie, eut pour hôte le Général. Grandes chambres confortables au mobilier ancien. Salles à manger de caractère et belle terrasse ombragée. Séduisante cuisine méridionale.

LA CELLE-LES-BORDES – 78 Yvelines – **311** H4 – **106** 28 – **101** 31 – voir à Paris, Environs (Cernay-la-Ville)

CELLES-SUR-BELLE – 79 Deux-Sèvres – **322** E7 – 3 591 h. – alt. 117 m – ⊠ 79370 ▌Poitou Vendée Charentes   38 **B2**

▶ Paris 400 – Couhé 37 – Niort 22 – Poitiers 69 – St-Jean-d'Angély 52
🛈 Office de tourisme, 14, rue des Halles ✆ 05 49 32 92 28
◉ Portail★ de l'église Notre-Dame.

Hostellerie de l'Abbaye
1 pl. Epoux-Laurant – ✆ 05 49 32 93 32 – www.hotel-restaurant-abbaye.com
– hostellerie.abbaye@wanadoo.fr – Fax 05 49 79 72 65
20 ch – ♦50/78 € ♦♦50/78 €, ⊇ 8 €
Rest – Menu (12 €), 33/60 € – Carte 45/98 €

♦ Un jeune couple a redonné vie à cette belle adresse régionale. Chambres régulièrement rénovées, sobrement rustiques et colorées. Les convives dégustent des plats inspirés du terroir dans un cadre chaleureux et tendance, de style campagnard actualisé.

CELLETTES – 41 Loir-et-Cher – 318 F6 – 2 186 h. – alt. 78 m – ✉ 41120 — 11 **A1**

▶ Paris 189 – Blois 9 – Orléans 68 – Romorantin-Lanthenay 36 – Tours 73
🛈 Syndicat d'initiative, 2, rue de la Rozelle ✆ 02 54 70 30 46, Fax 02 54 70 30 46

※※ **La Vieille Tour**
7 r. Nationale – ✆ *02 54 70 46 31 – www.lavieilletour.fr – lavieilletour@yahoo.fr – Fermé 25-29 juin, 23-29 déc., 10-31 janv., merc. de sept. à juin et mardi*
Rest – Menu (20 € bc), 25/50 € – Carte 33/57 €
◆ Cette table à l'ambiance feutrée et au joli cadre rustique actualisé occupe une belle maison du 15ᵉ s. repérable à sa vieille tour. Cuisine traditionnelle féminine.

CELONY – 13 Bouches-du-Rhône – 340 H4 – rattaché à Aix-en-Provence

CÉLY – 77 Seine-et-Marne – 312 E5 – 1 071 h. – alt. 62 m – ✉ 77930 — 19 **C2**

▶ Paris 56 – Melun 15 – Boulogne-Billancourt 56 – Montreuil 57 – Créteil 47

🏰🏰🏰 **Château de Cély**
rte de St Germain – ✆ *01 64 38 03 07 – www.club-albatros.com – cely@club-albatros.com – Fax 01 64 38 08 78 – Fermé 25 déc.-1ᵉʳ janv.*
4 ch – †275/325 € ††275/325 €, ⇌ 25 € – 10 suites – ††275/325 €
Rest – *(déj. seult)* Menu 21 € bc/25 € bc – Carte 30/40 €
◆ Château du 14ᵉ s. et son parc. Les chambres, contemporaines et bien équipées, ont pour panorama un magnifique golf entouré de jardins paysagers. Pensé pour les séminaires. Cuisine traditionnelle au restaurant éclairé par une grande verrière et ouvert sur la verdure.

CÉNAC-ET-ST-JULIEN – 24 Dordogne – 329 I7 – 1 193 h. – alt. 70 m — 4 **D1**
– ✉ 24250

▶ Paris 547 – Bordeaux 205 – Périgueux 73 – Cahors 71 – Sarlat-la-Canéda 12

⋀ **La Guérinière**
sur D 46 – ✆ *05 53 29 91 97 – www.la-gueriniere-dordogne.com – contact@la-gueriniere-dordogne.com – Fax 05 53 29 91 97 – Ouvert 1ᵉʳ avril-2 nov.*
5 ch (½ P seult) – ½ P 58/71 € **Table d'hôte** – *(fermé merc. et dim.)* Menu 25 €
◆ Située face à la bastide de Domme, cette chartreuse périgourdine bénéficie d'un cadre verdoyant et calme. Coquettes chambres décorées avec soin, grand parc, piscine et tennis. Le soir, recettes régionales servies dans la grande salle rustique.

⋀ **Le Moulin Rouge** sans rest
– ✆ *05 53 28 23 66 – www.lemoulinrouge.org – lemoulinrouge@perigord.com*
4 ch – †42/65 € ††45/70 €, ⇌ 8 €
◆ Cadre bucolique pour ce moulin au bord de son petit étang (baignade possible). Les charmants propriétaires vous retraceront avec plaisir son histoire. Chambres douillettes.

CENON – 33 Gironde – 335 H5 – rattaché à Bordeaux

CERDON – 01 Ain – 328 F4 – 758 h. – alt. 300 m – ✉ 01450 — 44 **B1**

▶ Paris 460 – Ambérieu-en-Bugey 25 – Bourg-en-Bresse 32 – Nantua 20 – Oyonnax 32
🛈 Syndicat d'initiative, place F. Allombert ✆ 04 74 39 93 02, Fax 04 74 39 93 02

※ **Vieille Côte**
pl. Mairie – ✆ *04 74 39 96 86 – www.lavieillecote.com – c.b.france@wanadoo.fr – Fax 04 74 39 93 42 – Fermé 2-27 fév., mardi et merc. hors saison*
Rest – Menu 18/39 € – Carte 21/44 €
◆ Madame concocte des plats du terroir agrémentés d'herbes du jardin pendant que monsieur reçoit les hôtes avec bonne humeur dans deux salles à manger champêtres. Vins du Bugey.

471

CERDON – 45 Loiret – 318 L6 – 1 056 h. – alt. 145 m – ✉ 45620   12 **C2**

▶ Paris 185 – Orléans 73 – Fleury-les-Aubrais 63 – Olivet 59 – Saint-Jean-de-Braye 60

Les Vieux Guays sans rest
rte des Hauteraults – ✆ 02 38 36 03 76 – www.lesvieuxguays.com – lvg45@orange.fr – Fax 02 38 36 03 76 – Fermé 21 fév.-9 mars
5 ch ⌑ – †60/75 € ††60/75 €

♦ Superbe propriété préservée avec étang, piscine, tennis. Tel est le cadre de cet ex-relais de chasse aux chambres confortables et décorées avec raffinement, dans l'esprit local.

CÉRET – 66 Pyrénées-Orientales – 344 H8 – 7 568 h. – alt. 153 m – ✉ 66400 ▮ Languedoc Roussillon   22 **B3**

▶ Paris 875 – Gerona 81 – Perpignan 34 – Port-Vendres 37 – Prades 72

🛈 Office de tourisme, 1, avenue Georges Clemenceau ✆ 04 68 87 00 53, Fax 04 68 87 00 56

◉ Vieux pont★ - Musée d'Art Moderne★★.

La Terrasse au Soleil
Ouest : 1,5 km par rte Fontfrède – ✆ 04 68 87 01 94 – www.terrasse-au-soleil.com – terrasse-au-soleil.hotel@wanadoo.fr – Fax 04 68 87 39 24 – Fermé 16 déc.-12 fév.
34 ch – †87/217 € ††112/242 €, ⌑ 15 € – 2 suites – ½ P 106/171 €
Rest – Menu 35/68 € – Carte 50/71 €

♦ Charles Trenet vécut dans ce mas catalan isolé sur les vertes hauteurs de Céret. Chambres fonctionnelles sur l'arrière. Piscine, jacuzzi, sauna. Murs blancs, faïences et meubles régionaux ensoleillent la salle à manger. Terrasse avec vue sur le Canigou.

Le Mas Trilles sans rest
au Pont de Reynès : 3 km après Céret, direction Amélie-les-Bains – ✆ 04 68 87 38 37 – www.le-mas-trilles.com – mastrilles@free.fr – Fax 04 68 87 42 62 – Ouvert 30 avril-8 oct.
8 ch ⌑ – †90/110 € ††110/230 € – 2 suites

♦ Cette maison du 17ᵉ s. nichée dans un vallon soigne son accueil. Ravissantes chambres aux couleurs du Sud, souvent avec terrasse ou jardin privatif. Piscine dominant le Tech.

Les Arcades sans rest
1 pl. Picasso – ✆ 04 68 87 12 30 – www.hotel-arcades-ceret.com – hotelarcades.ceret@wanadoo.fr – Fax 04 68 87 49 44
30 ch – †44/60 € ††44/60 €, ⌑ 7 €

♦ Sympathique hôtel décoré d'œuvres d'artistes de "L'École de Céret". Chambres gaies, mobilier catalan, quelques cuisinettes. Bon petit-déjeuner avec des produits locaux.

Le Chat qui Rit
à la Cabanasse : 1,5 km par rte Amélie – ✆ 04 68 87 02 22 – lechatquirit@wanadoo.fr – Fax 04 68 87 43 40 – Fermé 16-24 nov., 4-31 janv., mardi sauf juil.-août, dim. soir et lundi
Rest – buffet – Menu (15 € bc), 24/38 € – Carte 36/55 €

♦ Emblème de cette maison de pays, le chat fait partie intégrante du décor. Cadre moderne et table centrale où sont dressés de copieux buffets catalans.

Del Bisbe avec ch
4 pl. Soutine – ✆ 04 68 87 00 85 – www.hotelvidalceret.com – bisbe@club-internet.fr – Fax 04 68 87 62 33 – Fermé juin, nov., fév., mardi et merc.
9 ch – †40 € ††40 €, ⌑ 6 €
Rest – Menu (10 €), 20 € (sem.)/32 € – Carte 25/40 €

♦ Demeure du 18ᵉ s. dont l'enseigne signifie "maison de l'Évêque" en catalan. Authentique décor rustique, jolie terrasse sous une treille et cuisine du terroir. Bar à tapas. À l'étage, des chambres simples pour petits budgets ont été rafraîchies (literie neuve).

LE CERGNE – 42 Loire – 327 E3 – 708 h. – alt. 640 m – ✉ 42460   44 **A1**

▶ Paris 414 – Charlieu 17 – Chauffailles 15 – Lyon 78 – Mâcon 72 – Roanne 27 – St-Étienne 107

LE CERGNE

Bel'Vue avec ch
– ℘ 04 74 89 87 73 – lebelvue.com – lebelvue@wanadoo.fr – Fax 04 74 89 78 61
– Fermé 8-23 août, 7-13 fév., vend. soir, dim. soir et lundi midi
15 ch – †50 € ††55/95 €, ☑ 8,50 €
Rest – Menu 19 € (déj. en sem.), 24 € bc/60 € – Carte 32/55 €
♦ Coquette auberge qui, comme son nom l'indique, offre, de sa salle à manger panoramique, une belle vue sur la vallée. Cuisine traditionnelle. Aux étages, chambres bien tenues.

CERGY – 95 Val-d'Oise – **305** D6 – **106** 5 – **101** 2 – voir à Paris, Environs (Cergy-Pontoise)

CÉRILLY – 03 Allier – **326** D3 – 1 384 h. – alt. 340 m – ✉ 03350   5 **B1**
■ Auvergne

▸ Paris 298 – Bourges 66 – Montluçon 41 – Moulins 47 – St-Amand-Montrond 33
🛈 Office de tourisme, place du Champ de Foire ℘ 04 70 67 55 89, Fax 04 70 67 31 73

Chez Chaumat
pl. Péron – ℘ 04 70 67 52 21 – www.chezchaumat.com – chezchaumat@alicepro.fr – Fax 04 70 67 35 28 – Fermé 30 juin-10 juil., 1ᵉʳ-13 sept., 20 déc.-5 janv., dim. soir et lundi
8 ch – †43 € ††49 €, ☑ 7 € – ½ P 50 €
Rest – Menu 12 € (déj. en sem.), 18/35 € – Carte 15/35 €
♦ Établissement familial implanté à proximité de la superbe forêt domaniale de Tronçais. Les chambres, simples, sont insonorisées. Deux salles à manger : l'une mi-rustique, mi-bistrot, l'autre lambrissée et meublée dans le style Louis XIII.

CERNAY – 68 Haut-Rhin – **315** H10 – 11 000 h. – alt. 275 m – ✉ 68700   1 **A3**
■ Alsace Lorraine

▸ Paris 461 – Altkirch 26 – Belfort 39 – Colmar 37 – Guebwiller 15 – Mulhouse 18 – Thann 6
🛈 Office de tourisme, 1, rue Latouche ℘ 03 89 75 50 35, Fax 03 89 75 49 24

Hostellerie d'Alsace avec ch
61 r. Poincaré – ℘ 03 89 75 59 81 – www.hostellerie-alsace.fr
– hostellerie.alsace@wanadoo.fr – Fax 03 89 75 70 22 – Fermé 27 juil.-16 août, 26 déc.-10 janv., sam. et dim.
10 ch – †49 € ††60 €, ☑ 8 €   **Rest** – Menu 21 € (sem.)/58 € – Carte 41/62 €
♦ Grande maison à colombages dans la lignée des auberges alsaciennes. La salle à manger et les chambres, rénovées, contrastent par leur cadre très contemporain et fonctionnel.

CERNAY-LA-VILLE – 78 Yvelines – **311** H3 – **106** 29 – **101** 31 – voir à Paris, Environs

---

CERVIONE – 2B Haute-Corse – **345** F6 – voir à Corse

CESSON – 22 Côtes-d'Armor – **309** F3 – rattaché à St-Brieuc

---

CESSON-SÉVIGNÉ – 35 Ille-et-Vilaine – **309** M6 – rattaché à Rennes

---

CESTAYROLS – 81 Tarn – **338** D7 – 500 h. – alt. 233 m – ✉ 81150   29 **C2**
▸ Paris 660 – Albi 19 – Castres 59 – Toulouse 71

Lou Cantoun
Le village – ℘ 05 63 53 28 39 – www.loucantoun.fr – lou.cantoun@orange.fr
– Fermé janv., mardi soir et merc.
Rest – Menu (14 € bc), 23/38 € – Carte 28/42 €
♦ Une terrasse couverte prolonge les deux salles rustiques un brin actualisées de ce restaurant qui fait aussi dépôt de pain. Plats traditionnels et de terroir.

CETTE-EYGUN – 64 Pyrénées-Atlantiques – 342 I7 – 86 h. – alt. 700 m — 3 **B3**
– ✉ 64490

▶ Paris 844 – Pau 68 – Lescun 10 – Lurbe-St-Christau 25 – Urdos 10

Au Château d'Arance
r. Centrale – ℘ 05 59 34 75 50 – www.hotel-auchateaudarance.com
– didier.ziane@orange.fr – Fax 05 59 34 57 62
– Fermé 12 nov.-11 déc., 3 janv.-14 fév.
8 ch – †60/66 € ††60/66 €, ☑ 8,50 € – ½ P 58/61 €
Rest – *(fermé lundi soir et mardi)* Menu 13/30 € – Carte 32/40 €

♦ Mariage réussi entre l'ancien et le contemporain dans cet ensemble dominant la vallée d'Aspe, composé par une maison du 17ᵉ s. (cadre actuel) et une ferme de 1785, plus rustique. La salle à manger occupe une ancienne étable. Terrasse panoramique. Cuisine régionale.

CEVINS – 73 Savoie – 333 L4 – 657 h. – alt. 400 m – ✉ 73730 — 46 **F2**

▶ Paris 629 – Lyon 172 – Chambéry 63 – Annecy 57 – Aix-les-Bains 79

La Fleur de Sel
Les Marais – ℘ 04 79 37 49 98 – www.restaurant-fleurdesel.fr – restaufleurdesel@aol.com – Fax 04 79 37 40 44 – *Fermé 1ᵉʳ-12 juil., lundi et mardi*
Rest – Menu 29/65 € – Carte 50/70 €

♦ Via la voie rapide Albertville-Moûtier, faites une halte dans cette accueillante maison. On y déguste, devant la cheminée, une appétissante cuisine régionale. Terrasse été.

> Nous essayons d'être le plus exact possible
> dans les prix que nous indiquons.
> Mais tout bouge !
> Lors de votre réservation, pensez à vous faire préciser le prix du moment.

CHABLIS – 89 Yonne – 319 F5 – 2 476 h. – alt. 135 m – ✉ 89800 — 7 **B1**
▮ Bourgogne

▶ Paris 181 – Auxerre 21 – Avallon 39 – Tonnerre 18 – Troyes 76
▮ Office de tourisme, 1, rue du Maréchal de Lattre ℘ 03 86 42 80 80, Fax 03 86 42 49 71

Du Vieux Moulin
18 r. des Moulins – ℘ 03 86 42 47 30 – www.larochehotel.fr – vieuxmoulin@larochewines.com – Fax 03 86 42 84 44 – *Fermé 22 déc.-4 fév. et dim. soir hors saison*
7 ch ☑ – †125/130 € ††125/130 € – 2 suites
Rest *Laroche Wine Bar* – *(fermé le soir du mardi au sam. sauf en saison et lundi)*
Menu 16 € bc (déj. en sem.)/30 € – Carte environ 38 €

♦ Subtile alliance de tradition (poutres, pierres) et de modernité (salles de bain design, wifi), ou comment le domaine Laroche conçoit le luxe discret. Vraie cuisine du terroir s'accordant parfaitement avec les crus du vignoble. Stages d'œnologie à la boutique.

Hostellerie des Clos (Michel Vignaud)
18 r. Jules Rathier – ℘ 03 86 42 10 63
– www.hostellerie-des-clos.fr – host.clos@wanadoo.fr – Fax 03 86 42 17 11
– *Fermé 21 déc.-16 janv.*
32 ch – †60/100 € ††80/130 €, ☑ 15 € – 4 suites – ½ P 105/135 €
Rest – Menu 42/79 € – Carte 65/110 €
Spéc. Fricassée d'escargots de Bourgogne. Dos de sandre saisi sur peau au beurre de légumes au chablis. Fondue de fruits à l'estragon (juin à oct.). **Vins** Chablis, Irancy.

♦ Élégante hostellerie en partie installée dans les murs d'un ancien hospice. Chambres soignées, plus amples à la Résidence, salons cossus et caveau de dégustation. Restaurant ouvert sur un jardin, cuisine classique et du terroir, bon choix de vins locaux.

CHAGNY – 71 Saône-et-Loire – **320** I8 – 5 391 h. – alt. 215 m – ⊠ 71150 7 **A3**
- Paris 327 – Autun 44 – Beaune 15 – Chalon-sur-Saône 20 – Mâcon 77
- Office de tourisme, 2, place des Halles ℘ 03 85 87 25 95,
  Fax 03 85 87 14 44

Lameloise (Jacques Lameloise)
36 pl. d'Armes – ℘ *03 85 87 65 65 – www.lameloise.fr*
– lameloise@relaischateaux.com – Fax 03 85 87 03 57
– Fermé 8-15 juil., 16 déc.-21 janv. et merc. d'oct. à juin
16 ch – †145/300 € ††145/300 €, ⊇ 23 €
Rest *– (fermé merc. sauf le soir de juil. à sept., mardi midi et jeudi midi) (prévenir)*
Menu 75 € bc (déj. en sem.), 100/165 € – Carte 90/150 €
Spéc. Pommes de terre ratte grillées aux escargots de Bourgogne. Millefeuille de filet de bœuf et foie gras poêlé, pommes de terre soufflées. Grande assiette du chocolatier. **Vins** Rully blanc, Chassagne-Montrachet rouge
◆ Cette ample maison bourguignonne au décor intérieur raffiné abrite des chambres spacieuses et classiques. Élégance rustique, cuisine de grande tradition et accueil parfait : la table est une véritable institution gourmande.

De la Poste sans rest
17 r. Poste – ℘ *03 85 87 64 40 – www.hoteldelaposte-chagny71.com – info@hoteldelaposte-chagny71.com – Fax 03 85 87 64 41 – Fermé 24-31 août, 19 déc.-4 janv.*
11 ch – †42/50 € ††45/60 €, ⊇ 7 €
◆ L'établissement est situé au cœur du bourg, mais au calme d'une impasse. Toutes les chambres, rénovées et nettes, sont en rez-de-jardin.

La Ferté sans rest
11 bd Liberté – ℘ *03 85 87 07 47 – www.hotelferte.com – reservation@hotelferte.com – Fax 03 85 87 37 64 – Fermé 29 nov.-17 déc.*
13 ch – †39/60 € ††41/68 €, ⊇ 8 €
◆ Les propriétaires, également artistes, de ce petit établissement, à deux pas de Lameloise, vous reçoivent avec beaucoup d'égards. Expo d'art ; beau jardin fleuri.

rte de Chalon 2 km au Sud-Est par N 6 et rte secondaire – ⊠ 71150 Chagny

Hostellerie du Château de Bellecroix
– ℘ *03 85 87 13 86 – www.chateau-bellecroix.com*
– info@chateau-bellecroix.com – Fax 03 85 91 28 62 – Fermé 15 déc.-13 fév. et merc. sauf de juin à sept.
19 ch – †87/220 € ††87/220 €, ⊇ 15 € – 1 suite – ½ P 107/190 €
Rest *– (fermé lundi midi, jeudi midi et merc.)* Menu (25 €), 50/64 €
– Carte 52/97 €
◆ Ancienne demeure des chevaliers de Malte nichée dans un parc. Les chambres, personnalisées, sont vastes dans la commanderie du 12e s., plus petites dans le château du 18e s. Le restaurant a fière allure : cheminée, boiseries ouvragées et mobilier de style.

à Chassey-le-Camp 6 km au Sud-Ouest par D 974 et D 109 – 302 h. – alt. 300 m – ⊠ 71150

Auberge du Camp Romain
au bourg – ℘ *03 85 87 09 91*
– www.auberge-du-camp-romain.com – contact@auberge-du-camp-romain.com
– Fax 03 85 87 11 51
41 ch – †74/95 € ††74/95 € – 1 suite – ½ P 72/82 €
Rest – Menu 26/46 € – Carte 30/48 €
◆ Entre vignes et bois, près d'un camp néolithique. Le bâtiment principal abrite des chambres simples ; celles de l'annexe sont plus grandes et plus modernes. Généreuse cuisine traditionnelle servie dans une salle à manger rustique ou dans la véranda.

CHAILLES – 73 Savoie – **333** H5 – **rattaché aux Échelles**

CHAILLY-SUR-ARMANÇON – 21 Côte-d'Or – **320** G6 – **rattaché à Pouilly-en-Auxois**

CHAINTRÉ – 71 Saône-et-Loire – 320 I12 – 519 h. – alt. 284 m — 8 C3
– ✉ 71570

▶ Paris 397 – Bourg-en-Bresse 45 – Lyon 70 – Mâcon 10

※※ **La Table de Chaintré** (Sébastien Grospellier)   ₤ AK VISA ◎
₃ – ☎ 03 85 32 90 95 – www.latabledechaintre.com – info@latabledechaintre.com
– Fax 03 85 32 91 04 – Fermé 28 juil.-10 août, lundi et mardi sauf fériés
Rest – (nombre de couverts limité, prévenir) Menu (38 €), 52 € ஃ
Spéc. Ecrevisses du lac Léman sur un fin sablé au gingembre et vinaigrette à l'orange. Lièvre à la royale (oct. à janv.). Figue "Paradis" rôtie en clafouti et glace au porto (saison). **Vins** Mâcon-Chaintré, Morgon.
♦ Accueil tout sourire dans cette élégante table, au cœur du vignoble de Pouilly-Fuissé. Délicieux menu dégustation (produits du marché) et vins des meilleurs vignerons français.

LA CHAISE-DIEU – 43 Haute-Loire – 331 E2 – 814 h. – alt. 1 080 m — 6 C3
– ✉ 43160 ▮ Auvergne

▶ Paris 503 – Ambert 29 – Brioude 35 – Issoire 59 – Le Puy-en-Velay 42 – St-Étienne 81

🛈 Office de tourisme, place de la Mairie ☎ 04 71 00 01 16, Fax 04 71 00 03 45

◉ Église abbatiale St-Robert ★★ : tapisseries ★★★.

🏠 **Casadeï**   ≤ 🍽 ↔ VISA ◎
⌘ pl. Abbaye – ☎ 04 71 00 00 58 – www.hotel-la-casadei.com – lacasadei@msn.com – Fax 04 71 00 01 67 – Ouvert 2 mai-fin oct.
9 ch – ✝39/49 € ✝✝49/69 €, ⊇ 9 € – ½ P 60/72 €
Rest – (ouvert 14 juil.-30 août) Menu 14/17 €
♦ Au pied de l'abbaye, hôtel familial doté de chambres sobres et pratiques. Boutique d'artisanat et de produits du terroir ; galerie d'art exposant des artistes d'ici ou d'ailleurs. Ambiance de brocante au restaurant qui propose d'authentiques recettes du terroir.

※※ **L'Écho et l'Abbaye** avec ch ☜   🍽 ↔ ※ (ᵠ) VISA ◎ AE
pl. Écho – ☎ 04 71 00 00 45 – hoteldelecho@orange.fr – Fax 04 71 00 00 22
– Ouvert 3 avril-8 nov. et fermé merc. sauf juil.-août
10 ch – ✝49 € ✝✝55/72 €, ⊇ 8,50 € – ½ P 59 €
Rest – (nombre de couverts limité, prévenir) Menu (17 €), 27/39 €
– Carte 27/48 € ஃ
♦ Tables joliment dressées, cuisine traditionnelle, carte des vins étoffée... et clientèle V.I.P. lors du festival de musique. Certaines chambres ont vue sur le cloître.

CHALAIS – 16 Charente – 324 K8 – 1 991 h. – alt. 70 m – ✉ 16210 — 39 C3
▮ Poitou Vendée Charentes

▶ Paris 494 – Angoulême 47 – Bordeaux 83 – Périgueux 66

🛈 Office de tourisme, 8, rue de Barbezieux ☎ 05 45 98 02 71, Fax 05 45 78 54 17

※ **Relais du Château**   🍽 P VISA ◎
⌘ au château – ☎ 05 45 98 23 58 – relaisduchateautalleyrand@wanadoo.fr
– Fax 05 45 98 00 53 – Fermé 2-30 nov., dim. soir, mardi midi et lundi
Rest – Menu 18 € (sem.)/31 € – Carte 30/40 €
♦ Le pont-levis franchi (à pied !), gagnez ce restaurant aménagé dans une noble salle voûtée du château érigé sur les hauteurs de Chalais. Cadre médiéval, jolie cour-terrasse.

CHALEZEULE – 25 Doubs – 321 G3 – rattaché à Besançon

CHALLANGES – 21 Côte-d'Or – 320 J7 – rattaché à Beaune

CHALLANS – 85 Vendée – 316 E6 – 17 500 h. – alt. 8 m – ✉ 85300 — 34 A3
▮ Poitou Vendée Charentes

▶ Paris 436 – Cholet 84 – Nantes 58 – La Roche-sur-Yon 42

🛈 Office de tourisme, place de l'Europe ☎ 02 51 93 19 75, Fax 02 51 49 76 04

CHALLANS

Baudry (R. P.) .... **A**
Bazin (Bd R.) .... **A**
Biochaud (Av.) .... **B**
Bois de Céné (R. de) .... **A** 2
Bonne Fontaine (R.) .... **B**
Briand (Pl. A.) .... **B** 3
Calmette (R.) .... **B**
Carnot (R.) .... **A**
Champ de Foire (Pl. du) .. **B** 4
Cholet (R. de) .... **B** 5
Clemenceau (Bd) .... **B**
Dodin (Bd L.) .... **B**
F.F.I. (Bd des) .... **A** 6
Gambetta (R.) .... **B**
Gare (Bd de la) .... **B**
Gaulle (Pl. du Gén.-de) .. **A** 7
Guérin (Bd) .... **B**
Leclerc (R. du Général) .. **A** 8
Lézardière (R. P. de) .... **A** 10
Lorraine (R. de) .... **A** 12
Marzelles (R. des) ...... **B** 13
Monnier (R. P.) .... **A** 15
Nantes (R. de) .... **AB**
Roche-sur-Yon (R. de la) **B** 16
Sables (R. des) .... **B** 17
Strasbourg (Bd de) ..... **A**
Viaud Grand Marais (Bd) **B**
Yole (Bd J.) .... **AB**

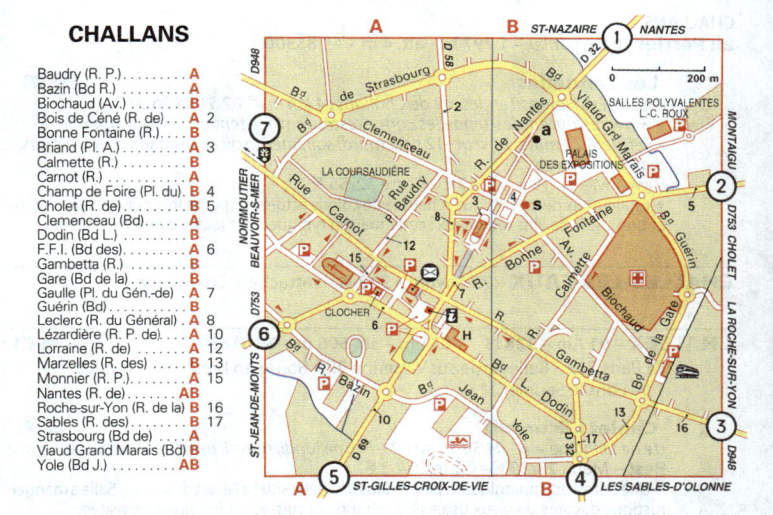

🏠 De l'Antiquité sans rest
14 r. Galliéni – ℰ *02 51 68 02 84 – www.hotelantiquite.com – hotelantiquite@wanadoo.fr – Fax 02 51 35 55 74*   B a
20 ch – †53/85 € ††58/90 €, ⌑ 7 €
♦ Maison récente de style vendéen. Le mobilier chiné chez les antiquaires personnalise les jolies chambres, toutes tournées vers la cour ; celles de l'annexe sont très soignées.

✕ Chez Charles
8 pl. Champ de Foire – ℰ *02 51 93 36 65 – www.restaurantchezcharles.com
– chezcharles85@aol.com – Fax 02 51 49 31 88 – Fermé 23 déc.-24 janv., dim. soir et lundi*   B s
Rest – Menu 18 € (sem.)/54 € – Carte 35/49 €
♦ Sympathique petit restaurant familial à l'esprit bistrot. Vous y dégusterez une cuisine régionale sensible aux arrivages du marché et privilégiant les produits du terroir.

à la Garnache 6,5 km par ① – 4 202 h. – alt. 28 m – ⌧ 85710

✕✕ Le Petit St-Thomas
25 r. de Lattre-de-Tassigny – ℰ *02 51 49 05 99
– www.restaurant-petit-st-thomas.com – bienvenue@restaurant-petit-st-thomas.com – Fermé 11-29 avril, 22 juin-9 juil., 2-16 janv., dim. soir, merc. soir et lundi*
Rest – Menu (17 €), 24 € (sem.)/50 € – Carte 44/63 €
♦ Pour déguster une cuisine soignée rythmée par le marché, rendez-vous dans cette coquette auberge régionale dotée d'une véranda donnant sur une courette.

rte de St-Gilles-Croix-de-Vie par ⑤ – ⌧ 85300 Challans

🏨 Château de la Vérie
rte de Soullans, 2,5 km sur D 69 – ℰ *02 51 35 33 44
– www.chateau-de-la-verie.com – info@chateau-de-la-verie.com
– Fax 02 51 35 14 84*
21 ch – †75/168 € ††75/168 €, ⌑ 13 € – ½ P 84/130 €
Rest – *(fermé dim. soir, mardi midi et lundi hors saison)* Menu (17 €), 26/49 €
– Carte 35/49 €
♦ Cette demeure du 16ᵉ s. vous invite à séjourner dans des chambres spacieuses, garnies de vieux meubles. Promenades bucoliques dans le parc avec rivière et marais. Salle à manger décorée dans les tons provençaux, avec moulures et cheminée anciennes préservées.

CHALLANS
au Perrier 10 km par ⑥ – 1 797 h. – alt. 4 m – ⊠ 85300

XX **Les Tendelles** VISA ⓂⒸ
lieu-dit Les Hautes Tendes, rte de Challans : 4 km – ℰ 02 51 35 36 94
– www.restaurant-les-tendelles.com – restaurant-les-tendelles@wanadoo.fr
– Fermé 2-22 mars, 21 sept.-12 oct., mardi soir, merc. soir et jeudi soir d'oct. à mars,
dim. soir et lundi
Rest – Menu (19 € bc), 27 € – Carte 32/55 €
♦ Chaleureux décor rustique rehaussé de coloris actuels, appétissante cuisine saisonnière
et bon choix de vins régionaux : cette maison typiquement locale cumule les atouts.

CHALLES-LES-EAUX – 73 Savoie – **333** I4 – rattaché à Chambéry

---

CHALLEX – 01 Ain – **328** I3 – 1 051 h. – alt. 500 m – ⊠ 01630   45 **C1**

▸ Paris 519 – Bellegarde sur Valserine 22 – Bourg en Bresse 94 – Gex 20
– Lons le Saunier 113

X **Chalet l'Ecureuil** 🈂 🅿
rte de la Plaine – ℰ 04 50 56 40 82 – Fermé lundi, mardi, merc. et le midi sauf dim.
Rest – Menu 28/39 € – Carte 50/63 €
♦ Une adresse sympathique installée dans un chalet situé à l'écart du village. Salle à manger
rustique décorée de vieux ustensiles, véranda et cuisine traditionnelle revisitée.

CHÂLONS-EN-CHAMPAGNE 🅿 – 51 Marne – **306** I9 – 46 300 h.   13 **B2**
– alt. 83 m – ⊠ 51000 ▮ Champagne Ardenne

▸ Paris 188 – Dijon 259 – Metz 157 – Nancy 162 – Reims 47 – Troyes 82
🛈 Office de tourisme, 3, quai des Arts ℰ 03 26 65 17 89,
Fax 03 26 65 35 65
🏌 de la Grande-Romanie à Courtisols Route Départementale 994, par rte de
Verdun : 15 km, ℰ 03 26 66 65 97
◉ Cathédrale St-Étienne★★ - Église N.-D.-en-Vaux★ : intérieur★★ F -
Statues-colonnes★★ du musée du cloître de N.-D.-en-Vaux★ AY M¹.
🄲 Basilique N.-D.-de-l'Épine★★.

Plan page ci-contre

🏨 **D'Angleterre** (Jacky Michel) 🕿 ♿ 🅰🅲 ⇔ 🐾 🈂 🅿 🚗 VISA ⓂⒸ ΑΕ ①
19 pl. Mgr Tissier – ℰ 03 26 68 21 51 – www.hotel-dangleterre.fr – hot.angl@
wanadoo.fr – Fax 03 26 70 51 67 – Fermé 26 juil.-18 août, vacances de Noël, dim. et
fériés   BY **g**
25 ch – ♦85/150 € ♦♦95/180 €, ⊇ 16 €
Rest *Jacky Michel* – (fermé sam. midi, lundi midi et dim. et fériés) Menu (36 €),
40/89 € – Carte 60/96 €
Rest *Les Temps changent* – brasserie – ℰ 03 26 66 41 09 (fermé dim. et fériés)
Menu 24 € – Carte 30/45 €
Spéc. Langoustines à la nage de chardonnay. Escalope de ris de veau pané au pain
d'épice (mai à sept.). Soufflé chaud au chocolat. **Vins** Champagne, Coteaux
Champenois.
♦ Chambres très confortables et personnalisées, parfois décorées dans un chaleu-
reux esprit chalet. Agréables salles de bains en marbre. Cuisine classique, réalisée dans
les règles de l'art, à la table de Jacky Michel. Côté brasserie : menu du jour et plats de
saison.

🏨 **Le Renard** 🕿 ♿ 🅰🅲 rest, ⇔ 🐾 🈂 🅿 VISA ⓂⒸ ΑΕ ①
24 pl. de la République – ℰ 03 26 68 03 78 – www.le-renard.com – lerenard51@
wanadoo.fr – Fax 03 26 64 50 07 – Fermé 19 déc.-4 janv.   AZ **r**
38 ch – ♦70 € ♦♦80 €, ⊇ 11 €
Rest – (fermé sam. midi et dim.) Menu (17 €), 21/39 € – Carte 25/51 €
♦ Deux maisons du 15ᵉ s. reliées par un patio-jardin d'hiver. Minimalisme et originalité dans
les chambres : le lit se trouve au centre de la pièce. Le restaurant, entièrement relooké dans
un esprit design très tendance, propose une cuisine au goût du jour.

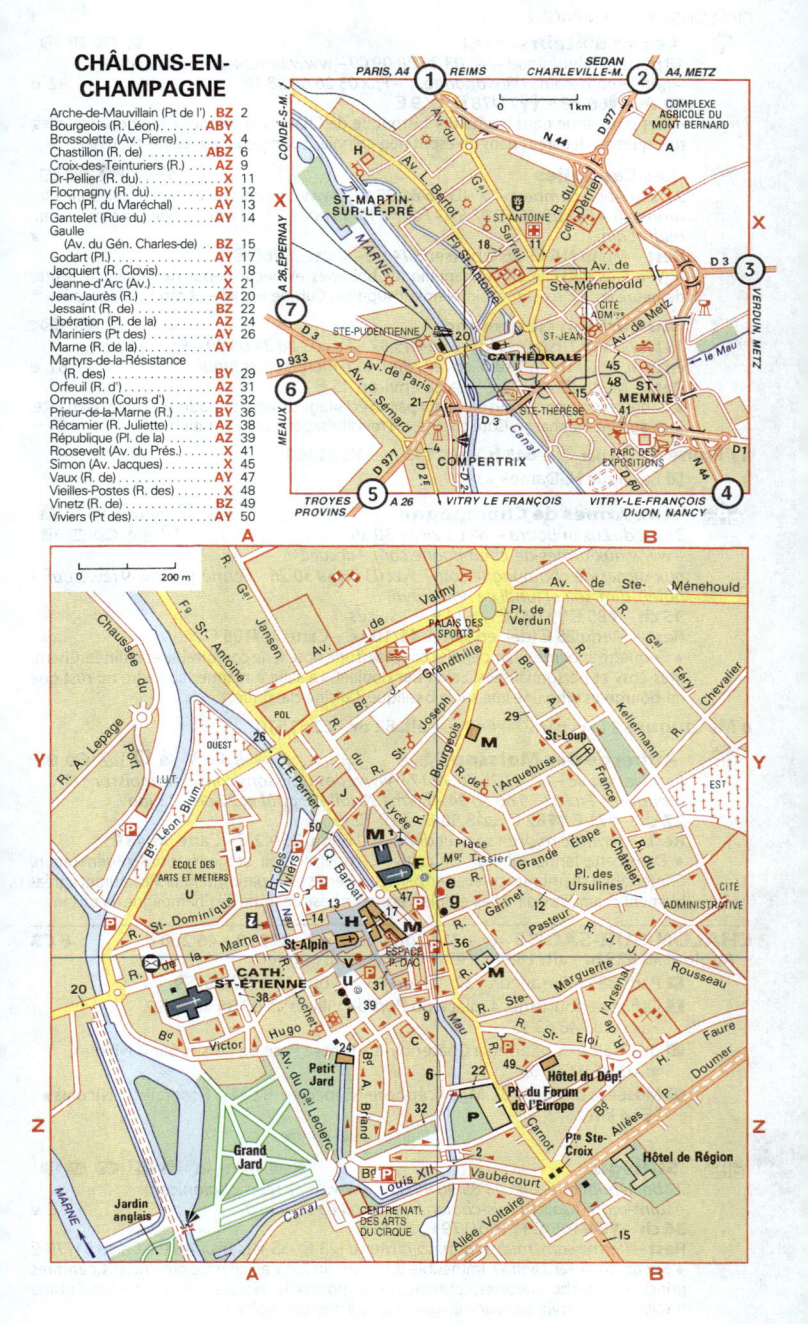

CHÂLONS-EN-CHAMPAGNE

Arche-de-Mauvillain (Pt de l')	BZ	2
Bourgeois (R. Léon)	ABY	
Brossolette (Av. Pierre)	X	4
Chastillon (R. de)	ABZ	6
Croix-des-Teinturiers (R.)	AZ	9
Dr-Pellier (R. du)	X	11
Flocmagny (R. du)	BY	12
Foch (Pl. du Maréchal)	AY	13
Gantelet (Rue du)	AY	14
Gaulle (Av. du Gén. Charles-de)	BZ	15
Godart (Pl.)	AY	17
Jacquiert (R. Clovis)	X	18
Jeanne-d'Arc (Av.)	X	
Jean-Jaurès (R.)	AZ	21
Jessaint (R. de)	AZ	22
Libération (Pl. de la)	AZ	24
Mariniers (Pt des)	AY	26
Marne (R. de la)	AY	
Martyrs-de-la-Résistance (R. des)	BY	29
Orfeuil (R. d')	AZ	31
Ormesson (Cours d')	AZ	32
Prieur-de-la-Marne (R.)	BY	36
Récamier (R. Juliette)	AZ	38
République (Pl. de la)	AZ	39
Roosevelt (Av. du Prés.)	X	41
Simon (Av. St-Jacques)	X	45
Vaux (R. de)	AZ	47
Vieilles-Postes (R. des)	AZ	48
Vinetz (R. de)	BZ	49
Viviers (Pt des)	AY	50

CHÂLONS-EN-CHAMPAGNE

Le Pot d'Étain sans rest
18 pl. de la République – ℰ 03 26 68 09 09 – www.hotel-lepotdetain.com
– hotellepotdetain51@wanadoo.fr – Fax 03 26 68 58 18
AZ u
30 ch – †66/68 € ††71/78 €, ⊇ 9 €

◆ Cet hôtel situé dans le quartier historique de Châlons abrite des chambres actuelles, rustiques ou décorées dans un esprit néo-colonial. Lounge bar au rez-de-chaussée.

Les Caudalies
2 r. de l'Abbé-Lambert – ℰ 03 26 65 07 87 – www.les-caudalies.com – caudalies@orange.fr – Fax 03 26 65 07 87 – Fermé 15-30 août, 1er-12 nov., 23 déc.-4 janv., sam. midi et dim.
AY v
Rest – Menu (16 €), 26 € bc (sem.)/41 € – Carte 37/60 €

◆ Verrières de style Eiffel, magnifiques boiseries et décor début Art nouveau : cette demeure du 19e s. est tout simplement superbe. Cuisine actuelle et carte de brasserie.

Au Carillon Gourmand
15 bis pl. Mgr Tissier – ℰ 03 26 64 45 07 – Fax 03 26 21 06 09 – Fermé 1 sem. en avril, 1er-21 août, 1 sem. en fév., dim. soir, merc. soir et lundi
BY e
Rest – Menu (25 €), 33 € – Carte environ 45 €

◆ Cadre contemporain mis en valeur par un éclairage design : une adresse chic et élégante, sans aucune surcharge. Côté cuisine, on revisite sagement la tradition.

à l'Épine 8,5 km par ③ – 645 h. – alt. 153 m – ⊠ 51460
◉ Basilique N.-Dame★★.

Aux Armes de Champagne
31 av. du Luxembourg – ℰ 03 26 69 30 30
– www.aux-armes-de-champagne.com – accueil@aux-armes-de-champagne.com – Fax 03 26 69 30 26 – Fermé 12 janv.-9 fév. (sauf hôtel), dim. soir et lundi de nov. à avril
35 ch – †85 € ††100 €, ⊇ 14 € – 2 suites
Rest – Menu 25 € (déj. en sem.), 45/100 € – Carte 76/105 € 🍃

◆ Coquette auberge champenoise couplée à une hôtellerie confortable et raffinée. Chambres cosy et personnalisées. Salon-bar douillet. La salle à manger au cadre mi-rustique mi-bourgeois offre une vue sur la basilique. Cuisine classique.

à Matougues 11 km par ⑦ – 640 h. – alt. 82 m – ⊠ 51510

Auberge des Moissons
8 rte Nationale – ℰ 03 26 70 99 17 – www.des-moissons.com – desmoissons@orange.fr – Fax 03 26 66 56 94 – Fermé 28 juil.-12 août et 22 déc.-13 janv.
27 ch – †71 € ††82 €, ⊇ 8,50 € – ½ P 72 €
Rest – *(fermé le midi en sem. et dim. soir.)* Menu 25/42 € – Carte 36/48 €

◆ Dans cette ferme-auberge, on cultive l'art de recevoir de génération en génération. Confortables chambres actuelles, en parties ouvertes sur le patio intérieur. Restaurant agréablement champêtre dans l'ex-étable ; recettes à base de truffe de Champagne en saison.

CHALON-SUR-SAÔNE ◉ – 71 Saône-et-Loire – 320 J9 – 46 200 h. 8 C3
– Agglo. 130 825 h. – alt. 180 m – ⊠ 71100 ▮ Bourgogne

▶ Paris 335 – Besançon 132 – Dijon 68 – Lyon 125 – Mâcon 59
🛈 Office de tourisme, 4, place du Port de Villiers ℰ 03 85 48 37 97, Fax 03 85 48 63 55
⛳ de Chalon-sur-Saône à Châtenoy-en-Bresse Parc de Loisirs Saint Nicolas, ℰ 03 85 93 49 65
◉ Musées : Denon★ BZ M¹, Nicéphore Niepce★★ BZ M² - Roseraie St-Nicolas★ SE : 4 km X.

Plan page ci-contre

St-Régis
22 bd République – ℰ 03 85 90 95 60 – www.saint-regis-chalon.com
– saint-regis@saint-regis-chalon.fr – Fax 03 85 90 95 70
BZ v
36 ch – †84/105 € ††106/179 €, ⊇ 15 €
Rest – *(fermé sam. midi et dim. soir)* Menu (23 €), 35 € (sem.)/48 € – Carte 51/76 €

◆ Sur un boulevard animé, immeuble du début du 20e s. au charme provincial. Chambres principalement bourgeoises, contemporaines pour celles rénovées. Plaisant salon. Cuisine traditionnelle servie dans une élégante salle à manger (boiseries).

CHALON-SUR-SAÔNE

Arnal (R. R.)	X	2
Banque (R. de la)	BZ	3
Blum (Av. L.)	X	4
Châtelet (Pl. du)	BZ	5
Châtelet (R. du)	CZ	6
Citadelle (R. de la)	BY	7
Coubertin (R. P. de)	X	8
Couturier (R. Ph.-L.)	BZ	9
Duhesme (R. du Gén.)	AY	12
Europe (Av. de l')	X	14
Evêché (R. de l')	CZ	15
Fèvres (R. aux)	CZ	16
Gaulle (Pl. Gén-de)	BZ	17
Grande-R.	BCZ	18
Hôtel-de-Ville (Pl. de l')	BZ	19
Lardy (Av. P.)	X	20
Leclerc (R. Gén.)	BZ	
Lyon (R. de)	BZ	21
Mac-Orlan (R. P.)	X	22
Messiaen (R. O.)	AZ	24
Nugues (Av. P.)	X	25
Obélisque (Pl. de l')	BY	27
Pasteur (R.)	BZ	28
Poilus-d'Orient (R.)	X	29
Poissonnerie (R. de la)	CZ	31
Pompidou (Av. G.)	AZ	32
Pont (R. du)	BZ	35
Porte-de-Lyon (R.)	BZ	36
Port-Villiers (R. du)	BZ	37
Poterne (Q. de la)	CZ	38
Pretet (R. René)	AZ	40
République (Bd)	ABZ	42
Ste-Marie (Prom.)	CZ	47
St-Georges (R.)	BZ	45
St-Vincent (Pl. et R.)	CZ	46
Strasbourg (R. de)	CZ	48
Thénard (R. L.-J.)	X	49
Trémouille (R. de la)	BCY	51
8-Mai-1945 (Av.)	X	52
56e-R.I. (R. du)	X	54
134e-R.I. (R. du)	X	58

CHALON-SUR-SAÔNE

St-Georges
32 av. J. Jaurès – ℘ *03 85 90 80 50* – *www.le-saintgeorges.fr* – *reservation@le-saintgeorges.fr* – *Fax 03 85 90 80 55*

AZ s

50 ch – †77 € ††90 €, ⚏ 11 € – ½ P 87 €

Rest – *(fermé 21 juil.-23 août, sam. midi et dim. soir)* Menu 26/60 € – Carte 45/63 €

Rest *Le Petit Comptoir d'à Côté* – ℘ *03 85 90 80 52 (fermé sam. midi, dim. et fériés)* Menu (15 €), 17/25 € – Carte 22/30 €

♦ Grand hôtel familial, proche de la gare. Chambres accueillantes, bien insonorisées, au décor ancré dans les années 1970 contrairement aux junior suites, ultra contemporaines. Restaurant sobrement inspiré par l'Art déco ; cuisine traditionnelle. Cadre brasserie mêlant cuir et bois au Petit Comptoir d'à Côté.

Le Bourgogne
28 r. Strasbourg – ℘ *03 85 48 89 18* – *www.restau-lebourgogne-chalon.fr* – *restaurant.lebourgogne@orange.fr* – *Fax 03 85 93 39 10*
– *Fermé 26 avril-4 mai, 4-20 juil., 8-16 nov., 25-30 déc., sam. midi, dim. soir et lundi*

CZ t

Rest – Menu (16 €), 19/48 € – Carte 53/76 €

♦ Le haut plafond aux poutres apparentes et le mobilier d'inspiration Louis XIII de la salle à manger affirment le cadre "rustico-bourguignon" du restaurant. Carte traditionnelle.

La Réale
8 pl. Gén. de Gaulle – ℘ *03 85 48 07 21* – *Fax 03 85 48 57 77* – *Fermé 1er-15 mai, 14 juil.-14 août, dim. soir et lundi*

BZ m

Rest – Menu 20/40 € – Carte 37/58 €

♦ Vous êtes dans le quartier commerçant, au cœur de la ville, où ce restaurant de type brasserie propose plats régionaux et fruits de mer.

Le Bistrot
31 r. Strasbourg – ℘ *03 85 93 22 01* – *Fax 03 85 93 27 05*
– *Fermé 8-30 août, vacances de fév., sam. et dim.*

CZ f

Rest – Menu 26 € (déj. en sem.), 32/37 € – Carte environ 53 €

♦ Agréable bistrot tout de rouge vêtu (boiseries, banquettes, lustres...). Au sous-sol, le salon voûté donne sur la cave vitrée. Cuisine actuelle avec légumes du jardin et beaux bourgognes.

L'Air du Temps
7 r. de Strasbourg, Île St Laurent – ℘ *03 85 93 39 01* – *lair.du.temps.71@orange.fr* – *Fermé 7-20 sept., 20 déc.-4 janv. et dim.*

CZ f

Rest – bistrot – *(déj. seult sauf sam.)* Menu 21/34 €

♦ Le décor de ses deux petites salles à manger tout comme les recettes du marché, proposées à prix sages, font de ce sympathique bistrot une adresse bien dans l'air du temps.

Chez Jules
11 r. de Strasbourg – ℘ *03 85 48 08 34* – *Fax 03 85 48 55 48* – *Fermé 31 juil.-24 août, 8 au 22 fév., sam. midi et dim.*

CZ f

Rest – Menu 19 € (sem.)/36 € – Carte 28/45 €

♦ Sur l'île St-Laurent, étroite façade vitrée laissant découvrir une salle au cadre agreste et simple. Dans l'assiette : tradition, suggestions du jour et grand choix de desserts.

La Table de Fanny
21 r. de Strasbourg – ℘ *03 85 48 23 11* – *Fax 03 85 48 23 11* – *Fermé 24 août-7 sept., 21 déc.-4 janv., lundi midi, sam. midi et dim.*

CZ f

Rest – Menu 22/32 €

♦ Des intitulés ludiques et une cuisine pleine d'inventivité, voici le secret de cette table tendance qui offre un joli décor (chaises en osier, murs en briques et colombages).

à St-Loup-de-Varennes 7 km par ③ – 1 128 h. – alt. 186 m – ✉ 71240

Le Saint Loup
13 rte Nationale 6 – ℘ *03 85 44 21 58* – *www.lesaintloup.com* – *lesaintloup@orange.fr* – *Fermé 2-8 mars, 29 juin-13 juil., merc. et le soir du dim. au mardi*

Rest – Menu (16 €), 19 € (déj. en sem.), 26/46 € – Carte 30/56 €

♦ Sur la route nationale, près du musée de la photographie, une auberge bourguignonne pratique pour l'étape. Cuisine du terroir sincère à déguster dans un cadre champêtre.

CHALON-SUR-SAÔNE

à St-Rémy 4 km vers ⑤ (rte du Creusot) N 6, N 80 et rte secondaire – 5 805 h.
– alt. 187 m – ⌧ 71100

XXX **Moulin de Martorey** (Jean-Pierre Gillot)
☸ – ℰ 03 85 48 12 98 – www.moulindemartorey.net – moulindemartorey@
wanadoo.fr – Fax 03 85 48 73 67 – Fermé 17-31 août, 4-20 janv., dim. soir, mardi
midi et lundi sauf fériés   X **k**
Rest – Menu 30 € (sem.)/84 €
Spéc. Trois préparations d'escargots. Lièvre à la royale (oct. à janv.). Fondant au
chocolat guanaja et pralin feuilleté. **Vins** Givry, Montagny.
♦ Paisible minoterie du 19ᵉ s. surplombant un bief. Salle à manger rustique agencée autour
de l'ancienne machinerie, véranda, terrasse. Cuisine personnalisée et belle carte des vins.

rte de Givry 4 km à l'Ouest sur D 69 – ⌧ 71880 Châtenoy-le-Royal

XX **L'Auberge des Alouettes**
☺ 1 rte de Givry – ℰ 03 85 48 32 15 – aubergedesalouettes@orange.fr
– Fax 03 85 93 12 96 – Fermé 15 juil.-5 août, 6-20 janv., dim. soir, mardi soir et merc.
Rest – Menu 20/46 € – Carte 30/55 €   X **e**
♦ Atmosphère chaleureuse dans cette auberge bordant une artère fréquentée. Attablez-
vous près de l'élégante cheminée en pierre pour déguster les suggestions du jour.

à Dracy-le-Fort 6 km par ⑥ et D 978 – 1 227 h. – alt. 180 m – ⌧ 71640

🏨 **Le Dracy**
4 r. du Pressoir – ℰ 03 85 87 81 81 – www.ledracy.com – info@ledracy.com
– Fax 03 85 87 77 49
47 ch – †70/130 € ††70/130 €, ⌧ 11 € – ½ P 72/105 €
Rest *La Garenne* – Menu 20 € (déj. en sem.), 28/50 € – Carte 40/50 €
♦ Pour un séjour au vert placé sous le signe de la détente : chambres rénovées dans un
style cosy et dotées de terrasses privatives côté jardin. Belle piscine. Cuisine traditionnelle
servie dans une salle à manger contemporaine ou en terrasse.

près échangeur A6 Chalon-Nord – ⌧ 71100 Chalon-sur-Saône

🏨 **Mercure**
☸ av. Europe – ℰ 03 85 46 51 89 – www.mercure.com – ho368@accor.com
– Fax 03 85 46 08 96   X **a**
85 ch – †86/120 € ††105/157 €, ⌧ 15 €
Rest – (fermé, dim. midi et sam.) Menu 17/25 € – Carte 30/50 €
♦ Près de l'accès autoroutier, une construction impersonnelle datant des années 1970, qui
propose des chambres fonctionnelles. Bar à vins et restaurant d'allure contemporaine,
ouvert sur la piscine. Plats actuels.

à Sassenay 9 km au Nord-Est par D 5 – 1 453 h. – alt. 178 m – ⌧ 71530

XX **Le Magny**
29 Grande rue – ℰ 03 85 91 61 58 – www.lemagny.com – salognon.pierre@
wanadoo.fr – Fax 03 85 91 77 28 – Fermé 4-11 mai, 27 juil.-13 août, 4-11 janv., dim.
soir, mardi soir et lundi
Rest – Menu (15 €), 22/35 € – Carte 26/61 €
♦ Avec sa façade jaune aux volets verts et son intérieur campagnard (armoires bressannes,
parquet, cheminée), cette auberge de village offre un cadre chaleureux. Cuisine régionale.

CHAMAGNE – 88 Vosges – **314** F2 – rattaché à Charmes

CHAMALIÈRES – 63 Puy-de-Dôme – **326** F8 – rattaché à Clermont-Ferrand

---

CHAMARANDES – 52 Haute-Marne – **313** K5 – rattaché à Chaumont

---

CHAMBERET – 19 Corrèze – **329** L2 – 1 319 h. – alt. 450 m – ⌧ 19370   25 **C2**
▶ Paris 453 – Guéret 84 – Limoges 66 – Tulle 45 – Ussel 64
🅘 Syndicat d'initiative, 5, place du Marché ℰ 05 55 98 30 14,
Fax 05 55 98 79 34
◎ Mont Gargan ※ ★★ NO : 9 km, ▮ **Berry Limousin**

483

CHAMBERET

De France
rest, P VISA MC AE

– ℰ 05 55 98 30 14 – hotelfrancechamberet.fr – hotel-france.chamberet@orange.fr – Fax 05 55 73 47 15 – Fermé 23 déc.-25 janv., vend. soir de nov. à mai et dim. soir de sept. à juin

15 ch – †40/50 € ††40/52 €, ⊊ 8 €

Rest – Menu 13 € (déj. en sem.), 21/35 € – Carte 22/45 €

♦ Ambiance familiale dans une pimpante maison de pierre proposant des chambres rénovées. Bar à clientèle locale. Le restaurant a fière allure avec ses vieux meubles, poutres et fresques représentant châteaux et villages corréziens. À table, tradition et terroir.

Déjeunez dehors, il fait si beau !
Optez pour une terrasse :

CHAMBÉRY P – 73 Savoie – 333 I4 – 57 800 h. – Agglo. 113 457 h. 46 F2
– alt. 270 m – Casino : à Challes-les-Eaux – ⊠ 73000 ▮ Alpes du Nord

- Paris 562 – Annecy 50 – Grenoble 55 – Lyon 101 – Torino 205
- de Chambéry-Aix-les-Bains : ℰ 04 79 54 49 54, à Viviers-du-Lac par ④ : 8 km.
- Office de tourisme, 24, boulevard de la Colonne ℰ 04 79 33 42 47, Fax 04 79 85 71 39
- du Granier Apremont à Apremont Chemin de Fontaine Rouge, SE : 8 km par D 201, ℰ 04 79 28 21 26
- Vieille ville★★ : Château★, place St-Léger★, grilles★ de l'hôtel de Châteauneuf (n° 18 rue de la Croix-d'Or) - Crypte★ de l'église St-Pierre-de-Lémenc - Rue Basse-du-Château★ - Cathédrale métropolitaine St-François-de-Sales★ - Musée Savoisien★ M¹ - Musée des Beaux-Arts★ M².

Plan page ci-contre

Mercure sans rest
183 pl. de la Gare – ℰ 04 79 62 10 11 – www.accorhotels.com – h1541@accor.com – Fax 04 79 62 10 23

81 ch – †69/239 € ††69/239 €, ⊊ 16 €

A s

♦ Face à la gare, architecture résolument moderne alternant verre et béton. Plaisant hall d'accueil, salon-bar contemporain, chambres spacieuses et bien insonorisées.

Des Princes sans rest
4 r. Boigne – ℰ 04 79 33 45 36 – www.hoteldesprinces.eu – hoteldesprinces@wanadoo.fr – Fax 04 79 70 31 47

45 ch – †72/80 € ††85/93 €, ⊊ 9 €

B r

♦ Proche de la fontaine des Éléphants, ce charmant hôtel soigne sa décoration : portraits de la grande famille de Savoie dans les couloirs, chambres à thèmes (musique, poésie, Inde...).

L'Hypoténuse
141 Carré Curial – ℰ 04 79 85 80 15 – www.restaurant-hypotenuse.com – resto.hypo@wanadoo.fr – Fax 04 79 85 80 18 – Fermé vacances de printemps, 19 juil.-18 août, dim. et lundi

B v

Rest – Menu (18 €), 22 € (sem.)/44 € – Carte 33/44 €

♦ L'Hypoténuse dans le Carré est égale à la somme d'un décor contemporain – rehaussé de quelques meubles de style et d'expositions de tableaux – et d'une cuisine traditionnelle.

Les Comptoirs
183 pl. de la Gare – ℰ 04 79 96 97 27 – www.homtel.fr – restaurantlescomptoirs@orange.fr – Fax 04 79 96 17 78 – Fermé sam. midi et dim.

A s

Rest – Menu 19 € (sem.)/29 € – Carte environ 32 €

♦ Cette pyramide de verre abrite une salle contemporaine dans les tons chocolat. Cuisine fusion marquée par les influences asiatiques. Ambiance zen et service décontracté.

CHAMBÉRY

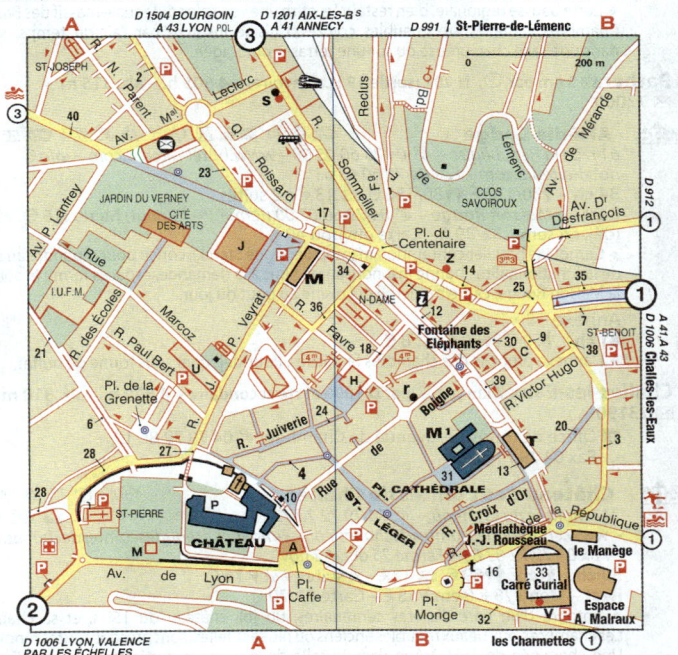

Allobroges (Q. des) .... **A** 2	Ducis (R.) .... **B** 13	Maché (R. du Fg) .... **A** 28
Banque (R. de la) .... **B** 3	Ducs-de-Savoie (Av. des) ... **B** 14	Martin (R. Cl.) .... **B** 30
Basse-du-Château (R.) ..... **A** 4	Europe (Espl. de l') .... **B** 16	Métropole (Pl.) .... **B** 31
Bernardines (Av. des) ...... **A** 6	Freizier (R.) .... **AB** 17	Michaud (R.) .... **B** 32
Boigne (R. de) .... **B**	Gaulle (Av. Gén.-de). .... **B** 18	Mitterrand (P. F.) .... **B** 33
Borrel (Q. du Sénateur A.) .. **B** 7	Italie (R. d') .... **B** 20	Musée (Bd. du). .... **AB** 34
Charvet (R. F.) .... **B** 9	Jean-Jaurès (Av.). .... **A** 21	Ravet (Q. Ch.) .... **B** 35
Château (Pl. du) .... **A** 10	Jeu-de-Paume (Q. du) ...... **B** 23	St-François (R.) .... **B** 38
Colonne (Bd de la) .... **B** 12	Juiverie (R.) .... **A**	St-Léger (Pl.) .... **B**
	Lans (R. de) .... **A** 24	St- Antoine (R.) .... **A** 36
	Libération (Pl. de la) .... **B** 25	Théâtre (Bd du) .... **B** 39
	Maché (R. du) .... **A** 27	Vert (Av. du Comte). .... **A** 40

<!-- Map of Chambéry -->

✗ Brasserie Le Z   AC ✧ VISA ⓜ©
12 av. des Ducs de Savoie – ℘ 04 79 85 96 87 – www.zorelle.fr – brasserie.z@
☕ *wanadoo.fr – Fax 04 79 70 11 71*   B z
Rest – Menu (13 €), 16 € (déj. en sem.)/26 € – Carte 25/60 €
♦ Brasserie très prisée à midi pour sa cuisine simple et internationale. Cadre contemporain éclairé par une verrière. En décor, un limonaire et une cave vitrée à flanc de rocher.

✗ L'Atelier   🍴 VISA ⓜ©
59 r. de la République – ℘ 04 79 70 62 39 – restaurantlatelier@orange.fr – Fermé dim. et lundi   B t
Rest – Menu (17 €), 20 € (déj. en sem.), 26/50 € bc
♦ L'atmosphère de ce relais de poste converti en restaurant façon bistrot – comptoir et ardoises dans l'une des trois salles à manger – se veut branchée. Cuisine actuelle sans chichi.

à Sonnaz 8 km par ① sur D 991 – 1 227 h. – alt. 370 m – ⊠ 73000

✗✗ Auberge Le Régent   🚗 🍴 ℅ **P** VISA ⓜ©
453 rte d'Aix-les-Bains – ℘ 04 79 72 27 70 – pascal.vichard@wanadoo.fr
– Fax 04 79 72 27 70 – Fermé 16 août-10 sept., 26-31 janv., vacances de fév., dim. soir et merc.
Rest – Menu (20 €), 27/49 € – Carte 43/55 €
♦ Ce restaurant familial, ancienne ferme savoyarde (19ᵉ s.), abrite deux coquettes salles à manger rustiques. Délicieuse terrasse ombragée face au jardin. Cuisine traditionnelle.

CHAMBÉRY

à St-Alban-Leysse 4 km par ①, D 1006 et rte secondaire – 5 381 h. – alt. 285 m – ⊠ 73230

L'Or du Temps
814 rte de Plainpalais – ℰ 04 79 85 51 28 – www.or-du-temps.com
– or.du.temps@free.fr – Fax 04 79 85 83 87 – Fermé 13 août-2 sept. et 2-10 janv.
18 ch – †55 € ††60 €, ⊇ 6,50 €
Rest – *(fermé sam. midi, dim. soir et lundi)* Menu (15 €), 24/50 € – Carte 42/55 €
♦ Cette bâtisse régionale, bien restaurée, offre une vue splendide sur le massif des Bauges. Chambres actuelles aux meubles colorés. Cuisine inspirée par l'air du temps, servie dans une salle chaleureuse ou sur une terrasse ombragée.

à Barberaz 3 km par ①, N 201 (sortie 19 : La Ravoire) – 4 605 h. – alt. 315 m – ⊠ 73000

Altédia Lodge
61 r. de la République – ℰ 04 79 60 05 00 – www.hotel-altedia.com – info@hotel-altedia.com – Fax 04 79 60 43 63
34 ch – †80/130 € ††80/130 €, ⊇ 13 € – 2 suites
Rest *La Maison Rouge* – ℰ 04 79 60 07 00 *(fermé 1er-15 août)* Menu (16 €), 20 € (déj. en sem.), 32/39 € – Carte environ 40 €
♦ Complexe hôtelier contemporain (mobilier signé Starck), conçu pour répondre au souci de la fonctionnalité : bonne insonorisation, films à la demande, espaces forme et soins. À la Maison Rouge, cadre moderne et cuisine au goût du jour.

Annexe
41 ch – †60 € ††60 €, ⊇ 8 €
♦ L'annexe propose des chambres familiales. Petit-déjeuner sous forme de buffet.

à Challes-les-Eaux 7 km par ② par D 1006 et rte secondaire – 4 829 h. – alt. 310 m – ⊠ 73190

🛈 Office de tourisme, avenue de Chambéry ℰ 04 79 72 86 19, Fax 04 79 71 38 51

Château des Comtes de Challes
247 montée du Château – ℰ 04 79 72 72 72
– www.chateaudescomtesdechalles.com – info@chateaudescomtesdechalles.com
– Fax 04 79 72 83 83 – Fermé 25 oct.-12 nov.
50 ch – †65 € ††89 €, ⊇ 12 € – 4 suites – ½ P 76 €
Rest – Menu 28 € (sem.)/58 € – Carte 61/70 €
♦ Entouré d'un parc d'arbres centenaires, un joli château du 15e s. et sa chapelle. Les chambres, aux beaux meubles anciens ou plus actuelles, sont presque toutes rénovées. Une cheminée de 1650 trône dans la salle de restaurant, rustique et cossue. Cuisine inventive.

à Chambéry-le-Vieux 5 km par ③ par N 201 et rte secondaire (sortie Chambéry-le-Haut) – ⊠ 73000

Château de Candie
r. Bois de Candie – ℰ 04 79 96 63 00 – www.chateaudecandie.com – info@chateaudecandie.com – Fax 04 79 96 63 10 – Fermé 14-27 avril et 26 oct.-5 nov.
23 ch – †160/260 € ††160/260 €, ⊇ 18 € – 5 suites – ½ P 140/190 €
Rest – *(fermé sam. midi, dim. soir et lundi)* Menu 32 € (déj. en sem.), 52/110 € – Carte 95/140 €
Spéc. Bar de ligne comme un sashimi, vinaigrette pamplemousse (été). Turbot côtier cuit vapeur, condiment câpres et citron, tarte tiède de cèpes pickles (automne). Palet or crousti-fondant chocolat noisettes, sorbet passion (automne). **Vins** Chignin-Bergeron, Chautagne
♦ Cette maison forte bâtie au 14e s. par des croisés domine la vallée. Chambres cosy (dont huit nouvelles) alliant styles ancien et contemporain ; superbe suite avec jacuzzi dans la tour. Belle cuisine du marché, assez inventive.

> Première distinction : l'étoile ❀.
> Elle couronne les tables pour lesquelles on ferait des kilomètres !

CHAMBOLLE-MUSIGNY – 21 Côte-d'Or – 320 J6 – 308 h. — 8 **D1**
– alt. 280 m – ⊠ 21220

▶ Paris 326 – Beaune 28 – Dijon 17

Château André Ziltener sans rest
r. de la Fontaine – ℰ 03 80 62 41 62
– www.chateau-ziltener.com – chateau.ziltener@wanadoo.fr – Fax 03 80 62 83 75
– Fermé 15 déc.-28 fév.
8 ch – †180/220 € ††190/285 €, ⊇ 18 € – 2 suites
♦ Cette demeure du 18e s. vous invite à partager le luxe discret de ses spacieuses chambres de style Louis XV, mariage réussi de l'ancien et du moderne. Petit musée du vin.

Le Chambolle
28 r. Basse – ℰ 03 80 62 86 26 – www.restaurant-lechambolle.com
– lechambolle@orange.fr – Fax 03 80 62 86 26 – Fermé 1er-16 juil., 20 déc.-22 janv., dim. soir de déc. à mars, merc. et jeudi
Rest – (nombre de couverts limité, prévenir) Menu 26/45 € – Carte 23/54 €
♦ Dans cette salle à manger chaleureuse et rustique (imposante cheminée), on s'attable pour goûter des plats de terroir de qualité. Acccueil tout sourire.

CHAMBON-LA-FORÊT – 45 Loiret – 318 K3 – 709 h. – alt. 117 m — 12 **C2**
– ⊠ 45340

▶ Paris 96 – Châteauneuf-sur-Loire 26 – Montargis 43 – Orléans 43
– Pithiviers 15

Auberge de la Rive du Bois
11 r. de la Rive du Bois, 1 km au Nord par rte Pithiviers – ℰ 02 38 32 28 44
– www.auberge-rivedubois.com – aubergedelarivedubois@wanadoo.fr
– Fax 02 38 32 02 61 – Fermé 6-25 août, 24 déc.-5 janv., lundi soir, mardi soir et merc.
Rest – Menu 16 € (sem.)/48 € – Carte 30/52 €
♦ Dans un paisible hameau, sympathique auberge propice aux repas de famille et d'affaires : salles à manger champêtres, terrasse fleurie et véranda. Cuisine traditionnelle.

LE CHAMBON-SUR-LIGNON – 43 Haute-Loire – 331 H3 – 2 642 h. — 6 **D3**
– alt. 967 m – ⊠ 43400 ▌Lyon et la vallée du Rhône

▶ Paris 573 – Annonay 48 – Lamastre 32 – Privas 75 – Le Puy-en-Velay 45
– St-Étienne 60

🛈 Office de tourisme, 2, route de Tence ℰ 04 71 59 71 56, Fax 04 71 65 88 78

🏌 du Chambon-sur-Lignon La Pierre de la Lune, SE : 5 km par D 103,
ℰ 04 71 59 28 10

Bel Horizon
chemin de Molle – ℰ 04 71 59 74 39
– www.belhorizon.fr – info@belhorizon.fr – Fax 04 71 59 79 81 – Fermé 2-24 janv., lundi (sauf hôtel) et dim. soir du 1er oct. au 30 avril
30 ch – †60/100 € ††70/100 €, ⊇ 10 € – ½ P 71/85 €
Rest – Menu (15 €), 18 € (sem.)/43 € – Carte 30/60 €
♦ Ambiance décontractée dans cet hôtel misant sur la détente et les loisirs (centre de remise en forme complet). Chambres claires, fonctionnelles, bien tenues. Restaurant refait, aux tons ensoleillés et terrasse donnant sur le jardin ; carte classique.

au Sud 3 km par D 151, rte de la Suchère et rte secondaire
– ⊠ 43400 Chambon-sur-Lignon

Le Bois Vialotte
rte de la Suchere, rte de la Suchère – ℰ 04 71 59 74 03 – www.leboisvialotte.com
– crosde@wanadoo.fr – Fax 04 71 65 86 32 – Ouvert 28 mai-1er oct.
17 ch – †56/69 € ††56/69 €, ⊇ 10 € – ½ P 57/65 €
Rest – (résidents seult) Menu (15 €), 18 € (déj.), 22/26 €
♦ Les amateurs de calme apprécieront cet établissement familial situé à la lisière d'un bois. Les chambres, tournées vers la campagne, sont très bien tenues. Salle de restaurant au charme un peu désuet, de type "pension" ; cuisine ménagère traditionnelle.

LE CHAMBON-SUR-LIGNON
à l'Est 3,5 km par D 157 et D 185 – ✉ 43400 Chambon-sur-Lignon

Clair Matin ⚜ ≤ 🐕 🍴 ⊃ 🛏 ※ ⚑ ch, ※ rest, ¶ 🛎 🅿 🚗 VISA ◎
Les Barandons – ℘ 04 71 59 73 03 – www.hotelclairmatin.com – clairmatin@hotelclairmatin.com – Fax 04 71 65 87 66 – Fermé 30 nov.-30 janv., lundi et mardi hors saison
25 ch – ♦55/105 € ♦♦55/105 €, ⊇ 11 € – 2 suites – ½ P 59/93 €
Rest – Menu (15 €), 20 € (sem.)/37 € – Carte 30/55 €

◆ Cet accueillant chalet offre au "matin clair" une vue étendue sur les Cévennes et un air pur garanti ! Chambres fonctionnelles et nombreux loisirs dans le parc. Le restaurant et la terrasse ménagent un beau panorama sur les monts Mézenc et Gerbier-de-Jonc.

CHAMBORD – 41 Loir-et-Cher – 318 G6 – 150 h. – alt. 71 m – ✉ 41250   11 B1

▪ Paris 176 – Blois 18 – Châteauroux 101 – Orléans 56
  – Romorantin-Lanthenay 38 – Salbris 55

◉ Château★★★, ▮ Châteaux de la Loire

Du Grand St-Michel ⚜   🍴 ※ 🅿 VISA ◎
pl. St-Louis – ℘ 02 54 20 31 31 – www.saintmichel-chambord.com
– hotelsaintmichel@wanadoo.fr – Fax 02 54 20 36 40 – Fermé de mi-nov. à mi-déc.
40 ch – ♦53/99 € ♦♦53/99 €, ⊇ 8,50 €   **Rest** – Menu 23/33 € – Carte 41/58 €

◆ Sur le superbe site du domaine de Chambord, face au château. Préférez les chambres rénovées, plus actuelles. Vaste restaurant orné de trophées, photos et tableaux évoquant les plaisirs de la chasse ; terrasse tournée vers le logis royal, éclairé lors des spectacles son et lumière.

> Ne confondez pas les couverts ※ et les étoiles ✿ !
> Les couverts définissent une catégorie de standing, tandis que l'étoile couronne les meilleures tables, dans chacune de ces catégories.

CHAMBRAY-LÈS-TOURS – 37 Indre-et-Loire – 317 N4 – rattaché à Tours

CHAMBRETAUD – 85 Vendée – 316 K6 – 1 275 h. – alt. 214 m   34 B3
– ✉ 85500

▪ Paris 373 – Angers 85 – Bressuire 50 – Cholet 21 – Nantes 76
  – La Roche-sur-Yon 55

Château du Boisniard ⚜   🐕 ◎ ※ ⚑ ch, 🅰🅲 ch, ↔ ※ ¶ 🛎 🅿
– ℘ 02 51 67 50 01 – www.chateau-boisniard.com   VISA ◎ AE
– contact@chateau-boisniard.com – Fax 02 51 67 53 81
17 ch – ♦138/240 € ♦♦138/410 €, ⊇ 18 €
Rest – (fermé dim. soir du 30 sept. au 31 mars) Menu (29 €), 38/59 €
– Carte 46/57 €

◆ Ce manoir du 15ᵉ s. (entièrement non-fumeurs) abrite de jolies chambres refaites dans le style médiéval ; celles de la dépendance sont neuves et confortables. Vaste domaine arboré et spa. Élégante salle de restaurant avec vue sur le parc et cuisine du marché.

CHAMESOL – 25 Doubs – 321 K2 – 361 h. – alt. 730 m – ✉ 25190   17 C2
▪ Paris 453 – Besançon 91 – Belfort 43 – Montbéliard 30 – Morteau 50

Mon Plaisir (Christian Pilloud)   ※ 🅿 VISA ◎ AE ①
22 r. Journal – ℘ 03 81 92 56 17 – mon-plaisir@wanadoo.fr – Fax 03 81 92 52 67
– Fermé 31 août-15 sept., 21-29 déc., dim. soir, lundi et mardi sauf fériés le midi
Rest – Menu 39/75 €

Spéc. Foie gras dans toutes ses formes. Escargots en cappuccino. Farandole de desserts. **Vins** Arbois.

◆ Mélange de styles, nombreux bibelots, tableaux et compositions florales : le décor de ce restaurant familial joue la note du charme désuet. Séduisante cuisine au goût du jour.

CHAMONIX-MONT-BLANC – 74 Haute-Savoie – **328** O5 – 9 086 h.   45 **D1**
– alt. 1 040 m – Sports d'hiver : 1 035/3 840 m ⛷14 ⛷36 ⛷ – Casino **AY**
– ✉ 74400 ▮ **Alpes du Nord**

▶ Paris 610 – Albertville 65 – Annecy 97 – Aosta 57 – Genève 82

Tunnel du Mont-Blanc : péage en 2008, aller simple : autos 33,20 €, auto et caravane 44 €, camions 120,40 à 256 €, motos 22 €. Renseignements ATMB ✆ 04 50 55 55 00 et ✆ 04 50 55 39 36.

🅘 Office de tourisme, 85, place du Triangle de l'Amitié ✆ 04 50 53 00 24, Fax 04 50 53 58 90

🅡 de Chamonix à Les Praz-de-Chamonix 35 route du Golf, N : 3 km, ✆ 04 50 53 06 28

🅔 E : Mer de glace★★★ et le Montenvers★★★ par chemin de fer à crémaillère - SE : Aiguille du midi ✵★★★ par téléphérique (station intermédiaire : plan de l'Aiguille★★) - NO : Le Brévent ✵★★★ par téléphérique (station intermédiaire : Planpraz★★) - N : Col de Balme★★ (Alpages de Charamillon).

Plan page suivante

Hameau Albert 1er (Pierre Carrier et Pierre Maillet)
38 rte du Bouchet –
✆ 04 50 53 05 09 – www.hameaualbert.fr – infos@hameaualbert.fr
– Fax 04 50 55 95 48 – Fermé 11 nov.-3 déc.   AX **f**
21 ch – ♦140/540 € ♦♦140/540 €, ⌑ 21 €
Rest – (fermé 12 mai-3 juin, 5 nov.-3 déc., mardi midi, jeudi midi et merc.)
Menu 56 € (déj.), 79/160 € – Carte 120/190 € ✿

Spéc. Risotto à la truffe blanche d'Alba (sept. à janv.). Omble chevalier du lac Léman. Chocolat-Chartreuse en deux préparations. **Vins** Chignin-Bergeron, Mondeuse.

♦ Hôtel centenaire cultivant avec bonheur tradition et modernité. Superbes chambres dotées de belles boiseries, de matériaux nobles et d'équipements dernier cri. Jardin coquet. Élégant restaurant, brillante cuisine classique subtilement modernisée et carte des vins étoffée.

La Ferme
11 ch – ♦270/540 € ♦♦270/540 €, ⌑ 21 € – 2 suites   AX **f**
Rest *Le Hameau Albert 1er* et rest.*La Maison Carrier* – voir ci-après
♦ Le "Hameau", c'est aussi ce magnifique chalet construit avec le bois patiné de fermes d'alpages et à l'intérieur résolument design, très réussi. Fitness et spa.

Grand Hôtel des Alpes sans rest
75 r. du Dr Paccard – ✆ 04 50 55 37 80 – www.grandhoteldesalpes.com – info@grandhoteldesalpes.com – Fax 04 50 55 88 50 – Ouvert 12 juin-30 sept. et 16 déc.-10 avril   AY **r**
27 ch – ♦150/600 € ♦♦150/600 €, ⌑ 20 € – 3 suites
♦ Ce "grand hôtel" bâti en 1840 a été merveilleusement restauré en 2004 : hall cossu, bar feutré, élégants salons, vastes chambres chic et douillettes, bel espace de détente, etc.

Auberge du Bois Prin
69 chemin de l' Hermine, (aux Moussoux) – ✆ 04 50 53 33 51
– www.boisprin.com – info@boisprin.com – Fax 04 50 53 48 75 – Fermé
11-28 mai, 27 oct.-4 déc.   AZ **a**
8 ch – ♦180/284 € ♦♦203/297 €, ⌑ 14 € – 2 suites – ½ P 147/215 €
Rest – (fermé lundi midi, mardi midi et merc. midi) Menu 19/49 € bc
♦ Joli chalet perché sur les hauteurs de la station. Décoration design, équipements high-tech et lambris se marient avec goût dans les chambres luxueusement rénovées. Panorama sur le Mont-Blanc depuis la salle à manger et la terrasse ; produits du marché et du potager.

Le Morgane
145 av. Aiguille du Midi – ✆ 04 50 53 57 15 – www.morgane-hotel-chamonix.com
– reservation@hotelmorganechamonix.com – Fax 04 50 53 28 07   AY **u**
56 ch – ♦105/220 € ♦♦120/350 €, ⌑ 15 € – 16 suites
Rest *Le Bistrot* – voir ci-après
♦ Cet hôtel a fait peau neuve, affichant un confort contemporain séduisant, mariant le bois et la pierre. Chambres bien équipées ; vue sur le Mont-Blanc pour certaines. Petit spa.

489

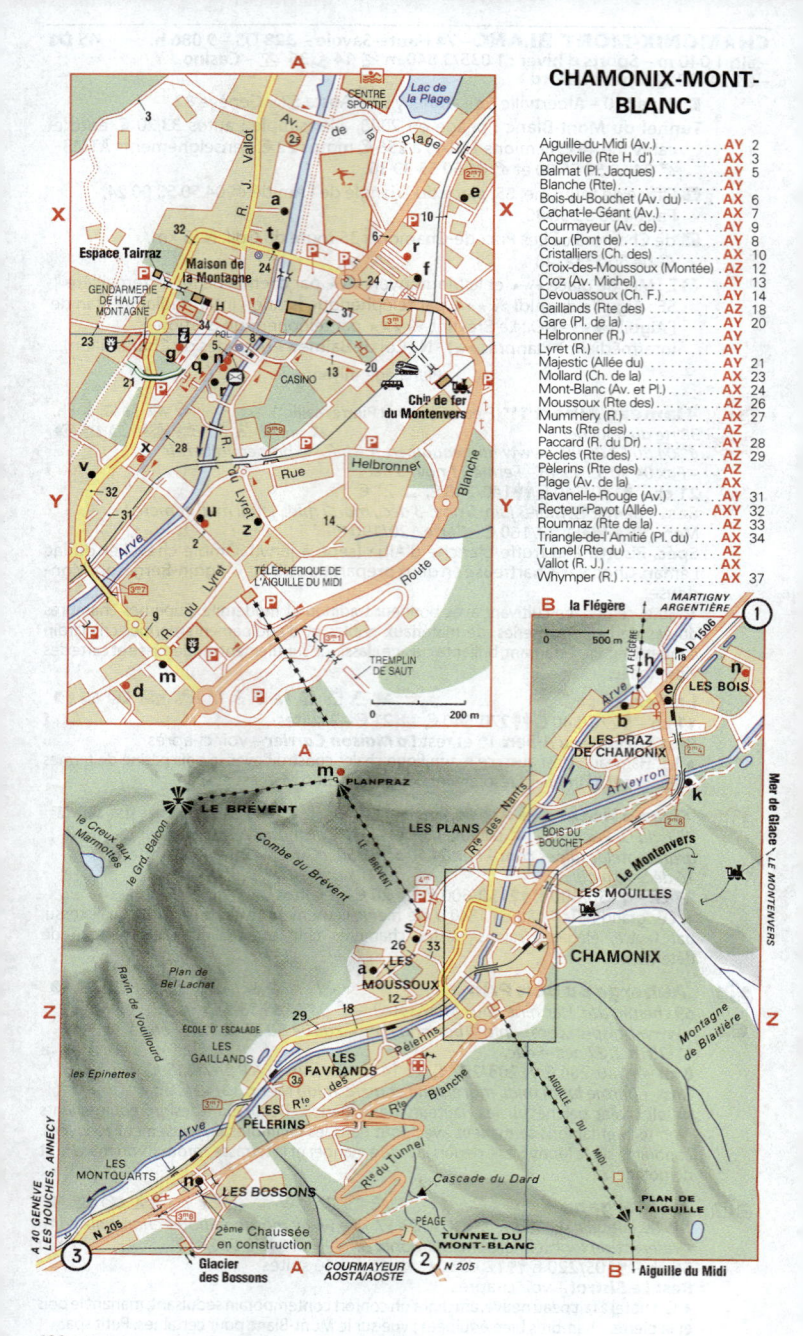

CHAMONIX-MONT-BLANC

Aiguille-du-Midi (Av.)	**AY** 2
Angeville (Rte H. d')	**AX** 3
Balmat (Pl. Jacques)	**AY** 5
Blanche (Rte)	**AY**
Bois-du-Bouchet (Av. du)	**AX** 6
Cachat-le-Géant (Av.)	**AX** 7
Courmayeur (Av. de)	**AY** 9
Cour (Pont de)	**AY** 8
Cristalliers (Ch. des)	**AX** 10
Croix-des-Moussoux (Montée)	**AZ** 12
Croz (Av. Michel)	**AY** 13
Devouassoux (Ch. F.)	**AX** 14
Gaillands (Rte des)	**AZ** 18
Gare (Pl. de la)	**AY** 20
Helbronner (R.)	**AY**
Lyret (R.)	**AY**
Majestic (Allée du)	**AY** 21
Mollard (Ch. de la)	**AY** 23
Mont-Blanc (Av. et Pl.)	**AX** 24
Moussoux (Rte des)	**AZ** 26
Mummery (R.)	**AX** 27
Nants (Rte des)	**AX**
Paccard (R. du Dr)	**AY** 28
Pècles (Rte des)	**AZ** 29
Pèlerins (Rte des)	**AX**
Plage (Av. de la)	**AX**
Ravanel-le-Rouge (Av.)	**AY** 31
Recteur-Payot (Allée)	**AXY** 32
Roumnaz (Rte de la)	**AZ** 33
Triangle-de-l'Amitié (Pl. du)	**AX** 34
Tunnel (Rte du)	**AZ**
Vallot (R. J.)	**AX**
Whymper (R.)	**AX** 37

Alpina ≤ ℔ 🏠 ♿ ch, 🎦 rest, ⇆ 📶 🎛 🅿 VISA 🔴 AE ①
79 av. Mt-Blanc – ✆ *04 50 53 47 77 – www.chamonixhotels.com – alpina@chamonixhotels.com – Fax 04 50 55 98 99 – Fermé 11 oct.-12 déc.*
AX **t**
129 ch – †72/107 € ††80/164 €, ⊇ 14 € – 9 suites – ½ P 79/121 €
Rest – *(Fermé le midi en hiver)* Menu 25 € – Carte 40/48 €
◆ Immeuble à la façade récemment reloookée, bien équipé pour l'accueil des séminaires. Chambres fonctionnelles et lambrissées. Restaurant panoramique au 7ᵉ étage offrant une superbe vue sur la chaîne du Mont-Blanc. Spécialité de fondue au bouillon.

Les Aiglons ≤ 🚗 🏠 ⚐ 💬 ℔ 🏠 ♿ ⇆ 📶 🎛 🅿 VISA 🔴 AE ①
270 av. Courmayeur – ✆ *04 50 55 90 93 – www.aiglons.com – reservation@hotelaiglonschamonix.com – Fax 04 50 53 51 08*
AY **m**
107 ch – †90/210 € ††110/230 €, ⊇ 12 € – ½ P 97/157 €
Rest – Menu 17 € (déj.)/30 € – Carte 35/60 €
◆ Rénové et agrandi, cet hôtel, à deux pas du départ pour l'aiguille du Midi, est adapté à la clientèle sportive et familiale (esprit club). Chambres pratiques et actuelles. Spa, piscine. Cuisine traditionnelle au restaurant, dans l'air du temps.

Chalet Hôtel Hermitage ⚜ ≤ 🚗 🏠 ℔ 🏠 📶 🎛 🅿 VISA 🔴 AE
63 chemin du Cé – ✆ *04 50 53 13 87 – www.hermitage-paccard.com – info@hermitage-paccard.com – Fax 04 50 55 98 14 – Ouvert 19 juin-20 sept. et 19 déc.-20 avril*
AX **e**
23 ch – †92/124 € ††100/180 €, ⊇ 14 € – 5 suites
Rest – *(fermé merc. en été) (dîner seult) (résidents seult)* Menu 24 €
◆ Cet hébergement dispose de grandes chambres décorées de frisettes, convenant parfaitement aux séjours en famille. Les appartements de l'annexe peuvent dépanner. Cuisine familiale servie dans une salle à manger au décor "tout bois".

L'Oustalet sans rest ≤ 🚗 ⚐ 🏠 ♿ 🎦 🅿 🏠 VISA 🔴 AE ①
330 r. Lyret – ✆ *04 50 55 54 99 – www.hotel-oustalet.com – infos@hotel-oustalet.com – Fax 04 50 55 54 98 – Fermé 26 mai-8 juin, 4 nov.-16 déc.*
AY **z**
15 ch – †100/135 € ††106/175 €, ⊇ 14 €
◆ Près du téléphérique de l'aiguille du Midi, chalet récent au décor chaleureux. Chambres spacieuses et coquettes, regardant le Mont-Blanc. Salon-cheminée douillet, hammam, sauna, jacuzzi.

Park Hotel Suisse 🏠 🎦 🍽 rest, 📶 🎛 🏠 VISA 🔴 AE ①
75 allée du Majestic – ✆ *04 50 53 07 58 – www.chamonix-park-hotel.com – reservation@chamonix-park-hotel.com – Fax 04 50 55 99 32 – Ouvert 12 juin-30 sept. et 19 déc.-13 avril*
AY **q**
64 ch – †77/126 € ††101/177 €, ⊇ 12 € – 2 suites – ½ P 70/123 €
Rest – *(ouvert 12 juin-12 sept.)* Menu 19 € (déj.), 23/28 € – Carte 48/64 €
◆ Totalement rénové, cet hôtel allie le caractère montagnard très chaleureux au confort actuel. Belle terrasse-solarium sur le toit, de laquelle on admire la chaîne du Mont-Blanc. Cuisine traditionnelle et spécialités savoyardes ; décor convivial, à l'image d'un chalet moderne.

De l'Arve ⚜ ≤ 🚗 ℔ 🏠 ♿ ch, 🍽 📶 🅿 VISA 🔴 AE ①
60 impasse Anémones – ✆ *04 50 53 02 31 – www.hotelarve-chamonix.com – contact@hotelarve-chamonix.com – Fax 04 50 53 56 92 – Fermé de mi-oct. à mi-déc.*
AX **a**
37 ch – †51/88 € ††61/118 €, ⊇ 10 € – 1 suite – ½ P 54/82 €
Rest – *(ouvert 20 juin-5 sept. et fermé mardi et merc.) (dîner seult) (résidents seult)* Menu 18 €
◆ Bâtisse régionale disposant de chambres toutes rénovées dans l'esprit savoyard. Jardinet face à la chaîne du Mont-Blanc. Au fitness, équipements complets et mur d'escalade. Salle à manger sobrement actuelle dont les baies vitrées sont tournées vers l'Arve.

Arveyron ≤ 🚗 🏠 ♿ ch, 🍽 rest, 🅿 VISA 🔴
1650 rte du Bouchet, 2 km – ✆ *04 50 53 18 29 – www.hotel-arveyron.com – hotelarveyron@wanadoo.fr – Fax 04 50 53 06 43 – Ouvert 13 juin-22 sept. et 20 déc. à mi-avril*
BZ **k**
30 ch – †45 € ††72/79 €, ⊇ 9 € – ½ P 58/79 €
Rest – *(fermé lundi et merc.)* Menu 23/26 € – Carte environ 27 €
◆ Ce plaisant hôtel familial abrite des chambres montagnardes, plus au calme côté forêt. Bar-salon, billard et jardin... sous les aiguilles de Chamonix ! Salle à manger toute neuve, "tout bois". Agréable terrasse. La cuisine traditionnelle prend des accents du terroir.

CHAMONIX-MONT-BLANC

La Savoyarde
28 rte Moussoux – ℘ 04 50 53 00 77 – www.lasavoyarde.com – lasavoyarde@wanadoo.fr – Fax 04 50 55 86 82 – Fermé mai et nov.

AZ s

14 ch – †61/84 € ††112/158 € – ½ P 86/110 €
Rest – *(fermé mardi et jeudi) (dîner seult)* Menu (25 €), 30 € – Carte 35/68 €

♦ Coquette maison chamoniarde du 19ᵉ s. située à 50 m du téléphérique du Brévent. Chambres simples, lambrissées, parfois mansardées ou agrandies d'une mezzanine. Les salles à manger bénéficient d'une jolie vue ; recettes traditionnelles dans la note régionale.

Les Jardins du Mont Blanc
62 allée du Majestic – ℘ 04 50 53 05 64 – www.bestmontblanc.com – mont-blanc@chamonixhotels.com – Fax 04 50 55 89 44 – Fermé 4 oct.-11 déc.

AY g

Rest – *(prévenir)* Menu 23/79 € – Carte 56/98 €

♦ Un chef au talent créatif réveille avec brio cette institution du centre-ville : repas gastronomique le soir, dans la salle cossue rétro, plus simple à midi, au jardin ou au bar.

La Maison Carrier – Hôtel Hameau Albert 1ᵉʳ
44 rte du Bouchet – ℘ 04 50 53 00 03 – www.hameaualbert.fr – infos@hameaualbert.fr – Fax 04 50 55 95 48 – Fermé 8-25 juin, 16 nov.-15 déc., lundi sauf juil.-août et fériés

AX r

Rest – Menu 24 € (déj. en sem.), 28/39 € – Carte 42/65 €

♦ Salle des guides, "borne" (cheminée) où fument les charcuteries maison : un intérieur savoyard typique pour cette jolie ferme reconstituée avec le bois de vieux chalets d'alpage. Belle cuisine du terroir.

Atmosphère
123 pl. Balmat – ℘ 04 50 55 97 97 – www.restaurant-atmosphere.com – info@restaurant-atmos.fr – Fax 04 50 53 38 96

AY n

Rest – Menu (20 €), 23/30 € – Carte 32/55 €

♦ Nouveau décor "montagne" épuré et cosy, véranda surplombant l'Arve, carte des vins très étoffée, cuisine traditionnelle et spécialités régionales : un restaurant d'atmosphère !

L'Impossible
9 chemin du Cry – ℘ 04 50 53 20 36 – www.restaurant-impossible.com – contact@restaurant-impossible.com – Fax 04 50 53 58 91 – Ouvert 15 juin-15 oct. et 7 déc.-15 avril

AY d

Rest – Menu (19 €), 28 € – Carte 32/65 €

♦ Dans cette ancienne ferme du 18ᵉ s., le chef mitonne de sympathiques plats de tradition aux accents régionaux. Chaleureuse salle à manger "tout bois" à la décoration éclectique.

Le Bistrot (Mickael Bourdillat) – Hôtel Le Morgane
151 av. Aiguille du Midi – ℘ 04 50 53 57 64 – www.lebistrotchamonix.com – info@lebistrotchamonix.com – Fax 04 50 53 28 07

AY u

Rest – Menu (17 €), 42/80 € – Carte 42/80 €
Spéc. Sushi de tartare de bœuf, salade de betterave rouge. Filet mignon de porc, gambas et minute de carotte. Tasse croustillante comme un cappuccino. **Vins** Roussette de Savoie, Chignin-Bergeron

♦ Ce Bistrot sympathique affiche un esprit contemporain dépouillé. À table, beaux produits accompagnés d'une attrayante sélection de vins (jolie cave vitrée en verre sablé).

Le Panier des Quatre Saisons
24 galerie Blanc-Neige, (r. Dr Paccard) – ℘ 04 50 53 98 77 – Fax 04 50 53 98 77

AY x

Rest – Menu (12,50 €), 29/39 € – Carte 40/50 €

♦ Caché dans un étroit passage, ce restaurant mérite le détour : chaleureux décor savoyard, carte évoluant au gré des saisons et beau choix de vins au verre (40 références).

Le National
3 r. Dr-Paccard – ℘ 04 50 53 02 23 – Fax 04 50 53 71 94 – Fermé 15 nov.-15 déc. et lundi en oct.-nov.

AY n

Rest – Menu 21/30 € – Carte 15/60 €

♦ Boiseries, pierres apparentes et photos anciennes de la station servent de cadre à une cuisine traditionnelle mâtinée de spécialités savoyardes. Grande terrasse très prisée.

CHAMONIX-MONT-BLANC

aux Praz-de-Chamonix 2,5 km au Nord – ✉ **74400 Chamonix-Mont-Blanc**
– alt. 1 060 m

🅾 La Flégère ≤ ★★ par téléphérique BZ.

Le Labrador sans rest
au golf – ℰ 04 50 55 90 09 – www.hotel-labrador.com – info@
hotel-labrador.com – Fax 04 50 53 15 85
– Fermé 20-30 avril et 18 oct.-4 déc.

BZ **h**

33 ch – †75/200 € ††88/250 €, ⊡ 10 € – 2 suites
♦ Ce chalet à la silhouette scandinave jouit d'un environnement exceptionnel : les chambres ménagent une vue superbe sur le Mont-Blanc et la vallée de Chamonix. Salons cosy.

Eden
35 rte des Gaudenays – ℰ 04 50 53 18 43 – www.hoteleden-chamonix.com
– relax@hoteleden-chamonix.com – Fax 04 50 53 51 50
– Fermé 5 nov.-5 déc.

BZ **e**

31 ch – †68/125 € ††75/135 €, ⊡ 11 € – ½ P 73/108 €
Rest – *(fermé 15 oct.-13 déc. et mardi) (dîner seult)* Menu 29/45 €
– Carte 35/52 €
♦ Les propriétaires, d'origine scandinave, ont redécoré ce petit hôtel bicentenaire à la mode de chez eux : design nordique, insolite et séduisant, du salon jusqu'aux chambres ! Au restaurant, exposition de très belles photos et cuisine fusion franco-suédoise.

Les Lanchers
1459 rte des Praz – ℰ 04 50 53 47 19 – www.hotel-lanchers-chamonix.com
– vacances@hotel-lanchers-chamonix.com – Fax 04 50 53 66 14 – Fermé
16 nov.-18 déc.

BZ **b**

11 ch – †58/98 € ††58/98 €, ⊡ 9 € – ½ P 56/78 €
Rest – Menu (14 €), 19/24 € – Carte 24/30 €
♦ Derrière la façade égayée de fresques colorées, vous trouverez de grandes chambres simples et fraîches, et un bar fréquenté par la clientèle locale. Salle à manger-véranda meublée dans le style bistrot ; cuisine traditionnelle, spécialités italiennes et savoyardes.

La Cabane des Praz
23 rte du Golf – ℰ 04 50 53 23 27 – www.restaurant-cabane.com
– restaurantlacabane@orange.fr – Fax 04 50 91 15 28

BZ **v**

Rest – Menu (19 €), 28 € – Carte 32/62 €
♦ Superbement refaite, cette élégante cabane en rondins finlandais offre un chic décontracté : salon-bar cossu, terrasse avec vue sur le golf et les aiguilles, cuisine traditionnelle.

aux Tines 4 km par ①, D 1506 et rte secondaire – ✉ **74400 Chamonix-Mont-Blanc**

Excelsior
251 chemin de St-Roch – ℰ 04 50 53 18 36 – www.hotelchamonix.info
– excelsior@hotelchamonix.info – Fax 04 50 53 56 16 – Fermé 11-25 mai et
5 nov.-15 déc.

36 ch – †40/62 € ††65/92 €, ⊡ 9 € – ½ P 58/87 €
Rest – *(fermé merc. midi du 15 déc. au 11 mai)* Menu (16 €), 28/41 €
– Carte 36/49 €
♦ Au pied de l'aiguille Verte et du Dru, engageante maison tenue par la même famille depuis 1910. Plaisantes chambres rénovées, habillées de bois clair. Jardin et piscine. Le restaurant ouvre ses baies sur les sommets alentour. Plats au goût du jour et montagnards.

aux Bois 3,5 km au Nord – ✉ **74400 Chamonix-Mont-Blanc**

Sarpé
83 passage des Mottets – ℰ 04 50 53 29 31 – couttety@hotmail.fr – Fermé 12 mai
-11 juin, 5 nov.-5 déc., lundi sauf vacances scolaires

BZ **n**

Rest – *(dîner seult sauf vacances scolaires)* Menu 23/44 €
– Carte 29/55 €
♦ Ancien atelier de menuiserie converti en restaurant : cadre rustique, ambiance savoyarde, deux petites terrasses, cuisine traditionnelle et spécialités alpines.

CHAMONIX-MONT-BLANC

au Lavancher 6 km par ①, D 1506 et rte secondaire – ⊠ 74400 Chamonix-Mont-Blanc
– **Sports d'hiver : voir à Chamonix**

◉ ≤★★.

Le Jeu de Paume
705 rte Chapeau – ℰ *04 50 54 03 76*
– www.jeudepaumechamonix.com – jeudepaumechamonix@wanadoo.fr
– Fax 04 50 54 10 75 – Ouvert 16 juin-24 sept. et 6 déc.-14 mai
24 ch – †155/255 € ††155/255 €, ⊇ 15 € – ½ P 128/178 €
Rest – *(fermé mardi midi et merc. midi)* Menu 35/58 € – Carte 40/60 €
♦ Billard, piscine couverte, sauna, jacuzzi, salons-cheminée... Détente assurée dans ce chalet traditionnel au décor "tout bois" très raffiné. Vue sur les aiguilles ou la vallée. Décor montagnard quelque peu baroque et cuisine inspirée des quatre coins du monde.

Beausoleil
60 allée des Peupliers – ℰ *04 50 54 00 78 – www.hotelbeausoleilchamonix.com*
– info@hotelbeausoleilchamonix.com – Fax 04 50 54 17 34 – Fermé 31 mai-12 juin et 20 sept.-20 déc.
17 ch – †47/56 € ††72/108 €, ⊇ 10 € – ½ P 62/88 €
Rest – *(dîner seult sauf juil.-août)* Menu 15/30 € – Carte 27/43 €
♦ Ce chalet familial (non-fumeurs) à la jolie façade ouvragée abrite de petites chambres simples et lambrissées ; certaines sont rénovées. Agréable jardin fleuri. Restaurant rustico-montagnard et belle terrasse ; spécialités fromagères et pierrades.

Les Chalets de Philippe sans rest
700-718 rte Chapeau – ℰ *06 07 23 17 26 – www.chaletsphilippe.com – contact@chaletsphilippe.com – Fax 04 50 54 08 28*
8 ch – †91/260 € ††190/540 €, ⊇ 15 €
♦ Vieux bois, meubles chinés, objets rares et équipements de pointe constituent le décor original et très personnalisé de ces chalets à flanc de colline, au milieu des sapins.

aux Bossons 3,5 km au Sud – ⊠ 74400 Chamonix-Mont-Blanc – alt. 1 005 m

Aiguille du Midi
479 chemin Napoléon – ℰ *04 50 53 00 65*
– www.hotel-aiguilledumidi.com – info@hotel-aiguilledumidi.com
– Fax 04 50 55 93 69 – Ouvert 16 mai-19 sept. et 19 déc.-13 avril   AZ **n**
40 ch – †72/98 € ††88/98 €, ⊇ 14 € – ½ P 82/85 €
Rest – Menu 24/50 € – Carte 23/51 €
♦ Des fresques à la mode tyrolienne égayent l'extérieur de cet hôtel bâti en 1908. Chambres diversement meublées, bons équipements de loisirs et parc face au glacier des Bossons. Restaurant en rotonde, jolie terrasse côté jardin, plats traditionnels et savoyards.

à Planpraz par télécabine – ⊠ 74400 Chamonix-Mont-Blanc

La Bergerie de Planpraz
– ℰ *04 50 53 05 42 – www.restaurants-altitude.com*
– contact@serac.biz – Fax 04 50 53 93 40
– Ouvert début juin à mi sept. et mi-déc. à fin avril   AZ **m**
Rest – *(déj. seult)* Menu 19/27 € – Carte 35/55 €
♦ Vue époustouflante sur le massif du Mont-Blanc depuis la terrasse de ce chalet d'altitude. Salle rustique tout en bois et pierre, et cuisine du terroir aussi bonne que généreuse.

CHAMOUILLE – 02 Aisne – **306** D6 – **rattaché à Laon**

CHAMOUSSET – 73 Savoie – **333** K4 – 502 h. – alt. 215 m – ⊠ 73390   46 **F2**

🄳 Paris 588 – Albertville 26 – Allevard 25 – Chambéry 28 – Grenoble 61

Christin avec ch
– ℰ *04 79 36 42 06 – hotel.christin@wanadoo.fr – Fax 04 79 36 45 43 – Fermé sam.*
16 ch – †43 € ††58 €, ⊇ 7 € – ½ P 58 €
Rest – *(fermé dim. soir, lundi soir et sam.)* Menu 14/23 € – Carte 22/45 €
♦ Dans une ambiance familiale et un cadre rustique, vous apprécierez une cuisine authentique (les légumes viennent du potager), escortée d'une sélection de vins de Savoie.

CHAMPAGNAC-DE-BELAIR – 24 Dordogne – 329 F3 – rattaché à Brantôme

CHAMPAGNÉ – 72 Sarthe – 310 L6 – 3 565 h. – alt. 53 m – ✉ 72470 35 D1
- Paris 205 – Alençon 67 – Le Mans 14 – Nantes 204
- Office de tourisme, place de l'Église ⌀ 02 43 89 89 89, Fax 02 43 89 58 58

XX Le Cochon d'Or
49 rte de Paris, D 323 – ⌀ 02 43 89 50 08 – www.lecochondor.fr
– lecochon.dor@wanadoo.fr – Fax 02 43 89 79 34 – Fermé 27 juil.-10 août, lundi et le soir sauf sam.
Rest – Menu (16 €), 20 € (déj. en sem.), 30/51 € – Carte 44/53 €

♦ Cure de jeunesse pour cette maison bordant une route passante. Grande salle aux couleurs vives et tendances, ouvrant sur le jardin (baie vitrée). Cuisine traditionnelle.

CHAMPAGNEUX – 73 Savoie – 333 G4 – rattaché à St-Genix-sur-Guiers

CHAMPAGNEY – 70 Haute-Saône – 314 I6 – rattaché à Ronchamp

CHAMPAGNOLE – 39 Jura – 321 F6 – 8 296 h. – alt. 541 m – ✉ 39300 16 B3
Franche-Comté Jura
- Paris 420 – Besançon 66 – Dole 68 – Genève 86 – Lons-le-Saunier 34
- Office de tourisme, rue Baronne Delort ⌀ 03 84 52 43 67, Fax 03 84 52 54 57
- Musée archéologique : plaques-boucles ★ M.

Le Bois Dormant
rte de Pontarlier, 1,5 km – ⌀ 03 84 52 66 66 – www.bois-dormant.com – hotel@bois-dormant.com – Fax 03 84 52 66 67 – Fermé 20-27 déc.
40 ch – †65 € ††73 €, ⊇ 10 € – ½ P 63 €
Rest – Menu (18 €), 25/45 € – Carte 30/55 €

♦ Au sein d'un parc arboré, établissement au décor chaleureux et moderne. Chambres fonctionnelles, habillées de bois blond et de tons roses. Fitness et piscine côté jardin. Grande salle à manger-véranda et paisible terrasse. Carte traditionnelle et vins du Jura.

rte de Genève 8 km au Sud – ✉ 39300 **Champagnole**

XX Auberge des Gourmets avec ch
1 la Billaude du haut, sur N 5 – ⌀ 03 84 51 60 60 – aubergedesgourmets@wanadoo.fr – Fax 03 84 51 62 83 – Fermé 1ᵉʳ déc.-5 fév., dim. soir et lundi sauf vacances scolaires
7 ch – †70 € ††75/88 €, ⊇ 9 € – ½ P 78 €
Rest – Menu 18 € (sem.)/48 € – Carte 45/80 €

♦ Petits plats traditionnels faits maison, servis dans plusieurs salles à manger (dont une véranda) rustico-bourgeoises et soignées. Les chambres côté terrasse sont plus calmes.

CHAMPAGNY-EN-VANOISE – 73 Savoie – 333 N5 – 585 h. – alt. 1 240 m – ✉ 73350 **Alpes du Nord** 45 D2
- Paris 625 – Albertville 44 – Chambéry 94 – Moûtiers 19
- Office de tourisme, Le Centre ⌀ 04 79 55 06 55, Fax 04 79 55 04 66
- Retable ★ dans l'église - Télécabine de Champagny ★ : ≤ ★ – Champagny-le-Haut ★★.

L'Ancolie
Les Hauts du Crey – ⌀ 04 79 55 05 00 – www.hotel-ancolie.com – contact@hotel-ancolie.com – Fax 04 79 55 04 42 – Ouvert 21 juin-6 sept. et 20 déc.-19 avril
31 ch – †63/97 € ††63/144 €, ⊇ 10 € – ½ P 51/92 €
Rest – Menu 19/21 € – Carte 25/49 €

♦ La fleur sauvage a prêté son nom à cet hôtel perché sur les hauteurs d'un authentique village-station. Petites chambres pratiques, pour la plupart dotées d'un balcon ouvrant au sud. Restaurant au décor montagnard et cuisine régionale simple.

CHAMPAGNY-EN-VANOISE

Les Glières
– ℰ 04 79 55 05 52 – www.hotel-glieres.com – accueil@hotel-glieres.com
– Fax 04 79 55 04 84 – Ouvert 4 juil.-24 août et 19 déc.-18 avril
20 ch – †82/112 € ††82/112 € – ½ P 64/79 €
Rest – (fermé mardi en été) Menu (15 €), 18 € – Carte 21/32 €
♦ Établissement familial situé dans un hameau, au calme. Chambres rafraîchies par étapes dans un esprit chalet. Sauna et salon-cheminée ouvert sur une terrasse verdoyante. Au restaurant, cuisine et cadre typiquement savoyards.

CHAMPCEVINEL – 24 Dordogne – **329** F4 – rattaché à Périgueux

---

CHAMPEAUX – 50 Manche – **303** C7 – 368 h. – alt. 80 m – ✉ 50530   32 **A2**

🖸 Paris 353 – Avranches 19 – Granville 17 – St-Lô 69 – St-Malo 85

Au Marquis de Tombelaine et H. les Hermelles avec ch
D 911 – ℰ 02 33 61 85 94 – www.aumarquisdetombelaine.
com www.hotel-leshermelles.com – claude.giard@wanadoo.fr
– Fax 02 33 61 21 52
6 ch – †55/62 € ††55/62 €, ☐ 8 € – ½ P 64/87 €
Rest – (fermé 19 déc.-1er avril, mardi soir et merc.) Menu (12 €), 25/68 €
– Carte 46/80 €
♦ Produits de la mer et du terroir se rejoignent dans les assiettes de ce restaurant juché sur la falaise en face du Mont-St-Michel. Chambres avec vue sur la célèbre baie.

CHAMPEIX – 63 Puy-de-Dôme – **326** F9 – 1 231 h. – alt. 456 m   5 **B2**
– ✉ 63320 ▌Auvergne

🖸 Paris 440 – Clermont-Ferrand 30 – Condat 49 – Issoire 14 – Le Mont-Dore 35
– Thiers 63
🖸 Syndicat d'initiative, place du Pré ℰ 04 73 96 26 73, Fax 04 73 96 21 77
🖸 Église de St-Saturnin ★★ N : 10 km.

La Promenade
3 r. Halle – ℰ 04 73 96 70 24 – h.r.lapromenade@wanadoo.fr – Fax 04 73 96 71 76
– Fermé oct., merc. sauf le soir en juil.-août, mardi soir et jeudi soir
Rest – Menu 15/29 € – Carte 23/34 €
♦ Modeste auberge de village dont le cadre rustique a été patiné par le temps. Ambiance toute locale s'accordant à une cuisine qui fleure bon l'Auvergne.

à Montaigut-le-Blanc 3 km à l'Ouest par D 996 – 717 h. – alt. 500 m – ✉ 63320

Le Chastel Montaigu sans rest
au château – ℰ 04 73 96 28 49 – www.lechastelmontaigu.com
– virginie.sauvadet@laposte.net – Fax 04 73 96 21 60 – Ouvert 1er mai-30 sept.
4 ch – †133 € ††145 €
♦ L'originalité de cette maison d'hôtes haut perchée : ses superbes chambres (lits à baldaquin) logées dans un donjon crénelé, avec vue plongeante sur les monts Dore et le Forez.

CHAMPIGNÉ – 49 Maine-et-Loire – **317** F3 – 1 869 h. – alt. 25 m   35 **C2**
– ✉ 49330

🖸 Paris 287 – Angers 24 – Château-Gontier 24 – La Flèche 41
🖸 Anjou Golf & Country Club Route de Cheffes, S : 3 km par D 190,
ℰ 02 41 42 01 01

au Nord-Ouest 3 km par D 768 et D 190 - ✉ 49330 Champigné

Château des Briottières
rte de Marigné – ℰ 02 41 42 00 02
– www.briottieres.com – briottieres@wanadoo.fr – Fax 02 41 42 01 55 – Fermé du lundi au jeudi du 5 nov. au 15 mars
14 ch – †160/180 € ††160/380 €, ☐ 16 €
Rest – (fermé en hiver) (dîner seult) (résidents seult) Menu 50 €
♦ Un raffinement très 18e s. règne dans ce château familial entouré d'un parc. Chambres spacieuses, garnies de meubles et objets anciens. Salons et bibliothèque.

CHAMPILLON – 51 Marne – 306 F8 – rattaché à Épernay

CHAMPSANGLARD – 23 Creuse – 228 h. – alt. 360 m – ⌧ 23220   25 C1

- ▶ Paris 406 – Limoges 104 – Guéret 16 – La Souterraine 51 – Argenton-sur-Creuse 104
- ℹ Office de tourisme, le bourg ℰ 05 55 51 21 18, Fax 05 55 51 23 76

La Villa des Cagnes sans rest
à 600 m, le Villard Ouest – ℰ 05 55 51 98 95 – www.lavilladescagnes.com
– corinne.leroy2@wanadoo.fr
4 ch ⌐ – †80 € ††85 €

◆ Un relais de chasse et de pêche (fin 19e s.) bien au calme dans son jardin avec piscine. Chambres à la décoration classique et aux tons pastel (mobilier ancien et de style).

CHAMPS-SUR-TARENTAINE – 15 Cantal – 330 D2 – 1 037 h.   5 B2
– alt. 450 m – ⌧ 15270

- ▶ Paris 500 – Aurillac 90 – Clermont-Ferrand 82 – Condat 24 – Mauriac 38 – Ussel 36
- ℹ Syndicat d'initiative, Mairie ℰ 04 71 78 72 75, Fax 04 71 78 75 09
- ◉ Gorges de la Rhue★★ SE : 9 km, **Auvergne**

Auberge du Vieux Chêne sans rest
34 rte des Lacs – ℰ 04 71 78 71 64 – http://advc.free.fr – danielle.moins@wanadoo.fr – Ouvert 1er mai-30 sept.
15 ch – †60/62 € ††62/90 €, ⌐ 10 €

◆ Agréable étape champêtre dans une authentique ferme du 19e s. Chambres simples et chaleureuses, propices à un séjour empreint de quiétude.

CHAMPS-SUR-YONNE – 89 Yonne – 319 E5 – rattaché à Auxerre

CHAMPTOCEAUX – 49 Maine-et-Loire – 317 B4 – 1 748 h. – alt. 68 m   34 B2
– ⌧ 49270 **Châteaux de la Loire**

- ▶ Paris 357 – Ancenis 9 – Angers 65 – Beaupréau 30 – Cholet 50 – Clisson 35 – Nantes 32
- ℹ Office de tourisme, Le Champalud ℰ 02 40 83 57 49, Fax 02 40 83 54 73
- ⌂ de l'Île d'Or à La Varenne, O : 5 km par D 751, ℰ 02 40 98 58 00
- ◉ Site★ - Promenade de Champalud★★.

Le Champalud
1 pl. du Chanoine Bricard – ℰ 02 40 83 50 09 – www.lechampalud.com
– le-champalud@wanadoo.fr – Fax 02 40 83 53 81
13 ch – †60/76 € ††60/76 €, ⌐ 8,50 € – ½ P 59/80 €
Rest – (fermé dim. soir d'oct. à mars) Menu (13 €), 15 € (sem.)/41 €
– Carte 29/37 €

◆ Poutres apparentes et vieilles pierres se fondent habilement dans le décor actuel de cette maison rénovée située face à l'église. Chambres toutes refaites, bien équipées. Restaurant au joli cachet rustique ; cuisine traditionnelle orientée terroir. Bar-pub.

Les Jardins de la Forge (Paul Pauvert) avec ch
1 pl. des Piliers – ℰ 02 40 83 56 23
– www.jardins-de-la-forge.com – jardins.de.la.forge@wanadoo.fr
– Fax 02 40 83 59 80 – Fermé 7-15 juil., 27 oct.-12 nov. et 16 fév.-4 mars
7 ch – †80/95 € ††110/165 €, ⌐ 15 €
Rest – (fermé merc. d'oct. à avril, dim. soir, lundi et mardi) (prévenir le week-end) Menu 30 € (sem.)/95 € – Carte 68/108 €
Spéc. Homard et Saint-Jacques poêlées, risotto en coquille (oct. à avril). Duo de sandre et alose de Loire au beurre d'oseille (mars à juin). Mi-cuit au chocolat, glace au lait d'amande et banane caramélisée. **Vins** Muscadet Coteaux de la Loire sur lie, Anjou-Villages Brissac.

◆ Aménagé dans les murs de la forge familiale, ce restaurant jouit d'une échappée sur les ruines du château. Cuisine classique. Belles chambres contemporaines. Jardin, piscine.

CHAMPVANS-LES-MOULINS – 25 Doubs – 321 F3 – rattaché à Besançon

CHANAS – 38 Isère – 333 B6 – 2 255 h. – alt. 150 m – ⌂ 38150　43 E2

▶ Paris 512 – Grenoble 89 – Lyon 57 – St-Étienne 75 – Valence 51

Mercure
à l'échangeur A 7 – ✆ 04 74 84 27 50 – www.mercure.com – h6148@accor.com
– Fax 04 74 84 36 61
42 ch – †70/86 € ††78/94 €, ⌂ 14 €
Rest – (fermé sam. midi et dim.) Menu (12 €), 17 € (déj. en sem.)
– Carte 21/40 €

◆ Pour une étape sur la route des vacances, hôtel disposant de chambres récemment rénovées, pratiques et pourvues d'une bonne isolation phonique. Lumineux restaurant agrémenté de claustras et de plantes vertes ; cuisine traditionnelle.

CHANCEAUX-SUR-CHOISILLE – 37 Indre-et-Loire – 317 N4　11 B2
– 3 573 h. – alt. 104 m – ⌂ 37390

▶ Paris 237 – Orléans 113 – Tours 11 – Joué-lès-Tours 25
– Vendôme 50

Le Relais du Moulin de la Planche
à Langennerie, 2 km au Nord – ✆ 02 47 55 11 96 – www.moulindelaplanche.com
– contact@moulindelaplanche.com – Fax 02 47 55 24 34 – Fermé 10-25 janv., dim. soir, lundi soir et mardi soir
Rest – Menu 34/76 € bc – Carte 46/57 €

◆ Dans un site calme et bucolique (jardin, petit étang), moulin du 15e s. avec ses dépendances abritant une galerie d'art. Restaurant rustique et cuisine actuelle soignée.

CHANCELADE – 24 Dordogne – 329 E4 – rattaché à Périgueux

CHANDAI – 61 Orne – 310 N2 – 532 h. – alt. 200 m – ⌂ 61300　33 C3

▶ Paris 129 – L'Aigle 10 – Alençon 72 – Chartres 71 – Dreux 53 – Évreux 57
– Lisieux 66

L'Écuyer Normand
23 rte de Paris, D 626 – ✆ 02 33 24 08 54 – ecuyer-normand@wanadoo.fr
– Fax 02 33 34 75 67 – Fermé merc. soir, dim. soir et lundi
Rest – Menu (14 €), 26/39 € – Carte 50/74 €

◆ Cette jolie maison en briques rouges vous reçoit dans un cadre élégant, décoré de tableaux peints par une artiste locale. Cuisine traditionnelle orientée terroir.

CHANDOLAS – 07 Ardèche – 331 H7 – 342 h. – alt. 115 m – ⌂ 07230　44 A3

▶ Paris 662 – Alès 43 – Aubenas 34 – Privas 66

Auberge les Murets
D 104, quartier Langarnayre – ✆ 04 75 39 08 32 – www.aubergelesmurets.com
– dominique.rignanese@wanadoo.fr – Fax 04 75 39 39 90
– Fermé 23 nov.-5 déc., 4 janv.-6 fév.
10 ch – †60 € ††60 €, ⌂ 9 € – ½ P 55 €
Rest – (fermé lundi et mardi du 16 nov. au 31 mars, lundi midi d'avril au 15 nov.)
Menu 16 € (sem.)/31 € – Carte 24/31 €

◆ Ferme cévenole du 18e s. entourée d'un parc ouvert sur la campagne et les vignes. Pimpantes et agréables chambres meublées en rotin. Restaurant aménagé dans deux caves voûtées. Un mûrier plus que centenaire procure un bel ombrage à la jolie terrasse.

CHANTELLE – 03 Allier – 326 F5 – 1 040 h. – alt. 324 m – ⌂ 03140　5 B1
Auvergne

▶ Paris 339 – Gannat 17 – Montluçon 61 – Moulins 47
– St-Pourçain-sur-Sioule 15

CHANTELLE

De la Poste avec ch

5 r. de la République – ℰ 04 70 56 62 12 – Fax 04 70 56 62 12 – Fermé 20 sept.-15 oct., 17 fév.-7 mars, mardi soir sauf juil.-août et merc.
12 ch – ♦33/40 € ♦♦33/46 €, ⊇ 6 €
Rest – Menu (10 €), 18 € (sem.)/37 € – Carte 30/40 €
♦ Cette vieille auberge vous réserve un accueil familial. Sobre intérieur champêtre, charmante terrasse d'été arborée et petits plats traditionnels. Chambres simples. Cet ancien relais de poste propose des chambres modestes mais bien tenues, dotées d'un mobilier éclectique à dominante rustique.

CHANTEMERLE – 05 Hautes-Alpes – **334** H3 – rattaché à Serre-Chevalier

---

CHANTILLY – 60 Oise – **305** F5 – 11 000 h. – alt. 59 m – ⊠ 60500   36 **B3**
Île de France

- Paris 51 – Beauvais 55 – Compiègne 44 – Meaux 53 – Pontoise 41
- Office de tourisme, 60, avenue du Maréchal Joffre ℰ 03 44 67 37 37, Fax 03 44 67 37 38
- Dolce Chantilly à Vineuil-Saint-Firmin Route d'Apremont, par rte d'Apremont : 3 km, ℰ 03 44 58 47 74
- d'Apremont à Apremont CD 606, N : 7 km par D 606, ℰ 03 44 25 61 11
- Les Golfs de Mont-Griffon à Luzarches Route Départementale 909, S : 11km par N 16, ℰ 01 34 68 10 10
- Château★★★ - Parc★★ - Grandes Écuries★★ : musée vivant du Cheval★★ - L'Aérophile★ (vol en ballon captif) : ≤★.
- Site★ du château de la Reine-Blanche S : 5,5 km.

Plan page suivante

Hotel du Parc sans rest
36 av. Mar. Joffre – ℰ 03 44 58 20 00 – www.hotel-parc-chantilly.com
– bwhotelduparc@wanadoo.fr – Fax 03 44 57 31 10   A a
57 ch – ♦100 € ♦♦130/150 €, ⊇ 12 €
♦ Hôtel récent aux chambres assez spacieuses, claires et fonctionnelles, bénéficiant parfois d'une terrasse ; les plus calmes sont tournées vers le jardin. Bar anglais.

rte d'Apremont par ① et D 606

Dolce Chantilly
à 3 km ⊠ 60500 Vineuil-St-Firmin
– ℰ 03 44 58 47 77 – www.dolce-chantilly-hotel.com – info_chantilly@dolce.com
– Fax 03 44 58 50 11 – Fermé 23 déc.-1ᵉʳ janv.
194 ch – ♦150/300 € ♦♦150/300 €, ⊇ 20 € – 6 suites
Rest Carmontelle – ℰ 03 44 58 47 57 (Fermé 2-31 août, sam. midi, dim., lundi et fériés) (nombre de couverts limité, prévenir) Menu 47 € bc (déj. en sem.), 68 € bc/120 € bc – Carte 104/118 €
Rest L'Étoile – (dîner seult sauf dim.) Menu 42 € bc/55 € bc – Carte 43/63 €
Spéc. Saint-Jacques rôties au beurre de roquette. Homard au beurre d'estragon et carotte jaune au caviar d'Aquitaine. Chocolat en trois textures et trois saveurs.
♦ Ce grand hôtel d'architecture francilienne associé à un golf abrite des chambres spacieuses et fonctionnelles. Bel espace détente. Équipements performants pour séminaires. Cadre moderne cossu et service attentionné au Carmontelle, pour une fine cuisine inventive. À L'Étoile, carte traditionnelle et jolie rotonde.

Auberge La Grange aux Loups avec ch
8, rue du 11 novembre, à Apremont, 6 km ⊠ 60300 – ℰ 03 44 25 33 79
– www.lagrangeauxloups.com – lagrangeauxloups@wanadoo.fr
– Fax 03 44 24 22 22 – Fermé 15 sept.-5 oct. et dim.
4 ch – ♦85 € ♦♦85 €, ⊇ 12 €
Rest – (fermé lundi) Menu 29 € (sem.)/62 € bc – Carte 70/90 €
♦ Auberge villageoise régalant sous les poutres et solives d'une jolie salle néo-rustique avec cheminée centrale ou sur sa terrasse "4 saisons". Choix classico-traditionnel. Chambres bien tenues, offrant calme et ampleur, installées dans une dépendance.

CHANTILLY

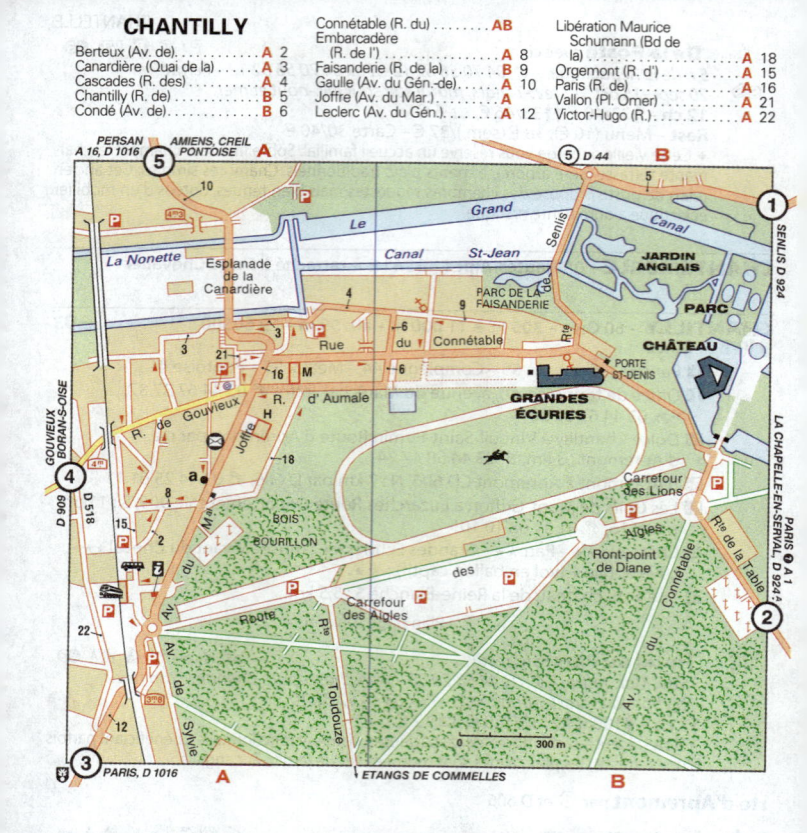

Berteux (Av. de) . . . . **A** 2	Connétable (R. du) . . . . **AB**	Libération Maurice
Canardière (Quai de la) . . . . . . **A** 3	Embarcadère	Schumann (Bd de
Cascades (R. des) . . . . **A** 4	(R. de l') . . . . **A** 8	la) . . . . **A** 18
Chantilly (R. de) . . . . **B** 5	Faisanderie (R. de la) . . . . . **B** 9	Orgemont (R. d') . . . . **A** 15
Condé (Av. de) . . . . **B** 6	Gaulle (Av. du Gén.-de) . . . . **A** 10	Paris (R. de) . . . . **A** 16
	Joffre (Av. du Mar.) . . . . **A**	Vallon (Pl. Omer) . . . . **A** 21
	Leclerc (Av. du Gén.) . . . . . . **A** 12	Victor-Hugo (R.) . . . . **A** 22

à Montgrésin 5 km par ② – ✉ 60560 Orry-la-Ville

Relais d'Aumale ⚜
– ☎ 03 44 54 61 31 – www.relais-aumale.fr – relaisd.aumale@wanadoo.fr
– Fax 03 44 54 69 15 – Fermé 22 déc.-4 janv.
22 ch – †122/152 € ††140/182 €, ☑ 13 € – 2 suites
Rest – (fermé dim. soir en hiver) Menu (28 €), 44/46 €
– Carte 60/80 €

◆ Ancien pavillon de chasse du duc d'Aumale, niché dans un jardin à l'orée de la forêt. Chambres confortables et joliment décorées. Deux salles à manger : l'une actuelle, l'autre châtelaine, avec boiseries, plafond à la française et tableaux. Recettes traditionnelles.

à Gouvieux 4 km par ④ – 9 498 h. – alt. 26 m – ✉ 60270

Château de Montvillargenne ⚜
6 av. F. Mathet – ☎ 03 44 62 37 37
– www.montvillargenne.com – info@chmvt.com
– Fax 03 44 57 28 97
120 ch – †185/350 € ††185/350 €, ☑ 18 €
Rest – Menu 43/85 € – Carte 48/130 €

◆ Ce château du 19ᵉ s. au cœur d'un grand parc propose quatre catégories de chambres, toutes confortables et agréablement personnalisées. Grande salle à manger complétée par une mezzanine et de petits salons égayés de boiseries. Agréable terrasse.

CHANTILLY

Château de la Tour
chemin de la Chaussée – ℰ 03 44 62 38 38
– www.lechateaudelatour.fr – reception@lechateaudelatour.fr
– Fax 03 44 57 31 97
41 ch ⊇ – ♦150/230 € ♦♦150/230 € – ½ P 100/120 €
Rest – Menu 39 € (déj. en sem.), 45/95 € bc – Carte 52/66 €
♦ Belle demeure bâtie au début du 20ᵉ s. et son extension contemporaine dominant un joli parc de 5 ha. À l'intérieur, raffinement et atmosphère bourgeoise. Parquet ancien et cheminées agrémentent le restaurant ; superbe terrasse. Carte classique.

Le Pavillon St-Hubert
à Toutevoie – ℰ 03 44 57 07 04 – www.pavillon-saint-hubert.com
– pavillon.sthubert@wanadoo.fr – Fax 03 44 57 75 42 – Fermé 2-20 janv.
18 ch – ♦60/85 € ♦♦60/85 €, ⊇ 9 € – ½ P 75/80 €
Rest – *(fermé 2 janv.-8 fév., dim. soir et lundi)* Menu 25 € (sem.)/45 €
– Carte 35/50 €
♦ Maison de caractère et son joli jardin situé au bord de l'Oise. Confortables petites chambres. Restaurant meublé dans le style Louis XIII ; l'été, la terrasse dressée à l'ombre des tilleuls profite d'une vue sur le trafic des péniches. Plats traditionnels.

La Renardière
2 r. Frères Segard, (La Chaussée) – ℰ 03 44 57 08 23
– www.restaurantlarenardiere.fr – larenardiere@voila.fr – Fax 03 44 57 30 37
– Fermé 20-27 avril, 3-17 août, dim. soir et lundi
Rest – Menu 16 € (déj. en sem.), 28/48 € – Carte 52/91 €
♦ Cette sympathique auberge vous accueille dans un plaisant cadre rustique. Cuisine traditionnelle et carte des vins habilement composée par la patronne, sommelière de la maison.

Ô Relais de la Côte
9 r. de Chantilly – ℰ 03.44.57.01.19 – www.relaisdelacote.fr – lerelaisdelacote@hotmail.fr – Fermé 26 juil.-9 août, dim. soir, lundi soir et mardi
Rest – *(nombre de couverts limité, prévenir)* Menu (14 €), 28/48 € bc – Carte 35/60 €
♦ En sortie de ville, restaurant totalement repensé dans un style actuel (murs blancs, tableaux modernes, mobilier contemporain). Belle terrasse arborée et cuisine au goût du jour.

rte de Creil 4 km par ⑤ – ⊠ 60740 St-Maximin

Le Verbois
6 r. L. Dubois, (D 1016) – ℰ 03 44 24 06 22 – www.leverbois.com
– Fax 03 44 25 76 63 – Fermé 15-31 août, 3-14 janv., dim. soir et lundi
Rest – Menu 35/65 € – Carte 49/68 €
♦ À l'orée de la forêt, ancien relais de chasse précédé d'un joli jardin. Charmantes salles à manger bourgeoises. Cuisine actuelle sur une base classique, gibier en saison.

CHANTONNAY – 85 Vendée – **316** J7 – 7 794 h. – alt. 58 m – ⊠ 85110   34 **B3**

▶ Paris 410 – Nantes 79 – La Roche-sur-Yon 34 – Cholet 53 – Bressuire 53
ℹ Office de tourisme, place de la Liberté ℰ 02 51 09 45 77, Fax 02 51 09 45 78

Manoir de Ponsay
5 km à l'Est par rte de Pouzauges et rte secondaire – ℰ 02 51 46 96 71
– www.manoirdeponsay.com – manoir.de.ponsay@orange.fr – Fax 02 51 46 80 07
5 ch – ♦62/115 € ♦♦62/115 €, ⊇ 9 € – ½ P 66/93 €
Table d'hôte – Menu 32 € bc/40 € bc
♦ Pour jouir de la vie de château, ce manoir classé, transmis de père en fils depuis 1644, est idéal : spacieuses chambres décorées d'objets accumulés au fil des siècles, parc, piscine. Belle salle à manger et table d'hôtes à la demande.

CHAOURCE – 10 Aube – **313** E5 – 1 100 h. – alt. 150 m – ⊠ 10210   13 **B3**
▮ Champagne Ardenne

▶ Paris 196 – Auxerre 66 – Bar-sur-Aube 58 – Châtillon-sur-Seine 52 – Troyes 33
ℹ Office de tourisme, 2, Place de l'Échiquier ℰ 03 25 40 97 22, Fax 03 25 40 97 22
◉ Église St-Jean-Baptiste★ : sépulcre★★.

CHAOURCE

à Maisons-lès-Chaource 6 km au Sud-Est par D 34 – 174 h. – alt. 235 m – ⊠ 10210

Aux Maisons
11 r. des AFN – ℰ 03 25 70 07 19 – www.logis-aux-maisons.com – accueil@logis-aux-maisons.com – Fax 03 25 70 07 75
23 ch – ♦68 € ♦♦72 €, ☑ 10 € – ½ P 72 €
Rest – (fermé dim. soir du 15 oct. au 15 mars) Menu (16 €), 31/74 € bc – Carte 42/63 €

♦ Des douches balnéo agrémentent les plus confortables chambres de cet hôtel incluant une ferme champenoise restaurée. Adresse bien insonorisée et réservée aux non-fumeurs. Salle à manger d'esprit campagnard et terrasse d'été dressée au bord de la piscine.

CHAPARON – 74 Haute-Savoie – **328** K6 – **rattaché à Bredannaz**

LA CHAPELLE-AUX-CHASSES – 03 Allier – **326** I2 – 227 h. – alt. 225 m – ⊠ 03230   6 **C1**

▸ Paris 294 – Moulins 21 – Bourbon-Lancy 22 – Decize 25 – Digoin 50

✕✕ Auberge de la Chapelle aux Chasses
– ℰ 04 70 43 44 71 – aubergechapelle@aol.com – Fermé 20-31 juil., 26 oct.-6 nov., 16-28 fév., mardi et merc.
Rest – (prévenir) Menu (16 €), 22/68 € – Carte 41/64 €

♦ Appétissante cuisine au goût du jour évoluant au gré des saisons servie dans un sobre cadre mi-rustique, mi-actuel. Tables bien dressées et accueil sympathique.

LA CHAPELLE-D'ABONDANCE – 74 Haute-Savoie – **328** N3   46 **F1**
– 781 h. – alt. 1 020 m – Sports d'hiver : 1 000/1 850 m ✦ 1 ✦ 11 ✦
– ⊠ 74360 **Alpes du Nord**

▸ Paris 600 – Annecy 108 – Châtel 6 – Évian-les-Bains 29 – Morzine 32 – Thonon-les-Bains 34

▸ Syndicat d'initiative, Chef-lieu ℰ 04 50 73 51 41, Fax 04 50 73 56 04

Les Cornettes
– ℰ 04 50 73 50 24 – www.lescornettes.com
– lescornettes@valdabondance.com – Fax 04 50 73 54 16 – Fermé de mi-avril à début mai et de mi-oct. à mi-déc.
42 ch – ♦70/100 € ♦♦125/150 €, ☑ 12 €
Rest – Menu 23 € (sem.)/60 € – Carte 23/90 €

♦ Dans les mains de la même famille depuis 1894, ces bâtiments reliés par un souterrain abritent de confortables chambres lambrissées. Équipements de loisirs et petit musée savoyard. Vaste salle à manger montagnarde ornée d'objets régionaux chinés ; cuisine du terroir.

Les Gentianettes
rte de Chevenne – ℰ 04 50 73 56 46 – www.gentianettes.fr – bienvenue@gentianettes.fr – Fax 04 50 73 56 39 – Ouvert 20 mai-13 sept. et 19 déc. à Pâques
36 ch – ♦95/150 € ♦♦95/150 €, ☑ 12 € – ½ P 72/119 €
Rest – Menu 19/58 € – Carte 34/62 €

♦ Chalet blond aux plaisantes chambres pourvues de balcons et habillées de chaleureuses boiseries. Sauna, hammam, jacuzzi. Goûteuse cuisine régionale et atmosphère cosy au restaurant : lambris naturels, cuivres, objets paysans et décoration soignée.

L'Ensoleillé
– ℰ 04 50 73 50 42 – www.hotel-ensoleille.com – info@hotel-ensoleille.com – Fax 04 50 73 52 96 – Ouvert de juin à mi-sept. et de mi-déc. à fin mars
35 ch – ♦60/80 € ♦♦70/120 €, ☑ 10 € – ½ P 60/95 €
Rest – (fermé mardi hors saison) Menu (15 €), 20 € (sem.)/55 € – Carte 28/60 €

♦ Ces deux chalets voisins proposent des chambres dotées de balcons et un espace "forme" complet. Une généreuse cuisine savoyarde vous sera servie dans le décor tout bois de la salle à manger ; fresques représentant le village, meubles et objets du pays.

LA CHAPELLE-D'ABONDANCE

Le Vieux Moulin
rte de Chevenne – ℘ 04 50 73 52 52 – www.hotel-vieuxmoulin.com
– maxit-levieuxmoulin@wanadoo.fr – Fax 04 50 73 55 62
– Ouvert 1er juin-30 sept., 20 déc.-15 avril et fermé merc.
15 ch – †45/50 € ††50/70 €, ⊋ 9 € – ½ P 57/60 €
Rest – Menu 22 € (sem.)/45 € – Carte 26/45 €
♦ Cet établissement entouré d'un jardin et un peu excentré dispose de chambres fonctionnelles, lambrissées et mansardées au dernier étage. La belle échappée sur la vallée et la carte mi-traditionnelle, mi-régionale sont les deux atouts du restaurant.

LA CHAPELLE-DE-GUINCHAY – 71 Saône-et-Loire – 320 I12 – 8 C3
– 3 336 h. – alt. 200 m – ⊠ 71570

▶ Paris 412 – Bourg-en-Bresse 50 – Caluire-et-Cuire 64 – Dijon 142

La Poularde (Olivier Muguet)
pl. de la Gare – ℘ 03 85 36 72 41 – http://lapoularde.free.fr – restlapoularde@aol.com – Fax 03 85 33 83 25 – Fermé 27 juil.-13 août, 15 fév.-1er mars, dim. soir, mardi soir et merc.
Rest – Menu 20 € (déj. en sem.), 30/45 € – Carte 49/57 €
Spéc. Pressé de crabe à la coriandre fraîche. Filet de canette aux noisettes. Soufflé glacé à la vanille, caramel frais salé.
♦ Accueil souriant, cuisine bien maîtrisée, savoureuse et précise dans son exécution : voilà les atouts de cette maison avenante au décor contemporain, située à côté de la gare.

LA CHAPELLE-EN-VERCORS – 26 Drôme – 332 F4 – 656 h. – 43 E2
– alt. 945 m – Sports d'hiver : au Col de Rousset 1 255/1 700 m ⛷8 ⛷
– ⊠ 26420 ▌Alpes du Nord

▶ Paris 604 – Die 41 – Grenoble 60 – Romans-sur-Isère 47 – St-Marcellin 35 – Valence 63

▌Office de tourisme, place Piétri ℘ 04 75 48 22 54, Fax 04 75 48 13 81

▌Chapelle-en-VercorsS : 2 km, ℘ 04 75 48 19 86

◉ Grotte de la Draye blanche★, 5 km au S par D 178.

Bellier
– ℘ 04 75 48 20 03 – www.hotel-bellier.com – hotel-bellier@orange.fr
– Fax 04 75 48 25 31 – Ouvert d'avril à mi-oct. et fermé merc. soir et jeudi hors saison
13 ch – †29/32 € ††55/65 €, ⊋ 7 € – ½ P 45/60 €
Rest – Menu 17/32 € – Carte 18/30 €
♦ Cinq générations de la même famille se sont succédé aux commandes de ce chalet bâti sur un éperon dominant la route. Balcon pour la moitié des chambres. Jolie piscine bio. Restaurant rustique doté d'un mobilier savoyard. Terrasse sous les arbres du jardin.

Des Sports
av. des Grands Goulets – ℘ 04 75 48 20 39 – www.hotel-des-sports.com
– hotel.des.sports@wanadoo.fr – Fax 04 75 48 10 52 – Fermé
12 nov.-26 déc., 4 janv.-1er fév., dim. soir et lundi
11 ch – †56/60 € ††56/60 €, ⊋ 8,50 € **Rest** – Menu (14 €), 20/32 €
♦ Dans une rue commerçante à l'entrée du village, un véritable pied-à-terre pour cyclistes et randonneurs parcourant le Vercors. Chambres colorées, très bien rénovées. Au restaurant, cadre campagnard rajeuni, plats traditionnels et spécialités régionales.

LA CHAPELLE-ST-MESMIN – 45 Loiret – 318 H4 – rattaché à Orléans

CHARBONNIÈRES-LES-BAINS – 69 Rhône – 327 H5 – rattaché à Lyon

CHARENTON-LE-PONT – 94 Val-de-Marne – 312 D3 – 101 26 – voir à Paris, Environs

CHARETTE – 38 Isère – **333** F3 – 343 h. – alt. 250 m – ⊠ 38390   44 **B1**
▶ Paris 479 – Aix-les-Bains 68 – Belley 39 – Grenoble 100 – Lyon 63

Auberge du Vernay
rte Optevoz, (D 52) – ℰ 04 74 88 57 57 – www.auberge-du-vernay.fr
– reservation@auberge-du-vernay.fr – Fax 04 74 88 58 57 – *Fermé 29 juin-7 juil., 1er-7 sept., 3-20 janv., sam. midi, dim. soir et lundi*
7 ch – †55 € ††80 €, ⊊ 10 € – ½ P 85 €
Rest – *(nombre de couverts limité, prévenir)* Menu 28/91 € – Carte 39/80 €
♦ Le calme de la campagne environnante et les coquettes chambres personnalisées font l'attrait de cette accueillante ferme du 18e s. joliment réhabilitée. Au restaurant : décor mi-rustique, mi-contemporain, belle cheminée et cuisine au goût du jour pleine de saveurs.

LA CHARITÉ-SUR-LOIRE – 58 Nièvre – **319** B8 – 5 405 h. – alt. 170 m – ⊠ 58400 ▌Bourgogne   7 **A2**
▶ Paris 212 – Auxerre 109 – Bourges 51 – Montargis 102 – Nevers 25
🛈 Syndicat d'initiative, 5, place Sainte-Croix ℰ 03 86 70 15 06, Fax 03 86 70 21 55
◉ Église N.-Dame★★ : ⩽★★ sur le chevet - Esplanade rue du Clos ⩽★.

Auberge de Seyr
4 Grande Rue – ℰ 03 86 70 03 51 – Fax 03 86 70 03 51 – *Fermé 23-30 mars, 17 août-4 sept., dim. soir et lundi*
Rest – Menu 12 € (sem.)/34 € – Carte 30/40 €
♦ Faites une halte en toute simplicité dans ce restaurant composé de deux salles à manger agrémentées de poutres peintes. Le chef concocte des petits plats traditionnels.

CHARLEVILLE-MÉZIÈRES ℙ – 08 Ardennes – **306** K4 – 51 300 h. – Agglo. 107 777 h. – alt. 145 m – ⊠ 08000 ▌Champagne Ardenne   13 **B1**
▶ Paris 230 – Luxembourg 168 – Reims 85 – Sedan 26
🛈 Office de tourisme, 4, place Ducale ℰ 03 24 55 69 90, Fax 03 24 55 69 89
⛳ des Sept-Fontaines à Fagnon Abbaye de Sept Fontaines, SO : 10 km par D 139, ℰ 03 24 37 38 24
⛳ des Ardennes à Villers-le-Tilleul Base de Loisirs des Poursaudes, S : 21 km par D 764 et D 33, ℰ 03 24 35 64 65
◉ Place Ducale★★ - Musée de l'Ardenne★ BX M¹ - Musée Rimbaud BX M² - Basilique N.-D.-d'Espérance : vitraux★★ BZ.

Plan page ci-contre

Le Pélican sans rest
42 av. du Maréchal Leclerc – ℰ 03 24 56 42 73
– www.hotel-pelican-charleville.com – hotelpelican@wanadoo.fr
– Fax 03 24 59 26 16 – *Fermé 27 déc.-2 janv.*   BY **d**
20 ch – †43/53 € ††45/56 €, ⊊ 8 €
♦ Entre gare et rues piétonnes, cet hôtel propose des chambres bien agencées, personnalisées dans des tons chauds. Insonorisation efficace. Agréable espace petit-déjeuner.

De Paris sans rest
24 av. G. Corneau – ℰ 03 24 33 34 38 – www.hoteldeparis08.fr
– hotel.de.paris.08@wanadoo.fr – Fax 03 24 59 11 21   BY **n**
29 ch – †50 € ††59 €, ⊊ 7 €
♦ Accueil aimable garanti dans cet hôtel installé dans un immeuble bourgeois (début 20e s.) face à la gare. Trois bâtiments, dont deux côté cour, abritent des chambres convenables.

La Clef des Champs
33 r. du Moulin – ℰ 03 24 56 17 50 – www.laclefdeschamps.fr – courrier@laclefdeschamps.fr – Fax 03 24 59 94 07 – *Fermé dim. soir*   BX **e**
Rest – Menu (19 €), 23/70 € – Carte 52/69 €
♦ Deux jolies salles à manger (une avec cheminée en brique et bois) et une cour-terrasse d'été dans une demeure du 17e s. Recettes au goût du jour avec quelques touches asiatiques.

CHARLEVILLE-MÉZIÈRES

Arches (Av. d')	**BYZ**
Arquebuse (R. de l')	**BX** 2
Bérégovoy (R. P.)	**BX** 3
Bourbon (R.)	**BX** 4
Carré (R. Irénée)	**BX** 5
Corneau (Av. G.)	**BY** 6
Droits-de-l'Homme (Pl. des)	**BX** 7
Fg de Pierre (R. du)	**BZ** 8
Flandre (R. de)	**BX** 9
Hôtel de Ville (Pl. de l')	**BZ** 10
Jean-Jaurès (Av.)	**BY**
Leclerc (Av. Mar.)	**BY** 19
Manchester (Av. de)	**AY** 20
Mantoue (R. de)	**BX** 21
Mitterrand (Av. F.)	**AX** 22
Monge (R.)	**BZ** 23
Montjoly (R. de)	**AX** 24
Moulin (R. du)	**BX** 25
Nevers (Pl. de)	**BX** 27
Petit-Bois (Av. du)	**BX** 28
République (R. de la)	**BX** 30
Résistance (Pl. de la)	**BZ** 31
St-Julien (Av. de)	**AY** 32
Sévigné (R. Mme de)	**BY** 33
Théâtre (R. du)	**BX** 34
91e-Régt-d'Infanterie (Av. du)	**BZ** 36

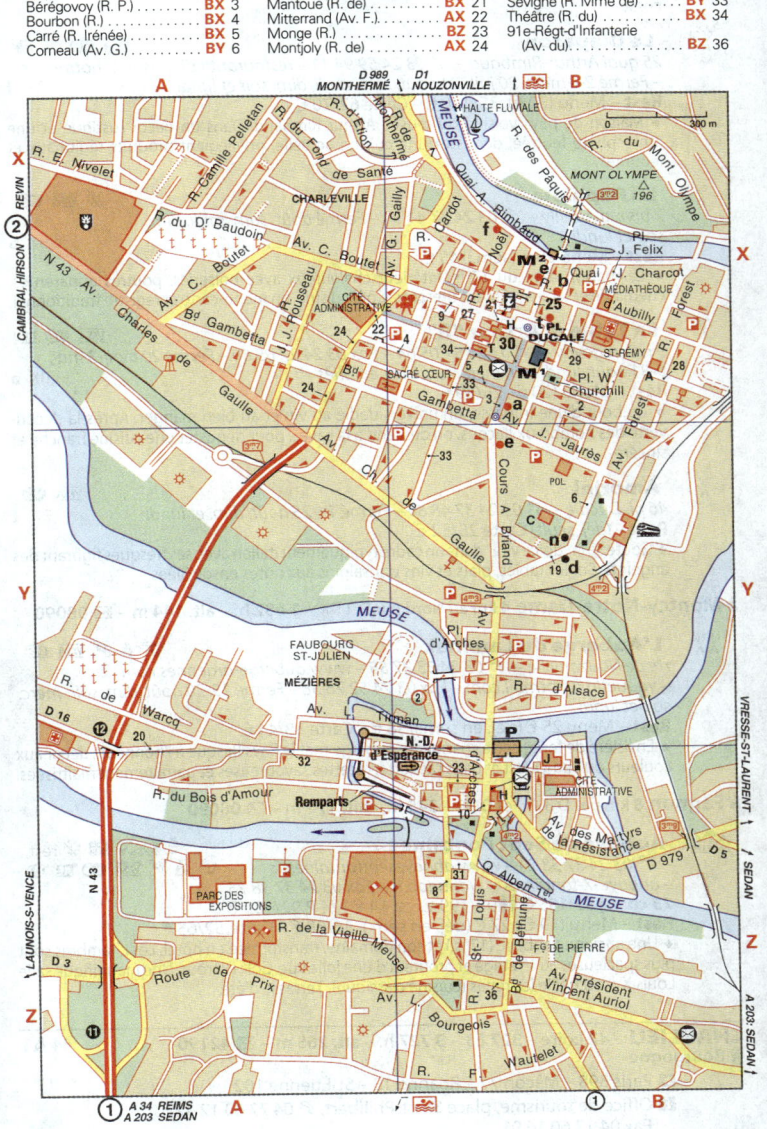

CHARLEVILLE-MÉZIÈRES

XX La Côte à l'Os
11 cours A. Briand – ℰ 03 24 59 20 16 – www.restaurant-charleville-lacotealos.fr
– la.cote.a.l.os@orange.fr – Fax 03 24 22 04 99 BY **e**
Rest – Menu (13 €), 20/28 € – Carte 25/40 €

♦ Viandes (choix de gibier en saison) et beaux plateaux de fruits de mer servis dans une ambiance animée ou plus intimiste à l'étage. Décor néoclassique façon brasserie cossue.

XX Le Diapason
25 quai Arthur-Rimbaud – ℰ 03 24 59 94 11 – restaurantlediapason@hotmail.fr
– Fermé 2-8 mars, 20 juil.-21 août, sam. midi, dim. soir et lundi BX **f**
Rest – Menu (30 €), 35/110 € – Carte 62/70 €

♦ Maison de pays voisine du musée Arthur Rimbaud. Dans un décor rustique et une atmosphère feutrée, dégustez une cuisine actuelle, privilégiant produits régionaux et légumes.

X La Papillote
7 bis r. d'Aubilly – ℰ 03 24 37 41 34 – Fermé août, sam. midi, dim.
soir et lundi BX **b**
Rest – Menu 28 € (sem.)/45 €

♦ La maison date du 17ᵉ s. Intérieur chaleureux avec boiseries, poutres apparentes, cheminée et tables joliment dressées. Côté cuisine, un menu-carte et registre traditionnel.

X La Table d' Arthur "R"
9 r. Bérégovoy – ℰ 03 24 57 05 64 – Fax 03 24 27 65 60 – Fermé 20 avril-3 mai, 9-31 août, lundi soir, merc. soir, dim. et fériés BX **a**
Rest – Menu (20 €), 26/39 €

♦ Au bout d'une impasse, un univers dédié au vin et au bien manger. Après la découverte des nombreux flacons, on descend à la cave... pour déguster une cuisine franche et sincère.

X Amorini
46 pl. Ducale – ℰ 03 24 37 48 80 – Fermé 1ᵉʳ-25 août, dim. et lundi BX **t**
Rest – (déj. seult) Carte 25/32 €

♦ Goûtez à la "dolce vita" dans un cadre typiquement italien avec ses fresques figurant des angelots. Sur les tables, plats et vins transalpins aux notes ensoleillées.

à Montcy-Notre-Dame 4 km au Nord par D 1 BX – 1 482 h. – alt. 144 m – ⊠ 08090

XX L'Auberge du Laminak
rte de Nouzonville – ℰ 03 24 33 37 55 – www.auberge-ardennes.com
– vaqueflo@hotmail.com – Fax 03 24 52 76 58 – Fermé 15-30 août, dim. soir, merc. soir et lundi
Rest – Menu 25 € (déj. en sem.)/38 € – Carte 38/44 €

♦ En lisière de forêt, cette charmante auberge met le Pays Basque à l'honneur : décor aux couleurs du Sud-Ouest et dans l'assiette, recettes savoureuses et parfaitement maîtrisées.

à Fagnon 8 km par D 3 AZ et D 39 – 345 h. – alt. 171 m – ⊠ 08090

⌂⌂⌂ Abbaye de Sept Fontaines
– ℰ 03 24 37 38 24 – www.abbayeseptfontaines.fr
– abbaye-7-fontaines@wanadoo.fr – Fax 03 24 37 58 75
23 ch – †89/195 € ††98/199 €, ⊇ 14 € – ½ P 92/109 €
Rest – Menu (19 €), 27 € (déj. en sem.), 36/68 € – Carte 52/65 €

♦ Une ancienne abbaye (17ᵉ s.) et son domaine, transformée en hôtel. Les chambres sont plus spacieuses au 1ᵉʳ étage et profitent d'une jolie vue. Golf 18 trous. Une magnifique salle Louis XVI accueille les repas (cuisine classique). Terrasse d'été.

CHARLIEU – 42 Loire – 327 E3 – 3 727 h. – alt. 265 m – ⊠ 42190   44 **A1**
Bourgogne

▯ Paris 398 – Mâcon 77 – Roanne 18 – St-Étienne 102

▯ Office de tourisme, place Saint-Philibert, ℰ 04 77 60 12 42,
Fax 04 77 60 16 91

◉ Ancienne abbaye bénédictine★ : façade★★ - Couvent des Cordeliers★.

CHARLIEU

Abbaye (Pl. de l')	2
Chanteloup (R.)	4
Chantemerle (R.)	5
Écoles (R. des)	6
Farinet (R. A.)	7
Gaulle (R. Ch.-de)	9
Grenette (R.)	10
Jacquard (Bd)	12
Merle (R. du)	13
Michon (R.)	15
Morel (R. J.)	16
Moulins (R. des)	17
République (Bd de la)	18
Rouiller (R. C.)	19
St-Philibert (Pl.)	20
Solitude (R. de la)	21
Tour-de-l'église (R. du)	22
Treuil-Buisson (R. du)	23
Valorge (Bd L.)	24

Relais de l'Abbaye
415 rte du Beaujolais – ℰ 04 77 60 00 88 – www.relais-abbaye.com
– relais.de.abbaye@wanadoo.fr – Fax 04 77 60 14 60 – Fermé 20 déc.-10 janv.
27 ch – †68/82 € ††68/86 €, ⊇ 9 € – ½ P 54 €
Rest – Menu (14 €), 20/49 € – Carte 40/65 €

♦ Établissement rénové où vous séjournerez dans des chambres fonctionnelles, colorées et bien tenues. Vaste pelouse avec aire de jeux pour enfants. Salle à manger néo-rustique, paisible terrasse et plats classiques aux accents du terroir.

rte de Pouilly 2,5 km par ④ et rte secondaire

Le Moulin de Rongefer
300 chemin de Rongefer ⊠ 42190 St-Nizier-sous-Charlieu – ℰ 04 77 60 01 57
– lemoulinderongefer@club-internet.fr – Fax 04 77 60 33 28 – Fermé
16 août-10 sept., 15 janv.-5 fév., dim. soir, mardi soir et merc.
Rest – Menu (15 €), 25/51 € – Carte 39/59 €

♦ Ancien moulin bordant le Sornin où l'on déguste une cuisine actuelle (belle carte des vins honorant la Bourgogne). Salle à manger campagnarde et agréable terrasse fleurie.

à St-Pierre-la-Noaille 5,5 km au Nord-Ouest par rte secondaire – 357 h. – alt. 287 m – ⊠ 42190

Domaine du Château de Marchangy sans rest
– ℰ 04 77 69 96 76 – www.marchangy.com – contact@marchangy.com
– Fax 04 77 60 70 37 **3 ch** ⊇ – †80/100 € ††90/110 €

♦ Ce superbe château du 18ᵉ s. jouxte une jolie maison de vigneron dans laquelle se trouvent les chambres. Décorées avec goût, elles ouvrent sur les monts du Forez et la campagne.

CHARMES – 88 Vosges – 314 F2 – 4 561 h. – alt. 282 m – ⊠ 88130   27 C3
Alsace Lorraine

▶ Paris 381 – Épinal 31 – Lunéville 40 – Nancy 43 – St-Dié 59 – Toul 62 – Vittel 40
🛈 Office de tourisme, 2, place Henri Breton ℰ 03 29 38 17 09, Fax 03 29 38 17 09

Dancourt avec ch
6 pl. Henri Breton – ℰ 03 29 38 80 80 – www.hotel-dancourt.com – contact@ hotel-dancourt.com – Fax 03 29 38 09 15 – Fermé 18 déc.-18 janv., dim. soir d'oct. à mai, sam. midi et vend.
16 ch – †42/52 € ††47/59 €, ⊇ 8,50 € – ½ P 46/53 €
Rest – Menu (16 €), 19 € (sem.)/41 € – Carte 31/63 €

♦ Près de la maison natale de Maurice Barrès, cadre mêlant bustes et colonnes grecs à un mobilier plus sobre pour une cuisine traditionnelle locale. Chambres simples et propres.

CHARMES

à Chamagne 4 km au Nord par D 9 – 462 h. – alt. 265 m – ⌧ 88130

Le Chamagnon
236 r. du Patis – ℰ 03 29 38 14 74 – charles.vincent038@orange.fr
– Fax 03 29 38 14 74 – Fermé 1ᵉʳ-24 juil., 27 oct.-5 nov., dim. soir, mardi soir, merc. soir et lundi
Rest – Menu (11 € bc), 19/53 € – Carte 33/55 €
◆ Dans le village de Claude Gellée dit Le Lorrain, ce restaurant chaleureux (cave en exposition) propose une carte actuelle ouverte aux saveurs d'ailleurs : Corse, Provence, Asie.

à Vincey 4 km au Sud-Est par N 57 – 2 250 h. – alt. 297 m – ⌧ 88450

Relais de Vincey
33 r. de Lorraine – ℰ 03 29 67 40 11 – www.relaisdevincey.fr – relais.de.vincey@wanadoo.fr – Fax 03 29 67 36 66 – Fermé 15-31 août et 24 déc.-4 janv.
34 ch – †60/72 € ††78/87 €, ⌑ 10 € – ½ P 63/75 €
Rest – (fermé sam. midi et dim. soir) Menu (22 €), 25/35 € – Carte 32/72 €
◆ Les chambres, fonctionnelles, occupent l'annexe de cet établissement et donnent sur le jardin. Tennis, fitness, piscine couverte. Le bâtiment principal abrite un restaurant au décor design où l'on sert une carte traditionnelle. Au bar, repas rapides.

CHARNY-SUR-MEUSE – 55 Meuse – 307 D3 – rattaché à Verdun

CHAROLLES – 71 Saône-et-Loire – 320 F11 – 2 864 h. – alt. 279 m
– ⌧ 71120 ▮ Bourgogne   8 **C3**

▶ Paris 374 – Autun 80 – Chalon-sur-Saône 67 – Mâcon 55 – Moulins 81 – Roanne 61

▮ Office de tourisme, 24, rue Baudinot ℰ 03 85 24 05 95, Fax 03 85 24 28 12

Le Téméraire sans rest
3 av. J. Furtin – ℰ 03 85 24 06 66 – guinet.suzane.@wanadoo.fr
– Fax 03 85 24 05 54 – Fermé 29 juin-12 juil.
10 ch – †44/52 € ††49/59 €, ⌑ 7 €
◆ Cet hôtel dont l'enseigne fait référence à Charles le Téméraire abrite des chambres bien insonorisées ; petit salon d'accueil décoré de faïences de Charolles.

Le Clos de l'Argolay sans rest
21 quai de la Poterne – ℰ 03 85 24 10 23 – www.closdelargolay.fr
– closdelargolay@orange.fr
3 ch ⌑ – †95/105 € ††105/115 € – 2 suites
◆ Dans la petite Venise du Charolais, maison (18ᵉ s.) protégée par un jardin clos soigné. Belles suites (mobilier de style) et duplex actuel en annexe. Produits maison de qualité.

De la Poste avec ch
av. Libération, (près église) – ℰ 03 85 24 11 32 – www.la-poste-hotel.com
– hotel-de-la-liberation-doucet@wanadoo.fr – Fax 03 85 24 05 74
– Fermé 23-30 juin, 17-30 nov., 23 fév.-9 mars, dim. soir, jeudi soir et lundi hors saison
14 ch – †70/130 € ††70/130 €, ⌑ 11 €
Rest – Menu 25 € (sem.)/70 € – Carte 54/78 €
◆ Cuisine au goût du jour à savourer dans le décor raffiné de cette maison régionalisante ou sur la verdoyante terrasse. Chambres confortables ; certaines dans l'annexe récente.

au Sud-Ouest 11 km par D 985 et D 270 – ⌧ 71120 Changy

Le Chidhouarn
– ℰ 03 85 88 32 07 – Fax 03 85 88 01 23 – Fermé 31 août-10 sept., 11 janv.-4 fév., dim. soir de nov. à avril, lundi et mardi
Rest – Menu (14 €), 22/51 € bc – Carte 27/45 €
◆ Une collection de coquillages pour égayer cette maison rustique du bocage charolais, une cheminée pour réchauffer son salon. Spécialités à base de produits en provenance de Bretagne.

CHAROST – 18 Cher – 323 I5 – 1 023 h. – alt. 137 m – ✉ 18290 12 **C3**
Limousin Berry

◘ Paris 239 – Châteauroux 39 – Bourges 26 – Dun-sur-Auron 42 – Issoudun 11 – Vierzon 31

à Brouillamnon 3 km au Nord-Est par N 151 et D 16^E - ✉ 18290 Plou

L'Orée du Bois
- ✆ 02 48 26 21 40 – www.loree-du-bois.fr – loreeduboisplou@orange.fr
- Fax 02 48 26 27 81 – Fermé 29 juil.-13 août, 12 janv.-13 fév., dim. soir et lundi

Rest – Menu 15 € (sem.)/36 € – Carte 31/44 €

♦ Un petit hameau tranquille abrite cette auberge champêtre et son agréable jardin. Plats du terroir servis dans une lumineuse salle à manger, ou sur la terrasse en été.

CHARQUEMONT – 25 Doubs – 321 K3 – 2 209 h. – alt. 864 m 17 **C2**
– ✉ 25140

◘ Paris 478 – Basel 98 – Belfort 66 – Besançon 75 – Montbéliard 49 – Pontarlier 59

Au Bois de la Biche avec ch
4,5 km au Sud-Est par D 10^E et rte secondaire – ✆ 03 81 44 01 82
– www.boisdelabiche.com – thierry.marcelpoix@wanadoo.fr – Fax 03 81 68 65 09
– Fermé 2 janv.-3 fév. et lundi

3 ch – †47 € ††47 €, ⌑ 7 € – ½ P 51 €
Rest – Menu 19/41 € – Carte 20/70 €

♦ Point de ralliement des randonneurs, cette ancienne ferme cernée par les bois domine les gorges du Doubs. Restaurant familial avec vue ; cuisine régionale. Chambres simples.

CHARRECEY – 71 Saône-et-Loire – 320 H8 – 313 h. – alt. 350 m 8 **C3**
– ✉ 71510

◘ Paris 341 – Autun 36 – Beaune 29 – Chalon-sur-Saône 18 – Mâcon 77

Le Petit Blanc
Le Pont Pilley, 2 km à l'Est par D 978, rte de Chalon-sur-Saône – ✆ 03 85 45 15 43
– lepetitblanc@orange.fr – Fax 03 85 45 19 80 – Fermé 19-26 avril, 16-30 août, 24 déc.-10 janv., dim. soir et jeudi soir du 7 oct. au 22 juin, dim. du 23 juin au 6 oct. et lundi

Rest – Menu 16 € (déj. en sem.), 23/33 € – Carte 33/39 €

♦ Cette auberge de bord de route ne paye pas de mine et pourtant on s'y bouscule : plaisant intérieur rénové et cuisine traditionnelle servie avec générosité. Terrasse d'été.

CHARROUX – 03 Allier – 326 F5 – 357 h. – alt. 420 m – ✉ 03140 5 **B1**
Auvergne

◘ Paris 344 – Clermont-Ferrand 61 – Montluçon 68 – Moulins 52 – Vichy 30

ï Office de tourisme, rue de l'Horloge ✆ 04 70 56 87 71

La Maison du Prince de Condé sans rest
8 pl. d'Armes – ✆ 04 70 56 81 36 – www.maison-conde.com
– jspeer@club-internet.fr
5 ch ⌑ – †60 € ††66/91 €

♦ Cette maison d'hôtes propose des chambres personnalisées. Celle baptisée "Porte d'Orient", en duplex, se trouve dans la tour. Petit-déjeuner servi dans une salle voûtée du 13e s.

Ferme Saint-Sébastien
chemin de Bourion – ✆ 04 70 56 88 83 – www.fermesaintsebastien.fr – contact@fermesaintsebastien.fr – Fax 04 70 56 86 66 – Fermé 29 juin-8 juil., 28 sept.-6 oct., 20 déc.-2 fév., mardi sauf juil.-août et lundi

Rest ⌑ – (prévenir) Menu 26/54 € – Carte 41/73 €

♦ Cette authentique ferme bourbonnaise réhabilitée abrite une coquette salle à manger égayée de poutres peintes et d'herbiers. Cuisine au goût du jour fleurant bon le terroir.

CHARROUX
à Valignat 8 km à l'Ouest sur D 183 – 69 h. – alt. 420 m – ⊠ 03330

Château de l'Ormet sans rest
L'Ormet – ℰ 04 70 58 57 23 – www.chateaudelormet.com – lormet@wanadoo.fr – Fax 04 70 58 57 19 – Ouvert d'avril à mi-nov.
4 ch ⊒ – †64/79 € ††72/95 €

♦ Champêtre, gothique ou romantique : les chambres de ce manoir bourbonnais du 18ᵉ s. ont chacune leur caractère. Toutes donnent sur le parc où sont dessinés des circuits de petit train, passion du patron.

> Rouge = agréable. Repérez les symboles X et 🏠 passés en rouge.

CHARTRES ℙ – 28 Eure-et-Loir – **311** E5 – 40 000 h. – Agglo. 130 681 h. — 11 B1
– alt. 142 m – Grand pèlerinage des étudiants (fin avril-début mai)
– ⊠ 28000 ▮ Île de France

- Paris 89 – Évreux 78 – Le Mans 120 – Orléans 80 – Tours 138
- Office de tourisme, place de la Cathédrale ℰ 02 37 18 26 26, Fax 02 37 21 51 91
- du Bois d'Ô à Saint-Maixme-Hauterive Ferme de Gland, par rte de Verneuil-sur-Avre : 26 km, ℰ 02 37 51 04 61
- Cathédrale Notre-Dame★★★ : le portail Royal★★★, les vitraux★★★ - Vieux Chartres★ : église St-Pierre★, ≤★ sur l'église St-André, des bords de l'Eure - Musée des Beaux-Arts : émaux★ Y M² - COMPA★ (Conservatoire du Machinisme agricole et des Pratiques Agricoles) 2 km par D24.

Plan page ci-contre

Le Grand Monarque
22 pl. des Épars – ℰ 02 37 18 15 15 – www.bw-grand-monarque.com – info@bw-grand-monarque.com – Fax 02 37 36 34 18
50 ch – †103 € ††123 €, ⊒ 14 € – 5 suites   Z e
Rest Georges – *(fermé sam. midi en juil.-août, dim. soir et lundi)* Menu 48/78 € – Carte 52/74 €
Rest La Cour du Monarque – Carte 18/35 €
Spéc. Pâté de Chartres. Bar cuit à la plancha, supions et chorizo. Soufflé chaud au Grand Marnier.

♦ Cet ancien relais de poste du 16ᵉ s. qui vit avec son temps était déjà recommandé dans le guide 1900 ! Chambres personnalisées ; ambiance conviviale à l'image du bar Le Madrigal. Chez Georges, partition classique et très belle carte des vins. Préparations plus ludiques sous la verrière de La Cour du Monarque.

Châtelet sans rest
6 av. Jehan-de-Beauce – ℰ 02 37 21 78 00 – www.hotelchatelet.com – reservation@hotelchatelet.com – Fax 02 37 36 23 01 – Fermé 20 déc.-3 janv.
48 ch – †92/118 € ††104/139 €, ⊒ 13 €   Y d

♦ Une situation idéale près de la gare et de la cathédrale, des chambres calmes et refaites, décorées de tableaux contemporains : autant de raisons qui font apprécier cet hôtel.

Ibis Centre
14 pl. Drouaise – ℰ 02 37 36 06 36 – www.ibishotel.com – h0917@accor.com – Fax 02 37 36 17 20
82 ch – †55/89 € ††55/89 €, ⊒ 8,50 €   X b
Rest – *(dîner seult)* Menu (15 €), 19 € – Carte 15/25 €

♦ À proximité du quartier historique et de la cathédrale, un hôtel rénové par étapes, doté de chambres fonctionnelles et bien tenues. La terrasse du restaurant, dressée au bord de l'Eure, est très agréable aux beaux jours.

La Vieille Maison
5 r. au Lait – ℰ 02 37 34 10 67 – www.lavieillemaison.fr. – Fax 02 37 91 12 41 – Fermé dim. soir et lundi   Y s
Rest – Menu 28 €, 41/52 € – Carte 65/75 €

♦ Pierres et poutres apparentes, meubles rustiques et cheminée donnent tout son cachet à cette vénérable demeure plusieurs fois centenaire. Cuisine traditionnelle.

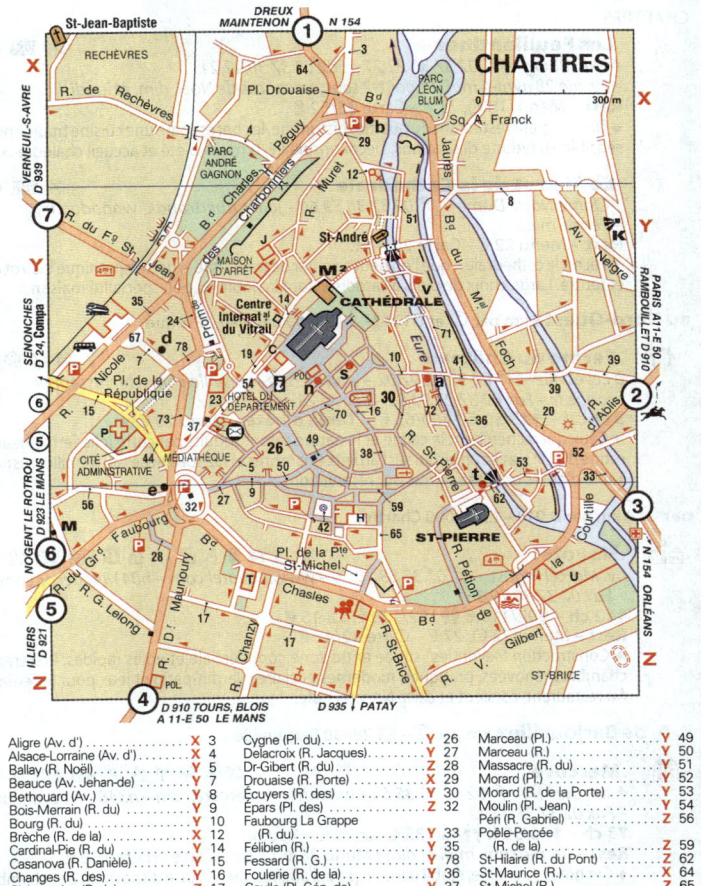

Aligre (Av. d')	X 3	Cygne (Pl. du)	Y 26	Marceau (Pl.)	Y 49
Alsace-Lorraine (Av. d')	X 4	Delacroix (R. Jacques)	Z 27	Marceau (R.)	Y 50
Ballay (R. Noël)	Y 5	Dr-Gibert (R. du)	Z 28	Massacre (R. du)	Y 51
Beauce (Av. Jehan-de)	Y 7	Drouaise (R. Porte)	X 29	Morard (Pl.)	Y 52
Bethouard (Av.)	Y 8	Écuyers (R. des)	Y 30	Morard (R. de la Porte)	Y 53
Bois-Merrain (R. du)	Y 9	Épars (Pl. des)	Z 32	Moulin (Pl. Jean)	Y 54
Bourg (R. du)	Y 10	Faubourg La Grappe (R. du)	Y 33	Péri (R. Gabriel)	Z 56
Brèche (R. de la)	Y 12	Félibien (R.)	Y 35	Poêle-Percée (R. de la)	Z 59
Cardinal-Pie (R. du)	Y 14	Fessard (R. G.)	Y 78	St-Hilaire (R. du Pont)	Y 62
Casanova (R. Danièle)	Y 15	Foulerie (R. de la)	Y 36	St-Maurice (R.)	X 64
Changes (R. des)	Y 16	Gaulle (Pl. Gén.-de)	Y 37	St-Michel (R.)	Z 65
Châteaudun (R. de)	Z 17	Grenets (R. des)	Y 38	Semard (Pl. Pierre)	Y 67
Châtelet (Pl.)	Y 18	Guillaume (R. du Fg)	Y 39	Soleil-d'Or (R. du)	Y 70
Cheval-Blanc (R.)	Y 19	Guillaume (R. Porte)	Y 41	Tannerie (R. de la)	Y 71
Clemenceau (Bd)	Y 20	Halles (Pl. des)	Z 42	Teinturiers (Q. des)	Y 72
Collin-d'Harleville (R.)	Y 23	Koenig (R. du Gén.)	Y 44	Violette (Bd Maurice)	Y 73
Couronne (R. de la)	Y 24				

XX **Le St-Hilaire** VISA MC

ⓐ 11 r. du Pont St-Hilaire – ℰ 02 37 30 97 57 – Fax 02 37 30 97 57 – Fermé 26 juil.-
17 août, vacances de la Toussaint, vacances de printemps, dim. et lundi YZ t
Rest – (nombre de couverts limité, prévenir) Menu (21 €bc), 26/42 € – Carte 39/50 €
♦ Tomettes, poutres, meubles peints et tableaux réalisés par une artiste locale : cette maison du 16ᵉ s. a du style. Cuisine classique sagement revisitée.

XX **Le Moulin de Ponceau** 🌿 ⇔ VISA MC AE

21 r. de la Tannerie – ℰ 02 37 35 30 05 – www.lemoulindeponceau.fr
– dominique.latu@orange.fr – Fax 02 37 36 78 94 – Fermé 29 déc.-6 janv., dim. soir et lundi Y v
Rest – Menu 39 € (sem.)/53 € – Carte 45/67 €
♦ Ambiance sereine dans ce moulin classé (16ᵉ s.), dont la salle à manger mêle rusticité et touches contemporaines. Agréable terrasse aménagée sous l'ancien lavoir. Cuisine actuelle.

CHARTRES

Les Feuillantines
4 r. du Bourg – ℰ 02 37 30 22 21 – Fax 02 37 30 22 21
– *Fermé 28 avril-4 mai, 11 août-2 sept., vacances de Noël, dim. et lundi*
Rest – Menu (18 €), 25 € – Carte 38/52 €

Y a

♦ Dans ce petit restaurant du quartier historique, le chef prépare une cuisine traditionnelle sensible au rythme des saisons. Décor ensoleillé, terrasse d'été et accueil chaleureux.

Le Bistrot de la Cathédrale
1 Cloître Notre Dame – ℰ 02 37 36 59 60 – jalleratbertrand@wanadoo.fr
– *Fermé merc.*
Rest – Menu 22 € – Carte 26/41 €

Y n

♦ Face à la cathédrale – que l'on peut admirer de la terrasse –, un sympathique bistrot cosy et feutré. Large choix de plats à l'ardoise, dont la poule au pot, spécialité maison.

au Nord-Ouest 8 km par ① et D121 ⁹ - ✉ 28300 Bailleau-l'Évêque

Ferme du Château
à Levesville – ℰ 02 37 22 97 02 – www.ferme-levesville.com – bnvasseur@orange.fr – Fax 02 37 22 97 02 – *Fermé 25 déc.-1ᵉʳ janv.*
3 ch ☑ – †45/50 € ††60/65 € **Table d'hôte** – Menu 20 € bc

♦ Ceux qui recherchent le calme et la nature seront séduits par cette jolie ferme beauceronne du 19ᵉ s. avec un jardin sur l'arrière. Chambres assez spacieuses au mobilier rustique. Table d'hôtes orientée terroir (sur réservation).

par ② 4 km par D 910 – ✉ 28000 Chartres

Novotel
av. Marcel Proust – ℰ 02 37 88 13 50 – www.novotel.com – h0413@accor.com
– Fax 02 37 30 29 56
112 ch – †92/115 € ††102/130 €, ☑ 15 €
Rest – Menu (22 €), 27 € – Carte 32/47 €

♦ Construction "seventies" située entre zone commerciale et voies rapides. Préférez les chambres rénovées, pratiques, modernes et claires. Jardin-patio et jeux pour les enfants. Au restaurant, concept et carte Novotel Café.

Z. A. de Barjouville 4 km par ④ – ✉ 28630 Barjouville

Mercure
4 km, par ④ – ℰ 02 37 35 35 55 – www.hotelsmercure.com – h3481@accor.com
– Fax 02 37 34 72 12
73 ch – †76/95 € ††86/135 €, ☑ 10 € – 1 suite
Rest – *(fermé sam. midi et dim.)* Menu 28/60 € bc – Carte environ 36 €

♦ Cet hôtel de chaîne, établi dans un parc d'affaires, met à votre disposition des chambres de bon confort, dont certaines sont climatisées. Au restaurant, cuisine traditionnelle et décor de type bistrot chic.

à Chazay 12 km à l'Ouest par D 24 et D 121 - ✉ 28300 St-Aubin-des-Bois

L'Erablais sans rest
38 r. Jean Moulin – ℰ 02 37 32 80 53 – www.erablais.com – jmguinard@aol.com
– Fax 02 37 32 80 53 – *Fermé 20 déc.-4 janv.*
3 ch ☑ – †38/43 € ††49/54 €

♦ Les chambres, aménagées dans l'ex-étable de cette ferme du 19ᵉ s., sont coquettement décorées sur le thème des fleurs. Le paisible et beau jardin donne sur les champs de colza.

à St-Luperce 13 km à l'Ouest par ⑥ puis D 121 et D 114 – 885 h. – alt. 152 m
– ✉ 28190

La Ferme de Mousseau sans rest
Lieu-dit "Mousseau" – ℰ 02 37 26 85 01 – www.lafermedemousseau.com
– gillesperrin2@wanadoo.fr – *Ouvert 1ᵉʳ mars-15 nov.*
3 ch ☑ – †45 € ††55 €

♦ Pour un séjour à la campagne, dans une "vraie" ferme (en activité) : cadre rustique et confortable, petit-déjeuner (confitures, brioches maison) dans le décor d'anciennes écuries.

LA CHARTRE-SUR-LE-LOIR – 72 Sarthe – 310 M8 – 1 484 h. 35 D2
– alt. 55 m – ⌂ 72340 ▌Châteaux de la Loire

▶ Paris 217 – La Flèche 57 – Le Mans 49 – St-Calais 30 – Tours 42 – Vendôme 42

🅸 Office de tourisme, 13, place de la République ℘ 02 43 44 40 04, Fax 02 43 44 40 04

De France
*20 pl. de la République – ℘ 02 43 44 40 16 – hoteldefrance@worldonline.fr
– Fax 02 43 79 62 20 – Fermé vacances de Noël, fév., dim. soir et lundi sauf le soir en juil.-août*
24 ch – ♦45 € ♦♦59 €, ⊇ 8,50 € – ½ P 48 €
Rest – *(prévenir le week-end)* Menu (12 €), 16 € (sem.)/40 € – Carte 30/55 €
♦ Relais de poste centenaire aux chambres progressivement rénovées. Petit jardin au bord du Loir et piscine. Il règne une atmosphère vieille France au restaurant qui propose une cuisine traditionnelle et une carte des vins axée sur la production régionale.

CHARTRETTES – 77 Seine-et-Marne – 312 F5 – 2 391 h. – alt. 75 m 19 C2
– ⌂ 77590

▶ Paris 66 – Créteil 44 – Montreuil 60 – Vitry-sur-Seine 48

Château de Rouillon sans rest
*41 av. Charles de Gaulle – ℘ 01 60 69 64 40 – www.chateauderouillon.net
– chateau.de.rouillon@club.fr – Fax 01 60 69 64 55*
5 ch ⊇ – ♦90 € ♦♦98/118 €
♦ Château du 17e s. et son majestueux parc à la française bordé par la Seine. Meubles de style et objets anciens composent un décor raffiné dans les chambres comme dans les salons.

CHASSAGNE-MONTRACHET – 21 Côte-d'Or – 320 I8 – 396 h. 7 A3
– alt. 200 m – ⌂ 21190

▶ Paris 327 – Amboise 343 – Beaune 16 – Blois 69 – Chalon-sur-Saône 23

Château de Chassagne-Montrachet sans rest
*5 r. du Château – ℘ 03 80 21 98 57
– www.michelpicard.com – contact@michelpicard.com – Fax 03 80 21 98 56*
5 ch ⊇ – ♦250 € ♦♦250 €
♦ Ce prestigieux domaine viticole vous ouvre les portes de son château (fin 18e s.) et de ses caves. Belles chambres très contemporaines, salles de bain créées par le sculpteur Argueyrolles.

Le Chassagne (Stéphane Léger)
*4 imp. Chenevottes – ℘ 03 80 21 94 94 – www.restaurant-lechassagne.com
– lechassagne@wanadoo.fr – Fax 03 80 21 97 77 – Fermé 3-24 août, dim. soir, merc. soir et lundi*
Rest – Menu (23 €), 39/75 € – Carte 75/105 €
Spéc. Crème brûlée au foie gras de canard. Burger de pigeonneau du Louhannais. Biscuit praliné-manjari aux fruits exotiques.
♦ Belle étape gourmande que cette maison pleine de charme avec boutique de vins au rez-de-chaussée et restaurant, clair et sobre, à l'étage. Cuisine actuelle parfaitement aboutie.

CHASSELAY – 69 Rhône – 327 H4 – 2 590 h. – alt. 220 m – ⌂ 69380 43 E1
▶ Paris 443 – L'Arbresle 15 – Lyon 21 – Villefranche-sur-Saône 18

Guy Lassausaie
r. de Belle Sise – ℘ 04 78 47 62 59 – www.guy-lassausaie.com – guy.lassausaie@wanadoo.fr – Fax 04 78 47 06 19 – Fermé 3-27 août, 15-25 fév., mardi et merc.
Rest – Menu 48/95 € – Carte 75/90 €
Spéc. Gâteau de tourteau et avocat au caviar. Suprême de caille et foie gras en coque d'épices. Cône glacé aux épices et poire williams de Chasselay rôtie au miel (automne-hiver). **Vins** Saint-Véran, Fleurie.
♦ Au cœur du village, la solide maison familiale vit avec son époque ; sa séduisante cuisine, réalisée sur des bases classiques, le prouve. Vastes salles à manger contemporaines.

CHASSENEUIL-DU-POITOU – 86 Vienne – 322 I5 – rattaché à Poitiers

CHASSE-SUR-RHÔNE – 38 Isère – 333 B4 – rattaché à Vienne

CHASSEY-LE-CAMP – 71 Saône-et-Loire – 320 I8 – rattaché à Chagny

LA CHÂTAIGNERAIE – 85 Vendée – 316 L8 – 2 663 h. – alt. 155 m — 35 **C3**
– ⌧ 85120

■ Paris 408 – Bressuire 32 – Fontenay-le-Comte 23 – Parthenay 43 – La Roche-sur-Yon 59

🛈 Office de tourisme, rond-point des Sources ✆ 02 51 52 62 37, Fax 02 51 52 69 20

Auberge de la Terrasse
7 r. Beauregard – ✆ 02 51 69 68 68 – www.aubergedelaterrasse.com – contact@aubergedelaterrasse.com – Fax 02 51 52 67 96 – Fermé 26 avril-4 mai, 25 oct.-2 nov.

14 ch ⌧ – †55 € ††70 €
Rest – *(fermé dim. soir, vend. soir, et sam. midi du 15 sept. au 31 mai et dim. midi en juil.-août)* Menu (13 €), 19/37 € – Carte environ 41 €

♦ Dans un quartier excentré assez tranquille. L'hôtel propose des chambres bien tenues, simples et avant tout pratiques. Accueil aimable. Petite salle de restaurant rustique décorée de peintures et estampes, où l'on propose carte et menus traditionnels.

CHÂTEAU-ARNOUX-ST-AUBAN – 04 Alpes-de-Haute-Provence — 41 **C2**
– 334 E8 – 5 148 h. – alt. 440 m – ⌧ 04160 ▌**Alpes du Sud**

■ Paris 719 – Digne-les-Bains 26 – Forcalquier 30 – Manosque 42 – Sault 71 – Sisteron 15

🛈 Syndicat d'initiative, 4, place de la carrière ✆ 02 96 73 49 57, Fax 02 96 73 53 78
Office de tourisme, Font Robert ✆ 04 92 64 02 64, Fax 04 92 64 54 55

◎ Église St-Donat★ - Belvédère de la chapelle St-Jean★ - Site★ de Montfort.

La Bonne Étape (Jany Gleize)
chemin du lac – ✆ 04 92 64 00 09 – www.bonneetape.com – bonneetape@relaischateaux.com – Fax 04 92 64 13 92 – Fermé 4 janv.-10 fév.

18 ch – †159/179 € ††159/386 €, ⌧ 19 € – ½ P 171/285 €
Rest – *(fermé 16 nov.-1er déc., 4 janv.-10 fév., lundi et mardi hors saison sauf fériés)* Menu (29 €), 42/100 € – Carte 71/133 €

Spéc. Suprême de perdreau rôti, jus à la lavande (saison). Agneau de Sisteron. Crème glacée au miel de lavande. **Vins** Coteaux de Pierrevert, Palette.

♦ Comment ne pas tomber sous le charme de cette demeure du 18e s. fleurant bon la Provence ? Spacieuses chambres dotées de meubles anciens. Joli jardin fleuri et superbe potager. Au restaurant, décor rustique cossu et cuisine classique accompagnée d'une très belle carte des vins.

La Magnanerie avec ch
Nord : 2 km sur N 85 ⌧ 04200 Aubignosc – ✆ 04 92 62 60 11
– www.la-magnanerie.net – stefanparoche@aol.com – Fax 04 92 62 63 05 – Fermé 20-28 déc.

8 ch – †49/75 € ††49/75 €, ⌧ 9 € – ½ P 47/60 €
Rest – *(fermé dim. soir et lundi)* Menu 17 € (sem.)/65 € – Carte 40/85 €

♦ Belle magnanerie revisitée de a à z : décor contemporain en accord avec l'inventive cuisine (produits du terroir, bio), bar, terrasse-jardin ombragée. Chambres provençales.

Au Goût du Jour
14 av. Gén. de Gaulle – ✆ 04 92 64 48 48 – goutdujour@bonneetape.com – Fax 04 92 64 37 36 – Fermé 4 janv.-10 fév.

Rest – Menu (19 €), 25 €

♦ Coquette salle à manger habillée aux couleurs de la Provence où l'on propose, dans un esprit bistrot, des petits plats du terroir affichés sur ardoise.

CHÂTEAUBOURG – 35 Ille-et-Vilaine – 309 N6 – 5 629 h. – alt. 50 m   10 D2
– ⌧ 35220

▶ Paris 329 – Angers 114 – Châteaubriant 52 – Fougères 44 – Laval 57 – Rennes 24

Ar Milin'
30 r. de Paris – ℰ 02 99 00 30 91 – www.armilin.com – resa.armilin@wanadoo.fr – Fax 02 99 00 37 56 – Fermé 20 déc.-5 janv. et dim. soir de nov. à fév.
32 ch – ♦72/126 € ♦♦82/148 €, ⌧ 12 €
Rest – (fermé mardi midi, sam. midi et lundi en juil.-août) Menu 29/47 € – Carte 41/53 €
Rest *Bistrot du Moulin* – (fermé dim. et fériés) (résidents seult) Menu 21/35 € – Carte 41/54 €

♦ Au calme d'un parc agrémenté d'œuvres contemporaines monumentales, ce moulin de pierre du 19ᵉ s. abrite de chaleureuses chambres (plus petites dans l'annexe). Salle à manger claire (harmonie de blancs) avec vue sur la rivière ; cuisine traditionnelle. Cadre actuel et ambiance informelle au Bistrot du Moulin.

à St-Didier 6 km à l'Est par D 33 – 1 558 h. – alt. 49 m – ⌧ 35220

Pen'Roc
à La Peinière, (D 105) – ℰ 02 99 00 33 02 – www.penroc.fr – hotellerie@penroc.fr – Fax 02 99 62 30 89 – Fermé 20 déc.-20 janv.
28 ch – ♦86/102 € ♦♦98/126 €, ⌧ 13 €
Rest – (fermé dim. soir hors saison) Menu (17 €), 23 € (sem.)/85 € – Carte 59/140 €

♦ Vous rêvez de silence ? C'est l'un des atouts de cet hôtel aux chambres contemporaines ou rappelant l'Asie. Coup de cœur pour le petit-déjeuner (confitures, far et yaourt maison). Alléchant programme au restaurant : carte actuelle servie dans de petites salles feutrées.

CHÂTEAUBRIANT – 44 Loire-Atlantique – 316 H1 – 12 500 h.   34 B2
– alt. 70 m – ⌧ 44110   ▌Bretagne

▶ Paris 354 – Angers 72 – Laval 65 – Nantes 62 – Rennes 61
🛈 Office de tourisme, 22, rue de Couéré ℰ 02 40 28 20 90, Fax 02 40 28 06 02
◉ Château★.

Alsace-Lorraine (R.) 2	Checheux (R. du Fg de) 10
Barre (R. de la) 3	Denieul et Gastineau (R.) 12
Boispéan (R. du) 5	Gautier-Grosdoy (R. A.) 17
Bréant (Pl. E.) 6	Grimault (R. M.) 19
Briand (R. Aristide) 7	Môquet (R. Guy) 20
Château (R. du) 8	Motte (Pl. de la) 21

Poterie (R. de la) 24
St-Nicolas (Pl.) 27
Victor-Hugo (R.) 29
11-Novembre (R. du) 32
27-Otages (R. des) 33

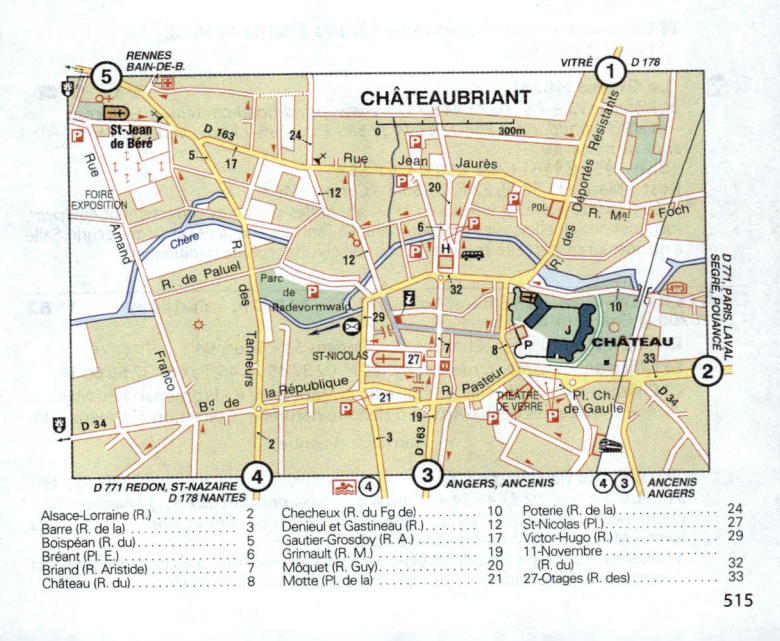

CHÂTEAUBRIANT

La Ferrière
🔊 AC rest, ⇆ ⁽¹⁾ 🔓 P VISA ⦾ AE ⓘ
r. Winston Churchill, rte de Moisdon-la-Rivière, D 178 par ④ – ℰ 02 40 28 00 28
– www.hotellaferriere.fr – hotellaferriere@orange-business.fr – Fax 02 40 28 29 21
19 ch – †71 € ††71 €, ⊇ 11 € – ½ P 64/78 €
Rest – (fermé dim. soir) Menu (15 €), 20 € (sem.)/42 € – Carte 39/60 €
♦ Une maison bourgeoise de 1840 nichée dans un parc. Chambres confortables dans les étages de la demeure, moins grandes dans le pavillon annexe. Cuisine traditionnelle à goûter dans des salles à manger de caractère ou sous une véranda lumineuse.

CHÂTEAU-CHALON – 39 Jura – 321 D6 – 167 h. – alt. 420 m — 16 B3
– ✉ 39210 ▌Franche-Comté Jura

▐ Paris 409 – Besançon 73 – Dole 51 – Lons-le-Saunier 14

Le Relais des Abbesses
≤ 🈴 ⇆ P
r. de la Roche – ℰ 03 84 44 98 56 – www.chambres-hotes-jura.com
– relaisdesabbesses@wanadoo.fr – Fax 03 84 44 98 56 – Ouvert de fév. à mi-nov.
5 ch ⊇ – †63 € ††65/70 €
Table d'hôte – (fermé jeudi, vend. et sam.) Menu 24 € bc/34 € bc
♦ Les propriétaires ont eu le coup de foudre pour cette maison de village. Ses chambres, baptisées Agnès, Marguerite et Eugénie offrent une superbe vue sur la Bresse ; Violette regarde Château-Chalon. Cuisine franc-comtoise familiale.

CHÂTEAU D'IF – 13 Bouches-du-Rhône – 340 G6 ▌Provence — 40 B3
🚢 au départ de **Marseille** pour le château d'If★★ (※★★★) 20 mn.

LE CHÂTEAU D'OLÉRON – 17 Charente-Maritime – 324 C4 – voir à Île d'Oléron

---

CHÂTEAU-DU-LOIR – 72 Sarthe – 310 L8 – 4 730 h. – alt. 50 m — 35 D2
– ✉ 72500

▐ Paris 235 – La Flèche 41 – Langeais 47 – Le Mans 43 – Tours 42 – Vendôme 59
🛈 Office de tourisme, 2, avenue Jean Jaurès ℰ 02 43 44 56 68, Fax 02 43 44 56 95

Le Grand Hôtel
🈴 ⁽¹⁾ P VISA ⦾
pl. Hôtel de Ville – ℰ 02 43 44 00 17 – www.grand-hotel-chateau-du-loir.com
– avel5@wanadoo.fr – Fax 02 43 44 37 58 – Fermé 1ᵉʳ-11 nov., vend. soir et sam. de nov. à fév.
18 ch – †52 € ††61 €, ⊇ 7,50 € – ½ P 55 €
Rest – Menu (11,50 €), 22 €, 26/30 € – Carte 28/49 €
♦ Ce relais de poste en tuffeau du 19ᵉ s. abrite des chambres correctement équipées, rustiques ou actuelles ; elles sont plus calmes à l'annexe, sise dans l'ancienne écurie. Salle à manger au cachet rétro et terrasse sous une glycine ; cuisine traditionnelle.

CHÂTEAUDUN 👁 – 28 Eure-et-Loir – 311 D7 – 13 900 h. – alt. 140 m — 11 B2
– ✉ 28200 ▌Châteaux de la Loire

▐ Paris 131 – Blois 57 – Chartres 45 – Orléans 53 – Tours 94
🛈 Office de tourisme, 1, rue de Luynes ℰ 02 37 45 22 46, Fax 02 37 66 00 16
◎ Château★★ - Vieille ville★ : église de la Madeleine★ - Promenade du Mail ≤★ - Musée des Beaux-Arts et d'Histoire naturelle : Collection d'oiseaux★ M.

Plan page ci-contre

XX Aux Trois Pastoureaux
🈴 VISA ⦾ AE
31 r. A. Gillet – ℰ 02 37 45 74 40 – www.aux-trois-pastoureaux.fr – j-f.lucchese@wanadoo.fr – Fermé 5-21 juil., 27 déc.-4 janv., 15-23 fév., dim. et lundi   A s
Rest – Menu (19 €), 24/40 € – Carte 33/55 €
♦ Boiseries, touches provençales et tableaux peints par un artiste local composent le décor du restaurant. Carte traditionnelle, menu médiéval et bon choix de vins au verre.

CHÂTEAUDUN

Cap-de-la-Madeleine (Pl.)	**A** 3	
Château (R. du)	**A** 4	
Cuirasserie (R. de la)	**A** 5	
Dunois (Pl. J.-de)	**A** 6	
Gambetta (R.)	**AB**	
Guichet (R. du)	**A** 7	
Huileries (R. des)	**A** 8	
Luynes (R. de)	**A** 10	
Lyautey (R. du Mar.)	**A** 12	
Porte d'Abas (R. de la)	**A** 14	
République (R.)	**AB**	
St-Lubin (R.)	**A** 18	
St-Médard (R.)	**A** 19	
18-Octobre (Pl. du)	**A** 21	

à Flacey 8 km au Nord par ① – ✉ 28800 – 210 h. – alt. 157 m – ✉ 28800

Domaine de Moresville sans rest
rte de Brou, Nord-Ouest par D 110
– ℘ 02 37 47 33 94 – www.domaine-moresville.com
– resa@domaine-moresville.com – Fax 02 37 47 56 40
16 ch – †70/160 € ††80/200 €, ⊡ 12 € – 1 suite
◆ Au cœur d'un parc avec étang, un château (18ᵉ s.) doté de jolis salons et de chambres personnalisées tout confort (dont cinq récentes aménagées dans l'orangerie). Sauna, jacuzzi.

CHÂTEAUFORT – 78 Yvelines – **311** I3 – **101** 22 – voir à Paris, Environs

> Comment choisir entre deux adresses équivalentes ?
> Dans chaque catégorie, les établissements sont classés
> par ordre de préférence : nos coups de cœur d'abord.

CHÂTEAU-GONTIER – 53 Mayenne – **310** E8 – 10 900 h.   35 **C1**
– alt. 33 m – ✉ 53200 ▌ **Châteaux de la Loire**
    ▶ Paris 288 – Angers 50 – Châteaubriant 56 – Laval 30 – Le Mans 95
    🛈 Office de tourisme, place André Counord ℘ 02 43 70 42 74,
    Fax 02 43 70 95 52
    ◉ Intérieur roman ★ de l'église St-Jean-Baptiste.

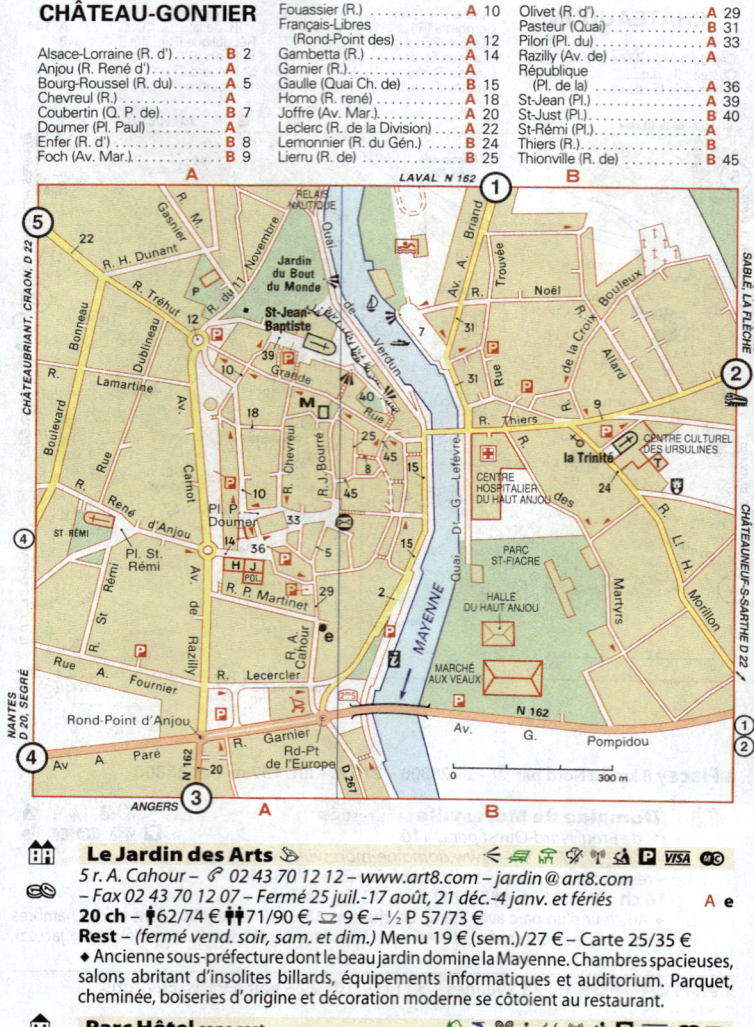

CHÂTEAU-GONTIER

Alsace-Lorraine (R. d') . . . . **B** 2	Fouassier (R.) . . . . **A** 10	Olivet (R. d') . . . . **A** 29
Anjou (R. René d') . . . . **A**	Français-Libres (Rond-Point des) . . . . **A** 12	Pasteur (Quai) . . . . **B** 31
Bourg-Roussel (R. du) . . . . **A** 5	Gambetta (R.) . . . . **A** 14	Pilori (Pl. du) . . . . **A** 33
Chevreul (R.) . . . . **A**	Garnier (R.) . . . . **A**	Razilly (Av. de) . . . . **A**
Coubertin (Q. P. de) . . . . **B** 7	Gaulle (Quai Ch. de) . . . . **B** 15	République (Pl. de la) . . . . **A** 36
Doumer (Pl. Paul) . . . . **A**	Homo (R. rené) . . . . **A** 18	St-Jean (Pl.) . . . . **A** 39
Enfer (R. d') . . . . **B** 8	Joffre (Av. Mar.) . . . . **A**	St-Just (Pl.) . . . . **B** 40
Foch (Av. Mar.) . . . . **B** 9	Leclerc (R. de la Division) . . . . **A** 22	St-Rémi (Pl.) . . . . **A**
	Lemonnier (R. du Gén.) . . . . . . **B** 24	Thiers (R.) . . . . **B**
	Lierru (R. de) . . . . **B** 25	Thionville (R. de) . . . . **B** 45

🏨 Le Jardin des Arts ⌂ ≤ 🍽 🚗 ♨ ¶ 📶 **P** *VISA* **⦿◎**

5 r. A. Cahour – ℰ 02 43 70 12 12 – www.art8.com – jardin @ art8.com
– Fax 02 43 70 12 07 – Fermé 25 juil.-17 août, 21 déc.-4 janv. et fériés
20 ch – ♂62/74 € ♂♂71/90 €, ⌂ 9 € – ½ P 57/73 €   A e
Rest – (fermé vend. soir, sam. et dim.) Menu 19 € (sem.)/27 € – Carte 25/35 €
♦ Ancienne sous-préfecture dont le beau jardin domine la Mayenne. Chambres spacieuses, salons abritant d'insolites billards, équipements informatiques et auditorium. Parquet, cheminée, boiseries d'origine et décoration moderne se côtoient au restaurant.

🏠 Parc Hôtel sans rest 🔊 ♨ 🛁 ¶ 📶 **P** *VISA* **⦿◎** **AE**

46 av. Joffre, par ③ – ℰ 02 43 07 28 41 – www.parchotel.fr – contact @ parchotel.fr – Fax 02 43 07 63 79 – Fermé 12 fév.-1ᵉʳ mars
21 ch – ♂59/73 € ♂♂67/80 €, ⌂ 12 €
♦ Cette demeure (19ᵉ s.) et sa dépendance profitent d'un beau parc avec piscine. Chambres joliment décorées et personnalisées, plus spacieuses dans la maison. Accueil charmant.

✕✕ L'Aquarelle ≤ 🍽 **AC P** *VISA* **⦿◎** **AE**

2 r. Félix Marchand, (à Saint-Fort), 1 km au Sud sur D 267 (rte de Ménil) B –
ℰ 02 43 70 15 44 – www.restaurant-laquarelle.com – emery.bruno @ wanadoo.fr
– Fermé 5-16 oct., 5-10 janv., mardi soir et dim. soir de sept. à mai, lundi
midi en été et merc. sauf le soir de juin à août
Rest – Menu (12 €), 15 € (déj. en sem.), 20/60 € bc – Carte 31/54 €
♦ Ancré sur les bords de la Mayenne, ce restaurant au cadre reposant propose une cuisine actuelle. Salle panoramique lumineuse aux tons orangés et agréable terrasse d'été.

CHÂTEAU-GONTIER

à Coudray 7 km au Sud-Est par D 22 – 784 h. – alt. 68 m – ⌧ 53200

L'Amphitryon avec ch
2 rte de Daon – ⌀ 02 43 70 46 46 – http://perso.orange.fr/lamphitryon53/
– lamphitryon@wanadoo.fr – Fax 02 43 70 42 93 – Fermé 25 oct.-3 nov.,
21-28 déc.,11-20 avril, mardi midi, dim. soir et lundi
6 ch – ♦58/74 € ♦♦58/74 €, ⌧ 8 €
Rest – Menu 18 € (sem.)/37 € – Carte 36/59 €
◆ Il règne une agréable atmosphère bourgeoise dans cette maison du 19e s., face à l'église du village. Tables joliment dressées ; cuisine au goût du jour et produits du terroir. Plaisantes chambres contemporaines.

à Ruillé-Froid-Fonds 12,5 km par ① et D605 – 496 h. – alt. 87 m – ⌧ 53170

Logis Villeprouvée
rte du Bignon-du-Maine – ⌀ 02 43 07 71 62 – http://pagesperso-orange.fr
/villeprouve/bb – christ.davenel@orange.fr – Fax 02 43 07 71 62
4 ch ⌧ – ♦36 € ♦♦47 € – ½ P 38 €   **Table d'hôte** – Menu 15 €
◆ Le décor soigné de cet ancien prieuré des 14e-17e s. vous replonge à l'époque de la chevalerie : armures, tapisseries médiévales, lits à baldaquin. Côté table d'hôtes : salle à manger au cachet très rustique et plats concoctés avec les produits de la ferme.

CHÂTEAUNEUF-DE-GADAGNE – 84 Vaucluse – 84 C10 – 3 157 h.   42 E1
– alt. 90 m – ⌧ 84470

▶ Paris 694 – Arles 47 – Avignon 13 – Marseille 95
🛈 Office de tourisme, Place du 11 Novembre ⌀ 04 90 33 92 31

à Jonquerettes 4 km au Nord par D 6 – 1 251 h. – alt. 60 m – ⌧ 84450

Le Clos des Saumanes sans rest
chemin des Saumanes – ⌀ 04 90 22 30 86 – www.closaumane.com
– closaumane@aol.com – Fax 04 90 83 19 42 – Ouvert de Pâques à la Toussaint
5 ch ⌧ – ♦80/130 € ♦♦80/130 €
◆ Élégante bastide du 18e s. située entre pinède et vignes. Chambres provençales pleines de charme (meubles anciens) ; l'une d'elles bénéficie d'une terrasse. Accueil attentionné.

CHÂTEAUNEUF-DE-GALAURE – 26 Drôme – 332 C2 – 1 481 h.   43 E2
– alt. 253 m – ⌧ 26330

▶ Paris 531 – Beaurepaire 19 – Romans-sur-Isère 27 – Tournon-sur-Rhône 25
– Valence 41

Yves Leydier
1 r. Stade – ⌀ 04 75 68 68 02 – Fax 04 75 68 66 19 – Fermé fév., dim. soir, mardi soir et merc.
Rest – Menu (16 €) – Carte 26/48 €
◆ Belle maison en galets de la Galaure. Au choix : salle à manger intime, véranda aux larges baies vitrées ou terrasse ombragée surplombant le jardin. Carte au gré des saisons.

CHÂTEAUNEUF-DU-FAOU – 29 Finistère – 308 I5 – 3 599 h.   9 B2
– alt. 130 m – ⌧ 29520 ▌Bretagne

▶ Paris 526 – Brest 65 – Carhaix-Plouguer 23 – Châteaulin 24 – Morlaix 51
– Quimper 38
🛈 Syndicat d'initiative, 17, rue de la Mairie ⌀ 02 98 81 83 90,
Fax 02 98 81 79 30
◉ Domaine de Trévarez★ S : 6 km.

Le Relais de Cornouaille
9 r. Paul-Sérusier, rte Carhaix – ⌀ 02 98 81 75 36 – www.lerelaisdecornouaille.com
– relaisdecornouaille@wanadoo.fr – Fax 02 98 81 81 32 – Fermé oct., dim. soir et sam. hors saison
30 ch – ♦43/46 € ♦♦51/54 €, ⌧ 7 €
Rest – Menu (12 €), 16 € (sem.)/38 € – Carte 19/48 €
◆ Ambiance familiale dans cet hôtel dont le bar est fréquenté par une clientèle locale. Chambres un peu exiguës, mais fonctionnelles et bien tenues. Restaurant sagement rustique, accueil tout sourire et cuisine traditionnelle privilégiant les produits de la mer.

CHÂTEAUNEUF-DU-PAPE – 84 Vaucluse – 332 B9 – 2 078 h. 42 E1
– alt. 87 m – ⌧ 84230 ▌Provence

▶ Paris 667 – Alès 82 – Avignon 19 – Carpentras 22 – Orange 10
– Roquemaure 10

🛈 Syndicat d'initiative, place du Portail ℘ 04 90 83 71 08, Fax 04 90 83 50 34

◉ ≤★★ du château des Papes.

Hostellerie Château des Fines Roches ⌕
rte de Sorgues et voie privée
– ℘ 04 90 83 70 23
– www.chateaufinesroches.com – reservation@chateaufinesroches.com
– Fax 04 90 83 78 42 – Fermé nov. et du dim. soir au mardi midi de déc. à avril
11 ch – ♦109/309 € ♦♦109/309 €, ⌕ 21 €
Rest – Menu (25 € bc), 35 € bc (déj. en sem.), 38/85 € – Carte 55/95 € 🟡
♦ Étonnant château de marquis (19ᵉ s.) dont les tours crénelées dominent le vignoble.
Décor raffiné, d'inspiration provençale, dans les chambres personnalisées et spacieuses.
Cuisine actuelle servie dans les salons cossus ou en terrasse, face aux vignes.

XX Le Verger des Papes
au château – ℘ 04 90 83 50 40 – www.vergerdespapes.com – estevenin@
vergerdespapes.com – Fax 04 90 83 50 49 – Fermé 20 déc.-3 mars, dim. soir, lundi
soir, mardi soir et merc. soir d'oct. à mars
Rest – Menu 20 € (déj. en sem.)/29 € – Carte 36/45 €
♦ Plaisant restaurant logé dans les remparts du château. Terrasse ombragée qui offre un
splendide panorama. Caves gallo-romaines taillées dans le roc. Cuisine provençale.

à l'Ouest 4 km par D 17 – ⌧ 84230 Châteauneuf-du-Pape

La Sommellerie
rte de Roquemaure – ℘ 04 90 83 50 00 – www.la-sommellerie.fr
– la-sommellerie@wanadoo.fr – Fax 04 90 83 51 85 – Fermé 2 janv.-2 fév.
16 ch – ♦74/119 € ♦♦74/119 €, ⌕ 13 € – 2 suites
Rest – *(fermé sam. midi et lundi midi)* Menu 30/62 € – Carte 47/65 €
♦ Au cœur du vignoble de Châteauneuf, bergerie du 17ᵉ s. joliment restaurée.
Chambres fraîches aux couleurs de la Provence et jardin arboré. Coquettes salles
à manger et belle terrasse sous une pergola, face à la piscine. Cuisine régionale au gré des
saisons.

CHÂTEAURENARD – 13 Bouches-du-Rhône – 340 E2 – 14 200 h. 42 E1
– alt. 37 m – ⌧ 13160 ▌Provence

▶ Paris 692 – Avignon 10 – Carpentras 37 – Cavaillon 23 – Marseille 95
– Nîmes 44 – Orange 40

🛈 Syndicat d'initiative, 11, cours Carnot ℘ 04 90 24 25 50, Fax 04 90 24 25 52

◉ Château féodal : ※★ de la tour du Griffon.

X Les Glycines avec ch
14 av. V. Hugo – ℘ 04 90 94 10 66 – www.resthotelesglycines.com – lesglycines3@
wanadoo.fr – Fax 04 90 94 78 10 – Fermé 2 sem. en mars, 16-24 août, dim. soir et
lundi
10 ch – ♦49 € ♦♦49 €, ⌕ 6 € – ½ P 48 €
Rest – Menu (13 €), 18/28 € – Carte 31/50 €
♦ Trois salles à manger en enfilade, un patio couvert et une agréable petite terrasse d'été.
Cuisine à l'accent régional et, servie sur commande, spécialité de bouillabaisse.

CHÂTEAUROUX 🅿 – 36 Indre – 323 G6 – 47 500 h. – alt. 155 m 12 C3
– ⌧ 36000 ▌Limousin Berry

▶ Paris 265 – Blois 101 – Bourges 65 – Limoges 125 – Tours 115

🛈 Office de tourisme, 1, place de la Gare ℘ 02 54 34 10 74, Fax 02 54 27 57 97

⛳ du Val de l'Indre à Villedieu-sur-Indre Parc du Château, par rte de Loches :
13 km, ℘ 02 54 26 59 44

◉ Déols : clocher★ de l'ancienne abbaye, sarcophage★ dans l'église
St-Etienne.

CHÂTEAUROUX

Albert 1er (R.)	**BY** 2
Argenton (Av. d')	**X** 4
Augras (R. E.)	**X** 5
Auvergne (R. d')	**X** 7
Bourdillon (R.)	**BZ** 8
Bryas (Bd de)	**X** 9
Cantrelle (R.)	**ABZ** 10
Château-Raoul (R. du)	**AY** 13
Châtre (Av. de la)	**X, BZ** 14
Croix-Normand (Bd)	**BZ** 17
Duchâteau (Av. G.)	**X** 18
États-Unis (R. des)	**X, BY** 20
Fontaine-St-Germain (R.)	**X** 22
Fournier (R. A.)	**BY** 23
Gallieni (R.)	**BY** 24
Gambetta (Pl.)	**BY** 25
Gare (R. de la)	**BY**
Gaulle (Av. du Gén.-de)	**BY** 27
Grande (R.)	**BY**
Jeux-Marins (Av. des)	**AY** 29
J.-J.-Rousseau (R.)	**AY** 28
Kennedy (Av. J.-F.)	**X, AZ** 30
Ledru-Rollin (R.)	**BY** 31
Lemoine (Av. Marcel)	**BY** 32
Marins (Av. des)	**X, AY** 33
Marins (Bd des)	**X** 34
Mitterrand (Av. F.)	**X** 35
Moulin-Neuf (Bd du)	**X** 36
Palais-de-Justice (R. du)	**ABZ** 37
Pont-Neuf (Av. du)	**X** 40
République (Pl. de la)	**AY** 44
Ste-Hélène (Pl.)	**AY** 48
St-Denis (Bd)	**AY** 45
St-Luc (R.)	**BY** 46
Tours (Av. de)	**X** 50
Valle (Bd de la)	**X** 51
Verdun (Av. de)	**X** 52
Victoire et des Alliés (Pl. de la)	**AY** 53
Victor-Hugo (Av.)	**ABY** 54
3e-Rég.-Aviation-de-Chasse (R. du)	**X** 55
6-Juin 1944 Débarquement Allié (Av. du)	**AY** 58

CHÂTEAUROUX

Colbert
4 r. Colbert – ℰ 02 54 35 70 00 – www.hotel-colbert.fr – contact@hotel-colbert.fr
– Fax 02 54 27 45 88
44 ch – †100/110 € ††115/125 €, ☑ 12 € – 6 suites Z a
Rest *La Manufacture* – Menu 20/30 € – Carte 30/50 €

♦ L'ancien bâtiment de la manufacture des tabacs abrite aujourd'hui cet hôtel récent rehaussé de touches design. Quelques chambres sont en duplex. Le concept "Le pain, le vin et la broche" sert de fil conducteur au restaurant, de style brasserie.

Ibis
16 r. V. Hugo – ℰ 02 54 34 61 61 – www.ibishotel.com – h1080@accor.com
– Fax 02 54 27 69 51
60 ch – †77 € ††77/82 €, ☑ 8 € BY v
Rest – *(fermé sam. et dim. sauf juil.-aout)* Menu (17 €) – Carte 25/32 €

♦ Hôtel central et fonctionnel, rénové dans un esprit contemporain. Chambres de bonne ampleur, lumineuses et bien insonorisées. Restauration sortant des standards de la chaîne, servie dans une salle confortablement actuelle.

Boischaut sans rest
135 av. de la Châtre, par ④ – ℰ 02 54 22 22 34 – www.hotel-chateauroux.com
– boischaut@hotel-chateauroux.com – Fax 02 54 22 64 89
– Fermé 27 déc.-4 janv.
27 ch – †44/46 € ††48/52 €, ☑ 8 € X v

♦ À quelques minutes du centre-ville, hôtel aux chambres garnies d'un mobilier fonctionnel, rustique ou en fer forgé. Espace petits-déjeuners clair et moderne étagé sur deux niveaux.

Le Lavoir de la Fonds Charles
26 r. Château-Raoul – ℰ 02 54 27 11 16 – Fax 02 54 60 02 22 – Fermé 17-30 août,
2-15 janv., sam. midi, dim. soir et lundi AY n
Rest – Menu 20 € (sem.)/48 € – Carte 54/70 €

♦ La campagne en ville... Cette maison ancienne dispose d'une agréable terrasse et d'une véranda surplombant l'Indre et ses alentours verdoyants. Cuisine traditionnelle.

Le Sommelier
5 pl. Gambetta – ℰ 02 54 07 45 52 – Fax 02 54 08 68 46 – Fermé
26 avril-11 mai, 2-17 août, 1ᵉʳ-5 janv., lundi soir et dim. BY t
Rest – Menu (13 €), 16 € (déj.) – Carte 32/44 €

♦ Cuisine au goût du jour, rythmée par les saisons, et intéressante carte des vins composée par le patron, également sommelier. Salle lumineuse où domine le jaune.

P'tit Bouchon
64 r. Grande – ℰ 02 54 61 50 40 – www.leptitbouchon.fr – leptitbouchon@free.fr
– Fermé 3 sem. en août, dim., lundi et fériés BY e
Rest – Menu (13,50 €), 17 € (déj.)/22 € – Carte 29/40 €

♦ Ambiance familiale et conviviale dans ce bistrot "canaille" de la vieille ville. Bons crus sélectionnés par le patron. Boutique de produits régionaux et crèmerie attenantes.

Le Bistrot Gourmand
10 r. du Marché – ℰ 02 54 07 86 98 – www.lebistrotgourmand36.com
– bistrotgourmand@mac.com – Fermé en mars et 17 août-6 sept. AY a
Rest – Menu (13 €), 17 € (déj.), 22/32 € – Carte 22/35 €

♦ Petit restaurant de quartier aménagé façon bistrot, et complété par un patio-terrasse fleuri l'été. Carte traditionnelle concoctée par le chef-patron ; prix doux.

rte de Paris 6 km près de Céré par ① – ⊠ 36130 Déols

Relais St-Jacques
D 920 – ℰ 02 54 60 44 44 – www.relais-st-jacques.com – saint-jacques@
wanadoo.fr – Fax 02 54 60 44 00
46 ch – †65 € ††71 €, ☑ 10 €
Rest – *(fermé dim. soir)* Menu 23 € (sem.)/53 € – Carte 30/75 €

♦ Construction des années 1980 jouxtant l'aérodrome de Déols, au nord de l'active cité berrichonne. Les chambres sont fonctionnelles et bien tenues. Au restaurant, décor assez sobre et cuisine traditionnelle aux accents régionaux.

CHÂTEAUROUX

Le Poinçonnet 6 km par ⑤ – 5 021 h. – alt. 160 m – ⌧ 36330

XXX Le Fin Gourmet
73 av. de la Forêt – ✆ 02 54 35 40 17 – www.lefingourmet.36.com
– franck.gatefin@wanadoo.fr – Fax 02 54 35 47 20 – Fermé dim. soir, lundi et mardi
Rest – Menu 18 € (déj. en sem.), 25/52 € – Carte 59/99 €
◆ Les petites salles de cette maison de pays se parent d'un beau décor contemporain (tons gris souris et toiles modernes). Cuisine au goût du jour, au gré des saisons.

CHÂTEAU-THÉBAUD – 44 Loire-Atlantique – **316** H5 – rattaché à Nantes

---

CHÂTEAU-THIERRY – 02 Aisne – **306** C8 – 14 967 h. – alt. 63 m   **37 C3**
– ⌧ 02400 ▌Champagne Ardenne

▶ Paris 95 – Épernay 56 – Meaux 48 – Reims 58 – Soissons 41 – Troyes 113
🛈 Syndicat d'initiative, 9, rue Vallée ✆ 03 23 83 51 14, Fax 03 23 83 14 74
🏨 du Val Secret Le Val Secret, N : 5 km, ✆ 03 23 83 07 25
◉ Maison natale de La Fontaine A M - Vallée de la Marne★.

🏨 Île de France
60 r. L. Lhermitte, (rte de Soissons) – ✆ 03 23 69 10 12
– www.hotel-iledefrance.com – hotel.ile.de.france@wanadoo.fr
– Fax 03 23 83 49 70 – Fermé 23-31 déc.
34 ch – †80 € ††90 €, ⌑ 10 €
Rest – (fermé dim. soir) Menu 27 € (sem.)/55 € – Carte 65/80 €
◆ Cet hôtel qui surplombe la vallée de la Marne s'est offert une seconde jeunesse : chambres rénovées, douillettes et confortables, spa et centre de remise en forme modernes. Au restaurant, la carte change avec les saisons. Agréable terrasse panoramique.

🏨 Ibis
60 av. du Gén. de Gaulle, à Essômes-sur-Marne, 2 km au Sud par D 969 –
✆ 03 23 83 10 10 – www.hotel-ibis-champagne.com – ibis@groupebachelet.com
– Fax 03 23 83 45 23
55 ch – †59/69 € ††69 €, ⌑ 8,50 €   **Rest** – Menu (23 €) – Carte 23/33 €
◆ Chambres aux dernières normes de la chaîne ; calmes sur l'arrière, elles ménagent à l'avant la vue sur le monument américain de la Côte 204 commémorant les combats de 1918. Le restaurant et la terrasse donnent sur un petit plan d'eau ; carte traditionnelle.

CHÂTEL – 74 Haute-Savoie – **328** O3 – 1 254 h. – alt. 1 180 m – Sports   **46 F1**
d'hiver : 1 200/2 100 m ⌇ 2 ⌇ 52 ⌇ – ⌧ 74390 ▌Alpes du Nord

▶ Paris 578 – Annecy 113 – Évian-les-Bains 34 – Morzine 38
– Thonon-les-Bains 39
🛈 Office de tourisme, Chef-Lieu ✆ 04 50 73 22 44, Fax 04 50 73 22 87
◉ Site★ - Lac du pas de Morgins★ S : 3 km.

🏨 Macchi
94 chemin de l'Etringa – ✆ 04 50 73 24 12 – www.hotelmacchi.com – contact@hotelmacchi.com – Fax 04 50 73 27 25 – Ouvert 20 juin-20 sept. et 20 déc.-20 avril
32 ch – †98/175 € ††170/310 €, ⌑ 14 € – ½ P 91/187 €
Rest – (dîner seult) (résidents seult) Menu (20 € bc), 26/50 € – Carte 37/57 €
Rest *Le Cerf* – (dîner seult) Menu (27 €) – Carte 37/57 €
◆ Beau chalet dont les balcons finement ouvragés donnent sur la vallée d'Abondance. Chambres refaites avec goût, agrémentées d'une fresque signée par une artiste locale. Raclettes et fondues dans un cadre savoyard. Carte traditionnelle et variée au Cerf.

🏨 Fleur de Neige sans rest
564 rte Vonnes – ✆ 04 50 73 20 10 – www.hotel-fleurdeneige.fr – information@hotel-fleurdeneige.fr – Fax 04 50 73 24 55 – Ouvert 21 déc.-4 avril et 29 juin-30 août
34 ch – †65/90 € ††93/145 €, ⌑ 12 €
◆ Chalet à flanc de montagne. Les chambres sont de tailles différentes et diversement meublées. Bar réchauffé par une cheminée, espace balnéo.

CHÂTEL

Le Kandahar
1,5 km au Sud-Ouest par rte Béchigne – ℘ 04 50 73 30 60 – www.lekandahar.com
– lekandahar@wanadoo.fr – Fax 04 50 73 25 17 – *Fermé du 26 avril à mi-mai,
27 juin-10 juil., 1ᵉʳ nov.-18 déc. et merc. hors saison*
8 ch – †40/50 € ††60/80 €, ⊇ 8 € – ½ P 52/65 €
Rest – *(fermé dim. soir)* Menu (14 €), 20/35 € – Carte 21/49 €

♦ Accueillante adresse familiale composée d'un chalet-hôtel rustique récemment rénové, doté de petites chambres pratiques lambrissées. Navettes pour le Linga. Cuisine régionale servie dans un chaleureux décor : mobilier campagnard, comtoise, cuivres et cheminée.

Belalp
382 rte de Vonnes – ℘ 04 50 73 24 39 – www.hotelbelalp.com – belalpchatel@
aol.com – Fax 04 50 73 38 55 – *Ouvert 1ᵉʳ juil.-30 août et 20 déc.-30 mars*
26 ch – †49/75 € ††60/95 €, ⊇ 9 € – ½ P 53/74 €
Rest – *(fermé mardi)* Menu (14 €), 20/30 € – Carte 27/48 €

♦ Pimpante façade en bois blond rythmée de volets verts pour ce chalet aux chambres mignonnes, rénovées dans la note montagnarde, à choisir si possible côté vallée. Repas savoyard près de la cheminée au "carnotzet" ou dans une salle panoramique (résidents).

Le Choucas sans rest
303 rte de Vonnes – ℘ 04 50 73 22 57 – www.hotel-lechoucas.com – info@
hotel-lechoucas.com – Fax 04 50 81 36 70 – *Ouvert 18 juin-21 sept. et
17 déc.-20 avril*
12 ch – †47/63 € ††47/63 €, ⊇ 8 €

♦ Entièrement rénové, un hôtel à l'allure de chalet moderne, largement fleuri en façade. Chambres sobres et nettes, au style montagnard actuel, en majorité avec balcon.

Les Triolets avec ch
608 rte Petit Châtel – ℘ 04 50 73 20 28 – www.lestriolets.com – info@
lestriolets.com – Fax 04 50 73 24 10 – *Ouvert 28 juin-4 sept. et 20 déc.-31 mars*
20 ch – †60/87 € ††85/124 €, ⊇ 11 € – ½ P 72/92 €
Rest – *(dîner seult en hiver)* Menu 21/36 €

♦ Surplombant la station et bénéficiant d'un environnement calme, sympathique chalet abritant une salle panoramique avec terrasse orientée plein Sud. Plats typiquement chablaisiens.

Le Vieux Four
55 rte du Boude – ℘ 04 50 73 30 56 – Fax 04 50 73 38 12 – *Ouvert 5 déc.-17 avril,
6 juin-5 sept. et fermé lundi*
Rest – Menu 15/42 € – Carte 34/58 €

♦ Le décor rustique de cette ferme (1852) tire profit du lieu : objets et figurines nichés dans les mangeoires de l'étable. Grande terrasse. Plats traditionnels et savoyards.

CHÂTELAILLON-PLAGE – 17 Charente-Maritime – 324 D3 – 38 A2
– 5 959 h. – alt. 3 m – Casino – ✉ 17340 ▌ Poitou Vendée Charentes

▮ Paris 482 – Niort 74 – Rochefort 22 – La Rochelle 19 – Surgères 29
▮ Office de tourisme, 5, avenue de Strasbourg ℘ 05 46 56 26 97,
Fax 05 46 56 58 50

Ibis
à la Falaise, 1,5 km – ℘ 05 46 56 35 35 – h1121@accor.com – Fax 05 46 56 33 44
70 ch – †75/115 € ††90/115 €, ⊇ 10 €   **Rest** – Menu 19 € – Carte 18/31 €

♦ À l'écart de l'agitation touristique et face à la mer, bâtiment moderne comprenant un centre de thalassothérapie. Chambres assez spacieuses, avant tout pratiques. Restaurant et terrasse tournés vers l'Atlantique ; menu diététique et carte traditionnelle.

Majestic Hôtel
bd République – ℘ 05 46 56 20 53 – www.majestic-chatelaillon.com
– majestic.chatelaillon@wanadoo.fr – Fax 05 46 56 29 24
34 ch – †48/95 € ††48/165 €, ⊇ 8,50 €
Rest – *(fermé 2-20 janv., lundi midi et dim. soir d'oct. à mai, sam. midi et vend.)*
Menu (14 €), 19/35 € – Carte 33/53 €

♦ Cet hôtel doté d'une belle façade des années 1920 se dresse au cœur de la cité balnéaire. Les chambres, de diverses tailles et simplement meublées, sont bien tenues. Mobilier en rotin et décor rétro au restaurant (carte axée sur les produits de la mer).

CHÂTELAILLON-PLAGE

Le Relais de la Bernache
1 r. Félix Faure – ℰ *05 46 56 20 19 – Fermé dim. soir, lundi et mardi d'oct. à mai*
Rest – Menu 26/72 € – Carte 58/76 €
♦ Maison régionale à deux pas de la plage. Intérieur classique assez chic, rehaussé de touches exotiques (chaises acajou, masques ethniques), terrasse et carte traditionnelle.

L'Acadie St-Victor avec ch
35 bd de la Mer – ℰ *05 46 56 25 13 – www.hotelacadiestvictor.com – stvictor@wanadoo.fr – Fax 05 46 56 25 12 – Fermé 1ᵉʳ-13 mars, 18 oct.-13 nov., 19-28 fév., vend. soir de mai à oct., dim. soir et lundi sauf du 15 juin au 15 sept.*
13 ch – †46/60 € ††46/68 €, ⊑ 8 € – ½ P 56/67 €
Rest – Menu (16 €), 21 € (sem.)/28 € – Carte 28/50 €
♦ Belle vue sur l'océan depuis ce restaurant du front de mer. Lumineuse salle actuelle et sobre, et cuisine privilégiant poissons et coquillages. Chambres simples et pratiques.

Les Flots avec ch
52 bd de la Mer – ℰ *05 46 56 23 42 – www.les-flots.fr – contact@les-flots.fr – Fax 05 46 56 99 37 – Fermé 5 déc.-31 janv.*
11 ch – †56/72 € ††56/72 €, ⊑ 9 € – ½ P 66/80 €
Rest – *(fermé mardi d'oct. à mars)* Menu 26 € – Carte 37/59 €
♦ Décor marin dans une agréable salle de type bistrot ouverte sur l'immense plage. Sur l'ardoise, petits plats simples et goûteux, mitonnés au gré du marché. Chambres modernes.

CHÂTELAIS – 49 Maine-et-Loire – **317** D2 – 576 h. – alt. 65 m — 34 **B2**
– ✉ 49520

▶ Paris 326 – Nantes 93 – Angers 53 – Laval 43 – Vitré 68

Le Frêne
22 r. St-Sauveur – ℰ *02 41 61 16 45 – http://lefrene.online.fr – lefrene@free.fr – Fax 02 41 61 16 45*
4 ch ⊑ – †55 € ††55 € **Table d'hôte** – Menu 19 €
♦ Un agréable jardin assure la tranquillité de cette maison de maître des 17ᵉ et 19ᵉ s. Chambres agrémentées de toiles. Stages d'aquarelle et galerie d'exposition. Repas servis dans le salon bourgeois.

LE CHÂTELET – 18 Cher – **323** J7 – 1 139 h. – alt. 200 m – ✉ 18170 — 12 **C3**

▶ Paris 301 – Argenton-sur-Creuse 66 – Bourges 54 – Châteauroux 55

à Notre-Dame d'Orsan 7 km au Nord-Ouest par D 951 et D 65, rte de Lignères
– ✉ 18170 Rezay

La Maison d'Orsan
– ℰ *02 48 56 27 50 – www.prieuredorsan.com – prieuredorsan@wanadoo.fr – Fax 02 48 56 39 64 – Ouvert d'avril à oct.*
6 ch (½ P seult) – ½ P 190/260 €
Rest – *(fermé le midi en sem. hors saison) (menu unique)* Menu 40 € (déj.)/64 €
♦ Délicieuse étape dans un prieuré du 12ᵉ s. : réfectoire et dortoir transformés en ravissantes chambres contemporaines, exquise tonnelle et jardins monastiques recomposés. Dans l'assiette, produits du potager et du marché. Boutique et salon de thé.

CHÂTELGUYON – 63 Puy-de-Dôme – **326** F7 – 6 121 h. – alt. 430 m — 5 **B2**
– Stat. therm. : début mai-fin sept. – Casino B – ✉ 63140 ▮ Auvergne

▶ Paris 411 – Clermont-Ferrand 21 – Gannat 31 – Vichy 43 – Volvic 11
🛈 Office de tourisme, 1, avenue de l'Europe ℰ 04 73 86 01 17, Fax 04 73 86 27 03

Plan page suivante

Splendid
5-7 r. Angleterre – ℰ *04 73 86 04 80 – www.splendid-resort.com – contact@splendid-resort.com – Fax 04 73 86 17 56 – Fermé 21 déc.-3 janv., sam. et dim. de mi-nov. à fin janv.* A **b**
90 ch – †60/120 € ††60/120 €, ⊑ 11 € – 1 suite – ½ P 65/95 €
Rest – Menu (14 €), 19 € (sem.)/38 € – Carte 44/72 €
♦ Guy de Maupassant, qui fréquenta cet ancien palace bâti en 1872, a laissé son nom à l'un des salons. Charmantes chambres rénovées dans la tendance inspirée de l'ancien. Majestueuse salle à manger du 19ᵉ s. : colonnes, belle cheminée en bois sculpté, etc.

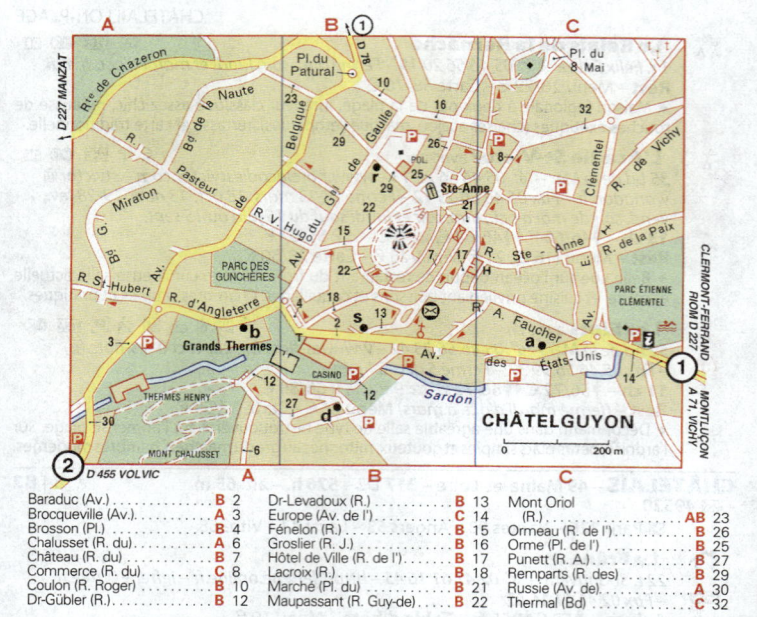

	A	B	C
Baraduc (Av.)		B	2
Brocqueville (Av.)	A		3
Brosson (Pl.)		B	4
Chalusset (R. du)	A		6
Château (R. du)		B	7
Commerce (R. du)			C 8
Coulon (R. Roger)		B	10
Dr-Gübler (R.)		B	12
Dr-Levadoux (R.)		B	13
Europe (Av. de l')			C 14
Fénelon (R.)		B	15
Groslier (R. J.)		B	16
Hôtel de Ville (R. de l')		B	17
Lacroix (R.)		B	18
Marché (Pl. du)		B	21
Maupassant (R. Guy-de)		B	22
Mont Oriol (R.)		AB	23
Ormeau (R. de l')		B	26
Orme (Pl. de l')		B	25
Punett (R. A.)		B	27
Remparts (R. des)		B	29
Russie (Av. de)		B	30
Thermal (Bd)			C 32

Le Bellevue

4 r. A. Punett – ℰ 04 73 86 07 62 – www.bellevue63.fr – bellevue63@wanadoo.fr
– Fax 04 73 86 02 56 – Ouvert 1er avril-15 oct.
B d

38 ch – †60/80 € ††60/80 €, ⊇ 10 € – ½ P 66/76 €
Rest – (ouvert 1er juin-20 sept.) (dîner seult) (résidents seult) Menu 25/32 €
– Carte environ 37 €

♦ Dominant la station thermale, cet hôtel 1930 est propice au repos. Les chambres fonctionnelles disposent d'un bon confort sanitaire et ouvrent sur un cadre verdoyant. Cuisine traditionnelle, exclusivement pour les résidents, servie en terrasse aux beaux jours.

De Paris

1 r. Dr Levadoux – ℰ 04 73 86 00 12 – www.hoteldeparis-chatelguyon.com
– hotel.de.paris@orange.fr – Fax 04 73 86 43 55 – Fermé 10-31 oct.
B s

59 ch – †38/49 € ††48/63 €, ⊇ 8 € – ½ P 65/75 €
Rest – (fermé le midi du lundi au jeudi du 15 oct. au 15 avril et dim. soir)
Menu (16 €), 21/44 € – Carte 32/43 €

♦ Les chambres, rénovées, sont logées dans le bâtiment principal de l'établissement et dans une ancienne chapelle située à l'arrière. Fitness et sauna. Spacieuse salle à manger climatisée où l'on vient faire des repas traditionnels dans une ambiance conviviale.

Régence sans rest

31 av. États-Unis – ℰ 04 73 86 02 60 – www.hotel-regence-central.com
– hotel-regence3@wanadoo.fr – Fax 04 73 86 12 49 – Ouvert 20 mars-25 oct.
C a

24 ch – †50 € ††59 €, ⊇ 8,50 €

♦ Bâti en 1903 dans la rue principale, cet hôtel de tradition préserve son cachet originel (mobilier ancien ou de style, belle cheminée). Chambres bien tenues. Salons douillets.

Chante-Grelet

av. Gén. de Gaulle – ℰ 04 73 86 02 05 – www.chante-grelet.com – chante-grelet@wanadoo.fr – Fax 04 73 86 48 58 – Ouvert 2 mai-30 sept.
B r

35 ch – †47/53 € ††50/58 €, ⊇ 8 € – ½ P 49/53 €
Rest – Menu 14 € (dîner), 17/28 €

♦ Légèrement excentré, hôtel familial des années 1960 en bon état. Chambres simples et soignées dont la moitié donne sur le jardin ombragé. Cuisine mi-traditionnelle mi-régionale, à savourer dans une salle au mobilier rustique ou en terrasse.

CHÂTELGUYON

La Papillote
11 rte de Volvic, (à St-Hippolyte), par ② – ℰ 04 73 67 00 64 – Fax 04 73 86 20 60
– Fermé août, vacances de fév., dim. soir, lundi, mardi et merc.
Rest – Menu (16 €), 21/38 €

◆ Petite adresse sympathique du village de St-Hippolyte. On y vient pour la cuisine traditionnelle du chef et le cadre simple du lieu, mêlant rustique et touches actuelles.

CHÂTELLERAULT – 86 Vienne – 322 J4 – 34 100 h. – alt. 52 m 39 C1
– ✉ 86100 Poitou Vendée Charentes

▶ Paris 304 – Châteauroux 98 – Cholet 134 – Poitiers 36 – Tours 71
▶ Office de tourisme, 2, avenue Treuille ℰ 05 49 21 05 47, Fax 05 49 02 03 26

Villa Richelieu – Villa 61 sans rest
61 av. Richelieu – ℰ 06 70 15 30 90 – www.villarichelieu.com – info@villarichelieu.com – Fax 05 49 20 28 02   AY **e**
9 ch ⮽ – †72/115 € ††90/115 €

◆ Vous logerez au calme, côté cour, dans le cadre chaleureux d'une bâtisse en tuffeau indépendante de l'habitation des propriétaires. Chambres douillettes et personnalisées.

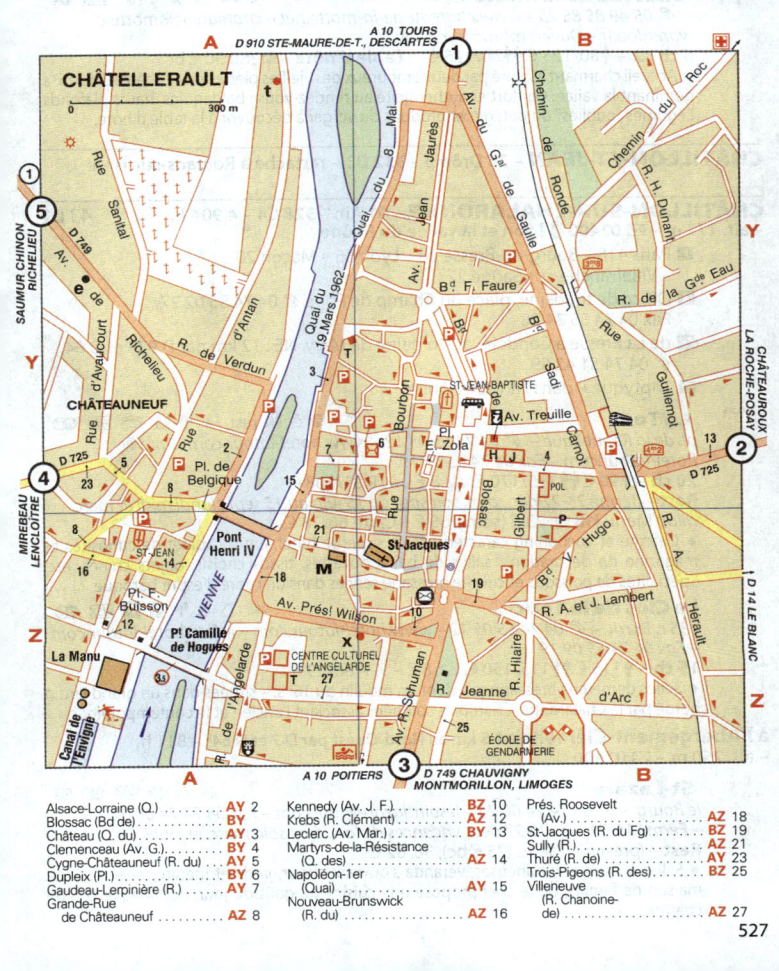

Alsace-Lorraine (Q.) . . . . **AY** 2	Kennedy (Av. J. F.) . . . . **BZ** 10
Blossac (Bd de) . . . . **BY**	Krebs (R. Clément) . . . . **AZ** 12
Château (Q. du) . . . . **AY** 3	Leclerc (Av. Mar.) . . . . **BY** 13
Clemenceau (Av. G.) . . . . **BY** 4	Martyrs-de-la-Résistance
Cygne-Châteauneuf (R. du) . . **AY** 5	(Q. des) . . . . **AZ** 14
Dupleix (Pl.) . . . . **BY** 6	Napoléon-1er
Gaudeau-Lerpinière (R.) . . . . . . **AY** 7	(Quai) . . . . **AY** 15
Grande-Rue	Nouveau-Brunswick
de Châteauneuf . . . . **AZ** 8	(R. du) . . . . **AZ** 16
	Prés. Roosevelt
	(Av.) . . . . **AZ** 18
	St-Jacques (R. du Fg) . . . . **BZ** 19
	Sully (R.) . . . . **AZ** 21
	Thuré (R. de) . . . . **AY** 23
	Trois-Pigeons (R. des) . . . . **BZ** 25
	Villeneuve
	(R. Chanoine-
	de) . . . . **AZ** 27

527

CHÂTELLERAULT

XXX La Gourmandine avec ch
22 av. Président Wilson – ℰ *05 49 21 05 85 – www.la-gourmandine.com
– la-gourmandine@wanadoo.fr – Fax 05 49 21 05 85 – Fermé 2-14 janv., dim. soir et lundi midi* AZ x
12 ch – †75/85 € ††90/180 €, ⊑ 14 € – ½ P 88/134 €
Rest – Menu (18 €), 24 € (sem.)/60 € – Carte 56/77 €

◆ Dans cette agréable demeure, haut plafond, moulures et cheminée d'origine côtoient touches contemporaines et tons vifs. Jardin-terrasse et carte dans l'air du temps. Chambres bourgeoises personnalisées, récemment créées.

XX Bernard Gautier
189 r. d'Antran – ℰ *05 49 90 24 74 – Fax 05 49 90 27 85 – Fermé 24 août-7 sept., 2-9 mars, sam., dim. et lundi* AY t
Rest – Menu (18 € bc), 25/35 € – Carte 45/80 €

◆ Avec sa salle à manger rustico-bourgeoise, ce restaurant possède un petit air d'auberge familiale qui s'accorde plutôt bien avec la solide cuisine traditionnelle du chef.

à Usseau 7 km par ⑤, D 749 et D 75 – 643 h. – alt. 82 m – ⊠ 86230

⌂ Château de la Motte ⌘
– ℰ *05 49 85 88 25 – www.chateau-de-la-motte.net – chateau.delamotte@wanadoo.fr – Ouvert mi-mars-mi-nov.*
5 ch ⊑ – †80/125 € ††80/125 € **Table d'hôte** – Menu 30 € bc

◆ Accueil charmant assuré par deux amoureux des vieilles pierres en ce château du 15e s. dominant la vallée. Confort et authenticité au rendez-vous : baldaquins, hauts plafonds. Légumes "oubliés" du potager et produits du verger à découvrir à la table d'hôte.

CHÂTILLON-ST-JEAN – 26 Drôme – 332 D3 – rattaché à Romans-sur-Isère

CHÂTILLON-SUR-CHALARONNE – 01 Ain – 328 C4 – 4 904 h. 43 E1
– alt. 177 m – ⊠ 01400 ▌Lyon et la vallée du Rhône

▶ Paris 418 – Bourg-en-Bresse 28 – Lyon 55 – Mâcon 28
– Villefranche-sur-Saône 27

🛈 Office de tourisme, place du Champ de Foire ℰ 04 74 55 02 27, Fax 04 74 55 34 78

⛳ de La Bresse à Condeissiat Domaine de Mary, NE : 12 km par D 936 et D 64, ℰ 04 74 51 42 09

◉ Triptyque ★ dans l'ancien hôpital.

🏨 La Tour
pl. de la République – ℰ *04 74 55 05 12 – www.hotel-latour.com – info@hotel-latour.com – Fax 04 74 55 09 19*
20 ch – †90 € ††115/170 €, ⊑ 8 € – ½ P 81/108 €
Rest – *(fermé 23-27 déc., dim. soir sauf du 15 juin au 15 sept., lundi midi et merc. midi)* Menu (18 €), 23 € (sem.)/65 € – Carte 66/78 €

◆ Charme et cocooning caractérisent ce superbe hôtel, entre cabinet de curiosités et magazine de décoration : salles de bains ouvertes, tissus choisis, objets chinés, etc. Spécialités de poissons et cuisine bressane servies dans un cadre d'esprit baroque.

Le Clos de la Tour 🏨
135 r. Barrit – ℰ *04 74 55 05 12 – www.hotel-latour.com – info@hotel-latour.com – Fax 04 74 55 09 19*
15 ch – †115 € ††115/150 €, ⊑ 8 € – ½ P 80/99 €

◆ Belles demeures bressannes – dont un moulin du 16e s. – situées dans un grand jardin bordé par la Chalaronne. Chambres soignées associant l'ancien et le contemporain.

à l'Abergement-Clémenciat 5 km au Nord-Ouest par D 7 et D 64^c – 811 h.
– alt. 250 m – ⊠ 01400

XX St-Lazare
le Bourg – ℰ *04 74 24 00 23 – lesaintlazare@aol.com – Fax 04 74 24 00 62
– Fermé 15-31 juil., 20-27 déc., vacances de fév., dim. soir, merc. et jeudi*
Rest – *(prévenir)* Menu (25 € bc), 36/82 €

◆ Salles à manger lumineuses, véranda s'ouvrant sur un jardinet méditerranéen : cette maison de famille, où le chef propose une cuisine au goût du jour, ne manque pas de charme.

CHÂTILLON-SUR-CLUSES – 74 Haute-Sapoie – 328 M4 – 1 096 h. – alt. 730 m – ⊠ 74300
46 **F1**

🖪 Paris 576 – Annecy 63 – Chamonix-Mont-Blanc 47 – Thonon-les-Bains 49

Le Bois du Seigneur
rte Taninges – ℘ 04 50 34 27 40 – www.leboisduseigneur.com
– leboisduseigneur@wanadoo.fr – Fax 04 50 34 80 20 – *Fermé 4-18 oct. et dim. soir*
12 ch – †55 € ††55/72 €, ⊇ 7 € – ½ P 51/58 €
Rest – *(fermé 5-10 janv., mardi midi et lundi)* Menu (16 €), 21/40 € – Carte 36/58 €
dîner seulement

♦ Bâtisse savoyarde surplombant une route passante dans un village situé au-dessus de Cluses. Chambres simples, campagnardes, à la tenue irréprochable. Accueil charmant. Plats traditionnels servis auprès de la cheminée de la salle à manger ou dans la véranda.

CHÂTILLON-SUR-INDRE – 36 Indre – 323 D5 – 2 909 h. – alt. 115 m – ⊠ 36700
11 **B3**

🖪 Paris 261 – Orléans 175 – Châteauroux 47 – Déols 51 – Le Blanc 43
🖪 Office de tourisme, boulevard du Général Leclerc ℘ 02 54 38 74 19, Fax 02.54.38.74.19

La Poignardière
4 km au Nord-Est par D 975 et D 28 direction Le Tranger – ℘ 02 54 38 78 14
– www.lapoignardiere.fr – maryse_lheureux@yahoo.fr – Fax 02 54 38 95 34
– *Ouvert de mars à nov.*
5 ch ⊇ – †75/80 € ††80/90 €   **Table d'hôte** – Menu 25 € bc

♦ Castel d'architecture 1900 entouré d'un parc de 12 ha aux arbres tricentenaires. Piscine, promenades en barque sur l'étang, tennis. Chambres lumineuses, classiques ou actuelles. Cuisine traditionnelle, belle cheminée en bois, jardin d'hiver sous une verrière.

CHÂTILLON-SUR-SEINE – 21 Côte-d'Or – 320 H2 – 5 837 h. – alt. 219 m – ⊠ 21400 ▌Bourgogne
8 **C1**

🖪 Paris 233 – Auxerre 85 – Chaumont 60 – Dijon 83 – Langres 74 – Sauliieu 79 – Troyes 69
🖪 Office de tourisme, place Marmont ℘ 03 80 91 13 19, Fax 03 80 91 21 46
◉ Source de la Douix★ - Musée★ du Châtillonnais : trésor de Vix★★.

La Côte d'Or
2 r. Charles-Ronot – ℘ 03 80 91 13 29 – Fax 03 80 91 29 15
– *Fermé 2 janv.-1ᵉʳ mars, lundi et mardi*
9 ch – †65/75 € ††65/75 €, ⊇ 10 €   **Rest** – Menu 20/45 € – Carte 41/60 €

♦ Ex-relais postal, cette hostellerie de tradition propose des chambres rénovées, au mobilier ancien et de style. Cuisine traditionnelle et bourguignonne dans l'élégante salle rustique dotée d'une cheminée, ou à l'ombre des parasols du jardin.

à Montliot-et-Courcelles 4 km au Nord-Ouest par D 971 – 291 h. – alt. 224 m – ⊠ 21400

Le Magiot sans rest
r. de Magiot – ℘ 03 80 91 20 51 – http://lemagiot-21.com – lemagiot@wanadoo.fr – Fax 03 80 91 30 20
22 ch – †42/44 € ††50/52 €, ⊇ 6,50 €

♦ Établissement de type motel où les chambres, simples et pratiques, sont réparties dans les ailes encadrant la terrasse-solarium. Véranda aménagée en salon.

LA CHÂTRE – 36 Indre – 323 H7 – 4 547 h. – alt. 210 m – ⊠ 36400
▌Limousin Berry
12 **C3**

🖪 Paris 298 – Bourges 69 – Châteauroux 37 – Guéret 53 – Montluçon 65
🖪 Office de tourisme, 134, rue Nationale ℘ 02 54 48 22 64, Fax 02 54 06 09 15
🖪 les Dryades à Pouligny-Notre-Dame Hôtel des Dryades, S : 9 km par D 940, ℘ 02 54 06 60 67

LA CHÂTRE

à St-Chartier 9 km au Nord par D 943 et D 918 – 598 h. – alt. 195 m – ⊠ 36400

◉ Vic : fresques★ de l'église SO : 2 km.

Château de la Vallée Bleue
rte Verneuil - ℰ 02 54 31 01 91 – www.chateauvalleebleue.com – valleebleu@aol.com – Fax 02 54 31 04 48 – Ouvert de mi-mars à mi-nov. et fermé dim. soir et lundi d'oct. à mai
15 ch – †95/145 € ††100/145 €, ⊇ 13 € – 2 suites
Rest – *(fermé le midi sauf week-ends et fériés)* Menu (19 €), 24 € (déj.), 34/44 € – Carte 40/70 € 🕭

♦ Cette maison de maître du 19ᵉ s., entourée d'un parc à l'anglaise de 4 ha., fut celle du médecin de la romancière G. Sand. Sobres chambres rustiques, beau duplex dans le pigeonnier. Cadre bourgeois au restaurant ; cuisine traditionnelle assortie d'une belle carte des vins.

CHÂTRES – 77 Seine-et-Marne – 312 F3 – 555 h. – alt. 116 m — 19 C2
– ⊠ 77610

▶ Paris 49 – Boulogne-Billancourt 57 – Montreuil 44 – Saint-Denis 62

Le Portail Bleu
2 rte de Fontenay – ℰ 01 64 25 84 94 – www.leportailbleu.com – leportailbleu@voila.fr – Fax 01 64 25 84 94
4 ch ⊇ – †45 € ††62/70 € **Table d'hôte** – Menu 23 € bc/30 € bc
♦ Cette ancienne ferme briarde, impeccablement rénovée, abrite des chambres mansardées et douillettes, garnies de meubles et d'objets chinés avec passion. Table d'hôtes.

CHAUBLANC – 71 Saône-et-Loire – 320 J8 – rattaché à St-Gervais-en-Vallière

CHAUDES-AIGUES – 15 Cantal – 330 G5 – 970 h. – alt. 750 m – Stat. — 5 B3
therm. : début avril-fin nov. – Casino – ⊠ 15110 ▮ Auvergne

▶ Paris 538 – Aurillac 94 – Espalion 54 – St-Chély-d'Apcher 30 – St-Flour 27

🛈 Syndicat d'initiative, 1, avenue Georges Pompidou ℰ 04 71 23 52 75, Fax 04 71 23 51 98

Beauséjour
9 av. G. Pompidou – ℰ 04 71 23 52 37 – www.hotel-beausejour-chaudes-aigues.com – beausejour@wanadoo.fr – Fax 04 71 23 56 89 – Ouvert 1ᵉʳ avril-25 nov.
39 ch – †46/53 € ††58/65 €, ⊇ 7 € – ½ P 50/54 €
Rest – Menu 15/35 € – Carte 27/43 €

♦ À deux pas du centre thermal, des chambres simples mais assez confortables (double-vitrage) et bien tenues vous attendent derrière cette façade blanche des années 1960. Plaisantes salles à manger et terrasse donnant sur la piscine chauffée ; cuisine du terroir.

à Maisonneuve 10 km au Sud-Ouest par D 921 – ⊠ 15110 Jabrun

Moulin des Templiers avec ch
– ℰ 04 71 73 81 80 – www.lemoulindestempliers.com – info@lemoulindestempliers.com – Fax 04 71 73 81 80 – Fermé 10-25 oct., dim. soir et lundi sauf hôtel en juil.-août
5 ch ⊇ – †39 € ††40 € – ½ P 40 € **Rest** – Menu (12 €), 20/34 €
♦ Aimable auberge de bord de route où l'on propose une cuisine traditionnelle fleurant bon l'Aubrac. Salle à manger sagement campagnarde et quelques chambres pratiques.

CHAUFFAYER – 05 Hautes-Alpes – 334 E4 – 383 h. – alt. 910 m — 40 B1
– ⊠ 05800

▶ Paris 639 – Gap 27 – Grenoble 97 – St-Bonnet-en-Champsaur 13

Château des Herbeys
2 km au Nord par N 85 et rte secondaire – ℰ 04 92 55 26 83 – www.hotel-restaurant-delas.com – delas-hotel-restaurant@wanadoo.fr – Fax 04 92 55 29 66 – Ouvert 1ᵉʳ avril-15 nov. et fermé mardi sauf vacances scolaires
12 ch – †65 € ††75/130 €, ⊇ 11 € – ½ P 65/95 €
Rest – Menu 23/38 € – Carte 35/50 €

♦ Daims et lamas peuplent le joli parc de cette demeure fondée au 13ᵉ s. Amples chambres hautes sous plafond, dotées de meubles anciens. Banquets et activités de plein air. Table au décor éclectique mais de caractère (mobilier de style, objets chinés, etc.).

CHAULGNES – 58 Nièvre – 319 B9 – 1 326 h. – alt. 240 m – ⊠ 58400 7 **A2**
Bourgogne

▶ Paris 227 – Cosne-sur-Loire 40 – Dijon 201 – Nevers 21

⌂ **Beaumonde** ≫ ♨ ♒ 🅿️

Le Margat - ℰ *03 86 37 86 16 – www.gites-de-france-nievre.com/beaumonde/*
– cheryl.jj.trinquard@wanadoo.fr – Fax 03 86 37 86 16 – Ouvert de mars à mi-nov.
4 ch ⌑ – †60 € ††65/80 €   **Table d'hôte** – Menu 24 € bc

♦ Un vaste parc entoure cette maison rose aux chambres confortables et bien équipées. La plus luxueuse ("Cristal"), possède une grande baignoire d'angle et une terrasse privée. La propriétaire, d'origine australienne, concocte souvent des plats de son pays.

CHAUMONT 🅿️ – 52 Haute-Marne – 313 K5 – 24 200 h. – alt. 318 m 14 **C3**
– ⊠ 52000 **Champagne Ardenne**

▶ Paris 264 – Épinal 128 – Langres 35 – St-Dizier 74 – Troyes 101

🛈 Office de tourisme, place du Général-de-Gaulle ℰ 03 25 03 80 80,
Fax 03 25 32 00 99

◉ Viaduc★ - Basilique St-Jean-Baptiste★.

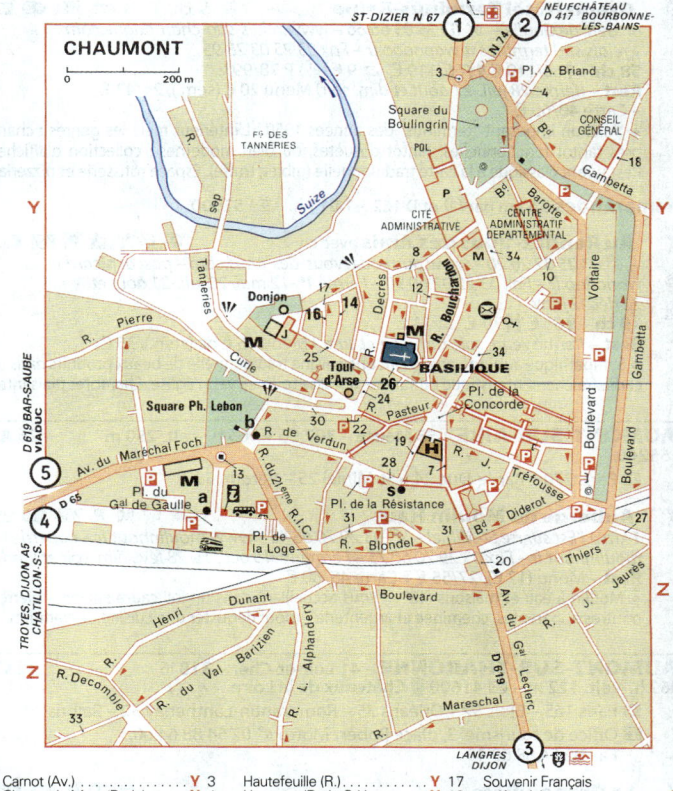

Carnot (Av.)............. **Y** 3	Hautefeuille (R.)............. **Y** 17	Souvenir Français
Champ-de-Mars (R. du)..... **Y** 4	Hugueny (R. du Cdt)........ **Y** 18	(Av. du)................ **Z** 27
Clemenceau (R. G.)........ **Z** 7	Laloy (R.).................. **Z** 19	Toupot-de-Béveaux (R.).... **Z** 28
Dutailly (R. G.)............ **Y** 8	Langres (Pt de)............ **Z** 20	Tour Charton (R. de la).... **Z** 30
Foucraut (R. V.)........... **Y** 10	Mariotte (R. V.)............ **Z** 22	Tour Mongeard
Girardon (R.).............. **Y** 12	Mgr Desprez	(Bd de la).............. **Z** 31
Goguenheim (Pl. E.)....... **Y** 13	(R.).................... **YZ** 24	Val Anne-Marie (R. du)..... **Z** 33
Gouthière (R.)............. **Y** 14	Palais (R. du).............. **Y** 25	Verdun (R. de)............. **Z**
Guyard (R.)................ **Y** 16	St-Jean (R.)................ **YZ** 26	Victoire-de-la-Marne (R.)... **Y** 34

CHAUMONT

De France
25 r. Toupot de Béveaux – ℰ 03 25 03 01 11 – www.hotel-france-chaumont.com
– contact@hotel-france-chaumont.com – Fax 03 25 32 35 80   Z s
20 ch – †73/98 € ††79/104 €, ⌑ 10 € – 7 suites
Rest – (fermé 3-22 août, dim. et fériés) (dîner seult) Menu 18 €, 22/38 €
– Carte 29/42 €

◆ Auberge depuis le 16ᵉ s., cet hôtel abrite des chambres personnalisées par des détails évoquant des destinations lointaines. Bonne insonorisation et literie neuve. Restaurant relooké dans un esprit contemporain et accueillant ; recettes traditionnelles.

Les Remparts
72 r. Verdun – ℰ 03 25 32 64 40 – www.hotel-les-remparts.fr
– hotel.rest.des.remparts@wanadoo.fr – Fax 03 25 32 51 70
– Fermé dim. soir   Z b
17 ch – †75 € ††85 €, ⌑ 12 €
Rest – Menu (18 €), 22 € (sem.)/49 € – Carte 37/70 €

◆ À deux pas de la gare, cet établissement familial propose des chambres de tailles diverses, entièrement rénovées. Petit salon et bar propices à la détente. Cuisine traditionnelle servie dans un cadre assez feutré ou formules buffets à la brasserie.

Grand Hôtel Terminus-Reine
pl. Gén. de Gaulle – ℰ 03 25 03 66 66 – www.relais-sud-champagne.com
– relais.sud.terminus@wanadoo.fr – Fax 03 25 03 28 95   Z a
58 ch – †66/119 € ††66/119 €, ⌑ 9 € – ½ P 78/99 €
Rest – (fermé 28 juil.-27 août et dim. soir) Menu 20 € (sem.), 24/42 €
– Carte 40/65 €

◆ Voici un imposant "terminus" des années 1950 ! L'intérieur mêle les genres : chambres tantôt fonctionnelles, tantôt désuètes, ou bien modernes ; collection d'affiches. Restaurant classique à la carte traditionnelle (gibier, truffe). Espace rôtisserie et pizzeria.

à Chamarandes 3,5 km par ③ et D 162 – 1 011 h. – ⌧ 52000

Au Rendez-Vous des Amis avec ch
– ℰ 03 25 32 20 20 – www.au-rendezvous-des-amis.com – pascal.nicard@
wanadoo.fr – Fax 03 25 02 60 90 – Fermé 1ᵉʳ-12 mai, 28 juil.-21 août et
22 déc.-2 janv.
19 ch – †63 € ††70 €, ⌑ 11 €
Rest – (fermé vend. soir, dim. soir et sam.) Menu 15 € bc (sem.)/36 €

◆ Sympathique auberge proposant une cuisine traditionnelle de beaux produits dans un cadre fraîchement rustique ou sur une terrasse tournée vers l'église. Chambres plaisantes.

CHAUMONT-SUR-AIRE – 55 Meuse – 307 C5 – 165 h. – alt. 250 m   26 **A2**
– ⌧ 55260

🄳 Paris 270 – Bar-le-Duc 24 – St-Mihiel 25 – Verdun 33

Auberge du Moulin Haut
1 km à l'Est sur rte St-Mihiel – ℰ 03 29 70 66 46 – www.moulinhaut.fr – auberge@
moulinhaut.fr – Fax 03 29 70 60 75 – Fermé 1ᵉʳ-15 oct., 15-28 fév., dim. soir et lundi
Rest – Menu (17 €), 27/55 € – Carte 45/60 €

◆ Moulin à eau et maisons (18ᵉ s.) vous accueillant dans un joli cadre ancien – pierres, poutres apparentes, cheminée et argenterie –, pour déguster une cuisine de tradition.

CHAUMONT-SUR-THARONNE – 41 Loir-et-Cher – 318 I6   12 **C2**
– 1 069 h. – alt. 122 m – ⌧ 41600   ▌Châteaux de la Loire

🄳 Paris 165 – Blois 52 – Orléans 35 – Romorantin-Lanthenay 32 – Salbris 30
🄸 Office de tourisme, 3, place Robert Mottu ℰ 02 54 88 64 00,
   Fax 02 54 88 60 40

La Grenouillère
rte d'Orléans – ℰ 02 54 88 50 71 – lagrenouillere-sologne@orange.fr
– Fax 02 54 88 53 49 – Fermé lundi et mardi
Rest – Menu (30 € bc), 38/60 € – Carte 58/72 €

◆ En lisière de forêt, maison en briques typiquement solognote, complétée d'une véranda. Intérieur rustique et cosy ; terrasse. Cuisine traditionnelle revisitée au goût du jour.

CHAUMOUSEY – 88 Vosges – **314** G3 – **rattaché à Épinal**

CHAUNY – 02 Aisne – **306** B5 – 12 600 h. – alt. 50 m – ✉ 02300   **37 C2**

🚊 Paris 124 – Compiègne 46 – Laon 35 – Noyon 18 – St-Quentin 31 – Soissons 32

🛈 Syndicat d'initiative, place du Marché Couvert ✆ 03 23 52 10 79, Fax 03 23 39 38 77

XXX **Toque Blanche** avec ch   🐾 🍴 AC rest, ⇄ 🅿 🅿 VISA ◉
24 av. V. Hugo – ✆ 03 23 39 98 98 – www.toque-blanche.fr – info@toque-blanche.fr – Fax 03 23 52 32 79 – Fermé 4-23 août, 2-4 janv., 16-21 fév., sam. midi, dim. soir et lundi
7 ch – †62/88 € ††73/88 €, ☕ 12 €
Rest – Menu 20 € (déj. en sem.), 33/73 € – Carte 65/73 €
◆ Harmonieuse demeure 1920 blottie dans un parc. Un décor romantique remis à neuf vous accueille pour déguster une savoureuse cuisine actuelle.

à Ognes 2 km à l'Ouest par rte de Noyon – 1 110 h. – alt. 55 m – ✉ 02300

X **L'Ardoise**   🍴 VISA ◉
26 av. Liberté – ✆ 03 23 52 15 77 – www.lardoise.biz – lardoise@yahoo.fr – Fax 03 23 39 91 52 – Fermé 24-31 août, 1er-8 fév., dim. soir, lundi soir et jeudi
Rest – Menu (14 € bc) – Carte 22/39 €
◆ Auberge familiale proposant des plats bistrotiers à l'ardoise. Joli cadre contemporain en noir et blanc avec vue sur les cuisines. Terrasse côté jardin.

au Rond-d'Orléans 8 km au Sud-Est par D 937 et D 1750 – ✉ 02300 Sinceny

🏠 **Auberge du Rond d'Orléans** 🐾   🍴 ☏ 🙵 🅿 VISA ◉ AE
🔗 – ✆ 03 23 40 20 10 – www.aubergedurondorleans-02.com
– aubergeduronddorleans@orange.fr – Fax 03 23 52 36 80
21 ch – †48 € ††55 €, ☕ 10 €
Rest – (fermé dim. soir) Menu (15 € bc), 19/60 € – Carte 38/68 €
◆ Au cœur de la forêt domaniale de Coucy-Basse, établissement de type motel disposant de chambres fonctionnelles bien tenues. Petits-déjeuners dans un bâtiment séparé. Vastes salles à manger de style rustique et cuisine traditionnelle aux accents du terroir.

CHAUSEY (ÎLES) – 50 Manche – **303** B6 – **voir à Îles Chausey**

LA CHAUSSÉE D'IVRY – 28 Eure-et-Loir – **311** E2 – 924 h. – alt. 57 m   **11 B1**
– ✉ 28260

🚊 Paris 75 – Orléans 141 – Chartres 60 – Cergy 59 – Évreux 35

🏠 **Le Gingko** sans rest   🚗 ⇄ 🚫 ☏ 🅿 VISA ◉
505 r. des Moulins, (golf Parc de Nantilly) – ✆ 02 37 64 01 11
– www.hotel-gingko.com – contact@hotel-gingko.com – Fax 02 37 64 32 85
20 ch – †76/160 € ††76/160 €, ☕ 8 €
◆ À proximité du golf, une ancienne maison de maître du 19e s. et ses dépendances, entièrement rénovées. Chambres contemporaines, amples et confortables.

CHAUSSIN – 39 Jura – **321** C5 – 1 579 h. – alt. 191 m – ✉ 39120   **16 A2**

🚊 Paris 354 – Beaune 52 – Besançon 76 – Chalon-sur-Saône 56 – Dijon 62 – Dole 21

🏠 **Chez Bach**   🍴 ⇄ ☏ 🙵 🅿 VISA ◉ AE ①
pl. Ancienne Gare – ✆ 03 84 81 80 38 – www.hotel-bach.com – hotel-bach@wanadoo.fr – Fax 03 84 81 83 80 – Fermé 22 déc.-6 janv., vend. soir sauf du 14 juil. au 31 août, dim. soir et lundi midi sauf fériés
22 ch – †65/85 € ††65/85 €, ☕ 11 € – ½ P 70/85 €
Rest – (prévenir le week-end) Menu (18 €), 26/63 € – Carte 49/68 € 🍷
◆ Face à l'ancienne gare de ce village aux confins de la Bresse, de la Bourgogne et du Jura, hôtel familial en partie rénové. Au restaurant, cuisine traditionnelle et bon choix de vins régionaux.

CHAUSSIN

Val d'Orain
34 r. S.-M. Lévy – ℰ 03 84 81 82 15 – www.aubergevaldorain.fr
– aubergevaldorain@wanadoo.fr – Fax 03 84 81 75 24
10 ch – †38 € ††50 €, ⊆ 6 € – ½ P 43 €
Rest – Menu (13 € bc), 17/28 € – Carte 25/35 €

♦ Auberge bordant la traversée du village baigné par l'Orain, un affluent du Doubs. Chambres simples à la tenue irréprochable. Salle à manger sagement campagnarde prolongée d'une véranda et terrasse dressée dans la cour. Cuisine du terroir et vins jurassiens.

CHAUVIGNY – 86 Vienne – 322 J5 – 7 025 h. – alt. 65 m – ⊠ 86300   39 C1
Poitou Vendée Charentes

- Paris 333 – Bellac 64 – Le Blanc 36 – Châtellerault 30 – Montmorillon 27 – Poitiers 26
- Office de tourisme, Mairie ℰ 05 49 45 99 10, Fax 05 49 45 99 10
- Ville haute ★ – Église St-Pierre ★ : chapiteaux du chœur ★★ – Donjon de Gouzon ★.
- St-Savin : abbaye ★★ (peintures murales ★★★).

Lion d'Or
8 r. du Marché, (près de l'église) – ℰ 05 49 46 30 28 – Fax 05 49 47 74 28 – Fermé 24 déc.-15 janv.
26 ch – †46 € ††46 €, ⊆ 7 € – ½ P 44 €
Rest – Menu (13 €), 19/40 € – Carte 28/56 €

♦ Une adresse de la ville basse appréciée pour son décor gai et pour ses chambres personnalisées, confortables et bien tenues. Au restaurant, atmosphère méridionale, fer forgé, chaises de style Art nouveau et goûteuse cuisine traditionnelle.

CHAUX-NEUVE – 25 Doubs – 321 G6 – 223 h. – alt. 992 m – ⊠ 25240   16 B3
- Paris 450 – Besançon 94 – Genève 78 – Lons-le-Saunier 68 – Pontarlier 35 – St-Claude 53

Auberge du Grand Gît
8 r des Chaumelles – ℰ 03 81 69 25 75 – www.aubergedugrandgit.com – nicod@aubergedugrandgit.com – Fax 03 81 69 15 44 – Ouvert 5 mai-14 oct., 22 déc.-24 mars et fermé dim. sauf le midi et lundi
8 ch – †40/45 € ††49/52 €, ⊆ 9 € – ½ P 50/53 €
Rest – (dîner seult) Menu 20/25 € – Carte 28/38 €

♦ Vous apprécierez l'ambiance familiale et le calme des chambres lambrissées de ce chalet récent, posté près des tremplins de saut de ski. Le patron mitonne une appétissante cuisine régionale, servie dans une sympathique salle campagnarde.

CHAVANOZ – 38 Isère – 333 E3 – 4 068 h. – alt. 234 m – ⊠ 38230   44 B1
- Paris 494 – Lyon 49 – Grenoble 101 – Villeurbanne 38

XX Aux Berges du Rhône avec Ch
hameau de Grange Rouge, 2 km au Sud-Est par D 55 rte de Loyettes –
ℰ 04 72 02 02 50 – www.aux-berges-du-rhone.com – contact@antonin-restaurant.com – Fax 04 72 02 02 51
7 ch ⊆ – †† 95/115 €
Rest – (Fermé dim. soir et merc.) Menu 22 € (déj. en sem.), 29/59 € – Carte 37/52 €

♦ Ce bâtiment tout récent, entouré d'un parc et proche du Rhône, est aménagé dans un style contemporain épuré. Vaste restaurant proposant une alléchante cuisine actuelle. Les plaisantes chambres, bien insonorisées, se caractérisent par une décoration minimaliste.

CHAVIGNOL – 18 Cher – 323 M2 – rattaché à Sancerre

CHAVOIRES – 74 Haute-Savoie – 328 K5 – rattaché à Annecy

CHAZAY – 28 Eure-et-Loir – 311 E5 – rattaché à Chartres

CHAZEY-SUR-AIN – 01 Ain – 328 E5 – 1 329 h. – alt. 235 m — 44 B1
– ✉ 01150

🛣 Paris 469 – Bourg-en-Bresse 45 – Chambéry 87 – Lyon 43 – Nantua 57

XX **La Louizarde** 🛖 P VISA ◎◎
3 km au Sud par D 62 et rte secondaire – ℰ 04 74 61 53 23 – Fax 04 74 61 58 47
– Fermé 11-19 juil., 1ᵉʳ-8 sept., mardi soir, merc. soir et jeudi soir d'oct. à mars, sam. midi, dim. soir et lundi
Rest – Menu 18 € bc (déj. en sem.), 29/42 € – Carte 35/56 €
♦ L'architecture de la maison et le décor ambiance Louisiane séduisent tout autant que la cuisine, raffinée et originale. En été, profitez de la magnifique terrasse ombragée.

CHECY – 45 Loiret – 318 J4 – 7 221 h. – alt. 112 m – ✉ 45430 — 12 C2

🛣 Paris 142 – Orléans 10 – Fleury-les-Aubrais 13 – Olivet 28
– Saint-Jean-de-Braye 6

XXX **Le Week End** 🛖 ✧ VISA ◎◎ ⌸
1 pl. du Cloître – ℰ 02 38 86 84 93 – www.restaurant-leweekend.com – info@restaurant-leweekend.com – Fax 02 38 86 81 30 – Fermé dim. soir et lundi
Rest – Menu 28 € (sem.)/65 € – Carte 55/61 € 🍷
♦ Sur la place centrale, jolie maison à l'intérieur confortable et lumineux. Carte de saison soignée et beau choix de vins du Val de Loire (caveau aménagé pour la dégustation).

CHELLES – 60 Oise – 305 J4 – rattaché à Pierrefonds

CHÉNAS – 69 Rhône – 327 H2 – 458 h. – alt. 253 m – ✉ 69840 — 43 E1

🛣 Paris 407 – Mâcon 18 – Bourg-en-Bresse 45 – Lyon 59
– Villefranche-sur-Saône 28

XX **Les Platanes de Chénas** ≤ 🛖 P VISA ◎◎
aux Deschamps, 2 km au Nord par D 68 – ℰ 03 85 36 79 80 – chgerber@wanadoo.fr – Fax 03 85 36 78 33 – Fermé 21-28 déc., 10 fév.-10 mars, mardi et merc.
Rest – Menu (17 €), 25/68 € – Carte 35/55 € 🍷
♦ Carte régionale et vins locaux proposés dans un cadre chaleureux et coloré ou sous les platanes de la terrasse meublée en fer forgé, avec le Beaujolais en toile de fond.

CHÊNEHUTTE-LES-TUFFEAUX – 49 Maine-et-Loire – 317 I5 – rattaché à Saumur

---

CHÉNÉRAILLES – 23 Creuse – 325 K4 – 737 h. – alt. 537 m – ✉ 23130 — 25 C1
📘 Limousin Berry

🛣 Paris 369 – Aubusson 19 – La Châtre 63 – Guéret 32 – Montluçon 46
🛈 Syndicat d'initiative, 32, route de gouzon ℰ 05 55 62 91 22
◎ Haut-relief★ dans l'église.

XX **Coq d'Or** VISA ◎◎ ⌸
7 pl. du Champ de Foire – ℰ 05 55 62 30 83 – p.rulliere-coqdor@wanadoo.fr
– Fax 05 55 62 95 18 – Fermé 21 juin-2 juil., 20 sept.-2 oct., 1ᵉʳ-20 janv., dim. soir, merc. soir et lundi
Rest – Menu (15 €), 21/46 € – Carte 31/46 €
♦ L'insolite vitrine à l'entrée de ce restaurant expose les coqs rapportés des quatre coins du monde par les clients. Cuisine actuelle goûteuse.

CHENONCEAUX – 37 Indre-et-Loire – 317 P5 – 339 h. – alt. 62 m — 11 A1
– ✉ 37150 📘 Châteaux de la Loire

🛣 Paris 234 – Amboise 12 – Château-Renault 36 – Loches 31 – Montrichard 8
– Tours 33
🛈 Syndicat d'initiative, 1, rue Bretonneau ℰ 02 47 23 94 45, Fax 02 47 23 82 41
◎ Château de Chenonceau★★★.

CHENONCEAUX

Auberge du Bon Laboureur (Antoine Jeudi)
6 r. Dr Bretonneau – ℰ 02 47 23 90 02
– www.bonlaboureur.com – laboureur@wanadoo.fr – Fax 02 47 23 82 01
– Fermé 11 nov.-19 déc., 4 janv.-14 fév. et mardi midi
23 ch – ♦95/155 € ♦♦120/230 €, ⊇ 15 € – 3 suites
Rest – Menu 31 € (déj. en sem.), 48/86 € – Carte 65/95 €
Spéc. Crème onctueuse d'écrevisses et concassé de tomate (juin à sept.). Conjugaison de ris et tête de veau sauce gribiche. Tarte au chocolat guanaja, mousse Caraïbes et glace au caramel salé. **Vins** Montlouis, Bourgueil.
♦ Près du célèbre "château des Dames", ensemble de coquettes maisons abritant de belles chambres feutrées et rénovées, toutes différentes. Parc avec potager. Élégantes salles à manger bourgeoises et jolie terrasse ombragée bordant le jardin ; cuisine classique.

La Roseraie
7 r. Dr Bretonneau – ℰ 02 47 23 90 09 – www.charmingroseraie.com – sfiorito@wanadoo.fr – Fax 02 47 23 91 59 – Ouvert 3 avril-4 nov.
18 ch – ♦53/125 € ♦♦65/125 €, ⊇ 10 €
Rest – (fermé lundi et le midi sauf dim.) Menu 27/44 € – Carte 35/50 €
♦ Ce long bâtiment tapissé de vigne vierge propose de spacieuses chambres climatisées. Cadre rustique et ambiance familiale. Jardin et piscine pour la détente. Dans le restaurant campagnard (avec salon doté d'une cheminée), on sert une cuisine traditionnelle.

CHENÔVE – 21 Côte-d'Or – **320** K6 – rattaché à Dijon

CHÉPY – 80 Somme – **301** C7 – 1 277 h. – alt. 96 m – ⊠ 80210   36 **A1**
▸ Paris 207 – Abbeville 17 – Amiens 72 – Le Tréport 23

L'Auberge Picarde
pl. de la Gare – ℰ 03 22 26 20 78 – auberge-picarde@wanadoo.fr
– Fax 03 22 26 33 34 – Fermé 2 sem. en août et 1ᵉʳ-10 janv.
25 ch – ♦47/63 € ♦♦52/69 €, ⊇ 6,50 €
Rest – (fermé sam. midi et dim. soir) Menu (14 €), 16 € (sem.)/31 €
– Carte 22/34 €
♦ Confortables chambres de style ancien ou moderne situées face à une gare désaffectée, dans un environnement campagnard. Billard. Une galerie couverte, aménagée comme un jardin d'hiver, conduit au restaurant d'esprit rustique. Table "tradition et terroir".

CHÉRAC – 17 Charente-Maritime – **324** H5 – 1 006 h. – alt. 54 m   38 **B3**
– ⊠ 17610
▸ Paris 495 – Angoulême 59 – Poitiers 162 – Saintes 19

La Pantoufle
5 imp. des Dîmiers – ℰ 05 46 95 37 10 – http://lapantoufle.free.fr
– lapantoufle@free.fr
3 ch ⊇ – ♦50 € ♦♦55 €   **Table d'hôte** – Menu 23 € bc
♦ Cette demeure typiquement charentaise invite au farniente : chambres confortables, charmant salon garni de canapés et chaises longues dans le jardin clos. À table, la patronne, vrai cordon bleu, régale ses hôtes de légumes du potager et de produits du terroir.

CHERBOURG-OCTEVILLE – 50 Manche – **303** C2 – 40 500 h. –   32 **A1**
Agglo. 117 855 h. – alt. 10 m – Casino BY – ⊠ 50100
▌ *Normandie Cotentin*

▸ Paris 359 – Brest 399 – Caen 125 – Laval 224 – Le Mans 284 – Rennes 210
✈ de Cherbourg-Maupertus : ℰ 02 33 88 57 60, par ① : 11 km.
ℹ Office de tourisme, 2 quai Alexandre III ℰ 02 33 93 52 02, Fax 02 33 53 66 97
⛴ de Cherbourg à La Glacerie Domaine des Roches, par rte de Valognes et D 122 : 7 km, ℰ 02 33 44 45 48
◉ Fort du Roule ≤★ - Château de Tourlaville : parc★ 5 km par ①.

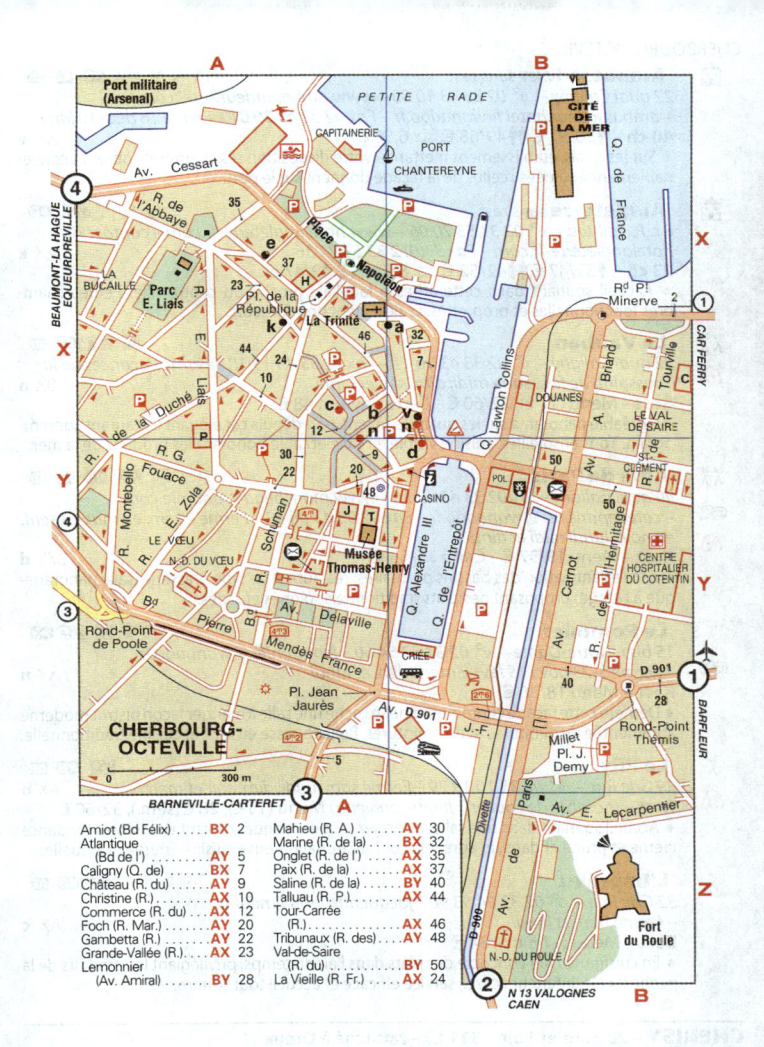

Street	Ref	Street	Ref
Amiot (Bd Félix)	BX 2	Mahieu (R. A.)	AY 30
Atlantique (Bd de l')	AY 5	Marine (R. de la)	BX 32
Caligny (Q. de)	BX 7	Onglet (R. de l')	AX 35
Château (R. du)	AY 9	Paix (R. de la)	AX 37
Christine (R.)	AX 10	Saline (R. de la)	BY 40
Commerce (R. du)	AX 12	Talluau (R. P.)	AX 44
Foch (R. Mar.)	AY 20	Tour-Carrée (R.)	AX 46
Gambetta (R.)	AY 22	Tribunaux (R. des)	AY 48
Grande-Vallée (R.)	AX 23	Val-de-Saire (R. du)	BY 50
Lemonnier (Av. Amiral)	BY 28	La Vieille (R. Fr.)	AX 24

Le Louvre sans rest

2 r. H. Dunant – ℰ 02 33 53 02 28
– www.hotel-le-louvre.fr – inter.hotel.le.louvre@wanadoo.fr – Fax 02 33 53 43 88
– Fermé 24 déc.-4 janv.   AX **e**
40 ch – †56/62 € ††62/68 €, ⊇ 8,50 €

♦ Situation centrale, chambres confortables, isolation phonique efficace et petits-déjeuners servis sous forme de buffet caractérisent cet hôtel familial.

La Renaissance sans rest

4 r. de l'Église – ℰ 02 33 43 23 90
– www.hotel-renaissance-cherbourg.com – contact@
hotel-renaissance-cherbourg.com – Fax 02 33 43 96 10   ABX **a**
11 ch – †48/62 € ††54/74 €, ⊇ 9 € – 1 suite

♦ Vous séjournerez au calme dans des chambres gaies et parfaitement tenues, tout en profitant d'un accueil souriant, d'un bon petit-déjeuner... et de prix très raisonnables.

CHERBOURG-OCTEVILLE

Ambassadeur sans rest
22 quai Caligny – ℰ *02 33 43 10 00 – www.ambassadeurhotel.com
– ambassadeur.hotel@wanadoo.fr – Fax 02 33 43 10 01 – Fermé 18 déc.-10 janv.*
40 ch – †38/57 € ††49/68 €, ⇌ 6,50 €   BX v

♦ Sur les quais, établissement mettant à votre disposition ses chambres sobres et convenablement équipées ; celles de la façade donnent sur le port.

Angleterre sans rest
8 r. P. Talluau – ℰ *02 33 53 70 06 – www.hotelangleterre-fr.com – contact@
hotelangleterre-fr.com – Fax 33(0) 2 33 53 74 36*   AX k
23 ch – †37/47 € ††42/52 €, ⇌ 8 € – ½ P 42/47 €

♦ Accueil souriant dans cette adresse familiale proche du centre-ville. Petites chambres fonctionnelles et proprettes. Entièrement non-fumeurs.

Le Vauban
22 quai Caligny – ℰ *02 33 43 10 11 – Fax 02 33 43 15 18 – Fermé vacances de la
Toussaint, de fév., sam. midi, dim. soir et lundi*   BX n
Rest – Menu (17 €), 22/60 € – Carte environ 48 €

♦ Agréable panorama sur les quais de l'avant-port depuis cet élégant restaurant contemporain. Tons ensoleillés, cuisine visible en salle et table honorant les produits de la mer.

Café de Paris
40 quai Caligny – ℰ *02 33 43 12 36 – www.manchegastronomie.com
– cafedeparis.res@wanadoo.fr – Fax 02 33 43 98 49 – Fermé 2 sem. en mars, 3 sem.
en nov., lundi midi et dim.*
Rest – Menu 19/37 € – Carte 25/53 €   BXY d

♦ Face à l'animation des bassins portuaires, restaurant de type brasserie (salle panoramique à l'étage) proposant des plats traditionnels soignés et iodés.

Le Pommier
15 bis r. Notre-Dame – ℰ *02 33 53 54 60 – lepommier@wanadoo.fr
– Fermé 3-23 nov., 15 fév.-2 mars, dim. et lundi*   AXY n
Rest – Menu 18/30 €

♦ Derrière cette façade contemporaine se cache une salle à manger façon bistrot moderne agrémentée de peintures et de sculptures. Belle terrasse en teck et cuisine traditionnelle.

Le Pily
39 Gde Rue – ℰ *02 33 10 19 29 – Fermé sam. midi, dim. soir et merc.*   AX b
Rest – *(nombre de couverts limité, prévenir)* Menu (15 €), 28 € (sem.), 32/60 €

♦ Accueil souriant dans une salle à manger tout en longueur alliant des teintes tendance crème et prune et dans un agréable coin salon. Savoureuse cuisine épurée et actuelle.

L'Imprévu
32 Gde Rue – ℰ *02 33 04 53 90 – jacquemin.yves@neuf.fr
– Fermé dim. et lundi*   AX c
Rest – Menu (17 € bc), 34 €

♦ En cuisine, le chef concocte des plats dans l'air du temps, privilégiant les produits de la pêche locale. Intérieur actuel, service efficace et accueil tout sourire.

CHERISY – 28 Eure-et-Loir – **311** E3 – rattaché à Dreux

LE CHESNAY – 78 Yvelines – **311** I3 – **101** 23 – voir à Paris, Environs (Versailles)

CHEVAGNES – 03 Allier – **326** I3 – 716 h. – alt. 224 m – ⌧ 03230   6 **C1**

◘ Paris 309 – Bourbon-Lancy 18 – Decize 31 – Digoin 43 – Lapalisse 51
– Moulins 18

Le Goût des Choses
12 rte Nationale – ℰ *04 70 43 11 12 – Fermé 26-30 oct., dim. soir, mardi soir et
lundi*
Rest – Menu (17 € bc), 24/52 € bc – Carte 42/60 €

♦ Ici, le goût des choses s'exprime tant dans l'assiette, élaborée en fonction du marché, que dans la salle, décorée et dressée avec soin. Mini-terrasse dans la cour intérieure.

CHEVAL-BLANC – 84 Vaucluse – **332** D11 – **rattaché à Cavaillon**

CHEVANNES – 89 Yonne – **319** D5 – **rattaché à Auxerre**

CHEVERNY – 41 Loir-et-Cher – **318** F7 – **rattaché à Cour-Cheverny**

CHEVIGNY – 21 Côte-d'Or – **320** K6 – **rattaché à Dijon**

LE CHEYLARD – 07 Ardèche – **331** I4 – 3 514 h. – alt. 450 m 44 **A3**
– ✉ 07160

> Paris 598 – Aubenas 50 – Lamastre 21 – Privas 47 – Le Puy-en-Velay 62 – Valence 59
>
> Office de tourisme, rue du 5 Juillet 44 ℰ 04 75 29 18 71, Fax 04 75 29 46 75

Le Provençal
17 av. de la Gare – ℰ *04 75 29 02 08* – *www.hotelrestaurantleprovencal.com*
– *contact@hotelrestaurantleprovencal.com* – *Fax 04 75 29 35 63*
– *Fermé 13-29 avril, 25 sept.-14 oct., 26 déc.-12 janv., vend. soir, dim. soir et lundi*
10 ch – †52 € ††62/80 €, ⌑ 9 € – ½ P 55/70 €
Rest – *(résidents seult)* Menu (17 €), 23/55 € bc – Carte 32/48 €
♦ Bâtisse en pierre abritant de petites chambres simples et bien tenues. Garage à vélos apprécié des cyclistes qui parcourent la corniche de l'Eyrieux. Salles à manger sobrement rustiques, cuisine traditionnelle inspirée du terroir et sélection de vins du pays.

CHÉZERY-FORENS – 01 Ain – **328** I3 – 399 h. – alt. 585 m – ✉ 01200 45 **C1**

> Paris 506 – Bellegarde-sur-Valserine 17 – Bourg-en-Bresse 82 – Gex 39 – Nantua 30

Commerce avec ch
– ℰ *04 50 56 90 67* – *www.hotelducommerce-blanc.fr* – *Fax 04 50 56 92 54*
– *Ouvert 1ᵉʳ mars-30 sept. et fermé 8-30 juin, mardi soir et merc. hors vacances scolaires*
8 ch – †55/65 € ††55/65 €, ⌑ 8 € – ½ P 50/60 €
Rest – Menu 15 € bc (sem.)/50 € – Carte 30/40 €
♦ Cette attachante maison propose une généreuse cuisine régionale (grenouille en saison) dans un décor campagnard ou sur la terrasse bercée par le bruit des eaux de la Valserine. Petites chambres bien tenues et accueil plein de gentillesse.

CHILLE – 39 Jura – **321** D6 – **rattaché à Lons-le-Saunier**

CHILLEURS-AUX-BOIS – 45 Loiret – **318** J3 – 1 866 h. – alt. 125 m 12 **C2**
– ✉ 45170

> Paris 96 – Orléans 30 – Chartres 71 – Étampes 47 – Pithiviers 14

Le Lancelot
12 r. des Déportés – ℰ *02 38 32 91 15* – *www.restaurant-le-lancelot.com* – *info@restaurant-le-lancelot.com* – *Fax 02 38 32 92 11* – *Fermé 3-24 août, 15-22 fév., merc. soir, dim. soir et lundi*
Rest – *(prévenir le week-end)* Menu (16 €), 21 € (sem.)/68 € – Carte 59/92 €
♦ Au centre du village, accueillante maison fleurie et rustique, dotée d'un jardin. La patronne sert une généreuse cuisine actuelle, qui fait aussi écho aux recettes de sa mère.

CHINAILLON – 74 Haute-Savoie – **328** L5 – **rattaché au Grand-Bornand**

> Passée en rouge, la mention « Rest » repère l'établissement auquel est attribué notre distinction, ✦ (étoile) ou 🙂 (Bib Gourmand).

CHINDRIEUX – 73 Savoie – **333** I3 – 1 198 h. – alt. 300 m – ⊠ 73310　　　45 **C1**

▶ Paris 520 – Aix-les-Bains 16 – Annecy 48 – Bellegarde-sur-Valserine 39 – Chambéry 33

◉ Abbaye de Hautecombe★★ SO : 10 km, **Alpes du Nord**

Relais de Chautagne
7 rte d'Aix – ℰ 04 79 54 20 27 – Fax 04 79 54 51 63 – *Fermé 24 déc. au 10 fév., dim. soir et lundi*
25 ch – †45/48 € ††48/55 €, ⊇ 9 €
Rest – Menu 15 € (sem.)/35 € – Carte 30/58 €

♦ La Chautagne est le nom de ce petit "pays" savoyard, mais aussi d'un vin issu du cépage Mondeuse. Un hôtel familial aux chambres modestes, simplement tenues. Cuisine traditionnelle servie dans une grande salle à manger rustique.

CHINON ◉ – 37 Indre-et-Loire – **317** K6 – 8 169 h. – alt. 40 m　　　11 **A3**
– ⊠ 37500 **Châteaux de la Loire**

▶ Paris 285 – Châtellerault 51 – Poitiers 80 – Saumur 29 – Tours 46

🛈 Office de tourisme, place Hofheim ℰ 02 47 93 17 85, Fax 02 47 93 93 05

◉ Vieux Chinon★★ : Grand Carroi★★ A E - Château★★ : ≤★★.

◉ Château d'Ussé★★ 14 km par ①.

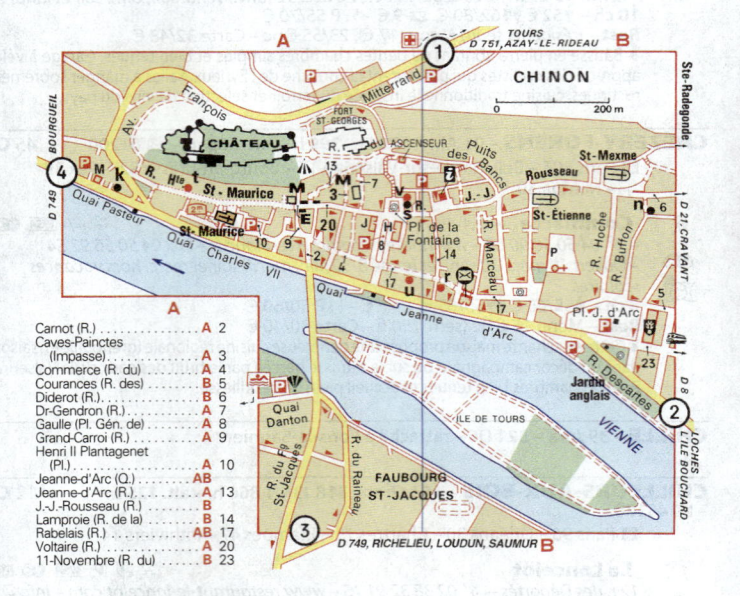

Carnot (R.)	A 2
Caves-Painctes (Impasse)	A 3
Commerce (R. du)	A 4
Courances (R. des)	B 5
Diderot (R.)	B 6
Dr-Gendron (R.)	A 7
Gaulle (Pl. Gén. de)	A 8
Grand-Carroi (R.)	A 9
Henri II Plantagenet (Pl.)	A 10
Jeanne-d'Arc (Q.)	AB
Jeanne-d'Arc (R.)	A 13
J.-J.-Rousseau (R.)	B
Lamproie (R. de la)	B 14
Rabelais (R.)	AB 17
Voltaire (R.)	A 20
11-Novembre (R. du)	B 23

De France sans rest
47 pl. Gén. de Gaulle – ℰ 02 47 93 33 91
– www.bestwestern-hoteldefrance-chinon.com – elmachinon@aol.com
– Fax 02 47 98 37 03 – *Fermé en fév., en nov. et dim. de nov. à mars*　　A **s**
30 ch – †75/120 € ††75/125 €, ⊇ 10 € – 3 suites

♦ Chambres confortables (mobilier de style) et insonorisées, logées dans deux maisons mitoyennes du 16ᵉ s. Certaines donnent sur la place et le château. Jolie courette intérieure.

Diderot sans rest
4 r. de Buffon – ℰ 02 47 93 18 87 – www.hoteldiderot.com – hoteldiderot@wanadoo.fr – Fax 02 47 93 37 10 – *Fermé 18 janv.-5 fév.*　　B **n**
25 ch – †44 € ††55/77 €, ⊇ 8,50 €

♦ Cette belle demeure du 18ᵉ s. propose des chambres d'esprit ancien, régulièrement refaites. Petit-déjeuner façon table d'hôte : produits fermiers et confitures maison.

CHINON

Agnès Sorel sans rest
4 quai Pasteur – ℰ *02 47 93 04 37 – www.agnes-sorel.com – pierre.catin@orange.fr – Fax 02 47 93 06 37 – Fermé 10-31 janv.*
10 ch – †49/99 € ††49/99 €, ⊇ 8,50 €   A k
♦ À l'ombre du château médiéval, un hôtel "les pieds dans la Vienne" aux chambres personnalisées, plus grandes et au calme dans l'annexe. Jardin-cour. Garage à vélos.

XX Au Chapeau Rouge
49 pl. du Gén. de Gaulle – ℰ *02 47 98 08 08 – www.chapeaurouge.fr – chapeau.rouge@club-internet.fr – Fax 02 47 98 08 08*
– Fermé 26 oct.-17 nov., 16 fév.-17 mars, dim. soir et lundi   A v
Rest – Menu 22 € (déj. en sem.), 33/56 € – Carte 39/68 €
♦ Sur une place ombragée, le Chapeau Rouge affiche un décor soigné. Son chef propose une intéressante carte au goût du jour, renouvelée au fil des saisons (menu truffes l'hiver).

XX L'Océanic
13 r. Rabelais – ℰ *02 47 93 44 55 – oceanic.restaurant@club-internet.fr*
– Fax 02 47 93 38 08 – Fermé 20-26 avril, 27 août-3 sept., 31 déc.-3 janv., dim. soir et lundi   A u
Rest – Menu (16 € bc), 24/68 € – Carte 38/70 €
♦ Sympathique restaurant de produits de la mer situé dans une rue piétonne du centre-ville. Un vivier à homards trône au milieu de la salle à manger, actuelle et confortable.

X Les Années Trente
78 r. Voltaire – ℰ *02 47 93 37 18 – www.lesannees30.com – lebeaucharles@wanadoo.fr – Fax 02 47 93 33 72 – Fermé 20-30 juin, 16-28 nov., 2-12 janv., mardi sauf le soir de mai à sept. et merc.*   A t
Rest – Menu 27/45 € – Carte 38/54 €
♦ Bibelots, petits tableaux et photos des années 1930 font le charme des salles à manger de ce restaurant du vieux Chinon. Cuisine au goût du jour à base de produits frais.

à Marçay 9 km par ③ et D 116 – 467 h. – alt. 65 m – ⊠ 37500

Château de Marçay
– ℰ *02 47 93 03 47 – www.chateaudemarcay.com – marcay@relaischateaux.com – Fax 02 47 93 45 33 – Fermé 15-27 nov. et 18 janv.-13 mars*
29 ch – †135/335 € ††215/335 €, ⊇ 22 € – 4 suites
Rest – *(fermé dim. soir hors saison, jeudi midi et lundi sauf le soir en saison et mardi midi)* Menu 63/98 € – Carte 70/95 €
Spéc. Salade de légumes crus-cuits, pistou aux herbes et crevettes bouquet (mai à sept.). Agneau du Poitou aux aubergines en trois façons. Soufflé chaud à la pomme midi. **Vins** Chinon, Saumur-Champigny.
♦ De la forteresse militaire du 12ᵉ s. ne subsiste que ce château à fière allure, remanié au 15ᵉ s. Lieu de charme, grand parc arboré et vue sur les vignes (dégustation au domaine). Décor raffiné, belle carte au goût du jour et vins de Loire au restaurant.

CHIROUBLES – 69 Rhône – 354 h. – alt. 430 m – ⊠ 69115   43 **E1**
◘ Paris 422 – Lyon 59 – Villeurbanne 67 – Bourg-en-Bresse 60 – Caluire-et-Cuire 63

La Tour
à 1 km, le Pont (rte de Fleurie) – ℰ *04 74 04 20 26 – www.mfjp.bernard.free.fr – mfjp.bernard@free.fr – Ouvert de mars à nov.*
4 ch ⊇ – †75 € ††85 € **Table d'hôte** – Menu 30 € bc
♦ Maison de caractère abritant de belles chambres à thèmes : Romantique et Florale (dans la tour), Rétro et Pastorale. Agréable vue sur la vigne. Cuisine régionale.

CHISSAY-EN-TOURAINE – 41 Loir-et-Cher – 318 **D7** – rattaché à Montrichard

CHISSEAUX – 37 Indre-et-Loire – **317** P5 – 575 h. – alt. 58 m 11 **A1**
– ⊠ 37150

🄳 Paris 235 – Tours 37 – Amboise 14 – Loches 33 – Romorantin-Lanthenay 63

※※ **Auberge du Cheval Rouge**   🈂 VISA ⓜ©
30 r. Nationale – ℘ *02 47 23 86 67* – *www.auberge-duchevalrouge.com*
– *cheval-rouge@wanadoo.fr* – *Fax 02 47 23 92 22* – *Fermé 7 déc.-7 janv., lundi et mardi*
Rest – Menu 25/55 € – Carte 40/58 €

♦ L'ancien café du village abrite aujourd'hui un coquet restaurant dont le décor réactualisé a gagné en sobriété rustique (tons clairs). Charmante terrasse verdoyante.

CHITENAY – 41 Loir-et-Cher – **318** F7 – 989 h. – alt. 90 m – ⊠ 41120 11 **A1**
🄳 Paris 196 – Orléans 72 – Blois 15 – Romorantin-Lanthenay 39 – Vendôme 47

🏠 **Auberge du Centre**   🚗 **P** VISA ⓜ© AE
pl. de l'Église – ℘ *02 54 70 42 11* – *www.auberge-du-centre.com* – *contact@auberge-du-centre.com* – *Fax 02 54 70 35 03* – *Fermé 31 janv.-3 mars*
26 ch – ♦59/65 € ♦♦65/72 €, ⊇ 10 € – ½ P 77/83 €
Rest – *(fermé dim. soir hors saison, mardi midi et lundi)* Menu 24 € (sem.)/49 €
– Carte 37/50 €

♦ À proximité des châteaux de la Loire, cette auberge de village à la façade couverte de vigne vierge abrite des chambres actuelles et joliment décorées. Jardin arboré et fleuri. Restaurant lumineux de style méridional, proposant une carte traditionnelle.

CHOISY-AU-BAC – 60 Oise – **305** I4 – rattaché à Compiègne

CHOLET ◉ – 49 Maine-et-Loire – **317** D6 – 54 200 h. – alt. 91 m 34 **B2**
– ⊠ 49300 ▮ Châteaux de la Loire
🄳 Paris 353 – Ancenis 49 – Angers 64 – Nantes 60 – La Roche-sur-Yon 70
🄴 Office de tourisme, 14, avenue Maudet ℘ 02 41 49 80 00, Fax 02 41 49 80 09
🄶 de Cholet Allée du Chêne Landry, ℘ 02 41 71 05 01
◉ Musée d'Art et d'Histoire★ Z M.

Plan page ci-contre

🏨 **San Benedetto** sans rest   ▮ & 🄰🄲 ⇆ 🛜 ♔ 🚿 🚗 VISA ⓜ© AE ①
26 bd G.-Richard – ℘ *02 41 62 07 20* – *www.sanbenedetto-hotel.com* – *contact@sanbenedetto-hotel.com* – *Fax 02 41 58 54 10*   Z e
50 ch – ♦85/120 € ♦♦100/160 €, ⊇ 10 €

♦ Cet établissement flambant neuf remplace le plus ancien hôtel de la ville. L'ensemble se révèle très moderne : hall, bar et salon design, spacieuses chambres aux tons pastel.

🏨 **All Seasons**   🈂 🄰🄲 ⇆ ※ ♔ 🚿 VISA ⓜ© AE ①
45 av. d'Angers – ℘ *02 41 71 08 08* – *www.all-seasons-hotels.com* – *h6924@accor.com* – *Fax 02 41 71 96 96*   BX t
57 ch ⊇ – ♦108/118 € ♦♦118/128 €
Rest – *(fermé sam. et dim.)* Menu 24 € – Carte 32/47 €

♦ Une fois entré, on oublie la zone commerciale voisine : chaleureux décor où domine un bois issu d'ex-cabanes canadiennes, chambres confortables et modernes, bien insonorisées. Agréable salle coiffée d'une verrière, décor contemporain et carte traditionnelle.

🏠 **Du Parc** sans rest   ▮ ⇆ ♔ 🚿 🚗 VISA ⓜ©
4 av. A. Manceau – ℘ *02 41 62 65 45* – *hotel.parc.cholet@wanadoo.fr*
– *Fax 02 41 58 64 08* – *Fermé 21 déc.-6 janv.*   AY x
46 ch – ♦57/65 € ♦♦57/65 €, ⊇ 7 €

♦ Chambres sobres, fonctionnelles et bien insonorisées, grande salle de réunion et buffet de petits-déjeuners : cette adresse pratique se trouve près de la patinoire de Cholet.

🏠 **Demeure l'Impériale** sans rest   🚗 ⇆ ♔ **P** VISA ⓜ©
28 r. Nationale – ℘ *02 41 58 84 84* – *www.demeure-imperiale.com*
– *demeure.imperiale@wanadoo.fr* – *Fax 02 41 63 17 03*   Z t
4 ch ⊇ – ♦69 € ♦♦76 €

♦ Accueil charmant dans cet hôtel particulier de 1860. Chambres lumineuses (fleurs, linge luxueux, parquet). Petit-déjeuner sous une verrière avec confiture et gâteaux maison.

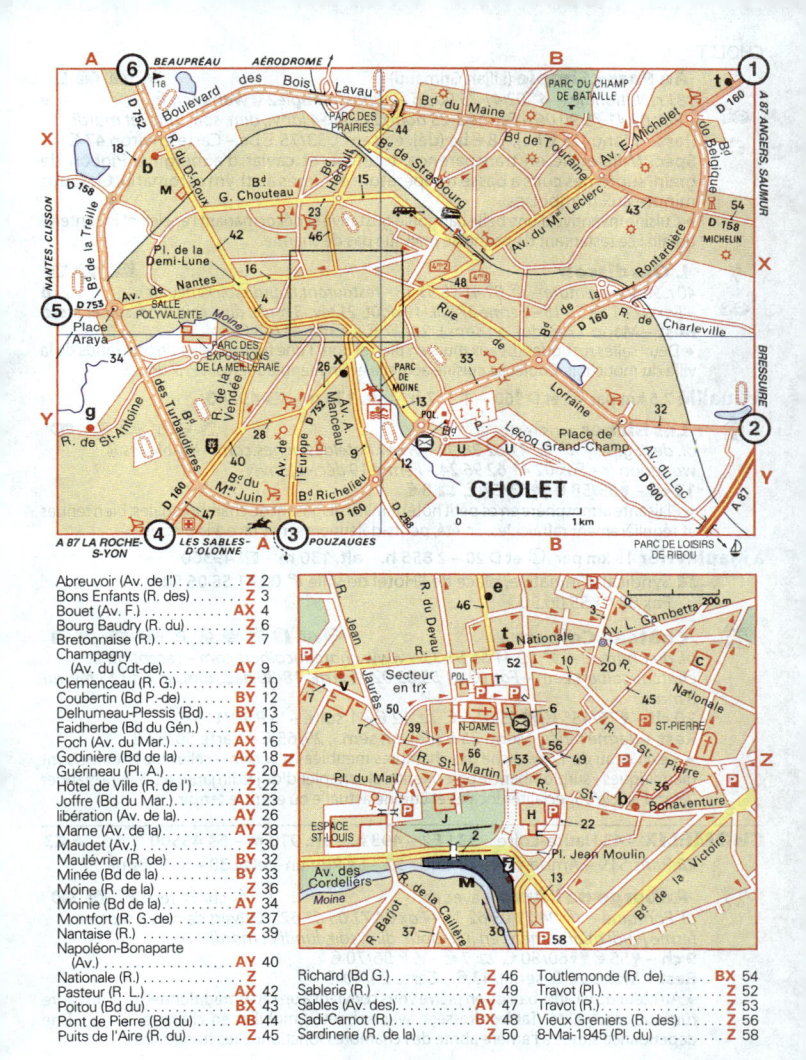

Street	Ref
Abreuvoir (Av. de l')	Z 2
Bons Enfants (R. des)	Z 3
Bouet (Av. F.)	AX 4
Bourg Baudry (R. du)	Z 6
Bretonnaise (R.)	Z 7
Champagny (Av. du Cdt-de)	AY 9
Clemenceau (R. G.)	Z 10
Coubertin (Bd P.-de)	BY 12
Delhumeau-Plessis (Bd)	BY 13
Faidherbe (Bd du Gén.)	AX 15
Foch (Av. du Mar.)	AX 16
Godinière (Bd de la)	Z 18
Guérineau (Pl. A.)	Z 20
Hôtel de Ville (R. de l')	Z 22
Joffre (Bd du Mar.)	AX 23
libération (Av. de la)	Z 26
Marne (R. de la)	AY 28
Maudet (Av.)	Z 30
Maulévrier (R. de)	BY 32
Minée (Bd de la)	BY 33
Moine (R. de la)	Z 36
Moinie (Bd de la)	AY 34
Montfort (R. G.-de)	Z 37
Nantaise (R.)	Z 39
Napoléon-Bonaparte (Av.)	AY 40
Nationale (R.)	Z
Pasteur (R. L.)	AX 42
Poitou (Bd du)	BX 43
Pont de Pierre (Bd du)	AB 44
Puits de l'Aire (R. du)	Z 45
Richard (Bd G.)	Z 46
Sablerie (R.)	Z 49
Sables (Av. des)	AY 47
Sadi-Carnot (R.)	BX 48
Sardinerie (R. de la)	Z 50
Toutlemonde (R. de)	BX 54
Travot (Pl.)	Z 52
Travot (R.)	Z 53
Vieux Greniers (R. des)	Z 56
8-Mai-1945 (Pl. du)	Z 58

※※ **La Grange**

64 r. de St-Antoine – ℰ 02 41 62 09 83 – Fax 02 41 62 32 89
– Fermé 3-25 août, 15 fév.-2 mars, merc. soir, dim. soir et lundi   AY g
Rest – Menu 18 € (déj. en sem.), 26/39 € bc – Carte environ 48,50 €
◆ Objets agrestes, poutres apparentes et cheminée témoignent du passé de cette ancienne ferme où l'on savoure désormais une cuisine actuelle et soignée, sans se ruiner.

※※ **La Touchetière**

41 bd Roux – ℰ 02 41 62 55 03 – www.restaurant-cholet.fr – latouchetiere@orange.fr – Fax 02 41 58 82 10 – Fermé 2-21 août, sam. midi, dim. soir et lundi soir
Rest – Menu (20 €), 22/40 € – Carte 38/46 €   AX b
◆ Vieille auberge rajeunie en préservant son cachet rustique. Salle claire coiffée de poutres blanchies, carte traditionnelle, cheminée allumée en hiver, terrasse d'été fleurie.

CHOLET

Au Passé Simple (Lilian Grimaud) — VISA MC AE
181 r. Nationale – ℰ 02 41 75 90 06 – aupassesimple2@wanadoo.fr
– Fax 02 41 75 90 06 – Fermé 3-25 août, 22 déc.-4 janv., dim. soir, lundi et mardi   Z v
Rest – Menu (15 € bc), 18 € bc (déj. en sem.), 33/75 € bc – Carte environ 47 €
Spéc. Millefeuille en transparence, tourteau et caviar d'aubergine. Pigeon de grain, suprêmes cuits à basse température et fumés au thym et romarin. Clafoutis minute aux framboises.
• Cuisine inventive d'une belle harmonie gustative et décor mariant l'ancien et le contemporain : ce restaurant de poche ne manque pas de charme.

L'Ourdissoir — VISA MC AE
40 r. St-Bonaventure – ℰ 02 41 58 55 18 – restaurant.l.ourdissoir@neuf.fr
– Fax 02 41 58 55 18 – Fermé 27 juil.-17 août, 21 fév.-3 mars, dim. soir, lundi soir et merc.   Z b
Rest – Menu 17 € (déj. en sem.), 24/47 € – Carte 41/48 €
• Deux salles rustiques (beaux murs en pierre) dont l'une fut un atelier de tisserands de la ville du mouchoir. Copieuse cuisine actuelle et un menu du terroir. Prix doux.

à Nuaillé 7,5 km par ① et D 960 – 1 317 h. – alt. 133 m – ⊠ 49340

Les Biches sans rest — VISA MC
pl. de l'Eglise – ℰ 02 41 62 38 99 – www.hoteldesbiches.com – les-biches@wanadoo.fr – Fax 02 41 62 96 24 – Fermé 19 déc.-4 janv.
12 ch – †55/58 € ††63/67 €, ⊇ 8 €
• Plaisante atmosphère en ce petit hôtel familial disposant de chambres gaies, bien tenues et régulièrement rafraîchies. En été, petits-déjeuners servis face à la piscine.

à Maulévrier 13 km par ② et D 20 – 2 855 h. – alt. 130 m – ⊠ 49360

fl Syndicat d'initiative, place de l'Hôtel de Ville ℰ 02 41 55 06 50, Fax 02.41.55.06.50

Château Colbert — VISA MC AE ①
pl. du Château – ℰ 02 41 55 51 33 – www.chateaucolbert.com – reception@chateaucolbert.com – Fax 02 41 55 09 02 – Fermé 18-30 déc., dim. soir du 15 fév. au 8 mars
20 ch – †75/155 € ††75/155 €, ⊇ 12 € – 1 suite – ½ P 79/119 €
Rest – *(fermé fériés)* Menu 25 € (déj. en sem.), 29/65 € – Carte 50/63 €
• Ce château du 17ᵉ s. cache des chambres meublées d'ancien – celles du 1ᵉʳ étage sont magnifiques – surplombant le parc oriental et son splendide jardin japonais. Salle à manger "Grand Siècle". Spécialités locales et cuisine actuelle où entre le terroir.

CHOMELIX – 43 Haute-Loire – 331 E2 – 493 h. – alt. 910 m – ⊠ 43500   6 C3
D Paris 519 – Ambert 36 – Brioude 52 – Le Puy-en-Velay 30 – St-Étienne 77

Auberge de l'Arzon avec ch — ch, rest, P VISA MC
pl. Fontaine – ℰ 04 71 03 62 35 – Fax 04 71 03 61 62 – Ouvert de mai à sept. et fermé jeudi midi et merc. en juil.-août, dim. soir, lundi et mardi
9 ch – †55 € ††60/80 €, ⊇ 7 € – ½ P 56/70 €
Rest – Menu 20 € (sem.)/47 € – Carte 24/40 €
• Au cœur du village, bâtisse en pierre vous conviant à un repas traditionnel dans un cadre rustique réactualisé. Tables dressées avec sobriété ; mobilier en chêne et acajou. Une dépendance située à l'arrière abrite des chambres fonctionnelles tranquilles.

CHONAS-L'AMBALLAN – 38 Isère – 333 B5 – rattaché à Vienne

CHORANCHE – 38 Isère – 333 F7 – 134 h. – alt. 280 m – ⊠ 38680   43 E2
Alpes du Nord

D Paris 588 – Grenoble 52 – Valence 48 – Villard-de-Lans 20
◉ Grotte de Coufin ★★.

Le Jorjane — P VISA MC
Le village – ℰ 04 76 36 09 50 – www.lejorjane.com – info@lejorjane.com
– Fax 04 76 36 00 80 – Fermé 15-30 nov., dim. soir hors saison et lundi
7 ch – †38/51 € ††38/51 €, ⊇ 8 €   **Rest** – Menu 17/30 € – Carte 18/35 €
• Dans le célèbre village aux sept grottes, auberge familiale abritant des chambres pratiques. Les motards y sont chouchoutés. Restaurant rustique décoré d'objets chinés et terrasse couverte bordant la route ; plats traditionnels, grillades, salades, pizzas.

CIBOURE – 64 Pyrénées-Atlantiques – **342** C4 – rattaché à St-Jean-de-Luz

CINQ-CHEMINS – 74 Haute-Savoie – **328** L2 – rattaché à Thonon-les-Bains

LA CIOTAT – 13 Bouches-du-Rhône – **340** I6 – 31 900 h. – Casino — 40 **B3**
– ✉ 13600 ▊ Provence

- ▶ Paris 802 – Aix-en-Provence 53 – Brignoles 62 – Marseille 32 – Toulon 36
- 🛈 Office de tourisme, boulevard Anatole France ✆ 04 42 08 61 32, Fax 04 42 08 17 88
- ◉ Calanque de Figuerolles★ SO : 1,5 km puis 15 mn par D141 - Chapelle N.-D. de la Garde ≤★★ O : 2,5 km puis 15 mn.
- ◉ - à l'Île Verte ≤★ en bateau 30 mn.

au Liouquet 6 km à l'Est par D 559 (rte de Bandol) – ✉ 13600 La Ciotat

Auberge Le Revestel avec ch
– ✆ 04 42 83 11 06 – www.revestel.com – revestel@wanadoo.fr
– Fax 04 42 83 29 50 – Fermé 2-17 déc. et 5 janv.-11 fév.
6 ch – †65 €††65 €, ☑ 9 € – ½ P 76 €
Rest – *(fermé dim. soir et merc.)* Menu (26 € bc), 40 € – Carte 52/63 €
◆ Belle situation sur la corniche pour cette petite auberge colorée, au calme. Les larges baies de la salle offrent une vue imprenable sur le large. Cuisine régionale actuelle.

CIRES-LÈS-MELLO – 60 Oise – **305** F5 – 3 548 h. – alt. 39 m — 36 **B3**
– ✉ 60660

- ▶ Paris 65 – Beauvais 32 – Chantilly 17 – Compiègne 47 – Clermont 16 – Creil 12

Relais du Jeu d'Arc
pl. Jeu-d'Arc, 1 km à l'Est – ✆ 03 44 56 85 00 – www.relais-jeu-arc.com – jeudarc@cdno.org – Fax 03 44 56 85 19 – Fermé août et 21 déc.-1er janv.
14 ch – †65/125 €††65/125 €, ☑ 10 € – ½ P 80 €
Rest – *(fermé dim. et lundi)* Menu 18 € (déj. en sem.), 24/39 € – Carte 40/48 €
◆ Ancien relais de poste dont les origines remontent au 17e s. Les chambres, actuelles et confortables, sont parfois mansardées. Plats traditionnels servis au coin du feu dans une sympathique salle aménagée dans l'ex-écurie. Terrasse avec vue sur le château.

CLAIRAC – 47 Lot-et-Garonne – **336** E3 – 2 506 h. – alt. 52 m – ✉ 47320 — 4 **C2**

- ▶ Paris 690 – Agen 42 – Marmande 24 – Nérac 35
- 🛈 Office de tourisme, 16, place Viçoze ✆ 05 53 88 71 59, Fax 05 53 88 71 59

L'Auberge de Clairac
12 rte Tonneins – ✆ 05 53 79 22 52 – www.aubergedeclairac.fr
– aubergedeclairac@orange.fr – Fermé vacances de Toussaint et de fév., dim. soir, mardi soir et merc.
Rest – Menu (20 € bc), 28 € – Carte 29/41 €
◆ Cette maison régionale bâtie au 19e s. jouxte un ancien séchoir à tabac. Cuisine au goût du jour servie dans un cadre actuel ou sur la jolie terrasse fleurie.

CLAM – 17 Charente-Maritime – **324** H7 – rattaché à Jonzac

CLAMART – 92 Hauts-de-Seine – **311** J3 – **101** 25 – voir à Paris, Environs

CLAMECY ◉ – 58 Nièvre – **319** E7 – 4 570 h. – alt. 144 m – ✉ 58500 — 7 **B2**
▊ Bourgogne

- ▶ Paris 208 – Auxerre 42 – Avallon 38 – Cosne-sur-Loire 52 – Dijon 145 – Nevers 69
- 🛈 Office de tourisme, 24, rue du Grand Marché ✆ 03 86 27 02 51, Fax 03 86 27 20 65
- ◉ Église St-Martin★.

CLAMECY

Hostellerie de la Poste
9 pl. E. Zola – ℰ 03 86 27 01 55 – www.hostelleriedelaposte.fr
– hotelposteclamecy@wanadoo.fr – Fax 03 86 27 05 99
17 ch – †56/76 € ††56/76 €, ⊇ 10 € – ½ P 59/67 €
Rest – Menu 25 € (sem.)/37 € – Carte environ 42 €

♦ Ex-relais de poste de la cité où l'on pratiquait le spectaculaire flottage du bois. Coquettes petites chambres (salles de bains refaites), plus calmes sur l'arrière. Dans l'agréable salle à manger, mi-classique, mi-actuelle, goûtez à des plats dans l'air du temps.

LES CLAUX – 05 Hautes-Alpes – **334** I5 – rattaché à Vars

CLÉMONT – 18 Cher – **323** J1 – 640 h. – alt. 141 m – ⊠ 18410   12 **C2**

▶ Paris 187 – Orléans 72 – Bourges 62 – Vierzon 71 – Olivet 59

Domaine des Givrys
– ℰ 02 48 58 80 74 – www.domainedesgivrys.com – givrys@wanadoo.fr
– Fax 02 48 58 80 74
5 ch ⊇ – †62 € ††70 €   **Table d'hôte** – Menu 35 € bc

♦ Pour les amoureux de la nature, voici une ancienne ferme au cœur d'un vaste domaine, en bordure d'étang et de rivière. Chambres romantiques. Le terroir et la convivialité sont à l'honneur autour de la grande table d'hôte en chêne.

CLÈRES – 76 Seine-Maritime – **304** G4 – 1 266 h. – alt. 113 m – ⊠ 76690   33 **D1**
▌Normandie Vallée de la Seine

▶ Paris 155 – Dieppe 45 – Forges-les-Eaux 35 – Neufchâtel-en-Bray 36
– Rouen 39 – Yvetot 39

🛈 Syndicat d'initiative, 59, avenue du Parc ℰ 02 35 33 38 64,
Fax 02 35 33 38 64

◉ Parc zoologique★.

à Frichemesnil 4 km au Nord-Est par D 6 et D 100 – 396 h. – alt. 150 m – ⊠ 76690

Au Souper Fin (Eric Buisset) avec ch
1 rte de Clères – ℰ 02 35 33 33 88 – www.souperfin.com – buisset.eric@wanadoo.fr – Fax 02 35 33 50 42 – Fermé 3-27 août, dim. soir, merc. et jeudi
3 ch – †55 € ††65 €, ⊇ 10 €   **Rest** – Menu 32 € (sem.)/54 €
– Carte 55/75 €

Spéc. Saint-Jacques poêlées au beurre d'algues (oct. à fév.). Carré d'agneau rôti au four et jus réduit au confit d'ail. Millefeuille à la vanille.

♦ Ce sympathique restaurant arbore un décor contemporain, élégant et chaleureux. Cuisine actuelle soignée, vins choisis, terrasse-pergola côté jardin et jolies petites chambres.

au Sud 2 km sur D 155 – ⊠ 76690 Clères

Auberge du Moulin
36 r. des Moulins du Tot – ℰ 02 35 33 62 76 – www.aubergedumoulin.org
– marc.halbourg@orange.fr – Fax 02 35 33 62 76 – Fermé 17 août-3 sept., mardi sauf le soir de fév. à oct., dim. soir et lundi
Rest – Menu (17 €), 27/49 € – Carte 37/53 €

♦ Auberge sympathique tournée vers un vieux moulin bordé par une petite rivière dont le cours est ponctué de cressonnières. Cuisine actuelle où entre le terroir. Terrasse d'été.

CLERMONT – 60 Oise – **305** F4 – 10 797 h. – alt. 125 m – ⊠ 60600   36 **B2**
▌Nord Pas-de-Calais Picardie

▶ Paris 79 – Amiens 83 – Beauvais 27 – Compiègne 34 – Mantes-la-Jolie 101
– Pontoise 62

🛈 Syndicat d'initiative, 19, place de l'Hôtel de Ville ℰ 03 44 50 40 25,
Fax 03 44 50 40 25

CLERMONT

à Gicourt-Agnetz 2 km à l'Ouest par ancienne rte de Beauvais – ⊠ 60600 Agnetz

XX **Auberge de Gicourt**
466 av. Philippe Courtial – ℰ *03 44 50 00 31 – www.aubergedegicourt.com
– aubergedegicourt@wanadoo.fr – Fax 03 44 50 42 29 – Fermé 29 juil.-19 août,
dim. soir, mardi soir et merc.*
Rest – Menu 20/55 € – Carte 45/65 €
♦ À proximité d'une forêt, pimpante auberge où l'on concocte une cuisine traditionnelle.
Salle à manger champêtre récemment refaite ; belle terrasse d'été fleurie.

à Étouy 7 km au Nord-Ouest par D 151 – 772 h. – alt. 85 m – ⊠ 60600

XXX **L'Orée de la Forêt** (Nicolas Leclercq)
✿ *255 r. Forêt –* ℰ *03 44 51 65 18 – www.loreedelaforet.fr – info@loreedelaforet.fr
– Fax 03 44 78 92 11 – Fermé 1ᵉʳ août-3 sept., 3-14 janv., sam. midi, dim. soir, vend.
et soirs fériés*
Rest – Menu 30 € (déj. en sem.), 46/80 € – Carte 70/84 €
Spéc. Foie gras poêlé au sirop de betterave. Pigeonneau rôti à la badiane, légumes
du potager. Millefeuille vanillé.
♦ Cette maison de maître du 20ᵉ s. a fière allure avec ses jolies salles à manger bourgeoises
et son paisible parc arboré. Accueil charmant et belle cuisine au goût du jour.

CLERMONT-FERRAND Ⓟ – 63 Puy-de-Dôme – 326 F8 – 139 300 h.   5 **B2**
– Agglo. 258 541 h. – alt. 401 m – ⊠ 63000 ▮ Auvergne

▶ Paris 420 – Lyon 172 – Moulins 106 – St-Étienne 147
✈ de Clermont-Ferrand-Auvergne : ℰ 04 73 62 71 00 par D 766 CY : 6 km.
🛈 Office de tourisme, place de la Victoire ℰ 04 73 98 65 00, Fax 04 73 90 04 11
⛳ Nouveau Golf de Charade à RoyatO par D 5 : 8 km, ℰ 04 73 35 73 09
⛳ des Volcans à Orcines La Bruyère des Moines, NO : 9 km, ℰ 04 73 62 15 51
Circuit automobile de Charade, St Genès-Champanelle ℰ 04 73 29 52 95 AZ.

◉ Le Vieux Clermont★ EFVX : Basilique de N.-D.-du-Port★★ (chœur★★★),
Cathédrale★★ (vitraux★★), fontaine d'Amboise★, cour★ de la maison de
Savaron EV - Cour★ dans l'Hôtel de Fonfreyde EV M¹, musée d'archéologie
Bargoin★ FX - Le Vieux Montferrand★★ : hôtel de Lignat★, hôtel de
Fontenilhes★, maison de l'Éléphant★, cour★ de l'hôtel Regin, porte★ de
l'hôtel d'Albiat, - Bas-relief★ de la maison d'Adam et d'Ève - Musée d'art
Roger-Quilliot - Belvédère de la D 941A ≼★★ AY.

◨ Puy de Dôme ✻★★★ 15 km par ⑥ - Vulcania (Centre Européen du
Vulcanisme). Parc Naturel régional des volcans d'Auvergne★★★.

🏨 **Novotel**
Z.I. du Brézet, r. G. Besse ⊠ *63100 –* ℰ *04 73 41 14 14 – www.novotel.com
– h1175@accor.com – Fax 04 73 41 14 00*   CY **a**
131 ch – ♦99/160 € ♦♦99/160 €, ⊇ 15 €
Rest *Le Jardin des Puys* – Menu (20 €), 26 € (sem.) – Carte 27/40 €
♦ Espace, cadre plaisant, bonne isolation phonique : réservez en priorité une chambre
rénovée. Lignes et décoration contemporaines dans le hall et le bar. Le Jardin des Puys,
entièrement refait, vous accueille dans son cadre tendance épuré, avec vue sur la piscine
et le parc.

🏨 **Suitehotel** sans rest
52 av. de la République – ℰ *0 473 423 473 – www.suitehotel.com – H6306@
accor.com – Fax 04 73 42 34 77*   BY **c**
91 ch – ♦109/142 € ♦♦109/142 €, ⊇ 16 €
♦ Hôtel neuf dont les chambres offrent un cadre actuel et design réussi, et ont été conçues
avec un espace bureau modulable. Coins repas et business au rez-de-chaussée.

🏨 **Holiday Inn Garden Court**
59 bd F. Mitterrand – ℰ *04 73 17 48 48 – www.holidayinn-
clermont.com – higcclermont@alliance-hospitality.com – Fax 04 73 35 58 47*
94 ch – ♦120/160 € ♦♦120/160 €, ⊇ 14 € – ½ P 87/101 €   EX **a**
Rest – *(fermé vend. soir, sam. et dim.)* Menu (17 €), 20 € – Carte 30/42 €
♦ Immeuble moderne entre le parc botanique, la maison de la culture et le tram pour
sillonner la ville. Chambres fonctionnelles, bien équipées. Large panel de services proposés. Belle salle à manger lumineuse sous verrière dans un cadre verdoyant.

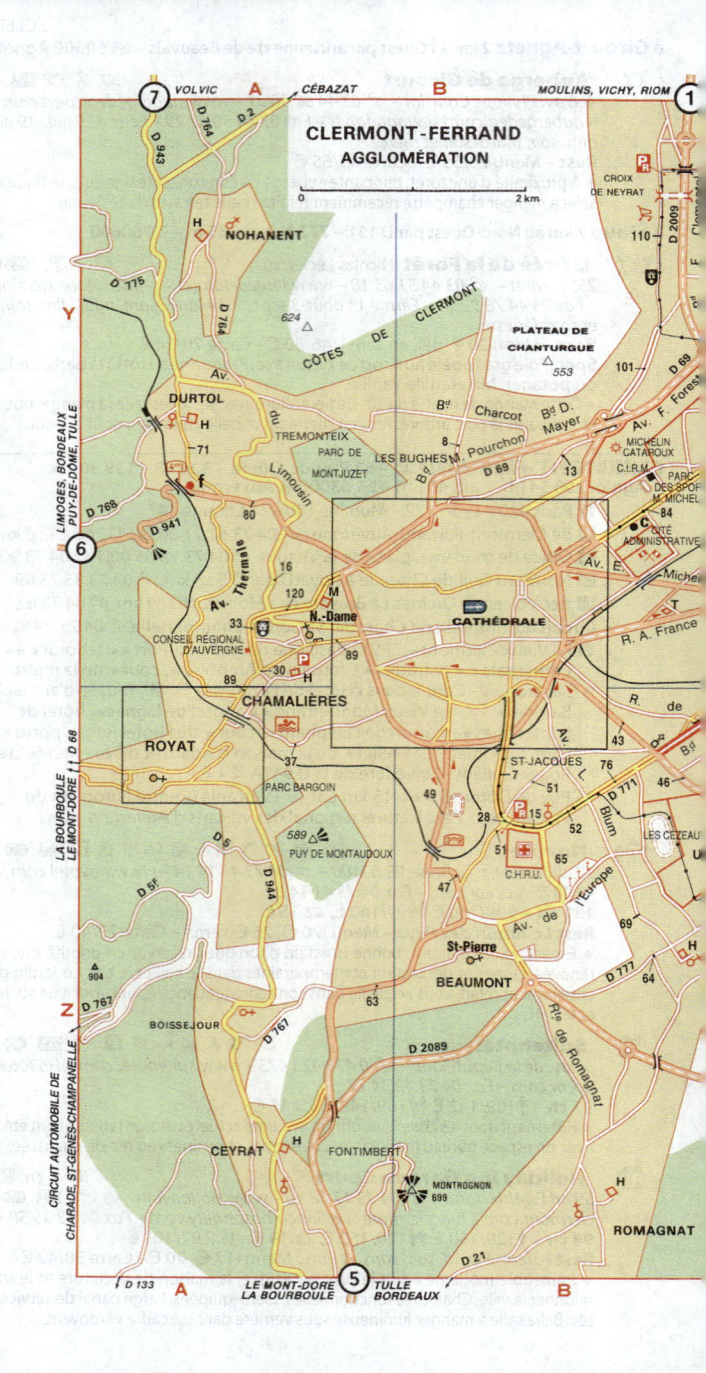

CLERMONT-FERRAND
AGGLOMÉRATION

0 — 2 km

AUBIÈRE

Cournon (Av. de) . . . . **CZ**
Maerte (Av. R.) . . . . **CZ** 55
Mont Mouchet (Av. du) . . **BZ** 64
Moulin (Av. Jean) . . . . **CZ**
Noellet (Av. J.) . . . . **BZ** 69
Roussillon (Av. du) . . . . . . **CZ**

BEAUMONT

Europe (Av. de l') . . . . **BZ**
Leclerc (Av. du Mar.) . . . . **BZ** 47
Mont Dore (Av. du) . . . . **ABZ** 63
Romagnat (Rte de) . . . . . . **BZ**

CHAMALIÈRES

Claussat (Av. J.) . . . . **AY** 16
Europe (Carrefour de l') . . **AY** 30
Fontmaure (Av. de) . . . . . **AY** 33
Gambetta (Bd) . . . . **AZ** 37
Royat (Av. de) . . . . **AY** 89
Thermale (Av.) . . . . **AY**
Voltaire (R.) . . . . **AY** 120

CLERMONT-FERRAND

Agriculture (Av. de l'). . . . . **CY** 3
Anatole-France (R.) . . . . . . **BY**
Bernard (Bd Cl.) . . . . **BZ** 7
Bingen (Bd J.) . . . . **BCYZ**
Blanzat (R. de) . . . . **BY** 8
Blériot (R. L.) . . . . **CY** 10
Blum (Av. L.) . . . . **BZ**
Brezet (Av. du) . . . . **CY**
Champfleuri (R. de) . . . . . **BY** 13
Charcot (Bd) . . . . **BY**
Churchill (Bd Winston) . . **BZ** 15
Clementel (Bd E.) . . . . **BY**
Cugnot (R. N.-J.) . . . . **CY** 22
Dunant (Pl. H.) . . . . **BZ** 28
La-Fayette (Av.) . . . . **BZ** 43
Flaubert (Bd G.) . . . . **CZ** 32
Forest (Av. F.) . . . . **BY**
Jean-Moulin (Bd) . . . . **CY** 39
Jouhaux (Bd L.) . . . . **CY** 40
Kennedy (Bd J.-F.) . . . . . . **CY** 41
Kennedy (Carrefour) . . . . **CY** 42
Landais (Av. des) . . . . . **BCZ** 46
Libération (Av. de la) . . . . **BZ** 49
Limousin (Av. du) . . . . . . **AY**
Liondards (Av. des) . . . . . **BZ** 51
Loucheur (Bd Louis) . . . . . **BZ** 52
Mabrut (R. A.) . . . . **CY** 53
Margeride (Av. de la). . . . . **CZ** 58
Mayer (Bd D.) . . . . **BY**
Mermoz (Av. J.) . . . . **CY**
Michelin (Av. Édouard) . . **BY**
Montalembert (R.) . . . . . . **BZ** 64
Oradour (R. de l') . . . . . . **BCZ**
Pochet-Lagaye (Bd P.) . . . **BZ** 76
Pompidou (Bd G.) . . . . . . **CY**
Pourchon (Bd M.) . . . . . . **BY**
Puy de Dôme (Av. du) . . . **AY** 80
Quinet (Bd Edgar) . . . . . . **CY**
République (Av. de la) . . . **BY** 84
St-Jean (Bd) . . . . **CY** 96
Sous les Vignes (R.) . . . . . **BY** 101
Torpilleur Sirocco (R. du) . **BY** 110
Verne (R. Jules) . . . . **CY** 117
Viviani (R.) . . . . **CY**

DURTOL

Paix (Av. de la) . . . . **AY** 71

549

D
E
V
X
Parc de Monjuzet
Rue Paul
R. de Nohanent
Boulevard du Clos
R. du Clos
Lavoisier
R. G. Durant
Alyre
St-Alyre
ST ALYRE
Tiretaine
Blanzat
Pl. de
Notre Dame
R. du Belloy
R. du Pont
Naturel
Diomède
R. Pierre Besset
R. de Serbie
ST-EUTROPE
R. G. de Blanzat
Rue
R. H.
R. J.
Petit R.
Boulevard Berthelot
Rue Fontgiève
Amadéo
Rue G. Péri
R. A. Moinier
Marché St-Pierre
FONTAINE D'AMBOISE
VIEUX CLERMONT
CITÉ JUDICIAIRE
R. Antoine Menat
STE-MARIE
SQUARE AMADÉO
Torrilhon
M¹ des Gras
ESPACE MICHELIN
Pl. de la Victoire
M°ⁿ de Savaron
Pl. Sugny
R. J.B.
Av. F. Roosevelt
Lamartine
Rue Blatin
St-Pierre-les Minimes
Place de Jaude
HÔTEL DU DÉPT
Bᵈ
R. L. Morel-Ladeuil
R. Rameau
Rue Bonnabaud
Av. de Montjoly
Julien
Avenue
Duclaux
Av. Pasteur
Pl. L. Aragon
CENTRE JAUDE
Av. G. Clemenceau
Juin
R. Eugène Gilbert
Boulevard Pasteur
POL
Bᵈ Ch. de Gaulle
Pl. Galliéni
HÔTEL-DIEU
Av. Jean Jaurès
Boulevard A. Briand
R. des Salins
Drelon
Av. Marx Dormoy
Pl. des Salins
(Pl. Gambetta)
MAISON DE LA CULTURE
Bᵈ
Av. de la Libération
R. Abbé de l'Epée
PIERRE DE COUBERTIN
R. de Bellevue
Bᵈ Gambetta
Boulevard Jean Jaurès
SAINTE JEANNE D'ARC
6
16
36
95
57
29
12
134
74
92
25
93
87
85
38
44
56

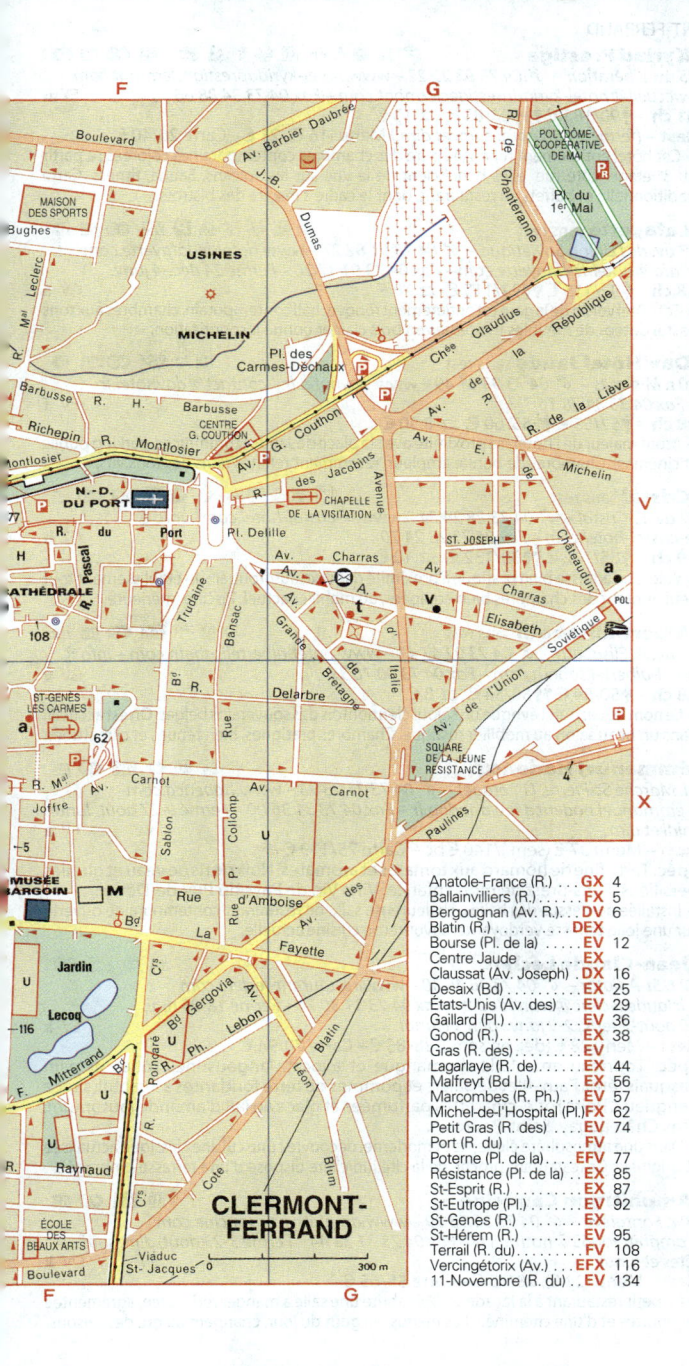

Street	Ref	No
Anatole-France (R.)	GX	4
Ballainvilliers (R.)	FX	5
Bergougnan (Av. R.)	DV	6
Blatin (R.)	DEX	
Bourse (Pl. de la)	EV	12
Centre Jaude	EX	
Claussat (Av. Joseph)	DX	16
Desaix (Bd)	EX	25
États-Unis (Av. des)	EV	29
Gaillard (Pl.)	EV	36
Gonod (R.)	EX	38
Gras (R. des)	EV	
Lagarlaye (R. de)	EX	44
Malfreyt (Bd L.)	EX	56
Marcombes (R. Ph.)	EV	57
Michel-de-l'Hospital (Pl.)	FX	62
Petit Gras (R. des)	EV	74
Port (R. du)	FV	
Poterne (Pl. de la)	EFV	77
Résistance (Pl. de la)	EX	85
St-Esprit (R.)	EX	87
St-Eutrope (Pl.)	EV	92
St-Genes (R.)	EX	
St-Hérem (R.)	EV	95
Terrail (R. du)	FV	108
Vercingétorix (Av.)	EFX	116
11-Novembre (R. du)	EV	134

CLERMONT-FERRAND

Kyriad Prestige
25 av. de Libération – ℰ 04 73 93 22 22 – www.hotel-kyriadprestigeclermont.com
– accueil @ hotel-kyriadprestigeclermont.com – Fax 04 73 34 88 66 EXm
81 ch – †90/185 € ††90/185 €, ⊇ 13 €
Rest – *(fermé 1ᵉʳ-15 août, sam. et dim.)* Menu (16 €), 21 € – Carte 26/40 €
◆ Cet hôtel entièrement repensé abrite des chambres contemporaines colorées ; à partir du 3ᵉ étage, côté rue, elles bénéficient de la vue sur les volcans. Sauna, fitness. Carte traditionnelle et buffets au restaurant, dont le cadre s'inspire des bistrots.

Lafayette sans rest
53 av. de l'Union Soviétique – ℰ 04 73 91 82 27 – www.hotel-le-lafayette.com
– info @ hotel-le-lafayette.com – Fax 04 73 91 17 26 – Fermé 24 déc.-4 janv.
48 ch – †92/115 € ††92/115 €, ⊇ 10 € GV a
◆ Cet hôtel voisin de la gare est entièrement rénové : hall contemporain, chambres aux tons pastel dotées de meubles modernes en bois clair et bonne insonorisation.

Dav'Hôtel Jaude sans rest
10 r. Minimes – ℰ 04 73 93 31 49 – www.davhotel.fr – contact @ davhotel.fr
– Fax 04 73 34 38 16 EV f
28 ch – †52/55 € ††55/60 €, ⊇ 8,50 €
◆ Atout majeur de l'hôtel : sa proximité avec la place de Jaude (commerces, parking public et cinémas). Chambres de bonne ampleur, récemment refaites dans des tons vifs.

Cristal sans rest
37 av. E.-Cristal – ℰ 04 73 28 24 24 – www.le-cristal-hotel.com – info @
le-cristal-hotel.com – Fax 04 73 28 24 20 CZ b
79 ch – †85/132 € ††85/132 €, ⊇ 10 €
◆ Voici une adresse bien pratique à proximité d'un axe autoroutier : un établissement tout neuf abritant des chambres bien équipées, au mobilier actuel. Piscine intérieure.

Albert-Élisabeth sans rest
37 av. A. Élisabeth – ℰ 04 73 92 47 41 – www.hotel-albertelisabeth.com – info @
hotel-albertelisabeth.com – Fax 04 73 90 78 32 GV v
38 ch – †50/54 € ††50/54 €, ⊇ 8 €
◆ Le nom de cet hôtel évoque un séjour clermontois des souverains belges. On est accueilli dans un beau salon au mobilier rustique. Chambres pratiques, bien tenues et climatisées.

XXX Emmanuel Hodencq
pl. Marché St-Pierre, (1ᵉʳ étage) – ℰ 04 73 31 23 23 – www.hodencq.com
– emmanuel.hodencq @ wanadoo.fr – Fax 04 73 31 36 00 – Fermé 9-27 août, lundi midi et dim. EV a
Rest – Menu 37 € (sem.)/140 € bc – Carte 75/119 €
Spéc. Tarte fine de homard aux tomates et aromates. Noix de ris de veau et girolles persillées. Paris-Brest de mon enfance. **Vins** Vin de pays du Puy-de-Dôme.
◆ Installée au-dessus des halles, chaleureuse salle de restaurant contemporaine ouverte sur une jolie terrasse verdoyante. Savoureuse cuisine actuelle.

XXX Jean-Claude Leclerc
12 r. St-Adjutor – ℰ 04 73 36 46 30 – www.restaurant-leclerc.com
– jclaude.leclerc @ wanadoo.fr – Fax 04 73 31 30 74 – Fermé 18-25 mai,
10 août-2 sept., 2-9 janv., dim. et lundi EV k
Rest – Menu 28 € (déj. en sem.), 38/85 € – Carte 70/94 €
Spéc. Tourteau en salade de mangue et avocat, langoustines rôties et pain basquais (été). Faux-filet de Salers et pommes de terre fondantes au cantal, sauce périgueux. Poire rôtie, cigarettes parfumées et glace au lait d'amande (automne). **Vins** Châteaugay, Saint-Pourçain.
◆ Dans une atmosphère élégante et moderne, découvrez une cuisine classique actualisée et originale. Ce restaurant proche de la cité judiciaire dispose d'une terrasse ombragée.

XX Amphitryon Capucine
50 r. Fontgiève – ℰ 04 73 31 38 39 – www.amphitryoncapucine.com
– amphitryon63 @ hotmail.fr – Fax 04 73 31 38 44 – Fermé 3-23 août, dim. sauf fêtes et lundi DV k
Rest – Menu (22 €), 28/75 € – Carte 55/65 €
◆ Ce petit restaurant à la façade en bois abrite une salle à manger redécorée, agrémentée de poutres et d'une cheminée. Les menus, au goût du jour, changent au gré des saisons.

CLERMONT-FERRAND

XX **Goûts et Couleurs** 🛜 VISA ⓂⒸ
6 pl. du Changil – ℰ 04 73 19 37 82 – www.restaurantgoutsetcouleurs.com
– Fax 04 73 19 37 83 – Fermé 21-28 mai, 9-31août et dim. DV r
Rest – Menu (19 €), 28/68 € – Carte 47/76 €
♦ Sur une petite place, sympathique restaurant pour déguster une cuisine dans l'air du temps. Cadre sobre, bicolore (blanc-mauve), orné de tableaux ; salle sous une arcade voûtée.

XX **Brasserie Danièle Bath** 🛜 AC VISA ⓂⒸ AE ⓪
pl. Marché St-Pierre – ℰ 04 73 31 23 22 – brasseriebath@orange.fr
– Fermé 9 fév.-2 mars, 15-31 août, dim., lundi et fériés EV e
Rest – Menu (18 €), 27/36 € – Carte 42/58 €
♦ Décor de bistrot, salle à manger cossue égayée d'œuvres d'art contemporaines ou, en été, terrasse sur la place piétonne. Cuisine traditionnelle ; bon choix de vins au verre.

X **Fleur de Sel** AC VISA ⓂⒸ
8 r. Abbé Girard – ℰ 04 73 90 30 59 – http://perso.orange.fr/restaurantfleurdesel
– fleurdesel63@wanadoo.fr – Fax 04 73 90 37 49 – Fermé août, vacances de Noël, dim., lundi et fériés FX a
Rest – (nombre de couverts limité, prévenir) Menu 30 € (sem.)/70 €
– Carte 65/72 € 🍷
♦ Produits de la mer et suggestions du jour servis dans une salle à manger ensoleillée dotée d'un mobilier contemporain : cette adresse a le vent en poupe.

X **Le Moulin Blanc** AC ⇔ VISA ⓂⒸ
48 r. Chandiots – ℰ 04 73 23 06 81 – restaurant.lemoulinblanc@wanadoo.fr
⇔ – Fax 04 73 23 29 76 – Fermé 3-21 août, 2-4 janv., le soir en sem., sam. midi et dim. soir
Rest – Menu (14 €), 17 € (sem.)/42 € – Carte 31/42 € CY e
♦ Confortable salle à manger colorée où se marient avec bonheur décor actuel et chaises de style Louis XIII. Cuisine traditionnelle judicieusement revisitée.

X **Le Comptoir des Saveurs** AC VISA ⓂⒸ
5 r. Ste-Claire – ℰ 04 73 37 10 31 – www.le-comptoir-des-saveurs.fr
– lecomptoirdessaveurs63@neuf.fr – Fax 04 73 37 10 31 – Fermé août, 3-12 janv., 14-23 fév., mardi soir, merc. soir, jeudi soir, dim. et lundi EV x
Rest – Menu 25 € (déj.), 30/45 €
♦ On peut jouer à la dînette en picorant parmi les propositions du chef – plats servis en mini-portions – changées chaque jour. Un concept à découvrir dans un cadre contemporain.

X **L'Annexe** 🛜 VISA ⓂⒸ AE ⓪
1 r. de Coupière – ℰ 04 73 92 50 00 – croixmama@wanadoo.fr
⇔ – Fax 04 73 92 92 03 – Fermé sam. midi, dim., lundi et fériés GV t
Rest – Menu 16 € (déj.), 25/40 € – Carte 32/50 €
♦ Cadre industriel et recettes actuelles de saison résument l'esprit de ce restaurant occupant une ancienne imprimerie. Mobilier contemporain et cuisines sous vos yeux.

à Chamalières – 17 800 h. – alt. 450 m – ✉ 63400

🏨 **Radio** ≤ 🚗 📶 AC rest, ⇔ 📶 🖧 🅿 🚭 VISA ⓂⒸ AE ⓪
43 av. P. et M.-Curie – ℰ 04 73 30 87 83 – www.hotel-radio.fr – resa@
hotel-radio.fr – Fax 04 73 36 42 44 – Fermé 1ᵉʳ-11 nov. *Plan de Royat* B w
26 ch – †86/132 € ††96/142 €, ⊑ 13 € – ½ P 103/130 €
Rest – (fermé lundi midi, sam. midi et dim.) Menu (39 €bc), 47/90 €
– Carte 60/75 € 🍷
♦ Élégant établissement des années 1930 où l'on valorise le style Art déco. Les chambres, amples et feutrées, optent pour une ambiance plus contemporaine. Cuisine originale et belle carte des vins dans un cadre chic, rénové mais respectueux de l'âme du lieu.

à Pérignat-lès-Sarliève 8 km – 2 553 h. – alt. 364 m – ✉ 63170

🏛 Plateau de Gergovie ★ : ※★★ S : 8 km.

🏨 **Hostellerie St-Martin** ≤ 🐕 🛜 🏊 ※ 📶 ⇔
– ℰ 04 73 79 81 00 – www.hostelleriestmartin.com 📶 🖧 🅿 VISA ⓂⒸ AE
– reception@hostelleriestmartin.com – Fax 04 73 79 81 01 CZ s
32 ch – †90/205 € ††90/205 €, ⊑ 13 € – 1 suite – ½ P 85/143 €
Rest – (fermé dim. soir d'oct. à mars) Menu (21 €bc), 28/44 € – Carte 37/64 €
♦ Dans un parc de 7 hectares, cette belle demeure abrite des chambres confortables et personnalisées ; celles de l'annexe sont plus simples. Table contemporaine (le nouveau chef a le titre de "Toque d'Auvergne"), décor bourgeois, terrasse.

CLERMONT-FERRAND

Gergovie
25 allée du Petit Puy – ℰ 04 73 79 09 95 – www.bestwestern.fr – hotelgergovie@bestwestern.fr – Fax 04 73 79 08 76   CZ **b**
59 ch – †85/150 € ††85/150 €, ⊇ 12 € – 3 suites
Rest – *(fermé sam. et dim.)* Menu (18 €), 25 € (dîner) – Carte 27/56 €

◆ Construit récemment en périphérie de la ville, grand bâtiment moderne dont les chambres, climatisées, offrent un confort actuel et un décor design et résolument sobre. Restaurant contemporain servant une cuisine traditionnelle. Belle terrasse d'été en teck.

à La Baraque 6 km par ⑥ - ⊠ 63870 Orcines

Le Relais des Puys
59 rte de la Baraque – ℰ 04 73 62 10 51 – www.relaisdespuys.com – info@relaisdespuys.com – Fax 04 73 62 22 09 – Fermé 11 déc.-1ᵉʳ fév., dim. soir hors saison et lundi
36 ch – †62/74 € ††62/74 €, ⊇ 9 € – ½ P 61/67 €
Rest – Menu (16 €), 19/46 € – Carte 29/56 €

◆ Depuis sept générations, la même famille veille aux destinées de cet ancien relais de diligences. Les chambres bien rénovées offrent tous les agréments du confort moderne. Recettes traditionnelles et auvergnates se dégustent devant une grande cheminée en pierre de Volvic.

à Orcines 8 km par ⑥ – 3 254 h. – alt. 810 m – ⊠ 63870

🛈 Office de tourisme, place de la Liberté ℰ 04 73 62 20 08, Fax 04 73 62 73 00

Les Hirondelles
34 rte de Limoges – ℰ 04 73 62 22 43 – www.hotel-leshirondelles.com – info@hotel-leshirondelles.com – Fax 04 73 62 19 12 – Ouvert 12 fév.-11 nov. et fermé dim. soir, mardi midi et lundi de fév. à mars
30 ch – †54/75 € ††54/75 €, ⊇ 9 € – ½ P 55/67 €
Rest – *(fermé lundi midi d'oct. à nov.)* Menu 21 € (sem.)/46 € – Carte 27/40 €

◆ Cette ancienne ferme postée en lisière du Parc naturel des Volcans porte un bien joli nom. Les chambres, petites et sobrement décorées, sont correctement insonorisées. Salle de restaurant aménagée sous les voûtes de l'ex-étable ; cuisine auvergnate.

Domaine de Ternant sans rest
Ternant, 5,5 km au Nord – ℰ 04 73 62 11 20 – http://domaine.ternant.free.fr – domaine.ternant@free.fr – Fax 04 73 62 29 96 – Ouvert de mi-mars à mi-nov.
5 ch ⊇ – †74/86 € ††82/94 €

◆ Cette demeure du 19ᵉ s. se dresse dans un parc parfumé de plus de 200 rosiers, au pied des monts Dôme. Chambres garnies de meubles de famille et égayées de patchwork. Tennis et billard.

Auberge de la Baraque
2 rte de Bordeaux – ℰ 04 73 62 26 24 – www.laubrieres.com – geraldine@laubrieres.com – Fax 04 73 62 26 26 – Fermé 5-22 oct., 4-20 janv., lundi, mardi, merc. et fériés
Rest – Menu 26/51 € – Carte 33/60 €

◆ La cuisine réalisée par la jeune propriétaire de cet ex-relais de diligences de 1800 – cadre classique – est actuelle, simple et souvent renouvelée : elle vaut le détour.

au sommet du Puy-de-Dôme 13 km par ⑥ – ⊠ 63870 Orcines – alt. 1 465 m

Mont Fraternité
– ℰ 04 73 62 23 00 – Fax 04 73 62 10 30
– Ouvert de début avril à fin oct. et fermé lundi
Rest – Menu 28/50 € – Carte 50/60 €

◆ Restaurant moderne éclairé par de larges baies vitrées dans un bâtiment hébergeant également un musée, une boutique de souvenirs et un bar. Goûteuse cuisine actuelle.

au col de Ceyssat 12 km par ⑥ et rte du Puy-de-Dôme – ⊠ 63210 Ceyssat – 467 h. – alt. 800 m

Auberge des Muletiers
– ℰ 04 73 62 25 95 – Fax 04 73 62 28 03 – Fermé déc., janv., fév., mardi, merc. de mars à mai, vend. midi de juil. à sept. et lundi
Rest – Menu 20/33 € – Carte 37/48 €

◆ Construction de type chalet située au pied du puy de Dôme. Chaleureux décor rustique agrémenté d'un vaisselier et d'une cheminée. Terrasse panoramique. Cuisine régionale.

CLERMONT-L'HÉRAULT – 34 Hérault – **339** F7 – 6 532 h. – alt. 92 m — 23 **C2**
– ✉ 34800 ▐ Languedoc Roussillon

- ▶ Paris 718 – Béziers 46 – Lodève 24 – Montpellier 42 – Pézenas 22 – Sète 55
- 🛈 Office de tourisme, 9, rue Doyen René Gosse ℰ 04 67 96 23 86, Fax 04 67 96 98 58
- ◉ Église St-Paul★.

XX Le Tournesol
2 r. Roger Salengro – ℰ 04 67 96 99 22 – www.letournesol.fr
– azemard.christophe@wanadoo.fr – Fax 04 67 88 12 53
Rest – Menu 16 € (déj. en sem.), 22/36 € – Carte 29/76 €
♦ Ce restaurant du centre-ville propose une cuisine traditionnelle aux parfums de la région. Jolie véranda, mobilier en teck et terrasse entourée d'une végétation tropicale.

XX Le Fontenay
1 r. Georges-Brasssens, rte du Lac du Salagou – ℰ 04 67 88 04 06
– www.restaurant-fontenay.com – david.galtier@wanadoo.fr – Fax 04 67 88 04 06
– Fermé 1er-5 juil., dim. soir, mardi soir et merc.
Rest – Menu 16 € (déj. en sem.), 26/55 € – Carte 50/60 €
♦ Cette maison d'un quartier résidentiel reçoit dans une salle actuelle colorée ainsi que sur son agréable terrasse intérieure. Intéressante carte au goût du jour, vins régionaux.

à St-Guiraud 7,5 km au Nord par D 609, D 908, D 141 et D 130E – 216 h. – alt. 120 m – ✉ 34725

XX Le Mimosa
– ℰ 04 67 96 67 96 – www.lemimosa.blogspot.com – le.mimosa@free.fr
– Ouvert 6 avril-4 nov. et fermé le midi sauf dim., dim. soir sauf juil.-août et lundi
Rest – Menu 56/84 € bc – Carte 68/96 €
♦ Ex-maison de vigneron au cœur du village. Coquet intérieur contemporain où l'on déguste une cuisine du marché d'inspiration méditerranéenne. Bon choix de vins du Languedoc.

à St-Saturnin-de-Lucian 10 km au Nord par D 609, D 908, D 141 et D 130 – 288 h. – alt. 150 m – ✉ 34725

- ◉ Grotte de Clamouse★★ NE : 12 km - St-Guilhem-le-Désert : site★★, église abbatiale★ NE : 17 km.

🏠 Du Mimosa sans rest
10 pl. de la Fontaine – ℰ 04 67 88 62 62 – www.hoteldumimosa.blogspot.com
– ostalaria.cardabela@wanadoo.fr – Fax 04 67 88 62 82 – Ouvert de début avril à début nov.
7 ch – †68/95 € ††68/95 €, ⌑ 10 €
♦ Ravissante demeure séculaire sur la place du village. Chambres spacieuses où s'harmonisent mobilier design, vieilles pierres et cheminées d'origine. Accueil à partir de 17 h.

à Brignac 3 km à l'Est par D 4 – 345 h. – alt. 60 m – ✉ 34800

🏠 La Missare sans rest
9 rte de Clermont – ℰ 04 67 96 07 67 – http://la.missare.free.fr
– la.missare@free.fr
4 ch ⌑ – †70 € ††70 €
♦ La Missare (loir en languedocien) allie charme et sérénité : vastes chambres, meubles chinés, objets anciens, beau jardin envahi de fleurs, piscine, petit-déjeuner maison.

> Ne confondez pas les couverts X et les étoiles ❀ !
> Les couverts définissent une catégorie de standing, tandis que l'étoile couronne les meilleures tables, dans chacune de ces catégories.

CLICHY – 92 Hauts-de-Seine – **311** J2 – **101** 15 – **voir à Paris, Environs**

CLIOUSCLAT – 26 Drôme – **332** C5 – 617 h. – alt. 235 m – ⊠ 26270 **44 B3**
- ▶ Paris 586 – Valence 31 – Montélimar 24

La Treille Muscate ⊛ ≤ 雷 ⇑ **P** 🅿 VISA ⓜ
Le Village – ℰ 04 75 63 13 10 – www.latreillemuscate.com – latreillemuscate@ wanadoo.fr – Fax 04 75 63 10 79 – Fermé déc. et janv.
11 ch – †65/150 € ††65/150 €, ⊇ 11 € – 1 suite
Rest – *(fermé lundi)* Menu 21 € (déj. en sem.)/28 € – Carte 33/46 €
◆ Cette coquette auberge ne manque pas de charme : atmosphère provençale, chambres joliment personnalisées et généreux vergers en toile de fond. La belle salle à manger voûtée ravit les yeux : poteries de Cliouscat, meubles et objets chinés. Cuisine du Sud.

CLISSON – 44 Loire-Atlantique – **316** I5 – 6 691 h. – alt. 34 m **34 B2**
– ⊠ 44190 **Poitou Vendée Charentes**
- ▶ Paris 396 – Nantes 31 – Niort 130 – Poitiers 151 – La Roche-sur-Yon 54
- 🛈 Office de tourisme, place du Minage ℰ 02 40 54 02 95, Fax 02 40 54 07 77
- ◉ Site ★ - Domaine de la Garenne-Lemot ★.

XXX **La Bonne Auberge** 🚗 雷 🅰🅲 VISA ⓜ 🅰🅴 ①
1 r. O. de Clisson – ℰ 02 40 54 01 90 – labonneauberge2@wanadoo.fr – Fax 02 40 54 08 48 – Fermé 11 août-3 sept., 1ᵉʳ-20 janv., mardi midi, dim. soir, merc. soir et lundi
Rest – Menu (25 €), 42/62 € – Carte 61/80 €
◆ Cette maison bourgeoise compte trois salles à manger chaleureuses (boiseries blondes) et soignées, dont une véranda ouverte sur un petit jardin. Carte fidèle à son classicisme.

à Gétigné 3 km au Sud-Est par D 149 et rte secondaire – 3 279 h. – alt. 26 m – ⊠ 44190

XX **La Gétignière** VISA ⓜ 🅰🅴
3 r. Navette – ℰ 02 40 36 05 37 – Fax 02 40 54 24 76 – Fermé 31 juil.-10 août, 25 déc.-1ᵉʳ janv., dim. soir, mardi soir et lundi
Rest – Menu 22 € (déj. en sem.), 28/45 € – Carte 55/71 €
◆ Lambris et stores bateau blancs, plantes et vases fleuris à profusion : régalez-vous d'une cuisine au goût du jour dans cette jolie salle à manger contemporaine.

CLOHARS-FOUESNANT – 29 Finistère – **308** G7 – **rattaché à Bénodet**

CLOYES-SUR-LE-LOIR – 28 Eure-et-Loir – **311** D8 – 2 641 h. **11 B2**
– alt. 97 m – ⊠ 28220 **Châteaux de la Loire**
- ▶ Paris 146 – Blois 54 – Orléans 64 – Vendôme 30
- 🛈 Office de tourisme, 11, place Gambetta, Fax 02 37 98 55 27

Le St-Jacques 🚗 雷 🛏 ch, ⇆ ⇑ ⅃ 🅿 VISA ⓜ 🅰🅴
pl. du Marché aux Oeufs – ℰ 02 37 98 40 08 – www.lesaintjacques.fr – info@ lesaintjacques.fr – Fax 02 37 98 32 63 – Fermé 15-22 nov., 23 déc.-25 janv., dim. et lundi de nov. à Pâques
18 ch – †65/145 € ††65/170 €, ⊇ 13 € – ½ P 75/95 €
Rest – *(fermé dim. soir, mardi midi, merc. midi et lundi)* Menu (20 €), 28 €
◆ Blotti dans un jardin au bord du Loir, cet ancien relais de poste du 16ᵉ s. offre des chambres calmes, progressivement rénovées. Carte traditionnelle proposée dans une salle à manger classique ; terrasse ombragée aux beaux jours.

CLUNY – 71 Saône-et-Loire – **320** H11 – 4 543 h. – alt. 248 m – ⊠ 71250 **8 C3**
 Bourgogne
- ▶ Paris 384 – Mâcon 25 – Chalon-sur-Saône 49 – Montceau-les-Mines 44 – Tournus 33
- 🛈 Office de tourisme, 6, rue Mercière ℰ 03 85 59 05 34, Fax 03 85 59 06 95
- ◉ Anc. abbaye ★★ : clocher de l'Eau Bénite ★★ - Musée Ochier ★ M - Clocher ★ de l'église St-Marcel.
- ◉ Château de Cormatin ★★ (cabinet de St-Cécile ★★★) N : 13 km - Communauté de Taizé N : 10 km.

Avril (R. d')	2
Conant (Espace K. J.)	3
Filaterie (R.)	4
Gaulle (Av. Ch.-de)	5
Lamartine (R.)	6
Levée (R. de la)	8
Marché (Pl. du)	9
Mercière (R.)	12
Prud'hon (R.)	14
Pte des Prés (R.)	13
République (R.)	15

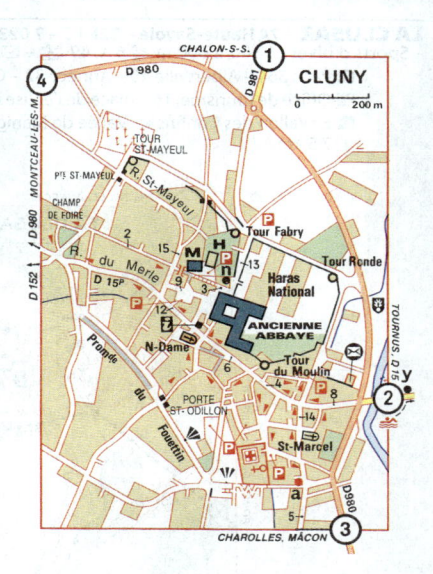

De Bourgogne
pl. l'Abbaye – ℰ 03 85 59 00 58 – www.hotel-cluny.com
– contact@hotel-cluny.com – Fax 03 85 59 03 73
– Fermé 1ᵉʳ déc.-31 janv.
14 ch – †87 € ††97/127 €, ⊇ 11 € – 2 suites
Rest – (fermé mardi et merc.) Menu 25/45 € – Carte 40/55 €

♦ Lamartine venait se reposer dans cet hôtel particulier de caractère situé en face de l'abbaye bénédictine. Salon agréable et chambres diversement aménagées. Sol en damier, murs clairs, sièges Louis XVI et cheminée en pierre au restaurant. Choix traditionnel.

St-Odilon sans rest
rte d'Azé – ℰ 03 85 59 25 00 – www.hotelsaintodilon.com – contact@hotelsaintodilon.com – Fax 03 85 59 06 18
36 ch – †53 € ††53 €, ⊇ 7 €

♦ Vous apprécierez l'environnement champêtre de ce motel proche du pont sur la Grosne. Petites chambres discrètes garnies d'un mobilier fonctionnel.

Auberge du Cheval Blanc
1 r. Porte de Mâcon – ℰ 03 85 59 01 13 – chevalblanc.auberge@orange.fr
– Fax 03 85 59 13 32 – Fermé 1ᵉʳ-13 juil., déc. à mi-mars, le soir en mars et nov., vend. soir et sam.
Rest – Menu 18/41 € – Carte 28/39 €

♦ Auberge d'aspect régional officiant à l'entrée de la ville. Repas traditionnel sous les poutres d'un haut plafond turquoise ; peinture murale à thématique agreste et festive en salle.

**Un week-end de charme à la mer, à la campagne ou à la montagne ?
Découvrez le nouveau guide des "Chambres d'hôtes", une sélection de nos plus belles adresses en France : confort, calme et volupté garantis !**

LA CLUSAZ – 74 Haute-Savoie – **328** L5 – 2 023 h. – alt. 1 040 m   46 **F1**
– Sports d'hiver : 1 100/2 600 m ‑ 6 ‑ 49 ‑ ⊠ 74220 ▌Alpes du Nord

- ▶ Paris 564 – Albertville 40 – Annecy 32 – Chamonix-Mont-Blanc 60
- 🛈 Office de tourisme, 161, place de l'église ℰ 04 50 32 65 00, Fax 04 50 32 65 01
- ◉ E : Vallon des Confins★ - Vallée de Manigod★ S - Col des Aravis ≼★★ par ② : 7,5 km.

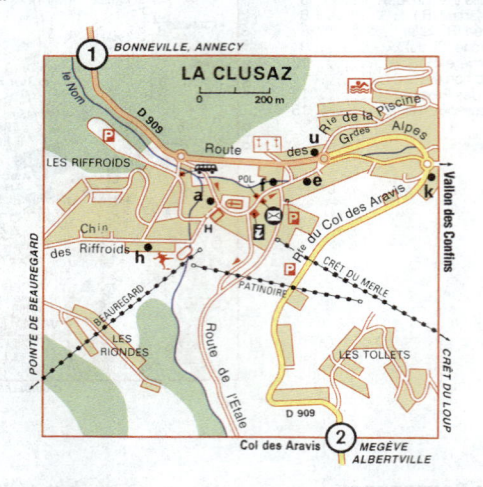

Beauregard
90 sentier du Bossonet – ℰ 04 50 32 68 00 – www.hotel-beauregard.fr – info@hotel-beauregard.fr – Fax 04 50 02 59 00 – Fermé 24 oct.-23 nov.   **k**
95 ch – †107/487 € ††107/487 €, ⊇ 13 € – ½ P 90/280 €
Rest – Menu (19 €), 25 € – Carte environ 28 € (déj. seulement)
♦ Au pied des pistes, vaste chalet confortable et bien équipé : ample salon-bar (billard), piscine couverte, fitness. Chaleureux intérieur en bois blond, chambres avec balcon. Plats traditionnels simples servis sur la terrasse exposée au Sud, si le temps le permet.

Les Sapins
– ℰ 04 50 63 33 33 – www.clusaz.com – sapins@clusaz.com – Fax 04 50 63 33 34 – Ouvert 16 juin-9 sept. et 19 déc.-14 avril   **h**
24 ch – †55/80 € ††65/115 €, ⊇ 10 € – ½ P 57/122 €   **Rest** – Menu 22/26 €
♦ Face à la chaîne des Aravis, chalet abritant des chambres décorées à la mode montagnarde (boiseries blondes et couleurs gaies), souvent dotées d'un balcon. Accès direct aux pistes. Tartiflettes et fondues se dégustent avec les pentes enneigées en toile de fond.

Alp'Hôtel
192 rte col des Aravis – ℰ 04 50 02 40 06 – www.clusaz.com – alphotel@clusaz.com – Fax 04 50 02 60 16 – Ouvert 1er juin-29 sept. et 2 déc.-24 avril   **e**
15 ch – †70/210 € ††80/250 €, ⊇ 12 €
Rest – Menu 25/64 € – Carte 45/60 €
♦ Haut chalet dressé au centre de La Clusaz. Les chambres, garnies de mobilier typiquement savoyard, possèdent toutes un balcon. Salon-cheminée. Cuisine régionale personnalisée servie, à la belle saison, sur la terrasse exposée au Sud.

La Montagne
– ℰ 04 50 63 38 38 – www.clusaz.com – montagne@clusaz.com – Fax 04 50 63 38 39   **u**
27 ch – †60/160 € ††70/180 €, ⊇ 10 €
Rest – (fermé dim. soir hors saison) Menu (29 €) – Carte 34/50 €
♦ Architecture classique des stations de sports d'hiver. Intérieur tout bois, chambres douillettes et de bonne ampleur, sympathique bar voûté avec cheminée et salon-billard. Restaurant panoramique agrandi d'une terrasse, cuisine traditionnelle et du pays.

LA CLUSAZ

Christiania
- ℰ 04 50 02 60 60 – www.hotelchristiania.fr – contact@hotelchristiania.fr
- Fax 04 50 32 66 98 – Ouvert 4 juil.-14 sept. et 20 déc.-15 avril
28 ch – ♦48/88 € ♦♦58/130 €, ⊇ 10 € – ½ P 54/100 €   **f**
Rest – *(fermé le mardi en hiver)* Menu 20/28 € – Carte 28/35 €

♦ Construction locale abritant une adresse familiale bien tenue. Chambres fonctionnelles et lambrissées, toutes rénovées ; certaines profitent d'une terrasse. Recettes traditionnelles et fromagères se partagent la carte du restaurant, simple et rustique.

Les Airelles
33 pl. de l'Église – ℰ 04 50 02 40 51 – www.clusaz.com – airelles@clusaz.com
- Fax 04 50 32 35 33 – Fermé fin avril à mi-mai et 1er-15 déc.   **a**
14 ch – ♦60/100 € ♦♦60/100 €, ⊇ 10 € – ½ P 60/115 €
Rest – *(fermé 15 nov.-15 déc.)* Menu (15 €), 22/27 € – Carte 28/45 €

♦ Une situation de choix, face à l'église et au pied des pistes, pour cet hôtel cultivant la simplicité. Petites chambres possédant en majorité un balcon fleuri. Sauna, jacuzzi. Table estimée pour son cadre très montagnard, sa convivialité et ses petits plats savoyards.

au Crêt du Loup par télésièges Crêt du Merle et Crêt du Loup

Le Relais de l'Aiguille
- ℰ 06 19 50 60 68 – aiguille@orange.fr – Ouvert 15 déc.-30 avril
Rest – *(déj. seult) (prévenir)* Carte 45/75 €

♦ Mobilier en bois brut, ardoises en guise d'assiettes... La rusticité informelle du cadre et la cuisine familiale, simple et bonne, font de ce chalet d'altitude une adresse en vogue.

rte du Col des Aravis 4 km par ② – ⊠ 74220 La Clusaz

Les Chalets de la Serraz
3862 rte du Col des Aravis – ℰ 04 50 02 48 29
– www.laserraz.com – contact@laserraz.com – Fax 04 50 02 64 12
- Fermé 19 avril-20 mai et 27 sept.-7 nov.
10 ch – ♦100/165 € ♦♦125/220 €, ⊇ 17 € – ½ P 95/175 €
Rest – *(fermé le midi sauf dim.)* Menu 32/43 € – Carte environ 44 €

♦ Les coquettes chambres de cette ancienne ferme s'ouvrent toutes sur la montagne. Dans le jardin, des petits chalets abritent les duplex. Hammam, jacuzzi et salon-bar cosy. Menu traditionnel et vins choisis proposés dans une salle à manger très savoyarde.

LA CLUSE – 01 Ain – **328** G3 – rattaché à Nantua

CLUSES – 74 Haute-Savoie – **328** M4 – 18 100 h. – alt. 486 m – ⊠ 74300   46 **F1**
Alpes du Nord

▸ Paris 570 – Annecy 56 – Chamonix-Mont-Blanc 41 – Thonon-les-Bains 59
1 Office de tourisme, 100, place du 11 Novembre ℰ 04 50 98 31 79, Fax 04 50 96 46 99
◉ Bénitier★ de l'église.

Plan page suivante

4 C
301 bd Chevran – ℰ 04 50 98 01 00 – www.hotel-4c.com – hotel.4c@orange.fr
– Fax 04 50 98 32 20   BY **a**
38 ch – ♦73/84 € ♦♦80/94 €, ⊇ 10 € – **Rest** – *(fermé 29 juil.-1er sept., sam. et dim.)* Menu (13 €), 16 € (déj.)/32 € – Carte 22/51 €

♦ Légèrement excentrée, cette adresse propose des chambres fonctionnelles, dotées de petits balcons (sauf trois) ouverts sur la nature. Jacuzzi extérieur. Ample restaurant au sobre décor moderne et belle terrasse où sont servis pizzas, pâtes et plats traditionnels.

Le Bargy
28 av. Sardagne – ℰ 04 50 98 01 96 – www.le-bargy.com – le.bargy@wanadoo.fr
– Fax 04 50 98 23 24   AY **b**
30 ch – ♦64/68 € ♦♦64/68 €, ⊇ 8,50 € – ½ P 84/87 €
Rest *Le Cercle des Songes* – *(fermé 18-24 mai, 3-23 août, 24 déc.-3 janv., dim. du 18 janv. au 31 mars et sam.)* Menu (13 €), 16 € (sem.)/33 € – Carte 31/42 €

♦ À proximité du centre-ville, établissement familial dont les chambres, spacieuses et bien insonorisées, disposent toutes d'un canapé pour "tenir salon". Carte traditionnelle étoffée servie dans un cadre confortable et feutré et bar-brasserie pour repas express.

CLUSES

Bargy (R. du) .... **AZ** 3	Gare (Av. de la) .... **BZ** 19	Lycée (R. du) .... **BZ** 34
Berthelot (R. M.) .... **BZ** 4	Gaulle (Pl. Ch.-de) .... **BZ** 20	Mont-Blanc (Rd-Pt du) .. **BZ** 37
Chautemps (R. E.) .... **BZ** 7	Grande Rue .... **BZ** 22	Pasteur (R.) .... **BZ** 39
Colomby (Av. de) .... **AY** 9	Grands Champs (R. des) .. **BY** 24	Pointe de la Cupoire (R. de la) **BY** 43
Deuxième Div. Blindée	Grand Massif (Av. du) .... **BY** 21	Pointe de la Lanche (R. de la) **BY** 40
(R. de la) .... **BY** 12	Hugard (R. Cl.) .... **BZ** 25	Pointe du Criou (R. de la) .. **BY** 42
Europe (Carrefour de l') .. **BY** 13	Lattre-de-Tassigny	Pont (R. du) .... **AY** 51
Ferrié (R. du Gén.) .... **BZ** 15	(R. du Mar.-de) .... **AY** 27	Prairie (R. de la) .... **BY** 48
Gaillard (Av. A.) .... **AY** 18	Leclerc (R. du Mar.) ...... **BZ** 28	Pré Benevix (R. du) ...... **BZ** 49
	Libération (Av. de la) .... **BZ** 30	Tête de Colonney (R. de la) . **BY** 52
	Louis Armand (R.) .... **AY** 31	Trappier (R. P.) .... **AY** 57
	Luther King (R. M.) ...... **AY** 33	8-Mai-1945 (R. du) .... **BZ** 59

※※ **Saint-Vincent** 🏠 ♿ **VISA** 🅿 **AE**
*14 r. Fg St Vincent, 200 m par ② – ☎ 04 50 96 17 47 – www.le-saint-vincent.com
– restaurant@le-saint-vincent.com – Fax 04 50 96 83 75 – Fermé 9-23 août, sam.
midi et dim.* **BZ d**
Rest – Menu (17 €), 21 € (déj.)/55 € – Carte 38/52 €
◆ Cette auberge régionale arbore un chaleureux intérieur, mi-rustique, mi-actuel, qui sied
à la dégustation d'une cuisine saisonnière valorisant les produits du pays.

COCHEREL – 27 Eure – **304** I7 – **rattaché à Pacy-sur-Eure**

COCURÈS – 48 Lozère – **330** J8 – **rattaché à Florac**

COGNAC – 16 Charente – **324** I5 – 19 400 h. – alt. 25 m – ⊠ 16100 38 **B3**
Poitou Vendée Charentes

▸ Paris 478 – Angoulême 45 – Bordeaux 120 – Niort 83 – Saintes 27
▸ Office de tourisme, 16, rue du 14 juillet ℰ 05 45 82 10 71, Fax 05 45 82 34 47
▸ Du Cognac à Saint-Brice La Maurie, E : 8 km rte de Bourg-de-Charente, ℰ 05 45 32 18 17

Plan page suivante

Le Valois sans rest
35 r. du 14-Juillet – ℰ 05 45 36 83 00 – hotel.le.valois@wanadoo.fr
– Fax 05 45 36 83 01 – Fermé 24 déc.-3 janv.   Z a
45 ch – †68 € ††75 €, ☑ 8,50 €
◆ Construction récente proposant des chambres spacieuses au mobilier fonctionnel. Salon-bar actuel aménagé dans le hall... Une adresse pratique à deux pas des grands chais.

Héritage
25 r. d'Angoulême – ℰ 05 45 82 01 26 – www.hheritage.com – hotel.heritage@wanadoo.fr – Fax 05 45 82 20 33 – Fermé 31 déc.-2 janv.   Y z
19 ch – †65 € ††70 €, ☑ 8 €
Rest – (fermé du 15 sept. au 31 mars et dim.) Carte 25/50 €
◆ Mélanges d'ambiances et de styles, mobilier chiné et couleurs vitaminées réveillent le cadre Second Empire de cet hôtel particulier. Chambres thématiques très réussies. Au restaurant, influences multiples dans l'assiette et dans le décor (original, pétillant et chaleureux).

Les Pigeons Blancs avec ch
110 r. J.-Brisson – ℰ 05 45 82 16 36 – www.pigeons-blancs.com – pigeonsblancs@wanadoo.fr – Fax 05 45 82 29 29 – Fermé 15-30 nov. et dim. soir d'oct. à avril
6 ch – †60/85 € ††70/100 €, ☑ 12 € – ½ P 65/95 €   Y d
Rest – (fermé dim. soir et lundi midi) Menu (25 €), 36/59 € – Carte 50/75 €
◆ Ce relais de poste du 17ᵉ s. bénéficie du calme d'un quartier résidentiel. Plaisante salle à manger bourgeoise, terrasse-pergola face au jardin et chambres personnalisées.

La Courtine
allée Fichon, parc François 1ᵉʳ – ℰ 05 45 82 34 78 – www.restaurant-la-courtine.fr – lacourtinecognac@wanadoo.fr – Fax 05 45 82 05 50 – Fermé 24 déc.-14 janv.
Rest – Menu (20 €), 27 € bc – Carte 27/40 €   Y t
◆ Ex-guinguette au décor chaleureux tout en bois, dans un parc en bord de Charente. Plats traditionnels et grillades. Terrasse abritée. Soirées musicales et promenades fluviales.

par ① 3 km rte d'Angoulême et rte de Rouillac (D 15) – ⊠ 16100 Châteaubernard

Château de l'Yeuse
quartier l'Échassier, r. Bellevue – ℰ 05 45 36 82 60
– www.yeuse.fr – reservations.yeuse@wanadoo.fr – Fax 05 45 35 06 32
– Fermé 20 déc.-2 fév.
21 ch – †103/175 € ††103/175 €, ☑ 18 € – 3 suites – ½ P 110/142 €
Rest Château de l'Yeuse – (fermé lundi midi, vend. midi et sam. midi)
Menu 48/80 € – Carte 65/100 €
Rest Le P'tit Yeuse – (déj. seult) Menu (18 €)
◆ Atmosphère romantique en cette gentilhommière du 19ᵉ s. agrandie d'une aile moderne. Mobilier ancien et décor raffiné dans les chambres. Salon "cognacs et cigares". Élégant restaurant et terrasse dominant la vallée de la Charente. Carte personnalisée. Repas plus simples au P'tit Yeuse.

Domaine de l'Échassier
quartier l'Échassier, 72 r. Bellevue
– ℰ 05 45 35 01 09 – www.echassier.com
– echassier@wanadoo.fr – Fax 05 45 32 22 43 – Fermé 21-29 déc. et dim. hors saison
22 ch – †78 € ††95 €, ☑ 12 €
Rest – (fermé 24 oct.-5 nov. et 6-13 fév.) (dîner seult) Menu 36/40 € – Carte 29/50 €
◆ Dans un joli jardin, maison récente abritant de douillettes chambres dont la décoration contemporaine évoque parfois l'activité viticole. Quelques terrasses ou balcons. Ambiance mi-restaurant, mi-table d'hôte dans la salle à manger, coquette et chaleureuse.

COGNAC

Angoulême (R. d')	Y
Armes (Pl. d')	Y
Bazoin (R. Abel)	Y 6
Boucher (R. Cl.)	Y 7
Briand (R. A.)	Y
Canton (R. du)	Y 8
Champ de Mars (Allées du)	Z 9
Château (Quai du)	Y 10
Cordeliers (R. des)	Y 11
Corderie (Allées de la)	Z 12
François-1er (R.)	Y 13
Germain (R. H.)	Y 14
Grande Rue	Y 15
Isle d'Or (R. de l')	Y 16
Lusignan (R. de)	Y 20
Magdeleine (R.)	Y 21
Martell (Pl. Ed.)	Y 22
Monnet (Pl. Jean)	Z 23
Palais (R. du)	Y 24
Victor-Hugo (Av.)	
14-Juillet (R. du)	Z 26

Comment choisir entre deux adresses équivalentes ?
Dans chaque catégorie, les établissements sont classés par ordre de préférence : nos coups de cœur d'abord.

562

COGOLIN – 83 Var – **340** O6 – 10 984 h. – alt. 20 m – ⊠ 83310   41 **C3**
- Paris 864 – Fréjus 33 – Ste-Maxime 13 – Toulon 60
- Office de tourisme, place de la République ℰ 04 94 55 01 10, Fax 04 94 55 01 11

La Maison du Monde sans rest
63 r. Carnot – ℰ 04 94 54 77 54 – www.lamaisondumonde.fr – info@lamaisondumonde.fr – Fax 04 94 54 77 55 – Fermé 1er-14 mars et 16 nov.-31 déc.
12 ch – †75/185 € ††75/185 €, ⊊ 13 €
♦ Maison de maître du 19e s. entourée d'un agréable jardin arboré (platanes, palmiers). Chambres de caractère, décorées de meubles provenant du monde entier. Accueil avenant.

La Grange des Agapes
7 r. du 11-Novembre, (pl. de la Mairie) – ℰ 04 94 54 60 97
– www.grangeagapes.com – grangeagapes@orange.fr – Fax 04 94 54 60 97
– Fermé 22 déc.-5 janv., dim. et lundi
Rest – Menu 20 € (déj. en sem.), 29/49 € – Carte 40/60 €
♦ Adresse rustique revisitée à la mode actuelle : bar lounge, cuisines ouvertes dans la salle à manger, mur végétal. Le chef prépare des plats traditionnels et donne des cours.

Grain de Sel
6 r. 11-Novembre, (derrière la mairie) – ℰ 04 94 54 46 86
– www.restaurant-cagolin.com – phianne2@orange.fr – Fermé 25-31 août, 24-31 déc., vacances de fév., sam. midi, lundi de sept. à juin et dim.
Rest – Menu 31 € – Carte 38/45 €
♦ Un minuscule bistrot provençal qui ne manque pas de sel : le chef prépare sous vos yeux, dans la salle chaleureuse, d'appétissantes recettes du marché proposées à l'ardoise.

au Sud-Est 5 km sur D 98, direction Toulon – ⊠ 83310

La Ferme du Magnan
– ℰ 04 94 49 57 54 – www.alpazurhotels.com – sales@alpazurhotels.com
– Fax 04 94 49 57 54 – Ouvert de fév. à nov.
Rest – Menu 35/100 € – Carte 41/75 €
♦ Bastide au 16e s., magnanerie au 19e s. et enfin pittoresque restaurant campagnard. La table, généreuse, utilise les produits du terroir. Terrasse panoramique ornée de jarres.

COIGNIÈRES – 78 Yvelines – **311** H3 – 4 402 h. – alt. 160 m – ⊠ 78310   18 **A2**
- Paris 39 – Rambouillet 15 – St-Quentin-en-Yvelines 7 – Versailles 21

Le Capucin Gourmand
170 N 10 – ℰ 01 34 61 46 06 – www.capucingourmand.com – capucingourmand@wanadoo.fr – Fax 01 30 49 89 37 – Fermé dim. soir et lundi soir
Rest – Menu 30/60 € – Carte 52/75 €
♦ Dans une zone commerciale, ancien relais de poste au charme préservé. Cuisine traditionnelle et salle à manger rustique, réchauffée l'hiver par une cheminée. Terrasse d'été.

Le Vivier
296 RN 10 – ℰ 01 34 61 64 39 – www.levivier.net – k-vivier@wanadoo.fr
– Fax 01 34 61 94 30 – Fermé dim. soir et lundi
Rest – Menu (35 €), 39 € – Carte 45/61 €
♦ Ambiance marine, aussi bien dans les deux salles que dans l'assiette mettant en scène fruits de mer et poissons. Le chef propose à l'ardoise sa "pêche" du jour.

COISE-ST-JEAN-PIED-GAUTHIER – 73 Savoie – **333** J4 – 1 101 h.   46 **F2**
– alt. 292 m – ⊠ 73800
- Paris 582 – Albertville 32 – Chambéry 23 – Grenoble 55

Château de la Tour du Puits ⊛
1 km par rte du Puits – ℰ 04 79 28 88 00 – www.chateaupuit.fr
– info@chapeaupuit.fr – Fax 04 79 28 88 01 – Fermé 20 avril-3 mai et 2-29 nov.
7 ch – †170/330 € ††170/330 €, ⊊ 20 € – ½ P 150/230 €
Rest – (fermé dim. soir, lundi et mardi midi) Menu (25 €), 38 € (déj. en sem.), 48/65 € – Carte 70/89 €
♦ Ce gracieux château rebâti au 18e s. dresse sa jolie tour en poivrière au milieu d'un superbe parc boisé. Chambres décorées à ravir. Héliport. Le restaurant propose une carte actuelle dans une salle élégante et intime, ou sur une belle terrasse ombragée.

COL BAYARD – 05 Hautes-Alpes – 334 E5 – alt. 1 248 m – ✉ 05000 Gap — 41 C1
Alpes du Sud

▶ Paris 658 – Gap 7 – La Mure 56 – Sisteron 60

à Laye 2,5 km au Nord par N 85 – 228 h. – alt. 1 170 m – ✉ 05500

La Laiterie du Col Bayard 🍽 P VISA ⓂⓄ ①
– ℰ 04 92 50 50 06 – www.laiterie-col-bayard.com – laiterieducolbayard@orange.fr – Fax 04 92 43 07 42 – Fermé 12 nov.-18 déc. et lundi sauf vacances scolaires
Rest – Menu (13 €) bc, 17/38 € bc – Carte 14/47 €

♦ Jouxtant une laiterie-fromagerie, étonnant restaurant complété par une boutique de produits locaux. Terrasse face à la montagne. Plats du terroir et fromages à l'honneur.

COL DE BAVELLA – 2A Corse-du-Sud – 345 E9 – voir à Corse

COL DE CEYSSAT – 63 Puy-de-Dôme – 326 E8 – rattaché à Clermont-Ferrand

COL DE CUREBOURSE – 15 Cantal – 330 D5 – rattaché à Vic-sur-Cère

COL DE LA CROIX-FRY – 74 Haute-Savoie – 328 L5 – rattaché à Manigod

COL DE LA CROIX-PERRIN – 38 Isère – 333 G7 – rattaché à Lans-en-Vercors

COL DE LA FAUCILLE ★★ – 01 Ain – 328 J2 – alt. 1 320 m — 46 F1
– Sports d'hiver : (Mijoux-Lex-la Faucille) 900/1 680 m ≰ 3 ≰ 29 ≰
– ✉ 01170 Gex **Franche-Comté Jura**

▶ Paris 480 – Bourg-en-Bresse 108 – Genève 29 – Gex 11 – Morez 28 – Nantua 58

◉ Descente sur Gex★★ (N 5) ❋★★ SE : 2 km – Mont-Rond★★ (accès par télécabine - gare à 500 m au SO du col).

La Mainaz 🍽 P VISA ⓂⓄ AE ①
col de la Faucille, 1 km au Sud par D 1005 – ℰ 04 50 41 31 10
– www.la-mainaz.com – mainaz@club-internet.fr – Fax 04 50 41 31 77 – Fermé 14 juin-2 juil., 25 oct.-9 déc., dim. soir et lundi sauf vacances scolaires
21 ch – ♦79 € ♦♦79/119 €, ⊇ 13 € – ½ P 89/119 €
Rest – Menu (18 €), 33/69 € – Carte 40/75 €

♦ Atout incontestable de ce grand chalet de bois : la vue exceptionnelle sur le Léman et les Alpes. Chambres spacieuses, parfois dotées d'un balcon ; certaines sont plus récentes. Magnifique panorama sur la région de la terrasse du restaurant ; cuisine classique.

La Petite Chaumière 🍽 P VISA ⓂⓄ
col de la Faucille – ℰ 04 50 41 30 22 – www.petitechaumiere.com – info@petitechaumiere.com – Fax 04 50 41 33 22 – Fermé 29 mars-26 avril et 11 oct.-20 déc.
54 ch – ♦50/57 € ♦♦58/69 €, ⊇ 11 € – ½ P 65/73 €
Rest – Menu (16 €), 20 € (sem.)/33 € – Carte 31/45 €

♦ Chalet jurassien des années 1960 au pied des pistes. Petites chambres simples habillées de bois ; certaines avec balcon. Studios familiaux en annexe. Jetez un œil à la collection de vieux soufflets de forge du patron en allant au restaurant, rustique et chaleureux.

La Couronne 🍽 P VISA ⓂⓄ
– ℰ 04 50 41 32 65 – www.hotel-de-la-couronne.com – hotel-de-la-couronne@wanadoo.fr – Fax 04 50 41 32 47 – Ouvert 15 mai-30 sept. et 15 déc.-31 mars
15 ch – ♦65/75 € ♦♦70/80 €, ⊇ 10 € – ½ P 67/73 €
Rest – (fermé merc. en juin) Menu 22 € bc (déj.), 28/42 € – Carte 34/57 €

♦ La plupart des chambres, seventies, sont dotées d'un balcon. Quelques-unes sont bien rénovées, avec des murs recouverts de bois clair. Le restaurant sert des plats classiques dans un cadre mariant poutres apparentes, bibelots et fresque. Terrasse au grand air.

COL DE LA MACHINE – 26 Drôme – 332 F4 – rattaché à St-Jean-en-Royans

COL DE LA SCHLUCHT – 88 Vosges – 314 K4 – alt. 1 258 m – Sports d'hiver : 1 150/1 250 m – Alsace Lorraine   27 D3

▶ Paris 441 – Colmar 37 – Épinal 56 – Gérardmer 16 – Guebwiller 46 – St-Dié 37 – Thann 43

◉ Route des Crêtes ★★★ N et S - Le Hohneck ※★★★ S : 5 km.

Le Collet
au Collet, 2 km sur rte de Gérardmer – ℰ 03 29 60 09 57
– www.chalethotel-lecollet.com – hotcollet@aol.com – Fax 03 29 60 08 77
– *Fermé 2 nov.-3 déc.*
25 ch – †68 € ††78 €, ⊇ 12 € – 6 suites – ½ P 77 €
Rest – *(fermé jeudi midi et merc. sauf vacances scolaires)* Menu (18 €), 26/52 €
– Carte 38/49 €

♦ Au milieu des sapins, grand chalet à l'ambiance conviviale. Belle décoration des chambres, très douillettes, et détails soignés (tissu des Vosges brodé, omniprésence du bois). Goûteuse cuisine du terroir à savourer dans une chaleureuse salle à manger.

COL DU DONON – 67 Bas-Rhin – 315 G5 – alt. 718 m – ⊠ 67130 Grandfontaine Alsace Lorraine   1 A2

▶ Paris 402 – Lunéville 61 – St-Dié 41 – Sarrebourg 39 – Sélestat 67 – Strasbourg 61

◉ ※★★ sur la chaîne des Vosges.

Du Donon
– ℰ 03 88 97 20 69 – www.ledonon.com – hotelrestdudonon@wanadoo.fr
– Fax 03 88 97 20 17 – *Fermé 17-23 mars et 12 nov.-3 déc.*
22 ch – †50 € ††64 €, ⊇ 10 € – 1 suite – ½ P 68 €
Rest – *(déj. seult)* Menu (8,50 €), 18/37 € – Carte 15/37 €

♦ Accueil familial dans cette auberge entourée de forêts. Chambres rénovées, de même que les studios (mansardés). Jolie piscine, sauna et jacuzzi. Repas régional proposé dans un cadre rustique ou l'été sur la terrasse fleurie.

COL DU LAUTARET – 05 Hautes-Alpes – 334 G2 – alt. 2 058 m – ⊠ 05480 Villar d Arene   41 C1

▶ Paris 653 – Briançon 27 – Les Deux-Alpes 38 – Valloire 25

Des Glaciers
Col du Lautaret – ℰ 04 92 24 42 21 – www.hotel-bonnabel.com – bonnabel@hotel-bonnabel.com – Fax 04 92 24 44 81 – *Fermé 15 sept.-15 déc.*
23 ch – †165/352 € ††165/352 €, ⊇ 20 € – 2 suites – ½ P 133/226 €
Rest – Menu (25 €), 35 € – Carte 55/75 €

♦ Depuis cet hôtel bâti au sommet du col (2 058 m), la vue sur les montagnes et les glaciers est exceptionnelle. Grandes chambres d'esprit chalet, bel espace de remise en forme. Cuisine traditionnelle le soir et plats de brasserie à midi ; salon-bar (jeux).

COL DU PAVILLON – 69 Rhône – 327 F3 – rattaché à Cours

COLIGNY – 01 Ain – 328 F2 – 1 147 h. – alt. 298 m – ⊠ 01270   44 B1

▶ Paris 407 – Bourg-en-Bresse 24 – Lons-le-Saunier 39 – Mâcon 57 – Tournus 48

XX Au Petit Relais
Grande Rue – ℰ 04 74 30 10 07 – au.petit.relais.coligny@orange.fr
– Fax 04 74 30 10 07 – *Fermé 23 mars-2 avril, 28 sept.-8 oct., 7-10 déc., merc. soir et jeudi*
Rest – *(nombre de couverts limité, prévenir)* Menu 17 € (déj. en sem.), 27/56 € bc
– Carte 37/78 €

♦ Cuisine goûteuse, spécialités de la Bresse et vins choisis à déguster dans une salle à manger pimpante (refaite). Terrasse dressée l'été dans la cour intérieure.

COLLÉGIEN – 77 Seine-et-Marne – **312** F2 – **101** 19 – **voir à Paris, Environs (Marne-la-Vallée)**

LA COLLE-SUR-LOUP – 06 Alpes-Maritimes – **341** D5 – 7 546 h. 42 **E2**
– alt. 90 m – ⊠ 06480 ▌Côte d'Azur

🅳 Paris 919 – Antibes 15 – Cagnes-sur-Mer 7 – Cannes 26 – Grasse 19 – Nice 18 – Vence 7

🅸 Syndicat d'initiative, 28, rue Maréchal Foch ℘ 04 93 32 68 36, Fax 04 93 32 05 07

Le Clos des Arts
350 rte de St Paul – ℘ 04 93 32 40 00 – www.closdesarts.fr – info@closdesarts.fr
– Fax 04 93 32 69 98 – Fermé 8 janv.-10 fév.
9 ch – †190/430 € ††190/430 €, ⊑ 26 €
Rest – (fermé dim. soir et lundi hors saison) (dîner seult sauf week-end)
Menu 45/89 € – Carte 51/101 €

♦ Hôtel fastueux ressuscité en 2006 dans ce village typé. Deux villas provençales abritent des juniors suites personnalisées avec raffinement, parfois dotées d'une terrasse. Repas au goût du jour sous un plafond peint ou en plein air. Vivier, rôtissoire et gril.

L'Abbaye
541 bd Teisseire, (rte de Grasse) – ℘ 04 93 32 68 34 – www.hotelabbaye.com
– contact@hotelabbaye.com – Fax 04 93 32 85 06
17 ch – †85/205 € ††135/350 €, ⊑ 15 €
Rest – (fermé le lundi de mi-sept. à mi-juin) Menu (16 €), 21 € (déj. en sem.)
– Carte 34/59 €

♦ Jolies chambres personnalisées, aménagées dans les nobles murs d'une très vieille abbaye, ex-propriété des moines de l'île St-Honorat. Chapelle du 10ᵉ s. Le restaurant voûté affiche un nouveau décor design et branché. Terrasse ombragée dans l'ancien cloître.

Marc Hély sans rest
535 rte de Cagnes, 800 m au Sud-Est par D 6 – ℘ 04 93 22 64 10
– www.hotel-marc-hely.com – contact@hotel-marc-hely.com – Fax 04 93 22 93 84
– Fermé 8-20 nov. et 1ᵉʳ-13 fév.
12 ch – †69/120 € ††75/120 €, ⊑ 10 €

♦ La majorité des chambres de cette grande maison bénéficient d'une belle vue sur St-Paul-de-Vence. Confort fonctionnel, calme, piscine et petits-déjeuners dans la véranda.

XX Le Blanc Manger
1260 rte de Cagnes – ℘ 04 93 22 51 20 – leblancmanger.fr – leblancmanger@ wanadoo.fr – Fax 04 92 02 00 46 – Fermé lundi sauf le soir du 1ᵉʳ juin au 15 sept., merc. midi du 1ᵉʳ juin au 15 sept. et mardi
Rest – (nombre de couverts limité, prévenir) Menu 28 € (déj. en sem.), 32/47 €

♦ Cuisine féminine aux accents du Sud à apprécier dans une salle d'esprit champêtre affichant un petit côté bonbonnière ou sur la jolie terrasse couverte et meublée en bois.

COLLEVILLE-SUR-MER – 14 Calvados – **303** G3 – 167 h. – alt. 42 m 32 **B2**
– ⊠ 14710 ▌Normandie Cotentin

🅳 Paris 281 – Cherbourg 84 – Caen 49 – St-Lô 39

Domaine de L'Hostréière sans rest
rte du Cimetière Américain – ℘ 02 31 51 64 64 – www.domainedelhostreiere.com
– hotelhostreiere@wanadoo.fr – Fax 02 31 51 64 65 – Ouvert 1ᵉʳ avril-31 oct.
19 ch – †75/112 € ††75/132 €, ⊑ 11 €

♦ Domaine près du cimetière américain de St-Laurent-sur-Mer. Vous logerez dans les dépendances de la ferme ou dans les annexes récentes. Salon ouvert sur la terrasse, piscine.

COLLIAS – 30 Gard – **339** L5 – **rattaché à Pont-du-Gard**

Une bonne table sans se ruiner ?
Repérez les Bibs Gourmands 😊.

COLLIOURE – 66 Pyrénées-Orientales – **344** J7 – 2 944 h. – alt. 2 m — 22 **B3**
– Casino – ✉ 66190 ▊ Languedoc Roussillon

▶ Paris 879 – Argelès-sur-Mer 7 – Céret 36 – Perpignan 30 – Port-Vendres 3
🛈 Office de tourisme, place du 18 Juin ✆ 04 68 82 15 47, Fax 04 68 82 46 29
◉ Site★★ - Retables★ dans l'église Notre-Dame-des-Anges.

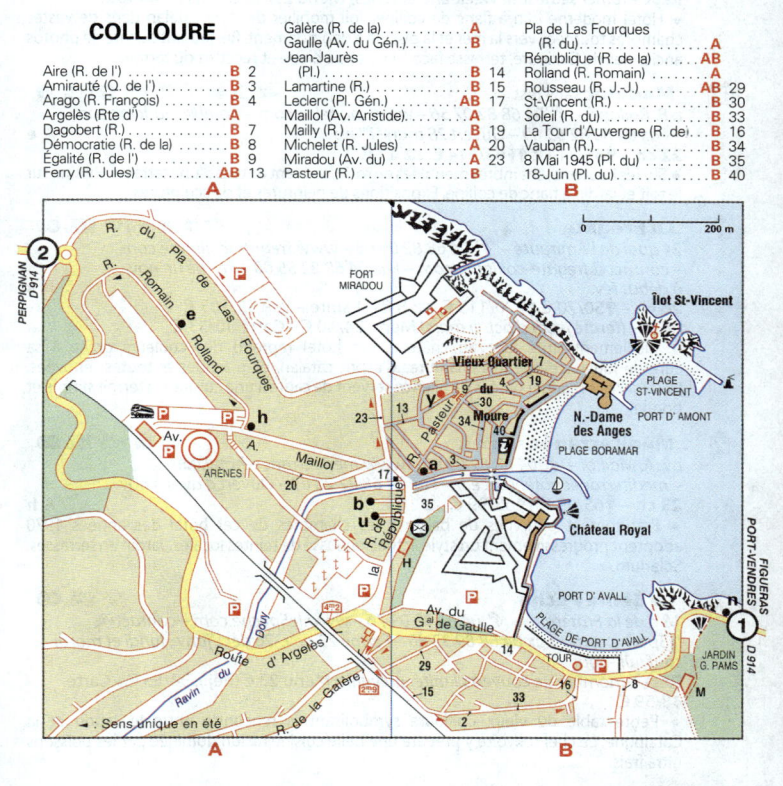

COLLIOURE

Aire (R. de l')	**B** 2
Amirauté (Q. de l')	**B** 3
Arago (R. François)	**B** 4
Argelès (Rte d')	**A**
Dagobert (R.)	**B** 7
Démocratie (R. de la)	**B** 8
Égalité (R. de l')	**B** 9
Ferry (R. Jules)	**AB** 13
Galère (R. de la)	**A**
Gaulle (Av. du Gén.)	**B**
Jean-Jaurès (Pl.)	**B** 14
Lamartine (R.)	**B** 15
Leclerc (Pl. Gén.)	**AB** 17
Maillol (Av. Aristide)	**A**
Mailly (R.)	**B** 19
Michelet (R. Jules)	**A** 20
Miradou (Av. du)	**B** 23
Pasteur (R.)	**B**
Pla de Las Fourques (R. du)	**A**
République (R. de la)	**AB**
Rolland (R. Romain)	**A**
Rousseau (R. J.-J.)	**AB** 29
St-Vincent (R.)	**B** 30
Soleil (R. du)	**B** 33
La Tour d'Auvergne (R. de)	**B** 16
Vauban (R.)	**B** 34
8 Mai 1945 (Pl. du)	**B** 35
18-Juin (Pl. du)	**B** 40

🏠 **Relais des Trois Mas** ⚜ ≤ 🍽 ⚒ AC 🕿 🛁 **P** VISA ◎ AE
rte Port-Vendres – ✆ 04 68 82 05 07 – www.relaisdestroismas.com – contact@
relaisds3mas.com – Fax 04 68 82 38 08 – Fermé fin nov.-début fév.   **B n**
23 ch – ♦195/465 € ♦♦195/465 €, ⊊ 18 € – ½ P 125/308 €
Rest La Balette – (fermé mardi midi, merc. midi et lundi) Menu 37/85 € – Carte 61/115 €

Spéc. Déclinaison d'anchois de Collioure au vinaigre de Banyuls. Filet de Saint-Pierre aux petits farcis, sauce au maury. Abricots du Roussillon à la crème amarena (saison).

♦ Ces trois mas rénovés ménagent une vue imprenable sur le port et la ville. Chambres personnalisées portant le nom d'un peintre. Jardin, piscine et jacuzzi complètent le décor. Cuisine du terroir actualisée servie en été sur l'agréable terrasse panoramique.

🏠 **Casa Païral** sans rest   ⚒ AC 🕿 **P** VISA ◎ AE ①
imp. Palmiers – ✆ 04 68 82 05 81 – www.hotel-casa-pairal.com – contact@
hotel-casa-pairal.com – Fax 04 68 82 52 10 – Ouvert 3 avril-10 nov.   **A b**
27 ch – ♦89/225 € ♦♦89/225 €, ⊊ 12 €

♦ Demeure du 19ᵉ s. agencée autour d'un luxuriant jardin méditerranéen où murmure une fontaine. Chambres de caractère dans le bâtiment principal, plus calmes dans le second.

567

COLLIOURE

L'Arapède

rte Port-Vendres – ℰ 04 68 98 09 59 – www.arapede.com – hotelarapede@yahoo.fr – Fax 04 68 98 30 90 – Fermé 30 nov.-5 fév.
20 ch – †55/80 € ††65/110 €, ⊇ 11 € – ½ P 61/87 €
Rest – (dîner seult sauf week-end et fériés) Menu 27/36 € – Carte 40/46 €
♦ Hôtel moderne bâti à flanc de colline. Joli mobilier de style catalan dans de vastes chambres tournées vers la mer et la piscine à débordement. Restaurant décoré de photos anciennes de Collioure, terrasse face à la grande bleue et recettes du terroir.

Madeloc sans rest

r. R. Rolland – ℰ 04 68 82 07 56 – www.madeloc.com – hotel@madeloc.com – Fax 04 68 82 55 09 – Ouvert 28 mars-1er nov.   A e
22 ch – †65/114 € ††65/114 €, ⊇ 11 €
♦ Sur les hauteurs, chambres meublées en rotin, souvent dotées d'une terrasse. Piscine sur le toit et jardin à flanc de colline. Expositions de peintures et de sculptures.

La Frégate

24 quai de l'Amirauté – ℰ 04 68 82 06 05 – www.fregate-collioure.com – contact@fregate-collioure.com – Fax 04 68 82 55 00 – Fermé fin nov. à début fév.   B a
26 ch – †50/70 € ††70/115 €, ⊇ 8 € – 1 suite – ½ P 55/105 €
Rest – (fermé jeudi d'oct. à mars) Menu 24/40 € – Carte 30/53 €
♦ Idéalement situé face au château, cet hôtel reprend des couleurs grâce à sa cure de jouvence : petites chambres d'esprit catalan, bien tenues et toutes rénovées. Deux salles à manger parées de faïence servent de cadre à une cuisine du terroir simple et bonne.

Méditerranée sans rest

av. A. Maillol – ℰ 04 68 82 08 60 – www.mediterranee-hotel.com – mediterraneehotel@free.fr – Fax 04 68 82 28 07 – Ouvert d'avril à nov.
23 ch – †65/99 € ††65/99 €, ⊇ 10 €   A h
♦ Pratiques et pourvues de balcons, les chambres de cet hôtel des années 1970 adoptent progressivement un style actuel rehaussé de teintes locales. Jardin en terrasses. Solarium.

Le 5ème Péché

18 r. de la Fraternité – ℰ 04 68 98 09 76 – www.le5peche.com – contact@le5peche.com – Fax 04 68 89 33 86 – Fermé 23 nov.-26 déc., janv., lundi et mardi sauf juil.-août   B y
Rest – (nombre de couverts limité, prévenir) Menu 23 € (déj.), 34/55 € – Carte 48/59 €
♦ Petite table du vieux Collioure symbolisant la rencontre entre le Japon et la Catalogne. Le chef tokyoïte y prépare une belle cuisine fusion dominée par les poissons ultra frais.

COLLONGES-AU-MONT-D'OR – 69 Rhône – 327 I5 – rattaché à Lyon

COLLONGES-LA-ROUGE – 19 Corrèze – 329 K5 – 413 h. – alt. 230 m   25 C3
– ✉ 19500 **Périgord**

▣ Paris 505 – Brive-la-Gaillarde 21 – Cahors 105 – Figeac 75 – Tulle 35
🛈 Office de tourisme, le Bourg ℰ 05 55 25 47 57
◉ Village★★ : tympan★ et clocher★ de l'église, castel de Vassinhac★ - Saillac : tympan★ de l'église S : 4 km.

Le Relais de St-Jacques de Compostelle

– ℰ 05 55 25 41 02 – sarlmanalese@orange.fr – Fax 05 55 84 08 51
– Fermé janv., fév., mardi, merc. et jeudi d'oct. à nov.
11 ch (½ P seult) – ½ P 59/72 €   **Rest** – Menu 17/45 € – Carte 30/80 €
♦ Dans cette maison du 15e s., les chambres, petites mais bien tenues, offrent une vue imprenable sur les castels du fameux village médiéval en grès rouge, ou sur la campagne. Deux salles à manger champêtres complétées par une plaisante terrasse. Cuisine du Sud-Ouest.

COLLONGES-LA-ROUGE

Jeanne

au bourg – ℰ 05 55 25 42 31 – www.jeannemaisondhotes.com – info@jeannemaisondhotes.com – Fax 05 55 25 47 80

5 ch ⊇ – †90 € ††90 € **Table d'hôte** – Menu 35 € bc

♦ Fière demeure en pierres rouges flanquée d'une tour (15e s.) desservant des chambres néo-rustiques personnalisées avec goût. Salon-cheminée, terrasse et jardin clos de murs. Le soir, table d'hôte sur réservation ; cuisine ménagère.

COLMAR ℙ – 68 Haut-Rhin – 315 I8 – 65 300 h. – Agglo. 116 268 h. – alt. 194 m – ⊠ 68000 Alsace Lorraine

2 **C2**

▶ Paris 450 – Basel 68 – Freiburg-im-Breisgau 51 – Nancy 140 – Strasbourg 78

🛈 Office de tourisme, 4, rue d'Unterlinden ℰ 03 89 20 68 92, Fax 03 89 20 69 14

🛇 d'Ammerschwihr à Ammerschwihr Allée du Golf, NO : 9 km par D 415 puis D 11, ℰ 03 89 47 17 30

◉ Musée d'Unterlinden ★★★ (retable d'Issenheim ★★★) - Ville ancienne ★★ : Maison Pfister ★★ BZ W, Collégiale St-Martin ★ BY, Maison des Arcades ★ CZ K, Maison des Têtes ★ BY Y - Ancienne Douane ★ BZ D, Ancien Corps de Garde ★ BZ B - Vierge au buisson de roses ★★ et vitraux ★ de l'église des Dominicains BY - Vitrail de la Grande Crucifixion ★ du temple St-Matthieu CY - La "petite Venise" ★ : ≤ ★ du pont St-Pierre BZ, quartier de la Krutenau ★, rue de la Poissonnerie ★, façade du tribunal civil ★ BZ J - Maison des vins d'Alsace par ①.

Plans pages suivantes

Les Têtes

19 r. Têtes – ℰ 03 89 24 43 43 – www.maisondestetes.com – les-tetes@calixo.net – Fax 03 89 24 58 34 – Fermé fév.

BY y

21 ch – †109/239 € ††115/239 €, ⊇ 15 € – 1 suite

Rest *La Maison des Têtes* – voir ci-après

♦ À l'attrait historique de cette superbe demeure, bâtie au 17e s. sur les vestiges du mur d'enceinte de Colmar, s'ajoute le raffinement du décor. Ravissante cour intérieure.

Le Colombier sans rest

7 r. Turenne – ℰ 03 89 23 96 00 – www.hotel-le-colombier.fr – info@hotel-le-colombier.fr – Fax 03 89 23 97 27 – Fermé 24 déc.-2 janv.

BZ u

28 ch – †86/225 € ††86/225 €, ⊇ 12 €

♦ Le cadre contemporain et le mobilier créé par un designer italien soulignent le charme authentique de cette bâtisse régionale du 15e s. Escalier Renaissance, paisible patio.

Grand Hôtel Bristol

7 pl. Gare – ℰ 03 89 23 59 59 – www.grand-hotel-bristol.com – reservation@grand-hotel-bristol.com – Fax 03 89 23 92 26

AZ g

91 ch – †96/155 € ††106/155 €, ⊇ 14 €

Rest *Rendez-vous de Chasse* – voir ci-après

Rest *L'Auberge* – brasserie – ℰ 03 89 23 17 57 – Menu (14 €), 20/35 € – Carte 28/43 €

♦ À proximité de la gare TGV, hôtel d'atmosphère Belle Époque conjuguant confort, équipements pour séminaires et bien-être. Préférez les chambres les plus récentes. Joli cadre 1900 et attrayante carte privilégiant plats et vins d'Alsace à L'Auberge.

Hostellerie Le Maréchal

4 pl. Six Montagnes Noires – ℰ 03 89 41 60 32 – www.le-marechal.com – info@le-marechal.com – Fax 03 89 24 59 40

BZ b

30 ch – †85/95 € ††105/225 €, ⊇ 15 € – ½ P 113/188 €

Rest *A l'Échevin* – (fermé 5-22 janv.) Menu 28 € (déj. en sem.), 38/78 € – Carte 45/78 €

♦ Les chambres de ces ravissantes maisons alsaciennes de la Petite Venise affichent un côté bonbonnière (sauf deux, un peu plus anciennes). Très bon petit-déjeuner régional. À l'Échevin, décor cosy sur le thème de la musique et spectacle enchanteur de la Lauch.

Mercure Champ de Mars sans rest

2 av. Marne – ℰ 03 89 21 59 59 – www.mercure.com – h1225@accor.com – Fax 03 89 21 59 00

BZ n

75 ch – †112/125 € ††112/135 €, ⊇ 16 €

♦ Entre gare et centre-ville, construction des années 1970 bordant le parc du Champ-de-Mars. Les chambres, fonctionnelles et assez modernes, sont refaites par étapes.

569

COLMAR

Street	Grid	No.
Agen (R. d')	BY	
Alsace (Av. d')	CYZ	
Ancienne Douane (Pl. de l')	CZ	2
Augustins (R. des)	BZ	3
Bagatelle (R. de la)	AY	
Bains (R. des)	BY	5
Bâle (Route de)	CZ	
Bartholdi (R.)	BCZ	
Blés (R. des)	BZ	9
Boulangers (R. des)	BY	12
Brasseries (R. des)	CY	13
Bruat (R.)	BZ	14
Cathédrale (Pl. de la)	BY	17
Cavalerie (R. de la)	BCY	
Champ-de-Mars (Bd du)	BYZ	18
Chauffour (R.)	BCY	20
Clefs (R. des)	BY	
Clemenceau (Av. Georges)	BCZ	
Écoles (R. des)	BZ	22
Est (R. de l')	CYZ	
Fleischhauer (R.)	BCY	
Fleurent (R. J.-B.)	BY	24
Fleurs (R. des)	CY	
Florimont (R. du)	AY	25
Foch (Av.)	BZ	
Fribourg (Av. de)	CZ	
Gare (Pl. et R. de la)	AZ	
Gaulle (Av. Gén.-de)	ABYZ	
Golbéry (R.)	BY	
Grad (R. Charles)	BCZ	
Grand'Rue	BCZ	
Grenouillère (R. de la)	CYZ	31
Herse (R. de la)	BZ	32
Ingersheim (Rte d')	ABY	33
Jeanne d'Arc (Pl.)	CY	
Joffre (Av.)	CY	
Kléber (R.)	BY	35
Ladhof (R. du)	CY	36
Lasch (R. Georges)	AZ	37
Lattre-de-Tassigny (Av. J. de)	ABY	43
Leclerc (Bd du Gén.)	BZ	45
Liberté (Av. de la)	AZ	
Logelbach (R. du)	AY	
Manège (R. du)	BZ	49
Marchands (R. des)	BYZ	50
Marché-aux-Fruits (Pl. du)	BZ	51
Marne (Av. de la)	BZ	
Messimy (R.)	ABZ	52
Molly (R. Berthe)	BYZ	54
Mouton (R. du)	CY	57
Mulhouse (R. de)	AZ	
Neuf-Brisach (Rte de)	CY	
Nord (R. du)	BCY	
Poincaré (Av. Raymond)	ABZ	
Poissonnerie (R. et Q. de la)	BCZ	62
Preiss (R. Jacques)	ABZ	63
Rapp (Pl.)	BZ	
Rapp (R.)	BCY	
Reims (R. de)	BZ	65
République (Av. de la)	ABZ	
Ribeauvillé (R. de)	BY	67
Roesselman (R.)	BY	69
Rouffach (Rte de)	AZ	
St-Jean (R.)	BZ	71
St-Joseph (Pl. et R.)	AY	
St-Josse (R.)	CZ	
St-Léon (R.)	AY	
St-Nicolas (R.)	BZ	73
St-Pierre (Bd et Pont)	BCZ	
Schlumberger (R. Camille)	ABZ	
Schwendi (R.)	CZ	
Sélestat (Rte de)	CY	
Semm (R. de la)	CZ	
Serruriers (R. des)	BY	75
Sinn (Quai de la)	BY	77
Six-Montagnes-Noires (Pl. des)	BZ	79
Stanislas (R.)	CY	
Tanneurs (R. des)	BZ	82
Têtes (R. des)	BY	83
Thann (R. de)	BZ	
Tir (R. du)	AZ	
Turckheim (R. de)	AY	
Turenne (R.)	BCZ	
Unterlinden (Pl. d')	BY	85
Val St-Grégoire (R. du)	AY	
Vauban (R.)	CY	
Voltaire (R.)	ABZ	
Weinemer (R.)	BZ	86
1ère Armée Française (R. de la)	BY	
2 Février (Pl. du)	CY	87
5e Division-Blindée (R. de la)	BY	95
18 Novembre (Pl. du)	BY	97

NANCY
ST-DIÉ-DES-V.
STRASBOURG
SÉLESTAT
B
C
R. d'Agen
R. de la 1ère Armée Française
R. Fleischhauer
CITÉ ADMINISTRATIVE
Rte de Sélestat
ST-LEON
R. de la Cavalerie
VELODROME
POL
ST-ANTOINE
LADHOF
Y
Route d'Ingersheim
Logelbach
Stanislas
R. Golbery
R. Rapp
R. du Nord
R. de Thann
Rte de Neuf-Brisach
Avenue d'Alsace
MUSÉE
D'UNTERLINDEN
Église des Dominicains
R. des Clefs
R. Vauban
Pl. Jeanne d'Arc
R. de l'Est
ST-MARTIN
St-Matthieu
Ancien Hôpital
Place Rapp
Av. de la République
CHAMP DE MARS
Av. de la Marne
Lauch
Quartier des Tanneurs
R. St-Josse
Fontaine Roesselmann
VENISE
PETITE
Quartier de la Krutenau
R. Turenne
R. Schwendi
R. des Fleurs
Z
JARDIN MEQUILLET
I.U.F.M.
Av. Joffre
Bd Saint-Pierre
Pont St-Pierre
R. Bartholdi
HÔTEL DU DÉPARTEMENT
R. de la Semm
Route de Bâle
Av. de Fribourg
D 13
R. de la Semm
Poincaré
Av. Georges Clemenceau
Av. Foch
MARAICHERS
MULHOUSE A 35
BÂLE
FREIBURG-IM-B.
NEUF-BRISACH

COLMAR

Mercure Unterlinden sans rest
15 r. Golbery – ℰ *03 89 41 71 71 – www.mercure.com – h0978@accor.com*
– Fax 03 89 23 82 71
BY **v**
72 ch – †80/160 € ††90/170 €, ⛌ 15 € – 4 suites
♦ À deux pas du musée d'Unterlinden, établissement non-fumeurs disposant de chambres confortables, fonctionnelles et plutôt actuelles. Le plus : un garage en plein centre-ville.

St-Martin sans rest
38 Grand'Rue – ℰ *03 89 24 11 51 – www.hotel-saint-martin.com – colmar@hotel-saint-martin.com – Fax 03 89 23 47 78 – Fermé 23-26 déc. et 1ᵉʳ janv.-8 mars*
CZ **e**
40 ch – †79/99 € ††89/154 €, ⛌ 12 €
♦ Dans le quartier historique, trois maisons des 14ᵉ et 17ᵉ s. réparties autour d'une cour intérieure avec tourelle et escalier Renaissance. Chambres cosy personnalisées.

All Seasons Centre sans rest
11 bd du Champ-de-Mars – ℰ *03 89 23 26 25 – www.all-seasons-hotels.com – h7005@accor.com – Fax 03 89 23 83 64*
BZ **d**
47 ch ⛌ – †66/120 € ††76/130 €
♦ Cette ancienne malterie abrite d'agréables chambres sobrement contemporaines, un peu plus spacieuses au rez-de-chaussée. Chaleureux salon-cheminée meublé en rotin.

Turenne sans rest
10 rte Bâle – ℰ *03 89 21 58 58 – www.turenne.com – infos@turenne.com – Fax 03 89 41 27 64*
CZ **x**
82 ch – †49/75 € ††65/75 €, ⛌ 8,50 € – 1 suite
♦ Architecture d'inspiration régionale, chambres fonctionnelles, copieux buffet de petits-déjeuners et prix sages : une adresse pratique à deux pas de la Petite Venise.

La Maison des Têtes – Hôtel Les Têtes
19 r. Têtes – ℰ *03 89 24 43 43 – les-tetes@calixo.net – Fax 03 89 24 58 34 – Fermé fév., dim. soir, mardi midi et lundi*
BY **y**
Rest – Menu 30/62 € – Carte 36/61 €
♦ Cette belle maison Renaissance est l'un des joyaux du patrimoine architectural colmarien. Boiseries blondes (19ᵉ s.), cuisine traditionnelle et bon choix de vins régionaux.

Rendez-vous de Chasse – Grand Hôtel Bristol
❀
7 pl. de la Gare – ℰ *03 89 23 15 86 – www.grand-hotel-bristol.com – reservation@grand-hotel-bristol.com – Fax 03 89 23 92 26*
AZ **g**
Rest – Menu (29 €), 48/80 € – Carte 75/86 €
Spéc. Terrine de foie gras d'oie à la cuillère. Dos de chevreuil d'Alsace, nems aux fruits, sauce épicée (15 janv. au 15 mai). Soufflé au Grand Marnier, sorbet aux fruits du soleil. **Vins** Riesling, Pinot noir.
♦ Cheminée, pierres et poutres ajoutent au charme de cette salle à manger cossue, agrémentée en outre de dessins originaux de Daumier. Fine cuisine d'aujourd'hui ; cave étoffée.

JY'S (Jean-Yves Schillinger)
❀
17 r. Poissonnerie – ℰ *03 89 21 53 60 – www.jean-yves-schillinger.com – Fax 03 89 21 53 65 – Fermé vacances de fév., dim. et lundi*
BZ **g**
Rest – Menu 32 € (déj.), 54/72 € – Carte environ 60 €
Spéc. Cocktail de chair de tourteau. Pavé de cabillaud rôti, tomates confites et olives noires. Mignon de veau en croûte d'herbes sur risotto sauvage. **Vins** Riesling, Pinot gris.
♦ Carte très inventive et décor ultra contemporain signé Olivier Gagnère : c'est au bord de la Lauch, dans une jolie maison de 1750, que se cache l'adresse branchée de Colmar.

Aux Trois Poissons
15 quai de la Poissonnerie – ℰ *03 89 41 25 21 – auxtroispoissons@calixo.net – Fax 03 89 41 25 21 – Fermé 15-31 juil., 3-9 nov., dim. soir, mardi soir et merc.*
CZ **t**
Rest – Menu 22/45 € – Carte 30/60 €
♦ Coquette salle à manger et ambiance sympathique pour apprécier une goûteuse cuisine mi-traditionnelle, mi-inventive. Ici le poisson est roi et il y en a plus de 3 sur la carte !

COLMAR

XX L'Arpège

24 r. Marchands – ℰ 03 89 23 37 89 – restaurant.arpege@wanadoo.fr
– Fax 03 89 23 39 22 – Fermé sam. et dim.   BZ a
Rest – *(nombre de couverts limité, prévenir)* Menu 23 € (déj. en sem.), 27/52 €
– Carte 42/110 €
◆ Cette demeure de 1463, nichée au fond d'une impasse, aurait appartenu à la famille Bartholdi. Décor contemporain, terrasse dans un joli jardin fleuri et cuisine actuelle.

XX Bartholdi

2 r. Boulangers – ℰ 03 89 41 07 74
– http://restaurant-bartholdi.monsite.wanadoo.fr/ – restaurant.bartholdi@wanadoo.fr – Fax 03 89 41 14 65 – Fermé 30 juin-7 juil., vacances de fév., dim. soir et lundi   BY e
Rest – Menu 22/53 € – Carte 25/55 €
◆ Amoureux de vins alsaciens, vous trouverez forcément votre bonheur parmi l'immense choix de crus régionaux que propose cette maison aux allures de winstub. Plats traditionnels.

X Chez Hansi

23 r. des Marchands – ℰ 03 89 41 37 84 – Fax 03 89 41 37 84 – Fermé 1 sem. en juin, janv., merc. et jeudi   BZ e
Rest – Menu 18/44 € – Carte 30/55 €
◆ Retrouvez tout l'esprit de l'Alsace dans cette typique maison à colombages du vieux Colmar. Tradition dans l'assiette et dans le service assuré en costume folklorique.

X Wistub Brenner

1 r. Turenne – ℰ 03 89 41 42 33 – www.wistub-brenner.fr – Fax 03 89 41 37 99
– Fermé 23 juin-1er juil., 10-18 nov., 5-20 janv., mardi et merc.   BZ u
Rest – Menu 21/27 € – Carte 34/50 €
◆ Ambiance décontractée et animée dans cette authentique Wistub agrandie d'une sympathique terrasse. Cuisine du pays (tête de veau, pieds de porc...) et ardoise de suggestions.

X La Petite Venise

4 r. de la Poissonnerie – ℰ 03 89 41 72 59 – www.restaurantpetitevenise.com
– Fermé 23 déc.-5 janv., merc. soir et jeudi sauf déc.   BZ t
Rest – Carte 25/42 €
◆ Dans la petite Venise, maison du 17e s. vous conviant à goûter des recettes du terroir transmises de génération en génération. Choix à l'ardoise ; cadre nostalgique attachant.

à Horbourg 4 km à l'Est par rte de Neuf-Brisach – ✉ 68180 Horbourg Wihr – 5 060 h. – alt. 188 m

L'Europe

15 rte Neuf-Brisach – ℰ 03 89 20 54 00 – www.hotel-europe-colmar.com
– reservation@hotel-europe-colmar.fr – Fax 03 89 41 27 50
130 ch – †103/125 € ††120/164 €, ⚏ 14,50 € – 2 suites – ½ P 107/118 €
Rest *Eden des Gourmets* – (fermé juil., janv., dim. soir, lundi, mardi, merc. et le midi sauf dim.) Menu 47/64 € – Carte 42/63 €
Rest *Plaisir du Terroir* – Menu (20 €), 27 € (sem.)/64 € – Carte 33/49 €
◆ Imposant hôtel de style "néo-alsacien". Chambres agréables, parfois luxueuses. Équipements d'exception pour séminaires et loisirs. Carte privilégiant les produits bio à l'Éden des Gourmets. Plats alsaciens au Plaisir du Terroir (grillades en terrasse l'été).

Cerf sans rest

9 Grand'Rue – ℰ 03 89 41 20 35 – www.hotelrestaurant-cerf.com – cerf-hotel@orange.fr – Fax 03 89 24 24 98
– Fermé 1er janv.-25 mars et lundi sauf du 15 mai au 15 sept.
25 ch – †68/73 € ††73/83 €, ⚏ 11 €
◆ Avenante maison rose à colombages. Chambres un peu petites mais de bon confort, plus calmes côté jardin. Le décor du bar et du salon évoque la Belle Époque.

COLMAR

à Logelheim 9 km au Sud-Est par D 13 et D 45 – CZ – 762 h. – alt. 195 m – ⌂ 68280

A la Vigne ch, VISA MC
5 Grand'Rue – ✆ 03 89 20 99 60 – www.repere.com/la-vigne
– restaurant.alavigne@calixo.net – Fax 03 89 20 99 69 – Fermé 27 juin-12 juil. et
24 déc.-10 janv.
9 ch – †52/54 € ††55/72 €, ⌂ 6,50 €
Rest – (fermé sam. midi, lundi soir et dim. sauf fériés) Menu (10 €), 22/28 €
– Carte 21/39 €
♦ Maison régionale simple mais accueillante située au cœur d'un paisible village. Les chambres sont calmes et sobrement contemporaines. Salle à manger champêtre où l'on propose plats du terroir (tartes flambées, choucroutes, spaetzle) et ardoise de suggestions.

à Ste-Croix-en-Plaine 10 km par ③ – 2 362 h. – alt. 192 m – ⌂ 68127

Au Moulin VISA MC
rte d'Herrlisheim, sur D 1 – ✆ 03 89 49 31 20 – www.aumoulin.net
– hotelaumoulin@wanadoo.fr – Fax 03 89 49 23 11 – Ouvert 1er avril-20 déc. et
fermé dim. soir
16 ch – †48/73 € ††61/80 €, ⌂ 9 €
Rest – (Ouvert 1er avril-15 oct. et fermé dim. soir) (dîner seult) (résidents seult)
Carte 23/40 €
♦ Les chambres de ce moulin, confortables et entièrement refaites, ont vue sur les Vosges. Petit musée d'objets alsaciens anciens. Restauration d'appoint (plats locaux).

à Wettolsheim 4,5 km par ⑤ et D 1bis II – alt. 220 m – ⌂ 68920

La Palette avec ch VISA MC AE ①
9 r. Herzog – ✆ 03 89 80 79 14 – www.lapalette.fr – lapalette@lapalette.fr
– Fax 03 89 79 77 00 – Fermé 17-24 août, 1er-5 janv., 16-23 fév.
16 ch – †64/70 € ††74/110 €, ⌂ 9 €
Rest – (fermé dim. soir, mardi midi et lundi) Menu 14 € (déj. en sem.), 25/64 €
– Carte 37/56 €
♦ Une riche palette de styles et de couleurs se déploie dans les salles à manger de cette auberge où l'on déguste une cuisine au goût du jour. Jolies chambres rénovées.

à Ingersheim 4 km au Nord-Ouest – 4 583 h. – alt. 220 m – ⌂ 68040

La Taverne Alsacienne VISA MC AE
99 r. de la République – ✆ 03 89 27 08 41 – tavernealsacienne68@orange.fr
– Fax 03 89 80 89 75 – Fermé 21 juil.-7 août, 1er-10 janv., jeudi soir sauf déc., dim. soir et lundi
Rest – Menu (16 €), 20/55 € – Carte 29/57 €
♦ Au bord de la Fecht, vaste salle à manger contemporaine et claire, bar servant des plats du jour et salon refait. Cuisine classique et régionale, belle carte de vins alsaciens.

COLOMBES – 92 Hauts-de-Seine – 312 C2 – voir à Paris, Environs

COLOMBEY-LES-DEUX-ÉGLISES – 52 Haute-Marne – 313 J4   14 C3
– 678 h. – alt. 353 m – ⌂ 52330 ▮ Champagne Ardenne
▶ Paris 248 – Bar-sur-Aube 16 – Châtillon-sur-Seine 63 – Chaumont 26
 – Neufchâteau 71
▮ Syndicat d'initiative, 68, rue du Général-de-Gaulle ✆ 03 25 01 52 33,
Fax 03 25 01 98 61
◉ Mémorial du Général-de-Gaulle et la Boisserie (musée).

Hostellerie la Montagne (Jean-Baptiste Natali)
r. Pisseloup – ✆ 03 25 01 51 69   VISA MC AE ①
– www.hostellerielamontagne.com – contact@hostellerielamontagne.com
– Fax 03 25 01 53 20 – Fermé 1er-15 oct., 22-30 déc., 15-31 janv., lundi et mardi
9 ch – †120/170 € ††120/170 €, ⌂ 14 € – 1 suite
Rest – Menu 28 € (déj. en sem.), 52/85 € – Carte 82/97 €
Spéc. Grosse langoustine et foie gras poêlé. Filet de chevreuil d'été pané aux amandes et pignons de pin. Tarte au citron glacée, biscuit aux agrumes (oct. à déc.). **Vins** Vin de Pays des Coteaux de Coiffy, Coteaux Champenois.
♦ Au cœur d'un jardin, cette maison de maître en pierre dispose de charmantes chambres qui vous enchanteront par leur joli style campagnard. Séduisante carte inventive et salles à manger contemporaines. Demandez la "table du chef", à la datcha, avec vue sur les cuisines.

COLOMBIERS – 34 Hérault – **339** D9 – 2 296 h. – alt. 25 m – ⊠ 34440   22 **B2**
Languedoc Roussillon

▶ Paris 779 – Béziers 10 – Montpellier 78 – Narbonne 23

XX **Château de Colombiers**
1 r. du Château – ✆ 04 67 37 06 93 – www.chateau-colombiers.com
– chateaudecolombiers@yahoo.fr – Fax 04 67 37 63 11 – Fermé 1ᵉʳ-10 janv. et dim. soir
Rest – Menu (15 €), 25/55 € – Carte 35/59 €
♦ Ce château du 18ᵉ s. abrite plusieurs salles à manger, confortables et actuelles, ainsi qu'une immense terrasse dressée sous les marronniers. Cuisine au goût du jour.

COLOMIERS – 31 Haute-Garonne – **343** F3 – **rattaché à Toulouse**

COLONZELLE – 26 Drôme – **332** C7 – 474 h. – alt. 179 m – ⊠ 26230   44 **B3**

▶ Paris 642 – Lyon 180 – Montélimar 33 – Orange 37

⌂ **La Maison de Soize**
pl. de l'Église – ✆ 04 75 46 58 58 – Fax 04 75 46 58 58 – Ouvert Pâques-30 sept.
5 ch ⌒ – †80 € ††90 €   **Table d'hôte** – Menu 30 € bc
♦ Les chambres de cette maison ancienne portent le nom d'une fleur. Fraîches et colorées, elles possèdent des salles de bains modernes et une bonne literie. Repas (légumes du potager) dans le jardin ombragé ou dans une salle décorée de bibelots de famille.

COLROY-LA-ROCHE – 67 Bas-Rhin – **315** H6 – 455 h. – alt. 475 m – ⊠ 67420   1 **A2**

▶ Paris 412 – Lunéville 70 – St-Dié 33 – Sélestat 31 – Strasbourg 66

🏨 **Hostellerie La Cheneaudière**
3 r. Vieux Moulin – ✆ 03 88 97 61 64
– www.cheneaudiere.com – cheneaudiere@relaischateaux.com
– Fax 03 88 47 21 73
32 ch – †125/260 € ††125/260 €, ⌒ 25 € – 7 suites
Rest – (fermé le midi du lundi au jeudi sauf fériés) Menu 52 €, 73/110 €
– Carte 59/115 €
♦ Adresse luxueuse pour profiter du bon air des sapins. Les spacieuses chambres ont été rénovées dans des tons clairs apaisants. Piscine intérieure, massages, sauna. Une cuisine fine et une alternative terroir sont à l'honneur dans deux salles à manger élégantes.

COLY – 24 Dordogne – **329** I5 – **rattaché au Lardin-St-Lazare**

LA COMBE – 73 Savoie – **333** H4 – **rattaché à Aiguebelette-le-Lac**

COMBEAUFONTAINE – 70 Haute-Saône – **314** D6 – 496 h. – alt. 259 m – ⊠ 70120   16 **B1**

▶ Paris 336 – Besançon 72 – Épinal 83 – Gray 40 – Langres 52 – Vesoul 24
🛈 Syndicat d'initiative, Mairie ✆ 03 84 92 11 80, Fax 03 84 92 15 23

XX **Le Balcon** avec ch
☺ – ✆ 03 84 92 11 13 – Fermé 23 juin-2 juil., 28 sept.-3 oct., 26 déc.-15 janv., dim. soir, mardi midi et lundi
15 ch ⌒ – †48/68 € ††58/68 €, ⌒ 9 € – ½ P 55 €
Rest – Menu 25/62 € – Carte 50/73 €
♦ Auberge tapissée de vigne vierge à l'intérieur soigné (nappes blanches, cuivres et meubles cirés) ; goûteuse cuisine classique. Réservez une chambre sur l'arrière, au calme.

LES COMBES – 25 Doubs – **321** J4 – **rattaché à Morteau**

COMBES – 34 Hérault – **339** D7 – **rattaché à Lamalou-les-Bains**

COMBLOUX – 74 Haute-Savoie – 328 M5 – 2 047 h. – alt. 980 m — 46 F1
– Sports d'hiver : 1 000/1 850 m ≤1 ≤24 ≤ – ⊠ 74920 ▌Alpes du Nord

- Paris 593 – Annecy 80 – Bonneville 37 – Chamonix-Mont-Blanc 31 – Megève 6 – Morzine 50
- Office de tourisme, 49, chemin des Passerands ℰ 04 50 58 60 49, Fax 04 50 93 33 55
- ※★★★ - Table d'orientation★ de la Cry.

Aux Ducs de Savoie
au Bouchet – ℰ 04 50 58 61 43 – www.ducs-de-savoie.com – info@ducs-de-savoie.com – Fax 04 50 58 67 43 – Ouvert 1ᵉʳ juin-6 oct. et 15 déc.-25 avril
50 ch – †140/220 € ††140/220 €, ⊇ 18 € – ½ P 120/150 €
Rest – Menu 35/45 € – Carte 42/55 €

♦ Ce vaste chalet tout en bois vous réserve un bon accueil et offre un superbe panorama alpin. Chambres avenantes, salon-cheminée, piscine face au Mont-Blanc. Repas traditionnel actualisé servi dans une salle savoyarde panoramique. Ambiance conviviale et feutrée.

Au Cœur des Prés
152 chemin du Champet – ℰ 04 50 93 36 55 – www.hotelaucoeurdespres.com – hotelaucoeurdespres@wanadoo.fr – Fax 04 50 58 69 14 – Ouvert fin mai-fin sept. et mi-déc.-début avril
33 ch – †80/100 € ††120/145 €, ⊇ 12 € **Rest** – Menu 30 €

♦ Sur les hauts de Combloux, bâtisse de type chalet vous logeant dans des chambres majoritairement rénovées et donnant toutes à admirer les sommets. Salon-cheminée douillet. Vue étendue, décor soigné et cuisine classique au restaurant.

Joly Site
81 rte de Sallanches – ℰ 04 50 58 60 07 – www.joly-site.com – joly-site@joly-site.com
10 ch – †75/95 € ††150/190 €, ⊇ 9 €
Rest – (fermé lundi soir et mardi soir hors saison) Menu (12 €), 19 €, 26/35 € – Carte 22/41 €

♦ Rénové récemment, l'hôtel dispose de chambres à la fois traditionnelles et modernes, souvent dotées d'un accès direct au jardin. À table, recettes montagnardes ou méridionales à déguster autour de la cheminée centrale.

Coin Savoyard
300 rte Cry, Cuchet – ℰ 04 50 58 60 27 – www.coin-savoyard.com – info@coin-savoyard.com – Fax 04 50 58 64 44 – Ouvert 6 juin-20 sept. et 12 déc.-11 avril
14 ch – †95 € ††115 €, ⊇ 10 € – ½ P 82/92 €
Rest – (fermé lundi midi en hiver sauf vacances scolaires et lundi en juin et sept.) Carte 21/45 €

♦ Accueillante ferme du 19ᵉ s. située à côté de l'église. Sous ses allures d'auberge savoyarde, elle recèle de confortables chambres rafraîchies et tournées vers les monts. Spécialités régionales servies au bord de la piscine lorsqu'arrivent les beaux jours.

COMBOURG – 35 Ille-et-Vilaine – 309 L4 – 5 223 h. – alt. 45 m — 10 D2
– ⊠ 35270 ▌Bretagne

- Paris 387 – Avranches 58 – Dinan 25 – Fougères 49 – Rennes 41 – St-Malo 36 – Vitré 56
- Office de tourisme, 23, place Albert Parent ℰ 02 99 73 13 93, Fax 02 99 73 52 39
- ₁₈ des Ormes à Dol-de-Bretagne Epiniac, N : 13 km par D 795, ℰ 02 99 73 54 44
- Château★.

Du Château
1 pl. Chateaubriand – ℰ 02 99 73 00 38 – www.hotelduchateau.com – hotelduchateau@wanadoo.fr – Fax 02 99 73 25 79 – Fermé 19 déc.-27 janv., dim. soir sauf juil.-août, lundi midi et sam. midi
33 ch – †57/149 € ††57/149 €, ⊇ 11 € – 1 suite – ½ P 89/179 €
Rest – Menu 21 € (sem.)/55 € – Carte 35/70 €

♦ Au pied du château et du lac célébrés par Chateaubriand, belle maison ancienne et ses annexes. Chambres personnalisées, en partie rafraîchies. Carte mi-traditionnelle, mi-régionale où figure en bonne place le délicieux chateaubriand ! L'été, terrasse au jardin.

COMBREUX – 45 Loiret – 318 K4 – 202 h. – alt. 130 m – ⊠ 45530 — 12 C2

▶ Paris 113 – Bellegarde 12 – Châteauneuf-sur-Loire 14 – Orléans 41 – Pithiviers 31

Auberge de Combreux
33 rte du Gatinais – ✆ 02 38 46 89 89 – www.auberge-de-combreux.fr – contact@auberge-de-combreux.fr – Fax 02 38 59 36 19 – *Fermé mi-déc.-24 janv. et dim. soir de nov. à avril*
19 ch – †60 € ††60/79 €, ⊑ 9 € – ½ P 66/78 €
Rest – *(fermé vend. midi de mai à oct., dim. soir de nov. à avril et lundi midi)* Menu (19 €), 29/36 € – Carte 35/56 €

♦ Près de la forêt, ex-relais de poste tapissé de vigne vierge et son annexe composée de trois maisonnettes entourées d'un jardin. Chambres rustiques (deux avec jacuzzi). Chaleureuse salle à manger champêtre, terrasse verdoyante et carte actuelle.

COMMELLE-VERNAY – 42 Loire – 327 D4 – rattaché à Roanne

COMMERCY – 55 Meuse – 307 E6 – 6 324 h. – alt. 240 m – ⊠ 55200 — 26 B2

▶ Paris 269 – Bar-le-Duc 40 – Metz 73 – Nancy 53 – Toul 31 – Verdun 56
🛈 Office de tourisme, Château Stanislas ✆ 03 29 91 33 16

Côté Jardin sans rest
40 r. St-Mihiel – ✆ 03 29 92 09 09 – www.hotelcommercy.com – bernard.bou794@orange.fr – Fax 03 29 92 09 10
13 ch – †55/70 € ††66/90 €, ⊑ 8 €

♦ Un grand jardin à la française agrémente cette engageante maison. Chambres spacieuses, très soignées aux tons chaleureux bleu et jaune.

De la Madeleine
La Louvière, (rte de Nancy) – ✆ 03 29 91 51 25
– www.commerce-hoteldelamadeleine.com – hotelmadeleine@free.fr
– Fax 03 29 91 09 59
26 ch – †44/62 € ††58/70 €, ⊑ 6 €
Rest – *(fermé vend. soir et dim. soir)* Menu 12 € (sem.)/32 € – Carte 16/36 €

♦ Au pays de la madeleine, hôtel moderne abritant des chambres fonctionnelles, correctement insonorisées et claires, au mobilier en bois et fer forgé. Repas traditionnels, simples et rapides, à déguster dans une salle à manger éclairée par de larges baies.

COMPIÈGNE – 60 Oise – 305 H4 – 41 700 h. – Agglo. 108 234 h. – alt. 41 m – ⊠ 60200 ▌Nord Pas-de-Calais Picardie — 36 B2

▶ Paris 81 – Amiens 80 – Beauvais 61 – St-Quentin 74 – Soissons 39
🛈 Office de tourisme, place de l'Hôtel de Ville ✆ 03 44 40 01 00, Fax 03 44 40 23 28
🏌 de Compiègne Avenue Royale, E : par avenue Royale, ✆ 03 44 38 48 00
🏌 du Château d'Humières à Monchy Humières Rue de Gournay, NO : 9 km par D202, ✆ 03 44 86 48 22
◉ Palais★★★ : musée de la voiture★★, musée du Second Empire★★ - Hôtel de ville★ BZ H - Musée de la Figurine historique★ BZ M - Musée Vivenel : vases grecs★★ AZ M[1].
◉ Forêt★★ (les Beaux Monts) - Rethondes : Clairière de l'Armistice★★ (statue du Maréchal Foch, dalle commémorative, wagon du Maréchal Foch).

Plan page suivante

De Flandre sans rest
16 quai République – ✆ 03 44 83 24 40 – www.hoteldeflandre.com
– hoteldeflandre@wanadoo.fr – Fax 03 44 90 02 75
– *Fermé 18 déc.-3 janv.*   AY u
42 ch – †32/57 € ††37/70 €, ⊑ 8,50 €

♦ À deux pas de la gare, sur la rive droite de l'Oise. Chambres d'esprit rustique, progressivement rafraîchies. Une bonne insonorisation atténue les bruits du carrefour.

COMPIÈGNE

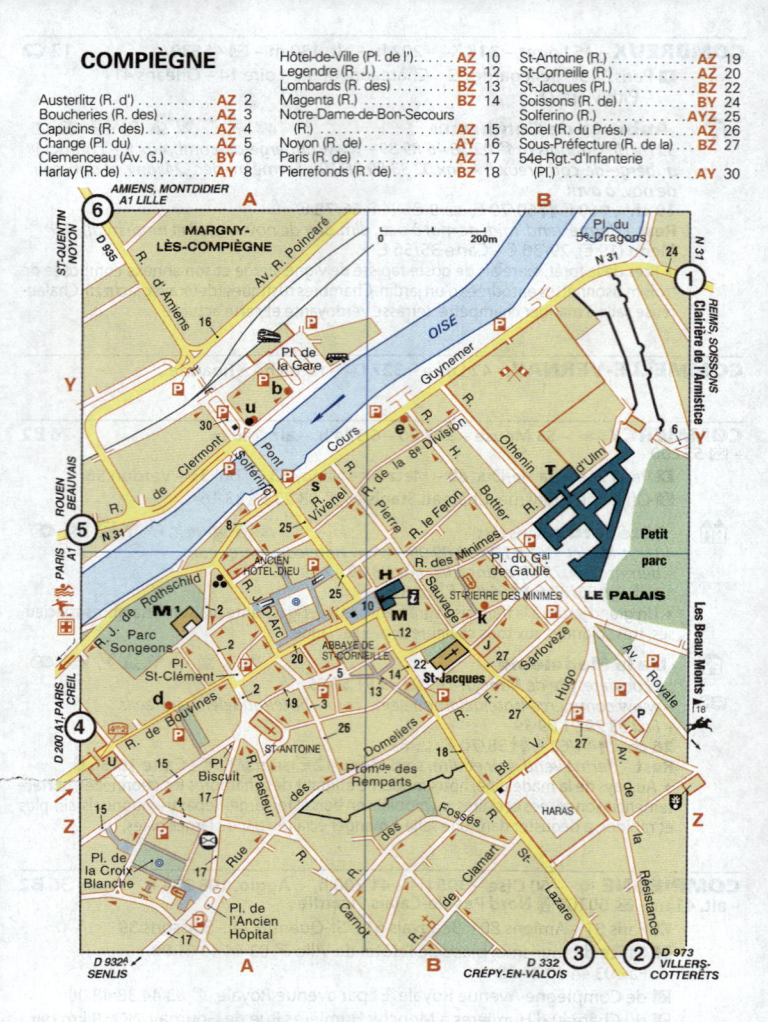

Austerlitz (R. d')	**AZ** 2
Boucheries (R. des)	**AZ** 3
Capucins (R. des)	**AZ** 4
Change (Pl. du)	**AZ** 5
Clemenceau (Av. G.)	**BY** 6
Harlay (R. de)	**AZ** 8
Hôtel-de-Ville (Pl. de l')	**AZ** 10
Legendre (R. J.)	**BZ** 12
Lombards (R. des)	**BZ** 13
Magenta (R.)	**BZ** 14
Notre-Dame-de-Bon-Secours (R.)	**AZ** 15
Noyon (R. de)	**AY** 16
Paris (R. de)	**AZ** 17
Pierrefonds (R. de)	**BZ** 18
St-Antoine (R.)	**AZ** 19
St-Corneille (R.)	**AZ** 20
St-Jacques (Pl.)	**BZ** 22
Soissons (R. de)	**BY** 24
Solferino (R.)	**AYZ** 25
Sorel (R. du Prés.)	**AZ** 26
Sous-Préfecture (R. de la)	**BZ** 27
54e-Rgt.-d'Infanterie (Pl.)	**AY** 30

XXX L'Hostellerie du Royal Lieu avec ch

9 r. de Senlis, par r. de Paris 2 km au Sud-Ouest –
𝒞 03 44 20 10 24 – www.host-royallieu.com – hostellerieduroyallieu@
hotmail.com – Fax 03 44 86 82 27
15 ch – ♦110/130 € ♦♦110/140 €, ⏾ 14 €
Rest – Menu 30/75 € – Carte 50/125 €

♦ Cet établissement de tradition en lisière de forêt savoure une douce quiétude. Salle classique et véranda plus actuelle embrassant la nature pour une cuisine de saison dans l'air du temps. Les chambres, de bonnes ampleur, jouent la carte de l'élégance, du style et du confort.

XXX Rive Gauche

13 cours Guynemer – 𝒞 03 44 40 29 99 – http://perso.orange.fr/rivegauche
– rivegauche@orange.fr – Fax 03 44 40 38 00 – Fermé lundi et mardi   BY **e**
Rest – Menu 38/48 € – Carte 65/90 €

♦ Sur la rive gauche de l'Oise, salle de restaurant contemporaine, à la fois sobre et élégante, agrémentée de tableaux. Cuisine au goût du jour et vins judicieusement choisis.

COMPIÈGNE

XX La Part des Anges
*18 r. Bouvines – ℰ 03 44 86 00 00 – www.lapartdesanges60.com
– lapartdesanges60@wanadoo.fr – Fax 03 44 86 09 00 – Fermé 27 juil.-24 août,
21-28 déc., sam. midi, dim. soir et lundi*

AZ **d**

Rest – Menu (33 € bc), 36/56 € – Carte 42/60 €

◆ Salle à manger en deux parties (l'une actuelle, l'autre plus intime) égayée d'une fresque illustrant la "part des anges" et d'angelots. Recettes d'aujourd'hui soignées.

XX Du Nord avec ch
*pl. de la Gare – ℰ 03 44 83 22 30 – hoteldunord@9business.fr – Fax 03 44 90 11 87
– Fermé 1er-15 août, sam. midi et dim. soir*

AY **b**

20 ch – ♦49 € ♦♦55 €, ⊑ 7 € – ½ P 71 €

Rest – Menu 25 € (sem.)/50 € bc – Carte 43/120 €

◆ Adresse devenue une institution locale pour ses produits de la mer. Salle à manger vaste et claire, d'où l'on peut observer le spectacle des cuisines. Chambres rafraîchies.

X Le Palais Gourmand
*8 r. Dahomey – ℰ 03 44 40 13 13 – lepalaisgourmand@hotmail.fr
– Fax 03 44 40 41 36 – Fermé 2-17 août, dim. soir et lundi*

BZ **k**

Rest – Menu (15 €), 19 € (sem.)/48 € – Carte 40/50 €

◆ Cette jolie maison (1890) abrite une enfilade de salons et une véranda où tons chauds, tableaux mauresques et mosaïques créent un cadre agréable. Plats traditionnels.

X Le Bistrot des Arts
*35 cours Guynemer – ℰ 03 44 20 10 10 – laurentfull@orange.fr
– Fax 03 44 20 61 01 – Fermé sam. midi*

AY **s**

Rest – Menu 21 € bc (sem.)/30 € – Carte 35/45 €

◆ Affiches anciennes, objets chinés et vieilles plaques publicitaires composent le décor de ce plaisant bistrot. Cuisine actuelle rythmée par les saisons et le marché.

à Choisy-au-Bac 5 km par ② – 3 571 h. – alt. 40 m – ✉ 60750

XX Auberge du Buissonnet
*825 r. Vineux – ℰ 03 44 40 17 41 – www.aubergedubuissonnet.com
– chantallequeux@orange.fr – Fax 03 44 85 28 18 – Fermé dim. soir et lundi
de sept. à mars, mardi soir et merc. soir*

Rest – Menu (18 € bc), 23 € bc (sem.)/40 € – Carte 40/50 €

◆ Quiétude et confort sont les maîtres-mots de cette adresse. Jardin au bord d'un étang où l'on dresse une terrasse l'été, confortable cadre rustique et plats traditionnels.

à Rethondes 10 km par ② – 706 h. – alt. 38 m – ✉ 60153

◎ St-Crépin-aux-Bois : mobilier ★ de l'église NE : 4 km.

XXX Alain Blot
*21 r. Mar. Foch – ℰ 03 44 85 60 24 – www.alainblot.com – alainblot@
netcourrier.com – Fax 03 44 85 92 35 – Fermé 1er-8 janv., 1er-15 sept., sam. midi,
dim. soir, lundi et mardi*

Rest – (nombre de couverts limité, prévenir) Menu 29 € (sem.)/85 €
– Carte 85/120 €

Spéc. Grillade de bar à la confiture d'oignons rouges. Menu "simple expression de la mer". Carpaccio d'ananas au rhum blanc, vanille bourbon et crème glacée passion (automne-hiver).

◆ Auberge posée dans un village paisible. Salle à manger raffinée, meublée Louis XVI et prolongée d'une véranda ouverte sur un joli jardin. Cuisine classique personnalisée.

à Vieux-Moulin 10 km par ③ et D 14 – 619 h. – alt. 49 m – ✉ 60350

◎ Mont St-Marc ★ N : 2 km - Les Beaux-Monts ★★ : ≤★ NO : 7 km.

XXX Auberge du Daguet
*25 r. Saint Jean, (face à l'église) – ℰ 03 44 85 60 72
– http://auberge.du.daguet.free.fr – auberge.du.daguet@free.fr
– Fax 03 44 85 60 72 – Fermé 13-24 juil. et 4-29 janv.*

Rest – Menu (29 €), 36/50 € – Carte 52/83 €

◆ À l'ombre du clocher en chapeau chinois, vitraux, pierres et poutres composent le cadre d'inspiration "médiévale" de cette avenante auberge champêtre. Gibier en saison.

COMPIÈGNE

Auberge du Mont St-Pierre
28 rte des Étangs – ℰ 03 44 85 60 00 – www.aubergedumontsaintpierre.fr – contact@aubergedumontsaintpierre.fr – Fax 03 44 85 23 03 – Fermé 7-24 août, vacances de fév., dim. soir, jeudi soir et lundi sauf fériés
Rest – Menu (20 €), 28/40 € – Carte 46/67 €

♦ Cette maison de pays bâtie à l'orée de la forêt abrite une salle à manger-véranda (décor cynégétique) et une paisible terrasse d'été ; produits de saison et gibier.

Z.A.C. de Mercières 6 km par ⑤ et D 200 – ⊠ 60472 Compiègne

Mercure
carrefour J. Monnet – ℰ 03 44 30 30 30 – www.mercure.com – H1623@accor.com – Fax 03 44 30 30 44
92 ch – †110 € ††118 €, ⊆ 15 €
Rest – *(fermé dim. midi et sam.)* Menu (16 €), 22 € (sem.) – Carte 32/45 €

♦ Entre ville et autoroute, hôtel pensé pour le bien-être du voyageur : confort, espace, bonne insonorisation et bar convivial, idéal pour la détente. Vaste et sobre salle à manger contemporaine prolongée d'une terrasse d'été. Carte "Mercure" et grillades.

au Meux 11 km par ⑤, D 200 et D 98 – 2 027 h. – alt. 50 m – ⊠ 60880

Auberge de la Vieille Ferme
58 r. de la République – ℰ 03 44 41 58 54 – auberge.vieille.ferme@wanadoo.fr – Fax 03 44 41 23 50 – Fermé 3 sem. en août et 28 déc.-3 janv.
14 ch – †62 € ††70 €, ⊆ 8 € – ½ P 90 €
Rest – *(fermé sam. midi, dim. soir et lundi)* Menu (20 €), 27/38 € – Carte 30/53 €

♦ Ancienne ferme en briques rouges de la vallée de l'Oise. Les chambres, simples, pratiques et bien tenues, sont aménagées de part et d'autre des deux cours intérieures. Au restaurant, ambiance campagnarde et cuisine traditionnelle à base de produits du terroir.

L'Annexe
1 r. République – ℰ 03 44 91 10 10 – restaurantlannexe@orange.fr – Fax 03 44 40 38 00 – Fermé dim. soir, lundi soir et mardi soir
Rest – Menu (18 €), 24/34 €

♦ Restaurant au cadre revu dans un esprit de bistrot contemporain aux teintes chaudes, pour déguster des recettes au goût du jour. Terrasse d'été au calme, sous une glycine.

COMPS-SUR-ARTUBY – 83 Var – 340 O3 – 320 h. – alt. 898 m — 41 C2
– ⊠ 83840 ■ Alpes du Sud

▫ Paris 892 – Castellane 29 – Digne-les-Bains 82 – Draguignan 31 – Grasse 60 – Manosque 97

◉ Balcons de la Mescla★★★ NO : 14,5 km - Tunnels de Fayet ≤★★★ O : 20 km.

Grand Hôtel Bain
Av. de Fayet – ℰ 04 94 76 90 06 – www.grand-hotel-bain.fr – reservation@grand-hotel-bain.fr – Fax 04 94 76 92 24 – Fermé 11 nov.-26 déc.
17 ch – †58/65 € ††58/65 €, ⊆ 8,50 € – ½ P 56/60 €
Rest – Menu 18/39 € – Carte 34/65 €

♦ Inscrite dans le Livre des records, la même famille vous accueille dans cet hôtel depuis 1737. Chambres fonctionnelles de style rustique provençal. Cuisine traditionnelle aux accents régionaux, dans une salle à manger ouverte sur la vallée.

CONCARNEAU – 29 Finistère – 308 H7 – 19 700 h. – alt. 4 m — 9 B2
– ⊠ 29900 ■ Bretagne

▫ Paris 546 – Brest 96 – Lorient 49 – Quimper 22 – Vannes 102

⇌ pour Beg Meil - (juillet-août) Traversée 25 mn - Renseignements et tarifs : Vedettes Glenn, face au port de Plaisance à Concarneau ℰ 02 98 97 10 31, Fax 02 98 60 49 70

⇌ pour Îles Glénan - (avril à sept.) Traversée 1 h 10 mn - Renseignements et tarifs : Vedettes de l'Odet ℰ 02 98 57 00 58 pour les Îles Glénan et la Rivière de l'Odet - Vieux Port Bénodet

⇌ pour La Rivière de l'Odet - (avril à sept.) Traversée 4 h AR- Renseignements et tarifs : voir ci-dessus (Vedettes Glenn), au Port de pêche de Bénodet.

🛈 Office de tourisme, quai d'Aiguillon ℰ 02 98 97 01 44, Fax 02 98 50 88 81

◉ Ville Close★★ C - Musée de la Pêche★ M¹ - Pont du Moros ≤★ B - Fête des Filets bleus★ (fin août).

CONCARNEAU

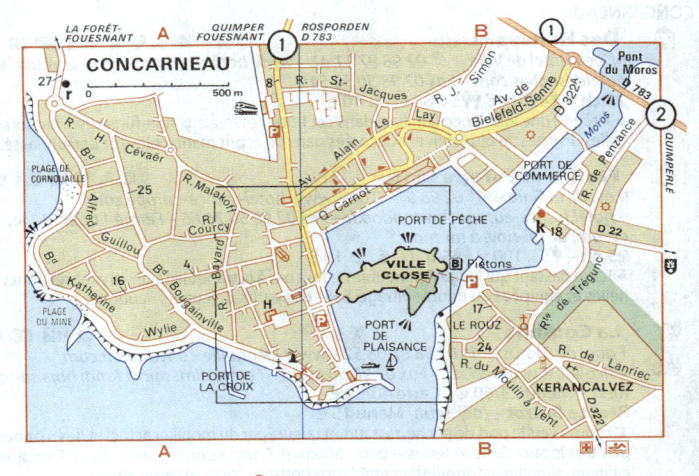

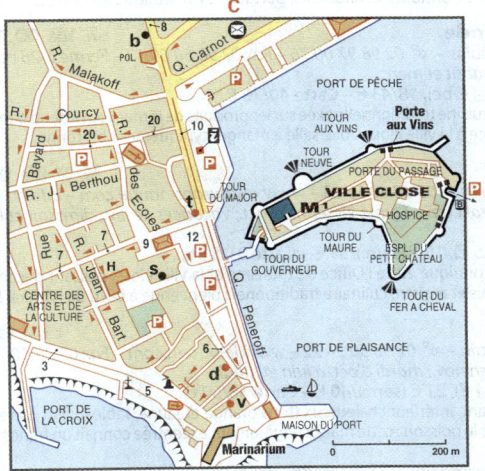

Ville close: Circulation réglementée l'été

Bougainville (Bd) . . **C** 3
Courbet
  (R. Amiral) . . . . **A** 4
Croix (Quai de la) . **C** 5
Dr-P.-Nicolas
  (Av. du) . . . . . . **C** 6
Dumont-d'Urville
  (R.) . . . . **C** 7
Gare (Av. de la) **AC** 8
Gaulle
  (Pl. Gén.-de) . . **C** 9
Guéguin
  (Av. Pierre) . . . **C** 10
Jean-Jaurès (Pl.) . **C** 12
Le Lay (Av. Alain) **B**
Libération
  (R. de la) . . . . . **A** 16
Mauduit-Duplessis
  (R.) . . . . **B** 17
Moros (R. du) . . . **B** 18
Morvan (R. Gén.) **C** 20
Pasteur (R.) . . . . **B** 24
Renan (R. Ernest) **A** 25
Sables-Blancs
  (R. des) . . . . . . **A** 27
Vauban (R.) . . . . **C** 29

🏨 **L'Océan**   ≤ 🛜 🖥 🍽 ⚜ rest, 🍴 🛁 **P** **VISA** **MC**
plage des Sables Blancs – ℘ *02 98 50 53 50* – *www.hotel-ocean.com*
– *hotel-ocean@wanadoo.fr* – *Fax 02 98 50 84 16*   **A r**
70 ch – ✦79/125 € ✦✦89/145 €, ⊇ 12 € – ½ P 79/99 €   **Rest** – *(Fermé déc., janv., dim. d'oct. à mars, sam. midi et lundi midi)* Menu 28 €, 35/45 € – Carte 30/50 €
♦ Imposant bâtiment moderne contemplant la mer. Chambres spacieuses et fonctionnelles ; en façade, elles possèdent de grands balcons tournés vers le large. Vaste salle de restaurant contemporaine ouverte sur la baie de Concarneau ; cuisine traditionnelle.

🏨 **Les Sables Blancs**   ≤ 🖥 ⚜ 🛜 🍴 🛁 🌊 **VISA** **MC** **AE**
plage des Sables Blancs – ℘ *02 98 50 10 12* – *www.hotel-les-sables-blancs.com*
– *contact@hotel-les-sables-blancs.com* – *Fax 02 98 97 20 92*   **A**
20 ch – ✦95/160 € ✦✦105/370 €, ⊇ 14 €
Rest – *(fermé 11 nov.-11 déc.)* Menu (25 €), 30/85 € – Carte 50/100 €
♦ Ce bel hôtel les pieds dans l'eau – accès direct à la plage – a été relooké dans un esprit contemporain chic : sage décoration en demi-teinte dans les chambres dotées de terrasses. Cuisine iodée servie au restaurant lounge, surplombant l'océan à perte de vue.

CONCARNEAU

⌂ Des Halles sans rest
pl. de l'Hôtel de Ville – ℰ 02 98 97 11 41 – www.hoteldeshalles.com – contact@
hoteldeshalles.com – Fax 02 98 50 58 54
25 ch – †43/84 € ††54/84 €, ☑ 10 €   C s

♦ Il règne une ambiance familiale dans cet hôtel réservé aux non-fumeurs. Chambres de tailles diverses, le plus souvent décorées dans un esprit marin coloré et personnalisé.

⌂ France et Europe sans rest
9 av. de la Gare – ℰ 02 98 97 00 64 – www.hotel-france-europe.com
– hotel.france-europe@wanadoo.fr – Fax 02 98 50 76 66 – Fermé 11 déc.-11 janv. et sam. de mi-nov. à mi-mars
25 ch – †54/100 € ††54/100 €, ☑ 10 €   C b

♦ L'axe passant qui longe l'immeuble ne nuit pas à la tranquillité des chambres, fonctionnelles et équipées du double vitrage. Salle des petits-déjeuners nautique.

✕✕ La Coquille
1 quai du Moros – ℰ 02 98 97 08 52 – www.lacoquille-concarneau.com
– sicallac@wanadoo.fr – Fax 02 98 50 69 13 – Fermé dim. soir et lundi hors saison
Rest – Menu 29/60 € – Carte 40/80 €   B k
Rest *Le Bistrot* – (déj. seult) Menu 15 €

♦ Tourné vers le port de pêche, restaurant rajeuni par du mobilier actuel et des marines de peintres locaux. Salle et terrasse panoramiques. Carte à dominante océane. À midi, offre culinaire simplifiée (formules) et ambiance portuaire sympathique au bistrot.

✕✕ Chez Armande
15 bis av. du Dr Nicolas – ℰ 02 98 97 00 76 – Fax 02 98 60 69 17 – Fermé 6-26 nov., mardi sauf juil.-août et merc.   C d
Rest – Menu (14 € bc), 18/43 € – Carte 40/70 €

♦ Une copieuse cuisine traditionnelle axée sur les produits de la mer vous attend dans cette maison située face à la ville close. Jolie salle à manger typiquement bretonne.

✕ L'Amiral
1 av. P. Guéguin – ℰ 02 98 60 55 23 – www.restaurant-amiral.com – info@
restaurant-amiral.com – Fermé 28 sept.-12 oct., vacances de fév., dim. soir et lundi sauf juil.-août   C t
Rest – Menu (15 €), 18 € (sem.)/39 € – Carte 31/51 €

♦ Emplacement pratique entre l'Office de tourisme et la ville close, plaisant décor marin dominé par le bois et registre culinaire traditionnel : bienvenue à bord de l'Amiral !

✕ Le Buccin
1 r. Duguay-Trouin – ℰ 02 98 50 54 22 – www.le-buccin.com – Fax 02 98 50 70 37
– Fermé 3 sem. en nov., mardi d'oct. à juin et lundi   C v
Rest – Menu (14 €), 21 € (sem.)/40 € – Carte 38/50 €

♦ Accueil charmant, intérieur chaleureux (tons orange et jaune, tableaux) et carte traditionnelle axée sur le poisson : cette maison légèrement excentrée connaît un franc succès.

CONCHES-EN-OUCHE – 27 Eure – 304 F8 – 4 982 h. – alt. 123 m   33 D2
– ✉ 27190 ▌ Normandie Vallée de la Seine

▶ Paris 118 – Bernay 34 – Dreux 49 – Évreux 18 – Rouen 61
▯ Syndicat d'initiative, place A. Briand ℰ 02 32 30 76 42, Fax 02 32 60 22 35
◉ Église Ste-Foy★.

✕ La Grand'Mare
13 av. Croix-de-Fer – ℰ 02 32 30 23 30 – Fermé dim. soir, mardi soir et lundi
Rest – Menu (11 €), 13/27 € – Carte 21/32 €

♦ Cette auberge à l'élégante salle à manger habillée de boiseries jouxte une maison à colombages au cadre plus simple (cheminée). Plats traditionnels et suggestions à l'ardoise.

Grand luxe ou sans prétention ?
Les ✕ et les ⌂ notent le confort.

CONCHY-LES-POTS – 60 Oise – **305** H3 – 595 h. – alt. 106 m — 36 **B2**
– ⊠ 60490

D Paris 100 – Compiègne 28 – Amiens 55 – Beauvais 68 – Montdidier 14 – Roye 13

XX Le Relais P. VISA ◍
D 1017 – ℰ *03 44 85 01 17 – Fermé 27 juil.-11 août, 15-24 fév., dim. soir, merc. soir, lundi et mardi*
Rest – Menu 28/84 € – Carte 60/90 €

♦ N'hésitez pas à pousser la porte cet ancien relais routier à la façade peinte en jaune : la salle à manger s'avère coquette et lumineuse, et la cuisine traditionnelle, généreuse.

CONCREMIERS – 36 Indre – **323** C7 – 630 h. – alt. 82 m – ⊠ 36300 11 **B3**

D Paris 337 – Orléans 212 – Châteauroux 66 – Châtellerault 65 – Chauvigny 32

⌂ Château de Forges sans rest P
1 km à l'Ouest par D 53 – ℰ *02 54 37 40 03 – www.chateaudeforges.fr*
– chateaudeforges@orange.fr
3 ch ⌑ – ✝139 € ✝✝148 €

♦ Cette forteresse médiévale, posée au bord d'une rivière, a conservé tout son caractère. Très jolies chambres mêlant l'ancien et le moderne. Produits du terroir au petit-déjeuner.

CONDÉ-NORTHEN – 57 Moselle – **307** J4 – 563 h. – alt. 208 m 27 **C1**
– ⊠ 57220

D Paris 350 – Metz 21 – Pont-à-Mousson 52 – Saarlouis 38 – Saarbrücken 52 – Thionville 49

🏨 La Grange de Condé ⛳ 🍴 ⌇ 📶 & ch, 📞 🆂 P VISA ◍ Æ
41 r. Deux-Nieds – ℰ *03 87 79 30 50 – www.lagrangedeconde.com*
– lagrangedeconde@wanadoo.fr – Fax 03 87 79 30 51
17 ch – ✝105 € ✝✝105 €, ⌑ 12 € – 3 suites – ½ P 88 €
Rest – Menu (10 €), 16/48 € – Carte 43/60 €

♦ Un hôtel est venu s'ajouter à cette ferme familiale bâtie en 1682. Chambres de bon confort, sauna, jacuzzi et hammam. Cuisine à la broche et produits du potager sont à déguster dans le plaisant cadre rustico-lorrain de la salle à manger.

CONDOM ⌾ – 32 Gers – **336** E6 – 7 158 h. – alt. 81 m – ⊠ 32100 28 **A2**
▍ Midi-Pyrénées

D Paris 729 – Agen 41 – Mont-de-Marsan 80 – Toulouse 121 – Auch 46
🛈 Office de tourisme, place Bossuet ℰ 05 62 28 00 80, Fax 05 62 28 45 46
◉ Cathédrale St-Pierre★ : Cloître★ Y.

Plan page suivante

🏨 Les Trois Lys 🍴 ⌇ AC 📶 🆂 P VISA ◍
38 r. Gambetta – ℰ *05 62 83 33 33 – www.lestroislys.com – hoteltroislys@*
wanadoo.fr – Fax 05 62 28 41 85   Y **a**
10 ch – ✝50/170 € ✝✝80/170 €, ⌑ 9 €
Rest – *(fermé lundi midi, jeudi midi et dim. sauf juil.-août)* Menu (22 € bc), 35 € – Carte environ 35 €

♦ Cet élégant hôtel particulier du 18ᵉ s. abrite des chambres personnalisées, souvent dotées de beaux meubles anciens et parfois d'une cheminée. Jolie piscine sur l'arrière. Salle à manger rénovée et terrasse en teck dressée dans la cour ; bar cosy.

🏨 Continental 🍴 & ch, AC ch, ↳ 📶 VISA ◍ Æ ◑
20 r. Mar. Foch – ℰ *05 62 68 37 00 – www.lecontinental.net – lecontinental@*
lecontinental.net – Fax 05 62 68 23 71 – Fermé 20-27 déc.   Y **d**
25 ch – ✝43/68 € ✝✝43/68 €, ⌑ 8 €
Rest – *(fermé sam. midi, dim. soir et lundi)* Menu 14 € (déj. en sem.), 21/33 € – Carte 29/35 €

♦ La Baïse coule au pied de cet hôtel où les chambres entièrement rénovées, confortables et ornées de gravures anciennes donnent pour la plupart sur un jardinet. Plats traditionnels et régionaux dans une salle actuelle claire et lumineuse. Terrasse d'été côté cour.

CONDOM

Aquitaine (Av. d')	Y 2
Armuriers (R. des)	Y 5
Barlet (Pont)	Y 7
Bonnamy (R.)	YZ 8
Buzon (R. et Quai)	Z 12
Carmes (Pont des)	Z 14
Cazaubon (R. H.)	Z 16
Charron (R.)	Z 19
Cordeliers (R. des)	Z 21
Foch (R. Mar.)	Y 22
Gaichies (R.)	Y 24
Gambetta (R. L.)	Y 26
Jean-Jaurès (R.)	Z 28
Lannelongue (Pl.)	Y 31
Lion-d'Or (Pl. du)	Y 35
Monnaie (R. de la)	YZ 38
Paix (R. de la)	Z 40
Roquepine (R. de)	Y 44
Roques (R.)	Y 47
Saint-Exupéry (R.)	Z 50
St-Pierre (Pl.)	Y 53

Logis des Cordeliers sans rest 🏠 VISA ⓂⒸ

r. de la Paix – ℰ *05 62 28 03 68 – www.logisdescordeliers.com – info@logisdescordeliers.com – Fax 05 62 68 29 03 – Fermé 2 janv.-3 fév.*
21 ch – †48/66 € ††48/70 €, ⊑ 8 €   Z b

♦ Bâtiment récent situé dans un quartier tranquille. Chambres fonctionnelles ; optez pour celles donnant sur la piscine, agrémentées de petits balcons fleuris. Accueil aimable.

XXX La Table des Cordeliers (Eric Sampietro) 🍴 & VISA ⓂⒸ AE
❀

1 r. des Cordeliers – ℰ *05 62 68 43 82 – www.latabledescordeliers.fr – info@latabledescordeliers.fr – Fax 05 62 28 15 92 – Fermé 3-19 janv., 7-23 fév., dim. soir, merc. soir hors saison, mardi midi et merc. midi en saison et lundi.*   Z e
Rest – Menu 25 € (sem.)/95 € bc – Carte 50/70 €
Spéc. Saint-Jacques à la plancha, racines en salade. Ris de veau poêlé, purée de chou-fleur, noisettes grillées. Figues rôties, massepain aux amandes fraîches (sept.-oct.). **Vins** Vin de Pays du Gers.

♦ Cuisine actuelle valorisant avec brio les produits du terroir dans ce restaurant contemporain qui occupe le cloître et la chapelle (13ᵉ s.) d'un ancien couvent.

CONDRIEU – 69 Rhône – 327 H7 – 3 579 h. – alt. 150 m – ⊠ 69420   44 B2
Lyon et la vallée du Rhône

▸ Paris 497 – Annonay 34 – Lyon 41 – Rive-de-Gier 21 – Tournon-sur-Rhône 55 – Vienne 12

🛈 Office de tourisme, place du Séquoïa ℰ 04 74 56 62 83, Fax 04 74 56 65 85

◉ Calvaire ≤★.

Hôtellerie Beau Rivage   ≤ 🍴 & 🅿 VISA ⓂⒸ ⓪

r. Beau Rivage – ℰ *04 74 56 82 82 – www.hotel-beaurivage.com – infos@hotel-beaurivage.com – Fax 04 74 59 59 36*
18 ch – †115/160 € ††115/160 €, ⊑ 19 € – 10 suites
Rest – Menu (38 € bc), 43 € (déj.), 60/82 € – Carte 68/125 €

♦ Dans l'un des plus fameux vignoble des Côtes-du-Rhône, solide maison bourgeoise au bord du fleuve. Chambres élégantes. Cuisine classique aux accents méridionaux. Agréable terrasse face au paysage.

584

CONFLANS-STE-HONORINE – 78 Yvelines – 311 I2 – 101 3 – voir à Paris, Environs

CONFLANS-SUR-LOING – rattaché à Montargis

CONILHAC-CORBIÈRES – 11 Aude – 344 H3 – 704 h. – alt. 125 m – ⌧ 11200 22 B3

▶ Paris 802 – Montpellier 120 – Carcassonne 31 – Béziers 59 – Narbonne 29

Auberge Coté Jardin avec ch
D 6113 – ℰ 04 68 27 08 19 – www.auberge-cotejardin.com – sophie.prevel@club-internet.fr – Fax 04 68 48 64 60 – Fermé 12-29 oct. et 11-28 janv.
8 ch – †70/80 € ††70/80 €, ⌧ 10 € – ½ P 70/90 €
Rest – (fermé dim. soir et mardi midi de nov. à mai et lundi) Menu (20 €), 28/50 €
♦ Un cadre enchanteur fait de pierre, de verdure et de fleurs vous attend sur la terrasse de cette coquette auberge. Produits de qualité pour une table simple, fraîche et goûteuse. Jolies chambres calmes et contemporaines.

CONLEAU – 56 Morbihan – 308 O9 – rattaché à Vannes

CONNELLES – 27 Eure – 304 H6 – 188 h. – alt. 15 m – ⌧ 27430 33 D2

▶ Paris 111 – Les Andelys 13 – Évreux 34 – Rouen 33 – Vernon-sur-Eure 40

Le Moulin de Connelles
40 rte d'Amfreville sous les Monts – ℰ 02 32 59 53 33
– www.moulin-de-connelles.fr – moulindeconnelles@wanadoo.fr
– Fax 02 32 59 21 83
8 ch – †130 € ††140/150 €, ⌧ 15 € – 6 suites
Rest – (fermé le midi en juil.-août, dim. et lundi d'oct. à avril) Menu 33/58 €
– Carte 46/60 €
♦ Un authentique manoir anglo-normand, des chambres élégantes, un parc sur une île de la Seine : autant de raisons de découvrir ce moulin entre romantisme et impressionnisme. Cuisine classique et cadre actuel côté restaurant, doté d'une véranda surplombant la rivière.

CONQUES – 12 Aveyron – 338 G3 – 302 h. – alt. 350 m – ⌧ 12320 29 C1
Midi-Pyrénées

▶ Paris 601 – Aurillac 53 – Espalion 42 – Figeac 43 – Rodez 37

🛈 Office de tourisme, Le Bourg ℰ 08 20 82 08 03, Fax 05 65 72 87 03

◉ Site★★ - Village★ - Abbatiale Ste-Foy★★ : tympan du portail occidental★★★ et trésor de Conques★★★ - Le Cendié★ O : 2 km par D 232 - Site du Bancarel★ S : 3 km par D 901.

Ste-Foy
r. Principale – ℰ 05 65 69 84 03 – www.hotelsaintefoy.com – hotelsaintefoy@hotelsaintefoy.fr – Fax 05 65 72 81 04 – Ouvert 1ᵉʳ mai-25 oct.
17 ch – †100/130 € ††130/170 €, ⌧ 14 €
Rest – Menu (18 €), 25 € (déj.), 30/53 € – Carte 40/60 €
♦ Cette demeure du 17ᵉ s. typiquement rouergate contemple la magnifique abbatiale. Meubles rustiques, poutres et vieilles pierres font le cachet des chambres. Salles à manger de caractère ouvertes sur de bucoliques terrasses ; cuisine actuelle.

Auberge St-Jacques avec ch
r. Gonzague Florent – ℰ 05 65 72 86 36 – www.aubergestjacques.fr – info@aubergestjacques.fr – Fax 05 65 72 82 47 – Fermé 3 janv.-3 fév.
13 ch – †42/62 € ††42/62 €, ⌧ 8,50 € – ½ P 49 €
Rest – (fermé dim. soir et lundi de nov. à avril) Menu 18/38 € – Carte 22/40 €
♦ Le chef de ce restaurant au cadre champêtre réalise des recettes copieuses et soignées, d'inspiration régionale ou inventives. Modestes chambres rustiques, bien au calme.

CONQUES
au Sud 3 km sur D 901 – ⊠ 12320 Conques

Le Moulin de Cambelong (Hervé Busset)
- ℰ 05 65 72 84 77 – www.moulindecambelong.com
- domaine-de-cambelong@wanadoo.fr – Fax 05 65 72 83 91
- Ouvert 16 mars-1er nov. et fermé lundi hors saison

10 ch (½ P seult) – ½ P 130/170 €   **Rest** – Menu 55/85 €

Spéc. Œuf "Louisette" au foie de canard fumé. Agneau allaiton d'Aveyron à l'origan. Profiterole au mélilot sauvage. **Vins** Marcillac, Vin de Pays de l'Aveyron.
♦ Logées dans l'un des derniers moulins à eau du 18e s. le long du Dourdou, ces chambres aux tissus tendus et mobilier de style portent toutes un charme singulier. Table créative mariant fleurs et produits du terroir, avec la cascade en toile de fond.

CONQUES-SUR-ORBIEL – 11 Aude – 344 F3 – 2 269 h. – alt. 127 m – ⊠ 11600
22 B2

◘ Paris 777 – Montpellier 155 – Carcassonne 12 – Castres 62 – Castelnaudary 43

La Maison Pujol sans rest
17 r. F.-Mistral – ℰ 04 68 26 98 18 – www.lamaisonpujol.com – postmaster@lamaisonpujol.com – Fermé janv. et fév.

4 ch ⌆ – †80 € ††90 €

♦ Une architecture intérieure qui a du style : matériaux bruts, blanc immaculé, objets design, œuvres d'art… Même esprit dans les chambres. Piscine. Petit-déjeuner sous pergola.

LE CONQUET – 29 Finistère – 308 C4 – 2 534 h. – alt. 30 m – ⊠ 29217
9 A2
Bretagne

◘ Paris 619 – Brest 24 – Brignogan-Plages 59 – St-Pol-de-Léon 85

☐ Office de tourisme, parc de Beauséjour ℰ 02 98 89 11 31, Fax 02 98 89 08 20

◉ Site★.

◉ Île d'Ouessant★★ - Les Abers★★.

à la Pointe de St-Mathieu 4 km au Sud – ⊠ 29217 Plougonvelin

◉ Phare ※★★ – Ruines de l'église abbatiale★.

Hostellerie de la Pointe St-Mathieu
- ℰ 02 98 89 00 19
- www.pointe-saint-mathieu.com – saintmathieu.hotel@wanadoo.fr
- Fax 02 98 89 15 68 – Fermé fév.

27 ch – †90/150 € ††100/170 €, ⌆ 12 € – ½ P 92/110 €

Rest – *(fermé dim. soir)* Menu (18 €), 25 € (déj. en sem.), 33/78 € – Carte 46/112 €

♦ Hôtellerie du bout du monde voisinant avec les phares et les vestiges de l'abbaye. Deux générations de chambres (ultra-modernes ou traditionnelles), à choisir avec balcon ! Cuisine actuelle gorgée d'iode, servie dans deux salles d'esprit contemporain.

LES CONTAMINES-MONTJOIE – 74 Haute-Savoie – 328 N6 – 1 125 h. – alt. 1 164 m – Sports d'hiver : 1 165/2 500 m ⛷4 ⛷22 ⛸ – ⊠ 74170
46 F1
Alpes du Nord

◘ Paris 606 – Annecy 93 – Bonneville 50 – Chamonix-Mont-Blanc 33 – Megève 20

☐ Office de tourisme, 18, route de Notre-Dame de la Gorge ℰ 04 50 47 01 58, Fax 04 50 47 09 54

◉ Le Signal★ (par télécabine).

Chalet Hôtel la Chemenaz
30 allée du Nant Rouge, (près de la télécabine du Lay) – ℰ 04 50 47 02 44
- www.chemenaz.com – info@chemenaz.com – Fax 04 50 47 12 73
- Ouvert 15 juin-15 sept. et 15 déc.-15 avril

38 ch – †67/88 € ††100/132 €, ⌆ 11 € – ½ P 77/90 €

Rest *La Trabla* – *(dîner seult)* Menu 21/46 € – Carte 29/44 €

♦ Face à la télécabine du Lay, chalet moderne aux chambres lumineuses, revues à la mode savoyarde et bien équipées (séchoir à chaussures de ski). La Trabla (étagère à fromage en patois savoyard), table chaleureuse avec une cheminée centrale, propose des plats fumés maison.

LES CONTAMINES-MONTJOIE

Chalet Hôtel Gai Soleil
288 chemin des Loyers – ℰ 04 50 47 02 94 – www.gaisoleil.com – gaisoleil2@wanadoo.fr – Fax 04 50 47 18 43 – *Ouvert 15 juin-15 sept. et 19 déc.-17 avril*
19 ch – †55/65 € ††68/78 €, ☑ 10 € – ½ P 58/78 €
Rest – *(fermé le midi sauf du 17 janv. au 7 fév., du 7 au 14 mars et du 14 juin au 15 sept.)* Menu (15 €), 19/28 € – Carte 24/38 € déjeuner seulement
♦ On est ici aux petits soins pour la clientèle. Dominant la station, cette ancienne ferme au toit recouvert de tavaillons se pare de fleurs en saison. Chambres personnalisées. Sympathique salle rustique à l'atmosphère de pension de famille. Soirée fondue le mardi.

L'Ô à la Bouche
510 rte Notre-Dame de la Gorge – ℰ 04 50 47 81 67 – www.lo-contamines.com – *Ouvert 21 juin-29 sept. et 16 déc.-14 mai*
Rest – *(prévenir)* Menu (18 €), 32/46 € – Carte 33/45 €
♦ "Le" restaurant de la vallée dont le succès tient à l'élégant cadre montagnard contemporain épuré et aux plats traditionnels (spécialités de viandes). Dîners gastronomiques.

CONTAMINE-SUR-ARVE – 74 Haute-Savoie – 328 L4 – 1 512 h. – alt. 450 m – ✉ 74130
46 F1

🄳 Paris 547 – Annecy 46 – Chamonix-Mont-Blanc 63 – Genève 20 – Thonon-les-Bains 36

Le Tourne Bride avec ch
94 rte d'Annemasse – ℰ 04 50 03 62 18 – www.letounebride.com – hotel-tourne-bride@wanadoo.fr – Fax 04 50 03 91 99 – *Fermé 13 juil.-2 août, 4-25 janv., dim. soir et lundi*
7 ch – †47/49 € ††58/65 €, ☑ 8 € – ½ P 57/60 €
Rest – Menu (14 €), 23/39 € – Carte 31/48 €
♦ La façade pimpante de cet ex-relais de poste attire l'œil. L'écurie abrite désormais une coquette salle à manger campagnarde où l'on sert une cuisine traditionnelle soignée.

CONTES – 06 Alpes-Maritimes – 341 E5 – 6 551 h. – alt. 250 m – ✉ 06390
41 D2

🄳 Paris 954 – Marseille 206 – Nice 21 – Antibes 43 – Cannes 55
🄸 Syndicat d'initiative, 13, place Jean Allardi ℰ 04 93 79 13 99, Fax 04.93.79.26.30

La Fleur de Thym
3 bd Charles Alunni – ℰ 04 93 79 47 33 – restaurantlafleurdethym@wanadoo.fr – Fax 04 93 79 47 33 – *Fermé 14-26 août, 24-10 janv., mardi soir et merc.*
Rest – Menu (18 €), 29/46 € – Carte 34/48 €
♦ Tons jaune et orange, fleurs fraîches et grande cheminée : il souffle comme un air de Provence sur cette petite salle rustique. Copieux plats traditionnels et service souriant.

CONTEVILLE – 27 Eure – 304 C5 – 797 h. – alt. 33 m – ✉ 27210
32 A3

🄳 Paris 181 – Évreux 102 – Le Havre 34 – Honfleur 15 – Pont-Audemer 14 – Pont-l'Évêque 28

Auberge du Vieux Logis (Eric Boilay)
– ℰ 02 32 57 60 16 – Fax 02 32 57 45 84
– *Fermé 2 sem. en nov., mardi sauf juil.-août, dim. soir et lundi*
Rest – Menu 45 € (sem.)/85 € – Carte 65/105 €
Spéc. Foies gras de canard au torchon et poêlé. Filet de bar en écailles de tomate et olive, Saint-Jacques et risotto aux champignons. Tours de nougat glacé.
♦ Un jeune couple est désormais aux commandes de cet agréable restaurant normand situé au cœur du village. Cuisine classique aux cuissons précises et aux saveurs justes.

au Marais Vernier 8 km à l'Est par D 312 et D 90 – 492 h. – alt. 10 m – ✉ 27680

Auberge de l'Etampage avec ch
– ℰ 02 32 57 61 51 – etampage.blaize@wanadoo.fr – Fax 02 32 57 23 47 – *Fermé 23 déc.-1ᵉʳ fév., dim. soir et merc.*
3 ch – †39 € ††39 €, ☑ 8 € **Rest** – Menu 18/29 € – Carte 30/45 €
♦ Cette maison villageoise à colombages propose une cuisine orientée terroir mitonnée avec des produits frais. Intérieur d'esprit bistrot et trois coquettes chambres soignées.

CONTRES – 41 Loir-et-Cher – 318 F7 – 3 417 h. – alt. 98 m – ⊠ 41700 11 A1

▶ Paris 203 – Blois 22 – Châteauroux 79 – Montrichard 23 – Tours 66

De France
rte de Blois – ℘ 02 54 79 50 14 – www.hoteldefrance-contres.com – metivier@mond.net – Fax 02 54 79 02 95 – Fermé 24 janv.-11 mars, dim. soir, mardi midi et lundi hors saison
35 ch – †59/85 €, ††66/85 €, ⊇ 11 € – 2 suites – ½ P 65/85 €
Rest – (fermé lundi midi, mardi midi, merc. midi et jeudi midi en saison) Menu 26 € (sem.)/51 € – Carte 55/65 €

♦ Une bonne adresse familiale au centre de Contres. Chambres confortables souvent rénovées et majoritairement orientées côté piscine et jardin. À l'annexe, meubles en rotin. Restaurant au cadre bourgeois soigné pour une cuisine traditionnelle sérieuse.

La Botte d'Asperges
52 r.P. H. Mauger – ℘ 02 54 79 50 49 – www.labotte-dasperges.com – Fax 02 54 79 08 74 – Fermé 17-31 août, 2-16 janv., dim. soir et lundi
Rest – Menu 23/50 € – Carte 37/51 €

♦ Derrière la façade vitrée à colombages de ce restaurant d'esprit bistrot se trouvent deux salles lumineuses, décorées de fresques sur la cuisine et le vin. Carte au goût du jour.

CONTREVOZ – 01 Ain – 328 G6 – rattaché à Belley

CONTREXÉVILLE – 88 Vosges – 314 D3 – 3 507 h. – alt. 342 m 26 B3
– Stat. therm. : début avril-début oct. – Casino Y – ⊠ 88140
Alsace Lorraine

▶ Paris 337 – Épinal 47 – Langres 75 – Nancy 83 – Neufchâteau 28
ℹ Office de tourisme, 116, rue du Shah de Perse ℘ 03 29 08 08 68, Fax 03 29 08 25 40
⛳ de Vittel Ermittage à Vittel Hôtel Ermitage, N : 7 km, ℘ 03 29 08 81 53
⛳ du Bois de Hazeau Centre Préparation Olympique, par D 429 : 4 km, ℘ 03 29 08 20 85

Cosmos
13 r. Metz – ℘ 03 29 07 61 61 – www.cosmos-hotel.com – contact@cosmos-hotel.com – Fax 03 29 08 68 67 – Fermé 20-28 déc.   Y u
77 ch ⊇ – †98 € ††118 € – 6 suites – ½ P 111 €   **Rest** – Menu 35 €

♦ L'atmosphère vieille France de cet hôtel aux chambres confortables nous transporte à la Belle Époque. Un endroit idéal pour les adeptes de fitness et de balnéothérapie. Menus classiques et diététiques servis dans une grande salle à manger rétro à souhait.

COQUELLES – 62 Pas-de-Calais – 301 D2 – rattaché à Calais

CORBEIL-ESSONNES – 91 Essonne – 312 D4 – 101 37 – voir à Paris, Environs

CORBIGNY – 58 Nièvre – 319 F8 – 1 681 h. – alt. 203 m – ⊠ 58800 7 B2
Bourgogne

▶ Paris 236 – Autun 76 – Avallon 38 – Clamecy 28 – Nevers 58
ℹ Office de tourisme, 8, rue de l'Abbaye ℘ 03 86 20 02 53

Hôtel de L'Europe
7 Grande Rue – ℘ 03 86 20 09 87 – hoteleuropelecepage@talicepro.fr – Fax 03 86 20 06 40 – Fermé 24 déc.-4 janv. et 21 fév.-9 mars
18 ch – †51 € ††58 €, ⊇ 8,50 € – ½ P 66 €
Rest Le Cépage – (fermé dim. soir, merc. soir et jeudi) Menu 28/58 € – Carte 26/59 €
Rest Le Bistrot – (fermé dim. soir, merc. soir et jeudi) Menu 11 € (déj. en sem.), 18/22 € – Carte environ 24 €

♦ Sympathique hôtel familial aux chambres colorées et bien équipées, dotées de belles salles de bains. Au Cépage, cadre rustique, cuisine traditionnelle et remarquable petite carte des vins à prix d'amis. Menu bourguignon et plats du terroir au Bistrot.

CORBON – 14 Calvados – **303** L5 – 70 h. – alt. 8 m – ✉ 14340   33 **C2**
- Paris 215 – Caen 31 – Hérouville-Saint-Clair 30 – Le Havre 70

La Ferme aux Étangs
chemin de l'Épée – ℰ 02 31 63 99 16 – www.lafermeauxetangs.com – contact@lafermeauxetangs.com – Fax 02 31 63 99 16
5 ch ☑ – ♦68 € ♦♦78/98 €   **Table d'hôte** – Menu 30 €
♦ Calme assuré dans cette propriété normande au bord d'un plan d'eau. Décor rustique et douillet dans les chambres, ambiance chaleureuse au salon (home cinéma). La table d'hôte propose des plats traditionnels et des spécialités cuisinées au four à bois.

CORDES-SUR-CIEL – 81 Tarn – **338** D6 – 996 h. – alt. 279 m   29 **C2**
– ✉ 81170 ▌ Midi-Pyrénées
- Paris 655 – Albi 25 – Rodez 78 – Toulouse 82 – Villefranche-de-Rouergue 47
- Office de tourisme, place Jeanne Ramel-Cals ℰ 05 63 56 00 52, Fax 05 63 56 19 52
- Site★★ – La Ville haute★★ : maisons gothiques★★ - musée d'Art et d'Histoire Charles-Portal★.

Le Grand Écuyer (Damien Thuriès)
– ℰ 05 63 53 79 50 – www.thuries.fr – grand.ecuyer@thuries.fr – Fax 05 63 53 79 51 – Ouvert 14 mars-11 oct.
12 ch – ♦135/265 € ♦♦135/265 €, ☑ 16 € – 1 suite – ½ P 135 €
Rest – *(fermé lundi et le midi en sem. sauf juil.-août)* Menu 49/84 € – Carte 84/92 €
Spéc. Foie gras chaud au fil du temps. Pigeonneau du Mont Royal en cuisson moelleuse. Gratin de fraises des bois au citron et coulis d'abricot. **Vins** Gaillac.
♦ Demeure gothique classée, sise dans une pittoresque ruelle de ce village perché. Les chambres associent le charme de l'ancien (lits à baldaquins) et le confort moderne. Dans la cuisine ouverte, le chef prépare de savoureux plats actuels servis en trilogie. Belle cave.

Hostellerie du Vieux Cordes
21 r. St-Michel – ℰ 05 63 53 79 20 – www.thuries.fr – vieux-cordes@thuries.fr – Fax 05 63 56 02 47 – Fermé 2 janv.-10 fév.
19 ch – ♦52/110 € ♦♦52/110 €, ☑ 12 € – ½ P 81 €
Rest – *(fermé mardi midi et lundi)* Menu 25/46 € – Carte environ 45 €
♦ Dans les murs d'un ancien monastère du 13ᵉ s., un bel escalier à vis mène aux chambres personnalisées, en partie refaites et actualisées. Cuisine traditionnelle servie dans une salle à manger-terrasse dominant la vallée, ou dans le patio, sous une glycine tricentenaire.

rte d'Albi

L'Envolée sauvage
La Borie – ℰ 05 63 56 88 52 – www.lenvolee-sauvage.com – info@lenvolee-sauvage.com – Fermé 5 janv.-28 fév.
4 ch ☑ – ♦88/115 € ♦♦90/115 €   **Table d'hôte** – Menu 35 €
♦ Séjour au goût authentique de terroir dans cette coquette ferme du 18ᵉ s. où l'on élève des oies. Chambres personnalisées et grand salon-bibliothèque. Les produits de la ferme garnissent la table d'hôte, simple et savoureuse. Stages de cuisine. Accueil aimable.

à Campes 3 km au Nord-Est par D 922, D 98 et rte secondaire – ✉ 81170

Le Domaine de la Borie Grande
St-Marcel-Campes – ℰ 05 63 56 58 24 – www.laboriegrande.com – laboriegrande@wanadoo.fr – Fax 05 63 56 58 24
4 ch ☑ – ♦100/120 € ♦♦100/150 €   **Table d'hôte** – Menu 38 € bc
♦ On reçoit les hôtes "en amis" dans cette demeure du 18ᵉ s. en pleine campagne. Très jolies chambres au raffinement à l'ancienne, profitant de vues magnifiques. Superbe suite aménagée façon loft. Plats actuels servis dans une salle rustique ou une cour intérieure.

CORDON – 74 Haute-Savoie – **328** M5 – 983 h. – alt. 871 m – ✉ 74700   46 **F1**
▌ Alpes du Nord
- Paris 589 – Annecy 76 – Bonneville 33 – Chamonix-Mont-Blanc 32 – Megève 10
- Office de tourisme, route de Cordon ℰ 04 50 58 01 57, Fax 04 50 91 25 36
- Site★.

CORDON

Les Roches Fleuries
rte de la Scie – ℘ 04 50 58 06 71 – www.roches
fleuries.com – info@rochesfleuries.com – Fax 04 50 47 82 30
– Ouvert 8 mai-20 sept. et 18 déc.-4 avril
20 ch – ♦150/240 € ♦♦150/240 €, ⊇ 18 € – 5 suites – ½ P 125/185 €
Rest – (fermé mardi midi, dim. soir et lundi sauf vacances scolaires) Menu (35 €),
52/78 € – Carte 65/90 € 🕏
Rest *La Boîte à Fromages* – (ouvert 10 juil.-25 août, 22 déc.-20 mars et fermé
dim. et lundi) (dîner seult) (prévenir) Menu 47 € bc
Spéc. Foie gras pané aux zestes d'agrumes. Poularde de Bresse aux escargots de
Magland, crème d'étrille à la badiane. Soufflé au jus de passion et parfum
d'orange. **Vins** Roussette de Marestel, Mondeuse d'Arbin.
♦ Ravissant chalet fleuri perché sur les hauteurs du "balcon du Mont-Blanc". Chaleureux
intérieur tout bois et élégant mobilier savoyard ancien. Au restaurant, cadre alpin feutré
et cuisine créative riche en saveurs. Recettes du terroir à la Boîte à Fromages.

Le Cerf Amoureux
à Nant-Cruy, 2km au Sud (rte Combloux) ⊠ 74700 Sallanches – ℘ 04 50 47 49 24
– www.lecerfamoureux.com – contact@lecerfamoureux.com – Fax 04 50 47 49 25
– Fermé 22 sept.-5 oct.
11 ch – ♦130/295 € ♦♦130/295 €, ⊇ 17 € – 2 suites
Rest – (fermé dim. et lundi hors vacances scolaires) (dîner seult) (résidents seult)
Menu 36 €
♦ Il règne une ambiance très cosy dans ce chalet tout de pierre et de bois vêtu. Délicieuses
chambres dotées de balcons tournés vers les massifs des Aravis ou du Mont-Blanc. La
ravissante salle à manger sert de cadre à une cuisine familiale de bon aloi.

Le Chamois d'Or
– ℘ 04 50 58 05 16
– www.hotel-chamoisdor.com – info@hotel-chamoisdor.com – Fax 04 50 93 72 96
– Ouvert fin mai à mi sept. et 18 déc. à fin mars
26 ch – ♦85/125 € ♦♦120/185 €, ⊇ 16 € – 2 suites – ½ P 85/120 €
Rest – (fermé merc. midi et jeudi midi) Menu (24 €), 28/45 € – Carte 35/60 €
♦ Gros chalet bien fleuri en été et équipé pour les loisirs. Chambres et suites cosy rénovées
dans un esprit montagnard (tissus choisis), salon-cheminée douillet. Au restaurant, mur en
moellons, mobilier régional, terrasse "4 saisons" et vue panoramique.

Le Cordonant
120 rte des Miaz – ℘ 04 50 58 34 56 – www.lecordonant.free.fr – lecordonant@
wanadoo.fr – Fax 04 50 47 95 57 – Ouvert de mi-mai à fin sept. et de mi-déc. à
mi-avril
16 ch – ♦65/75 € ♦♦85/105 €, ⊇ 10 € – ½ P 70/85 €
Rest – Menu (20 €), 25/32 € – Carte 34/44 €
♦ Grand chalet à la sympathique ambiance familiale. Beaux meubles en bois peint dans les
chambres bien tenues ; certaines profitent d'un balcon, côté vallée. Goûteuse cuisine
traditionnelle et vue imprenable sur les sommets depuis la salle à manger rustique.

CORENC – 38 Isère – **333** H6 – rattaché à Grenoble

CORMEILLES – 27 Eure – **304** C6 – 1 203 h. – alt. 80 m – ⊠ 27260   **32 A3**
▸ Paris 181 – Bernay 441 – Lisieux 19 – Pont-Audemer 17 – Pont-l'Évêque 17
🛈 Office de tourisme, 14, place du Mont Mirel ℘ 02 32 56 02 39,
Fax 02 32 42 32 66

L'Auberge du Président
70 r. de l'Abbaye – ℘ 02 32 57 80 37 – www.hotel-cormeilles.com
– aubergedupresident@wanadoo.fr – Fax 02 32 57 88 31
14 ch – ♦50/80 € ♦♦55/90 €, ⊇ 12 € – ½ P 58/75 €
Rest – (fermé lundi midi, merc. midi, jeudi midi d'oct. à mars, lundi midi et dim.
soir) Menu (15 €), 19 € (sem.)/38 € – Carte 25/40 €
♦ L'enseigne rend hommage au président de la République René Coty qui séjourna à
l'hôtel. Chambres personnalisées, bien tenues. Au restaurant, le plaisant décor normand
avec cheminée et une cuisine traditionnelle orientée terroir remportent tous les suffrages !

CORMEILLES

Gourmandises VISA MC
29 r. de l'Abbaye – ✆ *02 32 42 10 96 – Fermé 29 juin-1er juil., janv., fév., lundi, mardi et merc. sauf fériés*
Rest – Carte 40/53 €
♦ Reconversion réussie pour l'ancienne fromagerie du bourg : il règne une convivialité rare dans sa jolie salle un peu tendance et l'on y sert de bons petits plats de bistrot.

CORMEILLES-EN-VEXIN – 95 Val-d'Oise – **305** D6 – **106** 5 – voir à Paris, Environs (Cergy-Pontoise)

CORMERY – 37 Indre-et-Loire – **317** N5 – 1 542 h. – alt. 59 m — 11 **B2**
– ✉ 37320 ▮ Châteaux de la Loire
▶ Paris 254 – Blois 63 – Château-Renault 48 – Loches 22 – Montrichard 33 – Tours 21
🛈 Syndicat d'initiative, 13, rue Nationale ✆ 02 47 43 30 84, Fax 02 47 43 18 73

Auberge du Mail 🍴 VISA MC AE
pl. Mail – ✆ *02 47 43 40 32 – aubergedumail-cormery.com – aubergedumail@wanadoo.fr – Fax 02 47 43 08 72 – Fermé 12-20 avril, 26-31 déc., le soir de mi-oct. à fin mars, sam. midi et jeudi*
Rest – Menu (17 €), 20 € (sem.)/50 € – Carte 27/54 €
♦ Maison de pays proche de l'abbaye célèbre pour ses macarons. Cadre rustico-bourgeois dans la salle à manger et reposante terrasse ombragée par des tilleuls et une glycine.

Auberge des 2 Cèdres 🍴 VISA MC
av. de la Gare – ✆ *02 47 43 03 09 – Fax 02 47 43 03 09 – Fermé 6-22 juil., 29 janv.-9 fév., le soir du dim. au jeudi et lundi*
Rest – Menu 14 € (sem.)/28 € – Carte 25/32 €
♦ Faux air de guinguette pour cette bâtisse régionale proche de la gare. Cadre très simple et terrasse dressée dans un minijardin. Accueil charmant et cuisine familiale.

CORNILLON – 30 Gard – **339** L3 – 847 h. – alt. 168 m – ✉ 30630 — 23 **D1**
▮ Provence
▶ Paris 666 – Avignon 50 – Alès 47 – Bagnols-sur-Cèze 17 – Pont-St-Esprit 25

La Vieille Fontaine avec ch 🍴 VISA MC
Rue du Château – ✆ *04 66 82 20 56 – www.lavieillefontaine.net – lavieillefontaine400@orange.fr – Fax 04 66 82 33 64 – Ouvert avril-oct. et fermé lundi, mardi et merc. en avril et oct.*
8 ch – †105/155 € ††105/155 €, ⊃ 10 €
Rest – (dîner seult) Menu 40 €, 45/60 €
♦ Maison de caractère adossée aux murailles médiévales. Chambres coquettes, salle à manger voûtée, cuisine traditionnelle, piscine et jardin en terrasses dominant la vallée.

CORPS – 38 Isère – **333** I9 – 456 h. – alt. 939 m – ✉ 38970 — 45 **C3**
▮ Alpes du Sud
▶ Paris 626 – Gap 39 – Grenoble 64 – La Mure 24
🛈 Office de tourisme, Route Napoléon ✆ 04 76 30 03 85, Fax 04.76.81.12.28
◉ Barrage★★ et pont★ du Sautet O : 4 km.

Du Tilleul 🍴 VISA MC AE ①
r. des Fosses – ✆ *04 76 30 00 43 – www.hotel-restaurant-du-tilleul.com – jourdan@hotel-restaurant-du-tilleul.com – Fax 04 76 30 06 12 – Fermé 1er nov.-20 déc.*
18 ch – †40/46 € ††46/58 €, ⊃ 8 € – ½ P 51 €
Rest – Menu 15/37 € – Carte environ 23 €
♦ Sur l'impériale route Napoléon et au cœur du vieux village fort animé en été. Chambres fraîches et bien tenues, plus calmes à l'annexe. Accueil charmant. Salle de restaurant un peu sombre, mais sympathique ambiance campagnarde. Cuisine traditionnelle.

CORPS

à Aspres-les-Corps 5 km au Sud-Est par N 85 et D 58 – 126 h. – alt. 930 m – ⊠ 05800

Château d'Aspres
– ℰ 04 92 55 28 90 – www.chateau-d-aspres.com – snc.charpentier@wanadoo.fr
– Fax 04 92 55 48 48 – Ouvert 1ᵉʳ mars-15 nov., 30 déc.-2 janv. et fermé dim. soir
7 ch – †88/118 € ††88/140 €, ⊇ 12 € – 3 suites – ½ P 78/90 €
Rest – Menu 24/40 € – Carte 29/58 €

♦ Cette demeure seigneuriale (12ᵉ-17ᵉ s.) domine la vallée du Champsaur. Chambres de caractère, garnies de beaux meubles anciens. Des portraits d'ancêtres accompagnent votre repas dans l'élégante salle à manger. Cuisine traditionnelle.

CORRENÇON-EN-VERCORS – 38 Isère – 333 G7 – rattaché à Villard-de-Lans

CORRÈZE – 19 Corrèze – 329 M3 – 1 175 h. – alt. 455 m – ⊠ 19800   25 C3
Limousin Berry

▶ Paris 480 – Aubusson 96 – Brive-la-Gaillarde 45 – Tulle 19 – Uzerche 35
🛈 Office de tourisme, place de la Mairie ℰ 05 55 21 32 82, Fax 05 55 21 63 56

Mercure Seniorie
Le Bourg – ℰ 05 55 21 22 88
– www.mercure.com – h5711@accor.com – Fax 05 55 21 24 00
– Fermé 18 déc.-5 janv.
29 ch – †53/125 € ††60/135 €, ⊇ 12 € – ½ P 60/75 €
Rest – Menu 17/28 € – Carte 23/33 €

♦ Sur les hauteurs de la cité médiévale, cette élégante demeure du 19ᵉ s., ancien pensionnat, abrite des chambres très spacieuses, aux équipements et confort modernes. Carte traditionnelle que l'on déguste dans un décor cossu et bourgeois. Grande terrasse.

Le Parc des 4 Saisons
av. de la Gare – ℰ 05 55 21 44 59 – www.leparc.info – annick.peter@wanadoo.fr
– Ouvert 1ᵉʳ avril-30 nov.
5 ch ⊇ – †58/68 € ††65/90 €   **Table d'hôte** – Menu 30 € bc

♦ Un jeune couple belge vous reçoit dans cette ancienne maison de notable agrémentée d'un parc. Chambres pimpantes et confortables, joli salon, piscine d'été, sauna et massages. Table d'hôte (sur réservation) proposée trois soirs par semaine.

La Balagne : village de Lama

CORSE

Département : Corse
Carte Michelin LOCAL : n° 345
Population : 249 729 h.
Corse
Carte régionale 15 B2

RENSEIGNEMENTS PRATIQUES

TRANSPORTS MARITIMES

Depuis la France continentale les relations avec la Corse s'effectuent à partir de Marseille, Nice et Toulon. au départ de Marseille : SNCM - 61 bd des Dames (2ᵉ) ℘ 0 825 888 088 (0,15 €/mn) et 3260 dites "SNCM", Fax 04 91 56 36 36. CMN - 4 quai d'Arenc (2ᵉ) ℘ 0 810 201 320, Fax 04 91 99 45 95.
au départ de Nice : SNCM - Ferryterranée quai du Commerce ℘ 0 825 888 088 (0,15 €/mn). CORSICA FERRIES - Port de Commerce ℘ 0 825 095 095 (0,15 €/mn), Fax 04 92 00 42 94.
au départ de Toulon : SNCM - 49 av. Infanterie de Marine (15 mars-15 sept.) ℘ 0 825 888 088 (0,15 €/mn). CORSICA FERRIES - Gare Maritime ℘ 0 825 095 095 (0,15 €/mn).

AÉROPORTS

La Corse dispose de quatre aéroports assurant des relations avec le continent, l'Italie et une partie de l'Europe : Ajaccio ℘ 04 95 23 56 56, Calvi ℘ 04 95 65 88 88, Bastia ℘ 04 95 54 54 54, et Figari-Sud-Corse ℘ 04 95 71 10 10 (Bonifacio et Porto-Vecchio).
Voir aussi au texte de ces localités.

QUELQUES GOLFS

Bastia (voir à la localité), ℘ 04 95 38 33 99
de Sperone à Bonifacio (voir à la localité), ℘ 04 95 73 17 13

CORSE

AJACCIO ⓟ – 2A Corse-du-Sud – **345** B8 – 52 880 h. – Casino Z – ✉ 20000 15 **A3**

- Bastia 147 – Bonifacio 131 – Calvi 166 – Corte 80 – L'Île-Rousse 141
- d'Ajaccio-Campo dell'Oro ; ℰ 04 95 23 56 56, par ① : 7 km.
- Office de tourisme, 3, boulevard du Roi Jérôme ℰ 04 95 51 53 03, Fax 04 95 51 53 01
- Vieille Ville★ - Musée Fesch★★ : peintures italiennes★★★ - Maison Bonaparte★ - Salon Napoléonien★ (1ᵉʳ étage de l'hôtel de ville) - Jetée de la Citadelle ≤★ - Place Gén.-de-Gaulle ou Place du Diamant ≤★.
- Golfe d'Ajaccio★★. Aux Îles sanguinaires★★.

Albert-1er (Bd)	Y 2
Bévérini Vico (Av.)	Y 4
Colonna d'Ornano (Av. du Col.)	Y 10
Griffi (Square P.)	Y 22
Leclerc (Cours Gén.)	Y 25
Madame-Mère (Bd)	Y 29
Maillot (Bd H.)	Y 30
Masséria (Bd)	Y 32
Napoléon-III (Av.)	Y 37
Napoléon (Cours)	Y
Nicoli (Cours J.)	Y 38
Paoli (Bd D.)	Y 41
St-Jean (Montée)	Y 51

🏨 **Palazzu U Domu** sans rest
17 r. Bonaparte – ℰ *04 95 50 00 20* – *www.palazzu-domu.com* – *reservation@palazzu-domu.com* – *Fax 04 95 50 02 10*
45 ch – †130/190 € ††130/420 €, ⊇ 19 €   Z e

♦ Le palais du comte Pozzo di Borgo (18ᵉ s.) a été entièrement restauré dans un esprit luxueux alliant tradition et modernité. Chambres au doux raffinement contemporain.

🏨 **Les Mouettes** sans rest ⊛
9 cours Lucien-Bonaparte – ℰ *04 95 50 40 40* – *www.hotellesmouettes.fr* – *info@hotellesmouettes.fr* – *Fax 04 95 21 71 80* – *Fermé 16 nov.-3 mars*
28 ch – †100/380 € ††100/380 €, ⊇ 14 €

♦ On succombe au charme de cette demeure de 1880 : vue sur le golfe, jardin méditerranéen et plage privée. Chambres spacieuses à la décoration soignée, la plupart avec loggia.

🏨 **Napoléon** sans rest
4 r. Lorenzo Vero – ℰ *04 95 51 54 00* – *www.hotelnapoleonajaccio.com* – *info@hotel-napoleon-ajaccio.com* – *Fax 04 95 21 80 40*
62 ch – †67/95 € ††80/110 €, ⊇ 9 €   Z s

♦ Accueil tout sourire dans cet établissement d'une rue perpendiculaire au cours Napoléon. La décoration des chambres a été récemment repensée dans un style actuel.

AJACCIO

Bonaparte (R.)	Z 6	Macchini (Av. E.)	Z 27	Roi-de-Rome (R.)	Z 49
Dr-Ramaroni (Av. du)	Z 17	Napoléon-III (Av.)	Z	Roi-Jérôme (Bd)	Z 50
Eugénie (Av. Impératrice)	Z 18	Napoléon (Cours)	Z	Sebastiani (R. Gén.)	Z 53
Fesch (R. Cardinal)	Z	Notre-Dame (R.)	Z 39	Sérafini (Av. A.)	Z 55
Forcioli-Conti (R.)	Z 20	Pozzo-di-Borgo (R.)	Z 44	Soeur-Alphonse (R.)	Z 56
Grandval (Cours)	Z 23	Premier-Consul (Av.)	Z 45	Vero (R. Lorenzo)	Z 58
Herminier (Quai l')	Z	République (Q. de la)	Z 48	Zévaco-Maire (R.)	Z 60

San Carlu sans rest
8 bd Casanova – ℰ *04 95 21 13 84 – www.hotel-sancarlu.com – hotel-san-carlu@wanadoo.fr – Fax 04 95 21 09 99 – Fermé 22 déc.-1er fév.* Z f
40 ch – †69/120 € ††89/149 €, ⌒ 9 €
◆ Au cœur du vieil Ajaccio et à deux pas de la plage St-François, cet hôtel abrite des chambres pratiques et bien tenues. Certaines regardent la citadelle et la mer.

Impérial sans rest
6 bd Albert 1er – ℰ *04 95 21 50 62 – www.hotelimperial-ajaccio.fr – info@hotelimperial-ajaccio.fr – Fax 04 95 21 15 20 – Ouvert de mi-mars à mi-nov. et du 10 déc. au 10 janv.* Y a
44 ch – †70/130 € ††70/130 €, ⌒ 9 €
◆ Petit immeuble en lisière de la ville, que seule une placette sépare de la mer. Le vaste hall de l'hôtel est totalement dédié à Napoléon. Chambres gaies et fonctionnelles.

Kalliste sans rest
51 cours Napoléon – ℰ *04 95 51 34 45 – www.hotel-kalliste-ajaccio.com – info@hotel-kalliste-ajaccio.com – Fax 04 95 21 79 00* Z b
45 ch – †56/69 € ††64/79 €, ⌒ 8 €
◆ Cet édifice ajaccien (19e s.) du cour Napoléon vient de faire peau neuve, préservant habilement ses voûtes originales. Petites chambres confortables.

597

CORSE – Ajaccio

⌂ Marengo sans rest
2 r. Marengo – ℰ *04 95 21 43 66 – www.hotel-marengo.com – Fax 04 95 21 51 26*
– Ouvert début avril-début nov.
17 ch – †72/83 € ††75/83 €, ⊆ 8 €

♦ Légèrement excentré dans un quartier calme, petit établissement familial aux chambres simples et bien tenues. Cour-terrasse pour petits-déjeuners estivaux. Accueil charmant.

✕✕ Grand Café Napoléon
10 cours Napoléon – ℰ *04 95 21 42 54 – cafe.napoleon@wanadoo.fr*
– Fax 04 95 21 53 32 – Fermé 23 déc.-3 janv., sam. soir, dim. et fériés
Rest – Menu 19 € (déj. en sem.), 32/45 € – Carte 44/97 €

♦ La vaste salle napoléonienne de l'ancien café chantant résonne encore d'airs de bel canto. Cuisine actuelle. Bar-salon de thé l'après-midi. Sur la rue, une terrasse très prisée.

✕✕ L'Altru Versu
16 r. Jean-Baptiste Marcaggi – ℰ *04 95 50 05 22 – www.latruversu.com*
– contact@laltruversu.com – Fax 04 95 20 83 62 – Fermé juil.
Rest – Menu 32/40 € – Carte 36/52 €

♦ Cuisine parfumée du terroir ou "altru versu" (autre version), à savoir des recettes revisitées ? À vous de choisir dans un cadre coquet, certains soirs au son des guitares.

✕ Le 20123
2 r. Roi de Rome – ℰ *04 95 21 50 05 – www.20213.fr – contact@20123.fr*
– Fax 04 95 51 02 40 – Fermé 1er fév.-2 mars et lundi hors saison
Rest – (dîner seult) Menu 32 €

♦ Seule besogne qui vous incombera au cœur de cette évocation d'un village corse : puiser votre eau à la fontaine de la "place". Authentique cuisine du terroir annoncée oralement.

✕ U Pampasgiolu
15 r. Porta – ℰ *04 95 50 71 52 – www.upampasgiolu.com – pampa.zdt@orange.fr*
– Fax 04 95 20 99 36 – Fermé dim.
Rest – (dîner seult) Menu 26/28 € – Carte 24/35 €

♦ Salles à manger voûtées à la décoration contemporaine où l'on propose un copieux menu axé terroir et servi sur une planche de bois, le "spuntinu". Carte de plats actuels.

à Afa par ① : 15 km par rte de Bastia et D 161 – 2 513 h. – alt. 150 m – ⊠ 20167

✕ Auberge d'Afa
– ℰ *04 95 22 92 27 – Fax 04 95 22 92 27 – Fermé 9-16 mars et lundi*
Rest – (nombre de couverts limité, prévenir) Menu (14 €), 20 € (déj. en sem.)/27 €
– Carte 49/69 €

♦ Avenante auberge aux abords fleuris nichée aux portes du village. Salle à manger spacieuse et colorée, décorée de paysages corses. Terrasse plein Sud. Cuisine traditionnelle.

Plaine de Cuttoli 15 km par ① par rte de Bastia, rte de Cuttoli (D 1)
puis rte de Bastelicaccia – ⊠ 20167 Mezzavia

✕✕ U Licettu avec ch
– ℰ *04 95 25 61 57 – Fax 04 95 53 71 00 – Fermé 1er janv.-15 fév., dim. soir et lundi hors saison*
4 ch ⊆ – †80/90 € ††90/100 €   **Rest** – (prévenir) Menu 40 € bc

♦ Villa dominant le golfe et noyée sous les fleurs, accueil charmant, plats corses copieux et savoureux (charcuteries maison) : de bonnes raisons de ne pas prendre le maquis ! La maison propose des chambres récentes, gaies et spacieuses, donnant sur le jardin.

à Pisciatello 12 km par ① et N 196 – ⊠ 20117 Cauro

✕ Auberge du Prunelli
– ℰ *04 95 20 02 75 – Fermé janv. et mardi*
Rest – Menu 20 € (déj.)/31 € – Carte 34/44 €

♦ Maison corse du 19e s. jouxtant le pont ancien qui traverse le Prunelli. Cuisine du terroir, produits du verger et du potager servis dans un agréable cadre rustique.

Ajaccio – CORSE

rte des îles Sanguinaires par ② – ✉ 20000 Ajaccio

Dolce Vita
à 9 km – ℰ 04 95 52 42 42 – www.hotel-dolcevita.com – reservation@hotel-dolcevita.com – Fax 04 95 52 07 15 – Ouvert fin mars-début nov.
30 ch (½ P seult) – ½ P 179/494 €
Rest *La Mer* – Menu (29 €), 41 € – Carte 75/88 €

♦ Dolce Vita... Et si Anita Ekberg surgissait de la piscine ? Ce lieu de villégiature justement couru est bien séduisant avec ses chambres orientées côté Méditerranée. Cuisine originale à déguster dans la vaste salle ou sur la belle terrasse face au golfe.

Cala di Sole
à 6 km – ℰ 04 95 52 01 36 – www.caladisole.fr – caladisole@annuaire-corse.com – Fax 04 95 52 00 20 – Ouvert 1er avril-15 oct.
31 ch – †120/210 € ††170/210 €, ☲ 12 €
Rest – (ouvert 15 juin-15 sept.) (dîner seult) Menu 30/40 €

♦ Séjour tonique dans un bâtiment des années 1960, les pieds dans l'eau : plage privée, piscine, fitness, plongée, jet-ski et planche à voile. Chambres avec terrasse. Cuisine traditionnelle simple, axée sur le poisson, à déguster face à la mer.

XX Palm Beach avec ch
rte des Îles Sanguinaires, à 5 km – ℰ 04 95 52 01 03 – www.palm-beach.fr – hotel@palm-beach.fr – Fermé 23 nov.-20 déc., dim. soir, lundi d'oct. à mars et le midi en juil.-août
10 ch – †84/110 € ††90/110 €, ☲ 17 €
Rest – Menu (22 €), 37 € (déj.), 55/89 € – Carte 64/89 €

♦ Le poisson est roi sur la carte de ce restaurant aménagé dans un esprit méditerranéen cossu et raffiné. Belle terrasse surplombant la plage (éclairée le soir). Les chambres aussi respirent l'air du large ! Mobilier simple et élégant ; équipements dernier cri.

ALÉRIA – 2B Haute-Corse – **345** G7 – 2 007 h. – alt. 20 m – ✉ 20270   15 **B2**

▸ Bastia 71 – Corte 50 – Porto Vecchio 72
🛈 Office de tourisme, Casa Luciani ℰ 04 95 57 01 51, Fax 04 95 57 03 79
◉ Fort de Matra ★ - Musée Jérôme-Carcopino collection de céramiques attiques ★★ - Ville antique ★.

L'Atrachjata sans rest
– ℰ 04 95 57 03 93 – www.hotel-atrachjata.net – info@hotel-atrachjata.net – Fax 04 95 57 08 03
30 ch – †49/89 € ††59/154 €, ☲ 11 € – 2 suites

♦ Au cœur de la Costa Serena, accueillant hôtel familial situé en bordure de route. Grandes chambres actuelles avec de jolies salles de bains, à choisir de préférence sur l'arrière.

L'Empereur
lieu-dit Cateraggio, (N 198) – ℰ 04 95 57 02 13 – www.hotel-empereur.com – hotel.empereur@aliceadsl.fr – Fax 04 95 57 02 33
22 ch ☲ – †51/79 € ††64/93 € – ½ P 46/60 €
Rest – (fermé le dim. d'oct. à avril) Menu 15 € (sem.)/25 € – Carte 24/38 €

♦ À 3 minutes de la plage, construction de style motel abritant des chambres spacieuses et fonctionnelles tournées pour la plupart vers la piscine (certaines avec mezzanine). Appétissantes recettes traditionnelles corses servies dans une lumineuse salle à manger.

ALGAJOLA – 2B Haute-Corse – **345** C4 – 268 h. – alt. 2 m – ✉ 20220   15 **A1**

▸ Bastia 76 – Calvi 16 – L'Île-Rousse 10
🛈 Office de tourisme, rue Droite ℰ 04 95 62 78 32
◉ Citadelle ★.

Stellamare sans rest
chemin Santa Lucia – ℰ 04 95 60 71 18 – www.stellamarehotel.com – info@stellamarehotel.com – Fax 04 95 60 69 39 – Ouvert 1er mai-4 oct.
16 ch – †75/120 € ††75/120 €, ☲ 10 €

♦ En retrait de la mer, nichée sur les hauteurs de la station, maison précédée d'un beau jardin. Chambres plaisantes, régulièrement rafraîchies ; terrasse de style marocain.

CORSE – Algajola

Serenada

– ℰ 04 95 36 43 64 – www.hotel-serenada.com – martelli.paul@wanadoo.fr
– Fax 04 95 36 86 83 – Ouvert avril-oct.
8 ch – †69/123 € ††75/142 €, ⊇ 7 € **Rest** – Menu (23 €) – Carte 36/47 €
♦ Près de la plage, deux bâtiments neufs séparés par une petite route calme. L'hôtel à la façade ocre-orangée propose des chambres contemporaines et bien insonorisées. Côté mer, restaurant panoramique et jolie terrasse pour une cuisine au goût du jour.

AULLÈNE – 2A Corse-du-Sud – **345** D9 – **183 h.** – **alt. 825 m** – ⊠ 20116   15 **B3**

▪ Ajaccio 73 – Bonifacio 84 – Corte 103 – Porto-Vecchio 59 – Propriano 37 – Sartène 35

San Larenzu sans rest

Pasta di Grano – ℰ 04 95 78 63 12 – http://san-larenzu.spaces.live.com
– sanlaurenzu@hotmail.fr – Fax 04 95 74 24 83 – **6 ch** ⊇ – †55 € ††60 €
♦ En route pour le GR 20 ? Laurent vous propose des chambres actuelles bien tenues. Petit-déjeuner délicieux avec miel et confitures corses, pris en terrasse aux beaux jours.

BASTELICA – 2A Corse-du-Sud – **345** D7 – **460 h.** – **alt. 800 m** – ⊠ 20119   15 **B2**

▪ Ajaccio 43 – Corte 69 – Propriano 70 – Sartène 82
▪ Route panoramique★ du plateau d'Ese.
▪ A 400 m du col de Mercujo : belvédère ≤★★ et SO : 13,5 km.

Chez Paul avec ch

– ℰ 04 95 28 71 59 – Fax 04 95 28 73 13
10 ch (½ P seult) – ½ P 45 € **Rest** – Menu 12/26 €
♦ Vue plongeante sur le village et la vallée du Prunelli depuis la petite salle séparée de la cuisine... par la rue ! Cuisine corse, charcuteries maison. Spacieux appartements.

BASTIA ℙ – 2B Haute-Corse – **345** F3 – **42 900 h.** – ⊠ 20200   15 **B1**

▪ Ajaccio 148 – Bonifacio 171 – Calvi 92 – Corte 69 – Porto 136
▪ de Bastia-Poretta ℰ 04 95 54 54 54, par ② : 20 km.
▪ Office de tourisme, place Saint-Nicolas ℰ 04 95 54 20 40, Fax 04 95 54 20 41
▪ Golf Club Borgo Borgo Castellarese, S : 20 km par rte Aéroport, ℰ 04 95 38 33 99
▪ Terra-Vecchia : le vieux port★★, oratoire de l'Immaculée Conception★ - Terra-Nova★ : Assomption de la Vierge★★ dans l'église Ste-Marie, décor★★ rococo dans la chapelle Ste-Croix.
▪ Église Ste-Lucie ≤★★ 6 km NO par D 31 X - ⁂★★★ de la Serra di Pigno 14 km par ③. - ≤★★ du col de Teghime 10 km par ③.

Plan page ci-contre

Les Voyageurs sans rest

9 av. Mar. Sébastiani – ℰ 04 95 34 90 80 – www.hotel-lesvoyageurs.com
– hotellesvoyageurs@wanadoo.fr – Fax 04 95 34 00 65   X r
24 ch – †75/85 € ††95/120 €, ⊇ 10 €
♦ Situé proche de la gare, cet hôtel récemment rénové accueille les voyageurs depuis un siècle. Chambres bien insonorisées, joliment décorées dans des tons jaune et bleu.

Corsica Hôtels Bastia Centre sans rest

av. J. Zuccarelli, par ③ – ℰ 04 95 55 10 00
– www.corsica-hotels.fr – contact@corsica-hotels.fr – Fax 04 95 55 05 11
71 ch – †66/96 € ††78/112 €, ⊇ 8,50 €
♦ Architecture contemporaine bénéficiant d'équipements modernes très appréciables. Chambres en cours de rénovation, confortables et calmes. Petit salon et snack-bar.

600

Street	Grid
Campinchi (R. César)	Y
Carbuccia (R. Gén.-de)	Z 2
Casanova (R. L.)	Z 3
Chanoine Colombani (R.)	X 4
Chanoine Leschi (R.)	X 5
Dr-Favale (Cours du)	Z 6
Donjon (Pl. du)	Z 7
Evêché (R. de l')	Z 8
Gaudin (Bd A.)	Z
Giraud (Bd Gén.)	YZ 9
Landry (R. A.)	X 15
Leclerc (Sq. du Mar.)	X 17
Luccioni (R. José)	X 18
Marché (Pl. du)	Y 19
Marine (R. de la)	Y 20
Napoléon (R.)	Y 23
Neuve-St-Roch (R.)	Y 25
Paoli (Bd)	YZ
Pierangeli (Cours H.)	Y 29
St-François (R.)	Y 32
St-Michel (R.)	Z 34
St-Roch (R.)	Y 35
Salicetti (R.)	Y 37
Sari (Av. Emile)	X
Sébastiani (Av. Mar.)	X 38
Terrasses (R. des)	Y 39
Zéphyrs (R. des)	Y 42

BASTIA

CORSE – Bastia

Posta Vecchia sans rest
r. Posta Vecchia – ℰ 04 95 32 32 38 – www.hotel-postavecchia.com – info@hotel-postavecchia.com – Fax 04 95 32 14 05
50 ch – †45/95 € ††45/100 €, ⊇ 8 €

Y s

◆ Au cœur de Terra-Vecchia, la vieille ville bastiaise, immeuble rose aux volets verts. Chambres un peu étroites mais bien tenues ; elles sont plus grandes et plaisantes à l'annexe.

Chez Huguette
quai Sud, au Vieux-Port – ℰ 04 95 31 37 60 – www.chezhuguette.fr – panta@wanadoo.fr – Fax 04 95 31 37 60 – Fermé 10-28 déc., dim. sauf le soir du 15 juin au 15 sept., lundi midi du 15 juin au 15 sept. et sam. midi

Z t

Rest – Carte 38/58 €

◆ Restaurant familial situé face aux nombreuses embarcations du vieux port. Cet agréable voisinage donne le ton à la cuisine qui met à l'honneur fruits de mer et poissons frais.

La Table du Marché St Jean
pl. du Marché – ℰ 04 95 31 64 25 – Fax 04 95 31 87 23 – Fermé dim. et lundi
Rest – Menu 27 € (déj. en sem.), 40/60 € – Carte 45/60 €

Y a

◆ Une Table à retenir aussi bien pour la fraîcheur de ses poissons et fruits de mer que pour sa terrasse sous les platanes et ses salles à manger cosy. Joli banc d'écailler.

A Casarella
r. Ste-Croix, (La Citadelle) – ℰ 04 95 32 02 32 – acerchef@yahoo.fr – Fax 04 95 32 02 32 – Fermé fév., lundi midi et dim.
Rest – Menu 18 € (déj. en sem.)/27 € – Carte 33/45 €

Z s

◆ Accueil très convivial dans ce charmant restaurant situé au cœur de la citadelle. Salle à manger cosy au décor raffiné, belles terrasses et bons petits plats du terroir.

Le Siam
r. de la Marine, au Vieux-Port – ℰ 04 95 31 72 13 – lesiambastia@hotmail.com – Fax 04 95 34 05 62 – Fermé lundi
Rest – Menu 22/48 € bc – Carte environ 30 €

Y b

◆ Belle vue sur l'activité du vieux port depuis la miniterrasse de ce restaurant. Intérieur tout simple rehaussé de discrètes touches asiatiques. Spécialités thaïlandaises.

A Vista
8 r. St-Michel, (La Citadelle) – ℰ 04 95 47 39 91 – www.restaurantavista.com – nicola.lanuto@orange.fr – Fax 04 95 47 39 91 – Fermé janv.
Rest – Menu (25 € bc) – Carte 35/200 €

Z v

◆ Restaurant chaleureux agencé avec élégance, où l'on déguste les produits de la région. La belle terrasse offrant une vue plongeante sur la mer est un vrai petit paradis.

à Palagaccio 2,5 km par ① – ✉ 20200 San-Martino-di-Lota

L'Alivi
rte du Cap – ℰ 04 95 55 00 00 – www.hotel-alivi.com – hotel-alivi@wanadoo.fr – Fax 04 95 31 03 95 – Ouvert 17 mars-30 oct.
36 ch – †80/178 € ††90/195 €, ⊇ 14 € – 1 suite
Rest *L'Archipel* – ℰ 04 95 55 00 10 – Carte 37/61 €

◆ Sur la route du Cap Corse, hôtel moderne aux chambres spacieuses dotées de terrasses tournées vers la mer. Grand solarium surplombant la grande bleue, accès direct à la plage. À l'Archipel, cuisine méditerranéenne au bord de la piscine face aux îles Toscanes.

à Pietranera 3 km par ① – ✉ 20200 San-Martino-di-Lota

Pietracap sans rest
sur D 131 – ℰ 04 95 31 64 63 – www.hotel-pietracap.com – hotel-pietracap@wanadoo.fr – Fax 04 95 31 39 00 – Ouvert d'avril à nov.
39 ch – †92/198 € ††92/198 €, ⊇ 12 €

◆ Un havre de paix dans un parc arboré et fleuri, une attention toute particulière étant ici accordée à la splendide décoration florale. Vastes chambres côté mer Méditerranée.

Cyrnea sans rest
– ℰ 04 95 31 41 71 – http://hotelcyrnea.monsite.wanadoo.fr – hotelcyrnea@wanadoo.fr – Fax 04 95 31 72 65 – Fermé 15 déc.-15 janv.
19 ch – †50/70 € ††60/86 €, ⊇ 6 €

◆ À côté de l'église, sur la rue principale, petit hôtel aux chambres simples et bien tenues, à choisir sur mer. Le jardin, en terrasses, mène directement à la plage.

Bastia – CORSE

à Miomo 5,5 km par ① – ⊠ 20200 Santa-Maria-di-Lota

Torremare 🚗 🍴 & ch, ⓀⓀ ch, ↔ P. VISA ⓂⓄ
2 rte Bord de Mer – ℰ 04 95 33 47 20 – www.hotel-torremare-corse.com – info@hotel-torremare-corse.com – Fax 04 95 33 93 96 – Ouvert début mai à fin sept.
7 ch – †75/120 € ††80/150 €, ⌑ 15 € – ½ P 80/115 €
Rest – Menu (15 €), 17 € bc – Carte 35/50 €
◆ Idéalement situé sur la plage, ce petit hôtel offre une belle vue sur la Méditerranée et sur une pittoresque tour génoise. Chambres fraîches et lumineuses, au décor épuré. Salle à manger immaculée, terrasse panoramique face à la mer et cuisine du terroir.

à San Martino di Lota 13 km par ① et D 131 – 2 530 h. – alt. 350 m – ⊠ 20200

La Corniche ≤ 🚗 🍴 ⌑ ↔ ⛨ P. VISA ⓂⓄ
hameau de Castagneto – ℰ 04 95 31 40 98 – www.hotel-lacorniche.com – info@hotel-lacorniche.com – Fax 04 95 32 37 69 – Fermé janv.
20 ch ⌑ – †50/93 € ††65/123 € – ½ P 59/88 €
Rest – *(fermé dim. soir hors saison, mardi midi et lundi)* Menu (18 €), 28 € – Carte 38/52 €
◆ Perchée sur les hauteurs du village, à flanc de colline, cette maison jouit d'une vue incomparable sur la vallée et la mer. Spacieuses chambres colorées, insonorisées. Cuisine traditionnelle, généreuse et authentique, servie dans un cadre chaleureux ou à l'ombre des platanes.

Château Cagninacci sans rest ≤ 🚗 ↔ 🛜 P.
– ℰ 06 78 29 03 94 – www.chateaucagninacci.com – info@chateaucagninacci.com – Ouvert 15 mai-1er oct.
4 ch ⌑ – †91/112 € ††95/116 €
◆ Au grand calme, couvent du 17e s. restructuré en château et empli d'authenticité. Superbes chambres meublées à l'ancienne, donnant – comme la terrasse – sur la mer et l'île d'Elbe.

rte d'Ajaccio 4 km par ② – ⊠ 20600 Bastia

Ostella 🚗 🍴 ⌑ 🄽 ⓁⓄ 🎱 & ch, ⓀⓀ ❅ ch, 🛜 ⛨ P. VISA ⓂⓄ
av. San Piero – ℰ 04 95 30 97 70 – www.hotel-ostella.com – hotel.ostella@wanadoo.fr – Fax 04 95 33 11 70
52 ch – †62/150 € ††82/150 €, ⌑ 12 € – 2 suites
Rest – *(fermé sam. midi et dim.)* Menu 25/35 € – Carte 27/55 € 🌿
◆ Hôtel aux chambres fonctionnelles peu à peu rénovées dans un style contemporain ; certaines possèdent un petit balcon côté mer. Jardin original avec cascade. Beau fitness. Salle à manger agrémentée de colonnes en marbre, terrasse et cuisine traditionnelle.

rte de l'aéroport de Bastia-Poretta 18 km par ②, N 193 et D 507 ⊠ 20290 Lucciana

Poretta sans rest 🚗 🎱 & ⓀⓀ ❅ 🛜 ⛨ P. 🅿 VISA ⓂⓄ Ⓐ Ⓔ
rte de l'aéroport – ℰ 04 95 36 09 54 – www.hotel-poretta.com – hotel-poretta@wanadoo.fr – Fax 04 95 36 15 32
45 ch – †60/75 € ††65/80 €, ⌑ 8 €
◆ En retrait de la route, construction moderne dissimulée par d'imposants palmiers. Chambres aux tailles diverses, fraîches et fonctionnelles. Duplex pour les familles.

BOCOGNANO – 2A Corse-du-Sud – **345** D7 – 343 h. – alt. 600 m – ⊠ 20136 15 **B2**
▶ Ajaccio 39 – Bonifacio 155 – Corte 43
◉ Cascade du Voile de la Mariée ★ 3,5 km au Sud.

Beau Séjour avec ch 🌿 ≤ 🚗 🍴 P. VISA ⓂⓄ Ⓐ Ⓔ
– ℰ 04 95 27 40 26 – www.hotelbocognano.com – ferri-pisani@wanadoo.fr – Fax 04 95 27 40 95 – Ouvert 15 avril-7 oct.
18 ch – †49 € ††59 €, ⌑ 6,50 € **Rest** – Menu 17/23 € – Carte 20/36 €
◆ Au milieu des châtaigniers, bâtisse (1890) appréciée des randonneurs et autres amoureux de la nature. On y déguste de copieuses recettes insulaires présentées dans un cadre sobre et fleuri. Chambres simples ; certaines offrent une belle vue sur le Monte d'Oro.

CORSE

BONIFACIO – 2A Corse-du-Sud – **345** D11 – 2 658 h. – alt. 55 m – ⊠ 20169   15 **B3**

- Ajaccio 132 – Corte 150 – Sartène 50
- Figari-Sud-Corse : ℰ 04 95 71 10 10, N : 21 km.
- Office de tourisme, 2, rue Fred Scamaroni ℰ 04 95 73 11 88, Fax 04 95 73 14 97
- de Sperone Domaine de Sperone, E : 6 km, ℰ 04 95 73 17 13
- Site★★★ - Ville haute★★ : Place du marché ≤★★ - Trésor★ des églises de Bonifacio (Palazzu Publicu) - Eglise St-Dominique★ - Esplanade St-Francois ≤★★ - Cimetière marin★.
- Grottes marines et la côte★★.

Genovese
Haute Ville – ℰ 04 95 73 12 34 – www.hotelgenovese.com – info@hotel-genovese.com – Fax 04 95 73 09 03
– Fermé 16 novembre-27 déc.
15 ch – †135/410 € ††135/410 €, ⊇ 20 € – 3 suites
Rest – (ouvert de mai à oct.) Menu 32/68 € – Carte 45/76 €

♦ L'architecture du lieu confine au minimalisme chic et moderne, propice à la détente. Belles chambres réparties autour d'une cour, orientées côté citadelle ou port. Cuisine de produits locaux en phase avec le cadre tendance du restaurant, ouvert sur la piscine.

Santa Teresa sans rest
quartier St-Francois, (ville haute) – ℰ 04 95 73 11 32
– www.hotel-santateresa.com – hotel.santateresa@wanadoo.fr
– Fax 04 95 73 15 99 – Ouvert 10 avril-12 oct.
44 ch – †105/250 € ††105/250 €, ⊇ 15 €

♦ Hôtel imposant surplombant les falaises. Chambres contemporaines très soignées, dont certaines bénéficient d'une vue plongeante sur la grande bleue et la Sardaigne au loin.

La Caravelle
35 quai Comparetti – ℰ 04 95 73 00 03 – www.hotel-caravelle-corse.com
– restaurant.la.caravelle@wanadoo.fr – Fax 04 95 73 00 41
– Ouvert Pâques-mi-oct.
28 ch – †97/300 € ††97/300 €, ⊇ 16 €   **Rest** – Carte 69/94 €

♦ Ambiance intime (meubles chinés) et ensoleillée dans cet hôtel du port. Grandes chambres sobres et confortables. Longue carte de poissons (choix très frais et de qualité). Agréable terrasse. Deux bars : l'un dans une ex-chapelle, l'autre, lounge, dehors.

A Trama
2 km à l'Est par rte Santa Manza – ℰ 04 95 73 17 17 – www.a-trama.com
– hotelatrama@aol.com – Fax 04 95 73 17 79 – Fermé 5 janv.-2 fév.
31 ch – †92/190 € ††92/190 €, ⊇ 15 €
Rest – (ouvert 1er avril-31 oct.) (dîner seult) Menu 36 €
– Carte 28/38 €

♦ Chambres disséminées dans les cinq bungalows d'un beau jardin planté d'oliviers et de palmiers ; elles ont toutes un décor soigné (mosaïque) et possèdent une terrasse privée. Au menu, la pêche du jour, servie dans le restaurant-véranda face à la piscine.

A Cheda
rte Porto Vecchio, 2 km au Nord-Est sur N198 – ℰ 04 95 73 03 82
– www.acheda-hotel.com – acheda@acheda-hotel.com
– Fax 04 95 73 17 72
16 ch – †99/759 € ††99/759 €, ⊇ 25 € – 5 suites
Rest – (fermé 2 janv.-15 fév., le midi et mardi sauf du 1er juin au 15 sept.)
Menu (35 €), 48 € (dîner), 60/70 € – Carte 57/68 €

♦ Un jardin planté d'essences entoure les délicieuses chambres ou suites (terrasse privative, sauna) de plain-pied. Bois, pierre, mosaïque et couleurs du Sud pour la décoration. Restaurant intimiste et terrasse face à la piscine. Recettes actuelles à base de produits corses.

Bonifacio – CORSE

Roy d'Aragon sans rest
13 quai Comparetti – ℰ 04 95 73 03 99 – www.royaragon.com – info@royaragon.com – Fax 04 95 73 07 94 – Fermé janv. et fév.
31 ch – †54/197 € ††54/197 €, ⊇ 9 €
♦ Cet édifice (18ᵉ s.) propose des chambres fonctionnelles et colorées. Certaines regardent le port ; celles du 4ᵉ étage sur l'avant ont un beau balcon. Petit-déjeuner en terrasse.

Le Voilier
quai Comparetti – ℰ 04 95 73 07 06 – lautrerestaurant@wanadoo.fr – Fax 04 95 73 14 27 – Fermé 7 janv.-24 fév., dim. soir et merc. hors saison
Rest – Menu (24 €), 29 € – Carte 55/80 €
♦ Sa terrasse donne directement sur le quai. Salle à manger aux tons crème, mobilier en bois brun, tableaux de voiliers et cuisine au goût du jour iodée très appétissante.

Stella d'Oro
7 r. Doria, (ville haute) – ℰ 04 95 73 03 63 – stella.oro@bonifacio.com – Fax 04 95 73 03 12 – Ouvert avril-sept.
Rest – Menu 25 € (déj.) – Carte 39/70 €
♦ Adresse sympathique et joliment décorée (poutres, pressoir à olives et meule en pierre). Cuisine savoureuse faisant la part belle aux poissons. La mamma veille encore au grain !

Domaine de Licetto avec ch
rte Pertusato – ℰ 04 95 73 19 48 – www.licetto.com – denisefaby@aol.com – Fax 04 95 72 11 92 – Ouvert 1ᵉʳ avril-30 oct. et fermé dim.
7 ch – †45/85 € ††45/85 €, ⊇ 8 €
Rest – (nombre de couverts limité, prévenir) Menu 35 € bc
♦ Salle rustique et terrasse fleurie où l'on sert une cuisine corse familiale préparée avec les légumes du potager. Chambres spacieuses. Du domaine, vue superbe sur la région.

à Gurgazu 6 km au Nord-Est par rte de Santa-Manza – ✉ 20169 Bonifacio

Du Golfe
Golfe Santa Manza – ℰ 04 95 73 05 91 – golfe.hotel@wanadoo.fr – Fax 04 95 73 17 18 – Ouvert de mi-mars à mi-oct.
12 ch (½ P seult) – ½ P 58/80 €
Rest – Menu (15 €), 23/28 € – Carte 26/44 €
♦ Cette affaire familiale nichée dans un site sauvage du golfe de Santa Manza, à 50 m de la mer, séduit les amateurs de quiétude et de simplicité. Salle de restaurant conviviale et terrasse face à la côte. Appétissante cuisine, régionale et sans prétention.

au Nord-Est 10 km par rte de Porto-Vecchio (N 198) et rte secondaire – ✉ 20169 Bonifacio

U Capu Biancu
Domaine de Pozzoniello – ℰ 04 95 73 05 58 – www.ucapubiancu.com – info@ucapubiancu.com – Fax 04 95 73 18 66 – Ouvert 11 avril-1ᵉʳ nov. et 28 déc.-5 janv.
42 ch (½ P seult) – 4 suites – ½ P 173/270 €   **Rest** – Carte 43/143 €
♦ Hôtel perdu dans la nature, face au golfe de Santa Manza. Jolies chambres personnalisées, côté mer ou maquis. Piscine et jardin menant à la plage ; activités de loisir. Au restaurant, le chef d'origine sénégalaise mêle habilement saveurs corses et africaines.

à la plage de Calalonga 6 km à l'Est par D 258 et rte secondaire – ✉ 20169 Bonifacio

Marina di Cavu
– ℰ 04 95 73 14 13 – www.hotel-marinadicavu.com – info@marinadicavu.com – Fax 04 95 73 04 82 – Ouvert fin avril-fin oct.
11 ch – †130/350 € ††130/440 €, ⊇ 22 € – 9 suites
Rest – (Ouvert fin avril-fin oct.) (nombre de couverts limité, prévenir) Menu 68/96 € – Carte 52/89 €
♦ Hôtel en plein maquis, face aux îles Lavezzi et Cavallo. Des rochers granitiques s'invitent dans le décor typé des vastes chambres (mosaïques et mobilier d'Afrique du Nord). Détour par la piscine (vue superbe !) pour rejoindre le restaurant. Carte actuelle épurée.

CORSE

CALACUCCIA – 2B Haute-Corse – 345 D5 – 340 h. – alt. 830 m – ⊠ 20224   15 **A2**
■ Bastia 78 – Calvi 97 – Corte 35 – Piana 68 – Porto 58
🛈 Office de tourisme, avenue Valdoniello ℰ 04 95 47 12 62, Fax 04 95 47 12 62
◉ Lac de Calacuccia★ - Tour du lac de barrage ≤ ★★ - Défilé de la Scala di Santa Regina★★ NE : 5 km.

Acqua Viva sans rest
– ℰ 04 95 48 06 90 – www.acquaviva-fr.com – stella.acquaviva@wanadoo.fr
– Fax 04 95 48 08 82 – **14 ch** – †58/73 € ††62/77 €, ⊇ 9 €
♦ Au débouché de la Scala di Santa Regina taillée, dit-on, par la Vierge en personne, petit hôtel familial disposant de chambres actuelles d'une tenue irréprochable.

Auberge Casa Balduina sans rest
lieu-dit Le Couvent – ℰ 04 95 48 08 57 – www.casabalduina.com
– jeannequilichini@aol.com – Fermé déc. et janv.
7 ch – †57/71 € ††57/71 €, ⊇ 8 €
♦ Cette avenante maison nichée dans un jardin abrite de coquettes petites chambres bien rénovées. Les petits-déjeuners sont servis sous une jolie pergola.

CALVI – 2B Haute-Corse – 345 B4 – 5 420 h. – ⊠ 20260   15 **A1**
■ Bastia 92 – Corte 88 – L'Île-Rousse 25 – Porto 73
✈ de Calvi-Ste-Catherine : ℰ 04 95 65 88 88, par ①.
🛈 Office de tourisme, Port de Plaisance ℰ 04 95 65 16 67, Fax 04 95 65 14 09
◉ Citadelle★★ : fortifications★ - La Marine★.
◉ Intérieur★ de l'église St-Jean-Baptiste - La Balagne★★★.

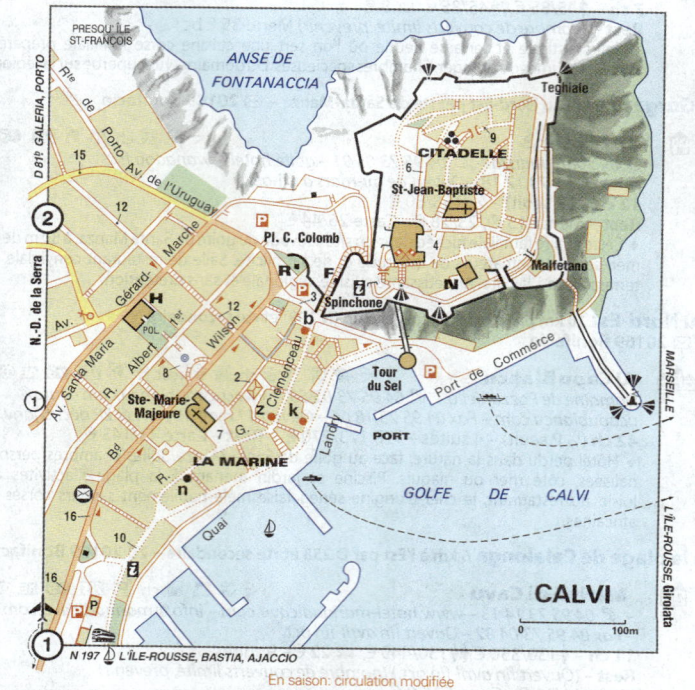

En saison: circulation modifiée

Alsace-Lorraine (R.) 2	Crudelli (Pl.) 7	Montée des Écoles (Chemin de) 12
Anges (R. des) 3	Dr-Marchal (Pl. du) 8	Napoléon (Av.) 15
Armes (Pl. d') 4	Fil (R. du) 9	République (Av. de la) 16
Clemenceau (R. G.)	Joffre (R.) 10	Wilson (Bd) ....
Colombo (R.) 6		

Calvi – CORSE

La Villa
chemin de Notre Dame de la Serra,
1 km par ① – ℰ 04 95 65 10 10 – www.hotel-lavilla.com – la-villa.reservation@wanadoo.fr – Fax 04 95 65 10 50 – Ouvert 1er avril-31 oct.
37 ch – †310/950 € ††310/950 €, ⊇ 35 € – 13 suites – ½ P 245/565 €
Rest *L'Alivu* – (fermé lundi et mardi) (dîner seult) Menu 110 /195 €
– Carte 110/200 €

Rest *Le Bistrot* – Carte 60/90 €
Spéc. Langoustines de nos côtes aux trois saveurs (mai à mi-sept.). Veau Corse et sa garniture de saison. Soufflé au Grand-Marnier. **Vins** Corse-Ajaccio, Corse-Calvi.

◆ Entre couvent et villa romaine, palace contemporain juché sur les hauteurs, comme prosterné face à la mer. Fer forgé, mosaïques, rotin, terre cuite... Un joyau caché ! Au dîner, délicate cuisine méditerranéenne signée par un chef Meilleur Ouvrier de France.

Regina sans rest
av. Santa Maria, par ① – ℰ 04 95 65 24 23 – www.reginahotelcalvi.com – infos@reginahotelcalvi.com – Fax 04 95 61 00 09
44 ch – †65/320 € ††65/320 €, ⊇ 12 €

◆ Cet hôtel récent bénéficie d'une situation dominante offrant ainsi une vue sur le port et le golfe de Calvi. Grandes chambres modernes tournées vers la mer ou la jolie piscine.

Balanea sans rest
6 r. Clemenceau – ℰ 04 95 65 94 94 – www.hotel-balanea.com – info@hotel-balanea.com – Fax 04 95 65 29 71 – Ouvert 2 mars-30 nov. n
37 ch – †80/220 € ††80/220 €, ⊇ 12 € – 1 suite

◆ Accès par une rue piétonne. Les chambres cultivent l'originalité : couleurs vives, mobilier néo-rustique ou design ; certaines offrent un beau panorama sur le port.

Mariana sans rest
av. Santa Maria, par ① – ℰ 04 95 65 31 38 – www.hotel-mariana-calvi.com – mariana-hotel-calvi@orange.fr – Fax 04 95 65 32 72
55 ch – †72/180 € ††72/180 €, ⊇ 10 € – 5 suites

◆ Hôtel moderne surplombant le golfe de Calvi. Loggia privée tournée côté mer pour la plupart des chambres. Extension neuve avec suites et terrasse-piscine-solarium sur le toit.

Hostellerie de l'Abbaye sans rest
rte de Santore – ℰ 04 95 65 04 27 – www.hostellerie-abbaye.com – abbaye.hotel@wanadoo.fr – Fax 04 95 65 30 23 – Ouvert 1er avril-31 oct.
43 ch ⊇ – †99/194 € ††113/208 €

◆ La façade de cet hôtel, bâti dans les murs d'une abbaye franciscaine (16e s.), est couverte de fleurs et verdure, tout comme la terrasse arborée et le beau jardin. Chambres cosy.

L'Onda sans rest
av. Christophe Colomb, 1 km par ① – ℰ 04 95 65 35 00 – www.hotel-londa.com – hotelonda@yahoo.fr – Fax 04 95 65 16 26 – Ouvert 25 avril-2 nov.
24 ch – †55/94 € ††60/135 €, ⊇ 8 €

◆ À proximité de la plage et de la pinède créée à la fin du 19e s., petit immeuble engageant dont les chambres, pratiques, bénéficient d'une loggia privée. Hall et salon rénovés.

Emile's
quai Landry – ℰ 04 95 65 09 60 – www.restaurant-emiles.com – info@restaurant-emiles.com – Fax 04 95 60 56 40 – Ouvert 15 mars-15 oct. k
Rest – Menu 50/120 € – Carte 90/110 €
Spéc. Filets de rougets "trémail" juste saisis. Denti de ligne poêlé, risotto de légumes primeurs. Mascarpone à la vanille sur sablé demi-sel aux épices et gariguettes.

◆ Sur un quai planté de palmiers, maison typique dont le restaurant, à l'étage, domine le port et la citadelle. Cuisine joliment travaillée, célébrant les produits du terroir méditerranéen.

E.A.T.
r. Clemenceau, Montée du Port – ℰ 04 95 38 21 87 – remi.robert636@orange.fr
– Fermé 1er-15 nov., 1er-15 fév., lundi, mardi et merc. de nov. à mars b
Rest – Menu 28 € – Carte 28/50 €

◆ Épicurien Avant Tout ! Un restaurant d'ambiance lounge au concept original : à vous de choisir les plats en taille L ou XL, actuels et épurés. Terrasse au pied de la citadelle.

CORSE – Calvi

Aux Bons Amis
r. Clemenceau – ℰ 04 95 65 05 01 – bons.amis@wanadoo.fr – Fax 04 95 65 32 41
– Ouvert 1er mars-15 oct. et fermé merc. hors saison, sam. midi en saison et merc. midi

Rest – Menu 21/35 € – Carte 40/65 €

♦ Dans une rue piétonne, sympathique petit restaurant décoré sur le thème de la pêche (filets, bibelots) ; vivier à langoustes et homards. Spécialités de produits de la mer.

par ① 5 km rte de l'aéroport et chemin privé – ⊠ 20260 Calvi

La Signoria
rte de la forêt de Bonifato – ℰ 04 95 65 93 00 – www.hotel-la-signoria.com
– info@hotel-la-signoria.com – Fax 04 95 65 38 77
– Ouvert fin mars au 31 oct.
24 ch – †290/510 € ††290/510 €, ⊇ 26 € – 2 suites
Rest – (dîner seult) Menu (35 €), 85/120 € – Carte 86/103 €

♦ Cette demeure du 18e s. nichée dans une pinède incarne à elle seule la Méditerrannée : murs aux tons ocre ou bleu, mobilier corse d'époque, jardin paysagé et... senteurs infinies ! Belle cuisine au goût du jour, servie dans la salle à manger-véranda ou en terrasse.

CARGÈSE – 2A Corse-du-Sud – 345 A7 – 1 137 h. – alt. 75 m – ⊠ 20130   15 **A2**

🛈 Ajaccio 51 – Calvi 106 – Corte 119 – Piana 21 – Porto 33

🛈 Office de tourisme, rue du Dr Dragacci ℰ 04 95 26 41 31, Fax 04 95 26 48 80

◉ Église grecque ★ - Site★★ depuis le belvédère de la pointe Molendino E : 3 km.

Thalassa
plage du Pero, 1,5 km au Nord – ℰ 04 95 26 40 08 – www.thalassalura.com
– Fax 04 95 26 41 66 – Ouvert 1er mai-30 sept.
25 ch – †85/90 € ††90/110 €, ⊇ 6 € – ½ P 70/75 €
Rest – (ouvert 1er juin- 18 sept.) (dîner seult) (résidents seult)

♦ Sympathique ambiance de pension de famille dans cet hôtel posé en bordure de plage. Les chambres, assez petites, claires et bien entretenues, donnent majoritairement côté mer. Agréable salle à manger et terrasse dans la verdure ; cuisine traditionnelle.

CASAMOZZA – 2B Haute-Corse – 345 F4 – ⊠ 20290 Lucciana   15 **B1**

🛈 Bastia 20 – Corte 49 – Vescovato 6

Chez Walter
N 193 – ℰ 04 95 36 00 09 – www.hotel-chez-walter.com – chez.walter@wanadoo.fr – Fax 04 95 36 18 92
64 ch – †70/100 € ††85/120 €, ⊇ 8 € – 2 suites
Rest – (fermé 15 déc.-6 janv. et dim. sauf le soir en août) Menu 21 €
– Carte 40/60 €

♦ Proche de l'aéroport de Bastia-Poretta, un complexe hôtelier moderne au cœur d'un jardin méditerranéen. Chambres bien équipées, de taille et de confort variables. Vaste salle à manger au décor néo-rustique ; cuisine traditionnelle, buffets et pizzas.

CAURO – 2A Corse-du-Sud – 345 C8 – 1 060 h. – alt. 450 m – ⊠ 20117   15 **A3**

🛈 Ajaccio 22 – Sartène 63

Auberge Napoléon
Rte de Sartène – ℰ 04 95 28 40 78 – ghjulia2@free.fr – Ouvert 15 juil.-15 sept. et week-ends hors saison
Rest – (prévenir) Menu 32 € – Carte 30/45 €

♦ Auberge avenante sur la rue principale du village. Salle à manger rustique où l'on propose une cuisine d'inspiration régionale. Accueil familial décontracté.

CORSE

CERVIONE – 2B Haute-Corse – 345 F6 – 1 628 h. – alt. 350 m – ⊠ 20221 15 **B2**
▶ Ajaccio 140 – Bastia 52 – Corte 78 – Biguglia 45

à Prunete 5,5 km à l'Est par D 71 – ⊠ 20221

Casa Corsa sans rest
Acqua Nera – ℰ 04 95 38 01 40 – www.casa-corsa.net – casa-corsa1@oronge.fr
– Fax 04 95 33 39 27
6 ch ⊇ – †59 € ††66 €
◆ Vous ne serez pas déçus par le confort et l'accueil vraiment convivial de cette maison d'hôtes. Les chambres, douillettes, possèdent de grandes salles de bains. Beau jardin.

COL DE BAVELLA – 2A Corse-du-Sud – 345 E9 – alt. 1 218 m – ⊠ 20124 Zonza 15 **B3**
▶ Ajaccio 102 – Bonifacio 76 – Porto-Vecchio 49 – Propriano 49 – Sartène 47
◉ Col et aiguilles de de Bavella ★★★ - Forêt de Bavella ★★.

Auberge du Col de Bavella
– ℰ 04 95 72 09 87 – www.auberge-bavella.com – auberge-bavella@wanadoo.fr
– Fax 04 95 72 16 48 – Ouvert avril-oct.
Rest – Menu 22 € – Carte 20/45 €
◆ Gîte d'étape du GR 20 au milieu des pins laricio, à proximité des majestueuses aiguilles de Bavella. Vaste salle rustique (cheminée). Spécialités corses et charcuteries maison.

CORTE – 2B Haute-Corse – 345 D6 – 6 747 h. – alt. 396 m 15 **B2**
– ⊠ 20250 ▮ Corse
▶ Bastia 69 – Bonifacio 150 – Calvi 88 – L'Île-Rousse 63 – Porto 93
– Sartène 149
🛈 Office de tourisme, la Citadelle ℰ 04 95 46 26 70, Fax 04 95 46 34 05
◉ Ville haute★ : chapelle Ste-Croix★, citadelle★ ≤★, Belvédère ☀★ - Musée de la Corse★★.
◉ ☀★★ du Monte Cecu N : 7 km - SO : gorges de la Restonica★★.

Le 24
24 cours Paoli – ℰ 04 95 46 02 90 – le24restaurant@yahoo.fr – Fax 04 95 46 21 90
– Fermé sam. midi et dim. midi
Rest – Menu (16 €), 25 € – Carte 35/62 €
◆ Une petite adresse sympathique dans un cadre sagement contemporain. Belles propositions à l'ardoise, mêlant traditionnel, terroir corse et cuisine du monde. Jolis vins locaux.

dans les Gorges de La Restonica Sud-Ouest sur D 623 – ⊠ 20250 Corte

Dominique Colonna sans rest
à 2 km – ℰ 04 95 45 25 65 – www.dominique-colonna.com – info@dominique-colonna.com – Fax 04 95 61 03 91 – Ouvert 23 mars-15 nov.
28 ch – †65/190 € ††65/190 €, ⊇ 12 € – 1 suite
◆ À l'entrée des gorges et parmi les "pins de Corte", bâtiments modernes tapissés de vigne vierge abritant des chambres confortables et modernes. Agréable piscine chauffée.

COTI-CHIAVARI – 2A Corse-du-Sud – 345 B9 – 490 h. – alt. 625 m – ⊠ 20138 15 **A3**
▶ Ajaccio 42 – Propriano 38 – Sartène 50

Le Belvédère
– ℰ 04 95 27 10 32 – www.lebelvederedecoti.com – le.belvedere@wanadoo.fr
– Fax 04 95 27 12 99 – Ouvert 1er mars-mi-nov.
13 ch (½ P seult) – ½ P 50/58 €
Rest – (fermé le midi sauf dim. du 1er mars-31 mai) (prévenir) Menu 20 € (dîner), 26/30 €
◆ Véritable nid d'aigle isolé dans le maquis et offrant une vue époustouflante sur le golfe d'Ajaccio. Les chambres sont spacieuses et fonctionnelles. La salle de restaurant vitrée et la terrasse forment de séduisants belvédères ; cuisine du terroir (beaux produits).

CORSE

ECCICA-SUARELLA – 2A Corse-du-Sud – **345** C8 – 828 h. – alt. 300 m – ✉ 20117 — 15 **A3**
▸ Ajaccio 19 – Corte 87 – Ghisonaccia 129 – Propriano 52

Carpe Diem Palazzu
– ℰ 04 95 10 96 10 – www.carpediem-palazzu.com – info@carpediem-palazzu.com – Fax 04 95 23 80 83 – Fermé 24 déc.-25 fév.
6 ch – †200/400 € ††200/400 €, ⌧ 19 €
Table d'hôte – *(fermé lundi sauf vacances scolaires)* Menu 40/65 €

♦ Pierre brute et bois omniprésents, mobilier de style ou chiné, salles de bains bien équipées... Chaque détail dans ces suites raffinées traduit une volonté de bien-être. Hammam. Cuisine de terroir (produits de choix) servie en terrasse ou dans le jardin, face à la piscine.

ERBALUNGA – 2B Haute-Corse – **345** F3 – ✉ 20222 — 15 **B1**
▸ Bastia 11 – Rogliano 30
◉ Chapelle N.-D. des Neiges ★ 3 km à l'Ouest.

Castel'Brando sans rest
Rte du Cap – ℰ 04 95 30 10 30 – www.castelbrando.com – info@castelbrando.com – Fax 04 95 33 98 18 – Fermé janv. et fév.
39 ch – †105/145 € ††105/145 €, ⌧ 13 € – 6 suites

♦ Maison de maître édifiée par un médecin des armées napoléoniennes. Chambres personnalisées, certaines logées dans des villas de style plus actuel. Beau jardin avec piscines.

Le Pirate
au port – ℰ 04 95 33 24 20 – www.restaurantlepirate.com – jeanpierrericci@aol.com – Fax 04 95 33 18 97 – Fermé 7 janv.-28 fév., lundi et mardi sauf de juin à sept.
Rest – Menu (29 €), 35 € (déj.), 65/90 € – Carte 75/83 €
Spéc. Risotto crémeux de poulpe à l'encre de seiche. Déclinaison du veau "bio" corse. Tour de chocolat ivoire, cœur coulant passion et sorbet pabana. **Vins** Patrimonio, Vin de Corse-Figari

♦ Agréable terrasse face au petit port, salle à manger-véranda côté mer et goûteuse cuisine, délicate et précise, font le charme de cette vieille maison en pierre.

ERSA – 2B Haute-Corse – **345** F2 – ✉ 20275 — 15 **B1**
▸ Ajaccio 196 – Bastia 48

Le Saint-Jean sans rest
Botticella – ℰ 04 95 47 71 71 – www.lesaintjean.net – lesaintjeanersa@orange.fr – Fax 04 95 35 24 42 – Fermé janv. et fév.
9 ch – †50/115 € ††55/120 €, ⌧ 6,50 €

♦ Située au bout du cap Corse, ancienne maison de maître entièrement rénovée avec goût. Chambres personnalisées sur le thème du voyage, belle terrasse face à l'île de la Giraglia.

ÉVISA – 2A Corse-du-Sud – **345** B6 – 182 h. – alt. 850 m – ✉ 20126 — 15 **A2**
▸ Ajaccio 71 – Calvi 96 – Corte 70 – Piana 33 – Porto 23
◉ Forêt d'Aïtone★★ - Cascades d'Aïtone★ NE : 3 km puis 30 mn.
◉ Col de Vergio ≤★★ NE : 10 km.

Scopa Rossa
– ℰ 04 95 26 20 22 – www.hotelscoparossa.com – scopa-rossa@wanadoo.fr – Fax 04 95 26 24 17 – Ouvert 16 mars-29 nov.
28 ch – †46/65 € ††50/80 €, ⌧ 8 € – ½ P 52/65 €
Rest – Menu (22 €), 25/30 € – Carte 40/60 €

♦ Un hôtel idéal pour un séjour en famille au cœur de cette station climatique. Les chambres, simples et bien tenues, se répartissent entre un bâtiment central et une annexe. Les fusils ornant la salle à manger rustique sont aujourd'hui muets ; recettes du terroir.

CORSE

FAVONE – 2A Corse-du-Sud – 345 F9 – ⊠ 20135 Conca — 15 B3
▶ Ajaccio 128 – Bonifacio 58

U Dragulinu
- ℰ 04 95 73 20 30 – www.hoteludragulinu.com – hoteludragulinu@wanadoo.fr
- Fax 04 95 73 22 06 – Ouvert 11 avril-30 oct.
34 ch – †85/220 € ††95/230 €
Rest – (ouvert 15 juin-15 sept.) (déj. seult) Menu 25 €
♦ Cet hôtel tenu par deux sœurs jouit d'un emplacement idyllique devant la plage, idéal pour un séjour balnéaire. Chambres fonctionnelles, bien tenues, en majorité de plain-pied. Cuisine familiale et simple de produits frais au restaurant. Jolie terrasse.

FELICETO – 2B Haute-Corse – 345 C4 – 197 h. – alt. 350 m – ⊠ 20225 — 15 A1
▶ Bastia 76 – Calvi 26 – Corte 72 – L'Île-Rousse 15

Mare e Monti
- ℰ 04 95 63 02 00 – www.hotel-maremonti.com – mare-e-monti@wanadoo.fr
- Fax 04 95 63 02 01 – Ouvert 1er avril-31 oct.
16 ch – †70/138 € ††70/138 €, ⊇ 9 €
Rest *Sol E Luna* – (ouvert 1er avril-15 oct.) Carte 22/35 €
♦ Fortune faite dans la canne à sucre, les ancêtres de la famille revinrent de Porto Rico et édifièrent au 19e s. ce "Palais américain" entre mer et montagne. Cuisine du marché servie dans la salle à manger blanche ou sur une belle terrasse au bord de la piscine.

GALÉRIA – 2B Haute-Corse – 345 A5 – 325 h. – alt. 30 m – ⊠ 20245 — 15 A2
▶ Bastia 118 – Calvi 34 – Porto 48
ℹ Syndicat d'initiative, Carrefour ℰ 04 95 62 02 27, Fax 04 95 62 02 27
◉ Golfe de Galéria★.

à Ferayola 13 km au Nord par D 351 et D 81B – ⊠ 20245 Galeria

Auberge Ferayola
- ℰ 04 95 65 25 25 – www.ferayola.com – ferayola@wanadoo.fr
- Fax 04 95 65 20 78 – Ouvert 8 mai-30 sept.
14 ch – †50/95 € ††55/114 €, ⊇ 8 € – ½ P 55/85 €   **Rest** – Carte 25/45 €
♦ Auberge isolée en plein maquis et surplombant la mer pour un dépaysement et un calme assurés ! Petites chambres simples mais agréables et chalets. Vue imprenable sur la montagne et beau panorama sur le soleil couchant de la salle à manger rustique et sa terrasse.

L'ÎLE-ROUSSE – 2B Haute-Corse – 345 C4 – 2 795 h. – ⊠ 20220 — 15 A1
▶ Bastia 67 – Calvi 25 – Corte 63
ℹ Syndicat d'initiative, 7, place Paoli ℰ 04 95 60 04 35, Fax 04 95 60 24 74
◉ Marché couvert★ - Île de la Pietra★.
◉ La Balagne★★★.

Perla Rossa sans rest
30 r. Notre-Dame – ℰ 04 95 48 45 30 – www.hotelperlarossa.com – info@hotelperlarossa.com – Fax 04 95 48 45 31 – Ouvert début avril-fin oct.
10 ch – †190/590 € ††190/590 €, ⊇ 20 € – 2 suites
♦ Belle maison du 19e s., entièrement restaurée dans un style moderne et design. Grandes chambres lumineuses plutôt épurées. Magnifique terrasse ombragée face à la mer.

Santa Maria sans rest
rte du Port – ℰ 04 95 63 05 05 – www.hotelsantamaria.com – infos@hotelsantamaria.com – Fax 04 95 60 32 48
56 ch ⊇ – †82/197 € ††94/209 €
♦ Situé avant le pont conduisant sur l'île de la Pietra. Chambres agréables ; quelques-unes offrent, par gros temps, une vue d'apocalypse sur la mer. Beau jacuzzi extérieur.

CORSE – L'Ile-Rousse

Funtana Marina sans rest
1 km par rte de Monticello et rte secondaire – ℰ 04 95 60 16 12
– www.hotel-funtana.com – hotel-funtana-marina@wanadoo.fr
– Fax 04 95 60 35 44
29 ch – †55/105 € ††60/105 €, ⌑ 9 €

◆ Sur les hauteurs, bâtisse immergée dans une végétation luxuriante. Les chambres, confortables, regardent la belle piscine, elle-même tournée vers la mer et la ville.

Cala di l'Oru sans rest
bd Pierre Pasquini – ℰ 04 95 60 14 75 – www.hotel-caladiloru.com
– hotelcaladiloru@wanadoo.fr – Fax 04 95 60 36 40 – Ouvert de mars à oct.
26 ch – †60/111 € ††63/130 €, ⌑ 8 €

◆ Les fils de la patronne exposent photographies et œuvres d'art contemporaines dans cet hôtel bien rénové, donnant sur la mer ou la montagne. Beau jardin méditerranéen.

L'Amiral sans rest
bd Ch.-Marie Savelli – ℰ 04 95 60 28 05 – www.hotel-amiral.com – info@
hotel-amiral.com – Fax 04 95 60 31 21 – Ouvert d'avril à sept.
19 ch – †65/110 € ††65/110 €, ⌑ 10 €

◆ Embarquez à bord de cet hôtel à l'ambiance très marine, dont les parties communes ressemblent à l'intérieur d'un bateau, tout en bois exotique. Chambres fonctionnelles.

Le Grillon
av. P. Doumer – ℰ 04 95 60 00 49 – www.hotel-grillon.net – hr-le-grillon@
wanadoo.fr – Fax 04 95 60 43 69 – Ouvert 1er mars-31 oct.
16 ch – †37/58 € ††38/60 €, ⌑ 6 € – ½ P 39/50 €
Rest – *(dîner seult)* Menu 30 € – Carte environ 22,50 €

◆ Accueil convivial dans ce petit hôtel simple où les chambres, fraîchement rénovées et insonorisées, arborent un décor plus actuel (mobilier en bois peint patiné). Sobre salle à manger et cuisine familiale à tendance régionale.

La Pietra
chemin du Phare – ℰ 04 95 63 02 30 – www.hotel-lapietra.com – hotellapietra@
wanadoo.fr – Fax 04 95 60 15 92 – Ouvert d'avril à oct.
42 ch – †65/110 € ††110/112 €, ⌑ 10 € – ½ P 64/87 €
Rest – Menu 40/48 €

◆ Belle situation face au port, les "pieds dans l'eau", pour cet hôtel des années 1970. Les chambres ont toutes un balcon côté mer ou côté tour génoise (15e s.). Salon-piano bar. Recettes locales et suggestions du jour, avec la grande bleue en toile de fond.

Pasquale Paoli (Ange Cananzi)
2 pl. Paoli – ℰ 04 95 47 67 70 – catherine.cananzi@wanadoo.fr
– Fax 04 95 47 67 62 – Fermé le midi en juil.-août et fermé dim. et merc. de sept. à juin
Rest – *(nombre de couverts limité, prévenir)* Menu (25 €), 40 € (dîner) – Carte 50/70 €
Spéc. Fricassée de poulpes en salade. Lotte de pays aux amandes fraîches. Millefeuille au citron corse.

◆ Un concentré de la Corse à l'état pur, raconté par deux passionnés : l'un en salle (décor dédié à Pasquale Paoli) ; l'autre en cuisine, sublimant les produits du terroir.

à Monticello 4,5 km au Sud-Est par D 63 – 1 565 h. – alt. 220 m – ✉ 20220

A Pasturella avec ch
pl. du Village – ℰ 04 95 60 05 65 – www.a-pasturella.com – a.pasturella@
wanadoo.fr – Fax 04 95 60 21 78 – Fermé 1er-8 mars, 5 nov.-18 déc., vacances de fév. et dim. soir du 18 déc. au 31 mars
12 ch – †65/92 € ††75/102 €, ⌑ 11 € – ½ P 81/95 €
Rest – Menu 40/75 € – Carte 33/73 €

◆ Dans un pittoresque village perché de la corniche Paoli. Poissons (pêche du jour) et plats traditionnels à savourer dans une salle décorée avec goût ou sur la terrasse. Belles chambres actuelles.

L'Ile-Rousse – CORSE

à Pigna 8 km au Sud-Ouest par N 197 et D 151 – 97 h. – alt. 400 m – ⊠ 20220

U Palazzu
– ℰ 04 95 47 32 78 – hotel-corse-palazzu.com – palazzupigna@wanadoo.fr
– Fax 04 95 46 08 68 – Ouvert avril à oct.
3 ch – †150/300 € ††150/300 €, ⊇ 20 € – 2 suites
Rest – (nombre de couverts limité, prévenir) Menu (25 €), 55 €
◆ Au cœur du village, ancienne maison de maître (18ᵉ s.) offrant une vue superbe sur la plaine et la mer. Grandes chambres dotées, pour certaines, d'une cheminée ou d'une terrasse.

LEVIE – 2A Corse-du-Sud – **345** D9 – 696 h. – alt. 645 m – ⊠ 20170   15 **B3**
▣ Ajaccio 101 – Bonifacio 57 – Porto-Vecchio 39 – Sartène 28
▣ Office de tourisme, rue Sorba ℰ 04 95 78 41 95, Fax 04 95 78 46 74
▣ Musée de l'Alta Rocca★ : christ en ivoire★.
▣ Sites★★ de Cucuruzzu et Capula O : 7 km.

La Pergola
r. Sorba – ℰ 04 95 78 41 62 – Ouvert avril-oct.
Rest – (nombre de couverts limité, prévenir) Menu (13 €), 18 €
◆ Après la visite des collections du musée de l'Alta Rocca, régalez-vous de spécialités exclusivement corses à prix très digestes. Accueillante tonnelle et salle toute simple.

LUMIO – 2B Haute-Corse – **345** B4 – 1 012 h. – alt. 150 m – ⊠ 20260   15 **A1**
▣ Bastia 82 – Calvi 10 – L'Île-Rousse 16

Chez Charles avec ch
– ℰ 04 95 60 61 71 – www.hotel-chezcharles.com – contact@hotel-chezcharles.com – Fax 04 95 60 62 51 – Ouvert 2 avril-7 nov.
16 ch – †70/125 € ††70/125 €, ⊇ 15 €
Rest – (Fermé lundi midi) Menu 40/70 € – Carte 58/70 €
◆ En bordure de route, cette maison rose abrite une lumineuse salle et une terrasse panoramique ombragée. Cuisine actuelle. Chambres à l'esprit méridional et piscine à débordement.

MACINAGGIO – 2B Haute-Corse – **345** F2 – ⊠ 20248   15 **B1**
▣ Bastia 37
▣ Syndicat d'initiative, port de plaisnce ℰ 04 95 35 40 34, Fax 04 95 35 40 34

U Libecciu
rte de la Plage – ℰ 04 95 35 43 22 – www.u-libecciu.com – info@u-libecciu.com
– Fax 04 95 35 46 08 – Ouvert 1ᵉʳ avril-15 oct.
30 ch – †60/94 € ††70/125 €, ⊇ 7 € – 10 suites
Rest – (dîner seult) Menu 20/35 € – Carte 26/42 €
◆ Le mouillage de Macinaggio est réputé depuis l'Antiquité. Cette adresse proche du port abrite de spacieuses chambres avec terrasse et des suites équipées pour un long séjour. Spécialités régionales sur la carte du restaurant, aménagé en véranda, au 1ᵉʳ étage.

U Ricordu
– ℰ 04 95 35 40 20 – www.hotel-uricordu.com – uricordu@wanadoo.fr
– Fax 04 95 35 41 88 – Ouvert 30 mars-3 nov.
54 ch ⊇ – †85/175 € ††90/180 €
Rest – (ouvert 15 avril-15 oct.) Menu 18/20 € – Carte 30/40 €
◆ Chambres fraîches et actuelles, orientées côté route ou côté montagne, bien appréciées après avoir parcouru le vivifiant sentier des douaniers. Belle piscine d'été chauffée. Touches africaines dans le décor de la lumineuse salle à manger et cuisine traditionnelle.

CORSE

MURO – 2B Haute-Corse – **345** C4 – 263 h. – alt. 350 m – ⊠ 20225   15 **A1**

Casa Theodora sans rest
Piazza a u Duttore – ℰ 04 95 61 78 32 – www.a-casatheodora.com – info@a-casatheodora.com – Fax 04 95 61 78 32 – Ouvert avril à fin oct.
5 ch ⊆ – †140/270 € ††140/270 €
♦ Palazzo du 16ᵉ s. réhabilité, portant le nom de l'éphémère roi de Corse, hôte des lieux en 1736. Architecture génoise, trompe-l'œil et fresques baroques, petite piscine intérieure.

NONZA – 2B Haute-Corse – **345** F3 – 68 h. – alt. 100 m – ⊠ 20217   15 **B1**
▸ Bastia 33 – Rogliano 49 – Saint-Florent 20

Casa Maria sans rest
au pied de la tour génoise – ℰ 04 95 37 80 95 – www.casamaria.fr – casamaria@wanadoo.fr – Fax 04 95 37 80 95 – Ouvert d'avril à oct.
5 ch ⊆ – †70/90 € ††70/90 €
♦ Au pied d'une tour génoise, cette ancienne maison de maître vous accueille chaleureusement. Chambres fraîches et agréables, décorées de meubles familiaux. Belle vue sur la mer.

OLETTA – 2B Haute-Corse – **345** F4 – 1 245 h. – alt. 250 m – ⊠ 20232   15 **B1**
▸ Bastia 18 – Calvi 78 – Corte 72 – L'Île-Rousse 53

Auberge A Magina
– ℰ 04 95 39 01 01 – Ouvert avril-mi-oct. et fermé lundi sauf juil.-août
Rest – Menu 27 € – Carte 45/60 €
♦ Une vue à couper le souffle et une vraie cuisine corse préparée en famille et servie dans une agréable salle à manger. Le soir, depuis la terrasse, sublime coucher de soleil.

OLMETO – 2A Corse-du-Sud – **345** C9 – 1 199 h. – alt. 320 m – ⊠ 20113   15 **A3**
▸ Ajaccio 64 – Propriano 8 – Sartène 20
🛈 Syndicat d'initiative, Village ℰ 04 95 74 65 87, Fax 04 95 74 62 86

Santa Maria
pl. de l'Église – ℰ 04 95 74 65 59 – www.hotel-restaurant-santa-maria.com – ettorinathalie@aol.com – Fax 04 95 74 60 33 – Fermé nov. et déc.
12 ch – †45/58 € ††45/58 €, ⊆ 6 € – ½ P 44/56 €
Rest – *(dîner seult)* Menu 23 € – Carte 32/44 €
♦ Ambiance familiale dans cet ancien moulin à huile veillé par l'église. Une envolée d'escaliers menant aux chambres fonctionnelles lui donne du cachet. Restaurant aménagé sous de belles voûtes séculaires et terrasse fleurie tournée vers le golfe. Plats corses.

à Olmeto-Plage 9 km au Sud-Ouest par D 157 – ⊠ 20113

Ruesco
Capicciolo – ℰ 04 95 76 70 50 – www.hotel-ruesco.com – info@hotel-ruesco.com – Fax 04 95 76 70 51 – Ouvert 25 avril-10 oct.
25 ch – †70/115 € ††115/160 €, ⊆ 13 €
Rest – *(ouvert 15 mai-30 sept.)* Menu 25 € (déj.) – Carte 35/50 €
♦ Bâtiments modernes abritant des chambres spacieuses, toutes pourvues de balcons orientés vers les flots, à l'exception de deux chambres. Un jardin précède le restaurant où grillades et pizzas au feu de bois sont à l'honneur. La terrasse donne sur la plage.

au Sud 5 km par N 196 et rte secondaire – ⊠ 20113 Olmeto

Marinca
Lieu dit Vintricella – ℰ 04 95 70 09 00 – www.hotel-marinca.com – info@hotel-marinca.com – Fax 04 95 76 19 09 – Ouvert d'avril à oct.
56 ch (½ P seult) – 4 suites – ½ P 110/345 €
Rest – *(dîner seult)* Menu (35 €), 45 € – Carte 25/35 €
♦ Hôtel dominant le golfe et entouré d'un jardin. Trois piscines à débordement, étagées, descendent vers la plage privée. Grandes chambres personnalisées avec balcon côté mer. Spa oriental. Belle terrasse de style mauresque pour une cuisine traditionnelle. Le Diamant Noir sert au dîner des repas plus élaborés.

CORSE

PATRIMONIO – 2B Haute-Corse – **345** F3 – 667 h. – alt. 100 m – ✉ 20253   **15 B1**
- Bastia 16 – St-Florent 6 – San-Michele-di-Murato 22
- Église St-Martin★.

Du Vignoble sans rest
Santa Maria – ℰ 04 95 37 18 48 – www.hotel-du-vignoble.com
– hotel-du-vignoble@wanadoo.fr – Fax 04 95 56 13 10 – Ouvert d'avril à fin oct.
12 ch – †60/90 € ††60/90 €, ⊆ 5 €
◆ Au cœur du village, hôtel neuf aménagé dans une belle maison de 1846. Tons chaleureux, murs patinés et meubles en fer forgé ornent les chambres. Cave à vins familiale attenante.

Osteria di San Martinu
Santa Maria – ℰ 04 95 37 11 93 – Ouvert 1er mai-30 sept. et fermé merc. en sept.
Rest – Menu 25 € – Carte 23/35 €
◆ Tout se passe, en été, sur la terrasse sous pergola : on y goûte des plats corses et des grillades arrosés, bien entendu, de vin de Patrimonio, produit par le frère du patron.

PERI – 2A Corse-du-Sud – **345** C7 – 1 516 h. – alt. 450 m – ✉ 20167   **15 A2**
- Ajaccio 26 – Corte 71 – Propriano 82 – Sartène 94

Chez Séraphin
– ℰ 04 95 25 68 94 – Ouvert début-avril-15 oct. et fermé lundi
Rest – Menu 42 € bc
◆ Typique maison corse dans un charmant village accroché à la montagne. Terrasse dominant la vallée. L'accueil est chaleureux, la cuisine authentique et généreuse.

PETRETO-BICCHISANO – 2A Corse-du-Sud – **345** C9 – 559 h. – alt. 600 m   **15 A3**
– ✉ 20140
- Ajaccio 52 – Sartène 35

De France
à Bicchisano – ℰ 04 95 24 30 55 – Fax 04 95 24 30 55 – Ouvert de mars à nov.
Rest – *(prévenir)* Menu 17 € (déj. en sem.), 27/60 € – Carte 40/75 €
◆ Spécialités corses et produits maison (charcuteries, confitures, liqueurs) vous attendent dans cette salle à manger au décor agreste soigné ou sous la fraîche tonnelle.

PIANA – 2A Corse-du-Sud – **345** A6 – 443 h. – alt. 420 m – ✉ 20115   **15 A2**
- Ajaccio 72 – Calvi 85 – Évisa 33 – Porto 13
- Syndicat d'initiative, ℰ 04 95 27 84 42, Fax 04 95 27 82 72
- Golfe de Porto★★★.

Capo Rosso ⚘
rte des Calanches – ℰ 04 95 27 82 40 – www.caporosso.com – info@caporosso.com – Fax 04 95 27 80 00 – Ouvert 1er avril-20 oct.
46 ch (½ P seult en saison) ⊆ – †100/165 € ††120/250 € – ½ P 92/218 €
Rest – Menu 30 € – Carte 40/70 €
◆ Vue imprenable sur le golfe de Porto et les Calanche depuis la piscine et les vastes chambres avec balcons de cet hôtel. Décoration contemporaine dans la plupart. Restaurant panoramique ; cuisine familiale iodée faisant honneur à la pêche locale.

Le Scandola
rte Cargèse – ℰ 04 95 27 80 07 – www.hotelscandola.com – infos@hotelscandola.com – Fax 04 95 27 83 88 – Fermé 17 nov.-1er fév.
12 ch – †40/104 € ††52/104 €, ⊆ 10 €
Rest – *(dîner seult)* Menu 18 € – Carte 29/54 €
◆ Au cœur d'un site exceptionnel, cet hôtel fait face à la presqu'île de Scandola et au golfe de Piana. Chambres chaleureuses très colorées et balcons orientés vers la mer. Carte axée sur la cuisine du monde à découvrir au restaurant lounge, avec vue.

CORSE

POGGIO-MEZZANA – 2B Haute-Corse – 345 F5 – 648 h. – alt. 350 m – ✉ 20230

15 B2

Levolle Marine
Levolle Sottan, (à la plage) – ℰ 04 95 58 41 50 – www.levollemarine.com – levolle.marine-corse@wanadoo.fr – Fax 04 95 58 41 64 – Ouvert avril-oct.
9 ch – †75/85 € ††95/115 €, ☑ 8,50 € – 7 suites
Rest – Carte 35/60 €

◆ Objets anciens et collections de lampes à pétrole, cafetières, etc. décorent joliment l'intérieur de cette maison, au milieu d'un parc fleuri. Chambres confortables. Plats traditionnels dans la salle à manger ou sur la terrasse, face à la plage de sable fin.

PORTICCIO – 2A Corse-du-Sud – 345 B8 – ✉ 20166

15 A3

▪ Ajaccio 19 – Sartène 68
▪ Office de tourisme, les Marines ℰ 04 95 25 01 01, Fax 04 95 25 11 12

Le Maquis
– ℰ 04 95 25 05 55 – www.lemaquis.com – info@lemaquis.com – Fax 04 95 25 11 70 – Fermé janv. et fév.
20 ch – †160/720 € ††180/720 €, ☑ 26 € – 5 suites
Rest – Menu 73 € (dîner) – Carte 81/133 €

◆ Jolie demeure d'inspiration génoise nichée dans un jardin luxuriant en bordure de mer. Chambres spacieuses, au beau mobilier ancien. Splendides piscines. Cuisine inventive, vins choisis et vue panoramique depuis le restaurant et la superbe terrasse.

Sofitel Thalassa
– ℰ 04 95 29 40 40 – www.sofitel.com – h0587@accor.com – Fax 04 95 25 00 63 – Fermé 4-24 janv.
96 ch – †211/653 € ††211/653 €, ☑ 25 € – 2 suites
Rest – Menu 49 € – Carte 64/90 €

◆ Complexe hôtelier voué à Neptune : situation isolée à la pointe du cap de Porticcio, institut de thalassothérapie, sports nautiques et chambres tournées vers la mer. Plats au goût du jour et diététiques à déguster dans un décor marin ou dehors, face aux flots.

à Agosta-Plage 2 km au Sud – ✉ 20166 Porticcio

Kallisté sans rest
rte du Vieux Molini – ℰ 04 95 25 54 19 – www.hotels-kalliste.com – info@hotels-kalliste.com – Fax 04 95 25 59 25 – Ouvert 1er avril-1er nov.
7 ch – †69/109 € ††69/149 €, ☑ 10 € – 1 suite

◆ Un joli jardin clos assure la tranquillité de cette pimpante villa d'un quartier résidentiel. Chambres sobrement décorées ; expositions (mer ou verdure) et ampleurs diverses.

PORTO – 2A Corse-du-Sud – 345 B6 – ✉ 20150 Ota

15 A2

▪ Ajaccio 84 – Calvi 73 – Corte 93 – Évisa 23
▪ Office de tourisme, place de La Marine ℰ 04 95 26 10 55, Fax 04 95 26 14 25
▪ Tour génoise★.
▪ Golfe de Porto★★★ : les Calanche★★★ - NO : réserve de Scandola★★★, golfe★★ de Girolata.

Capo d'Orto sans rest
rte de Calvi – ℰ 04 95 26 11 14 – www.hotel-capo-dorto.com – hotel.capo.d.orto@wanadoo.fr – Fax 04 95 26 13 49 – Ouvert du 10 avril au 20 oct.
39 ch ☑ – †75/155 € ††75/155 €

◆ Cet hôtel abrite trois types de chambres, toutes de bonne ampleur et dotées de balcons tournés vers la mer. Préférez celles de l'extension récente, à la décoration plus actuelle.

Le Subrini sans rest
à la Marine – ℰ 04 95 26 14 94 – www.hotels-porto.com – subrini@hotels-porto.com – Fax 04 95 26 11 57 – Ouvert de mars à oct.
23 ch – †65/95 € ††80/130 €, ☑ 10 €

◆ Dans cet édifice en pierre de taille situé sur la place principale de la marine, les spacieuses chambres, toutes rénovées, offrent fonctionnalité et luminosité. Vue sur le golfe.

Porto – CORSE

Le Belvédère sans rest
à la Marine – ℰ 04 95 26 12 01 – www.hotel-le-belvedere.com – info@
hotel-le-belvedere.com – Fax 04 95 26 11 97
– Ouvert 2 avril-1er nov.
20 ch – †50/120 € ††50/120 €, ⌧ 8 €

◆ Au pied de la célèbre tour génoise défiant les assauts de la mer, construction moderne en pierres rouges proposant des chambres bien équipées, à choisir côté port.

Bella Vista
– ℰ 04 95 26 11 08 – www.hotel-corse.com – info@hotel-bellavista.net
– Fax 04 95 26 15 18 – Ouvert avril-oct.
14 ch (½ P seult en saison) – †55/93 € ††65/138 €, ⌧ 11 € – 3 suites
Rest – (ouvert 15 avril-30 sept.) (dîner seult) Menu 26 € – Carte 35/90 €

◆ Il règne une ambiance familiale dans cette maison proposant des chambres à la décoration soignée. Inoubliable coucher de soleil sur le Capo d'Orto et bon petit-déjeuner. Plats actuels aux accents corses au menu du restaurant ; salle et terrasse avec vue.

Romantique sans rest
à la Marine – ℰ 04 95 26 10 85 – www.hotel-romantique-porto.com – info@
hotel-romantique-porto.com – Fax 04 95 26 14 04
– Ouvert avril-mi-oct.
8 ch – †68/92 € ††68/92 €, ⌧ 8 €

◆ Chambres spacieuses, crépies et carrelées, équipées d'un mobilier de fabrication artisanale ; les balcons donnent tous sur une petite marina et un bois d'eucalyptus.

La Mer
à la Marine – ℰ 04 95 26 11 27 – laora5@wanadoo.fr – Fax 04 95 96 11 27
– Ouvert mi-mars à début nov.
Rest – Menu 19 € (déj.)/29 € – Carte 34/58 €

◆ Au bout de la marine, la terrasse de cette maison aux volets bleus est idéale pour voir la montagne se jeter dans la mer. Spécialités de poissons et cuissons au four à bois.

PORTO-POLLO – 2A Corse-du-Sud – 345 B9 – alt. 140 m – ⌧ 20140   15 **A3**

▸ Ajaccio 52 – Sartène 31

Les Eucalyptus sans rest
– ℰ 04 95 74 01 52 – www.hoteleucalyptus.com – portopollo@hotmail.com
– Fax 04 95 74 06 56 – Ouvert 5 avril-14 oct.
32 ch – †49/112 € ††49/112 €, ⌧ 8 €

◆ Hôtel des années 1960 dominant le golfe de Valinco que l'on contemplera du balcon de la plupart des chambres, pour l'essentiel pratiques (5 plus récentes et plus confortables).

Le Kallisté
– ℰ 04 95 74 02 38 – www.lekalliste.fr – lekalliste@orange.fr – Fax 04 95 74 06 26
– Ouvert avril-oct.
19 ch – †58/110 € ††58/110 €, ⌧ 8,50 € – ½ P 55/70 €
Rest – (dîner seult) Menu (15 €), 19/24 € – Carte 30/40 €

◆ Chambres actualisées, dotées d'un mobilier et d'équipements fonctionnels. Quelques-unes bénéficient de terrasses accordant le coup d'œil sur les flots bleus. Cuisine familiale axée terroir servie dans une salle à manger fraîche et colorée ou en terrasse.

PORTO-VECCHIO – 2A Corse-du-Sud – 345 E10 – 10 326 h. – alt. 40 m   15 **B3**
– ⌧ 20137

▸ Ajaccio 141 – Bonifacio 28 – Corte 121 – Sartène 59

▲ Figari-Sud-Corse : ℰ 04 95 71 10 10, SO : 23 km.

🛈 Office de tourisme, rue du Docteur Camille de Rocca Serra ℰ 04 95 70 09 58, Fax 04 95 70 03 72

◉ La Citadelle★.

◉ Golfe de Porto-Vecchio★★ - Castellu d'Araghju★ ≤★★ N : 7,5 km.

CORSE – Porto-Vecchio

Casadelmar
7 km par rte de Palombaggia – ℰ 04 95 72 34 34
– www.casadelmar.fr – info@casadelmar.fr – Fax 04 95 72 34 35
– Ouvert 4 avril-31 oct.
14 ch ⊇ – †360/900 € ††360/900 € – 20 suites – ††500/4000 €
Rest – (dîner seult) Menu 73/180 € – Carte 120/145 € ⚜
Spéc. Baccala gambas rouge en sashimi, tapenade liquide d'olive taggiasche. Canette à l'eucalyptus, macaron chaud de pois chiche. Cassata à la pâte d'amande. **Vins** Patrimonio.

♦ Sur les hauteurs, ce luxueux hôtel ultramoderne se fond dans le paysage, profitant d'une vue plongeante sur le golfe. Chambres design, piscine à débordement et remarquable spa. Le restaurant brille par son cadre d'exception et sa fine cuisine mêlant terroirs corse et italien.

Belvédère
5 km par rte de la plage de Palombaggia – ℰ 04 95 70 54 13
– www.hbcorsica.com – info@hbcorsica.com – Fax 04 95 70 42 63
– Fermé 4 janv.-12 mars
19 ch – †100/410 € ††100/410 €, ⊇ 20 € – ½ P 360/570 €
Rest – (fermé lundi et mardi du 12 oct. au 12 avril) Menu (60 €), 70/110 €
– Carte 90/120 € ⚜
Rest *La Brocherie-Marie e Tarra* – rest.-terrasse (ouvert mi-avril-début oct.)
Carte 50/80 €
Spéc. Nougat froid d'huître de Diana et caviar (oct. à avril). Pomme de ris de veau glacée à la myrte. Tarte fine aux figues gratinée à l'amande douce, crème glacée à la vanille bourbon (oct. à avril). **Vins** Corse-Ajaccio, Corse-Figari.

♦ Dans une oasis de verdure au bord de l'eau, bel ensemble avec piscine et terrasse panoramiques, plage privée et chambres (en partie refaites) logées dans de paisibles pavillons. Chaleureux restaurant tourné vers la mer ; cuisine épurée. Carte d'été simplifiée au Mari e Tarra.

Alta Rocca sans rest
rte de Palombaggia – ℰ 04 95 70 22 01 – www.hotelaltarocca.com
– hotelaltarocca@wanadoo.fr – Fax 04 95 70 44 05
16 ch – †235/289 € ††235/289 €, ⊇ 16 € – 2 suites

♦ Belle villa moderne accrochée à la montagne. Vue imprenable sur la baie de Porto-Vecchio, tant des chambres (toutes avec balcon ou terrasse) que de la piscine à débordement.

Le Goéland
à la Marine – ℰ 04 95 70 14 15 – www.hotelgoeland.com – contact@hotelgoeland.com – Fax 04 95 72 05 18 – Ouvert fin mars-début nov.
28 ch ⊇ – †95/195 € ††110/210 € – ½ P 80/180 €
Rest – Menu (18 € bc), 28/45 € – Carte 34/55 €

♦ Intégralement refait, cet hôtel agréable propose des chambres d'allure marine : lampes tempêtes, meubles aux peintures patinées... Le grand restaurant s'ouvre totalement sur le golfe et le jardin. Cuisine corse et plats méditerranéens affichés à l'ardoise.

Le Syracuse sans rest
6 km par rte de Palombaggia – ℰ 04 95 70 53 63 – www.corse-hotelsyracuse.com
– contact@corse-hotelsyracuse.com – Fax 04 95 70 28 97 – Ouvert 1ᵉʳ avril-1ᵉʳ oct.
18 ch – †110/271 € ††116/285 €, ⊇ 9 €

♦ Plusieurs bâtiments modernes séparés de la mer par une végétation luxuriante. Chambres en rez-de-jardin ou dotées d'une loggia. Farniente sur la plage ou près de la piscine.

Golfe Hôtel
r. du 9 Septembre 1943 – ℰ 04 95 70 48 20 – www.golfehotel.com – info@golfehotel-corse.com – Fax 04 95 70 92 00
42 ch ⊇ – †78/270 € ††95/330 €
Rest – (fermé sam. et dim. hors saison) (dîner seult) (résidents seult)
Carte 25/40 €

♦ Hôtel situé sur la route du port. Les chambres aménagées autour de la piscine offrent une décoration contemporaine soignée. Celles du bâtiment principal sont plus simples. Salle à manger sobre et claire où l'on propose une formule buffet.

Porto-Vecchio – CORSE

Alcyon sans rest
9 r. Mar. Leclerc, (face à la poste) – ℰ 04 95 70 50 50 – www.hotel-alcyon.com
– info@hotel-alcyon.com – Fax 04 95 70 25 84
40 ch – †55/180 € ††70/280 €, ⊇ 10 €

♦ Immeuble moderne du centre-ville aux chambres sobres et fonctionnelles, toutes rénovées. Celles situées côté façade profitent d'une échappée sur la mer, les autres du calme.

San Giovanni
rte Arca, 3 km au Sud-Ouest par D 659 – ℰ 04 95 70 22 25
– www.hotel-san-giovanni.com – info@hotel-san-giovanni.com
– Fax 04 95 70 20 11 – Ouvert 3 mars-3 nov.
30 ch – †65/110 € ††70/127 €, ⊇ 11 € – ½ P 64/83 €
Rest – (dîner seult) (résidents seult)

♦ Pension de famille dans un très beau parc arboré et fleuri, agrémenté d'un bassin. Certaines chambres donnent de plain-pied sur un petit jardin privatif. Piscine et jacuzzi. Petits-déjeuners et restauration familiale simple servie sous la pergola.

XX L'Orée du Maquis
à la Trinité, 5 km au Nord par chemin de la Lézardière – ℰ 04 95 70 22 21
– daniellec201@orange.fr – Fax 04 95 70 22 21
– Ouvert 15 juin-15 sept. et fermé le lundi
Rest – (dîner seult) (nombre de couverts limité, prévenir) Menu 70 €

♦ Un chemin escarpé mène à la villa. Restaurant en plein air (tables dressées sous un dais), grand ouvert sur le littoral. Menu unique : poissons, crustacés… et foie gras !

XX Le Troubadour
13 r. Gén. Leclerc (1er étage), (près de la poste) – ℰ 04 95 70 08 62
– bertrandtillous@orange.fr – Fermé 1er-19 janv., dim. de sept. à juin et le midi en juil.-août
Rest – Menu (30 €), 39/89 € – Carte 59/80 €

♦ Ce restaurant abrite à l'étage une salle à manger ornée de boiseries et de casseroles en cuivre, prolongée par une véranda rétro. Fine cuisine actuelle.

au golfe de Santa Giulia 8 km au Sud par N 198 et rte secondaire
– ⊠ 20137 Porto-Vecchio

Moby Dick
– ℰ 04 95 70 70 00 – www.sud-corse.com – mobydick@sud-corse.com
– Fax 04 95 70 70 01 – Ouvert fin-avril-mi-oct.
44 ch – †133/191 € ††148/206 €, ⊇ 15 € **Rest** – Menu 42 € – Carte 65/75 €

♦ Emplacement idyllique sur la lagune pour cet hôtel séparé du golfe aux couleurs polynésiennes par une plage de sable fin. Chambres spacieuses à choisir côté mer ou côté jardin. Au restaurant, cuisine méditerranéenne et produits locaux à l'honneur.

Castell' Verde
– ℰ 04 95 70 71 00 – www.sud-corse.com – castellverde@sud-corse.com
– Fax 04 95 70 71 01 – Ouvert 26 avril-15 ocotbre
30 ch (½ P seult en saison) – ½ P 95/155 €
Rest *Le Costa Rica* – voir ci-après

♦ Dans un site protégé (parc de 5 ha), spacieux bungalows à portée de la grande bleue. Chambres aux tissus colorés et mobilier en bois. Piscine et accès direct à la plage.

Alivi sans rest
Marina di Santa Giulia – ℰ 04 95 52 01 68 – www.marinadisantagiulia.fr
– hotel-alvidisantagiulia@orange.fr – Fax 04 95 22 49 08
10 ch – †118/343 € ††133/358 €, ⊇ 16 €

♦ Retirez-vous dans cet hôtel contemporain préservé, entre mer et maquis. Chambres décorées dans un style actuel apaisant. Piscine agréable regardant la baie de Santa Giulia.

XX U Santa Marina
Marina Di Santa Giulia – ℰ 04 95 70 45 00 – www.usantamarina.com
– santamarina@orange.fr – Fax 04 95 70 45 00 – Ouvert 16 mars-31 oct.
Rest – (dîner seult) Menu 35 €, 65/115 € – Carte 75/102 €

♦ Ambiance "Sud" et belle cuisine actuelle valorisant la pêche locale, dans cette maison agrémentée de terrasses tournées vers le golfe. Carte de grillades et salades à la plage.

CORSE – Porto-Vecchio

XX **Le Costa Rica** – H. Castell' Verde
– ℰ 04 95 72 24 51 – castellverde@sud-corse.com – Fax 04 95 70 05 66
– Ouvert 1ᵉʳ mai-15 oct.
Rest – Menu 38 € (dîner) – Carte 45/72 €
♦ L'agréable terrasse du restaurant, dont le décor mise sur la sobriété, surplombe la baie et offre un panorama unique. Carte contemporaine axée sur la mer.

à Cala Rossa 10 km au Nord-Est par N 198 et D 468 – ⊠ 20137 Lecci

Grand Hôtel de Cala Rossa ⑤
– ℰ 04 95 71 61 51 – www.cala-rossa.com
– calarossa@relaischateaux.fr – Fax 04 95 71 60 11
30 ch ⊇ – †385/655 € ††430/1165 € – 10 suites – ½ P 265/635 €
Rest – (dîner seult) Menu 120/170 € – Carte 180/220 € 🕊
Spéc. Crevettes rouges snackées au citron confit. Chapon de Méditerranée en filet à la plancha. Chocolat pour amateur de cacao moelleux tiède. **Vins** Corse-Figari, Patrimonio
♦ Sous les pins, jardin luxuriant avec à l'horizon la plage et un ponton privé : à demeure d'exception, écrin splendide. Spacieuses chambres très raffinées. Magnifique spa. Élégante salle à manger subtilement rustique, luxueuse terrasse ombragée et cuisine inventive.

à la presqu'île du Benedettu 10 km au Nord-Est par N 198 et D 468 – ⊠ 20137 Porto-Vecchio

U Benedettu ⑤
– ℰ 04 95 71 62 81 – www.rent-corsica.com – benedettu@wanadoo.fr
– Fax 04 95 71 66 37 – Ouvert fin mars-fin oct.
20 ch ⊇ – †80/195 € ††195/210 € – 3 suites   **Rest** – Carte 29/50 €
♦ Situation idyllique, entre côte sauvage et plage de sable fin, pour ces pavillons disséminés sur une presqu'île. Chambres dotées de terrasses, golfe de Porto-Vecchio à l'horizon. Petite carte régionale dans la salle à manger-véranda qui a "les pieds dans l'eau".

PROPRIANO – 2A Corse-du-Sud – **345** C9 – 3 166 h. – alt. 5 m – ⊠ 20110   15 **A3**
▶ Ajaccio 74 – Bonifacio 62 – Corte 139 – Sartène 13
🛈 Office de tourisme, Port de Plaisance ℰ 04 95 76 01 49, Fax 04 95 76 00 65

Grand Hôtel Miramar
rte Corniche – ℰ 04 95 76 06 13 – www.grandhotel
miramar.com – miramar@wanadoo.fr – Fax 04 95 76 13 14 – Ouvert mai-sept.
23 ch – †210/505 € ††210/505 €, ⊇ 27 € – 3 suites   **Rest** – Carte 60/80 €
♦ Au cœur d'un parc luxuriant, cette villa aux murs chaulés regarde le golfe du Valinco. Salon garni d'objets chinés ; chambres spacieuses et raffinées (avec balcon). Carte épurée et produits locaux proposés dans un cadre coquet ou en terrasse sous les mûriers.

Loft Hôtel sans rest
3 r. Pandolfi – ℰ 04 95 76 17 48 – loft-hotel@wanadoo.fr – Fax 04 95 76 22 04
– Ouvert 16 mars-29 oct.
25 ch – †47/75 € ††47/75 €, ⊇ 6 €
♦ Cet hôtel en retrait du port abrite de grandes chambres (mansardées à l'étage). Accueil personnalisé du patron ; petit-déjeuner servi en terrasse aux beaux jours.

Le Lido ⑤
42 av. Napoléon III – ℰ 04 95 76 06 37 – www.le-lido.com – le.lido@wanadoo.fr
– Fax 04 95 76 31 18 – Ouvert 15 avril-30 oct.
11 ch – †150/500 € ††150/500 €, ⊇ 15 €
Rest – (ouvert 15 avril-30 sept., et fermé mardi midi et lundi sauf août)
Menu (30 €) – Carte 70/90 €
♦ Sur une presqu'île, hôtel les pieds dans l'eau : chambres bien décorées (bois exotique, objets chinés, mosaïques portugaises), certaines ont une terrasse donnant sur la plage. Produits de la mer à l'honneur au restaurant ; terrasse sur un promontoire au-dessus des flots.

Propriano – CORSE

Le Tout va Bien "Chez Parenti"
13 av. Napoléon – ℰ *04 95 76 12 14* – *www.chezparenti.fr* – *mathieu.andrei@wanadoo.fr* – *Fax 04 95 76 27 11* – *Fermé 1er-15 déc., 2 janv.-28 fév., dim. soir et lundi sauf le soir en saison*
Rest – Menu (23 €), 32/55 € – Carte 55/85 €

♦ Ce sympathique restaurant tenu depuis 1935 par la famille Parenti dispose d'une agréable terrasse tournée vers le port. Cuisine traditionnelle ou plus actuelle.

QUENZA – 2A Corse-du-Sud – **345** D9 – 243 h. – alt. 840 m – ✉ 20122   15 **B3**

▫ Ajaccio 85 – Bonifacio 75 – Porto-Vecchio 47 – Sartène 38
▫ Fresques★ de la chapelle Santa-Maria-Assunta.

Sole e Monti sans rest
– ℰ *04 95 78 62 53* – *www.solemonti.com* – *sole.e.monti@wanadoo.fr*
– *Fax 04 95 78 63 88* – *Ouvert 15 avril-30 sept.*
19 ch ⊇ – †80/135 € ††100/210 €

♦ Dans un village dominé par les majestueuses aiguilles de Bavella, chambres rustiques (deux rénovées à l'identique), à choisir côté façade principale pour la vue sur la vallée.

ST-FLORENT – 2B Haute-Corse – **345** E3 – 1 597 h. – ✉ 20217   15 **B1**

▫ Bastia 22 – Calvi 70 – Corte 75 – L'Île-Rousse 45
▫ Office de tourisme, centre Administratif ℰ 04 95 37 06 04, Fax 04 95 35 30 74
▫ Église Santa Maria Assunta★★ - Vieille Ville★.
▫ Les Agriates★.

Demeure Loredana sans rest
Cisterninu Suttanu – ℰ *04 95 37 22 22* – *www.demeureloredana.com* – *info@demeureloredana.com* – *Fax 04 95 37 41 91* – *Ouvert 31 mars-4 nov.*
18 ch – †190/440 € ††190/440 €, ⊇ 23 € – 4 suites

♦ Cet hôtel rivalise de détails luxueux pour un séjour d'exception. Espaces cossus ; le décor raffiné, imaginé par les propriétaires, marie plusieurs styles. Vue sur la mer, piscine.

La Roya
plage de la Roya, 1 km par rte de Calvi puis rte secondaire – ℰ *04 95 37 00 40*
– *www.hotelroya.com* – *michel@hotelroya.com* – *Fax 04 95 37 09 85*
– *Ouvert 1er avril-11 nov.*
33 ch – †140/390 € ††140/390 €, ⊇ 15 € – 4 suites
Rest – *(ouvert 1er avril-31 oct.)* Menu 45 € – Carte 49/73 €
Spéc. Millefeuille de rouget. Chapon de pêche locale. Chaud-froid aux deux chocolats.

♦ Architecture moderne face à la plage de la Roya (accès direct). Jolies chambres bien équipées, d'esprit méridional ou asiatique, souvent dotées de balcons côté flots. Ambiance actuelle et raffinée au restaurant, superbe terrasse et cuisine fine mettant en valeur le terroir.

La Dimora sans rest
4,5 km par D 82 rte d'Oletta – ℰ *495352251* – *www.ladimora.fr* – *info@ladimora.fr* – *Fax 495382531* – *Ouvert 2 avril-12 nov.*
15 ch – †145/330 € ††145/330 €, ⊇ 18 € – 2 suites

♦ Matériaux nobles du pays, authenticité et luxe contemporain discret caractérisent cette villa du 18e s. où l'on est reçu comme des amis. Piscine et jardin invitent au farniente.

Dolce Notte sans rest
rte de Bastia – ℰ *04 95 37 06 65* – *www.hotel-dolce-notte.com* – *info@hotel-dolce-notte.com* – *Fax 04 95 37 10 70* – *Ouvert d'avril à oct.*
20 ch – †70/166 € ††70/166 €, ⊇ 8 €

♦ Longeant la côte, maison tout en longueur aux chambres dotées de terrasses ou loggias côté mer ; certaines refaites à neuf et plus originales (galets, voûtes, éclairage indirect).

CORSE – St-Florent

Tettola sans rest
1 km au Nord sur D 81 – ℰ *04 95 37 08 53* – www.tettola.com – info@tettola.com
– Fax 04 95 37 09 19 – Ouvert d'avril à oct.
30 ch – †50/130 € ††70/170 €, ⊇ 8 €

♦ Sur une plage de galets, hôtel bien rénové disposant d'une belle terrasse. Chambres face à la montagne ou la grande bleue (plus tranquilles et lumineuses). Accueil aimable.

Les Galets sans rest
rte du Front de Mer – ℰ *04 95 37 09 09* – www.hotel-lesgalets.com – info@hotel-lesgalets.com – Fax 04 95 37 48 88 – Ouvert d'avril à oct.
16 ch – †47/128 € ††49/128 €, ⊇ 7 €

♦ Attenant à une résidence, mais indépendant, cet hôtel moderne dispose de grandes chambres fonctionnelles (balcon et vue sur la mer) et réserve un bon accueil. Agréable jardin.

La Florentine sans rest
1 km au Nord par D 81 – ℰ *04 95 37 00 99* – www.hotellaflorentine.com
– contact@hotellaflorentine.com – Fax 04 95 31 72 45 – Ouvert 11 avril-2 oct.
20 ch – †80/240 € ††80/240 €, ⊇ 10 €

♦ Jardin fleuri, terrasse ombragée, délicieuse piscine, couleurs chatoyantes, chambres fraîches et confortables... Autant d'atouts pour cet hôtel tout neuf, situé en bord de mer.

Maxime sans rest
St Florent – ℰ *04 95 37 05 30* – Fermé fin-nov.-début-fév.
19 ch – †52/78 € ††52/78 €, ⊇ 9 €

♦ Bâtisse blanche aux volets bleus construite au bord d'un petit canal (amarrage possible). La plupart des chambres sont équipées de loggias ou de balcons.

La Maison Rorqual sans rest
rte de la Roya – ℰ *04 95 37 05 37* – www.maison-rorqual.com – info@maison-rorqual.com – Fax 495370537
5 ch – †250/450 € ††250/450 €, ⊇ 15 €

♦ Cette demeure a été conçue par son propriétaire comme un hymne à l'authenticité Corse. Chaque chambre évoque un univers, allant du romantique à l'insolite. Piscine à débordement.

XX La Rascasse
promenade des Quais – ℰ *04 95 37 06 09* – atrium-saintflorent@wanadoo.fr
– Fax 04 95 37 06 99 – Ouvert avril-sept. et fermé lundi sauf de juin à août
Rest – Menu 38 € – Carte 52/77 €

♦ Venez ici déguster une cuisine au goût du jour, à base de beaux produits frais et de poissons de qualité. Deux agréables terrasses dont une panoramique dominant le port.

STE-LUCIE-DE-PORTO-VECCHIO – 2A Corse-du-Sud – 345 F9
– ✉ 20144 Corse   15 **B3**

▶ Paris 942 – Ajaccio 157 – Porto-Vecchio 16 – Sartène 76 – Ghisonaccia 42
🛈 Syndicat d'initiative, Mairie annexe ℰ 04 95 71 48 99, Fax 04 95 71 48 99

Le Pinarello sans rest
Pinarello – ℰ *04 95 71 44 39* – www.lepinarello.com – contact@lepinarello.com
– Fax 04 95 70 66 87 – Ouvert de mi-avril à mi-oct.
31 ch – †229/400 € ††246/590 €, ⊇ 22 € – 14 suites

♦ Bel ensemble au luxe discret dans un cadre de rêve... Chambres et suites contemporaines, magnifique vue sur le golfe, centre de soins. À midi, snacking au luxueux bar-terrasse.

X La Fleur de Sel
Pinarello – ℰ *04 95 71 06 49* – crechous@wanadoo.fr – Ouvert 15 mars-1er oct.
Rest – *(dîner seult) (nombre de couverts limité, prévenir)* Menu 32 €, 55/80 €
– Carte 40/60 €

♦ Face à la mer, ce restaurant propose une carte autour des produits du terroir. Intérieur coquet tout blanc, terrasse ombragée (bel olivier, palmiers, vigne, fleurs de jasmin).

COSQUEVILLE – 50 Manche – 303 D1 – 570 h. – alt. 22 m – ✉ 50330   32 A1
▶ Paris 358 – Caen 124 – Carentan 51 – Cherbourg 21 – St-Lô 79 – Valognes 27

XX **Au Bouquet de Cosqueville** avec ch   P VISA ⓶
38 hameau Remond – ☏ *02 33 54 32 81* – *www.bouquetdecosqueville.com*
– *aubouquet.decosqueville@orange.fr* – *Fax 02 33 54 63 38* – *Fermé lundi*
7 ch – ♦30/52 € ♦♦30/52 €, ⊐ 7 € – ½ P 58 €
Rest – Menu 20/58 € – Carte 37/54 €
◆ Un décor sagement rustique et une ambiance feutrée vous attendent dans cette vieille maison villageoise tapissée de vigne vierge. Cuisine de la mer et du terroir.

LE COTEAU – 42 Loire – 327 D3 – rattaché à Roanne

LA CÔTE-ST-ANDRÉ – 38 Isère – 333 E5 – 4 496 h. – alt. 370 m   44 B2
– ✉ 38260 ▌Lyon et la vallée du Rhône
▶ Paris 525 – Grenoble 50 – Lyon 67 – La Tour-du-Pin 33 – Valence 75
  – Vienne 36 – Voiron 32
▌Office de tourisme, place Hector Berlioz ☏ 04 74 20 61 43, Fax 04 74 20 56 25

XX **France** avec ch   🍴 AC 📶 🛁 VISA ⓶
16 pl. de l'Église – ☏ *04 74 20 25 99* – *www.hoteldefrance.info* – *Fax 04 74 20 35 30*
14 ch – ♦58 € ♦♦62/75 €, ⊐ 11 €
Rest – *(fermé dim. soir et lundi sauf fériés)* Menu (28 €), 30 € (sem.)/82 €
– Carte 44/96 €
◆ Au cœur de la cité natale de Berlioz, cette demeure ancienne vous propose une cuisine ancrée dans la tradition. Petites chambres simples mais rafraîchies.

COTI-CHIAVARI – 2A Corse-du-Sud – 345 B9 – voir à Corse

COTINIÈRE – 17 Charente-Maritime – 324 C4 – rattaché à Île d'Oléron

LA COUARDE-SUR-MER – 17 Charente-Maritime – 324 B2 – voir à Île de Ré

COUDEKERQUE-BRANCHE – 59 Nord – 302 C1 – rattaché à Dunkerque

COUDRAY – 53 Mayenne – 310 F8 – rattaché à Château-Gontier

LE COUDRAY-MONTCEAUX – 91 Essonne – 312 D4 – 106 44 – voir à Paris, Environs (Corbeil-Essonnes)

COUERON – 44 Loire-Atlantique – 316 F4 – rattaché à Nantes

COUILLY-PONT-AUX-DAMES – 77 Seine-et-Marne – 312 G2   19 C2
– 2 007 h. – alt. 50 m – ✉ 77860 ▌Île de France
▶ Paris 45 – Coulommiers 20 – Lagny-sur-Marne 12 – Meaux 9 – Melun 45

XX **Auberge de la Brie** (Alain Pavard)   🚗 AC ⇔ P VISA ⓶ AE
❀ *14 av. Alphonse Boulingre, (D 436)* – ☏ *01 64 63 51 80*
– *www.aubergedelabrie.com* – *Fax 01 60 04 69 82* – *Fermé 12-20 avril,*
1ᵉʳ-25 août, 20 déc.-5 janv., dim. et lundi
Rest – *(nombre de couverts limité, prévenir)* Menu (38 €), 45/65 € – Carte 69/95 € 🍷
Spéc. Foie gras poêlé aux noisettes, tatin de rhubarbe. Saint-Jacques au citron vert, zestes confits et pousses d'épinard (oct. à avril). Profiteroles "minute" à la vanille bourbon, sauce chocolat légèrement fumante.
◆ Parmi les atouts que compte cette coquette maison briarde : son cadre contemporain raffiné, sa délicieuse cuisine actuelle personnalisée et son accueil tout sourire.

COUIZA – 11 Aude – 344 E5 – 1 198 h. – alt. 228 m – ⊠ 11190   22 B3
Languedoc Roussillon

▶ Paris 785 – Carcassonne 41 – Foix 75 – Perpignan 88 – Toulouse 110

Château des Ducs de Joyeuse
allée du Château – ℘ 04 68 74 23 50
– www.chateau-des-ducs.com – reception@chateau-des-ducs.com
– Fax 04 68 74 23 36 – Ouvert 6 mars-10 nov.
35 ch ⊇ – ╪110/140 € ╪╪110/230 €
Rest *– (fermé dim. et lundi sauf de juin à sept. et le midi d'oct. à mai)*
Menu (26 € bc), 37 € (dîner), 44/60 € – Carte 53/71 €

♦ Les tours de ce beau château fortifié (16ᵉ s.) abritent de belles chambres d'inspiration médiévale (pierres, poutres, lits à baldaquin) ; toutes ont été rénovées. Élégante salle à manger voûtée ; cuisine sensible au rythme des saisons et au terroir.

COULANDON – 03 Allier – 326 G3 – rattaché à Moulins

COULLONS – 45 Loiret – 318 L6 – 2 274 h. – alt. 166 m – ⊠ 45720   12 C2

▶ Paris 165 – Aubigny-sur-Nère 18 – Gien 16 – Orléans 60 – Sully-sur-Loire 22

La Canardière
1 r. de la Mairie – ℘ 02 38 29 23 47 *– www.restaurantlacanardiere.fr*
– la.canardiere@wanadoo.fr – Fax 02 38 29 27 33 – Fermé 10 août-1ᵉʳ sept.,
21 déc.-5 janv., dim. soir, merc. soir, lundi et mardi
Rest – Menu (20 €), 26 € (déj. en sem.), 28/69 € – Carte 54/85 €
Rest *Le Bistro* – Menu 11 € bc (déj. en sem.)/18 € – Carte 21/50 €

♦ Restaurant au cadre rustique soigné : poutres, belle cheminée en cuivre, trophées de chasse et animaux naturalisés. Cuisine traditionnelle et gibier en saison. Au Bistro, menu à l'ardoise ou carte traditionnelle, atmosphère conviviale et confort simple mais agréable.

COULOMBIERS – 86 Vienne – 322 H6 – 1 049 h. – alt. 141 m   39 C2
– ⊠ 86600

▶ Paris 352 – Couhé 25 – Lusignan 8 – Parthenay 44 – Poitiers 19 – Vivonne 10

Auberge le Centre Poitou
39 r. Nationale – ℘ 05 49 60 90 15 *– www.centre-poitou.com*
– hotelcentre-poitou@wanadoo.fr – Fax 05 49 60 53 70 – Fermé 20 oct.-3 nov.,
23 fév.-2 mars, dim. soir et lundi du 15 sept. à juin
13 ch – ╪48/74 € ╪╪54/80 €, ⊇ 9 € – ½ P 60/85 €
Rest – Menu (19 €), 27/50 € – Carte 65/88 €

♦ Relais sur la route de Compostelle, cette maison régionale dispose d'agréables chambres meublées dans le style Louis-Philippe. Salon-piano, jardin verdoyant. Chaleureux restaurant façon auberge, terrasse sous une tonnelle et carte au goût du jour bien composée.

COULOMMIERS – 77 Seine-et-Marne – 312 H3 – 13 700 h. – alt. 85 m   19 D2
– ⊠ 77120 **Île de France**

▶ Paris 62 – Châlons-en-Champagne 111 – Meaux 26 – Melun 46 – Provins 39
🛈 Office de tourisme, 7, rue du Général-de-Gaulle ℘ 01 64 03 88 09,
Fax 01 64 03 88 09

Les Échevins
quai de l'Hôtel-de-Ville – ℘ 01 64 20 75 85 *– www.lesechevins.com*
– les.echevins@wanadoo.fr – Fax 01 64 20 03 32 – Fermé août, janv., dim. et lundi
Rest – Menu (14 €), 18 € (sem.) – Carte 25/55 €

♦ Au cœur de la ville, cette maison posée sur la rive d'un canal du Morin dissimule une salle aux tons pastel et une terrasse d'été protégée. Menus inspirés par les saisons.

à Pommeuse Ouest : 6,5 km – 2 693 h. – alt. 67 m – ⊠ 77515

Le Moulin de Pommeuse sans rest
32 av. Gén. Herne – ℘ 01 64 75 29 45 *– www.le-moulin-de-pommeuse.com*
– info@le-moulin-de-pommeuse.com – Fax 01 64 75 29 45
5 ch ⊇ – ╪56 € ╪╪80 €

♦ Ce moulin à eau du 14ᵉ s. abrite de jolies chambres aux noms évocateurs : Semailles, Moisson, Batteuse... Petit salon aménagé dans l'ex-machinerie et parc agrémenté d'une île.

COULON – 79 Deux-Sèvres – 322 C7 – 2 180 h. – alt. 6 m – ⌧ 79510 — 38 B2
Poitou Vendée Charentes

- Paris 418 – Fontenay-le-Comte 25 – Niort 11 – La Rochelle 63 – St-Jean-d'Angély 58
- Office de tourisme, 31, rue Gabriel Auchier ℰ 05 49 35 99 29, Fax 05 49 35 84 31
- Marais poitevin★★.

Au Marais sans rest
quai L. Tardy – ℰ 05 49 35 90 43 – www.hotel-aumarais.com – information@hotel-aumarais.com – Fax 05 49 35 81 98 – Fermé 15 déc.-1er fév.
18 ch – †70 € ††80 €, ⌑ 12 €

◆ Face à l'embarcadère pour le Marais mouillé, deux anciennes maisons de bateliers rénovées. Agréables chambres mêlant classique et contemporain, certaines avec vue sur la Sèvre.

Le Central avec ch
4 r. d'Autrement – ℰ 05 49 35 90 20 – www.hotel-lecentral-coulon.com – le-central-coulon@wanadoo.fr – Fax 05 49 35 81 07 – Fermé 9 fév.-4 mars
13 ch ⌑ – †51/55 € ††58/72 € – ½ P 58/65 €
Rest – (fermé 9 fév.-4 mars, 5-21 oct., dim. soir et lundi) Menu 20 € (sem.), 27/41 € – Carte 36/50 €

◆ Auberge vous accueillant dans une salle à manger tendance pour déguster une cuisine traditionnelle soignée. Chambres cosy et chaleureuses, revues dans un esprit campagnard chic légèrement personnalisé.

> Ce guide vit avec vous : vos découvertes nous intéressent.
> Faites-nous part de vos satisfactions comme de vos déceptions.
> Coup de colère ou coup de cœur : écrivez-nous !

COUPELLE-VIEILLE – 62 Pas-de-Calais – 301 F4 – 510 h. – alt. 147 m — 30 A2
– ⌧ 62310

- Paris 232 – Abbeville 58 – Arras 64 – Boulogne-sur-Mer 48 – Calais 68 – Lille 90

Le Fournil
r. St-Omer – ℰ 03 21 04 47 13 – www.fournil.new.fr – glefournil@wanadoo.fr – Fax 03 21 47 16 06 – Fermé mardi soir, dim. soir, soirs fériés et lundi
Rest – Menu (15 €), 18 € (sem.)/44 € – Carte 35/58 €

◆ Restaurant proche du parc d'attractions du Moulin de la tour. Chaleureuse salle à manger au décor étudié où l'on sert une cuisine actuelle arrosée de crus bien choisis.

COURBAN – 21 Côte-d'Or – 320 I2 – 160 h. – alt. 262 m – ⌧ 21520 — 8 C1
- Paris 252 – Dijon 101 – Chaumont 43 – Langres 58 – Châtillon-sur-Seine 17

Château de Courban
7 r. du Lavoir – ℰ 03 80 93 78 69 – www.chateaudecourban.com – contact@chateaudecourban.com – Fax 03 80 93 79 23
16 ch – †95 € ††95 €, ⌑ 14 € – ½ P 95 €
Rest – (dîner seult) Menu 29/49 € – Carte 39/53 €

◆ Charme, authenticité et modernité caractérisent cette demeure bourgeoise entourée de beaux jardins. Chambres cosy, salons confortables, piscine. Salle à manger façon "orangerie", terrasse orientée vers la verdure, et cuisine traditionnelle, servie uniquement le soir.

COURBEVOIE – 92 Hauts-de-Seine – 311 J2 – 101 15 – voir à Paris, Environs

COURCELLES-DE-TOURAINE – 37 Indre-et-Loire – 317 K4 – 393 h. — 11 A2
– alt. 85 m – ⌧ 37330

- Paris 267 – Angers 74 – Chinon 46 – Saumur 46 – Tours 35
- du Château des Sept-Tours, E : 7 km, ℰ 02 47 24 69 75

COURCELLES-DE-TOURAINE

au golf 7 km à l'Est dir. Ambillou puis Château-La-Vallière – ✉ 37330 Courcelles-de-Touraine :

Château des Sept Tours
Le Vivier des Landes - D34 – ℰ 02 47 24 69 75
– www.7tours.com – info@7tours.com – Fax 02 47 24 23 74 – *Fermé mi-déc. à mi-fév.*
46 ch – †140/325 € ††140/325 €, ⊑ 18 €
Rest *Notaboo* – *(fermé dim. soir et lundi du 1er nov. au 31 janv. et le midi du lundi au jeudi)* Menu 65/130 € bc – Carte 70/86 €
Rest *Club House* – ℰ 02 47 24 59 67 – Menu (15 €) – Carte environ 24 €
♦ Château du 15e s. entouré d'un golf 18 trous. Grandes chambres sobrement décorées ; fonctionnelles à l'Orangerie. Le chef, sorcier des fourneaux, réalise une cuisine inventive, servie dans une salle bourgeoise doublée d'une terrasse-véranda tournée vers le parc. Carte actuelle au Club House, situé dans une ex-chapelle.

COURCELLES-SUR-VESLE – 02 Aisne – 306 D6 – 324 h. – alt. 75 m — 37 C2
– ✉ 02220

▶ Paris 122 – Fère-en-Tardenois 20 – Laon 35 – Reims 39 – Soissons 21

Château de Courcelles
– ℰ 03 23 74 13 53 – www.chateau-de-courcelles.fr
– reservation@chateau-de-courcelles.fr – Fax 03 23 74 06 41
15 ch – †185/360 € ††185/360 €, ⊑ 21 € – 3 suites – ½ P 178/315 €
Rest – Menu 50/90 € – Carte 95/125 €
Spéc. Langoustines de petite pêche saisies à l'huile d'olive (été). Lièvre à la royale (oct. à déc.). Chocophile. **Vins** Champagne.
♦ Château du 17e s. dans un parc de 20 ha (étang). Crébillon, Rousseau ou encore Cocteau lui ont confirmé ses lettres de noblesse. Chambres personnalisées. Salle à manger raffinée et belle véranda, meublée dans le style Napoléon III. Cuisine au goût du jour.

COURCHEVEL – 73 Savoie – 333 M5 – Sports d'hiver : 1 100/2 750 m — 45 D2
✦11 ✦54 ✦ – ✉ 73120 ▌Alpes du Nord

▶ Paris 660 – Albertville 52 – Chambéry 99 – Moûtiers 25
Altiport ℰ 04 79 08 31 23, S : 4 km
☐ Office de tourisme, ℰ 04 79 08 00 29, Fax 04 79 08 15 63

Plan page ci-contre

à Courchevel 1850 – alt. 1 850 m – ✉ 73120

◉ ❊✯ – Belvédère la Saulire ✯✯✯ (télécabine).

Les Airelles
Au Jardin Alpin – ℰ 04 79 00 38 38
– www.airelles.fr – info@airelles.fr – Fax 04 79 00 38 39
– *Ouvert 12 déc.-12 avril*   Z h
37 ch (½ P seult) – 15 suites – ½ P 450/1175 €
Rest *Pierre Gagnaire pour les Airelles* – *(dîner seult)* Menu 280/400 €
– Carte 330/565 €
Rest *La Table du Jardin* – Carte 120/200 €
Rest *Le Coin Savoyard* – *(dîner seult)* Menu 100/130 € – Carte 110/165 €
♦ Un somptueux palace de montagne, au cœur du Jardin Alpin. Cadre à la tyrolienne version grand luxe, immense spa, boutiques… L'élégant décor des Airelles de Pierre Gagnaire rend hommage à Sissi l'Impératrice. Recettes inventives. Délicieuse terrasse à la Table du Jardin. Carnotzet et carte fromagère au Coin Savoyard.

Cheval Blanc
au Jardin Alpin – ℰ 04 79 00 50 50 – www.chevalblanc.com – info@chevalblanc.com – Fax 04 79 00 50 51 – *Ouvert 6 déc.-13 avril*
                                                                                                Z m
32 ch (½ P seult) – 2 suites – ½ P 1150/2360 €
Rest *Le 1947* – Menu 115 € (dîner) – Carte 160/220 €
♦ Fastueuses chambres, appartement de 650 m², cadre design, photos signées K. Lagerfeld, spa Givenchy, boutiques de luxe : le chalet de montagne version… "haute couture". Brillante cuisine et sélection de Cheval Blanc (célèbre cru bordelais) à la table du 1947.

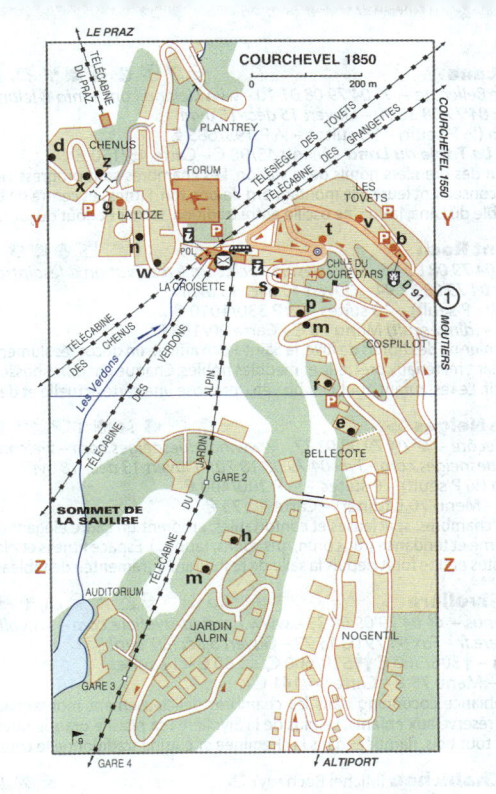

Le Kilimandjaro

rte Altiport – ℰ 04 79 01 46 46 – www.hotelkilimandjaro.com
– welcome@hotelkilimandjaro.com – Fax 04 79 01 46 40
– Ouvert mi-juil. à mi-août (sauf hôtel) et mi-déc. à mi-avril
32 ch (½ P seult) – 3 suites – ½ P 450/800 €
Rest *La Table du Kilimandjaro* – Carte 100/225 €
Spéc. Fines ravioles au bleu de Bonneval et à l'émulsion de pomme verte. Œuf de ferme poché, gambas et purée de pommes de terre à la truffe. Baba au génépi.
♦ Matériaux nobles (lauze, pierre et bois vieilli), équipements high-tech et confort absolu dans ces chalets formant un véritable hameau de montagne. À La Table du Kilimandjaro, dégustez une vraie cuisine inventive et ludique, misant sur la vérité du produit.

Amanresorts Le Mélézin

r. Bellecôte – ℰ 04 79 08 01 33 – www.amanresorts.com
– lemelezin@amanresorts.com – Fax 04 79 08 08 96 – Ouvert 19 déc.-13 avril Y r
23 ch – †730/1700 € ††730/1700 €, ⊇ 32 € – 8 suites **Rest** – Carte 70/100 €
♦ Grand chalet idéalement situé au pied des pistes. Ambiance très zen dans les chambres ; les plus spacieuses disposent d'un coin "day bed" (espace dédié au repos de jour). Outre sa carte traditionnelle, le restaurant propose des spécialités thaïlandaises.

Annapurna

rte Altiport – ℰ 04 79 08 04 60 – www.annapurna-courchevel.com – info@annapurna-courchevel.com – Fax 04 79 08 15 31 – Ouvert mi-déc. à mi-avril
66 ch ⊇ – †300/800 € ††535/1260 € – 8 suites
Rest – Menu 68 € (déj.), 76/175 € – Carte 40/155 €
♦ C'est l'hôtel de Courchevel le plus proche des cimes. Cadre minéral, sobre architecture de bois clair. La plupart des chambres sont exposées plein sud. Grande salle de restaurant et terrasse tournées vers les pistes de ski et la Saulire. Cuisine traditionnelle.

COURCHEVEL

Le Lana
rte de Bellecote – ℰ 04 79 08 01 10 – www.lelana.com – info@lelana.com
– Fax 04 79 08 36 70 – Ouvert 15 déc.-15 avril
Y p
55 ch (½ P seult) – 30 suites – ½ P 195/685 €
Rest *La Table du Lana* – Menu 45/90 € – Carte 45/150 €

♦ L'un des premiers hôtels de la station. Les chambres sont progressivement rénovées, mais conservent leur style montagnard de bon ton. Fitness et centre de beauté Clarins. À La Table du Lana, la cuisine oscille entre tradition, terroir et goût du jour.

Saint Roch
– ℰ 04 79 08 02 66 – www.lesaintroch.com – reservation@lesaintroch.com
– Fax 04 79 08 37 94 – Ouvert 13 déc.-13 avril
Y m
5 ch (½ P seult) – 10 suites – ½ P 330/1010 €
Rest – (dîner seult) Menu 70 € – Carte 90/160 €

♦ Dernier-né des hôtels de luxe, le Saint-Roch affiche un décor résolument contemporain associant matériaux précieux et meubles nobles. Chaque chambre possède un hammam privatif. Le restaurant, tout de noir vêtu, propose une carte actuelle et des grillades.

Des Neiges
r. Bellecôte – ℰ 04 79 08 03 77 – www.hoteldesneiges.com – welcome@hoteldesneiges.com – Fax 04 79 08 18 70 – Ouvert 13 déc.-18 avril
Z e
42 ch (½ P seult) – 6 suites – ½ P 200/400 €
Rest – Menu 70 € (dîner) – Carte 40/75 €

♦ Les chambres, spacieuses et confortables, arborent un cadre élégant et feutré ou plus moderne et tendance (tons brun, gris souris, taupe...). Espace fitness et piano-bar. Vue sur les pistes et une forêt depuis la salle de restaurant agrémentée de tableaux.

La Sivolière
r. Chenus – ℰ 04 79 08 08 33 – www.hotel-la-sivoliere.com – lasivoliere@sivoliere.fr – Fax 04 79 08 15 73 – Ouvert 5 déc.-27 avril
Y d
27 ch – †306/360 € ††510/600 €, ⊇ 30 € – 12 suites
Rest – Menu 75 € – Carte 94/141 €

♦ Ambiance cocooning dans les chambres délicieusement montagnardes et intimes. Salon réservé aux enfants. Le plus de la Sivolière : sa piscine grande ouverte sur la forêt. Décor tout bois, flambées dans la cheminée et cuisine traditionnelle côté restaurant.

Le Chabichou (Michel Rochedy)
r. Chenus – ℰ 04 79 08 00 55
– www.chabichou-courchevel.com – info@lechabichou.com – Fax 04 79 08 33 58
– Ouvert début juil. à début sept. et début déc. à fin avril
Y z
33 ch ⊇ – †360/970 € ††360/970 € – 8 suites
Rest – Menu (50 €), 90/200 € – Carte 165/220 €
Spéc. Foie gras de canard et lavaret fumé, gelée au sarrasin, sorbet herbes sauvages. Langoustines à l'huile de Zan, tarte à l'oignon caramélisé. Tout chocolat "Michel Rochedy". **Vins** Chignin-Bergeron, Mondeuse.

♦ Deux jolis chalets jumeaux tout de blanc vêtus. Intérieur raffiné et chambres de caractère, le tout dans la veine montagnarde. Salle à manger et terrasse tournées vers les pistes ; belle cuisine inventive où le produit est roi. Salon-fumoir (vente de cigares).

Les Grandes Alpes
r. de l'Église – ℰ 04 79 08 00 00 – www.lesgrandesalpes.com – welcome@lesgrandesalpes.com – Fax 04 79 08 12 52
– Ouvert de début déc. à fin avril
Y s
43 ch (½ P seult) – 5 suites – ½ P 205/1950 €
Rest – Menu 44 € (déj.), 65/85 € – Carte 42/84 €

♦ Ce chalet situé face à l'Office de tourisme surplombe une galerie marchande de luxe. Chambres spacieuses et coquettes, plus agréables côté sud (calme et vue sur les pistes). Pour les repas : formules rapides à midi, plats traditionnels et savoyards le soir.

De la Loze sans rest
r. Park City – ℰ 04 79 08 28 25 – www.la-loze.com – info@la-loze.com
– Fax 04 79 08 39 29 – Ouvert 12 déc.-17 avril
Y w
28 ch ⊇ – †250/520 € ††250/520 € – 1 suite

♦ Hôtel d'inspiration autrichienne tourné vers les pistes : bois couleur pain d'épice, chambres cosy ornées de frises et personnel en costume tyrolien. Sauna, hammam.

COURCHEVEL

La Pomme de Pin
r. Chenus – ℰ 04 79 08 36 88 – www.pommedepin.com – info@pommedepin.com – Fax 04 79 08 38 72 – Ouvert 20 déc.-14 avril
49 ch ⊊ – †355/479 € ††365/490 € – 1 suite – ½ P 223/360 €
Rest *Le Bateau Ivre* – voir ci-après
Rest – Menu (28 €), 46 € (dîner) – Carte 46/55 €
♦ Cette architecture moderne en bois et verre se distingue aisément parmi les chalets traditionnels. Chambres, spacieuses, à la fois contemporaines et montagnardes.

Courcheneige
r. de Nogentil – ℰ 04 79 08 02 59 – www.courcheneige.com – info@courcheneige.com – Fax 04 79 08 11 79 – Ouvert 20 déc.-18 avril
85 ch (½ P seult) – ½ P 132/300 € **Rest** – Carte 25/50 €
♦ Il règne une ambiance jeune, sportive et sympathique, dans ce chalet posé au milieu des pistes. Chambres de style régional, simples et bien tenues (couettes de lit). La terrasse du restaurant offre une vue imprenable sur les sommets ; carte traditionnelle.

Le Bateau Ivre (Jean-Pierre Jacob) – Hôtel La Pomme de Pin
r. Chenus – ℰ 04 79 00 11 71 – www.pommedepin.com – pommedepin.courchevel@wanadoo.fr – Fax 04 79 08 38 72 – Ouvert mi-déc. à mi-avril et fermé le midi du lundi au vend.
Rest – Menu 95/190 € – Carte 102/202 €
Spéc. Flan moelleux d'oursins, nuage de coquillages. Ris de veau braisé, truffes et asperges. Agrumes montés en millefeuille, crème glacée au caramel. **Vins** Roussette de Savoie, Chignin-Bergeron.
♦ Avec Courchevel et la Vanoise en toile de fond (la vue est époustouflante), on se régale de recettes créatives valorisant les produits savoyards. Beau choix de vins régionaux.

Il Vino d'Enrico Bernardo
La Porte de Courchevel – ℰ 04 79 08 29 62 – www.ilvinobyenricobernardo.com – info@ilvinobyenricobernardo.com – Fax 04 79 08 31 91 – Ouvert 12 déc.-30 avril
Rest – *(dîner seult)* Menu 100 € bc /1000 € bc – Carte 95/145 €
♦ Enrico Bernardo délocalise son célèbre concept parisien à Courchevel. Ici aussi on assortit – merveilleusement – les mets aux vins, et non l'inverse. Décor chic et contemporain.

Le Genépi
r. Park City – ℰ 04 79 08 08 63 – www.legenepi-courchevel.com – le-genepi@wanadoo.fr – Fax 04 79 06 51 43 – Ouvert sept. à avril et fermé sam. et dim. de sept. à nov.
Rest – Menu (27 €), 49/95 € – Carte 40/80 €
♦ La devanture façon chalet abrite une salle à manger rustico-montagnarde chaleureuse. À midi, menu orienté terroir et le soir carte traditionnelle plus étoffée.

La Saulire
pl. Rocher – ℰ 04 79 08 07 52 – www.lasaulire.fr – info@lasaulire.com – Fax 04 79 08 02 63 – Ouvert 1er déc.-30 avril
Rest – Menu (30 €), 40 € (déj.) – Carte 65/100 €
♦ Avec ses vieux outils paysans et son décor tout bois, cette table ne manque pas de cachet. Menu du jour à midi et carte enrichie de recettes à base de truffes du Périgord le soir.

La Fromagerie
La Porte de Courchevel – ℰ 04 79 08 27 47 – Fax 04 79 08 20 91 – Ouvert de début déc. à fin avril
Rest – *(dîner seult)* Menu 27/38 € – Carte 44/83 €
♦ Les spécialités fromagères sont à l'honneur dans ce restaurant, mais le chef propose également une carte traditionnelle variée. Déco à base d'objets chinés dans les brocantes.

à Courchevel 1650 par ① : 4 km – ⊠ 73120

Manali
r. Rosière – ℰ 04 79 08 07 07 – www.hotelmanali.com – info@hotelmanali.com – Fax 04 79 08 07 08 – Ouvert juil.-août et déc.-avril
29 ch (½ P seult) – 7 suites – ½ P 390/1400 €
Rest – Menu 70 € (dîner) – Carte 35/80 €
♦ Invitation au voyage dans les superbes chambres de cet hôtel de luxe : le bois montagnard se marie avec des éléments décoratifs inspirés d'Inde, de Suisse ou du Canada. Au restaurant, carte dans l'air du temps et recettes aux saveurs exotiques et épicées.

COURCHEVEL

Le Seizena
- ℰ 04 79 08 26 36 – www.hotelseizena.com – jab@hotelkilimandjaro.com
- Fax 04 79 08 38 83 – Ouvert mi-déc.-mi-avril

20 ch ⌑ – †180/290 € ††180/290 € **Rest** – (dîner seult) Carte 30/50 €

♦ Une enseigne et un cadre qui rendent hommage au Cessna et à l'aéronautique : chambres modernes évoquant les cabines, salles de bain façon cockpit, maquettes d'avions, etc. Le restaurant propose une carte naviguant entre la Savoie et le reste du monde.

au Praz (Courchevel 1300) par ① : 8 km – ⊠ 73120 St-Bon-Tarentaise

Les Peupliers
- ℰ 04 79 08 41 47 – www.lespeupliers.com – infos@lespeupliers.com
- Fax 04 79 08 45 05 – Fermé mai-juin et 1er oct.-20 nov.

35 ch – †160/205 € ††220/305 €, ⌑ 12 € – ½ P 140/190 €
Rest *La Table de mon Grand-Père* – Menu 25/30 € – Carte 33/58 €

♦ Cet hôtel familial situé à deux pas d'un petit lac abrite des chambres rénovées, chaleureuses et lambrissées ; elles sont dotées de balcons côté sud. Accueil sympathique. Jolies boiseries savoyardes et plats traditionnels à La Table de mon Grand-Père.

Azimut
Immeuble l'or blanc – ℰ 04 79 06 25 90 – Fax 04 79 06 29 44 – Ouvert 7 déc.-30 avril
Rest – Menu (23 €), 28/80 € – Carte 46/96 €

♦ Sobre salle contemporaine ponctuée de lambris et ambiance conviviale. Cuisine au goût du jour, un brin inventive, et carte de pâtes à midi. Bon choix de vins du Jura.

à la Tania – ⊠ 73120

🇩 Paris 661 – Lyon 195 – Chambéry 95 – Albertville 46 – Saint-Jean-de-Maurienne 104

🇮 Office de tourisme, Maison de la Tania ℰ 04 79 08 40 40, Fax 04 79 08 45 71

Le Farçon (Julien Machet)
immeuble la Kalinka – ℰ 04 79 08 80 34 – www.lefarcon.fr – info@lefarcon.fr
– Fax 04 79 06 92 31 – Ouvert mi-juin à mi-sept., début déc. à mi-avril et fermé dim. soir et lundi en été
Rest – Menu 30 € (déj.), 52/95 € – Carte 60/140 €
Spéc. Soupe de petit pois rafraîchi, framboise et parmesan. (mi-juin à mi-sept.). L'œuf boule de neige, champignons du moment et écrevisse. Sorbet au foin, pamplemousse rôti et croustillant de noix (mi-déc. à mi-avril). **Vins** Savoie blanc, Mondeuse.

♦ Si l'enseigne et le décor façon chalet rendent hommage à la Savoie, la cuisine explore un territoire plus large et se montre pleine d'inventivité et de saveurs.

COUR-CHEVERNY – 41 Loir-et-Cher – 318 F6 – 2 606 h. – alt. 86 m   **11 AB1**
– ⊠ 41700

🇩 Paris 194 – Blois 14 – Châteauroux 88 – Orléans 73 – Romorantin-Lanthenay 28

🇮 Office de tourisme, 12, rue du Chêne des Dames ℰ 02 54 79 95 63, Fax 02 54 79 23 90

◎ Château de Cheverny ★★★ S : 1 km - Porte ★ de la chapelle du château de Troussay SO : 3,5 km - Château de Beauregard ★, ▮ **Châteaux de La Loire**

St-Hubert
122 rte Nationale – ℰ 02 54 79 96 60 – www.hotel-sthubert.com
– hotel-sthubert@wanadoo.fr – Fax 02 54 79 21 17
21 ch – †40/54 € ††54/70 €, ⌑ 8,50 € – ½ P 55 €
Rest – (fermé dim. soir de nov. à mars) Menu 17 € (déj. en sem.), 24/39 €
– Carte 34/45 €

♦ Petit hôtel placé sous la protection du patron des chasseurs en cette localité à grande tradition de vénerie. Plaisante ambiance provinciale, âtre au salon, chambres actuelles. Salle de restaurant lumineuse et colorée. Cuisine traditionnelle et gibier en saison.

COUR-CHEVERNY

à Cheverny 1 km au Sud – 986 h. – alt. 110 m – ✉ 41700

🛈 Office de tourisme, 12, rue du Chêne des Dames ✆ 02 54 79 95 63, Fax 02 54 79 23 90

Château du Breuil 🌿   🐕 🍴 ♨ 📶 🅿 VISA ⓜ AE
23 rte de Fougères, Ouest : 3 km par D 52 et voie privée – ✆ *02 54 44 20 20*
– www.chateau-du-breuil.fr – info@chateau-du-breuil.fr – Fax 02 54 44 30 40
22 ch ⊇ – †120/140 € ††140/185 € – 4 suites
Rest – *(dîner seult) (résidents seult)* Menu 40 €
◆ Visitez Cheverny et logez au Breuil : un parc arboré de 30 ha préserve ce château du 18e s. du monde extérieur. Nouvelles chambres confortables et harmonieuses au Verger.

COURCOURONNES – 91 Essonne – 312 D4 – 101 36 – **voir à Paris, Environs** (Évry)

COURNIOU – 34 Hérault – 339 B8 – **rattaché à St-Pons-de-Thomières**

COURS – 69 Rhône – 327 E3 – 4 241 h. – alt. 543 m – ✉ 69470   44 **A1**

▶ Paris 416 – Chauffailles 17 – Lyon 75 – Mâcon 70 – Roanne 28 – Villefranche-sur-Saône 50

au col du Pavillon 4 km à l'Est par D 64 – alt. 755 m – ✉ 69470 Cours-la-Ville

Le Pavillon 🌿   🍴 🍴 & ch, ↤ 📶 💆 🅿 VISA ⓜ AE
– ✆ *04 74 89 83 55 – www.hotel-pavillon.com – hotel-pavillon@wanadoo.fr*
– Fax 04 74 64 70 26
21 ch – †46 € ††56 €, ⊇ 8,50 € – ½ P 53 €
Rest – *(fermé dim. soir)* Menu (15 €), 19 € (déj. en sem.)/35 € – Carte 30/40 €
◆ Au col même, en lisière de forêt ; la quiétude de l'environnement, l'architecture d'inspiration nordique et les chambres confortables font de cet hôtel une étape plaisante. Cuisine classique servie dans une salle à manger contemporaine prolongée d'une véranda.

COUR-ST-MAURICE – 25 Doubs – 321 K3 – 177 h. – alt. 500 m   17 **C2**
– ✉ 25380

▶ Paris 481 – Baume-les-Dames 50 – Besançon 68 – Montbéliard 44 – Maiche 12 – Morteau 37

Le Moulin 🌿   ⇐ 🍴 🅿 VISA ⓜ
Le Moulin du Milieu, Est : 3 km sur D 39 – ✆ *03 81 44 35 18 – hotel.lemoulin@yahoo.fr – Ouvert mars-sept. et fermé merc. hors saison*
6 ch – †45 € ††60/76 €, ⊇ 6,50 € – ½ P 58/63 €
Rest – *(nombre de couverts limité, prévenir)* Menu 21/33 € – Carte 29/53 €
◆ Cette insolite villa des années 1930 fut construite pour un meunier de la vallée. Chambres rétro et salon moderne. Agréable jardin ombragé, parcours de pêche réservé aux hôtes. Carte traditionnelle servie dans une coquette salle à manger tournée vers la rivière.

COURSAN – 11 Aude – 344 J3 – **rattaché à Narbonne**

COURSEULLES-SUR-MER – 14 Calvados – 303 J4 – 3 886 h.   32 **B2**
– ✉ 14470 ∎ **Normandie Cotentin**

▶ Paris 252 – Arromanches-les-Bains 14 – Bayeux 24 – Cabourg 41 – Caen 20

🛈 Office de tourisme, 5, rue du 11 novembre ✆ 02 31 37 46 80, Fax 02 31 37 29 25

◉ Clocher★ de l'église de Bernières-sur-Mer E : 2,5 km - Tour★ de l'église de Ver-sur-Mer O : 5 km par D 514.

◉ Château★★ de Fontaine-Henry S : 6,5 km.

633

COURSEULLES-SUR-MER

XX La Pêcherie avec ch
pl. 6-Juin – ℰ 02 31 37 45 84 – www.la-pecherie.fr – pecherie@wanadoo.fr
– Fax 02 31 37 90 40
6 ch – †60/90 € ††60/90 €, ⚏ 9 € – ½ P 74/84 €
Rest – Menu 20/38 € – Carte 35/65 €

♦ Derrière la façade à colombages, un intérieur nostalgique (horloges, portraits) : une salle aux pierres apparentes, une autre avec verrière. Produits de la mer. Chambres façon cabine de bateau.

COURTENAY – 45 Loiret – 318 P3 – 3 601 h. – alt. 146 m – ✉ 45320   12 D2

- Paris 118 – Auxerre 56 – Nemours 44 – Orléans 101 – Sens 25
- Syndicat d'initiative, 5, rue du Mail ℰ 02 38 97 00 60, Fax 02 38 97 39 12
- de Clairis à Savigny-sur-Clairis Domaine de Clairis, N : 7 km, ℰ 03 86 86 33 90

XXX Auberge La Clé des Champs avec ch
rte de Joigny, 1 km – ℰ 02 38 97 42 68 – www.hotel-lacledeschamps.fr – info@hotel-lacledeschamps.fr – Fax 02 38 97 38 10 – Fermé 13-30 oct.,
12-29 janv., mardi et merc.
7 ch – †73 € ††73/131 €, ⚏ 10 €
Rest – (nombre de couverts limité, prévenir) Menu 26/46 € – Carte 35/58 €

♦ Ferme du 17ᵉ s. et son jardin fleuri. Chambres campagnardes, élégante salle à manger rustique, ambiance champêtre, héliport privé : cette clé-là ouvre bien des horizons !

à Ervauville 9 km au Nord-Ouest par N 60, D 32 et D 34 – 516 h. – alt. 152 m – ✉ 45320

XXX Le Gamin
– ℰ 02 38 87 22 02 – Fax 02 38 87 25 40 – Fermé 22 juin-3 juil., 9-24 nov.,
25 janv.-5 fév., dim. soir, lundi et mardi
Rest – (nombre de couverts limité, prévenir) Menu 48/57 € – Carte 80/120 €

♦ L'ancienne épicerie-buvette est devenue une élégante auberge. Décor original : grands miroirs, briques flammées et bibelots. Terrasse ouverte sur un joli jardin. Séduisante cuisine au goût du jour.

LA COURTINE – 23 Creuse – 325 K6 – 890 h. – alt. 789 m – ✉ 23100   25 D2

- Paris 424 – Aubusson 38 – La Bourboule 53 – Guéret 80 – Ussel 21
- Syndicat d'initiative, Mairie ℰ 05 55 66 76 58, Fax 05 55 66 70 69

Au Petit Breuil
rte Felletin – ℰ 05 55 66 76 67 – lepetitbreuil@clubinternet.fr – Fax 05 55 66 71 84
– Fermé 19 déc.-12 janv., vend. soir du 15 sept. au 15 avril et dim. soir
11 ch – †48 € ††54 €, ⚏ 7 € – ½ P 61 €
Rest – Menu (14 €), 18/44 € – Carte 30/56 €

♦ Demeure familiale centenaire dont les chambres, simples mais correctement équipées, sont plus calmes sur l'arrière. Pierres apparentes, chaises paillées, meubles anciens et cuivres donnent un cachet rustique à la salle à manger ; terrasse auprès de la piscine.

COUSSEY – 88 Vosges – 314 C2 – 707 h. – alt. 280 m – ✉ 88630   26 B3

- Paris 290 – Metz 116 – Toul 48 – Vandœuvre-lès-Nancy 56

La Demeure du Gardien du Temps qui Passe
47 Grand Rue – ℰ 03 29 06 99 83 – www.lademeure88.com – lademeure88@hotmail.fr – Fax 03 29 06 99 83
5 ch ⚏ – †45/55 € ††65/75 €   **Table d'hôte** – Menu 15/20 €

♦ Cet ancien relais de poste (18ᵉ s.) dégage un charme authentique : jolis meubles chinés dans les chambres spacieuses et agréable salon-bibliothèque. La cuisine inspirée des îles procure un dépaysement total.

COUTANCES – 50 Manche – 303 D5 – 9 628 h. – alt. 91 m   32 A2
– ✉ 50200   Normandie Cotentin

- Paris 335 – Avranches 52 – Cherbourg 76 – St-Lô 28 – Vire 66
- Office de tourisme, place Georges Leclerc ℰ 02 33 19 08 10,
Fax 02 33 19 08 19

◉ Cathédrale ★★★ : tour-lanterne ★★★, parties hautes ★★ - Jardin des Plantes ★.

COUTANCES

Albert-1er (Av.)	Z 2
Croûte (R. de la)	YZ 3
Daniel (R.)	Y 5
Duhamel (R.)	Z 6
Écluse-Chette (R. de l')	Y 8
Encoignard (Bd)	Y 9
Foch (R. Mar.)	Y 10
Gambetta (R.)	Y 12
Herbert (R. G.)	Y 13
Leclerc (Av. Division)	Y 15
Legentil-de-la-Galaisière (Bd)	Z 16
Lycée (R. du)	Z 17
Marest (R. Thomas-du)	Z 18
Milon (R.)	Y 19
Montbray (R. G.-de)	Z 20
Normandie (R. de)	Y 21
Palais-de-Justice (R. du)	Y 23
Paynel (Bd J.)	Y 24
Quesnel-Morinière (R.)	Z 26
République (Av. de la)	Y 27
St-Dominique (R.)	Y 29
St-Nicolas (R.)	Y 30
Tancrède (R.)	Z 32
Tourville (R.)	Y 33

Cositel ≤ 🚗 🍴 ف ch, ↓ ⁽ᵠ⁾ 🛁 🅿 VISA ⦾ AE ①
r. de St-Malo – ℘ 02 33 19 15 00 – www.cositel.fr – accueil@cositel.fr
– Fax 02 33 19 15 02
55 ch – †59/88 € ††59/116 €, ⊇ 9 € – ½ P 53/60 €
Rest *Pommeau* – *(fermé sam. midi et dim. midi)* Menu 21/33 € – Carte 32/47 €
♦ Ensemble moderne érigé sur une colline dominant la ville. Les chambres sont claires et garnies d'un mobilier fonctionnel. Au Pommeau, cuisine traditionnelle et terrasse d'été animée par la présence de petits bassins.

Manoir de L'Ecoulanderie sans rest ≤ 🐕 📺 ↓ ⁽ᵠ⁾ 🅿
r. de la Broche – ℘ 02 33 45 05 05 – www.l-b-c.com – contact@l-b-c.com   Y **b**
4 ch ⊇ – †100 € ††120/130 €
♦ Un parc arboré, une piscine intérieure chauffée, Coutances et sa cathédrale à l'horizon : de séduisants atouts pour ce manoir du 18ᵉ s. et sa dépendance. Chambres personnalisées.

à Gratot 4 km par ④ et D 244 – 612 h. – alt. 83 m – ⊠ 50200

Le Tourne-Bride 🚗 🅿 VISA ⦾
85 r. d'Argouges – ℘ 02 33 45 11 00 – Fax 02 33 45 11 00 – *Fermé vacances de fév., dim. soir et lundi*
Rest – Menu (15 €), 20/52 € – Carte 34/60 €
♦ La cuisine traditionnelle perdure sereinement dans ce coquet relais de poste du 19ᵉ s. proche du château de Gratot et de sa Tour à la Fée. Cadre rustique et chaleureux.

COUTRAS – 33 Gironde – 335 K4 – 7 441 h. – alt. 15 m – ⊠ 33230   **4 C1**
▶ Paris 527 – Bergerac 67 – Blaye 50 – Bordeaux 51 – Jonzac 58 – Libourne 18 – Périgueux 87
🛈 Office de tourisme, 17, rue Sully ℘ 05 57 69 36 53, Fax 05 57 69 36 43

Henri IV sans rest 🚗 AC ↓ ⁽ᵠ⁾ 🛁 🅿 VISA ⦾ AE
pl. du 8 Mai 1945, (face à la gare) – ℘ 05 57 49 34 34 – www.hotelcoutras.com
– contact@hotelcoutras.com – Fax 05 57 49 20 72
16 ch – †53/56 € ††59/64 €, ⊇ 8 €
♦ La bataille que livra Henri IV en 1587 a fait entrer Coutras dans l'histoire. Cette maison de maître du 19ᵉ s. abrite des chambres rénovées, climatisées et parfois mansardées.

COUX-ET-BIGAROQUE – 24 Dordogne – 329 G7 – 944 h. – alt. 85 m — 4 C3
– ⊠ 24220 ▌Périgord

▸ Paris 557 – Bergerac 46 – Bordeaux 180 – Périgueux 55

Manoir de la Brunie
– ℰ 05 53 31 95 62 – www.manoirdelabrunie.com – manoirdelabrunie@wanadoo.fr – Fermé déc.-janv.
5 ch – ♦63/98 € ♦♦63/98 €, ⊇ 8 € **Table d'hôte** – Menu 29 € bc
♦ Des magnolias parfument le jardin de ce joli manoir dont l'intérieur a été soigneusement restauré. Les chambres, meublées d'ancien, portent le nom d'un château de la région. La table d'hôte privilégie les bonnes recettes périgourdines.

LA CRAU – 83 Var – 340 L7 – 15 400 h. – alt. 36 m – ⊠ 83260 — 41 C3

▸ Paris 847 – Brignoles 41 – Draguignan 71 – Hyères 9 – Marseille 77 – Toulon 15

🛈 Office de tourisme, 37 avenue du 8 mai 1945 ℰ 04 94 66 14 48, Fax 04 94 14 03 15

Auberge du Fenouillet
20 av. Gén. de Gaulle – ℰ 04 94 66 76 74 – aubergedu-fenouillet@orange.fr – Fermé dim. soir, lundi et mardi
Rest – Menu 36/48 € – Carte 45/70 €
♦ En centre-ville, adresse tenue par un jeune couple, dotée d'une salle néo-rustique, et d'une autre contemporaine aux tons chocolat. Patio-terrasse. Plats dans l'air du temps.

CRAVANT – 89 Yonne – 319 F5 – 824 h. – alt. 120 m – ⊠ 89460 — 7 B1

▸ Paris 185 – Auxerre 19 – Avallon 33 – Clamecy 35 – Montbard 65

🛈 Syndicat d'initiative, 4, rue d'Orléans ℰ 03 86 42 25 71, Fax 03.86.42.25.71

Hostellerie St-Pierre
5 r. Église – ℰ 03 86 42 31 67 – www.hostellerie-st-pierre.com – hostellerie-st-pierre@wanadoo.fr – Fax 03 86 42 37 43 – Fermé 20 déc.-10 janv. et dim.
9 ch – ♦64 € ♦♦68 €, ⊇ 9 € – ½ P 72 €
Rest – (dîner seult) (nombre de couverts limité, prévenir) Menu 34 €
♦ Cet hôtel familial vous réserve un accueil chaleureux dans de coquettes petites chambres disposées autour d'une mignonne cour fleurie. Caveau de dégustation. Lumineuse salle-véranda, cuisine actuelle et bons vins (vieux millésimes) à prix doux.

CRAVANT-LES-CÔTEAUX – 37 Indre-et-Loire – 317 L6 – 725 h. — 11 A3
– alt. 50 m – ⊠ 37500

▸ Paris 284 – Orléans 160 – Tours 45 – Joué-lès-Tours 37 – Châtellerault 57

Manoir des Berthaisières
– ℰ 02 47 98 35 07 – www.lesberthaisieres.com – lesberthaisieres@wanadoo.fr – Fax 02 47 98 35 01
3 ch ⊇ – ♦55/110 € ♦♦65/125 € – ½ P 55/80 € **Table d'hôte** – Menu 30 € bc
♦ Au cœur d'une immense propriété possédant des vignes, ce manoir propose trois chambres (deux dans le pavillon, dont une accueillant les chiens). Piscine, fitness et jacuzzi. À table, on déguste une cuisine traditionnelle. Cours de cuisine dispensés aux hôtes.

CRAZANNES – 17 Charente-Maritime – 324 F4 – 432 h. – alt. 25 m — 38 B2
– ⊠ 17350 ▌Poitou Vendée Charentes

▸ Paris 468 – Poitiers 134 – Rochefort 37 – Saintes 18

Château de Crazannes
– ℰ 06 80 65 40 96 – www.crazannes.com – crazannes@worldonline.fr – Fax 05 46 91 34 46
5 ch ⊇ – ♦100/120 € ♦♦100/120 € **Table d'hôte** – Menu 35 € bc
♦ Ce château du 15ᵉ s., niché dans un parc de 8 ha, est classé monument historique. Les chambres du donjon sont luxueuses ; les autres possèdent un beau mobilier ancien.

CRÈCHES-SUR-SAÔNE – 71 Saône-et-Loire – 320 I12 – rattaché à Mâcon

CRÉDIN – 56 Morbihan – 308 O6 – 1 421 h. – alt. 124 m – ⊠ 56580 10 **C2**
▶ Paris 451 – Rennes 100 – Vannes 49 – Pontivy 19 – Hennebont 64

La Maison Blanche aux Volets Bleus
à Blézouan, 2,5 km à l'Est par D11 et rte secondaire – ℰ 02 97 38 58 61
– www.lamaisonblancheauxvoletsbleus.com – info@
lamaisonblancheauxvoletsbleus.com – Fermé 5 janv.-12 fév.
4 ch ⊆ – †125 € ††125/200 €   **Table d'hôte** – Menu 50 € bc
♦ Une maison bien attachante au bout d'un hameau perdu dans la campagne : coquettes chambres évoquant divers aspects de la Bretagne. Location de vélos ; ateliers de cuisine. Petits plats familiaux servis autour d'une grande table en teck.

CREIL – 60 Oise – 305 F5 – 31 200 h. – alt. 30 m – ⊠ 60100 36 **B3**
Île de France

▶ Paris 63 – Beauvais 45 – Chantilly 9 – Clermont 17 – Compiègne 37
🛈 Syndicat d'initiative, 41, place du Général-de-Gaulle ℰ 03 44 55 16 07, Fax 03 44 55 05 27
🛇 d'Apremont à Apremont CD 606, SE : 6 km par D 1330, ℰ 03 44 25 61 11

La Ferme de Vaux
à Vaux, (sur D 120 direction Verneuil) – ℰ 03 44 64 77 00
– www.la-ferme-de-vaux.com – joly.eveline@wanadoo.fr – Fax 03 44 26 81 50
28 ch – †66 € ††74 €, ⊆ 8 €
Rest – (fermé sam. midi et dim. soir) Menu (18 €), 26/37 € – Carte 42/56 €
♦ Ancienne ferme francilienne entourant une cour intérieure. Confort moderne dans les chambres, plus spacieuses au rez-de-chaussée. Murs en pierres apparentes et mobilier rajeuni servent de décor à la salle à manger. Carte classique ; service attentionné.

CRÉMIEU – 38 Isère – 333 E3 – 3 330 h. – alt. 200 m – ⊠ 38460 44 **B2**
Lyon et la vallée du Rhône

▶ Paris 488 – Belley 49 – Bourg-en-Bresse 64 – Grenoble 86 – Lyon 36
– La Tour-du-Pin 28
🛈 Office de tourisme, 9, place de la Nation ℰ 04 74 90 45 13, Fax 04 74 90 02 25
◉ Halles★.

Auberge de la Chaite avec ch
pl. des Tilleuls – ℰ 04 74 90 76 63 – aubergedelachaite@wanadoo.fr
– Fax 04 74 90 88 08 – Fermé 4-21 avril, 24-31 août, 23 déc.-13 janv., dim. soir, merc. midi et lundi
10 ch – †52 € ††56/65 €, ⊆ 8 €   **Rest** – Menu 18 € (sem.)/38 € – Carte 30/51 €
♦ Face à la porte de la Loi, cette maison de pays propose des plats traditionnels à déguster dans une salle rustique à souhait ou sur la terrasse ombragée. Chambres modestes.

CREON – 33 Gironde – 335 I6 – 3 774 h. – alt. 110 m – ⊠ 33670 3 **B1**
Aquitaine

▶ Paris 597 – Bordeaux 25 – Arcachon 88 – Langon 32 – Libourne 22
🛈 Office de tourisme, 62, boulevardd Victor Hugo ℰ 05 56 23 23 00, Fax 05 56 23 23 44

Hostellerie Château Camiac
rte de Branne, (D 121) – ℰ 05 56 23 20 85
– www.chateaucamiac.com – info@chateaucamiac.com – Fax 05 56 23 38 84
– Ouvert 1ᵉʳ mai-30 sept.
12 ch – †160/280 € ††160/280 €, ⊆ 20 € – 2 suites
Rest – (fermé mardi) (dîner seult) Menu 38 € – Carte 60/100 €
♦ Étape de charme en ce château du vignoble bordelais bâti au 18ᵉ s. Chambres garnies de meubles anciens ou de style ; quelques originales salles de bains vitrées. Piscine, tennis. Restaurant cossu et feutré, agrémenté de tableaux ; cuisine dans l'air du temps.

CRÉON-D'ARMAGNAC – 40 Landes – 335 K11 – 295 h. – alt. 130 m — 4 C2
– ⌨ 40240

▶ Paris 700 – Bordeaux 122 – Condom 47 – Mont-de-Marsan 36

Le Poutic
Rte de Cazaubon – ✆ *05 58 44 66 97* – *www.lepoutic.com* – *lepoutic@wanadoo.fr*
3 ch ⌑ – †53/60 € ††58/65 €
Table d'hôte – *(fermé sam. et dim.)* Menu 22 € bc/40 € bc

♦ Chênes et tilleuls ombragent le parc de cette belle ferme landaise. Chambres soignées avec une entrée indépendante. Séjours à thème (golf, équitation et chasse à la palombe). Table traditionnelle et régionale.

CREPON – 14 Calvados – 303 I4 – 209 h. – alt. 52 m – ⌨ 14480 — 32 B2
Normandie Cotentin

▶ Paris 257 – Bayeux 13 – Caen 23 – Deauville 66

Ferme de la Rançonnière
rte d'Arromanches-les-Bains – ✆ *02 31 22 21 73* – *www.ranconniere.fr*
– *ranconniere@wanadoo.fr* – *Fax 02 31 22 98 39*
35 ch – †55/160 € ††55/175 €, ⌑ 12 € – 1 suite – ½ P 63/156 €
Rest – *(fermé 5-28 janv.)* Menu (24 €), 30/50 € – Carte 38/55 €

♦ Cette ferme médiévale fortifiée abrite des chambres au joli cachet : poutres patinées, mobilier du 15ᵉ s. et bibelots anciens. Le cadre du restaurant a été pieusement préservé : cheminée, murs et belles voûtes en pierre.

Ferme de Mathan
à 800 m.
22 ch – †95/260 € ††95/260 €, ⌑ 12 €

♦ Vous êtes assuré de passer des nuits calmes dans les grandes chambres de cette ex-métairie du 18ᵉ s.

CRESSERONS – 14 Calvados – 303 J4 – rattaché à Douvres-la-Délivrande

CREST – 26 Drôme – 332 D5 – 7 739 h. – alt. 196 m – ⌨ 26400 — 44 B3
Lyon et la vallée du Rhône

▶ Paris 585 – Die 37 – Gap 129 – Grenoble 114 – Montélimar 37 – Valence 28
🛈 Office de tourisme, place du Docteur Rozier ✆ 04 75 25 11 38, Fax 04 75 76 79 65
⛳ du Domaine de Sagnol à Gigors-et-Lozeron Domaine de Sagnol, NE : 19 km par D 731, ✆ 04 75 40 98 00
◉ Donjon★ : ※★.

Kléber
6 r. A. Dumont – ✆ *04 75 25 11 69* – *www.le-kleber.com* – *Fax 04 75 76 82 82*
– *Fermé 2-11 janv., dim. soir hors saison, sam. et lundi*
Rest – Menu 25 € bc (déj. en sem.), 35/79 € – Carte 64/88 €

♦ Touche transalpine dans la petite cité au fier donjon : murs joliment travaillés à l'éponge et sièges italiens en cuir rouge. Cuisine classique.

à La Répara-Auriples 8 km au Sud par D 538 et D 166 rte d'Autichamp – 222 h. – alt. 350 m – ⌨ 26400

Le Prieuré des Sources
lieu dit Bouchassagne – ✆ *04 75 25 03 46* – *www.prieuredessources.com*
– *leprieuredessources@wanadoo.fr* – *Fax 04 75 25 53 07*
10 ch – †120/215 € ††120/215 €, ⌑ 14 €   **Table d'hôte** – Menu 22/48 €

♦ Dans son jardin bien tenu, cet ancien prieuré vous ouvre ses portes : salon et salle à manger voûtés, grandes chambres décorées dans un style africain ou asiatique. Cuisine au goût du jour utilisant les produits du potager et du marché (le plus souvent bio).

LE CRESTET – 84 Vaucluse – 332 D8 – rattaché à Vaison-la-Romaine

CREST-VOLAND – 73 Savoie – 333 M3 – 401 h. – alt. 1 230 m – Sports d'hiver : 1 230/2 000 m ⛷17 ⛸ – ✉ 73590 ▌Alpes du Nord   46 F1

▶ Paris 588 – Albertville 24 – Annecy 53 – Chamonix-Mont-Blanc 47 – Megève 15

🛈 Office de tourisme, Maison de Crest-Voland ✆ 04 79 31 62 57, Fax 04 79 31 85 36

Le Caprice des Neiges ⌂
rte du Col des Saisies : 1 km – ✆ 04 79 31 62 95
– www.hotel-capricedesneiges.com – info@hotel-capricedesneiges.com
– Fax 04 79 31 79 30 – Fermé mi-avril à mi-juin et mi-sept. à mi-déc.
16 ch – †90/110 € ††90/110 €, ⌑ 11 € – ½ P 88/105 €
Rest – Menu (15 €), 20/35 € – Carte 28/45 €

♦ Une adresse familiale pleine de charme. Chaleureuses chambres montagnardes et joli bar, d'esprit chalet, envahi de bibelots. Aire de jeux pour les enfants. Déco "pierre et bois" dans la salle à manger où l'on propose une courte carte et un menu régional.

Les Campanules ⌂
chemin de la Grange – ✆ 04 79 31 81 43 – www.lescampanules.com
– chanteline@wanadoo.fr
3 ch ⌑ – †59/65 € ††65/72 €
Table d'hôte – (ouvert de déc. à mars) Menu 23 € bc

♦ Ce chalet posé face à la chaîne des Aravis et au mont Charmin séduira les amateurs de calme et de nature. Chambres simples et soignées, salon-cheminée et copieux petits-déjeuners. Recettes savoyardes à la table d'hôte, le soir (vacances scolaires uniquement).

CRÉTEIL – 94 Val-de-Marne – 312 D3 – 101 27 – voir à Paris, Environs

CREULLY – 14 Calvados – 303 I4 – 1 524 h. – alt. 27 m – ✉ 14480   32 B2

▶ Paris 253 – Bayeux 14 – Caen 20 – Deauville 62

Hostellerie St-Martin avec ch
6 pl. Edmond Paillaud – ✆ 02 31 80 10 11 – www.hostelleriesaintmartin.com
– hostellerie.st.martin@wanadoo.fr – Fax 02 31 08 17 64 – Fermé 22 déc.-12 janv.
12 ch – †50 € ††50 €, ⌑ 6 € – ½ P 50 €
Rest – Menu 15 € (sem.)/43 € – Carte 21/46 €

♦ Ces belles salles voûtées du 16ᵉ s., agrémentées de sculptures d'un artiste régional, abritaient naguère les halles du village ; plats traditionnels. Chambres pour l'étape.

LE CREUSOT – 71 Saône-et-Loire – 320 G9 – 23 600 h. –   8 C3
Agglo. 92 000 h. – alt. 348 m – ✉ 71200 ▌Bourgogne

▶ Paris 316 – Autun 30 – Beaune 46 – Chalon-sur-Saône 38 – Mâcon 89

🛈 Office de tourisme, château de la Verrerie ✆ 03 85 55 02 46, Fax 03 85 80 11 03

◉ Château de la Verrerie ★.

◉ Mont St-Vincent ★ ❋ ★★.

La Petite Verrerie
4 r. J. Guesde – ✆ 03 85 73 97 97 – www.hotelfp-lecreusot.com – contact@hotelfp-lecreusot.com – Fax 03 85 73 97 90 – Fermé 23 déc.-4 janv.
43 ch – †88/98 € ††108/118 €, ⌑ 13 € – 6 suites
Rest – (fermé sam. midi, dim. et fériés) Menu (22 €), 29/31 € – Carte 34/43 €

♦ Pharmacie des Usines, cercle des employés, maison pour hôtes de marque et enfin hôtel confortable marqué par l'histoire de la ville. Chambres rénovées par étapes. Salle à manger bourgeoise ornée de peintures sur le thème de la métallurgie.

au Breuil 5,5 km à l'Est par rue principale et direction centre équestre – 3 547 h. – alt. 337 m – ✉ 71670

Le Domaine de Montvaltin sans rest ⌂
– ✆ 03 85 55 87 12 – www.domainedemontvaltin.com – domaine demontvaltin@hotmail.com – Fax 03 85 55 54 72 – Fermé en janv. et en sept.
4 ch ⌑ – †75/85 € ††80/90 €

♦ À 5 minutes du Creusot, ancienne propriété des usines Schneider réaménagée en maison d'hôtes. Chambres personnalisées. Piscine couverte, jardin soigné et étang peuplé de carpes.

LE CREUSOT

à Montcenis 3 km à l'Ouest par D 784 – 2 221 h. – alt. 400 m – ✉ 71710

XX Le Montcenis
2 pl. du Champ-de-Foire – ℰ 03 85 55 44 36 – restaurant.le-montcenis@ wanadoo.fr – Fax 03 85 55 89 52 – Fermé en juil., 2 sem. en fév., dim. soir, mardi soir et lundi
Rest – (nombre de couverts limité, prévenir) Menu (15 €), 20 € (déj. en sem.), 27/45 € – Carte 40/53 €
♦ Salon douillet, cave voûtée pour des repas en famille et salle "néo-bourguignonne" aux belles poutres : un cadre accueillant pour une cuisine dans l'air du temps.

à St-Sernin-du-Bois 2 km au Nord-Est par D 138 – 1 720 h. – alt. 447 m – ✉ 71200

X Le Restaurant du Château
le bourg – ℰ 03 85 78 28 42 – lerestaurantduchateau@orange.fr – Fax 03 85 78 28 42 – Fermé vacances de Noël, mardi et merc.
Rest – (nombre de couverts limité, prévenir) Menu 19/29 € – Carte 30/40 €
♦ Château du 11ᵉ s. au centre du village, face au lac. La salle à manger rustique (voûtes, pierres, mobilier en bois) se marie bien à la cuisine traditionnelle revisitée servie ici.

à Torcy 4 km au Sud par D 28 – 3 136 h. – alt. 310 m – ✉ 71210

XX Le Vieux Saule
lieu dit le Vieux Saule – ℰ 03 85 55 09 53 – www.restaurantvieuxsaule.com – restaurant.levieuxsaule@orange.fr – Fax 03 85 80 39 99 – Fermé dim. soir et lundi
Rest – Menu 17 € (sem.)/48 € – Carte 47/69 €
♦ Mets traditionnels et quelquefois actualisés, servis dans l'ambiance feutrée d'une salle aux murs pourprés. Chaises ornées de motifs liés aux vins de Bourgogne.

CREUTZWALD – 57 Moselle – 307 L3 – 13 600 h. – alt. 210 m – ✉ 57150   27 C1

▸ Paris 376 – Metz 53 – Neunkirchen 61 – Saarbrücken 37
🛈 Syndicat d'initiative, Hôtel de Ville ℰ 03 87 81 89 89, Fax 03 87 82 08 15

XX Auberge Richebourg
17 r. de la Houve – ℰ 03 87 90 17 54 – www.aubergerichebourg.com – richebourg@wanadoo.fr – Fax 03 87 90 28 56 – Fermé 1ᵉʳ-21 août, sam. midi, dim. soir et lundi
Rest – Menu 21 € (sem.)/55 € – Carte 39/53 €
♦ Nouveau décor dans l'air du temps pour ce restaurant familial qui propose une cuisine au goût du jour. Agréable terrasse donnant sur un jardin clos.

XX La Forge des Grands Aigles
43 r. de la Houve – ℰ 03 87 93 04 08 – forge-des-grands-aigles@orange.fr – Fermé 2 sem. en juil., 1 sem. en fév., sam. midi, dim. soir et lundi
Rest – Menu 21 € (sem.)/75 € – Carte 41/76 €
♦ Une adresse tendance, menée par une équipe jeune et dynamique : cadre contemporain, cuisine actuelle d'inspiration provençale et service attentionné. Jolie terrasse.

CRICQUEBŒUF – 14 Calvados – 303 M3 – rattaché à Honfleur

CRILLON – 60 Oise – 305 C3 – 439 h. – alt. 110 m – ✉ 60112   36 A2

▸ Paris 103 – Aumale 33 – Beauvais 16 – Breteuil 33 – Compiègne 75 – Gournay-en-Bray 18

XX La Petite France
7 r. Moulin – ℰ 03 44 81 01 13 – lapetitefrance@wanadoo.fr – Fax 03 44 81 01 13 – Fermé dim. soir, lundi et mardi
Rest – Menu (15 €), 23 € bc (sem.)/41 € – Carte 35/57 €
♦ Cette accueillante auberge située dans un village du Beauvaisis abrite deux salles à manger rustiques. Carte traditionnelle dont la tête de veau ravigote, spécialité maison.

CRILLON-LE-BRAVE – 84 Vaucluse – 332 D9 – 434 h. – alt. 340 m – ⊠ 84410
42 E1

▶ Paris 687 – Avignon 41 – Carpentras 14 – Nyons 37 – Vaison-la-Romaine 22

Crillon le Brave
pl. de l'Église – ℰ 04 90 65 61 61 – www.crillonlebrave.com – crillonbrave@relaischateaux.com – Fax 04 90 65 62 86 – Ouvert 7 mars-30 nov.
28 ch – †240/740 € ††240/740 €, ⊇ 19 € – 6 suites **Rest** – Carte 40/75 €
♦ Sept maisons anciennes typiques dans un village perché face au mont Ventoux. Jardin à l'italienne débouchant sur la piscine. Ravissantes chambres provençales. Au restaurant ou sur la terrasse romantique, cuisine canaille et gourmande. Carte "snack" à midi.

CRIQUETOT-L'ESNEVAL – 76 Seine-Maritime – 304 B4 – 2 202 h. – alt. 127 m – ⊠ 76280
33 C1

▶ Paris 197 – Fécamp 19 – Le Havre 28 – Rouen 81

Le Manoir
5 pl. des Anciens Élèves, (près de l'église) – ℰ 02 35 29 31 90
– http://monsite.orange.fr/bnbmanoir – serge.quevilly@wanadoo.fr
– Fax 02 35 29 31 90
6 ch ⊇ – †45/50 € ††62/68 € – ½ P 50/55 €
Table d'hôte – (prévenir) Menu 17 € bc
♦ D'élégantes armoires normandes garnissent les grandes chambres de cette gentilhommière à la coquette façade de briques et de pierres. Vaste parc arboré et fleuri.

CRISENOY – 77 Seine-et-Marne – 312 F4 – rattaché à Melun

LE CROISIC – 44 Loire-Atlantique – 316 A4 – 4 278 h. – alt. 6 m – ⊠ 44490 Bretagne
34 A2

▶ Paris 459 – La Baule 9 – Nantes 86 – Redon 66 – Vannes 81
🛈 Office de tourisme, place du 18 Juin 1940 ℰ 02 40 23 00 70, Fax 02 40 23 23 70
🏌 du Croisic Golf de la Pointe, O : 3 km, ℰ 02 40 23 14 60
◉ Océarium★ – ≤★ du Mont-Lénigo.

Plan page suivante

Le Fort de l'Océan
pointe du Croisic – ℰ 02 40 15 77 77 – www.hotelfortocean.com – fortocean@relaischateaux.com – Fax 02 40 15 77 80
9 ch – †190 € ††280/310 €, ⊇ 18 € – ½ P 168/228 €
Rest – (fermé 14 nov.-20 déc., 4 janv.-6 fév., merc. midi et jeudi midi du 14 juil. au 31 août, lundi et mardi) Menu 34 € (déj. en sem.), 45/80 € – Carte 78/125 €
♦ Fortin du 17ᵉ s. "à la Vauban" surplombant l'océan. Toutes les chambres, agréablement personnalisées, jouissent d'une vue superbe sur la Côte sauvage. Vélos à disposition. Cuisine de la mer soignée à déguster dans une élégante salle à manger-véranda.

Les Vikings sans rest
à Port-Lin – ℰ 02 40 62 90 03 – www.hotel-les-vikings.com – vikings@fr.oleane.com – Fax 02 40 23 28 03
AZ e
24 ch – †71/120 € ††71/120 €, ⊇ 13 €
♦ Airs de villégiature pour cet hôtel aux chambres spacieuses et personnalisées (mobilier récent d'esprit ancien). Quelques-unes tournent leur bow-window vers la Côte sauvage.

Les Nids sans rest
15 r. Pasteur à Port-Lin – ℰ 02 40 23 00 63 – www.hotellesnids.com
– hotellesnids@worldonline.fr – Fax 02 40 23 09 79 – Ouvert 3 avril-3 nov.
AZ f
24 ch – †64/79 € ††64/93 €, ⊇ 9 €
♦ Petit hôtel bien entretenu proposant des chambres colorées équipées de meubles peints. Petits-déjeuners servis au bord de la piscine couverte. Aire de jeu pour les enfants.

LE CROISIC

Aiguillon (Quai d') .... **AY** 2	Grande-Rue .... **AY** 12	Port Charly (Quai) .... **AY** 26
Cordiers (R. des) .... **BY** 6	Lénigo (Quai du) .... **AY** 13	Port Ciguet (Quai du) .... **AY** 27
Europe (R. de l') .... **AY** 7	Lepré (Pl. Donatien) ..... **AY** 16	Port Lin (Av. de) .... **AZ** 28
Gaulle (Pl. du Gén.-de) ... **AZ** 9	Mail de Broc (R. du) ..... **AY** 17	Rielle (Quai Hervé) ...... **BY** 32
	Petite Chambre (Q. de la) **BY** 20	Saint-Christophe (R.) .... **BY** 33
	Pilori (R. du) .... **BY** 22	Saint-Goustan (Av. de) ... **AY** 35
	Poilus (R. des) .... **BZ** 23	18-Juin-1940 (Pl. du) ..... **BZ** 36

Castel Moor
Baie Castouillet, 1,5 km au Nord Ouest par D 45 – ℰ 02 40 23 24 18
– www.castel-moor.com – castel@castel-moor.com – Fax 02 40 62 98 90
18 ch – ✝58/77 € ✝✝58/82 €, ⊇ 10 € – ½ P 64/70 €
Rest *– (fermé dim. soir d'oct. à fév.)* Menu 24/41 € – Carte 33/55 €
♦ Imposante villa contemporaine située sur la corniche longeant la Côte sauvage. Chambres rajeunies disposant presque toutes d'un balcon ou d'une terrasse. Salle à manger en demi-rotonde et véranda ouvrant plein cadre sur l'océan. La table est marine à souhait.

LE CROISIC

XXX L'Océan
à Port-Lin – ℰ 02 40 62 90 03 – www.restaurantlocean.com – vikings@fr.oleane.com – Fax 02 40 23 28 03

VISA MC AE ①

AZ v

Rest – Carte 51/110 €

Rest *Le Bistrot de l'Océan* – Carte 25/35 €

♦ Atout majeur de ce restaurant agrippé aux rochers : la vue panoramique sur le large. On y propose des produits de la mer "tout frais pêchés". Côté plage, on s'installe dans l'atmosphère actuelle du Bistrot de l'Océan. Plats iodés et choix de crêpes et galettes.

XX La Bouillabaisse Bretonne
12 quai de la Petite Chambre, (au port) – ℰ 02 40 23 06 74 – labouillabaisse2@wanadoo.fr – Fax 02 40 15 71 43 – Fermé 4 janv.-20 mars, dim. soir et mardi sauf juil.-août et lundi

VISA MC

BY s

Rest – Menu 20 € (sem.)/33 € – Carte 35/85 €

♦ L'enseigne fera sourciller les Marseillais, mais la vue sur les flots bleus réconciliera Bretons et Provençaux. Homards et langoustines vous tendent leurs pinces.

XX Le Lénigo
11 quai Lénigo – ℰ 02 40 23 00 31 – www.le-lenigo.fr – le.lenigo@wanadoo.fr – Fax 02 40 23 01 01 – Ouvert 15 fév.-15 nov. et fermé lundi et mardi sauf août

VISA MC AE

AY b

Rest – Menu 23/36 € – Carte 28/65 €

♦ Face à la criée, embarquez dans ce restaurant à l'atmosphère nautique (bois vernis, hublots, cordages...), et à la cuisine simple mais fine, à base de produits iodés très frais.

X Le Saint-Alys
3 quai Hervé-Rielle – ℰ 02 40 23 58 40 – Fax 02 40 23 58 40 – Fermé 1er-9 juil., 16-20 nov., 23-26 déc., 15 fév.-3 mars, dim. soir, mardi soir et merc.

VISA MC AE

BY d

Rest – Menu (17 €), 23/36 € – Carte 34/48 €

♦ Accueil charmant dans cette petite maison bien placée, face au port de plaisance. Intérieur sobre et soigné où l'on savoure une cuisine actuelle privilégiant les poissons.

LA CROIX-BLANCHE – 71 Saône-et-Loire – 320 I11 – rattaché à Berzé-la-Ville

---

LA CROIX-DU-BREUIL – 87 Haute-Vienne – 325 F4 – rattaché à Bessines-sur-Gartempe

---

LA CROIX-FRY (COL DE) – 74 Haute-Savoie – 328 L5 – rattaché à Manigod

---

LA CROIX-ST-LEUFROY – 27 Eure – 304 H7 – 1 035 h. – alt. 24 m
– ✉ 27490

33 D2

▶ Paris 98 – Rouen 46 – Évreux 18 – Mantes-la-Jolie 47 – Dreux 62

XX Le Cheval Blanc
27 r. de Louviers – ℰ 02 32 34 82 86 – Fax 02 32 34 78 99 – Fermé 23 déc.-9 janv., dim. soir, mardi soir et merc.

VISA MC

Rest – Menu (18 €), 26/33 € – Carte 36/54 €

♦ Sur la rue principale du village, maison du 19e s. vous accueillant dans une salle en longueur, d'esprit mi-classique mi-rustique (cheminée). Table traditionnelle actualisée.

LA CROIX-VALMER – 83 Var – 340 O6 – 3 139 h. – alt. 120 m
– ✉ 83420 ▌Côte d'Azur

41 C3

▶ Paris 873 – Draguignan 48 – Fréjus 35 – Le Lavandou 27 – Ste-Maxime 15 – Toulon 68

🛈 Office de tourisme, esplanade de la Gare ℰ 04 94 55 12 12, Fax 04 94 55 12 10

🏌 Gassin Golf Country Club à Gassin Route de Ramatuelle, N : 8 km, ℰ 04 94 55 13 44

LA CROIX-VALMER

L'Orangeraie Parc Hotel sans rest
rte de Ramatuelle – ℰ 04 94 55 27 27 – www.hotel-lorangeraie.com – info@hotel-lorangeraie.com – Fax 04 94 54 38 91 – Ouvert 10 avril-17 oct.
32 ch ⌑ – †130/195 € ††130/320 €

♦ Ex-couvent à l'imposante façade Belle Époque. Hall majestueux et vastes chambres romantiques, la plupart tournées vers la palmeraie et la mer. Petite restauration en saison.

au Sud-Ouest 3,5 km par D 559 puis rte secondaire par rd-pt du Débarquement – ✉ 83420 La Croix-Valmer

La Petite Auberge de Barbigoua
1 av. des Gabiers, (quartier Barbigoua) – ℰ 04 94 54 21 82
– Ouvert Pâques-30 sept. et fermé dim. et lundi
Rest – (dîner seult) Carte 40/60 €

♦ Discrète petite adresse et son agréable terrasse-jardin. Atmosphère conviviale, intérieur d'esprit rustique, carte dans la note régionale orientée poissons.

à Gigaro 5 km au Sud-Est par rte secondaire – ✉ 83420 La Croix-Valmer

Château de Valmer
plage de Gigaro – ℰ 04 94 55 15 15
– www.chateauvalmer.com – info@chateauvalmer.com – Fax 04 94 55 15 10
– Ouvert mi-avril-mi-oct.
41 ch – †200/298 € ††345/520 €, ⌑ 27 € – 1 suite
Rest – (fermé mardi soir) Carte 72/86 €

♦ Maison de maître (19ᵉ s.) d'un domaine viticole abritant de vastes chambres de style régional et une originale "cabane perchée". Piscine bordée d'une palmeraie. Spa très complet. Au restaurant, la Provence est à la fête, tant dans le décor que dans l'assiette !

La Pinède-Plage
plage de Gigaro – ℰ 04 94 55 16 16 – www.pinedeplage.com – info@pinedeplage.com – Fax 04 94 55 16 10 – Ouvert mai- début oct.
33 ch – †200/295 € ††345/510 €, ⌑ 27 € **Rest** – Carte 65/90 €

♦ "Les pieds dans l'eau" et ombragée par des pins parasols, cet hôtel offre un nouveau décor frais et lumineux. Chambres plaisantes, toutes ouvertes sur le large. Belle terrasse panoramique face aux îles d'Or pour apprécier une cuisine du Sud orientée mer.

CROS-DE-CAGNES – 06 Alpes-Maritimes – **341** D6 – rattaché à Cagnes-sur-Mer

CROZANT – 23 Creuse – **325** G2 – 581 h. – alt. 263 m – ✉ 23160 25 **C1**
■ Limousin Berry

▷ Paris 329 – Argenton-sur-Creuse 31 – La Châtre 46 – Guéret 41 – Montmorillon 68

◉ Ruines★.

Auberge de la Vallée
– ℰ 05 55 89 80 03 – Fermé 2 janv.-1ᵉʳ fév., lundi soir et mardi
Rest – Menu 19/45 € – Carte 34/40 €

♦ Petite auberge campagnarde proposant une cuisine traditionnelle réalisée avec les produits du terroir. Sobre salle à manger de style rustique.

CROZET – 01 Ain – **328** J3 – 1 349 h. – alt. 540 m – ✉ 01170 46 **F1**
▷ Paris 537 – Lyon 153 – Bourg-en-Bresse 105 – Genève 16 – Annecy 57

Jiva Hill Park Hôtel
rte d'Harée
– ℰ 04 50 28 48 48
– www.jivahill.com – welcome@jivahill.com – Fax 04 50 28 48 49
33 ch – †280/380 € ††320/420 €, ⌑ 20 € – 6 suites
Rest *Shamwari* – (fermé 1ᵉʳ-17 janv. et dim. soir) Menu (30 €), 45/75 €
– Carte 45/60 €

♦ Raffinement, luxe et lignes contemporaines à 10 mn de l'aéroport de Genève. Cet hôtel, pensé comme un lodge sud-africain, est placé sous le signe de la sophistication chic. Restaurant intimiste, avec terrasse face au Mont-Blanc, pour une cuisine au goût du jour.

CROZON – 29 Finistère – 308 E5 – 7 535 h. – alt. 85 m – ✉ 29160　9 **A2**
Bretagne

- Paris 587 – Brest 60 – Châteaulin 35 – Douarnenez 40 – Morlaix 81 – Quimper 49
- Office de tourisme, boulevard de Pralognan ✆ 02 98 27 07 92, Fax 02 98 27 24 89
- Retable ★ de l'église.
- Circuit des Pointes ★★★.

De la Presqu'île
pl. de l'Église – ✆ 02 98 27 29 29 – www.mutingourmand.fr – mutin.gourmand1@wanadoo.fr – Fax 02 98 26 11 97 – Fermé 8-31 mars, 27 sept.-20 oct., dim. soir et lundi hors saison
13 ch – †50/79 € ††50/79 €, ⊆ 10 €
Rest *Le Mutin Gourmand* – voir ci-après
◆ L'ex-mairie abrite désormais des chambres insonorisées et décorées avec goût dans un style qui panache touches actuelles et esprit breton. Boutique de vins et produits régionaux.

Le Mutin Gourmand – Hôtel La Presqu'île
pl. de l'Église – ✆ 02 98 27 29 29 – www.mutingourmand.fr – mutin.gourmand1@wanadoo.fr – Fax 02 98 26 11 97 – Fermé 8-31 mars, 27 sept.-20 oct., dim. soir et mardi midi hors saison, lundi sauf le soir en saison
Rest – Menu 26/73 €
◆ Décor contemporain, pierres apparentes, aquarelles et vivier de homards en cette accueillante maison bretonne. Cuisine régionale soignée ; vins du Languedoc et de la Loire.

au Fret 5,5 km au Nord par D 155 et D 55 – ✉ 29160 Crozon

Hostellerie de la Mer
11 quai du Fret – ✆ 02 98 27 61 90 – www.hostelleriedelamer.com – hostellerie.de.la.mer@wanadoo.fr – Fax 02 98 27 65 89 – Fermé sam. et dim. en janv.
25 ch – †47/72 € ††47/110 €, ⊆ 10 € – ½ P 57/85 €
Rest – *(fermé 4 janv.-4 fév.)* Menu (19 €), 26/75 € – Carte 40/85 €
◆ Agréable ambiance de pension familiale pour cet hôtel regardant la rade de Brest. Petites chambres simples mais bien tenues (certaines profitent de la vue). Au restaurant, mobilier breton, beau panorama et cuisine honorant les produits de la mer.

CRUGNY – 51 Marne – 306 E7 – 603 h. – alt. 100 m – ✉ 51170　13 **B2**
Champagne Ardenne

- Paris 135 – Châlons-en-Champagne 71 – Reims 28 – Soissons 39

La Maison Bleue
46 r. Haute – ✆ 03 26 50 84 63 – www.la-maison-bleue.com – maisonbleue@aol.com – Fax 03 26 97 43 92 – Fermé 22 déc.-31 janv.
6 ch – †88 € ††96/161 €, ⊆ 8 €　**Table d'hôte** – Menu 29 € bc/50 € bc
◆ Accueillante maison au cœur d'un paisible parc avec étangs. Chambres personnalisées ; la plus spacieuse, sous les toits, donne sur le village et la vallée de l'Ardre. Cuisine traditionnelle aux accents régionaux.

CRUIS – 04 Alpes-de-Haute-Provence – 334 D8 – 590 h. – alt. 728 m – ✉ 04230　40 **B2**

- Paris 732 – Digne-les-Bains 42 – Forcalquier 22 – Manosque 42 – Sisteron 26

Auberge de l'Abbaye avec ch
✆ 04 92 77 01 93 – http://monsite.wanadoo.fr/auberge-abbaye-cruis – auberge-abbaye-cruis@wanadoo.fr – Fax 04 92 77 01 92 – Fermé vacances de la Toussaint, de Noël, de fév., dim. soir et merc. de sept. à juin, mardi de nov. à mars et le midi du lundi au jeudi en juil.-août
8 ch – †55/75 € ††55/75 €, ⊆ 10 € – ½ P 63/73 €
Rest – *(nombre de couverts limité, prévenir)* Menu (24 €), 30/55 €
◆ Sympathique auberge familiale dotée d'une agréable terrasse ombragée, sur la place du bourg ; cuisine dans la note régionale, à base de bons produits locaux. Chambres simples et impeccablement tenues. Pain maison au petit-déjeuner.

CRUSEILLES – 74 Haute-Savoie – 328 J4 – 3 186 h. – alt. 781 m – ⊠ 74350

46 **F1**

◘ Paris 537 – Annecy 19 – Bellegarde-sur-Valserine 44 – Bonneville 37 – Genève 27

🛈 Syndicat d'initiative, 46, place de la Mairie ℰ 04 50 44 20 92

XXX **L'Ancolie** avec ch
au parc des Dronières, Nord-Est : 1 km par D 15 – ℰ *04 50 44 28 98*
– www.lancolie.fr – info@lancolie.com – Fax 04 50 44 09 73 – Fermé vacances de la Toussaint
10 ch – †87/123 € ††87/123 €, ⊐ 14 € – ½ P 90/105 €
Rest – *(fermé dim. soir sauf juil.-août et lundi)* Menu 29 € (déj. en sem.), 45/72 € – Carte 58/81 €

♦ Face à un lac, chalet moderne bien aménagé, à l'ambiance savoyarde. Plats classiques actualisés et terrasse panoramique. Confortables chambres lambrissées avec balcon (sauf une).

aux Avenières 6 km au Nord par D 41 et rte secondaire – ⊠ 74350 Cruseilles

🏛 **Château des Avenières**
– ℰ *04 50 44 02 23 – www.chateau-des-avenieres.com*
– reservation@chateau-des-avenieres.com – Fax 04 50 44 29 09 – Fermé vacances de la Toussaint, de Noël et de fév.
12 ch – †160/310 € ††160/310 €, ⊐ 18 €
Rest – *(fermé lundi et mardi)* Menu 58 €

♦ Ce manoir bâti en 1907, au passé plein de mystère, se dresse dans un charmant parc en forme de papillon. Chambres de caractère, vue imprenable sur la chaîne des Aravis. Superbe salle à manger classico-baroque (boiseries ouvragées ornées de camées à l'antique).

CUBRY – 25 Doubs – 321 I2 – 75 h. – alt. 340 m – ⊠ 25680

17 **C1**

◘ Paris 389 – Belfort 49 – Besançon 53 – Lure 27 – Montbéliard 42 – Vesoul 31

🏛 **Château de Bournel**
– ℰ *03 81 86 00 10 – www.golf-bournel.com – info@bournel.com*
– Fax 03 81 86 01 06
16 ch – †100/120 € ††150/180 €, ⊐ 14 € – 2 suites – ½ P 150/165 €
Rest *Le Maugré* – ℰ 03 81 86 06 60 *(Fermé dim. soir, lundi et mardi hors saison) (dîner seult)* Menu 30/55 €

♦ Hôtel aménagé dans les dépendances (18ᵉ s.) du château du marquis de Moustier, au cœur d'un parc de 80 ha. Jardin à la française et golf 18 trous. Chambres spacieuses. Salle à manger voûtée et cuisine au goût du jour au Maugré. Repas rapide à la brasserie.

CUCUGNAN – 11 Aude – 344 G5 – 133 h. – alt. 310 m – ⊠ 11350

22 **B3**

Languedoc Roussillon

◘ Paris 847 – Carcassonne 77 – Limoux 79 – Perpignan 42 – Quillan 51

◉ Circuit des Corbières cathares★★.

🏠 **La Tourette** sans rest
4 passage de la Vierge – ℰ *04 68 45 07 39 – www.latourette.eu*
– coco@latourette.eu
3 ch – †90/100 € ††100/120 €, ⊐ 10 €

♦ La propriétaire a décoré cette maison avec un goût sûr et les chambres Prune, Turquoise et Indigo sont insolites et réellement exquises. Jacuzzi sous un olivier, dans le patio.

XX **Auberge du Vigneron** avec ch
– ℰ *04 68 45 03 00 – www.auberge.vigneron.com – auberge.vigneron@ataraxie.fr – Fax 04 68 45 03 08 – Ouvert 16 mars-10 nov.*
7 ch – †51 € ††51/65 €, ⊐ 8 € – ½ P 53/63 €
Rest – *(fermé dim. soir hors saison, sam. midi en juil.-août et lundi)*
Menu 22 € (sem.)/40 € – Carte 33/47 €

♦ Le chef travaille de beaux produits et élabore une cuisine régionale où l'originalité trouve sa place. Salle aménagée dans l'ancien chai et jolie terrasse face au vignoble.

CUCUGNAN

Auberge de Cucugnan avec ch
2 pl. Fontaine – ℰ *04 68 45 40 84 – www.auberge-de-cucugnan.com – contact@auberge-cucugnan.com – Fax 04 68 45 01 52 – Fermé 1ᵉʳ janv.-1ᵉʳ mars*
9 ch – †50 € ††50 €, ☑ 6,50 € – ½ P 49 €
Rest – *(fermé jeudi)* Menu 18/46 € – Carte 23/39 €
♦ Ambiance campagnarde dans cette ex-grange que l'on atteint après avoir parcouru un dédale de ruelles. Cuisine généreuse, fleurant bon le terroir. Chambres parfaitement tenues.

CUCURON – 84 Vaucluse – **332** F11 – 1 816 h. – alt. 350 m – ✉ 84160   **42 E1**
Provence

▶ Paris 739 – Apt 25 – Cavaillon 39 – Digne-les-Bains 109 – Manosque 35
🛈 Office de tourisme, rue Léonce Brieugne ℰ 04 90 77 28 37

Le Pavillon de Galon sans rest
chemin de Galon – ℰ *04 90 77 24 15 – www.pavillondegalon.com – bibi@pavillondegalon.com – Fax 04 90 77 12 55*
3 ch ☑ – †135/185 € ††150/200 €
♦ Un magnifique parc (jardin à la française, vignes, verger, labyrinthe de buis...) entoure ce pavillon de chasse du 18ᵉ s. Simplicité raffinée et confort "au top" dans les chambres.

La Petite Maison (Eric Sapet)
pl. de l'Étang – ℰ *04 90 68 21 99 – www.lapetitemaisondecucuron.com – info@lapetitemaisondecucuron.com – Fermé lundi et mardi*
Rest – *(nombre de couverts limité, prévenir)* Menu 40/60 €
Spéc. Pressé de bœuf aux olives et carottes fondantes. Sole farcie à la mousseline de Saint-Jacques. Tarte aux pommes caramélisées et son sorbet.
♦ Au cœur du village, près de l'étang, une petite maison avec sa tonnelle ombragée. Belle cuisine de produits qui change au gré du marché, des saisons et de l'inspiration du chef.

L'Horloge
55 r. L. Brieugne – ℰ *04 90 77 12 74 – www.horloge.netfirms.com – horlog@wanadoo.fr – Fax 04 90 77 29 90 – Fermé 26-30 juin, 18-27 déc., 11 fév.-15 mars, lundi du 1ᵉʳ sept. au 6 avril, mardi soir et merc.*
Rest – Menu (15 € bc), 19/42 € – Carte 35/51 €
♦ Dans ce bourg du Luberon, pressoir à huile du 14ᵉ s. réaménagé en restaurant rustique égayé de chauds coloris. Cuisine aux accents régionaux.

CUERS – 83 Var – **340** L6 – 8 174 h. – alt. 140 m – ✉ 83390   **41 C3**

▶ Paris 834 – Brignoles 25 – Draguignan 59 – Marseille 84 – Toulon 22
🛈 Office de tourisme, 18, Place de la Convention ℰ 04 94 48 56 27, Fax 04 94 28 03 56

Le Verger des Kouros
quartier des Cauvets, 2 km par rte de Solliès-Pont D 97 – ℰ *04 94 28 50 17 – www.le-verger-des-kouros.com – kourosalain@orange.fr – Fax 04 94 48 69 77 – Fermé 25 oct.-10 nov., 15-28 fév., mardi sauf le soir de juin à août et merc.*
Rest – Menu (20 €), 34/45 €
♦ Point de statues d'éphèbes, mais trois frères d'origine grecque à la tête de ce restaurant occupant une maison régionale. Fraîche salle à manger et recettes méditerranéennes.

Terre de Vignes
36 av. Mar.-Joffre – ℰ *04 94 58 29 70 – terredevignes@voila.fr*
Rest – Menu (16 €), 32 € – Carte 38/54 €
♦ Le chef de cette petite adresse familiale prépare une cuisine du marché, proposée à l'ardoise. Cadre sobrement rustique et tables joliment dressées dans un esprit contemporain.

CUISEAUX – 71 Saône-et-Loire – **320** M11 – 1 766 h. – alt. 280 m   **8 D3**
– ✉ 71480 **Bourgogne**

▶ Paris 395 – Chalon-sur-Saône 60 – Lons-le-Saunier 26 – Mâcon 74 – Tournus 52
🛈 Syndicat d'initiative, cours des Princes d'Orange ℰ 03 85 72 76 09

CUISEAUX

Vuillot
🍴 AK rest, 📞 P 🛏 VISA ⓜ©

36 r. Vuillard – ℰ 03 85 72 71 79 – hotel.vuillot@wanadoo.fr – Fax 03 85 72 54 22
– Fermé 8-20 juin, 4-25 janv., dim. soir et lundi
15 ch – †40/42 € ††53/55 €, ⊆ 8 € – ½ P 43/50 €
Rest – Menu 14 € (sem.)/46 € – Carte 24/47 €

♦ Maison bourguignonne en belles pierres du pays abritant des petites chambres proprettes, dans un bourg conservant des vestiges de ses anciennes fortifications. Restaurant dans les tons pastel prolongé d'une véranda. Spécialités de la Bresse et des Dombes.

Retrouvez tous les Bibs Gourmands ⓑ dans notre guide des "Bonnes Petites Tables du guide Michelin". Pour bien manger à prix modérés, partout en France !

CUISERY – 71 Saône-et-Loire – 320 J10 – 1 604 h. – alt. 211 m
– ⊠ 71290 ▮ Bourgogne   8 **C3**

▶ Paris 367 – Chalon-sur-Saône 35 – Lons-le-Saunier 50 – Mâcon 38
– Tournus 8
▮ Syndicat d'initiative, 32, place d'Armes ℰ 03 85 40 11 70, Fax 03 85 40 11 70

Hostellerie Bressane
🚗 🌿 ♿ AK ⌀ ⌀ P 🛏 VISA ⓜ© AE

56 rte de Tournus – ℰ 03 85 32 30 66 – www.hostellerie-bressane.fr
– hostellerie.bressane@wanadoo.fr – Fax 03 85 40 14 96 – Fermé 8-18 juin,
28 déc.-4 fév., merc. et jeudi
15 ch – †60/90 € ††70/120 €, ⊆ 11 € – ½ P 76/85 €
Rest – Menu (28 €), 35/58 € 🍷

♦ Hostellerie familiale de 1870 entièrement non-fumeurs. Chambres spacieuses, rénovées avec soin, et charmant jardin. Mets traditionnels et locaux servis avec le sourire dans un cadre classique actualisé. Superbe platane en terrasse.

CULT – 70 Haute-Saône – 321 E3 – 188 h. – alt. 270 m – ⊠ 70150   16 **B2**

▶ Paris 367 – Besançon 35 – Dole 44 – Vesoul 56

Les Egrignes ⁂
🐕 🌿 ⌀ ⌀ P

rte d'Hugier – ℰ 03 84 31 92 06 – www.les-egrignes.com – lesegrignes@
wanadoo.fr – Fax 03 84 31 92 06 – Fermé 17 nov.-6 janv.
3 ch ⊆ – †75 € ††85 €   **Table d'hôte** – *(fermé dim. et jeudi)* Menu 28 € bc

♦ Belle demeure de 1849 entourée d'un parc planté d'arbres centenaires. Chambres de bonne ampleur, décorées avec raffinement et élégant salon. La table d'hôte vous fera découvrir les spécialités culinaires et les vins de la région.

CUQ-TOULZA – 81 Tarn – 338 D9 – 547 h. – alt. 203 m – ⊠ 81470   29 **C2**

▶ Paris 713 – Toulouse 47 – Albi 72 – Castelnaudary 35 – Castres 33
– Gaillac 54

Cuq en Terrasses ⁂
≤ 🚗 🌿 🍴 AK ch, ⌀ ⌀ ch, VISA ⓜ© AE ⓘ

Sud-Est : 2,5 km par D 45 – ℰ 05 63 82 54 00 – www.cuqenterrasses.com – info@
cuqenterrasses.com – Fax 05 63 82 54 11 – Ouvert 2 avril-30 oct.
6 ch – †95/150 € ††100/150 €, ⊆ 14 € – 1 suite
Rest – *(fermé merc.) (dîner seult) (résidents seult)* Menu 35 €

♦ Cette charmante maison du 18e s. est une perle rare : insolite jardin en terrasses, ambiance guesthouse, chambres calmes, personnalisées et décorées avec goût. Repas actuels aux influences méditerranéennes, servis en extérieur l'été.

CUREBOURSE (COL DE) – 15 Cantal – 330 D5 – rattaché à Vic-sur-Cère

CURTIL-VERGY – 21 Côte-d'Or – 320 J6 – rattaché à Nuits-St-Georges

CURZAY-SUR-VONNE – 86 Vienne – **322** G6 – 458 h. – alt. 125 m 39 **C1**
– ✉ 86600

▶ Paris 364 – Lusignan 11 – Niort 54 – Parthenay 34 – Poitiers 29
– St-Maixent-l'École 28

Château de Curzay
rte Jazeneuil – ℰ 05 49 36 17 00 – www.chateau-curzay.com – info@
chateau-curzay.com – Fax 05 49 53 57 69 – Ouvert 8 avril-11 nov.
20 ch – †175/190 € ††175/380 €, ⇆ 25 € – 2 suites – ½ P 175/225 €
Rest La Cédraie – Menu 38 € (déj.), 75 /110 € – Carte 80/120 €
Spéc. Déclinaison gourmande autour de l'huître de Marennes-Oléron (printemps-automne). Agneau du Poitou en quatre façons et pommes de terre farcies. Macarons glacés. **Vins** Vin de Pays de la Vienne
♦ Superbe château (1710) au cœur d'un beau parc de 120 ha traversé par une rivière et hébergeant un haras. Chambres au port aristocratique. Cuisine inventive (produits du potager et du jardin aromatique) à la Cédraie.

CUSSAY – 37 Indre-et-Loire – **317** N6 – 562 h. – alt. 105 m – ✉ 37240 11 **B3**
▶ Paris 303 – Orléans 179 – Tours 67 – Joué-lès-Tours 62 – Châtellerault 36

La Ferme Blanche
La Chaume-Brangerie – ℰ 02 47 91 94 43 – www.la-ferme-blanche.com
– contact@la-ferme-blanche.com – Fermé mi-nov. à fin fév.
5 ch ⇆ – †120/130 € ††120/130 € **Table d'hôte** – Menu 32 € bc
♦ Dans un agréable jardin, ouvert sur la calme campagne, une ferme du 18ᵉ s. en pierre. Le mobilier chiné, associé avec harmonie, donne du caractère aux chambres personnalisées. À la table d'hôte, on profite d'une cuisine traditionnelle inspirée du terroir tourangeau.

CUSSEY-SUR-L'OGNON – 25 Doubs – **321** F2 – 790 h. – alt. 227 m 16 **B2**
– ✉ 25870
▶ Paris 412 – Besançon 14 – Gray 37 – Vesoul 45
◉ Château de Moncley★, ▮ Jura

La Vieille Auberge
1 grande rue – ℰ 03 81 48 51 70 – www.la-vieille-auberge.fr – lavieilleauberge@
wanadoo.fr – Fax 03 81 57 62 30 – Fermé 24 août-8 sept., 28 déc.-12 janv., vend.
soir de nov. à janv., dim. soir et lundi
Rest – Menu (18 € bc), 23/48 € – Carte 50/60 €
♦ Maison ancienne en pierres de taille tapissée de lierre. Cuisine traditionnelle et plats régionaux proposés dans une salle à manger discrètement rustique.

CUTS – 60 Oise – **305** J3 – 945 h. – alt. 79 m – ✉ 60400 37 **C2**
▶ Paris 115 – Chauny 16 – Compiègne 26 – Noyon 10 – Soissons 30
– St-Quentin 45

Auberge Le Bois Doré avec ch
5 r. Ramée, D 934 – ℰ 03 44 09 77 66 – www.leboisdore.fr – sarl-le-bois-dore@
wanadoo.fr – Fax 03 44 09 79 27 – Fermé 15 fév.-1ᵉʳ mars, mardi soir, dim. soir et lundi
3 ch – †46 € ††50 €, ⇆ 8 € **Rest** – Menu (16 €), 20/36 € – Carte 28/42 €
♦ Bâtisse plus que centenaire à la façade en pierre de taille rénovée. Cuisine traditionnelle dans la salle claire et sobrement décorée. À l'étage, vaste salle de banquets. Quelques chambres non-fumeurs pour prolonger l'étape.

CUTXAN – 32 Gers – **336** B6 – rattaché à Barbotan-les-Thermes

CUVES – 50 Manche – **303** F7 – 360 h. – alt. 78 m – ✉ 50670 32 **A2**
▶ Paris 334 – Avranches 23 – Domfront 42 – Fougères 47 – St-Lô 54 – Vire 25

Le Moulin de Jean
Nord-Est : 2 km sur D 48 – ℰ 02 33 48 39 29 – www.lemoulindejean.com
– reservations@lemoulindejean.com – Fax 02 33 48 35 32
Rest – Menu (26 €), 32/54 € – Carte 32/54 €
♦ Dans un site bucolique, ancien moulin où se marient harmonieusement pierres restaurées, parquet et sobre mise de table actuelle. Cuisine du moment ; cave à vins vitrée.

CUVILLY – 60 Oise – 305 H3 – 604 h. – alt. 78 m – ⊠ 60490   36 B2

🅿 Paris 93 – Compiègne 21 – Amiens 54 – Beauvais 61 – Montdidier 15 – Noyon 32 – Roye 20

XX L'Auberge Fleurie
64 rte Flandres, D 1017 – ℰ 03 44 85 06 55 – Fax 03 44 85 06 55 – Fermé 17-31 août, 26-31 déc., dim. soir et lundi
Rest – Menu 15 € (sem.)/38 € – Carte 40/75 €
♦ Maison tapissée de vigne vierge au riche passé : relais de poste, puis ferme et aujourd'hui restaurant. Salle rustique, sise dans l'ex-bergerie. Plats traditionnels.

DABISSE – 04 Alpes-de-Haute-Provence – 334 D9 – ⊠ 04190 Les Mees   40 B2

🅿 Paris 734 – Digne-les-Bains 34 – Forcalquier 20 – Manosque 27 – Sisteron 30

XXX Le Vieux Colombier
rte d'Oraison, 2 km au Sud par D 4 – ℰ 04 92 34 32 32
– www.levieuxcolombier.over-blog.fr – snowak@wanadoo.fr – Fax 04 92 34 34 26
– Fermé 1er-15 janv., mardi soir d'oct. à mars, dim. soir et merc.
Rest – Menu (20 € bc), 30/60 € – Carte 50/65 €
♦ Dans une ancienne ferme, salle à manger avec poutres apparentes. Agréable terrasse ombragée par deux marronniers centenaires. Cuisine classique.

DACHSTEIN – 67 Bas-Rhin – 315 J5 – 1 439 h. – alt. 160 m – ⊠ 67120   1 A1

🅿 Paris 477 – Molsheim 6 – Saverne 28 – Sélestat 40 – Strasbourg 23

XX Auberge de la Bruche
– ℰ 03 88 38 14 90 – www.auberge-bruche.com – info@auberge-bruche.com
– Fax 03 88 48 81 12 – Fermé 2-19 août, 27 déc.-6 janv., sam. midi, dim. soir et merc.
Rest – Menu 28/70 € bc – Carte 40/56 €
♦ Prenez l'ancienne tour de garde du village : à ses pieds, un cours d'eau, la Bruche, et à ses côtés une auberge fleurie au décor élégant. Le tout forme un joli tableau.

DAGLAN – 24 Dordogne – 337 D3 – 541 h. – alt. 101 m – ⊠ 24250   4 D2

🅿 Paris 558 – Bordeaux 203 – Cahors 51 – Sarlat-la-Canéda 23
🄸 Syndicat d'initiative, le Bourg ℰ 05 53 29 88 84, Fax 05 53 29 88 84

XX Le Petit Paris
au bourg – ℰ 05 53 28 41 10 – Fax 05 53 28 41 10 – Ouvert 1er mars-14 déc. et fermé dim. soir hors saison, sam. midi et lundi
Rest – (nombre de couverts limité, prévenir) Menu (22 €), 27/39 € – Carte 45/55 €
♦ Deux salles à manger rustiques (celle du 1er étage est plus cossue) et une terrasse d'été pour déguster une cuisine au goût du jour soignée, réalisée avec les produits régionaux.

LA DAILLE – 73 Savoie – 333 O5 – rattaché à Val-d'Isère

DAMBACH-LA-VILLE – 67 Bas-Rhin – 315 I7 – 1 924 h. – alt. 210 m – ⊠ 67650 ∎ Alsace Lorraine   2 C1

🅿 Paris 443 – Obernai 24 – Saverne 61 – Sélestat 8 – Strasbourg 52
🄸 Office de tourisme, 11, place du Marché ℰ 03 88 92 61 00, Fax 03 88 92 47 11

🏠 Le Vignoble sans rest
1 r. de l'Église – ℰ 03 88 92 43 75 – www.hotel-vignoble-alsace.fr – info@hotel-vignoble-alsace.fr – Fax 03 88 92 62 21 – Fermé janv.
7 ch – †58/60 € ††60/65 €, ☷ 8 €
♦ Attenante à l'église du village, cette ancienne grange alsacienne de 1765 propose des chambres coquettes (bien insonorisées) et offre un accueil chaleureux. Cour et jardinet.

DAMGAN – 56 Morbihan – 308 P9 – 1 443 h. – ⊠ 56750   9 B3

🅿 Paris 469 – Muzillac 10 – Redon 46 – La Roche-Bernard 25 – Vannes 29
🄸 Office de tourisme, Place Alexandre Tiffoche ℰ 02 97 41 11 32, Fax 02 97 41 13 22

DAMGAN

De la Plage sans rest
38 bd de l'Océan – ℰ 02 97 41 10 07 – www.hotel-morbihan.com – contact@hotel-morbihan.com – Fax 02 97 41 12 82 – Fermé 11 nov.-6 fév.
17 ch – †65/100 € ††65/100 €, ⊇ 11 € – 1 suite
♦ Mention particulière pour l'accueil familial tout sourire. Les chambres profitent presque toutes d'une belle échappée sur l'Atlantique. Restauration d'appoint (saladerie).

Albatros
1 bd de l'Océan – ℰ 02 97 41 16 85 – www.hotel-albatros-damgan.com – albatros56@wanadoo.fr – Fax 02 97 41 21 34 – Ouvert 15 mars-3 nov.
27 ch – †46/55 € ††52/68 €, ⊇ 8 € – ½ P 53/61 €
Rest – Menu (12 €), 19/42 € – Carte 26/50 €
♦ Ambiance très gaie dans cette maison de front de mer, au cœur d'un quartier résidentiel. La majorité des chambres donnent sur l'océan ; toutes sont scrupuleusement tenues. Au restaurant, joli cadre coloré, belle échappée sur les flots, et carte de poissons.

DAMPIERRE-EN-YVELINES – 78 Yvelines – **311** H3 – **101** 31 – voir à Paris, Environs

---

DAMPRICHARD – 25 Doubs – **321** L3 – 1 788 h. – alt. 825 m — 17 **C2**
– ✉ 25450
◘ Paris 505 – Basel 94 – Belfort 64 – Besançon 82 – Montbéliard 47 – Pontarlier 67

Le Lion d'Or
7 pl. du 3ème RTA – ℰ 03 81 44 22 84 – www.hotel-le-lion-dor.com – hotel.damprichard@wanadoo.fr – Fax 03 81 44 23 10 – Fermé 24 oct.-6 nov., 15-21 fév., dim. soir et lundi
Rest – Menu (11 €), 14 € (déj. en sem.), 22/54 € – Carte 30/61 €
♦ Au centre d'un bourg limitrophe de la Suisse, découvrez cet agréable restaurant (poutres, cheminée) servant une cuisine classique de produits frais. Bon choix de vins au verre.

DANIZY – 02 Aisne – **306** C5 – 553 h. – alt. 54 m – ✉ 02800 — 37 **C2**
◘ Paris 148 – Amiens 111 – Laon 32 – Saint-Quentin 28 – Soissons 53

Domaine le Parc
r. du Quesny – ℰ 03 23 56 55 23 – www.domaineleparc.fr – contact@domaineleparc.fr – Fermé 21 déc.-8 janv.
5 ch ⊇ – †65/85 € ††65/85 € **Table d'hôte** – Menu 35 € bc
♦ Belle demeure de caractère du 18ᵉ s. nichée dans un magnifique parc boisé. Côté chambres, lumière douce et décoration classique. Certaines ont vue sur la vallée de l'Oise. La table d'hôte séduit par la cuisine familiale soignée que propose la propriétaire.

DANJOUTIN – 90 Territoire de Belfort – **315** F11 – rattaché à Belfort

---

DANNEMARIE – 68 Haut-Rhin – **315** G11 – 2 259 h. – alt. 320 m — 1 **A3**
– ✉ 68210
◘ Paris 447 – Basel 43 – Belfort 25 – Colmar 58 – Mulhouse 25 – Thann 25

Ritter
(face à la gare) – ℰ 03 89 25 04 30 – restaurant.ritter@wanadoo.fr – Fax 03 89 08 02 34 – Fermé 10-24 juil., 19-31 déc., 16 fév.-5 mars, lundi soir, jeudi soir et mardi
Rest – Menu 11 € (déj. en sem.), 23/58 € bc – Carte 40/58 €
♦ L'ancien théâtre du village (1900) converti en restaurant. Sur scène et dans la salle, décor alsacien, collection de chopes et outils paysans... Spécialité de carpes frites.

Wach
13 pl. Hôtel-de-Ville – ℰ 03 89 25 00 01 – http://restaurant.wach.free.fr – Fax 03 89 25 00 01 – Fermé 3-17 août, 21 déc.-5 janv. et lundi
Rest – (déj. seult) Menu 13 €, 16/35 € – Carte 30/45 €
♦ La modeste façade de cette adresse familiale est joliment fleurie en saison. Vous y goûterez une cuisine régionale accompagnée de vins de qualité proposés à des prix raisonnables.

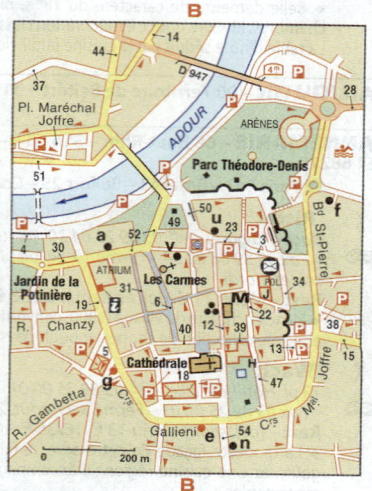

DAVAYAT – 63 Puy-de-Dôme – 323 F7 – 565 h. – alt. 369 m – ⊠ 63200   5 **B2**
Auvergne

▶ Paris 402 – Clermont-Ferrand 28 – Cournon-d'Auvergne 29 – Vichy 46

⌂ **La Maison de la Treille** sans rest
25 r. de l'Église – ℰ 04 73 63 58 20 – http://honnorat.la.treille.free.fr
– honnorat.la.treille@wanadoo.fr
4 ch ⌑ – †67/83 € ††73/90 €

♦ Demeure de 1810 dont l'architecture s'inspire du néoclassicisme italien. Les chambres soignées se trouvent dans l'orangerie, entourée d'un ravissant jardin. Stages de tapisserie.

DAX – 40 Landes – 335 E12 – 20 500 h. – alt. 12 m – Stat. therm. :   3 **B3**
à St-Paul-lès-Dax : toute l'année – Casinos : La Potinière, et à St-Paul-lès-Dax
⊠ 40100 **Aquitaine**

▶ Paris 727 – Biarritz 61 – Bordeaux 144 – Mont-de-Marsan 54 – Pau 85

🛈 Office de tourisme, 11, cours Foch ℰ 05 58 56 86 86, Fax 05 58 56 86 80

🏛 **Grand Hôtel Mercure Splendid**
cours Verdun – ℰ 05 58 56 70 70 – www.mercure.com
– h2148@accor-hotels.com – Fax 05 58 74 76 33 – Fermé janv. et fév.   B **a**
100 ch – †82/117 € ††104/122 €, ⌑ 12 € – 6 suites
Rest – Menu 15 € (déj. en sem.) – Carte 33/43 €

♦ Le style Art déco est bien préservé, tant dans le hall et le bar que dans les chambres spacieuses au charme désuet. Centre thermal rénové. Majestueuse salle à manger inspirée, dit-on, de celle du paquebot Normandie.

DAX

Aspremont (R. d') . . . . **A** 2	St-Pierre (Pl.) . . . . **B** 38
Augusta (Cours J.) . . . . **B** 3	St-Pierre (R.) . . . . **B** 39
Baignots (Allée des) . . . . **B** 4	St-Vincent-de-Paul (Av.) . . . . **AB** 44
Bouvet (Pl. C.) . . . . **B** 5	St-Vincent (R.) . . . . **B** 40
Carmes (R. des) . . . . **B** 6	Sully (R.) . . . . **B** 47
Carnot (Bd) . . . . **A** 10	Thiers (Pl.) . . . . **B** 49
Cazade (R.) . . . . **B** 12	Toro (R. du) . . . . **B** 50
Chanoine-Bordes (Pl.) . . . . **B** 13	Tuilleries (Av. des) . . . . **B** 51
Chaulet (Av. G.) . . . . **AB** 14	Verdun (Cours de) . . . . **B** 52
Clemenceau (Av. G.) . . . . **AB** 15	Victor-Hugo (Av.) . . . . **AB** 54
Dourner (Av. P.) . . . . **B** 16	
Ducos (Pl. R.) . . . . **B** 18	**ST-PAUL-LÈS-DAX**
Foch (Cours Mar.) . . . . **B** 19	
Francis Plante (Av.) . . . . **A** 35	Foch (R. Mar.) . . . . **A** 20
Fusillés (R. des) . . . . **B** 22	Lahillade (R. G.) . . . . **A** 24
Gaulle (Espl. Gén.-de) . . . . **B** 23	Liberté (Av. de la) . . . . **A** 25
Lorrin (Bd C.) . . . . **A** 26	Loustalot (R. René) . . . . **A** 27
Manoir (Bd Y.-du) . . . . **AB** 28	Résistance (Av. de la) . . . . **A** 36
Milliès-Lacroix (Av. E.) . . . . . . **AB** 30	St-Vincent-de-Paul (Av.) . . . . **A** 45
Neuve (R.) . . . . **B** 31	Tambour (R. du) . . . . **B** 47
Pasteur (Cours) . . . . **B** 34	
Sablar (Av. du) . . . . **B** 37	

DAX

🏨 Le Grand Hôtel ⚜
r. Source – ℰ 05 58 90 53 00 – www.thermes-dax.com – grandhotel@thermesadour.com – Fax 05 58 90 52 88 – Fermé 20 déc.-11 janv.
128 ch – †71/97 € ††79/109 €, ☲ 8 € – 8 suites
Rest – Menu 17/32 € – Carte 32/41 €

B f

♦ Ce bâtiment, situé au cœur de la cité, bénéficie de chambres contemporaines bien agencées et insonorisées. Thermes intégrés ; nombreuses animations (thés dansants). Grande salle de restaurant, fréquentée principalement par une clientèle de curistes.

🏨 Le Richelieu
13 av. V. Hugo – ℰ 05 58 90 49 49 – www.le-richelieu.fr – hotellerichelieu@wanadoo.fr – Fax 05 58 90 80 86 – Fermé 25 déc.-10 janv.
30 ch – †60 € ††65 €, ☲ 8 € – ½ P 90/98 €
Rest – (fermé sam. midi, dim. soir et lundi) Menu 25 € – Carte 25/45 €

B n

♦ Cet établissement, en bordure d'un axe passant, abrite un agréable patio et des chambres cosy. Celles de l'annexe ont été réactualisées dans un beau style moderne. Salle à manger actuelle aux tons gris pastel pour une cuisine traditionnelle.

🏠 La Néhé sans rest
18 r. de la Fontaine D'eau – ℰ 05 58 90 16 46 – www.hotel-nehe-dax.com – hotelndelanehe@orange.fr – Fax 05 58 90 01 18 – Fermé janv.
20 ch – †43/46 € ††55/63 €, ☲ 7 €

B g

♦ Tout proche de la fontaine d'eau chaude, dans une rue commerçante, un hôtel totalement rénové. Chambres spacieuses et fonctionnelles agrémentées d'un mobilier en bois clair.

🍴🍴 L'Amphitryon
38 cours Galliéni – ℰ 05 58 74 58 05 – Fermé 22 août-3 sept., 1er-30 janv., sam. midi, dim. soir et lundi
Rest – (nombre de couverts limité, prévenir) Menu 22 € (sem.), 28/40 € – Carte 38/45 €

B e

♦ Le restaurant a été revu de pied en cap : façade immaculée et plaisante salle à manger au décor marin. Cuisine au goût du jour utilisant les produits régionaux.

🍴 Une Cuisine en Ville (Philippe Lagraula)
11 av. G. Clemenceau – ℰ 05 58 90 26 89 – philippe_lagraula@hotmail.com – Fax 05 58 90 26 89 – Fermé 15 août-7 sept., 2-14 janv., dim. soir, lundi et mardi
Rest – Menu 36/60 € – Carte environ 63 €
Spéc. Foie gras en croque-sandwich. Saint-Jacques, potimarron et chanterelles (oct. à janv.). Le "Russe" de Dax. **Vins** Jurançon.

A p

♦ L'inventivité règne sur cette belle table qui allie atmosphère feutrée (murs de pierre et mobilier contemporain) et savoureuse cuisine personnalisée.

🍴 La Tête de l'Art
pl. Camille-Bouvet – ℰ 05 58 74 00 13 – Fermé 23-31 août, dim. et lundi
Rest – Menu (19 €) – Carte 34/48 €

B v

♦ Tout ici participe à la convivialité du lieu : accueil charmant, décor champêtre et hétéroclite avec une cuisine ouverte, plats bistrotiers revisités, spécialités de terrines…

à St-Paul-lès-Dax – 12 400 h. – alt. 21 m – ✉ 40990

🛈 Office de tourisme, 68, avenue de la Résistance ℰ 05 58 91 60 01, Fax 05 58 91 97 44

🏨 Caliceo ⚜
355 r. du Centre Aéré, au lac de Christus
– ℰ 05 58 90 66 00 – www.hotelcaliceo.com – caliceo@thermesadour.com – Fax 05 58 90 66 64
47 ch – †79/92 € ††92/104 €, ☲ 9,50 € – 148 suites – ††111/122 €
Rest – Menu 19/28 € – Carte 28/49 €

A n

♦ Hôtel moderne équipé d'un nouveau centre de balnéothérapie avec un espace bien-être (spa, centre de soins). Chambres – en majorité des suites – au mobilier élégant et intemporel. Cuisine traditionnelle ou diététique au restaurant. Terrasse tournée vers le lac de Christus.

DAX

Du Lac
allée de Christus – ℰ 05 58 90 60 00 – www.hotel-du-lac-dax.com – hoteldulac@thermesadour.com – Fax 05 58 91 34 88 – Ouvert 1ᵉʳ mars-22 nov. A t
209 ch – †65/71 € ††73/80 €, ⊇ 9 €
Rest *L'Arc-en-Ciel* – ℰ 05 58 90 63 00 – Menu (15 €), 18/25 € – Carte 24/38 €
♦ Imposant ensemble hôtelier et thermal bien situé à deux pas du lac de Christus. Chambres pratiques ; la moitié d'entre elles ont une loggia. Cadre contemporain, vue sur l'eau et carte classique à L'Arc-en-Ciel.

Le Moulin de Poustagnacq
– ℰ 05 58 91 31 03 – www.moulindepoustagnacq.com – moulinpoustagnacq@orange.fr – Fax 05 58 91 37 97 – Fermé vacances de la Toussaint, 20-30 déc., vacances de fév., mardi midi, dim. soir et lundi A r
Rest – Menu 29/69 € – Carte 50/65 €
♦ Cet ancien moulin en lisière de bois vous séduira par sa salle à manger originalement décorée et sa terrasse au bord d'un étang. Cuisine actuelle aux accents régionaux.

DEAUVILLE – 14 Calvados – **303** M3 – 3 973 h. – alt. 2 m – Casino **AZ**   32 **A3**
– ⊠ 14800 ▮ Normandie Vallée de la Seine

- ▯ Paris 202 – Caen 50 – Évreux 101 – Le Havre 44 – Lisieux 30 – Rouen 90
- ▯ de Deauville-St-Gatien : ℰ 02 31 65 65 65, par ② : 5 km BY.
- ▯ Office de tourisme, place de la Mairie ℰ 02 31 14 40 00, Fax 02 31 88 78 88
- ▯ New Golf de Deauville S : 3 km par D 278, ℰ 02 31 14 24 24
- ▯ de l'Amirauté à Tourgéville Route Départementale 278, S : 4 km par D 278, ℰ 02 31 14 42 00
- ▯ de Saint-Gatien à Saint-Gatien-des-Bois Le Mont Saint Jean, E : 10 km par D 74, ℰ 02 31 65 19 99
- ▯ Mont Canisy★ 5 km par ④ puis 20 mn.
- ▯ La corniche normande★★ - La côte fleurie★★

Plan page ci-contre

Normandy-Barrière
38 r. J. Mermoz – ℰ 02 31 98 66 22 – www.lucienbarriere.com – normandy@lucienbarriere.com – Fax 02 31 98 66 23 AZ h
259 ch – †246/875 € ††246/875 €, ⊇ 30 € – 31 suites
Rest *La Belle Époque* – Menu 55 € – Carte 62/94 €
♦ Reconnaissable à sa silhouette de manoir anglo-saxon, ce palace de 1912 est l'emblème de la station. Spacieuses chambres raffinées et cosy. Salle de remise en forme. Luxueux restaurant recréant le style Belle Époque et tables dressées dans la jolie cour normande en été.

Royal-Barrière
bd E. Cornuché – ℰ 02 31 98 66 33 – www.lucienbarriere.com – royal@lucienbarriere.com – Fax 02 31 98 66 34 – Ouvert 12 mars-1ᵉʳ nov. AZ y
236 ch – †252/748 € ††252/748 €, ⊇ 30 € – 16 suites
Rest *L'Étrier* – (fermé le midi sauf sam. et dim.) Menu 67/107 € – Carte 87/135 €
Rest *Côté Royal* – (dîner seult sauf sam., dim. et fériés) Menu 55 € – Carte 60/92 €
Spéc. Couleurs et saveurs, panais, topinambours et carottes jaunes à la truffe noire. Matelote au citron et soja, pointes d'asperges, crème basmati, homard au corail. Tuile croustillante, lait aux éclats caramélisés, café corsé, crème glacée aux cacahuètes.
♦ Imposante architecture 1900 appréciée par la jet-set et les stars du cinéma. Chambres luxueuses, parfois tournées vers la Manche. À L'Étrier, délicieuse cuisine actuelle servie dans un cadre classique et cosy (boiseries, tentures, photos anciennes). Atmosphère digne d'un palace et plats traditionnels au Côté Royal.

L'Augeval sans rest
15 av. Hocquart de Turtot – ℰ 02 31 81 13 18 – www.augeval.com – info@augeval.com – Fax 02 31 81 00 40 AZ d
40 ch – †68/168 € ††95/242 €, ⊇ 13 € – 2 suites
♦ Près de l'hippodrome et des haras, ce séduisant manoir normand abrite deux demeures cossues : L'Augeval, assez rétro, et Le Trait d'Union, plus actuelle. Piscine, espace détente.

DEAUVILLE

Blanc (R. E.) . . . . **AZ** 4	Fracasse (R. A.) . . . . **AZ**	Laplace (R.) . . . . **AZ** 23
Colas (R. E.) . . . . **AZ** 5	Gambetta (R.) . . . . **BY** 9	Le Marois (R.) . . . . **AZ** 25
Fossorier (R. R.) . . . . **ABZ** 8	Gaulle (Av. Gén.-de) . . . . **AZ** 10	Mirabeau (R.) . . . . **BY** 26
	Gontaut-Biron (R.) . . . . **AYZ** 13	Morny (Pl. de) . . . . **BZ** 28
	Hoche (R.) . . . . **AYZ** 20	République
	Le-Hoc (R. D.) . . . . **BZ** 24	(Av. de la) . . . . **ABZ**

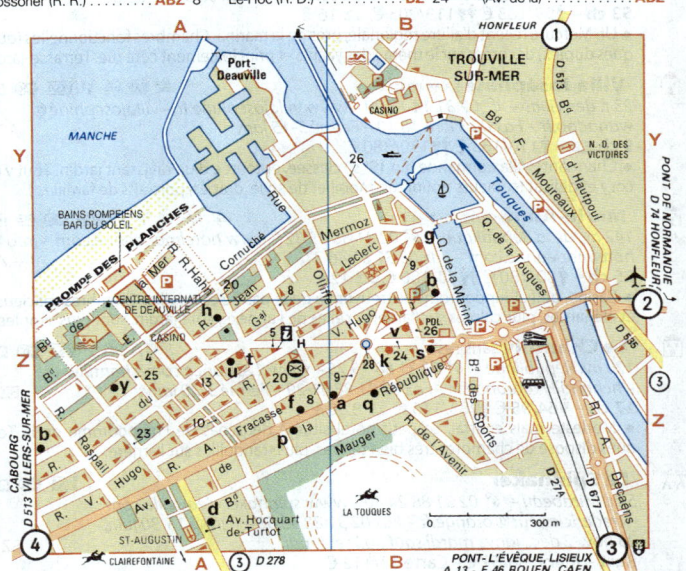

81 L'Hôtel

*81 av. de la République – ℰ 02 31 14 01 50 – www.81lhotel.com – contact@
81lhotel.com – Fax 02 31 87 51 77* AZ **p**
21 ch – ♦139/190 € ♦♦190/370 €, ☲ 14 € **Rest** – Menu 55 €

♦ Grand manoir anglo-normand (1906) à la surprenante décoration moderne et feutrée associant parquets et moulures d'époque, mobilier de style laqué argent, pampilles, reproductions de Lichtenstein... Touches design, lustres et tons gris-prune au restaurant. Menu-carte actuel.

Almoria sans rest

*37 av. de la République – ℰ 02 31 14 32 32 – www.almoria-deauville.com – info@
almoria-deauville.com – Fax 02 31 89 46 99* BZ **q**
60 ch – ♦71/231 € ♦♦72/232 €, ☲ 13 €

♦ Confort, modernité et lignes épurées caractérisent cet hôtel tout neuf, conçu dans le style régional. Quelques chambres ont un accès direct au patio doté d'une terrasse d'été.

Le Trophée sans rest

*81 r. Gén. Leclerc – ℰ 02 31 88 45 86 – www.letrophee.com – information@
letrophee.com – Fax 02 31 88 07 94* AZ **u**
35 ch – ♦59/87 € ♦♦65/219 €, ☲ 13 €

♦ Établissement sobre et actuel, proche des plages et du centre-ville. Les chambres sont tournées vers la rue ou la piscine ; certaines avec balnéo, la plupart avec balcons. Sauna et hammam.

Continental sans rest

*1 r. Désiré Le Hoc – ℰ 02 31 88 21 06 – www.hotel-continental-deauville.com
– info@hotel-continental-deauville.com – Fax 02 31 98 93 67 – Fermé
11 nov.-19 déc.* BZ **s**
42 ch – ♦61/96 € ♦♦61/96 €, ☲ 8,50 €

♦ Sur une avenue animée, hôtel bien tenu adressant des clins d'œil à Deauville : vente de produits régionaux, affiches du festival du film américain dans la salle des petits-déjeuners.

DEAUVILLE

🏨 Mercure Deauville Hôtel du Yacht Club sans rest
2 r. Breney – ℰ 02 31 87 30 00
– www.accor-hotels.com – h2876@accor.com – Fax 02 31 87 05 80
53 ch – †99/183 € ††119/203 €, ⊇ 16 €　　　　　　　　　　　　　　　BY **b**

♦ Un Mercure récent d'allure régionale, près de la marina. Chambres fonctionnelles (quelques duplex) décorées sur le thème des yachts et principalement côté rue. Terrasse-jardin.

🏠 Villa Joséphine sans rest
23 r. des Villas – ℰ 02 31 14 18 00 – www.villajosephine.fr – villajosephine@wanadoo.fr – Fax 02 31 14 18 10 – Fermé 5-15 janv.　　　　　　　　　　AZ **b**
9 ch ⊇ – †110/165 € ††130/380 €

♦ Charmante villa normande (fin 19ᵉ s.) classée, entourée d'un ravissant jardin. Tout y est cosy et délicat (couleurs poudrées, mobilier de style, drapés, portraits de famille...).

🏠 Marie-Anne sans rest
142 av. de la République – ℰ 02 31 88 35 32 – www.hotelmarieanne.com – info@hotelmarieanne.com – Fax 02 31 81 46 31　　　　　　　　　　　　　　　AZ **f**
25 ch – †80/180 € ††80/180 €, ⊇ 12 €

♦ Casino, golf et hippodrome se trouvent à deux pas de cette villa. Chambres spacieuses et élégantes, plus calmes sur l'arrière ; celles de l'annexe, côté jardin, sont plus simples.

🏠 Le Chantilly sans rest
120 av. République – ℰ 02 31 88 79 75 – www.123france.com/chantilly/ – hchantilly@orange.fr – Fax 02 31 88 41 29 – Fermé 3-20 janv.　　　　　BZ **a**
17 ch – †64/95 € ††83/115 €, ⊇ 8,50 €

♦ Modeste mais central, ce petit hôtel situé à deux pas de l'hippodrome de la Touques dispose de chambres très bien tenues, plus tranquilles sur l'arrière.

✕✕ Le Spinnaker
52 r. Mirabeau – ℰ 02 31 88 24 40 – www.spinnaker-deauville.com – fredericlesieur@orange.fr – Fax 02 31 88 43 58 – Fermé 15-30 juin, 23 nov.-2 déc., janv., mardi sauf août et lundi　　　　　　　　　　　　　BZ **v**
Rest – Menu 36/51 € – Carte 57/112 €

♦ Ce "spi"-là ne vous fera pas gagner de régate mais vous propulsera vers un joli cadre contemporain, où vous attendent une cuisine de la mer et d'appétissants desserts.

✕✕ La Flambée
81 r. Général Leclerc – ℰ 02 31 88 28 46 – restaurant.laflambee@wanadoo.fr
– Fax 02 31 87 50 27　　　　　　　　　　　　　　　　　　　　　　　　　AZ **t**
Rest – Menu (20 € bc), 27/48 € – Carte 44/69 €

♦ Une belle flambée crépite dans la grande cheminée où l'on prépare, sous vos yeux, les grillades. Autres choix : plats traditionnels et homard (vivier). Atmosphère conviviale.

✕✕ Augusto Chez Laurent
27 r. Désiré Le Hoc – ℰ 02 31 88 34 49 – www.restaurant-augusto.com
– augustochezlaurent@orange.fr – Fax 02 31 88 38 88　　　　　　　　　BZ **k**
Rest – Menu (17 €), 35/58 € – Carte 38/158 €

♦ Connue pour ses spécialités de homards et de poissons depuis plus de 35 ans, cette institution suit son cap sous l'impulsion d'un nouveau patron. Décor chic façon bateau.

✕ Le Comptoir et la Table
1 quai de la Marine – ℰ 02 31 88 92 51 – Fax 02 31 87 34 95 – Fermé nov., janv. et merc.　　　　　　　　　　　　　　　　　　　　　　　　　　　　　　　　BY **g**
Rest – Menu (17 €) – Carte 40/50 €

♦ Une belle convivialité anime ce restaurant de la marina qui a pour attraits son comptoir en bois et sa fresque de Trouville (1947) au plafond. Plats bistrotiers et grands crus.

à Touques 2,5 km par ③ – 3 898 h. – alt. 10 m – ⊠ 14800

🛈 Office de tourisme, place Lemercier ℰ 02 31 88 70 93, Fax 02 31 98 06 60

✕✕ Les Landiers 😊
90 r. Louvel et Brière – ℰ 02 31 87 41 08 – www.restaurant-deauville.com
– nycgerard@hotmail.com – Fax 02 31 81 90 31 – Fermé 22 juin-5 juil., 1ᵉʳ-7 janv., dim. soir, mardi et merc. sauf vacances scolaires
Rest – Menu (22 €), 29/50 €

♦ Accueil tout sourire, coquettes salles à manger rustiques, goûteuse cuisine traditionnelle et spécialités des pays de l'Est : ce sympathique petit restaurant a tout pour plaire.

DEAUVILLE

XX L'Orangeraie
12 quai Monrival – ℰ 02 31 81 47 81 – www.lorangeraie-touques.com
– isabelle.camillieri@wanadoo.fr – Fermé 17-30 nov., 6-15 fév., jeudi sauf vacances scolaire et merc.
Rest – Menu 27/45 € – Carte 39/86 €
♦ Cette maison du 15ᵉ s. au cadre rustique épuré propose une généreuse cuisine qui suit les saisons. Au dessert, pas de carte mais un plateau dégustation. Agréable terrasse.

à Canapville 6 km par ③ – 237 h. – alt. 10 m – ⊠ 14800

Le Mont d'Auge sans rest
par D 279 et rte secondaire rte de St-Gatien – ℰ 02 31 64 95 17
– www.bedsandbreakfast-france.com – zeniewski@hotmail.com
3 ch ⊑ – †70/80 € ††85/95 €
♦ Cette maison à colombages jouit du calme de la campagne. Chambres assez spacieuses d'esprit rustique. Aux beaux jours, on sert le petit-déjeuner sur la terrasse face au jardin.

XX Auberge du Vieux Tour
sur D 677 – ℰ 02 31 65 21 80 – www.levieuxtour.com – le.vieux.tour@free.fr
– Fax 02 31 65 03 75 – Fermé 30 juin-8 juil., vacances de Noël, de fév., mardi et merc. sauf du 14 juil. au 31 août
Rest – Menu 23 € (sem.)/55 € – Carte 32/66 €
♦ Coiffée de chaume, l'auberge borde la départementale, mais la coquette salle à manger (poutres, murs rose saumon, tableaux, tomettes) et la terrasse sont au calme, côté jardin.

au New Golf 3 km au Sud par D 278 - BAZ – ⊠ 14800 Deauville

Du Golf-Barrière
– ℰ 02 31 14 24 00 – www.lucienbarriere.com
– hotelduglofdeauville@lucienbarriere.com – Fax 02 31 14 24 01 – Fermé de mi-nov. à fin-déc.
178 ch – †185/590 € ††185/590 €, ⊑ 25 € – 9 suites
Rest *Le Lassay* – (dîner seult) Menu 42/58 € – Carte 51/72 €
Rest *Le Club House* – ℰ 02 31 14 24 23 (Ouvert 8 mars-15 nov.) (déj. seult)
Menu (21 €), 26 € – Carte 34/47 €
♦ Palace Art déco entouré d'un golf et juché sur le mont Canisy, d'où la vue s'étend sur la mer et la campagne. Chambres assez spacieuses tout confort. Au Lassay, cuisine classique servie dans un cadre chic, prolongé d'une véranda. Le midi, repas traditionnels au Club House. Boutique de golf.

au Sud 6 km par D 278 et chemin de l'Orgueil – ⊠ 14800 Deauville

Hostellerie de Tourgéville
– ℰ 02 31 14 48 68 – www.hostellerie-de-tourgeville.fr – info@hostellerie-de-tourgeville.fr – Fax 02 31 14 48 69
19 ch – †130/250 € ††130/250 €, ⊑ 16 € – 6 suites
Rest – (Fermé le midi en sem. sauf vacances scolaires et fériés) Menu 39/56 €
– Carte 50/75 €
♦ Séduisant manoir normand isolé en plein bocage du pays d'Auge. Chambres, duplex et triplex portent le nom de vedettes du cinéma ; décor personnalisé (golf, cheval, etc.). La ravissante salle à manger rustique donne sur une agréable terrasse avec un joli patio.

au golf de l'Amirauté 7 km au Sud par D 278 – ⊠ 14800 Deauville

XX Les Chaumes
CD 278 – ℰ 02 31 14 42 00 – www.amiraute.com – golf@amiraute.com
– Fax 02 31 88 32 00
Rest – (déj. seult) Menu (23 €), 29 € – Carte 41/64 €
♦ Hier haras, aujourd'hui club-house doté d'un restaurant panoramique. Vue sur le parcours de 27 trous agrémenté de sculptures modernes. Formule simple au bar ou en terrasse.

Petit-déjeuner compris ?
La tasse ⊑ suit directement le nombre de chambres.

DECAZEVILLE – 12 Aveyron – 338 F3 – 6 294 h. – alt. 230 m – ⊠ 12300 – Midi-Pyrénées 29 C1

▶ Paris 605 – Aurillac 64 – Figeac 27 – Rodez 39 – Villefranche-de-Rouergue 39
🛈 Office de tourisme, square Jean Segalat ℘ 05 65 43 18 36, Fax 05 65 43 19 89

Moderne et Malpel
16 av. A. Bos, (derrière l'église) – ℘ 05 65 43 04 33 – Fax 05 65 43 17 17
24 ch – †43 € ††57 €, ⊆ 7 € – ½ P 50/56 €
Rest – *(fermé sam., dim. et fériés)* Menu 16 € (sem.)/29 € – Carte 29/45 €
♦ Face à la poste, une adresse toute simple, pratique pour l'étape sur la route de Compostelle. Ambiance familiale et chambres sobrement aménagées. Lumineuse salle à manger mi-moderne, mi-rustique ; solide cuisine régionale.

DECIZE – 58 Nièvre – 319 D11 – 6 456 h. – alt. 197 m – ⊠ 58300 – Bourgogne 7 B3

▶ Paris 270 – Châtillon-en-Bazois 34 – Luzy 44 – Moulins 35 – Nevers 34
🛈 Office de tourisme, place du Champ de Foire ℘ 03 86 25 27 23, Fax 03 86 77 16 58

XX Le Charolais
33 bis rte Moulins – ℘ 03 86 25 22 27 – rapiau.franck@neuf.fr – Fax 03 86 25 52 52
– *Fermé 1er-9 janv., vacances de fév., mardi du 10 oct. au 15 juin, dim. soir et lundi*
Rest – Menu 18/55 € – Carte 45/65 €
♦ Le chef de ce restaurant au cadre contemporain mitonne des plats au goût du jour. Dès que le temps le permet, grillades et cuisine à la plancha se dégustent en terrasse.

LA DÉFENSE – 92 Hauts-de-Seine – 311 J2 – 101 14 – voir à Paris, Environs

DELLE – 90 Territoire de Belfort – 315 G11 – 6 246 h. – alt. 364 m – ⊠ 90100 17 D1

▶ Paris 448 – Besançon 108 – Belfort 25 – Bâle 97 – Mulhouse 62
🛈 Office de tourisme, Rue Joachim ℘ 03 84 36 03 06, Fax 03 84 36 68 57

XX Hostellerie des Remparts
1 pl. de la République – ℘ 03 84 56 32 61 – www.hostellerie-des-remparts.fr
– hostelleriedesremparts@wanadoo.fr – *Fermé en août et en fév.*
Rest – Menu (14 €), 27/47 € – Carte 25/35 €
♦ Adossée aux remparts, cette ancienne grange de 1576 possède un décor rustique, égayé d'expositions de peintures. Agréable terrasse au bord d'une rivière. Plats traditionnels.

DELME – 57 Moselle – 307 J5 – 859 h. – alt. 220 m – ⊠ 57590 27 C2

▶ Paris 364 – Château-Salins 12 – Metz 33 – Nancy 36 – Pont-à-Mousson 27 – St-Avold 43
🛈 Syndicat d'initiative, 33, rue Raymond Poincaré ℘ 03 87 01 37 19, Fax 03 87 01 43 14

A la XIIe Borne
6 pl. République – ℘ 03 87 01 30 18 – www.12eme-borne.com – info@12eme-borne.com – Fax 03 87 01 38 39 – *Fermé dim. soir et lundi*
15 ch – †55/70 € ††55/70 €, ⊆ 8 € – ½ P 60 €
Rest – Menu (9 €), 23/48 € – Carte 52/68 €
♦ Quatre frères président au destin de cette longue bâtisse, dans la famille depuis 1954. Chambres fonctionnelles, bien insonorisées. Cuisine régionale servie dans un cadre actuel ; spécialité de tête de veau.

DERCHIGNY – 76 Seine-Maritime – 304 H2 – 476 h. – alt. 100 m – ⊠ 76370 33 D1

▶ Paris 206 – Barentin 64 – Dieppe 10 – Rouen 74

Manoir de Graincourt
10 pl. Ludovic Panel – ℘ 02 35 84 12 88 – www.manoir-de-graincourt.fr
– contact@manoir-de-graincourt.fr – Fax 02 35 84 12 88
5 ch ⊆ – †82 € ††90 € **Table d'hôte** – Menu 37 € bc
♦ Renoir séjourna dans ce manoir du 19e s. typiquement normand. Chambres thématiques (meubles de famille ou chinés, beaux tissus, etc.), ouvertes sur un joli jardin clos. Dîner traditionnel en table d'hôte dans la belle cuisine rustique (pensez à réserver).

DESCARTES – 37 Indre-et-Loire – **317** N7 – 3 908 h. – alt. 50 m 11 **B3**
– ⌧ 37160 ▌Châteaux de la Loire

🛣 Paris 292 – Châteauroux 94 – Châtellerault 24 – Chinon 51 – Loches 32
– Tours 59

🛈 Office de tourisme, place Blaise Pascal ✆ 02 47 92 42 20, Fax 02 47 59 72 20

✗ **Moderne** avec ch
15 r. Descartes – ✆ *02 47 59 72 11 – hotel.moderne.fr @ wanadoo.fr*
– Fax 02 47 92 44 90 – Fermé 18-26 avril, 1ᵉʳ-18 janv., lundi midi de mi-avril à mi-sept., sam. midi et vend. de mi-sept. à mi-avril et dim. soir
11 ch – †40 € ††46 €, ⌧ 8 € – ½ P 43 €
Rest – Menu 15/40 € – Carte 35/51 €

♦ Restaurant au cadre néo-rustique, proche de la maison natale de René Descartes, aujourd'hui musée. L'été, terrasse dressée dans le petit jardin. Cuisine traditionnelle. Quelques chambres sobres et pratiques.

à Buxeuil 3 km à l'Ouest par D 58 et D 5 - ⌧ 37160 Buxeuil

✗ **Auberge de Lilette**
21 r. Robert-Lecomte, lieu-dit Lilette (86 Vienne) – ✆ *02 47 59 72 22*
– www.auberge-lilette.com – auberge.lilette @ wanadoo.fr – Fax 03 47 92 93 93
– Fermé dim. soir en hiver et vend. soir hors saison
Rest – Menu (12 € bc), 16/36 € – Carte 27/39 €

♦ Modeste salle à manger accessible par le bar-tabac du village. Les tables y sont bien espacées et la carte présente des plats à dominante régionale.

DESVRES – 62 Pas-de-Calais – **301** E3 – 5 118 h. – alt. 98 m – ⌧ 62240 30 **A2**

🛣 Paris 263 – Calais 40 – Arras 98 – Boulogne 19

🛈 Syndicat d'initiative, 41 bis, rue des Potiers ✆ 03 21 92 09 09,
Fax 03.21.92.22.09

🏨 **Ferme du Moulin aux Draps**
rte Crémarest, 1,5 km par D 254ᴱ – ✆ *03 21 10 69 59 – hotel-moulinauxdraps.com*
– moulinauxdraps @ orange.fr – Fax 03 21 87 14 56 – Fermé 29 déc.-19 janv.
20 ch – †85 € ††85/115 €, ⌧ 14 € **Rest** – *(dîner seult)* Menu 24/34 €

♦ Séduisant hôtel pour un séjour au calme, avec prairie et forêt en arrière-plan. Son architecture restitue le charme d'une ancienne ferme familiale. Chambres plaisantes.

LES DEUX-ALPES (Alpes de Mont-de-Lans et de Vénosc) 45 **C2**
– 38 Isère – **333** J7 – Sports d'hiver : 1 650/3 600 m ⩑ 7 ⩒ 49 ⩓
– ⌧ 38860 ▌Alpes du Nord

🛣 Paris 640 – Le Bourg-d'Oisans 26 – Grenoble 78

🛈 Office de tourisme, 4, place Deux-Alpes ✆ 04 76 79 22 00, Fax 04 76 79 01 38

⛳ des Deux-Alpes Rue des Vikings, E : 2 km, ✆ 04 76 80 52 89

◉ Belvédères : de la Croix★, des Cîmes★ - Croisière Blanche★★★.

Plan page suivante

🏨 **Chalet Mounier**
2 r. de la Chapelle – ✆ *04 76 80 56 90 – www.chalet-mounier.com*
– doc @ chalet-mounier.com – Fax 04 76 79 56 51
– Ouvert 16 juin-30 août et 16 déc.-24 avril   **n**
42 ch – †154/198 € ††180/270 €, ⌧ 13 € – 4 suites – ½ P 106/180 €
Rest – *(dîner seult) (résidents seult)*
Rest *Le P'tit Polyte* – *(dîner seult sauf dim. et fériés)* Menu (38 €), 49/61 €
Spéc. Consommé de queue de bœuf et ravioles. Féra du Léman en croûte de pied de porc et fricassée de cuisses de grenouilles. Pain perdu brioché, crème glacée williamette.

♦ Ce chalet d'alpage de 1879 arbore un look contemporain : décor ultra cosy grâce au bois dominant et aux tons chaleureux du salon et des chambres (rénovées peu à peu) ; wellness. Cuisine inventive servie dans la jolie salle du P'tit Polyte donnant sur la montagne.

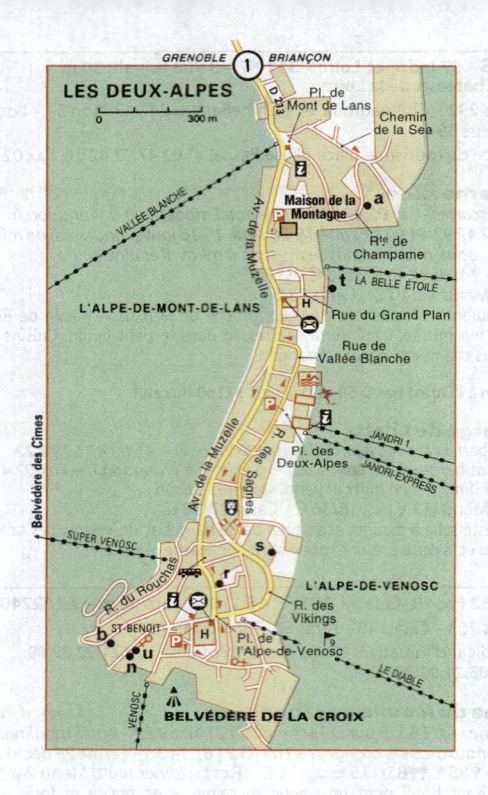

LES DEUX-ALPES

🏨 Souleil'Or ⊗   ≤ 🍴 ♨ ♋ 🛗 ♨ 🅿 VISA ⓜ 🅰🅴
10 r. Grand Plan – ℰ *04 76 79 24 69 – www.le-souleil-or.fr – hotel.le.souleil.or@ wanadoo.fr – Fax 04 76 79 20 64 – Ouvert 17 juin-31 août et 2 déc.-20 avril*
42 ch ⊇ – †110/129 € ††139/182 €   t
Rest – *(dîner seult)* Menu 36 €

◆ Les chambres de cet hôtel à la façade en bois, rénovées par étapes, disposent toutes d'un balcon. Ambiance "chalet", bon confort et tenue rigoureuse. Sauna, hammam. Restaurant avec terrasse au bord de la piscine ; plats traditionnels et dauphinois.

🏨 Les Mélèzes   ≤ 🍴 ♨ ♋ ⁽¹⁾ 🛗 🅿 VISA ⓜ
– ℰ *04 76 80 50 50 – www.hotelmelezes.com – reservation@hotelmelezes.com – Fax 04 76 79 20 70 – Ouvert 15 déc.-26 avril*
34 ch – †64/73 € ††100/130 €, ⊇ 11 € – 3 suites – ½ P 83/126 €   s
Rest – *(ouvert du 20 déc.-26 avril)* Menu 33/75 €

◆ Au pied des pistes, hôtel peu à peu revu dans un esprit chalet cosy. Accueil charmant, majorité de chambres plein sud, plaisants salons, fitness, sauna, jacuzzi. Restauration assez simple à midi et menu unique le soir ("menu montagnard" le mardi).

🏠 Serre-Palas sans rest   ≤ VISA ⓜ
13 pl. de l'Alpe de Venosc – ℰ *04 76 80 56 33 – www.hotelserre-palas.fr – limounier@wanadoo.fr – Fax 04 76 79 04 36 – Ouvert 13 juin-30 août, 23 oct.-2 nov. et 29 nov.-30 avril*
24 ch ⊇ – †28/68 € ††40/136 €   u

◆ À 50 m de la télécabine du Venosc, des chambres sobres (sauf une, joliment revue dans un esprit "chalet"), dont certaines offrent un balcon face au Parc national des Écrins.

LES DEUX ALPES

✗ Le Diable au Cœur ≤ 🈯 VISA ⓂⓄ
au sommet de la télécabine du Diable – ℰ 04 76 79 99 50
– www.lediableaucoeur.com – contact@lediableaucoeur.com
– Fax 04 76 80 23 09 – Ouvert 28 juin-30 août et 15 déc.-26 avril
Rest – (prévenir) Menu 28 € – Carte 30/45 €
♦ Arrivé au terminus de la télécabine du Diable (2400 m), poussez la porte de ce charmant restaurant d'altitude : décor tout bois, spécialités régionales, service attentionné.

DHUIZON – 41 Loir-et-Cher – 318 G6 – 1 254 h. – alt. 93 m – ✉ 41220 12 **C2**

▶ Paris 174 – Beaugency 23 – Blois 29 – Orléans 46
– Romorantin-Lanthenay 27

✗✗ Auberge du Grand Dauphin avec ch 🈯 🅿 VISA ⓂⓄ
17 pl. St-Pierre – ℰ 02 54 98 31 12 – auberge-grand-dauphin@wanadoo.fr
– Fax 02 54 98 37 64 – Fermé 1ᵉʳ-20 mars, mardi de nov. à mars, dim. soir et lundi
9 ch – †48 € ††48 €, ☑ 7 € – ½ P 47 €
Rest – Menu 16 € (sem.)/38 € – Carte 32/52 €
♦ Proche de l'église, sympathique auberge solognote parementée de briques. Salle à manger rustique ; cuisine traditionnelle (gibier en saison). Chambres simples sur la cour.

DIE ⓢ – 26 Drôme – 332 F5 – 4 376 h. – alt. 415 m – ✉ 26150 44 **B3**
Alpes du Sud

▶ Paris 623 – Gap 92 – Grenoble 110 – Montélimar 73 – Nyons 77
– Sisteron 103 – Valence 66
🛈 Office de tourisme, rue des Jardins ℰ 04 75 22 03 03, Fax 04 75 22 40 46
◉ Mosaïque ★ dans l'hôtel de ville.
◉ Paysages du Diois ★★.

🏠 Des Alpes sans rest 📶 📞 🍳 VISA ⓂⓄ AE
87 r. C. Buffardel – ℰ 04 75 22 15 83 – www.hotel-die.com – info@hotel-die.com
– Fax 04 69 96 15 83 – Fermé janv.
24 ch – †45/48 € ††48 €, ☑ 8 €
♦ Ce relais de diligences du 14ᵉ s., maintes fois remanié, propose des chambres spacieuses, peu à rénovées et bien tenues.

DIEBOLSHEIM – 67 Bas-Rhin – 315 J7 – 520 h. – alt. 163 m – ✉ 67230 1 **B2**

▶ Paris 529 – Strasbourg 44 – Freiburg im Breisgau 59 – Colmar 55
– Offenburg 51

🏠 Ambiance Jardin sans rest ⓢ 🚭 ⇿ 🈯 📶 🅿
12 r. de L'Abbé-Wendling – ℰ 03 88 74 84 85 – www.ambiance-jardin.com
– contact@ambiance-jardin.com
4 ch ☑ – †65/75 € ††75/85 €
♦ Cette accueillante demeure alsacienne célèbre les fleurs, les roses et le jardin. Spacieuses chambres cosy aux tons pastel, décorées par la propriétaire. Un vrai petit paradis !

DIEFFENBACH-AU-VAL – 67 Bas-Rhin – 315 H7 – 630 h. 2 **C1**
– alt. 350 m – ✉ 67220

▶ Paris 538 – Colmar 33 – Lahr 65 – Strasbourg 53

🏠 La Romance sans rest ⓢ 🚭 🅰🅲 ⇿ 📶 🅿
17 r. de Neuve-Église – ℰ 03 88 85 67 09 – www.la-romance.net – corinne@
la-romance.net – Fax 03 88 57 61 58
5 ch ☑ – †83/93 € ††88/108 €
♦ Dans cette demeure de style régional, sur les hauteurs du village, les chambres sont colorées et vraiment très tranquilles. Deux possèdent une terrasse avec vue sur la vallée.

DIEFFENTHAL – 67 Bas-Rhin – **315** I7 – 234 h. – alt. 185 m – ✉ 67650   2 **C1**

🖪 Paris 441 – Lunéville 100 – St-Dié 45 – Sélestat 7 – Strasbourg 54

Le Verger des Châteaux
2 rte Romaine – ℰ *03 88 92 49 13 – www.verger-des-chateau.fr*
– verger-des-chateaux@villes-et-vignoble.com – Fax 03 88 92 40 99
32 ch – †60/72 € ††60/120 €, ⃝ 9 € – ½ P 65 €
Rest – *(fermé lundi midi)* Menu (10 €), 15/30 € – Carte 30/58 €

♦ L'imposante bâtisse borde le fameux vignoble alsacien. Les chambres, un peu nues, y sont amples et munies d'un mobilier actuel. Vaste et sobre salle à manger agréablement ouverte sur la campagne ; registre culinaire traditionnel. Winstub au décor coloré.

DIEFMATTEN – 68 Haut-Rhin – **315** G10 – 251 h. – alt. 300 m   1 **A3**
– ✉ 68780

🖪 Paris 450 – Belfort 25 – Colmar 48 – Mulhouse 21 – Thann 15

Auberge du Cheval Blanc avec ch
17 r. Hecken – ℰ *03 89 26 91 08*
– www.auchevalblanc.fr – patrick@auchevalblanc.fr – Fax 03 89 26 92 28 – Fermé 13-30 juil. et 11-19 janv.
8 ch – †54 € ††54/120 €, ⃝ 12 €
Rest – *(fermé lundi et mardi sauf fériés)* Menu (23 € bc), 28/72 € – Carte 47/70 €

♦ Cette maison alsacienne (19ᵉ s.) rénovée dans un esprit contemporain a su conserver son âme campagnarde. Belle perspective sur le parc depuis la terrasse arrière. Cinq appartements neufs et accueillants ; les autres chambres sont plus anciennes.

DIEPPE – 76 Seine-Maritime – **304** G2 – 33 500 h. – alt. 6 m – Casino   33 **D1**
Municipal AY – ✉ 76200 Normandie Vallée de la Seine

🖪 Paris 197 – Abbeville 68 – Caen 176 – Le Havre 111 – Rouen 66
🛈 Syndicat d'initiative, pont Jehan Ango ℰ 02 32 14 40 60, Fax 02 32 14 40 61
⛳ de Dieppe-Pourville Route de Pourville, O : 2 km par D 74, ℰ 02 35 84 25 05
◉ Église St-Jacques ★ - Chapelle N.-D.-de-Bon-Secours ≤ ★ - Musée ★ du château (ivoires dieppois ★).

Plan page ci-contre

Aguado sans rest
30 bd Verdun – ℰ *02 35 84 27 00 – www.hoteldieppe.com – chris.bert@aliceadsl.fr – Fax 02 35 06 17 61*   BY **s**
56 ch – †55/125 € ††60/125 €, ⃝ 10 €

♦ L'immeuble enjambe une rue donnant sur le front de mer. Les chambres, bien insonorisées, de style moderne ou classique, ouvrent côté plage ou côté ville et port.

De l'Europe sans rest
63 bd Verdun – ℰ *02 32 90 19 19 – www.hoteldieppe.com – chris.bert@aliceadsl.fr – Fax 02 32 90 19 00*   BY **t**
60 ch – †55/110 € ††70/110 €, ⃝ 9 €

♦ La façade de cet hôtel associe bois et béton. Grandes chambres claires, meublées en rotin et tournées vers la Manche. Bar feutré fréquenté par la clientèle locale.

La Villa Florida sans rest
24 chemin du Golf, par D 75 – ℰ *02 35 84 40 37 – www.lavillaflorida.com*
– adn@lavillaflorida.com
4 ch ⃝ – †68/78 € ††70/78 €

♦ Il flotte comme un parfum des Indes dans cette maison dont la propriétaire est passionnée de yoga. Chambres sereines et personnalisées. Beau jardin fleuri. Accueil charmant.

Villa des Capucins sans rest
11 r. des Capucins – ℰ *02 35 82 16 52 – www.villa-des-capucins.fr*
– villa.des.capucins@wanadoo.fr – Fax 02 32 90 97 52   BY **d**
5 ch ⃝ – †60 € ††75 €

♦ Un ancien couvent (1820) et ses dépendances transformés en maison d'hôtes. Jolies chambres au mobilier chiné, ouvertes sur le jardin où se cache un petit coin brocante.

DIEPPE

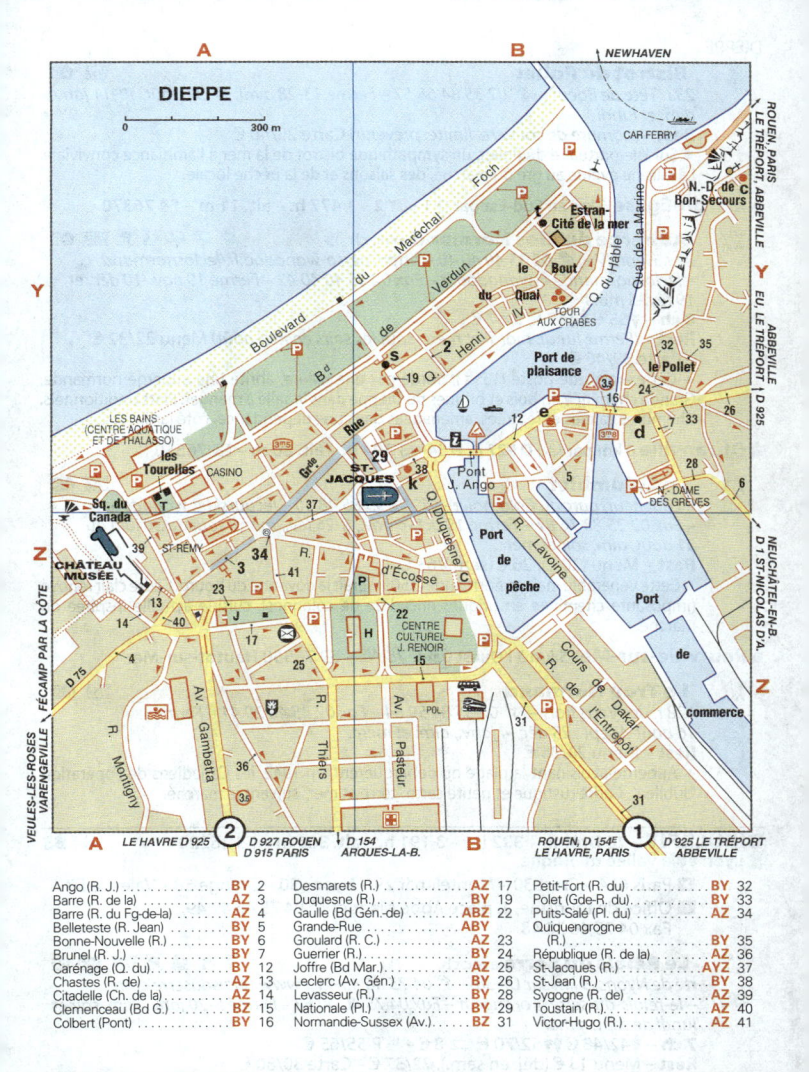

Ango (R. J.)	**BY** 2
Barre (R. de la)	**AZ** 3
Barre (R. du Fg-de-la)	**AZ** 4
Belleteste (R. Jean)	**BY** 5
Bonne-Nouvelle (R.)	**BY** 6
Brunel (R. J.)	**BY** 7
Carénage (Q. du)	**BY** 12
Chastes (R. de)	**AZ** 13
Citadelle (Ch. de la)	**AZ** 14
Clemenceau (Bd G.)	**BZ** 15
Colbert (Pont)	**BY** 16
Desmarets (R.)	**AZ** 17
Duquesne (R.)	**BY** 19
Gaulle (Bd Gén.-de)	**ABZ** 22
Grande-Rue	**ABY**
Groulard (R. C.)	**AZ** 23
Guerrier (R.)	**BY** 24
Joffre (Bd Mar.)	**AZ** 25
Leclerc (Av. Gén.)	**BY** 26
Levasseur (R.)	**BY** 28
Nationale (Pl.)	**BY** 29
Normandie-Sussex (Av.)	**BZ** 31
Petit-Fort (R. du)	**BY** 32
Polet (Gde-R. du)	**BY** 33
Puits-Salé (Pl. du)	**AZ** 34
Quiquengrogne (R.)	**BY** 35
République (R. de la)	**AZ** 36
St-Jacques (R.)	**AYZ** 37
St-Jean (R.)	**BY** 38
Sygogne (R. de)	**AZ** 39
Toustain (R.)	**AZ** 40
Victor-Hugo (R.)	**AZ** 41

※※ **Les Voiles d'Or**   VISA MC AE

2 chemin de la Falaise, près de la chapelle N.-D.-de-Bon-Secours – ℰ 02 35 84 16 84
– www.lesvoilesdor.fr – Fermé 16 nov.-3 déc., dim. soir, lundi et mardi   **BY c**
Rest – *(nombre de couverts limité, prévenir)* Menu 35 € bc (déj. en sem.)/52 €
– Carte 62/68 €

♦ Table au goût du jour perchée sur la falaise du Pollet, à proximité de la chapelle N.-D. de Bon-Secours et du sémaphore. Intérieur chaleureux et coloré ; mobilier design.

※※ **La Marmite Dieppoise**   VISA MC

8 r. St-Jean – ℰ 02 35 84 24 26 – Fax 02 35 84 31 12 – Fermé
20 juin-3 juil., 21 nov.-9 déc., 8-16 fév., dim. soir et lundi   **BY k**
Rest – Menu 30/44 € – Carte 34/58 €

♦ Ici, la fameuse marmite dieppoise tient la vedette. Les produits de la mer arrivent directement du port de pêche tout proche. Dîner aux chandelles les vendredis et samedis.

DIEPPE

Bistrot du Pollet
23 r. Tête de Boeuf – ℘ *02 35 84 68 57 – Fermé 13-28 avril, 17-31 août, 1er-11 janv., dim. et lundi*
VISA MC
BY **e**
Rest – *(nombre de couverts limité, prévenir)* Carte 25/40 €

◆ Sur l'île portuaire du Pollet, un sympathique bistrot de la mer à l'ambiance conviviale. La cuisine évolue au gré du marché, des saisons et de la pêche locale.

à Martin-Église 6 km au Sud-Est par D 1 - BY 2 – 1 477 h. – alt. 11 m – ⌧ 76370

Auberge du Clos Normand avec ch
22 r. Henri IV – ℘ *02 35 40 40 40 – http://perso-wanadoo.fr/leclosnormand – leclosnormand2@wanadoo.fr – Fax 02 35 40 40 42 – Fermé 19 nov.-10 déc. et 19 fév.-5 mars*
8 ch – †55 € ††65 €, ☷ 7 €
Rest – *(Fermé lundi, mardi et merc. sauf les soirs en juil.-août)* Menu 22/32 € – Carte 39/46 €

◆ Cet ex-relais de poste (15ᵉ s.), bordé par une rivière, abrite une auberge normande. Grande cheminée en bois et briques de Dieppe dans la salle à manger. Plats traditionnels. Chambres calmes et feutrées, aménagées dans une dépendance, côté jardin.

à Offranville 6 km par ②, D 927 et D 54 – 3 394 h. – alt. 80 m – ⌧ 76550

Le Colombier
r. Loucheur, parc du Colombier – ℘ *02 35 85 48 50 – lecourski@wanadoo.fr – Fax 02 35 83 76 87 – Fermé 19 oct.-6 nov., 8-26 fév., mardi sauf du 30 juin au 31 août, dim. soir et merc.*
VISA MC
Rest – Menu (20 €), 26 € (sem.)/63 €

◆ Cette vénérable maison normande (1509) serait la doyenne du bourg. Cadre clair rénové (imposante cheminée en briques encadrée de colonnes), cuisine actuelle inspirée du marché.

à Pourville-sur-Mer 5 km à l'Ouest par D 75 AZ – ⌧ 76550 Hautot-sur-Mer

Le Trou Normand
128 r. des Verts Bois – ℘ *02 35 84 59 84 – Fax 02 35 40 29 41 – Fermé 16 août-4 sept., 23 déc.-4 janv., dim. et merc.*
VISA MC
Rest – Menu 23/35 €

◆ Auberge avoisinant la plage où débarquèrent, en 1942, les Canadiens de l'opération "Jubilee". Cadre rustique et petite carte "terre et mer" suivant le marché.

DIEULEFIT – 26 Drôme – 332 D6 – 3 191 h. – alt. 366 m – ⌧ 26220   44 **B3**
Lyon et la vallée du Rhône

▷ Paris 614 – Crest 30 – Montélimar 29 – Nyons 30 – Orange 58 – Valence 57

ℹ Office de tourisme, 1, place Abbé Magnet ℘ 04 75 46 42 49, Fax 04 75 46 36 48

Le Relais du Serre avec ch
rte de Nyons, 3 km sur D 538 – ℘ *04 75 46 43 45 – www.relaisduserre.com – le-relais-du-serre@orange.fr – Fax 04 75 46 40 98 – Fermé 5-20 janv., dim. soir et lundi de sept. à mai*
7 ch – †42/48 € ††52/70 €, ☷ 8 € – ½ P 55/65 €
Rest – Menu 13 € (déj. en sem.), 22/37 € – Carte 30/80 €

◆ Agréable maison à la façade rénovée, sur la route de la vallée du Lez. Salle à manger colorée, agrémentée de fleurs et de tableaux ; cuisine traditionnelle et gibier en saison.

au Poët-Laval 5 km à l'Ouest par D 540 – 809 h. – alt. 311 m – ⌧ 26160
◉ Site★.

Les Hospitaliers
℘ *04 75 46 22 32 – www.hotel-les-hospitaliers.com – contact@hotel-les-hospitaliers.com – Fax 04 75 46 49 99 – Ouvert 21 mars-8 nov.*
20 ch – †78/160 € ††78/160 €, ☷ 15 €
Rest – *(fermé lundi et mardi hors saison)* Menu (30 €), 42/55 € – Carte 60/76 €

◆ Au vieux village, chambres aménagées dans des maisons de pierres sèches et piscine surplombant la vallée : difficile pour ces Hospitaliers-là de repartir en croisade ! Cuisine d'aujourd'hui servie dans une salle de caractère ou sur la terrasse panoramique.

DIEULEFIT

au Nord 9 km par D 538, D 110 et D 245 - ⊠ **26460 Truinas**

⌂ **La Bergerie de Féline** ⚘ ≤ 🚗 🛏 ♨ 🍴 🅿
Les Charles – ℘ *04 75 49 12 78* – *www.labergeriedefeline.com* – *welcome@labergeriedefeline.com* – *Fermé 20-28 déc.*
5 ch ⚌ – †130/210 € ††130/210 € **Table d'hôte** – Menu 35 € bc/38 € bc
♦ Dans une belle bergerie du 18ᵉ s., chambres contemporaines pour un séjour en toute tranquillité avec le Vercors en paysage. Superbe piscine, cabane et hamac au fond du jardin. Plats du terroir proposés à la table d'hôte, dans un cadre alliant design et authenticité.

> Hôtels et restaurants bougent chaque année.
> Chaque année, changez de guide Michelin !

DIGNE-LES-BAINS 🅿 – 04 Alpes-de-Haute-Provence – **334** F8   41 **C2**
– 17 600 h. – alt. 608 m – Stat. therm. : début mars-début déc. – ⊠ 04000
▌**Alpes du Sud**

🚉 Paris 744 – Aix-en-Provence 109 – Avignon 167 – Cannes 135 – Gap 89
🛈 Office de tourisme, place du Tampinet ℘ 04 92 36 62 62, Fax 04 92 32 27 24
⛳ de Digne-les-Bains 57 route du Chaffaut, par rte de Nice et D 12 : 7 km, ℘ 04 92 30 58 00
◉ Musée départemental★ B **M²** - Cathédrale N.D.-du-Bourg★ - Dalles à ammonites géantes★ N : 1 km par D 900ᴬ.
◉ ≤★ du Relais de Télévision.

DIGNE-LES-BAINS

Ancienne Mairie (R. de l')	**B** 8
Arès (Cours des)	**B** 2
Capitoul (R.)	**B** 3
Dr-Romieu (R. du)	**B** 4
Gassendi (Bd)	**AB**
Gaulle (Pl. Ch.-de)	**B** 6
Hubac (R. de l')	**A** 7
Mitan (Pl. du)	**B** 10
Payan (R. du Col.)	**A** 12
Pied-de-Ville (R.)	**A** 13
Saint-Charles (Montée)	**A** 14
Tribunal (Cours du)	**B** 15
11-Novembre 1918 (Rd-Pt du)	**A** 17

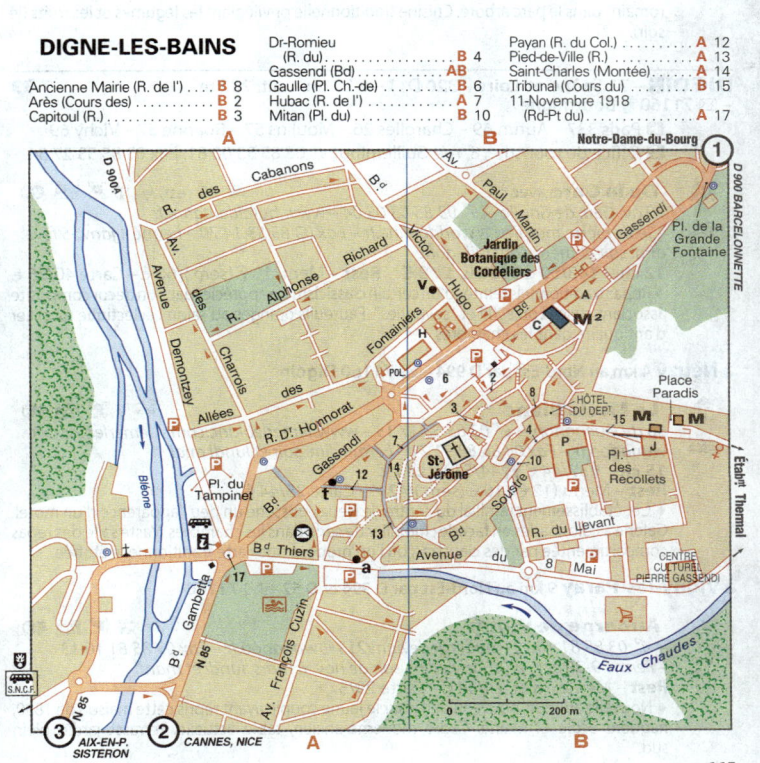

665

DIGNE-LES-BAINS

🏨 Le Grand Paris 🛜 📶 🦺 🚗 VISA 🌀 AE ①
*19 bd Thiers – ℰ 04 92 31 11 15 – www.hotel-grand-paris.com – info@
hotel-grand-paris.com – Fax 04 92 32 32 82 – Ouvert 1ᵉʳ mars-30 nov.*   A **a**
16 ch – †79/110 € ††92/144 €, ⚏ 17 € – 4 suites – ½ P 89/124 €
Rest – *(fermé lundi midi, mardi midi et merc. midi hors saison)*
Menu (26 €), 33/67 € – Carte 58/81 €

♦ Ambiance vieille France dans cet ancien couvent du 17ᵉ s. Certaines chambres réactualisées (salles de bains contemporaines). Repas traditionnel, bercé par le chant d'oiseaux dont la cage se trouve à l'entrée de la salle à manger principale. Terrasse ombragée.

🏠 Central sans rest 📶 VISA 🌀 AE
*26 bd Gassendi – ℰ 04 92 31 31 91 – www.lhotel-central.com – webmaster@
lhotel-central.com – Fax 04 92 31 49 78*   A **t**
20 ch – †33/51 € ††51 €, ⚏ 7 €

♦ La réception de ce petit hôtel, au cœur de la capitale des "Alpes de la Lavande", se trouve au premier étage. Chambres bien tenues à la décoration rustico-provençale.

rte de Nice 2 km par ② et N 85 – ⌧ 04000 Digne-les-Bains

🏨 Villa Gaïa ⌾ 🌀 ☕ & ch, 🐾 P VISA 🌀
*24 rte de Nice – ℰ 04 92 31 21 60 – www.hotel-villagaia-digne.com – hotel.gaia@
wanadoo.fr – Fax 04 92 31 20 12 – Ouvert 15 avril-30 juin et 6 juil.-21 oct.*
10 ch – †65/102 € ††72/110 €, ⚏ 10 €
Rest – *(fermé 1ᵉʳ-11 juil. et merc.) (dîner seult) (résidents seult)* Menu 26 €

♦ Atmosphère familiale en cette accueillante maison de maître. Outre les salons, bibliothèque et chambres personnalisées (sans TV), découvrez l'original "bain romain" dans le parc arboré. Cuisine traditionnelle privilégiant les légumes et les fruits (le soir).

DIGOIN – 71 Saône-et-Loire – **320** D11 – 8 527 h. – alt. 232 m   7 **B3**
– ⌧ **71160** ▌ **Bourgogne**

🅿 Paris 337 – Autun 69 – Charolles 26 – Moulins 57 – Roanne 57 – Vichy 69
🅘 Office de tourisme, 8, rue Guilleminot ℰ 03 85 53 00 81, Fax 03 85 53 27 54

✕✕ De la Gare avec ch 🚗 AC rest, ↔ 📶 P VISA 🌀
😴 *79 av. Gén. de Gaulle – ℰ 03 85 53 03 04 – www.hoteldelagare.fr
– jean-pierre.mathieu@worldonline.fr – Fax 03 85 53 14 70 – Fermé 4 janv.-5 fév.,
dim. soir et merc. sauf juil.-août*
12 ch – †48/50 € ††50 €, ⚏ 8 € **Rest** – Menu 18 € (sem.)/60 € – Carte 40/75 €

♦ Repas traditionnels teintés d'un certain classicisme, à apprécier dans un décor composite associant styles Louis XIII et "seventies". Fauteuils oranges au salon ; éclectique mobilier d'antiquaire dans les chambres.

à Neuzy 4 km au Nord-Est par D 994 – ⌧ 71160 Digoin

🏠 Le Merle Blanc ↔ 📶 P VISA 🌀
😴 *36 rte Gueugnon – ℰ 03 85 53 17 13 – www.lemerleblanc.com – lemerleblanc@
wanadoo.fr – Fax 03 85 88 91 71 – Fermé dim. soir et lundi midi*
15 ch – †37/44 € ††44/51 €, ⚏ 7 €
Rest – Menu (12 €), 16 € (sem.)/42 € – Carte 25/44 €

♦ Cet établissement familial du centre de Neuzy possède un peu l'apparence d'un motel. Galerie à colonnades en façade ; mobilier de série dans les chambres. Vaste salle des repas compartimentée par des claustras, où l'on propose une carte traditionnelle étoffée.

à Vigny-les-Paray 9 km au Nord-Est par D 994 et D 52 – ⌧ 71160

✕ Auberge de Vigny 🚗 ☕ P VISA 🌀
*– ℰ 03 85 81 10 13 – aubergedevigny213@wanadoo.fr – Fax 03 85 81 10 13
– Fermé 9-30 oct., 2-20 janv., dim. soir de nov. à mars, lundi et mardi*
Rest – Menu (18 €), 24/34 € – Carte 29/37 €

♦ Nouvelle adresse, nouveau défi pour le jeune couple ayant repris cette maison de 1850, naguère école et mairie. Cadre moderne-ancien, table actuelle, terrasse-jardin plein sud.

DIJON ℙ – 21 Côte-d'Or – **320** K6 – 150 800 h. – Agglo. 236 953 h.   **8 D1**
– alt. 245 m – ✉ 21000 ▌Bourgogne

▶ Paris 311 – Auxerre 152 – Besançon 94 – Genève 192 – Lyon 191
✈ Dijon-Bourgogne ℰ 03 80 67 67 67 par ⑤ : 6 km.
🛈 Office de tourisme, 34, rue des Forges ℰ 08 92 70 05 58, Fax 03 80 30 90 02
⛳ de Dijon Bourgogne à Norges-la-Ville Bois de Norges, par de Langres : 15 km, ℰ 03 80 35 71 10
⛳ de Quetigny à Quetigny Rue du Golf, E : 5 km par D 107, ℰ 03 80 48 95 20
Circuit automobile de Dijon-Prenois ℰ 03 80 35 32 22, 16 km par ⑧

◉ Palais des Ducs et des États de Bourgogne★★ : Musée des Beaux-Arts★★ (tombeaux des Ducs de Bourgogne★★★) - Rue des Forges★ - Église Notre-Dame★ - Plafonds★ du Palais de Justice DY J - Chartreuse de Champmol★ : Puits de Moïse★★★, Portail de la Chapelle★ A - Église St-Michel★ - Jardin de l'Arquebuse★ CY - Rotonde★★ dans la cathédrale St-Bénigne - Musée de la Vie bourguignonne★ DZ M⁷ - Musée Archéologique★ CY M² - Musée Magnin★ DY M⁵ - Jardin des Sciences★ CY M⁸.

Plans pages suivantes

🏨🏨🏨🏨 **Sofitel La Cloche**
14 pl. Darcy – ℰ 03 80 30 12 32 – www.hotel-lacloche.com – h1202@accor.com – Fax 03 80 30 04 15   CY f
64 ch – †175/315 € ††210/315 €, ☐ 18 € – 4 suites
Rest *Les Jardins de la Cloche* – Menu (28 € bc), 33/42 € – Carte 63/87 €
♦ La Cloche ouvrit ses portes dès 1424 mais le bâtiment actuel ne date que de la fin du 19ᵉ s. Confortables chambres contemporaines, toutes rénovées. Cuisine actuelle aux Jardins de la Cloche, restaurant abrité sous une verrière et ouvrant sur la jolie terrasse.

🏨🏨🏨 **Hostellerie du Chapeau Rouge** (William Frachot)
✿
5 r. Michelet – ℰ 03 80 50 88 88
– www.chapeau-rouge.fr – chapeaurouge@bourgogne.net – Fax 03 80 50 88 89
30 ch – †136/155 € ††147/164 €, ☐ 17 € – 2 suites   CY a
Rest – *(fermé 2-17 janv.)* Menu 42 € (déj.), 48/100 € – Carte 72/86 €
Spéc. Le saumon (sept. à déc.). Le Saint-Pierre cuit à basse température. Le chocolat. **Vins** Saint-Aubin, Beaune.
♦ Cette élégante hostellerie, créée en 1863, propose des chambres personnalisées – parfois très contemporaines – et un salon-bar sous verrière façon jardin d'hiver. Restaurant relooké dans un style un peu japonisant et savoureuse cuisine inventive. Beau livre de cave.

🏨🏨🏨 **Mercure-Centre Clemenceau**
22 bd Marne – ℰ 03 80 72 31 13
– www.hotel-mercure-dijon.com – h1227@accor.com
– Fax 03 80 73 61 45   EX z
123 ch – †119/205 € ††139/205 €, ☐ 15 €
Rest *Le Château Bourgogne* – Menu (28 €), 33/52 € – Carte 42/81 €
♦ L'immeuble, moderne, jouxte l'auditorium, les palais des congrès et des expositions. Chambres toutes identiques, en cours de rénovation. Cuisine traditionnelle, cadre design et jolie carte des vins régionaux au Château Bourgogne. Terrasse près de la piscine.

🏨🏨 **Philippe Le Bon**
18 r. Ste-Anne – ℰ 03 80 30 73 52 – www.hotelphilippelebon.com
– hotel-philippe-le-bon@wanadoo.fr – Fax 03 80 30 95 51   DY p
32 ch – †83/116 € ††97/163 €, ☐ 14 €
Rest *Les Œnophiles* – voir ci-après
♦ Bel ensemble de trois demeures des 15ᵉ, 16ᵉ et 17ᵉ s. Chambres insonorisées non-fumeurs, pourvues d'un mobilier pratique. Quelques-unes offrent une vue sur les toits dijonnais.

🏨🏨 **Du Nord**
😊
pl. Darcy – ℰ 03 80 50 80 50 – www.hotel-nord.fr – contact@hotel-nord.fr
– Fax 03 80 50 80 51 – Fermé 18 déc.-4 janv.   CY w
27 ch – †82/92 € ††92/142 €, ☐ 11 €
Rest *Porte Guillaume* – Menu 25/40 € – Carte 35/58 €
♦ Situé sur la place centrale, cœur animé et commerçant de Dijon, hôtel entièrement non-fumeurs bénéficiant de chambres bien insonorisées. Cuisine traditionnelle dans la salle au cadre rustique actualisé et caveau-bar à vins logé sous une belle voûte en pierre.

DIJON

Wilson sans rest
1 r. de Longvic – ℰ 03 80 66 82 50 – www.wilson-hotel.com – hotelwilson@wanadoo.fr – Fax 03 80 36 41 54   DZ k
27 ch – †78/103 € ††78/103 €, ⊇ 12 €
♦ Ancien relais de poste du 17ᵉ s. où les chambres, sobrement décorées, s'ordonnent autour d'une cour intérieure. Plaisante salle des petits-déjeuners avec sa grande cheminée.

Le Jura sans rest
14 av. Mar. Foch – ℰ 03 80 41 61 12 – www.oceaniahotels.com – jura.dijon@oceaniahotels.com – Fax 03 80 41 51 13   CY r
76 ch – †132/144 € ††132/144 €, ⊇ 13 €
♦ Proche de la gare, cet hôtel du 19ᵉ s., entièrement non-fumeurs, est construit autour d'une cour centrale sur laquelle donne la moitié des chambres. Décoration rustique.

Ibis Central
3 pl. Grangier – ℰ 03 80 30 44 00 – h0654@accor-hotels.com – Fax 03 80 30 77 12   CY v
90 ch – †70/78 € ††78/90 €, ⊇ 8,50 €
Rest *La Rôtisserie* – Menu 27 € (déj. en sem.) – Carte environ 45 €
Rest *Central Place* – Menu (24 €), 30 € – Carte 28/75 €
♦ Établissement pratique pour visiter la cité des grands ducs, à deux pas des principaux monuments. Chambres assez spacieuses et bien insonorisées. Cadre moderne, viandes à la broche et crus régionaux à la Rôtisserie. Repas simples à la brasserie Central Place.

Ibis-Centre Clemenceau sans rest
2 av. de Marbotte – ℰ 03 80 74 67 30 – www.ibishotel.com – h5640@accor.com – Fax 03 80 74 67 31   EX a
96 ch – †62/82 € ††62/82 €, ⊇ 8 €
♦ Bâtiment récent près du palais des congrès et des expositions. Vaste hall-salon-bar moderne, salle des petits-déjeuners lumineuse et chambres fonctionnelles, toutes identiques.

Victor Hugo sans rest
23 r. Fleurs – ℰ 03 80 43 63 45 – www.hotelvictorhugo-dijon.com – hotel.victor.hugo@wanadoo.fr – Fax 03 80 42 13 01   CX b
23 ch – †32/40 € ††38/50 €, ⊇ 6 €
♦ Adresse sympathique où les chambres claires, sobrement décorées et très bien tenues, sont plus spacieuses côté cour. Deux agréables petits salons et grande salle rustique.

Montigny sans rest
8 r. Montigny – ℰ 03 80 30 96 86 – www.hotelmontigny.com – hotel.montigny@wanadoo.fr – Fax 03 80 49 90 36 – Fermé 19 déc.-3 janv.   CY e
28 ch – †52/54 € ††57/59 €, ⊇ 8 €
♦ Hôtel proche du centre-ville disposant d'un parking fermé. Les chambres, à la tenue irréprochable, sont fonctionnelles, bien insonorisées et non-fumeurs. Accueil courtois.

XXX Stéphane Derbord
10 pl. Wilson – ℰ 03 80 67 74 64 – www.restaurantstephanederbord.fr – derbord@aol.com – Fax 03 80 63 87 72 – Fermé 1ᵉʳ-9 mars, 1ᵉʳ-17 août, dim. et lundi   DZ k
Rest – Menu 25 € (déj. en sem.), 48/88 € – Carte 85/100 €
Spéc. Sushi de sandre fumé aux filaments croquants. Filet de bœuf charolais à l'huile de raifort. Dacquoise au pain d'épice. **Vins** Marsannay, Saint-Aubin.
♦ Élégant cadre contemporain joliment fleuri. Le chef revisite avec brio la cuisine régionale et du marché. Riche livre de cave (millésimes anciens et grands crus).

XXX Le Pré aux Clercs (Jean-Pierre et Alexis Billoux)
13 pl. Libération – ℰ 03 80 38 05 05 – www.jeanpierrebilloux.com – billoux@club-internet.fr – Fax 03 80 38 16 16 – Fermé 16-28 août, 27 fév.-9 mars, dim. soir et lundi   DY n
Rest – Menu 36 € bc (déj. en sem.), 50/95 € – Carte 75/120 €
Spéc. Œuf cocotte aux truffes fraîches de Bourgogne (saison). Carré de veau fermier, jus à la chicorée. Millefeuille au pain d'épice, sorbet à l'anis de Flavigny. **Vins** Marsannay blanc, Saint-Romain rouge.
♦ Les baies vitrées de la salle (décor design et poutres apparentes) ouvrent sur la jolie place où l'on dresse la terrasse en été. Belle cuisine classique rythmée par les saisons.

DIJON

Street	Ref
Aiguillottes (Bd des)	A 2
Albert-1er (Av.)	A
Allobroges (Bd des)	A 3
Auxonne (R. d')	B
Bachelard (Bd Gaston)	A 4
Bellevue (R. de)	A 5
Bertin (Av. J.B.)	B 6
Bourroches (Bd des)	A
Briand (Av. A.)	B 8
Camus (Av. Albert)	B 12
Castel (Bd du)	A 13
Champollion (R.)	B 15
Chanoine-Bardy (Imp.)	B 16
Chanoine-Kir (Bd)	A 17
Chateaubriand (R. de)	B 19
Chevreul (R.)	AB
Chèvre-Morte (Bd de)	A 20
Chicago (Bd de)	B
Churchill (Bd W.)	B 24
Clomiers (Bd des)	A 26
Concorde (Av. de la)	B 28
Cracovie (R. de)	B
Dijon (R. de)	A
Dr-Petitjean (Bd du)	B
Doumer (Bd Paul)	B
Drapeau (Av. du)	B
Dumont (R. Ch.)	AB
Eiffel (Av. G.)	A
Einstein (Av. Albert)	A 36
Europe (Bd de l')	B 38
Europe (Rd-Pt de l')	A 40
Faubourg-St-Martin (R. du)	A
Fauconnet (R. Gén.)	AB 42
Fontaine-des-Suisses (Bd)	B 44
Fontaine-lès-Dijon (R.)	A 43
France-Libre (Pl. de la)	AB 45
Gabriel (Bd)	A 46
Gallieni (Bd Mar.)	AB 48
Gaulle (Crs Gén-de)	B 50
Gorgets (Bd des)	A 52
Gray (R. de)	B
Jeanne-d'Arc (Bd)	B 55
Jean-Jaurès (Av.)	A
Joffre (Bd Mar.)	B
Jouvence (R. de)	B
Kennedy (Bd J.)	A 56
Langres (Av. de)	B
Longvic (R. de)	B
Magenta (R.)	B 58
Maillard (Bd)	A 60
Malines (R. de)	B
Mansard (Bd)	B
Mayence (R. de)	B
Mirande (R. de)	B
Mont-Blanc (Av. du)	A 65
Moulins (R. de)	A
Moulin (R. Jean)	B 63
Nation (Rd-Pt de la)	B 66
Orfèvres (R. des)	A 68
Ouest (Bd de l')	A 69
Parc (Cours du)	B 70
Pascal (Bd)	B
Poincaré (Av. R.)	B 71
Pompidou (Rd-Pt Georges)	B 72
Pompidou (Voie Georges)	B
Pompon (Bd F.)	A 73
Prat (Av. du Colonel)	B 75
Rembrandt (Bd)	B 78
Rolin (Q. Nicolas)	B 79
Roosevelt (Av. F. D.)	B 80
Saint-Exupéry (Pl.)	B 85
Salengro (Pl. R.)	B
Schuman (Bd Robert)	B 88
Stalingrad (Av. de)	B
Stearinerie (R. de la)	A
Strasbourg (Bd de)	B 90
Sully (R.)	B
Talant (R. de)	A
Trimolet (Bd)	B 91
Troyes (Bd de)	A
Université (Bd de l')	B
Valendons (Bd des)	A
Valendons (R. des)	A
Victor-Hugo (Av.)	A
1er-Consul (Av. du)	A
8-Mai-1945 (Rd-Pt du)	B 96
26e-Dragons (R. du)	B 98

DIJON

Street	Grid
Adler (Pl. E.)	EZ
Albert-1er (Av.)	CY
Arquebuse (R. de l')	CY
Audra (R.)	CY
Auxonne (R. d')	EZ
Barabant (Pl. Henri)	DZ
Baudin (R. J.-B.)	EYZ
Berbisey (R.)	CYZ
Berlier (R.)	DEY
Bordot (R.)	DZ
Bossuet (R. et Pl.)	CDY
Bouhey (Pl. J.)	EX
Bourg (R. du)	DY
Briand (Av. A.)	EX 8
Brosses (Bd de)	CY 9
Buffon (R.)	DY
Cabet (R. P.)	EY
Carnot (Bd)	DEY
Castell (Bd du)	CZ
Cellerier (R.)	CX
Chabot-Charny (R.)	DYZ
Champagne (Bd de)	EX 14
Charrue (R.)	DY 18
Chouette (R. de la)	DY 21
Clemenceau (Bd G.)	EX
Colmar (R. de)	EX
Comte (R. A.)	DY 27
Condorcet (R.)	CY
Cordeliers (Pl. des)	DY
Courtépée (R.)	DX
Darcy (Pl.)	CY
Daubenton (R.)	CZ
Davout (R.)	EY
Devosge (R.)	CDXY
Diderot (R.)	EY
Dr-Chaussier (R.)	CY 32
Dubois (Pl. A.)	CY 33
Dumont (R. Ch.)	DZ
École-de-Droit (R.)	DY 35
Égalité (R. de l')	CX
Févret (R.)	DZ
Foch (Av. Mar.)	CY 43
Fontaine-lès-Dijon (R.)	CX
Forges (R. des)	DY
Fremiet (R. A.)	DX
Gagnereaux (R.)	DX
Garibaldi (Av.)	DX
Gaulle (Crs Générale-de)	DZ
Godrans (R. des)	DY 51
Grangier (Pl.)	DY 54
Gray (R. de)	EY
Guillaume-Tell (R.)	CY
Hôpital (R. de l')	CZ
Ile (R. de l')	CZ
Jeannin (R.)	DEY
Jean-Jaurès (Av.)	CZ
Jouvence (R. de)	DX
J.-J.-Rousseau (R.)	DY
Ledru-Rollin (R.)	EXY
Libération (Pl. de la)	DY 57
Liberté (R. de la)	CY
Longvic (R. de)	DEZ
Magenta (R.)	EZ 58
Manutention (R. de la)	CZ
Marceau (R.)	DX
Mariotte (R.)	CY
Marne (Bd de la)	EX
Metz (R. de)	EY
Michelet (R.)	CY 64
Mirande (R. de)	EY
Monge (R.)	CY
Montchapet (R. de)	CX
Mulhouse (R. de)	EXY
Musette (R.)	DY
Parmentier (R.)	EX
Pasteur (R.)	DYZ
Perrières (R. des)	CY
Perspective (Pl. de la)	CZ
Petit-Citeaux (R. du)	CZ
Petit-Potet (R. du)	DY 71
Piron (R.)	DY
Préfecture (R. de la)	DY
Prés.-Wilson (Pl.)	DZ
Prévert (Pl. J.)	CZ
Raines (R. du Fg)	CYZ
Rameau (R.)	DY 77
République (Pl. de la)	DX
Rolin (Quai N.)	CZ
Roses (R. des)	CX
Roussin (R. Amiral)	DY
Rude (Pl. F.)	DY
Rude (R. F.)	DY 81
Ste-Anne (R.)	DYZ
St-Bénigne (Pl.)	CY 82
St-Bernard (Pl.)	DY 83
St-Michel (Pl.)	DY 86
Sambin (R.)	DX
Sévigné (Bd de)	CY
Suquet (Pl.)	CZ
Tanneries (Rd-Pt des)	CZ
Théâtre (Pl. du)	DY

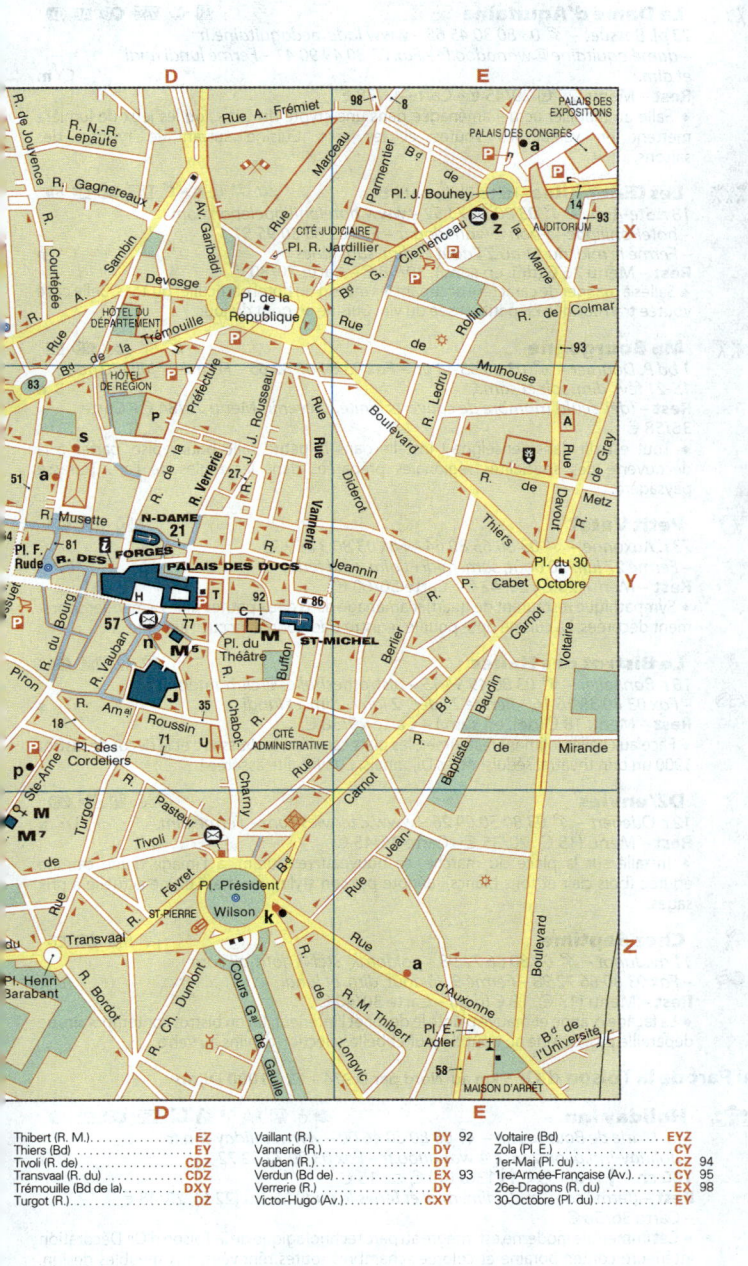

Thibert (R. M.)	EZ
Thiers (Bd)	EY
Tivoli (R. de)	CDZ
Transvaal (R. du)	CDZ
Trémouille (Bd de la)	DXY
Turgot (R.)	DZ
Vaillant (R.)	DY 92
Vannerie (R.)	DY
Vauban (R.)	DY
Verdun (Bd de)	EX 93
Verrerie (R.)	DY
Victor-Hugo (Av.)	CXY
Voltaire (Bd)	EYZ
Zola (Pl. E.)	CY
1er-Mai (Pl. du)	CZ 94
1re-Armée-Française (Av.)	CY 95
26e-Dragons (R. du)	EX 98
30-Octobre (Pl. du)	EY

671

DIJON

La Dame d'Aquitaine　　　　　　　　　　AC ⇔ VISA MC AE ①
23 pl. Bossuet – ℘ 03 80 30 45 65 – www.ladamedaquitaine.fr
– dame.aquitaine@wanadoo.fr – Fax 03 80 49 90 41 – Fermé lundi midi
et dim.　　　　　　　　　　　　　　　　　　　　　　　　　　　　　CY m
Rest – Menu (22 €) 29/45 € – Carte 43/78 €

♦ Salle au mobilier actuel aménagée dans une crypte du 13ᵉ s., où les jeux de lumière mettent en valeur les voûtes et les arcs. Cuisine suivant le rythme des saisons.

Les Œnophiles – Hôtel Philippe Le Bon　　🚗 🍴 AC ⇔ P VISA MC AE ①
18 r. Ste-Anne – ℘ 03 80 30 73 52 – www.hotelphilippelebon.com
– hotel-philippe-le-bon@wanadoo.fr – Fax 03 80 30 95 51
– Fermé le midi du 11 au 24 août et dim. sauf fériés　　　　　　　DY p
Rest – Menu 26 € (déj. sem.), 39/58 € – Carte 70/80 €

♦ Salles à manger de caractère occupant les murs d'un hôtel particulier du 15ᵉ s. Belle cave voûtée transformée en petit musée du vin. Cuisine au goût du jour.

Ma Bourgogne　　　　　　　　　　　　　🍴 🎩 VISA MC AE
1 bd P. Doumer – ℘ 03 80 65 48 06 – Fax 03 80 67 82 65 – Fermé 27 juil.-20 août,
15-21 fév., dim. soir et sam.　　　　　　　　　　　　　　　　　　B e
Rest – (déj. seult) (nombre de couverts limité, prévenir) Menu 22/34 € – Carte 38/58 €

♦ Tout est dit dans l'enseigne ! Installé dans la petite salle bourgeoise, partez à la découverte des spécialités régionales préparées dans les règles de l'art. Terrasse paysagère.

Petit Vatel　　　　　　　　　　　　　　　　AC VISA MC
73 r. Auxonne – ℘ 03 80 65 80 64 – Fax 03 80 31 69 92
– Fermé 27 juil.-20 août, sam. midi et dim. sauf fériés　　　　　　EZ a
Rest – Menu (23 €), 29/42 € – Carte 50/60 €

♦ Sympathique restaurant de quartier aménagé dans deux petites salles à manger sobrement décorées. La cuisine opte pour le registre traditionnel. Accueil aimable.

Le Bistrot des Halles　　　　　　　　　　　🍴 AC VISA MC
10 r. Bannelier – ℘ 03 80 49 94 15 – bistrotdeshalles@club-internet.fr
– Fax 03 80 38 16 16 – Fermé 25 déc.-2 janv., dim. et lundi　　　DY s
Rest – Menu 18 € (déj. en sem.) – Carte 29/38 €

♦ Face aux halles joliment restaurées, les plats canailles, la rôtissoire et le décor de bistrot 1900 un brin théâtral séduisent les Dijonnais. Convivialité assurée !

DZ'envies　　　　　　　　　　　　　　　🍴 & AC VISA MC
12 r. Odebert – ℘ 03 80 50 09 26 – www.dzenvies.com – Fermé dim.　DX a
Rest – Menu (15 €), 20/35 € – Carte 35/45 €

♦ Installé sur la place du marché, ce nouveau restaurant, à l'image d'une cantine épurée (bois clair et tons blancs), dénote par son style branché. Cuisine actuelle à prix sages.

Chez Septime　　　　　　　　　　　　　🍴 VISA MC AE
11 av. Junot – ℘ 03 80 66 72 98 – goldorak_stef@hotmail.com
– Fax 03 80 66 72 98 – Fermé 9-20 août, dim. et lundi　　　　　　B n
Rest – Menu (13 €), 18 € (déj.) – Carte 30/40 €

♦ La façade orange et mauve plante le décor et l'intérieur, façon bistrot contemporain, ne dépareille pas. Cuisine au goût du jour et belle sélection de vins au verre.

au Parc de la Toison d'Or 5 km au Nord par D 974 – ⊠ 21000 Dijon

Holiday Inn　　　　　　　　　　🏨 & AC ⇎ 🛏 ℠ P VISA MC AE ①
1 pl. Marie de Bourgogne – ℘ 03 80 60 46 00 – www.holiday-inn.fr
– holiday-inn.dijonfrance@wanadoo.fr – Fax 03 80 72 32 72　　　B r
100 ch – †120/135 € ††130/140 €, ⇌ 15 €
Rest – (fermé sam. midi, dim. midi et fériés le midi) Menu (22 €), 28/48 €
– Carte 36/58 €

♦ Cet immeuble moderne est intégré au parc technologique de la Toison d'Or. Décoration intérieure contemporaine et colorée ; chambres toutes rénovées, aux meubles design. Cuisine traditionnelle servie dans une spacieuse salle à manger actuelle.

DIJON

à Chevigny 9 km par ⑤ et D 996 – ✉ 21600 Fenay

🏠 **Le Relais de la Sans-Fond** 🚗 🍴 🏊 🛜 ♿ 🅿 VISA ⓜ AE
⊂⊃ 33 rte Dijon, (sur D 996) – ℰ 03 80 36 61 35 – sansfond@aol.com
– Fax 03 80 54 94 89 – Fermé 20 déc.-5 janv.
17 ch – ✝55/60 € ✝✝65/70 €, ☑ 8 € – ½ P 66/71 €
Rest – (fermé dim. soir et soirs fériés) Menu 16 € (déj. en sem.), 26/50 €
– Carte 56/63 €
♦ Petite auberge familiale aux aménagements simples et soignés. Chambres claires, pratiques et fort bien tenues. Cuisine traditionnelle à déguster dans les salles à manger actuelles ou sur l'agréable terrasse, face au jardin.

à Chenôve 6 km par ⑥ – 15 100 h. – alt. 263 m – ✉ 21300

🏨 **L'Escargotière** 🍴 📺 AC ♿ 🛜 ♿ 🅿 VISA ⓜ AE ⓘ
120 av. Roland-Carraz – ℰ 03 80 54 04 04 – www.hotel-escargotiere.fr
– contact@hotel-escargotiere.fr – Fax 03 80 54 04 05
– Fermé 18 déc.-3 janv.
41 ch – ✝62/66 € ✝✝66/84 €, ☑ 8,50 € – 3 suites
Rest La Véranda – Menu (21 €) – Carte 25/33 €
♦ L'hôtel borde une route très passante, mais les chambres, toutes identiques et rénovées, sont bien insonorisées. Ambiance "jardin d'hiver", grillades, plats à la broche et spécialités d'escargots au restaurant La Véranda.

✕✕ **Le Clos du Roy** AC ⇔ 🅿 VISA ⓜ
☺ 35 av. 14-Juillet – ℰ 03 80 51 33 66 – www.restaurant-closduroy.com
– clos.du.roy@wanadoo.fr – Fax 03 80 51 36 66 – Fermé 3 sem. en août, merc. soir, dim. soir et lundi
Rest – Menu (18 €), 25/60 € – Carte 51/67 €
♦ Ce restaurant au cadre actuel est une étape de choix sur la route du vignoble. Cuisine au goût du jour rehaussée de touches régionales, accompagnée d'une belle carte de bourgognes.

à Marsannay-la-Côte 8 km par ⑥ – 5 178 h. – alt. 275 m – ✉ 21160
🛈 Office de tourisme, 41, rue de Mazy ℰ 03 80 52 27 73, Fax 03 80 52 30 23

✕✕✕ **Les Gourmets** 🍴 ♿ ⇔ VISA ⓜ AE
8 r. Puits de Têt, (près de l'église) – ℰ 03 80 52 16 32 – www.les-gourmets.com
– detot-lesgourmets@orange.fr – Fax 03 80 52 03 01 – Fermé 27 juil.-11 août, lundi et mardi
Rest – Menu (17 €), 25/95 € – Carte 58/90 € 🍷
♦ Cuisine actuelle qui sait rester sagement bourguignonne, belle carte de crus de la région, élégante salle à manger s'ouvrant sur une terrasse d'été. Tout est dit... ou presque.

à Talant 4 km – 11 700 h. – alt. 354 m – ✉ 21240
👁 Table d'orientation ≤★.

🏨 **La Bonbonnière** sans rest ॐ ≤ 🚗 🍴 ♿ ✕ 🛜 🅿 VISA ⓜ AE ⓘ
24 r. Orfèvres, (au vieux village) – ℰ 03 80 57 31 95 – www.labonbonnierehotel.fr
– labonbonniere@wanadoo.fr – Fax 03 80 57 23 92 – Fermé 28 juil.-15 août et 22 déc.-4 janv.
20 ch – ✝70/80 € ✝✝70/95 €, ☑ 10 €
A s
♦ Sur les hauteurs de la ville, petit hôtel familial offrant une vue étendue sur Dijon et le lac Kir. Chambres spacieuses et bien tenues et agréable jardin.

à Velars-sur-Ouche 11 km par ⑦ et A 38 – 1 594 h. – alt. 280 m – ✉ 21370

✕✕ **L'Auberge Gourmande** 🍴 AC 🅿 VISA ⓜ
17 allée de la Cude – ℰ 03 80 33 62 51 – www.auberge-velars.com
– Fax 03 80 33 65 83
– Fermé 24 août-17 sept., 2-14 janv., dim. soir, mardi et merc.
Rest – Menu 21 € (sem.)/50 € – Carte 30/60 €
♦ Voici une petite auberge de campagne comme on les aime : intérieur cosy et chaleureux, cuisine du terroir attentive aux saisons et terrasse donnant sur un jardin.

673

DIJON

à Prenois 12 km par ⑧ par D 971 et D 104 – 310 h. – alt. 485 m – ⊠ 21370

XXX **Auberge de la Charme** (David Le Comte et Nicolas Isnard)   VISA ●● AE
12 r. de la Charme – ℰ *03 80 35 32 84* – *www.aubergedelacharme.com*
– *contact@aubergedelacharme.com* – *Fax 03 80 35 34 48* – *Fermé 21-27 déc.,
lundi et mardi*
Rest – *(prévenir)* Menu (20 € bc), 27 € bc (déj. en sem.), 45/85 € – Carte 75/95 €
Spéc. Œuf cuit à basse température à la crème de champignons. Paleron de bœuf
braisé à la purée d'artichaut. Chocolat cigare au cacao.
♦ Dans un village réputé gourmand, maison en pierre (ancienne forge) à l'intérieur actuel.
Les nouveaux propriétaires réalisent à quatre mains une intéressante cuisine inventive.

rte de Troyes 4 km par ⑧ – ⊠ 21121 Daix

XXX **Les Trois Ducs**   AC ⇔ P VISA ●● AE
5 rte de Troyes – ℰ *03 80 56 59 75* – *www.eric-briones.com* – *lestroisducs@
gmail.com* – *Fax 03 80 56 00 16* – *Fermé 2-23 août, 24 déc.-5 janv., merc. soir du
1ᵉʳ nov. au 15 mars, sam. midi, dim. soir et lundi*
Rest – Menu (22 €), 32/115 € bc – Carte 55/70 €
♦ Déco contemporaine, rehaussée de tableaux modernes, pour ce confortable restaurant
servant une cuisine actuelle. Repas en terrasse dès les premiers beaux jours.

à Hauteville-lès-Dijon 6 km par ⑧ et D 107ᶠ – 1 076 h. – alt. 402 m – ⊠ 21121

XX **La Musarde** avec ch   ⎛ ⎞ ¶ VISA ●● AE ①
7 r. des Riottes – ℰ *03 80 56 22 82* – *www.lamusarde.fr* – *hotel.rest.lamusarde@
wanadoo.fr* – *Fax 03 80 56 64 60* – *Fermé 21 déc.-13 janv.*
11 ch – ♦51/63 € ♦♦57/71 €, ⊇ 10 €
Rest – *(fermé mardi midi, dim. soir et lundi)* Menu (21 € bc), 28 € bc (déj. en sem.),
33/63 € – Carte 47/61 €
♦ Grand calme, verdure, salle à manger ouverte sur la belle terrasse d'été, cuisine au goût
du jour... Tout semble réuni pour musarder sans retenue dans cette ferme du 19ᵉ s.
Chambres simples et bien tenues.

DINAN ⌖ – 22 Côtes-d'Armor – 309 J4 – 11 200 h. – alt. 92 m   10 **C2**
– ⊠ 22100 Bretagne

▶ Paris 400 – Rennes 54 – St-Brieuc 61 – St-Malo 32 – Vannes 120
🛈 Office de tourisme, 9, rue du Château ℰ 02 96 87 69 76, Fax 02 96 87 69 77
⛳ La Corbinais Golf Club à Saint-Michel-de-Plélan La Corbinais, O : 15 km,
ℰ 02 96 27 64 81
⛴ de Saint-Malo à Le Tronchetrte de Dol-de-Bretagne : 19 km,
ℰ 02 99 58 96 69
⛳ de Trémereuc à Trémereuc 14 rue de Dinan, par rte de Dinard : 11 km,
ℰ 02 96 27 10 40
◉ Vieille ville★★ : Tour de l'Horloge ※★★ R, Jardin anglais ≤★★, place des
Merciers★ BZ, rue du Jerzual★ BY, - Promenade de la Duchesse-Anne ≤★,
Tour du Gouverneur ≤★★, Tour Ste-Catherine ≤★★ - Château★ : ※★★.

Plan page ci-contre

🏨🏨🏨 **Jerzual**   ⎛ ⎞ 🛏 & 🛁 ¶ 🚲 P VISA ●● AE ①
26 quai Talards, (au port) – ℰ *02 96 87 02 02* – *www.bestwesterndinan.fr*
– *reservation@bestwesterndinan.fr* – *Fax 02 96 87 02 03*   BY **b**
54 ch – ♦83/118 € ♦♦90/140 €, ⊇ 14 €
Rest – Menu (15 €), 19/31 € – Carte 27/38 €
♦ La silhouette de cet hôtel évoquant les cloîtres bretons se fond bien dans le quartier du
port. Chambres spacieuses et actuelles. Piscine dans le patio. Cuisine traditionnelle servie
au restaurant – tout en boiseries – ou sur la terrasse tournée vers la Rance.

🏨🏨 **Le d'Avaugour** sans rest   ⎛ 🛏 🛁 ¶ VISA ●●
1 pl. du Champ Clos – ℰ *02 96 39 07 49* – *www.avaugourhotel.com* – *contact@
avaugourhotel.com* – *Fax 02 96 85 43 04* – *Ouvert 27 fév.-31 oct.*   AZ **r**
24 ch – ♦80/170 € ♦♦80/170 €, ⊇ 14 €
♦ Belle bâtisse en pierres du pays adossée aux remparts de la ville et dont le jardin fleuri
abrite une tour. Petites chambres personnalisées, orientées côté place ou verdure.

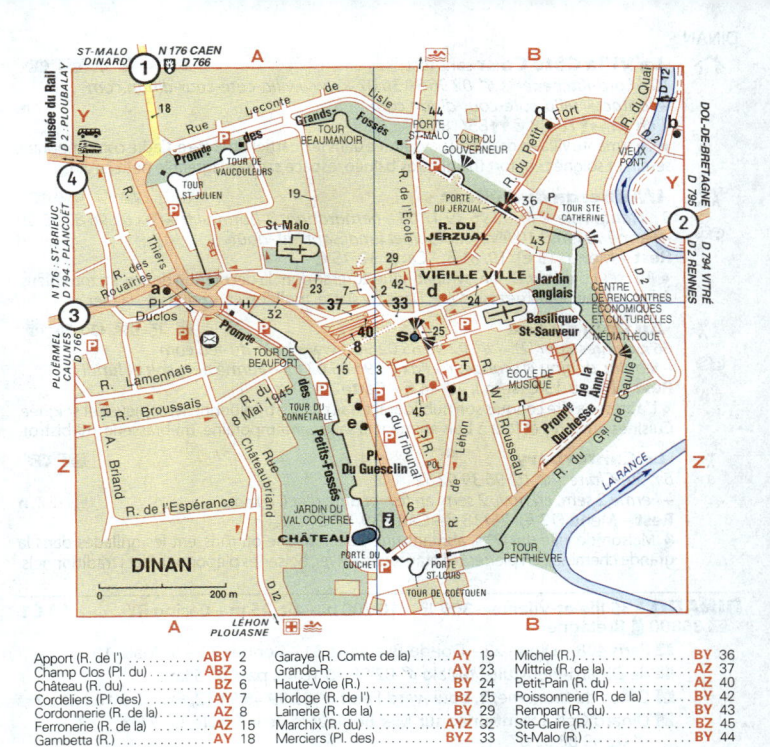

Apport (R. de l')	**ABY** 2	Garaye (R. Comte de la)	**AY** 19	Michel (R.)	**BY** 36
Champ Clos (Pl. du)	**ABZ** 3	Grande-R.	**AY** 23	Mittrie (R. de la)	**AZ** 37
Château (R. du)	**BZ** 6	Haute-Voie (R.)	**BY** 24	Petit-Pain (R. du)	**AZ** 40
Cordeliers (Pl. des)	**AY** 7	Horloge (R. de l')	**BZ** 25	Poissonnerie (R. de la)	**BY** 42
Cordonnerie (R. de la)	**AZ** 8	Lainerie (R. de la)	**BY** 29	Rempart (R. du)	**BY** 43
Ferronerie (R. de la)	**AZ** 15	Marchix (R. du)	**AYZ** 32	Ste-Claire (R.)	**BZ** 45
Gambetta (R.)	**AY** 18	Merciers (Pl. des)	**BYZ** 33	St-Malo (R.)	**BY** 44

Le Challonge sans rest

29 pl. Duguesclin – ℰ 02 96 87 16 30 – www.hotel-dinan.fr – lechallonge@wanadoo.fr – Fax 02 96 87 16 31   AZ **e**

18 ch – ♦58/65 € ♦♦67/75 €, ⊇ 8 €

◆ En centre-ville, cet hôtel à la longue façade classique vous accueille chaleureusement. Les chambres, confortables et bien insonorisées, ont un petit air british.

Ibis sans rest

1 pl. Duclos – ℰ 02 96 39 46 15 – h5977@accor.com – Fax 02 96 85 44 03

62 ch – ♦52/107 € ♦♦52/107 €, ⊇ 8 €   AY **a**

◆ Fonctionnel et récemment rénové, un hôtel bien placé, à proximité des remparts et du château, disposant de chambres spacieuses et climatisées.

Arvor sans rest

5 r. Pavie – ℰ 02 96 39 21 22 – www.hotelarvordinan.com – hotel-arvor@wanadoo.fr – Fax 02 96 39 83 09 – Fermé 5-25 janv.   BZ **u**

24 ch – ♦50/72 € ♦♦53/72 €, ⊇ 6,50 €

◆ Un portail Renaissance sculpté donne accès à cet immeuble du 18ᵉ s. édifié sur le site d'un ancien couvent. Chambres de bonne ampleur, sobres et pratiques (dont une en duplex).

Le Logis du Jerzual sans rest

25 r. du Petit-Fort – ℰ 02 96 85 46 54 – www.logis-du-jerzual.com – ronsseray@wanadoo.fr – Fax 02 96 39 46 94   BY **q**

5 ch ⊇ – ♦60/80 € ♦♦85/95 €

◆ Entre port et ville haute, ce logis du 15ᵉ s. vous invite à poser vos valises. Jardin en terrasse dominant la Rance. Beau mobilier ancien dans des chambres de caractère.

DINAN

La Villa Côté Cour sans rest
10 r. Lord-Kitchener – ℰ 02 96 39 30 07 – www.villa-cote-cour-dinan.com
– contact@villa-cote-cour-dinan.com
4 ch ⌧ – †78/88 € ††85/180 €

AY m

◆ Charmante villa en granit du pays située dans le quartier de la gare. Cadre contemporain, serein et soigné ; confort (baignoires balnéo, espace sauna) ; agréable petit jardin.

L'Auberge du Pélican
3 r. Haute Voie – ℰ 02 96 39 47 05 – bernardbriat@hotmail.fr – Fax 02 96 87 53 30
– Fermé 10 janv.-10 fév., jeudi soir et lundi sauf juil.-août
Rest – Menu (13 €), 19/61 € – Carte 32/75 €

BY d

◆ Au cœur du vieux Dinan, sympathique adresse dont la décoration douce, en tons bleus, évoque l'eau. Jolie terrasse d'été. Dans l'assiette, tradition et produits de la mer.

Au Coin du Feu
66 r. de Brest, par ③ – ℰ 02 96 85 02 90 – www.coin-du-feu.com
– jeanluc.danjou@orange.fr – Fax 02 96 85 03 85 – Fermé dim. soir et lundi
Rest – Menu 13 € (sem.), 23/44 € – Carte 21/51 €

◆ L'adresse a vite conquis son public grâce à sa cuisine traditionnelle, copieuse et soignée. Cuisines ouvertes et four à bois animent la salle contemporaine, mi-brasserie, mi-bistrot.

Le Cantorbery
6 r. Ste-Claire – ℰ 02 96 39 02 52
– Fermé 2 sem. en nov., 2 sem. en fév. et dim. d'oct. à mars
Rest – Menu (13 €), 25/38 € – Carte 39/57 €

BZ n

◆ Maison de ville du 17ᵉ s. abritant une salle rustique où rôtissent les grillades dans la grande cheminée en pierres (à l'étage, pièce avec boiseries d'époque). Plats traditionnels.

DINARD – 35 Ille-et-Vilaine – 309 J3 – 10 700 h. – alt. 25 m – Casino **BY** 10 **C1**
– ✉ 35800 ▮ Bretagne

▸ Paris 408 – Dinan 22 – Dol-de-Bretagne 31 – Rennes 73 – St-Malo 10
▸ de Dinard-Pleurtuit-St-Malo ℰ 02 99 46 18 46, par ① : 5 km.
▸ Office de tourisme, 2, boulevard Féart ℰ 02 99 46 94 12, Fax 02 99 88 21 07
▸ Dinard Golf à Saint-Briac-sur-Mer Boulevard de la Houle, O : 7 km, ℰ 02 99 88 32 07
▸ de Trémereuc à Trémereuc 14 rue de Dinan, par rte de Dinan : 6 km, ℰ 02 96 27 10 40
▸ Pointe du Moulinet ≤★★ - Grande Plage ou Plage de l'Écluse★ - Promenade du Clair de Lune★ - Pointe de la Vicomté★★ - La Rance★★ en bateau - St-Lunaire : pointe du Décollé ≤★★ et grotte des Sirènes★ 4,5 km par ② - Usine marémotrice de la Rance : digue ≤★ SE : 4 km.
▸ Pointe de la Garde Guérin★ : ⁂★★ par ② : 6 km puis 15 mn.

Plan page ci-contre

Grand Hôtel Barrière de Dinard
46 av. George V – ℰ 02 99 88 26 26
– www.lucienbarriere.com – grandhoteldinard@lucienbarriere.com
– Fax 02 99 88 26 27 – Ouvert 13 mars-30 nov.
90 ch – †115/460 € ††115/460 €, ⌧ 22 €

BY v

Rest *Le Blue B* – (dîner seult) Menu 39 €, 54/65 € bc – Carte 38/63 €
Rest *333 Café* – (déj. seult) Menu (21 € bc) – Carte 32/42 €

◆ Ce "grand hôtel" du 19ᵉ s. qui domine la promenade maritime du Clair de Lune accueille les stars de cinéma lors du Festival du Film britannique. Chambres sobres et raffinées. Belle vue sur mer au Blue B. En été, le 333 Café propose une carte légère en terrasse.

Novotel Thalassa
1 av. Château Hébert – ℰ 02 99 16 78 10
– www.accorthalassa.com – H1114@accor.com – Fax 02 99 16 78 29
– Fermé 2-25 déc.
106 ch – †160/195 € ††160/195 €, ⌧ 17 €

AY r

Rest – Menu (19 €), 30 € – Carte 35/58 €

◆ Dans un cadre unique (la pointe de St-Énogat), un complexe moderne voué à la détente : superbe centre de thalassothérapie, salon de beauté et chambres actuelles mirant l'océan. Au restaurant, panorama sur la Manche, décor actuel et recettes diététiques.

DINARD

Abbé-Langevin (R.)	**AY**	2
Albert-1er (Bd.)	**BY**	3
Anciens Combattants (R. des)	**AZ**	5
Barbine (R. de)	**AZ**	7
Boutin (Pl. J.)	**BY**	9
Clemenceau (R. G.)	**BY**	10
Coppinger (R.)	**BY**	12
Corbinais (R. de la)	**AZ**	13
Croix-Guillaume (R.)	**AZ**	15
Douet-Fourche (R. du)	**AZ**	17
Dunant (R. H.)	**AY**	19
Féart (Bd)	**BYZ**	
Français-Libres (R.)	**ABZ**	22
Gaulle (Pl. du Gén.-de)	**BZ**	25
Giraud (Av. du Gén.)	**BZ**	26
Leclerc (R. Mar.)	**BYZ**	28
Levasseur (R.)	**BY**	29
Lhotelier (Bd)	**AY**	31
Libération (Bd de la)	**AZ**	32
Malouine (R. de la)	**BY**	34
Mettrie (R. de la)	**BZ**	35
Pionnière (R. de la)	**ABY**	38
Prés.-Wilson (Bd)	**BY**	40
Renan (R. E.)	**AY**	43
République (Pl. de la)	**BY**	44
St-Lunaire (R. de)	**AY**	48
Vallée (R. de la)	**BYZ**	50
Verney (R. Y.)	**BY**	52

🏠 Villa Reine Hortense sans rest ॐ   ⇐ P VISA ◎ AE

19 r. Malouine – ℰ *02 99 46 54 31* – *www.villa-reine-hortense.com* – *resa@villa-reine-hortense.com* – *Fax 02 99 88 15 88* – *Ouvert de fin mars à début oct.*   **BY e**

7 ch – †150/245 € ††150/245 €, ⊋ 16 € – 1 suite

♦ Toute la Belle Époque revit dans cette villa typique de la "perle" de la Côte d'Émeraude. Ses luxueuses chambres personnalisées – excepté une – regardent la plage.

🏠 Mercure Emeraude Plage sans rest   🛌 📶 ⚒ AC ⇐ ℡ 🐾 ⇔ VISA ◎ AE

1 bd Albert 1er – ℰ *02 99 46 19 19*
– *www.hotelemeraudeplage.com* – *h6956@accor.com* – *Fax 02 99 46 21 22*
– *Fermé 4-31 janv.*   **BY a**

47 ch – †85/395 € ††100/395 €, ⊋ 15 €

♦ Hôtel balnéaire rénové, proche de la plage et du casino. Chambres fonctionnelles dont le décor évoque les voyages. Salon à l'ambiance feutrée très british, piano-bar.

DINARD

Crystal sans rest
15 r. Malouine – ℰ 02 99 46 66 71 – www.crystal-hotel.com – hcrystal@club-internet.fr – Fax 02 99 88 17 73
BY n
24 ch – †82/138 € ††82/138 €, ⊇ 12 € – 2 suites
♦ Hôtel datant des années 1970 aux chambres amples et bien tenues, rénovées côté rue ou bénéficiant de la vue sur la plage et la pointe de la Malouine côté mer.

La Vallée
6 av. George-V – ℰ 02 99 46 94 00 – www.hoteldelavallee.com – hdlv@wanadoo.fr – Fax 02 99 88 22 47 – Fermé janv.
BY g
24 ch – †70/140 € ††70/140 €, ⊇ 10 €
Rest – (fermé dim. soir et lundi) Carte 39/47 €
♦ Bâtisse balnéaire postée sur un ancien embarcadère. Belles chambres contemporaines arborant, selon l'étage, une couleur différente (rouille, turquoise, vert anis). Deux salles modernes dont une façon loft, face à la baie ; poissons et fruits de mer.

Roche Corneille
4 r. G. Clemenceau – ℰ 02 99 46 14 47 – www.dinard-hotel-roche-corneille.com – roche.corneille@wanadoo.fr – Fax 02 99 46 40 80
BY f
28 ch – †60/165 € ††60/165 €, ⊇ 13 €
Rest – (fermé 15 nov.-31 mars sauf fêtes, le midi et lundi) Menu 27/35 € – Carte 35/60 €
♦ Imposante villa caractéristique du style balnéaire de la fin du 19e s. L'intérieur, soigné, allie charme et confort, matériaux de qualité et équipements modernes (wifi). La cuisine "terre et mer" évolue au gré du marché.

La Plage sans rest
3 bd Féart – ℰ 02 99 46 14 87 – www.hoteldelaplage-dinard.com – hotel-de-la-plage@wanadoo.fr – Fax 02 99 46 55 52
BY x
18 ch – †65/119 € ††70/125 €, ⊇ 10 €
♦ Petit-déjeuner en terrasse face à la plage de l'Écluse et nuit sereine dans une chambre joliment rénovée, telles sont les belles promesses que vous fait ce sympathique hôtel.

Didier Méril avec ch
1 pl. Gén. de Gaulle – ℰ 02 99 46 95 74 – www.restaurant-didier-meril.com – didiermeril@wanadoo.fr – Fax 02 99 16 07 75 – Fermé 17 nov.-2 déc.
BZ n
6 ch – †65/120 € ††65/160 €, ⊇ 10 €
Rest – Menu (22 €), 29 € (sem.)/75 € – Carte 50/65 €
♦ Tons orange et gris, cave vitrée, mobilier design et – clou du spectacle – vue splendide sur la baie du Prieuré : la rencontre d'un cadre moderne et d'une cuisine traditionnelle. Petites chambres sobrement actuelles.

à St-Lunaire 5 km par ② par D786 – 2 250 h. – alt. 20 m – ✉ 35800

Ẑ Office de tourisme, 72, boulevard du Général-de-Gaulle ℰ 02 99 46 31 09, Fax 02 99 46 31 09

Le Décollé
1 Pointe du Décollé – ℰ 02 99 46 01 70 – www.escales-gourmandes.com – Fax 02 99 46 01 70 – Fermé 12 nov.-1er fév., merc., jeudi en mars, mardi sauf juil.-août et lundi
Rest – (prévenir) Menu (19 €), 29/39 € – Carte 49/80 €
♦ La carte fait la part belle aux produits de la mer, tandis que le sobre décor s'efface volontiers devant la superbe vue sur la Côte d'Émeraude. Terrasse d'été idyllique.

DIOU – 36 Indre – **323** I4 – rattaché à Issoudun

DISNEYLAND RESORT PARIS – 77 Seine-et-Marne – **312** F2 – **106** 22 – voir à Paris, Environs (Marne-La-Vallée)

DISSAY – 86 Vienne – **322** I4 – 2 912 h. – alt. 69 m – ✉ 86130   39 **C1**
Poitou Vendée Charentes
▶ Paris 320 – Châtellerault 19 – Poitiers 16
Ẑ Office de tourisme, place du 8 Mai 1945 ℰ 05 49 52 34 56, Fax 05 49 62 58 72
◉ Peintures murales ★ de la chapelle du château.

DISSAY

Le Binjamin
※※
D 910 – ℰ 05 49 52 42 37 – www.binjamin.com – binjamin1@aol.com
– Fax 05 49 62 59 06 – Fermé dim. soir et lundi
Rest – Menu (17 €), 25/54 €
♦ Coup de jeunesse pour cette sympathique adresse familiale qui arbore un nouveau cadre d'esprit contemporain. Cuisine au goût du jour et propositions de formules brasserie.

DIVES-SUR-MER – 14 Calvados – **303** L4 – rattaché à Cabourg

---

DIVONNE-LES-BAINS – 01 Ain – **328** J2 – 7 572 h. – alt. 486 m   46 **F1**
– Stat. therm. : mi mars-mi nov. – Casino – ✉ 01220
Franche-Comté Jura

▣ Paris 488 – Bourg-en-Bresse 129 – Genève 18 – Gex 9 – Nyon 9
– Thonon-les-Bains 51
🛈 Office de tourisme, rue des Bains ℰ 04 50 20 01 22, Fax 04 50 20 00 40
🏌 de Divonne-les-Bains Route de Gex, O : 2 km, ℰ 04 50 40 34 11
🏌 de Maison-Blanche à Échenevex, SO : 11 km, ℰ 04 50 42 44 42

Le Grand Hôtel
av. des Thermes – ℰ 04 50 40 34 34 – www.domaine-
de-divonne.com – info@domaine-divonne.com – Fax 04 50 40 34 24
130 ch – †235/385 € ††265/385 €, ⚏ 19 € – 4 suites
Rest *La Terrasse* – ℰ 04 50 40 35 39 – Menu (35 € bc), 39/65 € – Carte 46/60 €
♦ Palace de 1931 inscrit dans son parc soigné. Chambres amples et élégantes, disponibles en trois styles : bourgeois, Art déco ou contemporain. Casino et golf. Restaurant d'été côté jardin et salle façon "orangerie" à La Terrasse.

Château de Divonne
115 r. des Bains – ℰ 04 50 20 00 32
– www.chateau-divonne.com – divonne@grandesetapes.fr – Fax 04 50 20 03 73
26 ch – †135/420 € ††165/420 €, ⚏ 23 € – 6 suites
Rest – Menu (29 €), 57 €, 72/96 € – Carte 75/92 €
♦ Un superbe parc arboré entoure cette belle demeure (19ᵉ s.) bâtie sur les ruines d'une maison forte du 11ᵉ s. Chambres personnalisées desservies par un escalier monumental. Élégante salle de restaurant, terrasse enchanteresse et panoramique ; cuisine au goût du jour.

La Villa du Lac
93 chemin du Chatelard – ℰ 04 50 20 90 00
– www.lavilladulac.com – info@lavilladulac.com – Fax 04 50 99 40 00
90 ch – †139/185 € ††139/185 €, ⚏ 14 €   **Rest** – Menu (24 €) – Carte 31/40 €
♦ Ensemble moderne tout récent, situé au calme, entre lac et ville. Chambres de style contemporain avec balcon, salles de séminaires équipées dernier cri et très complet. Repas traditionnel dans un cadre actuel ou sur la terrasse tournée vers le plan d'eau.

Le Jura sans rest
54 r. d'Arbère – ℰ 04 50 20 05 95 – www.hotel-divonne.com – reservation@
hotellejura.com – Fax 04 50 20 21 21
29 ch – †64/122 € ††71/129 €, ⚏ 10 €
♦ Affaire familiale aux chambres bien tenues. Celles de l'annexe sont neuves (mobilier actuel) avec terrasses. Petits-déjeuners servis dans la véranda ouverte sur le jardin.

Le Rectiligne
※※
2981 rte du Lac – ℰ 04 50 20 06 13 – www.lerectiligne.fr – lerectiligne@
residencedulac.fr – Fax 04 50 20 53 81 – Fermé dim. et lundi de sept. à mi- mai
Rest – Menu (23 €), 39/63 € – Carte 53/67 €
♦ Maison blanche moderne dont le restaurant et la terrasse donnent sur le lac. L'espace est volontairement épuré et zen (tons pastels, mur d'eau). Goûteuse cuisine actuelle.

Le Pavillon du Golf
※※
av. des Thermes – ℰ 04 50 40 34 13 – www.domaine-de-divonne.com
– Fax 04 50 40 34 24 – Fermé 20 déc.-6 fév., lundi et mardi hors saison
Rest – Menu 24 € (déj. en sem.), 40/55 € – Carte 40/52 €
♦ Ancienne ferme bordant le parcours de golf. Redécorée, la salle à manger est à la fois lumineuse et feutrée (cheminée). Charmante terrasse. Appétissante carte traditionnelle.

DIZY – 51 Marne – **306** F8 – rattaché à Épernay

DOLANCOURT – 10 Aube – 313 H4 – 145 h. – alt. 112 m – ⌧ 10200   13 B3
▶ Paris 229 – Châlons-en-Champagne 92 – Saint-Dizier 63 – Troyes 45

Moulin du Landion
5 r. St-Léger, – ℰ 03 25 27 92 17 – www.moulindulandion.com – contact@moulindulandion.com – Fax 03 25 27 94 44 – Fermé 4-24 janv.
16 ch – †82/90 € ††82/90 €, ⌧ 11 € – ½ P 76/80 €
Rest – Menu 28/39 € – Carte 40/60 €

♦ Toute une famille se met ici en quatre pour vous satisfaire. Chambres rénovées, pourvues de nouvelles salles de bains et dotées de balcons tournés vers le cours du Landion ou le parc. Le restaurant, aménagé dans le moulin datant de 1872, propose une carte classique.

DOLE – 39 Jura – 321 C4 – 23 900 h. – alt. 220 m – ⌧ 39100   16 B2
Franche-Comté Jura
▶ Paris 363 – Beaune 65 – Besançon 55 – Dijon 50 – Lons-le-Saunier 57
fi Office de tourisme, 6, place Grévy ℰ 03 84 72 11 22, Fax 03 84 82 49 27
fo Public du Val d'Amour à Parcey Chemin du Camping, S : 9 km par D 405 et N 5, ℰ 03 84 71 04 23
◉ Le Vieux Dole★★ BZ : Collégiale Notre-Dame★ - Grille★ en fer forgé de l'église St-Jean-l'Évangéliste AZ - Le musée des Beaux-Arts★.
© Forêt de Chaux★.

Plan page ci-contre

La Cloche sans rest
1 pl. Grévy – ℰ 03 84 82 06 06 – www.la-cloche.fr – lacloche.hotel@wanadoo.fr – Fax 03 84 72 73 82 – Fermé 24 déc.-2 janv.   BY v
28 ch – †60 € ††70 €, ⌧ 8,50 €

♦ Stendhal aurait séjourné dans cette vieille maison voisine du cours St-Mauris. Ses chambres, de bonne ampleur, sont rafraîchies par étapes. Sauna.

La Chaumière (Joël Césari) avec ch
346 av. Mar. Juin, 3 km par ③ – ℰ 03 84 70 72 40 – www.la-chaumiere.info.com – lachaumiere.dole@wanadoo.fr – Fax 03 84 79 25 60 – Fermé 20 déc.-5 janv., dim. (sauf hôtel en juil.-août), lundi midi et sam. midi
19 ch – †70/120 € ††80/120 €, ⌧ 15 €
Rest – Menu (20 € bc), 33 € (sem.)/78 € – Carte 60/70 €
Spéc. Moules de bouchot, carottes reconstituées et pistaches caramélisées au curry (juin à oct.). Ris de veau crevette-crevette et lait caillé à l'hysope. Crème brûlée au cumin, framboises au sucre et sorbet carotte-gingembre (juil. à oct.).
Vins Côtes du Jura, Arbois.

♦ Savoureuse cuisine inventive à base de produits du terroir et bon choix de vins régionaux dans cette maison décorée selon un savant équilibre entre modernité et tradition locale.

La Romanée
13 r. Vieilles Boucheries – ℰ 03 84 79 19 05 – la-romanee.franchini@wanadoo.fr – Fax 03 84 79 26 97 – Fermé dim. soir et merc.   BZ n
Rest – Menu (14 €), 19/50 € – Carte 30/54 €

♦ Cette ancienne boucherie datant de 1717 a conservé, sur les murs de la salle à manger voûtée, ses pendoirs. Terrasse bordée d'arbustes et de fleurs. Cuisine traditionnelle.

Le Grévy
2 av. Eisenhower – ℰ 03 84 82 44 42 – Fax 03 84 82 44 42 – Fermé 1ᵉʳ-21 août, 24 déc.-1ᵉʳ janv., sam. et dim.   BY v
Rest – Menu 15 € (déj. en sem.) – Carte 30/50 €

♦ Décor minimal, banquettes et nappes à carreaux donnent le ton de ce petit bistrot façon bouchon lyonnais. Tripes et autres plats canailles du Rhône et du Jura à l'honneur.

à Rochefort-sur-Nenon 7 km par ② par D 673 – 580 h. – alt. 210 m – ⌧ 39700

Fernoux-Coutenet
r. Barbière – ℰ 03 84 70 60 45 – hotelfernouxcoutenet@wanadoo.fr – Fax 03 84 70 50 89 – Fermé 18 déc.-10 janv. et dim. soir d'oct. à avril
20 ch – †55/57 € ††58/60 €, ⌧ 8,50 €
Rest – (fermé sam. midi et dim. soir d'oct. à juin) Menu (13 €), 16 € (déj. en sem.), 20/37 € – Carte 23/47 €

♦ Nouvelle direction et évolutions en perspective pour cet hôtel familial accueillant aussi un café. Chambres simples et petit-déjeuner sous forme de buffet. Trois salles à manger rustiques, dont une voûtée, et cuisine traditionnelle sans prétention.

DOLE

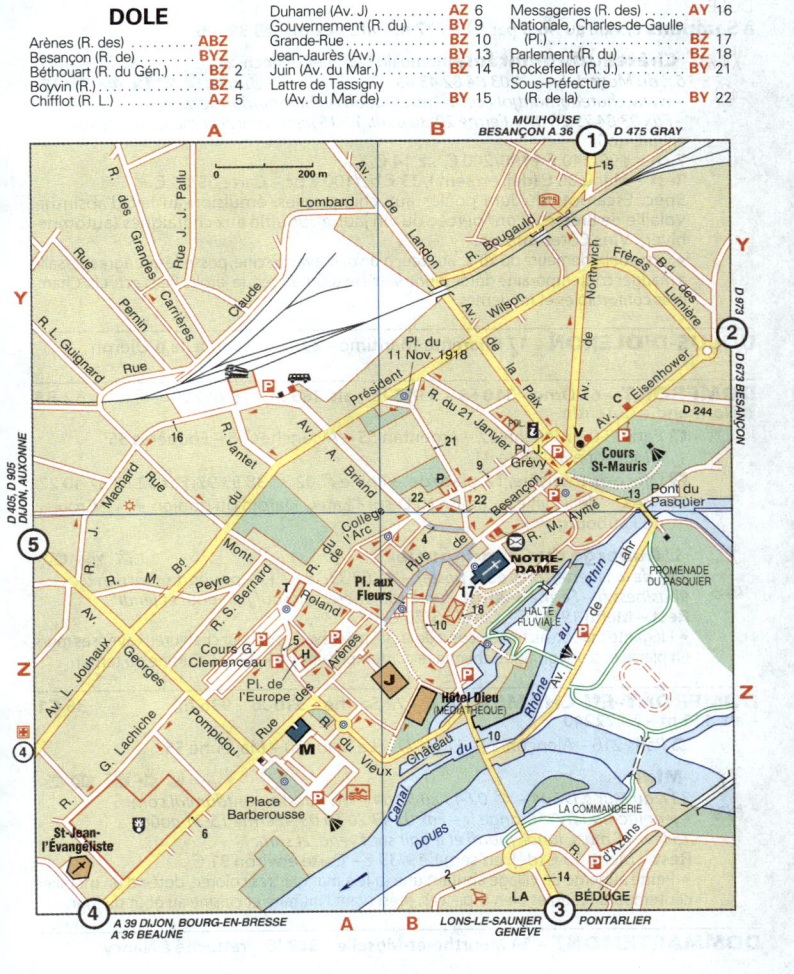

Arènes (R. des) .... **ABZ**	Duhamel (Av. J) .... **AZ** 6
Besançon (R. de) .... **BYZ**	Gouvernement (R. du) .... **BY** 9
Béthouart (R. du Gén.) ... **BZ** 2	Grande-Rue .... **BZ** 10
Boyvin (R.) .... **BZ** 4	Jean-Jaurès (Av.) .... **BY** 13
Chifflot (R. L.) .... **AZ** 5	Juin (Av. du Mar.) .... **BZ** 14
	Lattre de Tassigny (Av. du Mar.de) ..... **BY** 15
Messageries (R. des) ...... **AY** 16
Nationale, Charles-de-Gaulle (Pl.) .... **BZ** 17
Parlement (R. du) .... **BZ** 18
Rockefeller (R. J.) .... **BY** 21
Sous-Préfecture (R. de la) .... **BY** 22

à Parcey 8 km par ③ rte de Lons-le-Saunier – **918 h.** – **alt. 197 m** – ✉ 39100

Les Jardins Fleuris
🍽 🍽 *35 Route Nationale 5 –* 📞 *03 84 71 04 84 – lesjardinsfleuris39@orange.fr*
💤 *– Fax 03 84 71 09 43 – Fermé 8-20 juil., 11 nov.-2 déc., dim. soir et mardi*
Rest – Menu 17/45 € – Carte 28/49 €

♦ Cette maison de village en pierres de taille abrite une salle à manger à la fois sobre et cossue. Paisible terrasse fleurie sur l'arrière. Carte traditionnelle personnalisée.

Une nuit douillette sans se ruiner ?
Repérez les Bibs Hôtels 🛏.

DOLE

à Sampans 6,5 km au Nord par ① – 777 h. – alt. 222 m – ⌧ 39100

XXX **Château du Mont Joly** (Romuald Fassenet) avec ch 🐕   🔊 ⛱ ♿ rest,
✿✿   6 r. du Mont-Joly – ℰ 03 84 82 43 43   𝐀𝐂 rest, 🚭 📞 **P** **VISA** 🅼🅾 **AE**
– www.chateaumontjoly.com – reservation@chateaumontjoly.com
– Fax 03 84 79 28 07 – Fermé 20-30 avril, 1er-15 janv., mardi et merc. sauf le soir
en juil.-août
7 ch – †90/140 € ††90/200 €, ⌑ 14 €
Rest – Menu 30 € (déj. en sem.), 35 € bc/100 € bc – Carte 65/85 € 🌿
Spéc. Escargots du Jura poêlés aux chanterelles, émulsion au lait d'absinthe.
Volaille de Bresse façon "percée du vin jaune". Soufflé aux châtaignes (automne-
hiver). **Vins** Côtes du Jura.
♦ Cette belle demeure du 18e s., au cœur d'un parc avec piscine, possède une agréable salle
à manger contemporaine dotée d'une verrière tournée vers le jardin. Plats actuels. Chambres confortables et modernes.

DOLUS-D'OLERON – 17 Charente-Maritime – **324** C4 – **voir à Île d'Oléron**

DOMFRONT – 61 Orne – **310** F3 – 3 995 h. – alt. 185 m – ⌧ 61700   32 **B3**
▌**Normandie Cotentin**

🄳 Paris 250 – Alençon 62 – Argentan 55 – Avranches 65 – Fougères 55
– Mayenne 34 – Vire 41

🄸 Office de tourisme, 12, place de la Roirie ℰ 02 33 38 53 97, Fax 02 33 37 40 27

◉ Site★ - Vieille ville★ - Église N.-D-sur-l'Eau★ - Jardin du donjon ✻★ - Croix
du Faubourg ✻★.

XX **L'Auberge du Grandgousier**   🈺 **VISA** 🅼🅾
🔊   1 pl. de la Liberté, (près de la poste) – ℰ 02 33 38 97 17 – poupart.sebastien@
9business.fr – Fermé 5-20 oct., lundi soir, merc. soir sauf juil.-août et jeudi
Rest – Menu 19/57 € – Carte 35/70 €
♦ Élégante maison nichée au cœur de la cité médiévale. Intérieur chaleureux avec ses murs
en pierre et sa magnifique cheminée contemporaine de Rabelais. Cuisine du terroir.

DOMFRONT-EN-CHAMPAGNE – 72 Sarthe – **310** J6 – 936 h.   35 **C1**
– alt. 131 m – ⌧ 72240

🄳 Paris 216 – Alençon 54 – Laval 77 – Le Mans 20 – Mayenne 55

XX **Midi**   𝐀𝐂 ⇔ **VISA** 🅼🅾 **AE**
🔊   33 r. du Mans, D 304 – ℰ 02 43 20 52 04 – www.restaurantdumidi.com
– jeanluc-haudry@orange.fr – Fax 02 43 20 56 03 – Fermé 15-31 août,
15 fév.-15 mars, lundi, mardi et le soir sauf vend. et sam.
Rest – Menu 13 € (déj. en sem.), 19/35 € – Carte environ 31 €
♦ Petite auberge de village abritant une salle à manger très colorée, dotée d'un mobilier
contemporain. Tables bien espacées, préservant l'intimité et cuisine au goût du jour.

DOMMARTEMONT – 54 Meurthe-et-Moselle – **307** I6 – **rattaché à Nancy**

DOMME – 24 Dordogne – **329** I7 – 1 008 h. – alt. 250 m – ⌧ 24250   4 **D1**
▌**Périgord**

🄳 Paris 538 – Sarlat-la-Canéda 12 – Cahors 51 – Fumel 50 – Gourdon 20
– Périgueux 76

🄸 Office de tourisme, place de la Halle ℰ 05 53 31 71 00, Fax 05 53 31 71 09

◉ La bastide★ : ✻★★★.

🏨 **L'Esplanade** 🐕   ≤ 🍽 🈺 𝐀𝐂 (📻) **VISA** 🅼🅾 **AE** ①
2 r. Pontcarral – ℰ 05 53 28 31 41 – www.esplanade-perigord.com
– esplanade.domme@wanadoo.fr – Fax 05 53 28 49 92 – Ouvert 14 mars-2 nov.
15 ch – †72/83 € ††83/150 €, ⌑ 13 €
Rest – (fermé sam. midi de mars à avril, lundi sauf le soir de mai à sept. et merc.
midi) Menu 40/95 € – Carte 50/70 €
♦ Demeure périgourdine en bordure de la bastide, surplombant la vallée de la Dordogne.
Chambres bourgeoises, dont certaines bénéficient d'une belle vue. L'élégante salle à
manger jouit du panorama. Cuisine actuelle soignée ; formule bistrot en terrasse l'été.

DOMPAIRE – 88 Vosges – **314** F3 – 967 h. – alt. 300 m – ✉ 88270   26 **B3**

🚗 Paris 366 – Épinal 21 – Luxeuil-les-Bains 61 – Nancy 64 – Neufchâteau 56 – Vittel 24

Le Commerce avec ch   VISA ⓂⓄ
pl. Gén. Leclerc – ℰ 03 29 36 50 28 – le-commerce190@orange.fr
– Fax 03 29 36 66 12 – Fermé 22 déc.-12 janv., dim. soir (sauf hôtel) et lundi
7 ch – ♦39 € ♦♦41/44 €, ⛛ 6,50 € – ½ P 34/38 €
Rest – Menu 13 € (sem.)/33 € – Carte 30/40 €
◆ Salle à manger actuelle, éclairée par une grande baie vitrée ouvert sur un jardin, où l'on sert une cuisine traditionnelle de produits locaux. Chambres simples et spacieuses.

DOMPIERRE-SUR-BESBRE – 03 Allier – **326** J3 – 3 307 h.   6 **C1**
– alt. 234 m – ✉ 03290

🚗 Paris 324 – Bourbon-Lancy 19 – Decize 46 – Digoin 27 – Lapalisse 36 – Moulins 31
🛈 Office de tourisme, 145, Grande Rue ℰ 04 70 34 61 31, Fax 04 70 34 27 16

Auberge de l'Olive avec ch   ♿ ch, 🅰🅲 rest, ↔ ⓦ 🅿 VISA ⓂⓄ AE
av. de la Gare – ℰ 04 70 34 51 87 – www.auberge-olive.fr – contact@auberge-olive.fr – Fax 04 70 34 61 68 – Fermé 25 sept.-9 oct., dim. soir de nov. à mars et vend. sauf juil.-août
17 ch – ♦50/56 € ♦♦50/56 €, ⛛ 7 €
Rest – Menu 20 € (sem.)/48 € – Carte 33/50 €
◆ Deux salles à manger : l'une campagnarde, l'autre moderne, en véranda. Recettes traditionnelles revisitées. À deux tours de roues du parc d'attractions du Pal, auberge abritant des chambres rustiques rafraîchies ; celles de l'annexe sont plus actuelles.

DOMPIERRE-SUR-VEYLE – 01 Ain – **328** E4 – 968 h. – alt. 285 m   44 **B1**
– ✉ 01240

🚗 Paris 439 – Belley 70 – Bourg-en-Bresse 18 – Lyon 58 – Mâcon 54 – Nantua 47

L'Auberge de Dompierre   🍴 ♿ VISA ⓂⓄ
7 r. des Ecoles – ℰ 04 74 30 31 19 – aubergededompierre.com
– aubergededompierresurveyle@orange.fr – Fermé 31 août-16 sept., 22-30 déc., vacances de fév., le soir du lundi au vend. et merc.
Rest – (prévenir) Menu (12 € bc), 24/38 €
◆ Restaurant de village situé sur la place de l'église. Salle à manger sobrement rénovée. Au menu, spécialités de la Dombes ; le plat du jour est proposé dans l'espace bar.

DONNAZAC – 81 Tarn – **338** D7 – rattaché à Cahuzac-sur-Vère

DONON (COL DU) – 67 Bas-Rhin – **315** G5 – voir à Col du Donon

DONZENAC – 19 Corrèze – **329** K4 – 2 310 h. – alt. 204 m – ✉ 19270   24 **B3**
🟩 Périgord

🚗 Paris 469 – Brive-la-Gaillarde 11 – Limoges 81 – Tulle 27 – Uzerche 26
🛈 Office de tourisme, 2, rue des Pénitents ℰ 05 55 85 65 35, Fax 05 55 85 72 30
◉ Les Pans de Travassac★.

au Nord-Est sur D 920, près sortie 47 A20, dir. Sadroc

Relais du Bas Limousin   🚗 🍴 ⌇ ↔ ⓦ 🅿 🅰 VISA ⓂⓄ AE
à 6 km – ℰ 05 55 84 52 06 – www.relaisbaslimousin.fr – contact@relaisbaslimousin.fr – Fax 05 55 84 51 41 – Fermé 25 oct.-8 nov., 3-11 janv., dim. soir sauf en juil.-août et lundi midi
22 ch – ♦54/64 € ♦♦64/76 €, ⛛ 9 € – ½ P 59/69 €
Rest – Menu (15 €), 27/42 € – Carte 40/55 €
◆ Cette auberge inspirée de l'architecture régionale est bâtie en léger retrait de la route. Chambres personnalisées et accueil réellement charmant. Salle à manger rustique complétée d'une véranda ouverte sur le jardin et la piscine ; cuisine traditionnelle.

DONZY – 58 Nièvre – 319 B7 – 1 637 h. – alt. 188 m – ✉ 58220 — 7 A2
Bourgogne

▶ Paris 203 – Auxerre 66 – Bourges 73 – Clamecy 39 – Cosne-sur-Loire 19 – Nevers 50

ℹ Office de tourisme, 18, rue du Général Leclerc ℘ 03 86 39 45 29

Le Grand Monarque
10 r. de l'Etape, (près de l'église) – ℘ 03 86 39 35 44
– www.legrandmonarque-donzy.fr – contact@legrandmonarque-donzy.fr
– Fax 03 86 39 37 09 – Fermé 2 janv.-15 fév., dim. soir et lundi du 15 oct. à Pâques
11 ch – †49/74 € ††58/74 €, ⊇ 10 €
Rest – (fermé dim. soir et lundi) Menu (13 €), 19/30 € – Carte 25/34 €

♦ Petit hôtel familial d'un paisible village. Un bel escalier à vis du 16e s. dessert des chambres, dont certaines se révèlent charmantes (lits king size). L'attrait de la maison : une jolie cuisine du 19e s. bien préservée. Plats traditionnels sans prétention.

LE DORAT – 87 Haute-Vienne – 325 D3 – 1 899 h. – alt. 209 m — 24 B1
– ✉ 87210 **Limousin Berry**

▶ Paris 369 – Bellac 13 – Le Blanc 49 – Guéret 68 – Limoges 58 – Poitiers 77

ℹ Office de tourisme, 17, place de la Collégiale ℘ 05 55 60 76 81, Fax 05 55 60 76 81

◉ Collégiale St-Pierre★★.

La Marmite
29 av. de la Gare – ℘ 05 55 60 66 94 – www.restaurantlamarmite.com
– Fax 05 55 60 66 94 – Fermé 19-28 juin, 8-16 sept., 23 fév.-2 mars, mardi et merc.
Rest – Menu 12/36 € – Carte 27/35 €

♦ Monsieur utilise bien plus qu'une marmite pour mijoter sa copieuse cuisine traditionnelle, tandis que madame s'occupe de la salle d'esprit rustique. Jeux d'enfants au jardin.

DORMANS – 51 Marne – 306 D8 – 3 004 h. – alt. 70 m – ✉ 51700 — 13 B2
Champagne

▶ Paris 118 – Château-Thierry 24 – Épernay 25 – Meaux 71 – Reims 41 – Soissons 46

ℹ Office de tourisme, parc du Château ℘ 03 26 53 35 86, Fax 03 26 53 35 87

La Table Sourdet
6 r. Dr Moret – ℘ 03 26 58 20 57 – Fax 03 26 58 88 82 – Fermé lundi
Rest – Menu 38 € (déj.)/65 € – Carte 40/75 €
Rest *La Petite Table* – (déj. seult) Menu (12 €), 16/34 €

♦ On est cuisinier de père en fils depuis six générations à la Table Sourdet ! La vaste maison abrite une salle à manger bourgeoise où l'on propose une carte traditionnelle. La Petite Table est installée dans une véranda ; menus simples et à prix doux.

DORRES – 66 Pyrénées-Orientales – 344 C8 – 179 h. – alt. 1 458 m — 22 A3
– ✉ 66760 **Languedoc Roussillon**

▶ Paris 849 – Ax-les-Thermes 47 – Font-Romeu-Odeillo-Via 15 – Perpignan 104

Marty
3 carrer Major – ℘ 04 68 30 07 52 – www.hotelmarty.com – info@hotelmarty.com – Fax 04 68 30 08 12 – Fermé 15 oct.-20 déc.
21 ch – †47 € ††54 €, ⊇ 7 € – ½ P 50 €   **Rest** – Menu 16/30 € – Carte 15/51 €

♦ Pension de famille sur les hauteurs de la Cerdagne, proche d'une source sulfureuse et de son petit bassin. Chambres un brin désuètes, parfois avec loggia. Restaurant panoramique agrémenté d'objets agricoles et de trophées de chasse. Copieuse cuisine catalane.

DOUAI – 59 Nord – 302 G5 – 43 000 h. – Agglo. 518 727 h. — 31 C2
– alt. 31 m – ✉ 59500 **Nord Pas-de-Calais Picardie**

▶ Paris 194 – Arras 26 – Lille 42 – Tournai 39 – Valenciennes 47

ℹ Office de tourisme, 70, place d'Armes ℘ 03 27 88 26 79, Fax 03 27 99 38 78

🏌 de Thumeries à Thumeries, N : 15 km par D 8, ℘ 03 20 86 58 98

◉ Beffroi★ BY D – Musée de la Chartreuse★★.

◉ Centre historique minier de Lewarde★★ SE : 8 km par ②.

DOUAI

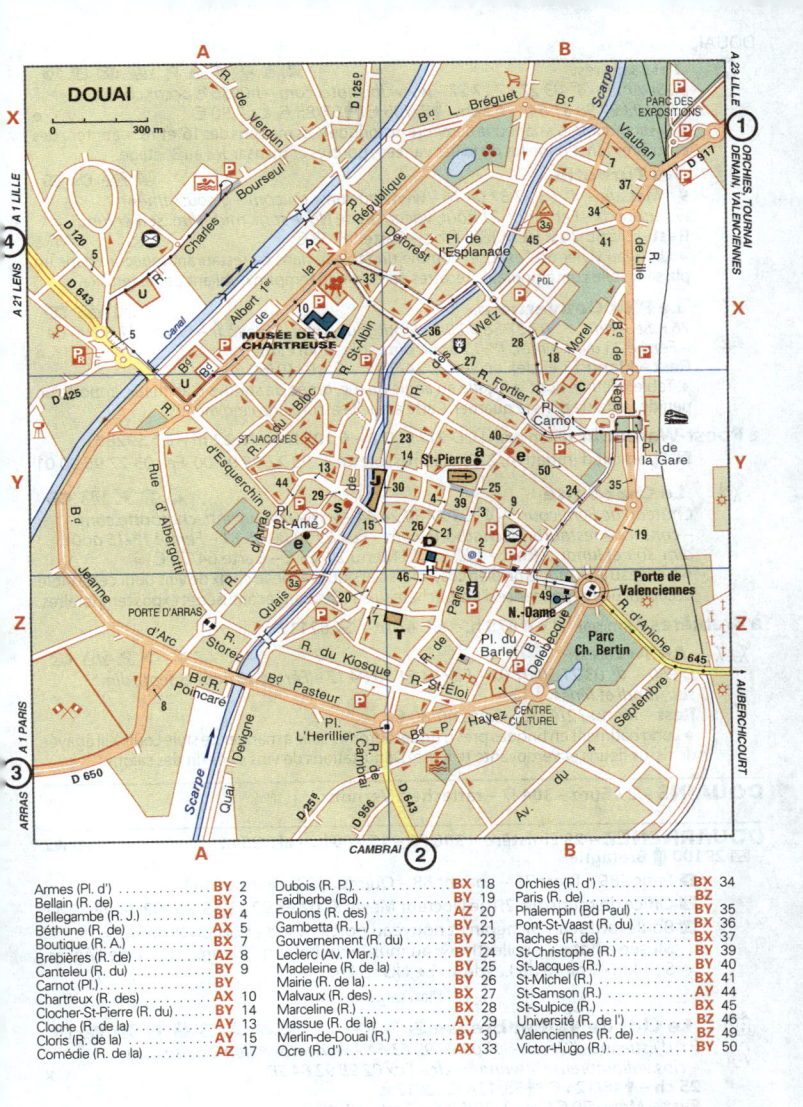

Armes (Pl. d')	**BY** 2	Dubois (R. P.)	**BX** 18	Orchies (R. d')	**BX** 34
Bellain (R. de)	**BY** 3	Faidherbe (Bd)	**BY** 19	Paris (R. de)	**BZ**
Bellegambe (R. J.)	**BY** 4	Foulons (R. des)	**AZ** 20	Phalempin (Bd Paul)	**BY** 35
Béthune (R. de)	**AX** 5	Gambetta (R. L.)	**BY** 21	Pont-St-Vaast (R. du)	**BX** 36
Boutique (R. A.)	**BX** 7	Gouvernement (R. du)	**BY** 23	Raches (R. de)	**BX** 37
Brebières (R. de)	**AZ** 8	Leclerc (Av. Mar.)	**BY** 24	St-Christophe (R.)	**BY** 39
Canteleu (R. du)	**BY** 9	Madeleine (R. de la)	**BY** 25	St-Jacques (R.)	**BY** 40
Carnot (Pl.)	**BY**	Mairie (R. de la)	**BX** 27	St-Michel (R.)	**BY** 41
Chartreux (R. des)	**AX** 10	Malvaux (R. des)	**BX** 28	St-Samson (R.)	**AY** 44
Clocher-St-Pierre (R. du)	**BY** 14	Marceline (R.)	**AY** 29	St-Sulpice (R.)	**BY** 45
Cloche (R. de la)	**AY** 13	Massue (R. de la)	**BY** 30	Université (R. de l')	**BZ** 46
Cloris (R. de la)	**AY** 15	Merlin-de-Douai (R.)	**BY** 30	Valenciennes (R. de)	**BZ** 49
Comédie (R. de la)	**AZ** 17	Ocre (R. d')	**AX** 33	Victor-Hugo (R.)	**BY** 50

La Terrasse — AC rest, 🕻 🛋 P VISA MC AE
36 terrasse St-Pierre – 𝒞 03 27 88 70 04 – www.laterrasse.fr – contact@laterrasse.fr – Fax 03 27 88 36 05
BY a
24 ch – †55/98 € ††90/115 €, ⊇ 11 € – ½ P 76/92 €
Rest – Menu (18 €), 27 € bc/79 € – Carte 56/78 € ♨
♦ Avenante maison cachée dans une ruelle jouxtant l'ancienne collégiale St-Pierre. Les chambres, un peu petites, sont décorées dans le style des années 1980. À table, copieuse cuisine classique, simple et bien faite, et belle carte des vins (900 appellations).

DOUAI

Ibis sans rest
pl. St-Amé – ℰ 03 27 87 27 27 – www.ibishotel.com – h0956@accor.com
– Fax 03 27 98 31 64 — **42 ch** – †57/85 € ††57/85 €, ⌾ 8,50 € AY e
◆ Les standards Ibis dans une demeure historique ! Ces maisons des 16ᵉ et 18ᵉ s. abritent des chambres fonctionnelles de tailles variées ; poutres et mansardes au 3ᵉ étage.

Au Turbotin
9 r. Massue – ℰ 03 27 87 04 16 – www.au-turbotin.com – g.coussement@wanadoo.fr – Fermé 1ᵉʳ-21 août, vacances de Noël, sam. midi, dim. soir et lundi
Rest – Menu 24 € (sem.)/75 € bc – Carte 58/68 € AY s
◆ Un beau vivier est "exposé" comme un tableau dans ce restaurant redécoré dans un plaisant style contemporain. Recettes dans l'air du temps n'oubliant pas le terroir.

Le P'tit Gouverneur
76 r. St-Jean – ℰ 03 27 88 90 04 – leptitgouverneur@voila.fr – Fax 03 27 88 90 04
– Fermé 23 avril-5 mai, 1ᵉʳ-15 août, dim. soir, lundi et merc. BY e
Rest – Menu 17 € (déj. en sem.), 24/38 € – Carte 40/60 €
◆ Table rajeunie dont la façade en angle de rue, ornée de statues d'animaux, apporte un peu de fantaisie dans le quartier. Carte actuelle assortie de cinq menus.

à Roost-Warendin 10 km par ①, D 917 et D 8 – 6 105 h. – alt. 22 m – ⌧ 59286
🛈 Syndicat d'initiative, 270, rue Brossolette ℰ 03 27 95 90 00, Fax 03 27 95 90 01

Le Chat Botté
Château de Bernicourt – ℰ 03 27 80 24 44 – www.restaurantlechatbotte.com
– contact@restaurantlechatbotte.com – Fax 03 27 80 35 81 – Fermé 1ᵉʳ-15 août, dim. soir et lundi **Rest** – (déj. seult) Menu 20/65 € – Carte 64/79 €
◆ Nouveau look moderne bien cosy, mets classiques et beau choix de vins pour cette table occupant une dépendance d'un joli château du 18ᵉ s. Parc, écomusée et expos temporaires.

à Brebières 7 km par ③ – 4 878 h. – alt. 48 m – ⌧ 62117

Air Accueil
D 950 – ℰ 03 21 50 01 02 – Fax 03 21 50 84 17 – Fermé 18 août-8 sept., dim. soir, lundi et fériés
Rest – Menu 32/42 € – Carte 40/80 €
◆ Long bâtiment en briques près d'un aérodrome. Salle à manger de style Louis XIII égayée de tissus fleuris et verdoyante terrasse. Dégustations de vins dans un des salons.

DOUAINS – 27 Eure – 304 I7 – rattaché à Vernon

DOUARNENEZ – 29 Finistère – 308 F6 – 15 700 h. – alt. 25 m
9 **A2**
– ⌧ 29100 ▌Bretagne

▶ Paris 585 – Brest 76 – Lorient 88 – Quimper 23 – Vannes 141
🛈 Office de tourisme, 2, rue Docteur Mével ℰ 02 98 92 13 35, Fax 02 98 92 70 47
◉ Boulevard Jean-Richepin et nouveau port★ ≤★ Y – Port du Rosmeur★ –
Musée à flot★★ - collection★ au musée du bateau - Ploaré : tour★ de l'église
S : 1 km - Pointe de Leydé★ ≤★ NO : 5 km.

Plan page ci-contre

Le Clos de Vallombreuse
7 r. d'Estienne-d'Orves – ℰ 02 98 92 63 64 – www.closvallombreuse.com
– clos.vallombreuse@wanadoo.fr – Fax 02 98 92 84 98 Y x
25 ch – †48/124 € ††58/124 €, ⌾ 12 €
Rest – Menu 20 € (sem.), 28/58 € – Carte 43/85 €
◆ Face à la baie, fière demeure achevée en 1902 pour un baron de la conserve. Chambres personnalisées dans le logis et son extension ; jardin clos et piscine surplombant le port. Élégant décor et produits de la mer font l'attrait du restaurant.

De France
4 r. Jean-Jaurès – ℰ 02 98 92 00 02 – www.lafrance-dz.com – hotel.de.france.dz@wanadoo.fr – Fax 02 98 92 27 05 – Fermé 1ᵉʳ-16 mars Y r
23 ch – †57/67 € ††57/67 €, ⌾ 8 €
Rest *L'Insolite* – Menu (14 €), 25/45 € – Carte 25/45 €
◆ Cet hôtel du centre-ville, entièrement rénové, propose des chambres claires, fonctionnelles et bien tenues. À L'Insolite, cuisine valorisant le terroir et les épices. Salle à manger contemporaine qui a préservé ses boiseries anciennes ; terrasse.

DOUARNENEZ

Anatole-France (R.)	**Y** 2
Baigneurs (R. des)	**Y** 5
Barré (R. J.)	**YZ** 7
Berthelot (R.)	**Z** 8
Centre (R. du)	**Y** 10
Croas-Talud (R.)	**Z** 14
Duguay-Trouin (R.)	**YZ** 15
Enfer (R. de l')	**YZ** 16
Grand-Port (Quai du)	**Y** 19
Grand-Port (R. du)	**Y** 20
Jaurès (R. Jean)	**YZ**
Jean-Bart (R.)	**Y** 24
Kerivel (R. E.)	**YZ** 21
Laënnec (R.)	**Z**
Lamennais (R.)	**Z** 27
Marine (R. de la)	**Y** 32
Michel (R. L.)	**Y** 36
Monte-au-Ciel (R.)	**Z** 37
Péri (Pl. Gabriel)	**Y** 42
Petit-Port (Quai du)	**Y** 43
Plomarc'h (R. des)	**YZ** 44
Stalingrad (Pl.)	**Z** 65
Vaillant (Pl. E.)	**Y** 59
Victor-Hugo (R.)	**Z** 60
Voltaire (R.)	**Y** 62

Sens unique en saison: flèche noire

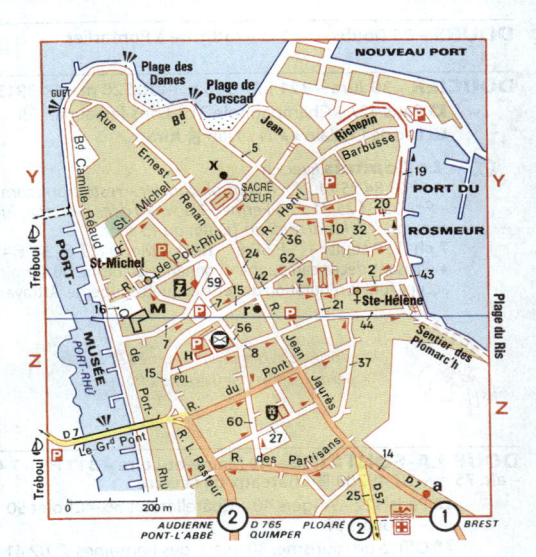

Le Kériolet avec ch
29 r. Croas-Talud – ℰ 02 98 92 16 89 – www.hotel-keriolet.com – keriolet2@wanadoo.fr – Fax 02 98 92 62 94 – Fermé 9-22 fév. et lundi midi hors saison
8 ch – †54/60 € ††54/60 €, ⊇ 6,50 € – ½ P 58 €   **Z a**
Rest – Menu 14 € (déj. en sem.), 20/38 € – Carte 26/52 €

♦ Plats traditionnels mettant à l'honneur les produits du terroir et la pêche locale. Décoration marine sobre et de bon goût ; vue sur un jardinet. Chambres simples et récentes.

rte de Quimper 4 km – ⊠ 29100 Douarnenez

Auberge de Kerveoc'h
42, rte de Kerveoc'h, par D 765 – ℰ 02 98 92 07 58 – www.auberge-kerveoch.com – contact@auberge-kerveoch.com – Fax 02 98 92 03 58
14 ch – †47/56 € ††47/75 €, ⊇ 8 € – ½ P 54/68 €
Rest – (fermé 2 sem. en nov. et dim. soir d'oct. à mai) (dîner seult) Menu 24/45 €

♦ Les chambres de la ferme ont été refaites avec soin ; celles du petit manoir, plus anciennes, demeurent plaisantes et coquettes. Agréable jardin profitant du calme environnant. Courte carte élaborée selon le marché et cachet rustique très affirmé au restaurant.

à Tréboul 3 km au Nord-Ouest – ⊠ 29100 Douarnenez

Thalasstonic
r. des Professeurs Curie – ℰ 02 98 74 45 45 – www.hotel-douarnenez.com – info-hotel-dz@thalasso.com – Fax 02 98 74 06 07 – Fermé 22 nov.-5 déc.
44 ch – †59/74 € ††82/112 €, ⊇ 12 € – 6 suites – ½ P 79/112 €
Rest – Menu (20 €), 26/35 € bc – Carte 33/50 €

♦ Cet hôtel réservé aux non-fumeurs respire l'air marin. Séjour "tonic" : plage et centre de thalassothérapie à proximité. Chambres spacieuses et actuelles. Vaste restaurant contemporain prolongé d'une terrasse d'été. Plats traditionnels ou diététiques.

Ty Mad
plage St Jean, près chapelle St-Jean – ℰ 02 98 74 00 53 – www.hoteltymad.com – info@hoteltymad.fr – Fax 02 98 74 15 16 – Ouvert 16 mars-9 nov.
14 ch – †55/177 € ††55/177 €, ⊇ 12 € – 1 suite
Rest – (ouvert 1er juin-27 sept., vacances scolaires, vend. et sam. hors saison) (dîner seult) Menu (24 €) – Carte environ 28 €

♦ Le peintre quimpérois Max Jacob séjourna dans cette "bonne maison" (ty mad) dominant la plage St-Jean. Chambres personnalisées par du mobilier contemporain ou chiné. Menu du marché servi au dîner dans une véranda lumineuse et coquette ouvrant sur le jardin.

DOUBS – 25 Doubs – 321 I5 – rattaché à Pontarlier

DOUCIER – 39 Jura – 321 E7 – 306 h. – alt. 526 m – ⌧ 39130   16 **B3**
- Paris 427 – Champagnole 21 – Lons-le-Saunier 25
- Lac de Chalain★★ N : 4 km ▮ Jura

Le Comtois avec ch
– ℰ 03 84 25 71 21 – lecomtoisdoucier – restaurant.comtois@wanadoo.fr
– Fax 03 84 25 71 21 – Fermé 11 nov.-10 déc., dim. soir, lundi du 16 sept. au 15 juin, sam. midi et lundi midi du 16 juin au 15 sept.
7 ch (½ P seult) – ½ P 50 € **Rest** – Menu (17 €), 55 € – Carte 25/40 €

◆ Plaisant décor campagnard, généreuse cuisine du terroir, service soigné et très bon accueil font la réputation de cette coquette auberge. Attrayante sélection de vins du Jura.

> Une bonne table sans se ruiner ?
> Repérez les Bibs Gourmands ☺.

DOUÉ-LA-FONTAINE – 49 Maine-et-Loire – 317 H5 – 7 428 h.   35 **C2**
– alt. 75 m – ⌧ 49700 ▮ Châteaux de la Loire
- Paris 322 – Angers 40 – Châtellerault 86 – Cholet 50 – Saumur 19 – Thouars 30
- Office de tourisme, 30, place des Fontaines ℰ 02 41 59 20 49, Fax 02 41 59 93 85
- Zoo de Doué★★.

La Saulaie sans rest
2 km par rte Montreuil-Bellay – ℰ *02 41 59 96 10 – www.hoteldelasaulaie.com – hoteldelasaulaie@wanadoo.fr – Fax 02 41 59 96 11 – Fermé 18 déc.-3 janv.*
44 ch – †42/54 € ††50/62 €, ⌑ 8 €

◆ Après la visite des "caves demeurantes" alentour, retrouvez la lumière naturelle dans cet établissement récent aux chambres actuelles, colorées et assez spacieuses.

Auberge Bienvenue avec ch
104 rte de Cholet, (face au zoo) – ℰ *02 41 59 22 44 – www.aubergebienvenue.com – info@aubergebienvenue.com – Fax 02 41 59 93 49 – Fermé 22 déc.-14 janv.*
10 ch – †48 € ††48/65 €, ⌑ 9 € – ½ P 65 €
Rest – *(fermé dim. soir et lundi)* Menu (16 €), 24/52 € – Carte 47/54 €

◆ Chaleureuse salle à manger, goûteux plats traditionnels, terrasse fleurie : cette auberge invite à faire le plein de saveurs et de parfums. Spacieuses chambres récentes.

De France avec ch
17 pl. Champ de Foire – ℰ *02 41 59 12 27 – www.hoteldefrance-doue.com – jarnot@hoteldefrance-doue.com – Fax 02 41 59 76 00 – Fermé 20 déc.-15 janv. et lundi*
17 ch – †42 € ††45 €, ⌑ 7 € – ½ P 48/55 €
Rest – Menu 18/37 € – Carte 30/42 €

◆ Dans la cité de la rose, salle à manger au décor velouté : murs tendus de tissu bleu, plafond orné de draperies et sièges Louis XVI. Chambres simples, refaites par étapes.

DOURDAN – 91 Essonne – 312 B4 – 9 590 h. – alt. 100 m – ⌧ 91410   18 **B2**
▮ Île de France
- Paris 54 – Chartres 48 – Étampes 18 – Évry 44 – Orléans 81 – Rambouillet 22 – Versailles 51
- *Office de tourisme, place du Général-de-Gaulle* ℰ *01 64 59 86 97, Fax 01 60 81 05 69*
- Rochefort Chisan Country Club à Rochefort-en-Yvelines Château de Rochefort/Yvelines, N : 8 km par D 836 et D 149, ℰ 01 30 41 31 81
- de Forges-les-Bains à Forges-les-Bains Route du Général Leclerc, N : 14 km par D 838, ℰ 01 64 91 48 18
- Place du Marché aux grains★ - Vierge au perroquet★ au musée.

DOURDAN

Host. Blanche de Castille
pl. Marché aux Herbes – ℰ 01 60 81 19 10 – www.revalisever.com – info@residourdan.fr – Fax 01 60 81 19 11
32 ch – †94 € ††94 €, ⊇ 8 € – 9 suites
Rest – (fermé 1er-15 août, sam. midi et dim. soir) Menu (15 €), 27 € (déj. en sem.), 35/45 € – Carte 35/55 € dîner seulement
• Maison ancienne ouvrant sur une place située au cœur du vieux Dourdan. Chambres de bon confort, toutes flambant neuves. Vue sur l'église aux trois clochers pour certaines. Salle à manger bourgeoise et rustique (cheminée, lustres, poutres). Carte traditionnelle.

Auberge de l'Angélus
4 pl. Chariot – ℰ 01 64 59 83 72 – Fax 01 64 59 83 72 – Fermé 15 juil.-13 août, 22 fév.-3 mars, lundi soir, mardi soir et merc.
Rest – Menu 22 € (sem.)/45 € – Carte 80/90 €
• À l'écart du pittoresque centre historique, relais de poste du 18e s. abritant trois petites salles à manger rénovées. Terrasse dressée dans la jolie cour pavée.

DOURGNE – 81 Tarn – **338** E10 – 1 186 h. – alt. 250 m – ⊠ 81110   **29 C2**

▶ Paris 742 – Toulouse 67 – Carcassonne 52 – Castelnaudary 35 – Castres 19 – Gaillac 64

🛈 Office de tourisme, 1, avenue du maquis ℰ 05 63 74 27 19, Fax 05 63 74 27 19

Hostellerie de la Montagne Noire avec ch
15 pl. Promenades – ℰ 05 63 50 31 12
– www.montagnenoire.net – hotel.restaurant.montagne.noire@wanadoo.fr
– Fax 05 63 50 13 55 – Fermé 31 août-7 sept. et 16-23 fév.
9 ch – †49 € ††52 €, ⊇ 8 € – ½ P 42 €
Rest – (fermé dim. soir et lundi) Menu (16 €), 22/36 € – Carte 30/43 €
• Maison en pierres abritant deux salles à manger : l'une classique, l'autre rustique. Terrasse sous les platanes. Généreuse cuisine traditionnelle. Petites chambres simples aux étages.

au Nord 4 km par D 85 et D 14 – ⊠ 81110 St-Avit

Les Saveurs de St-Avit (Simon Scott)
La Baraque – ℰ 05 63 50 11 45 – simonscott6@aol.com – Fax 05 63 50 11 45
– Fermé 15-30 nov., 1er-15 janv., mardi midi, merc. midi et jeudi midi de mi-oct. à mi-avril, sam. midi, dim. soir et lundi
Rest – (nombre de couverts limité, prévenir) Menu 28/90 € bc – Carte 70/90 €
Spéc. Petit pot de foie gras aux gambas. Rouget barbet cuit à la plancha. Petites prunes du pays et crème glacée à la reine-des-prés.
• Restaurant au décor dans l'air du temps profitant des murs rustiques d'une ancienne ferme. Le chef joue la carte d'une cuisine contemporaine bien maîtrisée, inventive sans excès.

DOURLERS – 59 Nord – **302** L6 – 568 h. – alt. 171 m – ⊠ 59440   **31 D3**

▶ Paris 245 – Avesnes-sur-Helpe 10 – Lille 94 – Maubeuge 13 – Le Quesnoy 27 – St-Quentin 75

Auberge du Châtelet
rte d'Avesnes-sur-Helpe, sur N 2 : 1 km ⊠ 59440 Avesnes-sur-Helpe –
ℰ 03 27 61 06 70 – www.aubergeduchatelet.com – carlierchatelet@aol.com
– Fax 03 27 61 20 02 – Fermé dim. soir et soirs fériés
Rest – Menu 30 € bc/60 € bc – Carte 38/66 €
• La même famille officie dans cette belle longère fleurie depuis 1971. Intérieur rustique, paisible terrasse, plats traditionnels et superbe livre de cave (grands millésimes).

Les bonnes adresses à petit prix ?
Suivez les Bibs : Bib Gourmand rouge 🍴 pour les tables
et Bib Hôtel bleu 🛏 pour les chambres.

DOUSSARD – 74 Haute-Savoie – 328 K6 – 2 781 h. – alt. 456 m – ⊠ 74210
46 F1

▶ Paris 555 – Albertville 27 – Annecy 20 – Megève 42

Arcalod
– ℰ 04 50 44 30 22 – www.hotelarcalod.fr – info@hotelarcalod.fr
– Fax 04 50 44 85 03 – Ouvert 16 mai-30 sept.
33 ch – †60/85 € ††65/95 €, ⊇ 10 € – ½ P 60/77 €
Rest – Menu 19 € (sem.)/32 € – Carte environ 27 €

♦ L'atout de ce chalet familial : les nombreuses activités gratuites proposées sur place (randonnée, tir à l'arc, vélo...). Petites chambres bien tenues et grand jardin arboré. Spacieuse et lumineuse salle de restaurant, cuisine de pension gentiment savoyarde.

DOUVAINE – 74 Haute-Savoie – 328 K3 – 4 494 h. – alt. 428 m – ⊠ 74140
46 F1

▶ Paris 555 – Annecy 63 – Chamonix-Mont-Blanc 87 – Genève 18 – Thonon-les-Bains 16

🛈 Office de tourisme, place de l'Hôtel de Ville ℰ 04 50 94 10 55, Fax 04 50 94 36 13

Ô Flaveurs (Jérôme Mamet)
Château de Chilly, 2 km au Sud Est par rte de Crépy – ℰ 04 50 35 46 55
– www.oflaveurs.com – restaurantoflaveurs@wanadoo.fr – Fax 04 50 35 41 31
– Fermé mardi et merc.
Rest – Menu 35 € (déj. en sem.), 50/80 € – Carte 72/99 €
Spéc. Cœur de saumon frais de l'Adour, fumé minute. Dos de bar rôti, ravioles de tourteau à l'émulsion de coriandre (oct. à janv.). Framboises de Ballaison. **Vins** Crépy, Chautagne.

♦ Cuisine actuelle rehaussée d'inventivité dans ce restaurant raffiné occupant un petit château du 15ᵉ s. à l'authenticité bien préservée (pierres, poutres, cheminée).

La Couronne
1 r. du Centre – ℰ 04 50 85 10 20 – www.hotel-restaurant-lacouronne.com
– la.couronne2@freesbee.fr – Fax 04 50 85 10 40 – Fermé 26 juil.-17 août,
22 déc.-7 janv., dim. soir et lundi
Rest – Menu 14 € bc (déj. en sem.), 16 € bc/36 € – Carte 38/56 €

♦ Cette auberge datant de 1780 abrite une chaleureuse salle à manger (poutres apparentes, couleurs ensoleillées) ouverte sur une petite cour ombragée. Recettes au goût du jour.

Le 111
111 r. du Centre – ℰ 04 50 85 06 25 – www.le111.fr – le111@orange.fr – Fermé
15 juil.-15 août, mardi et merc.
Rest – Menu 15 € (déj. en sem.), 22/34 € – Carte environ 27 €

♦ Bar à vins et cuisine traditionnelle dans cette maison tenue par un sommelier passionné. Salle en boiseries claires avec une cave vitrée ; véranda pour le déjeuner.

DOUVRES-LA-DÉLIVRANDE – 14 Calvados – 303 J4 – 4 809 h. – alt. 19 m – ⊠ 14440 ∎ Normandie Cotentin
32 B2

▶ Paris 246 – Bayeux 26 – Caen 15 – Deauville 48

🛈 Syndicat d'initiative, 41, rue Général-de-Gaulle ℰ 02 31 37 93 10, Fax 02 31 37 93 10

à Cresserons 2 km à l'Est par D 35 – 1 217 h. – alt. 9 m – ⊠ 14440

La Valise Gourmande
7 rte de Lion sur Mer – ℰ 02 31 37 39 10 – www.lavalisegourmande-caen.com
– contact@lavalisegourmande-caen.com – Fax 02 31 37 59 13 – Fermé dim. soir,
mardi midi et lundi
Rest – Menu 29/54 € – Carte 40/68 €

♦ Entouré d'un joli jardin clos, ce prieuré du 18ᵉ s. abrite trois petites salles à manger d'esprit campagnard, dont une avec cheminée. Cuisine classique, un zeste revisitée.

DRACY-LE-FORT – 71 Saône-et-Loire – 320 I9 – rattaché à Chalon-sur-Saône

DRAGUIGNAN – 83 Var – 340 N4 – 35 900 h. – alt. 178 m — 41 C3
– 83300 — Côte d'Azur

- Paris 862 – Fréjus 30 – Marseille 124 – Nice 89 – Toulon 79
- Office de tourisme, 2, avenue Lazard Carnot ℘ 04 98 10 51 05, Fax 04 98 10 51 10
- de Saint Endréol à La Motte Route de Bagnols en Forêt, par rte du Muy et D 47 : 15 km, ℘ 04 94 51 89 89
- Musée des Arts et Traditions populaires de moyenne Provence ★ M².
- Site ★ de Trans-en-Provence S : 5 km.

DRAGUIGNAN

Cisson (R.)	YZ 3
Clemenceau (Bd)	Z
Clément (R. P.)	Z 4
Droits-de-l'Homme (Parvis des)	Z 5
Gay (Pl. C.)	Y 6
Grasse (Av. de)	Y 8
Joffre (Bd. Mar.)	Z 9
Juiverie (R. de la)	Y 12
Kennedy (Bd J.)	Z 13
Leclerc (Bd Gén.)	Y 14
Marchands (R. des)	Y 15
Marché (Pl. du)	Y 16
Martyrs-de-la-Résistance (Bd des)	Z 17
Marx-Dormoy (Bd)	Z 18
Mireur (R. F.)	Z 19
Observance (R. de l')	Y 20
République (R. de la)	Z 23
Rosso (Av. P.)	Z 24

All Seasons sans rest
11 bd G. Clemenceau – ℘ 04 94 50 95 09 – h2969@accor.com – Fax 04 94 68 23 49

38 ch 🖃 – †94/130 € ††104/140 € Z n

♦ Entièrement rénové et sous une nouvelle enseigne, hôtel situé en plein centre-ville, à proximité des musées. Chambres spacieuses, bien équipées et insonorisées.

Lou Galoubet
23 bd J. Jaurès – ℘ 04 94 68 08 50 – www.lougaloubet.com – lougaloubet@orange.fr – Fax 04 94 68 08 50 – Fermé trois sem. en été, une sem. en fév., dim. soir, mardi soir et merc. Z e

Rest – Menu (23 €), 29/51 € – Carte 40/58 €

♦ Cadre chaleureux pour ce petit restaurant aux allures de bistrot. Depuis l'entrée, on aperçoit la cuisine où mijotent les petits plats traditionnels et orientés terroir.

DRAGUIGNAN
rte de Flayosc 4 km par ③ et D 557 – ⊠ 83300 Draguignan

Les Oliviers sans rest
rte de Flayosc – D557 – ℰ 04 94 68 25 74 – www.hotel-les-oliviers.com
– hotel-les-oliviers@club-internet.fr – Fax 04 94 68 57 54 – Fermé 10-20 janv.
12 ch – ✝50/59 € ✝✝52/59 €, ⊇ 8 €
◆ Cet accueillant hôtel familial propose des chambres de plain-pied, parfaitement tenues. Le jardin fleuri abrite une piscine et on y sert le petit-déjeuner en été.

à Flayosc 7 km par ③ et D 557 – 4 341 h. – alt. 310 m – ⊠ 83780
🛈 Office de tourisme, place Pied Bari ℰ 04 94 70 41 31, Fax 04 94 70 47 91

L'Oustaou
au village – ℰ 04 94 70 42 69 – Fax 04 94 84 64 92 – Fermé 25 oct.-13 nov., dim. soir, lundi et merc. hors saison, mardi midi, merc. midi et vend. midi en juil.-août
Rest – Menu (20 €), 28/45 € – Carte 40/65 €
◆ Le nom de cet ancien relais de poste signifie "petit mas". Décor actualisé, plein de fraîcheur, en harmonie avec la cuisine au goût du jour émaillée de touches régionales.

DRAIN – 49 Maine-et-Loire – 317 B4 – 1 690 h. – alt. 53 m – ⊠ 49530   34 B2
☐ Paris 359 – Cholet 60 – Nantes 41 – Saint-Herblain 48

Le Mésangeau
5 km au Sud par D 154 – ℰ 02 40 98 21 57 – www.loire-mesangeau.com
– le.mesangeau@orange.fr – Fax 02 40 98 28 62 – Ouvert de mars à nov.
5 ch ⊇ – ✝80/100 € ✝✝90/110 € **Table d'hôte** – Menu 35 € bc
◆ Vaste demeure de 1830, rénovée avec goût (mobilier et objets anciens), dotée de grandes chambres. Parc, étang, petit golf, vélos, collection de voitures du début du 20ᵉ s. Table d'hôte rustique, avec une belle cheminée en pierre, pour déguster des plats du terroir.

LE DRAMONT – 83 Var – 340 Q5 – rattaché à St-Raphaël

DRAVEIL – 91 Essonne – 312 D3 – 101 36 – voir à Paris, Environs

---

DREUX – 28 Eure-et-Loir – 311 E3 – 32 300 h. – alt. 82 m – ⊠ 28100   11 B1
Normandie Vallée de la Seine

☐ Paris 78 – Chartres 36 – Évreux 44 – Mantes-la-Jolie 43
🛈 Office de tourisme, 6, rue des Embûches ℰ 02 37 46 01 73,
Fax 02 37 46 19 27
◉ Beffroi★ AY B - Glaces peintes★★ de la chapelle royale St-Louis AY.

Plan page ci-contre

Le Beffroi sans rest
12 pl. Métézeau – ℰ 02 37 50 02 03 – hotel.beffroi@club-internet.fr
– Fax 02 37 42 07 69 – Fermé 20 juil.-17 août
15 ch – ✝69 € ✝✝69 €, ⊇ 8 €   AZ e
◆ Toutes les chambres de cet hôtel central ont vue sur la Blaise ou l'église St-Pierre. Elles sont bien tenues et décorées d'objets glanés par le propriétaire, ex-grand reporter.

Le St-Pierre
19 r. Sénarmont – ℰ 02 37 46 47 00 – www.lesaint-pierre.com – contact@
lesaint-pierre.com – Fax 02 37 64 26 37 – Fermé 14-31 juil., 6-13 mars, jeudi soir,
dim. soir et lundi   BY r
Rest – Menu (15 €), 18 € (sem.)/33 € – Carte 32/50 €
◆ Près de l'église, un agréable restaurant aux trois petites salles joliment redécorées dans un esprit classique. Aux fourneaux, le chef concocte des plats traditionnels.

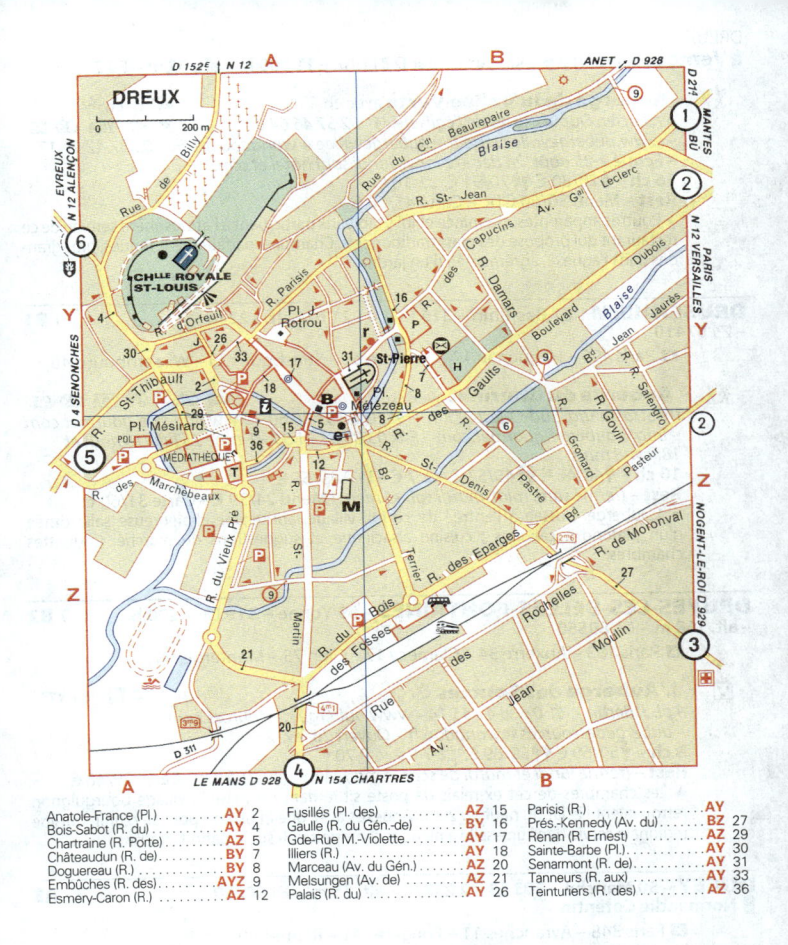

Anatole-France (Pl.)	**AY** 2	Fusillés (Pl. des)	**AZ** 15	Parisis (R.)	**AY**
Bois-Sabot (R. du)	**AY** 4	Gaulle (R. du Gén.-de)	**BY** 16	Prés.-Kennedy (Av. du)	**BZ** 27
Chartraine (R. Porte)	**AZ** 5	Gde-Rue M.-Violette	**AY** 17	Renan (R. Ernest)	**AZ** 29
Châteaudun (R. de)	**BY** 7	Illiers (R.)	**AY** 18	Sainte-Barbe (Pl.)	**AY** 30
Doguereau (R.)	**BY** 8	Marceau (Av. du Gén.)	**AZ** 20	Senarmont (R. de)	**AY** 31
Embûches (R. des)	**AYZ** 9	Melsungen (Av. de)	**AZ** 21	Tanneurs (R. aux)	**AY** 33
Esmery-Caron (R.)	**AZ** 12	Palais (R. du)	**AY** 26	Teinturiers (R. des)	**AZ** 36

à Chérisy 4,5 km par ② – 1 797 h. – alt. 88 m – ⊠ 28500

XX Le Vallon de Chérisy

12 rte de Paris – ℰ *02 37 43 70 08* – *www.le-vallon-de-cherisy.fr*
– *deshayes.franck@wanadoo.fr* – *Fax 02 37 43 86 00* – *Fermé 19 juil.-5 août, dim. soir, mardi soir et merc.*
Rest – Menu (28 € bc), 28/40 € – Carte 55/66 €
◆ Cette maison à colombages mérite qu'on s'y arrête : pour son cadre rustique ou sa lumineuse véranda-terrasse, et surtout pour sa goûteuse cuisine attentive aux saisons.

à Ste-Gemme-Moronval 6 km par ②, N 12, D 912 et D 308[1] – 732 h. – alt. 79 m – ⊠ 28500

XXX L'Escapade

– ℰ *02 37 43 72 05* – *Fax 02 37 43 86 96* – *Fermé 17 août-10 sept., 16-25 fév., dim. soir, lundi soir et mardi*
Rest – Menu 39 € – Carte 69/100 €
◆ Faites une escapade gourmande dans cette accueillante auberge campagnarde donnant sur une paisible terrasse. La carte met l'accent sur la fraîcheur et la tradition.

DREUX
à Vernouillet-centre 2 km au Sud par D 311 AZ – 11 800 h. – alt. 97 m – ⊠ 28500

XX Auberge de la Vallée Verte avec ch
6 r. Lucien Dupuis, (près de l'église) – ℰ 02 37 46 04 04
– www.aubergevalleeverte.fr – aubergevallee@wanadoo.fr – Fax 02 37 42 91 17
– Fermé 2-25 août, 24 déc.-12 janv., lundi sauf hôtel et dim.
16 ch – †70/80 € ††70/91 €, ⊆ 10 €
Rest – Menu 30/60 € bc – Carte 45/60 €
♦ Poutres apparentes, cheminée et jolis tableaux participent à l'atmosphère sereine de ce restaurant qui propose des plats traditionnels. Chambres parfaitement tenues, plus grandes dans l'annexe, agrémentée d'un jardin.

DRUSENHEIM – 67 Bas-Rhin – **315** L4 – 4 921 h. – alt. 122 m – ⊠ 67410   **1 B1**

🄳 Paris 499 – Haguenau 17 – Saverne 61 – Strasbourg 33 – Wissembourg 48

XX Auberge du Gourmet avec ch
rte Strasbourg, Sud-Ouest : 1 km – ℰ 03 88 53 30 60 – *www.auberge-gourmet.com*
– info@auberge-gourmet.com – Fax 03 88 53 31 39 – Fermé 25 juil.-15 août et 18 fév.-8 mars
10 ch – †40/46 € ††45/57 €, ⊆ 7 € – ½ P 49/55 €
Rest – *(fermé sam. midi, mardi soir et merc.)* Menu 24/39 € – Carte 31/60 €
♦ L'auberge, postée à l'entrée de ce joli village, abrite une chaleureuse salle ornée d'un plafond à caissons ; cuisine alsacienne et suggestions du marché. Coquettes chambres.

DRUYES-LES-BELLES-FONTAINES – 89 Yonne – **319** D6 – 290 h.   **7 B2**
– alt. 168 m – ⊠ 89560

🄳 Paris 183 – Auxerre 34 – Clamecy 17 – Gien 75 – Montargis 98

🏠 L'Auberge des Sources
4 pl. J. Bertin – ℰ 03 86 41 55 14 – *www.auberge-dessources.com*
– aubergedessources@wanadoo.fr – Ouvert 26 fév.-2 nov.
8 ch – †59/69 € ††59/69 €, ⊆ 7 € – ½ P 70 €
Rest – *(fermé lundi et mardi de sept. à mai)* Menu (20 €), 29 € – Carte 29/48 €
♦ Les chambres de cet ex-relais de poste situé dans un paisible village bourguignon retrouvaient l'éclat du neuf en 2007. Annexes avec gîte et espace pour se réunir. Cuisine régionale servie dans une salle à manger champêtre ou sur le patio-terrasse.

DUCEY – 50 Manche – **303** E8 – 2 253 h. – alt. 15 m – ⊠ 50220   **32 A3**
Normandie Cotentin

🄳 Paris 348 – Avranches 11 – Fougères 41 – Rennes 80
– St-Hilaire-du-Harcouët 16 – St-Lô 68

🄴 Office de tourisme, 4, rue du Génie ℰ 02 33 60 21 53, Fax 02 33 60 54 07

🏠 Moulin de Ducey sans rest
1 Grande Rue – ℰ 02 33 60 25 25 – *www.moulindeducey.com – info@moulindeducey.com – Fax 02 33 60 26 76 – Fermé 18 déc.-3 janv. et 6-22 fév.*
28 ch – †54/105 € ††65/105 €, ⊆ 11 €
♦ Entre bief et Sélune, l'ancien moulin semble établi sur une île verdoyante. Chambres de style anglais et salle des petits-déjeuners surplombant la rivière (pêche au saumon).

🏠 Auberge de la Sélune
2 r. St-Germain – ℰ 02 33 48 53 62 – *www.selune.com – info@selune.com*
– Fax 02 33 48 90 30 – Fermé 22 nov.-14 déc., 17 janv.-15 fév. et lundi de mars à sept.
20 ch – †60 € ††62/66 €, ⊆ 9 €
Rest – Menu 18 € (sem.)/43 € – Carte 23/39 €
♦ Cette belle maison de pierres abrite des chambres progressivement redécorées, donnant pour certaines sur le joli jardin doté d'un pittoresque abri au bord de la Sélune. Plaisantes salles à manger, dont une ouverte sur la verdure.

DUHORT-BACHEN – 40 Landes – **335** J12 – 619 h. – alt. 72 m — 3 **B3**
– ✉ 40800

🛣 Paris 710 – Bordeaux 150 – Mont-de-Marsan 30 – Pau 57 – Billère 57

XX **Les Arcades**
232 pl. de la Mairie – ℘ 05 58 71 85 59 – lesarcades40@orange.fr
– Fax 05 58 71 85 59 – Fermé 25-30 déc., mardi soir, dim. soir et lundi
Rest – Menu (11 € bc), 16 € bc/46 € – Carte 26/46 €
♦ Maison landaise noyée sous le lierre et les fleurs. Intérieur champêtre, agréable terrasse sous les arcades et petits plats mijotant en cuisine, revisités au fil des saisons.

DUINGT – 74 Haute-Savoie – **328** K6 – 870 h. – alt. 450 m – ✉ 74410 — 46 **F1**
Alpes du Nord

🛣 Paris 548 – Albertville 34 – Annecy 12 – Megève 48 – St-Jorioz 3
🛈 Office de tourisme, rue du Vieux Village ℘ 04 50 77 64 75

Le Clos Marcel
410 allée de la Plage – ℘ 04 50 68 67 47 – www.clos-marcel.com – lionel@clos-marcel.com – Fax 04 50 68 61 11 – Ouvert 11 avril-27 sept.
15 ch – †45/89 € ††45/89 €, ⏱ 9 €
Rest – (fermé mardi sauf juil.-août) Menu (21 €), 28 € – Carte 35/49 €
♦ Toutes les chambres sont tournées vers le lac et offrent le coup d'œil sur les sommets de la rive opposée. Agréable jardin au bord de l'eau et ponton privé. Salle de restaurant panoramique et délicieuse terrasse sous les arbres.

XX **Auberge du Roselet** avec ch
– ℘ 04 50 68 67 19 – www.hotel-restaurant-leroselet.com – info@hotel-restaurant-leroselet.com – Fax 04 50 68 64 80 – Fermé 15 nov.-31 déc.
14 ch – †84/94 € ††84/118 €, ⏱ 11 € – ½ P 82 €
Rest – Menu 23 € (sem.)/55 € – Carte 43/63 €
♦ Spécialités de poissons du lac – pêchés par le cousin de la patronne – à déguster sur la terrasse à fleur d'eau ou dans deux salles à manger (l'une classique, l'autre marine). Chambres un brin rétro et petite plage privée.

DUNES – 82 Tarn-et-Garonne – **337** A7 – 1 106 h. – alt. 120 m — 28 **B2**
– ✉ 82340

🛣 Paris 655 – Agen 21 – Auvillar 13 – Miradoux 12 – Moissac 32

XX **Les Templiers**
1 pl. des Martyrs, (D 61) – ℘ 05 63 39 86 21 – lestempliers4@wanadoo.fr
– Fermé vacances de la Toussaint, mardi soir, sam. midi, dim. soir et lundi
Rest – Menu 23 € (sem.)/48 € – Carte environ 50 €
♦ Maison du 16ᵉ s. au cachet rustique habilement mis à profit. Décor lumineux (tons jaunes, pierres, briques et fleurs), terrasse sous les arcades et cuisine au goût du jour.

DUNIÈRES – 43 Haute-Loire – **331** I2 – 3 002 h. – alt. 760 m – ✉ 43220 — 6 **D3**

🛣 Paris 549 – Le Puy-en-Velay 52 – St-Agrève 30 – St-Étienne 37

XX **La Tour** avec ch
7 ter r. Fraisse, (D 61) – ℘ 04 71 66 86 66 – www.hotelrestaurantlatour.com
– contact@hotelrestaurantlatour.com – Fax 04 71 66 82 32 – Fermé
22 août-4 sept., 1ᵉʳ-3 janv., 15 fév.-14 mars
11 ch – †54/60 € ††54/60 €, ⏱ 9 € – ½ P 59/65 €
Rest – (fermé vend. soir d'oct. à mai, dim. soir et lundi) Menu (16 €), 23/70 €
– Carte 45/66 €
♦ Cette maison moderne domine le village de Dunières. Salle à manger actuelle et de bon goût, jolie terrasse fleurie et cuisine traditionnelle bien mitonnée. Chambres pratiques.

DUNKERQUE ⬥ – 59 Nord – **302** C1 – 69 400 h. – Agglo. 191 173 h. — 30 **B1**
– alt. 4 m – Casino : à Malo-les-Bains – ✉ 59140 **Nord Pas-de-Calais Picardie**

🛣 Paris 288 – Amiens 205 – Calais 47 – Ieper 56 – Lille 73 – Oostende 57
🛈 Office de tourisme, rue de l'Amiral Ronarc'h ℘ 03 28 66 79 21, Fax 03 28 63 38 34
🛳 de Dunkerque à Coudekerque Fort Vallières, SE : 1 km par D 72, ℘ 03 28 61 07 43
◉ Port★★ - Musée d'Art contemporain★ : jardin des sculptures★ **CDY** - Musée des Beaux-Arts★ **CDZ** M² - Musée portuaire★ **CZ** M³.

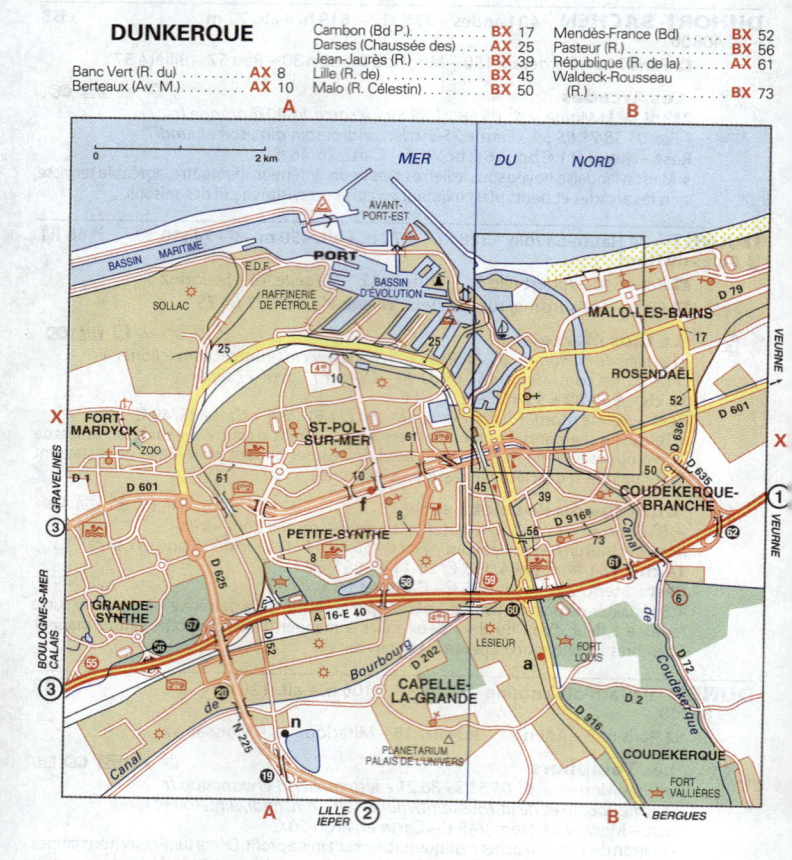

DUNKERQUE

Banc Vert (R. du)	**AX** 8	Cambon (Bd P.)	**BX** 17	Mendès-France (Bd)	**BX** 52
Berteaux (Av. M.)	**AX** 10	Darses (Chaussée des)	**AX** 25	Pasteur (R.)	**BX** 56
		Jean-Jaurès (R.)	**BX** 39	République (R. de la)	**AX** 61
		Lille (R. de)	**BX** 45	Waldeck-Rousseau
		Malo (R. Célestin)	**BX** 50	(R.)	**BX** 73

Borel sans rest
6 r. L'Hermite – ℰ 03 28 66 51 80 – www.hotelborel.fr – borel@hotelborel.fr
– Fax 03 28 59 33 82
48 ch – †74 € ††82 €, ⊃ 10 €   CY **u**

♦ Immeuble en briques proche du port de plaisance proposant des chambres bien équipées et parfaitement tenues. Agréable salon feutré. Formule buffet au petit-déjeuner.

Ibis sans rest
13 r. Leughenaer – ℰ 03 28 66 29 07 – www.ibishotel.com – h6546@accor.com
– Fax 03 28 63 67 87
110 ch – †69/72 € ††69/72 €, ⊃ 8 €   CY **s**

♦ Bâtiment des années 1970 entièrement rénové. Chambres confortables, bel espace shopping, bar au cadre contemporain, buffet de petit-déjeuner présenté sur une barque de pêcheurs.

Welcome
37 r. R. Poincaré – ℰ 03 28 59 20 70 – www.hotel-welcome.fr – contact@hotel-welcome.fr – Fax 03 28 21 03 49   CZ **e**
41 ch – †68 € ††78 €, ⊃ 10 € – ½ P 80/85 €
Rest *L'Écume Bleue* – brasserie Menu 16/24 € – Carte 30/43 €

♦ Chambres fonctionnelles égayées de couleurs vitaminées et bar moderne doté d'un billard. Le "plus" : la suite, située au dernier étage, et sa salle de bains ultramoderne. Cadre contemporain très coloré dans la salle de l'Écume Bleue (cuisine traditionnelle).

DUNKERQUE

Albert-1er (R.)	**CZ** 2
Alexandre-III (Bd.)	**CZ** 3
Arbres (R. des)	**CDY** 6
Asseman (Pl. P.)	**DY** 8
Bergues (R. du Canal de)	**CZ** 9
Bollaert (Pl. Émile)	**CZ** 12
Calonne (Pl.)	**DZ** 16
Carnot (Bd)	**DZ** 18
Carton-Lurat (Av.)	**CZ** 21
Clemenceau (R.)	**CZ**
Écluse-de-Bergues (R.)	**CZ** 26
Faidherbe (Av.)	**DY**
Fusillés-Marins (R.)	**CZ** 30
Gare (Pl. de la)	**CZ** 32
Gaulle (Pl. du Gén.-de)	**CZ** 33
Geeraert (Av. Adolphe)	**DY**
Hermitte (R. l')	**CY** 35
Hollandais (Quai des)	**DY** 37
Hôtel-de-Ville (R. de l')	**CZ** 38
Jardins (Quai des)	**CZ**
Jean-Bart (Pl.)	**CZ** 41
Jean-Jaurès (R.)	**CZ** 40
Jeu-de-Paume (R. du)	**CZ** 42
Leclerc (R. du Mar.)	**CY** 43
Leughenaer (R.)	**CY** 44
Lille (R. de)	**CZ** 45
Magasin-Général (R.)	**CZ** 48
Malo (Av. Gaspard)	**DY** 49
Mar.-de-France (Av. des)	**DY** 51
Mer (Digue de)	**DY**
Minck (Pl. du)	**CY** 53
Paris (R. de)	**CZ** 54
Prés.-Poincaré (R. du)	**CZ** 57
Prés.-Wilson (R. du)	**CZ** 58
Quatre-Écluses (Quai)	**CZ** 59
Thiers (R.)	**CZ** 65
Turenne (Pl.)	**DY** 67
Valentin (Pl. C.)	**CZ** 68
Verley (Bd Paul)	**DY** 69
Victoire (Pl. et R. de la)	**CDY** 70
Victor-Hugo (Bd)	**CZ** 72

DUNKERQUE

XX Au Bon Coin avec ch
49 av. Kléber – ℘ *03 28 69 12 63 – www.restaurantauboncoin.com – restaurantauboncoin@wanadoo.fr – Fax 03 28 69 64 03*
4 ch – †58,50/63 € ††63/73,50 €
Rest – *(fermé dim. soir et lundi)* Menu 28/50 € – Carte 36/70 €

♦ Proximité de la mer oblige, cette table se consacre aux saveurs iodées. Salle à l'ambiance feutrée dont les murs s'ornent de photos de célébrités dédicacées. Chambres élégantes.

XX Le Vent d'Ange
1449 av. de Petite Synthe – ℘ *03 28 25 28 98 – www.leventdange.com – leventdange@wanadoo.fr – Fax 03 28 58 12 88 – Fermé 24 août-6 sept., 3-14 janv., mardi soir, dim. soir et lundi*
Rest – Menu (18 €), 26/55 € – Carte 43/58 €

AX f

♦ Un accueil d'une rare gentillesse et une cuisine traditionnelle fort généreuse sont les atouts de ce lieu. Décor modernisé dans un style baroque italien, dédié aux anges.

X Le Corsaire
6 quai Citadelle – ℘ *03 28 59 03 61 – tetart.virginie@neuf.fr – Fax 03 28 59 03 61 – Fermé 24-31 déc., dim. soir et merc.*
Rest – Menu 26/42 € – Carte 37/56 €

CZ a

♦ Proche du Musée portuaire, ce restaurant et sa terrasse offrent une vue sur le trois-mâts Duchesse Anne. Cadre actuel coloré et cuisine évoluant au gré des saisons.

X L'Auberge de Jules
9 r. de la Poudrière – ℘ *03 28 63 68 80 – laubergedejules@orange.fr – Fermé sam. midi et dim.*
Rest – Menu 20/25 € – Carte 30/50 €

CY a

♦ Voici une adresse pour le moins familiale. La patronne accommode les poissons fournis quotidiennement par son père et son frère, patrons pêcheurs, tandis que son mari prépare les desserts.

à Malo-les-Bains – ⊠ 59240

L'Hirondelle
46 av. Faidherbe – ℘ *03 28 63 17 65 – www.hotelhirondelle.com – info@hotelhirondelle.com – Fax 03 28 66 15 43*
50 ch – †57/75 € ††68/92 €, ⊇ 8 €
Rest – *(fermé 1er-15 mars, 8-30 août, dim. soir et lundi midi)* Menu (15 €), 19 € (sem.)/58 € – Carte 30/60 €

DY r

♦ Au cœur de la petite station balnéaire, ce sympathique hôtel familial rénove peu à peu ses chambres dans un esprit contemporain sobre et plaisant ; celles de l'annexe sont neuves. À table, produits de la mer, plats classiques et vins du Languedoc-Roussillon.

Victoria Hôtel
5 av. de la Mer – ℘ *03 28 28 28 11 – zanzibar.victoria@wanadoo.fr – Fax 03 28 28 77 29*
11 ch – †66/69 € ††66/69 €, ⊇ 8 € – 1 suite
Rest *Zanzibar* – *(fermé sam. midi et dim. soir)* Menu (18 €), 48 € bc – Carte 23/45 €

DY b

♦ Bois exotique, lits à baldaquin, mobilier importé d'Afrique : le décor des chambres, modernes et confortables, évoque un continent cher aux propriétaires de cet hôtel. À table, dépaysement assuré : cadre ethnique, spécialités africaines et créoles, mais aussi françaises.

Au Côté Sud
19 av. du Casino – ℘ *03 28 63 55 12 – www.aucotesud.com – contact@aucotesud.com – Fax 03 28 61 54 49 – Fermé 24 déc.-8 janv.*
10 ch (½ P seult) – ½ P 49 €
Rest – *(fermé 15 août au 1er sept. et 20 déc.-5 janv.)* (dîner seult) (résidents seult) Menu 13 €

DY e

♦ Chambres fonctionnelles bien insonorisées, bon petit-déjeuner continental : une adresse pratique entièrement rénovée à deux pas du Palais des Congrès. Dans un restaurant au cadre chaleureux, cuisine mêlant habilement saveurs du Nord et du Sud.

DUNKERQUE

à Téteghem 6 km au Sud-Est par D 601 BX – 7 360 h. – alt. 1 m – ✉ 59229

XXX **La Meunerie** avec ch
au Galghouck, 2 km au Sud Est par D 4 – ✆ 03 28 26 14 30 – *www.lameunerie.fr
– contact@lameunerie.fr – Fax 03 28 26 17 32 – Fermé 20 juil.-10 août et 12-18 fév.*
9 ch – †90/122 € ††90/122 €, ⊇ 13 €
Rest – *(fermé 15 juil.-1er août, 8-16 fév., dim. soir et lundi) (dîner seult sauf dim.)*
Menu 29 €
♦ Réparti en plusieurs salons feutrés et bourgeois ouverts sur un élégant jardin, ce restaurant occupe un ancien moulin à vapeur. Cuisine traditionnelle rythmée par les saisons.

à Coudekerque-Branche – 23 000 h. – alt. 1 m – ✉ 59210

🛈 Syndicat d'initiative, 4, place de l'Hôtel de Ville ✆ 03 28 64 60 00,
Fax 03 28 64 60 00

XXX **Le Soubise**
🙂 *49 rte de Bergues* – ✆ 03 28 64 66 00 – *restaurant.soubise@wanadoo.fr
– Fax 03 28 25 12 19 – Fermé 16-28 avril, 23 juil.-18 août, 17 déc.-5 janv., sam. et dim.* BX **a**
Rest – Menu 28/50 € – Carte 23/48 €
♦ Une grande convivialité anime ce relais de poste du 18e s. qui borde le canal. Les plats traditionnels, bien mitonnés, ne manquent pas de générosité, à l'instar du patron.

à Cappelle-la-Grande 5 km au Sud sur D 916 – 8 329 h. – ✉ 59180

🛈 Syndicat d'initiative, Mairie ✆ 03 28 64 94 41, Fax 03 28 60 25 31

XX **Fleur de Sel**
48 rte Bergues – ✆ 03 28 64 21 80 – *www.fleurdesel-restaurant.com
– laurent.braem@wanadoo.fr – Fax 03 28 61 22 00 – Fermé 17-31 août,
26 déc.-4 janv., dim. soir et lundi* BX **a**
Rest – Menu 27/45 € – Carte 30/45 €
♦ Intérieur cosy bien dans l'air du temps (pierres apparentes, tons gris, mobilier et tableaux contemporains), accueil parfait et bonne cuisine classique.

à Armbouts-Cappel par ② N 225 sortie 19a – 2 500 h. – ✉ 59380

🏠 **Du Lac**
2 bordure du Lac – ✆ 03 28 60 70 60 – *www.hoteldulacdk.com – contact@
hoteldulacdk.com – Fax 03 28 61 06 39* AX **n**
66 ch – †57/75 € ††83 €, ⊇ 9,50 €
Rest – *(fermé sam. midi)* Menu (13 €), 16 € (sem.)/24 € – Carte 26/41 €
♦ Hôtel récent situé dans un cadre verdoyant, sur une rive du lac d'Armbouts. Chambres de bon confort, à choisir côté plan d'eau pour la vue ou côté parking pour l'ampleur. Salle à manger contemporaine ouverte sur une terrasse, un jardin et la campagne flamande.

DUN LE PALESTEL – 23 Creuse – **325** G3 – 1 121 h. – alt. 370 m   **25 C1**
– ✉ 23800

🛣 Paris 349 – Limoges 83 – Guéret 29 – La Souterraine 18
– Argenton-sur-Creuse 47
🛈 Office de tourisme, 81, Grande Rue ✆ 05 55 89 24 61, Fax 05 55 89 95 11

🏠 **Joly**
3 r. Bazenerye – ✆ 05 55 89 00 23 – *www.hoteljoly-limousin.com – hoteljoly@
wanadoo.fr – Fax 05 55 89 15 89 – Fermé 3-8 mars, 29 sept.-6 oct., dim. soir et lundi midi sauf fériés*
26 ch – †42 € ††45 €, ⊇ 9 €   **Rest** – Menu 13 € (sem.)/36 € – Carte 30/45 €
♦ Au centre du village, le bâtiment principal abrite des chambres entièrement refaites et personnalisées ; elles sont plus simples à l'annexe. Le terroir s'immisce dans les recettes traditionnelles soignées du restaurant rustique.

DURAS – 47 Lot-et-Garonne – **336** D1 – 1 197 h. – alt. 122 m – ✉ 47120   **4 C2**
▌**Aquitaine**

🛣 Paris 577 – Agen 90 – Marmande 23 – Périgueux 88 – Ste-Foy-la-Grande 22
🛈 Office de tourisme, 14, boulevard Jean Brisseau ✆ 05 53 83 63 06,
Fax 05 53 76 04 36

DURAS

Hostellerie des Ducs avec ch
bd. J. Brisseau – ℰ 05 53 83 74 58
– www.hostellerieducs-duras.com – hostellerie.des.ducs@wanadoo.fr
– Fax 05 53 83 75 03 – Fermé lundi sauf le soir de juil. à sept., dim. soir d'oct. à juin et sam. midi
18 ch – †57 € ††70/150 €, ⊆ 10 €   **Rest** – Menu 15 €/44 € – Carte 60/90 €
◆ Cet ex-presbytère voisin du château propose une cuisine traditionnelle. Salle meublée en style Louis XIII, véranda. Chambres actuelles ; les nouvelles occupent une bâtisse du 13ᵉ s.

DURY – 80 Somme – 301 G8 – rattaché à Amiens

EAUX-PUISEAUX – 10 Aube – 313 D5 – 234 h. – alt. 220 m – ⊠ 10130
13 **B3**

🅳 Paris 161 – Auxerre 53 – Sens 63 – Troyes 32

L'Étape du P'tit Sim sans rest
6 Gde-Rue – ℰ 03 25 42 02 21 – www.letapeduptitsim.com – etapeduptitsim@wanadoo.fr – Fax 03 25 42 03 30 – Fermé dim.
14 ch – †49 € ††49 €, ⊆ 7 €
◆ Hôtel abritant des chambres actuelles. Petit-déjeuner sous forme de buffet. Parking privé.

EAUZE – 32 Gers – 336 C6 – 3 881 h. – alt. 164 m – ⊠ 32800
28 **A2**

🅳 Paris 719 – Toulouse 131 – Auch 58 – Mont-de-Marsan 64 – Condom 29
🅸 Office de tourisme, 2, rue Felix Soules ℰ 05 62 09 85 62, Fax 05 62 08 11 22

La Vie en Rose
– ℰ 05 62 09 83 29 – Fax 05 62 09 83 29
– Fermé vacances de printemps, de la Toussaint, mardi soir et merc.
Rest – Menu (14 € bc), 26/41 € – Carte 37/48 €
◆ L'intérieur de ce restaurant a du charme et invite à apprécier, en toute sérénité, une cuisine mettant à l'honneur le terroir. Vins de Gascogne et accueil convivial.

EBERSMUNSTER – 67 Bas-Rhin – 315 J7 – 470 h. – alt. 165 m – ⊠ 67600
2 **C1**

🅳 Paris 508 – Strasbourg 40 – Obernai 23 – Saint-Dié-des-Vosges 55 – Sélestat 9

Des Deux Clefs
72 r. Gén. Leclerc – ℰ 03 88 85 71 55 – www.auxdeuxclefs.ifrance.com
– Fax 03 88 85 71 55 – Fermé 27 juil.-8 août, 24 déc.-17 janv., lundi et jeudi sauf fériés
Rest – Menu (18 € bc), 30/33 € – Carte 30/46 €
◆ Face à une église abbatiale réputée pour son intérieur baroque ; le décor du restaurant est plus sobre mais tout aussi soigné. Spécialités de matelote, friture, anguille, etc.

ECCICA-SUARELLA – 2A Corse-du-Sud – 345 C8 – voir à Corse

LES ÉCHELLES – 73 Savoie – 333 H5 – 1 248 h. – alt. 386 m – ⊠ 73360
45 **C2**
Les Echelles ▮ Alpes du Nord

🅳 Paris 552 – Chambéry 24 – Grenoble 40 – Lyon 92 – Valence 106
🅸 Office de tourisme, rue Stendhal ℰ 04 79 36 56 24, Fax 04 79 36 53 12

à Chailles 5 km au Nord – ⊠ 73360 St Franc

Auberge du Morge avec ch
D 1006, Gorges de Chailles – ℰ 04 79 36 62 76 – www.aubergedumorge.com
– contact@aubergedumorge.com – Fax 04 79 36 51 65 – Fermé 30 nov.-31 janv., jeudi midi et merc.
8 ch – †48/54 € ††48/54 €, ⊆ 9 €   **Rest** – Carte 26/42 €
◆ Auberge à l'entrée des gorges de Chailles près d'un torrent apprécié des pêcheurs. On y déguste des recettes traditionnelles dans un décor campagnard. Chambres proprettes.

ECHENEVEX – 01 Ain – 328 J3 – rattaché à Gex

LES ÉCHETS – 01 Ain – 328 C5 – alt. 276 m – ✉ 01700 Miribel   43 E1

▶ Paris 454 – L'Arbresle 28 – Bourg-en-Bresse 47 – Lyon 20
– Villefranche-sur-Saône 30

Christophe Marguin avec ch
916 rte de Strasbourg – ℰ 04 78 91 80 04 – www.christophe-marguin.com
– contact@christophe-marguin.com – Fax 04 78 91 06 83 – Fermé 3-23 août,
23 déc.-5 janv., sam. midi, dim. soir et lundi
7 ch – †65 € ††90 €, ⊇ 14 € **Rest** – Menu 25 € (sem.)/75 € – Carte 50/95 €
♦ Photographies des "ancêtres", boiseries, bibliothèque : un lieu agréable où l'on se sent comme chez soi. Cuisine mi-classique, mi-régionale, cave riche en bordeaux et bourgognes.

ÉCHIROLLES – 38 Isère – 333 H7 – rattaché à Grenoble

ÉCULLY – 69 Rhône – 327 H5 – rattaché à Lyon

EFFIAT – 63 Puy-de-Dôme – 326 G6 – 939 h. – alt. 350 m – ✉ 63260   5 B2
Auvergne

▶ Paris 392 – Clermont-Ferrand 38 – Gannat 11 – Riom 22 – Thiers 39
– Vichy 18

◉ Château★.

Cinq Mars
16 r. Cinq-Mars, (D 984) – ℰ 04 73 63 64 16 – Fax 04 73 64 23 73
– Fermé 8-30 août, 13-23 fév. et le soir en sem.
Rest – Menu 12 € bc/18 €
♦ Café de village (1876) à proximité du château du marquis de Cinq-Mars. Le chef-patron prépare une cuisine traditionnelle, servie dans une salle à manger rustique et conviviale.

ÉGLETONS – 19 Corrèze – 329 N3 – 4 424 h. – alt. 650 m – ✉ 19300   25 C3

▶ Paris 499 – Aubusson 75 – Aurillac 97 – Limoges 112 – Mauriac 46 – Tulle 31
– Ussel 29

🛈 Office de tourisme, rue Joseph Vialaneix ℰ 05 55 93 04 34,
Fax 05 55 93 00 09

Ibis
rte Ussel par D 1089 : 1,5 km – ℰ 05 55 93 25 16 – www.ibishotel.com – h0816@accor.com – Fax 05 55 93 37 54
41 ch – †47/75 € ††47/75 €, ⊇ 8 € **Rest** – Menu (14 €), 17 €
♦ En pleine campagne haut-corrézienne, cet Ibis se démarque par ses grandes chambres rénovées et son mobilier dernière génération. Le plan d'eau ajoute un supplément d'âme au lieu. La salle à manger intègre un salon avec cheminée ; carte traditionnelle.

EGUISHEIM – 68 Haut-Rhin – 315 H8 – 1 541 h. – alt. 210 m – ✉ 68420   2 C2
Alsace Lorraine

▶ Paris 452 – Belfort 68 – Colmar 7 – Gérardmer 52 – Guebwiller 21
– Mulhouse 42

🛈 Office de tourisme, 22a, Grand'Rue ℰ 03 89 23 40 33, Fax 03 89 41 86 20

◉ Circuit des remparts★ - Route des Cinq Châteaux★ SO : 3 km.

Hostellerie du Château sans rest
2 r. Château – ℰ 03 89 23 72 00 – www.hostellerieduchateau.com – info@hostellerieduchateau.com – Fax 03 89 41 63 93
11 ch – †68/98 € ††70/125 €, ⊇ 11 €
♦ Sur une place pittoresque du bourg. La façade à colombages de cet hôtel de caractère dissimule de lumineuses chambres personnalisées et contemporaines. Bon petit-déjeuner.

EGUISHEIM

Hostellerie du Pape
10 Grand'Rue – ℰ 03 89 41 41 21 – www.hostellerie-pape.com – info@hostellerie-pape.com – Fax 03 89 41 41 31 – Fermé 4 janv.-10 fév.
33 ch – †68 € ††80/98 €, ⊇ 10 €
Rest – (fermé lundi et mardi) Menu (14 €), 19/33 € – Carte 32/51 €
♦ L'enseigne de cette ancienne exploitation vinicole est un clin d'œil au pape Léon IX, dont le château est tout proche. Chambres pratiques au cadre traditionnel modernisé. Plats régionaux servis dans une chaleureuse salle à manger.

St-Hubert sans rest
6 r. Trois Pierres – ℰ 03 89 41 40 50 – www.hotel-st-hubert.com – hotel.st.hubert@wanadoo.fr – Fax 03 89 41 46 88 – Fermé 28 juin-5 juil., 8-19 nov. et 9 janv.-4 mars
13 ch – †75/85 € ††99/109 €, ⊇ 11 € – 2 suites
♦ À l'écart du village, hôtel où l'on cultive une ambiance de maison d'hôte. Chambres fonctionnelles bénéficiant de la sérénité du vignoble. Miniterrasses, piscine couverte.

Hostellerie des Comtes
2 r. des Trois Châteaux – ℰ 03 89 41 16 99 – www.hostellerie-des-comtes.com – aubergedescomtes@wanadoo.fr – Fax 03 89 24 97 10 – Fermé 4-26 janv.
14 ch – †50/59 € ††59/69 €, ⊇ 8 € – ½ P 56/63 €
Rest – (fermé vend. midi et jeudi) Menu (13 €), 20/39 € – Carte 33/42 €
♦ Une nouvelle équipe vous accueille dans cette auberge rajeunie de-ci de-là. Certaines chambres offrent l'agrément d'une petite terrasse. Cuisine traditionnelle servie dans une salle à manger rafraîchie ou en plein air lorsque le temps s'y prête.

Auberge des Trois Châteaux
26 Grand'Rue – ℰ 03 89 23 11 22 – www.auberge-3-chateaux.com – contact@auberge-3-chateaux.com – Fax 03 89 23 72 88 – Fermé 4-20 janv.
12 ch – †50 € ††55/67 €, ⊇ 8 € – ½ P 58/64 €
Rest – (fermé 1er-8 juil., 28 oct.-4 nov., mardi soir et merc.) Menu 18/35 € – Carte 26/42 €
♦ Au cœur du village, trois maisons du 17e s. au charme rustique alsacien et bien fleuries en saison. Toutes les chambres sont récentes, fonctionnelles et propres. Le restaurant, sympathique et lumineux, sert des petits plats du terroir.

XX Caveau d'Eguisheim (Jean-Christophe Perrin)
3 pl. Château St-Léon – ℰ 03 89 41 08 89 – Fax 03 89 23 79 99
– Fermé 23-27 déc., fin janv. à mi-mars, lundi et mardi
Rest – Menu (20 €), 29 € (déj. en sem.), 38/63 € – Carte 57/77 €
Spéc. Pâté en croûte de cochon fermier au foie gras. Pigeonneau de nid cuit façon bécasse. Forêt noire déclinée à notre façon. **Vins** Riesling, Pinot noir.
♦ Authentique maison vigneronne et son élégante salle à manger au décor "tout bois". Goûteux plats traditionnels, carte "cochon" et menu de midi à prix doux.

XX Au Vieux Porche
16 r. des Trois Châteaux – ℰ 03 89 24 01 90 – vieux.porche@wanadoo.fr
– Fax 03 89 23 91 25 – Fermé 7-14 juil., 12-18 nov., vacances de fév., mardi et merc.
Rest – Menu 24/60 € bc – Carte 30/63 €
♦ Poutres, vitraux et boiseries : un cadre soigné pour cette demeure de vignerons de 1707. Bonne cuisine traditionnelle et belle sélection de vins de la propriété et d'ailleurs.

XX La Grangelière
59 r. Rempart Sud – ℰ 03 89 23 00 30 – www.lagrangeliere.com – lagrangeliere@wanadoo.fr – Fax 03 89 23 61 62 – Fermé de mi-janv. à mi-fév., dim. soir de nov. à avril et jeudi
Rest – Menu 18/67 € bc – Carte 24/57 €
♦ Cette belle façade à pans de bois, typiquement alsacienne, abrite une conviviale brasserie au rez-de-chaussée et un restaurant gastronomique plus cossu à l'étage.

X Le Pavillon Gourmand
101 r. Rempart Sud – ℰ 03 89 24 36 88 – http://perso.orange.fr/pavillon.schubnel/ – pavillon.schubnel@wanadoo.fr – Fax 03 89 23 93 94 – Fermé 10 jours fin juin-début juil., mi-janv. à mi-fév., mardi et merc.
Rest – Menu 17/60 € bc – Carte 24/60 €
♦ Installé dans une rue pittoresque, ce restaurant familial prépare d'alléchants petits plats alsaciens à base de produits frais. Cadre rustique et vue sur les cuisines.

EICHHOFFEN – 67 Bas-Rhin – **315** I6 – 511 h. – alt. 200 m – ⌧ 67140 2 **C1**
■ Paris 497 – Strasbourg 38 – Colmar 43 – Offenburg 50 – Lahr 65

Les Feuilles d'Or sans rest
52 r. du Vignoble – ℘ 03 88 08 49 80 – www.lesfeuillesdor.fr.st – kuss.francis@gmail.com – Fax 03 88 08 49 80
5 ch ⌧ – †75 € ††80 €

♦ Entre vignes et village, cette maison récente d'allure traditionnelle offre un cadre cosy, mi-actuel mi-rustique (poutres apparentes, poêle en faïence). Chambres spacieuses.

ÉLOISE – 74 Haute-Savoie – **328** I4 – **rattaché à Bellegarde-sur-Valserine**

EMBRUN – 05 Hautes-Alpes – **334** G5 – 6 188 h. – alt. 871 m – ⌧ 05200 41 **C1**
■ Alpes du Sud

■ Paris 706 – Barcelonnette 55 – Briançon 48 – Digne-les-Bains 97 – Gap 41 – Guillestre 21

🛈 Office de tourisme, place Général-Dosse ℘ 04 92 43 72 72, Fax 04 92 43 54 06

◉ Cathédrale N.-D. du Réal★ : trésor★, portail★ - Peintures murales★ dans la chapelle des Cordeliers - Rue de la Liberté et Rue Clovis-Huques★.

Mairie
pl. Barthelon – ℘ 04 92 43 20 65 – www.hoteldelamairie.com – courrier@hoteldelamairie.com – Fax 04 92 43 47 02 – Fermé 15 nov.-20 déc.
27 ch – †52/62 € ††52/62 €, ⌧ 8 € – ½ P 50/55 €
Rest – *(fermé lundi sauf le soir de mai à sept.)* Menu 20/27 € – Carte 26/42 €

♦ Jolie maison ancienne située au cœur de la vieille ville, sur une place pittoresque au parfum de Provence. Bar rétro et chambres simples meublées en pin. Restaurant traditionnel devancé par une terrasse où le murmure d'une fontaine accompagnera votre repas.

rte de Gap 3 km au Sud-Ouest par N 94 – ⌧ 05200 Embrun

Les Bartavelles
Clos des Pommiers – ℘ 04 92 43 20 69 – www.bartavelles.com – info@bartavelles.com – Fax 04 92 43 11 92 – Fermé 4-17 janv.
42 ch – †68/98 € ††68/98 €, ⌧ 10 € – 1 suite – ½ P 67/92 €
Rest – *(fermé dim. soir et lundi midi d'oct. à avril)* Menu (18 €), 22/48 € – Carte 31/61 €

♦ Chambres et duplex aux décors typés (mélèze sculpté de rosaces) répartis dans la maison principale et 3 bungalows. Jardin et spa très complet. Repas classique sous la rotonde (colonne de Guillestre). Formules grill l'été sur la terrasse bordant la piscine.

ÉMERINGES – 69 Rhône – **327** H2 – 215 h. – alt. 353 m – ⌧ 69840 43 **E1**
■ Paris 408 – Bourg-en-Bresse 56 – Lyon 65 – Mâcon 20 – Villefranche-sur-Saône 33

L'Auberge des Vignerons-La Tassée
Les Chavannes – ℘ 04 74 04 45 72 – Fax 04 74 04 45 72
– Fermé 22-30 déc., fév., dim. soir, lundi soir et mardi
Rest – Menu 12 € bc (sem.)/38 € – Carte 41/54 €

♦ Un couple franco-japonais vous accueille dans cette auberge. Intérieur lambrissé, mobilier rustique et vue sur les vignes du Beaujolais. Repas traditionnel.

EMMERIN – 59 Nord – **302** F4 – **rattaché à Lille**

ENGHIEN-LES-BAINS – 95 Val-d'Oise – **305** E7 – **101** 5 – **voir à Paris, Environs**

*Comment choisir entre deux adresses équivalentes ?
Dans chaque catégorie, les établissements sont classés
par ordre de préférence : nos coups de cœur d'abord.*

ENNORDRES – 18 Cher – 323 K2 – 249 h. – alt. 166 m – ✉ 18380   12 **C2**

Paris 191 – Orléans 102 – Bourges 44 – Vierzon 38 – Gien 37

Les Chatelains
– ℰ 02 48 58 40 37 – www.leschatelains.com – contact@leschatelains.com
– Fax 02 48 58 40 37
5 ch – †69 € ††75/105 €   **Table d'hôte** – Menu 28 € bc
♦ Le charme particulier de cette ferme restaurée et de ses annexes solognotes tient à son cadre coquet (mobilier d'antiquaires et de brocantes) et à la gentillesse de ses hôtes. L'autre atout du lieu : la table d'hôte, joliment champêtre. Cuisine de tradition.

ENSISHEIM – 68 Haut-Rhin – 315 I9 – 6 967 h. – alt. 217 m – ✉ 68190   1 **A3**

Paris 487 – Strasbourg 100 – Colmar 27 – Freiburg im Breisgau 68 – Basel 44

Le Domaine du Moulin
44 r. 1ère Armée – ℰ 03 89 83 42 39
– www.hotel-domainedumoulin-alsace.com – reservation@domainedumoulin.com – Fax 03 89 66 21 40
65 ch – †80/110 € ††86/120 €, ⌑ 12 € – ½ P 72/90 €
Rest *La Villa du Meunier* – ℰ 03 89 81 15 10 *(fermé sam. midi)* Menu 20/54 €
– Carte 34/60 €
♦ Grande maison récente d'allure alsacienne, ouverte sur un jardin agrémenté d'un étang. Chambres spacieuses et fonctionnelles. Belle piscine, sauna, hammam et jacuzzi. La villa du Meunier, dans un ex-moulin, se consacre à la cuisine du terroir local. Agréable terrasse.

ENTRAIGUES-SUR-LA-SORGUE – 84 Vaucluse – 332 C9 – 7 095 h.   42 **E1**
– alt. 30 m – ✉ 84320

Paris 687 – Marseille 100 – Avignon 13 – Arles 48 – Salon-de-Provence 50

Mas de la Dragonette avec ch
rte de Sorgues – ℰ 04 90 39 20 77
– www.masdeladragonette.com – info@masdeladragonette.com
– Fax 04 90 39 08 35 – Fermé sam. midi, dim. soir et lundi
5 ch – †85/120 € ††85/120 €, ⌑ 8 €
Rest – Menu (19 €), 25 € (déj. en sem.)/35 € – Carte 30/45 €
♦ En pleine campagne, ce mas provençal du 18ᵉ s. déborde de charme : grandes chambres personnalisées et confortables, terrasse romantique et luxuriante, potager, piscine. Le chef, qui propose aussi des cours, réalise une cuisine gourmande, à base des légumes du jardin.

ENTRAYGUES-SUR-TRUYÈRE – 12 Aveyron – 338 H3 – 1 182 h.   29 **C1**
– alt. 236 m – ✉ 12140 ▮ Midi-Pyrénées

Paris 600 – Aurillac 45 – Figeac 58 – Rodez 43 – St-Flour 83
▮ Syndicat d'initiative, place de la République ℰ 05 65 44 56 10,
Fax 05 65 44 50 85
▮ Vieux Quartier : Rue Basse★ - Pont gothique★.
▮ Vallée du Lot★★.

La Rivière
60 av. du Pont-de-Truyère – ℰ 05 65 66 16 83 – www.hotellariviere.com – info@hotellariviere.com – Fax 05 65 66 24 98 – Fermé 7-28 déc. et 16 fév.-2 mars
31 ch – †65/75 € ††85/105 €, ⌑ 11 € – ½ P 75/85 €
Rest – Menu 29/35 € – Carte 33/57 €
♦ Cet hôtel des bords de la Truyère sort d'une cure de jouvence. Résultat : un appréciable confort actuel et une décoration dans l'air du temps (tons harmonieux, matériaux choisis). Restaurant lumineux ouvrant sur la rivière et proposant une cuisine contemporaine.

Les Deux Vallées
av. du Pont-de-Truyère – ℰ 05 65 44 52 15 – hotel.2vallees@wanadoo.fr
– Fax 05 65 44 54 47 – Fermé fév., en nov., vacances de Noël, dim. soir, vend. soir et sam. d'oct. à avril
20 ch – †45 € ††45 €, ⌑ 7 € – ½ P 48 €
Rest – Menu (12 €), 16/23 € – Carte 26/42 €
♦ À Entraygues confluent les vallées du Lot et de la Truyère. Rénovées, les chambres misent plus sur l'aspect pratique que sur l'apparat. Toutes sont efficacement insonorisées. Atmosphère campagnarde au restaurant ouvert sur une petite cour-terrasse.

ENTRAYGUES-SUR-TRUYÈRE

Le Clos St Georges
19 coteaux St Georges – ℘ 05 65 48 68 22 – www.leclosstgeorges.com
– catherine.rethore@hotmail.fr – Ouvert 2 mars-14 nov.
4 ch ⇨ – †47 € ††57 € – ½ P 47 €
Table d'hôte – (fermé dim. du 15 juin au 15 sept.) Menu 18 € bc
♦ Sur les hauteurs, cette ex-maison de vigneron (1637) vous propose ses coquettes chambres, son joli salon de détente, sa cour pavée et son jardin fleuri ouvert sur une prairie. Repas et petits-déjeuners servis dans l'ancienne cuisine où trône une belle cheminée.

au Fel 10 km à l'Ouest par D 107 et D 573 – 171 h. – alt. 530 m – ✉ 12140

Auberge du Fel
Le Fel – ℘ 05 65 44 52 30 – www.auberge-du-fel.com – info@auberge-du-fel.com
– Fax 05 65 48 64 96 – Ouvert 5 avril-4 nov.
10 ch – †55/66 € ††55/66 €, ⇨ 8,50 € – ½ P 50/60 €
Rest – (fermé le midi hors saison sauf sam. et dim.) Menu 20 € (sem.)/41 € – Carte 26/44 €
♦ Maison coiffée de lauzes et couverte de vigne dans un pittoresque hameau surplombant le Lot. Chambres personnalisées version contemporaine, simples et à la tenue irréprochable. Pounti, truffade et cabécou arrosés du vin du Fel vous attendent au restaurant.

ENTRECHAUX – 84 Vaucluse – 332 D8 – rattaché à Vaison-la-Romaine

ENTZHEIM – 67 Bas-Rhin – 315 J5 – rattaché à Strasbourg

ÉPAIGNES – 27 Eure – 304 C6 – 1 223 h. – alt. 159 m – ✉ 27260   32 **A3**
▶ Paris 175 – Le Grand-Quevilly 63 – Le Havre 50 – Rouen 69

L'Auberge du Beau Carré avec ch
1 rte des Anglais – ℘ 02 32 41 52 42
– http://aubergedubeaucarre.monsite.wanadoo.fr – aubergedubeaucarre@wanadoo.fr – Fax 02 32 41 48 60 – Fermé dim. soir et lundi
7 ch – †45 € ††60 €, ⇨ 6 € – ½ P 45 €   **Rest** – Menu (18 €), 28/55 €
♦ Dans une maison de briques rouges, restaurant familial à l'appétissante cuisine au goût du jour préparée avec des produits de qualité. Chambres confortables.

> Nous essayons d'être le plus exact possible
> dans les prix que nous indiquons.
> Mais tout bouge !
> Lors de votre réservation, pensez à vous faire préciser le prix du moment.

ÉPENOUX – 70 Haute-Saône – 314 E7 – rattaché à Vesoul

ÉPERNAY – 51 Marne – 306 F8 – 24 500 h. – alt. 75 m – ✉ 51200   13 **B2**
Champagne Ardenne
▶ Paris 143 – Châlons-en-Champagne 35 – Château-Thierry 57 – Reims 28
🛈 Office de tourisme, 7, avenue de Champagne ℘ 03 26 53 33 00, Fax 03 26 51 95 22
◉ Caves de Champagne ★★ - Collection archéologique ★ au musée municipal.

Plan page suivante

La Villa Eugène sans rest
82 av. de Champagne, 1 km par ② – ℘ 03 26 32 44 76 – www.villa-eugene.com
– info@villa-eugene.com – Fax 03 26 32 44 98
15 ch – †100/300 € ††100/300 €, ⇨ 14 €
♦ Fière demeure bourgeoise ayant appartenu à un baron du champagne. Chambres de style colonial ou Louis XVI, bar dédié au fameux breuvage pétillant, petit-déjeuner sous verrière.

ÉPERNAY

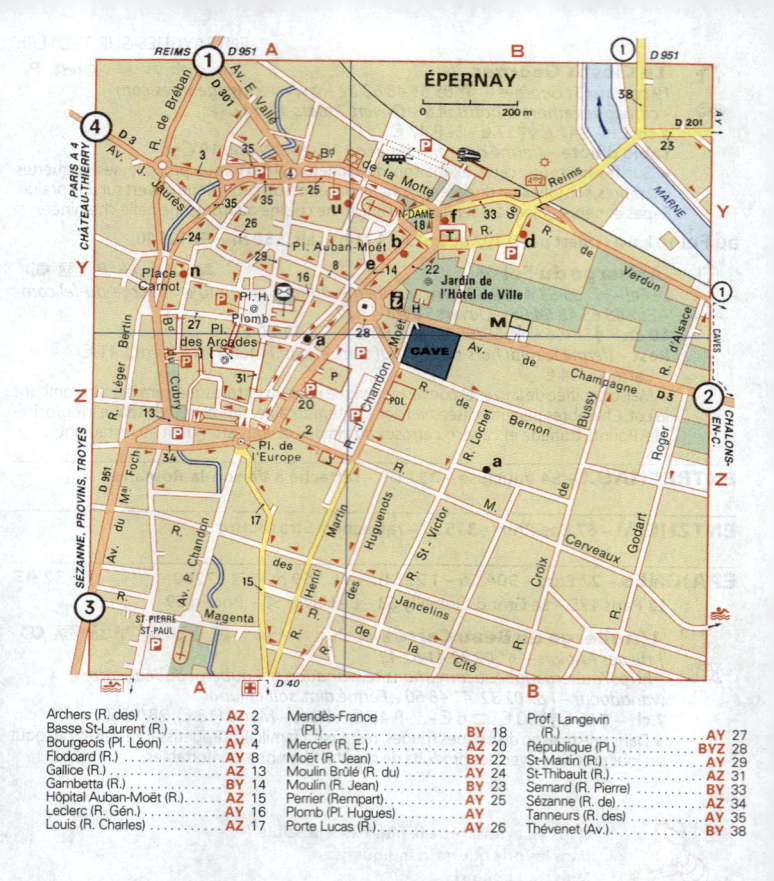

Archers (R. des) .... **AZ** 2	Mendès-France		Prof. Langevin	
Basse St-Laurent (R.) ..... **AY** 3	(Pl.) .... **BY** 18		(R.) .... **AY** 27
Bourgeois (Pl. Léon) ...... **AY** 4	Mercier (R. E.) .... **AZ** 20		République (Pl.) .... **BYZ** 28
Flodoard (R.) .... **AY** 8	Moët (R. Jean) .... **BY** 22		St-Martin (R.) .... **AY** 29
Gallice (R.) .... **AZ** 13	Moulin Brûlé (R. du) ..... **AY** 24		St-Thibault (R.) .... **AZ** 31
Gambetta (R.) .... **BY** 14	Moulin (R. Jean) .... **AY** 23		Sernard (R. Pierre) ...... **BY** 33
Hôpital Auban-Moët (R.) . **AY** 15	Perrier (Rempart) .... **AY**		Sézanne (R. de) .... **AZ** 34
Leclerc (R. Gén.) .... **AY** 16	Plomb (Pl. Hugues) ...... **AY**		Tanneurs (R. des) .... **AY** 35
Louis (R. Charles) .... **AZ** 17	Porte Lucas (R.) .... **AY** 26		Thévenet (Av.) .... **BY** 38

Le Clos Raymi sans rest

3 r. Joseph de Venoge – ✆ *03 26 51 00 58* – *www.closraymi-hotel.com* – *closraymi@wanadoo.fr* – *Fax 03 26 51 18 98* – *Fermé 24 déc.-2 janv.*
7 ch – †100/160 € ††100/160 €, ⊇ 14 €   BZ **a**

♦ La jolie maison de maître en briques rouges fut celle de la famille Chandon. Chambres personnalisées raffinées. Agréable salle des petits-déjeuners ouverte sur le jardin.

Les Berceaux (Patrick Michelon)

13 r. Berceaux – ✆ *03 26 55 28 84* – *www.lesberceaux.com* – *les.berceaux@wanadoo.fr* – *Fax 03 26 55 10 36*
28 ch – †95/115 € ††95/115 €, ⊇ 11 €   AZ **a**

Rest – *(fermé 15-31 août, vacances de fév., lundi et mardi)* Menu (26 €), 33 € (sem.)/69 € – Carte 81/98 €

Rest *Bistrot le 7* – *(fermé merc. et jeudi)* Menu (17,50 €), 24 € – Carte 44/56 €

Spéc. Turbot sauvage au vin de Champagne. Lièvre à la royale (saison). Grande assiette tout chocolat. **Vins** Champagne.

♦ Au cœur de la pétillante cité, une auberge aux chambres confortables, toutes rénovées à l'identique (tons jaunes, parquet foncé). L'élégant restaurant gastronomique vous invite à déguster une cuisine authentiquement classique. Belle cave. Atmosphère plus actuelle, tamisée et chic au Bistrot 7 ; menu traditionnel.

ÉPERNAY

XX Le Théâtre 🎴 ⇔ VISA ⓜ AE ①
8 pl. P. Mendès-France – ℘ *03 26 58 88 19 – www.epernay-rest-letheatre.com
– Fax 03 26 58 88 38 – Fermé 22-28 déc., 6-22 fév., dim. soir,
mardi soir et merc.* BY **f**
Rest – Menu (18 €), 25 € bc/48 € – Carte 51/65 €
♦ Proche du théâtre, voici l'une des plus anciennes brasseries d'Epernay (début du 20ᵉ s.). Moulures, hauts plafonds et tons chauds en décor ; recettes ancrées dans la tradition.

XX La Table Kobus 🎴 ⇔ VISA ⓜ
3 r. Dr Rousseau – ℘ *03 26 51 53 53 – www.latablekobus.com – serge.herscher@
wanadoo.fr – Fax 03 26 51 42 68 – Fermé 12-27 avril, 2-16 août, 28 déc.-11 janv.,
jeudi soir, dim. soir et lundi* ABY **u**
Rest – Menu (21 €), 28/48 € – Carte 50/65 €
♦ Sympathique bistrot 1900 où l'on peut déguster du champagne en apportant ses propres bouteilles et ce, sans payer de droit de bouchon ! Les Sparnaciens s'y précipitent.

X La Cave à Champagne 🎴 VISA ⓜ AE ①
16 r. Gambetta – ℘ *03 26 55 50 70 – www.la-cave-a-champagne.com
– cave.champagne@wanadoo.fr – Fax 03 26 51 07 24
– Fermé mardi et merc.* BY **b**
Rest – *(nombre de couverts limité, prévenir)* Menu 17/45 € bc
– Carte 30/40 € 🍷
♦ Petit caveau à la gloire des vins régionaux (exposition de bouteilles). Vraie gageure, on y fait un repas au champagne sans se ruiner. Registre culinaire traditionnel.

X La Grillade Gourmande 🎴 VISA ⓜ
16 r. de Reims – ℘ *03 26 55 44 22 – www.lagrilladegourmande.com
– grilla2gourmande@aol.com – Fax 03 26 54 01 74 – Fermé 25 août-7 sept.,
22-28 déc., 9-22 fév., dim. et lundi* BY **d**
Rest – Menu 19/55 € – Carte 29/65 €
♦ Dans ce petit restaurant familial rustique, on savoure une cuisine traditionnelle, dont des spécialités au champagne et des grillades préparées en salle, devant la cheminée.

à Dizy 3 km par ① – 1 714 h. – alt. 77 m – ✉ 51530

🏨 Les Grains d'Argent 🎴 ⚹ 🎴 rest, ⚹ 🎴 ⁽ᵠ⁾ 🎴 P VISA ⓜ AE
1 allée du Petit Bois – ℘ *03 26 55 76 28 – www.lesgrainsdargent.com
– hotel.lesgrainsdargent@wanadoo.fr – Fax 03 26 55 75 96 – Fermé 22 déc.-4 janv.*
20 ch – †90 € ††100 €, 🍽 13 € – ½ P 90 €
Rest – *(fermé sam. midi, dim. soir et lundi)* Menu (30 €), 47/87 € – Carte 75/95 €
♦ Bel accueil, jolies chambres personnalisées et bar à champagne dans cette hôtellerie contemporaine tournée vers les vignes. Le restaurant, relooké dans un esprit actuel, sert des plats au goût du jour, ponctués par le rythme des saisons.

à Champillon 6 km par ① – 516 h. – alt. 210 m – ✉ 51160

🏨 Royal Champagne 🎴 ≤ 🎴 ⚹ ch, 🎴 rest, ⁽ᵠ⁾ 🎴 P VISA ⓜ AE ①
D 201 – ℘ *03 26 52 87 11 – www.royalchampagne.com – reservation@
royalchampagne.com – Fax 03 26 52 89 69 – Fermé 1ᵉʳ déc.-1ᵉʳ fév.*
22 ch – †240/375 € ††240/375 €, 🍽 29 € – 3 suites
Rest – *(fermé lundi midi et mardi midi)* Menu 38 € (déj. en sem.), 65/110 €
– Carte 78/97 € 🍷
♦ L'ancien relais de poste, aux chambres luxueusement aménagées, domine superbement Épernay. On s'attable dans l'élégante salle à manger d'où la vue se perd sur le vignoble de Champagne et la vallée de la Marne.

rte de Reims 8 km par ① – ✉ 51160 St-Imoges

XX Maison du Vigneron 🎴 ⚹ ⇔ P VISA ⓜ
D 951 – ℘ *03 26 52 88 00 – www.lamaisonduvigneron.com – Fax 03 26 52 86 03
– Fermé 16-24 août, dim. soir, lundi soir et merc.*
Rest – Menu 23 € (sem.)/50 € – Carte 62/69 € 🍷
♦ Autorisez-vous une escale dans une plaisante atmosphère d'auberge forestière. Poutres, lustres en fer forgé, cheminée et belle mise en place au service d'une cuisine traditionnelle.

ÉPERNAY

à Vinay 6 km par ③ – 496 h. – alt. 102 m – ⌂ 51530

Hostellerie La Briqueterie
4 rte de Sézanne –
rest, ch,
℘ 03 26 59 99 99 – www.labriqueterie.fr – briqueterie@relaischateaux.com
– Fax 03 26 59 92 10 – Fermé 14 déc.-15 janv. et sam. midi
40 ch – †190/490 € ††220/490 €, ⌂ 25 € – ½ P 190/320 €
Rest – Menu 40 € (déj. en sem.), 65/100 € – Carte 82/102 €
Spéc. Légumes rafraîchis en fine gelée au bouzy et joue de bœuf braisée. Carré d'agneau rôti à la sarriette et moutarde de Reims, petites tomates farcies. Fraises et framboises de notre région (saison). **Vins** Champagne.
♦ Au cœur d'un vignoble, jolie bâtisse aux chambres personnalisées. Salon-bar cosy proposant une longue carte de champagnes ; spa et piscine. Décor très soigné au restaurant, ouvert sur un jardin paysager. Pas moins de 850 références de vins accompagnent la cuisine actuelle du chef.

ÉPINAL ℗ – 88 Vosges – 314 G3 – 34 700 h. – alt. 324 m – ⌂ 88000   27 **C3**
Alsace Lorraine

▶ Paris 385 – Belfort 96 – Colmar 88 – Mulhouse 106 – Nancy 72 – Vesoul 90
🛈 Office de tourisme, 6, place Saint-Goëry ℘ 03 29 82 53 32, Fax 03 29 82 88 22
⛳ des Images d'Épinal par rte de St-Dié-des-Vosges : 3 km, ℘ 03 29 31 37 52
◉ Vieille ville★ : Basilique★ – Parc du château★ – Musée départemental d'art ancien et contemporain★ - Imagerie d'Épinal.

Plan page ci-contre

Le Manoir
5 av. Provence – ℘ 03 29 29 55 55 – www.manoir-hotel.com – manoir-hotel@
wanadoo.fr – Fax 03 29 29 55 56   BZ **n**
12 ch – †100 € ††100/149 €, ⌂ 14 €   **Rest** *Ducs de Lorraine* – voir ci-après
♦ Cette belle demeure bourgeoise (1876) abrite de jolies chambres personnalisées, spacieuses et bien équipées (Internet haut débit, console de jeux, fax). Espace fitness.

Mercure
13 pl. E. Stein – ℘ 03 29 29 12 91 – www.mercure.com – h0831@accor.com
– Fax 03 29 29 12 92   AZ **e**
60 ch – †70/160 € ††80/170 €, ⌂ 16 €
Rest – (dîner seult) Menu 20/25 € – Carte 30/36 €
♦ Hôtel du 19ᵉ s. proche du musée d'Art ancien et contemporain. Toutes les chambres sont refaites et dotées d'un système wi-fi ; nuits plus calmes sur l'arrière. Agréable restaurant actuel et terrasse tournée sur le canal. Carte "Mercure" basée sur la tradition.

XXX Ducs de Lorraine (Claudy Obriot et Stéphane Ringer) – Hôtel Le Manoir
5 av. Provence – ℘ 03 29 29 56 00
– www.ducsdelorraine.fr – Fax 03 29 29 56 01
– Fermé 9-24 août, 18-31 janv., merc. sauf fériés   BZ **n**
Rest – Menu 36 € (déj. en sem.), 44/76 € – Carte 70/100 €
Spéc. Crème mousseuse de cèpes aux escargots de Cleurie. Tournedos de pigeon au foie blond. Soufflé mirabelle, coulis et sorbet. **Vins** Côtes de Toul gris, Pinot noir d'Alsace.
♦ Villa cossue de la fin du 19ᵉ s., élégante salle à manger avec moulures et mobilier Louis XV, goûteuse cuisine actuelle et vins choisis : une bien belle image d'Épinal !

X La Voûte
7 pl. de l'Atre – ℘ 03 29 35 47 25 – thomas.hd88@neuf.fr – Fermé
14-21 mars, 25-31 janv., merc. soir et dim.   BZ **t**
Rest – (nombre de couverts limité, prévenir) Carte 28/49 €
♦ Un accueil sympathique vous attend dans cette petite adresse très simple et soignée. Sous la voûte qui donne son nom à l'endroit, on sert une cuisine du marché sans chichi.

X Le Petit Robinson
24 r. R. Poincaré – ℘ 03 29 34 23 51 – www.lepetitrobinson.fr – lepetitrobinson@
free.fr – Fax 03 29 31 27 17 – Fermé 1ᵉʳ-4 mai, 18 juil.-16 août, 1ᵉʳ-4 janv., sam. midi,
lundi midi et dim.   BZ **a**
Rest – Menu 20/40 € – Carte 40/57 €
♦ La façade colorée de ce restaurant familial situé entre vieille ville et Moselle cache une salle à manger un brin datée mais chaleureuse. Registre culinaire traditionnel.

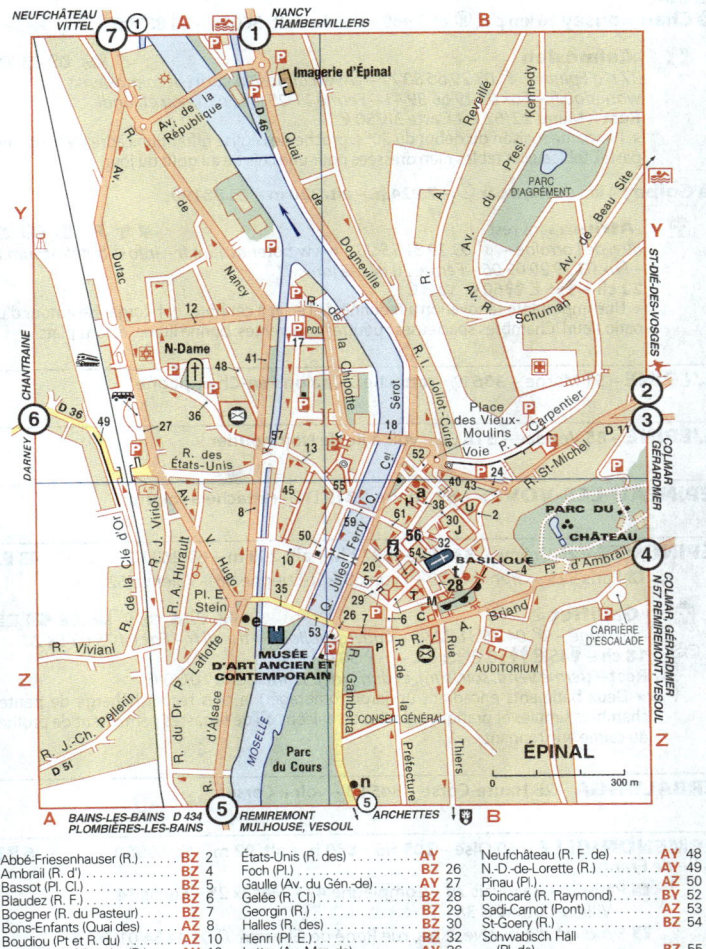

Abbé-Friesenhauser (R.) . . . . **BZ** 2	États-Unis (R. des) . . . . **AY**	Neufchâteau (R. F. de) . . . . **AY** 48
Ambrail (R. d') . . . . **BZ** 4	Foch (Pl.) . . . . **BZ** 26	N.-D.-de-Lorette (R.) . . . . **AZ** 49
Bassot (Pl. Cl.) . . . . **BZ** 5	Gaulle (Av. du Gén.-de) . . . . . . **AY** 27	Pinau (Pl.) . . . . **AZ** 50
Blaudez (R. F.) . . . . **BZ** 6	Gelée (R. Cl.) . . . . **BZ** 28	Poincaré (R. Raymond) . . . . . . **BY** 52
Boegner (R. du Pasteur) . . . . **BZ**	Georgin (R.) . . . . **BZ** 29	Sadi-Carnot (Pont) . . . . **AZ** 53
Bons-Enfants (Quai des) . . . . . . **AZ** 8	Halles (R. des) . . . . **BZ** 30	St-Goery (R.) . . . . **BZ** 54
Boudiou (Pt et R. du) . . . . **AZ** 10	Henri (Pl. E.) . . . . **BZ** 32	Schwabisch Hall
Boulay-de-la-Meurthe (R.) . . . . . **AY** 12	Lattre (Av. Mar.-de) . . . . **AY** 36	(Pl. de) . . . . **BZ** 55
Bourg (R. L.) . . . . **AY** 13	Leclerc (R. Gén.) . . . . **BZ** 38	La Tour (R. G. de la) . . . . **AZ** 35
Clemenceau (Pl.) . . . . **AY** 17	Lormont (R.) . . . . **BZ** 40	Vosges (Pl. des) . . . . **BZ** 56
Clemenceau (Pont) . . . . **BY** 18	Lyautey (R. Mar.) . . . . **AY** 41	4-Nations (Pl. des) . . . . **AY** 57
Comédie (R. de la) . . . . **BZ** 20	Maix (R. de la) . . . . **BZ** 43	170e Régt-d'Inf. (Pont du) . . . . **BZ** 59
Entre-les-Deux-Portes (R.) . . . . **BYZ** 24	Minimes (R. des) . . . . **AZ** 45	170e-Régt-d'Inf. (R. du) . . . . . . **BZ** 61

par ① 3 km – ✉ 88000 Épinal

La Fayette
3 r. Bazaine (Le-Saut-le-Cerf) – ✆ 03 29 81 15 15
– www.bestwestern-lafayette-epinal.com – hotel.lafayette.epinal@wanadoo.fr
– Fax 03 29 31 07 08
58 ch – †89/220 € ††89/220 €, ⊇ 12 € – 1 suite
Rest – Menu 19/43 € – Carte 40/50 €

◆ Aux portes d'Épinal, cet hôtel possède de vastes chambres fonctionnelles ; les dernières-nées sont plus agréables. Espace bien-être : bassin à contre-courant, sauna, jacuzzi. Cuisine classique et régionale sans prétention proposée dans une salle largement vitrée.

ÉPINAL

à Chaumousey 10 km par ⑥ et D 460 – 868 h. – alt. 360 m – ⌧ 88390

XX **Calmosien**
*37 r. d'Epinal – ℰ 03 29 66 80 77 – www.calmosien.com – lecalmosien@
wanadoo.fr – Fax 03 29 66 89 41 – Fermé 11-25 juil., dim. soir et lundi*
Rest – Menu 22/62 € – Carte 38/50 €
♦ Pimpante maison du début du 20ᵉ s. proche de l'église offrant un cadre élégant : tons pastel, tableaux et tables bien dressées pour une cuisine au goût du jour.

à Golbey 4 km au Nord par ⑦ – 7 924 h. – alt. 320 m – ⌧ 88190

Atrium sans rest
*89 r. de Lorraine – ℰ 03 29 81 15 20 – www.hotel-atrium.fr – info@hotel-atrium.fr
– Fax 03 29 29 09 06 – Fermé 20 déc.-2 janv.*
22 ch – †55 € ††60 €, ⌧ 8 €
♦ Une importante rénovation a redonné de l'éclat à cet hôtel qui s'organise autour d'un patio fleuri. Chambres spacieuses : poutres apparentes, bonne literie, écrans plats.

L'ÉPINE – 51 Marne – 306 I9 – rattaché à Châlons-en-Champagne

---

L'ÉPINE – 85 Vendée – 316 C6 – voir à Île de Noirmoutier

ÉPINEAU-LES-VOVES – 89 Yonne – 319 D4 – rattaché à Joigny

ÉPINOUZE – 26 Drôme – 332 C2 – 1 272 h. – alt. 208 m – ⌧ 26210   43 **E2**

🅿 Paris 523 – Grenoble 79 – Lyon 68 – St-Étienne 86 – Valence 62

Galliffet ⚘
au village – ℰ 04 75 31 72 98 – aubergevalloire@tiscali.fr – Fax 04 75 03 58 20
18 ch – †45 € ††50 €, ⌧ 5 € – ½ P 50 €
Rest – *(fermé vend. soir, sam. et dim.) (déj. seult)* Menu 10/30 €
♦ Deux bâtiments encadrant un jardin ombragé ; le plus récent héberge de petites chambres simples et pratiques, dotées de balcons ou de terrasses permettant de profiter du calme environnant.

ERBALUNGA – 2B Haute-Corse – 345 F3 – voir à Corse

ERMENONVILLE – 60 Oise – 305 H6 – 830 h. – alt. 92 m – ⌧ 60950   36 **B3**
Île de France

🅿 Paris 51 – Beauvais 70 – Compiègne 42 – Meaux 25 – Senlis 14 – Villers-Cotterêts 38

🛈 Syndicat d'initiative, 2 bis, rue René de Girardin ℰ 03 44 54 01 58, Fax 03 44 54 04 96

◉ Mer de Sable⋆ – Forêt d'Ermenonville⋆ – Abbaye de Chaalis⋆⋆ N : 3 km.

Le Prieuré sans rest
*6 pl. de l'Église – ℰ 03 44 63 66 70 – www.hotel-leprieure.com – reception@
hotel-leprieure.com – Fax 03 44 63 95 01 – Fermé vacances de Noël et dim.*
9 ch – †85/165 € ††85/165 €, ⌧ 12 €
♦ Atmosphère de maison d'hôte dans cette ravissante demeure du 18ᵉ s. entourée d'un joli jardin à l'anglaise adossé à l'église. Chambres élégantes, garnies de meubles chinés.

XX **Le Relais de la Croix d'Or** avec ch
*2 r. Prince Radziwill – ℰ 03 44 54 00 04
– www.lacroixdor.net – relaisor@wanadoo.fr – Fax 03 44 54 99 16
– Fermé 15-31 août, dim. soir et lundi*
8 ch ⌧ – †67/82 € ††76/95 €
Rest – Menu 20 € bc (déj. en sem.), 33/65 € – Carte 46/74 €
♦ Cuisine traditionnelle servie dans une salle ornée de poutres et pierres apparentes, une cave voûtée ou, l'été, sur une terrasse bordant l'eau et la verdure. Chambres pratiques.

ERMITAGE-DU-FRÈRE-JOSEPH – 88 Vosges – **314** J5 – rattaché à Ventron

ERNÉE – 53 Mayenne – **310** D5 – 5 793 h. – alt. 120 m – ⌧ 53500   34 **B1**
Normandie Cotentin

- Paris 304 – Domfront 47 – Fougères 22 – Laval 31 – Mayenne 25 – Vitré 30
- Syndicat d'initiative, place de l'Hôtel de Ville ℰ 02 43 08 71 10

XX Le Grand Cerf   VISA MC AE
19 r. A.-Briand – ℰ *02 43 05 13 09 – www.legrandcerf.net – infos@legrandcerf.net*
– Fax 02 43 05 02 90 – Fermé 15-31 janv., dim. soir et lundi
Rest – Menu 17 € (déj. en sem.), 24/34 € – Carte 45/55 €
♦ Salle sur deux niveaux, avec pierres apparentes et touches modernes, agrémentée d'un beau buffet et de sculptures. Table généreuse orientée terroir et revisitant la tradition.

à La Coutancière 9 km à l'Est sur N 12 – ⌧ 53500 Vautorte

X La Coutancière   ♿ P VISA MC
– ℰ *02 43 00 56 27 – Fax 02 43 00 66 09 – Fermé mardi soir et merc.*
Rest – Menu (12 €), 15/42 € – Carte 28/44 €
♦ Auberge sympathique à l'orée de la forêt de Mayenne, au cœur de la région décrite par Balzac dans son roman Les Chouans. Cuisine traditionnelle et service attentif.

ERQUY – 22 Côtes-d'Armor – **309** H3 – 3 725 h. – alt. 12 m – ⌧ 22430   10 **C1**
Bretagne

- Paris 451 – Dinan 46 – Dinard 39 – Lamballe 21 – Rennes 102 – St-Brieuc 33
- Office de tourisme, 3, rue du 19 Mars 1962 ℰ 02 96 72 30 12,
  Fax 02 96 72 02 88
- Cap d'Erquy ★ NO : 3,5 km puis 30 mn.

🏠 Beauséjour   ≤ ♦ ♟ P VISA MC
21 r. Corniche – ℰ *02 96 72 30 39 – www.beausejour-erquy.com*
– hotel.beausejour@wanadoo.fr – Fax 02 96 72 16 30 – Ouvert 30 mars-15 nov. et fermé lundi hors saison
15 ch – †54/56 € ††58/70 €, ⌧ 9 € – ½ P 59/70 €
Rest – Menu (15 €), 21/36 € – Carte 24/41 €
♦ À 100 m de la plage, hôtel-restaurant familial disposant de chambres bien tenues, égayées de tissus colorés et fleuris ; la moitié offre une vue sur le port de pêche. Table iodée et beau panorama sur la mer à travers les baies de la sobre salle à manger.

XX L'Escurial   ≤ VISA MC AE
bd de la Mer – ℰ *02 96 72 31 56 – www.restaurantlescurial.com – contact@restaurantlescurial.com – Fax 02 96 63 57 92 – Fermé 5 janv.-3 fév., dim. soir sauf juil.-août, jeudi soir hors saison et lundi*
Rest – Menu (22 €), 33/62 € – Carte 45/70 €
♦ Élégant restaurant contemporain généreusement ouvert sur les flots. On y déguste recettes actuelles, poissons et, en saison, les fameuses noix de Saint-Jacques.

à St-Aubin 3 km au Sud-Est par rte secondaire – ⌧ 22430 Erquy

X Relais St-Aubin   🚗 🌳 P VISA MC AE
D 68 – ℰ *02 96 72 13 22 – www.relais-saint-aubin.fr – gilbert.josset@wanadoo.fr*
– Fax 02 96 63 54 31 – Fermé 15 nov.-15 déc., 1ᵉʳ-28 fév., merc. du 15 nov. au 18 mars, mardi hors saison et lundi
Rest – Menu 17 € (déj. en sem.), 23 € bc/30 € bc – Carte 30/56 €
♦ Cette demeure campagnarde en pierres du pays (17ᵉ s.) abrite une belle salle à manger rustique. Aux beaux jours, profitez de la terrasse et du ravissant jardin fleuri.

ERSA – 2B Haute-Corse – **345** F2 – voir à Corse

ERSTEIN – 67 Bas-Rhin – **315** J6 – 9 632 h. – alt. 150 m – ⌧ 67150   1 **B2**

- Paris 514 – Colmar 49 – Molsheim 24 – St-Dié 69 – Sélestat 27
  – Strasbourg 28
- Office de tourisme, 16, rue du Général-de-Gaulle ℰ 03 88 98 14 33,
  Fax 03 88 98 12 32

ERSTEIN

Crystal
41-43 av. de la Gare – ℰ 03 88 64 81 00 – www.hotelcrystal.info – baumert@hotelcrystal.info – Fax 03 88 98 11 29 – Fermé 1er-10 août
71 ch – †62/75 € ††71/108 €, ⊇ 14 € – 3 suites
Rest – (fermé 1er-23 août, vend. soir, sam. midi et dim.) Menu 13 € (déj.)/38 € – Carte 30/55 €

♦ Cette architecture récente proche de la route abrite d'accueillantes chambres colorées (bien aménagées) ; celles du 3e étage sont plus grandes et mansardées. Lumineuse salle à manger à la décoration contemporaine, agrémentée de peintures.

Jean-Victor Kalt
41 av. de la Gare – ℰ 03 88 98 09 54 – jean-victor.kalt@wanadoo.fr – Fax 03 88 98 83 01 – Fermé 27 juil.-15 août, 1er-8 janv., dim. soir, merc. soir, sam. midi et lundi
Rest – Menu 22 € (déj. en sem.), 30/62 € – Carte 45/73 €

♦ Le chef aime son métier et le prouve par une cuisine classique attentive au marché et une très riche carte des vins. Il vient souvent en salle (spacieuse rotonde) vous conseiller.

ERVAUVILLE – 45 Loiret – **318** O3 – rattaché à Courtenay

ESCATALENS – 82 Tarn-et-Garonne – **337** D8 – 689 h. – alt. 60 m – ⊠ 82700   28 **B2**

🅿 Paris 649 – Colomiers 58 – Montauban 16 – Toulouse 53

Maison des Chevaliers ᛘ
pl. de la Mairie – ℰ 05 63 68 71 23 – www.maisondeschevaliers.com – claude.choux@wanadoo.fr – Fax 05 63 30 25 90
5 ch ⊇ – †70/75 € ††90 €   **Table d'hôte** – Menu 25 € bc

♦ Cette maison en briques accueille de vastes chambres dont le décor, très recherché, associe meubles anciens, souvenirs de voyage, lavabos et faïences ramenés du Portugal. Cuisinette et salle de jeux à disposition. Plats régionaux.

ESCOIRE – 24 Dordogne – **329** G4 – 429 h. – alt. 100 m – ⊠ 24420   4 **C1**

🅿 Paris 485 – Bordeaux 147 – Périgueux 13 – Sarlat-la-Canéda 72 – Coulounieix-Chamiers 18

Château d'Escoire sans rest ᛘ
– ℰ 05 53 05 99 80 – www.escoire-lechateau.com – sylvie.kordalov@wanadoo.fr – Fax 05 53 05 99 80 – Ouvert du 1er mai au 30 oct.
4 ch ⊇ – †65 € ††85 €

♦ Cette romantique demeure (18e s.) dominant le village bénéficie d'un grand parc et d'un jardin à la française. Salle des petits-déjeuners châtelaine et chambres spacieuses.

ESPALION – 12 Aveyron – **338** I3 – 4 457 h. – alt. 342 m – ⊠ 12500   29 **D1**
Midi-Pyrénées

🅿 Paris 592 – Aurillac 72 – Figeac 93 – Mende 101 – Millau 81 – Rodez 31 – St-Flour 80

🄸 Office de tourisme, 23, place du Plô ℰ 05 65 44 10 63, Fax 05 65 44 10 39

◉ Église de Perse★ SE : 1 km.

De France sans rest
36 bd J. Poulenc – ℰ 05 65 44 06 13 – Fax 05 65 44 76 26
9 ch – †42 € ††46 €, ⊇ 7 €

♦ Central et voisin des musées, petit hôtel disposant de chambres crépies, fraîches et dotées de meubles en bois clair. Insonorisation efficace, tenue rigoureuse et prix doux.

Moderne et rest. l'Eau Vive
27 bd Guizard – ℰ 05 65 44 05 11 – www.hotelmoderne12.com – hotelmoderne12@aol.com – Fax 05 65 48 06 94 – Fermé 4 nov.-10 déc. et 4-17 janv.
28 ch – †45/60 € ††45/60 €, ⊇ 7 € – ½ P 43/50 €
Rest – (fermé dim. soir et lundi) Menu (12 €), 24/46 € – Carte 45/64 €

♦ Maison à pans de bois où la tradition d'accueil des pèlerins demeure forte. Deux générations de chambres, dont les plus anciennes ont l'avantage d'ouvrir côté cour. Chef-pêcheur proposant des spécialités de poissons d'eau douce dans un cadre lumineux.

ESPALION

Le Méjane
XX
r. Méjane – ℰ 05 65 48 22 37 – lemejane@wanadoo.fr – Fax 05 65 48 13 00
– Fermé 2-25 mars, 24-30 juin, lundi sauf le soir de sept. à juin, merc. sauf juil.-août et dim. soir
Rest – Menu (18 €), 25/58 € – Carte 40/51 €
♦ La présence de miroirs repousse les limites de la petite salle à manger. La décoration contemporaine est aussi soignée que la cuisine au goût du jour.

ESPALY-ST-MARCEL – 43 Haute-Loire – 331 F3 – alt. 650 m – rattaché au Puy-en-Velay

ESPELETTE – 64 Pyrénées-Atlantiques – 342 D2 – 1 879 h. – alt. 77 m – ⌧ 64250   3 A3

🄿 Paris 775 – Bordeaux 215 – Pau 134 – Donostia-San Sebastián 78 – Irun 59
🄸 Office de tourisme, 145, route Karrika Nagusia ℰ 05 59 93 95 02

Euzkadi
285 Karrika Nagusia – ℰ 05 59 93 91 88 – www.hotel-restaurant-euzkadi.com
– hotel.euzkadi@wanadoo.fr – Fax 05 59 93 90 19 – Fermé 1er nov.-24 déc., mardi hors saison et lundi
27 ch – †44/58 € ††54/72 €, ⌧ 8 € – ½ P 54/63 €
Rest – Menu 19/34 € – Carte 27/45 €
♦ Au cœur de la capitale du piment, belle façade basque à la gloire du pays. Réaménagement complet de l'étage : les chambres y sont plus confortables que dans l'annexe. Piscine. Fidèle à la tradition et généreuse, la cuisine ravit les gourmands dans un décor rustique.

Irazabala sans rest
155 Mendiko Bidéa – ℰ 05 59 93 93 02 – www.irazabala.com
– irazabala@wanadoo.fr
4 ch ⌧ – †60/70 € ††75/95 €
♦ Charmante demeure construite dans l'esprit régional à l'aide de matériaux traditionnels : chambres très soignées, salon rustique, grand calme et les montagnes en toile de fond.

ESQUIULE – 64 Pyrénées-Atlantiques – 342 H3 – 541 h. – alt. 277 m – ⌧ 64400   3 B3

🄿 Paris 813 – Pau 43 – Lourdes 69 – Orthez 44 – Saint-Jean-Pied-de-Port 62

Chez Château
XX
pl. du Fronton – ℰ 05 59 39 23 03 – jb.hourcourigaray@wanadoo.fr
– Fax 05 59 39 81 97 – Fermé 15 fév.-15 mars, dim. soir, lundi et mardi
Rest – Menu 20/60 € – Carte 35/58 €
♦ Bar et restaurant cohabitent joyeusement dans cette ancienne ferme qui jouxte le fronton du hameau. Plaisantes salles à manger rustiques et cuisine régionale.

ESTAING – 12 Aveyron – 338 I3 – 610 h. – alt. 313 m – ⌧ 12190   29 D1
▌Midi-Pyrénées

🄿 Paris 602 – Aurillac 63 – Conques 33 – Espalion 10 – Figeac 74 – Rodez 35
🄸 Syndicat d'initiative, 24, rue François d'Estaing ℰ 05 65 44 03 22, Fax 05 65 66 37 81

L'Auberge St-Fleuret
19 r. Francois d'Estaing, face à la mairie – ℰ 05 65 44 01 44
– www.auberge-st-fleuret.com – info@auberge-st-fleuret.com
– Fax 05 65 44 72 19 – Ouvert mi-mars à mi-nov. et fermé dim. soir et lundi hors saison, lundi midi en juil.-août
14 ch – †46/56 € ††46/56 €, ⌧ 8 € – ½ P 48/55 €
Rest – Menu 18 € (sem.)/32 € – Carte 42/55 €
♦ Ex-relais de poste (19e s.) doté de chambres actuelles côté jardin ou vieux village, dominé par le château. Deux salles à manger, rustique ou claire et fraîche. Spécialités régionales, dont le fameux aligot (à la carte). Terrasse surplombant la piscine.

ESTAING

Aux Armes d'Estaing
P 🚗 **VISA** **MC** **AE**
1 quai Lot – ⌀ *05 65 44 70 02* – *www.estaing.net* – *remi.catusse@estaing.net*
– *Fax 05 65 44 74 54* – *Ouvert 16 mars-2 nov. et fermé dim. soir et lundi*
30 ch – †53/65 € ††53/65 €, ⌑ 8,50 € – ½ P 46/55 €
Rest – Menu (13 €), 18 € (sem.)/43 €
♦ Devant le pont gothique franchissant le Lot, au pied du château, berceau de la famille d'Estaing. Chambres sobres et lumineuses. Accueil familial. Le restaurant, décoré dans un esprit classique, propose une carte aveyronnaise actualisée.

Le Manoir de la Fabrègues
🚗 ⇄ ⚜ 🎵 **P** **VISA** **MC** **AE**
rte d'Espalion : 3 km – ⌀ *05 65 66 37 78* – *www.manoirattitude.com*
– *info.lemanoir@orange.fr* – *Fax 05 65 66 37 76* – *Fermé 12 nov.-11 déc.*
10 ch – †70/85 € ††70/85 €, ⌑ 9 € – 1 suite – ½ P 60/70 €
Rest – *(fermé dim. soir, mardi midi et lundi)* Menu (19 €), 25/34 €
♦ Ce manoir du 15ᵉ s. bien rénové restitue le charme ancien et rustique d'une demeure de caractère. Cheminées monumentales, pierres et poutres apparentes. Chambres fonctionnelles. Terrasse dominant la vallée. Cuisine traditionnelle et du terroir.

ESTAING – 65 Hautes-Pyrénées – **342** K7 – 67 h. – alt. 970 m – ✉ 65400   28 **A3**
▌Aquitaine

■ Paris 874 – Argelès-Gazost 12 – Arrens 7 – Laruns 43 – Lourdes 24 – Pau 69
  – Tarbes 43
◉ Lac d'Estaing★ S : 4 km.

Lac d'Estaing avec ch
≤ 🌳 **P** **VISA** **MC**
au lac, Sud : 4 km – ⌀ *05 62 97 06 25* – *Fax 05 62 97 06 25* – *Ouvert 15 mai-15 oct.*
7 ch – †50 € ††50 €, ⌑ 8 € – ½ P 53 €   **Rest** – Menu 19/40 € – Carte 39/63 €
♦ Dans un site superbe, entre lac et montagnes, cette modeste auberge invite à s'attabler autour d'une sympathique cuisine traditionnelle. Vaste terrasse ombragée. Petites chambres bien rénovées.

ESTERENÇUBY – 64 Pyrénées-Atlantiques – **342** E6 – rattaché à
St-Jean-Pied-de-Port

ESTISSAC – 10 Aube – **313** C4 – 1 724 h. – alt. 133 m – ✉ 10190   13 **B3**
■ Paris 158 – Châlons-en-Champagne 105 – Sens 44 – Troyes 23
🛈 Syndicat d'initiative, Mairie ⌀ 03 25 40 42 42

Moulin d'Eguebaude
🚗 🌳 & ch, ⇄ ⚜ **P**
36 r. Pierre Brossolette – ⌀ *03 25 40 42 18* – *eguebaude@aol.com*
8 ch ⌑ – †44/52 € ††60/73 €   **Table d'hôte** – Menu 23 € bc
♦ Sur un vaste domaine piscicole, moulin à blé champenois (1789) dont les chambres, simples et fraîches, sont plus agréables à l'annexe. Boutique de produits du terroir aubois. La truite est à l'honneur sur la carte du restaurant, qui évolue au gré du marché.

Domaine du Voirloup
🚗 🍴 🌳 ⇄ ⚜ 🎵 **P**
3 pl. Betty Dié – ⌀ *03 25 43 14 27* – *www.vrlp.com* – *le.voirloup@free.fr*
3 ch ⌑ – †60 € ††65/85 €   **Table d'hôte** – Menu 25/30 € bc
♦ Grande demeure bourgeoise (1904) et son superbe parc où courent un ruisseau, une cascade et des canaux. Les chambres, joliment colorées, s'appellent Orient, Occident et Midi. À table, les menus changent selon le marché. Gâteaux et confitures maison au petit-déjeuner.

ESTIVAREILLES – 03 Allier – **326** C4 – 1 019 h. – alt. 200 m – ✉ 03190   5 **B1**
■ Paris 317 – Bourbon-l'Archambault 45 – Montluçon 12 – Montmarault 36
  – Moulins 80

Le Lion d'Or avec ch
🚗 🌳 ⇄ 🎵 **P** **VISA** **MC**
D 2144 – ⌀ *04 70 06 00 35* – *www.hotel-leliondor.net* – *rmliondor@orange.fr*
– *Fax 04 70 06 09 78* – *Fermé 21 juil.-11 août, 16 fév.-2 mars, dim. soir et lundi*
9 ch – †47 € ††47 €, ⌑ 7 € – ½ P 47 €
Rest – Menu (16 €), 19 € (sem.)/50 € – Carte 42/53 €
♦ Bâtisse centenaire bordant la route nationale. De belles poutres font le caractère de la salle à manger, tandis que la terrasse donne sur un parc arboré baigné par un étang. Chambres récentes et confortables, certaines avec vue sur le plan d'eau.

ESTRABLIN – 38 Isère – 333 C4 – rattaché à Vienne

ESTRÉES-ST-DENIS – 60 Oise – 305 G4 – 3 543 h. – alt. 70 m — 36 B2
– ✉ 60190

▪ Paris 81 – Beauvais 46 – Clermont 21 – Compiègne 17 – Senlis 34
▪ du Château d'Humières à Monchy Humières Rue de Gournay, NE : 11 km, ℰ 03 44 86 48 22

XX **Moulin Brûlé**
*70 r. Flandres – ℰ 03 44 41 97 10 – lemoulinbrule@wanadoo.fr
– Fax 03 44 51 87 96 – Fermé 6-10 mai, 5 août-3 sept., 1er-7 janv., dim. soir, lundi et mardi*
Rest – *(prévenir)* Menu (17 €), 22/50 € – Carte 39/59 €
♦ Maison en pierres de taille sur la traversée du village. Intérieur campagnard avec poutres anciennes, tons pastel et cheminée. Petite terrasse au calme. Cuisine actuelle.

ÉTAIN – 55 Meuse – 307 E3 – 3 706 h. – alt. 210 m – ✉ 55400 — 26 B1
▪ Alsace Lorraine

▪ Paris 285 – Briey 26 – Longwy 43 – Metz 66
▪ Office de tourisme, 31, rue Raymond Poincaré ℰ 03 29 87 20 80, Fax 03 29 87 20 80

🏠 **La Sirène**
*23 r. Prud'homme-Havette, (rte de Metz) – ℰ 03 29 87 10 32 – hotel.sirene@free.fr
– Fax 03 29 87 17 65 – Fermé 22 déc.-31 janv. et dim. soir*
21 ch – †47/60 € ††47/70 €, ⊡ 7 € – ½ P 43/65 €
Rest – *(fermé lundi)* Menu (13 €), 14 € (sem.)/55 € – Carte 31/55 €
♦ Derrière sa jolie façade blanche et fleurie, cet hôtel familial dévoile des chambres sobres et fonctionnelles. Plats traditionnels servis dans deux salles (actuelle ou classique). Pour l'anecdote : après la bataille de Gravelotte en 1870, Napoléon III serait venu ici.

ÉTAMPES – 91 Essonne – 312 B5 – 22 400 h. – alt. 80 m – ✉ 91150 — 18 B3
▪ Île de France

▪ Paris 51 – Chartres 59 – Évry 35 – Fontainebleau 45 – Melun 49 – Orléans 76 – Versailles 58
▪ Office de tourisme, 2, place de l'Hôtel de Ville ℰ 01 69 92 69 00
▪ de Belesbat à Boutigny-sur-Essonne Domaine de Belesbat, E : 17 km par D 837 et D 153, ℰ 01 69 23 19 10
◉ Collégiale Notre-Dame★.

XX **Auberge de la Tour St-Martin**
*97 r. St-Martin – ℰ 01 69 78 26 19 – toursaintmartin@free.fr – Fax 01 69 78 26 07
– Fermé 10-25 août, dim. soir et lundi*
Rest – Menu (28 €) – Carte environ 47 €
♦ Poutres, pierres apparentes et cheminée agrémentent cette sympathique petite salle à manger rustique. Dans l'assiette, produits choisis préparés selon la tradition.

à Ormoy-la-Rivière 5 km au Sud par D 49 et rte secondaire – 941 h. – alt. 81 m
– ✉ 91150

X **Le Vieux Chaudron**
*45 Grande Rue – ℰ 01 64 94 39 46 – www.levieuxchaudron.com
– guillaume.giblin@wanadoo.fr – Fax 01 64 94 39 46 – Fermé 3-24 août,
21 déc.-4 janv., jeudi soir, dim. soir et lundi*
Rest – Menu (27 €), 34/50 € – Carte 34/50 €
♦ Petite auberge au centre du village, face à l'église. Intérieur campagnard réchauffé en hiver par une cheminée. En été, terrasse au calme. Recettes dans l'air du temps.

ÉTANG-DE-HANAU – 57 Moselle – 307 Q4 – rattaché à Philippsbourg

LES ÉTANGS-DES-MOINES – 59 Nord – 302 M7 – rattaché à Fourmies

ÉTAPLES – 62 Pas-de-Calais – **301** C4 – 11 700 h. – alt. 10 m – ⊠ 62630   30 **A2**
Nord Pas-de-Calais Picardie

🖪 Paris 228 – Calais 67 – Abbeville 55 – Arras 101 – Boulogne-sur-Mer 28 – Le Touquet-Paris-Plage 6

🛈 Office de tourisme, boulevard Bigot Descelers ✆ 03 21 09 56 94, Fax 03 21 09 76 96

Aux Pêcheurs d'Étaples
quai Canche – ✆ 03 21 94 06 90 – www.auxpecheursdetaples.fr – rptetaples@cmeop.com – Fax 03 21 89 74 54 – Fermé 1er-23 janv. et dim. soir d'oct. à mars
Rest – Menu (16 €), 19/36 € – Carte 29/55 €

♦ Produits de la mer on ne peut plus frais pour ce restaurant lumineux installé au 1er étage d'une grande poissonnerie des quais de la Canche. Vue sur l'aérodrome du Touquet.

ÉTEL – 56 Morbihan – **308** L9 – 2 081 h. – alt. 20 m – ⊠ 56410   9 **B2**
Bretagne

🖪 Paris 494 – Lorient 26 – Quiberon 24 – Vannes 37

🛈 Syndicat d'initiative, place des Thoniers ✆ 02 97 55 23 80, Fax 02 97 55 44 42

Trianon
14 r. Gén. Leclerc – ✆ 02 97 55 32 41 – www.hotel-le-trianon.com – hotel.letrianon@wanadoo.fr – Fax 02 97 55 44 71
24 ch – †55/68 € ††60/70 €, ⊇ 10 €
Rest – *(Fermé déc. et janv.)* Menu (12 €), 19/42 € – Carte 27/60 €

♦ À proximité du port de pêche, étonnantes chambres-bonbonnières au style années 1960 parfaitement entretenu (préférez celles de l'annexe). Salon-cheminée, jardinet au calme. La salle à manger rustique et soignée sert de cadre à une cuisine traditionnelle.

ÉTOUY – 60 Oise – **305** F4 – rattaché à Clermont

ÉTRÉAUPONT – 02 Aisne – **306** F3 – 868 h. – alt. 127 m – ⊠ 02580   37 **D1**

🖪 Paris 184 – Avesnes-sur-Helpe 24 – Hirson 16 – Laon 44 – St-Quentin 51

Clos du Montvinage
8 r. Albert Ledant – ✆ 03 23 97 91 10 – www.clos-du-montvinage.fr – contact@clos-du-montvinage.fr – Fax 03 23 97 48 92 – Fermé 9-18 août, 21 déc.-8 janv., dim. soir et lundi midi
20 ch – †58/93 € ††69/104 €, ⊇ 10 €
Rest *Auberge du Val de l'Oise* – Menu (20 €), 22/41 € bc – Carte 35/50 €

♦ Avenante maison de maître du 19e s. aux chambres personnalisées (montagne, bourgeoise, etc.). Pour vos loisirs : belle salle de billard, tennis, vélos et croquet dans le parc. Au restaurant, ne manquez pas de goûter la spécialité du terroir : la tourte au maroilles.

ÉTRETAT – 76 Seine-Maritime – **304** B3 – 1 615 h. – alt. 8 m – Casino **A**   33 **C1**
– ⊠ 76790 Normandie Vallée de la Seine

🖪 Paris 206 – Bolbec 30 – Fécamp 16 – Le Havre 29 – Rouen 90

🛈 Office de tourisme, place Maurice Guillard ✆ 02 35 27 05 21, Fax 03 35 28 87 20

🏌 d'Étretat Route du Havre, ✆ 02 35 27 04 89

◉ Le Clos Lupin ★★ - Falaise d'Aval ★★★ - Falaise d'Amont ★★.

Plan page ci-contre

Dormy House
rte du Havre – ✆ 02 35 27 07 88 – www.dormy-house.com – dormy.house@wanadoo.fr – Fax 02 35 29 86 19
60 ch – †65/190 € ††65/190 €, ⊇ 16 € – 1 suite   A s
Rest – Menu 28 € (déj. en sem.), 35/72 € – Carte environ 55 €

♦ En surplomb de la station, dans un parc jouxtant le golf, paisible manoir de 1870 et ses dépendances tournés vers la falaise d'Amont. Divers types de chambres : classiques, cosy ou plus simples. Belle vue littorale par les baies du restaurant, du bar et en terrasse.

ÉTRETAT

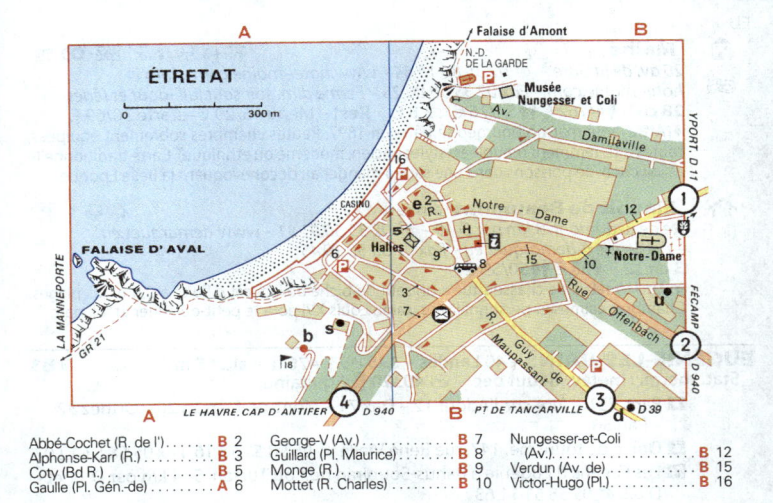

Abbé-Cochet (R. de l')	**B** 2	George-V (Av.)	**B** 7	Nungesser-et-Coli (Av.)	**B** 12
Alphonse-Karr (R.)	**B** 3	Guillard (Pl. Maurice)	**B** 8	Verdun (Av. de)	**B** 15
Coty (Bd R.)	**B** 5	Monge (R.)	**B** 9	Victor-Hugo (Pl.)	**B** 16
Gaulle (Pl. Gén.-de)	**A** 6	Mottet (R. Charles)	**B** 10		

Domaine Saint-Clair
chemin de St-Clair – ℰ 02 35 27 08 23 – www.hoteletretat.com – info@hoteletretat.com – Fax 0235 29 92 24
B u
21 ch – ♦62/192 € ♦♦62/352 €, ⴺ 14 €
Rest – (fermé lundi et le midi en sem.) Menu 39 € (sem.)/85 € – Carte 92/111 €
♦ Hôtel des hauteurs d'Étretat invitant à la détente dans un château anglo-normand (19e s.) et une villa Belle Époque. Plusieurs petits salons et chambres aux tissus précieux. Cuisine actuelle de beaux produits (potager) servie dans des salles au décor intime.

Villa sans Souci sans rest
27 ter r. Guy de Maupassant – ℰ 02 35 28 60 14 – www.villa-sans-souci.fr
– villa-sans-souci@orange.fr – Fax 02 35 28 60 14
B d
4 ch ⴺ – ♦55/90 € ♦♦95/145 €
♦ Villa de 1903 vous logeant au calme, dans des chambres personnalisées. Espace breakfast déclinant les thèmes du 7e art et de l'automobile, joli salon-bibliothèque et jardin ombragé.

Le Galion
bd R. Coty – ℰ 02 35 29 48 74 – Fax 02 35 29 74 48 – Fermé 17 déc.-20 janv., mardi et merc. sauf vacances scolaires
B e
Rest – Menu 25/39 € – Carte 30/45 €
♦ Le trésor de ce galion-là ne se trouve pas à fond de cale, mais au plafond : la forêt de poutres sculptées date du 14e s. et provient d'une maison de Lisieux.

Du Golf
rte du Havre – ℰ 02 35 27 04 56 – www.golfetretat.com – Fax 02 35 10 89 12
– Fermé mardi du 1er oct. au 1er avril
A b
Rest – Menu 22/28 € – Carte 28/42 €
♦ Superbe échappée littorale par les baies vitrées de ce club house du golf perché tel un belvédère sur la falaise d'Aval. Menu au goût du jour noté à l'ardoise.

ÉTUPES – 25 Doubs – **321** L1 – rattaché à Sochaux

EU – 76 Seine-Maritime – **304** I1 – 8 081 h. – alt. 19 m – ✉ 76260   33 **D1**
Normandie Vallée de la Seine

▐ Paris 176 – Abbeville 34 – Amiens 88 – Dieppe 33 – Rouen 102 – Le Tréport 5
🛈 Office de tourisme, place Guillaume le Conquérant ℰ 02 35 86 04 68, Fax 02 35 50 16 03
◉ Collégiale Notre-Dame et St-Laurent★ - Chapelle du Collège★.

EU

Maine
20 av. de la Gare – ℰ 02 35 86 16 64 – www.hotel-maine.com – info@hotel-maine.com – Fax 02 35 50 86 25 – Fermé dim. soir sauf juil.-août et fériés
28 ch – †44/62 € ††54/76 €, ⊇ 8 €   **Rest** – Menu 15/29 € – Carte 30/69 €
♦ Attrayante maison bourgeoise bâtie en 1897. Petites chambres sobrement équipées, toutes différemment meublées (styles ancien, moderne ou ethnique). Carte traditionnelle et joli choix de poissons dans une salle à manger au décor évoquant la Belle Époque.

Manoir de Beaumont sans rest
rte de Beaumont, 3 km par D 49 – ℰ 02 35 50 91 91 – www.demarquet.eu – catherine@demarquet.eu – Fax 02 35 50 19 45
3 ch ⊇ – †38 € ††50/59 €
♦ Ancien relais de chasse situé à un saut de biche de la forêt d'Eu et à 5 mn des plages. Chambres calmes et personnalisées, salon Louis XVI pour le petit-déjeuner et joli parc.

EUGÉNIE-LES-BAINS – 40 Landes – 335 I12 – 476 h. – alt. 65 m – Stat. therm. : mi-fév.-début déc. – ⊠ 40320 ■ Aquitaine   3 B3

▪ Paris 731 – Aire-sur-l'Adour 12 – Dax 71 – Mont-de-Marsan 26 – Orthez 52 – Pau 56
▪ Office de tourisme, 147, rue René Vielle ℰ 05 58 51 13 16, Fax 05 58 51 12 02
▪ Les Greens d'Eugénie à Bahus-Soubiran golf du Tursan, S : 4 km par D 11 et D 62, ℰ 05 58 51 11 63

Les Prés d'Eugénie (Michel Guérard)
pl. de l'Impératrice – ℰ 05 58 05 06 07 – www.michelguerard.com – guerard@relaischateaux.com – Fax 05 58 51 10 10 – Fermé 1er-19 mars et 4 janv.-11 fév.
25 ch – †270/340 € ††300/360 €, ⊇ 30 € – 11 suites
Rest – (menu minceur pour résidents seult) Menu 55 €
Rest Michel Guérard – (fermé le midi en sem. sauf fériés et du 7 juil. au 24 août et lundi soir) (nombre de couverts limité, prévenir) Menu 150/190 € – Carte 131/150 € ❀
Spéc. Oreiller moelleux de mousserons et morilles aux pointes d'asperges. Caneton rosé du Mandarin Jardinier, peau laquée à la ventrèche. Millefeuille tout en dentelle. **Vins** Tursan blanc, Vin de Pays des Terroirs Landais.
♦ Les Prés du bonheur ! Demeure du 19e s. élégamment décorée, parc et "ferme" thermale : heureux mariage entre maison de ville et maison des champs, entre plaisir et forme. Au village-jardin de Michel Guérard, la cuisine est inspirée par Dame Nature.

Le Couvent des Herbes
– Fermé 1er-19 mars et 4 janv.-11 fév.
4 ch – †340/500 € ††340/500 €, ⊇ 30 € – 4 suites
♦ Napoléon III fit amoureusement restaurer pour Eugénie ce joli couvent du 18e s. surmonté d'un clocheton. Les chambres, entourées d'un jardin d'éden, sont la séduction même.

La Maison Rose
– ℰ 05 58 05 06 07 – www.michelguerard.com – reservation@michelguerard.com – Fax 05 58 51 10 10 – Fermé 7 déc.-5 fév.
22 ch – †120/150 € ††140/180 €, ⊇ 20 € – 9 suites   **Rest** – (résidents seult)
♦ Couleurs pastel reposantes, mobilier en rotin blanc et fleurs fraîches, salon cosy aux murs tendus d'étoffe rayée : une ambiance guesthouse raffinée et réussie.

La Ferme aux Grives avec ch
– ℰ 05 58 05 05 06 – www.michelguerard.com – guerard@relaischateaux.com – Fax 05 58 51 10 10 – Fermé 4 janv.-5 fév.
4 suites – ††420/540 €, ⊇ 25 €
Rest – (fermé mardi soir et merc. sauf du 9 juil. au 25 août et sauf fériés) Menu 46 €
♦ Ancienne auberge de village qui a retrouvé ses couleurs d'antan. Jardin potager, vieilles poutres et tomettes magnifient une cuisine du terroir ressuscitée. Suites et chambre exquises pour de paisibles nuits.

Le rouge est la couleur de la distinction : nos valeurs sûres !

ÉVIAN-LES-BAINS – 74 Haute-Savoie – **328** M2 – 7 787 h.   46 **F1**
– alt. 370 m – Stat. therm. : fév.-début nov. – Casino **B** – ✉ 74500
🌲 Alpes du Nord

▶ Paris 577 – Genève 44 – Montreux 40 – Thonon-les-Bains 10
🛈 Office de tourisme, place d'Allinges ℰ 04 50 75 04 26, Fax 04 50 75 61 08
⛳ Évian Masters Golf Club Rive Sud du Lac de Genève, par rte de Thonon : 1 km, ℰ 04 50 75 46 66
◉ Lac Léman ★★★ - Promenade en bateau ★★★ - L'escalier d'honneur ★ de l'hôtel de ville.
◉ Falaises ★★.

ÉVIAN-LES-BAINS

Abondance (Av. d') . . . . **C** 2	Cordeliers (R. des) . . . . **C** 12	Monnaie (R. de la) . . . . **B** 29
Bennevy (Bd de) . . . . **AB** 5	Cottet (Pl. Ch.) . . . . **B** 15	Narvik (Av. de) . . . . **B** 31
Besson (Quai Ch.) . . . . **B** 6	Folliet (R. Gaspard) . . . . **B** 19	Nationale (R.) . . . . **B** 33
Clermont (R. de) . . . . **B** 10	Grottes (Av. des) . . . . **C** 22	Neuvecelle (Av. de) . . . . **B** 36
	Larringes (Av. de) . . . . **A** 25	Port (Pl. du) . . . . **C** 37
	Libération (Pl. de la) . . . . **C** 26	Sources (Av. des) . . . . **B** 39
	Mateirons (Av. des) . . . . **B** 27	Vallées (Av. des) . . . . **AB** 40

🏨🏨🏨🏨 **Royal** 🍴
– ℰ 04 50 26 85 00
– www.evianroyalresort.com – royalpalace@evianroyalresort.com
– Fax 04 50 75 38 40   **C z**
140 ch – †200/770 € ††280/870 €, ⊇ 25 € – 12 suites – ½ P 165/460 €
Rest Les Fresques Royales – (fermé dim.) (dîner seult) Menu 70/110 € – Carte 105/142 €
Rest La Véranda – rôtisserie (déj. seult) Menu 60 € – Carte environ 97 €
Rest Le Jardin des Lys – rest. diététique (déj. seult) Menu 60/110 €
Rest Le Café Sud – (dîner seult) Carte 65/80 €
 ♦ Belle architecture Art déco pour ce luxueux palace édifié en 1907. Parc majestueux, superbe institut de remise en forme et spacieuses chambres garnies de meubles de style. Terrasse avec vue imprenable sur le lac. Cuisine gastronomique à tendance diététique. À la Véranda, buffets et grillades. Cuisine diététique au Jardin des Lys. Ambiance lounge et carte dans la note méridionale au Café Sud.

719

ÉVIAN-LES-BAINS

🏨🏨🏨🏨 Ermitage
av. du Léman – ℰ 04 50 26 85 00 – www.evianroyalresort.com
– ermitage@evianroyalresort.com – Fax 04 50 75 29 37
91 ch – †120/770 € ††180/770 €, ⊇ 25 € – 3 suites – ½ P 170/820 €
Rest *Le Gourmandin* – ℰ 04 50 26 85 54 *(dîner seult)* Menu 60/80 €
– Carte 70/95 €
Rest *La Toscane* – *(déj. seult)* Carte 35/55 €

♦ Ce palace du début du 20ᵉ s. rayonne sur un parc féerique dévolu aux loisirs et à la détente. Potager inspiré du 16ᵉ s., beau spa, espaces "kids"... Au Gourmandin, décor raffiné, superbe terrasse et plats régionaux. Cuisine italienne et salades à La Toscane.

🏨🏨🏨 Hilton
53 quai Paul Léger – ℰ 04 50 84 60 00 – www.evianlesbains.hilton.fr
– info.hiltonevianlesbains@hilton.com – Fax 04 50 84 60 50
173 ch ⊇ – †159/470 € ††184/495 € – 3 suites
Rest *Cannelle* – *(dîner seult)* Carte 35/52 €

♦ Hôtel au cadre moderne et épuré. La majorité des chambres, dotées de balcons, regarde le lac. Farniente chic au bord de la piscine et détente au wellness. Restaurant dans l'air du temps en accord avec la cuisine. Grande terrasse face au jardin.

🏨🏨🏨 La Verniaz et ses Chalets
rte d'Abondance – ℰ 04 50 75 04 90 – www.verniaz.com
– verniaz@relaischateaux.com – Fax 04 50 70 78 92 – Ouvert 6 fév.-11 nov.
32 ch – †110/230 € ††130/285 €, ⊇ 16 € – 6 suites
Rest – Menu (29 €), 40/78 € – Carte 51/72 €

♦ Ensemble de bâtiments et chalets disséminés dans un superbe parc noyé sous les fleurs en saison. Grandes chambres un brin mûrissantes ; vue sur le lac. Cuisine classique, spécialités de grillades et poissons du Léman à déguster dans le restaurant rustique.

🏨🏨 Alizé
2 av. J. Léger – ℰ 04 50 75 49 49 – www.hotel-alize-evian.com – alize.hotel@wanadoo.fr – Fax 04 50 75 50 40 – Fermé 15 nov.-31 janv.
22 ch – †69/96 € ††77/110 €, ⊇ 8,50 €   **Rest** – Menu 20/32 € – Carte 20/39 €

♦ Belle situation face au débarcadère et à côté de l'espace thermal. Les chambres sont sobres, fonctionnelles et propres ; la plupart d'entre elles donnent sur le lac. Cuisine traditionnelle et spécialités savoyardes au restaurant.

🏨🏨 Littoral sans rest
av. de Narvik – ℰ 04 50 75 64 00 – www.hotel-evian-littoral.com
– hotel-littoral-evian@wanadoo.fr – Fax 04 50 75 30 04 – Fermé 24 oct.-11 nov.
30 ch – †69/84 € ††77/102 €, ⊇ 9 €

♦ Près du casino, bâtiment contemporain dont les équipements fonctionnels sont appréciés par la clientèle internationale. Toutes les chambres (sauf deux) ont un balcon côté lac.

🏨 L'Oasis sans rest
11 bd Bennevy – ℰ 04 50 75 13 38 – www.oasis-hotel.com – stephane.berthier3@wanadoo.fr – Fax 04 50 74 90 30 – Ouvert 10 mars-10 oct.
17 ch – †65/85 € ††100/150 €, ⊇ 10 €

♦ Sur les hauteurs d'Évian, charmant hôtel aux chambres coquettes et douillettes ; certaines face au lac, d'autres occupent deux maisonnettes nichées dans le joli jardin arboré.

🏨 Continental sans rest
65 r. Nationale – ℰ 04 50 75 37 54 – www.hotel-continental-evian.com
– info@hotel-continental-evian.com – Fax 04 50 75 31 11
32 ch – †40/57 € ††50/67 €, ⊇ 8 €

♦ Immeuble de 1868 aux vastes chambres (création de deux suites) qui, au 4ᵉ étage côté rue, ont la meilleure vue sur le lac. Intérieur refait et beau mobilier ancien chiné.

✕ Histoire de Goût
1 av. gén. Dupas – ℰ 04 50 70 09 98 – froissart.dominique@wanadoo.fr
– Fax 04 50 70 10 69 – Fermé 4-15 janv. et lundi
Rest – Menu (18 € bc), 26/40 € – Carte 42/52 €

♦ Casiers à vin et beau comptoir "pin et zinc" dans une salle, voûte et lustre en fer forgé dans l'autre : deux ambiances agréables pour découvrir des menus et suggestions actuels.

ÉVISA – 2A Corse-du-Sud – **345** B6 – voir à **Corse**

ÉVOSGES – 01 Ain – **328** F5 – 127 h. – alt. 750 m – ✉ 01230   45 **C1**
▶ Paris 481 – Aix-les-Bains 69 – Belley 37 – Bourg-en-Bresse 57 – Lyon 79 – Nantua 32

🏠 **L'Auberge Campagnarde** 🍃   🚗 🍴 ♨ **P** VISA ⓂⓄ
le village – ℰ 04 74 38 55 55 – contact@auberge-campagnarde.com
– Fax 04 74 38 55 62 – Fermé 1ᵉʳ-8 sept., 16-30 nov., janv., mardi soir et merc. hors saison
15 ch – †44/85 € ††44/85 €, ⊇ 10 €
Rest – Menu 22 € (déj. en sem.), 27/55 € – Carte 41/58 €
◆ Savourez la quiétude de cette auberge tenue par la même famille depuis cinq générations. Accueil chaleureux, chambres simples mais impeccables, minigolf, piscine. Salle à manger champêtre (objets anciens), terrasse fleurie et cuisine féminine aux accents du terroir.

ÉVREUX 🅿 – 27 Eure – **304** G7 – 50 300 h. – alt. 64 m – ✉ 27000   33 **D2**
▍ **Normandie Vallée de la Seine**
▶ Paris 100 – Alençon 119 – Caen 135 – Chartres 78 – Rouen 56
🅘 Office de tourisme, 1 ter, place de Gaulle ℰ 02 32 24 04 43, Fax 02 32 31 28 45
⛳ d'Évreux Chemin du Valème, par rte de Lisieux : 3 km, ℰ 02 32 39 66 22
◉ Cathédrale Notre-Dame ★★ - Châsse ★★ dans l'église St-Taurin - Musée ★★ M.

Plan page suivante

🏨 **Mercure**   🍴 🎐 ও ch, 📺 ↔ 👥 **P** 🅿 VISA ⓂⓄ 🆎 ①
bd Normandie – ℰ 02 32 38 77 77 – h1575@accor.com
– Fax 02 32 39 04 53   AZ **s**
60 ch – †76/120 € ††81/130 €, ⊇ 11 €
Rest – Menu (16 €), 22/29 € – Carte 22/29 €
◆ Bien situé à l'entrée du centre-ville, bâtiment moderne et pratique offrant les prestations de la chaîne. Chambres fonctionnelles. Cuisine traditionnelle au restaurant, apprécié pour son atmosphère lumineuse et son décor cosy (ronce de bois, tons chauds).

🏠 **L'Orme** sans rest   🎐 ↔ 🍸 ⁽⁾ 👥 VISA ⓂⓄ 🆎 ①
13 r. Lombards – ℰ 02 32 39 34 12 – www.hotel-de-lorme.fr – hote-de-lorme@orange.fr – Fax 02 32 33 62 48   BY **t**
39 ch – †60/65 € ††65/72 €, ⊇ 8 €
◆ Cet établissement central constitue une bonne étape pour le voyageur de passage. Chambres sobres et refaites en majorité (écrans plats, wi-fi).

🍽🍽 **La Gazette**   🎐 VISA ⓂⓄ 🆎
7 r. St-Sauveur – ℰ 02 32 33 43 40 – www.restaurant-lagazette.fr
– xavier.buzieux@wanadoo.fr – Fax 02 32 31 38 87 – Fermé 2-24 août, sam. midi et dim.   AY **f**
Rest – Menu (20 €), 23 € (sem.)/47 € – Carte 39/55 €
◆ Table actuelle soignée repérable à sa devanture en bois peint. Mobilier moderne, poutres enduites, murs gris clair et copies de gazettes composent un décor intime et trendy.

🍽🍽 **La Vieille Gabelle**   ⇔ VISA ⓂⓄ 🆎
☺ *3 r. Vieille-Gabelle* – ℰ 02 32 39 77 13 – Fax 02 32 39 77 13 – Fermé 1ᵉʳ-24 août,
😊 *21 déc.-4 janv., sam. midi, dim. soir et lundi*   BY **s**
Rest – Menu 18 € (déj. en sem.)/29 € – Carte 40/50 €
◆ Derrière une jolie façade normande à colombages, se cachent deux jolies salles à manger campagnardes où l'on déguste des recettes goûteuses réalisées dans les règles de l'art.

🍽 **La Croix d'Or**   🎐 ⇔ VISA ⓂⓄ 🆎
☺ *3 r. Joséphine* – ℰ 02 32 33 06 07 – www.la-croix-dor.fr – la.croixdor@orange.fr
– Fax 02 32 31 14 27   AZ **e**
Rest – Menu 13 € (déj. en sem.), 17/33 € – Carte 26/44 €
◆ Le banc d'écailler et le vivier à homards annoncent la couleur : la carte, très étoffée, privilégie poissons et crustacés. Sobre décor d'esprit rustique et terrasse-véranda.

ÉVREUX

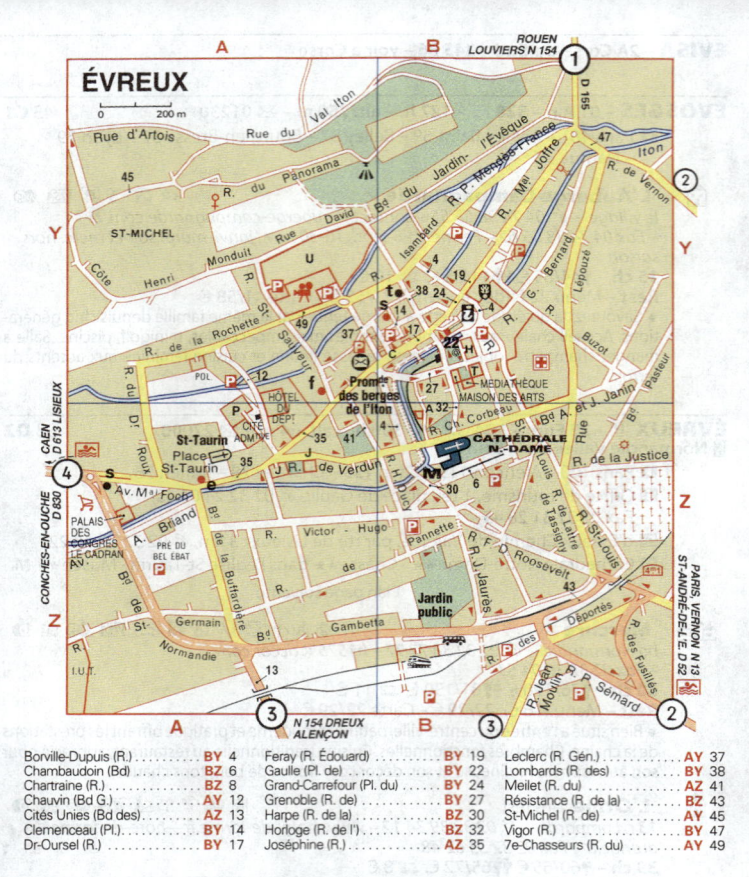

Borville-Dupuis (R.) .... **BY** 4	Feray (R. Édouard) .... **BY** 19	Leclerc (R. Gén.) .... **AY** 37
Chambaudoin (Bd) .... **BZ** 6	Gaulle (Pl. de) .... **BY** 22	Lombards (R. des) .... **BY** 38
Chartraine (R.) .... **BZ** 8	Grand-Carrefour (Pl. du) .... **BY** 24	Meilet (R. du) .... **AZ** 41
Chauvin (Bd G.) .... **AY** 12	Grenoble (R. de) .... **BY** 27	Résistance (R. de la) .... **BZ** 43
Cités Unies (Bd des) .... **AZ** 13	Harpe (R. de la) .... **BZ** 30	St-Michel (R. de) .... **AY** 45
Clemenceau (Pl.) .... **BY** 14	Horloge (R. de l') .... **BZ** 32	Vigor (R.) .... **BY** 47
Dr-Oursel (R.) .... **BY** 17	Joséphine (R.) .... **AZ** 35	7e-Chasseurs (R. du) .... **AY** 49

à Parville 4 km par ④ – 296 h. – alt. 130 m – ⌧ 27180

※※ **Côté Jardin**

rte de Lisieux – ℘ 02 32 39 19 19 – www.restaurant-cotejardinparville.com
– Fax 02 32 31 21 85 – Fermé dim. soir et lundi
Rest – Menu (16 €), 39 € bc/59 € bc – Carte 41/50 €

♦ Jolie maison à colombages bordant la route. La coquette salle à manger n'est pas en reste avec son cadre normand repeint dans des tons pastel. Carte au goût du jour.

ÉVRON – 53 Mayenne – **310** G6 – 7 283 h. – alt. 114 m – ⌧ 53600   35 **C1**
Normandie Cotentin

▶ Paris 250 – Alençon 58 – La Ferté-Bernard 98 – Laval 32 – Le Mans 55 – Mayenne 25

🛈 Office de tourisme, place de la Basilique ℘ 02 43 01 63 75, Fax 02 43 01 63 75

◉ Basilique Notre-Dame★ : chapelle N.-D.-de l'Épine★★.

※ **La Toque des Coëvrons**

4 r. des Prés – ℘ 02 43 01 62 16 – marcmenard@wanadoo.fr – Fax 02 43 37 20 01
– Fermé 3-17 août, 7-23 fév., dim. soir, merc. soir et lundi
Rest – Menu 18 € (sem.)/33 € – Carte 27/45 €

♦ Le chef de cette aimable adresse, toqué de recettes traditionnelles, mitonne de goûteux petits plats. La jolie salle à manger rustique a été récemment rafraîchie.

ÉVRON

rte de Mayenne 6 km par D 7 – ✉ 53600 **Mézangers**

Au Relais du Gué de Selle ⌘ 🐾 🍽 Ⅰ₆ ⚬ ch, ⇆ 📶 🛁 **P** *VISA* **MC**
rte de Mayenne, (D 7) – ⌂ 02 43 91 20 00 – www.relais-du-gue-de-selle.com
– relaisduguedeselle@wanadoo.fr – Fax 02 43 91 20 10
– Fermé 19 déc.-12 janv., 7-23 fév., vend. soir, dim. soir et lundi d'oct. à mai
30 ch – †61/158 € ††77/178 €, ⊇ 11 €
Rest – *(fermé lundi midi de juin à sept.)* Menu (17 € bc), 25 € (sem.)/70 €
– Carte 50/59 €
♦ Vieille ferme restaurée et son jardin sur une rive de l'étang, visible depuis une partie des plaisantes chambres. Promenade aménagée au bord de l'eau, vélos, pêche, etc. Le décor soigné et avenant de la salle de restaurant s'agrémente d'une cheminée.

ÉVRY – 91 Essonne – **312** D4 – **101** 37 – **voir à Paris, Environs**

EYBENS – 38 Isère – **333** H7 – **rattaché à Grenoble**

Une nuit douillette sans se ruiner ?
Repérez les Bibs Hôtels 🛏.

EYGALIÈRES – 13 Bouches-du-Rhône – **340** E3 – 1 900 h. – alt. 134 m   42 **E1**
– ✉ 13810 ‖ **Provence**

▶ Paris 701 – Avignon 28 – Cavaillon 14 – Marseille 83
– St-Rémy-de-Provence 12

La Bastide d'Eygalières ⌘ 🐾 🍽 Ⅰ 🅰🅲 ch, ⇆ 📞 🛁
rte Orgon (D 24ᴮ) et chemin de Pestelade   **P** *VISA* **MC** **AE**
– ⌂ 04 90 95 90 06 – www.labastide.com.fr – contact@labastide.com.fr
– Fax 04 90 95 99 77
14 ch – †68/88 € ††84/135 €, ⊇ 11 €
Rest – *(fermé le midi d'oct. à mars)* Menu (16 €), 25 € (dîner)/36 € – Carte 28/49 € (dîner seul.)
♦ Charmante bastide provençale aux volets bleus. À l'intérieur, murs blanc cassé, meubles patinés et tomettes forment un décor délicat. Chambres spacieuses et refaites. Cuisine de légumes et produits bio : salades le midi et menu traditionnel le soir.

Mas dou Pastré ⌘ 🐾 🍽 Ⅰ 🅰🅲 📶 **P** *VISA* **MC** ①
quartier St-Sixte, 1,5 km par rte Orgon (D 24ᴮ) – ⌂ 04 90 95 92 61
– www.masdupastre.com – contact@masdupastre.com – Fax 04 90 90 61 75
– Fermé 15 nov.-15 déc.
15 ch – †125 € ††125 €, ⊇ 14 € – 2 suites
Rest – *(fermé dim.) (déj. seult)* Carte 30/38 €
♦ Ambiance guesthouse, décoration provençale à l'ancienne, meubles et bibelots chinés, jardin... et trois roulottes typiquement gitanes : une bergerie familiale pleine de charme. Cuisine de saison proposée dans un cadre avenant.

Maison Roumanille 🏠 ⌘   🐾 🍽 **P** *VISA* **MC**
au village – ⌂ 04 90 95 92 61 – www.maisonroumanille.com – Fax 04 90 90 61 75
– Fermé 15 nov.-15 déc.
4 ch – †105/120 € ††105/120 € – 2 suites
♦ Au cœur du village, joli mas décoré dans le même esprit que la maison mère. Chambres personnalisées et colorées, avec terrasse (sauf une). Véranda pour les petits-déjeuners.

L'Oliviera ⌘   ≤ 🐾 🍽 Ⅰ 🅰🅲 ⇆ **P** *VISA* **MC**
chemin des Jaisses, 1 km par D 74ᵃ – ⌂ 04 90 90 65 28 – www.loliviera.fr
– contact@loliviera.fr – Ouvert 1ᵉʳ avril-1ᵉʳ nov.
4 ch ⊇ – †115/125 € ††115/145 €   **Table d'hôte** – Menu 35 € bc
♦ Un endroit d'une quiétude absolue parmi les oliviers. Ce chaleureux mas provençal propose des chambres fraîches et joliment décorées. Superbe terrasse avec vue sur les Alpilles. À la table d'hôte, le patron utilise des produits locaux et son huile d'olive maison.

EYGALIÈRES

Bistrot d'Eygalières "Chez Bru" (Wout Bru) avec ch
r. de la République – ℘ 04 90 90 60 34
– www.chezbru.com – sbru@club-internet.fr – Fax 04 90 90 60 37
– Ouvert 1ᵉʳ mai-3 nov. et fermé 2-7 août, dim. soir en oct., mardi midi de mai à sept. et lundi
7 ch – †130/200 € ††130/200 €, ⊃ 20 €
Rest – (nombre de couverts limité, prévenir) Menu 95/120 € – Carte 100/145 €
Spéc. Ris de veau aux truffes sur un lit de tomates et glace au parmesan. Croustillant de cochon de lait au porto et champignons. Trilogie à la mousse pralinée. Vins Vin de Pays des Bouches du Rhône, Les Baux de Provence.
♦ Savoureuse cuisine provençale au goût du jour servie dans un intérieur chic contemporain (tons crème et chocolat, tableaux, sculptures) ou bien dans un joli patio-terrasse.

Sous Les Micocouliers
Traverse de Montfort – ℘ 04 90 95 94 53 – www.souslesmicocouliers.com
– contact@souslesmicocouliers.com – Fax 04 32 62 87 73 – Fermé dim. soir, lundi et mardi d'oct. à mars, lundi midi d'avril à sept. et merc.
Rest – Menu (18 €), 28/58 € – Carte 48/75 €
♦ Une salle à manger colorée (belle cheminée) et une terrasse ombragée de tilleuls célèbrent une fine cuisine actuelle, qui ne renie pas les classiques provençaux.

EYGUIÈRES – 13 Bouches-du-Rhône – 340 F3 – 6 278 h. – alt. 75 m – ⊠ 13430 ▌Provence
42 **E1**

▶ Paris 715 – Aix-en-Provence 49 – Arles 45 – Avignon 40 – Istres 27 – Marseille 66
🛈 Office de tourisme, place de l'ancien Hôtel de Ville ℘ 04 90 59 82 44, Fax 04 90 59 89 07

Le Relais du Coche
pl. Monier – ℘ 04 90 59 86 70 – www.lerelaisducoche.com – Fax 04 90 45 09 78
– Fermé 29 juin-15 juil., 2-19 janv., sam. midi, dim. soir et lundi
Rest – Menu 16 € (déj. en sem.) – Carte 37/47 €
♦ Étonnant endroit que ce restaurant installé dans les écuries d'un ancien relais de diligences (18ᵉ s.) ! Agréable patio-terrasse envahi de vigne vierge. Cuisine régionale.

EYMET – 24 Dordogne – 329 D8 – 2 552 h. – alt. 54 m – ⊠ 24500
4 **C2**
▌Périgord

▶ Paris 560 – Arcachon 72 – Bayonne 239 – Bordeaux 101 – Dax 188 – Périgueux 74
🛈 Office de tourisme, place de la Bastide ℘ 05 53 23 74 95, Fax 05 53 23 74 95

Les Vieilles Pierres
La Gillette – ℘ 05 53 23 75 99 – www.lesvieillespierres.fr – les.vieilles.pierres@wanadoo.fr – Fax 05 53 27 87 14 – Fermé 27 oct.-17 nov. et 16 fév.-9 mars
11 ch – †42 € ††49/59 €, ⊃ 7 €
Rest – (fermé dim. soir sauf juil.-août) Menu (12 €), 20 € (sem.)/35 €
– Carte 21/40 €
♦ Chambres simples réparties dans trois pavillons ouvrant sur un patio ombragé d'un noyer. La salle à manger rustique, dans une ex-grange, ne fait pas mentir l'enseigne. Restaurant d'été vitré surplombant l'aire de jeux du jardin. Repas classique.

La Cour d'Eymet avec ch
32 bd National – ℘ 05 53 22 72 83
– Fermé 1ᵉʳ-8 juil., 1ᵉʳ-15 mars, jeudi midi, sam. midi d'avril à oct., dim. soir, lundi, mardi de nov. à mars et merc.
3 ch ⊃ – †80 € ††105 €
Rest – (nombre de couverts limité, prévenir) Menu 28 € (déj. en sem.), 39/50 €
– Carte 55/70 €
♦ Restaurant installé dans une maison bourgeoise, à la fois sobre et élégant. Jolie cour-terrasse. Cuisine actuelle et de saison, petite cave riche en vins du pays. Grandes chambres confortables.

EYRAGUES – 13 Bouches-du-Rhône – **340** D2 – 4 179 h. – alt. 23 m 42 **E1**
– ✉ 13630

▶ Paris 705 – Marseille 98 – Nîmes 64 – Avignon 14 – Arles 31

XX **Le Pré Gourmand**
175 av. Marx-Dormoy – ✆ *04 90 94 52 63 – www.restaurant-lepregourmand.com
– lepregourmand@orange.fr – Fermé vacances de la Toussaint et de fév.*
Rest – Menu 26 € (sem.)/68 € – Carte 53/70 €

♦ Ce restaurant contemporain a un petit air de bergerie grâce à son cadre rustique ; terrasse ouverte sur un pré fleuri. Goûteuse cuisine actuelle.

EYSINES – 33 Gironde – **335** H5 – **rattaché à Bordeaux**

LES EYZIES-DE-TAYAC – 24 Dordogne – **329** H6 – 839 h. – alt. 70 m 4 **C3**
– ✉ 24620 ▫ Périgord

▶ Paris 536 – Brive-la-Gaillarde 62 – Fumel 62 – Périgueux 47 – Sarlat-la-Canéda 21

ℹ Office de tourisme, 19, av. de la Préhistoire ✆ 05 53 06 97 05,
Fax 05 53 06 90 79

◉ Musée national de Préhistoire★★ - Grotte du Grand Roc★★ : ≤★ - Grotte de Font-de-Gaume★★.

Du Centenaire
2 av. du Cingle – ✆ *05 53 06 68 68 – www.hotelducentenaire.fr
– hotel.centenaire@wanadoo.fr – Fax 05 53 06 92 41 – Ouvert fév. à déc.*
14 ch – †105/305 € ††105/305 €, ⊇ 17 € – 5 suites
Rest – Menu 29/70 € – Carte 50/75 €

♦ À l'entrée de cette cité touristique, dans un jardin clos avec sa piscine, une maison rustique aux chambres cossues. Petits-déjeuners servis sous la verrière. Cuisine classique.

Les Glycines
4 av. de Laugerie, rte Périgueux – ✆ *05 53 06 97 07
– www.les-glycines-dordogne.com – glycines.dordogne@wanadoo.fr
– Fax 05 53 06 92 19 – Ouvert de Pâques à la Toussaint*
24 ch – †92/232 € ††92/232 €, ⊇ 14 €
Rest – *(fermé merc. midi, lundi et mardi sauf juil.-août)* Menu (19 €), 49/95 €

♦ Hostellerie créée en 1862 (ex-relais de poste) au sein d'un site verdoyant : proximité de la Vézère, parc et tonnelle de glycine. Chambres rénovées ; quatre en rez-de-jardin. Restaurant tourné vers la nature, plaisante terrasse au calme et recettes au goût du jour.

Hostellerie du Passeur
pl. de la Mairie – ✆ *05 53 06 97 13 – www.hostellerie-du-passeur.com – contact@
hostellerie-du-passeur.com – Fax 05 53 06 91 63 – Ouvert de Pâques à la Toussaint*
19 ch – †92/110 € ††92/110 €, ⊇ 11 € – ½ P 85/95 €
Rest – *(fermé mardi midi, vend. midi et sam. midi sauf juil.-août)* Menu (18 €), 23 € (déj. en sem.)/35 €

♦ Au cœur du bourg, bordant une petite place, demeure ancienne de caractère dont les coquettes chambres ont été totalement refaites. Tables dressées avec soin dans d'élégantes salles ou sur la terrasse ombragée. Carte traditionnelle le soir, formule bistrot à midi.

Moulin de la Beune ⊛
2 r. du Moulin Bas – ✆ *05 53 06 94 33 – www.moulindelabeune.com – contact@
moulindelabeune.com – Fax 05 53 06 98 06 – Ouvert 10 avril-31 oct.*
20 ch – †52 € ††61 €, ⊇ 7 € – ½ P 72 €
Rest *Au Vieux Moulin* – *(fermé mardi midi, merc. midi et sam. midi)*
Menu 30/42 € bc – Carte 42/63 €

♦ Deux vieux moulins dans un paisible jardin traversé par la Beune. Chambres meublées d'ancien et décorées avec goût. Agréable salon doté d'une belle cheminée. Restaurant rustique d'où l'on aperçoit la roue à aubes et terrasse côté rivière. Saveurs régionales.

Des Roches sans rest
rte de Sarlat – ✆ *05 53 06 96 59 – www.roches-les-eyzies.com – hotel@
roches-les-eyzies.com – Fax 05 53 06 95 54 – Ouvert 11 avril-31 oct.*
41 ch – †65/75 € ††70/90 €, ⊇ 10 €

♦ Au pied de falaises couronnées de chênes, bâtisse de style régional profitant d'une piscine. Les chambres colorées affichent un décor classique. Jardin calme en bord de rivière.

LES EYZIES-DE-TAYAC

Le Cro Magnon
54 av. Préhistoire – ℰ 05 53 06 97 06 – www.hostellerie-cro-magnon.com – hotel.cro.magnon.les-eyzies@wanadoo.fr – Fax 05 53 06 95 45 – Ouvert 16 mars-22 nov.
15 ch – ⚊65/75 € ⚌75/90 €, ⚏ 10 € – ½ P 71/78 €
Rest – Menu (17 €), 23/46 € – Carte 32/47 €

◆ Cette demeure adossée aux rochers abrite de grandes chambres personnalisées. Agréable salon réchauffé d'une cheminée. Piscine. Repas traditionnels servis dans la véranda ou la cour-terrasse ; petits-déjeuners dans la salle d'hiver, plus cossue.

à l'Est 7 km par rte de Sarlat – ⊠ 24620 Les Eyzies-de-Tayac

La Métairie
Lieu-dit Beyssac, sur D 47 – ℰ 05 53 29 65 32
– www.toques-perigord.com/metairie – bourgeade@wanadoo.fr
– Fax 05 53 29 65 30 – Ouvert de mars à nov. et fermé dim. soir sauf juil.-août, mardi midi et lundi
Rest – Menu (16 €), 28 €

◆ Au pied de la falaise, ancienne ferme du château de Beyssac entourée d'un parc. Les mangeoires dans la salle à manger rustique rappellent sa vocation première. Plats du terroir.

à l'Est 8 km par rte de Sarlat, C 3 dir. Meyrals et rte secondaire – ⊠ 24220 Meyrals

Ferme Lamy sans rest
– ℰ 05 53 29 62 46 – www.ferme-lamy.com – ferme-lamy@wanadoo.fr
– Fax 05 53 59 61 41
12 ch – ⚊115/185 € ⚌115/185 €, ⚏ 10 €

◆ Ambiance cosy dans cette ferme dotée d'un beau jardin. Chambres calmes, joliment décorées de meubles anciens. Les "plus" : soirées "truffe" en saison, vol en montgolfière.

ÈZE – 06 Alpes-Maritimes – **341** F5 – 2 932 h. – alt. 390 m – ⊠ 06360   42 **E2**
Côte d'Azur

▸ Paris 938 – Cap d'Ail 6 – Menton 17 – Monaco 8 – Monte-Carlo 8 – Nice 12
▸ Office de tourisme, place du Général-de-Gaulle ℰ 04 93 41 26 00, Fax 04 93 41 04 80
▸ Site★★ - Sentier Frédéric Nietzsche★ - Le vieux village★ - Jardin exotique ※★★★.
▸ "Belvédère" d'Èze ≤★★ O : 4 km.

Château de la Chèvre d'Or
r. Barri, (accès piétonnier) –
ℰ 04 92 10 66 66 – www.chevredor.com – reservation@chevredor.com
– Fax 04 93 41 06 72 – Ouvert 14 mars-1ᵉʳ déc.
30 ch – ⚊280/295 € ⚌280/295 €, ⚏ 45 € – 5 suites
Rest – (fermé merc. en mars, lundi et mardi en nov.) (prévenir) Menu 65 € (déj. en sem.), 95/350 € – Carte 190/300 €
Spéc. Vieilles variétés de tomates en deux services (été). Sole de Méditerranée (printemps). Poire williams (automne). **Vins** Bellet.

◆ Site pittoresque dominant la mer, vrai nid d'aigle aux jardins suspendus agrippés au rocher, cette demeure enchanteresse offre une promesse de séjour inoubliable. Merveille pour les yeux (paysage) et régal pour les papilles : le restaurant a un goût de paradis.

Château Eza
r. Pise, (accès piétonnier) – ℰ 04 93 41 12 24 – www.chateaueza.com – info@chateaueza.com – Fax 04 93 41 16 64 – Fermé 1ᵉʳ nov.-15 déc.
9 ch – ⚊180/815 € ⚌180/815 €, ⚏ 35 € – 1 suite
Rest –(fermélundietmardien janv.-fév.)Menu45 €(déj.),55/110 €–Carte113/126 €
Spéc. Artichauts poivrade comme une barigoule. Filet d'agneau mariné et rôti, craquant de sauge à l'anchoïade. Douceur de chocolat blanc à l'olive verte et citron confit de Menton. **Vins** Bellet.

◆ Cette somptueuse demeure du 14ᵉ s. accrochée entre ciel et mer offre une vue époustouflante sur la côte. Élégantes chambres personnalisées, avec terrasse, balcon ou jacuzzi privé. À table : panorama sublime, toit ouvrant, décor moyenâgeux et subtile cuisine actuelle.

ÈZE

Les Terrasses d'Eze
1138 rte de la Turbie, par D 6007 et D 45 : 1,5 km
– ℰ 04 92 41 55 55 – www.hotel-eze.com – info@hotel-eze.com
– Fax 04 92 41 55 10 – Fermé 9-17 avril et 27-21 déc.
81 ch – †160/210 € ††160/210 €, ⊇ 20 € – 6 suites – ½ P 140/165 €
Rest – Menu 25 € (déj. en sem.) – Carte 65/90 €
◆ Architecture contemporaine à flanc de colline. Toutes les chambres (avec terrasse), spacieuses, en partie refaites, et la belle piscine à débordement contemplent la grande bleue. Cuisine aux parfums régionaux complétée d'une petite carte snack en été.

Troubadour
r. du Brec, (accès piétonnier) – ℰ 04 93 41 19 03 – troubadoureze@wanadoo.fr
– Fermé 29 juin-12 juill., 14 nov.-20 déc., dim. et lundi
Rest – (prévenir) Menu 39/52 € – Carte 50/60 €
◆ Au cœur du vieux village, trois petites salles intimes et fraîches dans une demeure ancienne. Carte classique évoluant au gré du marché et quelques spécialités provençales.

au Col d'Èze 3 km au Nord-Ouest – ✉ 06360 Eze – 2 509 h. – alt. 390 m

La Bastide aux Camélias sans rest
23c rte de l'Adret – ℰ 04 93 41 13 68
– www.bastideauxcamelias.com – sylviane.mathieu@libertysurf.fr
– Fax 04 93 41 13 68
4 ch ⊇ – †110/150 € ††110/150 €
◆ Cette belle villa immergée dans la verdure renferme des chambres personnalisées avec raffinement (meubles anciens ou ethniques). Piscine et fitness.

ÈZE-BORD-DE-MER – 06 Alpes-Maritimes – **341** F5 – ✉ 06360 Eze   42 **E2**
Côte d'Azur

▶ Paris 959 – Monaco 8 – Nice 14 – Menton 22

Cap Estel
1312 av. Raymond Poincaré –
ℰ 04 93 76 29 29 – www.capestel.com – contact@capestel.com
– Fax 04 93 01 55 20 – Fermé 3 janv.-26 fév.
10 ch – †350/1350 € ††350/1350 €, ⊇ 28 € – 10 suites
Rest – Menu (58 €), 78/98 € – Carte 84/124 €
◆ Le havre de paix construit sur cette presqu'île par un prince russe à la fin du 19e s. a retrouvé toute sa splendeur. Chambres luxueuses et suites somptueuses. Plage privée. Élégante table au goût du jour tournée vers la grande bleue.

FAGNON – 08 Ardennes – **306** J4 – **rattaché à Charleville-Mézières**

FALAISE – 14 Calvados – **303** K6 – 8 438 h. – alt. 132 m – ✉ 14700   32 **B2**
Normandie Cotentin

▶ Paris 264 – Argentan 23 – Caen 36 – Flers 37 – Lisieux 45 – St-Lô 107
ℹ Office de tourisme, boulevard de la Libération ℰ 02 31 90 17 26, Fax 02 31 90 98 70
◉ Château Guillaume-Le-Conquérant★ - Église de la Trinité★.

Plan page suivante

De la Poste
38 r. G. Clemenceau – ℰ 02 31 90 13 14 – hotel.delaposte@wanadoo.fr
– Fax 02 31 90 01 81 – Fermé 1er-23 janv., dim. soir, vend. soir et
lundi d'oct. à avril   B v
17 ch – †54/98 € ††54/98 €, ⊇ 8 €
Rest – Menu 16 € (sem.)/52 € – Carte 48/62 €
◆ Ce bâtiment de l'après-guerre héberge des chambres sobres et bien tenues ; celles sur l'arrière sont plus calmes. Salle de restaurant aux tons pastel où l'on sert des plats traditionnels.

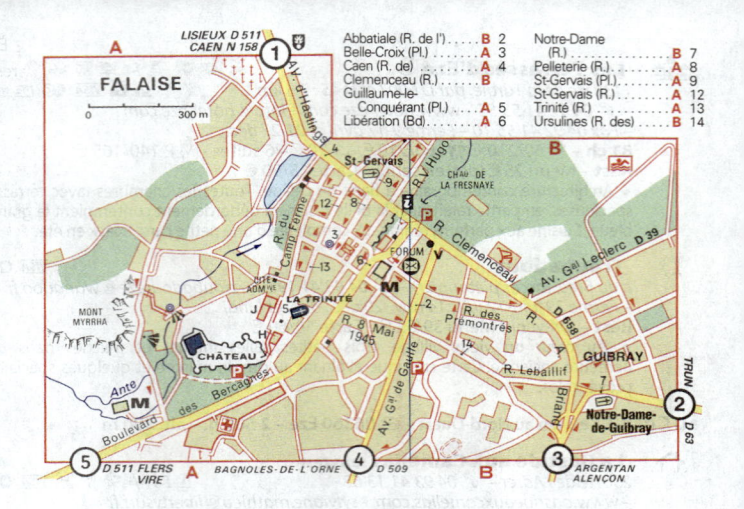

Abbatiale (R. de l')	**B** 2		Notre-Dame (R.)	**B** 7
Belle-Croix (Pl.)	**B** 3		Pelleterie (R.)	**A** 8
Caen (R. de)	**A** 4		St-Gervais (Pl.)	**A** 9
Clemenceau (R.)	**B**		St-Gervais (R.)	**A** 12
Guillaume-le-Conquérant (Pl.)	**A** 5		Trinité (R.)	**A** 13
Libération (Bd)	**A** 6		Ursulines (R. des)	**A** 14

FALAISE

%% **L'Attache**   VISA MC AE
rte de Caen, par ① : 1,5 km – ℰ *02 31 90 05 38 – sarlhastain@orange.fr*
– Fax 02 31 90 57 19 – Fermé 22 sept.-9 oct., mardi et merc.
Rest *– (nombre de couverts limité, prévenir)* Menu 20/60 € – Carte 41/65 €
♦ Ancien relais de poste à façade pimpante. Sympathique intérieur classique et recettes traditionnelles réhabilitant quelquefois légumes et aromates injustement oubliés.

à St-Pierre-Canivet 4 km par ① et D 6 – 350 h. – alt. 150 m – ⊠ 14700

⌂ **Domaine de la Tour** sans rest   VISA MC
– ℰ *02 31 20 53 07 – www.domainedelatour.fr – info@domainedelatour.fr*
– Fax 02 31 20 56 63
5 ch ⊊ – †55/100 € ††60/100 €
♦ Propriété du 18ᵉ s. occupant le pavillon de chasse et les écuries du Château de la Tour. Pour un séjour au calme et en famille : chambres d'esprit normand, salle de jeux pour enfants, parc.

LE FALGOUX – 15 Cantal – **330** D4 – 193 h. – alt. 930 m – Sports   5 **B3**
d'hiver : 1 050 m ⇠1 ⥊ – ⊠ 15380

▸ Paris 533 – Aurillac 57 – Mauriac 29 – Murat 34 – Salers 15

◎ Vallée du Falgoux★.

◉ Cirque du Falgoux★★ SE : 6 km - Puy Mary ⁂★★★ : 1 h AR du Pas de Peyrol★★ SE : 12 km, ▌**Auvergne**

⌂ **Des Voyageurs**   VISA MC
ℰ *04 71 69 51 59 – Fax 04 71 69 48 05 – Fermé 2 nov.-25 janv. et merc. soir hors saison*
14 ch – †45 € ††45 €, ⊊ 7 € – ½ P 43 €
Rest – Menu 17 € bc/27 € – Carte 24/38 €
♦ Auberge dans la pure tradition auvergnate : cantou (grande cheminée bordée de bancs) dans le bar et accueil serviable. Chambres refaites, sobrement rustiques et bien tenues. Au restaurant, recettes régionales et jolie vue sur les paysages des monts du Cantal.

FALICON – 06 Alpes-Maritimes – **341** E5 – 1 789 h. – alt. 396 m – ⊠ 06950   42 **E2**
▸ Paris 935 – Cannes 42 – Nice 12 – Sospel 41 – Vence 32

%% **Parcours**   AC VISA MC AE
1 pl. Marcel Eusebi – ℰ *04 93 84 94 57 – www.restaurant-parcours.com*
parcourslive@orange.fr – Fax 04 93 98 66 90 – Fermé dim. soir, mardi midi et lundi
Rest – Menu (24 €), 39/65 € – Carte environ 40 €
♦ Séduisant cocktail : écrans plasma retransmettant le travail des cuisiniers, cadre contemporain, terrasse panoramique et menus composés selon le marché.

LE FAOU – 29 Finistère – 308 F5 – 1 669 h. – alt. 10 m – ⊠ 29590   9 A2
Bretagne

- Paris 560 – Brest 30 – Châteaulin 20 – Landerneau 23 – Morlaix 52 – Quimper 43
- Office de tourisme, 10, rue du Gal-de-Gaulle ℰ 02 98 81 06 85, Fax 02 98 73 03 14
- Site★.

De Beauvoir
11 pl. Mairie – ℰ *02 98 81 90 31 – www.hotel-beauvoir.com*
– la-vieille-renommee@wanadoo.fr – Fax 02 98 81 92 93 – Fermé 5-29 déc., dim. soir et lundi midi
32 ch – ♦55/70 € ♦♦76/90 €, ⊇ 10 €
Rest *La Vieille Renommée* – *(fermé dim. soir d'oct. à mai, lundi sauf le soir de juin à sept. et mardi midi)* Menu (19 €), 27 € (sem.)/60 € – Carte 55/70 €
♦ Grande bâtisse au cœur d'un village éminemment breton niché au fond de l'estuaire du Faou. Préférez les chambres récemmment rafraîchies. La salle à manger de la Vieille Renommée est dressée avec soin ; cuisine traditionnelle assortie d'une belle carte des vins.

FARGES-ALLICHAMPS – 18 Cher – 323 K6 – 216 h. – alt. 194 m   12 C3
– ⊠ 18200

- Paris 290 – Orléans 164 – Bourges 38 – Montluçon 67 – Issoudun 47

Château de la Commanderie
– ℰ 02 48 61 04 19 – www.chateaudelacommanderie.com
– chateaudelacommanderie@gmail.com – Fax 02 48 61 01 84
5 ch ⊇ – ♦110/150 € ♦♦150/250 €   **Table d'hôte** – Menu 85 € bc
♦ Les propriétaires de cette ancienne commanderie des Templiers – cadre d'origine bien préservé – sont charmants. Chambres raffinées dans un contexte très calme, un parc de 10 ha. Dîner romantique (sur réservation) dans une superbe salle à manger.

FARROU – 12 Aveyron – 338 E4 – rattaché à Villefranche-de-Rouergue

LA FAUCILLE (COL DE) – 01 Ain – 328 J2 – voir à Col de la Faucille

FAVERGES – 74 Haute-Savoie – 328 K6 – 6 524 h. – alt. 507 m   45 C1
– ⊠ 74210 **Alpes du Nord**

- Paris 562 – Albertville 20 – Annecy 27 – Megève 35
- Office de tourisme, place Marcel Piquand ℰ 04 50 44 60 24, Fax 04 50 44 45 96

Florimont
rte d'Albertville, 2,5 km – ℰ *04 50 44 50 05 – www.hotelflorimont.com – info@hotelflorimont.com – Fax 04 50 44 43 20 – Fermé 18 déc.-7 janv.*
27 ch – ♦67/85 € ♦♦77/120 €, ⊇ 11 € – ½ P 75/100 €
Rest – *(fermé dim. soir et sam.)* Menu 27/65 € – Carte 55/80 €
♦ Le Florimont (mot-valise pour fleur et montagne) jouit d'une situation privilégiée près d'un golf avec vue sur le Mont-Blanc. Tons vifs et tenue parfaite dans les chambres. Deux salles à manger – l'une classique, l'autre très savoyarde – et terrasse verdoyante.

De Genève sans rest
34 r. République – ℰ *04 50 32 46 90 – www.hotellegeneve.com – info@hotellegeneve.com – Fax 04 50 44 48 09 – Fermé 18 avril-4 mai et 19 déc.-4 janv.*
30 ch – ♦46/73 € ♦♦55/80 €, ⊇ 8,50 €
♦ Reconnaissable à sa façade peinte, cet hôtel central constitue un utile point de chute. Chambres fonctionnelles, bien insonorisées côté rue. Expositions au bar (formule snack).

au Tertenoz 4 km au Sud-Est par D 12 et rte secondaire – ⊠ 74210 Seythenex

Au Gay Séjour avec ch
– ℰ 04 50 44 52 52 – www.hotel-gay-sejour.com – hotel-gay-sejour@wanadoo.fr
– Fax 04 50 44 49 52 – Fermé dim. soir et lundi sauf fériés et sauf juil.-août
11 ch – ♦72/80 € ♦♦85/105 €, ⊇ 13 € – ½ P 90/100 €
Rest – Menu (25 €), 35 € (sem.)/82 € – Carte 50/60 €
♦ Cette ferme du 17ᵉ s. retirée dans un hameau a fière allure. Cuisine traditionnelle, vue sur la vallée et décor contemporain haut en couleurs au restaurant. Chambres simples.

FAVERNEY – 70 Haute-Saône – **314** E6 – 1 052 h. – alt. 235 m 16 **B1**
– ✉ 70160

- Paris 364 – Besançon 70 – Vesoul 21 – Lure 48 – Remiremont 59
- Syndicat d'initiative, place de la Mairie ✆ 03 84 91 30 71, Fax 03 84 91 38 58

à Breurey-lès-Faverney 3 km au Sud-Est par D 434 et D 6 – 521 h. – alt. 233 m – ✉ 70160

Château de la Presle
3 r. Louis-Pergaud – ✆ *03 84 91 41 70 – www.chateaudelapresle.com – resa@chateaudelapresle.com*
5 ch ⊡ – †90/130 € ††100/140 €   **Table d'hôte** – Menu 40 € bc
◆ Au cœur du joli village, petit château du 19ᵉ s. entouré d'un parc de 6 ha. Belles chambres personnalisées, bien équipées ; salon avec un piano à queue, billard sous les combles. Cuisine bourgeoise servie dans une élégante salle ornée d'une cheminée.

LA FAVIÈRE – 83 Var – **340** N7 – rattaché à Bormes-les-Mimosas

FAVIÈRES – 80 Somme – **301** C6 – 444 h. – alt. 1 m – ✉ 80120   36 **A1**

- Paris 212 – Abbeville 22 – Amiens 77 – Berck-Plage 27 – Le Crotoy 5
- Le Crotoy : Butte du Moulin ≤★ SO : 5 km, **Picardie Flandres Artois**

Les Saules sans rest
1075 r. Forges – ✆ *03 22 27 04 20 – www.hotel-les-saules – hotellessaules@orange.fr – Fax 03 22 27 00 38 – Fermé 5-21 janv.*
13 ch – †64/77 € ††70/82 €, ⊡ 11 €
◆ Tranquillité assurée dans cette maison moderne proche du parc ornithologique du Marquenterre. Chambres fonctionnelles tournées vers le jardin ou la campagne environnante.

La Clé des Champs
Place des Frères Caudron – ✆ *03 22 27 88 00 – Fax 03 22 27 79 36 – Fermé 25 août-2 sept., 5-16 janv., 8-21 fév., lundi et mardi sauf fériés*
Rest – Menu 16/42 €
◆ Cette ancienne ferme picarde s'est relookée en douceur. Le décor reste classique et sobre, agrémenté de toiles d'artistes locaux. Carte respectant les saisons et le marché.

FAVONE – 2A Corse-du-Sud – **345** F9 – voir à Corse

FAYENCE – 83 Var – **340** P4 – 4 867 h. – alt. 350 m – ✉ 83440   41 **C3**
Côte d'Azur

- Paris 884 – Castellane 55 – Draguignan 30 – Fréjus 36 – Grasse 26 – St-Raphaël 37
- Office du tourisme, place Léon Roux ✆ 04 94 76 20 08, Fax 04 94 39 15 96
- ≤★ de la terrasse de l'Église.

Les Oliviers sans rest
18 av St. Christophe, (quartier La Ferrage), rte de Grasse – ✆ *04 94 76 13 12 – www.lesoliviersfayence.fr – hotel.oliviers.fayen@free.fr – Fax 04 94 76 08 05*
22 ch ⊡ – †75/80 € ††88/98 €
◆ Petit immeuble dominant la plaine du Gué et son important centre de vol à voile. Sportifs et "pantouflards" trouveront aux Oliviers des chambres privilégiant le côté pratique.

La Bégude du Pascouren sans rest
74 chemin de la Bane, 7,5 km au Sud par D 562 (rte de Draguignan) – ✆ *04 94 68 63 03 – www.chambres-hotes-labegudedupascouren.fr – labegudedupascouren@orange.fr – Fax 04 88 67 60 18*
5 ch ⊡ – †85/142 € ††89/146 € – 1 suite
◆ Le charme d'une villa provençale isolée, dotée d'un beau jardin agrémenté d'une piscine. Chambres contemporaines et claires, égayées par des touches provençales. Jeu de boule.

FAYENCE

✗ La Farigoulette
pl. du Château – ℰ 04 94 84 10 49 – la-farigoulette@wanadoo.fr
– Fermé 1ᵉʳ-12 mars, 6-21 fév., mardi sauf du 15 juil. au 16 août et mercr.
Rest – Menu (20 € bc), 28/38 € – Carte 39/73 €
♦ Cette vieille bergerie offre un agréable cadre rustique (poutres et pierres apparentes, mobilier ancien) qui sied bien à une cuisine traditionnelle judicieusement actualisée.

✗ Le Temps des Cerises
pl. République – ℰ 04 94 76 01 19 – www.descerises.com – louis.schroder@aliceadsl.fr – Fax 04 94 76 92 50 – Fermé 1ᵉʳ-27 déc. et mardi
Rest – (dîner seult sauf dim.) Menu 43 € – Carte 42/51 €
♦ Coquette salle décorée de tableaux peints par le père du chef-patron. Ce dernier, d'origine néerlandaise, revisite à sa façon les petits plats traditionnels. Terrasse sous une tonnelle.

✗ La Table d'Yves
1357 rte de Fréjus, 2 km par D563 – ℰ 04 94 76 08 44 – www.latabledyves.com
– contact@latabledyves.com – Fax 04 94 76 19 32 – Fermé vacances de Toussaint, de fév., jeudi sauf le soir en saison et mercr.
Rest – Menu 28/52 € – Carte 25/55 €
♦ Terrasse tournée vers le village perché, pimpantes salles à manger aux murs ensoleillés et fraîche cuisine du marché : autant de bonnes raisons de vous attabler chez Yves !

à l'Ouest par rte de Seillans (D 19) et rte secondaire – ✉ 83440 Fayence

🏠 Moulin de la Camandoule
à 2 km – ℰ 04 94 76 00 84
– www.moulindelacamandoule.com – moulin.camandoule@wanadoo.fr
– Fax 04 94 76 10 40
12 ch – †72/118 € ††72/195 €, ⛌ 12 €
Rest – (fermé jeudi sauf le soir en juil.-août et mercr. de sept. à juin) Menu 30/45 €
– Carte 40/57 €
♦ Au cœur d'un parc traversé par un aqueduc romain, moulin à huile du 17ᵉ s. abritant de jolies chambres mi-campagnardes, mi-provençales. Le restaurant, doté d'une belle terrasse bordée par un charmant jardin-verger, met en valeur recettes et produits du terroir.

𝕏𝕏𝕏 Le Castellaras (Alain Carro)
461 chemin Peymeyan, à 4 km – ℰ 04 94 76 13 80
– www.restaurant-castellaras.com – contact@restaurant-castellaras.com
– Fax 04 94 84 17 50 – Fermé janv., mardi sauf le soir en juil.-août et lundi
Rest – Menu 45/62 € – Carte 68/75 €
Spéc. Carpaccio de langoustine, vinaigrette à la moutarde à l'ancienne et estragon (été). Norvégienne de carré d'agneau rôti, petits légumes farcis de Provence (été). Mazarin praliné au croquant de nougatine. **Vins** Côtes de Provence.
♦ Voici une maison comme on les aime : accueil personnalisé, salles au décor soigné, superbe terrasse dominant la vallée et fine cuisine aux couleurs de la Provence.

LE FAYET – 74 Haute-Savoie – **074** 08 – voir à St-Gervais-les-Bains

---

FÉCAMP – 76 Seine-Maritime – **304** C3 – 19 500 h. – alt. 15 m – Casino 33 **C1**
AZ – ✉ 76400 ▌Normandie Vallée de la Seine

▶ Paris 201 – Amiens 165 – Caen 113 – Dieppe 66 – Le Havre 43 – Rouen 74
▪ Office de tourisme, 113, rue Alexandre le Grand ℰ 02 35 28 51 01, Fax 02 35 27 07 77
◉ Abbatiale de la Trinité★ - Palais Bénédictine★★ - Musée des Terres-Neuvas et de la Pêche★ M³ - Chapelle N.-D.-du-Salut ✻★★ N : 2 km par D 79 BY.

Plan page suivante

🏨 Le Grand Pavois sans rest
15 quai Vicomté – ℰ 02 35 10 01 01 – www.hotel-grand-pavois.com
– le.grandpavois@wanadoo.fr – Fax 02 35 29 31 67   AY **r**
35 ch – †88/230 € ††88/230 €, ⛌ 14 €
♦ Sur les quais, immeuble bâti en lieu et place d'une conserverie. Hall au décor marin, bar (piano) et grandes chambres au mobilier contemporain ; certaines donnent sur le port.

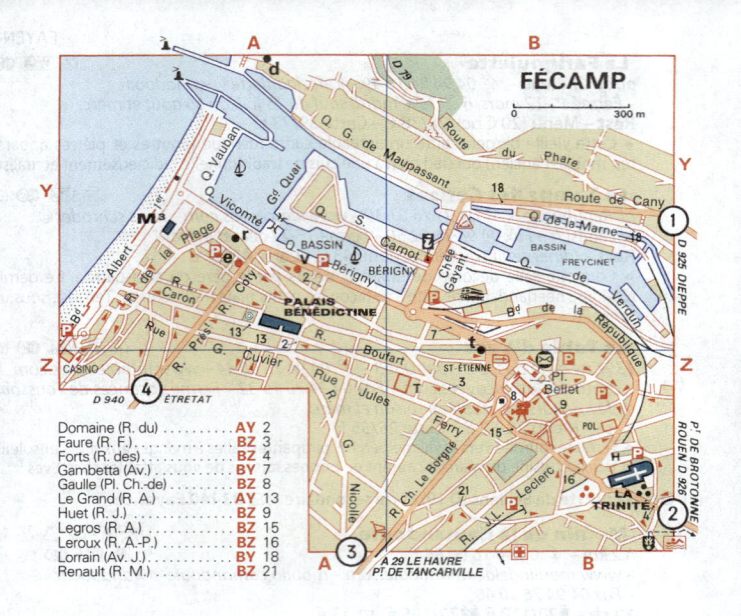

Domaine (R. du)	AY	2
Faure (R. F.)	BZ	3
Forts (R. des)	BZ	4
Gambetta (Av.)	BY	7
Gaulle (Pl. Ch.-de)	BZ	8
Le Grand (R. A.)	AY	13
Huet (R. J.)	BZ	9
Legros (R. A.)	BZ	15
Leroux (R. A.-P.)	BZ	16
Lorrain (Av. J.)	BY	18
Renault (R. M.)	BZ	21

La Ferme de la Chapelle

2 km par ①, rte du Phare et D 79 – ℰ 02 35 10 12 12
– fermedelachapelle@wanadoo.fr – Fax 02 35 10 12 13
– Fermé en janv.   AY **d**
22 ch – †85/95 € ††85/95 €, ⊆ 10 €
Rest – *(fermé lundi midi)* Menu (18 €), 27/34 € – Carte 28/36 €

♦ Couronnant une falaise, cette ancienne ferme seigneuriale du 16e s. accolée à la chapelle des marins abrite, autour d'une cour carrée, des chambres sobrement meublées. Salle de restaurant à la fois simple et accueillante, où l'on sert des plats traditionnels.

Vent d'Ouest sans rest

3 av. Gambetta – ℰ 02 35 28 04 04 – www.hotelventouest.tm.fr – hotel@
hotelventouest.tm.fr – Fax 02 35 28 75 96   BY **t**
15 ch – †34/40 € ††40/48 €, ⊆ 5 €

♦ Cet hôtel familial sans prétention, entièrement refait, conviendra aux budgets serrés. Les chambres, de couleur jaune, sont bien équipées. Coquette salle des petits-déjeuners.

Auberge de la Rouge avec ch

rte du Havre, 2 km par ③ – ℰ 02 35 28 07 59 – www.auberge-rouge.com
– auberge.rouge@wanadoo.fr – Fax 02 35 28 70 55
8 ch – †65 € ††65 €, ⊆ 8 €
Rest – *(fermé sam. midi, dim. soir et lundi)* Menu (15 €), 20/36 €
– Carte 70/90 €

♦ Un répertoire culinaire traditionnel s'illustre dans cet ancien relais de poste au décor campagnard. Terrasse sur jardin fleuri pour les beaux jours. Chambres rustiques.

La Marée

77 quai Bérigny, (1er étage) – ℰ 02 35 29 39 15 – fecamp-restaurant-la-maree.com
– restaurant-la-maree@wanadoo.fr – Fax 02 35 29 73 27 – Fermé jeudi soir, dim.
soir et lundi hors saison   AY **v**
Rest – Menu (17 €), 26/36 € – Carte 30/48 €

♦ La carte de ce restaurant est entièrement vouée aux produits de la mer. Sobre décor actuel et vue sur le port depuis certaines tables. Petite terrasse exposée plein sud.

FÉCAMP

Le Vicomté
VISA MC

4 r. Prés. R. Coty – ℰ 02 35 28 47 63 – Fermé 26 avril-3 mai, 15 août-3 sept., 23 déc.-3 janv., dim., merc. et fériés   AY e
Rest – *(nombre de couverts limité, prévenir)* Menu 18 €
♦ Proche de l'étonnant palais Bénédictine dû au créateur de la célèbre liqueur, agréable petit bistrot où l'on déguste une cuisine du marché à découvrir sur l'ardoise.

FEGERSHEIM – 67 Bas-Rhin – 315 K6 – **rattaché à Strasbourg**

FEISSONS-SUR-ISÈRE – 73 Savoie – 333 L4 – 548 h. – alt. 407 m   46 F2
– ✉ 73260

▶ Paris 632 – Annecy 60 – Chambéry 66 – Lyon 166

Château de Feissons
– ℰ 04 79 22 59 59 – www.chateaudefeissons.com – lechateaudefeissons@wanadoo.fr – Fax 04 79 22 59 76 – Fermé mardi midi, dim. soir et lundi
Rest – Menu (19 €), 29/58 € – Carte 55/78 €
♦ Château du 12ᵉ s. perché sur une colline dominant la Tarentaise. Plafond à la française, cheminée et belle terrasse-belvédère. Table traditionnelle revisitée et plats créatifs.

LE FEL – 12 Aveyron – 338 H3 – **rattaché à Entraygues-sur-Truyères**

FELDBACH – 68 Haut-Rhin – 315 H11 – 433 h. – alt. 410 m – ✉ 68640   1 A3
🟩 Alsace Lorraine

▶ Paris 461 – Altkirch 14 – Basel 34 – Belfort 46 – Colmar 80 – Montbéliard 41 – Mulhouse 32

Cheval Blanc
1 r. Bisel – ℰ 03 89 25 81 86 – ispa.dominique@orange.fr – Fax 03 89 07 72 88
– Fermé 6-21 juill., 25 janv.-9 fév., lundi et mardi
Rest – Menu 11 € (déj. en sem.), 16/37 € – Carte 22/49 €
♦ Quelques recettes actuelles ponctuent la carte mi-traditionnelle, mi-régionale de cette maison typique du Sundgau. Très beau choix de vins.

FELICETO – 2B Haute-Corse – 345 C4 – **voir à Corse**

FENEYROLS – 82 Tarn-et-Garonne – 337 G7 – 175 h. – alt. 124 m   29 C2
– ✉ 82140

▶ Paris 632 – Cahors 63 – Limoges 245 – Lyon 424 – Montpellier 251 – Toulouse 642

Hostellerie Les Jardins des Thermes avec ch
Le bourg – ℰ 05 63 30 65 49
– www.jardinsdesthermes.eu – hostellerie@jardinsdesthermes.eu
– Fax 05 63 30 60 17 – Ouvert 1ᵉʳ mars-15 nov.
5 ch – †43/51 € ††43/67 €, ⊇ 8 €
Rest – *(fermé merc. et jeudi sauf juil.-août)* Menu (16 €), 20 € (déj. en sem.), 27/51 € bc – Carte 45/53 €
♦ Cet ancien hôtel thermal est blotti dans un parc (vestiges de thermes romains) au bord de l'Aveyron. Chambres actuelles et restaurant joliment coloré.

FERAYOLA – 2B Haute-Corse – 345 B5 – **voir à Corse (Galéria)**

FÈRE-EN-TARDENOIS – 02 Aisne – 306 D7 – 3 306 h. – alt. 180 m   37 C3
– ✉ 02130   🟩 Nord Pas-de-Calais Picardie

▶ Paris 111 – Château-Thierry 23 – Laon 55 – Reims 50 – Soissons 27
🛈 Office de tourisme, 18, rue Etienne-Moreau-Nelaton ℰ 03 23 82 31 57, Fax 03 23 82 28 19
⛳ de Champagne à Villers-Agron-Aiguizy Moulin de Neuville, E : 17 km par D 2, ℰ 03 23 71 62 08
◉ Château de Fère★ : Pont-galerie★★ N : 3 km.

FÈRE-EN-TARDENOIS

Château de Fère
rte de Fismes, 3 km au Nord par D 967 – ℘ 03 23 82 21 13
– www.chateaudefere.com – chateau.fere@wanadoo.fr – Fax 03 23 82 37 81
– Fermé 4 janv. au 10 fév.
19 ch – †150/370 € ††150/370 €, ⊇ 22 € – 7 suites
Rest – (fermé lundi soir, mardi midi sauf fériés de nov. à mars et lundi midi)
Menu (36 €), 52/90 € – Carte 69/123 €

♦ Avec en arrière-plan les ruines du château d'Anne de Montmorency et de son fameux pont, cette belle demeure du 16ᵉ s. offre un décor somptueux (vaste parc). Les deux salles à manger rivalisent d'élégance (fresque à la gloire de La Fontaine, belles boiseries).

FERNEY-VOLTAIRE – 01 Ain – 328 J3 – 7 083 h. – alt. 430 m   46 F1
– ✉ 01210 Franche-Comté Jura

▶ Paris 499 – Bellegarde-sur-Valserine 37 – Genève 10 – Gex 10
  – Thonon-les-Bains 43
✈ de Genève-Cointrin ℘ (00 41 22) 717 71 11, S : 4 km.
🛈 Office de tourisme, 26, Grand'Rue ℘ 04 50 28 09 16, Fax 04 50 40 78 99
⛳ de Gonville à Saint-Jean-de-Gonville, SO : 14 km par D 35 et D 984,
  ℘ 04 50 56 40 92
◉ Château★.
◎ Genève★★★.

Novotel
rte de Meyrin, par D 35 – ℘ 04 50 40 85 23 – www.novotel.com – h0422@accor.com – Fax 04 50 40 76 33
80 ch – †88/250 € ††88/250 €, ⊇ 15 €   **Rest** – Menu (20 €) – Carte 24/37 €

♦ Un vent de renouveau a soufflé sur ce Novotel proche de la frontière suisse. Chambres désormais contemporaines (aux normes de la chaîne) : bois clair et tendance zen. Restaurant élégant (avec terrasse) pour des plats traditionnels et des spécialités régionales.

De France avec ch
1 r. de Genève – ℘ 04 50 40 63 87 – www.hotelfranceferney.com
– hotelfranceferney@wanadoo.fr – Fax 04 50 40 47 27 – Fermé 26 juil.-10 août,
25 oct.-2 nov., 20 déc.-5 janv.
14 ch – †68/100 € ††88/115 €, ⊇ 9 €
Rest – (fermé sam. midi, dim. et lundi) Menu (21 €), 25 € (déj. en sem.),
38 € bc/68 € – Carte 32/61 €

♦ Maison de 1742 bien reprise en main : salle à manger modernisée, bar cosy, véranda prolongée par une terrasse sous les tilleuls, jolies chambres, et cuisine au goût du jour.

Le Pirate
1 chemin de la Brunette – ℘ 04 50 40 63 52 – www.lepirate.fr – contact@lepirate.fr – Fax 04 50 40 64 50
Rest – Menu (28 €), 32 € (déj.), 36/61 € – Carte 50/70 €

♦ Une adresse dédiée aux produits de la mer. Élégantes salles à manger (tons chaleureux, plantes vertes à profusion) et véranda ouverte, aux beaux jours, sur une fontaine.

Le Chanteclair
13 r. Versoix – ℘ 04 50 40 79 55 – Fax 04 50 40 93 04 – Fermé 3-11 mai,
16-31 août, dim. et lundi
Rest – Menu (24 €), 28 € (déj.), 38/62 € – Carte 53/62 €

♦ Cuisine rythmée par les saisons et tables dressées de façon contemporaine en ce sympathique restaurant égayé de tons bleu et jaune (originale devanture chargé d'écritures).

FERRETTE – 68 Haut-Rhin – 315 H12 – 1 041 h. – alt. 470 m – ✉ 68480   1 A3
 Alsace Lorraine

▶ Paris 467 – Altkirch 20 – Basel 28 – Belfort 52 – Colmar 85 – Montbéliard 48
  – Mulhouse 38
🛈 Office de tourisme, route de Lucelle ℘ 03 89 08 23 88, Fax 03 89 40 33 84
⛳ de la Largue à Seppois-le-Bas Rue du Golf, O : 10 km par D 473 et D 24,
  ℘ 03 89 07 67 67
◉ Site★ - Ruines du Château ⇐★.

FERRETTE

à **Ligsdorf** 4 km au Sud par D 432 – 334 h. – alt. 520 m – ⊠ 68480

XX **Le Moulin Bas et rest. La Mezzanine** avec ch
1 r. Raedersdorf – ℰ 03 89 40 31 25
– www.le-moulin-bas.fr – info@le-moulin-bas.fr
8 ch – †65/75 €, ††85/95 €, ⊇ 10 € – ½ P 69/98 €
Rest – *(fermé mardi)* Menu 13 € (déj. en sem.), 32/57 € – Carte 25/45 €
Rest Stuba – *(fermé mardi)* Carte 25/45 €

◆ Ce moulin édifié en 1796 au bord de l'Ill dispose d'une élégante salle à manger, où l'on déguste plats régionaux et grillades en saison. Au Stuba, décor de winstub, vue sur l'ancien mécanisme, cuisine alsacienne et tartes flambées. Chambres calmes et fonctionnelles.

à **Moernach** 5 km à l'Ouest par D 473 – 542 h. – alt. 470 m – ⊠ 68480

XX **Aux Deux Clefs** avec ch
218 r. Hennin Blenner – ℰ 03 89 40 80 56 – auxdeuxclefs@wanadoo.fr
– Fax 03 89 08 10 47 – Fermé 20 juil.-5 août, vacances de la Toussaint et de fév.
7 ch – †38 € ††48 €, ⊇ 8 € – ½ P 57 €
Rest – *(fermé merc. soir et jeudi)* Menu (11 €), 20/47 € – Carte 30/43 €

◆ Jolie maison à colombages typique du Sundgau. Salle à manger cossue ornée de tableaux et carte traditionnelle. Accueillantes chambres fonctionnelles dans l'annexe voisine.

à **Lutter** 8 km au Sud-Est par D 23 – 302 h. – alt. 428 m – ⊠ 68480

XX **L'Auberge Paysanne** avec ch
1 r. de Wolschwiller – ℰ 03 89 40 71 67 – www.auberge-hostellerie-paysanne.com
– aubergepaysanne2@wanadoo.fr – Fax 03 89 07 33 38
– Fermé 29 juin-14 juil., 21 déc.-11 janv., mardi midi et lundi
7 ch – †52/62 € ††52/62 €, ⊇ 8,50 € – ½ P 51/56 €
Rest – Menu (10 €), 12 € (déj.)/40 € – Carte 25/50 €

◆ Maison familiale près de la frontière suisse. Parmi les salles du restaurant, la winstub a plus de charme. Spécialités locales et méditerranéennes. Chambres actuelles.

Hostellerie Paysanne
8 r. de Wolschwiller – ℰ 03 89 40 71 67 – aubergepaysanne2@wanadoo.fr
– Fax 03 89 07 33 38
9 ch – †52 € ††62/72 €, ⊇ 8 € – ½ P 55/59 €

◆ Ferme alsacienne (1618) démontée puis reconstruite dans ce village. Chambres garnies de meubles de style. Accueil à l'Auberge Paysanne.

> Petit-déjeuner compris ?
> La tasse ⊇ suit directement le nombre de chambres.

LA FERRIÈRE-AUX-ÉTANGS – 61 Orne – 310 F3 – rattaché à Flers

FERRIÈRES-EN-GÂTINAIS – 45 Loiret – 318 N3 – 3 330 h. 12 D2
– alt. 96 m – ⊠ 45210 ▮ Bourgogne

▶ Paris 99 – Auxerre 81 – Fontainebleau 40 – Montargis 12 – Nemours 26 – Orléans 86

🛈 Office de tourisme, place des Églises ℰ 02 38 96 58 86, Fax 02 38 96 60 39

◉ Croisée du transept ★ de l'église St-Pierre et St-Paul.

L'Abbaye
– ℰ 02 38 96 53 12 – www.hotel-abbaye.fr – info@hotel-abbaye.fr
– Fax 02 38 96 57 63
30 ch – †66 € ††66 €, ⊇ 9 € – ½ P 61 €
Rest – Menu (15 €), 25 € (sem.)/58 € – Carte 25/48 €

◆ L'enseigne fait allusion à l'abbaye St-Pierre-et-St-Paul autour de laquelle s'est développé le bourg. Préférez les chambres récentes, spacieuses et bien équipées. Vaste salle des repas où l'on sert une cuisine traditionnelle ; terrasse très prisée en été.

FERRIÈRES-LES-VERRERIES – 34 Hérault – 339 H5 – 55 h. — 23 C2
– alt. 320 m – ✉ 34190

🛪 Paris 747 – Montpellier 41 – Alès 47 – Florac 86 – Millau 102

XX **La Cour-Mas de Baumes** avec ch
4 km à l'Est par D 107^{E4} – ℰ *04 66 80 88 80*
– www.oustaldebaumes.com – info@oustaldebaumes.com – Fax 04 66 80 88 82
– Fermé 24 oct.-5 nov., 2-15 janv., 13-20 fév., dim. soir, lundi et mardi du 1er nov. au 15 mars
7 ch ⌑ – †58/88 € ††70/107 €
Rest – Menu (18 €), 29/68 € – Carte 50/60 €

♦ Ex-métairie et verrerie isolées sur un causse en pleine garrigue. Cuisine originale servie dans un cadre élégant mariant l'ancien et le moderne. Jolies chambres contemporaines.

LA FERTÉ-BEAUHARNAIS – 41 Loir-et-Cher – 318 I6 – 510 h. — 12 C2
– alt. 101 m – ✉ 41210 ▌Châteaux de la Loire

🛪 Paris 183 – Orléans 45 – Blois 46 – Vierzon 56 – Fleury-les-Aubrais 63

⌂ **Château de la Ferté Beauharnais** sans rest
172 r. du Prince-Eugène – ℰ *02 54 83 72 18 – www.chateaudebeauharnais.com*
– Fax 02 54 83 72 18
3 ch ⌑ – †140/145 € ††140/145 €

♦ Dans un parc, ce château fut la résidence de la famille de Beauharnais, et notamment de Joséphine, première épouse de Napoléon. Chambres de style (parquet, moulures, cheminée).

LA FERTÉ-BERNARD – 72 Sarthe – 310 M5 – 9 251 h. – alt. 90 m — 35 D1
– ✉ 72400 ▌Châteaux de la Loire

🛪 Paris 164 – Alençon 56 – Chartres 79 – Châteaudun 65 – Le Mans 54
ℹ Office de tourisme, 15, place de la Lice ℰ 02 43 71 21 21, Fax 02 43 93 25 85
⛳ du Perche à Souancé-au-Perche La Vallée des Aulnes, NE : 21 km par D 923 et D137, ℰ 02 37 29 17 33
◉ Église N.-D.-des Marais ★★.

XXX **La Perdrix**
2 r. de Paris – ℰ *02 43 93 00 44 – http://monsite.orange.fr/laperdrix*
– restaurantlaperdrix@hotmail.com – Fax 02 43 93 74 95 – Fermé mi-janv.-mi-fév., lundi soir et mardi
Rest – Menu 18 € (sem.)/39 € – Carte 39/45 €

♦ Restaurant situé en centre-ville, au bord d'un axe important. Cuisine traditionnelle à déguster dans la salle bleue sous verrière ou dans celle aux tonalités rouge-beige.

XX **Le Dauphin**
3 r. d'Huisne, (accès piétonnier) – ℰ *02 43 93 00 39 – Fax 02 43 71 26 65*
– Fermé 13-20 avril, 3-24 août, dim. soir, jeudi soir et lundi
Rest – Menu 16 € (sem.)/41 € – Carte 45/60 €

♦ Cette maison (16e s.) de la vieille ville a su préserver son cachet d'antan (pierres, poutres, cheminée), que modernise une décoration aux tons vifs. Plats dans l'air du temps.

LA FERTÉ-IMBAULT – 41 Loir-et-Cher – 318 I7 – 1 035 h. – alt. 99 m — 12 C2
– ✉ 41300

🛪 Paris 191 – Bourges 66 – Orléans 68 – Romorantin-Lanthenay 19 – Vierzon 23
ℹ Syndicat d'initiative, 31, route Nationale ℰ 02 54 96 34 83,
Fax 02 54 96 34 83

⌂ **Auberge À la Tête de Lard**
13 pl. des Tilleuls – ℰ *02 54 96 22 32 – www.aubergealatetedelard.com*
– tetedelard0233@orange.fr – Fax 02 54 96 06 22 – Fermé 11 janv.-9 fév., dim. soir, mardi midi et lundi
11 ch – †51 € ††56 €, ⌑ 9 € – ½ P 53 €
Rest – Menu (19 €), 33/50 € – Carte 36/67 €

♦ Chambres actuelles et sobres dans une agréable petite auberge solognote, ex-relais de poste. Côté loisirs : randonnées et VTT dans la campagne environnante. Restaurant rustique, au joli cachet campagnard ; on y sert une cuisine du terroir et du gibier en saison.

LA FERTÉ-MACÉ – 61 Orne – **310** G3 – 6 102 h. – alt. 250 m — 32 **B3**
– ✉ 61600 ▍Normandie Cotentin

▶ Paris 227 – Alençon 46 – Argentan 33 – Domfront 23 – Falaise 41 – Flers 26
ℹ Syndicat d'initiative, 11, rue de la Victoire ℘ 02 33 37 10 97, Fax 02 33 37 10 97

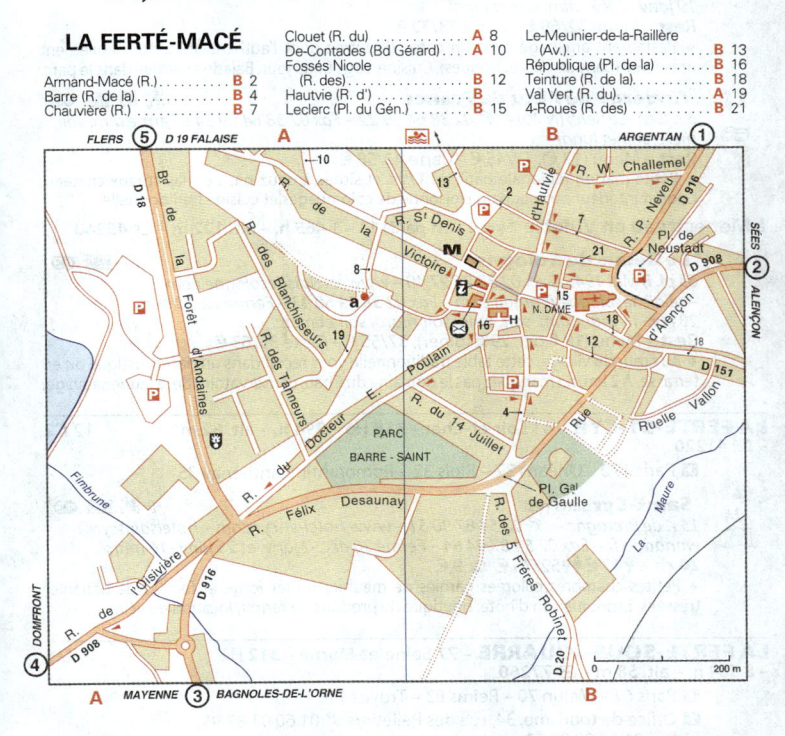

LA FERTÉ-MACÉ

Armand-Macé (R.) . . . . **B** 3	Clouet (R. du) . . . . **A** 8
Barre (R. de la) . . . . **B** 4	De-Contades (Bd Gérard) . . . . **A** 10
Chauvière (R.) . . . . **B** 7	Fossés Nicole (R. des) . . . . **B** 12
	Hautvie (R. d') . . . . **A** 13
	Leclerc (Pl. du Gén.) . . . . **B** 15
Le-Meunier-de-la-Raillère (Av.) . . . . **B** 13
République (Pl. de la) . . . . . . **B** 16
Teinture (R. de la) . . . . **B** 18
Val Vert (R. du) . . . . **A** 19
4-Roues (R. des) . . . . **B** 21

🏠 **Auberge d'Andaines**
rte Bagnoles-de-l'Orne, par ③ : 2 km – ℘ 02 33 37 20 28
– www.aubergeandaines.com – resa@aubergeandaines.com – Fax 02 33 37 25 05
– *Fermé vend. du 15 oct. au 1ᵉʳ avril*
15 ch – ♦42/65 € ♦♦42/65 € – ☐ 8 € – ½ P 45/55 € **Rest** – Menu (12 €), 16/40 €
♦ En bordure de route, accueillante auberge familiale à la lisière de la forêt des Andaines. Chambres simples mais bien tenues ; choisir si possible celles côté jardin. Restaurant coquet et chaleureux, conçu dans un style un brin rétro. Cuisine traditionnelle.

✗ **Auberge de Clouet**   **A a**
Le Clouet – ℘ 02 33 37 18 22 – Fax 02 33 38 28 52 – Fermé 1ᵉʳ-17 nov., dim. soir et lundi d'oct. à Pâques
Rest – Menu (18 €), 23/75 € – Carte 30/50 €
♦ Une adresse qui fleure bon le terroir. Cuisine copieuse et gourmande mijotée à partir de bons produits, à déguster dans la salle rustique ou sur la jolie terrasse d'été.

LA FERTÉ-ST-AUBIN – 45 Loiret – **318** I5 – 7 083 h. – alt. 114 m — 12 **C2**
– ✉ 45240 ▍Châteaux de la Loire

▶ Paris 153 – Blois 62 – Orléans 23 – Romorantin-Lanthenay 45 – Salbris 34
ℹ Office de tourisme, rue des Jardins ℘ 02 38 64 67 93, Fax 02 38 64 61 39
⛳ des Aisses Domaine des Aisses, SE : 3 km par N 20, ℘ 02 38 64 80 87
⛳ de Sologne Route de Jouy-le-Potier, N-O : 5 km, ℘ 02 38 76 57 33
◉ Château ★.

LA FERTÉ-ST-AUBIN

XXX La Ferme de la Lande
Nord-Est : 3 km par rte Marcilly – ℰ 02 38 76 64 37 – www.fermedelalande.com – solognote@fermedelalande.com – Fax 02 38 64 68 87 – *Fermé 21 sept.-5 oct., 19 janv.-9 fév., dim. soir et lundi*
Rest – Menu 32/69 € – Carte 53/72 €
◆ Restaurant aménagé dans un corps de ferme dont l'authenticité a été habilement préservée (pans de bois et briques). Cuisine au goût du jour. Balade apéritive dans le parc.

XX Auberge de l'Écu de France
6 r. Gén.-Leclerc, (N 20) – ℰ 02 38 64 69 22 – Fax 02 38 64 09 54 – *Fermé dim. soir, merc. soir et lundi*
Rest – Menu (12 €), 17/45 € – Carte 43/58 €
◆ Petite maison régionale bâtie au 17ᵉ s. et située à deux pas du majestueux château. Coquet intérieur campagnard cloisonné de colombages et cuisine traditionnelle.

à Menestreau en Villette 7 km à l'Est par D 17 – 1 465 h. – alt. 122 m – ⊠ 45240

XX Le Relais de Sologne
63 pl. 8 Mai 1945 – ℰ 02 38 76 97 40 – www.lerelaisdesologne.com – relaisdesologne@gmail.com – Fax 02 38 49 60 43 – *Fermé 22-28 déc., 23 fév.-11 mars, dim. soir, lundi soir mardi soir et merc.*
Rest – Menu (18 € bc), 29 € (dîner), 37/55 € – Carte 35/63 €
◆ Au cœur du village, cette table traditionnelle vous reçoit dans un décor rustique ou en terrasse. À 2 km, ne manquez pas le domaine du Ciran, conservatoire de la faune sauvage.

LA FERTÉ-ST-CYR – 41 Loir-et-Cher – 318 H6 – 894 h. – alt. 82 m – ⊠ 41220   12 C2

▶ Paris 170 – Orléans 37 – Blois 32 – Romorantin-Lanthenay 35

🏠 Saint-Cyr sans rest
15 r. de Bretagne – ℰ 02 54 87 90 51 – www.hotel-st-cyr.com – hotelsaintcyr@wanadoo.fr – Fax 02 54 87 94 64 – *Fermé 20 déc.-2 janv. et 25 janv.-16 mars*
20 ch – †47 € ††52/75 €, ⊇ 9 €
◆ Petites chambres colorées garnies de meubles en fer forgé et feuilles de bananier tressées. Esprit maison d'hôte, boutique de produits du terroir, location de vélos.

LA FERTÉ-SOUS-JOUARRE – 77 Seine-et-Marne – 312 H2   19 D1
– 8 584 h. – alt. 58 m – ⊠ 77260

▶ Paris 67 – Melun 70 – Reims 83 – Troyes 116
🛈 Office de tourisme, 34, rue des Pelletiers ℰ 01 60 01 87 99, Fax 01 60 22 99 82

🏰 Château des Bondons
47 r. des Bondons, 2 km à l'Est par D 70, rte Montménard – ℰ 01 60 22 00 98 – www.chateaudesbondons.com – castel@chateaudesbondons.com – Fax 01 60 22 97 01
11 ch – †120/140 € ††120/140 €, ⊇ 15 € – 3 suites
Rest – *(fermé 2-30 janv., lundi et mardi)* Menu 20 € (sem.)/100 € – Carte 72/112 €
◆ Ce château du 18ᵉ s. fut celui du romancier G. Ohnet et abrita le G.Q.G. de l'armée française durant la drôle de guerre. Chambres de tailles variées, personnalisées. Cuisine actuelle dans la salle habillée de boiseries et ornée d'une fresque évoquant Marseille.

à Jouarre 3 km au Sud par D 402 – 4 085 h. – alt. 141 m – ⊠ 77640

🛈 Office de tourisme, rue de la Tour ℰ 01 60 22 64 54, Fax 01 60 22 65 15
◉ Crypte ★ de l'abbaye, 🟢 Île de France

🏠 Le Plat d'Étain
6 pl. A. Tinchant – ℰ 01 60 22 06 07 – www.le-plat-d-etain.com – infos@le-plat-detain.com – Fax 01 60 22 35 63
18 ch – †62/68 € ††68 €, ⊇ 8 €
Rest – *(fermé vend. soir, dim. soir et soir fériés)* Menu 20 € (sem.)/51 € – Carte 45/65 €
◆ Auberge édifiée en 1840, à deux pas de l'abbaye et de ses cryptes carolingiennes. Coquettes petites chambres au mobilier en bois cérusé coloré. Au restaurant, un plat en étain, symbole du lieu, orne depuis toujours le mur de la salle. Carte traditionnelle.

FEURS – 42 Loire – 327 E5 – 7 408 h. – alt. 343 m – ⌧ 42110   44 A2
Lyon et la vallée du Rhône

- Paris 433 – Lyon 69 – Montbrison 24 – Roanne 38 – St-Étienne 47 – Thiers 68 – Vienne 93
- Office de tourisme, place du Forum ⌕ 04 77 26 05 27, Fax 04 77 26 00 55

Etésia sans rest
4 chemin des monts, rte de Roanne – ⌕ *04 77 27 07 77 – www.hotel-etesia.fr – contact@hotel-etesia.fr – Fax 04 77 27 03 33 – Fermé 25 déc.-1ᵉʳ janv.*
15 ch – ✝51/59 € ✝✝51/59 €, ⌧ 8,50 €
♦ Cet hôtel entièrement rénové propose des chambres de plain-pied, pratiques et rehaussées de couleurs gaies. Agréable jardin arboré. Formules buffet au petit-déjeuner.

La Boule d'Or
42 r. R. Cassin, (rte de Lyon) – ⌕ *04 77 26 20 68 – www.chaletlabouledor.com – labouledorfeurs@wanadoo.fr – Fax 04 77 26 56 84 – Fermé 27 juil.-17 août, dim. soir, lundi soir et merc. soir*
Rest – Menu (18 €), 29/55 € – Carte 33/62 €
♦ L'été, on déjeune sous l'ombrage d'un beau marronnier. À l'intérieur, une vaste salle rustique en trois parties sert de cadre à une cuisine traditionnelle soignée.

à Salt-en-Donzy 5 km rte de Lyon – 420 h. – alt. 337 m – ⌧ 42110

L'Assiette Saltoise
au bourg – ⌕ *04 77 26 04 29 – www.assiette-saltoise.com – info-et-reservation@assiette-saltoise.com – Fax 04 77 28 52 58 – Fermé 1ᵉʳ-7 janv., mardi soir et merc.*
Rest – Menu 13 € (déj. en sem.)/22 €
♦ Saucisson lyonnais ou bavette d'aloyau : les recettes traditionnelles donnent le ton de cette auberge conviviale et simple. Terrasse sous les tilleuls aux beaux jours.

à Naconne 3 km au Nord-Ouest par N 89 et D 112 – ⌧ 42110

Brin de Laurier
– ⌕ *04 77 26 07 50 – www.brindelaurier.com – info@brindelaurier.com – Fax 04 77 26 07 50 – Fermé 1ᵉʳ-10 mai, 1ᵉʳ-11 sept., 21 déc.-5 janv., sam. midi, dim. soir et lundi*
Rest – Menu 15 € bc (déj. en sem.), 20/39 € – Carte environ 48 €
♦ Une adresse sympathique dans le hameau. Le chef s'inspire de ses multiples voyages et réalise une cuisine fusion à base de produits du marché. Jolie terrasse d'été.

FEYTIAT – 87 Haute-Vienne – 325 E6 – 5 634 h. – alt. 365 m – ⌧ 87220   24 B2
- Paris 398 – Limoges 9 – Saint-Junien 41 – Panazol 5 – Isle 13

Prieuré du Puy Marot
allée du Puy-Marot, 2 km au Nord-Est par rte de St-Just-le-Martel (D 98) – ⌕ *05 55 48 33 97 – gerardchastagner@wanadoo.fr – Fax 05 55 30 31 86*
3 ch ⌧ – ✝60 € ✝✝72 €   **Table d'hôte** – Menu 30 € bc
♦ Calme assuré dans ce prieuré des 16ᵉ-17ᵉ s. cerné par un beau jardin clos et surplombant la vallée de la Valoisse. Confortables chambres personnalisées par un mobilier ancien. La patronne vous propose une cuisine traditionnelle.

FIGEAC – 46 Lot – 337 I4 – 9 963 h. – alt. 214 m – ⌧ 46100 ▌Périgord   29 C1
- Paris 578 – Aurillac 64 – Rodez 66 – Villefranche-de-Rouergue 36
- Office de tourisme, place Vival ⌕ 05 65 34 06 25, Fax 05 65 50 04 58
- Le vieux Figeac★★ : hôtel de la Monnaie★ M¹, musée Champollion★★ M² près de la place aux Ecritures★ - Chapelle N.D.-de-Pitié★ dans l'église St-Sauveur.

Plan page suivante

Château du Viguier du Roy
52 r. É. Zola – ⌕ *05 65 50 05 05 – www.chateau-viguier-figeac.com – hotel@chateau-viguier-figeac.com – Fax 05 65 50 06 06 – Ouvert 1ᵉʳ mars-15 nov.*
21 ch – ✝149/459 € ✝✝149/459 €, ⌧ 19 €
Rest *La Dînée du Viguier* – voir ci-après
♦ Témoignages des 12ᵉ, 14ᵉ et 18ᵉ s., ces séduisantes demeures luxueusement restaurées encadrent un ravissant jardin en terrasses. Cloître, chapelle, boiseries et mobilier d'époque.

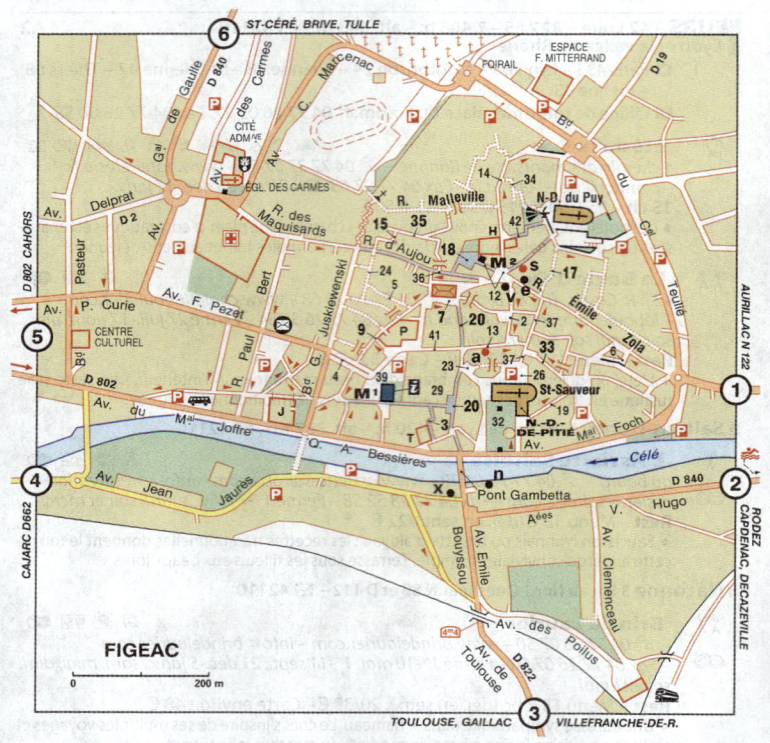

Aujou (R. d')		Clermont (R.)	13	Ortabadial (R.)	29
Baduel (R.)	2	Colomb (R. de)	14	Raison (Pl. de la)	32
Balène (R.)	3	Crussol (R. du)	15	Roquefort (R.)	33
Barthal (R.)	4	Delzhens (R.)	17	St-Jacques (R.)	34
Bonhore (R.)	5	Ecritures (Pl. des)	18	St-Thomas (R.)	35
Canal (R. du)	6	Ferrer (R.)	19	Seguier (R.)	36
Carnot (Pl.)	7	Gambetta (R.)	20	Tomfort (R.)	37
Caviale (R.)	9	Herbes (Pl. aux)	23	Vival (Pl.)	39
Champollion		Laurière (R.)	24	11-Novembre (R. du)	41
(Pl. et R. des Frères)	12	Michelet (Pl. E.)	26	16-Mai (R. du)	42

Le Pont d'Or
2 av. J. Jaurès – ℘ 05 65 50 95 00 – www.hotelpontdor.com – contact@hotelpontdor.com – Fax 05 65 50 95 39
35 ch – †67/122 € ††67/122 €, ⌧ 13 €   **Rest** – Menu (12 €), 15 € (déj.)/31 €
♦ Hôtel fonctionnel en bordure du Célé, tourné vers la vieille ville. Chambres élégantes et bien équipées ; préférez celles orientées vers la rivière.

Le Champollion sans rest
3 pl. Champollion – ℘ 05 65 34 04 37 – Fax 05 65 34 61 69
10 ch – †46 € ††51 €, ⌧ 7 €
♦ Maison médiévale en plein quartier ancien, face au musée Champollion. Ambiance familiale, chambres fonctionnelles et pratiques, au look actuel (tons noir et blanc).

Des Bains sans rest
1 r. Griffoul – ℘ 05 65 34 10 89 – www.hoteldesbains.fr – figeac@hoteldesbains.fr – Fax 05 65 14 00 45 – Fermé 19 déc.-5 janv. et le week-end du 2 nov. au 27 fév.
19 ch – †45/55 € ††49/70 €, ⌧ 8 €
♦ Sur la rive gauche du Célé, l'ancien établissement de bains publics fut transformé en hôtel dans les années 1970. Chambres bien tenues et terrasse-bar au ras de l'eau.

FIGEAC

La Dînée du Viguier – Hôtel Château du Viguier du Roy
4 r. Boutaric – ℰ 05 65 50 08 08 – www.ladineeduviguier.fr – contact@ladineeduviguier.fr – Fax 05 65 50 09 09 – Fermé 15-23 nov., 17 janv.-8 fév., dim. soir d'oct. à mars, lundi sauf le soir d'avril à sept. et sam. midi
Rest – Menu (20 €), 30/75 € – Carte 65/80 €
♦ Quelques beaux restes médiévaux donnent du cachet à cette salle à manger : majestueuse cheminée au manteau sculpté, poutres peintes... N'y manque plus que le viguier !

à Capdenac-le-Haut 5 km par ② – ⊠ 46100

Le Relais de la Tour
pl. Lucter – ℰ 05 65 11 06 99 – www.lerelaisdelatour.fr – lerelaisdelatour@wanadoo.fr – Fax 05 65 11 20 73 – Fermé vacances de Toussaint et de fév.
11 ch ⊇ – †55 € ††65/91 € – ½ P 54/64 €
Rest – (fermé dim. soir et lundi) Menu (10 € bc), 14 € (déj. en sem.), 21/26 € – Carte 24/32 €
♦ Cette maison villageoise du 15ᵉ s. entièrement restaurée fait face à une tour carrée médiévale qui surplombe la vallée du Lot. Chambres sobrement décorées. Au restaurant, cadre contemporain, murs peints en rouge et cuisine régionale.

FISMES – 51 Marne – 306 E7 – 5 351 h. – alt. 70 m – ⊠ 51170   13 B2

◘ Paris 131 – Château-Thierry 42 – Compiègne 69 – Laon 37 – Reims 29
◘ Office de tourisme, 28, rue René Letilly ℰ 03 26 48 81 28, Fax 03 26 48 12 09

La Boule d'Or
11 r. Lefèvre – ℰ 03 26 48 11 24 – www.boule-or.com – boule.or@wanadoo.fr
– Fax 03 26 48 17 08 – Fermé 24 janv.-11 fév., mardi midi, dim. soir et lundi
8 ch – †59 € ††59 €, ⊇ 9 €
Rest – Menu (16 €), 19 € (sem.)/52 € – Carte 39/58 €
♦ Comme jadis les rois de France en route pour leur sacre, vous ferez étape dans la localité. À votre disposition, des chambres fraîches d'une tenue impeccable. Deux salles à manger en enfilade, simples mais coquettes ; cuisine de tradition et plats du terroir.

FITOU – 11 Aude – 344 I5 – 808 h. – alt. 38 m – ⊠ 11510   22 B3

◘ Paris 823 – Carcassonne 90 – Narbonne 40 – Perpignan 29
◘ Fort de Salses★★ SO : 11 km, **Languedoc Roussillon**

La Cave d'Agnès
29 r. Gilbert-Salamo – ℰ 04 68 45 75 91 – restocavedagnes@orange.fr
– Fax 04 68 45 75 91 – Ouvert 1ᵉʳ avril-12 nov. et fermé merc.
Rest – (nombre de couverts limité, prévenir) Menu 17 € (déj. en sem.), 24/39 € – Carte 30/54 €
♦ Sur les hauteurs du village, une grange au cachet rustique préservé : vieille cheminée, poutres, pierres, bois brut, expo-vente de peintures locales. Cuisine à l'accent régional.

FLACEY – 28 Eure-et-Loir – 311 E7 – rattaché à Châteaudun

FLAGEY-ÉCHEZEAUX – 21 Côte-d'Or – 320 J7 – rattaché à Vougeot

FLAMANVILLE – 50 Manche – 303 A2 – 1 687 h. – alt. 74 m   32 A1
– ⊠ 50340

◘ Paris 371 – Barneville-Carteret 23 – Cherbourg 27 – Valognes 36
◘ Syndicat d'initiative, ℰ 02 33 52 61 23

Bel Air sans rest
2 r. du Château – ℰ 02 33 04 48 00 – www.hotelbelair-normandie.com
– hotelbelair@aol.com – Fax 02 33 04 49 56 – Fermé 15 déc.-30 janv.
11 ch – †65/99 € ††65/99 €, ⊇ 10 €
♦ Cette maison où résidait jadis le régisseur des fermes du château est appréciée pour son grand calme. Les chambres, toutes différentes, possèdent une dominante rustique.

FLAMANVILLE

Le Sémaphore — VISA MC
Chasse de la Houe – ✆ 02 33 52 18 98 – www.restaurantlesemaphore.com
– lesemaphore2@wanadoo.fr – Fax 02 33 52 36 39 – Fermé 7 déc.-7 fév., dim. soir,
mardi sauf juil.-août et lundi
Rest – Menu (13 €), 21/38 € – Carte 30/50 €

◆ Vue sublime sur la Manche et les îles anglo-normandes depuis cet ancien sémaphore perché sur une falaise. Dans l'assiette, tradition et influences du Sud-Ouest.

FLAVIGNY-SUR-MOSELLE – 54 Meurthe-et-Moselle – **307** I7 – rattaché à Nancy

---

FLAYOSC – 83 Var – **340** N4 – rattaché à Draguignan

LA FLÈCHE – 72 Sarthe – **310** I8 – 15 500 h. – alt. 33 m – ✉ 72200   35 **C2**
▮ Châteaux de la Loire

▶ Paris 244 – Angers 52 – Laval 70 – Le Mans 44 – Tours 71
🅘 Office de tourisme, boulevard de Montréal ✆ 02 43 94 02 53,
   Fax 02 43 94 43 15
◉ Prytanée militaire★ - Boiseries★ de la chapelle N.-D.-des-Vertus - Parc
   zoologique du Tertre Rouge★ 5 km par ② puis D 104.
◉ Bazouges-sur-le-Loir : pont ≤★, 7 km par ④.

Boierie (R. de la)	Z 2
Carnot (R.)	Y 3
Collège (R. du)	Y 4
Dauversière (R. de la)	Y 5
Foch (Promenade du Mar.)	Y 14
Gallieni (R. du Mar.)	Z 9
Grande-Rue	Y
Grollier (R.)	YZ 10
Henri-IV (Pl.)	Y 12
Marché-au-Blé (Pl.)	Y 13
Moulin (Bd Jean)	Y 16
Ravenel (R.)	Y 17
Rhin-et-Danube (Av.)	Y 18
Thury-Harcourt (Av. de)	Z 19
Verdier (R. R.)	Y 20

LA FLÈCHE

Le Relais Cicero sans rest
18 bd Alger – ℰ 02 43 94 14 14 – www.cicero.fr – hotel.cicero@wanadoo.fr
– Fax 02 43 45 98 96 – Fermé 1er-15 août et 23 déc.-6 janv.   Y a
21 ch – †79/129 € ††79/129 €, ⊡ 12 €

◆ Cet ancien couvent (17e s.) et son jardin – un vrai havre de paix – invitent à une "retraite" en toute sérénité. Salon-bar rustique, meubles cirés et chambres personnalisées.

Le Vert Galant sans rest
70 Grande Rue – ℰ 02 43 94 00 51 – www.vghotel.com – contact@vghotel.com
– Fax 02 43 45 11 24   Y r
21 ch – †77/84 € ††92/96 €, ⊡ 12 €

◆ Au centre-ville, non loin du Prytanée, ex-relais postal du 18e s. Mobilier traditionnel, parfois contemporain, dans les chambres ; véranda où l'on propose le petit-déjeuner.

Le Moulin des Quatre Saisons
r. Gallieni – ℰ 02 43 45 12 12 – www.moulindesquatresaisons.com – contacts@moulindesquatresaisons.com – Fax 02 43 45 10 31 – Fermé vacances de la Toussaint, de fév., dim. soir, merc. soir et lundi sauf juil.-août   Z e
Rest – Menu (20 €), 26 € (sem.)/38 € – Carte 52/72 €

◆ Moulin du 17e s. sur une petite île du Loir. Cuisine actuelle assortie d'une très belle carte des vins, dont certains crus autrichiens ou hongrois, servie dans un décor tyrolien.

FLÉCHIN – 62 Pas-de-Calais – **301** G4 – 512 h. – alt. 96 m – ⊠ 62960   30 **B2**

▶ Paris 246 – Lille 72 – Arras 63 – Lens 55 – Liévin 50

La Maison
20 r. Haute – ℰ 03 21 12 69 33 – www.lamaisonrestaurant.com
– berthelemy.laurent@wanadoo.fr – Fermé 1er-8 août, 21-24 déc., 23-27 fév., sam. midi, merc. et lundi
Rest – (nombre de couverts limité, prévenir) Menu 17 € (déj. en sem.), 25/47 €
– Carte 41/68 €

◆ Maison 1900 abritant une plaisante salle à manger (parquet d'origine, objets chinés). Le chef propose une cuisine du terroir mettant à l'honneur produits bio et légumes oubliés.

FLÉRÉ-LA-RIVIÈRE – 36 Indre – **323** C4 – 566 h. – alt. 95 m   11 **B3**
– ⊠ 36700

▶ Paris 277 – Le Blanc 50 – Châtellerault 60 – Châtillon-sur-Indre 7 – Loches 17 – Tours 61

Le Relais du Berry
2 rte de Tours – ℰ 02 54 39 32 57 – Fermé janv., dim. soir, lundi et mardi
Rest – (nombre de couverts limité, prévenir) Menu 15 € (sem.), 24/40 €
– Carte 40/50 €

◆ Dans cet ancien relais postal, vous apprécierez une généreuse cuisine traditionnelle faisant la part belle aux produits du jardin (gibier en saison). Intérieur rustique.

FLERS – 61 Orne – **310** F2 – 16 947 h. – alt. 270 m – ⊠ 61100   32 **B2**
Normandie Cotentin

▶ Paris 234 – Alençon 73 – Argentan 42 – Caen 60 – Laval 86 – Vire 31
🛈 Office de tourisme, place du Docteur Vayssières ℰ 02 33 65 06 75, Fax 02 33 65 09 84
du Houlme à La Selle-la-Forge Le Bourg, par rte de Bagnoles-de-l'Orne : 4 km, ℰ 02 33 64 42 83

Plan page suivante

Le Galion sans rest
5 r. V. Hugo – ℰ 02 33 64 47 47 – www.hotellegalion.fr – le.galion.hotel@wanadoo.fr – Fax 02 33 65 10 10   AZ b
30 ch – †50 € ††52/57 €, ⊡ 9 €

◆ Cet immeuble situé au centre-ville bénéficie d'un environnement paisible et d'une bonne insonorisation. Les chambres spacieuses ont été rénovées (tons pastel ou tissus).

743

FLERS

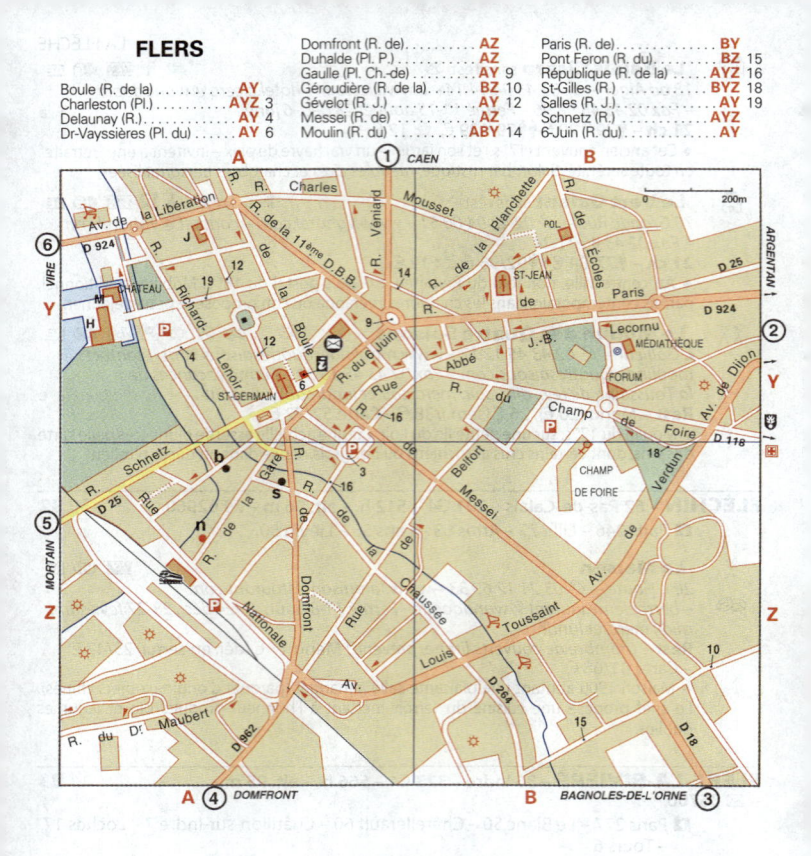

Boule (R. de la) .... **AY**	Domfront (R. de) .... **AZ**	Paris (R. de) .... **BY**
Charleston (Pl.) .... **AYZ** 3	Duhalde (Pl. P.) .... **AZ**	Pont Feron (R. du) .... **BZ** 15
Delaunay (R.) .... **AY** 4	Gaulle (Pl. Ch.-de) .... **AY** 9	République (R. de la) .... **AYZ** 16
Dr-Vayssières (Pl. du) .... **AY** 6	Géroudière (R. de la) .... **BZ** 10	St-Gilles (R.) .... **BYZ** 18
	Gévelot (R. J.) .... **AY** 12	Salles (R. J.) .... **AY** 19
	Messei (R. de) .... **AZ**	Schnetz (R.) .... **AYZ**
	Moulin (R. du) .... **ABY** 14	6-Juin (R. du) .... **AY**

Beverl'inn

9 r. Chaussée – ℰ 02 33 96 79 79 – www.beverlinn.com – beverlinn@beverlinn.com – Fax 02 33 65 94 89 – *Fermé 22 déc.-5 janv.*
16 ch – ♦43/46 €, ♦♦49 €, ⊇ 5 € – ½ P 45 €   AZ **s**
Rest – grill – *(Fermé sam. midi et dim.)* Menu (10 €), 14/28 €
– Carte 18/34 €

♦ Auberge proche du musée du Château. Vous séjournerez dans des chambres peu à peu redécorées avec sobriété et équipées de meubles en pin. Restaurant cosy de jaune et de rouge vêtu, grillades au feu de bois et recettes traditionnelles.

Au Bout de la Rue

60 r. de la Gare – ℰ 02 33 65 31 53 – www.auboutdelarue.com – restaurant@auboutdelarue.com – Fax 02 33 65 46 81 – *Fermé 1er-10 mai, 9-31 août, merc. soir, sam. midi, dim. et fériés*   AZ **n**
Rest – Menu (17 €), 22/32 € – Carte 26/42 €

♦ Ici, on ne vous cache rien ! Depuis la salle (style bistrot chic), vous observerez le chef préparer le plat que vous aurez précédemment choisi sur la carte, actuelle et créative.

Auberge du Relais Fleuri

115 r. Schnetz – ℰ 02 33 65 23 89 – aubergelerelaisfleuri@orange.fr
– *Fermé vend. soir, dim. soir et lundi*   AYZ
Rest – Menu (16 €), 24/48 € – Carte 40/60 €

♦ Cadre rustique, rehaussé de pierres et poutres apparentes, dans la première salle, la seconde affichant des boiseries normandes. Cuisine inventive et de saison, bons vins.

FLERS

au Buisson-Corblin 3 km par ② – ✉ 61100 Flers

XX **Auberge des Vieilles Pierres** 🄰🄲 ⇔ P VISA 🞋 AE
– ℰ 02 33 65 06 96 – www.aubergedesvieillespierres.fr
– aubergedesvieillespierres@wanadoo.fr – Fax 02 33 65 80 72
– Fermé 3-25 août, 16-23 fév., dim. soir, mardi soir et lundi
Rest – Menu 17 € (sem.)/62 € – Carte 40/55 €
♦ Vieilles pierres à l'extérieur... Salles à manger élégantes et chaleureuses à l'intérieur. La cuisine, au goût du jour, met les produits de la mer à l'honneur.

à La Ferrière-aux-Étangs 10 km par ③ – 1 643 h. – alt. 304 m – ✉ 61450

XX **Auberge de la Mine** (Hubert Nobis) ⇔ P VISA 🞋 AE
✿ le Gué-Plat, à 2 km par rte de Dompierre – ℰ 02 33 66 91 10
– aubergedelamine@free.fr – Fax 02 33 96 73 90
– Fermé 20 juil.-12 août, 4-27 janv., dim. soir, lundi et mardi
Rest – Menu 26 € (sem.)/65 €
Spéc. Crème renversée de foie gras au caramel de pommeau. Jarret de veau fourré à l'andouille de Vire (avril-mai). Savarin au calvados "Domfrontais", sorbet riz au lait (nov. à fév.). **Vins** Vin de Pays du Calvados.
♦ Intéressante cuisine au goût du jour servie dans deux plaisantes salles à manger. Pour l'anecdote, on se trouve dans l'ex-cantine d'une mine de fer dont l'activité a cessé en 1970.

> Ce guide vit avec vous : vos découvertes nous intéressent.
> Faites-nous part de vos satisfactions comme de vos déceptions.
> Coup de colère ou coup de cœur : écrivez-nous !

FLEURANCE – 32 Gers – 336 G6 – 6 255 h. – alt. 97 m – ✉ 32500   28 B2
Midi-Pyrénées

▶ Paris 693 – Agen 49 – Auch 25 – Condom 34 – Montauban 66 – Toulouse 87
🄸 Office de tourisme, 112 bis, rue de la République ℰ 05 62 64 00 00, Fax 05 62 06 27 80
🄶 de Fleurance Lassalle, S : 4 km par N 21, ℰ 05 62 06 26 26

🏨 **Le Fleurance** 🛋 🕭 🏊 🄰🄲 rest, ⇄ ⊠ 🐾 P VISA 🞋 AE
rte d'Agen – ℰ 05 62 06 14 85 – www.hotel-gers.com – lefleurance@gmail.com
– Fax 05 62 06 05 15 – Fermé 20 déc.-2 janv.
23 ch – ✝47/73 € ✝✝59/88 €, ☲ 9 € – ½ P 53/77 €
Rest – (fermé sam. et dim. de nov. à mars) Menu 13 € (déj. en sem.), 21/41 €
– Carte 37/50 €
♦ Hôtel pratique pour une étape au cœur de la Lomagne. Chambres fonctionnelles, parfois de plain-pied avec le jardin ou dotées d'un balcon. Tons jaune-orangé, mobilier en rotin et larges baies vitrées dans la salle à manger agrandie d'une terrasse côté piscine.

🏨 **Le Relais** sans rest 🄰🄲 🞋 P VISA 🞋 AE
32 av. Charles de Gaulle, rte d'Auch – ℰ 05 62 06 05 08 – hotel-le-relais@wanadoo.fr – Fax 05 62 06 03 84
20 ch – ✝43/54 € ✝✝49/60 €, ☲ 7 € – ½ P 58/67 €
♦ Ce petit hôtel situé aux portes de la magnifique bastide du 13ᵉ s. (plan géométrique, halle voûtée) dispose de chambres insonorisées et climatisées. Accueil aimable.

FLEURIE – 69 Rhône – 327 H2 – 1 190 h. – alt. 320 m – ✉ 69820   43 E1
Lyon et la vallée du Rhône

▶ Paris 410 – Bourg-en-Bresse 46 – Lyon 58 – Mâcon 22
– Villefranche-sur-Saône 27

🏨 **Des Grands Vins** sans rest ⌕ 🛋 🏊 🕭 ⇄ 🐾 P VISA 🞋 ①
r. Grappe Fleurie, 1 km au Sud par D 119ᴱ – ℰ 04 74 69 81 43
– www.hoteldesgrandsvins.com – despres@hoteldesgrandsvins.com
– Fax 04 74 69 86 10 – Fermé 22 nov.-7 fév.
20 ch – ✝71/85 € ✝✝80/85 €, ☲ 10 €
♦ Établissement familial dont le jardin borde le vignoble. Chambres simples et bien tenues ; vaste salle des petits-déjeuners. Exposition-vente de vins du village.

FLEURIE

Domaine du Clos des Garands sans rest
1 km à l'Est par D 32 – ℰ 04 74 69 80 01 – www.closdesgarands.fr
– contact@closdesgarands.fr – Fax 04 74 69 82 05 – Fermé janv.
4 ch ⊇ – †88/108 € ††88/108 €

◆ Les chambres de ce domaine viticole offrent toutes une vue imprenable sur Fleurie et les monts du Beaujolais. Un soin particulier est apporté au décor. Dégustations de vins de la propriété.

Le Cep (Chantal Chagny)
pl. de l'Église – ℰ 04 74 04 10 77 – Fax 04 74 04 10 28
– Fermé 29 juin-7 juil., déc., janv., dim. et lundi
Rest – (prévenir) Menu 45/95 € – Carte 72/94 €
Spéc. Cuisses de grenouilles sautées, salades en vinaigrette. Pigeonneau de grain, jus simple au poivre concassé. Cassis de Lancié en sorbet, pulpe acidulée et glace vanille. **Vins** Beaujolais blanc, Fleurie.

◆ Foin du décor élégant ou de la brigade stylée ! Cette digne ambassade du Beaujolais a renoncé au luxe pour mieux retrouver les saveurs d'une authentique cuisine du terroir.

FLEURVILLE – 71 Saône-et-Loire – 320 J11 – 473 h. – alt. 174 m   8 C3
– ✉ 71260

▸ Paris 375 – Cluny 26 – Mâcon 18 – Pont-de-Vaux 8 – St-Amour 43 – Tournus 16

Château de Fleurville
r. du Glamont – ℰ 03 85 27 91 30 – www.chateau-de-fleurville.com
– chateaufleurville@free.fr – Fax 03 85 27 91 29
15 ch – †90/120 € ††135/175 €, ⊇ 14 € – 1 suite – ½ P 135/150 €
Rest – (fermé le midi sauf dim.) Menu 38 €, 58/78 € – Carte 69/87 €

◆ Dans son parc séculaire, un petit château du 17ᵉ s. en pierre bourguignonne flanqué d'une jolie tour. Chambres rénovées, aux meubles anciens et tissus tendus. Piscine, tennis. Cuisine traditionnelle servie dans une salle à manger rustique (poutres, cheminée) ; agréable terrasse.

à Mirande 3 km au Nord-Ouest – ✉ 71260 Montbellet

La Marande avec ch
rte de Lugny – ℰ 03 85 33 10 24 – www.hotel-restaurant-la-marande.com
– restaurant-la-marande@wanadoo.fr – Fax 03 85 33 95 06 – Fermé
16-26 nov., 4 janv.-4 fév., lundi et mardi
5 ch – †70 € ††70 €, ⊇ 8 € **Rest** – Menu 27/65 € – Carte 44/59 €

◆ Maison en pierre au grand calme en pleine campagne mâconnaise vous accueillant dans décor rajeuni et soigné. Terrasse verte. Carte actuelle. Chambres pour l'étape. Café et croissants au petit-déjeuner. Jardin.

FLEURY-LA-FORÊT – 27 Eure – 304 J5 – 269 h. – alt. 161 m   33 D2
– ✉ 27480

▸ Paris 108 – Rouen 42 – Évreux 99 – Beauvais 49 – Mantes-la-Jolie 69

Château de Fleury la Forêt sans rest
4 rte de Lyons, 1,5 km au Sud-Ouest par D 14 – ℰ 02 32 49 63 91
– www.chateau-fleury-la-foret.com – info@chateau-fleury-la-foret.com
– Fax 02 32 49 71 67
3 ch ⊇ – †70 € ††76 €

◆ Les chambres de ce beau château (16ᵉ et 18ᵉ s.) possèdent un authentique mobilier d'époque. Petit-déjeuner dans la cuisine normande. Collections de poupées et d'objets anciens.

FLEURY-SUR-ORNE – 14 Calvados – 303 J5 – rattaché à Caen

FLORAC – 48 Lozère – 330 J9 – 1 908 h. – alt. 542 m – ✉ 48400   23 C1
Languedoc Roussillon

▸ Paris 622 – Alès 65 – Mende 38 – Millau 84 – Rodez 123 – Le Vigan 72
▪ Office de tourisme, 33, avenue J. Monestier ℰ 04 66 45 01 14,
Fax 04 66 45 25 80
▫ Corniche des Cévennes ★.

FLORAC

Des Gorges du Tarn
48 r. Pêcher – ℰ 04 66 45 00 63 – www.hotel-gorgesdutarn.com
– gorges-du-tarn.adonis@wanadoo.fr – Fax 04 66 45 10 56 – Ouvert de Pâques à la Toussaint et fermé merc. sauf juil.-août
26 ch – †46/80 € ††46/80 €, ☲ 8,50 €
Rest *L'Adonis* – Menu 17 € (sem.)/55 € – Carte 37/46 €
◆ Vous êtes à l'entrée (ou à la sortie) des gorges du Tarn. Préférez les chambres fraîchement rénovées, au décor actualisé ; plus spacieuses à l'annexe. Au restaurant, la carte et ses spécialités content le pays cévenol dans un cadre modernisé et lambrissé.

à Cocurès 5,5 km au Nord-Est par D 806 et D 998 – 195 h. – alt. 600 m – ⊠ 48400

La Lozerette
– ℰ 04 66 45 06 04 – www.lalozerette.com – lalozerette@wanadoo.fr
– Fax 04 66 45 12 93 – Ouvert du 16 mars à la Toussaint
20 ch – †58/78 € ††58/86 €, ☲ 9 € – ½ P 57/74 €
Rest – (fermé mardi soir hors saison sauf résidents, mardi midi et merc. midi)
Menu 19 € (sem.), 26/50 € – Carte 32/50 € ❀
◆ Dans un hameau situé aux portes du Parc national des Cévennes, vieille demeure aux petites chambres fraîches et personnalisées. Coquette salle à manger coiffée de poutres apparentes, cuisine traditionnelle et cave riche en vins du Languedoc-Roussillon.

FLOURE – 11 Aude – **344** F3 – rattaché à Carcassonne

FLUMET – 73 Savoie – **333** M3 – 877 h. – alt. 920 m – Sports d'hiver : 46 **F1**
1 000/2 030 m ≰ 11 ≮ – ⊠ 73590 Alpes du Nord

▶ Paris 582 – Albertville 22 – Annecy 51 – Chamonix-Mont-Blanc 43 – Megève 10
🄸 Syndicat d'initiative, avenue de Savoie ℰ 04 79 31 61 08, Fax 04 79 31 84 67

Cœur de Marie ⟡
par D 909, aux Glières, 5 km au Nord par rte de la Giettaz – ℰ 04 79 31 38 84
– www.chalet-marie.com – contact@chalet-marie.com – Fax 04 79 31 38 84
4 ch ☲ – †59 € ††65/73 € **Table d'hôte** – Menu 24 € bc
◆ Chalet à l'intérieur tout bois (1810) portant le nom d'une fleur ancienne. Chambres cosy : rideaux brodés, tissus savoyards et bibelots anciens. À l'étage, au coin du feu, dîner familial aux saveurs savoyardes et petit-déjeuner avec confitures maison.

FOIX Ⓟ – 09 Ariège – **343** H7 – 9 109 h. – alt. 375 m – ⊠ 09000 29 **C3**
 Midi-Pyrénées

▶ Paris 762 – Andorra-la-Vella 102 – Carcassonne 89 – St-Girons 45
🄸 Office de tourisme, 29, rue Delcassé ℰ 05 61 65 12 12, Fax 05 61 65 64 63
🄶 de l'Ariège à La Bastide-de-Sérou Unjat, par rte de St-Girons : 15 km, ℰ 05 61 64 56 78
◉ Site★ – ❋★ de la tour du château - Route Verte★★ O par D17 A.
◉ Rivière souterraine de Labouiche★ NO : 6,5 km par D1.

Plan page suivante

Du Lac ⟡
rte de Toulouse, 3 km par ① – ℰ 05 61 65 17 17 – www.hoteldulac-foix.fr
– hotel.du.lac.foix@free.fr – Fax 05 61 02 94 24
35 ch – †63/75 € ††63/75 €, ☲ 9 € – ½ P 65/75 €
Rest – (fermé 24 déc.-1er janv. et dim. soir d'oct. à juin) Menu 29/38 €
◆ Les chambres, confortables et neuves, de cette ancienne bergerie (1599) profitent du calme du parc et du lac. Nombreuses activités nautiques et location de bungalows climatisés. Décor rustique (poutres et pierres apparentes, cheminée) au restaurant.

Eychenne sans rest
11 r. N. Peyrevidal – ℰ 05 61 65 00 04 – www.hotel-eychenne.com
– hotel.eychenne@orange.fr – Fax 05 61 65 56 63 A **b**
16 ch – †53 € ††55 €, ☲ 6 €
◆ Facilement repérable grâce à sa tour d'angle en bois et son bar façon pub anglais, cet hôtel simple et rajeuni se révèle pratique et idéalement situé pour une visite de Foix.

FOIX

Alsace-Lorraine (Bd)	**B** 2
Bayle (R.)	**B**
Chapeliers (R. des)	**A** 3
Delcassé (R. Th.)	**B** 4
Delpech (R. Lt P.)	**A** 5
Duthil (Pl.)	**B** 6
Fauré (Cours G.)	**AB** 7
Labistour (R. de)	**A** 8
Lazéma (R.)	**A** 9
Lérida (Av. de)	**A** 10
Lespinet (R. de)	**A** 13
Marchands (R. des)	**B** 12
Préfecture (R. de la)	**A** 14
Rocher (R. du)	**A** 20
St-Jammes (R.)	**A** 22
St-Volusien (Pl.)	**A** 23
Salenques (R. des)	**A** 24

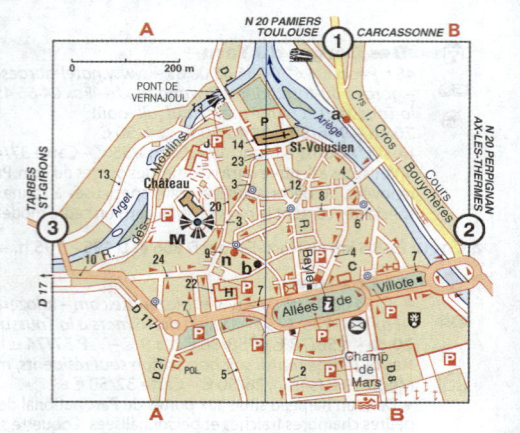

XX Le Ste-Marthe

21 r. N. Peyrevidal – ℰ 05 61 02 87 87 – www.le-saintemarthe.fr – restaurant @ le-saintemarthe.fr – Fax 05 61 02 87 87 – Fermé mardi et merc. sauf juil.-août

A n

Rest – Menu 23/42 € – Carte 35/55 €

♦ Une adresse qui rassasiera vos envies de spécialités régionales (cassoulet, foie gras...) : assiettes généreuses servies sur nappes blanches dans un décor d'esprit rustique.

XX Phoebus

3 cours Irénée Cros – ℰ 05 61 65 10 42 – www.ariege.com/le-phoebus – Fax 05 61 65 10 42 – Fermé 19 juil.-19 août, sam. midi, dim. soir et lundi

B a

Rest – Menu (19 €), 29/66 € – Carte 45/55 €

♦ Pour déguster une cuisine traditionnelle dans une salle dominant l'Ariège et le château de G. Phoebus. L'accueil est soigné et pensé pour les non-voyants (carte en braille).

FONDAMENTE – 12 Aveyron – **338** K7 – 294 h. – alt. 430 m – ⊠ 12540   29 **D2**

▶ Paris 679 – Albi 109 – Millau 43 – Montpellier 98 – Rodez 111 – St-Affrique 28

X Baldy avec ch

Vallée de Sorgues – ℰ 05 65 99 37 38 – www.hotel-sorgues.com – Fax 05 65 99 92 84 – Hôtel : ouvert de Pâques à oct. et fermé dim. soir et lundi soir

9 ch – ♦46/50 € ♦♦46/50 €, ⊡ 11 € – ½ P 55/58 €

Rest – *(fermé dim. soir, lundi et jeudi)* (prévenir) Menu (18 €), 27 € bc (déj. en sem.), 29/50 €

♦ Le chef de cette sympathique auberge familiale – un ancien boucher – mise sur la qualité et propose une carte volontairement réduite d'alléchantes spécialités régionales.

FONS – 46 Lot – **337** H4 – 386 h. – alt. 260 m – ⊠ 46100   29 **C1**

▶ Paris 562 – Toulouse 190 – Cahors 66 – Villefranche-de-Rouergue 47 – Figeac 12

⌂ Domaine de la Piale sans rest

La Piale, 1 km au Sud – ℰ 05 65 40 19 52 – www.domainedelapiale.com – accueil @ domainedelapiale.com – Fax 05 65 40 19 52

4 ch ⊡ – ♦55/110 € ♦♦55/110 €

♦ Une adresse idéale pour se mettre au vert. Ambiance familiale et agréable cadre rustique et campagnard (poutres, pierres apparentes). Les chambres occupent une ancienne grange.

FONTAINEBLEAU – 77 Seine-et-Marne – 312 F5 – 15 900 h. – alt. 75 m – ⌧ 77300 – Île de France 19 C3

- Paris 64 – Melun 18 – Montargis 51 – Orléans 89 – Sens 54
- Office de tourisme, 4, rue Royale ℘ 01 60 74 99 99, Fax 01 60 74 80 22
- U.C.P.A. Bois-le-Roi à Bois-le-Roi Base de loisirs, par rte de Melun : 10 km, ℘ 01 64 81 33 31
- Palais★★★ : Grands appartements★★★ (Galerie François 1ᵉʳ★★★, Salle de Bal★★★) - Jardins★ - Musée napoléonien d'Art et d'Histoire militaire : collection de sabres et d'épées★ - M¹ - Forêt★★★ - Gorges de Franchard★★ 5 km par ⑥.

Grand Hôtel de l'Aigle Noir sans rest
27 pl. Napoléon Bonaparte – ℘ 01 60 74 60 00
– www.hotelaiglenoir.fr – hotel.aigle.noir@wanadoo.fr – Fax 01 60 74 60 01
– Fermé 3 sem. en août et vacances de Noël   AZ a
15 ch – †100/160 € ††110/170 €, ⌂ 15 € – 3 suites
♦ Ancien hôtel particulier construit au 15ᵉ s. situé tout près du château. Ambiance feutrée et chambres personnalisées par de beaux meubles, certaines de style Empire.

Armes (Pl. d')..............BZ 3	Churchill (Bd W.)..........AY 8	Gaulle (Pl. Gén.-de)........AZ 12
Bois (R. des)..............BY 4	Dénecourt (R.)............AZ 9	Grande (R.)................BY
Briand (R. Aristide)........	Étape aux Vins	Leclerc (Bd du Mar.)........BY 15
Calas (R. du Commissaire)....BY	(Pl. de l')..............BY	Napoléon Bonaparte
Chancellerie (R. de la).....BZ 6	Foch (Bd du Mar.)..........BY 10	(Pl.)....................AZ 16
Château (R. du)............BY 7	France (R. de)............AYZ	Paroisse (R. de la)........AY 18

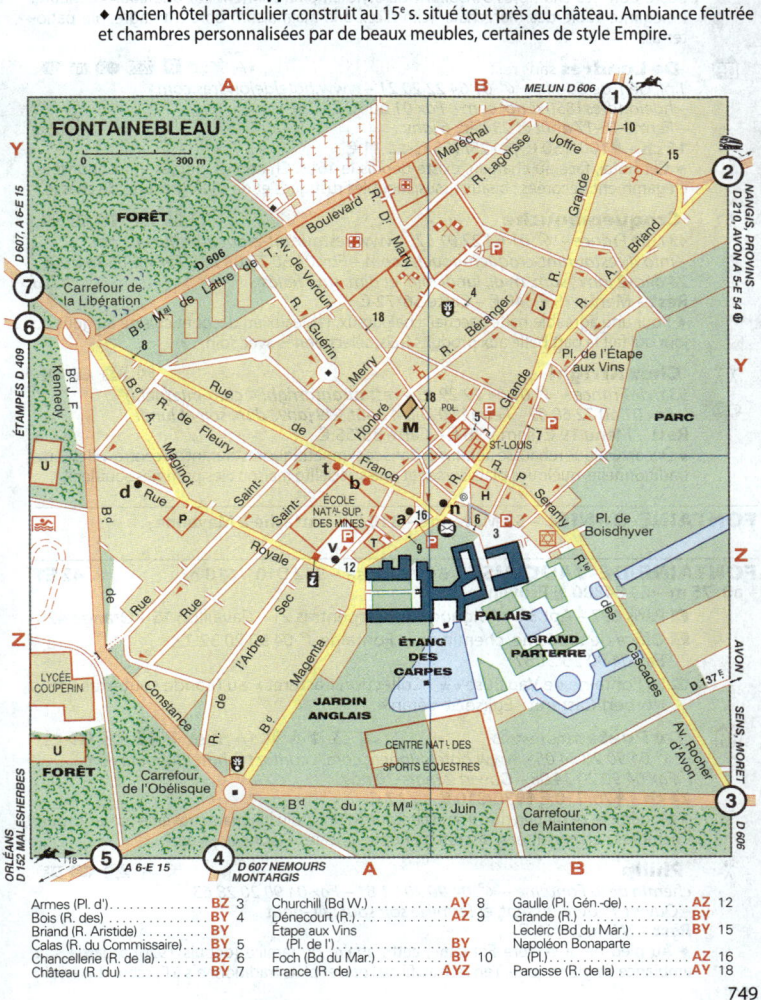

FONTAINEBLEAU

Mercure
41 r. Royale – ℰ 01 64 69 34 34 – www.mercure.com – h1627@accor.com
– Fax 01 64 69 34 39
97 ch – †155 € ††165 €, ⌷ 17 €
Rest – *(fermé 31 juil.-24 août et 21 déc.-2 janv.)* Menu (21 €) – Carte 29/36 €

AZ d

♦ Cet établissement confortable et de qualité propose des chambres fonctionnelles. Détendez-vous devant la cheminée du salon ou profitez de l'ambiance cosy du bar. Cuisine traditionnelle dans la salle contemporaine prolongée d'une terrasse avec vue sur le parc.

Napoléon
9 r. Grande – ℰ 01 60 39 50 50 – www.naposite.com – resa@naposite.com
– Fax 01 64 22 20 87
57 ch – †165 € ††165 €, ⌷ 16 €
Rest *La Table des Maréchaux* – Menu (35 €), 40/55 € – Carte 45/65 €

BZ n

♦ À 100 m du château où Napoléon fit ses adieux à la garde impériale en 1814, ex-relais de poste dont les chambres s'inspirant du style Empire donnent sur une cour intérieure. L'élégante Table des Maréchaux (clin d'œil à la Malmaison) borde un agréable patio-terrasse.

De Londres sans rest
1 pl. Gén. de Gaulle – ℰ 01 64 22 20 21 – www.hoteldelondres.com
– hdelondres1850@aol.com – Fax 01 60 72 39 16
– Fermé 10-17 août et 23 déc.-6 janv.
16 ch – †100/150 € ††125/165 €, ⌷ 11 €

AZ v

♦ Cet hôtel, face au château, existe depuis le 16ᵉ s. Chambres amples et insonorisées, élégamment décorées : beaux tissus, meubles rustiques et de style, gravures de chasse.

Croquembouche
43 r. de France – ℰ 01 64 22 01 57 – www.restaurant-croquembouche.com
– info@restaurant-croquembouche.com – Fax 01 60 72 08 73 – Fermé 1ᵉʳ-15 août, 24 déc.-2 janv., sam. midi, lundi midi et dim. sauf fériés
Rest – Menu (18 €), 40 € – Carte 56/72 €

AZ b

♦ Pour une agréable halte : accueil chaleureux, tableaux en décor et cuisine au goût du jour qui fait la part belle aux produits frais, sélectionnés avec soin.

Chez Arrighi
53 r. de France – ℰ 01 64 22 29 43 – restaurantarrighi@club-internet.fr
– Fax 01 60 72 68 02 – Fermé 20 juil.-4 août, 2-9 janv., dim. soir et lundi
Rest – Menu 19 € (sem.)/38 € – Carte 35/55 €

AZ t

♦ Décor rustique rehaussé de cuivres dans ce sympathique restaurant du centre-ville. Carte traditionnelle, quelques plats corses et une spécialité maison : les pommes soufflées.

FONTAINE-DANIEL – 53 Mayenne – 310 E5 – rattaché à Mayenne

FONTAINE-DE-VAUCLUSE – 84 Vaucluse – 332 D10 – 610 h. – alt. 75 m – ⌧ 84800 ▮ Provence

42 **E1**

▯ Paris 697 – Apt 34 – Avignon 33 – Carpentras 21 – Cavaillon 15 – Orange 42
▯ Office de tourisme, chemin de la Fontaine ℰ 04 90 20 32 22, Fax 04 90 20 21 37
▯ La Fontaine de Vaucluse★★ - Collection Casteret★ au Monde souterrain de Norbert Casteret - Église St-Véran★.

Du Poète sans rest
– ℰ 04 90 20 34 05 – www.hoteldupoete.com – contact@hoteldupoete.com
– Fax 04 90 20 34 08 – Ouvert 2 mars-30 nov.
24 ch – †70/310 € ††70/310 €, ⌷ 17 €

♦ Modernisé, ce moulin du 19ᵉ s. est entouré d'un jardin luxuriant, traversé par la Sorgue. Chambres personnalisées, discrètement provençales. Piscine et jacuzzi.

Philip
chemin de la Fontaine – ℰ 04 90 20 31 81 – Fax 04 90 20 28 63
– Ouvert 1ᵉʳ avril-30 sept. et fermé le soir sauf juil.-août
Rest – Menu 25/41 €

♦ Au pied de la célèbre Fontaine, cette affaire de famille (depuis 1926) a gardé son ambiance de guinguette. Terrasse au fil de l'eau et plats traditionnels à l'accent du terroir.

FONTANGES – 15 Cantal – **330** D4 – rattaché à Salers

LE FONTANIL – 38 Isère – **333** H6 – rattaché à Grenoble

FONTENAI-SUR-ORNE – 61 Orne – **310** I2 – rattaché à Argentan

FONTENAY – 88 Vosges – **314** H3 – 474 h. – alt. 390 m – ⊠ 88600   27 **C3**
  ▶ Paris 410 – Metz 136 – Épinal 13 – Saint-Dié-des-Vosges 38
  – Lunéville 96

La Grange
chemin de Framont – ℰ 03 29 43 20 55 – www.la-grange-aux-arts.com
– caroline.orefice@la-grange-aux-arts.com – Fax 03 29 43 20 56
5 ch ⊡ – ♦95 € ♦♦105 €   **Table d'hôte** – Menu 18/25 € bc
 ◆ Cette villa moderne, tenue par une galeriste, dispose de chambres personnalisées sur le thème des cinq continents qui reflètent cette passion pour l'art. Spa, piscine couverte. Table d'hôte traditionnelle et dîners aux chandelles (sur réservation).

FONTENAY-LE-COMTE ⊚ – 85 Vendée – **316** L9 – 14 200 h.   34 **B3**
– alt. 21 m – ⊠ 85200 **Poitou Vendée Charentes**
  ▶ Paris 442 – Cholet 103 – La Rochelle 51 – La Roche-sur-Yon 64
  🛈 Office de tourisme, 8, rue de Grimouard ℰ 02 51 69 44 99,
  Fax 02 51 50 00 90
  ◎ Clocher★ de l'église N.-Dame **B** - Intérieur★ du château de Terre-Neuve.

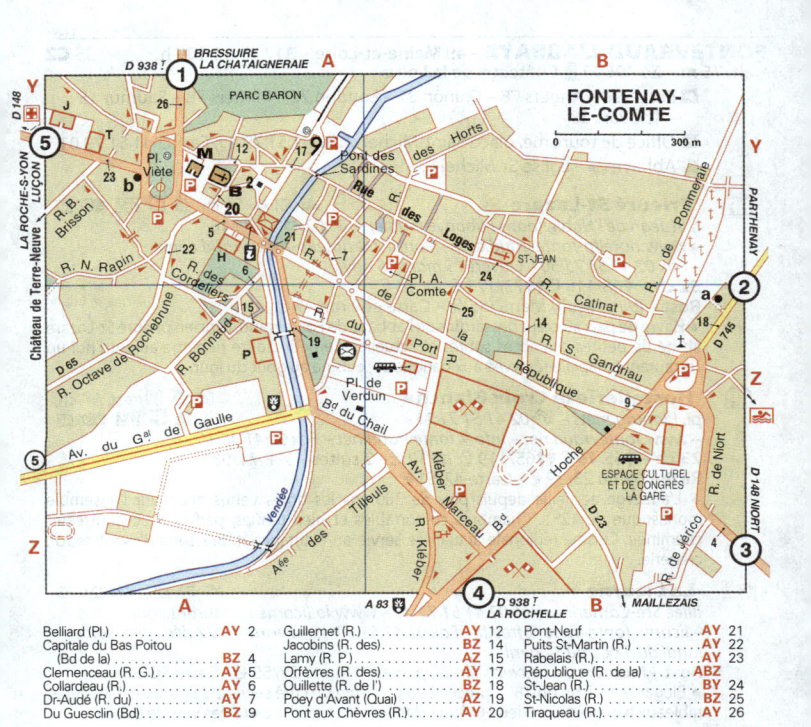

Belliard (Pl.) ....**AY** 2	Guillemet (R.) ....**AY** 12	Pont-Neuf ....**AY** 21
Capitale du Bas Poitou	Jacobins (R. des) ....**BZ** 14	Puits St-Martin (R.) ....**AY** 22
(Bd de la) ....**BZ** 4	Lamy (R. P.) ....**AZ** 15	Rabelais (R.) ....**AY** 23
Clemenceau (R. G.) ....**AY** 5	Orfèvres (R. des) ....**AY** 17	République (R. de la) .....**ABZ**
Collardeau (R.) ....**AY** 6	Ouillette (R. de l') ....**BZ** 18	St-Jean (R.) ....**BY** 24
Dr-Audé (R. du) ....**AY** 7	Poey d'Avant (Quai) ....**AZ** 19	St-Nicolas (R.) ....**BZ** 25
Du Guesclin (Bd) ....**BZ** 9	Pont aux Chèvres (R.) .....**AY** 20	Tiraqueau (R.) ....**AY** 26

FONTENAY-LE-COMTE

Le Rabelais 🌿   🚗 🍴 🛏 🖥 ⚐ ch, ↔ 🚭 🕍 🅿 🗝 VISA ⦿ AE
19 r. Ouillette – ℰ *02 51 69 86 20 – www.hotel-lerabelais.com – hotel-lerabelais@wanadoo.fr – Fax 02 51 69 80 45*   BZ **a**
54 ch – ♦69/98 € ♦♦69/98 €, ⊇ 10 €
Rest – Menu (14 €), 18/30 € – Carte 26/32 €

♦ L'enseigne fait référence au séjour de trois ans que fit l'écrivain dans la ville. La plupart des chambres, bien rénovées et fonctionnelles, ouvrent sur un jardin fleuri. Au restaurant, terrasse au bord de la piscine et grand buffet d'entrées et de desserts.

Le Logis de la Clef de Bois sans rest   🚗 🛏
5 r. du Département – ℰ *02 51 69 03 49 – www.clef-de-bois.com – clef_de_bois@hotmail.com – Fax 02 51 69 03 49*   AY **b**
4 ch ⊇ – ♦90/105 € ♦♦120/135 €

♦ Cet hôtel particulier abrite des chambres joliment colorées, portant chacune le nom d'un écrivain. La suite Rabelais, dont le décor évoque la commedia dell'arte, est la plus originale.

à Velluire 11 km par ④, D 938 ter et D 68 – 508 h. – alt. 9 m – ⊠ 85770

Auberge de la Rivière avec ch 🌿   VISA ⦿ AE
r. du Port de la Fouarne – ℰ *02 51 52 32 15 – www.hotel-riviere-vendee.com – auberge.delariviere@wanadoo.fr – Fax 02 51 52 37 42 – Fermé 11 janv.-28 fév., dim. soir sauf juil.-août et lundi*
11 ch – ♦50/85 € ♦♦65/94 €, ⊇ 11 € – ½ P 70/84 €
Rest – Menu 26/50 € – Carte 46/67 €

♦ Coquette auberge postée sur une rive de la Vendée, où l'on sert une cuisine régionale revisitée dans une jolie salle à manger très rustique. Chambres spacieuses et soignées.

FONTETTE – 89 Yonne – 319 F7 – rattaché à Vézelay

FONTEVRAUD-L'ABBAYE – 49 Maine-et-Loire – 317 J5 – 1 189 h.   35 **C2**
– alt. 75 m – ⊠ 49590 ▌ Châteaux de la Loire

▐ Paris 296 – Angers 78 – Chinon 21 – Loudun 22 – Poitiers 78 – Saumur 15 – Thouars 38

▐ Office de tourisme, place Saint-Michel ℰ 02 41 51 79 45, Fax 02 41 51 79 01

◉ Abbaye★★ - Église St-Michel★.

Prieuré St-Lazare 🌿   🚗 🖥 ↔ 🚭 ch, 🕍 🅿 VISA ⦿ AE
r. St Jean de l'Habit, (dans l'abbaye royale) – ℰ *02 41 51 73 16
– www.hotelfp-fontevraud.com – contact@hotelfp-fontevraud.com
– Fax 02 41 51 75 50 – Ouvert 15 mars-15 nov.*
52 ch – ♦68/115 € ♦♦73/122 €, ⊇ 13 €
Rest – *(dîner seult)* Menu (35 €) – Carte environ 49 €

♦ Havre de paix au cœur des jardins de l'abbaye de Fontevraud, l'ancien prieuré St-Lazare abrite de petites chambres sobres et actuelles. Le petit cloître héberge aujourd'hui un restaurant (chapelle réservée aux banquets) ; cuisine au goût du jour.

Hostellerie la Croix Blanche   🍴 🛏 🅰🅒 rest, 🚭 ch,
pl. Plantagenets – ℰ *02 41 51 71 11*   🚭 🕍 🅿 VISA ⦿ AE
– www.fontevraud.net – info@fontevraud.net – Fax 02 41 38 15 38
23 ch – ♦65/79 € ♦♦65/119 €, ⊇ 12 € – 2 suites – ½ P 71/98 €
Rest – Menu 23/39 € – Carte 42/51 €

♦ L'auberge accueille depuis plus de 300 ans les hôtes venus découvrir l'ensemble monastique du 12ᵉ s. Chambres confortables et bien tenues, parfois avec poutres et cheminée. Cuisine régionale actualisée servie au Plantagenêt. Brasserie d'esprit rétro ; crêperie.

La Licorne   🚗 🍴 VISA ⦿ AE ①
allée Ste-Catherine – ℰ *02 41 51 72 49 – www.la.licorne.restaurant.com
– licorne.fontevraud@free.fr – Fax 02 41 51 70 40 – Fermé 21-27 déc., dim. soir et lundi du 5 oct. au 11 avril*
Rest – *(nombre de couverts limité, prévenir)* Menu 27/55 € – Carte 50/86 € 🍷

♦ Élégante maison du 18ᵉ s. précédée d'un jardin de curé servant de terrasse. Tuffeau et tableaux habillent l'intérieur. Cuisine classique et superbe carte des vins de Loire.

FONTEVRAUD-L'ABBAYE

L'Abbaye "Le Délice"
8 av. Roches – ℰ 02 41 51 71 04 – Fax 02 41 51 43 10 – Fermé 25 oct.-5 nov., 2 fév.-5 mars, mardi soir et merc.
Rest – Menu (12 €), 14 € (sem.)/28 € – Carte 21/34 €

♦ Le délice est le plat mythique de l'enseigne, une croquette au fromage. Recettes traditionnelles servies dans un cadre au charme suranné (accès par un pittoresque café).

FONTJONCOUSE – 11 Aude – **344** H4 – 133 h. – alt. 298 m – ⊠ 11360   22 **B3**

▫ Paris 822 – Carcassonne 56 – Narbonne 32 – Perpignan 65

Auberge du Vieux Puits (Gilles Goujon) avec ch
av. St Victor – ℰ 04 68 44 07 37
– www.aubergeduvieuxpuits.fr – aubergeduvieuxpuits@wanadoo.fr
– Fax 04 68 44 08 31 – Fermé 2 janv.-5 mars, lundi midi du 21 juin au 14 sept., dim. soir, lundi et mardi du 15 sept. au 20 juin
14 ch – †125/260 € ††125/260 €, ⊇ 19 € – ½ P 190/275 €
Rest – Menu 58 € (déj. en sem.), 105/125 € – Carte 120/150 €
Spéc. Œuf de poule aux truffes sur purée de champignons, briochine tiède. Filet de rouget barbet, pomme bonne bouche fourrée d'une brandade à la cèbe en "bullinada". Sablé feuille à feuille de chocolat, surprise de framboise et mousseux tanéa. **Vins** Corbières blanc et rouge

♦ Dans cet élégant restaurant contemporain, le livre de cave est à la hauteur de la cuisine, fine et créative, qui revisite brillamment le terroir. Chambres modernes et minimalistes.

La Maison des Chefs
(à 300 m dans le village) – ℰ 04 68 44 07 37 – www.aubergeduvieuxpuits.fr
– aubergeduvieuxpuits@wanadoo.fr – Fax 04 68 44 08 31
6 ch – †105/115 € ††105/115 €

♦ Le décor des chambres rend hommage aux grands chefs : ustensiles culinaires, vestes signées par Bocuse, Troisgros, etc.

FONT-ROMEU – 66 Pyrénées-Orientales – **344** D7 – 2 003 h.   22 **A3**
– alt. 1 800 m – Sports d'hiver : 1 900/2 250 m ⛷1 ⛷28 ⛷ – Casino
– ⊠ 66120 ▮ Languedoc Roussillon

▫ Paris 858 – Andorra la Vella 73 – Ax-les-Thermes 56 – Bourg-Madame 18
🛈 Office de tourisme, 38, avenue Emmanuel Brousse ℰ 04 68 30 68 30, Fax 04 68 30 29 70
⛳ de Font-Romeu Espace Sportif Colette Besson, N : 1 km, ℰ 04 68 30 10 78
◉ Camaril ★★★, retable ★ et chapelle ★ de l'Ermitage - ☀ ★★ Calvaire.

Plan page suivante

Le Grand Tétras sans rest
av. E. Brousse – ℰ 04 68 30 01 20 – www.hotelgrandtetras.fr – infos@hotelgrandtetras.fr – Fax 04 68 30 35 67   AX **r**
36 ch – †69/100 € ††69/100 €, ⊇ 10 €

♦ Hôtel aux allures montagnardes récemment refait. Balcon et vue panoramique sur les Pyrénées dans les chambres orientées au Sud. Spa et piscine couverte sur le toit.

Sun Valley
3 av. Espagne – ℰ 04 68 30 21 21 – www.hotelsunvalley.fr – pierre.mitjaville@wanadoo.fr – Fax 04 68 30 30 38 – Fermé 31 oct.-4 déc.   AX **f**
41 ch – †83/109 € ††92/119 €, ⊇ 11 €   **Rest** – (résidents seult) Menu 22 €

♦ Les chambres, peu à peu rénovées dans un esprit chalet, profitent du soleil depuis leur balcon. Bel espace bien-être et relaxation au dernier étage. Repas simples et copieux.

Clair Soleil
29 av. François Arago, rte Odeillo : 1 km – ℰ 04 68 30 13 65
– www.hotel-clair-soleil.com – clairsoleil3@wanadoo.fr – Fax 04 68 30 08 27
– Fermé 13 avril-16 mai et 2 nov.-18 déc.   AY **b**
29 ch ⊇ – †59/69 € ††67/76 €
Rest – *(fermé le midi du lundi au jeudi hors saison, mardi midi et merc. midi)*
Menu 22/38 € – Carte environ 38 €

♦ Cette sympathique pension de famille, entièrement non-fumeurs, bénéficie d'une très bonne exposition face au four solaire d'Odeillo. Chambres modestes, avec balcon ou terrasse. Cuisine régionale et accueil aux petits soins dans la salle à manger-véranda.

FONT-ROMEU

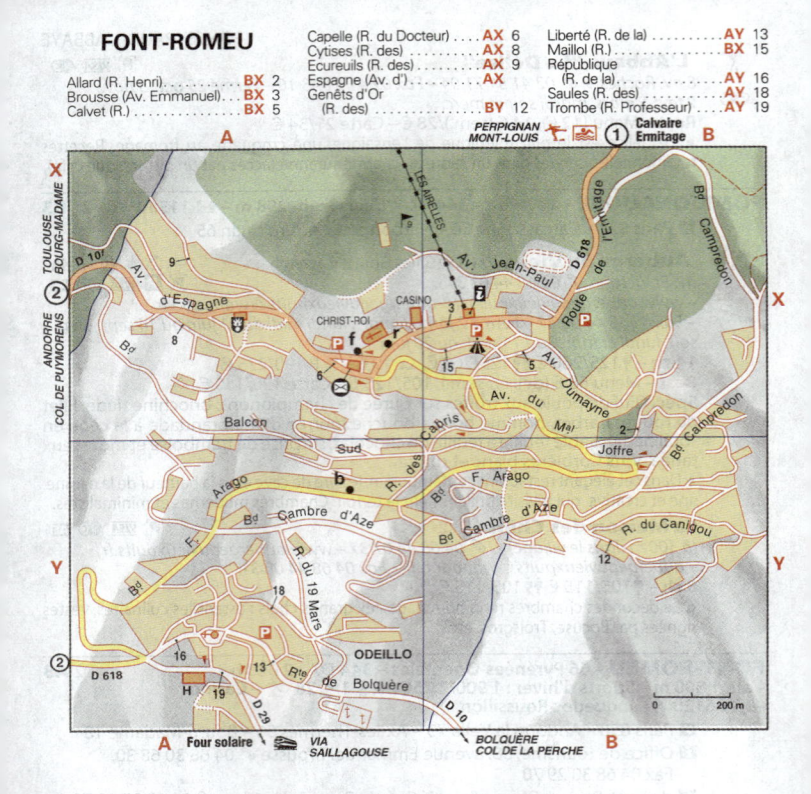

Allard (R. Henri)	**BX** 2
Brousse (Av. Emmanuel)	**BX** 3
Calvet (R.)	**BX** 5
Capelle (R. du Docteur)	**AX** 6
Cytises (R. des)	**AX** 8
Ecureuils (R. des)	**AX** 9
Espagne (Av. d')	**AX**
Genêts d'Or (R. des)	**BY** 12
Liberté (R. de la)	**AY** 13
Maillol (R.)	**BX** 15
République (R. de la)	**AY** 16
Saules (R. des)	**AY** 18
Trombe (R. Professeur)	**AY** 19

à Via 5 km au Sud par D 29 **AY** – ⊠ **66210 Font-Romeu-Odeillo-Via**

L'Oustalet
av. du Mar. Leclerc – ℰ 04 68 30 11 32 – www.hotelloustalet.com – hotelloustalet@wanadoo.fr – Fax 04 68 30 31 89 – Fermé 15 avril-8 mai et 15 oct.-15 nov.
25 ch – †45/60 € ††45/60 €, ⊇ 7 € – ½ P 44/51 €
Rest – snack – (dîner seult) (résidents seult) Menu 14 €

♦ L'établissement est fréquenté par les chercheurs du CNRS. Quelques chambres meublées dans le style catalan ; la plupart sont pourvues de balcons. Salle à manger campagnarde.

FONTVIEILLE – 13 Bouches-du-Rhône – **340** D3 – 3 362 h. – alt. 20 m 42 **E1**
– ⊠ **13990** ■ Provence

▸ Paris 712 – Arles 12 – Avignon 30 – Marseille 92 – St-Rémy-de-Provence 18
🅸 Office de tourisme, avenue des Moulins ℰ 04 90 54 67 49, Fax 04 90 54 69 82
◉ Moulin de Daudet ≤★.
◉ Chapelle St-Gabriel★ N : 5 km.

La Regalido
r. F. Mistral – ℰ 04 90 54 60 22 – www.laregalido.com – la-regalido@wanadoo.fr – Fax 04 90 54 64 29 – Ouvert de mi-mars à mi-nov.
15 ch – †85/150 € ††95/270 €, ⊇ 15 €
Rest – (fermé lundi) Menu (15 €), 40 € (dîner)

♦ Ce vieux moulin à huile blotti au cœur d'un exubérant jardin fleuri aurait pu lui aussi inspirer à Daudet quelques "Lettres" chantant son décor provençal. Chambres agréables. Salle à manger voûtée, verdoyante terrasse, recettes classiques et saveurs du Sud.

FONTVIEILLE

🏨 La Peiriero 🚲 🍽 ⊒ 🛗 AK ch, ⇄ ⚒ 📶 🛁 P VISA MC AE ①
36 av. des Baux – ✆ 04 90 54 76 10 – www.hotel-peiriero.com – info@
hotel-peiriero.com – Fax 04 90 54 62 60 – Ouvert Pâques-Toussaint
42 ch – †89/135 € ††89/210 €, ⊇ 12 €   **Rest** – *(dîner seult)* Menu 28 €
◆ Plaisant hôtel construit sur une ancienne carrière de pierre ("peiriero" en provençal). Chambres de style régional. Minigolf, jeu d'échecs géant et sauna. Plats traditionnels servis en salle ou sur la ravissante terrasse ouverte sur le jardin arboré.

🏨 Hostellerie St-Victor sans rest 🌿   🚲 ⊒ 🛁 ♿ AK
chemin des Fourques, par rte d'Arles –   P VISA MC AE ①
✆ 04 90 54 66 00 – www.hotel-saint-victor.com – aps@hotel-saint-victor.com
– Fax 04 90 54 67 88 – Fermé 20 fév.-9 mars
11 ch – †80/180 € ††80/180 €, ⊇ 11 €
◆ Cette maison respectueuse de l'architecture locale bénéficie du calme d'un quartier résidentiel. Belle piscine, chambres rénovées par étapes et étonnantes salles de bains.

🏨 Le Val Majour sans rest   🐾 🍽 ⚒ AK ⇄ 📶 🛁 P 🚗 VISA MC AE ①
22 rte d'Arles – ✆ 04 90 54 62 33 – www.valmajour.com – contact@
valmajour.com – Fax 04 90 54 61 67
32 ch – †55/160 € ††55/160 €, ⊇ 10 €
◆ Dans un environnement tranquille, cet hôtel des années 1970 propose de spacieuses chambres colorées, parfois dotées de balcons tournés sur le parc. Salon et piscine agréables.

🏠 Hostellerie de la Tour   🚲 🍽 ⊒ P VISA MC AE
3 r. Plumelets, rte Arles – ✆ 04 90 54 72 21 – www.hotel-delatour.com – bounoir@
wanadoo.fr – Fax 04 90 54 86 26 – Ouvert 30 mars-20 oct.
10 ch – †52 € †† €, ⊇ 10 € – ½ P 55/63 €
Rest – *(fermé mardi soir) (dîner seult)* Menu 27 €
◆ Les habitués plébiscitent cette coquette auberge pour ses chambres simples et agréables, son plaisant jardin-piscine, son accueil attentif et sa tenue sans défaut. Cuisine familiale servie dans une salle où cohabitent vieilles pierres et notes contemporaines.

🍴 Le Patio   🍽 P VISA MC
117 rte du Nord – ✆ 04 90 54 73 10 – www.lepatio-alpilles.com – Fermé vacances de Toussaint, de fév., mardi soir hors saison et merc.
Rest – *(nombre de couverts limité, prévenir)* Menu (19 € bc), 28/34 €
– Carte 49/57 €
◆ Dans cette bergerie du 18ᵉ s., on profite d'un chaleureux décor rustique chic et d'un joli patio ombragé d'acacias, palmiers et magnolias. Carte provençale actualisée.

🍴 La Table du Meunier   🍽 AK P VISA MC
42 cours Hyacinthe Bellon – ✆ 04 90 54 61 05 – Fax 04 90 54 77 24 – Fermé vacances de Toussaint, de fév., 20-29 déc., mardi sauf juil.-août et merc.
Rest – *(nombre de couverts limité, prévenir)* Menu (21 €), 26/34 € – Carte environ 35 €
◆ Madame concocte une goûteuse cuisine du terroir, tandis que monsieur vous reçoit avec attention dans une salle rustique ou sur la terrasse agrémentée d'un poulailler de 1765.

rte de Tarascon 5 km au Nord-Ouest par D 33 – ⊠ 13150 Tarascon

🏨 Les Mazets des Roches 🌿   🐾 🍽 ⊒ 🛁 ⚒ AK 📶 P VISA MC AE ①
rte de Fonvieille – ✆ 04 90 91 34 89 – www.mazetsdesroches.com
– mazets-roches@wanadoo.fr – Fax 04 90 43 53 29 – Ouvert de Pâques à mi-oct.
37 ch – †60/137 € ††69/153 €, ⊇ 12 € – 1 suite
Rest – *(fermé jeudi midi et sam. midi sauf juil.-août)* Menu (23 €), 25 € (sem.)/39 €
– Carte 43/64 €
◆ Un établissement agréable pour se mettre au vert (parc boisé de 13 ha, piscine de 25 m). Chambres fonctionnelles et confortables, égayées de tissus aux tons chaleureux. Accueillante salle à manger-véranda : meubles en teck patiné, plantes vertes et motifs fleuris.

FORBACH ⊛ – 57 Moselle – 307 M3 – 22 300 h. – Agglo. 104 074 h.   27 **C1**
– alt. 222 m – ⊠ 57600   ▮ **Alsace Lorraine**

▶ Paris 385 – Metz 59 – St-Avold 23 – Sarreguemines 21 – Saarbrücken 13

ℹ Office de tourisme, 174 c, rue nationale ✆ 03 87 85 02 43, Fax 03 87 85 17 15

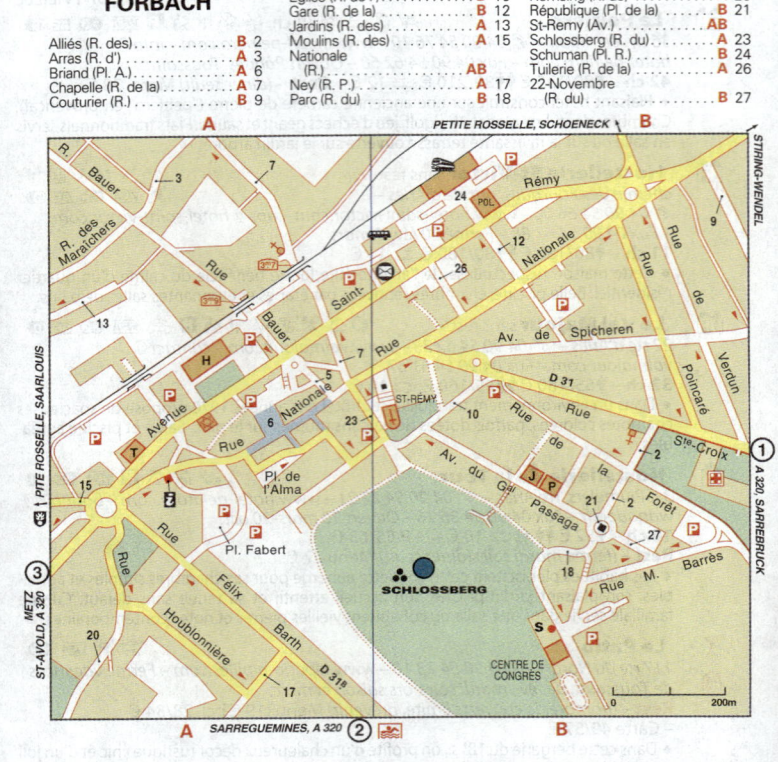

FORBACH

Alliés (R. des)........**B** 2	Église (R. de l').............**B** 10	Remsing (R. de).............**A** 20
Arras (R. d')..........**A** 3	Gare (R. de la)..............**B** 12	République (Pl. de la).......**B** 21
Briand (Pl. A.).........**A** 6	Jardins (R. des)..............**B** 13	St-Rémy (Av.)...............**AB**
Chapelle (R. de la)......**A** 7	Moulins (R. des)..............**A** 15	Schlossberg (R. du).........**A** 23
Couturier (R.).........**B** 9	Nationale (R.)................**AB**	Schuman (Pl. R.)............**B** 24
	Ney (R. P.).................**A** 17	Tuilerie (R. de la)............**A** 26
	Parc (R. du).................**B** 18	22-Novembre (R. du)........**B** 27

🏨 **Mercure** 🈁 |ᕱ| 📺 ch, ⇄ ⁿ 🛋 **P** 🆅🅸🆂🅰 ⓜⓒ 🅰🅴 Ⓓ
70 r. F. Barth, par ②, près piscine et échangeur Forbach-Sud Centre de Loisirs –
ℰ *03 87 87 06 06 – www.mercure.com – h1976@accor.com – Fax 03 87 84 04 23*
67 ch – †65/95 € ††75/115 €, ⊇ 14 € – ½ P 85/115 €
Rest – Menu 15 € (sem.)/38 € bc – Carte 10/33 €

◆ Hôtel de chaîne excentré situé entre l'autoroute et un complexe sportif. Deux catégories de chambres ("standard" et "confort") ; bonne installation pour séminaires. Salle à manger moderne prolongée d'une véranda.

XX **Le Schlossberg** 🈁 🈯 ⇄ 🆅🅸🆂🅰 ⓜⓒ
13 r. Parc – ℰ *03 87 87 88 26 – Fax 03 87 87 83 86*
– Fermé 20 juil.-7 août, 27 déc.-13 janv., dim. soir, mardi soir et merc. **B s**
Rest – Menu 20 € (sem.)/49 € – Carte 45/59 €

◆ Bâti en pierre du pays, ce restaurant côtoie le parc du Schlossberg. Salle au beau plafond marqueté et aux boiseries habillées de couleurs claires. Terrasse sous les tilleuls.

à Stiring-Wendel 3 km au Nord-Est par D 603 – 12 600 h. – alt. 240 m – ⊠ 57350
🅷 Syndicat d'initiative, 1, place de Wendel ℰ 03 87 87 07 65, Fax 03 87 87 69 98

XXX **La Bonne Auberge** (Lydia Egloff) 🈁 🄰🄺 🈯 **P** 🆅🅸🆂🅰 ⓜⓒ 🅰🅴
ꕤ *15 r. Nationale –* ℰ *03 87 87 52 78 – Fax 03 87 87 18 19*
– Fermé 9-31 août, 26 déc.-4 janv., sam. midi, dim. soir et lundi sauf fériés
Rest – Menu 40 € (déj. en sem.), 55/95 € – Carte environ 76 € 🍷
Spéc. Chaud-froid d'aubergine confite, crème glacée plombières. Sole "filée" à la bergamotte. Chocolat jivaro à l'olive noire.

◆ Élégante salle contemporaine entourant le jardin d'hiver éclairé par un puits de lumière, goûteuse cuisine inventive et belle carte des vins : une enseigne-vérité !

FORBACH

à Rosbrück 6 km par ③ – 912 h. – alt. 200 m – ⌧ 57800

Auberge Albert Marie
1 r. Nationale – ℘ 03 87 04 70 76 – Fax 03 87 90 52 55 – *Fermé 20 juil.-10 août, sam. midi, dim. soir et lundi*
Rest – Menu 28 € bc (déj. en sem.), 38/52 € – Carte 50/65 €
♦ Belle mise en place, plafond à caissons, boiseries sombres et discrète thématique à la gloire du coq : la tradition est autant à l'honneur dans le cadre que sur la carte.

FORCALQUIER – 04 Alpes-de-Haute-Provence – 334 C9 – 4 650 h. – alt. 550 m – ⌧ 04300 ■ Alpes du Sud   40 B2

▶ Paris 747 – Aix-en-Provence 80 – Apt 42 – Digne-les-Bains 50 – Manosque 23 – Sisteron 43

🛈 Office de tourisme, 13, place du Bourguet ℘ 04 92 75 10 02, Fax 04 92 75 26 76

◉ Site★ - Cimetière classé★ - ※★ de la terrasse N.-D. de Provence.

◉ Mane★ - St-Michel-l'Observatoire★ - Observatoire de Haute-Provence★.

La Bastide Saint Georges sans rest
rte de Banon, 2 km par D 950 – ℘ 04 92 75 72 80
– www.bastidesaintgeorges.com – bastidesaintgeorges@wanadoo.fr
– Fax 04 92 75 72 81 – *Fermé 22 nov.-25 déc. et 3 janv.-1ᵉʳ mars*
22 ch – †65/110 € ††90/225 €, ⌧ 15 € – 1 suite
♦ Maison de style provençal au décor harmonieux, contemporain et naturel (bois, rotin, pierre, lin). Chambres (sauf une) avec une terrasse côté jardin. Petit-déjeuner sous la tonnelle.

Les Terrasses de la Bastide
Rte de Banon – ℘ 04 92 73 32 35 – www.lesterrassesdelabastide.com
– lesterrassesdelabastide@yahoo.fr – *Fermé 15 janv.-15 mars, dim. soir, mardi midi et lundi hors saison*
Rest – Menu (16 €), 26 € – Carte 25/38 €
♦ Restaurant méditerranéen orné de photos sur le thème de l'olive. Cuisine traditionnelle du marché, avec en spécialité les pieds et paquets. Terrasse tournée vers le jardin.

à l'Est 4 km par D 4100 et rte secondaire – ⌧ 04300 Forcalquier

Auberge Charembeau sans rest
rte de Niozelles – ℘ 04 92 70 91 70
– www.charembeau.com – contact@charembeau.com – Fax 04 92 70 91 83
– *Ouvert 1ᵉʳ mars-15 nov.*
24 ch – †60/85 € ††60/128 €, ⌧ 9 €
♦ Ferme du 18ᵉ s. dans un charmant parc vallonné. Ce cadre avenant et la décoration provençale des vastes chambres vous plongeront dans un havre de quiétude.

à Mane 4 km au Sud par D 4100 – 1 350 h. – alt. 500 m – ⌧ 04300

Couvent des Minimes
chemin des Jeux de Maï –
℘ 04 92 74 77 77 – www.couventdesminimes-hotelspa.com
– info@couventdesminimes-hotelspa.com – Fax 04 92 74 77 78
42 ch – †160/195 € ††205/415 €, ⌧ 25 € – 4 suites
Rest *Le Cloître* – (fermé lundi) Menu 50/90 € – Carte 60/90 €
Rest *Le Bancaou* – rest. de piscine Menu (32 €) – Carte 45/66 €
♦ Couvent des Minimes (1862) superbement réaménagé en hôtel de luxe. Décor sobre et raffiné, équipements modernes dans les chambres. Parc, jardin aux nombreuses essences. Spa signé L'Occitane. Cuisine méditerranéenne personnalisée au Cloître, avec sa terrasse ombragée. Formules buffets l'été, au Bancaou.

Mas du Pont Roman sans rest
chemin de Châteauneuf, (rte d'Apt) – ℘ 04 92 75 49 46 – www.pontroman.com
– info@pontroman.com – Fax 04 92 75 36 73
9 ch – †65 € ††80 €, ⌧ 8 €
♦ Accueil chaleureux en ce mas traditionnel proche d'un vieux pont roman. Coquet salon et chambres de style régional. Le "plus" : deux piscines (l'une balnéo et à contre-courant).

LA FORÊT-FOUESNANT – 29 Finistère – 308 H7 – 2 809 h. — 9 B2
– alt. 19 m – ⌧ 29940 — Bretagne

▶ Paris 552 – Concarneau 8 – Pont-l'Abbé 22 – Quimper 16 – Quimperlé 36
ℹ Office de tourisme, 2, rue du Port ℘ 02 98 51 42 07, Fax 02 98 51 44 52

Beauséjour
pl. de la Baie, – ℘ *02 98 56 97 18* – *www.h-beausejour.com* – *beausejourhotel@wanadoo.fr* – *Fax 02 98 51 40 77* – *Ouvert 1er avril-15 oct.*
17 ch – †46/60 € ††48/64 €, ⌧ 8 €
Rest – *(ouvert 1er avril-30 sept. et fermé dim. soir et lundi)* Menu (14 €), 16/38 €
– Carte 30/48 €

◆ Au fond d'une anse de la baie de La Forêt, hôtel familial simple mais bien tenu. Les chambres sont claires et spacieuses pour la plupart, certaines redécorées. Salle à manger rustique (cheminée) et terrasse couverte située à quelques mètres de la rive.

Auberge St-Laurent
6 rte de Beg Menez, 2 km rte Concarneau par la côte – ℘ *02 98 56 98 07*
– *auberge-saint-laurent@wanadoo.fr* – *Fermé vacances de la Toussaint, de fév., lundi soir, mardi soir hors saison et merc.*
Rest – Menu (15 €), 22/40 € – Carte 25/45 €

◆ Sympathique auberge sur la route côtière de Concarneau. L'une des deux salles à manger campagnardes, à poutres apparentes et cheminée, donne sur le jardin et la terrasse d'été.

FORGES-LES-EAUX – 76 Seine-Maritime – 304 J4 – 3 542 h. — 33 D1
– alt. 161 m – Casino – ⌧ 76440 — Normandie Vallée de la Seine

▶ Paris 117 – Rouen 44 – Abbeville 73 – Amiens 72 – Beauvais 52
 – Le Havre 123
ℹ Office de tourisme, rue Albert Bochet ℘ 02 35 90 52 10, Fax 02 35 90 34 80

Le Continental sans rest
av. des Sources, (rte de Dieppe) – ℘ *02 32 89 50 50* – *www.domainedeforges.com*
– *hotel-lecontinental@g-partouche.fr* – *Fax 02 35 90 39 52*
44 ch – †59/75 € ††69/75 €, ⌧ 10 €

◆ Petit immeuble de style régional abritant des chambres assez grandes, décorées dans un style contemporain. Confortable salon et charmante salle de petits-déjeuners.

Auberge du Beau Lieu avec ch
rte de Gournay, 2 km par D 915 – ℘ *02 35 90 50 36*
– *www.aubergedubeaulieu.fr* – *aubeaulieu@aol.com*
– *Fermé 4 janv.-5 fév., lundi sauf le midi de Pâques au 11 nov. et mardi*
3 ch – †45/60 € ††45/60 €, ⌧ 13 € **Rest** – Menu 28/58 € – Carte 40/73 €

◆ Auberge campagnarde du pays brayon. L'hiver, on se réfugie avec plaisir auprès de l'âtre de la douillette salle de restaurant. Terrasse d'été. Chambres au rez-de-chaussée.

FORT-MAHON-PLAGE – 80 Somme – 301 C5 – 1 140 h. – alt. 2 m — 36 A1
– Casino – ⌧ 80120 — Nord Pas-de-Calais Picardie

▶ Paris 225 – Abbeville 41 – Amiens 90 – Berck-sur-Mer 19 – Calais 94
 – Étaples 30
ℹ Office de tourisme, 1000, avenue de la Plage ℘ 03 22 23 36 00,
 Fax 03 22 23 93 40
᛫ de Belle-Dune Promenade du Marquenterre, (près de l'Aquaclub),
 ℘ 03 22 23 45 50
☉ Parc ornithologique du Marquenterre★★ S : 15 km.

Auberge Le Fiacre
à Routhiauville, 2 km au Sud-Est par rte de Rue – ℘ *03 22 23 47 30*
– *www.aufiacre.fr* – *lefiacre@wanadoo.fr* – *Fax 03 22 27 19 80*
– *Fermé 20-28 déc., 4 janv.-1er fév.*
11 ch – †80/102 € ††80/102 €, ⌧ 12 € – 3 suites – ½ P 84/95 €
Rest – *(fermé lundi de déc. à mi-avril)* Menu (28 € bc), 32/45 € – Carte 50/58 €

◆ Lieu idéal pour se mettre au vert, cette ancienne ferme du Marquenterre profite d'un coquet cadre campagnard. Atmosphère cosy dans les chambres joliment personnalisées. Cuisine classique servie dans un cadre soigné ou en terrasse côté jardin.

FORT-MAHON-PLAGE

La Terrasse ≤ 🛜 |🍴| & rest, 🏧 rest, 𝒮 ch, 🧖 🅿 VISA 🐵 ①
1461 av de la Plage – ℰ 03 22 23 77 77 – www.hotellaterrasse.com – info@
hotellaterrasse.com – Fax 03 22 23 36 74 – Fermé 4-25 janv.
56 ch – †41/99 € ††41/99 €, ⊇ 10 €   **Rest** – Menu 15/60 € bc – Carte 30/50 €
♦ Établissement familial du front de mer aux chambres confortables : certaines regardent vers le large, d'autres donnent sur la cour, plus au calme. Panorama et décor marins, carte iodée et terrasse côté restaurant ; espace brasserie.

LA FOSSETTE (PLAGE DE) – 83 Var – **340** N7 – rattaché au Lavandou

---

FOS-SUR-MER – 13 Bouches-du-Rhône – **340** E5 – 15 700 h.   40 **A3**
– alt. 11 m – ⊠ 13270 ▌Provence

▶ Paris 750 – Aix-en-Provence 55 – Arles 42 – Marseille 51 – Martigues 12
🛈 Syndicat d'initiative, avenue René Cassin ℰ 04 42 47 71 96, Fax 04 42 05 27 55
⦿ Village ★.

Ariane Fos ⦿ 🛜 🕳 𝒮 🏧 ch, 🧖 🅿 VISA 🐵 AE ①
rte d'Istres : 3 km – ℰ 04 42 05 00 57 – www.arianefoshotel.com – contact@
arianefoshotel.com – Fax 04 42 05 51 00
72 ch – †86/141 € ††91/146 €, ⊇ 11 €
Rest – Menu 14 € (déj. en sem.), 30/36 € – Carte 33/47 €
♦ Près de l'étang de l'Estomac, cet hôtel propose des chambres actuelles (un tiers avec balcon), spacieuses et insonorisées. Bons équipements de loisirs et de séminaires. Salle de restaurant lumineuse où l'on propose une cuisine traditionnelle.

FOUCHÈRES – 10 Aube – **313** F5 – 469 h. – alt. 138 m – ⊠ 10260   13 **B3**

▶ Paris 189 – Troyes 25 – Bar-sur-Aube 42 – Bar-sur-Seine 11

XX **Auberge de la Seine** 🛜 🏧 VISA 🐵 AE
1 fg de Bourgogne – ℰ 03 25 40 71 11 – www.aubergedelaseine.com – contact@
aubergedelaseine.com – Fax 03 25 40 84 09 – Fermé 21 fév.-9 mars, dim. soir, lundi et merc.
Rest – Menu 19 € (sem.)/65 € bc – Carte 41/59 €
♦ Relais de poste (18e s.) agrandi d'une belle terrasse surplombant la Seine. Cuisine traditionnelle servie sous les poutres de la salle à manger actuelle, sobre et cosy.

FOUDAY – 67 Bas-Rhin – **315** H6 – 303 h. – ⊠ 67130 ▌Alsace Lorraine   1 **A2**

▶ Paris 412 – St-Dié 34 – Saverne 55 – Sélestat 37 – Strasbourg 61

Julien 🐕 🛜 🕳 🛁 |🍴| & ch, 𝒮 rest, 📞 🧖 🅿 VISA 🐵 AE
D 1420 – ℰ 03 88 97 30 09 – www.hoteljulien.com – hoteljulien@wanadoo.fr
– Fax 03 88 97 36 73 – Fermé 5-25 janv.
37 ch – †102/160 € ††102/160 €, ⊇ 16 € – 10 suites – ½ P 88/110 €
Rest – (fermé mardi) Menu (15 €), 19 € (déj. en sem.), 30/55 € – Carte 25/45 €
♦ En pleine verdure, cette maison dispose de chambres chaleureuses et soignées (alliance du bois et de tons rouges). Les plus : espace bien-être complet et séjours à thème. On sert une cuisine classique simple et copieuse dans d'élégantes salles à manger.

FOUESNANT – 29 Finistère – **308** G7 – 9 403 h. – alt. 30 m – ⊠ 29170   9 **B2**
▌Bretagne

▶ Paris 555 – Carhaix-Plouguer 69 – Concarneau 11 – Quimper 16
– Quimperlé 39
🛈 Office de tourisme, Espace Kernevelech ℰ 02 98 51 18 88, Fax 02 98 56 64 02
🏌 de Cornouaille à La Forêt-Fouesnant Manoir du Mesmeur, E : 4 km par D 44,
ℰ 02 98 56 97 09

L'Orée du Bois sans rest   ⇆ 📡 VISA 🐵
4 r. Kergoadig – ℰ 02 98 56 00 06 – www.hotel-oreedubois.com
– hotel.loreedubois@wanadoo.fr – Fax 02 98 56 14 17
15 ch – †36/50 € ††36/65 €, ⊇ 8 €
♦ Une nouvelle équipe a pris la direction de cette maison proposant des petites chambres simples. Selon la saison, on petit-déjeune au jardin ou dans une salle au décor marin.

FOUESNANT

au Cap Coz 2,5 km au Sud-Est par rte secondaire – ✉ 29170 Fouesnant

Mona Lisa
plage du Cap Coz – ℰ 02 98 51 18 10 – www.monalisahotels.com – resa-capcoz@monalisahotels.com – Fax 02 98 56 03 40 – Ouvert de mi- mars à oct.
49 ch – †79/130 € ††79/130 €, ⊇ 11 €
Rest – Menu 20 € – Carte environ 25 €
♦ En bordure de plage, bâtisse rénovée abritant des chambres sémillantes, parfois dotées d'une terrasse-balcon panoramique (au 2ᵉ étage). Espaces communs clairs et modernes. Salle à manger-véranda dialoguant en direct avec l'estran.

De la Pointe du Cap Coz
153 av. de la Pointe – ℰ 02 98 56 01 63 – www.hotel-capcoz.com – bienvenue@hotel-capcoz.com – Fax 02 98 56 53 20 – Fermé 24-29 nov., 1ᵉʳ janv.-12 fév. et dim. soir du 1ᵉʳ oct. au 15 mars
16 ch – †57/60 € ††66/96 €, ⊇ 10 € – ½ P 72/87 €
Rest – (fermé dim. soir et lundi midi du 15 sept. au 15 juin et merc.) Menu 25/48 € – Carte 45/81 €
♦ L'hôtel est posé sur la langue sablonneuse du Cap-Coz. Les chambres, fonctionnelles et rénovées, ont vue sur le port ou le large. Salle à manger fraîche et nette, ménageant un joli coup d'œil littoral ; bonne cuisine côtière mise au goût du jour.

Belle-Vue
30 descente Belle-Vue – ℰ 02 98 56 00 33 – hotel-belle-vue.com – hotel-belle-vue@wanadoo.fr – Fax 02 98 51 60 85 – Ouvert 1ᵉʳ mars-31 oct.
16 ch – †54/65 € ††62/77 €, ⊇ 8,50 € – ½ P 59/68 €
Rest – (ouvert 15 mars-31 oct. et fermé lundi) Menu 23/38 € – Carte 26/48 €
♦ Hôtel familial dominant la baie de la Forêt. Les chambres, petites et sans fioriture, sont pour la plupart tournées vers l'océan. Sobre décor et cuisine de terroir sans prétention : la simplicité est de mise au restaurant. L'été, plaisante terrasse panoramique.

à la Pointe de Mousterlin 6 km au Sud-Ouest par D 145 et D 134 – ✉ 29170 Fouesnant

De la Pointe de Mousterlin
108 rte de la Pointe – ℰ 02 98 56 04 12 – www.mousterlinhotel.com – hoteldelapointe@wanadoo.fr – Fax 02 98 56 61 02 – Fermé 6 fév.-3 mars, mardi midi, dim. soir et lundi du 15 oct. au 15 avril
42 ch – †55/76 € ††78/152 €, ⊇ 12 € – ½ P 86/105 €
Rest – Menu 26/45 € – Carte 52/68 €
♦ Complexe balnéaire posté à l'extrémité de la pointe. Chambres spacieuses et pratiques réparties dans trois bâtiments autour du jardin. Bons équipements de loisirs. Cuisine régionale à composantes océanes, servie dans deux salles dont une véranda.

FOUGÈRES – 35 Ille-et-Vilaine – 309 O4 – 20 900 h. – alt. 115 m   10 D2
– ✉ 35300 ▌Bretagne

◘ Paris 326 – Avranches 44 – Laval 53 – Le Mans 132 – Rennes 52 – St-Malo 80
🛈 Office de tourisme, 2, rue Nationale ℰ 02 99 94 12 20, Fax 02 99 94 77 30
◉ Château★★ - Église St-Sulpice★ - Jardin public★ : ≤★ - Vitraux★ de l'église St-Léonard - Rue Nationale★.

Plan page ci-contre

Les Voyageurs sans rest
10 pl. Gambetta – ℰ 02 99 99 08 20 – www.hotel-fougeres.fr – hotel-voyageurs-fougeres@wanadoo.fr – Fax 02 99 99 99 04 – Fermé 23 déc.-3 janv. et sam. en janv.
BY **e**
37 ch – †52/56 € ††58/72 €, ⊇ 8 €
♦ Établissement centenaire bien situé au cœur de la ville haute. La plupart des chambres, bien rénovées, affichent un style coloré, gai et personnalisé.

Haute Sève
37 bd J. Jaurès – ℰ 02 99 94 23 39 – Fermé 22 juil.-22 août, 1ᵉʳ-20 janv., dim. soir et lundi
BY **z**
Rest – Menu 20 € (sem.), 25/43 € – Carte 35/50 €
♦ L'avenante façade à colombages abrite une salle à manger récemment relookée dans un esprit contemporain. Cuisine régionale au goût du jour, à base de bons produits.

FOUGÈRES

Baron (R.)	**BY** 3
Le Bouteiller (R.)	**AY** 16
Briand (P. A.)	**BY** 5
Feuteries (R. des)	**BY** 8
Forêt (R. de la)	**BY**
Foskéraly (R.)	**AY** 10
Gaulle (Av. Gén.-de)	**BY** 12
Grande Douve (Pl. de la)	**BY** 13
Jean-Jaurès (Bd)	**BY**
Leclerc (Bd Mar.)	**BY** 17
Lusignan (R. de)	**AY** 19
Mendès-France (R. P.)	**BYZ** 20
Nançon (R. du)	**AY** 22
Nationale (R.)	**ABY**
Porte-Rogers (R.)	**BY** 26
Porte-St-Léonard (R.)	**AY** 28
Providence (R. de la)	**AY** 29
Sévigné (R. Mme de)	**BZ** 32
Tanneurs (R. des)	**AY** 38
Tribunal (R. du)	**BY** 40
Verdun (R. de)	**BY** 42

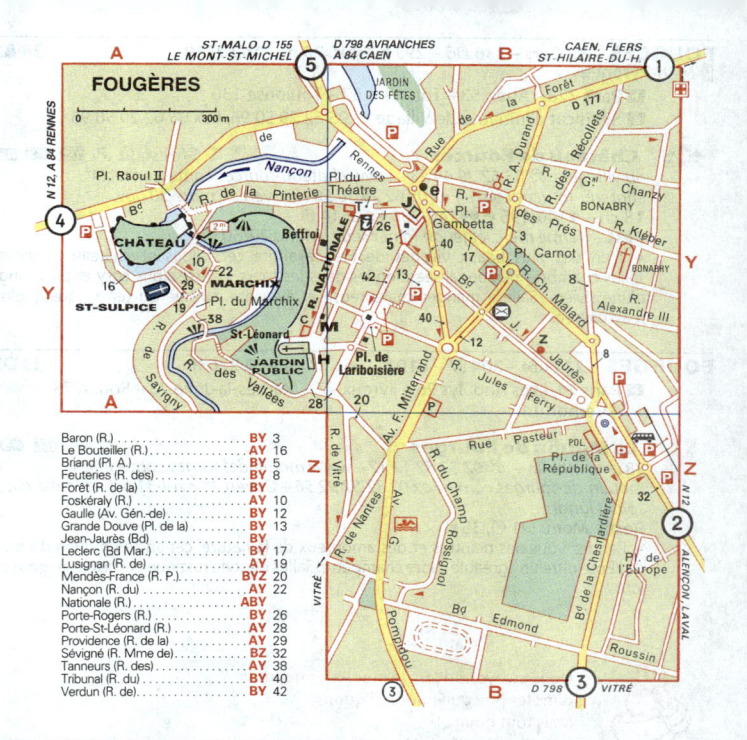

FOUGEROLLES – 70 Haute-Saône – **314** G5 – 3 852 h. – alt. 311 m 17 **C1**
– ⊠ 70220 ▌ **Franche-Comté Jura**

▶ Paris 374 – Épinal 49 – Luxeuil-les-Bains 10 – Remiremont 25 – Vesoul 43
🛈 Office de tourisme, 1, rue de la Gare ✆ 03 84 49 12 91, Fax 03 84 49 12 91
◉ Ecomusée du Pays de la Cerise et de la Distillation ★.

※※ **Au Père Rota**   P. VISA ◉ AE
8 Grande Rue – ✆ *03 84 49 12 11* – *jean-pierre-kuentz@wanadoo.fr* – *Fax 03 84 49 14 51* – *Fermé 31 août-4 sept., 4-29 janv., dim. soir, mardi soir et lundi*
Rest – Menu (20 €), 26 € (sem.)/70 € – Carte 55/68 € 😋

♦ La capitale du kirsch abrite entre autres ce restaurant feutré, où l'on déguste une cuisine classique. Belle carte des vins, riche en vieux millésimes.

LA FOUILLOUSE – 42 Loire – **327** E7 – rattaché à St-Étienne

---

FOURAS – 17 Charente-Maritime – **324** D4 – 4 024 h. – alt. 5 m – Casino 38 **A2**
– ⊠ 17450 ▌ **Poitou Vendée Charentes**

▶ Paris 485 – Châtelaillon-Plage 18 – Rochefort 15 – La Rochelle 34
🛈 Office de tourisme, avenue du Bois Vert ✆ 05 46 84 60 69, Fax 05 46 84 28 04
◉ Donjon ☼ ★.

🏠 **Grand Hôtel des Bains** sans rest   🚗 & 📶 ⌂ VISA ◉ AE ①
15 r. Gén. Bruncher – ✆ *05 46 84 03 44* – *www.grandhotel-desbains.com*
– *hoteldesbains@wanadoo.fr* – *Fax 05 46 84 58 26* – *Ouvert 15 mars-31 oct.*
31 ch – †46/71 € ††46/78 €, ⊇ 8 €

♦ Le "plus" de cet ancien relais de poste ? La chambre 1, face à la mer. Les autres donnent côté rue (double-vitrage) ou sur le patio fleuri, agréable l'été (petit-déjeuner).

FOURCÈS – 32 Gers – **336** D6 – 295 h. – alt. 76 m – ⌧ 32250   28 **A2**
◼ Midi-Pyrénées

▶ Paris 728 – Agen 53 – Tonneins 57 – Toulouse 130
🛈 Syndicat d'initiative, le Village ☏ 05 62 29 50 96, Fax 05 62 29 50 96

Château de Fourcès
au village – ☏ *05 62 29 49 53 – www.chateau-fources.com – contact@chateau-fources.com – Fax 05 62 29 50 59 – Ouvert 1er mars-30 nov.*
18 ch – ✝140/195 € ✝✝140/230 €, ⊇ 14 €
Rest – *(fermé merc. et jeudi) (dîner seult)* Menu 29/50 €

♦ L'un des plus beaux villages de France abrite cet imposant château médiéval. Jolies chambres personnalisées, logées dans les tours, petits salons cosy et parc longé d'une rivière. Salle à manger chaleureuse et élégante, cuisine du terroir quelquefois réactualisée.

FOURGES – 27 Eure – **304** J7 – 810 h. – alt. 14 m – ⌧ 27630   33 **D2**

▶ Paris 74 – Les Andelys 26 – Évreux 47 – Mantes-la-Jolie 23 – Rouen 75 – Vernon 14

XX Le Moulin de Fourges
38 r. du Moulin – ☏ *02 32 52 12 12 – www.moulindefourges.com – info@moulin-de-fourges.com – Fax 02 32 52 92 56 – Ouvert 1er avril-31 oct. et fermé dim. soir et lundi*
Rest – Menu (21 €), 35 €

♦ Rendez-vous des peintres et des amoureux de la nature, cet ancien moulin du bord de l'Epte offre un agréable cadre champêtre. Salles de style rustique et cuisine au goût du jour.

> Nous essayons d'être le plus exact possible dans les prix que nous indiquons.
> Mais tout bouge !
> Lors de votre réservation, pensez à vous faire préciser le prix du moment.

FOURMIES – 59 Nord – **302** M7 – 13 400 h. – alt. 200 m – ⌧ 59610   31 **D3**
◼ Nord Pas-de-Calais Picardie

▶ Paris 214 – Avesnes-sur-Helpe 16 – Charleroi 60 – Hirson 14 – Lille 115 – St-Quentin 65
🛈 Office de tourisme, 20, rue Jean Jaurès ☏ 03 27 59 69 97, Fax 03 27 57 30 44
◉ Musée du textile et de la vie sociale★.

aux Étangs-des-Moines 2 km à l'Est par D 964 et rte secondaire – ⌧ 59610 Fourmies

Ibis sans rest
r. des Etangs des Moines – ☏ *03 27 60 21 54 – hotelibisfourmies@orange.fr – Fax 03 27 57 40 44*
31 ch – ✝54/62 € ✝✝54/62 €, ⊇ 8 €

♦ Établissement récent en lisière d'une belle forêt de chênes, parfait pour profiter au mieux du calme et du cadre bucolique des étangs. Chambres fonctionnelles bien tenues.

X Auberge des Étangs des Moines
97 r. des Etangs – ☏ *03 27 60 02 62 – www.restaurant-les-etangs-des-moines.com – Fax 03 27 60 10 25 – Fermé 1er-21 août, vacances de fév., sam. midi, dim. soir et lundi sauf fériés*
Rest – Menu (15 €), 19/39 € – Carte 30/51 €

♦ Cette auberge a préservé son ambiance conviviale de guinguette tout en revisitant son cadre chaleureux, avec une véranda ouverte sur les étangs. Plats traditionnels.

LA FOUX D'ALLOS – 04 Alpes-de-Haute-Provence – 334 H7 – rattaché à Allos

FRANCESCAS – 47 Lot-et-Garonne – 336 E5 – 732 h. – alt. 109 m — 4 C2
– ✉ 47600

▶ Paris 720 – Agen 28 – Condom 18 – Nérac 14 – Toulouse 134

XXX Le Relais de la Hire
11 r. Porte-Neuve – ℰ 05 53 65 41 59 – www.la-hire.com – contact@la-hire.com
– Fermé 27 oct.-4 nov., vacances de fév., dim. soir, mardi soir, merc. soir et lundi
Rest – *(prévenir)* Menu (15 € bc), 22/56 € – Carte 12/56 €
♦ Confortable décor classique (plafond peint d'un ciel bleu), terrasse d'été et cuisine du terroir joliment personnalisée : cette maison du 18ᵉ s. cache une très bonne adresse.

FRANQUEVILLE-ST-PIERRE – 76 Seine-Maritime – 304 H5 – rattaché à Rouen

FRÉHEL – 22 Côtes-d'Armor – 309 H3 – 2 166 h. – alt. 72 m – Casino — 10 C1
– ✉ 22240

▶ Paris 433 – Dinan 38 – Lamballe 28 – St-Brieuc 40 – St-Cast-le-Guildo 15 – St-Malo 36
🛈 Office de tourisme, place de Chambly ℰ 02 96 41 53 81, Fax 02 96 41 59 46
☼ ❅★★★.
◉ Fort La Latte★★ : site★★, ❅★★ SE : 5 km.

X Le Victorine
3 pl. Chambly – ℰ 02 96 41 55 55 – www.levictorine.net – Fax 02 96 41 55 55
– Fermé 19 oct.-9 nov., 15-28 fév., dim. soir et lundi sauf du 7 juil. au 30 août
Rest – Menu 14 € (déj. en sem.), 21/29 € – Carte 29/47 €
♦ Ce restaurant familial situé sur la place du village vous reçoit dans une sobre salle à manger néo-rustique ou en terrasse. Cuisine traditionnelle influencée par le marché.

LA FREISSINOUSE – 05 Hautes-Alpes – 334 E5 – rattaché à Gap

FRÉJUS – 83 Var – 340 P5 – 48 800 h. – alt. 20 m – ✉ 83600 — 41 C3
■ Côte d'Azur

▶ Paris 868 – Cannes 40 – Draguignan 31 – Hyères 90 – Nice 66
📶 ℰ 3635 et tapez 42 (0,34 €/mn)
🛈 Office de tourisme, 325, rue Jean Jaurès ℰ 04 94 51 83 83, Fax 04 94 51 00 26
⛳ de Roquebrune à Roquebrune-sur-Argens Quartier des Planes, O : 6 km par D 8, ℰ 04 94 19 60 35
⛳ de Valescure à Saint-Raphaël Route des golfs, NE : 8 km, ℰ 04 94 82 40 46
◉ Groupe épiscopal★★ : baptistère★, cloître★, cathédrale★ - Ville romaine★ A : arènes★ - Parc zoologique★ N : 5 km par ③.

Plans pages suivantes

🏨 L'Aréna
145 r. Gén. de Gaulle – ℰ 04 94 17 09 40 – www.hotels-ocre-azur.com
– hotel.arena@hotels-ocre-azur.com – Fax 04 94 52 01 52
– Fermé nov.   C r
36 ch – †85/120 € ††85/120 €, ⛌ 13 € – ½ P 81/98 €
Rest – Menu (26 €), 46/58 € – Carte 53/72 €
♦ Chambres cosy (tissus régionaux, mobilier peint, faïence...), patio odorant, piscine bleu azur : un pur concentré de Provence dans cette délicieuse maison proche des arènes. Au restaurant, vous goûterez une cuisine gorgée de soleil.

X L'Amandier
19 r. Marc-Antoine Desaugiers – ℰ 04 94 53 48 77 – Fermé lundi midi, merc. midi et dim.   D v
Rest – *(nombre de couverts limité, prévenir)* Menu (19 €), 23/36 € – Carte 34/46 €
♦ Une adresse sympathique à deux pas de la mairie. Deux salles sobrement rustiques, dont une voûtée. Cuisine méridionale tout simplement bonne et belle sélection de vins.

763

FRÉJUS

Agachon (Av. de l')	**A** 2
Alger (Bd)	**B** 5
Brosset (Av. du Gén.)	**AB** 13
Carrara (R. Jean)	**A** 16
Decuers (Bd S.)	**A** 23
Donnadieu (R.)	**B** 24
Einaudi (R. Albert)	**A** 25
Europe (Av. de l')	**A** 26
Fabre (Av. Hippolyte)	**B** 27
Garros (R. Roland)	**B** 32
Libération (Bd de la)	**B** 40
Papin (R. Denis)	**B** 46
Triberg (R. de)	**A** 53
Verdun (Av. de)	**B** 56
Victor-Hugo (Av.)	**B** 60
XVe-Corps (Av. du)	**A** 62

ST-RAPHAËL

Coty (Promenade René)	**B** 20
Gaulle (Av. du Gén.-de)	**B** 33
Leclerc (Av. Mar.)	**B** 39
Mimosas (Bd des)	**B** 43
Myrtes (Av. des)	**B** 45
Poincaré (Av. Raymond)	**B** 47
Rivière (Av. Théodore)	**B** 51
Valescure (Av. de)	**B** 54

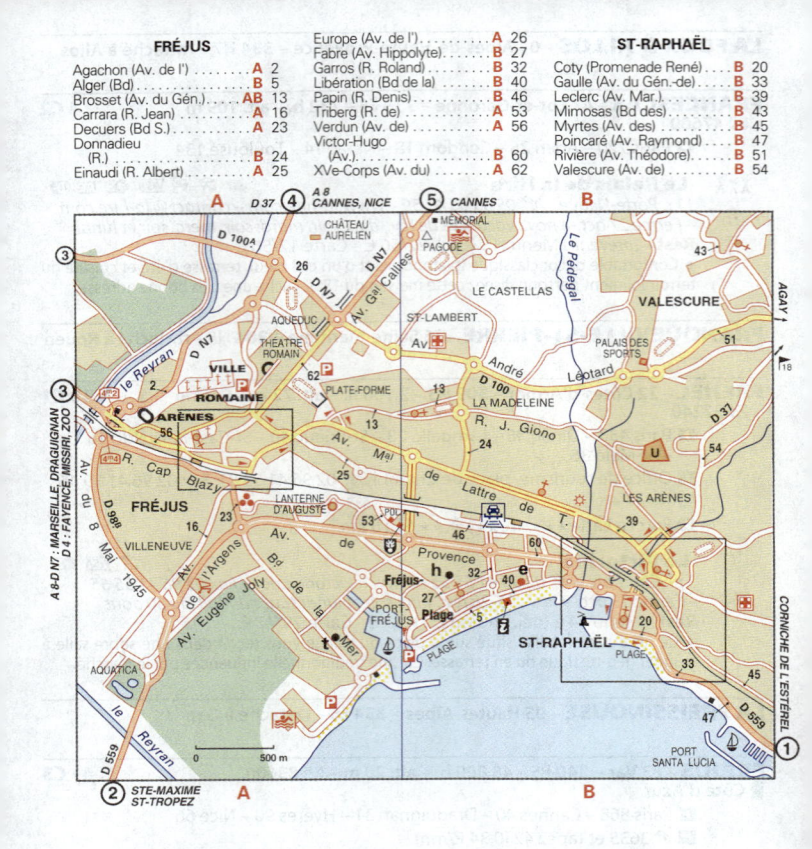

✗ **Les Potiers**   AC VISA MC AE

135 r. des Potiers – ℘ *04 94 51 33 74 – www.les-potiers.fr – contact@les-potiers.fr
– Fermé 5-20 janv., le midi en juil.-août, merc. midi et mardi de sept. à juin*
Rest *– (nombre de couverts limité, prévenir)* Menu 25/36 €
– Carte 36/56 €   **C s**

♦ Ce petit restaurant dissimulé dans une ruelle de la vieille ville affiche souvent complet. L'atmosphère y est conviviale et les plats, aux saveurs du Sud, goûteux et bien tournés.

à Fréjus-Plage AB – ✉ 83600 Fréjus

🏠 **L'Oasis** sans rest   AC ⚡ P VISA MC

imp. Charcot – ℘ *04 94 51 50 44 – www.hotel-oasis.net – info@hotel-oasis.net
– Fax 04 94 53 01 04 – Ouvert 1ᵉʳ fév.-12 nov.*   **B h**
27 ch *–* †38/69 € ††38/69 €, ⊇ 7 €

♦ Il règne une ambiance familiale dans cet hôtel des années 1950 situé dans un quartier calme. Chambres fonctionnelles néo-rustiques. Petit-déjeuner sous la pergola en saison.

🏠 **Atoll** sans rest   AC ⚡ ((•)) P VISA MC AE ①

923 bd de la Mer – ℘ *04 94 51 53 77 – www.atollhotel.fr – atollhotel@wanadoo.fr
– Fax 04 94 51 58 33*   **A t**
30 ch *–* †44/66 € ††44/66 €, ⊇ 6 €

♦ À proximité des plages et de la marina, petit établissement familial tout simple abritant des chambres bien tenues, fonctionnelles et sobrement aménagées.

FRÉJUS

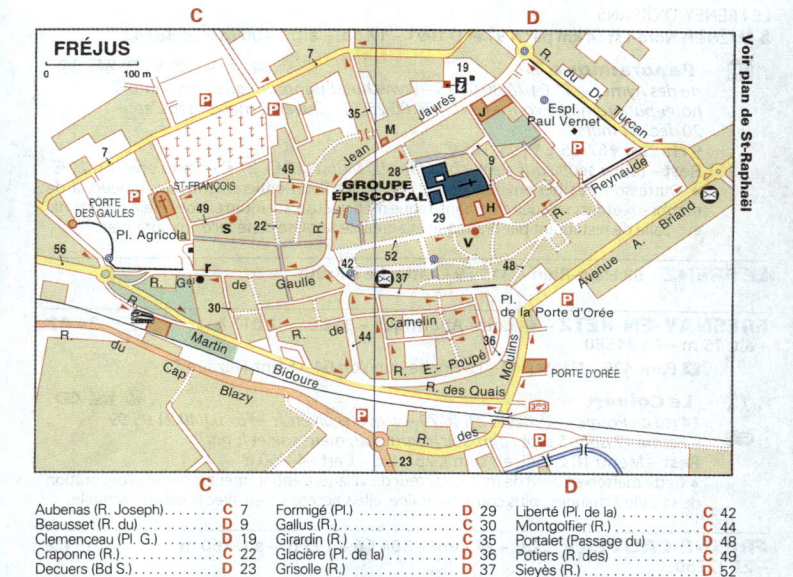

Aubenas (R. Joseph) . . . . **C** 7	Formigé (Pl.) . . . . **D** 29	Liberté (Pl. de la) . . . . **C** 42
Beausset (R. du) . . . . **D** 9	Gallus (R.) . . . . **C** 30	Montgolfier (R.) . . . . **C** 44
Clemenceau (Pl. G.) . . . . **D** 19	Girardin (R.) . . . . **C** 35	Portalet (Passage du) . . . . **D** 48
Craponne (R.) . . . . **C** 22	Glacière (Pl. de la) . . . . **D** 36	Potiers (R. des) . . . . **C** 49
Decuers (Bd S.) . . . . **D** 23	Grisolle (R.) . . . . **D** 37	Sieyès (R.) . . . . **C** 52
Fleury (R. de) . . . . **D** 28	Jean-Jaurès (R.) . . . . **C**	Verdun (Av. de) . . . . **C** 56

Le Mérou Ardent

*157 bd la Libération – ℘ 04 94 17 30 58 – patrickdelpierre@wanadoo.fr
– Fax 04 94 17 33 79 – Fermé 8-18 juin, 25 nov.-25 déc., sam. midi, lundi midi et jeudi midi en juil.-août, merc. et jeudi de sept. à juin* B e
Rest – Menu 17/36 € – Carte 24/42 €

◆ Restaurant du front de mer où la carte, plutôt traditionnelle, privilégie les recettes de poisson. Aux beaux jours, service en terrasse, face à la plage.

FRÉLAND – 68 Haut-Rhin – **315** H7 – 1 292 h. – alt. 425 m – ⊠ 68240   2 **C2**
▶ Paris 438 – Strasbourg 91 – Colmar 20 – Mulhouse 63 – Saint-Dié-des-Vosges 43

La Haute Grange

*la Chaude Côte – ℘ 03 89 71 90 06 – www.lahautegrange.fr
– lahautegrange@aol.com*
4 ch ☑ – †60/90 € ††80/110 €   **Table d'hôte** – Menu 45 € bc

◆ Isolée dans un site bucolique, adossée à la colline, cette maison ancienne vous garantit le plus grand calme. Chambres douillettes, salons rustiques (cheminée, bibliothèque). Cuisine personnalisée de la maîtresse des lieux, jouant sur l'association mets-vins.

> Déjeunez dehors, il fait si beau !
> Optez pour une terrasse :

LE FRENEY-D'OISANS – 38 Isère – **333** J7 – 277 h. – alt. 926 m   45 **C2**
– ⊠ 38142
▶ Paris 626 – Bourg-d'Oisans 12 – La Grave 16 – Grenoble 64
🛈 Syndicat d'initiative, Le Village ℘ 04 76 80 05 82, Fax 04 76 80 05 82
◉ Barrage du Chambon★★ SE : 2 km - Gorges de l'Infernet★ SO : 2 km,
📖 **Alpes du Nord**

LE FRENEY-D'OISANS
à Mizoën Nord-Est : 4 km par N 91 et D 1091 – 172 h. – alt. 1 100 m – ⊠ 38142

Panoramique
rte des Aymes – ℰ 04 76 80 06 25 – www.hotel-panoramique.com – info@hotel-panoramique.com – Fax 04 76 80 25 12 – Ouvert 2 mai-21 sept. et 20 déc.-31 mars

9 ch 🖃 – †67/85 € ††95/105 €
Rest – *(dîner seult sauf week-end et fériés)* Menu (23 €), 27 € – Carte environ 29 €

♦ Outre son très bel environnement, ce chalet fleuri entièrement non-fumeurs a de nombreux atouts : accueil charmant, tenue méticuleuse, solarium exposé plein sud, sauna, etc. Salle de restaurant panoramique et agréable terrasse d'été face aux sommets.

LE FRENZ – 68 Haut-Rhin – **315** F9 – rattaché à Kruth

FRESNAY-EN-RETZ – 44 Loire-Atlantique – **316** E5 – 1 017 h. – alt. 15 m – ⊠ 44580 **34 A2**

▸ Paris 425 – Nantes 40 – La Roche-sur-Yon 64 – Saint-Nazaire 51

Le Colvert
14 rtd de Pornic – ℰ 02 40 21 46 79 – www.lecolvert.fr – Fax 02 40 21 95 99 – Fermé 17 août-5 sept., dim. soir, mardi soir, merc. soir et lundi
Rest – Menu 18 € (déj. en sem.), 28/52 € – Carte 44/60 €

♦ Cette maison en bord de route, au cœur du village, a entièrement repensé la décoration de sa salle à manger : plus contemporaine, elle s'accorde bien avec la cuisine actuelle.

FRESNE-CAUVERVILLE – 27 Eure – **304** C6 – 195 h. – alt. 160 m – ⊠ 27260 **33 C2**

▸ Paris 155 – Rouen 81 – Évreux 59 – Le Havre 62 – Lisieux 26

Le Clos de l'Ambroisie
La Forge Subtile, 500 m au Sud-Est – ℰ 02 32 42 76 40 – www.closdelambroisie.fr – d.serpat@orange.fr

4 ch 🖃 – †55 € ††65 € **Table d'hôte** – Menu 25 € bc

♦ Découvrez cet ancien pressoir normand du 18ᵉ s. et son jardin invitant à la détente. Décoration des chambres sur la thématique des pierres (Rubis, Citrine, M'Bigou, Améthyste). Cuisine traditionnelle teintée d'exotisme à la table d'hôte (sur réservation).

LE FRET – 29 Finistère – **308** D5 – rattaché à Crozon

FRICHEMESNIL – 76 Seine-Maritime – **304** G4 – rattaché à Clères

---

FROENINGEN – 68 Haut-Rhin – **315** H10 – rattaché à Mulhouse

---

FROIDETERRE – 70 Haute-Saône – **314** H6 – rattaché à Lure

FRONCLES-BUXIERES – 52 Haute-Marne – **313** K4 – 1 680 h. – alt. 226 m – ⊠ 52320 **14 C3**

▸ Paris 282 – Bar-sur-Aube 41 – Chaumont 28 – Neufchâteau 52 – Saint-Dizier 52

Au Château
Parc d'Activités – ℰ 03 25 02 93 84 – http://restaurant.auchateau.monsite.wanadoo.fr – didier.pougeoise@wanadoo.fr – Fermé vacances de Noël, sam. midi et dim. soir
Rest – Menu (13 €), 27/50 € – Carte 38/54 €

♦ Grande maison bourgeoise constituée de petits salons en guise de salles à manger et dotée d'une vaste terrasse couverte tournée vers le parc ; cuisine au goût du jour soignée.

FRONTIGNAN – 34 Hérault – **339** H8 – 22 800 h. – alt. 2 m – ⊠ 34110 **23 C2**
Languedoc Roussillon

▸ Paris 775 – Lodève 59 – Montpellier 26 – Sète 10

FRONTIGNAN

rte de Montpellier 4 km au Nord-Est sur D 612– ⊠ 34110 Frontignan

Hôtellerie de Balajan
41 rte de Montpellier – ℰ 04 67 48 13 99 – www.hotel-balajan.com
– hotel.balajan@wanadoo.fr – Fax 04 67 43 06 62 – *Fermé 24 déc.-4 janv., fév. et dim. soir de nov. à mars*
18 ch – †73 € ††73/105 €, ⊇ 11 €
Rest – *(fermé dim. soir hors saison, sam. midi, lundi midi et mardi midi)*
Menu (19 €), 28/55 € – Carte 29/57 €
♦ Accueillant hôtel situé en bord de route doté de chambres pratiques. Certaines profitent d'une vue sur le vignoble et le massif de la Gardiole. La convivialité du restaurant doit beaucoup à ses tables fleuries ; saveurs méridionales dans l'assiette. Salon cosy.

FRONTIGNAN-DE-COMMINGES – 31 Haute-Garonne – 73 h. – alt. 450 m – ⊠ 31510   **28 B3**

◨ Paris 796 – Toulouse 120 – Saint-Gaudens 31 – Bagnères-de-Bigorre 70 – Saint-Girons 77

Le Relais des Frontignes
au village, par D 33^A – ℰ 05 61 79 61 67 – www.relaisdesfrontignes.com
– yann.debruycker@wanadoo.fr – Fax 05 61 79 61 67
5 ch ⊇ – †50 € ††60 €   **Table d'hôte** – Menu 20 € bc
♦ Le propriétaire de cette maison du 19ᵉ s. vous guidera avec plaisir dans les montagnes. Jolies chambres thématiques (Asie, Europe, Afrique) et grand parc où coule un torrent.

FRONTONAS – 38 Isère – **333** E4 – 1 829 h. – alt. 260 m – ⊠ 38290   **44 B2**

◨ Paris 495 – Ambérieu-en-Bugey 44 – Lyon 34 – La Tour-du-Pin 26 – Vienne 35

Auberge du Ru
Le Bergeron-Les-Quatre-Vies – ℰ 04 74 94 25 71 – www.aubergeduru.fr – info@aubergeduru.fr – Fax 04 74 94 25 71 – *Fermé 16 fév.-3 mars, 14 juil.-5 août, dim. soir, lundi et mardi*
Rest – Menu 29 € bc/37 €
♦ Nouveau décor frais et original (tons mode, clins d'œil culinaires, toiles monochromes), saveurs du moment, jolis côtes-du-rhône sagement tarifés et bons conseils du patron.

FUISSÉ – 71 Saône-et-Loire – **320** I12 – 326 h. – alt. 290 m – ⊠ 71960   **8 C3**
▌**Bourgogne**

◨ Paris 401 – Charolles 54 – Chauffailles 52 – Mâcon 9 – Villefranche-sur-Saône 48

Au Pouilly Fuissé
le bourg – ℰ 03 85 35 60 68 – www.restaurant-pouillyfuisse.com
– contact@restaurant-pouillyfuisse.com – Fax 03 85 35 60 68 – *Fermé dim. soir, mardi soir et merc.*
Rest – Menu (20 €), 27/47 € – Carte 42/60 €
♦ Comme son nom l'indique, cette auberge familiale accompagne sa cuisine traditionnelle des bons vins de la région. Salle à manger-véranda et terrasse ombragée.

FUTEAU – 55 Meuse – **307** B4 – rattaché à Ste-Menehould (51 Marne)

FUVEAU – 13 Bouches-du-Rhône – **340** I5 – 8 558 h. – alt. 283 m – ⊠ 13710   **40 B3**

◨ Paris 765 – Marseille 36 – Brignoles 53 – Manosque 73
◨ Office de tourisme, cours Victor Leydet ℰ 04 42 50 49 77

Mona Lisa
D 6, (face au golf de Château l'Arc) – ℰ 04 42 68 19 19
– www.monalisahotels.com – dir-ste-victoire@monalisahotels.com
– Fax 04 42 68 19 18
81 ch – †125/140 € ††125/140 €, ⊇ 12 €
Rest – *(fermé sam. midi et dim. midi)* Menu (20 €), 24/28 € – Carte environ 29 €
♦ Architecture contemporaine proche d'un golf. Camaïeu de beige, mobilier en bois peint et accès Internet haut débit : des chambres reposantes et bien pensées. Sauna et fitness. Lumineux restaurant dont les baies vitrées s'ouvrent sur la terrasse et la piscine.

GABRIAC – 12 Aveyron – 338 I4 – 444 h. – alt. 580 m – ✉ 12340   29 D1
▶ Paris 605 – Espalion 13 – Mende 88 – Rodez 27 – Sévérac-le-Château 35

Bouloc avec ch
La Remise – ✆ 05 65 44 92 89 – franck.bouloc@orange.fr – Fax 05 65 48 86 74
– Fermé 5-19 mars, 25 juin-2 juil., 1er-22 oct., merc. sauf le soir en juil.-août et mardi soir de sept. à juin
11 ch – †42/49 € ††42/49 €, ⊇ 7 € – ½ P 48/51 €
Rest – Menu 12 € bc (déj. en sem.), 17/38 €
♦ Maison régionale officiant depuis six générations : autant dire qu'en matière de spécialités du Rouergue, on s'y connaît ! Nouvelle salle à manger-véranda. Chambres anciennes.

GACE – 61 Orne – 310 K2 – 2 140 h. – alt. 210 m – ✉ 61230   33 C2
Normandie Cotentin

▶ Paris 172 – Alençon 49 – Caen 78 – Lisieux 48
🛈 Office de tourisme, Mairie ✆ 02 33 35 50 24, Fax 02 33 35 92 82

Le Manoir aux Camélias
rte d'Alençon – ✆ 02 33 35 67 43 – www.manoirdescamelias.com
– delisletraiteur@aol.com
10 ch – †50/92 € ††50/92 €, ⊇ 10 €
Rest – *(fermé merc.)* Menu (19 €), 25/40 € – Carte 40/64 €
♦ Calme et sérénité reflètent l'ambiance de ce manoir du 19e s. entouré d'un parc. Élégant salon-bar en bois patiné, chambres feutrées au décor minimaliste mais raffiné. Cuisine soignée au goût du jour dans la salle à manger où le gris et le rouge prédominent.

GAGNY – 93 Seine-Saint-Denis – 305 G7 – 101 18 – voir à Paris, Environs

GAILLAC – 81 Tarn – 338 D7 – 12 100 h. – alt. 143 m – ✉ 81600   29 C2
Midi-Pyrénées

▶ Paris 672 – Albi 26 – Cahors 89 – Castres 52 – Montauban 50 – Toulouse 58
🛈 Syndicat d'initiative, Abbaye Saint-Michel ✆ 05 63 57 14 65, Fax 05 63 57 61 37

La Verrerie
r. Égalité – ✆ 05 63 57 32 77 – www.la-verrerie.com – contact@la-verrerie.com
– Fax 05 63 57 32 27 – Fermé 23-30 déc. 17 fév.-2 mars
14 ch – †55/85 € ††55/85 €, ⊇ 11 €
Rest – *(fermé sam. midi, dim. soir et vend.)* Menu (15 € bc), 25 € (sem.)/44 €
– Carte 41/51 €
♦ Cette maison bicentenaire, aux allures de mas provençal, abritait jadis une verrerie. Chambres modernes et pratiques, à choisir côté parc (belle bambouseraie). Cuisine au goût du jour dans une lumineuse salle à manger ou en terrasse.

Les Sarments
27 r. Cabrol, derrière abbaye St-Michel – ✆ 05 63 57 62 61
– www.restaurantslessarments.com – sarments.les2@orange.fr
– Fax 05 63 57 62 61 – Fermé 21 déc.-18 janv., 1er-7 mars, mardi soir d'oct.
à fév., merc. sauf le midi de mars à sept., dim. soir et lundi
Rest – *(nombre de couverts limité, prévenir)* Menu (25 €), 30/48 € – Carte environ 47 €
♦ Découvrez le Gaillac viticole dans un chai médiéval, voisin de la Maison des Vins. Salles voûtées, exposition des tableaux des propriétaires, artistes. Cuisine traditionnelle.

La Table du Sommelier
34 pl. du Griffoul – ✆ 05 63 81 20 10 – www.latabledusommelier.com
– latabledusommelier@orange.fr – Fax 05 63 81 20 10 – Fermé dim. et lundi
Rest – *(dîner seult)* Menu 13 €, 16/34 € bc – Carte environ 24 €
♦ Avec une telle enseigne, nul doute, c'est Bacchus que l'on célèbre dans ce "bistrot-boutique" : belle carte des vins, au verre ou en bouteille, et cuisine du marché.

GAILLAN-EN-MÉDOC – 33 Gironde – 335 F3 – rattaché à Lesparre-Médoc

GAILLON – 27 Eure – 304 I7 – 6 813 h. – alt. 15 m – ⌧ 27600 — 33 D2
Normandie Vallée de la Seine

- Paris 94 – Les Andelys 13 – Rouen 48 – Évreux 25 – Vernon 15
- Office de tourisme, 4, place Aristide Briand ℰ 02 32 53 08 25, Fax 02 32 53 08 25
- de Gaillon Les Artaignes, E : 1 km par D 515, ℰ 02 32 53 89 40

à Vieux-Villez Ouest : 4 km par D 6015 – 160 h. – alt. 125 m – ⌧ 27600

Château Corneille
17 r. de l'Eglise – ℰ 02 32 77 44 77 – www.chateau-corneille.fr
– chateau-corneille@orange.fr – Fax 02 32 77 48 79
20 ch – †89 € ††106 €, ⌑ 11 €
Rest *Closerie* – ℰ 02 32 77 42 97 (fermé 15-31 août et sam. midi) Menu (17 €), 23 € (déj. en sem.)/35 € – Carte 30/55 €

♦ Profitant d'un parc d'arbres centenaires, ce manoir du 18e s. allie confort et modernité. Les chambres, au décor acajou et tons pastel, donnent sur la verdure. Cuisine traditionnelle servie dans une ancienne bergerie, entre murs en briques, cheminée et poutres.

GALÉRIA – 2B Haute-Corse – 345 A5 – voir à Corse

GALLARGUES-LE-MONTUEUX – 30 Gard – 339 J6 – 2 957 h. — 23 C2
– alt. 55 m – ⌧ 30660

- Paris 735 – Montpellier 36 – Nîmes 26 – Arles 51 – Alès 68

Orchidéa
9 pl. Coudoulié – ℰ 04 66 73 34 07 – orchidea30@orange.fr – Fermé dim.
Rest – Menu (18 € bc), 26/36 €

♦ Restaurant d'esprit table d'hôte, convivial et décontracté, dont la cuisine exprime des accents basque, camarguais et réunionnais. Cadre rustique modernisé avec originalité.

GAMBAIS – 78 Yvelines – 311 G3 – 2 064 h. – alt. 119 m – ⌧ 78950 — 18 A2

- Paris 55 – Dreux 27 – Mantes-la-Jolie 32 – Rambouillet 22 – Versailles 38

Auberge du Clos St-Pierre
2 bis r. Goupigny – ℰ 01 34 87 10 55 – www.restaurant-clossaintpierre-78.com
– clossaintpierre@wanadoo.fr – Fax 01 34 87 03 88 – Fermé 1er-24 août, dim. soir, mardi soir et lundi
Rest – Menu 55 € – Carte 32/65 €

♦ Une cuisine de tradition se conçoit derrière les murs rouges de cette auberge. Elle s'apprécie dans un décor actuel ou, dès les premiers beaux jours, à l'ombre du tilleul.

GAN – 64 Pyrénées-Atlantiques – 342 J5 – 5 225 h. – alt. 210 m — 3 B3
– ⌧ 64290

- Paris 786 – Pau 10 – Arudy 17 – Lourdes 39 – Oloron-Ste-Marie 26

Hostellerie L'Horizon avec ch
chemin Mesplet – ℰ 05 59 21 58 93 – www.hostellerie-horizon.com
– eytpierre-hotelresto@wanadoo.fr – Fax 05 59 21 71 80 – Fermé 2 janv.-13 fév.
10 ch – †60/80 € ††65/85 €, ⌑ 8 €
Rest – (fermé dim. soir, mardi midi et lundi) Menu (16 €), 28/68 € bc
– Carte 50/60 €

♦ La salle à manger-véranda et la terrasse regardent un plaisant jardin. Par beau temps, les Pyrénées ferment l'horizon. Préférez les chambres récentes, plus confortables.

GANNAT – Allier – 326 G6 – 5 881 h. – alt. 345 m – ⌧ 03800 — 5 B1
Auvergne

- Paris 383 – Clermont-Ferrand 49 – Montluçon 78 – Moulins 58 – Vichy 20
- Office de tourisme, 11, place Hennequin ℰ 04 70 90 17 78, Fax 04 70 90 19 45
- Évangéliaire ★ au musée municipal (château).

GANNAT

Le Frégénie   VISA MC AE
4 r. des Frères-Bruneau – ℰ 04 70 90 04 65 – www.le-fregenie.com
– Fax 04 70 90 04 65 – Fermé 24-31 août, 26 déc.-4 janv., dim. soir et lundi soir
Rest – Menu 15 € (déj.), 24/43 € – Carte 30/45 €

♦ Dans une rue calme, imposante maison abritant deux salles à manger au décor classique et frais, pour savourer des plats au goût du jour. Accueil souriant.

GAP P – 05 Hautes-Alpes – **334** E5 – 37 200 h. – alt. 735 m – ✉ 05000   41 **C1**
▫ Alpes du Sud

- Paris 665 – Avignon 209 – Grenoble 103 – Sisteron 52 – Valence 158
- Office de tourisme, 2a, cours Frédéric Mistral ℰ 04 92 52 56 56, Fax 04 92 52 56 57
- Alpes Provence Gap Bayard Station Gap Bayard, par rte de Grenoble : 7 km, ℰ 04 92 50 16 83
- Vieille ville★ - Musée départemental★.

GAP

Balmens (R.)	**Z** 3
Carnot (R.)	**Z** 4
Curie (Bd P. et M.)	**Y** 5
Dumont (Av. du Cdt)	**Y** 6
Euzières (Pl. Frédéric)	**Z** 7
Eymar (R. Jean)	**Y** 8
Faure-du-Serre (R.)	**Y** 9
France (R. de)	**Y** 10
Jean-Jaurès (Av.)	**Z** 12
Ladoucette (Cours)	**Y** 13
Libération (Bd de)	**Y** 14
Mazel (R. du)	**Z** 15
Moreau (R. E.)	**Y** 16
Révelly (Pl. du)	**Y** 17
Roux (R. Colonel)	**Z** 19
St-Arnoux (Pl.)	**Z** 20
Valserres (R. de)	**Z** 23

GAP

Le Clos
par ① rte Grenoble et chemin privé – ℰ 04 92 51 37 04 – www.leclos.fr – leclos@voila.fr – Fax 04 92 52 41 06 – Fermé 20 oct.-24 nov., lundi (sauf hôtel) et dim. soir sauf juil.-août
28 ch – †48/57 € ††52/60 €, ⊃ 9 €   **Rest** – Menu 18/32 €

◆ Cet hôtel de la périphérie gapençaise propose des chambres bien conçues (wifi, écran plat), dotées pour moitié d'un balcon. Jardin arboré avec jeux pour les enfants. Spacieuse salle à manger d'esprit rustique, prolongée d'une véranda et d'une terrasse d'été.

Kyriad sans rest
5 chemin des Matins Calmes, par ③ : 2,5 km (près piscine), rte Sisteron – ℰ 04 92 51 57 82 – www.kyriad.fr – kyriad.gap@wanadoo.fr – Fax 04 92 51 56 52
26 ch – †59/75 € ††59/75 €, ⊃ 8 €

◆ Aux portes de Gap, sur la route Napoléon, hôtel disposant de chambres fraîches et spacieuses, aménagées de part et d'autre du jardin, où l'on petit-déjeune à la belle saison.

Ibis
5 bd G. Pompidou – ℰ 04 92 53 57 57 – www.ibishotel.com – ibisgap@wanadoo.fr – Fax 04 92 53 38 15   Y **x**
61 ch – †54/73 € ††54/73 €, ⊃ 8 €   **Rest** – Menu (14 €), 17 €

◆ Vous trouverez ici les prestations habituelles de la chaîne, des chambres fonctionnelles (double vitrage) et un espace séminaire. Petit-déjeuner sous forme de copieux buffet. Restaurant traditionnel au décor coloré de tons pastel.

XXX Patalain
2 pl. Ladoucette – ℰ 04 92 52 30 83 – www.lepatalain.com – sarl-le-patalain@wanadoo.fr – Fax 04 92 52 30 83 – Fermé 25 déc.-15 janv., dim. et lundi   Y **d**
Rest – Menu 37/41 €
Rest *Bistro du Patalain* – Menu 19/23 €

◆ Belle maison de maître (1890) dotée d'un jardin et d'une terrasse sous une glycine. Carte traditionnelle proposée dans une salle bourgeoise classiquement aménagée. Au Bistro, ambiance "bouchon lyonnais", menu du jour inscrit sur ardoise et plats régionaux.

XX Le Pasturier
18 r. Pérolière – ℰ 04 92 53 69 29 – pasturier.resto@wanadoo.fr – Fax 04 92 53 30 91 – Fermé 1er-16 juin, 24 nov.-2 déc., 5-13 janv., mardi midi, dim. soir et lundi   Y **a**
Rest – Menu (18 €), 27/53 € – Carte 43/53 €

◆ Décor aux tons ensoleillés dans cette accueillante petite adresse du vieux Gap. Cuisine régionale et beau livre de cave ; terrasse ombragée sur l'arrière.

X La Grangette
1 av. Foch – ℰ 04 92 52 39 82 – Fermé 14-29 juil., 8-20 fév., mardi et merc.
Rest – Menu 23/33 € – Carte 30/40 €   Y **t**

◆ Aux abords d'un musée et d'un carrefour très passant, discrète enseigne estimée pour ses préparations traditionnelles simples et pour son décor campagnard.

à La Bâtie-Neuve 10 km par ② – 1 976 h. – alt. 852 m – ✉ 05230

La Pastorale sans rest
Les Brès, 4 km au Nord-Est par D 214 et D 614 – ℰ 04 92 50 28 40 – la-pastorale@wanadoo.fr – Fax 04 92 50 21 14 – Ouvert 1er mai-15 oct.
8 ch – †79 € ††79/99 €, ⊃ 9 €

◆ Les chambres, plaisantes, sont assez originalement agencées puisqu'elles s'adaptent aux volumes irréguliers de cette vénérable bâtisse du 16e s. Petit jardin ombragé. Accueil charmant.

à la Freissinouse 9 km par ④ – 477 h. – alt. 965 m – ✉ 05000

Azur
D 994 – ℰ 04 92 57 81 30 – www.hotelazur-fr.com – contact@hotelazur-fr.com – Fax 04 92 57 92 37
45 ch – †52/64 € ††52/74 €, ⊃ 6 € – ½ P 54/64 €
Rest – Menu 17 € (déj. en sem.), 20/35 € – Carte 33/42 €

◆ Hôtel disposant de chambres pratiques et colorées, plus au calme sur l'arrière. De l'autre côté de la route, un parc avec étang, piscine, jeux et annexe (deux duplex pour les familles). Cuisine classique servie dans une salle à manger spacieuse et confortable.

GAPENNES – 80 Somme – **301** E6 – 247 h. – alt. 76 m – ⌧ 80150   36 **A1**
▶ Paris 178 – Amiens 50 – Abbeville 17 – Berck 62 – Étaples 70

La Nicoulette sans rest
7 r. de St-Riquier – ℰ 03 22 28 92 77 – http://nicoulette.com – nicoulette@wanadoo.fr – Fax 06 07 32 86 75 – Fermé 11 nov.-28 fév.
5 ch ⌸ – †76 € ††78 €
♦ Cette ancienne ferme picarde sur la sortie du village propose des chambres de bonne ampleur, toutes de plain-pied sur le joli jardin. Jacuzzi pour la détente.

GARABIT (VIADUC DE) – 15 Cantal – **330** H5 – voir à Viaduc de Garabit

LA GARDE – 04 Alpes-de-Haute-Provence – **334** H10 – rattaché à Castellane

LA GARDE – 48 Lozère – **330** H5 – rattaché à St-Chély-d'Apcher

LA GARDE-ADHÉMAR – 26 Drôme – **332** B7 – 1 128 h. – alt. 178 m   44 **B3**
– ⌧ 26700 ▌ Lyon et la vallée du Rhône
▶ Paris 624 – Montélimar 24 – Nyons 42 – Pierrelatte 7
🛈 Syndicat d'initiative, le village ℰ 04 75 04 40 10
◉ Église ★ – ≤★ de la terrasse.

Le Logis de l'Escalin
1 km au Nord par D 572 – ℰ 04 75 04 41 32
– www.lescalin.com – info@lescalin.com – Fax 04 75 04 40 05 – Fermé vacances de la Toussaint et de fév.
14 ch – †65/68 € ††68/80 €, ⌸ 12 € – ½ P 73/78 €
Rest – (fermé dim. soir et lundi) Menu (21 € bc), 27 € (sem.)/63 € – Carte 51/71 €
♦ Cette ferme aurait pu voir naître Escalin, baron de la Garde et ambassadeur de François 1ᵉʳ. Les chambres offrent un confort complet et un plaisant décor coloré. Salle à manger provençale réchauffée par une cheminée et agréable terrasse ombragée de platanes.

LA GARDE-GUÉRIN – 48 Lozère – **330** L8 – ⌧ 48800   23 **C1**
▌ Languedoc Roussillon
▶ Paris 610 – Alès 59 – Aubenas 69 – Florac 71 – Langogne 37 – Mende 55
◉ Donjon ❋★ – Belvédère du Chassezac★★.

Auberge Régordane
Prévenchères – ℰ 04 66 46 82 88 – www.regordane.com – aubergeregordane@orange.fr – Fax 04 66 46 90 29 – Ouvert 11 avril-11 oct.
16 ch – †57 € ††57/68 €, ⌸ 9 € – ½ P 56/64 €
Rest – Menu 20/39 € – Carte 37/50 €
♦ Cette demeure du 16ᵉ s. profite d'un bel intérieur de caractère au cœur d'un village médiéval fortifié situé sur l'antique voie Régordane reliant l'Auvergne au Languedoc. Voûtes en granit, décor rustique soigné et jolie terrasse font le cachet du restaurant.

LA GARENNE-COLOMBES – 92 Hauts-de-Seine – **311** J2 – **101** – voir à Paris, Environs

GARGAS – 84 Vaucluse – **332** F10 – 2 980 h. – alt. 275 m – ⌧ 84400   42 **E1**
▶ Paris 735 – Marseille 107 – Avignon 53 – Aix-en-Provence 91
▫ – Salon-de-Provence 58

Domaine La Coquillade
– ℰ 04 90 74 71 71 – www.coquillade.fr
– info@coquillade.fr – Fax 04 90 74 71 72 – Fermé 11 janv.-26 mars
13 ch – †220/1190 € ††240/1210 €, ⌸ 15 € – 15 suites – ††350/1210 €
Rest – table d'hôte – Menu 29 € (déj.), 46/72 € – Carte 54/65 €
♦ Dans son domaine viticole, ce hameau provençal, alliant luxe et écologie, déborde de charme. Chambres et suites très raffinées, piano bar, piscine, œuvres d'artistes renommés... Superbe table d'hôtes. Au caveau dégustation et vente de vins régionaux.

GARIDECH – 31 Haute-Garonne – **343** H2 – 1 498 h. – alt. 180 m – ✉ 31380

29 **C2**

▶ Paris 687 – Toulouse 21 – Albi 58 – Auch 96

Le Club
rte d'Albi – ℰ 05 61 84 20 23 – www.leclubchampetre.com – rest-leclub@wanadoo.fr – Fax 05 61 84 43 21 – Fermé 18 août-1ᵉʳ sept., 16-22 fév., sam. midi, dim. soir et lundi
Rest – Menu (17 €), 27/42 € – Carte 43/55 €
♦ Maison familiale située dans un jardin en retrait de la route. Coquette salle à manger rustique ; terrasse et véranda tournées vers la campagne. Carte traditionnelle.

GARNACHE – 85 Vendée – **316** F6 – rattaché à Challans

GARONS – 30 Gard – **339** L6 – rattaché à Nîmes

GARREVAQUES – 81 Tarn – **338** D10 – 271 h. – alt. 192 m – ✉ 81700

29 **C2**

▶ Paris 727 – Carcassonne 53 – Castres 31 – Toulouse 52

Le Pavillon du Château
Château de Garrevaques
– ℰ 05 63 75 04 54 – www.garrevaques.com – m.c.combes@wanadoo.fr – Fax 05 63 70 26 44
15 ch – †150/220 € ††180/220 €, ⊑ 15 € – ½ P 110/130 €
Rest – *(fermé mardi et merc.) (nombre de couverts limité, prévenir)* Menu (17 €) – Carte 25/60 €
♦ Cet hôtel aménagé dans les communs du château abrite de très belles chambres garnies de meubles d'époque, familiaux ou chinés. Superbe spa doté d'équipements dernier cri. Cuisine au goût du jour servie dans la cave voûtée.

Le Château de Garrevaques
– ℰ 05 63 75 04 54 – www.garrevaques.com
– m.c.combes@wanadoo.fr – Fax 05 63 70 26 44
15 ch – †170/200 € ††180/220 €, ⊑ 15 € – ½ P 110/130 €
♦ Chambres cossues et raffinées dans un château du 16ᵉ s. remanié au 19ᵉ s. Paisible et beau parc.

GARRIGUES – 34 Hérault – **339** J6 – 153 h. – alt. 62 m – ✉ 34160

23 **C2**

▶ Paris 756 – Montpellier 37 – Nîmes 46 – Alès 51 – Lunel 21

Château de Roumanières sans rest
pl. de la Mairie – ℰ 04 67 86 49 70 – www.chateauroumanieres.com – gravegeal.amelie@wanadoo.fr
5 ch ⊑ – †75/98 € ††80/98 €
♦ Cette maison familiale – ferme fortifiée jouxtant un domaine viticole – était dotée au 13ᵉ s. de tours, d'où son nom de "château". Belles chambres mariant l'ancien et l'actuel.

GASNY – 27 Eure – **304** J7 – 2 860 h. – alt. 36 m – ✉ 27620

33 **D2**

▶ Paris 77 – Évreux 43 – Mantes-la-Jolie 20 – Rouen 71 – Vernon 10 – Versailles 67

☒ de Villarceaux à Chaussy Château du Couvent, N : 11 km par D 37, ℰ 01 34 67 73 83

Auberge du Prieuré Normand
1 pl. de la République – ℰ 02 32 52 10 01 – www.aubergeduprieurenormand.com – prieure.normand@wanadoo.fr – Fermé mardi soir et merc.
Rest – Menu (19 €), 26/45 € – Carte environ 48 €
♦ Depuis la Roche-Guyon, votre route vous mènera le long des boves crayeuses à cette sympathique auberge villageoise où vous attend une cuisine traditionnelle soignée.

GASSIN – 83 Var – **340** O6 – 2 800 h. – alt. 200 m – ✉ 83580 — 41 **C3**
Côte d'Azur

- Paris 872 – Fréjus 34 – Le Lavandou 31 – St-Tropez 9 – Ste-Maxime 14 – Toulon 69
- Gassin Golf Country Club Route de Ramatuelle, ✆ 04 94 55 13 44
- Terrasse des Barri ≤ ★.
- Moulins de Paillas ✻ ★★ SE : 3,5 km.

Auberge la Verdoyante ≤ 🍽 P VISA ⓒ
866 chemin vicinal Coste Brigade – ✆ *04 94 56 16 23 – la.verdoyante@wanadoo.fr – Fax 04 94 56 43 10 – Ouvert mi-fév. à mi-nov. et fermé du lundi au jeudi en fév. et mars, lundi midi et merc. d'avril à mi-nov.*
Rest – Menu 28/50 € – Carte environ 52 €

♦ Auberge noyée dans la verdure. Goûtez son appétissante cuisine régionale sur la terrasse dominant le golfe de St-Tropez, ou dans une coquette salle provençale avec cheminée.

GAURIAC – 33 Gironde – **335** H4 – 826 h. – alt. 50 m – ✉ 33710 — 3 **B1**
- Paris 551 – Blaye 11 – Bordeaux 42 – Jonzac 57 – Libourne 38

La Filadière ≤ 🍽 P VISA ⓒ AE
rte de la Corniche, 2 km à l'Ouest par D 669^{E1} – ✆ *05 57 64 94 05*
– www.lafiladiere.com – la-filadiere@wanadoo.fr – Fax 05 57 64 94 06
– Fermé dim. soir, mardi et merc.
Rest – Menu 31/34 € – Carte 30/65 €

♦ La terrasse panoramique bordant l'estuaire de la Gironde est un des atouts de ce restaurant lumineux, bâti sur un ancien site de stockage pétrolier.

GAVARNIE – 65 Hautes-Pyrénées – **342** L8 – 154 h. – alt. 1 350 m — 28 **A3**
– Sports d'hiver : 1 350/2 400 m ⛷11 🎿 – ✉ 65120 **Midi-Pyrénées**

- Paris 901 – Lourdes 52 – Luz-St-Sauveur 20 – Pau 96 – Tarbes 71
- Office de tourisme, le village ✆ 05 62 92 48 05, Fax 05 62 92 42 47
- Village ★ - Cirque de Gavarnie ★★★ S : 3 h 30.

Vignemale sans rest 🌿 ≤ 🚗 ⛱ ℅ P VISA ⓒ
chemin du Cirque – ✆ *05 62 92 40 00 – www.hotel-vignemale.com*
– hotel.vignemale@orange.fr – Fax 05 62 92 40 08 – Ouvert 15 mai-30 sept.
24 ch – ♦150 € ♦♦150/350 €, ⍁ 15 €

♦ Plein Sud face au majestueux cirque de Gavarnie, cet imposant chalet en pierre (1902) jouit d'un beau panorama. Chambres sobres. Parc aux sapins centenaires. Élevage de chevaux.

GAZERAN – 78 Yvelines – **311** G4 – rattaché à Rambouillet

GÉMENOS – 13 Bouches-du-Rhône – **340** I6 – 5 485 h. – alt. 150 m — 40 **B3**
– ✉ 13420 **Provence**

- Paris 788 – Aix-en-Provence 39 – Brignoles 48 – Marseille 25 – Toulon 50
- Syndicat d'initiative, cours Pasteur ✆ 04 42 32 18 44, Fax 04 42 32 15 49
- Parc de St-Pons ★ E : 3 km.

Relais de la Magdeleine 🌿 ♻ 🍽 ⍆ ⛱ AC ch, 📡 ⚐ P VISA ⓒ AE ⓘ
rd-pt de la Madeleine, N 396
– ✆ *04 42 32 20 16 – www.relais-magdeleine.com*
– contact@relais-magdeleine.com – Fax 04 42 32 02 26
– Ouvert 15 mars-15 nov.
28 ch – ♦100/150 € ♦♦110/220 €, ⍁ 15 €
Rest – *(fermé lundi midi et merc. midi)* Menu 35 € (déj. en sem.), 45/55 €
– Carte 55/80 €

♦ C'est toute la Provence qui s'exprime dans cette élégante demeure cossue du 18e s. : mobilier ancien, tomettes, tableaux, tissus... jusqu'au chant des cigales dans le parc ! Cuisine classique, salles à manger en enfilade et décor raffiné caractérisent le restaurant.

GÉMENOS

🏨 Bed & Suites sans rest
au parc d'activités de Gémenos, Sud : 2 km, (250 av. Château de Jouques)
– ℰ 04 42 32 72 73 – www.bestwestern-gemenos.com – bedandsuites@voila.fr
– Fax 04 42 32 72 74
29 ch – †85/125 € ††85/125 €, ☑ 12 €
◆ Derrière sa façade ocre, hôtel récent aux chambres modernes, décorées sur les thèmes de la mer et de la Provence (plus calmes à l'avant). Certaines avec balcons et terrasses.

🏠 Du Parc
Vallée St-Pons, 1 km par D 2 – ℰ 04 42 32 20 38 – www.hotel-parc-gemenos.com
– hotel.parc.gemenos@wanadoo.fr – Fax 04 42 32 10 26
13 ch – †51/57 € ††58/63 €, ☑ 8,50 € – ½ P 58/73 €
Rest – Menu (13 €), 17 € (déj. en sem.), 27/37 € – Carte 40/64 €
◆ Non loin du parc de St-Pons, en retrait de la départementale, une sympathique adresse noyée dans la verdure, pleine de gaieté avec ses chambres colorées. Spécialités régionales servies dans une salle de restaurant spacieuse ou sur une terrasse ombragée.

GENAS – 69 Rhône – 327 J5 – 11 700 h. – alt. 218 m – rattaché à Lyon

GÉNÉRARGUES – 30 Gard – 339 I4 – rattaché à Anduze

GENESTON – 44 Loire-Atlantique – 316 G5 – 3 380 h. – alt. 28 m – ⊠ 44140   34 B2
▶ Paris 398 – Cholet 60 – Nantes 20 – La Roche-sur-Yon 47

✕✕ Le Pélican
13 pl. G. Gaudet – ℰ 02 40 04 77 88 – Fax 02 40 04 77 88
– Fermé 31 juil.-28 août, 15-26 fév., dim. soir, lundi et mardi
Rest – Menu 20/30 €
◆ Cette pimpante façade en bois peint dissimule deux petites salles à manger rénovées dans les tons jaune et bleu. Cuisine actuelle s'inspirant du répertoire classique.

GENEUILLE – 25 Doubs – 321 F3 – rattaché à Besançon

GENILLÉ – 37 Indre-et-Loire – 317 P5 – 1 509 h. – alt. 88 m – ⊠ 37460   11 B3
Châteaux de la Loire
▶ Paris 239 – Tours 48 – Blois 57 – Châtellerault 67 – Loches 12
🛈 Syndicat d'initiative, 17, place Agnès Sorel ℰ 02 47 59 57 85, Fax 02 47 59 57 85

✕✕ Agnès Sorel avec ch
6 pl. Agnès Sorel – ℰ 02 47 59 50 17 – www.agnessorel.com – agnessorel@wanadoo.fr – Fax 02 47 59 59 50 – Fermé 4-13 oct., 2 janv.-1er fév., mardi de sept. à juin, dim. et lundi sauf août
3 ch – †45/59 € ††45/59 €, ☑ 8 €   **Rest** – Menu (21 €), 26/57 € – Carte 43/57 €
◆ Deux plaisantes salles à manger attendent les convives dans cette maison de pays. Ils s'y régaleront avec une goûteuse cuisine dans l'air du temps.

GÉNIN (LAC) – 01 Ain – 328 H3 – rattaché à Oyonnax

GENNES – 49 Maine-et-Loire – 317 H4 – 1 952 h. – alt. 28 m – ⊠ 49350   35 C2
Châteaux de la Loire
▶ Paris 305 – Angers 33 – Bressuire 65 – Cholet 68 – La Flèche 46 – Saumur 20
🛈 Office de tourisme, square de l'Europe ℰ 02 41 51 84 14
◎ Église★★ de Cunault SE : 2,5 km - Église★ de Trèves-Cunault SE : 3 km.

🏨 Les Naulets d'Anjou
18 r. Croix de Mission – ℰ 02 41 51 81 88 – www.hotel-lesnauletsdanjou.com
– lesnauletsdanjou@wanadoo.fr – Fax 02 41 38 00 78 – Fermé 23 déc.-31 janv.
19 ch – †50/56 € ††50/56 €, ☑ 8,50 € – ½ P 47/51 €
Rest – (fermé merc. soir du 15 oct. au 15 avril) (dîner seult) Menu 17 €, 21/38 €
– Carte 25/31 €
◆ Construction des années 1970 dans la partie haute du village, où il fait bon se détendre et se ressourcer entre Anjou et Saumurois. Lumineuse salle à manger prolongée d'un balcon-terrasse ouvert sur la piscine et le jardin. Cuisine simple, plutôt traditionnelle.

GENNES

XX L'Aubergade AK VISA MC AE ①
*7 av. des Cadets – ℰ 02 41 51 81 07 – www.restaurant-laubergade.com
– bodinjeanfrancois@wanadoo.fr – Fermé vacances de la Toussaint et d'hiver*
Rest – Menu (18 €), 27/68 € – Carte 50/75 €

♦ De retour au pays après un séjour en Amérique du Sud, le chef-patron de cette maison propose une cuisine actuelle revisitée, mêlant produits du terroir et saveurs du monde.

GENNEVILLE – 14 Calvados – **303** M4 – 718 h. – alt. 90 m – ✉ 14600   32 **A3**

▶ Paris 189 – Caen 61 – Le Havre 28 – Lisieux 30 – Fécamp 51

⌂ Le Grand Clos de St-Martin sans rest
*Hameau St-Martin – ℰ 02 31 87 80 44 – www.legrandclosdesaintmartin.com
– legrandclosdesaintmartin@wanadoo.fr – Fax 02 31 87 80 44*
3 ch ⌑ – †75 € ††85 €

♦ Parc, plan d'eau, pommiers, chevaux... Un authentique paysage normand entoure cette agréable maison à colombages, très calme. Chambres cosy ; produits maison au petit-déjeuner.

GENSAC – 33 Gironde – **335** L6 – 844 h. – alt. 78 m – ✉ 33890   4 **C1**

▶ Paris 554 – Bergerac 39 – Bordeaux 63 – Libourne 33 – La Réole 34

🛈 Office de tourisme, 5, place de la Mairie ℰ 05 57 47 46 67, Fax 05 57 47 46 63

XX Remparts avec ch
*16 r. Château – ℰ 05 57 47 43 46 – www.lesremparts.net – info@lesremparts.net
– Fax 05 57 47 46 76 – Fermé 1ᵉʳ janv.-4 mars*
– ½ P 64/76 €
Rest – *(fermé dim. soir, lundi et le midi sauf dim.)* Menu 25 €, 27/32 €
– Carte 20/32 €

♦ Près de l'église, ensemble typé où un chef anglais vous convie à un repas traditionnel dans une salle sobre et claire, dotée de chaises rustiques. Jolie vue sur la vallée. Chambres avenantes à l'ombre du clocher, dans le presbytère médiéval. Jardin soigné.

au Nord 2 km par D16 et D130 (rte de Juillac) – ✉ 33890 Juillac

XX Le Belvédère
*– ℰ 05 57 47 40 33 – www.restaurantlebelvedere.fr – le-belvedere@wanadoo.fr
– Fax 05 57 47 48 07 – Fermé oct., mardi sauf le midi en juil.-août et merc.*
Rest – Menu 19 € bc (sem.)/58 € – Carte 31/61 €

♦ Grand chalet surplombant le village et un méandre de la Dordogne. Salle rustique avec cheminée et agréable terrasse-belvédère pour goûter une cuisine à l'accent régional.

au Sud-Ouest 2 km par D18 et D15^E1 – ✉ 33350 Ste-Radegonde

🏠 Château de Sanse
*– ℰ 05 57 56 41 10 – www.chateaudesanse.com
– contact@chateaudesanse.com – Fax 05 57 56 41 29
– Fermé 1ᵉʳ janv.-28 fév.*
12 ch – †100/135 € ††100/135 €, ⌑ 12 € – 4 suites – ½ P 87/130 €
Rest – *(fermé nov. et déc. sauf sam. soir et dim. midi et merc. jeudi sauf de mai à sept.)* Menu (19 €), 27 € (déj. en sem.)/35 € – Carte 37/50 € dîner seulement

♦ Dominant campagne et vignobles, noble demeure (18ᵉ s.) en pierres blondes agrémentée d'un parc et d'une belle piscine. Chambres modernes offrant ampleur, calme et caractère. Repas au goût du jour dans une véranda au cadre actuel ou sur la terrasse perchée.

GÉRARDMER – 88 Vosges – **314** J4 – 8 845 h. – alt. 669 m – Sports   27 **C3**
d'hiver : 660/1 350 m ⛷31 ⛷ – Casino AZ – ✉ 88400 ▍Alsace Lorraine

▶ Paris 425 – Belfort 78 – Colmar 52 – Épinal 40 – St-Dié 27 – Thann 50

🛈 Office de tourisme, 4, place des Déportés ℰ 03 29 27 27 27,
Fax 03 29 27 23 25

◉ Lac de Gerardmer★ - Lac de Longemer★ - Saut des Cuves★ E : 3 km par ①.

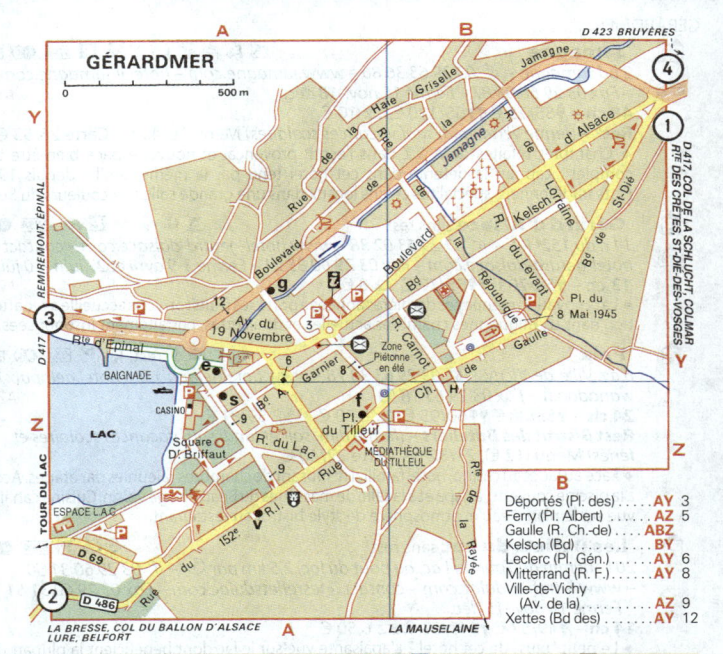

GÉRARDMER

Déportés (Pl. des)	**AY** 3
Ferry (Pl. Albert)	**AZ** 5
Gaulle (R. Ch.-de)	**ABZ**
Kelsch (Bd)	**BY**
Leclerc (Pl. Gén.)	**AY** 6
Mitterrand (R. F.)	**AY** 8
Ville-de-Vichy (Av. de la)	**AZ** 9
Xettes (Bd des)	**AY** 12

Le Grand Hôtel
pl. du Tilleul – ☏ *03 29 63 06 31 – www.grandhotel-gerardmer.com – contact@grandhotel-gerardmer.com – Fax 03 29 63 46 81* AZ **f**
61 ch – †78/130 € ††98/195 €, ⊆ 16 € – 14 suites
Rest *Le Pavillon Pétrus* – *(dîner seult sauf dim. et fériés)* Menu 45 €, 60/90 € – Carte 46/88 €
Rest *L'Assiette du Coq à l'Âne* – Menu (15 € bc), 18 € (sem.)/28 € – Carte 29/42 €
Rest *Le Grand Cerf* – *(dîner seult sauf dim. et fériés)* Menu 26 €

◆ Grande bâtisse du 19ᵉ s. aux chambres soignées et cossues, donnant sur un jardin arboré. Un chalet abrite de belles suites mixant styles actuel et montagnard. Cadre raffiné et plats contemporains au Pavillon Pétrus. Joli décor régional et spécialités du terroir à l'Assiette du Coq à l'Âne. Cuisine classique au Grand Cerf.

Le Manoir au Lac
chemin de la Droite du Lac, rte d'Épinal 1 km par ③ – ☏ *03 29 27 10 20 – www.manoir-au-lac.com – contact@manoir-au-lac.com – Fax 03 29 27 10 27*
12 ch – †150/200 € ††150/300 €, ⊆ 20 € – ½ P 130/250 €
Rest – *(fermé dim. et lundi) (dîner seult) (résidents seult)* Menu 30 €

◆ Jadis fréquenté par Maupassant, chalet vosgien de 1830 dans un parc. Ambiance guesthouse, piano, beau mobilier, chambres raffinées et superbe vue sur le lac. Salon de thé.

Beau Rivage
esplanade du Lac – ☏ *03 29 63 22 28 – www.hotel-beaurivage.fr – hotel-beau-rivage@wanadoo.fr – Fax 03 29 63 29 83* AY **e**
51 ch – †67/159 € ††85/189 €, ⊆ 12 € – 1 suite
Rest *Côté Lac* – *(fermé sam. midi et vend. hors saison, vacances scolaires et fériés)* Menu (25 €), 41 € (déj.), 48/75 € – Carte 56/105 €
Rest *Le Toit du Lac* – *(fermé merc. hors saison, vacances scolaires et fériés)* Carte 36/50 €

◆ Des confortables chambres "standard" aux superbes suites face aux ondes bleutées, un esprit contemporain du meilleur goût habite cet hôtel. Spa luxueux. Le Côté Lac sert une cuisine actuelle dans un cadre élégamment relooké dans la note tendance. Lounge bar et cuissons à la plancha au Toit du Lac.

GÉRARDMER

Jamagne
2 bd Jamagne – ℰ 03 29 63 36 86 – www.jamagne.com – hotel@jamagne.com – Fax 03 29 60 05 87 – Fermé 15 nov.-18 déc. AY **g**
48 ch – †55/75 € ††65/110 €, ⌑ 10 €
Rest – (fermé vend. midi sauf vacances scolaires) Menu 16/45 € – Carte 26/53 €
♦ Chambres refaites de A à Z dans l'esprit provençal et nouvel espace bien-être très complet : cap sur la détente dans cet hôtel tenu par la même famille depuis 1905. Plats traditionnels, spécialités et vins locaux dans une grande salle aux couleurs du Sud.

Gérard d'Alsace sans rest
14 r. du 152° R.I. – ℰ 03 29 63 02 38 – www.hotel-gerard-dalsace.com – contact@hotel-gerard-dalsace.com – Fax 03 29 60 85 21 – Fermé 3-9 avril et 27 juin -10 juil.
13 ch – †55/70 € ††55/70 €, ⌑ 8 € AZ **v**
♦ La rénovation menée ces dernières années a porté ses fruits : on vous accueille avec attention dans de mignonnes chambres actuelles et douillettes, parfaitement insonorisées.

Paix
6 av. Ville-de-Vichy – ℰ 03 29 63 38 78 – www.hoteldelapaix.fr – hotel.delapaix@wanadoo.fr – Fax 03 29 63 18 53 AZ **s**
24 ch – †53/88 € ††60/95 €, ⌑ 8,50 € – ½ P 59/81 €
Rest *Bistrot des Bateliers* – (fermé dim. soir et lundi sauf vacances scolaires et fériés) Menu (12 €), 21/32 € – Carte 22/40 €
♦ Face au lac et au casino, hôtel familial disposant de chambres rajeunies par étapes. Accès à la piscine couverte, au spa et à la salle de massages du Beau Rivage voisin. Cuisine canaille, vue sur le plan d'eau et atmosphère de style bistrot au restaurant.

Les Reflets du Lac sans rest
201 chemin du Tour du Lac, au bout du lac, 2,5 km par ③ – ℰ 03 29 60 31 50 – www.lesrefletsdulac.com – contact@lesrefletsdulac.com – Fax 03 29 60 31 51 – Fermé 15 nov.-15 déc.
14 ch – †49/57 € ††49/57 €, ⌑ 6,50 €
♦ Le petit "plus" de cet hôtel ? L'apaisante vue sur le lac dont bénéficient la plupart des chambres, décorées en toute simplicité mais parfaitement tenues et assez confortables.

à Xonrupt-Longemer 4 km par ① – 1 557 h. – alt. 714 m – ⌑ 88400

Les Jardins de Sophie - Domaine de la Moineaudière
rte du Valtin, 4 km au Nord-Ouest par D23 et rte secondaire – ℰ 03 29 63 37 11 – www.hotel-lesjardinsdesophie.com – jardinsdesophie@compagnie-dhdl.com – Fax 03 29 63 17 63
32 ch – †100/220 € ††150/250 €, ⌑ 17 € – ½ P 129/182 €
Rest – (fermé mardi soir et merc. hors saison et hors vacances scolaires) Menu 30 € (déj. en sem.), 45/75 € – Carte 65/85 €
♦ Blotti parmi les épicéas, luxueux hôtel revu de pied en cap : partout règne une atmosphère raffinée et cosy, savant mariage d'un décor façon chalet et de touches design. Au restaurant, la chaleur du bois souligne l'élégance épurée des tables. Cuisine actuelle.

La Devinière sans rest
318 montée des Broches – ℰ 03 29 63 23 89 – www.chambredhote-deviniere.com – feltzsylvie@hotmail.com
5 ch ⌑ – †63/83 € ††68/88 €
♦ Parmi les atouts de cette ancienne ferme restaurée : la tranquillité, la vue sur la forêt et un espace bien-être (sauna finlandais). Cinq grandes chambres dont une familiale.

aux Bas-Rupts 4 km par ② – ⌑ 88400 Gérardmer

Les Bas-Rupts (Michel Philippe)
181 rte de la Bresse – ℰ 03 29 63 09 25 – www.bas-rupts.com – basrupts@relaischateaux.com – Fax 03 29 63 00 40
21 ch – †150/180 € ††150/220 €, ⌑ 22 € – 4 suites – ½ P 150/255 €
Rest – (prévenir le week-end) Menu 35 € (déj. en sem.), 52/98 € – Carte 60/100 €
Spéc. Tripes au riesling à la crème et moutarde. Fricassée de poulet de Bresse au vin jaune et morilles. Moelleux chocolat, crème glacée à la cannelle. **Vins** Muscat d'Alsace, Pinot noir d'Alsace.
♦ Façade en bois, beau décor rustique à l'autrichienne, agréables chambres personnalisées, piscine couverte, sauna et hammam : le cosy du chalet, le confort en plus. Coquet restaurant campagnard où l'on se régale d'une cuisine mariant terroir et inventivité.

GÉRARDMER

Cap Sud
144 rte de la Bresse – ℰ *03 29 63 06 83* – *www.capsud-bellemaree.fr*
– *olivier.colonna@club.fr* – *Fax 03 29 63 20 76* – *Fermé lundi sauf fériés*
Rest – Menu (16 €), 28/52 € – Carte 30/48 €

♦ Escale maritime au cœur des Vosges : hublots et décor "paquebot" en acajou côté salle, vue sur les montagnes côté véranda et cuisine du large d'inspiration méditerranéenne.

GERBEROY – 60 Oise – 305 C3 – 102 h. – alt. 180 m – ⊠ 60380 — 36 A2

▶ Paris 110 – Aumale 30 – Beauvais 22 – Breteuil 37 – Compiègne 82 – Rouen 62

Hostellerie du Vieux Logis
25 r. Logis du Roy – ℰ *03 44 82 71 66* – *www.hostellerieduvieuxlogis.com*
– *vieux.logis@worldonline.fr* – *Fax 03 44 82 61 65* – *Fermé vacances de Noël, de fév., le soir sauf sam. de nov. à mars, mardi soir, dim. soir et merc.*
Rest – Menu (25 €), 25/48 € – Carte 47/60 €

♦ Maison à l'entrée du vieux village fortifié désormais pris d'assaut par les fleurs, les peintres et les touristes. Cheminée et charpente découverte égayent la salle.

GERMIGNY-L'ÉVÊQUE – 77 Seine-et-Marne – 312 G2 – rattaché à Meaux

---

GESTEL – 56 Morbihan – 308 K8 – 2 472 h. – alt. 47 m – ⊠ 56530 — 9 B2

▶ Paris 510 – Rennes 158 – Vannes 65 – Lorient 13 – Lanester 13

Piscine et Golf sans rest
6 allée Kerguestenen, 3 km au Sud-Est par D 163 et rte secondaire –
ℰ *02 97 05 15 03* – *kerguestenen.pagesperso-orange.fr* – *ng.gwen@tiscali.fr*
– *Fax 02 97 05 15 03* – *Fermé 9-18 janv.*
4 ch ⊇ – †59/74 € ††59/74 €

♦ Cette paisible maison de lotissement recèle de plaisantes chambres thématiques – "Roses", "Anges" – tournées vers le golf et une petite piscine chauffée (30°C) à contre-courant.

GÉTIGNÉ – 44 Loire-Atlantique – 316 I5 – rattaché à Clisson

LES GETS – 74 Haute-Savoie – 328 N4 – 1 332 h. – alt. 1 170 m – Sports — 46 F1
d'hiver : 1 170/2 000 m ⟋5 ⟋47 ⟋ – ⊠ 74260 ▮ Alpes du Nord

▶ Paris 579 – Annecy 77 – Bonneville 33 – Cluses 19 – Morzine 7 – Thonon-les-Bains 36

🄸 Office de tourisme, place de la Mairie ℰ 04 50 75 80 80, Fax 04 50 79 76 90

⛳ des Gets Les Chavannes, E : 3 km, ℰ 04 50 75 87 63

◉ Mont Chéry ✱ ★★.

Le Labrador
rte de La Turche – ℰ *04 50 75 80 00* – *www.labrador-hotel.com* – *info@labrador-hotel.com* – *Fax 04 50 79 87 03* – *Ouvert 21 juin-7 sept. et 20 déc.-13 avril*
23 ch ⊇ – †130/230 € ††190/290 €
Rest *Le St-Laurent* – *(dîner seult sauf été)* Menu 28 €, 38/80 € – Carte 36/62 €

♦ Ce chalet entouré d'un joli jardin offre de nombreux services et loisirs. Salon-cheminée cossu et chambres avec balcon ménageant souvent une vue sur les montagnes. Cuisine actuelle et grillades préparées sous vos yeux dans la salle à manger d'esprit savoyard.

La Marmotte
61 r. du Chêne – ℰ *04 50 75 80 33* – *www.hotel-marmotte.com* – *info@hotel-marmotte.com* – *Fax 04 50 75 83 26* – *Ouvert 27 juin-30 août et 20 déc.-19 avril*
48 ch – †170/279 € ††255/372 €, ⊇ 12 €
Rest – *(dîner seult) (résidents seult)* Menu 30 €, 50/70 €

♦ Après une journée de ski, détendez-vous près de la cheminée avant de vous faire dorloter dans le superbe spa (750 m²). Chambres récentes, douillettes et agrémentées de boiseries. Restaurant ouvert sur les pistes.

LES GETS

Mont Chéry sans rest
421 r. du Centre – ℘ *04 50 75 80 75 – www.hotelmontchery.com
– hotelmontchery@orange.fr – Fax 04 50 79 70 13 – Ouvert 21 déc.-29 mars*
27 ch ☑ – †120/200 € ††170/280 €

◆ Au pied des remontées mécaniques, chambres coquettes au décor montagnard chic (celles de la catégorie "chalet" donnent sur les pistes). Jacuzzi et piscine panoramiques, sauna.

Alpina
55 imp. de la Grange-Neuve – ℘ *04 50 75 80 22 – www.hotelalpina.fr – resa@hotelalpina.fr – Fax 04 50 75 83 48 – Ouvert 25 mai-25 sept. et 15 déc.-15 avril*
32 ch – †67/87 € ††93/156 €, ☑ 9 € – 1 suite – ½ P 78/128 €
Rest – Menu 21 € (déj. en sem.), 26/38 € – Carte 32/52 €

◆ Ce chalet-hôtel familial qui domine le bourg abrite des chambres généralement grandes, refaites dans un style savoyard actuel ; plaisant jardin d'été. Cuisine aux accents du pays, décor chaleureux et tons chauds vous attendent dans les deux salles du restaurant.

Crychar
136 impasse de la Grange-Neuve, par rte La Turche – ℘ *04 50 75 80 50
– www.crychar.com – info@crychar.com – Fax 04 50 79 83 12
– Ouvert 1ᵉʳ juil.-5 sept. et 19 déc.-19 avril*
14 ch – †95/168 € ††126/225 €, ☑ 12 € – 1 suite – ½ P 105/160 €
Rest – *(dîner seult) (résidents seult)* Menu 38 €

◆ Cette maison vous accueille dans une ambiance confortable, chaleureuse et cocooning. Salon cheminée, chambres avec balcon, salle de jeux pour enfants. Restaurant au joli décor néo-savoyard : poutres apparentes, bois blond et tissus artisanaux.

Régina
534 r. du Centre – ℘ *04 50 75 80 44 – www.hotelregina74.com – hotelpla@wanadoo.fr – Fax 04 50 79 87 29 – Ouvert 29 juin-5 sept. et 21 déc.-12 avril*
21 ch – †58/82 € ††67/110 €, ☑ 10 € – ½ P 63/93 €
Rest – *(fermé mardi midi et merc. midi)* Menu 18 € (déj. en sem.), 22/38 €
– Carte 30/44 €

◆ L'un des premiers hôtels de la station, géré de père en fils depuis 1937 ; l'actuel propriétaire est également guide de montagne. Chambres simples et ambiance chaleureuse. Au restaurant, décor "tout bois", cheminée, recettes classiques et spécialités locales.

> Retrouvez tous les Bibs Gourmands ⓐ dans notre guide
> des "Bonnes Petites Tables du guide Michelin".
> Pour bien manger à prix modérés, partout en France !

GEVREY-CHAMBERTIN – 21 Côte-d'Or – 320 J6 – 3 120 h.
8 D1
– alt. 275 m – ✉ 21220 ▌Bourgogne

▶ Paris 315 – Beaune 33 – Dijon 13 – Dole 61

ℹ Office de tourisme, 1, rue Gaston Roupnel ℘ 03 80 34 38 40,
Fax 03 80 34 15 49

Plan page ci-contre

Arts et Terroirs sans rest
28 rte de Dijon – ℘ *03 80 34 30 76 – www.arts-et-terroirs.com – arts-et-terroirs@wanadoo.fr – Fax 03 80 34 11 79*
B e
20 ch – †69/89 € ††69/89 €, ☑ 11 €

◆ Agréables chambres rénovées donnant sur un paisible jardin ; seules trois se trouvent côté route mais bénéficient d'une bonne isolation. Salon "Chesterfield" où trône un piano.

Grands Crus sans rest
r. de Lavaux – ℘ *03 80 34 34 15 – www.hoteldesgrandscrus.com
– hotel.lesgrandscrus@nerim.net – Fax 03 80 51 89 07
– Ouvert de mars à nov.*
A c
24 ch – †80/90 € ††80/90 €, ☑ 12 €

◆ Les vignes des "grands crus" voisinent cette chaleureuse maison de village entourée d'un joli jardin fleuri. Chambres bourgeoises et salon de caractère.

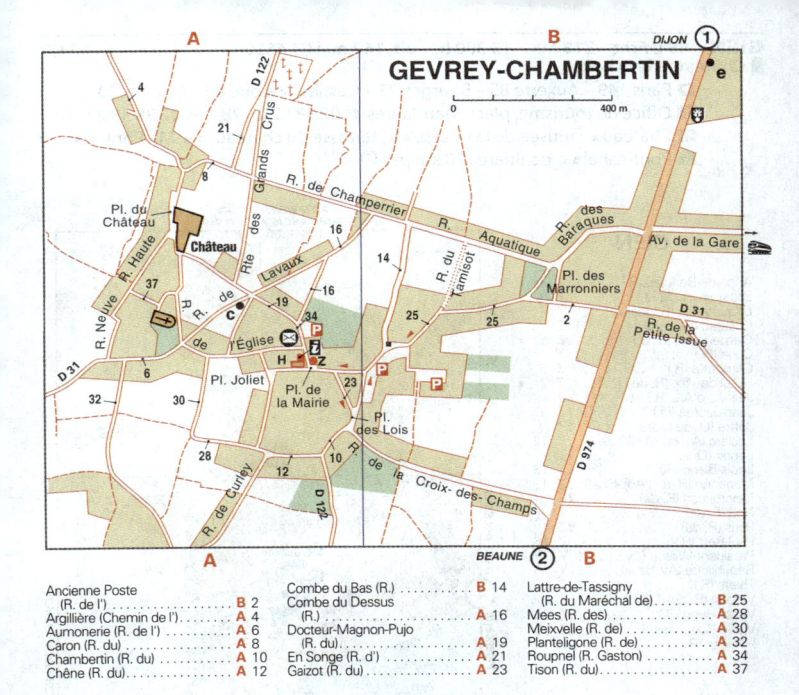

GEVREY-CHAMBERTIN

Ancienne Poste (R. de l') . . . . **B** 2	Combe du Bas (R.) . . . . **B** 14	Lattre-de-Tassigny (R. du Maréchal de) . . . . **B** 25
Argillière (Chemin de l') . . . . **A** 4	Combe du Dessus (R.) . . . . **A** 16	Mees (R. des) . . . . **A** 28
Aumonerie (R. de l') . . . . **A** 6	Docteur-Magnon-Pujo (R. du) . . . . **A** 19	Meixvelle (R. de) . . . . **A** 30
Caron (R. du) . . . . **A** 8	En Songe (R. d') . . . . **A** 21	Planteligone (R. de) . . . . **A** 32
Chambertin (R. du) . . . . **A** 10	Gaizot (R. du) . . . . **A** 23	Roupnel (R. Gaston) . . . . **A** 34
Chêne (R. du) . . . . **A** 12		Tison (R. du) . . . . **A** 37

XX **Chez Guy**   AC VISA MC

3 pl. de la Mairie – ℘ 03 80 58 51 51 – www.hotel-bourgogne.com – chez-guy@hotel-bourgogne.com – Fax 03 80 58 50 39   **A z**
Rest – Menu (26 €), 29/50 €

◆ Un très beau choix de bourgognes escorte la cuisine régionale actualisée de ce restaurant d'esprit moderne (tableaux sur le thème culinaire et grande cheminée décorative).

GEX – 01 Ain – **328** J3 – 8 913 h. – alt. 626 m – ⌧ 01170   **46 F1**
Franche-Comté Jura

▶ Paris 490 – Genève 19 – Lons-le-Saunier 93 – Pontarlier 110 – St-Claude 42

🛈 Office de tourisme, square Jean Clerc ℘ 04 50 41 53 85, Fax 04 50 41 81 00

🏌 de Maison-Blanche à Échenevex, S : 3 km par D 984, ℘ 04 50 42 44 42

à Echenevex 4 km au Sud par D 984^c et rte secondaire – 1 197 h. – alt. 580 m – ⌧ 01170

Auberge des Chasseurs   P VISA MC AE

Naz Dessus – ℘ 04 50 41 54 07 – www.aubergedeschasseurs.com – aubergedeschasseurs@wanadoo.fr – Fax 04 50 41 90 61
– Ouvert 1er mars-16 nov. et fermé dim. soir et lundi sauf juil.-août
15 ch – †80 € ††100/160 €, ⌧ 12 € – ½ P 105/130 €
Rest – (fermé dim. soir sauf juil-août, mardi midi, merc. midi et lundi) (prévenir) Menu (15 €), 33/45 € – Carte 45/75 €

◆ Coquette maison recouverte de vigne vierge avec le Mont-Blanc en toile de fond. L'intérieur scandinave avec boiseries peintes, photographies de Cartier-Bresson et autres œuvres : sérénité et Art de Vivre. Chambres cosy et personnalisées. Cuisine traditionnelle.

GICOURT – 60 Oise – **305** F4 – rattaché à Clermont

GIEN – 45 Loiret – 318 M5 – 15 300 h. – alt. 162 m – ⊠ 45500
Châteaux de la Loire

12 **C2**

▶ Paris 149 – Auxerre 85 – Bourges 77 – Cosne-sur-Loire 46 – Orléans 70
🛈 Office de tourisme, place Jean Jaurès ℘ 02 38 67 25 28, Fax 02 38 38 23 16
◉ Château★ : musée de la Chasse★★, terrasse du château ≤★ M - Pont ≤★.
◉ Pont-canal★★ de Briare : 10 km par ②.

GIEN

Anne-de-Beaujou (R.)	Z 2
Bildstein (R. du Lt.)	Y 3
Briqueteries (R. des)	Y
Château (Pl. du)	Z
Clemenceau (R. G.)	Z 5
Curie (Pl.)	Y
Gambetta (R.)	Z 6
Hôtel-de-Ville (R. de l')	Z 7
Jeanne-d'Arc (R.)	YZ
Jean-Jaurès (Pl.)	Z 9
Joffre (Q. du Mar.)	Z
Leclerc (Av. du Mar.)	Z 12
Lenoir (Quai)	Z
Louis-Blanc (R.)	Z 13
Marienne (R. de l'Adj.-Chef)	Z 15
Montbricon (R. de)	YZ
Noé (R. de)	Y
Paris (R. de)	YZ
Paul-Bert (R.)	Z 16
Président-Wilson (Av.)	Y 17
République (Av. de la)	Y 19
Thiers (R.)	Z 23
Verdun (R. de)	Y
Victor-Hugo (R.)	Z 24
Vieille Boucherie (R.)	Z 25
Villejean (R. J.)	Y

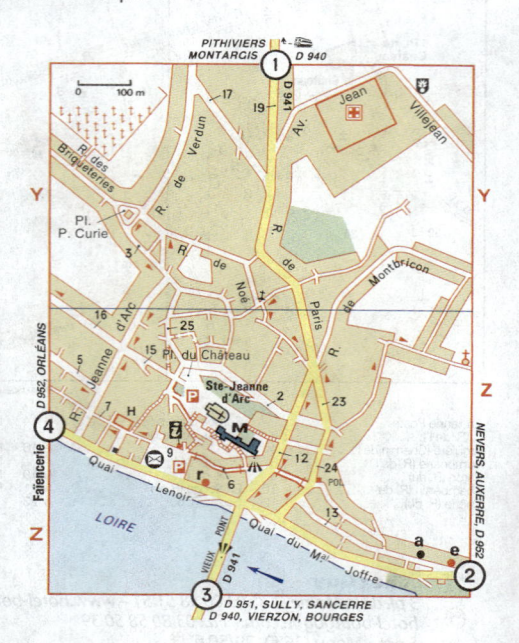

🏨 **Rivage** sans rest ≤ 🏴 🛎 ♿ 🅿 VISA ◉◉ AE
1 quai de Nice – ℘ *02 38 37 79 00 – hoteldurivage@orange.fr – Fax 02 38 38 10 21
– Fermé vacances de Noël* Z **a**
16 ch – †59/95 € ††95/115 €, ⊇ 9 €

♦ Certaines chambres de cet hôtel regardent la Loire et son pittoresque vieux pont ; nouveau décor plus actuel pour près de la moitié d'entre elles. Bar et salon confortables.

🏨 **Axotel** sans rest 🚗 🏊 AC 🛏 🏴 ♿ 🅿 VISA ◉◉ AE
14 r. de la Bosserie, 3 km par ① *–* ℘ *02 38 67 11 99 – www.axotelgien.com
– axotelgien.com@wanadoo.fr – Fax 02 38 38 16 61*
48 ch – †57/62 € ††62/72 €, ⊇ 7 €

♦ Hôtel récent situé à l'entrée Nord de la ville. Confortables salons au décor gai et spacieuses chambres garnies de meubles cérusés et égayées de tissus colorés.

🏠 **Anne de Beaujeu** sans rest 📶 🈂 🏴 🅿 VISA ◉◉ AE
10 rte de Bourges, par ③ *–* ℘ *02 38 29 39 39 – www.hotel-anne-de-beaujeu.com
– hotel.a.beaujeu@wanadoo.fr – Fax 02 38 38 27 29*
30 ch – †43/46 € ††49/56 €, ⊇ 7 €

♦ Cet établissement de la rive gauche porte le nom de la célèbre comtesse de Gien. Chambres aménagées de façon fonctionnelle ; préférez celles situées sur l'arrière.

🏠 **Sanotel** sans rest ≤ 📶 🈂 🏴 ♿ 🅿 VISA ◉◉ AE
21 quai Sully, 0,5 km par ③ *–* ℘ *02 38 67 61 46 – www.sanotel.fr – sanotel-gien@
wanadoo.fr – Fax 02 38 67 13 01*
60 ch – †38/48 € ††38/48 €, ⊇ 7 €

♦ Ce bâtiment récent ancré sur les berges de la Loire abrite des chambres avant tout pratiques ; la moitié d'entre elles offrent une vue sur le fleuve et le château.

GIEN

XXX La Poularde avec ch 🔳 rest, 🎧 VISA 🞕 AE
13 quai Nice – ✆ *02 38 67 36 05 – www.lapoularde.fr – contact@lapoularde.fr*
– Fax 02 38 38 18 78 – Fermé lundi sauf hotel et dim. soir Z e
9 ch – †53 € ††60 €, ☑ 8,50 €
Rest – Menu (20 € bc), 29/75 € – Carte environ 70 €
♦ En bordure du fleuve, cuisine traditionnelle servie dans une élégante salle à manger : tableaux, tapisseries anciennes, vaisselle de Gien et argenterie. Chambres bien tenues.

XX Côté Jardin 🔳 VISA 🞕
14 rte Bourges, par ③ – ✆ *02 38 38 24 67 – cote-jardin45@orange.fr*
– Fax 02 38 38 24 67 – Fermé 21 déc.-8 janv., mardi et merc.
Rest – *(nombre de couverts limité, prévenir)* Menu 28 € (sem.)/65 €
– Carte 50/65 €
♦ Ce sympathique restaurant de la rive gauche de la Loire vous accueille dans un cadre rafraîchi : mobilier classique et jolie faïence de Gien. Cuisine au goût du jour.

X Le P'tit Bouchon VISA 🞕
66 r. B. Palissy, par r. Hôtel de Ville Z *–* ✆ *02 38 67 84 40 – Fax 02 38 67 84 40*
– Fermé 12 juil.-2 août, 24 déc.-3 janv., jeudi soir et dim.
Rest – Menu (16 €), 24 €
♦ Tête de veau, terrine de lapin, saucisse de Morteau... : les standards du répertoire bistrotier s'annoncent ici à l'ardoise. Petite salle sympa dotée de chaises façon Thonet.

au Sud par ③, D 940 et rte secondaire : 3 km – ✉ 45500 Poilly-lez-Gien

🏠 Villa Hôtel ⚜ &. ch, 🎧 P VISA 🞕
ZA le Clair Ruisseau – ✆ *02 38 27 03 30 – Fax 02 38 27 03 43*
24 ch – †37 € ††37 €, ☑ 6 € – ½ P 38 €
Rest – *(fermé vend. soir, sam. et dim.) (dîner seult)* Menu 13/16 €
♦ Accueil et convivialité sont de mise dans cet hôtel moderne au confort simple. Autre atout : les chambres y sont bien tenues. Des faïences de Gien égayent les murs du restaurant. Plat du jour unique ; buffets d'entrées et de desserts.

GIENS – 83 Var – 340 L7 – ✉ 83400 Hyeres ▮ Côte d'Azur 41 C3

▯ Paris 860 – Carqueiranne 10 – Draguignan 87 – Hyères 9 – Toulon 27
◉ Ruines du château des Pontevès ⁕ ★★.

Voir plan de Giens à Hyères.

🏨 Le Provençal ≤ 🌺 ☂ ⌇ 🍽 ⍁ 🎧 ⚙ P VISA 🞕 AE ①
pl. St-Pierre – ✆ *04 98 04 54 54 – www.provencalhotel.com – leprovencal@wanadoo.fr – Fax 04 98 04 54 50 – Ouvert 4 avril-18 oct.* X s
41 ch – †86/142 € ††107/168 €, ☑ 15 € – ½ P 95/133 €
Rest – Menu 28/55 € – Carte 49/90 €
♦ Hôtel bâti à flanc de colline, dans parc ombragé et fleuri qui dégringole en terrasses jusqu'à la mer. Chambres provençales. Parking privé à 500 mètres. Le panorama offert par le restaurant a peut-être inspiré le poète Saint-John Perse, célèbre résident de la presqu'île.

GIFFAUMONT-CHAMPAUBERT – 51 Marne – 306 K11 – 254 h. 14 C2
– alt. 130 m – ✉ 51290 ▮ Champagne Ardenne

▯ Paris 208 – Bar-le-Duc 53 – Chaumont 75 – St-Dizier 25
– Vitry-le-François 28
🛈 Office de tourisme, Maison du Lac ✆ 03 26 72 62 80, Fax 03 26 72 64 69
◉ Lac du Der-chantecoq ★★.

🏨 Le Cheval Blanc ☂ &. rest, ⇆ ❀ 🎧 ⚙ P VISA 🞕 AE ①
21 r. du Lac – ✆ *03 26 72 62 65 – www.lechevalblanc.net – lechevalblanc7@aol.com – Fax 03 26 73 96 97 – Fermé 30 août-17 sept., 1ᵉʳ-21 janv., mardi midi, dim. soir et lundi*
14 ch – †60 € ††65 €, ☑ 8 € – ½ P 65 € **Rest** – Menu 25/55 € – Carte 43/63 €
♦ Accueillante maison à 1,2 km du plus grand lac artificiel d'Europe : le Lac du Der. Confortable salon-véranda, chambres lumineuses et parfaitement tenues. Au restaurant, cadre classique, tables soignées et carte traditionnelle.

GIF-SUR-YVETTE – 91 Essonne – 312 B3 – 21 900 h. – alt. 61 m – ⊠ 91190

20 **A3**

▶ Paris 34 – Évry 37 – Boulogne-Billancourt 23 – Montreuil 41 – Argenteuil 42

Les Saveurs Sauvages
4 r. Croix Grignon – ℰ 01 69 07 01 16 – les-saveurs-sauvages@wanadoo.fr – Fax 01 69 07 20 84 – Fermé 5-25 août, 25 déc.-2 janv., dim. et lundi
Rest – Menu 19/39 € – Carte 42/49 €

♦ Courte carte saisonnière assortie d'un menu changeant tous les jours et lumineuse salle à manger-véranda pour cette adresse située face à la gare RER.

GIGARO – 83 Var – 340 O6 – rattaché à La Croix-Valmer

GIGNAC – 34 Hérault – 339 G7 – 4 827 h. – alt. 53 m – ⊠ 34150

23 **C2**

▶ Paris 719 – Béziers 58 – Lodève 25 – Montpellier 30 – Sète 57
🛈 Office de tourisme, 3, Parc d'activités ℰ 04 67 57 58 83, Fax 04 67 57 67 95

de Lauzun (Matthieu de Lauzun)
3 bd de l'Esplanade – ℰ 04 67 57 50 83 – www.restaurant-delauzun.com – contact@restaurant-delauzun.com
– Fermé mars, dim. soir et lundi
Rest – Menu (21 €), 39/56 € – Carte 42/70 €
Spéc. Mosaïque de petits légumes confits et gaspacho andalou (été). Tarte fine de thon "façon pissaladière". Millefeuille renversé et biscuit aux amandes.

♦ Cette maison, face à l'esplanade, a été relancée par un jeune chef de talent, aidé de sa souriante épouse en salle. Décor sobre et soigné à l'image de la séduisante cuisine.

GIGONDAS – 84 Vaucluse – 332 D9 – 590 h. – alt. 313 m – ⊠ 84190

42 **E1**

Provence

▶ Paris 662 – Avignon 40 – Nyons 31 – Orange 20 – Vaison-la-Romaine 16
🛈 Office de tourisme, rue du Portail ℰ 04 90 65 85 46, Fax 04 90 65 88 42

Les Florets
2 km à l'Est par rte secondaire – ℰ 04 90 65 85 01 – www.hotel-lesflorets.com – accueil@hotel-lesflorets.com – Fax 04 90 65 83 80
– Fermé janv. et vacances de fév.
15 ch – †74/105 € ††74/105 €, ⚏ 14 € – ½ P 85/100 €
Rest – (fermé merc.) (nombre de couverts limité, prévenir) Menu (24 €), 29/44 € – Carte 52/65 €

♦ Au pied des Dentelles de Montmirail, cette hôtellerie située en plein vignoble abrite de séduisantes chambres colorées (celles de l'annexe disposent d'une terrasse). Décor et goûteuse cuisine inspirés par la région, vins du domaine, jolie terrasse d'été.

L'Oustalet
pl. Gabrielle Andéol – ℰ 04 90 65 85 30 – www.restaurant-oustalet.fr – cyril-glemot@restaurant-oustalet.fr – Fax 04 90 12 30 03
– Fermé 22 déc.-20 janv., lundi soir, merc. soir, dim. soir, jeudi soir de nov. à mars et mardi sauf de mi juin à août
Rest – Menu (21 €), 29/75 € – Carte 48/76 €

♦ Coquette salle à manger, terrasse sous les vieux platanes, cuisine actuelle aux parfums de la Provence et bonne sélection de vins régionaux : on dirait le Sud !

GILETTE – 06 Alpes-Maritimes – 341 D4 – 1 449 h. – alt. 420 m – ⊠ 06830 **Côte d'Azur**

41 **D2**

▶ Paris 946 – Antibes 43 – Nice 36 – St-Martin-Vésubie 45
🛈 Syndicat d'initiative, place du Dr Morani ℰ 04 92 08 98 08, Fax 04 93 08 55 24
◉ ※★★ des ruines du château.

GILETTE

à Vescous par rte de Rosqueston (D 17) : 9 km – ⊠ **06830 Toudon**

La Capeline
rte de Roqueston – ℘ 04 93 08 58 06 – Fax 04 93 08 58 06 – Ouvert mars-oct., les week-ends de nov. à mars et fermé merc.
Rest – (fermé le soir sauf vend. et sam. en saison) (prévenir) Menu (20 €), 24/28 €
– Carte environ 29 €
♦ Maisonnette rustique isolée en bord de route, dans la vallée de l'Esteron. Le goûteux menu unique, annoncé de vive voix, valorise les produits du cru. Belle terrasse ombragée.

GILLY-LÈS-CÎTEAUX – 21 Côte-d'Or – **320** J6 – **rattaché à Vougeot**

GIMBELHOF – 67 Bas-Rhin – **315** K2 – **rattaché à Lembach**

GIMEL-LES-CASCADES – 19 Corrèze – **329** M4 – 670 h. – alt. 375 m   **25 C3**
– ⊠ 19800

▶ Paris 493 – Limoges 104 – Tulle 13 – Brive-la-Gaillarde 40 – Ussel 56
🛈 Office de tourisme, le Bourg ℘ 05 55 21 44 32, Fax 05 55 21 44 32

Hostellerie de la Vallée
au bourg – ℘ 05 55 21 40 60 – hostellerie_de_la_vallee@hotmail.com
– Fax 05 55 21 38 74 – Fermé 20 déc.-5 janv., dim. soir, lundi midi, vend. et sam. du 1er oct. au 31 mars
9 ch – ♦56/60 € ♦♦56/60 €, ⊇ 10 € – ½ P 71/74 €
Rest – Menu (17 €), 26/40 € – Carte 40/50 €
♦ Au centre d'un village réputé pour ses cascades, maison de pays rénovée offrant une halte de choix entre de confortables chambres (dont trois côté vallée). Salle à manger panoramique et cuisine traditionnelle de saison mitonnée par la mère et sa fille.

LA GIMOND – 42 Loire – **327** F6 – 240 h. – alt. 625 m – ⊠ 42140   **44 A2**

▶ Paris 485 – Saint-Étienne 18 – Annonay 67 – Lyon 58 – Montbrison 37 – Vienne 64

Le Vallon du Moulin
– ℘ 04 77 30 97 06 – Fax 04 77 30 97 06 – Fermé 30 juil.-14 août, 1er-10 janv., 15-23 fév., dim. soir et lundi
Rest – Menu 28 € (sem.)/47 €
♦ Au cœur d'un petit village, ce restaurant relooké dans un style contemporain propose une carte au goût du jour évoluant au rythme des saisons.

GIMONT – 32 Gers – **336** H8 – 2 825 h. – alt. 180 m – ⊠ 32200   **28 B2**
▮ **Midi-Pyrénées**

▶ Paris 701 – Colomiers 40 – Toulouse 51 – Tournefeuille 40
🛈 Office de tourisme, 83, rue Nationale ℘ 05 62 67 77 87, Fax 05 62 67 93 61

Château de Larroque
rte de Toulouse – ℘ 05 62 67 77 44 – www.chateaularroque.fr
– chateaularroque@free.fr – Fax 05 62 67 88 90 – Fermé 5-21 janv., 9-18 nov., dim. soir, mardi midi et lundi d'oct. à avril
16 ch – ♦90/103 € ♦♦115/176 €, ⊇ 14 € – 1 suite – ½ P 106/134 €
Rest – Menu 25 €, 38/57 € – Carte 37/69 €
♦ Ce château édifié en 1805 bénéficie de l'environnement paisible de son parc. L'intérieur conjugue confort et raffinement ; agréables chambres personnalisées et salons cossus. La cuisine traditionnelle se déguste dans l'élégante salle à manger ou sur la terrasse ombragée.

GINASSERVIS – 83 Var – **340** K3 – 1 382 h. – alt. 407 m – ⊠ 83560   **40 B3**

▶ Paris 781 – Aix-en-Provence 53 – Avignon 111 – Manosque 23 – Marseille 82 – Toulon 91

Chez Marceau avec ch
pl. Jean Jaurès – ℘ 04 94 80 11 21 – chezmarceau@wanadoo.fr – Fax 04 94 80 16 82
– Fermé 22-26 déc., 12-30 janv., mardi soir sauf juil.-août et merc.
7 ch – ♦45/50 € ♦♦50/55 €, ⊇ 6 € – ½ P 50/55 €
Rest – Menu 17 € bc (sem.)/40 € – Carte 31/49 €
♦ Entre Durance et Verdon, plongez au cœur de la vie méridionale dans cette sympathique auberge. Terrasse dressée sur la place. Cuisine régionale et chambres pour l'étape.

GINCLA – 11 Aude – **344** E6 – 45 h. – alt. 570 m – ✉ 11140   22 **B3**

▸ Paris 821 – Carcassonne 77 – Foix 88 – Perpignan 67 – Quillan 25

Hostellerie du Grand Duc
2 rte de Boucheville, – ℘ 04 68 20 55 02 – www.host-du-grand-duc.com
– hotelgranduc@wanadoo.fr – Fax 04 68 20 61 22 – Ouvert 1er avril-1er nov.
12 ch – †60/65 € ††73/80 €, ⊇ 12 € – ½ P 78/82 €
Rest – *(fermé merc. midi)* Menu 33/70 € – Carte 40/65 €

♦ Maison de maître (18e s.) du pays cathare et son jardin clos arboré. Pierres apparentes, boiseries et meubles anciens font le cachet des chambres, joliment personnalisées. Salle à manger rustique chic, terrasse et copieuses assiettes traditionnelles.

GIRMONT-VAL-D'AJOL – 88 Vosges – **314** H5 – rattaché à Remiremont

GIROUSSENS – 81 Tarn – **338** C8 – rattaché à Lavaur

GISORS – 27 Eure – **304** K6 – 11 400 h. – alt. 60 m – ✉ 27140   33 **D2**
▪ Normandie Vallée de la Seine

▸ Paris 73 – Beauvais 33 – Évreux 66 – Mantes-la-Jolie 40 – Pontoise 38 – Rouen 59
▪ Office de tourisme, 4, rue du Général-de-Gaulle ℘ 02 32 27 60 63, Fax 02 32 27 60 75
▪ de Chaumont-en-Vexin à Chaumont-en-Vexin Château de Bertichères, E : 8 km par D 982, ℘ 03 44 49 00 81
▪ de Rebetz à Chaumont-en-Vexin Route de Noailles, E : 12 km par D 981, ℘ 03 44 49 15 54
▪ Château fort★★ - Église St-Gervais et St-Protais★.

Moderne
1 pl. de la Gare – ℘ 02 32 55 23 51 – www.hotel-moderne-gisors.fr
– hotel.moderne@orange.fr – Fax 02 32 55 08 75 – Fermé 15 août-2 sept.
31 ch – †55 € ††55/90 €, ⊇ 7 €
Rest – *(fermé 1er août-1er sept., vend. soir, dim. soir et sam.)* Menu 14 € (sem.)/27 € – Carte 25/39 €

♦ Cet hôtel familial situé face à la gare conviendra pour une étape. Les chambres, sobrement décorées, sont bien tenues. Salle à manger rustique, cuisine traditionnelle et formule "table d'hôte" favorisant la convivialité.

Le Cappeville
17 r. Cappeville, (transfert prévu) – ℘ 02 32 55 11 08 – www.lecappeville.com
– sppotel@orange.fr – Fax 02 32 55 93 92 – Fermé en août, en fév., merc. et jeudi
Rest – Menu 28/50 € – Carte 45/55 €

♦ Au cœur de la petite capitale du Vexin normand. Salle parée de couleurs vives et fraîches, ayant conservé poutres patinées et cheminée. Cuisine actuelle aux accents du terroir.

à Bazincourt-sur-Epte 6 km au Nord par D 14 – 633 h. – alt. 55 m – ✉ 27140

Château de la Rapée
2 km à l'Ouest par rte secondaire – ℘ 02 32 55 11 61 – www.hotel-la-rapee.com
– infos@hotel-la-rapee.com – Fax 02 32 55 95 65 – Fermé 17 août-1er sept. et 2 fév.-4 mars
13 ch – †92/125 € ††92/150 €, ⊇ 12 € – ½ P 85/107 €
Rest – *(fermé merc.)* Menu 36/54 € – Carte 60/80 €

♦ Château aux allures de manoir anglo-normand posé dans une campagne préservée (haras à proximité). Les chambres, dotées de mobilier ancien, sont spacieuses et profitent du parc. Salle à manger chaleureuse au décor bourgeois rehaussé de boiseries ; cuisine classique.

à St-Denis-le-Ferment 7 km au Nord-Ouest par rte secondaire et D 17 – 451 h. – alt. 70 m – ✉ 27140

Auberge de l'Atelier
55 r. Guérard – ℘ 02 32 55 24 00 – Fax 02 32 55 10 20 – Fermé 15-30 sept., dim. soir, mardi soir et lundi
Rest – Menu 28/55 € – Carte 53/66 €

♦ Cuisine traditionnelle à apprécier dans une grande salle aux couleurs pastel, agréable et reposante, agrémentée d'une abondante décoration florale et de meubles de style.

GIVET – 08 Ardennes – 306 K2 – 6 949 h. – alt. 103 m – ⊠ 08600   14 C1
Champagne Ardenne

▶ Paris 287 – Charleville-Mézières 58 – Fumay 23 – Rocroi 41
🛈 Office de tourisme, 10, quai des Fours ✆ 08 10 81 09 75, Fax 03 24 42 92 41
◉ ≤ ★ du fort de Charlemont ★.

Les Reflets Jaunes sans rest
2 r. du Gén. de Gaulle – ✆ 03 24 42 85 85 – www.les-reflets-jaunes.com
– reflets.jaunes@wanadoo.fr – Fax 03 24 42 85 86
17 ch – †51/92 € ††57/118 €, ⊇ 9,50 €
♦ Près du centre historique, hôtel en briques rouges de 1685 disposant de chambres spacieuses et confortables (baignoire-jacuzzi pour certaines). Copieux petit-déjeuner buffet.

Le Val St-Hilaire sans rest
7 quai des Fours – ✆ 03 24 42 38 50 – www.hotel-val-st-hilaire.com
– hotel.val.saint.hilaire@wanadoo.fr – Fax 03 24 42 07 36
20 ch – †65 € ††75 €, ⊇ 10 €
♦ Cet ancien hôtel particulier (1719) posé sur une rive de la Meuse abrite des chambres pratiques, bien tenues et insonorisées, avec vue sur le fleuve en façade. Accueil aimable.

Le Roosevelt sans rest
14 quai des Remparts – ✆ 03 24 42 14 14 – www.hotel-leroosevelt.com
– Fax 03 24 42 15 15 – Fermé 26 déc.-3 janv.
8 ch – †50/60 € ††50/60 €, ⊇ 8 €
♦ Sur un quai mosan, maison ardennaise en pierres dotée de chambres bien tenues, régulièrement rafraîchies. Crêperie et salon de thé dans la salle des petits-déjeuners.

Auberge de la Tour
6 quai des Fours – ✆ 03 24 40 41 71 – www.auberge-de-la-tour.net – info@auberge-de-la-tour.net – Fax 03 24 56 90 78 – Fermé 14 déc.-13 janv. et lundi d'oct. à mars
Rest – Menu 17 € (déj. en sem.), 26/42 € – Carte 26/51 €
♦ Le chef de cette jolie auberge rustique tournée vers la Meuse réalise une cuisine plutôt traditionnelle (quelques plats à base de homards du vivier maison). Terrasse d'été.

GLAINE-MONTAIGUT – 63 Puy-de-Dôme – 326 H8 – 536 h.   6 C2
– alt. 350 m – ⊠ 63160

▶ Paris 440 – Clermont-Ferrand 31 – Issoire 37 – Thiers 21

Auberge de la Forge avec ch
– ✆ 04 73 73 41 80 – ericguemon@neuf.fr – Fax 04 73 73 33 83 – Fermé dim. soir et merc.
4 ch – †30/39 € ††42/48 €, ⊇ 6 € – ½ P 38/46 €
Rest – Menu (13 €), 16/35 € – Carte 18/43 €
♦ Face à la belle église romane, sympathique auberge refaite à l'ancienne (murs de pisé) et proposant une reconstitution de la forge du village (foyer, soufflet, enclume).

GLUIRAS – 07 Ardèche – 331 J4 – 349 h. – alt. 800 m – ⊠ 07190   44 B3

▶ Paris 606 – Le Cheylard 20 – Lamastre 40 – Privas 33 – Valence 48

Le Relais de Sully avec ch
pl. centrale – ✆ 04 75 66 63 41 – www.lerelaisdesully.com – lerelaisdesully@orange.fr – Fax 04 75 64 69 88 – Fermé 20-27 déc., 1ᵉʳ fév.-15 mars, dim. soir, merc. soir et lundi sauf juil.-août
4 ch – †34 € ††34 €, ⊇ 6 €   **Rest** – Menu (14 € bc), 18 € (sem.)/37 €
♦ Cette maison en pierre, située au centre du village perché, aurait été jadis un monastère. Cuisine du terroir servie dans une coquette salle à manger-véranda et en terrasse.

GOLBEY – 88 Vosges – 314 G3 – rattaché à Épinal

GOLFE DE SANTA-GIULIA – 2A Corse-du-Sud – 345 E10 – voir à Corse (Porto-Vecchio)

LE GOLFE-JUAN – 06 Alpes-Maritimes – 341 D6 – ✉ 06220 Vallauris   42 E2
Côte d'Azur

▶ Paris 905 – Antibes 5 – Cannes 6 – Grasse 23 – Nice 29
🛈 Office de tourisme, boulevard des Frères Roustan ☏ 04 93 63 73 12, Fax 04 93 63 21 07

pour Vallauris voir plan de Cannes

Beau Soleil sans rest
6 impasse Beau-Soleil, par D 6007 (dir. Antibes) – ☏ *04 93 63 63 63*
– www.hotel-beau-soleil.com – contact@hotel-beau-soleil.com
– Fax 04 93 63 02 89 – Ouvert 6 mars-17 oct.
30 ch – ♦56/78 € ♦♦70/136 €, ⚌ 10 €

♦ Cet hôtel moderne, sis dans une impasse à 500 m de la plage du Midi et du théâtre de la Mer, vous propose des chambres colorées et bien entretenues (certaines avec balcon).

Tétou
10 bd des Frères Roustan à la plage – ☏ *04 93 63 71 16 – Fax 04 93 63 16 77*
– Ouvert avril-15 oct. et fermé merc.
Rest – Carte 120/200 €

♦ Cette institution locale fondée en 1920 et récemment rénovée a gardé son ambiance de restaurant balnéaire. Au menu, bouillabaisse, produits de la mer et carte régionale.

Nounou
à la plage – ☏ *04 93 63 71 73 – www.nounou.fr – Fax 04 93 63 46 91*
– Fermé 12 nov.-25 déc., dim. soir et lundi sauf juil.-août
Rest – Menu 42/65 € – Carte 83/110 €

♦ Restaurant à même la plage, dont les baies vitrées s'ouvrent côté rivage. Intérieur d'inspiration marine ; cuisine de poissons et de coquillages et quelques plats provençaux.

à Vallauris Nord-Ouest : 2,5 km par D 135 – 30 500 h. – alt. 120 m – ✉ 06220
🛈 Office de tourisme, 84, avenue de la Liberté ☏ 04 93 63 18 38, Fax 04 93 63 95 01
◉ Musée national "la Guerre et la Paix" (château) - Musée de l'Automobile★ NO : 4 km.

Le Mas Samarcande sans rest
138 Grand-Boulevard de Super-Cannes – ☏ *04 93 63 97 73*
– www.mas-samarcande.com – mireille.diot@wanadoo.fr – Fax 04 93 63 97 73
– Fermé 18-28 déc.
5 ch ⚌ – ♦120/130 € ♦♦120/130 €

♦ Cette belle villa vous ouvre ses portes pour un séjour privilégié : chambres originales et raffinées mêlant inspiration provençale et exotique, vue superbe depuis la terrasse.

Café Llorca
pl. Paul Isnard, (pl. de l'Église) – ☏ *04 93 64 30 42 – www.cafellorca.com*
– reservation@cafellorca.com – Fax 04 93 64 97 35
Rest – Carte 30/40 €

♦ Sur la place de l'église, face à "L'homme au mouton" de Picasso. Cuisine du marché, suggestions et pâtisseries dans ce restaurant moderne et spacieux doté d'une agréable terrasse.

GORDES – 84 Vaucluse – 332 E10 – 2 092 h. – alt. 372 m – ✉ 84220   42 E1
Provence

▶ Paris 712 – Apt 19 – Avignon 38 – Carpentras 26 – Cavaillon 18 – Sault 35
🛈 Office de tourisme, le Château ☏ 04 90 72 02 75, Fax 04 90 72 02 26
◉ Site★ - Village★ - Château : cheminée★ - Village des Bories★★ SO : 2 km par D 15 puis 15 mn - Abbaye de Sénanque★★ NO : 4 km - Pressoir★ dans le musée des Moulins de Bouillons S : 5 km.

La Bastide de Gordes & Spa
le village – ☏ *04 90 72 12 12*
– www.bastide-de-gordes.com – mail@bastide-de-gordes.com
– Fax 04 90 72 05 20 – Fermé 2 janv.-7 fév.
40 ch – ♦247/455 € ♦♦247/455 €, ⚌ 27 € – 5 suites – ½ P 207/516 €
Rest – Menu 39 € (déj.), 64/94 € – Carte 94/110 €

♦ Demeure du 16ᵉ s. à l'élégance toute provençale. Chambres côté vallée ou village. Magnifique spa. Cuisine du Sud et beaux vins régionaux servis dans un cadre raffiné. Véranda face à un jardin suspendu et terrasse panoramique ouverte sur le Lubéron et les Alpilles.

GORDES

Les Bories & Spa
rte de l'Abbaye de Sénanque, 2 km
– ℰ 04 90 72 00 51 – www.hotellesbories.com – lesbories@wanadoo.fr
– Fax 04 90 72 01 22 – Fermé 4 janv.-13 fév.
27 ch – †200/430 € ††200/430 €, ⊇ 23 € – 2 suites – ½ P 185/300 €
Rest – (fermé dim. soir et lundi du 3 nov. au 30 avril et le midi du lundi au jeudi en juil.-août) (prévenir) Menu 57/92 € – Carte 84/98 €
Spéc. Courgettes fleurs soufflées au basilic (avril à sept.). Carré d'agneau laqué au citron (juin à août). Pêche jaune, crumble, sorbet verveine et jus framboise (juin à août). **Vins** Côtes du Luberon blanc et rouge
• Ces luxueuses "bories" semblent comme perdues dans la garrigue, entre lavande et oliviers. Chambres raffinées. Superbes piscines et spa. Le restaurant occupe une ancienne bergerie ; belle terrasse ombragée, jardin aromatique, jolis plats méridionaux et vins du pays.

Le Gordos sans rest
1,5 km par rte de Cavaillon – ℰ 04 90 72 00 75 – www.hotel-le-gordos.com
– mail@hotel-le-gordos.com – Fax 04 90 72 07 00 – Ouvert 27 mars-1er nov.
19 ch – †119/160 € ††119/216 €, ⊇ 16 €
• Posté à l'entrée du village, ce mas en pierres sèches conserve une fraîcheur bien appréciée les chaudes journées d'été. Chaque chambre donne sur une terrasse fleurie et parfumée.

Le Mas des Romarins sans rest
rte de Sénanque – ℰ 04 90 72 12 13 – www.masromarins.com – info@masromarins.com – Fax 04 90 72 13 13 – Fermé 15 nov.-19 déc., 6 janv.-7 mars
13 ch ⊇ – †87/180 € ††99/192 €
• Petit-déjeuner aux premiers rayons de soleil sur la terrasse de cette ferme centenaire dominant Gordes. Jolies chambres fraîches et personnalisées (non-fumeurs).

Mas de la Beaume sans rest
rte de Cavaillon – ℰ 04 90 72 02 96 – www.labeaume.com – la.beaume@wanadoo.fr – Fax 04 90 72 06 89
5 ch ⊇ – †110/175 € ††110/175 €
• En bordure de route, ancienne bergerie posée dans un jardin d'oliviers et de plantes odorantes. Chambres à la décoration fleurant bon la Provence. Terrasse, piscine et jacuzzi.

rte d'Apt 2 km à l'Est par D 2 – ⊠ 84220 Gordes

Auberge de Carcarille
rte d'Apt, par D2 : 4 km – ℰ 04 90 72 02 63 – www.auberge-carcarille.com
– carcaril@club-internet.fr – Fax 04 90 72 05 74 – Fermé 11 nov.-26 janv.
20 ch – †70/110 € ††70/110 €, ⊇ 12 € – ½ P 82/102 €
Rest – (fermé vend. sauf le soir d'avril à sept.) Menu 20 € (déj.), 31/50 € – Carte 25/60 €
• En contrebas du village, cette plaisante construction en pierres sèches propose des chambres décorées dans le style provençal, avec balcon ou terrasse. Restaurant aux murs immaculés, égayé de chaises colorées et de rideaux fleuris. Goûteuse cuisine régionale.

rte des Imberts Sud-Ouest : 4 km par D 2 – ⊠ 84220 Gordes

Mas de la Senancole
Hameau les Imberts – ℰ 04 90 76 76 55 – www.mas-de-la-senancole.com – gordes@mas-de-la-senancole.com – Fax 04 90 76 70 44 – Fermé 21 déc.-17 janv.
21 ch – †98/229 € ††98/229 €, ⊇ 13 €
Rest L'Estellan – voir ci-après
• La Sénancole coule à proximité de ces chambres insonorisées et dotées de meubles peints. Certaines ont une terrasse privative. Salle des petits-déjeuners au bord de la piscine.

Le Moulin des Sources
Hameau des Gros – ℰ 04 90 72 11 69 – www.le-moulin-des-sources.com
– contact@le-moulin-des-sources.com – Fermé 30 nov.-15 fév.
5 ch ⊇ – †95/180 € ††95/180 € – 1 suite **Table d'hôte** – Menu 35 € bc
• Cette maison vous garantit un séjour d'une grande sérénité. On s'y prélasse volontiers, passant du salon-bibliothèque au jardin et à la piscine. Chambres fraîches et coquettes. Produits frais et régionaux servis dans une salle voûtée en pierre, en partie troglodytique.

GORDES

Le Mas Tourteron
chemin de St-Blaise – ℰ 04 90 72 00 16 – www.contact.mastourteron.com
– elisabeth.bourgeois1@wanadoo.fr – Fax 04 90 72 09 81 – Ouvert 4 mars-8 nov.,
le week-end en nov. et déc. et fermé dim. soir en oct. et mars, lundi et mardi
Rest – *(dîner seult sauf dim.)* Menu 62 € – Carte 66/75 €
♦ "Une cuisinière dans sa maison". La propriétaire de ce mas magnifié par son jardin bucolique résume ainsi son savoir-faire (menu régional) et sa convivialité. Cadre rustico-provençal.

L'Estellan – Hôtel Mas de la Senancole
– ℰ 04 90 72 04 90 – www.restaurant-estellan.com – gordes @
mas-de-la-senancole.com – Fax 04 90 76 70 44 – Fermé 6-29 déc., dim. soir et lundi
de nov. à mars
Rest – Menu (20 €), 26 € (déj.), 36/75 € – Carte 55/75 €
♦ Un mas en pierres du pays prête son cadre à ce charmant restaurant, doté d'une petite boutique (produits régionaux et déco) et d'une belle terrasse ombragée. Cuisine régionale.

aux Beaumettes 5,5 km au Sud par D 15 et D 103 – 193 h. – alt. 127 m – ⊠ 84220

Le Domaine du Moulin Blanc
D 900, chemin du moulin – ℰ 04 90 72 10 10
– www.revaliseuver.com – info@reveluberon.fr – Fax 04 32 50 10 12
18 ch – †99/119 € ††99/119 €, ⊇ 10 €   **Rest** – Menu 17/47 € – Carte 38/56 €
♦ Bastide du 15ᵉ s. et 16ᵉ s. au milieu d'un jardin arboré. Piscine. Confort, espace, poutres et équipement moderne dans les chambres. Une salle à manger au lustre imposant, une immense cheminée dans l'autre. Et dans l'assiette, des saveurs actuelles.

GORGES DE LA RESTONICA – 2B Haute-Corse – 345 D6 – voir à Corse (Corte)

GORZE – 57 Moselle – 307 H4 – 1 392 h. – alt. 300 m – ⊠ 57680   26 B1
Alsace Lorraine

▶ Paris 324 – Jarny 17 – Metz 20 – Pont-à-Mousson 22 – St-Mihiel 43
– Verdun 54
🛈 Office de tourisme, 22, rue de l'Église ℰ 03 87 52 04 57, Fax 03 87 52 04 57

Hostellerie du Lion d'Or avec ch
105 r. Commerce – ℰ 03 87 52 00 90 – h.r.liondor@wanadoo.fr
– Fax 03 87 52 09 62 – Fermé mardi midi, dim. soir et lundi
17 ch – †51 € ††60/63 €, ⊇ 8 € – ½ P 60 €
Rest – Menu 24 € (déj. en sem.), 32/42 € – Carte 37/50 €
♦ Cet ancien relais de poste (19ᵉ s.) a conservé poutres, pierres et cheminées d'origine. On y sert une cuisine régionale, accompagnée d'une belle carte de vins. Chambres fonctionnelles.

GOSNAY – 62 Pas-de-Calais – 301 I4 – rattaché à Béthune

LA GOUESNIÈRE – 35 Ille-et-Vilaine – 309 K3 – 1 575 h. – alt. 22 m   10 D1
– ⊠ 35350

▶ Paris 390 – Dinan 25 – Dol-de-Bretagne 13 – Lamballe 65 – Rennes 64
– St-Malo 13

Maison Tirel-Guérin (Jean-Luc Guérin)
à la Gare (rte de Cancale) : 1,5 km par D 76
– ℰ 02 99 89 10 46 – www.tirelguerin.com – info@tirel-guerin.com
– Fax 02 99 89 12 62 – Fermé 22 déc.-1ᵉʳ fév.
54 ch – †65/138 € ††82/153 €, ⊇ 13 € – 2 suites – ½ P 75/119 €
Rest – *(fermé dim. soir d'oct. à mars et lundi midi sauf fériés) (prévenir le week-end)*
Menu 27 € (sem.)/108 € – Carte 53/105 €
Spéc. Saint-Jacques marinées, caviar d'Aquitaine et salade d'herbes maraîchères (oct. à mars). Homard bleu braisé "Jean-Luc" en deux services. Soufflé au Grand Marnier.
♦ Face à une gare de campagne, maison familiale aux multiples séductions : jardin fleuri, chambres spacieuses et soignées, jacuzzi et service sans faille. Goûteuse cuisine personnalisée servie dans une salle où règne une atmosphère agréablement provinciale.

LA GOUESNIÈRE

Château de Bonaban
r. Alfred de Folliny – ☎ *02 99 58 24 50 – www.hotel-chateau-bonaban.com
– chateau.bonaban@wanadoo.fr – Fax 02 99 58 28 41*
34 ch – ♦120/300 € ♦♦120/300 €, ⊇ 16 €
Rest – *(fermé le midi en sem. sauf fériés et merc. de nov. à fév.)*
Menu 30 € (sem.)/55 € – Carte 47/56 €
♦ Ce château du 18ᵉ s. a gardé son escalier de marbre et ses boiseries d'origine. Chambres de divers styles, avec vue sur le parc ; hébergement plus simple à l'annexe. Ambiance un brin aristocratique dans les salles à manger.

GOULT – 84 Vaucluse – **332** E10 – 1 207 h. – alt. 258 m – ⊠ 84220   42 **E1**

▶ Paris 714 – Apt 14 – Avignon 41 – Bonnieux 8 – Carpentras 35 – Cavaillon 19 – Sault 38

La Bartavelle
r. Cheval Blanc – ☎ *04 90 72 33 72 – labartavelle.free.fr – Fax 04 90 72 33 72
– Ouvert de début mars à mi-nov. et fermé mardi et merc.*
Rest – *(dîner seult)* Menu 40 €
♦ Le "petit Marcel" et son chasseur de père auraient apprécié cette salle voûtée avec ses tomettes... rouges comme des bartavelles ! Plats régionaux pour ce restaurant de poche.

Le Garage à Lumières
Hameau de Lumières – ☎ *04 32 50 29 32 – legarage@hotmail.fr*
Rest – Carte 26/39 €
♦ Un ancien garage aménagé en restaurant branché et design ; murs décorés de petites voitures, toiles contemporaines, projections de films... Belle cuisine actuelle et créative.

GOUMOIS – 25 Doubs – **321** L3 – 196 h. – alt. 490 m – ⊠ 25470   17 **C2**

▶ Paris 513 – Besançon 92 – Bienne 486 – Montbéliard 55 – Morteau 47
◉ Corniche de Goumois★★, **Jura**

Taillard
3 rte de la Corniche – ☎ *03 81 44 20 75 – www.hoteltaillard.com – hotel.taillard@wanadoo.fr – Fax 03 81 44 26 15 – Ouvert 16 mars-14 nov.*
20 ch – ♦80/104 € ♦♦80/180 €, ⊇ 13 € – ½ P 84/115 €
Rest – *(fermé merc. soir d' oct. à mars, lundi midi et merc. midi)* Menu 24 € (déj.), 36/95 € bc – Carte 45/70 €
♦ Niché dans un parc, cet hôtel familial (1875) de la Corniche de Goumois propose de plaisantes chambres personnalisées, plus sobres dans l'annexe. Au restaurant, agréable vue sur la vallée, cuisine classique et belle carte de vins franc-comtois.

Le Moulin du Plain
Lieu-dit Le Moulin du Plain – ☎ *03 81 44 41 99 – www.moulinduplain.com
– moulinduplain@orange.fr – Fax 03 81 44 45 70 – Ouvert 25 fév.-31 oct.*
22 ch ⊇ – ♦51 € ♦♦74 € – ½ P 105 €
Rest – Menu 21/35 € – Carte 24/38 €
♦ Cette bâtisse postée au bord du Doubs dans un environnement forestier séduira en priorité les pêcheurs. Certaines chambres sont d'ailleurs tournées vers la rivière. Dans les assiettes, priorité aux truites, morilles et autres produits d'ici.

GOUPILLIÈRES – 14 Calvados – **303** J5 – 151 h. – alt. 162 m   32 **B2**
– ⊠ 14210

▶ Paris 255 – Caen 24 – Condé-sur-Noireau 27 – Falaise 34 – Saint-Lô 63

Auberge du Pont de Brie
Halte de Grimbosq, Est : 1,5 km – ☎ *02 31 79 37 84 – www.pontdebrie.com
– contact@pontdebrie.com – Fermé 29 juin-8 juil., 21 déc.-21 janv., 15-25 fév., nov. et déc. sauf week-ends, lundi et mardi*
Rest – Menu 22/44 € – Carte 29/52 €
♦ Auberge familiale isolée dans la vallée de l'Orne. Salle à manger-véranda claire et lumineuse, entièrement redécorée, et terrasse d'été. Cuisine traditionnelle.

GOURDON – 46 Lot – **337** E3 – 4 882 h. – alt. 250 m – ⊠ 46300 28 **B1**
Périgord

- Paris 543 – Sarlat-la-Canéda 26 – Bergerac 91 – Brive-la-Gaillarde 66 – Cahors 44 – Figeac 63
- Office de tourisme, 24, rue du Majou ✆ 05 65 27 52 50, Fax 05 65 27 52 52
- Rue du Majou★ - Cuve baptismale★ dans l'église des Cordeliers - Esplanade ※★.
- Grottes de Cougnac★ NO : 3 km.

Hostellerie de la Bouriane
pl. du Foirail – ✆ 05 65 41 16 37 – www.hotellabouriane.fr
– hostellerie-la-bouriane@wanadoo.fr – Fax 05 65 41 04 92
– Fermé 11-20 oct., 22 janv.-9 mars, dim. soir et lundi du 11 oct. au 30 avril
20 ch – †74/112 € ††74/112 €, ⊇ 13 € – ½ P 77/91 €
Rest – (fermé le midi sauf dim.) Menu 26 €, 34/42 € – Carte 45/85 €

♦ Une maison centenaire qui a su garder sa tradition d'hospitalité. Chambres rustiques et soignées, mansardées au dernier étage. Agréable jardin. Tableaux et tapisseries d'Aubusson ornent la salle à manger. Goûteuse cuisine classique.

au Vigan 5 km à l'Est par D 801 – 1 324 h. – alt. 224 m – ⊠ 46300

Auberge Chez Louise
au village – ✆ 05 65 32 64 88 – Fermé janv., fév., mars, dim. soir et lundi sauf juil.-août
Rest – Menu 23 € bc

♦ Vénérable comptoir, poutres et vieilles pierres : cette auberge de village a su conserver son cachet rustique originel. On y sert une cuisine traditionnelle dans une ambiance très conviviale.

GOURDON – 06 Alpes-Maritimes – **341** C5 – 437 h. – alt. 800 m 42 **E2**
– ⊠ 06620 **Côte d'Azur**

- Paris 921 – Cannes 27 – Castellane 62 – Grasse 15 – Nice 39 – Vence 25
- Office de tourisme, place Victoria ✆ 04 93 09 68 25, Fax 04 93 09 68 25
- Site★★ - ≤★★ du chevet de l'église - Château : musée des Arts décoratifs et de la modernité.

Au Vieux Four
r. Basse – ✆ 04 93 09 68 60 – www.auvieuxfour.fr – Fax 04 93 36 05 79
– Fermé 15 nov.-15 déc., 10 janv.-10 fév., le soir du 15 sept. au 1er juil. sauf jeudi, vend. et sam.
Rest – (nombre de couverts limité, prévenir) Menu 22 € (déj. en sem.), 35/50 € – Carte 20/30 €

♦ Une charmante petite maison nichée dans le village. L'accueil est d'une rare gentillesse et l'ardoise du jour révèle une généreuse cuisine à l'accent du Sud, inspirée et parfumée.

GOURETTE – 64 Pyrénées-Atlantiques – **342** K7 – alt. 1 400 m – Sports 3 **B3**
d'hiver : 1 400/2 400 m ✔1 ✔18 ✗ – ⊠ 64440 Eaux Bonnes
Aquitaine

- Paris 829 – Argelès-Gazost 35 – Eaux-Bonnes 9 – Laruns 14 – Lourdes 47 – Pau 52
- Office de tourisme, place Sarrière ✆ 05 59 05 12 17, Fax 05 59 05 12 56
- Col d'Aubisque ※★★ N : 4 km.

Boule de Neige
– ✆ 05 59 05 10 05 – www.hotel-bouledeneige.com – bouledeneige@wanadoo.fr
– Fax 05 59 05 11 81 – Ouvert de début juil. à fin août et de fin nov. au 15 avril
22 ch – †55/100 € ††65/110 €, ⊇ 9 € – ½ P 65/74 €
Rest – Menu 20/35 € – Carte 28/49 € dîner seulement

♦ Les atouts de cet hôtel : sa situation au pied des pistes, face aux sommets, ses petites chambres de style chalet (la moitié avec mezzanine) et son fitness panoramique. Restaurant familial et grande terrasse prisée. Cuisine traditionnelle ; snack à midi.

GOURETTE

L'Amoulat avec ch
- ℘ 05 59 05 12 06 – chalet.hotel.amoulat@wanadoo.fr – Fax 05 59 05 13 45
- Ouvert 15 juin-11 sept. et 19 déc.-28 mars
12 ch (½ P seult) – ½ P 62/66 €
Rest – (fermé le midi sauf en juil.-août) Menu 20/26 € – Carte 20/50 €

♦ Vous prendrez vos repas sous une véranda, ou dans une belle salle rustique pour les pensionnaires. Carte régionale soignée et plats du marché en haute saison. Chambres simples.

GOURNAY-EN-BRAY – 76 Seine-Maritime – 304 K5 – 6 174 h. — 33 D2
– alt. 94 m – ⌧ 76220 ▌Normandie Vallée de la Seine

▶ Paris 97 – Amiens 78 – Les Andelys 38 – Beauvais 31 – Dieppe 76 – Gisors 25 – Rouen 50

ℹ Office de tourisme, 9, place d'Armes ℘ 02 35 90 28 34, Fax 02 35 09 62 07

Le Saint Aubin
rte Dieppe 3 km par D 915 – ℘ 02 35 097 097 – www.hotel-saint-aubin.fr
– hotel.le.saint.aubin@wanadoo.fr – Fax 02 35 093 093
60 ch – †55/120 € ††55/120 €, ⌧ 8 €
Rest – (fermé dim. et sam.) Carte environ 27 €

♦ Cette construction récente, en léger retrait de la route, propose des chambres fonctionnelles convenant pour une étape. Le restaurant, aménagé au sous-sol de l'hôtel, est sobrement décoré. Cuisine traditionnelle sans prétention.

Le Cygne sans rest
20 r. Notre Dame – ℘ 02 35 90 27 80 – www.lecygne.c.la – hotel.le.cygne@orange.fr – Fax 02 35 90 59 00
29 ch – †52 € ††57 €, ⌧ 6,50 €

♦ Hôtel familial et accueillant, situé au centre de cette petite cité du pays de Bray. Les chambres, relookées, sont bien tenues ; celles sur l'arrière profitent du calme.

GOUVIEUX – 60 Oise – 305 F5 – rattaché à Chantilly

GOUY-ST-ANDRÉ – 62 Pas-de-Calais – 301 E5 – rattaché à Hesdin

GRAMAT – 46 Lot – 337 G3 – 3 545 h. – alt. 305 m – ⌧ 46500 — 29 C1
▌Périgord

▶ Paris 534 – Brive-la-Gaillarde 57 – Cahors 58 – Figeac 36 – Gourdon 38 – St-Céré 22

ℹ Office de tourisme, place de la République ℘ 05 65 38 73 60, Fax 05 65 33 46 38

Lion d'Or
8 pl. de la République – ℘ 05 65 10 46 10 – liondorhotel@wanadoo.fr
– Fax 05 65 34 37 85
15 ch – †50/70 € ††60/95 €, ⌧ 10 € – ½ P 68/88 €
Rest – Menu (12 €), 18 € (sem.)/75 € bc – Carte 45/60 €

♦ Cette demeure régionale de caractère établie en centre-ville propose des chambres rajeunies, au décor soigné. Le restaurant sert plats classiques et recettes du terroir dans une salle à manger bourgeoise. Agréable bar-salon ; terrasse ombragée et fleurie.

Le Relais des Gourmands
2 av. de la Gare, (à la gare) – ℘ 05 65 38 83 92 – www.relais-des-gourmands.fr
– relais-des-gourmands@orange.fr – Fax 05 65 38 70 99 – Fermé une sem. en oct., 15 fév.-8 mars, dim. soir et lundi sauf juil.-août
16 ch – †56/77 € ††56/77 €, ⌧ 9 € – ½ P 60/75 €
Rest – (fermé dim. soir et lundi) Menu (17 €), 19 € (sem.)/42 €
– Carte 29/45 €

♦ Accueil attentionné et bonne tenue dans cet établissement situé face à la gare. Chambres actuelles et plaisante piscine bordée d'un jardin. Lumineux restaurant contemporain égayé d'une harmonie de tons jaunes ; on y propose une carte régionale.

GRAMAT

🏠 Hostellerie du Causse 🛏 🏊 ♦ 🅿 VISA ⦿ AE ①
2 km par rte de Cahors – ℰ 05 65 10 60 60 – www.hostellerieducausse.com
– contact@hostellerieducausse.com – Fax 05 65 10 60 61
– *Fermé 2-31 janv.*
28 ch – †48/58 € ††60/75 €, ⊇ 9 € – ½ P 57/60 €
Rest – Menu (14 € bc), 17 € (sem.)/59 € – Carte 34/62 €

♦ À l'écart du centre, belle bâtisse récente inspirée du style local abritant des chambres assez spacieuses et bien tenues. Piscine. Généreuse cuisine traditionnelle enrichie de spécialités locales à déguster dans une salle à manger soignée ou en terrasse.

🏠 Du Centre 🛏 ch, AC rest, ♦ VISA ⦿ AE
pl. de la République – ℰ 05 65 38 73 37 – www.lecentre.fr – le.centre@wanadoo.fr – Fax 05 65 38 73 66
18 ch – †46/55 € ††46/65 €, ⊇ 8 € – ½ P 55 €
Rest – Menu (11 €), 16 € (sem.)/39 € – Carte 22/60 €

♦ Chambres fonctionnelles n'attendant que votre visite, au cœur de cette localité animée par d'importantes foires agricoles. La cuisine traditionnelle, qui fait un clin d'œil à la Bretagne, est servie dans une salle à manger claire ou en terrasse.

🏠 Moulin de Fresquet 🌿 🅿
1 km par rte de Figeac – ℰ 05 65 38 70 60 – www.moulindefresquet.com
– info@moulindefresquet.com – Fax 05 65 33 60 13
– *Ouvert d'avril à oct.*
5 ch ⊇ – †64/87 € ††64/110 €
Table d'hôte – *(fermé jeudi)* Menu 25 € bc

♦ Ce moulin où cohabitent des éléments des 14ᵉ, 18ᵉ et 19ᵉ s. se dresse au sein d'un jardin agrementé d'un bief et d'une extraordinaire collection de canards. Les chambres – certaines avec terrasse – sont décorées de meubles anciens et de tableaux. La table d'hôte sert une appétissante cuisine régionale.

à Lavergne Nord-Est : 4 km par D 677 – 417 h. – alt. 320 m – ⊠ 46500

✕ Le Limargue avec ch 🅿 VISA ⦿
– ℰ 05 65 38 76 02 – www.hotelrestaurantlelimargue.com – lelimargue@wanadoo.fr – Fax 05 65 38 76 02 – *Ouvert 4 avril-10 nov. et fermé 12-23 oct., mardi et merc. sauf juil.-août*
3 ch – †45 € ††45/50 €, ⊇ 6 € – ½ P 47 €
Rest – Menu 15/26 € – Carte 23/40 €

♦ En parcourant le causse de Gramat, faites une halte dans cette sympathique maison en pierres de taille pour y goûter la cuisine du Quercy. Chambres joliment personnalisées.

LE GRAND-BORNAND – 74 Haute-Savoie – 328 L5 – 2 202 h. 46 **F1**
– alt. 934 m – Sports d'hiver : 1 000/2 100 m ⛷ 2 ⛷ 37 ⛷ – ⊠ 74450
Alpes du Nord

▶ Paris 564 – Albertville 47 – Annecy 31 – Bonneville 23 – Chamonix-Mont-Blanc 76

Ⓘ Office de tourisme, place de l'Église ℰ 04 50 02 78 00, Fax 04 50 02 78 01

🏠 Vermont sans rest 🏊 ♦ 🅿 VISA ⦿ AE
rte du Bouchet – ℰ 04 50 02 36 22 – www.hotelvermont.com – hotel.vermont@wanadoo.fr – Fax 04 50 02 39 36 – *Ouvert de mi-juin à mi-sept. et de mi-déc. à mi-avril*
23 ch ⊇ – †55/105 € ††85/130 €

♦ Près de la télécabine de la Joyère, construction régionale dotée d'un bel espace de détente et de remise en forme (jacuzzi et sauna). Chambres lambrissées, la plupart avec balcon.

🏠 Delta sans rest 🅿 VISA ⦿
L'Envers de Villeneuve – ℰ 04 50 02 26 25 – www.hotel-delta74.com – info@hotel-delta74.com – Fax 04 50 02 32 71 – *Ouvert de mi-juin à mi-sept. et de mi-déc. à mi-avril*
15 ch – †57/76 € ††57/76 €, ⊇ 7 €

♦ À la périphérie du village, petit chalet récent abritant un magasin de sport et un hôtel aux chambres "tout bois" bien dimensionnées. Bibliothèque, billard et jeux pour les enfants.

LE GRAND-BORNAND

Croix St-Maurice ⇐ 🈯 🈯 🄰🄲 rest, 🈁 🈷 🆅🅸🆂🅰 🆁🅼

(face à l'église) – ✆ 04 50 02 20 05 – www.hotel-lacroixstmaurice.com
– info@hotel-lacroixstmaurice.com – Fax 04 50 02 35 37
– Fermé 26 sept.-25 oct.
21 ch – ✝49/85 €, ✝✝49/85 €, ☐ 7 € – ½ P 47/74 €
Rest – Menu 19/29 € – Carte 30/45 €

♦ Chalet traditionnel au cœur de la petite capitale... du reblochon. Les chambres, souvent dotées de balcons, ont toutes été rénovées dans le style local. Cuisine classique et spécialités savoyardes à déguster en admirant l'église sur fond de chaîne des Aravis.

L'Hysope 🈯 🄿 🆅🅸🆂🅰 🆁🅼 🄰🄴 🄾

Le Pont de Suize, (rte du Bouchet) – ✆ 04 50 02 29 87 – Fax 04 50 02 29 87 – Fermé 6-26 oct., merc. et jeudi hors saison
Rest – Menu 29/69 € – Carte 58/95 €

♦ Loin de l'esprit montagnard typique, salle rustique, conviviale et claire. Terrasse à la belle saison. Une quarantaine de vins accompagnent la carte, actuelle et personnalisée.

au Chinaillon Nord : 5,5 km par D 4 - ✉ 74450 Le Grand-Bornand

Les Cimes sans rest ⇐ 🈯 🈁 🄿 🆅🅸🆂🅰 🄰🄴

– ✆ 04 50 27 00 38 – www.hotel-les-cimes.com – info@hotel-les-cimes.com
– Fax 04 50 27 08 46 – Ouvert 21 juin-4 sept., 26 oct.-6 nov. et 6 déc.-24 avril
10 ch – ✝70/110 € ✝✝80/159 €, ☐ 11 €

♦ Au sein du hameau sportif du "Grand Bo", chalet-bonbonnière aux chambres pétillantes : décor montagnard contemporain, meubles et bibelots anciens, etc. Une perle rare !

Crémaillère ⇐ 🈯 🈁 🄿 🆅🅸🆂🅰 🄰🄴

Le Chinaillon – ✆ 04 50 27 02 33 – www.hotel-la-cremaillere.fr
– cremaill@wanadoo.fr – Fax 04 50 27 07 91
– Ouvert 15 juin-15 sept. et 20 déc.-20 avril
15 ch – ✝62/97 € ✝✝62/97 €, ☐ 8 € – ½ P 57/75 €
Rest – *(fermé mardi midi et lundi)* Menu 18 € (déj.), 24/34 € – Carte 24/48 €

♦ Toutes les chambres de ce petit hôtel familial, pourvues de balcons, sont orientées plein Sud, face aux pistes. Tenue exemplaire. Salon-cheminée cosy. Cuisine savoyarde proposée dans un chaleureux cadre de bois blond.

à la Vallée du Bouchet - ✉ 74450

Le Chalet des Troncs 🈁 🈯 🈁 🄿 🆅🅸🆂🅰 🆁🅼

3,5 km à l'Est – ✆ 04 50 02 28 50 – www.chaletdestroncs.com – contact@chaletdestroncs.com – Fax 04 50 63 25 28
4 ch – ✝132/228 € ✝✝148/228 €, ☐ 15 €
Table d'hôte – *(ouvert 22 déc.-23 avril et juil.-août)* Menu 40/55 €

♦ Les chambres de cette ancienne ferme perdue en pleine nature sont de vrais cocons montagnards. Hammam panoramique et superbe piscine couverte alimentée à l'eau de source. Cuisine familiale et produits du potager auprès d'une réconfortante cheminée.

GRANDCAMP-MAISY – 14 Calvados – 303 F3 – 1 757 h. – alt. 5 m   32 B2
– ✉ 14450 ▌**Normandie Cotentin**

▶ Paris 297 – Caen 63 – Cherbourg 73 – St-Lô 40
🄳 Office de tourisme, 118, rue Aristide-Briand ✆ 02 31 22 62 44,
    Fax 02 31 22 62 44

La Faisanderie sans rest 🈁 🄿

av. du Col.-Courson – ✆ 02 31 22 70 06
3 ch ☐ – ✝45 € ✝✝50 €

♦ Accueillante maison tapissée de vigne vierge au sein d'un domaine où l'on élève des chevaux. Chambres personnalisées garnies d'un mobilier rustique de famille. Calme absolu.

La Marée 🈯 🆅🅸🆂🅰 🆁🅼 🄰🄴

5 quai Henri Cheron – ✆ 02 31 21 41 00 – www.restolamaree.com
– restolamaree@wanadoo.fr – Fax 02 31 21 44 55 – Fermé 30 déc.-10 fév.
Rest – Menu 15/25 € – Carte 45/70 €

♦ Ambiance et décor marins face à la criée. La salle à manger, agrandie d'une véranda avec terrasse, invite à se régaler de produits tout frais pêchés dans la Manche ou l'Océan.

GRAND'COMBE-CHÂTELEU – 25 Doubs – 321 J4 – rattaché à Morteau

LA GRANDE-MOTTE – 34 Hérault – 339 J7 – 8 202 h. – alt. 1 m 23 **C2**
– Casino – ✉ 34280 ■ Languedoc Roussillon

▶ Paris 747 – Aigues-Mortes 12 – Lunel 16 – Montpellier 28 – Nîmes 45 – Sète 47

🛈 Office de tourisme, allée des Parcs ✆ 04 67 56 42 00, Fax 04 67 29 91 42

🏌 de La Grande-Motte Avenue du Golf, N : 2 km, ✆ 04 67 56 05 00

Les Corallines
615 allée de la Plage, (Le Point Zéro)
– ✆ 04 67 29 13 13 – www.thalasso-grandemotte.com
– info@thalasso-grandemotte.com – Fax 04 67 29 14 74
– Fermé 26 déc.-29 janv.
39 ch – †120/178 € ††120/178 €, ⊇ 14 € – 3 suites
Rest – Menu (25 €), 31 € – Carte 45/60 €

♦ Sur le bord de mer, complexe hôtelier moderne incluant un centre de thalassothérapie et un spa. Chambres avec balcon, belle piscine et terrasse panoramique face au littoral. Au restaurant, cadre contemporain pour une cuisine aux parfums de la Méditerranée.

Mercure
140 r. du port – ✆ 04 67 56 90 81 – www.mercure.com – h1230@accor.com
– Fax 04 67 56 92 29
117 ch – †130/180 € ††140/200 €, ⊇ 13 € – 18 suites
Rest – Menu (24 €) – Carte 40/60 €

♦ Située au cœur du centre animé de la station, cette imposante bâtisse domine le port de plaisance. Les chambres, spacieuses, bénéficient d'un balcon tourné vers la mer. Carte traditionnelle proposée dans un décor actuel ou sur une terrasse ombragée de platanes.

Novotel
1641 av. du Golf – ✆ 04 67 29 88 88 – www.novotel.com – h2190@accor.com
– Fax 04 67 29 17 01
81 ch – †95/180 € ††95/180 €, ⊇ 14 €
Rest – Carte 23/43 €

♦ À l'entrée du golf, cet établissement vous accueille avec un hall monumental coiffé d'une coupole en verre. Chambres aux normes de la chaîne, grandes et fonctionnelles. Repas façon brasserie dans une salle à manger contemporaine prolongée d'une terrasse.

Golf Hôtel sans rest
1920 av. du Golf – ✆ 04 67 29 72 00 – www.golfhotel34.com – golfhotel34@wanadoo.fr – Fax 04 67 56 12 44
44 ch – †86/134 € ††90/147 €, ⊇ 13 € – 1 suite

♦ Hôtel de charme niché dans un quartier calme. Chambres peu à peu rénovées, toutes avec loggia et orientées vers le golf ou le plan d'eau du Ponant. Jardin-piscine très agréable.

Azur Bord de Mer sans rest
pl. Justin – ✆ 04 67 56 56 00 – www.hotelazur.net – hotelazur34@aol.com
– Fax 04 67 29 81 26
20 ch – †95/130 € ††95/140 €, ⊇ 13 €

♦ Telle une vigie scrutant la grande bleue, un petit hôtel ancré sur le môle fermant le port au Sud. Chambres douillettes, au décor classique ou contemporain. Abords verdoyants.

Europe sans rest
allée des Parcs – ✆ 04 67 56 62 60 – www.hoteleurope34.com – hoteleurope@wanadoo.fr – Fax 04 67 56 93 07
– Ouvert de mars à oct.
34 ch – †67/118 € ††67/118 €, ⊇ 11 €

♦ Sympathique hôtel familial situé derrière le palais des congrès. Chambres pratiques et bien tenues, en cours de rénovation. Piscine et terrasse-solarium.

LA GRANDE-MOTTE

De la Plage
allée du Levant, (direction Grau-du-Roi) – ℰ 04 67 29 93 00
– www.hp-lagrandemotte.fr – contact@hp-lagrandemotte.fr – Fax 04 67 56 00 07
– Ouvert 2 mars-5 nov. et 7 déc.-1er janv.
39 ch – ✝70/130 € ✝✝70/130 €, ⊒ 14 € – ½ P 63/93 €
Rest – (ouvert 1er avril-10 oct. et fermé dim. et lundi hors saison) (dîner seult)
Carte 28/49 €

♦ Idéalement situé en bord de mer, établissement réactualisé peu à peu dans un esprit moderne. Hall joliment relooké, grandes chambres dotées d'une loggia côté Méditerranée. Au restaurant ouvert le soir, cuisine traditionnelle orientée poisson.

Alexandre
esplanade Maurice Justin – ℰ 04 67 56 63 63 – www.alexandre-restaurant.com
– michel@alexandre-restaurant.com – Fax 04 67 29 74 69
– Fermé 29 oct.-4 nov., dim. soir sauf juil.-août, lundi et mardi d'oct. à mars
Rest – Menu (32 €), 50/80 € – Carte 65/85 €
Rest *Bistrot d'Alexandre* – (ouvert 23 juin-2 sept.) Menu 20 €

♦ Salles panoramiques donnant sur le port et le large, décor moderne et mise en place soignée. Cuisine classique, produits de la mer et belle sélection de vins du Languedoc. Au Bistrot : ambiance décontractée, terrasse d'été et carte axée sur les viandes et poissons grillés.

> Un week-end de charme à la mer, à la campagne ou à la montagne ? Découvrez le nouveau guide des "Chambres d'hôtes", une sélection de nos plus belles adresses en France : confort, calme et volupté garantis !

GRAND-FOUGERAY – 35 Ille-et-Vilaine – 309 L8 – 1 970 h. – alt. 40 m – ⊠ 35390   10 D2

▷ Paris 392 – Rennes 49 – Cesson-Sévigné 52 – Bruz 41 – Châteaubriant 34

Les Palis
15 pl. de l'Église – ℰ 02 99 08 30 80 – www.restaurant-les-palis.fr – contact@restaurantlespalis.fr – Fax 02 99 08 45 20
13 ch – ✝75 € ✝✝75 €, ⊒ 11 € – ½ P 70 €
Rest – (fermé dim. soir) Menu 21 € (sem.)/38 € – Carte 45/52 €

♦ Hôtel entièrement rénové situé sur la place centrale du village. Les chambres ont été aménagées dans un esprit zen, tout en gris et blanc, avec un mobilier en bois clair. Cuisine traditionnelle à déguster sous une fresque de Bacchus et une charpente apparente.

LE GRAND-VILLAGE-PLAGE – 17 Charente-Maritime – 324 C4 – voir à Île d'Oléron

---

GRANDVILLERS – 88 Vosges – 314 I3 – 712 h. – alt. 365 m – ⊠ 88600   27 C3

▷ Paris 404 – Épinal 22 – Lunéville 48 – Gérardmer 29 – Remiremont 38 – St-Dié 28

Europe et Commerce
3 et 4 rte de Bruyères – ℰ 03 29 65 71 17 – www.hotel-europe-commerce.fr
– hotel.bastien.europe@wanadoo.fr – Fax 03 29 65 85 23
21 ch – ✝46/56 € ✝✝56/66 €, ⊒ 7 € – ½ P 46/56 €
Rest – (fermé vend. soir et dim. soir) Menu (13 €), 16 € (sem.), 25/38 € – Carte 20/40 €

♦ Une maison coquette – la partie ancienne de l'hôtel – abrite quelques chambres simples. Celles de l'annexe sont plus spacieuses, au calme et sur jardin. Le chef réalise une alléchante cuisine classique, à déguster dans une salle à manger sobre et lumineuse.

GRANE – 26 Drôme – **332** C5 – 1 694 h. – alt. 175 m – ✉ 26400   44 **B3**

■ Paris 599 – Lyon 136 – Valence 32 – Montélimar 35 – Romans-sur-Isère 52

🛈 Syndicat d'initiative, route de La Roche-sur-Grâne ✆ 04 75 62 66 08, Fax 04 75 62 73 26

✕✕ **Giffon "La Demeure de Grâne"** avec ch   🈁 ⇄ ¶¶ 𝗩𝗜𝗦𝗔 ⓂⓒⒶⒺ
8 pl. de l'Église – ✆ 04 75 62 60 64 – *www.hotelrestaurant-giffon.com* – *contact@hotelrestaurant-giffon.com* – *Fax 04 75 62 70 11*
8 ch – †55 € ††55 €, 🍽 10 € – ½ P 80/115 €
Rest – *(fermé dim. soir, lundi et mardi sauf de mi-juin à mi-sept., merc. midi et jeudi midi)* Menu 23 € (sem.)/55 €
♦ Sur la place de l'église, cette sympathique auberge vous reçoit autour de sa table traditionnelle. Terrasse ombragée par des arbres séculaires. Chambres fonctionnelles neuves.

GRANGES-LÈS-BEAUMONT – 26 Drôme – **332** C3 – **rattaché à Romans-sur-Isère**

LES GRANGES-STE-MARIE – 25 Doubs – **321** H6 – **rattaché à Malbuisson**

GRANS – 13 Bouches-du-Rhône – **340** F4 – 4 078 h. – alt. 52 m   40 **B3**
– ✉ 13450

■ Paris 729 – Arles 43 – Marseille 50 – Martigues 29 – Salon-de-Provence 7

🛈 Syndicat d'initiative, boulevard Victor Jauffret ✆ 04 90 55 88 92, Fax 04 90 55 86 27

✕ **Le Planet**   🈁 𝗩𝗜𝗦𝗔 Ⓜⓒ
pl. J. Jaurès – ✆ 04 90 55 83 66 – *Fax 04 90 55 83 66* – *Fermé 20 sept.-6 oct., vacances de la Toussaint, de fév., dim. soir de nov. à fév., lundi et mardi*
Rest – Menu (18 €), 25/40 € – Carte 34/55 €
♦ Cet ancien moulin à huile abrite un petit restaurant voûté aux murs crépis. Agréable terrasse à l'ombre des platanes, accueil sympathique et cuisine du terroir.

GRANVILLE – 50 Manche – **303** C6 – 12 900 h. – alt. 10 m – Casino Z, et   32 **A2**
à St-Pair-sur-Mer – ✉ 50400 ∎ Normandie Cotentin

■ Paris 342 – Avranches 27 – Cherbourg 105 – St-Lô 57 – St-Malo 93

🛈 Office de tourisme, 4, cours Jonville ✆ 02 33 91 30 03, Fax 02 33 91 30 19

⛳ de Granville à Bréville-sur-Mer Pavillon du Golf, par rte de Coutances : 5 km, ✆ 02 33 50 23 06

◉ Le tour des remparts ★ : place de l'Isthme ≤ ★ Z - Pointe du Roc : site ★.

Plan page ci-contre

🏨 **Mercure le Grand Large** sans rest   ≤ 🈁 ♨ ¶ ⇄ 💆 𝐜 ⁓
5 r. Falaise – ✆ 02 33 91 19 19 – *www.mercure-granville.com*   𝗩𝗜𝗦𝗔 Ⓜⓒ ⒶⒺ ⓄⒹ
– *infos@mercure-granville.com* – *Fax 02 33 91 19 00*   **Z** r
51 ch – †73/159 € ††73/159 €, 🍽 12 €
♦ Sur la falaise à pic au-dessus de la plage, cet hôtel associé à un centre de thalassothérapie abrite des chambres modulables en duplex ou studios, donnant la plupart sur la mer.

🏠 **Michelet** sans rest   🅿 𝗩𝗜𝗦𝗔 Ⓜⓒ
5 r. J. Michelet – ✆ 02 33 50 06 55 – *www.hotel-michelet-granville.com*
– *contact@hotel-michelet-granville.com* – *Fax 02 33 50 12 25*   **Z** u
19 ch – †30/57 € ††30/57 €, 🍽 7 €
♦ L'enseigne rend hommage à l'un des hôtes célèbres de la station. Chambres simples et calmes, certaines aperçoivent la Manche. Préférez celles récemment rénovées. Bon accueil.

✕✕ **La Citadelle**   ≤ 🈁 🄰🄲 𝗩𝗜𝗦𝗔 Ⓜⓒ
34 r. Port – ✆ 02 33 50 34 10 – *www.restaurant-la-citabelle.com* – *citadell@club-internet.fr* – *Fax 02 33 50 15 36* – *Fermé 17 mars-1ᵉʳ avril, 8 déc.-13 janv., mardi d'oct. à mars et merc.*   **Y** d
Rest – Menu 20/35 € – Carte 28/46 €
♦ Dégustez homards de Chausey et autres produits de la mer dans un décor nautique ou sur la terrasse protégée, devant le port d'où s'élançaient corsaires et terre-neuvas.

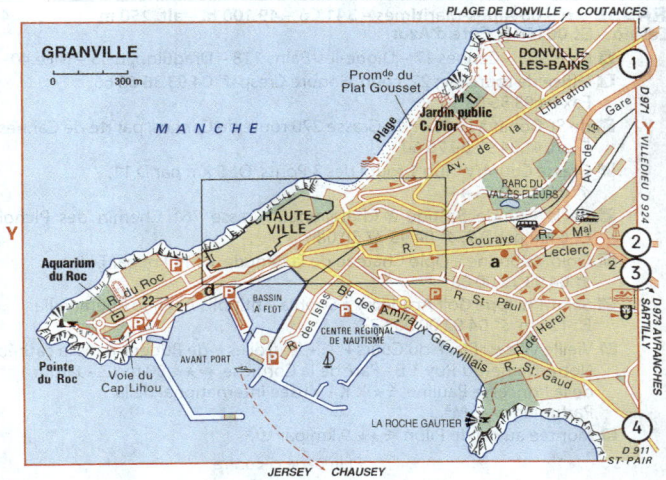

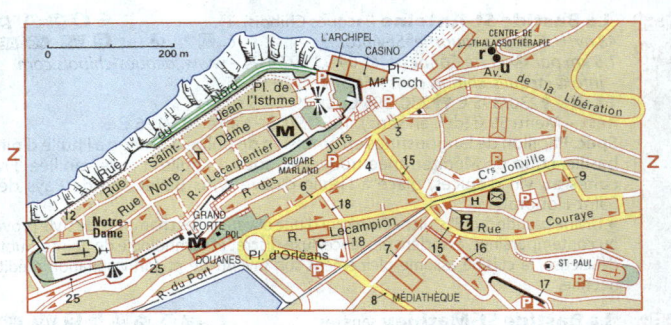

Briand (Av. A.)	**Y** 2	Hauteserve (Bd d')	**Z** 9	Ste-Geneviève	
Clemenceau (R. G.)	**Z** 3	Juifs (R. des)	**Z**	(R.)	**Z** 17
Corsaires (Pl. des)	**Z** 4	Lecampion (R.)	**Z**	Saintonge (R.)	**Z** 18
Corsaires (R. des)	**Z** 6	Leclerc (Av. Gén.)	**Y**	St-Sauveur (R.)	**Z** 16
Couraye (R.)	**Z**	Parvis-Notre-		Terreneuviers (Bd des)	**Y** 21
Desmaisons (R. C.)	**Z** 7	Dame (Montée		Vaufleury (Bd)	**Y** 22
Granvillais		du)	**Z** 12	2e-et-202e-de-Ligne	
(Bd des Amiraux)	**Z** 8	Poirier (R. Paul)	**Z** 15	(Bd du)	**Z** 25

à St-Pair-sur-Mer 4 km par ④ – **3 719 h.** – alt. 30 m – ✉ **50380**

🛈 Office de tourisme, 3, rue Charles Mathurin ✆ 02 33 50 52 77

Au Pied de Cheval

2 r. de la Plage – ✆ 02 33 91 34 01 – Fax 02 33 50 26 27 – Fermé 1ᵉʳ-21 oct., 1ᵉʳ-17 janv., lundi et mardi sauf juil.-août
Rest – Menu 19 € (sem.)/26 € – Carte 30/40 €

◆ Au pied du casino, sur une plage faisant face à Granville. Vaste salle à manger de style brasserie et atmosphère feutrée pour une cuisine franco-italienne.

Passée en rouge, la mention « Rest » repère l'établissement auquel est attribué notre distinction, ✿ (étoile) ou 😊 (Bib Gourmand).

GRASSE – 06 Alpes-Maritimes – 341 C6 – 49 100 h. – alt. 250 m 42 E2
– Casino – ✉ 06130 ▮ Côte d'Azur

- Paris 905 – Cannes 17 – Digne-les-Bains 118 – Draguignan 53 – Nice 40
- Office de tourisme, 22, cours Honoré Cresp ℰ 04 93 36 66 66, Fax 04 93 36 03 56
- de St-Donat à Le Plan-de-Grasse 270 route de Cannes, par rte de Cannes : 5 km, ℰ 04 93 09 76 60
- Grasse Country Club 1 route des 3 Ponts, O : 5 km par D 11, ℰ 04 93 60 55 44
- de la Grande Bastide à Châteauneuf-Grasse 761 Chemin des Picholines, E : 6 km par D 7, ℰ 04 93 77 70 08
- Opio Valbonne à Opio Château de la Bégude, E : 11 km par D 4, ℰ 04 93 12 00 08
- Saint-Philippe Golf Academy à Sophia-Antipolis Avenue Roumanille, E : 12 km, ℰ 04 93 00 00 57
- Vieille ville★ : Place du Cours★ ≤★ Z - Toiles★ de Rubens dans la cathédrale Notre-Dame-du-Puy Z B - Parc de la Corniche ☀★★ 30 mn Z - Jardin de la Princesse Pauline ≤★ X K - Musée international de la Parfumerie★ Z M³.
- Montée au col du Pilon ≤★★ 9 km par ④.

Plan page ci-contre

La Bastide St-Antoine (Jacques Chibois) ⚘
48 av. H. Dunant, (quartier St-Antoine), 1,5 km par ② et rte Cannes – ℰ 04 93 70 94 94 – www.jacques-chibois.com – info@jacques-chibois.com – Fax 04 93 70 94 95
11 ch – ♦230/395 € ♦♦230/395 €, ⌑ 29 € – 5 suites
Rest – Menu 59 € (déj. en sem.), 155/190 € – Carte 103/196 €

Spéc. Papillon de langoustines en émulsion de pulpe d'orange à l'huile d'olive et basilic. Loup de Méditerranée nouvelle vague à l'huile d'olive vanillée. Fraises cuites au vin d'épices, glace à l'huile d'olive. **Vins** Bellet, Vin de Pays de l'Île Saint-Honorat.

♦ Divine bastide du 18ᵉ s. nichée au cœur d'une oliveraie. Les chambres, de style provençal ou contemporaines, associent élégance, luxe discret et technologie de pointe. Subtile et délicieuse, la cuisine assume pleinement son inventivité et son inspiration méditerranéenne.

La Bastide St-Mathieu sans rest ⚘
35 chemin Blumenthal, (quartier St-Mathieu), à l'Est du plan par av Jean XXIII – ℰ 04 97 01 10 00 – www.bastidestmathieu.com – info@bastidestmathieu.com – Fax 04 97 01 10 09
3 ch ⌑ – ♦250/360 € ♦♦270/400 € – 2 suites

♦ Délicieuse bastide du 18ᵉ s. où se marient avec bonheur le luxe d'un hôtel de caractère et l'atmosphère d'une maison d'hôte. Superbes chambres, piscine d'eau de mer et ravissant jardin.

Le Patti
pl. Patti – ℰ 04 93 36 01 00 – www.hotelpatti.com – eric.ramos@hotelpatti.com – Fax 04 93 36 36 40
73 ch – ♦69/89 € ♦♦89/125 €, ⌑ 9 € – ½ P 62/80 € Y a
Rest – *(fermé 4 janv.-2 fév. et dim.)* Menu 19/38 € – Carte 35/50 €

♦ Les chambres de cet établissement voisin du centre international arborent un décor provençal ou contemporain. Boutique de produits du Sud-Est dans le hall. Salle à manger actuelle et terrasse face à une placette ; cuisine traditionnelle aux accents régionaux.

Moulin St-François sans rest ⚘
60 av. Maupassant, 2 km à l'Ouest par rte de St-Cézaire – ℰ 04 93 42 14 35 – www.moulin-saint-francois.com – contact@moulin-saint-francois.com – Fax 04 93 42 13 53
3 ch ⌑ – ♦220/250 € ♦♦220/250 €

♦ Savourez le charme et la quiétude de ce moulin (1760) et de son parc planté d'oliviers tout en goûtant au luxe de ses superbes chambres où le raffinement est de mise. Non-fumeurs.

GRASSE

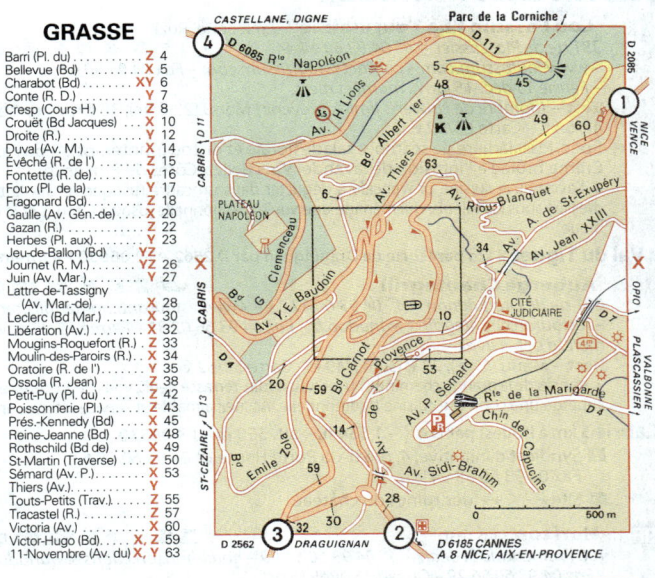

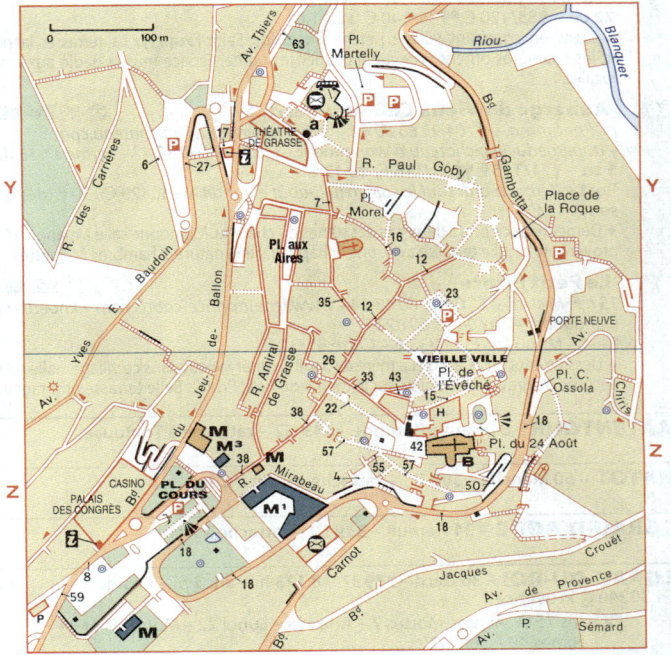

Barri (Pl. du)	Z	4
Bellevue (Bd)	X	5
Charabot (Bd)	XY	6
Conte (R. D.)	Y	7
Cresp (Cours H.)	Z	8
Crouët (Bd Jacques)	X	10
Droite (R.)	Y	12
Duval (Av. M.)	X	14
Évêché (R. de l')	Z	15
Fontette (R. de)	Z	16
Foux (Pl. de la)	Y	17
Fragonard (Bd)	Z	18
Gaulle (Av. Gén.-de)	X	20
Gazan (R.)	Z	22
Herbes (Pl. aux)	Y	23
Jeu-de-Ballon (Bd)	YZ	
Journet (R. M.)	YZ	26
Juin (Av. Mar.)	Y	27
Lattre-de-Tassigny (Av. Mar.-de)	X	28
Leclerc (Bd Mar.)	X	30
Libération (Av.)	X	32
Mougins-Roquefort (R.)	Z	33
Moulin-des-Paroirs (R.)	X	34
Oratoire (R. de l')	Z	35
Ossola (R. Jean)	Z	38
Petit-Puy (Pl. du)	Z	42
Poissonnerie (Pl.)	Z	43
Prés.-Kennedy (Bd)	X	45
Reine-Jeanne (Bd)	X	48
Rothschild (Bd de)	X	49
St-Martin (Traverse)	Z	50
Sémard (Av. P.)	Z	53
Thiers (Av.)	Y	
Touts-Petits (Trav.)	Z	55
Tracastel (R.)	Z	57
Victoria (Av.)	Y	60
Victor-Hugo (Bd)	X, Z	59
11-Novembre (Av. du)	X, Y	63

801

GRASSE

au Sud-Est 5 km par D 4 ⊠ 06130 Grasse

XX Lou Fassum "La Tourmaline" (Emmanuel Ruz)
381 rte de Plascassier – ℰ 04 93 60 14 44
– www.loufassum.com – contact@loufassum.com – Fax 04 93 60 07 92
– Fermé 15 déc.-15 janv., mardi et merc.
Rest – (nombre de couverts limité, prévenir) Menu (22 € bc), 38 € (déj. en sem.), 48/64 € – Carte 63/92 €
Spéc. Pissaladière de scampis, salade florale et pistou (printemps). "Lou Fassum". Crème brûlée à l'infusion de lavande. **Vins** Bellet, Côtes de Provence.
♦ Savoureuse cuisine provençale à déguster dans un cadre rustique ou sur la terrasse dressée sous les tilleuls, qui ménage une vue exceptionnelle jusqu'à Cannes et la grande bleue.

au Val du Tignet 8 km par ③ rte de Draguignan par D 2562 – ⊠ 06530 Peymeinade

XX Auberge Chantegrill
291 rte de Draguignan – ℰ 04 93 66 12 33 – www.restaurantchantegrill.com
– restauran.chantegrill@wanadoo.fr – Fax 04 93 66 02 31 – Fermé 15-30 nov. et merc. d'oct. à avril
Rest – Menu (17 €), 22 € (sem.)/49 € – Carte 50/62 €
♦ Auprès de la grande cheminée ou face au jardin-terrasse fleuri, vous dégusterez en cette auberge une copieuse cuisine traditionnelle. Accueil aimable et service attentionné.

à Cabris 5 km à l'Ouest par D 4 X – 1 534 h. – alt. 550 m – ⊠ 06530

🛈 Syndicat d'initiative, 4, rue de la Porte Haute ℰ 04 93 60 55 63,
Fax 04 93 60 55 94

◉ Site★ - ≤★★ des ruines du château.

🏠 Horizon sans rest
100 Promenade St-Jean – ℰ 04 93 60 51 69 – hotel-horizon.cabris@wanadoo.fr
– Fax 04 93 60 56 29 – Ouvert 15 avril-15 oct.
22 ch – †85/120 € ††85/140 €, ⊇ 11 €
♦ Dans un charmant village perché où résida Saint-Exupéry. La terrasse, la piscine et les chambres offrent une vue à couper le souffle. Espace-musée dédié aux activités locales.

XX Auberge du Vieux Château avec ch
pl. Panorama – ℰ 04 93 60 50 12 – www.aubergeduvieuxchateau.com
– aubergeduvieuxchateau@wanadoo.fr – Fax 04 93 60 58 47 – Fermé 1ᵉʳ-15 déc.
5 ch – †71/116 € ††71/116 €, ⊇ 12 €
Rest – (fermé mardi sauf le soir en juil.-août et lundi) Menu (29 €), 39 € (déj. en sem.)/45 €
♦ Demeure ancienne à deux pas des ruines du château. Mignonne salle à manger d'allure provençale et jolie terrasse avec une échappée sur la nature. Chambres coquettes.

X Le Petit Prince
15 r. F. Mistral – ℰ 04 93 60 63 14 – www.lepetitprince-cabris.com – knoettler@wanadoo.fr – Fax 04 93 60 62 87
Rest – Menu (15 €), 23/33 € – Carte 31/52 €
♦ Dessine-moi un... Cabris ! La mère de Saint-Exupéry vécut dans ce village. Salle rustique décorée de gravures et objets sur le thème du Petit Prince. Belle terrasse ombragée.

GRATENTOUR – 31 Haute-Garonne – **343** G2 – rattaché à Toulouse

---

GRATOT – 50 Manche – **303** D5 – rattaché à Coutances

LE GRAU-D'AGDE – 34 Hérault – **339** F9 – rattaché à Agde

LE GRAU-DU-ROI – 30 Gard – **339** J7 – 8 173 h. – alt. 2 m – Casino   23 **C2**
– ⊠ 30240 ▌Provence

▶ Paris 751 – Aigues-Mortes 7 – Arles 55 – Lunel 22 – Montpellier 34 – Nîmes 49 – Sète 52

🛈 Office de tourisme, 30, rue Michel Rédarès ℰ 04 66 51 67 70,
Fax 04 66 51 06 80

LE GRAU-DU-ROI

Les Acacias sans rest
21 r. Egalité – ℰ 04 66 51 40 86 – www.hotellesacacias.free.fr – hotellesacacias@free.fr – Fax 04 66 51 17 66 – Fermé 10 déc.-10 fév.
29 ch – †55/83 € ††55/83 €, ⋑ 9 €
♦ Hôtel familial rénové à deux pas de la plage. Une terrasse fleurie d'acacias sépare les deux maisons : ambiance rétro, chambres sagement provençales ou plus petites et sobres.

à Port Camargue Sud : 3 km par D 62^B – ⋈ 30240 Le Grau-du-Roi

Spinaker
pointe de la Presqu'île – ℰ 04 66 53 36 37 – www.spinaker.com – spinaker@wanadoo.fr – Fax 04 66 53 17 47 – Fermé 21-27 déc.
16 ch – †88/169 € ††88/169 €, ⋑ 12 € – 5 suites
Rest *Carré des Gourmets* – (fermé lundi et mardi sauf juil.-août) Carte 61/113 €
♦ Complexe amarré à la marina, au bout de la presqu'île. Les chambres personnalisées (Provence, Afrique, Maroc) donnent de plain-pied sur le jardin et la piscine bordée de palmiers. Restaurant contemporain et terrasse tournés vers le port de plaisance.

Mercure
rte Marines – ℰ 04 66 73 60 60 – www.thalassa.com – h1947@accor.com – Fax 04 66 73 60 50 – Fermé 7-27 déc.
89 ch – †110/180 € ††110/180 €, ⋑ 12 € – ½ P 97/132 €
Rest – Menu 27/30 € – Carte 27/40 €
♦ Face aux dunes et à la mer, ensemble hôtelier englobant un centre de thalassothérapie. Rénovation des confortables chambres dans un esprit actuel ; balcons. Perché au 6e étage, le restaurant offre le choix entre cuisine traditionnelle et recettes diététiques.

L'Oustau Camarguen
3 rte Marines – ℰ 04 66 51 51 65
– www.oustaucamarguen.com – oustaucamarguen@wanadoo.fr
– Fax 04 66 53 06 65 – Ouvert 20 mars-11 nov. et les week-ends de fév. à mi-mars
39 ch – †81/105 € ††81/105 €, ⋑ 12 € – 8 suites – ½ P 78/90 €
Rest – (ouvert 1^{er}mai-fin sept. et fermé merc. soir sauf juil.-août) (dîner seult sauf week-end de mai à sept.) Menu 28/31 € – Carte 32/44 €
♦ Petit mas camarguais décoré sur le mode provençal (fer gorgé, terre cuite, bois patiné). Spacieuses chambres dotées de terrasses ou de jardins privés. Agréable espace détente. Plats classiques à déguster dans une salle rustique ou à l'extérieur, au bord de la piscine.

L'Amarette
centre commercial Camargue 2000 – ℰ 04 66 51 47 63
– www.l-amarette.com – lamarette2@wanadoo.fr – Fax 04 66 51 47 63
– Fermé fin nov. à mi-janv.
Rest – Menu (23 €), 37/60 € – Carte 40/60 €
♦ Restaurant soigné et agréable terrasse au 1er étage d'un centre commercial, tout près de la plage Nord. Belle cuisine de la mer très attentive à la fraîcheur des produits.

GRAUFTHAL – 67 Bas-Rhin – 315 H4 – rattaché à La Petite-Pierre

---

GRAULHET – 81 Tarn – 338 D8 – 12 000 h. – alt. 166 m – ⋈ 81300   29 **C2**
▶ Paris 694 – Albi 39 – Castres 31 – Toulouse 63
🛈 Office de tourisme, square Maréchal Foch ℰ 05 63 34 75 09, Fax 05 63 34 75 09

La Rigaudié
rte de St-Julien-du-Puy – ℰ 05 63 34 49 54 – www.larigaudie-restaurant.com
– genevieve@larigaudie-restaurant.com – Fermé 1er-12 mai, 27 août-14 sept., 2-5 janv., sam. midi, dim. soir et lundi
Rest – Menu (12 €), 15 € bc (déj. en sem.), 18/64 € – Carte 35/70 €
♦ Belle maison de maître du 19e s. dont la chaleureuse salle bourgeoise s'ouvre sur le parc. Terrasse dressée sous les platanes et cuisine actuelle.

LA GRAVE – 05 Hautes-Alpes – **334** F2 – 491 h. – alt. 1 526 m – Sports d'hiver : 1 450/3 250 m ⛷ 2 ⛷2 ⛷ – ⊠ 05320 ▌Alpes du Nord 41 **C1**

- ▶ Paris 642 – Briançon 38 – Gap 126 – Grenoble 80 – Col du Lautaret 11
- ❷ Office de tourisme, route nationale 91 ℰ 04 76 79 90 05, Fax 04 76 79 91 65
- ◎ Glacier de la Meije★★★ (par téléphérique) - ❄★★★.
- ◎ Oratoire du Chazelet★★★ NO : 6 km.

Les Chalets de la Meije sans rest
– ℰ 04 76 79 97 97 – www.hotel-la-grave.fr – contact@chalet-meije.com
– Fax 04 76 79 97 98 – Fermé 3-29 mai et 11 oct.-19 déc.
18 ch ⊇ – †77/88 € ††93/102 € – 9 suites
♦ Ensemble hôtelier et résidentiel superbement situé face au parc des Écrins. Les jolies chambres (lambris, fer forgé, meubles exotiques) sont réparties entre plusieurs chalets.

La Meijette
– ℰ 04 76 79 90 34 – hotel.lameijette.juge@wanadoo.fr – Fax 04 76 79 94 76
– Ouvert 31 mai-30 sept.
18 ch – †60/90 € ††60/90 €, ⊇ 9 € – ½ P 65/85 €
Rest – Menu (16 €), 20 € – Carte 27/46 €
♦ Face au grandiose massif de la Meije, deux bâtiments séparés par une route. Les chambres, souvent spacieuses, sont meublées en pin et bien tenues. Superbe vue sur les glaciers depuis le restaurant et la terrasse panoramique, idéalement orientée.

GRAVELINES – 59 Nord – **302** A2 – 11 800 h. – ⊠ 59820 30 **A1**
▌Nord Pas-de-Calais Picardie

- ▶ Paris 287 – Calais 26 – Cassel 38 – Dunkerque 21 – Lille 89 – St-Omer 36
- ❷ Office de tourisme, 11, rue de la République ℰ 03 28 51 94 00, Fax 03 28 65 58 19

Hostellerie du Beffroi
2 pl. Ch. Valentin – ℰ 03 28 23 24 25 – www.hoteldubeffroi.com
– contact.hoteldubeffroi@wanadoo.fr – Fax 03 28 65 59 71
40 ch – †70 € ††78 €, ⊇ 9,50 €
Rest – (Fermé sam. midi et dim. soir) Menu (15 € bc), 16/25 € – Carte 28/40 €
♦ Bâtisse moderne aux murs parementés de briques située au pied du beffroi, dans l'enceinte aménagée par Vauban. Chambres fonctionnelles bien tenues. Salle à manger contemporaine, terrasse ouverte sur la place et cuisine traditionnelle sans prétention.

GRAVESON – 13 Bouches-du-Rhône – **340** D2 – 3 570 h. – alt. 14 m 42 **E1**
– ⊠ 13690 ▌Provence

- ▶ Paris 696 – Avignon 14 – Carpentras 40 – Cavaillon 30 – Marseille 102 – Nîmes 38
- ❷ Office de tourisme, cours National ℰ 04 90 95 88 44, Fax 04 90 95 81 75
- ◎ Musée Auguste-Chabaud★.

Moulin d'Aure
rte de St-Rémy-de-Provence, 1 km par D 5 – ℰ 04 90 95 84 05
– www.hotel-moulindaure.com – reception@hotel-moulindaure.com
– Fax 04 90 95 73 84 – Fermé 5-30 janv.
19 ch – †72/200 € ††72/200 €, ⊇ 16 €
Rest – (ouvert mars-15 nov. et fermé lundi midi sauf en juil.-août) Menu (25 €), 45 € – Carte 45/100 €
♦ Dans un grand parc planté d'oliviers, cette bastide récente dispose de coquettes chambres provençales (fer forgé, tomettes, couleurs du Sud) ; quelques-unes avec terrasse. Lumineuse salle à manger cosy sous de belles poutres, donnant sur la piscine.

Le Cadran Solaire sans rest
5 r. du Cabaret-Neuf – ℰ 04 90 95 71 79 – www.hotel-en-provence.com
– cadransolaire@wanadoo.fr – Fax 04 90 90 55 04
– Ouvert 21 mars-19 nov.
12 ch – †65 € ††65 €, ⊇ 8 €
♦ La façade de ce charmant relais de poste du 16e s., dans un joli jardin, est ornée d'un cadran solaire. Ravissantes chambres cocooning (sans TV) et délicieuse terrasse.

GRAVESON

Le Mas des Amandiers
rte d'Avignon, à 1,5 km -
℘ 04 90 95 81 76 – www.hotel-des-amandiers.com – contact@
hotel-des-amandiers.com – Fax 04 90 95 85 18 – Ouvert 15 mars-15 oct.
28 ch – ✝58 € ✝✝63 €, ⊇ 9 € – ½ P 60 €
Rest – Menu (14 € bc), 20 € (déj. en sem.), 27/45 € – Carte 18/26 €
♦ Les chambres de ce mas, refaites et sobres, sont réparties autour de la piscine. Parcours botanique, location de vélos et de scooters. Salle à manger actuelle décorée dans la note provençale ; carte classico-régionale.

Le Clos des Cyprès
rte de Châteaurenard – ℘ 04 90 90 53 44 – *Fermé une sem. en janv., le soir en sem. hors saison, merc. soir, dim. soir et lundi en saison*
Rest – *(prévenir)* Menu 27/34 €
♦ Villa provençale au sein d'un parc abritant une salle à manger cossue aux murs ocre rouge ; terrasse sous auvent. Fine cuisine au goût du jour à l'ardoise et service prévenant.

GRAY – 70 Haute-Saône – 314 B8 – 6 773 h. – alt. 220 m – ⊠ 70100   16 B2
Franche-Comté Jura

▶ Paris 336 – Besançon 45 – Dijon 50 – Dole 46 – Langres 56 – Vesoul 58

☑ Office de tourisme, Île Sauzay ℘ 03 84 65 14 24, Fax 03 84 65 46 26

◉ Hôtel de ville ★ - Collection de pastels et dessins ★ de Prud'hon au musée Baron-Martin ★ M[1].

à Rigny par ① D 70 et D 2 : 5 km – 604 h. – alt. 196 m – ⊠ 70100

Château de Rigny
– ℘ 03 84 65 25 01 – www.chateau-de-rigny.com
– info@chateau-de-rigny.com – Fax 03 84 65 44 45
28 ch – ✝75/130 € ✝✝95/230 €, ⊇ 12 € – ½ P 99/169 €
Rest – Menu 36/48 € – Carte 41/56 €
♦ Les allées du parc de cette demeure du 17e s. serpentent jusqu'à la Saône. Le mobilier des chambres (choisir celles de la magnanerie) a été chiné chez les antiquaires. Cuisine classique de saison dans la confortable salle à manger ou sur l'agréable terrasse.

à Nantilly par ① et D 2 : 5 km – 511 h. – alt. 200 m – ⊠ 70100

Château de Nantilly
r. Millerand – ℘ 03 84 67 78 00 – www.chateau-de-nantilly.com
– contact@chateau-de-nantilly.fr – Fax 03 84 67 78 01 – *Fermé 2 janv.-28 fév.*
41 ch – ✝70/110 € ✝✝110/190 €, ⊇ 10 € – ½ P 120/160 €
Rest – *(fermé dim. soir, lundi et mardi) (dîner seult)* Menu 37 €, 49/63 €
– Carte 56/64 €
♦ Petit château de 1830 couvert de feuilles de vigne, au cœur d'un parc traversé par un cours d'eau. Les chambres de la maison principale ont plus de cachet que dans l'annexe. Élégante salle de restaurant claire et spacieuse ; cuisine régionale.

GRENADE-SUR-L'ADOUR – 40 Landes – 335 I12 – 2 265 h.   3 B2
– alt. 55 m – ⊠ 40270

▶ Paris 720 – Aire-sur-l'Adour 18 – Mont-de-Marsan 15 – Orthez 53
– St-Sever 14 – Tartas 33

☑ Office de tourisme, 1, place des Déportés ℘ 05 58 45 45 98, Fax 05 58 45 45 55

Pain Adour et Fantaisie (Philippe Garret) avec ch
14 pl. des Tilleuls – ℘ 05 58 45 18 80
– pain.adour.fantaisie@wanadoo.fr – Fax 05 58 45 16 57
– *Fermé dim. et lundi de mi-déc. à Pâques*
11 ch – ✝70/164 € ✝✝70/164 €, ⊇ 15 €
Rest – *(fermé lundi sauf le soir du 14 juil. au 31 août, dim. soir de sept. à mi-juil. et merc. midi)* Menu (18 €), 40/72 € – Carte 58/78 €
Spéc. Foie gras de canard confit au genièvre et Jurançon. Rouget grillé aux cébettes et réduction de safran (saison). Cube de chocolat Caraïbes et gelée de menthe. **Vins** Vin de Pays de Côtes de Gascogne, Madiran.
♦ L'enseigne de cette maison du 17e s. est un clin d'œil au cinéma néoréaliste italien. Intérieur cossu, terrasse au bord de l'Adour, cuisine actuelle et nombreux vins régionaux.

GRENADE-SUR-L'ADOUR

au Sud-Est 7,5 km par Larrivière et D 352 - ✉ 40270 Renung

Domaine de Benauge sans rest

29 chemin de Benauge – ℰ 05 58 71 77 30 – www.benauge.com
– ppancel@orange.fr
5 ch ⊇ – †35 € ††60 €

◆ Cette commanderie du 15ᵉ s. a conservé des traces visibles de ses fortifications. Belles chambres contemporaines épurées et jardin ouvert sur la campagne.

GRENOBLE ℗ – 38 Isère – **333** H6 – 155 100 h. – Agglo. 419 334 h. 45 **C2**
– alt. 213 m – ✉ 38000 ▮ **Alpes du Nord**

▸ Paris 566 – Chambéry 55 – Genève 143 – Lyon 105 – Torino 235

✈ de Grenoble-Isère ℰ 04 76 65 48 48, par ⓡ : 39 km.

🛈 Office de tourisme, 14, rue de la République ℰ 04 76 42 41 41, Fax 04 76 00 18 98

⛳ de Seyssins à Seyssins 29 rue du Plâtre, ℰ 04 76 70 12 63

⛳ de Grenoble à Bresson Route de Montavie, S : 6 km par D 269, ℰ 04 76 73 65 00

◉ Site ★★★ - Église-musée St-Laurent★★ : crypte St-Oyand★ FY - Fort de la Bastille ❊★★ par téléphérique EY - Vieille ville★ EY : Palais de Justice★ (boiseries★) - escalier★ de l'hôtel d'Ornacieux EY J - Musées : de Grenoble★★★ FY, de la Résistance et de la Déportation★ F, de l'ancien Evêché-Patrimoines de l'Isère★★ - Musée dauphinois★ : chapelle★★, exposition thématique★★ EY.

Plans pages suivantes

Park Hôtel

10 pl. Paul Mistral – ℰ 04 76 85 81 23 – www.park-hotel-grenoble.fr
– resa@park-hotel-grenoble.fr – Fax 04 76 46 49 88
– Fermé 25 juil.-23 août et 24 déc.-3 janv.
50 ch – †150/195 € ††180/225 €, ⊇ 16 € – 10 suites   FZ **w**
Rest Louis 10 – (fermé dim. midi, sam. et midi fériés) Menu 29/54 €
– Carte 35/66 €

◆ Les chambres spacieuses dégagent un esprit bourgeois suranné, à l'image de l'hôtel dont l'ambiance cosy évoque celle des salons ou clubs anglais. Le Louis 10 affiche, lui, un cadre contemporain très chic. Cuisine fusion avec carte de sushis, sashimis et makis.

Novotel Centre

à Europole, pl. R. Schuman – ℰ 04 76 70 84 84 – www.novotel.com
– jacques.poyade@accor.com – Fax 04 76 70 24 93
116 ch – †95/155 € ††95/155 €, ⊇ 15 € – 2 suites   AV **r**
Rest – Menu (19 € bc), 23 € (sem.)/45 € bc – Carte 20/47 €

◆ Cet hôtel face à la gare, refait dans un style contemporain, partage ses murs avec le WTC et un centre de congrès. Amples chambres japonisantes et beau fitness moderne. Au restaurant, cadre dans l'air du temps, recettes traditionnelles et grillades à la plancha.

Grand Hôtel Mercure Président

11 r. Gén. Mangin
✉ 38100 – ℰ 04 76 56 26 56 – www.mercure.com – h2947@accor.com
– Fax 04 76 56 26 82   AX **y**
105 ch – †125/259 € ††137/271 €, ⊇ 17 €
Rest – (fermé 10-23 août, 19 déc.-3 janv.) Carte 22/37 €

◆ Rajeunissement achevé pour ce plaisant Mercure : chambres confortables, hall et bar sagement exotiques, salles de séminaires, fitness, sauna, jacuzzi et terrasse-jardin. Le restaurant propose une carte traditionnelle variée.

Mercure Centre Alpotel

12 bd Mar. Joffre – ℰ 04 76 87 88 41 – www.mercure.com – h0652@accor.com
– Fax 04 76 47 58 52   EZ **d**
88 ch – †89/189 € ††99/199 €, ⊇ 17 €
Rest – (fermé 2-24 août, 20 déc.-1ᵉʳ janv., sam., dim. et fériés) Menu 17 € (déj. en sem.) – Carte 26/37 €

◆ Construit pour les J.O. de 1968, ce bâtiment tout en béton, entièrement non-fumeurs et classé, vit une seconde jeunesse après sa rénovation. Chambres actuelles et bien équipées. Le restaurant au cadre design propose une cuisine traditionnelle.

GRENOBLE

🏨 Lesdiguières
122 cours de la Libération – ℘ 04 38 70 19 50 – www.hotellesdiguieres.com
– hotellesdiguieres@gastronomie.com – Fax 04 38 70 19 69 – Fermé vacances
scolaires, vend., sam. et dim.   AX b
23 ch – †64 € ††72 €, ⌑ 8 € – 1 suite – ½ P 84 €
Rest – Menu (16 €), 22 € (dîner en sem.), 28/51 €
♦ Vraie institution grenobloise abritant depuis 1917 une école hôtelière réputée. Bon confort dans les chambres ; préférez celles situées côté parc pour plus de tranquillité. Menus attrayants mettant à l'honneur les produits du terroir dauphinois.

🏨 Terminus sans rest
10 pl. de la Gare – ℘ 04 76 87 24 33 – www.terminus-hotel-grenoble.fr
– Fax 04 76 50 38 28   DY t
39 ch – †68/99 € ††84/149 €, ⌑ 12 €
♦ Comme son nom l'indique, cet hôtel familial fait face à la gare. Vue sur le Moucherotte et le massif du Vercors aux derniers étages. Petits-déjeuners servis sous une verrière.

🏨 Patrick Hotel sans rest
116 cours de la Libération – ℘ 04 76 21 26 63 – www.patrickhotel-grenoble.com
– contact@patrickhotel-grenoble.com – Fax 04 76 48 01 07   AX n
56 ch – †87 € ††97 €, ⌑ 12 €
♦ Sur un important axe de circulation, immeuble à la façade habillée de carrelage. Chambres bien tenues, actuelles et insonorisées. Petit bar-salon rénové dans des tons chocolat.

🏨 Angleterre sans rest
5 pl. Victor-Hugo – ℘ 04 76 87 37 21 – www.hotel-angleterre-grenoble.com
– reservations@hotel-angleterre-grenoble.com – Fax 04 76 50 94 10   EZ z
62 ch – †110/185 € ††110/185 €, ⌑ 13 €
♦ Bien placé juste devant un jardin public, cet hôtel dispose de chambres pratiques (meubles en rotin et bois). Certaines sont mansardées, d'autres équipées de baignoires balnéo.

🏨 Splendid sans rest
22 r. Thiers – ℘ 04 76 46 33 12 – www.splendid-hotel.com – info@
splendid-hotel.com – Fax 04 76 46 35 24   DZ q
45 ch – †59/89 € ††75/95 €, ⌑ 8 €
♦ Près du musée des Rêves mécaniques, prolongez vos songes dans ces chambres peu à peu refaites (originales fresques). Petit-déjeuner sous forme de buffet dans un cadre modernisé.

🏠 Europe sans rest
22 pl. Grenette – ℘ 04 76 46 16 94 – www.hoteleurope.fr – hotel.europe.gre@
wanadoo.fr – Fax 04 76 43 13 65   EY t
45 ch – †31/72 € ††40/80 €, ⌑ 8 €
♦ Au cœur du vieux Grenoble, l'Europe (le premier hôtel de la ville) propose des chambres refaites dans un style sobre et actuel. Salle des petits-déjeuners joliment tendance.

🏠 Gallia sans rest
7 bd Mar. Joffre – ℘ 04 76 87 39 21 – www.hotel-gallia.com – gallia-hotel@
wanadoo.fr – Fax 04 76 87 65 76 – Fermé 25 juil.-24 août   EZ s
35 ch – †54/61 € ††58/65 €, ⌑ 8 €
♦ La majorité des chambres de cette affaire familiale a été rajeunie avec des teintes gaies, parfois dans la note provençale. Pimpant hall-salon lumineux.

🏠 Institut sans rest
10 r. L. Barbillon – ℘ 04 76 46 36 44 – www.institut-hotel.fr – contact@
institut-hotel.fr – Fax 04 76 47 73 09   DY h
48 ch – †58/61 € ††61 €, ⌑ 8 €
♦ L'accueil tout sourire, la bonne tenue et les prix modérés sont les atouts de cet hôtel fonctionnel aux chambres bien équipées (pour moitié climatisées) et au décor frais.

XXX Le Fantin Latour
1 r. Gén. Beylié – ℘ 04 76 01 00 97 – www.fantin-latour.net – reservation@
fantin-latour.net – Fax 04 76 01 02 41   FZ a
Rest – (fermé dim. et lundi) (dîner seult sauf sam.) Menu 49/96 € – Carte 78/110 €
Rest Le 18.36 – 5 r. Abbé de la Salle, ℘ 04 76 01 00 97 (fermé sam. et dim.) (déj. seult) Menu 20 € bc/26 € bc – Carte 42/57 €
♦ Nouveau chef concoctant une cuisine inventive à base de plantes de montagne dans ce bel hôtel particulier du 19e s., ex-musée dédié à Fantin Latour. Au "1836" (année de naissance du peintre), courte carte brasserie et menu du jour.

CORENC

Eygala (Av. de l') .... **BCV**
Grésivaudan (Av. du) .... **BCV**

EYBENS

Innsbruck (Av. d') .... **BX** 38
Jean-Jaurès (Av.) .... **BX**
Mendès-France (R.) .... **BX**
Poisat (Av. de) .... **BX** 47

ÉCHIROLLES

Etats-Généraux (Av. des) .... **AX** 30
Grugliasco (Av. de) .... **AX**
Jean-Jaurès (Crs) .... **AX**
Kimberley (Av. de) .... **ABX**

FONTAINE

Briand (Av. A.) .... **AV**
Joliot-Curie (Bd) .... **AV**
Vercors (Av. du) .... **AV**

GRENOBLE

Alliés (R. des) .... **AX**
Alsace-Lorraine (Av.) .... **DYZ** 3
Ampère (R.) .... **AV**
Augereau (R.) .... **DZ**
Barnavel (R.) .... **EFY** 5
Bayard (R.) .... **FY** 6
Belgique (Av. Albert-1er de) ...... **EFZ** 7
Belgrade (R. de) .... **EY** 9
Bernard (Q. Cl.) .... **DY**
Berriat (Crs) .... **AV, DZ**
Berthelot (Av. M.) .... **BX**
Bistesi (R.) .... **FZ** 10
Bizanet (R.) .... **FGY**
Blanchard (R. P.) .... **EYZ**
Blum (Av. Léon) .... **AX**
Boissieux (R. B.-de) .... **EZ**
Bonne (R. de) .... **EZ** 12
Brenier (R.) .... **DY** 13
Briand (Pl. A.) .... **DY**
Brocherie (R.) .... **EY** 15
Casimir-Périer (R.) .... **EZ** 16
Champollion (R.) .... **FZ** 17
Champon (Av. Gén.) .... **FZ**
Chanrion (R. J.) .... **FYZ**
Chenoise (R.) .... **EFY** 18
Claudel (R.) .... **BX** 20
Clemenceau (Bd) .... **FGZ**
Clot-Bey (R.) .... **EYZ** 21
Condillac (R.) .... **EZ**
Condorcet (R.) .... **DZ**
Créqui (Q.) .... **DEY**
Diables-Bleus (Bd des) .... **FZ** 24
Diderot (R.) .... **AV** 25
Dr-Girard (Pl.) .... **EY** 26
Driant (Bd Col.) .... **FZ** 27
Dubedout (Pl. H.) .... **DY** 28
Esclangon (R. F.) .... **AV** 29
Esmonin (Av. E.) .... **AX**
l'Europe (Av. de) .... **BX** 31
Fantin-Latour (R.) .... **FZ** 32
Faure (R. E.) .... **FZ**
La Fayette (R.) .... **EY** 39
Flandrin (R. J.) .... **GZ** 33
Foch (Bd Mar.) .... **DEZ**
La Fontaine (Crs) .... **EZ**
Fourier (R.) .... **FZ** 34
France (Q. de) .... **DEY**
Gambetta (Bd) .... **DEZ**
Graille (Q. de la) .... **DY**
Grande-Rue .... **EY** 37
Grenette (Pl.) .... **EY**
Gueymard (R. E.) .... **DY**
Haxo (R.) .... **FZ**
Hébert (R.) .... **FYZ**
L'Herminier (R. Cdt) .... **FY** 41
Hoche (R.) .... **EZ**
Jay (Q. S.) .... **EY**
Jeanne-d'Arc (Av.) .... **GZ**
Jean-Jaurès (Crs) .... **DYZ**
Joffre (Bd Mar.) .... **DEZ**
Jongking (Q.) .... **FY**
Jouhaux (R. L.) .... **BX, GZ**
Jouvin (Q. X.) .... **FY**
Lakanal (R.) .... **EZ**
Lavalette (Pl.) .... **EY** 40
Leclerc (Av. Mar.) .... **FY**
Lesdiguières (R.) .... **EZ**
Libération et du Gén.-de Gaulle
(Crs de la) .... **AX**
Lyautey (Bd Mar.) .... **EZ** 42
Lyon (Rte de) .... **DY**
Malakoff (R.) .... **FGZ**
Mallifaud (R.) .... **EFZ**

Martyrs (R. des) .... **AV**
Mistral (Pl. P.) .... **FZ**
Montorge (R.) .... **EY** 43
Mortillet (R. de) .... **EY**
Moyrand (R.) .... **FGZ**
Notre-Dame (Pl.) .... **FY**
Pain (Bd J.) .... **FY**
Palanka (R.) .... **EY** 44
Pasteur (Pl.) .... **FZ** 45
Perrière (Q.) .... **FY**
Perrot (Av. J.) .... **BX, FZ**
Poulat (R. F.) .... **EY** 48
Prévost (R. J.) .... **DZ**
Randon (Av. Mar.) .... **FY**
Reynier (R. A.) .... **AX** 49

Reynoard (Av. M.) .... **BX** 50
Rey (Bd Ed.) .... **EY**
Rhin-et-Danube (Av.) .... **AX**
Rivet (Pl. G.) .... **EZ** 53
Rousseau (R. J.J.) .... **EY** 55
Sablon (Pont du) .... **GY**
Ste-Claire (Pl.) .... **EY** 57
St-André (Pl.) .... **EY** 56
Sembat (Bd A.) .... **EZ**
Servan (R.) .... **FY** 59
Stalingrad (R. de) .... **AX** 60
Strasbourg (R. de) .... **EFZ** 62
Thiers (R.) .... **DZ**
Très-Cloîtres (R.) .... **FY** 63
Turenne (R.) .... **DZ**

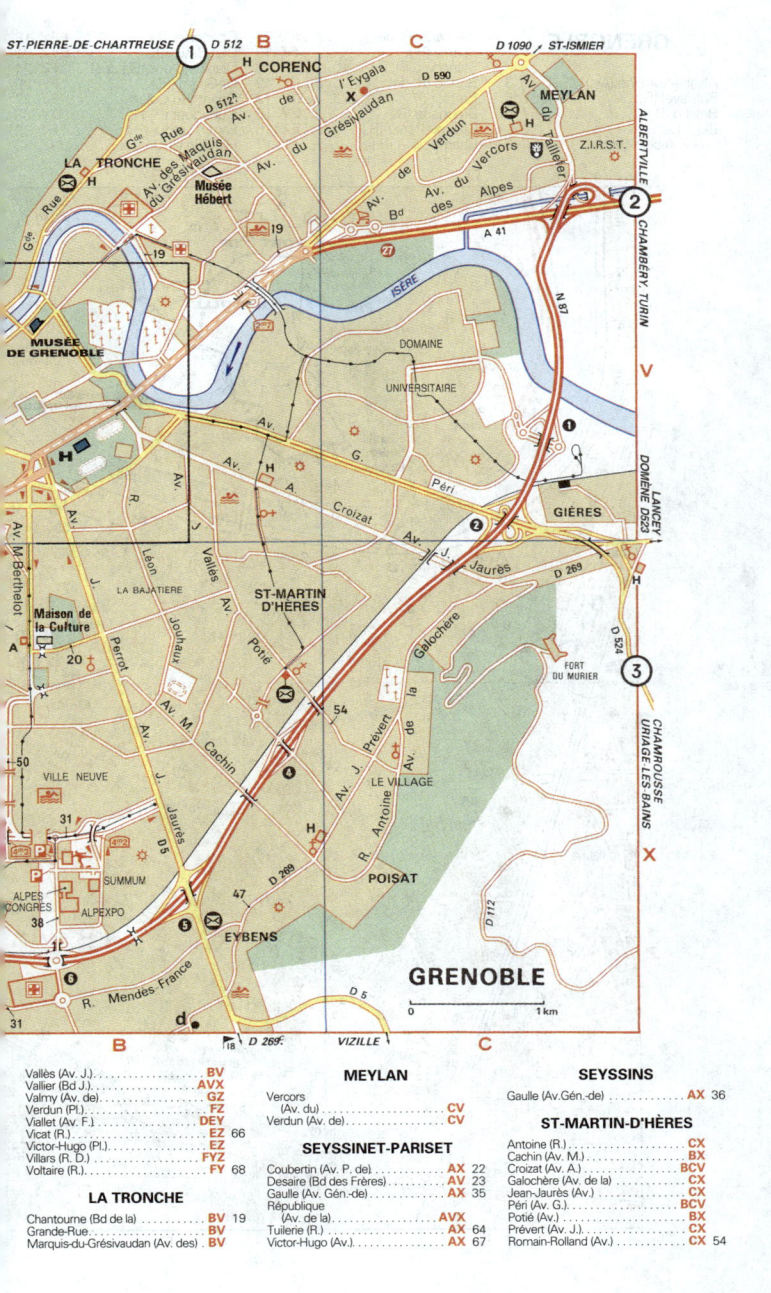

Vallès (Av. J.)	**BV**
Vallier (Bd J.)	**AVX**
Valmy (Av. de)	**GZ**
Verdun (Pl.)	**FZ**
Viallet (Av. F.)	**DEY**
Vicat (R.)	**EZ** 66
Victor-Hugo (Pl.)	**EZ**
Villars (R. D.)	**FYZ**
Voltaire (R.)	**FY** 68

LA TRONCHE

Chantourne (Bd de la)	**BV** 19
Grande-Rue	**BV**
Marquis-du-Grésivaudan (Av. des)	**BV**

MEYLAN

Vercors (Av. du)	**CV**
Verdun (Av. de)	**CV**

SEYSSINET-PARISET

Coubertin (Av. P. de)	**AX** 22
Desaire (Bd des Frères)	**AV** 23
Gaulle (Av. Gén.-de)	**AX** 35
République (Av. de la)	**AVX**
Tuilerie (R.)	**AX** 64
Victor-Hugo (Av.)	**AX** 67

SEYSSINS

Gaulle (Av.Gén.-de)	**AX** 36

ST-MARTIN-D'HÈRES

Antoine (R.)	**CX**
Cachin (Av. M.)	**BX**
Croizat (Av. A.)	**BCV**
Galochère (Av. de la)	**CX**
Jean-Jaurès (Av.)	**BCV**
Péri (Av. G.)	**BCV**
Potié (Av.)	**BX**
Prévert (Av. J.)	**CX**
Romain-Rolland (Av.)	**CX** 54

GRENOBLE

Alsace-Lorraine (Av.) .... **DYZ** 3	Belgrade (R. de) .... **EY** 9	Chenoise (R.) .... **EFY** 18
Barnavel (R.) .... **EFY** 5	Bistesi (R.) .... **FZ** 10	Clot-Bey (R.) .... **EYZ** 21
Bayard (R.) .... **FY** 6	Blanchard (R. P.) .... **EYZ**	Diables-Bleus (Bd des) ... **FZ** 24
Belgique	Bonne (R. de) .... **EZ** 12	Dr-Girard (Pl.) .... **FY** 26
(Av. Albert-1er-de) .... **EFZ** 7	Brenier (R. C.) .... **DY** 13	Driant (Bd Col.) .... **FZ** 27
	Brocherie (R.) .... **EY** 15	Dubedout (Pl. H.) .... **DY** 28
	Casimir-Périer (R.) ..... **EZ** 16	Fantin-Latour (R.) ...... **FZ** 32
	Champollion (R.) .... **FZ** 17	Flandrin (R. J.) .... **GZ** 33

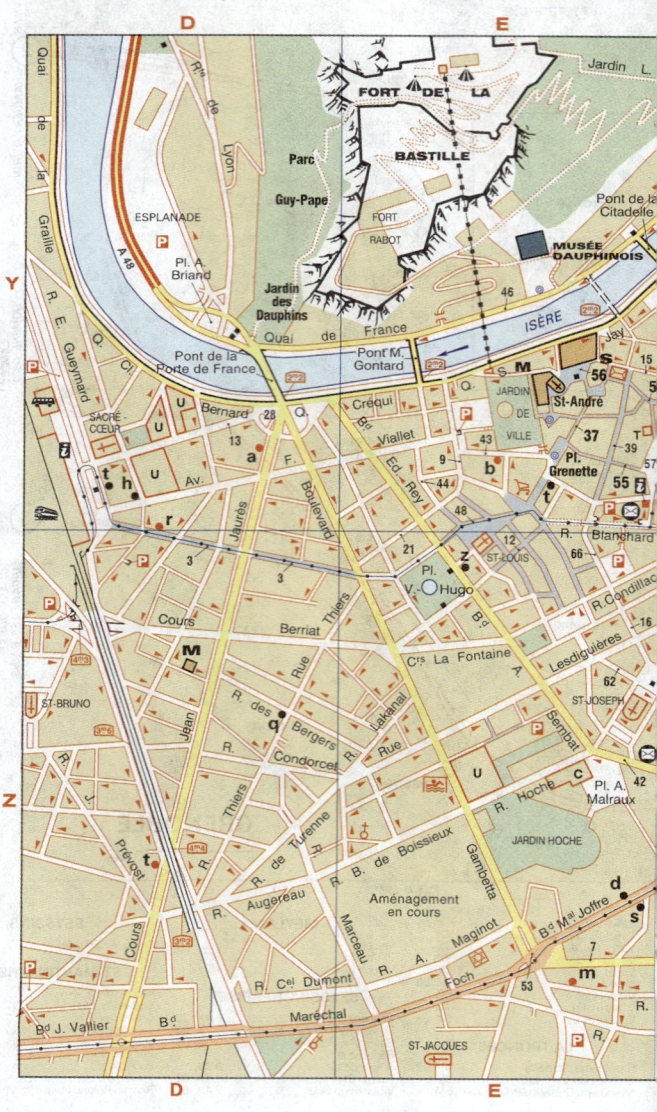

810

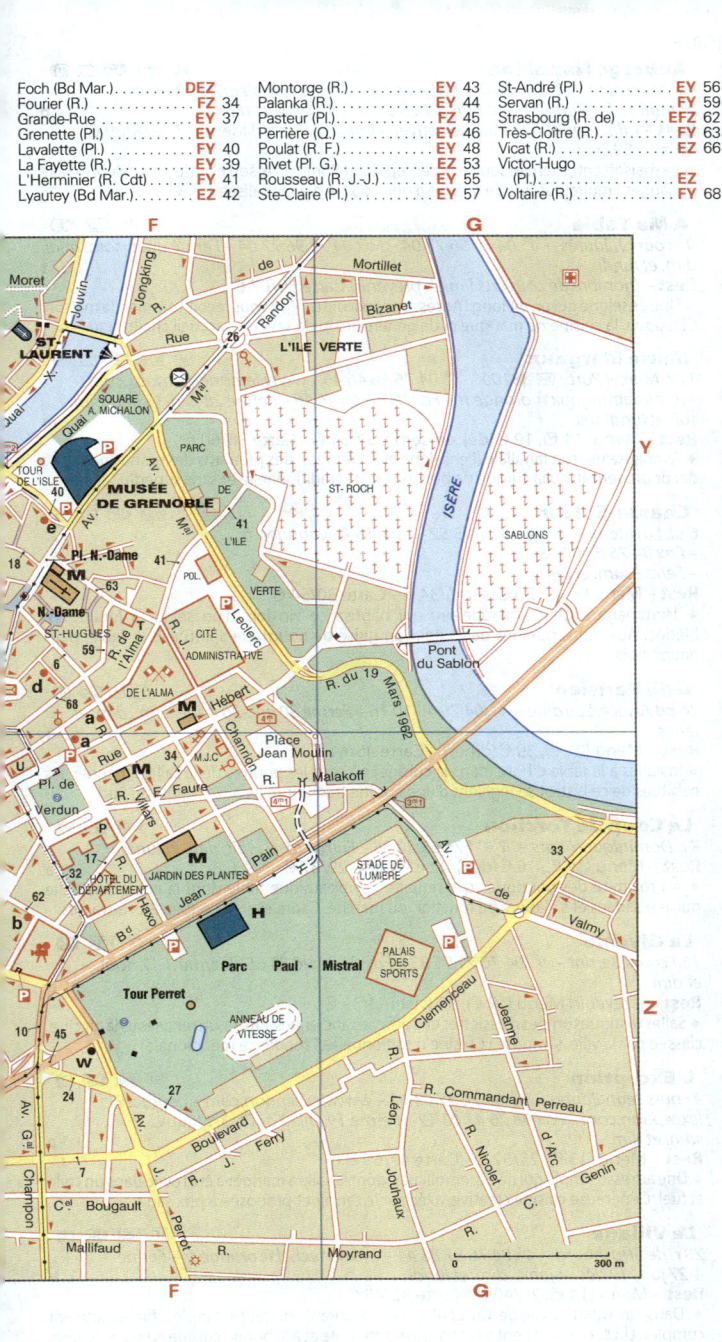

Street	Ref		Street	Ref		Street	Ref
Foch (Bd Mar.)	**DEZ**		Montorge (R.)	**EY** 43		St-André (Pl.)	**EY** 56
Fourier (R.)	**FZ** 34		Palanka (R.)	**EY** 44		Servan (R.)	**FY** 59
Grande-Rue	**EY** 37		Pasteur (Pl.)	**FZ** 45		Strasbourg (R. de)	**EFZ** 62
Grenette (Pl.)	**EY**		Perrière (Q.)	**EY** 46		Très-Cloître (R.)	**FY** 63
Lavalette (Pl.)	**FY** 40		Poulat (R. F.)	**EY** 48		Vicat (R.)	**EZ** 66
La Fayette (R.)	**EY** 39		Rivet (Pl. G.)	**EZ** 53		Victor-Hugo	
L'Herminier (R. Cdt)	**FY** 41		Rousseau (R. J.-J.)	**EY** 55		(Pl.)	**EZ**
Lyautey (Bd Mar.)	**EZ** 42		Ste-Claire (Pl.)	**EY** 57		Voltaire (R.)	**FY** 68

GRENOBLE

XXX Auberge Napoléon
AC VISA MC AE ①

7 r. Montorge – ℰ 04 76 87 53 64 – www.auberge-napoleon.fr – fcaby@wanadoo.fr – Fermé 1ᵉʳ-10 mai, 10-25 août, 5-12 janv. et dim. EY b

Rest – *(dîner seult) (nombre de couverts limité, prévenir)* Menu 47 €, 78/89 € – Carte 59/81 €

♦ La maison entretient le souvenir de Napoléon Bonaparte, son hôte le plus célèbre. Salle à manger Empire qui sert de théâtre à une cuisine personnalisée et inventive.

XX A Ma Table
AC VISA MC

92 cours J. Jaurès – ℰ 04 76 96 77 04 – Fax 04 76 96 77 04 – Fermé août, sam. midi, dim. et lundi DZ t

Rest – *(nombre de couverts limité, prévenir)* Carte 50/67 €

♦ Une enseigne qui en dit long ! Adresse minuscule où l'on vous reçoit comme à la maison. Classique, la cuisine ne manque ni de générosité ni de saveurs ; accueil chaleureux.

XX Marie Margaux
AC VISA MC AE ①

12 r. Marcel Porte ⊠ 38100 – ℰ 04 76 46 46 46 – www.lemariemargaux.com – lemariemargaux@orange.fr – Fax 04 76 46 46 46 – Fermé 28 juin-13 juil., dim. soir et lundi soir EZ m

Rest – Menu (11 €), 19 € (déj. en sem.), 32/51 € – Carte 36/60 €

♦ Avenante maison familiale (l'enseigne est la réunion des prénoms des grand-mères) au décor provençal, où la cuisine de poissons reste traditionnelle et sans superflu.

XX Chasse-Spleen
VISA MC AE ①

6 pl. Lavalette – ℰ 04 38 37 03 52 – escalier@wanadoo.fr – Fax 04 76 63 01 58 – Fermé sam. et dim. FY e

Rest – Menu (21 €), 26 € (sem.)/34 € – Carte 30/54 €

♦ Hommage à Charles Baudelaire qui baptisa ce vin lors d'un séjour à Moulis-en-Médoc. Aux murs, poèmes de l'auteur en guise de nourriture spirituelle. À table, plats dauphinois.

X Grill Parisien
VISA MC AE

34 bd Alsace-Lorraine – ℰ 04 76 46 10 16 – Fermé 30 juil.-30 août, sam., dim. et fériés DYZ r

Rest – Menu (21 €), 39 € (dîner) – Carte 45/61 €

♦ Installés à la table d'hôte (dans la cuisine) ou sous les poutres de la salle à manger, les habitués de ce bistrot se régalent d'une cuisine traditionnelle aux accents du Sud.

X Le Coup de Torchon
VISA MC ①

8 r. Dominique Villars – ℰ 04 76 63 20 58 – Fermé merc. soir, dim. et lundi

Rest – Menu (10 €), 16 € (déj.)/22 € – Carte 29/37 € FY a

♦ À proximité des boutiques d'antiquaires, sympathique table dont la cuisine actuelle puise ses idées et s'élabore en fonction du marché. Cadre clair et coquet. Prix attractifs.

X La Glycine
VISA MC

168 cours Berriat – ℰ 04 76 21 95 33 – Fax 04 76 96 58 65 – Fermé 3-17 août et dim. AV n

Rest – *(prévenir)* Menu (17 €), 33 € (sem.)/39 €

♦ Salles rustiques ornées d'assiettes et d'affiches anciennes. En été, un repas sous la glycine, classée par la ville, s'impose ! Cuisine traditionnelle à tendance méridionale.

X L'Exception
AC VISA MC AE

4 cours Jean-Jaurès – ℰ 04 76 47 03 12 – www.lexception.com – contact@lexception.com – Fax 04 76 47 03 12 – Fermé 19 juil.-3 août, 3-11 janv., sam. et dim. DY a

Rest – Menu (13 €), 25/52 € – Carte 47/69 €

♦ Une adresse simple qui ne désemplit pas, dont la salle à manger a été revue dans le style actuel. Généreuse cuisine créative, axée sur le terroir et proposée à prix sages.

X Le Village
AC VISA MC AE

20 r. de Strasbourg – ℰ 04 76 87 88 44 – gavet.michel@orange.fr – Fermé 4-27 juil., 19 déc.-4 janv., dim. et lundi FZ b

Rest – Menu (14 €), 26/40 € – Carte 32/45 €

♦ Dans un quartier-village du centre, ce restaurant au cadre simple affiche souvent complet. Un succès qui tient à l'ambiance conviviale et à la bonne cuisine au goût du jour.

GRENOBLE

à Corenc – 3 773 h. – alt. 450 m – ⌧ 38700

XX **La Corne d' Or** ≤ 🍽 P VISA ⦿ AE
*159 rte de Chartreuse, par ① : 3,5 km sur D 512 – ℰ 04 38 86 62 36
– www.cornedor.fr – info@cornedor.fr – Fax 04 38 86 62 37 – Fermé
16 août-6 sept., dim. soir, mardi et merc.*
Rest – Menu (18 €), 26 € (déj. en sem.), 40/78 € – Carte 63/89 €
◆ Les tables côté fenêtres et la terrasse ombragée offrent un joli panorama sur Grenoble et la chaîne de Belledonne. Carte au goût du jour qui s'inspire des grands chefs.

XX **Le Provence** 🍽 & AC ※ ⇔ VISA ⦿
*28 av. du Grésivaudan – ℰ 04 76 90 03 38 – www.leprovence.fr – contact@
leprovence.fr – Fax 04 76 90 46 13 – Fermé 27 juil.-25 août, lundi midi, sam. midi et
dim. soir* CV **x**
Rest – Menu (21 €), 26 € (déj. en sem.), 30/64 € – Carte 37/65 €
◆ Spécialités de poissons grillés (cuisinés à l'huile d'olive, comme en Provence... d'où l'enseigne) servies dans une jolie salle ensoleillée ou en terrasse, l'été.

à Eybens : 5 km – 9 454 h. – alt. 230 m – ⌧ 38320

🏨 **Château de la Commanderie** ⚜ 🚗 🍽
17 av. d'Échirolles – ℰ 04 76 25 34 58 🛋 📶 🛎 P VISA ⦿ AE ①
*– www.commanderie.fr – resa@commanderie.fr – Fax 04 76 24 07 31 – Fermé
20 déc.-3 janv.* BX **d**
43 ch – †119/150 € ††145/168 €, ⌧ 15 €
Rest – *(fermé vacances de la Toussaint, de Noël, sam. midi, dim. et lundi)*
Menu (28 € bc), 43/75 € – Carte 69/97 €
◆ Petit château – ex-commanderie des Templiers – dans un jardin arboré. Meubles ancestraux, portraits de famille et tapisseries d'Aubusson décorent ce lieu chargé d'histoire. Cuisine classique actualisée servie dans un cadre bourgeois ou sur la terrasse d'été.

à Bresson Sud par av. J. Jaurès : 8 km par D 269ᶜ – 705 h. – alt. 300 m – ⌧ 38320

XXX **Chavant** avec ch 🚗 🍽 🛋 AC 📶 🛎 P VISA ⦿ AE ①
*2 r. Emile Chavant – ℰ 04 76 25 25 38 – www.chavanthotel.com – chavant@
wanadoo.fr – Fax 04 76 62 06 55 – Fermé 9-17 août et 20-28 déc., sam. midi, dim.
soir et lundi*
5 ch – †120/140 € ††120/140 €, ⌧ 15 € – 2 suites
Rest – Menu 35 € (déj.), 52/120 € – Carte 68/100 €
◆ Auberge abritant une salle habillée de boiseries et une agréable terrasse donnant sur un jardin arboré. Cave à vins (vente et dégustation). Chambres spacieuses au décor désuet.

à Échirolles : 4 km – 35 700 h. – alt. 237 m – ⌧ 38130

🏨 **Dauphitel** 🍽 🛋 🏢 AC ⇄ 📶 🛎 P VISA ⦿ AE ①
*16 av. Kimberley – ℰ 04 76 33 60 60 – www.dauphitel.fr – info@dauphitel.fr
– Fax 04 76 33 60 00* AX **e**
68 ch – †68/115 € ††68/115 €, ⌧ 10 €
Rest – *(fermé 1ᵉʳ-23 août, 24 déc.-3 janv., sam., dim. et fériés)* Menu (22 €),
29 € (sem.)/35 € – Carte 29/45 €
◆ Cette construction moderne propose des chambres fonctionnelles, confortables et insonorisées, un équipement pour les séminaires... sans oublier une piscine bordée de verdure. Grande et lumineuse salle à manger, terrasse d'été et cuisine traditionnelle.

par la sortie ⑥ :

au Fontanil : 8 km par A 48, sortie 14 et D 1075 – 2 614 h. – alt. 210 m – ⌧ 38120

XX **La Queue de Cochon** 🍽 AC ⇔ P VISA ⦿ AE
*rte de Lyon – ℰ 04 76 75 65 54 – www.laqueuedecochon.fr – qcochon@
wanadoo.fr – Fax 04 76 75 76 85 – Fermé sam. midi, dim. soir et lundi*
Rest – buffet – Menu 28/59 € – Carte 35/75 €
◆ L'adresse est autant appréciée pour ses buffets et ses grillades que pour sa vaste terrasse verdoyante. Décor actuel agrémenté d'un vivier ; vaisselle sur le thème du cochon.

GRENOBLE
près échangeur A 48 sortie n° 12/13 : 12 km – ✉ 38340 Voreppe

Novotel
1625 rte de Veurey – ✆ 04 76 50 55 55 – www.novotel.com – h0423@accor.com
– Fax 04 76 56 76 26
114 ch – †69/135 € ††69/135 €, ⌑ 15 €
Rest – Menu (20 €), 24 € – Carte 28/40 €
♦ À la fois proches de l'autoroute et entourées de champs, grandes chambres confortables, en partie revues selon les dernières normes de la chaîne. Espace Novotel Café. Terrasse d'été face au jardin, cuisine traditionnelle et plats à la plancha.

GRÉOUX-LES-BAINS – 04 Alpes-de-Haute-Provence – 334 D10 — 40 B2
– 2 455 h. – alt. 386 m. – Stat. therm. : début mars-mi déc. – Casino
– ✉ 04800 ▮ Alpes du Sud

▶ Paris 783 – Aix-en-Provence 55 – Brignoles 52 – Digne-les-Bains 69 – Manosque 14

ℹ Office de tourisme, 5, avenue des Marronniers ✆ 04 92 78 01 08, Fax 04 92 78 13 00

La Crémaillère
rte de Riez – ✆ 04 92 70 40 04 – www.chainethermale.fr
– lacremaillere@chainethermale.fr – Fax 04 92 78 19 80 – Ouvert 22 mars-11 déc.
51 ch – †90/115 € ††90/140 €, ⌑ 17 € – ½ P 75/105 €
Rest – Menu 26/41 € – Carte environ 41 €
♦ Les chambres, avec balcon ou loggia, offrent un cadre contemporain coloré et lumineux qui laisse présager un séjour réussi à deux pas des thermes troglodytiques. La cuisine, comme le décor du restaurant, s'inspire de la Provence. Menu santé spécialement conçu pour les curistes.

Villa Borghèse
av. des Thermes – ✆ 04 92 78 00 91 – www.villa-borghese.com – villa.borghese@wanadoo.fr – Fax 04 92 78 09 55 – Ouvert 16 mars-7 déc.
67 ch – †59/154 € ††79/154 €, ⌑ 13 € – ½ P 78/117 €
Rest – Menu (21 €), 32 € – Carte 42/48 €
♦ Pas d'œuvres d'art dans cette "Villa Borghèse" tapissée d'ampélopsis, mais de grandes chambres très traditionnelles avec balcons. Sauna, espace beauté et club (cours de bridge). Restaurant comprenant une véranda ; carte classique à l'accent provençal.

La Chêneraie
Les Hautes Plaines, par av. Thermes – ✆ 04 92 78 03 23 – www.la-cheneraie.com
– contact@la-cheneraie.com – Fax 04 92 78 11 72 – Ouvert 1er mars à mi-nov.
20 ch – †60/82 € ††68/90 €, ⌑ 11 € – ½ P 55/76 €
Rest – Menu (16 €), 20/29 € – Carte 29/52 €
♦ Immeuble moderne érigé sur les hauteurs de la station, dans un paisible quartier résidentiel. Amples chambres fonctionnelles. Les larges baies de la salle à manger donnent sur la piscine, le vieux village et le château. Copieuse cuisine provençale.

Le Verdon
rte de Riez – ✆ 0 826 46 81 83 – www.chainethermale.fr – leverdon@chainethermale.fr – Fax 04 92 70 43 99 – Ouvert 2 mars-28 nov.
64 ch – †65/80 € ††65/80 €, ⌑ 14 € – ½ P 67/95 €
Rest – Menu (18 €), 24/45 €
♦ Cet hôtel abrite des chambres fraîches, pratiques et dotées de balcons ; elles sont tournées vers le village ou la garrigue. Agréable jardin avec terrain de pétanque. Vaste salle à manger actuelle et terrasse verdoyante.

Les Alpes
av. des Alpes – ✆ 04 92 74 24 24 – www.hoteldesalpes.fr – hoteldesalpes.greoux@wanadoo.fr – Fax 04 92 74 24 26 – Fermé janv.
26 ch ⌑ – †60/130 € ††80/135 € – ½ P 56/81 €
Rest – Menu 23/28 € – Carte 28/43 €
♦ Ce petit hôtel familial, dans un bâtiment au pied du château des Templiers, améliore peu à peu ses aménagements. Chambres pratiques et propres, dont cinq avec terrasse. Malgré son nom, le restaurant honore bel et bien la Provence. Tables dressées à l'ombre l'été.

GRESSE-EN-VERCORS – 38 Isère – 333 G8 – 360 h. – alt. 1 205 m — 45 C2
– Sports d'hiver : 1 300/1 700 m ⛷16 ⛸ – ⊠ 38650 ▌Alpes du Nord

▶ Paris 610 – Clelles 22 – Grenoble 48 – Monestier-de-Clermont 14 – Vizille 43
🛈 Office de tourisme, le Faubourg ✆ 04 76 34 33 40, Fax 04 76 34 31 26
◉ Col de l'Allimas ≤★ S : 2 km.

Le Chalet
– ✆ 04 76 34 32 08 – http://lechalet.free.fr – hotel.lechalet38@orange.fr
– Fax 04 76 34 31 06 – Fermé 9 mars-3 mai, 12 oct.-20 déc. et merc. midi sauf vacances scolaires
25 ch – ♦48/57 € ♦♦83 €, ⊇ 11 € – ½ P 65/85 €
Rest – Menu 21 € (sem.)/53 € – Carte 31/48 €

♦ Plutôt qu'un chalet, une maison dauphinoise ancienne, qui soigne ses visiteurs. Grandes chambres progressivement rénovées, parfois dotées d'une loggia. Généreuse cuisine traditionnelle servie dans une élégante salle à manger ou sur la jolie terrasse d'été.

GRESSY – 77 Seine-et-Marne – 312 F2 – 101 10 – voir à Paris, Environs

GRÉSY-SUR-ISÈRE – 73 Savoie – 333 K4 – 1 200 h. – alt. 350 m — 46 F2
– ⊠ 73460

▶ Paris 595 – Aiguebelle 12 – Albertville 18 – Chambéry 35
  – St-Jean-de-Maurienne 48
◉ Site★★ - Château de Miolans ≤★ : Tour St-Pierre ≤★★, souterrain de défense★ **Alpes du Nord**

La Tour de Pacoret avec ch
Nord-Est : 1,5 km par D 201 – ✆ 04 79 37 91 59 – www.hotel-pacoret-savoie.com
– info@hotel-pacoret-savoie.com – Fax 04 79 37 93 84 – Ouvert 1ᵉʳ mai-20 oct.
10 ch – ♦65/180 € ♦♦65/180 €, ⊇ 12 € – ½ P 70/115 €
Rest – (fermé merc. midi sauf juil.-août, lundi en oct. et mardi) Menu (15 €), 19/62 € – Carte 40/60 €

♦ Cette tour de guet édifiée en 1283 garde la Combe de Savoie. Lumineuse salle à manger, agréable terrasse avec vue sur les sommets environnants et cuisine traditionnelle.

GREZ-EN-BOUÈRE – 53 Mayenne – 310 F7 – 981 h. – alt. 85 m — 35 C1
– ⊠ 53290

▶ Paris 276 – Nantes 143 – Laval 35 – Angers 66 – La Flèche 43

Château de Chanay
4 km à l'Ouest par D 28 – ✆ 02 43 70 98 81 – www.chateau-de-chanay.com
– info@chateau-de-chanay.com
3 ch ⊇ – ♦75/105 € ♦♦85/115 € **Table d'hôte** – Menu 29 € bc

♦ Belle demeure située dans un parc boisé en pleine campagne a su conserver son précieux cachet ancien. Chambres personnalisées et confortables ; beau salon-bibliothèque. À la table d'hôte, on propose une cuisine maison, servie dans une salle à manger classique.

GRÈZES – 46 Lot – 337 G4 – 157 h. – alt. 312 m – ⊠ 46320 — 29 C1

▶ Paris 562 – Aurillac 84 – Cahors 50 – Figeac 21 – Rocamadour 37

Le Grézalide
– ✆ 05 65 11 20 40 – www.grezalide.com – chateaugrezes@wanadoo.fr
– Fax 05 65 11 20 41 – Ouvert 1ᵉʳ avril-30 sept.
19 ch – ♦77/97 € ♦♦77/97 €, ⊇ 10 € – ½ P 70/80 €
Rest – (dîner seult) Menu 28 €

♦ Au cœur d'un village du Quercy, une adresse qui vous entraîne sur les chemins de l'art au fil de chambres dédiées à des artistes (Dali, Rodin...), et d'un espace exposition. Une cuisine aux accents du terroir vous attend dans une jolie salle à manger voûtée.

LA GRIÈRE – 85 Vendée – 316 H9 – rattaché à La Tranche-sur-Mer

GRIGNAN – 26 Drôme – 332 C7 – 1 452 h. – alt. 198 m – ✉ 26230   44 B3
Provence

▶ Paris 629 – Crest 46 – Montélimar 25 – Nyons 25 – Orange 52
– Pont-St-Esprit 38

🛈 Office de tourisme, place du jeu de Ballon ℰ 04 75 46 56 75,
Fax 04 75 46 55 89

◉ Château★★ – Église St-Sauveur ※★.

Manoir de la Roseraie
chemin des Grands Prés, (rte Valréas)
– ℰ 04 75 46 58 15 – www.manoirdelaroseraie.com – roseraie.hotel@wanadoo.fr
– Fax 04 75 46 91 55 – Fermé en sem. du 13 fév. au 31 mai et du 14 sept. au 3 nov.
21 ch – †152/380 € ††152/380 €, ⊇ 20 €
Rest – (fermé le midi de juin à sept. sauf sam. et dim.) (prévenir) Menu (23 €),
35/58 € – Carte 54/69 € ℬ

♦ "Exquis", aurait pu écrire la Marquise à propos de ce manoir (19ᵉ s.) situé au pied du château. Chambres spacieuses, roseraie, belle piscine... L'élégante salle à manger, aménagée en rotonde, ouvre sa verrière sur le parc. Cuisine au goût du jour.

Le Clair de la Plume sans rest
pl. du Mail – ℰ 04 75 91 81 30 – www.clairplume.com – plume2@wanadoo.fr
– Fax 04 75 91 81 31
15 ch – †98/170 € ††98/170 €, ⊇ 14 €

♦ Séduisante demeure (18ᵉ s.) dotée de chambres provençales distribuées autour d'un jardin de curé. D'autres, tout aussi charmantes, occupent une seconde maison. Salon de thé.

La Bastide de Grignan sans rest
1 km par D 541 rte de Montélimar – ℰ 04 75 90 67 09
– www.lerelaisdegrignan.com – info@labastidedegrignan.com
– Fax 04 75 46 10 62
16 ch – †68/110 € ††68/110 €, ⊇ 12 €

♦ Cet établissement flambant neuf construit sur une ancienne garrigue truffière offre de coquettes chambres au décor provençal actuel.

La Table des Délices
1 km par D 541 rte de Montélimar – ℰ 04 75 46 57 22
– www.latabledesdelices.com – contact@latabledesdelices.fr – Fax 04 75 46 92 96
– Fermé mardi soir hors saison, dim. soir et lundi
Rest – Menu (25 €), 35/90 € – Carte 50/70 € ℬ

♦ Sur la route de la grotte de Mme de Sévigné, cuisine au goût du jour à apprécier dans une salle actuelle aux tons chauds ou à l'ombre des canisses. Bon choix de côtes-du-rhône.

Le Poème de Grignan
r. St-Louis – ℰ 04 75 91 10 90 – www.lepoemedegrignan.com – hervepoeme@aol.com – Fax 04 75 91 10 90
– Fermé 1 sem. en mars, 17-30 nov. et merc.
Rest – Menu 25 € (déj.), 28/48 € – Carte 52/66 €

♦ Restaurant de poche au décor provençal, situé dans une rue piétonne du vieux Grignan. Cuisine du marché et de saison, à consonance méridionale.

rte de Montélimar 4 km par D 541 et rte secondaire – ✉ 26230 Grignan

La Maison du Moulin
– ℰ 04 75 46 56 94 – www.maisondumoulin.com – maisondumoulin@wanadoo.fr – Fermé 24 oct.-5 nov. et 19 déc.-5 janv.
5 ch ⊇ – †65/140 € ††75/150 € – ½ P 65/92 €
Table d'hôte – Menu 30/50 € bc

♦ Moulin du 18ᵉ s. au bord d'une rivière. Chambres personnalisées par des meubles chinés, salle à manger lumineuse, jardin fleuri, piscine. Plats régionaux et cours de cuisine.

Hôtels et restaurants bougent chaque année.
Chaque année, changez de guide Michelin !

GRIMAUD – 83 Var – **340** O6 – **4 233 h.** – **alt. 105 m** – ✉ 83310 41 **C3**
Côte d'Azur

▶ Paris 861 – Fréjus 32 – Le Lavandou 32 – St-Tropez 12 – Ste-Maxime 12 – Toulon 64

🛈 Office de tourisme, 1, boulevard des Aliziers ☏ 04 94 55 43 83, Fax 04 94 55 72 20

◉ Château ≤★.

◉ Port Grimaud ★ : ≤★ 5 km.

La Boulangerie sans rest
2 km à l'Ouest par rte de Collobrières D14 – ☏ *04 94 43 23 16*
– *www.hotel-laboulangerie.com – hotelboulangerie@orange.fr*
– *Fax 04 94 43 38 27 – Ouvert Pâques-9 oct.*
10 ch – †115/119 € ††119/139 €, ⇆ 11 € – 2 suites
◆ Sur les hauteurs du village, agréable petit mas niché dans la verdure d'un parc où détente et bien-être sont au rendez-vous. Chambres d'esprit provençal, ambiance conviviale.

Le Verger Maelvi sans rest
2 km à l'Ouest par D 14 rte de Collobrières – ☏ *04 94 55 57 80*
– *www.hotel-grimaud.com – levergergrimaud@aol.com – Fax 04 94 43 33 92*
– *Ouvert 28 mars-9 nov.*
12 ch – †160/200 € ††160/350 €, ⇆ 16 €
◆ Ce mas situé au calme propose de confortables chambres contemporaines ou plus traditionnelles. L'été, copieux petit-déjeuner servi sous l'agréable pergola face à la piscine.

Athénopolis
3,5 km au Nord-Ouest par D 558, rte de La Garde-Freinet – ☏ *04 98 12 66 44*
– *www.athenopolis.com – hotel@athenopolis.com – Fax 04 98 12 66 40*
– *Ouvert 2 avril-31 oct.*
11 ch – †87/95 € ††99/130 €, ⇆ 10 € – ½ P 82/90 €
Rest – *(fermé merc. sauf juil.-août)* Menu (19 €), 24 € – Carte 32/50 €
◆ Dans le paysage méditerranéen – presque grec – du massif des Maures, maison aux volets bleus et chambres colorées avec loggia ou terrasse privative. Cuisine traditionnelle au restaurant.

Hostellerie du Coteau Fleuri
pl. des Pénitents – ☏ *04 94 43 20 17 – www.coteaufleuri.fr – coteaufleuri@wanadoo.fr – Fax 04 94 43 33 42 – Fermé 1er nov.-20 déc.*
14 ch – †46/115 € ††46/115 €, ⇆ 12 €
Rest – *(fermé le midi en juil.-août, lundi midi, vend. midi et mardi)* Menu (30 € bc), 45/125 € bc – Carte 58/75 €
◆ Ancienne magnanerie sur une placette pittoresque du vieux village. Les chambres, au décor monacal, sont sobres et bien tenues. Salle à manger plaisante avec cheminée monumentale et terrasse tournée vers le massif des Maures. Registre culinaire classique.

XXX Les Santons
rte Nationale – ☏ *04 94 43 21 02 – lessantons@wanadoo.fr – Fax 04 94 43 24 92*
– *Fermé 12 nov.-15 déc., jeudi midi en saison, merc. sauf le soir en hiver, lundi et mardi hors saison*
Rest – Menu (35 € bc), 56 € – Carte 80/150 €
◆ Auberge de caractère sur la rue principale du village. Le chef propose une cuisine classique dans un belle salle à manger rustique avec collection de santons, cuivres et fleurs.

XX La Bretonnière
pl. des Pénitents – ☏ *04 94 43 25 26 – Fax 04 94 43 25 26 – Fermé 15 nov.-29 déc., merc. soir et dim. hors saison*
Rest – Menu (22 €), 32/45 € – Carte 60/74 €
◆ Au cœur du bourg médiéval, ce restaurant séduit par sa carte traditionnelle et son atmosphère soignée, mariant le bois sombre (meubles Louis-Philippe) à un camaïeu de bleu.

GROISY – 74 Haute-Savoie – 328 K4 – 2 937 h. – alt. 690 m – ✉ 74570 — 46 F1

▸ Paris 534 – Annecy 17 – Bellegarde-sur-Valserine 40 – Bonneville 29 – Genève 37

XX Auberge de Groisy
34 rte du Chef-Lieu – ℰ 04 50 68 09 54 – www.auberge-groisy.com – Fax 04 50 68 09 54 – Fermé 1ᵉʳ-15 sept., dim. soir, lundi et mardi
Rest – *(nombre de couverts limité, prévenir)* Menu (20 €), 30/67 € – Carte 41/88 €
♦ Voisine de l'église, ferme du 19ᵉ s. habilement restaurée (poutres et pierres apparentes) et cuisine actuelle soignée : une sympathique halte champêtre.

GROIX (ÎLE DE) – 56 Morbihan – 308 K9 – voir à Île de Groix

GRUFFY – 74 Haute-Savoie – 328 J6 – 1 327 h. – alt. 570 m – ✉ 74540 — 46 F1

▸ Paris 545 – Aix-les-Bains 19 – Annecy 17 – Chambéry 36 – Genève 62

Aux Gorges du Chéran
au Pont de l'Abîme – ℰ 04 50 52 51 13 – www.gorgesducheran.com – savary.marc@wanadoo.fr – Fax 04 50 52 57 33 – Ouvert 1ᵉʳ avril-30 oct.
8 ch (½ P seult) – ½ P 65/74 € **Rest** – *(dîner seult) (résidents seult)* Menu 22 €
♦ Chambres calmes et lambrissées dans un établissement bénéficiant d'un remarquable arrière-plan : le pont métallique (1887) qui enjambe les gorges du Chéran. Copieuse cuisine traditionnelle inspirée par la région et carte snack. Belle terrasse panoramique.

GRUISSAN – 11 Aude – 344 J4 – 4 267 h. – alt. 2 m – Casino – ✉ 11430 — 22 B3
Languedoc Roussillon

▸ Paris 796 – Carcassonne 73 – Narbonne 15 – Perpignan 76

🛈 Office de tourisme, 1, boulevard du Pech-Maynaud ℰ 04 68 49 09 00, Fax 04 68 49 33 12

Le Phoebus
bd Sagne, (au casino) – ℰ 04 68 49 03 05 – www.phoebus-sa.com – hotel.lephoebus@casinos-sfc.com – Fax 04 68 49 07 67
50 ch – ♦79/105 € ♦♦92/118 €, ☐ 10 €
Rest – Menu (14 €), 20/45 € – Carte 25/40 €
♦ Intégrées au complexe du casino, confortables chambres de type motel, décorées selon des thèmes originaux : "Sud", "Pescador", "Chalet", etc. Jardinets en rez-de-chaussée. Restaurant au cadre actuel complété en été par une formule grill au bord de la piscine.

Accueil de la Plage sans rest
13 r. Bernard l'Hermite, à la plage des Chalets – ℰ 04 68 49 00 75 – www.hotel-de-la-plage.com – accueildelaplage@hotmail.fr – Fax 04 68 49 00 75 – Ouvert 1ᵉʳ avril-1ᵉʳ nov.
17 ch ☐ – ♦53/61 € ♦♦62/66 €
♦ Dans une ruelle au calme, à 2 minutes des maisons sur pilotis immortalisées par le film "37°2 le matin", chambres sobres, bien tenues et dotées d'un balcon. Accueil sympathique.

XX L'Estagnol
12 av. Narbonne – ℰ 04 68 49 01 27 – Ouvert avril à fin sept. et fermé dim. soir sauf juil.-août, mardi midi de sept. à juin et lundi
Rest – Menu 16 € (déj. en sem.), 25/31 € – Carte 28/42 €
♦ Une adresse authentique et sincère dans une ex-maison de pêcheur : décor provençal, petite terrasse face à l'étang et cuisine régionale axée sur le poisson, simple et bonne.

LE GUA – 17 Charente-Maritime – 324 E5 – 1 920 h. – alt. 3 m — 38 B3
– ✉ 17600

▸ Paris 493 – Bordeaux 126 – Rochefort 26 – La Rochelle 63 – Royan 16

🛈 Syndicat d'initiative, 28, rue Saint-Laurent ℰ 05 46 23 17 28, Fax 05 46 23 17 28

LE GUA

Le Moulin de Châlons avec ch ␣␣␣ ch, P P VISA MC AE
à Châlons, 1 km à l'Ouest par rte de Royan – ℰ 05 46 22 82 72
– www.moulin-de-chalons.com – moulin-de-chalons@wanadoo.fr
– Fax 05 46 22 91 07
10 ch ⌑ – †100/160 € ††100/160 €, ⌑ 13 €
Rest – Menu 28/48 € – Carte 40/80 €

◆ Appétissante cuisine au goût du jour et chaleureux décor rustico-bourgeois (pierres et poutres apparentes) dans un authentique moulin à marée du 18ᵉ s. Les chambres, toutes joliment rénovées, donnent sur le parc bucolique.

GUEBERSCHWIHR – 68 Haut-Rhin – 315 H8 – 836 h. – alt. 260 m
1 **A2**
– ✉ 68420 ▌Alsace Lorraine

▶ Paris 487 – Colmar 12 – Guebwiller 18 – Mulhouse 36 – Strasbourg 92

Relais du Vignoble ⌑ ␣␣␣ ch, P VISA MC AE
33 r. Forgerons – ℰ 03 89 49 22 22 – www.relaisduvignoble.com
– relaisduvignoble@wanadoo.fr – Fax 03 89 49 27 82 – Fermé 1ᵉʳ fév.-1ᵉʳ mars
30 ch ⌑ – †60/65 € ††64/68 € – ½ P 65/68 €
Rest *Belle Vue* – ℰ 03 89 49 31 09 (fermé jeudi midi et merc.) Menu 16/38 €
– Carte 31/44 €

◆ Étape "spiritueuse" : la grande bâtisse jouxte la cave familiale et la plupart des chambres, désuètes mais bien tenues, donnent sur les vignes. Salle de séminaires. Plats traditionnels et vins du domaine à déguster sur la terrasse panoramique aux beaux jours.

GUEBWILLER ⌑ – 68 Haut-Rhin – 315 H9 – 11 500 h. – alt. 300 m
1 **A3**
– ✉ 68500 ▌Alsace Lorraine

▶ Paris 474 – Belfort 52 – Colmar 27 – Épinal 96 – Mulhouse 24
– Strasbourg 107

🛈 Office de tourisme, 73, rue de la République ℰ 03 89 76 10 63,
Fax 03 89 76 52 72

◉ Église St-Léger★ : façade Ouest★★ - Intérieur★★ de l'église N.-Dame★ :
Maître-Hôtel★★ - Hôtel de ville★ - Musée du Florival★.

◉ Vallée de Guebwiller★★ NO.

Domaine du Lac ␣␣␣ ch, AC P VISA MC AE
244 r. de la République, vers Buhl – ℰ 03 89 76 15 00
– www.domainedulac-alsace.com – contact@domainedulac-alsace.com
– Fax 03 89 74 14 63
68 ch – †41/75 € ††41/75 €, ⌑ 9 €
Rest *Les Terrasses* – ℰ 03 89 76 15 76 (fermé sam. midi) Menu (17 €), 20 € (déj. en sem.), 28/45 € – Carte 33/43 €

◆ Au sein de ce domaine, un premier hôtel aux chambres épurées et un second tout récent, l'Hôtel des Rives, à l'esprit cosy et contemporain. Belle vue sur le lac ou le ruisseau à l'arrière. Restaurant au décor design et terrasse embrassant le panorama. La carte, actuelle, fait honneur aux spécialités locales.

L'Ange ␣␣␣ P VISA MC AE
4 r. de la Gare – ℰ 03 89 76 22 11 – www.hotel-ange.com – hoteldelange@wanadoo.fr – Fax 03 89 76 50 08
36 ch – †45/58 € ††65/78 €, ⌑ 9 € – ½ P 62/70 €
Rest – (fermé sam. midi) Menu (10 €), 23/36 € – Carte 28/45 €

◆ L'enseigne – sauf coïncidence – et un élévateur en guise d'ascenseur témoignent que l'hôtel fut autrefois une maternité. Chambres fonctionnelles autour d'un puits de lumière. Recettes italo-alsaciennes au restaurant ; optez plutôt pour la jolie terrasse ombragée.

à Murbach 5 km au Nord-Ouest par D 40ᴵᴵ – 136 h. – alt. 420 m – ✉ 68530

◉ Église★★.

Hostellerie St-Barnabé sans rest ⌑ ␣␣␣ rest,
53 r. de Murbach – ℰ 03 89 62 14 14 ␣␣␣ P VISA MC AE
– www.hostellerie-st-barnabe.com – hostellerie.st.barnabe@wanadoo.fr
– Fax 03 89 62 14 15 – Fermé 24-26 déc. et 6 janv.-6 fév.
26 ch – †68/195 € ††80/207 €

◆ Cette demeure alsacienne et son jardin égayent le pittoresque vallon de Murbach. Quelques chambres redécorées dans un style actuel et coloré. Confortable salon.

GUEBWILLER

Le Schaeferhof
6 r. de Guebwiller – ℰ 03 89 74 98 98 – www.schaeferhof.fr – maisondhotes@schaeferhof.fr – Fax 03 89 74 98 99 – Fermé 10-30 janv.
4 ch ⇌ – †110/125 € ††130/145 €   **Table d'hôte** – Menu 40 € (sem.)/130 €
◆ La restauration de cette métairie du 18ᵉ s. est une vraie réussite. Chambres de belle qualité (coin salon, écran plat, douche à jet) où chaque détail a été soigneusement pensé. Cuisine alsacienne actualisée et bon choix de vins. Petit-déjeuner "maison".

à Rimbach-près-Guebwiller 11 km à l'Ouest par D 5ⁱ – 243 h. – alt. 550 m – ⌧ 68500

L'Aigle d'Or avec ch
5 r. Principale – ℰ 03 89 76 89 90 – www.hotelaigledor.com – hotelmarck@aol.com – Fax 03 89 74 32 41 – Fermé 23 fév.-23 mars
15 ch – †28/35 € ††35/53 €, ⇌ 8 € – ½ P 38/52 €
Rest – (fermé lundi de mi-juil. à mi-sept.) Menu (10 €), 17/35 € – Carte 27/52 €
◆ Auberge familiale toute simple, idéale pour retrouver quiétude et authenticité. Petits plats du terroir servis dans une salle champêtre près d'une cheminée. Ravissant jardin. Chambres sobres et bien tenues.

GUÉCÉLARD – 72 Sarthe – 310 J7 – 2 689 h. – alt. 45 m – ⌧ 72230   35 **C1**

▸ Paris 219 – Château-du-Loir 38 – La Flèche 26 – Le Grand-Lucé 38 – Le Mans 19

La Botte d'Asperges
49 r. Nationale – ℰ 02 43 87 29 61 – Fax 02 43 87 29 61
– Fermé 9-23 mars, 3-24 août, dim. soir et lundi sauf fériés
Rest – Menu 18/52 € – Carte 45/70 €
◆ Ancien relais de poste au centre du village. Recettes de tradition avec les fameuses asperges locales (en saison) dans une salle ornée de fresques et de tableaux à motifs floraux.

GUENROUËT – 44 Loire-Atlantique – 316 E2 – 2 833 h. – alt. 30 m   34 **A2**
– ⌧ 44530

▸ Paris 430 – Nantes 56 – Redon 21 – St-Nazaire 41 – Vannes 72

Relais St-Clair
31 r. de l'Isac, (rte de Nozay) – ℰ 02 40 87 66 11 – www.relais-saint-clair.com
– contact@relais-saint-clair.com – Fax 02 40 87 71 01 – Fermé 1ᵉʳ-8 déc., 4-11 janv., mardi soir, merc. soir et lundi
Rest – Menu (25 € bc), 32/68 € – Carte 45/66 €
Rest *Le Jardin de l'Isac* – buffet Menu (10 €), 13 € (déj. en sem.)/20 €
– Carte 23/31 €
◆ Décor rajeuni, table de tradition et bon choix de vins de Loire au 1ᵉʳ étage de cette bâtisse fleurie voisinant avec le canal de Nantes à Brest et une petite base de loisirs. Grillades et buffets (entrées, desserts) au Jardin de l'Isac. Glycine en terrasse.

Le Paradis des Pêcheurs
au Cougou, 5 km au Nord-Ouest par D 102 – ℰ 02 40 87 64 10
– leparadisdespecheurs@wanadoo.fr – Fax 02 40 87 64 10 – Fermé vacances de la Toussaint, de fév., lundi soir, mardi soir, jeudi soir et merc.
Rest – Menu (12 €), 22 € (sem.)/35 € – Carte 37/44 €
◆ Dans un hameau tranquille de l'Argoat, maison des années 1930 entourée de pins et châtaigniers. Boiseries d'époque dans le bar et la salle à manger. Recettes traditionnelles.

GUÉRANDE – 44 Loire-Atlantique – 316 B4 – 15 300 h. – alt. 54 m   34 **A2**
– ⌧ 44350 ▮ Bretagne

▸ Paris 450 – La Baule 6 – Nantes 77 – St-Nazaire 20 – Vannes 69
▸ Office de tourisme, 1, place du Marché au Bois ℰ 02 40 24 96 71, Fax 02 40 62 04 24
◉ Collégiale St-Aubin★.

GUÉRANDE

Les Voyageurs
12 bd de l'Abreuvoir – ℘ 02 40 24 90 13 – contact@hotel-voyageurs.fr
– *Fax 02 40 62 06 64 – Fermé 22 déc.-19 janv.*
12 ch – †51/57 € ††51/57 €, ⊇ 7 € – ½ P 56 €
Rest – *(fermé dim. soir et lundi)* Menu (10 €), 14 € (sem.)/35 € – Carte 34/52 €
♦ Cette maison ancienne se dresse extra-muros, face aux murailles. La touche rétro du décor fait partie de son charme. Chambres bien entretenues et dotées d'une literie récente. Quatre salles rustiques et des plats traditionnels très simples attendent les voyageurs.

La Guérandière sans rest
5 r. Vannetaise – ℘ 02 40 62 17 15 – www.guerandiere.com
– *contact@guerandiere.com*
7 ch – †59/79 € ††59/89 €, ⊇ 10 €
♦ Demeure du 19ᵉ s. pleine de charme, au pied des remparts. Chambres cosy et colorées, plusieurs avec cheminée. L'été, petits-déjeuners servis dans le jardin ou sous la verrière.

Les Remparts avec ch
bd Nord – ℘ 02 40 24 90 69 – *Fax 02 40 62 17 99 – Hôtel : ouvert 15 mars-15 nov. et fermé dim. et lundi sauf août ; rest : fermé 15 déc.-15 janv., 15-20 fév. et le soir du 15 nov. au 15 mars, dim. soir et lundi sauf août*
8 ch – †48 € ††48 €, ⊇ 6,50 € – ½ P 52 € **Rest** – Menu (14 €), 17 € (sem.)/41 €
♦ Face aux remparts, restaurant proposant mets classiques et poissons, saupoudrés, bien sûr, de sel de Guérande. Petites chambres ultra-simples et désuettes, mais calmes.

Le Balzac
2 pl. du Vieux Marché – ℘ 02 40 42 97 46 – *Fax 02 51 76 92 71 – Fermé 9-20 mars, 6-21 nov., dim. soir, merc. soir sauf juil.-août et jeudi*
Rest – Menu (14 €), 17/35 € – Carte 30/52 €
♦ Sur une placette derrière la collégiale, maison traditionnelle bretonne aux volets rouges. Cuisine au goût du jour teintée de tradition, à apprécier dans un décor frais et soigné.

LA GUERCHE-DE-BRETAGNE – 35 Ille-et-Vilaine – 309 O7 – 10 **D2**
4 163 h. – alt. 77 m – ⊠ 35130 ▌Bretagne

▶ Paris 324 – Châteaubriant 30 – Laval 53 – Redon 84 – Rennes 55 – Vitré 22
ℹ Office du tourisme, 30, rue Du Guesclin ℘ 02 99 96 30 78, Fax 02 99 96 41 43

La Calèche avec ch
16 av. Gén. Leclerc – ℘ 02 99 96 21 63 – www.restaurant-la-caleche.com
– *contact@lacaleche.com – Fax 02 99 96 49 52 – Fermé 2-25 août, 25-31 déc., lundi sauf hôtel, vend. soir et dim. soir*
12 ch – †49 € ††60 €, ⊇ 11 € – ½ P 67 €
Rest – Menu (13 €), 15 € (sem.), 26/35 € – Carte 31/69 €
♦ Généreuse cuisine du terroir servie dans une sobre salle à manger complétée par une véranda et un petit espace bistrot. Chambres fonctionnelles.

GUÉRET P – 23 Creuse – 325 I3 – 13 900 h. – alt. 457 m – ⊠ 23000   25 **C1**
▌Limousin Berry

▶ Paris 351 – Châteauroux 90 – Limoges 93 – Montluçon 66
ℹ Office de tourisme, 1, rue Eugène France ℘ 05 55 52 14 29, Fax 05 55 41 19 38
◉ Émaux Champlevés ★ du musée d'art et d'archéologie de la Sénatorerie.

Le Coq en Pâte
2 r. de Pommeil – ℘ 05 55 41 43 43 – *Fax 05 55 41 43 42 – Fermé 1ᵉʳ-15 juin, 22 oct.-5 nov., dim. soir hors saison et lundi soir*
Rest – Menu 17 € (sem.)/56 € – Carte 50/100 €
♦ Dans cette maison bourgeoise (19ᵉ s.) joliment restaurée ou sur sa terrasse regardant un agréable jardin arboré, on savoure avec plaisir une cuisine actuelle généreuse et soignée.

GUÉRET

à Ste-Feyre 7 km à l'Est – 2 250 h. – alt. 450 m – ⌧ 23000

XX Les Touristes-Michel Roux AK VISA MC
1 pl. de la mairie – ℰ 05 55 80 00 07 – Fax 05 55 81 11 04 – *Fermé merc. soir, dim. soir et lundi*
Rest – Menu (15 €), 17 € (sem.)/28 € – Carte 40/60 €
♦ Bâtisse régionale au centre d'un village de la Haute-Marche. Décor coloré et fleuri dans la salle à manger ornée d'une belle armoire à épices. Cuisine du marché.

GUÉRY (LAC DE) – 63 Puy-de-Dôme – 326 D9 – rattaché au Mont-Dore

GUÉTHARY – 64 Pyrénées-Atlantiques – 342 C4 – 1 284 h. – alt. 15 m   3 A3
– ⌧ 64210 ▌Pays Basque
▶ Paris 780 – Bayonne 19 – Biarritz 9 – Pau 125 – St-Jean-de-Luz 7
▮ Office de tourisme, 74, rue du Comte de Swiecinski ℰ 05 59 26 56 60, Fax 05 59 54 92 67

Villa Catarie *sans rest* ⛉ ⌂ ⌸ & P VISA MC AE ①
415 av. Gén. de Gaulle – ℰ 05 59 47 59 00 – www.villa-catarie.com – hotel@villa-catarie.com – Fax 05 59 47 59 02 – *Fermé 6 nov.-18 déc. et 4 janv.-12 fév.*
14 ch – †125/185 € ††125/185 €, ⌧ 12 € – 2 suites
♦ Cette ravissante demeure basque, construite en 1830, possède d'élégantes chambres cosy décorées de tons pastel et de beaux meubles anciens. Coquette salle des petits-déjeuners.

Brikéténia ≤ ⌂ ⌸ & AK rest, P VISA MC AE
r. de l'Eglise – ℰ 05 59 26 51 34 – www.briketenia.com – briketenia@orange.fr – Fax 05 59 54 71 55
16 ch – †65/95 € ††70/95 €, ⌧ 10 €
Rest – Menu 33 € (déj. en sem.), 52/78 € – Carte 35/57 €
♦ Deux belles maisons du 17ᵉ s. à l'architecture typique. Celle aux volets rouges abrite des chambres en partie dotées de mobilier ancien. Salon convivial. Confortable restaurant à l'atmosphère bourgeoise et cossue, dans la seconde maison, refaite à neuf. Cuisine actuelle.

Arguibel *sans rest* ⁋ P VISA MC AE
1146 chemin de Laharraga – ℰ 05 59 41 90 46 – www.arguibel.fr – contact@arguibel.fr – Fax 05 59 41 98 87
5 ch – †100/250 € ††110/270 €, ⌧ 15 €
♦ Superbe villa de style néo-basque. L'intérieur, très raffiné, marie objets design, meubles traditionnels et toiles d'artistes locaux. Chambres au décor inspiré par des personnalités.

LE GUÉTIN – 18 Cher – 323 O5 – ⌧ 18150   12 D3
▶ Paris 252 – Bourges 58 – La Guerche-sur-l'Aubois 11 – Nevers 13 – St-Pierre-le-Moutier 29

X Auberge du Pont-Canal ⌂ VISA MC
37 r. des Ecluses – ℰ 02 48 80 40 76 – Fax 02 48 80 45 11 – *Fermé 2-10 janv., dim. soir du 30 oct.-30 avril et lundi*
Rest – Menu 13 € (déj. en sem.), 20/36 € – Carte 31/45 €
♦ Auberge familiale jouxtant le pont de l'Allier. Rénovation de la salle principale et de la véranda, ouverte sur la campagne. Cuisine traditionnelle ; friture pêchée à l'ancienne.

GUEUGNON – 71 Saône-et-Loire – 320 E10 – 7 910 h. – alt. 243 m   7 B3
– ⌧ 71130
▶ Paris 335 – Bourbon-Lancy 27 – Mâcon 87 – Montceau-les-Mines 29 – Moulins 63

Du Centre AK rest, ⛉ P VISA MC
34 r. de la Liberté – ℰ 03 85 85 21 01 – www.hotel-centre.com – Fax 03 85 85 02 67
18 ch – †40 € ††50 €, ⌧ 6 € – ½ P 45 €
Rest – *(fermé dim. soir)* Menu 16/30 € – Carte 30/48 €
♦ Cet hôtel familial bordant la rue principale de la cité des Forgerons renferme des chambres pratiques retrouvant peu à peu l'éclat du neuf. Salles au décor rustico-bourgeois où l'on mange dans une ambiance vieille France attachante.

GUEWENHEIM – 68 Haut-Rhin – 315 G10 – 1 205 h. – alt. 323 m — 1 A3
– ✉ 68116

▶ Paris 458 – Altkirch 23 – Belfort 36 – Mulhouse 21 – Thann 9

De la Gare
2 r. Soppe – ✆ 03 89 82 51 29 – Fax 03 89 82 84 62 – *Fermé 22 juil.-13 août, 16 fév.-5 mars, mardi soir et merc.*
Rest – Menu (10 €), 28/45 € – Carte 30/55 €
◆ Un ancien café de village, fort sympathique, tenu par la même famille depuis quatre générations. Plats traditionnels et du terroir. La superbe carte des vins mérite le voyage.

GUIDEL – 56 Morbihan – 308 K8 – 9 682 h. – alt. 38 m – ✉ 56520 — 9 B2
▶ Paris 511 – Quimper 60 – Lorient 14 – Pont-Aven 26 – Quimperlé 12
🛈 Office de tourisme, 9, rue Saint-Maurice ✆ 02 97 65 01 74, Fax 02 97 65 09 36

Le Domaine de Kerbastic
rte de Locmaria – ✆ 02 97 65 98 01 – www.domaine-de-kerbastic.com – info@domaine-de-kerbastic.com – Fax 02 97 65 01 30
– *Fermé 30 nov.-14 fév.*
15 ch – †160/385 € ††160/385 €, ⊇ 17 €   **Rest** – Menu 37/52 €
◆ Cette magnifique propriété princière constitue un véritable écrin dédié à l'art. Des souvenirs d'hôtes illustres (Cocteau, Stravinsky...) décorent les chambres personnalisées. Table traditionnelle dressée dans une salle à manger bourgeoise et raffinée.

GUIGNIÈRE – 37 Indre-et-Loire – 317 M4 – rattaché à Tours

GUILHERAND-GRANGES – 07 Ardèche – 331 L4 – rattaché à Valence (26 Drôme)

GUILLESTRE – 05 Hautes-Alpes – 334 H5 – 2 276 h. – alt. 1 000 m — 41 C1
– ✉ 05600 ▌Alpes du Sud

▶ Paris 715 – Barcelonnette 51 – Briançon 36 – Digne-les-Bains 114 – Gap 61
🛈 Office de tourisme, place Salva ✆ 04 92 45 04 37, Fax 04 95 45 19 09
◉ Porche★ de l'église - Pied-la-Viste ≤★ E : 2 km - Peyre-Haute ≤★ S : 4 km puis 15 mn.
◉ Combe du Queyras★★ NE : 5,5 km.

Dedans Dehors
ruelle Sani – ✆ 04 92 44 29 07 – albandedansdehors@yahoo.fr – *Ouvert mi-mai-fin sept.*
Rest – Carte 28/38 €
◆ Une ruelle médiévale dessert cette cave voûtée où tartines, salades et cuisine à la plancha connotées terroir combleront votre appétit dans un cadre bistrotier éclectique et chamarré.

à Mont-Dauphin gare 4 km au Nord-Ouest par D 902^A et N 94 – 87 h. – alt. 1 050 m
– ✉ 05600

🛈 Office de tourisme, rue Rouget de Lisle ✆ 04 92 45 17 80
◉ Charpente★ de la caserne Rochambeau.

Lacour et rest. Gare
– ✆ 04 92 45 03 08 – www.hotel-lacour.com
– renseignement@hotel-lacour.com – Fax 04 92 45 40 09 – *Fermé sam. du 20 avril au 30 juin et du 1er sept. au 26 déc.*
46 ch – †35/65 € ††35/65 €, ⊇ 7,50 € – ½ P 39/55 €
Rest – Menu (12 €), 16/31 € – Carte 16/45 €
◆ En contrebas des fortifications de Mont-Dauphin, cet hôtel familial et son annexe offrent des chambres d'un confort simple, plus au calme côté jardin. Restaurant au cadre contemporain, aménagé dans un autre bâtiment agrémenté d'un cadran solaire en façade.

GUILLIERS – 56 Morbihan – 308 Q6 – 1 288 h. – alt. 86 m – ✉ 56490

- Paris 418 – Dinan 66 – Lorient 91 – Ploërmel 13 – Rennes 69 – Vannes 59

Au Relais du Porhoët
11 pl. de l'Église – ℰ 02 97 74 40 17 – www.aurelaisduporhoet.com
– aurelaisduporhoet@wanadoo.fr – Fax 02 97 74 45 65
– Fermé 4-18 janv.
12 ch – †39/50 € ††44/58 €, ⊇ 8 €
Rest – (fermé lundi sauf le soir en juil.-août et dim. soir) Menu (11 €), 14 € (sem.), 20/43 € – Carte 28/42 €

♦ La façade fleurie de cet hôtel est avenante en saison. Elle cache d'agréables chambres insonorisées, réservées aux non-fumeurs. Une cheminée monumentale réchauffe l'une des salles de restaurant où l'on sert une goûteuse cuisine régionale.

GUINGAMP – 22 Côtes-d'Armor – 309 D3 – 7 724 h. – alt. 81 m – ✉ 22200 ▌Bretagne

- Paris 484 – Carhaix-Plouguer 49 – Lannion 32 – Morlaix 53 – St-Brieuc 32
- Office de tourisme, place Champ au Roy ℰ 02 96 43 73 89, Fax 02 96 40 01 95
- de Bégard à Bégard Krec'h An Onn, par rte de Lannion : 13 km, ℰ 02 96 45 32 64
- Basilique N.D.-de-Bon-Secours★ B.

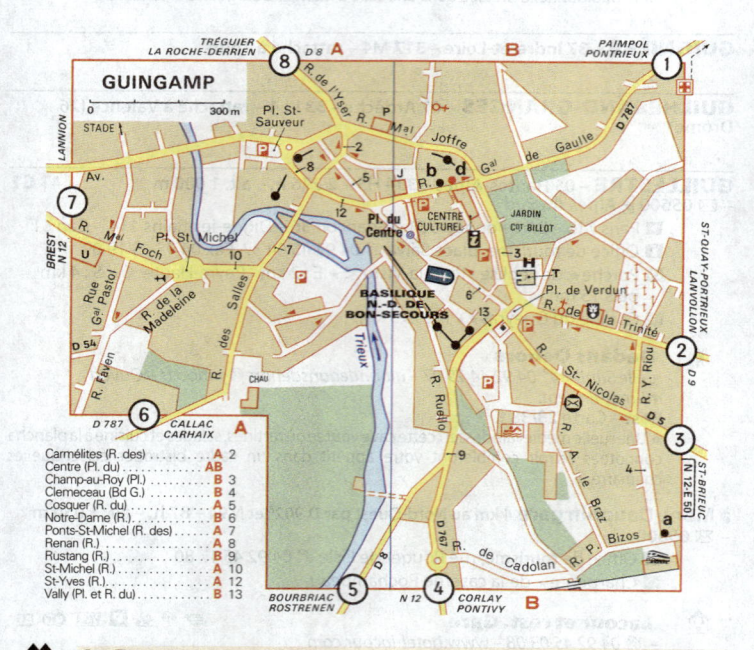

GUINGAMP

Carmélites (R. des)	A 2
Centre (Pl. du)	AB
Champ-au-Roy (Pl.)	B 3
Clemenceau (Bd G.)	B 4
Cosquer (R. du)	A 5
Notre-Dame (R.)	B 6
Ponts-St-Michel (R. des)	A 7
Renan (R.)	A 8
Rustang (R.)	B 9
St-Michel (R.)	A 10
St-Yves (R.)	A 12
Vally (Pl. et R. du)	B 13

La Demeure sans rest
5 r. Gén.de Gaulle – ℰ 02 96 44 28 53 – www.demeure-vb.com
– contact-demeure@wanadoo.fr – Fax 02 96 44 45 54 – Fermé 22-27 juin, 31 août-5 sept. et 1er-15 janv.
B b
10 ch – †66/119 € ††85/169 €, ⊇ 9 €

♦ En centre-ville, ancienne maison de notable (18e s.) vous hébergeant dans de vastes chambres pourvues de meubles de style. Petit-déjeuner dans une véranda ouverte sur le jardin.

GUINGAMP

De l'Arrivée sans rest
19 bd Clemenceau, (face à la gare) – ℰ 02 96 40 04 57 – www.hotel-arrivee.com
– hoteldelarrivee.guingamp@wanadoo.fr   B a
28 ch – †42/80 € ††56/95 €, ⊇ 8 €
♦ L'enseigne évoque la proximité de la gare ferroviaire. À l'arrivée ou au départ de Guingamp, cet hôtel s'avère pratique avec ses chambres sans ampleur mais bien rénovées.

La Boissière
90 r. Yser, 1 km par ⑧ – ℰ 02 96 21 06 35 – www.restaurant-la-boissiere.com
– Fax 02 96 21 13 38 – Fermé 1ᵉʳ-14 mars, 17 août-6 sept., sam. midi, dim. soir et lundi
Rest – Menu (13 €), 16 € (déj. en sem.), 23/60 € – Carte 42/63 €
♦ Maison de maître centenaire nichée dans son parc. Deux plaisantes salles à manger bourgeoises servent de cadre à une cuisine traditionnelle qui évolue au gré des saisons.

Le Clos de la Fontaine
9 r. Gén. de Gaulle – ℰ 02 96 21 33 63 – Fax 02 96 21 29 78 – Fermé 10-25 juil.,
15-28 fév., dim. soir et lundi   B d
Rest – Menu (13 €), 28/46 € – Carte 40/67 €
♦ Restaurant vous conviant à un repas traditionnel actualisé dans l'une de ses deux salles classiquement aménagées, avec parquet et pierres apparentes, ou sur sa terrasse-patio.

> Une nuit douillette sans se ruiner ?
> Repérez les Bibs Hôtels 🛏.

GUISSENY – 29 Finistère – 308 E3 – 1 811 h. – alt. 18 m – ⌧ 29880   9 A1
▶ Paris 591 – Brest 35 – Landerneau 27 – Morlaix 56 – Quimper 91
ℹ Office de tourisme, place Saint Sezny ℰ 02 98 25 67 99, Fax 02 98 25 69 69

Auberge de Kerralloret
Sud: 3 km par D 10 et rte secondaire – ℰ 02 98 25 60 37 – www.kerralloret.com
– auberge@kerralloret.com – Fax 02 98 25 69 88 – Fermé 5-30 janv.
11 ch – †52/61 € ††60/80 €, ⊇ 10 € – ½ P 60/71 €
Rest – (fermé vend. soir d' oct. à mai) Menu 20 € (sem.)/35 € – Carte 27/50 €
♦ Goûtez au charme et à la tranquillité de cette vieille ferme joliment rénovée. Le décor contemporain des chambres, réparties dans plusieurs maisons de granit, s'inspire de la région. Au restaurant, cuisine traditionnelle et chaleureuse atmosphère rustique.

GUJAN-MESTRAS – 33 Gironde – 335 E7 – 16 600 h. – alt. 5 m   3 B2
– Casino – ⌧ 33470 ▮ Aquitaine
▶ Paris 638 – Andernos-les-Bains 26 – Arcachon 10 – Bordeaux 56
ℹ Office de tourisme, 19, avenue de Lattre-de-Tassigny ℰ 05 56 66 12 65,
Fax 05 56 22 01 41
🏌 de Gujan-Mestras Route de Sanguinet, S : 5 km par D 1250 et D 65,
ℰ 05 57 52 73 73
◉ Parc ornithologique du Teich ★ E : 5 km.

La Guérinière
18 cours de Verdun, à Gujan – ℰ 05 56 66 08 78 – www.lagueriniere.com
– lagueriniere@wanadoo.fr – Fax 05 56 66 13 39
23 ch – †95/170 € ††95/170 €, ⊇ 12 € – 2 suites – ½ P 100/140 €
Rest – (fermé dim. soir en hiver et sam. midi) Menu 42 € bc (sem.), 58/110 €
– Carte 60/150 €
Spéc. Champignons sauvages et bouillon aux galipes de foie gras des Landes, mousse de pain brûlé. Bar de ligne rôti sur la peau, gingembre et vanille façon béarnaise. Soufflé au Grand Marnier. **Vins** Entre-deux-Mers, Haut-Médoc.
♦ Maison moderne située au centre du principal port ostréicole du bassin d'Arcachon. Chambres spacieuses, aménagées avec goût dans un esprit zen et épuré. Cuisine actuelle parfumée à savourer dans un élégant cadre contemporain ou au bord de la piscine.

GUNDERSHOFFEN – 67 Bas-Rhin – 315 J3 – 3 490 h. – alt. 180 m – ⊠ 67110

1 **B1**

▶ Paris 466 – Haguenau 16 – Sarreguemines 61 – Strasbourg 45 – Wissembourg 33

Le Moulin sans rest
r. Moulin – ℰ 03 88 07 33 30 – www.hotellemoulin.com – hotel.le.moulin@wanadoo.fr – Fax 03 88 72 83 97 – Fermé 4-24 août, 5-12 janv. et 16 fév.-3 mars
12 ch – †70/90 € ††95/220 €, ⊇ 19 €
◆ Ancien moulin entouré d'un beau parc traversé par un cours d'eau. Chambres personnalisées déclinant les styles contemporain ou rustique chic. Calme, charme et raffinement...

Au Cygne (François Paul)
35 Gd'Rue – ℰ 03 88 72 96 43 – www.aucygne.fr – contact@aucygne.fr – Fax 03 88 72 86 47 – Fermé 3-24 août, 4-11 janv., 16 fév.-2 mars, dim. soir, mardi midi et lundi
Rest – Menu 47 € (sem.)/99 € – Carte 81/103 €
Spéc. Tartare de langoustines aux pois gourmands, tapenade à l'olive et noisettes. Filet et selle de chevreuil aux spaetzele. Beignets de quetsches et sabayon au kirsch d'Alsace, glace streussel (été-début automne). **Vins** Pinot blanc, Muscat.
◆ Cette belle maison à colombages vous reçoit dans son élégant intérieur régionalisant, récemment modernisé, et propose une cuisine inventive et raffinée.

Le Soufflet
13 r. de la Gare – ℰ 03 88 72 91 20 – www.lesoufflet.fr – lesoufflet@free.fr – Fax 03 88 72 91 20 – Fermé sam. midi, lundi soir et merc. soir
Rest – Menu (13 €), 26/66 € bc – Carte 30/53 €
Rest *Bahnstub* – Menu (13 €) – Carte 22/47 €
◆ Derrière la façade fleurie de ce restaurant face à la gare, on déguste un répertoire classique dans un décor agrémenté d'animaux empaillés. Agréable terrasse sous une pergola. Ambiance familiale à la Bahnstub : plats du jour et carte de spécialités alsaciennes.

GY – 70 Haute-Saône – 314 C8 – 1 018 h. – alt. 237 m – ⊠ 70700

16 **B2**

Franche-Comté Jura

▶ Paris 356 – Besançon 32 – Dijon 69 – Dôle 50 – Gray 20 – Langres 75 – Vesoul 39

☐ Office de tourisme, 15, grande rue ℰ 03 84 32 93 93, Fax 03 84 32 86 87

◉ Château★.

Pinocchio sans rest
r. Beauregard – ℰ 03 84 32 95 95 – Fax 03 84 32 95 75 – Fermé 25 déc.-1ᵉʳ janv.
14 ch – †51 € ††66 €, ⊇ 7 €
◆ Cette jolie maison régionale, restaurée dans un style moderne, est décorée sur le thème de la célèbre marionnette. Chambres pratiques, dont certaines prévues pour les familles.

GYE-SUR-SEINE – 10 Aube – 313 G5 – 520 h. – alt. 172 m – ⊠ 10250

13 **B3**

▶ Paris 209 – Troyes 45 – Châtillon-sur-Seine 26 – Tonnerre 45

Des Voyageurs
6 r. de la Nation – ℰ 03 25 38 20 09 – Fax 03 25 38 25 37
– Fermé 17-23 août, vacances de fév., dim. soir et merc.
7 ch – †48 € ††48 €, ⊇ 6 € – ½ P 58/60 €
Rest – Menu 15 € (sem.), 22/45 € – Carte 30/45 €
◆ Des petites chambres fraîches et colorées vous attendent dans ce relais de poste bâti à la fin du 19ᵉ s. et doté d'une avenante façade en pierre. Le restaurant opte pour un décor actuel, des meubles en rotin et une carte traditionnelle.

HABÈRE-POCHE – 74 Haute-Savoie – 328 L3 – 1 193 h. – alt. 945 m – Sports d'hiver – ⊠ 74420

46 **F1**

▶ Paris 564 – Annecy 63 – Bonneville 33 – Genève 37 – Thonon-les-Bains 19

☐ Office de tourisme, Chef-Lieu ℰ 04 50 39 54 46, Fax 04 50 39 56 62

◉ Col de Cou★ NO : 4 km, **Alpes du Nord**

HABÈRE-POCHE

Tiennolet
– ℰ 04 50 39 51 01 – pierre.bonnet008@orange.fr – Fax 04 50 39 58 15
– Fermé 2-28 juin, 13 oct.-14 nov., dim. soir, mardi soir et merc. sauf vacances scolaires
Rest – Menu (15 €), 26/37 € – Carte 35/45 €
♦ Au centre du village, au-dessus de la pâtisserie familiale, chaleureux restaurant montagnard avec terrasse exposée plein Sud. Carte oscillant entre classicisme et régionalisme.

L'HABITARELLE – 48 Lozère – 330 K7 — 23 **C1**
– ✉ 48170 Chateauneuf-de-Randon

▶ Paris 587 – Langogne 19 – Mende 27 – Le Puy-en-Velay 62

Poste
– ℰ 04 66 47 90 05 – www.hoteldelaposte48.com – contact@hoteldelaposte48.com – Fax 04 66 47 91 41 – Fermé 28 juin-3 juil., 1er-12 nov., 20 déc.-10 fév., dim. soir et lundi sauf juil.-août
16 ch – †46 € ††46/53 €, ⊇ 8 € – ½ P 47 €
Rest – Menu (12 €), 16/37 € – Carte 23/32 €
♦ Près du mausolée érigé en l'honneur de Bertrand Du Guesclin, mort ici même d'avoir bu de l'eau trop glacée, se tient ce sympathique relais de poste du 19e s. Restaurant aménagé dans une ex-grange à foin (murs en pierre, charpente en sapin) ; plats du terroir.

HAGETMAU – 40 Landes – 335 H13 – 4 480 h. – alt. 96 m – ✉ 40700 — 3 **B3**
Aquitaine

▶ Paris 737 – Aire-sur-l'Adour 34 – Dax 45 – Mont-de-Marsan 29 – Orthez 25 – Pau 56

🛈 Office de tourisme, place de la République ℰ 05 58 79 38 26, Fax 05 58 79 47 27

◉ Chapiteaux★ de la Crypte de St-Girons.

Les Lacs d'Halco ⌂
3 km au Sud-Ouest par rte de Cazalis – ℰ 05 58 79 30 79
– www.hotel-des-lacs-dhalco.fr – contact@hotel-des-lacs-dhalco.fr
– Fax 05 58 79 36 15
24 ch – †75/130 € ††75/130 €, ⊇ 15 € – ½ P 80/125 €
Rest – Menu 30/60 € – Carte 39/58 €
♦ Acier, verre, bois et pierre : esprit zen pour cette étonnante architecture design ouverte sur lacs et forêt. Belles chambres contemporaines ; barques, minigolf, etc. Une rotonde "posée" sur l'eau abrite le restaurant qui offre une jolie vue sur la nature.

Le Jambon ⌂
245 av. Carnot – ℰ 05 58 79 32 02 – www.hotellejambon.fr – hotellejambon@wanadoo.fr – Fax 05 58 79 34 78 – Fermé janv., dim. soir et lundi
9 ch – †60 € ††70 €, ⊇ 8 €   **Rest** – Menu 16 € (sem.)/45 € – Carte 35/60 €
♦ Cette grande maison du centre-ville héberge des chambres spacieuses et actuelles ; toutes donnent sur l'espace cour-piscine. Bonne insonorisation et tenue rigoureuse. Généreuse cuisine traditionnelle et landaise servie dans une confortable salle bourgeoise.

HAGONDANGE – 57 Moselle – 307 I3 – 9 053 h. – alt. 160 m — 26 **B1**
– ✉ 57300 **Alsace Lorraine**

▶ Paris 324 – Metz 21 – Luxembourg 49 – Thionville 17 – Saarlouis 78
🛈 Syndicat d'initiative, place Jean Burger ℰ 03 87 70 35 27, Fax 03 87 73 92 20

Quai des Saveurs (Frédéric Sandrini)
69 r. de la Gare – ℰ 03 87 71 24 98 – www.quaidessaveurs.com
– info@quaidessaveurs.com – Fax 03 87 71 53 21 – Fermé dim. soir et lundi
Rest – Menu 26 € (sem.)/42 € – Carte 53/66 €
Spéc. Compressé de poireaux, foie gras de canard et pot-au-feu. Filet de grosse sole, salade de légumes cuits-crus, écume de basilic. Entremets chocolat intense, glace vanille, sauce caramel au beurre salé.
♦ Face à la gare, un restaurant à la devanture engageante. Dans la salle à manger contemporaine et son impressionnant aquarium, une cuisine actuelle, fraîche et séduisante.

HAGUENAU – 67 Bas-Rhin – 315 K4 – 35 100 h. – alt. 150 m
– ✉ 67500 ▊ Alsace Lorraine

- Paris 478 – Baden-Baden 41 – Sarreguemines 93 – Strasbourg 33
- Office de tourisme, place de la Gare ℘ 03 88 93 70 00, Fax 03 88 93 69 89
- Soufflenheim Baden-Baden à Soufflenheim Allée du Golf, E : 14 km par D 1063, ℘ 03 88 05 77 00
- Musée historique ★ BZ M² - Retable ★ dans l'église St-Georges - Boiseries ★ dans l'église St-Nicolas.

Armes (Pl. d') . . . . AZ 2	Grand'Rue . . . . ABYZ	Schweighouse	
Bitche (Rte de) . . . . AY 3	Moder (R. de la) . . . . AY 9	(Rte de) . . . . AZ 14	
Château (R. du) . . . . AY 4	République (Pl. de la) . . . ABZ 10	Soufflenheim (Rte de) . . . . . . BY 15	
Gaulle (Pl. Ch.-de) . . . . AY 6	Rhin (Rte du) . . . . BY 12	Strasbourg (Rte de) . . . . . . AZ 17	

XXX Le Jardin   AC P VISA ⓜ

16 r. Redoute – ℘ 03 88 93 29 39 – Fax 03 88 93 29 39
– Fermé 1ᵉʳ-6 mars, 3-14 août, 26 oct.-4 nov., 16-24 fév., mardi et merc.
Rest – Menu 17 € (déj.), 37/42 € – Carte 37/49 €   BZ **n**

♦ Jolie façade haguenovienne refaite dans le style Renaissance et bel intérieur décoré dans un esprit sobre et zen (tons taupe, chocolat). Cuisine classique revisitée.

au Sud-Est 3 km par D 329 et rte secondaire – ✉ 67500 Haguenau

🏠 Champ'Alsace   🛏 & ch, AC rest, 📞 🛁 P VISA ⓜ AE ①

12 r. St-Exupéry – ℘ 03 88 93 30 13 – www.champ-alsace.com – champalsace@aol.com – Fax 03 88 73 90 04
40 ch – †62/72 € ††62/72 €, ☷ 8 € – ½ P 54/64 €
Rest – (fermé août, vend., sam. et dim.) (dîner seult) Menu 18 €
– Carte environ 22 €

♦ Complexe hôtelier récent dans une zone industrielle. Chambres entretenues, de bonne ampleur, équipées d'un mobilier de série. Deux salles à manger simples, mais égayées de fresques représentant des paysages régionaux et une distillerie.

LA HAIE-FOUASSIÈRE – 44 Loire-Atlantique – 316 H5 – rattaché à Nantes

LA HAIE-TONDUE – 14 Calvados – 303 M4 – ⊠ 14950 — 32 A3

▶ Paris 198 – Caen 41 – Deauville 15 – Le Havre 53 – Lisieux 20
– Pont-l'Évêque 8

La Haie Tondue
– ℘ 02 31 64 85 00 – www.restaurants.honfleur.com – la-haie-tondue@wanadoo.fr – Fax 02 31 64 78 35 – Fermé 1 sem. en juin, 11-17 nov., 5-15 janv., lundi soir sauf août et mardi du 1er avril au 30 sept.
Rest – Menu 26/48 € – Carte 28/38 €

♦ Accueil chaleureux en cette maison régionale tapissée de vigne vierge. Salles à la rusticité affichée (poutres, tables en bois, cheminée). Copieuse cuisine traditionnelle.

HAMBACH – 57 Moselle – 307 N4 – 2 501 h. – alt. 230 m – ⊠ 57910 — 27 C1

▶ Paris 396 – Metz 70 – Saarbrücken 23 – Sarreguemines 8 – Strasbourg 98

Hostellerie St-Hubert
La Verte Forêt – ℘ 03 87 98 39 55 – www.hostellerie-saint-hubert.com – contact@hotelsaint-hubert.com – Fax 03 87 98 39 57 – Fermé 22-30 déc.
53 ch – †59/62 € ††79/82 €, ⊇ 9 € – 3 suites – ½ P 79 €
Rest – Menu 29/69 € – Carte 45/55 €

♦ Bâtisse de notre temps voisinant avec un étang et un complexe sportif. Les chambres, spacieuses, sont pourvues de meubles en bois peint et parfois d'une loggia. Salles à manger au décor foisonnant, taverne et terrasse près de l'eau ; table traditionnelle.

HAMBYE – 50 Manche – 303 E6 – 1 155 h. – alt. 111 m – ⊠ 50450 — 32 A2
Normandie Cotentin

▶ Paris 316 – Coutances 20 – Granville 30 – St-Lô 25 – Villedieu-les-Poêles 17
◉ Église abbatiale★★.

à l'Abbaye 3,5 km au Sud par D 51 – ⊠ 50450 Hambye

Auberge de l'Abbaye avec ch
5 rte de l'Abbaye – ℘ 02 33 61 42 19 – aubergedelabbaye@wanadoo.fr
– Fax 02 33 61 00 85 – Fermé 1er-15 oct., 15-28 fév., dim. soir et lundi
7 ch – †44 € ††55 €, ⊇ 9 € – ½ P 60 €
Rest – Menu (23 € bc), 26/67 € – Carte 34/55 €

♦ Cette maison en pierres de taille, proche des ruines de l'abbaye, dresse sa terrasse d'été dans un petit jardin. Salle à manger rustico-bourgeoise et plats traditionnels.

HANVEC – 29 Finistère – 308 G5 – 1 867 h. – alt. 103 m – ⊠ 29460 — 9 A-B2

▶ Paris 568 – Rennes 216 – Quimper 48 – Brest 35 – Morlaix 47

Les Chaumières de Kerguan sans rest
Kerguan, 2 km par rte de Sizun – ℘ 06 01 96 87 53 – www.kerguan.neuf.fr
– kerguan@neuf.fr
4 ch ⊇ – †35 € ††50/54 €

♦ Jolie longère en moellons emmitouflée sous son toit de chaume, dans un hameau paisible composé d'anciens bâtiments agricoles restaurés. Chambres mignonnes cédées à bon prix.

HARDELOT-PLAGE – 62 Pas-de-Calais – 301 C4 – ⊠ 62152 — 30 A2
Neufchatel Hardelot **Nord Pas-de-Calais Picardie**

▶ Paris 254 – Arras 114 – Boulogne-sur-Mer 15 – Calais 51
– Le Touquet-Paris-Plage 23
🛈 Office de tourisme, 476, avenue François-1er ℘ 03 21 83 51 02, Fax 03 21 91 84 60
⛳ d'Hardelot à Neufchâtel-Hardelot 3 avenue du Golf, E : 1 km, ℘ 03 21 83 73 10

HARDELOT-PLAGE

Du Parc
111 av. Francois 1er – ℰ 03 21 33 22 11 – www.hotelduparc-hardelot.com
– parc.hotel@najeti.com – Fax 03 21 83 29 71
106 ch – †115/165 € ††115/165 €, ⊆ 14 € – 1 suite – ½ P 88/115 €
Rest – Menu (22 € bc), 28/41 € – Carte 45/60 €

♦ Complexe hôtelier et sportif récent dans un environnement arboré. Les chambres, spacieuses et douillettes (mobilier peint), ouvrent sur le parc. Provision de senteurs et de saveurs iodées dans le lumineux restaurant aux murs revêtus de lambris et de boiseries.

Régina
185 av. François 1er – ℰ 03 21 83 81 88 – www.lereginahotel.fr – leregina.hotel@wanadoo.fr – Fax 03 21 87 44 01 – Fermé 29 nov.-28 fév.
42 ch – †67/75 € ††67/75 €, ⊆ 11 € – ½ P 59/63 €
Rest – (fermé dim. soir sauf de juil. à sept., mardi midi de juil. à sept. et lundi) Menu (20 €), 23/37 € – Carte 26/45 €

♦ Bâtisse moderne en lisière de la pinède qui s'étend aux portes de cette élégante station de la Côte d'Opale. Chambres rénovées aux 1er et 2e étages. Au restaurant, produits de la pêche servis dans un chaleureux décor actuel. Agréable terrasse.

> Ce symbole en rouge ?
> La tranquillité même, juste le chant des oiseaux au petit matin…

HARRICOURT – 08 Ardennes – 52 h. – alt. 180 m – ⊠ 08240
14 C1

▶ Paris 236 – Châlons-en-Champagne 86 – Charleville-Mézières 61 – Sedan 42 – Verdun 58

La Montgomière
1 r. St-Georges – ℰ 03 24 71 66 50 – www.lamontgoniere.net
– regnault.montgon@wanadoo.fr – Fax 03 24 71 66 50 – Fermé janv.
3 ch ⊆ – †80/90 € ††90/110 € **Table d'hôte** – Menu 25 €

♦ Au centre du village, demeure familiale du 17e s. avec parc et étang propices à la détente. Salons à boiseries, chambres dotées de mobilier ancien, bibliothèque avec jeux. Table d'hôte proposant une cuisine familiale dans un cadre d'époque, sur réservation.

HASPARREN – 64 Pyrénées-Atlantiques – 342 E4 – 5 742 h. – alt. 50 m
– ⊠ 64240 ▌Pays Basque
3 AB3

▶ Paris 783 – Bayonne 24 – Biarritz 34 – Cambo-les-Bains 9 – Pau 106
▌Office de tourisme, 2, place Saint-Jean ℰ 05 59 29 62 02, Fax 05 59 29 13 80
▌Grottes d'Oxocelhaya et d'Isturits★★ SE : 11 km.

Les Tilleuls
pl. Verdun – ℰ 05 59 29 62 20 – hotel.lestilleuls@wanadoo.fr – Fax 05 59 29 13 58
– Fermé 2-9 nov., 20 fév.-8 mars, dim. soir et sam. du 26 sept. au 4 juil. sauf fériés
25 ch – †46/52 € ††55/60 €, ⊆ 7 € – ½ P 47/51 €
Rest – Menu 15/30 € – Carte 23/42 €

♦ La maison qu'habita l'écrivain Francis Jammes est à deux pas de cette construction de style basque disposant de chambres bien rénovées. Sympathique salle de restaurant rustique où l'on vous proposera de goûter aux recettes régionales.

au Sud 6km par D152 et voie secondaire - ⊠ 64240 Hasparren

Ferme Hégia (Arnaud Daguin)
chemin Curutxeta, (quartier Zelai) – ℰ 05 59 29 67 86 – www.hegia.com
– info@hegia.com
5 ch (½ P seult) – ½ P 325 € **Table d'hôte** – (menu unique résidents seult)
Spéc. Menu du marché.

♦ Cette ancienne ferme labourdine (1746) n'a que la montagne pour vis-à-vis. L'intérieur, superbement rénové dans un esprit contemporain, privilégie les matériaux nobles. Le chef réalise devant ses hôtes une cuisine inspirée par le marché du jour… Jubilatoire.

HASPRES – 59 Nord – **302** I6 – **2 692 h.** – alt. 44 m – ✉ 59198 31 **C3**
▶ Paris 197 – Avesnes-sur-Helpe 49 – Cambrai 18 – Lille 66 – Valenciennes 16

XX **Auberge St-Hubert**
62 r. A. Brunet, rte Denain 1km D 955 – ℘ 03 27 25 70 97
– *www.lestoquesblanchesduhainaut.com – auberge.st.hubert.haspres@ wanadoo.fr – Fax 03 27 25 76 21 – Fermé août, 3-12 janv., mardi soir et lundi sauf fériés*
Rest – Menu 22 € (sem.)/50 € bc – Carte 36/49 €
♦ Les habitués apprécient cette coquette auberge de la Vallée de la Selle pour son petit jardin, ses salles à manger champêtres et sa cuisine traditionnelle (gibier en saison).

HAUTEFORT – 24 Dordogne – **329** H4 – **1 135 h.** – alt. 160 m 4 **D1**
– ✉ 24390 ■ Périgord Quercy
▶ Paris 466 – Bordeaux 189 – Périgueux 59 – Brive-la-Gaillarde 57 – Tulle 92
🛈 Office de tourisme, place du Marquis J. F. de Hautefort ℘ 05 53 50 40 27, Fax 05 53 51 99 73

Au Périgord Noir sans rest
La Genèbre – ℘ 05 53 50 40 30 – *www.hotel.auperigordnoir.com – hotel@ auperigordnoir.com – Fax 05 53 51 86 70*
29 ch – †45/50 € ††45/50 €, ⊡ 7 €
♦ Construction contemporaine et impersonnelle face au château de Hautefort, proposant des chambres fonctionnelles, bien tenues et calmes. Salle des petits-déjeuners panoramique.

HAUTE-GOULAINE – 44 Loire-Atlantique – **316** H4 – **rattaché à Nantes**

HAUTE-INDRE – 44 Loire-Atlantique – **316** F4 – **rattaché à Nantes**

HAUTELUCE – 73 Savoie – **333** M3 – **875 h.** – alt. 1 150 m – ✉ 73620 45 **D1**
■ Alpes du Nord
▶ Paris 606 – Albertville 24 – Annecy 62 – Chambéry 77 – Megève 31
🛈 Office de tourisme, 316, Avenue des Jeux Olympiques ℘ 04 79 38 90 30, Fax 04 79 38 96 29

La Ferme du Chozal
– ℘ 04 79 38 18 18 – *www.lafermeduchozal.com*
– *informations@lafermeduchozal.com – Fax 04 79 38 87 20 – Ouvert début juin à mi-oct. et mi-déc. à mi- avril*
11 ch – †100/225 € ††100/225 €, ⊡ 15 € – ½ P 95/158 €
Rest – *(fermé lundi midi, mardi midi et merc. midi en juil.-août, lundi soir et dim. soir en juin et sept.-oct.)* Menu 28/100 € bc – Carte 43/66 €
♦ Confort moderne et charme savoyard s'allient dans cette jolie ferme-chalet : chambres douillettes, salon bibliothèque, espace bien-être (sauna, hammam, jacuzzi, massages). Cuisine actuelle le soir, plus simple à midi, et belle carte de vins européens des Alpes.

HAUTERIVES – 26 Drôme – **332** D2 – **1 333 h.** – alt. 299 m – ✉ 26390 43 **E2**
■ Lyon et la vallée du Rhône
▶ Paris 540 – Grenoble 77 – Lyon 85 – Valence 46 – Vienne 42
🛈 Office de tourisme, rue du Palais Idéal ℘ 04 75 68 86 82, Fax 04 75 68 92 96
◉ Le Palais Idéal ★★.

Le Relais
1 pl. Gén.-de-Miribel – ℘ 04 75 68 81 12 – *www.hotel-relais-drome.com*
– *contact@hotel-relais-drome.com – Fax 04 75 68 92 42 – Fermé 15 janv.-28 fév., dim. soir sauf juil.-août et lundi*
16 ch – †55 € ††61 €, ⊡ 8,50 € – ½ P 54 €
Rest – Menu 17/37 € – Carte 32/40 €
♦ Les visiteurs du "Palais Idéal" édifié par le facteur Cheval pourront faire étape dans cette solide maison à la façade en galets roulés. Chambres simples et bien tenues. Petits plats traditionnels servis dans la salle à manger rustique ou en terrasse.

LES HAUTES-RIVIÈRES – 08 Ardennes – 306 L3 – 1 781 h. 14 C1
– alt. 175 m – ⊠ 08800 Champagne Ardenne

▶ Paris 254 – Châlons-en-Champagne 150 – Charleville-Mézières 22
– Sedan 29 – Dinant 56

◉ Croix d'Enfer ≤ ★ S : 1,5 km par D 13 puis 30 mn - Vallon de Linchamps ★ N :
4 km.

Auberge en Ardenne
*15 r. Hôtel de Ville – ℰ 03 24 53 41 93 – www.aubergeenardenne.fr
– auberge.ardenne@orange.fr – Fax 03 24 53 60 10 – Fermé 20 déc.-10 janv.*
14 ch – †53 € ††53 €, ⊇ 7 € – ½ P 54 €
Rest – *(fermé sam. midi et dim. soir hors saison)* Menu (13 €), 16/28 €
– Carte 15/37 €

◆ Les chambres de cette auberge sont réparties dans des bâtiments situés de chaque côté de la rue. Ensemble sobre, fonctionnel et bien tenu. Deux salles de restaurant : l'une rustique logée dans l'ex-étable, l'autre plus contemporaine ouverte sur la rivière.

Les Saisons
*5 Grande Rue – ℰ 03 24 53 40 94 – www.restaurant-lessaisons.com
– Fax 03 24 54 57 51 – Fermé 16-31 août, 14-22 fév., dim. soir, merc. soir et lundi sauf fériés*
Rest – Menu 22/39 € – Carte 30/45 €

◆ Ici, la cuisine traditionnelle valorise les produits locaux : jambon de sanglier ou de pays, gibier et champignons en saison... Plusieurs salles dont une réservée au menu du jour.

> Un week-end de charme à la mer, à la campagne ou à la montagne ?
> Découvrez le nouveau guide des "Chambres d'hôtes", une sélection
> de nos plus belles adresses en France : confort, calme et volupté
> garantis !

HAUTEVILLE-LÈS-DIJON – 21 Côte-d'Or – 320 J5 – rattaché à Dijon

LE HAVRE ◉ – 76 Seine-Maritime – 304 A5 – 183 600 h. – 33 C2
Agglo. 248 547 h. – alt. 4 m – Casino HZ – ⊠ 76600
 Normandie Vallée de la Seine

▶ Paris 198 – Amiens 184 – Caen 90 – Lille 318 – Nantes 382 – Rouen 87

✈ du Havre-Octeville : ℰ 02 35 54 65 00 A.

☷ Office de tourisme, 186, boulevard Clemenceau ℰ 02 32 74 04 04,
Fax 02 35 42 38 39

⛳ du Havre à Octeville-sur-Mer Hameau Saint Supplix, par rte d'Etretat : 10 km,
ℰ 02 35 46 36 50

◉ Port★★ EZ - Quartier moderne★ EFYZ : intérieur★★ de l'église St-Joseph★
EZ, pl. de l'Hôtel-de-Ville★ FY47, Av. Foch★ EFY - Musée des Beaux-Arts
André-Malraux★ EZ.

◉ Ste-Adresse★ : circuit★.

Plans pages suivantes

Pasino
*pl. Jules Ferry, (au Casino) – ℰ 02 35 26 00 00 – www.pasino-lehavre.fr
– reservation-lehavre@g-partouche.fr – Fax 02 35 25 62 18* FZ **b**
45 ch – †130/360 € ††130/360 €, ⊇ 18 €
Rest *Le Havre des Sens* – *(fermé dim. et lundi)* Menu (30 €), 38/60 €
– Carte 46/77 €
Rest *La Brasserie* – Menu (14 €), 18 € (sem.)/29 € bc – Carte 22/53 €

◆ Chambres, junior suites et spa complet dans cet hôtel-casino ultra trendy. Mets et décor dans l'air du temps au Havre des Sens. Brasserie moderne avec terrasse côté bassin.

LE HAVRE

Novotel
20 cours Lafayette – ✆ *02 35 19 23 23* – *www.novotel.com* – *h5650@accor.com*
– *Fax 02 35 19 23 25*   HZ **a**
134 ch – †95/170 € ††95/170 €, ⊇ 15 € – 6 suites
Rest – Menu (24 €), 30 € – Carte 25/46 €
♦ Hôtel d'architecture contemporaine proche de la gare, posé sur les rives du bassin Vauban. Chambres confortables répondant au concept "Novation". Cuisine actuelle de saison servie dans une salle dont les baies donnent sur un jardin. Terrasse d'été.

Vent d'Ouest sans rest
4 r. Caligny – ✆ *02 35 42 50 69* – *www.ventdouest.fr* – *contact@ventdouest.fr*
– *Fax 02 35 42 58 00*   EZ **a**
35 ch – †100 € ††130 €, ⊇ 12 € – 4 suites
♦ Cet hôtel havrais, un peu excentré, ne manque pas d'atouts : chambres décorées avec soin (thèmes "Mer", "Capitaine" et "Montagne"), accueillant salon-bibliothèque avec billard.

Les Voiles sans rest
3 pl. Clemenceau, à Ste-Adresse ⊠ *76310* – ✆ *02 35 54 68 90*
– *www.hotel-lesvoiles.com* – *reservation@hotel-lesvoiles.com*
– *Fax 02 35 54 68 91*   A **e**
16 ch – †85/170 € ††85/170 €, ⊇ 11 €
♦ Emplacement idéal face à la mer pour cet établissement au chaleureux intérieur contemporain. Toutes les chambres (sauf quatre) s'ouvrent sur le large.

Art Hôtel sans rest
147 r. L. Brindeau – ✆ *02 35 22 69 44* – *www.art-hotel.fr* – *arthotel@free.fr*
– *Fax 02 35 42 09 27*   FZ **g**
31 ch – †89/130 € ††110/150 €, ⊇ 12 €
♦ Face à l'espace Oscar Niemeyer, cet immeuble des années 1950 (façade classée) met à l'honneur l'architecture et l'art moderne : chambres épurées et lumineuses ; expositions.

Terminus
23 cours République – ✆ *02 35 25 42 48*
– *www.grand-hotel-terminus.fr* – *inter@terminus-lehavre.com*
– *Fax 02 35 24 46 55*
– *Fermé 24-27 déc. et 31 déc.-3 janv.*   HZ **e**
44 ch – †57/97 € ††69/97 €, ⊇ 8 € – 1 suite
Rest – (fermé 17 juil.-23 août, 24 déc.-3 janv., vend., sam. et dim.) (dîner seult) (résidents seult) Menu 18 € bc
♦ Au cœur du Havre, face à la gare, cette adresse dispose de chambres revues dans l'air du temps, fraîches et fonctionnelles. Salon-bar feutré habillé de tons rouges, billard.

Le Richelieu sans rest
132 r. Paris – ✆ *02 35 42 38 71* – *www.hotel-lerichelieu-76.com*
– *hotel.lerichelieu@wanadoo.fr* – *Fax 02 35 21 07 28*   FZ **f**
19 ch – †48 € ††50 €, ⊇ 8 €
♦ Hôtel simple situé dans une rue animée, bordée par de nombreuses boutiques. Hall-salon aux couleurs de la mer. Chambres totalement rénovées et diversement meublées.

Jean-Luc Tartarin
73 av. Foch – ✆ *02 35 45 46 20* – *www.jeanluc-tartarin.com*
– *info@jeanluc-tartarin.com* – *Fax 02 35 45 46 22*
– *Fermé dim. et lundi*   FY **t**
Rest – Menu (29 €), 40/145 € – Carte 80/95 €
Spéc. Homard poudré d'orange caramélisée dans un bouillon de cocos de Paimpol. Pigeonneau cuit en vessie au cacao, jus de citron salé. Bonbons de chocolat blanc fourrés au jus de fruit de la passion.
♦ Décor contemporain dans les tons taupe-chocolat, baies vitrées, tableaux et carte dans l'air du temps régulièrement renouvelée : cette nouvelle table a de quoi mettre en appétit.

HARFLEUR	LE HAVRE		Joannès-Couvert (Quai)	**B** 52
Doumer	Abbaye (R. de l')	**C** 2	Mouchez (Bd Amiral)	**B** 68
(R. Paul) .... **D** 30	Aplemont (Av. d')	**C** 7	Octeville (Rte d')	**A** 74
Verdun (Av. de) .... **D** 90	Churchill (Bd W.)	**B** 24	Picasso (Av. Pablo)	**C** 77
104 (R. des) .... **D** 98	Hermann-du-Pasquier (Quai)	**B** 44	Rouelles (R. de)	**C** 82
			Sakharov (R. Andréï)	**C** 84

✕✕ **La Petite Auberge**　　　　　　　　　　　　AK　VISA　●●　AE

32 r. Ste-Adresse – ℘ 02 35 46 27 32 – Fax 02 35 48 26 15
– *Fermé 3 sem. en été, 1 sem. à la Toussaint, 15-24 fév., dim. soir, merc. midi et lundi*　　　　　　　　　　　　　　　　　　　　　　　　　　　　　　EY　**r**
Rest – Menu (18 € bc), 23 € (sem.)/43 € – Carte 38/54 €
♦ Dans cette petite auberge, autrefois relais de poste, on propose une goûteuse cuisine du terroir à prix étudiés. Façade normande rafraîchie, tout comme le décor, néo-rustique.

Val-aux-Corneilles (Av.) ...... **C** 88	Cavell (R. E.) .... **A** 21	Prés.-F.-Faure (Bd.) .... **A** 78
SAINTE-ADRESSE	Clemenceau (Pl.) .... **A** 25	Reine-Élisabeth (R.) .... **A** 79
Cap (Rte du) .... **A** 20	Gaulle (R. Gén.-de) .... **A** 42	Roi-Albert (R. du) .... **A** 81
	Ignauval (R. d') .... **A** 50	Vitantal (R. de) .... **A** 93

Le Wilson

98 r. Prés. Wilson – ℘ 02 35 41 18 28
– *Fermé 1er-11 mars, 13-31 juil., 8-21 fév., dim. soir, lundi soir, mardi soir et merc.*
Rest – Menu (13 €), 18 € (sem.)/35 € – Carte 30/40 €
◆ Cette discrète façade située sur une placette d'un quartier commerçant dissimule une table conviviale : décor marin, ambiance bistrot et cuisine traditionnelle.

EY **k**

LE HAVRE

Street	Ref
Alma (R. de l')	EY 3
Anfray (R.)	GZ 5
Archinard (Av. Gén.)	GZ 9
Bernardin-de-St-Pierre (R.)	FZ 13
La Bourdonnais (R.)	EY 54
Bretagne (R. de)	FGZ 14
Briand (R. A.)	HY
Brindeau (R. L.)	EFZ 15
Churchill (Bd W.)	HZ 24
Delavigne (Quai C.)	GZ 29
Delavigne (R. C.)	GHY
Drapiers (R. des)	FZ 32
Étretat (R. d')	EY
Faidherbe (R. Gén.)	GZ 36
Féré (Quai Michel)	FZ 37
François le Chevalier (Passerelle)	GZ 39
Fratacci (Crs Cdt)	HZ 18
Gaulle (Pl. Gén.-de)	FZ 41
Genestal (R. H.)	FY 43
Honegger (R. A.)	FZ 46
Hôtel-de-Ville (Pl. de l')	FYZ 47
Huet (R. A.-A.)	FY 49

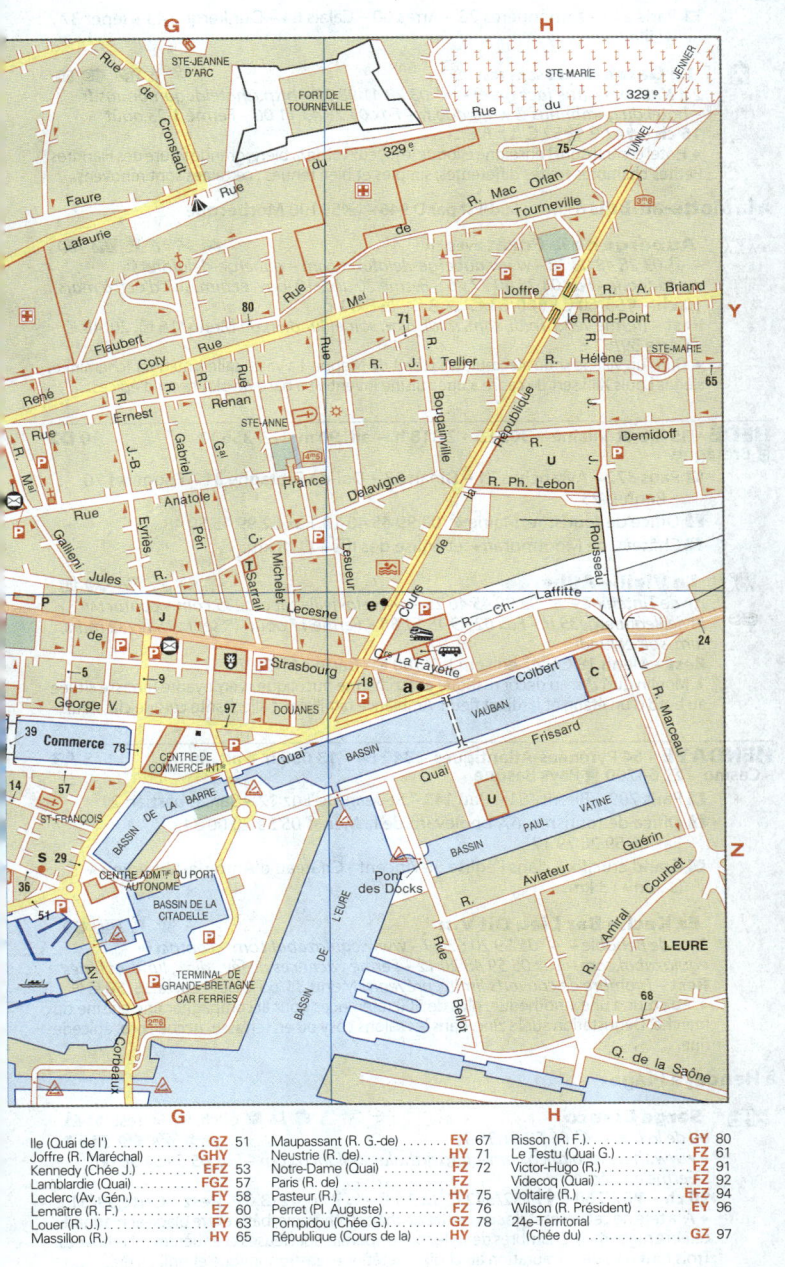

Name	Ref	№
Ile (Quai de l')	GZ	51
Joffre (R. Maréchal)	GHY	
Kennedy (Chée J.)	EFZ	53
Lamblardie (Quai)	FGZ	57
Leclerc (Av. Gén.)	FY	58
Lemaître (R. F.)	EZ	60
Louer (R. J.)	FY	63
Massillon (R.)	HY	65
Maupassant (R. G.-de)	EY	67
Neustrie (R. de)	HY	71
Notre-Dame (Quai)	FZ	72
Paris (R. de)	FZ	
Pasteur (R.)	HY	75
Perret (Pl. Auguste)	FZ	76
Pompidou (Chée G.)	GZ	78
République (Cours de la)	HY	
Risson (R. F.)	GY	80
Le Testu (Quai G.)	FZ	61
Victor-Hugo (R.)	FZ	91
Vidécoq (Quai)	FZ	92
Voltaire (R.)	EFZ	94
Wilson (R. Président)	EY	96
24e-Territorial (Chée du)	GZ	97

HAZEBROUCK – 59 Nord – **302** D3 – 21 100 h. – alt. 25 m – ✉ 59190   30 **B2**
Nord Pas-de-Calais Picardie

▶ Paris 240 – Armentières 28 – Arras 60 – Calais 64 – Dunkerque 43 – Ieper 37 – Lille 43

Le Gambrinus sans rest
2 r. Nationale, (rue face gare) – ℰ 03 28 41 98 79 – http://hoteldugambrinus.fr – hotel.du.gambrinus@wanadoo.fr – Fax 03 28 43 11 06 – Fermé 3-23 août
16 ch – ✝47 € ✝✝52 €, ☑ 6 €
◆ Hôtel central dont l'enseigne évoque le joyeux roi de la bière, grande figure des Flandres. Petites chambres toutes différentes, simples et bien tenues ; certaines sont rénovées.

à la Motte-au-Bois 6 km au Sud-Est par D 946 – ✉ 59190 Morbecque

Auberge de la Forêt avec ch
– ℰ 03 28 48 08 78 – www.auberge-delaforet.com – auberge-delaforet@wanadoo.fr – Fax 03 28 40 77 76 – Fermé 20 déc.-10 janv. et dim. soir d'oct. à mars
12 ch – ✝55/60 € ✝✝60/63 €, ☑ 8 € – ½ P 60 €
Rest – (fermé vend. midi, sam. midi, dim. soir et lundi midi) Menu (16 €), 20/40 € – Carte 39/53 €
◆ Dans un village situé au cœur de la forêt de Nieppe. La vaste salle à manger (cheminée, sièges Louis XIII) sert de cadre à une cuisine inventive à base de plantes et d'épices.

HÉDÉ – 35 Ille-et-Vilaine – **309** L5 – 2 318 h. – alt. 90 m – ✉ 35630   10 **D2**
Bretagne

▶ Paris 372 – Avranches 71 – Dinan 33 – Dol-de-Bretagne 31 – Fougères 70 – Rennes 25

🛈 Office de tourisme, Mairie ℰ 02 99 45 46 18, Fax 02 99 45 50 48

◉ Château de Montmuran★ et église des Iffs★ O : 8 km.

La Vieille Auberge
rte de Tinténiac – ℰ 02 99 45 46 25 – www.lavieilleauberge35.com – contact@lavieilleauberge35.fr – Fax 02 99 45 51 35 – Fermé 17 août-1er sept., 15 fév.-2 mars, dim. soir et lundi
Rest – Menu 18 € (déj. en sem.), 26/80 € – Carte 44/120 €
◆ Moulin du 17e s. au décor rustique et au charme bucolique : verdoyante terrasse située au bord d'un étang et jardinet fleuri. Ambiance familiale et alléchante cuisine classique.

HENDAYE – 64 Pyrénées-Atlantiques – **342** B4 – 13 000 h. – alt. 30 m   3 **A3**
– Casino – ✉ 64700 **Pays Basque**

▶ Paris 799 – Biarritz 31 – Pau 143 – St-Jean-de-Luz 12 – San Sebastián 21

🛈 Office de tourisme, 67, boulevard de la Mer ℰ 05 59 20 00 34, Fax 05 59 20 79 17

◉ Grand crucifix★ dans l'église St-Vincent - Château d'Antoine-Abbadie★★ (salon★) 3 km.

Ez Kecha Bar Lieu Dit Vin
3 rte de Béhobie – ℰ 05 59 20 67 09 – www.eguiazabal.com – contact@eguiazabal.com – Fax 05 59 48 20 12 – Fermé vacances de fév., dim., lundi et fériés
Rest – (nombre de couverts limité, prévenir) Menu 35/65 € bc – Carte 35/58 €
◆ Au cœur d'une vinothèque, plus de 500 références pour accompagner une cuisine du marché. Dégustation sur le zinc, dans les salons cosy ou en terrasse. Accueil pro, épicerie fine.

à Hendaye Plage

Serge Blanco
bd de la Mer – ℰ 05 59 51 35 35
– www.thalassoblanco.com – info@thalassoblanco.com – Fax 05 59 51 36 00 – Fermé en déc.
90 ch – ✝87/260 € ✝✝132/342 €, ☑ 14 € – ½ P 108/213 €   **Rest** – Carte 39/51 €
◆ À la tête de cet hôtel et de son centre de thalassothérapie, bâtis entre plage et marina, le célèbre rugbyman. Chambres de style contemporain, spacieuses et entièrement rénovées. Trois formules de restauration au choix : diététique, gastronomique et grill en été.

HENDAYE

à Biriatou 4 km au Sud-Est par D 811 – 831 h. – alt. 60 m – ⊠ 64700

Les Jardins de Bakéa
r. Herri Alde – ℰ 05 59 20 02 01 – www.bakea.fr – contact@bakea.fr
– Fax 05 59 20 58 21 – Fermé 16 nov.-3 déc. et 17 janv.-3 fév.
25 ch – †45/125 € ††55/125 €, ⊆ 10 € – ½ P 74/109 €
Rest – (fermé lundi et mardi sauf le soir d'avril à nov.) Menu (28 €), 47/67 €
– Carte 48/85 €

◆ Cette maison régionale du début du 20ᵉ s. a fait en partie peau neuve : huit confortables chambres, dont quatre mansardées, sont ainsi plus actuelles que les autres, rustiques. Nouveau restaurant (poutres apparentes) et agréable terrasse d'été sous les platanes.

HÉNIN-BEAUMONT – 62 Pas-de-Calais – **301** K5 – 26 100 h. 31 **C2**
– alt. 30 m – ⊠ 62110 ▎Nord Pas-de-Calais Picardie

▶ Paris 194 – Arras 25 – Béthune 30 – Douai 13 – Lens 11 – Lille 34

Novotel
av. de la République, près échangeur Autoroute A1, par D 943 ⊠ 62950 –
ℰ 03 21 08 58 08 – www.novotel.com – h0426@accor.com
– Fax 03 21 08 58 00
81 ch – †79/145 € ††79/145 €, ⊆ 15 € **Rest** – Carte environ 30 €

◆ Au sein d'un centre commercial, proche d'un nœud autoroutier, ce Novotel est protégé par un îlot de verdure. Chambres rénovées par étapes ; préférez celles côté patio-terrasse. Salle à manger moderne et tables dressées près de la piscine lorsque le temps le permet.

HENNEBONT – 56 Morbihan – **308** L8 – 14 300 h. – alt. 15 m 9 **B2**
– ⊠ 56700 ▎Bretagne

▶ Paris 492 – Concarneau 57 – Lorient 13 – Pontivy 51 – Quimperlé 26
– Vannes 50

🛈 Office de tourisme, 9, place Maréchal-Foch ℰ 02 97 36 24 52,
Fax 02 97 36 21 91

◉ Tour-clocher★ de la basilique N.-D.-de-Paradis.

◉ Port-Louis : citadelle★★ (musée de la Compagnie des Indes★★, musée de l'Arsenal★) S : 13 km.

rte de Port-Louis 4 km au Sud par D 781 – ⊠ 56700 Hennebont

Château de Locguénolé
– ℰ 02 97 76 76 76 – www.chateau-de-locguenole.com
– locguenole@relaischateaux.com – Fax 02 97 76 82 35
– Fermé 4 janv.-13 fév.
18 ch – †112/289 € ††112/289 €, ⊆ 23 € – 4 suites – ½ P 143/234 €
Rest – (fermé lundi sauf août et le midi sauf dim.) Menu 49/96 €
– Carte 72/119 €

Spéc. Galette de sarrasin farcie de tourteau (juil.-août). Langoustines grillées minute en coque (mai à oct.). Riz arborio fondant aux fruits rouges, dentelle riz soufflé et glace à l'huile d'olive (mai à oct.).

◆ Deux demeures historiques dans un parc de 120 ha qui descend jusqu'à la ria du Blavet. Chambres spacieuses, élégantes et personnalisées. Agréables salles à manger où l'on sert une cuisine mariant avec brio saveurs marines et potagères ; belle carte des vins.

Chaumières de Kerniaven
à 3 km – ℰ 02 97 76 91 90 – www.chaumieres-de-kerniaven.com – locguenole@relaischateaux.com – Fax 02 97 76 82 35 – Ouvert 1ᵉʳ mai-27 sept.
9 ch – †68/112 € ††78/112 €, ⊆ 17 €

◆ Présentez-vous à l'accueil au Château de Locguénolé ; vous serez conduit jusqu'à ces deux chaumières du 17ᵉ s. perdues dans la nature, idéales pour se ressourcer.

L'HERBAUDIÈRE – 85 Vendée – **316** C5 – voir à Île de Noirmoutier

HERBAULT – 41 Loir-et-Cher – 318 D6 – 1 208 h. – alt. 138 m – ⌧ 41190   11 **A1**

▶ Paris 196 – Blois 17 – Château-Renault 18 – Montrichard 38 – Tours 47 – Vendôme 26

Auberge des Trois Marchands
34 pl. de l'Hôtel-de-Ville – ☏ *02 54 46 12 18 – www.restaurant-herbault.com*
Rest – Menu (13 € bc), 18/45 € – Carte 28/49 €

◆ Sur la place principale du village, cette auberge vous accueille simplement dans sa lumineuse salle à manger campagnarde où vous attend une cuisine traditionnelle.

LES HERBIERS – 85 Vendée – 316 J6 – 14 900 h. – alt. 110 m – ⌧ 85500 ▌Poitou Vendée Charentes   34 **B3**

▶ Paris 381 – Bressuire 48 – Chantonnay 25 – Cholet 26 – Clisson 35 – La Roche-sur-Yon 40

🛈 Office de tourisme, 2, grande rue Saint-Blaise ☏ 02 51 92 92 92, Fax 02 51 92 93 70

◉ Mont des Alouettes★ : moulin ≤★★ N : 2 km - Chemin de fer de la Vendée★.
◉ Route des Moulins★.

Chez Camille
2 r. Mgr Massé – ☏ *02 51 91 07 57 – www.chez-camille.com – chez.camille@online.fr – Fax 02 51 67 19 28*
13 ch – †47/60 €, ††51/69 €, ⌑ 8 € – ½ P 47/56 €
Rest – *(fermé dim. soir, vend. soir et sam. hors saison)* Menu (16 €), 19/30 € – Carte 21/41 €

◆ Proche du vieux donjon d'Ardelay, cet hôtel à l'atmosphère agréablement provinciale (le bar est le siège du club de football local) dispose de chambres assez sobres. Au restaurant, on cultive convivialité et simplicité en servant une cuisine sans prétention.

HERBIGNAC – 44 Loire-Atlantique – 316 C3 – 5 117 h. – alt. 18 m – ⌧ 44410   34 **A2**

▶ Paris 446 – Nantes 72 – La Baule 24 – Redon 37 – St Nazaire 28
🛈 Syndicat d'initiative, 2, rue Pasteur ☏ 02 40 19 90 01

au Sud 6 km rte de Guérande par D774 – ⌧ 44410 Herbignac

La Chaumière des Marais
– ☏ *02 40 91 32 36 – lachaumieredesmarais@orange.fr – Fax 02 40 91 33 87*
– Fermé mi-oct. à mi-nov., vacances de fév., lundi et mardi sauf juil.-août
Rest – Menu 18 € (déj. en sem.), 28/62 € bc – Carte environ 48 €

◆ Jolie chaumière briéronne aux abords fleuris ; terrasse et potager. Coquette salle à manger rustique à l'imposante cheminée. Cuisine actuelle nourrie d'aromates et d'épices.

HÉRÉPIAN – 34 Hérault – 339 D7 – rattaché à Bédarieux

LES HERMAUX – 48 Lozère – 330 G7 – 117 h. – alt. 1 045 m – ⌧ 48340   22 **B1**

▶ Paris 594 – Espalion 56 – Florac 73 – Mende 50 – Millau 67 – Rodez 75 – St-Flour 90

Vergnet ⌾
– ☏ *04 66 32 60 78 – www.hotel-vergnet.com – vergnet.christophe@wanadoo.fr*
– Fermé dim. soir hors saison
12 ch – †40 €, ††40 €, ⌑ 6 € – ½ P 40 €   **Rest** – Menu 14/23 €

◆ Dans un hameau pittoresque de l'Aubrac, hôtel familial disposant de chambres rustiquement aménagées et toutes rafraîchies. Salle à manger d'aspect un peu suranné, égayée d'animaux naturalisés. Bon aligot-saucisse servi à la bonne franquette.

HÉROUVILLE – 95 Val-d'Oise – **305** D6 – **106** 6 – voir à Paris, Environs (Cergy-Pontoise)

HÉROUVILLE-ST-CLAIR – 14 Calvados – **303** J4 – rattaché à Caen

> Nous essayons d'être le plus exact possible dans les prix que nous indiquons.
> **Mais tout bouge !**
> Lors de votre réservation, pensez à vous faire préciser le prix du moment.

HESDIN – 62 Pas-de-Calais – **301** F5 – 2 420 h. – alt. 27 m – ✉ 62140   **30 A2**
Nord Pas-de-Calais Picardie

■ Paris 210 – Abbeville 36 – Arras 58 – Boulogne-sur-Mer 65 – Calais 89 – Lille 89

🛈 Office de tourisme, place d'Armes ✆ 03 21 86 19 19, Fax 03 21 86 04 05

Trois Fontaines
16 rte d'Abbeville – ✆ 03 21 86 81 65 – www.hotel-les3fontaines.com – hotel.3fontaines@wanadoo.fr – Fax 03 21 86 33 34 – Fermé 22 déc.-5 janv., lundi midi et sam. midi
16 ch – †53/63 € ††59/72 €, ☐ 7 €   **Rest** – Menu (16 €), 19 € (sem.)/35 €
♦ Les petites chambres redécorées de cet hôtel composé de deux bâtiments sont en rez-de-jardin avec terrasse ; préférez celles de l'extension récente conçue "à la scandinave". Cuisine à prix doux servie dans une salle à manger conviviale, dotée d'une cheminée.

L'Écurie
17 r. Jacquemont – ✆ 03 21 86 86 86 – lecurie846@orange.fr – Fax 03 21 86 86 86 – Fermé dim. soir, mardi soir et lundi
Rest – Menu 15 € (déj. en sem.), 24/26 € – Carte 25/35 €
♦ À deux pas du bel hôtel de ville, un sympathique restaurant qui célèbre le cheval (sculptures en bois, enseigne). Lumineuse salle agrémentée de faïences. Cuisine traditionnelle.

à Gouy-St-André 14 km à l'Ouest par N 39 et D 137 – 613 h. – alt. 100 m – ✉ 62870

Le Clos de la Prairie
17 r. de St-Rémy – ✆ 03 21 90 39 58 – leclosdelaprairie@orange.fr – Fermé 1ᵉʳ-10 oct., 23-30 déc., jeudi midi et merc.
Rest – Menu 30/100 € bc – Carte 30/100 €
♦ Dans un agréable petit village, restaurant chaleureux occupant un ancien corps de ferme, avec une terrasse ouverte sur la campagne. Cuisine du marché actuelle et savoureuse.

HESDIN-L'ABBÉ – 62 Pas-de-Calais – **301** D3 – rattaché à Boulogne-sur-Mer

HÉSINGUE – 68 Haut-Rhin – **315** J11 – rattaché à St-Louis

HEUDICOURT-SOUS-LES-CÔTES – 55 Meuse – **307** F5 – rattaché à St-Mihiel

HEYRIEUX – 38 Isère – **333** D4 – 4 163 h. – alt. 220 m – ✉ 38540   **44 B2**
■ Paris 487 – Lyon 30 – Pont-de-Chéruy 22 – La Tour-du-Pin 35 – Vienne 25

L'Alouette
rte de St-Jean-de-Bournay, à 3 km ✉ 38090 – ✆ 04 78 40 06 08 – www.jcmarlhins.com – alouette@jcmarlhins.com – Fax 04 78 40 54 74 – Fermé 14-20 avril, 26 juil.-13 août, 21 déc.-4 janv., sam. midi, dim. soir et lundi
Rest – Menu 21 € (déj. en sem.), 31/51 € – Carte 35/60 €
♦ Salle de restaurant tripartite avec poutres apparentes, agrémentée de tableaux et de sculptures d'un artiste régional. Jolie mise en place et cuisine classique.

HIERES-SUR-AMBY – 38 Isère – 333 E3 – 998 h. – alt. 216 m — 44 B1
– ⊠ 38118

🖻 Paris 489 – Lyon 61 – Grenoble 107 – Bourg-en-Bresse 57 – Villeurbanne 48

Le Val d'Amby avec ch
pl. de la République – ℰ 04 74 82 42 67 – www.hotel-levaldamby.com
– carlona527@wanadoo.fr – Fax 04 74 82 42 68 – Fermé 13-17 avril, 11-24 août,
23-26 déc., 15-21 fév., dim. soir et merc.
13 ch – †42 € ††49/60 €, ⊇ 8 €
Rest – Menu (13 € bc), 25 € (déj. en sem.), 30/59 € – Carte 33/55 €
♦ Sur la place du village, belle maison de pays en pierre. Menu du jour servi dans l'espace café et cuisine traditionnelle dans la salle à manger plus confortable. Terrasse. Chambres simples et bien tenues.

HINSINGEN – 67 Bas-Rhin – 315 F3 – 84 h. – alt. 220 m – ⊠ 67260 — 1 A1

🖻 Paris 405 – St-Avold 35 – Sarrebourg 37 – Sarreguemines 22 – Strasbourg 92

Grange du Paysan
r. Principale – ℰ 03 88 00 91 83 – Fax 03 88 00 93 23 – Fermé lundi
Rest – Menu 10 € (sem.)/52 € – Carte 18/52 €
♦ Vieilles poutres, licous et autres objets du monde agricole : on appréciera dans cette salle champêtre une cuisine du terroir généreuse (produits de l'élevage familial).

HIRMENTAZ – 74 Haute-Savoie – 328 M3 – rattaché à Bellevaux

HIRTZBACH – 68 Haut-Rhin – 315 H11 – 1 259 h. – alt. 308 m — 1 A3
– ⊠ 68118

🖻 Paris 462 – Mulhouse 24 – Altkirch 5 – Belfort 31 – Colmar 71

Hostellerie de l'Illberg
17 r. Mar. de Lattre de Tassigny – ℰ 03 89 40 93 22 – www.hostelillberg.fr – hostel
illberg@orange.fr – Fax 03 89 08 85 19 – Fermé vacances de printemps et en août
Rest – (fermé lundi et mardi) Menu 25 € (sem.)/95 € bc – Carte 49/58 €
Rest *Bistrot d'Arthur* – (fermé dim. midi) Menu (12 €), 21/26 € – Carte 26/46 €
♦ Des œuvres d'artistes locaux ornent la salle à manger de cette chaleureuse maison. Cuisine classique revisitée, respectueuse des produits de la région. Le Bistrot propose de bien appétissants plats ou menus du jour dans une grande convivialité.

HOERDT – 67 Bas-Rhin – 315 K4 – 4 337 h. – alt. 135 m – ⊠ 67720 — 1 B1

🖻 Paris 483 – Haguenau 21 – Molsheim 44 – Saverne 46 – Strasbourg 18

A la Charrue
30 r. République – ℰ 03 88 51 31 11 – www.lacharrue.fr – lacharrue@wanadoo.fr
– Fax 03 88 51 32 55 – Fermé 24 déc.-5 janv., le soir sauf vend. et sam. et lundi sauf fériés
Rest – Menu (10 €), 15 € (déj. en sem.), 27/36 € – Carte 25/44 €
♦ La grande spécialité de la maison, c'est l'asperge (en saison) ! Alors toute la région – membres du Conseil de l'Europe compris – accourt ici pour la célébrer.

HOHRODBERG – 68 Haut-Rhin – 315 G8 – alt. 750 m – ⊠ 68140 — 1 A2
Alsace Lorraine

🖻 Paris 462 – Colmar 26 – Gérardmer 37 – Guebwiller 47 – Munster 8
– Le Thillot 57

◉ ≤★★.

Panorama
3 rte de Linge – ℰ 03 89 77 36 53 – www.hotel-panorama-alsace.com – info@
hotel-panorama-alsace.com – Fax 03 89 77 03 93 – Fermé
2-26 nov. et 4 janv.-5 fév.
30 ch – †46/73 € ††46/73 €, ⊇ 11 € – ½ P 50/69 €
Rest – Menu 17 € (sem.)/39 € – Carte 25/53 €
♦ Bâtiment ancien et son annexe moderne, face à la vallée de Munster. Chambres confortables – avec ou sans vue sur les Vosges – décorées de fresques à thème régional. Superbe panorama au restaurant où l'on sert des spécialités telles que le Presskopf de la mer.

LE HOHWALD – 67 Bas-Rhin – 315 H6 – 386 h. – alt. 570 m – Sports d'hiver : 600/1 100 m ⸗1 ⸗ – ⊠ 67140 ▌Alsace Lorraine   2 C1

▶ Paris 430 – Lunéville 89 – Molsheim 33 – St-Dié 46 – Sélestat 26 – Strasbourg 51
🛈 Office de tourisme, square Kuntz ✆ 03 88 08 33 92, Fax 03 88 08 30 14
◉ Le Neuntelstein★★ ≤★★ N : 6 km puis 30 mn.

⌂ La Forestière ⸗
10 A chemin de l'Eck – ✆ 03 88 08 31 08 – http://laforestiere.fr.monsite.orange.fr
– catherine.marchal15@orange.fr – Fax 03 88 08 32 96 – Fermé 1er-8 mars,
22-29 avril et 4-10 juil.
5 ch ⸗ – ∮71/81 € ∮∮86/96 € – ½ P 71 € – **Table d'hôte** – Menu 26 € bc/36 € bc
◆ Sur les hauteurs du village, avec la forêt toute proche, cette maison récente et tranquille offre des chambres spacieuses, meublées en bois clair, à l'alsacienne. Table d'hôte (le soir) proposant, dans une ambiance familiale, spécialités régionales et gibier.

HOLNON – 02 Aisne – 306 B3 – rattaché à St-Quentin

LE HÔME – 14 Calvados – 303 L4 – rattaché à Cabourg

HONDSCHOOTE – 59 Nord – 302 D2 – 3 749 h. – alt. 5 m – ⊠ 59122   30 B1

▶ Paris 286 – Lille 63 – Dunkerque 22 – Oostende 52 – Roeselare 51
🛈 Office de tourisme, 2, rue des Moeresd ✆ 03 28 62 53 00, Fax 03 28 68 30 99

✕ Les Jardins de l'Haezepoël
1151 r. de Looweg – ✆ 03 28 62 50 50 – www.hzpl.com – Fax 03 28 68 31 01
– Fermé lundi soir et mardi
Rest – grill – Menu (15 €) – Carte 25/35 €
◆ Belle maison en briques abritant également un cabaret. Dans un cadre champêtre, vous dégusterez grillades préparées devant vous et spécialités régionales (potjevleech).

HONFLEUR – 14 Calvados – 303 N3 – 8 139 h. – alt. 5 m – ⊠ 14600   32 A3
▌Normandie Vallée de la Seine

▶ Paris 195 – Caen 69 – Le Havre 27 – Lisieux 38 – Rouen 83
🛈 Office de tourisme, quai Lepaulmier ✆ 02 31 89 23 30, Fax 02 31 89 31 82
◉ le vieux Honfleur★★ : Vieux bassin★★ AZ, église Ste-Catherine★★ AY et clocher★ AY B – Côte de Grâce★★ AY : calvaire★★.
◉ Pont de Normandie★★ par ① : 4 km (péage).

Plan page suivante

🏨 La Ferme St-Siméon ⸗
r. A. Marais, par ③ – ✆ 02 31 81 78 00
– www.fermesaintsimeon.fr – accueil@fermesaintsimeon.fr – Fax 02 31 89 48 48
30 ch – ∮150/850 € ∮∮150/850 €, ⸗ 27 € – 4 suites – ½ P 304/576 €
Rest – Menu 55/129 € – Carte 96/148 €
◆ Haut lieu de l'histoire de la peinture, l'auberge que fréquentaient les impressionnistes est devenue un magnifique ensemble hôtelier, dont le parc domine l'estuaire. Espaces détente et remise en forme. Restaurant raffiné, terrasses face à la mer, bon choix de calvados et belle cuisine classique.

🏨 Le Manoir du Butin ⸗
r. A. Marais, par ③ – ✆ 02 31 81 63 00 – www.hotel-lemanoir.fr – accueil@hotel-lemanoir.fr – Fax 02 31 89 59 23
10 ch – ∮120/350 € ∮∮120/350 €, ⸗ 17 € – ½ P 140/240 €
Rest – *(dîner seult sauf dim.)* Menu 35/48 € – Carte 49/83 €
◆ Colombages peints, fenêtres à croisillons, jeu de toitures asymétriques et parc : ce manoir du 18e s. pétri de charme abrite des chambres douillettes. Élégante et lumineuse salle à manger ; cuisine au goût du jour.

🏨 Les Maisons de Léa sans rest
pl. Ste-Catherine – ✆ 02 31 14 49 49 – www.lesmaisonsdelea.com – contact@lesmaisonsdelea.com – Fax 02 31 89 28 61   AY a
27 ch – ∮125/205 € ∮∮125/205 €, ⸗ 15 € – 7 suites
◆ Trois anciens logis de pêcheur (16e s.) et un ex-grenier à sel composent cet hôtel de charme, proche du clocher en bois de Ste-Catherine. Décor à thème dans chaque lieu. Chambres-bonbonnières et salons cosy.

HONFLEUR

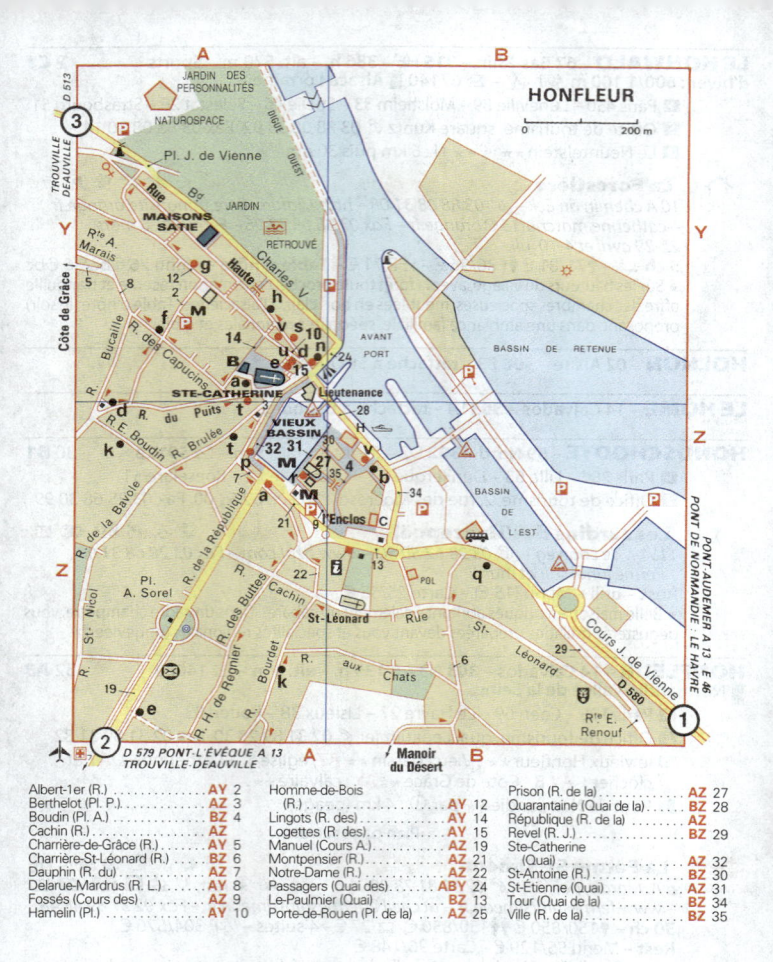

Albert-1er (R.)	**AY** 2	Homme-de-Bois		Prison (R. de la)	**AZ** 27
Berthelot (Pl. P.)	**AZ** 3	(R.)	**AY** 12	Quarantaine (Quai de la)	**BZ** 28
Boudin (Pl. A.)	**BZ** 4	Lingots (R. des)	**AY** 14	République (R. de la)	**AZ**
Cachin (R.)	**AZ**	Logettes (R. des)	**AY** 15	Revel (R. J.)	**BZ** 29
Charrière-de-Grâce (R.)	**AY** 5	Manuel (Cours A.)	**AZ** 19	Ste-Catherine	
Charrière-St-Léonard (R.)	**BZ** 6	Montpensier (R.)	**AZ** 21	(Quai)	**AZ** 32
Dauphin (R. du)	**AY**	Notre-Dame (R.)	**AZ** 22	St-Antoine (R.)	**BZ** 30
Delarue-Mardrus (R. L.)	**AY** 8	Passagers (Quai des)	**ABY** 24	St-Étienne (Quai)	**AZ** 31
Fossés (Cours des)	**AZ** 9	Le-Paulmier (Quai)	**BZ** 13	Tour (Quai de la)	**BZ** 34
Hamelin (Pl.)	**AY** 10	Porte-de-Rouen (Pl. de la)	**AZ** 25	Ville (R. de la)	**BZ** 35

L'Écrin sans rest
19 r. E. Boudin – ℘ 02 31 14 43 45 – www.honfleur.com – hotel.ecrin@honfleur.com – Fax 02 31 89 24 41

AZ **k**

27 ch – †100/180 € ††100/180 €, ⊡ 16 € – 3 suites

♦ Hôtel-musée dont les chambres et salons, foisonnants d'objets d'art et d'ornements anciens, sont répartis dans 5 bâtiments d'époques différentes. La demeure principale, du 18e s., est la plus fastueuse. Petit-déjeuner servi dans une véranda ouvrant sur le jardin.

La Maison de Lucie sans rest
44 r. Capucins – ℘ 02 31 14 40 40 – www.lamaisondelucie.com
– info@lamaisondelucie.com – Fax 02 31 14 40 41
– Fermé 30 nov.-19 déc. et 4-23 janv.

11 ch – †150/220 € ††150/220 €, ⊡ 18 € – 2 suites

AY **f**

♦ Charme et raffinement vous attendent dans les chambres coquettes de cette maison du 18e s. Petit-déjeuner servi aux salons (boiseries, poutres) ou dans la cour intérieure pavée.

HONFLEUR

L'Absinthe sans rest
1 r. de la Ville – ℰ 02 31 89 23 23 – www.absinthe.fr – reservation@absinthe.fr
– Fax 02 31 89 53 60 – Fermé 13 nov.-13 déc. BZ v
10 ch – †115/250 € ††115/250 €, ⊇ 12 € – 2 suites

♦ Ce presbytère du 16e s. abrite un hôtel calme et insolite. Décor aux teintes douces, mariant rustique et moderne. Certaines chambres sont logées dans une maison face aux quais.

Des Loges sans rest
18 r. Brûlée – ℰ 02 31 89 38 26 – www.hotelsdesloges.com – info@hotelsdesloges.com – Fax 02 31 89 42 79 – Fermé 5-29 janv. AZ t
14 ch – †110/135 € ††110/135 €, ⊇ 12 €

♦ Trois maisons du 17e s. bien rénovées composent cet insolite hôtel-boutique (non-fumeurs). Cadre contemporain très épuré ; ambiance zen dans les chambres.

Castel Albertine sans rest
19 cours A. Manuel – ℰ 02 31 98 85 56 – www.residencemvm.fr – info@honfleurhotels.com – Fax 02 31 98 83 18 – Fermé janv. AZ e
27 ch – †75/150 € ††75/150 €, ⊇ 10 €

♦ Cette ravissante maison de maître (19e s.) appartient à l'historien de la diplomatie, Albert Sorel, natif d'Honfleur. Chambres personnalisées, salon coquet, véranda et petit parc ombragé.

Mercure sans rest
r. Vases – ℰ 02 31 89 50 50 – www.accor-hotels.com – h0986@accor.com
– Fax 02 31 89 58 77 BZ q
56 ch – †85/130 € ††85/130 €, ⊇ 12 €

♦ Pas loin du centre, hôtel de chaîne à la façade vaguement normande où vous logerez dans des chambres fonctionnelles. Amateurs de calme, préférez celles situées sur l'arrière.

Le Cheval Blanc sans rest
2 quai des Passagers – ℰ 02 31 81 65 00 – www.hotel-honfleur.com
– lecheval.blanc@wanadoo.fr – Fax 02 31 89 52 80 – Fermé janv. AY n
34 ch – †70/160 € ††80/200 €, ⊇ 10 € – 1 suite

♦ Un ancien relais de poste du 15e s. bien rénové, aux chambres actuelles (plus grandes au 1er étage) avec vue sur l'avant-port. Petit-déjeuner buffet. Accueil aimable.

Kyriad
62 cours A. Manuel, par ② – ℰ 02 31 89 41 77 – www.kyriad.fr – kyriad.honfleur@free.fr – Fax 02 31 89 48 09
50 ch – †65/78 € ††65/78 €, ⊇ 8 €
Rest – Menu (17 €), 24 € – Carte environ 26 €

♦ Hôtel rénové situé à l'écart du centre. Ses chambres, petites mais bien insonorisées, sont avant tout fonctionnelles ; celles de l'arrière donnent sur un jardinet. Table traditionnelle, formule buffet et brunch le dimanche.

La Petite Folie sans rest
44 r. Haute – ℰ 02 31 88 71 55 – www.lapetitefolie-honfleur.com – info@lapetitefolie-honfleur.com – Fax 02 31 88 71 55 – Fermé janv. AY h
5 ch ⊇ – †135 € ††135 €

♦ Toutes les touches raffinées d'une maison d'hôte s'illustrent ici : meubles et objets chinés, tomettes au sol, linge luxueux, etc. Petit-déjeuner au jardin dès les beaux jours.

Le Clos Bourdet sans rest
50 r. Bourdet – ℰ 02 31 89 49 11 – www.leclosbourdet.com – leclosbourdet@orange.fr – Fermé janv. AZ k
5 ch ⊇ – †130/180 € ††140/190 €

♦ Dans un grand jardin clos à flanc de colline... C'est peu dire que cette belle maison bourgeoise du 18e s. jouit du calme ! Chambres personnalisées.

La Cour Ste-Catherine sans rest
74 r. du Puits – ℰ 02 31 89 42 40 – www.coursaintecatherine.com
– coursaintecatherine@orange.fr AYZ d
5 ch ⊇ – †70/90 € ††75/95 €

♦ Sur les hauteurs d'Honfleur, dans les murs d'un ancien couvent (17e s.) qui fut aussi une cidrerie, des chambres paisibles, mariant l'ancien et le moderne. Petit-déjeuner dans une salle rustique (ex-pressoir).

HONFLEUR

XXX L'Absinthe
🈯 AC ch, VISA ©© AE ①
10 quai Quarantaine – ℰ 02 31 89 39 00 – www.absinthe.fr – reservation@absinthe.fr – Fax 02 31 89 53 60 – Fermé 15 nov.-15 déc. BZ **b**
Rest – Menu 33/70 € – Carte 66/84 €

♦ Face au port, ce restaurant – ancien bar de pêcheur – occupe deux maisons des 15e et 17e s., au cadre rustique à souhait. Grande terrasse sur le devant. Cuisine actuelle.

XX La Terrasse et l'Assiette (Gérard Bonnefoy)
🈯 VISA ©© AE
✿
8 pl. Ste-Catherine – ℰ 02 31 89 31 33 – Fax 02 31 89 90 17 – Fermé 5 janv.-5 fév., mardi sauf juil.-août et lundi AY **e**
Rest – Menu 32/53 € – Carte 78/88 €

Spéc. Gaspacho d'huîtres au piment d'Espelette. Poitrine de pigeon rôti au jus d'abats. Petit gâteau chaud au chocolat et coulant pistache.

♦ Colombages et murs en briques donnent du cachet à ce restaurant qui possède en outre une agréable terrasse face à la surprenante église de bois. Savoureuse cuisine traditionnelle.

XX Sa. Qua. Na (Alexandre Bourdas)
🈲 VISA ©©
✿
22 pl. Hamelin – ℰ 02 31 89 40 80 – www.alexandre-bourdas.com – saquana@alexandre-bourdas.com – Fermé de mi-janv. à fin fév., merc., jeudi et le midi en sem. AY **u**
Rest – (nombre de couverts limité, prévenir) Menu 50/80 €

Spéc. Homard poché au citron vert. Pastilla de pigeonneau. Feuille de nougatine cacao et truffe.

♦ Sa.Qua.Na pour "saveurs, qualité, nature", ou encore "poisson" (sakana) en nippon : à vous de voir ! Table inventive au cadre moderne tendance zen. Proximité du vieux port.

XX Entre Terre et Mer avec ch
🈯 📶 VISA ©© AE
12 pl. Hamelin – ℰ 02 31 89 70 60 – www.entreterreetmer-honfleur.com – info@entreterreetmer-honfleur.com – Fax 02 31 89 40 55 – Fermé 15 janv.-5 fév.
14 ch ⊂⊃ – †98 € ††120 € AY **d**
Rest – Menu (23 €), 28/54 € – Carte 52/78 €

♦ Sur une place proche du vieux bassin. Deux salles contemporaines ; l'une décorée de photos sur la Normandie, l'autre de tableaux régionaux. Carte "terre et mer" actuelle. Chambres cosy et confortables dans la maison annexe située juste en face.

XX Le Bréard
🈯 VISA ©© AE ①
☺
7 r. du Puits – ℰ 02 31 89 53 40 – www.restaurant-lebreard.com – lebreard@wanadoo.fr – Fax 02 31 88 60 37 – Fermé 1er-26 déc., 4-12 fév., mardi midi, jeudi midi et merc. AY **t**
Rest – Menu (20 €), 28/38 € – Carte 60/67 €

♦ Dans une ruelle pavée proche de l'église Ste-Catherine, façade sobre dissimulant deux salles lumineuses séparées par une terrasse intérieure chauffée en hiver. Plats au goût du jour.

XX La Fleur de Sel
VISA ©© AE
17 r. Haute – ℰ 02 31 89 01 92 – lafleurdesel-honfleur.com – info@lafleurdesel-honfleur.com – Fax 02 31 89 01 92 – Fermé janv., mardi et merc. AY **v**
Rest – Menu 28/48 €

♦ Une table sympathique pour un repas dans l'air du temps : deux petites salles néo-rustiques exposant des photographies culinaires et une collection de Guides Michelin.

XX Au Vieux Honfleur
🈯 VISA ©© AE ①
13 quai St-Étienne – ℰ 02 31 89 15 31 – www.auvieuxhonfleur.com – contact@auvieuxhonfleur.com – Fax 02 31 89 92 04 AZ **r**
Rest – Menu 33/55 € – Carte 41/87 €

♦ Cette maison à colombages du 12e s., avec une terrasse et le Vieux Bassin en toile de fond, met à l'honneur les produits de la mer et les spécialités normandes.

X Au P'tit Mareyeur
VISA ©©
4 r. Haute – ℰ 02 31 98 84 23 – www.auptitmareyeur.com – auptitmareyeur@free.fr – Fax 02 31 89 99 32 – Fermé 4 janv.-2 fév., lundi et mardi AY **s**
Rest – (nombre de couverts limité, prévenir) Carte 42/51 €

♦ Colombages, tableaux sur le thème marin et jolies tables participent à l'atmosphère intime du restaurant. Produits de la mer ; bouillabaisse honfleuraise en spécialité.

HONFLEUR

L'Ecailleur

1 r. de la République – ℰ 02 31 89 93 34 – www.lecailleur.fr – lecailleur@
wanadoo.fr – Fax 02 31 89 53 73 – Fermé en mars, 17 juin-4 juil., 12-21 nov.,
8-25 déc., merc. et jeudi hors saison   AZ **a**

Rest – Menu 26/37 € – Carte 34/53 €

♦ Recettes au goût du jour à déguster dans un décor dépaysant et chaleureux évoquant une cabine de paquebot (boiseries, cordages, hublots). La grande baie vitrée s'ouvre sur le port.

La Tortue

36 r. de l'Homme de Bois – ℰ 02 31 81 24 60 – www.restaurantlatortue.fr
– lesterressafran@orange.fr – Fax 02 31 81 24 60   AY **g**

Rest – Menu (14 €), 19/36 € – Carte 25/42 €

♦ Dans une ruelle du vieux Honfleur, ce restaurant régional renouvelle chaque jour ses suggestions, à l'ardoise, selon l'arrivage de la pêche locale. Petite épicerie fine.

à la Rivière-St-Sauveur 2 km par ① – 1 685 h. – alt. 1 m – ✉ 14600

Antarès sans rest

– ℰ 02 31 89 10 10 – www.antares-honfleur.com – info@antares-honfleur.com
– Fax 02 31 89 58 57

78 ch – †65/122 € ††75/165 €, ⊒ 13 €

♦ Complexe hôtelier datant des années 1990, aux équipements pratiques. La moitié des chambres donne sur le pont de Normandie. Duplex familiaux bien conçus. Piscine.

Les Bleuets sans rest

11 r. Desseaux – ℰ 02 31 81 63 90 – www.motel-les-bleuets.com – contact@
motel-les-bleuets.com – Fax 02 31 89 92 12 – Fermé 5-22 janv.

18 ch – †59/86 € ††59/86 €, ⊒ 6,50 €

♦ Établissement d'allure motel, qui a un petit air de vacances : façade aux couleurs bleues et blanches, espace détente et chambres propres avec miniterrasse ou balcon.

par ③ 3 km rte de Trouville – ✉ 14600 Vasouy

La Chaumière

rte du Littoral, Vasouy – ℰ 02 31 81 63 20 – www.hotel-chaumiere.fr – accueil@
hotel-chaumiere.fr – Fax 02 31 89 59 23 – Fermé 24 nov.-11 déc. et 5-22 janv.

9 ch – †150/450 € ††150/450 €, ⊒ 15 € – ½ P 150/300 €

Rest – (fermé merc. midi, jeudi midi et mardi) (nombre de couverts limité, prévenir) Menu 40/60 € – Carte 40/55 €

♦ Cette jolie ferme normande du 17ᵉ s. se dresse face à l'estuaire de la Seine dans un parc dégringolant jusqu'à la mer. Chambres cosy, garnies de beaux meubles anciens. Poutres patinées et belle cheminée contribuent à l'atmosphère douillette du restaurant.

par ③ 8 km rte de Trouville et rte secondaire – ✉ 14600 Honfleur

Le Romantica

chemin Petit Paris – ℰ 02 31 81 14 00 – www.romantica-honfleur.com
– hotelromantica@free.fr – Fax 02 31 81 54 78

34 ch – †60/68 € ††70/138 €, ⊒ 9 € – ½ P 69/97 €

Rest – (fermé jeudi midi et merc. hors saison) Menu (17 €), 28/39 € – Carte 29/52 €

♦ Sur les hauteurs du village, cette bâtisse d'architecture régionale offre calme et confort dans ses chaleureuses chambres à touche rustique. Agréable piscine intérieure. Beau panorama sur la Manche et la campagne par les baies vitrées du restaurant.

à Cricqueboeuf 9 km par ③ et rte de Trouville – 208 h. – alt. 25 m – ✉ 14113

Manoir de la Poterie & Spa

chemin P. Ruel – ℰ 02 31 88 10 40 – www.honfleur-
hotel.com – info@honfleur-hotel.com – Fax 02 31 88 10 90

23 ch – †147/285 € ††147/285 €, ⊒ 18 € – 1 suite

Rest – (fermé le midi en sem.) Menu 33 € (sem.)/75 € – Carte 44/78 €

♦ Face à la mer, manoir moderne d'allure normande dont les chambres, de styles Louis XVI, Directoire, marin et actuel, sont tournées vers l'estran ou la campagne. Spa. Atmosphère cosy et cuisine au goût du jour dans la salle à manger qui ménage un espace plus intime.

HONFLEUR

à Villerville 10 km par ③, rte de Trouville – 676 h. – alt. 10 m – ⊠ 14113

🛈 Office de tourisme, rue Général Leclerc ✆ 02 31 87 21 49, Fax 02 31 98 30 65

Le Bellevue

rte d'Honfleur – ✆ 02 31 87 20 22 – www.bellevue-hotel.fr – resa@
bellevue-hotel.fr – Fax 02 31 87 20 56 – Fermé 23 nov.-17 déc. et 5 janv.-12 fév.
26 ch – †75/115 € ††95/115 €, ⊇ 14 € – 2 suites – ½ P 85/120 €
Rest – *(fermé mardi midi, merc. midi et jeudi midi)* Menu 25/46 €
– Carte 37/53 €

♦ Cette demeure dominant la mer fut, à la fin du 19e s., la villégiature d'un directeur de l'Opéra Comique de Paris. Chambres confortables, rustiques ou contemporaines. Coquette salle à manger-véranda offrant une jolie vue sur le jardin et le littoral.

HORBOURG – 68 Haut-Rhin – 315 I8 – rattaché à Colmar

HOSSEGOR – 40 Landes – 335 C13 – alt. 4 m – Casino – ⊠ 40150   3 **A3**
Aquitaine

▸ Paris 752 – Bayonne 25 – Biarritz 32 – Bordeaux 170 – Dax 40
– Mont-de-Marsan 93

🛈 Office de tourisme, place des Halles ✆ 05 58 41 79 00, Fax 05 58 41 79 09

🏌 d'Hossegor 333 avenue du Golf, SE : 0,5 km, ✆ 05 58 43 56 99

🏌 de Seignosse à Seignosse Avenue du Belvédère, N : 5 km par D 152,
✆ 05 58 41 68 30

🏌 de Pinsolle à Soustons Port d'Albret Sud, N : 10 km par D 4, ✆ 05 58 48 03 92

◉ Le lac★ - Les villas basco-landaises★.

Les Hortensias du Lac sans rest

1578 av. du Tour du Lac – ✆ 05 58 43 99 00
– www.hortensias-du-lac.com – reception@hortensias-du-lac.com
– Fax 05 58 43 42 81 – Ouvert de mi-mars à mi-nov.
20 ch – †130/210 € ††130/210 €, ⊇ 20 € – 4 suites

♦ Trois belles maisons des années 1930 entourées d'une pinède et bordant le lac marin. Les chambres, décorées avec goût, possèdent un balcon ou une terrasse. Salon panoramique.

Pavillon Bleu

av. Touring Club de France – ✆ 05 58 41 99 50 – www.pavillonbleu.fr
– pavillon.bleu@wanadoo.fr – Fax 05 58 41 99 59
21 ch – †70/166 € ††70/166 €, ⊇ 10 € – ½ P 75/123 €
Rest – *(fermé 26 déc.-20 janv. et lundi du 15 sept. au 15 avril)* Menu (21 € bc),
31/68 € – Carte 50/80 €

♦ Un établissement neuf où vous réserverez une chambre dotée d'un balcon tourné vers le lac pour profiter du ballet nautique des dériveurs et autres planches à voile. Salle à manger contemporaine, belle terrasse à fleur d'eau et cuisine au goût du jour.

Mercédès sans rest

63 av. du Tour du Lac – ✆ 05 58 41 98 00 – www.hotel.mercedes@wanadoo.fr
– hotel.mercedes@wanadoo.fr – Fax 05 58 41 98 10 – Ouvert 1er avril-1er nov.
40 ch – †70/90 € ††85/145 €, ⊇ 10 €

♦ Cette architecture balnéaire proche du lac marin abrite des chambres sobres et plaisantes, toutes dotées d'un balcon. En été, petits-déjeuners servis près de la piscine.

HOUAT (ÎLE D') – 56 Morbihan – 308 N10 – voir à Île d'Houat

Ne confondez pas les couverts ✗ et les étoiles ✾ !
Les couverts définissent une catégorie de standing, tandis que l'étoile couronne les meilleures tables, dans chacune de ces catégories.

LA HOUBE – 57 Moselle – 307 O7 – ⌂ 57850 Dabo — 27 **D2**

▶ Paris 453 – Lunéville 86 – Phalsbourg 18 – Sarrebourg 27 – Saverne 17 – Strasbourg 45

Des Vosges
41 r. de la Forêt Brûlée ⌂ 57850 La Hoube Dabo – ℰ 03 87 08 80 44
– www.hotel-restaurant-vosges.com – info@hotel-restaurant-vosges.com
– Fax 03 87 08 85 96 – Fermé 28 sept.-11 oct., 8 fév.-8 mars, mardi soir et merc.
9 ch – ✦33 € ✦✦48 €, ⌂ 8 € – ½ P 44 €
Rest – Menu 11 € (déj. en sem.), 20/30 € – Carte 22/35 €
◆ Petite auberge familiale située au bout du village. Chambres simples et bien tenues ; agréable jardin. Dans la salle à manger rustique tournée vers la forêt vosgienne, sympathique cuisine respectueuse du terroir.

LES HOUCHES – 74 Haute-Savoie – 328 N5 – 3 037 h. – alt. 1 004 m — 46 **F1**
– Sports d'hiver : 1 010/1 900 m ⛷ 2 ⛷16 ⛷ – ⌂ 74310 ▌Alpes du Nord

▶ Paris 602 – Annecy 89 – Bonneville 47 – Chamonix-Mont-Blanc 9 – Megève 26
ℹ Office de tourisme, place de la Mairie ℰ 04 50 55 50 62, Fax 04 50 55 53 16
◉ Le Prarion ★★.

Du Bois
La Griaz – ℰ 04 50 54 50 35 – www.hotel-du-bois.com – reception@hotel-du-bois.com – Fax 04 50 55 50 87 – Fermé 3 nov.-3 déc.
43 ch – ✦50/162 € ✦✦50/182 €, ⌂ 9 €   **Rest** – (fermé 14 avril-11 mai et 6 oct.-8 déc.) (dîner seult) Menu 24 € – Carte 20/40 €
◆ Ensemble typé, avec le Mont-Blanc à l'horizon. Chambres pratiques et appartements dans l'aile récente. Belle piscine couverte, sauna et bassin extérieur. Table campagnarde : bardage en bois brut, mobilier rustique, cheminée, nappage vichy. Carte actuelle.

Auberge Beau Site
(près de l'église) – ℰ 04 50 55 51 16 – www.hotel-beausite.com – reservation@hotel-beausite.com – Fax 04 50 54 53 11 – Ouvert 1ᵉʳ juin-29 sept. et 21 déc.-20 avril
18 ch – ✦69/92 € ✦✦82/115 €, ⌂ 10 €
Rest *Le Pèle* – (fermé 1ᵉʳ-15 juin, 15-29 sept. et le midi en hiver) Menu 25/35 €
◆ Maison familiale située au pied du clocher de la station rendue célèbre par Lord Kandahar. Chambres de bonne ampleur, fonctionnelles et égayées d'étoffes rouges et vertes. Chaleureux restaurant avec billots de bois posés près de la cheminée aux cuivres rutilants.

Auberge Le Montagny sans rest
490 rte du Pont – ℰ 04 50 54 57 37 – www.chamonix-hotel.com
– hotel.montagny@wanadoo.fr – Fax 04 50 54 52 97 – Ouvert 21 juin-19 sept. et 21 déc.-13 avril
8 ch – ✦80 € ✦✦80 €, ⌂ 9 €
◆ De la ferme de 1876 ne subsistent que la porte et quelques poutres : ce sympathique petit chalet où le bois est roi abrite aujourd'hui de coquettes chambres à l'esprit montagne.

Chris-Tal
242 av. des Alpages – ℰ 04 50 54 50 55 – www.chris-tal.com – info@chris-tal.com
– Fax 04 50 54 45 77 – Ouvert 16 juin-14 sept. et 16 déc.-14 avril
23 ch – ✦75/125 € ✦✦85/125 €, ⌂ 10 € – ½ P 75/92 €
Rest – (dîner seult) Menu 20/30 € – Carte 30/42 €
◆ Au cœur de la petite station, chambres cosy privilégiant l'espace et la fonctionnalité ; la plupart ouvrent sur la célèbre "piste Verte : Kandahar". Cuisine oscillant entre tradition et terroir à découvrir dans une salle à manger chaleureuse.

au Prarion par télécabine – ⌂ 74310 Les Houches
◉ ❄ ★★ 30 mn.

Le Prarion
alt. 1 860 – ℰ 04 50 54 40 07 – www.prarion.com – yves@prarion.com
– Fax 04 50 54 40 03 – Ouvert 20 juin-13 sept. et 19 déc. à fin mars
12 ch (½ P seult) – ½ P 75/110 €
Rest – self – Menu 29 € (dîner) – Carte 16/32 €
◆ Massifs du Mont-Blanc et des Aravis, vallées de Chamonix et de Sallanches : de cet hôtel votre regard ne se posera que sur des sommets enneigés... Petites chambres simples. Le midi, repas traditionnels (en self-service l'hiver) et le soir, menu unique.

HOUDAN – 78 Yvelines – 311 F3 – 3 140 h. – alt. 104 m – ✉ 78550   18 A2
Île de France

- Paris 60 – Chartres 55 – Dreux 20 – Évreux 52 – Mantes-la-Jolie 28 – Versailles 42
- Office de tourisme, 4, place de la Tour ✆ 01 30 59 53 86, Fax 01 30 59 66 84
- de la Vaucouleurs à Civry-la-Forêt Rue de l'Eglise, N : 11 km par D 983, ✆ 01 34 87 62 29
- des Yvelines à La Queue-les-Yvelines Château de la Couharde, E : 12 km par N 12, ✆ 01 34 86 48 89

XXX La Poularde
24 av. République, (rte Maulette D 912) – ✆ 01 30 59 60 50
– www.alapoularde.com – contact@alapoularde.com – Fax 01 30 59 79 71
– Fermé 3-11 août, dim. soir, lundi et mardi
Rest – Menu (22 €), 35/65 € – Carte 56/70 €
♦ Sur la carte, la fameuse poule de Houdan, bien sûr, mais aussi des recettes traditionnelles rythmées par les saisons. Élégante salle feutrée et grande terrasse d'été.

XX Donjon
14 r. Epernon, (près de l'église) – ✆ 01 30 59 79 14 – www.restaurant-ledonjon.fr
– deserville.eric@wanadoo.fr – Fermé 1 sem. en mars, 9-30 août, dim. soir, jeudi soir et lundi
Rest – Menu (24 € bc), 30/45 € – Carte 48/55 €
♦ Du château médiéval ne subsiste que le donjon, proche voisin de ce restaurant qui en a pris le nom. Cuisine au goût du jour servie dans un joli cadre contemporain et coloré.

HOUDEMONT – 54 Meurthe-et-Moselle – 307 H7 – rattaché à Nancy

---

HOULGATE – 14 Calvados – 303 L4 – 1 908 h. – alt. 11 m – Casino   32 B2
– ✉ 14510 **Normandie Vallée de la Seine**

- Paris 214 – Caen 29 – Deauville 14 – Lisieux 33 – Pont-l'Évêque 25
- Office de tourisme, 10, boulevard des Belges ✆ 02 31 24 34 79, Fax 02 31 24 42 27
- d'Houlgate à Gonneville-sur-Mer, E : 3 km par D 513, ✆ 02 31 24 80 49
- Falaise des Vaches Noires★ au NE.

XX L'Eden
7 r. Henri Fouchard – ✆ 02 31 24 84 37 – www.restaurant-leden.com
– nicolas.tougard@wanadoo.fr – Fax 02 31 28 32 34
– Fermé 5-13 oct., 4 janv.-10 fév., lundi et mardi sauf 10 juil. au 30 août
Rest – Menu (20 €), 26/43 € – Carte 40/55 €
♦ Goûteux plats traditionnels honorant les produits de la mer, à déguster dans une salle actuelle ou sous une véranda façon jardin d'hiver, d'où l'on peut voir les cuisines.

HUEZ – 38 Isère – 333 J7 – rattaché à Alpe d'Huez

HUNINGUE – 68 Haut-Rhin – 315 J11 – rattaché à St-Louis

HURIGNY – 71 Saône-et-Loire – 320 I12 – rattaché à Mâcon

HUSSEREN-LES-CHÂTEAUX – 68 Haut-Rhin – 315 H8 – 488 h.   2 C2
– alt. 380 m – ✉ 68420 **Alsace Lorraine**

- Paris 455 – Belfort 69 – Colmar 10 – Gérardmer 55 – Guebwiller 22 – Mulhouse 40

HUSSEREN-LES-CHÂTEAUX

🏨 **Husseren-les-Châteaux** ≤ 🛎 🖼 ⅙ ※ 🖩 & ch, 섮 ⁽¹⁾ 🐟 🅿
r. Schlossberg – ☎ 03 89 49 22 93   VISA ⓜ ⒶⒺ ⓘ
– www.hotel-husseren-les-chateaux.com – mail@
hotel-husseren-les-chateaux.com – Fax 03 89 49 24 84
36 ch – ♦88/103 € ♦♦115/138 €, ⌾ 13 € – 2 suites
Rest – Menu (12 €), 21/49 € – Carte 23/48 €

♦ Perchée sur les hauteurs du massif vosgien, construction moderne pourvue de grandes chambres fonctionnelles avec mezzanine. Piscine couverte et tennis. Belle échappée sur la vallée du Rhin depuis le lumineux restaurant où l'on sert une cuisine traditionnelle.

HYÈRES – 83 Var – **340** L7 – 53 700 h. – alt. 40 m – Casino : des Palmiers 41 **C3**
Z – ✉ 83400 ▌Côte d'Azur

- ▶ Paris 851 – Aix-en-Provence 102 – Cannes 123 – Draguignan 78 – Toulon 19
- ✈ de Toulon-Hyères : ☎ 0 825 01 83 87, SE : 4 km V.
- 🛈 Syndicat d'initiative, 3, avenue Ambroise Thomas ☎ 04 94 01 84 50, Fax 04 94 01 84 51
- 👁 ≤★ de la place St-Paul Y **49** - ≤★ du parc St-Bernard Y - ≤★ de l'esplanade de la Chapelle N.-D. de Consolation V **B** - ※★ des Ruines du Château des aires - Presqu'île de Giens★★.

Plan page suivante

🏨 **Mercure** 🛎 ⌇ 🖩 & ch, 🅰🅲 섮 ※ ch, ⁽¹⁾ 🐟 🅿 VISA ⓜ ⒶⒺ ⓘ
19 av. A. Thomas – ☎ 04 94 65 03 04 – www.mercure.com – h1055@accor.com
– Fax 04 94 35 58 20   V **x**
84 ch – ♦109/165 € ♦♦122/199 €, ⌾ 15 €
Rest – Menu (25 €) – Carte 28/40 €

♦ Hôtel rénové, près de la voie rapide d'Olbia et d'un centre d'affaires. Chambres contemporaines disposant d'un équipement moderne complet. Agréable restaurant (mobilier d'esprit jardin), service au bord de la piscine en saison. Cuisine régionale.

🏨 **L'Europe** sans rest 🅰🅲 섮 ⁽¹⁾ VISA ⓜ ⒶⒺ
45 av. E. Cavell – ☎ 04 94 00 67 77 – www.hotel-europe-hyeres.com – contact@
hotel-europe-hyeres.com – Fax 04 94 00 68 48   V **r**
25 ch – ♦55/92 € ♦♦60/92 €, ⌾ 8 €

♦ Cet immeuble du 19e s. face à la gare abrite un hôtel familial progressivement rénové. Chambres pratiques, bien rajeunies, dotées de salles de bain neuves.

🏨 **Le Soleil** sans rest ※ ⁽¹⁾ VISA ⓜ ⒶⒺ ⓘ
r. du Rempart – ☎ 04 94 65 16 26 – www.hoteldusoleil.fr – soleil@
hotel-du-soleil.fr – Fax 04 94 35 46 00   Y **r**
20 ch ⌾ – ♦64/94 € ♦♦71/104 €

♦ Vieille maison de caractère juchée sur les hauteurs de la cité, près de la villa-musée des Noailles. Chambres étroites mais nettes ; salle des petits-déjeuners provençale.

✕✕ **Les Jardins de Bacchus** 🛎 🅰🅲 VISA ⓜ ⒶⒺ
32 av. Gambetta – ☎ 04 94 65 77 63 – santionijeanclaude@wanadoo.fr
– Fax 04 94 65 71 19 – Fermé 2-8 janv., sam. midi, dim. soir et lundi   Z **v**
Rest – Menu 27/55 € – Carte 58/80 € ❀

♦ Au centre ville, agréable restaurant aux tons gris tendance. Savoureuse cuisine d'influence méridionale mariée à des vins régionaux, servie l'été en terrasse.

✕ **Joy** 🅰🅲 VISA ⓜ
24 r. de Limans – ☎ 04 94 20 84 98 – restaurant.joy@orange.fr
– Fax 04 94 20 84 98 – Fermé 2 sem. en nov. et en janv., dim. soir et lundi hors saison, merc. midi et mardi   Y **a**
Rest – (prévenir) Menu (23 €), 29 € (dîner), 36/60 € – Carte 32/53 € dîner seulement

♦ Restaurant contemporain tenu par un couple de Hollandais ; miniterrasse sur la rue piétonne. Plats au goût du jour, menu annoncé oralement à midi et carte plus étoffée le soir.

HYÈRES-GIENS

Almanarre (Rte de l')	X 2
Barbacane (R.)	Y 3
Barruc (R.)	Y 4
Belgique (Av. de)	Y 5
Bourgneuf (R.)	Y 6
Chateaubriand (Bd)	Y 7
Clemenceau (Pl.)	Y 9
Clotis (Av. J.)	V 10
Costebelle (Montée)	V 12
Degioanni (R. R.)	X 13
Denis (Av. A.)	Y
Dr-Perron (Av.)	Z 14
Foch (Av. Mar.)	Z 15
Gambetta (Av.)	Z
Gaulle (Av. de)	Y 16
Geoffroy-St-Hilaire (Av.)	V 17
Godillot (Av. A.)	V 18
Herriot (Bd E.)	X 20
Iles d'Or (Av. des)	Y
Lattre-de-Tassigny (Av. de)	V 22
Lefebvre (Pl. Th.)	Z 23
Macri (Ch. Soldat)	V 25
Madrague (Rte de la)	X 26
Mangin (Av. Gén.)	Z 28
Massillon (Pl. et R.)	Y 29
Millet (Av. E.)	Z 32
Moulin-Premier (Chemin du)	V 33
Noailles (Montée de)	Y 34
Nocart (Bd)	Y 35
Palyvestre (Chemin du)	V 36
Paradis (R.)	Y 37
Plaine-de-Bouisson (Chemin)	X 38
Provence (R. de)	V 40
Rabaton (R.)	Y 41
République (Pl. et R.)	Y 42
Riondet (Av.)	YZ 43
Riquier (Av. O.)	V 44
Roubaud (Ch.)	V 45
Ste-Catherine (R.)	Y 50
Ste-Claire (R.)	Y 51
St-Bernard (R.)	Y 46
St-Esprit (R.)	Y 47
St-Paul (Pl. et R.)	Y 49
Strasbourg (Cours)	Y 52
Versin (Pl. L.)	Z 53
Victoria (Av.)	Z 54
11-Novembre (Pl.)	Y 56
15e-Corps-d'Armée (Av. du)	V 57

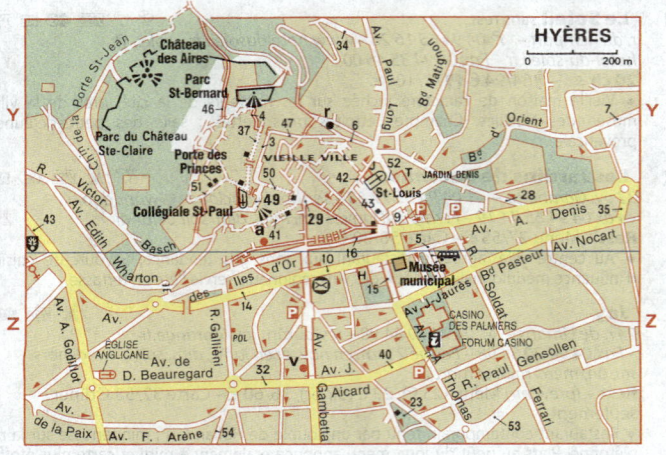

852

HYÈRES

à La Bayorre 2,5 km à l'Ouest par rte de Toulon – ⊠ 83400 Hyères

XXX **La Colombe**
*663 rte de Toulon – ℰ 04 94 35 35 16 – www.restaurantlacolombe.com
– restauranlacolombe@orange.fr – Fax 04 94 35 37 68 – Fermé dim. soir de sept.
à juin, mardi midi en juil.-août, sam. midi et lundi*
Rest – Menu 29/37 € – Carte 55/67 €
♦ Charmant restaurant au pied du massif des Maurettes. Cuisine méditerranéenne raffinée, servie avec le sourire dans une jolie salle à manger ou un patio verdoyant.

HYÈVRE-PAROISSE – 25 Doubs – **321** I2 – 192 h. – alt. 288 m – ⊠ 25110   17 **C2**

▶ Paris 445 – Belfort 61 – Besançon 37 – Lure 51 – Montbéliard 44 – Pontarlier 72 – Vesoul 50

Le Relais de la Vallée
*r. Principale, D 683 – ℰ 03 81 84 46 46 – http://perso.wanadoo.fr/relaisdelavallee/
– pierrecossu@wanadoo.fr – Fax 03 81 84 37 52*
21 ch – †55/59 € ††55/59 €, ⊇ 8,50 €
Rest – Menu 15 € (sem.)/38 € – Carte 30/60 €
♦ Bâtisse des années 1970 vous logeant dans des chambres pratiques dont les balcons ouvrent sur la route nationale et la vallée du Doubs. Lambris blanchis, tentures rouges et statuettes jazzy égayent le restaurant. Terrasse sous auvent. Spécialités comtoises.

IFFENDIC – 35 Ille-et-Vilaine – **309** J6 – 3 778 h. – alt. 48 m – ⊠ 35750   10 **C2**

▶ Paris 393 – Rennes 40 – Cesson-Sévigné 50 – Bruz 36 – Dinan 46

Château du Pin sans rest
*6 km au Nord-Est par D 31 puis D 125 – ℰ 02 99 09 34 05
– www.chateaudupin-bretagne.com – luc.ruan@wanadoo.fr – Fax 02 99 09 03 76*
5 ch – †85/140 € ††95/160 €, ⊇ 12 €
♦ Ce petit château de campagne (1793) fait le bonheur des amateurs de littérature et d'art. Grand salon-bibliothèque, chambres aux noms d'écrivains (Hugo, Proust...) et vue sur le parc.

IGÉ – 71 Saône-et-Loire – **320** I11 – 866 h. – alt. 265 m – ⊠ 71960   8 **C3**

▶ Paris 396 – Cluny 13 – Mâcon 14 – Tournus 34

Château d'Igé
*r. du Château – ℰ 03 85 33 33 99 – www.chateaudige.com – chateau.ige@
wanadoo.fr – Fax 03 85 33 41 41 – Ouvert 27 fév.-29 nov. et fermé dim. soir, lundi et
mardi sauf du 18 mars au 11 nov.*
12 ch – †95/190 € ††95/190 €, ⊇ 16 € – 4 suites – ½ P 108/156 €
Rest – (dîner seult sauf sam., dim. et fériés) Menu 32/78 € – Carte 55/72 €
♦ Ce château fort (1235) du Mâconnais vous accueille dans de belles chambres personnalisées (tapisseries, baldaquins, voûtes). Appartements dans les tours. Cuisine raffinée à base des produits du terroir dans un cadre d'esprit médiéval ou en terrasse, face au superbe jardin.

IGUERANDE – 71 Saône-et-Loire – **320** E12 – 988 h. – alt. 280 m – ⊠ 71340   7 **B3**

▶ Paris 399 – Dijon 184 – Mâcon 105 – Roanne 21 – Tarare 60

X **La Colline du Colombier** avec ch
*3,5 km au Sud-Ouest par D 9 et rte secondaire – ℰ 03 85 84 07 24
– www.troisgros.com – la-colline-du-colombier@troisgros.com
– Fax 03 85 84 17 43 – Fermé 21 déc.-4 mars, jeudi midi d'oct. à déc. et merc.*
5 ch – †250/350 € ††250/350 €   **Rest** – Menu (23 €), 35/40 € – Carte 50/60 €
♦ En pleine campagne, dominant la Loire, une ferme ancienne réhabilitée en restaurant rustico-chic (charpente et pierres apparentes). Belle cuisine aux accents de terroir. Des cadoles – maisons sur pilotis inspirées de l'écologie – vous garantissent des nuits calmes et insolites.

ILAY – 39 Jura – **321** F7 – ✉ 39150 Chaux du Dombief ▌Franche-Comté Jura 16 **B3**
▶ Paris 439 – Champagnole 19 – Lons-le-Saunier 36 – Morez 22 – St-Claude 39
◎ Cascades du Hérisson★★★.

🏠 Auberge du Hérisson 🍽 P VISA ⓂⓈ
5 rte des Lacs, (carrefour D 75-D 39) – ✆ 03 84 25 58 18 – www.herisson.com
– *auberge@herisson.com* – Fax 03 84 25 51 11 – *Ouvert fév.-oct.*
16 ch – †35 € ††40/60 €, ⌕ 8 € – ½ P 45/50 €
Rest – Menu 18/43 € – Carte 25/50 €
 ◆ Auberge familiale perchée au-dessus des pittoresques cascades du Hérisson et près du lac d'Ilay. L'ensemble des chambres de l'hôtel ont été rénovées. À table, cuisine franc-comtoise, spécialités de grenouilles en saison et vins du terroir.

ÎLE-AUX-MOINES – 56 Morbihan – **308** N9 – 527 h. – alt. 16 m 9 **A3**
– ✉ 56780 ▌Bretagne
▶ Paris 474 – Auray 15 – Quiberon 46 – Vannes 15

🍴 Les Embruns 🍽 VISA ⓂⓈ ÆE
r. Commerce – ✆ 02 97 26 30 86 – www.restaurantlesembruns.com
– *restaurant.lesembruns@orange.fr* – Fax 02 97 26 31 94 – *Fermé 1er-15 oct., janv., fév. et merc. sauf juil.-août*
Rest – Menu 19/26 € – Carte 24/34 €
 ◆ Voici un sympathique bar-restaurant sans chichi, proposant une carte simple influencée par le marché. On se concentre surtout sur le beau plateau de fruits de mer.

L'ÎLE BOUCHARD – 37 Indre-et-Loire – **317** L6 – 1 740 h. – alt. 41 m 11 **A3**
– ✉ 37220 ▌Châteaux de la Loire
▶ Paris 284 – Châteauroux 118 – Chinon 16 – Châtellerault 49 – Saumur 42 – Tours 45
🛈 Office de tourisme, 16, place Bouchard ✆ 02 47 58 67 75, Fax 02 47 58 67 75
◎ Chapiteaux★ et Cathèdre★ dans le prieuré St-Léonard.
◎ Champigny-sur-Veude : vitraux★★ de la Ste-Chapelle★ SO : 10,5 km.

🍴🍴🍴 Auberge de l'Île 🍽 VISA ⓂⓈ
3 pl. Bouchard – ✆ 02 47 58 51 07 – www.aubergedelile.fr – *aubergedelile@wanadoo.fr* – Fax 02 47 58 51 07 – *Fermé 1er-15 déc., 19 fév.-12 mars, mardi et merc. sauf fériés*
Rest – Menu 24/39 € – Carte 33/44 €
 ◆ Sur une île ayant appartenu à Richelieu, auberge qui ravit les amateurs de bons produits. Cuisine actuelle servie dans un cadre d'esprit contemporain (peintures, mise de table).

à Sazilly 7 km à l'Ouest par D 760 – **317** L6 – ✉ 37220

🍴 Auberge du Val de Vienne ♿ P VISA ⓂⓈ ÆE
30 rte de Chinon – ✆ 02 47 95 26 49 – www.aubergeduvaldevienne.com – *valdevienne@wanadoo.fr* – Fax 02 47 95 25 97 – *Fermé 2-23 janv., dim. soir et lundi*
Rest – Menu 17 € (déj. en sem.), 35/46 € 🌿
 ◆ Faites une halte gourmande dans cet ancien relais de poste (1870) au cœur du vignoble de Chinon. Décor chaleureux se mariant parfaitement avec une cuisine actuelle de qualité.

ÎLE-D'AIX ★ – 17 Charente-Maritime – **324** C3 – 186 h. – alt. 10 m 38 **A2**
– ✉ 17123 ▌Poitou Vendée Charentes
Accès par transports maritimes
⛴ depuis la **Pointe de la Fumée** (2,5 km NO de Fouras) - Traversée 25 mn - Renseignements et tarifs à Société Fouras-Aix ✆ 0 820 160 017 (0,12 €/mn), Fax 05 46 37 56 82.
⛴ depuis **La Rochelle** - Service saisonnier (avril-oct.) - Traversée 1h 15 mn - Renseignements et tarifs : Croisières Inter Îles, ✆ 0 825 135 500 (0,15 €/mn) (La Rochelle)
⛴ depuis **Boyardville** (Île d'Oléron) - Service saisonnier - Traversée 30 mn - Renseignements et tarifs : Croisières Inter Îles, ✆ 0 825 135 500 (0,15 €/mn), (Boyardville)
⛴ depuis **Sablanceaux** (Île de Ré) - Service saisonnier - Agences Inter Îles de Sablonceaux - Renseignements et tarifs ✆ 0 825 135 500
⛴ depuis **Fouras** traversée en 20 mn - Service Maritime-Sté Fouras-Aix) - 0 820 16 00 17 (0,12 €/min) ; Service permanent - Traversée 30 mn - Renseignements et tarifs ✆ 0 820 160 017 (0,12 €/mn), Fax 05 46 41 16 96.

ÎLE-D'ARZ – 56 Morbihan – 308 O9 – 231 h. – alt. 25 m – ⊠ 56840 ▌Bretagne 9 **A3**

Accès par transports maritimes.
- depuis **Barrarach et Conleau** - Traversée 20 mn - Renseignements : Compagnie du Golfe ℰ 02 97 01 22 80, Fax 02 97 47 01 60, www.lactm.com
- depuis **Vannes** d'avril à fin sept. - Traversée 30 mn - Renseignements : Navix S.A. Gare Maritime (Vannes) ℰ 0825 132 100.

ÎLE-DE-BATZ – 29 Finistère – 308 G2 – 594 h. – alt. 30 m – ⊠ 29253 9 **B1**
▌Bretagne

Accès par transports maritimes.
- depuis **Roscoff** - Traversée 15 mn - Renseignements et tarifs : CFTM BP 10 - 29253 Île de Batz ℰ 02 98 61 78 87 - Armein ℰ 02 98 61 77 75 - Armor Excursion ℰ 02 98 61 79 66.
- **ℹ** Syndicat d'initiative, lieu-dit le Débarcadère ℰ 02 98 61 75 70
Syndicat d'initiative, Mairie ℰ 02 98 61 75 70, Fax 02 98 61 75 85

⌂ **Ti Va Zadou** sans rest ⌘
au bourg – ℰ *02 98 61 76 91 – Ouvert 7 fév.-10 nov.*
4 ch ⌑ – †50 € ††60/65 €
♦ De coquettes chambres marines, dont une familiale, vous attendent dans cette typique maison de pays dont on aperçoit les volets bleus en débarquant sur l'île. Location de vélos.

ÎLE-DE-BRÉHAT ★ – 22 Côtes-d'Armor – 309 D1 – 421 h. – alt. 7 m   10 **C1**
– ⊠ 22870 ▌Bretagne

Accès par transports maritimes, pour **Port-Clos**.
- depuis la **Pointe de l'Arcouest** - Traversée 10 mn - Renseignements et tarifs : Vedettes de Bréhat ℰ 02 96 55 79 50, Fax 02 96 55 79 55
- depuis **St-Quay-Portrieux** - Service saisonnier - Traversée 1 h 15 mn - Renseignements et tarifs : Vedettes de Bréhat (voir ci-dessus)
- depuis **Binic** - Service saisonnier - Traversée 1 h 30 mn - Renseignements et tarifs : Vedettes de Bréhat (voir ci-dessus)
- depuis **Erquy** - Service saisonnier - Traversée 1 h 15 mn - Renseignements et tarifs : Vedettes de Bréhat (voir ci-dessus).
- **ℹ** Syndicat d'initiative, le Bourg ℰ 02 96 20 04 15, Fax 02 96 20 06 94
- ◉ Tour de l'île★★ - Phare du Paon★ - Croix de Maudez ≤★ - Chapelle St-Michel ⁂★★ - Bois de la citadelle ≤★.

⌂ **Bellevue** ⌘
Port-Clos – ℰ *02 96 20 00 05 – www.hotel-bellevue-brehat.com*
– hotelbellevue.brehat@wanadoo.fr – Fax 02 96 20 06 06 – Fermé 11 nov.-19 déc. et 4 janv.-13 fév.
17 ch – †87 € ††128 €, ⌑ 11 € – ½ P 84/105 €
Rest – Menu 25/40 € – Carte 28/70 €
♦ Maison régionale de 1904, tournée vers le ponton et la pointe de l'Arcouest. Les chambres, en façade, profitent de la vue. Jardin. Location de vélos. Recettes marines qui vont de pair avec le décor du restaurant, éclairé par des baies ; terrasse.

⌂ **La Vieille Auberge** ⌘
⊜ *au bourg* – ℰ *02 96 20 00 24 – www.brehat-vieilleauberge.eu*
– vieille-auberge.brehat@wanadoo.fr – Fax 02 96 20 05 12 – Ouvert 11 avril-2 nov.
14 ch – †76/92 € ††76/92 €, ⌑ 10 € – ½ P 70 €
Rest – Menu 18 € (déj.) – Carte environ 32 €
♦ On rejoint à pied cette ancienne maison de corsaires située au bourg : le patrimoine écologique de l'île mérite que l'on oublie sa voiture ! Chambres fonctionnelles. Cuisine traditionnelle servie dans une salle décorée de filets de pêche ou dans une cour fleurie.

ÎLE DE GROIX ★ – 56 Morbihan – 308 K9 – ⊠ 56590 ▌Bretagne 9 **B2**

Accès par transports maritimes pour **Port-Tudy** (en été **réservation recommandée** pour le passage des véhicules).
- depuis **Lorient** - Traversée 35 mn - Tarifs, se renseigner : S.M.N., r. G. Gahinet ℰ 0 820 056 000, Fax 02 97 29 50 34, www.smn-navigation.fr.
- ◉ Site★ de Port-Lay - Trou de l'Enfer★.

ILE DE GROIX

De la Marine 🦪   🚗 🍽 🏠 VISA MC
7 r. Gén. de Gaulle, au bourg – ℘ *02 97 86 80 05 – www.hoteldelamarine.fr*
– *hotel.dela.marine@wanadoo.fr – Fax 02 97 86 56 37 – Fermé 23 nov.-8 déc.,*
4 janv.-5 fév., dim. soir et lundi d'oct. à mars sauf vacances scolaires
22 ch – †34/39 € ††39/96 €, ☑ 9 € – ½ P 50/78 €
Rest – Menu (12 €), 18/35 € – Carte 35/50 €

♦ Accueil chaleureux dans cette bâtisse dont les chambres offrent différents niveaux de confort. Ambiance marine au bar où vous côtoierez les îliens. Belle salle rustique (superbe armoire bretonne) et carte iodée incluant les fameuses sardines à la groisillonne.

La Jetée *sans rest*   ← 🏠 ℘ VISA MC AE
1 quai Port-Tudy – ℘ *02 97 86 80 82 – laurence.tonnerre@wanadoo.fr*
– *Fax 02 97 86 56 11 – Fermé 5 janv.-15 mars*
8 ch – †53/64 € ††64/84 €, ☑ 8 €

♦ Cette petite maison blanche exploite parfaitement sa situation : huit de ses mignonnes chambres donnent sur la jetée ou la côte du Gripp, comme les terrasses du petit-déjeuner.

ÎLE DE JERSEY ★★ – JSY Jersey – 309 J1 – 85 150 h.
Normandie Cotentin

Accès par transports maritimes pour **St-Hélier** (réservation indispensable).

🚢 depuis **St-Malo** (réservation obligatoire). par **Hydroglisseur** (Condor Ferries) - Traversée 1 h 15 mn - Renseignements et tarifs : gare maritime de la bourse (St-Malo) Terminal Ferry du Naye ℘ 0 825 135 135 (0,15 €/mn).
depuis **Carteret** : Catamaran - service saisonnier (traversée 50 mn -Gorey) par Manche Îles Express ℘ 0 825 133 050 (0,15 €/mn).

🚢 depuis **Granville** - Catamaran rapide - traversée 60 mn (St-Hélier) par Manche Îles Express : ℘ 0 825 133 050 (0,15 €/mn) - depuis **Carteret** - Catamaran - service saisonnier - traversée 50 mn (Gorey) par Manche Îles Express : ℘ 0 825 133 050 (0,15 €/mn).

Ressources hôtelières voir le Guide Michelin : **Great Britain and Ireland**

ÎLE DE NOIRMOUTIER – 85 Vendée – 316 C6 – alt. 8 m   34 A2
Poitou Vendée Charentes

Accès - par le pont routier au départ de Fromentine : passage gratuit.
- par le passage du Gois★★ : 4,5 km.
- pendant le premier ou le dernier quartier de la lune par beau temps (vents hauts) d'une heure et demie avant la basse mer, à une heure et demie environ après la basse mer.
- pendant la pleine lune ou la nouvelle lune par temps normal : deux heures avant la basse mer à deux heures après la basse mer.
- en toute périodes par mauvais temps (vents bas) ne pas s'écarter de l'heure de basse mer. Voir les panneaux d'affichage sur place, avant l'accès au Gois.

L'ÉPINE – 85 Vendée – 1 685 h. – alt. 2 m – ✉ 85740 Noirmoutier-en-l'île
▶ Paris 463 – Cholet 134 – Nantes 79 – Noirmoutier-en-l'Île 4
– La Roche-sur-Yon 85

Punta Lara 🦪   ← 🍽 🏊 ℘ rest, 🅿 VISA MC AE ①
2 km au Sud par D 95 et rte secondaire ✉ *85680 – ℘ 02 51 39 11 58*
– *www.hotelpuntalara.com – puntalara@leshotelsparticuliers.com*
– *Fax 02 51 39 69 12 – Ouvert mai-sept.*
61 ch – †112/225 € ††112/225 €, ☑ 15 € – 2 suites – ½ P 101/158 €
Rest – Menu 30/45 € – Carte 40/60 €

♦ Dans une pinède, entre océan et marais salants, bungalows de style vendéen abritant des chambres bien tenues, toutes avec balcon ou terrasse face à l'Atlantique. La vaste salle de restaurant coiffée d'une belle charpente en bois s'ouvre sur la piscine ronde.

ÎLE DE NOIRMOUTIER

L'HERBAUDIÈRE – 85 Vendée – ⊠ 85330 Noirmoutier-en-l'Île
▶ Paris 469 – Cholet 140 – Nantes 85 – La Roche-sur-Yon 91

La Marine (Alexandre Couillon)
3 r. Marie Lemonnier, (sur le port) – ℰ 02 51 39 23 09 – Fermé 6-21 oct., 22 nov.-9 déc., 4-20 janv., dim. soir, mardi et merc.
Rest – Menu 46/96 € bc
Rest *La Table d'Elise* – ℰ 02 28 10 68 35 – Menu 19 € (sem.) – Carte environ 26 €
Spéc. "Crackers" de sardine marinée (mai à sept.). Bar de ligne de l'Herbaudière cuisiné à basse température. Pigeonneau poché-rôti, pulpe d'aubergine grillée, jus barbecue. **Vins** Fiefs Vendéens, Vin de Pays de Vendée.
♦ Face au port de pêche, maison de pays réaménagée. La cuisine inventive du chef, valorisant les produits de l'océan, peut s'exprimer pleinement dans ce nouveau cadre, décoré sur le thème de l'eau. La Table d'Élise occupe la salle d'origine de cette demeure, relookée en bistrot convivial.

NOIRMOUTIER-EN-L'ÎLE – 85 Vendée – 4 847 h. – alt. 8 m – ⊠ 85330
▶ Paris 464 – Cholet 135 – Nantes 80 – La Roche-sur-Yon 86
🛈 Office de tourisme, Route du Pont ℰ 02.51.39.80.71, Fax 02.51.39.53.16
◉ Collection de faïences anglaises ★ au château.

Fleur de Sel
r. des Sauliniers – ℰ 02 51 39 09 07 – www.fleurdesel.fr – contact@fleurdesel.fr – Fax 02 51 39 09 76 – Ouvert 1er avril-2 nov.
35 ch – †90/185 € ††90/185 €, ⊇ 13 € – ½ P 82/134 €
Rest – *(fermé lundi midi et mardi midi sauf juil.-août et fériés)* Menu (21 €), 29/39 € – Carte 38/58 €
♦ Environnement paisible et verdoyant, practice de golf, terrasse, coquets salons et chambres soignées (décor marin ou cosy) : ici, calme, confort et détente passent avant tout. Le cadre du restaurant, qui sert une cuisine au goût du jour, s'inspire de l'océan.

Général d'Elbée sans rest
pl. Château – ℰ 02 51 39 10 29 – www.generaldelbee.com – elbee@leshotelsparticuliers.com – Fax 02 51 39 08 23 – Ouvert mai-sept.
27 ch – †98/270 € ††98/270 €, ⊇ 15 €
♦ Les chambres de cette demeure historique du 18e s. possèdent le charme patiné des maisons d'antan (mobilier d'époque, poutres) ; certaines ont vue sur le château éclairé le soir.

La Maison de Marine sans rest
3 r. Parmentier – ℰ 02 28 10 27 21 – www.lamaisondemarine.com – lamaisondemarine@hotmail.fr
5 ch ⊇ – †90 € ††110/130 €
♦ Belles chambres personnalisées, terrasses fleuries ouvertes sur le patio-piscine, salon-cheminée, spa, jardin aromatique : cette délicieuse maison respire la douceur de vivre.

Le Grand Four
1 r. Cure, (derrière le château) – ℰ 02 51 39 61 97 – www.legrandfour.com – legrandfour@orange.fr – Fax 02 51 39 61 97 – Fermé 1er déc.-31 janv., dim. soir et lundi sauf juil.-août
Rest – Menu 19 € (déj. en sem.), 26/85 € – Carte 47/85 €
♦ Façade ancienne tapissée de vigne vierge. Deux salles à manger dont une coquette, envahie de tableaux et bibelots, et une autre plus sobrement marine. Cuisine axée sur l'océan.

L'Étier
rte de L'Épine, 1 km au Sud-Ouest – ℰ 02 51 39 10 28 – www.restaurant-letier.fr – restaurant.etier@wanadoo.fr – Fax 02 51 39 23 00 – Fermé déc.-janv., mardi sauf juil.-août et lundi
Rest – Menu 18/38 € – Carte 35/54 € dîner seulement
♦ Une vieille maison basse typique de l'île. Intérieur sagement rustique, terrasse-véranda face à l'étier de l'Arceau et produits de la pêche locale.

ÎLE DE NOIRMOUTIER

XX Côté Jardin
1 bis r. du Grand Four, (derrière le château) – ℘ 02 51 39 03 02
– restaurantcotejardin@orange.fr – Fermé 15 nov.-6 fév., dim. soir, merc. soir, jeudi sauf juil.-août et lundi
Rest – Menu (14 €), 18/26 € – Carte 32/50 €
◆ Adresse prisée pour sa cuisine traditionnelle sachant valoriser les produits du terroir vendéen. Patio-terrasse adossé à une ancienne chapelle ; exposition d'un artiste local.

au Bois de la Chaize 2 km à l'Est – ⊠ 85330 Noirmoutier-en-l'Île

Bois ★.

Les Prateaux
allée du Tambourin – ℘ 02 51 39 12 52 – www.lesprateaux.com – contact@lesprateaux.com – Fax 02 51 39 46 28 – Ouvert 14 fév.-30 oct.
18 ch – †98/165 € ††98/165 €, ⊇ 14 € – 1 suite – ½ P 91/130 €
Rest – (fermé merc. midi et mardi) Menu (22 €), 28/62 € – Carte 37/65 €
◆ Proximité de la plage des Dames, quiétude de la pinède et jardin fleuri sont les atouts de cet hôtel. Mobilier de style dans les chambres, spacieuses et souvent de plain-pied. Lumineux restaurant aux tons bleu et blanc ; cuisine axée sur les produits de la mer.

St-Paul
15 av. Mar.-Foch – ℘ 02 51 39 05 63 – www.hotel-saint-paul.net – contact@hotel-saint-paul.net – Fax 02 51 39 73 98 – Ouvert 1er mars-30 oct.
34 ch – †84/151 € ††84/151 €, ⊇ 11 € – ½ P 82/120 €
Rest – (fermé dim. soir et lundi hors saison) Menu (22 € bc), 30/70 €
– Carte 49/65 €
◆ Un beau parc fleuri entoure cet hôtel bénéficiant de la tranquillité des bois environnants. Chambres assez cossues (mobilier de style ou rustique) et chaleureux salon-bar. Cuisine traditionnelle et de la mer servie dans une salle à manger élégante.

Château du Pélavé
9 allée de Chaillot – ℘ 02 51 39 01 94 – www.chateau-du-pelave.fr
– chateau-du-pelave@wanadoo.fr – Fax 02 51 39 70 42
16 ch – †69/119 € ††89/255 €, ⊇ 13 € – ½ P 78/170 €
Rest – (fermé 1er-25 déc., 10 janv.-10 fév., dim. soir, lundi, mardi et merc. d'oct. à mars sauf vacances scolaires et fériés) Menu 28/56 € bc – Carte 32/49 €
◆ Pour une halte au grand calme, ce petit castel de la fin du 19e s. blotti dans son ravissant parc arboré et fleuri vous propose des chambres personnalisées, de divers styles. À table, cuisine valorisant le terroir et belle carte de vins de propriétaires. Terrasse.

Les Capucines sans rest
38 av. de la Victoire – ℘ 02 51 39 06 82 – capucineshotel@aol.com
– Fax 02 51 39 33 10 – Ouvert 1er avril-30 sept.
21 ch – †41/78 € ††41/101 €, ⊇ 8 €
◆ Deux bâtiments disposés de part et d'autre d'une piscine. Chambres sans luxe, mais pratiques ; elles sont plus grandes à l'annexe et plus calmes côté jardin. Accueil aimable.

Première distinction : l'étoile ✧.
Elle couronne les tables pour lesquelles on ferait des kilomètres !

ÎLE DE PORQUEROLLES – 83 Var – 340 M7 – ⊠ 83400   41 C3

Accès par transports maritimes.

🚢 depuis **La Tour Fondue** (presqu'île de Giens) - Traversée 20 mn - Renseignements et tarifs : T.L.V. et T.V.M. ℘ 04 94 58 21 81, www.tlv-tvm.com – depuis **Cavalaire** - service saisonnier - Traversée 1 h 40 mn ou **Le Lavandou** - service saisonnier - Traversée 50 mn. Renseignements et tarifs : Vedettes Îles d'Or 15 quai Gabriel-Péri ℘ 04 94 71 01 02 (Le Lavandou), Fax 04 94 01 06 13

🚢 depuis **Toulon** - service saisonnier - Traversée 1 h - Renseignements et tarifs : Se renseigner auprès de l'Office du tourisme de Toulon ℘ 04 94 18 53 00.

ÎLE DE PORQUEROLLES

Le Mas du Langoustier
3,5 km à l'Ouest du port – ℰ 04 94 58 30 09
– www.langoustier.com – langoustier@wanadoo.fr – Fax 04 94 58 36 02
– *Ouvert de fin avril à début oct.*
45 ch (½ P seult) – 4 suites – ½ P 180/315 €
Rest – Menu 58/110 € – Carte 70/130 €
Spéc. Filets de rougets poêlés, sablé au parmesan. Filet de Saint-Pierre rôti au beurre de gingembre et coriandre. Arlettes caramélisées aux graines de cumin. Vins Vin de Pays de l'Île de Porquerolles.
♦ À la pointe du Grand Langoustier, belle demeure de style provençal au décor bourgeois, abritant de grandes chambres soignées. Navette régulière au départ du port. Au restaurant, cuisine ensoleillée revisitée avec brio et la grande bleue à perte de vue.

Villa Ste-Anne
pl. d'Armes – ℰ 04 98 04 63 00 – www.sainteanne.com – courrier@sainteanne.com – Fax 04 94 58 32 26 – *Fermé 2 nov.-21 fév.*
25 ch (½ P seult) – ½ P 148/258 €   **Rest** – Menu (18 €), 25 € – Carte 34/48 €
♦ Sur la place du village. Chambres rustiques d'esprit provençal dans la maison principale datant des années 1930, et plus spacieuses et actuelles dans le second bâtiment. Cuisine traditionnelle servie dans une salle aux allures de bistrot ou sur une terrasse ombragée.

Auberge des Glycines
pl. d'Armes – ℰ 04 94 58 30 36 – www.auberge-desglycines.com
– auberge.glycines@orange.fr – Fax 04 94 58 35 22
11 ch – †119/269 € ††119/269 €, ⚏ 8 € – ½ P 99/169 €
Rest – Menu (20 €), 25 € – Carte 46/57 €
♦ Cette auberge familiale, qui donne sur la place d'Armes, offre un très bon accueil. Chaleureux décor régional et coloré dans les chambres. Plats méridionaux servis dans le patio.

ÎLE DE PORT-CROS ★★★ – 83 Var – **340** N7 – ⌧ 83400   41 **C3**
Côte d'Azur

Accès par transports maritimes

Depuis **Hyères** - renseignements et tarifs : T.L.V. et T.V.M. 04 94 57 44 07 - depuis **Le Lavandou** -Traversée 35 mn - Renseignements et tarifs : Vedettes Îles d'Or 15 quai Gabriel-Péri ℰ 04 94 71 01 02 (Le Lavandou), Fax 04 94 01 06 13

depuis **Cavalaire** - Traversée 45 mn - Renseignements et tarifs : voir ci-dessus

depuis **La Tour Fondue** - Traversée 1 h - Renseignements et tarifs : T.L.V. - T.V.M. ℰ 04 94 58 21 81.

Le Manoir
– ℰ 04 94 05 90 52 – http://monsite.wanadoo.fr/hotelmanoirportcros
– lemanoir.portcros@wanadoo.fr – Fax 04 94 05 90 89 – *Ouvert 30 avril-5 oct.*
22 ch (½ P seult) – ½ P 155/245 €
Rest – Menu 45 € (dîner)/55 € – Carte environ 58 €
♦ Pour les amoureux de calme et de nature... Cette jolie maison du 19ᵉ s. entourée d'un parc jouit en effet d'une situation idyllique dans une île protégée. Restaurant et terrasse regardent les voiliers ancrés dans la rade de Port-Cros ; cuisine régionale.

ÎLE DE RÉ ★ – 17 Charente-Maritime – **324** B2   38 **A2**
Poitou Vendée Charentes

Accès par le pont routier (voir à La Rochelle).

ARS-EN-RÉ – 17 Charente-Maritime – 1 294 h. – alt. 4 m – ⌧ 17590
▶ Paris 506 – Fontenay-le-Comte 85 – Luçon 75 – La Rochelle 34
🛈 Office de tourisme, 26, place Carnot ℰ 05 46 29 46 09, Fax 05 46 29 68 30

Le Sénéchal sans rest
6 r. Gambetta – ℰ 05 46 29 40 42 – www.hotel-le-senechal.com
– hotel.le.senechal@wanadoo.fr – Fax 05 46 29 21 25
22 ch – †50/230 € ††50/230 €, ⚏ 12 € – 4 suites
♦ Ambiance de maison d'hôte, intérieur de très bon goût mariant vieilles pierres et décoration tendance, joli patio fleuri pour les petits-déjeuners : une adresse pleine de charme.

ILE DE RÉ

Le Parasol
rest, ch, P, VISA, MC
1 km au Nord-Ouest par rte du phare des Baleines – ℘ 05 46 29 46 17
– www.leparasol.com – contact@leparasol.com – Fax 05 46 29 05 09
– *Fermé 1er janv.-12 fév.*
30 ch – †67/99 € ††67/99 €, ⊇ 10 € – ½ P 63/94 €
Rest – Menu (12 €), 20/35 € – Carte 27/46 €

♦ Chambres néo-rustiques et studios répartis dans cinq petits bâtiments entourés de verdure. Tenue et accueil soignés. Jacuzzi extérieur et aire de jeux. Chambres néo-rustiques et studios répartis dans cinq petits bâtiments entourés de verdure. Tenue et accueil soignés. Jacuzzi extérieur et aire de jeux.

Le Bistrot de Bernard
VISA, MC
1 quai Criée – ℘ 05 46 29 40 26 – www.bistrotdebernard.com
– bistrot.de.bernard@wanadoo.fr – Fax 05 46 29 28 99 – *Fermé 15 nov.-15 fév., lundi et mardi hors saison*
Rest – Menu (23 €), 27 € – Carte 50/70 €

♦ La cour fleurie donne un air colonial à ce restaurant aménagé dans une ancienne demeure rhétaise. Sculptures en bronze et cadres en mosaïque agrémentent la salle à manger.

La Cabane du Fier
P, VISA, MC
Le Martray, 3 km à l'Est par D 735 – ℘ 05 46 29 64 84 – cabanedufier@free.fr
– Fax 05 46 29 64 84 – *Ouvert 16 mars-14 nov. et fermé mardi soir et merc. sauf juil.-août*
Rest – Menu (19 €) – Carte 30/45 €

♦ Dans une construction en bois adossée à une cabane d'ostréiculteur, charmant bistrot marin et sa terrasse regardant le Fier d'Ars. Produits de la mer suggérés sur ardoise.

LE BOIS-PLAGE-EN-RÉ – 17 Charente-Maritime – 2 303 h. – alt. 5 m – ⊠ 17580
▪ Paris 494 – Fontenay-le-Comte 74 – Luçon 64 – La Rochelle 23
▪ Office de tourisme, 87, rue des Barjottes ℘ 05 46 09 23 26, Fax 05 46 09 13 15

Les Bois Flottais sans rest
P, VISA, MC, AE
chemin des Mouettes – ℘ 05 46 09 27 00 – www.lesboisflottais.com
– lesboisflottais@wanadoo.fr – Fax 05 46 09 28 00 – *Ouvert 2 mars-12 nov. et vacances de Noël*
19 ch – †75/110 € ††81/125 €, ⊇ 12 €

♦ Tons beige et chocolat, tomettes, lambris lazurés, bibelots marins : un ravissant décor insulaire habille les chambres, confortables et toutes de plain-pied avec le patio-piscine.

L'Océan
ch, ch, P, VISA, MC, AE
172 r. St-Martin – ℘ 05 46 09 23 07 – www.re-hotel-ocean.com – info@re-hotel-ocean.com – Fax 05 46 09 05 40 – *Fermé 4 janv.-4 fév.*
29 ch – †72/120 € ††72/180 €, ⊇ 10 €
Rest – (fermé merc. sauf le soir d'avril à sept.) Menu (19 €), 24/32 € – Carte 39/57 €

♦ Maisons aux murs chaulés où bois blond, courtepointes et tissus brodés recréent le charme des habitations rhétaises. Chambres très coquettes, dont sept plus contemporaines. Ambiance îlienne dans la jolie salle à manger ouverte sur la cour-terrasse. Bar lounge.

Les Gollandières
P, P, VISA, MC, AE, ①
av. des Gollandières – ℘ 05 46 09 23 99 – www.lesgollandieres.com
– hotel-les-gollandieres@wanadoo.fr – Fax 05 46 09 09 84 – *Ouvert 14 mars-7 nov.*
34 ch – †98/118 € ††98/118 €, ⊇ 12 € – ½ P 93/148 €   **Rest** – Menu 42 €

♦ Derrière les dunes, établissement disposant de petites chambres simples réparties autour de deux patios. Agréable piscine. Au restaurant, une cuisine, traditionnelle et de qualité, valorise les richesses du terroir local ; service en terrasse aux beaux jours.

La Villa Passagère sans rest
P, VISA, MC
25 av. du Pas des Bœufs – ℘ 05 46 00 26 70 – www.lavillapassagere.net
– reception@lavillapassagere.net – Fax 05 46 00 26 84 – *Ouvert 2 fév.-15 nov.*
13 ch – †60/120 € ††60/130 €, ⊇ 8 €

♦ Hôtel récent composé de petites maisons de style régional, agencées autour de l'agréable piscine et du jardin aromatique. Chambres de plain-pied, simples et lumineuses.

ILE DE RÉ

LA COUARDE-SUR-MER – 17 Charente-Maritime – 1 213 h. – alt. 1 m – ⊠ 17670
- Paris 497 – Fontenay-le-Comte 76 – Luçon 66 – La Rochelle 26
- Syndicat d'initiative, rue Pasteur ℰ 05 46 29 82 93, Fax 05 46 29 63 02

Le Vieux Gréement sans rest
13 pl. Carnot – ℰ 05 46 29 82 18 – www.levieuxgreement.com
– hotelvieuxgreement@wanadoo.fr – Fax 05 46 29 50 79 – Ouvert 27 mars-15 nov.
19 ch – †60/80 € ††70/120 €, ⊇ 12 € – 2 suites
♦ Sur la place du village, une maison familiale qui a une âme. Chambres coquettes, joli patio, terrasse à l'ombre d'un tilleul et bar à vin proposant tapas et salades.

LA FLOTTE – 17 Charente-Maritime – 2 907 h. – alt. 4 m – ⊠ 17630
- Paris 489 – Fontenay-le-Comte 68 – Luçon 58 – La Rochelle 17
- Office de tourisme, quai de Sénac ℰ 05 46 09 60 38, Fax 05 46 09 64 88

Richelieu
44 av. de la Plage – ℰ 05 46 09 60 70 – www.hotel-le-richelieu.com – info@hotel-le-richelieu.com – Fax 05 46 09 50 59 – Fermé 4 janv.-5 fév.
37 ch – †140/625 € ††140/625 €, ⊇ 30 € – 3 suites – ½ P 125/375 €
Rest – Menu 50 € (déj. en sem.), 55/65 € – Carte 66/80 €
Spéc. "Maki-sushi" aux huîtres de l'Île de Ré. Marinière de sole de nos côtes aux moules de Charron. Coque macaronée, chocolat guanaja, banane caramélisée et palet caramel. **Vins** Vin de Pays de la Vienne, Fiefs Vendéens.
♦ Luxueuses chambres personnalisées (meubles de style) au bord de l'océan. Les plus agréables possèdent une vaste terrasse face au large. Centre de thalassothérapie. Restaurant généreusement ouvert sur le jardin et l'Atlantique ; cuisine fine et assez originale.

L'Écailler
3 quai Sénac – ℰ 05 46 09 56 40 – flosenac@orange.fr – Fax 09 77 92 18 03
– Ouvert 1ᵉʳ mars-11 nov. et fermé lundi et mardi du 21 sept. au 31 mars
Rest – Menu 36 € (déj.)/54 € – Carte 55/90 €
♦ Terrasse tournée vers le port, intérieur soigné (boiseries, cheminée et parquet anciens) et recettes honorant la pêche locale : cette maison d'armateur de 1652 a bien du charme.

Chai nous comme Chai vous
1 r. de la Garde – ℰ 05 46 09 49 85 – Fermé 9-23 mars, 5-19 oct., vend. midi et sam. midi en vacances scolaires, merc. et jeudi sauf vacances scolaires
Rest – (nombre de couverts limité, prévenir) Menu 39/54 €
♦ On se sent un peu comme chez soi dans ce restaurant très sobre, mené par un couple. Au menu, produits de la mer, inventivité et petites attentions. Judicieux choix de vins.

RIVEDOUX-PLAGE – 17 Charente-Maritime – 2 260 h. – alt. 2 m – ⊠ 17940
- Paris 483 – Fontenay-le-Comte 63 – Luçon 53 – La Rochelle 12
- Syndicat d'initiative, place de la République ℰ 05 46 09 80 62, Fax 05 46 09 80 62

De la Marée
321 av. A. Sarrault, rte de St-Martin – ℰ 05 46 09 80 02
– www.hoteldelamaree.com – contact@hoteldelamaree.com – Fax 05 46 09 88 25
26 ch – †58/168 € ††58/168 €, ⊇ 12 € – 2 suites – ½ P 69/151 €
Rest – Menu 20/48 € – Carte 32/68 €
♦ Nouveaux décor contemporain et épuré pour cet hôtel dont les chambres donnent sur la mer, la roseraie ou la piscine. Nombreux salons. Accueil charmant. Formule "ardoise" au restaurant (salle panoramique et lounge), composée selon les arrivages du port et le marché.

Le Grand Large
154 av. des Dunes – ℰ 05 46 09 89 51 – www.hoteldugrandlarge.com
– hotel-legrandlarge@orange.fr – Ouvert de mi-mars à fin sept.
32 ch ⊇ – †55/350 € ††55/350 € – ½ P 64/200 €
Rest – Menu (16 €) – Carte 29/40 €
♦ Face à la plage, cet hôtel refait, ouvert sur le large, se déploie autour d'une belle piscine chauffée. Chambres claires et fonctionnelles dotées de terrasses ou de balcons. Restaurant d'esprit balnéaire et décontracté : cuisine régionale ; carte de pâtes et pizzas.

ILE DE RÉ

ST-CLÉMENT-DES-BALEINES – 17 Charente-Maritime – 716 h. – alt. 2 m – ⌂ 17590

- Paris 509 – Fontenay-le-Comte 89 – Luçon 79 – La Rochelle 38
- Office de tourisme, 200, rue du Centre ℰ 05 46 29 24 19, Fax 05 46 29 08 14
- L'Arche de Noé (parc d'attractions) : Naturama★ (collection d'animaux naturalisés) - Phare des Baleines ※★ N : 2,5 km.

Le Chat Botté sans rest
2 pl. de l'Église – ℰ 05 46 29 21 93 – www.hotelchatbotte.com – hotelchatbotte@wanadoo.fr – Fax 05 46 29 29 97 – Fermé fin-nov. à début déc. et début janv. à mi-fév.
20 ch – †55/58 € ††61/152 €, ⌆ 11 € – 3 suites
♦ Ambiance cosy (bois, tons pastel, meubles anciens), petit-déjeuner servi au cœur d'un adorable jardin et centre de beauté : une adresse dédiée à la détente et au bien-être !

Le Chat Botté
r. de la Mairie – ℰ 05 46 29 42 09 – www.restaurant-lechatbotte.com – restaurant-lechatbotte@wanadoo.fr – Fax 05 46 29 29 77 – Fermé déc.-janv., dim. soir d'oct. à mars et lundi
Rest – Menu 25 € (sem.)/75 € – Carte 55/65 €
♦ L'enseigne tire son nom du "Chabot", l'un des cinq hameaux qui composent le village. Confortable salle à manger au cadre marin, largement ouverte sur un agréable jardin.

ST-MARTIN-DE-RÉ – 17 Charente-Maritime – 2 588 h. – alt. 14 m – ⌂ 17410

- Paris 493 – Fontenay-le-Comte 72 – Luçon 62 – La Rochelle 22
- Syndicat d'initiative, 2, quai Nicolas Baudin ℰ 05 46 09 20 06, Fax 05 46 09 06 18
- Fortifications★.

De Toiras
1 quai Job Foran – ℰ 05 46 35 40 32 – www.hotel-de-toiras.com – contact@hotel-de-toiras.com – Fax 05 46 35 64 59
17 ch – †135/1500 € ††165/1500 €, ⌆ 26 € – 3 suites – ½ P 135/175 €
Rest – *(fermé mardi d'oct. à mars, dim. d'avril à sept. et lundi) (dîner seult)* Carte 60/100 €
♦ Décoration soignée, à la fois luxueuse et simple, chambres très chaleureuses et accueil particulièrement attentionné... Cette maison d'armateur du 17e s. est une perle rare ! Repas servis dans une jolie salle à manger ou en terrasse lorsque le temps s'y prête.

Le Clos St-Martin sans rest
8 cours Pasteur – ℰ 05 46 01 10 62 – www.le-clos-saint-martin.com – reservation@le-clos-saint-martin.com – Fax 05 46 01 99 89
32 ch – †120/400 € ††120/400 €, ⌆ 19 €
♦ Cette maison récente se trouve à une encablure du port. Chambres personnalisées, donnant sur un plaisant parc clos avec deux piscines chauffées. Salon-bar ouvert sur la verdure.

La Jetée sans rest
quai G. Clemenceau – ℰ 05 46 09 36 36 – www.hotel-lajetee.com – info@hotel-lajetee.com – Fax 05 46 09 36 06
24 ch – †96/125 € ††96/125 €, ⌆ 12 € – 7 suites
♦ Sur le port, un hôtel rénové dans un style contemporain chaleureux : couleurs tendance et mobilier épuré dans les chambres, ordonnées autour du patio (petit-déjeuner en été).

Le Galion sans rest
allée Guyane – ℰ 05 46 09 03 19 – www.hotel-legalion.com – hotel.le.galion@wanadoo.fr – Fax 05 46 09 13 26
29 ch – †70/110 € ††75/115 €, ⌆ 9 €
♦ Les remparts de Vauban protègent l'hôtel des humeurs de l'océan. Chambres actuelles et bien tenues donnant pour la plupart sur le large (quatre côté patio). Salon asiatique.

La Maison Douce sans rest
25 r. Mérindot – ℰ 05 46 09 20 20 – www.lamaisondouce.com – lamaisondouce@wanadoo.fr – Fax 05 46 09 09 90 – Fermé 15 nov.-25 déc. et 7 janv.-15 fév.
11 ch – †120/210 € ††120/210 €, ⌆ 15 €
♦ Cette typique maison rhétaise (19e s.) porte bien son nom : atmosphère feutrée, chambres délicieuses, salles de bains rétro et jolie cour-jardin où l'on petit-déjeune l'été.

ILE DE RÉ

Du Port sans rest
29 quai Poithevinière – ℰ 05 46 09 21 21 – www.iledere-hot-port.com – iledere-hot.port@wanadoo.fr – Fax 05 46 09 06 85 – Fermé 4-29 janv.
35 ch – †65/95 € ††75/105 €, ⊆ 8,50 €

♦ C'est le quartier animé de St-Martin-de-Ré. Établissement proposant des chambres colorées, meublées simplement. Certaines bénéficient de la vue sur le port.

Les Colonnes
19 quai Job-Foran – ℰ 05 46 09 21 58 – www.hotellescolonnes.com – info@ hotellescolonnes.com – Fax 05 46 09 21 49 – Fermé 15 déc.-1ᵉʳ fév.
30 ch – †75/99 € ††95/99 €, ⊆ 9 €   **Rest** – *(fermé merc.)* Menu (24 €), 29 €

♦ Bâtiment régional avec en façade une grande terrasse où s'attablent pêcheurs et gens du coin : convivialité de rigueur ! Chambres sobres et bien tenues, côté cour ou côté port. Salle à manger-véranda largement ouverte sur les quais et cuisine traditionnelle.

Domaine de la Baronnie sans rest
21 r. Baron de Chantal – ℰ 05 46 09 21 29 – www.domainedelabaronnie.com – info@domainedelabaronnie.com – Fax 05 46 09 95 29 – Ouvert 4 avril-1ᵉʳ nov.
5 ch ⊆ – †175/225 € ††190/240 €

♦ Cet hôtel particulier du 18ᵉ s. restauré dans un esprit "maison de famille" propose des chambres personnalisées. Celle de la tour ouvre sur le jardin et les toits de la ville.

Le Corps de Garde - La Maison du Port sans rest
3 quai Clemenceau – ℰ 05 46 09 10 50 – www.lecorpsdegarde.com – info@lecorpsdegarde.com – Fax 08 11 38 17 50
5 ch – †120/225 € ††120/225 €, ⊆ 12 €

♦ Mobilier et objets chinés, belles salles de bains à l'ancienne, chambres avec vue sur l'écluse ou le port... Cet ex-corps de garde du 17ᵉ s. abrite une adresse pétrie de charme.

La Coursive St-Martin sans rest
13 cours Déchézeaux – ℰ 05 46 09 22 87 – www.lacoursive.com – mail@ lacoursive.com – Fax 05 46 09 22 87 – Fermé déc. et janv.
3 ch – †90/155 € ††90/160 €, ⊆ 10 €

♦ Escale de charme que cette vaste demeure rhétaise du 18ᵉ s. chargée d'histoire, cernée de hauts murs et agrémentée d'un beau jardin fleuri. Chambres personnalisées.

Bô
20 cours Vauban – ℰ 05 46 07 04 04 – www.bo-restaurant.com – le-bo@ wanadoo.fr – Fax 05 46 29 08 20 – Fermé 3 janv.-4 fév. et merc. sauf juil.-août
Rest – Menu 29 € (déj.)/39 € – Carte 38/50 €

♦ A deux pas du port, Bô séduit par son atmosphère contemporaine feutrée (bougies, plantes, fauteuils cosy) et sa terrasse luxuriante. Cuisine dans l'air du temps axée sur la mer.

La Baleine Bleue
sur L'Îlot – ℰ 05 46 09 03 30 – www.baleinebleue.com – info@baleinebleue.com – Fax 05 46 09 30 86 – Fermé 12 nov.-19 déc., 5 janv.-5 fév., mardi d'oct. à mars et lundi sauf juil.-août
Rest – Menu (24 €), 32 € (déj.)/39 €

♦ Ce sympathique restaurant dresse sa grande terrasse côté port. Chaleureux intérieur doté d'un zinc des années 1930 et cuisine au goût du jour axée sur les produits de la mer.

STE-MARIE-DE-RÉ – 17 Charente-Maritime – 3 082 h. – alt. 9 m – ✉ 17740

🅿 Paris 486 – Fontenay-le-Comte 66 – Luçon 55 – La Rochelle 15
🛈 Office de tourisme, place d'Antioche ℰ 05 46 30 22 92, Fax 05 46 30 01 68

Atalante
r. Port Notre-Dame – ℰ 05 46 30 22 44 – www.relaisthalasso.com – restauration-iledere@relaisthalasso.com – Fax 05 46 30 13 49 – Fermé 4-18 janv.
108 ch – †86/257 € ††119/388 €, ⊆ 15 €
Rest – Menu (25 €), 29/35 € – Carte 60/80 €

♦ Cet hôtel posté face à l'océan dispose de chambres actuelles aux tons acidulés. Celles de l'aile neuve offrent plus d'espace et de confort. Accès direct à la thalassothérapie. La salle à manger-véranda est une vraie fenêtre sur le spectacle de l'Atlantique.

ILE DE RÉ

Les Vignes de la Chapelle sans rest 🏨 🕭 🧏 ✻ 🅿 VISA ⓜⓒ
5 r. de la Manne – ℘ 05 46 30 20 30 – www.lesvignesdelachapelle.com – hotel@lesvignesdelachapelle.com – Ouvert 1er avril-11 nov.
2 ch – †85/190 € ††85/190 €, ⊇ 12 € – 17 suites – ††100/230 €
♦ Face au vignes et à la mer, un hôtel tout neuf respectueux de l'environnement (choix des matériaux, du mode de chauffage...). Suites contemporaines, de plain-pied et avec terrasse.

ÎLE-DE-SEIN – 29 Finistère – 308 B6 – 239 h. – alt. 14 m – ⊠ 29990   9 A2
Bretagne

- Transports uniquement piétons
- depuis **Brest** (le dim. en juil.-août) - Traversée 1 h 30 mn - Renseignements et tarifs : Cie Maritime Penn Ar Bed (Brest) ℘ 02 98 70 70 70 - depuis **Audierne** (toute l'année) Traversée 1 h - Renseignements et tarifs : voir ci-dessus.
- depuis **Camaret** (le dim. en juil.-août) Traversée 1 h - Renseignements et tarifs : Cie Maritime Penn Ar Bed (Brest) 02 98 70 70 70

Ar Men 🏨   ≤ VISA ⓜⓒ
rte Phare – ℘ 02 98 70 90 77 – www.hotel-armen.net – hotel.armen@wanadoo.fr – Fax 02 98 70 93 25 – Fermé 5 nov.-16 déc. et 4 janv.-6 fév.
10 ch – †45 € ††55/70 €, ⊇ 7 € – ½ P 53/70 €
Rest – (fermé merc. d'avril à nov. et dim. soir) Menu 20 €
♦ Plaisante étape insulaire en cet hôtel familial à façade rose situé sur la route du phare, près du clocher. Chambres aux couleurs océanes, avec vue sur le large. Menu où entre la pêche du jour, proposé dans une salle sobre. Ragoût de homard sur réservation.

ÎLE-D'HOUAT – 56 Morbihan – 308 N10 – 318 h. – alt. 31 m   10 C3
– ⊠ 56170 **Bretagne**

Accès par transports maritimes
- depuis **Quiberon** - Traversée 45 mn - Renseignements et tarifs : la Compagnie Océane Le Palais SMN ℘ 0 820 056 000 (0,12 €/mn) (Quiberon) www.smn-navigation.fr
- depuis **La Trinité-sur-Mer** (juil.-août) Traversée 1 h - Navix : cours des quais ℘ 0 825 162 100 - depuis Vannes, Port Navalo, Locmariaquer, la Turballe et le Croisic - renseignements et tarifs : la Compagnie des Îles 0825 164 100 www.compagniedesiles.com
- ⊙ Le Bourg ≤★.

La Sirène 🏨   🏠 🧏 ch, VISA ⓜⓒ AE
rte du Port – ℘ 02 97 30 66 73 – la-sirene-houat@wanadoo.fr – Fax 02 97 30 66 94 – Ouvert de Pâques à fin sept.
20 ch – †110/130 € ††110/150 €, ⊇ 12 € – ½ P 80/100 €
Rest – Menu (16 €), 22 € (sem.)/33 € – Carte 38/180 €
♦ Hôtel familial ancré au cœur du bourg. Amabilité de l'accueil et chambres pratiques et insonorisées – 9 récemment refaites – promettent un agréable séjour. Restaurant au décor marin prolongé d'une terrasse où l'on sert plats traditionnels et produits de la mer.

ÎLE D'OLÉRON ★ – 17 Charente-Maritime – 324 C4   38 A2
Poitou Vendée Charentes

Accès par le pont viaduc : passage gratuit.

BOYARDVILLE – 17 Charente-Maritime – ⊠ 17190 St-Georges-d'Oléron

- ▶ Paris 517 – Marennes 24 – Rochefort 45 – La Rochelle 82 – Saintes 65
- ℹ Office de tourisme, 14, avenue de l'Océan ℘ 05 46 47 04 76
- 🏌 d'Oléron à Saint-Pierre-d'Oléron La Vieille Perrotine, S : 2 km par D 126, ℘ 05 46 47 11 59

Des Bains   🏠 VISA ⓜⓒ AE
1 r. des Quais, (au port) – ℘ 05 46 47 01 02 – info@hoteldesbains-oleron.com – Fax 05 46 47 16 90 – Ouvert 30 mai-20 sept. et fermé merc. sauf le soir du 8 juil. au 20 sept. **Rest** – Menu 22/39 € – Carte 33/71 €
♦ Poutres, pierres apparentes, cuivres et mobilier rustique donnent à ce restaurant familial qui borde le canal des allures de vieille auberge. Répertoire culinaire traditionnel.

ILE D'OLÉRON

LE CHÂTEAU-D'OLÉRON – 17 Charente-Maritime – 3 876 h. – alt. 9 m – ✉ 17480

▶ Paris 524 – Poitiers 190 – La Rochelle 72 – Saintes 54 – Rochefort 35

XX **Les Jardins d'Aliénor** avec ch
11 r. Mar. Foch – ℘ 05 46 76 48 30 – www.lesjardinsdalienor.com
– lesjardinsdalienor@wanadoo.fr – Fax 05 46 76 58 47 – Fermé le midi en juil.-août et lundi
4 ch ⊡ – †77/117 € ††77/117 € **Rest** – Menu 25 € (déj.)/40 € – Carte 43/50 €
◆ Mélange des styles (ancien, contemporain) et patio-terrasse agrémenté d'un mur végétal : un cadre "baroquisant" qui a de la personnalité, tout comme la cuisine du chef. Jolies chambres dont une avec terrasse privative.

LA COTINIÈRE – 17 Charente-Maritime – ✉ 17310 St-Pierre-d'Oléron

▶ Paris 522 – Marennes 22 – Rochefort 44 – La Rochelle 80 – Royan 54 – Saintes 63

Face aux Flots sans rest
24 r. du Four – ℘ 05 46 47 10 05 – www.hotel-faceauxflots-oleron.com
– face.aux.flots@wanadoo.fr – Fax 05 46 47 45 95 – Ouvert 10 fév.-11 nov. et vacances de Noël
21 ch – †49/102 € ††52/110 €, ⊡ 8 €
◆ Les chambres de ce sympathique hôtel familial ont été rénovées ; elles sont actuelles, joliment colorées et presque toutes orientées côté mer (quatre avec petit balcon).

Île de Lumière sans rest
av. des Pins – ℘ 05 46 47 30 80 – www.motelledelumiere.com – ile.de.lumiere@wanadoo.fr – Fax 05 46 47 30 87 – Ouvert 4 avril-26 sept.
45 ch ⊡ – †74/96 € ††74/134 €
◆ Au cœur d'un site assez sauvage, sobres chambres de plain-pied souvent dotées de terrasses regardant l'océan, les dunes ou la piscine. Certaines offrent un décor plus moderne.

à la Ménounière 2 km au Nord par rte secondaire ✉ 17310 St-Pierre-d'Oléron

XX **Saveurs des Îles**
18 r. de la Plage – ℘ 05 46 75 86 68 – www.saveursdesiles.fr – osaveursdesiles@wanadoo.fr – Fax 05 46 75 86 68 – Fermé 8 nov.-28 déc., 3 janv.-31 mars, lundi sauf le soir en juil.-août, merc. midi en juil.-août et mardi hors saison
Rest – Menu 25/40 € – Carte 45/60 €
◆ Les propriétaires ont construit eux-mêmes ce restaurant au cadre asiatique : mobilier indonésien, terrasse côté jardin, cuisine créative relevée de saveurs et épices exotiques.

LE GRAND VILLAGE PLAGE – 17 Charente-Maritime – 981 h. – alt. 6 m – ✉ 17370

▶ Paris 525 – Poitiers 191 – La Rochelle 73 – Rochefort 36 – Royan 44

X **Le Relais des Salines**
Port des Salines – ℘ 05 46 75 82 42 – james.robert@hotmail.fr
– Fax 05 46 75 16 70 – Ouvert de début mars à fin nov. et fermé lundi sauf vacances scolaires
Rest – Menu 17 € (déj. en sem.) – Carte environ 35 €
◆ Ambiance décontractée, esprit bistrot marin tendance, terrasse côté marais salants et belle ardoise de suggestions iodées : cette ancienne cabane ostréicole est une perle !

ST-PIERRE-D'OLÉRON – 17 Charente-Maritime – 6 239 h. – alt. 8 m – ✉ 17310

▶ Paris 522 – Marennes 22 – Rochefort 44 – La Rochelle 80 – Royan 54 – Saintes 63

🛈 Office de tourisme, place Gambetta ℘ 05 46 47 11 39, Fax 05 46 47 10 41

◉ Église ✽ ★.

X **Les Alizés**
4 r. Dubois-Aubry – ℘ 05 46 47 20 20 – marilyn.philippe.oleron@orange.fr
– Fax 05 46 47 20 20 – Ouvert de début mars à début déc. et fermé mardi et merc. sauf de mi-juil. à mi-sept. et fériés
Rest – Menu 19/34 € – Carte 23/46 €
◆ Salle à manger en partie lambrissée, sagement décorée dans un esprit bord de mer. À la belle saison, les tables sont dressées dans un patio calme et plaisant. Cuisine de l'océan.

ILE D'OLÉRON
ST-TROJAN-LES-BAINS – 17 Charente-Maritime – 1 495 h. - alt. 5 m - ⊠ 17370

▶ Paris 509 – Marennes 16 – Rochefort 38 – La Rochelle 74 – Royan 47 – Saintes 57

🛈 Office de tourisme, carrefour du Port ℰ 05 46 76 00 86, Fax 05 46 76 17 64

Novotel ⑤ ≤ 🚗 🍴 ☒ ℔ ※ 🕮 & ch, 🖸 ch, ↔ ✼ rest, 📶 🖆 🅿
plage de Gatseau, 2,5 km au Sud – ℰ 05 46 76 02 46 VISA 🞋 AE ⓞ
*– www.accorthalassa.com – h0417@accor.com – Fax 05 46 76 09 33
– Fermé 29 nov.-19 déc.*
109 ch – †105/220 € ††140/250 €, ⊇ 17 € – ½ P 105/165 €
Rest – Menu (25 €), 32 € – Carte 35/55 €

♦ Repos garanti dans cet hôtel doté d'un centre de thalassothérapie et bâti face à la plage. Établissement entièrement rénové aux confortables chambres d'esprit actuel. À table, guettez le large tout en surveillant votre ligne (carte en partie diététique).

Hostellerie Les Cleunes ≤ 🚗 ☒ ※ 🅿 VISA 🞋 AE
25 bd Plage – ℰ 05 46 76 03 08 – www.hotel-les-cleunes.com – hotellescleunes@aol.com – Fax 05 46 76 08 95 – Ouvert début fév. à mi-nov.*
40 ch – †83/235 € ††83/235 €, ⊇ 12 €
Rest – *(fermé lundi midi hors vacances scolaires et fériés)* Menu (28 €), 40/58 € – Carte 50/160 €

♦ Sur le front de mer, un établissement familial revu de pied en cap : chambres confortables et chaleureuses, salon-billard cosy et piscine installée au cœur d'un joli patio. Au menu du restaurant : cuisine dans l'air du temps avec l'océan en toile de fond.

Mer et Forêt ⑤ ≤ 🚗 🍴 ☒ 📱 🖸 rest, ↔ 🅿 VISA 🞋
16 bd P. Wiehn – ℰ 05 46 76 00 15 – www.hotel-ile-oleron.com – laforet.oleron@wanadoo.fr – Fax 05 46 76 14 67 – Ouvert 10 avril-1er nov.*
43 ch – †52/83 € ††52/118 €, ⊇ 9 € – ½ P 54/92 €
Rest – Menu (14 €bc), 18/36 € – Carte 31/44 €

♦ L'hôtel se trouve dans un quartier résidentiel calme. Chambres actuelles et fonctionnelles, bénéficiant de la vue sur la forêt de pins ou sur l'océan ; agréable piscine. Beau panorama sur le pont-viaduc et le continent depuis le restaurant et sa terrasse.

L'Albatros ⑤ ≤ 🍴 & ch, 🖸 rest, 📶 🅿 VISA 🞋 AE
11 bd Dr Pineau – ℰ 05 46 76 00 08 – www.albatros-hotel-oleron.com – allooleron@free.fr – Fax 05 46 76 03 58 – Ouvert 7 fév.-2 nov.*
12 ch – †70/110 € ††70/110 €, ⊇ 10 € – ½ P 73/93 €
Rest – Menu 20/56 € – Carte 33/68 €

♦ Vous apprécierez pleinement la quiétude de cet hôtel qui a "les pieds dans l'eau" grâce à ses chambres relookées dans un agréable style contemporain. Côté restaurant, produits de la pêche locale, décor de brasserie et terrasse panoramique face à la mer.

ÎLE D'OUESSANT – 29 Finistère – **308** A4 – ⊠ 29242 ▮ **Bretagne** 9 **A1**

🚢 Transports uniquement piétons - depuis **Brest** - Traversée 2 h 15 mn - Renseignements et tarifs : Cie Maritime Penn Ar Bed (Brest) ℰ 02 98 80 80 80

🚢 depuis **Le Conquet** - Traversée 1 h - Renseignements et tarifs : voir ci-dessus.

🚢 depuis **Camaret** (uniquement mi juillet-mi août) - Traversée 1 h 15 mn - Renseignements et tarifs : voir ci-dessus.

Ti Jan Ar C' Hafé sans rest ⑤ ↔ ✼ 📶 VISA 🞋
Kernigou – ℰ 02 98 48 82 64 – hoteltijan@wanadoo.fr – Fax 02 98 48 88 15 – Fermé 11 nov.-20 déc. et 4 janv.-15 mars*
8 ch – †68/118 € ††68/118 €, ⊇ 12 €

♦ Entre port et bourg, petit hôtel de charme vous réservant un accueil convivial. Salon coquet, salle des petits-déjeuners lumineuse, terrasse, chambres avenantes.

Le Roc'h Ar Mor ⑤ ≤ 🍴 📱 & ch, 📶 VISA 🞋
au bourg de Lampaul – ℰ 02 98 48 80 19 – www.rocharmor.com – roch.armor@wanadoo.fr – Fax 02 98 48 87 51 – Fermé 15 nov.-15 déc. et 3 janv.-10 fév.*
15 ch – †55/87 € ††55/87 €, ⊇ 10 € – ½ P 52/67 €
Rest – *(fermé dim. soir et lundi)* Menu (15 €), 22/30 € – Carte 30/65 €

♦ Le dernier hôtel avant l'Amérique ! Ambiance familiale et chambres sobres parfois dotées d'un balcon tourné vers la baie de Lampaul. Bar-brasserie complété par une terrasse panoramique et salle feutrée où l'on propose un menu unique aux résidents.

ÎLE D'OUESSANT

✗ **Ty Korn** VISA MC
au bourg de Lampaul – ℰ *02 98 48 87 33 – Fax 02 98 48 87 33 – Fermé 8-14 juin, 16-30 nov., 4-25 janv., dim. soir et lundi sauf fériés*
Rest *– (nombre de couverts limité, prévenir)* Menu (15 €), 29 € – Carte 35/70 €
♦ Incontournable restaurant-pub près de l'église. Dans la salle exiguë, on goûte les produits de la mer, bien amarré sur sa chaise tandis qu'en toile de fond souffle la tempête.

ÎLE D'YEU ★★ – 85 Vendée – 361 BC7 – 4 941 h. 34 A3
Poitou Vendée Charentes

Accès par transports maritimes pour **Port-Joinville**.

🚢 depuis Fromentine : traversée de 30 à 70 mn - Renseignements à Cie Yeu Continent BP 16-85550 La Barre-de-Monts ℰ 0 825 853 000 (0,15 €/mn), www.compagnie-yeu-continent.fr.

🚢 depuis Fromentine (toute l'année) - Traversée de 30 à 45 mn - Renseignements et tarifs : Cie Yeu Continent (à Fromentine) ℰ 0 825 853 000 (0,15 €/mn), www.compagnie-yeu-continent.fr - depuis Barbâtre : Cie V.I.I.V. ℰ 02 51 39 00 00 - depuis St-Gilles-Croix-de-Vie et depuis Les Sables d'Olonne (Quai Bénatier) (avril-sept.) : Cie Vendéenne ℰ 0 825 139 085 (0,15 €/mn), www.compagnievendeenne.com Service Saisonnier (avril-sept.).

🛈 Office de tourisme, 1, place du Marché ℰ 02 51 58 32 58, Fax 02 51 58 40 48

PORT-DE-LA-MEULE – 85 Vendée – ⊠ 85350 L'Île-d'Yeu

▶ Paris 460 – Nantes 72 – La Roche-sur-Yon 73 – Challans 29 – Saint-Hilaire-de-Riez 36

◉ Côte Sauvage★★ : ≤★★ E et O - Pointe de la Tranche★ SE.

PORT-JOINVILLE – 85 Vendée – 4 807 h. – ⊠ 85350 L'Île-d'Yeu

▶ Paris 457 – Nantes 69 – La Roche-sur-Yon 70 – Challans 26 – Pornic 43

◉ Vieux Château★ : ≤★★ SO : 3,5 km - Grand Phare ≤★ SO : 3 km.

🏨 **Atlantic Hôtel** sans rest ≤ AC 📶 VISA MC AE
quai Carnot – ℰ *02 51 58 38 80 – www.hotel-yeu.com – atlantic-hotel-yeu@club-internet.fr – Fax 02 51 58 35 92 – Fermé 5 janv.-1er fév.*
18 ch – †43/95 € ††43/95 €, ⊇ 8 €
♦ Face à l'embarcadère, chambres claires profitant du tintement des mâts – comme la salle des petits-déjeuners – ou de la tranquillité du village et de ses jardinets de pêcheurs.

🏨 **L'Escale** sans rest VISA MC
r. de La Croix de Port – ℰ *02 51 58 50 28 – www.yeu-escale.fr – yeu.escale@voila.fr – Fax 02 51 59 33 55 – Fermé 15 nov.-15 déc.*
29 ch – †52/73 € ††52/73 €, ⊇ 8 €
♦ En retrait du port, façade blanche égayée de volets colorés. Chambres simples et bien tenues, parfois climatisées. Salle des petits-déjeuners au décor marin.

✗ **Port Baron** 🌣 ⚙ VISA MC
9 r. Georgette – ℰ *02 51 26 01 61 – baron-michel@hotmail.com – Fax 02 51 26 01 61 – Fermé 2 sem. en oct., mardi midi et lundi*
Rest – Menu (18 €), 33/39 €
♦ Vieilles affiches, banquettes, photos, bibelots et disques anciens : dans un agréable décor de bistrot rétro, la carte s'inspire des tendances saisonnières et des arrivages.

L'ILE-ROUSSE – 2B Haute-Corse – 345 C4 – voir à Corse

ÎLE STE-MARGUERITE ★★ – 06 Alpes-Maritimes – 341 D6 42 E2
– ⊠ 06400 Cannes **Côte d'Azur**

Accès par transports maritimes.

🚢 depuis **Cannes** Traversée 15 mn par Cie Esterel Chanteclair-Gare Maritime des Îles ℰ 04 93 38 66 33, Fax 04 92 98 80 32.

◉ Forêt★★ - ≤★ de la terrasse du Fort-Royal.

ÎLES CHAUSEY – 50 Manche – 303 B6 – ✉ 50400
Normandie Cotentin
32 **A2**

Accès par transports maritimes.
- depuis **Granville** - Traversée 50 mn - Renseignements à : Vedette "Jolie France II" Gare Maritime ✆ 02 33 50 31 81 (Granville), Fax 02 33 50 39 90, Compagnie Corsaire : ✆ 0 825 138 050 (0,15 €/mn), Fax 02 33 50 87 80, www.compagniecorsaire.com
- depuis **St-Malo** - Traversée 1 h 10 mn - Compagnie Corsaire : ✆ 0 825 138 035 (0,15 €/mn), Fax 02 23 18 02 97.

◉ Grande Île ★.

Fort et des Îles avec ch
- ✆ 02 33 50 25 02 – hoteldufortetdesiles@orange.fr – Fax 02 33 50 25 02
- Ouvert 11 avril-27 sept. et fermé lundi sauf fériés

8 ch (½ P seult) – ½ P 70 €
Rest – (prévenir en saison) Menu 22/80 € – Carte 28/90 €

♦ Homards, crabes, huîtres et poissons : cuisine de la mer réalisée selon la pêche du jour. Belle vue sur l'archipel. Idéal pour se ressourcer loin de l'agitation continentale. Chambres très simples, sans télévision pour mieux profiter de l'atmosphère insulaire.

LAS ILLAS – 66 Pyrénées-Orientales – 344 H8 – rattaché à Maureillas-las-Illas

---

ILLHAEUSERN – 68 Haut-Rhin – 315 I7 – 711 h. – alt. 173 m – ✉ 68970
2 **C2**

D Paris 452 – Artzenheim 15 – Colmar 19 – St-Dié 55 – Sélestat 15 – Strasbourg 69

La Clairière sans rest
rte de Guémar – ✆ 03 89 71 80 80 – www.hotel-la-clairiere.com – hotel.la.clairiere@orange.fr – Fax 03 89 71 86 22 – Fermé janv. et fév.
25 ch – †77 € ††98/210 €, ⍁ 12 €

♦ À l'orée de la forêt de l'Ill, vaste construction inspirée de l'architecture alsacienne. Chambres personnalisées, calmes et spacieuses ; certaines regardent les Vosges.

Les Hirondelles sans rest
au village – ✆ 03 89 71 83 76 – www.hotelleshirondelles.com – hotelleshirondelles@orange.fr – Fax 03 89 71 86 40 – Fermé 1er-27 mars et 12-24 nov.
19 ch ⍁ – †66/72 € ††76/82 €

♦ Un accueil sympathique vous attend dans cette ancienne ferme au cadre sagement rustique. Chambres bien équipées, réparties autour d'une jolie cour, et belle piscine chauffée.

XXXXX Auberge de l'Ill (Marc Haeberlin) ✿✿✿
2 r. de Collonges – ✆ 03 89 71 89 00 – www.auberge-de-l-ill.com – aubergedelill@aubergedelill.com – Fax 03 89 71 82 83 – Fermé 1er-8 janv., fév., lundi et mardi
Rest – (prévenir) Menu 96 € (déj. en sem.), 117/149 € – Carte 121/248 €
Spéc. Mousseline de grenouilles Paul Haeberlin. Côtelette de perdreau romanov (sept. à nov.). Pêche Haeberlin. **Vins** Pinot blanc, Klevner.

♦ Accueil prévenant, décor design signé P. Jouin, vue féerique sur les berges de l'Ill, mets classiques personnalisés, recettes alsaciennes sublimées et cave somptueuse : le luxe, tout simplement.

Hôtel des Berges
– ✆ 03 89 71 87 87 – www.hoteldesberges.com – hotel-des-berges@wanadoo.fr – Fax 03 89 71 87 88 – Fermé 1er-8 janv., 4 fév.-5 mars, lundi et mardi
13 ch – †300 € ††520 €

♦ Belle reconstitution d'un séchoir à tabac du Ried, au fond du jardin de l'Auberge de l'Ill. Chambres raffinées, jacuzzi extérieur et petit-déjeuner servi… sur une barque !

ILLKIRCH-GRAFFENSTADEN – 67 Bas-Rhin – 315 K5 – rattaché à Strasbourg

---

INGERSHEIM – 68 Haut-Rhin – 315 H8 – rattaché à Colmar

INNENHEIM – 67 Bas-Rhin – **315** J6 – **1 027 h.** – **alt. 150 m** – ✉ 67880   1 **B2**
▶ Paris 487 – Molsheim 12 – Obernai 10 – Sélestat 34 – Strasbourg 23

Au Cep de Vigne
5 r. Barr – ℘ 03 88 95 75 45 – www.aucepdevigne.com – resa@aucepdevigne.com – Fax 03 88 95 79 73 – Fermé 15 fév.-3 mars, dim. soir et lundi
37 ch – ♦58 € ♦♦63 €, ⊃ 8,50 € – ½ P 65 €
Rest – Menu 15 € (sem.)/42 € – Carte 20/75 €

♦ Auberge dans la pure tradition alsacienne abritant derrière sa façade à colombages des chambres confortables bien tenues. Joli jardin sur l'arrière. La cuisine régionale servie au restaurant s'accompagne volontiers de crus locaux (les vignes sont à deux pas).

INXENT – 62 Pas-de-Calais – **301** D4 – **rattaché à Montreuil**

ISBERGUES – 62 Pas-de-Calais – **301** H4 – **rattaché à Aire-sur-la-Lys**

ISIGNY-SUR-MER – 14 Calvados – **303** F4 – **2 763 h.** – **alt. 4 m**   32 **A2**
– ✉ 14230 ▌Normandie Cotentin
▶ Paris 298 – Bayeux 35 – Caen 64 – Carentan 14 – Cherbourg 63 – St-Lô 29
▯ Office de tourisme, 16, rue Émile Demagny ℘ 02 31 21 46 00, Fax 02 31 22 90 21

De France
13 r. E. Demagny – ℘ 02 31 22 00 33 – www.hotel-france-isigny.com – hotels.france.isigny@wanadoo.fr – Fax 02 31 22 79 19 – Fermé 21 déc.-3 janv., vend. soir, sam. midi et dim. soir d'oct. à mars
18 ch – ♦50/58 € ♦♦59 €, ⊃ 8 €
Rest – Menu (12 €), 15 € bc (déj. en sem.), 20/30 € – Carte 20/32 €

♦ Sur la rue principale de la petite cité laitière et beurrière, établissement ancien bâti autour d'une cour. Chambres rafraîchies, simples et bien tenues. Plats traditionnels et de la mer (dont les huîtres du pays) servis dans deux salles à manger soignées.

L'ISLE-ADAM – 95 Val-d'Oise – **305** E6 – **11 200 h.** – **alt. 28 m**   18 **B1**
– ✉ 95290 ▌Île de France
▶ Paris 41 – Beauvais 49 – Chantilly 24 – Compiègne 66 – Pontoise 13 – Taverny 16
▯ Office de tourisme, 46, Grande Rue ℘ 01 34 69 41 99, Fax 01 34 08 09 79
▯ de l'Isle-Adam 1 chemin des Vanneaux, NE : 5 km, ℘ 01 34 08 11 11
▯ Les Golfs de Mont Griffon à Luzarches Route Départementale 909, NE : 5 km, ℘ 01 34 68 10 10
▯ Paris International Golf Club à Baillet-en-France 18 route du Golf, SE par D 301 : 15 km, ℘ 01 34 69 90 00
◉ Chaire ★ de l'église St-Martin.

Maison Delaleu sans rest
131 av. Foch, à Parmain, 2 km à l'Ouest – ℘ 01 34 73 02 92 – chambresdhotes.parmain@wanadoo.fr – Fax 01 34 08 80 76
4 ch ⊃ – ♦44 € ♦♦57 €

♦ Idéale pour partir en balade dans le Vexin, ferme d'une exploitation agricole aux chambres assez vastes et sobres ; petit-déjeuner convivial autour d'une grande table.

Le Gai Rivage
11 r. de Conti – ℘ 01 34 69 01 09 – www.legairivage.com – contact@legairivage.com – Fermé 24 août-9 sept., 26 déc.-7 janv., 16 fév.-4 mars, dim. soir, mardi soir et lundi
Rest – Menu 36 € (sem.)/40 € – Carte 50/70 €

♦ Le restaurant se trouve sur une île. Ses larges baies et sa charmante terrasse permettent de contempler tranquillement le cours de l'Oise. Cuisine traditionnelle.

L'ISLE-ADAM

Le Relais Fleuri
61 bis r. St-Lazare – ℰ 01 34 69 01 85 – Fermé 3-28 août, dim. soir, lundi soir, merc. soir et mardi
Rest – Menu 24/31 €

♦ Trois ambiances dans cette auberge familiale : salle rustique, salon Régence ou véranda plus actuelle. Plats classiques à savourer à l'ombre des tilleuls aux beaux jours.

L'ISLE-D'ABEAU – 38 Isère – 333 E4 – 15 000 h. – alt. 265 m — 44 B2
– ✉ 38080

▶ Paris 499 – Bourgoin-Jallieu 6 – Grenoble 72 – Lyon 38 – La Tour du Pin 21

Le Relais du Çatey avec ch
10 r. Didier, (Le Bourg) – ℰ 04 74 18 26 50 – www.le-relais-du-catey.com
– relais.du.catey@orange.fr – Fax 04 74 18 26 59 – Fermé 1er-25 août et 27 déc.-4 janv.
7 ch – †59/70 € ††59/70 €, ⊊ 8 € – ½ P 52/57 €
Rest – (fermé dim. et lundi) Menu 22 € (déj. en sem.), 32/55 € – Carte 37/52 €

♦ Décor et éclairage contemporains soulignent le cachet préservé de cette maison dauphinoise de 1774 ; terrasse calme et verdoyante. Cuisine actuelle soignée. Jolies chambres.

à l'Isle-d'Abeau-Ville-Nouvelle Ouest : 4 km par N 6 – ✉ 38080 L'Isle-d'Abeau – 38 769 h.

Mercure
20 r. Condorcet – ℰ 04 74 96 80 00 – H1132@accor.com – Fax 04 74 96 80 99
189 ch – †103/145 € ††129/160 €, ⊊ 12 € – 40 suites
Rest *La Belle Époque* – (fermé 19 juil.-25 août, sam. et dim. de mai à août)
Menu (20 €), 25 € – Carte 29/46 €
Rest *New Sunset* – brasserie (fermé vend. soir, sam. et dim. d'oct. à mars)
Menu (12,50 €), 17 € – Carte 25/35 €

♦ Ce Mercure œuvre pour le bien-être de ses hôtes : construction "géobiologique" (tendance Feng Shui), centre de remise en forme, bel équipement sportif. Chambres refaites. Cuisine traditionnelle à La Belle Époque. Carte de brasserie au piano-bar le New Sunset.

L'ISLE-JOURDAIN – 32 Gers – 336 I8 – 6 148 h. – alt. 116 m — 28 B2
– ✉ 32600 ▌Midi-Pyrénées

▶ Paris 682 – Toulouse 37 – Auch 45 – Montauban 58
🛈 Office de tourisme, route de Mauvezin ℰ 05 62 07 25 57, Fax 05 62 07 24 81
⛳ Las Martines Route de Saint Livrade, N : 4 km, ℰ 05 62 07 27 12
⛳ du Château de Barbet à Lombez Route de Boulogne, SO par D 634 : 25 km, ℰ 05 62 62 08 54
◉ Centre-musée européen d'art campanaire ★.

à Pujaudran Est : 8 km par N 124 – 1 167 h. – alt. 302 m – ✉ 32600

Le Puits St-Jacques (Bernard Bach)
av. Victor Capoul – ℰ 05 62 07 41 11 – www.lepuitssaintjacques.com
– lepuitsstjacques@free.fr – Fax 05 62 07 44 09
– Fermé 30 août-16 sept., 1er-20 janv., mardi sauf le soir en nov., dim. soir et lundi
Rest – (prévenir le week-end) Menu 27 € (déj. en sem.), 58/95 € – Carte 82/95 €
Spéc. Tronçon de lobe de foie gras pané au pain d'épice. Pigeonneau en deux cuissons et jus réglissé. Véritable chocolat liégeois servi devant vous. **Vins** Vin de Pays des Côtes de Gascogne, Pacherenc du Vic-Bilh.

♦ Cette maison gersoise, jadis relais sur la route de Compostelle, abrite une salle à manger raffinée et un patio à l'atmosphère méridionale. Séduisante cuisine, actuelle et délicate, puisant son inspiration dans le terroir.

L'ISLE-JOURDAIN – 86 Vienne – 322 K7 – 1 287 h. – alt. 142 m — 39 C2
– ✉ 86150 ▌Poitou Vendée Charentes

▶ Paris 375 – Confolens 29 – Niort 104 – Poitiers 53
🛈 Syndicat d'initiative, place de l'Ancienne Gare ℰ 05 49 48 80 36, Fax 05 49 48 80 36

L'ISLE-JOURDAIN

à Port de Salles Sud : 7 km par D 8 et rte secondaire – ⊠ 86150

Val de Vienne sans rest
– ℰ 05 49 48 27 27 – www.hotel-valdevienne.com – info@hotel-valdevienne.com
– Fax 05 49 48 47 47
20 ch – †65/88 € ††65/88 €, ⊃ 12 € – 1 suite
♦ En pleine campagne, sur une rive de la Vienne, hôtel dont les chambres, calmes et fonctionnelles, s'ouvrent sur des terrasses. Avenant salon-bar dans la véranda côté piscine.

L'ISLE-SUR-LA-SORGUE – 84 Vaucluse – **332** D10 – 16 900 h. 42 **E1**
– alt. 57 m – ⊠ 84800 ▮ Provence

▶ Paris 693 – Apt 34 – Avignon 23 – Carpentras 18 – Cavaillon 11 – Orange 35
🛈 Office de tourisme, place de la Liberté ℰ 04 90 38 04 78, Fax 04 90 38 35 43
◉ Décoration★ de la collégiale de Notre-Dame des Anges.
◉ Église★ du Thor O : 5 km.

Les Névons sans rest
chemin des Névons, (derrière la poste) – ℰ 04 90 20 72 00
– www.hotel-les-nevons.com – info@hotel-les-nevons.com – Fax 04 90 20 56 20
– Fermé 13 déc.-25 janv.
44 ch – †51/92 € ††51/92 €, ⊃ 8,50 €
♦ Adresse proche du centre-ville. Chambres fonctionnelles, plus spacieuses et modernes dans la nouvelle aile ; certaines bénéficient d'un balcon. Solarium-piscine sur le toit.

La Prévôté avec ch
4 bis r. J.-J.-Rousseau, (derrière l'église) – ℰ 04 90 38 57 29 – www.la-prevote.fr
– contact@la-prevote.fr – Fax 04 90 38 57 29 – Fermé 1er-13 mars, 17 nov.-5 déc., merc. sauf juil.-août et mardi
5 ch ⊃ – †110/130 € ††110/200 €
Rest – (nombre de couverts limité, prévenir) Menu (20 €), 26 € (déj. en sem.), 39/68 € – Carte environ 60 €
♦ Dans un couvent du 17e s. sur un bras de la Sorgue, ce restaurant, abritant l'ancien lavoir public, offre un cadre rustique et calme (vue sur la rivière). Chambres personnalisées.

L'Oustau de l'Isle
147 chemin du Bosquet, 1 km par rte d'Apt – ℰ 04 90 20 81 36
– www.restaurant-oustau.com – contact@restaurant-oustau.com
– Fax 04 90 38 50 07 – Fermé 12 nov.-4 déc., 18 janv.-5 fév., merc. sauf le soir de mi-juin à mi-sept. et mardi
Rest – Menu (18 €), 29/50 € – Carte 35/89 €
♦ Ce mas entouré de verdure possède une ravissante terrasse ombragée et deux salles épurées, décorées de grandes reproductions d'œuvres de Modigliani. Douces saveurs régionales.

Le Vivier (Patrick Fischnaller)
800 cours F. Peyre (rte Carpentras) – ℰ 04 90 38 52 80
– www.levivier-restaurant.com – info.levivier@wanadoo.fr
– Fermé 28 août-4 sept., 2-6 janv., 24 fév.-17 mars, jeudi midi en juil.-août, dim. soir de sept. à juin, vend. midi, sam. midi et lundi
Rest – Menu 28 € (déj. en sem.), 43/70 € – Carte 48/68 €
Spéc. Assiette façon "tapas". Pithiviers de pigeon des Costières, cèpes et foie gras. Dessert "tout chocolat". **Vins** Côtes du Luberon, Vin de table des Bouches du Rhône.
♦ Séduisante cuisine très actuelle, tout en finesse et délicatesse, dans ce restaurant design aux couleurs acidulées, dont les baies s'ouvrent sur la Sorgue. Accueil charmant.

Café Fleurs
9 r. T.-Aubanel – ℰ 04 90 20 66 94 – www.cafefleurs.com – contact@ cafefleurs.com – Fax 04 90 21 14 87 – Fermé 3 sem. en déc., 2 sem. en fév., mardi soir et merc.
Rest – Menu (25 €), 39/55 € – Carte 48/68 €
♦ Deux salles au décor provençal cosy et soigné (œuvres d'art locales exposées), et une agréable terrasse ombragée au bord de l'eau : cette table au goût du jour a son charme.

L'ISLE-SUR-LA-SORGUE

Le Jardin du Quai
91 av. J. Guigue, (près de la gare) – ℰ 04 90 20 14 98 – Fax 04 90 20 31 92 – Fermé mardi et merc. sauf de mi-juin à mi-sept.
Rest – Menu 35 € (déj. en sem.)/43 €
♦ Avec son jardin-terrasse, ce bistrot distille le charme si attachant de la Provence d'autrefois. À l'ardoise, menu unique de retour du marché, cuisine de produits toute simple.

au Nord par D 938 et rte secondaire – ⌧ 84740 Velleron

Hostellerie La Grangette
807 chemin Cambuisson, à 6 km – ℰ 04 90 20 00 77
– www.la-grangette-provence.com – hostellerie-grangette@club-internet.fr
– Fax 04 90 20 07 06 – Ouvert 13 fév.-10 nov.
16 ch ⌧ – †95/228 € ††95/228 € – ½ P 98/164 €
Rest – *(fermé le lundi sauf de juin à sept.) (dîner seult) (nombre de couverts limité, prévenir)* Menu 55 € – Carte 30/60 €
♦ Ancienne ferme provençale (entièrement non-fumeurs) où règnent gaieté et art de vivre. Dans les chambres, décoration stylée et belle literie invitent au "cocooning". Cuisine régionale gorgée de soleil, à apprécier dans une salle intime ou l'été en plein air.

rte d'Apt Sud-Est : 6 km par D 900 – ⌧ 84800 L'Isle-sur-la-Sorgue

Le Mas des Grès
D 901 – ℰ 04 90 20 32 85 – www.masdesgres.com – info@masdesgres.com
– Fax 04 90 20 21 45 – Ouvert 20 mars-11 nov.
14 ch – †80/150 € ††120/230 €, ⌧ 12 € – ½ P 90/145 €
Rest – *(dîner seult sauf juil.-août) (prévenir)* Menu 22 € (déj.)/38 €
♦ Ce mas provençal restauré avec goût invite au repos et à la détente : jardin, terrasse ombragée, aire de jeux pour enfants, fitness, spa. Chambres coquettes personnalisées. Au restaurant, tables dressées sous la treille ou sous les platanes ; menu du marché.

au Sud-Ouest 4 km par D 938 (rte de Cavaillon) et rte secondaire
– ⌧ 84800 L'Isle-sur-la-Sorgue

Mas de Cure Bourse
120 chemin de serre – ℰ 04 90 38 16 58 – www.masdecurebourse.com
– masdecurebourse@wanadoo.fr – Fax 04 90 38 52 31
13 ch – †44/63 € ††87/125 €, ⌧ 10 € – ½ P 75/112 €
Rest – *(fermé 1er-15 janv., lundi de nov. à fév.)* Menu (27 €), 48/51 €
– Carte 43/51 €
♦ Le calme règne en maître dans cet authentique mas du 18e s., perdu au milieu des vergers. Intérieur rustique, chambres impeccables, piscine et jardin ombragé. Cuisine du Sud servie dans la salle à manger provençale ou à l'ombre d'arbres centenaires.

L'ISLE-SUR-SEREIN – 89 Yonne – 319 H6 – 758 h. – alt. 190 m   7 **B2**
– ⌧ 89440

▸ Paris 209 – Auxerre 50 – Avallon 17 – Montbard 36 – Tonnerre 36

Auberge du Pot d'Étain avec ch
24 r. Bouchardat – ℰ 03 86 33 88 10 – potdetain@ipoint.fr – Fax 03 86 33 90 93
– Fermé 12-27 oct., fév., dim. soir et mardi midi sauf juil.-août et lundi
9 ch – †60/80 € ††60/80 €, ⌧ 8,50 € – ½ P 65 €
Rest – Menu 26/52 € – Carte 45/60 €
♦ Cuisine aux accents régionaux, multitude de bourgognes, coquettes chambres colorées : une plaisante auberge de la bucolique vallée du Serein... à deux tours de roue de l'A 6 !

ISPE – 40 Landes – 335 D8 – rattaché à Biscarrosse

LES ISSAMBRES – 83 Var – 340 P5 – ⌧ 83380 ▮ Côte d'Azur   41 **C3**

▸ Paris 877 – Draguignan 40 – Fréjus 11 – St-Raphaël 14 – Ste-Maxime 9
– Toulon 99

▮ Office de tourisme, place San-Peire ℰ 04 94 49 66 55

LES ISSAMBRES

à San-Peire-sur-Mer – ⊠ 83520

Le Provençal
D 559 – ℘ 04 94 55 32 33 – www.hotel-leprovencal.com – hotel-le-provencal@wanadoo.fr – Fax 04 94 55 32 34 – Ouvert 15 fév.-15 oct.
27 ch – †79/108 € ††97/134 €, ⊃ 12 € – ½ P 73/98 €
Rest *Les Mûriers* – *(fermé mardi midi en juil.-août)* Menu 29/65 € – Carte 50/100 €
♦ Dans le golfe de St-Tropez, hôtel familial tenu par la quatrième génération. Chambres pratiques donnant en partie sur la mer (certaines avec balcon), plus calmes sur l'arrière. Cuisine méditerranéenne servie dans une salle évoquant la Provence ou en terrasse, à l'ombre des mûriers.

au parc des Issambres – ⊠ 83380 Les Issambres

La Quiétude
D 559 – ℘ 0494969434 – www.hotel-laquietude.com – laquietude@hotmail.com – Fax 04 94 49 67 82 – Ouvert 15 mars -15 nov.
20 ch – †50/75 € ††62/99 €, ⊃ 10 € – ½ P 62/80 €
Rest – *(dîner seult sauf dim.)* Menu 28/38 € – Carte 36/46 €
♦ En bordure d'un axe passant, maison des années 1960 avec son petit jardin. Chambres fonctionnelles et colorées ; certaines offrent une échappée sur le large. Plats simples axés sur la tradition et les saveurs du sud, à déguster en toute quiétude sur la terrasse, face à la mer.

à la calanque des Issambres – ⊠ 83380 Les Issambres

Chante-Mer
au village – ℘ 04 94 96 93 23 – Fax 04 94 96 88 49 – Fermé 15 déc.-31 janv., dim. soir d'oct. à Pâques, mardi midi et lundi hors saison
Rest – Menu 24/45 € – Carte 46/72 €
♦ Loin de l'agitation touristique, cette adresse conviviale propose une carte traditionnelle. Petite salle accueillante aux murs habillés de bois clair, terrasse d'été en façade.

ISSOIRE – 63 Puy-de-Dôme – **326** G9 – 14 200 h. – alt. 400 m – ⊠ 63500 **Auvergne**   **5 B2**

▪ Paris 446 – Clermont-Ferrand 36 – Le Puy-en-Velay 94 – Thiers 56
▪ Office de tourisme, place Charles de Gaulle ℘ 04 73 89 15 90, Fax 04 73 89 96 13

◉ Anc. abbatiale St-Austremoine★★ Z.

Plan page suivante

Le Pariou
18 av. Kennedy, 1 km par ① – ℘ 04 73 55 90 37 – www.hotel-pariou.com – info@hotel-pariou.com – Fax 04 73 55 96 16 – Fermé 19 déc.-4 janv.
54 ch – †65/85 € ††70/85 €, ⊃ 10 €
Rest *Le Jardin* – *(fermé dim. et lundi)* Menu (16 €), 21 € (sem.)/40 € – Carte 34/43 €
♦ Bâtisse des années 1950 abritant des chambres progressivement rafraîchies et dotées de mobilier actuel ; plus spacieuses dans l'aile récente. Deux salles à manger dont une peinte aux couleurs du sud et tournée vers le jardin. Cuisine au goût du jour.

Le Relais avec ch
1 av. de la Gare – ℘ 04 73 89 16 61 – www.hotel-relais-issoire.com – lerelais-issoire@laposte.net – Fax 04 73 89 55 62 – Fermé 25-30 juin, 25 oct.-5 nov., 15-28 fév., dim. soir de nov. à juin et lundi   YZ **a**
6 ch ⊃ – †36/48 € ††36/58 €, ⊃ 6,50 € – ½ P 40/50 €
Rest – Menu 13 € (sem.)/31 € – Carte 23/39 €
♦ Ancien relais de poste à deux pas de l'abbatiale St-Austremoine. Salle à manger spacieuse et colorée ; cuisine traditionnelle et spécialités régionales. Chambres modestes.

à Varennes-sur-Usson 5 km par ② et D 996 – 155 h. – alt. 315 m – ⊠ 63500

Les Baudarts sans rest
17 chemin des Baudarts – ℘ 04 73 89 05 51 – Ouvert 1ᵉʳ mai-30 sept.
4 ch ⊃ – †65/70 € ††80/85 €
♦ Dans un parc, belle maison de maître dédiée à l'art pictural (tableaux dans toutes les pièces). Les chambres déclinent trois thèmes : africain, "nounours et dentelles" et loft.

873

ISSOIRE

Altaroche (Pl.)	Z 2
Ambert (R. d')	Y
Ancienne Caserne (R. de l')	Z 3
Berbiziale (R. de la)	Y
Buisson (Bd A.)	Y
Cerf Volant (R.)	Y 4
Châteaudun (R. de)	Z 5
Cibrand (Bd J.)	Y
Dr-Sauvat (R.)	Z
Duprat (Pl. Ch.)	Y
Espagnon (R. d')	Z
Foirail (Pl. du)	Y
Fours (R. des)	Z
Gambetta (R.)	Z 6
Gare (Av. de la)	Z 9
Gaulle (Pl. du Gén.-de)	Y
Gauttier (R. Eugène)	Y
Haïnl (Bd G.)	Z
Hauterive (R. E. d')	Z
Libération (Av. de la)	Z 10
Manlière (Bd de la)	Y
Mas (R. du)	Y
Montagne (Pl. de la)	Y
Notre-Dame des Filles (R.)	Z 12
Palais (R. du)	Y
Pomel (Pl. N.)	Z 13
Ponteil (R. du)	Y 16
Pont (R. du)	Z 14
Postillon (R. du)	Z
République (Pl. de la)	Z
St-Avit (Pl.)	Y 22
Sous-Préfecture (Bd de la)	Z
Terraille (R. de la)	Z 24
Triozon-Bayle (Bd)	YZ 25
Verdun (Pl. de)	Z 26
8 Mai (Av. du)	Z 30

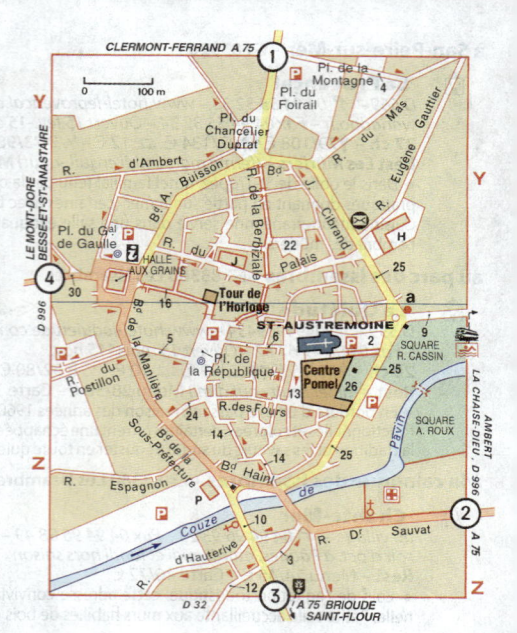

à St-Rémy-de-Chargnat 7 km par ② et D 999 – 550 h. – alt. 400 m – ✉ 63500

Château de la Vernède sans rest
– ℰ 04 73 71 07 03 – www.chateauvernedeauvergne.com
– chateauvernede@aol.com
5 ch ⊡ – †68 € ††68/100 €
♦ L'ancien relais de chasse de la reine Margot (1850) dispose de chambres garnies de meubles chinés et agrémentées de fleurs fraîches. Côté loisirs : billard, pêche à la truite.

à Sarpoil 10 km par ② et D 999 – ✉ 63490 St-Jean-en-Val

La Bergerie
– ℰ 04 73 71 02 54 – www.labergeriedesarpoil.com – cyrille.zen@wanadoo.fr
– Fax 04 73 71 01 99 – Fermé 8-14 juin, 14-21 sept., 2 janv.-1er fév., merc. du 15 oct. au 30 mars, dim. soir et lundi
Rest – (nombre de couverts limité, prévenir) Menu 16 € (déj. en sem.), 22/68 €
– Carte 43/71 €
♦ Dès l'entrée, la vision des cuisines et de la rôtissoire vous mettra l'eau à la bouche. Salle de restaurant classique (cheminée allumée l'hiver) pour déguster des plats actuels.

à Perrier 5 km par ④ et D 996 – 814 h. – alt. 415 m – ✉ 63500

La Cour Carrée avec ch
17 av. du Tramot – ℰ 04 73 55 15 55 – www.cour-carree.com – contact@cour-carree.com – Fermé 22 déc.-11 janv., merc. midi, sam. midi, dim. soir et lundi du 15 sept. au 15 juin et le midi sauf dim. du 15 juin au 15 sept.
3 ch – †70 € ††70/90 €, ⊡ 11 € – ½ P 73/83 €
Rest – (nombre de couverts limité, prévenir) Menu 28/40 €
♦ La cuverie voûtée de cette maison de vigneron (1830) a été convertie en restaurant. Terrasse dressée dans la cour carrée, à l'ombre d'un marronnier.

ISSONCOURT – 55 Meuse – 307 C5 – 119 h. – alt. 260 m – ✉ 55220   26 A2
Les Trois Domaines

▶ Paris 265 – Bar-le-Duc 28 – St-Mihiel 28 – Verdun 28

Relais de la Voie Sacrée
1 Voie Sacrée – ☎ 03 29 70 70 46 – www.voiesacree.com – christian-caillet@wanadoo.fr – Fax 03 29 70 75 75 – Fermé 2 janv.-13 fév., dim. soir et lundi
Rest – Menu 19 € (sem.)/48 € – Carte 37/65 €

♦ Près de la gare TGV, cette engageante auberge borde la célèbre Voie Sacrée, lien vital lors de la bataille de Verdun. Cadre rustique ou terrasse ombragée. Cuisine traditionnelle.

Une bonne table sans se ruiner ?
Repérez les Bibs Gourmands.

ISSOUDUN – 36 Indre – 323 H5 – 14 100 h. – alt. 130 m – ✉ 36100   12 C3
Limousin Berry

▶ Paris 244 – Bourges 37 – Châteauroux 29 – Tours 127 – Vierzon 35

🛈 Syndicat d'initiative, place Saint-Cyr ☎ 02 54 21 74 02, Fax 02 54 03 03 36

⛳ des Sarrays Les Sarrays, SO : 12 km par D 151 et rte secondaire,
☎ 02 54 49 54 49

◉ Musée de l'hospice St-Roch★ : arbre de Jessé★ dans la chapelle et apothicairerie★ AB.

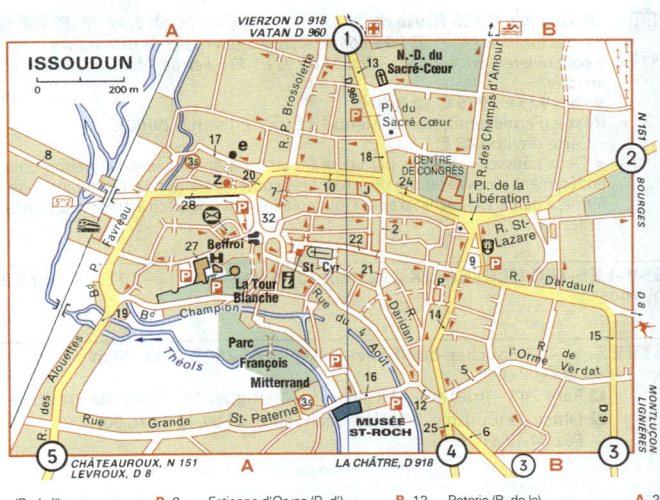

Avenier (R. de l') . . . . B 2
Bons-Enfants (R. des) . . . . B 5
Capucins (R. des) . . . . B 6
Casanova (R. D.) . . . . A 7
Chinault (Av. de) . . . . A 8
Croix-de-Pierre (Pl. de la) . . . . B 9
Dormoy (Bd M.) . . . . A 10
Entrée-de-Villatte (R.) . . . . B 12
Estienne-d'Orves (R. d') . . . . . B 13
Fossés-de-Villatte (R. des) . . . B 14
Gaulle (Av. Ch. de) . . . . B 15
Hospices St-Roch (R.) . . . . B 16
Minimes (R. des) . . . . A 17
Père-Jules-Chevalier
  (R. du) . . . . B 18
Ponts (R. des) . . . . A 19
Poterie (R. de la) . . . . A 20
Quatre-Vents (R. des) . . . . B 21
République (R. de la) . . . . AB 22
Roosevelt (Bd Prés.) . . . . B 24
St-Martin (R.) . . . . B 25
Sémard (R. P.) . . . . A 27
Stalingrad (Bd de) . . . . A 28
10-Juin (Pl. du) . . . . A 32

🏨 Hôtel La Cognette
r. des Minimes – ☎ 02 54 03 59 59 – www.la-cognette.com – lacognettehotel@wanadoo.fr – Fax 02 54 03 13 03   A e
13 ch – †85 € ††85 €, ⛛ 13 € – 3 suites
Rest *La Cognette* – voir ci-avant

♦ Les chambres, confortables et garnies de meubles de style, portent le nom de célébrités. La plupart ouvrent de plain-pied sur un jardinet où l'on petit-déjeune en été.

ISSOUDUN

Rest. La Cognette (Alain Nonnet et Jean-Jacques Daumy)
bd Stalingrad – ℘ 02 54 03 59 59 – www.la-cognette.com
– lacognette@wanadoo.fr – Fax 02 54 03 13 03 – Fermé janv., dim. soir, mardi midi et lundi d'oct. à mai   A z
Rest – (prévenir) Menu (27 €), 35/72 € – Carte 45/75 €
Spéc. Crème de lentilles vertes du Berry aux truffes. Cannelloni d'huîtres, jus de cresson et gingembre. Massepain d'Issoudun à la fleur d'oranger. **Vins** Reuilly, Quincy.

♦ L'auberge est célèbre pour avoir inspiré Balzac dans "La Rabouilleuse". Témoin de cette époque, le riche décor bourgeois d'esprit 19ᵉ s. s'accorde parfaitement à la cuisine raffinée.

à Diou par ① : 12 km sur D 918 – 235 h. – alt. 130 m – ✉ 36260

L'Aubergeade
rte d'Issoudun – ℘ 02 54 49 22 28 – jacky.patron@wanadoo.fr
– Fax 02 54 49 27 48 – Fermé dim. soir et merc. soir
Rest – Menu 20 € (déj. en sem.), 30/40 € – Carte 42/51 €

♦ En plus du fameux reuilly régional, la carte des vins de L'Aubergeade propose un séduisant petit tour du monde viticole. Cuisine au goût du jour et terrasse face au jardin.

IS-SUR-TILLE – 21 Côte-d'Or – 320 K4 – 3 824 h. – alt. 284 m   8 C2
– ✉ 21120

▪ Paris 332 – Dijon 30 – Chenôve 43 – Talant 32 – Chevigny-Saint-Sauveur 45
▪ Office de tourisme, rue du Général Charbonnel ℘ 03 80 95 24 03,
Fax 03 80 95 28 08

Auberge Côté Rivière
3 r. des Capucins – ℘ 03 80 95 65 40 – www.auberge-cote-riviere.com
– cote.riviere@wanadoo.fr – Fax 03 80 95 65 41 – Fermé 1 sem. en août et 1 sem. en janv.
9 ch – †75 € ††75 €, ⇌ 8,50 €
Rest – (Fermé dim. et lundi) Menu 19 € (déj. en sem.), 29/60 €
– Carte environ 42 €

♦ Deux bâtisses entourées par un jardin au bord de la rivière. La maison bourgeoise, entièrement rénovée, abrite des chambres contemporaines. Le restaurant, logé dans la ferme, a gardé son cachet d'antan tout en adoptant une déco actuelle. Cuisine traditionnelle.

ISSY-LES-MOULINEAUX – 92 Hauts-de-Seine – 311 J3 – 101 25 – voir à Paris, Environs

ISTRES – 13 Bouches-du-Rhône – 340 E5 – 41 200 h. – alt. 32 m   40 A3
– ✉ 13800 ▪ Provence

▪ Paris 745 – Arles 46 – Marseille 55 – Martigues 14 – Salon-de-Provence 25
▪ Office de tourisme, 30, allées Jean Jaurès ℘ 04 42 81 76 00,
Fax 04 42 81 76 15

Plan page ci-contre

Le Castellan sans rest
15 bd L. Blum – ℘ 04 42 55 13 09 – www.hotel-lecastellan.com
– renseignements@hotel-lecastellan.com – Fax 04 42 56 91 36   AX a
17 ch – †49/52 € ††58/62 €, ⇌ 6,50 €

♦ Parmi les points forts de cette adresse proche de la place forte gréco-ligure : rénovation progressive, tenue sans reproche et accueil aimable. Chambres spacieuses et claires.

La Table de Sébastien
7 av. H.-Boucher – ℘ 04 42 55 16 01 – www.latabledesebastien.fr – contact@latabledesebastien.fr – Fax 04 42 55 95 02 – Fermé 6-13 avril, 18-31 août, 22 déc.-3 janv., dim. soir et lundi   AX n
Rest – Menu 28/103 € bc – Carte 55/65 €

♦ Le jeune chef propose une séduisante cuisine inventive et un beau choix de vins régionaux, à savourer dans la salle à manger rénovée ou sur la cour-terrasse ombragée.

ISTRES

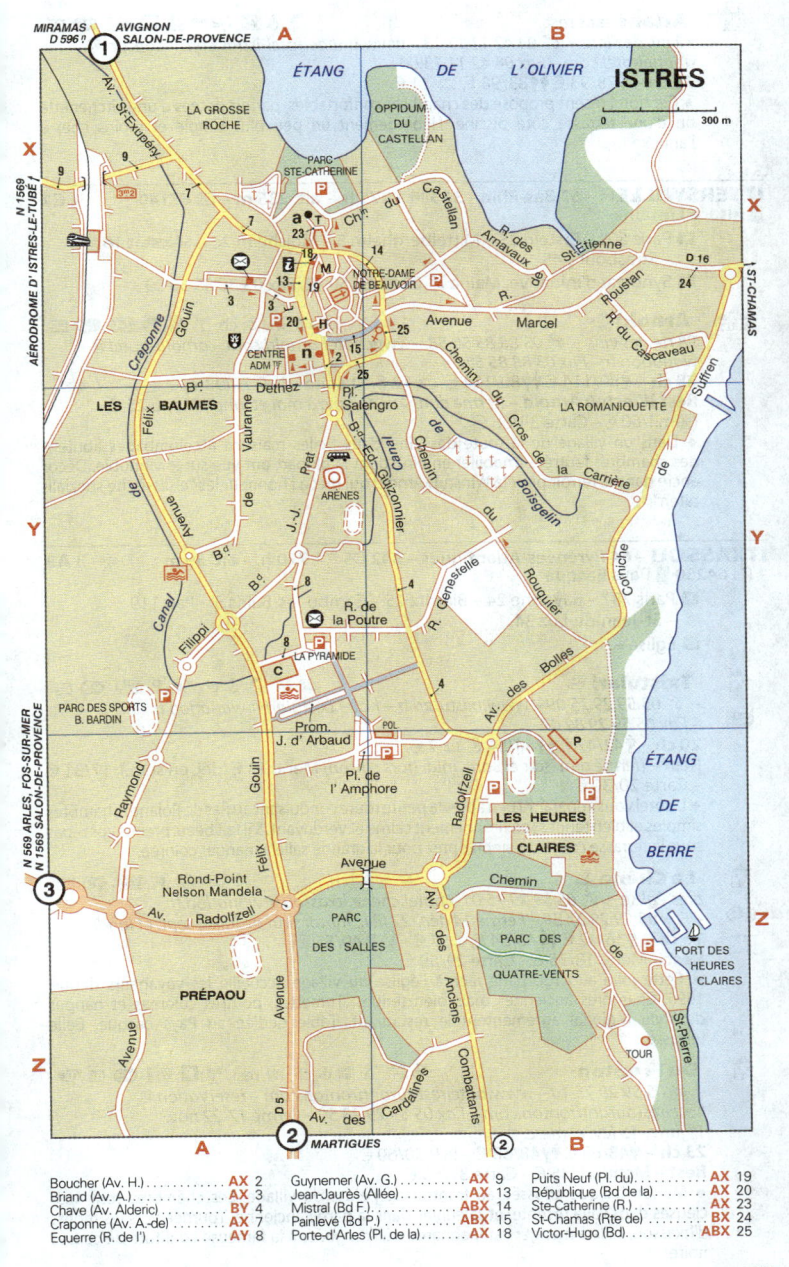

Boucher (Av. H.)	AX 2	Guynemer (Av. G.)	AX 9	Puits Neuf (Pl. du)	AX 19
Briand (Av. A.)	AX 3	Jean-Jaurès (Allée)	AX 13	République (Bd de la)	AX 20
Chave (Av. Alderic)	BY 4	Mistral (Bd F.)	ABX 14	Ste-Catherine (R.)	AX 23
Craponne (Av. A.-de)	AX 7	Painlevé (Bd P.)	ABX 15	St-Chamas (Rte de)	BX 24
Equerre (R. de l')	AY 8	Porte-d'Arles (Pl. de la)	AX 18	Victor-Hugo (Bd)	ABX 25

ISTRES

au Nord 4 km par ③, N 569 et rte secondaire – ⊠ 13800 Istres

Ariane sans rest   🏊 & AC ⇆ 🛉 ♨ P VISA 🞋 AE
12 av. de Flore – ℰ 04 42 11 13 13 – www.arianehotel-istres.com – contact@arianehotel.com – Fax 04 42 11 13 00
73 ch – ♦78/93 € ♦♦83/98 €, ⊇ 11 €
♦ Cet hôtel récent propose des chambres confortables, parfois dotées d'une kitchenette ou d'une terrasse côté piscine. Hébergement un peu plus simple et moins cher à l'annexe.

ITTERSWILLER – 67 Bas-Rhin – **315** I6 – 275 h. – alt. 235 m – ⊠ 67140   2 **C1**
 ■ Alsace Lorraine

▶ Paris 502 – Erstein 25 – Mittelbergheim 5 – Molsheim 26 – Sélestat 16 – Strasbourg 45

ℤ Syndicat d'initiative, Mairie ℰ 03 88 85 50 12, Fax 03 88 85 56 09

Arnold ⑤   ≼ 🚗 🍴 & ch, 🛉 ♨ P VISA 🞋 AE
98 rte des vins – ℰ 03 88 85 50 58 – www.hotel-arnold.com – arnold-hotel@wanadoo.fr – Fax 03 88 85 55 54
28 ch – ♦80/114 € ♦♦80/114 €, ⊇ 12 € – 1 suite – ½ P 79/98 €
Rest *Winstub Arnold* – *(fermé dim. soir de nov. à mai et lundi)* Menu 25 € (sem.)/60 € – Carte 38/66 €
♦ Dans un village de la route des Vins, deux belles maisons à colombages abritent des chambres feutrées (mobilier en pin), dont la plupart ont vue sur le vignoble. Décor ancré dans le terroir pour la Winstub Arnold qui met à l'honneur les "elsässische spezialitäten".

ITXASSOU – 64 Pyrénées-Atlantiques – **342** D5 – 1 770 h. – alt. 39 m   3 **A3**
– ⊠ 64250 ■ Pays Basque

▶ Paris 787 – Bayonne 24 – Biarritz 25 – Cambo-les-Bains 5 – Pau 119 – St-Jean-de-Luz 34

◉ Église★.

Txistulari ⑤   🚗 🍴 🏊 & ch, ⅍ P VISA 🞋 AE
– ℰ 05 59 29 75 09 – www.txistulari.fr – hotel.txistulari@wanadoo.fr
– Fax 05 59 29 80 07
20 ch – ♦42/47 € ♦♦44/54 €, ⊇ 7 €
Rest – *(fermé dim. soir et sam. midi hors saison)* Menu 13 € (déj. en sem.), 17/31 € – Carte 20/30 €
♦ L'hôtel vous apparaîtra peu après la petite route conduisant au Pas de Roland. Chambres simples et bien tenues ; environnement calme et verdoyant. S'il fait beau, prenez vos repas sous la terrasse couverte, sinon optez pour la grande salle à manger colorée.

Le Chêne ⑤   ≼ 🍴 P VISA 🞋 AE
près église – ℰ 05 59 29 75 01 – hotel.chene.itxassou@wanadoo.fr
– Fax 05 59 29 27 39 – *Fermé 14 déc.-27 fév., mardi sauf de juil. à sept. et lundi*
16 ch – ♦36/42 € ♦♦48/54 €, ⊇ 7 € – ½ P 49/55 €
Rest – Menu 18/35 € – Carte 29/50 €
♦ Cette jolie auberge bâtie face à l'église du village accueille les voyageurs depuis 1696. Chambres anciennes mais bien tenues. Tomettes, poutres colorées et nappes de style régional agrémentent le restaurant. Table dédiée au Pays basque. Belle terrasse.

Du Fronton   ≼ 🍴 🏊 🕭 & ch, AC rest, 🛉 P VISA 🞋 AE ⓘ
– ℰ 05 59 29 75 10 – www.hotelrestaurantfronton.com – reservation@hotelrestaurantfronton.com – Fax 05 59 29 23 50 – *Fermé 17-22 nov.,*
1ᵉʳ janv.-15 fév. et merc.
23 ch – ♦48/68 € ♦♦48/68 € – ½ P 50/60 €
Rest – Menu 21/35 € – Carte 37/55 €
♦ Maison basque adossée au fronton de pelote du village. Les chambres sont spacieuses dans l'aile récente, et rajeunies dans la partie ancienne. Tournée vers les monts d'Itxassou, salle à manger campagnarde où l'on goûte à la fameuse confiture de cerises noires.

IVOY-LE-PRÉ – 18 Cher – 873 h. – alt. 276 m – ✉ 18380 — 12 **C2**

▶ Paris 202 – Orléans 105 – Bourges 38 – Vierzon 41 – Gien 47

⌂ Château d'Ivoy sans rest
rte d'Henrichemont – ℰ 02 48 58 85 01 – www.chateaudivoy.com
– chateau.divoy@wanadoo.fr – Fax 02 48 58 85 02
5 ch ⌂ – †150 € ††195 €

♦ Ce château des 16ᵉ-17ᵉ s. au cœur d'un domaine préservé a toute une histoire (Henri IV y séjourna et le Grand Meaulnes y fut tourné). Atmosphère chaleureuse de manoir anglais.

IVRY-LA-BATAILLE – 27 Eure – 304 I8 – 2 653 h. – alt. 54 m — 33 **D2**
– ✉ 27540 ▌Normandie Vallée de la Seine

▶ Paris 75 – Anet 6 – Dreux 21 – Évreux 36 – Mantes-la-Jolie 25 – Pacy-sur-Eure 17

▪ de La Chaussée d'Ivry à La Chaussée-d'Ivry, N : 2 km, ℰ 02 37 63 06 30

✕✕ Moulin d'Ivry
10 r. Henri IV – ℰ 02 32 36 40 51 – Fax 02 32 26 05 15 – Fermé 7-20 oct., 10 fév.-2 mars, lundi et mardi sauf fériés
Rest – Menu 30 € (sem.)/50 € – Carte 65/90 €

♦ Ancien moulin abritant plusieurs petites salles champêtres, au charme volontiers désuet. Jardin et terrasse s'étalent agréablement au bord de l'Eure. Recettes classiques.

JANVRY – 91 Essonne – 101 33 – voir à Paris, Environs

JARNAC – 16 Charente – 324 I5 – 4 508 h. – alt. 26 m – ✉ 16200 — 38 **B3**
▌Poitou Vendée Charentes

▶ Paris 475 – Angoulême 31 – Barbezieux 30 – Bordeaux 113 – Cognac 15 – Jonzac 41

ℹ Office de tourisme, place du Château ℰ 05 45 81 09 30, Fax 05 45 36 52 45

◉ Donation François-Mitterrand - Maison Courvoisier - Maison Louis-Royer

⌂ Château St-Martial sans rest
56 r. des Chabannes – ℰ 05 45 83 38 64 – http://chateau.st.martial.free.fr
– brigitte.cariou@wanadoo.fr – Fax 05 45 83 38 38 – Fermé 1ᵉʳ-9 mars, 23 oct.-1ᵉʳnov., 18-27 déc. et 6-22 fév.
5 ch ⌂ – †75/115 € ††90/135 €

♦ La famille Bisquit, célèbre pour son cognac, vécut dans ce beau château du 19ᵉ s. Collection de tableaux, mobilier de style, grandes chambres confortables et agréable parc arboré.

✕✕ Du Château
15 pl. du Château – ℰ 05 45 81 07 17 – www.restaurant-du-chateau.com
– contact@restaurant-du-chateau.com – Fax 05 45 35 35 71 – Fermé dim. soir et lundi
Rest – Menu (25 €), 29 € (déj.), 44/73 € bc – Carte 58/64 €

♦ Sympathique restaurant voisin des chais de la Maison Courvoisier. Le chef, natif de la région, sélectionne de beaux produits et réalise une cuisine d'aujourd'hui et de qualité.

à Bourg-Charente Ouest : 6 km par N 141 et rte secondaire – 710 h. – alt. 14 m – ✉ 16200

✕✕✕ La Ribaudière (Thierry Verrat) ⊛
2 pl. du Port – ℰ 05 45 81 30 54 – www.laribaudiere.com – la.ribaudiere@wanadoo.fr – Fax 05 45 81 28 05 – Fermé 20 oct.-7 nov., vacances de fév., dim. soir, mardi midi et lundi
Rest – Menu 42/78 € – Carte 75/90 €
Spéc. Escalope de foie gras poêlé, crème de cèpes et lard "noir de Bigorre" séché (sept. à déc.). Pavé de bar fumé aux aiguilles de pin, risotto de petites pâtes aux truffes. Sablé charentais abricot givré, mousse romarin (été). **Vins** Vin de Pays Charentais, Fiefs Vendéens.

♦ Décor contemporain épuré, mobilier design, "cognathèque", belle cuisine actuelle, terrasses étagées regardant l'eau : venez donc manger sur la rive gauche... de la Charente !

JARNAC
à Bassac Sud-Est : 7 km par N 141 et D 22 – 461 h. – alt. 20 m – ✉ 16120

L'Essille
r. de Condé – ✆ 05 45 81 94 13 – hotel-restaurant-essille.com – l.essille@wanadoo.fr – Fax 05 45 81 97 26 – Fermé 1er-8 janv.
14 ch – †52/70 € ††52/70 €, ☑ 9 € – ½ P 61/70 €
Rest – (fermé sam. midi et dim. soir) Menu 16 € (déj. en sem.), 26/45 € – Carte 43/49 €

♦ Accueil charmant dans cet hôtel familial situé à deux pas de l'abbaye. Grandes chambres rafraîchies, garnies d'un mobilier de style. Salle à manger-véranda ouverte sur le parc ; cuisine traditionnelle et belle carte de cognacs (plus de 100 références).

JARVILLE-LA-MALGRANGE – 54 Meurthe-et-Moselle – 307 I6 – rattaché à Nancy

---

JAUJAC – 07 Ardèche – 331 H6 – 1 181 h. – alt. 450 m – ✉ 07380 44 A3
Lyon et la Vallée du Rhône

▶ Paris 616 – Lyon 185 – Montélimar 59 – Pierrelatte 71
🛈 Syndicat d'initiative, La Calade ✆ 04 75 93 28 54, Fax 04 75 93 28 54

Le Rucher des Roudils sans rest
Les Roudils, 4 km au Nord-Ouest – ✆ 04 75 93 21 11 – www.lesroudils.com – le-rucher-des-roudils@wanadoo.fr – Ouvert 2 avril-14 nov.
3 ch ☑ – †58 € ††60 €

♦ Adresse du bout du monde, grande ouverte sur le massif du Tanargue. Les chambres ont beaucoup de caractère, de même que le salon agrémenté d'une cheminée cévenole.

JAUSIERS – 04 Alpes-de-Haute-Provence – 334 I6 – rattaché à Barcelonnette

---

JERSEY (ÎLE DE) – JSY Jersey – 309 J1 – voir à Île de Jersey

JOIGNY – 89 Yonne – 319 D4 – 10 100 h. – alt. 79 m – ✉ 89300 Bourgogne 7 B1

▶ Paris 144 – Auxerre 28 – Gien 74 – Montargis 59 – Sens 33 – Troyes 76
🛈 Office de tourisme, 4, quai Ragobert ✆ 03 86 62 11 05, Fax 03 86 91 76 38
🏌 du Roncemay à Chassy Château du Roncemay, par rte de Montargis : 18 km, ✆ 03 86 73 50 50

◉ Vierge au sourire★ dans l'église St-Thibault **A E** - Côte St-Jacques★ ≤★ 1,5 km par D 20 **A**.

Plan page ci-contre

La Côte St-Jacques (Jean-Michel Lorain)
14 fg de Paris –
✆ 03 86 62 09 70 – www.cotesaintjacques.com – lorain@relaischateaux.com – Fax 03 86 91 49 70 – Fermé 4-28 janv., lundi midi et mardi midi **A r**
31 ch – †150/600 € ††150/600 €, ☑ 33 € – 1 suite – ½ P 235/310 €
Rest – (prévenir le week-end) Menu 100 € bc (déj. en sem.), 140/170 € – Carte 120/190 €
Spéc. Genèse d'un plat sur le thème de l'huître. Homard servi dans un bouillon parfumé à la réglisse, mini-fenouils et perles du Japon. Glace à la rose en tulipe croustillante et pétales de rose cristallisés. **Vins** Bourgogne-Chardonnay, Irancy.

♦ Face à l'Yonne, luxueux hôtel aux chambres raffinées. Pour se détendre : piscine, spa, bateau privé et boutique. La table de prestige propose une cuisine inventive à base d'excellents produits, dans un joli cadre ouvert sur les jardins. Superbe carte de grands crus.

Rive Gauche
r. Port-au-Bois – ✆ 03 86 91 46 66 – www.hotel-le-rive-gauche.fr – contact@hotel-le-rive-gauche.fr – Fax 03 86 91 46 93 **A s**
42 ch – †70/80 € ††70/80 €, ☑ 10 € – ½ P 72 €
Rest – (fermé dim. soir de nov. à Pâques) Menu (17 € bc), 20 € (déj. en sem.), 30/38 € – Carte 40/50 €

♦ Bel emplacement sur la rive gauche de l'Yonne pour ces chambres spacieuses, fonctionnelles et assez claires. Agréable parc avec plan d'eau et hélisurface. La salle à manger-véranda et la terrasse sont toutes deux tournées vers la rivière.

JOIGNY

Cortel (R. Gabriel)	**A** 2	Fossés-St-Jean (R. des)	**B** 12
Couturat (R.)	**B** 3	Gambetta (Av.)	**A**
Dans le Château (R.)	**B** 5	Grenet (R. Dominique)	**B** 13
Étape (R. de l')	**A** 6	Joigny (Pl. Jean-de)	**A** 15
Ferrand (R. Jacques)	**B** 8	Moines (R. des)	**B** 16
Forêt d'Othe (Av. de la)	**A** 9	Montant au Palais (R.)	**B** 19

Paris (Faubourg de)	**A** 20
Pilori (Pl. du)	**A** 22
Porte du Bois (R. de la)	**A** 23
Ragobert (Quai Henri)	**AB** 25
Tour Carrée (R. de la)	**B** 26

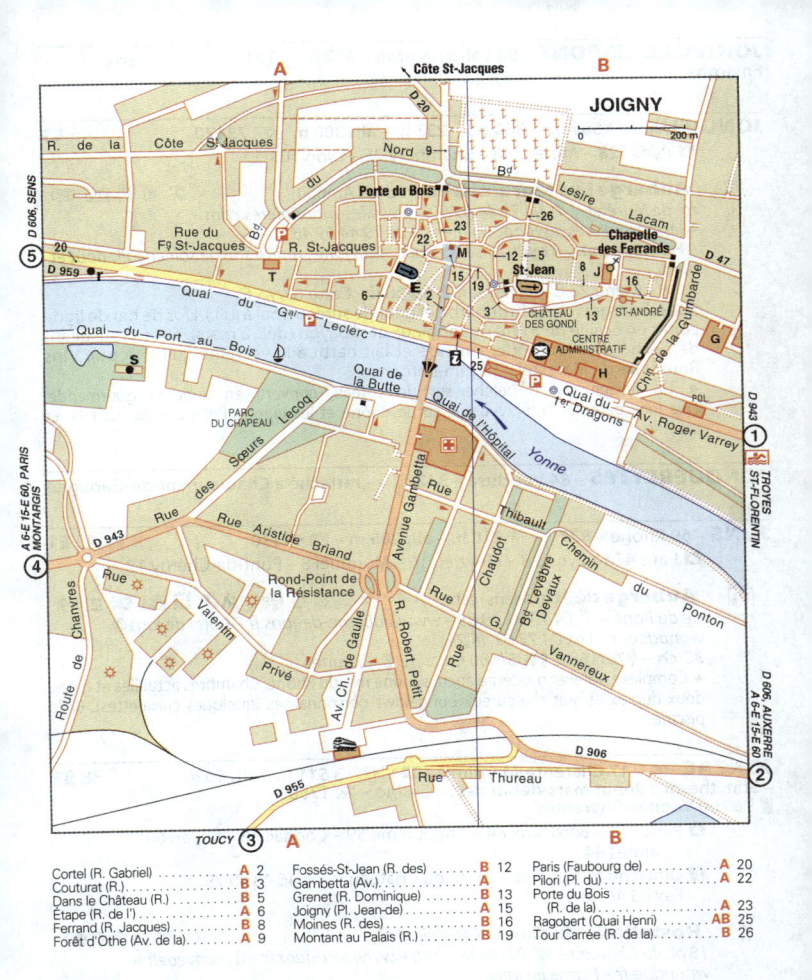

JOINVILLE – 52 Haute-Marne – **313** K3 – 3 809 h. – alt. 195 m — 14 **C2**
– ✉ 52300 ▌Champagne Ardenne

▶ Paris 244 – Bar-le-Duc 54 – Bar-sur-Aube 47 – Chaumont 44 – St-Dizier 32
🛈 Syndicat d'initiative, place Saunoise ✆ 03 25 94 17 90, Fax 03 25 94 68 93
◉ Château du Grand Jardin ★.

Le Soleil d'Or AC rest, ⇄ ⁽¹⁾ 🚗 VISA MC
9 r. des Capucins – ✆ *03 25 94 15 66 – www.hotellesoleildor.fr – hotellesoleildor@
wanadoo.fr – Fax 03 25 94 39 02*
26 ch – ♦65/100 € ♦♦75/130 €, ☕ 10 €
Rest – *(fermé 16-31 août, 14-28 fév., dim. et lundi)* Menu (15 € bc), 22 €
(sem.)/45 € – Carte 63/74 €

♦ Dans le berceau de la famille de Guise, maison chaleureuse dont les origines remontent
au 17ᵉ s. Chambres rénovées par étape ; sobre décor de bon goût dans les plus récentes.
Restaurant néo-gothique alliant sculptures médiévales et tableaux contemporains.

JOINVILLE-LE-PONT – 94 Val-de-Marne – 312 D3 – 101 27 – voir à Paris, Environs

JONGIEUX – 73 Savoie – 333 H3 – 233 h. – alt. 300 m – ⊠ 73170   45 C1
▶ Paris 528 – Annecy 58 – Chambéry 25 – Lyon 103

XX **Auberge Les Morainières** (Michaël Arnoult)   ← 舎 AC P VISA ⦿
☸   rte de Marétel – ℘ 04 79 44 09 39 – www.les-morainieres.com
    – lesmorainieres@wanadoo.fr – Fax 04 79 44 09 46
    – Fermé 30 mars-6 avril, 21 sept.-5 oct., 4-25 janv., mardi sauf le soir en juil.-août et lundi
    Rest – Menu 28 € (déj. en sem.), 38/68 € – Carte 62/75 €
    Spéc. Foie gras chaud, rhubarbe et fleur de sureau (mai à juil.). Dos de bar de ligne confit en écaille de truffe de Jongieux et sabayon (déc. à mars). Tube croustillant de pêche de vigne rôtie, amande et lait battu à la verveine (juil. à sept.). **Vins** Roussette de Marestel, Chignin-Bergeron.
    ♦ Un ancien cellier, perché sur un coteau, converti en auberge gourmande. Très jolie pergola d'été avec vue sur le Rhône et les vignes. Belle cuisine actuelle et créative.

JONQUERETTES – 84 Vaucluse – 332 C10 – rattaché à Châteauneuf-de-Gadagne

JONS – 69 Rhône – 327 J5 – 1 210 h. – alt. 205 m – ⊠ 69330   43 E1
▶ Paris 476 – Lyon 28 – Meyzieu 10 – Montluel 8 – Pont-de-Chéruy 12

🏨 **Auberge de Jons** sans rest   ← 🏊 ৬ AC ⟵ ⦿ 🏛 P P VISA ⦿ AE ⓘ
    rte du Pont – ℘ 04 78 31 29 85 – www.auberge-de-jons.fr – hotel.de.jons@wanadoo.fr – Fax 04 72 02 48 24
    33 ch – †75/160 € ††85/180 €, 🍽 12 € – 3 suites
    ♦ Complexe hôtelier moderne ancré sur une rive du Rhône. Chambres actuelles et gaies, deux duplex et huit chaleureux bungalows personnalisés (quelques cuisinettes). Belle piscine.

JONZAC – 17 Charente-Maritime – 324 H7 – 3 511 h. – alt. 40 m   38 B3
– Stat. therm. : début mars-début déc. – Casino – ⊠ 17500
Poitou Vendée Charentes

▶ Paris 512 – Bordeaux 84 – Angoulême 59 – Cognac 36 – Royan 60 – Saintes 44
🛈 Office de tourisme, 22, place du Château ℘ 05 46 48 49 29, Fax 05 46 48 51 07

X   **Hostellerie du Coq d'Or** avec ch   舎 ⦿ 🏛 VISA ⦿
    18 pl. du Château – ℘ 05 46 48 00 06 – www.lecoqdor.fr – a.medvedeff@wanadoo.fr – Fermé en janv.
    5 ch – †85/95 € ††85/95 €, 🍽 10 €
    Rest – Menu (13 €), 29 € – Carte 25/52 €
    ♦ Magnifique demeure ancienne sur la place du château. Service bistrot au bar style 1900 et carte plus élaborée dans la salle en pierre apparente, très tendance. Confortables chambres mêlant avec brio l'ancien et le moderne.

à Clam 6 km au Nord par D 142 – 322 h. – alt. 67 m – ⊠ 17500

🏨 **Le Vieux Logis**   🚗 舎 🏊 ৬ ch, AC rest, ⦿ ch, ⦿ 🏛 P VISA ⦿ AE
⦿⦿ r. du 8 mai 1945 – ℘ 05 46 70 20 13 – www.vieuxlogis.com – info@vieuxlogis.com
⦿   – Fax 05 46 70 20 64
    10 ch – †58/70 € ††58/70 €, 🍽 10 € – ½ P 50/56 €
    Rest – Menu 17 € (sem.)/38 € – Carte 30/50 €
    ♦ Le maître des lieux, photographe, expose ses clichés dans cet établissement situé au cœur du Jonzaçais. Chambres de plain-pied avec terrasse, actuelles et bien tenues. Cuisine du terroir servie dans trois plaisantes salles à manger néo-rustiques.

JOUARRE – 77 Seine-et-Marne – 312 H2 – rattaché à La Ferté-sous-Jouarre

JOUCAS – 84 Vaucluse – 332 E10 – 317 h. – alt. 263 m – ✉ 84220 — 42 E1
▸ Paris 716 – Apt 14 – Avignon 42 – Carpentras 32 – Cavaillon 22

Hostellerie Le Phébus (Xavier Mathieu)
rte de Murs – ℰ 04 90 05 78 83 – www.lephebus.com
– phebus@relaischateaux.com – Fax 04 90 05 73 61 – Ouvert 2 avril-2 nov.
14 ch – ♦245/300 € ♦♦245/300 €, ⊃ 20 € – 10 suites
Rest *Xavier Mathieu* – *(fermé mardi midi, merc. midi et jeudi midi)*
Menu 60/110 € – Carte 86/125 €
Rest *Le Café de la Fontaine* – *(ouvert avril-oct.) (déj. seult)* Menu 45/65 €
– Carte 49/76 €
Spéc. Brouillade aux truffes et marinière de légumes ravigotés (printemps-automne). Agneau confit à l'os (été). Citron vert, gingembre, framboise et sorbet basilic (été). **Vins** Les Baux de Provence rouge, Côtes du Lubéron blanc.
◆ Belles chambres et suites provençales (minipiscine pour certaines) dans ce mas en pierre entouré par la garrigue. Repas inventif dans un cadre chic ou en extérieur, avec le Lubéron pour toile de fond. Au Café de la Fontaine, terrasse charmante et ambiance "bistrot du Sud".

Le Mas des Herbes Blanches
rte Murs : 2,5 km – ℰ 04 90 05 79 79
– www.herbesblanches.com – reservation@herbesblanches.com
– Fax 04 90 05 71 96 – Fermé 2 janv.-6 mars
19 ch – ♦158/371 € ♦♦158/371 €, ⊃ 23 € – 2 suites – ½ P 199/406 €
Rest – *(fermé mardi et merc. du 15 oct. au 16 avril)* Menu 55 € (sem.)/115 €
– Carte 70/129 €
Spéc. Pressé de foie gras de canard, fine gelée à l'arabica et feuilles craquantes de cacao. Déclinaison de cochon du Ventoux. Tartelette au cacao et fèves de tonka. **Vins** Côtes du Lubéron, Côteaux d'Aix-en-Provence.
◆ Ce superbe mas adossé au plateau de Vaucluse et dominant la plaine d'Apt abrite des chambres personnalisées, avec balcon ou jardin privatif. Restaurant chic et terrasse offrant un panorama inoubliable sur la montagne du Lubéron ; excellente cuisine au goût du jour.

Le Mas du Loriot
rte de Murs, 4 km – ℰ 04 90 72 62 62 – www.masduloriot.com – mas.du.loriot@wanadoo.fr – Fax 04 90 72 62 54 – Ouvert 27 mars-11 nov.
7 ch – ♦55/135 € ♦♦55/135 €, ⊃ 12 € – ½ P 67/104 €
Rest – *(fermé mardi, jeudi, sam. et dim.) (dîner seult) (résidents seult)* Menu 30 €
◆ Maison familiale perdue dans la garrigue, au cœur du parc régional du Lubéron. Petites chambres actuelles en rez-de-jardin. Agréable piscine au milieu des pins et de la lavande.

JOUGNE – 25 Doubs – 321 I6 – 1 328 h. – alt. 1 001 m – Sports d'hiver : — 17 C3
à Métabief 880/1 450 m ⟋22 ⟋ – ✉ 25370 ▌Franche-Comté Jura
▸ Paris 464 – Besançon 79 – Champagnole 50 – Lausanne 48 – Morez 49
– Pontarlier 20

La Couronne
6 r. de l'Église – ℰ 03 81 49 10 50 – www.hotel-couronne-jougne.com
– lacouronnejougne@wanadoo.fr – Fax 03 81 49 19 77 – Fermé nov., dim. soir et lundi soir sauf saison et vacances scolaires
11 ch – ♦52 € ♦♦52/95 €, ⊃ 8 € – ½ P 59/80 €
Rest – Menu 19 € (sem.)/47 € – Carte 35/54 €
◆ Quasiment entièrement rénovée, cette belle maison du 18e s., proche de l'église, propose des chambres confortables, dont certaines avec vue sur les monts du Jura. Cadre chaleureux au restaurant et généreuse cuisine régionale.

JOUILLAT – 23 Creuse – 402 h. – alt. 396 m – ✉ 23220 — 25 C1
▸ Paris 345 – Limoges 102 – Guéret 15 – Domérat 74 – La Souterraine 47

La Maison Verte
2 Lombarteix, 2 km au Nord par D 940 et rte secondaire – ℰ 05 55 51 93 34
– www.lamaisonvertecreuse.com – info@lamaisonvertecreuse.com
4 ch ⊃ – ♦70 € ♦♦90 € **Table d'hôte** – Menu 22 €
◆ Ferme du 19e s. parfaitement préservée, située au grand calme, avec un jardin-potager et une piscine d'été. Grandes chambres à la décoration soignée et de bon goût. La patronne prépare pour ses hôtes une cuisine traditionnelle servie dans un cadre rustique actualisé.

JOUX – 69 Rhône – 327 F4 – 653 h. – alt. 520 m – ⌂ 69170   44 A1
▸ Paris 437 – Lyon 51 – Saint-Étienne 102 – Villeurbanne 60

✕✕ Le Tilia
*pl. du Plaisir – ℘ 04 74 05 19 46 – www.letilia.com – m.tilia@orange.fr
– Fax 04 74 05 17 90 – Fermé 17-31 août, 8-15 fév., dim. soir, lundi et mardi*
Rest – Menu 15 € (déj. en sem.), 26/55 € – Carte 43/62 €

♦ Près du château et son tilleul vieux de quatre siècles, une maison régionale cosy (boiseries claires, tables soignées). Cuisine traditionnelle et généreuse. Jolie terrasse d'été.

JOYEUSE – 07 Ardèche – 331 H7 – 1 545 h. – alt. 180 m – ⌂ 07260   44 A3
Lyon et la vallée du Rhône

▸ Paris 650 – Alès 54 – Mende 97 – Privas 55

🛈 Office de tourisme, montée de la Chastellane ℘ 04 75 89 80 92, Fax 04 75 89 80 95

◉ Corniche du Vivarais Cévenol ★★ O.

🏠 Les Cèdres
quartier la Glacière – ℘ 04 75 39 40 60 – www.hotelcedres.com – hotel.cedres@orange.fr – Fax 04 75 39 90 16 – Ouvert 11 avril-15 oct.
43 ch – †53/56 € ††62/65 €, ⌑ 8 € – ½ P 59/62 €
Rest – Menu 17/31 € – Carte 35/50 €

♦ Cet hôtel occupe une ex-usine textile du bord de la Beaume. Petites chambres bien tenues. Tir à l'arc, canoë, piscine chauffée couverte/découverte, soirées à thème. Au restaurant, cuisine traditionnelle servie dans une salle à manger refaite et complétée par une terrasse.

JUAN-LES-PINS – 06 Alpes-Maritimes – 341 D6 – alt. 2 m – Casino :   42 E2
Eden Beach FZ – ⌂ 06160   **Côte d'Azur**

▸ Paris 910 – Aix-en-Provence 161 – Cannes 10 – Nice 22

🛈 Office de tourisme, 51, boulevard Guillaumont ℘ 04 92 90 53 05, Fax 04 93 61 55 13

◉ Massif de l'Esterel ★★★ - Massif de Tanneron ★.

Plan page ci-contre

🏨 Juana ⬀
*la Pinède, av. G. Gallice – ℘ 04 93 61 08 70 – www.hotel-juana.com – reservation@hotel-juana.com – Fax 04 93 61 76 60
– Fermé 26 oct.-29 déc.*
37 ch – †160/665 € ††160/665 €, ⌑ 25 € – 3 suites   FZ f
Rest – Menu 45/59 € – Carte 55/87 €

♦ Luxueux hôtel des années 1930 où l'on cultive l'art de recevoir. Élégantes chambres d'esprit Art déco, pourvues d'équipements haut de gamme. Belle piscine. Restaurant "fashionable" et terrasse-jardin face à la pinède. Dîner en musique le week-end (avril-oct.).

🏨 Belles Rives
33 bd E. Baudoin – ℘ 04 93 61 02 79 – www.bellesrives.com – info@brj-hotels.com – Fax 04 93 67 43 51 – Fermé 3 janv.-10 mars
38 ch – †150/750 € ††150/750 €, ⌑ 25 € – 5 suites   FZ d
Rest *La Passagère* – *(fermé lundi et mardi hors saison)* Menu (30 €), 45 € (sem.)/95 € – Carte 75/105 €
Rest *Plage Belles Rives* – *(ouvert d'avril à oct.)* Carte 45/75 €

♦ Témoin de l'époque où Scott Fitzgerald vécut ici, l'authentique intérieur Art déco superbement modernisé. Le luxe... les pieds dans l'eau ! Beau décor 1930 façon "paquebot" et fine cuisine actuelle au restaurant La Passagère. Tables dressées face à la mer à la Plage Belles Rives.

🏨 Garden Beach
15 bd E. Baudoin – ℘ 04 92 93 57 57 – www.garden-beach-hotel.com – contact gardenbeach@g-partouche.fr – Fax 04 92 93 57 71 – Fermé 29 nov.-27 déc.
175 ch – †127/431 € ††127/431 €, ⌑ 23 € – 17 suites   FZ w
Rest *La Plage* – *(ouvert mars-oct.)* Menu (29 € bc) – Carte 55/80 €

♦ Cet immeuble "verre et béton" ouvert sur les flots jouxte le casino. Préférez les grandes chambres joliment rénovées et profitez des équipements sportifs. Cuisine ensoleillée, salades et grillades vous attendent à la brasserie La Plage.

JUAN-LES-PINS

Ardisson (Bd B.) .... **FZ** 5	Gallet (Av. Louis) .... **EZ** 27
Courbet (Av. Amiral) ...... **EZ** 18	Gallice (Av. G.) .... **FZ** 29
Docteur-Dautheville (Av.) .. **FZ** 22	Hôtel-des-Postes (R. de l') .. **EZ** 44
Docteur-Hochet (Av. du) ... **FZ** 23	Iles (R. des) .... **EZ** 46
	Joffre (Av. du Maréchal) .... **EFZ** 47
	Lauriers (Av. des) .... **FZ** 48
	Maupassant (Av. Guy-de) .. **EFZ** 53
Oratoire (R. de l') .... **FZ** 56
Palmiers (Av. des) .... **FZ** 59
Paul (R. M.) .... **FZ** 60
Printemps (R. du) .... **FZ** 63
Ste-Marguerite (R.) .... **EZ** 74
St-Honorat (R.) .... **FZ** 71
Vilmorin (Av.) .... **EZ** 88

Accès et sorties: voir à Antibes

🏨 Ambassadeur

50 chemin des Sables – ℰ 04 92 93 74 10 – www.hotel-ambassadeur.com – manager@hotel-ambassadeur.com – Fax 04 93 67 79 85 – Fermé déc.
225 ch – †120/320 € ††120/320 €, ⊇ 25 € FZ **s**
Rest *Grill les Palmiers* – (ouvert juil.-août) (déj. seult) Carte 42/54 €
Rest *Le Cézanne* – (fermé le midi en juil.-août) Carte 50/63 €
♦ Ce vaste complexe hôtelier adossé au palais des congrès accueille séminaires et vacanciers. Patio central baigné de lumière, chambres aux couleurs du sud. Belle piscine arborée. L'été, restauration simple au Grill les Palmiers. Décor provençal et carte régionale au Cézanne.

🏨 Ste-Valérie sans rest

r. Oratoire – ℰ 04 93 61 07 15 – www.juanlespins.net – saintevalerie@juanlespins.net – Fax 04 93 61 47 52 – Ouvert 29 avril-14 oct.
24 ch – †200/265 € ††200/400 €, ⊇ 23 € – 6 suites FZ **p**
♦ Entouré de verdure et de fleurs, cet hôtel offre un havre de paix. Chambres soignées, décorées dans un esprit méridional, donnant sur le jardin et la piscine. Accueil charmant.

🏨 La Villa sans rest

av. Saramartel – ℰ 04 92 93 48 00 – www.hotel-la-villa.fr – resa@hotel-la-villa.fr – Fax 04 93 61 86 78 – Ouvert de mars à fin nov.
26 ch – †169/339 € ††169/339 €, ⊇ 18 € FZ **n**
♦ Le jardin et la piscine ajoutent du charme à cette calme villa, entièrement relookée. Salon-bar d'esprit colonial, chambres modernes et épurées (bois wengé). Accueil délicieux.

🏨 Astoria sans rest

15 av. Mar. Joffre – ℰ 04 93 61 23 65 – www.hotellastoria.com – reservation@hotellastoria.com – Fax 04 93 67 10 40
49 ch – †88/155 € ††88/155 €, ⊇ 10 € FZ **a**
♦ Proche de la gare et à deux pas de la plage, petit immeuble totalement refait à neuf. Les chambres sur l'arrière sont plus calmes. Jolie salle des petits-déjeuners.

JUAN-LES-PINS

Des Mimosas sans rest
r. Pauline – ℰ 04 93 61 04 16 – www.hotelmimosas.com – hotel.mimosas@wanadoo.fr – Fax 04 92 93 06 46 – Ouvert 1er mai- 30 sept.
34 ch – †95/135 € ††95/145 €, ⊇ 10 €
EZ **q**
♦ La façade immaculée de cet hôtel se dresse au cœur d'un parc planté de palmiers. Chambres rénovées. Jardin et piscine pour la détente.

Juan Beach sans rest
5 r. Oratoire – ℰ 04 93 61 02 89 – www.hoteljuanbeach.com – info@hoteljuanbeach.com – Fax 04 93 61 16 63 – Ouvert d'avril à oct.
24 ch – †80/145 € ††95/170 €, ⊇ 10 € – 3 suites
FZ **e**
♦ Cette villa blanche et bleue, bien rénovée, vous réserve un accueil des plus chaleureux. Chambres d'esprit provençal, bar-salon au décor marin ouvert sur la piscine.

Eden Hôtel sans rest
16 av. L. Gallet – ℰ 04 93 61 05 20 – www.edenhoteljuan.com – edenhoteljuan@wanadoo.fr – Fax 04 92 93 05 31 – Ouvert de mars à oct.
17 ch – †55/86 € ††70/92 €, ⊇ 6,50 €
EZ **z**
♦ Atouts majeurs de cet édifice 1930 : petit-déjeuner en terrasse, proximité de la plage et ambiance conviviale. Chambres simples ; certaines offrent une échappée sur la mer.

Bijou Plage
bd du Littoral – ℰ 04 93 61 39 07 – www.bijouplage.com – bijou.plage@free.fr – Fax 04 93 67 81 78
voir plan d'Antibes AU **d**
Rest – Menu 23/52 € – Carte 43/80 €
♦ Restaurant de plage au décor lounge et feutré (tons beige, grand aquarium) agrandi d'une véranda. Délicieuse terrasse sur le sable ; produits de la Méditerranée.

L'Amiral
7 av. Amiral Courbet – ℰ 04 93 67 34 61 – restaurant.amiral@wanadoo.fr – Fax 04 93 67 34 61 – Fermé 4-14 avril, 30 juin-15 juil., déc., mardi sauf le soir de mai à sept., dim. soir d'oct. à avril et lundi
EZ **h**
Rest – Menu 25/35 € – Carte 34/54 €
♦ Ce sympathique restaurant familial propose une cuisine traditionnelle et des recettes de la mer. Salle à manger intime, agrémentée de tableaux.

Le Perroquet
La Pinède, av. G. Gallice – ℰ 04 93 61 02 20 – Fermé 3 nov.-26 déc. et le midi en juil.-août
FZ **r**
Rest – Menu 29/36 € – Carte 29/60 €
♦ Restaurant ouvert sur l'animation de la pinède. Bibelots, cafetières, moulins à café et fleurs égayent la plaisante salle à manger provençale. Cuisine traditionnelle.

Le Paradis
13 bd Beaudouin – ℰ 04 93 61 22 30 – www.restaurant-le-paradis.com – resto.paradis@orange.fr – Fax 04 93 67 46 60 – Fermé nov., dim. soir et lundi de déc. à fév.
FZ **g**
Rest – Menu (28 €), 42/85 € bc – Carte 45/93 €
♦ Salle design à touches ethniques, belle vue sur mer et appétissante carte au goût du jour pour cette adresse, accessible par un passage sous un immeuble voisin du casino.

JULIÉNAS – 69 Rhône – **327** H2 – 812 h. – alt. 276 m – ⊠ 69840   43 **E1**
Lyon et la vallée du Rhône

▣ Paris 403 – Bourg-en-Bresse 51 – Lyon 63 – Mâcon 15 – Villefranche-sur-Saône 32

Les Vignes sans rest
à 0,5 km rte St-Amour – ℰ 04 74 04 43 70 – www.hoteldesvignes.com – contact@hoteldesvignes.com – Fax 04 74 04 41 95 – Fermé 20 déc.-3 janv.
22 ch – †54/64 € ††64/78 €, ⊇ 10 €
♦ À flanc de coteau, entouré de vignes, hôtel aux chambres bénéficiant d'une bonne isolation phonique. Assortiment de charcuteries beaujolaises au petit-déjeuner.

JULIÉNAS

XX **Chez la Rose** avec ch
*pl. du Marché – ℰ 04 74 04 41 20 – www.chez-la-rose.fr – info@chez-la-rose.fr
– Fax 04 74 04 49 29 – Fermé 8 déc.-2 mars, mardi midi, jeudi midi, vend. midi et lundi*
8 ch – †50/67 € ††50/67 €, ⊇ 10 €
Rest – Menu (19 €), 29/55 € – Carte 38/80 €
♦ Repas traditionnel dans une salle agreste ou sur la terrasse fleurie. Chambres aux tailles variées, dotées de meubles anciens ou rustiques. Espace petits-déjeuners moderne.

X **Le Coq à Juliénas**
pl. du Marché – ℰ 04 74 04 41 98 – www.coq-julienas.com – bistrotsdecuisiniers@leondelyon.com – Fax 04 74 04 41 44 – Fermé 13 déc.-14 janv., mardi soir et merc.
Rest – Menu (20 €), 23 €
♦ Volets bleu lavande, intérieur résolument rétro égayé de bibelots à la gloire du coq et de fresques bachiques, terrasse très prisée l'été : un coquet "bistrot de chef".

JULLIÉ – 69 Rhône – **327** H2 – 403 h. – alt. 370 m – ⊠ 69840   43 **E1**
◨ Paris 415 – Bourg-en-Bresse 55 – Lyon 67 – Mâcon 20

⌂ **Domaine de la Chapelle de Vâtre** sans rest
*Le Bourbon, 2 km au Sud par D 68 – ℰ 04 74 04 43 57
– www.vatre.com – vatre@wanadoo.fr – Fax 04 74 04 40 27*
3 ch ⊇ – †50/80 € ††70/95 €
♦ Ce domaine viticole perché au sommet d'une colline jouit d'un panorama exceptionnel sur la plaine de la Saône. Ses chambres sont superbement décorées dans un esprit contemporain.

JUMIÈGES – 76 Seine-Maritime – **304** E5 – 1 715 h. – alt. 25 m   33 **C2**
– ⊠ 76480 ▮ Normandie Vallée de la Seine
◨ Paris 160 – Caudebec-en-Caux 16 – Rouen 28
▯ Office de tourisme, rue Guillaume le Conquérant ℰ 02 35 37 28 97, Fax 02 35 37 07 07
◉ Ruines de l'abbaye★★★.

🏠 **Le Clos des Fontaines** sans rest
191 r. des Fontaines – ℰ 02 35 33 96 96 – www.leclosdesfontaines.com – hotel@leclosdesfontaines.com – Fax 02 35 33 96 97 – Fermé 19 déc.-12 janv.
19 ch – †90/220 € ††90/230 €, ⊇ 15 €
♦ Adossée aux vestiges de l'abbaye, demeure récente d'architecture régionale abritant des chambres cosy, aux ambiances et touches décoratives inspirées des horizons lointains.

XX **L'Auberge des Ruines**
17 pl. de la Mairie – ℰ 02 35 37 24 05 – www.auberge-des-ruines.fr – loic.henry9@wanadoo.fr – Fermé 19 août-2 sept., 23 déc.-14 janv., 19-27 fév., lundi soir et jeudi soir de nov. à fév., dim. soir, mardi et merc.
Rest – Menu 35/72 € – Carte 74/80 €
♦ Table au goût du jour voisine des ruines de l'abbaye. Terrasse et véranda devancent la salle principale au décor actualisé préservant des éléments anciens. Belle carte de bordeaux.

JUNGHOLTZ – 68 Haut-Rhin – **315** H9 – 889 h. – alt. 332 m – ⊠ 68500   1 **A3**
◨ Paris 475 – Mulhouse 23 – Belfort 62 – Colmar 32 – Guebwiller 6

🏠 **Les Violettes**
*rte de Thierenbach, à l'Ouest : 1 km
– ℰ 03 89 76 91 19
– www.les-violettes.com – reservation@lesviolettes.com – Fax 03 89 74 29 12
– Fermé 5-19 janv.*
22 ch – †160/380 € ††160/430 €, ⊇ 23 € – 1 suite
Rest – (fermé 5-28 janv.) Menu (48 €), 52 € (sem.)/68 € – Carte 52/75 €
♦ Dans un cadre verdoyant, ex-maison de chasse aux chambres et suites alsaciennes très confortables (moins cossues à la Gentilhommière). Spa luxueux avec espace fitness. L'élégant restaurant, ouvert sur une vaste terrasse, propose une carte attentive aux saisons.

887

JURANÇON – 64 Pyrénées-Atlantiques – 342 J5 – rattaché à Pau

JUVIGNAC – 34 Hérault – 339 H7 – rattaché à Montpellier

JUVIGNY-SOUS-ANDAINE – 61 Orne – 310 F3 – 1 058 h. – alt. 200 m – ⌧ 61140
32 **B3**

▶ Paris 239 – Alençon 51 – Argentan 47 – Domfront 12 – Mayenne 33

Au Bon Accueil avec ch
23 pl. St Michel – ℰ 02 33 38 10 04 – www.aubonaccueil-normand.com – hotel.bonaccueil@wanadoo.fr – Fax 02 33 37 44 92 – Fermé 15 fév.-15 mars, dim. soir et lundi
8 ch – †53 € ††67 €, ⌧ 10 € – ½ P 58 €
Rest – Menu (13 €), 15 € (déj. en sem.), 27/43 € – Carte 45/55 €
♦ L'enseigne ne vous ment pas ! Derrière l'élégante façade, une généreuse cuisine du terroir vous attend dans deux salles à manger dont une avec verrière et petit jardin d'hiver.

JUZET-DE-LUCHON – 31 Haute-Garonne – 343 B8 – rattaché à Bagnères-de-Luchon

Un hôtel charmant pour un séjour très agréable ?
Réservez dans un hôtel avec pavillon rouge : 🏠 ... 🏠🏠🏠.

KATZENTHAL – 68 Haut-Rhin – 315 H8 – 544 h. – alt. 280 m – ⌧ 68230
2 **C2**

▶ Paris 445 – Colmar 8 – Gérardmer 53 – Munster 18 – St-Dié 48

A l'Agneau avec ch
16 Grand'Rue – ℰ 03 89 80 90 25 – www.agneau-katzenthal.com – contact@agneau-katzenthal.com – Fax 03 89 27 59 58 – Fermé 29 juin-8 juil., 12-19 nov., vacances de Noël, 11 janv.-11 fév.
12 ch – †45/60 € ††45/60 €, ⌧ 10 €
Rest – (fermé jeudi sauf le soir de juil. à mi-oct. et merc.) Menu 18 € bc (déj. en sem.), 22/46 € – Carte 25/40 €
♦ Attenante à l'exploitation viticole familiale, maison abritant deux coquettes salles à manger typiquement alsaciennes. Cuisine régionale et du marché, vins de la propriété.

KAYSERSBERG – 68 Haut-Rhin – 315 H8 – 2 676 h. – alt. 242 m – ⌧ 68240 ▍Alsace Lorraine
2 **C2**

▶ Paris 438 – Colmar 12 – Gérardmer 46 – Guebwiller 35 – Munster 22 – St-Dié 41 – Sélestat 24

🛈 Office de tourisme, 39, rue du Gal-de-Gaulle ℰ 03 89 78 22 78, Fax 03 89 78 27 44

◉ Église Ste-Croix ★ : retable ★★ – Hôtel de ville ★ – Vieilles maisons ★ – Pont fortifié ★ – Maison Brief ★.

Chambard (Olivier Nasti)
r. Gén.-de-Gaulle – ℰ 03 89 47 10 17 – www.lechambard.fr – info@lechambard.fr – Fax 03 89 47 35 03
27 ch – †140 € ††140 €, ⌧ 18 € – 5 suites – ½ P 114/163 €
Rest – (fermé mardi midi, merc. midi et lundi) Menu 34 € (déj. en sem.), 54/75 € – Carte 65/85 € ❀
Rest *Winstub* – Menu 19/45 € – Carte 25/35 €
Spéc. Escargots de la Weiss à l'Alsacienne. Baeckeoffa de foie gras d'oie entier au lard paysan. Goutte de café dans l'esprit d'un cappuccino (hiver). **Vins** Riesling, Pinot gris.
♦ Cette grande hôtellerie postée à l'entrée de la ville propose, en plus de ses confortables chambres, trois superbes suites contemporaines. Élégant restaurant, agréable terrasse, belle carte des vins et goûteux plats inventifs. Cadre alsacien à la Winstub.

KAYSERSBERG

Les Remparts sans rest
4 r. Flieh – ℰ *03 89 47 12 12 – www.lesremparts.com – hotel@lesremparts.com – Fax 03 89 47 37 24*
28 ch – †54/69 € ††69/83 €, ⊇ 8,50 €
◆ L'hôtel se trouve dans un quartier résidentiel calme, aux portes de la cité. Chambres pratiques dotées d'amples terrasses joliment fleuries à la belle saison.

Les Terrasses sans rest
ℰ *03 89 47 12 12 – www.lesremparts.com – hotel@lesremparts.com – Fax 03 89 47 37 24*
15 ch – †54/69 € ††69/88 €, ⊇ 8,50 €
◆ Architecture néo-alsacienne, quiétude et confort des chambres caractérisent l'annexe de l'hôtel des Remparts où se trouve l'accueil, commun aux deux hébergements.

Constantin sans rest
10 r. Père Kohlman – ℰ *03 89 47 19 90 – www.hotel-constantin.com – reservation@hotel-constantin.com – Fax 03 89 47 37 82*
20 ch – †50/55 € ††64/74 €, ⊇ 8 €
◆ Vieille maison de vigneron abritant des chambres confortables, parfois agrandies d'une mezzanine. Salle des petits-déjeuners sous verrière ornée d'un beau poêle en faïence.

À l'Arbre Vert
1 r. Haute du Rempart – ℰ *03 89 47 11 51 – Fax 03 89 78 13 40 – Fermé 6 janv.-3 fév.*
19 ch – †55/59 € ††65/76 €, ⊇ 10 € – ½ P 69/75 €
Rest – *(fermé mardi midi et lundi)* Menu (19 €), 24/32 € – Carte 35/55 €
◆ Cette bâtisse de style régional située face au musée du Docteur Schweitzer dispose d'une avenante façade égayée de fleurs. Chambres rustiques. Salles à manger habillées de chaleureuses boiseries où l'on sert des recettes alsaciennes soignées.

Le Moreote
12 r. du Gén.-Rieder – ℰ *03 89 47 39 08 – www.moreote.com – moreote@wanadoo.fr – Fermé 20 juil.-16 août, vend. midi et jeudi*
Rest – *(nombre de couverts limité, prévenir)* Menu 34/59 € – Carte 60/72 €
◆ Honneur à la région à travers une belle sélection de vins et des plats du terroir revisités. Cadre rustique et chaleureux, complété par une terrasse sur rue.

La Vieille Forge
1 r. des Écoles – ℰ *03 89 47 17 51 – Fax 03 89 78 13 53 – Fermé 2-15 juin, 31 déc.-18 janv., merc. et jeudi*
Rest – Menu (10 €), 20/33 € – Carte 30/50 €
◆ La jolie façade à colombages du 16e s. invite à s'attabler dans ce restaurant familial proposant une carte régionale assortie de suggestions de saison.

Au Lion d'Or
66 r. Gén. de Gaulle – ℰ *03 89 47 11 16 – www.auliondor.fr – auliond.or@wanadoo.fr – Fax 03 89 47 19 02 – Fermé 1er-8 juil., 24 janv.-4 mars, mardi sauf le midi de mai à oct. et merc.*
Rest – Menu 15/35 € – Carte 20/38 €
◆ Belle maison de 1521 tenue par la même famille depuis 1764 ! Salles à manger d'époque (dont une ornée d'une monumentale cheminée) pouvant accueillir jusqu'à 180 convives.

à Kientzheim Est : 3 km par D 28 – 779 h. – alt. 225 m – ⊠ 68240
◉ Pierres tombales★ dans l'église.

L'Abbaye d'Alspach sans rest
2 r. Foch – ℰ *03 89 47 16 00 – www.abbayealspach.com – hotel@abbayealspach.com – Fax 03 89 78 29 73 – Fermé 7 janv.-15 mars*
34 ch – †67/84 € ††74/113 €, ⊇ 11 € – 5 suites
◆ Parmi les atouts de cet hôtel occupant les dépendances d'un couvent du 11e s. : cinq superbes suites, une jolie cour et un bon petit-déjeuner (kougelhopf et confitures maison).

Hostellerie Schwendi
2 pl. Schwendi – ℰ *03 89 47 30 50 – www.schwendi.fr – hotel@schwendi.fr – Fax 03 89 49 04 49*
29 ch – †66 € ††79/105 €, ⊇ 10 € – ½ P 80/93 €
Rest *(fermé 24 déc.-10 mars, jeudi midi et merc.)* Menu 23/62 € – Carte 27/55 €
◆ Belle façade à pans de bois dressée sur une placette pavée. Intérieur mi-rustique, mi-bourgeois. Coquettes chambres personnalisées, encore plus confortables à l'annexe. Carte régionale et vins de la propriété à déguster l'été en terrasse, face à une fontaine.

KEMBS-LOÉCHLÉ – 68 Haut-Rhin – 315 J11 – alt. 245 m – ⊠ 68680 1 **B3**

▶ Paris 493 – Altkirch 26 – Basel 16 – Belfort 70 – Colmar 60 – Mulhouse 25

Les Écluses
8 r. Rosenau – ℰ *03 89 48 37 77* – *restaurantlesecluses@orange.fr*
– *Fax 03 89 48 49 31* – *Fermé 31 août-13 sept., 5-17 janv., merc. soir d'oct. à avril, dim. soir et lundi*
Rest – Menu (11 €), 16/40 € – Carte 27/52 €
◆ À proximité du canal de Huningue et de la Petite Camargue alsacienne, ce restaurant propose des spécialités de poissons dans une salle à manger au décor contemporain.

> Première distinction : l'étoile ✤.
> Elle couronne les tables pour lesquelles on ferait des kilomètres !

KIENTZHEIM – 68 Haut-Rhin – 315 H8 – rattaché à Kaysersberg

KILSTETT – 67 Bas-Rhin – 315 L4 – 1 923 h. – alt. 130 m – ⊠ 67840 1 **B1**

▶ Paris 489 – Haguenau 23 – Saverne 51 – Strasbourg 14
– Wissembourg 60

Oberlé
11 rte Nationale – ℰ *03 88 96 21 17* – *www.hotel-restaurant-oberle.fr*
– *hotel.oberle@orange.fr* – *Fax 03 88 96 62 29*
– *Fermé 17 août-1ᵉʳ sept. et 8-22 fév.*
30 ch – †45 € ††60 €, ⊇ 6,50 €
Rest – *(fermé vend. midi et jeudi)* Menu 10 € (déj. en sem.), 22/37 €
– Carte 26/52 €
◆ Cet établissement familial propose plusieurs types de chambres (rénovation récente) dans l'ensemble assez confortables, actuelles et très bien insonorisées. Au restaurant, décor d'esprit rustique, atmosphère conviviale et cuisine aux couleurs régionales.

Au Cheval Noir
1 r. du Sous-Lieutenant-Maussire – ℰ *03 88 96 22 01*
– *www.restaurant-cheval-noir.fr* – *Fax 03 88 96 61 30* – *Fermé 16 juil.-10 août, 10-25 janv., lundi et mardi*
Rest – Menu 13 € (déj. en sem.), 16/42 € – Carte 36/42 €
◆ Belle maison à colombages du 18ᵉ s., dans la même famille depuis cinq générations. Intérieur chaleureux et rénové avec soin (thème de la chasse), cuisine bourgoise raffinée.

KOENIGSMACKER – 57 Moselle – 307 I2 – 2 010 h. – alt. 150 m 26 **B1**
– ⊠ 57970

▶ Paris 349 – Luxembourg 50 – Metz 39 – Völklingen 69
🛈 Syndicat d'initiative, 1, square du Père Scheil ℰ 03 82 83 75 54,
Fax 03 82 83 75 54

Moulin de Méwinckel sans rest
– ℰ *03 82 55 03 28*
5 ch ⊇ – †47/52 € ††55/70 €
◆ Chambres calmes et confortables aménagées dans une ancienne grange du 18ᵉ s. Ambiance de ferme authentique, accueil spontané et cadre bucolique (la roue à aubes tourne encore).

LE KREMLIN-BICÊTRE – 94 Val-de-Marne – 312 D3 – 101 26 – voir à Paris, Environs

KRUTH – 68 Haut-Rhin – 315 F9 – 1 019 h. – alt. 498 m – ⊠ 68820   1 **A3**
Alsace Lorraine

▶ Paris 453 – Colmar 63 – Épinal 68 – Gérardmer 31 – Mulhouse 40 – Thann 20 – Le Thillot 29

◉ Cascade St-Nicolas★ SO : 3 km par D 13b¹ - Musée du textile et des costumes de Haute-Alsace à Husseren-Wesserling SE : 6 km.

au Frenz Ouest : 5 km par D 13bis – ⊠ 68820 Kruth – 1 019 h. – alt. 498 m

Les Quatre Saisons
r. Frentz – ℘ *03 89 82 28 61 – www.hotel4saisons.com – hotel4saisons@wanadoo.fr – Fax 03 89 82 21 42 – Fermé 1 sem. en mars*
9 ch – †50/60 € ††50/85 €, ⊇ 9 € – ½ P 46/55 €
Rest – *(fermé mardi et merc.)* Menu 18/37 € – Carte 30/37 €

♦ Attaché à ses racines montagnardes, ce chalet familial s'est joliment modernisé. Chambres douillettes et salon de lecture cosy. Petit-déjeuner maison. Cuisine régionale actualisée et choix de vins judicieux. Belle salle à manger avec vue sur les Vosges.

LABAROCHE – 68 Haut-Rhin – 315 H8 – 1 985 h. – alt. 750 m   2 **C2**
– ⊠ 68910

▶ Paris 441 – Colmar 17 – Gérardmer 49 – Munster 25 – St-Dié 44

🛈 Office de tourisme, 2, impasse Prés. Poincaré ℘ 03 89 49 80 56, Fax 03 89 49 80 68

La Rochette
500 lieu-dit La Rochette – ℘ *03 89 49 80 40 – www.larochette-hotel.fr – hotel.la.rochette@wanadoo.fr – Fax 03 89 78 94 82 – Fermé 12-23 nov. et 20 fév.-15 mars*
7 ch – †52/55 € ††55/60 €, ⊇ 10 € – ½ P 63/67 €
Rest – *(fermé lundi soir de nov. à mars et mardi)* Menu (15 €), 20/45 € – Carte 24/42 €

♦ À l'heure de l'apéritif, vous pourrez profiter du beau jardin verdoyant qui sert d'écrin à cette maison familiale. Chambres assez coquettes, claires et bien insonorisées. Jolie salle à manger colorée à dominantes jaune et verte ; carte dans la note régionale.

XX Blanche Neige
692 Les Evaux, 6 km Sud-Est par D11 l et rte secondaire – ℘ *03 89 78 94 71 – www.auberge-blanche-neige.com – info@auberge-blanche-neige.com – Fermé jeudi midi, mardi et merc.*
Rest – Menu 25 € (déj. en sem.), 40/100 € bc – Carte 55/65 €

♦ À 700 m d'altitude, charmante auberge avec vue sur les Vosges. L'intérieur, savant équilibre de contemporain et d'ancien, est très réussi. Belle terrasse et cuisine créative.

LABARTHE-SUR-LÈZE – 31 Haute-Garonne – 343 G4 – 4 758 h.   28 **B2**
– alt. 162 m – ⊠ 31860

▶ Paris 694 – Auch 91 – Pamiers 45 – St-Gaudens 81 – Toulouse 21

🛈 de Toulouse à VieillevigneN : 10 km par D 4, ℘ 05 61 73 45 48

XX Le Poêlon
19 pl. V. Auriol – ℘ *05 61 08 68 49 – pascal.mouls@wanadoo.fr – Fax 05 61 08 78 48 – Fermé 4-24 août, 22 déc.-4 janv., dim. et lundi*
Rest – Menu 22 € (sem.)/43 € – Carte 40/55 €

♦ Les habitués de cette demeure bourgeoise apprécient sa carte traditionnelle et son impressionnant livre de cave (plus de 600 références). Expo-vente de tableaux, terrasse ombragée.

XX La Rose des Vents
2292 rte du Plantaurel, carrefour D 19-D 4 – ℘ *05 61 08 67 01 – www.larosedesvents-31.com – sarl.rosedesvents@orange.fr – Fax 05 61 08 85 84 – Fermé 2 sem. en août, dim. soir, lundi et mardi*
Rest – Menu (15 €), 27/37 € – Carte 30/52 €

♦ Confortable maison de pays qu'un écrin de verdure préserve des bruits de la route. Vous vous attablerez tout près de la cheminée ou sous la véranda couverte de vigne vierge.

LABASTIDE-BEAUVOIR – 31 Haute-Garonne – 343 I4 – 952 h. – alt. 260 m – ⊠ 31450
29 **C2**

🚗 Paris 701 – Toulouse 25 – Albi 97 – Castelnaudary 35 – Foix 76

L' Oustal du Lauragais
rte de Mauremont – ℰ 05 34 66 16 16 – www.oustal-lauragais.fr – contact@oustal-lauragais.fr – Fax 05 34 66 16 26 – Fermé 23 déc.-3 janv.
14 ch – †65 € ††65 €, ⊇ 7 € – ½ P 80 €
Rest – *(fermé 3-29 août)* Menu 16 € (sem.)/25 € – Carte environ 25 €

♦ Cette ancienne ferme restaurée convertie en hôtel bénéficie d'un calme apaisant. Elle propose de grandes chambres simplement meublées et de belles salles de bains. Une cuisine de tradition est servie dans la salle à manger de style moderne.

LABASTIDE-DE-VIRAC – 07 Ardèche – 210 h. – alt. 207 m – ⊠ 07150
44 **A3**

🚗 Paris 675 – Lyon 213 – Privas 73 – Alès 42 – Montélimar 67

Le Mas Rêvé
3 km à l'Est par D 217 et rte secondaire – ℰ 04 75 38 69 13 – www.lemasreve.com – info@lemasreve.com – Ouvert 15 avril-30 sept.
5 ch ⊇ – †95/105 € ††95/145 €   **Table d'hôte** – Menu 32 € bc

♦ Profitez des jolies chambres de charme de cette ancienne ferme ardéchoise restaurée avec soin par Marie-Rose et Guido Goossens. Très beau jardin avec piscine. À la table d'hôte : plats élaborés à base de produits locaux.

LABASTIDE-MURAT – 46 Lot – 337 F4 – 660 h. – alt. 447 m – ⊠ 46240 ▮ Périgord
29 **C1**

🚗 Paris 543 – Brive-la-Gaillarde 66 – Cahors 32 – Figeac 45 – Gourdon 26 – Sarlat-la-Canéda 50

🛈 Office de tourisme, Grand'Rue ℰ 05 65 21 11 39, Fax 05 65 24 57 66

La Garissade
20 pl. de la Mairie – ℰ 05 65 21 18 80 – www.garissade.com – garissade@wanadoo.fr – Fax 05 65 21 10 97 – Ouvert avril-oct.
19 ch – †61/67 € ††67/73 €, ⊇ 8 € – ½ P 65/70 €
Rest – *(fermé lundi midi)* Menu 13 € (déj. en sem.), 27/32 €

♦ Une ambiance familiale règne dans cette maison villageoise du 13e s. La particularité des chambres, plutôt sobres : un mobilier en bois peint conçu par un artisan local. Le restaurant a adopté un décor plus contemporain, en adéquation avec la carte au goût du jour.

LABATUT – 40 Landes – 335 F13 – 1 187 h. – alt. 45 m – ⊠ 40300
3 **B3**

🚗 Paris 759 – Anglet 58 – Bayonne 53 – Bordeaux 173

Le Bousquet
37 bd de l'Océan – ℰ 05 58 98 11 01 – aubergedubousquet@yahoo.fr – Fax 05 58 98 11 63 – Fermé dim. soir, lundi soir et merc.
Rest – Menu (15 € bc), 25/55 € – Carte 40/53 €

♦ Vieilles dalles lustrées par les ans, poutres et meubles rustiques : le cadre campagnard de cette maison du 18e s. a du caractère. Jardin aromatique. Cuisine au goût du jour.

LABÈGE – 31 Haute-Garonne – 343 H3 – rattaché à Toulouse

LABOURSE – 62 Pas-de-Calais – 301 J5 – rattaché à Béthune

Déjeunez dehors, il fait si beau ! Optez pour une terrasse : 🍽

LACABARÈDE – 81 Tarn – **338** H10 – 307 h. – alt. 325 m – ✉ 81240 — 29 **C2**

▸ Paris 754 – Béziers 71 – Carcassonne 53 – Castres 36 – Mazamet 19 – Narbonne 62

Demeure de Flore 🏡
106 Grand'rue – ℘ *05 63 98 32 32 – www.demeuredeflore.com – contact@demeuredeflore.com – Fax 05 63 98 47 56 – Fermé 2-30 janv. et lundi hors saison*
11 ch – †75 € ††100/110 €, ⛌ 10 € – ½ P 93/98 €
Rest – Menu 27 € (déj.)/35 €
◆ La déesse romaine a doté cette maison de maître du 19ᵉ s. d'un bel écrin de verdure face à la Montagne Noire. Intérieur coquet, mobilier ancien, accueil attentif. Cuisine du marché aux accents provençaux ou italiens à déguster dans un cadre contemporain et raffiné.

LACAPELLE-MARIVAL – 46 Lot – **337** H3 – 1 317 h. – alt. 375 m — 29 **C1**
– ✉ 46120 ▌Périgord

▸ Paris 555 – Aurillac 66 – Cahors 64 – Figeac 21 – Gramat 22 – Rocamadour 32 – Tulle 75

🛈 Office de tourisme, place de la Halle ℘ 05 65 40 81 11, Fax 05 65 40 81 11

La Terrasse avec ch
(près du château) – ℘ *05 65 40 80 07 – www.hotel-restaurant-la-terrasse-lot.fr – hotel-restaurant-la-terrasse@wanadoo.fr – Fax 05 65 40 99 45*
– Fermé 22-27 déc., janv., fév. et dim. soir hors saison
4 ch – †47/63 € ††54/70 €, ⛌ 78 €
Rest – *(fermé dim. soir, lundi soir et mardi midi d'oct. à juin et lundi midi)*
Menu (17 €), 23 € (déj. en sem.), 26/58 € – Carte 58/85 €
◆ Appétissante cuisine au goût du jour à savourer dans une lumineuse salle à manger rajeunie. Hôtel voisin du massif donjon carré du château. Chambres fonctionnelles et bien tenues, parfois rénovées. Plaisant petit jardin bordé d'un ruisseau.

LACAPELLE-VIESCAMP – 15 Cantal – **330** B5 – 448 h. – alt. 550 m — 5 **A3**
– ✉ 15150

▸ Paris 547 – Aurillac 19 – Figeac 57 – Laroquebrou 12 – St-Céré 48

Du Lac 🏡
– ℘ *04 71 46 31 57 – www.hoteldulac-cantal.com – info@hoteldulac-cantal.com*
– Fax 04 71 46 31 64 – Fermé 20 déc.-1ᵉʳ mars, vend. soir, dim. soir et lundi soir de la Toussaint à Pâques
23 ch – †50/55 € ††55/70 €, ⛌ 10 € – ½ P 59/68 €
Rest – Menu (14 €), 21 € (déj. en sem.), 25/41 € – Carte 27/43 €
◆ Cet établissement des années 1950 cumule les atouts : calme, proximité du lac poissonneux de St-Étienne-Cantalès, chambres parfaitement tenues et accueil familial chaleureux. Restaurant ouvert sur la nature environnante, plats traditionnels et vins régionaux.

LACAUNE – 81 Tarn – **338** I8 – 2 844 h. – alt. 793 m – Casino – ✉ 81230 — 29 **D2**
▌Midi-Pyrénées

▸ Paris 708 – Albi 67 – Béziers 89 – Castres 48 – Lodève 73 – Millau 69 – Montpellier 131

🛈 Office de tourisme, place Général-de-Gaulle ℘ 05 63 37 04 98, Fax 05 63 37 03 01

Le Relais de Fusies
2 r. de la République – ℘ *05 63 37 02 03 – www.hotelfusies.fr – contact@hotelfusies.fr – Fax 05 63 37 10 98*
30 ch – †58/70 € ††64/85 €, ⛌ 9 € – ½ P 60/65 €
Rest – *(fermé lundi sauf le soir en juil.-août)* Menu (13 €), 16/60 € bc
– Carte 34/55 €
◆ Près de l'église, cet hôtel vous reçoit dans ses hall, bar et salon agréablement rétro (mobilier ancien, boiseries). Salles de bains modernes dans les chambres, peu à peu rénovées. Cuisine traditionnelle servie dans une grande salle à manger en partie sous des arcades.

LACAUNE

Calas avec ch
pl. Vierge – ℰ 05 63 37 03 28 – www.hotel-calas.fr – hotelcalas@wanadoo.fr
– Fax 05 63 37 09 19 – Fermé 15 déc.-15 janv.
16 ch – †37/45 € ††40/55 €, ⊇ 7 € – ½ P 40/45 €
Rest – (fermé vend. soir et sam. midi d'oct. à avril) Menu (13 € bc), 16 €
(sem.)/36 € – Carte 30/50 €

♦ Quatre générations se sont succédées à la tête de cette institution familiale servant une solide cuisine du terroir. Restaurant décoré par des artistes du pays et chambres colorées.

LACAVE – 46 Lot – **337** F2 – 289 h. – alt. 130 m – ⊠ 46200 ▮ Périgord 29 **C1**

▫ Paris 528 – Brive-La-Gaillarde 51 – Cahors 58 – Gourdon 26
– Sarlat-La-Canéda 41

◉ Grottes★★.

Château de la Treyne
3 km à l'Ouest par D 23, D 43 et voie privée –
ℰ 05 65 27 60 60 – www.chateaudelatreyne.com
– treyne@relaischateaux.com – Fax 05 65 27 60 70
– Ouvert 28 mars-15 nov. et 23 déc.-3 janv.
14 ch – †180/420 € ††180/420 €, ⊇ 24 € – 2 suites – ½ P 300/540 €
Rest – (fermé le midi du mardi au vend.) Menu 48 € (déj.), 96/138 € – Carte 107/137 €
Spéc. Déclinaison de foie gras de canard. Dos de bar de ligne rôti (mai à oct.).
Verrine de fruits frais marinés au safran. **Vins** Cahors, Bergerac

♦ Château du 17e s. dominant la Dordogne, dans un parc avec jardin à la française et chapelle romane (expositions, concerts). Cadre idyllique, chambres somptueuses. Au restaurant, belles boiseries, plafond à caissons et cuisine classique actualisée.

Pont de l'Ouysse (Daniel Chambon)
– ℰ 05 65 37 87 04 – www.lepontdelouysse.fr
– pont.ouysse@wanadoo.fr – Fax 05 65 32 77 41
– Ouvert mi-mars à mi-nov. et fermé lundi sauf le soir en saison et mardi midi
14 ch – †140/150 € ††140/150 €, ⊇ 16 € – ½ P 150/160 €
Rest – Menu 50/140 € – Carte 60/119 €

Spéc. Foie de canard "bonne maman". Pommes de terre charlotte en habit noir de truffe. Mille feuille caramélisé au chocolat et crème légère à la vanille. **Vins** Cahors, Vin de Pays du Lot.

♦ Adossée à la falaise, une séduisante maison du 19e s. : jolie salle à manger, terrasse ombragée, promenade aménagée au bord de l'Ouysse. Plats inventifs s'inspirant du Sud-Ouest.

LAC CHAMBON ★★ – 63 Puy-de-Dôme – **326** E9 – alt. 877 m – **Sports** 5 **B2**
d'hiver : 1 150/1 760 m ≴9 ≵ – ⊠ 63790 Chambon sur Lac ▮ Auvergne

▫ Paris 456 – Clermont-Ferrand 37 – Condat 39 – Issoire 32 – Le Mont-Dore 18

Le Grillon
– ℰ 04 73 88 60 66 – www.hotel-grillon.com – info@hotel-grillon.com
– Fax 04 73 88 65 55 – Ouvert 1er fév.-1er nov.
22 ch – †40/45 € ††40/55 €, ⊇ 8 € – ½ P 45/55 €
Rest – (fermé lundi midi sauf du 22 juin au 7 sept.) Menu (15 €), 19 € (sem.)/40 €
– Carte 32/50 €

♦ Voici une affaire familiale bien menée ! Les chambres coquettes et colorées doivent tout à la recherche décorative de la patronne. La cuisine mi-traditionnelle mi-régionale est l'œuvre du chef-patron. Service en salle ou sur une terrasse regardant le lac.

Beau Site
– ℰ 04 73 88 61 29 – www.beau-site.com – info@beau-site.com
– Fax 04 73 88 66 73 – Ouvert 1er fév.-30 oct.
17 ch – †45/50 € ††45/55 €, ⊇ 8 € – ½ P 50/55 €
Rest – (ouvert vacances de fév. au 30 oct. et fermé le midi en mars et oct. sauf week-ends) Menu (15 €), 18/30 € – Carte 25/36 €

♦ Cet hôtel légèrement perché domine le lac. Chambres de tailles variables, tournées vers le plan d'eau et la plage. Côté cuisine, plats du terroir ! À déguster sur la terrasse ou dans des salles à manger actuelles, dont les baies vitrées lorgnent vers le rivage.

LAC DE GUÉRY – 63 Puy-de-Dôme – **326** D9 – **rattaché au Mont-Dore**

LAC DE LA LIEZ – 52 Haute-Marne – **313** M6 – **rattaché à Langres**

LAC DE PONT – 21 Côte-d'Or – **320** G5 – **rattaché à Semur-en-Auxois**

LAC DE VASSIVIÈRE – 23 Creuse – **325** I6 – **rattaché à Peyrat-le-Château** (87 H.-Vienne)

LAC GÉNIN – 01 Ain – **328** H3 – **rattaché à Oyonnax**

LACHASSAGNE – 69 Rhône – **327** H4 – 846 h. – alt. 368 m – ✉ 69480   **43 E1**
 ▶ Paris 445 – Lyon 30 – Villeurbanne 39 – Vénissieux 43 – Caluire-et-Cuire 34

Au Goutillon Beaujolais
850 rte de la colline – ✆ 04 74 67 14 99 – www.au-goutillon-beaujolais.com
– au-goutillon-beaujolais@wanadoo.fr – Fax 04 74 67 14 99 – *Fermé le soir du 15 sept. au 30 juin, dim. soir, sam. midi et merc.*
Rest – Menu (20 €), 24/46 € – Carte 31/49 €
♦ Au cœur du vignoble, cette maison sert une cuisine actuelle parfois relevée de touches exotiques. La terrasse face à la vallée de la Saône procure un charme supplémentaire.

LACROIX-FALGARDE – 31 Haute-Garonne – **343** G3 – **rattaché à Toulouse**

LADOIX-SERRIGNY – 21 Côte-d'Or – **320** J7 – **rattaché à Beaune**

LAFARE – 84 Vaucluse – **332** D9 – 102 h. – alt. 220 m – ✉ 84190   **42 E1**
 ▶ Paris 670 – Avignon 37 – Carpentras 13 – Nyons 34 – Orange 26

Le Grand Jardin
– ✆ 04 90 62 97 93 – www.legrandjardin.biz – bonnin-noel@wanadoo.fr
– Fax 04 90 65 03 74 – *Ouvert 4 mars-2 nov. et fermé mardi midi et lundi*
5 ch – †75/80 € ††80/98 €, ⍁ 12 € – ½ P 73/83 €
Rest – Menu (19 €), 27/43 € – Carte environ 52 €
♦ Accueil chaleureux en cette construction récente cernée par les vignes des Côtes-du-Rhône. Chambres décorées dans le style provençal. La terrasse fleurie, dressée à l'ombre des canisses, offre une vue sur les Dentelles de Montmirail. Cuisine traditionnelle.

LAGARDE-ENVAL – 19 Corrèze – **329** L4 – 744 h. – alt. 480 m   **25 C3**
– ✉ 19150
 ▶ Paris 488 – Aurillac 71 – Brive-la-Gaillarde 35 – Mauriac 66 – St-Céré 48
   – Tulle 14

Auberge du Pays avec ch
rte de l'étang – ✆ 05 55 27 16 12 – www.aubergedupays.fr – hotelmestre19@orange.fr – Fax 05 55 27 48 00 – *Fermé sept.*
7 ch – †45 € ††45 €, ⍁ 6 €
Rest – *(fermé sam. et dim.)* Menu 13 € (déj.), 22/30 € – Carte 45/65 €
♦ Sympathique maison familiale qui abrite aussi le bar-tabac du village. Salle à manger rafraîchie et terrasse où l'on sert une cuisine typiquement corrézienne. Chambres simples.

LAGARRIGUE – 81 Tarn – **338** F9 – **rattaché à Castres**

LAGRASSE – 11 Aude – **344** G4 – 615 h. – alt. 108 m – ✉ 11220   **22 B3**
 ▮ Languedoc Roussillon
 ▶ Paris 819 – Montpellier 133 – Carcassonne 51 – Perpignan 97 – Narbonne 43
 ▯ Syndicat d'initiative, 6, boulevard de la Promenade ✆ 04 68 43 11 56,
   Fax 04 68 43 16 34

LAGRASSE

Hostellerie des Corbières

9 bd de la Promenade – ℘ 04 68 43 15 22 – www.hostelleriecorbieres.com
– hostelleriecorbieres@free.fr – Fax 04 68 43 16 56 – Fermé 15-30 nov. et
2 janv.-10 fév.
6 ch – ♦70 € ♦♦70/90 €, ⊇ 9 € – ½ P 68/78 €
Rest – (fermé merc. du 16 oct. au 14 mars et jeudi) Menu (17 €), 20/37 €
– Carte 45/55 €

♦ Aux portes du village, une maison de maître rénovée, au cachet soigneusement préservé. Mobilier de style Louis Philippe dans les chambres (certaines dotées d'un petit coin salon). La terrasse du restaurant, bien ombragée, ouvre sur le vignoble de Corbières.

LAGUÉPIE – 82 Tarn-et-Garonne – **337** H7 – 727 h. – alt. 149 m   29 **C2**
– ✉ 82250

▸ Paris 649 – Albi 38 – Montauban 71 – Rodez 70
  – Villefranche-de-Rouergue 34
▸ Office de tourisme, place de Foirail ℘ 05 63 30 20 34, Fax 05 63 30 20 34

Les Deux Rivières

av. Puech-Mignon – ℘ 05 63 31 41 41 – les2rivieres.laguepie@wanadoo.fr
– Fax 05 63 30 20 91 – Fermé vacances de fév., sam. midi, dim. soir et vend.
8 ch (½ P seult) – ½ P 38/58 €   **Rest** – Menu 12 € (déj.), 20/33 € – Carte 24/35 €
♦ Ce petit hôtel constitue une étape conviviale au confluent de l'Aveyron et du Viaur. Vous serez logé dans des chambres simples mais bien tenues. La restauration du midi est assurée au bar ; celle du soir a pour cadre une salle à manger fonctionnelle.

LAGUIOLE – 12 Aveyron – **338** J2 – 1 261 h. – alt. 1 004 m – Sports   29 **D1**
d'hiver : 1 100/1 400 m ⟵12 ⟶ – ✉ 12210 ■ Midi-Pyrénées

▸ Paris 571 – Aurillac 79 – Espalion 22 – Mende 83 – Rodez 52 – St-Flour 59
▸ Office de tourisme, place de la Mairie ℘ 05 65 44 35 94, Fax 05 65 44 35 76
▸ de Mezeyrac Soulages, O : 12 km par D 541, ℘ 05 65 44 41 41

Grand Hôtel Auguy (Isabelle Muylaert-Auguy)

2 allée de l'Amicale – ℘ 05 65 44 31 11
– www.hotel-auguy.fr – contact@hotel-auguy.fr – Fax 05 65 51 50 81
– Ouvert 2 avril-4 nov. et fermé lundi sauf juil.-août
19 ch – ♦60/110 € ♦♦60/110 €, ⊇ 12 € – ½ P 85/125 €
Rest – (fermé lundi sauf le soir en juil.-août, mardi midi et jeudi midi sauf juil.-août, vend. midi en juil.-août et merc. midi) (nombre de couverts limité, prévenir)
Menu 32 € (déj. en sem.)/59 € – Carte 65/78 €

Spéc. Filet de truite fario, farçous aux blettes et gaspacho de roquette au laguiole glacé. Côte de veau des Lucs, consommé au gomasio et nems de légumes. Cigares au caramel sur poire rôtie, glace au gingembre et transparent passion. **Vins** Marcillac, Coteaux du Languedoc

♦ Cette maison de tradition veille à préserver son âme hospitalière dans ses chambres soignées et colorées, qui profitent toutes de la quiétude du jardin. Restaurant confortable où l'on déguste les fines spécialités de l'Aubrac.

Le Relais de Laguiole

espace Les Cayres – ℘ 05 65 54 19 66 – www.relais-laguiole.com
– relais.de.laguiole@wanadoo.fr – Fax 05 65 54 19 49 – Ouvert 11 avril-1er nov.
33 ch – ♦76/173 € ♦♦76/173 €, ⊇ 11 € – ½ P 66/99 €
Rest – (dîner seult) Menu 21/26 € – Carte 34/54 €

♦ Bâtiment moderne aux toits d'ardoise hébergeant de vastes chambres fonctionnelles et une grande piscine couverte. Copieux buffet de petits-déjeuners. Idéal pour les groupes. Lumineux restaurant avec lustres modernes, rideaux et mobilier blanc.

Régis sans rest

3 pl. de la patte d'oie – ℘ 05 65 44 30 05 – www.hotel-regis-laguiole.com
– hotel.regis@wanadoo.fr – Fax 05 65 48 46 44 – Ouvert 10 fév.-5 nov.
20 ch – ♦38/47 € ♦♦40/98 €, ⊇ 10 €

♦ Relais de diligences du 19e s. au cœur de la cité aveyronnaise. Les chambres du 2e étage offrent plus d'espace et de confort. Agréable piscine sur l'arrière.

LAGUIOLE

La Ferme de Moulhac sans rest
2,5 km au Nord-Est par rte secondaire – ✆ 05 65 44 33 25 – Fax 05 65 44 33 25
– *Fermé 26-29 mai et 14-17 sept.*
5 ch ⊇ – †58/60 € ††65/100 €
♦ Calme, air pur et repos garantis en cette ferme familiale. Jolies chambres mêlant l'ancien et le moderne en toute simplicité. Copieux petit-déjeuner maison et cuisinette à disposition.

à l'Est 6 km par rte de l'Aubrac (D 15) – ⊠ 12210 Laguiole

Bras (Michel et Sébastien Bras)
– ✆ 05 65 51 18 20 – www.michel-bras.fr
– *info@michel-bras.fr – Fax 05 65 48 47 02*
– *Ouvert de début avril à fin oct. et fermé lundi sauf juil.-août*
13 ch – †260/580 € ††260/580 €, ⊇ 28 €
Rest – *(fermé mardi midi et merc. midi sauf juil.-août et lundi) (nombre de couverts limité, prévenir)* Menu 113/180 € – Carte 130/165 €
Spéc. Gargouillou de jeunes légumes relevé d'herbes champêtres et de fleurs. Selle d'agneau allaiton rôtie sur l'os. Biscuit tiède de chocolat coulant. **Vins** Gaillac, Marcillac
♦ Cette abbaye de Thélème futuriste semble égarée parmi les rudes paysages de l'Aubrac. Face à la nature et au superbe jardin botanique, grandes chambres contemporaines épurées. Cuisine du terroir hautement inspirée servie dans une salle design et panoramique.

au Golf 12 km à l'Ouest par D541, D213 et rte secondaire

Domaine de Mezeyrac
– ✆ 05 65 44 41 41 – www.hotel-golfdemezeyrac.com
– *golfhotel-mezeyrac@wanadoo.fr – Fax 05 65 44 46 90 – Ouvert 4 avril-2 nov.*
15 ch – †60/90 € ††60/90 €, ⊇ 9 €
Rest – *(déj. seult)* Menu (17 €), 19/21 € – Carte environ 43 €
♦ Ancienne ferme reconvertie en hôtellerie et complexe dédié au golf. Grand calme assuré, chambres confortables et vue sur le green. L'ex-grange rustique abrite le restaurant.

LAILLY-EN-VAL – 45 Loiret – **318** H5 – 2 367 h. – alt. 86 m – ⊠ 45740   **12 C2**
🄓 Paris 158 – Orléans 31 – Blois 42 – Fleury-les-Aubrais 37 – Olivet 33

Domaine de Montizeau
– ✆ 02 38 45 34 74 – www.domaine-montizeau.com
– *abeille@domaine-montizeau.com*
4 ch ⊇ – †70 € ††75/95 € **Table d'hôte** – Menu 28 € bc
♦ Dans un parc, longère très fleurie propice au farniente. La décoration cosy des chambres fait l'objet de toutes les attentions avec des clins d'œil à la chasse, à l'Italie... Cuisine au goût du jour.

LAJOUX – 39 Jura – **321** F8 – **rattaché à Lamoura**

LALACELLE – 61 Orne – **310** I4 – 264 h. – alt. 300 m – ⊠ 61320   **32 B3**
🄓 Paris 208 – Alençon 20 – Argentan 34 – Domfront 42 – Falaise 57
– Mayenne 41
🄖 Château de Carrouges ★★ N : 11 km, 🄝 **Normandie Cotentin**

La Lentillère
rte d'Alençon : 1,5 km par N 12 – ✆ 02 33 27 38 48 – www.lalentillere.fr
– *lalentillere@wanadoo.fr – Fax 02 33 27 38 30*
8 ch – †45/76 € ††45/76 €, ⊇ 8,50 € – ½ P 49/59 €
Rest – Menu (15 €), 18/41 € – Carte 22/40 €
♦ Au bord de la route nationale, cet ancien relais de poste propose des chambres rénovées : esprit actuel pour la déco et salles de bains avec douche balnéo. Menus de saison et produits du terroir vous attendent au restaurant (cadre rustique et agréable jardin d'été).

LALINDE – 24 Dordogne – 329 F6 – 2 938 h. – alt. 46 m – ✉ 24150   4 C1

▸ Paris 537 – Bergerac 23 – Brive-La-Gaillarde 103 – Périgueux 49 – Villeneuve-sur-Lot 61

🛈 Office de tourisme, Jardin Public ℰ 05 53 61 08 55, Fax 05 53 61 00 64

à St-Capraise-de-Lalinde Ouest, rte de Bergerac : 7 km – 554 h. – alt. 42 m – ✉ 24150

Relais St-Jacques avec ch AC rest, VISA ⦿ AE
pl. de l'Église – ℰ 05 53 63 47 54 – patrick.rossignol12@wanadoo.fr – Fax 05 53 73 33 52 – Fermé merc.
7 ch – †50 € ††54 €, ⊇ 8 € – ½ P 45/55 €
Rest – Menu 19 € (sem.)/46 € – Carte 38/57 €

♦ À côté de l'église, ancien relais sur la route de Compostelle, dont l'origine remonterait au 13ᵉ s. Intérieur rustique, hospitalité toute périgourdine et plats du terroir.

LALLEYRIAT – 01 Ain – 328 E4 – rattaché à Bourg-en-Bresse

LAMAGDELAINE – 46 Lot – 337 E5 – rattaché à Cahors

LAMALOU-LES-BAINS – 34 Hérault – 339 D7 – 2 256 h. – alt. 200 m   22 B2
– Stat. therm. : mi fév.-mi déc. – Casino – ✉ 34240

Languedoc Roussillon

▸ Paris 732 – Béziers 39 – Lodève 38 – Montpellier 79 – St-Pons-de-Thomières 38

🛈 Office de tourisme, 1, avenue Capus ℰ 04 67 95 70 91, Fax 04 67 95 64 52

⛳ de Lamalou-les-Bains Route de Saint-Pons, SE : 2 km par D 908, ℰ 04 67 95 08 47

◉ Église de St-Pierre-de-Rhèdes ★ SO : 1,5 km.

◉ St-Pierre-de-Rhèdes ★ SO : 1,5 km.

L'Arbousier
18 r. Alphonse Daudet – ℰ 04 67 95 63 11 – www.arbousierhotel.com – arbousier.hotel@wanadoo.fr – Fax 04 67 95 67 64 – Fermé 19 janv.-6 fév.
31 ch – †50/62 € ††50/85 €, ⊇ 8,50 € – ½ P 56/65 €
Rest – Menu (13 €), 24/41 € – Carte 29/54 €

♦ Cette demeure de caractère proche des thermes et du casino revoit progressivement sa décoration et adopte un style actuel plaisant. Préférez les chambres récemment refaites. Ambiance méridionale – terrasse ombragée de platanes – pour une cuisine traditionnelle.

Du Square sans rest
11 av. Mal.-Foch – ℰ 04 67 23 09 93 – www.hoteldusquare.com – contact@hotelsdusquare.com – Fax 04 67 23 04 27 – Fermé 21 déc.-31 janv.
14 ch – †42/50 € ††44/52 €, ⊇ 7 €

♦ Construction de type motel proposant des chambres de plain-pied sobrement décorées mais pratiques, plus au calme sur l'arrière. Certaines bénéficient d'une petite terrasse.

Les Marronniers
8 av. Capus, (D 22) – ℰ 04 67 95 76 00 – restolesmarronniers@free.fr – Fax 04 67 95 29 75 – Fermé 19 janv.-9 fév., merc. soir hors saison, dim. soir et lundi
Rest – Menu 14/62 € bc – Carte environ 32 €

♦ Un accueil avenant vous est réservé dans cette maison légèrement excentrée. La table honore une cuisine traditionnelle, à savourer dans un cadre chaleureux orné de tableaux.

à Combes 10 km à l'Ouest par D 908 et D 180 – 308 h. – alt. 480 m – ✉ 34240

Auberge de Combes
– ℰ 04 67 95 66 55 – Fax 04 67 95 03 24 – Fermé janv., mardi de sept. à fév., dim. soir et lundi
Rest – Menu 28 € (déj.), 45/60 €

♦ Cette auberge authentique, au cadre contemporain, donne sur le superbe Parc du Haut-Languedoc. Cuisine réalisée à quatre mains (père et fils), conjuguant tradition et goût du jour.

LAMASTRE – 07 Ardèche – 331 J4 – 2 520 h. – alt. 375 m – ✉ 07270   44 **B2**
 Lyon et la vallée du Rhône

▶ Paris 577 – Privas 55 – Le Puy-en-Velay 72 – St-Étienne 90 – Valence 38 – Vienne 92

🛈 Office de tourisme, place Montgolfier ✆ 04 75 06 48 99, Fax 04 75 06 37 53

Château d'Urbilhac 🌿

rte de Vernoux, 2 km au Sud-Est par rte Vernoux-en-Vivarais – ✆ 04 75 06 42 11 – www.chateaudurbilhac.fr – info@chateaudurbilhac.fr – Fax 04 75 06 52 75

6 ch ⌑ – †100/130 € ††160/180 € – ½ P 110 €   **Table d'hôte** – Menu 38 €

◆ Ce petit château de style néo-Renaissance (bâti au 16e s. et restauré au 19e s.) est prisé pour son parc dominant la vallée du Doux. Belle piscine panoramique. Pavillon refait.

Midi (Bernard Perrier) VISA MC AE ①

pl. Seignobos – ✆ 04 75 06 41 50 – Fax 04 75 06 49 75 – *Fermé 23-29 juin, fin déc. à fin janv., vend. soir, dim. soir et lundi*

Rest – Menu 39/88 €

Spéc. Salade tiède de foie gras de canard et champignons des bois. Poularde de Bresse en vessie. Soufflé glacé aux marrons de l'Ardèche. **Vins** Saint-Joseph, Saint-Péray.

◆ Cette maison située au cœur du village a su conserver son charme d'autrefois. Confortable salle de restaurant où l'on propose une cuisine classique réalisée avec brio.

LAMBALLE – 22 Côtes-d'Armor – 309 G4 – 11 000 h. – alt. 55 m   10 **C2**
– ✉ 22400 Bretagne

▶ Paris 431 – Dinan 42 – Rennes 81 – St-Brieuc 21 – St-Malo 50 – Vannes 130

🛈 Office de tourisme, place du Champ de Foire ✆ 02 96 31 05 38, Fax 02 96 50 88 54

◉ Haras national ★.

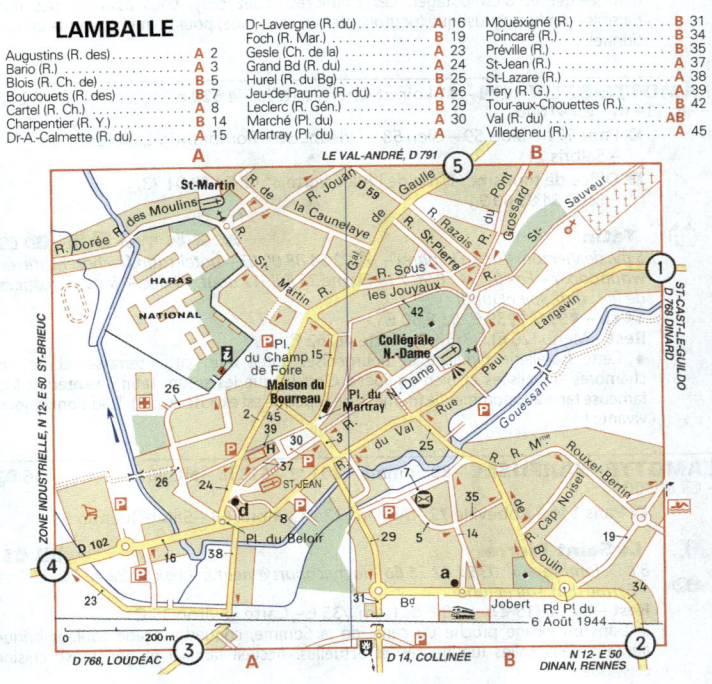

LAMBALLE

Augustins (R. des) . . . . **A** 2	Dr-Lavergne (R. du) . . . . **A** 16
Bario (R.) . . . . **A** 3	Foch (R. Mar.) . . . . **B** 19
Blois (R. Ch. de) . . . . **B** 5	Gesle (Ch. de la) . . . . **A** 23
Boucouets (R. des) . . . . **B** 7	Grand Bd (R. du) . . . . **A** 24
Cartel (R. Ch.) . . . . **A** 8	Hurel (R. du Bg) . . . . **B** 25
Charpentier (R. Y.) . . . . **B** 14	Jeu-de-Paume (R. du) . . . . **A** 26
Dr-A.-Calmette (R. du) . . . . **A** 15	Leclerc (R. Gén.) . . . . **B** 29
	Marché (Pl. du) . . . . **A** 30
	Martray (Pl. du) . . . . **A**
Mouëxigné (R.) . . . . **B** 31	
Poincaré (R.) . . . . **B** 34	
Préville (R.) . . . . **B** 35	
St-Jean (R.) . . . . **A** 37	
St-Lazare (R.) . . . . **A** 38	
Tery (R. G.) . . . . **A** 39	
Tour-aux-Chouettes (R.) . . . . . **B** 42	
Val (R. du) . . . . **AB**	
Villedeneu (R.) . . . . **A** 45	

LAMBALLE

Kyriad sans rest
29 bd Jobert – ℰ *02 96 31 00 16 – www.hotel-lamballe.com – kyriad.lamballe@wanadoo.fr – Fax 02 96 31 91 54*   B a
27 ch – †58/98 € ††58/98 €, ⊇ 10 €
◆ Face à la gare, un établissement dont les chambres, fonctionnelles, sont décorées à l'identique et bien insonorisées. Petit-déjeuner buffet servi dans une salle claire.

Lion d'Or sans rest
3 r. du Lion d'Or – ℰ *02 96 31 20 36 – www.leliondor-lamballe.com – leliondorhotel@wanadoo.fr – Fax 02 96 31 93 79*
– Fermé 23 déc.-6 janv.   A d
17 ch – †49/56 € ††51/59 €, ⊇ 8 €
◆ Cet hôtel familial s'est rajeuni. Ainsi, ses chambres, assez petites mais bien tenues, ont été repeintes en blanc pour plus de luminosité. Formule buffet au petit-déjeuner.

Au Clos du Lit ⸙
à St-Aaron, r. de la Ville-D'Ys, 6 km au Nord par ⑤ *et D 14 –* ℰ *02 96 31 17 48*
– www.auclosdulit.com – auclosdulit@auclosdulit.com
4 ch ⊇ – †40/50 € ††49/59 €   **Table d'hôte** – Menu 18 € bc
◆ Fervents d'un tourisme vert, les propriétaires de ce petit manoir l'ont décoré à la gloire de la Bretagne authentique. Chambres personnalisées et calmes, bibliothèque, jardin. À la table d'hôte, repas copieux et cadre campagnard, rempli d'objets de famille. Bon accueil.

à la Poterie Est : 3,5 km – ✉ 22400 Lamballe

Manoir des Portes ⸙
– ℰ *02 96 31 13 62 – www.manoirdesportes.com – contact@manoirdesportes.com – Fax 02 96 31 20 53 – Fermé 22 déc.-5 janv.*
15 ch – †48/55 € ††57/100 €, ⊇ 8 €   **Rest** – Menu (18 €), 24 €
◆ Proche d'un centre équestre, ce manoir du 16e s. ouvre sur un jardin fleuri, doté d'un verger et d'un potager. Les chambres, assez cosy, vous assurent des nuits paisibles. Ambiance rustique (poutres, pierres, cheminée) pour un menu unique et traditionnel.

LAMOTTE-BEUVRON – 41 Loir-et-Cher – 318 J6 – 4 529 h. 12 C2
– alt. 114 m – ✉ 41600

🛣 Paris 171 – Blois 59 – Gien 58 – Orléans 36 – Romorantin-Lanthenay 39 – Salbris 21

🛈 Office de tourisme, 1, rue de l'Allée verte ℰ 02 54 83 01 73, Fax 02 54 83 00 94

Tatin
5 av. de Vierzon, (face à la gare) – ℰ *02 54 88 00 03 – hotel-tatin.fr – hotel-tatin@wanadoo.fr – Fax 02 54 88 96 73 – Fermé 25 juil.-12 août, 19 déc.-4 janv., vacances de fév., dim. soir et lundi*
14 ch – †59 € ††59 €, ⊇ 8,50 €
Rest – Menu (26 €), 33/57 € – Carte 46/62 €
◆ Cette hôtellerie familiale et bourgeoise, dotée d'un jardin-terrasse, abrite des chambres actualisées et bien équipées. C'est ici que les sœurs Tatin inventèrent leur fameuse tarte aux pommes (le fourneau de l'époque est exposé au bar). Tradition toujours vivante !

LAMOTTE-WARFUSEE – 80 Somme – 301 I8 – 513 h. – alt. 90 m 36 B2
– ✉ 80800

🛣 Paris 141 – Abbeville 72 – Amiens 22 – Cambrai 68 – Saint-Quentin 53

Le Saint-Pierre
3 r. Delambre – ℰ *03 22 42 26 66 – lacry.capart@neuf.fr – Fax 03 22 42 26 16*
– Fermé dim. soir et lundi
Rest – Menu (15 € bc), 18 € bc (sem.)/35 € – Carte environ 35 €
◆ Dans un village proche du canal de la Somme, coquette façade couleur brique abritant deux salles lumineuses et actuelles. Accueil familial et généreuse cuisine classique.

LAMOURA – 39 Jura – **321** F8 – 524 h. – alt. 1 156 m – Sports d'hiver : 16 **B3**
voir aux Rousses – ✉ 39310

🇩 Paris 477 – Genève 47 – Gex 29 – Lons-le-Saunier 74 – St-Claude 16
🇮 Office de tourisme, Grande Rue ℰ 03 84 41 27 01, Fax 03 84 41 25 59

La Spatule
Grande'rue – ℰ *03 84 41 20 23 – www.hotellaspatule.com – la-spatule2@wanadoo.fr – Fax 03 84 41 24 16 – Fermé 19 avril-5 mai, 20 oct.-15 déc. et lundi hors saison*
26 ch – †40/44 €, ††55/63 €, ☲ 9 € – ½ P 53/59 €
Rest – Menu (13 €), 17/35 € – Carte 26/40 €

♦ Au pied des pistes de ski, un chalet entièrement non-fumeurs disposant de chambres fonctionnelles, garnies d'un mobilier en sapin (choisir celles côté sommets). À table, cuisine du terroir et spécialités fromagères. Plat du jour servi au café attenant.

à Lajoux 6 km au Sud par D 292 – ✉ 39310 – 256 h. – alt. 1 180 m

De la Haute Montagne sans rest
– ℰ *03 84 41 20 47 – www.hotel-de-la-montagne.com – hotel-haute-montagne@wanadoo.fr – Fax 03 84 41 24 16 – Fermé 13 avril-2 mai et 3 oct.-15 déc.*
20 ch – †38 €, ††54 €, ☲ 8 € – ½ P 49/54 €

♦ Au cœur du Parc naturel du Haut-Jura, hôtel familial créé par un ancien champion de ski de fond. Chambres modestes et bien tenues. Jardin.

LAMPAUL-PLOUARZEL – 29 Finistère – **308** C4 – 1 967 h. 9 **A1**
– alt. 34 m – ✉ 29810

🇩 Paris 615 – Rennes 263 – Quimper 98 – Brest 24 – Landerneau 46
🇮 Office de tourisme, 7, rue de la Mairie ℰ 02 98 84 04 74, Fax 02 98 84 04 34

XX Auberge du Vieux Puits
pl. de l'Église – ℰ *02 98 84 09 13 – j.pierre.stephan@wanadoo.fr*
– Fax 02 98 84 09 13 – Fermé 9-28 mars, 21 sept.-10 oct., dim. soir et lundi
Rest – Menu 22 € (déj. en sem.), 34/49 € – Carte 40/60 €

♦ Maison ancienne en granit bâtie au centre du village. Repas traditionnel dans une salle rustique ou sur la terrasse plein sud où subsiste le vieux puits qui a donné le nom au lieu.

LAMURE-SUR-AZERGUES – 69 Rhône – **327** F3 – 1 055 h. 44 **B1**
– alt. 383 m – ✉ 69870

🇩 Paris 446 – Lyon 50 – Mâcon 51 – Roanne 49 – Tarare 36
 – Villefranche-sur-Saône 29
🇮 Office de tourisme, rue du Vieux Pont ℰ 04 74 03 13 26, Fax 04 74 03 13 26

Château de Pramenoux
2 km à l'Ouest – ℰ *04 74 03 16 43 – www.pramenoux.com*
– emmanuel@pramenoux.com
4 ch ☲ – †120 € ††125 €   **Table d'hôte** – Menu 35 € bc

♦ La vie de château comme vous en avez toujours rêvé ! Un magnifique escalier conduit aux chambres calmes et garnies de meubles anciens. La "Royale" possède un lit à baldaquin. Dîner à la lueur des chandelles, accompagné d'une douce musique.

LANARCE – 07 Ardèche – **331** G5 – 172 h. – alt. 1 180 m – ✉ 07660 44 **A3**
🇩 Paris 579 – Aubenas 44 – Langogne 18 – Privas 72 – Le Puy-en-Velay 48

Le Provence
N 102 – ℰ *04 66 69 46 06 – www.hotel-le-provence.com – reservation@hotel-le-provence.com – Fax 04 66 69 41 56 – Ouvert 15 mars-12 nov.*
19 ch – †44/57 € ††44/57 €, ☲ 8 € – ½ P 46/57 €
Rest – Menu (14 €), 19/35 € – Carte 21/33 €

♦ Les chambres de cette bâtisse récente longeant un axe fréquenté sont toutes insonorisées et ouvrent du côté opposé à la route ; préférez celles qui viennent d'être rénovées. Appétissante cuisine du terroir servie en salle ou sur la paisible terrasse.

LANCIÉ – 69 Rhône – **327** H2 – 719 h. – alt. 210 m – ✉ 69220   43 **E1**

▸ Paris 418 – Lyon 56 – Villeurbanne 65 – Saint-Étienne 115

Le Petit Nid de Pierres 🦢
Le Chatelard – ℘ 04 74 04 10 39 – www.pariaud.com – marcel.pariaud@wanadoo.fr – Fax 04 74 69 82 10
5 ch ⌑ – †70/75 € ††80 €   **Table d'hôte** – Menu 25 € bc/27 € bc
♦ Abrité par des murs de pierre, ce corps de ferme bien restauré vous réserve un séjour convivial. Chambres personnalisées bien équipées, balcons fleuris, fontaine, piscine. Cadre rustique chic pour des repas régionaux ; soirées dégustation au caveau.

LANCIEUX – 22 Côtes-d'Armor – **309** J3 – 1 298 h. – alt. 24 m   10 **C1**
– ✉ 22770

▸ Paris 413 – Rennes 80 – Saint-Brieuc 85 – Saint-Malo 18 – Plérin 87
🛈 Office de tourisme, square Jean Conan ℘ 02 96 86 25 37, Fax 02 96 86 29 81

Des Bains sans rest
20 r. Poncel – ℘ 02 96 86 31 33 – http://pagesperso-orange.fr/bertrand.mehouas – bertrand.mehouas@wanadoo.fr – Fax 02 96 86 22 85 – Fermé le dim. de déc. à mars
12 ch – †60/100 € ††65/100 €, ⌑ 8 €
♦ Cet hôtel familial près du rivage existe depuis 1894. Chambres fonctionnelles, certaines dotées d'une cuisinette. Petits-déjeuners servis sous une véranda. Crêperie en saison.

LANCRANS – 01 Ain – **328** I4 – rattaché à Bellegarde-sur-Valserine

LANDES-LE-GAULOIS – 41 Loir-et-Cher – **318** E6 – 657 h.   11 **B2**
– alt. 105 m – ✉ 41190

▸ Paris 195 – Blois 17 – Château-Renault 25 – Tours 54 – Vendôme 21

Château de Moulins sans rest 🦢
Nord-Est : 2 km par D 26 – ℘ 02 54 20 17 93 – Fax 02 54 20 17 99
23 ch – †105/205 € ††153/205 €, ⌑ 11 € – 3 suites
♦ Au cœur d'un vaste domaine arboré (étang), élégant château bâti entre le 12ᵉ et le 17ᵉ s. Grandes chambres souvent garnies de meubles chinés chez les antiquaires. Héliport.

LANDSER – 68 Haut-Rhin – **315** I10 – rattaché à Mulhouse

LANGEAC – 43 Haute-Loire – **331** C3 – 4 004 h. – alt. 505 m – ✉ 43300   6 **C3**
▌Auvergne

▸ Paris 508 – Brioude 31 – Mende 92 – Le Puy-en-Velay 45 – St-Flour 54
🛈 Office de tourisme, place Aristide Briand ℘ 04 71 77 05 41,
Fax 04 71 77 19 93

à Reilhac Nord : 3 km par D 585 – ✉ 43300 Mazeyrat-d'Allier

Val d'Allier
– ℘ 04 71 77 02 11 – hotel.val-allier@wanadoo.fr – Fax 04 71 77 19 20
– Ouvert 1ᵉʳ avril-31 oct. et fermé dim. soir et lundi hors saison
22 ch – †46/51 € ††57/62 €, ⌑ 9 € – ½ P 52/58 €
Rest – (dîner seult) (prévenir) Menu (20 €), 25 €, 30/38 €
♦ Ce pied-à-terre confortable aménagé dans un village de caractère des gorges de l'Allier conviendra aux randonneurs et adeptes d'activités sportives. Salle à manger au cadre actuel rénové ; cuisine traditionnelle et recettes régionales.

LANGEAIS – 37 Indre-et-Loire – **317** L5 – 3 848 h. – alt. 41 m   11 **A2**
– ✉ 37130 ▌Châteaux de la Loire

▸ Paris 259 – Angers 101 – Château-la-Vallière 28 – Chinon 26 – Saumur 41 – Tours 24
🛈 Office de tourisme, place du 14 Juillet ℘ 02 47 96 58 22, Fax 02 47 96 83 41
◉ Château★★ : appartements★★★.
◉ Parc★ du château de Cinq-Mars-la-Pile NE : 5 km par N 152.

LANGEAIS

Errard
2 r. Gambetta – ℰ 02 47 96 82 12 – www.errard.com – info@errard.com
– Fax 02 47 96 56 72 – Fermé 15 déc.-6 fév., dim. soir et lundi du 1er oct. au 14 mai
Rest – Menu 29/53 € bc – Carte 52/68 €
♦ Ex-relais de poste (1653) au cadre rustico-bourgeois, situé à proximité du château. Cuisine familiale d'inspiration classique, où le terroir tourangeau est bien représenté.

Au Coin des Halles
9 r. Gambetta – ℰ 02 47 96 37 25 – aucoindeshalles@hotmail.fr
– Fax 02 47 96 37 25 – Fermé jeudi midi et merc. sauf juil.-août
Rest – Menu (15 €), 29/49 € – Carte 39/49 €
♦ Cette maison typiquement tourangelle, proche du château, vous reçoit dans un décor bourgeois autour de recettes du marché et traditionnelles. Accueil charmant. Terrasse en saison.

à St-Patrice Ouest : 10 km par rte de Bourgueil – 681 h. – alt. 39 m – ⌧ 37130

Château de Rochecotte
43 r. Dorothée de Dino – ℰ 02 47 96 16 16
– www.chateau-de-rochecotte.fr – chateau.rochecotte@wanadoo.fr
– Fax 02 47 96 90 59 – Fermé 16 janv.-8 mars
32 ch – †135/242 € ††135/242 €, ⌧ 18 € – 3 suites – ½ P 124/174 €
Rest – Menu (38 €), 43 € – Carte 68/85 €
♦ Demeure aristocratique où la duchesse de Dino et le prince de Talleyrand aimaient séjourner. Chambres au mobilier de style et agréable terrasse-pergola dominant le parc. Les élégantes salles à manger optent pour le style du 18e s. Carte au goût du jour.

LANGON – 33 Gironde – 335 J7 – 6 168 h. – alt. 10 m – ⌧ 33210   3 B2
Aquitaine

▶ Paris 624 – Bergerac 83 – Bordeaux 49 – Libourne 54 – Marmande 47 – Mont-de-Marsan 86

🛈 Office de tourisme, 11, allées Jean-Jaurès ℰ 05 56 63 68 00, Fax 05 56 63 68 09

🏌 des Graves et Sauternais Lac de Seguin, E : 5 km par D 116, ℰ 05 56 62 25 43

◉ Château de Roquetaillade★★ S : 7 km.

Claude Darroze avec ch
95 cours Gén. Leclerc – ℰ 05 56 63 00 48 – www.darroze.com
– restaurant.darroze@wanadoo.fr – Fax 05 56 63 41 15 – Fermé 14 oct.-7 nov., 5-22 janv., dim. soir et lundi midi
15 ch – †60 € ††75/105 €, ⌧ 13 € – ½ P 95/115 €
Rest – Menu 42/80 € – Carte 70/105 €
Spéc. Lamproie à la bordelaise aux blancs de poireaux (janv. à avril). Noix de ris de veau braisée au jus, saveur andalouse. Soufflé léger au Grand Marnier. **Vins** Côtes de Bordeaux-Saint-Macaire, Graves.
♦ Savoureuse cuisine classique et belle carte de bordeaux (600 appellations) : cette demeure qui perpétue les traditions invite à la gourmandise. Terrasse sous les platanes.

Chez Cyril
62 cours Fossés – ℰ 05 56 76 25 66 – www.restaurant-chez-cyril.com – sarlles3c@orange.fr – Fax 05 56 63 25 21 – Fermé dim.
Rest – Menu 12 € (déj. en sem.), 22/29 € – Carte 28/55 €
♦ Accueil sympathique dans une chaleureuse salle à manger contemporaine (tables et chaises en teck) ou dans l'agréable patio où bruisse une fontaine. Cuisine traditionnelle.

à St-Macaire Nord : 2 km – 1 670 h. – alt. 15 m – ⌧ 33490

◉ Verdelais : calvaire ≤★ N : 3 km - Château de Malromé★ N : 6 km - Ste-Croix-du-Mont : ≤★, grottes★ NO : 5 km.

Abricotier avec ch
RN 113 – ℰ 05 56 76 83 63
– restaurant.abricotier@wanadoo.fr – Fax 05 56 76 28 51 – Fermé 23-30 mars, 29 juin-3 juil., 31 août-4 sept., 12 nov.-9 déc., mardi soir et lundi
3 ch – †55 € ††60 €, ⌧ 7 €   **Rest** – Menu 20/40 € – Carte 40/50 €
♦ À deux pas de la cité médiévale, cette maison régionale sait se faire conviviale par son décor actuel, son jardin-terrasse ombragé, et son appétissante cuisine traditionnelle.

LANGRES – 52 Haute-Marne – 313 L6 – 8 761 h. – alt. 466 m
– ⊠ 52200 ▮ Champagne Ardenne

14 **C3**

▶ Paris 285 – Chaumont 35 – Dijon 79 – Nancy 142 – Vesoul 76
🛈 Office de tourisme, square Olivier Lahalle ℰ 03 25 87 67 67, Fax 03 25 87 73 33
◉ Site★★ - Promenade des remparts★★ - Cathédrale St-Mammès★ Y - Section gallo-romaine★ au musée d'art et d'histoire Y M.

LANGRES

Aubert (R.)	Y
Barbier-d'Aucourt (R.)	Y 3
Beligné (R. Ch.)	Y 4
Belle-Allée (La)	Y 5
Boillot (R.)	Y 6
Boulière (Porte)	Y
Boulière (R.)	Y 7
Canon (R.)	Y 8
Centenaire (Pl. du)	Y 10
Chambrûlard (R.)	X 12
Chavannes (R. des)	Z 13
Crémaillière (R. de la)	Y 14
Croc (R. du)	Y 15
Denfert-Rochereau (R.)	Y 16
Diderot (R.)	Y
Diderot (R.)	YZ
Durand (R. Pierre)	Y 17
Duvet (Pl. J.)	Y
États-Unis (Pl. des)	Z
Gambetta (R.)	Y 18
Grand-Bie (R. du)	Y 19
Grand-Cloître (R. du)	Y 20
Grouchy (Pl. Col.-de)	Z 21
Hôtel-de-Ville (Porte de l')	Y
Jenson (Pl.)	Z
Lambert-Payen (R.)	Y 24
Lattre-de-Tassigny (Bd Mar.-de)	YZ
Leclerc (R. Général)	Y 25
Lescornel (R.)	Y 26
Longe-Porte (Porte de)	X
Longe-Porte (R. de)	X 27
Mance (Square J.)	Y 28
Minot (R.)	Z 31
Morlot (R. Card.)	Y 32
Roger (R.)	Y 33
Roussat (R. Jean)	Y 35
St-Didier (R.)	Y 36
Tassel (R.)	X
Terreaux (R. des)	Y 37
Tournelle (R. de la)	Y 39
Turenne (R. de)	Y 41
Ursulines (R. des)	Y 43
Verdun (Pl. de)	X
Walferdin (R.)	Y 44
Ziegler (Pl.)	Y 45

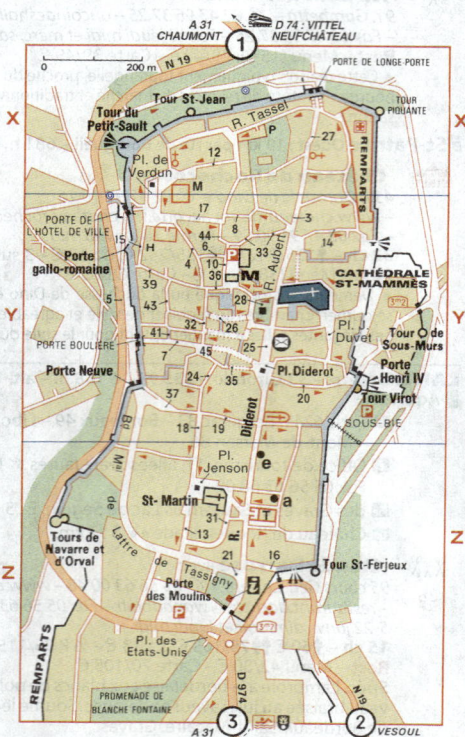

🏨 **Le Cheval Blanc** 🍴 ♿ ch, ⇔ 🛜 🚗 VISA 🅾 AE

4 r. de l'Estres – ℰ 03 25 87 07 00 – www.hotel-langres.com – info@hotel-langres.com – Fax 03 25 87 23 13 – Fermé 2-30 nov.

Z **a**

23 ch – †69 € ††69/95 €, ⊑ 10 € – ½ P 80/110 €
Rest – (fermé merc. midi) Menu (21 €), 34 € – Carte 55/70 €

♦ Lieu chargé d'histoire que cette église – Bossuet y reçut le sous-diaconat – devenue auberge sous la Révolution. Chambres de caractère ou plus fonctionnelles (en annexe). Salle à manger décorée d'œuvres d'artistes de la région ; terrasse au calme. Carte actuelle.

🏨 **Grand Hôtel de L'Europe** ⇔ P VISA 🅾 AE

23 r. Diderot – ℰ 03 25 87 10 88 – hotel-europe.langres@wanadoo.fr – Fax 03 25 87 60 65 – Fermé dim. soir du 1er nov. au 31 mai

Z **e**

26 ch – †75 € ††99 €, ⊑ 9 €
Rest – Menu (18 €), 27/46 € – Carte 28/52 €

♦ À l'intérieur des remparts, ancien relais de poste bordant la rue principale de la vieille ville. Chambres spacieuses, plus calmes sur l'arrière. Boiseries claires, parquet et mobilier campagnard plantent le décor du restaurant attenant au bar de l'hôtel.

LANGRES

au Lac de la Liez par ②, N 19 et D 284 : 6 km – ✉ 52200 Langres

XX **Auberge des Voiliers** avec ch
au bord du Lac – ✆ 03 25 87 05 74 – www.hotel-voiliers.com – auberge.voiliers@wanadoo.fr – Fax 03 25 87 24 22 – Ouvert 18 mars-1er nov. et fermé dim. soir, mardi midi et lundi
10 ch – †50/90 € ††50/110 €, ⊇ 8 €
Rest – Menu 20 € (déj. en sem.), 22/34 € – Carte 26/49 €
♦ Une auberge idéalement placée au bord du lac. Salle de restaurant ornée d'une fresque ; véranda pour profiter de la vue. Petites chambres climatisées sur le thème nautique.

LANGUIMBERG – 57 Moselle – **307** M6 – 208 h. – alt. 290 m — 27 **C2**
– ✉ 57810
▸ Paris 411 – Lunéville 43 – Metz 79 – Nancy 65 – Sarrebourg 21 – Saverne 48

XX **Chez Michèle** (Bruno Poiré)
❀ – ✆ 03 87 03 92 25 – www.chezmichele.fr – contact@chezmichele.fr
– Fax 03 87 03 93 47 – Fermé 23 déc.-10 janv., le mardi sauf le midi de mai à août et merc.
Rest – Menu (18 €), 27 € – Carte 30/70 €
Spéc. Fine tarte de légumes en tempura. Moelleux de brochet de nos étangs. Café liégeois.
♦ Le petit "bistrot de village" est désormais une belle étape gourmande à l'atmosphère familiale, où le jeune chef signe une cuisine précise, généreuse et inventive sans excès.

LANNILIS – Finistère – **308** D3 – 4 473 h. – alt. 48 m – ✉ 29870 — 9 **A1**
▸ Paris 599 – Brest 23 – Landerneau 29 – Morlaix 63 – Quimper 89
🛈 Office de tourisme, 1, place de l'Église ✆ 02 98 04 05 43, Fax 02 98 04 05 43

XX **Auberge des Abers** (Jean-Luc L'Hourre)
❀ *5 pl. Gén. Leclerc, (près de l'église)* – ✆ 02 98 04 00 29 – anne-laure.brouzet@wanadoo.fr – Fermé 15-30 sept. et 15-30 janv.
Rest – *(ouvert le soir du merc. au sam. et dim. midi)* (nombre de couverts limité, prévenir) Menu 48/125 € bc
Rest Côté Bistrot – *(ouvert le midi du mardi au sam.)* Menu 22/27 €
– Carte 20/40 €
Spéc. Tourteau aux petits légumes. Lotte au citron et aux asperges. Millefeuille aux pommes, glace au sarrasin.
♦ Le chef signe une belle cuisine de la mer, légère et gourmande, à déguster dans un cadre simple et raffiné (vitrines présentant les cartes des grandes tables qu'il a fréquentées). Cours de cuisine le mardi soir. Plats familiaux servis au Côté Bistrot.

LANNION 👁 – 22 Côtes-d'Armor – **309** B2 – 19 400 h. – alt. 12 m — 9 **B1**
– ✉ 22300 ▌**Bretagne**
▸ Paris 516 – Brest 96 – Morlaix 42 – St-Brieuc 65
✈ de Lannion : ✆ 02 96 05 82 00, N : 4 km.
🛈 Office de tourisme, 2, quai d'Aiguillon ✆ 02 96 46 41 00, Fax 02 96 37 19 64
◉ Maisons anciennes★ (pl.Général Leclerc - Église de Brélévenez★ : mise au tombeau★.

⌂ **Manoir du Launay** sans rest
chemin de Ker Ar Faout, à Servel, 3 km au Nord-Ouest par D 21
– ✆ 02 96 47 21 24 – www.manoirdulaunay.com – manoirdulaunay@orange.fr
– Fax 02 96 47 21 24
5 ch ⊇ – †78/108 € ††85/115 €
♦ Salon cossu, mobilier ancien, décor personnalisé dans les chambres spacieuses et soignées : ce manoir du 17e s. concilie le charme d'hier et le confort d'aujourd'hui. Parc.

LANNION
rte de Perros-Guirec 5 km par D 788 – ⊠ 22300 Lannion

Arcadia
Crec'h-Quillé – ℰ 02 96 48 45 65 – www.hotel-arcadia.com – hotel-arcadia@wanadoo.fr – Fax 02 96 48 15 68 – Fermé 19 déc.-4 janv.
29 ch – †49/65 € ††50/65 €, ⊇ 7 €
Rest – Menu (12 €), 16 € (sem.)/20 € – Carte 25/35 €

♦ Pas loin du C.N.E.T., hôtel d'aspect récent disposant de chambres rénovées (un peu plus calmes sur l'arrière) dont quelques duplex. Bar-billard ; piscine sous véranda. Repas simples et grillades servis au restaurant contemporain qui jouxte l'hôtel.

à La Ville-Blanche par rte de Tréguier : 5 km sur D 786 – ⊠ 22300 Rospez

La Ville Blanche (Jean-Yves Jaguin)
– ℰ 02 96 37 04 28 – www.la-ville-blanche.com – jaguin@la-ville-blanche.com – Fax 02 96 46 57 82 – Fermé 29 juin -8 juil., 20 déc.-29 janv., dim. soir et merc. sauf juil.-août et lundi
Rest – (prévenir le week-end) Menu 36 € (sem.)/80 € – Carte 68/85 €
Spéc. Saint-Jacques des Côtes d'Armor (oct. à mars). Homard rôti au beurre salé, ses pinces en ragoût (avril à oct.). Parfait glacé à la menthe et au chocolat.

♦ Délicieuse maison de famille aux décors épuré et classique. La cuisine du chef, savoureuse et personnalisée, est subtilement relevée par les fines herbes du jardin potager.

LANS-EN-VERCORS – 38 Isère – 333 G7 – 2 303 h. – alt. 1 120 m – Sports d'hiver : 1 020/1 980 m ≰16 ≴ – ⊠ 38250
45 C2

▶ Paris 576 – Grenoble 27 – Villard-de-Lans 8 – Voiron 37

🇮 Office de tourisme, 246, avenue Léopold Fabre ℰ 08 11 46 00 38, Fax 04 76 95 47 99

Le Val Fleuri
730 av. L. Fabre – ℰ 04 76 95 41 09 – www.le-val-fleuri.com – hotel.levalfleuri@orange.fr – Fax 04 76 94 34 69 – Ouvert 2 mai-17 oct., 19 déc.-21 mars et fermé dim. soir et lundi en mai, sept. et oct.
14 ch – †40 € ††40 €, ⊇ 9,50 € – ½ P 54/68 € **Rest** – Menu (17 €), 26/35 €

♦ Le temps semble s'être arrêté dans cette jolie demeure de 1928 au cachet rétro pieusement conservé. Chambres très bien tenues, parfois dotées de meubles et lampes Art déco. Belle salle à manger 1930, terrasse sous les tilleuls et recettes traditionnelles.

au col de la Croix-Perrin Sud-Ouest : 4 km par D 106 – ⊠ 38250 Lans-en-Vercors

Auberge de la Croix Perrin avec ch
col de la Croix-Perrin – ℰ 04 76 95 40 02 – www.aubergedelacroixperrin.com – frederic.joly10@wanadoo.fr – Fax 04 76 94 33 10 – Fermé 10 avril-15 mai et 23 oct.-18 déc.
9 ch – †41/45 € ††46/60 €, ⊇ 8 € – ½ P 45/53 €
Rest – (fermé merc. et le soir en sem. sauf vacances scolaires) Menu 16 € (déj. en sem.), 23/28 € – Carte 22/38 € (déjeuner seulement)

♦ Le restaurant de cette sympathique ex-maison forestière cernée par les sapins profite d'une vue dégagée. Cuisine du terroir à midi, plus inventive le soir. Chambres coquettes.

LANSLEBOURG-MONT-CENIS – 73 Savoie – 333 O6 – 604 h. – alt. 1 399 m – Sports d'hiver : 1 400/2 800 m ≰1 ≰21 ≴ – ⊠ 73480
45 D2

Alpes du Nord

▶ Paris 685 – Albertville 112 – Chambéry 125 – St-Jean-de-Maurienne 53 – Torino 94

🇮 Office de tourisme, Grande Rue ℰ 04 79 05 23 66, Fax 04 79 05 82 17

La Vieille Poste
87 r. du Mont Cenis – ℰ 04 79 05 93 47 – www.lavieilleposte.com – info@lavieilleposte.com – Fax 04 79 05 86 85 – Fermé 20 avril-11 mai et 18 oct.-23 nov.
17 ch – †55/65 € ††65/70 €, ⊇ 8,50 € – ½ P 65/73 €
Rest – Menu 15 € (déj. en sem.), 22/39 € – Carte environ 39 € (dîner seulement)

♦ Au centre de cette station de la Haute-Maurienne, accueillante pension de famille récemment rajeunie. Petites chambres fonctionnelles de tenue convenable. Dans un décor montagnard découvrez des recettes traditionnelles et spécialités régionales.

LANTOSQUE – 06 Alpes-Maritimes – **341** E4 – 1 207 h. – alt. 550 m — 41 **D2**
– ✉ 06450

▸ Paris 883 – Nice 51 – Puget-Théniers 53 – St-Martin-Vésubie 16 – Sospel 42

🛈 Syndicat d'initiative, Mairie ✆ 04 93 03 00 02, Fax 04 93 03 03 12

🍴 La Source   🛏 🌳 ⇔ VISA ⓂⓄ

Montée des casernes, D 373 – ✆ 04 93 03 05 44 – lasource11@wanadoo.fr
– Fermé 1ᵉʳ-18 janv., dim. soir et lundi
Rest – *(nombre de couverts limité, prévenir)* Menu (18 €), 25 €
◆ Une grande convivialité anime cette petite auberge provençale au charme rustique. Menu unique, simple et goûteux, annoncé tout sourire par la patronne, passionnée de cuisine.

LAON 🅿 – 02 Aisne – **306** D5 – 26 500 h. – alt. 181 m – ✉ 02000 — 37 **D2**
Nord Pas-de-Calais Picardie

▸ Paris 141 – Reims 62 – St-Quentin 48 – Soissons 38

🛈 Office de tourisme, place du Parvis Gautier de Mortagne ✆ 03 23 20 28 62, Fax 03 23 20 68 11

⛳ de l'Ailette à Cerny-en-LaonnoisS : 16 km par D 967, ✆ 03 23 24 83 99

◉ Site★★ - Cathédrale Notre-Dame★★ : nef★★★ - Rempart du Midi et porte d'Ardon★ CZ - Abbaye St-Martin★ BZ - Porte de Soissons★ ABZ - Rue Thibesard ≼★ BZ - Musée★ et chapelle des Templiers★ CZ.

Plans pages suivantes

🏠 La Bannière de France   📶 🛜 🛁 🚗 VISA ⓂⓄ AE ①

11 r. F. Roosevelt – ✆ 03 23 23 21 44 – www.hoteldelabannieredefrance.com
– hotel.banniere.de.france@wanadoo.fr – Fax 03 23 23 31 56
– Fermé 22 déc.-3 janv.   BCZ t
18 ch – †55 € ††68 €, 🍴 9 € – ½ P 64/69 €
Rest – Menu (23 €), 29 € – Carte 25/36 €
◆ Ce relais de poste de la ville haute édifié en 1685, accueillit le premier cinéma laonnois dans sa salle de banquets (années 1920). Chambres simples. Le restaurant tout en longueur, classiquement aménagé, possède un charme vieille France.

🏠 Hostellerie St-Vincent   🌳 ♿ ch, 📶 🛁 🅿 VISA ⓂⓄ AE ①

111 av. Ch. de Gaulle, par ② – ✆ 03 23 23 42 43 – www.stvincent-laon.com
– hotel.st.vincent@wanadoo.fr – Fax 03 23 79 22 55
47 ch – †60/68 € ††60/68 €, 🍴 8 €
Rest – *(fermé dim.)* Menu (13 €), 18 € – Carte 17/35 €
◆ Établissement moderne de type motel bâti au pied de l'ancienne capitale carolingienne perchée sur son rocher. Chambres fonctionnelles. Spacieuse salle de restaurant où la gastronomie alsacienne est à l'honneur.

🍴🍴🍴 Zorn - La Petite Auberge   ⇔ VISA ⓂⓄ AE

45 bd Brossolette – ✆ 03 23 23 02 38 – palaon@orange.fr – Fax 03 23 23 31 01
– Fermé 27 avril-3 mai, 9-23 août, vacances de fév., sam. midi, lundi soir et dim. sauf fériés   CY a
Rest – Menu (20 €), 27/50 € – Carte 49/70 € 🍷
Rest *Bistrot St-Amour* – Menu (12 €), 15/17 €
– Carte environ 30 €
◆ Dans la ville basse, salle à manger totalement revue dans un esprit contemporain : lignes épurées, tons sobres, luminaires modernes. Cuisine ad hoc dans l'air du temps et formule express servies dans le décor tout simple du Bistrot St-Amour.

à Samoussy par ② et D 977 : 13 km – 379 h. – alt. 84 m – ✉ 02840

🍴🍴🍴 Le Relais Charlemagne   🛏 🌳 ♿ VISA ⓂⓄ

4 rte de Laon – ✆ 03 23 22 21 50 – www.lerelaischarlemagne.fr
– relais.charlemagne@wanadoo.fr – Fax 03 23 22 18 75 – Fermé 1ᵉʳ-16 août, vacances de fév., merc. soir, dim. soir et lundi
Rest – Menu (25 €), 45/58 € – Carte 53/62 €
◆ Berthe, la mère de Charlemagne, était originaire de ce village. La maison abrite deux salles feutrées ; l'une d'elles s'ouvre sur le jardin. Cuisine classique.

LAON

Arquebuse (R. de l')	**CZ** 2
Aubry (Pl.)	**CZ** 3
Berthelot (R. Marcelin)	**AZ** 5
Bossus (R. de l'Abbé)	**DY** 6
Bourg (R. du)	**BCZ** 8
Carnot (Av.)	**CY**
Change (R. du)	**CZ** 9
Charles de Gaulle (Av.)	**DY** 12
Châtelaine (R.)	**CZ** 13
Cloître (R. du)	**CZ** 15
Combattants d'Afrique du Nord (Pl. des)	**DZ** 16
Cordeliers (R. des)	**CZ** 18
Doumer (R. Paul)	**CZ** 19
Ermant (R. Georges)	**CZ** 21

à Chamouille par D 967 DZ : 13 km – 243 h. – alt. 112 m – ⌧ 02860

🏨 **Mercure** ⌕   ≤ 🌐 🏊 ❄ 💺 ch, 🅰️ rest, ⇔ ⌘ rest, 🍴 🆑 **P**.
parc nautique de l'Ailette, 0,5 km au Sud par D 967 –   VISA ⓜⓒ AE ①
✆ *03 23 24 84 85 – www.ailette.net – hotel-mercure@ailette.fr*
– Fax 03 23 24 81 20
58 ch – †95 € ††105 €, ⌧ 13 €
Rest – Menu (21 €), 26/50 € – Carte 22/45 €
♦ Bâtiment moderne isolé sur la rive d'un vaste plan d'eau équipé pour les sports nautiques. Chambres spacieuses dotées de loggias ; golf. Salle à manger contemporaine et terrasse dressée au bord de la piscine, sur les berges du parc nautique de l'Ailette.

> Un week-end de charme à la mer, à la campagne ou à la montagne ?
> Découvrez le nouveau guide des "Chambres d'hôtes", une sélection
> de nos plus belles adresses en France : confort, calme et volupté
> garantis !

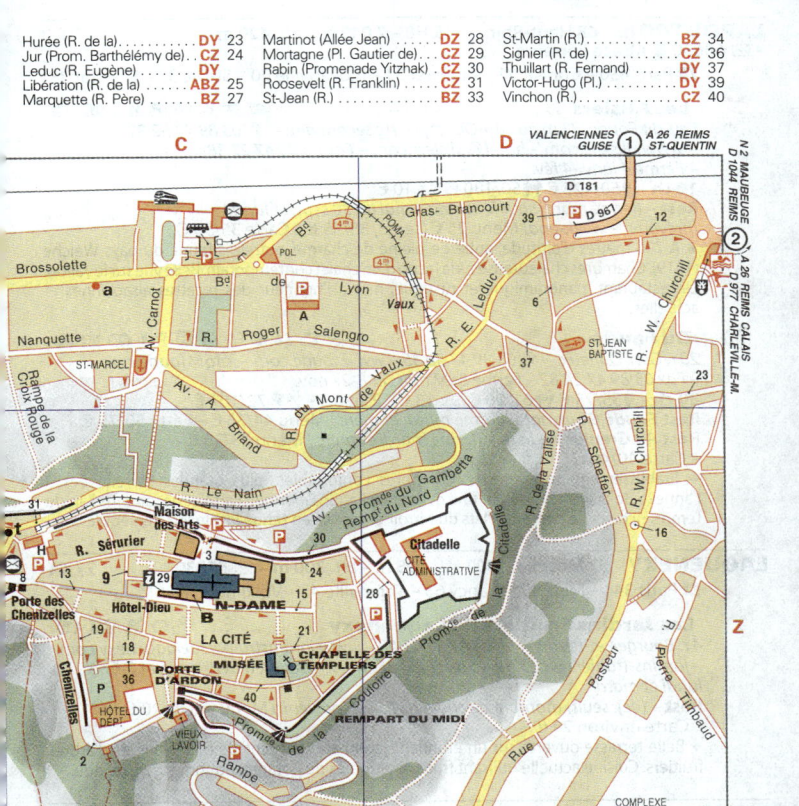

Hurée (R. de la) . . . . **DY** 23	Martinot (Allée Jean) . . . . **DZ** 28	St-Martin (R.) . . . . **BZ** 34
Jur (Prom. Barthélémy de) . **CZ** 24	Mortagne (Pl. Gautier de) . . . **CZ** 29	Signier (R. de) . . . . **CZ** 36
Leduc (R. Eugène) . . . . **DY**	Rabin (Promenade Yitzhak) . . **CZ** 30	Thuillart (R. Fernand) . . . . . . **DY** 37
Libération (R. de la) . . . . . . **ABZ** 25	Roosevelt (R. Franklin) . . . . . **CZ** 31	Victor-Hugo (Pl.) . . . . **DY** 39
Marquette (R. Père) . . . . **BZ** 27	St-Jean (R.) . . . . **BZ** 33	Vinchon (R.) . . . . **CZ** 40

LAPALISSE – 03 Allier – 326 I5 – 3 332 h. – alt. 280 m – ✉ 03120   6 **C1**
Auvergne

- Paris 346 – Digoin 45 – Mâcon 122 – Moulins 50 – Roanne 49
  – St-Pourçain-sur-Sioule 30
- Office de tourisme, 26, rue Winston Churchill ℰ 04 70 99 08 39,
  Fax 04 70 99 28 09
- Château★★.

Galland avec ch
20 pl. de la République – ℰ 04 70 99 07 21 – www.hotelgalland.fr – contact@hotelgalland.fr – Fax 04 43 23 41 15 – Fermé 24 nov.-9 déc., 26 janv.-9 fév., dim. soir sauf juil.-août et lundi
8 ch – †50/75 € ††50/75 €, ⊇ 8 € – ½ P 50/68 €
Rest – *(prévenir le week-end)* Menu 26/57 € – Carte 39/55 €
◆ Régalez-vous de plats au goût du jour dans cette élégante salle à manger contemporaine égayée de tons pastel. Chambres confortables et bien tenues.

LAPOUTROIE – 68 Haut-Rhin – 315 H8 – 2 049 h. – alt. 420 m — 1 A2
– ⌧ 68650 ▌Alsace Lorraine

▶ Paris 430 – Colmar 21 – Munster 31 – Ribeauvillé 20 – St-Dié 33 – Sélestat 33

Les Alisiers
lieu-dit Faudé, 3 km au Sud-Ouest par rte secondaire – ℘ 03 89 47 52 82
– www.alisiers.com – hotel@alisiers.com – Fax 03 89 47 22 38
– Fermé 4 janv.-4 fév.
16 ch – †50/125 € ††50/180 €, ☑ 10 €
Rest – (fermé mardi sauf le soir du 4 mai au 30 sept. et lundi)
(prévenir le week-end) Menu 25 € (sem.), 35/55 € – Carte 35/55 €
♦ À 700 mètres d'altitude, auberge pleine de charme, autrefois ferme du pays Welche (1819). Chambres chaleureuses, à la façon d'un chalet contemporain. Belle vue sur le vallon. Le restaurant, panoramique et rustique, met à l'honneur des recettes alsaciennes et actuelles.

Du Faudé
28 r. Gén. Dufieux – ℘ 03 89 47 50 35 – www.faude.com – info@faude.com
– Fax 03 89 47 24 82 – Fermé 8-27 mars et 8-27 nov.
30 ch – †55/75 € ††61/96 €, ☑ 13 € – 2 suites – ½ P 72/107 €
Rest *Faudé Gourmet* – (fermé mardi et merc.) Menu 44/76 € – Carte 50/75 €
Rest *Au Grenier Welche* – (fermé mardi et merc.) Menu 23/30 €
– Carte 40/49 €
♦ Établissement non-fumeurs. Chambres confortables, plus grandes et rénovées à l'annexe. Joli jardin bordé par une rivière. Au Faudé Gourmet, carte et décor dans l'air du temps, riche carte des vins. Plats du terroir et service en tenue locale au Grenier Welche.

LAQUENEXY – 57 Moselle – 307 I4 – 995 h. – alt. 300 m – ⌧ 57530 — 27 C1

▶ Paris 344 – Metz 17 – Nancy 63 – Thionville 43 – Völklingen 84

Les Jardins Fruitiers de Laquenexy
4 r. Bourger-et-Perrin – ℘ 03 87 35 01 00 – www.jardinsfruitiersdelaquenexy.com
– jardins-fruitiers@cg57.fr – Fax 03 87 35 01 09 – Ouvert d'avril à oct. et fermé lundi et mardi
Rest – (déj. seult) (nombre de couverts limité, prévenir) Menu (15 €), 20 €
– Carte environ 24 €
♦ Belle terrasse ouverte sur un étonnant jardin abritant plus de mille variétés d'arbres fruitiers. Cuisine actuelle utilisant fruits et légumes du potager. Boutique gourmande.

LAQUEUILLE – 63 Puy-de-Dôme – 326 D9 – 397 h. – alt. 1 000 m — 5 B2
– ⌧ 63820

▶ Paris 455 – Aubusson 74 – Clermont-Ferrand 40 – Mauriac 73
– Le Mont-Dore 15 – Ussel 43

au Nord-Est : 2 km par D 922 et rte secondaire – ⌧ 63820 Laqueuille

Auberge de Fondain
Fondain – ℘ 04 73 22 01 35 – www.auberge-fondain.com – auberge.de.fondain@wanadoo.fr – Fax 04 73 22 06 13 – Fermé 24 oct.-début déc.
6 ch – †36/60 € ††48/80 €, ☑ 8 € – ½ P 40/85 €
Rest – (prévenir) Menu 17/25 €
♦ Une demeure bourgeoise ancienne perdue en pleine nature, des chambres personnalisées sur le thème des fleurs, des VTT, un fitness… Une vraie mise au vert ! Décor rustique au restaurant pour une cuisine traditionnelle : plats auvergnats à l'ardoise.

LARAGNE-MONTÉGLIN – 05 Hautes-Alpes – 334 C7 – 3 296 h. — 40 B2
– alt. 571 m – ⌧ 05300

▶ Paris 687 – Digne-les-Bains 58 – Gap 40 – Sault 60 – Serres 17 – Sisteron 18
🛈 Office de tourisme, place des Aires ℘ 04 92 65 09 38, Fax 04 92 65 28 41

Chrisma sans rest
rte de Grenoble – ℘ 04 92 65 09 36 – Fax 04 92 65 08 12 – Ouvert 1ᵉʳ mars-30 nov.
13 ch – †45/50 € ††45/50 €, ☑ 6 €
♦ L'agréable jardin et sa terrasse sont les atouts de cet hôtel bâti au pied de la montagne de Chabre, célèbre pour son site de vol libre. Chambres spacieuses, bien rénovées.

LARAGNE-MONTÉGLIN

Les Terrasses
av. de Provence, (D 1075) – ℰ 04 92 65 08 54 – hotellesterrasses@wanadoo.fr
– Fax 04 92 65 21 08 – Ouvert 1er avril-1er nov.
15 ch – †29/53 € ††45/53 €, ⊇ 7 € – ½ P 51 €
Rest – (ouvert 1er mai-1er oct.) (dîner seult) Menu (17 €), 22 € – Carte 23/33 €
♦ Petit hôtel familial aux chambres modestes et très bien tenues; côté jardin, plus au calme, elles possèdent une terrasse d'où l'on aperçoit le village et le mont Chabre. Repas traditionnel dans une salle aux tons ensoleillés ou sous la pergola tapissée de vigne vierge.

L'Araignée Gourmande
8 r. de la Paix – ℰ 04 92 65 13 39 – Fermé 16-30 nov., vacances de fév., dim. soir sauf d'avril-1er oct., mardi soir et merc.
Rest – Menu (11 €), 14 € (déj. en sem.), 24/45 € – Carte 40/55 €
♦ Table familiale rondement menée qui, malgré un décor modeste, a toutes les qualités : cuisine traditionnelle où goût et simplicité font bon ménage, service souriant, prix doux.

LARÇAY – 37 Indre-et-Loire – **317** N4 – 2 037 h. – alt. 82 m – ⊠ 37270   **11 B2**
◘ Paris 243 – Angers 134 – Blois 55 – Poitiers 103 – Tours 10 – Vierzon 113

Manoir de Clairbois sans rest
2 imp. du Cher – ℰ 02 47 50 59 75 – www.manoirdeclairbois.com – info@manoirdeclairbois.com – Fax 02 47 50 59 76
3 ch ⊇ – †115 € ††115 €
♦ Le Cher longe le parc de ce manoir du 19e s. Décor soigné composé de beaux meubles d'époque dans les parties communes et les chambres (vastes, claires, avec une bonne literie).

Les Chandelles Gourmandes
44 r. Nationale – ℰ 02 47 50 50 02 – www.chandelles-gourmandes.fr – charret@chandelles-gourmandes.fr – Fax 02 47 50 55 94 – Fermé 25 juil.-5 août, 25 août-5 sept., 21-26 déc., dim. soir et lundi
Rest – Menu 31/70 € – Carte 42/54 €
♦ Poutres, cheminée et objets chinés décorent la salle de ce restaurant situé sur une rive du Cher. Cuisine du terroir personnalisée, poissons de Loire, aloses, lamproies...

LE LARDIN-ST-LAZARE – 24 Dordogne – **329** I5 – 1 978 h.   **4 D1**
– alt. 86 m – ⊠ 24570
◘ Paris 503 – Brive-la-Gaillarde 28 – Lanouaille 38 – Périgueux 47
– Sarlat-la-Canéda 31

au Sud : 4 km par D 704, D 62 et rte secondaire – ⊠ 24570 Condat-sur-Vézère

Château de la Fleunie
– ℰ 05 53 51 32 74 – www.lafleunie.com – lafleunie@free.fr – Fax 05 53 50 58 98 – Fermé 30 nov.-1er mars
33 ch – †70/90 € ††70/90 €, ⊇ 14 € – ½ P 75/130 €   **Rest** – Menu 45 €
♦ Château féodal entouré d'un parc avec enclos animalier et piscine. Les chambres de caractère (poutres, vieilles pierres) y sont moins grandes que dans la bâtisse attenante. Cuisine classique à déguster dans une salle à manger "châtelaine" dotée d'une belle cheminée.

à Coly Sud-Est : 6 km par D 74 et D 62 – 219 h. – alt. 113 m – ⊠ 24120
◘ Église ★★ de St-Amand-de-Coly SO : 3 km, ▌ **Périgord Quercy**

Manoir d'Hautegente
– ℰ 05 53 51 68 03 – www.manoir-hautegente.com – hotel@manoir-hautegente.com – Fax 05 53 50 38 52 – Ouvert 2 avril-31 oct.
17 ch – †95/250 € ††95/250 €, ⊇ 14 € – ½ P 113/185 €
Rest – Menu 35 € (sem.)/100 € bc – Carte environ 70 €
♦ Dans un parc traversé par une rivière, ancien moulin du 14e s. tapissé de vigne vierge. Intérieur cosy aux meubles anciens, beau salon-bar dans l'ex-forge. Coquettes salles à manger voûtées en enfilade et terrasse-pergola au bord de l'eau. Cuisine du marché.

LARDY – 91 Essonne – 312 C4 – 5 638 h. – alt. 70 m – ⊠ 91510 18 B2
▶ Paris 46 – Évry 29 – Boulogne-Billancourt 49 – Montreuil 47 – Argenteuil 63

XX Auberge de l'Espérance VISA ⦾
80 Grande-Rue – ℘ 01 69 27 40 82 – Fermé 7-31 août, vacances de fév., merc. soir, dim. soir et lundi
Rest – Menu (19 €), 31 € – Carte environ 46 €
♦ Tables coquettes, chaises à médaillon de style Louis XVI et large buffet central : on se régale d'une bonne cuisine actuelle dans cette salle campagnarde gaie et fleurie.

LARGENTIÈRE 👁 – 07 Ardèche – 331 H6 – 1 942 h. – alt. 240 m 44 A3
– ⊠ 07110 ▌Lyon et la vallée du Rhône
▶ Paris 645 – Alès 66 – Aubenas 18 – Privas 49
🛈 Office de tourisme, 8, rue Camille Vielfaure ℘ 04 75 39 14 28, Fax 04 75 39 23 66
👁 Le vieux Largentière ★.

à Rocher Nord : 4 km par D 5 – 275 h. – alt. 353 m – ⊠ 07110

🏨 Le Chêne Vert ⚘ ≤ 🏡 🛋 Ƒð ġ ch, 🅰🄲 ch, ʻi' 🄿 VISA ⦾
– ℘ 04 75 88 34 02 – www.hotellechenevert.com – contact@hotellechenevert.com – Fax 04 75 88 33 85 – Ouvert 1er avril-31 oct. et fermé lundi et mardi en oct.
25 ch – †59/80 € ††59/80 €, ⊇ 10 € – ½ P 53/70 €
Rest – *(fermé lundi midi)* Menu 20/45 € – Carte 35/50 €
♦ Aux confins du Vivarais et des Cévennes, adresse conviviale disposant de chambres pratiques ; certaines, dotées d'un balcon, offrent le coup d'œil sur la jolie piscine. À table, plats traditionnels et recettes régionales servis dans un sobre cadre actuel.

à Sanilhac Sud : 7 km par D 312 – 346 h. – alt. 420 m – ⊠ 07110

🏠 Auberge de la Tour de Brison ⚘ ≤ 🏡 🛋 ※ 🍽 ġ ch,
à la Chapelette – ℘ 04 75 39 29 00 🅰🄲 ch, ⇌ ʻi' 🄿 VISA ⦾
– www.belinbrison.com – belin.c@wanadoo.fr – Fax 04 75 39 19 56
– Ouvert 1er avril-31 oct. et fermé merc. sauf de juin à août
14 ch – †60/85 € ††60/85 €, ⊇ 10 € – ½ P 62/75 €
Rest – *(prévenir)* Menu 29 € – Carte 27/37 € 🌿
♦ De cette accueillante auberge bâtie à flanc de colline, la vue plonge sur la vallée et sur le plateau du Coiron. Chambres actuelles, jardin et superbe piscine à débordement. Au restaurant : ambiance chaleureuse, terrasse panoramique et bonne cuisine du terroir.

LARMOR-BADEN – 56 Morbihan – 308 N9 – 954 h. – alt. 10 m 9 A3
– ⊠ 56870
▶ Paris 474 – Auray 15 – Lorient 59 – Pontivy 66 – Vannes 15
🛈 Office de tourisme, 24, rue Pen Lannic ℘ 02 97 58 01 26
👁 Cairn ★★ de l'île Gavrinis : 15 mn en bateau.

🏠 Aub. du Parc Fétan 🛋 ġ 🅰🄲 rest, ʻi' 🄿 VISA ⦾
17 r. Berder – ℘ 02 97 57 04 38 – www.hotel-parcfetan.com – contact@hotel-parcfetan.com – Fax 02 97 57 21 55 – Ouvert 1er mars-12 nov.
25 ch – †45/52 € ††45/52 €, ⊇ 8 € – ½ P 58/62 €
Rest – *(fermé mardi soir sauf juil.-août)* Menu (17 €), 25 € (dîner), 31/40 € – Carte 35/47 €
♦ À proximité d'une petite plage, cet hôtel, convivial et parfaitement tenu, est doté de chambres plutôt petites mais claires ; la plupart ouvrent sur le golfe du Morbihan.

LARMOR-PLAGE – 56 Morbihan – 308 K8 – 8 415 h. – alt. 4 m 9 B2
– ⊠ 56260 ▌Bretagne
▶ Paris 510 – Lorient 7 – Quimper 74 – Vannes 66
👁 ≤★ du Pont St-Maurice.

LARMOR-PLAGE

Les Rives du Ter
bd Jean-Monnet – ℰ 02 97 35 33 50 – www.lesrivesduter.com – info@lesrivesduter.com – Fax 02 97 35 39 02
58 ch – †94/122 € ††102/122 €, ⊇ 14 € – ½ P 85/93 €
Rest – Menu 23/43 € – Carte environ 30 €
◆ Tout près du pont, grande construction moderne située au calme. Chambres au décor à la fois épuré et chaleureux, dotées de loggias avec vue sur l'étang du Ter. Courte carte actuelle, décor contemporain et vue sur le plan d'eau caractérisent le restaurant.

Les Mouettes
Anse de Kerguélen, 1,5 km à l'Ouest – ℰ 02 97 65 50 30 – www.lesmouettes.com – info@lesmouettes.com – Fax 02 97 33 65 33
21 ch – †78 € ††85 €, ⊇ 11 € – ½ P 86 €
Rest – Menu 26 € (sem.)/76 € – Carte 48/82 €
◆ Une douce quiétude (hors saison !), à peine troublée par le cri des mouettes, règne dans cet hôtel baigné par les flots de l'anse de Kerguelen. Chambres rajeunies par étapes. Vue imprenable sur l'Atlantique et l'île de Groix depuis la terrasse et la salle.

LARNAC – 30 Gard – **339** K3 – **rattaché à St-Ambroix**

LAROQUE-DES-ALBERES – 66 Pyrénées-Orientales – **344** I7 – 1 941 h. – alt. 100 m – ✉ 66740   22 **B3**
▶ Paris 883 – Montpellier 187 – Perpignan 39 – Figueres 50 – Banyoles 90
🛈 Office de tourisme, 20, rue Carbonneil ℰ 04 68 95 49 97, Fax 04 68 95 42 58

Les Palmiers
33 av. Louis et Michel Soler – ℰ 04 68 89 73 61 – www.lespalmiers.eu – contact@lespalmiers.eu – Fax 04 68 81 08 76 – Fermé 9-20 mars, nov., dim. soir et mardi de mi-sept. à juin, sam. midi et lundi
Rest – Menu 22 € (déj. en sem.), 38/95 € – Carte 55/95 €
◆ Table estimée pour la gentillesse de l'accueil et du service, le soin apporté à la cuisine, actuelle, où entre la marée méditerranéenne et le joli choix de vins du Roussillon.

LARRAU – 64 Pyrénées-Atlantiques – **342** G6 – **214 h.** – **alt. 636 m**   3 **B3**
– ✉ 64560
▶ Paris 832 – Oloron-Ste-Marie 42 – Pau 75 – St-Jean-Pied-de-Port 64

Etchemaïté
Le Bourg – ℰ 05 59 28 61 45 – www.hotel-etchemaite.fr – hotel.etchemaite@wanadoo.fr – Fax 05 59 28 72 71 – Fermé 8 janv.-11 fév., dim. soir et lundi de nov. à avril
16 ch – †42/64 € ††42/64 €, ⊇ 8 € – ½ P 44/56 €
Rest – (fermé dim. soir et lundi du 11 nov. au 31 mai) Menu 18 € (sem.), 24/45 € – Carte 32/45 €
◆ Simplicité et ambiance familiale d'une auberge de montagne, dans un hameau de la pittoresque haute Soule. Chambres douillettes. Accueillante salle à manger avec pierres et poutres apparentes, nappes basques, cheminée et vue sur la vallée. Plats du terroir.

LASCABANES – 46 Lot – **337** D5 – **167 h.** – **alt. 180 m** – ✉ 46800   28 **B1**
▶ Paris 598 – Montauban 69 – Toulouse 120 – Villeneuve-sur-Lot 61

Le Domaine de Saint-Géry
– ℰ 05 65 31 82 51 – www.saint-gery.com – info@saint-gery.com
– Fax 05 65 22 92 89 – Ouvert 16 mai-30 sept.
5 ch – †226/285 € ††226/611 €, ⊇ 28 €   **Table d'hôte** – Menu 116 €
◆ Ce domaine comprenant une truffière, une exploitation agricole et des sentiers de randonnée dispose de cinq chambres réparties dans divers bâtiments. Leur décor mêle l'ancien et le moderne. À la table d'hôte, plats régionaux et belles pièces de viande rôties.

913

LASCELLE – 15 Cantal – 330 D4 – 316 h. – alt. 760 m – ⊠ 15590 5 **B3**

▸ Paris 555 – Aurillac 16 – Bort-les-Orgues 84 – Brioude 94 – Murat 36

Du Lac des Graves
Jaulhac – ℰ 04 71 47 94 06 – www.lacdesgraves.com – hotel.lac.graves@wanadoo.fr – Fax 04 71 47 96 55 – Fermé 5-25 nov. et 3-18 janv.
23 ch – †55/80 € ††65/85 €, ⊇ 7 €
Rest – *(fermé sam. midi et lundi midi)* Menu 15/28 € – Carte 30/40 €

♦ Vaste parc aménagé au bord d'un lac de 10 ha fréquenté par les pêcheurs. Vous logerez dans d'originaux chalets en bois les pieds dans l'eau ; quelques chambres familiales. La salle à manger et sa terrasse panoramique s'ouvrent sur la belle nature environnante.

LASSEUBE – 64 Pyrénées-Atlantiques – 342 J3 – 1 600 h. – alt. 188 m – ⊠ 64290 3 **B3**

▸ Paris 797 – Bordeaux 219 – Pau 19 – Tarbes 60

La Ferme Dagué sans rest
chemin Croix de Dagué – ℰ 05 59 04 27 11 – www.ferme-dague.com – famille.maumus@wanadoo.fr – Fax 05 59 04 27 11 – Ouvert 28 avril-30 oct.
5 ch ⊇ – †43/62 € ††52/62 €

♦ Cette ferme béarnaise du 18e s. a conservé sa superbe cour fermée avec galerie extérieure. Chambres coquettes, aménagées dans l'ancien grenier. Copieux petit-déjeuner.

LASTOURS – 11 Aude – 344 F3 – ⊠ 11600 22 **B2**

▸ Paris 782 – Toulouse 107 – Carcassonne 19 – Castres 52 – Narbonne 18

Le Puits du Trésor (Jean-Marc Boyer)
21 rte Quatre Châteaux – ℰ 04 68 77 50 24 – www.lepuitsdutresor.com – contact@lepuitsdutresor.com – Fermé 5-20 janv., 15 fév.-10 mars, dim. soir, lundi et mardi
Rest – *(nombre de couverts limité, prévenir)* Menu 39/75 € – Carte 50/75 €
Spéc. Terrine de foie gras de canard à l'anguille fumée (juin à sept.). Dragée de pigeon du mont royal au suc de raisin muscat (sept. à nov.). Soufflé de pomme au mendiant, glace au rhum (sept. à déc.). **Vins** Vin de Pays de l'Aude, Vin de Pays des Pyrénées Orientales.

♦ Village au pied du château en ruines de Lastours. Cadre moderne et recettes personnalisées au restaurant. Ardoise du jour et confort plus simple au bistrot (midi uniquement).

LATOUR-DE-CAROL – 66 Pyrénées-Orientales – 344 C8 – 386 h. – alt. 1 260 m – ⊠ 66760 22 **A3**

▸ Paris 839 – Ax-les-Thermes 37 – Font-Romeu-Odeillo-Via 21 – Perpignan 110

Auberge Catalane
10 av. Puymorens – ℰ 04 68 04 80 66 – www.auberge-catalane.fr – auberge-catalane@orange.fr – Fax 04 68 04 95 25 – Fermé 19-27 avril, 8 nov.-7 déc., dim. soir et lundi
10 ch – †41/45 € ††51/55 €, ⊇ 8 € – ½ P 53/59 €
Rest – Menu (16 €), 26 € – Carte environ 42 € (dîner seulement)

♦ Au cœur de la Cerdagne, auberge "cent pour cent catalane" récemment reprise par une nouvelle équipe proposant des chambres coquettes, bien rénovées. Pimpante salle à manger rustique, véranda ou terrasse.

LATTES – 34 Hérault – 339 I7 – rattaché à Montpellier

LAUTARET (COL DU) – 05 Hautes-Alpes – 334 G2 – voir à Col du Lautaret

LAUTERBOURG – 67 Bas-Rhin – 315 N3 – 2 247 h. – alt. 115 m – ⊠ 67630 1 **B1**

▸ Paris 519 – Haguenau 40 – Karlsruhe 22 – Strasbourg 63 – Wissembourg 20
🛈 Office de tourisme, 21, rue de la 1ère Armée ℰ 03 88 94 66 10, Fax 03 88 54 61 33

LAUTERBOURG

XXX **La Poêle d'Or** 🛱 AC VISA MC AE
35 r. Gén. Mittelhauser – ℘ *03 88 94 84 16 – www.poeledor.com – info@poeledor.com – Fax 03 88 54 62 30 – Fermé 25 juil.-10 août, 5-26 janv., merc. et jeudi*
Rest – Menu 27 € (déj. en sem.), 45/74 € – Carte 40/65 €
♦ Maison à colombages abritant une élégante salle à manger (mobilier de style Louis XIII) ; véranda et terrasse. Plats classiques et joli chariot de desserts pour les gourmands.

LAUZERTE – 82 Tarn-et-Garonne – **337** C6 – 1 487 h. – alt. 224 m – ✉ 82110
28 **B1**

🅿 Paris 614 – Agen 53 – Auch 98 – Cahors 39 – Montauban 38
🛈 Office de tourisme, place des Cornières ℘ 05 63 94 61 94, Fax 05 63 94 61 93
⛳ des Roucous à SauveterreE : 16 km par D 34, ℘ 05 63 95 83 70

X **Du Quercy** avec ch 🛱 ⌀ rest, 🅿 VISA MC
fg d'Auriac – ℘ *05 63 94 66 36 – hotel.du.quercy@wanadoo.fr – Fax 05 63 39 06 56 – Fermé vacances de la Toussaint et de fév., dim. soir sauf juil.-août et lundi*
11 ch – †36/40 € ††40/50 €, ⌑ 7 € **Rest** – Menu (12 €), 25/35 €
♦ Au cœur de la "Tolède du Quercy", maison de pays de la fin du 19e s. coquettement restaurée. La lumineuse salle à manger de style bistrot offre le coup d'œil sur collines et vallons ; plats du terroir. Quelques chambres s'ouvrent sur la vallée.

LAVAL 🅿 – 53 Mayenne – **310** E6 – 51 000 h. – alt. 65 m – ✉ 53000
35 **C1**
🟩 Normandie Cotentin

🅿 Paris 280 – Angers 79 – Le Mans 86 – Rennes 76 – St-Nazaire 153
🛈 Office de tourisme, 1, allée du Vieux Saint-Louis ℘ 02 43 49 46 46, Fax 02 43 49 46 21
⛳ de Laval à Changé Le Jariel, N : 8 km par D 104, ℘ 02 43 53 16 03
◉ Vieux château★ Z : charpente★★ du donjon, musée d'Art naïf★, ≤★ des remparts - Vieille ville★ YZ : - Les quais★ ≤★ - Jardin de la Perrine★ Z - Chevet★ de la basilique N.-D. d'Avesnières X - Église N.-D. des Cordeliers★ : retables★★ X - Lactopôle★★.

Plan page suivante

🏨 **De Paris** sans rest 📶 ⌀ AC 📡 🚗 VISA MC AE ⓘ
22 r. de la Paix – ℘ *02 43 53 76 20 – www.hotel-de-paris-laval.fr – hoteldeparislaval@wanadoo.fr – Fax 02 43 56 91 83 – Fermé 24 déc.-4 janv.*
Y **a**
50 ch – †65/155 € ††70/165 €, ⌑ 9 €
♦ En plein quartier commerçant, édifice de 1954 entièrement rénové. Les chambres, actuelles et fonctionnelles, sont bien tenues (plus calmes sur l'arrière).

🏨 **Marin'Hôtel** sans rest 📶 ⌀ 📡 🛁 VISA MC
102 av. R. Buron – ℘ *02 43 53 09 68 – www.marin-hotel.fr – contact@marin-hotel.fr – Fax 02 43 56 95 35*
X **d**
25 ch – †50 € ††58 €, ⌑ 7 €
♦ Les mascarons de la façade indiquent l'ancienneté des murs, mais les chambres sont modernes et pratiques. Préférez celles sur l'arrière, plus calmes. Petit-déjeuner continental.

XXX **Bistro de Paris** (Guy Lemercier) AC ⌀ VISA MC AE
✧
67 r. Val de Mayenne – ℘ *02 43 56 98 29 – www.lebistro-de-paris.com – bistro.de.paris@wanadoo.fr – Fax 02 43 56 52 85 – Fermé 2-25 août, sam. midi, dim. soir et lundi*
Y **k**
Rest – Menu 28/48 € – Carte environ 46 €
Spéc. Poêlée de foie gras et ris de veau. Turbot aux herbes. Craquant de banane poêlée au chocolat, glace au poivre. **Vins** Savennières, Anjou-Villages.
♦ Cette vieille maison abrite un bistrot cossu dont le décor Art nouveau est particulièrement séduisant et chaleureux. Vous y dégusterez une délicieuse cuisine au goût du jour.

LAVAL

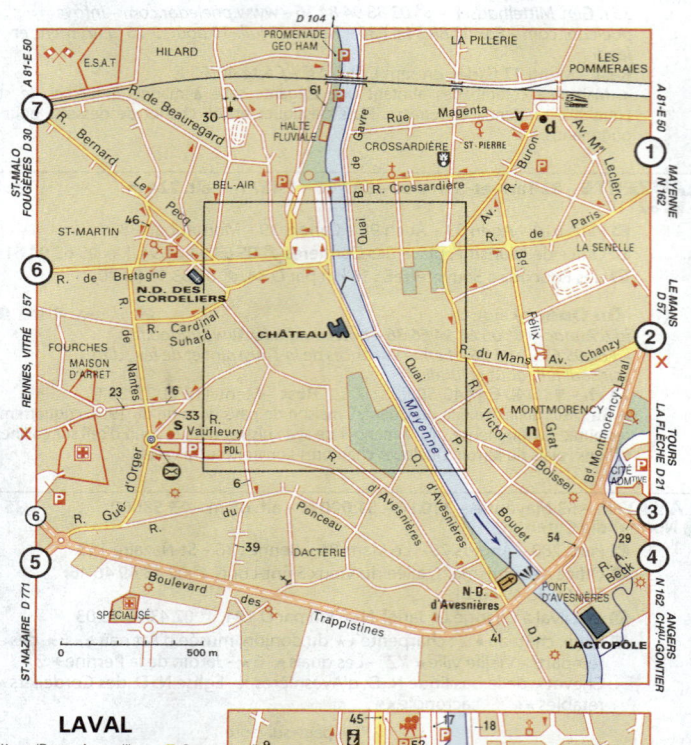

Alègre (Prom. Anne d')	Z 3
Avesnières (Q. d')	Z 5
Avesnières (R. d')	Z 7
Le Basser (Bd F.)	X
Bourg-Hersent (R.)	X 6
Briand (Pont A.)	X 8
Britais (R. du)	Y 9
Chapelle (R. de)	Z 12
Déportés (R. des)	Y 13
Douanier-Rousseau (R.)	Z 14
Droits de l'homme (Parvis des)	Y 15
Étaux (R. des)	X 16
Gambetta (Quai)	Y 17
Gaulle (R. Gén.-de)	Y
Gavre (Q. B.-de)	Y 18
Grande-Rue	Y 19
Hardy-de-Lévaré (Pl.)	Z 22
Haut-Rocher (R.)	X 23
Jean-Fouquet (Q.)	Y 26
Macé (R. J.)	X 30
Messager (R.)	X 33
Moulin (Pl. J.)	Y 34
Orfèvres (R. des)	Z 36
Paix (R. de la)	Y
Paradis (R. de)	Z 37
Picardie (R. de)	X 39
Pin-Doré (R. du)	Z 40
Pont-d'Avesnières (Bd du)	X 41
Pont-de-Mayenne (R. du)	Y 43
Renaise (R.)	Y 44
Résistance (Crs de la)	Y 45
St-Martin (R.)	X 46
Serruriers (R. des)	Z 47
Solférino (R.)	Y 48
Souchu-Servinière (R.)	Y 50
Strasbourg (R. de)	Y 52
Tisserands (Bd des)	X 54
Trémoille (Pl. de la)	Z 28
Trinité (R. de la)	Z 55
Val-de-Mayenne (R. du)	YZ 60
Vieux-St-Louis (R. du)	X 61

LAVAL

XXX **Le Capucin Gourmand** VISA MC AE
66 r. Vaufleury – ℰ 02 43 66 02 02 – http://capucingourmand.free.fr
– capucingourmand@free.fr – Fax 02 43 66 13 50 – Fermé 3-24 août, dim. soir,
mardi midi et lundi   X s
Rest – Menu (18 € bc), 22 € (sem.)/47 € – Carte 42/48 €
♦ Derrière sa façade tapissée de vigne vierge, ce restaurant abrite des salles soignées et
accueillantes. Cuisine actuelle, à déguster sur la calme terrasse aux beaux jours.

XX **La Gerbe de Blé** avec ch VISA MC
83 r. V.-Boissel – ℰ 02 43 53 14 10 – www.gerbedeble.com – gerbedeble@
wanadoo.fr – Fax 02 43 49 02 84 – Fermé 1er-10 mai,
26 juil.-18 août, 15-21 fév., sam. midi et dim.   X n
8 ch – †78/98 € ††95/135 €, ⊇ 11 €   **Rest** – Menu (19 €), 28/52 €
♦ Cuisine traditionnelle de produits locaux et de saison, servie dans une chaleureuse salle
à manger actuelle et soignée (tons clairs, éclairage étudié). Chambres fonctionnelles.

XX **Hostellerie à la Bonne Auberge** avec ch ch, P VISA MC AE
170 r. de Bretagne par ⑥ – ℰ 02 43 69 07 81 – www.alabonneauberge.com
– contact@alabonneauberge.com – Fax 02 43 91 15 02 – Fermé août,
24 déc.-3 janv., vend. soir, dim. soir, sam. et soirs fériés
12 ch – †68/78 € ††78/88 €, ⊇ 10 €
Rest – Menu 18 € (sem.)/45 € – Carte 31/52 €
♦ À l'écart du centre-ville, maison régionale tapissée de vigne vierge. La salle à manger,
agrandie d'une véranda, est claire et moderne. Goûteuses recettes traditionnelles.

XX **L'Antiquaire** AC VISA MC AE
5 r. Béliers – ℰ 02 43 53 66 76 – Fax 02 43 56 92 18 – Fermé 1er-22 juil., 6-27 janv.,
sam. midi, dim. soir et lundi   Y e
Rest – Menu (16 €), 22/47 € – Carte 27/52 €
♦ Cette maison située au cœur de la vieille ville abrite une plaisante salle à manger cosy où
l'on sert une généreuse cuisine classique teintée d'un zeste de modernité.

X **Edelweiss** VISA MC AE
99 av. R. Buron – ℰ 02 43 53 11 00 – restau.edelweiss@wanadoo.fr – Fermé
10-26 avril, 15 juil.-12 août, dim. et lundi   X v
Rest – Menu 19/34 € – Carte environ 30 €
♦ À côté de la gare, salle à manger redécorée dans un style actuel (tons pastel). On y
apprécie des plats traditionnels sans esbroufe dans une ambiance conviviale.

LAVALADE – 24 Dordogne – **329** G7 – 97 h. – alt. 190 m – ⊠ 24540   **4 C2**
▫ Paris 580 – Bordeaux 144 – Périgueux 94 – Bergerac 46 – Villeneuve-sur-Lot 48

⌂ **Le Grand Cèdre** sans rest
Le Bourg – ℰ 05 53 22 57 70 – www.legrandcedre.com – legrandcedre.j@
wanadoo.fr – Ouvert Pâques-11 nov.
5 ch ⊇ – †55 € ††65 €
♦ La rénovation de cette maison a su préserver son caractère d'origine. Bonnes tenue et
insonorisation des chambres, grandes (sauf une) et personnalisées par un mobilier ancien.

LE LAVANCHER – 74 Haute-Savoie – **328** O5 – **rattaché à Chamonix**

LE LAVANDOU – 83 Var – **340** N7 – 5 825 h. – alt. 1 m – ⊠ 83980   **41 C3**
▮ Côte d'Azur
▫ Paris 873 – Cannes 102 – Draguignan 75 – Fréjus 61 – Toulon 41
▮ Office de tourisme, quai Gabriel-Péri, ℰ 04 94 00 40 50, Fax 04 94 00 40 59
⊙ Île d'Hyères ★★★.

Plan page suivante

⌂ **Le Rabelais** sans rest AC VISA MC
face au vieux port – ℰ 04 94 71 00 56 – www.le-rabelais.fr – hotel.lerabelais@
wanadoo.fr – Fax 04 94 71 82 55 – Fermé 11 nov.-1er janv.   B a
21 ch – †50/105 € ††50/105 €, ⊇ 6 €
♦ Cet hôtel idéalement situé sur le front de mer héberge des petites chambres fraîches et
colorées. L'été, petits-déjeuners en terrasse face à l'animation portuaire.

LE LAVANDOU

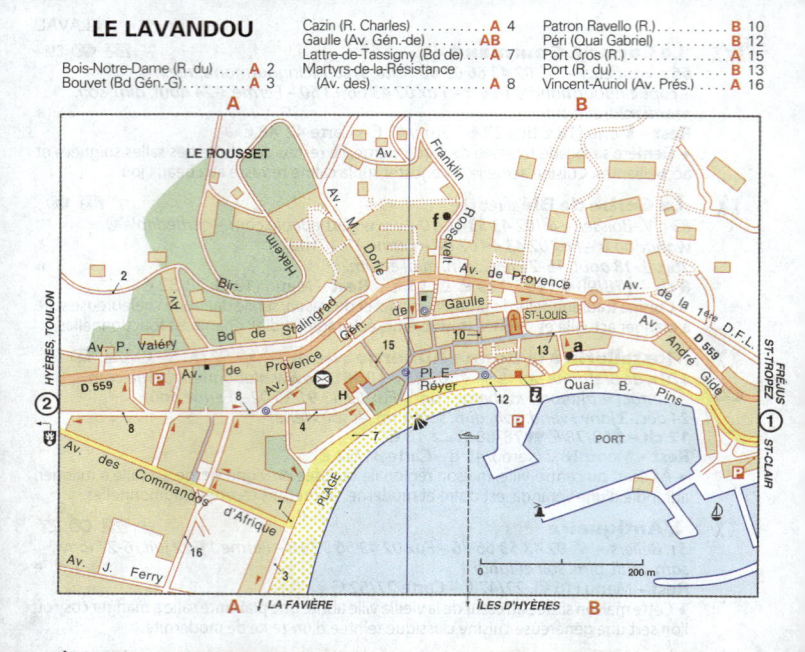

Bois-Notre-Dame (R. du) . . . . **A** 2	Cazin (R. Charles) . . . . **A** 4	Patron Ravello (R.) . . . . **B** 10
Bouvet (Bd Gén.-G.) . . . . **A** 3	Gaulle (Av. Gén.-de) . . . . **AB**	Péri (Quai Gabriel) . . . . **B** 12
	Lattre-de-Tassigny (Bd de) . . . **A** 7	Port Cros (R.) . . . . **A** 15
	Martyrs-de-la-Résistance	Port (R. du) . . . . **B** 13
	(Av. des) . . . . **A** 8	Vincent-Auriol (Av. Prés.) . . . . **A** 16

La Petite Bohème
av. F.-Roosevelt – ℰ *04 94 71 10 30 – www.hotel-petiteboheme.com*
– hotelpetiteboheme@wanadoo.fr – Fax 04 94 64 73 92 **B f**
17 ch – †43/72 € ††72/112 €, ⊇ 9 € – ½ P 59/83 €
Rest – *(fermé 6 nov.-15 fév., le midi du lundi au jeudi du 28 juin au 15 sept., mardi et merc. hors saison)* Menu 25/31 € – Carte 35/45 €

♦ Grasse matinée dans une sobre chambre d'esprit rustique provençal, puis sieste en chaise longue sous la treille après un bain de mer : une vraie vie de bohème ! Salle à manger méridionale et terrasse ombragée, dressée à l'orée du jardin ; menu du jour sur ardoise.

à St-Clair par ① : 2 km – ⊠ 83980 Le Lavandou

Roc Hôtel sans rest
r. des Dryades – ℰ *04 94 01 33 66 – www.roc-hotel.com – roc-hotel@wanadoo.fr*
– Fax 04 94 01 33 67 – Ouvert de fin mars à mi-oct.
29 ch – †75/160 € ††75/160 €, ⊇ 10 €

♦ Hôtel moderne, bâti sur un roc léché par les flots. Chambres lumineuses, toutes dotées d'une terrasse ; préférez celles tournées vers le large. Pour un séjour assurément tonique !

Méditerranée
– ℰ *04 94 01 47 70 – http://perso.wanadoo.fr/hotel-mediterranee – hotel.med@wanadoo.fr – Fax 04 94 01 47 71 – Ouvert 17 mars-20 oct.*
20 ch – †80/88 € ††80/124 €, ⊇ 8,50 € – ½ P 70/92 €
Rest – *(fermé merc.) (dîner seult) (résidents seult)*

♦ Soleil et plaisirs de la Méditerranée au bord de cette plage de sable fin. Chambres contemporaines et fonctionnelles ; optez pour celles regardant la mer. Ambiance familiale. Agréable terrasse ombragée et cuisine traditionnelle.

Belle Vue
– ℰ *04 94 00 45 00 – www.bellevue.fr – belle-vue@wanadoo.fr*
– Fax 04 94 00 45 25 – Ouvert avril-oct. **19 ch** – †80/90 € ††90/230 €, ⊇ 15 €
Rest – *(ouvert juin-sept. et fermé dim.) (dîner seult)* Menu 34/36 € – Carte 41/54 €

♦ À l'écart de l'animation estivale, plaisante villa aux abords fleuris, surplombant la baie de St-Clair. Chambres rustiques dont certaines jouissent de la "belle vue". Magnifiques couchers de soleil sur la côte, à contempler du restaurant.

LE LAVANDOU

La Bastide sans rest
pl. des Pins Penchés – ℰ 04 94 01 57 00 – www.hotel-la-bastide.fr – contact@hotel-la-bastide.fr – Fax 04 94 01 57 13 – Ouvert 1er avril-10 nov.
18 ch – ✝60/118 € ✝✝60/118 €, ⌑ 9 €
◆ Proche de la plage de St-Clair, maison familiale de style méridional : murs immaculés, volets colorés et tuiles romaines. Chambres fraîches avec terrasses ou balcons.

Les Tamaris "Chez Raymond"
– ℰ 04 94 71 07 22 – Fax 04 94 71 88 64 – Fermé 11 nov.-14 fév., le midi du 15 juin au 20 sept., mardi soir et le soir hors saison
Rest – Carte 45/80 €
◆ Ancienne guinguette, cette table rustique a pour spécialité les produits de la mer issus de la pêche locale. Fraîcheur et saveurs franches assurées. Une institution locale.

à la Plage de La Fossette par ① : 3 km – ✉ 83980 Le Lavandou

83 Hôtel
– ℰ 04 94 71 20 15 – www.83hotel.com – hotel83@wanadoo.fr
– Fax 04 94 71 63 42 – Ouvert de Pâques à fin sept.
30 ch – ✝120/295 € ✝✝120/295 €, ⌑ 15 € – ½ P 110/145 €
Rest – (dîner seult) Menu 39 € – Carte 45/55 €
◆ Le littoral varois prend ici l'allure d'une île du Pacifique. Économisez des milliers de kilomètres en séjournant dans cet hôtel conçu pour la farniente ! Chambres spacieuses. Salle à manger-véranda ou plaisante terrasse : belle vue et cuisine traditionnelle.

à Aiguebelle par ① : 4,5 km – ✉ 83980 Le Lavandou

Les Roches ⊛
1 av. des Trois-Dauphins – ℰ 04 94 71 05 07 – www.hotellesroches.com – resa@hotellesroches.com – Fax 04 94 71 08 40
33 ch – ✝160/320 € ✝✝160/550 €, ⌑ 28 € – 6 suites
Rest Mathias Dandine – voir ci-après
◆ À flanc de rocher, ce petit paradis au passé glorieux propose des chambres avec terrasse ; magnifique panorama sur la grande bleue et les îles, plage privée.

Les Alcyons sans rest
av. des Trois-Dauphins – ℰ 04 94 05 84 18 – www.beausoleil-alcyons.com
– hotellesalcyons@free.fr – Fax 04 94 05 70 89 – Ouvert avril-mi-oct.
24 ch – ✝62/108 € ✝✝62/108 €, ⌑ 7 €
◆ La rencontre des alcyons serait un présage de calme et de paix : l'accueil attentionné et la bonne tenue de cet établissement tendraient à accréditer la légende.

Hydra sans rest
av. du Levant – ℰ 04 94 71 65 46 – www.hotel-hydra.fr – hydra.hotel@wanadoo.fr – Fax 04 94 15 08 07
30 ch – ✝78/98 € ✝✝90/115 €, ⌑ 14 € – 3 suites
◆ De l'île grecque qui lui a donné son nom, cet hôtel moderne a hérité la luminosité. Chambres confortables et vastes suites familiales. Passage souterrain avec accès direct à la mer.

Beau Soleil
av. des Trois Dauphins – ℰ 04 94 05 84 55 – www.hotel-lavandou.com
– beausoleil@hotel-lavandou.com – Fax 04 94 22 27 05 – Ouvert début avril-début oct.
15 ch – ✝52 € ✝✝52/92 €, ⌑ 7 € – ½ P 58/79 €
Rest – snack – (ouvert début mai-début oct.) Menu 27/37 €
◆ Aiguebelle ("belle eau") et beau soleil : l'essentiel pour des vacances réussies ! À l'intérieur, profitez de confortables chambres dotées de balcons. Restaurant au décor actuel et terrasse sous les platanes. Formule snack à midi ; menus et spécialités locales le soir.

Mathias Dandine – Hôtel Les Roches
1 av. des Trois-Dauphins – ℰ 04 94 71 15 53 – www.mathiasdandine.com
– restaurant@mathiasdandine.com – Fax 04 94 71 66 66
Rest – Menu 60/125 € – Carte 105/130 €
Spéc. Bouillabaisse d'œuf de ferme (sept.-oct.). Langoustines aux parfums de Siam (mars-avril et sept.-oct.). Carré de chocolat craquant et verrine café (déc.-janv.). **Vins** Côtes de Provence.
◆ Belle cuisine créative servie dans une salle panoramique tendance (chaises en cuir noir, luminaires inox), dominant les flots. Nocturnes Jazz le dimanche.

LAVANNES – 51 Marne – 306 H7 – 446 h. – alt. 100 m – ✉ 51110   13 B2
▶ Paris 161 – Châlons-en-Champagne 56 – Épernay 43 – Reims 14

La Closerie des Sacres sans rest
7 r. Chefossez – ℘ 03 26 02 05 05 – www.closerie-des-sacres.com – closerie-des-sacres@wanadoo.fr – Fax 03 26 08 06 73
3 ch ⊑ – †74 € ††88 €
♦ Chambres d'hôtes aménagées avec goût dans les écuries d'une ancienne ferme. Meubles anciens ou en fer forgé et tissus choisis. Petit-déjeuner servi devant une cheminée en pierre.

LAVARDIN – 41 Loir-et-Cher – 318 C5 – rattaché à Montoire-sur-le-Loir

LAVAUDIEU – 43 Haute-Loire – 331 C2 – 225 h. – alt. 465 m   6 C3
– ✉ 43100 ▌Auvergne
▶ Paris 488 – Brioude 11 – Clermont-Ferrand 78 – Le Puy-en-Velay 56 – St-Flour 63
◉ Fresques★ de l'église abbatiale - Cloître★ - Carrefour du vitrail★.

Le Colombier sans rest
rte des Fontannes – ℘ 04 71 76 09 86 – www.lecolombier-lavaudieu.com – colombier.chambredhote@wanadoo.fr – Ouvert 15 avril-15 oct.
4 ch – †60 € ††70 €
♦ Chambres à thèmes – Velay, Afrique (lit à baldaquin en bambou), Maroc (lit en fer forgé) – aménagées dans une maison moderne en pierre et son vieux pigeonnier. Belle vue rurale.

Auberge de l'Abbaye
– ℘ 04 71 76 44 44 – www.lavaudieu.free.fr – auberge.de.labbaye@wanadoo.fr – Fax 04 71 76 41 08 – Fermé 15 novembre-1ᵉʳ fév., dim. soir et jeudi sauf vacances scolaires
Rest – Menu 19/27 €
♦ Cette auberge, voisine de l'abbaye, décline le style rustique dans un esprit actuel. Ici, la convivialité s'impose autour d'une cuisine régionale à base de produits du marché.

Court La Vigne
– ℘ 04 71 76 45 79 – Fax 04 71 76 45 79 – Fermé déc., janv., mardi et merc.
Rest – (nombre de couverts limité, prévenir) Menu 18/28 €
♦ Charmante bergerie (15ᵉ s.) voisinant avec un cloître médiéval. Ameublement plaisant, bar au coin de la cheminée, galerie d'art et cour agréable. Table du marché axée terroir.

LES LAVAULTS – 89 Yonne – 319 H8 – rattaché à Quarré-les-Tombes

LAVAUR – 81 Tarn – 338 C8 – 10 036 h. – alt. 140 m – ✉ 81500   29 C2
▌Midi-Pyrénées
▶ Paris 682 – Albi 51 – Castelnaudary 56 – Castres 40 – Montauban 58 – Toulouse 44
🛈 Office de tourisme, Tour des Rondes ℘ 05 63 58 02 00, Fax 05 63 41 42 89
⛳ des Étangs de Fiac à Fiac Brazis, E : 11 km par D 112, ℘ 05 63 70 64 70
◉ Cathédrale St-Alain★.

Ibis sans rest
1 av. G. Pompidou – ℘ 05 63 83 08 08 – www.ibishotel.com – loic.borie@accor.com – Fax 05 63 83 01 05
58 ch – †52/71 € ††52/71 €, ⊑ 8 €
♦ Dans un quartier résidentiel, cet hôtel propose de grandes chambres claires et fonctionnelles, toutes climatisées. Agréable petit jardin et terrasse fleurie avec fontaine.

à Giroussens 10 km au Nord-Ouest par D 87 et D 38 – 1 040 h. – alt. 204 m – ✉ 81500

L'Échauguette
pl. de la Mairie – ℘ 05 63 41 63 65 – www.lechauguette.com – echauguette81@hotmail.fr – Fax 05 63 41 63 13 – Fermé 27 sept.-11 oct., 27 déc.-17 janv., jeudi soir, dim. soir et lundi sauf de juin à août
Rest – Menu (20 €), 30/70 € – Carte 45/85 €
♦ Belle demeure des 13ᵉ-19ᵉ s. et magnifique vue sur la vallée de l'Agoût de la salle à manger (verrière). Tableaux et objets d'artistes locaux. Cuisine actuelle réalisée par un chef anglais.

LAVAUR – 24 Dordogne – 329 H8 – 81 h. – alt. 250 m – ⊠ 24550 — 4 **D2**

▶ Paris 622 – Bordeaux 213 – Périgueux 87 – Villeneuve-sur-Lot 45 – Cahors 49

Auberge de Bayle Viel avec ch 🕭   🕭 🎿 ⇄ ⚞ rest, **P** VISA ⓜⓞ
– ℰ 05 53 28 16 89 – aubergebayle@wanadoo.fr – Fax 05 53 28 16 89
5 ch – †45/86 € ††45/86 €, ⊇ 8,50 €
Rest – (nombre de couverts limité, prévenir) Menu 24 € (déj. en sem.), 29/46 €
– Carte 17/32 €

♦ Le cadre de cette grange (charpente, pierres apparentes, mobilier en chêne et châtaignier) se marie bien à la dégustation d'une cuisine régionale (produits du potager). Chambres claires et accueillantes, dont 3 avec terrasses logées dans des cottages en bois.

LAVELANET – 09 Ariège – 343 J7 – 6 769 h. – alt. 512 m – ⊠ 09300 — 29 **C3**

▶ Paris 784 – Carcassonne 71 – Castelnaudary 53 – Foix 28 – Limoux 47 – Pamiers 42

🖪 Office de tourisme, place Henri-Dunant ℰ 05 61 01 22 20, Fax 05 61 03 06 39

à Nalzen Ouest : 6 km sur D 117 – 136 h. – alt. 632 m – ⊠ 09300

Les Sapins   🕭 **P** VISA ⓜⓞ
Conte – ℰ 05 61 03 03 85 – www.restaurantlessapins.com
– restaurantlessapins@yahoo.fr – Fax 05 61 65 58 45 – Fermé merc. soir, dim. soir et lundi sauf fériés
Rest – Menu 15 € bc (déj. en sem.), 22/48 € – Carte 35/55 €

♦ Maison aux allures de chalet posée au pied d'une forêt de sapins. Dans un sobre intérieur rustique, vous apprécierez la simplicité d'une bonne cuisine traditionnelle.

à Montségur Sud : 13 km par D 109 et D 9 – 108 h. – alt. 900 m – ⊠ 09300

🖪 Syndicat d'initiative, Village ℰ 05 61 03 03 03, Fax 05 61 03 11 27

Costes avec ch 🕭   🕭 ⇄ VISA ⓜⓞ
– ℰ 05 61 01 10 24 – www.chez-costes.com – info@chez-costes.com
– Fax 05 61 03 06 28
13 ch – †29/120 € ††29/120 €, ⊇ 8 € – ½ P 103/194 €
Rest – Menu 15/32 € – Carte 20/40 €

♦ Une auberge sympathique où dominent la pierre et le bois. Cuisine régionale mitonnée avec les produits bio des fermes des montagnes ; civets, confits, magrets selon les saisons. Chambres confortables et équipées de salles de bains balnéo avec jacuzzi.

LAVENTIE – 62 Pas-de-Calais – 301 J4 – 4 383 h. – alt. 18 m – ⊠ 62840 — 30 **B2**

▶ Paris 229 – Armentières 13 – Arras 45 – Béthune 18 – Lille 29 – Dunkerque 63 – Ieper 30

Le Cerisier (Eric Delerue)   ⇄ VISA ⓜⓞ AE
3 r. de la Gare – ℰ 03 21 27 60 59 – www.lecerisier.com – contact@lecerisier.com
– Fax 03 21 27 60 87 – Fermé août, 23 fév.-4 mars, dim. soir, sam. midi et lundi
Rest – Menu 29/70 € – Carte 70/94 €
Spéc. Pain perdu de foie gras et caramel de betterave rouge. Côte de veau "sous la mère" aux cèpes (automne). Rouleau de mangue tiède, gelée à la menthe et glace mangue-wasabi.

♦ Cette maison bourgeoise en briques rouges vient de s'offrir une cure de jouvence. Fine et savoureuse cuisine au goût du jour servie dans deux salles au décor contemporain.

LAVERGNE – 46 Lot – 337 G3 – rattaché à Gramat

LAVOUX – 86 Vienne – 322 J5 – rattaché à Poitiers

LAYE – 05 Hautes-Alpes – 334 E5 – rattaché à Col Bayard

LA LÉCHÈRE – 73 Savoie – 333 L4 – 1 936 h. – alt. 461 m – Stat. therm. : début avril-fin oct. – ⊠ 73260 ▐ **Alpes du Nord** — 46 **F2**

▶ Paris 602 – Albertville 21 – Celliers 16 – Chambéry 70 – Moûtiers 6

🖪 Office de tourisme, les Eaux-Claires ℰ 04 79 22 51 60, Fax 04 79 22 57 10

LA LÉCHÈRE

Radiana
- ℰ 04 79 22 61 61 – www.radiana.net – hotels@radiana.net – Fax 04 79 22 65 25
- Fermé 26 oct.-26 déc.
- **86 ch** – †57/113 € ††72/128 €, ⊊ 10 € – ½ P 63/129 €
- **Rest** – rest. diététique – *(fermé 22-29 mars et 25 oct.-1er fév.)* Menu 20/26 €
- ♦ Cet hôtel des années 1930 a conservé sa façade Art déco d'origine. Accès direct aux thermes et chambres fonctionnelles donnant sur le parc thermal. Au restaurant, plats traditionnels et un menu hypo calorique (uniquement en saison).

LES LECQUES – 83 Var – 340 J6 – rattaché à St-Cyr-sur-Mer

LECTOURE – 32 Gers – 336 F6 – 3 933 h. – alt. 155 m – ⊠ 32700   28 **B2**
▌Midi-Pyrénées

▶ Paris 708 – Agen 39 – Auch 35 – Condom 26 – Montauban 84 – Toulouse 114
🛈 Syndicat d'initiative, place du Général-de-Gaulle ℰ 05 62 68 76 98,
    Fax 05 62 68 79 30
◉ Site★ - Promenade du bastion ≤★ - Musée municipal★.

De Bastard
- r. Lagrange – ℰ 05 62 68 82 44 – www.hotel-de-bastard.com – hoteldebastard@wanadoo.fr – Fax 05 62 68 76 81 – Fermé 21 déc.-1er fév.
- **28 ch** – †50/80 € ††50/80 €, ⊊ 11 € – 2 suites – ½ P 55/75 €
- **Rest** – *(fermé dim. soir, mardi midi et lundi)* Menu 17 € (déj. en sem.), 28/50 € – Carte 49/60 €
- ♦ En plein centre de la cité gersoise, bel hôtel particulier du 18e s. abritant des chambres coquettement rénovées ; celles du 2e étage sont mansardées. Bar très cosy. Trois salons cossus (meubles de style Louis XVI), agréable terrasse d'été et goûteuse cuisine du terroir.

L'Auberge des Bouviers
- 8 r. Montebello – ℰ 05 62 68 95 13 – www.auberge-des-bouviers.com – auberge.bouvier@wanadoo.fr – Fax 05 62 68 75 33 – Fermé 24 nov.-1er déc., 5 janv.-2 fév., sam. midi, dim. soir et lundi
- **Rest** – Menu (15 €), 24/30 € – Carte 38/64 €
- ♦ Chaleureux restaurant installé dans une demeure du 18e s. ayant conservé ses pierres et poutres apparentes. Savoureuse cuisine traditionnelle revisitée, à base de produits frais.

LEMBACH – 67 Bas-Rhin – 315 K2 – 1 728 h. – alt. 190 m – ⊠ 67510   1 **B1**
▌Alsace Lorraine

▶ Paris 470 – Bitche 32 – Haguenau 25 – Strasbourg 58 – Wissembourg 15
🛈 Syndicat d'initiative, 23, route de Bitche ℰ 03 88 94 43 16,
    Fax 03 88 94 20 04
◉ Château de Fleckenstein★ NO : 7 km.

Au Heimbach sans rest
- 15 rte de Wissembourg – ℰ 03 88 94 43 46 – www.hotel-au-heimbach.fr – contact@hotel-au-heimbach.fr – Fax 03 88 94 20 85
- **18 ch** – †45/55 € ††57/110 €, ⊊ 10 €
- ♦ Au cœur d'un village ancré dans les traditions de l'Alsace, maison à colombages abritant des chambres simples, douillettes, et rustiques. Copieux petits-déjeuners.

Auberge du Cheval Blanc (Pascal Bastian) avec ch
- 4 rte Wissembourg – ℰ 03 88 94 41 86
- www.au-cheval-blanc.fr – info@au-cheval-blanc.fr – Fax 03 88 94 20 74
- Fermé 22 juin-10 juil. et 12 janv.-6 fév.
- **12 ch** – †105/250 € ††105/250 €, ⊊ 15 €
- **Rest** – *(fermé lundi et mardi)* Menu 46/95 € – Carte 70/93 €
- **Rest** *D'Rössel Stub* – Menu (16 €), 26 € – Carte 25/43 €
- **Spéc.** Foie gras de canard aux fraises (avril à oct.). Pigeon rôti aux petits pois (avril à janv.). Grand dessert. **Vins** Pinot gris, Riesling.
- ♦ Les nouveaux propriétaires de cet élégant relais de poste du 18e s. ont envie d'imprimer leur marque au lieu : décor rajeuni, carte fidèle à ses classiques et revisitée (plats inventifs). Au D'Rössel Stub, cadre rustique dans les murs d'une ancienne ferme, recettes du terroir. Chambres campagnardes.

LEMBACH

à Gimbelhof Nord : 10 km par D 3, D 925 et rte forestière – ✉ 67510 Lembach

Gimbelhof avec ch
– ℰ 03 88 94 43 58 – gimbelhof.com – info@gimbelhof.com – Fax 03 88 94 23 30
– Fermé 17 nov.-26 déc.
8 ch – †39/54 € ††46/63 €, ⊇ 7 € – ½ P 48/55 €
Rest – (fermé lundi et mardi) Menu 13 € (sem.)/30 € bc – Carte 16/40 €
♦ Cette auberge forestière du "pays des trois frontières", au cœur du massif vosgien, séduira les amoureux de la nature. Ambiance familiale et cadre rustique. Carte régionale.

LEMPDES – 63 Puy-de-Dôme – 326 G8 – 8 579 h. – alt. 330 m — 5 B2
– ✉ 63370

▶ Paris 420 – Clermont-Ferrand 11 – Issoire 36 – Thiers 36 – Vichy 51

Sébastien Perrier
6 r. Caire – ℰ 04 73 61 74 71 – www.sebastienperrier.fr – Fax 04 73 61 74 71
– Fermé août, 2-5 janv., dim. soir et lundi
Rest – Menu 18 € (déj. en sem.), 27/46 € – Carte 38/54 €
♦ La balance communale se trouvait sur la place du village, face à ce chaleureux restaurant dont la cuisine s'inspire de la Méditerranée. Cadre classique, mezzanine contemporaine.

> Retrouvez tous les Bibs Gourmands ⓐ dans notre guide des "Bonnes Petites Tables du guide Michelin".
> Pour bien manger à prix modérés, partout en France !

LENCLOITRE – 86 Vienne – 322 H4 – 2 322 h. – alt. 71 m – ✉ 86140 — 39 C1
Poitou Vendée Charentes

▶ Paris 319 – Châtellerault 18 – Mirebeau 12 – Poitiers 30 – Richelieu 24
🛈 Office de tourisme, place du Champ de Foire ℰ 05 49 19 70 75, Fax 05 49 19 70 76

à Savigny-sous-Faye 10 km au Nord par D 757, D 14 et D 72 – 327 h. – alt. 120 m
– ✉ 86140

Château Hôtel de Savigny
6 r. du Château – ℰ 05 49 20 41 14 – www.chsfrance.com
– chateau-hotel-savigny@chsfrance.com – Fax 05 49 86 76 38 – Fermé janv. et fév.
10 ch – †130/290 € ††130/290 €, ⊇ 20 € **Rest** – (fermé lundi et mardi et le midi sauf week-ends et fériés) Menu 39 € (dîner), 65/85 € – Carte 66/94 €
♦ Ce gracieux château inspiré du style Renaissance semble tout droit sorti d'un conte de fées. Chambres raffinées et personnalisées, jouissant de la vue sur le parc. Cuisine au goût du jour à déguster dans deux élégantes salles à manger dont une agrémentée d'une superbe cheminée.

LENS ⊛ – 62 Pas-de-Calais – 301 J5 – 35 300 h. – Agglo. 323 174 h. — 30 B2
– alt. 38 m – ✉ 62300 **Nord Pas-de-Calais Picardie**

▶ Paris 199 – Arras 18 – Béthune 19 – Douai 24 – Lille 37 – St-Omer 69
🛈 Office de tourisme, 26, rue de la Paix ℰ 03 21 67 66 66, Fax 03 21 67 65 65

Plan page suivante

Lensotel
centre commercial Lens 2, 4 km par ⑤ ✉ 62880 – ℰ 03 21 79 36 36
– www.lensotel.com – lensotel@wanadoo.fr – Fax 03 21 79 36 00
70 ch – †72 € ††79 €, ⊇ 11 € **Rest** – Menu 20/35 € – Carte 28/52 €
♦ Îlot hôtelier de style provençal au cœur d'une zone commerciale. Plaisantes chambres actuelles, toutes de plain-pied : réservez de préférence côté jardin. Salle à manger aux murs de briques dotée d'une cheminée et d'une véranda tournée vers la piscine.

LENS

Anatole-France (R.) ..... **BXY** 2	Freycinet (R. Louis-de) ..... **CX** 12	Paris (R. de) ..... **BY** 24
Basly (Bd Émile) ..... **ABY**	Gare (R. de la) ..... **BCY**	Pasteur (R. Louis) ..... **BX** 25
Berthelot (R. Marcelin) ..... **BY** 3	Gauthier (R. François) ..... **BY** 13	Pourquoi Pas (R. du) ..... **ABX** 26
Combes (R. Émile) ..... **CX** 4	Havre (R. du) ..... **BY** 14	Pressense (R. Francis-de) ..... **CX** 27
Decrombecque	Hospice (R. de l') ..... **CY** 15	République (Pl. de la) ..... **BY** 28
(R. Guilsain) ..... **BXY** 6	Huleux (R. François) ..... **BXY** 16	Reumaux (R. Av. Elie) ..... **ABX** 29
Diderot (R. Denis) ..... **CY** 7	Jean-Jaurès (Pl.) ..... **BY** 18	Sorriaux (R. Uriane) ..... **BCX** 30
Faidherbe (R. Louis) ..... **BY** 8	Jean-Moulin (R.) ..... **BX** 19	Varsovie (Av. de) ..... **CY** 31
Flament (R. Étienne) ..... **BX** 10	Lamendin (R. Arthur) ..... **CXY** 20	Wetz (R. du) ..... **BY** 32
	Lanoy (R. René) ..... **BXY** 21	8-Mai-1945 (R.) ..... **CY** 33
	Leclerc (R. du Mar.) ..... **BY** 22	11-Novembre
	Paix (R. de la) ..... **BY** 23	(R. du) ..... **ABX** 36

✂✂ L'Arcadie II   ⇔ VISA ⓂⓈ AE

*13 r. Decrombecque – ℘ 03 21 70 32 22 – www.restaurant-arcadie2.fr
– arcadie.2@wanadoo.fr – Fax 03 21 70 32 22 – Fermé sam. midi et le soir de dim. à
merc.*   **BY r**

Rest – Menu (17 €), 24 € (sem.)/38 € – Carte 35/49 €

♦ En plein centre-ville, ce restaurant élégant (tableaux colorés, grands chandeliers en argent) accueille les gourmets amateurs d'une cuisine au goût du jour soignée.

LÉON – 40 Landes – 335 D11 – 1 695 h. – alt. 9 m – ⊠ 40550   3 B2

▶ Paris 724 – Castets 14 – Dax 30 – Mont-de-Marsan 75

🛈 Syndicat d'initiative, 65, place Jean Baptiste Courtiau ℘ 05 58 48 76 03, Fax 05 58 48 70 38

⛳ de Moliets à Moliets-et-Maa Côte d'Argent - Club House, SO : 8 km par D 652 puis D 117, ℘ 05 58 48 54 65

👁 Courant d'Huchet ★ en barque NO : 1,5 km, 🟩 **Aquitaine**

🏠 **Hôtel du Lac** sans rest ⏎   ⇐ ♿ ♨ VISA ⓂⓈ

*2 r. des Berges du Lac – ℘ 05 58 48 73 11 – www.hoteldulac-leon.com – contact@
hoteldulac-leon.com – Fax 05 58 49 27 79 – Ouvert de fin avril à fin sept.*

14 ch – ♦47/50 € ♦♦50/60 €, ⊇ 7 €

♦ Les chambres, simples mais soignées, donnent pour la plupart sur le lac. Petits-déjeuners servis dans une salle-véranda ou sur la terrasse d'été dressée au bord de l'eau.

LÉRAN – 09 Ariège – 343 J7 – 518 h. – alt. 395 m – ⊠ 09600　　29 C3

🖻 Paris 781 – Carcassonne 67 – Pamiers 38 – Toulouse 104
🛈 Office de tourisme, rue de la Mairie ℰ 05 61 01 34 93, Fax 05 61 01 11 73

⌂ L'Impasse du Temple
1 imp. du Temple – ℰ 05 61 01 50 02 – www.chezfurness.com – john.furness@wanadoo.fr – Fax 05 61 01 50 02
5 ch ⌑ – †63 € ††75 €　**Table d'hôte** – Menu 25 €
♦ Cette maison ancienne abrite des chambres spacieuses, peintes dans des tons blanc ou beige, dotées de meubles anciens et d'une literie haut de gamme. La table d'hôte met à l'honneur la cuisine australienne, pays d'origine des patrons.

LESCAR – 64 Pyrénées-Atlantiques – 342 J5 – rattaché à Pau

LESPARRE-MÉDOC – 33 Gironde – 335 F3 – 5 195 h. – alt. 12 m – ⊠ 33340　　3 B1

🖻 Paris 541 – Bordeaux 68 – Soulac-sur-Mer 31
🛈 Office de tourisme, 37, cours du Maréchal de Tassigny ℰ 05 56 41 21 96, Fax 05 56 41 21 96

à Gaillan-en-Médoc Nord-Ouest : 2 km par D 1215 – 1 991 h. – alt. 9 m – ⊠ 33340

🏨 Château Beau Jardin
50 rte de Soulac, 3 km par rte de Verdon – ℰ 05 56 41 26 83
– www.chateaubeaujardin.com – book@chateaubeaujardin.com
– Fax 05 56 41 19 52 – Fermé fév.
7 ch – †90/120 € ††100/140 €, ⌑ 15 €
Rest – Menu 25 € (déj. en sem.), 40/55 € – Carte 40/62 €
♦ Au cœur du vignoble du Médoc, élégant château du 19ᵉ s. avec son jardin. Cuisine bourgeoise accompagnée des vins de la région. Chambres confortables.

✕✕ La Table d'Olivier
La Mare aux Grenouilles, 53 rte Lesparre – ℰ 05 56 41 13 32
– www.restaurantlatabledolivier.com – Fax 05 56 41 17 57 – Fermé 16-23 fév., sam. midi, dim. soir et lundi sauf juil.-août
Rest – Menu (17 € bc), 26 € bc (déj. en sem.), 35/49 € – Carte 60/73 €
♦ Une adresse sympathique bordant une mare aux grenouilles. Intérieur contemporain sobre et plaisant (tables en bois, chaises en fer forgé, tableaux) et cuisine saisonnière.

LESPIGNAN – 34 Hérault – 339 E9 – 2 996 h. – alt. 61 m – ⊠ 34710　　22 B2

🖻 Paris 769 – Béziers 11 – Capestang 20 – Montpellier 78 – Narbonne 20

✕✕ Hostellerie du Château
4 r. Figuiers – ℰ 04 67 37 67 71 – hostellerie-du-chateau-lespignan@wanadoo.fr
– Fermé lundi en saison, mardi et merc. hors saison
Rest – Menu 28/42 € – Carte 32/40 €
♦ Ce château a changé sous l'impulsion de son nouveau propriétaire : cadre plus épuré et carte actuelle repensée. La terrasse, elle, conserve sa vue imprenable sur les villages alentours.

LESPONNE – 65 Hautes-Pyrénées – 342 M4 – rattaché à Bagnères-de-Bigorre

LESTELLE-BÉTHARRAM – 64 Pyrénées-Atlantiques – 342 K6　　3 B3
– 801 h. – alt. 299 m – ⊠ 64800　Aquitaine

🖻 Paris 801 – Laruns 35 – Lourdes 31 – Nay 8 – Oloron-Ste-Marie 42 – Pau 28
🛈 Office de tourisme, Mairie ℰ 05 59 61 93 59, Fax 05 59 61 99 19
◉ Grottes★ de Bétharram S : 5 km.

🏨 Le Vieux Logis
2 km rte des Grottes de Bétharram – ℰ 05 59 71 94 87 – www.hotel-levieuxlogis.com
– contact@hotel-levieuxlogis.com – Fax 05 59 71 96 75 – Fermé 31 oct.-6 nov., 22 déc.-4 janv., 16 fév.-1ᵉʳ mars, dim. soir et lundi hors saison
34 ch – †55/79 € ††55/79 €, ⌑ 11 € – ½ P 62/74 €
Rest – *(Fermé lundi midi)* Menu (18 € bc), 25/40 € – Carte 35/58 €
♦ Au milieu d'un parc proche des grottes de Bétharram et accueillant cinq bungalows et une piscine. L'ex-ferme abrite le restaurant ; son aile récente des chambres fonctionnelles. Chaleureuses salles à manger rustiques, cuisine régionale et accueil aux petits soins.

LESTIAC-SUR-GARONNE – 33 Gironde – 335 I6 – 609 h. – alt. 80 m – ✉ 33550 — 3 **B2**

▶ Paris 604 – Bordeaux 28 – Mérignac 40 – Pessac 34

Les Logis de Lestiac
71 rte de Bordeaux – ℰ 05 56 72 17 90 – www.logisdelestiac.com – philippe@logisdelestiac.com
5 ch ⊇ – †80/95 € ††80/95 €   **Table d'hôte** – Menu 25 € bc/30 € bc

♦ Le patron, passionné de décoration, a superbement restauré cette ancienne maison de maître du 18ᵉ s. : chambres, à l'étage, représentant chacune une saison et duplex, au rez-de-chaussée. La table d'hôte sert de goûteux mets sucrés-salés.

LEUCATE – 11 Aude – 344 J5 – 3 392 h. – alt. 21 m – ✉ 11370 — 22 **B3**
Languedoc Roussillon

▶ Paris 821 – Carcassonne 88 – Narbonne 38 – Perpignan 35 – Port-la-Nouvelle 18

🛈 Office de tourisme, Espace Culturel ℰ 04 68 40 91 31, Fax 04 68 40 24 76

◉ ≤★ du sémaphore du Cap E : 2 km.

Jardin des Filoche
64 av. J.-Jaurès – ℰ 04 68 40 01 12 – Fax 04 68 40 74 80 – Fermé janv., fév., le midi sauf dim., mardi le 1ᵉʳoct. au 31 mars et lundi
Rest – Menu 27 €

♦ Le jardin clos et la terrasse ombragée par de multiples essences protègent du bruit ce plaisant restaurant. Carte traditionnelle et vue sur les cuisines pour les curieux.

Le Village
129 av. J.-Jaurès – ℰ 04 68 40 06 91 – Fermé lundi soir, mardi soir et merc. sauf vacances scolaires
Rest – Menu 17/22 € – Carte 30/38 €

♦ Les murs couverts d'affiches, photos, objets nautiques, et les tables nappées de bleu affirment le cachet marin de ce restaurant sis dans une ex-bergerie. Carte traditionnelle.

à Port-Leucate Sud : 7 km par D 627 – ✉ 11370 Leucate
🛈 Syndicat d'initiative, rue Dour ℰ 04 68 40 91 31

Des Deux Golfs sans rest
sur le port – ℰ 04 68 40 99 42 – www.hoteldes2golfs.com – contact@hoteldes2golfs.com – Fax 04 68 40 79 79 – Ouvert mai-15 nov.
30 ch – †36/48 € ††48/64 €, ⊇ 6 €

♦ Dans la marina bâtie entre lac et mer, construction moderne aux chambres simples et fonctionnelles, pourvues de petites loggias donnant majoritairement sur le port de plaisance.

LEUTENHEIM – 67 Bas-Rhin – 315 M3 – 845 h. – alt. 119 m – ✉ 67480 — 1 **B1**

▶ Paris 501 – Haguenau 22 – Karlsruhe 46 – Strasbourg 45

Auberge Au Vieux Couvent
à Koenigsbruck – ℰ 03 88 86 39 86 – hirschel.vieux-couvent@wanadoo.fr – Fax 03 88 05 28 78 – Fermé 21 août-5 sept., 22-28 fév., lundi et mardi
Rest – Menu (8,50 €), 28/37 € – Carte 27/50 €

♦ Maximes en lettres gothiques sur les murs, boiseries, grenouilles en faïence : cette maison à colombages (fin du 17ᵉ s.) mixe charme rustique et raffinement. Cuisine actuelle.

LEVALLOIS-PERRET – 92 Hauts-de-Seine – 311 J2 – 101 15 – voir à Paris, Environs

LEVENS – 06 Alpes-Maritimes – 341 E4 – 4 427 h. – alt. 600 m – ✉ 06670 **Côte d'Azur** — 41 **D2**

▶ Paris 946 – Antibes 43 – Cannes 53 – Nice 25 – Puget-Théniers 50 – St-Martin-Vésubie 39

🛈 Office de tourisme, 3, placette Paul Olivier ℰ 04 93 79 71 00, Fax 04 93 79 75 64

◉ ≤★ - Saut des Français★★ N : 8 km.

LEVENS

La Vigneraie 🚐 🛎 **P** *VISA* **MC**
1,5 km rte St-Blaise – ℰ *04 93 79 77 60 – Fax 04 93 79 82 35 – Ouvert 15 fév.-11 oct.*
18 ch – †40 € ††47/54 €, ⃞ 6 € – ½ P 46/56 € **Rest** – Menu 17 € (sem.)/26 €
♦ Ambiance familiale et table généreuse caractérisent cette maison aux abords verdoyants. Chambres campagnardes ; certaines ont un balcon. Larges baies dans la salle à manger.

LEVERNOIS – 21 Côte-d'Or – **320** J8 – **rattaché à Beaune**

LEVIE – 2A Corse-du-Sud – **345** D9 – **voir à Corse**

LEYNES – 71 Saône-et-Loire – **320** I12 – 503 h. – alt. 340 m – ✉ 71570   8 **C3**

▸ Paris 402 – Mâcon 15 – Bourg-en-Bresse 51 – Charolles 58 – Villefranche-sur-Saône 36

Le Fin Bec *VISA* **MC**
pl. de la Mairie – ℰ *03 85 35 11 77 – www.lefinbec.com – perard.frederik@orange.fr – Fermé 10-20 nov., 1ᵉʳ-15 janv., jeudi soir, dim. soir et lundi*
Rest – Menu 18 € (sem.)/42 € – Carte 34/57 €
♦ Cette maison vous réserve un bon accueil dans sa chaleureuse salle rustique ornée de tableaux en céramique sur le thème des crus du Beaujolais. Copieuse cuisine du terroir.

LÉZIGNAN-CORBIÈRES – 11 Aude – **344** H3 – 8 906 h. – alt. 51 m   22 **B3**
– ✉ 11200

▸ Paris 804 – Carcassonne 39 – Narbonne 22 – Perpignan 85 – Prades 129
🛈 Office de tourisme, 9, cours de la République ℰ 04 68 27 05 42, Fax 04 68 27 05 42

Le Mas de Gaujac 🛎 ⚙ 🆎 ↔ 📶 🅟 *VISA* **MC** **AE**
r. Gustave Eiffel, Z. I. Gaujac vers accès A61 – ℰ *04 68 58 16 90 – www.masdegaujac.fr – masdegaujac@free.fr – Fax 04 68 58 16 91 – Fermé 11-26 avril, 20 déc.-4 janv., sam. et dim. d'oct. à mai*
21 ch – †75 € ††75 €, ⃞ 10 € **Rest** – Menu 16/35 € – Carte 26/54 €
♦ Bâtisse récente de couleur ocre située en lisière d'une zone commerciale. Les chambres simples, fraîches et avant tout pratiques, conviennent pour l'étape. Salle à manger contemporaine aux tons chaleureux et cuisine traditionnelle sans prétention.

Rest. Le Tournedos et H. Le Tassigny avec ch 🆎 🅟 *VISA* **MC** **AE**
rd-pt de Lattre-de-Tassigny – ℰ *04 68 27 11 51 – tournedos@wanadoo.fr – Fax 04 68 27 67 31 – Fermé dim. soir et lundi*
19 ch – †42 € ††46/48 €, ⃞ 8 €
Rest – *(fermé 30 juin-3 juil., dim. soir et lundi)* Menu (14 € bc), 17 € bc (sem.)/46 € – Carte 32/65 €
♦ Grillades et tournedos – spécialités du chef – sont servis dans une lumineuse salle à manger tout de jaune clair vêtue. Chambres dans le même ton, en partie refaites.

LEZOUX – 63 Puy-de-Dôme – **326** H8 – 5 358 h. – alt. 340 m – ✉ 63190   6 **C2**
▮ Auvergne

▸ Paris 434 – Clermont-Ferrand 33 – Issoire 43 – Riom 38 – Thiers 16 – Vichy 43
🛈 Syndicat d'initiative, rue Pasteur ℰ 04 73 73 01 00, Fax 04 73 73 04 48

Les Voyageurs avec ch *VISA* **MC** **AE**
2 pl. de la Mairie – ℰ *04 73 73 10 49 – hotelvoyageurs.lezoux@orange.fr – Fax 04 73 73 92 60 – Fermé 17 août-6 sept., 26 déc.-3 janv., vend. soir, dim. soir et sam.*
10 ch – †42 € ††50 €, ⃞ 7 €
Rest – Menu 14 € (déj. en sem.), 18/42 € – Carte 28/40 €
♦ Dans une bâtisse des années 1960 située face à la mairie, cuisine traditionnelle proposée par la patronne dans une spacieuse salle à manger. Chambres bien tenues.

LEZOUX

à Bort-l'Étang 8 km au Sud-Est par D 223 et D 309 – 513 h. – alt. 420 m – ⊠ 63190
※★ de la terrasse du château ★ à Ravel O : 5 km.

Château de Codignat
Ouest : 1 km – ℰ 04 73 68 43 03 – www.codignat.com
– codignat@relaischateaux.com – Fax 04 73 68 93 54 – Ouvert 20 mars-2 nov.
15 ch (½ P seult) – 5 suites – ½ P 185/360 €
Rest – (fermé le midi du lundi au vend. sauf fériés) (nombre de couverts limité, prévenir) Menu 56/100 € – Carte 94/116 €
Spéc. Emietté de chair de tourteau. Homard bleu rôti au melon caramélisé (juil.-août). Grosse madeleine, mousseline vanille, fraises des bois et framboises (saison). **Vins** Saint-Pourçain, Côtes d'Auvergne.

◆ Joli château du 15ᵉ s. et son superbe parc. Les chambres, raffinées, évoquent pour la plupart un personnage historique : Louis XI, Jacques Cœur, Barbe-Bleue... Belle cuisine classique personnalisée servie dans le donjon, auprès d'une imposante cheminée médiévale.

à l'Ouest 5 km par N 89 – ⊠ 63190 Seychalles

Chante Bise
à Courcourt – ℰ 04 73 62 91 41 – restaurant.chantebise@wanadoo.fr
– Fax 04 73 68 29 53 – Fermé 16 août-6 sept., 15 fév.-6 mars, dim. soir, merc. soir et lundi sauf fériés
Rest – Menu (13 € bc), 20/37 € – Carte 21/43 €

◆ Ambiance conviviale et familiale en ce restaurant agrémenté de pierres apparentes et de boiseries. Les menus, traditionnels, évoluent avec les saisons. Terrasse ombragée.

LIBOURNE – 33 Gironde – 335 J5 – 22 600 h. – alt. 7 m – ⊠ 33500   **3 B1**
Aquitaine

▶ Paris 576 – Agen 129 – Bergerac 64 – Bordeaux 30 – Périgueux 100
ℹ Office de tourisme, 45, allée Robert Boulin ℰ 05 57 51 15 04, Fax 05 57 25 00 58
de Teynac à Beychac-et-Caillau Domaine de Teynac, par rte de Bordeaux et D 1089 : 15 km, ℰ 05 56 72 85 62
de Bordeaux Cameyrac à Saint-Sulpice-et-Cameyrac par rte de Bordeaux et D1089 : 16 km, ℰ 05 56 72 96 79

Plan page ci-contre

Mercure sans rest
3 quai Souchet – ℰ 05 57 25 64 18 – www.mercure.com – H6238@accor.com
– Fax 05 57 25 64 19   AY t
81 ch – †70/115 € ††80/125 €, ⌑ 14 € – 3 suites

◆ Sur les quais de la Dordogne, bâtiment neuf décoré selon un esprit contemporain, uniformisé dans les chambres. Trois suites. Salle de séminaire.

De France sans rest
7 r. Chanzy – ℰ 05 57 51 01 66 – www.hoteldefrancelibourne.com
– hoteldefrance33@aliceadsl.fr – Fax 05 57 25 34 04   BY a
19 ch – †55/145 € ††60/145 €, ⌑ 11 €

◆ Le décor de ce relais de poste entièrement rénové est un habile mélange de tradition et de modernité : tons chauds, mobilier actuel, asiatique ou de style. Confortables chambres.

Chez Servais
14 pl. Decazes – ℰ 05 57 51 83 97 – Fax 05 57 51 83 97 – Fermé 1ᵉʳ-10 mai,
16-30 août, dim. soir et lundi   BY n
Rest – Menu (19 €), 26/49 €

◆ Accueil charmant, ambiance décontractée, cuisine dans l'air du temps et intérieur lumineux sont les atouts de ce restaurant situé au cœur de la bastide.

Bord d'Eau
par ⑤ : 1,5 km – ℰ 05 57 51 99 91 – Fax 05 57 25 11 56 – Fermé une sem.
en sept., 16-30 nov., 15 fév.-2 mars, merc. soir, dim. soir et lundi
Rest – Menu 20 € (sem.)/48 € – Carte environ 46 €

◆ Le temps d'un repas, on profite de la vue sur la Dordogne, unique depuis cette construction sur pilotis. Exposition de photos. La carte change chaque semaine au gré du marché.

LIBOURNE

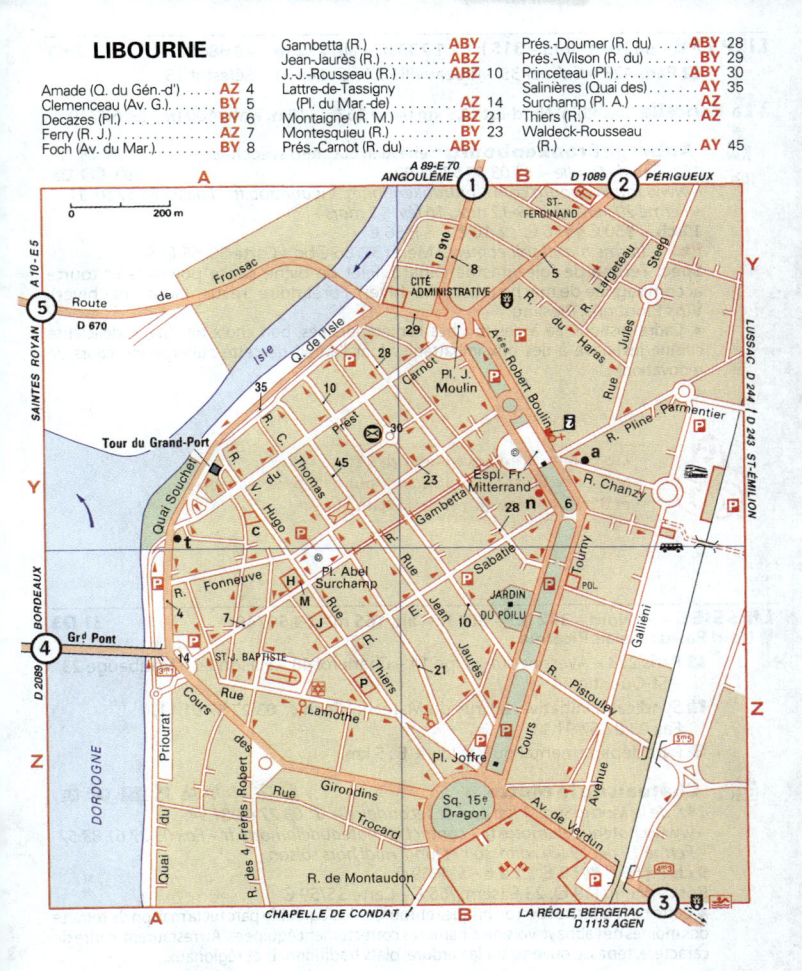

Amade (Q. du Gén.-d') . . . **AZ** 4	Gambetta (R.) . . . . **ABY**	Prés.-Doumer (R. du) . . . . **ABY** 28
Clemenceau (Av. G.) . . . . . **BY** 5	Jean-Jaurès (R.) . . . . **ABZ**	Prés.-Wilson (R. du) . . . . . **BY** 29
Decazes (Pl.) . . . . **BY** 6	J.-J.-Rousseau (R.) . . . . . . **ABZ** 10	Princeteau (Pl.) . . . . **ABY** 30
Ferry (R. J.) . . . . **AZ** 7	Lattre-de-Tassigny	Salinières (Quai des) . . . . **AY** 35
Foch (Av. du Mar.) . . . . **BY** 8	(Pl. du Mar.-de) . . . . . **AZ** 14	Surchamp (Pl. A.) . . . . **AZ**
	Montaigne (R. M.) . . . . . . **BZ** 21	Thiers (R.) . . . . **AZ**
	Montesquieu (R.) . . . . **BY** 23	Waldeck-Rousseau
	Prés.-Carnot (R. du) . . . . . **ABY**	(R.) . . . . **AY** 45

à La Rivière 6 km à l'Ouest par ⑤ – 326 h. – alt. 6 m – ✉ 33126

Château de La Rivière sans rest 🌿   ≤ 🏊 🐕 🍴 📞 **P** **VISA** **MC** **AE**
par D 670 – ✆ 05 57 55 56 51 – www.vignobles-gregoire.com – reception @
vignobles-gregoire.com – Fax 05 57 55 56 54 – Fermé de déc. à mi fév.
5 ch 🍽 – †110/170 € ††130/190 €
◆ Dans l'aile Renaissance du château de la Rivière, au milieu des vignes, cinq chambres
spacieuses, mêlant l'ancien et le moderne. Les "plus" : le parc et la visite des caves.

Nous essayons d'être le plus exact possible
dans les prix que nous indiquons.
Mais tout bouge !
Lors de votre réservation, pensez à vous faire préciser le prix du moment.

LIÈPVRE – 68 Haut-Rhin – **315** H7 – **1 733** h. – alt. 272 m – ✉ 68660   2 **C1**
◘ Paris 428 – Colmar 35 – Ribeauvillé 27 – St-Dié 31 – Sélestat 15

à La Vancelle (Bas-Rhin) Nord-Est : 2,5 km par D 167 – 410 h. – alt. 400 m – ✉ 67730

XX   **Auberge Frankenbourg** (Sébastien Buecher) avec ch
13 r. Gén.de Gaulle – ✆ 03 88 57 93 90
– www.frankenbourg.com – hr.frankenbourg@wanadoo.fr – Fax 03 88 57 91 31
– Fermé 29 juin-9 juil., 9-12 nov., 16 fév.-12 mars
11 ch – †50 € ††56 €, ⊇ 10 € – ½ P 56 €
Rest – *(fermé mardi soir et merc.)* Menu 32/86 € bc – Carte 50/65 €
Spéc. Terrine de foie gras de canard. Filet de biche sauce poivrade et tourte accompagnée de mâche (automne- hiver). Forêt noire "revue" (automne- hiver). **Vins** Pinot gris, Riesling.
♦ Cadre rustique lié à des touches contemporaines, bon choix de vins et délicieuse cuisine inventive à des prix imbattables font l'attrait de cette auberge (en cours de rénovation).

> Les bonnes adresses à petit prix ?
> Suivez les Bibs : Bib Gourmand rouge 😊 pour les tables
> et Bib Hôtel bleu pour les chambres.

LIESSIES – 59 Nord – **302** M7 – **501** h. – alt. 165 m – ✉ 59740   31 **D3**
Nord Pas-de-Calais Picardie

◘ Paris 223 – Avesnes-sur-Helpe 14 – Charleroi 48 – Hirson 24 – Maubeuge 23 – St-Quentin 74

🛈 Syndicat d'initiative, 20, rue du Maréchal Foch ✆ 03 27 57 91 11, Fax 03 27 57 91 11

◉ Parc départemental du Val Joly ★ E : 5 km.

🏠   **Château de la Motte**
14 r. de la Motte, Sud : 1 km par rte secondaire – ✆ 03 27 61 81 94
– www.chateaudelamotte.fr – contact@chateaudelamotte.fr – Fax 03 27 61 83 57
– Fermé 19 déc.-9 fév., dim. soir et lundi midi hors saison
9 ch – †58 € ††69 €, ⊇ 9 € – ½ P 56 €
Rest – Menu (19 €), 23 € (sem.)/65 € – Carte 35/59 €
♦ Cette belle construction de briques entourée d'un agréable parc fut la maison de retraite des moines de l'abbaye voisine. Chambres correctement équipées. Au restaurant, cadre de caractère, terrasse ouverte sur la verdure, plats traditionnels et régionaux.

🏠   **La Forge de l'Abbaye** sans rest
13 r. de la Forge – ✆ 03 27 60 74 27 – www.laforgedelabbaye.com
– Fax 03 27 60 74 27 – Fermé 2 janv.-9 fév.
4 ch ⊇ – †53 € ††61 €
♦ Délicieuse atmosphère champêtre dans cette ancienne forge au cachet préservé. Chambres agréables et cuisine à disposition des hôtes, avec la nature et un étang pour décor. Non-fumeurs.

X   **Le Carillon**
face à l'église – ✆ 03 27 61 80 21 – www.le-carillon.com – contact@
le-carillon.com – Fax 03 27 61 82 34 – Fermé 15 avril-6 mai, 19-26 août,
17 nov.-2 déc., lundi soir, mardi soir, jeudi soir, dim. soir et merc.
Rest – *(nombre de couverts limité, prévenir)* Menu 18 € (sem.), 27/43 €
♦ Une maison qui a du charme avec sa terrasse sous les platanes et sa salle parée de poutres et briques. Carte traditionnelle valorisant les produits du terroir. Boutique gourmande.

LA LIEZ (LAC DE) – 52 Haute-Marne – **313** M6 – rattaché à Langres

LIGNY-EN-CAMBRÉSIS – 59 Nord – **302** I7 – 1 691 h. – alt. 127 m — 31 **C3**
– ✉ 59191

▶ Paris 193 – Arras 51 – Cambrai 17 – Valenciennes 42 – St-Quentin 35

Château de Ligny
2 r. Curie – ℰ *03 27 85 25 84*
– www.chateau-de-ligny.fr – contact@chateau-de-ligny.fr – Fax 03 27 85 79 79
– Fermé 3-16 août, 2 fév.-3 mars, dim. soir, lundi et mardi
21 ch – ✝120 € ✝✝120/200 €, ⊇ 15 € – 5 suites – ½ P 128/317 €
Rest – Menu 48/110 € – Carte 73/105 €

Spéc. Tarte friande de rouget barbet au romarin. Sole et petits crustacés mijotés dans bisque de crevettes grises. Soufflé chaud à la chicorée et son coulis.

♦ Beau manoir médiéval aux chambres personnalisées, plus spacieuses mais tout aussi raffinées dans la "Résidence", remarquablement aménagée. Espace wellness ultra-moderne. L'ancienne salle d'armes et le salon-bibliothèque font le charme aristocratique du restaurant.

LIGSDORF – 68 Haut-Rhin – **315** H12 – **rattaché à Ferrette**

Le beffroi de la Chambre de Commerce

LILLE

Département : 59 Nord
Carte Michelin LOCAL : n° 302 G4
Paris 223 – Bruxelles 114 – Gent 75
– Luxembourg 310 – Strasbourg 530
Population : 226 800 h.
Pop. agglomération : 1 091 438 h.
Altitude : 10 m
Code Postal : ⊠ 59000
Nord Pas-de-Calais Picardie
Carte régionale 31 C2

HÔTELS ET RESTAURANTS	p. 3, 9 à 13
PLANS DE LILLE	
AGGLOMÉRATION	p. 4 et 5
LILLE CENTRE	p. 6 et 7
AGRANDISSEMENT CENTRE-VILLE	p. 8

RENSEIGNEMENTS PRATIQUES

🛈 OFFICE DE TOURISME
place Rihour ✆ 08 91 56 20 04, Fax 03 59 57 94 14

TRANSPORTS
Auto-train ✆ 3635 et tapez 42 (0,34 €/mn)

AÉROPORT
✈ Lille-Lesquin : ✆ 0 891 67 32 10 (0,23 €/mn), par A1 : 7 km HT

QUELQUES GOLFS
- Lille Métropole à Ronchin Rond Point des Acacias, ✆ 03 20 47 42 42
- du Sart à Villeneuve-d'Ascq 5 rue Jean Jaurès, par D 656 : 7 km, ✆ 03 20 72 02 51
- de Bondues à Bondues Château de la Vigne, Nord : 10 km, ✆ 03 20 23 20 62
- des Flandres à Marcq-en-Baroeul 159 boulevard Clémenceau, par D 670 : 4,5 km, ✆ 03 20 72 20 74
- de Brigode à Villeneuve-d'Ascq 36 avenue du Golf, par D146 : 9 km, ✆ 03 20 91 17 86

👁 A VOIR

AUTOUR DU BEFFROI DE L'HÔTEL DE VILLE

Quartier St-Sauveur **FZ** : porte de Paris★, ≤★ du beffroi - Palais des Beaux-Arts★★★ **EZ**

AUTOUR DU BEFFROI DE LA CHAMBRE DE COMMERCE

Le Vieux Lille★★ **EY** : Vieille Bourse★★, Demeure de Gilles de la Boé★ (29 place Louise-de-Bettignies) - rue de la Monnaie★ - Hospice Comtesse★ - Maison natale du Général de Gaulle **EY** - Église St-Maurice★ **EFY**, La Citadelle★ **BV**

LES QUARTIERS QUI BOUGENT

Place du Général de Gaulle (Grand'Place)★ **EY** - Place Rihour **EY** - Rue de Béthune (cinémas) **EYZ** - Euralille (tour du Crédit Lyonnais★)
- Et autour de la gare Lille-Flandres **FY**

...ET AUX ENVIRONS

Villeneuve d'Ascq : musée d'Art moderne★★ **HS** M
- Bondues : château du Vert-Bois★ **HR**
- Bouvines : vitraux de l'église et évocation de la bataille **JT**

L'Hermitage Gantois

224 r. de Paris – ℰ *03 20 85 30 30* – *www.hotelhermitagegantois.com*
– *reservation@hotelhermitagegantois.com* – *Fax 03 20 42 31 31* p.3 EZ **b**
72 ch – †210/265 € ††210/265 €, ⊇ 19 €
Rest – Menu (35 €) – Carte 45/75 €
Rest *L'Estaminet* – brasserie *(fermé sam. midi et dim.)* Menu (16 €), 19/26 €
– Carte 19/26 €

♦ Ravissantes chambres personnalisées, très belles salles de bain modernes, salon de massage... : luxe, histoire, confort et design se marient pour le meilleur en cet hospice du 14ᵉ s. Cuisine de saison servie sous les voûtes rouge et or du restaurant. Esprit brasserie et généreuses recettes flamandes à l'Estaminet.

Crowne Plaza

335 bd Leeds – ℰ *03 20 42 46 46* – *www.lille-crowneplaza.com* – *contact@lille-crowneplaza.com* – *Fax 03 20 40 13 14* p.8 FY **n**
121 ch – †195/265 € ††195/265 €, ⊇ 19 € – 1 suite
Rest – Menu 21 € (sem.)/28 € – Carte 37/55 €

♦ Face à la gare TGV, cette architecture moderne abrite de vastes chambres contemporaines, zen et très bien équipées ; certaines ménagent une vue superbe sur Lille et son beffroi. Décor design (mobilier signé Starck), carte actuelle et formules buffets au restaurant.

Alliance

17 quai du Wault ⊠ *59800* – ℰ *03 20 30 62 62* – *www.alliance-lille.com*
– *alliancelille@alliance-couventdesminimes.com* – *Fax 03 20 42 94 25* p.6 BV **d**
83 ch – †215/250 € ††215/250 €, ⊇ 19 € – 8 suites
Rest – *(fermé lundi du 15 juil. au 20 août)* Menu (18 € bc), 42 € bc (sem.)/52 € bc
– Carte 48/60 €

♦ Couvent du 17ᵉ s. en briques rouges posté entre le vieux Lille et la Citadelle. Décor actuel dans les chambres, disposées autour d'un jardin intérieur. Une vaste verrière pyramidale coiffe le cloître où se trouve la salle de restaurant. Piano-bar.

Novotel Centre Grand Place

116 r. de L'Hôpital-Militaire – ℰ *03 28 38 53 53*
– *www.novotel.com* – *h3165@accor.com* – *Fax 03 28 38 53 54* p.8 EY **k**
104 ch – †70/179 € ††70/179 €, ⊇ 15 €
Rest – Carte 23/42 €

♦ Hôtel refait à neuf selon le nouveau concept Novotel : grandes chambres contemporaines, pensées pour la détente et le travail (mobilier modulable) et salles de bains modernes. Plats traditionnels à tendance diététique au restaurant. Service à toute heure au Novotel Café.

Grand Hôtel Bellevue sans rest

5 r. J. Roisin – ℰ *03 20 57 45 64* – *www.grandhotelbellevue.com* – *contact@grandhotelbellevue.com* – *Fax 03 20 40 07 93* p.8 EY **a**
60 ch – †99/155 € ††99/155 €, ⊇ 12 €

♦ Les chambres ne manquent pas d'allure avec leur mobilier de style Directoire et leurs salles de bains en marbre. Les plus prisées donnent sur la Grand'Place.

Novotel Lille Gares

49 r. Tournai ⊠ *59800* – ℰ *03 28 38 67 00*
– *www.accorhotels.com/novotel-lille-flandres.htm* – *h3165@accor.com*
– *Fax 03 28 38 67 10* p.8 FZ **u**
96 ch – †99/210 € ††99/210 €, ⊇ 16 € – 5 suites
Rest – Carte 32/49 €

♦ L'hôtel, voisin de la gare Lille-Flandres, rénove peu à peu ses chambres selon les dernières normes de la chaîne : espace, confort, équipements modernes et décor épuré. Restauration au bar ou dans une salle très tendance (carte simple et suggestions du jour).

Mercure Centre Opéra sans rest

2 bd Carnot ⊠ *59800* – ℰ *03 20 14 71 47* – *www.mercure.com* – *h0802@accor.com* – *Fax 03 20 14 71 48* p.8 EY **h**
101 ch – †95/200 € ††105/210 €, ⊇ 15 €

♦ Poutres et briques, tant à la réception que dans les salons, révèlent tout le charme de cet immeuble centenaire en pierres de taille. Chambres actuelles, décorées avec soin.

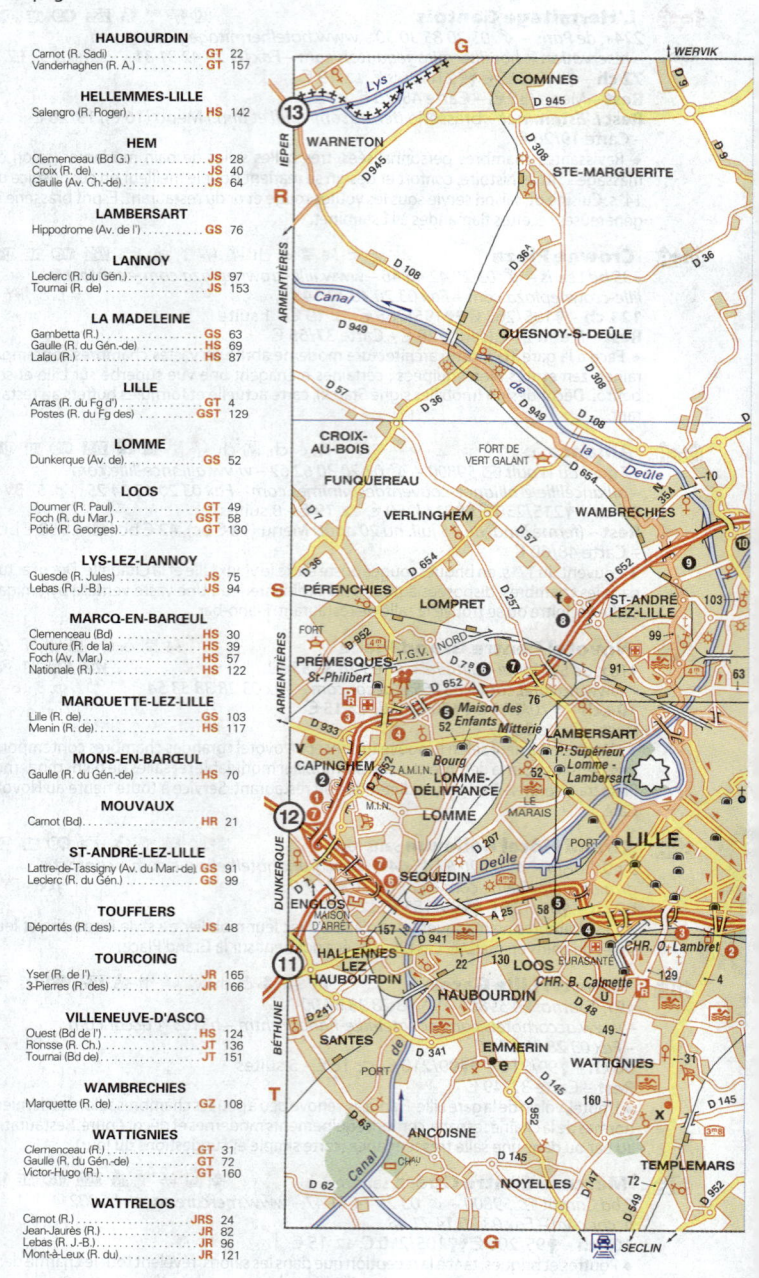

HAUBOURDIN
Carnot (R. Sadi) .... **GT** 22
Vanderhaghen (R. A.) .... **GT** 157

HELLEMMES-LILLE
Salengro (R. Roger) .... **HS** 142

HEM
Clemenceau (Bd G.) .... **JS** 28
Croix (R. de) .... **JS** 40
Gaulle (Av. Ch.-de) .... **JS** 64

LAMBERSART
Hippodrome (Av. de l') .... **GS** 76

LANNOY
Leclerc (R. du Gén.) .... **JS** 97
Tournai (R. de) .... **JS** 153

LA MADELEINE
Gambetta (R.) .... **GS** 63
Gaulle (R. du Gén.-de) .... **HS** 69
Lalau (R.) .... **HS** 87

LILLE
Arras (R. du Fg d') .... **GT** 4
Postes (R. du Fg des) .... **GST** 129

LOMME
Dunkerque (Av. de) .... **GS** 52

LOOS
Doumer (R. Paul) .... **GT** 49
Foch (R. du Mar.) .... **GST** 58
Potié (R. Georges) .... **GT** 130

LYS-LEZ-LANNOY
Guesde (R. Jules) .... **JS** 75
Lebas (R. J.-B.) .... **JS** 94

MARCQ-EN-BARŒUL
Clemenceau (Bd) .... **HS** 30
Couture (R. de la) .... **HS** 39
Foch (Av. Mar.) .... **HS** 57
Nationale (R.) .... **HS** 122

MARQUETTE-LEZ-LILLE
Lille (R. de) .... **GS** 103
Menin (R. de) .... **HS** 117

MONS-EN-BARŒUL
Gaulle (R. du Gén.-de) .... **HS** 70

MOUVAUX
Carnot (Bd) .... **HR** 21

ST-ANDRÉ-LEZ-LILLE
Lattre-de-Tassigny (Av. du Mar.-de) **GS** 91
Leclerc (R. du Gén.) .... **GS** 99

TOUFFLERS
Déportés (R. des) .... **JS** 48

TOURCOING
Yser (R. de l') .... **JR** 165
3-Pierres (R. des) .... **JR** 166

VILLENEUVE-D'ASCQ
Ouest (Bd de l') .... **HS** 124
Ronsse (R. Ch.) .... **JT** 136
Tournai (Bd de) .... **JT** 151

WAMBRECHIES
Marquette (R. de) .... **GZ** 108

WATTIGNIES
Clemenceau (R.) .... **GT** 31
Gaulle (R. du Gén.-de) .... **GT** 72
Victor-Hugo (R.) .... **GT** 160

WATTRELOS
Carnot (R.) .... **JRS** 24
Jean-Jaurès (R.) .... **JR** 82
Lebas (R. J.-B.) .... **JR** 96
Mont-à-Leux (R. du) .... **JR** 121

HALLUIN
H
OOSTENDE
1
MENEN
2
KORTRIJK
GENT
3
A 14-
E 17
4
KORTRIJK
J
RONCQ
C.I.T.
NEUVILLE-
EN-FERRAIN
RISQUONS
TOUT
Hôp. Dron
Bourgogne
MOUSCRON
R
N 58
5
LINSELLES
LUINGNE
A 17 TOURNAI
TOURCOING
BELGIQUE
MONT-
A-LEUX
HERSEAUX
CH^AU DU
VERT BOIS
LES
BALLONS
6
OUDENAARDE
Carliers
PARC
DU LION
R. J. Guesde
Septentrion
MOUVAUX
BONDUES
AÉRODROME
LILLE-MARCQ
WATTRELOS
Av. de la Marne
C^al de Roubaix
LEERS
ROUBAIX
CROIX
MARCQ-
EN-B.
MARQUETTE-
LEZ-LILLE
Wasquehal
Hôtel de V.
Croix Centre
LYS-LEZ-
LANNOY
WASQUEHAL
LANNOY
N 510
LA
MADELEINE
Wasquehal
Pavé de Lille
Av. de l'Europe
R. d'Hem
R. J. Guesde
S
Jean Jaurès
LE
SART
TOUFFLERS
HEM
Av. de la République
ST-
MAURICE
les Prés
SAILLY-
LEZ-LANNOY
7
A 17 TOURNAI
Mons
Sarts
FLERS
LA COUSINERIE
Fort de Mons
PARC
DU HÉRON
MONS-
EN BARŒUL
FIVES
Mairie de
Mons
FOREST-
S-MARQUE
HELLEMMES
STADIUM
VILLENEUVE-
D'ASCQ
Marbrerie
Hellemmes
P. de
Bois
WILLEMS
Lézennes
ANNAPPES
R. Colbert
BASE
DE LOISIRS
Villeneuve d'Ascq
Hôtel de V.
Triolo
ASCQ
LÉZENNES
TRESSIN
CH^AU
SIN
BAISIEUX
Cité
Scientifique
CITÉ
SCIENTIFIQUE
Quatre Cantons
ANSTAING
CHÉRENG
RONCHIN
8
TOURNAI BRUXELLES
GRUSON
FACHES-
THUMESNIL
SAINGHIN-
EN-MÉLANTOIS
Marque
LESQUIN
T.G.V.
NORD
BOUVINES
C.R.T.
T.G.V.
LILLE-
LESQUIN
VENDEVILLE
CYSOING
PÉRONNE-
EN-MÉLANTOIS
T
AÉROGARE
0
2 km
10
PARIS
H
VALENCIENNES
9
J
ST-AMAND-LES-EAUX

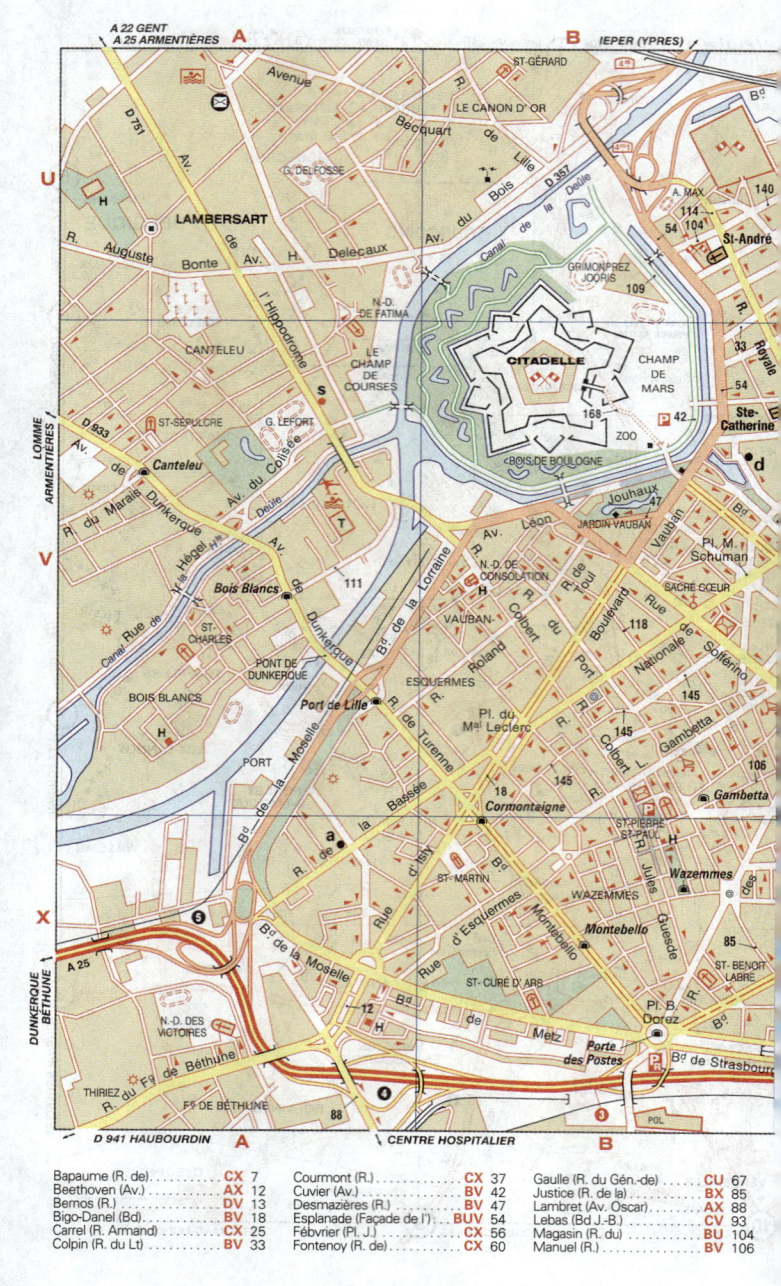

LILLE page 6

Bapaume (R. de)	**CX** 7	Courmont (R.)	**CX** 37	Gaulle (R. du Gén.-de)	**CU** 67
Beethoven (Av.)	**AX** 12	Cuvier (Av.)	**BV** 42	Justice (R. de la)	**BX** 85
Bernos (R.)	**DV** 13	Desmazières (R.)	**BV** 47	Lambret (Av. Oscar)	**AX** 88
Bigo-Danel (Bd)	**BV** 18	Esplanade (Façade de l')	**BUV** 54	Lebas (Bd J.-B.)	**CV** 93
Carrel (R. Armand)	**CX** 25	Février (Pl. J.)	**CX** 56	Magasin (R. du)	**BU** 104
Colpin (R. du Lt)	**BV** 33	Fontenoy (R. de)	**CX** 60	Manuel (R.)	**BV** 106

LILLE page 7

Name	Ref	No
Marronniers (Allée des)	BU	109
Marx-Dormoy (Av.)	AV	111
Maubeuge (R. de)	CX	112
Max (Av. Adolphe)	BU	114
Meurein (R.)	BV	118
St-Sébastien (R.)	BCU	140
Schuman (Pl. Maurice)	BV	
Stations (R. des)	BV	145
Valenciennes (R. de)	CX	156
Verdun (Bd de)	DX	159
Wazemmes (R. de)	BCX	163
43e-Régt-d'Infanterie (Av. du)	BV	168

939

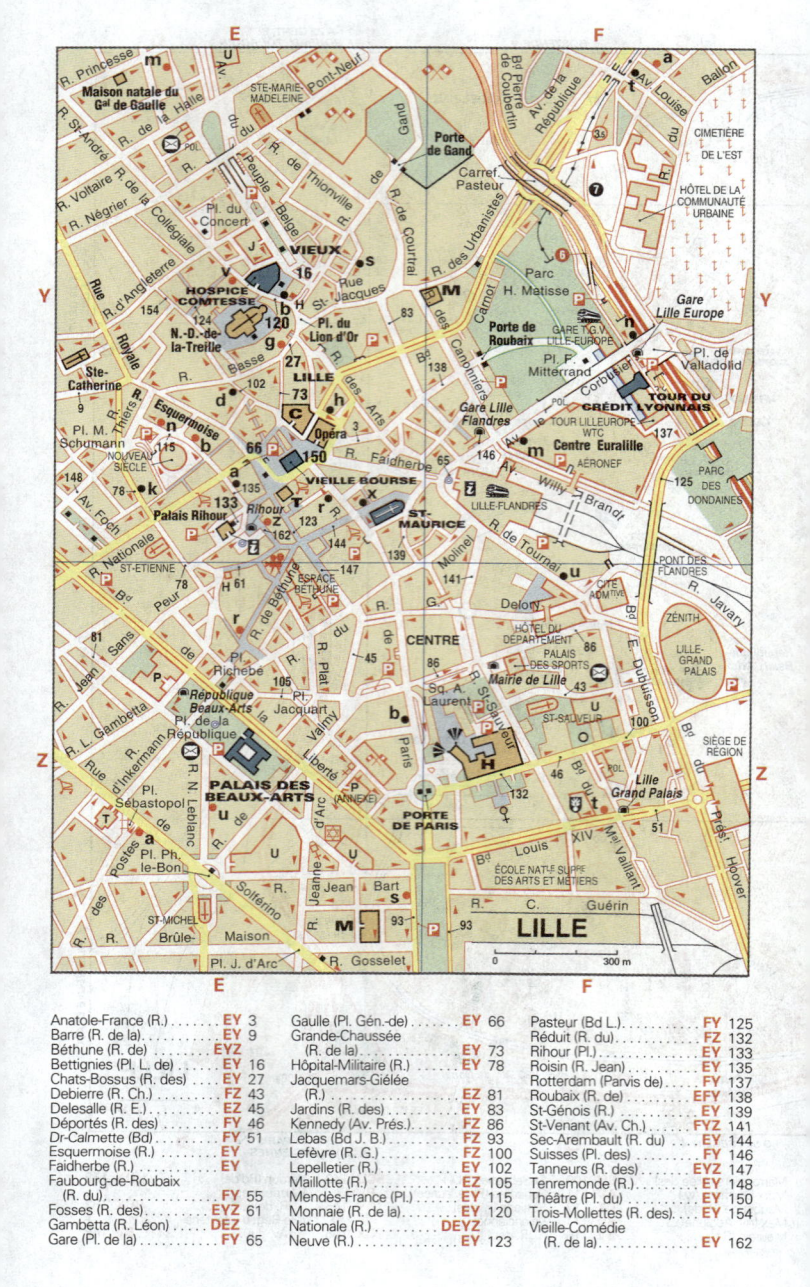

LILLE page 8

Street	Ref	No
Anatole-France (R.)	EY	3
Barré (R. de la)	EY	9
Béthune (R. de)	EYZ	
Bettignies (Pl. L. de)	EY	16
Chats-Bossus (R. des)	EY	27
Debierre (R. Ch.)	FZ	43
Delesalle (R. E.)	EZ	45
Déportés (R. des)	FY	46
Dr-Calmette (Bd)	FY	51
Esquermoise (R.)	EY	
Faidherbe (R.)	EY	
Faubourg-de-Roubaix (R. du)	FY	55
Fosses (R. des)	EYZ	61
Gambetta (R. Léon)	DEZ	
Gare (Pl. de la)	FY	65
Gaulle (Pl. Gén.-de)	EY	66
Grande-Chaussée (R. de la)	EY	73
Hôpital-Militaire (R.)	EY	78
Jacquemars-Giélée (R.)	EZ	81
Jardins (R. des)	EY	83
Kennedy (Av. Prés.)	FZ	86
Lebas (Bd J. B.)	FZ	93
Lefèvre (R. G.)	FZ	
Lepelletier (R.)	EY	102
Maillotte (R.)	EZ	105
Mendès-France (Pl.)	EY	115
Monnaie (R. de la)	EY	120
Nationale (R.)	DEYZ	
Neuve (R.)	EY	123
Pasteur (Bd L.)	FY	125
Réduit (R. du)	FZ	132
Rihour (Pl.)	EY	133
Roisin (R. Jean)	EY	135
Rotterdam (Parvis de)	FY	137
Roubaix (R. de)	EFY	138
St-Génois (R.)	EY	139
St-Venant (Av. Ch.)	FYZ	141
Sec-Arembault (R. du)	EY	144
Suisses (Pl. des)	FY	146
Tanneurs (R. des)	EYZ	147
Tenremonde (R.)	EY	148
Théâtre (Pl. du)	EY	150
Trois-Mollettes (R. des)	EY	154
Vieille-Comédie (R. de la)	EY	162

LILLE page 9

Art Déco Romarin sans rest

110 r. République à la Madeleine – ℰ *03 20 14 81 81 – www.hotelartdecoromarin.com – hotel-art-decoromarin@wanadoo.fr – Fax 03 20 14 81 80* p.3 FY t
56 ch – †120/135 € ††140/155 €, ⌒ 12 €

♦ Cet hôtel récent, situé sur une avenue passante, bénéficie d'une insonorisation efficace. Bel intérieur de style Art déco, chambres de bonne ampleur et salon-bar feutré.

De la Paix sans rest

46 bis r. de Paris – ℰ *03 20 54 63 93 – www.hotel-la-paix.com – hotelpaixlille@ aol.com – Fax 03 20 63 98 97* p.8 EY r
36 ch – †75 € ††90 €, ⌒ 9 €

♦ Artiste dans l'âme, la propriétaire de cet hôtel (1782) expose des reproductions de tableaux et a réalisé la fresque qui orne la salle des petits-déjeuners. Chambres douillettes.

Des Tours sans rest

27 r. des Tours – ℰ *03 59 57 47 00 – www.hotel-des-tours.com – contact@ hotel-des-tours.com – Fax 03 59 57 47 99* p.8 EY s
64 ch – †115/130 € ††125/140 €, ⌒ 15 €

♦ Cet établissement a de quoi séduire : emplacement au centre du Vieux Lille, garage surveillé, hall et salon égayés de tableaux contemporains, chambres modernes et pratiques.

Brueghel sans rest

parvis St-Maurice – ℰ *03 20 06 06 69 – www.hotel-brueghel.com – hotel.brueghel@nordnet.fr – Fax 03 20 63 25 27* p.8 EY x
65 ch – †80 € ††94 €, ⌒ 8,50 €

♦ Façade typiquement flamande, charme rétro du hall et de l'ascenseur, jolies petites chambres personnalisées et situation centrale font de cet hôtel une adresse prisée.

De La Treille sans rest

7/9 pl. Louise de Bettignies – ℰ *03 20 55 45 46 – www.hoteldelatreille.fr.st – hoteldelatreille@free.fr – Fax 03 20 51 51 69* p.8 EY b
42 ch – †70/135 € ††70/135 €, ⌒ 11 €

♦ Idéalement situé pour arpenter la vieille ville, cet hôtel dispose de chambres un peu exiguës, mais fraîches et bien agencées. Copieux buffets à l'heure du petit-déjeuner.

Ibis Opéra sans rest

21 r. Lepelletier – ℰ *03 20 06 21 95 – www.ibishotel.com – h0902@accor.com – Fax 03 20 74 91 30* p.8 EY d
59 ch – †65/94 € ††65/94 €, ⌒ 8 €

♦ Jolie façade traditionnelle et chambres neuves conformes aux normes de la chaîne (mobilier moderne, coin bureau) : un bon point de départ pour la visite du centre historique.

La Maison Carrée

29 r. Bonte-Pollet – ℰ *03 20 93 60 42 – www.lamaisoncarree.fr – reservation@lamaisoncarree.fr* p.6 AX a
5 ch ⌒ – †150/230 € ††150/230 € **Table d'hôte** – Menu 40/60 €

♦ Découvrez ce splendide hôtel particulier (début du 20e s.) tenu par des amoureux d'art et de décoration contemporains. Calme, raffinement et grand confort sont au programme.

A L'Huîtrière

3 r. Chats Bossus ⊠ 59800 – ℰ *03 20 55 43 41 – www.huitriere.fr – contact@huitriere.fr – Fax 03 20 55 23 10 – Fermé 26 juil.-24 août, dim. soir et soirs fériés* p.8 EY g
Rest – Menu 45 € (déj. en sem.) – Carte 75/120 €

Spéc. Déclinaison d'huîtres plates et creuses, froides et chaudes. Lotte et andouille, ravioles au crayeux de Roncq, émulsion à la bière des 3 Monts (oct. à avril). Cramique perdu, glace à la bière.

♦ Dans ce lieu dédié aux produits de la mer, passage obligé dans la boutique pour le décor en céramique et le nouveau bar à huîtres... Suivent trois luxueuses salles bourgeoises.

La Laiterie (Benoît Bernard)

138 r. de l'Hippodrome, à Lambersart ⊠ 59130 – ℰ *03 20 92 79 73 – www.lalaiterie.fr – lalaiterie@wanadoo.fr – Fax 03 20 22 16 19 – Fermé 2-24 août, dim. et lundi*
Rest – Menu (42 € bc), 48/78 € – Carte 72/100 € p.6 AV s

Spéc. Bar, déclinaison de cèpes, jus de persil. Millefeuille de bœuf au foie gras, artichauts poivrade. Gourmandise chocolat blanc passion.

♦ Dans cette maison de la périphérie, le joli cadre contemporain se fait discret comme pour mieux mettre en valeur la délicieuse cuisine du chef, créative et riche en saveurs.

LILLE page 10

XXX Le Sébastopol (Jean-Luc Germond) 🕸️
1 pl. Sébastopol – ℰ 03 20 57 05 05 – www.restaurant-sebastopol.fr
– n.germond@restaurant-sebastopol.fr – Fermé 2-24 août, dim. soir, sam. midi et lundi midi
Rest – Menu 52 € bc/68 € – Carte 72/80 €
p. 8 EZ a

Spéc. Saint-Jacques d'Etaples (oct. à avril). Filet de sole aux jets de houblon (printemps). Notre raison d'aimer la chicorée du Nord.
♦ Un rideau de verdure et une originale marquise habillent la façade de ce chaleureux établissement. Cuisine classique préparée dans les règles de l'art et belle carte des vins.

XXX Champlain
13 r. N. Leblanc – ℰ 03 20 54 01 38 – www.lechamplain.fr – le.champlain@wanadoo.fr – Fax 03 20 40 07 28 – Fermé août, sam. midi, dim. soir et lundi soir
Rest – Menu 27 € bc (déj. en sem.), 32/47 €
p. 8 EZ u

♦ Attablez-vous dans la salle à manger cossue ou dans la paisible cour intérieure de cette demeure du 19ᵉ s. pour déguster une cuisine soignée qui valorise les beaux produits.

XX Clément Marot
16 r. Pas ⊠ 59800 – ℰ 03 20 57 01 10 – www.clement-marot.com – clmarot@nordnet.fr – Fax 03 20 57 39 69 – Fermé dim. soir
Rest – Menu (18 €), 36/66 € bc – Carte 42/83 €
p. 8 EY n

♦ Petite maison de briques tenue par les descendants du poète cadurcien Clément Marot. Cadre contemporain, murs ornés de tableaux et atmosphère conviviale.

XX Le Colysée
201 av. Colisée ⊠ 59130 Lambersart – ℰ 03 20 45 90 00 – www.le-colysee.com – contact@le-colysee.com – Fax 03 20 45 90 70 – Fermé une sem. en août, sam. midi, lundi soir et dim.
Rest – Menu (20 €), 28/80 € bc – Carte 38/65 €
p. 6 AV

♦ Au rez-de-chaussée du Colysée, un restaurant feutré au décor très avant-gardiste (films projetés au plafond) en osmose avec une table légère, innovante et pleine de caractère.

XX L'Écume des Mers
10 r. Pas – ℰ 03 20 54 95 40 – www.ecume-des-mers.com – Fax 03 20 54 96 66 – Fermé 20 juil.-30 août et dim. soir
Rest – brasserie – Menu (18 €), 25 € (dîner en sem.) – Carte 29/56 €
p. 8 EY n

♦ Ambiance animée, carte journalière de poissons, joli banc d'écailler et quelques viandes pour les "accros" : cette vaste brasserie a le vent en poupe.

XX Brasserie de la Paix
25 pl. Rihour – ℰ 03 20 54 70 41 – www.restaurantsdelille.com – contactpaix@restaurantsdelille.com – Fax 03 20 40 15 52 – Fermé dim.
Rest – Menu (15 €), 18/26 € – Carte 29/55 €
p. 8 EY z

♦ Céramiques, boiseries, banquettes et tables serrées composent le cadre Art déco de cette sympathique brasserie située à deux pas du palais Rihour. Convivialité de mise.

XX Le Bistrot Tourangeau
61 bd Louis XIV ⊠ 59800 – ℰ 03 20 52 74 64 – www.restochart.com – hhochard@laposte.net – Fax 03 20 85 06 39 – Fermé 1ᵉʳ-24 août, 26 déc.-3 janv., lundi soir, mardi soir, merc. soir, sam. midi et dim.
Rest – Carte 32/58 €
p. 8 FZ t

♦ La mignonne façade peinte en rouge dissimule une longue salle à peine séparée des cuisines par une vitre. Recettes traditionnelles revisitées, plats tourangeaux et vins de Loire.

XX Le Why Not
9 r. Maracci – ℰ 03 20 74 14 14 – www.lewhynot-restaurant.fr – lewhynot@nordnet.fr – Fax 03 20 74 14 15 – Fermé 28 juil.-17 août, 1ᵉʳ-6 janv., sam. midi et dim.
Rest – Menu (22 €), 26/35 €
p. 8 EY m

♦ Dans le vieux Lille, ce restaurant convivial a pour cadre une cave tendance (décor design, tableaux). Plats actuels savoureux signés par un chef globe-trotter de retour au pays.

X L'Assiette du Marché
61 r. Monnaie – ℰ 03 20 06 83 61 – www.assiettedumarche.com – contact@assiettedumarche.com – Fax 03 20 14 03 75 – Fermé 2-24 août et dim.
Rest – Menu (16 €), 20 € – Carte 24/44 €
p. 8 EY v

♦ Le joli décor – mariage de moderne et d'ancien – et la verrière coiffant la cour intérieure magnifient l'hôtel des Monnaies (18ᵉ s.). L'assiette se garnit en fonction du marché.

LILLE page 11

✕ **Le Bistrot de Pierrot** 🈂 AK VISA MC
*6 pl. Béthune – ℰ 03 20 57 14 09 – www.bistrot-de-pierrot.fr – Fax 03 20 30 93 13
– Fermé 10-16 août, janv., dim. et lundi* p.8 EZ r
Rest – Carte 30/45 €
◆ Les nouveaux propriétaires des lieux ont su préserver l'âme et le décor de cet authentique bistrot. Au menu : bon choix de plats canailles et cuisine plus légère pour ces dames.

à Bondues – 10 100 h. – alt. 37 m – ⊠ 59910

🛈 Syndicat d'initiative, 266, domaine de la vigne ℰ 03 20 25 94 94

✕✕✕ **Auberge de l'Harmonie** 🈂 AK VISA MC AE
*pl. Abbé Bonpain – ℰ 03 20 23 17 02 – www.aubergeharmonie.fr – contact@
aubergeharmonie.fr – Fax 03 20 23 05 99 – Fermé 20 juil.-10 août, dim. soir, mardi
soir, jeudi soir et lundi* p.5 HR t
Rest – Menu (28 € bc), 36/90 € bc – Carte 44/70 €
◆ Couleurs gaies et chaleureuses, mobilier rustique, poutres apparentes, terrasse verdoyante et cuisine évoluant au gré des saisons : décor et mets vivent effectivement en harmonie.

✕✕✕ **Val d'Auge** (Christophe Hagnerelle) AK P VISA MC AE ①
🏵 *805 av. Gén. de Gaulle – ℰ 03 20 46 26 87 – www.valdauge.com – valdauge@
numericable.fr – Fax 03 20 37 43 78 – Fermé vacances de Pâques, 28 juil.-17 août,
24-30 déc., dim. soir, lundi soir, merc. et fériés* p.5 HR a
Rest – Menu (46 € bc), 52 € bc, 57/70 € – Carte 60/73 €
Spéc. Foie gras d'oie grillé. Pigeon des Flandres rôti sur carcasse. Moelleux au chocolat, crème glacée à la mangue.
◆ Cette maison qui borde la route vous reçoit dans une salle à manger assez moderne, mais surtout agréablement lumineuse. Dans l'assiette, mariage subtil des saveurs.

à La Madeleine – 22 600 h. – alt. 48 m – ⊠ 59110

🛈 Syndicat d'initiative, 177, rue du Général-de-Gaulle ℰ 03 20 74 32 35,
Fax 03 20 74 32 35

✕✕ **L'Atelier "La Cour des Grands"** VISA MC
*15 r. François de Badts à la Madeleine – ℰ 03 20 74 26 33 – Fax 03 20 55 89 66
– Fermé 20 juil.-17 août, 1 sem. en fév., dim., lundi et fériés* p.8 FY a
Rest – Menu 22 € (déj.) – Carte 38/55 €
◆ Décor de loft industriel, toiles et photos d'artistes, cuisine épurée un brin inventive et nombreux vins au verre : cet ancien garage est devenu l'adresse tendance de Lille.

à Marcq-en-Barœul – 38 800 h. – alt. 15 m – ⊠ 59700

🛈 Office de tourisme, 111, avenue Foch ℰ 03 20 72 60 87, Fax 03 20 72 56 65

🏨 **Mercure** 📶 AK ♫ 📶 SÀ P VISA MC AE ①
*157 av. Marne, par D 670 : 5 km – ℰ 03 28 33 12 12 – www.mercure.com
– h1099@accor.com – Fax 03 28 33 12 24* p.5 HS s
125 ch – †85/225 € ††95/235 €, ⊇ 18 € – 1 suite
Rest L'Europe – ℰ 03 28 33 12 68 – Menu (18 €), 23 € – Carte 27/50 €
◆ Abords verdoyants, atmosphère chaleureuse et feutrée, chambres tout confort, installations conférencières et prestations haut de gamme pour cette unité de la chaîne Mercure. Au restaurant L'Europe, ambiance de brasserie de luxe et cuisine au diapason.

✕✕✕ **Le Septentrion** 🍸 🈂 P VISA MC AE
*parc du château Vert-Bois, par D 617 : 9 km – ℰ 03 20 46 26 98
– www.septentrion.fr – contact-septentrion@nordnet.fr – Fax 03 20 46 38 33
– Fermé dim. soir, mardi soir, merc. soir et lundi* p.5 HR n
Rest – Menu (36 €), 41/90 €
◆ Au sein de la fondation Prouvost-Septentrion, cette ex-dépendance du château du Vert-Bois (complétée d'une brasserie) offre une vue bucolique sur le parc. Cuisine actuelle.

✕ **La Table de Marcq** VISA MC AE
944 av. de la République – ℰ 03 20 72 43 55 – Fermé 1ᵉʳ-26 août, dim. soir et lundi
⊛ **Rest** – Menu 14 € bc (déj. en sem.), 17/32 € – Carte 32/46 € p.4 HS e
◆ Cet ancien café converti en restaurant s'est doté d'une décoration actuelle, mais a conservé son beau comptoir. Ambiance conviviale et menus élaborés au gré du marché.

943

LILLE page 12

à **Villeneuve d'Ascq** – 61 300 h. – alt. 26 m – ⊠ 59491

🛈 Office de tourisme, chemin du Chat Botté ℰ 03 20 43 55 75, Fax 03 20 91 28 28

Ascotel
av. P. Langevin-Cité Scientifique – ℰ *03 20 67 34 34 – www.ascotel.fr – ascotel@club.fr – Fax 03 20 91 39 28* p. 5 HT z
83 ch – †59/91 € ††71/95 €, ⊆ 13 € – 2 suites
Rest – *(fermé sam. et dim.)* Menu 18 € (sem.)/28 € – Carte 29/36 €

♦ Au cœur de la cité scientifique, complexe hôtelier adapté aux séjours d'affaires : vaste salle de congrès, grand amphithéâtre et chambres fonctionnelles en cours de rénovation. Salle de restaurant moderne et cuisine traditionnelle servie sous forme de buffets.

✕ Le Carré des Sens
73 av. de Flandres – ℰ *03 20 82 05 97 – restaurant@lecarredessens.eu – Fermé 20 juil.-20 août, dim. et lundi* p. 4 HS v
Rest – Menu (24 €), 35/70 € – Carte 64/80 €

♦ Cette maison d'un quartier pavillonnaire vous reçoit dans une grande salle contemporaine (certaines tables plus hautes que la moyenne) ; agréable terrasse, l'été. Plats actuels.

à l'aéroport de **Lille-Lesquin** – ⊠ 59810 Lesquin

Mercure Aéroport
110 r. Jean Jaurès – ℰ *03 20 87 46 46 – www.mercure.com – h1098@accor-hotels.com – Fax 03 20 87 46 47* p. 5 HT r
215 ch – †60/165 € ††60/165 €, ⊆ 15 €
Rest *La Flamme* – Menu (20 €), 25/45 € bc – Carte 29/46 €

♦ Architecture contemporaine aux chambres spacieuses et de bon confort (évitez de réserver côté autoroute). Service de navettes entre l'hôtel et l'aéroport tout proche. Convivialité, plats régionaux et rôtisserie visible de tous au restaurant La Flamme.

Novotel Aéroport
55 rte de Douai – ℰ *03 20 62 53 53 – www.novotel.com – h0427@accor.com – Fax 03 20 97 36 12* p. 5 HT t
92 ch – †75/149 € ††75/149 €, ⊆ 15 € **Rest** – Carte 28/38 €

♦ Cette construction basse est la plus ancienne unité de la chaîne (1967). Les chambres, fonctionnelles, adoptent progressivement le style "dernière génération". Restaurant entièrement redécoré, où l'on propose plats traditionnels et recettes allégées.

Agena sans rest
451 av du Gén.-Leclerc ⊠ 59155 – ℰ *03 20 60 13 14 – www.hotel-agena.com – hotelagena@nordnet.fr – Fax 03 20 97 31 79* p. 5 HT v
40 ch – †69 € ††74 €, ⊆ 9 €

♦ Les chambres de ce bâtiment en arc de cercle, aménagées en rez-de-jardin, sont plus calmes côté patio. Cadre sobre, murs crépis, mobilier simple et entretien sans reproche.

à **Wattignies** – 13 800 h. – alt. 39 m – ⊠ 59139

✕ Le Cheval Blanc
110 r. Gén. de Gaulle – ℰ *03 20 97 34 62 – www.restaurantlechevalblanc.com – le-cheval-blanc3@wanadoo.fr – Fax 03 20 97 34 62 – Fermé sam. midi, dim. soir et merc.* p. 4 GT x
Rest – Menu (25 € bc), 32/42 € – Carte 45/64 €

♦ Accueil sympathique, décor chaleureux (tons clairs, tableaux modernes, beau bar en bois) et appétissante cuisine respectueuse des saisons et des produits du terroir.

à **Emmerin** – 2 815 h. – alt. 24 m – ⊠ 59320

La Howarderie 🍃
1 r. Fusillés – ℰ *03 20 10 31 00 – www.lahowarderie.com – contact@lahowarderie.com – Fax 03 20 10 31 09 – Fermé 3-24 août, 22 déc.-5 janv. et dim. soir* p. 4 GT e
7 ch – †90/95 € ††100/150 €, ⊆ 17 €
Rest – Menu (14 €), 28 € (sem.)/49 € – Carte 38/61 €

♦ Une aile de cette vieille cense (ferme) en briques située face à l'église abrite des chambres personnalisées et élégantes, pourvues de beaux meubles de style ou anciens. Cuisine au goût du jour servie dans deux salles à manger intimistes.

LILLE page 13

à Capingham – 1 524 h. – alt. 50 m – ✉ 59160

La Marmite de Pierrot   P. VISA ⦿ AE
93 r. Poincaré – ✆ 03 20 92 12 41 – www.pierrot-de-lille.com – pierrot@
pierrot-de-lille.com – Fax 03 20 92 72 51 – Fermé dim. soir, mardi soir, merc. soir,
jeudi soir et lundi   p. 4 GS v
Rest – Menu 27/32 € – Carte environ 33 €
♦ Sympathique restaurant aux allures de bistrot rustique, orné de licous et d'outils paysans.
Généreuse cuisine proposant savoureuses cochonnailles et autres produits tripiers.

à St-André-Lez-Lille – 10 900 h. – alt. 20 m – ✉ 59350

🛈 Office de tourisme, 89, rue du Général Leclerc ✆ 03 20 51 79 05,
Fax 03 20 63 07 60

La Quintinie   🌿 & AC P. VISA ⦿
501 av. Mal-de-Lattre-de-Tassigny, (D 57) – ✆ 03 20 40 78 88
– www.alaquintinie.com – anita@alaquintinie.com – Fax 03 20 40 62 77
– Fermé 20 juil.-17 août, lundi et le soir sauf sam.   p. 4 GS t
Rest – Menu (29 €), 45/68 € – Carte 48/80 €
♦ Maison en briques dans un joli jardin doté d'un potager. Élégant intérieur contemporain
orné de tableaux en faïence et cuisine à l'image de son créateur : simple et bonne.

LIMERAY – 37 Indre-et-Loire – 317 P4 – rattaché à Amboise

LIMOGES P. – 87 Haute-Vienne – 325 E6 – 135 100 h. –   24 **B2**
Agglo. 173 299 h. – alt. 300 m – ✉ 87000   🟢 Limousin Berry

▶ Paris 391 – Angoulême 105 – Brive-la-Gaillarde 92 – Châteauroux 126

✈ Limoges : ✆ 05 55 43 30 30, par ⓘ : 8 km.

🛈 Office de tourisme, 12, boulevard de Fleurus ✆ 05 55 34 46 87,
Fax 05 55 34 19 12

⛳ de la Porcelaine à Panazol Celicroux, par rte de Clermont-Ferrand : 9 km,
✆ 05 55 31 10 69

⛳ de Limoges Avenue du Golf, par rte de St-Yriex : 3 km, ✆ 05 55 30 21 02

◉ Cathédrale St-Etienne★ – Église St-Michel-des-Lions★ - Cour du temple★
CZ 115 - Jardins de l'évêché★ - Musée national de la porcelaine Adrien
Dubouché★★ (porcelaines) BY - Rue de Boucherie★ - Musée de l'évêché★ :
les émaux★ - Chapelle St-Aurélien★ - Gare des Bénédictins★.

Plans pages suivantes

🏨 **Mercure Royal Limousin** sans rest   📶 & AC ↯ 📞 🏊 VISA ⦿ AE ①
1 pl. République – ✆ 05 55 34 65 30 – www.mercure.com – h5955@accor.com
– Fax 05 55 34 55 21   CY u
80 ch – †85/120 € ††102/130 €, ⟳ 13 €
♦ Une harmonie de bois clair et de tons pastel habille cet hôtel bordant une vaste place.
Trois catégories de chambres proposées, selon votre désir de simplicité ou de confort.

🏨 **Atrium** sans rest   📶 & ↯ 📞 🚗 VISA ⦿ AE
22 allée de Seto - Parc du Ciel – ✆ 05 55 10 75 75 – www.interhotel-atrium.com
– ha8703@inter-hotel.com – Fax 05 55 10 75 76   DY a
70 ch – †90/115 € ††90/140 €, ⟳ 13 €
♦ Cet ancien entrepôt des douanes converti en hôtel offre d'agréables chambres dont une
partie ouvre sur la magnifique gare de Limoges. Préférez celles côté cour, plus calmes.

🏨 **Domaine de Faugeras** 🌿   🌿 🏊 ✗ 📶 & AC ↯ 📞 P.
allée Faugeras, 3 km au Nord-Ouest par r. A-Briand et   VISA ⦿ AE ①
D 142 – ✆ 05 55 34 66 22 – www.faugeras.fr
– infos@domainedefaugeras.fr – Fax 05 55 34 18 05   AY e
9 ch – †95/290 € ††110/290 €, ⟳ 15 € – 2 suites
Rest *White Owl* – (fermé dim. soir et lundi) Menu 24 € (déj. en sem.), 42/70 €
– Carte 30/63 €
♦ Dans un parc surplombant Limoges, château du 18ᵉ s. mariant patrimoine et modernité.
Chambres très bien équipées, salon au coin du feu, cave à dégustation, spa. Cadre brasserie
lounge et larges baies vitrées au White Owl.

945

LIMOGES

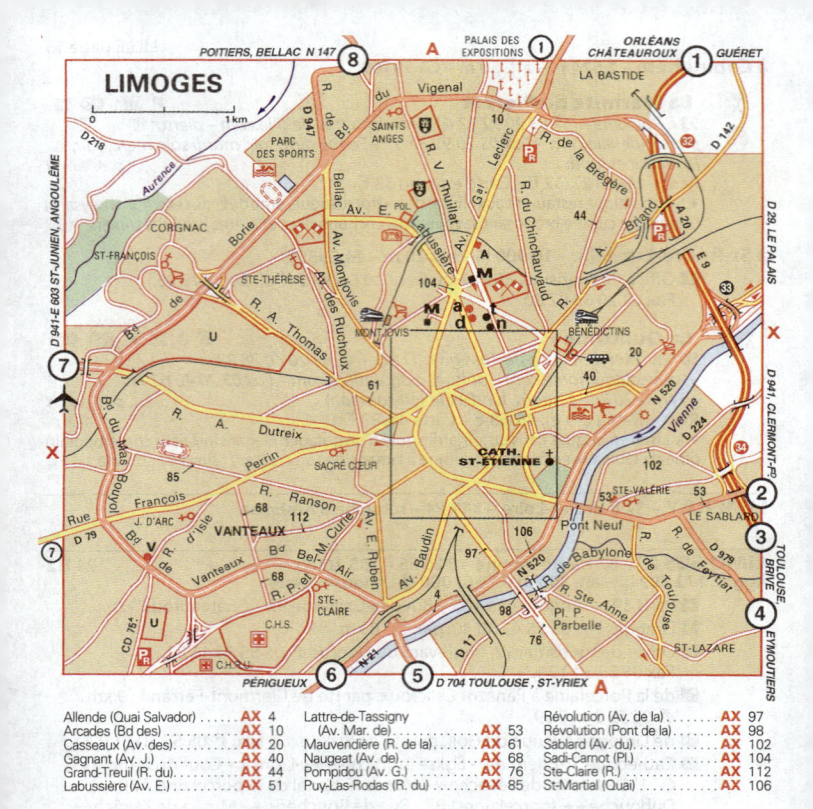

Allende (Quai Salvador)	**AX** 4	Lattre-de-Tassigny		
Arcades (Bd des)	**AX** 10	(Av. Mar. de)	**AX** 53	
Casseaux (Av. des)	**AX** 20	Mauvendière (R. de la)	**AX** 61	
Gagnant (Av. J.)	**AX** 40	Naugeat (Av. de)	**AX** 68	
Grand-Treuil (R. du)	**AX** 44	Pompidou (Av. G.)	**AX** 76	
Labussière (Av. E.)	**AX** 51	Puy-Las-Rodas (R. du)	**AX** 85	
		Révolution (Av. de la)	**AX** 97	
		Révolution (Pont de la)	**AX** 98	
		Sablard (Av. du)	**AX** 102	
		Sadi-Carnot (Pl.)	**AX** 104	
		Ste-Claire (R.)	**AX** 112	
		St-Martial (Quai)	**AX** 106	

Richelieu sans rest
40 av. Baudin – ℘ *05 55 34 22 82 – www.hotel-richelieu.com – info@hotel-richelieu.com – Fax 05 55 34 35 36*   **CZ k**
41 ch – ♦78/108 € ♦♦88/118 €, ⊇ 13 € – 2 suites
◆ À deux pas de l'Hôtel de ville et de la Médiathèque, cet hôtel allie confort moderne et décor classique inspiré des années 1930. Espaces agrandis et réaménagés (salon, terrasse).

Jeanne-d'Arc sans rest
17 av. Gén. de Gaulle – ℘ *05 55 77 67 77 – www.hoteljeannedarc-limoges.fr – hoteljeannedarc.limoges@wanadoo.fr – Fax 05 55 79 86 75 – Fermé 19 déc.-4 janv.*   **DY s**
50 ch – ♦65/82 € ♦♦77/96 €, ⊇ 8 €
◆ Dans le secteur de la gare, ancien relais de poste du 19e s. où règne une charmante atmosphère vieille France. Chambres bien tenues et plaisante salle des petits-déjeuners.

St-Martial sans rest
21 r. A. Barbès – ℘ *05 55 77 75 29 – www.hotelsaintmartiallimoges.com – sm8702@inter-hotel.com – Fax 05 55 79 27 60*   **AX n**
30 ch – ♦55/81 € ♦♦55/81 €, ⊇ 8,50 €
◆ Situé à proximité de la gare, un hôtel rénové avec soin, à l'élégance classique. Ses chambres actuelles et fonctionnelles témoignent d'une très bonne tenue. Salons bourgeois.

LIMOGES

Street	Ref	No
Aine (Pl. d')	**BZ**	2
Allois (R. des)	**DZ**	6
Amphithéâtre (R. de l')	**BY**	8
Barreyrrette (Pl. de la)	**CZ**	12
Bénédictins (Av. des)	**DY**	14
Betoulle (Pl. L.)	**CZ**	16
Boucherie (R. de la)	**CZ**	18
Cathédrale (R. de la)	**DZ**	23
Clocher (R. du)	**CZ**	25
Collège (R. du)	**CZ**	26
Consulat (R. du)	**CZ**	
Coopérateurs (R. des)	**BY**	27
Dupuytren (R.)	**CZ**	30
Ferrerie (R.)	**CZ**	33
Fonderie (R. de la)	**BY**	35
Fontaine-des-Barres (Pl.)	**CY**	37
Gambetta (Bd)	**BCZ**	
Giraudoux (Square Jean)	**CY**	42
Haute-Cité (R.)	**DZ**	46
Jacobins (Pl. des)	**CZ**	49
Jean-Jaurès (R.)	**CYZ**	
Louis-Blanc (Bd)	**CZ**	
Louvrier-de-Lajolais (R.)	**BY**	55
Manigne (Pl.)	**CZ**	57
Maupas (R. du)	**DY**	59
Michels (R. Charles)	**CZ**	63
Motte (Pl. de la)	**CZ**	66
Périn (Bd G.)	**CY**	71
Préfecture (R. de la)	**CY**	83
Raspail (R.)	**DZ**	89
Réforme (R. de la)	**CY**	91
République (Pl. de la)	**CY**	95
St-Martial (R.)	**CY**	107
St-Maurice (Bd)	**DZ**	109
St-Pierre (Pl.)	**CZ**	110
Stalingrad (Pl.)	**CY**	113
Temple (Cour du)	**CZ**	115
Temple (R. du)	**CZ**	116
Tourny (Carrefour)	**CY**	118
Victor-Hugo (Bd)	**BY**	120
Vigne-de-Fer (R.)	**CZ**	122
71e-Mobile (R. du)	**DZ**	125

🏠 **Art Hôtel Tendance** sans rest ↔ ⁽ⁱ⁾ VISA ⦿ AE
37 r. Armand-Barbes – ℰ 05 55 77 31 72 – www.arthoteltendance.com
– arthoteltendance@orange.fr – Fax 05 55 10 25 53 **AX t**
13 ch – †53/62 € ††58/68 €, ⊡ 8 €
◆ Établissement fonctionnel et familial, près de la gare. Chambres personnalisées selon des destinations (Bali, Venise, Grèce...), réparties dans deux maisons séparées par une cour.

🏠 **De la Paix** sans rest VISA ⦿
25 pl. Jourdan – ℰ 05 55 34 36 00 – www.phono.org – Fax 05 55 32 37 06
31 ch – †43 € ††60/72 €, ⊡ 8 € **DY r**
◆ Immeuble fin 19e s. dont les salons agrémentés d'une impressionnante collection de phonographes font office de véritable petit musée. Chambres simples (8 avec WC sur le palier).

LIMOGES

Amphitryon (Richard Lequet)
26 r. Boucherie – ℘ 05 55 33 36 39 – amphitryon87000@aol.com
– Fax 05 55 32 98 50 – Fermé 5-12 mai, 25 août-8 sept., 5-12 janv., dim. et lundi
Rest – Menu (21 €), 25 € (déj. en sem.), 42/72 € – Carte 84/99 €   CZ u
Spéc. Les trois foies gras. Filet de bœuf du Limousin, sauce bordelaise et purée de pomme de terre. Paris-Brest.
• Maison à pans de bois au cœur du pittoresque "village" des Bouchers. Intérieur chaleureux et agréable terrasse d'été pour déguster une cuisine revisitant la tradition avec talent.

Le Vanteaux
122 r. d'Isle – ℘ 05 55 49 01 26 – christof.aubisse@numericable.com – Fermé
27 avril-4 mai, 2-23 août, 1ᵉʳ-11 janv., dim. soir et lundi   AX v
Rest – Menu (19 €), 25 €, 39/80 € – Carte 45/60 € (dîner seulement)
• Pimpante façade (1815) fraîchement refaite, intérieur "smart", terrasse, table inventive, alléchant chariot garni de mini-desserts et, à midi, sélection de vins au verre.

Le Versailles
20 pl. Aine – ℘ 05 55 34 13 39 – www.restaurateursdefrance.com – le.versailles@club-internet.fr – Fax 05 55 32 84 73   BZ a
Rest – brasserie – Menu 16 € (déj. en sem.), 22/29 € – Carte 21/57 €
• Avec le palais de justice en toile de fond, cette brasserie fondée en 1932, agrandie d'une mezzanine circulaire, sert des petits plats simples adaptés à l'esprit du lieu.

La Cuisine
21 r. Montmailler – ℘ 05 55 10 28 29 – www.restaurantlacuisine.com – lacuisine@restaurantlacuisine.com – Fax 05 55 10 28 29 – Fermé dim., lundi et fériés
Rest – Menu 17 € (déj.), 35/50 € – Carte 35/50 €   BY a
• Le jeune chef concocte des plats inventifs inspirés par la cuisine d'ailleurs et les goûts insolites tels que la glace au Carambar... Originalité et qualité prisées midi et soir.

La Maison des Saveurs
74 av. Garibaldi – ℘ 05 55 79 30 74 – Fax 05 55 79 30 74 – Fermé 13-27 juil., sam. midi, dim. soir et lundi   AX d
Rest – Menu (16 €), 24/55 € – Carte 57/68 €
• Ce restaurant contemporain, qui propose une cuisine traditionnelle, se concentre sur les produits du terroir : foie gras, magrets fermiers, viande et pommes du Limousin...

27
27 r. Haute-Vienne – ℘ 05 55 32 27 27 – www.le27.com – Fax 05 55 34 37 53
– Fermé dim. et fériés   CZ a
Rest – Menu (16 €), 19 € (sem.) – Carte 33/50 €
• Tables laquées rouges et bibliothèques garnies de dives bouteilles composent le décor branché de ce restaurant proche des halles. Cuisine actuelle et bon choix de vins.

Les Petits Ventres
20 r. de la Boucherie – ℘ 05 55 34 22 90 – www.les-petits-ventres.com
– emavic-sarl@wanadoo.fr – Fax 05 55 32 41 04
– Fermé 20 avril-3 mai, 5-20 sept., 8-22 fév., dim. et lundi   CZ u
Rest – Menu (17 €), 24/34 € – Carte 37/44 €
• Plats canailles (spécialité de tripes) et large éventail de menus régalent les petits ventres et les autres ! Cadre rustique à colombages rehaussé de tableaux colorés.

Le Bouche à Oreille
72 bis av. Garibaldi – ℘ 05 55 10 09 57 – w.w.w leboucheaoreille87.com
– david.daudon@wanadoo.fr – Fax 05 55 10 09 57 – Fermé 1ᵉʳ-10 janv., mardi soir du 15 sept. au 15 juin, dim. sauf le midi du 15 sept. au 15 juin et lundi   AX a
Rest – bistrot – Menu (18 €), 24/34 € – Carte 34/45 €
• Petit bistrot sympathique qui a ses fidèles. On y propose une cuisine du marché dans une salle à manger au décor réchauffé par des tonalités jaune et rouge.

Chez Alphonse
5 pl. Motte – ℘ 05 55 34 34 14 – bistrot.alphonse@wanadoo.fr
– bistrot.alphonse@wanadoo.fr – Fax 05 55 34 34 14 – Fermé 27 juil.-10 août,
29 déc.-12 janv., dim. et fériés   CZ e
Rest – bistrot – Menu (13 € bc) – Carte 21/46 €
• Comme le veut la tradition qui a donné son nom à ce bistrot animé, le chef "fonce aux halles" voisines faire son marché quotidien pour concocter une cuisine authentique.

LIMOGES

✂ La Table de Jean
5 r. Boucherie – ℰ 05 55 32 77 91 – Fermé 25 juil.-9 août, 19 déc.-5 janv., sam., dim. et fériés CZ **x**
Rest – (nombre de couverts limité, prévenir) Menu (18 €) – Carte 30/46 €
♦ Voici une bonne table du quartier historique. Service sympathique dans un décor minimaliste. Goûteuse cuisine du marché accompagnée de crus choisis chez des vignerons indépendants.

par ① et A 20 - ✉ 87280 Limoges

Novotel
2 av. d'Uzurat, sortie ZI Nord, Lac d'Uzurat : 5 km – ℰ 05 44 20 20 00
– www.accorhotels.com – h0431@accor.com – Fax 05 44 20 20 10
90 ch – †116 € ††116/127 €, ⊇ 14 €   **Rest** – Carte 24/34 €
♦ En zone industrielle, hôtel des années 1970 surplombant le lac d'Uzurat, au sein d'un parc de 3 ha. Piscine et parcours de jogging pour se détendre ou se remettre en forme. Salle à manger moderne, terrasse face aux plans d'eau, cuisine traditionnelle.

à St-Martin-du-Fault par ⑦, N 141, D 941 et D 20 : 13 km – ✉ 87510 Nieul

Chapelle St-Martin (Gilles Dudognon)
ℰ 05 55 75 80 17 – www.chapellesaintmartin.com
– chapelle@relaischateaux.fr – Fax 05 55 75 89 50 – Fermé 2 janv.-6 fév.
10 ch – †80/690 € ††80/690 €, ⊇ 17 € – 4 suites – ½ P 117/252 €
Rest – (fermé dim. soir de nov. à mars, mardi midi, merc. midi et lundi) (nombre de couverts limité, prévenir) Menu (35 €), 55/89 € – Carte 80/130 €
Spéc. Foie gras, feuillantine sablée et laque à la réduction de jus de carotte-pamplemousse. Côte de veau, polenta moelleuse et légumes de saison. Mille-feuille caramel "chocolat balsamique".
♦ Au cœur d'un parc en lisière d'un bois, cette gentilhommière cultive la sérénité et l'élégance bourgeoise : chambres parées d'étoffes colorées, mobilier raffiné et tentures murales. Côté cuisine, les produits régionaux sont travaillés avec finesse.

LIMONEST – 69 Rhône – **327** H4 – **rattaché à Lyon**

LIMOUX ⊛ – 11 Aude – **344** E4 – 9 709 h. – alt. 172 m – ✉ 11300   22 **B3**
▮ Languedoc Roussillon
▯ Paris 769 – Carcassonne 25 – Foix 70 – Perpignan 104 – Toulouse 94
▯ Syndicat d'initiative, promenade du Tivoli ℰ 04 68 31 11 82, Fax 04 68 31 87 14

Grand Hôtel Moderne et Pigeon
1 pl. Gén.-Leclerc, (près de la poste) – ℰ 04 68 31 00 25
– www.grandhotelmodernerpigeon.fr – hotelmodernepigeon@wanadoo.fr
– Fax 04 68 31 12 43 – Fermé dim. soir du 15 oct. au 15 mai
11 ch ⊇ – †98/102 € ††125/140 € – 3 suites
Rest – (fermé dim. soir sauf juil.-août, mardi midi, sam. midi et lundi)
Menu (24 €), 28 € (déj. en sem.), 39/80 € – Carte 60/95 €
♦ Cet ancien hôtel particulier (17e s.) a été refait de fond en comble. Grandes chambres personnalisées avec goût et superbe escalier décoré de fresques et de vitraux. Bar-fumoir. Belles salles à manger 1900, patio-terrasse verdoyant et savoureuse cuisine bourgeoise.

✂ La Maison de la Blanquette
46 bis promenade du Tivoli – ℰ 04 68 31 01 63 – luciedorsimont@hotmail.com
– Fermé merc.
Rest – Menu 18 € bc (déj. en sem.), 27 € bc/40 € bc – Carte 25/45 €
♦ Ce restaurant propose une copieuse cuisine du terroir autour de menus "boissons comprises" pour escorter la fameuse blanquette de Limoux et autres crus locaux. Boutique de vins.

LINGOLSHEIM – 67 Bas-Rhin – **315** K5 – **rattaché à Strasbourg**

LINIÈRES-BOUTON – 49 Maine-et-Loire – 317 J4 – 96 h. – alt. 53 m – ⊠ 49490
35 **C2**

▶ Paris 293 – Nantes 155 – Angers 67 – Tours 58 – Joué-lès-Tours 85

Château de Boissimon sans rest
– ℰ 02 41 82 30 86 – www.chateaudeboissimon.com – contact@chateaudeboissimon.com – Ouvert d'avril à oct.
5 ch ☑ – †130/150 € ††130/190 €

♦ Au calme dans un parc boisé, ce château vous ouvre grand ses portes. Chambres rénovées dans le souci détail ; décoration très raffinée. Un lieu idéal pour une halte romantique.

LE LIOUQUET – 13 Bouches-du-Rhône – 340 I6 – rattaché à La Ciotat

---

LIPSHEIM – 67 Bas-Rhin – 315 J6 – rattaché à Strasbourg

LISIEUX – 14 Calvados – 303 N5 – 23 100 h. – alt. 51 m – Pèlerinage (fin septembre) – ⊠ 14100 ▌ Normandie Vallée de la Seine
33 **C2**

▶ Paris 179 – Alençon 94 – Caen 64 – Évreux 73 – Le Havre 60 – Rouen 93

🛈 Office de tourisme, 11, rue d'Alençon ℰ 02 31 48 18 10, Fax 02 31 48 18 11

◉ Cathédrale St-Pierre★ BY.

◉ Château★ de St-Germain-de-Livet 7 km par ④.

Plan page ci-contre

Mercure
par ② : 2,5 km (rte de Paris) – ℰ 02 31 61 17 17 – www.accor-hotels.com – h1725@accor.com – Fax 02 31 32 33 43
69 ch – †78/99 € ††82/102 €, ☑ 13 €
Rest – Menu (18 €), 21/23 € – Carte 25/45 €

♦ En périphérie de Lisieux, hôtel aux chambres confortables et bien tenues (mansardées au dernier étage). Le restaurant, prolongé d'une terrasse d'été au bord d'une piscine, propose des buffets de hors-d'œuvre et de desserts.

Azur sans rest
15 r. au Char – ℰ 02 31 62 09 14 – www.azur-hotel.com – resa@azur-hotel.com – Fax 02 31 62 16 06
BYZ **b**
15 ch – †60/70 € ††80/90 €, ☑ 9 €

♦ Dans un immeuble d'une cinquantaine d'années, chambres printanières et confortables. Petit-déjeuner soigné servi dans une salle à la façon d'un jardin d'hiver.

De la Place sans rest
67 r. Henry Chéron – ℰ 02 31 48 27 27 – www.lisieux-hotel-delaplace.com – hoteldelaplacebw@wanadoo.fr – Fax 02 31 48 27 20
– Fermé 1er déc.-3 janv. ABY **a**
33 ch – †47/50 € ††70/80 €, ☑ 10 €

♦ Cet hôtel central vous reçoit avec amabilité. Chambres rénovées dans des couleurs gaies et actuelles ; certaines donnent sur la cathédrale. Petits-déjeuners copieux (buffet).

L'Espérance
16 bd Ste-Anne – ℰ 02 31 62 17 53 – www.lisieux-hotel.com – booking@lisieux-hotel.com – Fax 02 31 62 34 00 – Ouvert de mi-avril à fin-oct.
BZ **e**
100 ch – †69/115 € ††79/115 €, ☑ 10 €   **Rest** – Menu 22/45 € – Carte 40/69 €

♦ Sur le boulevard principal, vaste bâtisse normande des années 1930 abritant des chambres régulièrement rafraîchies et bien isolées (double vitrage). Une grande fresque campagnarde orne les murs de l'immense salle à manger. Recettes classiques actualisées.

XX Aux Acacias
13 r. Résistance – ℰ 02 31 62 10 95 – Fax 02 31 32 59 06
– Fermé dim. soir et lundi BZ **d**
Rest – Menu 18 € (sem.)/46 € – Carte 64/88 €

♦ Agréable restaurant au cadre provençal : mobilier rustique en bois peint, nappes et tentures pastel. Cuisine traditionnelle mettant à l'honneur les produits du terroir normand.

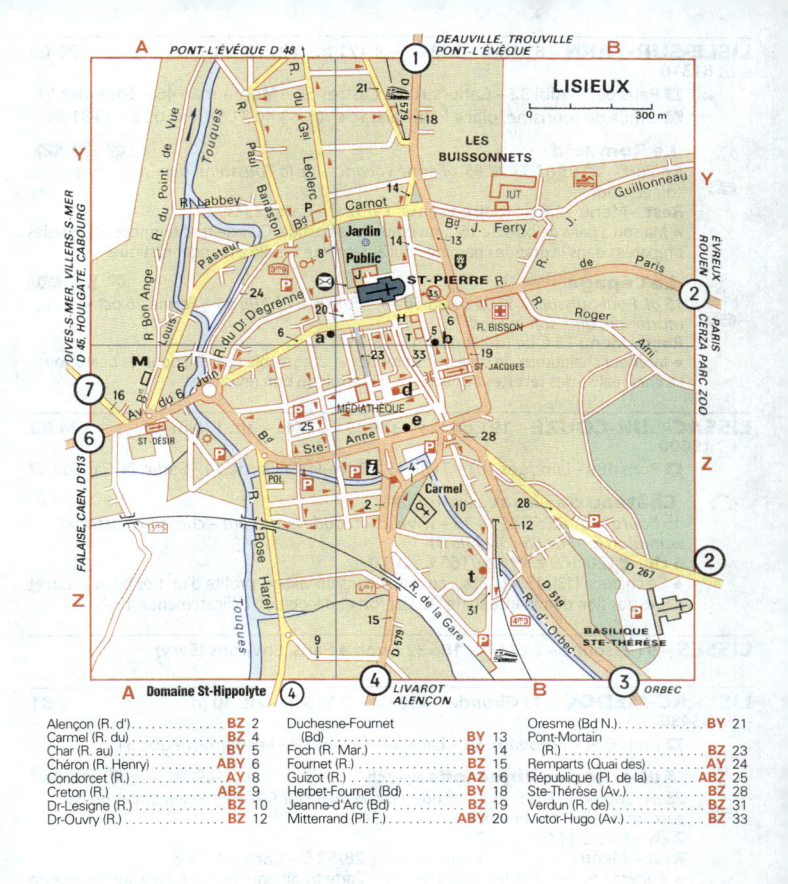

Alençon (R. d')	**BZ** 2	Duchesne-Fournet		Oresme (Bd N.)	**BY** 21
Carmel (R. du)	**BZ** 4	(Bd)	**BY** 13	Pont-Mortain	
Char (R. au)	**BY** 5	Foch (R. Mar.)	**BY** 14	(R.)	**BZ** 23
Chéron (R. Henry)	**ABY** 6	Fournet (R.)	**BZ** 15	Remparts (Quai des)	**AY** 24
Condorcet (R.)	**AY** 8	Guizot (R.)	**AZ** 16	République (Pl. de la)	**ABZ** 25
Creton (R.)	**ABZ** 9	Herbet-Fournet (Bd)	**BY** 18	Ste-Thérèse (Av.)	**BZ** 28
Dr-Lesigne (R.)	**BZ** 10	Jeanne-d'Arc (Bd)	**BZ** 19	Verdun (R. de)	**BZ** 31
Dr-Ouvry (R.)	**BZ** 12	Mitterrand (Pl. F.)	**ABY** 20	Victor-Hugo (Av.)	**BZ** 33

L'Auberge du Pêcheur   VISA MC AE

2bis r. Verdun – ℰ *02 31 31 16 85* – *marteltiti@aol.com* – *Fermé dim. soir et merc. en hiver*

BZ **t**

Rest – Menu 16/42 € – Carte 40/80 €

♦ Accueil sympathique dans cette auberge au décor franchement marin et à la carte inévitablement dédiée aux produits de la mer. N'hésitez-pas à y jeter l'ancre !

à Ouilly-du-Houley par ②, D 510 et D 262 : 10 km – 191 h. – alt. 55 m – ✉ 14590

De la Paquine   P VISA MC

rte de Moyaux – ℰ *02 31 63 63 80* – *championlapaquine@orange.fr* – *Fax 02 31 63 63 80* – *Fermé 10-19 mars, 2-10 sept., 11-28 nov., dim. soir, mardi soir et merc.*

Rest – (prévenir) Menu 34 € – Carte 50/73 €

♦ À l'entrée du village, petite auberge fleurie au cadre rustique et chaleureux, où l'on propose une cuisine traditionnelle renouvelée de saison en saison.

> Comment choisir entre deux adresses équivalentes ?
> Dans chaque catégorie, les établissements sont classés
> par ordre de préférence : nos coups de cœur d'abord.

LISLE-SUR-TARN – 81 Tarn – 338 C7 – 4 171 h. – alt. 127 m — 29 **C2**
– ✉ 81310

◘ Paris 668 – Albi 32 – Cahors 105 – Castres 58 – Montauban 46 – Toulouse 51
ℹ Office de tourisme, place Paul Saissac ✆ 05 63 40 31 85, Fax 05 63 40 31 85

Le Romuald
6 r. Port – ✆ 05 63 33 38 85 – *Fermé vacances de la Toussaint, dim. soir, mardi soir et lundi*
Rest – Menu 12 € bc (déj. en sem.), 19/32 € – Carte 23/39 €
◆ Maison à pans de bois du 16ᵉ s. au cœur de la bastide. Cuisine traditionnelle et grillades préparées dans la grande cheminée qui agrémente la salle à manger rustique.

Le Cépage
15 pl. Paul-Saissac – ✆ 05 63 33 50 44 – Fax 05 63 33 98 83 – *Fermé 26 oct.-4 nov., mardi soir, dim. soir et lundi*
Rest – Menu 13 € bc (déj. en sem.), 15/21 €
◆ Intérieur chaleureux de style bistrot moderne et agréable terrasse pour les beaux jours. Le chef réalise des recettes aux accents du terroir un brin revisitées.

LISSAC-SUR-COUZE – 19 Corrèze – 329 J5 – 527 h. – alt. 170 m — 24 **B3**
– ✉ 19600

◘ Paris 489 – Limoges 101 – Tulle 45 – Brive-la-Gaillarde 14 – Sarlat-la-Canéda 57

Château de Lissac sans rest
au bourg – ✆ 05 55 85 14 19 – www.chateaudelissac.com – chateaudelissac@wanadoo.fr – Fax 05 75 24 06 31
6 ch – †120/160 € ††120/160 €, ⚏ 10 €
◆ Ce château (13ᵉ, 15ᵉ et 18ᵉ s.), au calme dans un village, profite d'un très beau jardin et d'une position dominante sur le lac. Confort et décoration délicatement actuelle.

LISSES – 91 Essonne – 312 D4 – 106 32 – voir à Paris, Environs (Évry)

LISTRAC-MEDOC – 33 Gironde – 335 G4 – 2 115 h. – alt. 40 m — 3 **B1**
– ✉ 33480

◘ Paris 609 – Bordeaux 38 – Lacanau-Océan 39 – Lesparre-Médoc 31

Auberge des Vignerons avec ch
28 av. Soulac – ✆ 05 56 58 08 68 – Fax 05 56 58 08 99 – *Fermé vacances de fév., sam. midi, dim. soir et lundi*
7 ch – †40 € ††40 €, ⚏ 7 €
Rest – Menu (12 €), 15 € (déj. en sem.), 28/52 € – Carte 44/58 €
◆ Auberge attenante à la Maison des vins. Carte traditionnelle, cave axée sur les crus de Listrac et, visible en salle, chai où le fameux breuvage vient à maturité. Terrasse côté vignoble.

LIVRY-GARGAN – 93 Seine-Saint-Denis – 305 G7 – 101 18 – voir à Paris, Environs

LA LLAGONNE – 66 Pyrénées-Orientales – 344 D7 – rattaché à Mont-Louis

LLO – 66 Pyrénées-Orientales – 344 D8 – rattaché à Saillagouse

LOCHES – 37 Indre-et-Loire – 317 O6 – 6 370 h. – alt. 80 m — 11 **B3**
– ✉ 37600 ▮ Châteaux de la Loire

◘ Paris 261 – Blois 68 – Châteauroux 72 – Châtellerault 56 – Tours 42
ℹ Office de tourisme, place de la Marne ✆ 02 47 91 82 82, Fax 02 47 91 61 50
▣ de Loches-Verneuil à Verneuil-sur-Indre La Capitainerie, par D 943 : 10 km, ✆ 02 47 94 79 48
◉ Cité médiévale★★ : donjon★★, église St-Ours★, Porte Royale★, porte des cordeliers★, hôtel de ville★ Y H - Châteaux★★ : gisant d'Agnès Sorel★, triptyque★ - Carrières troglodytiques de Vignemont★.
◉ Portail★ de la Chartreuse du Liget E : 10 km par ②.

LOCHES

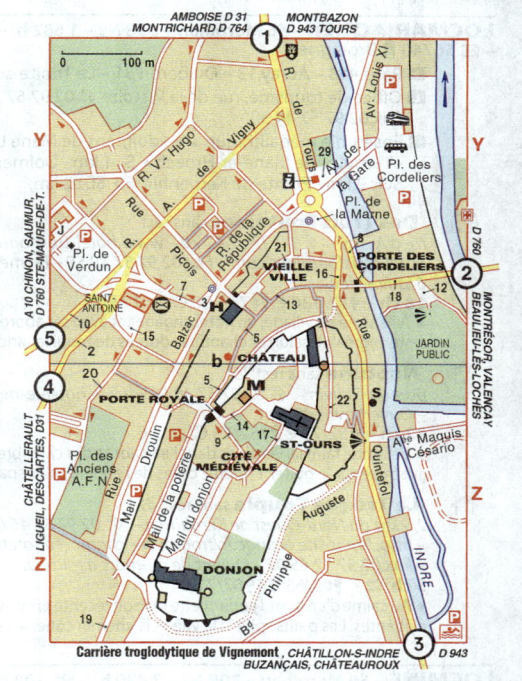

Anciens A.F.N. (Pl. des)	Z
Auguste (Bd Ph.)	Z
Balzac (R.)	YZ
Bas-Clos (Av. des)	Y 2
Blé (Pl. au)	Y 3
Château (R. du)	YZ 5
Cordeliers (Pl. des)	Y
Descartes (R.)	Y 7
Donjon (Mail du)	Z
Droulin (Mail)	Z
Filature (Q. de la)	Y 8
Foulques-Nerra (R.)	Z 9
Gare (Av. de la)	Y
Gaulle (Av. Gén.-de)	Y 10
Grande-Rue	Y 13
Grand Mail (Pl. du)	Y 12
Lansyer (R.)	Y 14
Louis XI (Av.)	Y
Maquis Césario (Allée)	Y
Marne (Pl. de la)	Y
Mazerolles (Pl.)	Y 15
Moulins (R. des)	Y 16
Pactius (R. T.)	Z 17
Picois (R.)	Y
Ponts (R. des)	Y 18
Porte-Poitevine (R. de la)	Y 19
Poterie (Mail de la)	Z
Quintefol (R.)	YZ
République (R. de la)	Y
Ruisseaux (R. des)	Z 20
St-Antoine (R.)	Y 21
St-Ours (R.)	Y 22
Tours (R. de)	Y
Verdun (Pl. de)	Y
Victor-Hugo (R.)	Y
Vigny (R. A.-de)	Y
Wermelskirchen (Pl. de)	Y 29

Le George Sand
39 r. Quintefol – ℰ 02 47 59 39 74 – www.hotelrestaurant-georgesand.com – contactgs@hotelrestaurant-georgesand.com – Fax 02 47 91 55 75 – Fermé vacances de la Toussaint et de fév.   Z s
19 ch – †45/125 € ††45/125 €, ⊑ 11 € – ½ P 55/94 €
Rest – *(fermé dim. soir, lundi midi et mardi)* Menu 21 € (sem.)/47 €
♦ Cette demeure du 15ᵉ s. sur les berges de l'Indre possède un esprit d'auberge familiale. Bel escalier à vis en pierre, chambres rustiques dont la moitié donne sur le fleuve. Plaisant restaurant (poutres, cheminée) et délicieuse terrasse couverte avec vue bucolique.

Luccotel
12 r. Lézards, 1 km par ⑤ – ℰ 02 47 91 30 30 – www.luccotel.com – luccotel@wanadoo.fr – Fax 02 47 91 30 35 – Fermé 11 déc.-12 janv.
69 ch – †48/76 € ††48/76 €, ⊑ 8 €
Rest – *(fermé sam. midi)* Menu (19 €), 28/40 €
♦ Construction récente flanquée de deux annexes dominant la cité médiévale et son château, visibles depuis certaines chambres, avant tout fonctionnelles. La salle à manger moderne et la terrasse offrent une agréable perspective sur la ville.

L'Entracte
4 r. du Château – ℰ 02 47 94 05 70 – Fax 02 47 91 55 75 – Fermé dim. soir et merc. du 15 oct. au 15 avril   Y b
Rest – Menu 10 € (déj. en sem.)/24 € – Carte 25/40 €
♦ Atmosphère de bouchon lyonnais en ce restaurant situé dans une pittoresque ruelle proche du château ; les plats, inscrits sur de grandes ardoises, sont néanmoins bien d'ici.

Un hôtel charmant pour un séjour très agréable ?
Réservez dans un hôtel avec pavillon rouge : 🏠 ... 🏨.

LOCMARIAQUER – 56 Morbihan – 308 N9 – 1 632 h. – alt. 5 m 9 **A3**
– ⌧ 56740 ▌Bretagne

- ◘ Paris 488 – Auray 13 – Quiberon 31 – La Trinité-sur-Mer 10 – Vannes 31
- ◘ Office de tourisme, rue de la Victoire ☏ 02 97 57 33 05, Fax 02 97 57 44 30
- ◉ Ensemble mégalithique ★★ - dolmens de Mané Lud★ et de Mané Rethual★ - Tumulus de Mané-er-Hroech★ S : 1 km - Dolmen des Pierres Plates★ SO : 2 km - Pointe de Kerpenhir ≼★ SE : 2 km.

Des Trois Fontaines sans rest
rte d'Auray – ☏ *02 97 57 42 70* – *www.hotel-troisfontaines.com* – *contact@hotel-troisfontaines.com* – *Fax 02 97 57 30 59* – *Fermé 6 nov.-26 déc. et 6 janv.-7 fév.*
18 ch – †72/130 €, ††72/130 €, ⌧ 12 €
◆ À l'entrée du village, un hôtel engageant avec ses abords fleuris. L'intérieur n'est pas en reste : agréable salon et chambres dotées de mobilier ancien en partie redécorées.

Neptune sans rest
port du Guilvin – ☏ *02 97 57 30 56* – *www.hotel-le-neptune.fr* – *Ouvert avril-30 sept.*
12 ch – †52/73 €, ††52/73 €, ⌧ 7 €
◆ Cet hôtel familial les pieds dans l'eau abrite des chambres simples et colorées (certaines avec vue sur le golfe). Préférez celles de l'annexe, plus spacieuses et avec terrasse.

La Troque Toupie sans rest
2,5 km au Nord-Ouest de Kerouarch – ☏ *02 97 57 45 02* – *http://monsite.orange.fr/troqtoup* – *chambredhotetroque@orange.fr* – *Fax 02 97 57 45 02* – *Ouvert de mi-mars à mi-nov.*
5 ch ⌧ – †63/65 € ††67/71 €
◆ Au calme d'un grand jardin, cette maison récente propose des chambres confortables et élégantes. Les petits "plus" : la vue et le chemin côtier vers les îles du golfe du Morbihan.

LOCMINÉ – 56 Morbihan – 308 N7 – 3 430 h. – alt. 108 m – ⌧ 56500 10 **C2**
▌Bretagne

- ◘ Paris 453 – Lorient 52 – Pontivy 24 – Quimper 114 – Rennes 104 – Vannes 29
- ◘ Syndicat d'initiative, place Anne de Bretagne ☏ 02 97 60 00 37, Fax 02 97 44 24 64

à Bignan Est : 5 km par D 1 – 2 531 h. – alt. 148 m – ⌧ 56500

Auberge La Chouannière
6 r. G. Cadoual – ☏ *02 97 60 00 96* – *Fax 02 97 44 24 58* – *Fermé 2-18 mars, 30 juin-8 juil., 5-20 oct., dim. soir, mardi soir, merc. soir et lundi*
Rest – Menu 23 € (sem.)/80 € – Carte 36/50 €
◆ L'enseigne rappelle à notre bon souvenir Pierre Guillemot, farouche lieutenant de Cadoudal, natif du village. Sobre décor, chaises de style Louis XVI et cuisine classique.

LOCQUIREC – 29 Finistère – 308 J2 – 1 293 h. – alt. 15 m – ⌧ 29241 9 **B1**
▌Bretagne

- ◘ Paris 534 – Brest 81 – Guingamp 52 – Lannion 22 – Morlaix 26
- ◘ Office de tourisme, place du Port ☏ 02 98 67 40 83, Fax 02 98 79 32 50
- ◉ Église★ - Pointe de Locquirec★ 30 mn - Table d'orientation de Marc'h Sammet ≼★ O : 3 km.

Le Grand Hôtel des Bains
15 bis r. de l'Église – ☏ *02 98 67 41 02* – *www.grand-hotel-des-bains.com* – *reception@grand-hotel-des-bains.com* – *Fax 02 98 67 44 60*
36 ch – †137/269 € ††154/333 €, ⌧ 12 € – ½ P 172/189 €
Rest – *(dîner seult)* Menu 38 € – Carte 59/78 €
◆ Piscine d'eau salée, beau jardin à fleur d'eau, salles de massages et chambres de style "balnéaire" contemporain : autant d'atouts pour ce lieu où fut tourné l'Hôtel de la plage. Restaurant chic (lambris pastel) et cuisine iodée face à la baie.

LOCRONAN – 29 Finistère – **308** F6 – 799 h. – alt. 105 m – ✉ 29180 9 **A2**
▌Bretagne

- Paris 576 – Brest 66 – Briec 22 – Châteaulin 18 – Crozon 33 – Douarnenez 11 – Quimper 16
- Office de tourisme, place de la Mairie ℰ 02 98 91 70 14, Fax 02 98 51 83 64
- Place★★ - Église St-Ronan et chapelle du Pénity★★ - Montagne de Locronan ※★ E : 2 km.

Le Prieuré
11 r. Prieuré – ℰ 02 98 91 70 89 – www.hotel-le-prieure.com – leprieure1@ aol.com – Fax 02 98 91 77 60 – Hôtel : Ouvert 16 mars-10 nov., rest : fermé 11-30 nov. et vacances de fév.
15 ch – †52/58 € ††60/72 €, ⊇ 9 € – ½ P 58/63 €
Rest – Menu (14 €), 19/48 € – Carte 28/60 €
♦ Petit hôtel familial situé à l'entrée du pittoresque et célèbre village breton. Davantage de calme dans les chambres côté jardin ou à l'annexe (plus anciennes). Repas traditionnel dans un cadre chaleureux : poutres, moellons, cheminée et mobilier régional.

au Nord-Ouest : 3 km par rte secondaire – ✉ 29550 Plonévez-Porzay

Manoir de Moëllien
– ℰ 02 98 92 50 40 – www.moellien.com – manmoel@aol.com – Fax 02 98 92 55 21 – Fermé 12 nov.-20 mars
18 ch – †60/72 € ††72/145 €, ⊇ 12 € – ½ P 60/107 €
Rest – *(fermé merc. de mi-sept. à mi-juin) (dîner seult)* Menu 28/47 €
♦ Joli manoir du 17ᵉ s. isolé dans un vaste parc en pleine campagne. Les chambres, aménagées dans les dépendances, profitent du grand calme. Imposantes cheminées au restaurant.

LOCTUDY – 29 Finistère – **308** F8 – 4 101 h. – alt. 8 m – ✉ 29750 9 **A2**
▌Bretagne

- Paris 587 – Rennes 236 – Quimper 26 – Concarneau 40 – Douarnenez 40
- Office de tourisme, place des Anciens Combattants ℰ 02 98 87 53 78, Fax 02 98 87 57 07

※※ Auberge Pen Ar Vir
r. Cdt. Carfort – ℰ 02 98 87 57 09 – auberge.pen.arvir@wanadoo.fr – Fax 02 98 87 57 62 – Fermé vacances de la Toussaint, 5-25 janv., mardi et merc. de mi-sept. à mi-avril, dim. soir et lundi
Rest – Menu (22 €), 29/70 €
♦ Villa récente dans un joli jardin (apéritifs) au bord d'un bras de mer. Intérieur contemporain tendance ; courte carte privilégiant produits du marché et de la pêche locale.

LODÈVE – 34 Hérault – **339** E6 – 7 400 h. – alt. 165 m – ✉ 34700 23 **C2**
▌Languedoc Roussillon

- Paris 695 – Alès 98 – Béziers 63 – Millau 60 – Montpellier 55 – Pézenas 39
- Office de tourisme, 7, place de la République ℰ 04 67 88 86 44, Fax 04 67 44 07 56
- Anc. cathédrale St-Fulcran★ - Musée de Lodève★ - Cirque du Bout du Monde★.

Plan page suivante

Paix
11 bd Montalangue – ℰ 04 67 44 07 46 – www.hotel-dela-paix.com – hotel-de-la-paix@wanadoo.fr – Fax 04 67 44 30 47 – Fermé 15-30 nov., fév., dim. soir et lundi d'oct. à avril sauf vacances scolaires **n**
23 ch – †40/50 € ††55/75 €, ⊇ 8 € – 1 suite
Rest – Menu 18/37 € – Carte 10/18 €
♦ Ancien relais de poste converti en hôtel familial, aux portes des Grands Causses. Chambres rénovées dans un style franchement provençal, coloré et gai. Charmant patio-terrasse d'esprit andalou : murs ocre, mosaïques, tomettes, palmiers et piscine. Belle carte de vins.

LODÈVE

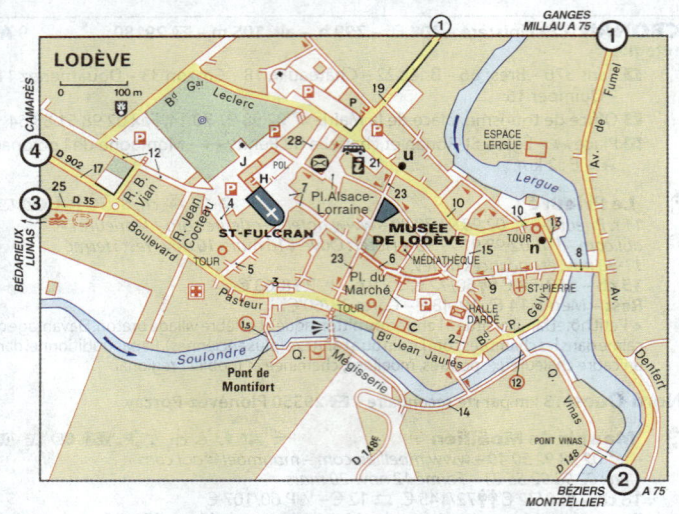

Baudin (R.)	2	Lergue (Pont de)	8
Bouquerie (Bd et Pl. de la)	3	Lergue (R. de)	9
Galtier (R. J.)	4	Liberté (Bd de la)	10
Gambetta (Bd)	5	Maury (Bd J.)	12
Grand'Rue	6	Montalangue (Bd)	13
Hôtel-de-Ville		Montbrun (R.)	14
(Pl. et R. de l')	7	Neuve des Marchés (R.)	15

Railhac (Bd J.)	17	République (R.)	23
République (Av. de la)	19	Vallot (Av. J.)	25
République (Pl.)	21	4-Septembre (R. du)	28

🏠 **Du Nord** sans rest   🖥 AK ↔ 🛜 VISA ⓜ
18 bd Liberté – ℰ 04 67 44 10 08 – www.hoteldulodeve.com – hoteldunord.lodeve@wanadoo.fr – Fax 04 67 44 92 78 – Fermé vacances de la Toussaint et de Noël
24 ch – †41/47 € ††46/53 €, �️ 7 € – 1 suite   **u**
 ♦ Le compositeur Georges Auric est né en 1899 dans cet hôtel du centre-ville. Aujourd'hui entièrement refait, il abrite des chambres simples et fonctionnelles. Agréable terrasse.

🏠 **Domaine du Canalet** sans rest 🌿   🐾 🏊 💆 🛜 P VISA ⓜ AE
av. Joseph Vallot, par ③ – ℰ 04 67 44 29 33 – www.domaineducanalet.com – domaineducanalet@wanadoo.fr   **4 ch** – †195/350 € ††195/350 €, �️ 18 €
 ♦ Plus qu'une maison d'hôte, une vraie galerie d'art... Les œuvres (en vente) investissent les lieux, les chambres personnalisées sont design. Cours d'eau et séquoias dans le parc.

à Poujols Nord : 6,5 km par D 609 et D 149 – 152 h. – alt. 250 m – ⌧ 34700

XX **Le Temps de Vivre**   ← 🌿 P VISA ⓜ AE
rte de Pegairolles – ℰ 04 67 44 03 78 – Fax 04 67 44 03 78 – Fermé déc., janv., merc. hors saison, dim. soir et lundi
Rest – Menu (19 €), 29/48 € – Carte 42/68 € 🍷
 ♦ Agrippé à une colline dominant la vallée de l'Escalette, ce restaurant abrite deux salles dont une véranda ouverte sur la nature. Recettes personnalisées et vins régionaux.

LODS – 25 Doubs – **321** H4 – 248 h. – alt. 361 m – ⌧ 25930   **17 C2**
▌ Franche-Comté Jura

▯ Paris 440 – Baume-les-Dames 50 – Besançon 37 – Levier 22 – Pontarlier 25 – Vuillafans 5

🏠 **Truite d'Or**   🚗 🌿 🛜 P VISA ⓜ AE
🔗 *40 rte de Besançon – ℰ 03 81 60 95 48 – www.la-truite-dor.fr – la-truite-dor@wanadoo.fr – Fax 03 81 60 95 73 – Fermé 15 déc.-1er fév., dim. soir et lundi d'oct. à juin*
11 ch – †48 € ††48 €, ⏴ 6,50 € – ½ P 52 €
Rest – Menu (13 €), 19/44 € – Carte 28/45 €
 ♦ À l'entrée de ce pittoresque village des berges de la Loue, une ancienne maison de tailleur de pierres qui comblera tout particulièrement les amateurs de pêche. Chambres simples. À table, la truite est le point d'orgue d'un répertoire dans la note régionale.

LOGELHEIM – 68 Haut-Rhin – **315** I8 – **rattaché à Colmar**

LES LOGES-EN-JOSAS – 78 Yvelines – **311** I3 – **101** 23 – **voir à Paris, Environs**

LOGONNA-DAOULAS – 29 Finistère – **308** F5 – 2 025 h. – alt. 45 m **9 A2**
– ✉ 29460

▶ Paris 579 – Rennes 227 – Quimper 59 – Brest 26 – Morlaix 75

⌂ **Le Domaine de Moulin Mer** 🌿 🚲 ⟲ 🛜 **P** 𝗩𝗜𝗦𝗔 ⓜⓒ
34 rte de Moulin Mer, 1 km par D 333 – ✆ 02 98 07 24 45
– www.domaine-moulin-mer.com – info@domaine-moulin-mer.com
5 ch ⚏ – †65/130 € ††65/130 €   **Table d'hôte** – Menu 40 € bc
♦ Sur la route du littoral, dans un jardin planté de palmiers, vieille demeure (début 20ᵉ s.) qui cache un intérieur bien rénové : chambres au charme d'antan, salon-bibliothèque. Menu du jour préparé par le patron, selon son inspiration et le marché.

LOIRÉ – 49 Maine-et-Loire – **317** D3 – 772 h. – alt. 39 m – ✉ 49440 **34 B2**

▶ Paris 322 – Ancenis 35 – Angers 45 – Châteaubriant 34 – Laval 66 – Nantes 69 – Rennes 84

✕✕ **Auberge de la Diligence** (Michel Cudraz) ⇔ 𝗩𝗜𝗦𝗔 ⓜⓒ ᴀᴇ
✿ *4 r. de la Libération* – ✆ 02 41 94 10 04 – www.diligence.fr – info@diligence.fr
– Fax 02 41 94 10 04 – Fermé 4-11 avril, 31 juil.-24 août, 1ᵉʳ-10 janv., sam. midi, dim. soir et lundi
Rest – *(nombre de couverts limité, prévenir)* Menu 29/80 € – Carte 40/66 € 🌿
Spéc. Fricassée de langoustines. Poularde en papillote transparente et carottes au cumin. Déclinaison sur la pomme "honey crunch" de Loiré et sablé breton. **Vins** Savennières, Anjou-Villages.
♦ Auberge du 18ᵉ s. ayant plus d'un atout pour séduire : salle rustique agrémentée d'une grande cheminée, généreuse cuisine classique personnalisée et bonne sélection de vins régionaux.

LOMENER – 56 Morbihan – **308** K8 – **rattaché à Ploemeur**

LA LONDE-LES-MAURES – 83 Var – **340** M7 – 10 034 h. – alt. 24 m **41 C3**
– ✉ 83250

▶ Paris 868 – Marseille 93 – Toulon 29 – La Seyne-sur-Mer 35 – Hyères 10
🛈 Office de tourisme, avenue Albert Roux ✆ 04 94 01 53 10, Fax 04 94 01 53 19

✕✕ **Cédric Gola** ᴀᴄ 𝗩𝗜𝗦𝗔 ⓜⓒ
22 av. Georges-Clemenceau – ✆ 04 94 66 97 93 – Fermé une sem.
en juin, 15 nov.-26 déc., le midi sauf le dim. de sept. à juin, lundi et mardi
Rest – *(nombre de couverts limité, prévenir)* Menu 35/47 €
♦ Dans une salle chaleureuse d'esprit bistrot, dégustez une cuisine actuelle d'inspiration provençale. Attrayant menu-carte évoluant chaque mois, complété par un menu truffe.

LONDINIÈRES – 76 Seine-Maritime – **304** I3 – 1 188 h. – alt. 78 m **33 D1**
– ✉ 76660

▶ Paris 147 – Amiens 78 – Dieppe 27 – Neufchâtel-en-Bray 14 – Le Tréport 31
🛈 Syndicat d'initiative, Mairie ✆ 02 35 94 90 69, Fax 02 35 94 90 69

✕ **Auberge du Pont** avec ch ⟲ **P** 𝗩𝗜𝗦𝗔 ⓜⓒ ᴀᴇ
🛏 *14 r. du Pont de Pierre* – ✆ 02 35 93 80 47 – Fax 02 32 97 00 57 – Fermé
1ᵉʳ-15 fév. et lundi
10 ch – †40 € ††40 €, ⚏ 5 €
Rest – Menu (7 €), 10 € (sem.)/32 € – Carte 22/42 €
♦ Petite auberge normande située sur les bords de l'Eaulne. Cuisine régionale servie dans une salle à manger de style champêtre. Chambres refaites, fonctionnelles et colorées, bien pratiques pour l'étape.

LA LONGEVILLE – 25 Doubs – 321 I4 – rattaché à Montbenoît

LONGJUMEAU – 91 Essonne – 312 C3 – 101 35 – voir à Paris, Environs

LONGUES – 63 Puy-de-Dôme – 326 G9 – rattaché à Vic-le-Comte

LONGUEVILLE-SUR-SCIE – 76 Seine-Maritime – 304 G3 – 923 h. 33 D1
– alt. 61 m – ⊠ 76590

- Paris 183 – Dieppe 20 – Le Havre 97 – Rouen 52

Le Cheval Blanc
3 r. Guynemer – ℰ 02 35 83 30 03 – Fax 02 35 83 30 03 – Fermé 10-31 août,
23 fév.-4 mars, dim. soir, lundi soir et merc.
Rest – Menu (14 €), 24 € (déj. en sem.)/50 € – Carte environ 60 €
♦ Aimable auberge située au centre du bourg. Une cuisine au goût du jour vous sera servie sous les poutres d'une petite salle à manger rustique aux tons frais et lumineux.

> Un week-end de charme à la mer, à la campagne ou à la montagne ?
> Découvrez le nouveau guide des "Chambres d'hôtes", une sélection
> de nos plus belles adresses en France : confort, calme et volupté
> garantis !

LONGUYON – 54 Meurthe-et-Moselle – 307 E2 – 5 782 h. – alt. 213 m 26 B1
– ⊠ 54260

- Paris 314 – Metz 79 – Nancy 133 – Sedan 69 – Thionville 56 – Verdun 48
- Office de tourisme, place S. Allende ℰ 03 82 39 21 21, Fax 03 82 26 44 37

à Rouvrois-sur-Othain (Meuse) Sud : 7,5 km par D 618 – 182 h. – alt. 223 m
– ⊠ 55230

La Marmite
11 rte Nationale – ℰ 03 29 85 90 79 – gerardsilvestre55@orange.fr
– Fax 03 29 85 99 23 – Fermé 16-30 août, 1er-10 fév., dim. soir, lundi et mardi sauf fériés
Rest – Menu 15 € (déj. en sem.), 26/55 € – Carte 40/60 €
♦ Retrouvez dans cette "marmite" des plats authentiques et savoureux, concoctés avec de bons produits locaux. Jolie salle rustique avec cheminée. Accueil et service aimables.

LONGWY – 54 Meurthe-et-Moselle – 307 F1 – 14 300 h. – alt. 262 m 26 B1
– ⊠ 54400 ▮ Alsace Lorraine

- Paris 328 – Luxembourg 38 – Metz 64 – Thionville 41
- Office de tourisme, place Darche ℰ 03 82 24 94 54, Fax 03 82 24 77 75
- Musée municipal : collection de fers à repasser ★.

à Méxy Sud : 3 km par N 52 – 2 154 h. – alt. 369 m – ⊠ 54135

Ibis
r. Château d'Eau – ℰ 03 82 23 14 19 – www.accorhotels.com – h2051@accor.com
– Fax 03 82 25 61 06
62 ch – †57/75 € ††57/75 €, ⊇ 8 €
Rest – Menu (10 € bc), 15 € (sem.)/25 € – Carte 18/32 €
♦ Établissement situé à proximité d'un axe passant. Les installations sont spacieuses, l'équipement complet et le mobilier contemporain. Chambres de style actuel. Assiettes gourmandes et formule buffets à découvrir dans un sobre décor ou en terrasse.

LONS-LE-SAUNIER P – 39 Jura – 321 D6 – 17 900 h. – alt. 255 m 16 **B3**
– Stat. therm. : début avril-fin oct. – Casino – ⊠ 39000 ■ Franche-Comté Jura

▶ Paris 408 – Besançon 84 – Bourg-en-Bresse 73 – Chalon-sur-Saône 61
2 Office de tourisme, place du 11 Novembre ℘ 03 84 24 65 01, Fax 03 84 43 22 59
du Val de Sorne Vernantois, S : 6 km par D 117 et D 41, ℘ 03 84 43 04 80
◉ Rue du Commerce ★ - Théâtre ★ - Pharmacie ★ de l'Hôtel-Dieu.

Parc
9 av. J. Moulin – ℘ 03 84 86 10 20 – www.hotel-parc.fr
– hotelduparc.lonslesaunier@orange.fr – Fax 03 84 24 97 28   Y s
16 ch – †52/60 € ††58/64 €, ⊆ 8 € – ½ P 67 €
Rest – (fermé dim. soir) Menu (15 €), 18/28 € – Carte 18/40 €

♦ À deux pas du parc des bains, cet hôtel (un Centre d'aide par le travail) dispose de chambres fonctionnelles, dotées de meubles en bois cérusé et sans détails superflus. Sobre salle à manger et cuisine simple utilisant les produits régionaux.

Nouvel Hôtel sans rest
50 r. Lecourbe – ℘ 03 84 47 20 67 – www.nouvel-hotel-lons.fr – nouvel.hotel39@
wanadoo.fr – Fax 03 84 43 27 49 – Fermé 19 déc.-4 janv.   Y r
25 ch – †40/57 € ††45/57 €, ⊆ 8 €

♦ Des maquettes de bateaux réalisées par le maître des lieux décorent le hall de cet hôtel central. Chambres fonctionnelles bien tenues, accueil chaleureux et prix attractifs.

Anc.-Collège (Pl. de l') . . . . Y 2	Ferry (Bd J.) . . . . Z 15	Moulin (Av. J.) . . . . Y 25
Bichat (Pl.) . . . . Y 3	Jean-Jaurès (R.) . . . . YZ	Pasteur (R.) . . . . Y 26
Chevalerie (Prom. de la) . . . . . V 7	Lafayette (R.) . . . . Y 16	Préfecture (R. de la) . . . . Z 27
Chevalerie (R. de la) . . . . Y 9	Lattre-de-T. (Bd Mar. De) . . . . Z 18	Sébile (R.) . . . . Y 30
Colbert (Cours) . . . . Y 12	Lecourbe (R.) . . . . Y	Tamisier (R.) . . . . Y 31
Commerce (R. du) . . . . Y	Liberté (Pl. de la) . . . . Y	Trouillot (R. G.) . . . . Y 32
Cordeliers (R. des) . . . . Y 13	Mendès-France (Av. P.) . . . . . . Y 23	Vallière (R. de) . . . . YZ 34
Curé-Marion (R. du) . . . . Z 14	Monot (R. E.) . . . . Y 24	11-Novembre (Pl. du) . . . . Y 35

LONS-LE-SAUNIER
à Chille par ① rte de Besançon et D 157 : 3 km – 331 h. – alt. 330 m – ⊠ 39570

Parenthèse
186 chemin du Pin – ℰ *03 84 47 55 44 – www.hotelparenthese.com*
– *parenthese.hotel@wanadoo.fr – Fax 03 84 24 92 13 – Fermé 20-30 déc.*
34 ch – †93/145 € ††93/145 €, ⊇ 11 € – ½ P 84/111 €
Rest – *(fermé dim. soir sauf juil.-août, sam. midi et lundi midi)*
Menu 20 € (sem.)/54 € – Carte 34/64 €
♦ Au cœur d'un parc, une parenthèse idéale sur la route des vignobles. Cette ex-résidence de séminaristes abrite trois types de chambres contemporaines portant des noms d'artistes. Au restaurant, cuisine dans l'air du temps fidèle aux produits du terroir.

au Sud par D 117 et D 41 : 6 km – ⊠ 39570 Vernantois

Domaine du Val de Sorne
– ℰ *03 84 43 04 80 – www.valdesorne.com*
– *info@valdesorne.com – Fax 03 84 47 31 21 – Fermé 20 déc.-5 janv.*
35 ch – †81/112 € ††92/125 €, ⊇ 12 € – ½ P 77/92 €
Rest – *(fermé dim. soir)* Menu (18 €), 21 € (déj. en sem.), 25/35 € – Carte 30/51 €
♦ Située dans le golf du Val de Sorne, construction régionale moderne proposant des équipements de loisirs de qualité. Les chambres, de bon confort, sont peu à peu refaites. Restaurant avec vue sur les greens, carte traditionnelle, et, en été, grillades et salades.

Le LONZAC – 19 Corrèze – **329** L3 – 835 h. – alt. 450 m – ⊠ 19470   25 **C2**
▷ Paris 479 – Limoges 90 – Tulle 29 – Brive-la-Gaillarde 62 – Ussel 81

Auberge du Rochefort avec ch
36 av. de la Libération – ℰ *05 55 97 93 42 – aubergedurochefort.fr*
– *auberge-du-rochefort@wanadoo.fr – Fax 05 55 98 06 63 – Fermé 1er-15 oct. et mardi*
6 ch – †45/60 € ††45/60 €, ⊇ 7 €
Rest – Menu (11 € bc), 20/35 € – Carte 20/62 €
♦ Cette maison à colombages typique semble sortie d'une carte postale. Salle à manger rustique où l'accueil est à la hauteur de la cuisine, actuelle et soignée. Table d'hôtes. L'étage abrite six chambres refaites, douillettes et fonctionnelles.

LORAY – 25 Doubs – **321** I4 – 433 h. – alt. 745 m – ⊠ 25390   17 **C2**
▷ Paris 448 – Baume-les-Dames 35 – Besançon 46 – Morteau 22 – Pontarlier 41

Robichon avec ch
22 Grande Rue – ℰ *03 81 43 21 67 – www.hotel-robichon.com – accueil@hotel-robichon.com – Fax 03 84 43 26 10 – Fermé 1er-8 oct., 15-25 nov., 15-31 janv., sam. midi, dim. soir et lundi*
11 ch – †55/60 € ††55/60 €, ⊇ 10 €
Rest – Menu 13 € (déj. en sem.), 28/46 € – Carte 38/65 €
Rest *P'tit Bichon* – *(fermé sam. midi, dim. soir et lundi)* Carte 22/38 €
♦ Robuste maison régionale située au centre du bourg. Salle à manger moderne agrémentée de plantes vertes et de claustras ; cuisine traditionnelle. Chambres pratiques pour l'étape. Au P'tit Bichon, décor façon chalet franc-comtois, plats régionaux, grillades et menu du jour.

LORGUES – 83 Var – **340** N5 – 8 550 h. – alt. 200 m – ⊠ 83510   41 **C3**
Côte d'Azur
▷ Paris 841 – Brignoles 34 – Draguignan 12 – Fréjus 37 – St-Raphaël 41
 – Toulon 72
🛈 Office de tourisme, place Trussy ℰ 04 94 73 92 37, Fax 04 94 84 34 09

La Bastide du Pin sans rest
1017 rte de Salernes, 1 km par D 10 – ℰ *04 94 73 90 38 – www.bastidedupin.com*
– *bastidedupin@wanadoo.fr – Fax 04 94 73 63 01*
5 ch ⊇ – †80/85 € ††85/120 €
♦ Ancienne bastide oléicole et vinicole du 18e s. proposant de calmes chambres provençales. Piscine et petit-déjeuner servi en plein air à la belle saison ; plats ensoleillés.

LORGUES

Bruno (Bruno Clément) avec ch ⃝ ≤ 🚗 🍴 ☰ ℵ ch, 🅿, 🆅🅸🆂🅰 🄼🄾 🄰🄴 🄳
2350 rte des Arcs, Campagne Mariette, 3 km au Sud-Est par rte des Arcs –
℘ 04 94 85 93 93 – www.restaurantbruno.com – chezbruno@wanadoo.fr
– Fax 04 94 85 93 99 – Fermé dim. soir et lundi du 15 sept. au 15 juin
6 ch – ♯100/306 € ♯♯100/306 €, ⊑ 35 €   **Rest** – (prévenir) Menu 65/130 €
Spéc. Pomme de terre cuite en robe des champs, crème de truffe. Epaule d'agneau
de lait des Pyrénées confite au four. Moelleux au chocolat et son cœur caramel
truffé. **Vins** Côtes de Provence
◆ Un chef truculent, vouant une passion à la truffe, tient ce mas entouré de vignes. Décor
rustico-provençal charmant, menu unique dédié au précieux tubercule (d'hiver et d'été).
Jolies chambres en rez-de-jardin.

Le Chrissandier   🍴 ℵ 🆅🅸🆂🅰 🄼🄾 🄰🄴 🄳
18 cours de la République – ℘ 04 94 67 67 15 – www.lechrissandier.com
– christophe.chabredier@wanadoo.fr – Fax 04 94 67 67 15 – Fermé
29 juin-5 juil., janv., mardi et merc. d'oct. à juin
Rest – Menu 29 € (déj. en sem.), 40/60 € – Carte 60/110 €
◆ Cuisine traditionnelle rythmée par les saisons dans la salle rustico-bourgeoise égayée
d'une mise de table moderne. La petite cour intérieure abrite une belle terrasse d'été.

au Nord-Ouest par rte de Salernes, D 10 et rte secondaire : 8 km – ⊠ 83510

Château de Berne ⃝   ≤ 🐴 🍴 ☰ ℵ ✂ 🍽 ♿ ch, ℵ ⇆ 🛜 🆂🅰 🅿
– ℘ 04 94 60 48 88 – www.chateauberne.com   🆅🅸🆂🅰 🄼🄾 🄰🄴 🄳
– hotel@chateauberne.com – Fax 04 94 60 48 89 – Fermé janv. et fév.
18 ch – ♯200/580 € ♯♯200/580 €, ⊑ 20 € – 1 suite
Rest – Menu (20 €), 27 € (déj.), 39/60 € – Carte 70/85 €
◆ Ravissantes chambres provençales, expositions, concerts, espace forme, école du vin
et de cuisine réunis au cœur d'un domaine viticole. Le midi, formule légère et grillades à la
Bouscarelle ; le soir, repas plus élaboré (produits du marché, potager bio) dans un cadre
raffiné.

LORIENT ⦿ – 56 Morbihan – **308** K8 – 58 400 h. – Agglo. 116 174 h.   9 **B2**
– alt. 4 m – ⊠ 56100 🟩 **Bretagne**
▶ Paris 503 – Quimper 69 – St-Brieuc 116 – St-Nazaire 146 – Vannes 60
✈ de Lorient-Bretagne Sud : ℘ 02 97 87 21 50, par D 162 : 9 km AZ.
🛈 Office de tourisme, quai de Rohan ℘ 02 97 21 07 84, Fax 02 97 21 99 44
⛳ de Valqueven à Quéven Lieu dit Kerruisseau, N : 8 km par D 765,
   ℘ 02 97 05 17 96
◉ Base des sous-marins★ AZ - Intérieur★ de l'église N.-D.-de-Victoire BY **E.**

Plan page suivante

Mercure sans rest   🍽 ♿ ℵ ⇆ 🛜 🆂🅰 🆅🅸🆂🅰 🄼🄾 🄰🄴 🄳
31 pl. J. Ferry – ℘ 02 97 21 35 73 – www.accorhotels.com – h0873@accor.com
– Fax 02 97 64 48 62   BZ **m**
58 ch – ♯69/116 € ♯♯69/116 €, ⊑ 13 €
◆ Situation très pratique : commerces, palais des congrès et bassin à flot sont à proximité.
Le décor du salon-bar et des chambres évoque discrètement la Compagnie des Indes.

Cléria sans rest   🍽 ⇆ 🛜 🆂🅰 🅿 🆅🅸🆂🅰 🄼🄾 🄰🄴 🄳
27 bd Mar. Franchet d'Esperey – ℘ 02 97 21 04 59 – www.hotel-cleria.com
– info@hotel-cleria.com – Fax 02 97 64 19 10   AY **f**
33 ch – ♯49/69 € ♯♯59/79 €, ⊑ 9 €
◆ Les chambres de cet hôtel central sont peu à peu rénovées dans un style moderne ; celles
qui donnent sur la courette fleurie (où l'on petit-déjeune en été) sont plus au calme.

Astoria sans rest   🍽 ⇆ 🛜 🆂🅰 🆅🅸🆂🅰 🄼🄾 🄰🄴
3 r. Clisson – ℘ 02 97 21 10 23 – www.hotelastoria-lorient.com
– hotelastoria.lorient@wanadoo.fr – Fax 02 97 21 03 55
– Fermé 23 déc.-7 janv.   BY **e**
35 ch – ♯60/75 € ♯♯60/75 €, ⊑ 8,50 €
◆ Un établissement sympathique à plus d'un égard : accueil familial chaleureux, chambres
simples mais personnalisées, expositions de peintures dans la salle des petits-déjeuners.

LORIENT

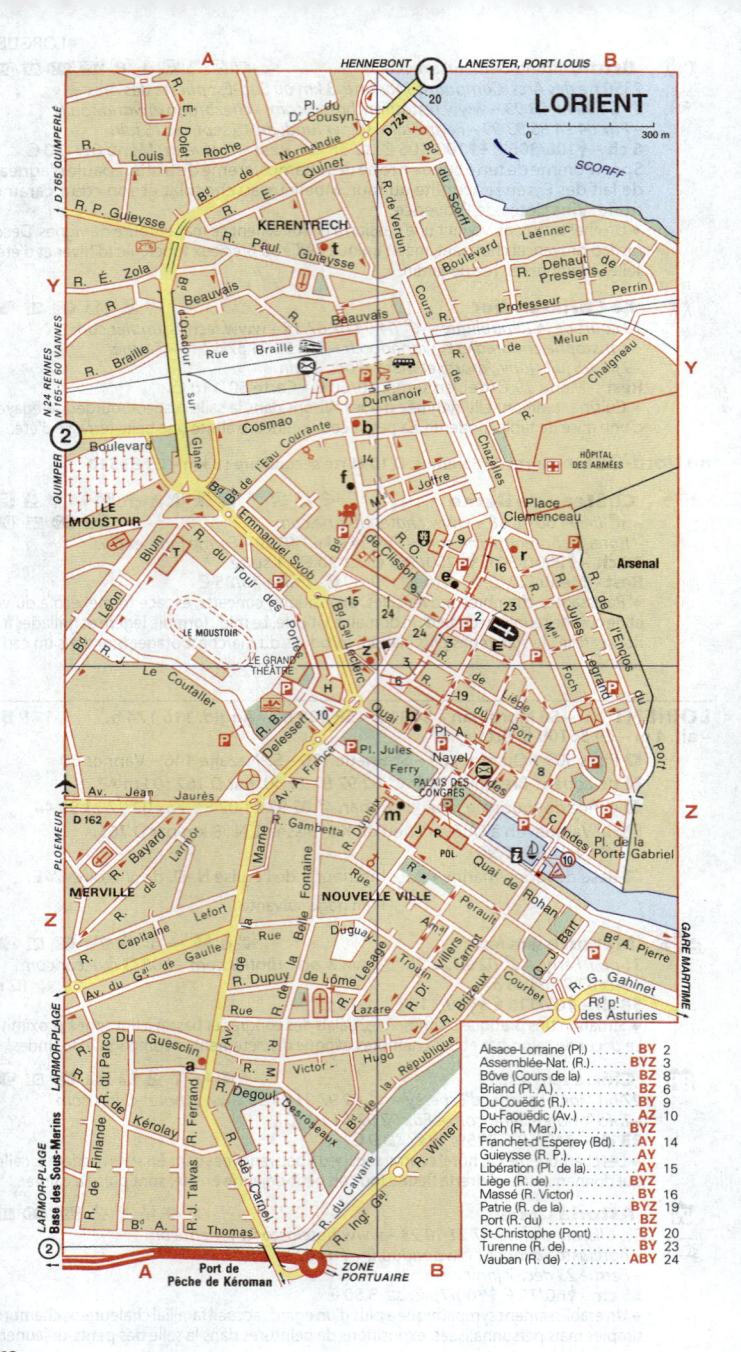

0 — 300 m

Alsace-Lorraine (Pl.)	**BY** 2
Assemblée-Nat. (R.)	**BYZ** 3
Bôve (Cours de la)	**BZ** 8
Briand (Pl. A.)	**BZ** 6
Du-Couëdic (R.)	**BY** 9
Du-Faouëdic (Av.)	**AZ** 10
Foch (R. Mar.)	**BYZ**
Franchet-d'Esperey (Bd.)	**AY** 14
Guieysse (R. P.)	**AY**
Libération (Pl. de la)	**AY** 15
Liège (R. de)	**BYZ**
Massé (R. Victor)	**BY** 16
Patrie (R. de la)	**BYZ** 19
Port (R. du)	**BZ**
St-Christophe (Pont)	**BY** 20
Turenne (R. de)	**BY** 23
Vauban (R. de)	**ABY** 24

962

LORIENT

Central Hôtel sans rest 🛜 VISA ◎ AE
1 r. Cambry – ℰ 02 97 21 16 52 – www.centralhotellorient.com
– centralhotel.lorient@orange.fr – Fax 02 97 84 88 94
– Fermé vacances de Noël   BZ b
21 ch – ⚊45/85 € ⚌50/85 €, ⊆ 8 €

● Enseigne méritée pour cet hôtel du centre-ville dont les chambres profitent d'une rénovation réussie : matériaux neufs, couleurs gaies et bonne isolation phonique.

XX **Le Jardin Gourmand** AC ⇔ VISA ◎ AE
46 r. J. Simon – ℰ 02 97 64 17 24 – www.jardin-gourmand.fr
– jardingourmandlorient@yahoo.fr – Fax 02 97 64 15 75 – Fermé vacances
scolaires de fév., dim. soir, lundi et mardi   AY t
Rest – Menu (22 €), 28 € (déj. en sem.)/40 € 𝄞

● La chef-patronne met à l'honneur les produits bretons à travers des recettes inventives escortées d'un beau choix de vins, whiskies et eaux-de-vie. Décor actuel et plaisant.

XX **Le Quai des Arômes** ⚲ AC VISA ◎ AE
🕸 1 r. Maître Esvelin – ℰ 02 97 21 60 40 – Fax 02 97 35 29 04 – Fermé 5-12 avril,
14-31 août, sam. midi et dim.   BZ a
Rest – Menu (13 €), 17/23 € – Carte 28/35 €

● Nouveau cap pour ce restaurant traditionnel, face au Palais de Justice : cadre contemporain (tons gris-blanc, vieilles photos, tableaux, mobilier moderne), terrasse couverte.

X **Henri et Joseph** (Philippe Le Lay) ✂ VISA ◎ AE
🌸 4 r. Léo Le Bourgo – ℰ 02 97 84 72 12 – Fermé mardi soir, merc. soir, jeudi soir, dim.
et lundi sauf juil.-août   AY z
Rest – (prévenir) Menu (31 €), 48 €
Spéc. Consommé de crevettes et crostini de Saint-Jacques (oct.-nov.) Homard de l'Île de Groix en cocotte (juin à sept.). Millefeuille aux fraises (juin-juil.).

● L'originalité du concept de ce bistrot tendance ? Choisir entre suggestions du jour "masculine" ou "féminine", commentées par le chef. Menu unique le soir. Accueil adorable.

X **Le Pécharmant** VISA ◎
🕸 5 r. Carnel – ℰ 02 97 21 33 86 – Fax 02 97 35 11 01
– Fermé 13-20 avril, 5-20 juil., 26 oct.-2 nov., dim., lundi et fériés   AZ a
Rest – Menu 17 € (sem.)/69 € – Carte 50/70 €

● La façade orange ornée de casseroles en cuivre ne passe pas inaperçue, mais c'est bien grâce à sa cuisine – généreuse et délicate – que ce petit restaurant ne désemplit pas.

X **Le Pic** ⛱ ⇔ VISA ◎ AE
🕸 2 bd Mar. Franchet d'Esperey – ℰ 02 97 21 18 29 – restaurant-lepic.com
– restaurant.lepic@orange.fr – Fax 02 97 21 92 64 – Fermé merc. soir, sam. midi et dim. sauf fériés   AY b
Rest – Menu (15 €), 19 € (sem.)/38 € – Carte 31/45 €

● Façade rouge, décor rétro rutilant (vitraux, miroirs, comptoir), ambiance bistrot, cuisine traditionnelle et arrivage de poissons frais... Une adresse qui tombe à pic !

X **L'Ocre Marine** ⚲ AC VISA ◎ AE
🕸 8 r. Mar.-Foch – ℰ 02 97 84 05 77 – locremarine@orange.fr – Fermé 12-27 sept.,
1er-18 janv., sam. midi, merc. soir et dim.   BY r
Rest – crêperie – Menu (12 €), 16 € (dîner en sem.) – Carte environ 21 €

● Des photos de famille ornent ce chaleureux restaurant tout de bois vêtu. Le "plus" des galettes et crêpes de la patronne : rien que des produits bio et du fait maison.

au Nord-Ouest : 3,5 km par D 765 AY – ✉ 56100 Lorient

XXX **L'Amphitryon** (Jean-Paul Abadie) ⚲ AC ✂ VISA ◎ AE
🌸🌸 127 r. Col. Müller – ℰ 02 97 83 34 04 – www.amphitryon-abadie.com
– amphi-abadie@orange.fr – Fax 02 97 37 25 02 – Fermé 26 avril-11 mai,
6-21 sept., 1er-11 janv., dim. et lundi
Rest – Menu 56 € (sem.)/118 € – Carte 114/165 € 𝄞
Spéc. Gratin d'étrilles au kari-gosse. Homard saisi au beurre, épices et pointe de réglisse (avril à oct.). Fines feuilles de grué de cacao, parfait glacé au caramel et anis vert.

● Cuisine d'auteur ludique, fine et inspirée, superbe sélection de crus confidentiels, service aussi professionnel que charmant et beau cadre contemporain : une vraie réussite.

LORRIS – 45 Loiret – **318** M4 – 2 777 h. – alt. 126 m – ⊠ 45260 — 12 **C2**
Châteaux de la Loire

- Paris 132 – Gien 27 – Montargis 23 – Orléans 55 – Pithiviers 45 – Sully-sur-Loire 19
- Office de tourisme, 2, rue des Halles ℰ 02 38 94 81 42, Fax 02 38 94 88 00
- Église N.-Dame★.

Guillaume de Lorris
*8 Grande Rue – ℰ 02 38 94 83 55 – vanoandco@orange.fr – Fax 02 38 94 83 55
– Fermé 7-20 avril, 21 déc.-4 janv., 23 fév.-1ᵉʳ mars, dim. soir, lundi et mardi*
Rest – *(nombre de couverts limité, prévenir)* Menu 28/75 € – Carte 37/49 €
♦ L'enseigne évoque l'auteur du Roman de la Rose, natif de Lorris. Salon avec fauteuils club et nouveau cadre plaisant pour apprécier une cuisine au goût du jour.

LOUBRESSAC – 46 Lot – **337** G2 – 458 h. – alt. 320 m – ⊠ 46130 — 29 **C1**
Périgord

- Paris 531 – Brive-la-Gaillarde 47 – Cahors 73 – Figeac 44 – Gramat 16 – St-Céré 10
- Office de tourisme, le bourg ℰ 05 65 10 82 18
- Site★ du château.

Le Relais de Castelnau
rte de Padirac – ℰ 05 65 10 80 90 – www.relaisdecastelnau.com – rdc46@wanadoo.fr – Fax 05 65 38 22 02 – Ouvert 1ᵉʳ avril à fin oct. et fermé dim. soir et lundi en avril et oct.
40 ch – ♦55/76 € ♦♦55/110 €, ⊡ 10 € – ½ P 65/85 €
Rest – *(fermé le midi sauf dim. et fériés)* Menu 19/48 € – Carte 33/48 €
♦ Cette construction moderne est tournée vers l'imposant château de Castelnau-Bretenoux, qui domine la campagne. Chambres colorées et pratiques. La salle de restaurant et la terrasse offrent une vue panoramique sur les vallées de la Bave et de la Dordogne.

LOUDÉAC – 22 Côtes-d'Armor – **309** F5 – 9 619 h. – alt. 155 m — 10 **C2**
– ⊠ 22600 ### Bretagne

- Paris 438 – Carhaix-Plouguer 69 – Dinan 76 – Pontivy 24 – Rennes 88 – St-Brieuc 41
- Syndicat d'initiative, 1, rue Saint-Joseph ℰ 02 96 28 25 17, Fax 02 96 28 25 33

Voyageurs
*10 r. Cadélac – ℰ 02 96 28 00 47 – www.hoteldesvoyageurs.fr
– hoteldesvoyageurs@wanadoo.fr – Fax 02 96 28 22 30*
30 ch – ♦56/70 € ♦♦59/75 €, ⊡ 8,50 € – ½ P 53 €
Rest – *(fermé 22 déc.-3 janv., dim. soir et sam.)*
Menu (17 € bc), 15 € (sem.)/39 € – Carte 22/40 €
♦ Bienvenue aux voyageurs ! Deux nouvelles chambres de prestige complètent une gamme plus fonctionnelle, mais d'une tenue excellente. Dans la grande salle à manger, ambiance conviviale de brasserie et plats traditionnels.

LOUDUN – 86 Vienne – **322** G2 – 7 173 h. – alt. 120 m – ⊠ 86200 — 39 **C1**
Poitou Vendée Charentes

- Paris 311 – Angers 79 – Châtellerault 47 – Poitiers 55 – Tours 72
- Syndicat d'initiative, 2, rue des Marchands ℰ 05 49 98 15 96, Fax 05 49 98 69 49
- de Loudun à Roiffé Domaine de Saint Hilaire, N : 18 km par D 147, ℰ 05 49 98 78 06
- Tour carrée ✳★

L'Aumônerie sans rest
3 bd Mar. Leclerc – ℰ 05 49 22 63 86 – www.l-aumonerie.biz – chris.lharidon@wanadoo.fr
4 ch ⊡ – ♦39/44 € ♦♦46/50 €
♦ La propriétaire de ce beau logis du 13ᵉ s. réserve un accueil charmant. Chambres personnalisées (mobilier ancien, couleurs vives) et véranda face au jardin pour le petit-déjeuner.

LOUHANS – 71 Saône-et-Loire – **320** L10 – 6 422 h. – alt. 179 m — 8 **D3**
– ⊠ 71500 ### Bourgogne

- Paris 373 – Bourg-en-Bresse 61 – Chalon-sur-Saône 38 – Dijon 85 – Dole 76 – Tournus 31
- Office de tourisme, 1, Arcade Saint-Jean ℰ 03 85 75 05 02, Fax 03 85 75 48 70
- Grande-Rue★.

LOUHANS

Le Moulin de Bourgchâteau
r. Guidon, rte de Chalon – ℰ 03 85 75 37 12 – www.bourgchateau.com
– bourgchateau@netcourrier.com – Fax 03 85 75 45 11
19 ch – ♦46/51 € ♦♦57/105 €, ⊇ 10 €
Rest – (fermé 12 nov.-5 déc. et lundi de sept. à avril) (nombre de couverts limité, prévenir) Menu 28 € (sem.)/55 € – Carte 46/58 €
♦ Moulin céréalier (1778) sur la Seille, converti en hôtel-restaurant de caractère. Chambres progressivement rénovées. Rouages, caisson de meule, poutres et vieilles pierres font le charme du restaurant ; plats traditionnels dont certains soulignent l'origine italienne des patrons.

Host. du Cheval Rouge et La Buge
5 r. d'Alsace – ℰ 03 85 75 21 42 – www.hotel-chevalrouge.com
– hotel-chevalrouge@wanadoo.fr – Fax 03 85 75 44 48
– Fermé 16-26 juin, 22 déc.-19 janv., dim. soir de déc. à mars et lundi
20 ch – ♦32/43 € ♦♦56/59 €, ⊇ 9 €
Rest – (fermé mardi midi et lundi) Menu 19 € (sem.)/43 € – Carte 27/50 €
♦ Cet ancien relais postal bordant une rue passante abrite des chambres à prix attractifs ; celles de l'annexe, plus récentes, offrent davantage de confort et de calme. Plats traditionnels et régionaux servis dans une ambiance provinciale.

Barbier des Bois
rte de Cuiseaux, 3,5 km au Sud-Est par D 996 – ℰ 03 85 75 55 65
– www.barbierdesbois.com – info@barbierdesbois.com – Fax 03 85 75 70 56
10 ch – ♦61 € ♦♦72 €, ⊇ 10 €
Rest – Menu 15 € (déj. en sem.), 20/56 € – Carte 40/60 €
♦ Motel de campagne aux chambres agréables, pratiques et dotées d'une terrasse tournée vers la nature. Chacune d'elles décline une couleur différente. Joli bar sous charpente. Décor moderne ou terrasse en teck pour déguster une cuisine actuelle.

LOUPIAC – 12 Aveyron – 338 E3 – ⊠ 12700   29 C1
▶ Paris 582 – Toulouse 153 – Rodez 69 – Cahors 80
 – Villefranche-de-Rouergue 24

Le Claux de Sérignac
4 km au Sud par rte de Villefranche-de-Rouergue – ℰ 05 65 64 87 15
– www.clauxdeserignac.com – clauxdeserignac@free.fr – Fax 05 65 80 87 66
14 ch – ♦60/110 € ♦♦60/110 €, ⊇ 10 €
Rest – Menu (15 € bc), 22/32 € – Carte 40/55 €
♦ Au calme, entourée d'un grand parc avec piscine et tennis, cette belle maison de pays offre un cadre rustique soigneusement rénové. Chambres traditionnelles ou actuelles. Cheminée en pierre et poutres apparentes décorent la plaisante salle à manger.

LOURDES – 65 Hautes-Pyrénées – 342 L6 – 15 100 h. – alt. 420 m   28 A3
– Grand centre de pèlerinage – ⊠ 65100 ▌ Midi-Pyrénées

▶ Paris 850 – Bayonne 147 – Pau 45 – St-Gaudens 86 – Tarbes 19
✈ de Tarbes-Lourdes-Pyrénées : ℰ 05 62 32 92 22, par ① : 10 km.
🛈 Office de tourisme, place Peyramale ℰ 05 62 42 77 40,
 Fax 05 62 94 60 95
⛳ Lourdes Golf Club Chemin du Lac, par rte de Pau : 3 km, ℰ 05 62 42 02 06
◉ Château fort★ DZ - Musée de Cire de Lourdes★ DZ M¹ - Basilique
 souterraine St-Pie X CZ - Pic du Jer★.

Plans pages suivantes

Éliseo
4 r. Reine-Astrid – ℰ 05 62 41 41 41 – www.cometolourdes.com – eliseo@
cometolourdes.com – Fax 05 62 41 41 50 – Fermé 12 fév.-6 fév.   CZ p
197 ch – ♦88/113 € ♦♦118/168 €, ⊇ 15 € – 7 suites – ½ P 96/121 €
Rest – Menu 28 € (déj.)/35 € – Carte 42/63 €
♦ À proximité de la grotte, établissement neuf abritant de grandes chambres modernes très bien équipées. Boutique de souvenirs ; terrasses panoramiques sur le toit. Cuisine traditionnelle servie dans des salles à manger spacieuses de style actuel.

965

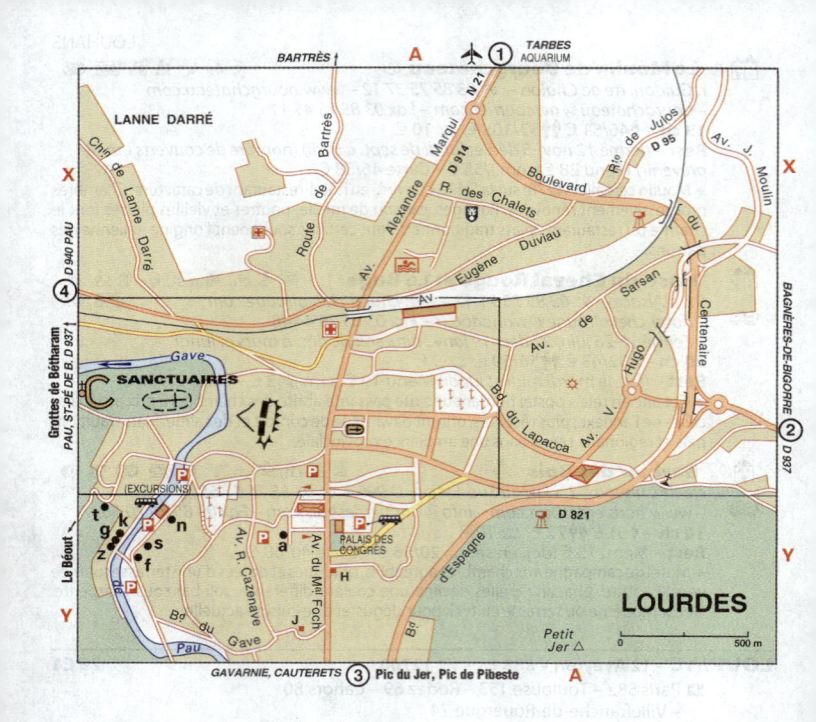

Padoue

1 r. Reine-Astrid – ℘ 05 62 53 07 00 – www.hotelpadoue.fr – reservation@hotelpadoue.fr – Fax 05 62 53 07 01 – Ouvert 1ᵉʳ avril-15 oct.

CZ **a**

155 ch ⊇ – ♦105/110 € ♦♦121/125 € – ½ P 76/79 €
Rest – Menu (14 €) – Carte 21/35 €

♦ À 150 m de la grotte, cet hôtel flambant neuf a été conçu pour assurer un confort moderne. Grandes chambres, salle de séminaire, boutique d'objets pieux, salon de thé. L'immense restaurant contemporain, au premier étage, propose des plats traditionnels et simples.

Grand Hôtel de la Grotte

66 r. de la Grotte – ℘ 05 62 94 58 87 – www.hotelagrotte.com – contact@hotelagrotte.com – Fax 05 62 94 20 50 – Ouvert 8 avril-24 oct.

DZ **y**

80 ch – ♦80/160 € ♦♦90/170 €, ⊇ 16 € – 7 suites – ½ P 75/115 €
Rest – Menu 26 € (déj.)/32 € – Carte 50/98 €
Rest *Brasserie* – ℘ 05 62 42 39 34 (ouvert 26 avril-24 oct.) Menu (18 €), 21/26 € – Carte 34/62 €

♦ Hôtel de tradition situé au pied du château fort. Chambres de style Louis XVI tournées pour certaines vers la basilique et "Master suite". Cuisine traditionnelle dans les salles à manger feutrées ; formule buffet l'été. La Brasserie arbore un décor moderne ; grande terrasse sous les marronniers.

Gallia et Londres

26 av. B. Soubirous – ℘ 05 62 94 35 44 – www.hotelgallialondres.com – contact@hotelgallialondres.com – Fax 05 62 42 24 64 – Ouvert 12 avril-19 oct.

CZ **c**

87 ch – ♦93/118 € ♦♦120/170 €, ⊇ 20 € – 3 suites
Rest – Menu 24/30 € – Carte 44/60 €

♦ Séduisante atmosphère vieille France dans ce bel hôtel situé à proximité des sanctuaires. Chambres confortables, meublées dans le style Louis XVI. Salle à manger agrémentée de jolies boiseries, de lustres en cristal et d'une fresque représentant Venise.

LOURDES

Alba
27 av. Paradis – ✆ 05 62 42 70 70 – www.hotelalba.fr – reservation@hotelalba.fr
– Fax 05 62 94 54 52 – Ouvert 2 avril-30 oct.　　　　　　　　　　　　　　　　AY f
237 ch – †76 € ††95 €, ⊇ 8 € – ½ P 66/71 €　**Rest** – Menu 17 € – Carte 20/34 €
♦ Vaste immeuble récent sur les bords du gave de Pau. Chambres de bon confort peu à peu rénovées, salons spacieux et petite chapelle à disposition des résidents. Plats traditionnels proposés au restaurant d'allure actuelle. Bar confortable et boutique.

Paradis
15 av. Paradis – ✆ 05 62 42 14 14 – www.hotelparadislourdes.com – info@hotel-paradislourdes.com – Fax 05 62 94 64 04 – Ouvert 15 mars-1er nov.　　　　AY n
300 ch – †110 € ††120 €, ⊇ 15 €　**Rest** – Menu 29 €
♦ Établissement ouvert en 1992 situé sur la rive du gave. Décor intérieur soigné : marbre, tapis orientaux. Chambres spacieuses, mobilier pratique et insonorisation efficace. Ample restaurant ; salons et bar cossus dotés de confortables fauteuils en cuir.

Mercure Impérial
3 av. Paradis – ✆ 05 62 94 06 30 – www.mercure.com – h5445@accor-hotels.com
– Fax 05 62 94 48 04 – Fermé 15 déc.-31 janv.　　　　　　　　　　　　　　　CZ u
93 ch – †88/135 € ††94/148 €, ⊇ 12 €　**Rest** – Carte 32/47 €
♦ Établi au pied du château et dominant le gave, hôtel des années 1930 proposant des chambres revues dans un esprit rétro. Toit-terrasse panoramique. Un bel escalier dessert la jolie salle à manger classique et le salon orné d'un vitrail.

Miramont
40 av. Peyramale – ✆ 05 62 94 70 00 – www.cometolourdes.com – miramont@cometolourdes.com – Fax 05 62 94 50 17 – Ouvert 3 avril-3 nov.　　　　　　　AY g
92 ch – †53/69 € ††80/108 €, ⊇ 10 € – ½ P 67/81 €
Rest – Menu 16 € – Carte 24/37 €
♦ Immeuble moderne entièrement rénové. Hall contemporain lumineux, bar très confortable, chambres dans le même esprit que l'ensemble et dotées d'un mobilier design. Au restaurant ouvert sur le gave, belle décoration actuelle et sympathique cuisine traditionnelle.

St-Sauveur
9 r. Ste-Marie – ✆ 05 62 94 25 03 – www.hotelsaintsauveur.com – contact@hotelsaintsauveur.com – Fax 05 62 94 36 52 – Fermé 12 déc.-31 janv.　　　　　CZ b
174 ch – †67/82 € ††80/110 €, ⊇ 15 €
Rest – Menu (13 €), 18/27 € – Carte 17/29 €
♦ Hôtel contemporain proche du lieu de pèlerinage. Vaste hall baigné par un puit de lumière et confort actuel dans les chambres. À l'heure du repas : formule brasserie sous la verrière ou répertoire culinaire traditionnel dans l'élégante salle à manger.

Méditerranée
23 av. Paradis – ✆ 05 62 94 72 15 – www.lourdeshotelmed.com – hotelmed@aol.com – Fax 05 62 94 10 54 – Ouvert avril-oct.　　　　　　　　　　　　　　AY s
171 ch – †65/76 € ††81/95 €, ⊇ 8 €　**Rest** – Menu (13 €), 17/26 € – Carte 26/37 €
♦ Ce grand immeuble moderne bénéficie de chambres agréables et bien pensées, d'un petit solarium et d'une chapelle pour se recueillir. Vaste salle à manger contemporaine et fonctionnelle ouvrant sur le gave de Pau. Bar plus intime.

Christ-Roi
9 r. Mgr Rodhain – ✆ 05 62 94 24 98 – www.lourdes-christroi.com
– hotelchristroi@wanadoo.fr – Fax 05 62 94 17 65 – Ouvert Pâques-15 oct.
180 ch – †59/61 € ††71/75 €, ⊇ 6,50 €　**Rest** – Menu 20 €　　　　　　AY t
♦ Les pèlerins peuvent prendre un ascenseur situé à deux pas de l'hôtel pour rejoindre la cité religieuse. Chambres actuelles dans un édifice récent. Bar anglais. Le restaurant, fréquenté principalement par les résidents de l'hôtel, sert une cuisine traditionnelle.

Beauséjour
16 av. de la Gare – ✆ 05 62 94 38 18 – www.hotel-beausejour.com – hotel@bestwestern-beausejour.com – Fax 05 62 94 96 20　　　　　　　　　　　　EZ s
45 ch – †72/95 € ††82/185 €, ⊇ 11 €
Rest Le Parc – ✆ 05 62 94 73 48 – Menu (15 €), 18 € – Carte 27/40 €
♦ Façade 1900 ravivée, jardin de ville, intérieur cossu, chambres avenantes et boutique de souvenirs caractérisent ce petit hôtel jouxtant la gare. Recettes traditionnelles au restaurant-véranda d'esprit brasserie ou sur la terrasse, tournés vers la verdure.

LOURDES

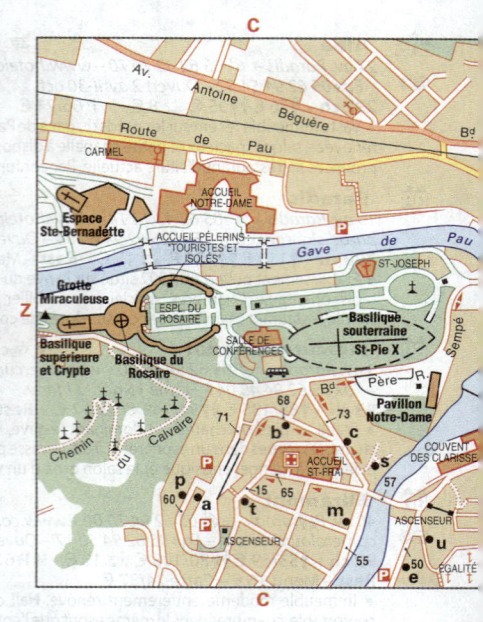

Basse (R.)	**DZ** 5
Bourg (Chaussée du)	**DZ** 8
Capdevielle (R. Louis)	**EZ** 12
Carrières Peyramale (R. des)	**CZ** 15
Fontaine (R. de la)	**DZ** 20
Fort (R. du)	**DZ** 22
Grotte (Bd de la)	**DZ** 30
Jeanne-d'Arc (Pl.)	**DZ** 35
Latour-de-Brie (R. de)	**DZ** 40
Marcadal (Pl. du)	**DZ** 45
Martyrs-de-la-Déportation (R. des)	**EZ** 47
Paradis (Espl. du)	**CZ** 50
Petits Fossés (R. des)	**CZ** 53
Peyramale (Av.)	**CZ** 55
Peyramale (Pl.)	**DZ** 56
Pont-Vieux	**CZ** 57
Pyrénées (R. des)	**DZ** 59
Reine-Astrid (R. de la)	**CZ** 60
Ste-Marie (R.)	**CZ** 68
St-Frai (R. Marie)	**CZ** 65
St-Michel (Pont)	**DZ** 66
St-Pierre (R.)	**DZ** 67
Schœpfer (Av. Mgr)	**CZ** 71
Soubirous (Av. Bernadette)	**CZ** 73
Soubirous (R. Bernadette)	**DZ** 74

Solitude
3 passage St-Louis – ℰ 05 62 42 71 71 – www.hotelsolitude.com – contact@hotelsolitude.com – Fax 05 62 94 40 65 – Ouvert 12 avril-4 nov.
293 ch – †72/82 € ††90/110 €, ⇌ 15 € – 4 suites – ½ P 62/73 €
Rest – Menu (12 €), 18 € – Carte 17/29 €

CZ s

♦ Proche de l'entrée des sanctuaires, ce bâtiment longeant le gave de Pau abrite des chambres actuelles, dont un tiers récemment redécoré. Vue panoramique depuis la petite piscine aménagée sur le toit. Salle à manger en rotonde avec terrasse surplombant la rivière.

Espagne
9 av. Paradis – ℰ 05 62 94 50 02 – www.hoteldespagne.com – hoteldespagne@wanadoo.fr – Fax 05 62 94 58 15 – Ouvert 4 avril-25 oct.
129 ch ⇌ – †63/72 € ††78/89 € – ½ P 55/60 €   **Rest** – Menu 19 € – Carte 26/47 €

CZ e

♦ L'enseigne et la légère décoration hispano-mauresque du salon rappellent la proximité de l'Espagne. Sobres petites chambres fonctionnelles ; préférez celles avec terrasse. Restaurant agrémenté d'arcades et de poutres apparentes ou jolie salle "Séville".

Christina
42 av. Peyramale – ℰ 05 62 94 26 11 – www.hotel-christina-lourdes.com – hotel.christina@orange.fr – Fax 05 62 94 97 09 – Ouvert 1ᵉʳ avril-30 oct.
199 ch – †62/83 € ††80/116 €, ⇌ 8 € – ½ P 59/64 €
Rest – Menu 14/22 € – Carte 16/22 €

AY z

♦ Cette grande bâtisse blanche propose des chambres pratiques, régulièrement rafraîchies ; les plus agréables s'ouvrent côté gave et Pyrénées. Toit-terrasse et jardin de rocaille. Cuisine traditionnelle dans la conséquente salle à manger décorée sur le thème nautique.

Excelsior
83 bd de la Grotte – ℰ 05 62 94 02 05 – www.excelsior-lourdes.com – hotel.excelsior@wanadoo.fr – Fax 05 62 94 82 88 – Ouvert 20 mars-31 oct.
66 ch ⇌ – †59/62 € ††81/83 € – ½ P 59/61 €
Rest – Menu 18/30 € – Carte 24/40 €

DZ h

♦ Sympathique maison familiale. Les pèlerins ont le choix entre des chambres avec vue sur la basilique ou sur le château fort. Salon feutré et bar bourgeois au rez-de-chaussée. À l'étage, salle à manger panoramique pour des repas de type traditionnel.

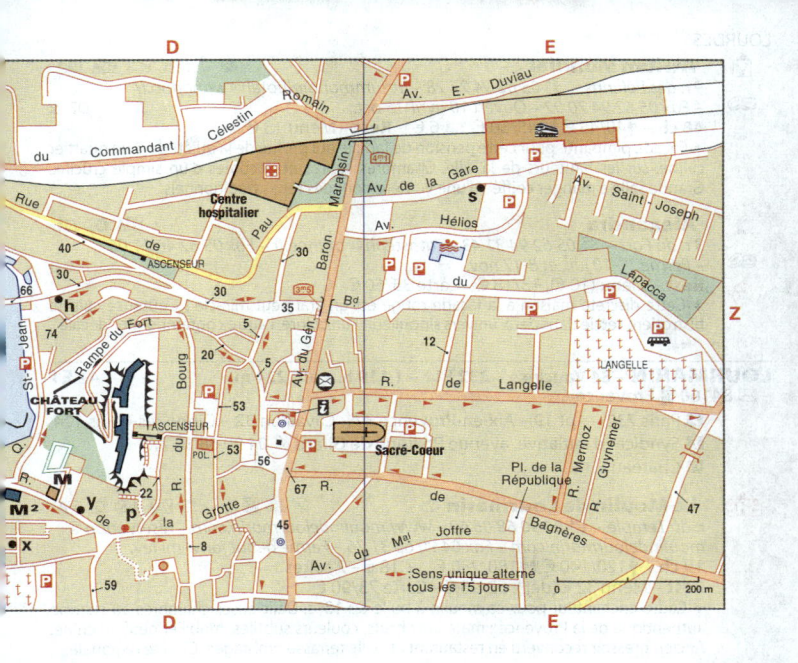

🏠 **Florida** 🛗 & ch, 📺 ch, 🅿️ VISA ◎ 🅰🅴 ①
3 r. Carrières Peyramale – ✆ 05 62 94 51 15 – www.ifrance.com/hotels-lourdes
🍽 *– flo_aca_mira_hotels@hotmail.com – Fax 05 62 94 69 49 – Ouvert 3 avril-30 oct.*
115 ch – †50/54 € ††67/72 €, ⌾ 6 € – 2 suites – ½ P 50/54 €   CZ t
Rest – Menu 14 € bc

♦ Chambres confortables et bien insonorisées ; quelques-unes sont destinées aux familles. Aménagements bien conçus pour l'accueil des personnes handicapées. Sobre décor dans la salle à manger ; vue imprenable sur la ville et les Pyrénées du toit-terrasse.

🏠 **Notre Dame de France** 🛗 & ch, 📺 rest, 🍴 VISA ◎
8 av. Peyramale – ✆ 05 62 94 91 45 – www.hotelnd-france.fr – contact@
🍽 *hotelnd-france.fr – Fax 05 62 94 57 21 – Ouvert 21 mars-31 oct.*   CZ m
76 ch – †50/60 € ††64/80 €, ⌾ 7 € – ½ P 60/85 €
Rest – Menu (13 €), 18 €

♦ Le long du gave de Pau, hôtel dirigé par la même famille depuis plusieurs générations. Agencement fonctionnel dans les chambres, simples et bien tenues. Cuisine traditionnelle et atmosphère de pension de famille au restaurant.

🏠 **Beau Site** 🛗 & ch, 📺 rest, 🍴 VISA ◎ 🅰🅴
36 av. Peyramale – ✆ 05 62 94 04 08 – www.lourdeshotelbeausite.com
🍽 *– hotelbeausite@aol.com – Fax 05 62 94 06 59 – Ouvert avril-oct.*   AY k
63 ch – †60/71 € ††74/87 €, ⌾ 8 €
Rest – Menu (13 €), 17/26 € – Carte 17/28 €

♦ Hôtel récemment rénové dont on apprécie la petite structure. Chambres simples et pratiques ; certaines offrent une vue sur le gave et les reliefs environnants. Le restaurant, situé au premier étage, ouvre sur les Pyrénées et sert des plats traditionnels.

🏠 **Cazaux** sans rest 🍴 VISA ◎
2 chemin des Rochers – ✆ 05 62 94 22 65 – http://hotelcazauxlourdes.site.voila.fr
– hotelcazaux@yahoo.fr – Fax 05 62 94 48 32 – Ouvert de Pâques à mi-oct.
20 ch – †36 € ††41 €, ⌾ 6 €   AY a

♦ Accueil convivial et prix doux sont les atouts de ce petit hôtel familial proche des halles. Chambres de bonne ampleur, fonctionnelles et impeccables.

LOURDES

Atrium Mondial
9 r. des Pélerins – ℰ 05 62 94 27 28 – atriummondialhotel@wanadoo.fr
– Fax 05 62 94 70 92 – Ouvert 10 avril-15 oct.
DZ **x**
48 ch – †40/45 € ††45/50 €, ⊆ 6 € **Rest** – Menu 13 €

♦ Façade pimpante pour cette pension de famille qui profite de la quiétude d'un quartier calme, sur les hauteurs de la ville. Chambres sobres et décorées d'un simple crucifix. Grande salle à manger coiffée d'une verrière pour des repas traditionnels.

Alexandra
3 r. du Fort – ℰ 05 62 94 31 43 – cathsteph@orange.fr – Fax 05 62 46 11 06
– Fermé 1er-10 juil. et 8-17 nov.
DZ **p**
Rest – Menu (10 €), 13/18 € – Carte 35/60 €

♦ Cette discrète maison à la façade rouge est un vrai petit miracle ! Goûteuse cuisine bistrotière servie dans deux univers singuliers : l'un coloré, l'autre contemporain "décalé".

LOURMARIN – 84 Vaucluse – 332 F11 – 1 119 h. – alt. 224 m 42 E1
– ⊠ 84160 ▌Provence

▶ Paris 732 – Apt 19 – Aix-en-Provence 37 – Cavaillon 32 – Digne-les-Bains 114
▌Syndicat d'initiative, avenue Philippe de Girard ℰ 04 90 68 10 77
◙ Château★.

Le Moulin de Lourmarin
r. du Temple – ℰ 04 90 68 06 69 – www.moulindelourmarin.com – reservation@moulindelourmarin.com – Fax 04 90 68 31 76 – Fermé début janv.-mi fév.
19 ch – †120/140 € ††180/230 €, ⊆ 18 € – 2 suites
Rest – Menu 32 € (déj.), 52/90 € – Carte 73/90 €

♦ Cadre enchanteur pour ce moulin à huile du 18e s. Délicieuses chambres au charme authentique de la Provence : matériaux bruts, couleurs subtiles, mobilier neuf ou chiné. Ancien pressoir reconverti en restaurant et belle terrasse ombragée. Cuisine régionale.

Mas de Guilles
rte Vaugines : 2 km – ℰ 04 90 68 30 55 – www.guilles.com – hotel@guilles.com
– Fax 04 90 68 37 41 – Ouvert de début avril à début nov.
28 ch – †70/90 € ††70/230 €, ⊆ 15 € – ½ P 97/177 €
Rest – (dîner seult) Menu 36/52 €

♦ Au milieu des vignes, ce mas de caractère, calme et romantique à souhait, abrite des chambres lumineuses d'inspiration provençale, rénovées par étape. Belle cuisine traditionnelle servie dans une jolie salle voûtée ou sur une vaste terrasse.

La Bastide de Lourmarin
rte de Cucuron – ℰ 04 90 07 00 70 – www.hotelbastide.com – info@hotelbastide.com – Fax 04 90 68 89 48 – Fermé 5 janv.-9 fév.
19 ch – †85/290 € ††85/290 €, ⊆ 13 €
Rest – (fermé mardi midi sauf juil.-août, dim. soir et lundi)
Menu (22 €), 28 € – Carte 30/46 €

♦ Cette bastide récente d'allure régionale dissimule de très belles suites et chambres thématiques. Mobilier contemporain, objets chinés, touches ethniques, équipements de pointe... Cuisine dans la note provençale servie en terrasse l'été, au bord de la piscine.

Auberge La Fenière (Reine Sammut) avec ch
2 km par rte de Cadenet – ℰ 04 90 68 11 79
– www.reinesammut.com – reine@wanadoo.fr – Fax 04 90 68 18 60
– Fermé 17 nov.-4 déc. et janv.
18 ch ⊆ – †150/315 € ††180/380 € – ½ P 175/255 €
Rest – (fermé mardi midi et lundi) Menu (48 €), 82/130 € – Carte 100/130 €
Rest *Bistrot La Cour de Ferme* – Menu (25 €), 35 €
Spéc. Ragoût de fèves et asperges vertes aux truffes noires (fév. à avril). Pigeonneau fermier de Provence à l'ail confit, riz rouge aux amandes et jus épicé (printemps-été). Calissons glacés, coulis d'abricot à l'amande amère. **Vins** Côtes du Luberon rouge et blanc.

♦ Havre de grâce... culinaire dans cette auberge face au Grand Lubéron : une cuisine fine signée par la "reine" des saveurs. Au Bistrot La Cour de Ferme, ambiance chaleureuse sous le préau autour des recettes de campagne. Élégantes chambres décorées sur le thème des métiers d'arts et deux roulottes pour vivre en bohème !

LOURMARIN

※※ L'Antiquaire 🍴 AK VISA MC AE ①
9 r. Grand Pré – ℰ *04 90 68 17 29 – Fax 04 90 68 17 29 – Fermé 13 nov.-4 déc., 5-22 janv., dim. soir d'oct. à avril, mardi midi et lundi*
Rest – Menu 22 € (déj. en sem.), 32/44 € – Carte 32/52 €
♦ Dans une jolie maison en pierre, agréables salles aux couleurs de la Provence où l'on goûte des recettes régionales à base de produits frais travaillés avec justesse.

LOUVIERS – 27 Eure – 304 H6 – 18 200 h. – alt. 15 m – ⌂ 27400 33 **D2**
Normandie Vallée de la Seine

▶ Paris 104 – Les Andelys 22 – Lisieux 75 – Mantes-la-Jolie 51 – Rouen 33
🛈 Syndicat d'initiative, 10, rue du Maréchal Foch ℰ 02 32 40 04 41, Fax 02 32 61 28 85
🏌 du Vaudreuil à Le Vaudreuilpar rte de Rouen : 6 km, ℰ 02 32 59 02 60
⦿ Église N.-Dame★ : œuvres d'art★, porche★ **BY**.
⦿ Vironvay ≤★.

🏠 Le Pré-St-Germain ⬥ 🍴 🛏 ♿ ch, ⟲ 🛜 🚗 🅿 VISA MC AE
7 r. St-Germain – ℰ *02 32 40 48 48 – www.le-pre-saint-germain.com – le.pre.saint.germain@wanadoo.fr – Fax 02 32 50 75 60*
BY s
30 ch – †78 € ††95 €, ⌑ 11 € – ½ P 115 €
Rest – *(fermé sam. et dim.)* Menu (15,50 €), 28/34 € – Carte 39/71 €
♦ Centrale et au calme, cette demeure imposante propose des chambres au décor actuel et aux aménagements fonctionnels. Cuisine traditionnelle et suggestions à l'ardoise dans un cadre contemporain ou sur la belle terrasse d'été. Formule rapide servie au bar.

LOUVIERS

Anc.-Combattants-d'Afrique-du-N. (R.) .... **BY** 2	Dr-Postel (Bd du) .... **BZ** 6	Mendès-France (R. P.) .... **ABY** 15
Beaulieu (R. de) .... **AZ** 3	Flavigny (R.) .... **AZ** 7	Pénitents (R. des) .... **BY** 16
Coq (R. au) .... **ABY** 5	Foch (R. Mar.) .... **BZ** 8	Poste (R. de la) .... **BY** 18
	Gaulle (R. Gén.-de) .... **AZ** 9	Quai (R. du) .... **BY**
	Halle-aux-Drapiers (Pl.) .... **AZ** 10	Quatre-Moulins (R. des) .... **BY** 21
	Huet (R. J.) .... **AZ** 12	Thorel (Pl. E.) .... **AY** 22
	Matrey (R. du) .... **AZ** 14	Vexin (Chaussée du) .... **BY** 24

LE LUC – 83 Var – 340 M5 – 8 534 h. – alt. 160 m – ⌧ 83340　　41 C3
Côte d'Azur

▶ Paris 836 – Cannes 75 – Draguignan 29 – Fréjus 41 – St-Raphaël 45 – Toulon 52

🛈 Office de tourisme, 3, place de la Liberté ℰ 04 94 60 74 51

Le Gourmandin
pl. L. Brunet – ℰ 04 94 60 85 92 – www.legourmandin.com – contact@legourmandin.com – Fax 04 94 47 91 10 – Fermé 25 août-21 sept., 25 fév.-10 mars, dim. soir, jeudi soir et lundi
Rest – (prévenir le week-end) Menu 25/45 € – Carte environ 40 €
◆ Cette auberge de village vous convie aux plaisirs d'un repas traditionnel aux accents méridionaux. Le tout dans un cadre rustico-provençal des plus chaleureux.

à l'Ouest : 4 km par D N7 – ⌧ 83340 Le Luc

La Grillade au Feu de Bois
– ℰ 04 94 69 71 20 – www.lagrillade.com – contact@lagrillade.com
– Fax 04 94 59 66 11
16 ch – †80/125 € ††80/125 €
Rest – Menu 20 € (déj. en sem.)/50 € – Carte 35/60 €
◆ En retrait de la route, une ancienne ferme viticole agrémentée d'un parc. Les chambres, spacieuses, se répartissent dans plusieurs bâtiments. Spécialités italiennes et grillades au feu de bois composent la carte du restaurant. Terrasse ombragée.

LUCELLE – 68 Haut-Rhin – 315 H12 – 47 h. – alt. 640 m – ⌧ 68480　　1 A3
Alsace Lorraine

▶ Paris 472 – Altkirch 29 – Basel 41 – Belfort 56 – Colmar 98 – Delémont 17 – Montbéliard 46

au Nord-Est : 4,5 km par D 41 et rte secondaire – ⌧ 68480 Lucelle

Le Petit Kohlberg
– ℰ 03 89 40 85 30 – www.petitkohlberg.com – petitkohlberg@wanadoo.fr
– Fax 03 89 40 89 40
30 ch – †56 € ††56 €, ⌑ 10 € – ½ P 63/66 €
Rest – (fermé lundi et mardi) Menu 16 € (sem.)/42 € – Carte 25/52 €
◆ Dans un environnement champêtre propice au repos. Chambres de bon confort, en cours de rénovation. Des maillots d'équipes cyclistes décorent la salle de petit-déjeuner. Restaurant d'esprit montagnard, terrasse face au jardin et cuisine traditionnelle.

LUCENAY – 69 Rhône – 327 H4 – 1 565 h. – alt. 230 m – ⌧ 69480　　43 E1

▶ Paris 446 – Lyon 25 – Vénissieux 38 – Villeurbanne 29

Les Tilleuls
31 rte de Lachassagne – ℰ 04 74 60 28 58 – www.lestilleuls.org – vermare@hotmail.com – Fax 04 74 60 28 58 – Fermé 3-18 janv.
3 ch ⌑ – †95 € ††110 € – ½ P 68/70 €　**Table d'hôte** – Menu 32 € bc
◆ Face à l'église, belle maison de vigneron dont certains éléments datent du 17ᵉ s. Ses chambres, lumineuses, sont décorées des souvenirs de voyage de la propriétaire. Succulents plats du terroir servis dans une très jolie salle à manger.

LA LUCERNE D'OUTREMER – 50 Manche – 303 D7 – 798 h.　　32 A2
– alt. 70 m – ⌧ 50320

▶ Paris 332 – Caen 100 – Saint-Lô 65 – Saint-Malo 84 – Granville 16

Le Courtil de la Lucerne
17 r. de la Libération, (Le Bourg) – ℰ 02 33 61 22 02
– www.lecourtildelalucerne.com – lecourtildelalucerne@wanadoo.fr
– Fax 01 33 61 22 15 – Fermé 15 nov.-4 déc., mi fév.-mi mars, dim. soir, mardi de sept. à Pâques et merc.
Rest – Menu 17 € (sem.), 27/35 € – Carte 40/60 €
◆ Installé dans l'ancien presbytère d'un petit village normand, ce restaurant, sobrement décoré, propose une cuisine dans l'air du temps et soignée.

LUCEY – 54 Meurthe-et-Moselle – **307** G6 – rattaché à Toul

LUCHÉ-PRINGÉ – 72 Sarthe – **310** J8 – 1 531 h. – alt. 34 m – ⌧ 72800   35 **C2**
▌Châteaux de la Loire
- ▶ Paris 242 – Angers 68 – La Flèche 14 – Le Lude 10 – Le Mans 39
- 🛈 Syndicat d'initiative, 4, rue Paul Doumer ✆ 02 43 45 44 50, Fax 02 43 45 75 71

XX **Auberge du Port des Roches** avec ch
😊
au Port des Roches, 2,5 km à l'Est par D 13 et D 214 – ✆ 02 43 45 44 48
– leportdesroches@orange.fr – Fax 02 43 45 39 61 – Fermé 25 janv.-15 mars, 17-20 août, 26 oct.-4 nov., dim. soir, mardi midi et lundi
12 ch – †50/58 € ††50/58 €, ⌧ 8 € – ½ P 54/60 €
Rest – Menu 24/49 € – Carte 46/56 €
♦ Jardin-terrasse au fil de l'eau, plaisante salle à manger bourgeoise, chambres fraîches et colorées : faites fi de la morosité dans cette auberge cosy des bords du Loir ! Cuisine traditionnelle soignée et servie en terrasse l'été.

LUCHON – 31 H.-Gar. – **343** B8 – voir Bagnères-de-Luchon

LUCINGES – 74 Haute-Savoie – **328** k3 – 1 211 h. – alt. 700 m   46 **F1**
– ⌧ 74380
- ▶ Paris 559 – Annecy 49 – Thonon-les-Bains 33 – Bonneville 18 – Dingy-en-Vuache 39

🏠 **Le Bonheur dans Le Pré**
2011 rte Bellevue – ✆ 04 50 43 37 77
– www.lebonheurdanslepre.com – lebonheurdanslepre.lucinges@wanadoo.fr – Fax 04 50 43 38 57 – Fermé vacances de la Toussaint et 21 déc.-15 janv.
8 ch – †60/80 € ††70/100 €, ⌧ 9 € – ½ P 55 €
Rest – (fermé dim. et lundi) (dîner seult) (prévenir) Menu 30 €
♦ Enseigne-vérité pour cette ancienne ferme perchée au-dessus du village, en pleine nature : jardin, tranquillité assurée et chambres agréablement personnalisées. Salle à manger rustique et cave à vins. Un seul menu, axé terroir et composé selon le marché.

LUÇON – 85 Vendée – **316** I9 – 9 722 h. – alt. 8 m – ⌧ 85400   34 **B3**
▌Poitou Vendée Charentes
- ▶ Paris 438 – Cholet 89 – Fontenay-le-Comte 30 – La Rochelle 43 – La Roche-sur-Yon 33
- 🛈 Office de tourisme, square Édouard Herriot ✆ 02 51 56 36 52, Fax 02 51 56 03 56
- 👁 Cathédrale Notre-Dame★ - Jardin Dumaine★.

XXX **La Mirabelle**
😊
89 bis r. de Gaulle, rte des Sables d'Olonne – ✆ 02 51 56 93 02
– www.restaurant-lamirabelle.com – b.hermouet@wanadoo.fr
– Fax 02 51 56 35 92 – Fermé dim. soir, lundi soir et mardi sauf du 1er au 25 août
Rest – Menu (19 €), 25/65 € – Carte 45/75 €
♦ Avenante maison située à 800 m de la cathédrale où Richelieu fut nommé évêque en 1608. Salle à manger actuelle, terrasse fleurie et goûteuse cuisine régionale.

X **Au Fil des Saisons** avec ch
55 rte de la Roche-sur-Yon – ✆ 02 51 56 11 32 – www.aufildessaisons-vendee.com
– hotel-restaurant-aufildessaisons@orange.fr – Fax 02 44 84 07 61
4 ch – †47 € ††55 €, ⌧ 7 € – ½ P 52 €
Rest – (Fermé sam. midi, dim. soir et lundi) Menu (14 €), 25/40 €
♦ Cette auberge régionale vous laisse le choix entre une salle agrémentée d'expositions de tableaux et une véranda côté jardin. Cuisine actuelle. Chambres simples et fraîches.

LUC-SUR-MER – 14 Calvados – **303** J4 – 3 186 h. – Casino – ✉ 14530   32 **B2**
Normandie Cotentin

- Paris 249 – Arromanches-les-Bains 23 – Bayeux 29 – Cabourg 28 – Caen 18
- Office de tourisme, rue du Docteur Charcot ✆ 02 31 97 33 25, Fax 02 31 96 65 09
- Parc municipal★.

Des Thermes et du Casino
5 r. Guyemer – ✆ *02 31 97 32 37 – www.hotelresto-lesthermes.com – hotelresto@hotelresto-lesthermes.com – Fax 02 31 96 72 57 – Ouvert 21 mars-31 oct.*
48 ch – †81/116 € ††81/116 €, ⊇ 11 € – ½ P 73/90 €
Rest – Menu 27/58 € – Carte 48/70 €
◆ Adresse tonique postée sur la digue-promenade, à proximité des thermes et du casino. Les chambres avec balcon offrent la vue sur la mer. Le restaurant est tourné vers la Manche d'un côté et sur le jardin fleuri et planté de pommiers de l'autre.

LE LUDE – 72 Sarthe – **310** J9 – 4 201 h. – alt. 48 m – ✉ 72800   35 **D2**
Châteaux de la Loire

- Paris 244 – Angers 63 – Chinon 63 – La Flèche 20 – Le Mans 45 – Saumur 51 – Tours 51
- Office de tourisme, place François de Nicolay ✆ 02 43 94 62 20, Fax 02 43 94 62 20
- Château★★.

L'Auberge Alsacienne
14 r. de la Boule-d'Or – ✆ *02 43 48 20 45 – www.auberge-alsacienne-le-lude.com – aubergealsaciennelelude@neuf.fr – Fax 02 43 48 20 42*
7 ch – †48/70 € ††52/75 €, ⊇ 8 € – ½ P 60/65 €
Rest – Menu 12 € (déj.), 27/33 € – Carte 25/30 €
◆ Cet ancien couvent abrite des chambres spacieuses, entièrement rénovées et bien insonorisées. Au restaurant, une discrète décoration alsacienne annonce la couleur de la carte : choucroute, tarte flambée... et quelques plats plus régionaux. Terrasse d'été fleurie.

La Renaissance avec ch
2 av. Libération – ✆ *02 43 94 63 10 – www.renaissancelelude.com – lelude.renaissance@wanadoo.fr – Fax 02 43 94 21 05 – Fermé 26 oct.-8 nov., 16 fév.-1ᵉʳ mars et dim. soir*
8 ch – †47/57 € ††47/57 €, ⊇ 8 €
Rest – *(fermé lundi)* Menu (12 € bc), 16 € bc (sem.)/38 € – Carte environ 45 €
◆ Faites une halte à deux pas du château, dans la salle moderne de ce restaurant proposant des recettes au goût du jour. Terrasse dressée dans la cour intérieure en saison.

> Ne confondez pas les couverts ✗ et les étoiles ✿ !
> Les couverts définissent une catégorie de standing, tandis que l'étoile couronne les meilleures tables, dans chacune de ces catégories.

LUDES – 51 Marne – **306** G8 – 628 h. – alt. 140 m – ✉ 51500   13 **B2**
- Paris 157 – Châlons-en-Champagne 52 – Reims 15 – Épernay 22 – Tinqueux 20

Domaine Ployez-Jacquemart
8 r. Astoin – ✆ *03 26 61 11 87 – www.ployez-jacquemart.fr – contact@ployez-jacquemart.fr – Fax 03 26 61 12 20 – Fermé 17 déc.-15 janv.*
5 ch ⊇ – †88/113 € ††100/125 €
Table d'hôte – *(fermé 3-19 avril, août, sept. et 24 oct.-4 nov.)* Menu 150 € bc
◆ Au cœur d'un domaine champenois, cette demeure cultive l'art de vivre à la française. Chambres confortables et raffinées déclinées sur différents thèmes : baroque, savane... La table d'hôte sert (sur réservation) un repas au champagne de la maison.

LUMBRES – 62 Pas-de-Calais – **301** F3 – 3 744 h. – alt. 45 m – ⊠ 62380 — 30 **A2**

▶ Paris 261 – Arras 81 – Boulogne-sur-Mer 43 – Calais 44 – Dunkerque 51 – St-Omer 11

🛈 Office de tourisme, rue François Cousin ✆ 03 21 93 45 46, Fax 03 21 12 15 87

Moulin de Mombreux
2 km à l'Ouest par rte de Boulogne, D 225 et rte secondaire – ✆ *03 21 39 13 13*
– www.moulindemombreux.com – contact@moulindemombreux.com
– Fax 03 21 93 61 34 – Fermé janv., lundi midi et sam. midi
24 ch – ♦119/135 € ♦♦119/135 €, ⊇ 15 €
Rest – Menu (18 €), 30 € – Carte 41/68 €

◆ Ce moulin du 18ᵉ s. bordant le Bléquin vous invite à une halte douillette avec une cascade pour berceuse. Son cadre récemment rénové honore le raffinement à l'ancienne. Poutres apparentes et mobilier rustique agrémentent la salle à manger située à l'étage.

LUNAS – 34 Hérault – **339** E6 – 647 h. – alt. 281 m – ⊠ 34650 — 22 **B2**

▶ Paris 710 – Montpellier 68 – Béziers 76 – Millau 73 – Mèze 67

🛈 Office de tourisme, chemin de Reiregardi ✆ 04 67 23 76 67

Château de Lunas
r. du Château – ✆ *04 67 23 87 99 – www.chateaudelunas.fr – chateaudelunas@live.fr – Fax 04 67 23 87 99 – Fermé fév., mardi et merc. sauf juil.-août*
Rest – Menu 23/43 € – Carte 32/68 €

◆ Château du 17ᵉ s. dressé au bord du Gravezon. Des tableaux contemporains s'intègrent au décor historique des salles à manger. Jolie terrasse. Cuisine centrée sur le produit.

LUNEL – 34 Hérault – **339** J6 – 23 900 h. – alt. 6 m – ⊠ 34400 — 23 **C2**
Languedoc Roussillon

▶ Paris 733 – Aigues-Mortes 16 – Alès 58 – Arles 56 – Montpellier 30 – Nîmes 31

🛈 Office de tourisme, 16, cours Gabriel Péri ✆ 04 67 71 01 37, Fax 04 67 71 26 67

Chodoreille
140 r. Lakanal – ✆ *04 67 71 55 77 – www.chodoreille.fr – chodoreille@wanadoo.fr – Fax 04 67 83 19 97 – Fermé 15 août-1ᵉʳ sept., 2-19 janv., dim. et lundi*
Rest – Menu 22 € (sem.), 28/53 € – Carte 44/66 €

◆ Le chef vous concocte avec originalité des recettes gourmandes et met à l'honneur le taureau camarguais. Salle contemporaine ou terrasse ombragée... selon les humeurs du ciel !

LUNÉVILLE – 54 Meurthe-et-Moselle – **307** J7 – 19 500 h. — 27 **C2**
– alt. 224 m – ⊠ 54300 **Alsace Lorraine**

▶ Paris 347 – Épinal 69 – Metz 95 – Nancy 36 – St-Dié 56 – Strasbourg 132

🛈 Office de tourisme, aile sud du Château ✆ 03 83 74 06 55, Fax 03 83 73 57 95

◉ Château★ A - Parc des Bosquets★ AB - Boiseries★ de l'église St-Jacques A.

Plan page suivante

Les Pages
5 quai des Petits-Bosquets – ✆ *03 83 74 11 42 – lespages@9business.fr*
– Fax 03 83 73 46 63   A u
37 ch – ♦55/95 € ♦♦65/120 €, ⊇ 8,50 € – ½ P 54/69 €
Rest *Le Petit Comptoir* – ✆ *03 83 73 14 55 (fermé 21-24 déc., 31 déc.-3 janv., sam. midi et dim. soir)* Menu 17 € (sem.)/35 € – Carte 30/45 €

◆ Importants corps de bâtiments faisant face au château. Les chambres offrent une décoration moderne assez originale, compensant un certain manque d'ampleur. Le restaurant, aménagé dans un esprit bistrot, sert une cuisine simple et appétissante.

à Moncel-lès-Lunéville rte de St-Dié par ③ : 3 km – 391 h. – alt. 234 m – ⊠ 54300

Relais St-Jean
22 av. de l'Europe, sur N 59 – ✆ *03 83 74 08 65 – Fax 03 83 75 33 16*
– Fermé 3-24 août, dim soir, merc. soir et lundi
Rest – Menu (12,50 €), 15 € (sem.)/25 € – Carte 23/49 €

◆ La salle à manger principale de ce restaurant de la vallée de la Meurthe est chaleureuse et équipée d'un mobilier en fer forgé. Cuisine classique.

LUNÉVILLE

Abbé Pierre (R. de l')	**A**	43
Banaudon (R.)	**A**	2
Basset (R. R.)	**B**	3
Bosquets (R. des)	**A**	4
Brèche (R. de la)	**A**	5
Carnot (R.)	**B**	7
Castara (R.)	**A**	9
Chanzy (R.)	**A**	10
Charier (R. G.)	**A**	13
Charité (R. de la)	**A**	15
Château (R. du)	**A**	16
Erckmann (R.)	**B**	18
Gaillardot (R.)	**A**	20
Gambetta (R.)	**B**	21
Haxo (R.)	**B**	23
Lebrun (R.)	**B**	25
Leclerc (R. Gén.)	**A**	27
Léopold (Pl.)	**AB**	28
République (R.)	**A**	30
Ste-Marie (R.)	**A**	37
St-Jacques (Pl.)	**A**	32
St-Rémy (Pl.)	**A**	36
Sarrebourg (R. de)	**A**	39
Templiers (R. des)	**A**	41
Viller (R. de)	**A**	48
2e-Div.-de-Cavalerie (Pl. de la)	**A**	50

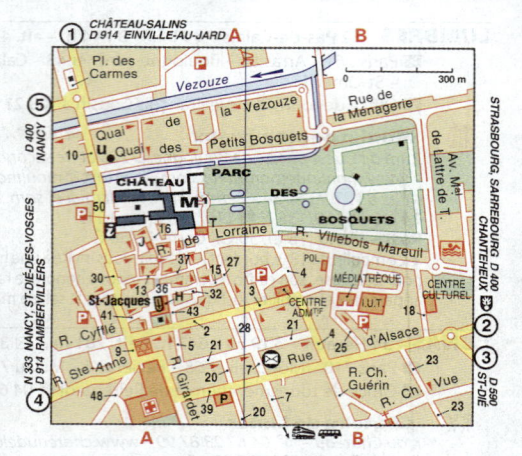

au Sud par ④ puis av. G. Pompidou et cités Ste-Anne : 5 km – ⊠ 54300 Lunéville

Château d'Adoménil (Cyril Leclerc)
– ℰ 03 83 74 04 81 – www.adomenil.com
– adomenil@relaischateaux.com – Fax 03 83 74 21 78
– Fermé 4-29 janv., 15-26 fév., dim. soir du 1er nov. au 15 avril, mardi du 1er nov. au 1er mars et lundi
9 ch – †175/195 € ††175/220 €, ⊇ 21 € – 5 suites – ½ P 195/215 €
Rest – (fermé dim. soir du 1er nov. au 15 avril, mardi sauf le soir du 2 mars au 31 oct., merc. midi, jeudi midi, vend. midi et lundi) Menu 49 € (sem.)/95 €
– Carte 76/120 €
Rest *Version A* – (ouvert merc., jeudi et vend.) (déj. seult) Menu 32 € – Carte 32/50 €
Spéc. Saint-Jacques émincées crues, mascarpone, wasabi, et anis vert (nov. à mars). Cabillaud de petite pêche et œuf poché dans un bouillon de crevettes grises. Cornets craquants de mirabelles de Lorraine et pavot bleu (20 août-20 sept.). **Vins** Côtes de Toul blanc et rouge.

♦ Belle demeure du 18e s. au cœur d'un parc. Chambres bourgeoises dans le château ou d'inspiration provençale dans les dépendances. Cuisine actuelle au restaurant : quatre pièces baroques et contemporaines, mariant avec goût tons sombres et touches vives. À la Version A, on déjeune face au jardin à l'anglaise.

LURBE-ST-CHRISTAU – 64 Pyrénées-Atlantiques – 342 I6 – 225 h.   **3 B3**
– alt. 260 m – Stat. therm. : fermée, pas de date de réouverture connue – ⊠ 64660

◘ Paris 820 – Laruns 32 – Lourdes 61 – Oloron-Ste-Marie 10 – Pau 44
– Tardets-Sorholus 29

Au Bon Coin
rte des Thermes – ℰ 05 59 34 40 12 – www.thierry-lassala.com – thierrylassala@wanadoo.fr – Fax 05 59 34 46 40 – Fermé 1 sem. en fév. et dim. soir du 20 sept. au 20 juin
18 ch – †56/88 € ††58/88 €, ⊇ 10 €
Rest – (fermé dim. soir sauf en juil.-août, lundi et mardi midi)
Menu (22 € bc), 30/52 €

♦ Sympathique hôtellerie familiale postée en lisière de forêt. Chambres confortables et pratiques, plus calmes sur l'arrière. Cuisine au goût du jour servie dans la salle à manger parée de poutres et de pierres apparentes, ou dans la véranda.

LURE – 70 Haute-Saône – 314 G6 – 8 337 h. – alt. 290 m – ⊠ 70200   **17 C1**
Franche-Comté Jura

◘ Paris 387 – Belfort 37 – Besançon 77 – Épinal 77 – Montbéliard 35
– Vesoul 30

🄸 Office de tourisme, 35, avenue Carnot ℰ 03 84 62 80 52, Fax 03 84 62 74 61

976

LURE

à Roye Est : 2 km par rte de Belfort – 1 219 h. – alt. 301 m – ⊠ 70200

XX **Le Saisonnier**
56 r. de la Verrerie, N 19 – ✆ *03 84 30 46 00 – www.restaurant-lesaisonnier.com
– casagrande.laurent@wanadoo.fr – Fax 03 84 30 46 00 – Fermé 3 juin-17 août,
15-25 fév., dim. soir, lundi soir et merc.*
Rest – *(nombre de couverts limité, prévenir)* Menu 26/60 €
– Carte 40/55 €
♦ Les épais murs de cette ancienne ferme abritent trois salles à manger campagnardes où l'on propose une cuisine au goût du jour. L'été, service sur la terrasse-jardin.

à Froideterre Nord-Est : 3 km par D 486 et D 99 – 358 h. – alt. 306 m – ⊠ 70200

XX **Hostellerie des Sources** avec ch
4 r. du Grand Bois – ✆ *03 84 30 34 72 – www.hostellerie-des-sources.com
– hostelleriedessources@wanadoo.fr – Fax 03 84 30 29 87*
5 ch – ♦70/119 € ♦♦70/119 €, ⊇ 10 €
Rest – *(Fermé 3 sem. en janv., dim. soir, lundi et mardi)*
(nombre de couverts limité, prévenir) Menu 28/58 € – Carte 38/54 €
♦ Coquette ferme en pierre située à la lisière du plateau des Mille Étangs. Élégant intérieur rustique et sympathique cuisine au goût du jour. Hébergement dans cinq pavillons neufs au décor contemporain, particulièrement bien équipés (3 avec spa et sauna privés).

LUSSAC-LES-CHÂTEAUX – 86 Vienne – 322 K6 – 2 407 h. 39 **D2**
– alt. 104 m – ⊠ 86320 **Poitou Vendée Charentes**

▶ Paris 355 – Bellac 42 – Châtellerault 52 – Montmorillon 12 – Poitiers 39 – Ruffec 51

🛈 Office de tourisme, place du 11 novembre 1918 ✆ 05 49 84 57 73, Fax 05 49 84 57 73

◉ Nécropole mérovingienne★ de Civaux NO : 6 km sur D 749.

🏨 **Les Orangeries**
12 av. du Dr Dupont – ✆ *05 49 84 07 07 – www.lesorangeries.fr – orangeries@
wanadoo.fr – Fax 05 49 84 98 82 – Fermé 1ᵉʳ-15 mars*
11 ch – ♦55/115 € ♦♦60/135 €, ⊇ 13 € – 4 suites – ½ P 69/107 €
Rest – *(dîner seult)* Menu (18 €), 28/45 € bc
♦ Intérieur de caractère, chambres cosy, piscine, parc paysager, verger, etc. : cette maison du 18ᵉ s. vous reçoit dans une ambiance guesthouse. La table, orientée terroir, est à l'image des lieux, familiale, généreuse et "verte" (menu de saison, produits bio).

LUTTER – 68 Haut-Rhin – 315 I12 – rattaché à Ferrette

LUTZELBOURG – 57 Moselle – 307 O6 – 695 h. – alt. 212 m 27 **D2**
– ⊠ 57820 **Alsace Lorraine**

▶ Paris 438 – Metz 113 – Obernai 49 – Sarrebourg 20 – Sarreguemines 53 – Strasbourg 62

🛈 Syndicat d'initiative, 147, rue A.J. Konzett ✆ 03 87 25 30 19, Fax 03 87 25 33 76

◉ Plan-incliné★ de St-Louis-Arzviller SO : 3,5 km.

XX **Des Vosges** avec ch
2 r. Ackermann – ✆ *03 87 25 30 09 – www.hotelvosges.com – info@
hotelvosges.com – Fax 03 87 25 42 22*
10 ch – ♦58/68 € ♦♦58/68 €, ⊇ 8 € – ½ P 68 €
Rest – *(fermé dim. soir et merc.)* Menu (12 €), 20/35 € – Carte 24/42 €
♦ Auberge traditionnelle dont la terrasse domine le canal Rhin-Marne. Boiseries et beau parquet ancien composent le décor de la salle. Spécialités régionales et truite au bleu.

LUXÉ – 16 Charente – 324 K4 – rattaché à Mansle

LUXEUIL-LES-BAINS – 70 Haute-Saône – **314** G6 – 7 575 h. – 17 **C1**
– alt. 305 m – Stat. therm. : fin mars-fin oct. – Casino – ✉ 70300
Franche-Comté Jura

▶ Paris 379 – Épinal 58 – Vesoul 32 – Vittel 72

ℹ Office de tourisme, rue Victor Genoux ✆ 03 84 40 06 41, Fax 03 84 93 56 44

🏌 de Luxeuil Bellevue à Genevrey RN 57, par rte de Vesoul : 11 km, ✆ 03 84 95 82 00

◉ Hôtel du Cardinal Jouffroy★ **B** - Musée de la tour des Échevins : stèle★ **M**[1] - Anc. Abbaye St-Colomban★ - Maison François1er★ **K**.

Cannes (R. des) 2
Carnot (R.) 3
Clemenceau (R. G.) 4
Gambetta (R.) 5
Genoux (R. V.) 6
Hoche (R.) 7
Jeanneney (R. J.) 8
Lavoirs (R. des) 9
Maroseli (Allées A.) 12
Morbief (R. du) 15
Thermes (Av. des) 16

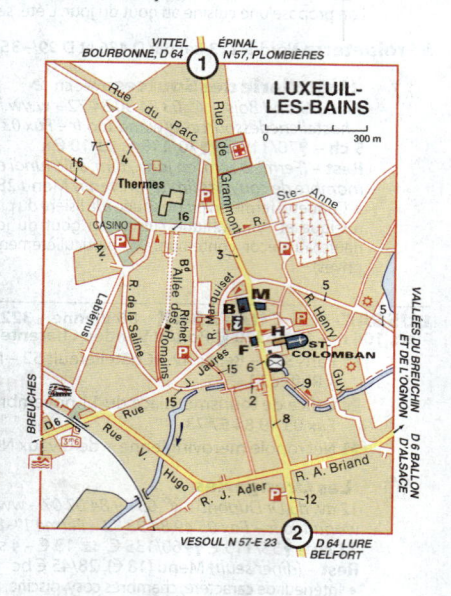

Les Sources sans rest
2 av. Jean-Moulin – ✆ 03 84 93 70 04 – www.70lessources.fr – contact@70lessources.fr – Fax 03 84 93 98 98 – Fermé 20 déc. au 3 janv.
41 ch – †55/92 € ††65/100 €, ⊇ 8,50 €
◆ Proche des thermes, cette bâtisse de 1860, entièrement rénovée en hôtel-résidence, propose 41 studios de style contemporain (avec kitchenette) donnant sur le parc ou la ville.

LUYNES – 37 Indre-et-Loire – **317** M4 – 4 945 h. – alt. 60 m – ✉ 37230 11 **B2**
Châteaux de la Loire

▶ Paris 247 – Angers 115 – Chinon 41 – Langeais 15 – Saumur 56 – Tours 11

ℹ Office de tourisme, 9, rue Alfred Baugé ✆ 02 47 55 77 14, Fax 02 47 55 77 14

◉ Église★ au Vieux-Bourg de St-Etienne de Chigny O : 3 km.

Domaine de Beauvois
4 km au Nord-Ouest par D 49 –
✆ 02 47 55 50 11 – www.beauvois.com – beauvois@grandesetapes.fr
– Fax 02 47 55 59 62
36 ch – †188/350 € ††188/350 €, ⊇ 22 €
Rest – Menu (19 €), 28 € (déj. en sem.), 45/75 € – Carte 55/92 €
◆ Vaste manoir des 16e-17e s. au cœur d'un parc arboré doté d'un étang. Superbes chambres personnalisées dans un esprit maison bourgeoise. Élégante salle et salons intimes pour une cuisine actuelle (dîner et dimanche) ou des plats du terroir servis en cocottes (le midi).

LUZ-ST-SAUVEUR – 65 Hautes-Pyrénées – **342** L7 – 1 077 h. — 28 **A3**
– alt. 710 m – Sports d'hiver : 1 800/2 450 m ⛷14 ⛷ – Stat. therm. : mi avril-fin oct.
– ⌂ 65120 ▌Midi-Pyrénées

▶ Paris 882 – Argelès-Gazost 19 – Cauterets 24 – Lourdes 32 – Pau 77
– Tarbes 51

🛈 Office de tourisme, 20, place du 8 mai ✆ 05 62 92 30 30, Fax 05 62 92 87 19

◉ Église fortifiée★.

à Esquièze-Sère au Nord – 438 h. – alt. 710 m – ⌂ 65120

Le Montaigu ⚜
rte de Vizos – ✆ *05 62 92 81 71 – www.hotelmontaigu.com – hotel.montaigu@
wanadoo.fr – Fax 05 62 92 94 11 – Fermé avril, oct. et nov.*
42 ch – †60/70 € ††70/85 €, ⌂ 9 € – ½ P 60/65 €
Rest – *(dîner seult)* Menu 17/35 € – Carte 30/42 €

♦ Bâtiment récent situé au pied d'un château en ruine. Grandes chambres fonctionnelles, dont sept flambant neuves ; certaines possèdent un balcon avec vue sur les montagnes. Recettes traditionnelles au restaurant et lumineux salon-bar tourné vers le jardin.

Terminus sans rest
r. Marcadaou – ✆ *05 62 92 80 17 – hotel.terminus65120@orange.fr
– Fax 05 62 92 32 89 – Fermé nov.*
16 ch – †40 € ††42 €, ⌂ 6 €

♦ Cet hôtel qui occupe une grande maison de village dispose de chambres toutes rénovées et colorées. Si le temps le permet, vous prendrez votre petit-déjeuner dans le jardin.

LUZY – 319 G11 – 2 077 h. – alt. 275 m – ⌂ 58170 Luzy — 7 **B3**

▶ Paris 319 – Dijon 122 – Nevers 81 – Le Creusot 47 – Montceau-les-Mines 40

🛈 Syndicat d'initiative, place Chanzy ✆ 03 86 30 02 65, Fax 03 86 30 04 51

Le Morvan
73 av. Dr-Dollet – ✆ *03 86 30 00 66 – www.hotelrestaurantdumorvan.fr
– hotel.morvan@wanadoo.fr – Fax 03 86 30 04 92 – Fermé 1ᵉʳ-8 mars,
22 août-3 sept., sam. midi, dim. soir et merc.*
Rest – Menu 15 € (déj. en sem.), 22/70 € – Carte 51/63 €

♦ L'environnement de cette ancienne auberge manque de charme, mais la goûteuse cuisine inventive du chef-patron et la jolie salle champêtre méritent qu'on fasse fi de ce détail !

Le quai de Saône et Notre-Dame de Fourvière

LYON

Département : 69 Rhône
Carte Michelin LOCAL : n° 327 I5
▶ Paris 458 – Genève 151 – Grenoble 106 – Marseille 314 – St-Étienne 61
Population : 468 000 h.

Pop. agglomération : 1 449 000 h.
Altitude : 175 m
Code Postal : ⊠ 69000
Lyon et la vallée du Rhône
Carte régionale 43 E1

PLANS DE LYON	
AGGLOMÉRATION	p. 4 et 5
LYON CENTRE PARTIE NORD	p. 6 et 7
LYON CENTRE PARTIE SUD	p. 8 et 9
RÉPERTOIRE DES RUES	p. 10 et 11
LISTE ALPHABÉTIQUE DES HÔTELS ET RESTAURANTS	p. 11 à 13
HÔTELS ET RESTAURANTS	p. 3 et 14 à 27

RENSEIGNEMENTS PRATIQUES

Office de tourisme

🛈 Place Bellecour ✆ 04 72 77 69 69, Fax 04 78 42 04 32

Transports

🚆 Auto-train ✆ 3635 et tapez 42 (0,34 €/mn)

Aéroport

✈ Lyon Saint-Exupéry ✆ 0 826 800 826 (0,15 €/mn), par ④ : 25 km

Casino

à la Tour de Salvagny
le Pharaon (quai Charles-de-Gaulle à Lyon) **GV**

Quelques golfs

- de Lyon Chassieu à Chassieu Route de Lyon, ✆ 04 78 90 84 77 ;
- de Salvagny à La Tour-de-Salvagny 100 rue des Granges, par rte de Roanne : 20 km, ✆ 04 78 48 88 48 ;
- public de Miribel Jonage à Vaulx-en-Velin Chemin de la Bletta, NE : 9 km, ✆ 04 78 80 56 20 ;
- de Mionnay-la-Dombes à Mionnay Domaine de Beau Logis, N : 23 km par D 1083, ✆ 04 78 91 84 84 ;
- de Lyon à Villette-d'Anthon, E : 25 km par D 517, D6 et D 55, ✆ 04 78 31 11 33.

👁 A VOIR

LE SITE

⩽★★★ de la basilique Notre-Dame de Fourvière **EX**
Montée du Garillan★ **EX**
⩽★ sur la Saône et la presqu'île depuis la place Rouville **EV**

LYON ROMAIN ET GALLO-ROMAIN

Théâtres romains et l'Odéon **EY** - Aqueducs romains **EY** - Musée de la civilisation gallo-romaine★★ : table claudienne★★★ **EY** M^{10}

LE VIEUX LYON

Quartiers St-Jean, St-Paul et St-Georges★★★ **EFXY** - Rue St-Jean : Cour★★ au n° 28 et cour★ de l'hôtel du Gouvernement au n° 2 - Couloir voûté★ au n° 18 rue Lainerie - Galerie★★ de l'hôtel Bullioud au n° 8 rue Juiverie - Hôtel Gadagne★ **FX** M^4 : musée historique de Lyon★, musée lapidaire★, musée international de la Marionnette★ - Primitiale St-Jean★ (Chœur★★) **EFY** - Maison du Crible★ au n° 16 rue du Bœuf - Théâtre « le Guignol de Lyon » **FX** T

LA PRESQU'ÎLE

Place Bellecour **FY** - Fontaine★ de la place des Terreaux **FX** - Palais St-Pierre★ **FX** M^9 - Musée des Beaux-Arts★★★ **FX** M^9 - Musée historique des tissus★★★ **FY** M^{17} - Musée de l'imprimerie★★ **FX** M^{16} - Musée des Arts décoratifs★★ **FY** M^7

LA CROIX ROUSSE

Aux origines de la soierie lyonnaise
Mur des Canuts **FV** R - Maison des Canuts **FV** M^5 - Ateliers de Soierie vivante★ **FV** E

RIVE GAUCHE DU RHÔNE

Quartiers : les Brotteaux, la Cité Internationale, la Guillotière, Gerland, la Part-Dieu
Parc de la Tête d'Or★ : Roseraie★ **GHV** - Musée d'Histoire naturelle★★ **GV** M^{20} - Centre d'Histoire de la Résistance et de la Déportation★ **FZ** M^1
Musée d'Art contemporain★ **GU** - Musée urbain Tony-Garnier★ **CQ** - Halle Tony-Garnier **BQR** - Château Lumière **CQ** M^2

ENVIRONS

Musée de l'automobile Henri-Malartre★★ à Rochetaillée-sur-Saône : 12 km par ⑪

Centre-ville (Bellecour-Terreaux)

Sofitel
20 quai Gailleton ⊠ 69002 Ⓜ Bellecour – ℰ 04 72 41 20 20 – www.sofitel.com
– h0553@accor.com – Fax 04 72 40 05 50   p. 8 FY p
164 ch – †230/380 € ††230/380 €, ⊑ 27 € – 26 suites
Rest Les Trois Dômes – voir ci-après
Rest Silk Brasserie – ℰ 04 72 41 20 80 – Menu (19 €), 28 € bc
– Carte 37/51 €
♦ L'architecture cubique contraste avec l'intérieur luxueusement agencé : chambres contemporaines de bon goût, salles de réunion modernes, boutiques chic, salon de coiffure... Nouvelle ambiance branchée à la Silk Brasserie où la carte propose recettes internationales et spécialités lyonnaises.

Le Royal Lyon
20 pl. Bellecour ⊠ 69002 Ⓜ Bellecour – ℰ 04 78 37 57 31
– www.lyonhotel-leroyal.com – H2952@accor.com – Fax 04 78 37 01 36   p. 8 FY g
74 ch – †150/450 € ††150/450 €, ⊑ 22 € – 10 suites
Rest – Menu (19 €), 28 € – Carte 32
♦ Après rénovation, cet hôtel du 19ᵉ s. géré par l'Institut Paul Bocuse a retrouvé son faste d'antan. Très belles chambres. Salle des petits-déjeuners décorée comme une cuisine. Recettes au goût du jour au restaurant.

Carlton sans rest
4 r. Jussieu ⊠ 69002 Ⓜ Cordeliers – ℰ 04 78 42 56 51 – mercure.com
– h2950@accor.com – Fax 04 78 42 10 71   p. 8 FX b
83 ch – †89/159 € ††99/219 €, ⊑ 17 €
♦ Pourpre et or : deux couleurs qui habillent cet hôtel de tradition aménagé à la façon d'un petit palace rétro. La cage d'ascenseur d'époque a de l'allure. Chambres confortables.

Globe et Cécil sans rest
21 r. Gasparin ⊠ 69002 Ⓜ Bellecour – ℰ 04 78 42 58 95
– www.globeetcecilhotel.com – accueil@globeetcecilhotel.com
– Fax 04 72 41 99 06   p. 8 FY b
60 ch ⊑ – †135/140 € ††150/170 €
♦ Un des derniers soyeux de la ville a décoré la salle de réunions de cet hôtel de caractère. Chambres mariant avec goût meubles chinés et modernes. Accueil des plus charmants.

Mercure Lyon Beaux-Arts sans rest
75 r. Prés. E. Herriot ⊠ 69002 Ⓜ Cordeliers – ℰ 04 78 38 09 50
– www.mercure.com – h2949@accor.com – Fax 04 78 42 19 19   p. 8 FX t
75 ch – †94/219 € ††104/229 €, ⊑ 16 € – 4 suites
♦ Bel immeuble 1900 où les chambres sont aménagées dans un sobre style Art déco. Quatre d'entre elles, plus insolites, sont décorées par des artistes contemporains.

Mercure Plaza République sans rest
5 r. Stella ⊠ 69002 Ⓜ Cordeliers – ℰ 04 78 37 50 50
– www.mercure.com – h2951@accor.com – Fax 04 78 42 33 34   p. 8 FY k
78 ch – †99/209 € ††109/219 €, ⊑ 17 €
♦ Architecture du 19ᵉ s., situation centrale, intérieur moderne, confort complet et salles de réunion : un hôtel apprécié, entre autres, par la clientèle d'affaires.

Grand Hôtel des Terreaux sans rest
16 r. Lanterne ⊠ 69001 Ⓜ Hôtel de ville – ℰ 04 78 27 04 10 – www.hotel-lyon.fr
– ght@hotel-lyon.fr – Fax 04 78 27 97 75   p. 6 FX u
53 ch – †85/90 € ††115/157 €, ⊑ 12 €
♦ Chambres personnalisées et décorées avec goût, jolie piscine intérieure et service attentif font de cet ancien relais de poste (19ᵉ s.) un établissement propice à la détente.

Des Artistes sans rest
8 r. G. André ⊠ 69002 Ⓜ Cordeliers – ℰ 04 78 42 04 88 – reservation@
hotel-des-artistes.fr – Fax 04 78 42 93 76   p. 8 FY r
45 ch – †85/100 € ††105/140 €, ⊑ 10 €
♦ Impossible de manquer les trois coups depuis cet hôtel voisin du théâtre des Célestins ! Chambres coquettes et salle des petits-déjeuners ornée d'une fresque à la Cocteau.

LYON page 4

LYON page 5

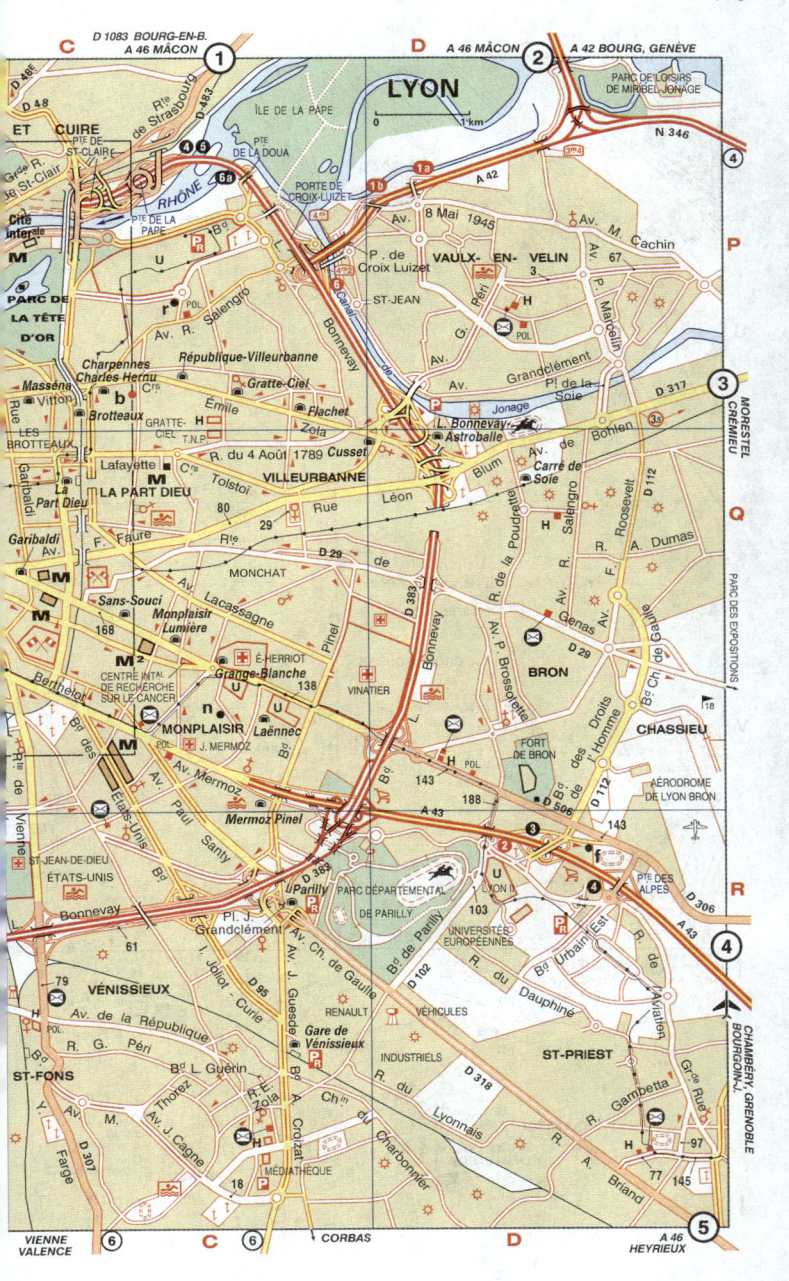

LYON page 6

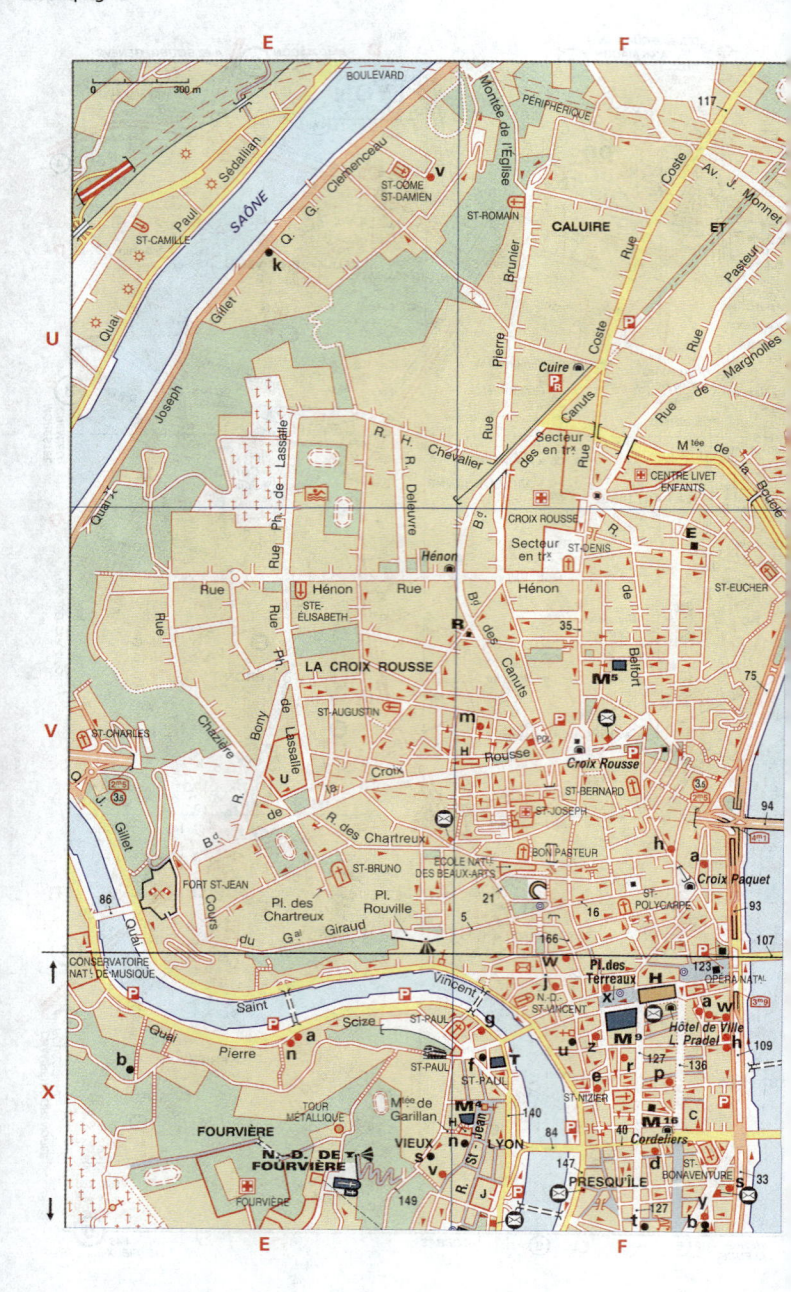

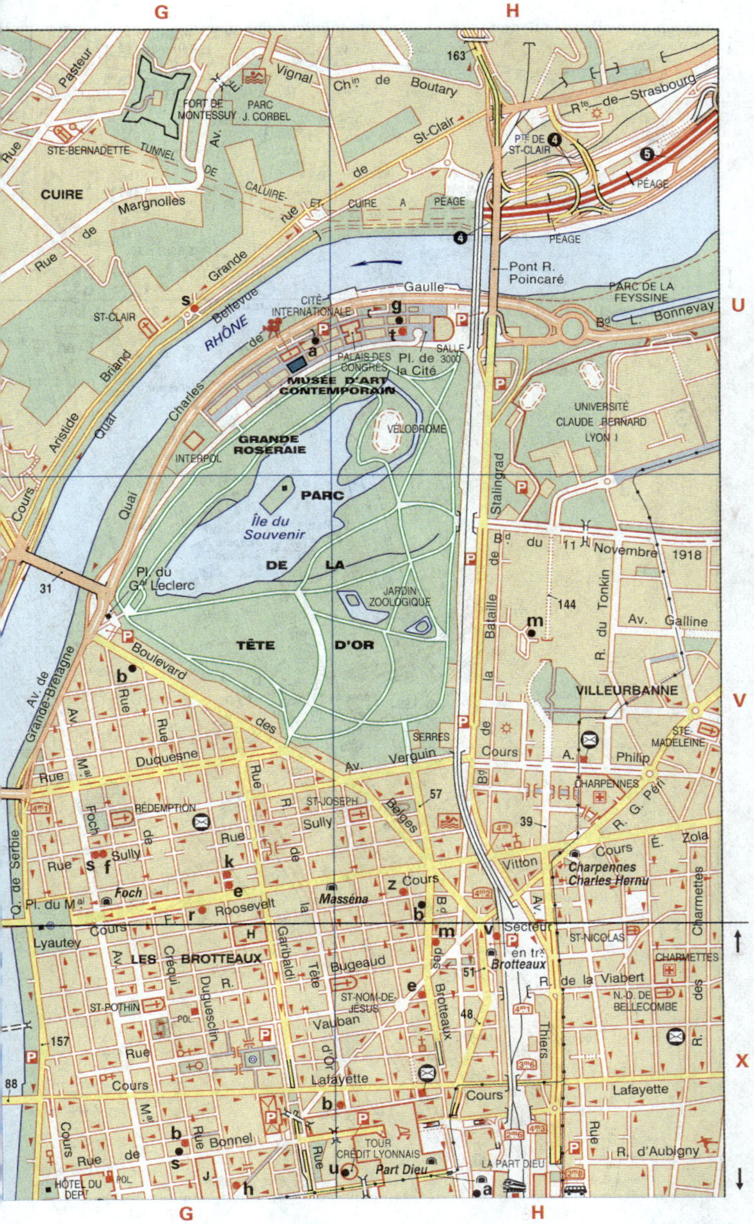
G
H
U
V
X
CUIRE
Rue Pasteur
FORT DE MONTESSUY
PARC J. CORBEL
Vignal
Chin de Boutary
Rte de Strasbourg
STE-BERNADETTE
TUNNEL DE CALUIRE-ET-CUIRE
Rue de Margnolles
Grande rue de St-Clair
Pte DE ST-CLAIR
PÉAGE
Pont R. Poincaré
PARC DE LA FEYSSINE
Bd L. Bonnevay
Gaulle
CITÉ INTERNATIONALE
PALAIS DES CONGRÈS
Pl. de la Cité
SALLE 3000
MUSÉE D'ART CONTEMPORAIN
RHÔNE
ST-CLAIR
Quai Charles de Gaulle
Cours Aristide Briand
INTERPOL
GRANDE ROSERAIE
VÉLODROME
UNIVERSITÉ CLAUDE BERNARD LYON I
PARC DE LA TÊTE D'OR
Île du Souvenir
Pl. du Gal Leclerc
JARDIN ZOOLOGIQUE
Bd de la Bataille de Stalingrad
Bd du 11 Novembre 1918
R. du Tonkin
Av. Galline
VILLEURBANNE
Av. de Grande-Bretagne
Boulevard des Belges
Rue Duquesne
Av. Verguin
SERRES
Cours A. Philip
STE-MADELEINE
CHARPENNES
R. G. Péri
Cours É. Zola
Charpennes Charles Hernu
RÉDEMPTION
ST-JOSEPH
Rue Sully
Av. Mal Foch
Foch
Pl. du Mal Lyautey
Cours F. Roosevelt
Masséna
Cours Vitton
Q. de Serbie
LES BROTTEAUX
Bd des Brotteaux
Secteur en trx
Brotteaux
ST-NICOLAS
CHARMETTES
R. de la Viabert
N.-D. DE BELLECOMBE
R. des Charmettes
Rue Garibaldi
Rue Tête d'Or
Rue Bugeaud
ST-NOM-DE-JÉSUS
Vauban
ST-POTHIN
Rue Créqui
R. Duguesclin
Cours Lafayette
Cours Thiers
Rue Bonnel
TOUR CRÉDIT LYONNAIS
Part Dieu
LA PART DIEU
R. d'Aubigny
HÔTEL DU DÉPT
Cours de la Liberté
163
31
144
57
39
51
48
157
88

LYON page 8

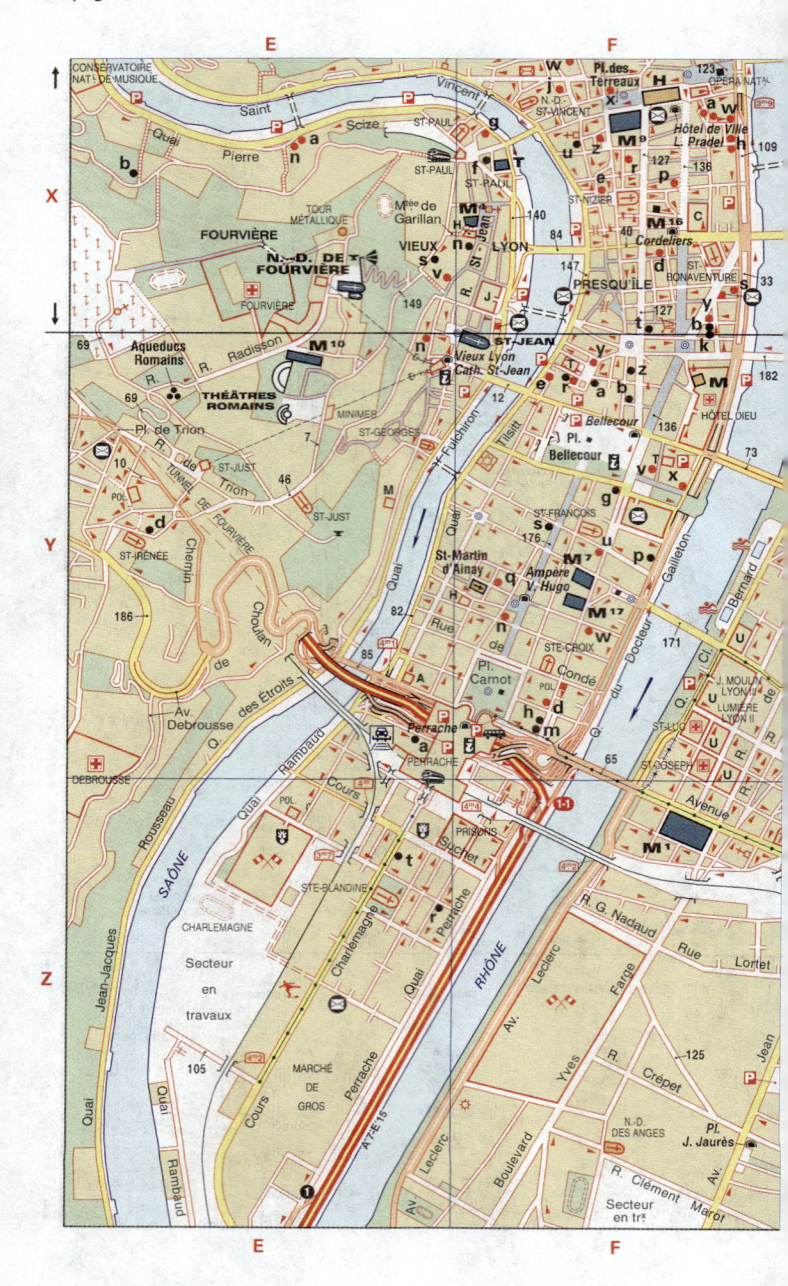

G
H
X
Y
Z
LES BROTTEAUX
ST-POTHIN
ST-NOM-DE-JESUS
ST-NICOLAS
CHARMETTES
N.-D. DE BELLECOMBE
Secteur en trx
Brotteaux
Lyautey
Cours
Av.
Créqui
Duguesclin
Garibaldi
Tête d'Or
Bugeaud
Vauban
Lafayette
des Brotteaux
R. de la Viabert
Thiers
Rue
Cours
Lafayette
Cours
R. d'Aubigny
Rue Bonnel
Rue de
TOUR CRÉDIT LYONNAIS
Part Dieu
LA PART DIEU
HÔTEL DU DEPT
IMMACULÉE CONCEPTION
Servient
CITÉ ADMve D'ÉTAT
PART DIEU
Pl. Guichard
ST-SACREMENT
Pompidou
M. G.
Av.
101
178
157
172
131
180
41
51
48
Paul
Bert
Flandin
Av. Lacassagne
Pl. Raspail
Guillotière
Liberté
Cours
Saxe
Créqui
Duguesclin
ST-JACQUES
Garibaldi
Faure
Av. F.
Saxe Gambetta
Grande
Félix
Garibaldi
Secteur en travaux
Marseille
ST-ANDRÉ
Jaurès
Av.
Gambetta
PRISON MONTLUC
Béchevelin
Rue de la
N.-D. ST-LOUIS
Pl. de Stalingrad
STE-MARIE-DE-LA GUILLOTIÈRE
Cours
J. MOULIN LYON III
Sans Souci
A. Thomas
LA GUILLOTIÈRE
L'ANNONCIATION
Guillotière
Jean
R. M. Bloch
Chevreul
ST-MICHEL
Pl. J. Macé
J. Macé
Garibaldi
Av. des Frères Lumière
Villon
Tchécoslovaques
Berthelot
Rue
Route
Bd des
POL.
Rue
Secteur en trx
Avenue
Jaurès
Gerland
CIMETIÈRE ISRAÉLITE
de
Rue de
Vienne
M. Berliet
Villon
Berthelot
Bd des Etats-Unis
Rue
Rue
Rue
Croix
Barret
ST-VINCENT DE PAUL
Musée urbain Tony-Garnier

RÉPERTOIRE DES RUES DE LYON

BRON

Rue	Réf.	N°
Bonnevay (Bd L.)	DQ	
Brossolette (Av. P.)	DQ	
Droits de l'Homme (Bd des)	DQ	
Genas (Rte de)	CDQ	
Mendès-France (Av. P.)	DR	103
Pinel (Bd)	CQ	
Roosevelt (Av. F.)	DQR	143
8 Mai 1945 (R. du)	DQ	188

CALUIRE ET CUIRE

Rue	Réf.	N°
Boutary (Ch. de)	HU	
Briand (Cours A.)	GUV	
Brunier (R. P.)	FU	
Canuts (Bd des)	FU	
Chevalier (R. H.)	EFU	
Clemenceau (Quai G.)	EU	
Coste (R.)	FU	
Église (Montée de l')	FU	
Margnolles (R. de)	FGU	
Monnet (Av. J.)	FU	
Pasteur (R.)	FGU	
Peissel (R. F.)	FU	117
Saint Clair (Grande R. de)	GHU	
Soldats (Montée des)	HU	163
Strasbourg (Rte de)	CP	
Vignal (Av. E.)	GU	

CHAMPAGNE-AU-MONT-D'OR

Rue	Réf.
Lanessan (Av. de)	AP

CHAPONOST

Rue	Réf.
Aqueducs (Rte des)	AR
Brignais (Rte de)	AR

CHASSIEU

Rue	Réf.
Gaulle (Bd Ch.-de)	DQ

ÉCULLY

Rue	Réf.	N°
Champagne (Rte de)	AP	25
Dr-Terver (Av. du)	AP	38
Marietton (R.)	AP	99
Roosevelt (Av. F.)	AP	142
Vianney (Ch. J.-M.)	AP	

FRANCHEVILLE

Rue	Réf.
Châter (Av. du)	AQ
Table de Pierre (Av.)	AQ

LA MULATIÈRE

Rue	Réf.	N°
Déchant (R. S.)	BR	
J.-J. Rousseau (Quai)	BQ	
Mulatière (Pont de la)	BQ	111
Sémard (Quai P.)	BR	

LYON

Rue	Réf.	N°
Annonciade (R. de l')	FV	5
Antiquaille (R. de l')	EY	7
Aubigny (R. d')	HX	
Barret (R. Croix)	GZ	
Basses Verchères (R. des)	EY	10
Bataille de Stalingrad (Bd de la)	HUV	
Béchevelin (R.)	GY	
Belfort (R. de)	FV	
Belges (Bd des)	GHV	
Bellecour (Pl.)	FY	
Bellevue (Quai)	GU	
Berliet (R. M.)	HZ	
Berthelot (Av.)	GHZ	
Bert (R. P.)	GHY	
Bloch (R. M.)	GZ	
Bonaparte (Pt)	FY	12
Bonnel (R. de)	GX	
Bony (R.)	EV	
Boucle (Montée de la)	FU	
Bourgogne (R. de)	BP	14
Brotteaux (Bd des)	HVX	
Bugeaud (R.)	HX	
Burdeau (R.)	FV	16
Buyer (Av. B.)	AQ	
Canuts (Bd des)	FUV	
Carmélites (Mtée des)	FV	21
Carnot (R.)	FY	
Chambaud-de-la-Bruyère (Bd)	BR	23
Charcot (R. Cdt)	ABQ	
Charlemagne (Cours)	EZ	
Charmettes (R. des)	HVX	
Chartreux (Pl. des)	EV	
Chartreux (R. des)	EV	
Chazière (R.)	EV	
Chevreul (R.)	GYZ	
Choulans (Ch. de)	EY	
Churchill (Pt W.)	GV	31
Claude-Bernard (Q.)	FY	
Condé (R. de)	FY	
Courmont (Q. J.)	FX	33
Crepet (R.)	FZ	
Créqui (R. de)	GVY	
Croix-Rousse (Bd de la)	EFV	
Croix-Rousse (Gde-R. de la)	FV	35
Debrousse (Av.)	EY	
Deleuvre (R.)	EUV	
Dr-Gailleton (Q. du)	FY	
Duguesclin (R.)	GVY	
Duquesne (R.)	GV	
Duvivier (R. P.)	GZ	180
Épargne (R. de l')	HZ	41
États-Unis (Bd des)	CQR	
Étroits (Quai des)	EY	
Farges (R. des)	EY	46
Farge (Bd Y.)	FZ	
Faure (Av. F.)	GHY	
Favre (Bd J.)	HX	48
La-Fayette (Cours)	GHX	
La-Fayette (Pont)	GX	88
Ferry (Pl. J.)	HX	51
Flandin (R. M.)	HXY	
France (Bd A.)	HV	57
Frères-Lumière (Av. des)	HZ	
Fulchiron (Q.)	EY	
Gallieni (Pt)	FY	65
Gambetta (Cours)	GHY	
Garibaldi (R.)	GVZ	
Garillan (Montée du)	EFX	
Garnier (Av. T.)	BR	
Gaulle (Q. Ch.-de)	GHU	
Genas (Rte de)	CDQ	
Gerland (R. de)	GZ	
Gerlier (R. du Cardinal)	EY	69
Gillet (Quai J.)	EUV	
Giraud (Cours du Gén.)	EV	
Grande-Bretagne (Av. de)	GV	
Grenette (R.)	FX	71
Guillotière (Grande-R. de la)	GYZ	
Guillotière (Pt de la)	FY	73
Hénon (R.)	EFV	
Herbouville (Cours d')	FV	75
Jayr (Q.)	BP	
Jean-Jaurès (Av.)	GY	
Joffre (Quai du Mar.)	EY	82
Joliot-Curie (R.)	AQ	
Juin (Pont Alphonse)	FX	84
Jutard (Pl. A.)	GY	
Kitchener Marchand (Pt)	EY	85
Koenig (Pt du Gén.)	EY	
Lacassagne (Av.)	CQ	
Lassagne (Quai A.)	FV	93
Lassalle (R. Ph. de)	EUV	
Lattre-de-Tassigny (Pt de)	FV	94
Leclerc (Av.)	EFZ	
Leclerc (Pl. du Gén.)	GV	
Liberté (Cours de la)	GXY	
Lortet (R.)	FZ	
Lyautey (Pl. du Mar.)	GVX	
Marius-Vivier-Merle (Bd)	HY	101
Marseille (R. de)	GY	
Mermoz (Av. J.)	CQ	
Montrochet (R. P.)	EZ	105
Morand (Pont)	FVX	107
Moulin (Quai J.)	FX	109
Mulatière (Pont de la)	BQ	111
Nadaud (R. G.)	EY	
La Part Dieu	HXY	
Pasteur (Pt)	BQ	115
Perrache (Quai)	EZ	
Pinel (Bd)	CQ	
Point du Jour (Av. du)	ABQ	
Pompidou (Av. G.)	HY	
Pradel (Pl. L.)	FX	123
Prés.-Édouard-Herriot (R. du)	FX	127
Pré Gaudry (R.)	FZ	125
Radisson (R. Roger)	EY	
Rambaud (Quai)	EYZ	
Repos (R. du)	GZ	131
République (R. de la)	FXY	136
Rockefeller (Av.)	CQ	138
Rolland (Quai Romain)	FX	140
Roosevelt (Cours F.)	GVX	
St-Antoine (Q.)	FX	147
St-Barthélémy (Montée)	EX	149
St-Jean (R.)	FX	
St-Simon (R.)	APB	153
St-Vincent (Quai)	EFX	
Santy (Av. Paul)	CQR	
Sarrail (Quai du Gén.)	GX	157
Saxe (Av. du Mar. de)	GXY	
Scize (Quai P.)	EX	
Sédallian (Quai P.)	EU	
Serbie (Quai de)	GV	
Servient (R.)	GY	
Stalingrad (Pl. de)	GHY	
Suchet (Cours)	EFZ	
Sully (R.)	GV	
Tchécoslovaques (Bd des)	HZ	
Terme (R.)	FV	166
Terreaux (Pl. des)	FX	
Tête d'Or (R. de la)	GVX	
Thiers (Av.)	HVX	
Thomas (Crs A.)	CQ	168
Tilsitt (Q.)	FY	
Trion (Pl. de)	EY	
Trion (R. de)	EY	
Université (Pont de l')	FY	171
Université (R. de l')	GY	172
Vauban (R.)	GHX	
Verguin (Av.)	HV	
Viabert (R. de la)	HX	
Victor-Hugo (R.)	FY	176
Vienne (Rte de)	GZ	
Villette (R. de la)	HY	178
Villon (R.)	HZ	
Vitton (Cours)	HVX	
Wilson (Pont)	FY	182
1re Div.-Fr.-Libre (Av. de la)	EY	186
25e Régt de Tirailleurs Sénégalais (Av. du)	ABP	

OULLINS

Rue	Réf.	N°
Jean-Jaurès (Av.)	BR	
Jomard (R. F.)	AR	
Perron (R. du)	BR	119

PIERRE-BÉNITE

Rue	Réf.	N°
Ampère (R.)	BR	
Europe (Bd de l')	BR	43
Voltaire (R.)	BR	

STE-FOY-LÈS-LYON

Rue	Réf.	N°
Charcot (R. du Cdt)	ABQ	
Châtelain (R.)	AQ	
Fonts (Ch. des)	AQ	55
Franche-Comté (R. de)	BQ	59
Provinces (Bd des)	BQ	

ST-DIDIER-AU-MONT-D'OR

Rue	Réf.
St-Cyr (R. de)	BP

ST-FONS

Rue	Réf.	N°
Farge (Bd Y.)	CR	
Jean-Jaurès (Av.)	CR	79
Semard (Bd P.)	BR	159
Sembat (R. M.)	BR	161

ST-GÉNIS-LAVAL

Rue	Réf.
Beauversant (Ch. de)	AR
Clemenceau (Av. Georges)	AR
Darcieux (R. François)	ABR
Gadagne (Av. de)	AR

ST-PRIEST

Rue	Réf.
Aviation (R. de l')	DR

LYON page 11

Briand (R. A.)	**DR**	
Dauphiné (R. du)	**DR**	
Gambetta (R.)	**DR**	
Grande-Rue	**DR**	
Herriot (Bd E.)	**DR**	77
Lyonnais (R. du)	**DR**	
Maréchal (R. H.)	**DR**	97
Parilly (Bd de)	**DR**	
Rostand (R. E.)	**DR**	145
Urbain Est (Bd)	**DR**	

TASSIN-LA-DEMI-LUNE

Foch (Av. du Mar.)	**AQ**	53
Gaulle (Av. Ch.-de)	**AQ**	
République (Av. de la)	**AQ**	134
Vauboin (Pl. P.)	**AQ**	
Victor Hugo (Av.)	**APQ**	175

VAULX-EN-VELIN

Allende (Av. S.)	**DP**	3
Bohlen (Av. de)	**DQ**	
Cachin (Av. M.)	**DP**	
Dumas (R. A.)	**DQ**	
Gaulle (Av. Ch.-de)	**DP**	67

Grandclément (Av.)	**DP**
Marcellin (Av. P.)	**DP**
Péri (Av. G.)	**DP**
Roosevelt (Av. F.)	**DQ**
Salengro (Av. R.)	**DQ**
Soie (Pont de la)	**DP**
8 Mai 1945 (Av. du)	**DP**

VÉNISSIEUX

Bonnevay (Bd L.)	**CR**	
Cachin (Av. M.)	**CR**	18
Cagne (Av. J.)	**CR**	
Charbonnier (Ch. du)	**CDR**	
Croizat (Bd A.)	**CR**	
Farge (Bd Y.)	**CR**	
Frères L. et É. Bertrand (R. des)	**CR**	61
Gaulle (Av. Ch.-de)	**CR**	
Gérin (Bd L.)	**CR**	
Grandclément (Pl. J.)	**CR**	
Guesde (Av. J.)	**CR**	
Joliot Curie (Bd I.)	**CR**	
Péri (R. G.)	**CR**	
République (Av. de la)	**CR**	
Thorez (Av. M.)	**CR**	

Vienne (Rte de)	**CQR**

VILLEURBANNE

Bataille de Stalingrad (Bd de la)	**HUV**	
Blum (R. L.)	**CDQ**	
Bonnevay (Bd L.)	**CP**	
Charmettes (R. des)	**HVX**	
Chirat (R. F.)	**CQ**	29
Croix Luizet (Pont de)	**CDP**	
Dutriévoz (Av. A.)	**HV**	39
Galline (Av.)	**HV**	
Genas (Rte de)	**CDQ**	
Jean-Jaurès (R.)	**CQ**	80
Philip (Cours A.)	**HV**	
Poincaré (Pt R.)	**HU**	
Poudrette (R. de la)	**DQ**	
Rossellini (Av. R.)	**HV**	144
Salengro (Av. R.)	**CP**	
Tolstoï (Cours)	**HQ**	
Tonkin (R. du)	**HV**	
Zola (Cours Émile)	**CP**	
4 Août 1789 (R. du)	**CQ**	
11 Novembre 1918 (Bd du)	**HV**	

LISTE ALPHABÉTIQUE DES HÔTELS

A

		Page
Ambassadeur	🏨	25
Des Artistes	🏠	3
Axotel	🏠	14

B

		Page
Le Beaulieu	🏠	26

C

		Page
Carlton	🏨	3
Célestins	🏠	14
Charlemagne	🏨	14
De la Cité	🏨	16
Collège	🏠	15
Congrès	🏨	17
Cour des Loges	🏨	15
Créqui Part-Dieu	🏠	16

E

		Page
Élysée Hôtel	🏠	14
L'Ermitage	🏠	27

G

		Page
Globe et Cécil	🏨	3
Grand Hôtel Mercure Château Perrache	🏨	14
Grand Hôtel des Terreaux	🏠	3
La Grange de Fourvière	🏠	15
Du Greillon	🏠	15

H

		Page
Les Hautes Bruyères	🏠	26
Hilton	🏨	16
Holiday Inn Garden Court	🏠	17

L

		Page
Lyon Métropole	🏨	15

M

		Page
Mercure Charbonnières	🏨	26
Mercure Lumière	🏨	17
Mercure Lyon Beaux-Arts	🏨	3
Mercure Plaza République	🏨	3

N		Page
De Noailles	🏠	17
Novotel Bron	🏠	17
Novotel Gerland	🏠	17
Novotel Lyon Nord	🏠	27
Novotel La Part-Dieu	🏠	16
Novotel Tassin	🏠	26

R		Page
Radisson SAS	🏠	16
La Résidence	🏠	14
Le Royal Lyon	🏠	3

P		Page
Du Parc	🏠	16
Le Pavillon de la Rotonde	🏠	26

S		Page
Des Savoies	🏠	15
Sofitel	🏠	000

V		Page
Verdun	🏠	14
Villa Florentine	🏠	15

LISTE ALPHABÉTIQUE DES RESTAURANTS

A		Page
Les Adrets	X	23
Alex	XX	20
L' Alexandrin	XX ✿	19
Argenson Gerland	X	21
Auberge de Fond Rose	XXX ✿	19
Auberge de l'Île	XX ✿✿	19

B		Page
Bernachon Passion	X	24
Le Bistrot de St-Paul	X	24
Le Bistrot du Palais	X	23
Brasserie Georges	XX	20
La Brunoise	XX	20

C		Page
Café des Fédérations	X	25
Cazenove	XX	20
Christian Têtedoie	XXX ✿	18

		Page
Les Comédiens	X	22
Le Comptoir des Marronniers	X	23
Le Contretête	X	22
Cuisine et Dépendances	X	23
Cuisine et Dépendances Acte II	X	23

D		Page
Daniel et Denise	X 🙂	24

E		Page
Eskis	X	24
Espace Le Bec	XX	27
L'Est	X 🙂	21
L'Étage	X	23

F		Page
La Famille	X	24
Francotte	X	22

G

		Page
Le Gabion	X	22
Le Garet	X 😊	25
Le Gourmet de Sèze	XX ✿	20

J

		Page
J.-C. Pequet	XX	20
Jofé	X	23
Le Jura	X	25

L

		Page
Larivoire	XXX ✿	25
Laurent Bouvier	XX	27
Léon de Lyon	XXX 😊	19

M

		Page
M	X 😊	22
La Machonnerie	X	22
Magali et Martin	X	24
Maison Clovis	X	21
Maison Villemanzy	X	23
Mère Brazier	XXX ✿✿	18

N

		Page
Nicolas Le Bec	XXX ✿✿	18
Le Nord	X	21

O

		Page
Les Oliviers	X 😊	22
L'Orangerie de Sébastien	XX	27
L'Ouest	X 😊	21

P

		Page
Le Passage	XX	20
Paul Bocuse	XXXXX ✿✿✿	000
La Petite Auberge du Pont d'Herbens	XX	25
Pierre Orsi	XXXX ✿	18
Le Potiquet	XX	21

R

		Page
La Rémanence	XX	19
La Rotonde	XXXX ✿✿	26

S

		Page
Le St-Florent	X	24
Saisons	XXX	26
Le Sud	X	21

T

		Page
La Tassée	XX	20
Les Terrasses de Lyon	XXX ✿	18
La Terrasse St-Clair	X	22
Thomas	X	24
33 Cité	X 😊	21
Les Trois Dômes	XXX ✿	19

V

		Page
Le Verre et l'Assiette	X 😊	22
La Voûte - Chez Léa	XX	21

La Résidence sans rest

18 r. V. Hugo ⊠ 69002 Ⓜ Bellecour – ℰ 04 78 42 63 28
– www.hotel-la-residence.com – hotel-la-residence@wanadoo.fr
– Fax 04 78 42 85 76

p. 8 **FY s**

67 ch – †81 € ††81 €, ⊇ 7 €

♦ Décor sobrement "seventies" pour cet hôtel bordant une rue piétonne proche de la place Bellecour. Quelques chambres plus élégantes, agrémentées de boiseries.

Célestins sans rest

4 r. Archers ⊠ 69002 Ⓜ Guillotière – ℰ 04 72 56 08 98 – www.hotelcelestins.com
– info@hotelcelestins.com – Fax 04 72 56 08 65

p. 8 **FY a**

25 ch – †69/110 € ††75/120 €, ⊇ 8,50 €

♦ Hôtel occupant plusieurs étages d'un immeuble d'habitation. Chambres claires et plaisantes ; celles de la façade offrent une échappée sur la colline de Fourvière.

Élysée Hôtel sans rest

92 r. Prés. E. Herriot ⊠ 69002 Ⓜ Cordeliers – ℰ 04 78 42 03 15
– www.hotel-elysee.fr – accueil@hotel-elysee.fr – Fax 04 78 37 76 49

p. 8 **FY z**

29 ch – †58/69 € ††73/82 €, ⊇ 8 €

♦ Chambres fonctionnelles récemment rafraîchies, situation centrale, petit-déjeuner continental et prix sages : une adresse familiale appréciée par la clientèle d'affaires.

Perrache

Grand Hôtel Mercure Château Perrache

12 cours Verdun ⊠ 69002 Ⓜ Perrache – ℰ 04 72 77 15 00
– www.mercure.com – h1292@accor.com – Fax 04 78 37 06 56

p. 8 **EY a**

111 ch – †95/180 € ††125/200 €, ⊇ 17 € – 2 suites

Rest *Les Belles Saisons* – *(fermé 25 juil.-25 août, week-ends et fériés)*
Carte 20/38 €

♦ L'hôtel bâti en 1900 a conservé une partie de son cadre Art nouveau : délicates boiseries sculptées du hall, mobilier authentique dans certaines chambres et les suites. Le "style Majorelle" prend toute sa dimension dans la superbe salle des Belles Saisons.

Charlemagne

23 cours Charlemagne ⊠ 69002 Ⓜ Perrache – ℰ 04 72 77 70 00
– www.charlemagne-hotel.fr – charlemagne@hotel-lyon.fr
– Fax 04 78 42 94 84

p. 8 **EZ t**

116 ch – †80/125 € ††85/135 €, ⊇ 10 €
Rest – *(fermé sam. et dim.)* Menu 19 € bc (sem.)/50 € bc
– Carte environ 30 €

♦ Deux immeubles abritant des chambres rénovées, confortables et de bon goût, un "business center" et une salle des petits-déjeuners façon jardin d'hiver. Au restaurant : décor moderne, plaisante terrasse d'été et cuisine traditionnelle sans prétention.

Axotel

12 r. Marc-Antoine Petit ⊠ 69002 Ⓜ Perrache – ℰ 04 72 77 70 70
– www.hotel-axotel-perrache.fr – axotel.perrache@hotel-lyon.fr
– Fax 04 72 40 00 65

p. 8 **EZ r**

126 ch – †71/95 € ††76/95 €, ⊇ 9 €
Rest *Le Chalut* – *(fermé 27 juil.-24 août, 21 déc.-4 janv., vend. soir, sam. midi et dim.)* Menu 26 € – Carte 32/47 €

♦ La clientèle d'affaires appréciera cet établissement doté de salles et équipements utiles à l'organisation de séminaires. Chambres diverses en tailles et en styles. Dans les filets du Chalut, du poisson bien sûr, mais aussi des plats de viande.

Verdun sans rest

82 r. de la Charité ⊠ 69002 Ⓜ Perrache – ℰ 04 78 37 34 71
– www.hoteldeverdun.com – reservation@hoteldeverdun.com
– Fax 04 78 37 45 35 – Fermé 2-16 août

p. 8 **FY m**

26 ch – †85/130 € ††95/140 €, ⊇ 12 €

♦ Cet hôtel, en partie non-fumeurs, a été modernisé tout en respectant le charme de son décor d'origine. Autres atouts du lieu : copieux petit-déjeuner ; proximité de la gare.

LYON page 15

Des Savoies sans rest 🍴 AC 📶 🚗 VISA MC AE
80 r. de la Charité ⊠ 69002 Ⓜ Perrache – ℰ 04 78 37 66 94
– www.hotel-des-savoies.fr – hotel.des.savoies@wanadoo.fr
– Fax 04 72 40 27 84   p.8   FY **h**
46 ch – ♦54/74 € ♦♦60/78 €, ⴷ 6 €
♦ Façade rehaussée de blasons savoyards, petites chambres simples, fonctionnelles et récemment rafraîchies, prix sages et garage très apprécié de la clientèle.

Vieux-Lyon

Villa Florentine ⚜ ⟨ 🚗 ⥉ ♨ 🍴 ♿ AC 📶 🛎 P 🚗 VISA MC AE ①
25 montée St-Barthélemy ⊠ 69005 Ⓜ Fourvière – ℰ 04 72 56 56 56
– www.villaflorentine.com – florentine@relaischateaux.com
– Fax 04 72 40 90 56   p.6   EX **s**
24 ch – ♦230/470 € ♦♦230/470 €, ⴷ 25 € – 4 suites
Rest *Les Terrasses de Lyon* – voir ci-après
♦ Sur la colline de Fourvière, cette demeure d'inspiration Renaissance jouit d'une vue incomparable sur la ville. L'intérieur marie avec une rare élégance l'ancien et le moderne.

Cour des Loges ⚜ 🏠 ♨ 🍴 AC ⥮ 📶 🛎 🚗 VISA MC AE ①
6 r. Boeuf ⊠ 69005 Ⓜ Vieux Lyon Cathédrale Saint-Jean – ℰ 04 72 77 44 44
– www.courdesloges.com – contact@courdesloges.com
– Fax 04 72 40 93 61   p.6   FX **n**
57 ch – ♦247/525 € ♦♦247/525 €, ⴷ 27 € – 4 suites
Rest *Les Loges* – (fermé juil., août, dim. et lundi) (dîner seult) Menu 58/85 €
– Carte 70/89 €
Rest *Café-Épicerie* – (fermé mardi et merc. sauf juil.-août) Menu (17 €)
– Carte 32/49 €
♦ Designers et artistes contemporains ont signé le décor étonnant de cet ensemble de maisons du 14ᵉ au 18ᵉ s. groupées autour d'une splendide cour à galeries. Cuisine inventive et cadre personnalisé aux Loges. Attrayante formule déjeuner au Café-Épicerie.

Collège sans rest 🍴 ♿ AC ⥮ 📶 🛎 🚗 VISA MC AE
5 pl. St Paul ⊠ 69005 Ⓜ Vieux Lyon Cathédrale St-Jean – ℰ 04 72 10 05 05
– www.college-hotel.com – contact@college-hotel.com
– Fax 04 78 27 98 84   p.6   FX **f**
39 ch – ♦115 € ♦♦115/145 €, ⴷ 12 €
♦ Bureaux d'écoliers, cheval d'arçon, cartes de géographie…: tout évoque l'univers scolaire d'autrefois. Chambres toutes blanches, résolument modernes, avec balcon ou terrasse.

Du Greillon sans rest ⚜ ⟨ 🚗 ⌘ 📶 VISA MC
12 montée du Greillon ⊠ 69009 – ℰ 06 08 22 26 33 – www.legreillon.com
– contact@legreillon.com – Fax 04 72 29 10 97
– Fermé 17-31 août et 18-24 fév.   p.8   EX **b**
4 ch ⴷ – ♦78 € ♦♦110 €
♦ L'ex-propriété du sculpteur J. Chinard convertie en maison d'hôte. Jolies chambres, meubles et objets chinés, délicieux jardin et vue plongeante sur la Saône et la Croix-Rousse.

La Grange de Fourvière sans rest ⥮ 📶 P
86 r. des Macchabées ⊠ 69005 Ⓜ Saint-Just – ℰ 04 72 33 74 45
– www.grangedefourviere.fr – contact@grangedefourviere.fr
         p.8   EY **d**
4 ch ⴷ – ♦55/80 € ♦♦65/80 €
♦ Une grange et une écurie du 19ᵉ s. entièrement réhabilitées, dans le "quartier village" St-Irénée. Chambres agréables, salon-bibliothèque et cuisinette à disposition des hôtes.

La Croix-Rousse (bord de Saône)

Lyon Métropole 🏠 ⥉ 📺 🎬 ⚒ 🍴 ♿ ch, AC 🛎 P 🚗 VISA MC AE
85 quai J. Gillet ⊠ 69004 – ℰ 04 72 10 44 44 – www.lyonmetropole.com   ①
– metropole@lyonmetropole.com – Fax 04 72 10 44 42   p.6   EU **k**
118 ch – ♦180/250 € ♦♦180/250 €, ⴷ 18 €
Rest *Brasserie Lyon Plage* – ℰ 04 72 10 44 30 – Menu (22 €), 27 €
– Carte 34/53 €
♦ Cet hôtel de style "années 1980" qui se mire dans la piscine olympique est très sportif : superbe spa, fitness, courts de tennis et de squash, practices, etc. Chambres modernes. La carte de la Brasserie Lyon Plage met l'accent sur les produits de la mer.

995

LYON page 16
Cité Internationale

Hilton 🛎 🍴 ♿ ch, 🄰🄲 📶 📞 🅿 🚗 VISA ⓜ AE ①
70 quai Ch.-de-Gaulle ⊠ *69006 –* ℰ *04 78 17 50 50 – www.hilton.com*
– reservations.lyon@hilton.com – Fax 04 78 17 52 52
p. 7 GU **a**
199 ch – †100/435 € ††100/435 €, ⊇ 24 €
Rest *Blue Elephant* – ℰ *04 78 17 50 00 (fermé 21 juil.-18 août, sam. midi et dim.)*
Menu 28 € (déj. en sem.), 43/55 € – Carte 59/66 €
Rest *Brasserie* – ℰ *04 78 17 51 00* – Menu (21 €), 24 € (déj.)/42 € – Carte 40/60 €
♦ Imposant hôtel moderne en brique et verre, doté d'un véritable "business center". Chambres et suites parfaitement équipées, donnant sur le parc de la Tête d'Or ou le Rhône. Spécialités et cadre thaïlandais au Blue Elephant. Cuisine traditionnelle à la Brasserie.

De la Cité 🛎 📞 ♿ 🄰🄲 📶 🍴 rest, 📞 🅿 🚗 VISA ⓜ AE ①
22 quai Ch.-de-Gaulle ⊠ *69006 –* ℰ *04 78 17 86 86*
– www.lyon.concorde-hotels.com – hoteldelacite@concorde-hotels.com
– Fax 04 78 17 86 99
p. 7 HU **g**
164 ch – †95/280 € ††95/345 €, ⊇ 20 € – 5 suites
Rest – *(fermé 1er-16 août)* Menu (20 € bc), 29 € (déj. en sem.) – Carte 27/43 €
♦ Architecture moderne signée Renzo Piano, située entre le parc de la Tête d'Or et le Rhône. Chambres claires affichant une décoration actuelle. Repas traditionnels (buffet au déjeuner). Terrasse ouverte sur le patio de la Cité Internationale. Nombreux cocktails au bar.

Les Brotteaux

Du Parc sans rest 📞 ♿ 🄰🄲 📶 🅿 VISA ⓜ AE ①
16 bd des Brotteaux ⊠ *69006* Ⓜ *Brotteaux –* ℰ *04 72 83 12 20*
– www.hotelduparc-lyon.com – accueil@hotelduparc-lyon.com
– Fax 04 78 52 14 32
p. 7 HV **b**
23 ch – †87/139 € ††97/149 €, ⊇ 11 €
♦ Hôtel situé entre la gare des Brotteaux et le parc de la Tête d'Or. Les chambres, plus tranquilles sur l'arrière, bénéficient d'un décor chaleureux et d'aménagements modernes.

La Part-Dieu

Novotel La Part-Dieu 📞 ♿ ch, 🄰🄲 📶 🍴 rest, 📞 🅿 VISA ⓜ AE ①
47 bd Vivier-Merle ⊠ *69003* Ⓜ *Part Dieu –* ℰ *04 72 13 51 51 – www.novotel.com*
– h0735@accor.com – Fax 04 72 13 51 99
p. 9 HX **a**
124 ch – †120/165 € ††120/165 €, ⊇ 15 €
Rest – Menu (21 €), 25 € (sem.) – Carte 24/48 €
♦ À deux pas de la gare. Chambres progressivement refaites selon les nouvelles normes de la chaîne et espace Internet au salon-bar. En attendant le train ou entre deux rendez-vous, la clientèle d'affaires contente son appétit au restaurant Novotel.

Radisson SAS ⟨⟩ ≤ 📞 ♿ 🄰🄲 📶 📞 🅿 🚗 VISA ⓜ AE ①
129 r. Servient, (32ème étage) ⊠ *69003* Ⓜ *Part Dieu –* ℰ *04 78 63 55 00*
– www.lyon.radissonsas.com – info.lyon@radissonsas.com
– Fax 04 78 63 55 20
p. 7 GX **u**
245 ch – †125/285 € ††125/285 €, ⊇ 21 €
Rest *L'Arc-en-Ciel* – *(fermé 15 juil.-27 août, sam. midi et dim.)* Menu 44/89 €
– Carte 79/120 € 🍷
Rest *Bistrot de la Tour* – *(fermé sam. et dim.) (déj. seult)* Menu 16 € bc/20 €
♦ Au sommet du "crayon" (altitude : 100 m), agencement inspiré des maisons du Vieux Lyon : cour intérieure et galeries superposées. Panorama exceptionnel depuis certaines chambres. L'Arc-en-Ciel est perché au 32e étage de la tour. Bistrot très prisé à midi.

Créqui Part-Dieu 📞 ♿ ch, 🄰🄲 📶 📞 🅿 VISA ⓜ AE ①
37 r. Bonnel ⊠ *69003* Ⓜ *Place Guichard –* ℰ *04 78 60 20 47*
– www.bestwestern-lyonpartdieu.com – directeur@hotel-crequi.com
– Fax 04 78 62 21 12
p. 7 GX **s**
46 ch – †73/165 € ††73/175 €, ⊇ 13 € – 3 suites
Rest *Le Magistère* – *(fermé août, sam. et dim.)* Menu (15 €), 18/30 €
– Carte 26/41 €
♦ L'établissement s'élève face à la cité judiciaire. Les chambres, rénovées, s'égayent de tons chaleureux. Celles de l'aile neuve offrent un cadre résolument moderne.

La Guillotière

🏠 **De Noailles** sans rest   AC 🛜 🚗 VISA MC AE ①
30 cours Gambetta ✉ *69007* Ⓜ *Guillotière* – ✆ *04 78 72 40 72*
– www.hoteldenoailles.fr – hotel-de-noailles@wanadoo.fr – Fax 04 72 71 09 10
– Fermé 31 juil.-24 août   p. 9 GY s
24 ch – ♦80/114 € ♦♦87/129 €, ⛌ 14 €
♦ Les chambres, bien tenues, ouvrent sur la cour intérieure ou sur un jardin. Son garage et la proximité du métro font du Noailles une adresse pratique.

Gerland

🏠🏠🏠 **Novotel Gerland**   🍴 🏊 👥 📶 ♿ ch, AC ↯ 🛜 🏋 🚗 VISA MC AE ①
70 av. Leclerc ✉ *69007* – ✆ *04 72 71 11 11* – *www.novotel.com* – *h0736@accor.com* – *Fax 04 72 71 11 00*   p. 4 BQ e
186 ch – ♦88/199 € ♦♦88/199 €, ⛌ 15 €
Rest – Menu (22 €), 26 € – Carte 30/44 €
♦ Près de la halle Tony-Garnier et du stade de Gerland, un Novotel relooké de pied en cap : jolies chambres contemporaines, bar-salon design et vastes salles de séminaire. À table, plaisant cadre "dernière génération" et carte traditionnelle.

Montchat-Monplaisir

🏠🏠🏠 **Mercure Lumière**   📶 ♿ ch, AC ↯ 🛜 🏋 🚗 VISA MC AE ①
69 cours A. Thomas ✉ *69003* Ⓜ *Sans Souci* – ✆ *04 78 53 76 76*
– www.mercure.com – h1535@accor.com – Fax 04 72 36 97 65   p. 9 HZ e
78 ch – ♦79/200 € ♦♦89/220 €, ⛌ 17 €
Rest – *(fermé 8-16 août, sam., dim. et fériés)* Menu (19 €), 24 € (déj. en sem.)
– Carte 32/42 €
♦ Proximité des anciens studios Lumière oblige, la décoration intérieure de ce Mercure rend hommage à l'univers du cinéma. Chambres fonctionnelles toutes identiques. Des photos évoquant l'histoire du 7e art habillent la salle à manger contemporaine.

à Villeurbanne – 134 800 h. – alt. 168 m – ✉ 69100

🏠🏠🏠 **Congrès**   📶 AC 🛜 🏋 🚗 VISA MC AE ①
pl. Cdt Rivière – ✆ *04 72 69 16 16* – *www.hoteldescongres.com* – *reservation@hoteldescongres.com* – *Fax 04 78 94 64 86* – *Fermé 24 déc.-4 janv.*   p. 7 HV m
134 ch – ♦116/138 € ♦♦127/149 €, ⛌ 15 €
Rest – *(fermé vend. soir, sam. et dim.)* Menu (13 € bc), 20 € (dîner)
♦ Architecture de béton proche du parc de la Tête d'Or. Décor conforme au standard des années 1980. Préférez les chambres "prestige", plus spacieuses et soignées. Cuisine traditionnelle au restaurant.

🏠🏠 **Holiday Inn Garden Court**   📶 ♿ ch, AC ↯ 🛜 🏋 🚗 VISA MC AE ①
130 bd du 11 Nov. 1918 – ✆ *04 78 89 95 95*
– www.holidayinn-lyon-villeurbanne.fr – higcvilleurbanne@alliance-hospitality.com – Fax 04 72 43 91 55   p. 5 CP r
79 ch – ♦79/200 € ♦♦79/200 €, ⛌ 15 €
Rest – *(fermé vend. soir, dim. midi et sam.)* Menu (13 €), 22 € (sem.)/26 €
– Carte 32/44 €
♦ Une adresse particulièrement appréciée par la clientèle d'affaires : chambres confortables et bien tenues, espaces de réunions modulables et emplacement pratique. À table, couleurs ensoleillées et carte traditionnelle.

à Bron – 38 700 h. – alt. 204 m – ✉ 69500

🏠🏠🏠 **Novotel Bron**   🚗 🍴 🏊 📶 ♿ ch, AC ↯ 🛜 🏋 🅿 VISA MC AE ①
260 av. J. Monnet – ✆ *04 72 15 65 65* – *www.novotel.com* – *h0436@accor.com*
– Fax 04 72 15 09 09   p. 5 DR f
190 ch – ♦95/200 € ♦♦95/200 €, ⛌ 16 €
Rest – Menu (21 €), 25 € (sem.) – Carte 27/39 €
♦ Bien équipé pour accueillir des séminaires, cet hôtel pratique d'accès arbore désormais une décoration et un confort en adéquation avec les nouvelles normes Novotel. Restaurant contemporain et carte traditionnelle pour une pause-repas aux portes de Lyon.

Restaurants

XXXXX Paul Bocuse ⁂⁂⁂
40 r. de la Plage, au pont de Collonges, 12 km au Nord par bords Saône (D 433, D 51)
✉ 69660 – ☏ 04 72 42 90 90 – www.bocuse.fr – paul.bocuse@bocuse.fr
– Fax 04 72 27 85 87
p. 4 BP

Rest – Menu 125/210 € – Carte 111/188 €

Spéc. Soupe aux truffes noires VGE. Volaille de Bresse en vessie. Gâteau "Le Président". **Vins** Condrieu, Côte-Rôtie.

♦ Le monde entier défile dans le palais-auberge coloré et cossu de "Monsieur Paul", le primat des "gueules". Plats historiques et "fresque des grands chefs" dans la cour.

XXX Pierre Orsi ⁂
3 pl. Kléber ✉ *69006* Ⓜ *Masséna* – ☏ *04 78 89 57 68 – www.pierreorsi.com*
– orsi@relaischateaux.com – Fax 04 72 44 93 34
– Fermé dim. et lundi sauf fériés
p. 7 GV e

Rest – Menu 60 € (déj. en sem.), 85/115 € – Carte 70/135 €

Spéc. Ravioles de foie gras de canard au jus de porto et truffes. Homard acadien en carapace "façon Pierre Orsi". Délice Geneviève (automne). **Vins** Saint-Joseph, Pouilly-Fuissé.

♦ Une maison ancienne, des salons élégants et feutrés, et une jolie terrasse-roseraie : le tout pour une cuisine dans l'air du temps réalisée avec finesse. Belle carte des vins.

XXX Les Terrasses de Lyon – Hôtel Villa Florentine ⁂
25 montée St-Barthélémy ✉ *69005* Ⓜ *Fourvière*
– ☏ *04 72 56 56 02 – www.villaflorentine.com*
– lesterrassesdelyonvillaflorentine.com – Fax 04 72 56 56 04
– Fermé dim. et lundi
p. 6 EX s

Rest – Menu 48 € (déj. en sem.)/104 € – Carte 100/144 €

Spéc. Foie gras de canard façon "Melba". Filet mignon de veau rôti au lard fermier. Chocolat manjari à la fève de Tonka. **Vins** Crozes-Hermitage, Saint-Joseph.

♦ En terrasse, la vue sur Lyon est à couper le souffle. La salle intérieure et la verrière ont beaucoup de cachet et la cuisine, actuelle, valorise subtilement les produits.

XXX Nicolas Le Bec ⁂⁂
14 r. Grolée ✉ *69002* Ⓜ *Cordeliers* – ☏ *04 78 42 15 00 – www.nicolaslebec.com*
– restaurant@nicolaslebec.com – Fax 04 72 40 98 97 – Fermé 3-24 août, dim., lundi et fériés
p. 6 FX y

Rest – Menu 68 € (déj. en sem.), 118/158 € – Carte 90/130 €

Spéc. Côtes de romaine et Saint-Jacques dorées (saison). Pigeonneau cuit en croûte de moutarde. Tarte au caramel mou et pralines blanches. **Vins** Mâcon, Condrieu.

♦ Restaurant au décor plus feutré et intimite, dans des tons noirs et taupe, où le chef signe une cuisine de produits, subtile et délicatement inventive. Jolie carte des vins.

XXX Mère Brazier (Mathieu Viannay) ⁂⁂
12 r. Royale ✉ *69001* Ⓜ *Hôtel de Ville* – ☏ *04 78 23 17 20 – www.lamerebrazier.fr*
– merebrazier@orange.fr – Fax 04 78 23 37 18 – Fermé 1er-23 août, 20-28 fév., sam. et dim.
p. 6 FV a

Rest – Menu (31 €), 35 € (déj. en sem.), 55/95 € – Carte 86/124 €

Spéc. Pâté en croûte au foie gras. Volaille de Bresse et homard sauce suprême, jus de carapace. Paris-Brest et glace aux noisettes caramélisées.

♦ Renaissance d'une maison emblématique reprise par un Meilleur Ouvrier de France. Subtilement rénové, le décor a retrouvé son âme d'antan. Carte séduisante mariant harmonieusement classique et contemporain.

XXX Christian Têtedoie ⁂
54 quai Pierre Scize ✉ *69005* – ☏ *04 78 29 40 10 – www.tetedoie.com*
– restaurant@tetedoie.com – Fax 04 72 07 05 65 – Fermé sam. midi, lundi midi et dim.
p. 6 EX n

Rest – Menu 50/82 € – Carte 60/75 €

Spéc. Quenelle de brochet farcie aux écrevisses. Homard et tête de veau confite au jus de carotte. Sablé breton en duo de framboise et poivron doux (mars à nov.). **Vins** Crozes-Hermitage, Vin de Vienne.

♦ Sur les quais de Saône, une table élégante qui soigne sa décoration (fleurs, objets, tableaux). Cuisine au goût du jour sublimée par une cave riche de plus de 700 appellations.

Les Trois Dômes – Hôtel Sofitel

20 quai Gailleton, (8ème étage) ⊠ 69002 Ⓜ Bellecour – ℰ 04 72 41 20 97
– www.les-3-domes.com – reservation@les-3-domes.com – Fax 04 72 40 05 50
– Fermé 1ᵉʳ juil.-30 sept., 15-23 fév., dim. et lundi p. 8 FY p
Rest – Menu 56 € (déj. en sem.), 79/129 € – Carte 112/135 €
Spéc. Millefeuille de crabe et avocat, huile parfumée au gingembre rose et citron jaune. Volaille de Bresse au citron et tomates séchées, courgette fleur et gnocchis au parmesan. Trois grands crus de chocolats. **Vins** Hermitage, Crozes-Hermitage.
♦ L'incomparable vue panoramique offerte par ce restaurant perché au dernier étage du Sofitel et sa savoureuse cuisine jouant sur les accords mets et vins rivalisent de séduction.

Auberge de Fond Rose (Gérard Vignat)

23 quai G. Clemenceau ⊠ 69300 Caluire-et-Cuire – ℰ 04 78 29 34 61
– www.aubergedefondrose.com – contact@aubergedefondrose.com
– Fax 04 72 00 28 67 – Fermé vacances de Toussaint, 16 fév.-3mars, mardi d'oct.
à mars, dim. soir et lundi sauf fériés p. 6 EU v
Rest – Menu 40 € bc (déj. en sem.), 55/85 € – Carte 75/85 €
Spéc. Rémoulade de grenouilles et minestrone de petits légumes. Pigeonneau cuit dans la rôtissoire et jus aux olives. Fondant tiède au chocolat guanaja et glace vanille. **Vins** Côte-Rôtie, Cornas.
♦ Cette maison bourgeoise des années 1920 dispose d'une idyllique terrasse s'ouvrant sur les arbres centenaires du jardin. Belle cuisine actuelle et intéressante carte des vins.

Léon de Lyon

1 r. Pleney, angle r. du Plâtre ⊠ 69001 Ⓜ Hôtel de ville – ℰ 04 72 10 11 12
– www.leondelyon.com – reservation@leondelyon.com
– Fax 04 72 10 11 13 p. 8 FX r
Rest – Menu (21 €), 25/32 € – Carte 32/48 €
♦ Modernisée en une brasserie de luxe, cette institution lyonnaise a conservé son cadre cossu et convivial. Excellents produits au service de plats canailles et gourmands.

Auberge de l'Île (Jean-Christophe Ansanay-Alex)

sur l'Île Barbe ⊠ 69009 – ℰ 04 78 83 99 49 – www.aubergedelile.com
– info@aubergedelile.com – Fax 04 78 47 80 46 – Fermé dim. et lundi p. 4 BP e
Rest – Menu 95/125 €
Spéc. Velouté de cèpes dans l'esprit d'un cappuccino, lardons de foie gras à la vapeur (automne). Mignon d'agneau en croûte de sel, tomates "cœur de pigeon" en aigre-doux (printemps-été). Glace à la réglisse, cornet de pain d'épice. **Vins** Condrieu, Côte-Rôtie.
♦ Une auberge de caractère (17ᵉ s.) au cœur de l'île Barbe. Le chef crée une cuisine fine et attentive au marché, avec un fameux "menu du jour" qu'il annonce oralement.

La Rémanence

31 r. du Bât-d'Argent ⊠ 69001 Ⓜ Hôtel de Ville – ℰ 04 72 00 08 08
– www.laremanence.fr – contact@laremanence.fr – Fax 04 78 39 85 10
– Fermé 2-24 août, dim. et lundi p. 8 FX h
Rest – Menu 27 € (déj. en sem.), 35/69 € – Carte 45/68 €
♦ Proche de l'Hôtel de Ville, dans l'ancien réfectoire des jésuites, restaurant aux salles voûtées, en pierres dorées. Cuisine de produits inventive signée d'un jeune chef talentueux.

L'Alexandrin (Laurent Rigal)

83 r. Moncey ⊠ 69003 Ⓜ Place Guichard – ℰ 04 72 61 15 69
– www.lalexandrin.com – laurent.rigal@lalexandrin.com – Fax 04 78 62 75 57
– Fermé 2-25 août, 20-28 déc., dim. et lundi p. 7 GX h
Rest – Menu 60 € bc/150 €
Spéc. Terrine de foie gras de canard et cœur de pêche aux épices douces (15 juin au 15 sept.). Quenelle de brochet au crémeux d'écrevisse. Madeleine au chocolat à la marmelade d'orange. **Vins** Saint-Péray, Crozes-Hermitage.
♦ Changement de cap pour ce restaurant qui attire le "Tout-Lyon" : décor contemporain et terrasse revus, belle carte de côtes-du-rhône et cuisine revisitant le terroir avec originalité.

XX Le Gourmet de Sèze (Bernard Mariller)   AC ⚙ VISA ⓜ AE
129 r. Sèze ⊠ 69006 Ⓜ Masséna – ℰ 04 78 24 23 42
– www.le-gourmet-de-seze.com – legourmetdeseze@wanadoo.fr – Fax 04 78 24 66 81
– Fermé 21-25 mai, 25 juil.-20 août, 15-18 fév., dim., lundi et fériés   p.7 HV z

Rest – *(nombre de couverts limité, prévenir)* Menu (25 €), 37 € (déj. en sem.), 47/100 €

Spéc. Croustillants de pieds de cochon compotés à la moutarde. Saint-Jacques de la baie de Saint-Brieuc (oct. à mars). Grand dessert du gourmet. **Vins** Saint-Aubin, Saint-Joseph.

♦ Salle en blanc et chocolat, dotée de chaises à médaillon et de tables rondes espacées. L'assiette, classique, actualisée avec doigté, séduit bien au-delà de la rue de Sèze.

XX Cazenove   AC ⚙ VISA ⓜ AE
75 r. Boileau ⊠ 69006 Ⓜ Masséna – ℰ 04 78 89 82 92 – www.le-cazenove.com
– orsi@relaischateaux.com – Fax 04 72 44 93 34
– Fermé août, sam. et dim.   p.7 GV k

Rest – Menu 35 € (sem.)/75 € bc – Carte 42/107 €

♦ Ambiance feutrée et intérieur évoquant la Belle Époque : banquettes capitonnées, glaces murales, appliques rétro et bronzes d'art. Recettes traditionnelles, parfois inventives.

XX Le Passage   ☕ VISA ⓜ AE ①
8 r. Plâtre ⊠ 69001 Ⓜ Hôtel de ville – ℰ 04 78 28 11 16 – www.le-passage.com
– restaurant@le-passage.com – Fax 04 72 00 84 34 – Fermé août, sam. midi, dim., lundi et fériés   p.8 FX r

Rest – Menu 38/54 € – Carte 48/80 €

♦ Sièges de théâtre et trompe-l'œil façon rideau de scène au Bistrot, décor feutré au Restaurant et cour-terrasse aux murs couverts de fresques. Cuisine classique revisitée.

XX J.-C. Pequet   AC VISA ⓜ AE ①
59 pl. Voltaire ⊠ 69003 Ⓜ Saxe Lafayette – ℰ 04 78 95 49 70 – Fax 04 78 62 85 26
– Fermé août, 24 déc.-2 janv., sam. et dim.   p.9 GY v

Rest – Menu 29/52 €

♦ Décor sans excentricité et sage registre traditionnel évoluant au gré du marché : un établissement fiable fréquenté par une clientèle d'habitués.

XX Alex   AC ⚙ VISA ⓜ AE
44 bd des Brotteaux ⊠ 69006 Ⓜ Brotteaux – ℰ 04 78 52 30 11 – chez.alex@club-internet.fr – Fax 04 78 52 34 16 – Fermé août, dim. et lundi   p.8 HX e

Rest – Menu (19 €), 23 € (déj. en sem.), 28/59 € – Carte environ 52 €

♦ Restaurant au cadre chic et épuré – mariage audacieux de coloris, meubles design et tableaux contemporains – valorisant la carte concoctée au gré du marché par le chef-patron.

XX La Brunoise   AC VISA ⓜ
4 r. A. Boutin ⊠ 69100 Villeurbanne Ⓜ Charpennes – ℰ 04 78 52 07 77
– www.labrunoise.fr – Fax 04 72 83 54 96 – Fermé 20 juil.-20 août, 2-7 janv., dim. soir, lundi soir, mardi et merc.   p.5 CP b

Rest – Menu (17 €), 20 € (déj. en sem.), 25/58 € bc – Carte 28/48 €

♦ Les spécialités de la maison peintes sur la façade invitent à s'attabler dans cette lumineuse salle de restaurant. Carte actuelle élaborée sur des bases classiques.

XX La Tassée   AC VISA ⓜ AE
20 r. Charité ⊠ 69002 Ⓜ Bellecour – ℰ 04 72 77 79 00 – www.latassee.fr
– jpborgeot@latassee.fr – Fax 04 72 40 05 91 – Fermé dim.   p.8 FY u

Rest – Menu 28/78 € – Carte 43/69 €

♦ Ambiance élégante et chaleureuse pour cette "institution lyonnaise" dont les clients célèbres s'affichent en photos sur les murs. La cuisine mixe habilement tradition et modernité.

XX Brasserie Georges   ☕ ⇔ VISA ⓜ AE ①
30 cours Verdun ⊠ 69002 Ⓜ Perrache – ℰ 04 72 56 54 54
– www.brasseriegeorges.com – brasserie.georges@orange.fr
– Fax 04 78 42 51 65   p.8 FZ b

Rest – Menu 20/25 € – Carte 25/42 €

♦ "Bonne bière et bonne chère depuis 1836", cadre Art déco jalousement entretenu et ambiance ad hoc : cette brasserie classée est un incontournable de la ville.

La Voûte - Chez Léa

11 pl. A. Gourju ⊠ 69002 Ⓜ Bellecour – ℰ 04 78 42 01 33 – Fax 04 78 37 36 41
– Fermé dim. *p. 8* FY e

Rest – Menu (16 €), 19 € (déj. en sem.), 30/40 € – Carte 30/56 €

♦ L'un des plus vieux restaurants de Lyon qui perpétue avec brio la tradition gastronomique de la région. Ambiance et décor chaleureux. Belle carte de gibier en automne.

Le Potiquet

27 r. de l'Arbre Sec ⊠ 69001 Ⓜ Hôtel de ville – ℰ 04 78 30 65 44 – lepotiquet@free.fr – Fermé août, sam. midi, dim. et lundi *p. 6* FX w

Rest – Menu 29/49 € – Carte 37/46 €

♦ Élégance et sobriété caractérisent cet agréable restaurant familial où l'on déguste une cuisine dans l'air du temps, parfois originale, souvent ensoleillée et toujours soignée.

Maison Clovis

19 bd Brotteaux ⊠ 69006 Ⓜ Brotteaux – ℰ 04 72 74 44 61 – ckcloviskhoury@yahoo.fr – Fermé 10-31 août, dim. et lundi *p. 7* HX m

Rest – Menu (19 €), 39/65 € bc – Carte 53/73 €

♦ Nouvelle adresse qui fait mouche tant par son décor contemporain (murs gris, mobilier design) que par sa fine cuisine. Carte et suggestions plus simples à l'ardoise le midi.

Argenson Gerland

40 allée P.-de-Coubertin, à Gerland ⊠ 69007 Ⓜ Stade de Gerland
– ℰ 04 72 73 72 73 – www.nordsudbrasseries.com – argenson2@wanadoo.fr
– Fax 04 72 73 72 74 *p. 4* BR a

Rest – Menu (21 €), 23 € – Carte 40/70 €

♦ L'une des brasseries de Paul Bocuse, voisine du stade de Gerland. Intérieur chaleureux et agréable terrasse ombragée pour une carte traditionnelle où pointe l'accent du Sud

Le Nord

18 r. Neuve ⊠ 69002 Ⓜ Hôtel de ville – ℰ 04 72 10 69 69 – www.bocuse.fr
– commercial@brasseries-bocuse.com – Fax 04 72 10 69 68 *p. 8* FX p

Rest – Menu 23 € (sem.)/33 € – Carte 26/50 €

♦ Banquettes, sol en mosaïque, boiseries, lampes boule : un vrai décor 1900 dans cette brasserie – la première ouverte par Bocuse – proposant des plats ancrés dans la tradition.

L'Est

14 pl. J. Ferry, (gare des Brotteaux) ⊠ 69006 Ⓜ Brotteaux – ℰ 04 37 24 25 26
– www.bocuse.fr – commercial@brasseries-bocuse.com
– Fax 04 37 24 25 25 *p. 7* HX v

Rest – Menu 24 € (sem.)/29 € – Carte 32/50 €

♦ Une brasserie tendance très prisée des Lyonnais. Cuisine ouverte sur la salle, rondes de trains miniatures au-desssus des têtes et saveurs des cinq continents dans l'assiette.

L'Ouest

1 quai Commerce, Nord par bords Saône (D 51) ⊠ 69009 – ℰ 04 37 64 64 64
– www.nordsudbrasseries.com
– commercial@brasseries-bocuse.com– Fax 04 37 64 64 65 *p. 4* BP a

Rest – Menu 24 € (sem.)/29 € – Carte 35/56 €

♦ Immense restaurant au décor design (bois, béton, métal, écrans géants, cuisine visible de tous), jolie terrasse côté Saône et recettes des îles : Bocuse met le cap à l'ouest !

33 Cité

33 quai Charles de Gaulle ⊠ 69006 – ℰ 04 37 45 45 45 – 33cite.restaurant@free.fr
– Fax 04 37 45 45 46 *p. 7* HU t

Rest – Menu (19 €), 23/27 € – Carte 35/53 €

♦ À la Cité internationale, face à la Salle 3000, cadre contemporain design pour déguster des plats classiques ou actuels. Grandes baies donnant sur le parc de la Tête d'Or.

Le Sud

11 pl. Antonin-Poncet ⊠ 69002 Ⓜ Bellecour – ℰ 04 72 77 80 00 – www.bocuse.fr
– commercial@brasseries-bocuse.com – Fax 04 72 77 80 01 *p. 8* FY x

Rest – Menu 23 € (sem.)/28 € – Carte 33/45 €

♦ Point cardinal de la géographie bocusienne, cette brasserie évoque le bassin méditerranéen par son décor et par sa "cuisine du soleil". Jolie terrasse d'été face à la place.

Le Verre et l'Assiette

20 Grande Rue de Vaise ✉ 69009 – ℰ 04 78 83 32 25 – www.leverreetlassiette.com
– leverreetlassiette@free.fr – Fermé 25 juil.-17 août, 6-15 fév., sam. et dim.
Rest – Menu (19 € bc), 28 € (sem.)/42 €   p. 4 BP d

◆ Le chef revisite, avec talent et originalité, les "lyonnaiseries" et quelques classiques de la cuisine française. Agréable décor moderne (pierre et bois) et service souriant.

Le Contretête

55 quai Pierre Scize ✉ 69005 – ℰ 04 78 29 41 29 – restaurant@tetedoie.com
– Fax 04 72 07 05 65 – Fermé 2-23 août, sam. midi et dim.   p. 6 EX a
Rest – Menu (17 €) – Carte 25/35 €

◆ Couvé par Christian Têtedoie, ce bistrot cultive l'authenticité et propose des recettes de grand-mère mitonnées comme autrefois. Décor à l'ancienne envahi de vieux objets.

Le Gabion

13 bd E. Deruelle ✉ 69003 Ⓜ Part Dieu – ℰ 04 72 60 81 57 – www.legabion.fr
– legabion@wanadoo.fr – Fax 04 78 60 83 18
– Fermé 1er-21 août, dim. et fériés   p. 7 HX b
Rest – Menu (16 €), 19 € (déj.)/25 € – Carte 28/45 €

◆ Cadre contemporain, sobre et original (murs de galets pris dans un treillis d'acier), imaginé par l'architecte Chaduc. Produits de la mer, parfois relevés d'épices orientales.

Les Oliviers

20 r. Sully ✉ 69006 Ⓜ Foch – ℰ 04 78 89 07 09 – Fax 04 72 43 03 32
– Fermé 1er-8 mai, août, sam., dim. et fériés   p. 7 GV f
Rest – Menu (17 €), 24/33 € – Carte 34/45 €

◆ Un petit coin de Provence caché dans le 6e arrondissement : salle à manger contemporaine, épurée et intime, et appétissante cuisine du soleil.

M

47 av. Foch ✉ 69006 Ⓜ Foch – ℰ 04 78 89 55 19 – restaurant.mviannay@orange.fr – Fax 04 78 89 08 39
– Fermé 1er-23 août, 20-28 fév., sam. et dim.   p. 7 GV s
Rest – Menu (19 €), 25/35 €

◆ Une cuisine actuelle débordante de saveurs, un espace fluide, un design épuré un brin psychédélique ponctué d'arabesques orange. Autant de raisons de découvrir cette adresse.

Les Comédiens

2 pl. Célestins ✉ 69002 Ⓜ Bellecour – ℰ 04 78 42 08 26 – lescomedienslyon@aol.com – Fermé 1er-22 août, dim. et lundi
Rest – Menu 23 € (déj. en sem.), 28/48 € – Carte 30/50 €   p. 8 FY y

◆ L'enseigne est un clin d'œil au théâtre des Célestins tout proche. Intérieur dans l'air du temps, aux tons crème et chocolat. Carte traditionnelle et quelques plats lyonnais.

Francotte

8 pl. Célestins ✉ 69002 Ⓜ Bellecour – ℰ 04 78 37 38 64 – www.francotte.fr
– p.quarre@orange.fr – Fax 04 78 38 20 35
– Fermé 1er-17 août, dim. et lundi   p. 8 FY r
Rest – Menu 24/32 € – Carte 33/50 €

◆ Cuisine de brasserie servie dans un cadre mi-bistrot, mi-bouchon, orné de photos de "Mères" et de grands chefs des environs. Dîner après-spectacle et petit-déjeuner possibles.

La Machonnerie

36 r. Tramassac ✉ 69005 Ⓜ Ampère Victor Hugo – ℰ 04 78 42 24 62
– www.lamachonnerie.com – felix@lamachonnerie.com – Fax 04 72 40 23 32
– Fermé 15-30 juil., 2 sem. en janv., dim. et le midi sauf sam.   p. 8 EY n
Rest – (dîner seult) (prévenir) Menu 20 € (sem.)/45 € bc – Carte 30/45 €

◆ Cette institution du quartier perpétue la tradition du mâchon lyonnais : bonne franquette, convivialité et authentiques recettes régionales. Beau salon dédié au jazz.

La Terrasse St-Clair

2 Grande Rue St-Clair ✉ 69300 Caluire-et-Cuire – ℰ 04 72 27 37 37
– www.terrasse-saint-clair.com – clementboucher@wanadoo.fr
– Fax 04 72 27 37 38 – Fermé 5-22 août, 23 déc.-15 janv., dim. et lundi   p. 7 GU s
Rest – Menu (18 €), 30/40 €

◆ Hommage à la Fanny – tant redoutée des boulistes ! – dans ce restaurant aux allures de guinguette et sur sa terrasse ombragée de platanes, aménagée pour parfaire son carreau.

LYON page 23

Les Adrets
30 r. Bœuf ⊠ *69005* Ⓜ *Vieux Lyon Cathédrale Saint Jean* – ℰ *04 78 38 24 30*
– *Fax 04 78 42 79 52*
– *Fermé 13-17 avril, 1er-8 mai, août, 25-31 déc., sam. et dim.* p. 6 **EX v**
Rest – Menu (16 € bc), 23 € (dîner en sem.), 30/45 € – Carte 35/52 € (dîner seulement)
♦ Une vraie bonne adresse du Vieux Lyon. Intérieur avec poutres apparentes, sol en tomettes et cuisines en partie visibles depuis la salle. Généreuses recettes traditionnelles.

L'Étage
4 pl. Terreaux, (2e étage) ⊠ *69001* Ⓜ *Hôtel de ville* – ℰ *04 78 28 19 59*
– *Fax 04 78 28 19 59* – *Fermé 19 juil.-21 août, dim. et lundi* p. 8 **FX x**
Rest – (prévenir) Menu 34/56 € – Carte 55/71 €
♦ Les Lyonnais ne se lassent pas de monter l'humble escalier conduisant à cet ancien atelier de canut perché au 2e étage d'un immeuble. Cadre charmant et séduisante carte créative.

Le Comptoir des Marronniers
8 r. des Marronniers ⊠ *69002* Ⓜ *Bellecour* – ℰ *04 72 77 10 00*
– *www.comptoir-des-marronniers.com* – *bistrotsdecuisiniers@leondelyon.com*
– *Fax 04 72 77 10 01* – *Fermé 2-23 août, lundi midi et dim.* p. 8 **FY v**
Rest – Menu (20 €), 23 €
♦ Dans une ruelle piétonne près de la place Bellecour, un "bistrot de chef" avec décor ad hoc (profusion d'objets et affiches liés à la gastronomie) et cuisine actuelle à prix doux.

Cuisine & Dépendances
46 r. Ferrandière ⊠ *69002* Ⓜ *Cordeliers* – ℰ *04 78 37 44 84*
– *www.cuisineetdependances.com* – *restaurant@cuisineetdependances.com*
– *Fax 04 78 38 33 28* – *Fermé 1er-20 août, dim. et lundi* p. 8 **FX s**
Rest – Menu (16 €), 31 € bc/70 € – Carte environ 45 €
♦ Petite salle tout en longueur, design et très chaleureuse, ambiance lounge et cuisine inventive célébrant le poisson : les Lyonnais sont déjà dépendants de ce restaurant.

Cuisine & Dépendances Acte II
68 r. de la Charité ⊠ *69002* Ⓜ *Perrache* – ℰ *04 78 37 45 02*
– *www.cuisineetdependances.com* – *cuisineetdependancesacte2@hotmail.fr*
– *Fax 04 78 37 52 46* – *Fermé 3-18 août, dim. et lundi* p. 8 **FY d**
Rest – Menu (21 €), 26/70 € – Carte 40/54 €
♦ Face au succès de la première enseigne, l'acte II de cette cuisine très addictive (produits de la mer) se déroule dans un bistrot moderne jouant sur un décor aux couleurs vives.

Jofé
3 r. des Remparts-d'Ainay ⊠ *69002* Ⓜ *Ampère Victor Hugo* – ℰ *04 78 37 40 37*
– *www.jofe.fr* – *reservation@jofe.fr* – *Fax 04 78 37 26 37* – *Fermé deux sem.
en août, lundi soir, sam. et dim.* p. 8 **FY q**
Rest – (nombre de couverts limité, prévenir) Menu 19 € (déj. en sem.), 29/39 €
– Carte 45/65 €
♦ Repris par une nouvelle équipe, ce bistrot dans l'air du temps (lumineux, coloré et soigné) respire la convivialité. Cuisine méditerranéenne et vins parfaitement conseillés.

Maison Villemanzy
25 montée St-Sébastien ⊠ *69001* Ⓜ *Croix Paquet* – ℰ *04 72 98 21 21*
– *www.maison-villemanzy.com* – *maisonvillemanzy@yahoo.fr* p. 6 **FV h**
– *Fax 04 72 98 21 22* – *Fermé 2-17 août, 20 déc.-11 janv., lundi midi et dim.*
Rest – (prévenir) Menu (19 €), 24 €
♦ Perchée sur les pentes de la Croix-Rousse, cette maison offre en terrasse une vue splendide sur la ville. Intérieur façon bistrot rétro, recettes familiales et plats canaille.

Le Bistrot du Palais
220 r. Duguesclin ⊠ *69003* Ⓜ *Place Guichard* – ℰ *04 78 14 21 21*
– *www.bistrot-du-palais.com* – *bistrotsdecuisiniers@leondelyon.com*
– *Fax 04 78 14 21 22* – *Fermé 2-23 août, lundi soir et dim.* p. 9 **GY r**
Rest – Menu (20 €), 24 €
♦ Salle chaleureuse, agréable terrasse fermée et cuisine traditionnelle revisitée au gré du marché : ce "bistrot de chef" situé face au palais de justice a bien des arguments.

Bernachon Passion

42 cours Franklin-Roosevelt ⊠ 69006 Ⓜ Foch – ℰ 04 78 52 23 65
– www.bernachon.com – bernachon.chocolats@free.fr – Fax 04 78 52 67 77
– Fermé 26 juil.-25 août, dim., lundi et fériés   p. 7 GV r
Rest – (déj. seult) (nombre de couverts limité, prévenir) Menu (28 €)
– Carte 32/44 €

♦ Un restaurant tenu par la fille de Paul Bocuse et son mari, patron de la célèbre chocolaterie attenante. Recettes traditionnelles ou plat du jour à midi ; salon de thé.

Eskis

11 r. Chavanne ⊠ 69001 Ⓜ Cordeliers – ℰ 04 78 27 86 93
– www.eskis-restaurant.com – contact@eskis-restaurant.com – Fermé
28 juil.-20 août, 1ᵉʳ-7 janv., 14-22 fév.   p. 7 FX e
Rest – Menu 25 € (déj. en sem.), 29/69 € – Carte 49/63 €

♦ L'originalité a toute sa place dans ce restaurant misant sur une cuisine sagement créative et moléculaire, tout en finesse. Le cadre est au diapason : moderne et zen.

Magali et Martin

11 r. des Augustins ⊠ 69001 Ⓜ Place des Terreaux – ℰ 04 72 00 88 01
– Fax 04 72 00 28 17 – Fermé 1ᵉʳ-21 août, 21 déc.-11 janv., sam. et dim.   p. 6 FX j
Rest – Menu (19 €), 21 € (déj. en sem.), 28/50 € – Carte 36/45 €

♦ La maison est dirigée par un tandem qui fonctionne en toute complémentarité : Martin s'exprime en cuisine, au gré du marché, et Magali sur le choix des vins, l'accueil et le service.

Le St-Florent

106 cours Gambetta ⊠ 69007 Ⓜ Garibaldi – ℰ 04 78 72 32 68 – zagonel@
wanadoo.fr – Fax 04 78 72 32 68 – Fermé 1ᵉʳ-22 août, sam. midi, lundi midi, dim. et
fériés   p. 9 HY b
Rest – Menu 15 € (déj. en sem.), 22/35 € – Carte 25/49 €

♦ À Lyon, l'Ambassade de Bresse se trouve au 106 cours Gambetta : du sol au plafond et de l'entrée au dessert, ce sympathique restaurant honore la volaille sous toutes ses formes.

Thomas

6 r. Laurencin ⊠ 69002 Ⓜ Bellecour – ℰ 04 72 56 04 76
– www.restaurant-thomas.com – info@restaurant-thomas.com – Fermé
1ᵉʳ-15 mai, 7-21 août, 24 déc.-2 janv., sam. et dim.   p. 8 FY w
Rest – Menu 17 € (déj. en sem.), 29/41 €

♦ "Niçois", "Autour du cochon", "Marocain" : chaque mois, le jeune chef passionné propose un dîner à thème dans son joli bistrot. Vente à emporter de plats mijotés en cocottes.

Le Bistrot de St-Paul

2 quai de Bondy ⊠ 69005 Ⓜ Vieux Lyon Cathédrale Saint Jean – ℰ 04 78 28 63 19
– www.bistrotdesaintpaul.fr – contact@bistrotdestpaul.fr – Fax 04 78 28 11 56
– Fermé dim. soir   p. 6 FX g
Rest – Menu (13 €), 15 € (déj. en sem.)/20 € – Carte 35/50 €

♦ Cassoulet, magrets de canard, vins de Bordeaux et de Cahors, etc. : retrouvez toutes les saveurs du Sud-Ouest dans ce sympathique bistrot situé sur un quai de la Saône.

La Famille

18 r. Duviard ⊠ 69004 Ⓜ Croix Rousse – ℰ 04 72 98 83 90 – lafamille69@
orange.fr – Fermé 1ᵉʳ-15 août, 21 déc.-4 janv., dim. et lundi   p. 6 FV m
Rest – Menu 16 € (déj. en sem.) – Carte 21/30 €

♦ De vieilles photos de famille ornent les murs de ce restaurant à l'ambiance conviviale. Sur l'ardoise du jour : des plats traditionnels composés selon les arrivages du marché.

LES BOUCHONS : *dégustation de vins régionaux et cuisine locale dans une ambiance typiquement lyonnaise*

Daniel et Denise

156 r. Créqui ⊠ 69003 Ⓜ Place Guichard – ℰ 04 78 60 66 53
– www.daniel-et-denise.fr – Fax 04 78 60 66 53 – Fermé 24 juil.-25 août, sam., dim.
et fériés   p. 7 GX b
Rest – bistrot – Menu (23 €) – Carte 32/40 €

♦ Joli cadre patiné et ambiance décontractée : on se sent parfaitement bien dans ce bistrot "pur jus" proposant des petits plats typiques, préparés dans les règles de l'art.

LYON page 25

Le Garet
7 r. Garet ⊠ 69001 Ⓜ Hôtel de ville – ℰ 04 78 28 16 94 – legaret@wanadoo.fr
– Fax 04 72 00 06 84 – Fermé 24 juil.-24 août, 22 fév.-1er mars, sam. et dim.
Rest – (prévenir) Menu 18 € (déj. en sem.)/23 € – Carte 20/36 €   p.6 FX a
◆ Une véritable institution bien connue des amateurs de cuisine lyonnaise : tête de veau, tripes, quenelles ou andouillettes se dégustent en toute convivialité dans un cadre typique.

Café des Fédérations
8 r. Major Martin ⊠ 69001 Ⓜ Hôtel de ville – ℰ 04 78 28 26 00
– www.lesfedeslyon.com – yr@lesfedeslyon.com – Fax 04 72 07 74 52 – Fermé
24 déc.-4 janv. et dim.   p.6 FX z
Rest – (prévenir) Menu 20 € (déj.)/25 €
◆ Cadre immuable (tables accolées, nappes à carreaux, saucissons suspendus) et ambiance bon enfant dans ce vrai bouchon, incontestable conservatoire de la cuisine lyonnaise.

Le Jura
25 r. Tupin ⊠ 69002 Ⓜ Cordeliers – ℰ 04 78 42 20 57
– http://lejura.cartesurtables.com – Fermé août, lundi de sept. à avril, sam. de mai
à sept. et dim.   p.8 FX d
Rest – (prévenir) Menu (18 €), 25 € – Carte 26/39 €
◆ Cet authentique bouchon existe depuis 1864. Le décor, qui n'a pas changé depuis les années 1930, ne manque pas de cachet, et les traditionnelles "lyonnaiseries" sont goûteuses.

Environs

à Rillieux-la-Pape 7 km par ① D 483 et D 484 – 29 300 h. – alt. 269 m – ⊠ 69140

Larivoire (Bernard Constantin)
chemin des Îles – ℰ 04 78 88 50 92 – www.larivoire.com – bernard.constantin@
larivoire.com – Fax 04 78 88 35 22
– Fermé 16-31 août, dim. soir, lundi soir et mardi
Rest – Menu (36 €), 50/90 € – Carte 80/100 €
Spéc. Crème mousseuse de grenouilles aux champignons et foie gras. Viennoise de ris de veau poêlé. Composition d'un dessert tout chocolat noir. **Vins** Saint-Véran, Saint-Joseph.
◆ Trois générations se sont succédé à la tête de cette jolie maison bourgeoise datant du début du 20e s. Intérieur feutré, terrasse d'été prisée et cuisine classique.

à Meyzieu 14 km par ③ et D 517 – 28 500 h. – alt. 201 m – ⊠ 69330
de Lyon à Villette-d'Anthon, NE : 12 km par D 6, ℰ 04 78 31 11 33

La Petite Auberge du Pont d'Herbens
32 r. V. Hugo – ℰ 04 78 31 41 09 – www.petite-auberge-pont-dherbens.com
– direction@petite-auberge-pont-dherbens.com – Fax 04 78 04 34 93
– Fermé mars, lundi et mardi sauf midi fériés
Rest – Menu (22 €), 28 € bc/58 € – Carte 32/60 €
◆ Près du lac du Grand Large, cette sympathique auberge comprend une salle à manger cossue et un espace VIP (terrasse et salon). Cuisine traditionnelle et belle carte des vins.

à Genas 12 km à l'Est par rte de Genas (D 29) - DQ – 11 700 h. – alt. 218 m – ⊠ 69740
Syndicat d'initiative, 55, rue de la République ℰ 04 72 79 05 31,
Fax 04 72 79 05 31

Ambassadeur
36 r. Antoine-Pinay – ℰ 04 78 40 02 02 – www.ambassadeur-hotel.fr – contact@
ambassadeur-hotel.fr – Fax 04 78 90 23 53 – Fermé 25 déc.-1er janv.
78 ch – †115/135 € ††115/135 €, ⊡ 12 € – 6 suites
Rest – (fermé 1er-21 août, sam. et dim.) Menu 28 € (sem.) – Carte 36/51 €
◆ Ce nouvel hôtel, pratique pour la clientèle d'affaires, dispose de chambres d'ampleur correcte. Équipement fonctionnel complet et style contemporain reposant (mobilier en wengé). Restaurant au cadre minimaliste – jardin japonais – servant une cuisine actuelle.

LYON page 26

à Tassin-la-Demi-Lune 5 km à l'Ouest (A6, sortie n° 36) - **APQ** – 18 100 h. – alt. 220 m – ✉ 69160

Novotel Tassin sans rest
13D av. V. Hugo – ✆ 04 78 64 68 69 – www.novotel.com – h1201@accor.com
– Fax 04 78 64 61 11   p. 4 AP n
103 ch – †85/150 € ††85/150 €, ⊇ 15 €

♦ Architecture contemporaine jouxtant un important nœud routier, à proximité du tunnel de Fourvière. Chambres mises aux dernières normes Novotel.

à Ecully 7 km à l'Ouest (A6, sortie n° 36) - **AP** - – 18 000 h. – alt. 240 m – ✉ 69130

Les Hautes Bruyères sans rest
5 chemin des Hautes Bruyères – ✆ 04 78 35 52 38 – www.lhb.hote.fr
– htesbruyeres@wanadoo.fr – Fax 06 08 48 69 50   p. 4 AP d
5 ch ⊇ – †135 € ††135 €

♦ Dans un parc, cette ancienne maison de jardinier (19ᵉ s.) autrefois rattachée au château voisin offre une heureuse combinaison d'authenticité et de raffinement.

Saisons
Château du Vivier, 8 chemin Trouillat – ✆ 04 72 18 02 20 – www.institutpaul bocuse.com – contact@institutpaulbocuse.com – Fax 04 78 43 33 51
– Fermé 3-24 août, 18 déc.-4 janv., merc. soir, sam. et dim.   p. 4 AP b
Rest – Menu 26 € (déj.), 32/48 €

♦ Dans un parc, château du 19ᵉ s. abritant une école hôtelière internationale fondée en 1990 sous la houlette de Paul Bocuse. Les étudiants assurent cuisine et service.

à Charbonnières-les-Bains 8 km par ⑨ et N 7 – 4 541 h. – alt. 233 m – ✉ 69260

🅾 Parc Lacroix Laval : château de la Poupée★.

Le Pavillon de la Rotonde
3 av. du Casino – ✆ 04 78 87 79 79
– www.pavillon-rotonde.com – contact@pavillon-rotonde.com
– Fax 04 78 87 79 78
16 ch – †295/495 € ††325/525 €, ⊇ 25 €
Rest *La Rotonde* – voir ci-après

♦ À deux pas du casino, luxueux pavillon offrant un décor contemporain aux discrètes touches Art déco. Chambres spacieuses avec terrasse donnant sur le parc. Piscine couverte chauffée et spa.

Mercure Charbonnières
78 bis rte de Paris, (D 307) – ✆ 04 78 34 72 79 – www.mercure – h0345@ accor.com – Fax 04 78 34 88 94
60 ch – †60/140 € ††70/150 €, ⊇ 16 €
Rest – (fermé 1-16 août, 24 déc.-3 janv., sam., dim. et fériés) Menu (21 €), 26 € (sem.)/40 € – Carte 21/40 €

♦ L'établissement occupe une position stratégique à portée de voix du conseil régional. Les chambres ont bénéficié d'un lifting (couleurs chatoyantes). Salle à manger design éclairée par une grande baie vitrée façon paquebot ; carte au goût du jour.

Le Beaulieu sans rest
19 av. Gén. de Gaulle – ✆ 04 78 87 12 04 – www.hotel-beaulieu.com
– Fax 04 78 87 00 62
44 ch ⊇ – †65/70 € ††65/75 €

♦ Voilà plus de trente ans que la même famille tient cet hôtel installé au centre de la petite cité prisée des Lyonnais. Chambres pratiques, récemment refaites.

La Rotonde
au casino Le Lyon Vert ✉ 69890 La Tour de Salvagny – ✆ 04 78 87 00 97
– www.restaurant-rotonde.com – restaurant-rotonde@g-partouche.fr
– Fax 04 78 87 81 39 – Fermé 1ᵉʳ-9 mai, 1ᵉʳ août-2 sept., dim. et lundi
Rest – Menu 55 € bc (déj. en sem.), 110/155 € – Carte 101/192 €
Spéc. Rouget barbet aux champignons iodés. Canard de Challans cuit à la broche. Cannelloni de chocolat amer à la glace. **Vins** Côte-Rôtie, Condrieu.

♦ Étape gastronomique renommée au premier étage du casino. Élégante salle de style Art déco s'ouvrant sur la cascade et le parc, cuisine pleine de subtilité et beau livre de cave.

LYON page 27

L'Orangerie de Sébastien
Domaine de Lacroix Laval ⊠ 69280 Marcy l'Etoile – ℰ 04 78 87 45 95
– www.orangeriedesebastien.fr – info@orangeriedesebastien.fr
– Fax 04 78 87 45 96 – Fermé 16 fév.-4 mars, dim. soir, lundi et mardi
Rest – Menu 27 € (sem.)/45 € – Carte 36/53 €
◆ L'orangerie du château (17ᵉ s.) accueille cette salle de restaurant. Cuisine au goût du jour, belle terrasse côté jardins et nombreuses activités proposées sur le domaine.

Porte de Lyon 10 km par ⑩ (échangeur A 6-N 6) – ⊠ 69570 Dardilly

Novotel Lyon Nord
– ℰ 04 72 17 29 29 – www.novotel.com – h0437@accor.com
– Fax 04 78 35 08 45
107 ch – †90/121 € ††90/121 €, ⊇ 15 €
Rest – Menu (17 €), 22 € – Carte 22/36 €
◆ Dans le parc d'affaires de Dardilly. Novotel des années 1970 progressivement relooké selon les derniers standards de la chaîne : décor et confort contemporains. Prestation culinaire traditionnelle dans une salle tournée vers le jardin paysagé.

à Limonest 13 km par ⑩, A 6 et D 42 – 3 007 h. – alt. 390 m – ⊠ 69760

Laurent Bouvier
25 rte du Puy d'Or, carrefour D 306 et D 42 – ℰ 04 78 35 12 20
– www.restaurant-puydor.com – contact@restaurant-puydor.com
– Fax 04 78 64 55 15 – Fermé 8-24 août, 26 déc.-2 janv., dim. et lundi
Rest – Menu 19 € (sem.), 39/78 € – Carte 57/79 €
◆ Cette auberge familiale entièrement relookée par Alain Vavro arbore un joli décor contemporain. La cuisine traditionnelle, relevée d'une pointe de créativité, suit les saisons.

à St-Cyr-au-Mont-d'Or 10 km au Nord par rte de St-Cyr - BP – 5 385 h. – alt. 320 m – ⊠ 69450

L'Ermitage
chemin de l'Ermitage, 2,5 km au sommet du Mont Cindre – ℰ 04 72 19 69 69
– www.ermitage-college-hotel.com – contact@ermitage-college-hotel.com
– Fax 04 72 19 69 71
28 ch – †135 € ††185 €, ⊇ 12 € – 1 suite **Rest** – Menu (24 €), 30/35 €
◆ Le concept de ce nouvel hôtel : allier la vue extraordinaire sur Lyon et les Monts-d'Or à un cadre contemporain – baies vitrées, objets de récupération – pour un maximum de sérénité ! Spécialités lyonnaises servies dans une "cuisine à manger" (terrasse suspendue).

à Collonges-au-Mont-d'Or 12 km au Nord par bords de Saône (D 433, D 51) - BP – 3 583 h. – alt. 176 m – ⊠ 69660

voir ※※※※ ✤✤✤ Paul Bocuse à Lyon

à l'aéroport de Lyon St-Exupéry : 27 km par A 43 – ⊠ 69125

Espace Le Bec
aéroport Lyon St-Exupéry – ℰ 04 72 22 71 86 – Fermé dim.
Rest – Menu (20 €), 26 € (sem.) – Carte 25/35 €
◆ Atmosphère lounge, chaleureuse et contemporaine pour cet Espace du nom du chef étoilé qui signe la carte (brasserie). Recoins intimes, bar face aux pistes de l'aéroport, service professionnel.

LYONS-LA-FORÊT – 27 Eure – 304 I5 – 795 h. – alt. 88 m – ⊠ 27480   33 **D2**
Normandie Vallée de la Seine
▶ Paris 104 – Beauvais 57 – Mantes-la-Jolie 66 – Rouen 35
🛈 Office du tourisme, 20, rue de l'Hôtel de Ville ℰ 02 32 49 31 65, Fax 02 32 48 10 60

La Licorne
pl. de la Halle – ℰ 02 32 48 24 24 – www.hotel-licorne.com – contact@hotel-licorne.com – Fax 02 32 49 80 09
15 ch – †89/175 € ††99/195 €, ⊇ 15 € – 5 suites – ½ P 125/195 €
Rest – (fermé lundi et mardi) Menu 29/39 € – Carte 45/80 €
◆ Situé dans l'un "des plus beaux villages de France", relais de poste (1610) cerné par une hétraie. Belles chambres rénovées dans un esprit tendance, élégantes et soignées. Salle à manger où trône une cheminée monumentale, terrasse au jardin et cuisine actuelle.

1007

LYONS-LA-FORÊT

Les Lions de Beauclerc
7 r. Hôtel de ville – ℰ 02 32 49 18 90 – www.lionsdebeauclerc.com
– lesliondebeauclerc@free.fr – Fax 02 32 48 27 80
6 ch – †59/64 € ††64/69 €, ⊇ 9 € – ½ P 60/70 €
Rest – crêperie – (fermé mardi) Menu 15/28 € – Carte 17/33 €

♦ Cette grande maison en briques, au cœur d'un ravissant village, abrite des chambres décorées de meubles et bibelots chinés. Petit-déjeuner en terrasse aux beaux jours. Le restaurant offre le choix de deux salles classiques pour déguster des mets traditionnels.

LYS-LEZ-LANNOY – 59 Nord – **302** H3 – 12 800 h. – alt. 28 m – rattaché à Roubaix

---

LYS-ST-GEORGES – 36 Indre – **323** G7 – 220 h. – alt. 200 m — 12 **C3**
– ⊠ 36230

🖪 Paris 287 – Argenton-sur-Creuse 29 – Bourges 80 – Châteauroux 29 – La Châtre 22

Auberge La Forge
7 r. du Château – ℰ 02 54 30 81 68 – www.restaurantlaforge.com – contacts@restaurantlaforge.com – Fax 02 54 30 81 68 – Fermé 30 juin-5 juil., 23 sept.-9 oct., 3-22 janv., dim. soir, mardi de sept. à juin et lundi
Rest – Menu 19 € (sem.), 29/49 € – Carte 35/59 €

♦ Le décor rustique (poutres, tomettes, cheminée) de cette accueillante auberge villageoise est en parfaite harmonie avec la cuisine du terroir. Jolie terrasse verdoyante.

MACÉ – 61 Orne – **310** J3 – rattaché à Sées

MACHEZAL – 42 Loire – **327** E4 – 399 h. – alt. 623 m – ⊠ 42114 — 44 **A1**

🖪 Paris 428 – Lyon 59 – Saint-Étienne 93 – Clermont-Ferrand 133 – Villeurbanne 68

Le Myrrhis
– ℰ 04 77 62 47 25 – www.lemyrrhis.fr – lemyrrhis@orange.fr – Fermé 4-30 janv., dim. soir, lundi et mardi
Rest – Menu 15 € (déj. en sem.), 19/35 € – Carte 38/49 €

♦ Sympathique maison au pied de l'église du village, tenue par un jeune couple motivé. Les couleurs vives de la salle à manger apportent gaieté au décor sobre. Carte actuelle.

MACHILLY – 74 Haute-Savoie – **328** K3 – 954 h. – alt. 525 m – ⊠ 74140 — 46 **F1**

🖪 Paris 548 – Annemasse 11 – Genève 21 – Thonon-les-Bains 20

Le Refuge des Gourmets
90 rte des Framboises – ℰ 04 50 43 53 87 – www.refugedesgourmets.com
– chanove@refugedesgourmets.com – Fax 04 50 43 53 76 – Fermé 16 août-8 sept., 2-11 janv., 16-25 fév., dim. soir et lundi
Rest – Menu (24 €), 31/66 € – Carte 60/80 €

♦ Hall d'accueil égayé d'une vinothèque et élégante salle d'inspiration Belle Époque dans ce "refuge" où les gourmets apprécient la cuisine créative évoluant au gré des saisons.

LA MACHINE (COL DE) – 26 Drôme – **332** F4 – rattaché à St-Jean-en-Royans

---

MACINAGGIO – 2B Haute-Corse – **345** F2 – voir à Corse

Ce guide vit avec vous : vos découvertes nous intéressent.
Faites-nous part de vos satisfactions comme de vos déceptions.
Coup de colère ou coup de cœur : écrivez-nous !

MÂCON P – 71 Saône-et-Loire – 320 I12 – 34 100 h. - alt. 175 m   8 C3
– ✉ 71000 ▮ Bourgogne

▶ Paris 391 – Bourg-en-Bresse 38 – Chalon-sur-Saône 59 – Lyon 71 – Roanne 96
🛈 Office de tourisme, 1, place Saint-Pierre ℘ 03 85 21 07 07, Fax 03 85 40 96 00
⛳ de la Commanderie à Crottet L'Aumusse, par rte de Bourg-en-Bresse : 7 km,
℘ 03 85 30 44 12
⛳ de Mâcon La Salle à La Sallepar rte de Tournus : 14 km, ℘ 03 85 36 09 71
◉ Musée des Ursulines★ BY M¹ - Musée Lamartine BZ M² - Apothicairerie★ de
l'Hôtel-Dieu BY - ≤★ du Pont St-Laurent.
◉ Roche de Solutré★★ O : 9 km - Clocher★ de l'église de St-André de Bagé
E : 8,5 km.

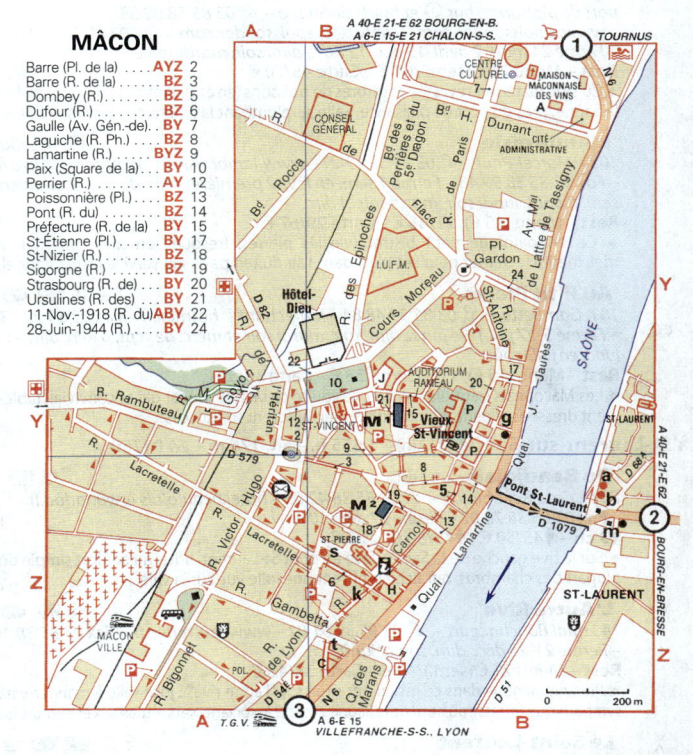

MÂCON

Barre (Pl. de la) .... AYZ 2
Barre (R. de la) ...... BZ 3
Dombey (R.) .... BZ 5
Dufour (R.) .... BZ 6
Gaulle (Av. Gén.-de). . BY 7
Laguiche (R. Ph.) .... BZ 8
Lamartine (R.) ...... BYZ 9
Paix (Square de la) ... BY 10
Perrier (R.) .... AY 12
Poissonnière (Pl.) .... BZ 13
Pont (R. du) .... BZ 14
Préfecture (R. de la) .. BY 15
St-Étienne (Pl.) ...... BY 17
St-Nizier (R.) .... BZ 18
Sigorgne (R.) .... BZ 19
Strasbourg (R. de) ... BY 20
Ursulines (R. des) .... BY 21
11-Nov.-1918 (R. du) ABY 22
28-Juin-1944 (R.) .... BY 24

Park Inn
26 r. Pierre de Coubertin, par ① : 0,5 km – ℘ 03 85 21 93 93
– www.macon.parkinn.fr – info.macon@rezidorparkinn.com – Fax 03 85 39 11 45
64 ch – ♦90/124 € ♦♦101/139 €, ☐ 13 €
Rest – (fermé dim.) Menu (18 €), 28/32 € – Carte 42/57 €
◆ Proche du port de plaisance, cet hôtel, de type chaîne, a rajeuni ses chambres (la moitié avec vue sur la Saône). Clientèle d'affaires. Salle à manger et bar contemporains ; aux beaux jours, on dresse la terrasse au bord de la piscine.

Du Nord sans rest
313 quai Jean-Jaurès – ℘ 03 85 38 08 68 – www.hotel-dunord.com – contact@
hotel-dunord.com – Fax 03 85 39 01 92 – Fermé 19 déc.-4 janv.   BY **g**
16 ch – ♦52/65 € ♦♦60/76 €, ☐ 8 €
◆ Sur les quais, à quelques pas du centre, une façade rose qui cache le meilleur petit hôtel de la ville : prix raisonnables, chambres en partie rénovées, bons petits-déjeuners.

1009

MÂCON

XXX Pierre (Christian Gaulin) — AC VISA MC AE ①
※
7 r. Dufour – ℘ *03 85 38 14 23 – www.restaurant-pierre.com – christian.gaulin@aliceadsl.fr – Fax 03 85 39 84 04 – Fermé 19 juil.-11 août, 22 fév.-4 mars, dim. soir, mardi midi et lundi* BZ **k**
Rest – Menu (22 €), 29 € (déj. en sem.), 46/73 € – Carte 60/80 €
Spéc. Escargots de Bourgogne en coquille. Quenelles de brochet aux champignons noirs. Soufflé aux griottines confites, sorbet arrosé au kirsch. **Vins** Mâcon Uchizy, Mâcon Viré-Clessé.

♦ Pierres, poutres apparentes et cheminée composent le cadre élégant et l'ambiance chaleureuse de ce restaurant. La cuisine marie habilement classicisme, terroir et modernité.

XX Le Poisson d'Or — ≤ 斎 & P VISA MC AE
port de plaisance, par ① et bords de Saône – ℘ *03 85 38 00 88*
– www.lepoissondor.com – contact@lepoissondor.com – Fax 03 85 38 82 55
– Fermé 24 mars-2 avril, 19 oct.-12 nov., dim. soir, mardi soir et merc.
Rest – Menu 24 € (sem.)/64 € – Carte 45/70 €

♦ Cuisine du terroir revisitée et fritures de poissons (en été) dans ce restaurant au bord de la Saône, près du port de plaisance. Salle surplombant la rivière, terrasse face à l'eau.

X L'Ambroisie — AC VISA MC AE
103 r. Marcel-Paul – ℘ *03 85 38 12 21 – www.lambroisie.fr – lambroisie@live.fr – Fax 03 85 38 99 48 – Fermé 1 sem. en fév., 2 premières sem. de mai, 2 premières sem. d'août, lundi soir, mardi soir et dim.*
Rest – Menu (15 €), 21/45 € – Carte 29/67 €

♦ Ce sympathique petit bistrot (vieilles pierres, fresque), en plein quartier industriel, mérite le détour pour ses plats dans l'air du temps et son service professionnel.

X Au P'tit Pierre — & AC VISA MC ①
🥜
10 r. Gambetta – ℘ *03 85 39 48 84 – laurechant@hotmail.fr – Fax 03 85 22 73 78 – Fermé 5-27 juil. 1er-4 janv., dim. soir, mardi soir et merc. de sept. à juin, dim. et lundi en juil.-août* BZ **t**
Rest – Menu (15 €), 17 € (sem.)/33 € – Carte 30/39 €

♦ Les Mâconnais fréquentent avec assiduité ce bistrot : décor gai et convivial, tables joliment dressées et petits plats traditionnels assurent son succès.

à St-Laurent-sur-Saône (01Ain) – 1 655 h. – alt. 176 m – ⌧ 01750

🏠 Du Beaujolais sans rest — ⁽¹⁾ VISA MC
88 pl. de la République – ℘ *03 85 38 42 06 – hotel.beaujolais@wanadoo.fr*
– Fax 03 85 38 78 02 – Fermé 27 déc.-10 janv. BZ **m**
13 ch – †45/50 € ††45/50 €, ⌧ 6 €

♦ Sur la rive gauche de la Saône, face au pont St-Laurent, hôtel au confort simple dont la plupart des chambres, rafraîchies, offrent une jolie vue sur la ville.

XX L'Autre Rive — ≤ VISA MC AE
143 quai Bouchacourt – ℘ *03 85 39 01 02 – www.lautrerive.fr – Fax 03 85 38 16 92 – Fermé 21-25 déc., dim. soir et lundi* BZ **a**
Rest – Menu 21 € (sem.)/49 € – Carte 38/48 €

♦ Rien ne manque dans ce restaurant situé sur "l'autre rive" : jolie salle à manger-véranda, sympathique terrasse au bord de la Saône et carte associant plats régionaux et saveurs iodées.

X Le Saint-Laurent — ≤ 斎 VISA MC AE ①
🥜
1 quai Bouchacourt – ℘ *03 85 39 29 19 – www.georgesblanc.com*
– saintlaurent@georgesblanc.com – Fax 03 85 38 29 77 BZ **b**
Rest – Menu 18 € (déj. en sem.), 22/46 € – Carte 37/54 €

♦ Terrasse avec vue sur Mâcon et plats mijotés : franchissez le pont St-Laurent pour rejoindre ce bistrot rétro rendu célèbre par la visite de Mitterrand et Gorbatchev.

à l'échangeur A6-N6 de Mâcon-Nord 7 km par ① – ⌧ 71000 Mâcon

🏨 Novotel — 🚗 斎 ⌆ & ch, AC ⇄ ⁽¹⁾ 🐕 P VISA MC AE ①
Autoroute A6 Péage Mâcon Nord Sortie 28 – ℘ *03 85 20 40 00 – www.novotel.com – h0438@accor.com – Fax 03 85 20 40 33*
114 ch – †105/162 € ††105/162 €, ⌧ 14 €
Rest – Menu (17 €), 22 € – Carte 24/54 €

♦ Dans la zone hôtelière de l'échangeur de Mâcon-Nord, construction des années 1970 anonyme mais pratique pour l'étape. Préférez les chambres dernière génération. Salle à manger fonctionnelle avec cuisine-grill visible de tous ; terrasse dressée au bord de la piscine.

MÂCON

au Nord 3 km par ① sur N 6 – ⊠ 71000 Mâcon

La Vieille Ferme
*Bd Gén. de Gaulle – ℰ 03 85 21 95 15 – www.hotel-restaurant-lavieilleferme.com
– vieil.ferme@wanadoo.fr – Fax 03 85 21 95 16 – Fermé 20 déc. -10 janv.*
24 ch – †52 € ††52 €, ⊇ 7 €   **Rest** – Menu 12/29 € – Carte 21/34 €
♦ Halte champêtre dans un parc au bord de la Saône. Chambres fonctionnelles et sobres, aménagées dans une construction d'allure motel. La "vieille ferme" abrite le restaurant rustique (pierres et poutres apparentes, cheminée) ouvert sur une jolie terrasse.

à Sennecé-lès-Mâcon 7,5 km par ① – ⊠ 71000 Mâcon

Auberge de la Tour
*604 r. Vrémontoise – ℰ 03 85 36 02 70 – www.auberge-tour.fr
– aubergedelatour@wanadoo.fr – Fax 03 85 36 03 47 – Fermé 26 oct.-9 nov.,
1er-22 fév., mardi midi, dim. soir et lundi*
24 ch – †47/53 € ††49/73 €, ⊇ 10 € – ½ P 56/64 €
Rest – Menu (14 €), 19 € (déj. en sem.), 24/46 € – Carte 23/54 €
♦ Agréable auberge familiale, rustique, simple et proche de la tour de guet, curiosité du village. Les chambres sont diversement agencées. Cuisine du terroir soignée – le patron est passionné par les produits régionaux – et beau choix de vins du Mâconnais.

par ② rte de Bourg-en-Bresse – ⊠ 01750 Replonges

La Huchette
*1089 rte de Bourg, à 4,5 km près sortie n°3 de l'A40 – ℰ 03 85 31 03 55
– www.hotel-lahuchette.com – lahuchette@wanadoo.fr – Fax 03 85 31 10 24
– Fermé 1er-10 nov.*
14 ch – †90/110 € ††105/135 €, ⊇ 14 € – ½ P 95/110 €
Rest – (Fermé 1er-17 nov. mardi midi et lundi) (dîner seult) Menu 34/56 €
– Carte 36/60 €
♦ Dans un joli parc, cette demeure est une étape plaisante. Ses chambres, rajeunies, ouvrent sur le jardin avec piscine. Repas classique sous les poutres d'une salle rustique (âtre en pierre, chandeliers, peintures murales agrestes) ou en terrasse, l'été.

à Crèches-sur-Saône 8 km au Sud par ③ et N 6 – 2 833 h. – alt. 180 m – ⊠ 71680
  🛈 Syndicat d'initiative, 466, route nationale 6 ℰ 03 85 37 48 32,
  Fax 03 85 36 57 91

Hostellerie du Château de la Barge
*rte des Bergers, 1 km au Nord-Ouest par D89 –
ℰ 03 85 23 93 23 – www.chateaudelabarge.fr – hotelchateaudelabarge@
wanadoo.fr – Fax 03 85 23 93 39 – Fermé 18 déc.-4 janv.*
21 ch – †90/95 € ††95/105 €, ⊇ 13 €
Rest – Menu 20 € (déj. en sem.), 25/70 € bc – Carte 53/80 €
♦ Au pied des vignes, belle demeure du 17e s. agrémentée d'un parc. Chambres au décor sobre et contemporain ou plus spacieuses et d'esprit "châtelain". Piscine chauffée. Au restaurant, âtre en pierre, poutres et boiseries s'intègrent à un cadre actualisé.

à Hurigny 5,5 km au Nord-Est par D 82 **AY** et rte secondaire – 1 522 h. – alt. 275 m
– ⊠ 71870

Château des Poccards sans rest
*120 rte des Poccards – ℰ 03 85 32 08 27 – www.chateau-des-poccards.com
– chateau.des.poccards@wanadoo.fr – Fax 03 85 32 08 19 – Ouvert mi-mars à
fin-nov.*
5 ch ⊇ – †80/120 € ††80/120 €
♦ Château de 1805 entouré d'un parc à l'anglaise. Meubles et objets chinés donnent aux chambres leur personnalité. Plusieurs salons, dont un de style Art déco. Petit-déjeuner en terrasse.

LA MADELAINE-SOUS-MONTREUIL – 62 Pas-de-Calais – 301 D5 – rattaché à Montreuil

MADIÈRES – 34 Hérault – 339 G5 – ⊠ 34190 St-Maurice-Navacelles 23 C2

▶ Paris 705 – Lodève 30 – Montpellier 62 – Nîmes 79 – Le Vigan 20

Château de Madières
Hameau de Madières sur D 25 – ℰ 04 67 73 84 03 – www.chateau-madieres.com
– madieres@wanadoo.fr – Fax 04 67 73 55 71 – Ouvert 10 avril-31 oct.
12 ch – †150/299 € ††150/299 €, ⊇ 17 €   **Rest** – Menu 49 € – Carte 52/66 €
♦ Au cœur d'un parc escaladant le causse, château fort du 12ᵉ s. – agrandi à la Renaissance – surplombant les gorges de la Vis. Un cadre grandiose, authentique... et cosy. Salle à manger aux belles voûtes de pierre et agréable terrasse ; cuisine ensoleillée.

MADIRAN – 65 Hautes-Pyrénées – 342 L1 – 476 h. – alt. 125 m – ⊠ 65700 28 A2

▶ Paris 753 – Pau 51 – Tarbes 41 – Toulouse 154

Le Prieuré
4 r. de l'Église – ℰ 05 62 31 44 52 – www.leprieure-madiran.com
– restaurantleprieure@cegetel.net – Fermé 5-11 janv., 8-15 fév., dim. soir, lundi et mardi
Rest – Menu (13 €), 18 € (sem.)/25 €
♦ Le restaurant, installé dans un ancien monastère, abrite également la maison des vins de Madiran. Décor élégant et coloré, cuisine actuelle et beau choix de crus locaux.

MAFFLIERS – 95 Val-d'Oise – 305 E6 – 1 614 h. – alt. 145 m – ⊠ 95560 18 B1

▶ Paris 29 – Beaumont-sur-Oise 10 – Beauvais 53 – Compiègne 73 – Senlis 45

Novotel
allée des Marronniers – ℰ 01 34 08 35 35 – www.novotel.com – h0383@accor.com – Fax 01 34 08 35 00
99 ch – †90/250 € ††90/250 €, ⊇ 14 €   **Rest** – Menu 18 € – Carte 25/40 €
♦ Un ensemble au grand calme avec, à l'entrée du parc, une annexe moderne. Chambres refaites selon le dernier concept de la chaîne. Sauna, piscine intérieure. Le restaurant occupe une demeure fin 18ᵉ s. et propose des plats actuels. Terrasse face à la nature.

MAGALAS – 34 Hérault – 339 E8 – 2 489 h. – alt. 115 m – ⊠ 34480 22 B2

▶ Paris 755 – Montpellier 82 – Béziers 17 – Narbonne 54 – Sète 71

Ô. Bontemps
pl. de l'Église – ℰ 04 67 36 20 82 – www.o-bontemps.com – contact@o-bontemps.com – Fermé 9-17 mars, 11-19 mai, 7-22 sept., 21 déc.-5 janv., dim. et lundi sauf fériés
Rest – Menu (20 €), 26 € (déj. en sem.), 30/65 € – Carte 37/50 €
♦ Le chef de ce restaurant a choisi de s'installer dans la région de son enfance. Sobre décor contemporain, ambiance conviviale, séduisante carte des vins et cuisine inventive.

MAGESCQ – 40 Landes – 335 D12 – 1 378 h. – alt. 28 m – ⊠ 40140 3 B2

▶ Paris 722 – Bayonne 45 – Biarritz 52 – Castets 13 – Dax 16 – Mont-de-Marsan 71

🛈 Office de tourisme, 1, place de l'Église ℰ 05 58 47 76 24, Fax 05 58 47 75 81

Relais de la Poste (Jean Coussau)
24 av. de Maremne – ℰ 05 58 47 70 25 – poste@relaischateaux.com – Fax 05 58 47 76 17 – Fermé 12 nov.-20 déc., lundi et mardi d'oct. à avril, mardi midi, jeudi midi et lundi de mai à sept.
16 ch – †135/365 € ††150/380 €, ⊇ 20 € – 1 suite – ½ P 165/270 €
Rest – (prévenir le week-end) Menu 58 € (sem.)/110 € – Carte 85/130 €
Spéc. Saumon de l'Adour simplement grillé, vraie béarnaise (15 mars au 30 juin). Magret de palombe rôtie à l'os, cuisses en salmis (oct. à fév.). Pistache dans tous ses états. **Vins** Jurançon, Tursan.

♦ Ce castel landais entouré d'un grand parc arboré réserve un excellent accueil à ses hôtes. Jolies chambres personnalisées dotées de balcons. Sauna, hammam, jacuzzi... L'élégant restaurant et la terrasse sont tournés vers la pinède ; superbe cuisine de pays et riche carte des vins.

MAGESCQ

Côté Quillier
26 av. de Maremne – ℰ 05 58 47 79 50 – coussau@wanadoo.fr – poste@relaischateaux.com – Fax 558477617 – Fermé 11 nov.-19 déc.
Rest – Menu 28 € – Carte environ 40 €
♦ Bistrot à l'allure élégante dont les couleurs tendance s'harmonisent au mobilier design. Terrasse et magnifique jardin où vous attend un jeu de quille. Cuisine au goût du jour.

MAGLAND – 74 Haute-Savoie – **328** M4 – 2 929 h. – alt. 513 m — 46 **F1**
– ✉ 74300

▶ Paris 583 – Annecy 68 – Genève 49 – Lyon 192

Le Relais du Mont Blanc
1 km au Sud sur D 1205 – ℰ 04 50 21 00 85 – www.lerelaisdumontblanc.com – lerelaisdumontblanc@wanadoo.fr – Fax 04 50 34 31 83 – Fermé 3-23 août, 10-15 nov., 28 déc.-3 janv.
21 ch – †69/90 € ††79/110 €, ⊇ 10 €
Rest – (fermé vend. soir, sam. midi et dim. soir) Menu 19 € (sem.)/38 € – Carte 50/76 €
♦ Cet engageant chalet de montagne, posté à seulement 20 minutes du Mont-Blanc, vous accueille dans des chambres rénovées où prédomine le bois. Autour de tables rustiques, vous goûterez une appétissante cuisine du terroir revue au goût du jour.

MAGNAC-BOURG – 87 Haute-Vienne – **325** F7 – 916 h. – alt. 444 m — 24 **B2**
– ✉ 87380

▶ Paris 419 – Limoges 31 – St-Yrieix-la-Perche 28 – Uzerche 28
🛈 Office de tourisme, 2, pl. de la Bascule ℰ 05 55 00 89 91, Fax 05 55 00 78 38

Auberge de l'Étang
9 rte de la gare – ℰ 05 55 00 81 37 – www.aubergedeletang.com – ml.hermann@wanadoo.fr – Fax 05 55 48 70 74 – Fermé 1ᵉʳ-16 mars, 8 nov.-7 déc., 8-23 fév., dim. soir et lundi sauf juil.-août
14 ch – †45/55 € ††45/55 €, ⊇ 8,50 €
Rest – (fermé dim. soir, lundi de sept. à juin et merc. midi en juil.-août) Menu 15 € (sem.)/43 € – Carte 32/60 €
♦ À l'entrée du bourg, dominant un étang, auberge familiale vous réservant un bon accueil. Chambres fonctionnelles récentes ; certaines ont vue sur la piscine et le plan d'eau. Au restaurant, cuisine traditionnelle généreuse et agréable terrasse d'été.

MAGNY-COURS – 58 Nièvre – **319** B10 – **rattaché à Nevers**

MAGNY-LE-HONGRE – 77 Seine-et-Marne – **312** F2 – **106** 22 – **voir à Paris, Environs (Marne-la-Vallée)**

MAÎCHE – 25 Doubs – **321** K3 – 3 875 h. – alt. 777 m – ✉ 25120 — 17 **C2**
▮ Franche-Comté Jura

▶ Paris 498 – Besançon 75 – Belfort 60 – Montbéliard 42 – Pontarlier 61
🛈 Syndicat d'initiative, place de la Mairie ℰ 03 81 64 11 88, Fax 03 81 64 02 30

à Mancenans Lizerne 2,5 km à l'Est par D 464 et D 272 – 152 h. – alt. 720 m – ✉ 25120

Au Coin du Bois
r. sous le rang, La Lizerne – ℰ 03 81 64 00 55 – sabrina.maire@wanadoo.fr Fax 03 81 64 21 98 – Fermé 25 juil.-3 août, 2-9 fév., dim. soir, lundi soir et merc. soir
Rest – Menu (14 € bc), 22/58 € – Carte 29/60 €
♦ Joli chalet entouré de sapins. L'agréable terrasse et la sobre salle à manger d'esprit rustique servent de cadre à une cuisine traditionnelle étoffée de plats du terroir.

MAILLANE – 13 Bouches-du-Rhône – **340** D3 – **rattaché à St-Rémy-de-Provence**

MAILLEZAIS – 85 Vendée – **316** L9 – 967 h. – alt. 6 m – ✉ 85420 — 35 **C3**
▮ Poitou Vendée Charentes

▶ Paris 443 – Nantes 129 – La Roche-sur-Yon 76 – La Rochelle 50 – Niort 33
🛈 Office de tourisme, rue du Dr Daroux ℰ 02 51 87 23 01, Fax 02 51 00 72 51

MAILLEZAIS

Madame Bonnet sans rest
69 r. Abbaye – ℘ *02 51 87 23 00 – liliane.bonnet@wanadoo.fr*
– Fax 02 51 00 72 44
5 ch ⊡ – †50/55 € ††60/68 €
◆ L'esprit maison d'hôte prend ici tout son sens : coquettes chambres, décor chargé d'histoire, petit-déjeuner au coin du feu, jardin-potager et accueil des plus chaleureux.

MAISONNEUVE – 15 Cantal – **330** F6 – **rattaché à Chaudes-Aigues**

MAISONS-ALFORT – 94 Val-de-Marne – **312** D3 – **101** 27 – **voir à Paris, Environs**

MAISONS-DU-BOIS – 25 Doubs – **321** I5 – **rattaché à Montbenoît**

MAISONS-LAFFITTE – 78 Yvelines – **311** I2 – **101** 13 – **voir à Paris, Environs**

MAISONS-LÈS-CHAOURCE – 10 Aube – **313** F5 – **rattaché à Chaource**

MALAUCÈNE – 84 Vaucluse – **332** D8 – 2 669 h. – alt. 333 m — ✉ 84340 Provence **40 B2**

▸ Paris 673 – Avignon 45 – Carpentras 18 – Vaison-la-Romaine 10
▸ Office de tourisme, place de la Mairie ℘ 04 90 65 22 59, Fax 04 90 65 22 59

Le Domaine des Tilleuls sans rest
rte du Mont-Ventoux – ℘ *04 90 65 22 31 – www.hotel-domainedestilleuls.com*
– info@hotel-domainedestilleuls.com – Fax 04 90 65 16 77 – Ouvert de mars à oct.
20 ch – †79/81 € ††81/97 €, ⊡ 11 €
◆ Cette magnanerie du 18ᵉ s. accueille un charmant hôtel décoré dans le style provençal. Préférez les chambres tournées vers l'agréable parc planté de tilleuls et de platanes.

La Chevalerie
53 pl. de l'Église, (Les Remparts) – ℘ *04 90 65 11 19 – www.la-chevalerie.net*
– contact@la-chevalerie.net – Fax 04 90 12 69 22 – Fermé 20-30 janv., 20-28 fév., dim. soir et lundi
Rest – (nombre de couverts limité, prévenir) Menu (16 €), 20/36 € – Carte 26/44 €
◆ Cette belle et imposante bâtisse fut jadis la demeure des princes d'Orange. On y accède désormais les "armes déposées" pour apprécier une cuisine traditionnelle et généreuse.

MALBUISSON – 25 Doubs – **321** H6 – 500 h. – alt. 900 m – ✉ 25160 **17 C3**
 Franche-Comté Jura

▸ Paris 456 – Besançon 74 – Champagnole 42 – Pontarlier 16 – St-Claude 72
▸ Office de tourisme, 69, Grande Rue ℘ 03 81 69 31 21, Fax 03 81 69 71 94
◉ Lac de St-Point★.

Le Lac
65 Grande Rue – ℘ *03 81 69 34 80 – www.hotel-le-lac.fr – hotellelac@wanadoo.fr*
– Fax 03 81 69 35 44 – Fermé 16 nov.-16 déc.
51 ch – †42/60 € ††50/115 €, ⊡ 10 € – 3 suites – ½ P 53/86 €
Rest – Menu 19 € (sem.)/45 € – Carte 34/65 €
Rest *du Fromage* – Menu (12 €), 19/22 € – Carte 22/34 €
◆ Maison ancienne sur la rue principale, orientée vers le lac côté jardin. Intérieur cossu et rétro ; quelques chambres modernisées. Copieux petits-déjeuners, pâtisseries maison au salon de thé. Plats du terroir à la table du Lac. Tartes, fondues et raclettes au Restaurant du Fromage.

Beau Site
– ℘ *03 81 69 70 70 – www.hotel-le-lac.fr – hotellelac@wanadoo.fr*
– Fax 03 81 69 35 44 – Fermé 12 nov.-18 déc.
17 ch – †29/38 € ††38 €, ⊡ 10 €
◆ Cet édifice du début du 19ᵉ s. dont l'entrée est rehaussée de colonnes abrite des chambres d'esprit fonctionnel. Accueil à l'hôtel du Lac.

MALBUISSON

De la Poste
*61 Gd Rue – ℰ 03 81 69 79 34 – www.hotel-le-lac.fr – hotellelac@wanadoo.fr
– Fax 03 81 69 35 44 – Fermé 16 nov.-16 déc.*
10 ch – †35 € ††40/47 €, ⊇ 10 € – ½ P 46/50 €
Rest – *(fermé dim. soir, mardi soir et lundi sauf juil.-août)* Menu 10 € (déj. en sem.)/19 € – Carte 14/40 €
♦ Ce petit hôtel rénové propose des chambres garnies de meubles colorés ; préférez celles tournées vers le lac, plus tranquilles. Assiettes traditionnelles et spécialités de pierrades vous attendent dans un cadre joliment campagnard.

Le Bon Accueil (Marc Faivre) avec ch
*Grande Rue – ℰ 03 81 69 30 58 – www.le-bon-accueil.fr
– marcfaivre@le-bon-accueil.fr – Fax 03 81 69 37 60
– Fermé 19-29 avril, 25 oct.-4 nov., 13 déc.-13 janv., dim. soir du 1er sept. au 14 juil., mardi midi et lundi*
12 ch – †70 € ††100 €, ⊇ 10 € – ½ P 71/90 €
Rest – Menu (23 € bc), 32/57 € – Carte 50/78 € 🍷
Spéc. Tarte fine à la saucisse de Morteau, étuvée de poireau. Rouelle de poulet fermier au vin jaune et morilles. Cannelloni croustillant sur une poêlée de fruits (sept. à déc.). **Vins** Côtes du Jura, Arbois rouge.
♦ Coup de cœur pour cette maison qui a une âme et qui cultive l'art de recevoir : patrons aux petits soins, brillante cuisine actuelle, chambres confortables et spacieuses.

aux Granges-Ste-Marie 2 km au Sud-Ouest – ✉ 25160 Labergement-Ste-Marie

Auberge du Coude
*1r. du Coude – ℰ 03 81 69 31 57 – www.aubergeducoude.com
– aubergeducoude@orange.fr – Fax 03 81 69 33 90
– Fermé 5 nov.-18 déc.*
11 ch – †54 € ††54 €, ⊇ 8,50 € – ½ P 54 €
Rest – *(fermé dim. soir)* Menu 18/48 € – Carte 35/55 € 🍷
♦ Ambiance chaleureuse dans cette maison de 1826 située entre les lacs de Saint-Point et de Remoray-Boujeons. Chambres au charme rustique. Jardin agrémenté d'un étang. Salle à manger champêtre parée de boiseries et de mobilier Louis XIII ; cuisine régionale.

LA MALÈNE – 48 Lozère – **330** H9 – 164 h. – alt. 450 m – ✉ 48210   23 **C1**
▌ Languedoc Roussillon
▶ Paris 609 – Florac 41 – Mende 41 – Millau 44 – Sévérac-le-Château 33 – Le Vigan 77
🄸 Office de tourisme, ℰ 04 66 48 50 77
◉ O : les Détroits★★ et cirque des Baumes★★ (en barque).

Manoir de Montesquiou
*– ℰ 04 66 48 51 12 – www.manoir-montesquiou.com – montesquiou@demeures-de-lozere.com – Fax 04 66 48 50 47
– Ouvert fin mars à fin oct.*
10 ch – †70/75 € ††70/110 €, ⊇ 14 € – 2 suites – ½ P 84/102 €
Rest – Menu 27/48 € – Carte 42/68 €
♦ Accueil familial, chambres personnalisées (lits à baldaquin, mobilier de style), beau jardin où fleurissent de magnifiques rosiers : cette demeure du 15e s. a bien des atouts. Repas à base de produits locaux servis sur la jolie terrasse, si le soleil apparaît.

au Nord-Est 5,5 km sur D 907bis – ✉ 48210 Ste-Énimie

Château de la Caze
*– ℰ 04 66 48 51 01 – www.chateaudelacaze.com
– chateaucaze@orange.fr – Fax 04 66 48 55 75
– Ouvert 3 avril-11 nov. et fermé jeudi en oct.*
7 ch – †114/174 € ††114/174 €, ⊇ 16 €
9 suites – ††170/280 € – ½ P 111/141 €
Rest – *(fermé jeudi midi et merc.)* Menu (32 €), 38/82 € – Carte 44/60 € 🍷
♦ Majestueux château du 15e s. lové dans un parc au bord du Tarn. Exquises chambres personnalisées (moins de cachet mais grand confort à l'annexe), accueil d'une rare gentillesse. L'ex-chapelle sert de cadre à une cuisine pleine de saveurs, actuelle et respectueuse du terroir.

1015

MALESHERBES – 45 Loiret – 318 L2 – 6 097 h. – alt. 108 m – ⊠ 45330 12 **C1**
Châteaux de la Loire

🄳 Paris 75 – Étampes 26 – Fontainebleau 27 – Montargis 62 – Orléans 62 – Pithiviers 19

🄸 Office de tourisme, 19-21, place du Martroy ℰ 02 38 34 81 94, Fax 02.38.34.49.40

🄱 du Château d'Augerville à Augerville-la-Rivière Place du Château, S : 8 km par D 410, ℰ 02 38 32 12 07

Écu de France
10 pl. Martroi – ℰ *02 38 34 87 25*
– *http://logis-de-france-loiret.com/ecu_de_france_malesherbes/* – *ecudefrance@wanadoo.fr* – *Fax 02 38 34 68 99*
16 ch – †56/68 € ††56/68 €, ⊡ 8 € – ½ P 61/66 €
Rest – (*fermé 1ᵉʳ-17 août, jeudi soir et dim. soir*) Menu (14 €), 25 € (sem.)/50 € – Carte 25/54 €
Rest *Brasserie de l'Écu* – (*fermé 1ᵉʳ-17 août, jeudi soir et dim. soir*) Menu (14 €) – Carte 19/45 €

♦ Cet ancien relais de poste situé à deux pas du château de Malesherbes dispose de chambres coquettes et très bien tenues. Le restaurant a du cachet avec ses poutres et sa cheminée ; terrasse dressée dans la cour. Repas express à l'espace brasserie.

La Lilandière sans rest
7 chemin de la Messe, (hameau de Trézan) – ℰ *02 38 34 84 51*
– *www.lalilandiere.com* – *la-lilandiere@wanadoo.fr*
5 ch ⊡ – †56 € ††62 €

♦ Pierres, poutres et mobilier se marient joliment dans cette ex-ferme restaurée avec goût. Les amateurs de pêche et de canoë apprécient la rivière qui longe le jardin.

MALICORNE-SUR-SARTHE – 72 Sarthe – 310 I8 – 1 878 h. – alt. 39 m – ⊠ 72270 35 **C2**
Châteaux de la Loire

🄳 Paris 236 – Château-Gontier 52 – La Flèche 16 – Le Mans 32

🄸 Office de tourisme, 5, place Duguesclin ℰ 02 43 94 74 45, Fax 02 43 94 59 61

La Petite Auberge
5 pl. Duguesclin – ℰ *02 43 94 80 52* – *www.petite-auberge-malicorne.fr*
– *contact@petite-auberge-malicorne.fr* – *Fax 02 43 94 31 37* – *Fermé 22 déc.-28 fév., le soir sauf sam. de sept. à avril, dim. soir et mardi soir de mai à août et lundi*
Rest – Menu 17 € (déj. en sem.), 24/49 € – Carte environ 39 €

♦ L'été, on s'attable en terrasse, au ras de l'eau, et en hiver, on se réfugie auprès de la belle cheminée du 13ᵉ s. pour déguster les plats traditionnels mitonnés par le chef.

MALLING – 57 Moselle – 307 I2 – 504 h. – alt. 158 m – ⊠ 57480 26 **B1**
🄳 Paris 352 – Luxembourg 35 – Metz 43 – Trier 63

à Petite Hettange 1 km à l'Est sur D 654 – ⊠ 57480

Olmi
11 Rte Nationale – ℰ *03 82 50 10 65* – *www.olmi-restaurant.fr*
– *relais3frontieres@wanadoo.fr* – *Fermé 16-22 fév., mardi soir, merc. soir et lundi*
Rest – Menu 35/70 € – Carte 50/70 €

♦ Dans une région transfrontalière, cet ancien relais routier affiche un nouveau décor, plus contemporain. Cuisine classique influencée par quelques touches italiennes.

MALO-LES-BAINS – 59 Nord – 302 C1 – rattaché à Dunkerque

LE MALZIEU-VILLE – 48 Lozère – 330 I5 – 970 h. – alt. 860 m – ⊠ 48140 23 **C1**
🄳 Paris 541 – Mende 51 – Millau 107 – Le Puy-en-Velay 74 – Rodez 125 – St-Flour 38

🄸 Office de tourisme, tour de Bodon ℰ 04 66 31 82 73, Fax 04 66 31 82 73

LE MALZIEU-VILLE

Voyageurs
rte Saugues – ℰ 04 66 31 70 08 – http://perso.orange.fr/hotel.des.voyageurs
– pagesc@wanadoo.fr – Fax 04 66 31 80 36 – Fermé 15 déc.-28 fév.
19 ch – †52/58 € ††58/62 €, ⇆ 8 € – ½ P 50 €
Rest – (fermé dim. soir et sam. sauf juil.-août) Menu (10 €), 15/30 €
– Carte 19/45 €
◆ Dans un joli village de la Margeride, bâtisse des années 1970 aux chambres fonctionnelles : une étape pratique si vous avez entrepris la découverte de la région. Plats traditionnels et lozériens servis dans une salle à manger d'inspiration rustique.

MANCENANS LIZERNE – 25 Doubs – **321** K3 – **rattaché à Maîche**

MANCEY – 71 Saône-et-Loire – **320** I10 – 377 h. – alt. 280 m – ⌧ 71240   **8 C3**
▶ Paris 373 – Dijon 102 – Mâcon 43 – Chalon-sur-Saône 34 – Le Creusot 68

Auberge du Col des Chèvres
Dulphey – ℰ 03 85 51 06 38 – aub.coldeschevres.para@wanadoo.fr
– Fermé 25 août-3 sept., vacances de fév., dim. soir de nov. à mars, mardi sauf juil.-août et merc.
Rest – Menu 18 € (sem.), 25/30 € – Carte 21/37 €
◆ Cette petite auberge familiale située aux avant-postes du village plaît pour son aimable accueil, sa cuisine traditionnelle actualisée et son cadre rustico-champêtre sans façon.

MANCIET – 32 Gers – **336** C7 – **rattaché à Nogaro**

MANDELIEU – 06 Alpes-Maritimes – **341** C6 – 20 200 h. – alt. 4 m   **42 E2**
– Casino : Royal Hôtel Z – ⌧ 06210 **Côte d'Azur**
▶ Paris 890 – Brignoles 86 – Cannes 9 – Draguignan 53 – Fréjus 30 – Nice 37
ℹ Office de tourisme, avenue H. Clews ℰ 04 92 97 99 27, Fax 04 93 93 64 66
de Mandelieu Route du Golf, SO : 2 km, ℰ 04 92 97 32 00
Riviera Golf Club Avenue des Amazones, SO : 2 km, ℰ 04 92 97 49 49
≤ ★ de la colline de San Peyré - Site ★ du château-musée.

Plan page suivante

Hostellerie du Golf
780 av. Mer – ℰ 04 93 49 11 66 – www.hostellerieduglof.com
– hoteldugolf@aol.com – Fax 04 92 97 04 01
55 ch – †68/98 € ††82/122 €, ⇆ 9 € – 16 suites – ½ P 68/98 €   Y n
Rest – Menu 24 € – Carte environ 39 €
◆ L'établissement est construit au bord de la rivière face au célèbre "Old Course" fondé par le grand duc de Russie en 1891. Chambres pratiques, avec terrasse ou balcon. Salle à manger claire tournée vers le jardin ; cuisine sans prétention.

Les Bruyères sans rest
1400 av. Fréjus – ℰ 04 93 49 92 01 – www.hotellesbruyeres.net
– hotel.les.bruyeres@wanadoo.fr – Fax 04 93 49 21 55 – Fermé 5-26 janv.
14 ch – †67/92 € ††67/92 €, ⇆ 10 €   Y h
◆ Non loin de la plage et du golf, des chambres fonctionnelles, bien insonorisées et propres, s'abritent derrière une longue façade moderne rehaussée d'une rotonde.

Acadia sans rest
681 av. de la Mer – ℰ 04 93 49 28 23 – acadia-hotel.com – acadia.revotel@wanadoo.fr – Fax 04 92 97 55 54   Y v
36 ch – †61/90 € ††71/90 €, ⇆ 9 € – 6 suites
◆ Les pontons privés de cet hôtel au bord d'un méandre de la Siagne, face à l'île de Robinson, vous convient à des balades nautiques. Chambres simples, refaites progressivement.

Azur hôtel sans rest
192 av. Maréchal Juin – ℰ 04 93 49 24 24 – www.azurhotel06.com – reception@azurhotel06.com – Fax 04 92 97 68 36 – Fermé 21 nov.-21 déc.   Y k
48 ch – †52/86 € ††64/106 €, ⇆ 9 €
◆ Cure de jouvence bénéfique pour cet hôtel : les chambres sont fonctionnelles, colorées et dotées d'agréables salles de bains neuves. Wi-fi, salon-véranda, piscine avec petit bar.

LA NAPOULE

Abaguiers (R. des)	Z 2
Argentière (Rue de l')	Z 3
Aulas (R. Jean)	Z 4
Balcon d'Azur (Rd-Pt)	Z 5
Carle (R. J.-H.)	Z 10
Chantier Naval (R. du)	Z 12
Clews (Av. H.)	Z
Fanfarigoule (Bd)	Z
Gaulle (Av. Gén.-de)	Z
Hautes Roches (R. des)	Z 20
Mancha (Av. de la)	Z 22
Petit Port (R. du)	Z
Pierrugues (R. Charles)	Z 24
Plage (R. de la)	Z
Riou (Av. du)	Z
San-Peyré (Bd du)	Z
Soustelle (Bd J.)	Z
23-Août (Av. du)	Z

MANDELIEU-LA-NAPOULE

Bon Puits (Bd du)	Y 6
Cannes (Av. de)	Y 8
Ecureuils (Bd des)	Y 13
Esterel Parc (Bd)	Y 14
Europe (Av. de l')	Y 16
Fontmichel (Av. G.-de)	Y 17
Fréjus (Av. de)	Y
Gaulle (Av. Gén.-de)	Y 19
Juin (Av. Mar.)	Y
Marine-Royale (Allée de la)	Y 23
Mer (Av. de la)	Y
Princes (Bd des)	Y 25
République (Av. de la)	Y 27
Ricard (Av. P.)	Y
Siagne (R. de la)	Y
Tavernière (Bd de la)	Y 28

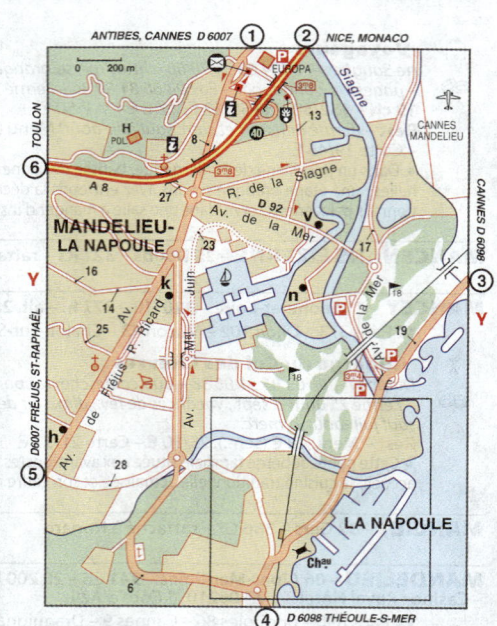

1018

MANDELIEU

LA NAPOULE – ✉ 06210

▶ Paris 893 – Cannes 9 – Mandelieu-la-Napoule 3 – Nice 40 – St-Raphaël 34
◉ Site ★ du château-musée.

Pullman Royal Casino
605 av. Gén.-de-Gaulle, (D 6098) – ℰ 04 92 97 70 00
– www.pullmanhotels.com – h1168@accor.com – Fax 04 93 49 51 50
213 ch – ♦285/745 € ♦♦285/745 €, ⊒ 24 € – 2 suites
Rest *Le Féréol* – ℰ 04 92 97 70 20 – Menu 39 € (dîner) – Carte 49/72 €
Rest *Le Purple Lounge* – ℰ 04 92 97 70 21 – Menu (20 €) – Carte 23/37 €

Z a

♦ Rénovation totale dans un style contemporain et épuré pour ce complexe moderne édifié en bord de mer. Chambres dans les tons blancs, orientées côté mer ou golf. Cadre design, buffets à midi et menus le soir au Féréol. Le Purple Lounge affiche un nouveau concept "Food & Live music restaurant".

L'Ermitage du Riou
av. H. Clews – ℰ 04 93 49 95 56 – www.ermitage-du-riou.fr – hotel@ermitage-du-riou.fr – Fax 04 92 97 69 05
41 ch – ♦126/331 € ♦♦126/331 €, ⊒ 18 € – 4 suites
Rest – Menu 27/100 € – Carte 65/130 €

Z e

♦ Cette demeure provençale ancienne à la façade ocre et brique offre des chambres de bon confort ouvertes sur le large ou sur le golf. Plats traditionnels, produits de la mer et vins de la propriété à déguster dans une salle à manger-véranda tournée vers le port.

Villa Parisiana sans rest
5 r. Argentière – ℰ 04 93 49 93 02 – www.villaparisiana.com – villa.parisiana@orange.fr – Fax 04 93 49 62 32 – Fermé 29 nov.-28 déc. et 10-15 janv.
13 ch – ♦42/69 € ♦♦42/69 €, ⊒ 8 €

Z d

♦ Cette villa 1900 ne manque pas de charme : chambres bien rénovées et accueillantes, quelques balcons ensoleillés et jolie terrasse d'été sous une treille. Adresse non-fumeurs.

La Corniche d'Or sans rest
pl. de la Fontaine – ℰ 04 93 49 92 51 – www.cornichedor.com – info@cornichedor.com – Fax 04 93 49 71 95
12 ch – ♦39/79 € ♦♦44/79 €, ⊒ 8 €

Z s

♦ Cet hôtel dispose de chambres simples et pimpantes comprenant balcon, mobilier en pin, literie neuve et climatisation (sur demande). Jolie terrasse et accueil très aimable.

L'Oasis (Stéphane, Antoine et François Raimbault)
r. J. H. Carle – ℰ 04 93 49 95 52 – www.oasis-raimbault.com
– contact@oasis-raimbault.com – Fax 04 93 49 64 13
– Fermé de mi-déc. à mi-janv., dim. et lundi
Rest – Menu 58 € (déj.), 77/190 € – Carte 131/216 € 🕸

Z r

Spéc. Emietté de tourteau au guacamole en salade de langouste et pourpier à l'huile de curry. Teppanyaki d'entrecôte wagyu "souvenir d'Osaka" sauce akamiso et yuzu. Caravane de desserts. **Vins** Côtes de Provence, les Baux-de-Provence.

♦ Luxuriant patio, cadre élégant, délicieuses recettes méridionales aux accents orientaux, caravane des desserts, ateliers gourmands (cuisine, pâtisserie, œnologie) : cette oasis n'a rien d'un mirage !

La Pomme d'Amour
209 av. du 23 Août – ℰ 04 93 49 95 19 – Fax 04 93 49 95 24 – Fermé 16 nov.-7 déc., mardi midi et lundi
Rest – Menu (26 €), 32/55 € – Carte 44/70 €

Z u

♦ Escale culinaire discrète au centre de La Napoule, tout près de la gare. Plaisante salle à manger cosy avec mise en place soignée. Cuisine traditionnelle et régionale.

Les Bartavelles
1 pl. Château – ℰ 04 93 49 95 15 – sarl-etec-bartavelles@wanadoo.fr
– Fax 04 93 49 95 15
– Fermé 5-26 janv., mardi et merc. sauf le soir en juil.-août
Rest – Menu (22 € bc), 27/39 € – Carte 38/53 €

Z f

♦ Cette maison simple et conviviale se consacre à une généreuse cuisine traditionnelle. Salle à manger-véranda débordant l'été sur une terrasse dressée sous les platanes.

MANDELIEU

XX **Le Bistrot du Port** ← 🈲 AC VISA ⓜ
au port – ℰ 04 93 49 80 60 – www.bistrotduport.fr – bistrotduport@wanadoo.fr
– Fax 04 93 49 69 76 – Fermé 25 nov.-15 déc., merc. hors saison et vacances
scolaires   Z b
Rest – Menu (18 €), 26/32 € – Carte 36/64 €
♦ Pour avoir une vue unique sur les bateaux, jetez l'ancre au Bistrot du Port. Ambiance marine chaleureuse, véranda s'ouvrant en terrasse aux beaux jours et bonne cuisine iodée.

MANDEREN – 57 Moselle – **307** J2 – rattaché à Sierck-les-Bains

---

MANE – 04 Alpes-de-Haute-Provence – **334** C9 – rattaché à Forcalquier

---

MANIGOD – 74 Haute-Savoie – **328** L5 – 924 h. – alt. 950 m – ⊠ 74230   46 **F1**
▶ Paris 558 – Albertville 39 – Annecy 25 – Chamonix-Mont-Blanc 67 – Thônes 6
🛈 Office de tourisme, Chef-lieu ℰ 04 50 44 92 44, Fax 04 50 44 94 68
◉ Vallée de Manigod★★, ▮ Alpes du Nord

rte du col de la Croix-Fry : 5,5 km – ⊠ 74230 Manigod

🏠 **Chalet Hôtel Croix-Fry** ⚲ ← 🚗 🈲 ≋ 🍴 P VISA ⓜ AE
– ℰ 04 50 44 90 16 – www.hotelchaletcroixfry.com – hotelcroixfry@wanadoo.fr
– Fax 04 50 44 94 87 – Ouvert de mi-juin à mi-sept. et mi-déc. à mi-avril
10 ch – ♦150 € ♦♦150/440 €, ⊇ 20 € – ½ P 140/205 €
Rest – *(fermé mardi midi, merc. midi et lundi)* Menu 26 € (déj. en sem.), 50/78 €
– Carte 58/84 €
♦ Dans un cadre idyllique, au milieu des alpages, un beau chalet tenu par la même famille depuis des décennies. Intérieur montagnard très cosy et ravissantes chambres-"cocons". Ambiance table d'hôte au restaurant et terrasse panoramique face aux Aravis.

MANOSQUE – 04 Alpes-de-Haute-Provence – **334** C10 – 21 300 h.   40 **B2**
– alt. 387 m – ⊠ 04100 – ▮ Alpes du Sud

▶ Paris 758 – Aix-en-Provence 57 – Avignon 91 – Digne-les-Bains 61
🛈 Office de tourisme, place du Docteur Joubert ℰ 04 92 72 16 00,
Fax 04 92 72 58 98
⛳ du Lubéron à Pierrevert La Grande Gardette, par rte de la
Bastide-des-Jourdans : 7 km, ℰ 04 92 72 17 19
◉ Le vieux Manosque★ : Porte Saunerie★, façade★ de l'hôtel de ville -
Sarcophage★ et Vierge noire★ dans l'église N.-D. de Romigier - Fondation
Carzou★ M - ≼★ du Mont d'Or NE : 1,5 km.

MANOSQUE

Arthur-Robert (R.) 2
Aubette (R. d') 3
Bret (Bd M.) 5
Chacundier (R.) 6
Cougourdelles (Bd des) 7
Dauphine (R.) 8
Giono (Av. J.) 9
Grande (R.) 10
Guilhempierre (R.) 12
Hôtel-de-Ville (Pl. de l') 13
Jean-Jacques-Rousseau (R.) . 14
Marchands (R. des) 15
Mirabeau (Bd) 16
Mont-d'Or (R. du) 17
Observantins (R. des) 19
Ormeaux (Pl. des) 20
Paul-Martin Nalin (Bd) 21
Pelloutier (Bd C.) 22
Plaine (Bd de la) 23
République (R. de la) 26
St-Lazare (Av.) 28
Saunerie (R. de la) 30
Soubeyran (R.) 32
Tanneurs (R. des) 33
Tourelles (R. des) 34
Voland (R.) 35
Vraies-Richesses . . . .
(Montée des) 36

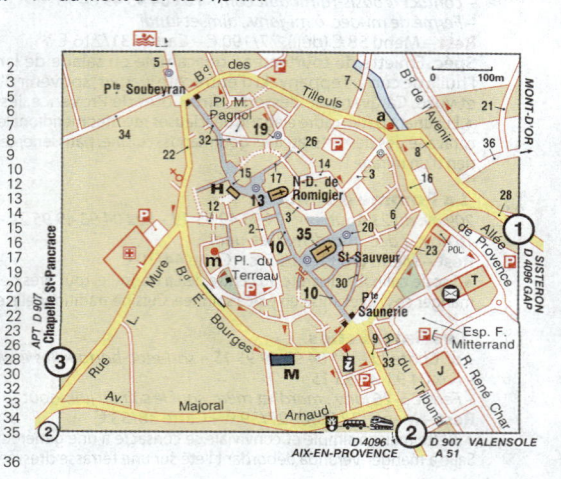

1020

MANOSQUE

Pré St-Michel sans rest
1,5 km au Nord par bd M. Bret et rte Dauphin – ℰ 04 92 72 14 27
– www.presaintmichel.com – pre.st.michel@wanadoo.fr – Fax 04 92 72 53 04
24 ch – †60/110 € ††60/110 €, ⌑ 10 €
♦ Récente bâtisse régionale aux chambres spacieuses, décorées avec goût dans le style provençal ; quelques-unes profitent d'une terrasse privative. Vue sur les toits de Manosque.

Le Sud
bd Charles de Gaulle – ℰ 04 92 87 78 58 – www.hotel-lesud.com
– hotelbestwesternlesud@orange.fr – Fax 04 92 72 66 60
36 ch – †70/100 € ††80/110 €, ⌑ 12 € – ½ P 65/95 €
Rest – Menu (16 €), 19/28 € – Carte 24/45 €
♦ Hôtel d'affaires, idéal pour les séminaires, situé aux portes du vieux Manosque. Les chambres, toutes identiques, et les salons arborent un décor aux accents provençaux. L'esprit du Sud souffle sur le joli cadre du restaurant (bois peint et couleurs ensoleillées).

Les Monges sans rest
rte d'Apt, 4 km au Nord-Ouest par D 907 et rte secondaire – ℰ 04 92 72 68 41
– www.lesmonges.com – contact@lesmonges.com – Ouvert 15 mars-30 nov.
5 ch ⌑ – †60/75 € ††60/75 €
♦ En rase campagne, l'ancienne bergerie où Jean Giono achetait son fromage. Accueil sympathique, chambres fraîches et fonctionnelles. Le matin, confiture maison, œufs de la ferme.

Le Luberon
21 bis pl. Terreau – ℰ 04 92 72 03 09
– *Fermé 12-26 oct., jeudi soir, dim. soir et lundi*   m
Rest – Menu (15 €), 20/55 € – Carte 37/65 €
♦ Petite adresse du centre-ville et sa salle rustique rehaussée de tons ensoleillés. Terrasses verdoyantes (brumisateurs bienvenus en cas de chaleur). Carte aux accents du Sud.

à l' Échangeur A51 4 km par ② - ⌧ 04100 Manosque

Ibis sans rest
– ℰ 04 92 71 18 00 – www.ibishotel.com – h5611@accor.com
– Fax 04 92 72 00 45
48 ch – †55/77 € ††55/77 €, ⌑ 8 €
♦ Vous n'aurez aucun mal à repérer ce bâtiment contemporain à la façade jaune. Chambres fonctionnelles conçues selon les dernières normes de la chaîne. Pratique pour l'étape.

LE MANS ℗ – 72 Sarthe – 310 K6 – 143 800 h. – Agglo. 194 825 h.   35 **D1**
– alt. 80 m – ⌧ 72000 ▮ **Châteaux de la Loire**

🄳 Paris 206 – Angers 97 – Le Havre 213 – Nantes 184 – Rennes 154 – Tours 85
🄸 Office de tourisme, rue de l'Étoile ℰ 02 43 28 17 22, Fax 02 43 28 12 14
▨ de Sargé-lès-le-Mans à Sargé-lès-le-Mans Rue du Golf, par rte de Bonnétable : 6 km, ℰ 02 43 76 25 07
▨ des 24 Heures-Le Mans à Mulsanne Route de Tours, par rte de Tours : 11 km, ℰ 02 43 42 00 36

Circuit des 24 heures et circuit Bugatti ℰ 02 43 40 24 24 : 5 km par ④.

◉ Cathédrale St-Julien★★ : chevet★★★ - Le Vieux Mans★★ : maison de la Reine Bérengère★, enceinte gallo-romaine★ **DV** M² - Église de la Couture★ : Vierge★★ - Église Ste-Jeanne-d'Arc★ - Musée de Tessé★ - Abbaye de l'Épau★ BZ , 4 km par D 152 - Musée de l'Automobile★★ : 5 km par ④.

Plans pages suivantes

Mercure Centre sans rest
19 r. Chanzy – ℰ 02 43 40 22 40 – www.mercure.com – h5641@accor.com
– Fax 02 43 40 22 31   DX **p**
73 ch – †150 € ††165 €, ⌑ 14 € – 5 suites
♦ Cet hôtel (non-fumeurs) est logé dans un bâtiment classé qui abrita le siège des Mutuelles du Mans. Chambres au mobilier contemporain, fonctionnelles et bien insonorisées.

1021

LE MANS

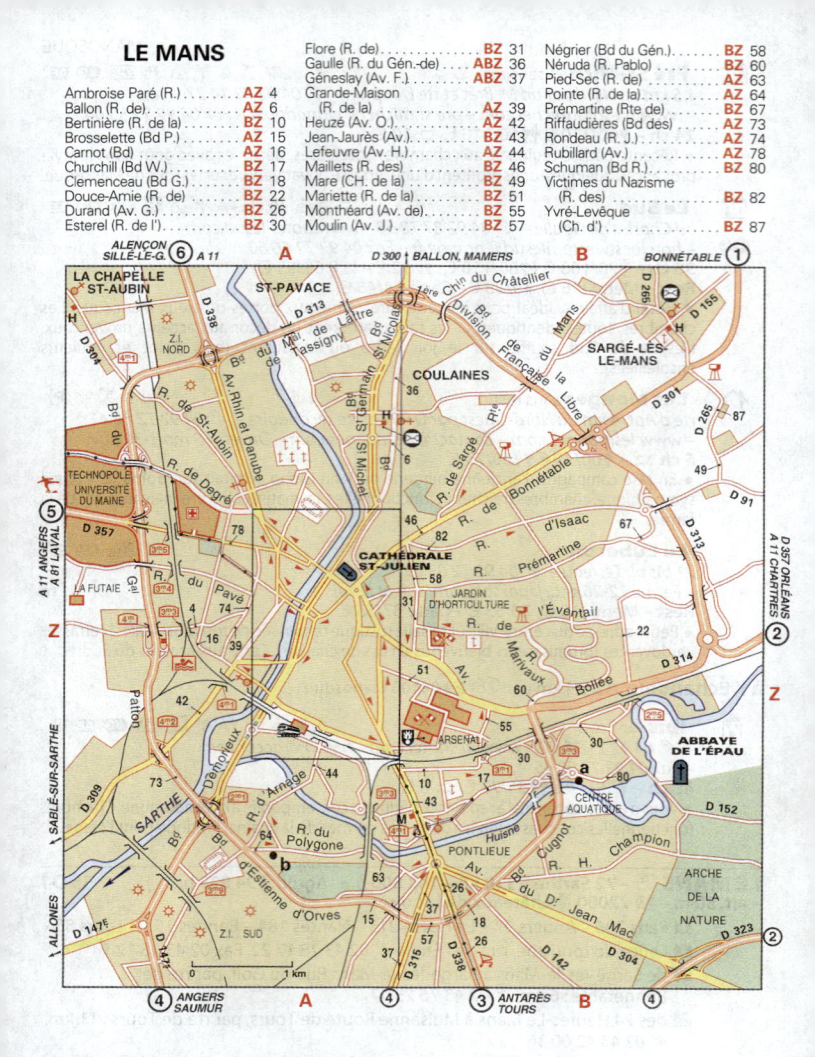

Ambroise Paré (R.)	**AZ** 4
Ballon (R. de)	**AZ** 6
Bertinière (R. de la)	**BZ** 10
Brosselette (Bd P.)	**AZ** 15
Carnot (Bd)	**AZ** 16
Churchill (Bd W.)	**BZ** 17
Clemenceau (Bd G.)	**BZ** 18
Douce-Amie (R. de)	**BZ** 22
Durand (Av. G.)	**BZ** 26
Esterel (R. de l')	**BZ** 30
Flore (R. de)	**BZ** 31
Gaulle (R. du Gén.-de)	**ABZ** 36
Génesnlay (Av. F.)	**ABZ** 37
Grande-Maison (R. de la)	**AZ** 39
Heuzé (Av. O.)	**BZ** 42
Jean-Jaurès (Av.)	**BZ** 43
Lefeuvre (Av. H.)	**BZ** 44
Maillets (R. des)	**BZ** 46
Mare (CH. de la)	**BZ** 49
Mariette (R. de la)	**BZ** 51
Monthéard (Av. de)	**BZ** 55
Moulin (Av. J.)	**BZ** 57
Négrier (Bd du Gén.)	**BZ** 58
Néruda (R. Pablo)	**BZ** 60
Pied-Sec (R. de)	**AZ** 63
Pointe (R. de la)	**AZ** 64
Prémartine (Rte de)	**BZ** 67
Riffaudières (Bd des)	**BZ** 73
Rondeau (R. J.)	**AZ** 74
Rubillard (Av.)	**AZ** 78
Schuman (Bd R.)	**BZ** 80
Victimes du Nazisme (R. des)	**BZ** 82
Yvré-Levêque (Ch. d')	**BZ** 87

Chantecler sans rest
50 r. Pelouse – ℰ 02 43 14 40 00
– www.hotelchantecler.fr
– hotel.chantecler@wanadoo.fr
– Fax 02 43 77 16 28
– Fermé 8-23 août

CY **f**

32 ch – †71 € ††82 €, ⊇ 10 € – 3 suites
◆ Hôtel entièrement non-fumeurs où l'on petit-déjeune sous la verrière, véritable jardin d'hiver. Tons pastel reposants dans les chambres bien insonorisées.

LE MANS

Street	Grid	№
Barbier (R.)	CX	7
Barillerie (R. de la)	CX	9
Blondeau (R. C.)	DX	12
Bolton (R. de)	DX	13
Courthardy (R.)	DX	21
Dr-Gallouëdec (R.)	CV	24
Galère (R. de la)	CX	33
Gambetta (R.)	CX	
Levasseur (Bd René)	DX	45
Marchande (R.)	DX	48
Mendès-France (R. P.)	DX	52
Minimes (R. des)	CX	
Nationale (R.)	DY	
Perle (R. de la)	DX	61
Reine-Bérengère (R. de la)	DV	69
République (Pl. de la)	CX	70
Rostov-s-le-Don (Av. de)	DX	76
St-Jacques (R.)	DX	79
Triger (R. Robert)	DV	81
Wright (R. Wilbur)	CV	84
33e-Mobiles (R. du)	DX	88

1023

LE MANS

Mercure Batignolles
17 r. Pointe – ℰ *02 43 72 27 20* – *www.mercure.com* – *h0344@accor.com*
– *Fax 02 43 85 96 06*　　　　　　　　　　　　　　　　　　　　　　　　　AZ **b**
68 ch – †65/95 € ††75/105 €, ⊇ 10 €
Rest – *(fermé 24 déc.-3 janv., sam. et dim. de sept. à mai et lundi midi)* Menu (16 €), 21 €
◆ Établissement abritant des chambres actuelles, pratiques, bien tenues et plus calmes sur l'arrière. Jardin avec minigolf. Restaurant décoré de photographies évoquant la mythique course des 24 Heures du Mans. Cuisine traditionnelle.

Emeraude sans rest
18 r. Gastelier – ℰ *02 43 24 87 46* – *www.hotel-emeraude-le-mans.com*
– *emeraudehotel@wanadoo.fr* – *Fax 02 43 24 60 64* – *Fermé 9-23 août et 20 déc.-3 janv.*　　　　　　　　　　　　　　　　　　　　　　　　　CY **z**
33 ch – †64/68 € ††68/75 €, ⊇ 8 €
◆ On vous réserve un accueil chaleureux dans cet hôtel proche de la gare. Chambres aux tons pastel. L'été, les petits-déjeuners sont servis dans la cour intérieure fleurie.

Le Commerce sans rest
41 bd de la Gare – ℰ *02 43 83 20 20* – *www.commerce-hotel.fr*
– *commerce.hotel@wanadoo.fr* – *Fax 02 43 83 20 21*　　　　　　　　　　　CY **d**
31 ch – †54/65 € ††60/65 €, ⊇ 8 €
◆ Cet hôtel qui se trouve à proximité de la gare bénéficie d'une isolation phonique très efficace. Chambres fonctionnelles rénovées à la tenue irréprochable.

Le Beaulieu (Olivier Boussard)
pl. des Ifs – ℰ *02 43 87 78 37* – *Fax 02 43 87 78 27* – *Fermé 4-12 avril, 8-31 août, 20 fév.-1ᵉʳ mars, sam. et dim.*　　　　　　　　　　　　　　　　　DX **h**
Rest – Menu 29 € (déj. en sem.), 42/101 € – Carte 73/122 €
Spéc. Homard bleu et crabe décortiqués en millefeuille au jus de tomate acidulé (printemps-été). Saint-Jacques aux truffes et fricassée de champignons du moment (automne-hiver). Duo de chocolat blanc et noir, biscuit coulant, soufflé et sorbet. **Vins** Jasnières, Touraine-Azay-le-Rideau blanc.
◆ Mélange des styles (contemporain, design, baroque) et tons rouge composent le cadre convivial de ce restaurant proposant une appétissante cuisine au goût du jour.

Le Grenier à sel
26 pl. de l'Eperon – ℰ *02 43 23 26 30* – *grenasel@wanadoo.fr* – *Fax 02 43 77 00 80* – *Fermé 1ᵉʳ-17 mars, 16 août-9 sept., dim. et lundi*　　　　　　　　CX **t**
Rest – Menu (20 €), 24 € (sem.)/58 € – Carte 51/60 €
◆ En plein centre-ville, à l'entrée de la Cité Plantagenêt, cet ancien grenier à sel propose une cuisine actuelle. Cadre rajeuni, mise en place soignée et bon accueil.

La Maison d'Élise
6 r. de la Mission – ℰ *02 43 40 00 58* – *lamaisondelise49@orange.fr* – *Fermé 15 juil.-15 août, 15-28 fév., dim. et lundi*　　　　　　　　　　　　　　　　　DY **g**
Rest – Menu (20 €), 30 € (déj.), 40/58 €
◆ Beau mobilier design dans la salle contemporaine du rez-de-chaussée. L'autre, située à l'étage, ouvre sur une terrasse au calme. Formule à midi et carte dans l'air du temps.

La Ciboulette
14 r. de la Vieille Porte – ℰ *02 43 24 65 67* – *Fax 02 43 87 51 18* – *Fermé 24 août-8 sept. et lundi*　　　　　　　　　　　　　　　　　　　　　　　　CX **x**
Rest – Menu (13 €), 22/32 € – Carte 26/53 €
◆ Couleur rouge dominante et atmosphère bistrot composent le cadre feutré de ce restaurant occupant une maison médiévale du vieux Mans. Cuisine traditionnelle.

à Arnage 10 km par ④ – 5 177 h. – alt. 42 m – ⊠ 72230

Auberge des Matfeux
289 av. Nationale, Sud sur D 147 – ℰ *02 43 21 10 71* – *www.aubergedesmatfeux.fr* – *matfeux@wanadoo.fr* – *Fax 02 43 21 25 23* – *Fermé 27 avril-4 mai, 27 juil.-25 août, 2-14 janv., dim. soir, mardi soir, merc. soir et lundi*
Rest – Menu 38/73 € – Carte 41/80 €
◆ Originale architecture en pierre qui abrite d'agréables salles à manger contemporaines. Vaisselle réalisée par un artiste local. Cuisine actuelle et superbe carte des vins.

LE MANS

par ⑤ 4 km sur D 357 – ⊠ 72000 Le Mans

Auberge de la Foresterie
rte de Laval – ℘ 02 43 51 25 12
– www.aubergedelaforesterie.com – aubergedelaforesterie@wanadoo.fr
– Fax 02 43 28 54 58
41 ch – ♦95/400 € ♦♦110/600 €, ⊇ 11 €
Rest – (fermé sam. midi et dim. soir) Menu (15 €), 22/30 €
– Carte 21/38 €
♦ Spacieuses chambres fonctionnelles, salons de réception, salles de séminaires et grand jardin avec piscine pour la détente. Le restaurant aménagé en véranda propose une cuisine traditionnelle.

à St-Saturnin 8 km par ⑥ – 2 230 h. – alt. 80 m – ⊠ 72650

Domaine de Chatenay sans rest
sur D 304, (rte de la Chapelle St-Aubin) – ℘ 02 43 25 44 60
– www.domainedechatenay.com – benoit.desbans@wanadoo.fr
– Fax 02 43 25 21 00
8 ch ⊇ – ♦78/115 € ♦♦120/138 €
♦ Superbe maison de maître du 18ᵉ s. entourée d'un domaine de 40 ha. Chambres très raffinées avec leurs meubles anciens et leurs tissus choisis. Petit-déjeuner dans la salle Empire.

MANSLE – 16 Charente – **324** L4 – 1 527 h. – alt. 65 m – ⊠ 16230   39 **C2**

▶ Paris 421 – Angoulême 26 – Cognac 53 – Limoges 93 – Poitiers 88
– St-Jean-d'Angély 62

🛈 Office de tourisme, place du Gardoire ℘ 05 45 20 39 91, Fax 05 45 20 39 91

Beau Rivage
pl. Gardoire – ℘ 05 45 20 31 26 – www.hotel-beau-rivage-charente.com
– hotel.beau.rivage.16@orange.fr – Fax 05 45 22 24 24 – Fermé 16 fév.-10 mars,
24 nov.-15 déc., dim. soir et lundi midi d'oct. à avril
29 ch – ♦55/58 € ♦♦55/58 €, ⊇ 9 €
Rest – Menu 14 € (sem.)/34 € – Carte 30/50 €
♦ Cet établissement à la silhouette un peu austère abrite des chambres bien tenues ; certaines ont été rénovées avec soin. Jardin au bord de la Charente (location de canoës). Vaste salle à manger et terrasse avec vue sur la la rivière ; carte traditionnelle.

à Luxé 6 km à l'Ouest par D 739 – 756 h. – alt. 70 m – ⊠ 16230

Auberge du Cheval Blanc
à la gare – ℘ 05 45 22 23 62 – restaurantlechevalblanc@wanadoo.fr
– Fax 05 45 39 94 75 – Fermé 1ᵉʳ-10 sept., fév., dim. soir, mardi et lundi
Rest – Menu 18 € bc (déj. en sem.), 29/40 €
– Carte environ 37 €
♦ À l'avenante façade de cette maison centenaire répond une salle tout aussi plaisante avec son décor rustique et ses tables fleuries. Cuisine régionale soignée.

MANTES-LA-JOLIE – 78 Yvelines – **311** G2 – 40 900 h. – alt. 34 m   18 **A1**
– ⊠ 78200 ▌Île de France

▶ Paris 56 – Beauvais 69 – Chartres 78 – Évreux 46 – Rouen 80 – Versailles 47

🛈 Office de tourisme, 8 bis, rue Marie et Robert Dubois ℘ 01 34 77 10 30,
Fax 01 30 98 61 49

🏌 de Guerville à Guerville La Plagne, par rte de Houdan : 6 km,
℘ 01 30 92 45 45

🏌 de Moisson-Mousseaux à Moisson Base de Loisir de Moisson, par rte de
Vernon et rte secondaire : 14 km, ℘ 01 34 79 39 00

🏌 de Villarceaux à Chaussy Château du Couvent, N : 20 km par D 147,
℘ 01 34 67 73 83

◉ Collégiale Notre-Dame★★ BB.

MANTES-LA-JOLIE

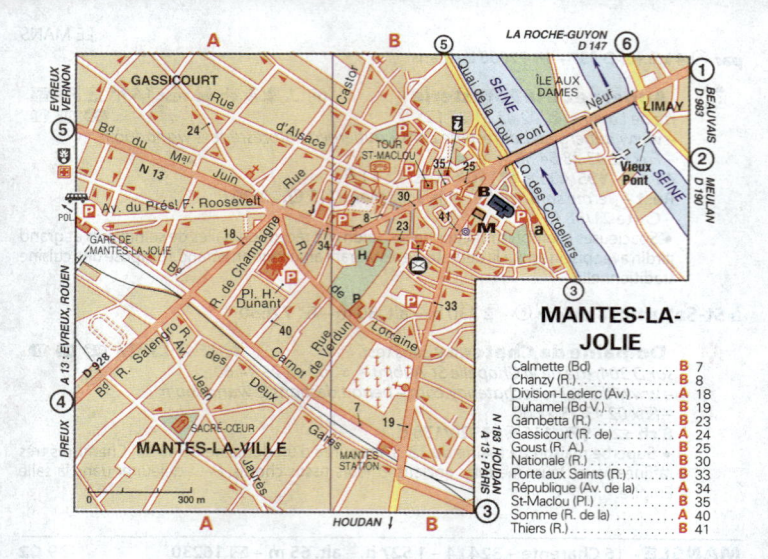

Calmette (Bd)	**B** 7
Chanzy (R.)	**B** 8
Division-Leclerc (Av.)	**A** 18
Duhamel (Bd V.)	**B** 19
Gambetta (R.)	**B** 23
Gassicourt (R. de)	**A** 24
Goust (R. A.)	**B** 25
Nationale (R.)	**B** 30
Porte aux Saints (R.)	**B** 33
République (Av. de la)	**A** 34
St-Maclou (Pl.)	**B** 35
Somme (R. de la)	**A** 40
Thiers (R.)	**B** 41

※※ **Rive Gauche**　　　　　　　　　　　　　　　　　　　⇔ VISA ⓜⓒ

1 r. du Fort – ℰ *01 30 92 30 16* – *www.rivegauchemantes.fr*
– *rivegauche.mantes@wanadoo.fr* – *Fax 01 30 92 30 16* – *Fermé 3 août-1ᵉʳ sept.,
sam. midi, dim. et lundi*　　　　　　　　　　　　　　　　　　　　　**B a**
Rest – Menu (22 € bc) – Carte 45/55 €

♦ Proche de la Seine, derrière la Porte-aux-Prêtres, ce sympathique petit restaurant propose une cuisine au goût du jour. Le décor marie à merveille l'ancien et le contemporain.

à Mantes-la-Ville 2 km par ③ – 18 200 h. – alt. 36 m – ✉ 78711

※※※ **Le Moulin de la Reillère**　　　　　　　　🚗 🈂 **P** VISA ⓜⓒ

171 rte Houdan – ℰ *01 30 92 22 00* – *le-moulin.reillere@wanadoo.fr*
– *Fax 01 34 97 82 85* – *Fermé 10 août-1ᵉʳ sept., sam. midi, dim. soir et lundi*
Rest – Menu (26 €), 34/51 € – Carte 40/60 €

♦ Belle auberge aménagée dans un ancien moulin du 18ᵉ s. On aime l'agréable salle bourgeoise, la terrasse, le ravissant jardin fleuri et la cuisine de tradition. Accueil convivial.

à Rosay 10 km par ③ – 358 h. – alt. 98 m – ✉ 78790

※※ **Auberge de la Truite**　　　　　　　　　　　　🈂 **P** VISA ⓜⓒ

1 r. Boinvilliers – ℰ *01 34 76 30 52* – *aubergedelatruite@wanadoo.fr*
– *Fax 01 34 76 30 65* – *Fermé 25 août-9 sept., 1ᵉʳ-13 janv., mardi midi, dim. soir et lundi*
Rest – Menu 30 € (déj. en sem.), 38/60 € 🍷

♦ Cadre rustique (tableaux en expo-vente), terrasse, recettes classiques revisitées au gré des saisons et conseils avisés dans le choix des vins. Quoi de plus ? Se régaler à table !

MANTES-LA-VILLE – 78 Yvelines – **311** G2 – rattaché à Mantes-la-Jolie

---

MANVIEUX – 14 Calvados – **303** I3 – rattaché à Arromanches-les-Bains

---

Retrouvez tous les Bibs Gourmands 🕭 dans notre guide
des "Bonnes Petites Tables du guide Michelin".
Pour bien manger à prix modérés, partout en France !

MANZAC-SUR-VERN – 24 Dordogne – **329** E5 – 508 h. – alt. 80 m 4 **C1**
– ✉ 24110
- 🅿 Paris 502 – Bergerac 34 – Bordeaux 112 – Périgueux 20

※※ **Le Lion d'Or** avec ch
*pl. de l'Église – ℰ 05 53 54 28 09 – www.lion-dor-manzac.com – lion-dor@
lion-dor-manzac.com – Fax 05 53 54 25 50 – Fermé 16-30 nov., 1ᵉʳ-22 fév., dim. soir
sauf juil.-août et lundi*
8 ch – †48 € ††52/55 €, ⊑ 8 € – ½ P 53 €
Rest – Menu (16 € bc), 19/34 € – Carte 29/45 €
♦ Lumineuse salle à manger agrémentée de bibelots où l'on savoure une copieuse cuisine au goût du jour prenant souvent l'accent du terroir.

MARAIS-VERNIER – 27 Eure – **304** C5 – rattaché à Conteville

---

MARANS – 17 Charente-Maritime – **324** E2 – 4 654 h. – alt. 1 m 38 **B2**
– ✉ 17230 **Poitou Vendée Charentes**
- 🅿 Paris 461 – Fontenay-le-Comte 28 – Niort 56 – La Rochelle 24
  – La Roche-sur-Yon 60
- 🅘 Office de tourisme, 62, rue d'Aligre ℰ 05 46 01 12 87, Fax 05 46 35 97 36

※ **La Porte Verte** avec ch
*20 quai Foch – ℰ 05 46 01 09 45 – www.la-porte-verte.com – laporteverte@
aol.com – Ouvert d'avril à sept. et fermé merc.*
5 ch – †46 € ††52/56 €
Rest – *(nombre de couverts limité, prévenir)* Menu 18/33 € – Carte 27/47 €
♦ Cette coquette maison du 19ᵉ s. borde le canal reliant l'ancien port à l'océan. Salle à manger rustique et cuisine dans la note régionale. Chambres d'hôte bien aménagées.

MARAUSSAN – 34 Hérault – **339** D8 – rattaché à Béziers

MARÇAY – 37 Indre-et-Loire – **317** K6 – rattaché à Chinon

MARCILLAC-LA-CROISILLE – 19 Corrèze – **329** N4 – 827 h. 25 **C3**
– alt. 550 m – ✉ 19320 **Limousin Berry**
- 🅿 Paris 498 – Argentat 26 – Aurillac 80 – Égletons 17 – Mauriac 40 – Tulle 27

au Pont du Chambon 15 km au Sud-Est, par D 978 (dir. Mauriac), D 60 et D 13
✉ 19320 St-Merd-de-Lapleau

※※ **Fabry (Au Rendez-vous des Pêcheurs)** avec ch
*– ℰ 05 55 27 88 39 – www.rest-fabry.com
– contact@rest-fabry.com – Fax 05 55 27 83 19 – Ouvert 13 fév.-12 nov. et fermé
dim. soir et lundi hors saison*
8 ch – †45 € ††45/50 €, ⊑ 7 €   **Rest** – Menu 16 € (sem.)/39 € – Carte 28/40 €
♦ Étape "verte" garantie dans cette maison isolée sur une rive de la Dordogne. Depuis trois générations, la même recette : cuisine du terroir, chambres claires, accueil aimable.

MARCILLY-EN-VILLETTE – 45 Loiret – **318** J5 – 1 958 h. – alt. 124 m 12 **C2**
– ✉ 45240
- 🅿 Paris 153 – Blois 83 – Orléans 23 – Romorantin-Lanthenay 55 – Salbris 40

⌂ **La Ferme des Foucault** sans rest
*6 km au Sud-Est par D 64 (rte de Sennely) – ℰ 02 38 76 94 41
– www.ferme-des-foucault.com – rbeau@wanadoo.fr – Fax 02 38 76 94 41*
3 ch ⊑ – †75/85 € ††80/90 €
♦ Ancienne ferme à colombages nichée au cœur de la forêt. Ses chambres, coquettes et très spacieuses, s'agrémentent de meubles rustiques ; l'une d'elles dispose d'une terrasse.

MARCQ-EN-BAROEUL – 59 Nord – 302 G3 – rattaché à Lille

MAREUIL-CAUBERT – 80 Somme – 301 D7 – rattaché à Abbeville

MARGAUX – 33 Gironde – 335 G4 – 1 391 h. – alt. 16 m – ⌧ 33460   3 B1
D Paris 599 – Bordeaux 29 – Lesparre-Médoc 42
de Margaux 5 route de l'Île Vincent, N : 1 km, ✆ 05 57 88 87 40

Relais de Margaux
5 route de l'Île Vincent, 2,5 km au Nord-Est
– ✆ 05 57 88 38 30 – www.relais-margaux.fr
– relais-margaux@relais-margaux.fr – Fax 05 57 88 31 73
92 ch – ♦159/199 € ♦♦159/199 €, ⌧ 21 € – 8 suites
Rest *L'Île Vincent* – (Ouvert 1er mai-30 oct.) (dîner seult) Menu 46/84 € bc
– Carte 55/90 €
Rest *Brasserie du Lac* – Menu (16 €), 21 € (déj.) – Carte 35/55 €
◆ Ancien domaine viticole entre estuaire et vignoble. Parc avec golf, spa complet et chambres spacieuses. Cadre chic, carte actuelle et vins régionaux à l'Île Vincent. Brasserie décontractée ouverte sur le green, recettes revisitant le terroir et grillades.

Le Pavillon de Margaux
3 r. G. Mandel – ✆ 05 57 88 77 54
– www.pavillonmargaux.com – le-pavillon-margaux@wanadoo.fr
– Fax 05 57 88 77 73 – Fermé 21-28 déc.
14 ch – ♦75/125 € ♦♦75/125 €, ⌧ 12 €
Rest – (fermé 21 déc.-8 fév., mardi et merc. du 1er nov. au 1er avril) Menu 15 € (déj. en sem.), 34/62 € – Carte 43/55 €
◆ Belle demeure du 19e s. bordée par les vignes. Plaisant salon bourgeois et jolies chambres décorées selon le thème des châteaux du Médoc. Coquette salle à manger et véranda tournées vers le prestigieux vignoble margalais ; cuisine traditionnelle.

Le Savoie
1 pl. Trémoille – ✆ 05 57 88 31 76 – www.lesavoie.net – Fax 05 57 88 31 76
– Fermé 22-28 déc., lundi soir sauf de juin à sept. et dim. soir
Rest – Menu (15 €), 28/88 € – Carte 50/69 €
◆ Goûteuse cuisine classique mitonnée sur un vieux fourneau à charbon et bon choix de bordeaux dans cette maison villageoise du 19e s. Salles avenantes ; patio sous verrière.

à Arcins 6 km au Nord-Ouest sur D 2 – 357 h. – alt. 10 m – ⌧ 33460

Le Lion d'Or
– ✆ 05 56 58 96 79 – Fermé juil., 23 déc.-2 janv., dim., lundi et fériés
Rest – (nombre de couverts limité, prévenir) Menu 15 € bc (sem.)
– Carte 28/42 €
◆ Sympathique bistrot campagnard avec boiseries claires et décor de casiers à bouteilles. Plats du terroir mitonnés et copieux. Convivialité de rigueur !

MARGÈS – 26 Drôme – 332 D3 – 846 h. – alt. 282 m – ⌧ 26260   43 E2
D Paris 551 – Grenoble 92 – Hauterives 14 – Romans-sur-Isère 13 – Valence 36

Auberge Le Pont du Chalon
2 km au Sud par D 538 – ✆ 04 75 45 62 13 – www.pontduchalon.com
– pontduchalon@wanadoo.fr – Fax 04 75 45 60 19 – Fermé 27 avril-3 mai,
17 août-2 sept., 21-30 déc., dim. soir, merc. soir, lundi et mardi
9 ch – ♦40/45 € ♦♦40/45 €, ⌧ 6 € – ½ P 44/47 €
Rest – (fermé merc. soir de sept. à mai, dim. soir, lundi et mardi)
Menu (12 €), 18/33 € – Carte 24/35 €
◆ Cette auberge 1900 nichée derrière un rideau de platanes dispense une ambiance chaleureuse et raffinée. Décoration actuelle et colorée partout. Salle à manger de style rustique chic, terrasse et terrain de pétanque pour l'avant ou l'après-repas.

MARGUERITTES – 30 Gard – 339 L5 – rattaché à Nîmes

MARIENTHAL – 67 Bas-Rhin – **315** K4 – ⊠ 67500 — 1 **B1**

D Paris 479 – Haguenau 5 – Saverne 42 – Strasbourg 30

XX **Le Relais Princesse Maria Leczinska** 🈺 ᴳ VISA ⓂⓄ
1 r. Rothbach – ℰ 03 88 93 43 48 – Fermé sam. midi, dim. soir et merc.
Rest – (nombre de couverts limité, prévenir) Menu (15 €), 38/40 €
♦ Traditionnelle dans l'âme (poutres, vitrail, poêle en faïence) mais contemporaine dans l'esprit (couleurs sobres), cette maison propose une courte carte actuelle, riche en saveurs.

MARIGNANE – 13 Bouches-du-Rhône – **340** G5 – 33 400 h. – alt. 10 m — 40 **B3**
– ⊠ 13700 ▌Provence

D Paris 753 – Aix-en-Provence 24 – Marseille 26 – Martigues 16
 – Salon-de-Provence 33

✈ de Marseille-Provence : ℰ 04 42 14 14 14.

🛈 Office de tourisme, 4, boulevard Frédéric Mistral ℰ 04 42 77 04 90, Fax 04 42 31 49 39

◉ Canal souterrain du Rove ★ SE : 3 km.

à l'aéroport de Marseille-Provence au Nord – ⊠ 13700

🏨 **Pullman** 🚗 🈺 🛋 🛎 🍴 🎪 ᴳ 🗚 ⇄ 🎙 🛁 🅿 VISA ⓂⓄ AE ①
– ℰ 04 42 78 42 78 – www.pullman-marseille-provence.com – h0541@accor.com
– Fax 04 42 78 42 70
177 ch – †145/345 € ††145/365 €, ⊆ 25 € – 1 suite
Rest – ℰ 04 42 78 42 83 – Menu 19/32 € – Carte 41/60 €
♦ Bâtiment des années 1970 entièrement rénové et proposant des chambres dans un style provençal ou contemporain beaucoup plus zen. Fitness. Au restaurant : agréable espace tendance, ambiance lounge, belle vinothèque, cuisine méditerranéenne et carte snacking.

🏨 **Best Western** 🈺 🛋 🛎 🍴 🎪 ᴳ ch, 🗚 ch, ⇄ 🎙 🛁 🅿 VISA ⓂⓄ AE ①
(face aéroport) ⊠ 13127 Vitrolles – ℰ 04 42 15 54 00 – www.bwmrs.com – info@bwmrs.com – Fax 04 42 89 69 18
120 ch – †95/179 € ††95/179 €, ⊆ 14 € **Rest** – Carte 27/45 €
♦ Cette construction récente dissimule un intérieur classique assez inattendu : mobilier Louis XVI dans les chambres et lustre de cristal dans le hall. Salle à manger moderne agrémentée de boiseries ; terrasse meublée en teck dressée au bord de la piscine.

Z.I. Les Estroublans 4 km au Nord-Est par D 9 (rte Vitrolles) – ⊠ 13127 Vitrolles

🏨 **Novotel** 🚗 🈺 🛋 🍴 ᴳ 🗚 ⇄ 🎙 🛁 🅿 VISA ⓂⓄ AE ①
24 r. de Madrid – ℰ 04 42 89 90 44 – www.novotel.com – h0442@accor.com
– Fax 04 42 79 07 04
117 ch – †110/160 € ††110/160 €, ⊆ 15 €
Rest – Menu (21 €), 24 € – Carte 30/38 €
♦ Les chambres, spacieuses et bien insonorisées, sont progressivement refaites selon le dernier concept de la chaîne. Belle roseraie dans le jardin. Piscine. Restaurant servant une cuisine traditionnelle et Novotel Café (petits plats rapides et décor à la mode).

MARIGNY-ST-MARCEL – 74 Haute-Savoie – **328** I6 – 621 h. — 46 **F1**
– alt. 404 m – ⊠ 74150

D Paris 536 – Aix-les-Bains 22 – Annecy 19 – Bellegarde-sur-Valserine 43
 – Rumilly 6

XX **Blanc** avec ch 🚗 🈺 🛋 ᴳ ch, 🗚 rest, ⇄ 🎙 🅿 VISA ⓂⓄ AE
– ℰ 04 50 01 09 50 – www.blanc-hotel-restaurant.fr – hotelblanc@wanadoo.fr
– Fax 04 50 64 58 05 – Fermé 28 déc.-9 janv.
16 ch – †55/130 € ††55/130 €, ⊆ 11 € – ½ P 56/85 €
Rest – (fermé dim. soir et sam. sauf juil.-août) Menu (16 €), 24/62 € bc
– Carte 40/67 €
♦ Auberge familiale avec deux salles à manger pimpantes (une pour l'été, une pour l'hiver) ; carte classique. Terrasse ombragée face au jardin et la piscine. Chambres agréables.

1029

MARINGUES – 63 Puy-de-Dôme – 326 G7 – 2 605 h. – alt. 315 m   6 C2
– ⊠ 63350 ▯ Auvergne

▯ Paris 409 – Clermont-Ferrand 32 – Lezoux 16 – Riom 22 – Thiers 23 – Vichy 29

XX Le Clos Fleuri avec ch
rte de Clermont – ℰ 04 73 68 70 46 – www.leclosfleuri63.com – closfleuri63@wanadoo.fr – Fax 04 73 68 75 58 – Fermé 16 fév.-14 mars, lundi sauf le soir en juil.-août, vend. soir et dim. soir de sept. à juin
15 ch – †45/49 € ††50/55 €, ⍁ 7 € – ½ P 54 €
Rest – Menu (18 €), 24/40 € – Carte 25/45 €
♦ À la sortie du village, cette maison de famille (depuis trois générations) jouit d'un beau jardin visible de la salle à manger, rustique. Classicisme régional dans l'assiette.

MARLENHEIM – 67 Bas-Rhin – 315 I5 – 3 365 h. – alt. 195 m   1 A1
– ⊠ 67520 ▯ Alsace Lorraine

▯ Paris 468 – Haguenau 50 – Molsheim 13 – Saverne 18 – Strasbourg 21
▯ Office de tourisme, 11, place du Kaufhus ℰ 03 88 87 75 80, Fax 03 88 87 75 80

Le Cerf (Michel Husser)
ಱ
30 r. Gén. de Gaulle – ℰ 03 88 87 73 73 – www.lecerf.com – info@lecerf.com – Fax 03 88 87 68 08 – Fermé 5-19 mars
17 ch – †70/255 € ††70/255 €, ⍁ 21 €
Rest – *(fermé mardi et merc.)* Menu 39 € (déj. en sem.), 67/125 € – Carte 69/95 € ಱ
Spéc. Presskopf de tête de veau poêlé en croustille, sauce gribiche. Choucroute au cochon de lait rôti et poché, foie gras fumé. Baba à l'alsacienne arrosé au vieux kirsch. **Vins** Riesling, Pinot gris.
♦ Ancien relais de poste, cette élégante hostellerie abrite des chambres soignées et possède une jolie cour fleurie. L'Alsace est à l'honneur dans le restaurant habillé de boiseries et de tableaux. Cuisine personnalisée axée sur le produit et teintée terroir.

Hostellerie Reeb
2 r Albert Schweitzer – ℰ 03 88 87 52 70 – www.hostellerie-reeb.fr – info@hostellerie-reeb.fr – Fax 03 88 87 69 73 – Fermé 2-10 janv., dim. soir et lundi
26 ch – †55 € ††55 €, ⍁ 8,50 € – ½ P 55 €
Rest – Menu (11 €), 22/60 € – Carte 25/55 €
Rest *La Crémaillère* – Menu (11 €), 22/38 € – Carte 32/52 €
♦ Aux portes du village où débute la route des Vins, une maison à colombages dotée de chambres bien tenues, claires et d'esprit champêtre (meubles de famille, tissus locaux). Carte classique bien adaptée au style bourgeois du restaurant. À La Crémaillère, décor "tout bois" pour une cuisine régionale.

MARLY-LE-ROI – 78 Yvelines – 312 B2 – 101 12 – voir à Paris, Environs

MARMANDE – 47 Lot-et-Garonne – 336 C2 – 17 300 h. – alt. 30 m   4 C2
– ⊠ 47200 ▯ Aquitaine

▯ Paris 666 – Agen 67 – Bergerac 57 – Bordeaux 90 – Libourne 65
▯ Office de tourisme, boulevard Gambetta ℰ 05 53 64 44 44, Fax 05 53 20 17 19

Le Capricorne sans rest
av Hubert Ruffe, rte d'Agen, 2 km par D 813 – ℰ 05 53 64 16 14 – www.lecapricorne-hotel.com – lecapricorne-hotel@wanadoo.fr – Fax 05 53 20 80 18 – Fermé 19 déc.-4 janv.
34 ch – †63 € ††73 €, ⍁ 8 €
♦ L'hôtel date des années 1970 mais l'entretien est suivi : chambres fonctionnelles bien tenues et insonorisées, salles de bains refaites… Un bon rapport qualité-prix.

à l'échangeur A 62 9 km au Sud par D 933 – ⊠ 47430 Ste-Marthe

Les Rives de l'Avance sans rest
Moulin de Trivail – ℰ 05 53 20 60 22 – Fax 05 53 20 98 76
16 ch – †38/52 € ††43/58 €, ⍁ 6 €
♦ Calme et verdure font de cet hôtel jouxtant un moulin à eau une halte inespérée à proximité de l'autoroute. Chambres fonctionnelles et colorées. Piano au salon.

MARMANDE

à Pont-des-Sables 5 km au Sud par D 933 – ⊠ 47200

🛈 Syndicat d'initiative, Val de Garonne-Pont des Sables ℰ 05 53 89 25 59, Fax 05 53 93 28 03

✗ **Auberge de l'Escale** 🚗 🈁 ✧ **P** *VISA* ⓜ ▣ ⓞ
Pont des Sables – ℰ 05 53 93 60 11 – Fax 05 53 83 09 15 – Fermé 31 août-7 sept., 16-23 nov., 4-11 janv., merc. soir de sept. à juin, dim. soir et lundi
Rest – Menu 19 € (déj. en sem.), 31/63 € bc – Carte 40/70 €
◆ Cette maison landaise est le rendez-vous des plaisanciers qui naviguent sur le canal. Intérieur coquet avec cheminée (grillades) et terrasse d'été. Plats traditionnels et de saison.

MARMANHAC – 15 Cantal – 330 C4 – 725 h. – alt. 650 m – ⊠ 15250   5 B3

🚆 Paris 566 – Clermont-Ferrand 154 – Aurillac 17 – Saint-Flour 69 – Arpajon-sur-Cère 19

⌂ **Château de Sédaiges** sans rest ॐ   ⓘ ✿ **P** *VISA* ⓜ ▣
– ℰ 04 71 47 30 01 – www.chateausedaiges.com – chateau15@free.fr – Ouvert 1ᵉʳ mai-30 sept.
5 ch ⊇ – †110/120 € ††110/120 €
◆ Château de famille, d'architecture Troubadour (12ᵉ-19ᵉ s.), dans un parc. Chambres au charme ancien. Tapisseries et objets exposés. Belle cuisine rustique (petit-déjeuner).

MARNE-LA-VALLÉE – Île-de-France – 312 E2 – 101 19 – voir à Paris, Environs

---

MARQUAY – 24 Dordogne – 329 H6 – 558 h. – alt. 175 m – ⊠ 24620   4 D3
▮ Périgord

🚆 Paris 530 – Brive-la-Gaillarde 55 – Périgueux 60 – Sarlat-la-Canéda 12

⌂ **La Condamine** ॐ   ≤ 🚗 🈁 ⌇ & ch, **P** *VISA* ⓜ ▣
rte Meyrals : 1 km – ℰ 05 53 29 64 08 – www.hotel-lacondamine.com
– hotel.lacondamine@wanadoo.fr – Fax 05 53 28 81 59 – Ouvert de Pâques à la Toussaint
22 ch – †40/58 € ††40/58 €, ⊇ 8 € – ½ P 48/58 €
Rest – (dîner seult) Menu 16/35 € – Carte 15/30 €
◆ Bâtisse d'allure traditionnelle dominant la campagne périgourdine. Quelques chambres avec balcon et vue sur la nature. Sage décor d'esprit agreste. Minigolf, boulodrome. Restaurant de style "pension de famille" ; la terrasse ouvre sur le jardin et la piscine.

MARSAC-SUR-DON – 44 Loire-Atlantique – 316 F2 – 1 327 h.   34 B2
– alt. 50 m – ⊠ 44170

🚆 Paris 408 – Nantes 50 – Saint-Herblain 53 – Rezé 59 – Saint-Sébastien-sur-Loire 59

⌂ **La Mérais** sans rest ॐ   ⓘ ⇔ ✿ ⓣ **P**
1,3 km au Sud par D44 – ℰ 02 40 79 50 78 – www.lamerais.com – lamerais@wanadoo.fr – Ouvert mai à oct.
3 ch ⊇ – †45 € ††58 €
◆ Cette longère en schiste bleu dans un parc aux abords du village a le charme d'une maison de campagne. Chambres aux couleurs chaudes. Petit-déjeuner en terrasse aux beaux jours.

MARSANNAY-LA-CÔTE – 21 Côte-d'Or – 320 J6 – rattaché à Dijon

Comment choisir entre deux adresses équivalentes ?
Dans chaque catégorie, les établissements sont classés
par ordre de préférence : nos coups de cœur d'abord.

MARSANNE – 26 Drôme – 332 C6 – 1 209 h. – alt. 250 m – ⊠ 26740　　44 **B3**
▮ Lyon et la Vallée du Rhône

> ▶ Paris 611 – Lyon 149 – Romans-sur-Isère 69 – Valence 48
> ▮ Office de tourisme, Place Emile Loubet ℰ 04 75 90 31 59,
> Fax 04 75 90 31 40

⌂ **Le Mas du Chatelas** ⌁　　　🍽 🌿 ⛱ AK ch, ⇄ 🐾 **P** VISA ⦿
La Plaine – ℰ *04 75 52 97 31 – www.lemasduchatelas.com – philippe@lemasduchatelas.com – Fax 04 75 53 14 48*
5 ch ⌑ – †85/125 € ††95/135 €　**Table d'hôte** – Menu 25/35 € bc
♦ Les propriétaires de ce mas provençal du 18ᵉ s. l'ont placé sous le signe du romantisme : chambres à la décoration campagnarde raffinée, dîner aux chandelles, terrasse.

MARSEILLAN – 34 Hérault – 339 G8 – 6 199 h. – alt. 3 m – ⊠ 34340　　23 **C2**
▮ Languedoc Roussillon

> ▶ Paris 754 – Agde 7 – Béziers 31 – Montpellier 49 – Pézenas 20 – Sète 24
> ▮ Office de tourisme, avenue de la Méditerranée ℰ 04 67 21 82 43,
> Fax 04 67 21 82 58

✕✕ **La Table d'Emilie**　　　🌿 AK VISA ⦿ AE
⊝ *8 pl. Carnot –* ℰ *04 67 77 63 59 – latabledemilie@orange.fr – Fax 04 67 01 72 02 – Fermé 3-24 nov., 3-15 janv., lundi midi et jeudi midi du 1ᵉʳ juil.-30 sept., dim. soir, lundi et merc. du 1ᵉʳ oct.-30 juin*
Rest – Menu 19 € (déj. en sem.), 28/50 € – Carte 55/62 €
♦ Une table d'Émilie... jolie ! Maisonnette du 12ᵉ s. au charme romantique (pierres apparentes, voûte d'ogives, patio verdoyant). Cuisine au goût du jour sagement inventive.

✕✕ **Le Château du Port**　　　🌿 VISA ⦿ AE
9 quai de la Résistance – ℰ *04 67 77 31 67 – www.chateauduport.com – Fax 04 67 77 11 30*
Rest – Menu (19 €), 29 € – Carte 35/50 €
♦ Bistrot chic contemporain installé dans une belle maison bourgeoise du 19ᵉ s. Produits de la mer, recettes régionales revisitées et agréable terrasse au bord du canal.

✕ **Chez Philippe**　　　🌿 AK VISA ⦿
☺ *20 r. Suffren –* ℰ *04 67 01 70 62 – chezphilippe@club-internet.fr – Fax 04 67 01 70 62 – Fermé mi-nov.-mi-fév., mardi hors saison et lundi*
Rest – *(prévenir)* Menu (21 €), 28 € – Carte 30/42 €
♦ Sympathique ambiance méridionale à proximité du bassin de Thau : cuisine gorgée de soleil, servie dans la salle aux couleurs méditerranéennes ou sur la jolie terrasse d'été.

Le vieux port et Notre-Dame de la Garde

MARSEILLE

P Département : 13 Bouches-du-Rhône
Carte Michelin LOCAL : n° **340** H6 **114** 28
▶ Paris 769 – Lyon 314 – Nice 189
– Torino 373 – Toulon 64 – Toulouse 405

Population : 820 900 h.
Pop. agglomération : 1 500 000 h.
Code Postal : ✉ 13000
Provence
Carte régionale 40 **B3**

RENSEIGNEMENTS PRATIQUES

🛈 OFFICES DE TOURISME

Annexe Gare Saint-Charles ☎ 04 91 50 59 18 Office de tourisme, 4, la Canebière
☎ 04 91 13 89 00, Fax 04 91 13 89 20

TRANSPORTS

Auto-train ☎ 3635 et tapez 42 (0,34 €/mn) Tunnel Prado-Carénage : péage 2007, tarif normal : 2,50 €

TRANSPORTS MARITIMES

Pour le Château d'If : Navettes Frioul If Express ☎ 04 91 46 54 65
Pour la Corse : SNCM 61 bd des Dames (2e) ☎ 0 825 888 088 (0,15 €/mn), Fax 04 91 56 35 86 - CMN 4 quai d'Arenc (2e) ☎ 0 810 201 320, Fax 04 91 99 45 95

AÉROPORT

✈ Marseille-Provence ☎ 04 42 14 14 14, par ① : 28 km

QUELQUES GOLFS

▪ de Marseille-La Salette 65, impasse des Vaudrans, E : 10 km à la Valentine,
  ☎ 04 91 27 12 16
▪ d'Allauch à Allauch Domaine de Fontvieille, NE : 14 km par rte d'Allauch,
  ☎ 04 91 07 28 22

👁 A VOIR

AUTOUR DU VIEUX PORT

Le vieux port★★ - Quai des Belges (marché aux poissons) **ET** 5 - Musée d'Histoire de Marseille★ **ET** M³ - Musée du Vieux Marseille **DET** M⁷ - Musée des Docks romains★ **DT** M⁶ - ≼★ depuis le belvédère St-Laurent **DT** D - Musée Cantini★ **FU** M²

QUARTIER DU PANIER

Centre de la Vieille Charité★★ : Musée d'archéologie méditerranéenne, Musée d'Arts africains, océaniens, amérindiens MAAOA★★ **DS** E - Ancienne cathédrale de la Major★ **DS** B

NOTRE-DAME-DE-LA-GARDE

≼★★★ du parvis de la basilique de N.-D.-de -la-Garde **EV**
● Basilique St-Victor★ (crypte★★) **DU**

LA CANEBIÈRE

De la rue Longue-des-Capucins au cours Julien : place du Marché-des-Capucins, rue du Musée, rue Rodolph-Pollack, rue d'Aubagne, rue St-Ferréol.

QUARTIER LONGCHAMP

Musée Grobet-Labadié★★ **GS** M⁸ - Palais Longchamp★ **GS** : musée des Beaux-Arts★ et musée d'Histoire naturelle★

QUARTIERS SUD

Corniche Président-J.-F.-Kennedy★★ **AYZ** - Parc du Pharo **DU**

AUTOUR DE MARSEILLE

Visite du port★ - Château d'If★★ : ✻★★★ sur le site de Marseille - Massif des Calanques★★ - Musée de la faîence★

MARSEILLE page 3

Sofitel Vieux Port
36 bd Ch.-Livon ⊠ 13007 – ℰ 04 91 15 59 00
– www.sofitel-marseille-vieuxport.com – h0542@accor.com
– Fax 04 91 15 59 50
p. 6 DU n
134 ch – †200/500 € ††200/500 €, ⊆ 26 € – 3 suites
Rest *Les Trois Forts* – ℰ 04 91 15 59 56 – Menu (44 €), 57/87 € – Carte 88/110 €
♦ Ce confortable hôtel dominant la passe du Vieux Port vous convie à faire escale dans ses belles chambres de style provençal ou contemporain, certaines avec terrasse et vue sur mer. Au restaurant, cuisine actuelle et panorama exceptionnel.

Radisson SAS
38 quai Rive-Neuve ⊠ 13007 – ℰ 04 88 92 19 50
– www.marseille.radissonsas.com – info.marseille@radissonsas.com
– Fax 04 88 92 19 51
p. 6 DU d
189 ch – †130/395 € ††140/405 €, ⊆ 25 € – 10 suites
Rest – *(fermé sam. midi et dim.)* Menu (25 €), 35 € – Carte 47/61 €
♦ Imposant, moderne et design : voici le Radisson, ancré sur le Vieux port. Touches provençales ou africaines dans les chambres, équipements dernier cri, vue de carte postale (pour certaines). Salle de restaurant tendance et tamisée ; plats aux accents méditerranéens.

Villa Massalia
17 pl. Louis-Bonnefon, au Sud du Parc Borély ⊠ 13007 – ℰ 04 91 72 90 00
– www.concorde-hotels.com – villamassalia@concorde-hotels.com
– Fax 04 91 72 90 01
p. 4 BZ
136 ch – †130/500 € ††130/500 €, ⊆ 21 € – 4 suites
Rest *Yin Yang* – Menu (38 € bc), 42 € – Carte 40/70 €
♦ Idéal pour une clientèle d'affaires, cet hôtel récent en bordure du parc Borély dispose de chambres d'esprit contemporain, confortables et bien équipées. Au Ying Yang, le décor aux touches asiatiques va de pair avec une cuisine fusion. Terrasse face à l'hippodrome.

Pullman Palm Beach
200 Corniche J.-F.-Kennedy ⊠ 13007 – ℰ 04 91 16 19 00
– www.pullmanhotels.com – h3485@accor.com – Fax 04 91 16 19 39
p. 4 AZ b
160 ch – †200/325 € ††225/350 €, ⊆ 25 € – 10 suites
Rest *La Réserve* – ℰ 04 91 16 19 21 – Menu 42 € bc (sem.) – Carte 50/100 €
♦ Face à l'Île du Château d'If, ce vaisseau moderne arbore un style à la fois design et marin. Chambres tout confort, espace détente et équipement complet pour séminaires. À La Réserve, cadre très contemporain et saveurs ensoleillées revisitées.

Le Petit Nice (Gérald Passédat)
❀❀❀
anse de Maldormé,
(hauteur 160 Corniche J.-F.-Kennedy) ⊠ 13007 – ℰ 04 91 59 25 92
– www.passedat.fr – contact@passedat.fr – Fax 04 91 59 28 08
– Fermé 1er-20 janv., vacances de fév. et vacances de la Toussaint
p. 4 AZ d
13 ch – †250/750 € ††250/750 €, ⊆ 30 € – 3 suites
Rest – *(fermé dim. et lundi)* Menu 85 € (déj. en sem.), 130/230 €
– Carte 132/220 €
Spéc. Menu "Découverte de la mer". Anémones de mer en onctueux iodé puis en beignets légers, lait mousseux au caviar. Bouille-Abaisse comme un menu. **Vins** Vin de Table du Var, Côtes de Provence.
♦ La remarquable cuisine de la mer, inventive et raffinée, justifie de s'attabler dans ce lieu unique. Ambiance familiale, vue magique sur la grande bleue, décor dans l'air du temps et chambres personnalisées au luxe sans ostentation dans ces deux villas des années 1910.

New Hôtel of Marseille
71 bd Ch.-Livon ⊠ 13007 – ℰ 04 91 31 53 15
– www.newhotelofmarseille.com – info@newhotelofmarseille
– Fax 04 91 31 20 00
p. 6 DU v
100 ch – †195/215 € ††215/235 €, ⊆ 18 € – 8 suites
Rest – Menu (19 €), 25/39 € – Carte 25/53 €
♦ Hôtel tout neuf incluant un bâtiment du 19e s. Style sobre et moderne, équipements très complets dans les chambres qui profitent, pour certaines, d'un panorama sur le vieux port. La carte du restaurant (lieu tendance) s'inspire du Sud et d'ailleurs.

MARSEILLE

Aix (R. d')	BY
Anthoine (R. d')	AX
Baille (Bd)	BCY
Belsunce (Cours)	BY
Blancarde (Bd de la)	CY
Bompard (Bd)	AYZ
Briançon (Bd de)	BX 13
Canebière (La)	BY
Cantini (Av. Jules)	BCZ
Capelette (Av. de la)	CYZ
Castellane (Pl.)	BY
Catalans (R. des)	AY 16
Chartreux (Av. des)	CY 17
Chave (Bd)	BCY
Chutes Lavie (Av.)	CX
Dunkerque (Bd de)	AX
Duparc (Bd Françoise)	CXY
Endoume (R. d')	AY
Estrangin (Bd G.)	ABZ
Fleming (Bd Alexander)	CX
Foch (Av. Mar.)	CY
Guesde (Pl. Jules)	BY 35
Guibal (R.)	BX
Guigou (Bd)	BX 36
Jeanne-d'Arc (Bd)	CY
Jean-Jaurès (Pl.)	BY
Lazaret (Quai du)	AX
Leclerc (Av. Gén.)	BY
Lesseps (Bd Ferdinand de)	AX 40
Lieutaud (Cours)	BY
Livon (Bd Charles)	AY
Mazargues (Av. de)	BZ
Mermoz (R. Jean)	BZ
Michelet (Bd)	BCZ
Moulin (Bd Jean)	CY 47
National (Bd)	BX
Notre-Dame (Bd)	BY
Paradis (R.)	BYZ
Paris (Bd de)	ABX
Pelletan (Av. C.)	BXY
Périer (Bd)	BZ
Plombières (Bd de)	BX
Pologne (Pl. de)	CY 51
Pompidou (Prom. Georges)	BZ 52
Prado (Av. du)	BYZ
Président-J.-F.-Kennedy (Corniche)	AYZ
Pyat (R. Félix)	BX
Rabatau (Bd)	BCZ
République (R. de la)	ABY
Roches (Av. des)	AZ
Rolland (Bd Romain)	CZ
Rolland (R. du Cdt)	BZ
Rome (R. de)	BY
Roucas Blanc (Chemin du)	AZ
Rouet (R. du)	BYZ
Ste-Marguerite (Bd)	CZ
Ste-Marthe (Ch. de)	BX
St-Just (Av. de)	CX
St-Pierre (R.)	BCY
Sakakini (Bd)	CY
Salengro (Av. Roger)	BX
Sartre (Av. Jean-Paul)	CX 59
Schlœsing (Bd)	CZ
Sébastopol (Pl.)	CY
Strasbourg (Bd)	BX 61
Teisseire (Bd R.)	CZ
Tellène (Bd)	AY
Timone (Av. de la)	CY
Toulon (Av. de)	BCY
Vallon l'Oriol (Chemin)	AZ
Vauban (Bd)	BY
Verdun (R. de)	CY 70

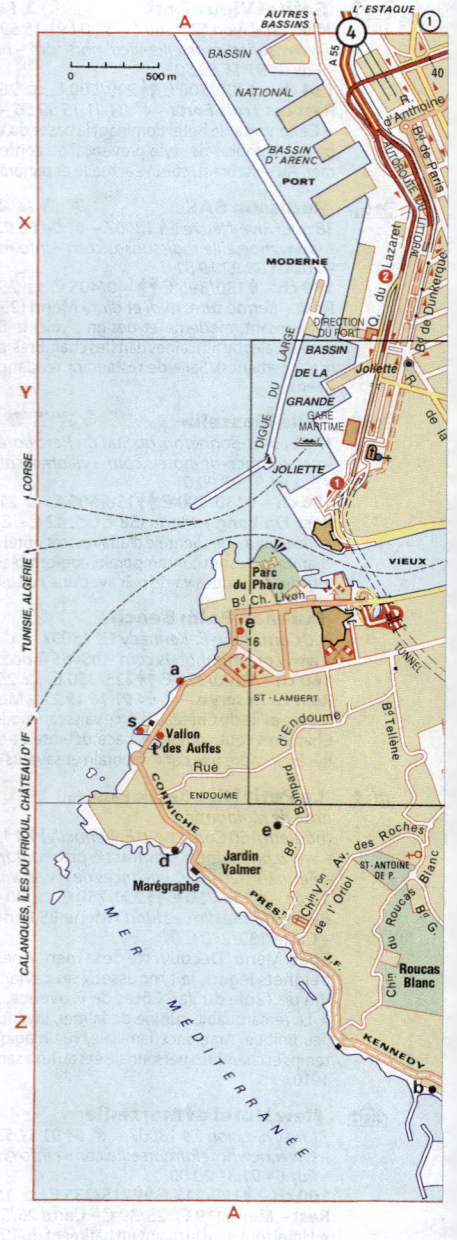

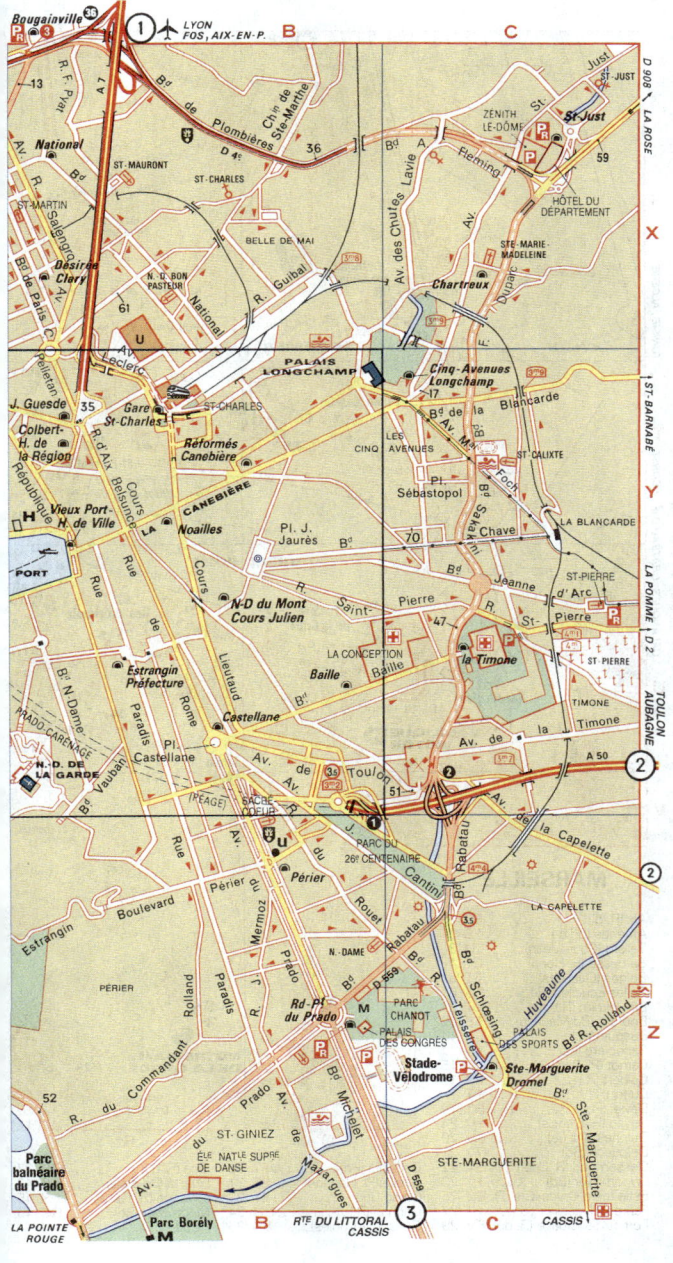

MARSEILLE page 5

MARSEILLE

Aix (R. d')	**ES**
Athènes (Bd d')	**FS** 2
Ballard (Cours Jean)	**EU** 3
Barbusse (R. Henri)	**ET** 4
Belges (Quai des)	**ET** 5
Belles Écuelles (R.)	**ES** 6
Bir-Hakeim (R.)	**EFT** 8
Bourdet (Bd Maurice)	**FS** 12
Busquet (R.)	**GV** 14
Canebière (La)	**FT**
Carnot (Pl. Sadi)	**ES** 15
Colbert (R.)	**ES** 18
Curiol (R.)	**FT** 7
Daviel (Pl.)	**DT** 19
Davso (R. Francis)	**EFU** 24
Delphes (Av. de)	**GV** 20
Delpuech (Bd)	**GV** 21
Dessemond (R. Cap.)	**DV** 22
Dugommier (Bd)	**FT** 23
Estienne-d'Orves (Crs d')	**EU** 25
Fabres (R. des)	**FT** 27
Fort du Sanctuaire (R. du)	**EV** 29
Garibaldi (Bd)	**FT** 30
Gaulle (Pl. Gén.-de)	**ET** 31
Grand'Rue	**ET** 33
Grignan (R.)	**EU** 34
Guesde (Pl. Jules)	**ES** 35
Iéna (R. d')	**GV** 37
Liberté (Bd de la)	**FS** 42
Moisson (R. F.)	**ES** 45
Montricher (Bd)	**GS** 46
Paradis (R.)	**FUV**

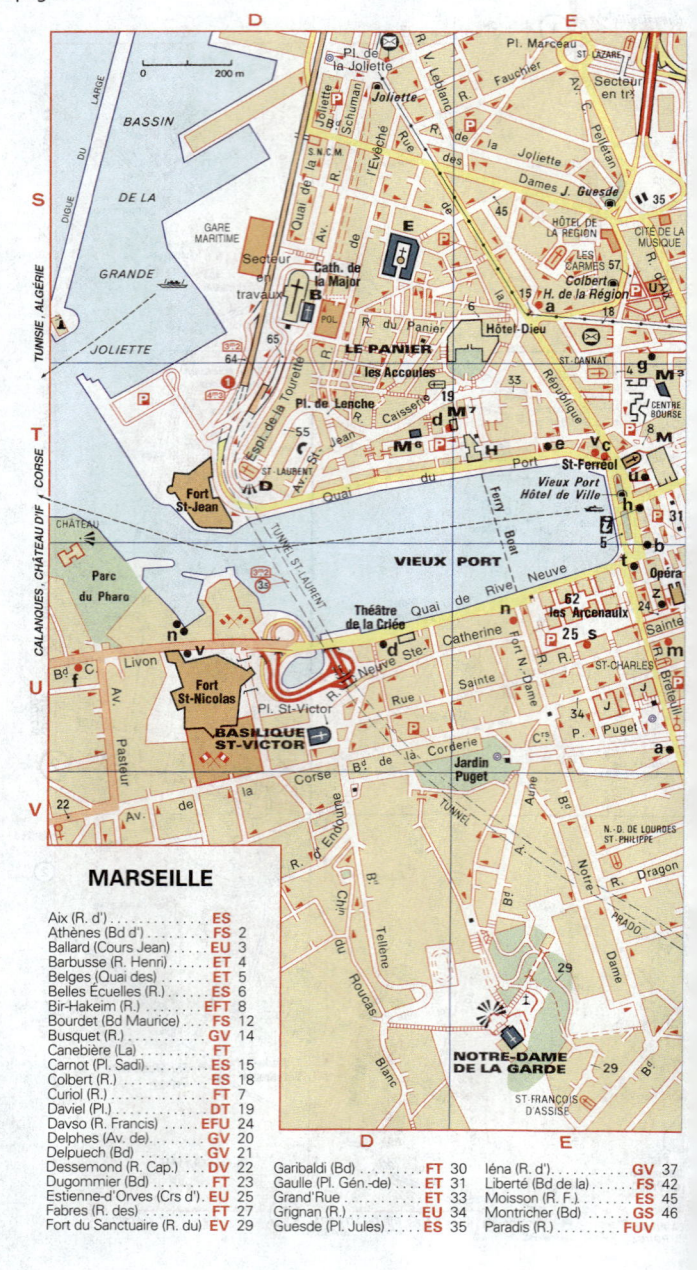

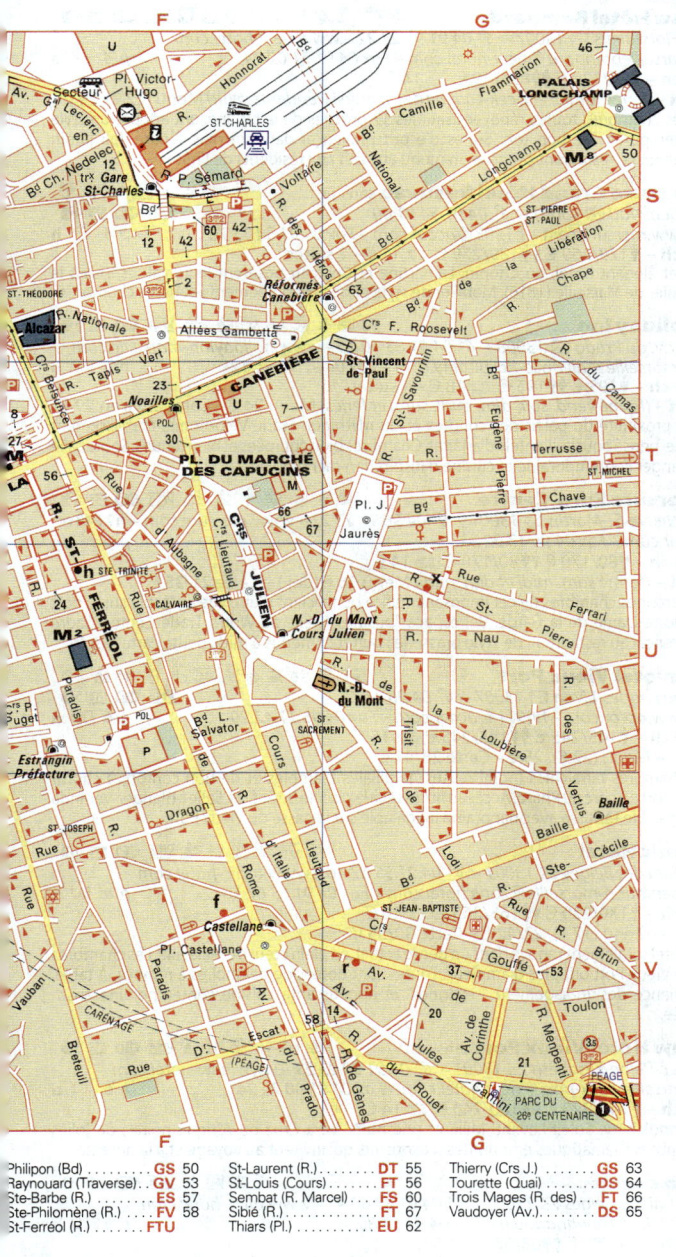

MARSEILLE page 7

Philipon (Bd)	GS 50	St-Laurent (R.)	DT 55	Thierry (Crs J.)	GS 63
Raynouard (Traverse)	GV 53	St-Louis (Cours)	FT 56	Tourette (Quai)	DS 64
Ste-Barbe (R.)	ES 57	Sembat (R. Marcel)	FS 60	Trois Mages (R. des)	FT 66
Ste-Philomène (R.)	FV 58	Sibié (R.)	FT 67	Vaudoyer (Av.)	DS 65
St-Ferréol (R.)	FTU	Thiars (Pl.)	EU 62		

1041

MARSEILLE page 8

New Hôtel Bompard
2 r. Flots-Bleus ⊠ 13007 – ✆ 04 91 99 22 22 – www.new-hotel.com
– marseillebompard@new-hotel.com – Fax 04 91 31 02 14 p.4 **AZ** e
49 ch – †85/129 € ††85/149 €, ⊇ 14 €
Rest – *(fermé le midi et week-ends de déc. à mars) (résidents seult)* Menu (22 €), 26 €
♦ Les chambres, toutes rénovées sauf les 12 proches de la piscine, ont adopté un style contemporain de bon ton. Suites d'esprit provençal dans un mas séparé, joli jardin intérieur. Le restaurant propose un menu attractif aux résidents de l'hôtel.

Mercure Grand Hôtel Beauvau sans rest
4 r. Beauvau ⊠ 13001 – ✆ 04 91 54 91 00
– www.mercure.com – h1293@accor.com – Fax 04 91 54 15 76 p.6 **ET** h
70 ch – †179/269 € ††189/279 €, ⊇ 17 € – 2 suites
♦ Cet élégant hôtel, où Chopin, Lamartine et Cocteau posèrent leurs valises, serait le premier de Marseille (1816). Mobilier de style et beaux équipements dans les chambres.

Holiday Inn
103 av. du Prado ⊠ 13008 – ✆ 04 91 83 10 10 – www.holidayinn-marseille.com
– himarseille@alliance-hospitality.com – Fax 04 91 79 84 12 p.5 **BZ** u
115 ch – †195 € ††195 €, ⊇ 18 € – 4 suites
Rest – *(fermé vend. soir, dim. midi, sam. et fériés)* Menu 24 € – Carte environ 29 €
♦ À proximité du palais des congrès et du mythique Stade-Vélodrome, établissement actuel pensé pour la clientèle d'affaires. Chambres bien équipées et bien tenues. Sobre salle à manger contemporaine et cuisine d'inspiration méridionale.

Mercure Euro-Centre
1 r. Neuve-St-Martin ⊠ 13001 – ✆ 04 96 17 22 22 – www.mercure.com – h1148@
accor.com – Fax 04 96 17 22 33 p.6 **EST** g
200 ch – †80/170 € ††80/170 €, ⊇ 14 €
Rest – *(fermé sam. midi et dim. midi)* Menu 16 € (déj.) – Carte 21/35 €
♦ Certaines chambres de cet imposant édifice bénéficient d'une vue agréable sur le port et Notre-Dame de la Garde. Bel espace "business" relié au World Trade Center. Cadre provençal au restaurant, de style brasserie ; buffet et menus à midi, petite carte le soir.

Novotel Vieux Port
36 bd charles-Livon ⊠ 13007 – ✆ 04 96 11 42 11
– www.accor.com – h0911@accor.com – Fax 04 96 11 42 20 p.6 **DU** n
110 ch – †145/245 € ††145/245 €, ⊇ 15 €
Rest – Menu (22 €), 25 € – Carte 28/47 €
♦ Chambres rafraîchies (nombreuses "familiales"), amples et de bon confort, à choisir côté port ou parc du Pharo. Accès au fitness et à la piscine du Sofitel. Salle à manger-véranda et agréable terrasse avec panorama inégalable sur la passe du Vieux Port.

Tonic Hôtel
43 quai des Belges ⊠ 13001 – ✆ 04 91 55 67 46 – www.tonic-hotel.com
– reservation-marseille@tonichotel.com – Fax 04 91 55 67 56 p.6 **EU** t
56 ch – †130/230 € ††165/265 €, ⊇ 16 €
Rest – Menu (17 €), 22/42 € – Carte 30/55 €
♦ Hôtel totalement rénové dans un genre actuel, en plein cœur de Marseille. Les chambres côté Vieux Port ont plus d'ampleur. Toutes sont dotées de baignoires à remous. À table, ambiance design sagement "seventies" et appétissante cuisine contemporaine ensoleillée.

New Hôtel Vieux Port sans rest
3 bis r. Reine-Élisabeth ⊠ 13001 – ✆ 04 91 99 23 23 – www.new-hotel.com
– marsellievieux-port@new-hotel.com – Fax 04 91 90 76 24 p.6 **ET** u
42 ch – †140/220 € ††160/240 €, ⊇ 14 €
♦ Pondichéry, Soleil Levant, Mille et une nuits, Vera Cruz ou Afrique noire : de jolies chambres thématiques empreintes d'exotisme, qui invitent au voyage et à la détente.

Alizé sans rest
35 quai des Belges ⊠ 13001 – ✆ 04 91 33 66 97 – www.alize-hotel.com
– alize-hotel@wanadoo.fr – Fax 04 91 54 80 06 p.6 **ETU** b
39 ch – †63/91 € ††68/96 €, ⊇ 8 €
♦ Devant le célèbre marché aux poissons, hôtel fonctionnel très bien tenu et entièrement rénové. Les 16 chambres situées en façade profitent du spectacle du port.

Du Palais sans rest

26 r. Breteuil ✉ *13006 –* ✆ *04 91 37 78 86 – www.hotel-palais-marseille.com*
– hoteldupalais13@wanadoo.fr – Fax 04 91 37 91 19   p.7 EU **a**
22 ch – †98/130 € ††98/130 €, ⊇ 8,50 €

♦ Emplacement de choix pour cet établissement situé à deux pas du Vieux Port. Chambres habillées de couleurs gaies, fonctionnelles et bien équipées. Accueil aimable.

Hermès sans rest

2 r. Bonneterie ✉ *13002 –* ✆ *04 96 11 63 63 – www.hotelmarseille.com*
– hermes@hotelmarseille.com – Fax 04 96 11 63 64   p.6 ET **e**
28 ch – †77/100 € ††77/100 €, ⊇ 9 €

♦ Un hôtel central tout simple, ses petites chambres bien tenues (vue sur les quais depuis les terrasses du 5ᵉ étage) et son toit-solarium offrant un joli panorama.

Une Table au Sud (Lionel Lévy)

2 quai du Port, (1ᵉʳ étage) ✉ *13002 –* ✆ *04 91 90 63 53*
– www.unetableausud.com – unetableausud@wanadoo.fr – Fax 04 91 90 63 86
– Fermé 1ᵉʳ-28 août, 3-11 janv., dim. et lundi   p.6 ET **c**
Rest – Menu 37 € (déj. en sem.), 52/105 € bc – Carte 55/95 €
Spéc. Fricassée de cèpes à l'huile de noisette et gel d'ail (sept. à nov.). Grosses Saint-Jacques de plongée à la moelle (oct. à mars). Castel à la betterave et réglisse (oct. à déc.). **Vins** Vin de Pays des Alpilles, Vin de Pays des Bouches-du-Rhône.

♦ Ce restaurant joliment coloré vous invite au mariage de l'œil et du goût : cuisine inventive où pointent les délicieux parfums du Sud et vue sur les forts et la "Bonne Mère".

Miramar

12 quai du Port ✉ *13002 –* ✆ *04 91 91 10 40 – www.bouillabaisse.com*
– contact@bouillabaisse.com – Fax 04 91 56 64 31
– Fermé dim. et lundi   p.6 ET **v**
Rest – Carte 70/90 €

♦ Bois vernis et fauteuils rouges très "années 1960" plantent le décor de ce restaurant proposant bouillabaisse et autres spécialités de poissons face au Vieux Port.

L'Épuisette

Vallon des Auffes ✉ *13007 –* ✆ *04 91 52 17 82 – www.l-epuisette.com*
– contact@l-epuisette.com – Fax 04 91 59 18 80
– Fermé 5 août-5 sept., dim. et lundi   p.4 AY **s**
Rest – Menu 55 €, 85/135 € bc – Carte 80/135 €
Spéc. Trilogie d'œufs à la truffe. Cannelloni de poireaux et langoustines rôties. Carré d'un baba au limoncello, sorbet chocolat amer et caramel de curry. **Vins** Coteaux d'Aix-en-Provence, Côtes du Luberon.

♦ Sur les rochers de l'enchanteur vallon des Auffes, cette nef vitrée vous convie à un agréable voyage culinaire dans un espace lumineux et raffiné. Service attentionné.

Péron

56 Corniche J.-F.-Kennedy ✉ *13007 –* ✆ *04 91 52 15 22*
– www.restaurant-peron.com – info@restaurant-peron.com – Fax 04 91 52 17 29
– Fermé 1 sem. en mars et 1 sem. en nov.   p.4 AY **a**
Rest – Menu 58/72 €
Spéc. Gambas poêlées au tandoori, guacamole, chips de radis noir. Chipirons farcis aux petits légumes, crumble de fenouil. Noisettes d'agneau en croûte de tapenade, poêlée d'artichauts poivrades.

♦ Décor de paquebot ici (murs rouges, bois exotique, tableaux) et surtout vue plongeante sur les îles du Frioul. Ambiance lounge pour une cuisine actuelle inspirée du grand Sud.

Chez Fonfon

140 Vallon des Auffes ✉ *13007 –* ✆ *04 91 52 14 38 – www.chez-fonfon.com*
– contact@chez-fonfon.com – Fax 04 91 52 14 16 – Fermé 2-17 janv., lundi sauf le soir de mai à oct. et dim.   p.4 AY **t**
Rest – Menu 42/55 € – Carte 60/70 €

♦ Une maison familiale (1952) aussi agréable pour son cadre que pour ses beaux produits de la mer, tout droit sortis des "pointus" en bois que l'on aperçoit dans le petit port.

Des Mets de Provence "Chez Maurice Brun" 🛇🛇 AC VISA MC

18 quai de Rive-Neuve, (2ème étage) ⊠ 13007
– ℰ 04 91 33 35 38 – www.mauricebrun.fr – lesmets.deprovence@orange.fr
– Fax 04 91 33 05 69 – Fermé 9-25 août, lundi midi, sam. midi et dim. p.6 EU d
Rest – Menu (25 €), 60 € – Carte 40/70 €

◆ Cette adresse du Vieux Port fleure bon la Provence de Pagnol. Sous les combles d'un ancien couvent, on sert une cuisine locale dans un décor chiné (un vrai petit musée !).

Michel-Brasserie des Catalans 🛇🛇 AC VISA MC AE

6 r. des Catalans ⊠ 13007 – ℰ 04 91 52 30 63 – Fax 04 91 59 23 05
– Fermé 15 fév.-1ᵉʳ mars p.4 AY e
Rest – Carte 58/88 €

◆ Ambiance 100 % marseillaise dans cette institution située face à la plage des Catalans, et où la bouillabaisse est... une religion ! Pêche du jour exposée dans un "pointu".

Le Moment Christian Ernst 🛇🛇 AC VISA MC AE

5 pl. Sadi Carnot ⊠ 13002 – ℰ 04 91 52 47 49
– www.lemoment-marseille.com – Fermé lundi soir, mardi soir et dim. p.6 ES a
Rest – Menu (19 €), 25 € (déj. en sem.), 35/61 € – Carte 52/61 €

◆ Près du vieux port, nouvelle table tendance aux multiples facettes : salle à manger contemporaine, salons à l'étage, ateliers, vinothèque, vente à emporter. Cuisine actuelle.

Les Arcenaulx 🛇🛇 🍽 AC ⇔ VISA MC AE ①

25 cours d'Estienne-d'Orves ⊠ 13001 – ℰ 04 91 59 80 30
– www.les-arcenaulx.com – restaurant@les-arcenaulx.com – Fax 04 91 54 76 33
– Fermé 11-17 août et dim. p.6 EU s
Rest – Menu (18 €), 36/55 € – Carte 36/65 €

◆ Dans les entrepôts des galères (17ᵉ s.), lieu original associant une librairie, une maison d'édition, un salon de thé et un restaurant. Cuisine gorgée de soleil.

Charles Livon 🛇🛇 AC VISA MC AE ①

89 bd Charles-Livon ⊠ 13007 – ℰ 04 91 52 22 41 – www.charleslivon.fr
– alban.gerardin@club-internet.fr – Fax 04 91 31 41 63 – Fermé trois sem.
en août, sam. midi, lundi midi et dim. p.6 DU f
Rest – (nombre de couverts limité, prévenir) Menu 39/72 € – Carte environ 72 € 🍷

◆ Changement de propriétaire et de chef dans cet établissement qui fait face au Palais du Pharo. Cuisine du jour à l'accent régional, à l'image de la carte des vins.

Cyprien 🛇🛇 AC ⇔ VISA MC

56 av. de Toulon ⊠ 13006 – ℰ 04 91 25 50 00 – www.restaurant-cyprien.com
– faure.lequien@hotmail.fr – Fax 04 91 25 50 00 p.7 GV r
– Fermé 2 août-1ᵉʳ sept., 24 déc.-5 janv., lundi soir, sam. midi,
dim. et fériés
Rest – Menu (25 €), 25/56 € – Carte 30/65 €

◆ Non loin de la place Castellane, table au classicisme affirmé tant au niveau des plats que du décor ponctué de notes florales et égayé de tableaux.

La Table du Fort 🛇 AC ⇔ VISA MC

8 r. Fort-Notre-Dame ⊠ 13007 – ℰ 04 91 33 97 65 – www.latabledufort.fr
– mathieulajoinie13@hotmail.fr – Fermé 10-25 août et dim. p.6 EU n
Rest – (dîner seult) Menu 30 € – Carte 33/50 €

◆ Cette enseigne des quais a conquis les Marseillais. Normal, son décor a beaucoup d'allure : lampes design, tableaux modernes, touches colorées. Sans oublier l'inventive cuisine.

Le Café des Épices 🛇 🍽 VISA MC

4 r. Lacydon ⊠ 13002 – ℰ 04 91 91 22 69 – cafedesepices@yahoo.fr
– Fermé sam. soir, dim., lundi et fériés p.6 DT d
Rest – (nombre de couverts limité, prévenir) Menu (21 €), 25/43 €

◆ Ce restaurant de poche, agrandi d'une terrasse couverte, vous réserve une cuisine inventive bien faite. L'été, tables dressées sur l'esplanade avec en toile de fond les oliviers.

MARSEILLE page 11

Axis
8 r. Sainte Victoire ⊠ 13006 – ℰ 04 91 57 14 70 – www.axis-restaurant.fr – axis_restaurant@yahoo.fr – Fax 04 91 57 14 70 – Fermé août, 24-30 déc., sam. midi, lundi soir et dim.
VF **f**
Rest – Menu (15 €), 19 € (déj.), 28/35 € – Carte 28/35 €
♦ Une adresse qui mérite le détour pour sa cuisine dans l'air du temps, réalisée au gré des saisons. Décor contemporain, vue sur la brigade en action et accueil charmant.

Le Ventre de l'Architecte - Le Corbusier
280 bd Michelet, (Cité Radieuse, 3ème étage), par ③ ⊠ 13008 – ℰ 04 91 16 78 00 – www.hotelcorbusier.com – alban.gerardin@club-internet.fr – Fax 04 91 16 78 28 – Fermé 5-20 août, 5-15 janv., dim. et lundi
Rest – Menu (28 €), 50/65 € – Carte 53/63 €
♦ La "maison du fada" cache un restaurant insolite et stylé, ouvert sur un balcon (idéal pour l'apéritif) avec vue sur Marseille et la mer au loin. Savoureuse cuisine inventive.

à Plan-de-Cuques 10 km au Nord-Est par La Rose et D 908 – 10 500 h. – alt. 70 m – ⊠ 13380

Le César
av. G. Pompidou – ℰ 04 91 07 25 25 – www.lecesar.fr – contact@lecesar.fr – Fax 04 91 05 37 16
30 ch – †98 € ††110/160 €, ⊇ 10 €
Rest – *(fermé dim. soir)* Menu 28 € – Carte 30/50 €
♦ La sérénité méditerranéenne du lieu, les tons ocre des murs, les chambres aux coloris méridionaux, l'espace remise en forme et la piscine à péristyle incitent au farniente. Carte régionale, lumineuse salle à manger et agréable terrasse.

MARSOLAN – 32 Gers – **336** F6 – 388 h. – alt. 171 m – ⊠ 32700   28 **B2**
🅓 Paris 721 – Toulouse 115 – Auch 43 – Agen 49 – Moissac 67

Lous Grits
au village – ℰ 05 62 28 37 10 – www.hotel-lousgrits.com – contact@hotel-lousgrits.com – Fax 05 62 28 37 59
5 ch – †190/290 € ††190/290 €, ⊇ 20 €
Rest – *(dîner seult) (résidents seult)* Menu 38 €
♦ On se sent comme chez soi dans cette accueillante maison qui recrée avec goût un art de vivre gascon (meubles de famille, bibelots, faïences et mosaïques locales, peintures). Menu du terroir unique, servi le soir aux résidents autour d'une chaleureuse cheminée.

MARTAINVILLE-ÉPREVILLE – 76 Seine-Maritime – **304** H5 – **rattaché à Rouen**

MARTEL – 46 Lot – **337** F2 – 1 513 h. – alt. 225 m – ⊠ 46600 ▌ Périgord   29 **C1**
🅓 Paris 510 – Brive-la-Gaillarde 33 – Cahors 79 – Figeac 59 – St-Céré 30
🅘 Office de tourisme, place des Consuls ℰ 05 65 37 43 44, Fax 05 65 37 37 27
◉ Place des Consuls★ - Façade★ de l'Hôtel de la Raymondie★.

Relais Ste-Anne
r. Pourtanel – ℰ 05 65 37 40 56 – www.relais-sainte-anne.com – relais.sainteanne@wanadoo.fr – Fax 05 65 37 42 82 – Ouvert 1ᵉʳ mars-15 nov.
16 ch – †45/175 € ††75/175 €, ⊇ 15 € – 5 suites
Rest *Le Patio Ste-Anne* – ℰ 05 65 37 19 10 *(ouvert 1ᵉʳ avril-15 nov. et fermé merc. midi, jeudi midi et mardi)* Menu 37/69 € – Carte 49/73 €
♦ Ancien pensionnat de jeunes filles entouré d'un jardin. Vieille chapelle, élégant salon et chambres personnalisées. Juste en face de l'hôtel, on sert une cuisine actuelle dans une salle de style contemporain (petit patio-terrasse). Une adresse pétrie de charme.

Auberge des Sept Tours avec ch
av de Turenne – ℰ 05 65 37 30 16 – www.auberge7tours.com – auberge7tours@wanadoo.fr – Fax 05 65 37 41 69 – Fermé vacances de fév.
8 ch – †50 € ††50 €, ⊇ 8 €
Rest – *(fermé dim. soir et lundi soir du 28 août au 12 juil., lundi midi et sam. midi)* Menu (14 € bc), 26/53 € – Carte 31/47 €
♦ Belle salle à manger-véranda tournée vers la campagne. Carte traditionnelle, spécialités de canard et sélection de vins axés sur la région. Chambres rustiques.

MARTIEL – 12 Aveyron – **338** D4 – 823 h. – alt. 400 m – ⌧ 12200   29 **C1**

D Paris 613 – Toulouse 134 – Rodez 63 – Cahors 49
– Villefranche-de-Rouergue 11

⌂ **Les Fontaines** sans rest
Pleyjean, par rte de Villeneuve, D 76 – ℰ *05 65 29 46 70* – *www.lesfontaines.net*
– *andreacam@wanadoo.fr*
3 ch ⌧ – †50/70 € ††60/80 €
♦ Vieille maison rénovée par couple anglais dans ce hameau agreste proche de la vallée de l'Aveyron. Joli salon, chambres avenantes et salle à manger rustique. Solide breakfast.

MARTIGNÉ-BRIAND – 49 Maine-et-Loire – **317** G5 – 1 847 h.   35 **C2**
– alt. 75 m – ⌧ 49540

D Paris 324 – Nantes 113 – Angers 33 – Cholet 46 – Saumur 33

⌂ **Château des Noyers**
5 km à l'Ouest par D 208 – ℰ *02 41 54 09 60* – *www.chateaudesnoyers.com*
– *chateaudesnoyers@wanadoo.fr* – *Fax 02 41 44 32 63* – *Ouvert 1ᵉʳ avril-15 nov.*
5 ch ⌧ – †160 € ††280 € – 2 suites   **Table d'hôte** – Menu 45 € bc/50 € bc
♦ Classé monument historique, château des 16ᵉ-17ᵉ s. entouré d'un domaine viticole : mobilier d'époque (Louis XV et XVI, Empire), cadre précieux... Piscine, tennis. Cheminée et armoiries de Richelieu dans la salle à manger. Prison reconvertie en chai et dégustations au caveau.

> Comment choisir entre deux adresses équivalentes ?
> Dans chaque catégorie, les établissements sont classés
> par ordre de préférence : nos coups de cœur d'abord.

MARTIGUES – 13 Bouches-du-Rhône – **340** F5 – 46 200 h. – alt. 1 m   40 **B3**
– ⌧ 13500 ∎ **Provence**

D Paris 769 – Aix-en-Provence 45 – Arles 53 – Marseille 40
🛈 Syndicat d'initiative, rond point de l'Hôtel de Ville ℰ 04 42 42 31 10,
Fax 04 42 42 31 11
◉ Miroir aux oiseaux★ - Étang de Berre★ Z.
◉ ≤★ de la chapelle N.D.-des-Marins, 3,5 km par ④.

Plan page ci-contre

🏨 **St-Roch**
av. G. Braque – ℰ *04 42 42 36 36* – *www.hotelsaintroch.com* – *hotel-st-roch@wanadoo.fr* – *Fax 04 42 80 01 80*   Y **x**
63 ch ⌧ – †98 € ††116 €
Rest – *(fermé 25 déc.-1ᵉʳ janv.)* Menu 21 € – Carte 23/53 €
♦ Cet hôtel situé sur les hauteurs de la "Venise provençale" a fait peau neuve : hall-salon moderne et chaleureux (tons rouges), chambres actuelles. Restaurant dans l'air du temps et terrasse donnant sur une tour de 1516 (vestige d'un moulin). Plats traditionnels.

✗✗ **Le Bouchon à la Mer**
19 quai L. Toulmond – ℰ *04 42 49 41 41* – *lebouchonalamer@wanadoo.fr*
– *Fax 04 42 42 14 40* – *Fermé vacances de Pâques, de la Toussaint, de fév., mardi midi, dim. soir et lundi*   Y **v**
Rest – Menu 44/50 €
♦ À deux pas du Miroir aux Oiseaux chéri des peintres, venez savourer une cuisine classique dans une jolie salle à manger aux tons crème et chocolat. Terrasse au bord du canal.

✗ **Le Garage**
20 av. Frédéric-Mistral – ℰ *04 42 44 09 51* – *www.restaurantmartigues.com*
– *restaurant.legarage@orange.fr* – *Fermé 1ᵉʳ-15 janv., 10-25 août, sam. midi, dim. soir et lundi*   Z **a**
Rest – Menu 26 € (déj. en sem.)/34 € – Carte 43/50 €
♦ Ce bistrot du centre-ville, tenu par un jeune chef passionné, colle à l'air du temps, tant par son décor (murs gris taupe, tables en wengué, cuisine ouverte) que sa carte.

MARTIGUES

Allende (Bd S.) .... **Y** 2	Denfert-Rochereau (R. Colonel P.) ..... **Y** 8	Lorto (Av. P.-di) .... **Z** 17
Belges (Esplanade des) ... **Z** 3	Dr-Flemming (Av. du) .... **Y** 9	Marceau (Quai F.) .... **Z** 18
Brescon (Quai) .... **Z** 4	Gambetta (R. L.) .... **Y** 12	Martyrs (Pl. des) .... **Z** 19
Cachin (Bd Marcel) ..... **Z** 5	Girondins (Quai des) .... **Z** 13	Richaud (Bd) .... **Z** 22
Combes (R. L.) .... **Z** 7	Lamartine (Pl.) .... **Z** 15	Roques (R. Jean) .... **Y** 24
	Libération (Pl. de la) .... **Z** 16	Tessé (Quai Maurice) .... **Y** 25
		4-Septembre (Cours du) .... **Z** 27

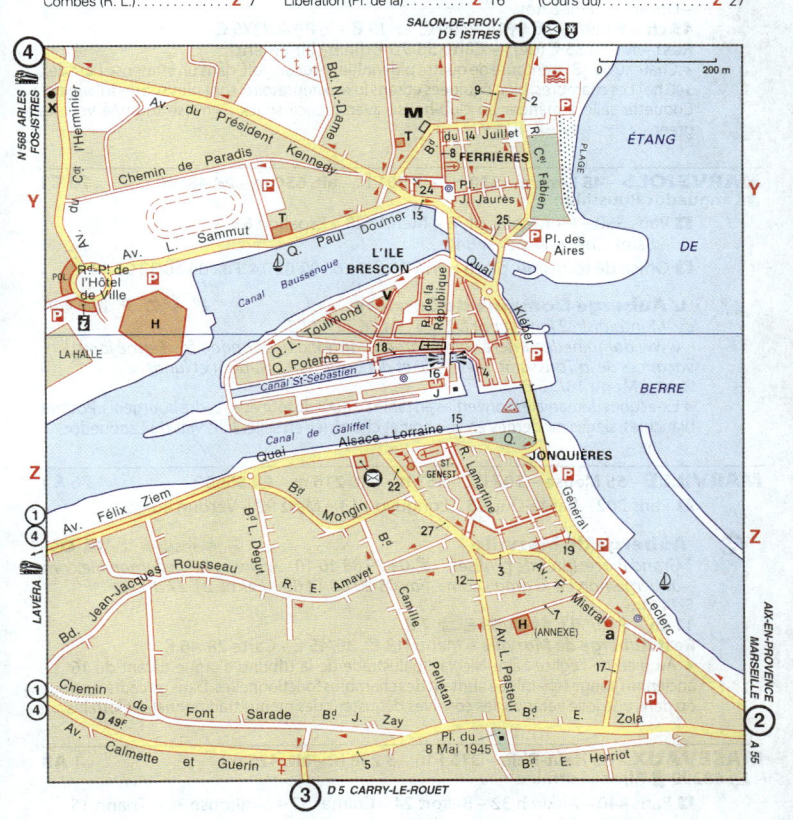

Un week-end de charme à la mer, à la campagne ou à la montagne ? Découvrez le nouveau guide des "Chambres d'hôtes", une sélection de nos plus belles adresses en France : confort, calme et volupté garantis !

MARTILLAC – 33 Gironde – **335** H6 – rattaché à Bordeaux

MARTIN-ÉGLISE – 76 Seine-Maritime – **304** G2 – rattaché à Dieppe

LA MARTRE – 83 Var – **340** O3 – 160 h. – alt. 984 m – ✉ 83840   41 **C2**
▶ Paris 808 – Castellane 19 – Digne-les-Bains 73 – Draguignan 50 – Grasse 50

1047

LA MARTRE

Château de Taulane
(Le Logis du Pin), au golf, Nord-Est : 4 km sur D 6085 –
℘ 04 93 40 60 80 – www.chateau-taulane.com
– resahotel@chateau-taulane.com – Fax 04 93 60 37 48
– Ouvert 1ᵉʳ avril-8 nov.
45 ch – †129/499 € ††149/499 €, ⏝ 19 € – ½ P 140/275 €
Rest – Menu 35 € (déj.) – Carte 56/76 € dîner seulement

♦ Château du 18ᵉ s. entouré de quatre pigeonniers, sur un golf, dans un immense parc de... 340 ha ! Les chambres, bien équipées et sans luxe ostentatoire, sont plus sobres à l'annexe. Coquette salle à manger au club-house avec espace snack. Terrasse tournée vers les greens.

MARVEJOLS – 48 Lozère – **330** H7 – 5 501 h. – alt. 650 m – ✉ 48100   23 **C1**
Languedoc Roussillon

▸ Paris 580 – Montpellier 178 – Mende 28 – Espalion 83 – Saint-Chély-d'Apcher 34

▸ Office de tourisme, place Henri IV ℘ 04 66 32 02 14, Fax 04 66 32 02 14

L'Auberge Domaine de Carrière
av. Montplaisir, 2 km Est par D1 – ℘ 04 66 32 47 05
– www.domainedecarriere.com – ramon.carmona@wanadoo.fr – Fermé janv., vacances de la Toussaint, merc. soir et dim. soir sauf juil.-août et lundi
Rest – Menu 18/38 €

♦ Ex-écuries domaniales converties en table au goût du jour et au cadre bourgeois. Poutres blanchies, sièges modernes en cuir noir et cheminée en salle. Jolis vins du Languedoc.

MARVILLE – 55 Meuse – **307** D2 – 553 h. – alt. 216 m – ✉ 55600   26 **A1**
▸ Paris 302 – Bar-le-Duc 96 – Longuyon 13 – Metz 92 – Verdun 40

Auberge de Marville
1 Grand Place, (près de l'église) – ℘ 03 29 88 10 10 – www.aubergedemarville.com
– aubergemarville@gmail.com – Fax 03 29 88 14 60 – Fermé 21-27 déc. et 5-11 janv.
11 ch – †40/50 € ††44/58 €, ⏝ 7 €
Rest *Auberge de Marville* – Menu (13 €), 30/45 € – Carte 28/46 €

♦ Au pied de l'église Saint-Nicolas (balustrade de la tribune d'orgue datant du 16ᵉ s.), ancienne grange réhabilitée abritant des chambres fonctionnelles. Dans un cadre rustique ou dans une jolie véranda, les convives dégustent des menus traditionnels et lorrains.

MASEVAUX – 68 Haut-Rhin – **315** F10 – 3 238 h. – alt. 425 m   1 **A3**
– ✉ 68290 **Alsace Lorraine**

▸ Paris 440 – Altkirch 32 – Belfort 24 – Colmar 57 – Mulhouse 30 – Thann 15 – Le Thillot 38

▸ Office de tourisme, 1, place Gayardon ℘ 03 89 82 41 99, Fax 03 89 82 49 44

▸ Descente du col du Hundsrück ≤ ★★ NE : 13 km.

L'Hostellerie Alsacienne avec ch
16 r. Mar. Foch – ℘ 03 89 82 45 25
– http://pagesperso-orange.fr/hostellerie.alsacienne – philippe.battman@wanadoo.fr – Fax 03 89 82 45 25 – Fermé 19 oct.-10 nov. et 24 déc.-2 janv.
8 ch – †45 € ††55 €, ⏝ 14 € – ½ P 45 €
Rest – *(fermé dim. soir et lundi)* Menu (11 €), 13 € (déj. en sem.), 26/43 € – Carte 24/50 € le soir

♦ Le chef privilégie les petits exploitants locaux et les produits bio pour réaliser des recettes inspirées de la tradition locale. Décor alsacien et chambres en partie rénovées.

MASSERET – 19 Corrèze – **329** K2 – 608 h. – alt. 380 m – ✉ 19510   24 **B2**
▸ Paris 432 – Limoges 45 – Guéret 132 – Tulle 48 – Ussel 101

▸ Syndicat d'initiative, le Bourg ℘ 05 55 98 24 79, Fax 05 55 73 49 69

MASSERET

De la Tour
7 pl. Marcel Champeix – ℘ 05 55 73 40 12 – www.hoteldelatourmasseret.com
– hoteldelatour19@aol.com – Fax 05 55 73 49 41 – Fermé dim. soir sauf juil.-août
15 ch – †43 € ††43 €, ⇌ 6,50 € – ½ P 45 €
Rest – Menu (14 €), 19/44 € – Carte 30/55 €

♦ Sur les hauteurs de ce bourg limousin (gage de tranquillité), hôtellerie familiale abritant des chambres refaites, simples et bien tenues. Spacieux restaurant et terrasse d'où l'on admirera la "tour", un château d'eau qui n'a de moyenâgeux que l'aspect.

MASSIAC – 15 Cantal – **330** H3 – 1 838 h. – alt. 534 m – ✉ 15500   5 **B3**
Auvergne

▣ Paris 484 – Aurillac 84 – Brioude 23 – Issoire 38 – Murat 37 – St-Flour 30
🛈 Office de tourisme, 24, rue du Dr Mallet ℘ 04 71 23 07 76, Fax 04 71 23 08 50
👁 N : Gorges de l'Alagnon★ - Site de la chapelle Ste-Madeleine★ N : 2 km.

Grand Hôtel de la Poste
26 av. Ch. de Gaulle – ℘ 04 71 23 02 01 – www.hotel-massiac.com
– hotel.massiac@wanadoo.fr – Fax 04 71 23 09 23 – Fermé 15 nov.-22 déc., mardi soir et merc. de janv. à Pâques
33 ch – †44/56 € ††44/57 €, ⇌ 7 € – ½ P 47/54 €
Rest – Menu 15 € (sem.)/35 € – Carte 24/42 €

♦ Maison imposante au seuil du bourg, à proximité de la sortie de l'A 75. Chambres d'assez bon confort et nombreux équipements de loisirs (fitness, jacuzzi, squash, etc.). Salle à manger agrémentée d'une cheminée et cuisine à tendance auvergnate.

La Colombière sans rest
rte de Grenier Montgon, 1 km au Nord par D 909 – ℘ 04 71 23 18 50
– www.hotel-lacolombiere.com – contact@hotel-lacolombiere.com
– Fax 04 71 23 18 58 – Fermé 15 janv.-1ᵉʳ mars
30 ch – †38 € ††45 €, ⇌ 6,50 €

♦ Les grandes chambres fonctionnelles (mobilier neuf, sanitaires bien équipés, tenue exemplaire) font de cet hôtel récent une étape pratique sur la route des gorges de l'Alagnon.

MASSY – 91 Essonne – **312** C3 – **101** 25 – voir à Paris, Environs

---

MATOUGUES – 51 Marne – **306** I9 – rattaché à Châlons-en-Champagne

---

MATOUR – 71 Saône-et-Loire – **320** G12 – 1 074 h. – alt. 500 m   8 **C3**
– ✉ 71520 **Bourgogne**

▣ Paris 405 – Charolles 28 – Cluny 24 – Lapalisse 82 – Lyon 102 – Mâcon 36 – Roanne 57
🛈 Office de tourisme, ℘ 03 85 59 72 24, Fax 03 85 59 72 24

Christophe Clément
pl. de l'Église – ℘ 03 85 59 74 80 – Fax 03 85 59 75 77 – Fermé 5-12 oct., 14 déc.-13 janv., le soir sauf sam. d'oct. à avril, dim. soir et lundi
Rest – Menu (12 €), 19/37 € – Carte 29/45 €

♦ Sur la place de l'église, façade peinte repérable à sa tête de coq. Mets traditionnels copieux et curieuse spécialité familiale d'andouillère aux grenouilles à apprécier dans un cadre rustique très "cocorico".

MAUBEC – 84 Vaucluse – **332** D10 – 1 791 h. – alt. 120 m – ✉ 84660   42 **E1**
▣ Paris 717 – Marseille 84 – Avignon 36 – Aix-en-Provence 68 – Arles 78

La bastide du Bois Bréant sans rest
501 chemin du Puits de Grandaou – ℘ 04 90 05 86 78
– www.hotel-bastide-bois-breant.com – contact@hotel-bastide-bois-breant.com
– Fax 04 90 75 03 27 – Ouvert 15 mars-15 nov.
12 ch ⇌ – †96/192 € ††107/192 € – 1 suite

♦ Au milieu d'un bois de chênes, cette bastide très bien restaurée a préservé toute son âme provençale. Chaque chambre, meublée d'objets chinés, raconte une histoire.

MAUBEUGE – 59 Nord – 302 L6 – 32 400 h. – Agglo. 117 470 h. – alt. 134 m – ⊠ 59600 ▌Nord Pas-de-Calais Picardie 31 D2

- ▶ Paris 242 – Mons 21 – St-Quentin 114 – Valenciennes 39
- ▌Office de tourisme, place Vauban ✆ 03 27 62 11 93, Fax 03 27 64 10 23

au Sud par rte d'Avesnes-sur-Helpe – ⊠ 59330 Beaufort

XXX Auberge de l'Hermitage ⇔ P VISA ⓂⓄ AE
51 rte Nationale, à 6 km sur N 2 – ✆ 03 27 67 89 59 – auberge.hermitage@orange.fr – Fax 03 27 39 84 52 – *Fermé 28 juil.-13 août, 26-31 déc., dim. soir, mardi soir, jeudi soir et lundi*
Rest – Menu (22 €), 29 € (sem.)/72 € – Carte 45/70 €
♦ Avenant pavillon en briques proche de la nationale, à l'orée du Parc naturel régional de l'Avesnois. Intérieur soigné et cuisine de tradition au pays des fameux maroilles.

XX Le Relais de Beaufort ⌂ P VISA ⓂⓄ AE
à 8 km sur N 2 – ✆ 03 27 63 50 36 – www.lerelaisdebeaufort.fr – Fax 03 27 67 85 11 – *Fermé 17 août-4 sept., dim. soir et lundi*
Rest – Menu 24/43 € – Carte 33/60 €
♦ Deux belles salles : l'une d'inspiration marine et agrémentée d'un superbe olivier, l'autre rustique et baignée de lumière. Terrasse face à un joli jardin et carte traditionnelle.

MAULÉVRIER – 49 Maine-et-Loire – 317 E6 – rattaché à Cholet

MAUREILLAS-LAS-ILLAS – 66 Pyrénées-Orientales – 344 H8 22 B3
– 2 546 h. – alt. 130 m – ⊠ 66480 ▌Languedoc Roussillon

- ▶ Paris 873 – Gerona 71 – Perpignan 31 – Port-Vendres 31 – Prades 69
- ▌Syndicat d'initiative, avenue Mal Joffre ✆ 04 68 83 48 00

à Las Illas 11 km au Sud-Ouest par D 13 – ⊠ 66480

X Hostal dels Trabucayres avec ch ≤ ⌂ ⁒ P VISA ⓂⓄ
– ✆ 04 68 83 07 56 – Fax 04 68 83 07 56 – *Ouvert 15 avril-20 oct. et fermé mardi et merc. hors saison*
5 ch – ♦32/36 € ♦♦32/36 €, ⊇ 5,50 € – ½ P 37 €
Rest – (*Ouvert 15 mars-25 oct.*) Menu 13 € bc (sem.)/50 € bc – Carte 24/38 €
♦ Vénérable et modeste auberge postée sur le GR 10 au cœur d'une suberaie. Cadre rustique originel, plats du terroir catalan et calme absolu. Chambres très simples et deux gîtes récents.

MAURIAC ◉ – 15 Cantal – 330 B3 – 3 963 h. – alt. 722 m – ⊠ 15200 5 A3
▌Auvergne

- ▶ Paris 490 – Aurillac 53 – Le Mont-Dore 77 – Clermont-Ferrand 113 – Tulle 73
- ▌Office de tourisme, 1, rue Chappe d'Auteroche ✆ 04 71 67 30 26, Fax 04 71 68 25 08
- ▌Val-Saint-Jean, O : 2 km, ✆ 06 07 74 22 29
- ◉ Basilique Notre-Dame-des-Miracles ★ - Le Vigean : châsse ★ dans l'église NE : 2 km.
- ◉ Barrage de l'Aigle ★★ : 11 km par D 678 et D105, ▌Berry Limousin

⌂ Des Voyageurs ((¹)) VISA ⓂⓄ
pl. de la Poste – ✆ 04 71 68 01 01 – www.aubergevoyageurs.com – aubergevoyageurs@info.com – Fax 04 71 68 01 56 – *Fermé 20 avril-3 mai, 28 sept.-11 oct. et 21 déc.-5 janv.*
18 ch – ♦38/50 € ♦♦45/60 €, ⊇ 6,50 €
Rest *La Bonne Auberge* – (*fermé dim. soir, vend. soir et sam.*) Menu 12/35 € – Carte 21/39 €
♦ Le confort simple de cet établissement du centre-ville peut dépanner les voyageurs. Chambres bien tenues, avant tout pratiques. Le restaurant La Bonne Auberge a conservé son look des années 1980. Cuisine régionale et familiale.

MAURIAC

Auv'Hôtel sans rest
4 r. du 11 Novembre – ℰ 04 71 68 19 10 – www.auv-hotel.fr – mauriac@auv-hotel.com – Fax 04 71 68 17 77 – Fermé 15-28 fév.
14 ch – †43/45 € ††46/49 €, ⊇ 8 €
◆ Située à côté de la basilique romane N.-D.-des-Miracles, cette petite adresse sympathique propose des chambres fonctionnelles au mobilier rustique.

MAUROUX – 46 Lot – 337 C5 – rattaché à Puy-l'Évêque

MAURY – 66 Pyrénées-Orientales – 344 G6 – 901 h. – alt. 200 m – ⊠ 66460   22 B3

▶ Paris 876 – Montpellier 179 – Perpignan 35 – Carcassonne 142
 – Canet-en-Roussillon 45

🛈 Syndicat d'initiative, Avenue Jean Jaurès ℰ 04 68 50 08 54, Fax 04 68 50 08 54

Pascal Borrell
la Maison du Terroir, av. Jean Jaurès – ℰ 04 68 86 28 28
– www.maison-du-terroir.com – pascalborrell@wanadoo.fr – Fax 04 68 86 04 80
– Fermé 1 sem. en fév., dim. soir et lundi d'oct. à mars
Rest – Menu (28 €), 45/65 € – Carte 75/85 €
Spéc. Saint-Jacques en marinade au citron vert façon sashimi et caviar de hareng. Canette de Challans braisée au sautoir et laquée au miel de garrigue (oct. à fév.). Macaron arabica, garniture chocolat épicé et copeaux de chocolat. **Vins** Maury, Vin de Pays des Côtes Catalanes.
◆ Ce restaurant, contemporain et coloré à la catalane, propose une belle cuisine du terroir revisitée. À l'entrée, la boutique de vins et produits régionaux met d'emblée en appétit.

MAUSSAC – 19 Corrèze – 329 N3 – rattaché à Meymac

MAUSSANE-LES-ALPILLES – 13 Bouches-du-Rhône – 340 D3   42 E1
– 2 155 h. – alt. 32 m – ⊠ 13520

▶ Paris 712 – Arles 20 – Avignon 30 – Marseille 81 – Martigues 44
 – St-Rémy-de-Provence 10

🛈 Office de tourisme, place Laugier de Monblan ℰ 04 90 54 52 04, Fax 04 90 54 39 44

Le Pré des Baux sans rest
r. Vieux Moulin – ℰ 04 90 54 40 40 – www.lepredesbaux.com – info@lepredesbaux.com – Fax 04 90 54 53 07 – Ouvert 27 mars-2 nov.
10 ch – †95/125 € ††95/125 €, ⊇ 12 €
◆ Les chambres, réparties autour d'un jardin méridional à l'abri des regards et du bruit, ouvrent de plain-pied sur des terrasses privatives où l'on sert le petit-déjeuner.

Castillon des Baux sans rest
10 bis av. de la Vallée des Baux – ℰ 04 90 54 31 93 – www.castillondesbaux.com
– castillondesbaux@orange.fr – Fax 04 90 54 51 31 – Fermé janv.
15 ch – †82/130 € ††82/130 €, ⊇ 11 €
◆ Bâtisse ocre rouge façon mas, entourée d'un jardin d'oliviers (belle piscine). Les chambres aux tons pastel, spacieuses et sobres, ont en majorité un balcon ou une terrasse.

Aurelia sans rest
124 av. de la Vallée des Baux – ℰ 04 90 54 22 54 – www.bestwestern-aurelia.com
– resa@bestwestern-aurelia.com – Fax 04 90 54 20 75 – Fermé 1er-11 janv.
39 ch – †125 € ††125 €, ⊇ 11 €
◆ Pimpante décoration ensoleillée pour cet établissement d'allure régionale. Les chambres, sobres et bien tenues, sont plus agréables côté piscine, face à la campagne.

Val Baussenc
122 av. de la Vallée des Baux – ℰ 04 90 54 38 90 – www.valbaussenc.com
– information@valbaussenc.com – Fax 04 90 54 33 36 – Ouvert 1er mars-31 oct.
21 ch – †69/118 € ††81/118 €, ⊇ 11 € – 1 suite – ½ P 70/89 €
Rest – (fermé merc.) (dîner seult) Menu 27/35 € – Carte environ 45 €
◆ Cette maison au décor provençal, qui utilise avec originalité la pierre calcaire des Baux, dispose de chambres, presque toutes avec terrasse ou balcon, ouvrant sur la nature. Repas pris dans une petite salle à manger aux couleurs du Sud ou sous une treille en été.

MAUSSANE-LES-ALPILLES

XX **Ou Ravi Provençau**
34 av. de la Vallée des Baux – ℘ 04 90 54 31 11 – www.ouravi.net – infos@ouravi.net – Fax 04 90 54 41 03 – Fermé 15 nov.-15 déc., mardi et merc.
Rest – Menu (20 € bc), 35/55 € – Carte 40/100 €

♦ Authentique, goûteuse et généreuse : la cuisine servie dans cette jolie maison méridionale semble tout droit sortie du "Reboul", la bible de la gastronomie provençale.

X **La Place**
65 av. de la Vallée des Baux – ℘ 04 90 54 23 31
– www.maisonsdebaumaniere.com – laplace@maisonsdebaumaniere.com
– Fermé janv. et mardi
Rest – Menu (25 €), 32 €

♦ Appréciez l'atmosphère intime et branchée de cette "Place". On se régale d'une cuisine aux accents du Sud actualisés, dans deux salles cosy ou sur une terrasse ombragée.

au Paradou 2 km à l'Ouest par D 17, rte d'Arles – 1 167 h. – alt. 21 m – ⊠ 13520

Le Hameau des Baux 🏠
chemin de Bourgeac – ℘ 04 90 54 10 30
– www.hameaudesbaux.com – reservation@hameaudesbaux.com
– Fax 04 90 54 45 30 – Fermé janv. et fév.
15 ch – †195/280 € ††195/280 €, ⊇ 18 € – 5 suites
Rest – (fermé dim. soir et merc.) (nombre de couverts limité, prévenir)
Menu 45 € (déj.)/53 € – Carte 48/58 €

♦ Superbe reconstitution d'un hameau provençal entouré de cyprès et d'oliviers, raffinement extrême et grand calme dans des chambres personnalisées : une adresse pour esthètes. À table, une cuisine actuelle mâtinée d'influence sudiste parachève la magie du lieu.

Du Côté des Olivades 🏠
lieu dit de Bourgeac – ℘ 04 90 54 56 78
– www.ducotedesolivades.com – ducotedesolivades@wanadoo.fr
– Fax 04 90 54 56 79
10 ch – †79/184 € ††79/184 €, ⊇ 16 € – ½ P 102/156 €
Rest – (nombre de couverts limité, prévenir) Menu 38/55 € – Carte 35/70 €

♦ Cette reposante bastide contemporaine isolée au milieu des oliviers vous ouvre grand ses portes : décoration soignée d'esprit design, suites, piscine, spa, salle de séminaires. Recettes régionales évoluant au gré des saisons.

B design & Spa
1 ch – †150/220 € ††150/220 €, ⊇ 18 € – 14 suites – ††250/550 €
– ½ P 141/341 €

♦ La modernité au service du confort et du bien-être résume l'esprit de ce nouvel hôtel, à l'entrée de la propriété. Vastes chambres, décoration confiée à un designer, terrasses.

La Maison du Paradou
2 rte de St-Roch – ℘ 04 90 546 546 – www.maisonduparadou.com
– reservations@maisonduparadou.com – Fax 04 90 54 85 83
5 ch – †285 € ††285 €, ⊇ 20 €   **Table d'hôte** – Menu 45 € bc (déj.)/75 € bc

♦ Relais de poste (1699), tenu par un couple britannique et doté de superbes chambres personnalisées. Confort, technologie, salon-bibliothèque, jardin provençal et piscine... Table d'hôte (sur réservation) sous la pergola, avec en toile de fond, les Alpilles.

X **Le Bistrot du Paradou**
57 av. de la Vallée des Baux – ℘ 04 90 54 32 70 – Fax 04 90 54 32 70 – Fermé 1er-9 mars, dim. et lundi hors saison et le soir d'oct. à mai sauf vend. et sam.
Rest – (prévenir) Menu 43 € bc (déj.)/49 € bc

♦ Cette maison provençale aux volets bleus est une institution locale. On y mange une goûteuse cuisine provençale dans un cadre convivial (collection de 2 400 bières du monde).

MAYENNE — 53 Mayenne – 310 F5 – 13 800 h. – alt. 124 m   35 **C1**
– ⊠ 53100 ▌ **Normandie Cotentin**

▶ Paris 283 – Alençon 61 – Flers 56 – Fougères 47 – Laval 30 – Le Mans 89
🛈 Office de tourisme, quai de Waiblingen ℘ 02 43 04 19 37, Fax 02 43 00 01 99
◉ Ancien château ≤ ★.

MAYENNE

Le Grand Hôtel
2 r. Ambroise de Loré – ℰ 02 43 00 96 00 – www.grandhotelmayenne.com
– grandhotelmayenne@wanadoo.fr – Fax 02 43 00 69 20 – Fermé
10-30 août, 24 déc.-4 janv. et sam. soir de nov. à avril
22 ch – †69/95 € ††82/121 €, ⊇ 11 € – ½ P 79/97 €   **Rest** – (fermé dim. de nov.
à avril et sam. sauf le soir de mai à oct.) Menu (18 €), 21/61 € – Carte 47/61 €
♦ La même famille tient cet hôtel central – créé en 1850 – depuis une quarantaine d'années. Chambres actuelles entièrement refaites, salon confortable et bar à whiskies. Deux salles de restaurant dont une en véranda, avec vue sur la Mayenne. Carte classique.

La Croix Couverte avec ch
rte d'Alençon : 2 km sur N 12 – ℰ 02 43 04 32 48 – www.lacroixcouverte.com
– la-croixcouverte@wanadoo.fr – Fax 02 43 04 43 69 – Fermé 2-17 août, vacances de Noël, dim. soir, lundi et fériés
11 ch – †50 € ††60 €, ⊇ 10 €
Rest – Menu (16 €), 20 € (sem.)/40 € – Carte 43/65 €
♦ Maison centenaire au bord de la route nationale. Salle à manger de style rétro, ouverte sur l'agréable terrasse et le jardin. Chambres simples, plus calmes sur l'arrière.

à Fontaine-Daniel 6 km au Sud-Ouest par D 104 – ⊠ 53100

La Forge
au bourg – ℰ 02 43 00 34 85 – www.restaurantlaforge.fr – contact@
restaurantlaforge.fr – Fermé 1er-15 janv., 1er-7 sept., mardi sauf le soir de juin à sept., dim. soir et lundi
Rest – Menu (13 €), 25/45 €
♦ Sur la place du village, découvrez cette forge réhabilitée en restaurant contemporain. Préparations inventives, soignées visuellement et gustativement. Carte de vins originale.

rte de Laval au Sud par N 162 – ⊠ 53100 Mayenne

La Marjolaine
à 6,5 km, au domaine du Bas-Mont – ℰ 02 43 00 48 42 – www.lamarjolaine.fr
– lamarjolaine@wanadoo.fr – Fax 02 43 08 10 58
23 ch – †51/120 € ††51/120 €, ⊇ 8,50 € – ½ P 70/90 €
Rest – (fermé vend. soir du 1er janv. au 15 avril et sam. midi du 15 oct. au 15 avril)
Menu 19 € (sem.)/42 € – Carte 44/58 €
Rest *Le Bistrot de La Marjolaine* – (fermé sam., dim. et fériés) (déj. seult)
Menu (14 €), 17/23 €
♦ Vieille ferme restaurée dans un domaine boisé près d'une rivière. Plaisante salle à manger, terrasse face au parc, cuisine actuelle et bon choix de vins. Chambres agréables. Au Bistrot, tapisseries figurant des paons, service rapide et petits plats fignolés.

Beau Rivage avec ch
rte de Saint-Baudelle, à 4 km – ℰ 02 43 00 49 13
– www.restaurantbeaurivage.com – fbeaurivage@9online.fr – Fax 02 43 00 49 26
– Fermé dim. soir, fériés le soir et lundi
8 ch – †54 € ††68 €, ⊇ 8 € – ½ P 58/68 €
Rest – rôtisserie – Menu (14 €), 18 € (sem.)/36 € – Carte 28/48 €
♦ Délicieux air de guinguette chic pour cette maison disposant d'une belle terrasse ombragée dressée au bord de la Mayenne. Mets cuits à la rôtissoire. Chambres gaies.

LE MAYET-DE-MONTAGNE – 03 Allier – 326 J6 – 1 478 h.   6 C2
– alt. 535 m – ⊠ 03250 ▌Auvergne

▶ Paris 369 – Clermont-Ferrand 81 – Lapalisse 23 – Moulins 73 – Thiers 44 – Vichy 27

🛈 Office de tourisme, rue Roger Degoulange ℰ 04 70 59 38 40, Fax 04 70 59 37 24

Le Relais du Lac avec ch
rte de Laprugne, 0,5 km au Sud par D 7 – ℰ 04 70 59 70 23 – renécazals@
orange.fr – Fermé oct., lundi et mardi
6 ch – †50/60 € ††50/60 €, ⊇ 8 € – ½ P 50/55 €
Rest – Menu 13 € (déj. en sem.)/22 € – Carte 32/44 €
♦ Au cœur de la Montagne bourbonnaise et tout près d'un lac, une adresse qui honore le terroir : décor champêtre et spécialités de fritures. Terrasse d'été. Chambres proprettes.

1053

MAZAMET – 81 Tarn – **338** G10 – 10 300 h. – alt. 241 m – ✉ 81200 29 **C2**
▮ Midi-Pyrénées

- ▶ Paris 739 – Albi 64 – Carcassonne 50 – Castres 21 – Toulouse 92
- ✈ de Castres-Mazamet : ℰ 05 63 70 34 77, O : 14 km.
- 🛈 Office de tourisme, rue des Casernes ℰ 05 63 61 27 07, Fax 05 63 61 31 35
- 🏌 de Mazamet-la-Barouge Pont de l'Arn, N : 3 km, ℰ 05 63 61 06 72
- ◉ ≤★ des gorges de l'Arnette S : 4 km.

Mets et Plaisirs 🅰🅒 rest, ⌇ ꜞꜞ 𝗩𝗜𝗦𝗔 ⓜⓒ ⓓ
7 av. Albert Rouvière – ℰ *05 63 61 56 93 – www.metsetplaisirs.com – contact@metsetplaisir.com – Fax 05 63 61 83 38 – Fermé 3-23 août, 2-11 janv. et dim. soir*
11 ch – ♦45 € ♦♦55 €, ⌑ 7 € – ½ P 60 €
Rest – *(fermé lundi)* Menu 16 € (sem.)/55 €

♦ Maison de maître du début du 20ᵉ s. située en plein centre-ville, face à la poste. Chambres simples, rénovées et correctement équipées. La salle de restaurant a conservé de son passé de demeure patricienne une distinction certaine ; cuisine au goût du jour.

MAZAN – 84 Vaucluse – **332** D9 – rattaché à Carpentras

MAZAYE – 63 Puy-de-Dôme – **326** E8 – 608 h. – alt. 760 m – ✉ 63230 5 **B2**

- ▶ Paris 441 – Clermont-Fd 23 – Le Mont-Dore 32 – Pontaumur 27
  – Pontgibaud 7

Auberge de Mazayes ⌁ ⌇ & ch, ⇆ ꜱꜞ 🄿 𝗩𝗜𝗦𝗔 ⓜⓒ
à Mazayes-Basses – ℰ *04 73 88 93 30 – www.auberge-mazayes.com*
– Fax 04 73 88 93 80 – Fermé 15 déc.-25 janv., lundi d'oct. à mars et mardi midi
15 ch – ♦53/62 € ♦♦65/77 €, ⌑ 9 € – ½ P 61/65 €
Rest – Menu 18 € (sem.)/32 € – Carte 34/53 € ⌁

♦ Cette ancienne ferme constitue un pied-à-terre idéal pour découvrir la campagne auvergnate : la beauté rustique du site n'a d'égal que celle des aménagements. Joli restaurant champêtre. Goûteux plats régionaux ; belle sélection de bordeaux et de vins locaux.

MÉAUDRE – 38 Isère – **333** G7 – rattaché à Autrans

MEAULNE – 03 Allier – **326** C3 – 771 h. – alt. 185 m – ✉ 03360 5 **B1**
▮ Auvergne

- ▶ Paris 307 – Clermont-Ferrand 126 – Moulins 96 – Montluçon 31
  – Saint-Amand-Montrond 19

Au Cœur de Meaulne ⌁ ⌇ & rest, ⇆ ⌇ ꜞꜞ ꜱꜞ 𝗩𝗜𝗦𝗔 ⓜⓒ 🄰🄴
20 pl. de l'Eglise – ℰ *04 70 06 20 30 – www.aucoeurdemeaulne.com – info@aucoeurdemeaulne.com – Fax 04 70 06 92 58 – Fermé 1 sem. en oct., 1 sem. en nov. et 2-16 janv.*
8 ch – ♦51/70 € ♦♦61/70 €, ⌑ 10 € – ½ P 60/65 €
Rest – *(fermé mardi sauf le soir en juil.-août et merc.)* Menu (15 € bc), 23/50 €
– Carte 35/50 €

♦ Cette auberge rajeunie vous héberge dans des chambres fraîches et nettes, où des tronçons de bois de la forêt du Tronçais tiennent lieu de tables de nuits ! Cuisine actuelle servie dans une salle fringante ou, en été, sous la frondaison d'un vieux marronnier.

MEAUX ⌖ – 77 Seine-et-Marne – **312** G2 – 49 200 h. – alt. 51 m 19 **C1**
– ✉ 77100 ▮ Île de France

- ▶ Paris 54 – Compiègne 68 – Melun 56 – Reims 98
- 🛈 Office de tourisme, 1, place Doumer ℰ 01 64 33 02 26, Fax 01 64 33 24 86
- 🏌 de Meaux Boutigny à Boutignypar A 140 et D 228 : 11km, ℰ 01 60 25 63 98
- 🏌 de la Brie à Crécy-la-Chapelle Ferme de Montpichet, par A 140 et rte de Melun : 16 km, ℰ 01 64 75 34 44
- 🏌 Disneyland Paris à Magny-le-Hongre Allée de la Mare Houleuse, S : 16 km par D5, ℰ 01 60 45 68 90
- ◉ Centre épiscopal★ ABY : cathédrale★ B, ≤★ de la terrasse des remparts.

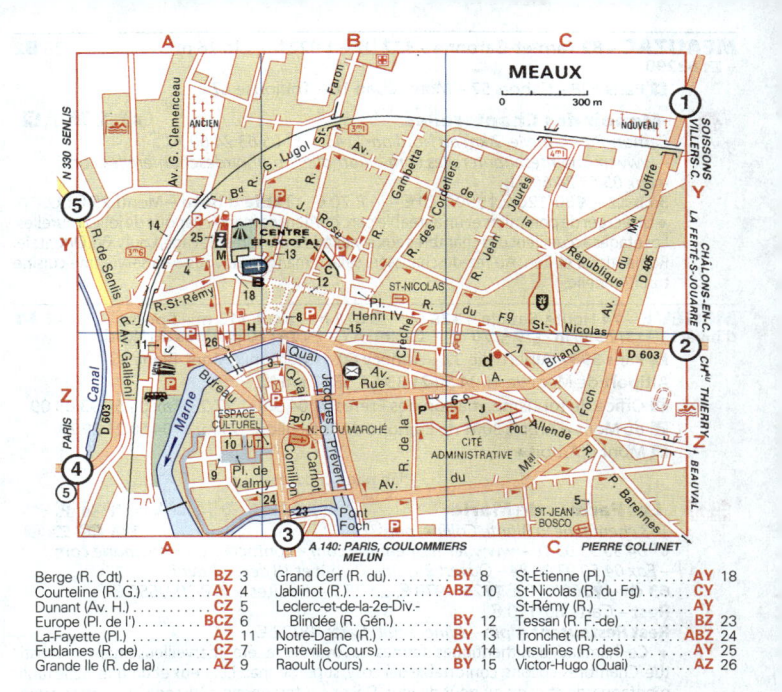

Index	Ref		Index	Ref		Index	Ref
Berge (R. Cdt)	**BZ** 3		Grand Cerf (R. du)	**BY** 8		St-Étienne (Pl.)	**AY** 18
Courteline (R. G.)	**AY** 4		Jablinot (R.)	**ABZ** 10		St-Nicolas (R. du Fg)	**CY**
Dunant (Av. H.)	**CZ** 5		Leclerc-et-de-la-2e-Div.-			St-Rémy (R.)	**AY**
Europe (Pl. de l')	**BCZ** 6		Blindée (R. Gén.)	**BY** 12		Tessan (R. F.-de)	**BZ** 23
La-Fayette (Pl.)	**AZ** 11		Notre-Dame (R.)	**BY** 13		Tronchet (R.)	**ABZ** 24
Fublaines (R. de)	**CZ** 7		Pinteville (Cours)	**AY** 14		Ursulines (R. des)	**AY** 25
Grande Ile (R. de la)	**AZ** 9		Raoult (Cours)	**BY** 15		Victor-Hugo (Quai)	**AZ** 26

XX La Grignotière

36 r. de la Sablonnière – ℰ 01 64 34 21 48 – Fax 01 64 33 93 93 – Fermé août, sam. midi, mardi et merc. CZ **d**

Rest – Menu 32 € (sem.)/45 € – Carte 60/74 €

♦ On apprécie ce restaurant rustique bien agréable avec sa cheminée en état de marche. Sympathique cuisine de tradition et beaux plateaux de fruits de mer servis toute l'année.

à Germigny-l'Évêque 8 km par ①, D 405 et D 97 – 1 285 h. – alt. 49 m – ✉ 77910

XX Hostellerie Le Gonfalon avec ch

2 r. de l'Église – ℰ 01 64 33 16 05 – www.hotelgonfalon.com – le-gonfalon@wanadoo.fr – Fax 01 64 33 25 59

8 ch – †85/120 € ††85/150 €, ⊇ 12 €

Rest – Menu 35 € (sem.)/78 € – Carte 65/90 €

♦ Fraîcheur et charme inondent la terrasse romantique de cette auberge en bord de Marne. Cuisine actuelle et du marché, servie l'hiver au coin du feu, dans la salle Louis XIII. Chambres très calmes, parfois dotées d'une grande terrasse privative côté rivière.

à Poincy 5 km par ② et D 17ᴬ – 723 h. – alt. 53 m – ✉ 77470

XX Le Moulin de Poincy

r. du Moulin – ℰ 01 60 23 06 80 – moulin.de.poincy@orange.fr – Fax 01 60 23 12 56 – Fermé 1ᵉʳ-24 sept., 5-28 janv., lundi soir, mardi et merc.

Rest – Menu 31/61 € – Carte 44/76 €

♦ Ce moulin du 17ᵉ s. et son jardin bordé par la Marne invitent à la douceur de vivre. Déco rétro (objets chinés, collection de cafetières) et séduisante cuisine traditionnelle.

à Trilbardou 7 km par ④ et D 27 – 517 h. – alt. 47 m – ✉ 77450

⌂ M. et Mme Cantin sans rest

2 r. de l'Église – ℰ 01 60 61 08 75 – cantin.evelyne@voila.fr

3 ch ⊇ – †50 € ††60 €

♦ Le canal de l'Ourcq longe le jardin de cette demeure du 19ᵉ s. Chambres à la décoration raffinée. Pour les sportifs, une piste cyclable depuis Paris permet d'y accéder en vélo !

MEAUZAC – 82 Tarn-et-Garonne – 337 D7 – 1 022 h. – alt. 76 m – ⊠ 82290
28 **B2**

▶ Paris 628 – Cahors 57 – Montauban 16 – Toulouse 67

Manoir des Chanterelles
Bernon-Boutounelle, 2 km au Nord par D 45 – ℰ 05 63 24 60 70
– www.manoirdeschanterelles.com – nathalie@manoirdeschanterelles.com
– Fax 05 63 24 60 71
5 ch ⍽ – †80/120 € ††90/120 € – ½ P 70 € **Table d'hôte** – Menu 25 € bc

♦ Un verger de pommiers et un agréable parc bordent ce manoir flanqué de jolies tourelles. Les étages accueillent des chambres aux styles très contrastés : Savane, Louis XVI, Orientale, Romantique et Zen. Au rez-de-chaussée, salle à manger où vous sera servie une cuisine traditionnelle.

MEGÈVE – 74 Haute-Savoie – 328 M5 – 3 878 h. – alt. 1 113 m – Sports d'hiver : 1 113/2 350 m ⬩9 ⬩70 ⬩ – Casino AY – ⊠ 74120 ▌Alpes du Nord
46 **F1**

▶ Paris 598 – Albertville 32 – Annecy 60 – Chamonix-Mont-Blanc 33

Altiport de Megève ℰ 04 50 21 33 67, SE : 7 km **BZ**

🅸 Office de tourisme, maison des Frères ℰ 04 50 21 27 28, Fax 04 50 93 09 03

🅶 du Mont-d'Arbois 3001 rte Edmond de Rotschild, E : 2 km, ℰ 04 50 21 29 79

◉ Mont d'Arbois★★.

Plan page ci-contre

Les Fermes de Marie
163 chemin de la Riante Colline, par ② –
ℰ 04 50 93 03 10 – www.fermesdemarie.com – contact@fermesdemarie.com
– Fax 04 50 93 09 84 – Ouvert 26 juin-30 août et 18 déc.-11 avril
63 ch – †260/970 € ††260/970 €, ⍽ 25 € – 8 suites – ½ P 200/550 €
Rest – Carte 80/110 €
Rest *Restaurant Alpin* – (dîner seult) Carte 48/82 €

♦ Ce hameau d'authentiques fermes savoyardes a été merveilleusement reconstitué. Chambres-cocons, confortable bar cosy, superbe spa... Luxueux et unique. Belle table montagnarde et carte au goût du jour. Décor contemporain, rôtisserie et recettes régionales au restaurant Alpin.

Lodge Park
100 r. Arly – ℰ 04 50 93 05 03 – www.lodgepark.com – contact@lodgepark.com
– Fax 04 50 93 09 52 – Ouvert 18 déc.-31 mars
49 ch – †370/590 € ††370/590 €, ⍽ 25 € – 11 suites   **Rest** – Carte 45/95 €   AY **s**

♦ Décoration très réussie des chambres sur le thème des lacs canadiens et des chercheurs d'or : bois brut, rondins, trophées de chasse, cheminée en pierre, tissus choisis, etc. Au restaurant, les Adirondacks revus et corrigés... à la mode mégèvanne ! Carte au goût du jour.

Le Fer à Cheval
36 rte Crêt d'Arbois – ℰ 04 50 21 30 39 – www.feracheval-megeve.com
– fer-a-cheval@wanadoo.fr – Fax 04 50 93 07 60 – Ouvert mi-juin-mi-sept. et mi-déc.-mi-avril   BY **a**
42 ch (½ P seult) – 14 suites – ½ P 178/340 €
Rest – (Fermé lundi hors saison et le midi en hiver) Menu 60 € – Carte 70/85 €
Rest *L'Alpage* – ℰ 04 50 21 30 39 (Ouvert de mi-déc. à début avril)
Carte environ 53 €

♦ Le chalet bâti en 1938 par le forgeron du village renferme un superbe intérieur montagnard. Salons et chambres très cosy (mobilier régional), salles de bains luxueuses, spa. Dîner aux chandelles, près de la cheminée, dans une intime salle à manger. Plats du terroir à L'Alpage.

Mont-Blanc
29 r. Ambroise Martin, (pl. de l'Église) – ℰ 04 50 21 20 02
– www.hotelmontblanc.com – contact@hotelmontblanc.com
– Fax 04 50 21 45 28 – Fermé 19 avril-5 juin   AY **r**
40 ch – †260/360 € ††260/560 €, ⍽ 25 €
Rest *Les Enfants Terribles* – (fermé 1 sem. en sept., 2 sem. en nov., merc., jeudi et le midi en été) Menu (29 €) – Carte 68/100 €

♦ Mythique doyen des hôtels mégévans : "21ᵉ arrondissement de Paris" selon Cocteau, théâtre des Liaisons dangereuses version Vadim... Très jolies chambres personnalisées. Bar à champagne. Les Enfants Terribles, le restaurant-brasserie, vous ouvre ses portes.

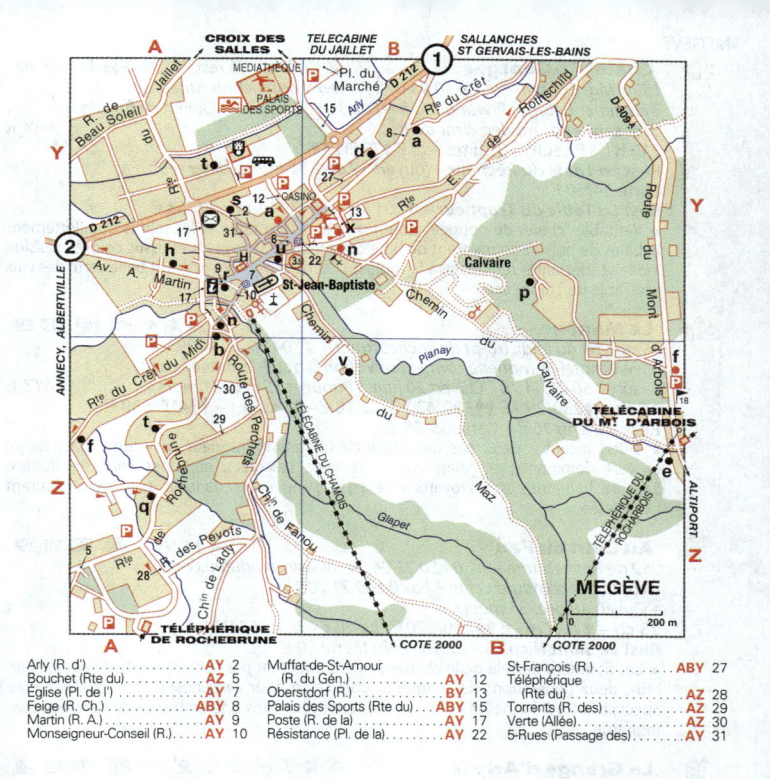

Arly (R. d')	**AY** 2	Muffat-de-St-Amour		
Bouchet (Rte du)	**AZ** 5	(R. du Gén.)	**AY** 12	
Église (Pl. de l')	**AY** 7	Oberstdorf (R.)	**BY** 13	
Feige (R. Ch.)	**ABY** 8	Palais des Sports (Rte du)	**ABY** 15	
Martin (R. A.)	**AY** 9	Poste (R. de la)	**AY** 17	
Monseigneur-Conseil (R.)	**AY** 10	Résistance (Pl. de la)	**AY** 22	

St-François (R.)	**ABY** 27
Téléphérique (Rte du)	**AZ** 28
Torrents (R. des)	**AZ** 29
Verte (Allée)	**AZ** 30
5-Rues (Passage des)	**AY** 31

Chalet du Mont d'Arbois

447 chemin de la Rocaille,
par rte Edmond de Rothschild – ℰ *04 50 21 25 03*
– www.chalet-montarbois.com – montarbois@relaischateaux.fr
– Fax 04 50 21 24 79 – Ouvert de mi-juin à mi- oct. et de mi-déc. à mi-avril   BY **p**
23 ch – ✝317/814 € ✝✝339/1024 €, ☲ 28 €
– 1 suite
Rest – *(fermé le midi en sem. et lundi sauf vacances scolaires)* Menu 60 € (dîner)
– Carte 80/130 €

♦ Vue sublime sur les sommets depuis ces chalets isolés sur le plateau du mont d'Arbois. Trophées de chasse, boiseries et beau mobilier y créent un cadre chaleureux et raffiné.
Spa zen. Élégant restaurant, terrasse d'été prisée, cuisine soignée et superbe carte des vins.

Chalet de Noémie
5 suites – ✝✝1000/4100 €, ☲ 28 €
♦ Les cinq luxueux appartements du Chalet de Noémie constituent une délicieuse annexe merveilleusement équipée.

Chalet d'Alice
7 ch – ✝484/1550 € ✝✝484/1550 €, ☲ 28 €
– 1 suite
♦ Des chambres ravissantes, un salon "cosy" et une rare collection de cannes et pipes appartenant aux Rothschild vous attendent en ce joli chalet à l'ancienne.

MEGÈVE

Chalet St-Georges
159 r. Mgr Conseil – ℰ 04 50 93 07 15 – www.hotel-chaletstgeorges.com
– chalet-st-georges@wanadoo.fr – Fax 04 50 21 51 18 – Ouvert de fin juin
à mi-sept. et de mi-déc. à mi-avril
21 ch (½ P seult) – 3 suites – ½ P 178/310 €
Rest *La Table du Pêcheur* – *(ouvert 19 déc.-31 mars) (dîner seult)*
Carte 34/60 €
Rest *La Table du Trappeur* – ℰ 04 50 21 15 73 – Carte 36/53 €

AY n

♦ Véritable "chalet de poupée" dont les petites chambres et les salons douillettement habillés de bois s'agrémentent de bibelots, meubles savoyards et tissus colorés. Cuisine iodée et spécialités régionales à la Table du Pêcheur. Viandes rôties et belle carte des vins à la Table du Trappeur.

Le Manège
15 rte Crêt du Midi, (rd-pt de Rochebrune) – ℰ 04 50 21 41 09
– www.hotel-le-manege.com – reservation@hotel-le-manege.com
– Fax 04 50 21 44 76 – Ouvert 20 juin-31 août et 15 déc.-31 mars
15 ch – ✝230/295 € ✝✝320/420 €, ⌑ 18 € – 18 suites – ✝✝410/630 €
Rest – Menu 26 € – Carte 35/55 €

AYZ b

♦ Hôtel récent à deux pas du centre de la station. Intérieur cosy (bois, tons rouge et vert dominants) et jolies chambres avec balcons ; certaines sont en duplex. Saveurs italiennes et savoyardes se passent le relais dans la salle de restaurant lambrissée.

Au Coin du Feu
252 rte Rochebrune – ℰ 04 50 21 04 94 – www.coindufeu.com
– contact@coindufeu.com – Fax 04 50 21 20 15
– Ouvert 18 déc.-31 mars
23 ch – ✝210/265 € ✝✝210/370 €, ⌑ 18 € – ½ P 155/235 €
Rest *Le Saint Nicolas* – *(dîner seult)* Menu 50 €

AZ t

♦ Les flambées dans la belle cheminée ne démentent pas l'enseigne... Intérieur chaleureux, deux générations de chambres (coin-salon pour certaines) et espaces bien-être. Spécialités traditionnelles et fromagères envoyées dans une ambiance de taverne montagnarde.

La Grange d'Arly
10 r. Allobroges – ℰ 04 50 58 77 88 – www.grange-darly.com
– contact@grange-darly.com – Fax 04 50 93 07 13
– Ouvert de fin juin à mi-sept. et de mi-déc. à fin mars
22 ch ⌑ – ✝138/183 € ✝✝159/302 € – ½ P 113/184 €
Rest – *(dîner seult)* Menu 18/33 €

AY t

♦ Chalet entouré de verdure, non loin d'un cours d'eau. Charmant décor mêlant le bois blond et les tissus colorés. Les chambres mansardées sont les plus agréables. Coquet restaurant – lambris clairs et étoffes aux couleurs du Midi – et recettes régionales.

Ferme du Golf sans rest
3048 rte Edmond-de-Rothschild – ℰ 04 50 21 14 62
– www.chalet-montarbois.com – ferme.golf@sfhm.fr – Fax 04 50 21 42 82
– Ouvert mi-juin-mi-sept. et mi-déc.-début avril
19 ch – ✝145/245 € ✝✝195/355 €, ⌑ 15 €

BZ e

♦ Au pied de la télécabine du mont d'Arbois, ancienne ferme de montagne aux chambres joliment rénovées, plus calmes côté vallée. Accueillant salon (cheminée, billard) ; jacuzzi.

La Chaumine sans rest
36 chemin des Bouleaux, par chemin du Maz – ℰ 04 50 21 37 05
– www.hotel-lachaumine-megeve.com
– lachauminemegeve@orange.fr – Fax 04 50 21 37 21
– Ouvert 27 juin-6 sept. et 19 déc.-31 mars
11 ch – ✝80/115 € ✝✝90/115 €, ⌑ 10 €

BZ v

♦ À 300 m du village et de la télécabine du Chamois, une ferme du 19e s. joliment restaurée à la mode montagnarde. Chambres coquettes et service snack le soir (plats locaux).

MEGÈVE

Au Cœur de Megève 🛜 |♣| & rest, 🆅🅸🆂🅰 ⓂⓄ 🅰🅴
44 av. Ch. Feige – ℰ *04 50 21 25 30 – www.hotel-megeve.com – info@
hotel-megeve.com – Fax 04 50 91 91 27*   AY u
36 ch – †90/250 € ††140/390 €, ⊇ 12 € – 7 suites
Rest – *(fermé merc. et jeudi hors saison)* Menu (17 €), 22 € (déj.), 33/40 €
– Carte 30/47 €
Rest *St-Jean* – *(ouvert mi-déc. à mars et fermé lundi soir hors vacances scolaires)*
(dîner seult) Carte 35/55 €
♦ Élégantes chambres rénovées dans le style savoyard ; certaines ont vue sur les sommets, d'autres sur un torrent. Au restaurant, recettes traditionnelles et régionales, salon de thé et terrasse estivale. Spécialités fromagères au Saint-Jean.

Au Vieux Moulin ♌ 🌀 |♣| & ℅ ⁽ⁿ⁾ 🅢 🅿 🆅🅸🆂🅰 ⓂⓄ 🅰🅴
188 r. A. Martin – ℰ *04 50 21 22 29 – www.vieuxmoulin.com
– hotelvieuxmoulin@orange.fr – Fax 04 50 93 07 91 – Ouvert 15 juin-15 sept. et
15 déc.-15 avril*   AY h
38 ch – †99/199 € ††99/390 €, ⊇ 13 €
Rest – *(dîner seult en hiver)* Menu (25 €), 32 €
♦ Ces deux chalets abritent des chambres rénovées dans un esprit montagnard, à la fois sobre et plaisant. Sauna, piscine et espace beauté agrémenteront votre séjour. Décoration actuelle, cheminée et bar à vins au restaurant. Plats traditionnels.

La Prairie sans rest 🚗 |♣| & ↩ ⁽ⁿ⁾ 🅢 🅿 🕋 🆅🅸🆂🅰 ⓂⓄ 🅰🅴 ①
407 r. Ch. Feige – ℰ *04 50 21 48 55 – www.hotellaprairie.com – contact@
hotellaprairie.com – Fax 04 50 21 42 13 – Ouvert 4 juin-22 sept. et 13 déc.- 26 avril*
39 ch ⊇ – †95/240 € ††95/240 €   BY d
♦ Aux portes de la station, chambres pratiques souvent dotées de balcons, plus actuelles et chaleureuses à l'annexe. Carte de type snack (avec plats montagnards) disponible 24h sur 24.

Le Gai Soleil ≤ 🌀 ⏚ ⁽ⁿ⁾ 🅿 🕋 🆅🅸🆂🅰 ⓂⓄ 🅰🅴
rte Crêt du Midi – ℰ *04 50 21 00 70 – www.le-gai-soleil.fr – info@le-gai-soleil.fr
– Fax 04 50 21 57 63 – Ouvert 6 juin-26 sept. et 20 déc.-11 avril*   AZ f
21 ch ⊇ – †82/130 € ††115/175 € – ½ P 76/112 €
Rest – *(dîner seult)* Menu 30/50 €
♦ Ce chalet des années 1920 est fréquenté par une clientèle de fidèles conquise par son cachet et les bienfaits de son minifitness. Chambres plus tranquilles sur l'arrière. Sympathique restaurant rustique, plats régionaux et menus montagnards les lundis et jeudis.

Alp'Hôtel 🚗 ℅ rest, 🅿 🆅🅸🆂🅰 ⓂⓄ
434 rte de Rochebrune – ℰ *04 50 21 07 58 – www.alp-hotel.fr – alp.hotel@
wanadoo.fr – Fax 04 50 21 13 82 – Ouvert 1ᵉʳ juil.-20 sept. et 20 déc.-15 avril*
18 ch – †47/88 € ††59/88 €, ⊇ 8,50 € – ½ P 59/75 €   AZ q
Rest – *(fermé le midi en hiver)* Menu 22 €
♦ À mi-chemin du centre du village et du téléphérique de Rochebrune, ce chalet traditionnel mise sur la simplicité d'un cadre rustique et chaleureux. Tenue irréprochable. Cuisine familiale soignée et spécialités du pays.

Le Chalet de l'Ancolie 🚗 ⁽ⁿ⁾ 🆅🅸🆂🅰 ⓂⓄ
1295 rte de Sallanches, (à Demi-Quartier), 2,5 km par ① *–* ℰ *04 50 21 21 37
– www.chalet-ancolie.com – contact@chalet-ancolie.com – Fax 04 50 58 95 06
– Fermé 19-30 avril et 3 nov.-4 déc.*
10 ch – †50/105 € ††55/120 €, ⊇ 8 € – ½ P 60/100 €
Rest – *(dîner seult)* Menu 22 €, 30/38 €
♦ Avenant petit hôtel bordant la route menant à la station. Intérieur entièrement rénové dans un esprit alpin, sobre et frais ; chambres lambrissées plus calmes sur l'arrière. À table, carte traditionnelle assortie de quelques spécialités montagnardes.

Les Oyats sans rest ♌ & ↩ ℅ 🅿
771 chemin de Lady, au Sud – ℰ *04 50 21 11 56 – www.lesoyats.fr – lesoyats3@
wanadoo.fr – Fermé de mi-avril à mi-mai*
3 ch ⊇ – †75 € ††86 €
♦ Cette ferme familiale atypique cumule les atouts : décor "tout bois" et solide mobilier faits maison, chambres dotées de terrasses avec vue sur le hameau, cuisine ouverte sur l'écurie où logent deux ânesses, etc.

MEGÈVE

Taverne du Mont d'Arbois
2811 rte Edmond de Rothschild – ℰ 04 50 21 03 53 – www.chalet-montarbois.com – taverne-sehtma@sfhm.fr – Fax 04 50 58 93 02 – Fermé mai, nov., mardi et merc. sauf vacances scolaires BZ f
Rest – *(dîner seult)* Menu 38/58 € bc – Carte 39/85 €
Rest *L'Atelier* – *(ouvert 15 déc.-15 avril) (dîner seult)* Menu 40/55 €
♦ Il règne une sympathique atmosphère montagnarde dans ce chalet : chaleureux cadre "paysan", recettes traditionnelles actualisées et plats rôtis sous vos yeux dans la cheminée. À l'Atelier, cadre tendance, rustique et contemporain, et cuisine inventive présentée sur ardoise.

Flocons Village
75 r. St-François – ℰ 04 50 78 35 01 AY a
Rest – Menu (20 €), 28 €
♦ Au cœur du vieux village, une ferme du 19ᵉ s. à l'âme montagnarde, dotée de deux salles rustiques décorées avec soin. Bons petits plats traditionnels et du terroir.

Le Puck
31 r. Oberstdorf – ℰ 04 50 21 06 61 – Fax 04 50 93 88 53 – Fermé le soir du 16 avril au 30 juin, lundi soir et dim. BY x
Rest – Menu (25 €), 30 € – Carte 31/52 €
♦ Un nom qui désigne le palet des hockeyeurs pour ce restaurant installé à la patinoire centrale. Décor moderne aux tons gris, terrasse bien exposée et cuisine de brasserie.

Le Vieux Megève
58 pl. de la Résistance – ℰ 04 50 21 16 44 – Fax 04 50 93 06 69 – Ouvert 11 juil.-31 août et 11 déc.-30 mars BY n
Rest – Carte 30/45 €
♦ Ce chalet (1880) cultive la nostalgie du Megève des origines : qualité de l'accueil, boiseries patinées, grande cheminée, linge à l'ancienne et spécialités régionales.

Le Crystobald
489 rte Nationale, par ① – ℰ 04 50 21 26 82 – lecrystobald@orange.fr – Fermé 15 juin-3 juil., 23 nov.-17 déc., dim. soir, lundi et mardi hors saison
Rest – Menu (16 €), 20 € (déj.), 32/45 € – Carte 37/60 €
♦ Une agréable ambiance rustique règne sur ce chalet familial, qui propose une cuisine actuelle bien maîtrisée. Salle à manger en bois clair, terrasse, et service charmant.

au sommet du Mont d'Arbois par télécabine du Mt d'Arbois ou télécabine de la Princesse - ⊠ 74170 St-Gervais

L'Igloo
3120 rte des Crêtes – ℰ 04 50 93 05 84 – www.ligloo.com – igloo2@wanadoo.fr – Fax 04 50 21 02 74 – Ouvert 25 juin-10 sept. et 17 déc.-20 avril
12 ch (½ P seult) – ½ P 137/221 €
Rest – Carte 50/65 € déjeuner seulement
♦ Au point de rencontre de trois téléphériques, une vue exceptionnelle sur le massif du Mont-Blanc. Mobilier choisi, jacuzzi et sauna ajoutent à l'agrément du lieu. Panorama époustouflant depuis la terrasse du restaurant. Également, self-service pour skieurs.

L'idéal
– ℰ 04 50 21 31 26 – www.chalet-montarbois.com – _ideal-sehtma@shm.fr – Fax 04 50 93 02 63 – Ouvert mi déc.-mi avril
Rest – *(déj. seult)* Carte 37/77 €
♦ Une ancienne ferme d'alpage devenue le restaurant d'altitude le plus chic de la station. Paysage remarquable, vaste terrasse et plats montagnards sont au rendez-vous.

à la Côte 2000 8 km au Sud-Est par rte Edmond de Rothschild - BZ – ⊠ 74120 Megève

Côte 2000
3461 rte de la Côte 2000 – ℰ 04 50 21 31 84 – c2000-sehtma@sfhm.fr – Fax 04 50 21 59 25 – Ouvert 2 juil.-9 sept. et 16 déc.-30 avril
Rest – Carte 45/70 €
♦ Ce superbe chalet autrichien (propriété des Rothschild) fut démonté puis reconstruit ici, pièce par pièce, dans les années 1960. Vaste terrasse panoramique et carte régionale.

MEGÈVE

à Leutaz 4 km au Sud-Ouest par rte du Bouchet AZ – ⊠ **74120 Megève**

Flocons de Sel (Emmanuel Renaut) avec ch
1775 rte de Leutaz – ℘ *04 50 21 49 99*
– www.floconsdesel.com – flocons.de.sels@wanadoo.fr – Fax 04 50 21 68 22
– Fermé juin, 4 nov.-10 déc., mardi midi et merc. midi
6 ch – †300/600 € ††300/600 €, ⊇ 20 €
Rest – Menu (35 €), 65 € (déj.)/120 € – Carte 100/160 €
Spéc. Ecrevisses du lac Léman au jus de maïs et coriandre. Féra du lac Léman, pâte de cresson et quinoa tiède (mi-janv. à fin oct.). Ballon chocolat-gentiane. **Vins** Roussette de Savoie, Mondeuse d'Arbin.
♦ Emmanuel Renaut s'est installé dans un nouveau lieu, constitué d'un ensemble de chalets, en pleine nature. Cadre montagnard et sobre. Délicieuse cuisine créative. Confortables chambres de style contemporain.

La Sauvageonne
– ℘ *04 50 91 90 81 – Fax 04 50 58 75 44 – Ouvert 12 juil.-14 sept. et 4 déc.-16 avril*
Rest – Menu 30 € (déj.) – Carte 65/100 €
♦ Cette ferme de 1907 abrite une coquette salle à manger (tableaux de bois sculptés représentant des paysages alpins) et un superbe salon avec cave à cigares. Clientèle tendance "showbiz".

Le Refuge
2615 rte du Leutaz – ℘ *04 50 21 23 04 – www.refuge-megeve.com*
– Fax 04 50 91 99 76 – Fermé 10 juin-10 juil., 15 oct.-15 nov., mardi hors saison, lundi et merc.
Rest – Menu (22 €), 27 € – Carte 42/53 €
♦ Un bien charmant "refuge" perché sur les hauteurs de la station. Influences montagnardes tant pour le décor que dans l'assiette, simple et goûteuse. Grande terrasse panoramique.

MEILLARD – 03 Allier – 326 G4 – 249 h. – alt. 340 m – ⊠ 03500   5 **B1**
◘ Paris 319 – Clermont-Fd 86 – Mâcon 149 – Montluçon 68 – Moulins 27 – Nevers 82

L'Auberge Gourmande
au bourg – ℘ *04 70 42 06 09 – auberge.gourmande@wanadoo.fr – Fermé 5-17 avril, 20 déc.-8 janv., dim. soir, lundi et merc.*
Rest – *(prévenir)* Menu 32/56 € – Carte 50/66 €
♦ L'ancienne école du village abrite cette jolie petite auberge. Décoration intérieure champêtre. On admire l'église du 12ᵉ s. de la terrasse. Carte à tendance actuelle. Aire de jeux.

MEILLONNAS – 01 Ain – 328 F3 – 1 286 h. – alt. 271 m – ⊠ 01370   44 **B1**
◘ Paris 432 – Bourg-en-Bresse 12 – Mâcon 47 – Nantua 37 – Oyonnax 46

Auberge Au Vieux Meillonnas
Le Mollard – ℘ *04 74 51 34 46 – www.auvieuxmeillonnas.fr*
– auvieuxmeillonnas@orange.fr – Fax 04 74 51 34 46
– Fermé 19 août-2 sept., 28 oct.-4 nov., 17-24 fév., mardi soir, dim. soir et merc.
Rest – Menu 16 € (sem.)/35 € – Carte 24/53 €
♦ Cette ferme bressane plutôt simple offre un chaleureux accueil. Cuisine régionale et salle à manger rustique ouverte sur une terrasse ombragée et un jardin.

MEISENTHAL – 57 Moselle – 307 P5 – 770 h. – alt. 380 m – ⊠ 57960   27 **D2**
◘ Paris 440 – Haguenau 47 – Sarreguemines 38 – Saverne 40 – Strasbourg 62

Auberge des Mésanges
r. des Vergers – ℘ *03 87 96 92 28 – www.aubergedesmesanges.com*
– hotel-restaurant.auberge-mesanges@orange.fr – Fax 03 87 96 99 14 – Fermé 24 déc.-2 janv., 12 fév.-1ᵉʳ mars
20 ch – †44/49 € ††51/59 €, ⊇ 8,50 € – ½ P 51/60 €
Rest – *(fermé mardi midi, dim. soir et lundi)* Menu 11 € (déj. en sem.)/30 €
♦ Au cœur du Parc naturel des Vosges du Nord, auberge familiale sans prétention, occupant une maison centenaire à la lisière de la forêt. Petites chambres fonctionnelles. Grande salle rustique pour une cuisine traditionnelle (tartes flambées le soir).

1061

MÉJANNES-LÈS-ALÈS – 30 Gard – **339** J4 – rattaché à Alès

MÉLISEY – 70 Haute-Saône – **314** H6 – 1 730 h. – alt. 330 m – ⌧ 70270   17 **C1**
■ Franche-Comté Jura

- Paris 397 – Belfort 33 – Besançon 92 – Épinal 63 – Lure 13 – Luxeuil-les-Bains 22
- Office de tourisme, place de la Gare ✆ 03 84 63 22 80, Fax 03 84 63 26 94

La Bergeraine
27 rte des Vosges – ✆ 03 84 20 82 52 – www.labergeraine.fr – labergeraine@wanadoo.fr – Fax 03 84 20 04 47 – Fermé dim. soir, mardi soir et merc. sauf fériés
Rest – Menu (18 €), 25/90 € – Carte 40/74 €
◆ En bord de route, à la sortie d'un bourg du plateau des Mille Étangs, petite maison aux abords fleuris. Cuisine actuelle servie dans un nouveau décor alliant bois, eau et verre.

MELLE – 79 Deux-Sèvres – **322** F7 – 3 659 h. – alt. 138 m – ⌧ 79500   39 **C2**

- Paris 394 – Niort 30 – Poitiers 60 – St-Jean-d'Angély 45
- Office de tourisme, 3, rue Émilien Traver ✆ 05 49 29 15 10, Fax 05 49 29 19 83

L'Argentière
à St-Martin, sur rte Niort : 2 km – ✆ 05 49 29 13 22 – www.largentiere.com – hotel-restaurant.largentiere@wanadoo.fr – Fax 05 49 29 06 63 – Fermé vend. soir du 15 nov. au 15 mars
25 ch – †47/51 € ††49/55 €, ⌧ 7 € – ½ P 59/63 €
Rest *La Table de L'Argentière* – ✆ 05 49 29 13 74 (fermé dim. soir et lundi midi) Menu 16 € (sem.)/47 € – Carte 47/59 €
◆ L'enseigne évoque les anciennes mines d'argent. Les pavillons de plain-pied, égayés de colonnes antiquisantes, abritent de petites chambres colorées (plus calmes sur le patio intérieur). Le restaurant, au cadre soigné, propose une cuisine de tradition.

Les Glycines avec ch
5 pl. R.-Groussard – ✆ 05 49 27 01 11 – www.hotel-lesglycines.com – contact@hotel-lesglycines.com – Fax 05 49 27 93 45 – Fermé 11-24 janv. et dim. soir sauf en juil.-août
7 ch – †42/55 € ††49/63 €, ⌧ 7,50 € – ½ P 53/62 €
Rest – Menu (18 €), 25/43 € – Carte 60/70 €
◆ La jolie véranda de ce restaurant cache une salle à manger cossue, au décor contemporain. Cuisine traditionnelle revisitée ; menu du jour à la brasserie. Chambres coquettes.

MELUN P – 77 Seine-et-Marne – **312** E4 – 38 000 h. – Agglo. 107 705 h.   19 **C2**
– alt. 43 m – ⌧ 77000 ■ Île de France

- Paris 47 – Fontainebleau 18 – Orléans 104 – Troyes 128
- Office de tourisme, 18, rue Paul Doumer ✆ 01 64 52 64 52, Fax 01 60 56 54 31
- U.C.P.A. Bois-le-Roi à Bois-le-Roi Base de loisirs, par rte de Fontainebleau : 8 km, ✆ 01 64 81 33 31
- de Greenparc à Saint-Pierre-du-Perray Route de Villepècle, par rte de Cesson : 15 km, ✆ 01 60 75 40 60
- Blue Green Golf de Villeray à Saint-Pierre-du-Perraypar rte de Corbeil : 21 km, ✆ 01 60 75 17 47
- Portail ★ de l'église St-Aspais.
- Vaux-le-Vicomte : château★★ et jardins★★★ 6 km par ②.

Plan page ci-contre

Le Mariette
31 r. St-Ambroise – ✆ 01 64 37 06 06 – www.lemariette.fr – restaurant@lemariette.fr – Fax 01 64 37 00 47 – Fermé août, lundi soir, sam. midi et dim.
Rest – Menu (28 €), 36/60 € – Carte 57/78 €   AZ **a**
◆ Façade, murs intérieurs et vivier à homards : le bleu domine dans le décor de ce restaurant où la cuisine actuelle fait la part belle aux produits de saison et du marché.

LE MÉE-SUR-SEINE

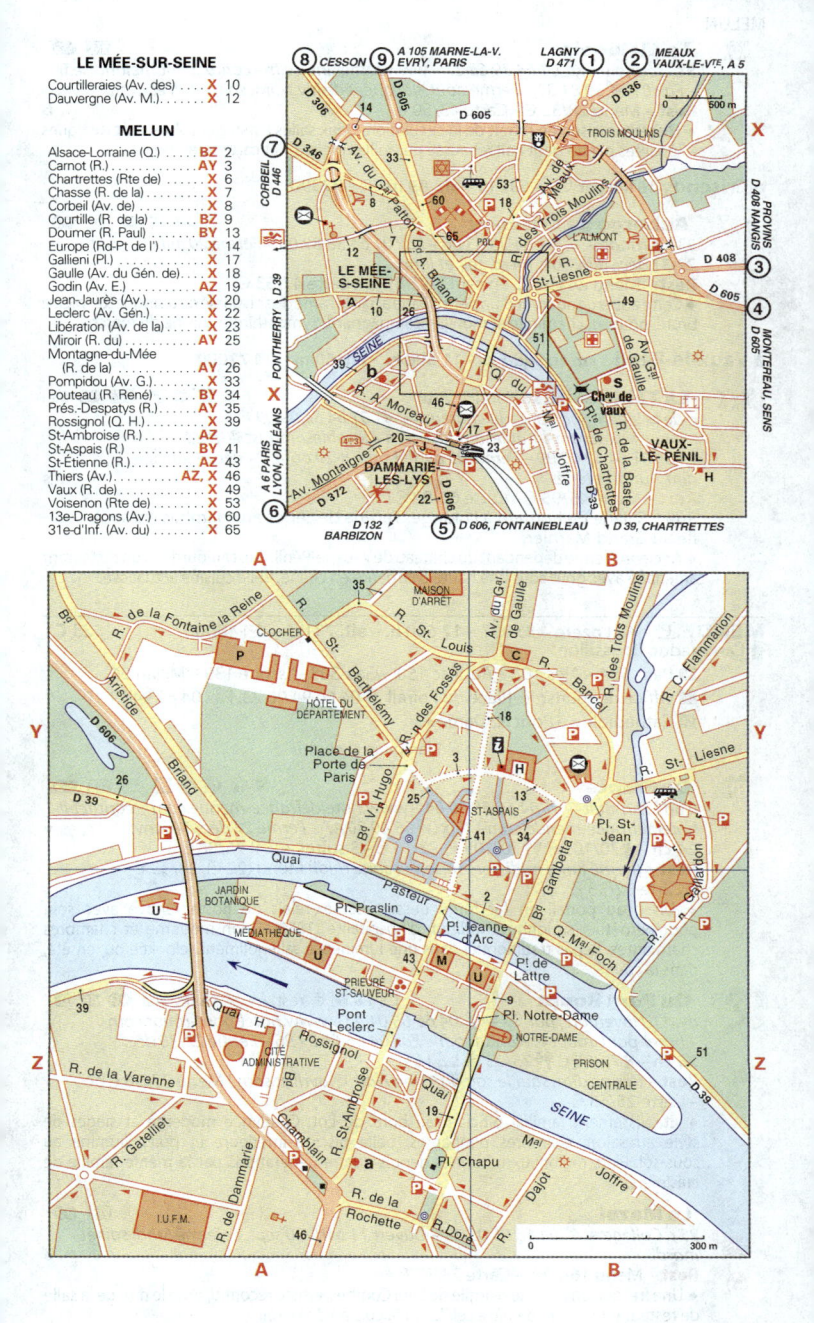

Courtilleraies (Av. des)	X	10
Dauvergne (Av. M.)	X	12

MELUN

Alsace-Lorraine (Q.)	BZ	2
Carnot (R.)	AY	3
Chartrettes (Rte de)	X	6
Chasse (R. de la)	X	7
Corbeil (Av. de)	X	8
Courtille (R. de la)	BZ	9
Doumer (R. Paul)	BY	13
Europe (Rd-Pt de l')	X	14
Gallieni (Pl.)		17
Gaulle (Av. du Gén. de)	X	18
Godin (Av. E.)	X	19
Jean-Jaurès (Av.)	X	20
Leclerc (Av. Gén.)	X	22
Libération (Av. de la)	X	23
Miroir (R. du)	AY	25
Montagne-du-Mée (R. de la)	AY	26
Pompidou (Av. G.)	X	33
Pouteau (R. René)	BY	34
Prés.-Despatys (R.)	AY	35
Rossignol (Q. H.)	X	39
St-Ambroise (R.)	AZ	
St-Aspais (R.)	BY	41
St-Étienne (R.)	AZ	43
Thiers (Av.)	AZ, X	46
Vaux (R. de)	X	49
Voisenon (Rte de)	X	53
13e-Dragons (Av.)	X	60
31e-d'Inf. (Av. du)	X	65

MELUN

La Melunoise
XX   VISA ⦿

5 r. Gâtinais – ℰ *01 64 39 68 27 – www.lamelunoise.fr – contact@lamelunoise.fr – Fax 01 64 39 81 81 – Fermé août, vacances de fév., dim. soir, lundi et mardi*
Rest – Menu 28/35 € – Carte 43/50 €   X b
♦ Discrète maison en retrait de la circulation. Deux salles à manger sobrement rustiques – séparées par un petit hall rehaussé de vieilles pierres – et carte traditionnelle.

à Crisenoy 10 km par ② – 632 h. – alt. 89 m – ⌧ 77390

Auberge de Crisenoy
XXX   🚗 🏡 ⇔ VISA ⦿

23 r. Grande – ℰ *01 64 38 83 06 – Fax 01 64 38 89 06 – Fermé 20 juil.-10 août, 22-31 déc., dim. soir, merc. soir et lundi*
Rest – Menu 24 € (déj. en sem.), 32/49 € – Carte 42/53 €
♦ Cette auberge au cœur d'un petit village a gardé l'âme de son passé de guinguette : pierre brute, poutres, cheminée et mobilier campagnard. Sympathique cuisine du marché.

à Vaux-le-Pénil 3 km au Sud-Est – 11 500 h. – alt. 60 m – ⌧ 77000

La Table St-Just (Fabrice Vitu)
XXX   🏡 ⇔ P VISA ⦿ AE
❀

r. de la Libération, (près du château) – ℰ *01 64 52 09 09 – www.restaurant-latablesaintjust.com – latablesaintjust@free.fr – Fax 01 64 52 09 09 – Fermé 25 avril-3 mai, 8-29 août, 24 déc.-4 janv., dim., lundi et fériés*   X s
Rest – Menu 45/95 € – Carte 62/82 € ❀
Spéc. Salade de homard à l'orange. Terrine de cèpes aux gambas (saison). Soufflé au Grand-Marnier.
♦ Ancienne ferme dépendant du château de Vaux-le-Pénil. C'est aujourd'hui un restaurant aménagé avec goût sous une haute charpente en chêne. Belle cuisine actualisée.

MENDE P – 48 Lozère – 330 J7 – 12 600 h. – alt. 731 m – ⌧ 48000   23 C1
▮ Languedoc Roussillon

▸ Paris 584 – Alès 102 – Aurillac 150 – Gap 305 – Issoire 139 – Millau 96
▮ Office de tourisme, Place du Foirail ℰ 04 66 94 00 23, Fax 04 66 94 21 10
◉ Cathédrale★ - Pont N.-Dame★.

Plan page ci-contre

De France
🏨   🏡 ℅ 📞 🛁 P 🚭 VISA ⦿

9 bd L. Arnault – ℰ *04 66 65 00 04 – www.hoteldefrance-mende.com – contact@hoteldefrance-mende.com – Fax 04 66 49 30 47 – Fermé 27 déc.-14 janv.*   v
24 ch – †70/105 € ††70/105 €, ⌧ 10 € – 3 suites – ½ P 75/88 €
Rest – *(fermé lundi midi hors saison et sam. midi)* Menu (22 €), 28/35 € – Carte 32/38 €
♦ Un beau portail en fer forgé dessert cet ex-relais de poste rénové avec soin pour perpétuer sa longue tradition d'hospitalité (1856). Salon moderne et chambres charmantes. Repas traditionnel dans une lumineuse salle joliment relookée ou, en été, dans la cour.

Du Pont Roupt
🏨   🅵 🏊 & rest, ⇔ 🛌 🛁 P VISA ⦿ AE ①

av. 11-Novembre, par ③ – ℰ *04 66 65 01 43 – www.hotel-pont-roupt.com – hotel-pont-roupt@wanadoo.fr – Fax 04 66 65 22 96 – Fermé 22-30 déc.*
26 ch – †75/85 € ††75/93 €, ⌧ 11 €
Rest – *(fermé dim. sauf le soir du 1ᵉʳ nov. au 1ᵉʳ avril et sam.)* Menu 27/56 € bc – Carte 25/65 €
♦ Établissement familial officiant au bord du Lot. Cheminée moderne et sièges de style au salon, chambres pimpantes, belle piscine intérieure et puits illuminé au sous-sol. Plats régionaux mitonnés depuis quatre générations par la même famille de cuisiniers.

Le Mazel
X   VISA ⦿
☕
25 r. Collège – ℰ *04 66 65 05 33 – Ouvert 11 avril-30 sept. et fermé lundi soir et mardi*   a
😊 **Rest** – Menu 16/29 € – Carte 23/37 €
♦ Une fresque en mousse d'argile de Loul Combes, artiste reconnu, orne le mur de la salle de restaurant : œuvre de terre célébrant la cuisine du terroir.

MENDE

Aigues-Passes (R. d')	2
Ange (R. de l')	3
Angiran (R. d')	4
Arjal (R. de l')	5
Beurre (Pl. au)	6
Blé (Pl. au)	7
Britexte (Bd)	8
Capucins (Bd des)	9
Carmes (R. des)	10
Chanteronne (R. de)	12
Chaptal (R.)	13
Chastel (R. du)	14
Collège (R. du)	18
Droite (R.)	19
Écoles (R. des)	20
Épine (R. de l')	21
Estoup (Pl. René)	22
Gaulle (Pl. Ch.-de)	23
Montbel (R. du Fg)	24
Piencourt (Allée)	25
Planche (Pont de la)	26
Pont N.-Dame (R. du)	27
République (Pl. et R.)	30
Roussel (Pl. Th.)	32
Soubeyran (Bd du)	33
Soubeyran (R.)	34
Soupirs (Allée des)	36
Urbain V (Pl.)	37

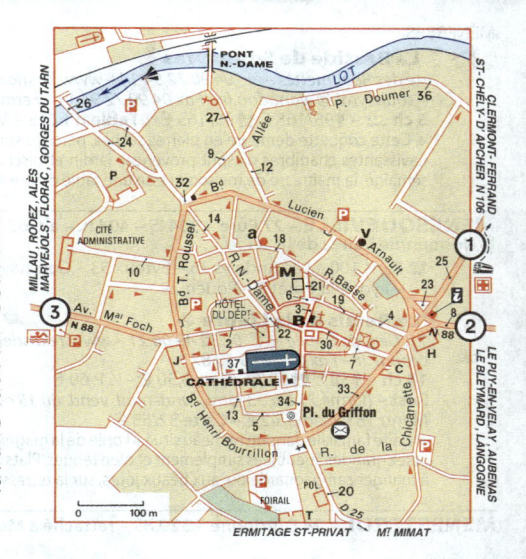

à Chabrits 5 km au Nord-Ouest par ③ et D 42 – ✉ 48000 Mende

La Safranière
hameau de Chabrits – ☎ 04 66 49 31 54 – restaurant-la-safraniere@orange.fr – Fax 04 66 49 31 54 – Fermé 1er-15 mars, 7-13 sept., 15-28 fév., merc. midi sauf juil.-août, dim. soir et lundi
Rest – (prévenir) Menu 23 € (sem.)/50 €
♦ Sur les premières marches du Gévaudan, anciennes étables où l'on goûte de la cuisine actuelle dans un joli décor contemporain. Bon petit choix de vins et fromages régionaux.

MÉNERBES – 84 Vaucluse – 332 E11 – 1 157 h. – alt. 224 m – ✉ 84560   42 **E1**
Provence

▶ Paris 713 – Aix-en-Provence 59 – Apt 23 – Avignon 40 – Carpentras 34 – Cavaillon 16

◉ ≤★ de la terrasse de l'église.

La Bastide de Marie
rte de Bonnieux – ☎ 04 90 72 30 20 – www.c-h-m.com – contact@labastidedemarie.com – Fax 04 90 72 54 20 – Ouvert 9 avril-3 nov.
14 ch (½ P seult) – 5 suites – ½ P 270/375 €
Rest – menu 85 € bc (dîner) – Carte 38/65 € déjeuner seulement
♦ Cette superbe bastide encerclée par les vignes reflète l'esprit de la Provence. Pierres apparentes, meubles anciens, nobles tissus apportent à chaque chambre sa personnalité. Élégante salle à manger, véranda d'été et charmante terrasse pour apprécier une cuisine régionale.

Hostellerie Le Roy Soleil
rte des Beaumettes – ☎ 04 90 72 25 61 – www.roy-soleil.com – reservation@roy-soleil.com – Fax 04 90 72 36 55 – Hôtel : fermé 5 janv.-1er mars, rest : ouvert 1er mai-15 oct.
18 ch – †90/170 € ††110/245 €, ⊡ 19 € – 3 suites
Rest – Menu (28 € bc), 38/45 € – Carte environ 70 €
♦ Mas du 17e s. restauré amoureusement, dans les couleurs du pays (bleu, blanc, ocre rouge). Chambres provençales tournées vers le patio-jardin. Cuisine actuelle servie sous les belles voûtes de la salle à manger ou sur une terrasse fleurie.

MÉNERBES

La Bastide de Soubeyras

rte des Beaumettes – ℰ 04 90 72 94 14 – www.bastidesoubeyras.com
– soubeyras@wanadoo.fr – Fax 04 90 72 94 14 – Fermé fév.
5 ch ⊡ – †95/165 € ††95/165 €   **Table d'hôte** – Menu 35 € bc

♦ Cette coquette demeure en pierres sèches, perchée sur une colline, domine le village. Ravissantes chambres d'esprit provençal, jardin et piscine pour la détente. Un soir par semaine, la maîtresse de maison dresse une table d'hôte aux saveurs du Luberon.

MÉNESQUEVILLE – 27 Eure – 304 I5 – 404 h. – alt. 65 m – ⊠ 27850   33 **D2**
Normandie Vallée de la Seine

▶ Paris 100 – Les Andelys 16 – Évreux 53 – Gournay-en-Bray 33 – Lyons-la-Forêt 8 – Rouen 29

Le Relais de la Lieure

1 r. Gén. de Gaulle – ℰ 02 32 49 06 21 – www.relaisdelalieure.com – relais.lieure@orange.fr – Fax 02 32 49 53 87
14 ch – †58 € ††58/66 €, ⊡ 8,50 € – ½ P 60 €
Rest – (fermé 21 déc.-3 janv., lundi midi, vend. du 15 oct. au 1er avril et le dim. soir) Menu 16 € (sem.)/42 € – Carte 32/53 €

♦ Halte familiale dans un hameau situé à l'orée de la magnifique forêt de Lyons. Chambres assez grandes, meublées simplement et bien tenues. Plats traditionnels servis dans la salle à manger campagnarde ou, aux beaux jours, sur la terrasse dressée sous véranda.

MENESTEROL – 24 Dordogne – 329 B5 – rattaché à Montpon-Ménestérol

---

MENESTREAU-EN-VILLETTE – 45 Loiret – 318 J5 – rattaché à La Ferté-St-Aubin

---

LE MÉNIL – 88 Vosges – 314 I5 – rattaché au Thillot

LA MÉNITRÉ – 49 Maine-et-Loire – 317 H4 – 1 899 h. – alt. 21 m   35 **C2**
– ⊠ 49250

▶ Paris 301 – Angers 27 – Baugé 23 – Saumur 26

🛈 Syndicat d'initiative, place Léon Faye ℰ 02 41 45 67 51

Auberge de l'Abbaye

Le Port St-Maur – ℰ 02 41 45 64 67 – lasjuilliarias.jeanluc@neuf.fr
– Fax 02 41 57 69 75 – Fermé dim. soir, lundi et mardi
Rest – Menu (19 €), 36/52 € – Carte 45/60 €

♦ Plaisant cadre actuel "avec vue" dans cette maison établie sur une levée de la Loire. Cuisine privilégiant les produits régionaux (poissons du fleuve et légumes frais).

LA MÉNOUNIÈRE – 17 Charente-Maritime – 324 B4 – voir à île d'Oléron

---

MENTHON-ST-BERNARD – 74 Haute-Savoie – 328 K5 – 1 659 h.   46 **F1**
– alt. 482 m – ⊠ 74290   Alpes du Nord

▶ Paris 548 – Albertville 37 – Annecy 10 – Bonneville 50 – Megève 52 – Talloires 4 – Thônes 14

🛈 Office de tourisme, Chef-lieu ℰ 04 50 60 14 30, Fax 04 50 60 22 19

◉ Château de Menthon★ : ≼ E : 2 km.

Palace de Menthon

665 rte des Bains – ℰ 04 50 64 83 00
– www.palacedementhon.com – reception@palacedementhon.com
– Fax 04 54 64 83 81
63 ch – †85/99 € ††130/170 €, ⊡ 15 € – 2 suites – ½ P 93/135 €
Rest – Menu (25 € bc), 35/40 €
Rest *Palace Beach* – (ouvert début mai-fin sept.) Menu (30 €), 35 €

♦ Hôtel (1911) fraîchement rénové, à la vue imprenable sur le lac et le château. On profite d'un grand parc et de chambres confortables garnies de mobilier de style ou Art déco. Le restaurant sert une carte actuelle dans des salons feutrés et élégants. Au Palace Beach, décor mauresque et terrasse donnant sur l'eau.

1066

MENTHON-ST-BERNARD

🏠 **Beau Séjour** sans rest 🍃 🚗 **P**
161 allée Tennis – ✆ 04 50 60 12 04 – www.hotelbeausejour-menthon.com
– h.beau-sejour@laposte.net – Fax 04 50 60 05 56 – Ouvert 15 avril-fin sept.
18 ch – †69 €/69/77 €, ⊑ 8 €
♦ À 100 m du lac, cette paisible villa entourée d'un jardin fleuri possède un charme rétro. Chambres campagnardes, rajeunies par étapes, mobilier varié et quelques balcons.

🏠 **La Vallombreuse** sans rest 🍃   🚗 📶 **P** **VISA** 🅾️
534 rte Moulins, 700 m. à l'Est par rte du Col de Bluffy – ✆ 04 50 60 16 33
– www.la-vallombreuse.com – contact@la-vallombreuse.com
– Fax 04 50 64 88 87
5 ch ⊑ – †67/122 € ††75/130 €
♦ Au calme d'un jardin, belle maison forte du 15ᵉ s. abritant de vastes chambres garnies de meubles d'antiquaires, savoyards ou de style. Expositions de tableaux dans les salons.

MENTON – 06 Alpes-Maritimes – **341** F5 – 27 300 h. – Casino : du Soleil **AZ**   42 **E2**
– ✉ 06500 ▮ Côte d'Azur

▶ Paris 956 – Cannes 63 – Cuneo 102 – Monaco 11 – Nice 30
🛈 Office de tourisme, 8, avenue Boyer ✆ 04 92 41 76 76, Fax 04 92 41 76 78
👁 Site★★ - Vieille ville★★ : Parvis St-Michel★★, Façade★ de la Chapelle de la Conception **BY** B – ≤★ du cimetière Anglais **BX** D - Promenade du Soleil★★, ≤★ de la jetée Impératrice-Eugénie **BV** - Jardin de Menton★ : le Val Rameh★ **BV** E - Salle des mariages★ de l'hôtel de Ville **BY** H - Musée des Beaux-Arts★ (palais Carnolès) **AX** M¹.
🌿 Jardin Hanbury★★ à Vintimille, O : 2 km.

Plans pages suivantes

🏨 **Riva** sans rest ≤ 🛗 ♿ 🆒 🎣 📶 🚗 **VISA** 🅾️ 🆎 ⓘ
600 promenade du Soleil – ✆ 04 92 10 92 10 – rivahotel.com – contact@
rivahotel.com – Fax 04 93 28 87 87   **CZ n**
40 ch – †88/119 € ††88/119 €, ⊑ 11 €
♦ Sur le front de mer, hôtel balnéaire récent avec solarium, jacuzzi et restaurant d'été sur le toit. Chambres toutes refaites ; balcons face à la grande bleue ou la montagne.

🏨 **Napoléon** ≤ 🍽 ⛱ 🛗 ♿ ch, 🆒 🎣 📶 🆘 **P** **VISA** 🅾️ 🆎 ⓘ
29 Porte de France – ✆ 04 93 35 89 50 – www.napoleon-menton.com – info@
napoleon-menton.com – Fax 04 93 35 49 22   **BU a**
43 ch – †69/149 € ††94/149 €, ⊑ 14 € – 1 suite
Rest – (fermé 15 nov.-15 déc., dim. soir et lundi hors saison) Carte 37/59 €
♦ L'élégant décor contemporain des chambres rend hommage à des artistes ayant séjourné à Menton (Cocteau, Sutherland...). Celles qui ont vue sur mer possèdent une belle terrasse en teck. Le restaurant de plage propose poissons grillés, barbecues et une riche carte de glaces.

🏨 **Princess et Richmond** ≤ 🧖 🛗 🆒 🎣 📶 **P** 🚗 **VISA** 🅾️ 🆎 ⓘ
617 promenade du Soleil – ✆ 04 93 35 80 20 – www.princess-richmond.com
– princess.hotel@orange.fr – Fax 04 93 57 40 20
– Fermé 1ᵉʳ nov.-12 déc.   **CZ s**
46 ch – †88/135 € ††88/135 €, ⊑ 11 €
Rest – (fermé lundi midi, merc. midi et mardi) Menu (26 €), 33 €
– Carte environ 37 €
♦ Plage de galets au pied de l'hôtel, salon façon paquebot, toit-solarium et jacuzzi panoramiques, confortables chambres dont certaines avec vue : la grande bleue à l'honneur !

🏨 **L'Aiglon** 🚗 🍽 ⛱ 🛗 🆒 ch, **P** **VISA** 🅾️ 🆎 ⓘ
7 av. Madone – ✆ 04 93 57 55 55 – www.hotelaiglon.net – aiglon.hotel@
wanadoo.fr – Fax 04 93 35 92 39 – Fermé 23 nov.-20 déc.   **CZ b**
29 ch – †60/116 € ††71/193 €, ⊑ 10 €
Rest *Riaumont* – Menu (19 €), 25/49 € – Carte 29/54 €
♦ Le salon de cette villa fin 19ᵉ s. a conservé son décor d'origine (peintures, mosaïque, miroirs). Les chambres sont quant à elles toutes différentes, en style et en taille. Quelques palmiers constituent la toile de fond du restaurant et de son agréable terrasse.

MENTON

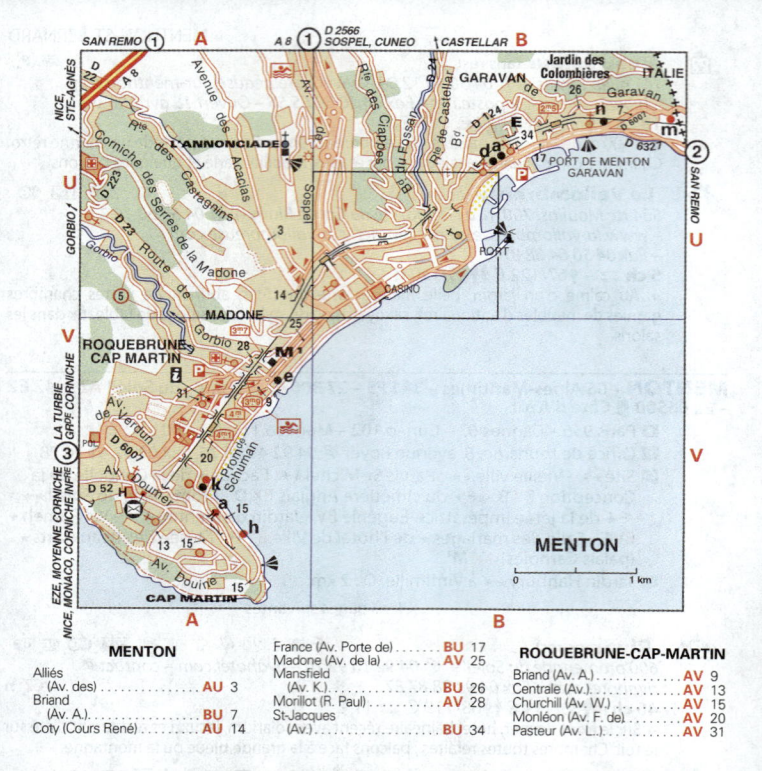

Alliés (Av. des)	**AU** 3
Briand (Av. A.)	**BU** 7
Coty (Cours René)	**AU** 14
France (Av. Porte de)	**BU** 17
Madone (Av. de la)	**AV** 25
Mansfield (Av. K.)	**BU** 26
Morillot (R. Paul)	**AV** 28
St-Jacques (Av.)	**BU** 34

ROQUEBRUNE-CAP-MARTIN

Briand (Av. A.)	**AV** 9
Centrale (Av.)	**AV** 13
Churchill (Av. W.)	**AV** 15
Monléon (Av. F. de)	**AV** 20
Pasteur (Av. L.)	**AV** 31

Prince de Galles
4 av. Gén. de Gaulle – ℘ 04 93 28 21 21 – www.princedegalles.com – hotel@princedegalles.com – Fax 04 93 35 92 91
64 ch – ♦73/132 € ♦♦73/132 €, ⊋ 12 €   **AV e**
Rest *Petit Prince* – ℘ 04 93 41 66 05 (fermé 17 nov.-12 déc.) Menu (17 €), 23/36 € – Carte 30/49 €

♦ Claude Monet aurait séjourné en cet hôtel occupant les murs d'une caserne de carabiniers des princes de Monaco (1860). Chambres fonctionnelles, à choisir face à la mer. L'été, deux majestueux palmiers veillent sur les tables dressées dans le jardin.

Chambord sans rest
6 av. Boyer – ℘ 04 93 35 94 19 – www.hotel-chambord.com – hotel.chambord@wanadoo.fr – Fax 04 93 41 30 55
40 ch – ♦85/100 € ♦♦100/125 €, ⊋ 10 €   **CYZ a**

♦ Hôtel fonctionnel situé près du palais de l'Europe. Petits-déjeuners exclusivement servis dans les chambres. Elles sont insonorisées et presque toutes dotées d'un balcon.

Paris Rome
79 Porte de France – ℘ 04 93 35 70 35 – www.paris-rome.com – info@paris-rome.com – Fax 04 93 35 29 30 – Fermé 8 nov.-28 déc. et 12-26 janv.
21 ch – ♦64/74 € ♦♦82/125 €, ⊋ 12 € – 1 suite – ½ P 82/113 €   **BU n**
Rest – *(fermé mardi midi et lundi) (nombre de couverts limité, prévenir)* Menu (32 €), 50/95 €
Spéc. Foie gras de canard rôti et confit. Poissons du pays cuits en croûte d'argile de Vallauris (été). Biscuit pur chocolat, cœur coulant. **Vins** Bellet.

♦ À l'entrée du port de Garavan, hôtel qui a revu en profondeur sa décoration dans un esprit contemporain, mêlant styles classique et provençal. Juniors suites. Lounge bar cossu. Restaurant aux touches méridionales, ouvert sur un patio et proposant une cuisine créative.

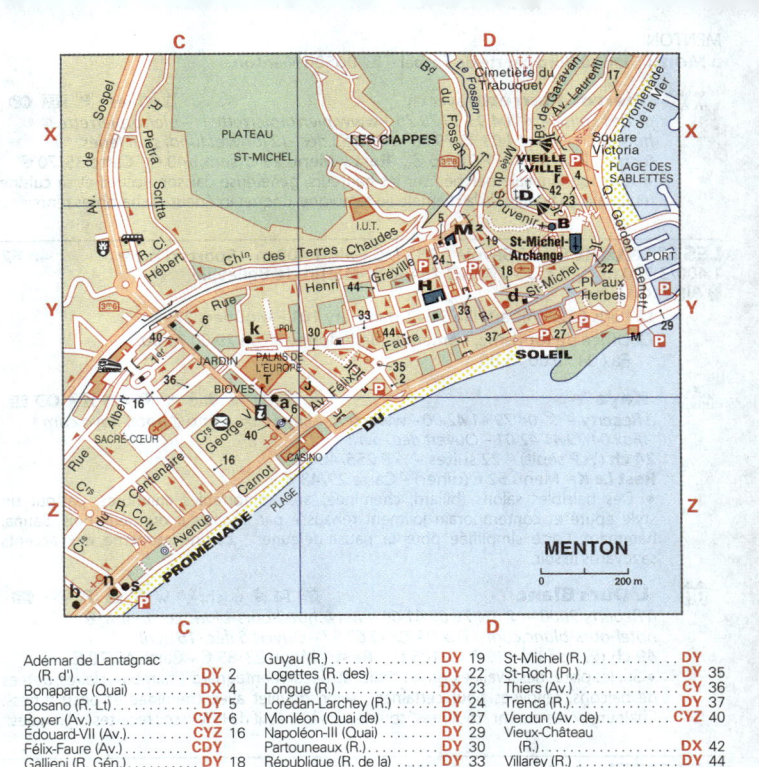

Adémar de Lantagnac (R. d') . . . . **DY** 2	Guyau (R.) . . . . **DY** 19	St-Michel (R.) . . . . **DY**
Bonaparte (Quai) . . . . **DX** 4	Logettes (R. des) . . . . **DY** 22	St-Roch (Pl.) . . . . **DY** 35
Bosano (R. Lt) . . . . **DY** 5	Longue (R.) . . . . **DX** 23	Thiers (Av.) . . . . **CY** 36
Boyer (Av.) . . . . **CYZ** 6	Lorédan-Larchey (R.) . . . **DY** 24	Trenca (R.) . . . . **DY** 37
Édouard-VII (Av.) . . . . **CYZ** 16	Monléon (Quai de) . . . . . . **DY** 27	Verdun (Av. de) . . . . **CYZ** 40
Félix-Faure (Av.) . . . . **CDY**	Napoléon-III (Quai) . . . . . . **DY** 29	Vieux-Château (R.) . . . . **DX** 42
Gallieni (R. Gén.) . . . . **DY** 18	Partouneaux (R.) . . . . **DY** 30	Villarey (R.) . . . . **DY** 44
	République (R. de la) . . . . **DY** 33	

XXX **Mirazur** (Mauro Colagreco)

😊

30 av. Aristide Briand – ℰ 04 92 41 86 86 – www.mirazur.fr – info@mirazur.fr – Fax 04 92 41 86 87 – Ouvert 21 fév.-1er nov., le midi du 15 juil. au 31 août sauf week-ends, lundi et mardi **BU** m

Rest – (nombre de couverts limité, prévenir) Menu (35 €), 55/95 € – Carte 76/91 €
Spéc. Gamberoni de San Remo, mousseline de pignons de pin (juil.-août). Pigeon cuit à basse température. Crème au safran, spume d'amandes et sorbet orange (fév.-mars et oct.-nov.). **Vins** Bellet.

♦ L'architecture contemporaine et le décor épuré mettent en avant la vue sublime sur la mer et la vieille ville. Fine cuisine dans l'air du temps préparée par un chef d'origine argentine.

X **A Braijade Méridiounale**

66 r. Longue – ℰ 04 93 35 65 65 – www.abraijade.com – contact@abraijade.com – Fax 04 93 35 65 65 – Fermé merc. **DX** r

Rest – Menu 32 € bc/38 € bc – Carte 33/42 €

♦ Une adresse chaleureuse un peu perdue dans la vieille ville mais qui mérite le détour pour sa généreuse cuisine provençale et méridionale (grillades). Terrasse réaménagée.

X **La Cantinella**

8 r. Trenca – ℰ 04 93 41 34 20 – la.cantinella@free.fr – Fermé janv., merc. midi et mardi sauf juil.-août **DY** d

Rest – (nombre de couverts limité, prévenir) Menu 20 € (sem.) – Carte 25/50 €

♦ Le patron, sicilien, aime faire plaisir à ses clients et leur mitonne de savoureux plats du Sud (entre Nice et Italie) valorisant les produits du marché. Convivialité garantie.

MENTON

à Monti 5 km au Nord par rte de Sospel – ✉ 06500 Menton

XX **Pierrot-Pierrette** avec ch   ≤ 馬 ⃞ AC rest, P VISA ⓒ
pl. de l'Église – ℰ *04 93 35 79 76 – www.pierrotpierrette.fr – pierrotpierrette@hotmail.fr – Fax 04 93 35 79 76 – Fermé 3 déc.-12 janv. et lundi sauf fériés*
6 ch (½ P seult) – ½ P 70/86 €   **Rest** – Menu 28 € (sem.)/40 € – Carte 35/70 €
♦ Auberge familiale perchée sur les hauteurs, généreuse par son accueil et sa cuisine régionale. La fidélité de la clientèle en témoigne. Coquet intérieur et chambres rénovées.

LES MENUIRES – 73 Savoie – **333** M6 – alt. 1 400 m – Sports d'hiver : 1 400/3 200 m ⃝ 8 ⃝ 36 ⃝ – ✉ 73440 St-Martin-de-Belleville   46 **F2**
▌Alpes du Nord

🄳 Paris 632 – Albertville 51 – Chambéry 101 – Moûtiers 27
🄸 Office de tourisme, immeuble Belledonne ℰ 04 79 00 73 00, Fax 04 79 00 75 06

🏨 **Kaya** ❦   ≤ 帘 ⃞ F♂ 🛗 ὅ ⃘ ℘ P ⏎ VISA ⓒ AE
à Reberty – ℰ *04 79 41 42 00 – www.hotel-kaya.com – info@hotel-kaya.com – Fax 04 79 41 42 01 – Ouvert déc.-avril*
24 ch (½ P seult) – 22 suites – ½ P 255/406 €
Rest *Le K* – Menu 52 € (dîner) – Carte 29/43 €
♦ Des paisibles salons (billard, cheminée) aux confortables chambres, partout un style épuré et contemporain joliment rehaussé par la chaleur du vieux bois. Sauna, hammam. Carte simplifiée pour la pause-déjeuner ; cuisine moderne aux accents savoyards le soir.

🏨 **L'Ours Blanc** ❦   ≤ 帘 F♂ 🛗 ὅ ch, ⃑ ⃝ ⃝ ὐ P VISA ⓒ
à Reberty 2000 – ℰ *04 79 00 61 66 – www.hotel-ours-blanc.com – info@hotel-ours-blanc.com – Fax 04 79 00 63 67 – Ouvert 5 déc.-16 avril*
49 ch (½ P seult) – ½ P 78/105 €   **Rest** – Menu 23/85 € – Carte 40/70 €
♦ Sur les pistes des 3 vallées, grand chalet au décor montagnard. Chambres claires, dotées de balcons, rénovées pour certaines ; salon douillet avec cheminée et beau fitness. Chaleureux restaurant "tout bois" tourné vers le massif de la Masse ; recettes régionales.

MERCATEL – 62 Pas-de-Calais – **301** J6 – rattaché à Arras

MERCUÈS – 46 Lot – **337** E5 – rattaché à Cahors

MERCUREY – 71 Saône-et-Loire – **320** I8 – 1 310 h. – alt. 269 m   8 **C3**
– ✉ 71640

🄳 Paris 344 – Autun 39 – Beaune 26 – Chagny 11 – Chalon-sur-Saône 13 – Mâcon 73

🏨 **Hôtellerie du Val d'Or**   馬 AC ⃘ P ⏎ VISA ⓒ AE
Grande-Rue – ℰ *03 85 45 13 70 – www.le-valdor.com – contact@le-valdor.com – Fax 03 85 45 18 45 – Fermé 23-28 août, 19 déc.-16 janv., mardi midi et lundi*
12 ch – †77/98 € ††77/98 €, ⊵ 11 € – ½ P 87/128 €
Rest – Menu (22 €), 25 € bc (déj.), 39/76 € – Carte 53/96 €
♦ Dans ce village vigneron de la Côte chalonnaise, l'ancien relais de poste offre désormais une douzaine de chambres. Agréable jardin. Salle à manger rustique avec cheminée et poutres apparentes.

MÉRIBEL – 73 Savoie – **333** M5 – Sports d'hiver : 1 450/2 950 m ⃝ 16   46 **F2**
⃝ 45 ⃝ – ✉ 73550 ▌Alpes du Nord

🄳 Paris 621 – Albertville 41 – Annecy 85 – Chambéry 90 – Moûtiers 15
🄸 Office de tourisme, ℰ 04 79 08 60 01, Fax 04 79 00 59 61
⛳ Méribel B.P. 54, NE : 4 km, ℰ 04 79 00 52 67
◉ ❅ ★★★ la Saulire, ❅ ★★ Mont du Vallon, ❅ ★★ Roc des Trois marches, ❅ ★★ Tougnète.

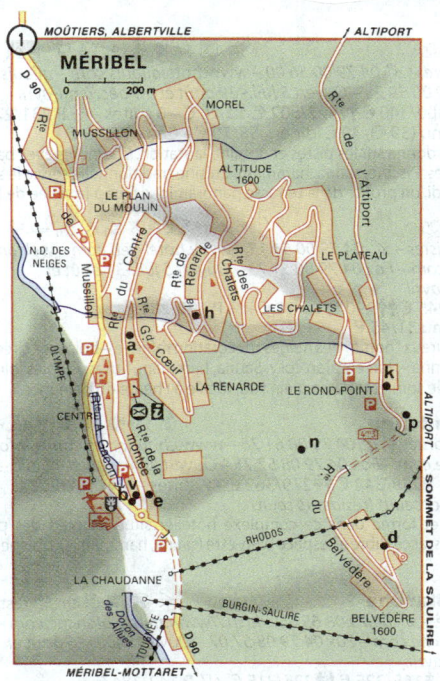

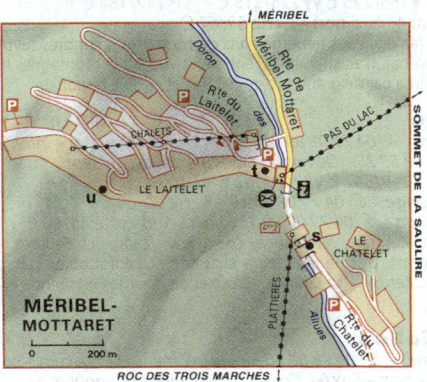

Le Grand Cœur & Spa
– ℘ 04 79 08 60 03 – www.legrandcoeur.com
– grandcoeur@relaischateaux.com – Fax 04 79 08 58 38
– Ouvert 17 déc.-13 avril
35 ch – †215/430 € ††205/440 €, ⊇ 25 € – 5 suites – ½ P 180/348 €
Rest – Menu 80 € (dîner), 85/95 € – Carte 95/155 €

♦ Romantisme et luxe se sont donné rendez-vous dans ce majestueux hôtel – l'un des plus anciens de la station. Bois blond et belles étoffes ornent les chambres. Piano-bar cosy et spa. Arcades et boiseries claires agrémentent le chaleureux restaurant ; cuisine soignée.

MÉRIBEL

Allodis
au Belvédère – ℰ 04 79 00 56 00 – www.hotelallodis.com – allodis@wanadoo.fr
– Fax 04 79 00 59 28 – Ouvert 5 juil.- 29 août et mi-déc. à mi-avril
44 ch – †300/340 € ††422/502 €, ⊇ 20 € – 6 suites – ½ P 231/271 €
Rest – Menu (39 €), 49 € (dîner), 58/79 € – Carte 75/95 €

d

♦ Ce chalet donne sur les pistes et domine la station. Chambres avec balcons, spacieuses et douillettes. Piscine, sauna, hammam. Cuisine traditionnelle servie le soir dans un cadre cossu. À midi, on profite de la terrasse panoramique face à la vallée de Méribel.

Le Yéti
rd-pt des Pistes – ℰ 04 79 00 51 15 – www.hotel-yeti.com – welcome@
hotel-yeti.com – Fax 04 79 00 51 73 – Ouvert 5 juil.-31 août et
13 déc.-26 avril
28 ch – †245 € ††290 €, ⊇ 18 € – ½ P 199/281 €
Rest – Menu 31/45 €

p

♦ Un chaleureux "home" des neiges : décoration raffinée – boiseries cirées, tapis kilims, lits à l'autrichienne –, bar et salon cosy. Sauna, hammam, fitness. Tables joliment dressées au restaurant (le soir) et terrasse plein sud, idéale à l'heure du déjeuner.

La Chaudanne
rte de la Montée – ℰ 04 79 08 61 76 – www.chaudanne.com – infos@
chaudanne.com – Fax 04 79 08 57 75 – Ouvert juin-sept. et 1er déc.-30 avril
73 ch ⊇ – †259/342 € ††279/362 € – 7 suites – ½ P 187/228 €
Rest – (dîner seult) (résidents seult)

e

♦ Détente et forme dans ce complexe hôtelier situé au pied des pistes : chambres confortables, accès libre à l'espace bien-être (sauna, hammam...), piscine extérieure chauffée.

Marie-Blanche
rte Renarde – ℰ 04 79 08 65 55 – http://www.marie-blanche.com – info@
marie-blanche.com – Fax 04 79 08 57 07 – Ouvert 7 juil.-26 août et
13 déc.-20 avril
21 ch ⊇ – †165/225 € ††225/315 € – ½ P 142/184 €
Rest – Menu 43 € (dîner) – Carte 52/67 €

h

♦ Ce chalet familial vous héberge dans de coquettes chambres savoyardes dotées d'un balcon. Salon-bar avec cheminée centrale et vue sur la montagne. Jolie terrasse, salle à manger éclairée par de grandes baies vitrées et cuisine régionale.

L'Éterlou
rte A. Gacon – ℰ 04 79 08 89 00 – www.chaudanne.com – infos@chaudanne.com
– Fax 04 79 08 57 75 – Ouvert fin nov.-fin avril et juin-sept.
42 ch ⊇ – †259/342 € ††279/362 € – 1 suite
Rest *La Grange* – ℰ 04 79 08 53 19 – Carte 50/60 €
Rest *Kouisena* – ℰ 04 79 08 89 23 (dîner seult) Carte 45/60 €

b

♦ Situation centrale, ambiance conviviale, cadre chaleureux, équipements de remise en forme, piscine extérieure chauffée et confortables canapés cuirs au lodge bar. Carte du terroir à La Grange. Recettes savoyardes et service en costume local au Kouisena.

L'Orée du Bois
rd-pt des Pistes – ℰ 04 79 00 50 30 – www.meribel-oree.com – contact@
meribel-oree.com – Fax 04 79 08 57 52 – Ouvert juil.-août et déc. à Pâques
35 ch (½ P seult) – ½ P 151/173 €
Rest – Menu 39/50 €

k

♦ Une adresse sympathique qui cultive la tradition savoyarde. Chambres lambrissées, dotées de balcons. En hiver, belles flambées dans la cheminée du salon. Salle à manger lumineuse, terrasse panoramique, plats traditionnels et régionaux.

Le Tremplin sans rest
– ℰ 04 79 08 61 76 – www.chaudanne.com – infos@chaudanne.com
– Fax 04 79 08 57 75 – Ouvert de mi-juin à fin sept. et de début déc. à
fin avril
41 ch ⊇ – †259/342 € ††279/362 €

v

♦ Cette façade en bois et pierre dissimule de plaisantes chambres de style montagnard. Un bon "tremplin" pour un séjour dans les Trois-Vallées.

MÉRIBEL

Adray Télébar
sur les pistes (accès piétonnier) – ℰ 04 79 08 60 26 – www.telebar-hotel.com
– welcome@telebar-hotel.com – Fax 04 79 08 53 85 – Ouvert
15 déc.-15 avril
24 ch (½ P seult) – ½ P 135/170 €   **Rest** – Menu (35 €) – Carte 40/65 €
♦ L'amabilité de l'accueil – on vient vous chercher en chenillette – et la situation, atypique et dépaysante, font oublier un décor intérieur simple. Chambres bien tenues. À table, cuisine familiale et terrasse panoramique avec vue imprenable sur le domaine skiable.

Le Blanchot
3,5 km par rte de l'Altiport – ℰ 04 79 00 55 78 – le-blanchot@orange.fr
– Fax 04 79 00 53 20 – Ouvert 26 juin-9 sept., 16 déc.-19 avril et fermé dim. soir
et lundi soir
Rest – Menu (39 €) – Carte 45/70 €
♦ Pistes de ski de fond l'hiver, golf l'été : ce chalet bien entouré dispose d'une salle cosy et d'une terrasse tournée vers la forêt de sapins. Carte actuelle et beau choix de vins.

à l'altiport Nord-Est : 4,5 km – ⊠ 73550 Méribel-les-Allues

Altiport Hôtel
– ℰ 04 79 00 52 32 – www.altiporthotel.com – message@altiporhotel.com
– Fax 04 79 08 57 54 – Ouvert de mi-déc. à mi-avril
33 ch (½ P seult) – ½ P 185/225 €   **Rest** – Menu 45 € (déj.)
♦ Grand chalet jouxtant l'altiport (survol du mont Blanc) et le golf d'été. Coquettes chambres bien insonorisées, confortable salon-cheminée. Salle à manger de style montagnard chic, spectacle "nature" depuis la terrasse ensoleillée et table traditionnelle soignée.

à Méribel-Mottaret 6 km – ⊠ 73550 Méribel-les-Allues

Mont Vallon
– ℰ 04 79 00 44 00 – www.hotel-montvallon.com – info@hotel-montvallon.com
– Fax 04 79 00 46 93 – Ouvert mi-déc. à mi-avril
89 ch (½ P seult) – 3 suites – ½ P 185/515 €
Rest *Le Chalet* – (dîner seult) Menu 80 €
Rest *Brasserie Le Schuss* – Menu (40 €), 60 € (déj.) – Carte 50/80 €
♦ Chaleur du bois et couettes de lit créent une douillette atmosphère dans les chambres de ce grand hôtel situé au pied des pistes. Sauna, hammam, squash, jacuzzi. Décor chaleureux et chic au Chalet. Côté Brasserie, repas rapides à midi et plats savoyards le soir.

Alpen Ruitor
– ℰ 04 79 00 48 48 – www.alpenruitor.com – info@alpenruitor.com
– Fax 04 79 00 48 31 – Ouvert 12 déc.-17 avril
44 ch ⊇ – †230/350 € ††330/670 € – 1 suite – ½ P 330/670 €
Rest – Menu 35 € (dîner) – Carte 25/75 €
♦ Les chambres disposent d'un balcon avec vue sur les pistes (sud) ou la vallée (nord). Ambiance et décor aux couleurs du Tyrol. Agréable salon-bar-cheminée et accueil attentionné. Jolies fresques dans la salle à manger où l'on sert des spécialités régionales.

Les Arolles
– ℰ 04 79 00 40 40 – www.arolles.com – info@arolles.com – Fax 04 79 00 45 50
– Ouvert 20 déc.-23 avril
56 ch ⊇ – †135/180 € ††180/280 € – ½ P 125/195 €
Rest – Menu (20 €), 25/45 € – Carte 25/35 €
♦ Accès direct aux pistes – et aux arolles (l'autre nom des pins cembro) – depuis cet imposant chalet. Chambres avec balcon, en partie rénovées ; espaces détente et loisirs. Sobre restaurant, grande terrasse et carte régionale.

aux Allues Nord : 7 km par D 915[A] – 1 893 h. – alt. 1 125 m – ⊠ 73550

La Croix Jean-Claude
– ℰ 04 79 08 61 05 – www.croixjeanclaude.com – lacroixjeanclaude@wanadoo.fr
– Fax 04 79 00 32 72 – Fermé 1er mai-1er juin
16 ch – †62/124 € ††62/124 €, ⊇ 9 € – ½ P 66/97 €
Rest – (fermé sam. midi et dim. midi hors saison) Carte 33/70 €
♦ Cette maison de la fin des années 1940 fait partie des hôtels les plus anciens de la région des Trois Vallées. Douillettes chambres montagnardes ; salon et bar chaleureux. Au restaurant, cadre savoyard et cuisine traditionnelle inspirée du terroir.

1073

MÉRIGNAC – 33 Gironde – **335** H5 – rattaché à Bordeaux

MERKWILLER-PECHELBRONN – 67 Bas-Rhin – **315** K3 – 859 h. — 1 **B1**
– alt. 160 m – ✉ 67250 ▌Alsace Lorraine

▶ Paris 496 – Haguenau 17 – Strasbourg 51 – Wissembourg 18
ℹ Syndicat d'initiative, 1, route de Lobsann ✆ 03 88 80 72 36, Fax 03 88 80 63 33

Auberge Baechel-Brunn avec ch
3 rte de Soultz – ✆ 03 88 80 78 61 – www.baechel-brunn.com – baechel-brunn@wanadoo.fr – Fax 03 88 80 75 20 – Fermé 11 août-4 sept., 19-31 janv., dim. soir, lundi soir et mardi
5 ch ⊇ – †40 € ††50 €
Rest – Menu (15 €), 26 € (déj. en sem.), 38/50 € – Carte 40/58 €
♦ Cette ancienne grange offre un intérieur feutré, actuel et soigné. Cuisine classique et contemporaine, mariant les talents culinaires du maître de maison et de son fils. Chambres coquettes dans une résidence située à quelques pas du restaurant. Jardin arboré.

MERLETTE – 05 Hautes-Alpes – **334** F4 – rattaché à Orcières

MERRY-SUR-YONNE – 89 Yonne – **319** E6 – 216 h. – alt. 150 m — 7 **B2**
– ✉ 89660

▶ Paris 203 – Dijon 139 – Auxerre 44 – Avallon 32 – Migennes 56

Le Charme Merry
30 rte de Compostelle – ✆ 03 86 81 08 46 – www.lecharmemerry.com – olivia.peron@wanadoo.fr – Fax 03 86 81 08 46 – Fermé 5 janv.-12 mars
4 ch ⊇ – †120 € ††120 € **Table d'hôte** – Menu 40 € bc
♦ Cette maison recèle de superbes chambres aux lignes contemporaines (photos réalisées par la propriétaire, salles d'eau design, matériaux nobles, pierre du pays). Jardin, piscine. Plats actuels servis dans la salle à manger sous des poutres (cuisines ouvertes).

MÉRU – 60 Oise – **305** D5 – 12 712 h. – alt. 110 m – ✉ 60110 — 36 **B3**
▌Nord Pas-de-Calais Picardie

▶ Paris 60 – Beauvais 27 – Compiègne 74 – Mantes-la-Jolie 62 – Pontoise 22
🏌 des Templiers à Ivry-le-Temple, O : 9 km par D 121 et D 105, ✆ 03 44 08 73 72

Les Trois Toques
21 r. P. Curie – ✆ 03 44 52 01 15 – www.lestroistoques.fr – les3toques@orange.fr – Fax 03 44 52 01 15 – Fermé 1er-7 août, dim. soir et merc.
Rest – Menu 18 € (sem.)/48 € – Carte 39/51 €
♦ Cuisine au goût du jour concoctée par le chef-patron et servie dans une salle à manger au cadre rajeuni, rehaussé d'une touche rustique. Un agréable moment en perspective.

MERVILLE FRANCEVILLE-PLAGE – 14 Calvados – **303** K4 — 32 **B2**
– 1 748 h. – alt. 2 m – ✉ 14810

▶ Paris 225 – Caen 20 – Beuvron-en-Auge 20 – Cabourg 7 – Lisieux 41
ℹ Office de tourisme, place de la Plage ✆ 02 31 24 23 57, Fax 02 31 24 17 49

Le Vauban sans rest
8 rte de Cabourg – ✆ 02 31 24 23 37 – www.hotel-vauban-franceville.com – hotel-levauban14@wanadoo.fr – Fax 02 31 24 54 40 – Fermé 28 sept.-8 oct., 1er-17 déc., merc. sauf juil.-août
15 ch – †60 € †† €, ⊇ 9 €
♦ En bord de route et non loin de la plage, un établissement familial aux chambres simples et bien tenues, plus calmes dans l'annexe. Petit-déjeuner buffet. Accueil sympathique.

MÉRY-SUR-OISE – 95 Val-d'Oise – **305** E6 – **101** 4 – voir à Paris, Environs (Cergy-Pontoise)

MESCHERS-SUR-GIRONDE – 17 Charente-Maritime – **324** E6 – 38 **B3**
– 2 234 h. – alt. 5 m – ⊠ 17132 ▌Poitou Vendée Charentes

▫ Paris 511 – Blaye 78 – La Rochelle 87 – Royan 12 – Saintes 45
▫ Office de tourisme, 31, rue Paul Messy ℘ 05 46 02 70 39, Fax 05 46 02 51 65

✗ **La Forêt** ᴾ VISA ⓂⒸ AE
1 bd Marais – ℘ *05 46 02 79 87 – laforet-resto@wanadoo.fr – Fax 05 46 02 61 45*
– Fermé 21 sept.-2 oct., 21 déc.-8 janv., 8 fév.-19 mars, mardi sauf le soir
en juil.-août et lundi
Rest – Menu 26/38 € – Carte 22/50 €
♦ Entre forêt et plages de la Gironde, vaste restaurant honorant la marée, dont la moule, qui entre dans la mouclade (spécialité maison). Décor agreste ; poêle à bois en salle.

MESNIÈRES-EN-BRAY – 76 Seine-Maritime – **304** I3 – rattaché à Neufchâtel-en-Bray

LE MESNIL-AMELOT – 77 Seine-et-Marne – **312** E1 – voir à Paris, Environs

Rouge = agréable. Repérez les symboles ✗ et 🏠 passés en rouge.

MESNIL-ST-PÈRE – 10 Aube – **313** G4 – 384 h. – alt. 131 m – 13 **B3**
⊠ 10140 ▌Champagne Ardenne

▫ Paris 200 – Bar-sur-Aube 32 – Châtillon-sur-Seine 55 – St-Dizier 74
– Troyes 22
◉ Parc naturel régional de la forêt d'Orient ★★.

✗✗✗ **Auberge du Lac - Au Vieux Pressoir** avec ch 🍴 ♿ ch, AC rest,
5 r. du 28 août – ℘ *03 25 41 27 16* ⇆ 🐾 ᴾ VISA ⓂⒸ AE
– www.au-vieux-pressoir.com – auberge.lac.p.gublin@wanadoo.fr
– Fax 03 25 41 57 59 – Fermé 7 déc.-11 janv., dim. soir du 15 oct. au 15 mars, lundi midi et mardi midi
21 ch – ♦69/73 € ♦♦73/76 €, ⊇ 13 €
Rest – Menu 29 € (déj. en sem.), 38/75 € – Carte 72/98 €
♦ Cette jolie maison à colombages typique de la Champagne humide abrite un lumineux intérieur néo-rustique (terrasse d'été). Cuisine au goût du jour.

MESNIL-VAL – 76 Seine-Maritime – **304** H1 – ⊠ 76910 33 **D1**
▫ Paris 184 – Amiens 96 – Dieppe 28 – Le Tréport 6

🏠 **Royal Albion** sans rest 🔸 🕭 ♿ ⇆ ⚟ ᴾ VISA ⓂⒸ
1 r. de la Mer – ℘ *02 35 86 21 42 – www.treport-hotels.com et www.hotels-treport.com – evergreen2@wanadoo.fr – Fax 02 35 86 78 51*
– Fermé 21-27 déc.
20 ch – ♦65/74 € ♦♦69/136 €, ⊇ 9,50 €
♦ Perchée sur une falaise, ex-caserne de douaniers du 19ᵉ s. à l'allure coloniale et au décor intérieur soigné. Chambres de styles très variés : Louis XVI, victorien, Art nouveau...

MESQUER – 44 Loire-Atlantique – **316** B3 – 1 631 h. – alt. 6 m 34 **A2**
– ⊠ 44420

▫ Paris 460 – La Baule 16 – Nantes 86 – St-Nazaire 29 – Vannes 58
▫ Office de tourisme, place du Marché - Quimiac ℘ 02 40 42 64 37,
Fax 02 40 42 50 89

✗✗ **La Vieille Forge** 🍴 ♿ AC VISA ⓂⒸ AE
32 r d'Aha – ℘ *02 40 42 62 68 – www.vieilleforge.fr – keumsun@orange.fr*
– Fermé 16-25 juin, 21 sept.-3 oct., fév., lundi, mardi et merc. hors saison
Rest – *(dîner seult en juil.-août sauf sam.-dim.)* Menu (13 €bc), 25/50 €
– Carte 30/50 €
♦ Cette ex-forge (1711) abrite deux salles : l'une avec four et soufflet, l'autre moderne et ouverte sur le jardin-terrasse. Carte au goût du jour teintée de saveurs asiatiques.

MESQUER

à St-Molf 3,5 km au Sud-Est par D 33, D 52 et D 252 – 1 501 h. – alt. 10 m – ✉ 44350

🛈 Office de tourisme, 10, rue Duchesse Anne ✆ 02 40 62 58 99, Fax 02 40 62 58 74

Kervenel sans rest

– ✆ 02 40 42 50 38 – ybrasselet@aol.com – Fax 02 40 42 50 38 – Ouvert 1er avril-1er oct.

3 ch ⌧ – †50 € ††70 €

◆ Longère bretonne typique, rénovée, au calme. L'ex-grenier à blé abrite trois chambres (sur jardin) de styles variés : la "Louis Philippe", la "Louis XV" et la "contemporaine".

MESSANGES – 40 Landes – 335 C12 – 647 h. – alt. 8 m – ✉ 40660   3 A2

▸ Paris 717 – Bordeaux 157 – Mont-de-Marsan 92 – Bayonne 46 – Anglet 49

🛈 Office de tourisme, route des Lacs ✆ 05 58 48 93 10, Fax 05 58 48 93 75

La Maison de la Prade sans rest

av. de la Plage – ✆ 05 58 48 38 96 – www.lamaisondelaprade.com – lamaisondelaprade@orange.fr – Fax 05 58 49 26 75 – Ouvert de mars à nov.

16 ch – †87/115 € ††107/138 €, ⌧ 12 € – 2 suites

◆ Près d'une plage sauvage, cerné par une forêt de pins, un bâtiment Art déco réaménagé en hôtel contemporain. Chambres spacieuses et claires. Terrasse bordant une piscine.

MESSERY – 74 Haute-Savoie – 328 K2 – 2 025 h. – alt. 428 m – ✉ 74140   46 F1

▸ Paris 560 – Annecy 68 – Thonon-les-Bains 17 – Annemasse 23 – Cluses 52

🛈 Office de tourisme, 5, rue des Écoles ✆ 04 50 94 75 55, Fax 04 50 94 75 55

Atelier des Saveurs

7 chemin sous les Prés – ✆ 04 50 94 73 40 – daillouxfamille@aol.com – Fermé 24 oct.-16 nov., dim. et lundi

Rest – Menu 24/60 € – Carte 55/65 €

◆ Sympathique adresse associant un restaurant (décor contemporain, "terrassette") et une vinothèque. Une belle carte des vins escorte la goûteuse cuisine traditionnelle du chef.

MÉTABIEF – 25 Doubs – 321 I6 – 907 h. – alt. 960 m – Sports d'hiver :   17 C3
1000/1423 m ✦ 20 ✦ – ✉ 25370 Franche-Comté Jura

▸ Paris 466 – Besançon 78 – Champagnole 45 – Morez 49 – Pontarlier 18

Étoile des Neiges

4 r. Village – ✆ 03 81 49 11 21 – www.hoteletoiledesneiges.fr – contact@hoteletoiledesneiges.fr – Fax 03 81 49 26 91

23 ch – †54 € ††54 €, ⌧ 6 €

Rest – (fermé jeudi soir et dim. soir hors saison) Menu 17/26 € – Carte 18/38 €

◆ Hôtel familial totalement rénové dans une station prisée, été comme hiver, des "vététistes", randonneurs et skieurs. Jolies chambres lambrissées disposant de balcons fleuris. Cuisine régionale à déguster dans une chaleureuse salle à manger habillée de bois.

METZ P – 57 Moselle – 307 I4 – 124 200 h. – Agglo. 322 526 h.   26 B1
– alt. 173 m – ✉ 57000 Alsace Lorraine

▸ Paris 330 – Luxembourg 62 – Nancy 57 – Saarbrücken 69 – Strasbourg 163

✈ de Metz-Nancy-Lorraine : ✆ 03 87 56 70 00, par ③ : 35 km.

🚄 ✆ 3635 et tapez 42 (0,34 €/mn)

🛈 Office de tourisme, place d'Armes ✆ 03 87 55 53 76, Fax 03 87 36 59 43

⛳ de la Grange-aux-Ormes à Marly Rue de la Grange aux Ormes, S : 3 km par D 5, ✆ 03 87 63 10 62

⛳ du Technopôle Metz 1 rue Félix Savart, par D 955 : 5 km, ✆ 03 87 39 95 95

⛳ de Metz Chérisey à Verny Château de Cherisey, par D 913 et D 67 : 14 km, ✆ 03 87 52 70 18

◉ Cathédrale St-Etienne★★★ CDV - Porte des Allemands★ DV - Esplanade★ CV : église St-Pierre-aux-Nonnains★ CX V - Place St-Louis★ DVX - Église St-Maximin★ DVX - Narthex★ de l'église St-Martin DX - ≤★ du Moyen Pont CV - Musée de la Cour d'Or★★ (section archéologique★★★) M¹ - Place du Général de Gaulle★.

Plans pages suivantes

METZ

La Citadelle (Christophe Dufossé)
5 av. Ney – ℰ 03 87 17 17 17
– www.citadelle-metz.com – contact@citadelle-metz.com – Fax 03 87 17 17 18
79 ch – †185/355 € ††205/375 €, ⊇ 21 € CX y
Rest *Le Magasin aux Vivres* – *(fermé 1er-18 août, 9-22 fév., dim. soir et lundi)*
Menu 43 € (déj. en sem.), 63/105 € – Carte 91/105 € 🕸
Spéc. Les cassolettes gourmandes. Bar en croûte de sel, algues iodées. Assiette dégustation "tout chocolat grand cru". **Vins** Vins de Moselle.
♦ Aménager de spacieuses chambres contemporaines dans un bâtiment militaire construit sous Vauban (16e s.), c'est le pari réussi de ce luxueux hôtel du centre-ville. Au Magasin aux Vivres, cuisine inventive servie dans un décor épuré rehaussé de touches de couleurs.

Novotel Centre
pl. Paraiges – ℰ 03 87 37 38 39
– www.accorhotels.com/novotel_metz_centre.htm
– h0589@accor.com – Fax 03 87 36 10 00 DV t
120 ch – †69/149 € ††69/149 €, ⊇ 15 €   **Rest** – Carte 23/48 €
♦ Entre la cathédrale et un centre commercial, hôtel relooké selon le concept "Novation". Vastes chambres confortables et bon équipement fitness. Agréable pause au Novotel Café avec sa terrasse d'été bordant la piscine.

Mercure Centre
29 pl. St-Thiébault – ℰ 03 87 38 50 50 – www.mercure.com – h1233@accor.com
– Fax 03 87 75 48 18 DX d
112 ch – †140 € ††150 €, ⊇ 16 €
Rest – *(fermé sam. midi, dim. et fériés)* Menu 25 € – Carte 28/43 €
♦ Un important programme de rénovation est en cours dans cet hôtel datant des années 1970. Les chambres adoptent progressivement un style contemporain de bon ton. Décor dans l'air du temps, rehaussé de couleurs vives, au bar à vins et au restaurant.

Du Théâtre sans rest
3 r. du Pont St-Marcel – ℰ 03 87 31 10 10 – www.hotelduthéatre-metz.com
– reception@hoteldutheatre-metz.com – Fax 03 87 30 04 66 CV b
65 ch – †89/108 € ††95/135 €, ⊇ 13 € – 1 suite
♦ Un emplacement de choix, en plein quartier historique, pour cet hôtel récent. Chambres pratiques, plus calmes côté Moselle. Beau mobilier lorrain dans le hall.

De la Cathédrale sans rest
25 pl. Chambre – ℰ 03 87 75 00 02 – www.hotelcathedrale-metz.fr
– hotelcathedrale-metz@wanadoo.fr – Fax 03 87 75 40 75 CV v
30 ch – †70/110 € ††70/110 €, ⊇ 11 €
♦ Cette maison du 17e s. a reçu de belles plumes : Madame de Staël et Chateaubriand. Les chambres sont toutes élégantes et celles de l'annexe, récentes, encore plus soignées.

Escurial sans rest
18 r. Pasteur – ℰ 03 87 66 40 96 – www.escurial-hotel.com – hotelescurial.metz@wanadoo.fr – Fax 03 87 63 43 61 – Fermé 29 déc.-1er janv. CX d
36 ch – †58/76 € ††72/84 €, ⊇ 9 €
♦ Face à la gare, un établissement non-fumeurs qui renaît après sa rénovation : intérieur chaleureux aux couleurs vives, chambres bien tenues et plus grandes dans la rotonde.

Maire
1 r. Pont des Morts – ℰ 03 87 32 43 12 – www.restaurant-maire.com – restaurant.maire@wanadoo.fr – Fax 03 87 31 16 75 – Fermé merc. midi et mardi CV f
Rest – Menu (25 €), 42/61 € – Carte 50/65 €
♦ La vue panoramique sur Metz et sa cathédrale, la terrasse au bord de l'eau et la carte d'inspiration classique : voilà déjà trois bonnes raisons de venir à cette table.

L'Écluse (Eric Maire)
45 pl. Chambre – ℰ 03 87 75 42 38 – Fax 03 87 37 30 11 – Fermé 1er-15 août, sam. midi, dim. soir et lundi CV r
Rest – Menu (25 €), 40/65 € – Carte 60/80 €
Spéc. Carpaccio de Saint-Jacques aux truffes (15 nov. au 15 fév.). Agape de poissons crus marinés à l'huile d'argan. Ravioles de foie gras de canard au bouillon truffé (15 nov. au 15 fév.).
♦ Un agréable restaurant au décor très épuré : tableaux modernes et tables sans nappes. Dans cette ambiance décontractée, laissez-vous séduire par la cuisine inventive et soignée.

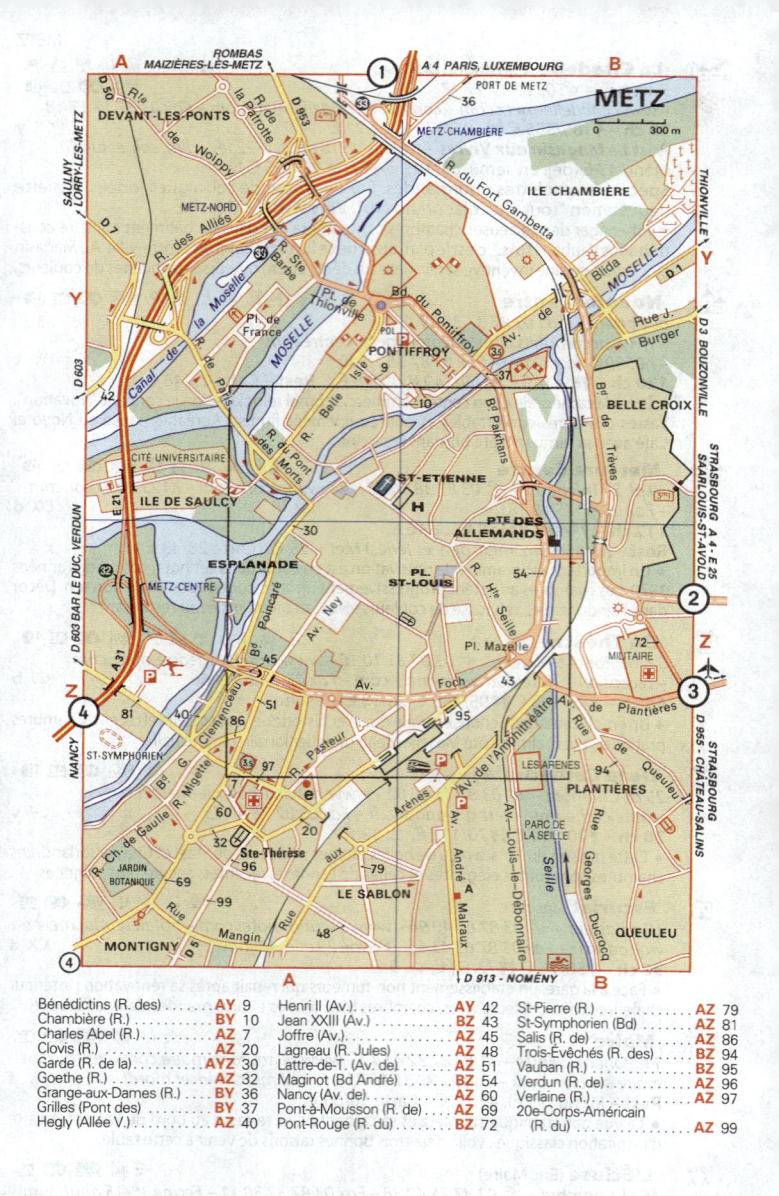

Bénédictins (R. des)	**AY** 9	Henri II (Av.)	**AY** 42
Chambière (R.)	**BY** 10	Jean XXIII (Av.)	**BZ** 43
Charles Abel (R.)	**AZ** 7	Joffre (Av.)	**AZ** 45
Clovis (R.)	**AZ** 20	Lagneau (R. Jules)	**AZ** 48
Garde (R. de la)	**AYZ** 30	Lattre-de-T. (Av. de)	**AZ** 51
Goethe (R.)	**AZ** 32	Maginot (Bd André)	**BZ** 54
Grange-aux-Dames (R.)	**BY** 36	Nancy (Av. de)	**AZ** 60
Grilles (Pont des)	**BY** 37	Pont-à-Mousson (R. de)	**AZ** 69
Hegly (Allée V.)	**AZ** 40	Pont-Rouge (R. du)	**BZ** 72
St-Pierre (R.)	**AZ** 79
St-Symphorien (Bd)	**AZ** 81
Salis (R. de)	**AZ** 86
Trois-Évêchés (R. des)	**BZ** 94
Vauban (R.)	**BZ** 95
Verdun (R. de)	**AZ** 96
Verlaine (R.)	**AZ** 97
20e-Corps-Américain (R. du)	**AZ** 99

✂✂ **GEORGES-A La Ville de Lyon**

7 r. Piques – ✆ 03 87 36 07 01 – www.georges-ville-de-lyon.com
– george-ville-de-lyon@wanadoo.fr – Fax 03 87 74 47 17 – Fermé 13-20 avril, 13-20 juil., 4-12 janv., lundi sauf midi fériés et dim. soir

DV e

Rest – Menu (20 €), 25 € bc/65 € – Carte 40/55 €

♦ Restaurant traditionnel aménagé dans les dépendances de la cathédrale (la chapelle du 14e s. abrite l'une des salles) et dans un ex-relais de diligences. Cadre cossu ou rustique.

METZ

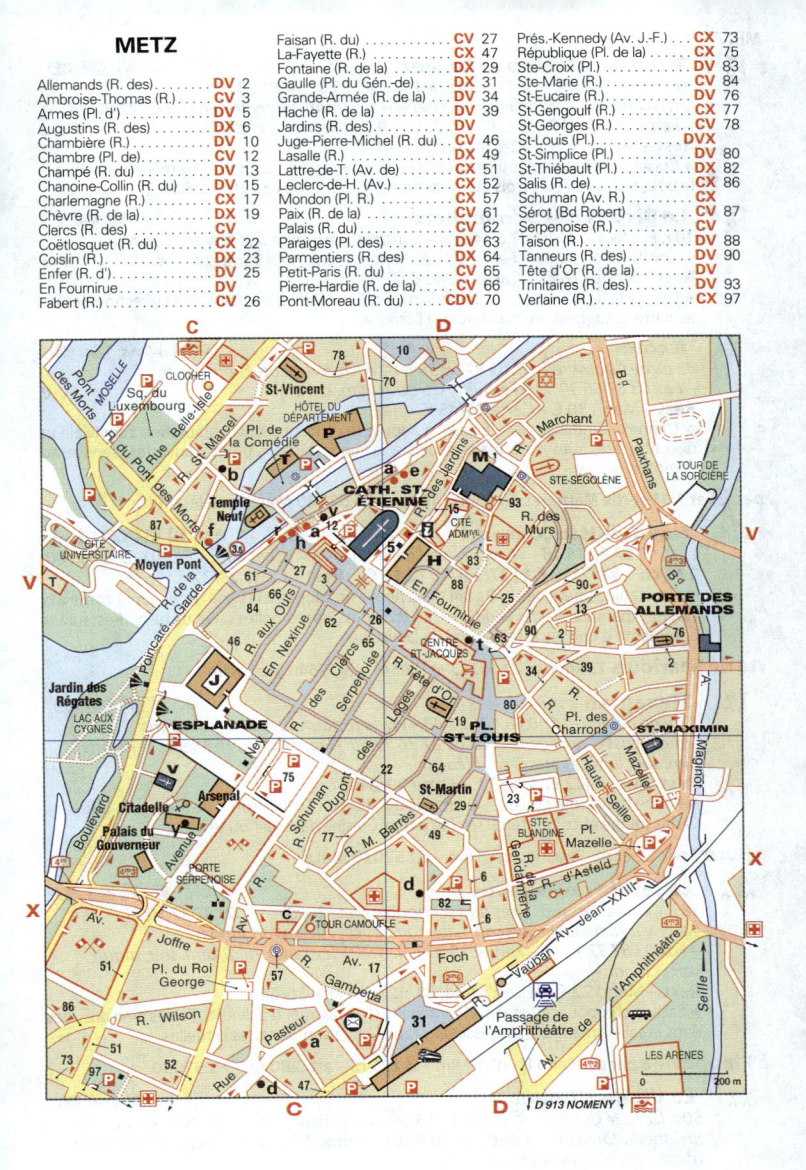

Street	Ref	No
Allemands (R. des)	DV	2
Ambroise-Thomas (R.)	CV	3
Armes (Pl. d')	DV	5
Augustins (R. des)	DX	6
Chambière (R.)	CV	10
Chambre (Pl. de)	CV	12
Champé (R. du)	DV	13
Chanoine-Collin (R. du)	DV	15
Charlemagne (R.)	CV	17
Chèvre (R. de la)	DX	19
Clercs (R. des)	CV	
Coëtlosquet (R. du)	CX	22
Coislin (R.)	DX	23
Enfer (R. d')	CV	25
En Fournirue	DV	
Fabert (R.)	CV	26
Faisan (R. du)	CV	27
La-Fayette (R.)	CX	47
Fontaine (R. de la)	DX	29
Gaulle (Pl. du Gén.-de)	DX	31
Grande-Armée (R. de la)	DV	34
Hache (R. de la)	DV	39
Jardins (R. des)	DV	
Juge-Pierre-Michel (R. du)	CV	46
Lasalle (R.)	DX	49
Lattre-de-T. (Av. de)	CX	51
Leclerc-de-H. (Av.)	CX	52
Mondon (Pl. R.)	CX	57
Paix (R. de la)	CV	61
Palais (R. du)	CV	62
Paraiges (Pl. des)	DV	63
Parmentiers (R. des)	DX	64
Petit-Paris (R. du)	CV	65
Pierre-Hardie (R. de la)	CV	66
Pont-Moreau (R. du)	CDV	70
Prés.-Kennedy (Av. J.-F.)	CX	73
République (Pl. de la)	CX	75
Ste-Croix (Pl.)	DV	83
Ste-Marie (R.)	CV	84
St-Eucaire (R.)	DV	76
St-Gengoulf (R.)	CX	77
St-Georges (R.)	CV	78
St-Louis (Pl.)	DVX	
St-Simplice (Pl.)	DV	80
St-Thiébault (Pl.)	DX	82
Salis (R. de)	CX	86
Schuman (Av. R.)	CX	
Sérot (Bd Robert)	CV	87
Serpenoise (R.)	CV	
Taison (R.)	DV	88
Tanneurs (R. des)	DV	90
Tête d'Or (R. de la)	DV	
Trinitaires (R. des)	DV	93
Verlaine (R.)	CX	97

Le Chat Noir

AZ e

30 r. Pasteur – ℰ 03 87 56 99 19 – rest-le-chat@wanadoo.fr – Fax 03 87 66 67 64 – Fermé 24 déc.-5 janv., dim. et lundi

Rest – Menu (25 € bc), 30/50 € – Carte 45/60 €

◆ Chaises léopard, masques africains et tons chocolat composent le décor exotique de cette adresse mi-brasserie, mi-bistrot. Banc d'écailler, jardin d'hiver, carte traditionnelle.

METZ

Thierry "Saveurs et Cuisine"
5 r. Piques, "Maison de la Fleure de Ly" – ℘ 03 87 74 01 23
– www.restaurant-thierry.fr – lechef@restaurant-thierry.fr – Fax 03 87 77 81 03
– Fermé 21 juil.-10 août, 27 oct.-2 nov., 9-22 fév., merc. et dim. — DV a
Rest – Menu (17 €), 22 € (sem.)/34 € – Carte 35/55 €
♦ Cuisine inventive volontiers rehaussée d'herbes et d'épices, joli cadre mêlant la brique et le bois, terrasse d'été : trois atouts assurant le succès de ce bistrot chic.

Le Bistrot des Sommeliers
10 r. Pasteur – ℘ 03 87 63 40 20 – lebistrotdessommeliers@wanadoo.fr
– Fax 03 87 63 54 46 – Fermé 23 déc.-4 janv., sam. midi, dim. et fériés — CX a
Rest – Menu (16 €) – Carte 29/40 €
♦ La façade de ce bistrot proche de la gare célèbre la dive bouteille. Belle sélection de vins au verre et suggestions du marché à l'ardoise.

À côté
43 pl. de Chambre – ℘ 03 87 66 38 84 – ericmaire.acote@orange.fr
– Fax 03 87 66 39 53 – Fermé 1er-15 août, dim. et lundi — CV d
Rest – Menu 30 € – Carte 25/45 €
♦ L'annexe tendance de "L'Écluse" a adopté le concept d'une restauration conviviale et décontractée, autour de plats actuels à la mode tapas. Cuisines ouvertes, service au comptoir.

par ① **et A 31 sortie Maizières-lès-Metz : 10 km –** ✉ 57280 Maizières-lès-Metz

Novotel-Hauconcourt
– ℘ 03 87 80 18 18 – www.novotel.com – h0446@accor.com – Fax 03 87 80 36 00
132 ch – †77/150 € ††77/150 €, ⊇ 15 € **Rest** – Carte 23/32 €
♦ Cet établissement de 1970 a fait peau neuve en adoptant la ligne "Novation" propre à la chaîne : chambres vastes et douillettes, tonalités douces, belles salles de bains. Restaurant agrémenté d'une terrasse au bord de la piscine.

rte de Saarlouis 13 km par ②, N 233 et D 954 - ✉ 57640 Ste-Barbe

Mazagran
1 rte de Boulay – ℘ 03 87 76 62 47 – www.restaurant-mazagran.com
– mele-cass@orange.fr – Fax 03 87 76 79 50 – Fermé 17 août-3 sept., 4-13 janv., dim. soir, lundi et mardi sauf fériés
Rest – Menu (22 €), 28/53 € – Carte 59/84 €
♦ Ferme bâtie pour l'un des soldats qui défendit en 1840 le fortin de Mazagran (Algérie). Cadre soigné et cossu ; terrasse côté jardin. Cuisine dans l'air du temps.

à Borny par ③ et rte Strasbourg : 3 km – ✉ 57070 Metz

Le Jardin de Bellevue
58 r. Claude Bernard, (près du Technopole Metz 2000) – ℘ 03 87 37 10 27
– www.jardindebellevue.com – lejardindebellevue@wanadoo.fr
– Fax 03 87 37 15 45 – Fermé 15-31 juil., 15-25 fév., sam. midi, dim. soir et lundi
Rest – Menu 22 € (déj. en sem.), 38/62 € – Carte 56/64 €
♦ Façade chic pour cette maison centenaire d'un quartier résidentiel. Tables bien dressées dans la salle à manger et terrasse ombragée en saison. Recettes actuelles.

à Plappeville par av. Henri II - AY : 7 km – 2 295 h. – alt. 280 m – ✉ 57050

La Vigne d'Adam
50 r. Gén. de Gaulle – ℘ 03 87 30 36 68 – www.lavignedadam.com – contact@lavignedadam.com – Fax 03 87 30 79 01 – Fermé 15-31 août, vacances de Noël, mardi soir, dim. et lundi
Rest – Carte 30/67 €
♦ Au cœur du village, ancienne maison de vigneron transformée en restaurant-bar à vins contemporain et tendance. Cuisine dans l'air du temps et beau livre de cave.

Ce symbole en rouge 🍃 ?
La tranquillité même, juste le chant des oiseaux au petit matin…

METZERAL – 68 Haut-Rhin – 315 G8 – 1 065 h. – alt. 480 m – ⊠ 68380 1 **A2**
▶ Paris 464 – Colmar 25 – Gérardmer 39 – Guebwiller 41 – Thann 43

Aux Deux Clefs ⌂ ← 斤 ⅍ rest, P VISA ⦿ AE ⦿
12 r. Altenhof, – ℰ 03 89 77 61 48 – www.aux-deux-clefs.com – auxdeuxclefs@free.fr – Fax 03 89 77 63 88 – Fermé 1er-15 mars et 1er-7 nov.
14 ch – †40/50 € ††55/75 €, ⊇ 10 € – ½ P 55/65 €
Rest – *(fermé merc.)* Menu 13 € (déj. en sem.), 16/65 € – Carte 30/75 €
♦ Perché sur les hauteurs du village, cet hôtel bénéficie d'une tranquillité appréciable. Chambres sobrement montagnardes où règne une ambiance de maison d'hôte. Élégante salle à manger (cuisine classique).

MEUCON – 56 Morbihan – 308 O8 – 1 268 h. – alt. 80 m – ⊠ 56890 9 **A3**
▶ Paris 464 – Vannes 8 – Lorient 62 – Ploërmel 49 – Pontivy 45

Le Tournesol 斤 & P VISA ⦿
20 rte de Vannes – ℰ 02 97 44 50 50 – http://pagesperso-orange.fr/le-tournesol/ – le.tournesol@wanadoo.fr – Fax 02 97 44 65 42 – Fermé 6-15 juil., 14-28 sept., 4-11 janv., dim. soir, merc. soir et lundi
Rest – Menu (17 €), 21 € (sem.)/52 € – Carte 35/56 €
♦ Les deux salles aménagées dans cette longère ont été rajeunies : nouvelles couleurs gourmandes (chocolat, caramel), fauteuils en osier... Au menu, appétissants plats actuels.

MEUDON – 92 Hauts-de-Seine – 311 J3 – 101 24 – voir à Paris, Environs

MEURSAULT – 21 Côte-d'Or – 320 I8 – rattaché à Beaune

LE MEUX – 60 Oise – 305 H4 – rattaché à Compiègne

MEXIMIEUX – 01 Ain – 328 E5 – 7 217 h. – alt. 245 m – ⊠ 01800 44 **B1**
▶ Paris 458 – Bourg-en-Bresse 37 – Chambéry 120 – Genève 118 – Grenoble 125 – Lyon 38
ℹ Office de tourisme, 1, rue de Genève ℰ 04 74 61 11 11, Fax 04 74 61 00 50

La Cour des Lys 斤 AC P VISA ⦿
17 r. de Lyon, (chambres prévues) – ℰ 04 74 61 06 78 – www.la-cour-des-lys.fr – la.cour.des.lys@orange.fr – Fax 04 74 34 75 23 – Fermé 23-31 mars, 3-18 août, 25 oct.-3 nov., 2-13 janv., merc. midi et lundi
Rest – Menu (20 €), 26/58 € – Carte 45/72 €
♦ Un nouveau chef a repris en main cette institution locale. Alléchante carte axée sur la tradition locale avec des touches actuelles à déguster dans un décor de style dombiste.

au Pont de Chazey-Villieu 3 km à l'Est par D 1084 – ⊠ 01800 Villieu-Loyes-Mollon

La Mère Jacquet avec ch 毎 斤 ⊅ & ch, ⇔ ⅍ rest, ⚑ ⅍ P VISA ⦿ AE
Pont de Chazey – ℰ 04 74 61 94 80 – contact@lamerejacquet.com – Fax 04 74 61 92 07 – Fermé 13-19 avril, 3-16 août, 21 déc.-3 janv.
19 ch – †55 € ††75 €, ⊇ 8 € – ½ P 75 €
Rest – *(fermé sam. midi, dim. soir et vend.)* Menu 23 € (sem.)/45 € – Carte 51/67 €
♦ Mignonne salle à manger-véranda ouverte sur le jardin et carte classique ancrée dans le terroir : la tradition initiée par la Mère Jacquet se perpétue au fil des générations.

MÉXY – 54 Meurthe-et-Moselle – 307 F2 – rattaché à Longwy

MEYLAN – 38 Isère – 333 H6 – rattaché à Grenoble

MEYMAC – 19 Corrèze – **329** N2 – 2 627 h. – alt. 702 m – ⊠ 19250 — 25 **C2**
Limousin Berry

▶ Paris 443 – Aubusson 57 – Limoges 96 – Neuvic 30 – Tulle 49 – Ussel 17
ℹ Office de tourisme, 1, place de l'Hôtel de Ville ✆ 05 55 95 18 43, Fax 05 55 95 66 12
◉ Vierge noire★ dans l'église abbatiale.

Chez Françoise avec ch
24 r. Fontaine du Rat – ✆ *05 55 95 10 63 – Fax 05 55 95 40 22 – Fermé 24 déc.-1er fév., dim. soir et lundi*
4 ch – ✦60/70 € ✦✦60/70 €, ⊇ 8 €
Rest – Menu 16 € (déj. en sem.), 29/36 € – Carte 40/50 €
♦ Goûtez une vraie cuisine de grand-mère et de bons bordeaux dans cette maison rustique du 16e s. flanquée d'une tour, puis repartez avec un produit régional de la boutique attenante.

à Maussac 9 km au Sud par D 36 et D 1089 – 385 h. – alt. 615 m – ⊠ 19250

Europa
sur D 1089 – ✆ *05 55 94 25 21 – www.hoteleuropa1.fr – hotel.europa1@orange.fr – Fax 05 55 94 26 08 – Fermé 23 déc.-2 janv.*
22 ch – ✦42 € ✦✦45/49 €, ⊇ 7 € – ½ P 45/56 €
Rest – *(fermé dim. hors saison)* Menu 12 € (déj. en sem.), 17/28 € – Carte 23/34 €
♦ Cet établissement proche de la route abrite des chambres toutes semblables, fonctionnelles et pourvues de lits "king size"; celles sur l'arrière sont plus calmes. Cuisine traditionnelle sans prétention.

MEYRONNE – 46 Lot – **337** F2 – 269 h. – alt. 130 m – ⊠ 46200 — 29 **C1**

▶ Paris 524 – Brive-la-Gaillarde 47 – Cahors 76 – Figeac 54 – Sarlat-la-Canéda 40

La Terrasse
pl. de l'Eglise – ✆ *05 65 32 21 60 – www.hotel-la-terrasse.com – terrasse.liebus@wanadoo.fr – Fax 05 65 32 26 93 – Ouvert 14 mars-5 nov.*
13 ch – ✦70/125 € ✦✦70/125 €, ⊇ 12 € – 4 suites – ½ P 80/122 €
Rest – *(fermé mardi midi)* Menu 20 € (déj. en sem.), 28/50 € – Carte 53/74 €
♦ Ce château, édifié au 11e s. et complété par de vieilles maisons en pierres de pays, domine la Dordogne. Chambres dotées de meubles anciens. Belle salle à manger voûtée d'hiver, espace plus contemporain ou agréable terrasse ombragée d'une treille.

MEYRUEIS – 48 Lozère – **330** I9 – 909 h. – alt. 698 m – ⊠ 48150 — 23 **C1**
Languedoc Roussillon

▶ Paris 643 – Florac 36 – Mende 57 – Millau 43 – Rodez 99 – Le Vigan 56
ℹ Office de tourisme, Tour de l'Horloge ✆ 04 66 45 60 33, Fax 04 66 45 65 27
◉ NO : Gorges de la Jonte★★.
◉ Aven Armand★★★ NO : 11 km - Grotte de Dargilan★★ NO : 8,5 km.

Château d'Ayres
rte d'Ayres, 1,5 km à l'Est par D 57 – ✆ *04 66 45 60 10 – www.chateau-d-ayres.com – chateau-d-ayres@wanadoo.fr – Fax 04 66 45 62 26 – Fermé 3 janv.-15 fév.*
22 ch – ✦80/99 € ✦✦99/165 €, ⊇ 15 € – 7 suites – ½ P 85/165 €
Rest – Menu 25/50 € – Carte 55/70 €
♦ L'accord du raffinement ancien et du confort moderne et la sérénité d'un parc de 6 ha font le charme de ce château du 12e s., ancien prieuré marqué par l'histoire cévenole. Salle à manger voûtée et agrémentée d'une cheminée, terrasse ombragée et recettes régionales.

Du Mont Aigoual
34 quai Barrière, – ✆ *04 66 45 65 61 – www.hotel-mont-aigoual.com – hotelmontaigoual@free.fr – Fax 04 66 45 64 25 – Ouvert 23 mars-2 nov.*
30 ch – ✦57 € ✦✦57/75 €, ⊇ 8 € – ½ P 56/63 €
Rest – *(fermé mardi midi sauf juil.-août)* Menu 20/42 €
♦ Le village, au pied du massif de l'Aigoual, est le lieu idéal pour partir à la découverte des Grands Causses et des Cévennes. Chambres en partie rénovées, piscine, jardin. Goûteuse cuisine traditionnelle à déguster dans une coquette salle de style provençal.

MEYRUEIS

De l'Europe sans rest
2 quai Barrière – ℰ 04 66 45 60 05 – www.hotel-europe-meyrueis.fr
– frederic-robert-48@wanadoo.fr – Fax 04 66 45 65 31 – Ouvert 10 avril-1er nov.
29 ch – †32/36 € ††37/41 €, ⊇ 7 €
◆ Établissement familial dont les chambres offrent un confort simple mais bénéficient d'une tenue sans reproche. Accès à la piscine du jardin d'un hôtel voisin (Mont Aigoual).

Family Hôtel
4 r. Barrière – ℰ 04 66 45 60 02 – www.hotel-family.com – hotel.family@wanadoo.fr – Fax 04 66 45 66 54 – Ouvert 1er avril-5 nov.
48 ch – †40 € ††49 €, ⊇ 8 € – ½ P 50 €
Rest – Menu 13 € (déj. en sem.), 17/31 € – Carte 16/39 €
◆ Hôtel familial bordant le Bétuzon, un affluent de la Jonte. Chambres pratiques bien tenues. Jardin et belle piscine avec jacuzzi de l'autre côté de la rive. Solide cuisine lozérienne dont on se repaît dans plusieurs salles rénovées et climatisées.

Grand Hôtel de France
pl. J. Séquier – ℰ 04 66 45 60 07 – www.grandhotel2france.com
– grandhoteldefrance@wanadoo.fr – Fax 04 66 45 67 62 – Ouvert 12 avril-30 sept.
45 ch – †45 € ††46/50 €, ⊇ 7 € – ½ P 49 €
Rest – (ouvert 30 avril-30 sept.) Menu 17/30 € – Carte 24/38 €
◆ Bâtisse en pierres du pays, où vous serez hébergés dans de petites chambres colorées. Sur l'arrière de l'hôtel, jardin et piscine à flanc de colline. Restaurant campagnard doté d'une cheminée et de meubles rustiques. Mise en place simple, menus traditionnels.

MEYZIEU – 69 Rhône – **327** J5 – rattaché à Lyon

MÈZE – 34 Hérault – **339** G8 – 10 336 h. – alt. 20 m – ⊠ 34140   23 **C2**
Languedoc Roussillon

▸ Paris 746 – Agde 21 – Béziers 43 – Lodève 52 – Montpellier 36 – Pézenas 19 – Sète 20

🛈 Office de tourisme, 8, rue Massaloup ℰ 04 67 43 93 08, Fax 04 67 43 55 61

◉ Villa gallo-romaine★ de Loupian N : 1,5 km.

De la Pyramide sans rest
8 promenade Sergent Jl.-Navarro – ℰ 04 67 46 61 50 – www.hoteldelapyramide.fr
– la-pyramidehotel@orange.fr – Fax 04 67 78 58 93 – Fermé janv.
22 ch – †70/95 € ††70/95 €, ⊇ 9 €
◆ Belle demeure provençale au cœur d'un petit parc. Chambres très confortables au décor épuré (murs blancs, mobilier en fer forgé), dotées de balcon ouvert sur l'étang de Thau.

à Bouzigues 4 km au Nord-Est par D 613 et rte secondaire – 1 522 h. – alt. 3 m – ⊠ 34140

La Côte Bleue
av Louis Tudesq – ℰ 04 67 78 31 42 – www.cotebleue.fr – lacotebleue0572@orange.fr – Fax 04 67 78 35 49
31 ch – †60 € ††90 €, ⊇ 13 €
Rest – ℰ 04 67 78 30 87 (fermé vacances de fév. et merc. hors saison)
Menu (19 €), 29 € (sem.)/44 € – Carte 31/58 €
◆ L'étang de Thau, mecque de la conchyliculture, baigne cette construction moderne aux chambres de bon confort agrémentées de balcons. Cuisine de la mer mettant à l'honneur les fameuses huîtres de Bouzigues, à déguster l'été sur la terrasse ombragée de pins.

À La Voile Blanche
1 av. Louis Tudesq – ℰ 04 67 78 35 77 – www.alavoileblanche.com
– alavoileblanche@wanadoo.fr – Fax 04 67 74 44 06 – Fermé 17-30 nov., mardi et merc. d'oct. à mars
8 ch – †65/190 € ††65/190 €, ⊇ 8 €   **Rest** – Menu 20 € bc – Carte 31/59 €
◆ Au bord de l'étang, ses parcs à huîtres et le petit port, une maison bien en vue au décor ultra contemporain, étudié et raffiné. Certaines chambres ont une terrasse. Dans une ambiance décontractée, goûtez à une cuisine méridionale privilégiant poissons et coquillages à la plancha.

MÉZOS – 40 Landes – 335 E10 – 848 h. – alt. 23 m – ⊠ 40170   3 **B2**
- Paris 684 – Bordeaux 124 – Mont-de-Marsan 107 – Dax 58 – Biscarrosse 44
- Office de tourisme, avenue de la Gare ℰ 05 58 42 64 37, Fax 05 58 42 64 60

La Maison de Mézos sans rest
av. de l'Océan – ℰ 05 58 42 61 38 – www.hotel-mezos.com – maisondemezos@orange.fr – Fax 05 58 42 65 29 – Fermé 1ᵉʳ nov.-19 déc. et janv.
9 ch – †70/165 € ††70/165 €, ⊆ 8,50 €
♦ Dans un petit village landais, coquette maison distillant une ambiance familiale (cadre rustique, mobilier chiné). Vaste jardin abritant pavillon, suites et roulottes. Piscine.

MÉZY-MOULINS – 02 Aisne – 306 D8 – 494 h. – alt. 81 m – ⊠ 02650   37 **C3**
- Paris 103 – Amiens 221 – Laon 92 – Reims 55 – Meaux 56

Le Moulin Babet avec ch
8 r. du Moulin Babet – ℰ 03 23 71 44 72 – www.hotel-moulinbabet.com – lemoulinbabet@orange.fr – Fax 03 23 71 48 11 – Fermé 24 déc.-11 janv., dim. soir (sauf hôtel), mardi et merc.
7 ch – †70/90 € ††70/90 €, ⊆ 9 €   **Rest** – Menu 31/65 € – Carte 53/61 €
♦ En pleine campagne, un moulin qui a conservé son ancienne roue visible depuis le hall. Jolie salle à manger mi-rustique, mi-actuelle, et belles chambres contemporaines.

MIEUSSY – 74 Haute-Savoie – 328 M4 – 1 983 h. – alt. 636 m – ⊠ 74440   46 **F1**
Alpes du Nord
- Paris 563 – Annecy 62 – Bonneville 21 – Chamonix-Mont-Blanc 59 – Thonon-les-Bains 49
- Office de tourisme, Le Pont du Diable ℰ 04 50 43 02 72, Fax 04 50 43 01 87

Accueil Savoyard
– ℰ 04 50 43 01 90 – accueil-savoyard@wanadoo.fr – Fax 04 50 43 09 59
– Fermé 5-18 mai et 10-25 nov.
8 ch – †45/50 € ††56 €, ⊆ 7 € – ½ P 54 €
Rest – *(fermé dim.)* Menu 13 € (déj. en sem.), 19/25 € – Carte 23/38 €
♦ Hôtel de type "pension de famille" établi dans la verdoyante vallée du Giffre. Chambres bien tenues, parfois dotées d'un balcon ; demandez-en une avec vue sur les montagnes. Carte traditionnelle et plats savoyards servis dans une salle à manger rustique.

Maison des Sœurs
pl. de l'Église – ℰ 04 50 43 15 74 – www.mieussy.net – mlm@mieussy.net
– Fax 04 50 43 15 74
3 ch ⊆ – †52/62 € ††63/95 €
Table d'hôte – *(fermé dim.)* Menu 15 € bc/22 € bc
♦ Cette maison massive (1841) repérable à ses volets turquoises accueillit longtemps nonnes et colonies de vacances. Belles grandes chambres personnalisées ; âtre au salon. Cuisine-salle à manger avec cheminée où cuisent parfois ragoûts ou volailles à la broche.

MILLAU – 12 Aveyron – 338 K6 – 21 900 h. – alt. 372 m – ⊠ 12100   29 **D2**
Languedoc Roussillon
- Paris 636 – Albi 106 – Mende 95 – Montpellier 114 – Rodez 67
- Office de tourisme, 1, place du Beffroi ℰ 05 65 60 02 42, Fax 05 65 60 95 08
- Musée de Millau★ : poteries★, maison de la Peau et du Gant ★ (1ᵉʳ étage) **M** - Viaduc ★★★.
- Canyon de la Dourbie★★ 8 km par ②.

Plan page ci-contre

Mercure
1 pl. de la Tine – ℰ 05 65 59 29 00 – www.mercure.com – h5614@accor.com
– Fax 05 65 59 29 01   BY **m**
57 ch – †99/149 € ††109/159 €, ⊆ 17 €
Rest – *(fermé sam. et dim. hors saison)* Menu (13 €), 24/29 € – Carte 24/40 €
♦ En plein centre-ville, hôtel refait à neuf dans un chaleureux esprit contemporain. De nombreuses chambres offrent une vue sur le viaduc. Le restaurant aux airs de bouchon aveyronnais sert une cuisine régionale.

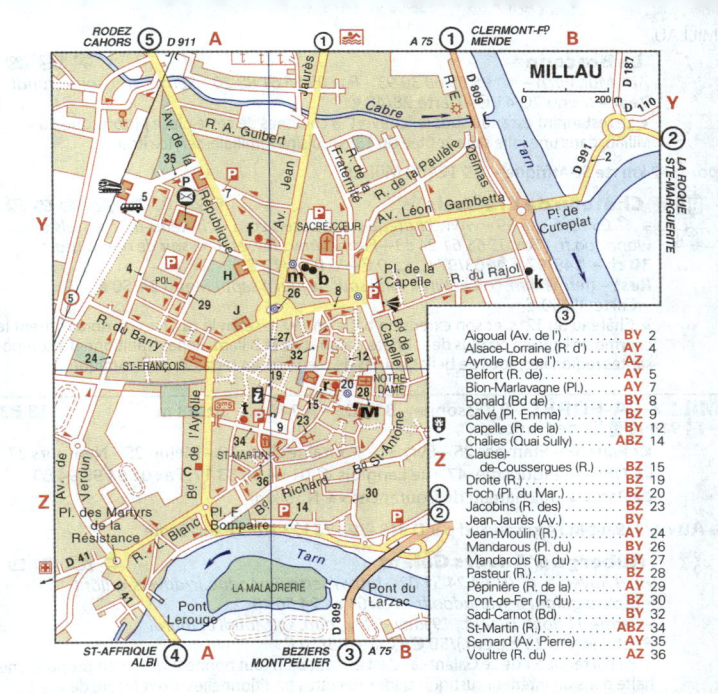

Aigoual (Av. de l')	BY	2
Alsace-Lorraine (R. d')	AY	4
Ayrolle (Bd de l')	AZ	
Belfort (R. de)	AY	5
Bion-Marlavagne (Pl.)	AY	7
Bonald (Bd de)	BY	8
Calvé (Pl. Emma)	BZ	9
Capelle (R. de la)	BY	12
Chalies (Quai Sully)	ABZ	14
Clausel-de-Coussergues (R.)	BZ	15
Droite (R.)	BZ	19
Foch (Pl. du Mar.)	BZ	20
Jacobins (R. des)	BZ	23
Jean-Jaurès (Av.)	BY	
Jean-Moulin (R.)	AY	24
Mandarous (Pl. du)	BY	26
Mandarous (R. du)	BY	27
Pasteur (R.)	BZ	28
Pépinière (R. de la)	AY	29
Pont-de-Fer (R. du)	BZ	30
Sadi-Carnot (Bd)	BY	32
St-Martin (R.)	ABZ	34
Semard (Av. Pierre)	AY	35
Voultre (R. du)	AZ	36

Cévenol Hôtel

115 r. Rajol – ℘ 05 65 60 74 44 – www.cevenol-hotel.fr – contact@cevenol-hotel.fr – Fax 05 65 60 85 99
BY **k**

42 ch – †54/58 € ††54/58 €, ☲ 8 € – ½ P 50/57 €

Rest – Menu (12 €), 17 € (sem.)/37 € – Carte 20/55 €

♦ Ce bâtiment construit dans les années 1980 et séparé du Tarn par la route nationale abrite des chambres fonctionnelles assez spacieuses. Nouveau bar. La salle à manger s'ouvre en grand sur la terrasse dotée d'un petit gril. Cuisine à tendance régionale.

Millau Hôtel Club

par ④ et rte Montpellier – ℘ 05 65 59 71 33 – www.hotels-de-millau.com – millauhotelclub@wanadoo.fr – Fax 05 65 59 71 67 – Ouvert 1er mars-30 nov.

37 ch – †66 € ††66 €, ☲ 10 € – ½ P 57 €

Rest – grill – *(fermé dim. soir et lundi midi)* Menu 12 € bc (déj.), 19/27 € bc – Carte 25/40 €

♦ Chambres au confort fonctionnel, fitness, sauna, piscine, boulodrome et tennis dans cet ensemble moderne situé près de la rocade. Coup d'œil sur Millau, le Tarn et le viaduc. Salle de restaurant en rotonde ; grillades, salades et assortiment de vins régionaux.

Ibis sans rest

r. du Sacré Cœur – ℘ 05 65 59 29 09 – www.ibishotel.com – h5613@accor.com – Fax 05 65 59 29 01
BY **b**

46 ch – †65/99 € ††65/99 €, ☲ 10 €

♦ Hôtel du centre-ville, bien situé pour aller admirer le fameux viaduc. Vastes chambres, lumineuses et fonctionnelles, offrant un bon niveau de confort.

Capion

3 r. J.-F. Alméras – ℘ 05 65 60 00 91 – www.restaurant-capion.com – restaurantcapion@wanadoo.fr – Fax 05 65 60 42 13 – Fermé 1er-7 janv., jeudi en juil.-août, mardi soir et merc.
AY **f**

Rest – Menu 15/38 € – Carte 33/49 €

♦ Cet établissement du centre-ville affiche souvent complet. Vous y dégusterez une copieuse cuisine traditionnelle valorisant le terroir ainsi qu'un menu des îles, plus exotique.

MILLAU

La Braconne 🛜 VISA ⓜ
7 pl. Mar. Foch – ℰ *05 65 60 30 93 – Fax 05 65 61 88 20 – Fermé dim. soir et lundi*
Rest – Menu 20/41 € – Carte 28/48 € BZ r
♦ Le restaurant est situé sous le "couvert" à colonnes de cette place pittoresque du vieux Millau, dans une jolie salle voûtée du 13e s. Cuisine familiale, service itou.

par ④ 2 km rte St-Affrique – ✉ **12100 Millau**

Château de Creissels ⑤ ≤ 🚗 🛜 P VISA ⓜ AE ①
– ℰ *05 65 60 16 59 – www.chateau-de-creissels.com – chateau-de-creissels@wanadoo.fr – Fax 05 65 61 24 63 – Fermé janv., fév. et dim. soir de nov. à mars*
30 ch – ♦49/97 € ♦♦63/97 €, ⊇ 9 € – ½ P 61/77 €
Rest *– (fermé dim. soir et lundi midi sauf de juin à sept.)* Menu 24/50 €
– Carte 39/50 €
♦ Château du 12e s. et son extension bâtie en 1971 : selon les cas, les chambres offrent le charme de l'ancien ou plus de sobriété. Salon stylé et billard. Repas traditionnel à composantes régionales, sous de belles voûtes de pierre ou en terrasse, panoramique.

MILLY-LA-FORÊT – 91 Essonne – 312 D5 – 4 746 h. – alt. 68 m 18 B3
– ✉ 91490 ▮ Île de France

▸ Paris 58 – Étampes 25 – Évry 31 – Fontainebleau 19 – Melun 25 – Nemours 27
🛈 Office de tourisme, 47, rue Langlois ℰ 01 64 98 83 17, Fax 01 64 98 94 80
◉ Parc★★ du château de Courances★★ N : 5 km.

à Auvers (S.-et-M.) 4 km au Sud par D 948 – ✉ 77123 Noisy-sur-Ecole

Auberge d'Auvers Galant 🛜 ⇔ VISA ⓜ AE
7 r. d'Auvers – ℰ *01 64 24 51 02 – http://perso.wanadoo.fr/auvers-galant*
– auvers-galant@wanadoo.fr – Fax 01 64 24 56 40
– Fermé 31 août-15 sept., 19 janv.-5 fév., dim. soir, lundi et mardi
Rest – Menu 25 € (sem.)/50 € – Carte 45/70 €
♦ Rien à redouter de ce Galant-là : c'est en tout bien tout honneur qu'il vous propose une halte dans un intérieur rustique coloré. Recettes traditionnelles (dont la tête de veau).

MILLY-SUR-THERAIN – 60 Oise – 305 C3 – 1 520 h. – alt. 82 m 36 A2
– ✉ 60112

▸ Paris 91 – Compiègne 69 – Amiens 74 – Beauvais 11

Hostellerie du Lac "La Gourmandine" avec ch ⑤ 🚗 🛜 ♿ rest,
1 r. Étangs – ℰ *03 44 81 07 52*   ⇔ ℵ 🐕 🛜 P VISA ⓜ
– www.la-gourmandine.net – hostellerie-la-gourmandine@wanadoo.fr
– Fax 03 44 81 36 60 – Fermé 15 fév.-8 mars
8 ch – ♦65 € ♦♦85 €, ⊇ 10 € – ½ P 70 €
Rest *– (fermé sam. midi, dim. soir et lundi)* Menu (18 €), 29/100 € bc – Carte 36/65 €
♦ Pavillon 1900 en bordure d'un petit lac aux abords boisés. Repas classique dans une salle confortable. Espace "pub" pour la demi-pension et la formule "étape". Deux terrasses. Chambres dotées de meubles en bois plaqué ou plus rustiques.

MIMIZAN – 40 Landes – 335 D9 – 6 605 h. – alt. 13 m – Casino 3 B2
– ✉ 40200 ▮ Aquitaine

▸ Paris 692 – Arcachon 67 – Bayonne 109 – Bordeaux 109 – Dax 72
– Mont-de-Marsan 77
🛈 Office de tourisme, 38, avenue Maurice Martin ℰ 05 58 09 11 20,
Fax 05 58 09 40 31

Plage Sud

L'Émeraude des Bois 🛜 ⇔ 🐕 P VISA ⓜ
66/68 av. Courant – ℰ *05 58 09 05 28 – www.emeraudedesbois.com*
– emeraudedesbois@wanadoo.fr – Fax 05 58 09 35 73 – Ouvert 1er avril-30 sept.
15 ch – ♦52/57 € ♦♦56/75 €, ⊇ 8 € – ½ P 51/55 €
Rest *– (ouvert 26 avril-13 sept.) (dîner seult)* Menu 17/42 € – Carte 19/45 €
♦ Sympathique hôtellerie à 3 mn des plages de la Côte d'Argent et de la vaste forêt de Mimizan. Chambres non-fumeurs, totalement rénovées. Salle à manger prolongée d'une véranda et agréable terrasse ombragée.

MIMIZAN

L'Airial sans rest
6 r. Papeterie – ℰ 05 58 09 46 54 – www.hotel-airial.com – hotel.airial@aliceadsl.fr – Fax 05 58 09 32 10 – Fermé dim. soir hors saison
16 ch – †40/52 € ††45/60 €, ⊊ 8 €
♦ Accueil chaleureux, chambres de bonne tenue meublées en pin, salons de détente, petit-déjeuner dans le jardin : voici un séjour océanique qui s'annonce bien !

De France sans rest
18 av. de la Côte d'Argent – ℰ 05 58 09 09 01 – www.hoteldefrance-mimizan.com – hoteldefrancemimizan@orange.fr – Fax 05 58 09 47 16 – Ouvert 1er mars-20 oct.
21 ch – †50/80 € ††55/80 €, ⊊ 6,50 €
♦ Non loin de la plage, petite adresse pratique offrant des chambres rénovées, sobrement meublées et décorées dans les tons pastel. Snack d'appoint en haute saison.

MINERVE – 34 Hérault – **339** B8 – 112 h. – alt. 227 m – ⊠ 34210   22 **B2**
Languedoc Roussillon

▸ Paris 812 – Béziers 45 – Carcassonne 44 – Narbonne 33 – St-Pons 30
▸ Syndicat d'initiative, 9, rue des Martyrs ℰ 04 68 91 81 43, Fax 04 68 91 81 43
▸ Site★★.

Relais Chantovent avec ch
17 Grand'Rue – ℰ 04 68 91 14 18 – relais.chantovent@orange.fr – Fax 04 68 91 81 99 – Ouvert 16 mars-11 nov. et fermé dim. soir et lundi
5 ch – †35 € ††42 €, ⊊ 6,50 € – ½ P 55 €
Rest – Menu 21/46 € – Carte 40/65 €
♦ Au cœur du village cathare, sympathique auberge familiale fidèle à son appétissante cuisine régionale. La terrasse offre la vue sur les gorges du Brian. Chambres simples.

MIOMO – 2B Haute-Corse – **345** F3 – voir à Corse (Bastia)

MIONNAY – 01 Ain – **328** C5 – 2 124 h. – alt. 276 m – ⊠ 01390   43 **E1**

▸ Paris 457 – Bourg-en-Bresse 44 – Lyon 23 – Meximieux 26 – Villefranche-sur-Saône 33
▸ de Mionnay-la-Dombes Domaine de Beau Logis, E : 3 km, ℰ 04 78 91 84 84

Alain Chapel avec ch
– ℰ 04 78 91 82 02 – www.alainchapel.fr – chapel@relaischateaux.com – Fax 04 78 91 82 37 – Fermé janv., vend. midi, lundi et mardi sauf fériés
12 ch – †127/147 € ††127/147 €, ⊊ 16 €
Rest – Menu 75 € (déj. en sem.), 114/157 € – Carte 95/136 €
Spéc. Pressé de tourteau et œufs de saumon (été). Petits rougets, cocos de Paimpol et effiloché de canard dans soupe de poissons de roche (été-automne). Sabayon froid au café sur sablé de muesli, transparence aux noix et gelée d'amaretto. **Vins** Morgon, Condrieu.
♦ Décoration réussie dans les trois salles à manger en enfilade : ambiance bressane chaleureuse et romantique. Belle cuisine fine et classique. Chambres coquettes et jardin fleuri.

MIRAMAR – 06 Alpes-Maritimes – **341** C7 – rattaché à Théoule-sur-Mer

---

MIRAMBEAU – 17 Charente-Maritime – **324** G7 – 1 452 h. – alt. 59 m   38 **B3**
– ⊠ 17150

▸ Paris 515 – Bordeaux 72 – Angoulême 73 – Cognac 48 – Royan 52
▸ Office de tourisme, 90, avenue de la République ℰ 05 46 49 62 85, Fax 05 46 49 62 85

Château de Mirambeau
1 av. des Comtes Duchatel – ℰ 05 46 04 91 20
– www.chateaumirambeau.com – reservation@chateaumirambeau.com
– Fax 05 46 04 26 72 – Ouvert 5 avril-1er nov.
14 ch – †230/555 € ††230/555 €, ⊊ 28 € – 9 suites
Rest – Menu (45 €), 65/90 € – Carte 70/107 €
♦ Fastueux salons, meubles chinés, chambres raffinées, luxueuses salles de bains, vaste parc et belle piscine couverte : ce superbe château du 19e s. n'est que charme et élégance. Trois petites salles de restaurant intimes et une terrasse ouverte sur le domaine.

MIRANDE – 71 Saône-et-Loire – **320** J11 – rattaché à Fleurville

---

MIRANDOL-BOURGNOUNAC – 81 Tarn – **338** E6 – 1 069 h. 29 **C2**
– alt. 393 m – ⌧ 81190

> Paris 653 – Albi 29 – Rodez 51 – St-Affrique 79
> – Villefranche-de-Rouergue 39

Office de tourisme, 2, place de la Liberté ℰ 05 63 76 97 65,
Fax 05 63 76 90 11

Hostellerie des Voyageurs avec ch ⚞ & rest, VISA ⓂⓄ
pl. du Foirail – ℰ 05 63 76 90 10 – Fax 05 63 76 96 01 – *Fermé vacances de printemps, 24 août-9 sept. et le soir du 1ᵉʳ oct. au 15 avril*
8 ch – †33 €††42/52 €, ⌧ 6 € – ½ P 48/54 €
Rest – Menu 13 € bc (sem.)/33 € – Carte 26/50 €
♦ Cette maison à la façade discrète héberge également le café du village. Grande salle à manger rustique et cuisine familiale généreuse à base de plats mijotés. Terrasse fleurie.

MIREBEL – 39 Jura – **321** E6 – 230 h. – alt. 580 m – ⌧ 39570 16 **B3**

> Paris 419 – Champagnole 17 – Lons-le-Saunier 17

Mirabilis ⚞ P VISA ⓂⓄ
41 Grande Rue – ℰ 03 84 48 24 36 – www.lemirabilis.com – lemirabilis@wanadoo.fr – Fax 03 84 48 22 25 – *Fermé 2-10 janv., mardi et merc. de sept. à juin et lundi*
Rest – Menu (13 €), 20/50 € – Carte 26/37 €
♦ Demeure familiale (1760) équipée – tant dehors que dedans – de jeux pour les enfants. Salle à manger soignée ouverte sur la terrasse et le jardin. Cuisine régionale actualisée.

MIREPOIX – 09 Ariège – **343** J6 – 3 060 h. – alt. 308 m – ⌧ 09500 29 **C3**
Midi-Pyrénées

> Paris 753 – Carcassonne 52 – Castelnaudary 34 – Foix 37 – Limoux 33
> – Pamiers 25

Office de tourisme, place Maréchal Leclerc ℰ 05 61 68 83 76,
Fax 05 61 68 89 48

Place principale★★.

Relais Royal ⚞ ⌧ & ⌧ ⌧ ⌧ ⌧ VISA ⓂⓄ AE ①
8 r. Mar. Clauzel – ℰ 05 61 60 19 19 – www.relaisroyal.com – relaisroyal@relaischateaux.com – Fax 05 61 60 14 15 – *Fermé 3 janv.-11 fév.*
5 ch ⌧ – †200/290 € ††200/290 € – 3 suites
Rest – *(fermé mardi midi, merc. midi et jeudi midi de nov. à Paques, mardi soir, sam. midi et lundi)* Menu 37/95 € – Carte environ 75 €
♦ Cette belle demeure (1742) était jadis la résidence du maire. Un grand escalier dessert des chambres spacieuses, garnies de meubles de style et dotées d'équipements modernes. Petite salle à manger bourgeoise où l'on déguste d'appétissantes recettes actuelles.

La Maison des Consuls sans rest ⌧ ⌧ VISA ⓂⓄ AE
6 pl. du Mar. Leclerc – ℰ 05 61 68 81 81 – www.maisondesconsuls.com – hotel@maisondesconsuls.com – Fax 05 61 68 81 15
8 ch – †80/95 € ††80/155 €, ⌧ 16 €
♦ Maison de justice du 14ᵉ s. dotée de chambres personnalisées (une suite avec terrasse), garnies de meubles de style médiéval ou plus actuel. Vue sur la place ou sur un patio.

Les Minotiers ⚞ ⌧ & AC ⌧ P VISA ⓂⓄ
av. Mar. Foch – ℰ 05 61 69 37 36 – www.lesminotiers.com – info@lesminotiers.com – Fax 05 61 69 48 55
27 ch – †45 € ††49/57 €, ⌧ 7 €
Rest – *(fermé sam. midi sauf juil.-août)* Menu 16/36 € – Carte 32/55 €
♦ Hôtel neuf installé dans les murs d'une ancienne minoterie. Teintes douces et équipements modernes dans les chambres, simples et confortables. Cuisine traditionnelle sans prétention proposée à prix tout doux.

MIREPOIX

Le Comptoir Gourmand

cours Mar. de Mirepoix – ℰ 05 61 68 19 19 – www.lecomptoirgourmand.com
– comptoir.gourmand@wanadoo.fr – Fax 05 61 68 19 19 – Fermé mardi et merc.
de sept. à juin, dim. et le midi
Rest – Menu 28/35 € – Carte 28/45 €
♦ L'alléchante cuisine, traditionnelle et soignée, met avant les produits et les vins des petits exploitants régionaux. Espace boutique à l'entrée du restaurant. Terrasse d'été.

MIRMANDE – 26 Drôme – **332** C5 – 507 h. – alt. 204 m 44 **B3**
▌Lyon et la Vallée du Rhône

▶ Paris 603 – Lyon 141 – Valence 42 – Romans-sur-Isère 61 – Montélimar 21
🛈 Syndicat d'initiative, place du Champ de Mars ℰ 04 75 63 10 88,
Fax 04 75 63 10 88

La Capitelle

Le Rempart – ℰ 04 75 63 02 72 – www.lacapitelle.com – capitelle@wanadoo.fr
– Fax 04 75 63 02 50 – Fermé 15 déc.-15 fév. et mardi sauf juil.-août
12 ch – †80/130 € ††85/150 €, ⊇ 12 € – ½ P 85/125 €
Rest – (fermé merc. midi sauf juil.-août) Menu (19 €), 39/53 € – Carte 50/60 €
dîner seulement
♦ Cette ancienne magnanerie éclairée de fenêtres à meneaux fut la résidence du cubiste André Lhote. Beaux meubles d'antiquaire dans les chambres. La cheminée monumentale en pierre est l'âme de la salle à manger voûtée. Terrasse avec vue sur vergers et collines.

MISSILLAC – 44 Loire-Atlantique – **316** D3 – 4 557 h. – alt. 44 m 34 **A2**
– ✉ 44780 ▌Bretagne

▶ Paris 436 – Nantes 62 – Redon 24 – St-Nazaire 37 – Vannes 55
🛈 Office de tourisme, la Chinoise ℰ 02 40 88 35 14
◉ Retable★ dans l'église - Site★ du château de la Bretesche O : 1 km.

La Bretesche

Domaine de la Bretesche, rte de la Baule
– ℰ 02 51 76 86 96 – www.bretesche.com
– bretesche@relaischateaux.com – Fax 02 40 66 99 47
32 ch – †155/440 € ††155/440 €, ⊇ 27 € – ½ P 154/296 €
Rest – (fermé fév. et le midi sauf dim.) Menu 56/106 € – Carte 93/115 €
Rest Le Club – brasserie (fermé le soir du 15 oct. au 31 mars) Menu (19 €), 24 €
– Carte 35/55 €
Spéc. Ravioles de thon rouge au chèvre frais (mai à sept.). Saint-Pierre cuit sur peau et tartare d'huître. Carré de chocolat à la menthe des marais. **Vins** Muscadet de Sèvre-et-Maine sur lie.
♦ Un univers de conte de fée au cœur de la Brière... Face au château crénelé entouré de ses douves, les anciennes dépendances réaménagées s'ouvrent à vous. Restaurant raffiné avec cour-terrasse et délicieuses recettes au goût du jour. Le Club, brasserie contemporaine, s'adapte à la clientèle pressée.

MITTELBERGHEIM – 67 Bas-Rhin – **315** I6 – 653 h. – alt. 220 m 2 **C1**
– ✉ 67140 ▌Alsace Lorraine

▶ Paris 499 – Barr 2 – Erstein 24 – Molsheim 23 – Sélestat 21 – Strasbourg 41
🛈 Syndicat d'initiative, 2, rue Principale ℰ 03 88 08 01 66, Fax 03 88 08 01 66

Am Lindeplatzel

71 r. Principale – ℰ 03 88 08 10 69 – Fax 03 88 08 45 08 – Fermé 25 août-3 sept.,
20-30 nov., 9-28 fév., lundi midi, merc. soir et jeudi
Rest – Menu 23/58 € – Carte 43/60 €
♦ Cette maison située dans un superbe village est appréciée pour sa carte aux propositions traditionnelles, contemporaines, ou de produits régionaux travaillés de façon actuelle.

Gilg avec ch

1 r. Rotland – ℰ 03 88 08 91 37 – www.hotel-gilg.com – hotel.gilg@orange.fr
– Fax 03 88 08 45 17 – Fermé 29 juin-14 juil., 5-28 janv., mardi et merc.
19 ch – †55 € ††58/87 €, ⊇ 8 €   **Rest** – Menu 29/68 € – Carte 40/60 €
♦ Belle maison de style bas-rhénan (1614) au cœur du bourg. La winstub d'origine, où fut créé, dit-on, le pâté vigneron, a été transformée en restaurant au cadre alsacien.

1089

MITTELHAUSBERGEN – 67 Bas-Rhin – 315 K5 – rattaché à Strasbourg

MITTELHAUSEN – 67 Bas-Rhin – 315 J4 – 546 h. – alt. 185 m – ⊠ 67170   1 **B1**
▶ Paris 478 – Haguenau 21 – Saverne 22 – Strasbourg 24

À l'Étoile
12 r. La Hey – ℰ 03 88 51 28 44 – www.hotel-etoile.net – hotelrestaurant.etoile@wanadoo.fr – Fax 03 88 51 24 79 – Fermé 1er-14 janv.
24 ch – †48 € ††55/63 €, ⊊ 7 € – ½ P 62 €
Rest – (fermé 12 juil.-5 août, 1er-14 janv., dim. soir et lundi) Menu (12 €), 19/42 € – Carte 22/49 €
◆ Éloignée des axes fréquentés, construction récente d'aspect régional à la façade fleurie. Chambres fonctionnelles et fraîches, rénovées par étapes. Chaleureuses salles à manger décorées de boiseries anciennes.

MITTELWIHR – 68 Haut-Rhin – 315 H8 – 780 h. – alt. 210 m – ⊠ 68630   2 **C2**
▶ Paris 445 – Colmar 10 – Kaysersberg 6 – Ribeauvillé 403 – Sélestat 20

Le Mandelberg sans rest
chemin du Mandelberg – ℰ 03 89 49 09 49 – http://monsite.wanadoo.fr/hotelmandelberg.fr – hotelmandelberg@wanadoo.fr – Fax 03 89 49 09 48 – Fermé 5 janv.-1er fév.
18 ch – †70/110 € ††80/110 €, ⊊ 10 €
◆ Savourez le microclimat du "Midi de l'Alsace" depuis cette grande bâtisse de style néo-alsacien dont les chambres, modernes et confortables, donnent parfois sur le vignoble.

Le Mittelwihr sans rest
19 rte du Vin – ℰ 03 89 49 09 90 – http://monsite.wanadoo.fr/hotelmittelwihr.fr – hotelmittelwihr@wanadoo.fr – Fax 03 89 86 02 29 – Fermé fév.
15 ch – †65/110 € ††65/110 €, ⊊ 10 €
◆ Sur la route des Vins, maison régionale flambant neuve et haute en couleurs, où un copieux petit-déjeuner typiquement local vous attend après une nuit douillette.

La Table de Mittelwihr
rte du Vin – ℰ 03 89 78 61 40 – www.la-table-de-mittelwihr.com – latabledemittelwihr@wanadoo.fr – Fax 03 89 86 01 66 – Fermé 2-24 nov., mardi midi et lundi – **Rest** – Menu 17 € (déj. en sem.), 30/45 € – Carte 39/49 €
◆ Architecture intérieure contemporaine assez originale (poutres en bois courbées) et agréable terrasse d'été pour déguster une cuisine actuelle assortie de recettes du terroir.

MIZOËN – 38 Isère – 333 J7 – rattaché au Freney-d'Oisans

MOËLAN-SUR-MER – 29 Finistère – 308 J8 – 6 841 h. – alt. 58 m   9 **B2**
– ⊠ 29350 ▌Bretagne
▶ Paris 523 – Carhaix-Plouguer 66 – Concarneau 27 – Lorient 27 – Quimper 50 – Quimperlé 10
ℹ Office de tourisme, 20, place de l'Église ℰ 02 98 39 67 28, Fax 02 98 39 63 93

Manoir de Kertalg sans rest
rte de Riec-sur-Belon, 3 km à l'Ouest par D 24 et chemin privé – ℰ 02 98 39 77 77 – www.manoirdekertalg.com – kertalg@free.fr – Fax 02 98 39 72 07 – Ouvert 12 avril-12 nov.
9 ch – †115/210 € ††115/250 €, ⊊ 14 €
◆ Dans un domaine forestier, cette demeure historique attire les amateurs d'art (expos de peintures). La décoration a été revue, affichant un goût bourgeois et une douce sérénité.

Les Moulins du Duc
2 km au Nord-Ouest – ℰ 02 98 96 52 52 – www.hotel-moulins-du-duc.com – moulin.duc@wanadoo.fr – Fax 02 98 96 52 53 – Ouvert 1er mars-30 nov.
26 ch – †81/198 € ††81/198 €, ⊊ 15 €
Rest – (fermé dim. soir et lundi en mars et en nov., lundi midi et mardi midi d'avril à fin oct.) Menu 38/69 € – Carte 44/64 €
◆ Parc verdoyant où paressent un étang, un moulin du 16e s. et de jolies maisonnettes (abritant les chambres) longées par la rivière. L'ex-meunerie, dont le mécanisme s'expose au salon, abrite une table traditionnelle complétée par une véranda au bord de l'eau.

MOERNACH – 68 Haut-Rhin – 315 H11 – rattaché à Ferrette

MOIRAX – 47 Lot-et-Garonne – 336 F5 – rattaché à Agen

MOISSAC – 82 Tarn-et-Garonne – 337 C7 – 12 300 h. – alt. 76 m — 28 **B2**
– ⊠ 82200 ▌Midi-Pyrénées

> ▶ Paris 632 – Agen 57 – Auch 87 – Cahors 63 – Montauban 31 – Toulouse 71
> 🛈 Office de tourisme, 6, place Durand de Bredon ✆ 05 63 04 01 85, Fax 05 63 04 27 10
> 🏌 d'Espalais à Valence-d'Agen L'Îlot, par rte d'Agen : 20 km, ✆ 05 63 29 04 56
> ◉ Église St-Pierre★ : portail méridional★★★, cloître★★★, christ★.
> ◉ Boudou ※★ 7 km par ③.

Le Moulin de Moissac
Esplanade du Moulin – ✆ *05 63 32 88 88 – www.lemoulindemoissac.com – hotel@lemoulindemoissac.com – Fax 05 63 32 02 08*   **b**
36 ch – †75 € ††75/150 €, ☐ 12 €
Rest – *(fermé sam. midi et dim.)* Menu 24 € (déj. en sem.), 38/55 € – Carte 72/84 €
♦ Souvent remanié, ce moulin fondé au 15e s. dispose désormais d'un bel aménagement intérieur, de jolies chambres à thèmes (mer, campagne et montagne) et d'un spa complet. Restaurant au décor de bistrot, simple et élégant, tourné vers le Tarn. Choix traditionnel.

Le Chapon Fin sans rest
3 pl. des Récollets – ✆ *05 63 04 04 22 – www.lechaponfin-moissac.com – info@lechaponfin-moissac.com – Fax 05 63 04 58 44*   **a**
23 ch – †45/80 € ††45/80 €, ☐ 9 €
♦ Sur la place du marché et à deux pas de l'abbaye romane, vous serez traité ici comme des "coqs en pâte" et logé dans des chambres classiques et fonctionnelles.

Le Pont Napoléon-La Table de Nos Fils avec ch
2 allées Montebello – ✆ *05 63 04 01 55*
– www.le-pont-napoleon.com – lepontnapoleon@orange.fr – Fax 05 63 04 34 44
– Fermé 2-12 nov., 15-28 fév., lundi midi d'oct. à avril, merc. midi et mardi
12 ch – †40/45 € ††50/54 €, ☐ 8 €   **n**
Rest – Menu (28 €), 34/42 € – Carte 42/54 €
♦ Restaurant face au pont Napoléon, en bordure du Tarn. Décoration agréablement tendance, mettant en valeur tableaux, objets et meubles anciens. Plats dans l'air du temps.

MOISSAC

Alsace-Lorraine (Bd d')	2
Cayrou (Av. H.)	3
Gascogne (Av. de)	4
Guilerand (R.)	5
Lakanal (Bd)	6
Récollets (Pl. des)	8
République (R. de la)	9

1091

MOISSAC
au Nord 9 km par D 7 - ⊠ 82400 St-Paul-Espis

Le Manoir St-Jean
à St-Jean-de-Cornac – ℰ 05 63 05 02 34 – www.manoirsaintjean.com – info@manoirsaintjean.com – Fax 05 63 05 07 50 – Fermé 1er-24 nov. et 4-18 janv.
1 ch – †100/170 € ††100/170 €, ⊇ 13 € – 9 suites – ††140/190 €
– ½ P 95/130 €
Rest – (fermé dim. soir et lundi du 1er oct. au 15 mai) (prévenir) Menu (28 €), 38/70 €
♦ Maison de maître (19e s.) personnalisée par de nombreux objets chinés. Chambres-suites décorées selon différents thèmes : Art déco, marine, etc. Agréable jardin avec piscine. Confortable salle de restaurant pour une cuisine faisant la part belle au terroir.

MOISSAC-BELLEVUE – 83 Var – 340 M4 – rattaché à Aups

MOISSIEU-SUR-DOLON – 38 Isère – 333 C5 – 625 h. – alt. 350 m   44 B2
– ⊠ 38270

▶ Paris 511 – Grenoble 78 – Lyon 55 – La Tour-du-Pin 53 – Vienne 25

Domaine de la Colombière
– ℰ 04 74 79 50 23 – www.lacolombiere.com
– colombieremoissieu@hotmail.com – Fax 04 74 79 50 25
– Fermé 26-30 déc., 15 fév.-1er mars, dim. soir et lundi sauf fériés
20 ch – †93/125 € ††105/149 €, ⊇ 15 € – 1 suite – ½ P 91/102 €
Rest – Menu 35/67 € – Carte 42/65 €
♦ Demeure bourgeoise de 1820 entourée d'un parc de 4 ha. Vastes chambres bien équipées, décorées sur le thème des peintres célèbres (copies réalisées par la propriétaire-artiste). Grande salle à manger, salon privé, terrasse face à la nature et carte actuelle.

MOLINES-EN-QUEYRAS – 05 Hautes-Alpes – 334 J4 – 325 h.   41 C1
– alt. 1 750 m – Sports d'hiver : 1 750/2 900 m ⟋ 15 ⟋ – ⊠ 05350
Alpes du Sud

▶ Paris 724 – Briançon 44 – Gap 87 – Guillestre 27 – St-Véran 6
ℹ Office de tourisme, Clot la Chalpe ℰ 04 92 45 83 22, Fax 04 92 45 80 79
◉ Château-Queyras : site★★, fort Queyras★, espace géologique★, NO : 8 km.

Le Chamois
– ℰ 04 92 45 83 71 – www.hotel-lechamois.com – contact@hotel-lechamois.com
– Fax 04 92 45 80 58 – Ouvert 20 avril-30 sept., 24 oct.-1er nov. et 25 déc.-31 mars
17 ch – †55/62 € ††55/62 €, ⊇ 9 € – ½ P 56/61 €
Rest – (fermé le midi du 25 déc. au 31 mars et lundi) Menu 16/26 € – Carte 37/48 €
♦ Tout évoque ici la montagne environnante : la construction, le style rustique des chambres (six avec balcon) et la chaleureuse simplicité de l'accueil. Plats traditionnels à déguster dans une salle à manger offrant une jolie vue sur les sommets.

MOLINEUF – 41 Loir-et-Cher – 318 E6 – rattaché à Blois

MOLITG-LES-BAINS – 66 Pyrénées-Orientales – 344 F7 – 213 h.   22 B3
– alt. 607 m – Stat. therm. : début avril-fin nov. – ⊠ 66500
Languedoc Roussillon

▶ Paris 896 – Perpignan 50 – Prades 7 – Quillan 56
ℹ Syndicat d'initiative, route des Bains ℰ 04 68 05 03 28, Fax 04 68 05 01 13

Château de Riell
– ℰ 04 68 05 04 40 – riell@relaischateaux.fr
– Fax 04 68 05 04 37 – Ouvert 29 mars-2 nov.
16 ch – †145/350 € ††145/350 €, ⊇ 19 € – 3 suites
Rest – (fermé le midi sauf week-ends) Menu 48 € (déj.) – Carte 83/90 €
♦ D'esprit baroque, cette "folie" catalane du 19e s. érigée au sein d'un parc arboré abrite de douillettes chambres personnalisées ; sept autres occupent des maisonnettes. Petit air de bodega chic au restaurant ; terrasse entourée d'une végétation exubérante.

MOLITG-LES-BAINS

Grand Hôtel Thermal
- 𝒞 04 68 05 00 50 – www.chainethermale.fr
- molitglesbains@chainethermale.fr – Fax 04 68 05 02 91
- Ouvert 29 mars-6 déc.
34 ch – †125/165 € ††125/165 €, ⊇ 13 € – 5 suites – ½ P 87/135 €
Rest – (fermé sam. midi et dim. midi) Menu 32 €
- Carte 40/60 € déjeuner seulement

♦ Dans un parc bordant un lac. Chambres aux tons méridionaux, réaménagées avec beaucoup de goût dans un esprit catalan. Quelques suites spacieuses et agréables. L'une des salles à manger occupe un ancien atelier de chocolat. Carte traditionnelle.

MOLLANS-SUR-OUVÈZE – 26 Drôme – 332 E8 – 950 h. – alt. 280 m
– ✉ 26170 ▌ Alpes du Sud
44 B3

▶ Paris 676 – Carpentras 30 – Nyons 21 – Vaison-la-Romaine 13

Le St-Marc
av. de l'Ancienne Gare – 𝒞 04 75 28 70 01 – www.saintmarc.com
- le-saint-marc@club-internet.fr – Fax 04 75 28 78 63 – Ouvert 10 avril-3 nov.
30 ch – †62/86 € ††62/86 €, ⊇ 9 € – ½ P 64/76 €
Rest – (dîner seult) Menu 27/33 €

♦ Au pied du mont Ventoux, maison provençale précédée d'un jardin. Des tissus colorés égayent les chambres. Salle à manger rustique agrémentée d'une cheminée ouverte. Cuisine du Sud servie, le soir, sur l'agréable terrasse ombragée et fleurie.

MOLLÉGÈS – 13 Bouches-du-Rhône – 340 E3 – 2 171 h. – alt. 55 m
– ✉ 13940
42 E1

▶ Paris 704 – Avignon 24 – Cavaillon 9 – Marseille 80
– Saint-Rémy-de-Provence 12

Mas du Capoun avec ch
27 av. des Paluds – 𝒞 04 90 26 07 12 – www.masducapoun.fr
- lemasducapoun@wanadoo.fr – Fax 04 90 26 08 17
- Rest : fermé 1ᵉʳ-14 nov. et mi-fév. à mi-mars, hôtel : ouvert mi-mars à mi-oct.
6 ch ⊇ – †75/85 € ††85/95 €   **Rest** – (fermé mardi soir, sam. midi et merc.) Menu (16 €), 22 € bc (déj. en sem.)/33 €

♦ Mas raffiné où l'on sert une cuisine actuelle dans une lumineuse salle épurée. L'été, rendez-vous sous la charpente de la grange rustique et chic. Jolies chambres avec terrasse privative.

MOLLKIRCH – 67 Bas-Rhin – 315 I5 – 920 h. – alt. 320 m – ✉ 67190
1 A2

▶ Paris 485 – Molsheim 11 – Saverne 35 – Strasbourg 40

Fischhutte
30 rte de la Fischhutte, rte Grendelbruch : 3,5 km – 𝒞 03 88 97 42 03
- www.fischhutte.com. – fischhutte@wanadoo.fr – Fax 03 88 97 51 85
- Fermé 16 mars-8 avril et 20 juil.-4 août
18 ch – †60/70 € ††70/145 €, ⊇ 10 € – ½ P 70/100 €
Rest – (fermé lundi et mardi) Menu (15 €), 34 € (sem.)/54 € – Carte 26/48 €

♦ Adresse champêtre de la vallée de la Magel. Confortables chambres au décor contemporain ; certaines offrent une vue sur la forêt vosgienne. Espace brasserie flanqué d'une coquette salle à manger. Carte régionale ; gibier en saison.

MOLSHEIM – 67 Bas-Rhin – 315 I5 – 9 452 h. – alt. 180 m
– ✉ 67120 ▌ Alsace Lorraine
1 A1

▶ Paris 477 – Lunéville 94 – St-Dié 79 – Saverne 28 – Sélestat 37
– Strasbourg 32

▌ Office de tourisme, 19, place de l'Hôtel Ville 𝒞 03 88 38 11 61,
Fax 03 88 49 80 40

◉ La Metzig★ - Église des Jésuites★.

◉ Fresques★ de la chapelle St-Ulrich N : 3,5 km.

MOLSHEIM

Diana
pont de la Bruche – ℰ 03 88 38 51 59 – www.hotel-diana.com – info@hotel-diana.com – Fax 03 88 38 87 11
60 ch – †95/118 € ††95/132 €, ⴰ 11 € – 4 suites **Rest** – *(fermé 15-31 juil., 23-31 déc. et dim. soir)* Menu (26 € bc), 40 € bc (sem.)/44 € – Carte 48/65 €
♦ Construction des années 1970 agrémentée de nombreuses œuvres d'art. Chambres refaites dans un style contemporain épuré. Pour le bien-être : spa, fitness, jardin. Carte actuelle et belle cave au restaurant.

Le Bugatti sans rest
r. de la Commanderie – ℰ 03 88 49 89 00 – www.hotel-le-bugatti.com – info@hotel-le-bugatti.com – Fax 03 88 38 36 00 – Fermé 24 déc.-1ᵉʳ janv.
48 ch – †56/62 € ††56/62 €, ⴰ 7 € – 1 suite
♦ L'architecture contemporaine du Bugatti, proche des usines de la marque légendaire, abrite des chambres fonctionnelles, rénovées dans l'esprit d'aujourd'hui.

LES MOLUNES – 39 Jura – **321** F8 – 130 h. – alt. 1 274 m – ⴰ 39310 16 **B3**

▶ Paris 485 – Genève 49 – Gex 30 – Lons-le-Saunier 74 – St-Claude 16

Le Pré Fillet
rte des Moussières – ℰ 03 84 41 62 89 – www.hotel-leprefillet.com – leprefillet@wanadoo.fr – Fax 03 84 41 64 75 – Fermé 26 avril-2 mai, 18 oct.-15 déc., dim. soir et lundi
15 ch – †55 € ††55 €, ⴰ 7 € – ½ P 55 €
Rest – Menu (14 € bc), 21/40 € – Carte 15/50 €
♦ Pour un séjour très "nature", une hôtellerie de moyenne montagne (non-fumeurs), simple et sympathique. Chambres bien tenues. Sauna et jacuzzi avec vue sur la campagne. Copieuse cuisine du terroir accompagnée d'une belle carte de vins locaux et bourguignons.

MONACO (PRINCIPAUTÉ DE) – **341** F5 – **115** 27 – voir en fin de guide

---

MONCEL-LÈS-LUNÉVILLE – 54 Meurthe-et-Moselle – **307** K7 – rattaché à Lunéville

---

MONCOUTANT – 79 Deux-Sèvres – **322** C4 – 3 019 h. – alt. 180 m 38 **B1**
– ⴰ 79320

▶ Paris 403 – Bressuire 16 – Cholet 49 – Niort 54 – La Roche-sur-Yon 79
🛈 Syndicat d'initiative, 18, avenue du Maréchal Juin ℰ 05 49 72 78 83, Fax 05 49 72 89 09

Le St-Pierre
rte de Niort – ℰ 05 49 72 88 88
30 ch – †49/53 € ††59/62 €, ⴰ 7 € – ½ P 44/49 €
Rest – *(fermé vend. soir et dim. soir)* Menu (14 € bc), 19/45 € – Carte 30/50 €
♦ La salle à manger de cette maison récente à façade de bois offre orientation plein sud, charpente apparente et vue sur le jardin (petit plan d'eau). Chambres fonctionnelles.

MONDEMENT-MONTGIVROUX – 51 Marne – **306** E10 – rattaché à Sézanne

---

MONDOUBLEAU – 41 Loir-et-Cher – **318** C4 – 1 509 h. – alt. 170 m 11 **B2**
– ⴰ 41170 Châteaux de la Loire

▶ Paris 170 – Blois 62 – Chartres 74 – Châteaudun 40 – Le Mans 64 – Orléans 92
🛈 Office de tourisme, 2, rue Bizieux ℰ 02 54 80 77 08, Fax 02 54 80 77 08

Le Grand Monarque
2 r. Chrétien – ℰ 02 54 80 92 10 – legrandmonarque@wanadoo.fr – Fax 02 54 80 77 40 – Fermé 26 nov.-4 nov., 24 déc.-4 janv., dim. sauf le midi de mars à déc. et lundi
12 ch – †53 € ††53 €, ⴰ 9 € – ½ P 59 €
Rest – Menu (20 € bc), 24/28 € – Carte environ 40 €
♦ À l'orée d'une région chère aux rois de France, ancien relais de poste à l'accueil familial et charmant. De fraîches chambres vous attendent. Restaurant actuel aux tables soigneusement dressées, agréable terrasse sous les glycines et cuisine traditionnelle.

MONDRAGON – 84 Vaucluse – 332 B8 – 3 363 h. – alt. 40 m – ⊠ 84430

40 **A2**

▶ Paris 640 – Avignon 45 – Montélimar 40 – Nyons 41 – Orange 17

La Beaugravière avec ch
N 7 – ℰ 04 90 40 82 54 – www.beaugraviere.com – labeaugraviere84@wanadoo.fr – Fax 04 90 40 91 01 – Fermé 15-30 sept., dim. soir et lundi
4 ch – ✝65/100 € ✝✝65/100 €, ⊇ 8 €
Rest – Menu 28/110 € – Carte 50/125 €
◆ Cette maison provençale vous reçoit dans une belle salle (cheminée) ou sur sa terrasse ombragée. Cuisine classique, spécialités de truffes en saison et superbe carte des vins.

MONEIN – 64 Pyrénées-Atlantiques – 342 I3 – 4 393 h. – alt. 154 m – ⊠ 64360

3 **B3**

▶ Paris 799 – Pau 23 – Navarrenx 20 – Oloron-Sainte-Marie 21 – Orthez 29

L'Auberge des Roses
quartier Loupien – ℰ 05 59 21 45 63 – aubergedesroses@orange.fr – Fax 05 59 21 45 63 – Fermé 6-29 juil., 21 fév.-10 mars, lundi et merc.
Rest – Menu 23 € (sem.)/35 € – Carte 30/43 €
◆ Table d'un quartier résidentiel bordé de vignes (Jurançon). Salles au décor soigné mariant vieilles pierres et bois ou terrasse ombragée pour une appétissante cuisine actuelle.

MONESTIER-DE-CLERMONT – 38 Isère – 333 G8 – 921 h. – alt. 825 m – ⊠ 38650 ▌Alpes du Nord

45 **C2**

▶ Paris 598 – Grenoble 36 – La Mure 29 – Serres 72 – Sisteron 107
🛈 Office de tourisme, 103 bis, Grand Rue ℰ 04 76 34 15 99, Fax 04 76 34 15 99

Au Sans Souci
à St-Paul-lès-Monestier, 2 km au Nord-Ouest sur D 8 - alt. 800 – ℰ 04 76 34 03 60 – www.au-sans-souci.com – au.sans.souci@club-internet.fr – Fax 04 76 34 17 38 – Fermé dim. soir et lundi
12 ch – ✝43 € ✝✝60/75 €, ⊇ 8 €
Rest – Menu (15 €), 19 € (sem.)/49 € – Carte 38/48 €
◆ Contrairement à "La passante", vous aimerez vous attarder dans cette ancienne scierie tapissée de vigne vierge. Chambres campagnardes. Les patrons, restaurateurs de père en fils depuis 1934, régalent les convives d'une goûteuse cuisine du marché.

Piot
7 chemin des Chambons – ℰ 04 76 34 07 35 – www.hotel-piot.fr – hotepiot@club-internet.fr – Fax 04 76 34 12 74 – Ouvert 15 mars-15 nov. et fermé mardi soir et lundi sauf juil.-août et mardi midi
14 ch – ✝40/50 € ✝✝45/58 €, ⊇ 8,50 € – ½ P 60 €
Rest – Menu (16 €), 19 € (sem.)/33 € – Carte 35/60 €
◆ Imposante villa bourgeoise de 1912 dans un petit parc planté de sapins centenaires. Chambres simples et bien tenues, atmosphère conviviale. Spacieuse salle à manger fraichement rénovée, agréable terrasse ombragée de conifères et cuisine traditionnelle.

LE MONÊTIER-LES-BAINS – 05 Hautes-Alpes – 334 H3 – rattaché à Serre-Chevalier

LA MONGIE – 65 Hautes-Pyrénées – 342 N5 – Sports d'hiver : 1 800/2 500 m ⸗ 3 ⸗ 41 ⸗ – ⊠ 65200 Bagneres de Bigorre ▌Midi-Pyrénées

28 **A3**

▶ Paris 853 – Bagnères-de-Bigorre 25 – Bagnères-de-Luchon 72 – Tarbes 48
🛈 Office de tourisme, place de la Grenouillère ℰ 05 62 91 94 15, Fax 05 62 95 33 13
◉ Le Taoulet ≤★★ N par téléphérique - Col du Tourmalet★★ O : 4 km.
◉ Pic du Midi de Bigorre★★★.

LA MONGIE
au Nord-Est 8 km par D 918 – ⊠ 65710 Campan

La Maison d'Hoursentut
– ℘ 05 62 91 89 42 – www.maison-hoursentut.com – contact@maison-hoursentut.com – Fax 05 62 91 88 13
13 ch – ♦60/65 € ♦♦60/65 €, ⊇ 8 € – ½ P 58/61 €
Rest – (dîner seult) (nombre de couverts limité, prévenir) Menu 20 €
♦ Décor contemporain d'inspiration montagnarde et ambiance chaleureuse caractérisent ce petit hôtel. Chambres douillettes, salon-cheminée et joli jardin avec bain norvégien. À table, le menu (cuisine familiale) est annoncé oralement. Terrasse dressée au bord de l'Adour.

MONHOUDOU – 72 Sarthe – 310 K5 – 199 h. – alt. 130 m – ⊠ 72260 35 D1
▸ Paris 199 – Alençon 30 – Le Mans 42 – Nantes 223

Château de Monhoudou
2 km au Sud par D 117 et rte secondaire – ℘ 06 83 35 39 12
– www.monhoudou.com – info@monhoudou.com – Fax 02 43 33 11 58
5 ch ⊇ – ♦100/160 € ♦♦100/160 € – ½ P 92/122 €
Table d'hôte – Menu 42 € bc/69 € bc
♦ Au milieu d'un parc à l'anglaise (animaux en liberté), beau château Renaissance (16e-18e s.) habité par la même famille depuis 19 générations. Vastes et élégantes chambres aux meubles anciens. Salon avec cheminée, bibliothèque. Repas préparés par la châtelaine en personne.

MONNAIE – 37 Indre-et-Loire – 317 N4 – 3 835 h. – alt. 113 m 11 B2
– ⊠ 37380
▸ Paris 227 – Château-Renault 15 – Tours 16 – Vouvray 10

Au Soleil Levant
53 r. Nationale – ℘ 02 47 56 10 34 – www.achat-touraine.com/ausoleillevant.
– didier.frebout@orange.fr – Fax 02 47 56 19 97 – Fermé 2 sem. en sept., jeudi soir, dim. soir et lundi
Rest – Menu 26/42 € – Carte 39/49 €
♦ Dans la traversée du bourg, auberge au cadre frais, estimée pour ses préparations au goût du jour : une halte gourmande au "levant" de la Gâtine tourangelle.

MONPAZIER – 24 Dordogne – 329 G7 – 533 h. – alt. 180 m – ⊠ 24540 4 C2
Périgord
▸ Paris 575 – Bergerac 47 – Périgueux 75 – Sarlat-la-Canéda 50
– Villeneuve-sur-Lot 46
▸ Office de tourisme, place des Cornières ℘ 05 53 22 68 59,
Fax 05 53 74 30 08
▸ Place des Cornières ★.

Edward 1er
5 r. St-Pierre – ℘ 05 53 22 44 00 – www.hoteledward1er.com – info@hoteledward1er.com – Fax 05 53 22 57 99 – Ouvert 13 mars-14 nov.
10 ch – ♦54/82 € ♦♦68/158 €, ⊇ 12 € – 2 suites – ½ P 72/130 €
Rest – (ouvert 1er avril-31 oct. et fermé merc. sauf juil.-août) (dîner seult) (prévenir) Menu 30/38 €
♦ Dans cette gentilhommière du 19e s., on profite de la vie de château : belle hauteur sous plafond, moulures, meubles de style, tissu mural. Chambres spacieuses avec vue. Un menu actuel composé chaque jour, à base des produits du Périgord.

Bistrot 2
Foirail Nord – ℘ 05 53 22 60 64 – www.bistrot2.fr – info@bistrot2.fr
– Fax 05 53 58 36 27 – Fermé 21 nov.-6 déc., 1er-13 fév., vend. soir, sam. midi, dim. et lundi de nov. à avril
Rest – Menu (15 €), 19 € (déj. en sem.)/23 € – Carte 23/29 €
♦ Une partie de l'équipe de l'Edward 1er a investi ce nouveau bistrot contemporain et revisite des plats régionaux de manière très séduisante. Terrasse ombragée de glycines.

MONTAGNAT – 01 Ain – 328 E3 – 1 421 h. – alt. 262 m – ✉ 01250 44 B1
◘ Paris 447 – Lyon 84 – Bourg-en-Bresse 8 – Mâcon 55 – Oyonnax 56

Au Pot de Grès
2013 rte du Village – ℘ 04 74 51 67 05 – franck.provillard@free.fr
– Fax 04 74 51 67 05 – Fermé vacances de Pâques, de Toussaint, dim. soir, lundi et mardi
Rest – Menu (10 €), 14 € (déj. en sem.), 24/45 € – Carte 34/47 €

♦ Cette jolie maison de campagne vous accueille dans une salle à manger réchauffée par une cheminée. Côté carte, le chef revisite habilement les plats du terroir (produits choisis).

MONTAGNE – 33 Gironde – 335 K5 – 1 684 h. – alt. 80 m – ✉ 33570 4 C1
◘ Paris 541 – Agen 129 – Bordeaux 41 – Bergerac 61 – Libourne 11

Le Vieux Presbytère
pl. de l'Église – ℘ 05 57 74 65 33 – www.restaurant-montagne-st-emilion.com
– levieuxpresbytere@orange.fr – Fermé 4-27 janv., mardi et merc.
Rest – Menu (16 € bc), 24/54 € bc

♦ Table sympathique occupant un ancien presbytère, au pied d'une chapelle romane. Salle cosy rustiquement meublée, belle terrasse sur cour, cuisine du moment et vins du cru.

Le rouge est la couleur de la distinction : nos valeurs sûres !

MONTAGNE-DU-SEMNOZ – 74 Haute-Savoie – 328 J6 – ✉ 74000 46 F1
Alpes du Nord

◘ Paris 552 – Aix-les-Bains 43 – Albertville 60 – Annecy 17 – Chambéry 59
◙ Crêt de Châtillon ✳ ★★★ (**accès** par D 41 : d'Annecy 20 km ou du col de Leschaux 14 km, puis 15 mn).

par D 41 – ✉ 74000 Annecy

Les Rochers Blancs
près du sommet, alt. 1 650 – ℘ 04 50 01 23 60 – lesrochersblancs@wanadoo.fr
– Fax 04 50 01 40 68 – Fermé 15 sept.-15 déc. et 15 avril-10 juin
15 ch – †45 € ††60/64 €, ⊇ 9 € – ½ P 60 €
Rest – (fermé nov.) Menu 18/25 € – Carte 27/35 €

♦ Culminant à 1 650 m, ce chalet bénéficie d'un panorama exceptionnel et d'une tranquillité absolue. Chambres rénovées dans le style local. Restaurant décoré dans la pure tradition montagnarde et cuisine de terroir. Terrasse.

MONTAGNY – 42 Loire – 327 E3 – 1 115 h. – alt. 530 m – ✉ 42840 44 A1
◘ Paris 408 – Lyon 70 – Montbrison 78 – Roanne 15 – St-Étienne 96 – Thizy 7

L'Air du Temps
1 r. de la République – ℘ 04 77 66 11 31 – www.lairdutemps42.fr
– restaurant.lairdutemps@orange.fr – Fax 04 77 66 15 63 – Fermé dim. soir et lundi
Rest – Menu 16 € (déj. en sem.), 25/56 € – Carte 35/50 €

♦ Tons pastel, décor contemporain et tables rondes espacées dans la salle à manger de ce restaurant aménagé à l'étage d'un ancien café. Cuisine au goût du jour.

MONTAGNY-LÈS-BEAUNE – 21 Côte-d'Or – 320 J8 – rattaché à Beaune

MONTAIGU – 85 Vendée – 316 I6 – 4 822 h. – alt. 40 m – ✉ 85600 34 B3
◘ Paris 389 – Cholet 36 – Fontenay-le-Comte 88 – Nantes 37
– La Roche-sur-Yon 39
◘ Office de tourisme, 6, rue Georges Clemenceau ℘ 02 51 06 39 17, Fax 02 51 06 39 17
◙ Mémorial de vendée ★★ : le logis de la Chabotterie★ (salles historiques ★★) SO : 14 km, le chemin de la Mémoire des Lucs★ SO : 24 km

Poitou Vendée Charentes

MONTAIGU
au Pont de Sénard 7 km au Nord par N 137 et D 77 – ⊠ 85600 St-Hilaire-de-Loulay

Le Pont de Sénard
– ℰ 02 51 46 49 50 – www.hotel-pontdesenard.fr – hotel.senard@free.fr
– Fax 02 51 94 11 11 – Fermé 3-21 août, 30 oct.-6 nov. et 26-31 déc.
25 ch – †52 € ††70 €, ⊇ 8,50 € – ½ P 65 €
Rest – *(fermé vend. soir d'oct. à avril et dim. soir)* Menu 23/58 €
– Carte 57/84 €
♦ Une clientèle fidèle apprécie cet hôtel bordant la Maine pour son environnement délicieusement bucolique, son bel équipement de séminaires et ses chambres peu à peu rénovées. Salle à manger-véranda et plaisante terrasse champêtre dominant la rivière.

MONTAIGUT-LE-BLANC – 63 Puy-de-Dôme – **326** F9 – rattaché à Champeix

---

MONTAREN-ET-ST-MÉDIERS – 30 Gard – **339** L4 – rattaché à Uzès

---

MONTARGIS – 45 Loiret – **318** N4 – 15 700 h. – alt. 95 m   12 **D2**
– ⊠ 45200 ∎ **Bourgogne**

▸ Paris 109 – Auxerre 81 – Bourges 117 – Orléans 73 – Sens 50

🛈 Office de tourisme, rue du Port ℰ 02 38 98 00 87, Fax 02 38 98 82 01

⛳ de Vaugouard à Fontenay-sur-Loing Chemin des Bois, par rte de Fontainebleau : 9 km, ℰ 02 38 89 79 09

◉ Collection Girodet ★ du musée M¹.

Plan page ci-contre

Ibis
2 pl. V. Hugo – ℰ 02 38 98 00 68 – www.ibishotel.com – h0861@accor.com
– Fax 02 38 89 14 37   Z b
59 ch – †56/69 € ††56/69 €, ⊇ 8 €
Rest *Brasserie de la Poste* – Menu (12 €), 21/29 € – Carte 20/43 €
♦ Les chambres de cet hôtel, modernes et pratiques, offrent les prestations habituelles de la chaîne. Celles du 3ᵉ étage conviendront particulièrement aux familles. Plaisant restaurant rétro : verrière, appliques et banquettes. Plats de brasserie.

Central sans rest
2 r. Gudin – ℰ 02 38 85 03 07 – www.hotel-montargis.com – info@
hotel-montargis.com – Fax 02 38 98 33 39 – Fermé 25 déc.-1ᵉʳ janv.   Z a
12 ch – †48/54 € ††60 €, ⊇ 7 €
♦ En centre-ville, demeure bourgeoise de 1750 convertie en hôtel à la fin du 20ᵉ s. et rénovée (2004). Un escalier en chêne sculpté mène aux chambres personnalisées, bien tenues.

Dorèle sans rest
222 r. Émile Mengin – ℰ 02 38 07 18 18 – www.leshotelsdorele.com – contact@
leshotelsdorele.com – Fax 02 38 07 18 19   Y t
51 ch – †49/65 € ††55/65 €, ⊇ 7 €
♦ Construction cubique récente dans le quartier de la gare. Les chambres, pas très spacieuses, sont très bien insonorisées et agencées. Confortable salon.

XXX **La Gloire** (Jean-Claude Martin) avec ch
74 av. Gén. de Gaulle – ℰ 02 38 85 04 69 – www.lagloire-montargis.com
– contact@lagloire-montargis.com – Fax 02 38 98 52 32 – Fermé 17 août-3 sept.,
16 fév.-11 mars, mardi et merc.   Y m
10 ch – †50 € ††62/80 €, ⊇ 9,50 €
Rest – Menu 32 € (sem.)/55 € – Carte 68/103 €
Spéc. Salade de homard. Papillote de Saint-Pierre à la ventrèche. Chariot de desserts. **Vins** Sancerre, Menetou-Salon.
♦ Cadre classique égayé de bouquets de fleurs et accueil convivial dans cette "gloire" qui sert une cuisine de tradition revisitée, subtile et généreuse. Chambres confortables.

MONTARGIS

Anatole-France (Bd.)	**Y**	2
Ancien Palais (R.)	**Z**	3
Baudin (Bd Paul)	**YZ**	4
Belles Manières (Bd)	**Z**	5
Bon-Guillaume (R. du)	**Z**	6
Carnot (R. Lazare)	**Y**	8
Cormenin (R.)	**Z**	12
Decourt (R. E.)	**Z**	13
Dr-Roux (R. du)	**Y**	15
Dr-Szigeti (Av. du)	**Y**	16
Dorée (R.)	**Z**	
Ferry (Pl. Jules)	**Z**	20
Fg de la Chaussée (R. du)	**YZ**	17
Fg d'Orléans (R. du)	**YZ**	18
Jean-Jaurès (R.)	**Z**	21
Kléber (R.)	**Y**	22
Laforge (R. R.)	**Z**	23
Lamy (R. Jean)	**Y**	24
Longeard (R. du)	**Y**	26
Moulin a Tan (R.du)	**Z**	28
Pêcherie (R. de la)	**Z**	30
Poterne (R. de la)	**Z**	32
Pougin-de-la-Maisonneuve (R.)	**Z**	33
Prés.-Roosevelt (R.)	**Y**	34
République (Pl. de la)	**Z**	36
Sédillot (R.)	**Z**	37
Tellier (R.)	**Z**	39
Vaublanc (R. de)	**Z**	41
Verdun (Av. de)	**Y**	42
18-Juin-1940 (Pl. du)	**Z**	45

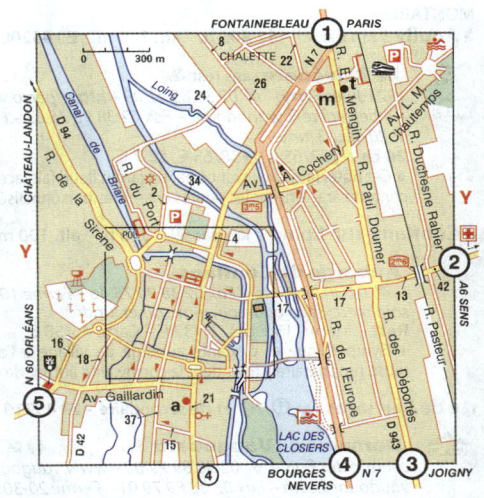

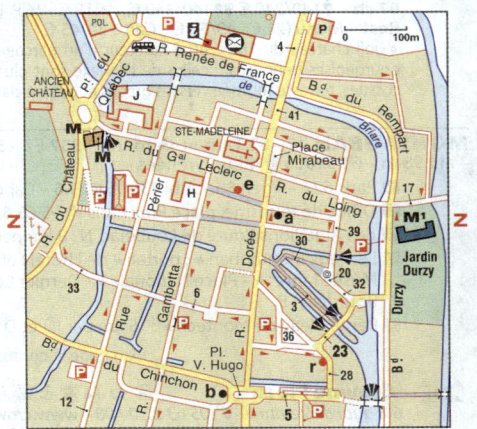

✂✂ L'Agrappe Cœur

22 r. Jean Jaurès – ℘ *02 38 85 22 65 – www.restaurant-agrappecoeur.com – Fermé août, dim. soir, mardi soir et lundi*
Y a
Rest – Menu 21 € (sem.)/37 € – Carte 47/71 €

♦ Nouveau décor en ce sympathique restaurant : contemporain dans la première salle (sauf le comptoir en bois des années 1930) et ensoleillé dans les autres. Cuisine traditionnelle.

✂ Les Dominicaines

6 r. du Dévidet – ℘ *02 38 98 10 22 – www.restaurant-lesdominicaines.com – odile.freddy@wanadoo.fr – Fax 02 38 98 41 41 – Fermé 16-31 août, sam. midi, dim. et fériés*
Z e
Rest – *(prévenir)* Menu (19 €), 33 € – Carte 37/70 €

♦ Affichant à l'entrée les vitraux des Dominicaines, ce restaurant renoue avec l'histoire de la ville. Cuisine axée sur la mer et la Provence, spécialités de poissons.

MONTARGIS

à Amilly 5 km par ③ – 11 800 h. – alt. 110 m – ⌂ 45200

Le Belvédère sans rest
192 r Jules Ferry – ℰ 02 38 85 41 09 – http://perso.wanadoo.fr/hbelvedere
– h.belvedere@wanadoo.fr – Fax 02 38 98 75 63 – Fermé 9-23 août
et 20 déc.-3 janv.
24 ch – †52/65 € ††58/65 €, ⌂ 7 €

♦ Cet hôtel familial devancé par un jardin fleuri fait face à l'école du village. Calme et bon confort caractérisent les petites chambres personnalisées.

à Conflans-sur-Loing 7 km par ③ – 356 h. – alt. 100 m – ⌂ 45700

Auberge de Conflans
– ℰ 02 38 94 75 46 – Fax 02 38 94 75 46 – Fermé 10-31 août, 20-28 déc., fév., mardi soir, merc. soir, jeudi soir, dim. soir et lundi
Rest – Menu (13 € bc), 21/32 € – Carte 46/58 €

♦ Sympathique et élégante auberge de village à l'ambiance champêtre. La chaleureuse propriétaire y maintient la convivialité autour de plats traditionnels soignés.

rte de Ferrières par ①, N 7 et rte secondaire – ⌂ 45210 Fontenay-sur-Loing

Domaine de Vaugouard
chemin des Bois – ℰ 02 38 89 79 00 – www.vaugouard.com – info@vaugouard.com – Fax 02 38 89 79 01 – Fermé 20-30 déc.
67 ch – †140/240 € ††140/240 €, ⌂ 18 € – ½ P 165/215 €
Rest – Menu (21 €), 49/55 € – Carte 30/45 €

♦ Joli château du 18ᵉ s. situé au cœur d'un parcours de golf. Confortables chambres bourgeoises (rénovées) ; celles de l'annexe sont plus grandes. Petites salles à manger cossues, terrasse tournée vers les greens et cuisine classique.

MONTAUBAN ℙ – 82 Tarn-et-Garonne – 337 E7 – 53 200 h. – alt. 98 m – ⌂ 82000 – Midi-Pyrénées

28 **B2**

▸ Paris 627 – Agen 86 – Albi 73 – Auch 86 – Cahors 64 – Toulouse 53

▸ Office de tourisme, place Prax Paris ℰ 05 63 63 60 60, Fax 05 63 63 65 12

▸ des Aiguillons Route de Loubejac, N : 8 km par D 959, ℰ 05 63 31 35 40

▸ Le vieux Montauban★ : portail★ de l'hôtel Lefranc-de-Pompignan Z E - Musée Ingres★ - Place Nationale★ - Dernier Centaure mourant★ (bronze de Bourdelle) B.

▸ Pente d'eau de Montech★ : 15 km par ③ et D 928.

Plan page ci-contre

Crowne Plaza
6-8 quai de Verdun – ℰ 05 63 22 00 00 – www.crowneplaza-montauban.com – contact@cp-montauban.com – Fax 05 63 22 00 01
80 ch – †147/210 € ††147/210 €, ⌂ 20 € – 4 suites   Z **t**
Rest *La Table des Capucins* – (fermé 9-23 août et dim.) Menu 30 € (déj. en sem.), 42/85 € – Carte 60/80 €
Spéc. Dégustation autour de la tomate. Ris de veau aux truffes. Soufflé au Grand Marnier. **Vins** Vin de Pays des Côtes du Tarn, Vin de Pays du Comté Tolosan.

♦ Malgré un décor et un confort très contemporains, "l'aura" monastique de ce couvent classé (1630) a été superbement préservée. Spa complet, pour ressourcer corps et esprit. Cuisine créative misant sur les saveurs et l'authenticité à La Table des Capucins.

Mercure
12 r. Notre-Dame – ℰ 05 63 63 17 23 – h2183@accor.com
– Fax 05 63 66 43 66   Z **s**
44 ch – †94/117 € ††104/127 €, ⌂ 12 €
Rest – Menu 15/35 € – Carte environ 35 €

♦ Cet hôtel particulier du 18ᵉ s. a bénéficié en 1999 d'une complète cure de jouvence. Les chambres, spacieuses et contemporaines, profitent d'une bonne isolation phonique. La salle à manger, meublée en style Louis XVI, est coiffée d'une vaste verrière.

MONTAUBAN

Abbaye (R. de l')	Z	
Alsace-Lorraine (Bd)	X	2
Arago (R.)	Z	
Banque (R. de la)	Z	
Barbazan (R.)	Z	
Bourdelle (Pl.)	Z	4
Bourjade (Pl. L.)	Z	6
Briand (Av. A.)	Y	7
Cambon (R.)	Z	9
Carmes (R. des)	Z	10
Chamier (Av.)	Y	
Cladel (R. L.)	X	
Comédie (R. de la)	Z	13
Consul-Dupuy (Allée du)	Z	14
Coq (Pl. du)	Z	16
Dr-Alibert (R.)	Z	
Dr-Lacaze (R. du)	Z	19
Doumerc (Bd B.)	X	
Foch (Pl. du Mar.)	Z	
Fort (R. du)	Z	
Gambetta	YZ	
Garrisson (Bd G.)	YZ	
Gaulle (Av. Ch.-de)	Y	25
Grand'Rue Sapiac	Z	
Grand'Rue Villenouvelle	Z	28
Guibert (R.)	Z	29
Herriot (Av. É.)	Y	30
Hôtel-de-Ville (R. de l')	Z	31
Ingres (R. D.)	X	
Jourdain (R. A.)	Y	
Lacapelle (Fg)	YZ	
Lafon (R. du Pasteur L.)	Y	34
Lafon (R. Mary)	Z	32
Lagrange (R. L.)	YZ	35
Leclerc (Pl. du Gén.)	Z	
Libération (Pl. de la)	X	
Lycée (R. du)	Z	
Malcousinat (R.)	Z	36
Mandoune (R. de la)	Z	
Marceau-Hamecher (Av.)	Y	37
Marre (R. H.)	Z	
Martyrs (Carrefour des)	Z	46
Marty (Pl. A.)	XY	
Mayenne (Av.)	Y	50
Michelet (R.)	Z	51
Midi-Pyrénées (Bd)	Z	52
Monet (R. J.)	Z	53
Montauriol (Bd)	Z	
Montmurat (Q. de)	Z	54
Mortarieu (Allées de)	Z	56
Moustier (Fg du)	Z	
Nationale (Pl.)	Z	
Notre-Dame (R.)	Z	60
Piquard (Sq Gén.)	Z	62
Pouvillon (R.)	Z	
Prax-Paris (R.)	Z	
République (R. de la)	Z	63
Résistance (R. de la)	Z	64
Roosevelt (Pl. F.)	Z	66
Ste-Claire (R.)	Z	
St-Jean (R.)	X	67
Sapiac (Pont de)	YZ	68
Sarrail (R. Gén.)	Y	70
Verdun (Q. de)	Z	71
10e-Dragons (Av. du)	X	
11e-Rég.-d'Infanterie (Av. du)	X	73
19-Août-1944 (Av. du)	X	75
22-Septembre (Pl. du)	Z	76

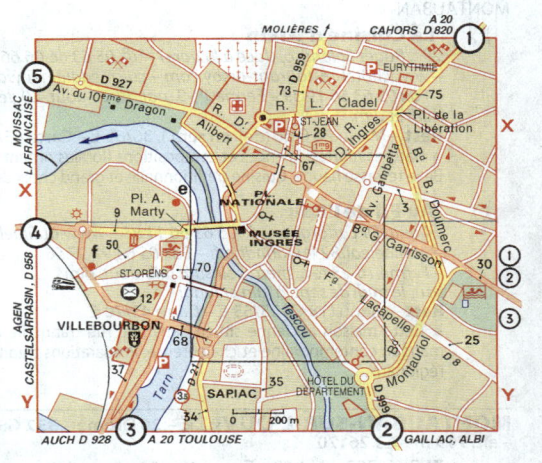

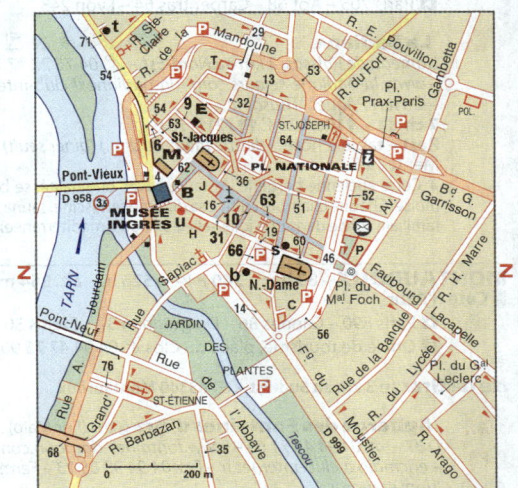

Du Commerce sans rest

*9 pl. Roosevelt – ℰ 05 63 66 31 32 – www.hotel-commerce-montauban.com
– info@hotel-commerce-montauban.com – Fax 05 63 66 31 28 – Fermé
22 déc.-3 janv.*

Z b

27 ch – ✝57/60 € ✝✝57/79 €, ☑ 9 €

◆ Vaste bâtisse du 18e s. à deux pas de la cathédrale. Hall et salon garnis de beaux meubles anciens, chambres sobres, bien entretenues, et salles de bains colorées.

Les Saveurs d'Ingres

*13 r. Hôtel de Ville – ℰ 05 63 91 26 42 – www.saveursdingres.com
– Fermé 18-25 mai, 17 août-1er sept. et dim.*

Z u

Rest – Menu 28 € (déj.), 42/75 € – Carte 60/70 €

◆ L'enseigne rend hommage au peintre-dessinateur montalbanais (musée Ingres à deux pas). Plaisante salle voûtée au mobilier moderne. Cuisine personnalisée, inspirée du terroir.

MONTAUBAN

La Cuisine d'Alain
29 r. Roger Salengro, (face à la gare) – ℰ 05 63 66 06 66
– www.hotel-restaurant-orsay.com – cuisinedalain@wanadoo.fr
– Fax 05 63 66 19 39 – Fermé 1er-9 mai, 1er-20 août, 20 déc.-5 janv., lundi midi, sam. midi et dim.   Y f
Rest – Menu 24 € bc (déj. en sem.), 36/65 € – Carte 45/60 €

♦ Natures mortes, faïences et compositions florales ornent la salle à manger et le salon. Belle terrasse fleurie. Cuisine traditionnelle et grand choix de desserts.

Au Fil de l'Eau
14 quai Dr Lafforgue – ℰ 05 63 66 11 85 – www.aufildeleau82.com
– aufildeleau82@wanadoo.fr – Fax 05 63 91 97 56
– Fermé 16-23 fév., merc. soir sauf juil.-août, dim. sauf le midi de sept. à juin et lundi   X e
Rest – Menu (18 €), 35/55 € – Carte 43/70 €

♦ Cette maison ancienne située dans une rue tranquille abrite une spacieuse salle à manger, contemporaine et chaleureuse. Préparations traditionnelles, bon choix de vins régionaux.

MONTAUBAN-SUR-L'OUVÈZE – 26 Drôme – 332 G8 – 113 h.   45 **C3**
– alt. 719 m – ✉ 26170

◼ Paris 705 – Apt 68 – Carpentras 64 – Lyon 243

La Badiane
Hameau de Ruissas, 3 km au Nord-Est – ℰ 04 75 27 17 74
– www.la-badiane-sejours.com – la-badiane@club-internet.fr – Fax 04 75 27 17 74
– Ouvert Pâques-Toussaint

7 ch ⏤ – ✦108/123 € ✦✦121/136 €
Rest – table d'hôte – (fermé merc. et dim.) (dîner seult) (résidents seult) Menu 29 €

♦ Cette ancienne bergerie, restaurée avec originalité, se blottit dans la montagne drômoise. Chaque chambre cultive sa différence. Piscine, sauna et soins de relaxation. Cuisine familiale servie dans une jolie salle aux notes méditerranéennes ou en terrasse.

MONTAUROUX – 83 Var – 340 P4 – 4 526 h. – alt. 364 m – ✉ 83440   41 **C3**
▮ Côte d'Azur

◼ Paris 890 – Cannes 36 – Draguignan 37 – Fréjus 30 – Grasse 21
ℹ Office de tourisme, place du Clos ℰ 04 94 47 75 90, Fax 04 94 47 61 97

rte de Grasse 3 km au Sud-Est – ✉ 83340 Montauroux

Auberge des Fontaines d'Aragon (Eric Maio)
D 37 – ℰ 04 94 47 71 65 – www.fontaines-daragon.com
– ericmaio@club-internet.fr – Fax 04 94 39 85 23 – Fermé 26 oct.-5 nov., 4-27 janv., lundi et mardi
Rest – Menu (28 €), 52/95 €

Spéc. Hamburger de figues, foie gras de canard poêlé et focaccia aux truffes (août-sept.). Pigeon en croûte farci de truffes, blettes et foie gras. Tarte au citron contemporaine (janvier à mars). **Vins** Vin de Pays du Var, Côtes de Provence.

♦ Délicieuse cuisine au goût du jour servie dans une élégante salle provençale ou sur la jolie terrasse verdoyante : une belle halte gourmande sur la route du lac de St-Cassien.

MONTBARD – 21 Côte-d'Or – 320 G4 – 5 815 h. – alt. 221 m   8 **C2**
– ✉ 21500 ▮ Bourgogne

◼ Paris 240 – Autun 87 – Auxerre 81 – Dijon 81 – Troyes 100
ℹ Office de tourisme, place Henri Vincenot ℰ 03 80 92 53 81, Fax 03 80 89 17 38
◉ Parc Buffon★.
◉ Abbaye de Fontenay★★★ E : 6 km par D 905.

MONTBARD

L'Écu

7 r. A. Carré – ℘ 03 80 92 11 66 – www.hotel-de-l-ecu.fr – snc.coupat@wanadoo.fr – Fax 03 80 92 14 13 – Fermé 21 fév.-8 mars, vend. soir, dim. soir et sam. du 11 nov. au 8 mars
23 ch – †62/68 € ††76/90 €, ⇆ 11 € – ½ P 74/85 €
Rest – Menu 21/45 €

♦ Relais de poste du 16ᵉ s. dont on apprécie l'accueil, l'ambiance provinciale et les chambres, classiquement aménagées à l'image des espaces communs. Repas traditionnel dans la salle où les voûtes des ex-écuries ont été conservées.

à St-Rémy 3 km à l'Ouest par D 905 – 814 h. – alt. 207 m – ⊠ 21500

La Mirabelle

1 r. de la Brenne – ℘ 03 80 92 40 69 – lamirabelle2@free.fr – Fermé 19 août-21 sept. et 24 déc.-6 janv.
Rest – (nombre de couverts limité, prévenir) Menu 19 € (sem.), 28/38 € – Carte 44/61 €

♦ À proximité du canal, cette ancienne grange à sel cache une belle salle à manger en pierres sous une voûte. Ambiance chaleureuse et cuisine traditionnelle goûteuse et soignée.

MONTBAZON – 37 Indre-et-Loire – 317 N5 – 3 713 h. – alt. 59 m   11 B2
– ⊠ 37250 ▮ Châteaux de la Loire

▸ Paris 247 – Châtellerault 59 – Chinon 41 – Loches 33 – Saumur 73 – Tours 15
▸ Office de tourisme, esplanade du Val de l'Indre ℘ 02 47 26 97 87, Fax 02 47 26 22 42

Château d'Artigny

2 km au Sud-Ouest par D 17 – ℘ 02 47 34 30 30 – www.artigny.com – artigny@grandesetapes.fr – Fax 02 47 34 30 39
61 ch – †165/480 € ††165/480 €, ⇆ 22 € – 2 suites
Rest – Menu (50 € bc), 60 € (dîner), 90/125 € – Carte 50/80 €

♦ Ce château dont le parc boisé et les jardins à la française surplombent l'Indre fut conçu dans les années 1920 par le parfumeur Coty. Pur style classique et faste omniprésent. Cuisine classique, somptueuse carte des vins et collection de vieux armagnacs.

Moulin d' Artigny

7 ch – †90 € ††90 €, ⇆ 22 €

♦ À 800 m, l'annexe du château occupe un joli pavillon, rustique et moins luxueux, au bord de la rivière. Très bucolique.

Domaine de la Tortinière

rte de Ballan-Veigné, 2 km au Nord par D 910 et D 287
– ℘ 02 47 34 35 00 – www.tortiniere.com
– domaine.tortiniere@wanadoo.fr – Fax 02 47 65 95 70 – Fermé 20 déc.-28 fév.
25 ch – †130/170 € ††130/270 €, ⇆ 17 € – 5 suites – ½ P 125/195 €
Rest – (fermé dim. soir de nov. à mars) (prévenir) Menu (32 € bc), 39 € bc (déj.), 43/60 € – Carte 43/53 €

♦ Ce château du Second Empire se dresse au cœur d'un parc dominant l'Indre. Chambres soignées remplies de charme. Agréable piscine. Salle à manger classique et feutrée, ouverte sur une terrasse avec la vallée en toile de fond. Plats actuels.

Chancelière "Jeu de Cartes"

1 pl. Marronniers – ℘ 02 47 26 00 67 – www.lachanceliere.fr – lachanceliere@lachanceliere.fr – Fax 02 47 73 14 82 – Fermé 9-26 août, 2-15 janv., dim. et lundi sauf fériés
Rest – Menu 36/42 €
Spéc. Crumble de saumon et avruga au chèvre frais (printemps-été). Escalopes de foie gras aux figues (automne). Gâteau du prélat. **Vins** Montlouis, Bourgueil.

♦ Cette élégante maison tourangelle superpose les styles avec audace : salle à manger cosy aux tonalités colorées et cuisine à la fois classique et inventive. Ici, on joue cartes sur table !

MONTBAZON
Ouest 5 km par D 910, D 287 et D 87 – ⊠ 37250 Montbazon

XX **Le Moulin Fleuri** avec ch
rte du Ripault – ℰ 02 47 26 01 12 – www.moulin-fleuri.com – lemoulinfleuri@wanadoo.fr – Fax 02 47 34 04 71 – Fermé 17-25 déc., 22 janv.-fin fév., dim. soir du 12 nov. au 30 mars, jeudi midi et lundi
10 ch – ♦78 € ♦♦78/113 €, ☲ 11 €
Rest – Menu (22 €), 31/51 € – Carte environ 41 €
♦ Un bras de l'Indre actionnait la roue de cet ex-moulin à grains (16ᵉ s.). Recettes traditionnelles avec une touche terroir, magnifique cave (plus de 800 références). Terrasse près de l'eau. Sobres chambres classiquement aménagées, côté rivière ou jardin.

> Petit-déjeuner compris ?
> La tasse ☲ suit directement le nombre de chambres.

MONTBÉLIARD – 25 Doubs – **321** K1 – 26 500 h. – 17 **C1**
Agglo. 113 059 h. – alt. 325 m – ⊠ 25200 ▌**Franche-Comté Jura**
▶ Paris 477 – Belfort 22 – Besançon 76 – Mulhouse 60 – Vesoul 60
🛈 Office de tourisme, 1, rue Henri-Mouhot ℰ 03 81 94 45 60, Fax 03 81 94 14 04
🅱 de Prunevelle à Dampierre-sur-le-Doubs Ferme des Petits Bans, par rte de Besançon : 8 km, ℰ 03 81 98 11 77
◉ Le Vieux Montbéliard★ : hôtel Beurnier-Rossel★ - Sochaux : Musée de l'aventure Peugeot★★.

Plan page ci-contre

Bristol sans rest
2 r. Velotte – ℰ 03 81 94 43 17 – www.hotel-bristol-montbeliard.com
– hotel.bristol@wanadoo.fr – Fax 03 81 94 15 29   Z **b**
48 ch – ♦58/66 € ♦♦63/72 €, ☲ 8 €
♦ Hôtel des années 1930 scrupuleusement modernisé. Intérieur joliment décoré, chambres très cosy, et véritable salon de thé (superbes variétés).

Aux Relais Verts
le Pied des Gouttes – ℰ 03 81 90 10 69 – www.hotelrelaisvert.net
– hotelrelaisvert@wanadoo.fr – Fax 03 81 90 15 18
– Fermé 24 déc.-4 janv.   X **v**
64 ch – ♦72/93 € ♦♦72/93 €, ☲ 8 € – ½ P 93/116 €
Rest *Le Tire Bouchon* – (fermé sam. midi et dim.) Menu 18/44 € – Carte 28/78 €
♦ Hôtel actuel au cœur d'une Z.A.C. Petites chambres fonctionnelles distribuées autour d'un patio ou, dans une aile récente, hébergement plus spacieux et chaleureux. Plantes vertes et expositions de tableaux égayent la sobre salle à manger. Plats régionaux.

XXX **Le St-Martin** (Olivier Prevot-Carme)
1 r. Gén. Leclerc – ℰ 03 81 91 18 37 – lesaintmartin.montbeliard@orange.fr
– Fax 03 81 91 18 37 – Fermé 2-8 mars, 1ᵉʳ-24 août, 1ᵉʳ-5 janv.,
sam., dim. et fériés   Z **u**
Rest – Menu 29 € (sem.)/65 € – Carte 45/59 €
Spéc. Fricassée de grenouilles au beurre demi-sel (printemps). Féra aux morilles et risotto au vin jaune (printemps et automne). Crème de mascarpone au vin jaune et morilles. **Vins** Côtes du Jura-Savagnin, Klevener de Heiligenstein.
♦ Cette vieille maison cache un chaleureux restaurant-bonbonnière, intime et cossu. Cuisine régionale assez inventive, menu évoluant au gré du marché et spécialités de poissons.

XX **Joseph**
17 r. de Belfort – ℰ 03 81 91 20 02 – Fax 03 81 91 88 99 – Fermé 14-31 août, dim. et lundi   Z **a**
Rest – Carte 50/61 €
♦ Les patrons de ce restaurant soigné vous réservent un accueil charmant. Cuisine traditionnelle (quelques plats du terroir), à base de produits de saison choisis.

MONTBÉLIARD

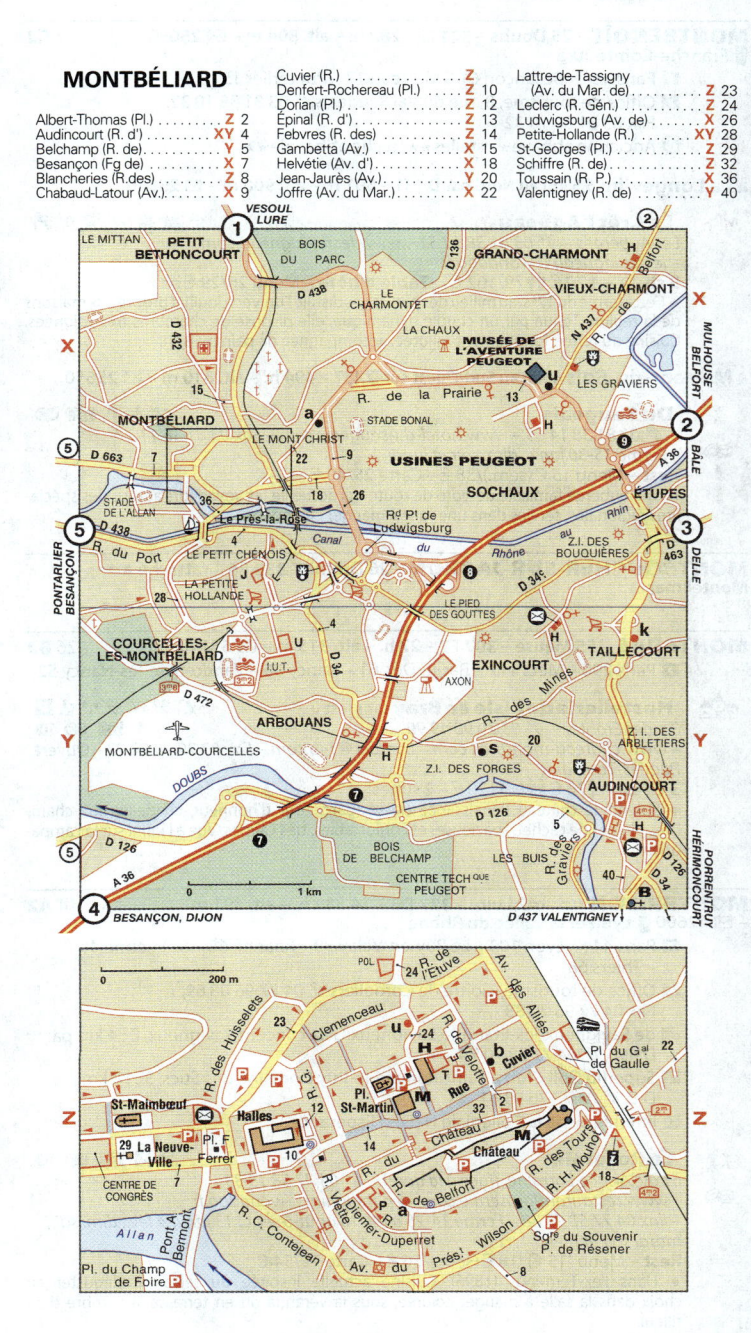

Albert-Thomas (Pl.)	Z	2
Audincourt (R. d')	XY	4
Belchamp (R. de)	Y	5
Besançon (Fg de)	Z	7
Blancheries (R.des)	Z	8
Chabaud-Latour (Av.)	X	9
Cuvier (R.)	Z	
Denfert-Rochereau (Pl.)	Z	10
Dorian (Pl.)	Z	12
Épinal (R. d')	Z	13
Febvres (R. des)	Z	14
Gambetta (Av.)	X	15
Helvétie (Av. d')	X	18
Jean-Jaurès (Av.)	Y	20
Joffre (Av. du Mar.)	X	22
Lattre-de-Tassigny (Av. du Mar. de)	Z	23
Leclerc (R. Gén.)	Z	24
Ludwigsburg (Av. de)	X	26
Petite-Hollande (R.)	XY	28
St-Georges (Pl.)	Z	29
Schiffre (R. de)	Z	32
Toussain (R. P.)	Z	36
Valentigney (R. de)	Y	40

MONTBENOÎT – 25 Doubs – 321 I5 – 282 h. – alt. 804 m – ⊠ 25650   17 **C2**
Franche-Comté Jura

- Paris 464 – Besançon 61 – Morteau 17 – Pontarlier 15
- Office de tourisme, 8, rue du Val Saugeais ℰ 03 81 38 10 32, Fax 03 81 38 10 32
- Ancienne abbaye★ : stalles★★, niche abbatiale★★.

à La Longeville 5,5 km au Nord par D 131 – 591 h. – alt. 900 m – ⊠ 25650

Le Crêt l'Agneau
Les Auberges – ℰ 03 81 38 12 51 – www.lecret-lagneau.com
– lecret.lagneau@wanadoo.fr
5 ch ⊇ – †70 € ††79/102 €   **Table d'hôte** – Menu 26/29 € bc
♦ Cette ferme du 17ᵉ s. au milieu des pâturages distille l'univers douillet propre aux maisons de la région. Tenue par un couple dynamique, elle dispose de chambres très soignées. Cuisine du terroir longuement mijotée, accompagnée de pain maison.

à Maisons-du-Bois 4 km au Sud-Ouest sur D 437 – 494 h. – alt. 810 m – ⊠ 25650

Du Saugeais
– ℰ 03 81 38 14 65 – www.hotel-du-saugeais.com – Fax 03 81 38 11 27
– Fermé 15-30 janv., dim. soir et lundi
Rest – Menu 15 € (sem.)/38 € – Carte 25/40 €
♦ Une auberge familiale de bord de route qui accueille les voyageurs autour des spécialités régionales, servies dans une salle à manger champêtre.

MONTBOUCHER-SUR-JABRON – 26 Drôme – 332 B6 – rattaché à Montélimar

MONTBRAS – 55 Meuse – 307 F7 – 27 h. – alt. 315 m – ⊠ 55140   26 **B2**

- Paris 290 – Metz 117 – Bar-le-Duc 61 – Nancy 66 – Vandœuvre-lès-Nancy 52

Hostellerie de l'Isle en Bray sans rest
3 r. des Erables – ℰ 03 29 90 49 90
– www.chateau-montbras.com – contact@hib.com – Fax 03 29 90 82 23 – Ouvert Pâques-Toussaint
5 ch ⊇ – †70 € ††90/120 € – 2 suites
♦ Splendide château Renaissance classé (parc, cour d'honneur, chapelle) aux chambres pleines de cachet, spacieuses et confortables, très calmes. Vue à l'infini sur la campagne.

MONTBRISON – 42 Loire – 327 D6 – 14 589 h. – alt. 391 m   44 **A2**
– ⊠ 42600 **Lyon et la vallée du Rhône**

- Paris 444 – Lyon 103 – Le Puy-en-Velay 99 – Roanne 68 – St-Étienne 45 – Thiers 68
- Office de tourisme, cloître de Cordeliers ℰ 04 77 96 08 69, Fax 04 77 96 20 88
- de Savigneux-les-Étangs à Savigneux Gaia concept Savigneux, E : 4 km par D 496, ℰ 04 77 58 70 74
- Superflu Golf Club à Saint-Romain-le-Puy Domaine des Sucs, SE : 8 km par D 8, ℰ 04 77 76 93 41
- Intérieur★ de la Collégiale N.-D.-d'Espérance.

La Roseraie
61 av. Alsace-Lorraine, (face à la gare) – ℰ 04 77 58 15 33
– www.restaurantlaroseraie.com – j-p.tholoniat@wanadoo.fr
– Fax 04 77 58 93 88 – Fermé 14-25 avril, 16 août-6 sept., 13 janv.-4 fév., dim. soir, mardi soir et merc.
Rest – Menu (15 €), 18 € (sem.)/56 € – Carte 19/54 €
♦ Dans l'ex-Terminus (1896). Cuisine actuelle inspirée du terroir à déguster au choix dans la salle à manger colorée, sous la véranda ou en terrasse, à l'ombre d'un tilleul.

MONTBRISON

à Savigneux 2 km à l'Est par D 496 – 3 066 h. – alt. 382 m – ⊠ 42600

Marytel sans rest
95 rte de Lyon – ℰ 04 77 58 72 00 – www.hotel-marytel.com – hm4203@inter-hotel.com – Fax 04 77 58 42 81
47 ch – †48/85 € ††53/95 €, ⊇ 8 €
♦ Hôtel fonctionnel en bord de route. Une nouvelle aile, le Relais Alice, possède des chambres très modernes aux équipements dernier cri. Double vitrage partout.

XX **Yves Thollot**
93 rte de Lyon – ℰ 04 77 96 10 40 – www.yves-thollot.com – mail@yves-thollot.com – Fax 04 77 58 31 92 – Fermé 3-24 août, 15-28 fév., dim. soir, mardi soir et lundi
Rest – Menu 23/58 € – Carte 40/58 €
♦ Maison récente au milieu d'un agéable cadre végétal. Plusieurs grandes salles et une terrasse ombragée vous accueillent pour des repas de tradition simples et généreux.

à St-Romain-le-Puy 8 km au Sud-Est par D 8 et D 107 – 2 803 h. – alt. 405 m – ⊠ 42610

Sous le Pic-La Pérolière sans rest
20 r. Jean-Moulin – ℰ 04 77 76 97 10 – www.laperoliere.com – laperoliere@wanadoo.fr – Fax 04 77 76 97 10 – Fermé 2 janv.-28 fév.
4 ch ⊇ – †49/62 € ††59/72 €
♦ Un havre de paix au pied d'un prieuré du 11ᵉ s. Ferme forézienne (fin 19ᵉ s.) au mobilier chiné et en fer forgé. L'été, petit-déjeuner dans l'orangeraie qui donne sur le jardin.

MONTCEAU-LES-MINES – 71 Saône-et-Loire – **320** G9 – 19 400 h.   **8 C3**
– **Agglo.** 92 000 h. – alt. 285 m – ⊠ 71300 ▌ **Bourgogne**

▶ Paris 333 – Autun 47 – Chalon-sur-Saône 46 – Mâcon 69 – Moulins 100
🛈 Office de tourisme, 16, rue Carnot ℰ 03 85 69 00 00, Fax 03 85 69 00 01
🏌 du Château d'Avoise à Montchanin 9 rue de Mâcon, par rte de Chalon-sur-Saône : 14 km, ℰ 03 85 78 19 19
◉ Mont-St-Vincent : tour ❊★★ 12 km par ②.

Plan page suivante

Nota Bene
70 quai Jules Chagot – ℰ 03 85 69 10 15 – www.notabene.fr – nota.bene.hotel@wanadoo.fr – Fax 03 85 69 10 20   AZ **b**
46 ch – †39/62 € ††62/72 €, ⊇ 7 € – ½ P 55/82 €
Rest – Menu (14 €), 18/30 € – Carte 20/32 €
♦ Face au pont levant du canal, cet hôtel arbore une devanture habillée de bois blond. Chambres confortables, plus spacieuses dans l'annexe. Salles de squash et de musculation. Le restaurant propose un grand choix de plats traditionnels.

XXX **Le France** (Jérôme Brochot)
7 pl. Beaubernard – ℰ 03 85 67 95 30 – www.jeromebrochot.com – lefrance@jeromebrochot.com – Fax 03 85 67 95 44 – Fermé 2-10 mars, 3-24 août, 5-12 janv., sam. midi, dim. soir et lundi   AZ **k**
Rest – Menu (20 €), 40/80 € – Carte 49/80 €
Spéc. Filet de bœuf charolais confit et rond de gite en carpaccio. Sandre de Saône en croustillant de chèvre sec du Charolais (avril à juil.). Sorbet au foin et galette croustillante d'épeautre. **Vins** Rully, Givry
♦ Ce restaurant de la partie haute de la ville cache une élégante salle à manger contemporaine tout en beige et blanc. Cuisine inventive sur des bases classiques.

à Galuzot 5 km au Sud-Ouest par ③ et D 974 – ⊠ 71230 St-Vallier

X **Le Moulin**
– ℰ 03 85 57 18 85 – Fermé 19 août-2 sept., 18 fév.-4 mars, dim. soir, mardi soir et merc.
Rest – Menu (16 €), 20/39 € – Carte 20/50 €
♦ Restauration au fil de l'eau dans cette auberge fleurie bordant l'attrayant canal du Centre. Une salle à manger campagnarde et une autre plus cossue et récente. Carte traditionnelle.

1107

MONTCEAU-LES-MINES

André-Malraux (R.)	**AY** 3
Barbès (R.)	**ABZ**
Bel Air (R. de)	**BY** 4
Carnot (R.)	**AZ** 6
Champ du Moulin (R. du)	**BYZ** 7
Chausson (R. Henri)	**BZ** 9
Emorine (R. Antoine)	**BZ** 10
Gauthey (Quai)	**AZ** 12
Génelard (R. de)	**BZ** 13
Guesde (Quai Jules)	**AY** 14
Hospice (R. de l')	**AZ** 15
Jean-Jacques-Rousseau (R.)	**BZ** 16
Jean-Jaurès (R.)	**AZ**
Lamartine (R.)	**AZ** 19
Merzet (R. Étienne)	**BY** 21
Palinges (R. de)	**BZ** 22
Paul-Bert (R.)	**AZ** 24
Pépinière (R. de la)	**AY** 25
République (R. de la)	**AY** 26
Sablière (R. de la)	**ABY** 27
St-Vallier (R. de)	**BZ** 28
Semard (R. de)	**BZ** 30
Strasbourg (R. de)	**BZ** 31
Tournus (R. de)	**BZ** 33
8-Mai-1945 (R. du)	**BY** 34
11-Nov.-1918 (R. du)	**AY** 36

MONTCENIS – 71 Saône-et-Loire – **320** G9 – rattaché au Creusot

MONTCHAUVET – 78 Yvelines – **311** F2 – 290 h. – alt. 100 m **18 A2**
– ⊠ 78790

🄳 Paris 67 – Dreux 33 – Évreux 47 – Mantes-la-Jolie 16 – Rambouillet 39 – Versailles 49

✕✕ **La Jument Verte** 🈺 VISA 🆗 AE
6 pl. de l'Église – ℘ 01 30 93 43 60 – Fax 01 30 93 49 20 – Fermé 1er-15 sept. et 15-28 fév. – **Rest** – Carte 42/55 €

♦ Un cadre digne du célèbre roman de Marcel Aymé : maison à pans de bois, terrasse dressée sur la place du village et intérieur campagnard (pierres, poutres et cheminée).

MONTCHENOT – 51 Marne – **306** G8 – **rattaché à Reims**

MONTCLUS – 30 Gard – **339** L3 – 161 h. – alt. 94 m – ✉ 30630   23 **D1**
▶ Paris 657 – Alès 46 – Avignon 58 – Bagnols-sur-Cèze 24 – Pont-St-Esprit 25

La Magnanerie de Bernas ⟵ 🍽 🍴 ⊇ & ch, 🛌 **P** *VISA* **MO** **AE**
à Bernas, 2 km à l'Est – ℰ 04 66 82 37 36 – www.magnanerie-de-bernas.com
– lamagnanerie@wanadoo.fr – Fax 04 66 82 37 41 – Ouvert 2 avril-20 oct.
15 ch – †40/105 € ††50/135 €, ⊇ 12 € – 2 suites – ½ P 55/98 €
Rest – *(fermé mardi et merc. en avril, oct. et le midi sauf dim.)* Menu 20 €
– Carte 33/56 €

♦ Superbe situation pour cette magnanerie des 12ᵉ et 13ᵉ s. surplombant la vallée de la Cèze. Bel intérieur champêtre, rénové, où domine la pierre. Grande piscine et solarium. Salle à manger voûtée et terrasse d'été dressée dans la jolie cour intérieure.

Rouge = agréable. Repérez les symboles 🍴 et 🏠 passés en rouge.

MONTCY-NOTRE-DAME – 08 Ardennes – **306** K4 – **rattaché à Charleville-Mézières**

MONT-DAUPHIN-GARE – 05 Hautes-Alpes – **334** H4 – **rattaché à Guillestre**

MONT-DE-MARSAN **P** – 40 Landes – **335** H11 – 30 700 h.   3 **B2**
– alt. 43 m – ✉ 40000 **Aquitaine**

▶ Paris 706 – Agen 120 – Bayonne 106 – Bordeaux 131 – Pau 83 – Tarbes 103
🛈 Office de tourisme, 6, place du Général Leclerc ℰ 05 58 05 87 37, Fax 05 58 05 87 36
🏟 Stade Montois à Saint-Avit Pessourdat, par rte de Langon : 10 km, ℰ 05 58 75 63 05
◉ Musée Despiau-Wlérick ★.

MONT-DE-MARSAN

Rue		Réf.
Alsace-Lorraine (R. d')		**AZ** 2
Auribeau (Bd d')		**AZ** 3
Bastiat (R. F.)		**ABZ**
Bosquet (R. Mar.)		**AZ** 4
Briand (R. A.)		**BY** 5
Brouchet (Allées)		**BZ** 6
Carnot (Av. Sadi)		**BZ** 7
Delamarre (Bd)		**BZ** 8
Despiau (R. Ch.)		**AZ** 9
Farbos (Allées Raymond)		**BZ** 10
Gambetta (R. L.)		**BZ** 12
Gaulle (Pl. Ch.-de)		**BY** 13
Gourgues (R. D.-de)		**BY** 14
Landes (R. L.-des)		**BZ** 15
Lasserre (R. Gén.)		**AZ** 16
Lattre-de-Tassigny (Bd de)		**BY** 17
Leclerc (Pl. du Gén.)		**BZ** 18
Lesbazeilles (R. A.)		**BZ** 19
Martinon (R.)		**BZ** 20
Pancaut (R.)		**AZ** 21
Poincaré (Pl. R.)		**AY** 22
Président-Kennedy (Av. du)		**BZ** 23
Ruisseau (R. du)		**AZ** 24
St-Jean-d'Août (R.)		**AY** 25
St-Roch (Pl.)		**BZ** 26
Victor-Hugo (R.)		**BY** 27
8-Mai-1945 (R. du)		**BY** 28
34-e-d'Inf. (Av. du)		**BZ** 29

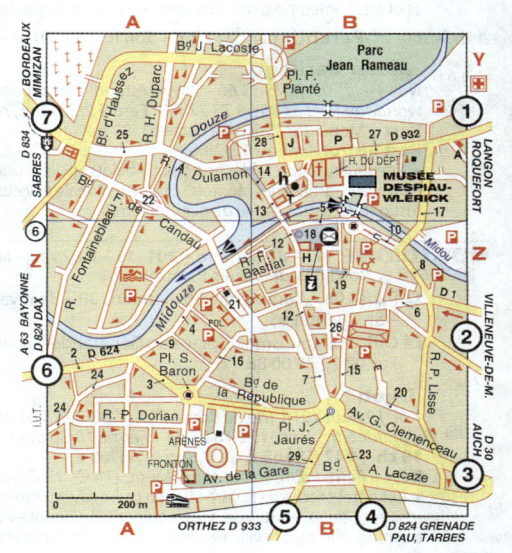

MONT-DE-MARSAN

Le Renaissance
225 av de Villeneuve, 2 km par ② – ℰ 05 58 51 51 51 – www.le-renaissance.com
– lerenaissance@wanadoo.fr – Fax 05 58 75 29 07
28 ch – †61/82 € ††68/92 €, ⊇ 8 € – 1 suite
Rest – (fermé dim. sauf le midi de juin à oct., sam. et fériés) Menu (23 €), 29/51 € – Carte 32/52 €

◆ Légèrement excentré, hôtel contemporain apprécié de la clientèle d'affaires. Les chambres, fonctionnelles, sont plus calmes côté jardin ; la plupart offrent un décor rajeuni. Agréable salle à manger avec vue sur un étang et cuisine traditionnelle actualisée.

Abor
112 chemin de Lubet, rte Grenade, 3 km par ④ ⊠ 40280 – ℰ 05 58 51 58 00
– www.aborhotel.com – contact@aborhotel.com – Fax 05 58 75 78 78
68 ch – †61/72 € ††68/88 €, ⊇ 8,50 € – ½ P 57/74 €
Rest – (fermé 24 déc.-5 janv., sam. midi et dim. midi) Menu (13 €), 16 € (déj. en sem.), 23/37 € – Carte 24/51 €

◆ Immeuble moderne à la périphérie de la "capitale" du pays de Marsan, abritant de petites chambres pratiques et insonorisées. Décor sans fioriture, mais entretien suivi. Salle à manger colorée. Recettes traditionnelles et formules buffets.

Richelieu
3 r. Wlérick – ℰ 05 58 06 10 20 – www.citotel.com – le.richelieu@wanadoo.fr
– Fax 05 58 06 00 68   BY **h**
29 ch – †47/64 € ††60/80 €, ⊇ 8,50 € – ½ P 52/68 €
Rest – (fermé 2-11 janv., vend. soir du 24 juil. au 18 sept., dim. soir et sam.)
Menu (18 €), 20 € (sem.)/42 € – Carte environ 42 €

◆ Hôtel central, voisin du musée Despiau-Wlérick (sculptures). Les chambres, bien tenues, sont progressivement refaites et affichent une sobriété contemporaine. Salle de restaurant modulable dont l'aménagement ressemble à celui d'une brasserie.

XX Les Clefs d'Argent (Christophe Dupouy)   ⊛
333 av. des Martyrs de la Résistance, par ⑥ – ℰ 05 58 06 16 45
– www.clefs-dargent.com – lesclefsdargent@orange.fr – Fermé vacances de Noël et en août, dim. soir et lundi
Rest – Menu 20 € bc (déj. en sem.), 40/90 € bc – Carte 56/62 €
Spéc. Foie gras de canard des Landes et pommes confites. Homard thermidor. Flognarde aux pommes et lait de poule à l'amaretto.

◆ Cette maison d'allure modeste dissimule plusieurs petites salles cosy redécorées (toiles et objets contemporains). Savoureuse cuisine actuelle, tout en finesse et authenticité.

à Uchacq-et-Parentis par ⑦ : 7 km – 568 h. – alt. 50 m – ⊠ 40090

XX Didier Garbage
N 134 – ℰ 05 58 75 33 66 – www.restaudidiergarbage.fr – restau.didier.garbage@
wanadoo.fr – Fax 05 58 75 22 77 – Fermé 2-20 janv., mardi soir, dim. soir et lundi
Rest – Menu 25/75 € bc – Carte 61/85 €
Rest *Bistrot* – Menu 12/28 €

◆ Intérieur rustique, tables en bois et bibelots anciens. Une maison dont la réputation et la convivialité attirent les Montois : cuisine régionale et vieux millésimes en cave. Également rustique, le bistrot régale de plats du terroir.

MONTDIDIER – 80 Somme – 301 I10 – 6 029 h. – alt. 82 m   36 **B2**
– ⊠ 80500 ▌ Nord Pas-de-Calais Picardie

▶ Paris 108 – Compiègne 36 – Amiens 39 – Beauvais 49 – Péronne 48 – St-Quentin 65

🛈 Office de tourisme, 5, place du Général-de-Gaulle ℰ 03 22 78 92 00, Fax 03 22 78 00 88

Dijon
1 pl. 10 Août 1918, (rte de Breteuil) – ℰ 03 22 78 01 35 – d.vanoverschelde@
wanadoo.fr – Fax 03 22 78 27 24 – Fermé 10-30 août, 8-21 fév. et dim. soir
19 ch – †42 € ††68 €, ⊇ 7,50 € – ½ P 60 €
Rest – (fermé dim. soir et sam.) Menu (14 €), 17 € (sem.), 20/29 € – Carte 35/52 €

◆ Cet hôtel proche de la gare offre un cadre rustique soigné. Toutes les chambres ont été refaites ; celles en façade sont équipées de double-vitrage. Accueil charmant. Table traditionnelle dans la ville natale de Parmentier, promoteur de la pomme de terre.

LE MONT-DORE – 63 Puy-de-Dôme – 326 D9 – 1 427 h. – alt. 1 050 m   5 **B2**
– Sports d'hiver : 1 050/1 850 m ⟜ 2 ⟜ 18 ⟜ – Stat. therm. : fin avril-mi oct.
– Casino Z – ✉ 63240 ▊ Auvergne

▶ Paris 462 – Aubusson 87 – Clermont-Ferrand 43 – Issoire 49 – Ussel 56
🛈 Office de tourisme, avenue du Maréchal Leclerc ℰ 04 73 65 20 21,
Fax 04 73 65 05 71

🅖 du Mont-Dore par rte de la Tour d'Auvergne : 2 km, ℰ 04 73 65 00 79

◉ Etablissement thermal : galerie César★, salle des pas perdus ★ - Puy de
Sancy ❋★★★ 5 km par ② puis 1 h. AR de téléphérique et de marche -
Funiculaire du capucin★.

🅖 Col de la Croix-St-Robert ❋★★ 6,5 km par ②.

LE MONT-DORE

Apollinaire (R. S.)	Y 2
Artistes (Chemin des)	Z
Banc (R. Jean)	Y 3
Belges (Av. des)	Y
Bertrand (Av. M.)	Y
Chazotte (R. Capitaine)	Y 4
Clemenceau (Av.)	Z 5
Clermont (Av. de)	Y 7
Crouzets (Av. des)	Y
Déportés (R. des)	Z 8
Dr-Claude (R.)	Y
Duchâtel (R.)	Z 9
Favart (R.)	Y 12
Ferry (Av. J.)	YZ
Gaulle (Pl. Ch.-de)	Y 14
Guyot-Dessaigne (Av.)	Y 15
Latru (R.)	Y
Laviaille (R.)	Y
Leclerc (Av. du Gén.)	Y
Libération (Av. de la)	YZ
Melchi-Roze (Chemin)	Y
Meynadier (R.)	YZ
Mirabeau (Bd)	Y
Montlosier (R.)	Y 19
Moulin (R. Jean)	Y 20
Panthéon (Pl. du)	Z 22
Pasteur (R.)	Y
Ramond (R.)	Z 24
République (Pl. de la)	Z 26
Rigny (R.)	Z 28
Sand (Allée G.)	YZ 29
Sanistas (R. F.)	Y
Verrier (R. P.)	Y
Wilson (Av.)	Y
19-Mars-1962 (R. du)	Y 32

🏨 **Panorama** ⌂ ≤ 🚗 ☎ 🎧 ❄ rest. **P** VISA ⓜ
🔗 27 av. de la Libération – ℰ 04 73 65 11 12 – www.hotel-le-panorama.com
– contact@hotel-le-panorama.com – Fax 04 73 65 20 80 – Ouvert 1ᵉʳ mai-6 oct. et
22 déc.-10 mars   Z u
39 ch – †70/125 € ††70/125 €, ⌑ 11 € – ½ P 64/91 €
Rest – (dîner seult en hiver) Menu 19 €, 22/55 € – Carte 38/48 €
♦ Construction des années 1960 surplombant la station, non loin du "chemin des Artistes".
Chambres dans l'air du temps. Belle piscine panoramique. Détente au coin du feu au bar.
Atmosphère chaleureuse et cuisine traditionnelle au restaurant.

🏨 **Le Castelet**   🚗 ☎ 🎧 ❄ rest, 🛜 **P** VISA ⓜ AE
av. M. Bertrand – ℰ 04 73 65 05 29 – www.lecastelet-montdore.com
– hotel-le-castelet@orange.fr – Fax 04 73 65 27 95 – Ouvert 15 mai-4 oct. et
20 déc.-21 mars   Y t
35 ch – †55/68 € ††59/78 €, ⌑ 10 € – ½ P 51/67 €   **Rest** – Menu 22 €
♦ Cette maison des années 1920 vous accueille dans un hall-salon d'esprit actuel. Chambres sobrement décorées ; celles tournées sur l'agréable jardin sont plus gaies. Deux salles
à manger dont une agrémentée de touches asiatiques. Carte régionale.

LE MONT-DORE

De Russie
3 r. Favart – ℰ 04 73 65 05 97 – www.lerussie.com – hotelderussie@orange.fr
– Fax 04 73 65 22 10   Y a
32 ch – †60/75 € ††60/75 €, ⌧ 9 € – 1 suite – ½ P 55/63 €
Rest – Menu (18 €) – Carte 31/40 €

♦ Enseigne en hommage à la clientèle russe adepte du lieu pendant la grande époque du thermalisme. Hôtel (1902) rénové, parfait pour les skieurs (matériel, navette vers les pistes). Plats du terroir servis dans une chaleureuse salle lambrissée.

Parc
r. Meynadier – ℰ 04 73 65 02 92 – www.hotelduparc-montdore.com
– hotelduparc.md@wanadoo.fr – Fax 04 73 65 28 36
– Ouvert 2 mai-10 oct. et 26 déc.-29 mars   Z k
37 ch – †49/53 € ††53/58 €, ⌧ 7 € – ½ P 43/51 €
Rest – (résidents seult) Menu 16 €

♦ Immeuble centenaire au centre de la célèbre station thermale où, déjà, les Gaulois venaient "prendre les eaux". Chambres pratiques et bien rénovées. Jolies moulures, haut plafond, parquet restauré et belle cheminée caractérisent la plaisante salle à manger.

Le Wilson sans rest
1 av. Wilson – ℰ 04 73 65 00 06 – www.residence-wilson.com
– residencewilson@free.fr – Fax 04 73 65 27 95 – Fermé 1er avril-15 mai
et 7 oct.-20 déc.   Y r
16 ch – †49/60 € ††57/60 €, ⌧ 7 €

♦ Cette grande villa bâtie au début du 20e s. héberge des studios fonctionnels et très bien équipés, loués pour la nuit ou pour un séjour prolongé.

Les Charmettes sans rest
30 av. G. Clemenceau, par ② – ℰ 04 73 65 05 49 – www.hotellescharmettes.com
– charmettes-lemontdore@wanadoo.fr – Fax 04 73 65 20 28 – Fermé 3-27 juin
et 4 nov.-12 déc.
21 ch – †43/46 € ††50/55 €, ⌧ 8 €

♦ L'hôtel est situé dans la direction du majestueux puy de Sancy. Une clientèle fidèle de randonneurs retrouve ici des petites chambres simples.

La Closerie de Manou sans rest
Le Genestoux, 3 km par ⑤ et D 996 – ℰ 04 73 65 26 81
– www.lacloseriedemanou.com – lacloseriedemanou@club-internet.fr
– Fax 04 73 65 58 34 – Ouvert d'avril à mi-oct.
5 ch ⌧ – †55/65 € ††85/90 €

♦ Cette maison auvergnate du 18e s. entourée de verdure est une petite merveille. Ses chambres cosy, assez vastes, possèdent une touche personnelle et l'accueil s'avère charmant.

Le Pitsounet
Le Genestoux, 3km par ⑤ sur D 996 – ℰ 04 73 65 00 67 – aubergelepitsounet@wanadoo.fr – Fax 04 73 65 06 22 – Fermé mi-oct.-mi-déc., dim. soir et lundi sauf juil.-août et fév.
Rest – Menu 17 € (sem.)/33 € – Carte 20/35 €

♦ Atmosphère agreste dans ce chalet posté en bordure d'une route départementale. Deux salles à manger rustiques, copieuse cuisine régionale et prix doux.

au Lac de Guéry 8,5 km par ① sur D 983 – ⌧ 63240 ▌Auvergne

◉ Lac★.

Auberge du Lac de Guéry avec ch
– ℰ 04 73 65 02 76 – www.auberge-lac-guery.fr – jean.leclerc2@wanadoo.fr
– Fax 04 73 65 08 78 – Ouvert 15 janv.-29 mars et 6 avril-11 oct.
10 ch – †52 € ††60 €, ⌧ 9 € – ½ P 62 €
Rest – (fermé merc. midi sauf vacances scolaires) Menu 19/45 €
– Carte 24/40 €

♦ Auberge au bord d'un lac de l'enchanteur Parc régional des volcans d'Auvergne. Cuisine régionale servie dans une salle à manger au décor rustique récemment rafraîchi.

LE MONT-DORE

au pied du Puy de Sancy 3 km par ② – ✉ 63240 Le Mont-Dore

🏨 **Puy Ferrand** ⊗ — ≤ 🖼 🛏 🎿 rest, 📞 🅿 VISA ⓂⓄ
– 𝒞 04 73 65 18 99 – www.hotel-puy-ferrand.com – info@hotel-puy-ferrand.com
– Fax 04 73 65 28 38 – Fermé 2 nov.-18 déc.
36 ch – †60/70 € ††65/120 €, ⊡ 9 €
Rest – Menu (18 €), 25/32 € – Carte 25/42 €

◆ Grande bouffée d'air pur en cet imposant chalet érigé au pied des pistes de ski. Bar panoramique, salon cosy, belle piscine et chambres agréablement rajeunies. Au restaurant, lambris et cheminée créent une sympathique atmosphère montagnarde.

MONTEAUX – 41 Loir-et-Cher – **318** D7 – 691 h. – alt. 62 m – ✉ 41150   11 **A1**

▸ Paris 210 – Orléans 85 – Blois 25 – Tours 40 – Joué-lès-Tours 51

⇧ **Le Château du Portail** sans rest ⊗   🚗 ⛱ ↩ 🅿 VISA ⓂⓄ
à Besnerie, 1 km par rte de Mesland – 𝒞 02 54 70 22 88
– www.chateauduportail.com – chateauduportail@orange.fr – Fax 02 54 70 22 32
– Fermé 15 déc.-15 janv.
5 ch ⊡ – †150/180 € ††150/180 €

◆ Situation idéale, entre Blois et Amboise, pour visiter les châteaux de la Loire. Luxueuse demeure (17ᵉ-18ᵉ s.) : jardin à la française, chambres aux meubles anciens et chinés.

MONTECH – 82 Tarn-et-Garonne – **337** D8 – 5 065 h. – alt. 100 m   28 **B2**
– ✉ 82700

▸ Paris 643 – Toulouse 50 – Montauban 14 – Colomiers 56 – Tournefeuille 57

✗ **La Maison de l'Eclusier**   🌳 ♿ VISA ⓂⓄ
☺ Le Port – 𝒞 05 63 65 37 61 – www.lamaisondeleclusier.com – Fax 05 63 65 37 61
– Fermé 28 juin-6 juil., 31 août-4 sept., 1ᵉʳ-16 janv., mardi midi en juil.-août, dim. soir de sept. à juin, sam. midi et lundi
Rest – Menu (13 €), 23 € (déj. en sem.), 27/38 € – Carte 28/40 € 🍷

◆ Une ancienne maison d'éclusier et sa jolie terrasse au bord du canal. Goûteux plats traditionnels proposés à l'ardoise ; petite cave bien composée et bon choix de vins au verre.

MONTEILS – 82 Tarn-et-Garonne – **337** F6 – **rattaché à Caussade**

MONTÉLIER – 26 Drôme – **332** D4 – 3 172 h. – alt. 219 m – ✉ 26120   43 **E2**

▸ Paris 567 – Crest 27 – Romans-sur-Isère 13 – Valence 12

🏠 **La Martinière**   🚗 🌳 ⛱ 📞 ♿ 🅿 VISA ⓂⓄ ㉓
ZA La Pimpie, rte de Chabeuil – 𝒞 04 75 59 60 65 – www.a-lamartiniere.com
– la-martiniere@wanadoo.fr – Fax 04 75 59 69 20
30 ch – †52 € ††58 €, ⊡ 8 € – ½ P 54 €
Rest – Menu 16 € (sem.)/62 € – Carte 20/69 € 🍷

◆ La belle piscine figure parmi les "plus" de cette architecture contemporaine abritant de petites chambres rafraîchies. Salle à manger au décor néo-provençal coloré, complétée d'une terrasse couverte ; cuisine traditionnelle et très beau choix de bordeaux.

MONTÉLIMAR – 26 Drôme – **332** B6 – 33 800 h. – alt. 90 m – ✉ 26200   44 **B3**
▮ Lyon et la vallée du Rhône

▸ Paris 602 – Avignon 83 – Nîmes 108 – Le Puy-en-Velay 132 – Valence 47

🛈 Office de tourisme, allées Provençales 𝒞 04 75 01 00 20, Fax 04 75 52 33 69

⛳ de La Valdaine à Montboucher-sur-Jabron Château du Monard, E : 4 km par D 540, 𝒞 04 75 00 71 33

⛳ de la Drôme provençale à Clansayespar N 7 et rte de Nyons : 21 km, 𝒞 04 75 98 57 03

◉ Allées provençales★ – Musée de la Miniature★ **M.**

◉ Site★★ du Château de Rochemaure★, 7 km par ④.

MONTÉLIMAR

Adhémar (R.)	Z 2
Aygu (Av.)	Z 4
Baudina (R.)	Y 5
Blanc (Pl. L.)	Z 6
Bourgneuf (R.)	Y 8
Carmes (Pl. des)	Y 9
Chemin Neuf (R. du)	Z 10
Clercs (Pl. des)	Y 12
Corneroche (R.)	Y 14
Cuiraterie (R.)	Z 15
Desmarais (Bd Marre)	Y 17
Dormoy (Pl. M.)	Z 18
Espoulette (Av. d')	Z 19
Europe (Pl. de l')	Z 21
Fust (Pl. du)	Y 23
Gaulle (Bd Gén.-de)	Z 25
Juiverie (R.)	Y 28
Julien (R. Pierre)	YZ
Loubet (Pl. Émile)	Z 29
Loubet (R. Émile)	Z 30
Meyer (R. M.)	Z 32
Monnaie-Vieille (R.)	Y 34
Montant-au-Château (R.)	Y 35
Planel (Pl. A.)	Z 37
Poitiers (R. Diane de)	Z 38
Porte Neuve (R. du)	Y 39
Prado (Pl. du)	Z 41
Puits Neuf (R. du)	Y 42
Rochemaure (Av. de)	Y 47
St-Martin (Montée)	Y 50
St-Pierre (R.)	Y 51
Villeneuve (Av. de)	Y 54

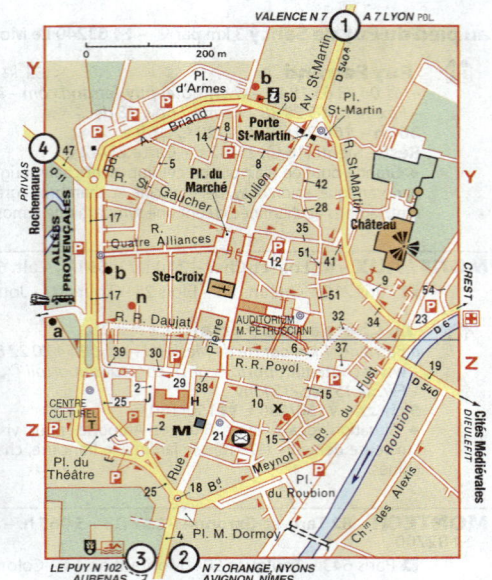

Sphinx sans rest
19 bd Desmarais – ℘ 04 75 01 86 64 – www.sphinx-hotel.fr
– reception@sphinx-hotel.fr – Fax 04 75 52 34 21
– Fermé 23 déc.-11 janv.   Y b
24 ch – †50/59 € ††57/79 €, ⊇ 7 €

♦ La jolie cour, la chaleur des parquets et boiseries confèrent un charme indéniable à cet hôtel particulier du 17ᵉ s. situé face aux allées provençales. Chambres assez calmes.

Du Parc sans rest
27 av. Ch. de Gaulle – ℘ 04 75 01 00 73 – hotelduparc-montelimar.com
– hotelduparc26@wanadoo.fr – Fax 04 75 51 27 93   Y a
16 ch – †60 € ††60 €, ⊇ 8 €

♦ Petit hôtel accueillant, situé face au parc, non loin de la gare et du centre. Chambres bien tenues. Petit-déjeuner dans la salle chaleureuse et colorée ou sur la terrasse.

Les Senteurs de Provence
202 rte de Marseille, par ② – ℘ 04 75 01 43 82
– lsdp.restaurant@wanadoo.fr – Fax 04 75 01 21 81
– Fermé jeudi soir, dim., lundi, mardi et merc.
Rest – Menu (12 €), 16 € (sem.)/34 € – Carte 28/48 €

♦ Jolie décoration provençale (tons ocre et orangé, mobilier en fer forgé) pour ce restaurant proposant une cuisine au goût du jour mâtinée de saveurs méridionales.

Petite France
34 imp. Raymond Daujat – ℘ 04 75 46 07 94 – Fermé 13 juil.-4 août, 21-25 déc., dim. et lundi   Y n
Rest – Menu (15 €), 21/30 € – Carte 27/43 €

♦ Adresse de la vieille ville dont l'enseigne évoque un quartier de Strasbourg. Vous êtes reçu dans une salle voûtée décorée d'une fresque pour déguster des plats traditionnels.

MONTÉLIMAR

Le Grillon
40 r. Cuiraterie – ℰ 04 75 01 79 02 – Fax 04 75 01 79 02 – Fermé 10-25 juil., 23-28 déc., jeudi soir, dim. soir et lundi   Z x
Rest – Menu 14 € (déj. en sem.), 16/31 € – Carte 30/45 €
♦ Vous n'entendrez pas forcément les grillons, mais vous goûterez aux saveurs de la cuisine du terroir (menu truffe en hiver) dans la salle à manger rustique ou en terrasse.

à St-Marcel-lès-Sauzet 7 km au Nord-Est par D 6 – 1 116 h. – alt. 110 m – ⊠ 26740

Le Prieuré
au Village – ℰ 04 75 46 78 68 – www.restau-le-prieure.com – restaurant.leprieure@wanadoo.fr – Fax 04 75 46 19 06 – Fermé 15 oct.-5 nov., dim. soir, merc. soir et lundi
Rest – Menu (15 €), 21 € (sem.)/42 € – Carte 39/73 €
♦ Grande terrasse ombragée et salle à manger colorée, cette belle maison en pierres de pays vous offre une pause chaleureuse. Cuisine de tradition influencée par la Provence.

à Montboucher-sur-Jabron 4 km au Sud-Est par D 940 – 1 823 h. – alt. 124 m – ⊠ 26740

Château du Monard
au golf de la Valdaine, sortie Montélimar-Sud
– ℰ 04 75 00 71 30 – www.domainedelavaldaine.com
– hotel@domainedelavaldaine.com – Fax 04 75 00 71 31
35 ch – †75/168 € ††89/213 €, ⊇ 13 € – ½ P 82/135 €
Rest – (fermé dim. soir de nov. à Pâques) Menu (20 €), 25 € (déj.), 34/46 €
– Carte 41/53 €
♦ Au sein du parc de la Valdaine, ensemble architectural hérité d'un château Renaissance avec deux cours fermées. Chambres actuelles ou provençales ; golf dans le domaine. Au restaurant de style contemporain : cuisine dans l'air du temps et bon choix de côtes-du-rhône.

sur N 7 7,5 km par ② – ⊠ 26780 Châteauneuf-du-Rhône

Pavillon de l'Étang
N 7 – ℰ 04 75 90 76 82 – www.lepavillondeletang.fr – pavillondeletang@orange.fr – Fax 04 75 90 72 39 – Fermé 25 oct.-10 nov., 5-15 janv., merc. soir, dim. soir et lundi
Rest – (nombre de couverts limité, prévenir) Menu (25 € bc), 36/70 € bc
– Carte 40/65 €
♦ Le cadre bucolique et l'amabilité de l'accueil sont les atouts majeurs de cette maison isolée en pleine campagne. Cadre raffiné et chaleureux. Menu truffe en saison.

par ② 9 km par N 7 et D 844, rte Donzère – ⊠ 26780 Malataverne

Domaine du Colombier
– ℰ 04 75 90 86 86 – www.domaine-colombier.com
– reservation@domainecolombier.com – Fax 04 75 90 79 40
20 ch – †100/150 € ††120/200 €, ⊇ 17 € – 3 suites
Rest – Menu (31 €), 51/85 € – Carte 83/91 €
♦ Calme et élégance résument l'esprit de cette bastide. La décoration, toujours subtile, change d'une chambre à l'autre, tantôt de style tantôt actuelle. Piscine et parc fleuri. Salles à manger contemporaines, agréable cour-terrasse et carte au goût du jour.

MONTENACH – 57 Moselle – 307 J2 – rattaché à Sierck-les-Bains

---

MONTESQUIOU – 32 Gers – 336 D8 – 586 h. – alt. 214 m – ⊠ 32320   28 **A2**
◨ Paris 783 – Toulouse 112 – Auch 33 – Tarbes 60 – Aureilhan 57
ℹ Office de tourisme, Mairie ℰ 05 62 70 91 18, Fax 05 62 70 80 16

Maison de la Porte Fortifiée
au Village – ℰ 05 62 70 97 06 – www.porte-fortifiee.eu – maison@porte-fortifiee.eu – Fax 05 62 70 97 06 – Fermé 4 janv.-20 mars
4 ch ⊇ – †60/70 € ††80/120 € – ½ P 69/84 €   **Table d'hôte** – Menu 29/39 €
♦ Maison située près de la porte fortifiée (13ᵉ s.) d'un paisible village dominant la vallée. Cheminée et mobilier de style personnalisent les grandes chambres. Jardin-terrasse. À la table d'hôte (dîners sur réservation), plats gascons ou asiatiques.

MONTEUX – 84 Vaucluse – 332 C9 – rattaché à Carpentras

MONTFAUCON – 25 Doubs – 321 G3 – rattaché à Besançon

MONTFAVET – 84 Vaucluse – 332 C10 – rattaché à Avignon

MONTFORT-EN-CHALOSSE – 40 Landes – 335 F12 – 1 210 h. 3 **B3**
– alt. 110 m – ⊠ 40380 ▌Aquitaine

▶ Paris 744 – Aire-sur-l'Adour 57 – Dax 19 – Hagetmau 27
  – Mont-de-Marsan 43 – Orthez 29

🛈 Office de tourisme, 25, place Foch ℘ 05 58 98 58 50, Fax 05 58 98 58 01

◉ Musée de la Chalosse★.

Aux Tauzins ⌂
*rte d'Hagetmau – ℘ 05 58 98 60 22 – www.auxtauzins.com – auxtauzins@
wanadoo.fr – Fax 05 58 98 45 79 – Fermé 1er-15 oct., fév., dim. soir et lundi
sauf juil.-août*
16 ch – †57 € ††76 €, ⊇ 8 € – ½ P 74 €
Rest – *(fermé lundi midi en juil.-août)* Menu (16 €), 22/42 € – Carte 50/60 €
♦ Adresse familiale proposant des chambres simples et bien tenues ; certaines sont dotées d'un balcon donnant sur les vallons de la Chalosse. Jardin avec minigolf et piscine. Restaurant panoramique de style champêtre, terrasse sous la glycine et spécialités régionales.

MONTFORT-L'AMAURY – 78 Yvelines – 311 G3 – 3 133 h. 18 **A2**
– alt. 185 m – ⊠ 78490 ▌Île de France

▶ Paris 46 – Dreux 36 – Houdan 18 – Mantes-la-Jolie 31 – Rambouillet 19
  – Versailles 29

🛈 Syndicat d'initiative, 3, rue Amaury ℘ 01 34 86 87 96, Fax 01 34 86 87 96

⛳ du Domaine du Tremblay à Le Tremblay-sur-Mauldre Place de l'Eglise,
  E : 8 km, ℘ 01 34 94 25 70

◉ Église★ – Ancien cimetière★ – Ruines du château ≤★.

Saint-Laurent sans rest ⌂
*2 pl. Lebreton – ℘ 01 34 57 06 66 – www.hotelsaint-laurent.com – reception@
hotelsaint-laurent.com – Fax 01 34 86 12 27 – Fermé 1er-23 août*
15 ch – †99 € ††109 €, ⊇ 12 €
♦ À vous de choisir votre décor : le superbe hôtel particulier du 17e s., les récentes chambres du pavillon situé dans le jardin ou le grand luxe de la Résidence.

MONTGENEVRE – 05 Hautes-Alpes – 334 I3 – 466 h. – alt. 1 850 m 41 **C1**
– ⊠ 05100

▶ Paris 757 – Marseille 274 – Gap 99 – Briançon 13

🛈 Office de tourisme, route d'Italie ℘ 04 92 21 52 52, Fax 04 92 21 92 45

Le Chalet Blanc
*Hameau de l'Obélisque – ℘ 04 92 44 27 02 – www.hotellechaletblanc.com
– info@hotellechaletblanc.com – Fax 04 92 46 05 29 – Fermé 18-31 mai et
19 oct.-15 nov.*
32 ch ⊇ – †72/400 € ††80/500 €
Rest – *(Fermé lundi et mardi hors saison)* Menu (32 €), 45/75 € – Carte 42/90 €
♦ Cet hôtel cossu, dernier-né de la station, affiche d'emblée son standing. Confort au top et jolie décoration associant les matériaux alpins (pierre, bois) et le style contemporain. Le restaurant occupe un chalet indépendant, accessible par l'extérieur.

Grand luxe ou sans prétention ?
Les ✕ et les 🏠 notent le confort.

MONTGIBAUD – 19 Corrèze – **329** J2 – 234 h. – alt. 460 m – ✉ 19210   24 **B2**
▶ Paris 434 – Arnac-Pompadour 15 – Limoges 47 – St-Yrieix-la-Perche 23 – Tulle 21 – Uzerche 25

Le Tilleul de Sully
– ✆ 05 55 98 01 96 – Fax 05 55 98 01 96 – Fermé 21 déc.-11 janv., mardi soir hors saison, dim. soir et lundi sauf fériés
Rest – (nombre de couverts limité, prévenir) Menu 14 € (déj. en sem.), 18/36 € – Carte 39/45 €

♦ Auberge de campagne située près d'un vieux tilleul, point de repère des pèlerins en route pour St-Jacques. Salle rustique agrémentée d'un cantou. Cuisine traditionnelle.

MONTGRÉSIN – 60 Oise – **305** G6 – rattaché à Chantilly

LES MONTHAIRONS – 55 Meuse – **307** D4 – rattaché à Verdun

MONTHIEUX – 01 Ain – **328** C5 – 578 h. – alt. 295 m – ✉ 01390   43 **E1**
▶ Paris 443 – Lyon 31 – Bourg-en-Bresse 38 – Meximieux 26 – Villefranche-sur-Saône 19

Le Gouverneur
D 6 – ✆ 04 72 26 42 00 – www.golfgouverneur.fr – info@golfgouverneur.fr – Fax 04 72 26 42 20 – Fermé 22-31 déc.
53 ch – †95/115 € ††105/125 €, ⊑ 12 €
Rest – (fermé dim. soir du 1er oct.-31mars) (dîner seult) Menu (20 € bc), 35/40 € – Carte 39/51 €

♦ En pleine campagne, ancien domaine du gouverneur de la Dombes (14e s.). D'élégantes chambres contemporaines occupent une extension récente. Golfs (9 et 18 trous), étangs pour la pêche. Menus traditionnels dans des salles au décor moderne (l'une des deux donne sur les greens).

MONTHION – 73 Savoie – **333** L4 – rattaché à Albertville

MONTI – 06 Alpes-Maritimes – **341** F5 – rattaché à Menton

MONTIGNAC – 24 Dordogne – **329** H5 – 3 023 h. – alt. 77 m   4 **D1**
– ✉ 24290 ▮ Périgord
▶ Paris 513 – Brive-la-Gaillarde 39 – Limoges 126 – Périgueux 54 – Sarlat-la-Canéda 25
🛈 Office de tourisme, place Bertran-de-Born ✆ 05 53 51 82 60, Fax 05 53 50 49 72
◉ Grottes de Lascaux★★ SE : 2 km.
◉ Le Thot, espace cro-magnon★ S : 7 km - Église★★ de St-Amand de Coly E : 7 km.

Relais du Soleil d'Or
16 r. 4 Septembre – ✆ 05 53 51 80 22 – www.le-soleil-dor.com – soleil-or@wanadoo.fr – Fax 05 53 50 27 54
32 ch – †68/101 € ††68/101 €, ⊑ 13 € – ½ P 72/93 €
Rest – (fermé dim. soir et lundi du 4 nov. au 16 mars) Menu (23 €), 28/56 € – Carte 44/68 €
Rest *Le Bistrot* – (fermé dim. soir et lundi du 4 nov. au 16 mars) Menu 12,50 € (déj. en sem.) – Carte 16/34 €

♦ Ex-relais de poste au centre de la petite cité périgourdine. Les chambres, confortables, sont sobrement contemporaines à l'annexe ; la plupart donnent sur un paisible parc. Restaurant-véranda proposant une carte traditionnelle. Au Bistrot, repas simple.

MONTIGNAC

Hostellerie la Roseraie
11 pl. d'Armes – ☏ 05 53 50 53 92 – www.laroseraie-hotel.com – hotelroseraie@wanadoo.fr – Fax 05 53 51 02 23 – Ouvert 3 avril-1er nov.
14 ch (½ P seult en saison) – †75/115 € ††85/180 €, ☑ 13 € – ½ P 80/145 €
Rest – (fermé le midi en sem. hors saison) Menu 23/50 € – Carte 39/50 €
♦ Au cœur du village médiéval, demeure du 19e s. sur les bords de la Vézère. Les chambres, personnalisées, sont douillettes. Ravissant jardin-roseraie. Coquette salle à manger bourgeoise, agréable terrasse ombragée et cuisine classique.

MONTIGNY – 76 Seine-Maritime – **304** F5 – rattaché à Rouen

MONTIGNY-LA-RESLE – 89 Yonne – **319** F4 – 581 h. – alt. 155 m 7 **B1**
– ✉ 89230

▶ Paris 170 – Auxerre 14 – St-Florentin 19 – Tonnerre 32

Le Soleil d'Or
N77 – ☏ 03 86 41 81 21 – www.lesoleil-dor.com – le_soleil-dor@wanadoo.fr – Fax 03 86 41 86 88 – Fermé dim. soir en janv. et fév.
16 ch – †57 € ††60 €, ☑ 10 € – ½ P 57 €
Rest – Menu (12 €), 26/70 € – Carte 50/70 €
♦ Ancien relais de poste situé en bordure de route nationale. Chambres pratiques aménagées sur l'arrière, dans les ex-granges, un peu à la façon d'un motel. Cuisine traditionnelle servie dans un cadre coloré ; beau petit salon orné de boiseries.

MONTIGNY-LE-BRETONNEUX – 78 Yvelines – **311** I3 – **101** 22 – **voir à Paris, Environs** (St-Quentin-en-Yvelines)

MONTIGNY-LE-ROI – 52 Haute-Marne – **313** M6 – 2 173 h. 14 **C3**
– alt. 404 m – ✉ 52140

▶ Paris 296 – Bourbonne-les-Bains 21 – Chaumont 35 – Langres 23
– Neufchâteau 50

Arcombelle
25 av. de Lierneux – ☏ 03 25 90 30 18 – www.hotelmoderne.fr – arcombelle@orange.fr – Fax 03 25 90 71 80 – Fermé le week end en janv. et dim. soir d'oct. à mars
24 ch – †63/86 € ††63/86 €, ☑ 9 €   **Rest** – Menu 21/44 € – Carte 35/46 €
♦ Situé sur un carrefour, bâtiment abritant des chambres bien tenues (pour certaines rénovées), insonorisées et dotées d'un mobilier moderne. Ambiance familiale. Salle à manger décorée dans le style des années 1980. Choix étoffé de menus et petite carte traditionnelle.

MONTIGNY-LÈS-ARSURES – 39 Jura – **321** E5 – 267 h. – alt. 400 m 16 **B2**
– ✉ 39600

▶ Paris 417 – Besançon 46 – Lons-le-Saunier 42 – Dole 59 – Pontarlier 55

Château de Chavanes sans rest
r. St-Laurent – ☏ 03 84 37 47 95 – www.chateau-de-chavanes.com
– fdechavanes@chateau-de-chavanes.com – Fax 03 84 37 47 65
– Ouvert avril-nov.
5 ch ☑ – †75/90 € ††125/150 €
♦ D'importantes rénovations ont rendu ce château de 1708 plus qu'agréable : confort et bon goût, meubles chinés, caveau bio moderne, terrasse ouverte sur le jardin et les vignes.

MONTIGNY-SUR-AVRE – 28 Eure-et-Loir – **311** C3 – 256 h. 11 **B1**
– alt. 140 m – ✉ 28270

▶ Paris 111 – Alençon 85 – Argentan 86 – Chartres 52 – Dreux 35
– Verneuil-sur-Avre 9

MONTIGNY-SUR-AVRE

Moulin des Planches ⚜ ⟨ 🛁 ⚡ 🍽 ch, ⁽¹⁾ 🛋 P VISA 🅪
*149 chemin du Moulin des Planches, 1,5 km au Nord-Est par D 102 –
☎ 02 37 48 25 97 – www.moulin-des-planches.fr – moulin.des.planches@
wanadoo.fr – Fermé 13 juil.-16 août, dim. soir et lundi*
18 ch – ✦58/99 € ✦✦64/115 €, ⌿ 10 € **Rest** – Menu 32/75 € – Carte 65/74 €
◆ Autour de ce moulin posé sur l'Avre, tout n'est que campagne. Chambres garnies de meubles de style, avec vue sur la rivière ou - plus rarement - sur le parc. Restaurant au cadre champêtre : tomettes, poutres patinées et murs en brique. Recettes au goût du jour.

MONTIPOURET – 36 Indre – **323** H7 – 569 h. – alt. 200 m – ✉ 36230   12 **C3**
▶ Paris 295 – Châteauroux 28 – Issoudun 37 – Orléans 169

à La Brande 5 km au Nord-Est par D49 et rte secondaire - ✉ 36230 Montipouret

Maison Voilà ⚜ 🐎 🏊 🏊 🍽 ⇇ ⚡ ⁽¹⁾ P
– ☎ 02 54 31 17 91 – www.maisonvoila.com – maisonvoila@yahoo.com
4 ch ⌿ – ✦60 € ✦✦80 € **Table d'hôte** – Menu 25 €
◆ Cette ferme du 19ᵉ s. retirée en pleine campagne dispose d'un ravissant jardin planté d'arbres fruitiers. L'intérieur est chaleureux, à l'image des chambres cosy souvent meublées d'ancien. Repas (cuisine internationale) servis en compagnie des propriétaires, près de la cheminée ou sur la terrasse d'été.

MONTJEAN-SUR-LOIRE – 49 Maine-et-Loire – **317** D4 – 2 687 h.   34 **B2**
– alt. 44 m – ✉ 49570 ▌**Châteaux de la Loire**
▶ Paris 324 – Angers 28 – Ancenis 30 – Châteaubriant 64 – Château-Gontier 56 – Cholet 43
🛈 Office de tourisme, rue d'Anjou ☎ 02 41 39 07 10, Fax 02 41 39 03 38

Le Fief des Cordeliers sans rest ⚜ ⟨ 🛁 🏊 ⁽¹⁾ P VISA
*lieu-dit Bellevue – ☎ 02 41 43 96 09 – www.logis.lefiefdescordeliers.com – logis@
lefiefdescordeliers.com – Fax 01 70 24 77 82*
4 ch ⌿ – ✦50/60 € ✦✦60/70 €
◆ Découvrez la douceur angevine au sein de cet ancien couvent des Cordeliers du 15ᵉ s. Chambres et suites familiales classiques, beau panorama surplombant la Loire et la vallée.

XX **Auberge de la Loire** avec ch   ⟨ 🄰🄺 rest, ⇇ ⁽¹⁾ P VISA 🅪
*2 quai des Mariniers – ☎ 02 41 39 80 20 – www.aubergedelaloire.com
– contacts@aubergedelaloire.com – Fax 02 41 39 80 20 – Fermé 17 août-2 sept.,
vacances de Noël, dim. soir de sept. à mars et merc.*
8 ch – ✦49 € ✦✦59 €, ⌿ 8 € – ½ P 62 € **Rest** – Menu 20/36 € – Carte 39/67 €
◆ Accueillante auberge familiale des bords de Loire. On y déguste une délicieuse cuisine traditionnelle à base de produits frais, provenant notamment de la pêche locale. Chambres simples et bien tenues, dont la moitié regardent le fleuve.

MONTLIARD – 45 Loiret – **318** L3 – **rattaché à Bellegarde**

MONTLIOT – 21 Côte-d'Or – **320** H2 – **rattaché à Châtillon-sur-Seine**

MONTLIVAULT – 41 Loir-et-Cher – **318** F6 – 1 337 h. – alt. 77 m   11 **B2**
– ✉ 41350
▶ Paris 180 – Blois 13 – Olivet 58 – Orléans 56

XX **La Maison d'à Côté** (Ludovic Laurenty) avec ch   ⁽¹⁾ VISA 🅪
✿ *25 rte de Chambord – ☎ 02 54 20 62 30 – www.lamaisondacote.fr – contact@
lamaisondacote.fr – Fax 02 54 20 58 55 – Fermé 15 déc.-1ᵉʳ fév., merc. midi et mardi*
8 ch – ✦78/88 € ✦✦78/88 €, ⌿ 9 € – ½ P 80/86 € **Rest** – Menu (22 € bc), 35/52 €
Spéc. Goujonnettes de bar au concassé de tomate et fenouil. Poitrine de pigeonneau façon tajine et citron confit. Soupe de fraises gariguette au maury.
◆ Nouvelle équipe et nouveaux propriétaires pour cette auberge de village rénovée. Le chef signe une intéressante cuisine aux justes harmonies de goûts. Chambres contemporaines et agréable patio à l'étage.

MONT-LOUIS – 66 Pyrénées-Orientales – 344 D7 – 284 h. — 22 A3
– alt. 1 565 m – ⊠ 66210 ▌Languedoc Roussillon

▶ Paris 867 – Andorra-la-Vella 90 – Font-Romeu-Odeillo-Via 10 – Perpignan 81
🛈 Syndicat d'initiative, 3, rue Lieutenant Pruneta ☏ 04 68 04 21 97
◉ Remparts★ - Lacs des Bouillouses★.

à la Llagonne 3 km au Nord par D 118 – 285 h. – alt. 1 600 m – ⊠ 66210

Corrieu ⌂
– ☏ 04 68 04 22 04 – www.hotel-corrieu.com – hotel.corrieu@wanadoo.fr
– Fax 04 68 04 16 63 – Ouvert 6 juin-19 sept., 19 déc.-4 janv. et 9 janv.-16 mars
18 ch – †56/78 € ††62/84 €, ⊇ 10 € – ½ P 56/70 €
Rest – (fermé jeudi midi sauf vacances scolaires) Menu (17 €), 24 € (sem.)/38 €
– Carte 27/42 €

◆ La même famille vous accueille depuis 1882 dans cet ancien relais de diligences. Chambres calmes et sobrement meublées, avec les Pyrénées en toile de fond. Tennis flambant neuf. Dans la salle à manger rénovée, on sert une cuisine traditionnelle simple.

MONTLOUIS – 18 Cher – 323 K4 – 115 h. – alt. 180 m – ⊠ 18160 — 12 C3

▶ Paris 277 – Orléans 152 – Bourges 39 – Châteauroux 56 – Vierzon 68

Domaine de Varennes ⌂
– ☏ 02 48 60 11 86 – www.domaine-de-varennes.com – lumet.varennes@
wanadoo.fr – Fermé 5 janv.-20 mars
5 ch ⊇ – †65/90 € ††70/100 € **Table d'hôte** – Menu 27 € bc

◆ Les atouts ne manquent pas dans cette adresse de charme : qualité de l'accueil, grand confort, décoration soignée, superbe domaine (parc au calme, piscine, golf).

MONTLOUIS-SUR-LOIRE – 37 Indre-et-Loire – 317 N4 – 10 381 h. — 11 B2
– alt. 60 m – ⊠ 37270 ▌Châteaux de la Loire

▶ Paris 235 – Amboise 14 – Blois 49 – Château-Renault 32 – Loches 39
– Tours 11
🛈 Office de tourisme, place François Mitterrand ☏ 02 47 45 00 16,
Fax 02 47 45 87 10

Château de la Bourdaisière sans rest ⌂
– ☏ 02 47 45 16 31 – www.chateaulabourdaisiere.com
– contact@chateaulabourdaisiere.com – Fax 02 47 45 09 11
– Ouvert 1er avril-1er nov.
20 ch – †136/236 € ††137/237 €, ⊇ 15 €

◆ Bâti par François 1er pour sa maîtresse, ce château accueillit plus tard Gabrielle d'Estrées, la favorite de Henri IV. Chambres personnalisées ; parc et magnifique potager.

MONTLUÇON – 03 Allier – 326 C4 – 39 700 h. – alt. 220 m — 5 B1
– ⊠ 03100 ▌Auvergne

▶ Paris 327 – Bourges 97 – Clermont-Ferrand 112 – Limoges 155 – Moulins 82
🛈 Office de tourisme, 67 ter, boulevard de Courtais ☏ 04 70 05 11 44,
Fax 04 70 03 89 91
⛳ du Val de Cher à Nassigny 1 route du Vallon, N : 20 km par D 2144,
☏ 04 70 06 71 15
◉ Intérieur★ de l'église St-Pierre (Sainte Madeleine★★) CYZ - Esplanade du château ≤★.

Plan page ci-contre

Des Bourbons
47 av. Marx Dormoy – ☏ 04 70 05 28 93 – www.hotel-des-bourbons.fr
– hoteldesbourbons@wanadoo.fr – Fax 04 70 05 16 92   BZ a
44 ch – †54/59 € ††57/63 €, ⊇ 7 € – ½ P 52/58 €
Rest – (fermé 27 juil.-23 août, dim. soir et lundi) Menu 24/40 € – Carte 25/45 €
Rest Brasserie Pub 47 – ☏ 04 70 05 22 79 (fermé 20 juil.-20 août, dim. soir et lundi) Menu (16 €), 24/40 € – Carte 25/45 €

◆ Face à la gare, bel immeuble de la fin 19e s. abritant des chambres rénovées : mobilier fonctionnel aux lignes sagement rétro, salles de bains nettes et colorées. Carte traditionnelle servie dans un cadre moderne. Plats simples à la Brasserie-Pub 47.

MONTLUÇON

Barathon (R.)	**CZ**	2
Beaulieu (R. de)	**AX**	4
Blanzat (R. de)	**AX**	5
Château (R. du)	**CZ**	6
Châtelet (Pont du)	**AX**	8
Courtais (Bd de)	**BCZ**	
Desmoulins (R. C.)	**AX**	9
Dienat (R. du)	**AX**	10
Egalité (R. de l')	**AX**	12
Einstein (R. A.)	**AX**	13
Faucheroux (R.)	**AX**	14
Favières (Quai)	**BY**	15
Fontaine (R. de la)	**CZ**	16
Forges (R. Porte)	**CZ**	17
Jean-Jaurès (Pl.)	**CZ**	18
Menut (R. L.)	**CY**	22
Nègre (Av. J.)	**AX**	24
Notre-Dame (Pl.)	**CZ**	25
Notre-Dame (R.)	**CZ**	26
Pamparoux (R.)	**AX**	27
Petit (R. P.)	**CY**	30
Picasso (R. P.)	**CY**	31
Piquand (R. E.)	**BZ**	32
République (Av.)	**BY**	
St-Pierre (Pl.)	**BCZ**	35
St-Pierre (R. Fg)	**BY**	36
St-Roch (R.)	**BCZ**	38
Semard (R. P.)	**AX**	40
Serruriers (R.)	**BCZ**	42
Thomas (Av. A.)	**AX**	45
Verrerie (R. et Pl. de la)	**AX**	46
Victor-Hugo (R.)	**AX**	47
Villon (R. P.)	**AX**	49
Voltaire (R.)	**AX**	50
5 Piliers (R. des)	**CZ**	52

MONTLUÇON

Grenier à Sel avec ch
pl. des Toiles – ℰ 04 70 05 53 79 – www.legrenierasel.com
– info@legrenierasel.com – Fax 04 70 05 87 91
– *Fermé vacances de la Toussaint, de fév., sam. midi en hiver, dim. soir de sept.*
à juin et lundi sauf le soir en juil.-août   CZ n
7 ch – †75/105 € ††110/125 €, ⊇ 10 €
Rest – Menu 22/67 € – Carte 51/73 €
♦ Demeure de charme du 15e s. au cœur de la cité médiévale. Décoration raffinée dans l'élégante salle à manger. Profitez de la terrasse, un petit coin de paradis. Cuisine créative.

Safran d'Or
12 pl. des Toiles – ℰ 04 70 05 09 18 – *Fermé 30 août-6 sept., dim. soir, mardi soir et lundi*   CZ u
Rest – Menu (18 €), 21 € bc/35 € – Carte 45/55 €
♦ Derrière une riante devanture imitant le marbre, petit restaurant comprenant deux salles au mobilier d'esprit bistrot, dont une voûtée (en sous-sol). Cuisine traditionnelle.

Le Plaisir des Marais
152 av. Albert Thomas, 1,5 km par ⑥ – ℰ 04 70 03 49 74 – Fax 04 70 03 49 74
– *Fermé 1 sem. en août, mardi soir, dim. soir et lundi*
Rest – Menu (16 €), 20/27 €
♦ Ce restaurant à la pimpante façade rose égaye le quartier des Marais situé à la périphérie de la ville. Cuisine de tradition à prix doux, décor campagnard et accueil familial.

à St-Victor 7 km par ① – 1 957 h. – alt. 212 m – ⊠ 03410

Le Jardin Délice
6 rte de Paris – ℰ 04 70 28 80 64 – www.jardindelice.com – lejardindelice@orange.fr – Fax 04 70 02 00 73 – *Fermé 1er-20 juil.*
25 ch – †50 € ††50 €, ⊇ 7 € – ½ P 65 €
Rest – *(fermé merc.)* Menu 18 €, 29/48 € – Carte 56/71 €
♦ Cet hôtel situé près de l'autoroute dispose de chambres au cadre actuel, de plain-pied sur un jardin intérieur. Tenue irréprochable. Au restaurant, cuisine traditionnelle actualisée servie dans un décor agréablement moderne. Belle terrasse d'été.

MONTLUEL – 01 Ain – 328 D5 – 6 505 h. – alt. 190 m – ⊠ 01120   43 **E1**

▸ Paris 472 – Bourg-en-Bresse 59 – Chalamont 20 – Lyon 26
  – Villefranche-sur-Saône 43

▸ Office de tourisme, 28 place Carnot ℰ 08 75 28 27 72, Fax 04 78 06 09 53

▸ de Lyon à Villette-d'Anthon, S : 12 km par D 61, ℰ 04 78 31 11 33

Petit Casset sans rest
96 imp. du Petit Casset, à La Boisse, 2 km au Sud-Ouest – ℰ 04 78 06 21 33
– www.lepetitcasset.fr – accueil@lepetitcasset.fr – Fax 04 78 06 55 20 – *Fermé 28 mars- 6 avril et 9-24 août*
16 ch – †62/69 € ††65/75 €, ⊇ 8 €
♦ Hôtel rénové, au calme dans un quartier résidentiel. L'atmosphère y est accueillante et les chambres, toutes personnalisées, donnent sur le jardin fleuri et arboré.

à Ste-Croix 5 km au Nord par D 61 – 529 h. – alt. 263 m – ⊠ 01120

Chez Nous
– ℰ 04 78 06 61 20 – cheznous-pierre@orange.fr – Fax 04 78 06 63 26 – *Fermé 17-24 août, 23-30 nov., 3-20 janv., mardi midi, dim. soir et lundi*
Rest – Menu 22 € (sem.)/50 € – Carte 35/50 €
♦ Plaisantes salles à manger coquettes et grande terrasse ombragée de platanes où l'on sert une cuisine régionale de produits frais.

Hôtel Chez Nous
– ℰ 04 78 06 60 60
30 ch – †50 € ††54 €, ⊇ 8 € – ½ P 44 €
♦ Un édifice récent situé en face du restaurant abrite des petites chambres au mobilier Louis XVI et cinq autres rénovées en annexe.

MONTMARAULT – 03 Allier – 326 E5 – 1 572 h. – alt. 480 m — 5 B1
– ⌧ 03390

▶ Paris 346 – Gannat 41 – Montluçon 31 – Moulins 47
– St-Pourçain-sur-Sioule 28

France avec ch   rest, ⁽ᵗ⁾ 🐾 P VISA ⓜ
1 r. Marx Dormoy – ℘ *04 70 07 60 26 – www.hoteldefrance-montmarault.com
– hoteldefrance3@wanadoo.fr – Fax 04 70 07 68 45 – Fermé
23-30 mars, 9 nov.-1ᵉʳ déc., dim. soir et lundi sauf fériés*
8 ch – †46/51 € ††46/51 €, ⌧ 8,50 €
Rest – Menu 19 € (sem.)/47 € – Carte 31/45 €
♦ Hôtel convivial doté de chambres meublées en style Louis-Philippe. Le fils du chef donne un nouveau souffle à la cuisine traditionnelle. Menus spéciaux (dimanche, jours fériés).

MONTMÉLARD – 71 Saône-et-Loire – 320 G12 – 316 h. – alt. 522 m — 8 C3
– ⌧ 71520

▶ Paris 393 – Mâcon 43 – Paray-le-Monial 34 – Montceau-les-Mines 56
– Roanne 53

Le St-Cyr avec ch   ≤ 🍴 rest, P VISA ⓜ AE
– ℘ *03 85 50 20 76 – www.lesaintcyr.fr – lesaintcyr@cegetel.net
– Fax 03 85 50 36 98 – Fermé 2-13 janv., 16-28 fév., merc. midi et vend. soir de nov.
à mars et mardi midi*
7 ch – †44 € ††52/65 €, ⌧ 7 €
Rest – Menu (15 €), 17 € (sem.)/40 € – Carte 21/36 €
♦ Sur la montagne éponyme. Carte saisonnière annonçant parfois l'une ou l'autre spécialité créole, en clin d'œil aux origines de la patronne. Dîners exotiques en hiver. Chambres sobres et reposantes, nommées d'après certaines fleurs et cédées à prix souriants.

MONTMÉLIAN – 73 Savoie – 333 J4 – 3 933 h. – alt. 307 m – ⌧ 73800 — 46 F2
Alpes du Nord

▶ Paris 574 – Albertville 35 – Allevard 22 – Chambéry 14 – Grenoble 49
🛈 Syndicat d'initiative, 46, rue du Docteur Veyrat ℘ 04 79 84 42 23, Fax 04 79 84 42 23
⛳ du Granier Apremont à Apremont Chemin de Fontaine Rouge, O : 8 km par D 201, ℘ 04 79 28 21 26
◉ ✱★★ du rocher.

George   ⁽ᵗ⁾ 🐾 P VISA ⓜ AE
11 quai de l'Isère, (D 1006) – ℘ *04 79 84 05 87 – www.hotelgeorge.fr – infos@
hotelgeorge.fr – Fax 04 79 84 40 14*
11 ch – †34 € ††42 €, ⌧ 6,50 € – ½ P 55 €
Rest – snack – *(fermé 1ᵉʳ-15 juil. et vacances de la Toussaint) (dîner seult)
(résidents seult)* Menu 17 €
♦ Ancien grenier à sel du 18ᵉ s. situé en bordure de route. Les couloirs, décorés de vieux outils, mènent aux chambres simples, mais bien insonorisées et rajeunies. Petite restauration simple et menu du jour.

MONTMERLE-SUR-SAÔNE – 01 Ain – 328 B4 – 3 584 h. — 43 E1
– alt. 170 m – ⌧ 01090

▶ Paris 419 – Bourg-en-Bresse 44 – Lyon 48 – Mâcon 34
– Villefranche-sur-Saône 13

Emile Job   🍴 ⁽ᵗ⁾ P VISA ⓜ AE
12 r. du Pont – ℘ *04 74 69 33 92 – www.hotelemilejob.com – contact@
hotelemilejob.com – Fax 04 74 69 49 21 – Fermé 29 fév.-18 mars, 25 oct.-19 nov.,
dim. soir d'oct. à mai, mardi midi de juin à sept. et lundi*
22 ch – †70/80 € ††70/80 €, ⌧ 8 € – ½ P 80 €
Rest – Menu 21 € (sem.)/55 € – Carte 48/70 €
♦ Sur les bords de Saône, cette maison régionale a su préserver son atmosphère familiale et propose des chambres traditionnelles ou plus actuelles (rénovées et colorées). La carte alterne entre grands classiques et spécialités locales. Cadre bourgeois ; terrasse ombragée.

MONTMIRAIL – 84 Vaucluse – 332 D9 – rattaché à Vacqueyras

MONTMORENCY – 95 Val-d'Oise – 305 E7 – 101 5 – voir Paris, Environs

MONTMORILLON – 86 Vienne – 322 L6 – 6 898 h. – alt. 100 m   39 D2
– ⌧ 86500 Poitou Vendée Charentes

- Paris 354 – Bellac 43 – Châtellerault 56 – Limoges 88 – Niort 123 – Poitiers 51
- Office de tourisme, 2, place du Maréchal Leclerc ℘ 05 49 91 11 96, Fax 05 49 91 11 96
- Église Notre-Dame : fresques★ dans la crypte Ste-Catherine.

Hôtel de France et Lucullus
4 bd de Strasbourg – ℘ 05 49 84 09 09 – www.le-lucullus.com – lucullus.hoteldefrance@wanadoo.fr – Fax 05 49 84 58 68
35 ch – †47 € ††50 €, ⌧ 9 € – ½ P 50 €
Rest – (fermé 12 nov.-6 déc., dim. soir, lundi, mardi et merc.) Menu (12 €), 20/46 € – Carte 29/45 €
Rest *Bistrot de Lucullus* – (fermé sam. soir et dim.) Menu 12 €
♦ Près du pont sur la Gartempe, construction de pays aux chambres spacieuses, fonctionnelles et vivement colorées. Au restaurant, décor ensoleillé et cuisine soignée en osmose avec les saisons. Au Bistrot de Lucullus, repas adaptés pour une clientèle pressée.

MONTNER – 66 Pyrénées-Orientales – 344 H6 – 290 h. – alt. 127 m   22 B3
– ⌧ 66720

- Paris 860 – Perpignan 28 – Amélie-les-Bains-Palalda 60 – Font-Romeu-Odeillo-Via 82 – Prades 37

Auberge du Cellier avec ch
1 r. Ste Eugénie – ℘ 04 68 29 09 78 – www.aubergeducellier.com – contact@aubergeducellier.com – Fax 04 68 29 10 61 – Fermé 12 nov.-16 déc., lundi de nov. à mars, mardi et merc.
8 ch – †54 € ††61 €, ⌧ 9 €
Rest – Menu 24 € (déj. en sem.), 39/79 € – Carte 55/67 €
♦ Salle à manger aménagée dans un ancien cellier et belle carte de côtes du Roussillon : ce restaurant s'inspire du monde de la vigne. Cuisine régionale revisitée.

Un week-end de charme à la mer, à la campagne ou à la montagne ? Découvrez le nouveau guide des "Chambres d'hôtes", une sélection de nos plus belles adresses en France : confort, calme et volupté garantis !

MONTOIRE-SUR-LE-LOIR – 41 Loir-et-Cher – 318 C5 – 4 186 h.   11 B2
– alt. 65 m – ⌧ 41800 Châteaux de la Loire

- Paris 186 – Blois 52 – La Flèche 81 – Le Mans 70 – Vendôme 19
- Syndicat d'initiative, 16, place Clemenceau ℘ 02 54 85 23 30, Fax 02 54 85 23 87
- Chapelle St-Gilles★ : fresques★★ - Pont ≤★.

à Lavardin 2 km au Sud-Est par D 108 – 262 h. – alt. 78 m – ⌧ 41800

Relais d'Antan
6 pl. du Capt.-du-Vigneau – ℘ 02 54 86 61 33 – Fax 02 54 85 06 46 – Fermé 27 sept.-21 oct., 21 fév.-17 mars, dim. soir d'oct. à mai, lundi et mardi
Rest – Menu 29/40 €
♦ Dans un pittoresque village, auberge rustique dont l'une des salles à manger est ornée de fresques d'inspiration médiévale. Agréable terrasse bordant la rive du Loir.

MONTPELLIER ⓟ – 34 Hérault – **339** I7 – 248 000 h. – 23 **C2**
Agglo. 287 981 h. – alt. 27 m – ⊠ 34000 🟩 **Languedoc Roussillon**

- Paris 758 – Marseille 173 – Nîmes 55 – Toulouse 242
- de Montpellier-Méditerranée ✆ 04 67 20 85 00 SE par ③ : 7 km.
- Office de tourisme, 30, allée Jean de Lattre de Tassigny ✆ 04 67 60 60 60, Fax 04 67 60 60 61
- de Fontcaude à Juvignac Route de Lodève, par rte de Lodève : 8 km, ✆ 04 67 45 90 10
- de Coulondres à Saint-Gély-du-Fesc 72 rue des Erables, par rte de Ganges : 12 km, ✆ 04 67 84 13 75
- Montpellier Massane à Baillargues Domaine de Massane, par rte de Nîmes : 13 km, ✆ 04 67 87 87 89
- Vieux Montpellier★★ : hôtel de Varennes★ FY M², hôtel des Trésoriers de la Bourse★ FY Q, rue de l'Ancien Courrier★ EFY 4 - Promenade du Peyrou★★ : ≤★ de la terrasse supérieure - Quartier Antigone★ - Musée Fabre★★ FY - Musée Atger★ (dans la faculté de médecine) EX - Musée languedocien★ (dans l'hôtel des trésoriers de France) FY M¹.
- Château de Flaugergues★ E : 3 km - Château de la Mogère★ E : 5 km par D 24 DU.

Plans pages suivantes

Pullman Antigone
1 r. Pertuisanes – ✆ 04 67 99 72 72
– www.pullmanhotels.com – h1294@accor.com
– Fax 04 67 65 17 50
CU **v**
89 ch – †220/260 € ††220/260 €, ⊇ 22 € – 1 suite
Rest – Menu (43 €), 46 € – Carte 44/58 €
♦ Cet hôtel, dans le quartier d'affaires conçu par Ricardo Bofill, a prévu des rénovations répondant à sa nouvelle orientation. Chambres confortables. Toit-terrasse avec piscine. Bar, fitness. Le restaurant panoramique, perché au 8ᵉ étage, propose une carte au goût du jour.

Holiday Inn Métropole
3 r. Clos René – ✆ 04 67 12 32 32
– www.holidayinn-montpellier.com – himontpellier@alliance-hospitality.com
– Fax 04 67 92 13 02
FZ **a**
80 ch – †140/210 € ††140/210 €, ⊇ 18 €
Rest – *(fermé sam. et dim.)* Menu (20 €), 28 € – Carte 32/45 €
♦ Cet établissement datant de 1898 aurait été la résidence de la reine Hélène d'Italie. Chambres fonctionnelles, bar contemporain et agréable jardin-terrasse ombragé. Le décor du restaurant, sobre et actuel, met en valeur les superbes moulures du plafond.

Mercure Antigone
285 bd Aéroport International – ✆ 04 67 20 63 63 – www.mercure.com – h1544@ accor.com – Fax 04 67 20 63 64
DU **f**
114 ch – †130 € ††150 €, ⊇ 13 € – 9 suites
Rest – *(fermé sam. midi et dim.)* Menu 25/29 € – Carte environ 43 €
♦ L'hôtel longe le quartier néo-classique Antigone. Chambres spacieuses et modernes, dotées de beau mobilier ; la plupart bénéficient de lits king size. Agencé en rotonde, le restaurant offre un plaisant décor colonial. Soirées gastronomiques thématiques.

Mercure Centre
218 r. Bastion Ventadour – ✆ 04 67 99 89 89 – www.amphimercure.fr – h3043@ accor.com – Fax 04 67 99 89 88
CU **q**
120 ch – †89/130 € ††89/140 €, ⊇ 13 €
Rest – *(fermé sam. et dim.)* Carte environ 34 €
♦ Bel intérieur design, bibliothèque et chambres confortables sont les atouts "prévisibles" de cet hôtel. L'atout inattendu : le superbe amphithéâtre à la pointe des technologies. Cadre actuel au restaurant, cuisine méridionale et petite sélection de vins du Languedoc.

New Hôtel du Midi sans rest
22 bd Victor Hugo – ✆ 04 67 92 69 61 – www.new-hotel.com – montpelliermidi@ new-hotel.com – Fax 04 67 92 73 63
FZ **b**
44 ch – †135 € ††155 €, ⊇ 12 €
♦ Située en centre-ville, une belle bâtisse du début du 20ᵉ s. qui propose des chambres agréables et cosy, repensées dans un esprit contemporain ; salles de bains colorées.

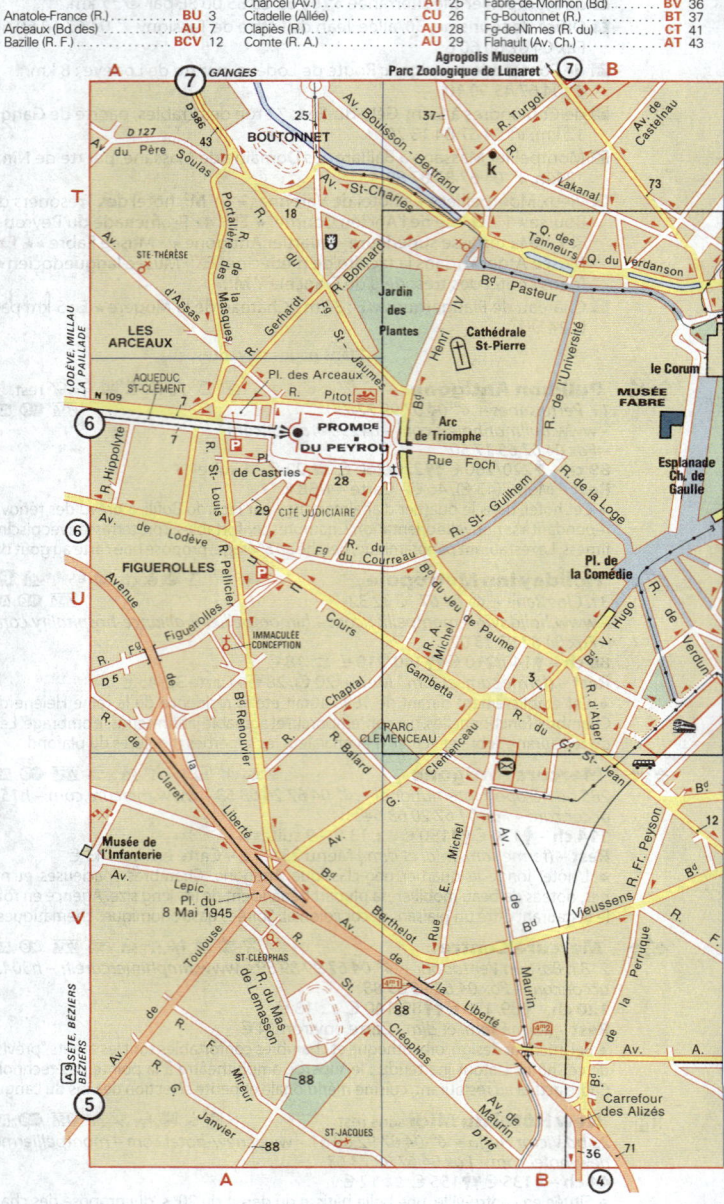

MONTPELLIER

Anatole-France (R.) .... **BU** 3	Blum (R. Léon) .... **CU** 13	Délicieux (R. B.) .... **CT** 31
Arceaux (Bd des) .... **AU** 7	Broussonnet (R. A.) .... **AT** 18	États-du-Languedoc (Av.) .... **CU** 35
Bazille (R. F.) .... **BCV** 12	Chancel (Av.) .... **AT** 25	Fabre-de-Morlhon (Bd) .... **BV** 36
	Citadelle (Allée) .... **CU** 26	Fg-Boutonnet (R.) .... **BT** 37
	Clapiès (R.) .... **AU** 28	Fg-de-Nîmes (R. du) .... **CT** 41
	Comte (R. A.) .... **AU** 29	Flahault (Av. Ch.) .... **AT** 43

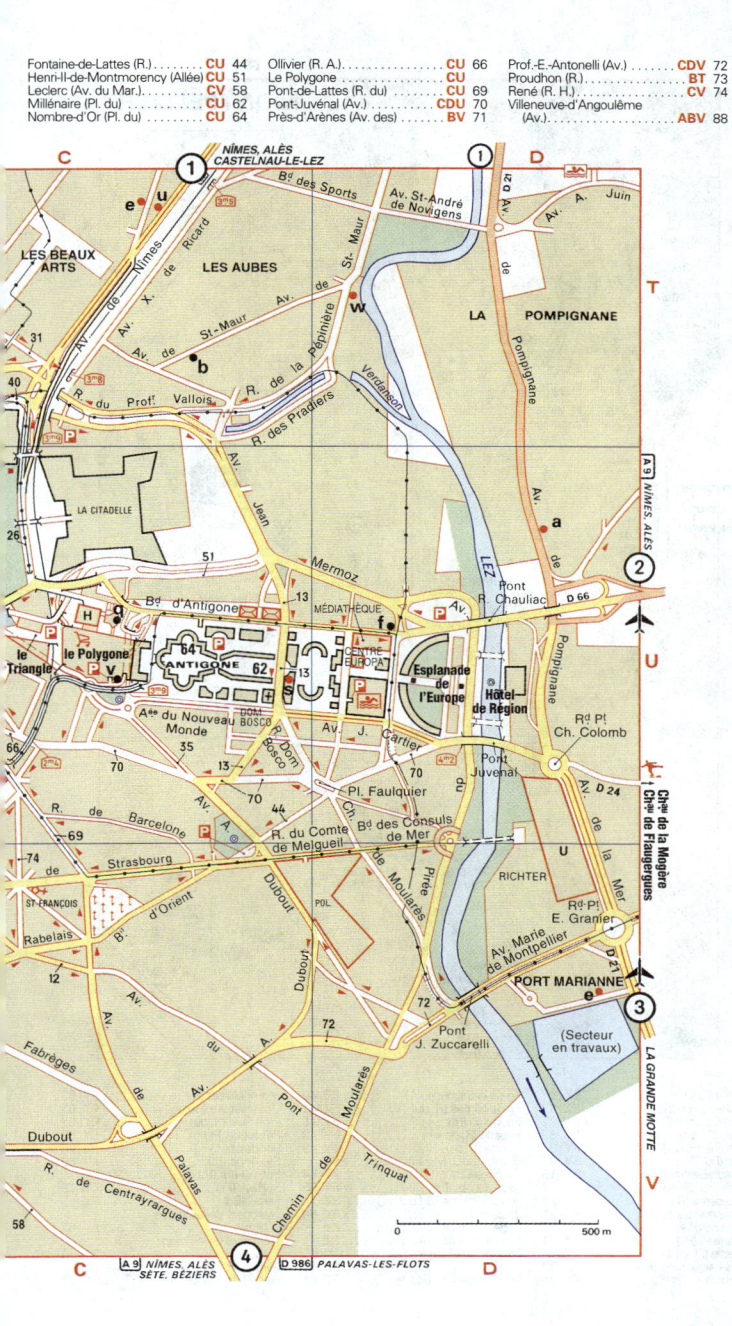

Street	Ref	№
Fontaine-de-Lattes (R.)	CU	44
Henri-II-de-Montmorency (Allée)	CU	51
Leclerc (Av. du Mar.)	CV	58
Millénaire (Pl. du)	CU	62
Nombre-d'Or (Pl. du)	CU	64
Ollivier (R. A.)	CU	66
Le Polygone	CU	
Pont-de-Lattes (R. du)	CU	69
Pont-Juvénal (Av.)	CDU	70
Près-d'Arènes (Av. des)	BV	71
Prof.-E.-Antonelli (Av.)	CDV	72
Proudhon (R.)	BT	73
René (R. H.)	CV	74
Villeneuve-d'Angoulême (Av.)	ABV	88

1127

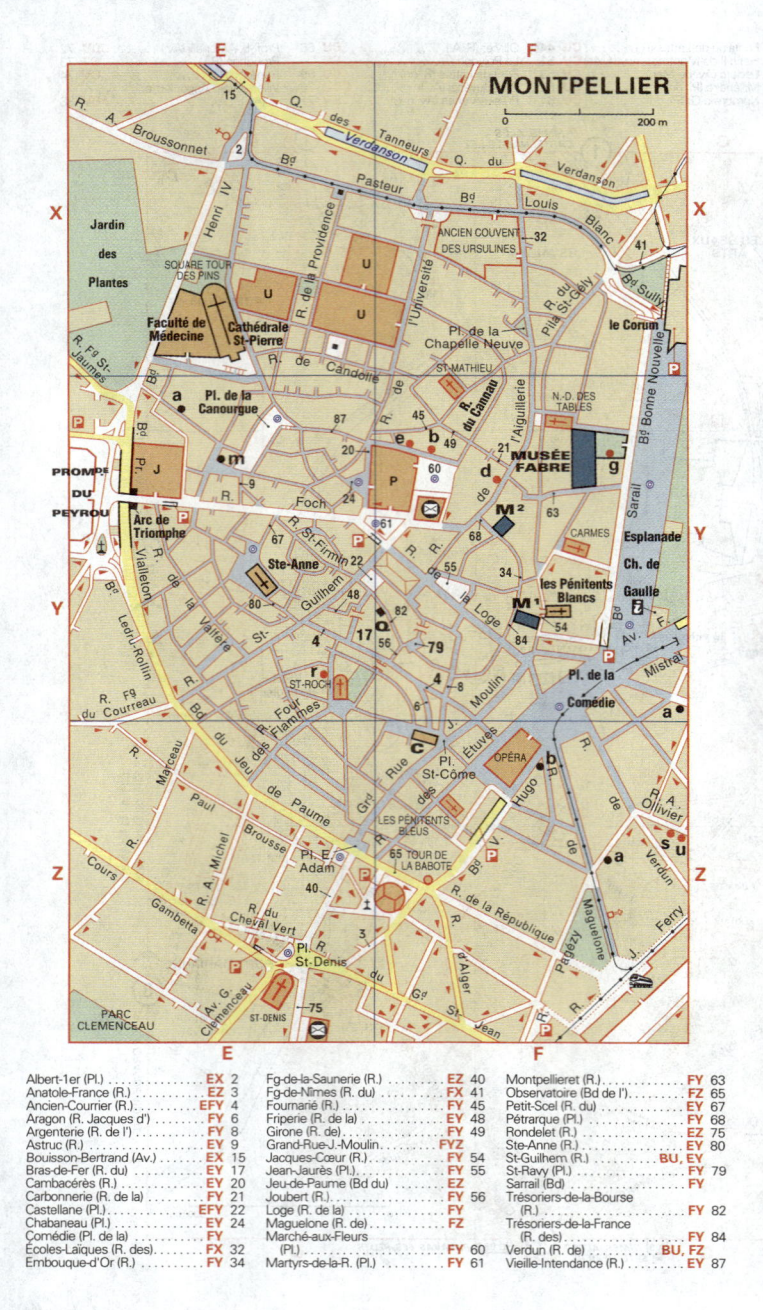

MONTPELLIER

0   200 m

Albert-1er (Pl.) .... **EX** 2	Fg-de-la-Saunerie (R.) .... **EZ** 40	Montpelliéret (R.) .... **FY** 63
Anatole-France (R.) .... **EZ** 3	Fg-de-Nîmes (R. du) .... **FX** 41	Observatoire (Bd de l') .... **FZ** 65
Ancien-Courrier (R.) .... **EFY** 4	Fournarié (R.) .... **FY** 45	Petit-Scel (R. du) .... **EY** 67
Aragon (R. Jacques d') .... **FY** 6	Friperie (R. de la) .... **EY** 48	Pétrarque (Pl.) .... **FY** 68
Argenterie (R. de l') .... **EY** 8	Girone (R. de) .... **FY** 49	Rondelet (R.) .... **EZ** 75
Astruc (R.) .... **EY** 9	Grand-Rue-J.-Moulin .... **FYZ**	Ste-Anne (R.) .... **EY** 80
Bouisson-Bertrand (Av.) ..... **EX** 15	Jacques-Cœur (R.) .... **FY** 54	St-Guilhem (R.) .... **BU, EY**
Bras-de-Fer (R. du) .... **EY** 17	Jean-Jaurès (Pl.) .... **FY** 55	St-Ravy (Pl.) .... **FY** 79
Cambacérès (R.) .... **EY** 20	Jeu-de-Paume (Bd du) .... **EZ**	Sarrail (Bd) .... **FY**
Carbonnerie (R. de la) .... **FY** 21	Joubert (R.) .... **FY** 56	Trésoriers-de-la-Bourse
Castellane (Pl.) .... **EFY** 22	Loge (R. de la) .... **FY**	(R.) .... **FY** 82
Chabaneau (Pl.) .... **EY** 24	Maguelone (R. de) .... **FZ**	Trésoriers-de-la-France
Comédie (Pl. de la) .... **FY**	Marché-aux-Fleurs	(R. des) .... **FY** 84
Écoles-Laïques (R. des) ...... **FX** 32	(Pl.) .... **FY** 60	Verdun (R. de) .... **BU, FZ**
Embouque-d'Or (R.) .... **FX** 34	Martyrs-de-la-R. (Pl.) .... **FY** 61	Vieille-Intendance (R.) .... **EY** 87

MONTPELLIER

D'Aragon sans rest
10 r. Baudin – ℰ 04 67 10 70 00 – www.hotel-aragon.fr – info@hotel-aragon.fr
– Fax 04 67 10 70 01 – Fermé 1ᵉʳ-18 janv. FY a
12 ch – †69/75 € ††104/134 €, ⊇ 10 €
 ◆ Ce petit hôtel de charme, totalement refait, séduit grâce à ses chambres bien tenues, personnalisées (mobilier chiné), et confortables. Agréable véranda pour le petit-déjeuner.

Le Guilhem sans rest
18 r. J.-J. Rousseau – ℰ 04 67 52 90 90 – www.leguilhem.com – contact@
leguilhem.com – Fax 04 67 60 67 67 EY a
35 ch – †85/183 € ††96/183 €, ⊇ 12 €
 ◆ Maisons des 16ᵉ et 17ᵉ s. abritant des chambres cosy ; le dernier étage offre une vue sur la cathédrale. Terrasse pour les petits-déjeuners. Adresse entièrement non-fumeurs.

Du Parc sans rest
8 r. A. Bège – ℰ 04 67 41 16 49 – www.hotelduparc-montpellier.com
– hotelduparcmtp@wanadoo.fr – Fax 04 67 54 10 05 BT k
19 ch – †46/75 € ††53/90 €, ⊇ 11 €
 ◆ Accueil convivial dans cette ancienne demeure seigneuriale (18ᵉ s.), voisine du centre historique. Coquettes chambres personnalisées ; cour-terrasse où l'on petit-déjeune l'été.

Hôtelience sans rest
1149 r. de la Croix-Verte – ℰ 04 67 41 55 00 – www.hotelience-montpellier.com
– montpellier01@hotelience.com – Fax 04 67 41 55 01
75 ch – †105 € ††85/105 €, ⊇ 12 € – 21 suites
 ◆ Hôtel moderne neuf situé près des facultés. Chambres de bon confort (standard ou suite) à la déco minimaliste. Cadre design dans l'agréable salle des petits-déjeuners.

Du Palais sans rest
3 r. Palais – ℰ 04 67 60 47 38 – www.hoteldupalais-montpellier.fr
– hoteldupalais2@wanadoo.fr – Fax 04 67 60 40 23 EY m
26 ch – †64 € ††69/81 €, ⊇ 12 €
 ◆ Bel immeuble centenaire proche du palais de justice. Les petites chambres, cosy et bien insonorisées, bénéficient de délicates attentions (fleurs fraîches, chocolats, etc.).

Ulysse sans rest
338 av. St-Maur – ℰ 04 67 02 02 30 – www.hotel-ulysse.fr – hotelulysse@free.fr
– Fax 04 67 02 16 50 – Fermé 21 déc.-4 janv. CT b
23 ch – †54/59 € ††64/70 €, ⊇ 7,50 €
 ◆ De coquettes chambres meublées en fer forgé vous attendent dans cet hôtel prisé des habitués pour son atmosphère sympathique. Quartier résidentiel calme. Tenue rigoureuse.

Les Troënes sans rest
17 av. É. Bertin-Sans, par av. Charles Flahaut et rte de Ganges, dir. Hôpitaux-Faculté
⊠ 34090 – ℰ 04 67 04 07 76 – www.hotel-les-troenes.com – hotel-les-troenes@
wanadoo.fr – Fax 04 67 61 04 43
14 ch – †49/51 € ††56/58 €, ⊇ 8 €
 ◆ Reliée au centre-ville par le tramway, accueillante maison familiale (non-fumeurs) où l'on se sent comme chez soi. Chambres fonctionnelles d'une tenue irréprochable.

Le Jardin des Sens (Jacques et Laurent Pourcel) avec ch
11 av. St-Lazare – ℰ 04 99 58 38 38
– www.jardindessens.com – contact@jardindessens.com – Fax 04 99 58 38 39
13 ch – †170/235 € ††170/235 €, ⊇ 22 € – 2 suites CT e
Rest – (fermé 2-15 janv., lundi midi, merc. midi et dim.) (nombre de couverts limité, prévenir) Menu 50 € (déj. en sem.), 80/190 € – Carte 117/212 €
Spéc. Pressé de homard et légumes au jambon de canard, mangue et melon. Filet de loup cuit au four, petits cannelloni de céleri, jus de crustacés et escalope de foie gras. Soufflé au chocolat mi-amer, ganache tiède et glace vanille. **Vins** Vin de Pays de l'Hérault doux, Coteaux du Languedoc.
 ◆ La surprenante et design salle à manger-loft en gradins a vue sur le jardin en spirales : les cinq sens s'émerveillent, tant dans l'assiette que dans le cadre. Chambres contemporaines, très luxueuses, décorées de tableaux de la collection des Frères Pourcel. Suite avec piscine privative.

MONTPELLIER

XXX Cellier Morel

*27 r. Aiguillerie, (Maison de la Lozère) – ℰ 04 67 66 46 36 – www.celliermorel.com
– contact@celliermorel.com – Fax 04 67 66 23 61 – Fermé 1ᵉʳ-23 août, lundi midi,
merc. midi, sam. midi, dim. et fériés*   FY **d**
Rest – Menu (32 €), 49/95 € – Carte 70/91 € ⓑ

♦ Joli décor design dans une salle voûtée du 13ᵉ s. et délicieuse cour-terrasse d'un hôtel particulier du 18ᵉ s. Cuisine inventive à l'accent lozérien et belle cave régionale.

XX La Réserve Rimbaud

*820 av. St-Maur – ℰ 04 67 72 52 53 – www.reserve-rimbaud.com – contact@
reserve-rimbaud.com – Fax 04 67 02 02 77 – Fermé 8-24 août, 3-13 janv., sam.
midi, dim. soir et lundi*   DT **w**
Rest – Menu (24 €), 29/45 € – Carte environ 45 €

♦ Attrayante cuisine dans la tradition du grand Sud et jolis vins régionaux, à déguster face au Lez (salle et terrasse) : aucune fausse note pour ce restaurant créé en 1835.

XX Castel Ronceray

*130 r. Castel Ronceray, par ⑤ – ℰ 04 67 42 46 30 – www.lecastelronceray.fr
– lecastelronceray@free.fr – Fax 04 67 27 41 96 – Fermé 16 août-4 sept.,
21 fév.-1ᵉʳ mars, dim. et lundi*
Rest – Menu (28 € bc), 44/67 € – Carte 60/74 €

♦ Un petit parc ombragé sert d'écrin à cette maison de maître (19ᵉ s.) de style Napoléon III. Salles bourgeoises personnalisées. Cuisine traditionnelle et vins très bien conseillés.

XX Les Vignes

*2 r. Bonnier d'Alco – ℰ 04 67 60 48 42 – www.lesvignesrestaurant.com
– germaintasselli@hotmail.fr – Fax 04 67 60 48 42
– Fermé 3-24 août et dim.*   FY **e**
Rest – Menu (24 €), 35/56 € – Carte 42/53 €

♦ Il vous faudra descendre quelques marches pour rejoindre l'élégante salle voûtée de ce discret et petit restaurant installé derrière la préfecture. Cuisine régionale.

XX Le Séquoïa

*148 r. de Galata, à Port Marianne – ℰ 04 67 65 07 07
– www.restaurantsequoia.com – Fax 04 67 64 50 23 – Fermé 22 déc.-1ᵉʳ janv., sam.
midi et dim.*   DV **e**
Rest – Menu (29 €), 35 € (déj. en sem.)/45 € – Carte 40/55 €

♦ Cadre résolument contemporain, terrasse au bord du bassin Jacques-Cœur, cuisine d'ici et d'ailleurs : une adresse branchée du quartier Port Marianne, sur la rive gauche du Lez.

XX Prouhèze Saveurs

*728 av. de la Pompignane – ℰ 04 67 79 43 34 – prouhezesaveurs@wanadoo.fr
– Fax 04 67 79 71 94 – Fermé 21 juil.-25 août, merc. soir, sam. midi, dim., lundi et
mardi*   DU **a**
Rest – Menu (18 €), 27/32 € ⓑ

♦ La famille Prouhèze a quitté l'Aubrac pour s'installer dans ce joli restaurant aux couleurs du Sud. On y savoure de bons petits plats régionaux au coin du feu l'hiver ou sur la terrasse d'été.

X La Compagnie des Comptoirs

*51 av. Frédéric Delmas – ℰ 04 99 58 39 29 – www.lacompagniedescomptoirs.com
– peyrinmickaelcdc@hotmail.fr – Fax 04 99 58 39 28 – Fermé mardi midi, sam.
midi et lundi*   CT **u**
Rest – Menu (25 €), 36 € – Carte 30/40 €

♦ Décor tendance s'inspirant des comptoirs français des Indes et belle terrasse en partie dressée sous une tente bédouine. La carte dévoile les saveurs du Sud et de l'Orient.

X Kinoa

*6 r. des Sœurs Noires – ℰ 04 67 15 34 38 – restaurantkinoa@yahoo.fr
– Fax 04 67 15 34 33 – Fermé 10-23 nov., dim. et lundi*   EY **r**
Rest – Menu (18 €), 28 € (sem.)/38 € – Carte 45/52 €

♦ Élégant cadre contemporain et terrasse à l'ombre d'une placette, au pied d'une vieille église. Carte au goût du jour avec un menu allégé (sans crème, ni alcool, ni sucre).

MONTPELLIER

Tamarillos
2 pl. Marché aux Fleurs – ℰ 04 67 60 06 00 – www.tamarillos.biz – info@tamarillos.biz – Fax 04 67 60 06 01 – Fermé 28 oct.-4 nov., 22-28 fév., lundi midi, merc. midi et dim. FY **b**
Rest – *(nombre de couverts limité, prévenir)* Menu (28 €), 38/90 € – Carte 54/80 €
• Les fruits et les fleurs inspirent la cuisine et le décor haut en couleurs de cette originale adresse tenue par un jeune chef, double champion de France des desserts.

Verdi
10 r. A. Ollivier – ℰ 04 67 58 68 55 – gunara1952@libero.it – Fax 04 67 58 28 47 – Fermé dim. FZ **s**
Rest – Menu (15 €), 19/28 € – Carte environ 40 €
• Proche de la gare, petit restaurant italien, simple et décontracté, agrémenté d'affiches sur Verdi et l'Opéra. Spécialités transalpines et poissons. Boutique de vins.

L'Olivier
12 r. A. Ollivier – ℰ 04 67 92 86 28 – www.restaurant-lolivier.fr – contact@restaurant-lolivier.fr – Fax 04 67 92 10 65 – Fermé 16 juill.-17 août, dim. et lundi
Rest – *(prévenir)* Menu (21 €), 36/58 € – Carte 57/71 € FZ **u**
• Étroite salle agrandie par un jeu de miroirs, tables serrées pour la convivialité, cadre modernisé et cuisine classique pour ce restaurant proche de la gare.

Insensé
39 bd Bonne-Nouvelle – ℰ 04 67 58 97 78 – www.jardindessens.com – insense.sebastien@gmail.com – Fax 04 67 02 08 19 – Fermé mardi soir et jeudi soir de sept. à juin, dim. soir et lundi FY **g**
Rest – Menu (21 €), 28 €
• Insensé… ce restaurant dans l'enceinte du musée Fabre ! Imaginée et créée par les frères Pourcel, cette "œuvre" moderne et design a vite trouvé sa place. Carte au goût du jour.

à Castries – 5 146 h. – alt. 70 m – ✉ 34160
🛈 Syndicat d'initiative, 19, rue Sainte Catherine ℰ 04 99 74 01 77, Fax 04 99 74 01 77

Disini
1 r. des Carrières – ℰ 04 67 41 97 86 – www.disini-hotel.com – contact@disini-hotel.com – Fax 04 67 41 97 16
15 ch – †120/160 € ††120/160 €, ☑ 15 € – 1 suite
Rest – *(fermé sam. midi, dim. soir et lundi)* Menu (19 €), 25 € (déj. en sem.), 32/75 € – Carte 53/69 €
• Dans un calme forêt de chênes verts, cet hôtel tout neuf offre une ambiance tamisée, des touches ethniques (Asie et Afrique) et un confort high-tech. Chambres personnalisées. Au restaurant, carte actuelle et décor sous influence asiatique.

à Castelnau-le-Lez 7 km par ① et N 113 – 15 000 h. – alt. 60 m – ✉ 34170

Domaine de Verchant
1 bd Philippe-Lamour – ℰ 04 67 07 26 00
– www.domainedeverchant.com – reservation@verchant.com
– Fax 04 67 07 26 01 – Fermé 5-18 janv.
15 ch – †190/250 € ††190/900 €, ☑ 30 € – 1 suite
Rest – *(nombre de couverts limité, prévenir)* Menu 25 € (déj. en sem.) – Carte 40/65 €
• Belle propriété viticole dans un parc. Le cadre intérieur, revu par l'architecte du Murano et du Kube à Paris, panache design italien et équipement high-tech. Chambres superbes. Au restaurant, plats au goût du jour accompagnés de vins du domaine.

à Baillargues – 6 026 h. – alt. 23 m – ✉ 34670

Golf Hôtel de Massane
au golf de Massane – ℰ 04 67 87 87 87
– www.massane.com – contact@massane.com – Fax 04 67 87 87 90
32 ch – †101/114 € ††119/135 €, ☑ 14 €
Rest – Menu (22 €), 27/39 € – Carte 29/50 €
• Vaste complexe hôtelier doté de nombreux équipements pour les loisirs et la détente. Les chambres, spacieuses, affichent un décor d'inspiration camarguaise. Salle à manger contemporaine ouverte sur le golf. Cuisine actuelle et belle sélection de vins régionaux.

1131

MONTPELLIER

par ② 5 km : A9 sortie n° 29 et D172ᴱ – ✉ 34000 Montpellier

XX Le Mas des Brousses

540 r. Mas des Brousses – ℰ 04 67 64 18 91 – lemasdesbrousses@free.fr
– Fax 04 67 64 18 89 – Fermé le midi du 1ᵉʳ-20 août, sam. midi, dim. soir et lundi
Rest – Menu (19 €), 24 € (déj. en sem.), 45/65 € – Carte 50/60 € ⌘

♦ Agréable maison du 16ᵉ s. tapissée de vigne vierge et entourée d'un jardin avec terrasse et piscine. L'intérieur chaleureux et spacieux est aux couleurs du Sud. Cuisine traditionnelle.

près échangeur A9-Montpellier-Sud 2 km par ④ – ✉ 34000 Montpellier

Novotel

125 bis av. Palavas – ℰ 04 99 52 34 34 – www.accorhotels.com – h0450@accor.com – Fax 04 99 52 34 33
163 ch – †99/142 € ††99/165 €, ⊇ 14 €
Rest – Menu (18 €), 22 € – Carte 20/45 €

♦ Située à proximité d'un échangeur, cette halte autoroutière type propose des chambres peu à peu rénovées selon les standards de la chaîne. Cyberespace. Agréable restaurant contemporain. À la belle saison, service en terrasse autour de la piscine.

à Lattes 5 km par ④ – 16 600 h. – alt. 3 m – ✉ 34970

🛈 Office de tourisme, 679, avenue de Montpellier ℰ 04 67 22 52 91, Fax 04 67 22 52 91

XXX Domaine de Soriech

face Z.A.C. Soriech, près rd-pt D 189 et D 21 – ℰ 04 67 15 19 15
– www.domaine-de-soriech.fr – michel.loustau@domaine-de-soriech.fr
– Fax 04 67 15 58 21 – Fermé 2-15 fév., dim. soir et lundi
Rest – Menu (23 € bc), 30 € (déj. en sem.), 35/76 € – Carte 65/95 €

♦ Belle villa inspirée des modèles californiens des années 1970. Décor design et œuvres contemporaines, ravissant parc avec palmiers et pins géants. Carte régionale de qualité.

XXX Le Mazerand

Mas De Causse CD 172 – ℰ 04 67 64 82 10 – www.le-mazerand.com – info@le-mazerand.com – Fax 04 67 20 10 73 – Fermé sam. midi, dim. soir et lundi
Rest – Menu (23 €), 30/61 € – Carte 45/80 €

♦ Le nouveau décor moderne de cette maison de maître s'accorde habilement à son passé classique (voûtes et plafonds à la française). Jolies terrasses étagées. Cuisine régionale.

X Le Bistrot d'Ariane

à Port Ariane – ℰ 04 67 20 01 27 – lebistrotdariane@free.fr – Fax 04 67 15 03 25
– Fermé 20 déc.-4 janv. et dim. sauf fériés
Rest – Menu (14 €), 20 € (sem.)/39 € – Carte 40/58 € ⌘

♦ Le cadre discrètement Art déco et l'ambiance brasserie séduisent la clientèle du quartier. Terrasse au bord du port de plaisance. Très belle carte de vins régionaux.

à Juvignac 6 km par ⑥, rte de Millau – 5 592 h. – alt. 32 m – ✉ 34990

Golf Hôtel

rte de Lodève, au golf international – ℰ 04 67 45 90 00
– www.golfhotelmontpellier.com – info@golfhotelmontpellier.com
– Fax 04 67 45 90 20
46 ch ⊇ – †84 € ††112 € – 40 suites **Rest** – Carte 26/36 €

♦ Hôtel estimé des golfeurs qui testent leur swing à Juvignac. La majorité des chambres (certaines avec terrasse) profite de la vue sur les greens. Suites nouvellement créées. Salle de restaurant contemporaine et formule rapide au club-house.

MONTPEZAT-DE-QUERCY – 82 Tarn-et-Garonne – 337 E6
– 1 407 h. – alt. 275 m – ✉ 82270 ▮ Périgord

28 **B1**

▷ Paris 600 – Cahors 29 – Montauban 39 – Toulouse 91

🛈 Office de tourisme, boulevard des Fossés ℰ 05 63 02 05 55, Fax 05 63 02 05 55

MONTPEZAT-DE-QUERCY

Les Trois Terrasses sans rest
r. de la Libération – ℰ 05 63 02 66 21 – www.trois-terrasses.com – info@trois-terrasses.com – Fax 05 63 64 01 62 – Ouvert 1er avril-26 oct.
4 ch ⚌ – †110/150 € ††110/150 €
♦ Agréable séjour dans cette bastide du 18e s. qui panache mobiliers ancien et actuel. Des chambres et du jardin en terrasses, la vue plonge sur la campagne.

Domaine de Lafon
Pech de Lafon, 4 km au Sud par rte de Mirabel, D 20 et D 69 – ℰ 05 63 02 05 09 – www.domainedelafon.com – micheline.perrone@domainedelafon.com – Fermé 15 fév.-15 mars et 15-30 nov.
3 ch ⚌ – †60/63 € ††73/81 € – ½ P 62/66 €   **Table d'hôte** – Menu 25 € bc
♦ Cette maison du 19e s. jouit d'une perspective à 360° sur la campagne vallonnée. Ses chambres, agrémentées d'œuvres du propriétaire et de tissus choisis, promettent un sommeil paisible. Belle bibliothèque aménagée dans le pigeonnier. Cuisine traditionnelle.

MONTPON-MÉNESTÉROL – 24 Dordogne – 329 B5 – 5 585 h. 4 C1
– alt. 93 m – ⌧ 24700

▶ Paris 532 – Bergerac 40 – Libourne 43 – Périgueux 56 – Ste-Foy-la-Grande 23
🛈 Office de tourisme, place Clemenceau ℰ 05 53 82 23 77, Fax 05 53 81 86 74

à Ménestérol 1 km au Nord – ⌧ 24700 Montpon-Ménestérol

Auberge de l'Eclade
rte de Coutras – ℰ 05 53 80 28 64 – auberge-de-leclade@wanadoo.fr – Fax 05 53 80 28 64 – Fermé lundi soir, mardi soir et merc.
Rest – Menu (22 € bc), 28 € bc/60 € – Carte 45/65 €
♦ Fine cuisine personnalisée, carte des vins étoffée, beau choix de whiskies, agréable décor actuel et terrasse pour l'été : la clientèle locale apprécie beaucoup cette table.

MONT-PRÈS-CHAMBORD – 41 Loir-et-Cher – 318 F6 – 3 242 h. 11 B1
– alt. 108 m – ⌧ 41250

▶ Paris 184 – Blois 12 – Bracieux 8 – Orléans 63 – Romorantin-Lanthenay 35

Le St-Florent sans rest
14 r. Chabardière – ℰ 02 54 70 81 00 – www.hotel-saint-florent.com – info@hotel-saint-florent.com – Fax 02 54 70 78 53
19 ch – †50 € ††56/62 €, ⚌ 8 € – ½ P 54/57 €
♦ Dans ce village jouxtant la forêt de Boulogne et le parc de Chambord, cette grande maison à l'ambiance familiale propose des chambres claires, mansardées au dernier étage.

Les Délices du St-Florent
14 r. Chabardière – ℰ 02 54 70 73 17 – lesdelicesdusaintflorent@wanadoo.fr – Fax 02 54 70 88 50 – Fermé 15-30 nov., 25-31 janv., une sem. en fév., mardi d'oct. à mars et lundi
Rest – Menu (15 €), 26/46 € – Carte 42/49 €
♦ Table classique et créative, tenue par un jeune couple motivé : elle en salle, lui aux fourneaux. Cadre accueillant avec sa décoration agrémentée de poutres et d'un pressoir.

MONTRÉAL – 32 Gers – 336 D6 – 1 238 h. – alt. 131 m – ⌧ 32250 28 A2
▌Midi-Pyrénées

▶ Paris 725 – Agen 57 – Auch 59 – Condom 16 – Mont-de-Marsan 65 – Nérac 27
🛈 Office de tourisme, pl. de l'hôtel de ville ℰ 05 62 29 42 85, Fax 05 62 29 42 46
⛳ de Guinlet à Eauze, S : 12 km par D 29, ℰ 05 62 09 80 84

Daubin
(face à l'église) – ℰ 05 62 29 44 40 – daubin.bernard@wanadoo.fr – Fax 05 62 29 49 94 – Fermé dim. soir, lundi et mardi
Rest – Menu 16 € (déj. en sem.), 26/58 € – Carte 49/70 €
♦ Terrasse sous les platanes, goûteuse cuisine du terroir, dégustations de vins régionaux... Il règne une rare convivialité dans ce restaurant de village tenu en famille depuis trois générations.

MONTREDON – 11 Aude – 344 F3 – rattaché à Carcassonne

MONTREUIL – 62 Pas-de-Calais – **301** D5 – 2 428 h. – alt. 54 m – ⌧ 62170 ⬛ Nord Pas-de-Calais Picardie 30 **A2**

▶ Paris 232 – Abbeville 49 – Arras 86 – Boulogne-sur-Mer 38 – Calais 73 – Lille 116
🛈 Office de tourisme, 21, rue Carnot ✆ 03 21 06 04 27, Fax 03 21 06 57 85
◉ Site ★ - Citadelle ★ : ≤ ★★ - Remparts ★ - Église St-Saulve ★.

Château de Montreuil (Christian Germain)
4 chaussée des Capucins – ✆ 03 21 81 53 04
– www.chateaudemontreuil.com – reservation@chateaudemontreuil.com
– Fax 03 21 81 36 43 – Fermé 13 déc.-5 fév., mardi midi et lundi sauf juil.-août et jeudi midi
12 ch – ♦150/300 € ♦♦150/300 €, ⌧ 18 € – 4 suites – ½ P 215/248 €
Rest – Menu 38 € (déj. en sem.), 75/95 € – Carte 75/85 €
Spéc. Huîtres normandes de Saint-Vaast, espuma glacé à la ciboulette. Pigeonneau de Licques et foie gras dans l'esprit d'un hochepot flamand. Soufflé chaud aux fruits de la passion, sorbet Campari-orange.
♦ Élégante demeure à l'intérieur des remparts. Chambres raffinées, garnies de meubles de style et donnant sur un jardin à l'anglaise. La cuisine au goût du jour, mâtinée de touches exotiques et méditerranéennes, est rehaussée par une belle carte des vins.

Hermitage
pl. Gambetta - ✆ 03 21 06 74 74 – www.hermitage-montreuil.com – contact@hermitage-montreuil.com – Fax 03 21 06 74 75
57 ch – ♦85/130 € ♦♦85/160 €, ⌧ 15 €
Rest *Le Jéroboam* – 1 r. des Juifs, cours de l'hermitage, ✆ 03 21 86 65 80 (fermé janv., lundi sauf le soir en juil.-août et dim.) Menu 17 € (déj. en sem.), 25/64 € – Carte 40/75 €
♦ Cette belle bâtisse, construite sous Napoléon III, a été restaurée. Bar feutré et amples chambres au sobre mobilier contemporain. Carte dans le vent escortée de vins de petits producteurs pour le restaurant très design et conçu dans un esprit "wine bar".

Coq Hôtel
2 pl. de la Poissonnerie – ✆ 03 21 81 05 61 – www.coqhotel.fr – arsene.pousset@wanadoo.fr – Fax 03 21 86 46 73 – Fermé 21 déc.-6 fév.
19 ch – ♦118 € ♦♦138 €, ⌧ 21 € – ½ P 102/114 €
Rest – (fermé dim. sauf juil.-août) (dîner seult) Menu 34/65 € – Carte 45/85 €
♦ Cette maison bourgeoise dresse sa belle façade en brique rouge sur une petite place du centre. Chambres douillettes d'esprit actuel. Parquet, cheminée, meubles de famille et objets à l'effigie du coq agrémentent les deux salles à manger. Cuisine de tradition.

Le Darnétal avec ch
pl. Darnétal – ✆ 03 21 06 04 87 – Fax 03 21 86 64 67 – Fermé 22 juin-10 juil., 21 déc.-1ᵉʳ janv., lundi et mardi
4 ch – ♦35 € ♦♦60 €, ⌧ 5 € **Rest** – Menu 22 € (sem.)/38 € – Carte 36/52 €
♦ Sur l'une des places de la ville haute, auberge rustique décorée d'une profusion de tableaux, bibelots anciens et cuivres. Ambiance conviviale et cuisine traditionnelle.

Froggy's Tavern
51 bis pl. du Gén. de Gaulle – ✆ 03 21 86 72 32 – www.froggystavern.com – contact@lagrenouillere.fr – Fermé 20 déc.-4 fév.
Rest – rôtisserie – Menu 18/24 € – Carte 24/35 €
♦ On apprécie l'authenticité de cet ancien grenier à grain mariant le bois et la pierre, où andouillettes et longes de porc tournent sur la rôtissoire. Convivialité assurée !

à La Madelaine-sous-Montreuil 3 km à l'Ouest par D 139 et rte secondaire – 162 h. – alt. 7 m – ⌧ 62170

Auberge de la Grenouillère (Alexandre Gauthier) avec ch
– ✆ 03 21 06 07 22 – www.lagrenouillere.fr
– contact@lagrenouillere.fr – Fax 03 21 86 36 36 – Fermé 20 déc.-4 fév., mardi et merc. sauf juil.-août
4 ch – ♦125/135 € ♦♦125/135 €, ⌧ 10 €
Rest – Menu 33 € (déj.), 55/95 € – Carte 70/80 €
Spéc. Grenouilles (saison). Homard rôti fumé minute. Crêpes Suzette.
♦ Ferme picarde bordant la Canche et décorée de vieux buffets, cuivres, fresques (grenouilles à table). Aux fourneaux, père et fils concoctent une cuisine actuelle. Vins judicieux.

MONTREUIL

à Inxent 9 km au Nord sur D 127 – 158 h. – alt. 28 m – ⊠ 62170

Auberge d'Inxent avec ch
318 r. de la Vallée de la Course – ℰ 03 21 90 71 19 – *auberge.inxent@wanadoo.fr*
– *Fax 03 21 86 31 67 – Fermé 22 juin-10 juil., 16 nov.-4 fév., mardi et merc.*
5 ch – †68/75 € ††68/75 €, ⊇ 10 € – ½ P 60/86 €
Rest – Menu 16/39 € – Carte 19/45 €
♦ Beaux meubles et chaleureuse atmosphère familiale en ce restaurant aménagé dans un ancien presbytère. Cuisine régionale assortie d'un grand choix de vins bien choisis.

MONTREUIL – 93 Seine-Saint-Denis – 311 k2 – 101 17 – voir à Paris, Environs

---

MONTREUIL-BELLAY – 49 Maine-et-Loire – 317 I6 – 4 112 h. 35 C2
– alt. 50 m – ⊠ 49260 ▐ **Châteaux de la Loire**

▶ Paris 335 – Angers 54 – Châtellerault 70 – Chinon 39 – Cholet 61 – Poitiers 80
– Saumur 16

🛈 Office de tourisme, place du Concorde ℰ 02 41 52 32 39, Fax 02 41 52 32 35

◉ Château★★ - Site★.

Hostellerie St-Jean
432 r. Nationale – ℰ 02 41 52 30 41 – *http://hostellerie-saint-jean.site.tc*
– *ludoviccottet@orange.fr – Fermé merc. soir hors saison, dim. soir et lundi*
Rest – Menu (14 €), 18/33 € – Carte 25/50 €
♦ Au centre de la cité médiévale, grande salle rustique avec poutres et cheminée et salon accueillant pour les repas de famille. Terrasse dressée dans la cour à la belle saison.

MONTREUIL-L'ARGILLÉ – 27 Eure – 304 C8 – 783 h. – alt. 170 m 33 C2
– ⊠ 27390

▶ Paris 178 – L'Aigle 26 – Argentan 50 – Bernay 22 – Évreux 56 – Lisieux 33
– Vimoutiers 27

De Courteilles sans rest
r. André Zalkin, rte d'Orbec, D 438 – ℰ 02 32 47 41 41
– *www.hotelcourteilles.com – b.borde@hotelcourteilles.com*
– *Fax 02 32 47 41 51*
20 ch – †48 € ††48 €, ⊇ 6 €
♦ Séjour sans cérémonie dans cet hôtel récent bâti en retrait de la route. Chambres fonctionnelles équipées d'un mobilier en bois verni.

MONTREVEL-EN-BRESSE – 01 Ain – 328 D2 – 1 994 h. – alt. 215 m 44 B1
– ⊠ 01340

▶ Paris 395 – Bourg-en-Bresse 18 – Mâcon 25 – Pont-de-Vaux 22
– St-Amour 24 – Tournus 36

🛈 Office de tourisme, place de la Grenette ℰ 04 74 25 48 74,
Fax 04 74 25 48 74

Léa (Louis Monnier)
10 rte d'Etrez – ℰ 04 74 30 80 84 – *www.restaurant-lea.com – lea.montrevel@free.fr – Fax 04 74 30 85 66 – Fermé 26 juin-11 juil., 22 déc.-15 janv., lundi sauf juil.-août, dim. soir et merc.*
Rest – (nombre de couverts limité, prévenir) Menu 28 € (déj. en sem.), 36/70 €
– Carte 60/90 €
Spéc. Gâteau de foies blonds. Poularde de Bresse à la crème et aux morilles. Glace vanille aux éclats de nougatine, crème arabica. **Vins** Viré-Clessé, Fleurie.
♦ Fine cuisine classique dans cette très accueillante auberge. Plantes, tableaux, bibelots (sur le thème de la volaille de Bresse) donnent des airs de bonbonnière à la salle à manger.

Le Comptoir
9 Grande Rue – ℰ 04 74 25 45 53 – *www.restaurant-lea.com – lea.montrevel@free.fr – Fax 04 74 30 85 66 – Fermé 25 juin-9 juil., 17 déc.-7 janv., dim. soir, mardi soir et merc.*
Rest – Menu 18/31 € – Carte 23/37 €
♦ Si vous recherchez l'authenticité d'un café traditionnel, rendez-vous au Comptoir : banquettes, affiches, miroirs et cuisine de bistrot alléchante. Quelques plats régionaux.

MONTREVEL-EN-BRESSE
rte de Bourg-en-Bresse 2 km au Sud sur D 975 – ✉ 01340 Montrevel-en-Bresse

Pillebois
- ✆ 04 74 25 48 44 – www.hotellepillebois.com – lepillebois@wanadoo.fr
– Fax 04 74 25 48 79 – Fermé dim. soir de nov. à mars
31 ch – †80/85 € ††85/90 €, ⊇ 9 € – 1 suite – ½ P 70/73 €
Rest *L'Aventure* – *(fermé sam. midi et dim. soir de nov. à mars)* Menu 20 €
(sem.)/56 € – Carte 41/51 €
♦ Une façade moderne de style bressan (briques rouges et bois) cache des chambres fonctionnelles bien tenues. Le restaurant suscite des envies de voyages avec son décor ethnique et propose d'intéressants plats du terroir revisité. Terrasse face à la piscine.

MONTRICHARD – 41 Loir-et-Cher – 318 E7 – 3 451 h. – alt. 62 m   11 A1
– ✉ 41400 ▌Châteaux de la Loire

▶ Paris 220 – Blois 37 – Châteauroux 85 – Châtellerault 95 – Loches 33
– Tours 43 – Vierzon 80
🅘 Syndicat d'initiative, 1, rue du Pont ✆ 02 54 32 05 10, Fax 02 54 32 28 80
◉ Donjon★ : ✻★★.

Le Bellevue
24 quai de la République – ✆ 02 54 32 06 17 – www.hotel-le-bellevue41.com
– contact@hotel-le-bellevue41.com – Fax 02 54 32 48 06 – Fermé vend., sam. et dim. du 23 nov. au 20 déc.
35 ch – †80/110 € ††88/125 €, ⊇ 13 € – 3 suites – ½ P 73/93 €
Rest – *(fermé le vend. d'oct. à avril)* Menu (17 €), 21/55 €
– Carte 44/57 €
♦ Enseigne-vérité : la plupart des chambres, meublées en wengé et poirier, offrent en effet une vue panoramique sur le Cher. Trois suites dans une villa juste à côté. Au restaurant, belles boiseries, baies vitrées braquées vers la vallée et choix traditionnel.

à Chissay-en-Touraine 4 km à l'Ouest par D 176 – 1 005 h. – alt. 63 m – ✉ 41400

Château de Chissay
– ✆ 02 54 32 32 01 – chissay@leshotelsparticuliers.com – Fax 02 54 32 43 80
– Ouvert mi-mars à mi-nov.
23 ch – †130/230 € ††130/230 €, ⊇ 15 € – 9 suites
Rest – Menu (25 €), 42/65 € – Carte 48/85 €
♦ Ce château du 15ᵉ s. accueillit des hôtes illustres : Charles VII, Louis XI, de Gaulle. Spacieuses chambres de caractère, notamment la troglodytique et le duplex du donjon. Élégant restaurant (voûtes en ogives, boiseries et mobilier de style Louis XIII) et cuisine actuelle.

MONTRICOUX – 82 Tarn-et-Garonne – 337 F7 – 1 024 h. – alt. 113 m   29 C2
– ✉ 82800

▶ Paris 618 – Cahors 51 – Gaillac 39 – Montauban 25
– Villefranche-de-Rouergue 58

XXX Les Gorges de l'Aveyron
Le Bugarel – ✆ 05 63 24 50 50 – www.gorges-aveyron.com – gorges-aveyron@orange.fr – Fax 05 63 24 50 51 – Fermé 9-27 mars, 7-18 déc., 4-29 janv., mardi sauf du 15 juin au 15 sept.
Rest – Menu (29 €), 34/41 € – Carte 51/66 €
♦ Villa contemporaine dont une partie est aménagée en restaurant. La salle à manger, confortable et lumineuse, ouvre sur un parc surplombant l'Aveyron. Table classique.

MONTROND-LES-BAINS – 42 Loire – 327 E6 – 4 608 h. – alt. 356 m   44 A2
– Stat. therm. : fin mars-fin nov. – Casino – ✉ 42210
▌Lyon et la vallée du Rhône

▶ Paris 447 – Lyon 69 – Montbrison 15 – Roanne 58 – St-Étienne 31 – Thiers 80
🅘 Office de tourisme, avenue des Sources ✆ 04 77 94 64 74, Fax 04 77 94 59 59
🅱 du Forez Domaine de Presles, S : 12 km par D 1082 et D 16, ✆ 04 77 30 86 85

MONTROND-LES-BAINS

Hostellerie La Poularde (Gilles Etéocle) 🍽 ♿ ch, AC 🚭 📶 🧖 ⛱
2 r. de St-Étienne – ℰ 04 77 54 40 06
– www.la-poularde.com – la-poularde@wanadoo.fr – Fax 04 77 54 53 14 – VISA MC AE ①
– Fermé 3-25 août, 1ᵉʳ-20 janv., mardi midi, dim. soir et lundi
7 ch – †82 € ††112 €, ⊇ 21 € – 9 suites
Rest – (prévenir le week-end) Menu (56 € bc), 63 € (sem.)/123 €
– Carte 90/110 € 🍷
Spéc. Foie gras d'oie d'hier et d'aujourd'hui. Agneau de lait. Soufflé chaud à la Chartreuse. **Vins** Saint-Joseph blanc et rouge.
♦ Ce relais de poste (1732) de la station thermale du Forez propose des chambres personnalisées et, côté piscine, des appartements et des duplex. Boutique de vins. Alléchant programme au restaurant : carte classique rehaussée de notes actuelles et cave exceptionnelle.

Motel du Forez sans rest ♿ 🚭 🐕 📶 🅿 🅿 VISA MC AE
37 rte de Roanne – ℰ 04 77 54 42 28 – www.moteleduforez.com – moteleduforez@orange.fr – Fax 04 77 94 66 58 – Fermé 16-23 août, 25 déc.-3 janv. et dim. de nov. à fév.
18 ch – †42 € ††52 €, ⊇ 7,50 €
♦ Bâtiment des années 1950 abritant des chambres de bon confort, garnies de meubles en pin et protégées des bruits de la route. Tenue méticuleuse. Accueil familial.

XX **Carré Sud** 🌳 ⇔ VISA MC AE ①
4 rte de Lyon – ℰ 04 77 54 42 71 – carre-sud.com – carresudfs@orange.fr
– Fax 04 77 54 52 85 – Fermé merc. midi et dim.
Rest – Menu (17 €), 26 € (déj. en sem.), 30/57 € – Carte 50/90 €
♦ Suggestions sur ardoise à midi et carte plus étoffée le soir, le tout pour une cuisine du marché associant épices et saveurs du Sud. Terrasse d'été dressée dans le patio arboré.

MONTROUGE – 92 Hauts-de-Seine – **311** J3 – **101** 25 – **voir à Paris, Environs**

LE MONT-ST-MICHEL – 50 Manche – **303** C8 – 41 h. – alt. 10 m   32 **A3**
– ✉ 50170 🛈 **Normandie Cotentin, Bretagne**

🛣 Paris 359 – Alençon 135 – Avranches 23 – Dinan 58 – Fougères 45
   – Rennes 68 – St-Malo 55
🅱 Office de tourisme, boulevard de l'Avancée ℰ 02 33 60 14 30,
   Fax 02 33 60 06 75
◉ Abbaye★★★ : La Merveille★★★, Cloître★★★ - Remparts★★ - Grande-Rue★ -
   Jardins de l'abbaye★ - Baie du Mont-St-Michel★★.

Auberge St-Pierre 🌳 🚭 📶 VISA MC AE
– ℰ 02 33 60 14 03 – www.auberge-saint-pierre.fr – aubergesaintpierre@wanadoo.fr – Fax 02 33 48 59 82
21 ch – †99/106 € ††110/163 €, ⊇ 14 €
Rest – Menu (19 €), 23/62 € – Carte 22/42 €
♦ La demeure à pans de bois du 15ᵉ s. abrite le restaurant et de petites chambres correctement tenues. À l'annexe, elles sont plus grandes et ménagent des échappées sur la mer. Brasserie côté rue, salle à manger à l'étage ou terrasse adossée aux remparts.

à la Digue 2 km au Sud sur D 976 – ✉ 50170 Le Mont-St-Michel

Relais St-Michel ≤ 🍽 🌳 🏨 ♿ ch, 🚭 📶 🧖 🅿 VISA MC AE ①
– ℰ 02 33 89 32 00 – www.lemontsaintmichel.info – hotel@relais-st-michel.fr
– Fax 02 33 89 32 01
32 ch – †160/280 € ††160/280 €, ⊇ 15 € – 7 suites – ½ P 160/240 €
Rest – Menu (15 €), 25 € (déj.), 35/65 € – Carte 45/70 €
♦ L'abbaye en toile de fond et l'élégant mobilier de style anglais contribuent au charme de ce relais. Les chambres sont grandes et dotées d'un balcon ou d'une terrasse. Salle de restaurant actuelle offrant la vue sur le Mont. Cuisine traditionnelle.

LE MONT-ST-MICHEL

Mercure
La Caserne rte du Mont Saint Michel – ℰ 02 33 60 14 18
– www.le-mont-saint-michel.com – h1263@accor.com – Fax 02 33 60 39 28
– Ouvert 7 fév.-10 nov.
100 ch – †71/105 € ††79/115 €, ⊆ 12 €
Rest *Le Pré Salé* – Menu 20/52 € – Carte 27/70 €
♦ Bordant le Couesnon à l'amorce de la digue, complexe hôtelier dont la plupart des chambres, identiques et pratiques, ont adopté le dernier look de la chaîne. Lumineuse et grande salle à manger où vous dégusterez le fameux agneau des prés-salés.

De la Digue
– ℰ 02 33 60 14 02 – www.lemontsaintmichel.info – hotel-de-la-digue@wanadoo.fr – Fax 02 33 60 37 59
35 ch – †65 € ††85 €, ⊆ 9 € – ½ P 85/95 €
Rest – Menu 15/28 € – Carte 35/55 €
♦ La digue relie depuis 1877 le Mont-St-Michel à la terre ferme. Hôtel littoral tout en longueur, proposant des chambres rénovées de tailles variées. La salle à manger et la terrasse offrent une belle perspective sur le Mont. Cuisine traditionnelle, spécialités de la mer.

Le Relais du Roy
La Digue – ℰ 02 33 60 14 25 – www.le-relais-du-roy.com – reservation@le-relais-du-roy.com – Fax 02 33 60 37 69 – Fermé 7 fév.-6 mars
27 ch – †70/101 € ††70/101 €, ⊆ 10 €
Rest – Menu (14 €), 19/40 € – Carte 32/53 €
♦ À l'entrée de la digue, hôtel aménagé dans une ancienne ferme (fin du 18e s.) et ses annexes récentes. Chambres fonctionnelles, plus calmes sur l'arrière et le Couesnon. Carte traditionnelle (agneau du Pré Salé et fruits de mer à l'honneur). Cheminées bretonnes des 14e-15e s. en décor.

MONTSALVY – 15 Cantal – 330 C6 – 890 h. – alt. 800 m – ✉ 15120   5 B3
Auvergne

▶ Paris 586 – Aurillac 31 – Entraygues-sur-Truyère 14 – Figeac 57 – Rodez 56
🛈 Office de tourisme, rue du Tour-de-Ville ℰ 04 71 46 94 82,
   Fax 04 71 46 94 83
◉ Puy-de-l'Arbre ✲★ NE : 1,5 km.

L'Auberge Fleurie avec ch
place du Barry – ℰ 04 71 49 20 02 – www.auberge-fleurie.com
– aubergefleuriecantal@orange.fr – Fax 04 71 49 29 65 – Fermé 8-15 juin,
28 sept.-5 oct., dim. soir et lundi sauf juil.-août
7 ch – †49/62 € ††49/62 €, ⊆ 8 € – ½ P 49/61 €
Rest – Menu 14 € (déj. en sem.), 24/29 € – Carte 25/35 €
♦ Le charme de l'ancien rencontre avec bonheur l'élégance du contemporain en cette coquette auberge où le chef mitonne une goûteuse cuisine du terroir actualisée. Superbe cave. Jolies chambres de style colonial, très calmes, et bon petit-déjeuner.

MONT-SAXONNEX – 74 Haute-Savoie – 328 L4 – 1 477 h.   46 F1
– alt. 1 000 m – ✉ 74130

▶ Paris 572 – Lyon 189 – Annecy 57 – Genève 38 – Vernier 55
🛈 Office de tourisme, 294 route de l'Eglise ℰ 04 50 96 97 27,
   Fax 04 50 96 97 63

Jalouvre
45 rte Gorge du Cé – ℰ 04 50 96 90 67 – www.iletait3fois.com – info@iletait3fois.com – Fax 04 50 96 91 41 – Fermé 5-20 janv.
14 ch – †60 € ††75 €, ⊆ 8 €
Rest – Menu 20/37 € – Carte 30/44 €
♦ Cet hôtel entièrement rénové, bien au calme dans un village de montagne, propose des chambres confortables, décorées dans un esprit chalet contemporain. Cuisine au goût du jour à déguster dans un cadre tout bois. Vue panoramique et terrasse à l'ombre d'un tilleul.

LES MONTS-DE-VAUX – 39 Jura – **321** E6 – **rattaché à Poligny**

MONTSÉGUR – 09 Ariège – **343** I7 – **rattaché à Lavelanet**

MONTSERET – 11 Aude – **344** H4 – 401 h. – alt. 92 m – ✉ 11200   22 **B3**
🛣 Paris 811 – Montpellier 115 – Carcassonne 50 – Perpignan 68 – Béziers 56

Le Relais de Montséret
1 r. Bufolenc – ✆ 04 68 43 29 51 – www.relais-de-montseret.com
– relaisdemontseret@aliceadsl.fr – Fax 04 68 43 29 52 – Fermé 12 nov.-18 déc.
6 ch – †69 € ††85 €, ⊇ 9 € – ½ P 65/73 €
Rest – *(Fermé jeudi midi et merc. sauf en juil.-août)* Menu (15 € bc), 19 € bc (déj. en sem.), 25/39 € – Carte 30/38 €
♦ Dans les murs d'une ancienne bergerie, demeure de caractère abritant de confortables chambres rustiques et méditerranéennes. Piscine. Au restaurant, le patron, passionné par les vins, met en avant les crus de la région autour de recettes traditionnelles, à l'ardoise.

MONTSOREAU – 49 Maine-et-Loire – **317** J5 – 503 h. – alt. 77 m   35 **C2**
– ✉ 49730 ▌Châteaux de la Loire
🛣 Paris 292 – Angers 75 – Châtellerault 65 – Chinon 18 – Poitiers 82
– Saumur 11 – Tours 56
🛈 Office de tourisme, avenue de la Loire ✆ 02 41 51 70 22
◉ ✽★★ du belvédère.
◉ Candes St-Martin★ : Collégiales★.

La Marine de Loire sans rest
9 av. de la Loire – ✆ 02 41 50 18 21 – www.hotel-lamarinedeloire.com – resa@hotel-lamarinedeloire.com – Fax 02 41 50 19 26 – Fermé en janv.
8 ch – †140/180 € ††140/180 €, ⊇ 13 € – 3 suites
♦ Cet hôtel des bords de Loire abrite un jardin intérieur fleuri et des chambres de charme personnalisées. Grand jacuzzi avec nage et massage sur demande. Brunch le dimanche.

Le Bussy sans rest
4 r. Jeanne d'Arc – ✆ 02 41 38 11 11 – www.hotel-lebussy.fr – hotel.lebussy@wanadoo.fr – Fax 02 41 38 18 10 – Ouvert de mi-fév. à mi-nov.
12 ch – †60 € ††80/90 €, ⊇ 10 €
♦ La plupart des chambres de cette maison du 18ᵉ s. regardent le joli château de la Dame de Monsoreau, dont Bussy était l'amant. Salle des petits-déjeuners troglodytique.

Diane de Méridor
12 quai Ph. de Commines – ✆ 02 41 51 71 76
– www.restaurant-dianedemeridor.com – dianedemeridor@wanadoo.fr
– Fax 02 41 51 17 17 – Fermé 17-30 nov., 8 janv.-8 fév., mardi et merc.
Rest – Menu (15 €), 28/43 € bc – Carte 58/71 €
♦ L'ancienne façade en tuffeau de ce restaurant cache une salle avec vue sur la Loire (murs couleur brique ornés d'expositions de tableaux). Cuisine traditionnelle soignée.

MOOSCH – 68 Haut-Rhin – **315** G9 – 1 818 h. – alt. 390 m – ✉ 68690   1 **A3**
🛣 Paris 469 – Strasbourg 128 – Colmar 53 – Mulhouse 29 – Belfort 48

Aux Trois Rois
35 r. du Gén. de Gaulle – ✆ 03 89 82 34 66 – www.aux-trois-rois.com – contact@aux-trois-rois.com – Fax 03 89 82 39 27 – Fermé 29 déc.-14 janv., lundi et mardi
Rest – Menu (13 €), 32/55 € bc – Carte 45/55 €
♦ Ce restaurant se distingue par son ardoise de produits de la mer. Salle typiquement alsacienne (boiseries, vitraux) ou plus récente à l'étage. Terrasse ombragée.

MORANGIS – 91 Essonne – **312** D3 – **101** 35 – **voir à Paris, Environs**

1139

MOREILLES – 85 Vendée – 316 J9 – 310 h. – alt. 5 m – ✉ 85450 — 34 **B3**

▶ Paris 443 – Nantes 103 – La Roche-sur-Yon 50 – La Rochelle 42 – Fontenay-le-Comte 43

Le Château de l'Abbaye
– ℰ 02 51 56 17 56 – www.chateau-moreilles.com – daniellerenard@hotmail.com – Fax 02 51 56 30 30
5 ch – ♦79/109 € ♦♦89/159 €, ⛬ 12 € – ½ P 95/115 €
Table d'hôte – Menu 39 €
♦ Un château romantique bâti sur les vestiges d'une abbaye où Richelieu officia. Chambres élégantes (mobilier ancien, objets de famille), beaux salons et accueil aux petits soins. Ambiance table d'hôte et généreuse cuisine familiale dans la salle à manger.

MORET-SUR-LOING – 77 Seine-et-Marne – 312 F5 – 4 477 h. – alt. 50 m – ✉ 77250 ∎ Île de France — 19 **C3**

▶ Paris 74 – Fontainebleau 11 – Melun 28 – Nemours 17 – Sens 44

🛈 Office de tourisme, 4 bis, place de Samois ℰ 01 60 70 41 66, Fax 01 60 70 82 52

🏌 de la Forteresse à Thoury-Férottes Domaine de la Forteresse, SO : 15 km par D 218 et D 22, ℰ 01 60 96 95 10

◉ Site ★.

Auberge de la Terrasse
40 r. Pêcherie – ℰ 01 60 70 51 03 – www.auberge-terrasse.com – aubergedelaterrasse@wanadoo.fr – Fax 01 60 70 51 69 – Fermé 19 oct.-10 nov., vend. soir, dim. soir et lundi
17 ch – ♦41/63 € ♦♦55/77 €, ⛬ 10 € – ½ P 65 €
Rest – Menu (22 €), 31/51 € – Carte 42/60 €
♦ Bâtisse ancienne longeant le Loing. Les petites chambres, insonorisées, sont simples mais très bien tenues. Salle à manger rustique et terrasse regardent la rivière plusieurs fois peinte par Alfred Sisley. Cuisine traditionnelle.

XX Le Relais de Pont-Loup
14 r. Peintre Sisley – ℰ 01 60 70 43 05 – pontloup@wanadoo.fr – Fax 01 60 70 22 54 – Fermé mardi d'oct. à avril, dim. soir et lundi
Rest – (prévenir le week-end) Menu 28 € (sem.)/38 € – Carte 53/74 €
♦ Ici, on accède à la salle par la cuisine. Cadre rustique à souhait : briques, poutres, cheminée et rôtissoire. Terrasse tournée vers le jardin s'étendant jusqu'au Loing.

XX Hostellerie du Cheval Noir avec ch
47 av. J. Jaurès – ℰ 01 60 70 80 20 – www.chevalnoir.fr – infos@chevalnoir.fr – Fax 01 60 70 80 21 – Fermé 27 juil.-11 août, 25 janv.-9 fév., lundi midi et mardi midi
1 ch – ♦90/145 € ♦♦105/175 €, ⛬ 12 € – ½ P 92/127 €
Rest – Menu (20 €), 30/90 € – Carte 60/90 €
♦ Cet ex-relais postal du 18ᵉ s., bâti face à l'une des portes de l'ancienne place forte, propose une cuisine inventive jouant sur les saveurs douces et épicées.

MOREY-ST-DENIS – 21 Côte-d'Or – 320 J6 – 696 h. – alt. 275 m — 8 **D1**
– ✉ 21220

▶ Paris 318 – Beaune 30 – Dijon 16

Castel de Très Girard
7 r. de Très Girard – ℰ 03 80 34 33 09 – www.castel-tres-girard.com – info@castel-tres-girard.com – Fax 03 80 51 81 92 – Fermé 15-26 nov. et 15 fév.-5 mars
9 ch – ♦79/187 € ♦♦79/187 €, ⛬ 15 €
Rest – Menu (25 €), 27 € (déj.), 42/83 € – Carte 61/80 € dîner seulement
♦ Cette belle maison de maître (18ᵉ s.), jadis pressoir, propose des chambres spacieuses et confortables. Elle profite aussi d'un agréable jardin agrémenté d'une piscine. Saveurs dans l'air du temps. Cadre rustique et décor tendance ; belle terrasse d'été.

MORGAT – 29 Finistère – 308 E5 – ⊠ 29160 Crozon ▌ Bretagne — 9 **A2**

▶ Paris 590 – Brest 62 – Châteaulin 38 – Douarnenez 42 – Morlaix 84 – Quimper 52
◉ Grandes Grottes★.

Le Grand Hôtel de la Mer ⌾
av. de la Plage – ℰ 02 98 27 02 09 – thierry.regnier@belambra-vvf.fr
– *Fax 02 98 27 02 39* – *Ouvert 3 avril-3 oct.*
78 ch – †48/91 € ††56/125 €, ⌑ 15 € – ½ P 49/110 €
Rest – *(fermé le midi sauf dim. et lundi sauf le soir en juil.-août)* Menu 22/39 €
♦ Le souvenir de la Belle Époque habite cet hôtel géré par le groupe Belambra-VVF. Chambres sobres, tournées vers le parc planté de palmiers ou l'océan. Grande salle à manger pour les demi-pensionnaires, décor plus intime au restaurant ; tous deux donnent sur la baie de Douarnenez.

Julia ⌾
43 r. de Tréflez – ℰ 02 98 27 05 89 – www.hotelјulia.fr – contact@hotelјulia.fr
– *Fax 02 98 27 23 10* – *Ouvert avril-3 nov.*
15 ch – †51/140 € ††51/140 €, ⌑ 9 € – 1 suite – ½ P 59/103 €
Rest – *(fermé le midi du mardi au vend. sauf juil.-août et lundi)* Menu 25 €, 33/60 €
– Carte 33/65 €
♦ Dans un quartier résidentiel calme, hôtel évoluant peu à peu vers un confort plus actuel (4 grandes chambres contemporaines et une salle de séminaires flambant neuves). Ambiance "pension de famille" dans la salle à manger en rotonde. Recettes régionales.

De la Baie sans rest
46 bd Plage – ℰ 02 98 27 07 51 – www.presquile-crozon.com – hotel.de.la.baie@presquile-crozon.com – *Fax 02 98 26 29 65*
26 ch – †45/50 € ††50/60 €, ⌑ 7 €
♦ Petit hôtel simple abritant des chambres bien tenues, relookées dans des couleurs gaies. Certaines regardent la mer, à l'instar de la plaisante salle des petits-déjeuners.

MORILLON – 74 Haute-Savoie – 328 N4 – rattaché à Samoëns

MORLAÀS – 64 Pyrénées-Atlantiques – 342 K2 – 4 121 h. – alt. 287 m — 3 **B3**
– ⊠ 64160 ▌ Aquitaine

▶ Paris 767 – Pau 15 – Tarbes 37
🛈 Office de tourisme, place Sainte-Foy ℰ 05 59 33 62 25, Fax 05 59 33 62 25
◉ Portail★ de l'église Sainte-Foy.

✕ Le Bourgneuf avec ch ⌾
3 r. Bourg Neuf – ℰ 05 59 33 44 02 – courbet.daniel@wanadoo.fr
– *Fax 05 59 33 07 74* – *Fermé 15 oct.-8 nov., dim. soir et sam.*
12 ch – †43 € ††47 €, ⌑ 5 €
Rest – Menu (10 €), 15 € bc (sem.)/40 € – Carte 25/45 €
♦ Carte régionale servie dans un décor rénové d'esprit rustique ; on propose également le plat du jour au bar. Un bâtiment récent abrite de petites chambres pratiques rajeunies.

MORLAIX – 29 Finistère – 308 H3 – 15 800 h. – alt. 7 m – ⊠ 29600 — 9 **B1**
▌ Bretagne

▶ Paris 538 – Brest 61 – Quimper 78 – St-Brieuc 86
🛈 Office de tourisme, place des Otages ℰ 02 98 62 14 94, Fax 02 98 63 84 87
🏌 de Carantec à Carantec Rue de Kergrist, N : 13 km par D73, ℰ 02 98 67 09 14
◉ Vieux Morlaix★ : Viaduc★ - Grand'Rue★ - Intérieur★ de la maison de "la Reine Anne" - Vierge★ dans l'église St-Mathieu - Rosace★ dans le musée des Jacobins★.
◉ Calvaire★★ de Plougonven★ 12 km par D 9.

Plan page suivante

De l'Europe sans rest
1 r. Aiguillon – ℰ 02 98 62 11 99 – www.hotel-europe-com.fr – reservations@hotel-europe-com.fr – *Fax 02 98 88 83 38* – *Fermé 17 déc.-3 janv.*   BZ **a**
59 ch – †75/250 € ††110/250 €, ⌑ 8,50 €
♦ De belles boiseries sculptées du 17ᵉ s. ornent le hall et l'imposant escalier de cet édifice bicentenaire. Préférez les chambres refaites, plus joliment décorées. Accueil aimable.

MORLAIX

Aiguillon (R. d')	**BZ**	2
Allende (Pl. S.)	**BZ**	3
Ange-de-Guernisac (R.)	**BY**	5
Bouchers (R. des)	**BZ**	6
Brest (R. de)	**AZ**	
Carnot (R.)	**BZ**	7
Dossen (Pl. du)	**BZ**	8
Grand'R.		
Jacobins (Pl. des)	**BZ**	12
Mur (R. du)	**BZ**	13
Otages (Pl. des)	**AY**	
Paris (Rte de)	**BZ**	14
Paris (R. de)	**BZ**	
Poan-Ben (allée de)	**BZ**	16
Son (Venelle au)	**BZ**	18
Traoulen (Pl.)	**BZ**	20

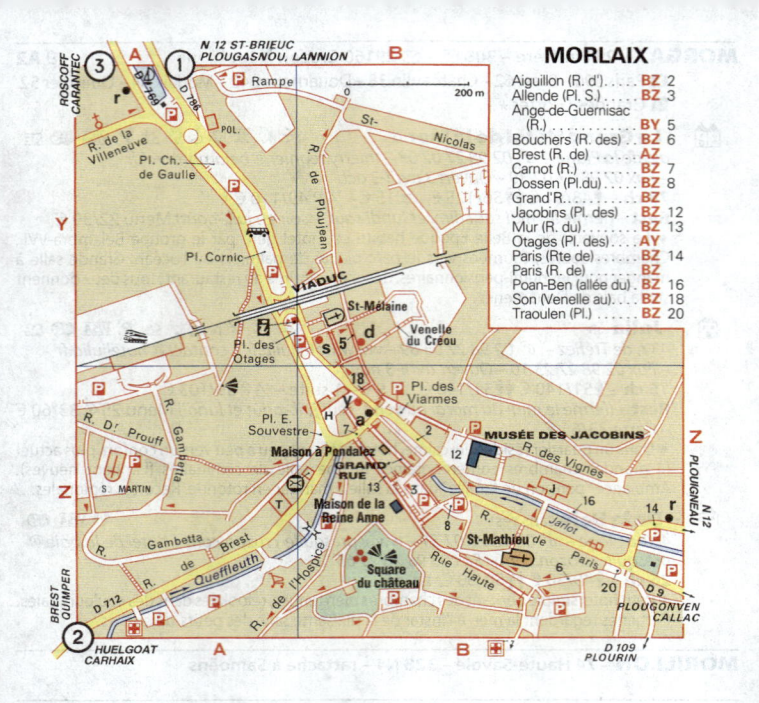

⌂ **Du Port** sans rest VISA ⓂⒸ AE

3 quai de Léon – ℰ 02 98 88 07 54 – www.lhotelduport.com – info@lhotelduport.com – Fax 02 98 88 43 80 – Fermé 20 déc.-4 janv. AY **r**

25 ch – ♦54/60 € ♦♦62/82 €, ⊇ 9 €

♦ Maison bretonne du 19ᵉ s. face au port de plaisance. Chambres pratiques, toutes rénovées et bien insonorisées ; certaines ont vue sur les quais et sur le viaduc.

⌂ **Les Bruyères** sans rest 🚗 P VISA ⓂⒸ AE ①

3 km par rte de Plouigneau Est sur D 712 – ℰ 02 98 88 08 68 – www.hotel-morlaix.com – hotellesbruyeres@wanadoo.fr – Fax 02 98 88 66 54

32 ch – ♦49/71 € ♦♦49/74 €, ⊇ 8 €

♦ Construction basse au style caractéristique des années 1970. Chambres entièrement revues (mobilier pratique et couleurs gaies) et acueillante salle des petits-déjeuners.

⌂ **Manoir de Coat Amour** 🌲 🐕 🏊 ⌨ 🎾 📡 P VISA ⓂⒸ

rte de Paris – ℰ 02 98 88 57 02 – www.gites-morlaix.com – stafford.taylor@wanadoo.fr – Fax 02 98 88 57 02 BZ **r**

6 ch ⊇ – ♦70/78 € ♦♦80/115 € **Table d'hôte** – Menu 32 € bc/47 € bc

♦ Sur les hauteurs de la ville, manoir du 19ᵉ s. aux airs de malouinière entouré d'un parc arboré et fleuri. Des meubles d'antiquaires garnissent les chambres, spacieuses et cossues. La maîtresse des lieux propose une table d'hôte certains soirs de la semaine.

✕ **Brasserie de l'Europe** 🍴 VISA ⓂⒸ AE

pl. E. Souvestre – ℰ 02 98 88 81 15 – www.brasseriedeleurope.com – contact@brasseriedeleurope.com – Fax 02 98 63 47 24 – Fermé 4-10 mai, 28 déc.-3 janv. et dim. BZ **y**

Rest – Menu (12 €), 15 € – Carte 20/34 €

♦ À la bouteille, en pot ou au verre... Un large choix de vins accompagne l'appétissante cuisine traditionnelle servie dans cette grande brasserie au cadre contemporain soigné.

MORLAIX

La Marée Bleue
VISA MC

3 rampe St-Mélaine – ℰ 02 98 63 24 21 – la.maree.bleue@wanadoo.fr
– Fermé en oct., dim. soir et lundi sauf juil.-août BY **s**
Rest – Menu 26 € – Carte 23/45 €

♦ Cette maison compte parmi les plus vieilles du secteur de l'église St-Mélaine. Intérieur rustique, mobilier régional, œuvres d'artistes locaux et plats traditionnels.

L'Hermine
VISA MC

35 r. Ange de Guernisac – ℰ 02 98 88 10 91 – www.restaurantmorlaix.com
– Fermé 5-14 avril, 20-30 sept., 1er-15 janv., dim. midi et merc. BY **d**
Rest – crêperie – Menu (15 € bc) – Carte 12/23 €

♦ Poutres, tables en bois ciré et objets campagnards composent le décor de cette sympathique crêperie bordant une rue piétonne. Spécialités de galettes aux algues fraîches.

par ① 4 km par D 76 (rive droite) et rte secondaire - ✉ 29600 Morlaix

Manoir de Roch ar Brini sans rest

Ploujean – ℰ 02 98 72 01 44 – www.brittanyguesthouse.com – contact@brittanyguesthouse.com – Fax 02 98 88 04 49
3 ch ⊇ – †65/70 € ††70/90 €

♦ Ce manoir de 1870 entouré d'un parc arboré dispose de chambres personnalisées (dont deux grandes) auxquelles on accède par un bel escalier en pierre. Élégante salle à manger bourgeoise d'origine.

MORNAC-SUR-SEUDRE – 17 Charente-Maritime – 324 D5 – 682 h. 38 **A3**
– alt. 5 m – ✉ 17113 ■ Poitou Charentes Vendée

▶ Paris 508 – Poitiers 175 – La Rochelle 66 – Rochefort 36 – Saintes 38

Le Mornac sans rest

21 r. des Halles – ℰ 05 46 22 63 20 – www.le-mornac.com – le-mornac@orange.fr
– Fax 05 46 22 63 20 – Fermé 14 janv.-4 fév.
5 ch ⊇ – †55/70 € ††60/75 €

♦ Belle demeure du 18e s. convertie en maison d'hôte par un couple charmant, d'origine hollandaise. Chambres cosy où l'on se sent comme chez soi. Jardin, terrasse et piscine.

MORNAS – 84 Vaucluse – 332 B8 – 2 248 h. – alt. 37 m – ✉ 84550 40 **A2**
■ Provence

▶ Paris 646 – Avignon 40 – Bollène 12 – Montélimar 47 – Nyons 46
– Orange 12

Le Manoir

16 av. Jean Moulin – ℰ 04 90 37 00 79 – www.hotel-le-manoir.com – info@lemanoir-mornas.fr – Fax 04 90 37 10 34 – Fermé 1er janv.-12 fév., dim. soir, lundi et mardi d'oct. à mai
23 ch – †55 € ††55/95 €, ⊇ 8 € – ½ P 63/83 €
Rest – (fermé mardi midi et lundi) Menu (18 €), 28/50 € – Carte 37/46 €

♦ Au pied d'une falaise vertigineuse, jolie demeure bourgeoise du 18e s. au cachet rétro et à l'esprit familial. Atmosphère différente et soignée dans chaque chambre. Dans une salle à manger rustique ou à l'ombre du patio-terrasse, vous dégusterez une cuisine traditionnelle.

MORSBRONN-LES-BAINS – 67 Bas-Rhin – 315 K3 – 568 h. 1 **B1**
– alt. 200 m – ✉ 67360

▶ Paris 489 – Haguenau 11 – Sarreguemines 68 – Strasbourg 44
– Wissembourg 28

ℹ Office de tourisme, 1, route de Haguenau ℰ 03 88 05 82 40,
Fax 03 88 94 20 04

La Source des Sens

19 rte Haguenau – ℰ 03 88 09 30 53 – www.lasourcedessens.fr – contact@lasourcedessens.fr – Fax 03 88 09 35 65 – Fermé 16-31 juil., janv., dim. soir et lundi
16 ch – †45/150 € ††55/160 €, ⊇ 12 € – 1 suite – ½ P 65/130 €
Rest – Menu 15 € (déj. en sem.), 25/65 € – Carte 50/65 €

♦ Cet établissement propose des chambres tendance (lignes épurées, bois sombre, lampes japonaises...) et un espace bien-être très complet. Au restaurant, carte créative et atmosphère moderne (mobilier design, véranda, suivi en direct des cuisines via un écran plasma).

1143

MORTAGNE-AU-PERCHE – 61 Orne – **310** M3 – 4 156 h. — 33 **C3**
– alt. 260 m – ✉ 61400 ▌Normandie Vallée de la Seine

- Paris 153 – Alençon 39 – Chartres 80 – Lisieux 89 – Le Mans 73 – Verneuil-sur-Avre 40
- Office de tourisme, Halle aux Grains ℰ 02 33 85 11 18, Fax 02 33 83 34 37
- De Bellême Saint-Martin à Bellême Les Sablons, S : 17 km par D 938, ℰ 02 33 73 12 79
- Boiseries ★ de l'église N.-Dame.

Du Tribunal
4 pl. Palais – ℰ 02 33 25 04 77 – www.hotel-tribunal.fr – hotel.du.tribunal@wanadoo.fr – Fax 02 33 83 60 83
21 ch – ♦60/85 € ♦♦60/105 €, ⊇ 9 €
Rest – Menu (17 €), 25/48 € – Carte 36/57 €

♦ Cette ravissante maison fleurie (13ᵉ - 18ᵉ s.) abrite des chambres confortables, rénovées dans un esprit moderne et actuel de très bon goût. Salle à manger élégante où l'on sert, entre autres, le boudin noir, spécialité mortagnaise. Terrasse et jardin intérieur.

au Pin-la-Garenne 9 km au Sud par rte Bellême sur D 938 – 619 h. – alt. 158 m – ✉ 61400

La Croix d'Or
6 r. de la Herse – ℰ 02 33 83 80 33 – www.lacroixdor.free.fr – lacroixdor@free.fr – Fax 02 33 83 06 03 – Fermé 3 fév.-4 mars, mardi soir et merc.
Rest – Menu (10 €), 19/45 € – Carte 26/48 €

♦ Auberge accueillante située à la sortie du village. Agréable et chaleureuse salle à manger rustique, réchauffée l'hiver par la cheminée. Cuisine traditionnelle.

MORTAGNE-SUR-GIRONDE – 17 Charente-Maritime – **324** F7 — 38 **B3**
– 1 001 h. – alt. 51 m – ✉ 17120 ▌Poitou Vendée Charentes

- Paris 509 – Blaye 59 – Jonzac 30 – Pons 26 – La Rochelle 115 – Royan 34 – Saintes 36
- Syndicat d'initiative, 1, place des Halles ℰ 05 46 90 52 90, Fax 05 46 90 52 90
- Chapelle ★ de l'Ermitage St-Martial S : 1,5 km.

La Maison du Meunier sans rest
36 quai de l'Estuaire, (au port) – ℰ 05 46 97 75 10 – www.maisondumeunier.com – info@maisondumeunier.com – Fax 05 46 92 25 54
5 ch ⊇ – ♦60 € ♦♦60 €

♦ Tableaux modernes, photos anciennes et même une vieille moto décorent cette maison de maître ayant appartenu à un meunier. Jolies chambres personnalisées et accueil charmant.

MORTEAU – 25 Doubs – **321** J4 – 6 339 h. – alt. 780 m – ✉ 25500 — 17 **C2**
▌Franche-Comté Jura

- Paris 468 – Basel 121 – Belfort 88 – Besançon 65 – Neuchâtel 42 – Pontarlier 31
- Office de tourisme, place de la Halle ℰ 03 81 67 18 53, Fax 03 81 67 62 34

La Guimbarde sans rest
10 pl. Carnot – ℰ 03 81 67 14 12 – www.la-guimbarde.com – info@la-guimbarde.com – Fax 03 81 67 48 27
25 ch – ♦51/100 € ♦♦56/100 €, ⊇ 8 €

♦ Cet imposant édifice du 19ᵉ s. vous reçoit dans ses chambres réactualisées ; seule la salle des petits-déjeuners a gardé son aspect rustique. Le week-end, piano-bar au salon.

Auberge de la Roche (Philippe Feuvrier)
au Pont de la Roche, 3 km au Sud-Ouest par D 437 ✉ 25570 – ℰ 03 81 68 80 05 – pfeuvrier@wanadoo.fr – Fax 03 81 68 87 64 – Fermé 1ᵉʳ-14 juil., 1ᵉʳ-7 fév., mardi soir, dim. soir et lundi
Rest – Menu 27 € (sem.), 43/78 € – Carte 68/91 €
Spéc. Foie gras d'oie au naturel à la gelée d'huître (nov. à avril). Paillasson de grosses langoustines au beurre d'orange. Moelleux et macaron au chocolat. **Vins** Château-Châlon, Côtes du Jura-Trousseau.

♦ Accueil chaleureux et cuisine franc-comtoise revisitée ont fait la renommée de ce restaurant situé dans la verte campagne du Haut-Doubs. Apéritif et café servis en terrasse.

MORTEAU

à Grand'Combe-Châteleu 5 km au Sud-Ouest par D 437 et D 47 – 1 322 h.
– alt. 760 m – ⊠ 25570

◉ Fermes anciennes★.

✕✕ **Faivre**   VISA ⓜ©
⊖⊖ 2, bas de Grand'Combe – ℰ 03 81 68 84 63 – Fax 03 81 68 87 80 – Fermé dim. soir
    et lundi
    Rest – Menu 18 € bc (déj. en sem.), 25/60 € – Carte 25/65 €
    ♦ Grande maison comtoise dans un hameau pittoresque aux belles fermes anciennes.
    Cadre rustique où les habitués dégustent des plats régionaux, dont le célèbre "Jésus" de
    Morteau.

aux Combes 7 km à l'Ouest par D 48 et rte secondaire – 689 h. – alt. 935 m – ⊠ 25500

⌂   **L'Auberge de la Motte** ⌂   ⌂ ⌂ ⅙ ⁽¹⁾ VISA ⓜ©
    la Motte – ℰ 03 81 67 23 35 – www.auberge-de-la-motte.fr
⊖⊖ – auberge.delamotte@orange.fr – Fax 03 81 67 63 45 – Fermé 1 sem. en nov.
🍽️ et déc. hors vacances scolaires
    7 ch – †45/48 € ††45/48 €, ⊇ 6,50 €
    Rest – (fermé le midi du lundi au vend. et dim. soir) Menu 17/20 € – Carte 20/28 €
    ♦ Ferme de pays (1808) restaurée et dotée de chambres agrémentées de boiseries et de
    meubles contemporains. La carte régionale tend à se simplifier, se concentrant davantage
    sur les produits du terroir. Terrasse d'été.

> Passée en rouge, la mention « Rest » repère l'établissement
> auquel est attribué notre distinction, ✿ (étoile) ou ㋡ (Bib Gourmand).

MORTEMART – 87 Haute-Vienne – **325** C4 – 125 h. – alt. 300 m   **24 A1**
– ⊠ 87330 ▌ Limousin Berry
▶ Paris 388 – Bellac 14 – Confolens 31 – Limoges 41 – St-Junien 20
🛈 Syndicat d'initiative, Château des Ducs ℰ 05 55 68 98 98

✕✕ **Le Relais** avec ch   ⌂ VISA ⓜ©
    1 pl. Royale – ℰ 05 55 68 12 09 – dominique.pradeau189@wanadoo.fr
    – Fax 05 55 68 12 09 – Fermé fév., mardi sauf du 15 juil. au 31 août et lundi
    5 ch – †48 € ††55 €, ⊇ 8 € – ½ P 65 €
    Rest – Menu 20 € (sem.)/48 € – Carte 35/58 €
    ♦ Sympathique restaurant campagnard (pierres apparentes, cheminée, poutres), face aux
    jolies halles en bois. Goûteuse cuisine traditionnelle. Chambres simples mais coquettes.

MORTHEMER – 86 Vienne – **322** J6 – ⊠ 86300   **39 C2**
▌ Poitou Charentes Vendée
▶ Paris 370 – Poitiers 33 – Châtellerault 70 – Buxerolles 35 – Chauvigny 17

✕   **La Passerelle**   ⌂ VISA ⓜ©
    2 r. du Baron de Soubeyran – ℰ 05 49 01 13 33 – Fax 05 49 01 13 33 – Fermé
⊖⊖ 2-9 mars, 14-28 sept., dim., lundi sauf midi fériés et merc. soir
    Rest – Menu 12 € bc (déj. en sem.), 25/45 € – Carte 40/50 €
    ♦ Le majestueux château de Morthemer domine cette petite maison de pays accessible par
    une passerelle (d'où l'enseigne). Intérieur rustique, plats traditionnels et produits frais.

MORZINE – 74 Haute-Savoie – **328** N3 – 2 948 h. – alt. 960 m – Sports   **46 F1**
d'hiver : 1 000/2 100 m ⛷ 6 ⛷ 61 ⛷ – ⊠ 74110 ▌ Alpes du Nord
▶ Paris 586 – Annecy 84 – Cluses 26 – Genève 58 – Thonon-les-Bains 31
🛈 Office de tourisme, 23, Place du Baraty ℰ 04 50 74 72 72, Fax 04 50 79 03 48
🅰 Avoriaz à Avoriaz Office du Tourisme Avoriaz, E : 12 km par D 338,
ℰ 04 50 74 11 07
◉ le Pléney★ par téléphérique, pointe du Nyon★ par téléphérique - Télésiège
de Chamoissière★★.

1145

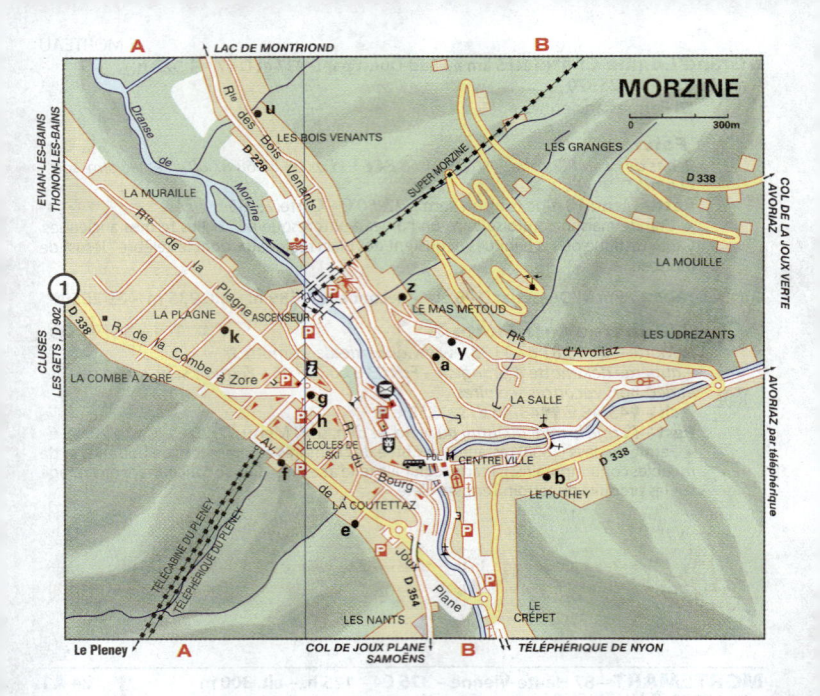

Le Samoyède

– ℘ 04 50 79 00 79 – www.hotel-lesamoyede.com – info@hotel-lesamoyede.com
– Fax 04 50 79 07 91 – Ouvert fin juin-fin sept. et 15 déc.-15 avril

B g

30 ch – ♦59/105 € ♦♦70/280 €, ☑ 13 € – ½ P 82/187 €
Rest L'Atelier – (fermé le midi sauf dim. et fériés) Menu 38/68 €
– Carte 45/65 €

♦ Grand chalet doté de vastes chambres personnalisées – dont 4 flambant neuves –, souvent orientées plein ouest, face aux pentes enneigées. Table inventive, cadre chic et terrasse en bois exotique à L'Atelier.

Le Dahu

293 chemin du Mas Métout – ℘ 04 50 75 92 92 – www.dahu.com
– info@dahu.com – Fax 04 50 75 92 50
– Ouvert 20 juin-10 sept. et 20 déc.-15 avril

B z

39 ch – ♦45/135 € ♦♦70/210 €, ☑ 14 € – 8 suites – ½ P 70/160 €
Rest – (fermé le midi en hiver sauf vacances scolaires et mardi soir du 20 déc.-15 avril) Menu 28/50 €

♦ Au calme sur la rive droite de la Dranse, hôtel familial dominant la vallée. Chambres montagnardes et cosy, souvent dotées d'un balcon ; bel espace de remise en forme. Restaurant panoramique proposant un menu unique.

Champs Fleuris

– ℘ 04 50 79 14 44 – www.hotel-champs-fleuris.com – info@
hotel-champsfleuris.fr – Fax 04 50 79 27 75 – Ouvert 25 juin-10 sept. et
15 déc.-11 avril

A f

47 ch – ♦100/265 € ♦♦100/265 €, ☑ 12 € – 6 suites – ½ P 89/174 €
Rest – Menu 25 € (déj.), 31/35 €

♦ Idéalement situé au pied du téléphérique du Pléney, hôtel dont les chambres, plutôt spacieuses, ont presque toutes été revues dans le style alpin. Salon-cheminée tourné vers les pistes. Cuisine traditionnelle servie dans une salle à manger rénovée.

MORZINE

La Bergerie sans rest
– ℰ 04 50 79 13 69 – www.hotel-bergerie.com – info@hotel-bergerie.com
– Fax 04 50 75 95 71 – Ouvert 27 juin-13 sept. et 19 déc.-20 avril   B h
27 ch – †70/200 € ††115/310 €, ☑ 12 €
◆ Un chalet engageant où règne une ambiance jeune et familiale : on s'y sent "comme à la maison" ! Décoration locale à l'ancienne. Piscine chauffée toute l'année.

Chalet Philibert
480 rte des Putheys – ℰ 04 50 79 25 18 – www.chalet-philibert.com – info@chalet-philibert.com – Fax 04 50 79 25 81 – Ouvert 15 juin-15 sept. et 1ᵉʳ déc.-20 avril   B b
25 ch (½ P seult) – ½ P 94/132 €
Rest *Le Restaurant du Chalet* – (ouvert 18 déc.-20 avril) (dîner seult) Menu 32 €, 45/55 €
◆ Chalet rénové dans le respect de la tradition savoyarde à partir de matériaux anciens glanés dans les fermes voisines. Chambres confortables, presque toutes pourvues de balcons. Atmosphère chaleureuse dans la salle à manger voûtée. Cuisine au goût du jour.

La Clef des Champs
av. Joux-Plane – ℰ 04 50 79 10 13
– www.clefdeschamps.com – hotel@clefdeschamps.com – Fax 04 50 79 08 18
– Ouvert 30 juin-2 sept. et 20 déc.-13 avril   B e
30 ch – †80/130 € ††80/150 €, ☑ 10 € – ½ P 69/89 €
Rest – Menu (20 €), 25 €
◆ Au pied des pistes, joli chalet orné de balcons en bois découpé comme de la dentelle. Trois catégories de chambres, refaites dans le style montagnard. Dans le restaurant tout en sapin brossé, les spécialités régionales côtoient une carte internationale.

L'Hermine Blanche ⌖
414 chemin du Mas Metout – ℰ 04 50 75 76 55 – www.hermineblanche.com
– info@hermineblanche.com – Fax 04 50 74 72 47 – Ouvert 5 juil.-1ᵉʳ sept. et 20 déc.-18 avril   B y
25 ch – †47/64 € ††58/84 €, ☑ 9 € – ½ P 59/78 €
Rest – (dîner seult) Menu 25 €
◆ Près de la route d'Avoriaz, avenante adresse disposant de chambres simples, fraîches et accueillantes (toutes avec balcon). Agréable piscine semi-couverte et jacuzzi face au jardin. Le chef italien mitonne pour les résidents des plats de toutes origines.

Fleur des Neiges
– ℰ 04 50 79 01 23 – www.chalethotelfleurdesneiges.com – info@chalethotelfleurdesneiges.com – Fax 04 50 75 95 75 – Ouvert 1ᵉʳ juil.-10 sept. et 20 déc.-15 avril   A k
31 ch – †40/72 € ††50/100 €, ☑ 10 € – ½ P 50/95 €   **Rest** – Menu 20/30 €
◆ Entièrement refait, l'hôtel dispose de chambres douillettes (meubles en pin, boiseries claires, couettes). Côté sport et détente : fitness, sauna, tennis et piscine. En hiver, salle à manger lambrissée. En été, service dans le jardin. Menu unique.

Les Côtes ⌖
265 chemin de la Salle – ℰ 04 50 79 09 96 – www.hotel-lescotes.com – info@hotel-lescotes.com – Fax 04 50 75 95 38
– Ouvert 3 juil.-31 août et 20 déc.-11 avril   B a
4 ch – †60/83 € ††60/83 €, ☑ 8 € – 19 suites – ††75/136 € – ½ P 57/82 €
Rest – (dîner seult) (résidents seult) Menu 21/24 €
◆ Ce double chalet aux balcons de bois ouvragé jouit d'une bonne exposition côté adret. Chambres et studios sobres et bien tenus. Nombreux loisirs ; belle piscine sous verrière.

L'Ours Blanc ⌖
522 chemin Martenant – ℰ 04 50 79 04 02 – www.oursblanc-morzine.com
– info@oursblanc-morzine.com – Fax 04 50 75 97 82
– Ouvert 5 juil.-7 sept. et 22 déc.-10 avril   A u
22 ch – †48/66 € ††60/78 €, ☑ 9 € – ½ P 58/70 €
Rest – (dîner seult) (résidents seult) Menu 22 €
◆ L'accueil familial fait l'attrait de ce chalet standard situé à l'écart du centre et orienté au sud. Les chambres sont simples mais agréables et propres ; quelques balcons. Menu unique au restaurant ; fondue et raclette deux fois par semaine.

MORZINE

à Avoriaz 14 km à l'Est par D 338 – ⊠ 74110

🛈 Office de tourisme, place centrale ℰ 04 50 74 02 11, Fax 04 50 74 24 29

Les Dromonts ⌂
accès piétonnier – ℰ 04 50 74 08 11 – www.christophe-leroy.com – info@christophe-leroy.com – Fax 04 50 74 02 79 – Ouvert 15 déc.-28 avril
29 ch (½ P seult) – 6 suites – ½ P 115/350 €
Rest *Table du Marché* – Menu 29 € (sem.)/89 € – Carte 65/93 €
♦ Chambres contemporaines et cosy, salons intimes, bar et cheminée design : le mythique hôtel (1965) du "Brasilia des neiges" demeure une adresse originale ! Élégant cadre de bistrot chic et ardoise de suggestions actuelles à la Table du Marché.

MOSNAC – 17 Charente-Maritime – **324** G6 – rattaché à Pons

MOSNES – 37 Indre-et-Loire – **317** P4 – 757 h. – alt. 70 m – ⊠ 37530   **11 A1**

🛈 Paris 211 – Orléans 86 – Tours 37 – Blois 26 – Joué-lès-Tours 48

Domaine des Thômeaux ⌂
12 r. des Thômeaux – ℰ 02 47 30 40 14
– www.domainedesthomeaux.fr – hotel@domainedesthomeaux.fr
– Fax 02 47 30 43 32
27 ch – †78/130 € ††78/130 €, ⌒ 11 €
Rest – Menu (15 €), 20/24 € – Carte 25/38 €
♦ Ce château tourangeau en briques et tuffeau abrite des chambres personnalisées sur le thème de villes de tous pays. Détente et loisirs grâce aux spa et parc Fantasy Forest. Cuisine du monde servie dans un cadre intimiste ou sur une grande terrasse.

LA MOTHE-ACHARD – 85 Vendée – **316** G8 – 2 340 h. – alt. 20 m   **34 B3**
– ⊠ 85150

🛈 Paris 446 – Nantes 90 – La Roche-sur-Yon 25 – Challans 40
 – Les Sables-d'Olonne 19

🛈 Office de tourisme, 56, rue G. Clémenceau ℰ 02 51 05 90 49,
 Fax 02 51 05 95 51

Domaine de Brandois ⌂
La Forêt, proche du jardin extraordinaire – ℰ 02 51 06 24 24
– www.domainebrandois.com – contact@domainebrandois.com
– Fax 02 51 06 37 87
39 ch – †95/150 € ††95/150 €, ⌒ 12 €
Rest – *(fermé dim. soir d'oct. à avril)* Menu (29 €), 37 €
♦ Ex-lycée agricole, ce petit château de 1868 s'est reconverti en hôtel résolument contemporain. Chambres très design ou plus sages. Vaste parc et piscine. Le cadre bourgeois du restaurant réussit le mélange de l'ancien et du moderne. Carte actuelle.

LA MOTTE – 83 Var – **340** O5 – 2 772 h. – alt. 79 m – ⊠ 83920   **41 C3**

🛈 Paris 864 – Cannes 54 – Fréjus 25 – Marseille 118

🛈 Office de tourisme, 25, boulevard André Bouis ℰ 04 94 84 33 76

Le Mas du Père sans rest
280 chemin du Péré – ℰ 04 94 84 33 52 – www.lemasdupere.com
– le.mas.du.pere@club-internet.fr – Fax 04 94 84 33 52
3 ch ⌒ – †78/105 € ††78/105 €
♦ Dans un village perché, ce mas provençal entouré de verdure abrite des chambres cosy, pourvues d'une terrasse privative. Jolie vue sur le massif des Maures depuis la piscine.

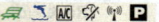

LA MOTTE-AU-BOIS – 59 Nord – **302** D3 – rattaché à Hazebrouck

---

MOTTEVILLE – 76 Seine-Maritime – **304** F4 – rattaché à Yvetot

MOUCHARD – 39 Jura – **321** E5 – 1 188 h. – alt. 285 m – ⌂ 39330   16 **B2**

▶ Paris 397 – Arbois 10 – Besançon 38 – Dole 35 – Lons-le-Saunier 48 – Salins-les-Bains 9

XX **Chalet Bel'Air** avec ch
7 pl. Bel Air – ℰ 03 84 37 80 34 – www.besac/chaletbelair.com – bruno.gatto@wanadoo.fr – Fax 03 84 73 81 18 – Fermé 22-29 juin, 20 nov.-15 déc., dim. soir et merc. sauf vacances scolaires
9 ch – ♦53 € ♦♦53 €, ⌂ 10 €
Rest – Menu (18 €), 24/75 € – Carte 42/69 €
Rest *Rôtisserie* – Menu 24/38 € – Carte 25/38 €

♦ Accueil attentionné dans ce chalet à l'intérieur kitsch datant des années 1970. Carte classique et mention spéciale pour l'appétissant chariot de desserts. À la Rôtisserie, viandes rôties sous vos yeux dans l'imposante cheminée ; terrasse en surplomb de la route.

MOUDEYRES – 43 Haute-Loire – **331** G4 – 104 h. – alt. 1 177 m   6 **C3**
– ⌂ 43150

▶ Paris 565 – Aubenas 64 – Langogne 58 – Le Puy-en-Velay 26

Le Pré Bossu
– ℰ 04 71 05 10 70 – www.auberge-pre-bossu.com – sarl.le-pre-bossu@wanadoo.fr – Fax 04 71 05 10 21 – Ouvert 1ᵉʳ mai-30 oct. et fermé lundi en mai, sept. et oct.
6 ch – ♦105/155 € ♦♦105/155 €, ⌂ 17 € – ½ P 105/125 €
Rest – *(dîner seult)* Menu 40/68 €

♦ Ravissante chaumière en pierre postée à l'entrée d'un village montagnard. Salon dans la plupart des chambres ; petit-déjeuner près d'une belle cheminée. Au dîner, cadre campagnard intime et cuisine rustique où entrent produits du terroir et légumes du potager.

MOUGINS – 06 Alpes-Maritimes – **341** C6 – 19 500 h. – alt. 260 m   42 **E2**
– ⌂ 06250 ▮ Côte d'Azur

▶ Paris 902 – Antibes 13 – Cannes 8 – Grasse 12 – Nice 31 – Vallauris 8

▪ Office de tourisme, 15, avenue Jean Charles Mallet ℰ 04 93 75 87 67, Fax 04 92 92 04 03

▪ Royal Mougins Golf Club 424 avenue du Roi, par D 35 : 3,5 km, ℰ 04 92 92 49 69

▪ de Cannes Mougins 175 avenue du Golf, SO : 8 km, ℰ 04 93 75 79 13

◉ Site ★ - Ermitage N.-D. de Vie : site ★, ≤ ★ SE : 3,5 km - Musée de l'Automobiliste ★ NO : 5 km.

Le Mas Candille
bd C. Rebuffel – ℰ 04 92 28 43 43
– www.lemascandille.com – candille@relaischateaux.com – Fax 04 92 28 43 40
39 ch – ♦300/665 € ♦♦300/665 €, ⌂ 28 € – 1 suite – ½ P 250/433 €
Rest *Le Candille* – *(fermé janv., mardi midi et lundi)* Menu 54 € bc (déj.), 80/130 € – Carte 124/152 €
Rest *Pergola* – *(ouvert 1ᵉʳ mai-30 sept. et fermé le soir sauf juil.-août)* Carte 63/82 €
Spéc. Tatin de foie gras à l'armagnac. Déclinaison d'agneau de lait de Provence, poivron grillé et tagliatelle de courgette. Sphère ivoire à la feuille d'or, poêlée de mangue au basilic. **Vins** Vin de Pays des Alpes Maritimes, Côtes de Provence.

♦ Superbe mas du 18ᵉ s. et sa bastide récente au cœur d'un ravissant parc (4 ha) aux essences méridionales. Chambres raffinées, calme garanti. Spa "japonisant". Délicieuse terrasse panoramique et belle cuisine au goût du jour à la table du Candille.

Royal Mougins Golf Resort
424 av. du Roi Mougins – ℰ 04 92 92 49 69
– www.royalmougins.fr – Fax 04 92 92 49 72
29 suites ⌂ – ♦♦190/490 €   **Rest** – Menu 55 €, 45/70 €

♦ Nouvel hôtel au luxe sobre et contemporain, bien intégré dans son environnement. Technologie dernier cri, somptueux lits et grandes terrasses agrémentent les suites. Spa haut de gamme. Cuisine actuelle au restaurant design ou sur la terrasse dominant le golf.

MOUGINS

De Mougins
205 av. du Golf, 2,5 km par rte d'Antibes – ℰ 04 92 92 17 07
– www.hotel-de-mougins.com – info@hotel-de-mougins.com
– Fax 04 92 92 17 08
50 ch – †170/275 € ††180/285 €, ⊇ 20 € – 1 suite
Rest – *(fermé dim. et lundi de nov. à mars)* Menu (43 €), 75/132 € bc
– Carte 75/132 €

♦ Les chambres, spacieuses, cossues et provençales, occupent des mas dispersés dans un jardin fleurant bon l'oranger, la lavande et le romarin. Plaisante salle à manger complétée aux beaux jours par une terrasse ombragée d'un vieux frêne. Cuisine régionale.

Le Manoir de l'Étang
66 allée du Manoir, 3 km par rte d'Antibes – ℰ 04 92 28 36 00
– www.manoir-de-letang.com – manoir.etang@wanadoo.fr – Fax 04 92 28 36 10
– Ouvert avril- oct.
19 ch – †125/275 € ††125/275 €, ⊇ 17 € – 2 suites
Rest – Menu 39 € (déj.) – Carte 55/70 €

♦ Cette demeure du 19ᵉ s. domine un étang couvert de nénuphars en été, visible depuis la plupart des chambres. Bel intérieur mêlant l'ancien et le contemporain et parc de 4 ha. Cuisine italienne au restaurant : antipasti, pâtes et poissons de Méditerranée.

Les Muscadins sans rest
18 bd Courteline – ℰ 04 92 28 43 43
– www.les-muscadins.com – info@lemascandille.com
– Fax 04 92 28 43 40 – Ouvert mars-oct.
11 ch – †130/340 € ††130/340 €, ⊇ 17 €

♦ Cette charmante maison postée à l'entrée du village vous convie à séjourner dans des chambres joliment personnalisées et à profiter du spa et de la piscine du Mas Candille.

Le Moulin de Mougins avec ch
à Notre-Dame-de-Vie, 2,5 km au Sud-Est par D 3 – ℰ 04 93 75 78 24
– www.moulindemougins.com
– reservation@moulindemougins.com – Fax 04 93 90 18 55
11 ch – †185/470 € ††185/470 €, ⊇ 20 €
Rest – Menu (74 € bc), 98/180 € – Carte 120/200 €

♦ Changement de mains pour ce moulin à huile du 16ᵉ s. ouvert sur des jardins et restanques. Le cadre mi-contemporain, mi-provençal, se révèle romantique. Agréable terrasse.

L'Amandier de Mougins
pl. des Patriotes, (au village) – ℰ 04 93 90 00 91 – www.amandier.fr
– phouc@ics.fr – Fax 04 92 92 89 95
Rest – Menu 25 € (déj.), 34/44 € – Carte 53/83 €

♦ Pressoir du 14ᵉ s. établi aux portes du vieux village cher à Picasso et Man Ray. Intérieur méridional agrémenté de mosaïques et de tableaux contemporains. Plats régionaux.

Brasserie de la Méditerranée
pl. du Commandant Lamy, au village – ℰ 04 93 90 03 47
– www.restaurantlamediterranee.com – lamediterranee2@wanadoo.fr
– Fax 04 93 75 72 83 – Fermé 8 janv.-13 fév., mardi et merc. hors saison
Rest – bistrot – *(prévenir)* Menu 26 € (déj.), 38/50 € – Carte 40/78 €

♦ Sur la pittoresque place centrale, sympathique restaurant au décor de style bistrot. Vous y dégusterez une cuisine au goût du jour d'inspiration méditerranéenne.

Le Bistrot de Mougins
pl. du village – ℰ 04 93 75 78 34 – la.ballatore@free.fr – Fax 04 93 75 25 52
– Fermé 27 nov.-27 déc., merc. sauf le midi en juil.-août et mardi
Rest – *(prévenir)* Menu (22 €), 36/49 € – Carte 57/70 €

♦ Fraîche alternative aux incontournables terrasses mouginoises que ce petit restaurant-bistrot aménagé dans une agréable cave voûtée. Décor "rustique chic" et cuisine provençale.

MOUILLERON-EN-PAREDS – 85 Vendée – 316 K7 – 1 236 h. – 34 B3
– alt. 101 m – ⊠ 85390 ■ Poitou Vendée Charentes

> Paris 426 – Nantes 95 – La Roche-sur-Yon 53 – Cholet 70 – Bressuire 40
>
> **ℹ** Office de tourisme, 13, place de Lattre de Tassigny ℰ 02 51 00 32 32

⌂ **La Boisnière** sans rest ⌖ ≤ 泵 ⊐ & ⇆ 🛜 **P**
– ℰ 02 51 51 36 39 – www.laboisniere.com – laboisniere@wanadoo.fr
– Fax 251513639
5 ch ⌒ – †70 € ††80/90 €
♦ Priorité au confort dans cette ferme restaurée dominant le Chemin de la colline des Moulins : chambres fraîches, récentes et bien équipées, tenue méticuleuse et belle piscine.

MOULICENT – 61 Orne – 310 N3 – 286 h. – alt. 335 m – ⊠ 61290 33 C3

> Paris 148 – Caen 134 – La Ferté-Bernard 51 – Nogent-le-Rotrou 35

⌂ **Château de la Grande Noë** sans rest ⌖ 🌿 ⇆ ✄ **P**
500 m à l'Ouest par D 289 – ℰ 02 33 73 63 30 – www.chateaudelagrandenoe.com
– contact@chateaudelagrandenoe.com – Ouvert d'avril à nov.
3 ch ⌒ – †80/100 € ††100/120 €
♦ Dans ce grand parc, une demeure familiale qui vous réserve un accueil soigné : chambres au charme désuet (objets anciens), belle salle à manger habillée de boiseries du 18ᵉ s.

MOULIHERNE – 49 Maine-et-Loire – 317 J4 – 874 h. – alt. 80 m 35 C2
– ⊠ 49390

> Paris 282 – Nantes 150 – Angers 63 – Saumur 31 – La Flèche 33

⌂ **Le Cèdre de Monnaie** ⌖ ⇆ **P**
La Verrie, 4,5 km au Sud par rte de Longué et rte Forestière – ℰ 02 41 67 09 27
– www.cedredemonnaie.com – cedredemonnaie@gmail.com – Fax 02 41 67 09 27
– Fermé 31 déc.-1ᵉʳ mars
5 ch ⌒ – †45 € ††57 € **Table d'hôte** – Menu 20 € bc
♦ En lisière de la forêt de Monnaie, idéal pour les amoureux de la nature. Chambres authentiquement rustiques, logées dans un ancien grenier ; petit-déjeuner servi à l'étable. La table d'hôte est installée dans la belle cuisine (avec cheminée) ; recettes familiales.

MOULIN-DE-MALFOURAT – 24 Dordogne – 329 D7 – rattaché à Bergerac

MOULINS ℙ – 03 Allier – 326 H3 – 20 700 h. – alt. 240 m – ⊠ 03000 6 C1
■ Auvergne

> Paris 294 – Bourges 101 – Clermont-Ferrand 105 – Nevers 56 – Roanne 98
>
> **ℹ** Office de tourisme, 11, rue François Péron ℰ 04 70 44 14 14,
> Fax 04 70 34 00 21
>
> 🏌 de Moulins-Les Avenelles à Toulon-sur-Allier Les Avenelles, par rte de Vichy : 7 km, ℰ 04 70 44 02 39
>
> ◉ Cathédrale Notre-Dame★ : triptyque★★★, vitraux★★ - Statue Jacquemart★ - Mausolée du duc de Montmorency★ (chapelle de la visitation) - Musée d'Art et d'Archéologie★★.

Plan page suivante

⌂ **Le Parc** 🅰 rest, 📞 **P** 𝗩𝗜𝗦𝗔 ⓂⒸ
31 av. Gén.-Leclerc – ℰ 04 70 44 12 25 – www.hotel-moulins.com
– hotelrestaurant.leparc03@wanadoo.fr – Fax 04 70 46 79 85
– Fermé 27 juil.-19 août et 21 déc.-5 janv. BX **a**
26 ch – †46/75 € ††46/75 €, ⌒ 8 € – ½ P 52/60 €
Rest – *(fermé dim. soir et sam.)* Menu 22 € (sem.)/47 € – Carte 35/55 €
♦ À deux pas d'un parc et de la gare, établissement où toute une famille se met en quatre pour rendre votre séjour agréable. Chambres bien tenues, en partie rajeunies. Salle à manger au décor soigné où l'on sert une cuisine traditionnelle "aux petits oignons".

1151

MOULINS

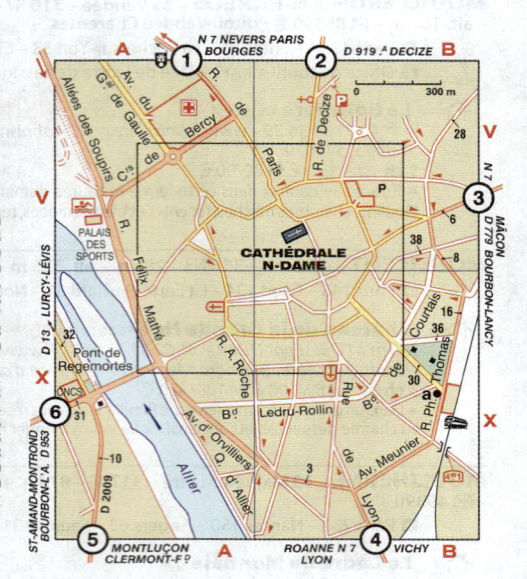

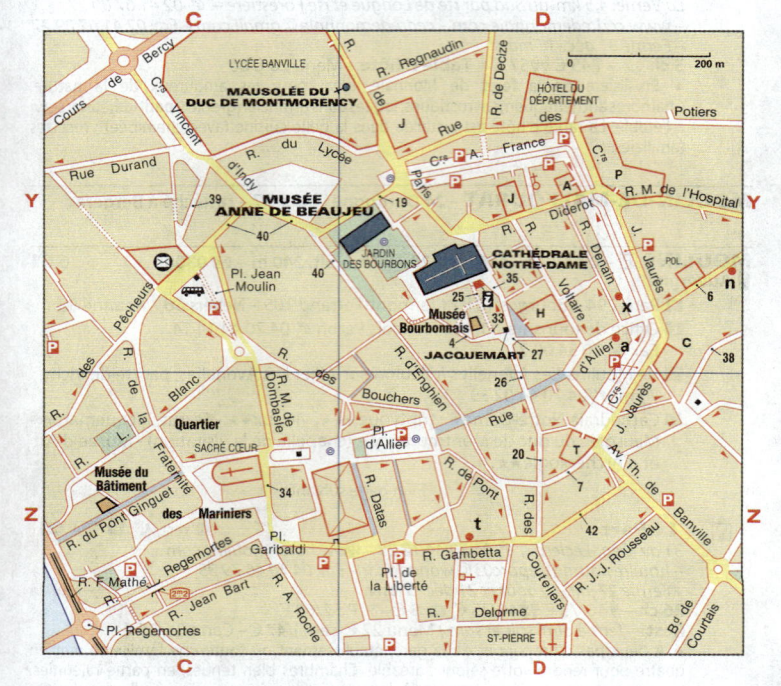

Allier (Pl. d')		**CDZ**
Allier (R. d')		**DYZ**
Alsace-Lorraine (Av. d')		**BX** 3
Ancien Palais (R.)		**DY** 4
Bourgogne (R. de)		**BV, DY** 6
Bréchimbault (R.)		**DZ** 7
Cerf-Volant (R. du)		**BV** 8
Clermont-Ferrand (Rte de)		**AX** 10
Desboutins (R. M.)		**BX** 16
Fausses Braies (R. des)		**DY** 19
Flèche (R. de la)		**DZ** 20
Grenier (R.)		**DY** 25
Horloge (R. de l')		**DY** 26
Hôtel de Ville (Pl. de l')		**DY** 27
Jeu de Paume (R. du)		**BX** 28
Leclerc (Av. Général)		**BX** 30
Libération (Av. de la)		**AX** 31
Montilly (Rte de)		**AX** 32
Orfèvres (R. des)		**DY** 33
Pascal (R. Blaise-)		**CZ** 34
Péron (R. F.)		**DY** 35
République (Av. de la)		**BX** 36
Tanneries (R. des)		**BV, DV** 38
Tinland (R. M.)		**CY** 39
Vert Galant (R. du)		**CDY** 40
4 Septembre (R. du)		**DZ** 42

1152

MOULINS

XXX Le Clos de Bourgogne avec ch
83 r. de Bourgogne – ℰ 04 70 44 03 00 – www.closdebourgogne.fr – contact@closdebourgogne.fr – Fax 04 70 44 03 33 – Fermé 17 août-4 sept., 22-29 déc. et dim. d'oct. à mars   DY n
11 ch – †80/170 € ††80/170 €, ⊇ 13 €
Rest – (fermé sam. midi, dim. soir et lundi) Menu (22 €), 39/60 € – Carte 55/68 €
♦ Dans un havre de verdure, à l'écart du centre-ville, une gentilhommière du 18ᵉ s. alliant charme et raffinement. Savoureuse cuisine actuelle et agréables chambres personnalisées.

XXX Des Cours
36 cours J. Jaurès – ℰ 04 70 44 25 66 – www.restaurant-des-cours.com – patrick.bourhy@wanadoo.fr – Fax 04 70 20 58 45 – Fermé 28 avril-8 mai, 26 août-8 sept., mardi soir sauf de juin à août et merc.   DY x
Rest – Menu 20/50 € – Carte 55/63 €
♦ N'hésitez pas à pousser la porte de ce restaurant du quartier des administrations, il dissimule deux élégantes salles à manger bourgeoises. Cuisine au goût du jour. Terrasse.

XX Le Trait d'Union
16 r. Gambetta – ℰ 04 70 34 24 61 – Fermé 15-31 juil., 20-28 fév., dim. sauf fériés et lundi   DZ t
Rest – Menu 22 € (déj. en sem.), 34/43 € – Carte 55/68 €
♦ Chaises en osier, mobilier et tableaux modernes, compositions florales et jolie mise en place : un cadre contemporain en harmonie avec la cuisine actuelle du jeune chef-patron.

X 9/7 Olivier Mazuelle
97 r. d'Allier – ℰ 04 70 35 01 60 – restaurant97om@orange.fr – restaurant97om@orange.fr – Fermé 1 sem. en juil., 2 sem. en août, lundi soir, sam. midi et dim.   DY a
Rest – Menu (15 €), 22/40 € – Carte 35/45 €
♦ Atmosphère zen dans ce restaurant au décor sobre et contemporain (tons vert pastel, tables en bois espacées et plantes). Recettes au goût du jour à base de produits du terroir.

rte de Paris 8 km par ① – ⊠ 03460 Trevol

🏨 Mercure
RN 7 – ℰ 04 70 46 84 84 – www.mercure.com – H0827@accor.com – Fax 04 70 46 84 80
42 ch – †48/87 € ††58/97 €, ⊇ 13 €   **Rest** – Menu (21 €), 25 € bc/42 €
♦ L'hôtel borde un axe passant, mais les chambres, rénovées et actuelles, tournent le dos à la route et sont toutes orientées vers le petit parc et la piscine. Le restaurant se prolonge d'une terrasse. Cuisine traditionnelle et carte de "grands vins à petits prix".

à Coulandon 8 km par ⑥ et D 945 – 680 h. – alt. 250 m – ⊠ 03000

🏨 Le Chalet ⌂
26 rte du Chalet, 2 km au Nord-Est – ℰ 04 70 46 00 66 – www.hotel-lechalet.fr – chalet.montegut@wanadoo.fr – Fax 04 70 44 07 09 – Fermé 21 déc.-7 janv.
28 ch – †49/55 € ††71/78 €, ⊇ 10 € – ½ P 63 €
Rest *Montégut* – Menu 18 € (sem.)/45 € – Carte 34/50 €
♦ En pleine campagne, établissement au cœur d'un parc avec étang. Les chambres, calmes et délicieusement provinciales, se répartissent entre le chalet et les anciennes écuries. Sobre salle à manger actuelle. En saison, paisible terrasse ouverte sur la nature.

🏠 La Grande Poterie ⌂
9 r. de la Grande-Poterie, 3 km au Sud-Ouest – ℰ 04 70 44 30 39 – www.lagrandepoterie.com – jcpompon@lagrandepoterie.com – Fax 04 70 44 30 39 – Ouvert 15 mars-31 oct.
4 ch ⊇ – †56 € ††68 €   **Table d'hôte** – Menu 28 € bc/30 € bc
♦ Ancienne ferme restaurée, au sein d'un parc arboré et fleuri parfaitement entretenu. Les chambres, habillées de tons pastel, sont calmes et très agréables à vivre. La table d'hôte propose de goûteuses spécialités auvergnates.

X Auberge Saint-Martin
Le Bourg – ℰ 04 70 46 06 10 – www.auberge-saint-martin03.com – Fax 04 70 46 06 10 – Fermé 20 déc.-3 janv., dim. soir, lundi soir et mardi soir
Rest – Menu 11 € bc (déj. en sem.), 16/26 € – Carte 20/35 €
♦ Cette auberge, également épicerie-bar-dépôt de pain, anime le village. Vous dégusterez des petits plats traditionnels à la bonne franquette, dans une salle campagnarde.

MOULINS-LA-MARCHE – 61 Orne – 310 L3 – 774 h. – alt. 257 m — 33 C3
– ✉ 61380

▶ Paris 156 – L'Aigle 19 – Alençon 50 – Argentan 45 – Mortagne-au-Perche 17
🛈 Syndicat d'initiative, 1, Grande Rue ℰ 02 33 34 45 98

Le Dauphin
66 Grande Rue – ℰ 02 33 34 50 55 – www.hotel-ledauphin.fr
– creatuer-dinstant @ hotel-ledauphin.fr – Fax 02 33 34 25 35
7 ch – ♦55/60 € ♦♦60/75 €, ⊆ 8 €
Rest – (fermé dim. soir et lundi sauf fériés) Menu (11 € bc), 21/55 €
– Carte 28/46 €
♦ Salle "Jean Gabin" campagnarde ou salle plus rustique : l'ambiance est chaleureuse. Cuisine variée : plats régionaux ou actuels (accents guadeloupéens) et indétrônable choucroute. Chambres refaites dans un style simple mais soigné pour un résultat coquet.

LE MOULLEAU – 33 Gironde – 335 D7 – rattaché à Arcachon

MOURÈZE – 34 Hérault – 339 F7 – 168 h. – alt. 200 m – ✉ 34800 — 23 C2
Languedoc Roussillon

▶ Paris 717 – Bédarieux 22 – Clermont-l'Hérault 8 – Montpellier 50
◉ Cirque ★★.

Navas "Les Hauts de Mourèze" sans rest
Cirque dolomitique – ℰ 04 67 96 04 84 – Fax 04 67 96 25 85
– Ouvert 28 mars-1ᵉʳ nov.
16 ch – ♦42/45 € ♦♦52/64 €, ⊆ 6 €
♦ Chambres rustiques, sans téléphone ni TV pour plus de tranquillité, parc, et le superbe cirque dolomitique à deux pas : adresse pour épris de calme et de nature.

MOURIÈS – 13 Bouches-du-Rhône – 340 E3 – 2 752 h. – alt. 13 m — 42 E1
– ✉ 13890

▶ Paris 713 – Avignon 36 – Arles 29 – Marseille 75 – Martigues 38
🛈 Office de tourisme, 2, rue du Temple ℰ 04 90 47 56 58, Fax 04 90 47 67 33

Terriciaë sans rest
rte de Maussane (D 17) – ℰ 04 90 97 06 70 – www.byprovence.com
– terriciaehotel @ aol.com – Fax 04 90 47 63 85
31 ch – ♦82 € ♦♦98 €, ⊆ 12 € – 4 suites
♦ Au calme, cet hôtel tout neuf propose des chambres provençales bien tenues, donnant parfois sur la piscine. 2 duplex et 2 junior suites (wi-fi) ; jardin d'oliviers et terrasse.

Le Vallon du Gayet
rte Servannes – ℰ 04 90 47 50 63
– www.levallondegayet.com – wcarre @ aol.com – Fax 04 90 47 64 31
24 ch – ♦86/96 € ♦♦96/112 €, ⊆ 11 €
Rest – (fermé de fin-nov. à fin-janv., lundi, mardi midi, merc. midi en hiver et le midi en été) Menu 25 € – Carte 32/64 €
♦ Les chambres de ce mas niché au pied des Alpilles possèdent une petite loggia de plain-pied avec le jardin, à l'exception des plus récentes, spacieuses. Grillades au feu de bois servies dans un cadre rustique. Terrasse sous un pin séculaire.

MOUSSEY – 10 Aube – 313 E4 – rattaché à Troyes

MOUSTIERS-STE-MARIE – 04 Alpes-de-Haute-Provence – 334 F9 — 41 C2
– 705 h. – alt. 631 m – ✉ 04360 **Alpes du Sud**

▶ Paris 783 – Aix-en-Provence 90 – Digne-les-Bains 47 – Draguignan 61
– Manosque 50
🛈 Office de tourisme, place de l'Église ℰ 04 92 74 67 84, Fax 04 92 74 60 65
◉ Site ★★ - Église ★ - Musée de la Faïence ★.
◉ Grand Canyon du Verdon ★★★ - Lac de Ste-Croix ★★.

MOUSTIERS-STE-MARIE

Bastide de Moustiers
Chemin de Quinson, au Sud du village, par D 952 et rte secondaire – ℘ 04 92 70 47 47
– www.bastide-moustiers.com – contact@bastide-moustiers.com
– Fax 04 92 70 47 48 – Fermé mars, 4 janv.-28 fév., mardi et merc. de nov. à mars et lundi sauf fériés
12 ch – ✝190/400 € ✝✝190/400 €, ⊇ 20 €
Rest – *(nombre de couverts limité, prévenir)* Menu 55/75 € – Carte 60/75 € le midi seulement
Spéc. Artichauts cuisinés en barigoule, lard croustillant et riquette (mars à oct.). Agneau de pays rôti au pèbre d'aï et garniture de saison (avril à oct.). Nougat glacé au miel de lavande (mai à août). **Vins** Coteaux Varois en Provence, Bandol.
♦ Bastide (17ᵉ s.) d'un maître-faïencier convertie en auberge. Belles chambres provençales, équipements high-tech et superbe parc (élevage de daims et joli potager). Salle à manger intime au mobilier dépareillé, belle terrasse. Cuisine méditerranéenne soignée.

Les Restanques de Moustiers sans rest
rte des Gorges du Verdon, à 500 m par rte de Castellane –
℘ 04 92 74 93 93 – www.hotel-les-restanques.com – contact@hotel-les-restanques.com – Fax 04 92 74 52 91 – Ouvert 16 mars-15 nov.
18 ch – ✝59/85 € ✝✝59/85 €, ⊇ 8 € – 2 suites
♦ À deux pas du village, bâtisse neuve proposant des chambres assez spacieuses, dotées en partie de terrasse ou balcon. Salle des petits-déjeuners ornée de belles faïences.

Le Colombier sans rest
à 500 m par rte de Castellane – ℘ 04 92 74 66 02 – www.le-colombier.com
– infos@le-colombier.com – Fax 04 92 74 66 70
– Ouvert de mi-mars à mi-nov.
22 ch – ✝66/70 € ✝✝78/90 €, ⊇ 10 €
♦ Hôtel idéalement situé à l'entrée du Grand Canyon du Verdon. Décor sobre dans les chambres (la plupart avec terrasse privée), tendance dans le salon. Jacuzzi et petite piscine.

Le Clos des Iris sans rest
Chemin de Quinson, au Sud du village, par D 952 et rte secondaire –
℘ 04 92 74 63 46 – www.closdesiris.fr – closdesiris@wanadoo.fr
– Fax 04 92 74 63 59 – Fermé déc. et janv.
9 ch – ✝65/70 € ✝✝65/70 €, ⊇ 10 €
♦ Coquettes chambres provençales (sans TV), terrasses privatives, agréable jardin méridional, accueil charmant et convivialité : cette paisible maison ne manque pas d'atouts.

La Ferme Rose sans rest
chemin de Peyrengue, au Sud du village, par rte Ste-Croix-du-Verdon
– ℘ 04 92 75 75 75 – www.lafermerose.com – contact@lafermerose.com
– Fax 04 92 73 73 73 – Ouvert 28 mars-14 nov.
12 ch – ✝78/150 € ✝✝78/150 €, ⊇ 10 €
♦ Sympathique ambiance guesthouse dans cette ancienne ferme bâtie au pied du village. Meubles chinés, bibelots et collections diverses en font un lieu original et attachant.

La Bonne Auberge
rte de Castellane, (au village) – ℘ 04 92 74 66 18
– www.bonne-auberge-moustiers.com – labonneauberge@club-internet.fr
– Fax 04 92 74 65 11 – Ouvert 1ᵉʳ avril-31 oct.
19 ch – ✝49/56 € ✝✝60/80 €, ⊇ 8 € – ½ P 60/65 €
Rest – *(fermé dim. soir et lundi hors saison, sam. midi, mardi midi et jeudi midi du 15 juin au 15 sept.)* Menu 19/39 € – Carte 38/48 €
♦ À deux tours de roues des gorges du Verdon, cet hôtel dispose de chambres claires et pratiques. Jolie piscine à débordement. Sobre salle à manger d'inspiration rustique ; cuisine traditionnelle et plats régionaux.

La Bouscatière
chemin Marcel Provence – ℘ 04 92 74 67 67 – www.labouscatiere.com
– bonjour@labouscatiere.com – Fax 04 92 74 65 72
5 ch – ✝115/140 € ✝✝115/210 €, ⊇ 16 €   **Table d'hôte** – Menu 35/90 €
♦ Superbe demeure du 18ᵉ s. accrochée à la falaise. Délicieuses chambres personnalisées, jardin clos, produits régionaux à la table d'hôte. Luxe, calme et sobriété...

1155

MOUSTIERS-STE-MARIE

XX **La Ferme Ste-Cécile**
1,5 km sur rte de Castellane – ✆ 04 92 74 64 18 – www.ferme-ste-cecile.com
– patcrespin@aol.com – Fax 04 92 74 63 51 – Fermé 15 nov.-20 fév., dim. soir
sauf juil.-août et lundi
Rest – Menu (27 €), 36 €
♦ Cette ancienne ferme a conservé son caractère rustique : vieilles pierres et cheminée
agrémentent les salles à manger, prolongées d'une grande terrasse. Plats régionaux et bon
choix de vins au verre.

XX **Treille Muscate**
pl. de l'Église – ✆ 04 92 74 64 31 – www.restaurant-latreillemuscate.com
– la.treille.muscate@wanadoo.fr – Fax 04 92 74 63 75 – Ouvert 11 fév.-14 nov. et
fermé merc. sauf le midi hors saison et jeudi sauf juil.-août
Rest – Menu 27/39 € – Carte 52/69 €
♦ Sympathique petit bistrot provençal. Une passerelle abritée par une "treille
muscate" relie la salle à la jolie terrasse bordant la place de l'église, sous un platane
centenaire.

MOUTHIER-HAUTE-PIERRE – 25 Doubs – **321** H4 – 314 h.   17 **C2**
– alt. 450 m – ✉ 25920 ▮ Franche-Comté Jura

- Paris 442 – Baume-les-Dames 55 – Besançon 39 – Pontarlier 23
  – Salins-les-Bains 42
- Belvédère de Mouthier ≤★★ SE : 2,5 km - Gorges de Nouailles★ SE : 3,5 km -
  Belvédère du moine de la vallée★★.

🏨 **La Cascade**
4 rte des Gorges de Noailles – ✆ 03 81 60 95 30 – www.hotel-lacascade.fr
– hotellacascade@wanadoo.fr – Fax 03 81 60 94 55 – Ouvert 20 mars-2 nov.
16 ch – †55 € ††67 €, ⊆ 9 € – ½ P 56/65 €
Rest – Menu 18/45 €
♦ Cet hôtel tourné vers la vallée de la Loue abrite des chambres actuelles et bien tenues ; la
plupart avec balcon ou loggia. Au petit-déjeuner : pain, croissants et confiture, tous de
fabrication maison. Cuisine régionale servie dans le restaurant panoramique.

MOÛTIERS – 73 Savoie – **333** M5 – 3 936 h. – alt. 480 m – ✉ 73600   46 **F2**
▮ Alpes du Nord

- Paris 607 – Albertville 26 – Chambéry 76 – St-Jean-de-Maurienne 85
- Office de tourisme, place Saint-Pierre ✆ 04 79 24 04 23, Fax 04 79 24 56 05

XX **Le Coq Rouge**
115 pl. A. Briand – ✆ 04 79 24 11 33 – www.lecoqrouge.com – restaurant@
lecoqrouge.com – Fax 04 79 24 11 33 – Fermé 27 juin-20 juil., dim. et lundi
Rest – Menu (13 €), 29/46 € – Carte 44/69 €
♦ Charmante maison de 1735 au décor plein de fantaisie : nombreux bibelots en forme de
coq et tableaux réalisés par le chef-patron. Cuisine de saison, parfois originale et créative.

X **La Voûte**
172 Grande rue – ✆ 04 79 24 23 23 – restaurantlavoute.com
– vivet.falcoz.antoine@wanadoo.fr – Fax 04 79 06 04 75 – Fermé 21 avril-11 mai,
14-28 sept., 4-11 janv., dim. soir, merc. soir et lundi
Rest – Menu (15 €), 20 € (déj. en sem.), 26/28 € – Carte 30/64 €
♦ Dans une rue piétonne, à 50 m de la cathédrale, sympathique salle de restaurant
à l'ambiance montagnarde (poutres, boiseries). Répertoire culinaire au goût du
jour.

MOUZON – 08 Ardennes – **306** M5 – 2 554 h. – alt. 160 m – ✉ 08210   14 **C1**
▮ Champagne Ardenne

- Paris 261 – Carignan 8 – Charleville-Mézières 41 – Longwy 62 – Sedan 17
  – Verdun 64
- Syndicat d'initiative, place du Colombier ✆ 03 24 26 56 11
- Église Notre-Dame★.

MOUZON

Les Échevins ✗✗ 🟦🅼🅞
33 r. Charles de Gaulle – ℰ *03 24 26 10 90 – www.restaurant-lesechevins.com – lesechevins@orange.fr – Fermé dim. soir, lundi soir et merc. soir*
Rest – Menu 19 € (déj. en sem.), 26/51 € – Carte 32/46 €
♦ Accueillant restaurant rustique aménagé dans une maison à colombages du 17ᵉ s. Menus du jour aux saveurs franches, cuissons précises, service impeccable et prix tout doux.

MUHLBACH-SUR-MUNSTER – 68 Haut-Rhin – **315** G8 – 760 h. — **1 A2**
– alt. 460 m – ✉ 68380 🟩 **Alsace Lorraine**
▶ Paris 462 – Colmar 24 – Gérardmer 37 – Guebwiller 45

Perle des Vosges ⌂
22 rte Gaschney – ℰ *03 89 77 61 34 – www.perledesvosges.net – perledesvosges@wanadoo.fr – Fax 03 89 77 74 40 – Fermé 2 janv.-1ᵉʳ fév.*
45 ch – ♦40/117 € ♦♦40/117 € – ½ P 45/83 €
Rest – Menu (9 €), 19/65 € bc – Carte 47/58 €
♦ Au pied du Hohneck, hôtel doté d'un fitness panoramique. Chambres actuelles ou de style alsacien offrant, pour la plupart, une jolie vue sur les Vosges. Un petit air solennel flotte dans la salle à manger agrandie d'une terrasse d'été ; cuisine classique.

MUIDES-SUR-LOIRE – 41 Loir-et-Cher – **318** G5 – 1 157 h. – alt. 82 m — **11 B2**
– ✉ 41500
▶ Paris 169 – Orléans 48 – Blois 20 – Châteauroux 109
🛈 Syndicat d'initiative, place de la Libération ℰ 02 54 87 58 36, Fax 02 54 87 58 36

Château de Colliers sans rest ⌂
rte de Blois, RD 951 – ℰ *02 54 87 50 75 – www.chateau-colliers.com – contact@chateau-colliers.com – Fax 02 54 87 03 64*
5 ch ⌂ – ♦118 € ♦♦133/169 € – 1 suite
♦ Les bords de la Loire comptent les plus beaux châteaux de France. Celui-ci (18ᵉ s.) vous séduira à coup sûr avec ses peintures classées et ses chambres au mobilier de style.

Auberge du Bon Terroir ✗✗
20 r. 8-Mai – ℰ *02 54 87 59 24 – Fax 02 54 87 59 19 – Fermé 23 nov.-8 déc., 4-26 janv., lundi et mardi*
Rest – Menu 25 € (sem.)/60 € – Carte 45/65 €
♦ Répertoire traditionnel et spécialités du Val de Loire à savourer dans l'une des salles à manger ou sur la terrasse à l'ombre d'un tilleul.

MULHOUSE – 68 Haut-Rhin – **315** I10 – 110 900 h. – **1 A3**
Agglo. 234 445 h. – alt. 240 m – ✉ 68100 🟩 **Alsace Lorraine**
▶ Paris 465 – Basel 34 – Belfort 43 – Freiburg-im-Breisgau 59 – Strasbourg 122
✈ de Basel Mulhouse Freiburg (Euro-Airport) par ③ : 27 km, ℰ 03 89 90 31 11, ℰ 061 325 3111 de Suisse, ℰ 0761 1200 3111 d'Allemagne.
🚆 ℰ 3635 et tapez 42 (0,34 €/mn)
🛈 Office de tourisme, 9, avenue du Maréchal Foch ℰ 03 89 35 48 48, Fax 03 89 45 66 16
◉ Parc zoologique et botanique ★★ - Hôtel de Ville ★★ FY H¹, musée historique ★★ - Vitraux ★ du temple St-Étienne - Musée de l'automobile-collection Schlumpf ★★★ BU - Musée français du chemin de fer ★★★ AV - Musée de l'Impression sur étoffes ★ FZ M⁶ - Electropolis : musée de l'énergie électrique ★ AV M².
◎ Musée du Papier peint ★ : collection ★★ à Rixheim E : 6 km DV M⁷.

Plans pages suivantes

Bristol sans rest 🟦🅼🅞🅐🅔🅞
18 av. de Colmar – ℰ *03 89 42 12 31 – www.hotelbristol.com – hbristol@club-internet.fr – Fax 03 89 42 50 57*
FY e
85 ch – ♦60/125 € ♦♦70/170 €, ⌂ 10 € – 5 suites
♦ À deux pas du centre historique, hôtel abritant de grandes chambres actuelles ; certaines sont rénovées, personnalisées et pourvues de salles de bains luxueuses (faïences signées Versace).

1157

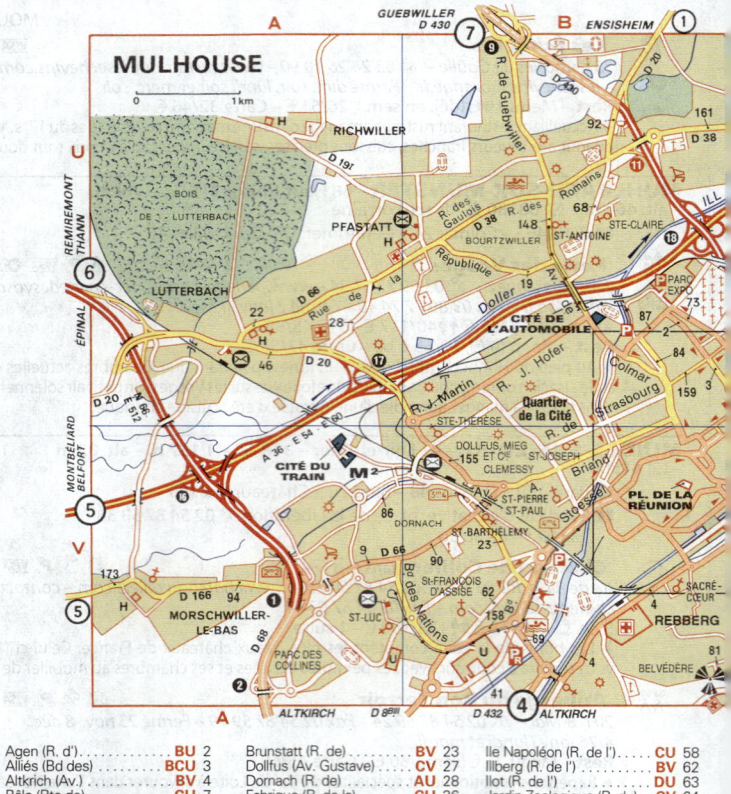

MULHOUSE

Agen (R. d')	**BU** 2	Brunstatt (R. de)	**BV** 23
Alliés (Bd des)	**BCU** 3	Dollfus (Av. Gustave)	**CV** 27
Altkrich (Av.)	**BV** 4	Dornach (R. de)	**AU** 28
Bâle (Rte de)	**CU** 7	Fabrique (R. de la)	**CU** 36
Bartholdi (R.)	**CV** 8	Frères-Lumière (R. des)	**BV** 41
Belfort (R. de)	**AV** 9	Gambetta (Bd Léon)	**CV** 42
Belgique (Av. de)	**CU** 12	Gaulle (R. du Gén.-de)	**AU** 46
Bourtz (R. Sébastien)	**BU** 19	Hardt (R. de la)	**CV** 51
Briand (R. Aristide)	**AU** 22	Hollande (Av. de)	**CU** 57
Ile Napoléon (R. de l')	**CU** 58		
Illberg (R. de l')	**BV** 62		
Ilot (R. de l')	**DU** 63		
Jardin-Zoologique (R. du)	**CV** 64		
Juin (R. A.)	**CU** 66		
Katz (Allée Nathan)	**CU** 67		
Kingersheim (R. de)	**BU** 68		
Lagrange (R. Léo)	**BV** 69		
Lefèbvre (R.)	**BU** 73		

🏨 **Du Parc** 🛎 🅰🅲 ♿ 🍴 🏊 🚗 **VISA** **MC** **AE** **①**

26 r. Sinne - ℰ *03 89 66 12 22 – www.hotelduparc-mulhouse.com – contact@hotelduparc-mulhouse.com – Fax 03 89 66 42 44* ZF **p**
76 ch – ♦110/225 € ♦♦130/245 €, ⊡ 19 € – 2 suites
Rest – *(fermé 14 juil.-15 août)* Menu (24 € bc), 45 € (dîner), 55/70 €
– Carte 49/72 €
♦ Luxueux palace dans les années 1930, cet hôtel a gardé son charme ancien (piano-bar en hommage à Charlot). Toutes les chambres sont raffinées, rafraîchies et confortables. Le restaurant de style Art déco (mobilier, tableaux) propose une carte traditionnelle.

🏨 **Mercure Centre** 📶 🛎 🅰🅲 ♿ 🍴 🏊 🚗 **VISA** **MC** **AE** **①**

4 pl. Gén. de Gaulle - ℰ *03 89 36 29 39 – www.mercure.com – h1264-gm@accor.com – Fax 03 89 36 29 49* FZ **b**
92 ch – ♦134/215 € ♦♦144/220 €, ⊡ 15 €
Rest – Menu (14 €) – Carte 27/34 €
♦ Bâtiment des années 1970 proche du musée de l'Impression sur étoffes. Chambres confortables, la plupart relookées, bar feutré et petit jardin-terrasse d'inspiration japonaise. Au restaurant, cuisine traditionnelle, suggestions du jour et spécialités alsaciennes.

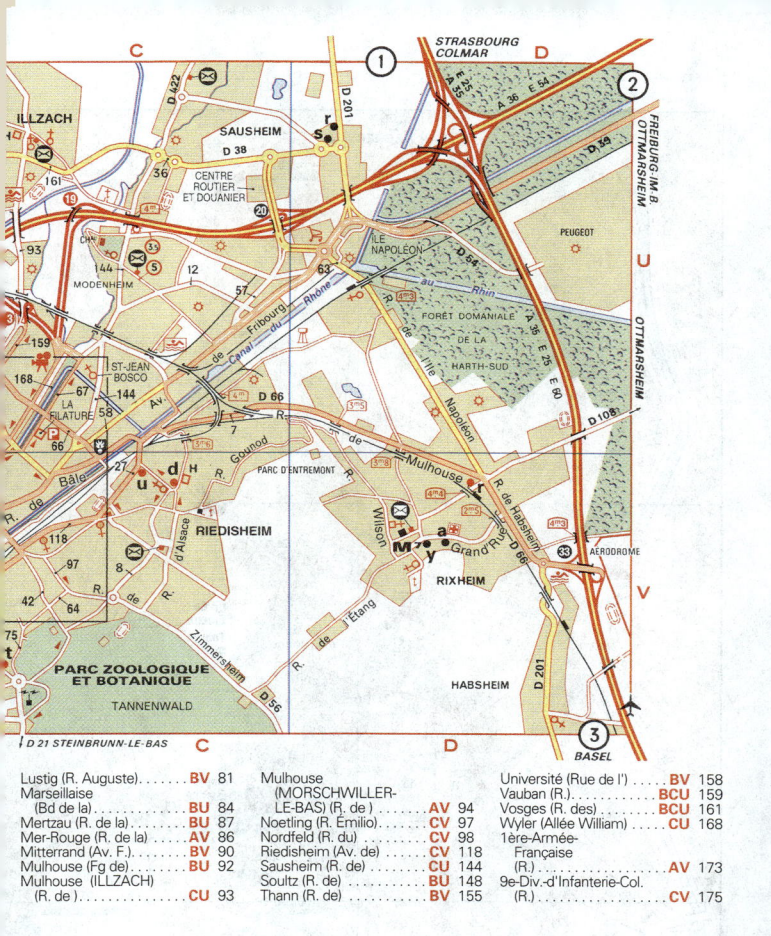

Street	Ref	
Lustig (R. Auguste)	**BV**	81
Marseillaise (Bd de la)	**BU**	84
Mertzau (R. de la)	**BU**	87
Mer-Rouge (R. de la)	**AV**	86
Mitterrand (Av. F.)	**BV**	90
Mulhouse (Fg de)	**BU**	92
Mulhouse (ILLZACH) (R. de)	**CU**	93
Mulhouse (MORSCHWILLER-LE-BAS) (R. de)	**AV**	94
Noetling (R. Emilio)	**CV**	97
Nordfeld (R. du)	**CV**	98
Riedisheim (Av. de)	**CV**	118
Sausheim (R. de)	**CU**	144
Soultz (R. de)	**BU**	148
Thann (R. de)	**BV**	155
Université (Rue de l')	**BV**	158
Vauban (R.)	**BCU**	159
Vosges (R. des)	**BCU**	161
Wyler (Allée William)	**CU**	168
1ère-Armée-Française (R.)	**AV**	173
9e-Div.-d'Infanterie-Col. (R.)	**CV**	175

🛏️ **Kyriad Centre** sans rest   🛗 ♿ 🅰🅲 📶 🧖 💳 💳 💳 💳

15 r. Lambert – ✆ 03 89 66 44 77 – www.hotel-mulhouse.com – kyriad@hotel-mulhouse.com – Fax 03 89 46 30 66   **FY a**
60 ch – †51/65 €, ††51/65 €, 🍽 10 €

♦ Chambres nettes et fonctionnelles, revues dans un esprit contemporain, particulièrement spacieuses et confortables dans la catégorie "affaires". Petit-déjeuner en terrasse l'été.

🍴🍴🍴 **Il Cortile** (Stefano D'Onghia)   🌿 ♿ 🅰🅲 💳 💳 💳

11 r. Franciscains – ✆ 03 89 66 39 79 – www.ilcortile-mulhouse.fr
– ilcortile-mulhouse@orange.fr – Fax 03 89 36 07 97
– Fermé 18 août-1er sept., 12-26 janv., dim. et lundi   **EY a**
Rest – Menu 29 € (déj. en sem.), 59/75 €
– Carte 66/84 € 🍷

Spéc. Spaghetti de mozzarella et légumes d'été (saison). Caille farcie au foie gras, cerises et pistaches de Sicile. Tiramisu aux fruits.

♦ Tout ici respire l'Italie : de la belle cuisine créative escortée d'un bon choix de vins (servis au verre) à l'intérieur contemporain, sans oublier la superbe cour-terrasse.

E
F
X
Y
Z
CITÉ JEAN WAGNER
CITÉ ADMINISTRATIVE
POL
STE-JEANNE-D'ARC
R. de la Mertzau
Bd de la Marseillaise
R. de Toulouse
Bd du Wolf
Pl. Vauban
Vauban
Allées des Allies
R. d'Illzach
Quai du Forst
ILL
R. des Amidonniers
Avenue de Pins
R. de Colmar
R. Coehorn
Rue Neppert
R. des Hubner
R. de la Charité
Bd du Prést Roosevelt
ST-FRIDOLIN
R. J. de Strasbourg
Rue des Vergers
Av. de Colmar
R. des Merles
MAISON D'ARRÊT
R. Schuman
Pl. de la Liberté
Pl. A. May
R. Heilmann
R. Franklin
R. Dollfus
R. Engel
R. P. et M. Curie
Porte Jeune
Av. de Colmar
Pl. de l'Europe
Tour
Bd de l'Europe
Av. R. Salengro
PARC SALVATOR
Pl. Salvator
R. du Siphon
Descartes
Bd Prést Roosevelt
Av. du Prést Kennedy
R. L. Gander
Rue Buffon
Porte Haute
Grand Rue
R. de l'Arsenal
R. de la Loi
STE-MARIE
R. Lambert
R. Louis Pasteur
TOUR
R. de Metz
Porte de Bâle
R. de Bâle
PL. DE LA RÉUNION
Temple St-Étienne
MUSÉE HISTORIQUE
R. Poincaré
Nouveau Quartier
SQUARE STEINBACH
R. de la Sinne
Clemenceau
R. Jacques Preiss
TOUR
R. Gay-Lussac
R. de Zillisheim
R. St Michel
R. du Manège
R. St Sauveur
ST-ÉTIENNE
Avenue de Colmar
Porte du Miroir
Rue J. Ehrmann
Quai d'Isly
Canal du Rhône au Rhin
Av. Gal Leclerc
Pont d'Altkirch
Q. d'Oran
Bd de Wallach
Av. A. Wallach
R. de Verdun
SACRÉ-CŒUR
0
200 m
146
140
24
20
152
156
137
39
40
13
78
82
145
30
91
160
17
153
18
109
56
5
157
154
48
37
50
165
166
112
71
14
172
65
119
53
38
43
177
4
88
149
77
29
33
a
e
H
P
t
m
r
x
p
b
c
J
M
H1
M6

MULHOUSE

Altkrich (Av. d')............	**FZ**	4
Augustins (Passage des)..	**EY**	5
Bonbonnière (R.)...........	**EY**	13
Bonnes-Gens (R. des).....	**FY**	14
Bons-Enfants (R. des).....	**FY**	17
Boulangers (R. des).......	**FY**	18
Briand (Av. Aristide).......	**EY**	20
Cloche (Quai de la).......	**EY**	24
Colmar (Av. de)	**EFXY**	
Dollfus (Av. Gustave).....	**GY**	27
Dreyfus (R. du Capit.).....	**FX**	29
Engelmann (R.)............	**EY**	30
Ensisheim (R. d')...........	**FX**	33
Fleurs (R. des)............	**FYZ**	37
Foch (Av. du Mar.).........	**FZ**	38
Fonderie (R. de la)........	**EZ**	39
Franciscains (R. des)......	**EY**	40
Gaulle (Pl. du Gén.-de)....	**FZ**	43
Guillaume-Tell (Pl. et R.)...	**FY**	48
Halles (R. des)............	**FZ**	50
Henner (R. J.-J.)...........	**FY**	53
Henriette (R.).............	**FY**	56
Jardin-Zoologique (R. du)..	**GZ**	64
Joffre (Av. du Mar.)........	**FYZ**	65
Lambert (R.)..............	**FY**	
Lattre-de-Tassigny		
(Av. Mar.-de)............	**FY**	71
Loisy (R. du Lt de).........	**FX**	77
Lorraine (R. de la)........	**EY**	78
Maréchaux (R. des)........	**FY**	82
Montagne (R. de la).......	**FZ**	88
Moselle (R. de la).........	**FY**	91
Président-Kennedy		
(Av. du).................	**EFY**	
Raisin (R. du).............	**EFY**	109
République (Pl. de la).....	**FY**	112
Riedisheim (Pont de).......	**FZ**	119
Ste-Claire (R.).............	**EZ**	137
Ste-Thérèse (R.)..........	**EY**	140
Sauvage (R. du)...........	**FY**	145
Schoen (R. Anna).........	**EX**	146
Somme (R. de la).........	**FY**	147
Stalingrad (R. de)..........	**FY**	149
Stoessel (Bd Charles)......	**EYZ**	152
Tanneurs (R. des)..........	**EFY**	153
Teutonique (Passage)......	**FY**	154
Tour-du-Diable (R.)........	**EZ**	156
Trois-Rois (R. des).........	**FZ**	157
Victoires (Pl. des)..........	**FY**	160
Wicky (Av. Auguste)......	**FZ**	165
Wilson (R.)................	**FYZ**	166
Zuber (R.).................	**FY**	172
17-Novembre (R. du)......	**FZ**	177

MULHOUSE

Poincaré II
6 porte Bâle – ℰ 03 89 46 00 24 – www.lepoincare2.com – Fax 03 89 56 33 15
– Fermé sam. et dim. FY m
Rest – bistrot – Menu 19/60 € bc – Carte 39/69 €
♦ Cette séduisante salle à manger offre une vue sur le spectacle des cuisiniers qui mitonnent des plats traditionnels. Cave riche en vins de Bordeaux et de Loire.

Oscar
1 av. Maréchal Joffre – ℰ 03 89 45 25 09 – www.bistrot-oscar.com
– bistrot.oscar@wanadoo.fr – Fax 03 89 45 23 65 – Fermé 1er-23 août,
20 déc.-5 janv., sam. et dim. FZ x
Rest – bistrot – Menu 22 € (sem.)/35 € – Carte 30/50 €
♦ Appétissante cuisine de bistrot (ardoise du jour) servie dans une salle aux allures de brasserie cossue. Ambiance animée et service convivial. Belle carte de vins de producteurs.

La Table de Michèle
16 r. Metz – ℰ 03 89 45 37 82 – www.latabledemichele.fr – michele.brouet@
wanadoo.fr – Fax 03 89 45 37 82 – Fermé 1 sem. en avril, 1er-21 août,
22 déc.-4 janv., sam. midi, dim. et lundi FY t
Rest – bistrot – Menu (18 €), 25/55 € bc – Carte 27/45 €
♦ Michèle joue du piano debout... en cuisine bien sûr ! Son répertoire ? Plutôt traditionnel, mais sensible aux quatre saisons. En salle, chaleur du bois brut et éclairage intime.

L'Estérel
83 av. de la 1ère Division Blindée – ℰ 03 89 44 23 24 – esterel.weber@hotmail.fr
– Fax 03 89 64 05 63 – Fermé 1 sem. vacances de printemps, 15-31 août, vacances
de Toussaint, de fév., dim. soir, merc. soir et lundi V t
Rest – Menu 24 € (sem.)/65 € – Carte 40/60 €
♦ À proximité du parc zoologique, petit restaurant rajeuni et agrandi d'une véranda. Terrasse ombragée prise d'assaut à la belle saison. Carte traditionnelle aux accents du Sud.

à Sausheim 3 km au Nord par D 38 – 5 470 h. – alt. 238 m – ✉ 68390

Mercure
D 442 – ℰ 03 89 61 87 87 – www.mercure.com – h0556@accor.com
– Fax 03 89 61 88 40 DU r
100 ch – †65/145 € ††75/155 €, ☷ 15 €
Rest – Menu (15 €), 17 € (déj.) – Carte 28/45 €
♦ Construction des années 1970 située dans une zone commerciale, facile d'accès depuis les axes routiers. Grandes chambres fonctionnelles et bien tenues. Les "plus" du restaurant : la terrasse et les spécialités alsaciennes qui complètent la carte traditionnelle.

Novotel
r. Île Napoléon – ℰ 03 89 61 84 84 – www.novotel.com – h0452@accor.com
– Fax 03 89 61 77 99 DU s
77 ch – †73/185 € ††73/185 €, ☷ 14 €   **Rest** – Carte 28/42 €
♦ Étape intéressante par sa situation et sa vocation pratique, cet hôtel dispose de chambres rénovées selon les derniers standards de la chaîne. Lounge-bar et piscine au vert. Restaurant adoptant le nouveau concept "Novotel Café". Terrasse côté jardin et bassin.

à Baldersheim 8 km par ① – 2 514 h. – alt. 226 m – ✉ 68390

Au Cheval Blanc
27 r. Principale – ℰ 03 89 45 45 44 – www.hotel-cheval-blanc.com – reservation@
hotel-cheval-blanc.com – Fax 03 89 56 28 93 – Fermé 24 déc.-2 janv.
82 ch – †60/80 € ††70/109 €, ☷ 11 € – ½ P 63/69 €
Rest – (fermé dim. soir) Menu (12 €), 18 € (sem.)/50 € – Carte 22/60 €
♦ Hôtel d'allure alsacienne exploité de père en fils depuis plus d'un siècle. Les chambres, garnies de meubles rustiques, offrent un confort homogène et de qualité. Salle à manger rénovée, accessible par le café du village. Nombreux menus, belle carte régionale et gibier en saison.

Au Vieux Marronnier
à 300 m – ℰ 03 89 36 87 60 – www.hotel-cheval-blanc.com – reservation@
hotel-cheval-blanc.com – Fax 03 89 56 28 93
8 ch – †88 € ††88 €, ☷ 11 € – 6 suites
♦ Construction récente abritant studios et appartements pratiques pour de longs séjours ou des familles de passage : espace, cuisinettes bien équipées et décor contemporain.

MULHOUSE

à Rixheim 3 km au Sud-Est par D 66 – 12 900 h. – alt. 240 m – ⊠ 68170

Le Clos du Mûrier sans rest
42 Grand'Rue – ℰ *03 89 54 14 81* – *www.closdumurier.fr* – *rosa.volpatti@orange.fr* – *Fax 03 89 64 47 08*
5 ch ⊡ – †76 € ††84 €

DV y

♦ Un haut mur protège cette maison à colombages du 16ᵉ s. bien rénovée et son jardin fleuri. Chambres assez spacieuses ayant conservé leurs poutres apparentes. Kitchenette, kit de repassage, machine à laver et vélos à disposition.

La Grange à Élise sans rest
68 Grand-Rue – ℰ *03 89 54 20 71* – *www.grange-elise.com* – *contact@grange-elise.com* – *Fax 03 69 77 48 71*
5 ch ⊡ – †72 € ††94 €

DV a

♦ Au cœur du village, cette ancienne grange aménagée avec goût a conservé tout son charme rustique (poêle en faïence). Chambres cosy aux noms de fleurs. Bon accueil.

Le Manoir
65 av. Gén.-de-Gaulle – ℰ *03 89 31 88 88* – *www.runser.fr* – *manoirrunser@orange.fr* – *Fax 03 89 31 88 89* – *Fermé dim. sauf fériés*
Rest – Menu (20 €), 25/75 € – Carte 51/94 €

DV r

♦ Dans un jardin clos, une belle demeure 1900 à l'intérieur contemporain, avec d'immenses toiles abstraites. Au rythme des saisons, la cuisine joue la carte du régionalisme.

à Riedisheim 2 km au Sud-Est par D 56 et D 432 – 11 900 h. – alt. 225 m – ⊠ 68400

La Poste (Jean-Marc Kieny)
7 r. Gén. de Gaulle – ℰ *03 89 44 07 71* – *www.restaurant-kieny.com* – *contacts@restaurant-kieny.com* – *Fax 03 89 64 32 79* – *Fermé 1ᵉʳ-20 août, dim. soir, mardi midi et lundi*
Rest – Menu (26 €), 26 € bc (sem.)/80 € – Carte 50/75 €

CV d

Spéc. Tapas alsaciens. Blanc de barbue masqué d'une bolognaise de homard (printemps-été). Vacherin contemporain vanille-framboise. **Vins** Pinot blanc, Riesling.

♦ Dans ce chaleureux relais de diligences (1850) se transmettent depuis six générations les secrets d'une cuisine classique mâtinée de tradition alsacienne et peu à peu modernisée.

Auberge de la Tonnelle
61 r. Mar.-Joffre – ℰ *03 89 54 25 77* – *auberge.latonnelle@orange.fr* – *Fax 03 89 64 29 85* – *Fermé dim. soir et soir fériés*
Rest – Menu 28 € (sem.) – Carte 49/66 €

CV u

♦ Grande bâtisse régionale située dans un quartier résidentiel. Des verrières éclairent la salle de restaurant où l'on propose une cuisine traditionnelle sensible aux saisons.

à Zimmersheim 5 km au Sud-Est par D 56 – 996 h. – alt. 290 m – ⊠ 68440

Jules
5 r. de Mulhouse – ℰ *03 89 64 37 80* – *www.restojules.fr* – *info@restojules.fr* – *Fax 03 89 64 03 86* – *Fermé 21 fév.-2 mars et sam. midi*
Rest – *(prévenir)* Menu (15 €) – Carte 35/55 €

♦ Spécialités de viandes et de produits de la mer (poissonnerie attenante), belles pâtisseries maison et nombreux vins au verre : ce bistrot contemporain, très animé, fait souvent salle comble.

à Landser 11 km au Sud-Est par rte parc zoologique, Bruebach, D 21 et D 6 ᵇⁱˢ – 1 592 h. – alt. 230 m – ⊠ 68440

Hostellerie Paulus (Hervé Paulus)
4 pl. Paix – ℰ *03 89 81 33 30* – *hostellerie.paulus@orange.fr* – *Fax 03 89 26 81 85* – *Fermé 2-17 août, sam. midi, dim. soir et lundi*
Rest – *(nombre de couverts limité, prévenir)* Menu 29 € (déj. en sem.), 59/79 € – Carte 70/85 €

Spéc. Terrine de foie gras de canard à la compote de rhubarbe (printemps). Perdreau aux choux et foie gras (hiver). Gratin de fruits rouges (été). **Vins** Muscat, Riesling.

♦ Aménagée avec sobriété, cette maison à colombages ornée d'un oriel n'a rien perdu de son charme en gagnant en modernité. Cuisine du terroir habilement actualisée.

1163

MULHOUSE

à Froeningen 9 km au Sud-Ouest par D 8^BIII - BV – 606 h. – alt. 256 m – ✉ 68720

Auberge de Froeningen
2 rte Illfurth, – ℰ 03 89 25 48 48 – www.aubergedefroeningen.com
– aubergefroeningen@orange.fr – Fax 03 89 25 57 33
– Fermé 18-31 août, 12-31 janv., mardi de nov. à avril, dim. soir et lundi
7 ch – †59 € ††69 €, ☐ 9 €
Rest – Menu (13 €), 16 € (déj. en sem.), 25/60 € – Carte 29/59 €
♦ Séduisante auberge typiquement régionale. Mobilier ancien, bonne insonorisation et tenue parfaite dans les chambres dépourvues de TV... Idéal pour se ressourcer ! Salles à manger de caractère, cuisine locale et "journée alsacienne" le jeudi.

MUNSTER – 68 Haut-Rhin – 315 G8 – 5 108 h. – alt. 400 m – ✉ 68140   1 **A2**
Alsace Lorraine

▶ Paris 458 – Colmar 19 – Guebwiller 40 – Mulhouse 60 – St-Dié 54 – Strasbourg 96
🛈 Office de tourisme, 1, rue du Couvent ℰ 03 89 77 31 80, Fax 03 89 77 07 17
◉ Soultzbach-les-Bains : autels ★★ dans l'église E : 7 km.

Verte Vallée
10 r. A. Hartmann, (parc de la Fecht) – ℰ 03 89 77 15 15 – www.vertevallee.com
– contact@vertevallee.fr – Fax 03 89 77 17 40 – Fermé 3-27 janv.
108 ch – †83/130 € ††83/130 €, ☐ 15 € – 9 suites – ½ P 79/125 €
Rest – Menu 25/50 € – Carte 33/49 €
♦ Grand hôtel moderne avec spa et équipements de loisirs. Confortables chambres de style alsacien ou contemporain pour les plus récentes. Agréable jardin bordé par la Fecht. Le restaurant propose une cuisine classique et une séduisante carte des vins.

Deybach sans rest
4 r. du Badischhof, 1 km par rte de Colmar (D 417) – ℰ 03 89 77 32 71
– www.hotel-deybach.com – accueil@hotel-deybach.com – Fax 03 89 77 52 41
– Fermé lundi hors saison et dim. soir
16 ch – †42 € ††46/55 €, ☐ 8 €
♦ L'accueil souriant et l'ambiance chaleureuse distinguent cet hôtel familial qui borde la route. Chambres fonctionnelles à la tenue scrupuleuse. Petit bar et jardin (transats).

A l'Agneau d'Or
2 r. St-Grégoire – ℰ 03 89 77 34 08 – www.martinfache.com – info@martinfache.com – Fax 03 89 77 34 08 – Fermé lundi et mardi
Rest – (nombre de couverts limité, prévenir) Menu 36 € – Carte 42/50 €
♦ Dans cette maison régionale blottie au cœur du village, le chef revisite à sa façon une cuisine oscillant entre tradition et terroir. Gibier en saison. Ambiance très chaleureuse.

à Wihr-au-Val 6 km à l'Est par D 417 – 1 177 h. – alt. 330 m – ✉ 68230

Nouvelle Auberge (Bernard Leray)
rte de Colmar – ℰ 03 89 71 07 70 – www.nauberge.com – la.nouvelle.auberge@wanadoo.fr – Fermé 1er-15 juil., vacances de la Toussaint, de fév., dim. soir, lundi et mardi
Rest – Menu 30/55 € – Carte 47/53 €
Rest Brasserie (rez-de-chaussée) – (déj. seult) Menu 10 € (sem.) – Carte environ 21 €
Spéc. Soupe d'escargots au jus de persil. Demi-pigeonneau rôti et escalope de foie gras chaud de canard. Kougelhof façon pain perdu.
♦ Dans ce relais de poste, les propriétaires jouent un "double jeu" culinaire. Gastronomie à l'étage, avec une partition classique de qualité et sans sophistication inutile. Brasserie au rez-de-chaussée.

MURAT – 15 Cantal – 330 F4 – 2 053 h. – alt. 930 m – ✉ 15300   5 **B3**
Auvergne

▶ Paris 520 – Aurillac 48 – Brioude 59 – Issoire 74 – Le Puy-en-Velay 121 – St-Flour 23
🛈 Office de tourisme, 2, rue du faubourg Notre-Dame ℰ 04 71 20 09 47, Fax 04 71 20 21 94
◉ Site ★★ - Église ★ d'Albepierre-Bredons S : 2 km.

1164

MURAT

à l'Est 4 km par N 122, rte de Clermont-Ferrand – ⊠ 15300 Murat

XXX **Le Jarrousset**
– ℘ 04 71 20 10 69 – www.restaurant-le-jarrousset.com – info@restaurant-le-jarrousset.com – Fax 04 71 20 15 26 – Fermé 15 nov.-1er fév., lundi et mardi sauf juil.-août
Rest – Menu (16 €), 22/73 € bc – Carte environ 45 €
♦ Cette coquette auberge propose une goûteuse cuisine actuelle privilégiant les produits régionaux. Une salle agrémentée de toiles, un autre plus intime ouverte sur la campagne.

LA MURAZ – 74 Haute-Savoie – **328** K4 – 804 h. – alt. 630 m – ⊠ 74560   46 **F1**
▶ Paris 545 – Annecy 33 – Annemasse 11 – Thonon-les-Bains 41

XX **L'Angélick**
– ℘ 04 50 94 51 97 – www.angelick.fr – info@angelick.com – Fax 04 50 94 59 05
– Fermé 10-20 août, 22 déc.-6 janv., dim. soir, lundi, mardi et le midi en sem.
Rest – Menu (25 €), 35/85 € bc – Carte 56/65 €
♦ Salles intimes et chaleureuses, chaises en fer forgé ou en cuir, belle mise de table moderne, fontaine en terrasse et mets inventifs. Nouvel espace brasserie au cadre actuel.

MURBACH – 68 Haut-Rhin – **315** G9 – **rattaché à Guebwiller**

MUR-DE-BARREZ – 12 Aveyron – **338** H1 – 837 h. – alt. 790 m   29 **D1**
– ⊠ 12600 ▌Midi-Pyrénées
▶ Paris 567 – Aurillac 38 – Rodez 73 – St-Flour 56
🛈 Office de tourisme, 12, Grand' Rue ℘ 05 65 66 10 16, Fax 05 65 66 31 90

Auberge du Barrez
av. du Carladez – ℘ 05 65 66 00 76 – www.aubergedubarrez.com
– auberge.du.barrez@wanadoo.fr – Fax 05 65 66 07 98
– Fermé 4 janv.-12 fév.
18 ch – †42/60 € ††58/78 €, ⊇ 8,50 € – ½ P 57/69 €
Rest – (fermé lundi midi) Menu 15 € (sem.), 25/41 € – Carte 32/44 €
♦ Dans un jardin fleuri, cette grande maison abrite des chambres diverses en tailles, mais toutes contemporaines et fonctionnelles. Agréable salle à manger actuelle ; certaines tables ont vue sur la campagne. Cuisine traditionnelle, copieuse et bien faite.

MÛR-DE-BRETAGNE – 22 Côtes-d'Armor – **309** E5 – 2 084 h.   10 **C2**
– alt. 225 m – ⊠ 22530 ▌Bretagne
▶ Paris 457 – Carhaix-Plouguer 50 – Guingamp 47 – Loudéac 20 – Pontivy 17 – St-Brieuc 44
🛈 Office de tourisme, place de l'Église ℘ 02 96 28 51 41, Fax 02 96 26 35 31
◉ Rond-Point du lac ≤★ - Lac de Guerlédan★★ O : 2 km.

XXX **Auberge Grand'Maison** (Christophe Le Fur) avec ch
1 r. Léon-le-Cerf – ℘ 02 96 28 51 10
– www.auberge-grand-maison.com – auberge-grand-maison@wanadoo.fr
– Fax 02 96 28 52 30 – Fermé 6-21 oct., 2-13 janv., 16-28 fév., dim. soir et mardi midi hors saison et lundi
9 ch – †48/90 € ††55/98 €, ⊇ 11 € – ½ P 77/98 €
Rest – Menu (27 €), 46/90 € – Carte 70/110 €
Spéc. Mikado de langoustines en tempura. Lieu jaune jaune doré au sautoir et chair de tourteau. Tarte « autrement » au chocolat et mousseux framboise, glace carambar.
♦ Cette maison a préservé son caractère d'ancienne auberge bretonne tout en modernisant un rien sa salle à manger. Excellents produits au service d'une cuisine actuelle et créative. Chambres spacieuses et cosy.

MURO – 2B Haute-Corse – **345** C4 – **voir à Corse**

MUS – 30 Gard – **339** K6 – 1 176 h. – alt. 53 m – ⌧ 30121 ▌Provence 23 **C2**
➤ Paris 737 – Arles 52 – Montpellier 37 – Nîmes 26

⌂ **La Paillère** 🌿
26 av. du Puits Vieux – ⌕ *04 66 35 55 93 – www.paillere.com*
– welcome@paillere.com
5 ch ⌑ – †70 € ††80 € **Table d'hôte** – Menu 25/25 €
♦ Détente et art de vivre à l'honneur dans cette maison de charme (17ᵉ s.) discrète et patinée par le temps. Mobilier provençal ou oriental, salons cossus, patio-terrasse très vert. Copieux petit-déjeuner et recettes méditerranéennes à la table d'hôte (sur réservation).

MUSSIDAN – 24 Dordogne – **329** D5 – 2 831 h. – alt. 50 m – ⌧ 24400 4 **C1**
▌Périgord
➤ Paris 526 – Angoulême 84 – Bergerac 26 – Libourne 59 – Périgueux 39
🛈 Office de tourisme, place de la République ⌕ 05 53 81 73 87, Fax 05 53 81 73 87

XX **Relais de Gabillou**
à 1,5 km sur rte de Périgueux – ⌕ *05 53 81 01 42 – relaisdegabillou@hotmail.com*
– Fax 05 53 81 01 42 – Fermé 22-29 juin, 16 nov.-14 déc., le soir du 3 au 31 janv., dim. soir hors saison et lundi
Rest – Menu (13 €), 16 € (sem.)/45 € – Carte 33/58 €
♦ Atmosphère rustique à souhait pour cette auberge de bord de route dont la salle s'agrémente d'une vaste cheminée en pierre. Terrasse ombragée au calme. Plats régionaux.

XX **Le Clos Joli**
7 km à l'Ouest par D 6089 et rte secondaire – ⌕ *05 53 81 00 24 – www.leclosjoli.fr – le-clos-joli@wanadoo.fr – Fermé 16-24 avril, 26 oct.-4 nov., 29 déc.-3 janv., mardi et merc.*
Rest – Menu (13 €), 30/42 € – Carte 35/65 €
♦ Ex-presbytère au charme bucolique, avec ses jolies salles (l'une rustique, l'autre feutrée) et sa terrasse sous la tonnelle. Le menu-carte, inspiré du marché, met en appétit.

à Sourzac 4 km à l'Est par D 6089 – 1 032 h. – alt. 50 m – ⌧ 24400

🏠 **Le Chaufourg en Périgord** *sans rest*
– ⌕ *05 53 81 01 56 – www.lechaufourg.com – info@lechaufourg.com*
– Fermé 7 janv.- 10 fév.
5 ch – †175/340 € ††175/340 €, ⌑ 16 € – 4 suites
♦ Le propriétaire préserve à merveille le charme romantique de la maison de campagne de son enfance : ambiance guesthouse, grandes chambres au luxe discret, jardin hors du temps.

MUSSY-LA-FOSSE – 21 Côte-d'Or – **320** G4 – rattaché à Vénarey-les-Laumes

---

MUTIGNY – 51 Marne – **306** G8 – 221 h. – alt. 221 m – ⌧ 51160 13 **B2**
▌Champagne Ardenne
➤ Paris 150 – Châlons-en-Champagne 33 – Épernay 9 – Reims 32

Au Nord 2 km par D 271 - ⌧ 51160 Mutigny

⌂ **Manoir de Montflambert** *sans rest* 🌿
– ⌕ *03 26 52 33 21 – www.manoirdemontflambert.fr – contact@manoirdemontflambert.fr – Fax 03 26 59 71 08*
5 ch ⌑ – †95 € ††110 €
♦ Les chambres de ce manoir du 17ᵉ s., personnalisées et garnies de meubles patinés, ouvrent sur la cour, sur les vignes ou sur la forêt. Grand parc agrémenté d'une pièce d'eau.

MUTZIG – 67 Bas-Rhin – **315** I5 – 5 976 h. – alt. 190 m – ⌧ 67190 1 **A1**
▌Alsace Lorraine
➤ Paris 479 – Obernai 11 – Saverne 30 – Sélestat 38 – Strasbourg 32

MUTZIG

L'Ours de Mutzig
pl. Fontaine – ℰ 03 88 47 85 55 – www.loursdemutzig.com – hotel@loursdemutzig.com – Fax 03 88 47 85 56
47 ch – †49/85 € ††49/85 €, ⊇ 11 €
Rest – (fermé jeudi) Menu (10 €), 16/34 € – Carte 20/45 €
♦ Cette maison à la jolie façade bleue (1900) appartenait à la brasserie de Mutzig. Choisir les chambres récemment créées, actuelles et plaisantes. Côté restaurant, carte traditionnelle et salle à manger lumineuse agrémentée, çà et là, d'ours en... peluche.

LE MUY – 83 Var – 340 O5 – 8 716 h. – alt. 27 m – ⊠ 83490 — 41 **C3**

▶ Paris 861 – Marseille 132 – Toulon 77 – Antibes 59 – Cannes 48
🛈 Office de tourisme, 6, route de la Bourgade ℰ 04 94 45 12 79, Fax 04 94 45 06 67

au Nord 3 km par rte de Callas

Château des Demoiselles sans rest
2040 rte de Callas – ℰ 06 43 84 06 06 – www.chateaudesdemoiselles.com – resa@chateaudesdemoiselles.com – Fax 04 94 85 91 64 – Fermé 14 janv.-6 fév.
5 ch ⊇ – †132/222 € ††150/240 €
♦ Une allée de platanes mène à cette bastide provençale (1830), au cœur d'un vignoble. Décor personnalisé d'esprit 18ᵉ s. revisité. Vins du domaine et table d'hôte sur réservation.

NACONNE – 42 Loire – 327 E5 – rattaché à Feurs

NAINVILLE-LES-ROCHES – 91 Essonne – 312 D4 – 502 h. — 19 **C2**
– alt. 77 m – ⊠ 91750

▶ Paris 49 – Boulogne-Billancourt 49 – Montreuil 50 – Saint-Denis 62

Le Clos des Fontaines sans rest
3 r. de l'Église – ℰ 01 64 98 40 56
– www.closdesfontaines.com – soton@closdesfontaines.com – Fax 01 64 98 40 56
5 ch ⊇ – †75/90 € ††90/110 €
♦ Dans un vaste parc, ancien presbytère dont les chambres, très calmes, possèdent toutes un décor personnalisé. Petit-déjeuner gourmand servi dans une salle à manger contemporaine.

NAJAC – 12 Aveyron – 338 D5 – 744 h. – alt. 315 m – ⊠ 12270 — 29 **C1**
▌ Midi-Pyrénées

▶ Paris 629 – Albi 51 – Cahors 85 – Gaillac 51 – Rodez 71
  – Villefranche-de-Rouergue 20
🛈 Office de tourisme, place du Faubourg ℰ 05 65 29 72 05, Fax 05 65 29 72 29
◉ La Forteresse★ : ≤★.

Les Demeures de Longcol
6 km au Nord-Est par D 39 et D 638 – ℰ 05 65 29 63 36 – www.longcol.com
– longcol@wanadoo.fr – Fax 05 65 29 64 28 – Ouvert avril-oct.
18 ch – †145/190 € ††145/190 €, ⊇ 15 € – ½ P 123/145 €
Rest – (dîner seult) (nombre de couverts limité, prévenir) Menu 35 €
♦ Domaine au cachet médiéval inscrit dans un site bucolique rafraîchi par l'Aveyron. Chambres rustiques orientalisantes, jardin soigné et piscine-belvédère à débordement. Menu unique selon le marché, parfois teinté d'exotisme et privilégiant des produits bio.

Le Belle Rive
Au Roc du Pont, 3 km au Nord-Ouest par D 39 – ℰ 05 65 29 73 90
– www.lebellerive.com – hotel.bellerive.najac@wanadoo.fr – Fax 05 65 29 76 88
– Ouvert 1ᵉʳ avril-31 oct. et fermé dim. soir en oct.
20 ch – †59 € ††59 €, ⊇ 10 €
Rest – (fermé dim. soir et lundi midi en oct.) Menu (11 €), 20/50 € – Carte 40/50 €
♦ La même famille dirige depuis cinq générations cet hôtel agréablement situé au bord de l'Aveyron. Les chambres sont régulièrement mises au goût du jour. Cuisine à l'accent régional servie au restaurant ou, aux beaux jours, sur la grande terrasse ombragée.

NAJAC

XXX L'Oustal del Barry avec ch
pl. du Bourg – ℰ *05 65 29 74 32 – www.oustaldelbarry.com – oustaldelbarry@wanadoo.fr – Fax 05 65 29 75 32 – Ouvert 1er avril-1er nov.*
17 ch – ♦45/48 € ♦♦54/76 €, ⊇ 10 € – ½ P 63/72 €
Rest – *(fermé lundi midi et mardi midi sauf de mi-juin à mi-sept.)*
Menu (16 €), 19 € (déj. en sem.), 24/50 € bc – Carte 68/98 €
♦ Accueillante auberge dans un beau village perché. Confortable salle à manger au cadre rustico-bourgeois. Savoureuse cuisine au goût du jour. Jolies chambres rénovées.

NALZEN – 09 Ariège – **343** I7 – rattaché à Lavelanet

NANCY P – 54 Meurthe-et-Moselle – **307** I6 – 106 300 h. – 26 **B2**
Agglo. 331 363 h. – alt. 206 m – ⊠ 54000 ▌Alsace Lorraine

- Paris 314 – Dijon 216 – Metz 57 – Reims 209 – Strasbourg 154
- de Metz-Nancy-Lorraine : ℰ 03 87 56 70 00, par ⑥ : 43 km.
- ℰ 3635 et tapez 42 (0,34 €/mn)
- Office de tourisme, place Stanislas ℰ 03 83 35 22 41, Fax 03 83 35 90 10
- de Nancy Pulnoy à Pulnoy 10 rue du Golf, par rte de Château-Salins et D 83 : 7 km, ℰ 03 83 18 10 18
- de Nancy à Liverdun Aingeray, NO : 17 km par D 90, ℰ 03 83 24 53 87
- Place Stanislas★★★, Arc de Triomphe★ BY B - Place de la Carrière★ et Palais du Gouverneur★ BX R - Palais ducal★★ : musée historique lorrain★★★ - Église et Couvent des Cordeliers★ : gisant de Philippe de Gueldre★★ - Porte de la Craffe★ - Église N.-D.-de-Bon-Secours★ EX - Façade★ de l'église St-Sébastien - Musées : Beaux-Arts★★ BY M³, Ecole de Nancy★★ DX M⁴, aquarium tropical★ du muséum-aquarium CY M⁸ - Jardin botanique du Montet★ DY.
- Basilique★★ de St-Nicolas-de-Port par ② : 12 km.

Plans pages suivantes

🏨 Park Inn
11 r. Raymond Poincaré – ℰ *03 83 39 75 75 – www.nancy-parkinn.fr – info.nancy@rezidorparkinn.com – Fax 03 83 32 78 17*   AY **r**
192 ch – ♦119/139 € ♦♦129/149 €, ⊇ 15 €
Rest – *(fermé 10-25 août, 15-31 déc., sam., dim. et fériés)*
Menu (21 €), 24 € (déj.)/30 € – Carte 25/35 €
♦ Cet hôtel bénéficie d'un emplacement privilégié, au cœur du quartier des affaires et à proximité du centre historique. Chambres spacieuses, fonctionnelles et bien équipées. Salle à manger baignée de lumière où l'on sert des plats entre tradition et brasserie.

🏨 D'Haussonville sans rest
9 r. Mgr Trouillet – ℰ *03 83 35 85 84 – www.hotel-haussonville.fr – direction@hotel-haussonville.fr – Fax 03 83 32 78 96 – Fermé 3-25 août et 1er-18 janv.*   AX **g**
3 ch – ♦140/160 € ♦♦140/160 €, ⊇ 16 € – 4 suites – ♦♦190/230 €
♦ Ce splendide hôtel particulier du 16e s. est un véritable concentré de raffinement : chambres cossues avec cheminée et parquet d'époque, beau salon avec piano à queue.

🏨 Des Prélats sans rest
56 pl. Mgr Ruch – ℰ *03 83 30 20 20 – www.hoteldesprelats.com – contact@hoteldesprelats.com – Fax 03 83 30 20 21 – Fermé 24 déc.-4 janv.*   CY **r**
42 ch – ♦84/209 € ♦♦104/249 €, ⊇ 12 €
♦ Superbe hôtel particulier du 17e s. adossé à la cathédrale. Les chambres, toutes spacieuses, rivalisent de caractère et de raffinement (mobilier d'antiquaires et objets chinés).

🏨 Mercure Centre Stanislas sans rest
5 r. Carmes – ℰ *03 83 30 92 60 – www.mercure.com – h1068@accor.com – Fax 03 83 30 92 92*   BY **m**
80 ch – ♦87/177 € ♦♦125/187 €, ⊇ 17 €
♦ Au cœur du Nancy commerçant, cet établissement dispose de chambres confortables et contemporaines, personnalisées par un mobilier d'inspiration Art nouveau. Petit bar à vins.

NANCY

Crystal sans rest
5 r. Chanzy – ℰ 03 83 17 54 00 – www.bestwestern-hotel-crystal.com
– hotelcrystal.nancy@wanadoo.fr – Fax 03 83 17 54 30
– Fermé 24 déc.-4 janv.
AY a
58 ch – †95/130 € ††95/130 €, ⌕ 12 €

♦ Les chambres de cet établissement familial sont toutes agréables et rigoureusement tenues ; les plus récentes affichent cependant un style actuel plus séduisant. Salon-bar.

Maison de Myon ⌕
7 r. Mably – ℰ 03 83 46 56 56 – www.maisondmyon.com – contact@
maisondemyon.com – Fax 03 83 46 90 90
CY s
5 ch ⌕ – †110 € ††130 € **Table d'hôte** – Menu 30 € bc/50 € bc

♦ Belle demeure 18e s. convertie en maison d'hôte. Déco de très bon goût mariant meubles anciens et design, objets rares et tissus élégants. Bibliothèque dans l'ancienne écurie. Cours de cuisine, dégustation de vin...

XXX Le Capucin Gourmand
31 r. Gambetta – ℰ 03 83 35 26 98 – www.lecapu.com – info@lecapu.com
– Fax 03 83 35 99 29 – Fermé 8-24 août, sam. et dim.
BY m
Rest – Menu (19 €), 29/76 € – Carte 62/74 €

♦ Une institution à Nancy. La salle à manger a fière d'allure (camaïeu de beige, boiseries, moulures ouvragées...) et la cuisine, dans l'air du temps, change avec les saisons.

XXX Le Grenier à Sel (Patrick Frechin)
❀
28 r. Gustave-Simon – ℰ 03 83 32 31 98 – www.legrenierasel.eu
– patrick.frechin@free.fr – Fax 03 83 35 32 88
– Fermé 21 juil.-9 août, dim. et lundi
BY x
Rest – Menu 32 € (déj. en sem.), 45/65 € – Carte 92/102 €
Spéc. Langoustines rôties, déclinaison de légumes crus et cuits. Pigeonneau poché aux griottines de Fougerolles. Profiteroles aux framboises et chocolat (été).

♦ Le restaurant est installé à l'étage d'une des plus vieilles maisons nancéiennes. Le cadre contemporain, sobre et cosy, sied à la cuisine du chef, inventive et personnelle.

XX La Maison dans le Parc
3 r. Ste-Catherine – ℰ 03 83 19 03 57 – www.lamaisondansleparc.com
– contact@lamaisondansleparc.com – Fermé 27 avril-3 mai, 10-16 août,
4-24 janv., dim., lundi et mardi
CY s
Rest – Menu 29 € (déj.)/35 € – Carte 65/79 € ⌕

♦ Une demeure 19e s. relookée dans un style contemporain chic (tons gris, mobilier signé John Hutton). Table d'hôte et terrasse face à un superbe parc. Accords mets et vins.

XX La Toq'
1 r. Mgr Trouillet – ℰ 03 83 30 17 20 – www.latoqueblanche.fr – restaurant@
latoqueblanche.fr – Fermé vacances de Pâques, 27 juil.-17 août, vacances de fév.,
dim. soir et lundi
ABY z
Rest – Menu 20 € (déj. en sem.), 26/70 € – Carte 58/79 € (déjeuner seulement)

♦ La pierre apparente et les vieilles voûtes se marient harmonieusement avec les meubles contemporains et les tons parme. Ambiance intime et recettes au goût du jour.

XX Les Agaves
2 r. Carmes – ℰ 03 83 32 14 14 – les-agaves.durand-gilles@wanadoo.fr
– Fermé 1er-15 août, lundi soir, merc. soir et dim.
BY u
Rest – Menu (22 €), 27 € (sem.) – Carte 40/55 € ⌕

♦ Le chef propose une cuisine très orientée au Sud, mêlant influences méditerranéennes et italiennes. Beau choix de vins transalpins. Une salle cossue et une d'esprit bistrot.

XX Les Petits Gobelins
18 r. Primatiale – ℰ 03 83 35 49 03 – Fax 03 83 37 41 49
– Fermé 1er-23 août, 2-24 janv., dim. et lundi
CY z
Rest – Menu (19 €), 24 € (sem.)/62 € – Carte 50/60 € ⌕

♦ Une table chaleureuse installée dans les murs d'une demeure 18e s. Plaisant cadre contemporain, cuisine dans l'air du temps (glaces et pain faits maison) et riche carte des vins.

JARVILLE-LA-MALGRANGE

République (R. de la) . . . . . . **EX** 76

LAXOU

Europe (Av. de l')	**DX**	32
Poincaré (R. R.)	**DX**	71
Résistance (Av. de la)	**CV**	78
Rhin (Av. du)	**CV**	79

NANCY

Adam (R. Sigisbert)	**BX**	2
Albert-1er (Bd)	**DV**	3
Anatole-France (Av.)	**DV**	6
Armée-Patton (R.)	**DV**	7
Auxonne (R. d')	**DV**	8
Barrès (R. Maurice)	**CY**	10
Bazin (R. H.)	**CY**	13
Benit (R.)	**BY**	14
Blandan (R. du Sergent)	**DX**	15
Braconnot (R.)	**BX**	19
Carmes (R. des)	**BY**	20
Chanoine-Jacob (R.)	**AX**	23
Chanzy (R.)	**AY**	24
Cheval-Blanc (R. du)	**BY**	25
Clemenceau (Bd G.)	**EX**	26
Craffe (R. de la)	**AX**	27
Croix de Bourgogne (Espl.)	**AZ**	28
Dominicains (R. des)	**BY**	29
Erignac (R. C.)	**BY**	31
La-Fayette (Pl. de)	**BY**	47
Foch (Av.)	**DV**	34
Gambetta (R.)	**BY**	36
Gaulle (Pl. Gén-de)	**BX**	37
Grande-Rue	**BXY**	
Haussonville (Bd d')	**DX**	38
Haut-Bourgeois (R.)	**AX**	39
Héré (R.)	**BY**	40
Ile de Corse (R. de l')	**CY**	41
Jeanne-d'Arc (R.)	**DEX**	44
Jean-Jaurès (Bd)	**EX**	43
Keller (R. Ch.)	**AX**	46
Linnois (R.)	**EX**	49
Louis (R. Baron)	**AXY**	50
Loups (R. des)	**AX**	51
Majorelle (R. Louis)	**DX**	52
Mazagran (R.)	**AY**	54
Mengin (Pl. Henri)	**BY**	55
Mgr-Ruch (Pl.)	**CY**	63
Molitor (R.)	**CZ**	60
Monnaie (R. de la)	**BY**	62
Mon-Désert (R. de)	**ABZ**	61
Mouja (R. du Pont)	**BY**	64
Nabécor (R. de)	**EX**	65
Oudinot (R. Maréchal)	**EX**	68
Poincaré (R. H.)	**AY**	69
Poincaré (R. R.)	**AY**	70
Point-Central	**BY**	72
Ponts (R. des)	**BYZ**	73
Primatiale (R. de la)	**CY**	74

Raugraff (R.)	**BY** 75	Strasbourg (Av. de)	**EX** 102	**VANDŒUVRE-LÈS-NANCY**
St-Dizier (R.)	**BCYZ**	Tomblaine (R. de)	**EV** 103	
St-Épvre (Pl.)	**BY** 82	Trois-Maisons		Barthou (Bd L.) ... **EX** 12
St-Georges (R.)	**CY**	(R. du Fg des)	**AX** 104	Doumer (Av. P.) ... **EX** 30
St-Jean (R.)	**BY**	Trouillet (R.)	**AXY** 105	Europe (Bd de l') ... **DEY** 33
St-Lambert (R.)	**DV** 84	Verdun (R. de)	**DV** 106	Frère (R. Gén.) ... **DY** 35
St-Léon (R.)	**AY** 85	Victor-Hugo (R.)	**DV** 107	Jeanne-d'Arc (Av.) ... **DEY** 45
Source (R. de la)	**AY** 99	Visitation (R. de la)	**BY** 109	Jean-Jaurès (Av.) ... **DXY** 42
Stanislas (R.)	**BY** 100	XXe-Corps (Av. du)	**EV** 110	Leclerc (Av. Gén.) ... **DY** 48

1171

NANCY

V Four
10 r. St-Michel – ℰ 03 83 32 49 48 – bruno.faonio@numericable.fr
– Fax 03 83 32 49 48 – Fermé 14-22 sept., 26 fév.-3 mars, dim. soir et lundi
Rest – *(nombre de couverts limité, prévenir)* Menu (18 €), 26/39 €
– Carte 48/76 €

BX r

♦ Minuscule salle de style bistrot contemporain et cuisine au goût du jour soignée : cette adresse conviviale, située dans une petite rue piétonne, connaît un franc succès.

Chez Tanésy "Le Gastrolâtre"
23 Grande Rue – ℰ 03 83 35 51 94
– Fermé 13-19 avril, 17-30 août, 1 sem. en janv., mardi midi, dim. et lundi
Rest – bistrot – *(nombre de couverts limité, prévenir)* Menu 30/42 €
– Carte 48/65 €

BY v

♦ Atmosphère et décor bistrot dans ce petit restaurant de la vieille ville. L'assiette se veut authentique et gourmande : plats canailles, truffe (en saison), glaces maison, etc.

Les Pissenlits
25 bis r. des Ponts – ℰ 03 83 37 43 97 – www.les-pissenlits.com
– reservation@les-pissenlits.com – Fax 03 83 35 72 49
– Fermé 1er-15 août, dim. et lundi
Rest – Menu 20/38 € bc – Carte 25/65 €
Rest *Vins et Tartines* – bar à vins Carte 25/60 €

BY e

♦ Salle de style École de Nancy, copieuse cuisine régionale énoncée sur tableau noir et service à guichets fermés caractérisent ce restaurant familial. Bar à vins dans une ancienne chapelle : tartines chaudes ou froides et vins choisis par la patronne.

Chez Lize
52 r. H. Déglin – ℰ 03 83 30 36 26 – Fermé 12 juil.-9 août, 28 déc.-4 janv., sam. midi, dim. soir et lundi
Rest – Menu (17 €), 21/25 € – Carte 25/34 €

AX v

♦ Dans le quartier des Trois-Maisons, ce sympathique petit restaurant aux allures de bistrot propose des spécialités lorraines et alsaciennes.

à Dommartemont – 654 h. – alt. 299 m – ⊠ 54130

La Ferme Sainte Geneviève - L'Ermitage
2 chemin Pain de Sucre – ℰ 03 83 29 99 81 – www.lafermesaintegenevieve.com
– contact@lafermesaintegenevieve.com – Fax 03 83 20 87 23
– Fermé 23 déc.-6 janv., merc. sauf le midi d'avril à oct., dim. soir et lundi
Rest – *(nombre de couverts limité, prévenir)* Menu 45/80 €
Rest *Le Bistrot* – ℰ 03 83 29 13 49 – Menu 18 € (sem.)/28 €
– Carte 25/40 €

♦ Sur les hauteurs de la ville, cette maison en pierre sert une cuisine actuelle dans un cadre feutré, résolument contemporain. Plats régionaux, traditionnels et ardoise du jour vous attendent au Bistrot, dont la terrasse animée fleure bon l'esprit de guinguette.

à Jarville-la-Malgrange – 9 546 h. – alt. 210 m – ⊠ 54140

Les Chanterelles
27 av. Malgrange – ℰ 03 83 51 43 17 – Fax 03 83 51 43 17 – Fermé 15-31 août, dim. et lundi
Rest – Menu 19 € (sem.)/35 € – Carte 42/55 €

EX n

♦ Après la visite du musée de l'Histoire du fer, poussez la porte de ce restaurant de quartier. Son cadre est simple, voire rustique, et l'assiette ne déroge pas à la tradition.

à Houdemont – 2 525 h. – alt. 270 m – ⊠ 54180

Novotel Nancy Sud
(près du centre commercial) – ℰ 03 83 56 10 25 – www.accorhotels.com
– h0408@accor.com – Fax 03 83 57 62 20
86 ch – †100/175 € ††200/350 €, ⊇ 15 €
Rest – Carte 26/68 €

EY s

♦ À la croisée des autoroutes Nancy-Paris-Strasbourg, vous ferez facilement une halte dans cet hôtel. Chambres spacieuses au design contemporain. Salle de restaurant actuelle prolongée d'une terrasse au bord de la piscine.

NANCY

à Flavigny-sur-Moselle 16 km par ③ et A 330 – 1 787 h. – alt. 240 m – ⊠ 54630

Le Prieuré avec ch
3 r. du Prieuré – ℰ 03 83 26 70 45 – rjoelroy@aol.com – Fax 03 83 26 75 51
– Fermé 1er-8 mai, 25 août-7 sept., 30 déc.-6 janv., 16-28 fév., dim. soir, merc. soir et lundi
4 ch – †122 € ††122 €, ⊇ 13 €
Rest – (nombre de couverts limité, prévenir) Menu 61 € – Carte 70/84 €
◆ Façade modeste dissimulant trois salons où meubles lorrains, étains et cheminée créent l'intimité. Cuisine classique. Chambres spacieuses.

à Vandœuvre-lès-Nancy – 31 400 h. – alt. 300 m – ⊠ 54500

Cottage-Hôtel
4 allée de Bourgogne – ℰ 03 83 44 69 00 – www.groupe-mengin.com
– reservation@cottagenancy.com – Fax 03 83 44 06 14 – Fermé 1er-15 août, 24-31 déc.
55 ch – †47/58 € ††47/58 €, ⊇ 8 € – ½ P 44/48 €
Rest – (fermé dim. soir) Menu 17/35 € bc – Carte 20/45 €
◆ Petites chambres fonctionnelles réparties dans deux bâtiments récents, près de l'hippodrome et du technopole. Salle à manger-véranda baignée de lumière et assiette traditionnelle.

à Neuves-Maisons 14 km par ④ – 6 951 h. – alt. 230 m – ⊠ 54230

L'Union
1 r. A. Briand – ℰ 03 83 47 30 46 – Fax 03 83 47 33 42 – Fermé deux sem. en août, en janv. et lundi
Rest – Menu 27/38 € – Carte 45/60 €
◆ Cette jolie petite maison colorée, autrefois café du village, propose une cuisine traditionnelle servie dans deux salles à manger d'une agréable simplicité. Terrasse ombragée.

NANS-LES-PINS – 83 Var – 340 J5 – 3 159 h. – alt. 380 m – ⊠ 83860   40 B3

▶ Paris 794 – Aix-en-Provence 44 – Brignoles 26 – Marseille 42 – Toulon 71
🛈 Office de tourisme, 2, cours Général-de-Gaulle ℰ 04 94 78 95 91, Fax 04 94 78 60 07
⛳ de la Sainte-Baume Domaine de Châteauneuf, N : 4 km par D 80, ℰ 04 94 78 60 12

Domaine de Châteauneuf
3 km au Nord par D 560 –
ℰ 04 94 78 90 06 – www.domaine-de-chateauneuf.com – chateauneuf@relaischateaux.com – Fax 04 94 78 63 30 – Ouvert 15 mars-15 nov.
29 ch – †157/256 € ††196/390 €, ⊇ 19 € – 1 suite
Rest – (fermé le midi en sem.) Menu 40/78 € – Carte 55/70 €
◆ Napoléon 1er a séjourné dans cette demeure bourgeoise du 18e s., reprise par un couple expérimenté. Chambres raffinées au mobilier de style. Un des salons est orné de fresques historiques. Salle à manger classique ; terrasse. Carte régionale (plus élaborée au dîner).

Château de Nans avec ch
quartier du Logis, 3 km par D 560 (rte d'Auriol) – ℰ 04 94 78 92 06
– www.chateau-de-nans.com – info@chateau-de-nans.com – Fax 04 94 78 60 46
– Hôtel : ouvert 1er avril-30 oct., Rest : fermé 24 nov.-3 déc., mi-fév.-mi-mars, mardi sauf juil.-août et lundi
7 ch ⊇ – †106 € ††122/183 €   **Rest** – Menu (28 €), 48/59 € – Carte 48/59 €
◆ Élégant castel du 19e s. face au golf de la Ste-Baume, en bordure de route. Cuisine au goût du jour à déguster dans un cadre classique ou en terrasse. Belles chambres personnalisées ; celles de la tour sont plus originales. Parc et piscine.

NANTERRE – 92 Hauts-de-Seine – 311 J2 – 101 14 – voir Paris, Environs

A. Le Bot/PHOTONONSTOP

Le château des Ducs

NANTES

Département : 44 Loire-Atlantique
Carte Michelin LOCAL : n° **316** G4
▶ Paris 381 – Angers 88 – Bordeaux 325
– Quimper 233 – Rennes 109

Population : 281 800 h.
Pop. agglomération : 575 000 h.
Altitude : 8 m – **Code Postal :** ✉ 44000
Bretagne
Carte régionale 34 **B2**

HÔTELS ET RESTAURANTS	p. 3, 9 à 14
PLANS DE NANTES	
AGGLOMÉRATION	p. 4 et 5
NANTES CENTRE	p. 6 et 7
RÉPERTOIRE DES RUES	p. 8 et 9

RENSEIGNEMENTS PRATIQUES

🛈 OFFICE DE TOURISME
7, rue de Valmy ☎ 08 92 46 40 44, Fax 02 40 89 11 99

TRANSPORTS
Auto-train ☎ 3635 et tapez 42 (0,34 €/mn)

AÉROPORT
✈ International Nantes-Atlantique ☎ 02 40 84 80 00, par D 85 : 10 km BX

QUELQUES GOLFS
- de Nantes Erdre Chemin du Bout des Landes, N : 6 km par D 69, ☎ 02 40 59 21 21
- de Carquefou à Carquefou Boulevard de l'Epinay, N : 9 km par D 337, ☎ 02 40 52 73 74
- de Nantes à Vigneux-de-Bretagne RD 81, NO : par D965 et D 81 : 16 km, ☎ 02 40 63 25 82

A VOIR

SOUVENIRS DES DUCS DE BRETAGNE

Château★★ : tour de la Couronne d'Or★★, puits★★ **HY** - Intérieur★★ de la Cathédrale St-Pierre-et-St-Paul : tombeau de François II★★, cénotaphe de Lamoricière★ **HY**

NANTES DU 18ᵉ S.

Ancienne île Feydeau★ **GZ**

LA VILLE DU 19ᵉ S.

Passage Pommeraye★ **GZ** 150 - Quartier Graslin★ **FZ** - Cours Cambronne★ **FZ** - Jardin des Plantes★ **HY**

MUSÉES

Musée des Beaux-Arts★★ **HY** - Muséum d'histoire naturelle★★ **FZ** M⁴ - Musée Dobrée★ **FZ** - Musée archéologique★ M³ - Musée Jules-Verne★ **BX** M¹

NANTES page 3

Grand Hôtel Mercure
4 r. Couëdic – ℰ 02 51 82 10 00 – www.mercure.com – H1985@accor.com
– Fax 02 51 82 10 10
p. 7 GZ **m**
152 ch – †95/240 € ††105/250 €, ⊇ 16 € – 10 suites
Rest – *(fermé sam., dim. et fériés)* Menu (15 € bc) – Carte 22/38 €
♦ Belle façade du 19ᵉ s., hall sous verrière, piano-bar cosy et chambres garnies de meubles de style Art déco et de photos évoquant les voyages. Restaurant façon bistrot contemporain, cuisine ad hoc et sélection de vins au verre.

Novotel Cité des Congrès
3 r. Valmy – ℰ 02 51 82 00 00 – www.novotel.fr
– h1571@accor.com – Fax 02 51 82 07 40
p. 7 HZ **t**
103 ch – †129/180 € ††129/180 €, ⊇ 15 € – 2 suites   **Rest** – Carte 23/38 €
♦ L'hôtel jouxte la Cité des Congrès. Grandes chambres rénovées ; certaines offrent un joli coup d'œil sur le canal St-Félix. Coin jeux pour enfants. Au Novotel Café, carte simple avec plats à la plancha et salades.

Mercure Île de Nantes
15 bd A. Millerand ⊠ 44200 – ℰ 02 40 95 95 95 – www.mercure.com – H0555@accor.com – Fax 02 40 48 23 83
p. 5 CX **a**
100 ch – †90/165 € ††95/170 €, ⊇ 15 €
Rest – *(fermé vacances de Noël, vend. soir, sam., dim. et fériés)*
Menu (14 €), 17 € (déj. en sem.) – Carte 25/31 €
♦ Hôtel des années 1970 en bord de Loire abritant des chambres spacieuses, dans l'esprit de la chaîne ; plus de la moitié offre une vue sur le fleuve. Bar moderne. Restaurant au décor rajeuni assez sobre, pour savourer des plats à la plancha.

Holiday Inn Garden Court
1 bd Martyrs Nantais ⊠ 44200 – ℰ 02 40 47 77 77
– www.hotelinn-nantes.com – hotel.inn.nantes@orange.fr
– Fax 02 40 47 36 52
p. 7 HZ **v**
108 ch – †69/260 € ††69/260 €, ⊇ 14 €
Rest – *(fermé vacances de Noël, dim. midi, sam. et fériés)*
Menu (20 €) – Carte 29/36 €
♦ Sur l'île de Nantes, au bord de la Loire, au pied du tramway : une situation idéale pour cet hôtel non-fumeurs entièrement rénové. Chambres spacieuses et climatisées. Confortable salle à manger contemporaine. En saison, service sous la pergola bien ombragée.

L'Hôtel sans rest
6 r. Henri IV – ℰ 02 40 29 30 31 – www.nanteshotel.com – lhotel@mageos.com
– Fax 02 40 29 00 95 – Fermé 24 déc.-2 janv.
p. 7 HY **z**
31 ch – †79/150 € ††90/160 €, ⊇ 10 €
♦ On pénètre dans l'hôtel par un hall contemporain aux lignes graphiques. Les chambres se déclinent dans la même veine épurée et regardent soit le château soit le jardin.

All Seasons Centre sans rest
3 r. Couëdic – ℰ 02 40 35 74 50 – www.accorhotels.com – allseasons.nantes@orange.fr – Fax 02 40 20 09 35
p. 7 GZ **h**
65 ch ⊇ – †90/165 € ††110/195 €
♦ À deux pas de la place Royale, hôtel récent qui sort d'une cure de jouvence : chambres contemporaines (écrans plats, Internet), vue sur les toits de la ville au dernier étage.

Graslin sans rest
1 r. Piron – ℰ 02 40 69 72 91 – www.hotel-graslin.com – info@hotel-graslin.com
– Fax 02 40 69 04 44
p. 6 FZ **v**
47 ch – †75/115 € ††75/115 €, ⊇ 11 €
♦ Cet hôtel en cours de transformation propose deux types de chambres. Préférez celles récemment refaites, Art déco et sans superflu ; les autres ont encore leur mobilier en pin.

Pommeraye sans rest
2 r. Boileau – ℰ 02 40 48 78 79 – www.hotel-pommeraye.com – info@hotel-pommeraye.com – Fax 02 40 47 63 75
p. 7 GZ **t**
50 ch – †54/124 € ††59/124 €, ⊇ 9,50 €
♦ À deux pas du célèbre passage Pommeraye et des boutiques de la rue Crébillon, les adeptes de décoration contemporaine raffinée vont aimer cet hôtel labellisé "Clef Verte".

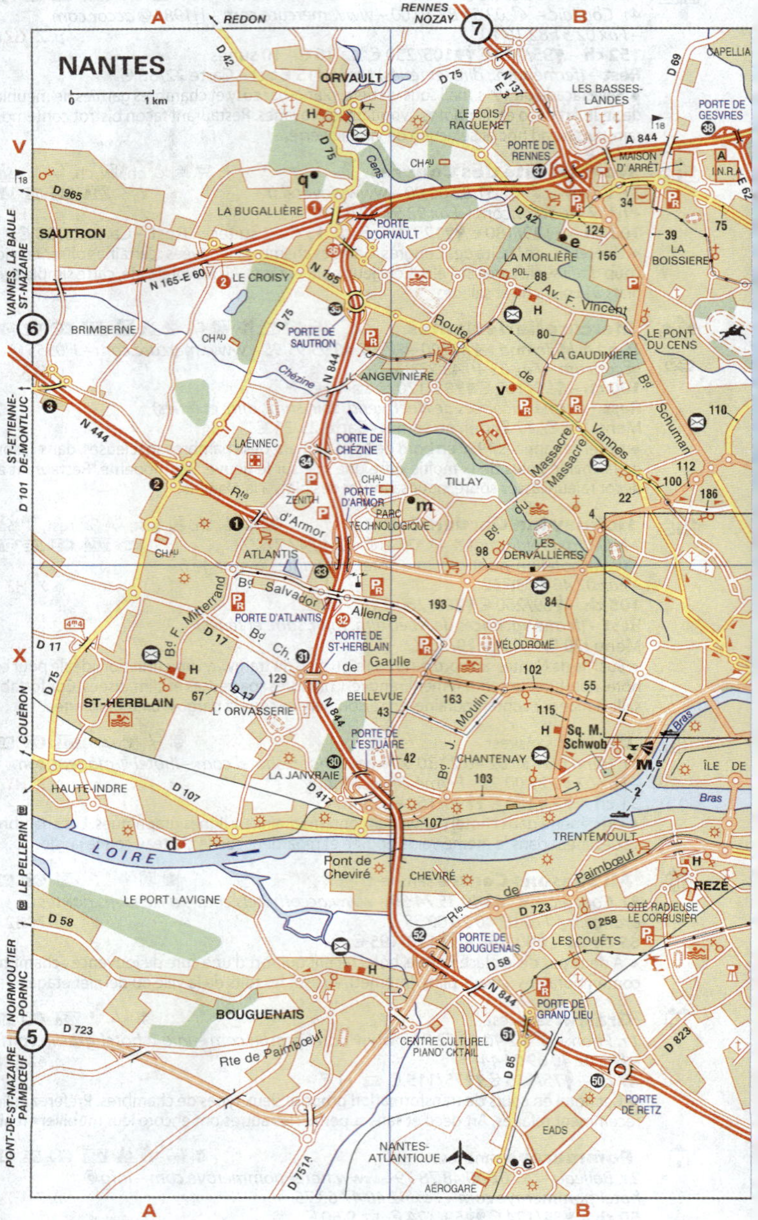
NANTES
0
1 km
A
B
V
X
REDON
RENNES
NOZAY
7
6
5
VANNES, LA BAULE
ST-NAZAIRE
ST-ETIENNE-DE-MONTLUC
COUËRON
LE PELLERIN
NOIRMOUTIER
PORNIC
PONT-DE-ST-NAZAIRE
PAIMBŒUF
ORVAULT
SAUTRON
LA BUGALLIÈRE
LE CROISY
BRIMBERNE
PORTE D'ORVAULT
PORTE DE SAUTRON
L'ANGEVINIÈRE
LAËNNEC
PORTE DE CHÉZINE
ZENITH
PORTE D'ARMOR
PARC TECHNOLOGIQUE
TILLAY
ATLANTIS
PORTE D'ATLANTIS
PORTE DE ST-HERBLAIN
ST-HERBLAIN
L'ORVASSERIE
BELLEVUE
PORTE DE L'ESTUAIRE
LA JANVRAIE
HAUTE-INDRE
LOIRE
LE PORT LAVIGNE
Pont de Cheviré
CHEVIRÉ
BOUGUENAIS
CENTRE CULTUREL PIANO' CKTAIL
NANTES-ATLANTIQUE
AÉROGARE
EADS
PORTE DE RETZ
PORTE DE GRAND LIEU
PORTE DE BOUGUENAIS
LES COUËTS
CITÉ RADIEUSE LE CORBUSIER
REZÉ
TRENTEMOULT
ÎLE DE
Bras
Sq. M. Schwob
CHANTENAY
VÉLODROME
LES DERVALLIÈRES
LA GAUDINIÈRE
LA MORLIÈRE
LE PONT DU CENS
LA BOISSIÈRE
MAISON D'ARRÊT
I.N.R.A.
PORTE DE GESVRES
CAPELLIA
LES BASSES-LANDES
LE BOIS-RAGUENET
PORTE DE RENNES
Route de Vannes
Av. F. Vincent
Bd du Massacre
Bd Schuman
Rte d'Armor
Bd Salvador Allende
Bd F. Mitterrand
Bd Ch. de Gaulle
Bd J. Moulin
Rte de Paimbœuf
Cens
Chézine
N 165-E 60
N 844
N 444
N 137
E 3
A 844
D 42
D 75
D 965
D 101
D 17
D 107
D 417
D 58
D 723
D 258
D 85
D 823
D 751A
D 69
CHAU
POL.
H
q
e
v
m
d
M5

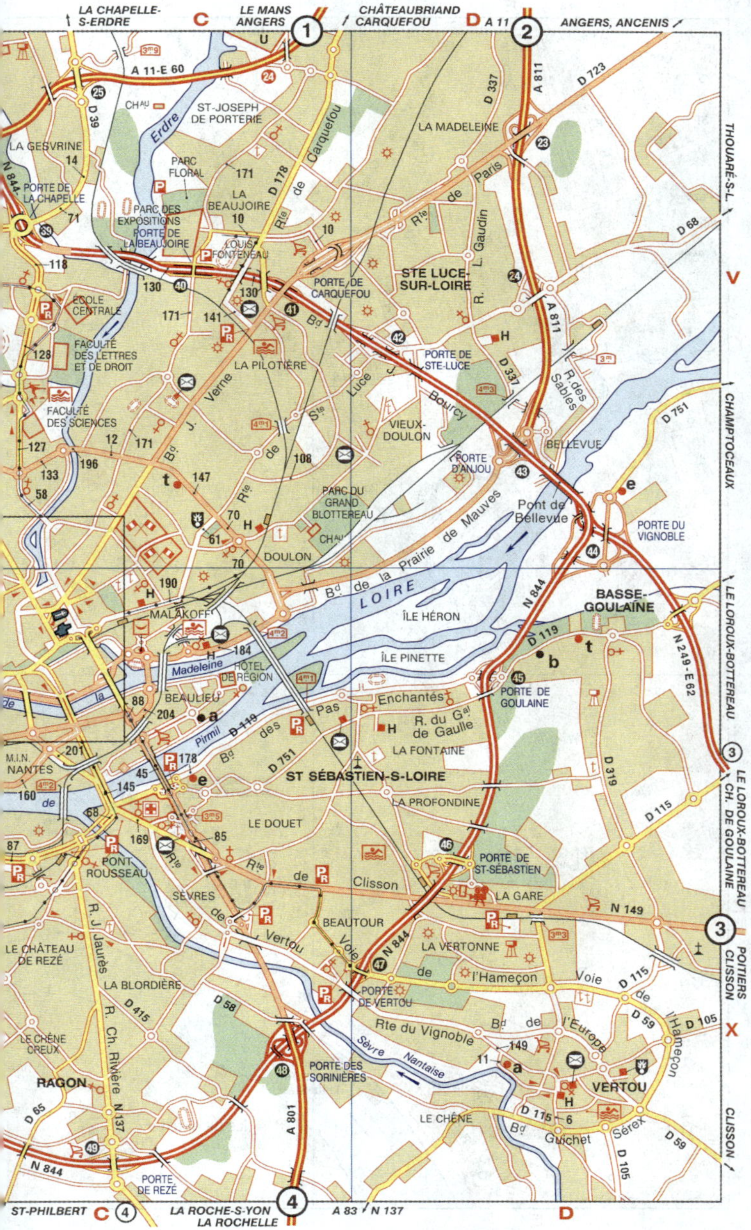
LA CHAPELLE-S-ERDRE
C
LE MANS ANGERS
1
CHÂTEAUBRIAND CARQUEFOU
D
A 11
2
ANGERS, ANCENIS
A 11-E 60
ST-JOSEPH DE PORTERIE
LA MADELEINE
D 337
A 811
D 723
LA GESVRINE
PARC FLORAL
Erdre
LA BEAUJOIRE
D 178
Rte de Carquefou
Rte de Paris
R. L. Gaudin
PORTE DE LA CHAPELLE
PARC DES EXPOSITIONS
PORTE DE LA BEAUJOIRE
LOUIS FONTENEAU
PORTE DE CARQUEFOU
STE LUCE-SUR-LOIRE
D 68
THOUARÉ-S-L.
V
ECOLE CENTRALE
FACULTÉ DES LETTRES ET DE DROIT
FACULTÉ DES SCIENCES
LA PILOTIÈRE
Bd J. Verne
PORTE DE STE-LUCE
Bd J. Bourcy
Rte de Ste Luce
VIEUX-DOULON
R. des Sables
D 751
BELLEVUE
PORTE D'ANJOU
CHAMPTOCEAUX
PARC DU GRAND BLOTTEREAU
Pont de Bellevue
PORTE DU VIGNOBLE
DOULON
Bd de la Prairie de Mauves
LOIRE
ÎLE HÉRON
BASSE-GOULAINE
MALAKOFF
N 844
D 119
ÎLE PINETTE
Madeleine
HÔTEL DE RÉGION
PORTE DE GOULAINE
N 249-E 62
LE LOROUX-BOTTEREAU
BEAULIEU
Enchantés
R. du Gal de Gaulle
Bd des Pas
Pirmil
D 119
LA FONTAINE
M.I.N. NANTES
D 751
ST SÉBASTIEN-S-LOIRE
D 319
3
LE LOROUX-BOTTEREAU CH. DE GOULAINE
LA PROFONDINE
D 115
LE DOUET
PONT ROUSSEAU
SÈVRES
Rte de Clisson
PORTE DE ST-SÉBASTIEN
LA GARE
N 149
BEAUTOUR
Rte de Vertou
Voie
N 844
LE CHÂTEAU DE REZÉ
R. J. Jaurès
LA VERTONNE
Voie de l'Hameçon
POITIERS CLISSON
LA BLORDIÈRE
D 415
D 58
PORTE DE VERTOU
D 115
D 59
D 105
X
Rte du Vignoble
Bd de l'Europe
l'Hameçon
LE CHÊNE CREUX
R. Ch. Rivière
Sèvre Nantaise
PORTE DES SORINIÈRES
VERTOU
RAGON
D 65
N 137
A 801
LE CHÊNE
D 115
Bd Guichet
Sèvres
D 59
D 105
CLISSON
N 844
PORTE DE REZÉ
ST-PHILBERT
C
4
LA ROCHE-S-YON LA ROCHELLE
4
A 83
N 137
D

E
F
Y
Z
Bd des Anglais
R. d'Arsonval
R. E. Branly
Gaston Serpette
Bd Meusnier de Querlon
Rue
R. A. Daudet
R. du Maine
des
Noire
Rue des Hauts Pavés
PARC DES CAPUCINS
Parc de Procé
Bd A. Pageot
Pl. A. France
MISÉRICORDE
Rue des Dervallières
Pl. Paul Doumer
R. A. Dumas
R. F. Merlant
R.
N-D TOUTES-JOIES
R. Félibien
Pl. Viarme
R. du Parc de Procé
Bouchaud
Rue de Monselet
Av. Camus
la Rue
Bastille
Pl. E. Normand
R. de la Chézine
Rue
Mondésir
Bd R. G. Guist'hau
Harouys
MAISON D'ARRÊT
R. Marceau
Pl. A. Briand
R. Lafayette
R. Lamartine
R. du Boccage
R. Colbert
Pl. Canclaux
R. de Gigant
R. Appert
R. de la Ville en Bois
Bd P. Langevin
Rue
R. Racine
Pl. Graslin
Place Beaumanoir
Bd Pasteur
MUSÉE DOBRÉE
M4
M1
COURS CAMBRONNE
M
Pl. Gal Mellinet
Mellier
Bd de Launay
Lamoricière
R. Dobrée
N-D de Bon-Port
R. St-Aignan
Place L. Daubenton
Fosse
Quai de la
LOIRE
Quai F.
Baboneau
R.
Bd Allende
Q. E. Renaud
L'Escorteur d'escadre Maillé-Brézé
Bd J. Blanchart
R.
Bd
R. La Noue
R. de la
ÎLE DE NANTES
LES MACHINES DE L'ÎLE
Bd de
J
T
a
b
d
q
v
x
51
69
69
126
136
139
148
148
151
189
202
195
91
117
64
33
63
54
187
152
159
166
13
205
188
162
89
181
123
19
30
25
5
82
94

NANTES page 7

RÉPERTOIRE DES RUES DE NANTES

BOUGUENAIS
Paimbœuf (Rte de) .... **BX**

NANTES
Aiguillon (Q. d') .... **BX** 2
Albert (R. du Roi) .... **GY** 3
Alexandre-Dumas (R.) .... **EY**
Allende (Bd S.) .... **EZ**
Anglais (Bd des) .... **BV** 4
Anne-de-Bretagne (Pont) ..... **FZ** 5
Appert (R.) .... **EZ**
Arsonval (R.) .... **EY**
Audibert (Pont Gén.) .... **HZ** 7
Babin-Chevaye (Bd) .... **GHZ**
Babonéau (R.) .... **EZ**
Bâclerie (R. de la) .... **GY** 8
Baco (Allée) .... **HYZ**
Barbusse (Quai H.) .... **GY**
Barillerie (R. de la) .... **GY** 9
Bastille (R. de la) .... **EFY**
Baudry (R. S.) .... **HY**
Beaujoire (Bd de la) .... **CV** 10
Beaujoire (Pont de la) .... **CV**
Beaumanoir (Pl.) .... **EZ**
Belges (Bd des) .... **CV** 12
Bellamy (R. P.) .... **GY**
Belleville (R. de) .... **EZ** 13
Bel-Air (R. de) .... **GY**
Blanchart (R.) .... **EZ**
Boccage (R. du) .... **EFY**
Bocquerel (Bd H.) .... **CV** 14
Boileau (R.) .... **GZ** 15
Bonduel (Av. J. C.) .... **HZ**
Bossuet (R.) .... **GY** 16
Bouchaud (R.) .... **EY**
Boucherie (R. de la) .... **GY** 18
Bouhier (Pl. R.) .... **EZ** 19
Bouille (R. de) .... **GY** 21
Bouley Paty (Bd) .... **BV** 22
Bourcy (Bd Joseph) .... **CDV**
Bourse (Pl. de la) .... **GZ** 24
Branly (R. É.) .... **EY**
Brasserie (R. de la) .... **EZ** 25
Bretagne (Pl. de la) .... **GY** 27
Briand (Pl. A.) .... **FY**
Briand (Pont A.) .... **HZ** 28
Brunellière (R. Ch.) .... **FZ** 30
Buat (R. du Gén.) .... **HY**
Budapest (R. de) .... **GY** 31
Bureau (Bd L.) .... **FZ**
Calvaire (R. du) .... **FY** 33
Cambronne (Cours) .... **FZ**
Camus (Av.) .... **EY**
Canclaux (Pl.) .... **EZ**
Carnot (Av.) .... **HYZ**
Carquefou (Rte de) .... **CV**
Cassegrain (R. L.) .... **GY**
Cassin (Bd R.) .... **BV** 34
Ceineray (Quai) .... **GY** 36
Change (Pl. du) .... **GY** 37
Chanzy (Av.) .... **HY**
Chapelle-sur-Erdre (Rte) ..... **BV** 39
Chateaubriand (Pl. de) ...... **GY**
Châteaulin (R. de) .... **GY**
Château (R. du) .... **GY** 40
Cheviré (Pont de) .... **ABX**
Chézine (R. de la) .... **EY**
Cholet (Bd Bâtonnier) .... **BX** 42
Churchill (Bd W.) .... **BX** 43
Clemenceau (Pont G.) .... **CX** 45
Clemenceau (R. G.) .... **HY** 46
Clisson (Crs Olivier de) ..... **GZ** 48
Colbert (R.) .... **FYZ**
Commerce (Pl. du) .... **GZ** 49
Constant (Bd Clovis) .... **EY** 51
Contrescarpe (R. de la) ..... **GY** 52
Copernic (R.) .... **FZ** 54
Coty (Bd R.) .... **BX** 55
Coulmiers (R. de) .... **HY** 57
Courbet (Bd Amiral) .... **CV** 58
Crébillon (R.) .... **FGZ** 60
Dalby (Bd E.) .... **CD** 61
Daubenton (Pl. L.) .... **EZ**
Daudet (R. A.) .... **FY**
Delorme (R.) .... **FY** 63
Dervallières (R. des) .... **EY**
Desaix (R.) .... **HY**
Desgrées-du-Lou
  (R. du Col.) .... **EY** 64
Distillerie (R. de la) .... **GY** 66
Dobrée (R.) .... **FZ**
Dos-d'Ane (R.) .... **CX** 68
Douet Garnier (R. du) .... **EY** 69
Doulon (Bd de) .... **CV** 70
Doumergue (Bd G.) .... **HZ**
Doumer (Pl. P.) .... **EY**
Dreyfus
  (R. Commandant A.) ...... **CV** 71
Duchesse-Anne (Pl.) .... **HY** 72
Duguay-Trouin (Allée) ...... **GZ** 73
Einstein (Bd A.) .... **BV** 75
Estienne-d'Orves (Crs d') ... **HZ** 76
Farineau (R. F.) .... **HY**
Favre (Quai F.) .... **HYZ** 78
La-Fayette (R.) .... **FY**
Félibien (R.) .... **FY**
Feltre (R. de) .... **GY** 79
Foch (Pl. Mar.) .... **HY**
Fosse (Quai de la) .... **EFZ**
Fosse (R. de la) .... **GZ** 81
Fouré (R.) .... **HZ**
Frachon (Bd B.) .... **EZ** 82
France (Pl. A.) .... **EY**
Fraternité (Bd de la) .... **BX** 84
Gabory (Bd E.) .... **CX** 85
Gâche (Bd V.) .... **HZ**
Gambetta (R.) .... **HY**
Gaulle (Bd Gén.-de) .... **CX** 87
Gigant (R. de) .... **EFZ**
Graslin (Pl.) .... **FZ**
Guinaudeau (R.) .... **FZ** 89
Guist'hau (Bd G.) .... **FY**
Hameçon (Voie de l') .... **CDX**
Harouys (R.) .... **FY**
Haudaudine (Pont) .... **GZ** 90
Hauts-Pavés (R. des) .... **FY**
Hélie (R. F.) .... **FY** 91
Henri IV (R.) .... **HY** 93
Hermitage (R. de l') .... **EZ** 94
Herriot (R. E.) .... **GY** 95
Hoche (Q.) .... **HZ**
Hôtel-de-Ville (R. de l') ..... **GY** 96
Ile Gloriette (Allée de l') .... **GZ** 97
Ingres (Bd J.) .... **BX** 98
Jeanne-d'Arc (R.) .... **EY**
Jean-Jaurès (R.) .... **FGY**
Jean XXIII (Bd) .... **BV** 100
Joffre (Pl. Mar.) .... **HY**
Jouhaux (Bd L.) .... **BX** 102
Juin (Bd Mar.) .... **BX** 103
Juiverie (R. de la) .... **GY** 104
Jules-Verne (Bd) .... **CV**
J.-J. Rousseau (R.) .... **FGZ** 99
Kennedy (Cours J.-F.) .... **HY** 105
Kervégan (R.) .... **GZ** 106
Koenig (Bd Gén.) .... **BX** 107
Lamartine (R.) .... **EY**
Lamoricière (R.) .... **EZ**
Landreau (R. du) .... **CV** 108
Langevin (Bd P.) .... **EZ**
Lanoue Bras-de-Fer (R.) .... **FGZ**
Le Lasseur (Bd) .... **BV** 112
Lattre-de-Tassigny
  (R. Mar.-de) .... **FGZ** 109
Launay (Bd R.) .... **EZ**
Lauriol (Bd G.) .... **BV** 110
Leclerc (R. Mar.) .... **GY** 114
Liberté (Bd de la) .... **BX** 115
Littré (R.) .... **EY** 117
Louis-Blanc (R.) .... **GZ**
Luther-King (Bd M.) .... **CV** 118
Madeleine (Chée de la) ..... **GHZ**
Magellan (Quai) .... **HZ**
Maine (R. du) .... **FY**
Malakoff (Quai de) .... **HZ**
Marceau (R.) .... **FY**
Marne (R. de la) .... **GY** 120
Martyrs-Nantais-
  de-la-Résist. (Bd) .... **HZ** 121
Mathelin-Rodier (R.) .... **HY** 122
Mazagran (R.) .... **FZ** 123
Mellier (R.) .... **EZ**
Mellinet (Pl. Gén.) .... **EZ**
Mercœur (R.) .... **FGY** 125
Merlant (R. F.) .... **EY**
Merson (Bd L.-O.) .... **EY** 126
Meusnier-de-Querlon
  (Bd) .... **EY**
Michelet (Bd) .... **CV** 127
Mitterrand (Q. F.) .... **FGZ**
Mollet (Bd G.) .... **CV** 128
Moncousu (Quai) .... **GZ**
Mondésir (R.) .... **FY**
Monnet (Bd Jean) .... **GZ**
Monod (Bd du Prof.-J.) ..... **CV** 130
Monselet (R. Ch.) .... **EFY**
Motte Rouge (Q. de la) ..... **GY** 131
Moulin (Bd J.) .... **BX**
Nations-Unies (Bd des) ..... **GZ** 132
Normand (Pl. E.) .... **FY**
Olivettes (R. des) .... **HZ**
Orieux (Bd E.) .... **CV** 133
Orléans (R. d') .... **GZ** 135
Pageot (Bd A.) .... **EY**
Painlevé (R. Paul) .... **EY** 136
Paix (R. de la) .... **GZ** 138
Parc de Procé (R. du) .... **EY**
Paris (Rte de) .... **DV**
Pasteur (Bd) .... **EZ**
Péhant (R. E.) .... **HY**
Pelleterie (R. de la) .... **EFY** 139
Petite Baratte (R.) .... **CV** 141
Petite-Hollande (Pl.) .... **GZ** 142
Pilori (Pl. du) .... **GY** 144
Pirmil (Pont de) .... **CX** 145
Pitre-Chevalier (R.) .... **GHY**
Poilus (Bd des) .... **CV** 147
Poitou (R. du) .... **FY** 148
Pommeraye (Pas.) .... **GZ**
Pont-Morand (Pl. du) .... **GY**
Porte-Neuve (R.) .... **FGY** 151
Prairie-au-Duc (Bd) .... **FGZ**
Prairie de Mauves
  (Bd de la) .... **DV**
Préfet Bonnefoy (R. du) .... **HY**
Racine (R.) .... **FZ**
Raspail (R.) .... **EYZ** 152
Refoulais (R. L. de la) ...... **HY** 153
Reine Margot
  (Allée de la) .... **HY** 154
Renaud (Quai E.) .... **EZ**
République (Pl. de la) ...... **GZ** 157
Rhuys (Quai A.) .... **GZ**
Rieux (R. de) .... **HZ**
Riom (R. Alfred) .... **EZ** 159
Roch (Bd Gustave) .... **CX** 160
Rollin (R.) .... **EZ** 162
Romanet (Bd E.) .... **BX** 163
Ronar'ch (R. Amiral) .... **HY**
Roosevelt (Crs F.) .... **GZ** 165
Rosière d'Artois (R.) .... **FZ** 166
Royale (R.) .... **GZ**
Rue Noire (R.) .... **FY**
Russeil (R.) .... **FGY**
Ste-Croix (R.) .... **GY** 179
Ste-Luce (Rte de) .... **CV**
St-Aignan (Bd) .... **EZ**
St-André (Cours) .... **HY** 168
St-Jacques (R.) .... **CX** 169
St-Joseph (Rte de) .... **EY** 171
St-Mihiel (Pont) .... **GY** 172

St-Pierre (Cours) . . . . **HY** 174	Vertou (Rte de) . . . . **CX**	Gaudin (R. L.) . . . . **DV**
St-Pierre (Pl.) . . . . **GY** 175	Viarme (Pl.) . . . . **FY**	Sables (R. des) . . . . **DV**
St-Rogatien (R.) . . . . **HY** 177	Victor-Hugo (Bd) . . . . **CX** 201	
St-Sébastien (Côte) . . . . **CX** 178	Villebois-Mareuil (R.) . . . . . . **FY** 202	**ST-HERBLAIN**
Salengro (Pl. R.) . . . . **GY** 180	Ville-en-Bois (R. de la) . . . . . **EZ**	Allende (Bd S.) . . . . **ABX**
Sanitat (Pl. du) . . . . **FZ** 181	Viviani (R. René) . . . . **CX** 204	Armor (Rte d') . . . . **AV**
Santeuil (R.) . . . . **GY** 183	Voltaire (R.) . . . . **FZ** 205	Dr-Boubée
Sarrebrück (Bd de) . . . . **CX** 184	Waldeck-Rousseau (Pl.) . . **GHY** 207	(R. du) . . . . **AX** 67
Say (R. L.) . . . . **BV** 186	50-Otages (Crs des) . . . . **GYZ** 208	Gaulle (Av. Ch.-de) . . . . **AX**
Schuman (Bd R.) . . . . **BV**		Massacre (Bd du) . . . . **BV**
Scribe (R.) . . . . **FZ** 187	**ORVAULT**	Mitterrand (Bd F.) . . . . **AX**
Serpette (Bd G.) . . . . **EY**	Ferrière (Av. de la) . . . . **BV** 80	Monnet (R. J.) . . . . **AX** 125
Sibille (R. M.) . . . . **FZ** 188	Goupil (Av. A.) . . . . **BV** 88	
Simon (R. Jules) . . . . **EY** 189	Mendès-France (Bd) . . . . . . **BV** 124	**ST-SÉBASTIEN-SUR-LOIRE**
Stalingrad (Bd de) . . . . **CX** 190	Rennes (Rte de) . . . . **BV** 156	Clisson (Rte de) . . . . **CDX**
Strasbourg (R. de) . . . . **GY**	Vannes (Rte de) . . . . **BV**	Gaulle (R. du Gén.-de) . . . . **DX**
Sully (R.) . . . . **HY**	Vincent (Av. F.) . . . . **BV**	Pas-Enchantés (Bd des) . **CDX**
Talensac (R.) . . . . **GY** 192		
Tbilissi (Pt de) . . . . **ZH**	**REZÉ**	**VERTOU**
Tertre (Bd du) . . . . **BX** 193	Gaulle (Bd Gén.-de) . . . . . . **CX** 87	Arnaud (R. A.) . . . . **DX** 6
Thomas (Bd A.) . . . . **EY** 195	Jean-Jaurès (R.) . . . . **CX**	Beauséjour (R.) . . . . **DX** 11
Tortière (Pont de la) . . . . . . **CV** 196	Rivière (R. Ch.) . . . . **CX**	Europe (Bd de l') . . . . **DX**
Tourville (Quai de) . . . . **GZ**		Guichet Sérex (Bd) . . . . **DX**
Turpin (R. Gaston) . . . . **HY**	**STE-LUCE-SUR-LOIRE**	Pont de l'Arche (R. du) . . . **DX** 149
Vannes (Rte de) . . . . **BV**	Bellevue (Pont de) . . . . **DV**	Vignoble (Rte du) . . . . **DX**
Veil (R. G.) . . . . **GZ**		
Verdun (R. de) . . . . **GY** 199		
Versailles (Quai de) . . . . **GY**		

Des Colonies sans rest ≜ ⇄ 🚭 🛜 VISA 🆎 AE
5 r. Chapeau Rouge – ✆ 02 40 48 79 76 – www.hoteldescolonies.fr
– hoteldescolonies@free.fr – Fax 02 40 12 49 25   p.7 **GZ e**
38 ch – †56/75 € ††63/75 €, ⊇ 11 €

♦ Des expositions d'œuvres d'art égayent le petit hall d'accueil de cet hôtel situé dans une rue tranquille. Chambres au cadre actuel et aux coloris gais (bonne literie).

XXX **L'Atlantide** (Jean-Yves Guého) ≤ AC VISA 🆎 AE
❀ 16 quai E. Renaud ⊠ 44100 – ✆ 02 40 73 23 23 – www.restaurant-atlantide.net
– jygueho@club-internet.fr – Fax 02 40 73 76 46
– Fermé 25 juil.-24 août, 24 déc.-2 janv., sam. midi, dim. et fériés   p.6 **EZ a**
Rest – Menu 32 € bc (déj.), 60/95 € – Carte 70/85 € 🍷
Spéc. Grenouilles meunières et brandade d'anguille fumée en colonne de moelle (mars à sept.). Poitrine de pigeonneau rôti à la broche, homard de pays en tronçon, jus corsé (avril à sept.). Sphère du nouveau monde, chocolat framboises. **Vins** Muscadet de Sèvre-et-Maine sur lie, Savennières.

♦ Vue panoramique sur le fleuve et la ville depuis ce restaurant contemporain situé au sommet d'un immeuble moderne. Cuisine inventive et attrayante carte de vins de Loire.

XX **L'Océanide** AC 🚭 VISA 🆎
2 r. P. Bellamy – ✆ 02 40 20 32 28 – www.restaurant-oceanide.com
– Fax 02 40 48 08 55 – Fermé 27 juil.-17 août, dim. et lundi   p.7 **GY n**
Rest – Menu 21 € (sem.)/56 € – Carte 40/65 € 🍷

♦ Joli comptoir, boiseries, banquettes, plafond bleu-jaune et tableaux composent l'agréable décor de ce restaurant qui propose une cuisine de la mer et une belle carte des vins.

XX **La Poissonnerie** AC VISA 🆎 AE
4 r. Léon Maître – ✆ 02 40 47 79 50 – lestroisas@orange.fr – Fermé 4-26 août,
21 déc.-7 janv., sam. midi, dim. et lundi   p.7 **GZ e**
Rest – Menu (15 €), 43 € – Carte 35/58 €

♦ L'enseigne annonce la couleur : ce restaurant honore l'océan tant dans le décor – tons bleus, objets marins – que dans la cuisine, vouée aux poissons. Bon choix de muscadets.

XX **L'Abélia** 🌿 🕭 🚭 P VISA 🆎
125 bd des Poilus – ✆ 02 40 35 40 00 – www.restaurantlabelia.com
– restaurant.abelia@neuf.fr – Fermé 4-24 août, vacances de Noël,
dim. et lundi   p.5 **CV t**
Rest – Menu (26 €), 31/65 € bc

♦ Cette maison bourgeoise (1900) vous accueille en toute convivialité dans ses salons aux couleurs chaudes (parquet, tomettes, pierres apparentes), autour d'une cuisine actuelle.

NANTES page 10

×× Félix
1 r. Lefèvre Utile – ℰ 02 40 34 15 93 – www.brasseriefelix.com – contact@felixbrasserie.com – Fax 02 40 34 46 23
p.7 HZ a
Rest – Menu (16 €) – Carte 33/46 €

♦ Restaurant prisé des Nantais qui apprécient son cadre résolument contemporain, la terrasse tournée vers le canal St-Félix et sa séduisante cuisine de brasserie.

×× La Cigale
4 pl. Graslin – ℰ 02 51 84 94 94 – www.lacigale.com – lacigale@lacigale.com – Fax 02 51 84 94 95
p.6 FZ d
Rest – Menu (15 €), 18/28 € – Carte 25/46 €

♦ Inaugurée en 1895, l'incontournable brasserie ne compte plus ses clients célèbres. Le superbe cadre (mosaïques, boiseries) témoigne de l'ivresse ornementale du Modern Style.

×× Christophe Bonnet
6 r. Mazagran – ℰ 02 40 69 03 39 – www.christophebonnet.com – info@christophebonnet.com – Fermé 28 juil.-31 août, 1er-9 janv., dim. et lundi
p.6 FZ x
Rest – Menu 30 € bc (déj. en sem.), 38/120 € bc

♦ Dans cet ancien restaurant ouvrier à la façade couleur aubergine, les salles ont été récemment relookées pour se mettre au diapason de la cuisine inventive du chef.

×× Le Rive Gauche
10 côte St-Sébastien ✉ 44200 – ℰ 02 40 34 38 52
– www.restaurant-lerivegauche.com – rive.gauche@wanadoo.fr
– Fax 02 40 33 21 20 – Fermé 13-19 avril, 26 juil.-18 août, 24 déc.-2 janv., sam. midi, dim. soir et lundi
p.5 CX e
Rest – Menu (25 €), 33/110 € bc – Carte environ 40 €

♦ Longue maison basse dont la véranda offre une vue sur les quais, la Loire et l'île Beaulieu. Décor actuel et mise en place soignée au service d'une cuisine au goût du jour.

× Maison Baron Lefèvre
33 r. de Rieux – ℰ 02 40 89 20 20 – baron-lefevre@wanadoo.fr
– Fax 02 40 89 20 22 – Fermé 3-22 août, dim. et lundi
p.7 HZ n
Rest – Menu (15 €), 18 € (déj. en sem.)/25 € – Carte 35/60 €

♦ Néo-brasserie et épicerie fine (jambons, vins et autres délices) installées dans un entrepôt (ancienne boutique de maraîchers) aux allures de loft : décor épuré, mezzanine.

× Les Temps Changent
1 pl. A. Briand – ℰ 02 51 72 18 01 – les.temps.changent@wanadoo.fr
– Fax 02 51 88 91 82 – Fermé 3-23 août, sam. et dim.
p.6 FY q
Rest – Menu 25 € (déj.), 42/50 €

♦ Les suggestions saisonnières affichées sur l'un des menus confirment l'enseigne de ce bistrot chic dont l'ambiance change le soir, devenant plus cosy. 200 références de vins.

× Le 1
1 r. Olympe-de-Gouges, (à l'angle du quai F. Mitterand) – ℰ 02 40 08 28 00
– www.leun.fr – contact@leun.fr – Fax 02 40 08 28 68
p.7 GZ c
Rest – Menu (17 €), 23 € (déj. en sem.)/28 € – Carte 30/45 €

♦ Adresse mise en place par des chefs "aguerris", sur l'île de Nantes. Concept façon brasserie tendance (cuisine ouverte sur la salle, bar) ; carte actuelle et terroir revisité.

× L'Embellie
14 r. Armand Brossard – ℰ 02 40 48 20 02 – www.restaurantlembellie.com
– francoisproquin@yahoo.co.uk – Fax 02 72 01 72 25
– Fermé août, dim. et lundi
p.7 GY e
Rest – Menu (15 €), 24/52 € – Carte 39/56 €

♦ À deux pas de la tour Anne de Bretagne, des mets dans l'air du temps préparés avec soin et servis dans deux salles tout en jaune et bordeaux. L'Embellie… de la journée !

× Le Gressin
40 bis r. Fouré – ℰ 02 40 48 26 24 – le.gressin@orange.fr – Fax 02 40 48 26 24
– Fermé 5-20 août, lundi soir et dim.
p.7 HZ f
Rest – Menu (15 €), 20/31 €

♦ Petit restaurant de quartier : pierres apparentes, mobilier rustique, jonc de mer, expositions de tableaux, etc. Les menus, traditionnels, évoluent avec les saisons.

A ma Table

11 r. Fouré – ℰ 02 40 47 01 18 – amatable@aliceadsl.fr
– Fermé 1er-20 août, vacances fév., sam. et dim.
Rest – Menu (16 €), 21 €

♦ Nostalgiques du petit-beurre Nantais, sachez que ce bistrot jouxte les anciennes usines Lu. Vieilles photos du quartier, affiches rétro et cuisine du marché simple et de qualité.

Les Capucines

11 bis r. Bastille – ℰ 02 40 20 41 58 – www.restaurant-capucines.com
– restaurantlescapucines@wanadoo.fr – Fax 02 51 72 02 96 – Fermé 1er-24 août, sam. midi, lundi soir et dim.
Rest – Menu 12 € (déj.)/30 € – Carte 29/35 €

♦ Cette table sans chichi comprend trois salles mi-rétro mi-bistrot (deux s'ouvrent sur un patio). Le chef concocte plats traditionnels selon le marché et recettes du Sud-Ouest.

Environs

au Bord de l'Erdre 11 km par D 178 ou sortie n° 24 autoroute A 11
et rte de la Chantrerie - CV

Manoir de la Régate

155 rte Gachet ⊠ 44300 Nantes – ℰ 02 40 18 02 97 – www.manoir-regate.com
info@manoir-regate.com – Fax 02 40 25 23 36 – Fermé 26-30 déc., dim. soir et lundi
Rest – Menu 20 € (sem.)/70 € – Carte 68/89 €

♦ Demeure du 19e s. à l'atmosphère mi-bourgeoise, mi-contemporaine. Repas dans l'une des salles à manger ou sur l'agréable terrasse tournée vers le parc. Carte au goût du jour.

Auberge du Vieux Gachet

rte Gachet ⊠ 44470 Carquefou – ℰ 02 40 25 10 92
– www.aubergeduvieuxgachet.com – Fax 02 40 18 03 92 – Fermé dim. soir et lundi
Rest – Menu (20 €), 24 € (déj. en sem.), 35/85 € – Carte 57/70 €

♦ Une ancienne ferme qui rappelle la campagne d'autrefois, à deux pas de la ville. Vieilles poutres, ambiance rustique et terrasse d'été sous les tilleuls en bordure de l'Erdre.

rte d'Angers par N 23 ou sortie n° 23 autoroute A 11- DV – ⊠ 44470 Carquefou

Novotel Carquefou

4 allée des sapins, 11 km : Rond Point Belle Etoile
– ℰ 02 28 09 44 44 – www.novotel.com – H0410@accor.com – Fax 02 28 09 44 54
79 ch – †65/145 € ††65/145 €, ⊇ 14 € **Rest** – Menu (21 €) – Carte 24/46 €

♦ Proche des axes routiers, cet hôtel des années 1970 propose des chambres simples et fonctionnelles, pour moitié rénovées selon les dernières normes de la chaîne. La salle à manger moderne s'ouvre sur la terrasse et la piscine.

rte des Bords de Loire par D 751 DV, sortie 44 Porte du Vignoble

Villa Mon Rêve

à 9 km ⊠ 44115 Basse-Goulaine – ℰ 02 40 03 55 50 – www.villa-mon-reve.com
– contact@villa-mon-reve.com – Fax 02 40 06 05 41 – Fermé 17-30 nov., vacances de fév., dim. soir et mardi
Rest – Menu (23 €), 32/78 € bc – Carte 42/74 €

♦ Entre la Loire et les cultures maraîchères, maison 1900 devancée par une terrasse ombragée. Atmosphère intemporelle, cuisine du terroir et très beau choix de muscadets.

Auberge Nantaise

à 13 km, au Bout des Ponts ⊠ 44450 St-Julien-de-Concelles – ℰ 02 40 54 10 73
– Fax 02 40 36 83 28 – Fermé 10-21 juil., dim. soir et lundi
Rest – Menu (14 €), 17 € (sem.)/50 € – Carte 50/65 €

♦ À l'étage, salle à manger actuelle dont les baies vitrées surplombent la Loire. Au rez-de-chaussée, cadre coloré. Carte régionale : grenouilles, poissons au beurre blanc, etc.

La Divate

à 11 km, à Boire-Courant ⊠ 44450 St-Julien-de-Concelles – ℰ 02 40 54 19 66
– Fax 02 40 36 58 39 – Fermé 20 août-7 sept., vacances de fév., dim. soir, lundi soir, mardi soir et merc.
Rest – Menu (13 €), 15 € (déj. en sem.), 19/40 € – Carte 53/61 €

♦ Spécialités des bords de Loire à déguster dans cette petite maison de pays postée sur la digue du fleuve. Pierre et bois créent un joli décor champêtre.

NANTES page 12

Clémence

à 15 km, à la Chebuette ⊠ *44450 St-Julien-de-Concelles –* ℰ *02 40 36 03 18*
– www.restaurantclemence.fr – contact@restaurantclemence.fr
– Fax 02 40 36 03 18 – Fermé 10-30 août, dim. soir et lundi
Rest – Menu (16 € bc), 27/69 € – Carte environ 44 €

♦ Maison refaite au cadre épuré. C'est ici que Clémence Lefeuvre (1860-1932) créa le fameux beurre blanc, toujours présent dans la cuisine proposée par le chef, régionale et inventive.

à Basse-Goulaine 10 km par D 119 – 7 927 h. – alt. 22 m – ⊠ 44115

L'Orangerie du Parc sans rest

195 r. Grignon, (D 119) – ℰ *02 40 54 91 30*
– www.gites-de-france-44.fr/lorangerie – lorangerieduparc@voila.fr
– Fax 02 40 54 91 30

p. 5 **DX b**

5 ch ⊇ – †62/67 € ††75/81 €

♦ Dans un parc arboré, l'orangerie d'une demeure ayant appartenu à un ministre de Napoléon III abrite cinq chambres raffinées et de plain-pied (quatre avec couchage en duplex).

à Haute-Goulaine 14 km par ③ et D 119 – 5 394 h. – alt. 41 m – ⊠ 44115

Manoir de la Boulaie (Laurent Saudeau)

33 r. Chapelle St Martin – ℰ *02 40 06 15 91*
– www.manoir-de-la-boulaie.fr – reservation@manoir-de-la-boulaie.fr
– Fax 02 40 54 56 83 – Fermé 27 juil.-20 août, 21 déc.-14 janv., dim. soir, lundi et merc.
Rest – Menu 39 € (déj. en sem.), 69/130 € – Carte 95/130 €

Spéc. Spirale de spaghetti des ris de veau et langoustines. Tronçon de rouget aux huîtres, compotée de chorizo Iberico. Tomate, framboise, yuzu (été). **Vins** Muscadet de Sèvre-et-Maine, Savennières.

♦ Cette jolie demeure bourgeoise des années 1920, entourée d'un parc et de vignes, est très prisée des Nantais pour sa délicieuse cuisine inventive. Bon choix de muscadets.

à La Haie-Fouassière 15 km par ③, D 149 et D 74 – 3 917 h. – alt. 25 m – ⊠ 44690

Château du Breil sans rest

r. du Breil – ℰ *02 40 36 71 55 – http://lebreil.monsite.orange.fr – lebreil@wanadoo.fr – Fermé déc. et janv.*
5 ch ⊇ – †100 € ††140 €

♦ Folie nantaise édifiée en 1863 au cœur d'un domaine viticole, disposant de chambres confortables au mobilier de style. Ses atouts : parc boisé, piscine et salon-bibliothèque.

Le Cep de Vigne

à la Gare Nord : 1 km par D 74 – ℰ *02 40 36 93 90 – Fax 02 51 71 60 69*
– Fermé vacances de fév., dim. soir, lundi soir, mardi soir et merc.
Rest – Menu (15 €), 23 € bc (sem.)/52 € – Carte 52/70 €

♦ Façade agrémentée de céramiques sur le thème de la vigne. Trois salles à manger : deux rajeunies, dont une agrandie d'une véranda, et un salon rustique. Sélection de muscadets.

à Vertou 10 km par D 59 sortie porte de Vertou – 21 200 h. – alt. 32 m – ⊠ 44120

🛈 Office de tourisme, place du Beau Verger ℰ 02 40 34 94 36,
Fax 02 40 34 06 86

Monte-Cristo

Chaussée des Moines – ℰ *02 40 34 40 36 – www.monte-cristo.fr*
– le.monte.cristo@orange.fr – Fax 02 40 03 26 20 – Fermé
26-30 oct., 27 déc.-4 janv., merc. soir, dim. soir et lundi

p. 5 **DX a**

Rest – Menu (19 €), 25 € – Carte 32/54 €

♦ Les premières lignes du "Comte de Monte-Cristo" ont été écrites ici par Dumas. Nouvelle ambiance contemporaine dans les salles, terrasse ouverte sur la Sèvre et cuisine actuelle.

NANTES page 13

à Château-Thébaud 18 km par ③, D 149, D74 et D63 – 2 731 h. – alt. 58 m – ⊠ 44690

Auberge la Gaillotière
La Gaillotière – ℰ 02 28 21 31 16 – www.auberge-la-gaillotiere.fr – contact@auberge-la-gaillotiere.fr – Fax 02 28 21 31 17 – Fermé 27 juil.-12 août, 2 fév.-4 mars, mardi soir et merc.
Rest – Menu 13 € (déj. en sem.), 18/26 €
♦ Ancien chai isolé au milieu du vignoble nantais. Plats du terroir mitonnés en fonction du marché et vins locaux sont proposés dans un cadre rustique sans fioriture.

rte de La Roche-sur-Yon 12 km par ④ et D 178 – ⊠ 44840 Les Sorinières

Abbaye de Villeneuve
– ℰ 02 40 04 40 25 – www.abbayedevilleneuve.com – villeneuve@leshotelsparticuliers.com – Fax 02 40 31 28 45
21 ch – †95/195 € ††95/195 €, ⊇ 15 € – ½ P 98/148 €
Rest – Menu (25 €), 35/65 € – Carte 45/80 €
♦ Demeure du 18ᵉ s. bâtie sur les vestiges d'une abbaye médiévale. Quelques pierres tombales décorent le hall. Chambres très classiques, plus petites et rustiques au 2ᵉ étage. Le chemin du restaurant passe par un cloître. Salle à manger "châtelaine" ouverte sur le parc.

à l'aéroport international Nantes-Atlantique sortie 51 porte de Grandlieu-Bouguenais – ⊠ 44340 Bouguenais

Océania
– ℰ 02 40 05 05 66 – www.oceaniahotels.com – oceania.nantes@oceaniahotels.com – Fax 02 40 05 12 03   p. 4 **BX** e
87 ch – †175 € ††175 €, ⊇ 15 € – 2 suites
Rest – *(fermé sam. midi et dim. midi)* Menu 21/30 € – Carte 37/52 €
♦ Imposante façade contemporaine rythmée par des pilastres. Chambres pratiques et refaites dans un style actuel épuré. Une navette relie l'hôtel à l'aéroport. Sympathique salon avec cheminée, grande salle à manger et terrasse au bord de la piscine.

à Bouaye 15 km par D 751A – AX – 5 505 h. – alt. 16 m – ⊠ 44830

🛈 Office de tourisme, 2, pl. du Bois Jacques ℰ 02 40 65 53 55, Fax 02 51 70 59 84

Kyriad
rte de Nantes – ℰ 02 40 65 43 50 – www.champsdavaux.com – info@champsdavaux.com – Fax 02 40 32 64 83 – Fermé 24 déc.-3 janv.
44 ch – †72/82 € ††72/120 €, ⊇ 12 € – ½ P 64/66 €
Rest *Les Champs d'Avaux* – *(fermé dim. soir)* Menu (17 €), 21 € (sem.)/73 € – Carte 35/70 €
♦ Toutes les chambres de ce bâtiment moderne sont actuelles, avec double vitrage ; certaines ouvrent de plain-pied sur le jardin. Aire de jeux pour enfants. Agréable restaurant orienté sur la verdure. Plats traditionnels et régionaux.

à Haute-Indre 10 km à l'Ouest par D 107, sortie porte de l'Estuaire – ⊠ 44610 Indre

Belle Rive
8 pl. Jean Saillant – ℰ 02 40 86 01 07 – restarant.bellerive@wanadoo.fr – Fax 02 40 86 01 07 – Fermé 21 juil.-24 août, 22-25 déc., sam. midi, dim. soir, lundi soir, mardi soir et merc.   p.4 **AX** d
Rest – Menu (16 €), 25 € (sem.)/32 €
♦ Restaurant proche du petit port de Haute-Indre aménagé sur la Loire. Salle en harmonie de tons chocolat (murs, nappes et chaises) où l'on déguste une cuisine inspirée du marché.

à Couëron 15 km par D 107, sortie porte de l'Estuaire – 18 500 h. – alt. 13 m – ⊠ 44220

François II
5 pl. Aristide Briand – ℰ 02 40 38 32 32 – www.francois2.com – solennjeromeE@aol.com – Fax 02 40 38 32 32 – Fermé 13-16 avril, 27 juil.-20 août, 1ᵉʳ-4 nov., 15-21 fév., dim. soir, mardi soir, jeudi soir et lundi
Rest – Menu (12 €), 14 € (déj. en sem.), 21/50 € – Carte 38/56 €
♦ L'enseigne rend hommage au duc de Bretagne, père d'Anne, mort à Couëron. Côté décor, un style rustique (pierres apparentes, tapis, tapisseries). Côté cuisine, générosité et tradition.

NANTES page 14

à St-Herblain 8 km à l'Ouest – 43 900 h. – alt. 8 m – ⊠ 44800

La Marine
esplanade de la Bégraisière – ℘ 02 40 95 26 66 – www.hotel-marine.fr
– hotelmarine@wanadoo.fr – Fax 02 40 46 85 70
p.4 BV m
24 ch – †54/85 € ††61/85 €, ⊠ 8 €
Rest – *(fermé sam. midi et dim.)* Menu (14 €), 16 € (déj.)/37 €
– Carte 26/36 €
♦ Accueil charmant en cette demeure nichée au cœur d'un grand et paisible jardin. Les chambres, vastes et toutes identiques, sont dotées de meubles de style très classique. Salle à manger-véranda ouverte sur des espaces verts ; cuisine traditionnelle.

Les Caudalies
229 rte de Vannes – ℘ 02 40 94 35 35 – www.restaurant-lescaudalies.com
– restaurant.les-caudalies@wanadoo.fr – Fax 02 40 40 89 90 – Fermé
26 juil.-26 août, 15-25 fév., dim. soir, lundi et merc.
p.4 BV v
Rest – Menu 19 € (sem.), 28/40 € – Carte 30/37 €
♦ Au bord de la route, villa des années 1980 accueillant deux petites salles à manger empreintes de sobriété. La cuisine du marché vagabonde à travers les régions françaises.

à Orvault 6 km par N 137 sortie porte de Rennes – 24 000 h. – alt. 45 m – ⊠ 44700

Le Domaine d'Orvault
24 chemin des Marais-du-Cens –
℘ 02 40 76 84 02 – www.domaine-orvault.com – contact@domaine-orvault.com
– Fax 02 40 76 04 21
p.4 BV e
40 ch ⊠ – †88/116 € ††100/116 €
Rest – *(fermé dim. du 15 oct. au 1er avril)* Menu (26 €), 34/58 €
– Carte 34/48 €
♦ Noyée dans la verdure, une villa qui, malgré les apparences, ne date que des années 1970. Grandes chambres diversement meublées ; préférez les plus récentes. Restaurant contemporain et terrasse ombragée de tilleuls, pour déguster des plats dans l'air du temps.

Du Parc sans rest
92 r. de la Garenne – ℘ 02 40 63 04 79 – www.hotel-du-parc-nantes.com
– parc.hotel@wanadoo.fr – Fax 02 40 63 62 99 – Fermé 6-26 août et
23 déc.-1er janv.
p.4 AV q
30 ch ⊠ – †60 € ††76/84 €
♦ Entouré d'un joli parc boisé, cet hôtel entièrement relooké propose des chambres au sobre décor actuel, bien insonorisées et à la tenue irréprochable. Salon-bibliothèque.

NANTILLY – 70 Haute-Saône – **314** B8 – rattaché à Gray

NANTOUX – 21 Côte-d'Or – **320** I7 – 186 h. – alt. 295 m – ⊠ 21190 7 **A3**
▶ Paris 326 – Dijon 55 – Chalon-sur-Saône 37 – Le Creusot 48 – Beaune 9

Domaine de la Combotte sans rest
r. de Pichot – ℘ 03 80 26 02 66 – www.lacombotte.com
– info@lacombotte.com
5 ch ⊠ – †80/100 € ††105/130 €
♦ Au cœur d'un village viticole, cet ensemble de maisons récentes propose de grandes chambres décorées sur le thème de la vigne. En saison, forfait-découverte de la truffe.

NANTUA – 01 Ain – **328** G4 – 3 902 h. – alt. 479 m – ⊠ 01130 45 **C1**
Franche-Comté Jura

▶ Paris 476 – Aix-les-Bains 79 – Annecy 67 – Bourg-en-Bresse 52 – Genève 67
– Lyon 93

🛈 Office de tourisme, place de la Déportation ℘ 04 74 75 00 05,
Fax 04 74 75 06 83

◉ Église St-Michel★ : Martyre de St-Sébastien★★ par E. Delacroix - Lac★.

◉ La cuivrerie★ de Cerdon.

NANTUA

L'Embarcadère
av. Lac – ℰ 04 74 75 22 88 – www.hotelembarcadere.com – contact@hotelembarcadere.com – Fax 04 74 75 22 25
49 ch – †59/73 € ††59/73 €, ⌑ 10 €
Rest – *(fermé 20 déc.-5 janv.)* Menu 25 € (sem.)/65 € – Carte 70/80 €
♦ La moitié des chambres offrent une échappée sur le lac, et toutes bénéficient d'un rajeunissement dans des tons chauds. La vue panoramique sur l'eau et la goûteuse cuisine régionale sont les atouts maîtres du restaurant, auquel on accède par une passerelle couverte.

à Brion Nord-Ouest : 5 km par D 1084 et D 979 – 511 h. – alt. 475 m – ⊠ 01460

Bernard Charpy
1 r. la Croix-Chalon – ℰ 04 74 76 24 15 – Fax 04 74 76 22 36 – Fermé 17-25 mai, 9 août-7 sept., 26 déc.-4 janv., sam. midi, dim. soir et lundi
Rest – Menu 21 € (déj. en sem.), 25/40 € – Carte 49/61 €
♦ Sous la charpente apparente de la salle à manger relookée version contemporaine, vous dégusterez une attrayante cuisine traditionnelle (très beau choix de poissons frais).

à La Cluse Nord-Ouest : 3,5 km par D 1084 – ⊠ 01460 Montréal-la-Cluse

Lac Hôtel sans rest
22 av. Bresse – ℰ 04 74 76 29 68 – www.lac-hotel.com – lac-hotel@wanadoo.fr – Fax 04 74 76 13 70 – Fermé 1er-8 août et 1er nov.-31 déc.
28 ch – †38/44 € ††38/47 €, ⌑ 7 €
♦ Chambres pratiques, tenue rigoureuse, prix "mini" et bonne insonorisation rendent attractif cet hôtel voisin d'un nœud routier. Accès Internet à disposition.

LA NAPOULE – 06 Alpes-Maritimes – 341 C6 – rattaché à Mandelieu

---

NARBONNE – 11 Aude – 344 J3 – 51 300 h. – alt. 13 m – ⊠ 11100   22 **B3**
▮ Languedoc Roussillon

▶ Paris 787 – Béziers 28 – Carcassonne 61 – Montpellier 96 – Perpignan 64
▤ ℰ 3635 et tapez 42 (0,34 €/mn)
▯ Office de tourisme, 31, rue Jean Jaurès ℰ 04 68 65 15 60, Fax 04 68 65 59 12
◉ Cathédrale St-Just-et-St-Pasteur★★ (Trésor : tapisserie représentant la Création★★) - Donjon Gilles Aycelin★ ❊★ H - Chœur★ de la basilique St-Paul - Palais des Archevêques★ BY : musée d'Art et d'Histoire★ - Musée archéologique★ - Musée lapidaire★ BZ - Pont des marchands★.

Plan page suivante

Novotel
130 r. de l'Hôtellerie, Z. I. Plaisance 3 km par ③, rte Perpignan – ℰ 04 68 42 72 00 – www.novotel.com – H0412@accor.com – Fax 04 68 42 72 10
96 ch – †90/150 € ††90/150 €, ⌑ 15 €   **Rest** – Carte 19/29 €
♦ Cet hôtel de chaîne, prodigue de rénovations, offre une halte pratique sur la route de l'Espagne. Chambres de bon confort. Restaurant actuel, agréable terrasse sous pergola et jardin planté d'ifs et de pins. Vins régionaux.

La Résidence sans rest
6 r. du 1er Mai – ℰ 04 68 32 19 41 – www.hotelresidence.fr – hotellaresidence@free.fr – Fax 04 68 65 51 82 – Fermé 20 janv.-15 fév.   AY **r**
26 ch – †60/79 € ††66/115 €, ⌑ 9 €
♦ Jean Marais, Louis de Funès, Georges Brassens, Michel Serrault : prestigieux livre d'or, gage de qualité pour cet hôtel de tradition aménagé dans une demeure du 19e s.

De France sans rest
6 r. Rossini – ℰ 04 68 32 09 75 – www.hotelnarbonne.com – accueil@hotelnarbonne.com – Fax 04 68 65 50 30 – Fermé 1er fév.-1er mars   BZ **s**
15 ch – †32/68 € ††36/70 €, ⌑ 7 €
♦ Chambres sobres et bien entretenues, réparties de chaque côté d'une petite cour intérieure. À 500 m, visitez le musée archéologique (collection de peintures romaines).

NARBONNE

Anatole-France (Av.) . . . . . . **AYZ** 2	Droite (R.) . . . . **BY**	Luxembourg
Ancienne Porte de Béziers	Escoute (Pont de l') . . . . **AY** 17	(R. du) . . . . **AZ** 30
(R. de l') . . . . **BY** 4	Fabre (R. Gustave) . . . . **AY** 18	Major (R. de la) . . . . **BZ** 31
Ancien Courrier (R. de l') . . . **BY** 3	Foch (Av. Mar.) . . . . **BY** 19	Maraussan (R.) . . . . **AZ** 32
Blum (Sq. Th.-Léon) . . . . . . **BY** 6	Garibaldi (R.) . . . . **BY** 20	Marchands (Pont des) . . . . . **BZ** 36
Cabirol (R.) . . . . **AZ** 7	Gaulle (Bd Gén.-de) . . . . **BY** 21	Michelet (R.) . . . . **BY** 33
Chennebier (R.) . . . . **AY** 9	Gauthier (R. Armand) . . . . . **BY** 22	Mirabeau (Cours) . . . . **BZ** 35
Concorde (Pont de la) . . . . . **AY** 10	Hôtel de Ville	Pyrénées (Av. des) . . . . **AY** 37
Condorcet (Bd) . . . . **BY** 12	(Pl. de l') . . . . **BYZ**	Pyrénées (Pl. des) . . . . **AZ** 39
Courier (R. P.-L.) . . . . **BZ** 13	Jacobins (R. des) . . . . **BZ** 23	Rabelais (R.) . . . . **AZ** 40
Crémieux (R. B.) . . . . **BZ** 15	Jean-Jaurès (R.) . . . . **AY** 24	République (Crs de la) . . . . . **BZ** 41
Deymes (R. du Lt.-Col.) . . . **BY** 16	Joffre (Bd Mar.) . . . . **AYZ** 25	Salengro (Pl. R.) . . . . **BY** 43
	Liberté (Pont de la) . . . . **BZ** 27	Sermet (Av. E.) . . . . **BY** 44
	Lion d'Or (R. du) . . . . **AY** 28	Toulouse (Av. de) . . . . **AZ** 45
	Louis-Blanc (R.) . . . . **BY** 29	Voltaire (Pont) . . . . **AY** 47

XXX **La Table St-Crescent** (Lionel Giraud)   P VISA MC AE ①
✤ 68 av. Gén. Leclerc, au Palais du Vin par ③ – ✆ 04 68 41 37 37
– www.la-table-saint-crescent.com – saint-crescent@wanadoo.fr
– Fax 04 68 41 01 22 – Fermé sam. midi, dim. soir et lundi
Rest – Menu (23 € bc), 45 € bc/79 € bc – Carte 64/85 € 🍷
Spéc. Cube de foie gras des Landes, purée de céleri rave et truffe. Volaille sphérique au foie gras, quintessence de parmesan. Compression d'un vacherin à la fraise des bois, glace basilic. **Vins** Minervois, Corbières.
♦ Élégant décor design à l'intérieur de ce vieil oratoire du Moyen Âge. Terrasse entourée de vignes. Séduisante cuisine inventive et vins honorant le Languedoc-Roussillon.

NARBONNE

Le Petit Comptoir
4 bd Mar. Joffre – ℰ 04 68 42 30 35 – www.petitcomptoir.com – camille@petitcomptoir.com – Fax 04 68 41 52 71 – Fermé 26 juil.-10 août, 1er-7 janv., dim. et lundi
AY **b**
Rest – Menu 17 € (déj. en sem.), 27/59 € bc – Carte 30/55 €
♦ Bonnes recettes traditionnelles aux accents du Sud, service efficace et attentionné : ce sympathique restaurant aux allures de bistrot des années 1930 affiche souvent complet.

L'Estagnol
5 bis cours Mirabeau – ℰ 04 68 65 09 27 – fabricemeynadier@wanadoo.fr – Fax 04 68 32 23 38 – Fermé lundi soir et dim.
BZ **t**
Rest – Menu (12 €), 19/33 € – Carte 22/45 €
♦ Jolie vue sur le canal depuis le 1er étage de cette brasserie actuelle. Cuisine d'inspiration régionale préparée avec les produits provenant du marché couvert voisin.

Le 26
8 bd Dr-Lacroix – ℰ 04 68 41 46 69 – www.restaurantle26.fr – restole26@free.fr – Fermé sam. midi, dim. et lundi
AZ **a**
Rest – Menu (15 €), 24/35 € – Carte 38/50 €
♦ Le patron mitonne de bons plats traditionnels qui embaument la salle du restaurant, sobre et tout en longueur (parquet, murs en pierre), et mettent en appétit ! Accueil aimable.

à Coursan 7 km par ① – 6 059 h. – alt. 6 m – ⌧ 11110

🛈 Syndicat d'initiative, 10 bis, avenue Jean Jaurès ℰ 04 68 33 60 86, Fax 04 68 33 60 86

L'Os à Table
88 av. Jean Jaurès, rte Salles d'Aude – ℰ 04 68 33 55 72 – http://perso.wanadoo.fr/losatable-coursan – losatable-coursan@wanadoo.fr – Fax 04 68 33 55 39 – Fermé 14-30 sept., mardi midi, dim. soir et lundi
Rest – Menu 25/46 € – Carte 30/47 €
♦ Dans une maison particulière bâtie à l'entrée d'un village traversé par l'Aude, lumineuses salles à manger aux tons pastel. Cuisine traditionnelle et beau choix de vins locaux.

à l'Hospitalet 10 km par ② rte de Narbonne-Plage (D 168) – ⌧ 11100

Château l'Hospitalet
– ℰ 04 68 45 28 50 – www.gerard-bertrand.com – chateau.hospitalet@gerard-bertrand.com – Fax 04 68 45 28 78 – Fermé 2-26 janv. et dim. d'oct. à mars
38 ch – †80/110 € ††90/120 €, ⌑ 15 €
Rest – *(fermé dim. soir et lundi d'oct. à mars)* Menu 29 € bc
– Carte 29/60 €
♦ Cette hôtellerie liée à un domaine vinicole comprend des ateliers de métiers d'art. Belle décoration intérieure et chambres récentes. Carte régionale et vins de la propriété au restaurant, aménagé dans l'ancienne bergerie.

à Bages 8 km par ③, D 6009 et D 105 – 755 h. – alt. 30 m – ⌧ 11100

🛈 Syndicat d'initiative, 8, rue des Remparts ℰ 04 68 42 81 76, Fax 04 68 42 81 76

Les Palombières d'Estarac
Estarac, au Sud-Ouest – ℰ 04 68 42 45 56 – www.palombieres-estarac.com – estarac@wanadoo.fr – Fax 04 68 42 45 56
4 ch ⌑ – †62/122 € ††72/132 €   **Table d'hôte** – Menu 27 € bc
♦ "Océane", "Soleillad", "Olivine" : des chambres fraîches et gaies, joliment personnalisées, habitent ce mas restauré entouré de garrigue. Plats méridionaux servis dans une salle à manger ouverte sur le parc et réchauffée l'hiver par de belles flambées.

Le Portanel
la Placette – ℰ 04 68 42 81 66 – jean-christophe.rousseau4@wanadoo.fr – Fax 04 68 41 75 93 – Fermé dim. soir du 15 sept. au 15 juil. et lundi
Rest – Menu (20 € bc), 25/40 € – Carte 36/65 €
♦ Produits locaux ultra-frais et saveurs franches : la Méditerranée s'invite à table dans cette ancienne maison de pêcheur. Expo-vente de tableaux et véranda surplombant le port.

NARBONNE

à Ornaisons 14 km par ④, D 6113 et D 24 – 1 111 h. – alt. 34 m – ✉ 11200

Le Relais du Val d'Orbieu 🌿
sur D 24 – 𝒞 *04 68 27 10 27 – www.relaisduvaldorbieu.com – contact@ relaisdurvaldorbieu.com – Fax 04 68 27 52 44 – Fermé 15 nov.-1ᵉʳ fév. et dim. en nov. et fév.*
18 ch – †65/120 € ††75/165 €, ⊇ 17 € – 2 suites – ½ P 80/130 €
Rest – *(dîner seult)* Menu (25 €), 39/49 € 🍷
♦ Au milieu du vignoble des Corbières, gage de calme absolu, ex-moulin à plâtre dont les plaisantes chambres s'ordonnent autour d'un beau patio. Équipements de loisirs. Cuisine traditionnelle et sélection de vins régionaux servis sous une jolie pergola en été.

LA NARTELLE – 83 Var – 340 O6 – rattaché à Ste-Maxime

NASBINALS – 48 Lozère – 330 G7 – 502 h. – alt. 1 180 m – Sports d'hiver : 1 240/1 320 m ✦1 ✦ – ✉ 48260 ▌Languedoc Roussillon   22 **B1**

▶ Paris 573 – Aurillac 105 – Aumont-Aubrac 24 – Mende 57 – Rodez 64 – St-Flour 53
🛈 Office de tourisme, Village 𝒞 04 66 32 55 73, Fax 04 66 32 55 73

Relais de l'Aubrac 🌿
au Pont de Gournier, (carrefour D 12 - D 112), 4 km au par D 12 – 𝒞 *04 66 32 52 06 – www.relais-aubrac.com – relais-aubrac@wanadoo.fr – Fax 04 66 32 56 58 – Ouvert début mars à mi-nov.*
27 ch – †49/70 € ††49/70 €, ⊇ 8 € – ½ P 47/60 €
Rest – Menu (14 €), 20/33 € – Carte 18/40 €
♦ Cette grande maison estimée des randonneurs et des pêcheurs jouxte un pont franchissant le Bès. Ambiance familiale, chambres fonctionnelles, petit-déjeuner sous véranda. Repas régional (spécialité d'aligot) dans un cadre rustique ou en terrasse. Service aimable.

Le rouge est la couleur de la distinction : nos valeurs sûres !

NATZWILLER – 67 Bas-Rhin – 315 H6 – 599 h. – alt. 500 m – ✉ 67130   2 **C1**
▶ Paris 422 – Barr 25 – Molsheim 31 – St-Dié 43 – Strasbourg 59

Auberge Metzger avec ch
55 r. Principale – 𝒞 *03 88 97 02 42 – www.hotel-aubergemetzger.com – auberge.metzger@wanadoo.fr – Fax 03 88 97 93 59 – Fermé 29 juin-6 juil., 21-25 déc., 6-26 janv., dim. soir et lundi sauf juil.-août*
16 ch – †57 € ††67/77 €, ⊇ 10 € – ½ P 75/84 €
Rest – Menu (14 €), 20/58 € – Carte 28/45 €
♦ Cette façade fleurie abrite une sympathique auberge familiale plébiscitée pour sa goûteuse cuisine régionale. Une cour pavée accueille la terrasse. Confortables chambres.

NAVARRENX – 64 Pyrénées-Atlantiques – 342 H5 – 1 138 h.   3 **B3**
– alt. 125 m – ✉ 64190
▶ Paris 787 – Pau 43 – Mourenx 15 – Oloron-Ste-Marie 23 – Orthez 22 – Peyrehorade 44
🛈 Office de tourisme, place des Casernes 𝒞 05 59 66 54 80, Fax 05 59 66 54 80

Du Commerce
pl. des Casernes – 𝒞 *05 59 66 50 16 – www.hotel-commerce.fr – hotel.du.commerce@wanadoo.fr – Fax 05 59 66 52 67*
24 ch – †65 € ††72 €, ⊇ 8 € – ½ P 72/86 €
Rest – Menu 11 € (déj. en sem.), 17/35 € – Carte 33/65 €
♦ Demeures béarnaises entièrement rénovées, situées dans une bastide fondée en 1316. On apprécie le charme délicieusement rustique et le confort des chambres. La salle à manger offre un cachet campagnard rehaussé de couleurs vives. Cuisine régionale.

NEAUPHLE-LE-CHÂTEAU – 78 Yvelines – 311 H3 – 2 973 h. — 18 A2
– alt. 185 m – ⊠ 78640 ◧ Île de France

▶ Paris 38 – Dreux 42 – Mantes-la-Jolie 32 – Rambouillet 24 – Versailles 21
🛈 Syndicat d'initiative, 14, place du Marché ✆ 01 34 89 78 00, Fax 01 34 89 78 00

🏨 Domaine du Verbois ⌂
38 av. de la République – ✆ 01 34 89 11 78
– www.hotelverbois.com – verbois@hotelverbois.com – Fax 01 34 89 57 33
– Fermé 9-21 août et 21-28 déc.
22 ch – †105 € ††115/180 €, ⊇ 12 € – ½ P 149 €
Rest – (fermé dim. soir) Menu 39/49 €

♦ Entourée d'un parc, cette demeure bourgeoise fin 19ᵉ s. domine la vallée de la Mauldre. Chambres personnalisées, meublées d'ancien ou de contemporain. Cuisine traditionnelle dans plusieurs salles raffinées ou sur la terrasse ombragée, face à la nature.

🏠 Le Clos St-Nicolas sans rest ⌂
33 r. St-Nicolas – ✆ 01 34 89 76 10 – www.clos-saint-nicolas.com
– mariefrance.drouelle@wanadoo.fr – Fax 01 34 89 76 10
5 ch ⊇ – †90 € ††96 €

♦ Atmosphère familiale très conviviale dans cette belle maison du 19ᵉ s. Jolies chambres thématiques (Jaune, Verte, Rouge) et petit-déjeuner dans la véranda, face au parc fleuri.

NÉGREVILLE – 50 Manche – 303 C3 – 813 h. – alt. 70 m – ⊠ 50260 — 32 A1

▶ Paris 342 – Caen 108 – Saint-Lô 72 – Cherbourg 22 – Équeurdreville-Hainneville 28

au Nord-Est 5 km par D 146 et D 62 - ⊠ 50260 Négreville

🏠 Château de Pont Rilly sans rest ⌂
– ✆ 02 33 40 47 50 – www.chateau-pont-rilly.com
– chateau-pont-rilly@wanadoo.fr
5 ch ⊇ – †150 € ††150 €

♦ Château du 18ᵉ s. en parfait état, mis en valeur par son vaste parc à la française. Mobilier ancien et cadre rustique font le charme du lieu. Belles chambres avec cheminée.

NÉRIS-LES-BAINS – 03 Allier – 326 C5 – 2 728 h. – alt. 364 m — 5 B1
– Stat. therm. : début avril-fin oct. – Casino – ⊠ 03310 ◧ Auvergne

▶ Paris 336 – Clermont-Ferrand 86 – Montluçon 9 – Moulins 73
🛈 Office de tourisme, carrefour des Arènes ✆ 04 70 03 11 03, Fax 04 70 09 05 29
⛳ de Sainte-Agathe Villebret, par rte de Montluçon : 4 km, ✆ 04 70 03 21 77

Plan page suivante

🏨 Mona Lisa
40 r. Boisrot-Desserviers – ✆ 04 70 08 79 80 – www.monalisahotels.com
– resa-neris@monalisahotels.com – Fax 04 70 08 79 81   m
59 ch – †70/85 € ††70/85 €, ⊇ 11 € – ½ P 61/69 €
Rest – (fermé le midi en sem. sauf fériés) Menu 18 €

♦ La façade Belle Époque de cet établissement posté face au casino cache des chambres d'esprit actuel bien équipées – wi-fi partout – et climatisées. Au restaurant, sobre mise en place et mobilier design en accord avec la cuisine du chef, au goût du jour.

🏨 Le Garden
12 av. Marx Dormoy – ✆ 04 70 03 21 16
– http://monsite.wanadoo.fr/hotellegarden – hotel.le.garden@wanadoo.fr
– Fax 04 70 03 10 67 – Fermé 26-31 déc., 28 janv.-8 mars   d
19 ch – †48/70 € ††48/70 €, ⊇ 7 € – ½ P 48/55 €
Rest – (fermé dim. soir et lundi de nov. à mars) Menu (15 €), 17/38 €
– Carte 18/43 €

♦ Près du centre de la station, grande villa dans un jardin fleuri, transformée en hôtel. Chambres contemporaines régulièrement rénovées. Cuisine simple servie dans une coquette salle à manger appréciée pour sa luminosité et sa gaieté.

1193

NÉRIS-LES-BAINS

Arènes (Bd des)	2
Boisrot-Desserviers (R.)	3
Constans (R.)	5
Cuvier (R.)	7
Dormoy (Av. Marx)	8
Gaulle (R. du Gén.-de)	9
Kars (R. des)	10
Marceau (R.)	12
Migat (R. du Capitaine)	14
Molière (R.)	15
Parmentier (R.)	18
Reignier (Av.)	19
République (Pl. de la)	21
Rieckötter (R.)	23
St-Joseph (R.)	25
Thermes (Pl. des)	27
Voltaire (R.)	29

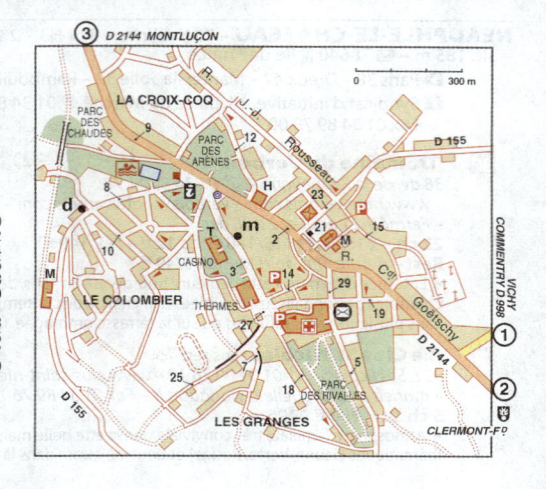

NÉRONDES – 18 Cher – **323** M5 – 1 515 h. – alt. 200 m – ⊠ 18350 **12 D3**

◘ Paris 240 – Bourges 37 – Montluçon 84 – Nevers 33 – St-Amand-Montrond 44

▣ la Vallée de Germigny à St-Hilaire-de-Gondilly Domaine de Villefranche, NE: 9 km par D 6, ✆ 02 48 80 23 43

XX **Le Lion d'Or** avec ch   AC rest, P VISA MC

pl. de la Mairie – ✆ *02 48 74 87 81* – *Fax 02 48 74 92 63* – *Fermé 31 août-6 sept., 19-25 oct., dim. soir et merc.*

10 ch – †50 € ††50/55 €, ⊇ 8,50 € – ½ P 52 €

Rest – Menu 20/40 € – Carte 55/73 €

♦ Au centre du bourg, cette auberge familiale vous accueille dans sa coquette salle à manger rustique ; cuisine tradtionnelle. Chambres rénovées, plus calmes sur l'arrière.

NESTIER – 65 Hautes-Pyrénées – **342** O6 – 171 h. – alt. 500 m **28 A3**
– ⊠ 65150

◘ Paris 789 – Auch 74 – Bagnères-de-Luchon 45 – Lannemezan 14 – St-Gaudens 24

XX **Relais du Castéra** avec ch

place du calvaire – ✆ *05 62 39 77 37* – www.hotel-castera.com – *sarl.sergelatour@wanadoo.fr* – *Fax 05 62 39 77 29* – *Fermé 2-10 juin, 13-20 oct., 2-31 janv., dim. soir, mardi soir et lundi*

6 ch – †55 € ††55/75 €, ⊇ 10 € – ½ P 55/75 €

Rest – Menu 18 € (déj. en sem.), 26/48 € – Carte 45/56 €

♦ Auberge de style campagnard où le décor soigné rend l'atmosphère des plus agréables. La cuisine puise son inspiration dans le terroir. Chambres coquettes et calmes.

NEUF-BRISACH – 68 Haut-Rhin – **315** J8 – 2 237 h. – alt. 197 m **2 C2**
– ⊠ 68600 ▯ **Alsace Lorraine**

◘ Paris 475 – Basel 63 – Belfort 80 – Colmar 17 – Freiburg-im-Breisgau 35 – Mulhouse 40

▯ Office de tourisme, 6, place d'Armes ✆ 03 89 72 56 66, Fax 03 89 72 91 73

NEUF-BRISACH

à Biesheim Nord : 3 km par D 468 – 2 329 h. – alt. 189 m – ✉ 68600

🏨 **Aux Deux Clefs**
50 Grand Rue – ✆ 03 89 30 30 60 – www.deux-clefs.com – info@deux-clefs.com
– Fax 03 89 72 92 94 – Fermé 26 déc.-4 janv.
28 ch – †58/68 € ††68/85 €, ⇌ 10 €
Rest – Menu (11 €), 21/48 € – Carte 20/48 €
♦ Belle maison régionale donnant sur un accueillant jardin. Les chambres, assez spacieuses, sont fonctionnelles et bien tenues. Deux cadres pour vos repas : restaurant cossu (plafond en marqueterie), ou brasserie proposant une carte traditionnelle simplifiée.

NEUFCHÂTEAU – 88 Vosges – 314 C2 – 7 056 h. – alt. 300 m 26 **B3**
– ✉ 88300 ▌ Alsace Lorraine

▶ Paris 321 – Belfort 158 – Chaumont 57 – Épinal 75 – Langres 78 – Verdun 106
🛈 Office de tourisme, 3, Parking des Grandes Ecuries ✆ 03 29 94 10 95,
Fax 03 29 94 10 89
◉ Escalier ★ de l'hôtel de ville - Groupe en pierre ★ dans l'église St-Nicolas.

🏨 **L'Eden**
r. 1ère Armée Française – ✆ 03 29 95 61 30 – www.leden.fr – hotel-eden@
wanadoo.fr – Fax 03 29 94 03 42
27 ch – †45/80 € ††50/85 €, ⇌ 8,50 €
Rest – (fermé 2-15 janv., dim. soir et lundi midi) Menu (15 €), 25/45 €
– Carte 32/54 €
♦ Ce grand bâtiment propose des chambres confortables de différentes tailles, aux couleurs chaleureuses. Celles du dernier étage sont équipées de baignoires à remous. Salle à manger d'esprit bourgeois à dominantes de bleu et ocre ; cuisine au goût du jour.

✕✕ **Le Romain**
74 av. Kennedy – ✆ 03 29 06 18 80 – Fax 03 29 06 18 80 – Fermé 16-31 août,
14-28 fév., dim. soir et lundi
Rest – Menu (12,50 €), 18/34 € – Carte 26/47 €
♦ Simple mais sérieux, un restaurant doté d'un intérieur spacieux, clair et actuel. À la carte : cuisine traditionnelle rustique, parfois régionale, et fruits de mer.

NEUFCHÂTEL-EN-BRAY – 76 Seine-Maritime – 304 I3 – 4 937 h. 33 **D1**
– alt. 99 m – ✉ 76270 ▌ Normandie Vallée de la Seine

▶ Paris 133 – Rouen 50 – Abbeville 57 – Amiens 72 – Dieppe 40
– Gournay-en-Bray 37
🛈 Office de tourisme, 6, place Notre-Dame ✆ 02 35 93 22 96,
Fax 02 32 97 00 62
🏌 de Saint-Saëns à Saint-Saëns Domaine du Vaudichon, SO : 17 km par D 6028
et D 929, ✆ 02 35 34 25 24
◉ Forêt d'Eawy ★★ 10 km au SO.

✕✕ **Les Airelles** avec ch
2 passage Michu, (près de l'église) – ✆ 02 35 93 14 60 – les-airelles-sarl@
wanadoo.fr – Fax 02 35 93 89 03 – Fermé vacances de la Toussaint, de fév., dim.
soir de sept. à juin, mardi midi et lundi sauf juil.-août et sauf hôtel
14 ch – †50/68 € ††50/68 €, ⇌ 8 € – ½ P 55/64 €
Rest – Menu 17 € (sem.)/42 € – Carte 39/61 €
♦ Avenante demeure traditionnelle du centre-ville. Au choix : deux salles sobrement modernes, terrasse d'été dressée dans l'agréable jardin, pour déguster une cuisine actuelle.

à Mesnières-en-Bray Nord-Ouest : 5,5 km par D 1 – 884 h. – alt. 65 m – ✉ 76270
◉ Château ★.

✕✕ **Auberge du Bec Fin**
1 r. du Château – ✆ 02 35 94 15 15 – www.aubergedubecfin.fr
– christophe-pillorget@wanadoo.fr – Fax 02 35 94 42 14 – Fermé dim. soir, mardi
soir et merc.
Rest – Menu (13 €), 16 € (sem.)/43 € – Carte 37/55 €
♦ Cette maison typiquement normande révèle un plaisant intérieur actuel dans des tons chocolat et crème. Les saisons et le marché rythment la cuisine, au goût du jour.

NEUFCHÂTEL-EN-SAOSNOIS – 72 Sarthe – **310** K 4 – 763 h. 35 **D1**
– alt. 190 m – ⊠ 72600

🅿 Paris 200 – Nantes 228 – Le Mans 56 – Alençon 15 – Argentan 66

Les Étangs de Guibert ♨
2 km à l'Est par rte secondaire – ✆ *02 43 97 15 38 – www.lesetangsdeguibert.com – relais_des_etangs_de_guibert@voila.fr – Fax 02 43 33 22 99*
15 ch – †52/100 € ††52/100 €, ⊇ 10 €
Rest – Menu 21 € (sem.)/41 € – Carte 26/54 €
◆ En pleine campagne, on apprécie la quiétude de cette ancienne ferme et son étang privé (pêche possible). Chambres coquettes et calmes. Découvrez une cuisine actuelle, rehaussée d'épices et d'exotisme, dans une vaste salle rustique ou en terrasse face au plan d'eau.

NEUFCHÂTEL-SUR-AISNE – 02 Aisne – **306** G6 – 461 h. – alt. 59 m 37 **D2**
– ⊠ 02190

🅿 Paris 163 – Laon 46 – Reims 22 – Rethel 33 – Soissons 60
🅶 de Menneville à Menneville La Haie Migaut, SO : 3 km, ✆ 03 23 79 79 88

Le Jardin
22 r. Principale – ✆ *03 23 23 82 00 – www.restaurant-le-jardin.com – lejardint@wanadoo.fr – Fax 03 23 23 84 05 – Fermé 2 sem. en sept., 3 sem. en janv., dim. soir, lundi et mardi*
Rest – Menu (18 €), 26/53 € – Carte 45/61 €
◆ Sol "gazon", murs fleuris, plantes vertes, véranda tournée vers les massifs de fleurs : tout ici n'est que jardin ! Menus composés selon le marché.

NEUILLÉ-LE-LIERRE – 37 Indre-et-Loire – **317** O3 – 711 h. – alt. 92 m 11 **B2**
– ⊠ 37380

🅿 Paris 217 – Amboise 16 – Château-Renault 10 – Montrichard 34 – Reugny 5 – Tours 27

Auberge de la Brenne avec ch
19 r. de la République – ✆ *02 47 52 95 05 – www.auberge-brenne.com – hotel.brenne@wanadoo.fr – Fax 02 47 52 29 43*
– Fermé 23 nov.-2 déc., 1ᵉʳ fév.-10 mars
5 ch – †60/90 € ††60/90 €, ⊇ 15 €
Rest – *(fermé dim. soir du 15 sept. au 15 juin, mardi et merc.)* (prévenir le week-end)
Menu (20 €), 25 € (sem.)/50 € – Carte 44/73 €
◆ Les charmants propriétaires de cette engageante auberge vous accueillent dans une jolie salle à manger. Plats traditionnels. À 50 m, maison de 1900 aux confortables chambres.

NEUILLY-LE-REAL – 03 Allier – **326** H4 – 1 324 h. – alt. 260 m – ⊠ 03340 6 **C1**

🅿 Paris 313 – Mâcon 128 – Moulins 16 – Roanne 82 – Vichy 48

Logis Henri IV
13 r. du 14 Juillet – ✆ *04 70 43 87 64 – Fermé sept., 15-28 fév., dim. soir et lundi*
Rest – Menu (15 €), 21 € (déj. en sem.), 31/51 €
◆ Charme assuré pour cet ancien relais de chasse à colombages du 16ᵉ s. La salle à manger a conservé ses belles tomettes. Au menu, recettes traditionnelles et viande de pays.

NEUVÉGLISE – 15 Cantal – **330** F5 – 1 133 h. – alt. 938 m – ⊠ 15260 5 **B3**

🅿 Paris 528 – Aurillac 78 – Espalion 66 – St-Chély-d'Apcher 42 – St-Flour 17
🅱 Office de tourisme, le Bourg ✆ 04 71 23 85 43, Fax 04 71 23 86 23
🅶 Château d'Alleuze★★ : site★★ NE : 14 km, 🅸 Auvergne

à Cordesse Est : 1,5 km sur D 921 – ⊠ 15260 Neuvéglise

Relais de la Poste avec ch
– ✆ *04 71 23 82 32 – www.relaisdelaposte.com – relais.poste@wanadoo.fr*
– Fax 04 71 23 86 23 – Ouvert 4 avril-4 nov.
9 ch – †50/70 € ††60/75 €, ⊇ 10 € – ½ P 60/70 €
Rest – *(fermé lundi midi sauf juil.-août)* Menu (15 €), 18 € (déj. en sem.), 26/48 €
– Carte 22/53 €
◆ Maison récente au décor rustique agrémenté d'une cheminée et d'un pan de mur habillé de belles boiseries. Aire de jeux pour enfants. Cuisine régionale simple mais copieuse.

NEUVES-MAISONS – 54 Meurthe-et-Moselle – 307 H7 – rattaché à Nancy

NEUVILLE-DE-POITOU – 86 Vienne – 322 H4 – 4 058 h. – alt. 116 m — 39 C1
– ✉ 86170

▶ Paris 335 – Châtellerault 36 – Parthenay 41 – Poitiers 16 – Saumur 82 – Thouars 51

🛈 Office de tourisme, 28, place Joffre ℰ 05 49 54 47 80, Fax 05 49 54 18 66

La Roseraie
78 r. A. Caillard – ℰ 05 49 54 16 72 – www.laroseraiefrance.fr – info@laroseraiefrance.fr
5 ch – †59/71 € ††64/82 €   **Table d'hôte** – Menu 28 € bc
♦ Maison de maître (milieu 19e s.) avec son jardin... de roses et un vignoble (petite production de Pineau des Charentes). Chambres personnalisées. Cuisine internationale (les patrons viennent du Zimbabwe et d'Angleterre) servie en terrasse ou dans une salle élégante.

St-Fortunat
4 r. Bangoura-Moridé – ℰ 05 49 54 56 74 – www.saintfortunat.com – fabien.dupont6@voila.fr – Fax 05 49 53 18 02 – Fermé 10-23 août, dim. soir, lundi et fériés
Rest – Menu (15 €), 22 € (déj.), 38/57 € – Carte 42/52 €
♦ Salle contemporaine ornée d'une tapisserie, devancée par une cour-terrasse et une véranda. Mise de table design ; cuisine actuelle.

> Une nuit douillette sans se ruiner ?
> Repérez les Bibs Hôtels 🛏.

NEUVILLE-ST-AMAND – 02 Aisne – 306 B4 – rattaché à St-Quentin

NEUZY – 71 Saône-et-Loire – 320 E11 – rattaché à Digoin

NÉVACHE – 05 Hautes-Alpes – 334 H2 – 326 h. – alt. 1 640 m — 41 C1
– ✉ 05100

▶ Paris 693 – Briançon 21 – Le Monêtier-les-Bains 35 – Montgenèvre 25

🛈 Office de tourisme, Ville Haute ℰ 04 92 20 02 20, Fax 04 92 20 51 72

Le Chalet d'En Hô
hameau des Chazals – ℰ 04 92 20 12 29 – www.chaletdenho.com – chaletdenho@orange.fr – Fax 04 92 20 59 70 – Ouvert 30 mai-12 sept., 24-31 oct. et 19 déc.-2 mars
14 ch – †100/110 € ††130/147 €, ⊇ 12 € – ½ P 85/95 €
Rest – (dîner seult) Menu 30 €
♦ Un chalet situé au cœur d'une paisible et séduisante nature. Murs habillés de bois, boutis, coussins et photos créent une atmosphère chaleureuse et très douillette. La coquette salle à manger évoque les activités montagnardes d'antan. Cuisine de tradition.

NEVERS P – 58 Nièvre – 319 B10 – 38 200 h. – Agglo. 100 556 h. — 7 A2
– alt. 194 m – Pèlerinage de Ste-Bernadette d'Avril à Octobre : couvent St-Gildard
– ✉ 58000 ▌Bourgogne

▶ Paris 236 – Bourges 70 – Clermont-Ferrand 161 – Orléans 167

🏌 du Nivernais à Magny-Cours Le Bardonnay, E : 2 km par D 200, ℰ 03 86 58 18 30

Circuit automobile permanent à Magny-Cours ℰ 03 86 21 80 00, par ④ : 12 km.

👁 Cathédrale St-Cyr-et-Ste-Julitte★★ – Palais ducal★ – Église St-Étienne★ – Façade★ de la Chapelle Ste-Marie – Porte du Croux★ – Faïences de Nevers★ du musée municipal Frédéric Blandin M[1].

👁 Circuit de Nevers-Magny-Cours : musée Ligier F1★.

NEVERS

Ardilliers (R. des)	Y 2
Banlay (R. du)	V 3
Barre (R. de la)	Y 4
Bourgeois (R. Mlle)	Y 5
Champ-de-Foire (R. du)	Z 6
Charnier (R. du)	Y 7
Chauvelles (R. des)	Y 8
Cloître-St-Cyr (R. du)	Z 9
Colbert (Av.)	Y 10
Coquille (Pl. G.)	Y 12
Docks (R. des)	V 13
Fer (R. du)	Y 47
Fonmorigny (R.)	Y 48
Francs-Bourgeois (R. des)	Y 14
Gaulle (Av. Gén.-de)	YZ
Gautron-du-Coudray (Bd)	Y 15
Jacobins (R. des)	Z 16
Lattre-de-Tassigny (Bd Mar.-de)	V 17
Mancini (Pl.)	Y 50
Mantoue (Quai de)	Z 18
Marceau (Av.)	Y 19
Midi (R. du)	Y 20
Mirangron (R.)	Y 49
Mitterrand (R. F.)	YZ
Nièvre (R. de)	Y 21
Ouches (R. des)	YZ 22
Pelleterie (R. de la)	Y 24
Petit-Mouësse (R. du)	X 26
Porte-du-Croux (R. de la)	Z 51
Préfecture (R. de la)	Y 27
Récollets (R. des)	Y 52
Remigny (R. de)	Y 28
Renardats (R. des)	V 30
République (Bd de la)	X 32
République (Pl. de la)	Y 34
Roy (R. C.)	Y 36
St-Martin (R.)	Y 38
St-Sébastien (Pl.)	Y 39
Tillier (R. C.)	Z 40
Vaillant-Couturier (R. Paul)	V 42
14-Juillet (R. du)	Z 45

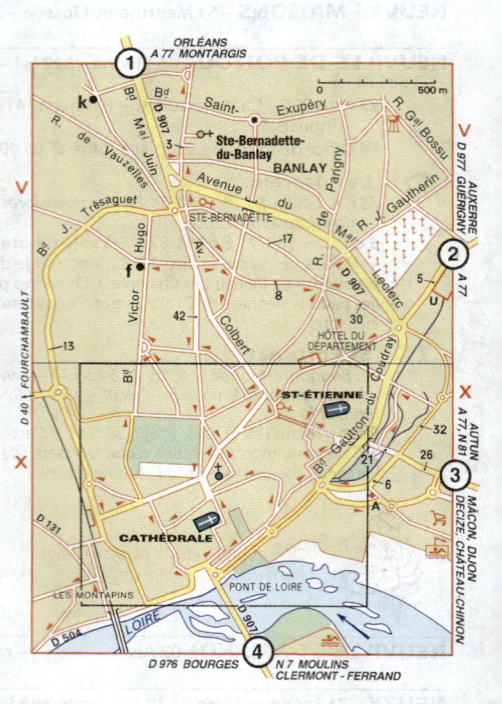

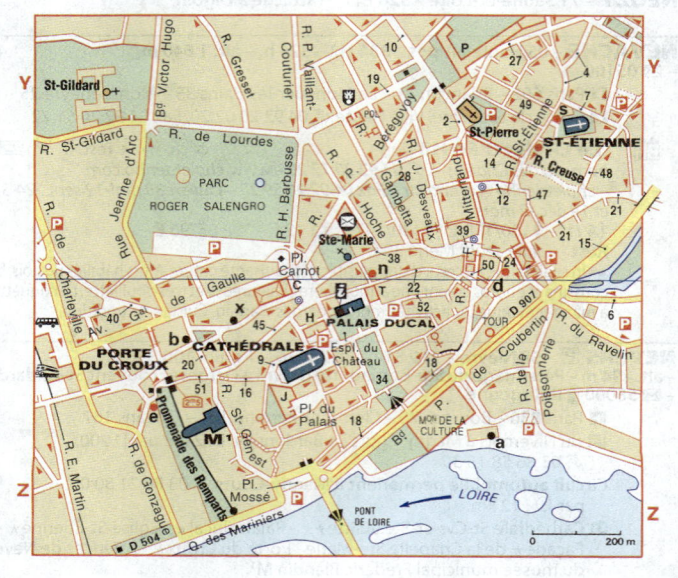

1198

NEVERS

🏨 Mercure Pont de Loire ≼ 🕭 ch, 📶 🛜 📞 🌿 🄿 VISA 🆗 AE ①
quai Médine – ℰ *03 86 93 93 86 – www.alpha-hotellerie.com – h3480@accor.com – Fax 03 86 59 43 29* Z **a**
59 ch – †92 € ††102 €, ⇌ 12 € **Rest** – Menu 23/32 € – Carte 30/39 €
♦ Hôtel plaisamment situé au bord de la Loire. Chambres agréables, certaines offrant une belle perspective sur le fleuve ; confortable bar doté d'un piano. Salle à manger panoramique et vaste terrasse se prêtent à un repas et une carte des vins inspirées par la région.

🏨 De Diane 🈁 🌿 ❄ 🛜 🌿 VISA 🆗 AE ①
38 r. du Midi – ℰ *03 86 57 28 10 – www.bestwesterndiane-nevers.com – diane.nevers@wanadoo.fr – Fax 03 86 59 45 08 – Fermé 20 déc.-4 janv.*
30 ch – †86 € ††102 €, ⇌ 11 € Z **b**
Rest – *(fermé vend. midi et dim.)* Menu (17 €), 20/29 €
♦ Cette demeure ancienne proche de la gare abrite des chambres de bonne ampleur, rajeunies et meublées avec soin. La salle des petits-déjeuners occupe une tour du 14ᵉ s. Au restaurant, cuisine classique et cadre empreint de sobriété.

🏠 Ibis 🈁 🕭 ch, 📶 ch, 🌿 🛜 🌿 🄿 VISA 🆗 AE ①
r. du Plateau de la Bonne Dame, par ④ *–* ℰ *03 86 37 56 00 – www.ibishotel.com – h0947@accor.com – Fax 03 86 37 64 48*
56 ch – †60/95 € ††60/100 €, ⇌ 8,50 € **Rest** – *(dîner seult)* Menu 18/22 €
♦ Hôtel situé sur la rive gauche à proximité du pont de Loire. Les chambres, récemment rafraîchies, sont plus calmes côté parking. Repas traditionnel proposé dans une salle remise à neuf ou en terrasse.

🏠 Molière sans rest 🄢 🌿 🛜 🄿 VISA 🆗
25 r. Molière – ℰ *03 86 57 29 96 – www.hotel-moliere-nevers.com – contact@hotel-moliere-nevers.com – Fax 03 86 36 00 13* V **k**
18 ch – †47 € ††52 €, ⇌ 7 €
♦ Accueil chaleureux, simplicité et propreté caractérisent cet hôtel fonctionnel situé dans un quartier résidentiel. Chambres rustiques ou contemporaines.

🍽🍽 Jean-Michel Couron VISA 🆗
21 r. St-Étienne – ℰ *03 86 61 19 28 – www.jm-couron.com – info@jm-couron.com – Fax 03 86 36 02 96 – Fermé 13 juil.-4 août, 2-8 janv., 15-22 fév., dim. soir, mardi midi et lundi* Y **r**
Rest – *(nombre de couverts limité, prévenir)* Menu 23 € (sem.)/53 € – Carte 65/78 €
Spéc. Tarte de tomates au chèvre frais et jambon du Morvan. Pièce de bœuf charolais. Soupe tiède de chocolat aux épices et palmiers feuilletés. **Vins** Pouilly-Fumé, Sancerre.
♦ Dans le vieux Nevers. L'une des trois minuscules salles à manger est aménagée sous les voûtes (14ᵉ s.) de l'ancien cloître de l'église St-Étienne. Belle cuisine inventive.

🍽🍽 La Botte de Nevers VISA 🆗
r. du Petit Château – ℰ *03 86 61 16 93 – labottedenevers@wanadoo.fr – Fax 03 86 36 42 22 – Fermé dim. soir, mardi midi et lundi* Y **n**
Rest – Menu (19 €), 23/52 € – Carte 36/65 €
♦ La jolie enseigne en fer forgé, le cadre d'inspiration médiévale et les quelques épées ornant l'escalier accentuent la référence à la célèbre estocade du duc de Nevers.

🍽 L'Assiette 📶 VISA 🆗
7 bis r. F. Gambon – ℰ *03 86 36 24 99 – Fax 03 86 36 24 99 – Fermé 17 août-7 sept., le soir du lundi au jeudi et dim.* Y **d**
Rest – Menu (15 €) – Carte 25/35 €
♦ Un concept original pour une charmante adresse : des assiettes à thèmes (entrée, plat, fromage), à base de produits frais, servies dans un décor moderne tout bleu et chocolat.

rte d'Orléans par ① – ✉ **58640 Varennes-Vauzelles**

🍽🍽 Le Bengy 🈁 📶 ⇔ VISA 🆗 AE
25 rte de Paris, à 4,5 km par D 907 – ℰ *03 86 38 02 84 – www.le-bengy-restaurant.com – lebengyrestaurant@wanadoo.fr – Fax 03 86 38 29 00 – Fermé 27 juil.-19 août, 1ᵉʳ-5 janv., 22 fév.-10 mars, dim. et lundi*
Rest – Menu 19 € (sem.)/31 € – Carte 30/47 €
♦ Tons chocolat et beige, lignes contemporaines, cuir, fer forgé et plantes vertes composent l'ambiance japonisante de ce restaurant, qui affiche souvent complet. Cuisine au goût du jour.

NEVERS

à Sauvigny-les-Bois 10 km par ③ D 978 et D 18 – 1 515 h. – alt. 210 m – ✉ 58160

XX Moulin de l'Étang 🈯 P VISA ⓂⒸ
64 rte de l'Étang – ℰ 03 86 37 10 17 – www.moulindeletang.fr – restaurant@moulindeletang.fr – Fax 03 86 37 12 06 – Fermé 1er-20 août, vacances de fév., dim. soir, merc. soir et lundi
Rest – Menu 20/41 € – Carte 28/50 €
• Aux portes du village et près de l'étang, ancienne laiterie abritant une salle à manger rustique (poutres, vieille horloge et exposition de tableaux). Carte actuelle.

rte de Moulins 3 km par ④, sur N 7 – ✉ 58000 Challuy

XX La Gabare 🈯 P VISA ⓂⒸ AE
171 rte de Lyon – ℰ 03 86 37 54 23 – www.restaurant-lagabare.fr – la-gabare58000@yahoo.fr – Fax 03 86 37 64 49 – Fermé 12 juil.-11 août, dim. soir et lundi
Rest – Menu 19 € (sem.)/26 € – Carte 32/59 €
• Cette vieille ferme joliment restaurée abrite deux salles rustiques : poutres apparentes, murs colorés et grande cheminée. Terrasse agréablement fleurie aux beaux jours.

à Magny-Cours 12 km par ④, rte Moulins – 1 486 h. – alt. 205 m – ✉ 58470

🏨 Holiday Inn 🈯 ⛱ 🛠 ❊ 🛎 ♿ AC ⇔ 📶 🕍 P VISA ⓂⒸ AE ①
Ferme du domaine de Bardonnay – ℰ 03 86 21 22 33
– www.holidayinn-nevers.com – himagnycours@alliance-hospitality.com
– Fax 03 86 21 22 03
70 ch – †98 € ††98 €, ⊇ 18 € **Rest** – Menu (13 €), 18 € – Carte 27/50 €
• À côté du circuit automobile et du golf. La ferme d'origine a été agrandie d'une aile moderne où se répartissent les chambres ; certaines ont vue sur la piscine ou les greens. Lumineuse salle à manger ouvrant sur une vaste terrasse. Cuisine traditionnelle.

NÉVEZ – 29 Finistère – **308** I8 – 2 542 h. – alt. 40 m – ✉ 29920   **9 B2**

▶ Paris 547 – Rennes 196 – Quimper 40 – Lorient 51 – Lanester 51
🛈 Office de tourisme, place de l'Église ℰ 02 98 06 87 90,
Fax 02 98 06 73 09

X Le Bistrot de l'Écailler 🈯 VISA ⓂⒸ
au port de Kerdruc, 3 km à l'Est par D 77 et rte secondaire – ℰ 02 98 06 78 60
– claudie@huitres-cadoret.com – Fax 02 98 06 78 60 – Ouvert mi-avril à fin sept. et fermé mardi et merc. sauf le soir en juil.-août
Rest – Menu 45 € – Carte 34/48 €
• Un joli bistrot marin et sa petite terrasse sur le port, au bord de l'Aven. Superbes plateaux de fruits de mer, ardoise du jour, homard-frites et carte des vins judicieuse.

à Raguenès-Plage 4 km au Sud par rte secondaire – ✉ 29920

🏨 Ar Men Du ॐ ≤ 🚗 🈯 ⇔ 📶 P VISA ⓂⒸ AE
– ℰ 02 98 06 84 22 – www.men-du.com – contact@men-du.com
– Fax 02 98 06 76 69 – Fermé 1er-13 mars, 2 nov.-21 déc. et 2 janv.-1er mars
14 ch – †80 € ††100/125 €, ⊇ 13 € – 1 suite
Rest – *(fermé mardi midi et merc. midi) (prévenir)* Menu (28 € bc), 37/75 €
– Carte 54/80 € 🈵
• Dans un site classé, grand ouvert sur l'océan, cette maison néo-bretonne (années 1970) vibre au rythme marin : décor des chambres façon clipper, vue sur les flots, calme. Restaurant et cuisine axés sur la mer ; bon choix de vins au verre. Île Raguénès à l'horizon.

Nous essayons d'être le plus exact possible
dans les prix que nous indiquons.
Mais tout bouge !
Lors de votre réservation, pensez à vous faire préciser le prix du moment.

NEXON – 87 Haute-Vienne – 325 E6 – 2 385 h. – alt. 359 m – ⌧ 87800 24 **B2**

- Paris 416 – Limoges 27 – Saint-Junien 56 – Panazol 27 – Isle 27
- Office de tourisme, Conciergerie du Château ℰ 05 55 58 28 44, Fax 05 55 58 23 56

XX **Les Chaumières** avec ch
Domaine des Landes, à 2 km par D 11 – ℰ *05 55 58 25 26*
– www.les-chaumieres.com – jfcane@les-chaumieres.com – Fax 05 55 58 25 25
3 ch – †70 € ††70 €, ⌧ 8 €
Rest – *(fermé dim. soir, lundi et mardi) (prévenir)* Menu 35/40 €
♦ Joli cottage à toit de chaume dans un parc peuplé d'arbres centenaires. Chaleureux intérieur bourgeois, accueil avenant et carte dans l'air du temps, inspirée par les saisons. Chambres d'hôte dans une dépendance, pour prolonger tranquillement l'étape.

NEYRAC-LES-BAINS – 07 Ardèche – 331 H5 – ⌧ 07380 44 **A3**

- Paris 606 – Alès 92 – Aubenas 16 – Montélimar 56 – Privas 45 – Le Puy-en-Velay 75

XX **Du Levant**
Meyras – ℰ *04 75 36 41 07 – www.hotel-levant.com – info@hotel-levant.com*
– Fax 04 75 36 48 09 – Ouvert 29 mars-21 nov. et fermé mardi sauf le soir en juil.-août, dim. soir et lundi
Rest – Menu (19 € bc), 25/55 €
♦ Dans la même famille depuis 1885, cette auberge vous réserve de bons plats du terroir revisités et une belle carte de vins. Salle panoramique mi-rustique mi-design, terrasse.

NÉZIGNAN-L'ÉVÊQUE – 34 Hérault – 339 F8 – rattaché à Pézenas

H. Le Gac/MICHELIN

Le vieux Nice

NICE

Département : 06 Alpes-Maritimes
Carte Michelin LOCAL : n° **341** E5 **115**]26]27
▶ Paris 927 – Cannes 33 – Genova 192
– Lyon 471 – Marseille 189 – Torino 210

Population : 383 400 h.
Pop. agglomération : 1 003 450 h.
Altitude : 6 m – **Code Postal :** ✉ 06000
🟢 Côte d'Azur
Carte régionale 42 **E2**

HÔTELS ET RESTAURANTS	p. 3, 8 à 14
PLANS DE NICE	
AGGLOMÉRATION	p. 4 et 5
NICE CENTRE	p. 6 et 7

RENSEIGNEMENTS PRATIQUES

🛈 OFFICES DE TOURISME

5, promenade des Anglais ☏ 08 92 70 74 07
Office de tourisme, Aéroport ☏ 08 92 70 74 07

TRANSPORTS

Auto-train ☏ 3635 et tapez 42 (0,34 €/mn)

TRANSPORTS MARITIMES

Pour la Corse :
SNCM - Ferryterranée quai du Commerce ☏ 0 825 888 088 (0,15 €/mn) JZ
CORSICA FERRIES Port de Commerce ☏ 04 92 00 42 93, Fax 04 92 00 42 94

AÉROPORT

✈ Nice-Côte-d'Azur ☏ 0820 423 333 (0,12 €/mn), 6 km AU

CASINO

Ruhl, 1 promenade des Anglais FZ
Le Palais de la Méditerannée, 15 promenade des Anglais FZ

👁 A VOIR

LE FRONT DE MER ET LE VIEUX NICE

Site★★ - Promenade des Anglais★★ - ≤★★ du château - Intérieur★ de l'église St-Martin - St-Augustin **HY** - Église St-Jacques★ **HZ** - Escalier monumental★ du palais Lascaris **HZ V** - Intérieur★ de la cathédrale Ste-Réparate **HZ** - Décors★ de la chapelle de l'Annonciation **HZ** B - Retables★ de la chapelle de la Miséricorde★ **HZ** D

CIMIEZ

Musée Marc-Chagall★★ **GX** - Musée Matisse★★ **HV** M^4 - Monastère franciscain★ : primitifs niçois★★ dans l'église **HV** K - Site archéologique gallo-romain★

LES QUARTIERS OUEST

Musée des beaux-Arts (Jules Chéret)★★ **DZ** - Musée d'Art naïf A.Jakovsky★ **AU** M^{10} - Serre géante★ du Parc Phoenix★ **AU** - Musée des Arts asiatiques★★

PROMENADE DU PAILLON

Musée d'Art moderne et d'Art contemporain★★ **HY** M^2 - Palais des Arts, du Tourisme et des Congrès (Acropolis)★ **HJX**

AUTRES CURIOSITÉS

Cathédrale orthodoxe russe St-Nicolas★ **EXY** - Mosaique★ de Chagall dans la faculté de droit **DZ** U - Musée Masséna★ **FZ** M^3

NICE page 3

🏨 Negresco ≤ 🛜 🎬 🕭 📶 📞 🧖 🚗 VISA ⓂⓄ AE ①
37 promenade des Anglais – ℰ 04 93 16 64 00
– www.hotel-negresco-nice.com
– direction@hotel-negresco.com – Fax 04 93 88 35 68   *p. 6* **FZ k**
128 ch – ♦290/590 € ♦♦290/590 €, ⊇ 30 € – 9 suites
Rest *Chantecler* – voir ci-après
Rest *La Rotonde* – Menu (31 €), 36 € – Carte 37/93 €

♦ Bâti en 1913 par Henri Negresco, fils d'aubergiste roumain, ce palace, ou plutôt cet "hôtel-musée" mythique et majestueux, regorge d'œuvres d'art exceptionnelles et cultive la démesure. Le bistrot La Rotonde est installé dans un rare décor de carrousel, chevaux de bois et automates.

🏨 Palais de la Méditerranée ≤ 🛜 🎬 🖼 📶 🕭 ch, 📺 ⚜ ℅ rest,
13 promenade des Anglais – ℰ 04 92 14 77 00   📞 🧖 🚗 VISA ⓂⓄ AE
– http://palais.concorde-hotels.fr – reservation-pdlm@concorde-hotels.com
– Fax 04 92 14 77 14   *p. 6* **FZ g**
176 ch – ♦180/875 € ♦♦180/875 €, ⊇ 27 € – 12 suites
Rest *Le Padouk* – ℰ 04 92 14 76 00 – *(fermé 10 janv.-2 fév., dim. et lundi sauf juil.-août)* Menu 35 € (déj.), 49/75 € – Carte 69/85 €
Rest *Pingala Bar* – ℰ 04 92 14 76 01 – *(déj. seult)* Carte 45/56 €

♦ Ce légendaire bâtiment doté d'une façade Art déco classée abrite un hôtel-casino aux chambres spacieuses, sobrement contemporaines et luxueuses. Carte d'inspiration méridionale et asiatique au Padouk. Cuisine niçoise toute simple dans le cadre trendy du Pingala Bar.

🏨 Radisson SAS ≤ 🛜 🎬 📶 🕭 ch, 📺 ⚜ 📶 🧖 🚗 VISA ⓂⓄ AE ①
223 promenade des Anglais – ℰ 04 97 17 71 77 – www.nice.radissonsas.com
– info.nice@radissonsas.com – Fax 04 93 71 21 71   *p. 4* **AU n**
331 ch – ♦140/235 € ♦♦140/235 €, ⊇ 22 € – 13 suites
Rest – Menu (31 €), 39 € (déj.) – Carte 51/61 €

♦ Architecture moderne abritant un hôtel dans l'air du temps : grandes chambres thématiques soignées (Urban, Chili, Océan), bar design, beau fitness et terrasse-piscine sur le toit. Confortable restaurant égayé de tons azur et citron ; cuisine à l'accent local.

🏨 Méridien ≤ 🛜 🎬 📶 📺 ⚜ ℅ rest, 📶 🧖 VISA ⓂⓄ AE ①
1 promenade des Anglais – ℰ 04 97 03 44 44 – www.lemeridien.com/nice
– mail.nice@lemeridien.com – Fax 04 97 03 44 45   *p. 6* **FZ d**
316 ch – ♦155/525 € ♦♦155/525 €, ⊇ 23 € – 2 suites
Rest *Le Colonial Café* – ℰ 04 97 03 40 36 – Carte 16/28 €
Rest *La Terrasse du Colonial* – ℰ 04 97 03 40 37 – Carte 56/66 €

♦ Au programme de ce palace : piscine chauffée sur le toit, face à la baie des Anges, chambres presque toutes redécorées dans un esprit tendance, institut de beauté. Mobilier épuré, teintes chaudes et lumière tamisée au Colonial Café. Superbe vue sur mer à La Terrasse.

🏨 Élysée Palace 🎬 📶 📺 🕭 ch, 📺 ⚜ 📶 🧖 🚗 VISA ⓂⓄ AE ①
59 promenade des Anglais – ℰ 04 93 97 90 90 – www.elyseepalace.com – info@elyseepalace.com – Fax 04 93 44 50 40   *p. 6* **EZ d**
143 ch – ♦110/285 € ♦♦110/285 €, ⊇ 21 € – 2 suites
Rest *Le Caprice* – Menu (23 €), 45 € – Carte 38/61 €

♦ Point d'orgue de cette architecture futuriste : une immense Vénus de bronze. Cadre d'inspiration Art déco, grand confort, insonorisation exemplaire, piscine sur le toit. En été, l'attrayante carte régionale du Caprice s'allège et se déguste en terrasse.

🏨 Boscolo Hôtel Plaza 🛜 📶 📺 📶 🧖 VISA ⓂⓄ AE ①
12 av. de Verdun – ℰ 04 93 16 75 75
– www.boscolohotels.com – reservation@nice.boscolo.com
– Fax 04 93 88 61 11   *p. 7* **GZ u**
174 ch – ♦270/549 € ♦♦270/549 €, ⊇ 20 € – 8 suites
Rest – *(fermé dim. et lundi de nov. à mars)* Menu (17 € bc), 26/36 €
– Carte 51/71 €

♦ Imposant hôtel jouxtant le jardin Albert-1ᵉʳ. Chambres spacieuses, équipements complets pour séminaires et belle perspective sur la grande bleue depuis le toit. Salle à manger aux tons chaleureux et large terrasse panoramique embrassant la ville.

RÉPERTOIRE DES RUES DE NICE

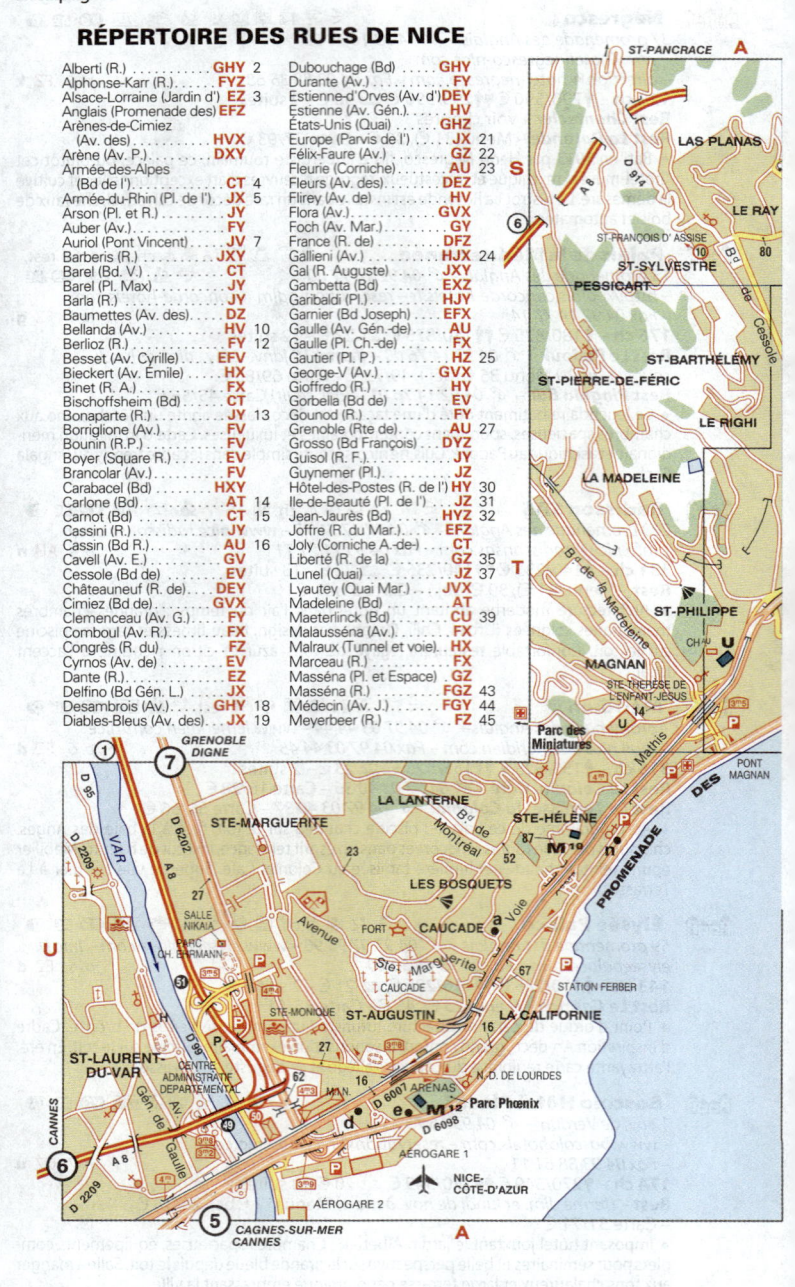

Rue	Réf.	N°
Alberti (R.)	GHY	2
Alphonse-Karr (R.)	FYZ	
Alsace-Lorraine (Jardin d')	EZ	3
Anglais (Promenade des)	EFZ	
Arènes-de-Cimiez (Av. des)	HVX	
Arène (Av. P.)	DXY	
Armée-des-Alpes (Bd de l')	CT	4
Armée-du-Rhin (Pl. de l')	JX	5
Arson (Pl. et R.)	JY	
Auber (Av.)	FY	
Auriol (Pont Vincent)	JV	7
Barberis (R.)	JXY	
Barel (Bd. V.)	CT	
Barel (Pl. Max)	JY	
Barla (R.)	JY	
Baumettes (Av. des)	DZ	
Bellanda (Av.)	HV	10
Berlioz (R.)	FY	12
Besset (Av. Cyrille)	EFV	
Bieckert (Av. Émile)	HX	
Binet (R. A.)	FX	
Bischoffsheim (Bd)	CT	
Bonaparte (R.)	JY	13
Borriglione (Av.)	FV	
Bounin (R.P.)	FV	
Boyer (Square R.)	EV	
Brancolar (Av.)	FV	
Carabacel (Bd)	HXY	
Carlone (Bd)	AT	14
Carnot (Bd)	CT	15
Cassini (R.)	JY	
Cassin (Bd R.)	AU	16
Cavell (Av. E.)	GV	
Cessole (Bd de)	EV	
Châteauneuf (R. de)	DEY	
Cimiez (Bd de)	GVX	
Clemenceau (Av. G.)	FY	
Comboul (Av. R.)	FX	
Congrès (R. du)	FZ	
Cyrnos (Av. de)	EV	
Dante (R.)	EZ	
Delfino (Bd Gén. L.)	JX	
Desambrois (Av. des)	GHY	18
Diables-Bleus (Av. des)	JX	19
Dubouchage (Bd)	GHY	
Durante (Av.)	FY	
Estienne-d'Orves (Av. d')	DEY	
Estienne (Av. Gén.)	HV	
États-Unis (Quai)	GHZ	
Europe (Parvis de l')	JX	21
Félix-Faure (Av.)	GZ	22
Fleurie (Corniche)	AU	23
Fleurs (Av. des)	DEZ	
Flirey (Av. de)	HV	
Flora (Av.)	GVX	
Foch (Av. Mar.)	GY	
France (R. de)	DFZ	
Gallieni (Av.)	HJX	24
Gal (R. Auguste)	JXY	
Gambetta (Bd)	EXZ	
Garibaldi (Pl.)	HJY	
Garnier (Bd Joseph)	EFX	
Gaulle (Av. Gén.-de)	AU	
Gaulle (Pl. Ch.-de)	FX	
Gautier (Pl. P.)	HZ	25
George-V (Av.)	GVX	
Gioffredo (R.)	HY	
Gorbella (Bd de)	EV	
Gounod (R.)	FY	
Grenoble (Rte de)	AU	27
Grosso (Bd François)	DYZ	
Guisol (R. F.)	JY	
Guynemer (Pl.)	JZ	
Hôtel-des-Postes (R. de l')	HY	30
Ile-de-Beauté (Pl. de l')	JZ	31
Jean-Jaurès (Bd)	HYZ	32
Joffre (R. du Mar.)	EFZ	
Joly (Corniche A.-de-)	CT	
Liberté (R. de la)	GZ	35
Lunel (Quai)	JZ	37
Lyautey (Quai Mar.)	JVX	
Madeleine (Bd)	AT	
Maeterlinck (Bd)	CU	39
Malaussèna (Av.)	FX	
Malraux (Tunnel et voie)	HX	
Marceau (R.)	GZ	
Masséna (Pl. et Espace)	GZ	
Masséna (R.)	FGZ	43
Médecin (Av. J.)	FGY	44
Meyerbeer (R.)	FZ	45

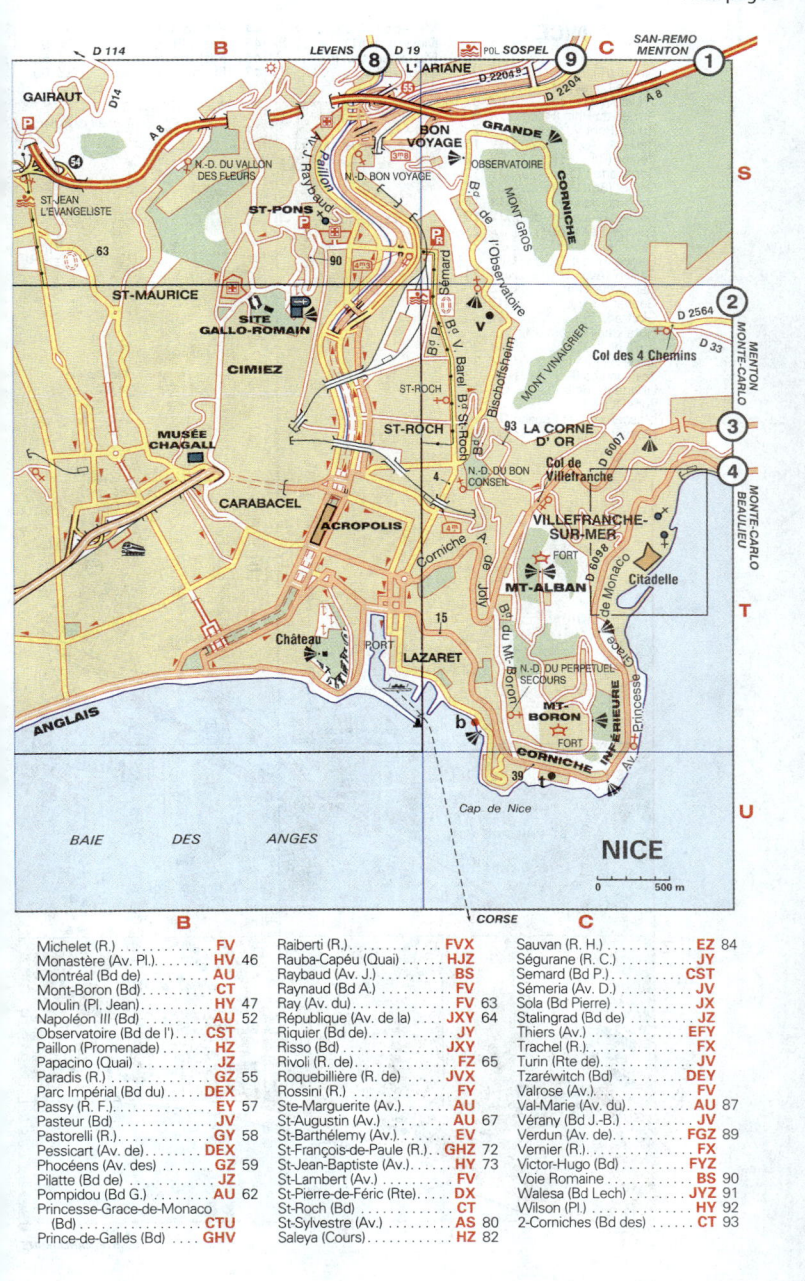

Street	Grid
Michelet (R.)	**FV**
Monastère (Av. Pl.)	**HV** 46
Montréal (Bd de)	**AU**
Mont-Boron (Bd)	**CT**
Moulin (Pl. Jean)	**HY** 47
Napoléon III (Bd)	**AU** 52
Observatoire (Bd de l')	**CST**
Paillon (Promenade)	**HZ**
Papacino (Quai)	**JZ**
Paradis (R.)	**GZ** 55
Parc Impérial (Bd du)	**DEX**
Passy (R. F.)	**EY** 57
Pasteur (Bd)	**JV**
Pastorelli (R.)	**GY** 58
Pessicart (Av. de)	**DEX**
Phocéens (Av. des)	**GZ** 59
Pilatte (Bd de)	**JZ**
Pompidou (Bd G.)	**AU** 62
Princesse-Grace-de-Monaco (Bd)	**CTU**
Prince-de-Galles (Bd)	**GHV**
Raiberti (R.)	**FVX**
Rauba-Capéu (Quai)	**HJZ**
Raybaud (Av. J.)	**BS**
Raynaud (Bd A.)	**FV**
Ray (Av. du)	**FV** 63
République (Av. de la)	**JXY** 64
Riquier (Bd de)	**JY**
Risso (Bd)	**JXY**
Rivoli (R. de)	**FZ** 65
Roquebillière (R. de)	**JVX**
Rossini (R.)	**FV**
Ste-Marguerite (Av.)	**AU**
St-Augustin (Av.)	**AU** 67
St-Barthélemy (Av.)	**EV**
St-François-de-Paule (R.)	**GHZ** 72
St-Jean-Baptiste (Av.)	**HY** 73
St-Lambert (Av.)	**FV**
St-Pierre-de-Féric (Rte)	**DX**
St-Roch (Bd)	**CT**
St-Sylvestre (Av.)	**AS** 80
Saleya (Cours)	**HZ** 82
Sauvan (R. H.)	**EZ** 84
Ségurane (R. C.)	**JY**
Semard (Bd P.)	**CST**
Sémeria (Av. D.)	**JV**
Sola (Bd Pierre)	**JX**
Stalingrad (Bd de)	**JZ**
Thiers (Av.)	**EFY**
Trachel (R.)	**FX**
Turin (Rte de)	**JV**
Tzaréwitch (Bd)	**DEY**
Valrose (Av.)	**FV**
Val-Marie (Av. du)	**AU** 87
Vérany (Bd J.-B.)	**JV**
Verdun (Av. de)	**FGZ** 89
Vernier (R.)	**FX**
Victor-Hugo (Bd)	**FYZ**
Voie Romaine	**BS** 90
Walesa (Bd Lech)	**JYZ** 91
Wilson (Pl.)	**HY** 92
2-Corniches (Bd des)	**CT** 93

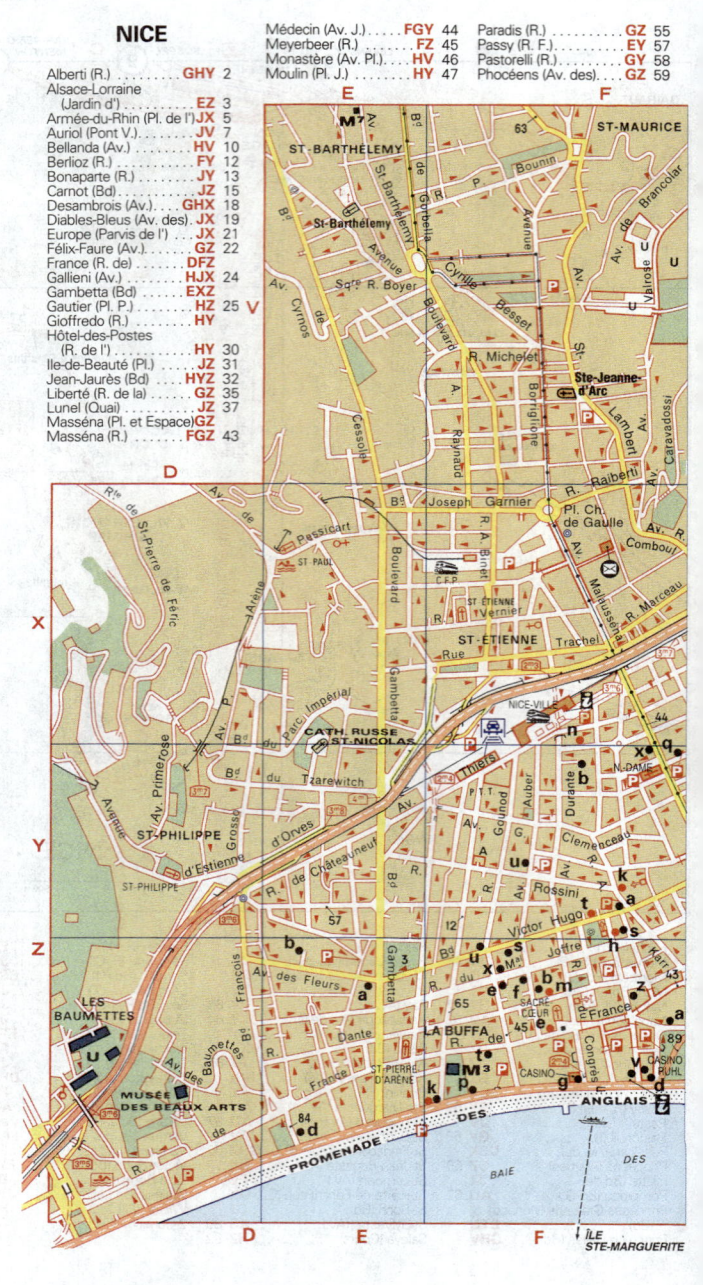

NICE

Alberti (R.)	**GHY**	2
Alsace-Lorraine (Jardin d')	**EZ**	3
Armée-du-Rhin (Pl. de l')	**JX**	5
Auriol (Pont V.)	**JV**	7
Bellanda (Av.)	**HV**	10
Berlioz (R.)	**FY**	12
Bonaparte (R.)	**JY**	13
Carnot (Bd)	**JZ**	15
Desambrois (Av.)	**GHX**	18
Diables-Bleus (Av. des)	**JX**	19
Europe (Parvis de l')	**JX**	21
Félix-Faure (Av.)	**GZ**	22
France (R. de)	**DFZ**	
Gallieni (Av.)	**HJX**	24
Gambetta (Bd)	**EXZ**	
Gautier (Pl. P.)	**HZ**	25
Gioffredo (R.)	**HY**	
Hôtel-des-Postes (R. de l')	**HY**	30
Ile-de-Beauté (Pl.)	**JZ**	31
Jean-Jaurès (Bd)	**HYZ**	32
Liberté (R. de la)	**GY**	35
Lunel (Quai)	**JZ**	37
Masséna (Pl. et Espace)	**GZ**	
Masséna (R.)	**FGZ**	43
Médecin (Av. J.)	**FGY**	44
Meyerbeer (R.)	**FZ**	45
Monastère (Av. Pl.)	**HV**	46
Moulin (Pl. J.)	**HY**	47
Paradis (R.)	**GZ**	55
Passy (R. F.)	**EY**	57
Pastorelli (R.)	**GY**	58
Phocéens (Av. des)	**GZ**	59

NICE page 6

1208

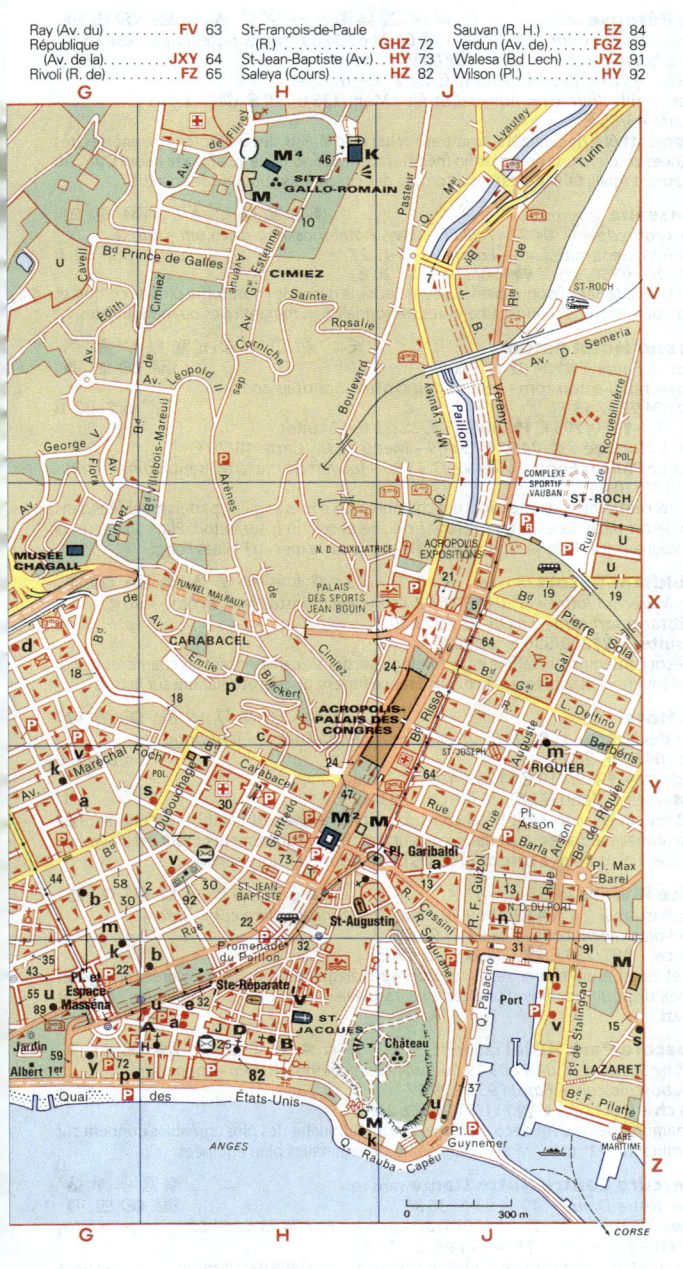

Ray (Av. du) .... **FV** 63	St-François-de-Paule (R.) .... **GHZ** 72	Sauvan (R. H.) .... **EZ** 84
République (Av. de la) .... **JXY** 64	St-Jean-Baptiste (Av.) .. **HY** 73	Verdun (Av. de) ...... **FGZ** 89
Rivoli (R. de) .... **FZ** 65	Saleya (Cours) .... **HZ** 82	Walesa (Bd Lech) .... **JYZ** 91
		Wilson (Pl.) .... **HY** 92

La Pérouse

11 quai Rauba-Capéu ⊠ 06300 – ℘ 04 93 62 34 63 – www.hotel-la-perouse.com
– lp@hotel-la-perouse.com – Fax 04 93 62 59 41
p. 7 HZ **k**

54 ch – †175/540 € ††175/540 €, ⊇ 21 € – 6 suites
Rest – grill – *(fermé fin-nov.-début-fév.)* Menu (25 €), 40 € (déj.), 45/75 €
– Carte 45/55 €

♦ Dans cet hôtel de caractère, arrimé au rocher du château, des chambres provençales très raffinées côtoient un coquet jardin méditerranéen. Le point de vue inspira Raoul Dufy. Au restaurant (grill), tables dressées à l'ombre des citronniers et quiétude absolue.

Masséna sans rest

58 r. Gioffredo – ℘ 04 92 47 88 88 – www.hotel-massena-nice.com – info@hotel-massena-nice.com – Fax 04 93 62 43 27
p. 7 GZ **k**

110 ch – †150/320 € ††150/320 €, ⊇ 20 €

♦ Jolie façade Belle Époque bien située. Rajeuni, le décor de l'hôtel offre plus de confort et de modernité (tons chauds). Chambres personnalisées, romantiques ou méridionales.

Grand Hôtel Aston

12 av. F. Faure – ℘ 04 92 17 53 00
– www.hotel-aston.com – reservation@aston.3ahotels.com
– Fax 04 92 17 53 11
p. 7 HZ **b**

147 ch – †180/295 € ††180/295 €, ⊇ 22 € – 2 suites
Rest *L'Horloge* – ℘ 04 92 17 53 09 – Menu 26 € – Carte 40/70 €
Rest *Le Phileas Fogg* – ℘ 04 92 17 53 86 – *(ouvert de mai à mi-sept.) (dîner seult)*
Carte 40/70 €

♦ Hôtel central où vous attendent des chambres aux couleurs gaies, parfois meublées dans le style Art déco. Balcons au 6e étage ; piscine et solarium sur le toit. Plats aux accents méridionaux à L'Horloge. Cuisine actuelle et vue sur la mer au Phileas Fogg.

Goldstar Resort sans rest

45 r. Maréchal Joffre – ℘ 04 93 16 92 77 – www.goldstar-resort.com – info@goldstar-resort.com – Fax 04 93 76 23 30
p. 6 FZ **e**

56 suites – ††200/550 €, ⊇ 20 €

♦ Décor contemporain raffiné et technologie de pointe caractérisent les chambres de cet hôtel tout neuf et sobrement luxueux. Espace fitness, piscine et solarium sur le toit.

Hi Hôtel

3 av. des Fleurs – ℘ 04 97 07 26 26 – www.hi-hotel.net – hi@hi-hotel.net
– Fax 04 97 07 26 27
p. 6 EZ **a**

37 ch ⊇ – †219/419 € ††239/439 € – 1 suite
Rest – self – Menu (22 €), 26 € – Carte 23/32 €

♦ Attention les yeux ! Cet hôtel conçu par une designer est l'antithèse d'une adresse traditionnelle. Espaces, matériaux, couleurs, mobilier, équipements : tout est novateur. Originaux plats froids à base de produits bio, proposés en libre-service.

Nice Riviera sans rest

45 r. Pastorelli – ℘ 04 93 92 69 60 – www.hotel-nice-riviera.com – info@hotel-nice-riviera.com – Fax 04 93 92 69 22
p. 7 GY **b**

122 ch – †97/239 € ††97/239 €, ⊇ 17 €

♦ Cet hôtel entièrement restauré propose d'élégantes chambres colorées (rouge et jaune), disposant parfois d'une terrasse ensoleillée. Petite piscine intérieure, sauna et jacuzzi.

Boscolo Park Hôtel sans rest

6 av. de Suède – ℘ 04 97 03 19 00 – www.boscolohotels.com – manager@park.boscolo.com – Fax 04 93 82 29 27
p. 6 FZ **a**

104 ch – †111/711 € ††111/711 €, ⊇ 20 €

♦ Chambres de style Art déco, classiques ou méridionales ; les plus agréables donnent sur le jardin Albert-1er et la grande bleue. Salles de séminaires bien équipées.

Mercure Centre Notre Dame sans rest

28 av. Notre-Dame – ℘ 04 93 13 36 36
– www.accorhotels.com – h1291@accor.com – Fax 04 93 62 61 69
p. 6 FXY **q**

200 ch – †129/209 € ††149/229 €, ⊇ 18 €

♦ Deux bâtiments dont un, au cœur d'un joli jardin, qui abrite des chambres rénovées dans un style mi-Art déco, mi-contemporain. Institut de beauté et piscine sur le toit-terrasse.

NICE page 9

🏠🏠🏠 Splendid 🍴 🏊 ❄ 👶 🛗 🅰🅒 ⇆ ✂ rest, 📞 🧖 🐕 VISA 💳 AE ①
50 bd V. Hugo – ✆ 04 93 16 41 00 – www.splendid-nice.com – info@
splendid-nice.com – Fax 04 93 16 42 70   p.6 **FZ u**
128 ch – †175/265 € ††195/265 €, ⊇ 16 € – 15 suites
Rest – Menu 25/80 € – Carte 35/60 €
♦ La minipiscine et le solarium qui coiffent cet hôtel offrent une vue sur "Nissa la bella". Chambres de tailles diverses, refaites et souvent dotées de balcons. Spa. Restaurant et terrasse panoramiques perchés sur le toit.

🏠🏠 Le Grimaldi sans rest   🛗 🅰🅒 📞 VISA 💳 AE
15 r. Grimaldi – ✆ 04 93 16 00 24 – www.le-grimaldi.com – zedde@
le-grimaldi.com – Fax 04 93 87 00 24   p.6 **FY s**
46 ch – †85/210 € ††95/240 €, ⊇ 15 €
♦ Mobilier provençal, fer forgé et beaux tissus Pierre Frey personnalisent joliment les chambres ; petites terrasses au dernier étage. Espace hall-bar-salon très cosy.

🏠🏠 Villa Victoria sans rest   🚗 🛗 🅰🅒 📞 🅿 VISA 💳 AE ①
33 bd V. Hugo – ✆ 04 93 88 39 60 – www.villa-victoria.com – contact@
villa-victoria.com – Fax 04 93 88 07 98 – Fermé 14-28 déc.   p.6 **FZ s**
38 ch – †75/190 € ††90/210 €, ⊇ 15 €
♦ Bel immeuble ancien aménagé dans un esprit méridional. Préférez les chambres avec balcon donnant sur le joli jardin méditerranéen ; celles côté rue sont bien insonorisées.

🏠🏠 Windsor   🚗 🍴 🏊 👶 🛗 🅰🅒 ⇆ ✂ rest, 📞 VISA 💳 AE
11 r. Dalpozzo – ✆ 04 93 88 59 35 – www.hotelwindsornice.com – contact@
hotelwindsornice.com – Fax 04 93 88 94 57   p.6 **FZ f**
57 ch – †80/185 € ††90/185 €, ⊇ 12 € – ½ P 80/128 €
Rest – (fermé dim.) (dîner seult) Menu 30 € – Carte 30/40 €
♦ Cet hôtel séduit par ses 27 "chambres d'artistes", hymne à l'art contemporain. La plus récente est signée O. Nottellet. Jardin exotique, espace de relaxation (hammam, massages, sauna). Petite restauration servie au bar et, en été, parmi les palmiers et bougainvillées.

🏠🏠 Mercure Promenade des Anglais sans rest   🛗 🅰🅒 ⇆ 📞
2 r. Halévy – ✆ 04 93 82 30 88 – www.mercure.com   VISA 💳 AE ①
– H0360-RE@accor.com – Fax 04 93 82 18 20   p.6 **FZ q**
122 ch – †89/249 € ††99/259 €, ⊇ 16 €
♦ Hôtel installé dans l'immeuble du casino Ruhl. Chambres confortables et refaites, décorées sur le thème du jeu. Salle des petit-déjeuner avec vue sur la Promenade des Anglais.

🏠🏠 Petit Palais sans rest 🌿   ≤ 🛗 🅰🅒 ⇆ 📞 🅿 VISA 💳 AE ①
17 av. E. Bieckert – ✆ 04 93 62 19 11 – www.petitpalaisnice.fr – reservation@
petitpalaisnice.com – Fax 04 93 62 53 60   p.7 **HX p**
25 ch – †80/90 € ††90/170 €, ⊇ 15 €
♦ Ce "Petit Palais" où vécut Sacha Guitry se dresse sur la verdoyante colline de Cimiez. Charme bourgeois et vue plongeante sur la Baie des Anges depuis la plupart des chambres.

🏠🏠 Brice   🚗 🍴 🛗 🅰🅒 ch, 📞 🧖 VISA 💳 AE
44 r. Mar. Joffre – ✆ 04 93 88 14 44 – www.nice-hotel-brice.com – info@
nice-hotel-brice.com – Fax 04 93 87 38 54   p.6 **FZ x**
58 ch – †90/120 € ††107/147 €, ⊇ 13 €
Rest – (ouvert de juin à sept. et fermé lundi) (dîner seult) Menu 28 €
– Carte 29/45 €
♦ Les chambres, protégées des bruits de la circulation par un jardin-terrasse fleuri, sont fonctionnelles et bien tenues. Décor asiatique au bar et borne Internet à disposition. Cuisine familiale sans chichis servie à l'extérieur lorsque le soleil le permet.

🏠🏠 Alba sans rest   🛗 ♿ 🅰🅒 ⇆ 📞 VISA 💳 AE ①
41 av. Jean Médecin – ✆ 04 93 88 02 88 – www.hotellalba.com – reservation@
hotellalba.com – Fax 04 93 88 55 03   p.6 **FXY x**
35 ch – †98/123 € ††113/185 €, ⊇ 13 €
♦ Rénovation réussie pour cet établissement du centre-ville dont les chambres, très bien équipées et insonorisées, affichent un décor plutôt tendance (tons gris et marron).

NICE page 10

Aria sans rest
15 av. Auber – ☏ *04 93 88 30 69 – www.aria-nice.com – reservation@aria-nice.com – Fax 04 93 88 11 35*   p. 6 FY u
26 ch – †84/94 € ††94/124 €, ☑ 13 € – 4 suites

♦ Au cœur du "quartier des musiciens", chambres de bonne ampleur, insonorisées et dotées d'un mobilier classique ou de style provençal ; certaines donnent sur un petit square.

De Flore sans rest
2 r. Maccarani – ☏ *04 92 14 40 20 – www.hoteldeflore-nice.fr – info@hoteldeflore-nice.fr – Fax 04 92 14 40 21*   p. 6 FZ z
64 ch – †82/150 € ††94/165 €, ☑ 13 € – 3 suites

♦ Meubles en fer forgé, sièges en osier et couleurs du Midi dans des chambres gaies et fonctionnelles. Patio pour prendre le petit-déjeuner dans un cadre azuréen.

Anis Hôtel
50 av. Lanterne ✉ *06200 –* ☏ *04 93 18 29 00 – www.hotel-anis.com – info@hotel-anis.com – Fax 04 93 83 31 16*   p. 5 AU a
42 ch – †106/150 € ††118/150 €, ☑ 10 €
Rest – *(fermé dim. soir et lundi)* Menu (12 €), 17 € (sem.)/27 € – Carte 10/45 €

♦ Cette adresse nichée dans un secteur résidentiel cumule les atouts : chambres rénovées et bien insonorisées, agréable piscine, tranquillité et prix plus que corrects. La cuisine régionale s'apprécie en terrasse ou dans une salle aux teintes méridionales.

Durante sans rest
16 av. Durante – ☏ *04 93 88 84 40 – www.hotel-durante.com – info@hotel-durante.com – Fax 04 93 87 77 76 – Fermé janv.*   p. 6 FY b
28 ch – †70/130 € ††70/150 €, ☑ 10 €

♦ L'hôtel, entièrement non-fumeurs, profite du calme de l'impasse : dormez fenêtres ouvertes dans de coquettes chambres tournées vers un jardin embaumant l'oranger.

Nautica sans rest
38 r. Barbéris – ☏ *04 92 00 21 21 – www.hotelnautica.com – reservation@hotelnautica.com – Fax 04 92 00 21 22*   p. 7 JXY m
87 ch – †90/134 € ††90/134 €, ☑ 11 €

♦ Cet établissement ancré à quelques encablures du port a opté pour un décor maritime. Chambres pratiques et bien insonorisées ; tenue sans reproche.

Les Cigales sans rest
16 r. Dalpozzo – ☏ *04 97 03 10 70 – www.hotel-lescigales.com – infos@hotel-lescigales.com – Fax 04 97 03 10 71*   p. 6 FZ b
19 ch – †75/120 € ††80/135 €, ☑ 12 €

♦ Cet ancien hôtel particulier à la jolie façade ouvragée dispose d'une agréable petite cour-terrasse. Chambres fonctionnelles et colorées, mansardées au dernier étage.

Mercure Marché aux Fleurs sans rest
91 quai des Etats-Unis – ☏ *04 93 85 74 19 – www.mercure.com – H0962@accor.com – Fax 04 93 13 90 94*   p. 6 GZ p
49 ch – †97/273 € ††107/283 €, ☑ 14 €

♦ Mobilier patiné, tons beige et chocolat habillent avec chaleur les chambres dotées de bons équipements ; six profitent de la vue sur mer. Accueil souriant et efficace.

Armenonville sans rest
20 av. Fleurs – ☏ *04 93 96 86 00 – www.hotel-armenonville.com – nice@hotel-armenonville.com – Fax 04 93 44 66 53*   p. 6 EZ b
12 ch – †63/99 € ††77/99 €, ☑ 11 €

♦ Dans l'ex-quartier des émigrés russes, charmante villa 1900 et son jardin méridional. Quelques meubles provenant du Negresco personnalisent les chambres peu à peu rajeunies.

De la Fontaine sans rest
49 r. France – ☏ *04 93 88 30 38 – www.hotel-fontaine.com – hotel-fontaine@webstore.fr – Fax 04 93 88 98 11*   p. 6 FZ t
29 ch – †77/105 € ††90/145 €, ☑ 10 €

♦ Hôtel bordant une rue commerçante et animée. Pour plus de calme, préférez les chambres donnant sur le minipatio (petit-déjeuner en saison) où murmure une fontaine.

NICE page 11

Star Hôtel sans rest
14 r. Biscarra – ℘ 04 93 85 19 03 – www.hotel-star.com – info@hotel-star.com
– Fax 04 93 13 04 23 – Fermé 12 nov.-25 déc.   p. 7 GY k
24 ch – †45/59 € ††55/79 €, ⊇ 6 €

♦ Petites chambres sobres et propres, parfois dotées d'un balcon. L'adresse est assez simple, mais elle bénéficie d'un emplacement central et de prix plutôt doux.

Villa la Lézardière
87 bd de l'Observatoire ⊠ 06300 – ℘ 04 93 56 22 86 – www.villa-nice.com
– rpaauw@free.fr – Fax 04 93 56 22 86   p. 5 CT v
5 ch ⊇ – †90/130 € ††100/170 €   **Table d'hôte** – Menu 40 € bc

♦ Perchée sur la Grande Corniche, cette villa de style provençal offre une vue magnifique sur la ville et les Alpes. Chambres personnalisées, piscine et grand jardin clos. Cuisine traditionnelle ou thaïlandaise.

Chantecler – Hôtel Negresco
37 promenade des Anglais – ℘ 04 93 16 64 00 – www.hotel-negresco-nice.com
– chantecler@hotel-negresco.com – Fax 04 93 88 35 68
– Fermé 3 janv.-3 fév., lundi et mardi sauf fériés   p. 6 FZ k
Rest – Menu 50 € (déj.), 95/135 € – Carte 95/145 €

Spéc. Langoustines rôties aux piments d'Espelette, croustillant de tête de veau. Ris de veau clouté au chorizo, fricassée de girolles et petits oignons, macaroni dorés. Fraîcheur de pomme granny smith aux senteurs de mélisse. **Vins** Bellet, Vin de Pays des Alpes-Maritimes.

♦ Somptueuses boiseries, tapisserie d'Aubusson, tableaux de maîtres et rideaux en damas ou en lampas de soie magnifient ce décor Régence. Cuisine au goût du jour personnalisée.

L'Ane Rouge
7 quai Deux-Emmanuel ⊠ 06300 – ℘ 04 93 89 49 63 – www.anerougenice.com
– anerouge@free.fr – Fax 04 93 26 51 42 – Fermé vacances de fév., jeudi midi et merc.   p. 7 JZ m
Rest – Menu (26 €), 36 € (sem.)/78 € – Carte 64/87 €

♦ Ce restaurant situé face au port de plaisance et au château propose une savoureuse cuisine "terre et mer" dans une chaleureuse salle à manger récemment rajeunie.

Les Viviers
22 r. A. Karr – ℘ 04 93 16 00 48 – www.les-viviers-nice.com – viviers.bretons@wanadoo.fr – Fax 04 93 16 04 06 – Fermé sam. midi et dim.   p. 6 FY k
Rest – Menu 35 € (déj.), 52/85 € – Carte 39/101 €

♦ Élégante salle aux boiseries blondes ou bistrot d'esprit 1900 : deux décors, mais une seule cuisine classique, proposant poissons, crustacés et suggestions du jour.

L'Univers-Christian Plumail
54 bd J. Jaurès ⊠ 06300 – ℘ 04 93 62 32 22 – www.christian-plumail.com
– plumailunivers@aol.com – Fax 04 93 62 55 69
– Fermé sam. midi, lundi midi et dim.   p. 7 HZ u
Rest – (prévenir) Menu (22 €), 44/70 € – Carte 60/86 €

Spéc. Socca, mousse de panisse et pois chiches, crustacé rôti au jambon serrano. Loup de ligne rôti à l'orange. Palet au chocolat et noix caramélisées. **Vins** Bellet, Côtes de Provence.

♦ Tableaux et sculptures modernes agrémentent l'intérieur de ce restaurant prisé des Niçois : on y savoure – souvent à guichets fermés – une cuisine régionale personnalisée.

Jouni "Atelier du Goût" (Jouni Tormanen)
60 bd. F.Pilatte, (1er étage) – ℘ 04 97 08 14 80 – www.jouni.fr – contact@jouni.fr
– Fax 04 92 04 23 02 – Fermé 9 nov.-2 déc., le midi en sem., dim. et lundi   p. 5 CT b
Rest – Menu 65 € (déj.), 100/150 € – Carte 88/102 €
Rest *Bistrot de la Réserve* – Menu (30 €), 65/105 € bc – Carte 65/80 €
Spéc. Moelleux de homard et courgettes violon (été). Pêche du jour. Tarte aux chocolats fondants.

♦ Ici, vous êtes aux premières loges pour admirer le port et la mer. En lieu et place de l'historique "Réserve", joli cadre Art déco, terrasse sur le toit, et belle cuisine épurée d'esprit méditerranéen. Au rez-de-chaussée, bistrot au cadre contemporain lounge.

1213

Keisuke Matsushima
🅰🅒 ❄ ⇔ 𝗩𝗜𝗦𝗔 🅜🅒 🅐🅔
22 ter r. de France – ☏ 04 93 82 26 06 – www.keisukematsushima.com – info@keisukematsushima.com – Fax 04 92 00 08 49
– *Fermé sam. midi, lundi midi et dim.*   *p. 6* **FZ e**
Rest – Menu 35 € (déj.), 65/130 € – Carte 80/130 € 🍴
Spéc. Saint-Jacques et navets en carpaccio, vinaigrette aigre-douce (nov. à mars). Selle d'agneau de Sisteron "Nissa la Bella" (janv. à avril). Cannelloni d'ananas à la mousse de noix de coco, meringue citron vert. **Vins** Bellet, Bandol.
♦ L'ancien Kei's Passion est devenu grand et sage (cadre minimaliste et tendance, service sérieux), mais sa cuisine reste inventive. Également table d'hôte sur réservation.

Aphrodite
🈚 🅰🅒 𝗩𝗜𝗦𝗔 🅜🅒 🅐🅔 ①
10 bd Dubouchage – ☏ 04 93 85 63 53 – www.restaurant-aphrodite.com – reception@restaurant-aphrodite.com – Fax 04 93 80 10 41 – *Fermé 1ᵉʳ-24 janv., dim. et lundi*   *p. 7* **HY s**
Rest – Menu 25 € (déj.), 35/95 € – Carte 55/75 €
♦ Mobilier design épuré, bois, cuir rouge, tables blotties dans des alcôves : un décor contemporain, chic et cosy, en totale adéquation avec la cuisine personnalisée du chef.

Les Épicuriens
🈚 🅰🅒 𝗩𝗜𝗦𝗔 🅐🅔
6 pl. Wilson – ☏ 04 93 80 85 00 – Fax 04 93 85 65 00 – *Fermé août, sam. midi et dim.*   *p. 7* **HY v**
Rest – Carte 30/52 €
♦ La carte régionale et l'appétissante ardoise de suggestions du jour attirent une clientèle fidèle dans ce chaleureux restaurant habillé de boiseries. Terrasse sur la place.

L'Allegro
🅰🅒 𝗩𝗜𝗦𝗔 🅜🅒
6 pl. Guynemer ✉ 06300 – ☏ 04 93 56 62 06 – sarl.divin@orange.fr – Fax 04 93 56 38 28 – *Fermé 1ᵉʳ-6 janv., le midi en août, sam. midi et dim.*   *p. 7* **JZ u**
Rest – Menu 19 € (déj. en sem.), 23/54 € – Carte 34/59 €
♦ Pâtes et raviolis préparés à la minute, sous vos yeux, dans un étonnant décor de trompe-l'œil et de fresques évoquant la "commedia dell'arte" : cette adresse respire l'Italie !

Brasserie Flo
🅰🅒 ⇔ 𝗩𝗜𝗦𝗔 🅜🅒 🅐🅔 ①
4 r. S. Guitry – ☏ 04 93 13 38 38 – www.flonice.com – dbarrau@groupeflo.fr – Fax 04 93 13 38 39   *p. 7* **GYZ m**
Rest – Menu (19 €), 24/34 € bc – Carte 29/63 €
♦ Parterre de tables et troupe de serveurs fin prêts : les trois coups frappés, le rideau grenat se lève sur les cuisines de cette brasserie aménagée dans un théâtre 1930.

Stéphane Viano
🅰🅒 𝗩𝗜𝗦𝗔 🅜🅒 🅐🅔
26 bd. Victor Hugo – ☏ 04 93 82 48 63 – vianostephane@wanadoo.fr – *Fermé dim.*   *p. 6* **FY t**
Rest – Menu (22 €) – Carte 32/45 €
♦ Table branchée repérable à sa longue véranda dotée de chaises provençales bleues. Une 2ᵉ salle, voûtée, joue sur le contraste du noir et du blanc. Cuisine niçoise revisitée.

Les Pêcheurs
🈚 🅰🅒 𝗩𝗜𝗦𝗔 🅜🅒 🅐🅔
18 quai des Docks – ☏ 04 93 89 59 61 – www.lespecheurs.com – lespecheurs@aliceadsl.fr – *Fermé janv., lundi et mardi d'oct. à mai, jeudi midi et merc. de juin à sept.*   *p. 7* **JZ v**
Rest – Menu 28/38 € – Carte 41/77 €
♦ Spécialités littorales d'ici et d'ailleurs, servies au choix sur la terrasse d'été braquée vers le port ou dans une salle rajeunie sous l'impulsion des nouveaux propriétaires.

L'Aromate
♿ 🅰🅒 𝗩𝗜𝗦𝗔 🅜🅒 🅐🅔
20 av. Mar. Foch – ☏ 04 93 62 98 24 – www.laromate.fr – mickaelgracieux@hotmail.com – Fax 04 93 62 98 24 – *Fermé janv., dim. et lundi*   *p. 7* **GY v**
Rest – (dîner seult) Menu 50/70 € – Carte 60/70 €
Rest *Le Grain de Riz de l'Aromate* – (déj. seult) Menu (25 €), 35 € – Carte 38/48 €
♦ Cadre traditionnel réactualisé – la petite salle à l'entrée fait face aux cuisines vitrées – pour des recettes inventives servies le soir. Au déjeuner, l'enseigne propose une cuisine du marché plus simple (deux formules et un menu), autour de l'équation risotto-viande-poisson.

Luc Salsedo
14 r. Maccarani – ℰ 04 93 82 24 12 – www.restaurant-salsedo.com – contact@restaurant-salsedo.com – Fax 04 93 82 93 68 – Fermé 1er-25 janv., les midis en juil.-août, jeudi midi, sam. midi et merc. *p.6* **FY h**
Rest – Menu (26 €), 44/65 €
• Tons méditerranéens, fresque abstraite colorée et mobilier asiatique font le cachet de cette petite salle à manger. Recettes actuelles mâtinées d'influences provençales.

Bông-Laï
14 r. Alsace-Lorraine – ℰ 04 93 88 75 36 *p.6* **FX n**
Rest – Menu 20/39 € – Carte 30/70 €
• Le décor asiatique est sans surprise, mais il règne une atmosphère intime dans ce restaurant tout en longueur. Cuisine vietnamienne familiale complétée par quelques plats chinois.

Kamogawa
18 r. de la Buffa – ℰ 04 93 88 75 88 – Fermé dim. midi et lundi *p.6* **FZ m**
Rest – Menu 33 €, 36/65 € – Carte 38/60 €
• Cette adresse typiquement nippone (tout le personnel est japonais) connaît un franc succès grâce à ses recettes traditionnelles et simples, servies dans un cadre sobre.

Mireille
19 bd Raimbaldi – ℰ 04 93 85 27 23 – Fermé 4-12 mai, 3-19 août, 4-10 janv., lundi et mardi *p.7* **GX d**
Rest – Carte environ 31 €
• En plein cœur de "Nissa" la ligure, restaurant au décor hispanique et au prénom provençal. Paella (plat unique) présentée dans une rutilante vaisselle en cuivre.

Lou Pistou
4 r. Raoul Bosio ⊠ 06300 – ℰ 04 93 62 21 82 – nicisa@gmail.com – Fermé 14-22 mars, 1er-15 nov., sam. et dim. *p.7* **HZ a**
Rest – taverne – Carte 29/38 €
• Officiant à côté du palais de Justice, cette "cantine" des hommes de loi sert une cuisine niçoise simple dans une salle à manger plutôt modeste. Accueil tout sourire.

La Casbah
3 r. Dr Balestre – ℰ 04 93 85 58 81 – Fermé juil., août, dim. soir et lundi *p.7* **GY a**
Rest – Carte 22/38 €
• Ce petit restaurant familial propose un choix de couscous à base de légumes frais, semoule faite maison et viande d'agneau principalement. Pâtisseries orientales au dessert.

La Merenda
4 r. Raoul Bosio – Fermé 1er-8 mars, 25 juil.-10 août, sam. et dim. *p.7* **HZ a**
Rest – *(nombre de couverts limité)* Carte 31/38 €
• Tabourets inconfortables, pas de téléphone et cartes de crédit bannies... Que dire de plus ? Que l'on fait salle comble tous les jours avec une authentique cuisine niçoise !

à l'Aire St-Michel Nord : 9 km par bd. de Cimiez – ⊠ 06100 Nice

Au Rendez-vous des Amis
176 av. Rimiez ⊠ 06100 – ℰ 04 93 84 49 66 – www.rdvdesamis.fr – contact@rdvdesamis.fr – Fax 04 93 52 62 09 – Fermé 26 oct.-26 nov., 8-24 fév., mardi sauf juil.-août et merc. *p.4* **AU d**
Rest – Menu (19 €), 24 € – Carte 29/37 €
• La chaleur de l'accueil et de l'ambiance ne font pas mentir l'enseigne ! Savoureux plats typiquement locaux (menu au choix volontairement restreint) et agréable terrasse ombragée.

à l'aéroport de Nice-Côte-d'Azur 7 km – ⊠ 06200 Nice

Park Inn Nice
179 bd René Cassin – ℰ 04 93 18 34 00 – www.nice-ziderparkinn.com – reservations.nice@lezidorparkinn.com – Fax 04 93 71 40 63 *p.4* **AU d**
151 ch – †115/160 €, ††125/455 €, ⊇ 18 €
Rest – Menu (19 € bc), 32 € bc (sem.)/50 € bc – Carte 36/46 €
• Vous logerez à deux pas de l'aéroport, dans des chambres agréables, bien contemporaines et personnalisées par une couleur dominante différente selon les étages. Restaurant moderne (carte traditionnelle) et service snack en été au bord de la piscine.

NICE page 14

🏨 **Novotel Arenas** 🛎 & ch, AC 🛏 🛜 🧖 🚗 VISA MC AE ①
455 promenade des Anglais – ☏ 04 93 21 22 50 – www.novotel.com – h0478@accor.com – Fax 04 93 21 63 50 *p. 4* AU **e**
131 ch – †90/250 € ††90/250 €, ⊇ 15 € **Rest** – Carte 24/54 €
◆ Les chambres adoptent progressivement un style tendance : mobilier moderne assorti de teintes gris et chocolat. Bonne insonorisation et multiples salles de conférences. Salle de restaurant plus intime qu'à l'ordinaire et cuisine traditionnelle.

à St-Isidore par ⑦ : 13 km – ⊠ 06200

🏨 **Servotel** 🍴 🏊 🛎 & ch, AC 🛏 🧖 📞 🚗 P 🚗 VISA MC AE ①
30 av. A. Verola – ☏ 04 93 29 99 00 – www.servotel-nice.fr – info@servotel-nice.fr – Fax 04 93 29 99 01
84 ch – †71/148 € ††81/178 €, ⊇ 13 € – 2 suites – ½ P 65/84 €
Rest – (fermé sam. et dim.) Menu 23/33 € – Carte 47/69 €
◆ Un établissement neuf proche d'un centre commercial. Chambres fonctionnelles bien pensées pour la clientèle d'affaires. Salon-cheminée et équipements pour séminaires. Salle à manger contemporaine aux couleurs du Sud et cuisine traditionnelle simple.

> Une bonne table sans se ruiner ?
> Repérez les Bibs Gourmands 😊.

NIEDERBRONN-LES-BAINS – 67 Bas-Rhin – **315** J3 – 4 329 h. 1 **B1**
– alt. 190 m – Stat. therm. : début avril-fin nov. – Casino – ⊠ 67110
🟩 **Alsace Lorraine**

▶ Paris 460 – Haguenau 23 – Sarreguemines 55 – Saverne 40 – Strasbourg 52
🛈 Office de tourisme, 6, place de l'Hôtel de Ville ☏ 03 88 80 89 70, Fax 03 88 80 37 01

🏨 **Mercure** sans rest 🕭 🚗 🛎 🛏 🧖 P VISA MC AE ①
av. Foch – ☏ 03 88 80 84 48 – www.mercure.com – h5548@accor.com – Fax 03 88 80 84 40
59 ch – †59/89 € ††59/98 €, ⊇ 12 € – 5 suites
◆ Cet établissement abrite de grandes chambres standardisées et des suites. Décoration épurée (tons pastel, esprit Belle Époque). Bar-salon design. Agréable jardin arboré.

🏨 **Le Bristol** 🛎 AC rest, 🛏 🧖 ch, P VISA MC AE
4 pl. de l'Hôtel-de-Ville – ☏ 03 88 09 61 44 – www.lebristol.com – hotel.lebristol@wanadoo.fr – Fax 03 88 09 01 20
29 ch – †50/55 € ††60/70 €, ⊇ 8,50 € – ½ P 60/65 €
Rest – Menu (10 €), 15/42 € – Carte 27/40 €
◆ Hôtel familial situé au centre de la station thermale. Les chambres refaites se révèlent chaleureuses et coquettes avec leur mobilier artisanal et leurs couleurs gaies. Salle cossue, agrandie d'une véranda utilisée les jours d'affluence. Carte traditionnelle.

🏨 **Du Parc** 🍴 🛏 ch, 🛜 P 🚗 VISA MC AE ①
r. de la République – ☏ 03 88 09 01 42 – www.parchotel.net – parchotel1@orange.fr – Fax 03 88 09 05 80
40 ch – †52/70 € ††65/80 €, ⊇ 9 € – ½ P 59/68 €
Rest – Menu (12 €), 20/55 € – Carte 26/45 €
◆ Dans une rue passante, hôtel composé de deux bâtiments pris en main par de nouveaux propriétaires. Chambres régulièrement rénovées, coquettes et très bien tenues. Cuisine traditionnelle servie dans une salle de style alsacien ou sous la tonnelle en été.

✕✕ **L'Atelier du Sommelier** ≤ 🍴 ⇔ VISA MC AE
35 r. des Acacias, à 2 km vers complexe sportif – ☏ 03 88 09 06 25 – www.ateliersdusommelier.com – stephane.knecht@wanadoo.fr – Fermé 10-23 août, 15 fév.-1er mars, sam. midi, lundi et mardi
Rest – Menu 28/50 € – Carte 34/53 € 🍷
◆ Ce lumineux restaurant recèle un charme rustique à la gloire de Bacchus : mobilier en bois blond, vitraux, caisses de vins et crus exposés (en vente). Plats épurés et riche cave.

NIEDERSCHAEFFOLSHEIM – 67 Bas-Rhin – 315 K4 – 1 248 h. – alt. 185 m – ⊠ 67500

1 B1

▶ Paris 473 – Haguenau 7 – Saverne 35 – Strasbourg 28

Au Bœuf Rouge avec ch
*39 r. du Gén. de Gaulle – ℰ 03 88 73 81 00 – www.boeufrouge.com
– auboeufrouge.hotel@wanadoo.fr – Fax 03 88 73 89 71 – Fermé 14 juil.-5 août et 8-23 fév.*
13 ch – †70 € ††72/74 €, ⊇ 10 € – ½ P 68/74 €
Rest – *(fermé dim. soir, mardi midi et lundi)* Menu 30 € (sem.)/72 € – Carte 64/76 €
◆ Depuis 1880, la même famille vous reçoit chaleureusement dans cette institution alsacienne. Salle élégante et classique (panneaux en bois) ; cuisine bourgeoise revisitée.

NIEDERSTEINBACH – 67 Bas-Rhin – 315 K2 – 139 h. – alt. 225 m – ⊠ 67510 ▌Alsace Lorraine

1 B1

▶ Paris 460 – Bitche 24 – Haguenau 33 – Lembach 8 – Strasbourg 66 – Wissembourg 23

Cheval Blanc
11 r. Principale – ℰ 03 88 09 55 31 – www.hotel-cheval-blanc.fr – contact@hotel-cheval-blanc.fr – Fax 03 88 09 50 24 – Fermé 17 juin-2 juil., 23 nov.-3 déc. et fév.
25 ch – †50/66 € ††63/75 €, ⊇ 11 € – 1 suite – ½ P 58/64 €
Rest – *(fermé jeudi)* Menu 20 € (sem.), 25/57 € – Carte 30/66 €
◆ Auberge traditionnelle et familiale à l'intérieur cossu : chambres coquettes d'une tenue impeccable et salons chaleureux. Copieux petit-déjeuner. À table, vous dégusterez une généreuse cuisine régionale dans un décor rustique alsacien agrémenté de "stubes" boisées.

à Wengelsbach Nord-Ouest : 5 km par D 190 – ⊠ 67510

Au Wasigenstein
32 r. Principale – ℰ 03 88 09 50 54 – www.wasigenstein-wengelsbach.com – wasigenstein@wanadoo.fr – Fax 03 88 09 50 54 – Fermé de mi-janv. à fin-fév., merc. et jeudi de nov. à fév., lundi et mardi sauf fériés
Rest – Menu 12 € (déj. en sem.), 21/30 € – Carte 17/35 €
◆ Adresse familiale dans un paisible village. Salle à manger sur deux niveaux, cadre rustique (poêle en faïence, poutres). Terrasse prisée des randonneurs. Spécialités de gibier.

NIEUIL – 16 Charente – 324 N4 – 927 h. – alt. 150 m – ⊠ 16270

39 C2

▶ Paris 434 – Angoulême 42 – Confolens 24 – Limoges 66 – Nontron 58 – Ruffec 34

à l'Est 2 km par D 739 et rte secondaire - ⊠ 16270 Nieuil

Château de Nieuil sans rest
*– ℰ 05 45 71 36 38 – www.chateaunieuilhotel.com
– chateaunieuilhotel@wanadoo.fr – Fax 05 45 71 46 45
– Ouvert mars-nov.*
11 ch – †117/185 € ††130/275 €, ⊇ 16 € – 3 suites
◆ Ce château Renaissance, ancien rendez-vous de chasse de François Ier, se dresse fièrement dans un vaste parc arboré. Belles chambres de style Empire, Art déco, classique, etc.

La Grange aux Oies
dans le parc du château – ℰ 05 45 71 81 24 – www.grange-aux-oies.com – info@grange-aux-oies.com – Fax 05 45 71 81 25 – Fermé 30 mars-10 avril, 2-28 nov. et 5-16 janv.
Rest – Menu (26 € bc), 48 € bc – Carte 40/55 €
◆ Installé dans les écuries du château de Nieuil, ce restaurant associe avec bonheur décoration tendance et vieilles pierres. Cuisine dans l'air du temps, à l'image des lieux.

NIEUL – 87 Haute-Vienne – 325 E5 – 1 545 h. – alt. 396 m – ⊠ 87510   24 B2

▶ Paris 391 – Limoges 16 – Bellac 27 – Guéret 86

Les Justices avec ch
3 km au Sud-Est sur rte de Limoges – ℰ 05 55 75 84 54 – *Fermé dim. soir, lundi et soirs fériés*
3 ch – †46 €, ††46 €, ⊇ 8 €
Rest – *(nombre de couverts limité, prévenir)* Menu 26/32 € – Carte 26/41 €
◆ Repas traditionnel servi dans un décor kitsch plutôt attachant : collections de porcelaines et de poupées vêtues dans des tons vifs, verres gravés, plantes exotiques, etc. Chambres rétro toutes simples, pratiques pour l'étape.

NIEULLE-SUR-SEUDRE – 17 Charente-Maritime – 324 D5 – 713 h.   38 A2
– alt. 3 m – ⊠ 17600

▶ Paris 503 – Poitiers 170 – La Rochelle 60 – Rochefort 30 – Saintes 32

Le Logis de Port Paradis
12 r. de Port Paradis – ℰ 05 46 85 37 38 – www.portparadis.com
– logis.portparadis@wanadoo.fr
5 ch ⊇ – †66 € ††70 €   **Table d'hôte** – Menu 29 € bc
◆ À voir dans les jolies chambres de cette demeure typiquement charentaise : les têtes de lit fabriquées à partir de bois ou d'ardoise récupérés dans des cabanes ostréicoles. Dîner avec les propriétaires, plats du terroir et copieux petit-déjeuner 100 % maison.

NÎMES ℙ – 30 Gard – 339 L5 – 144 000 h. – Agglo. 148 889 h.   23 C3
– alt. 39 m – ⊠ 30000   ■ Provence

▶ Paris 706 – Lyon 251 – Marseille 123 – Montpellier 58
✈ de Nîmes-Arles-Camargue : ℰ 04 66 70 49 49, par ⑤ : 12 km.
🛈 Office de tourisme, 6, rue Auguste ℰ 04 66 58 38 00, Fax 04 66 58 38 01
⛳ de Nîmes Vacquerolles 1075 chemin du Golf, par D 999 : 6 km, ℰ 04 66 23 33 33
⛳ de Nîmes Campagne Route de Saint Gilles, par rte de l'Aéroport : 11 km, ℰ 04 66 70 17 37
◉ Arènes★★★ – Maison Carrée★★★ – Jardin de la Fontaine★★ : Tour Magne★, ≼★ – Intérieur★ de la chapelle des Jésuites **DU** B – Carré d'Art★ – Musée d'Archéologie★ **M¹** - Musée du Vieux Nîmes **M³** - Musée des Beaux-Arts★ **M²**.

Plans pages suivantes

Jardins Secrets sans rest
3 r. Gaston-Maruejols – ℰ 04 66 84 82 64 – www.jardinssecrets.net – contact@jardinssecrets.net – Fax 04 66 84 27 47   **BY** m
12 ch – †195/380 € ††195/380 €, ⊇ 25 € – 3 suites
◆ Décoration soignée à la française – façon 18ᵉ s. revu à la mode d'aujourd'hui –, sublime jardin-piscine planté de mille essences, très beau spa... La perle rare, en plein centre-ville.

Imperator Concorde
quai de la Fontaine – ℰ 04 66 21 90 30 – www.hotel-imperator.com
– hotel.imperator@wanadoo.fr – Fax 04 66 67 70 25   **AX** g
60 ch ⊇ – †152/246 € ††173/267 € – 3 suites – ½ P 117/164 €
Rest – Menu 30 € bc/55 € – Carte 49/59 €
◆ Demeure 1929 organisée autour d'un agréable patio florentin animé d'un jet d'eau. À l'intérieur, on rénove par étapes : chambres rafraîchies, salon façon palace d'antan, etc. Plaisant restaurant disposé en galerie autour d'une jolie cour. Cuisine classique.

Vatel
140 r. Vatel par av. Kennedy **AY** – ℰ 04 66 62 57 57 – www.hotelvatel.com
– hotel@vatel.fr – Fax 04 66 62 57 50
46 ch – †120/230 € ††130/240 €, ⊇ 12 €
Rest *Les Palmiers* – *(fermé août, dim. soir, lundi et le midi sauf dim.)*
Menu 30/54 € – Carte 52/73 €
Rest *Le Provençal* – Menu (20 €), 25/58 €
◆ Les élèves de l'École hôtelière "planchent" pour votre bien-être. Les chambres, spacieuses et confortables, sont dotées de salles de bains en marbre. Cuisine classique aux accents du Sud et belle vue sur la ville aux Palmiers. Buffets à volonté au Provençal.

NÎMES

Briçonnet (R.)	**BY** 8
Cirque Romain (R. du)	**AY** 13
Fontaine (Quai de la)	**AX** 20
Gambetta (Bd)	**ABX**
Gamel (Av. P.)	**BZ** 22
Générac (R. de)	**AYZ** 23
Mallarmé (R. Stéphane)	**AX** 34
Martyrs de la Résistance (Pl. des)	**AZ** 36
Mendès-France (Av. Pierre)	**BZ** 39
République (R. de la)	**AYZ**
Ste-Anne (R.)	**AY** 46
Verdun (R. de)	**AY** 47

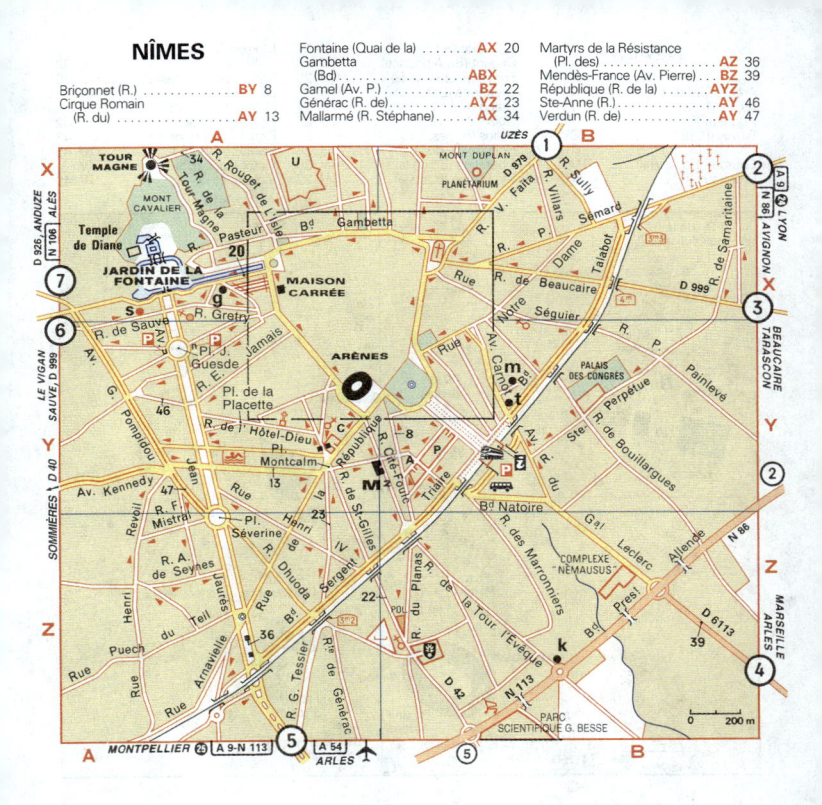

Novotel Atria Nîmes Centre
5 bd de Prague – ℘ 04 66 76 56 56 – accorhotels.com – h0985@accor.com
– Fax 04 66 76 56 59   DV **f**
119 ch – †95/185 € ††95/185 €, ⊋ 15 € – 7 suites
Rest – Menu (16 €), 22 € (sem.) – Carte 19/45 €
   ◆ Lifting complet pour les chambres de cet hôtel, déjà très apprécié de la clientèle d'affaires pour son centre de congrès. Décor actuel, jolie vue sur Nîmes au dernier étage. Petit-déjeuner dans le patio. Restaurant souscrivant à la philosophie de la chaîne.

La Maison de Sophie sans rest
31 av. Carnot – ℘ 04 66 70 96 10
– www.hotel-lamaisondesophie.com
– lamaisondesophie@orange.fr – Fax 04 66 36 00 47   BY **t**
8 ch – †140 € ††160/290 €, ⊋ 16 €
   ◆ Hall en marbre, bel escalier, vitraux d'époque, salons cosy, bibliothèques, etc. : Sophie vous accueille dans sa maison, une demeure bourgeoise imprégnée de l'esprit 1900.

New Hôtel La Baume sans rest
21 r. Nationale – ℘ 04 66 76 28 42 – www.new-hotel.com
– nimeslabaume@new-hotel.com
– Fax 04 66 76 28 45   DU **b**
34 ch – †110/200 € ††140/230 €, ⊋ 12 €
   ◆ Délicieuse cour carrée à ciel ouvert, salle des petits-déjeuners voûtée, magnifique escalier et chaleureuses chambres refaites avec goût : un ancien hôtel particulier bien agréable.

NÎMES

Arènes (Bd des) .... **CV** 2	Curaterie (R.) .... **DU** 17	Maison Carrée
Aspic (R. de l') .... **CUV**	Daudet (Bd Alphonse) .... **CU** 18	(Pl. de la) .... **CU** 33
Auguste (R.) .... **CU** 4	Fontaine (Quai de la) ... **CU** 20	Marchands (R. des) ..... **CU** 35
Bernis (R. de) .... **CV** 6	Gambetta (Bd) .... **CDU**	Nationale (R.) .... **CDU**
Chapitre (R. du) .... **CU** 12	Grand'Rue .... **DU** 24	Perrier (R. Gén.) ...... **CU**
Courbet (Bd Amiral) .... **DUV** 14	Guizot (R.) .... **CU** 26	Prague (Bd) .... **DV** 42
Crémieux (R.) .... **DU** 16	Halles (R. des) .... **CU** 27	République (R. de la) .. **CV** 43
	Horloge (R. de l') ..... **CU** 28	Saintenac (Bd E.) ..... **DU** 45
	Libération (Bd de la) .. **DV** 30	Victor-Hugo (Bd) ...... **CUV**
	Madeleine (R. de la) ... **CU** 32	Violettes (R.) .... **CV** 49

L'Orangerie

755 r. **Tour-de-l'Évêque** – ℰ 04 66 84 50 57 – www.orangerie.fr – info@orangerie.fr – Fax 04 66 29 44 55

BZ **k**

37 ch – †79/149 € ††79/149 €, ⊇ 10 € – ½ P 67/102 €
Rest – Menu (18 €), 24/28 € – Carte 32/49 €

◆ De mignonnes chambres provençales (certaines avec terrasse, d'autres avec bain bouillonnant), dont six flambant neuves, caractérisent cette maison aux allures de vieux mas. Au restaurant, carte traditionnelle riche en produits régionaux.

Le Pré Galoffre sans rest

rte de Générac, 6 km au Sud par D 13 – ℰ 04 66 29 65 41
– www.lepregaloffre.com
– lepregaloffre@wanadoo.fr – Fax 04 66 38 23 49
27 ch – †60/80 € ††60/80 €, ⊇ 10 €

◆ Le charme d'une vieille demeure du 17e s. conjugué à un aménagement contemporain. Chambres actuelles et sobres à la tenue irréprochable. Belle piscine. Accueil sympathique.

Kyriad sans rest

10 r. Roussy – ℰ 04 66 76 16 20 – www.hotel-kyriad-nimes.com – contact@hotel-kyriad-nimes.com – Fax 04 66 67 65 99

DU **n**

28 ch – †69/85 € ††72/85 €, ⊇ 8,50 €

◆ Sympathique hôtel de centre-ville : garage bien pratique, petites chambres colorées et parfaitement isolées (deux avec terrasse et vue sur les toits nîmois), accueil charmant.

NÎMES

Le Lisita (Olivier Douet)
2 bd des Arènes – ✆ 04 66 67 29 15 – www.lelisita.com – restaurant@lelisita.com
– Fax 04 66 67 25 32 – Fermé dim. et lundi CV h
Rest – Menu (27 €), 35 € (déj.), 54/78 € – Carte 77/94 €
Spéc. Brandade de morue à la fleur de thym et copeaux de truffe. Filet de taureau sauté, jus à l'huile d'olive. Biscuit chocolat-caramel sauce praliné. **Vins** Costières de Nîmes.
♦ Grandiose lever de rideau sur les arènes, salle en pierres ou terrasse sous les platanes : un décor moderne et soigné, à l'image de l'assiette, finement relevée d'accents du Sud.

Aux Plaisirs des Halles
4 r. Littré – ✆ 04 66 36 01 02 – www.auxplaisirsdeshalles.com – Fax 04 66 36 08 00
– Fermé 8-15 juin, vacances de la Toussaint et de fév., dim. et lundi CU r
Rest – Menu (22 €), 27/60 € – Carte 60/75 €
♦ Belle salle à manger contemporaine épurée (boiseries, mobilier design) et joli patio fleuri pour les repas d'été. Cuisine généreuse et goûteuse ; bon choix de vins régionaux.

Le Bouchon et L'Assiette
5 bis r. de Sauve – ✆ 04 66 62 02 93 – www.bouchon-assiette.fr
– bouchon-assiette@orange.fr – Fax 04 66 62 03 57
– Fermé 14 juil.-15 août, 2-17 janv., mardi et merc. AX s
Rest – Menu (17 €), 27/45 € – Carte 34/41 €
♦ Un décor particulièrement soigné agrémenté de tableaux et d'objets d'antiquité, un accueil des plus sympathiques et dans l'assiette, une savoureuse cuisine de saison.

Le Magister
5 r. Nationale – ✆ 04 66 76 11 00 – www.le-magister-a-table.com – le.magister@wanadoo.fr – Fax 04 66 67 21 05 – Fermé lundi midi DU q
Rest – Menu (21 €), 36/47 € – Carte 40/55 €
♦ Des expositions de peintures égaient les murs en bois patiné – façon chalet suisse – de ce restaurant chaleureux à tous points de vue. Appétissants petits plats régionaux.

Shogun
38 bd Victor-Hugo – ✆ 04 66 27 59 88 – restaurant.shogun@wanadoo.fr
– Fax 04 66 64 23 92 – Fermé 25 mai-1er juin, 2-24 août, 13-20 sept., 17-25 janv., dim. et lundi CV v
Rest – Menu 14 € bc (déj.), 20 € bc/48 € – Carte 44/67 €
♦ On vient de loin pour découvrir les talentueuses créations du chef et du "maître sushis", l'inimitable art de recevoir et l'atmosphère "feng shui" de ce restaurant japonais.

Le Darling
40 r. Madeleine – ✆ 04 66 67 04 99 – www.ledarling.com – restaurantledarling@wanadoo.fr – Fax 04 66 67 04 99 – Fermé 1er-23 juil., 31 déc.-10 janv., le midi sauf dim. d'oct. à mai et merc. CU p
Rest – (nombre de couverts limité, prévenir)
Menu 42/60 € – Carte 58/71 €
♦ Ambiance chic et contemporaine pour cette adresse en vue : voûtes en pierre, fresque incrustée de feuilles d'or et cuisine créative osant avec succès des mélanges inédits.

L'Exaequo
11 r. Bigot – ✆ 04 66 21 71 96 – www.exaequorestaurant.com
– l.exaequo@wanadoo.fr – Fax 04 66 21 77 96
– Fermé 15-25 août, sam. midi et dim. CV a
Rest – Menu (16 €), 20 € (déj. en sem.), 26/75 € bc
– Carte environ 45 €
♦ Non loin des arènes : cadre résolument lounge dans les tons rouge-orangé (musique d'ambiance, mobilier design), adorable patio avec brumisateurs et assiettes actuelles.

Le Marché sur la Table
10 r. Littré – ✆ 04 66 22 22 50 – Fax 04 66 76 19 78
– Fermé dim. et lundi CU d
Rest – Menu 39 € – Carte environ 35 €
♦ Nouvelle petite adresse sympathique où l'on propose une cuisine de bistrot qui respire la fraîcheur : chaque matin, le patron fait son marché aux halles voisines.

NÎMES

à Marguerittes par ② et D 981 : 8 km – 8 692 h. – alt. 60 m – ⌂ 30320

L'Hacienda
Le Mas de Brignon, Sud-Est : 2 km par rte secondaire – ℰ 04 66 75 02 25
– www.hotel-hacienda-nimes.fr – contact@hotel-hacienda-nimes.fr
– Fax 04 66 75 45 58 – Ouvert de mi-mars à fin nov.
12 ch – †82/142 € ††92/162 €, ⌂ 15 € – ½ P 96/136 €
Rest – *(dîner seult)* Menu 34/44 € – Carte 52/65 €

♦ Perdu en pleine campagne, ce mas isolé offre le calme et de spacieuses chambres meublées dans un coquet esprit provençal. Les deux salles à manger (d'hiver et d'été) donnent directement sur les cuisines et sur la piscine. Goûteux plats traditionnels revisités.

à Garons par ⑤, D 42 et D 442 : 9 km – 3 692 h. – alt. 90 m – ⌂ 30128

Alexandre (Michel Kayser)
2 r. X.-Tronc – ℰ 04 66 70 08 99 *– www.michelkayser.com*
– restaurant.alexandre@wanadoo.fr – Fax 04 66 70 01 75
– Fermé 23 août-8 sept., 4-12 janv., 15-27 fév., mardi de sept. à juin, dim. sauf le midi de sept. à juin et lundi
Rest – Menu 64 € (sem.)/124 € – Carte 86/149 €

Spéc. Île flottante aux truffes de Provence (sept. à avril). Filet de taureau de manade, lasagne aux deux céleris acidulés et câpres. L'écrin des desserts "Alexandre". **Vins** Costières de Nîmes.

♦ Délicieuse cuisine provençale actualisée, à déguster dans d'élégantes salles résolument contemporaines ouvrant sur un superbe jardin. Bon choix de vins du Languedoc-Roussillon.

NIORT ℙ – 79 Deux-Sèvres – **322** D7 – 57 900 h. – alt. 24 m – ⌂ 79000 38 **B2**
Poitou Vendée Charentes

▶ Paris 408 – Bordeaux 184 – Nantes 142 – Poitiers 76 – La Rochelle 65

🛈 Office de tourisme, 16, rue du Petit Saint-Jean ℰ 05 49 24 18 79, Fax 05 49 24 98 90

⛳ de Niort Chemin du Grand Ormeau, S : 3 km près de l'hippodrome, ℰ 05 49 09 01 41

◉ Donjon★ : salle de la chamoiserie et de la ganterie★ - Le Pilori★.

◉ Le Marais Poitevin★★.

Plan page ci-contre

Mercure
80 bis av. de Paris – ℰ 05 49 24 29 29 *– www.mercure.com – hotel.mercure@mercure-niort.fr – Fax 05 49 28 00 90*   BY **a**
79 ch – †63/112 € ††75/135 €, ⌂ 13 €
Rest – Menu (20 €), 26/29 € – Carte 36/51 €

♦ Des chambres soignées et de bonne ampleur vous accueillent dans cet hôtel contemporain à deux pas du centre-ville. Jardin avec piscine. Salle à manger-véranda chaleureuse et moderne, terrasse d'été sous les arbres, carte-menu et suggestions.

Le Grand Hôtel sans rest
32 av. de Paris – ℰ 05 49 24 22 21 *– www.grandhotelniort.com*
– grandhotel-niort@wanadoo.fr – Fax 05 49 24 42 41   BY **v**
39 ch – †66/99 € ††69/102 €, ⌂ 9 €

♦ Établissement central équipé de double-vitrage. Les chambres donnant le petit jardin sont malgré tout plus calmes. Buffet de petit-déjeuner complet ; quelques places de garage.

Ambassadeur sans rest
82 r. de la Gare – ℰ 05 49 24 00 38 *– www.ambassadeur-hotel.com – info@ambassadeur-hotel.com – Fax 05 49 24 94 38 – Fermé 26 déc.-3 janv.*   BZ **b**
32 ch – †52 € ††62 €, ⌂ 7 €

♦ Mobilier actuel, tons chaleureux et bonne isolation phonique : les chambres de cet hôtel proche de la gare sont pratiques et bien tenues.

NIORT

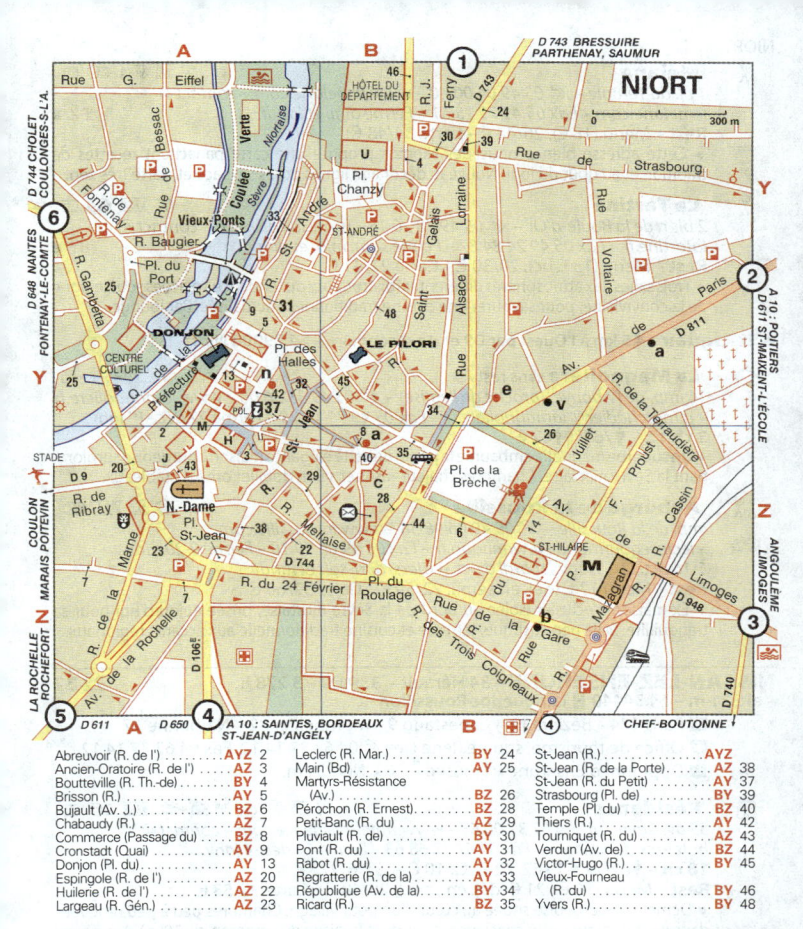

Abreuvoir (R. de l')	**AYZ** 2	Leclerc (R. Mar.)	**BY** 24
Ancien-Oratoire (R. de l')	**AZ** 3	Main (Bd)	**AY** 25
Boutteville (R. Th.-de)	**BY** 4	Martyrs-Résistance (Av.)	**BZ** 26
Brisson (R.)	**AY** 5	Pérochon (R. Ernest)	**BZ** 28
Bujault (Av. J.)	**BZ** 6	Petit-Banc (R. du)	**AZ** 29
Chabaudy (R.)	**BZ** 7	Pluviault (R. du)	**BY** 30
Commerce (Passage du)	**BZ** 8	Pont (R. du)	**BZ** 31
Cronstadt (Quai)	**AY** 9	Rabot (R. du)	**AY** 32
Donjon (Pl. du)	**AY** 13	Regratterie (R. de la)	**AY** 33
Espingole (R. de l')	**AZ** 20	République (Av. de la)	**BY** 34
Huilerie (R. de l')	**AZ** 22	Ricard (R.)	**BZ** 35
Largeau (R. Gén.)	**AZ** 23		
St-Jean (R.)	**AYZ**	
St-Jean (R. de la Porte)	**AZ** 38	
St-Jean (R. du Petit)	**AY** 37	
Strasbourg (Pl. de)	**BY** 39	
Temple (Pl. du)	**BY** 40	
Thiers (R.)	**AY** 42	
Tourniquet (R. du)	**AZ** 43	
Verdun (Av. de)	**BZ** 44	
Victor-Hugo (R.)	**BY** 45	
Vieux-Fourneau (R. du)	**BY** 46	
Yvers (R.)	**BY** 48	

Sandrina sans rest

43 av. St-Jean d'Angély, par ④ : 200 m – ℘ 05 49 79 28 42 – www.hotel-sandrina.com – hotelsandrina@wanadoo.fr – Fax 05 49 73 10 85 – Fermé 26 déc.-4 janv.
18 ch – †52 € ††54 €, ☐ 7 €
♦ Adresse familiale du centre proposant des chambres fonctionnelles, colorées et d'une tenue irréprochable. Parking fermé à disposition.

La Belle Étoile

115 quai M. Métayer, près périph. Ouest -AY : 2,5 km – ℘ 05 49 73 31 29 – www.la-belle-etoile.fr – info@la-belle-etoile.fr – Fax 05 49 09 05 59 – Fermé dim. soir, merc. soir et lundi
Rest – Menu (23 €), 30/65 € – Carte 46/77 €
♦ Au bord de la Sèvre, maison isolée de la circulation par un rideau de verdure. Élégante salle à manger bourgeoise et terrasse ombragée ; jolie collection de vieux millésimes.

La Table des Saveurs

9 r. Thiers – ℘ 05 49 77 44 35 – www.tabledessaveurs.com – tablesaveurniort@ wanadoo.fr – Fax 05 49 16 06 29 – Fermé dim. sauf fériés   AY **n**
Rest – Menu 19/45 € – Carte 40/56 €
♦ Beaux volumes pour cet ancien magasin de tissus devenu un restaurant au décor épuré (tons blancs et bruns). Côté papilles : plats modernes et... carte des desserts au chocolat !

NIORT

Mélane
1 pl. du Temple – ℰ 05 49 04 00 40 – www.lemelane.com – contact@lemelane.com – Fax 05 49 79 25 61 – Fermé dim. et lundi BZ **a**
Rest – Menu (18 €), 26/44 € – Carte 34/48 €
♦ Cette adresse bien connue des Niortais propose une carte panachant recettes de tradition et au goût du jour. Nouveau décor aux lignes pures : espace et clarté très zen.

La Tartine
2 bis r. de la Boule-d'Or – ℰ 05 49 28 20 15 – www.la-tartine.fr – contact@latartine.fr – Fax 05 49 24 84 87 – Fermé sam. midi et dim. BY **e**
Rest – Menu (13 € bc), 20/30 € – Carte 22/41 €
♦ Trois salles aux atmosphères différentes (bistrot, cosy ou tendance), placées sous le signe de la convivialité, pour savourer une cuisine traditionnelle actualisée. Bar lounge.

à St-Liguaire 4,5 km à l'Ouest par D9 et rte secondaire – ⌧ 79000 Niort

La Magnolière sans rest
16 imp. de l'Abbaye, (proche de l'église) – ℰ 05 49 35 36 06 – www.lamagnoliere.fr – a.marchadier@lamagnoliere.fr – Fax 05 49 79 14 28 – Fermé 22 déc.-1ᵉʳ janv.
3 ch ⌧ – †76 € ††82 €
♦ Un superbe magnolia embaume le jardin de cette élégante maison bourgeoise surplombant la Sèvre niortaise. Chambres chaleureuses et salon douillet orné de tableaux.

Auberge de la Roussille
imp. de la Roussille – ℰ 05 49 06 98 38 – www.laroussille.com – leclusegourmande@wanadoo.fr – Fax 05 49 06 99 10 – Fermé 9-20 mars, 5-16 oct., 2-15 janv., mardi d'oct. à mars, dim. soir et lundi
Rest – Menu 17 € (déj. en sem.), 22/59 € – Carte 32/60 €
♦ Ex-maison d'éclusier isolée au bord de la Sèvre niortaise, prisée aujourd'hui pour sa tranquillité. Salle néo-rustique, terrasse et cuisine traditionnelle aux accents régionaux.

NISSAN-LEZ-ENSERUNE – 34 Hérault – 339 D9 – 3 278 h. – alt. 21 m – ⌧ 34440 ▮ Languedoc Roussillon 22 **B2**

▮ Paris 774 – Béziers 12 – Capestang 9 – Montpellier 82 – Narbonne 17
▮ Office de tourisme, square Rene Dez ℰ 04 67 37 14 12, Fax 04 67 37 14 12
▮ Oppidum d'Ensérune★ : musée★, ≤★ NO : 5 km.

Résidence
35 av. Cave – ℰ 04 67 37 00 63 – www.hotel-residence.com – contact@hotel-residence.com – Fax 04 67 37 68 63 – Fermé 11 déc.-4 janv.
18 ch – †62/72 € ††62/72 €, ⌧ 10 € – ½ P 67/72 €
Rest – Menu (16 €), 21 € (déj. en sem.), 28/48 € – Carte 35/53 €
♦ Demeure bourgeoise située au cœur d'un petit village. Chambres peu à peu rénovées dans un style actuel, plus spacieuses à l'annexe (maison de vigneron du 19ᵉ s.). Aux beaux jours, les repas sont servis sur la jolie terrasse ombragée, face à la piscine.

Le Plô sans rest
7 av. Cave – ℰ 04 67 37 38 21 – www.bedbreakfast-nissan.com – patry.c@wanadoo.fr – Fax 04 67 37 38 21 – Ouvert d'avril à déc.
4 ch – †45/70 € ††45/80 €, ⌧ 6 €
♦ Au centre du bourg, imposante maison de maître dont les chambres se caractérisent par de beaux volumes, un décor zen et une grande luminosité. Accueil très courtois.

NITRY – 89 Yonne – 319 G5 – 402 h. – alt. 240 m – ⌧ 89310 7 **B1**

▮ Paris 195 – Auxerre 36 – Avallon 23 – Vézelay 31

Auberge La Beursaudière
9 chemin de Ronde – ℰ 03 86 33 69 69 – www.beursaudiere.com – message@beursaudiere.com – Fax 03 86 33 69 60 – Fermé 5-23 janv.
11 ch – †75/115 € ††75/115 €, ⌧ 10 €
Rest – Menu (12 €), 20/42 € – Carte 25/45 €
♦ Chambres de caractère, salles des petits-déjeuners voûtées et pigeonnier médiéval : reconversion réussie pour cette ancienne dépendance de prieuré. Côté table, décor campagnard soigné et service en costume régional. Cuisine du terroir et cave fournie.

NOAILHAC – 81 Tarn – **338** G9 – 808 h. – alt. 222 m – ✉ 81490 29 **C2**

▶ Paris 730 – Toulouse 90 – Albi 55 – Béziers 99 – Carcassonne 61 – Castres 12

Hostellerie d'Oc
av. Charles Tailhades – ℘ 05 63 50 50 37 – hostelleriedoc@orange.fr
– Fax 05 63 50 50 37 – Fermé 7-21 sept., 5-29 janv., merc. soir et lundi
Rest – Menu 11 € bc (sem.), 17/33 € – Carte 23/43 €
♦ Ancien relais de poste aménagé en restaurant, abritant deux salles à manger rustiques. Cuisine régionale réservant une place de choix aux produits du terroir.

NOAILLY – 42 Loire – **327** D3 – 737 h. – alt. 240 m – ✉ 42640 44 **A1**

▶ Paris 395 – Lyon 98 – Roanne 13 – Vichy 68

Château de la Motte ⌾
La Motte Nord, à 1,5 km – ℘ 04 77 66 64 60 – www.chateaudelamotte.net
– chateaudelamotte@wanadoo.fr – Fax 04 77 66 68 10 – Ouvert mars-15 nov.
6 ch ⌾ – †77/108 € ††85/115 € – ½ P 65/81 €
Table d'hôte – *(fermé dim. soir)* Menu 28 € bc
♦ Niché dans un magnifique parc, ce château (18e-19e s.) abrite des chambres dédiées à des écrivains (mobilier d'époque). La "Lamartine", très originale, a une baignoire ronde dans la tour. La table, traditionnelle, privilégie les légumes du potager. Séjours à thèmes.

NOCÉ – 61 Orne – **310** N4 – rattaché à Bellême

NŒUX-LES-MINES – 62 Pas-de-Calais – **301** I5 – 12 100 h. – alt. 29 m 30 **B2**
– ✉ 62290 ▮ **Nord Pas-de-Calais Picardie**

▶ Paris 208 – Arras 28 – Béthune 5 – Bully-les-Mines 8 – Doullens 49 – Lens 17 – Lille 38

▣ d'Olhain à Houdain Parc départemental de Nature, S : 11 km par D 65 et D 301, ℘ 03 21 02 17 03

Carrefour des Saveurs
94 rte Nationale – ℘ 03 21 26 74 74 – david.wojtkowiak@wanadoo.fr
– Fax 03 21 27 12 14 – Fermé 20 juil.-16 août, merc. soir, dim. soir et lundi
Rest – Menu (17 €), 21 € (sem.)/48 € – Carte 44/68 €
♦ Ce restaurant abrite une salle à manger conviviale, aux murs en pierres et briques, où il fait bon s'attabler pour déguster une appétissante cuisine au goût du jour.

NOGARO – 32 Gers – **336** B7 – 1 969 h. – alt. 98 m – ✉ 32110 28 **A2**

▶ Paris 729 – Agen 88 – Auch 63 – Mont-de-Marsan 45 – Pau 72 – Tarbes 69
🛈 Office de tourisme, 81, rue Nationale ℘ 05 62 09 13 30, Fax 05 62 08 88 21

Solenca
rte d'Auch – ℘ 05 62 09 09 08 – www.solenca.com – info@solenca.com
– Fax 05 62 09 09 07
48 ch – †59/90 € ††65/90 €, ⌾ 8 € – ½ P 54/115 €
Rest – Menu 13 € (déj. en sem.), 16/37 € – Carte 30/53 €
♦ Une étape conviviale au cœur du pays gersois. Les chambres, toutes identiques, sont bien tenues et pratiques. Agréable piscine entourée d'un jardin arboré. Restaurant champêtre et terrasse face à la verdure proposant une cuisine orientée terroir.

à Manciet Nord-Est : 9 km par N 124 – 788 h. – alt. 131 m – ✉ 32370

La Bonne Auberge avec ch
Pl. du Pesquerot – ℘ 05 62 08 50 04 – labonneauberge32@orange.fr
– Fax 05 62 08 58 84 – Fermé 23 déc.-3 janv., dim. soir et lundi
14 ch – †42 € ††52 €, ⌾ 8 € – ½ P 58 € **Rest** – Menu 25/50 € – Carte 48/82 €
♦ Maison centenaire abritant deux chaleureuses salles à manger : l'une, en véranda, ouverte sur la terrasse ; l'autre avec cheminée, boiseries et une belle collection d'armagnacs.

NOGENT – 52 Haute-Marne – 313 M5 – 4 113 h. – alt. 410 m – ✉ 52800   14 C3
Champagne Ardenne

- Paris 289 – Bourbonne-les-Bains 35 – Chaumont 24 – Langres 25 – Neufchâteau 53
- Syndicat d'initiative, place du Général de Gaulle ✆ 03 25 03 69 18, Fax 03 25 03 69 18
- Musée de la coutellerie de l'espace Pelletier - Musée du patrimoine coutelier.

Du Commerce   ch, VISA MC AE
pl. Gén. de Gaulle – ✆ 03 25 31 81 14 – www.relais-sud-champagne.com – hotelcommerce.nogent@wanadoo.fr – Fax 03 2531 74 00 – Fermé 23 déc.-3 janv. et dim.
18 ch – †68 € ††68 €, ☐ 9 € – ½ P 78 €
Rest – *(fermé sam. d'oct. à mars et dim.)* Menu (11 €), 20/30 € – Carte 29/48 €
◆ Bonne étape face à la mairie et près du musée de la Coutellerie. Chambres récemment rénovées et meublées en style Louis Philippe. La cuisine régionale se déguste dans deux ambiances : un brin bourgeoise au restaurant, plus décontractée à la brasserie.

NOGENT-LE-ROI – 28 Eure-et-Loir – 311 F4 – 4 067 h. – alt. 93 m   11 B1
– ✉ 28210 Île de France

- Paris 77 – Ablis 35 – Chartres 28 – Dreux 19 – Maintenon 10 – Rambouillet 26
- Syndicat d'initiative, Mairie ✆ 02 37 51 23 20
- du Château de Maintenon à Maintenon 1 route de Gallardon, SE : 8 km par D 983, ✆ 02 37 27 18 09

Relais des Remparts   VISA MC AE ①
2 pl. du Marché aux Légumes – ✆ 02 37 51 40 47 – www.relais-des-remparts.com – twagner1@club-internet.fr – Fax 02 37 51 40 47 – Fermé 6-27 août, 17 fév.-3 mars, lundi soir de nov. à fév., dim. soir, mardi soir et merc.
Rest – Menu 20 € (sem.), 27/38 € – Carte 30/40 €
◆ Les clés du succès de ce restaurant ? Une cuisine traditionnelle et goûteuse, un service aimable et efficace, et une confortable salle à manger harmonieusement décorée.

NOGENT-LE-ROTROU – 28 Eure-et-Loir – 311 A6 – 11 700 h.   11 B1
– alt. 116 m – ✉ 28400 Normandie Vallée de la Seine

- Paris 146 – Alençon 65 – Chartres 54 – Châteaudun 55 – Le Mans 76
- Office de tourisme, 44, rue Villette-Gaté ✆ 02 37 29 68 86, Fax 02 37 29 68 86

Plan page ci-contre

Brit Hôtel du Perche sans rest   AC P VISA MC AE ①
r. de la Bruyère par ⑤ – ✆ 02 37 53 43 60 – www.hotel-du-perche.com – hotelduperche@brithotel.fr – Fax 02 37 53 43 69
40 ch – †49/56 € ††56/68 €, ☐ 6,50 €
◆ Aux avant-postes de la ville, bâtisse moderne aux chambres claires et douillettes, dont le mobilier patiné rappelle la Provence. Petit-déjeuner sous forme de buffet.

Sully sans rest   P VISA MC AE
51 r. des Viennes – ✆ 02 37 52 15 14 – www.hotelsullynogent.fr – hotel.sully@wanadoo.fr – Fax 02 37 52 15 20
– Fermé 2 sem. en août et vacances de Noël   Y s
42 ch – †56/59 € ††66/69 €, ☐ 7 €
◆ Établissement situé dans un quartier paisible, aux prix raisonnables. L'enseigne se réfère au duc éponyme, dont le cénotaphe est visible dans l'hôtel-Dieu.

Au Lion d'Or sans rest   P VISA MC
28 pl. St-Pol – ✆ 02 37 52 01 60 – www.hotel-chartres-le-mans.com – hotelauliondor@wanadoo.fr – Fax 02 37 52 23 82 – Fermé 1er-22 août, 26 déc.-3 janv. et 13-20 fév.   Y r
18 ch – †47/67 € ††55/67 €, ☐ 6,50 €
◆ Place de l'Hôtel de Ville, cet ancien relais de poste dispose de chambres rafraîchies, pratiques et bien tenues (petites salles de bains).

NOGENT-LE-ROTROU

Bouchers (R. des) .... **Z** 2
Bourg-le-Comte (R.) .... **Z** 3
Bretonnerie (R.) .... **Z**
Château-St-Jean (R.) .... **Z**
Croix-la-Comtesse (R.) ..... **Y**
Deschanel (R.) .... **YZ**
Dr-Desplantes (R.) .... **Z** 8
Foch (Av. Mar.) .... **Y** 9
Fuye (R. de la) .... **YZ** 10
Giroust (R.) .... **Y** 12
Gouverneur (R.) .... **YZ** 13
Marches-St-Jean (R. des) ... **Z** 14
Paty (R. du) .... **Z** 15
Poupardières (R. des) ...... **Z** 16
Prés (Av. des) .... **Y**
République (Pl. de la) ...... **Z** 17
Rhône (R. de) .... **Z** 18
St-Hilaire (R.) .... **Y**
St-Laurent (R.) .... **Z** 20
St-Martin (R.) .... **Y**
Sully (R. de) .... **YZ** 23
Villette-Gaté (R.) .... **Y** 25

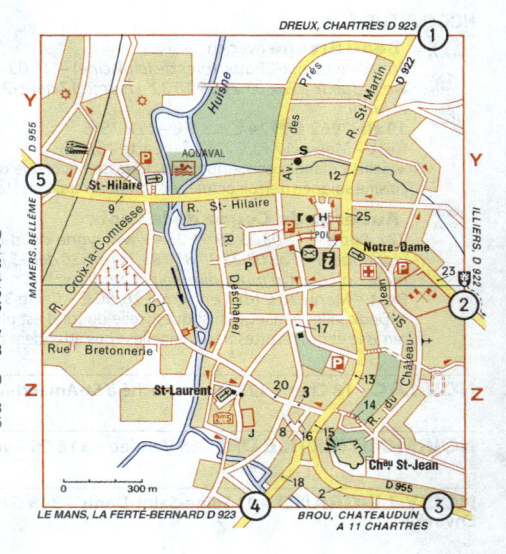

L' Alambic

20 av. de Paris, à Margon 1,5 km par ① – ℰ 02 37 52 19 03 – joel.tremeaux@wanadoo.fr – Fermé 5-26 août, 20 fév.-4 mars, merc. soir, dim. soir et lundi
Rest – Menu 15 € (sem.)/42 € – Carte 40/58 €
◆ Cet ancien routier est devenu un restaurant soigné abritant des salles aux tons acidulés (rouge, vert, jaune). Cuisine traditionnelle et une spécialité : la tête de veau.

à L'Ambition 10 km par ③ et D 955 – ✉ 28480 Vichères

Les Vallées du Perche

– ℰ 02 37 29 47 58 – www.auberge-vallees-du-perche.fr – lesvalleesduperche@aliceadsl.fr – Fax 02 37 29 91 55 – Fermé 2 sem. en juil. et 2-16 janv.
14 ch – †38 € ††48 €, ⴰ 6,50 €
Rest – *(fermé dim. soir, lundi midi et mardi midi)* Menu (12 €), 19/30 € – Carte 25/40 €
◆ Cette auberge familiale abrite des chambres simples, bien insonorisées, mariant pin, rotin et fer forgé. Restaurant rustique (poutres, murs chaulés, cheminée) servant des recettes de terroir, dont la spécialité du magret de canard au chèvre et miel.

NOGENT-SUR-MARNE – 94 Val-de-Marne – **312** D2 – **101** 27 – voir Paris, Environs

---

NOGENT-SUR-SEINE – 10 Aube – **313** B3 – 5 984 h. – alt. 67 m — **13 A2**
– ✉ 10400 ▌Champagne Ardenne
▶ Paris 105 – Épernay 83 – Fontainebleau 66 – Provins 19 – Sens 47 – Troyes 56

Domaine des Graviers

30 r. des Graviers – ℰ 03 25 21 81 90
– www.domaine-des-graviers.com – info@domaine-des-graviers.com
– Fax 03 25 21 81 91 – Fermé 17 août et 21 déc.-4 janv.
26 ch – †74/114 € ††74/114 €, ⴰ 12 € – ½ P 75/95 €
Rest – *(fermé sam. et dim.) (dîner seult) (résidents seult)* Menu (19 €), 29 €
◆ Dans un parc de 17 ha, belle demeure de 1899 et ses dépendances abritant un salon bourgeois et des chambres plaisantes, diversement aménagées. Minigolf. Jolie vue sur les arbres centenaires du domaine et cuisine traditionnelle au restaurant.

NOGENT-SUR-SEINE

XXX Beau Rivage avec ch
20 r. Villiers-aux-Choux, (près de la piscine) – ℰ 03 25 39 84 22 – *aubeaurivage@wanadoo.fr* – *Fax 03 25 39 18 32* – *Fermé 17 août-2 sept., 15 fév.-10 mars, dim. soir et lundi*
10 ch – †62 € ††74 €, ⊇ 9 € – ½ P 75 €
Rest – Menu (17 €), 22/42 € – Carte 45/55 €
♦ Salle à manger contemporaine, terrasse bucolique dressée sur une berge de la Seine, cuisine soignée (terroir actualisé), chambres fraîches : tels sont les atouts du Beau Rivage.

XX Auberge du Cygne de la Croix
22 r. Ponts – ℰ 03 25 39 91 26 – *www.cygne-de-la-croix.fr* – *cygnedelacroix@wanadoo.fr* – *Fax 03 25 39 81 79* – *Fermé 20 déc.-5 janv., 15-23 fév., mardi soir et merc. soir d'oct. à mars, dim. soir et lundi soir*
Rest – Menu 20 € (déj. en sem.), 26/50 € – Carte 35/65 €
♦ Deux salles à manger rustiques (celle du fond est plus lumineuse), une paisible cour-terrasse et des recettes traditionnelles vous attendent dans ce relais de poste du 16ᵉ s.

NOIRLAC – 18 Cher – **323** K6 – **rattaché à St-Amand-Montrond**

NOIRMOUTIER (ÎLE DE) – 85 Vendée – **316** C6 – **voir à Île de Noirmoutier**

NOISY-LE-GRAND – 93 Seine-Saint-Denis – **305** G7 – **101** 18 – **voir à Paris, Environs**

NOIZAY – 37 Indre-et-Loire – **317** O4 – 1 099 h. – alt. 56 m – ⌧ 37210   **11 B2**
◘ Paris 230 – Amboise 11 – Blois 44 – Tours 21 – Vendôme 49

Château de Noizay
Promenade de Waulsort – ℰ 02 47 52 11 01 – *www.chateaudenoizay.com* – *noizay@relaischateaux.com* – *Fax 02 47 52 04 64* – *Fermé 17 janv.-25 mars*
19 ch – †150/290 € ††150/290 €, ⊇ 21 € – ½ P 168/238 €
Rest – *(fermé mardi midi, merc. midi et jeudi midi)*
Menu (39 €), 52/77 € – Carte 66/72 €
♦ Ce château du 16ᵉ s., niché dans un parc, domine le village et son vignoble. Grandes chambres personnalisées et joliment meublées ; celles de la dépendance sont d'esprit actuel. Au restaurant, charmants salons bourgeois, cuisine d'aujourd'hui et vins de Loire.

NOLAY – 21 Côte-d'Or – **320** H8 – 1 490 h. – alt. 299 m – ⌧ 21340   **7 A3**
Bourgogne
◘ Paris 316 – Autun 30 – Beaune 20 – Chalon-sur-Saône 34 – Dijon 64
🛈 Office de tourisme, 24, rue de la République ℰ 03 80 21 80 73, Fax 03 80 21 80 73
◉ site★ du Château de la Rochepot E : 5 km - Site★ du Cirque du Bout-du-Monde NE : 5 km.

Du Parc
3 pl. Hôtel-de-Ville – ℰ 03 80 21 78 88 – *hotel.restaurant.du.parc.nolay@orange.fr* – *Fax 03 80 21 86 39* – *Ouvert 15 mars-30 nov.*
14 ch – †61/64 € ††64/96 €, ⊇ 7 € – ½ P 59/72 €
Rest – *(ouvert 1ᵉʳ avril-30 nov.)* Menu (15 €), 18 € (déj. en sem.), 28/39 € – Carte 25/45 €
♦ Relais de poste du 16ᵉ s. aux petites chambres simplement meublées, fraîches et bien insonorisées ; au deuxième étage, elles sont dotées de charpentes apparentes. Petite salle à manger rustique agrémentée de poutres et d'une cheminée. Plaisante cour-terrasse.

De la Halle sans rest
pl. des Halles – ℰ 03 80 21 76 37 – *www.terroirs-b.com/lahalle* – *noelle.pocheron@wanadoo.fr* – *Fax 03 80 21 76 37*
13 ch – †53 € ††58 €, ⊇ 7 €
♦ Face aux halles du 14ᵉ s., deux corps de bâtiments de part et d'autre d'une cour intérieure fleurie. Chambres assez modestes mais bien tenues, plus spacieuses sur l'arrière.

NOLAY

Le Burgonde
35 r. de la République – ℰ 03 80 21 71 25 – jean-noel.aprikian764@orange.fr
– Fax 03 80 21 86 41 – Fermé mi-fév.-mi-mars, dim. soir, mardi soir et merc.
Rest – Menu (13 €), 20/40 € – Carte 27/55 €
♦ D'un ancien bazar, les propriétaires ont gardé les parquets et les vitrines d'origine : résultat, un agréable restaurant coloré proposant une courte carte actuelle, à prix sages.

LES NONIÈRES – 26 Drôme – **332** G5 – alt. 282 m – ⊠ 26410   45 **C3**

◘ Paris 648 – Die 25 – Gap 84 – Grenoble 73 – Valence 91

Le Mont-Barral
– ℰ 04 75 21 12 21 – www.hotelmontbarral-vercors.com – mtbarral@aol.com
– Fax 04 75 21 12 70 – Ouvert 1ᵉʳ mars-11 nov. et fermé mardi soir et merc. hors saison
19 ch – †52/59 € ††52/59 €, ⊇ 8 € – ½ P 53/60 €
Rest – Menu (16 €), 18 € (déj.), 25/40 € – Carte 28/40 €
♦ Halte montagnarde fréquentée par les randonneurs de la haute Drôme. Les chambres aménagées dans l'extension récente sont plus spacieuses. Modeste salle à manger de style rustique. Carte traditionnelle escortée d'un menu consacré au terroir.

NONTRON – 24 Dordogne – **329** E2 – 3 458 h. – alt. 260 m   4 **C1**
– ⊠ 24300 Limousin Berry

◘ Paris 454 – Angoulême 45 – Libourne 135 – Limoges 68 – Périgueux 50
– Rochechouart 42

🛈 Office de tourisme, 3, avenue du Général Leclerc ℰ 05 53 56 25 50, Fax 05 53 60 34 13

Grand Hôtel
3 pl. A. Agard – ℰ 05 53 56 11 22 – www.hotel-pelisson-nontron.com
– grand-hotel-pelisson@wanadoo.fr – Fax 05 53 56 59 94 – Fermé dim. soir d'oct. à juin
23 ch – †53 € ††65 €, ⊇ 6,50 € – ½ P 63 €
Rest – Menu 23 € (sem.)/55 € – Carte 25/60 €
♦ On cultive l'art de recevoir à l'ancienne dans cet ex-relais de poste à l'atmosphère vieille France. Entretien suivi et tenue sans reproche. Plats régionaux servis dans un cadre rustique (poutres, cuivres, cheminée) ou sur une terrasse face à la piscine.

NONZA – 2B Haute-Corse – **345** F3 – voir à Corse

NOTRE-DAME-DE-BELLECOMBE – 73 Savoie – **333** M3 – 510 h.   46 **F1**
– alt. 1 150 m – Sports d'hiver : 1 150/2 070 19 – ⊠ 73590
 Alpes du Nord

◘ Paris 585 – Albertville 25 – Annecy 54 – Chambéry 76
– Chamonix-Mont-Blanc 43

🛈 Office de tourisme, Chef Lieu ℰ 04 79 31 61 40, Fax 04 79 31 67 09

La Ferme de Victorine
Le Planay, 3 km à l'Est par rte des Saisies – ℰ 04 79 31 63 46
– www.la-ferme-de-victorine.com – Fermé 7-25 juin, 11 nov.-16 déc., dim. soir et lundi d'avril à juin et de sept. à nov.
Rest – Menu (22 €), 27/50 € – Carte 40/65 €
♦ Réplique parfaite d'une traditionnelle maison montagnarde (décor tout bois, objets anciens). Goûteuse cuisine régionale, fidèle aux saisons : poisson en été, gibier en automne.

Déjeunez dehors, il fait si beau !
Optez pour une terrasse :

NOTRE-DAME-DE-BONDEVILLE – 76 Seine-Maritime – 304 G5 – rattaché à Rouen

NOTRE-DAME-DE-GRAVENCHON – 76 Seine-Maritime – 304 D5 — 33 **C2**
– 8 618 h. – alt. 35 m – ✉ 76330 ▌Normandie Vallée de la Seine

▶ Paris 176 – Bolbec 14 – Le Havre 40 – Rouen 51 – Yvetot 25

Pascal Saunier ⌂
1 av. Amiral Grasset – ✆ *02 35 38 60 67 – www.hotelpascalsaunier.com – info@hotelpascalsaunier.com – Fax 02 35 38 30 64*
29 ch – †71/105 € ††78/110 €, ☐ 10 €
Rest – *(fermé août, vend. soir, sam. et dim.)* Menu (25 € bc) – Carte 30/45 €
◆ Entourée d'un paisible jardin, vaste demeure à colombages (1930) dotée de chambres aux tons pastel, fonctionnelles et claires. La salle à manger de style actuel est prolongée d'une terrasse. Cuisine traditionnelle proposée à l'ardoise et changée chaque jour.

NOTRE-DAME-DE-LIVAYE – 14 Calvados – 303 M5 – 130 h. — 33 **C2**
– alt. 27 m – ✉ 14340

▶ Paris 185 – Caen 36 – Le Havre 86 – Lisieux 16 – Hérouville-Saint-Clair 39

Aux Pommiers de Livaye
– ✆ *02 31 63 01 28 – http://bandb.normandy.free.fr – bandb.normandy@wanadoo.fr – Fermé de mi-nov. à début fév.*
5 ch ☐ – †75 € ††89 € **Table d'hôte** – Menu 25/35 €
◆ Une allée de pommiers conduit à cette paisible ferme normande de 1720. Chambres personnalisées et dotées de mobilier dépareillé, ancien ou de style. Bon petit-déjeuner maison. Cuisine régionale servie dans une salle rustique authentique ; petite production de cidre.

NOTRE-DAME-DE-MONTS – 85 Vendée – 316 D6 – 1 528 h. — 34 **A3**
– alt. 6 m – ✉ 85690

▶ Paris 457 – Challans 22 – Nantes 72 – Noirmoutier-en-l'Île 26 – La Roche-sur-Yon 66

🛈 Office de tourisme, 6, rue de la Barre ✆ 02 51 58 84 97, Fax 02 51 58 15 56

◉ La Barre-de-Monts : Centre de découverte du Marais breton-vendéen N : 6 km ▌Poitou Vendée Charentes

L'Orée du Bois ⌂
14 r. Frisot – ✆ *02 51 58 84 04 – www.oree-du-bois.com – hoteloreedubois@aol.com – Ouvert de Pâques à fin sept.*
30 ch – †52/70 € ††54/72 €, ☐ 8 € – ½ P 53/59 €
Rest – *(dîner seult) (résidents seult)* Menu 18/26 €
◆ Les chambres, claires et pratiques, sont logées dans trois bâtiments d'un quartier résidentiel, ordonnés autour d'une piscine. Celles du rez-de-chaussée possèdent une terrasse.

NOTRE-DAME D'ORSAN – 18 Cher – 323 J6 – rattaché au Châtelet

NOTRE-DAME-DU-GUILDO – 22 Côtes-d'Armor – 309 I3 – 3 187 h. — 10 **C1**
– alt. 52 m – ✉ 22380

▶ Paris 427 – Rennes 94 – Saint-Brieuc 49 – Saint-Malo 32

Château du Val d'Arguenon sans rest ⌂
1 km à l' Est par D 786 ✉ 22380 St-Cast – ✆ *02 96 41 07 03 – www.chateauduval.com – chateau@chateauduval.com – Ouvert Pâques-Toussaint*
5 ch ☐ – †90/140 € ††95/160 €
◆ Cette belle demeure de famille (16e-18e s.) se niche dans un parc qui descend jusqu'à la mer. Intérieur plein de cachet avec meubles de style dans les chambres et le salon.

1230

NOTRE-DAME-DU-HAMEL – 27 Eure – 304 D8 – 203 h. – alt. 200 m — 33 **C2**
– ⊠ 27390

▶ Paris 158 – L'Aigle 21 – Argentan 48 – Bernay 28 – Évreux 55 – Lisieux 40 – Vimoutiers 28

XXX Le Moulin de la Marigotière
D 45 – ℰ 02 32 44 58 11 – www.moulin-marigotiere.com – contact@moulin-marigotiere.com – Fax 02 32 44 40 12 – Fermé 23 fév.-5 mars, lundi soir sauf juil.-août, dim. soir, mardi soir et merc.
Rest – Menu 30 € (déj. en sem.), 40/75 € – Carte 50/85 €
♦ Ancien moulin, ce restaurant prête son atmosphère bourgeoise à des repas classiques et jouit d'un agréable environnement : un joli parc traversé par la Charentonne.

NOTRE-DAME-DU-PÉ – 72 Sarthe – 310 H8 – 483 h. – alt. 73 m — 35 **C2**
– ⊠ 72300

▶ Paris 262 – Angers 51 – La Flèche 28 – Nantes 140

⌂ La Reboursière
1 km au Sud par D 134 et rte secondaire – ℰ 02 43 92 92 41
– www.lareboursiere.fr.st – gilles-chappuy@wanadoo.fr – Fax 02 43 92 92 41
4 ch ⊡ – †70 € ††78 € – ½ P 60 €   **Table d'hôte** – Menu 27 € bc
♦ Ancienne ferme (milieu 19ᵉ s.) restaurée, entourée d'un parc, gage de calme pour les hôtes séjournant dans l'une de ses grandes chambres garnies de meubles anciens. Cuisine traditionnelle servie avec le sourire dans un cadre rustique de bon aloi.

> Hôtels et restaurants bougent chaque année.
> Chaque année, changez de guide Michelin !

NOUAN-LE-FUZELIER – 41 Loir-et-Cher – 318 J6 – 2 500 h. — 12 **C2**
– alt. 113 m – ⊠ 41600

▶ Paris 177 – Blois 59 – Cosne-sur-Loire 74 – Gien 56 – Lamotte-Beuvron 8 – Orléans 44

🛈 Syndicat d'initiative, place de la Gare ℰ 02 54 88 76 75

⌂ Les Charmilles sans rest
D 122-rte Pierrefitte-sur-Sauldre – ℰ 02 54 88 73 55
– www.hotel-les-charmilles.com – hotel.lescharmilles@tele2.fr
– Fax 02 54 88 74 55 – Fermé fév.
12 ch – †41 € ††51/54 €, ⊡ 7 € – 1 suite
♦ Dans son parc avec étang, cette maison bourgeoise du début du 20ᵉ s. vous reçoit dans des chambres de style rustique, assez spacieuses et bien tenues. Viennoiseries maison.

XX Le Dahu
14 r. H. Chapron – ℰ 02 54 88 72 88 – www.restaurantledahu.com
– ledahu.restaurant@wanadoo.fr – Fax 02 54 88 21 28 – Fermé 9 mars-3 avril, 12 nov.-4 déc., 5 janv.-2 fév., mardi soir du 1ᵉʳ oct. au 15 avril, merc. et jeudi
Rest – Carte 48/55 €
♦ Au milieu d'un exubérant jardin (terrasse en été), ancienne bergerie transformée en restaurant. On se sent vraiment à la campagne dans la salle rustique à charpente apparente.

NOUILHAN – 65 Hautes-Pyrénées – 342 M4 – 178 h. – alt. 196 m — 28 **A2**
– ⊠ 65500

▶ Paris 771 – Pau 47 – Tarbes 24 – Toulouse 144

⌂ Les 3B
8 rte des Pyrénées, D 935 – ℰ 05 62 96 79 78 – www.hoteldes3b.com
– restaurantdes3b@wanadoo.fr – Fax 05 62 31 84 52
7 ch – †40/45 € ††40/45 €, ⊡ 6 € – ½ P 45 €
Rest – *(fermé merc.)* Menu (12 €), 20/26 € – Carte 30/40 € (dîner seulement)
♦ Ancienne ferme familiale en bordure de route convertie en hostellerie. Chambres confortables et bien équipées ; préférez celles avec terrasse tournées sur l'arrière. Recettes traditionnelles à base de produits frais dans la salle champêtre du restaurant.

LE NOUVION-EN-THIÉRACHE – 02 Aisne – 306 E2 – 2 850 h. 37 **D1**
– alt. 185 m – ⊠ 02170

■ Paris 198 – Avesnes-sur-Helpe 20 – Guise 21 – Hirson 25 – St-Quentin 49 – Vervins 27

🛈 Syndicat d'initiative, Hôtel de Ville ℰ 03 23 97 98 06, Fax 03 23 97 98 04

Paix
37 r. J. Vimont-Vicary – ℰ 03 23 97 04 55 – www.hotel-la-paix.fr
– la.paix.pierrart@wanadoo.fr – Fax 03 23 98 98 39 – Fermé 17 août-2 sept.,
26 déc.-2 janv., 15 fév.-2 mars et dim. soir
15 ch – †60/68 € ††60/75 €, ⊇ 10 € – ½ P 55/78 €
Rest – (fermé sam. midi, dim. soir et lundi) Menu (15 €), 20 € (sem.)/50 €
– Carte 36/50 €

◆ Hôtel parfaitement tenu dont les chambres sont diversement aménagées ; quelques-unes arborent un style plus moderne. Autre "plus" : l'accueil familial. Briques, miroirs, tons pastel et bibelots composent le plaisant décor du restaurant. Carte traditionnelle.

NOUZERINES – 23 Creuse – 325 J2 – rattaché à Boussac

NOVALAISE – 73 Savoie – 333 H4 – rattaché à Aiguebelette-le-Lac

NOVES – 13 Bouches-du-Rhône – 340 E2 – 4 845 h. – alt. 42 m 42 **E1**
– ⊠ 13550 ▊ Provence

■ Paris 688 – Arles 38 – Avignon 14 – Carpentras 33 – Cavaillon 17 – Marseille 86 – Orange 36

🛈 Office de tourisme, place Jean Jaurès ℰ 04 90 92 90 43, Fax 04 90 92 90 43

Auberge de Noves (Robert Lalleman)
rte de Châteaurenard, 2 km par D 28
– ℰ 04 90 24 28 28 – www.aubergedenoves.com
– resa@aubergedenoves.com – Fax 04 90 24 28 00
21 ch – †190/400 € ††190/400 €, ⊇ 22 € – 2 suites – ½ P 195/283 €
Rest – (fermé dim. et lundi) Menu (45 €), 68/115 € – Carte 70/120 €
Spéc. Foie gras de canard. Carré d'agneau aux herbes de la colline. Crème d'enfance au romarin. **Vins** Châteauneuf du Pape, Palette.

◆ Cette noble demeure du 19ᵉ s. entourée d'un vaste parc abrite des chambres spacieuses et diversement décorées (dont une dans l'ancienne chapelle). Élégante salle à manger et charmante terrasse. Recettes au goût du jour enrichies de saveurs provençales ; à midi, carte moins étoffée.

NOYAL-MUZILLAC – 56 Morbihan – 308 Q9 – 2 193 h. – alt. 52 m 10 **C3**
– ⊠ 56190

■ Paris 456 – La Baule 44 – St-Nazaire 52 – Vannes 30

Manoir de Bodrevan
au Nord-Est : 2 km par D 153 et rte secondaire – ℰ 02 97 45 62 26
– www.manoir-bodrevan.com – contact@manoir-bodrevan.com
6 ch – †77/149 € ††77/149 €, ⊇ 14 €   **Rest** – (prévenir) Menu 35 €

◆ Ex-pavillon de chasse du 16ᵉ s., charmant hôtel entouré de verdure. Accueil cordial, atmosphère décontractée et chambres personnalisées offrant confort et raffinement.

NOYALO – 56 Morbihan – 308 O9 – 685 h. – ⊠ 56450 9 **A3**

■ Paris 468 – Rennes 116 – Vannes 15 – La Baule 75

L'Hortensia avec ch
18 r. Ste-Brigitte – ℰ 02 97 43 02 00 – www.lhortensia.com – lhortensia@orange.fr – Fax 02 97 43 67 25 – Fermé lundi sauf juil.-août
5 ch – †62/76 € ††62/76 €, ⊇ 8 € – ½ P 63/70 €
Rest – Menu 29/100 € bc – Carte 51/85 €

◆ Ancienne ferme en pierre du 19ᵉ s. reconvertie en restaurant. Plats actuels servis dans un cadre agrémenté de toiles contemporaines, avec vue sur la cave à vins, très fournie. Chambres spacieuses, décorées sur le thème de l'hortensia.

NOYAL-SUR-VILAINE – 35 Ille-et-Vilaine – **309** M6 – **rattaché à Rennes**

NOYANT-DE-TOURAINE – 37 Indre-et-Loire – **317** M6 – **rattaché à Ste-Maure-de-Touraine**

NOYANT-LA-GRAVOYÈRE – 49 Maine-et-Loire – **317** D2 – 1 767 h. 34 **B2**
– alt. 95 m – ⌧ 49520

■ Paris 321 – Angers 51 – Laval 52 – Nantes 81

XX **Le Petit Manoir**
Le Prieuré de St-Blaise – ℰ 02 41 61 20 70
– www.lagazettedupetitmanoir.blogspot.com – lepetitmanoir49@hotmail.com
– Fermé 15-30 juil., 15-28 fév., merc. soir, sam. midi, dim. soir, lundi et mardi
Rest – *(nombre de couverts limité, prévenir)* Menu 16 € (déj. en sem.), 19/70 €
– Carte 23/54 €

◆ Un tandem familial anglo-français tient cette table occupant une bâtisse tour à tour prieuré (13e s.), manoir (17e s.) et ferme. Cuisine actuelle servie dans un cadre rustique.

NOYON – 60 Oise – **305** J3 – 14 471 h. – alt. 52 m – ⌧ 60400 37 **C2**
▌Nord Pas-de-Calais Picardie

■ Paris 108 – Amiens 67 – Compiègne 29 – Laon 53 – St-Quentin 47 – Soissons 40

🛈 Office de tourisme, place Bertrand Labarre ℰ 03 44 44 21 88, Fax 03 44 93 08 53

◉ Cathédrale Notre-Dame★★ - Abbaye d'Ourscamps★ 5 km par N 32.

Le Cèdre sans rest
8 r. de l'Évêché – ℰ 03 44 44 23 24 – www.hotel-lecedre.com – reservation@hotel-lecedre.com – Fax 03 44 09 54 79
35 ch – †66 € ††77 €, ⌑ 8 €

◆ Construction récente en briques rouges en parfaite harmonie avec la cité. Les chambres sont chaleureuses et bien rénovées ; la plupart offrent une vue sur la cathédrale.

XXX **Saint Eloi** avec ch
81 bd Carnot – ℰ 03 44 44 01 49 – www.hotelsainteloi.fr – reception@hotelsainteloi.fr – Fax 03 44 09 20 90 – Fermé 1er-15 août, sam. midi et dim. soir
23 ch – †60 € ††77 €, ⌑ 9 € **Rest** – Menu 38/100 € bc – Carte 74/80 €

◆ Restaurant aménagé avec élégance dans une belle demeure du 19e s. En salle : moulures, luminosité et confortables sièges de style Louis XV. Chambres logées dans une annexe.

XX **Dame Journe**
2 bd Mony – ℰ 03 44 44 01 33 – www.damejourne.fr – damejourne@wanadoo.fr
– Fax 03 44 09 59 68 – Fermé 7-20 sept., 5-12 janv., dim. soir, mardi soir, merc. soir, jeudi soir et lundi
Rest – Menu 22 € (déj. en sem.), 27/39 € – Carte 32/70 €

◆ Fréquenté par des habitués, ce restaurant dispose d'un cadre chaleureux et soigné : fauteuils de style Louis XVI et boiseries. Bon choix de menus ; cuisine traditionnelle.

NUAILLÉ – 49 Maine-et-Loire – **317** E6 – **rattaché à Cholet**

NUEIL-LES-AUBIERS – 79 Deux-Sèvres – **316** M6 – 4 492 h. 38 **B1**
– alt. 120 m – ⌧ 79250

■ Paris 364 – Bressuire 15 – Cholet 29 – Poitiers 100

Le Moulin de la Sorinière
au sud-ouest : 2 km par D 33, rte de Cerizay et C 3
– ℰ 05 49 72 39 20 – www.hotel-moulin-soriniere.com
– moulin-soriniere@wanadoo.fr – Fax 05 49 72 90 78 – Fermé 20 avril-4 mai, 20 oct.-5 nov. et 1er-6 janv.
8 ch – †46/50 € ††52/57 €, ⌑ 8 €
Rest – *(fermé dim. soir et lundi)* Menu (15 €), 26/33 €

◆ Vieux moulin du 19e s. remanié, ayant su préserver son charme bucolique. Chambres à thème floral ; jardin-potager traversé par une rivière. Cuisine au goût du jour proposée dans l'ex-grange modernisée, ou en terrasse, près de l'eau.

1233

NUITS-ST-GEORGES – 21 Côte-d'Or – 320 J7 – 5 335 h. – alt. 243 m – 8 D1
– ✉ 21700 – **Bourgogne**

- ▶ Paris 320 – Beaune 22 – Chalon-sur-Saône 45 – Dijon 22 – Dole 67
- 🛈 Office de tourisme, 3, rue Sonoys ✆ 03 80 62 11 17, Fax 03 80 61 30 98

La Gentilhommière
13 vallée de la Serrée, rte Meuilley, Ouest : 1,5 km – ✆ *03 80 61 12 06*
– www.lagentilhommiere.fr – contact@lagentilhommiere.fr – Fax 03 80 61 30 33
– Fermé de mi-déc. à fin janv.
31 ch – †90/200 € ††90/200 €, ⛛ 15 €
Rest *Le Chef Coq* – *(fermé merc. midi, sam. midi et mardi)* Menu (23 €), 49 € (dîner), 57/62 € – Carte 65/75 € (dîner seulement)
♦ Un pavillon de chasse (16ᵉ s.) et une aile récemment aménagée. Préférez les chambres personnalisées, plus confortables ; certaines donnent sur le parc traversé par une rivière. Au Chef Coq, table actuelle accompagnée de beaux bourgognes (vieux millésimes).

Hostellerie St-Vincent
r. Gén. de Gaulle – ✆ *03 80 61 14 91 – www.hostellerie-st-vincent.com*
– hostellerie.st.vincent@club-internet.fr – Fax 03 80 61 24 65 – Fermé vacances de Noël et dim. de déc. à mars
23 ch – †72/95 € ††79/105 €, ⛛ 11 €
Rest *L'Alambic* – ✆ *03 80 61 35 00 (fermé 21-28 déc., dim. soir hors saison et lundi midi)* Menu 23/46 € – Carte 35/65 €
♦ Maison récente abritant des chambres pratiques et bien insonorisées. Boutique de produits régionaux. Le restaurant, où trône un superbe alambic, occupe un caveau bâti avec des pierres de l'ancienne prison de Beaune ! Cuisine régionale, belle sélection de vins locaux.

La Cabotte
24 Grand Rue – ✆ *03 80 61 20 77 – www.resto.fr/lacabotte/ – Fermé 20-26 avril, 26 juil.-9 août, 3-18 janv., lundi midi, sam. midi et dim.*
Rest – *(nombre de couverts limité, prévenir)* Menu 27/39 €
– Carte 49/63 €
♦ La salle à manger – poutres et pierres apparentes, éclairage moderne et mobilier rustique – donne sur le spectacle des cuisines. Plats au goût du jour et belle cave.

à Curtil-Vergy Nord-Ouest : 7 km par D 25, D 35 et rte secondaire – 104 h. – alt. 350 m – ✉ 21220

Manassès sans rest
r. Guillaume de Tavanes – ✆ *03 80 61 43 81 – www.ifrance.com/hotelmanasses*
– yves.chaley@aliceadsl.fr – Fax 03 80 61 42 79 – Ouvert de mars à nov.
12 ch – †75/100 € ††75/100 €, ⛛ 12 €
♦ Cette maison régionale abrite une collection de meubles rustiques ainsi qu'un musée de la vigne. Le prince de Galles en personne y a séjourné ! Copieux petit-déjeuner bourguignon.

NYONS – 26 Drôme – 332 D7 – 7 108 h. – alt. 271 m – ✉ 26110 – 44 B3
Provence

- ▶ Paris 653 – Alès 109 – Gap 106 – Orange 43 – Sisteron 99 – Valence 98
- 🛈 Office de tourisme, place de la Libération ✆ 04 75 26 10 35, Fax 04 75 26 01 57
- ◉ Vieux Nyons★ : Rue des Grands Forts★ - Pont Roman (vieux Pont)★.

Plan page ci-contre

La Caravelle sans rest
8 r. Antignans, par prom. Digue – ✆ *04 75 26 07 44 – www.lacaravelle-nyons.com*
– Fax 04 75 26 07 40 – Ouvert 31 mars-1ᵉʳ nov.
11 ch – †79/89 € ††79/99 €, ⛛ 8,50 €
♦ Belle villa années trente d'une surprenante architecture et jardin planté de catalpas. Chambres soignées, parfois décorées de hublots provenant d'un ancien navire de guerre.

NYONS

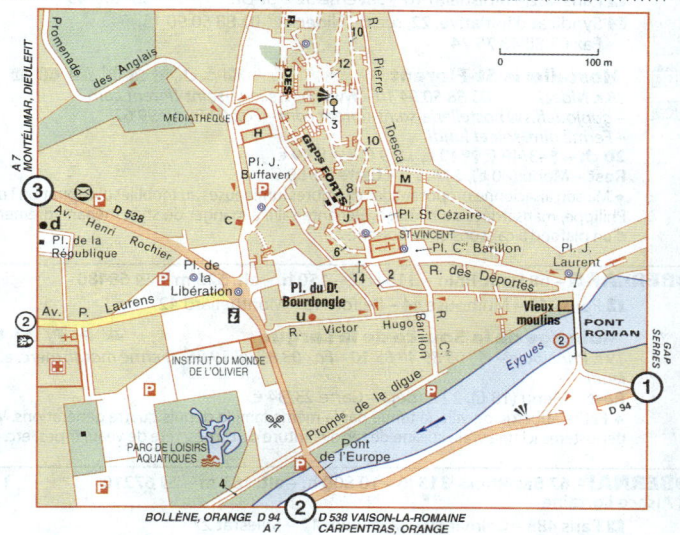

Autiero (Pl.) 2	Chapelle (R. de la) . . . . 3 Digue (Promenade de la) . . . . . . 4 Liberté (R. de la) . . . . 6 Maupas (R.) 8	Petits Forts . . . . 10 (R. des) Randonne (R.) . . . . 12 Résistance (R.de la) 14

Une Autre Maison
pl. de la République, par ④ – ℰ 04 75 26 43 09 – www.uneautremaison.com
– nyons@uneautremaison.com – Fax 04 75 26 93 69 – Fermé
15 nov.-8 janv.
10 ch – †60/150 € ††60/150 €, ⊃ 15 € – ½ P 80/125 €
Rest – (dîner seult) Menu 38 €
◆ Cette "autre maison" allie tout le charme du 19ᵉ s. au confort et au bien-être actuels. Chambres au ravissants décors personnalisés, jardin délicieux et piscine. Cuisine actuelle de saison servie (le soir uniquement) dans un intérieur plein de cachet ou en terrasse.

Le Petit Caveau
9 r. V. Hugo – ℰ 04 75 26 20 21 – www.petit-caveau.com – Fax 04 75 26 07 28
– Fermé 28 déc.-22 janv., merc. soir hors saison, dim. soir et lundi
Rest – (nombre de couverts limité, prévenir) Menu 25/55 € – Carte 60/75 €
◆ À deux pas de la place principale, charmante salle voûtée où règne une ambiance intimiste et raffinée. Cuisine actuelle aux accents méridionaux. Bon choix de vins au verre.

rte de Gap par ① : 7 km sur D 94 – ⊠ 26110 Nyons

La Charrette Bleue
– ℰ 04 75 27 72 33 – www.lacharrettebleue.net – Fax 04 75 27 76 14 – Fermé
15 déc.-31 janv., dim. soir d'oct. à mars, mardi de sept. à juin et merc.
Rest – Menu 20 € (déj. en sem.), 27/45 € – Carte 33/57 €
◆ Impossible de rater cet ex-relais de poste (18ᵉ s.) en pierres calcaires, avec sa charette bleue posée sur le toit ! Joli cadre rustique, cuisine régionale et vins choisis.

rte d'Orange par ③ sur D 94 – ⊠ 26110 Nyons

La Bastide des Monges sans rest
à 4 km – ℰ 04 75 26 99 69 – www.bastidedesmonges.com – lesmonges@wanadoo.fr – Fax 04 75 26 99 70
9 ch – †74/87 € ††74/87 €, ⊃ 10 €
◆ Ex-couvent du 18ᵉ s. transformé en hôtel aux chambres soignées, joliment décorées dans divers styles, regardant côté vignoble ou côté jardin. Accueil charmant ; belle terrasse.

OBERHASLACH – 67 Bas-Rhin – 315 H5 – 1 773 h. – alt. 270 m – ⊠ 67280 — Alsace Lorraine — 1 **A1**

▶ Paris 482 – Molsheim 16 – Saverne 32 – St-Dié 57 – Strasbourg 45
🛈 Syndicat d'initiative, 22, rue du Nideck ✆ 03 88 50 90 15, Fax 03 88 48 75 24

Hostellerie St-Florent
28 r. Nideck – ✆ 03 88 50 94 10 – www.hostellerie-saint-florent.com
– ganjoueff.s @ hostellerie-saint-florent.com – Fax 03 88 50 99 61
– Fermé dim. soir et lundi
20 ch – †43/49 € ††49 €, ⊆ 9 € – ½ P 49 €
Rest – Menu (10 €), 21/45 € – Carte 30/50 €
♦ Maison alsacienne proposant des chambres lumineuses au mobilier d'inspiration Louis-Philippe, mansardées au 3ᵉ étage. Élégante salle à manger de style rhénan agrémentée d'un plafond à caissons et de boiseries.

OBERLARG – 68 Haut-Rhin – 315 H12 – 150 h. – alt. 525 m – ⊠ 68480 — 1 **A3**

▶ Paris 462 – Mulhouse 44 – Belfort 46 – Montbéliard 42

Auberge de la Source de la Largue
19 r. Principale – ✆ 03 89 40 85 10 – Fax 03 89 08 19 86 – Fermé mardi, merc. et jeudi
Rest – Menu (18 €), 22 € (déj.) – Carte 23/34 €
♦ Petite auberge de village tenue par la même famille depuis quatre générations. Vous dégusterez ici une vraie cuisine de terroir : friture de carpes, tête de veau, tripes, etc.

OBERNAI – 67 Bas-Rhin – 315 I6 – 10 800 h. – alt. 185 m – ⊠ 67210 — 1 **A2**
Alsace Lorraine

▶ Paris 488 – Colmar 50 – Molsheim 12 – Sélestat 27 – Strasbourg 31
🛈 Office de tourisme, place du Beffroi ✆ 03 88 95 64 13, Fax 03 88 49 90 84
◉ Place du Marché ★★ - Hôtel de ville ★ **H** - Tour de la Chapelle ★ **L** - Ancienne halle aux blés ★ **D** - Maisons anciennes ★.

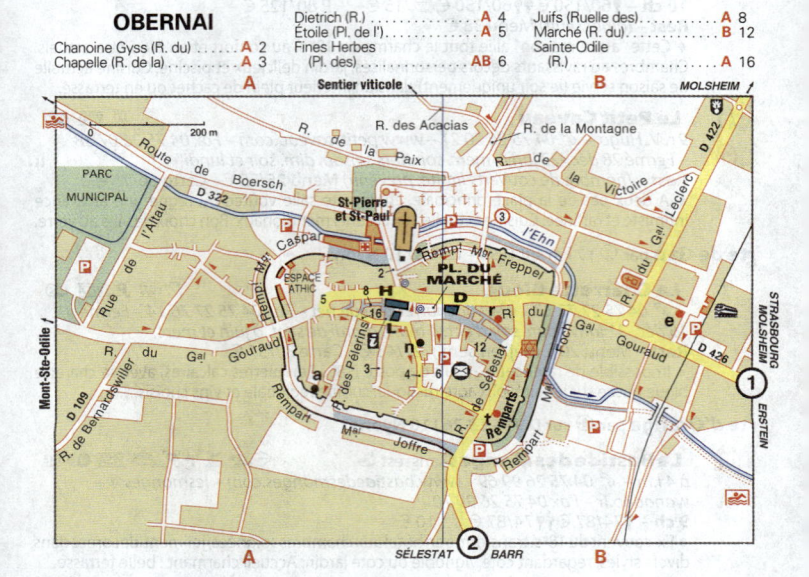

OBERNAI

Chanoine Gyss (R. du) ... **A** 2	Dietrich (R.) ... **A** 4	Juifs (Ruelle des) ... **A** 8
Chapelle (R. de la) ... **A** 3	Étoile (Pl. de l') ... **A** 5	Marché (R. du) ... **B** 12
	Fines Herbes (Pl. des) ... **AB** 6	Sainte-Odile (R.) ... **A** 16

1236

OBERNAI

Le Parc
*169 rte Ottrott, à l'Ouest par D 426 – ℰ 03 88 95 50 08 – www.hotel-du-parc.com
– info@hotel-du-parc.com – Fax 03 88 95 37 29 – Fermé 1ᵉʳ-13 juil.*
56 ch – †125/150 € ††135/250 €, ⊇ 19 € – 6 suites
Rest *La Table* – *(fermé 15 déc.-15 janv., dim. soir, lundi et le midi sauf dim.)*
Menu 50 €, 55/75 € – Carte 60/90 €
Rest *Stub* – *(fermé dim. et lundi) (déj. seult)* Carte 25/45 €
♦ Les chambres de cette grande demeure à pans de bois offrent plusieurs niveaux de confort et diverses décorations. Fitness, spa, massages à thèmes (alsacien, latino, indien...). Atmosphère raffinée et cuisine classique à La Table. Spécialités régionales à la Stub.

A la Cour d'Alsace
*3 r. Gail – ℰ 03 88 95 07 00 – www.cour-alsace.com
– info@cour-alsace.com – Fax 03 88 95 19 21 – Fermé 24 déc.-26 janv.* A a
49 ch – †79/146 € ††128/189 €, ⊇ 17 € – 4 suites
Rest *Jardin des Remparts* – *(fermé 23 déc.-6 mars, 27 juil.-28 août, jeudi midi, vend. midi, sam. midi, dim. soir, lundi, mardi et merc.)* Menu 49/92 €
– Carte 44/82 €
Rest *Caveau de Gail* – *(fermé jeudi soir)* Menu (27 €), 31 € – Carte 37/56 €
♦ Cette ancienne propriété des barons de Gail, avec sa cour centrale et son extension, propose des chambres confortables aux tons beiges apaisants. Espace bien-être, spa. Au Jardin des Remparts, ambiance feutrée et carte classique revisitée. Cuisine régionale au Caveau de Gail.

Le Colombier sans rest
*6 r. Dietrich – ℰ 03 88 47 63 33 – www.hotel-colombier.com – info@
hotel-colombier.com – Fax 03 88 47 63 39* A n
44 ch – †88/142 € ††88/142 €, ⊇ 11 € – 8 suites
♦ Au cœur de la vieille ville, maison régionale dont le décor contraste par son côté résolument contemporain. Certaines chambres sont dotées de balcons.

Les Jardins d'Adalric sans rest
*19 r. Mar. Koenig, par ① – ℰ 03 88 47 64 47
– www.jardins-adalric.com – jardins.adalric@wanadoo.fr – Fax 03 88 49 91 80*
46 ch – †75/95 € ††85/95 €, ⊇ 12 €
♦ Un bâtiment récent légèrement excentré abritant des chambres soignées. Salle des petits-déjeuners cossue avec baie vitrée, prolongée par une terrasse. Piscine, jardin.

La Fourchette des Ducs (Nicolas Stamm)
*6 r. de la Gare – ℰ 03 88 48 33 38 – www.lesgrandestablesdumonde.com
– Fax 03 88 95 44 39 – Fermé 28 juil.-12 août, 1ᵉʳ-8 janv., 23 fév.-8 mars, dim. soir, lundi et le midi sauf dim.* B e
Rest – *(nombre de couverts limité, prévenir)* Menu 89/120 € – Carte 121/164 €
Spéc. Duo de langoustines au caviar d'Aquitaine, mousse de chou-fleur. Pigeonneau d'Alsace, suprêmes et cuisses, réduction au chocolat. Ganache aux épices et chocolat, crème moka et caramel mou. **Vins** Riesling, Pinot gris.
♦ Cuisine inventive servie dans deux salles rustiques (marqueteries Spindler, luminaires Lalique) l'hiver, et une salle "Baccarat", actuelle et face à une cour intérieure, l'été.

Le Bistro des Saveurs (Thierry Schwartz)
35 r. de Sélestat – ℰ 03 88 49 90 41 – Fax 03 88 49 90 51 – Fermé 15 juil.-7 août, 21 oct.-8 nov., 11-28 fév., lundi et mardi B t
Rest – Menu 32 € (déj. en sem.), 62/89 € bc – Carte 74/127 €
Spéc. Carotte fondante au caillé et cumin (sept.-mars). Sole de l'Île d'Yeu cuite sur l'arête au potimarron (sept.-oct.). Casse-croûte yaourt à la pomme de terre et cannelle. **Vins** Alsace, Pinot noir.
♦ Beau cadre rustique et raffiné : poutres apparentes, tables rondes, cave en vitrine, cheminée... La cuisine, légèrement inventive, allie produits bruts et finesse d'exécution.

La Cour des Tanneurs
ruelle du canal de l'Ehn – ℰ 03 88 95 15 70 – Fax 03 88 95 43 84 – Fermé 2-14 juil., 22 déc.-2 janv., mardi et merc. B r
Rest – Menu (16 €), 20 € (déj. en sem.), 25/35 € – Carte 40/52 €
♦ Une adresse simple et soignée, sobrement décorée. Accueil à la bonne franquette pour une cuisine du marché au goût du jour fine et bien faite. Belle carte de vins d'Alsace.

OBERNAI

à Ottrott Ouest : 4 km par D 426 – 1 513 h. – alt. 268 m – ✉ 67530

🛈 Office de tourisme, 46, rue Principale ℘ 03 88 95 83 84, Fax 03 88 95 83 84
◉ Couvent de Ste-Odile : ❋★★ de la terrasse, chapelle de la Croix★ SO : 11 km - pèlerinage 13 décembre.

Hostellerie des Châteaux
Ottrott-le-Haut – ℘ *03 88 48 14 14*
– www.hostellerie-chateaux.eu – leschateaux@wanadoo.fr – Fax 03 88 48 14 18
– Fermé fév.
67 ch – †120/125 € ††125/520 €, ⊃ 18 € – ½ P 133/220 €
Rest – *(fermé 26 juil.-10 août, dim. soir, mardi midi et lundi hors saison)*
Menu 38 € (déj.), 59/90 € – Carte 59/98 €

♦ On vient dans cette hostellerie pour un grand moment de détente : spa et soins très complets, superbe piscine intérieure. Chambres à la décoration alsacienne tout en boiseries. Cuisine classique servie dans un restaurant divisé en trois salles feutrées et intimes.

Beau Site
Ottrott-le-Haut – ℘ *03 88 48 14 30 – www.hotel-beau-site.fr – lebeausiteott@wanadoo.fr – Fax 03 88 48 14 18 – Fermé fév.*
18 ch – †78/98 € ††98/170 €, ⊃ 15 € – ½ P 99/135 €
Rest – *(fermé 5-19 juil., dim. soir, lundi et mardi)*
Menu 21 € (sem.)/54 € – Carte 31/69 €

♦ Cette grande maison à oriel et colombages est dotée de chambres confortables (certaines avec balcons). Le must : celles du dernier étage, spacieuses et personnalisées avec goût. Le restaurant – winstub de luxe, ornée d'œuvres de Spindler – propose une carte terroir.

Le Clos des Délices
17 rte Klingenthal, 1 km au Nord-Ouest D 426 – ℘ *03 88 95 81 00*
– www.leclosdesdelices.com – contact@leclosdesdelices.com
– Fax 03 88 95 97 71
22 ch – †99/119 € ††99/160 €, ⊃ 16 € – 1 suite
Rest – *(fermé dim. soir)* Menu 29 € (déj. en sem.), 40/69 € – Carte 45/74 €

♦ En bord de route, cette auberge à la façade tapissée de verdure abrite des chambres personnalisées, bien insonorisées. Terrasse donnant sur un parc. Petit spa. Restaurant spacieux et clair ouvrant sur les bois et carte traditionnelle sagement créative.

À l'Ami Fritz
Ottrott-le-Haut – ℘ *03 88 95 80 81 – www.amifritz.com – ami-fritz@wanadoo.fr*
– Fax 03 88 95 84 85 – Fermé 11-31 janv.
21 ch – †80/110 € ††80/135 €, ⊃ 13 € – 1 suite – ½ P 79/115 €
Rest – *(fermé 1ᵉʳ-10 juil., 11-31 janv. et merc.)*
Menu 26/63 € – Carte 36/56 €

♦ Maison régionale aux chambres confortables et personnalisées. L'enseigne est un clin d'œil au roman d'Erckmann et Chatrian (1854), mais c'est aussi le nom des propriétaires. Restaurant chaleureux d'esprit winstub servant de goûteux plats du pays.

Aux Chants des Oiseaux sans rest
Ottrott-le-Haut – ℘ *03 88 95 87 39 – www.chantsdesoiseaux.com – ami-fritz@wanadoo.fr – Fax 03 88 95 84 85 – Fermé 1ᵉʳ-12 juil. et 11 janv.-4 fév.*
16 ch – †77/98 € ††77/106 €, ⊃ 13 €

♦ En pleine nature, maison typique du coin qui abrite de plaisantes chambres colorées. Salle des petits-déjeuners aux boiseries et poutres apparentes, terrasse côté piscine.

Domaine Le Moulin
rte Klingenthal, Nord-Ouest : 1 km par D 426
– ℘ *03 88 95 87 33 – www.domaine-le-moulin.com*
– domaine.le.moulin@wanadoo.fr – Fax 03 88 95 98 03 – Fermé 23 déc.-20 janv.
23 ch – †60 € ††72/80 €, ⊃ 14 € – 3 suites – ½ P 67/76 €
Rest – *(fermé sam. midi, dim. soir et lundi midi)*
Menu (16 €), 25 € bc/57 € – Carte 25/50 €

♦ Ce vaste hôtel entouré d'un parc (rivière, étang) impose sa présence sur la route des vins. Chambres douillettes et, dans l'annexe, grands appartements (duplex) plus modernes. Carte régionale au restaurant et terrasse face à la forêt.

OBERSTEIGEN – 67 Bas-Rhin – 315 H5 – ✉ 67710 ▌Alsace Lorraine 1 **A1**

▶ Paris 466 – Molsheim 27 – Sarrebourg 32 – Saverne 16 – Strasbourg 39 – Wasselonne 13

◉ Vallée de la Mossig ★ E : 2 km.

Hostellerie Belle Vue
16 rte de Dabo – ☎ 03 88 87 32 39 – www.hostellerie-belle-vue.com – info@hostellerie.belle-vue.fr – Fax 03 88 87 37 77 – Ouvert 4 avril-1er janv. et fermé dim. soir et lundi hors saison sauf fériés
25 ch – ♦75/90 € ♦♦80/90 €, ⊆ 10 € – 2 suites – ½ P 70/80 €
Rest – Menu (18 €), 25/40 € – Carte 30/55 €
◆ Au cœur de la forêt de Saverne, cette auberge offre une vue magnifique sur la vallée. Chambres confortables au mobilier de style, espace bien-être, jardin, belle piscine. Grande salle à manger de style régional et terrasse d'été fleurie ; cuisine traditionnelle.

OBERSTEINBACH – 67 Bas-Rhin – 315 K2 – 225 h. – alt. 239 m – ✉ 67510 ▌Alsace Lorraine 1 **B1**

▶ Paris 458 – Bitche 22 – Haguenau 35 – Strasbourg 68 – Wissembourg 25

Anthon avec ch
40 r. Principale – ☎ 03 88 09 55 01 – www.restaurant-anthon.fr – restaurant-anthon@fr – Fax 03 88 09 50 52 – Fermé janv., mardi et merc.
10 ch – ♦48/65 € ♦♦65 €, ⊆ 10 € – ½ P 75 €
Rest – Menu 25/65 € – Carte 31/61 €
◆ Maison à colombages (1860) abritant une élégante salle à manger en rotonde tournée vers le jardin. Cuisine du terroir. Chambres rafraîchies, dont deux conservent une boiserie d'alcôve intégrant les lits.

OBJAT – 19 Corrèze – 329 J4 – 3 400 h. – alt. 131 m – ✉ 19130 24 **B3**

▶ Paris 467 – Brive-la-Gaillarde 21 – Limoges 79 – Tulle 45 – Uzerche 30

🛈 Office de tourisme, place Charles de Gaulle ☎ 05 55 25 96 73, Fax 05 55 25 97 45

De France
av. G. Clemenceau, (vers la gare) – ☎ 05 55 25 80 38
– http://pagesperso-orange.fr/hoteldefrance.objat – hoteldefrance.objat@wanadoo.fr – Fax 05 55 25 91 87 – Fermé 15 sept.-5 oct., 23 déc.-2 janv. et sam.
27 ch – ♦35 € ♦♦45 €, ⊆ 7 € – ½ P 42 €
Rest – (fermé dim. soir et sam.) Menu 14 € (sem.)/34 € – Carte 30/40 €
◆ Accueil charmant assuré dans cet hôtel familial proche de la gare. Les chambres, simples et fonctionnelles, sont progressivement pourvues de la climatisation. Salle de restaurant rénovée ouverte sur une cour intérieure ; spécialités régionales au menu.

La Tête de L'Art
53 av. J. Lascaux – ☎ 05 55 25 50 42 – latetedelart@wanadoo.fr – Fermé 23 juin-9 juil., 2-5 nov., 3-13 fév., mardi soir et merc.
Rest – Menu (15 €), 18 € (déj. en sem.), 28/40 € – Carte 28/40 €
◆ Histoire de marier l'art et le goût, ce restaurant familial, plutôt sobre, organise des expositions de peintures et sculptures d'artistes locaux. Plats ancrés dans la tradition.

OFFRANVILLE – 76 Seine-Maritime – 304 G2 – rattaché à Dieppe

OGNES – 02 Aisne – 306 B5 – rattaché à Chauny

L'OIE – 85 Vendée – 316 J7 – 1 045 h. – alt. 102 m – ✉ 85140 34 **B3**

▶ Paris 394 – Cholet 40 – Nantes 62 – Niort 94 – La Roche-sur-Yon 29

Le Grand Turc
33 r. Nationale – ☎ 02 51 66 08 74 – www.hotel-legrandturc.fr – legrandturc@wanadoo.fr – Fax 02 51 66 14 13 – Fermé 24 déc.-8 janv.
19 ch – ♦54 € ♦♦68 €, ⊆ 8 €
Rest – (fermé sam. soir et dim.) Menu 19/38 € – Carte 37/66 €
◆ L'enseigne évoque le mamelouk Amakuc, chef de la garde de Napoléon Ier lors du passage de l'Empereur à l'auberge. À l'arrière, chambres fonctionnelles et bien tenues. Une salle dédiée à la cuisine traditionnelle, une autre à la formule buffet et au plat du jour.

OINVILLE-SOUS-AUNEAU – 28 Eure-et-Loir – **311** G5 – 313 h. – alt. 150 m – ⊠ 28700 — 12 **C1**

🛈 Paris 77 – Chartres 20 – Montigny-le-Bretonneux 50 – Orléans 88

Caroline Lethuillier sans rest
2 r. des Prunus, à Cherville, 2 km à l'Ouest – ℰ 02 37 31 72 80 – www.cherville.com – info@cherville.com – Fax 02 37 31 38 56
4 ch ⊇ – †48/53 € ††58/62 €

♦ Poutres, décoration à thèmes et mobilier familial font tout le cachet de ces chambres aménagées dans les anciens greniers de la ferme, datant de 1800. Petit-déjeuner maison.

OISLY – 41 Loir-et-Cher – **318** F7 – 333 h. – alt. 120 m – ⊠ 41700 — 11 **A1**

🛈 Paris 208 – Tours 61 – Blois 27 – Châteauroux 80 – Romorantin-Lanthenay 32

St-Vincent
Le Bourg – ℰ 02 54 79 50 04 – Fax 02 54 79 50 04 – Fermé 2-25 janv., mardi sauf le midi de Pâques à sept. et merc.
Rest – Menu 25/43 € – Carte 47/60 €

♦ La cuisine actuelle attire les gourmets en ce restaurant rustique dont l'enseigne célèbre le patron des vignerons. Dégustations de vins du pays. Terrasses aux beaux jours.

OIZON – 18 Cher – **323** L2 – 734 h. – alt. 230 m – ⊠ 18700 — 12 **C2**

🛈 Paris 179 – Bourges 54 – Cosne-sur-Loire 35 – Gien 29 – Orléans 66 – Salbris 38 – Vierzon 50

Les Rives de l'Oizenotte
à l'étang de Nohant, Est : 1 km – ℰ 02 48 58 06 20 – www.lesrivesdeloizenotte.fr – oizenotte.g@infonie.fr – Fax 02 48 58 28 97 – Fermé 2-8 sept., 21 déc.-17 janv., lundi et mardi
Rest – (nombre de couverts limité, prévenir) Menu 19 € bc (sem.)/29 € bc

♦ Au bord d'un étang, table régionale relookée et pourvue d'une jolie terrasse près de l'eau. Salles modernes dotées de panneaux en bois blond ; décor sur le thème de la pêche.

OLEMPS – 12 Aveyron – **338** H4 – rattaché à Rodez

OLÉRON (ÎLE D') – 17 Charente-Maritime – **324** C4 – voir à Île d'Oléron

---

OLIVET – 45 Loiret – **318** I4 – rattaché à Orléans

LES OLLIÈRES-SUR-EYRIEUX – 07 Ardèche – **331** J5 – 883 h. – alt. 200 m – ⊠ 07360 — 44 **B3**

🛈 Paris 593 – Le Cheylard 28 – Lamastre 33 – Montélimar 53 – Privas 19 – Valence 34

🛈 Office de tourisme, grande rue ℰ 04 75 66 30 21, Fax 04 75 66 20 31

Le Truffolier
D 120 – ℰ 04 75 66 20 32 – www.letruffolier.net – letruffolier@wanadoo.fr – Fax 04 75 66 20 63 – Fermé 8-16 juin, 28 sept.-13 oct., 10 nov.-15 mars, lundi sauf le midi en juil.-août et dim. soir sauf fériés
Rest – Menu 15/36 € – Carte 28/54 €

♦ Salle à manger d'esprit rustique, cuisine traditionnelle sans prétention : cette auberge familiale de la vallée de l'Eyrieux vous accueille en toute simplicité.

OLMETO – 2A Corse-du-Sud – **345** C9 – voir à Corse

OLMETO PLAGE – 2A Corse-du-Sud – **345** C9 – rattaché à Olmeto

OLORON-STE-MARIE – 64 Pyrénées-Atlantiques – 342 I5 – 3 B3
– 10 992 h. – alt. 224 m – ⊠ 64400 ■ Aquitaine

▶ Paris 809 – Bayonne 105 – Mont-de-Marsan 101 – Pau 34
ℹ Office de tourisme, allée du Comte de Tréville ⌀ 05 59 39 98 00, Fax 05 59 39 43 97
◉ Portail★★ de l'église Ste-Marie.

OLORON-STE-MARIE

Barthou (R. Louis)	B
Bellevue (Promenade)	B 2
Biscondau (R. du)	B 3
Bordelongue (R. A.)	B 4
Camou (R.)	A
Casamayor-Dufaur (R.)	A 5
Cathédrale (R. de la)	A 6
Dalmais (R.)	B 7
Derême (Av. Tristan)	A 8
Despourrins (R.)	A 9
Gabe (Pl. Amédée)	B 10
Gambetta (Pl.)	B 12
Jaca (Pl.)	B 13
Jeliote (R.)	B 14
Lattre-de-Tassigny (Av. du Mar.de)	A 23
Mendiondou (Pl. Léon)	B 15
Moureu (Av. Charles et Henri)	A 16
Oustalots (Pl. des)	A 18
Pyrénées (Bd des)	A 19
Résistance (Pl. de la)	B 20
St-Grat (R.)	A 22
Toulet (R. Paul-Jean)	A 24
Vigny (Av. Alfred de)	A 26
4-Septembre (Av. du)	A 28
14-Juillet (Av. du)	A 30

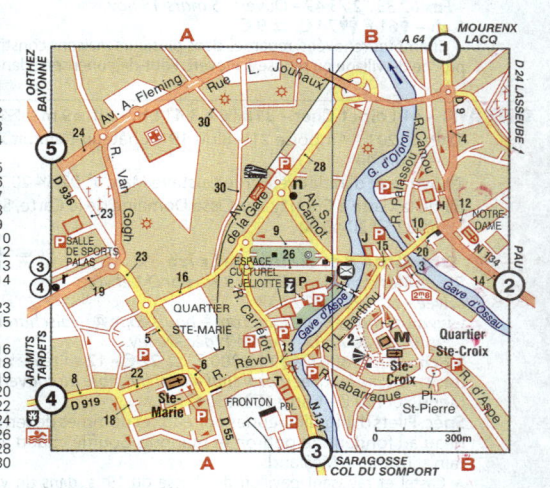

Alysson
bd des Pyrénées ⊠ 64400 – ⌀ 05 59 39 70 70 – www.alysson-hotel.fr – alysson.hotel@wanadoo.fr – Fax 05 59 39 24 47   A r
47 ch – †72/102 € ††80/110 €, ⊇ 12 € – 1 suite – ½ P 68/83 €
Rest – (fermé 19 déc.-4 janv., 20-28 fév., vend. soir d'oct. à avril, sam. sauf le soir de mai à sept.) Menu 22 € (déj. en sem.), 27/45 € – Carte 55/70 €
♦ Hôtel moderne abritant des chambres spacieuses et fonctionnelles (certaines avec baignoire balnéo) et des salles de réunions bien équipées. Boiseries blondes et mobilier contemporain caractérisent la vaste salle à manger ouverte sur le jardin.

La Paix sans rest
24 av. Sadi-Carnot – ⌀ 05 59 39 02 63 – www.hotel-oloron.com – hoteloloron@aliceadsl.fr – Fax 05 59 39 98 20   A n
24 ch – †48/53 € ††48/63 €, ⊇ 8 €
♦ Cette adresse familiale située dans le quartier de la gare a bénéficié d'une cure de jouvence : chambres gaies, colorées et fort bien tenues.

Rouge = agréable. Repérez les symboles ⋇ et 🏠 passés en rouge.

OMIÉCOURT – 80 Somme – 301 K9 – 235 h. – alt. 85 m – ⊠ 80320   37 B2
▶ Paris 128 – Amiens 64 – Saint-Quentin 39 – Compiègne 53 – Tergnier 63

Château d'Omiécourt sans rest
4 r. du Bosquet – ⌀ 03 22 83 01 75 – www.chateau-omiecourt.com – thezy@terre-net.fr – Fax 03 22 83 09 56
5 ch ⊇ – †70/80 € ††95/105 €
♦ Château de famille où l'on est accueilli par la 6e génération. Chambres personnalisées avec du mobilier chiné. Practice de golf dans le parc ; piscine de nage à contre-courant.

OMONVILLE-LA-PETITE – 50 Manche – 303 A1 – 132 h. – alt. 33 m – ✉ 50440

▶ Paris 380 – Barneville-Carteret 45 – Cherbourg 25 – Nez de Jobourg 7 – St-Lô 101

La Fossardière sans rest
(au hameau de la Fosse) – ☎ 02 33 52 19 83 – www.lafossardiere.fr
– Fax 02 33 52 73 49 – Ouvert 15 mars-15 nov.
8 ch – ♦61 € ♦♦74 €, ☐ 9 €

◆ Chambres rénovées, réparties dans plusieurs maisons constituant un paisible hameau proche du village où repose J. Prévert. Petit-déjeuner servi dans l'ex-boulangerie.

ONZAIN – 41 Loir-et-Cher – 318 E6 – 3 411 h. – alt. 69 m – ✉ 41150

▶ Paris 201 – Amboise 21 – Blois 19 – Château-Renault 24 – Montrichard 23 – Tours 44

🛈 Syndicat d'initiative, 3, rue Gustave Marc ☎ 02 54 20 78 52

🏌 de la Carte à Chouzy-sur-Cisse Domaine de la Carte, SO : 6 km par D 952, ☎ 02 54 20 49 00

Domaine des Hauts de Loire
Rte de Mesland, Nord-Ouest : 3 km par D 1 et voie privée – ☎ 02 54 20 72 57
– www.domainehautsloire.com – hauts-loire@relaischateaux.com
– Fax 02 54 20 77 32 – Fermé 1er déc.-20 fév.
19 ch – ♦130/300 € ♦♦130/300 €, ☐ 22 € – 12 suites – ½ P 210/550 €
Rest – *(fermé lundi et mardi sauf fériés)* (nombre de couverts limité, prévenir)
Menu 80/160 € – Carte 100/160 €
Spéc. Filets d'anguille, jeunes poireaux et pommes de terre aux aromates. Pigeonneau au fondant de potiron et mangue. Soufflé chaud au citron vert. **Vins** Touraine, Touraine Mesland.

◆ Castel et ravissant pavillon de chasse du 19e s. dans un vaste parc arboré (étang). Chambres personnalisées de grand caractère, vol en montgolfière, pêche, etc. Séduisante cuisine actuelle servie dans un cadre de charme : tentures, meubles de style, poutres et cheminée.

Château des Tertres sans rest
11 bis r. de Meuves – ☎ 02 54 20 83 88 – www.chateau-tertres.com – contact@chateau-tertres.fr – Fax 02 54 20 89 21 – Ouvert 1er avril-18 oct.
18 ch – ♦68 € ♦♦72/80 €, ☐ 10 €

◆ Gentilhommière du Second Empire entourée d'un magnifique parc de 5 ha. Chambres de style Napoléon III ou Louis-Philippe, originales et contemporaines dans un cottage attenant.

OPIO – 06 Alpes-Maritimes – 341 C5 – 2 070 h. – alt. 300 m – ✉ 06650

▶ Paris 911 – Cannes 17 – Digne-les-Bains 125 – Draguignan 74 – Grasse 9 – Nice 31

🛈 Syndicat d'initiative, route Village ☎ 04 93 77 23 18

Le Mas des Géraniums
1 km à San Peyre, Est sur D 7 – ☎ 04 93 77 23 23 – www.le-mas-des-geranium.com
– info@le-mas-des-geraniums.com – Fax 04 93 77 76 05 – Fermé 2 nov.-18 déc., mardi et merc.
Rest – Menu 18 € (déj. en sem.), 25/45 € – Carte 42/65 €

◆ Repas traditionnel dans un cadre "rusti-cosy" ou sur la terrasse ombragée et fleurie, avec le vieux village pour toile de fond. Tonnelle, haut palmier et oliviers au jardin.

ORADOUR-SUR-GLANE – 87 Haute-Vienne – 325 D5 – 2 025 h. – alt. 275 m – ✉ 87520 ▌Limousin Berry

▶ Paris 408 – Angoulême 85 – Bellac 26 – Confolens 33 – Limoges 25 – Nontron 66

🛈 Office de tourisme, place du Champ de Foire ☎ 05 55 03 13 73, Fax 05 55 03 13 73

◉ "Village martyr" dont la population a été massacrée en juin 1944.

ORADOUR-SUR-GLANE

La Glane
8 pl. Gén. de Gaulle – ℰ 05 55 03 10 43
– www.hotel-de-la-glane.oradoursurglane.com – Fax 05 55 03 15 42
10 ch – †44 € ††46 €, ⌑ 8 € – ½ P 46 €
Rest – (fermé 15 déc.-28 fév. et sam.) Menu (13 €), 15/29 € – Carte 25/50 €
♦ Sur la place centrale animée du village reconstruit, hôtel abritant de petites chambres modestes mais bien tenues. Restaurant rustique où l'on mange au coude à coude. Buffets de hors-d'œuvre et de desserts et plats principaux simples à base de grillades.

Le Milord
10 av. du 10-Juin – ℰ 05 55 03 10 35 – www.hotel-le-milord-oradoursurglane.fr
– Fax 05 55 03 21 76 – Fermé dim. soir, lundi soir, mardi soir et merc. soir
Rest – Menu 13 € (sem.)/41 € – Carte 27/40 €
♦ Salle à manger de type brasserie avec banquettes en velours beige, tables simplement dressées et assez serrées. Cuisine traditionnelle sans fioriture mais généreuse.

ORADOUR-SUR-VAYRES – 87 Haute-Vienne – **325** C6 – 1 530 h. — 24 **A2**
– alt. 322 m – ⌧ 87150

▶ Paris 433 – Limoges 40 – Saint-Junien 23 – Panazol 45 – Isle 36
ℹ Office de tourisme, 3, avenue du 8 Mai 1945 ℰ 05 55 78 22 21,
Fax 05 55 78 27 32

La Bergerie des Chapelles ♋
– ℰ 05 55 78 29 91 – www.domainedeschapelles.com
– info@domainedeschapelles.com – Fax 05 55 71 70 19 – Fermé en nov. et en janv.
7 ch – †60/85 € ††70/95 €, ⌑ 9 € – ½ P 70/86 €
Rest – (fermé dim. soir et lundi hors saison) Carte 18/38 €
♦ En pleine campagne, bergerie vénérable rénovée pour vous loger au calme dans un cadre cosy. Belles salles de bains et terrasses ouvrant sur le parc. Repas au goût du jour dans un décor rustique modernisé : murs sombres égayés de grandes peintures.

ORANGE – 84 Vaucluse – **332** B9 – 29 000 h. – alt. 97 m – ⌧ 84100 — 42 **E1**
▮ Provence

▶ Paris 655 – Alès 84 – Avignon 31 – Carpentras 24 – Nîmes 56
ℹ Office de tourisme, 5, cours Aristide Briand ℰ 04 90 34 70 88,
Fax 04 90 34 99 62
⛳ d'Orange Route de Camaret, par rte du Mt-Ventoux : 4 km, ℰ 04 90 34 34 04
◉ Théâtre antique★★★ - Arc de Triomphe★★ - Colline St-Eutrope ≤★.

Plan page suivante

Park Inn
rte Caderousse, par ⑤ – ℰ 04 90 34 24 10 – www.orange.parkinn.fr
– info.orange@rezidorparkinn.com – Fax 04 90 34 85 48
99 ch – †89/145 € ††89/145 €, ⌑ 12 € **Rest** – Menu 24/29 € – Carte 35/60 €
♦ Cet établissement moderne propose des chambres de style provençal. Agréable salon et service très attentionné séduiront aussi bien la clientèle d'affaires que les touristes. Cuisine ensoleillée servie l'été en terrasse au bord de la piscine.

Arène Kulm
pl. Langes – ℰ 04 90 11 40 40 – www.hotel-arene.fr – reservation@hotel-arene.fr
– Fax 04 90 11 40 45   AY **a**
35 ch – †56/145 € ††76/170 €, ⌑ 8 €
Rest – (fermé le soir sauf merc. et dim.) Menu (12 €) – Carte 18/25 €
♦ Sur une place piétonne, imposante demeure des années 1800 à l'ombre de majestueux platanes. Chambres provençales ou "executive" (plus contemporaines, confortables et bien équipées). Une petite faim ? Choisissez l'un des deux restaurants : régional ou italien.

Le Glacier sans rest
46 cours A. Briand – ℰ 04 90 34 02 01 – www.le-glacier.com – info@le-glacier.
com – Fax 04 90 51 13 80 – Fermé 19 déc.-4 janv., vend., sam. et dim. de nov. à fév.
28 ch – †49/89 € ††49/130 €, ⌑ 8 €   AY **r**
♦ Accueil très aimable et ambiance familiale dans cette maison tenue de père en fils depuis trois générations. Coquettes chambres de différentes tailles, toutes personnalisées.

1243

ORANGE

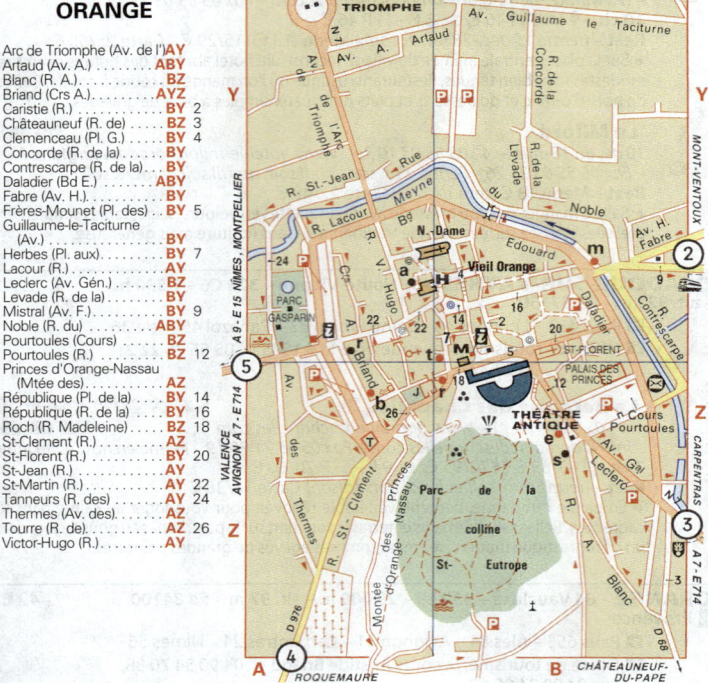

Arc de Triomphe (Av. de l')		**AY**
Artaud (Av. A.)		**ABY**
Blanc (R. A.)		**BZ**
Briand (Crs A.)		**AYZ**
Caristie (R.)		**BY** 2
Châteauneuf (R. de)		**BY** 3
Clemenceau (Pl. G.)		**BY** 4
Concorde (R. de la)		**BY**
Contrescarpe (R. de la)		**BY**
Daladier (Bd E.)		**ABY**
Fabre (Av. H.)		**BY**
Frères-Mounet (Pl. des)		**BY** 5
Guillaume-le-Taciturne (Av.)		**BY**
Herbes (Pl. aux)		**BY** 7
Lacour (R.)		**AY**
Leclerc (Av. Gén.)		**BZ**
Levade (R. de la)		**BY**
Mistral (Av. F.)		**BY** 9
Noble (R. du)		**ABY**
Pourtoules (Cours)		**BZ**
Pourtoules (R.)		**BZ** 12
Princes d'Orange-Nassau (Mtée des)		**AZ**
République (Pl. de la)		**BY** 14
République (R. de la)		**BY** 16
Roch (R. Madeleine)		**BZ** 18
St-Clement (R.)		**AZ**
St-Florent (R.)		**BY** 20
St-Jean (R.)		**AY**
St-Martin (R.)		**AY** 22
Tanneurs (R. des)		**AY** 24
Thermes (Av. des)		**AZ**
Tourre (R. de)		**AZ** 26
Victor-Hugo (R.)		**AY**

🏠 **St-Jean** sans rest

1 cours Pourtoules – ℰ *04 90 51 15 16* – *www.hotelsaint-jean.com*
– *hotel.saint-jean@wanadoo.fr* – *Fax 04 90 11 05 45*
– *Fermé 20 déc.-4 janv.*

BZ **s**

22 ch – ✝55/65 € ✝✝55/80 €, ☐ 7 €

◆ Adossé à la colline St-Eutrope et au cœur de la cité romaine, ancien relais de poste du 17e s. abritant des chambres d'ampleur variée. Original salon taillé dans la roche.

🏠 **Justin de Provence** sans rest

chemin Mercadier, 2 km par ② – ℰ *04 90 69 57 94* – *www.justin-de-provence.com*
– *contact@justin-de-provence.com* – *Fax 04 90 29 67 43*

5 ch ☐ – ✝90/180 € ✝✝110/195 €

◆ Ambiance de maison de famille, superbes chambres Art déco ou rétro, salon cocooning, bistrot à la Pagnol : ce mas est un pur concentré de Provence.

✕✕ **Le Parvis**

55 cours Pourtoules – ℰ *04 90 34 82 00* – *le-parvis2@wanadoo.fr*
– *Fax 04 90 51 18 19*
– *Fermé 8 nov.-1er déc., 10 janv.-1er fév., dim. et lundi*

BZ **e**

Rest – Menu (12 €), 18 € (déj.), 27/47 €

◆ Couleurs du Sud, poutres, tableaux contemporains : aucune faute de goût dans ce restaurant servant une fine cuisine provençale à base de terroir, d'épices et de légumes régionaux.

ORANGE

Le Monteverdi
443 bd E. Daladier – ℰ *04 90 29 53 77 – monteverdi84000@gmail.com
– Fax 04 90 29 53 77 – Fermé sam. midi* BY m
Rest – Menu 15 € (déj. en sem.)/25 € – Carte 30/47 €
♦ Moderne et innovant... dans le décor et dans l'assiette. Le chef élabore des recettes bien dans l'air du temps avec des produits de qualité. Tables d'hôte et espace lounge.

Le Forum
3 r. de Mazeau – ℰ *04 90 34 01 09 – Fax 04 90 34 01 09 – Fermé
20 août-3 sept., 23 fév.-5 janv., sam. midi, dim. soir et lundi* BY t
Rest – Menu 19 € (déj. en sem.), 22/38 € – Carte 24/45 €
♦ Coquet petit restaurant dissimulé dans une étroite ruelle proche du théâtre antique. Cuisine traditionnelle inspirée du terroir. Élégant décor au charme provençal.

Alons'O Bistro
58 cours Aristide-Briand – ℰ *04 90 29 69 27 – alonsobistro@orange.fr
– Fax 04 90 70 05 62 – Fermé merc. soir de sept. à avril, jeudi sauf le soir de mai à août et sam. midi* AZ b
Rest – Menu (19 € bc), 28 €
♦ Malgré son entrée discrète, ce restaurant cache un lumineux intérieur aux couleurs de la Provence, donnant sur une cour. Petit menu-carte actuel honorant les produits locaux.

La Rom'Antique
5 pl. Sylvain – ℰ *04 90 51 67 06 – cedricbremond@aol.com
– Fax 04 90 51 67 06 – Fermé 18 oct.-2 nov., 1er-25 janv., dim. soir d'oct. à mai, sam. midi et lundi* BZ r
Rest – Menu (15 €), 20/38 € – Carte 35/45 € dîner
♦ Table aux saveurs ensoleillées et belle carte de desserts à découvrir dans une petite salle rustico-moderne. Ardoise du jour à midi. Terrasse avec vue sur le théâtre antique.

par ① N 7 et rte secondaire : 4 km – ✉ 84100 Orange

Le Mas des Aigras - Table du Verger avec ch
*chemin des Aigras, (Russamp Est)
–* ℰ *04 90 34 81 01 – www.masdesaigras.com – mas-des-aigras@orange.fr
– Fax 04 90 34 05 66 – Fermé 19 oct.-5 nov., 8-25 fév., mardi et merc. d'oct. à mars*
10 ch – †75/120 € ††75/120 €, ⊇ 13 € – ½ P 81/103 €
Rest – *(fermé lundi midi, merc. midi et sam. midi d'avril à sept.) (nombre de couverts limité, prévenir)* Menu 20 € (déj. en sem.), 30/55 € – Carte 52/74 €
♦ Joli mas en pierre au milieu des vignes et des champs. Le chef réalise, en partie devant ses hôtes, une goûteuse cuisine à base de produits bio. Cadre soigné et agréable terrasse. Chambres égayées de couleurs provençales, en cours de rénovation.

à Sérignan-du-Comtat par ①, N 7 et D 976 : 8 km – 2 362 h. – alt. 80 m – ✉ 84830

Le Pré du Moulin (Pascal Alonso) avec ch
rte Ste-Cécile les Vignes – ℰ *04 90 70 14 55
– www.predumoulin.com – info@predumoulin.com – Fax 04 90 70 05 62
– Fermé dim. soir, mardi midi et lundi de mi-sept. à mai, lundi midi et mardi midi de mai à mi-sept.*
11 ch – †110/230 € ††110/230 €, ⊇ 15 € – ½ P 115/170 €
Rest – Menu 39/79 € – Carte 74/94 €
Spéc. Raviole ouverte aux truffes du Tricastin et artichauts sautés (nov. à mars). Pigeon farci au chou et foie gras. Soufflé chaud au Grand Marnier. **Vins** Côtes du Rhône.
♦ Moulin à l'origine, puis école communale, cette maison de village séduit par son atmosphère bucolique. Savoureuse cuisine du marché fleurant bon la Provence. Terrasse ombragée. Chambres d'ampleur et de styles variés, spacieuses et calmes.

ORBEC – 14 Calvados – 303 O5 – 2 400 h. – alt. 110 m – ✉ 14290   33 **C2**
▮ Normandie Vallée de la Seine

▸ Paris 173 – L'Aigle 38 – Alençon 80 – Argentan 53 – Bernay 18 – Caen 85 – Lisieux 21

▸ Office de tourisme, 6, rue Grande ℰ 02 31 32 56 68, Fax 02 31 32 04 37

▸ Vieux manoir ★.

ORBEC

XXX Au Caneton VISA MC AE
32 r. Grande – ✆ *02 31 32 73 32 – Fax 02 31 62 48 91 – Fermé 31 août-16 sept., 4-19 janv., dim. soir et lundi*
Rest *– (nombre de couverts limité, prévenir)* Menu 23 € (sem.)/78 €
– Carte 60/100 €
♦ Au centre du village, maison du 17ᵉ s. abritant deux salles à manger feutrées, décorées de cuivres et d'une collection d'assiettes anciennes. Cuisine classique.

X L'Orbecquoise VISA MC
60 r. Grande – ✆ *02 31 62 44 99 – herve.doual@wanadoo.fr – Fax 02 31 62 44 99 – Fermé 25 juin-12 juil., merc. sauf midi du 15 juil. au 15 sept. et jeudi*
Rest – Menu (14 €), 18/32 € – Carte 35/45 €
♦ Auberge rustique aménagée dans une demeure du 17ᵉ s. Une exposition de photos et de cartes postales anciennes de la ville égaie la salle à manger. Cuisine régionale.

ORBEY – 68 Haut-Rhin – **315** G8 – 3 608 h. – alt. 550 m – Sports d'hiver : **1 A2**
voir "Le Bonhomme" – ✉ 68370 ▮ Alsace Lorraine

▶ Paris 434 – Colmar 23 – Gérardmer 42 – Munster 21 – St-Dié 37 – Sélestat 35
🛈 Office de tourisme, 48, rue du Général-de-Gaulle ✆ 03 89 71 30 11, Fax 03 89 71 34 11

🏨 Bois Le Sire et son Motel VISA MC AE ①
20 r. Ch. de Gaulle – ✆ *03 89 71 25 25 – www.bois-le-sire.fr – boislesire@bois-le-sire.fr – Fax 03 89 71 30 75 – Fermé 4 janv.-6 fév.*
35 ch – †53/82 € ††53/82 €, ☐ 10 € – 1 suite – ½ P 59/73 €
Rest *– (fermé lundi juil.-août)* Menu (10 €), 17/50 € – Carte 22/50 €
♦ Deux bâtiments abritant des chambres fonctionnelles ; choisissez de préférence celles du motel, plus grandes et plus calmes. Espace forme, sauna et jacuzzi. Boiseries et mobilier de style au restaurant, où l'on sert une cuisine traditionnelle toute simple.

🏠 Aux Bruyères VISA MC AE ①
35 r. Ch. de Gaulle – ✆ *03 89 71 20 36 – www.auxbruyeres.com – info@auxbruyeres.com – Fax 03 89 71 35 30 – Ouvert 3 avril-25 oct. et 15-31 déc.*
29 ch – †42 € ††42/65 €, ☐ 8 € – ½ P 41/56 €
Rest *– (fermé merc. midi et jeudi midi en saison)* Menu (11 €), 14/38 € bc
– Carte 21/38 €
♦ Cette maison familiale, qui fait aussi salon de thé, propose des chambres pratiques (trois appartements familiaux). Celles du pavillon sont tournées sur le jardin. Sobre salle à manger, terrasse d'été et cuisine aux accents régionaux.

à Basses-Huttes Sud : 4 km par D 48 – ✉ 68370 Orbey

🏠 Wetterer VISA MC AE
– ✆ *03 89 71 20 28 – www.hotel-wetterer.com – info@hotel-wetterer.com*
– Fax 03 89 71 36 50 – Fermé 8 mars-2 avril, 4-26 nov. et 4 janv.-5 fév.
15 ch – †37/42 € ††46/63 €, ☐ 8 € – ½ P 44/49 €
Rest *– (fermé merc.)* Menu (14 €), 16/35 € – Carte 18/36 €
♦ Au cœur d'un superbe paysage de montagnes et de forêts – quiétude garantie ! –, cet hôtel des années 1960 dispose de chambres fonctionnelles et bien tenues. Restaurant au cadre rustico-bourgeois (poutres, cheminée et argenterie) et carte traditionnelle.

à Pairis 3 km au Sud-Ouest par D 48ⁿ – ✉ 68370 Orbey
◉ Lac Noir★ : ≤★ 30 mn O : 5 km.

🏠 Le Domaine de Pairis VISA MC
233 Pairis – ✆ *03 89 71 20 15 – www.pairis.fr – info@pairis.fr – Fax 03 89 71 39 90*
– Fermé 12-27 nov. et 10-25 janv.
14 ch – †59 € ††69/89 €, ☐ 10 € – ½ P 68/78 €
Rest *– (fermé dim. soir et le midi sauf dim.)* Menu 23/40 € – Carte 21/47 €
♦ Chambres décorées avec goût et simplicité : mobilier aux lignes épurées dans les tons écrus ; tableaux et plaids pour les notes colorées. Produits bio et fermiers, confitures maison. Carte régionale accompagnée notamment de vins d'Alsace, Bourgogne, Bordeaux.

ORBEY

Bon Repos
235 Pairis – ℰ 03 89 71 21 92 – www.aubonrepos.com – au-bon-repos@wanadoo.fr – Fax 03 89 71 24 51 – Ouvert 8 fév.-19 oct., 19 déc.-3 janv. et fermé merc.
16 ch – †46/51 € ††46/51 €, ⌂ 8 € – ½ P 48/53 €
Rest – *(dîner seult sauf dim.)* Menu 16/34 € – Carte 20/43 €
♦ Petite auberge familiale avec jardin sur la route des lacs. Chambres simples et pratiques ; celles de l'annexe, plus paisibles, sont orientées vers une forêt de sapins. Salle à manger de style rustique pour une cuisine régionale.

ORCHIES – 59 Nord – 302 H5 – 8 172 h. – alt. 40 m – ⌂ 59310   31 C2

▸ Paris 219 – Denain 28 – Douai 20 – Lille 29 – Tournai 20 – Valenciennes 30
ℹ Syndicat d'initiative, 42, rue Jules Roch ℰ 03 20 64 86 32, Fax 03 20 64 86 32

Le Manoir
Hameau de Manneville, D 549 : Ouest par route Seclin – ℰ 03 20 64 68 68
– www.manoir.net – contact@manoir.net – Fax 03 20 64 68 69 – Fermé 1ᵉʳ-28 août
34 ch – †75/120 € ††75/120 €, ⌂ 9 €
Rest – *(fermé 26-31 déc., vend. soir, sam. midi, dim. soir et soirs fériés)* Menu (17 €), 23/40 € – Carte 24/60 €
♦ Cet établissement pris entre l'A 23 et une route passante propose des chambres actuelles bénéficiant d'une bonne insonorisation. Relié à l'hôtel par un passage couvert, le restaurant du Manoir abrite un bar feutré et trois intimes salles à manger rustiques.

La Chaumière
685 r. Henri Fiévet, 3 km au Sud par D 957, rte Marchiennes – ℰ 03 20 71 86 38
– Fax 03 20 61 65 91 – Fermé 1ᵉʳ-15 sept., fév., dim. soir et lundi
Rest – Menu (14 €), 30/82 € bc – Carte 41/67 €
♦ Des bibelots animaliers (nombreux chevaux) agrémentent le cadre agreste de ce restaurant. Cuisine traditionnelle, beau plateau de fromages et joli choix de bordeaux.

ORCIÈRES – 05 Hautes-Alpes – 334 F4 – 810 h. – alt. 1 446 m – Sports d'hiver : à Orcières-Merlette 1 850/2 650 m ⚡ 2 ⚡ 26 ⚡ – ⌂ 05170   41 C1
Alpes du Sud

▸ Paris 676 – Briançon 109 – Gap 32 – Grenoble 113 – La Mure 73
ℹ Office de tourisme, maison du Tourisme ℰ 04 92 55 89 89, Fax 04 92 55 89 64
◉ Vallée du Drac Blanc★★ NO : 14 km.

à Merlette Nord : 5 km par D 76 – ⌂ 05170 Orcières

Les Gardettes avec ch
– ℰ 04 92 55 71 11 – www.gardettes.com – info@gardettes.com
– Fax 04 92 55 77 26 – Ouvert 6 déc.-26 avril et 26 juin-10 sept.
15 ch – †56/99 € ††56/99 €, ⌂ 8 € – ½ P 49/73 €
Rest – Menu 23/34 € – Carte 25/46 €
♦ Restaurant familial abrité dans une ancienne étable : joli décor typiquement montagnard et plats régionaux relevés d'une touche personnelle. Chambres modestes.

ORCINES – 63 Puy-de-Dôme – 326 F8 – rattaché à Clermont-Ferrand

---

ORCIVAL – 63 Puy-de-Dôme – 326 E8 – 256 h. – alt. 840 m – ⌂ 63210   5 B2
Auvergne

▸ Paris 441 – Aubusson 82 – Clermont-Ferrand 27 – Le Mont-Dore 17 – Ussel 55
ℹ Office de tourisme, le bourg ℰ 04 73 65 89 77, Fax 04 73 65 89 78
◉ Basilique Notre-Dame★★.

Roche sans rest
– ℰ 04 73 65 82 31 – Fax 04 73 65 94 15 – Fermé 11 nov.-25 déc. et lundi hors saison
8 ch – †35 € ††38 €, ⌂ 6 €
♦ Cet établissement situé face à la basilique abrite des chambres petites et bien tenues, assez simples mais progressivement rafraîchies. Jardinet sur l'arrière.

ORGELET – 39 Jura – **321** D7 – 1 740 h. – alt. 500 m – ✉ 39270 16 **B3**

▶ Paris 434 – Besançon 104 – Lons-le-Saunier 20 – Bourg-en-Bresse 68 – Oyonnax 42

La Valouse
12 r. des Fossés, (face à l'église) – ℰ 03 84 25 54 80
– www.hotel-restaurant-jura.com – lavalouse@wanadoo.fr – Fax 03 84 25 54 70
– *Fermé 24 déc.-20 janv. et dim. soir*
14 ch – †53/58 € ††73/78 €, ⊐ 8 € – ½ P 68 €
Rest – Menu (14 €), 16/48 € bc – Carte 30/50 €

♦ Cet hôtel familial, entièrement non-fumeurs, sort d'une rénovation complète. Les chambres, simples et bien insonorisées, sont modernes et colorées. Cuisine du terroir actualisée ou plat du jour proposé au café attenant.

ORGEVAL – 78 Yvelines – **311** H2 – **101** 11 – voir à Paris, Environs

ORGON – 13 Bouches-du-Rhône – **340** F3 – 2 913 h. – alt. 90 m 42 **E1**
– ✉ 13660 ∎ Provence

▶ Paris 712 – Aix-en-Provence 58 – Avignon 29 – Marseille 72
ℹ Office de tourisme, place de la Liberté ℰ 04 90 73 09 54, Fax 04 90 73 09 54

Le Mas de la Rose ⚘
rte d'Eygalières, 4 km au Sud-Ouest par D24b – ℰ 04 90 73 08 91
– www.mas-rose.com – contact@mas-rose.com – Fax 04 90 73 31 03
– *Fermé 4 janv.-26 fév.*
8 ch – †170/280 € ††170/280 €, ⊐ 18 € – 1 suite
Rest – *(ouvert 21 mai-30 sept.) (dîner seult) (résidents seult)* Menu 55 €

♦ Dans un site bucolique, anciennes bergeries (17ᵉ s.) joliment réaménagées en maison de charme. Chambres provençales personnalisées. Superbe jardin paysager avec piscine. Menu du marché proposé dans un cadre rustique-contemporain raffiné.

Domaine de Saint-Véran sans rest
rte de Cavaillon, 1,5 km au Nord par D 26 – ℰ 04 90 73 32 86
– www.avignon-et-provence.com/chambres-hotes/domaine-saint-veran
– d1jour@wanadoo.fr – *Fermé janv. et fév.*
5 ch ⊐ – †70/80 € ††80/100 €

♦ Belle maison nichée dans un vaste parc planté de pins parasols et de cyprès. Intérieur décoré avec goût par la propriétaire, chambres soignées, salon cosy, piscine...

Auberge du Parc
rte de la Gare – ℰ 04 90 73 35 85 – www.aubergeduparc.net – info@aubergeduparc.net – Fax 04 90 73 39 60 – *Fermé 15 -30 nov. et sam. midi*
Rest – *(nombre de couverts limité, prévenir)* Menu (20 €), 39/59 € – Carte 49/69 €

♦ Au pied de falaises rocheuses, premier contrefort des Alpilles, grande demeure chaleureuse entourée de verdure : salle à manger colorée et petite terrasse. Cuisine actuelle.

ORLÉANS P – 45 Loiret – **318** I4 – 113 200 h. – Agglo. 263 292 h. 12 **C2**
– alt. 100 m – ✉ 45000 ∎ Châteaux de la Loire

▶ Paris 132 – Caen 311 – Clermont-Ferrand 295 – Le Mans 143 – Tours 118
ℹ Office de tourisme, 2, place de l'Étape ℰ 02 38 24 05 05, Fax 02 38 54 49 84
▸ de Limère à Ardon 1411 allée de la Pomme de Pin, S : 9 km par D 326, ℰ 02 38 63 89 40
▸ d'Orléans Donnery à Donnery Domaine de la Touche, E :17 km par N 460, ℰ 02 38 59 25 15
▸ de Sologne à La Ferté-Saint-Aubin Route de Jouy-le-Potier, S : 24 km par N 20 et D 18, ℰ 02 38 76 57 33
▸ de Marcilly à Marcilly-en-Villette Domaine de la Plaine, SE par D 14 et D 108 : 18 km, ℰ 02 38 76 11 73
◉ Cathédrale Ste-Croix★★ : boiseries★★ - Maison de Jeanne d'Arc★ V - Quai Fort-des-Tourelles ≤★ EZ 60 - Musée des Beaux-Arts★★ M¹ - Musée Historique et Archéologique★ M² - Muséum★.
◉ Olivet : parc floral de la Source★★ SE : 8 km CZ.

AVANT DE FAIRE UN BEAU VOYAGE, PENSEZ D'ABORD À FAIRE UN BON VOYAGE.

Si vous aimez voyager, vous allez forcément aimer votre voyage en France. Parce que confortablement installé à bord de TGV, vous profiterez des nombreux services proposés. Parce que vous pourrez vous rendre rapidement et en toute quiétude dans plus de 230 destinations partout en France. Parce que finalement faire un beau voyage, c'est aussi faire un bon voyage. ORGANISEZ DÈS MAINTENANT VOTRE VOYAGE SUR TGV.COM

À PARTIR DE 22 EUROS*

TGV
Plus de vie dans votre vie

SNCF

TGV, membre de Railteam

*Prix Prem's pour un aller simple en 2nde classe en période normale et dans la limite des places disponibles. Billets non échangeables et non remboursables. En vente dans les gares, boutiques SNCF, agences de voyages agréées SNCF, par téléphone au 36 35 (0,34 € TTC/min, hors surcoût éventuel) et sur www.voyages-sncf.com
SNCF - 34, rue du Commandant Mouchotte - 75014 Paris - R.C.S./B 552 049 447

Cuisine.TV, la chaîne 100% cuisine vous propose sur un plateau 24h/24, 7j/7 des émissions de télévision pour LE PLAISIR DE CUISINER AU QUOTIDIEN, de découvrir des Chefs de talent ET DES TERROIRS D'EXCEPTION, des idées déco pour embellir la maison, une cuisine du monde pour un voyage dans l'assiette...
Cuisinez toutes vos envies sur cuisine.tv !

CUISINE.TV
pour être bien cuisinez mieux

CUISINE.TV est diffusée en France sur le câble et CANALSAT
Retrouvez toutes les recettes sur www.cuisine.tv

FLEURY-LES-AUBRAIS

Dessaux (R. André)	**BX** 48
Verdun (R. de)	**BX** 155
11-Octobre (R. du)	**BX** 163

LA SOURCE

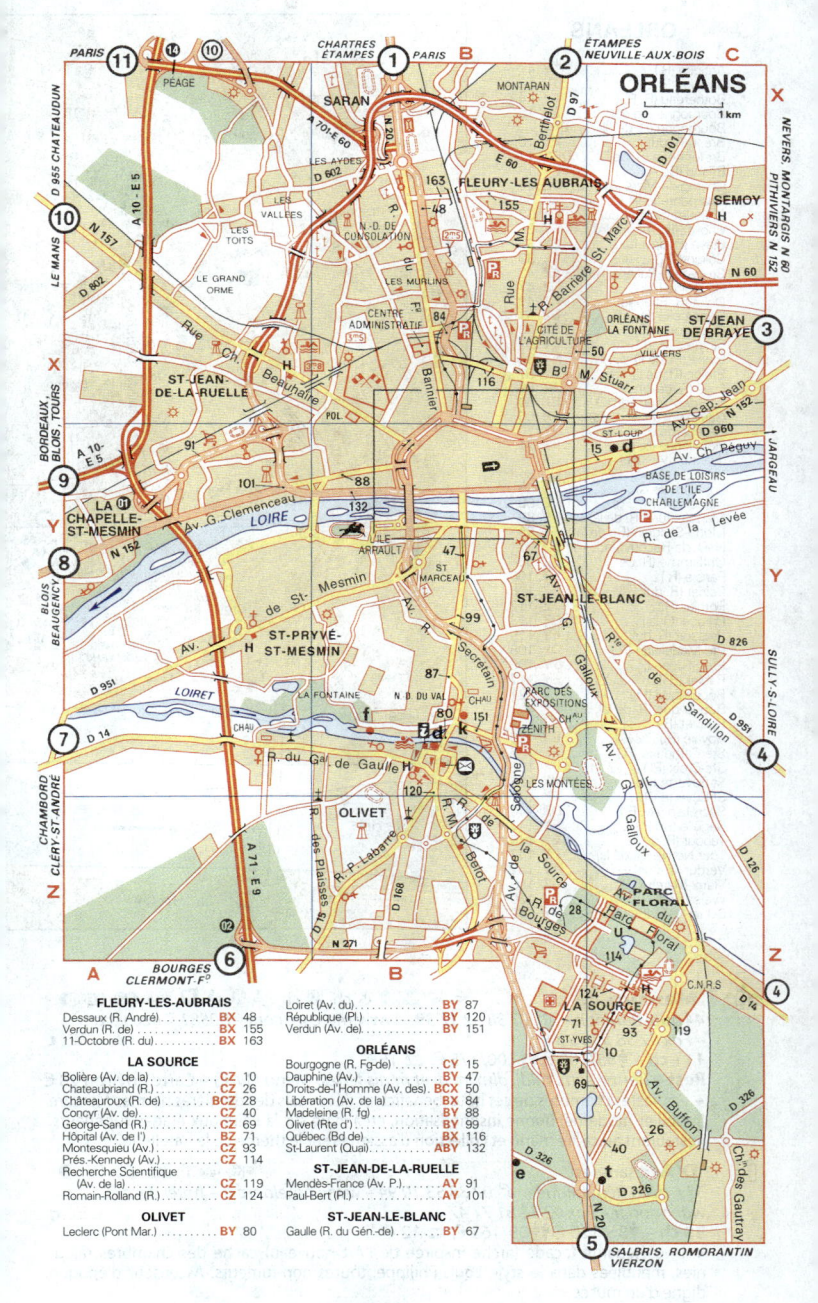

Bolière (Av. de la)	**CZ** 10
Chateaubriand (R.)	**CZ** 26
Châteauroux (R. de)	**BCZ** 28
Concyr (Av. de)	**CZ** 40
George-Sand (R.)	**CZ** 69
Hôpital (Av. de l')	**CZ** 71
Montesquieu (Av.)	**CZ** 93
Prés.-Kennedy (Av.)	**CZ** 114
Recherche Scientifique (Av. de la)	**CZ** 119
Romain-Rolland (R.)	**CZ** 124

OLIVET

Leclerc (Pont Mar.)	**BY** 80

Loiret (Av. du)	**BY** 87
République (Pl.)	**BY** 120
Verdun (Av. de)	**BY** 151

ORLÉANS

Bourgogne (R. Fg-de)	**CY** 15
Dauphine (Av.)	**BY** 47
Droits-de-l'Homme (Av. des)	**BCX** 50
Libération (Av. de la)	**BX** 84
Madeleine (R. fg)	**BY** 88
Olivet (Rte d')	**BY** 99
Québec (Bd de)	**BX** 116
St-Laurent (Quai)	**ABY** 132

ST-JEAN-DE-LA-RUELLE

Mendès-France (Av. P.)	**AY** 91
Paul-Bert (R.)	**AY** 101

ST-JEAN-LE-BLANC

Gaulle (R. du Gén.-de)	**BY** 67

1249

ORLÉANS

Antigna (R.)	**DY**	4
Bannier (R.)	**DY**	
Bothereau (R. R.)	**FY**	14
Bourgogne (Fg de)	**FZ**	15
Bourgogne (R. de)	**EFZ**	
Brésil (R. du)	**FY**	16
Bretonnerie (R. de la)	**DZ**	17
Briand (Bd A.)	**FY**	19
Champ-de-Mars (Av.)	**EZ**	25
Charpenterie (R. de la)	**EZ**	34
Châtelet (Square du)	**EZ**	32
Chollet (R. Théophile)	**EY**	36
Claye (R. de la)	**FY**	38
Coligny (R.)	**FZ**	39
Croix-de-la-Pucelle (R.)	**EZ**	43
Dauphine (Av.)	**EZ**	47
Dolet (R. Étienne)	**EZ**	49
Ducerceau (R.)	**EZ**	51
Dupanloup (R.)	**EFY**	53
Escures (R. d')	**EY**	55
Étape (Pl. de l')	**EY**	56
Ételon (R. de l')	**FY**	57
Folie (R. de la)	**FZ**	58
Fort-des-Tourelles (Q.)	**EZ**	60
Gaulle (Pl. du Gén.-de)	**DZ**	65
Hallebarde (R. de la)	**DY**	70
Hôtelleries (R. des)	**EZ**	71
Jeanne d'Arc (R.)	**EY**	
Lin (R. au)	**EZ**	81
Loire (Pl. de la)	**EZ**	85
Madeleine (R. Fg)	**DZ**	88
Manufacture (R. de la)	**FY**	89
Motte-Sanguin (Bd de la)	**FZ**	95
N.-D.-de-Recouvrance (R.)	**DZ**	97
Oriflamme (R. de l')	**EZ**	98
Parisie (R.)	**EZ**	100
Poirier (R. du)	**EZ**	106
Pothier (R.)	**EZ**	112
Prague (Quai)	**DZ**	113
Pressoir (R. du)	**FY**	115
Pte-Madeleine (R.)	**DY**	108
Pte-St-Jean (R.)	**DY**	109
Rabier (R. F.)	**EY**	117
République (Pl.)	**EZ**	121
République (R. de la)	**EY**	
Roquet (R.)	**EZ**	124
Royale (R.)	**EZ**	125
Ste-Catherine (R.)	**EZ**	135
Ste-Croix (Pl.)	**EYZ**	139
St-Euverte (Bd)	**FYZ**	126
St-Euverte (R.)	**FY**	127
Secrétain (Av. R.)	**DZ**	140
Segellé (Bd P.)	**FY**	141
Tabour (R. du)	**EZ**	145
Tour Neuve (R. de la)	**FZ**	147
Verdun (Bd de)	**DY**	152
Vieux-Marché (Pl.)	**DZ**	159
Weiss (R. L.)	**FY**	160
6-Juin 1944 (Pl. du)	**FY**	162

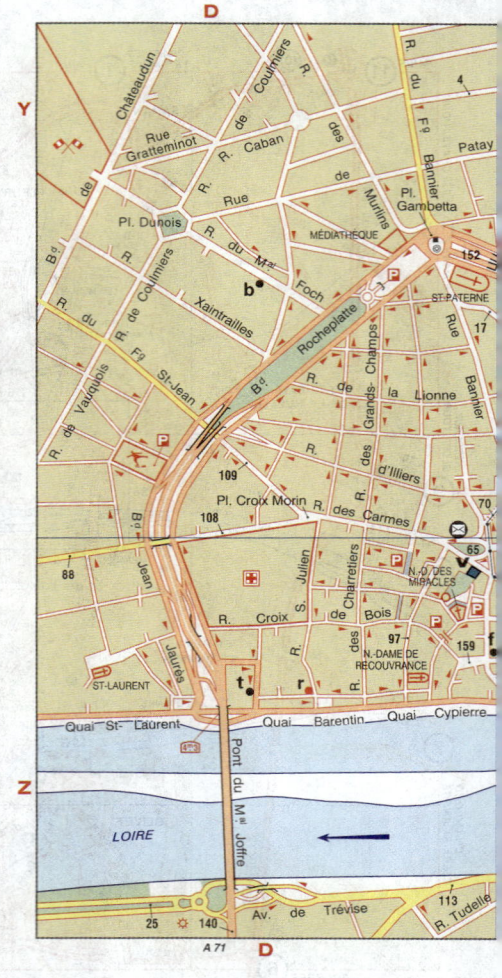

Mercure ≤ 🏡 ⌿ 🛗 & ch, 🏧 ch, ⇞ ⁽¹⁾ 🎿 🅿 VISA 🅿 AE ①
44 quai Barentin – ℘ *02 38 62 17 39 – www.mercure.com – h0581@accor.com*
– Fax 02 38 53 95 34 DZ **t**
111 ch – ♦85/160 € ♦♦100/175 €, ⊊ 15 €
Rest – *(fermé sam. midi, dim. midi et midis fériés)* Menu (17 €) – Carte environ 28 €
♦ Les vastes chambres de cet hôtel bénéficient désormais des dernières normes Mercure (mobilier moderne, bonne insonorisation, etc.) ; vue sur la Loire aux étages supérieurs. Restaurant au cadre marin et collection d'assiettes sur le thème de la batellerie.

D'Arc sans rest 🛗 ⇞ ⁽¹⁾ VISA 🅿 AE ①
37 r. de la République – ℘ *02 38 53 10 94 – www.hoteldarc.fr – hotel.darc@*
wanadoo.fr – Fax 02 38 81 77 47 EY **g**
35 ch – ♦86/126 € ♦♦99/163 €, ⊊ 12 €
♦ Une élégante façade (arche inspirée de l'Art nouveau) cache des chambres rajeunies, meublées dans le style Louis-Philippe, toutes non-fumeurs. Ascenseur d'époque digne d'un musée.

🏠 **Des Cèdres** sans rest 🚗 |❄| ↳ ⚡ 📶 **VISA** **MC** **AE**
17 r. Mar. Foch – ℰ *02 38 62 22 92 – www.hoteldescedres.com*
– contact@hoteldescedres.com – Fax 02 38 81 76 46
– Fermé 24 déc.-5 janv. DY **b**
32 ch – †64/69 € ††66/82 €, ⊇ 8,50 €
 ♦ À l'écart du centre ville, cet hôtel calme dispose de chambres assez spacieuses dotées de mobilier en rotin. Salon-véranda ouvert sur un jardin planté de cèdres.

🏠 **D'Orléans** sans rest |❄| 📶 🚗 **VISA** **MC** **AE**
6 r. A. Crespin – ℰ *02 38 53 35 34 – www.hotelorleans.fr – hotel.orleans@*
wanadoo.fr – Fax 02 38 53 68 20 EY **t**
18 ch – †55/70 € ††65/80 €, ⊇ 8 €
 ♦ Deux bâtiments disposés autour d'une cour et reliés entre eux par la salle des petits-déjeuners. Rénovation des chambres (literie neuve) et des parties communes.

ORLÉANS

Marguerite sans rest
14 pl. du Vieux Marché – ℰ 02 38 53 74 32 – www.hotel-orleans.fr
– hotel.marguerite@wanadoo.fr – Fax 02 38 53 31 56
– Fermé 26 déc.-3 janv. DZ **f**
25 ch – †54/65 € ††63/79 €, ⏦ 7 €
♦ On améliore de jour en jour le confort de cet hôtel : communs et chambres joliment relookés (mobilier contemporain, TV écran plat, wi-fi, etc.), insonorisation sans faille.

De l'Abeille sans rest
64 r. d'Alsace-Lorraine – ℰ 02 38 53 54 87 – www.hoteldelabeille.com
– hoteldelabeille@wanadoo.fr – Fax 02 38 62 65 84 EY **k**
28 ch – †47/95 € ††62/95 €, ⏦ 9 €
♦ Cet hôtel du centre-ville propose de coquettes petites chambres, pour la plupart rajeunies. Décoration personnalisée grâce au choix des couleurs et aux meubles anciens chinés.

L'Épicurien
54 r. Turcies – ℰ 02 38 68 01 10 – Fax 02 38 68 19 02 – Fermé 1er-10 mai, 3 sem. en août, 25 déc.-1er janv., sam. midi en juil._août, dim. et lundi DZ **r**
Rest – Menu 25 € (sem.)/65 € – Carte 50/65 €
♦ Les épicuriens se retrouvent dans cette maison ancienne où tons jaunes, poutres apparentes et dessins à thème fruitier égaient les salles à manger rustiques. Cuisine actuelle.

Eugène
24 r. Ste-Anne – ℰ 02 38 53 82 64 – Fax 02 38 54 31 89 – Fermé 25 juil.-17 août, 25 déc.-4 janv., sam. et dim. EY **u**
Rest – Menu 23/69 € – Carte 38/60 €
♦ Cette petite adresse est bien connue des Orléanais qui s'y pressent pour déguster une belle cuisine aux saveurs méridionales dans un cadre aussi plaisant que chaleureux.

La Vieille Auberge
2 fg Saint-Vincent – ℰ 02 38 53 55 81 – lavieilleauberge45@orange.fr
– Fermé sam. midi, lundi en juil.-août et dim. soir FY **a**
Rest – Menu (18 €), 25 € (sem.)/49 € – Carte 40/62 €
♦ Nouvelle équipe pour cette adresse où l'on déguste désormais une cuisine dans l'air du temps centrée sur le produit... toujours au calme du jardin ou dans un intérieur coquet.

La Dariole
25 r. Etienne Dolet – ℰ 02 38 77 26 67 – Fax 02 38 77 26 67 – Fermé 3-23 août, sam., dim. et le soir sauf mardi et vend. EZ **v**
Rest – (nombre de couverts limité, prévenir) Menu (18 €), 22 €
♦ Goûteuse cuisine personnalisée servie dans la pimpante salle à manger rustique de cette maison à colombages (15e s.) et sur la petite terrasse d'été, ouverte sur une placette.

Chez Jules
136 r. de Bourgogne – ℰ 02 38 54 30 80 – Fax 02 38 54 08 47 – Fermé 6-21 juil., lundi midi, sam. midi et dim. FZ **a**
Rest – Menu (17 €), 23/31 € – Carte 46/57 €
♦ Cette petite enseigne, rustique et économique, se distingue des nombreuses tables voisines par son accueil très chaleureux et ses généreux plats traditionnels revisités.

à St-Jean-de-Braye Est : 4 km - CXY – 18 600 h. – alt. 108 m – ✉ 45800

Novotel Orléans St-Jean-de-Braye
145 av. de Verdun, (N 152)
ℰ 02 38 84 65 65 – www.novotel.com – H1075@accor.com – Fax 02 38 84 66 61
107 ch – †120/125 € ††125/145 €, ⏦ 18 €
Rest – Menu 38 € (déj.), 59/90 € – Carte 59/98 €
♦ Chambres contemporaines dernière génération (concept "Novation"), jardin-piscine, jeux d'enfants et situation en lisière de forêt : tels sont les plaisants atouts de ce Novotel. Carte traditionnelle au restaurant.

ORLÉANS

Promotel sans rest
117 fg Bourgogne – ℰ 02 38 53 64 09 – www.hotelpromotel.net
– hotelpromotel@orange.fr – Fax 02 38 53 13 22 – Fermé 1ᵉʳ-23 août et
22 déc.-5 janv.   CY d
83 ch – †57/59 € ††60/62 €, ⊇ 8,50 €
◆ Le bâtiment le plus récent, bien insonorisé, borde un axe fréquenté ; l'autre bénéficie de l'agrément d'un jardin ombragé. Chambres pratiques et de bonne ampleur.

Les Toqués
71 chemin du Halage – ℰ 02 38 86 50 20 – lestoques@noos.fr
– Fax 02 38 84 30 96 – Fermé août, dim. et lundi
Rest – Menu 20 € (déj. en sem.), 30/45 €
◆ Au bord de la Loire, ex-auberge très joliment reconvertie : intérieur moderne et convivial, délicieuse terrasse d'été, appétissante carte actuelle... Chapeau Les Toqués !

à La Source Sud-Est : 11 km- BCZ – ⊠ 45100 Orléans

Novotel Orléans La Source
2 r. H. de Balzac, (carrefour N20-D326, rte de Concyr)
– ℰ 02 38 63 04 28 – www.novotel.com – h0419@accor.com
– Fax 02 38 69 24 04   CZ t
119 ch – †89/142 € ††89/142 €, ⊇ 15 €   **Rest** – Carte 30/50 €
◆ Un Novotel aux vastes chambres actuelles (mobilier modulable), rénovées selon le dernier concept de la chaîne. Aire de jeux pour enfants. Le restaurant, habillé d'un décor tendance, profite d'une vue sur la piscine et la verdure. Cuisine épurée et diététique.

au parc de Limère Sud-Est : 13 km par N 20 et D 326 – ⊠ 45160 Ardon

Domaine des Portes de Sologne
200 allée des 4 vents –
ℰ 02 38 49 99 99 – www.portes-de-sologne.com – resa@portes-de-sologne.com
– Fax 02 38 49 99 00   BZ e
117 ch – †123 € ††137 €, ⊇ 11 € – 14 suites
Rest – Menu (21 €), 28/48 € – Carte 45/66 €
◆ En pleine campagne, complexe hôtelier proche d'un golf et d'un centre de balnéothérapie. Chambres sobres, charmants cottages (duplex familiaux) et équipements pour séminaires. Restaurant moderne et cossu où l'on sert une cuisine dans l'air du temps. Terrasse d'été.

à Olivet Sud : 5 km par av. Loiret et bords du Loiret – 20 700 h. – alt. 100 m – ⊠ 45160
Châteaux de la Loire

🛈 Office de tourisme, 236, rue Paul Genain ℰ 02 38 63 49 68,
Fax 02 38 63 50 45

Le Rivage avec ch
635 r. Reine Blanche – ℰ 02 38 66 02 93
– http://monsite.wanadoo.fr/le.rivage.olivet – hotel-le-rivage.jpb@wanadoo.fr
– Fax 02 38 56 31 11 – Fermé 25 déc.-20 janv.   BY f
17 ch – †85 € ††85 €, ⊇ 13 € – ½ P 85/103 €
Rest – (fermé sam. midi et dim. soir de nov. à avril) Menu 28 € (sem.)/62 €
– Carte 48/82 €
◆ Belles villas, vieux moulins... Profitez pleinement du spectacle bucolique des berges du Loiret depuis la lumineuse salle à manger-véranda ou bien la terrasse à fleur d'eau.

Laurendière
68 av. Loiret – ℰ 02 38 51 06 78 – http://lalaurendiere.new.fr – lalaurendiere@
wanadoo.fr – Fax 02 38 56 36 20 – Fermé 6-22 juil., 15-24 fév., lundi soir, mardi soir
et merc.   BY k
Rest – Menu 23/49 € – Carte 48/66 €
◆ Cuisine traditionnelle et belle carte des vins (nombreux crus de Loire) vous attendent dans la salle à manger colorée et au cachet ancien de cette maison régionale.

L'Eldorado
10 r. M.-Belot – ℰ 02 38 64 29 74 – www.camus-eldorado.com – eldorado45@
wanadoo.fr – Fax 02 38 69 14 33   BY d
Rest – Menu 28/50 €
◆ Le décor de cette ex-guinguette s'est mis au diapason de la cuisine – tendance et épurée – et la terrasse au bord du Loiret a toujours autant de charme... Délicieux de A à Z.

1253

ORLÉANS
à la Chapelle-St-Mesmin Ouest : 4 km – AY – 9 282 h. – alt. 101 m – ✉ 45380

Orléans Parc Hôtel sans rest
55 rte d'Orléans – ✆ *02 38 43 26 26 – www.orleansparchotel.com – lucmar@aol.com – Fax 02 38 72 00 99 – Fermé 22 déc.-6 janv.* AY **v**
33 ch – †61 € ††77/92 €, ⚏ 9 €
♦ Chambres sobres et de bon confort (à choisir côté Loire), salon et salle des petits-déjeuners accueillants. Le beau parc ombragé qui longe le fleuve invite à la flânerie.

Côté Saveurs
55 rte d'Orléans – ✆ *02 38 72 29 51 – resto.cs@free.fr – Fax 02 38 72 29 67 – Fermé 1er-16 mars, 2-17 août et 20-28 déc.*
Rest – Menu (19 €), 29 € – Carte 45/58 €
♦ Maison bourgeoise du 19e s. profitant d'un petit parc. Le cadre intérieur mêle classique (moulures, boiseries) et moderne (fauteuils en cuir rouge). Cuisine dans l'air du temps.

ORLY (Aéroports de Paris) – 91 Essonne – 312 D3 – 101 26 – voir à Paris, Environs

---

ORMOY-LA-RIVIÈRE – 91 Essonne – 312 B5 – rattaché à Étampes

ORNAISONS – 11 Aude – 344 I3 – rattaché à Narbonne

ORNANS – 25 Doubs – 321 G4 – 4 106 h. – alt. 355 m – ✉ 25290   16 **B2**
Franche-Comté Jura

▶ Paris 428 – Baume-les-Dames 42 – Besançon 26 – Morteau 48 – Pontarlier 37
▶ Office de tourisme, 7, rue Pierre Vernier ✆ 03 81 62 21 50, Fax 03 81 62 02 63
▶ Grand Pont ≤★ – O : Vallée de la Loue★★ – Le Château ≤★ N : 2,5 km.

De France
r. P. Vernier – ✆ *03 81 62 24 44 – www.hoteldefrance-ornans.com – contact@hoteldefrance-ornans.com – Fax 03 81 62 12 03 – Fermé 6-22 nov., 18 déc.-25 janv., sam. et dim. de nov. à avril*
26 ch – †65 € ††85 €, ⚏ 9 € – 1 suite – ½ P 80 €
Rest – *(fermé sam. et dim. de nov. à avril et lundi midi d'avril à nov.)* Menu 19 € (sem.)/45 € – Carte 45/60 €
♦ Hôtel traditionnel au cœur de la "perle de la Loue". Chambres de tailles variées, peu à peu rénovées, et très belle suite. Parcours privé de pêche à la mouche mondialement réputé. Face à la rivière et son Grand Pont, agréable restaurant au cadre rustico-bourgeois.

Courbet
34 r. P. Vernier – ✆ *03 81 62 10 15 – www.restaurantlecourbet.com – restaurantlecourbet@wanadoo.fr – Fax 03 81 62 13 34 – Fermé vacances de Noël, 15 fév.-17 mars, dim. soir, mardi midi et lundi*
Rest – Menu 19/39 €
♦ À deux pas de la maison natale de Courbet, hommage au peintre dans la salle (reproductions de tableaux) et honneur à une délicieuse cuisine actuelle. Terrasse bordant la Loue.

à Saules 6 km au Nord-Est par D 492 – 191 h. – alt. 585 m – ✉ 25580

La Griotte
27 b Grande Rue – ✆ *03 81 57 17 71 – Fax 03 81 57 17 71 – Fermé 24 août-30 sept., 8 fév.-3 mars, mardi de nov. à mars, dim. soir et merc.*
Rest – *(nombre de couverts limité, prévenir)* Menu 14/30 € – Carte 28/52 €
♦ Pari réussi pour ce récent restaurant installé dans un ancien relais de diligence. Il réserve un accueil tout sourire, un cadre simple et une cuisine régionale à prix doux.

OROUET – 85 Vendée – 316 E7 – rattaché à St-Jean-de-Monts – ✉ 85160

ORPIERRE – 05 Hautes-Alpes – 334 C7 – 318 h. – alt. 682 m – ⊠ 05700   40 B2
Alpes du Sud
- Paris 689 – Château-Arnoux 47 – Digne-les-Bains 72 – Gap 55 – Serres 20 – Sisteron 33
- Office de tourisme, le Village ℰ 04 92 66 30 45, Fax 04 92 66 32 52

aux Bégües Sud-Ouest : 4,5 km – ⊠ 05700 Orpierre

Le Céans ≤ 🐕 ⛱ ℁ rest, 🎧 P 🅿 VISA 🆎 AE
rte des Princes d'Orange – ℰ 04 92 66 24 22 – www.le-ceans.fr.st – le.ceans@gmail.com – Fax 04 92 66 28 29 – Ouvert 15 mars-1er nov. et fermé merc. d'oct. au 15 avril
21 ch – †45/90 € ††45/90 €, ⊇ 8 € – ½ P 43/57 €
Rest – Menu 16/37 € – Carte 19/46 €

♦ Au sein d'un hameau du massif des Baronnies, petites chambres et pavillons familiaux dispersés dans un parc agreste descendant jusqu'à la rivière. À table, ambiance pension de famille et cuisine ménagère d'orientation régionale. Terrasse côté rue.

ORSCHWILLER – 67 Bas-Rhin – 315 I7 – 564 h. – alt. 240 m – ⊠ 67600   2 C1
- Paris 441 – Colmar 22 – St-Dié 44 – Sélestat 7 – Strasbourg 61

Le Fief du Château 🍽 ₺ ch, 🎧 ₷ P 🅿 VISA 🆎 AE
20 Grand' rue – ℰ 03 88 82 56 25 – www.fief-chateau.com – fiefduchateau@evc.net – Fax 03 88 82 26 24 – Fermé 3-10 mars, 30 juin-5 juil., 27 oct.-3 nov.
8 ch – †40 € ††48 €, ⊇ 7 € – ½ P 48 €
Rest – (fermé merc.) Menu (9 €), 19/26 € – Carte 25/40 €

♦ Jolie façade fleurie pour cette maison régionale (fin 19e s.) d'un village typique de la route des Vins d'Alsace. Chambres simples et rafraîchies. Restaurant d'esprit rustique, accueil sympathique et cuisine alsacienne.

ORTHEZ – 64 Pyrénées-Atlantiques – 342 H4 – 10 200 h. – alt. 55 m   3 B3
– ⊠ 64300 ▮ Aquitaine
- Paris 765 – Bayonne 74 – Dax 39 – Mont-de-Marsan 57 – Pau 47
- Office de tourisme, rue Bourg-Vieux ℰ 05 59 38 32 84, Fax 05 59 69 12 00
- de Salies-de-Béarn à Salies-de-Béarn Quartier Hélios, par rte de Bayonne : 17 km, ℰ 05 59 38 37 59
- Pont Vieux ★.

Au Temps de la Reine Jeanne ⛱ ╠╣ ₺ ch, 🅰 rest, ↯ 🎧 ₷ VISA 🆎 AE
44 r. Bourg-Vieux – ℰ 05 59 67 00 76 – www.reine-jeanne.fr
– reine.jeanne.orthez@wanadoo.fr – Fax 05 59 69 09 63
30 ch – †58/88 € ††66/110 €, ⊇ 8,50 €
Rest – (fermé dim. soir du 18 oct. au 20 mars) Menu 25/65 € – Carte 42/53 €

♦ Demeures des 18e et 19e s. abritant de modestes chambres disposées autour d'un patio. Préférez celles du bâtiment voisin, plus modernes, amples et confortables. Petit fitness. Plaisant restaurant rustique. Recettes traditionnelles. Dîners jazz en saison.

ORVAULT – 44 Loire-Atlantique – 316 G4 – rattaché à Nantes

OSNY – 95 Val-d'Oise – 305 D6 – 106 5 – 101 2 – voir à Paris, Environs (Cergy-Pontoise)

OSTHOUSE – 67 Bas-Rhin – 315 J6 – 946 h. – alt. 155 m – ⊠ 67150   1 B2
- Paris 502 – Obernai 17 – Offenburg 35 – Sélestat 23 – Strasbourg 32

À la Ferme sans rest 🚗 ₺ ℁ 🎧 P 🅿 VISA 🆎
10 r. du Château – ℰ 03 90 29 92 50 – www.hotelalaferme.com – hotelalaferme@wanadoo.fr – Fax 03 90 29 92 51
7 ch – †86/135 € ††90/135 €, ⊇ 15 €

♦ Calme garanti dans les spacieuses chambres rustiques et épurées (dont une décorée à la japonaise), aménagées dans une ferme (18e s.) et les étables attenantes. Service soigné.

OSTHOUSE

XX A l'Aigle d'Or P VISA MC AE
– ℰ 03 88 98 06 82 – www.hotelalaferme.com – hotelalaferme@wanadoo.fr
– Fax 03 88 98 81 75 – Fermé 3 sem. en août, vacances de Noël, vacances de fév.,
lundi et mardi
Rest – Menu 33 € (sem.)/68 € – Carte 50/80 €
Rest *Winstub* – Carte 25/35 €
♦ Cette maison de village abrite le restaurant de l'hôtel À la Ferme, tout proche. Cadre bourgeois et chaleureux (boiseries, beau plafond à caissons peints) ; table classique. Ambiance détendue et décor assez cossu à la Winstub où l'on propose des plats alsaciens.

OSTWALD – 67 Bas-Rhin – 315 K5 – rattaché à Strasbourg

OTTROTT – 67 Bas-Rhin – 315 I6 – rattaché à Obernai

OUCHAMPS – 41 Loir-et-Cher – 318 E7 – 807 h. – alt. 92 m – ⌧ 41120   11 **A1**
■ Paris 199 – Blois 18 – Montrichard 19 – Romorantin-Lanthenay 40 – Tours 57
◉ Château de Fougères-sur-Bièvre ★ NO : 5 km, **Châteaux de la Loire**

Relais des Landes P VISA MC AE ①
1,5 km au Nord sur D 7 – ℰ 02 54 44 40 40 – www.relaisdeslandes.com – info@relaisdeslandes.com – Fax 02 54 44 03 89 – Ouvert 7 mars-30 nov.
28 ch – †103/124 € ††124/154 €, ⌂ 15 € – ½ P 113/139 €
Rest – *(dîner seult sauf week-ends et fériés)* Menu 40/47 € bc – Carte 44/56 €
♦ Belle gentilhommière du 17ᵉ s. et son vaste parc (plan d'eau). Chambres assez amples, de style rustico-bourgeois ; duplex avec terrasse privative. Salon-bar campagnard et cosy. Belle salle à manger agreste (cheminée, fresque) et véranda tournée sur le jardin.

OUCQUES – 41 Loir-et-Cher – 318 E5 – 1 420 h. – alt. 127 m – ⌧ 41290   11 **B2**
■ Paris 160 – Beaugency 30 – Blois 27 – Châteaudun 30 – Orléans 62 – Vendôme 21
🛈 Syndicat d'initiative, Mairie ℰ 02 54 23 11 00, Fax 02 54 23 11 04

XX **Du Commerce** avec ch AC rest, ⁽¹⁾ VISA MC AE
9 r. de Beaugency – ℰ 02 54 23 20 41 – www.hotel-commerce-oucques.com – hotelrestaurantcommerce@wanadoo.fr – Fax 02 54 23 02 88 – Fermé 20 déc.-5 janv., 2-10 mars, dim. soir et lundi sauf juil.-août et fériés
11 ch – †63 € ††69 €, ⌂ 10 € – ½ P 67 €
Rest – *(prévenir le week-end)* Menu 22/62 € – Carte 49/70 €
♦ Accueil attentionné dans cette salle à manger tendance seventies où l'on déguste une cuisine au goût du jour bien tournée. Chambres très colorées et bien tenues.

OUESSANT (ÎLE D') – 29 Finistère – 308 A4 – voir à Île d' Ouessant

---

OUHANS – 25 Doubs – 321 H5 – 376 h. – alt. 600 m – ⌧ 25520   17 **C2**
■ Paris 450 – Besançon 48 – Pontarlier 18 – Salins-les-Bains 40
◉ Source de la Loue ★★★ N : 2,5 km puis 30 mn - Belvédère du Moine de la Vallée ✳★★ NO : 5 km - Belvédère de Renédale ≤★ NO : 4 km puis 15 mn,
Jura.

Les Sources de la Loue VISA MC
9 grande Rue, (au village) – ℰ 03 81 69 90 06 – www.sources-de-la-loue.com
– hotel-des-sources-loue@wanadoo.fr – Fax 03 81 69 93 17 – Hôtel ouvert : Paques-11 nov. et fermé 20-30 sept.
14 ch ⌂ – †54/64 € ††54/64 € – ½ P 60/64 €
Rest – *(fermé 20-30 sept.,20 déc.-1ᵉʳ fév., sam. midi et dim. soir)* Menu 14 € (déj. en sem.), 26/33 €
♦ Dans le centre du village, grande bâtisse carrée abritant des chambres plutôt grandes, meublées simplement, bien tenues et bénéficiant d'un double vitrage. Au restaurant, décor campagnard, terrasse d'été et cuisine franc-comtoise.

OUILLY-DU-HOULEY – 14 Calvados – **303** N4 – rattaché à Lisieux

OUISTREHAM – 14 Calvados – **303** K4 – 9 209 h. – Casino : Riva Bella   32 **B2**
– ✉ 14150 ▍Normandie Cotentin

▶ Paris 234 – Arromanches-les-Bains 33 – Bayeux 44 – Cabourg 20 – Caen 16
🛈 Office de tourisme, esplanade Lofi ✆ 02 31 97 18 63, Fax 02 31 96 87 33
◉ Église St-Samson★.

Du Phare
10 pl. Gén.-de-Gaulle – ✆ *02 31 97 13 13 – www.hotelduphare.fr
– hotelduphare@wanadoo.fr – Fax 02 31 97 14 57 – Fermé 23 déc.-1er janv.*
19 ch – ♦53/62 € ♦♦53/62 €, ⊇ 6 €
Rest – *(fermé le soir d'oct. à mai et le merc. de mi sept. à mai)* Menu (11 €), 21 €
– Carte 11/36 €

◆ Tenu par la même famille depuis six générations, cet hôtel jouit d'un emplacement stratégique, face au terminal du ferry et près des écluses. Chambres simples et bien tenues. Carte de brasserie servie dans une salle à manger réaménagée (véranda) et modernisée.

Le Normandie
71 av. M. Cabieu, au port d'Ouistreham – ✆ *02 31 97 19 57
– www.lenormandie.com – hotel@lenormandie.com – Fax 02 31 97 20 07 – Fermé
1er janv.-4 fév.*
22 ch – ♦68/75 € ♦♦68/75 €, ⊇ 10 € – ½ P 70 €
Rest – Menu (17 €), 22/34 € – Carte 23/43 €

◆ En léger retrait du terminal Ferry, maison aux chambres pratiques de taille plutôt modeste. Petit-déjeuner buffet servi dans un cadre classique. Repensé dans un esprit plus actuel, le restaurant propose des plats au goût du jour mettant à l'honneur les produits de la mer.

La Mare Ô Poissons
68 r. E.-Herbline – ✆ *02 31 37 53 05 – www.lamareopoissons.fr – info@
lamareopoissons.fr – Fax 02 31 37 49 61*
Rest – Menu (18 € bc), 29/47 € – Carte 34/53 €

◆ Une épicerie fine à l'entrée, puis le restaurant : salles contemporaines feutrées (tons taupe-chocolat, exposition de toiles et de sculptures). Recettes marines personnalisées.

La Table d'Hôtes
10 av. du Gén.-Leclerc – ✆ *02 31 97 18 44 – latabledhotes@orange.fr
– Fax 02 31 97 18 44 – Fermé 25 oct.-5 nov., 15-25 fév., mardi sauf le soir du 14 juil.
au 15 août et merc.*
Rest – Menu (19 €), 31 €

◆ Ce restaurant familial et chaleureux reçoit comme à la maison, dans un cadre simple. Le chef conçoit chaque jour un menu unique traditionnel, selon la criée et son inspiration.

à Riva-Bella – ✉ 14150 Ouistreham

Riva Bella
av. Cdt Kieffer – ✆ *02 31 96 40 40 – www.hotelrivabella.fr – ouistreham@
thalazur.fr – Fax 02 31 96 45 45 – Fermé 11-26 déc.*
89 ch – ♦115 € ♦♦150/160 €, ⊇ 13 €
Rest – Menu (17 € bc), 29 € – Carte 40/70 €

◆ Situé en bord de plage, à deux pas du casino, ce complexe hôtelier fait partie d'un grand centre de thalassothérapie. Chambres standardisées et sobres, certaines côté mer. Au restaurant, cuisine traditionnelle, menus diététiques, plateaux de fruits de mer.

Mercure
37 r. des Dunes – ✆ *02 31 96 20 20 – www.mercure.com – h1967@accor.com
– Fax 02 31 97 10 10*
49 ch – ♦75/80 € ♦♦85/90 €, ⊇ 10 €
Rest – Menu 16/22 € – Carte 24/49 €

◆ À quelques pas du port, un bâtiment moderne dédié à la mer. Du nom des couloirs menant aux chambres au décor "cabine de paquebot", sans oublier les tableaux, tout évoque le large. Le restaurant, relooké, arbore des tons vifs ; cuisine traditionnelle.

OUISTREHAM

De la Plage sans rest
39 av. Pasteur – ℰ 02 31 96 85 16 – www.hotel-ouistreham.com
– info-hoteldelaplage@wanadoo.fr – Fax 02 31 97 37 46
– *Fermé 8-26 fév.*
17 ch – †48/58 € ††64/77 €, ⊇ 9 €

♦ Accueillante villa anglo-normande (fin 19ᵉ s.) située dans une rue calme près de la plage. Chambres coquettes ; quelques-unes plus spacieuses et familiales. Agréable jardin.

St-Georges
51 av. Andry – ℰ 02 31 97 18 79 – www.hotel-le-saint-georges.com
– saint-georges.hotel@wanadoo.fr – Fax 02 31 96 08 94 – *Fermé 4-26 janv., dim. soir et lundi midi d'oct. à mars*
18 ch – †66/69 € ††69/75 €, ⊇ 9 € – ½ P 74 €
Rest – Menu (17 €), 24/40 € – Carte 35/50 €

♦ Bâtisse de 1894 dont les chambres, plutôt petites mais bien tenues, donnent soit sur le front de mer et le casino, soit sur le jardin. Petit-déjeuner buffet. Restaurant panoramique proposant une cuisine traditionnelle orientée sur les produits de l'océan.

LES OURSINIÈRES – 83 Var – 340 L7 – rattaché au Pradet

OUSSON-SUR-LOIRE – 45 Loiret – 318 N6 – 758 h. – alt. 158 m — 12 D2
– ✉ 45250

▶ Paris 165 – Orléans 96 – Gien 19 – Montargis 51 – Châlette-sur-Loing 52

Le Clos du Vigneron
18 rte Nationale 7 – ℰ 02 38 31 43 11 – www.hotel-clos-du-vigneron.com
– leclosduvigneron@orange.fr – Fax 02 38 31 14 84 – *Fermé 23 déc.-4 fév., dim. soir, mardi soir et merc.*
8 ch – †58 € ††58 €, ⊇ 8 €
Rest – Menu (18 €), 28/48 € – Carte 35/47 €

♦ Cette maison régionale, qui a subi une rénovation complète, propose des chambres au confort actuel. Celles de l'annexe sont toutes de plain-pied avec l'agréable jardin. Cuisine au goût du jour servie dans une salle à manger sobrement décorée.

OUZOUER-SUR-LOIRE – 45 Loiret – 318 L5 – 2 637 h. – alt. 140 m — 12 C2
– ✉ 45570

▶ Paris 151 – Gien 16 – Montargis 45 – Orléans 54 – Pithiviers 55
– Sully-sur-Loire 9

L'Abricotier
106 r. Gien – ℰ 02 38 35 07 11 – Fax 02 38 35 07 11 – *Fermé 26 juil.-12 août, dim. soir, merc. soir et lundi*
Rest – (nombre de couverts limité, prévenir) Menu (19 € bc), 24/39 € – Carte 45/55 €

♦ Accueil courtois, atmosphère provinciale feutrée et goûteuse cuisine traditionnelle inspirée par le marché sont les atouts de cette auberge située au centre du village.

OYONNAX – 01 Ain – 328 G3 – 23 200 h. – alt. 540 m – ✉ 01100 — 45 C1
Franche-Comté Jura

▶ Paris 484 – Bourg-en-Bresse 60 – Nantua 19
🛈 Syndicat d'initiative, 1, rue Bichat ℰ 04 74 77 94 46, Fax 04 74 77 68 27

La Toque Blanche
11 pl. Émile Zola – ℰ 04 74 73 42 63 – www.latoqueblanche-oyonnax.com
– la.toqueblanche@club-internet.fr – Fax 04 74 73 76 48 – *Fermé 22 juil.-20 août, 2-10 janv., sam. midi, dim. soir et lundi*
Rest – Menu 20/70 € – Carte 39/65 €

♦ Salle de restaurant au décor soigné, égayé de chaudes tonalités. Confluences géographiques obligent, la table marie la Bresse, le Jura et le Lyonnais.

OYONNAX

au Lac Genin Sud-Est : 10 km par D 13 – ✉ 01130 **Charix**
- 👁 Site★ du lac.

✗ **Auberge du Lac Genin** avec ch ⌂ ≤ 🍽 ✗ ch, 🅿 VISA ⓜ AE
- 📞 04 74 75 52 50 – www.lac-genin.fr – lacgenin@wanadoo.fr
- Fax 04 74 75 51 15 – Fermé 19 oct.-4 déc., dim. soir et lundi
3 ch – †48/58 € ††48/58 €, ⌧ 6 €
Rest – Menu 12 € (déj. en sem.), 16/20 € – Carte 19/35 €
♦ Auberge au grand calme, au bord d'un lac : salle à manger coquette avec cheminée et terrasse prisée. Chambres refaites dans un style actuel qui ne renie pas l'esprit montagnard.

OZENAY – 71 Saône-et-Loire – rattaché à Tournus

OZOIR-LA-FERRIÈRE – 77 Seine-et-Marne – **312** F3 – **106** 33 – **101** 30 – voir à **Paris, Environs**

> Comment choisir entre deux adresses équivalentes ?
> Dans chaque catégorie, les établissements sont classés
> par ordre de préférence : nos coups de cœur d'abord.

PACY-SUR-EURE – 27 Eure – **304** I7 – 4 826 h. – alt. 40 m – ✉ 27120   33 **D2**
🟢 Normandie Vallée de la Seine
▶ Paris 81 – Dreux 38 – Évreux 20 – Louviers 33 – Mantes-la-Jolie 28 – Rouen 62 – Vernon 14
🛈 Office de tourisme, place Dufay 📞 02 32 26 18 21, Fax 02 32 36 96 67

🏠 **Altina des Deux Fontaines** 🍽 ✗ 🛜 🛎 🅿 VISA ⓜ AE ①
rte de Paris – 📞 02 32 36 13 18 – www.hotelaltina.com – altinasa@aol.com
– Fax 02 32 26 05 11
29 ch – †55/63 € ††58/66 €, ⌧ 8 €
Rest – Menu 13 € (déj. en sem.), 21/39 € – Carte 26/45 €
♦ Construit dans une zone commerciale, cet établissement propose de grandes chambres sobrement actuelles. Le plus : musique jazz live au piano-bar le vendredi soir. Menus traditionnels à prix doux et accueil charmant vous attendent au restaurant.

🏠 **L'Etape de la Valllée** 🚗 🍽 ✗ 🛜 🅿 VISA ⓜ AE ①
1 r. Edouard Isambard – 📞 02 32 36 12 77 – www.etapedelavallee.com
– etapedelavallee@wanadoo.fr – Fax 02 32 36 22 74
15 ch – †56/82 € ††66/90 €, ⌧ 8,50 €
Rest – (fermé dim. soir et lundi) Menu (19 €), 29/49 € – Carte 37/66 €
♦ Grande villa bourgeoise à fière allure bâtie au bord de la rivière. Deux types de chambres : douillettes et personnalisées en façade ; fonctionnelles mais rénovées sur l'arrière. Restaurant traditionnel au cadre chaleureux ; vue sur l'Eure par les baies vitrées.

à Cocherel Nord-Ouest : 6,5 km par D 836 – ✉ 27120 **Houlbec-Cocherel**

✗✗✗ **La Ferme de Cocherel** avec ch ⌂ 🚗 ✗ 🅿 VISA ⓜ AE ①
8 r. Aristide Briand – 📞 02 32 36 68 27 – Fax 02 32 26 28 18 – Fermé
31 août-23 sept., 5-21 janv., mardi et merc. sauf fériés
3 ch – †120 € ††120/145 €, ⌧ 12 € – ½ P 112/125 €
Rest – (nombre de couverts limité, prévenir) Menu 40/58 € – Carte 84/121 €
♦ Profitez de l'intimité de l'âtre ou de la plaisante salle en rotonde de cette maison normande (18ᵉ s.) au jardin fleuri. Carte classique de saison, beau choix de fromages.

PADIRAC – 46 Lot – **337** G2 – 185 h. – alt. 360 m – ✉ 46500   29 **C1**
▶ Paris 531 – Brive-la-Gaillarde 50 – Cahors 68 – Figeac 41 – Gramat 10 – St-Céré 17
🛈 Syndicat d'initiative, village 📞 05 65 33 47 17, Fax 05 65 33 47 17
👁 Gouffre de Padirac★★ N : 2,5 km, 🟢 Périgord Quercy

PADIRAC

L'Auberge de Mathieu

rte du gouffre, à 2 km – ℰ 05 65 33 64 68
– http://perso.wanadoo.fr/auberge.mathieu – auberge.mathieu@gmail.com
– Fax 05 65 33 64 68 – Ouvert 1er avril-15 nov.
5 ch – †52 € ††52/64 €, ⊇ 7 € – ½ P 55/65 €
Rest – Menu (15 €), 18/34 € – Carte 24/48 €

♦ À quelques centaines de mètres de l'entrée du gouffre, une auberge familiale qui "ne se met pas Martel en tête" : service sans manières et chambres simples et fonctionnelles. Salle à manger couleur pastel et terrasse ombragée ; restauration rapide et repas régionaux.

PAILHEROLS – 15 Cantal – 330 E5 – 167 h. – alt. 1 000 m – ⊠ 15800 — 5 B3

▪ Paris 558 – Aurillac 32 – Entraygues-sur-Truyère 45 – Murat 39
 – Vic-sur-Cère 14

Auberge des Montagnes

– ℰ 04 71 47 57 01 *– www.auberge-des-montagnes.com*
– info@auberge-des-montagnes.com – Fax 04 71 49 63 83
– Fermé 11 nov.-20 déc.
23 ch – †50/70 € ††50/70 €, ⊇ 8 € – ½ P 47/60 €
Rest – *(fermé 7 oct.-20 déc. et mardi)* Menu 21 € (sem.), 26/36 €
– Carte 25/40 €

♦ De nombreux loisirs (hammam, mur d'escalade, etc.) ponctueront vos journées dans cette coquette ferme restaurée. Jolies chambres "tout bois", plus spacieuses à l'annexe. Chaleureuses salles à manger dont une en véranda ; cuisine du terroir copieuse et soignée.

PAIMPOL – 22 Côtes-d'Armor – 309 D2 – 7 756 h. – alt. 15 m — 10 C1
– ⊠ 22500 ▌Bretagne

▪ Paris 494 – Guingamp 29 – Lannion 33 – St-Brieuc 46
▪ Office de tourisme, 19, rue du Général Leclerc ℰ 02 96 20 83 16, Fax 02 96 55 11 12
▪ Abbaye de Beauport★ 2 km par D 786 - Tour de Kerroc'h ≤★ 3 km par D 789 puis 15 mn.
▪ Pointe de Minard★★ 11 km par D 786.

K'Loys

21 quai Morand – ℰ 02 96 20 40 01 *– www.k-loys.com – hotelkloys@orange.fr*
– Fax 02 96 20 72 68
17 ch – †85 € ††85/200 €, ⊇ 8 €
Rest – Menu 19/38 € – Carte 20/40 €

♦ Cette ancienne demeure d'armateur, face au port, est devenue un charmant hôtel de caractère : chambres dotées de mobilier ancien, salon bourgeois et petit-déjeuner en véranda. Bistrot marin servant galettes et fruits de mer, en terrasse sur les quais.

Goëlo sans rest

quai Duguay-Trouin – ℰ 02 96 20 82 74 *– www.legoelo.com – contact@legoelo.com – Fax 02 96 20 58 93 – Fermé 16-25 janv.*
32 ch – †45/51 € ††60/75 €, ⊇ 7 €

♦ Ce bâtiment récent, amarré sur le port de plaisance, offre une jolie vue sur les mâts. Chambres petites mais pratiques et bien tenues. Petit-déjeuner buffet. Bon accueil.

De la Marne avec ch

30 r. de la Marne – ℰ 02 96 20 82 16 *– www.hotelrestaurantdelamarne.com*
– hotel.marne22.restaurant@wanadoo.fr – Fax 02 96 20 92 07
– Fermé 4-20 oct., 15-24 fév., mardi d'oct. à mars, dim. soir et lundi
9 ch – †57 € ††57 €, ⊇ 9 € – ½ P 67 €
Rest – Menu 29/85 € bc

♦ Entre la gare et le centre-ville, découvrez l'atmosphère reposante de cette maison régionale et ses appétissants menus "terre et mer". Service attentif. Chambres fonctionnelles.

PAIMPOL

XX **La Vieille Tour** VISA MC AE
13 r. de l'Église – ℰ 02 96 20 83 18 – lavieilletour@orange.fr
– Fax 02 96 20 90 41 – Fermé 22 juin-3 juil., dim. soir et merc. soir sauf juil.-août et lundi
Rest – Menu (17 €), 30/51 € – Carte 53/78 €
◆ Charmante auberge du 16ᵉ s. au cœur du vieux Paimpol. Un bel escalier en bois mène à la salle principale, rustique et soignée. Cuisine traditionnelle, formule bistrot à midi.

X **La Cotriade** ← 🛖 VISA MC
16 quai Armand Dayot – ℰ 02 96 20 81 08 – www.la-cotriade.com
– contact@la-cotriade.com – Fax 0296551094
– Fermé 29 juin-3 juil., 22 nov.-7 déc., 7-22 fév., dim. hors saison, lundi sauf le soir en saison, merc. midi et sam. midi en saison
Rest – Menu (19 €), 25 € (déj. en sem.) – Carte 44/60 €
◆ Jetez l'ancre dans ce petit bistrot modernisé et zen, ou en terrasse sur le port. L'ardoise, plutôt courte, affiche des plats actuels, rythmés par les marées et les saisons.

à Ploubazlanec 3,5 km au Nord par D 789 – **309** D2 – 3 321 h. – alt. 60 m
– ✉ 22620

🏠 **Les Agapanthes** sans rest ♿ ⇔ ៓៍ VISA MC AE
1 r. Adrien Rebours – ℰ 02 96 55 89 06 – www.hotel-les-agapanthes.com
– contact@hotel-les-agapanthes.com – Fax 02 96 55 79 79
– Fermé 5 janv.-2 fév.
21 ch – †43/70 € ††43/70 €, ⊇ 8 €
◆ Une maison de 1768 complétée par un bâtiment neuf propose des chambres au décor marin, bien tenues, plus spacieuses dans la partie récente. Terrasse face à la baie.

PAIMPONT – 35 Ille-et-Vilaine – **309** I6 – 1 614 h. – alt. 159 m 10 **C2**
– ✉ 35380 ▌Bretagne
▶ Paris 393 – Bruz 37 – Cesson-Sévigné 54 – Rennes 42
🛈 Syndicat d'initiative, 5, esplanade de Brocéliande ℰ 02 99 07 84 23, Fax 02 99 07 84 24

⌂ **La Corne de Cerf** sans rest ⌘ 🚗 ⇔ ⌘ 🅿
Le Cannée, 2 km au Sud – ℰ 02 99 07 84 19 – http://corneducerf.beld.net
– Fermé janv.
3 ch ⊇ – †48 € ††56 €
◆ Longère décorée dans l'esprit maison d'artistes à deux pas de la forêt de Brocéliande. Chambres lumineuses et printanières. Pains, brioches et confitures maison, le tout bio…

PAIRIS – 68 Haut-Rhin – **315** G8 – rattaché à Orbey

LE PALAIS – 56 Morbihan – **308** M10 – **voir à Belle-Île-en-Mer**

PALAVAS-LES-FLOTS – 34 Hérault – **339** I7 – 6 048 h. – alt. 1 m 23 **C2**
– Casino – ✉ 34250 ▌Languedoc Roussillon
▶ Paris 763 – Aigues-Mortes 26 – Montpellier 17 – Nîmes 60 – Sète 33
🛈 Office de tourisme, Phare de la Méditerranée ℰ 04 67 07 73 34, Fax 04 67 07 73 58
◉ Ancienne cathédrale ★ de Maguelone SO : 4 km.

🏨 **Brasilia** sans rest ← AC ៓៍ VISA MC AE
9 bd Joffre – ℰ 04 67 68 00 68 – www.brasilia-palavas.com – hotel@brasilia-palavas.com – Fax 04 67 68 40 41 – Fermé 1ᵉʳ déc.-2 janv.
22 ch – †52/106 € ††53/107 €, ⊇ 8 €
◆ Ambiance contemporaine pour cet hôtel relooké, situé face au front de mer. Chambres fonctionnelles rénovées dans l'air du temps, toutes dotées d'un balcon ou d'une terrasse.

PALAVAS-LES-FLOTS

Amérique Hôtel sans rest
av. F. Fabrège – ℰ 04 67 68 04 39 – www.hotelamerique.com – hotel.amerique@wanadoo.fr – Fax 04 67 68 07 83
49 ch – †57/72 € ††57/72 €, ⊇ 8 €

♦ Hôtel composé de deux bâtiments séparés par une avenue conduisant tout droit à la mer. Chambres pratiques, peu à peu refaites dans un esprit moderne. Piscine et jacuzzi.

XXX L'Escale
5 bd Sarrail, (rive gauche) – ℰ 04 67 68 24 17 – www.restaurant-lescale.com – rizzotti@club-internet.fr – Fax 04 67 68 24 17 – Fermé merc. de sept. à juin sauf fériés, merc. midi et jeudi midi en juil.-août
Rest – Menu 22 € bc (déj. en sem.), 29/65 € – Carte 45/55 €

♦ L'élégante salle à manger et la véranda offrent une belle perspective sur la plage. Proximité de la mer oblige, la généreuse cuisine au goût du jour s'en inspire largement.

X Le Saint-Georges
4 bd Maréchal-Foch, (à côté du Casino) – ℰ 04 67 68 31 38 – le-st-georges.palavas@wanadoo.fr – Fermé 28 juin-6 juil., sam. midi, dim. soir et lundi
Rest – Menu (19 €), 24/34 € – Carte 46/60 €

♦ Accueil convivial, ambiance décontractée, cuisine traditionnelle "terre et mer" à base de produits frais : trois bonnes raisons de franchir la porte de ce petit bistrot !

PALEYRAC – 24 Dordogne – **329** G7 – rattaché au Buisson-de-Cadouin

---

LA PALMYRE – 17 Charente-Maritime – **324** C5 – ⊠ 17570   38 **A3**

▶ Paris 519 – La Rochelle 80 – Royan 16
🛈 Office de tourisme, 2, avenue de Royan ℰ 05 46 22 41 07, Fax 05 46 22 52 69

Palmyr'hotel
2 allée des Passereaux – ℰ 05 46 23 65 65 – www.monalisahotels.com – resa-palmyre@monalisahotels.com – Fax 05 46 22 44 13 – Ouvert 4 avril-3 nov.
46 ch – †95 € ††95 €, ⊇ 11 € – ½ P 74 €
Rest – Menu 19/37 € – Carte 25/36 €

♦ À proximité du zoo, de la forêt et des plages, ensemble hôtelier proposant des chambres fonctionnelles, presque toutes dotées d'un balcon. Quelques duplex. Décor sobre et actuel dans la salle à manger et terrasse prise d'assaut aux beaux jours.

LA PALUD-SUR-VERDON – 04 Alpes-de-Haute-Provence   41 **C2**
– **334** G10 – 314 h. – alt. 930 m – ⊠ 04120 ▌Alpes du Sud

▶ Paris 796 – Castellane 25 – Digne-les-Bains 65 – Draguignan 60 – Manosque 68
🛈 Syndicat d'initiative, le Château ℰ 04 92 77 32 02, Fax 04 92 77 32 02
◉ Belvédères : Trescaïre★★, 5 km, l'Escalès★★★, 7 km par D952 puis D 23 - Point Sublime★★★, ≤ sur le Grand Canyon du Verdon NE : 7,5 km puis 15 mn.

Des Gorges du Verdon
1 km par rte de la Maline Sud – ℰ 04 92 77 38 26 – www.hotel-des-gorges-du-verdon.fr – info@hotel-des-gorges-du-verdon.fr – Fax 04 92 77 35 00 – Ouvert 10 avril-18 oct.
27 ch ⊇ – †120/310 € ††135/370 € – 3 suites – ½ P 83/200 €
Rest – (dîner seult) Menu 34 €

♦ Hôtel perché sur une colline près d'un village prisé des randonneurs. Les chambres s'égayent de tissus colorés ; duplex familiaux et belles suites. Hamman, jacuzzi, piscine. Menu unique inspiré par la région et servi dans un cadre en harmonie avec la cuisine.

Passée en rouge, la mention « Rest » repère l'établissement auquel est attribué notre distinction, ✩ (étoile) ou ⊙ (Bib Gourmand).

PAMIERS – 09 Ariège – **343** H6 – 14 800 h. – alt. 280 m – ⊠ 09100 29 **C3**
Midi-Pyrénées

▶ Paris 745 – Auch 147 – Carcassonne 76 – Castres 106 – Foix 20 – Toulouse 70
🛈 Office de tourisme, boulevard Delcassé ℰ 05 61 67 52 52, Fax 05 34 01 00 39

De France
5 cours Joseph Rambaud – ℰ 05 61 60 20 88 – www.hotel-de-france-pamiers.com – contact@hotel-de-france-pamiers.com – Fax 05 61 67 29 48
31 ch – †50/60 € ††60/75 €, ⊇ 8 € – ½ P 50/63 €
Rest – (fermé lundi midi, sam. midi et dim.) Menu 18 € (sem.)/75 € – Carte 59/76 €
♦ Cure de jouvence bénéfique pour cet hôtel proche du centre-ville proposant des chambres relookées, dotées de meubles aux lignes contemporaines. Au restaurant, nouveau cadre épuré – tableaux et photos, mobilier tendance – et goûteuse cuisine personnalisée.

De la Paix
4 pl. A. Tournier – ℰ 05 61 67 12 71 – www.hoteldelapaix-pamiers.com – info@hoteldelapaix-pamiers.com – Fax 05 61 60 61 02 – Fermé 24 déc.-8 janv.
15 ch – †46/52 € ††52/57 €, ⊇ 8 € – ½ P 47/50 €
Rest – (fermé dim. soir d'oct. à mai) Menu (13 €), 16/35 € – Carte 35/60 €
♦ Cet ancien relais de poste dispose de chambres colorées, équipées de meubles rustiques ou fonctionnels. Chaleureuse atmosphère d'antan dans la salle à manger ornée de remarquables plafonds moulurés d'origine (1760).

> Ce symbole en rouge ?
> La tranquillité même, juste le chant des oiseaux au petit matin…

PANAZOL – 87 Haute-Vienne – **325** E5 – 10 076 h. – alt. 302 m 24 **B2**
– ⊠ 87350

▶ Paris 395 – Limoges 5 – Saint-Junien 39 – Isle 9 – Saint-Yrieix-la-Perche 43

Domaine du Forest sans rest
1 allée de Forest, 5 km au Nord-Est par N 141 et rte du Golf de la Porcelaine – ℰ 05 55 31 33 68 – www.domainedeforest.com – domainedeforest@wanadoo.fr – Fax 05 55 31 85 08
5 ch ⊇ – †95 € ††105 €
♦ Une belle allée chemine jusqu'à l'entrée de ce manoir du 18ᵉ s. très tranquille. Salon feutré et confortables chambres à la décoration soignée. Tennis, fitness, sauna, jacuzzi.

PANISSIÈRES – 42 Loire – **327** F5 – 2 850 h. – alt. 641 m – ⊠ 42360 44 **A1**

▶ Paris 448 – Lyon 62 – Saint-Étienne 65 – Villeurbanne 66
🛈 Office de tourisme, 1, rue de la République ℰ 04 77 28 67 70, Fax 04 77 28 82 18

La Ferme des Roses
Le Clair – ℰ 04 77 28 63 63 – http://lafermedesroses.free.fr – jednostka.arabians@free.fr
5 ch ⊇ – †44 € ††54/59 € **Table d'hôte** – Menu 17 € bc
♦ Cette ancienne ferme (1813) est connue pour sa grande convivialité et pour les deux passions du patron : les chevaux arabes qu'il entraîne pour la compétition et les roses. Chambres contemporaines très bien équipées. Cuisine du terroir arrosée de vins du Forez.

LE PARADOU – 13 Bouches-du-Rhône – **340** D3 – **rattaché à Maussane-les-Alpilles**

PARAMÉ – 35 Ille-et-Vilaine – **309** J3 – **voir à St-Malo**

PARAY-LE-MONIAL – 71 Saône-et-Loire – 320 E11 – 9 066 h.
– alt. 245 m – ✉ 71600 ▌Bourgogne

7 B3

- Paris 360 – Mâcon 67 – Montceau-les-Mines 37 – Moulins 67 – Roanne 55
- Office de tourisme, 25, avenue Jean-Paul II ℰ 03 85 81 10 92, Fax 03 85 81 36 61
- Basilique du Sacré-Cœur★★ - Hôtel de ville★ **H.**

PARAY-LE-MONIAL

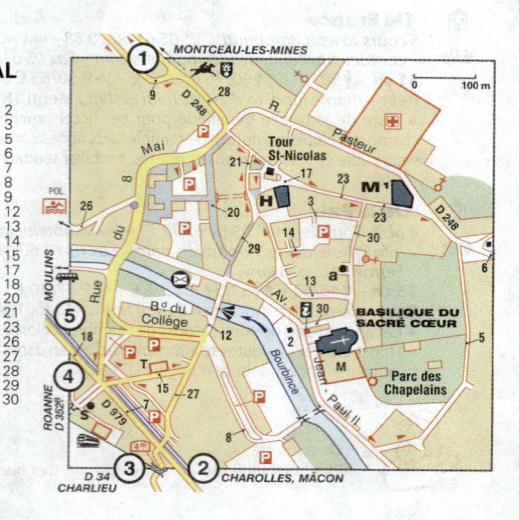

Alsace-Lorraine (Pl.)	2
Billet (R.)	3
Chapelains (Allée des)	5
Charolles (Av. de)	6
Commerce (Quai du)	7
Dauphin-Louis (Bd)	8
Desrichard (R. Louis)	9
Deux ponts (R.)	12
Dr-Griveaud (R.)	13
Four (R. du)	14
Gaulle (Av. Ch.-de)	15
Guignault (Pl.)	17
Industrie (Quai de l')	18
Jean-Jaurès (Cours)	20
Lamartine (R.)	21
Paix (R. de la)	23
Regnier (Bd H.-de)	26
République (R.)	27
St-Vincent (R.)	28
Victor-Hugo (R.)	29
Visitation (R.)	30

Le Parada sans rest
bd Champ Bossu, par ①, rte de Montceau – ℰ 03 85 81 91 71
– www.hotel-leparada.com – leparada@wanadoo.fr – Fax 03 85 81 91 70
30 ch – ✝46/55 € ✝✝55/70 €, ⊇ 8 €

♦ Aux portes de la ville, hôtel récent non-fumeurs aux chambres spacieuses. Petit-déjeuner sous une véranda. Le soir, mise en service d'une borne (paiement et délivrance des clés).

Terminus
27 av. de la Gare – ℰ 03 85 81 59 31 – www.terminus-paray.fr – hotel.terminus@club-internet.fr – Fax 03 85 81 38 31 – Fermé vacances de la Toussaint et dim.   **s**
16 ch – ✝46 € ✝✝62 €, ⊇ 8 € – ½ P 50 €
Rest – (dîner seult) Menu (14 €), 18 € – Carte 28/44 €

♦ Typique hôtel de gare 1900, bien rénové et facilement repérable à sa façade rose bonbon. Hall d'époque et confortables chambres avec belles salles de bains. Cuisine traditionnelle servie aux beaux jours en terrasse, à l'ombre des tilleuls.

Grand Hôtel de la Basilique
18 r. de la Visitation – ℰ 03 85 81 11 13 – www.hotelbasilique.com
– resa@hotelbasilique.com – Fax 03 85 88 83 70 – Ouvert 2 avril-27 oct.   **a**
54 ch – ✝35/50 € ✝✝42/57 €, ⊇ 7 € – ½ P 40/47 €
Rest – Menu (14 €), 15/40 € – Carte 19/44 €

♦ Depuis quatre générations, la même famille tient cet hôtel dont les chambres, refaites par étapes, sont tournées en partie vers la basilique. Repas servis dans une salle à manger lumineuse fleurant bon la campagne et la tradition.

à Sermaize-du-Bas 12,5 km par ③ par D 34 puis D 458 à Poisson dir. St-Julien-de-Civry – ✉ 71600 Poisson

M. Mathieu sans rest
– ℰ 03 85 81 06 10 – mp.mathieu@laposte.net – Ouvert 15 mars-11 nov.
5 ch – ✝45 € ✝✝50/60 €

♦ Cet ancien relais de chasse, en pierres dorées, dispose de chambres nettes, personnalisées avec des meubles de famille et desservies par une tour ronde. Accueil sympathique.

PARAY-LE-MONIAL

à Poisson 8 km par ③ sur D 34 – 575 h. – alt. 300 m – ✉ 71600

XX **La Poste et Hôtel La Reconce** avec ch
– ℰ 03 85 81 10 72 – la.reconce@wanadoo.fr
– Fax 03 85 81 64 34 – Fermé 28 sept.-15 oct., 1ᵉʳ fév.-6 mars, lundi et mardi sauf le soir en juil.-août
7 ch – †60 € ††68/112 €, ⊇ 11 €
Rest – Menu (17 €), 28/88 € bc – Carte 45/60 €
♦ Cette belle bâtisse charolaise propose une cuisine traditionnelle actualisée, valorisant le terroir. Terrasse sous les platanes. Chambres joliment aménagées, au calme.

par ⑤ 4 km sur N 79 – ✉ 71600 Paray-le-Monial

🏠 **Le Charollais**
– ℰ 03 85 81 03 35 – www.lecharollais.fr – candussol@aol.com
– Fax 03 85 81 50 31
20 ch – †53 € ††59 €, ⊇ 7 €   **Rest** – grill – Menu (16 €), 19 € – Carte 24/50 €
♦ Établissement de type motel doté de chambres fraîches bien tenues, diversenent aménagées et tournées vers un parc avec des jeux pour les enfants. Bœuf charolais et pizzas au feu de bois. Agréable véranda et terrasse.

PARC du FUTUROSCOPE – 86 Vienne – **322** I4 – rattaché à Poitiers

---

PARCEY – 39 Jura – **321** C4 – rattaché à Dole

La place de la Concorde

PARIS et ENVIRONS

Département : 75 Ville-de-Paris
Population : 2 166 000 h.
Pop. agglomération : 11 577 000 h.
Altitude : 30 m –
Code Postal : ⊠ 75000
Carte régionale 21 **D2**

RENSEIGNEMENTS PRATIQUES	p. 2
PRATICAL INFORMATION	p. 3
PLAN DU MÉTRO	p. 4 et 5
PLAN DU RER ET SNCF	p. 6 et 7
A VOIR	p. 8
HÔTELS ET RESTAURANTS	
LISTE ALPHABÉTIQUE	p. 9 à 20

Listes thématiques : Tables étoilées, Bibs Gourmands, Hôtels particulièrement agréables, Restaurants particulièrement agréables, Cuisine d'ici, Cuisines d'ailleurs, Bistrots, Brasseries, Tables en extérieur, Ouvert tard le soir, Restaurants ouverts samedi et dimanche, Restaurants avec salons particuliers, Restaurants proposant des menus à moins de 30 €, Hôtels proposant des chambres doubles à moins de 93 €   p. 21 à 41

PLAN DE RÉPARTITION DES QUARTIERS ET ARRONDISSEMENTS	p. 42 et 43
HÔTELS ET RESTAURANTS PAR ARRONDISSEMENTS	p. 44 à 137
LOCALITÉS DES ENVIRONS DE PARIS	p. 138 à 177

RENSEIGNEMENTS PRATIQUES

🛈 OFFICES DE TOURISME

25 rue des Pyramides (1er) ☏ 08 92 68 30 00 (0,34 €/mn) commun à tous les bureaux
20 bd Diderot Gare de Lyon (12e)
18 rue de Dunkerque Gare du Nord (10e)
place du Tertre Montmartre (18e)
Carroussel du Louvre (1er)
Anvers sur le terre-plein face au 72 bd de Rochechouard (18e)
Clemenceau angle av. des Champs-Elysées/av. de Marigny (8e)

BUREAUX DE CHANGE

Banques ouvertes (la plupart) de 9 h à 16 h 30 sauf sam., dim. et fêtes
à l'aéroport d'Orly-Sud : de 6 h 30 à 23 h
à l'aéroport Paris-Charles-de-Gaulle : de 6 h à 23 h 30

TRANSPORTS

Liaisons Paris Aéroports : Info cars Air France ☏ 0 892 350 820 (0,34 €/mn)(Roissy-C-d-G1 et C-d-G2/Orly) départ Terminal Étoile, Invalides et Montparnasse.
Info Bus R.A.T.P. ☏ 3246 (0,34 €/mn).
Roissy-Bus, départ Opéra 9e Orly-Bus, départ pl. Denfert-Rochereau 14e : par rail (RER) ☏ 3246 (0,34 €/mn).
Bus-Métro : se reporter au plan de Paris Michelin n°56. Le bus permet une bonne vision de la ville, surtout pour de courtes distances.
Taxi : faire signe aux véhicules libres (lumière jaune allumée)
- Aires de stationnement - de jour et de nuit : appels téléphonés
Auto-train : renseignements ☏ 3635 et tapez 42 (0,34 €/mn)

POSTES-TÉLÉPHONE

Chaque quartier a un bureau de Poste ouvert jusqu'à 19 h, le samedi de 8 h à 12 h - fermé le dimanche
Bureau ouvert 24h/24 : 52 r. du Louvre 1er ☏ 01 40 28 20 00

COMPAGNIE AÉRIENNE

Air France : 49 av. de l'Opéra 2e ☏ 3654 (0,34 €/mn)

DÉPANNAGE AUTOMOBILE

Il existe, à Paris et dans la Région Parisienne, des ateliers et des services permanents de dépannage
Les postes de Police vous indiqueront le dépanneur le plus proche de l'endroit où vous vous trouvez

MICHELIN à Paris

Services de Tourisme
46 av. de Breteuil - 75324 PARIS CEDEX 07 - ☏ 01 45 66 12 34, Fax 01 45 66 11 63.
Ouverts du lundi au vendredi de 8 h 45 à 16 h 30 (16 h le vendredi)
Boutique Michelin en ligne : www.michelin.fr onglet : voyage et déplacements, rubrique : Cartes et Guides et Espace Michelin au 1er étage du BHV Rivoli, r. de Rivoli 75004 PARIS (métro Hôtel de Ville)

PRACTICAL INFORMATION

🛈 TOURIST INFORMATION

Paris "Welcome" Office (Office de Tourisme de Paris) : ✆ 0 892 683 000 (0,34 €/mn)
Pyramides (Main Office) 25 r. des Pyramides 1st, Gare de Lyon 20 bd Diderot, Gare du Nord 18 r. de Dunkerque, Montmartre place du Tertre 18th, Carroussel du Louvre 1st, Anvers 72 bd de Rochechouard 18th, Clemenceau corner of av. des Champs-Elysées and av. Marigny 8th.

FOREIGN EXCHANGE OFFICES

Banks : close at 4.30 pm and at week-end
Orly Sud Airport : daily 6.30 am to 11 pm
Charles-de-Gaulle Airport : daily 6 am to 11.30 pm

TRANSPORT

✈ **Airports :** Roissy-Charles-de-Gaulle ✆ 3950 (0,34 €/mn) – Orly Aérogare ✆ 3950 (0,34 €/mn)
Bus-Underground : for full details see the Michelin Plan de Paris n°56. The Underground is quicker but the bus is better for sightseeing and more pratical for the short distances
Taxis : may be hailed in the street when showing the illuminated sign-available, day and night all taxi ranks or called by telephone

POSTAL SERVICE

Local post offices : open Mondays to Fridays 8 am to 7 pm ; Saturdays 8 am to noon
General Post Office, 52 r. du Louvre 1st : open 24 hours ✆ 01 40 28 20 00

AIRLINES

AMERICAN AIRLINES : Roissy-Charles-de-Gaulle airport T2a ✆ 01 55 17 43 41
DELTA AIRLINES : 2 r. Robert Esnault-Pelterie 7th ✆ 0 811 640 005
UNITED AIRLINES : Roissy-Charles- de-Gaulle airport, T1 gate 36 ✆ 0 810 72 72 72
BRITISH AIRWAYS : Roissy-Charles- de-Gaulle airport, T2b ✆ 0 825 825 400
AIR FRANCE : 49 av. de l'Opéra 2nd ✆ 36 54 (0,34 €/mn)

BREAKDOWN SERVICE

Some garages in central and outer Paris operate a 24-hour breakdown service. If you break down, the police are usually able to help by indicating the nearest one.

TIPPING

In France, in addition to the usual people who are tipped (the barber or ladies' hairdresser, hat-check girl, taxi-driver, doorman, porter, et al.), the ushers in Paris theaters ans cinemas, as well as the custodians of the "men's" and "ladies" in all kinds of establishments, expect a small gratuity
In restaurants, the tip ("service") is always included in the bill to the tune of 15%. However you may choose to leave in addition the small change in your plate, especially if it is a place you would like to come back to, but there is no obligation to do so

ARGENTEUIL
le Stade
Colombes
ASNIÈRES-GENNEVILLIERS-Les Courtilles
13
C1
C3
PONTOISE - VALMONDOIS
PERSAN-B. - LUZARCHES
D1
Gennevilliers
les Grésillons
SAINT-DENIS
T1
Mairie de St-Ouen
Les Agnettes
Gabriel-Péri
Bois-Colombes
BÉCON-LES-BRUYÈRES
la Garenne-Colombes
les Vallées
ASNIÈRES
Mairie de Clichy
Saint-Ouen
Garibaldi
Porte de St-Ouen
CERGY POISSY MANTES
3
PONT DE LEVALLOIS BÉCON
Clichy-Levallois
2
PORTE DE CLICHY
Guy Môquet
Brochant
NANTERRE UNIVERSITE
Courbevoie
A3
A5
Nanterre Préfecture
T 2
1
LA DÉFENSE Grande Arche
Anatole France
Louise Michel
PEREIRE - LEVALLOIS
LA FOURCHE
Pont-Cardinet
PLACE DE CLICHY
Blanche
Porte de Champerret
Wagram
Rome
Trinité d'Estienne d'Orves
A1
Esplanade de la Défense
PEREIRE
Malesherbes
VILLIERS
Liège
14
Pont de Neuilly
PORTE MAILLOT
Monceau
Europe
HAUSSMANN ST-LAZARE
ST-GERMAIN EN-LAYE
Puteaux
les Sablons
Courcelles
SAINT-LAZARE
E1
NEUILLY PORTE MAILLOT
Argentine
6
St-Augustin
HAVRE CAUMARTIN
Ternes
Suresnes Mont Valérien
Belvédère
CHARLES DE GAULLE ÉTOILE
MIROMESNIL
CHAUSSÉE D'ANTIN la Fayette
PORTE DAUPHINE
Victor Hugo
St-Philippe du Roule
AUBER
George V
MADELEINE
OPÉRA
Kléber
FRANKLIN D. ROOSEVELT
Suresnes Longchamp
Avenue Foch
2
Boissière
le Val d'Or
CONCORDE
Alma Marceau
CHAMPS-ÉLYSÉES Clemenceau
PYRAMIDES
Avenue Henri Martin
Iéna
Rue de la Pompe
Tuileries
TROCADÉRO
INVALIDES
PALAIS ROYAL Musée du Louvre
ST NOM-LA-BRETÈCHE VERSAILLES-R.D. LA VERRIERE
les Côteaux
LA MUETTE
Pont de l'Alma
Assemblée Nationale
BOULAINVILLIERS
la Tour Maubourg
Musée d'Orsay
Ranelagh
Passy
Solférino
Champ de Mars Tour Eiffel
Varenne
Kennedy Radio France
École Militaire
Rue du Bac
St-Germain des Prés
Jasmin
Bir-Hakeim
SÈVRES BABYLONE
les Milons
MICHEL ANGE AUTEUIL
Église d'Auteuil
LA MOTTE PICQUET GRENELLE
St-François Xavier
Dupleix
Javel
Vaneau
Mabillon
Porte d'Auteuil
Charles Michels
Avenue Émile Zola
Ségur
DUROC
Rennes
St-Sulpice
Mirabeau
Javel-André Citroën
Cambronne
MICHEL ANGE MOLITOR
Chardon Lagache
St-Placide
Notre-Dame des Champs
Boulogne Jean Jaurès
Commerce
Sèvres Lecourbe
Falguière
Parc de Saint-Cloud
Exelmans
Félix Faure
MONTPARNASSE BIENVENÜE
Bd Victor
PASTEUR
BOULOGNE PONT DE ST-CLOUD
Porte de St-Cloud
PONT DU GARIGLIANO
8
Boucicaut
Vavin
Port Royal
10
Lourmel
Volontaires
T 3
BALARD
Vaugirard
Gaîté
Edgar Quinet
RASPAIL
TRAMWAY
Porte de Versailles
Convention
Marcel Sembat
Desnouettes
Pernety
DENFERT ROCHEREAU
T 2
ISSY-VAL DE SEINE
Georges Brassens
Plaisance
Musée de Sèvres
9
Billancourt
Corentin Celton
Brancion
Porte de Vanves
PONT DE SÈVRES
12
MAIRIE D'ISSY
Didot
Jean Moulin
Alésia
Mouton Duvernet
TRAM VAL DE SEINE
Jacques-Henri Lartigue
Vanves-Malakoff
4
Malakoff-Plateau de Vanves
PORTE D'ORLÉANS
Montsouris
les Moulineaux
Issy
Malakoff-Rue Étienne Dolet
PLAISIR-GRIGNON RAMBOUILLET
Brimborion
Meudon-sur-Seine
Clamart
2
Gentilly
Laplace
Meudon-Val Fleury
CHÂTILLON-MONTROUGE
3
13
Arcueil-Cachan
C7
C5
Fontenay-aux-Roses
Bagneux
Métro
7
RER
A1
Tramway
T 2
SNCF
B2
ROBINSON
Sceaux
BOURG-LA REINE
Correspondance Coincidenza
Interchange station Correspondencia
Umsteigestation Overstapstation
乗り継ぎ
ST-REMY-LES-CHEVREUSE AEROPORT D'ORLY
B4

Théâtre Gérard Philipe
Marché de St Denis
13
ST-DENIS UNIVERSITÉ
Basilique de St-Denis
Cimetière de St Denis
la Courneuve - 6 Routes
Hôtel de Ville de la Courneuve
le Bourget
Drancy
B3
B5
AEROPORT CHARLES DE GAULLE
MITRY-CLAYE
Stade Géo André
LA COURNEUVE-8 MAI 1945
Basilique de St-Denis
TRAMWAY
Cosmonautes
la Courneuve-Aubervilliers
Danton
Maurice Lachâtre
Hôpital Avicenne
St-Denis Porte de Paris
Hôpital Delafontaine
7
Drancy - Avenir
Gaston Roulaud
Escadrille Normandie-Niemen
Carrefour Pleyel
Stade de France St-Denis
la Plaine Stade de France
Fort d'Aubervilliers
la Ferme
Libération
4
Aubervilliers - Pantin Quatre Chemins
Jean Rostand
12
Auguste Delaune
PORTE DE CLIGNANCOURT
PORTE DE LA CHAPELLE
Hôtel de Ville de Bobigny
5
BOBIGNY Pablo Picasso
Pont de Bondy
Simplon
Porte de la Villette
Pantin
T1
Lamarck Caulaincourt
Jules Joffrin
MARCADET POISSONNIERS
Corentin Cariou
Marx Dormoy
Bobigny - Pantin Raymond Queneau
Petit Bondy
Abbesses
Château Rouge
Crimée
NOISY-LE-SEC
BARBÈS ROCHECHOUART
Riquet
Porte de Pantin
Hoche
Église de Pantin
PIGALLE
LA CHAPELLE
STALINGRAD
Ourcq
E2
St Georges
Anvers
LOUIS BLANC
Laumière
BONDY-MEAUX, AULNAY-S/S-BOIS
CHELLES-GOURNAY, VILLIERS-S-MARNE
N.-D. de Lorette
GARE DU NORD
MAGENTA
7 bis
JAURÈS
2
E4
Poissonnière
Bolivar
Buttes Chaumont
Danube
PRÉ-ST-GERVAIS
7 bis
3 bis
MAIRIE DES LILAS
le Peletier
Cadet
Château Landon
Botzaris
11
GARE DE L'EST
Colonel Fabien
Jourdain
Télégraphe
PORTE DES LILAS
RICHELIEU DROUOT
Château d'Eau
Pyrénées
PLACE DES FÊTES
Grands Boulevards
Bonne Nouvelle
Jacques Bonsergent
BELLEVILLE
St-Fargeau
3
4 Septembre
STRASBOURG ST-DENIS
Goncourt
Pelleport
Bourse
RÉAUMUR SÉBASTOPOL
RÉPUBLIQUE
Couronnes
Sentier
Temple
Parmentier
3 bis
GAMBETTA
GALLIENI
1
Étienne Marcel
ARTS ET MÉTIERS
Ménilmontant
3
LES HALLES
Filles du Calvaire
OBERKAMPF
Rue St-Maur
PÈRE LACHAISE
Porte de Bagnolet
Louvre Rivoli
Rambuteau
9
CHÂTELET LES HALLES
Richard Lenoir
St-Ambroise
MAIRIE DE MONTREUIL
Pont Neuf
St-Sébastien Froissart
Philippe Auguste
(Parcs Disneyland)
CHÂTELET
HÔTEL DE VILLE
Voltaire
Alexandre Dumas
Chemin Vert
Bréguet Sabin
Robespierre
Croix de Chavaux
11
Cité
St-Paul
Charonne
Rue des Boulets
Avron
Porte de Montreuil
Pont Marie
BASTILLE
Ledru Rollin
2
Maraîchers
ODÉON
ST-MICHEL Notre-Dame
Buzenval
A4
Sully Morland
Faidherbe Chaligny
NATION
Porte de Vincennes
St-Mandé Tourelle
VINCENNES
CLUNY-LA SORBONNE
Maubert Mutualité
REUILLY DIDEROT
6
Fontenay-sous-Bois
Picpus
Bérault
A2
Cardinal Lemoine
JUSSIEU
Quai de la Rapée
1
CHÂTEAU DE VINCENNES
BOISSY-ST-LEGER
Luxembourg
Place Monge
GARE DE LYON
Montgallet
Bel Air
GARE D'AUSTERLITZ
10
DAUMESNIL
Censier Daubenton
BERCY
Michel Bizot
Campo-Formio
St-Marcel
Dugommier
les Gobelins
Quai de la Gare
Porte Dorée
St-Jacques
PLACE D'ITALIE
Chevaleret
METEOR
Cour St-Émilion
Porte de Charenton
Glacière
Nationale
14
5
Corvisart
BIBLIOTHÈQUE FRANÇOIS MITTERRAND
Liberté
Cité Universitaire
OLYMPIADES
Tolbiac
PORTE D'IVRY
T3
Charenton-Écoles
Stade Charléty
MAISON BLANCHE
Porte de Choisy
Ivry-s-Seine
École Vétérinaire de Maisons-Alfort
Poterne des Peupliers
TRAMWAY
MAIRIE D'IVRY
Pierre et Marie Curie
Maisons-Alfort Stade
Porte d'Italie
7
le Kremlin-Bicêtre
Vitry-s-Seine
Maisons-Alfort Alfortville
Maisons-Alfort les Juilliottes
Villejuif-Léo Lagrange
Créteil-l'Echat
Villejuif-Paul Vaillant-Couturier
les Ardoines
le Vert-de-Maisons
Créteil-Université
VILLEJUIF Louis Aragon
8
CRÉTEIL PRÉFECTURE
7
C2
C4
C6
D2
D4

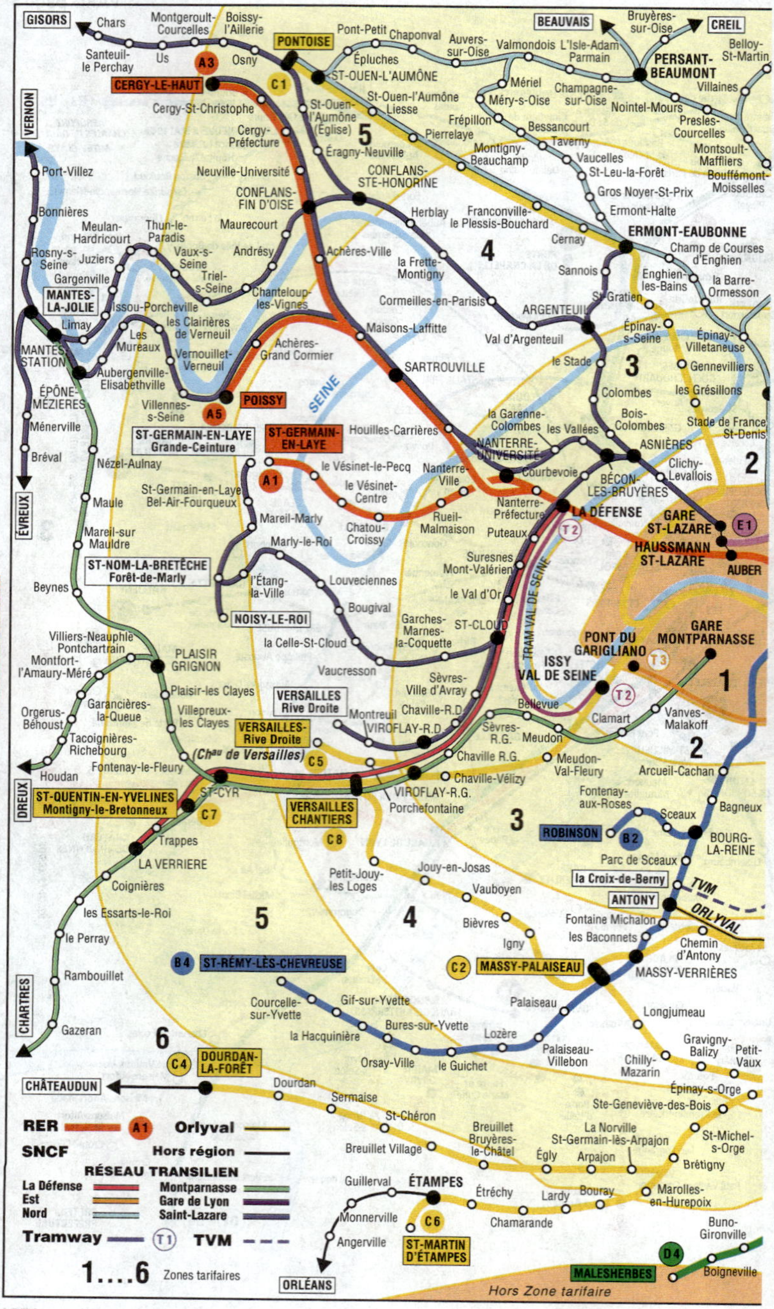
GISORS
Chars
Montgeroult-Courcelles
Boissy-l'Aillerie
PONTOISE
Pont-Petit
Chaponval
Auvers-sur-Oise
Valmondois
L'Isle-Adam Parmain
BEAUVAIS
Bruyères-sur-Oise
CREIL
Belloy-St-Martin
PERSANT-BEAUMONT
Villaines
Santeuil-le Perchay
Us
Osny
A3
CERGY-LE-HAUT
C1
Épluches
ST-OUEN-L'AUMÔNE
Mériel
Méry-s-Oise
Champagne-sur-Oise
Nointel-Mours
Presles-Courcelles
Montsoult-Maffliers
Bouffémont-Moisselles
VERNON
Cergy-St-Christophe
Cergy-Préfecture
St-Ouen-l'Aumône (Église)
St-Ouen-l'Aumône-Liesse
Frépillon
Bessancourt
Taverny
Vaucelles
St-Leu-la-Forêt
Gros Noyer-St-Prix
Ermont-Halte
ERMONT-EAUBONNE
Champ de Courses d'Enghien
Enghien-les-Bains
la Barre-Ormesson
Pierrelaye
Montigny-Beauchamp
Éragny-Neuville
5
Neuville-Université
CONFLANS-STE-HONORINE
CONFLANS-FIN D'OISE
Port-Villez
Bonnières
Meulan-Hardricourt
Thun-le-Paradis
Maurecourt
Herblay
Franconville-le Plessis-Bouchard
Cernay
Sannois
4
Rosny-s-Seine
Juziers
Vaux-s-Seine
Andrésy
Achères-Ville
la Frette-Montigny
Gargenville
Triel-s-Seine
Chanteloup-les-Vignes
Cormeilles-en-Parisis
St-Gratien
Épinay-s-Seine
Épinay-Villetaneuse
MANTES-LA-JOLIE
Issou-Porcheville
Limay
Les Mureaux
les Clairières de Verneuil
Maisons-Laffitte
ARGENTEUIL
Val d'Argenteuil
Gennevilliers
MANTES STATION
Vernouillet-Verneuil
Achères-Grand Cormier
SARTROUVILLE
le Stade
3
les Grésillons
ÉPÔNE-MÉZIÈRES
Aubergenville-Elisabethville
SEINE
Colombes
Bois-Colombes
Stade de France St-Denis
Ménerville
Villennes-s-Seine
POISSY
A5
la Garenne-Colombes
les Vallées
ASNIÈRES
Bréval
ST-GERMAIN-EN-LAYE Grande-Ceinture
ST-GERMAIN-EN-LAYE
Houilles-Carrières
NANTERRE-UNIVERSITÉ
Clichy-Levallois
2
Nézel-Aulnay
A1
le Vésinet-le-Pecq
Nanterre-Ville
Courbevoie
BÉCON-LES-BRUYÈRES
ÉVREUX
Maule
St-Germain-en-Laye Bel-Air-Fourqueux
le Vésinet-Centre
Nanterre-Préfecture
LA DÉFENSE
GARE ST-LAZARE
E1
Mareil-Marly
Rueil-Malmaison
Chatou-Croissy
Puteaux
T2
HAUSSMANN ST-LAZARE
AUBER
Mareil-sur Mauldre
Marly-le-Roi
ST-NOM-LA-BRETÈCHE Forêt-de-Marly
Suresnes Mont-Valérien
l'Étang-la-Ville
Louveciennes
Beynes
le Val d'Or
TRAM VAL DE SEINE
Bougival
Garches-Marnes-la-Coquette
ST-CLOUD
NOISY-LE-ROI
Villiers-Neauphle Pontchartrain
PLAISIR GRIGNON
la Celle-St-Cloud
PONT DU GARIGLIANO
GARE MONTPARNASSE
Montfort-l'Amaury-Méré
ISSY VAL DE SEINE
T3
Vaucresson
1
Sèvres-Ville d'Avray
Plaisir-les Clayes
VERSAILLES Rive Droite
Orgerus-Béhoust
Garancières-la-Queue
Villepreux-les Clayes
Montreuil
Chaville-R.D.
Bellevue
T2
Clamart
Vanves-Malakoff
VERSAILLES-Rive Droite
VIROFLAY-R.D.
Sèvres-R.G.
Meudon
Tacoignières-Richebourg
(Chau de Versailles)
C5
Chaville R.G.
Meudon-Val-Fleury
2
Houdan
Fontenay-le-Fleury
Arcueil-Cachan
DREUX
ST-CYR
Chaville-Vélizy
ST-QUENTIN-EN-YVELINES Montigny-le-Bretonneux
VIROFLAY-R.G.
Fontenay-aux-Roses
C7
VERSAILLES CHANTIERS
Porchefontaine
Bagneux
3
Sceaux
Trappes
C8
ROBINSON
B2
BOURG-LA-REINE
LA VERRIERE
Parc de Sceaux
Petit-Jouy-les Loges
Jouy-en-Josas
la Croix-de-Berny
Coignières
Vauboyen
TVM
ANTONY
5
4
ORLYVAL
les Essarts-le-Roi
Bièvres
Fontaine Michalon
les Baconnets
Chemin d'Antony
le Perray
Igny
B4
ST-RÉMY-LÈS-CHEVREUSE
C2
MASSY-PALAISEAU
MASSY-VERRIÈRES
Rambouillet
CHARTRES
Courcelle-sur-Yvette
Gif-sur-Yvette
Palaiseau
Longjumeau
Bures-sur-Yvette
Gazeran
la Hacquinière
Lozère
6
Palaiseau-Villebon
Gravigny-Balizy
Petit-Vaux
C4
DOURDAN-LA-FORÊT
Orsay-Ville
le Guichet
Chilly-Mazarin
CHÂTEAUDUN
Dourdan
Épinay-s-Orge
Sermaise
Ste-Geneviève-des-Bois
St-Chéron
RER
A1
Orlyval
Breuillet Bruyères-le-Châtel
La Norville St-Germain-lès-Arpajon
St-Michel-s-Orge
SNCF
Hors région
Breuillet Village
Égly
Arpajon
Brétigny
RÉSEAU TRANSILIEN
La Défense
Montparnasse
Est
Gare de Lyon
Nord
Saint-Lazare
Guillerval
ÉTAMPES
Étréchy
Lardy
Bouray
Marolles-en-Hurepoix
Monnerville
C6
Chamarande
Tramway
T1
TVM
Angerville
ST-MARTIN D'ÉTAMPES
Buno-Gironville
D4
1....6
Zones tarifaires
ORLÉANS
MALESHERBES
Boigneville
Hors Zone tarifaire

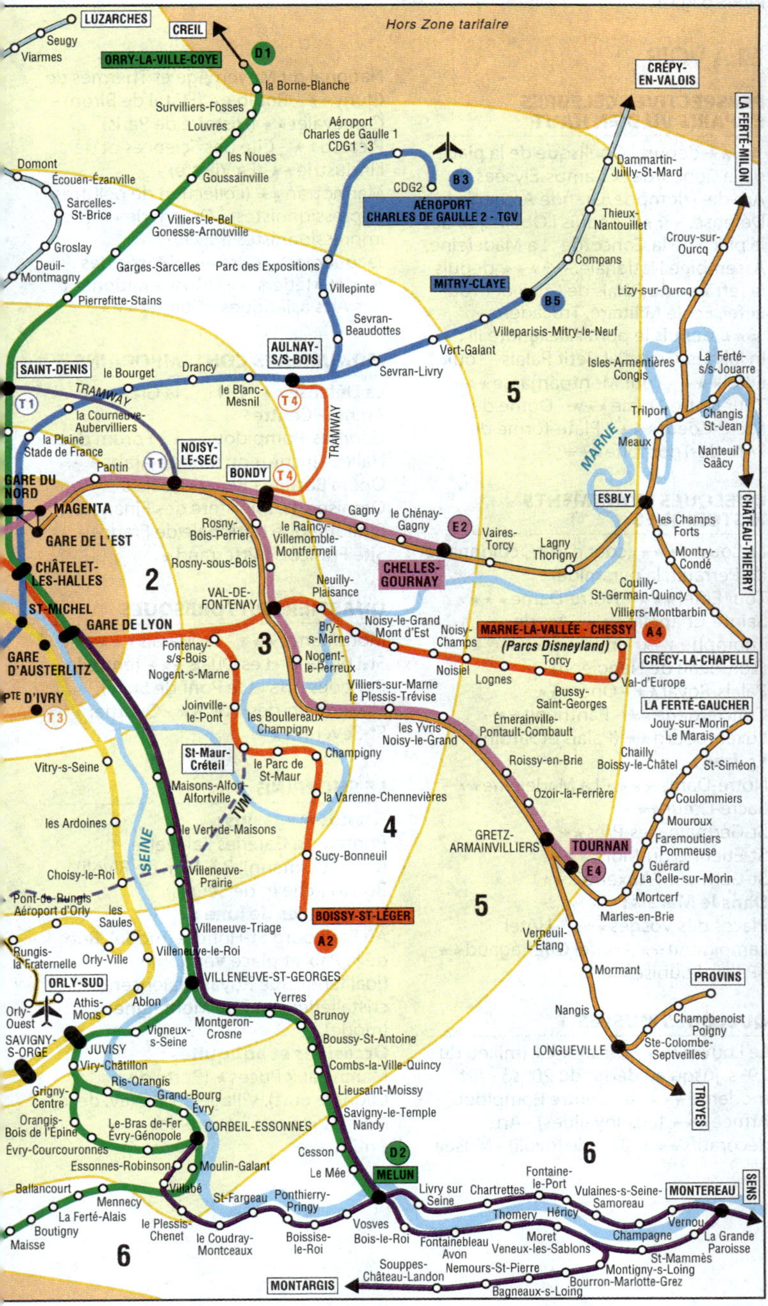

Hors Zone tarifaire
LUZARCHES
CREIL
Seugy
Viarmes
ORRY-LA-VILLE-COYE
D 1
la Borne-Blanche
Survilliers-Fosses
Louvres
les Noues
Goussainville
Villiers-le-Bel
Gonesse-Arnouville
Garges-Sarcelles
Pierrefitte-Stains
Domont
Écouen-Ézanville
Sarcelles-
St-Brice
Groslay
Deuil-
Montmagny
Aéroport
Charles de Gaulle 1
CDG1 - 3
CDG2
B 3
AÉROPORT
CHARLES DE GAULLE 2 - TGV
Parc des Expositions
Villepinte
Sevran-
Beaudottes
MITRY-CLAYE
B 5
Villeparisis-Mitry-le-Neuf
Vert-Galant
Sevran-Livry
CRÉPY-
EN-VALOIS
LA FERTÉ-MILON
Dammartin-
Juilly-St-Mard
Thieux-
Nantouillet
Compans
Crouy-sur-
Ourcq
Lizy-sur-Ourcq
La Ferté-
s/s-Jouarre
Isles-Armentières
Congis
Changis
St-Jean
Trilport
Meaux
Nanteuil
Saâcy
MARNE
CHÂTEAU-THIERRY
ESBLY
les Champs
Forts
Montry-
Condé
Couilly-
St-Germain-Quincy
Villiers-Montbarbin
CRÉCY-LA-CHAPELLE
5
SAINT-DENIS
le Bourget
Drancy
AULNAY-
S/S-BOIS
le Blanc-
Mesnil
T 4
TRAMWAY
TRAMWAY
T 1
la Courneuve-
Aubervilliers
la Plaine
Stade de France
NOISY-
LE-SEC
T 1
Pantin
BONDY
T 4
GARE DU
NORD
MAGENTA
GARE DE L'EST
Rosny-
Bois-Perrier
le Raincy-
Villemomble-
Montfermeil
Gagny
le Chénay-
Gagny
E 2
Vaires-
Torcy
Lagny
Thorigny
CHELLES-
GOURNAY
Rosny-sous-Bois
CHÂTELET-
LES-HALLES
2
VAL-DE-
FONTENAY
Neuilly-
Plaisance
ST-MICHEL
GARE DE LYON
Bry-
s-Marne
Noisy-le-Grand
Mont d'Est
Noisy-
Champs
MARNE-LA-VALLÉE - CHESSY
(Parcs Disneyland)
A 4
GARE
D'AUSTERLITZ
Fontenay-
s/s-Bois
3
Nogent-
le-Perreux
Noisiel
Torcy
Nogent-s-Marne
Lognes
Val-d'Europe
PTE D'IVRY
T 3
Joinville-
le-Pont
Villiers-sur-Marne
le Plessis-Trévise
Bussy-
Saint-Georges
LA FERTÉ-GAUCHER
les Boullereaux
Champigny
les Yvris
Noisy-le-Grand
Émerainville-
Pontault-Combault
Jouy-sur-Morin
Le Marais
Vitry-s-Seine
St-Maur-
Créteil
le Parc de
St-Maur
Champigny
Roissy-en-Brie
Chailly
Boissy-le-Châtel
St-Siméon
Maisons-Alfort-
Alfortville
TVM
la Varenne-Chennevières
Ozoir-la-Ferrière
Coulommiers
les Ardoines
le Vert-de-Maisons
4
GRETZ-
ARMAINVILLIERS
Mouroux
TOURNAN
Faremoutiers
Pommeuse
SEINE
Sucy-Bonneuil
Guérard
La Celle-sur-Morin
Choisy-le-Roi
Villeneuve-
Prairie
E 4
Mortcerf
Pont-de-Rungis
Aéroport d'Orly
les
Saules
BOISSY-ST-LÉGER
5
Marles-en-Brie
Villeneuve-Triage
A 2
Verneuil-
l'Etang
Rungis-
la Fraternelle
Orly-Ville
Villeneuve-le-Roi
Mormant
ORLY-SUD
VILLENEUVE-ST-GEORGES
PROVINS
Orly-
Ouest
Athis-
Mons
Ablon
Yerres
Nangis
SAVIGNY-
S-ORGE
Vigneux-
s-Seine
Montgeron-
Crosne
Brunoy
Champbenoist
Poigny
JUVISY
Boussy-St-Antoine
LONGUEVILLE
Ste-Colombe-
Septveilles
Viry-Châtillon
Combs-la-Ville-Quincy
Ris-Orangis
Lieusaint-Moissy
TROYES
Grigny-
Centre
Grand-Bourg
Évry
Savigny-le-Temple
Nandy
Orangis-
Bois de l'Épine
Le-Bras de-Fer
Évry-Génopole
CORBEIL-ESSONNES
6
Évry-Courcouronnes
Cesson
D 2
Essonnes-Robinson
Moulin-Galant
Le Mée
MELUN
Fontaine-
le-Port
SENS
Ballancourt
Villabé
St-Fargeau
Ponthierry-
Pringy
Livry sur
Seine
Chartrettes
Vulaines-s-Seine-
Samoreau
MONTEREAU
Mennecy
Thomery
Héricy
La Ferté-Alais
Vernou
Boutigny
le Plessis-
Chenet
Vosves
Moret
Champagne
La Grande
Paroisse
Maisse
6
le Coudray-
Montceaux
Boissise-
le-Roi
Bois-le-Roi
Fontainebleau
Avon
Veneux-les-Sablons
St-Mammès
Souppes-
Château-Landon
Nemours-St-Pierre
Montigny-s-Loing
MONTARGIS
Bagneaux-s-Loing
Bourron-Marlotte-Grez

👁 A VOIR

PERSPECTIVES CÉLÈBRES ET PARIS VU D'EN HAUT

≤★★★ depuis l'Obélisque de la place de la Concorde : Champs-Élysées, Arc-de-Triomphe, Grande Arche de la Défense. - ≤★★ depuis l'Obélisque de la place de la Concorde : La Madeleine, Assemblée Nationale. - ≤★★★ depuis la terrasse du Palais de Chaillot : Tour Eiffel, École Militaire, Trocadéro. - ≤★★ depuis le pont Allexandre III : Invalides, Grand et Petit Palais - Tour Eiffel★★★ - Tour Montparnasse★★★ - Tour Notre-Dame★★★ - Dôme du Sacré-Coeur★★★ - Plate-forme de l'Arc-de-Triomphe★★★

QUELQUES MONUMENTS HISTORIQUES

Le Louvre★★★ (cour carrée, colonnade de Perrault, la pyramide) - Tour Eiffel★★★ - Notre-Dame★★★ - Sainte-Chapelle★★★ - Arc de Triomphe★★★ - Invalides★★★ (Tombeau de Napoléon) - Palais-Royal★★ - Opéra★★ - Conciergerie★★ - Panthéon★★ - Luxembourg★★ (Palais et Jardins)

Églises :
Notre-Dame★★★ - La Madeleine★★ - Sacré-Cœur★★ - St-Germain-des-Prés★★ - St-Étienne-du-Mont★★ - St-Germain-l'Auxerrois★★

Dans le Marais :
Places des Vosges★★★ - Hôtel Lamoignon★★ - Hôtel Guénégaud★★ - Palais Soubise★★

QUELQUES MUSÉES

Le Louvre★★★ - Orsay★★★ (milieu du 19e s. jusqu'au début du 20e s.) - Art moderne★★★ (au Centre Pompidou) - Armée★★★ (aux Invalides) - Arts décoratifs★★ (107 r. de Rivoli) - Musée National du Moyen Âge et Thermes de Cluny★★ - Rodin★★ (Hôtel de Biron) - Carnavalet★★ (Histoire de Paris) - Picasso★★ - Cité des Sciences et de l'Industrie★★ (La Vilette) - Marmottan★★ (collection de peintres impressionnistes) - Orangerie★★ (des impressionnistes à 1930) - Jacquemart-André★★ - Musée des Arts et Métiers ★★- Musée national des Arts asiatiques - Guimet★★★

MONUMENTS CONTEMPORAINS

La Défense★★ (C.N.I.T., la Grande Arche) - Centre Georges-Pompidou★★★ - Forum des Halles - Institut du Monde Arabe★ - Opéra Bastille - Bercy★ (palais Omnisports, Ministère des Finances) - Bibliothèque Nationale de France - Site François Mitterrand★

QUARTIERS PITTORESQUES

Montmartre★★★ - Le Marais★★★ - Île St-Louis★★ - Les Quais★★★ (entre le Pont des Arts et le Pont de Sully) - St-Germain-des-Prés★★ - Quartier St-Séverin★★

LE SHOPPING

Grands magasins :
Printemps, Galeries Lafayette (bd Haussmann), B.H.V. (r. de Rivoli), Bon Marché (r. de Sèvres).

Commerces de luxe :
Au Faubourg St-Honoré (mode), Rue de la Paix et place Vendôme (joaillerie), Rue Royale (faïencerie et cristallerie), Avenue Montaigne (mode).

Occasions et antiquités :
Marché aux Puces★ (Porte de Clignancourt), Village Suisse (av. de la Motte-Picquet), Louvre des Antiquaires.

LISTE ALPHABÉTIQUE DES HÔTELS

A

		Page
Le A - 8ᵉ		86
L'Abbaye - 6ᵉ		65
Abbaye des Vaux de Cernay - Cernay-la-Ville		145
Aberotel - 15ᵉ		115
Abricôtel - 19ᵉ		135
Acadia - 9ᵉ		98
Acanthe - Boulogne-Billancourt		141
Agora St-Germain - 5ᵉ		60
Aiglon - 14ᵉ		110
À la Grâce de Dieu - Brie-Comte-Robert		142
Alane - 10ᵉ		101
Albe - 5ᵉ		60
Albert 1er - 10ᵉ		101
Alexander - 16ᵉ		120
Alison - 8ᵉ		88
All Seasons - Evry		151
Amarante Arc de Triomphe - 17ᵉ		129
Ambassador - 9ᵉ		96
Ampère - 17ᵉ		128
Anjou Lafayette - 9ᵉ		97
Apollon Montparnasse - 14ᵉ		111
De l'Arcade - 8ᵉ		86
Arioso - 8ᵉ		87
Artus - 6ᵉ		67
Astoria Opéra - 8ᵉ		87
Astra Opéra - 9ᵉ		96
Atlantic - 8ᵉ		87
ATN - 9ᵉ		97
Auberge des Trois Marches - Le Vésinet		176
D'Aubusson - 6ᵉ		64
Au Manoir St-Germain-des-Prés - 6ᵉ		66
Au Palais de Chaillot - 16ᵉ		122
Austin's - 3ᵉ		54
Aux Ducs de Bourgogne - 1ᵉʳ		46

B

		Page
Balmoral - 17ᵉ		128
Balzac - 8ᵉ		82
Banville - 17ᵉ		128
Bassano - 16ᵉ		121
Beaubourg - 4ᵉ		56
Bedford - 8ᵉ		83
Bel Ami St-Germain des Prés - 6ᵉ		64
Le Bellechasse - 7ᵉ		73
Bergère Opéra - 9ᵉ		98
De Berny - Antony		138
Bersoly's - 7ᵉ		75
Boileau - 16ᵉ		122
Du Bois - 16ᵉ		122
Bourgogne et Montana - 7ᵉ		73
Bourg Tibourg - 4ᵉ		56
Bradford Élysées - 8ᵉ		84
Bréa - 6ᵉ		68
La Brèche du Bois - Clamart		146
Bretonnerie - 4ᵉ		56
Le Bristol - 8ᵉ		82
Britannique - 1ᵉʳ		46
Buci - 6ᵉ		65

C

		Page
Du Cadran - 7ᵉ		74
Cambon - 1ᵉʳ		45
Caron de Beaumarchais - 4ᵉ		56
Castex - 4ᵉ		56
Castille Paris - 1ᵉʳ		45
Caumartin Opéra - 9ᵉ		97
Cécil - 14ᵉ		111
Central - Courbevoie		148
Le 123 - 8ᵉ		86
Chambellan Morgane - 16ᵉ		121
Chambiges Élysées - 8ᵉ		86
Champ-de-Mars - 7ᵉ		75
Champerret Élysées - 17ᵉ		129
Champlain - 17ᵉ		129
Champs-Élysées Plaza - 8ᵉ		82
Chateaubriand - 8ᵉ		85
Châtillon - 14ᵉ		110
Cinépole - Joinville-le-Pont		153
Claret - 12ᵉ		105
Le Clément - 6ᵉ		68
Clos Médicis - 6ᵉ		67
Concorde La Fayette - 17ᵉ		128
Concorde Montparnasse - 14ᵉ		109
Cordélia - 8ᵉ		87

PARIS page 10

Name		Page
Costes - 1er	🏨🏨	44
Costes K. - 16e	🏨🏨	119
Courtyard by Marriott - Roissy-en-France	🏨🏨	163
Courtyard by Marriott - Neuilly-sur-Seine	🏨	159
Courtyard by Marriott - Colombes	🏨	147
Crillon - 8e	🏨🏨🏨	82
Crimée - 19e	🏠	135
Croix de Malte - 11e	🏠	103
Crowne Plaza Champs Elysées - 8e	🏨🏨	83

D

Name		Page
Dacia-Luxembourg - 5e	🏨	60
Damrémont - 18e	🏠	134
Daniel - 8e	🏨	84
Daumesnil Vincennes - Vincennes	🏨	176
Delambre - 14e	🏨	110
Demeure - 13e	🏨	108
Des Académies et des Arts - 6e	🏨	66
Des Archives - 3e	🏠	54
Des Grands Hommes - 5e	🏨	59
Deux Îles - 4e	🏨	56
Devillas - 5e	🏠	61
Donjon - Vincennes	🏠	175
Dream Castle hôtel - Marne-la-Vallée	🏨	155
Duc de St-Simon - 7e	🏨	72
Duo - 4e	🏨	56

E

Name		Page
Edouard VII - 2e	🏨	51
Eiffel Cambronne - 15e	🏨	115
Eiffel Park Hôtel - 7e	🏨	74
Élysées Céramic - 8e	🏨	87
Élysées Mermoz - 8e	🏨	86
Élysées Régencia - 16e	🏨	120
L'Élysée Val d'Europe - Marne-la-Vallée	🏨	157
Ermitage des Loges - Saint-Germain-en-Laye	🏨	163
Espace Champerret - Levallois-Perret	🏨	152
Espace Léonard de Vinci - Evry	🏨	151
Esprit Saint-Germain - 6e	🏨	65
Les Étangs de Corot - Ville-d'Avray	🏨	174
États-Unis Opéra - 2e	🏨	51
Étoile Résidence Impériale - 16e	🏨	121

Name		Page
Europe - Clichy	🏨	145
Eurostars Panorama - 10e	🏨	101
Evergreen Laurel - Levallois-Perret	🏨	152
Express by Holiday Inn - Le Kremlin-Bicêtre	🏨	151

F

Name		Page
Familia - 5e	🏠	61
Faubourg Sofitel Demeure Hôtels (Le) - 8e	🏨	84
Favart - 2e	🏠	51
La Ferme des Vallées - Cernay-la-Ville	🏨	143
De Fleurie - 6e	🏨	67
Floride Étoile - 16e	🏨	121
La Forestière - Saint-Germain-en-Laye	🏨	167
Fouquet's Barrière - 8e	🏨🏨	82
Four Seasons George V - 8e	🏨🏨🏨	81
France - 7e	🏨	75
François 1er - 8e	🏨	84
Franklin Roosevelt - 8e	🏨	85

G

Name		Page
Garden Élysée - 16e	🏨	120
Gavarni - 16e	🏠	122
Le Général - 11e	🏨	102
George Sand - Courbevoie	🏨	147
Grandes Écoles - 5e	🏨	60
Grand Hôtel Barrière - Enghien-les-Bains	🏨	150
Grand Hôtel Français - 11e	🏠	103
Grand Hôtel Haussmann - 9e	🏨	97
Grand Hôtel St-Michel - 5e	🏨	59

H

Name		Page
Le Hameau de Passy - 16e	🏠	122
Henri IV - 5e	🏨	60
Hilton - Roissy-en-France	🏨🏨	163
Hilton Arc de Triomphe - 8e	🏨🏨	82
Hilton La Défense - La Défense	🏨🏨	150
Hilton Orly - Orly	🏨🏨	161
Holiday Inn - Vélizy-Villacoublay	🏨	172
Holiday Inn - Rungis	🏨	164
Holiday Inn - Marne-la-Vallée	🏨	155
Holiday Inn - Clichy	🏨	147
Holiday Inn - Bougival	🏨	141
Holiday Inn - 19e	🏨	136
Holiday Inn Bibliothèque de France - 13e	🏨	107

H (cont.)

Hotel	Page
Holiday Inn Garden Court Montmartre - 18ᵉ	134
Holiday Inn Montparnasse - 15ᵉ	115
Holiday Inn Paris Opéra - 10ᵉ	101
L'Horset Opéra - 2ᵉ	51
Hostellerie du Prieuré - Saint-Prix	168
L'Hôtel - 6ᵉ	65
L'Hôtel Particulier - 18ᵉ	133
Hyatt Regency - Roissy-en-France	162
Hyatt Regency - 8ᵉ	83

I

Hotel	Page
Ibis - Versailles	175
Intercontinental Le Grand - 9ᵉ	95

J

Hotel	Page
Jardin de Cluny - 5ᵉ	59
Jardin de Neuilly - Neuilly-sur-Seine	159
Les Jardins du Marais - 11ᵉ	102
De la Jatte - Neuilly-sur-Seine	159
Jules - 9ᵉ	96

K

Hotel	Page
Keppler - 16ᵉ	119
K+K Hotel Cayré - 7ᵉ	73
Kléber - 16ᵉ	121
Kube - 18ᵉ	133
Kyriad Air Plus - Orly	160
Kyriad Prestige - Joinville-le-Pont	153

L

Hotel	Page
Du Lac - Enghien-les-Bains	151
Lancaster - 8ᵉ	82
Langlois - 9ᵉ	98
Laumière - 19ᵉ	135
Le Lavoisier - 8ᵉ	86
Left Bank St-Germain - 6ᵉ	65
Lenox Montparnasse - 14ᵉ	110
Lenox St-Germain - 7ᵉ	73
Du Levant - 5ᵉ	60
Little Palace - 3ᵉ	54
Littré - 6ᵉ	65
Londres Eiffel - 7ᵉ	74
Lorette Opéra - 9ᵉ	96
Louvre Ste-Anne - 1ᵉʳ	47
Lutèce - 4ᵉ	56
Lutetia - 6ᵉ	64

M

Hotel	Page
Madison - 6ᵉ	65
Magellan - 17ᵉ	129
Malte Opéra - 2ᵉ	51
Mama Shelter - 20ᵉ	137
Manhattan - Saint-Ouen	167
Le Manoir de Gressy - Gressy	152
Mansart - 1ᵉʳ	45
La Manufacture - 13ᵉ	108
Marais Bastille - 11ᵉ	103
Marceau Champs Élysées - 16ᵉ	122
Marignan - 8ᵉ	85
Marriott - 8ᵉ	84
Meliá Vendôme - 1ᵉʳ	45
Mercure - Versailles	175
Mercure - Saint-Quentin-en-Yvelines	169
Mercure - Roissy-en-France	163
Mercure - Orly	159
Mercure - Noisy-le-Grand	160
Mercure - Montrouge	158
Mercure - Massy	157
Mercure - Corbeil-Essonnes	148
Mercure - Cergy-Pontoise	143
Mercure Gare de Lyon - 12ᵉ	105
Mercure La Défense 5 - Courbevoie	148
Mercure La Défense Parc - Nanterre	158
Mercure Montmartre - 18ᵉ	134
Mercure Monty - 9ᵉ	98
Mercure Nogentel - Nogent-sur-Marne	160
Mercure Opéra Garnier - 8ᵉ	87
Mercure Paris Porte de Versailles Expo - Vanves	171
Mercure Paris XV - 15ᵉ	115
Mercure Place d'Italie - 13ᵉ	107
Mercure Porte de St-Cloud - Boulogne-Billancourt	141
Mercure Raspail Montparnasse - 14ᵉ	110
Mercure Stendhal - 2ᵉ	51
Mercure Suffren Tour Eiffel - 15ᵉ	114
Mercure Terminus Nord - 10ᵉ	101
Mercure Wagram Arc de Triomphe - 17ᵉ	129
Le Méridien Étoile - 17ᵉ	127
Méridien Montparnasse - 14ᵉ	109
Le Meurice - 1ᵉʳ	44
Midi - 14ᵉ	110
Millennium - Roissy-en-France	163
Millennium Opéra - 9ᵉ	95
Millésime - 6ᵉ	66
Minerve - 5ᵉ	60
Molière - 1ᵉʳ	46
Monceau Élysées - 17ᵉ	129
Monna Lisa - 8ᵉ	86

Hotel	Page
Montalembert - 7ᵉ	73
Monterosa - 9ᵉ	98
Montfleuri - 16ᵉ	121
Moulin d'Orgeval - Orgeval	161
Muguet - 7ᵉ	74
Murano - 3ᵉ	54

N

Hotel	Page
Napoléon - 8ᵉ	83
9HOTEL - 9ᵉ	97
Neuilly Park Hôtel - Neuilly-sur-Seine	159
Nicolo - 16ᵉ	122
Noailles - 2ᵉ	51
Du Nord - 10ᵉ	101
Nord et Est - 11ᵉ	103
Notre Dame - 5ᵉ	59
Nouvel Orléans - 14ᵉ	110
Novotel - Sénart	170
Novotel - Suresnes	170
Novotel - Saclay	165
Novotel - Rungis	164
Novotel - Rueil-Malmaison	164
Novotel - Noisy-le-Grand	160
Novotel - Marne-la-Vallée	155
Novotel - Le-Bourget	142
Novotel - Créteil	149
Novotel - Aulnay-sous-Bois	139
Novotel Atria - Charenton-le-Pont	146
Novotel Bercy - 12ᵉ	105
Novotel Château de Versailles - Versailles	175
Novotel Convention et Wellness - Roissy-en-France	163
Novotel Gare de Lyon - 12ᵉ	105
Novotel Gare Montparnasse - 15ᵉ	114
Novotel La Défense - La Défense	149
Novotel Paris Est - Bagnolet	139
Novotel Paris Les Halles - 1ᵉʳ	46
Novotel Porte d'Asnières - 17ᵉ	128
Novotel Porte d'Italie - Le Kremlin-Bicêtre	153
Novotel St-Quentin Golf National - Saint-Quentin-en-Yvelines	169
Novotel Tour Eiffel - 15ᵉ	114
Novotel Vaugirard - 15ᵉ	114

O

Hotel	Page
Océania - 15ᵉ	114
Odéon - 6ᵉ	67
Odéon St-Germain - 6ᵉ	67
Opéra d'Antin - 9ᵉ	97
Opéra Franklin - 9ᵉ	97
Opéra Richepanse - 1ᵉʳ	46
D'Orsay - 7ᵉ	74

P

Hotel	Page
De la Paix - 14ᵉ	110
Palma - 20ᵉ	137
Panthéon - 5ᵉ	59
Renaissance Parc-Trocadéro - 16ᵉ	119
Paris - Boulogne-Billancourt	141
Paris Bastille - 12ᵉ	105
Paris Bercy Pullman - 12ᵉ	105
Paris-Est - 10ᵉ	101
Paris Neuilly - Neuilly-sur-Seine	159
Park Hyatt - 2ᵉ	50
Pas de Calais - 6ᵉ	65
Passy Eiffel - 16ᵉ	121
Le Patio St-Antoine - 11ᵉ	103
Pavillon Bercy Gare de Lyon - 12ᵉ	106
Pavillon de la Reine - 3ᵉ	54
Pavillon de Paris - 9ᵉ	96
Pavillon Henri IV - Saint-Germain-en-Laye	164
Pergolèse - 16ᵉ	120
Pershing Hall - 8ᵉ	86
Du Petit Moulin - 3ᵉ	54
Pierre Nicole - 5ᵉ	60
Place du Louvre - 1ᵉʳ	46
Plaza Athénée - 8ᵉ	81
Pont Royal - 7ᵉ	72
Port Royal - Saint-Quentin-en-Yvelines	169
Powers - 8ᵉ	85
Du Pré - 9ᵉ	98
Prince de Condé - 6ᵉ	67
Prince de Conti - 6ᵉ	67
Princesse Caroline - 17ᵉ	129
Pullman - Versailles	172
Pullman - Roissy-en-France	163
Pullman La Défense - La Défense	148
Pullman Rive Gauche - 15ᵉ	114

Q

Hotel	Page
Quality Hôtel Golf - Rosny-sous-Bois	164
Queen's - 16ᵉ	122
Quorum - Saint-Cloud	165

R		Page
Radisson - Marne-la-Vallée	🏠	155
Radisson SAS - Le Mesnil-Amelot	🏠	157
Radisson SAS - Boulogne-Billancourt	🏠	140
Radisson SAS Champs-Élysées - 8ᵉ	🏠	85
Raphael - 16ᵉ	🏠	119
Régent - 6ᵉ	🏠	67
Regent's Garden - 17ᵉ	🏠	128
Regina - 1ᵉʳ	🏠	45
Relais Bosquet - 7ᵉ	🏠	74
Relais Christine - 6ᵉ	🏠	64
Relais du Louvre - 1ᵉʳ	🏠	46
Relais du Parisis - Villeparisis	🏠	176
Relais Médicis - 6ᵉ	🏠	66
Relais Monceau - 8ᵉ	🏠	85
Relais Montmartre - 18ᵉ	🏠	133
Relais St-Germain - 6ᵉ	🏠	64
Relais St-Honoré - 1ᵉʳ	🏠	46
Relais St-Jacques - 5ᵉ	🏠	59
Relais St-Sulpice - 6ᵉ	🏠	67
Renaissance - La Défense	🏠	150
Renaissance Parc-Trocadéro - 16ᵉ	🏠	119
Renaissance Paris Vendôme - 1ᵉʳ	🏠	45
La Résidence du Berry - Versailles	🏠	172
Résidence Foch - 16ᵉ	🏠	121
Résidence Vert Galant - 13ᵉ	🏠	108
Richmond Opéra - 9ᵉ	🏠	97
Ritz - 1ᵉʳ	🏠	44
Les Rives de Notre-Dame - 5ᵉ	🏠	59
Roma Sacré Cœur - 18ᵉ	🏠	134
Royal - 8ᵉ	🏠	85
Royal St-Honoré - 1ᵉʳ	🏠	45
Royal St-Michel - 5ᵉ	🏠	59

S		Page
Saint Vincent - 7ᵉ	🏠	73
San Régis - 8ᵉ	🏠	83
Scribe - 9ᵉ	🏠	95
Select - 5ᵉ	🏠	59
Sélect Hôtel - Boulogne-Billancourt	🏠	141
Sénat - 6ᵉ	🏠	66
De Sers - 8ᵉ	🏠	84
De Sèvres - 6ᵉ	🏠	68
Sezz - 16ᵉ	🏠	120
Sheraton - Roissy-en-France	🏠	163
Le Six - 6ᵉ	🏠	64
Sofitel Baltimore - 16ᵉ	🏠	119

PARIS page 13

Sofitel Centre - La Défense	🏠	150
Sofitel Champs-Élysées - 8ᵉ	🏠	85
Splendid Étoile - 17ᵉ	🏠	128
Splendid Tour Eiffel - 7ᵉ	🏠	74
Square - 16ᵉ	🏠	120
Le Standard Design - 11ᵉ	🏠	103
De Suède Saint Germain - 7ᵉ	🏠	74
St-Augustin Elysées - 8ᵉ	🏠	87
St-Christophe - 5ᵉ	🏠	59
St-Germain - 7ᵉ	🏠	74
St-Grégoire - 6ᵉ	🏠	66
St-Jacques - 5ᵉ	🏠	61
St-James Paris - 16ᵉ	🏠	119
St-Louis - Vincennes	🏠	177
St-Pétersbourg - 9ᵉ	🏠	96
Ste-Beuve - 6ᵉ	🏠	66
Sully St-Germain - 5ᵉ	🏠	59

T		Page
Le Tartarin - Sucy-en-Brie	🏠	170
Terminus Lyon - 12ᵉ	🏠	106
Terrass'Hôtel - 18ᵉ	🏠	133
The Five - 5ᵉ	🏠	60
Thérèse - 1ᵉʳ	🏠	46
The Westin Paris - 1ᵉʳ	🏠	44
Tilsitt Étoile - 17ᵉ	🏠	129
Timhotel - 18ᵉ	🏠	134
Tour Notre-Dame - 5ᵉ	🏠	59
Le Tourville - 7ᵉ	🏠	73
La Trémoille - 8ᵉ	🏠	84
Trianon Palace - Versailles	🏠	172
Trocadero Dokhan's - 16ᵉ	🏠	120
Les Trois Poussins - 9ᵉ	🏠	97
Trosy - Clamart	🏠	146
Tulip Inn Marne la Vallée - Marne-la-Vallée	🏠	155

V		Page
De Varenne - 7ᵉ	🏠	75
La Vascornia - Bougival	🏠	140
De Vendôme - 1ᵉʳ	🏠	44
Vernet - 8ᵉ	🏠	83
Verneuil - 7ᵉ	🏠	73
Le Versailles - Versailles	🏠	172
Victoires Opéra - 2ᵉ	🏠	51
Victor Hugo - 16ᵉ	🏠	121
Victoria Palace - 6ᵉ	🏠	64
Le Vignon - 8ᵉ	🏠	87
De Vigny - 8ᵉ	🏠	83

1279

PARIS page 14

Villa Mazarin - 4e	🏨	56
La Villa - 6e	🏨	66
Villa Alessandra - 17e	🏨	129
La Villa d'Estrées et Résidence des Arts - 6e	🏨	65
Villa des Artistes - 6e	🏨	66
Villa des Impressionnistes - Bougival	🏨	140
La Villa Maillot - 16e	🏨	120
Villa Opéra Drouot - 9e	🏨	96
Villa Opéra Lamartine - 9e	🏨	98
Villa Panthéon - 5e	🏨	59
Villa Royale Montsouris - 14e	🏨	110
Villathéna - 9e	🏨	96
Le 20 Prieuré Hôtel - 11e	🏨	103
Vivaldi - Puteaux	🏨	161
Vivienne - 2e	🏨	51

W — Page

Waldorf Arc de Triomphe - 17e	🏨	128
Waldorf Trocadero - 16e	🏨	120
Le Walt - 7e	🏨	73
Washington Opéra - 1er	🏨	45
West-End - 8e	🏨	87
Westminster - 2e	🏨	50
Windsor Home - 16e	🏨	122

LISTE ALPHABÉTIQUE DES RESTAURANTS

A

Restaurant		Page
L' A.O.C. - 5ᵉ	X	62
L'Acajou - 16ᵉ	XX	126
A et M Restaurant - 16ᵉ	XX 🙂	126
Afaria - 15ᵉ	X 🙂	116
L'Affriolé - 7ᵉ	X 🙂	80
Agapé - 17ᵉ **N**	XX ✿	131
L'Agassin - 7ᵉ	X	79
Aida - 7ᵉ	X ✿	80
À La Bonne Table - 14ᵉ	X	112
À la Coupole - Neuilly-sur-Seine	X	160
À la Grâce de Dieu - Saint-Ouen	XX	168
Alain Ducasse au Plaza Athénée - 8ᵉ	XXXXX ✿✿✿	88
Al Ajami - 8ᵉ	XX	92
Alcazar - 6ᵉ	XX	69
Allard - 6ᵉ	X	70
Les Allobroges - 20ᵉ	XX	137
L'Altro - 6ᵉ	X	72
L'Amandier - Antony	XX	138
Ambassade d'Auvergne - 3ᵉ	XX 🙂	54
L'Ambassade de Pékin - Saint-Mandé	XX	166
Les Ambassadeurs - 8ᵉ	XXXXX ✿✿✿	88
L'Ambre d'Or - Saint-Mandé	XX	167
L'Ambroisie - 4ᵉ	XXXX ✿✿✿	56
L'Amphitryon - Noisy-le-Grand	XX	160
L'Amuse Bouche - 14ᵉ	X	112
L'Angélique - Versailles **N**	XX ✿	175
L'Angle du Faubourg - 8ᵉ	XX ✿	91
Aoki Makoto - 8ᵉ	X	94
Apicius - 8ᵉ	XXXX ✿✿	88
L'Arôme - 8ᵉ **N**	X ✿	93
Arpège - 7ᵉ	XXX ✿✿✿	75
Les Arts - 16ᵉ	XXX	124
L'Assiette - 14ᵉ	X	112
Astier - 11ᵉ	X	104
Astrance - 16ᵉ	XXX ✿✿✿	123
L'Atelier Berger - 1ᵉʳ	XX	49
L'Atelier d'Antan - 14ᵉ	X	113
L'Atelier de Joël Robuchon - 7ᵉ	X ✿✿	78
L'Atelier des Compères - 8ᵉ	X	94
Atelier Maître Albert - 5ᵉ	XX	61
L'Auberge - Boulogne-Billancourt	XX	141
L'Auberge Aveyronnaise - 12ᵉ **N**	X 🙂	106
L'Auberge de l'Élan - Cernay-la-Ville	X	146
Auberge de la Poularde - Vaucresson	XXX	172
Auberge des Saints Pères - Aulnay-sous-Bois	XXX ✿	139
Auberge du Château "Table des Blot" - Dampierre-en-Yvelines	XXX ✿	149
Auberge du Cheval Blanc - Cergy-Pontoise	XX	145
L'Auberge du Pont de Bry - Bry-sur-Marne	XX	142
Auberge Pyrénées Cévennes - 11ᵉ	X 🙂	104
Auberge Ravoux - Auvers-sur-Oise	X	139
Auberge St-Pierre - Dampierre-en-Yvelines	XX	149
Au Bœuf Couronné - 19ᵉ	XX	136
Au Bon Accueil - 7ᵉ	X 🙂	78
Au Bord de l'Eau - Conflans-Sainte-Honorine	X	147
Au Bourguignon du Marais - 4ᵉ	X	57
Au Clair de la Lune - 18ᵉ	XX	134
Au Cœur de la Forêt - Montmorency	XX	158
Au Comte de Gascogne - Boulogne-Billancourt	XXX ✿	141
Au Gourmand - 1ᵉʳ **N**	XX 🙂	48
Auguste - 7ᵉ	XX ✿	77
Au Moulin à Vent - 5ᵉ	X	62
Au Petit Riche - 9ᵉ	XX	99
Au Pied de Cochon - 1ᵉʳ	XX	48
Au Pouilly Reuilly - Le Pré-Saint-Gervais	X	162
Au Relais des Buttes-Chaumont - 19ᵉ	XX	136
Les Autodidactes - Levallois-Perret	X	154
Au Trou Gascon - 12ᵉ	XX ✿	106
Au Vieux Chêne - 11ᵉ	X	104
Aux Charpentiers - 6ᵉ	X	71
Aux Lyonnais - 2ᵉ	X 🙂	53
Aux Saveurs d'Alice - Enghien-les-Bains	X	151
Aux Saveurs du Marché - Neuilly-sur-Seine	X	160
L'Avant Goût - 13ᵉ	X	108
Azabu - 6ᵉ	X	71

1281

B

		Page
Baan Boran - 1er	X	50
Le Ballon des Ternes - 17e	XX	131
Le Bamboche - 7e	XX	77
Bambou - 13e		109
Banyan - 15e	X	118
Le Baratin - 20e N	X 🍷	137
La Barrière de Clichy - Clichy	XX	147
La Bastide - Villeparisis	XX	177
Bastide Odéon - 6e	XX	69
Bath's - 17e	X ✤	131
Beau Rivage - Villeneuve-le-Roi	XX	176
b4 - 4e	X	57
Le Bélisaire - 15e	X 🍷	117
La Belle Époque - Châteaufort	XXX ✤	146
Benkay - 15e	XXX	115
Benoit - 4e	XX ✤	56
Bernard du 15 - 15e	X	116
Beurre Noisette - 15e	X 🍷	117
Bibimbap - 5e	X	63
La Biche au Bois - 12e	X	107
Bigarrade - 17e N	X ✤	131
BIOart - 13e	X	108
Bistro de la Muette - 16e	XX	125
Bistro de l'Olivier - 8e	X	93
Bistro d'Hubert - 15e	XX	116
Le Bistrot d'à Côté la Boutarde - Neuilly-sur-Seine	X	160
Le Bistrot de L' Alycastre - 6e	X	71
Bistrot Niel - 17e	X	132
Le Bistrot de Marius - 8e	X	94
Bistrot de Paris - 7e	X	79
Le Bistrot des Soupirs "Chez les On" - 20e	X	137
La Boulangerie - 20e	X	137
Bistrot du Sommelier - 8e	XX	91
Bistrot Paul Bert - 11e N	X 🍷	104
Bistro Poulbot - 18e	XX	134
Bistrot St-Honoré - 1er	X	49
Bi Zan - 2e	X	53
Bofinger - 4e	XX	57
Le Bonheur de Chine - Rueil-Malmaison	XX	164
Bonne Franquette - Janvry	XX	153
Le Bouco - 8e	X	95
Les Bouquinistes - 6e	XX	69
Bourgogne - Maisons-Alfort	XX	154
La Braisière - 17e	XX ✤	130
La Bretèche - Saint-Maur-des-Fossés	XXX ✤	167
Le Bristol - 8e N	XXXXX ✤✤✤	88

C

		Page
Café Constant - 7e	X 🍷	81
Le Café d'Angel - 17e	X	132
Café de l'Esplanade - 7e	XX	78
Café de l'Alma - 7e	X	80
Café de la Paix - 9e	XXX	98
Café des Musées - 3e N	X 🍷	55
Café Lenôtre - Pavillon Elysée - 8e	X	94
Café Panique - 10e	X 🍷	102
Le Café qui Parle - 18e	X	135
La Cagouille - 14e	X	113
Les Cailloux - 13e N	X 🍷	108
Caïus - 17e	X	132
Le Camélia - Bougival	XXX ✤	140
Le Canal - Evry	XX	151
La Cantine du Troquet - 14e N	X 🍷	113
Caroubier - 15e	XX 🍷	115
Le Carré de Marguerite - 6e	X	72
Carré des Feuillants - 1er	XXXX ✤✤✤	47
Le Carré des Vosges - 3e	X	55
Carte Blanche - 9e	X	99
Casa Olympe - 9e	X	99
La Cave Gourmande - 19e	X	136
Caves Petrissans - 17e	X	133
Cazaudehore - Saint-Germain-en-Laye	XXX	167
Le Céladon - 2e	XXX ✤	52
Le Cénacle - Tremblay-en-France	XX	171
153 Grenelle - 7e	XX	77
La Cerisaie - 14e	X 🍷	112
Les Chanteraines - Villeneuve-la-Garenne	XX	176
Chardenoux - 11e	XX	104
Le Chateaubriand - 11e	X	104
Chaumette - 16e	X	126
Le Chefson - Bois-Colombes	X 🍷	140
Chéri bibi - 18e		134
Chez Casimir - 10e	X	102
Chez Catherine - 8e	XX	92
Chez Cécile la Ferme des Mathurins - 8e	X	94
D'Chez Eux - 7e	XX	77
Chez Georges - 2e	X	53
Chez Georges - 17e	XX	131
Chez Géraud - 16e	XX 🍷	125
Chez Jacky - 13e	XX	108
Chez l'Ami Jean - 7e	X 🍷	80
Chez La Vieille "Adrienne" - 1er	X	50
Chez Léon - 17e	X	131
Chez les Anges - 7e	XX 🍷	76
Chez Michel - 10e	X 🍷	102
Chez René - 5e	X	62
Le Chiberta - 8e	XXX ✤	90
Le Chiquito - Cergy-Pontoise	XXX	144
Christophe - 5e	X	63
Cigale Récamier - 7e	XX	76
Le "Cinq" - 8e	XXXXX ✤✤	88
Citrus Étoile - 8e	XX	91
Le Clarisse - 7e	X	77
Le Clos des Gourmets - 7e	X 🍷	79

PARIS page 17

		Page
Le Clos de Sucy - Sucy-en-Brie	XX	168
Le Clou - 17ᵉ	X	132
Coco de Mer - 5ᵉ	X	63
Les Cocottes - 7ᵉ N	X 🍃	81
Le Comptoir - 6ᵉ	X	70
Conti - 16ᵉ	XX	124
Le Coq de la Maison Blanche - Saint-Ouen	XX	168
Coquibus - Issy-les-Moulineaux	X	153
La Coupole - 14ᵉ	XX	111
Le Cristal de Sel - 15ᵉ	X	117
Cristal Room Baccarat - 16ᵉ	XX	124
La Cuisine - 7ᵉ	XX	77
L'Étoile Marocaine - 8ᵉ	XX	93
L'Évasion - 8ᵉ	X	94

D

		Page
Dalva - 2ᵉ	X	53
Dariole de Viry - Viry-Châtillon	XX	177
Daru - 8ᵉ	X	95
Les Délices d'Aphrodite - 5ᵉ	X	62
Delizie d'Uggiano - 1ᵉʳ	X	48
Dessirier - 17ᵉ	XX	130
Devez - 8ᵉ	X	94
Les Diables au Thym - 9ᵉ	X	100
La Dînée - 15ᵉ	XX	116
Le Dirigeable - 15ᵉ	X 🍃	117
Le Dôme - 14ᵉ	XXX	111
Le Dôme du Marais - 4ᵉ	XX	57
Dominique Bouchet - 8ᵉ	X ✿	93
Drouant - 2ᵉ	XXX	52
Le Duc - 14ᵉ	XXX	111
Ducôté Cuisine - Boulogne-Billancourt N	XX ✿	141

E

		Page
L'Ecaille de la Fontaine - 2ᵉ	X	53
L'Ecailler du Bistrot - 11ᵉ	X	104
Les Écuries du Château - Dampierre-en-Yvelines	XX	149
El Mansour - 8ᵉ	XXX	90
Les Embruns - 1ᵉʳ	X	49
L'Enoteca - 4ᵉ	X	58
L'Entêtée - 14ᵉ N	X 🍃	113
L'Entredgeu - 17ᵉ	X 🍃	133
Entre Terre et Mer - Saint-Maur-des-Fossés	X	167
L'Épi Dupin - 6ᵉ	X 🍃	70
L'Épigramme - 6ᵉ N	X 🍃	71
L'Épopée - 15ᵉ	XX	116
Erawan - 15ᵉ	XX	116
L'Escarbille - Meudon	XX ✿	157
L'Espadon - 1ᵉʳ N	XXXXX ✿✿	47
L'Espadon Bleu - 6ᵉ	X	70
Essaouira - 16ᵉ	X	126
etc... - 16ᵉ N	XX ✿	125

F

		Page
Les Fables de La Fontaine - 7ᵉ	X ✿	78
Faim et Soif - Saint-Maur-des-Fossés	X	168
La Ferme d'Argenteuil - Argenteuil	XXX	138
Fermette Marbeuf 1900 - 8ᵉ	XX	92
Fils de la Ferme - 14ᵉ	X	113
Le Fin Gourmet - 4ᵉ	X	57
Fish La Boissonnerie - 6ᵉ	X	71
Florimond - 7ᵉ	X	79
Foc Ly - Neuilly-sur-Seine	XX	159
Fogón - 6ᵉ N	XX ✿	69
Fontaine de Mars - 7ᵉ	X	79
La Fontaine Gaillon - 2ᵉ	XXX	52
Fontanarosa - 15ᵉ	XX	116
Food et Beverage - 3ᵉ	X	55
Fouquet's - 8ᵉ	XXX	90
Les Fous de l'Île - 4ᵉ	X	57

G

		Page
Le Gaigne - 4ᵉ	X	57
Gallopin - 2ᵉ	XX	52
Le Garde-Manger - Saint-Cloud	X	165
Le Gastroquet - 15ᵉ	X	118
La Gauloise - 15ᵉ	XX	115
Gaya Rive Gauche par Pierre Gagnaire - 7ᵉ	X ✿	78
La Gazzetta - 12ᵉ	X	106
Georgette - 9ᵉ	X	100
Gérard Besson - 1ᵉʳ	XXX ✿	48
Gibraltar - Draveil	XX	149
Giulio Rebellato - 16ᵉ	XX	125
Gordon Ramsay au Trianon - Versailles N	XXXX ✿✿	175
Gorille Blanc - 7ᵉ	X	80
Goumard - 1ᵉʳ	XX	47
Graindorge - 17ᵉ	XX 🍃	131
La Grande Cascade - 16ᵉ	XXXX ✿	127
Le Grand Pan - 15ᵉ	X 🍃	117
Le Grand Véfour - 1ᵉʳ	XXXX ✿✿	47
La Gueulardière - Ozoir-la-Ferrière	XXX	161
Guy Savoy - 17ᵉ	XXXX ✿✿✿	130
Gwon's Dining - 15ᵉ	X	118

H

		Page
Hanawa - 8ᵉ	XX	92
Hélène Darroze-La Salle à Manger - 6ᵉ	XXX ✿✿	68

1283

L'Hermès - 19ᵉ — 136
L'Heureux Père - Saint-Cloud — 164
Hiramatsu - 16ᵉ — 123
Hostellerie du Nord
- Auvers-sur-Oise — 139
Hotaru - 9ᵉ — 99
L'Huîtrier - 17ᵉ — 132

I

		Page
I Golosi - 9ᵉ		99
Île - Issy-les-Moulineaux		152
Il Vino d'Enrico Bernardo - 7ᵉ		76
Impérial Choisy - 13ᵉ **N**		109
Indra - 8ᵉ		91
Instinct - La Garenne-Colombes		151
Isami - 4ᵉ		58
Itinéraires - 5ᵉ		62

J

		Page
Jacques Cagna - 6ᵉ		68
Jadis - 15ᵉ **N**		118
Le Janissaire - 12ᵉ		106
Les Jardins de Camille - Suresnes		169
Jarrasse L'Ecailler de Paris - Neuilly-sur-Seine		159
Jean - 9ᵉ		98
Jean-Pierre Frelet - 12ᵉ		107
Le Jeu de Quilles - 14ᵉ		113
Jodhpur Palace - 12ᵉ		106
Joséphine "Chez Dumonet" - 6ᵉ		70
Le Jules Verne - 7ᵉ **N**		75

K

		Page
Kaï - 1ᵉʳ		49
Kaiseki - 15ᵉ		118
Karl et Erick - 17ᵉ		132
Kim Anh - 15ᵉ		117
Kinugawa - 1ᵉʳ		49
Koetsu - 2ᵉ		53

L

		Page
Lao Lane Xang 2 - 13ᵉ		109
Lasserre - 8ᵉ		89
Laurent - 8ᵉ		89
Le Divellec - 7ᵉ		75
Ledoyen - 8ᵉ		88
Léo Le Lion - 7ᵉ		81

Lescure - 1ᵉʳ — 50
Lhassa - 5ᵉ — 63
Liza - 2ᵉ — 52
Louis Vins - 5ᵉ — 62
La Luna - 8ᵉ — 92
Le Lys d'Or - 12ᵉ — 107

M

		Page
Macéo - 1ᵉʳ		48
Les Magnolias - Le Perreux-sur-Marne		162
Maison Blanche (La) - 8ᵉ		89
Maison Cagna - Cergy-Pontoise		142
La Maison de Charly - 17ᵉ		131
La Maison de L'Aubrac - 8ᵉ		94
La Maison du Jardin - 6ᵉ **N**		71
Mansouria - 11ᵉ		103
Manufacture - Issy-les-Moulineaux		152
La Marée Passy - 16ᵉ		126
Marcigny - Viry-Châtillon		177
Du Marché - 15ᵉ		118
La Mare au Diable - Sénart		169
La Marée Denfert - 14ᵉ		112
Marius - 16ᵉ		125
Marius et Janette - 8ᵉ		92
Market - 8ᵉ		91
La Marlotte - 6ᵉ		70
Marty - 5ᵉ		61
Chez Mathilde-Paris XVII - 17ᵉ		132
Mavrommatis - 5ᵉ		61
Maxan - 8ᵉ		92
Meating - 17ᵉ **N**		131
Méditerranée - 6ᵉ		69
Le Mesturet - 15ᵉ		53
le Meurice - 1ᵉʳ		47
Michel Rostang - 17ᵉ		130
1728 - 8ᵉ		91
Millésimes 62 - 14ᵉ		112
Miroir - 18ᵉ		135
Moissonnier - 5ᵉ		62
Momoka - 9ᵉ		100
Monsieur Lapin - 14ᵉ		111
Montefiori - 17ᵉ		132
Montparnasse'25 - 14ᵉ		111
Mon Vieil Ami - 4ᵉ		57
Le Moulin de la Galette - 18ᵉ		134
Moulin de la Renardière - Cergy-Pontoise		145
Le Mûrier - 15ᵉ		117

N

		Page
Nabuchodonosor - 7ᵉ		79
New Jawad - 7ᵉ		77

O

Name		Page
L'Office - 9e	X	100
Les Olivades - 7e	X	79
Les Ombres - 7e	XX	76
Ophélie la Cigale Gourmande - Thiais	X	171
L'Ordonnance - 14e	X	113
Ô Rebelle - 12e	X	107
L'Oriental - 9e	X	100
L'Os à Moelle - 15e N	X ☺	118
Oscar - 16e	X	127
L'Osteria - 4e	X	57
Les Oudayas - 5e	X	63
Oudino - 7e	X	80
L'Oulette - 12e	XXX	106
L'Ourcine - 13e N	X ☺	109
Ozu - 16e	XX	125

P

Name		Page
Palace Elysées - 8e	XX	93
Palais Royal - 1er	XX	48
Pamphlet - 3e	XX	55
Le Panoramic de Chine - Carrières-sur-Seine	X	141
Papilles - 5e	X ☺	63
Paris - 6e	XXX ✿	68
Pasco - 7e	X	79
Passiflore - 16e	XXX ✿	124
Pavillon de la Tourelle - Vanves	XXX	171
Pavillon Montsouris - 14e	XX	111
Pavillon Noura - 16e	XX	124
Le Pergolèse - 16e	XXX ✿	123
Le Perron - 7e	X	79
Le Pétel - 15e	X	118
Le Petit Bordelais - 7e	XX	78
La Petite Auberge - Asnières-sur-Seine	XX ☺	139
La Petite Sirène de Copenhague - 9e	X ☺	99
Petit Marguery - 13e	XX	108
Le Petit Pergolèse - 16e	X	126
Petit Pontoise - 5e	X	63
La Petite Marmite - Livry-Gargan	XX	154
Pétrossian - 7e	XXX	76
Pétrus - 17e	XXX	130
Pharamond - 1er	XX	49
Pierre au Palais Royal - 1er	XX	48
Pierre Gagnaire - 8e	XXXX ✿✿✿	89
Pierrot - 2e	X	53
Pinxo - 1er	XX	49
La Plancha - Maisons-Laffitte	X	155
Le Potager du Roy - Versailles	XX	175
Le Pouilly - Sénart	XXX ✿	169
Pramil - 3e N	X ☺	55
Le Pré Cadet - 9e	X ☺	99

Name		Page
Le Pré Catelan - 16e	XXXX ✿✿✿	127
Prunier - 16e	XXX	124
P'tit Troquet - 7e	X	80
Le Pur' Grill - 2e	XXX ✿	52

Q

Name		Page
Quincy - 12e	X	107
Le Quinzième Cuisine Attitude - 15e	XX	115

R

Name		Page
Radis Roses - 9e	X	100
Ratn - 8e	XX	93
Rech - 17e	XX	130
La Régalade - 14e	X ☺	112
Relais d'Auteuil - 16e	XXX ✿	123
Relais Louis XIII - 6e	XXX ✿✿	68
Le Relais Plaza - 8e	XX	92
La Renaissance - Saint-Maur-des-Fossés	XX	167
Le Restaurant - 6e	XX ✿	69
Ribouldingue - 5e	X ☺	63
La Rigadelle - Vincennes	X	177
River Café - Issy-les-Moulineaux	XX	152
Romain - 9e	XX	99
La Romantica - Clichy	XXX	147
Romantica Caffé - 7e	X	80
Rosimar - 16e	X	126
Rôtisserie d'en Face - 6e	X	71
La Rotonde - 6e	X	70

S

Name		Page
Sabayon - Morangis	XXX	152
Sa Mi In - 7e	X	81
Le Sarladais - 8e	XX	92
Saudade - 1er	XX	49
Les Saveurs de Flora - 8e	XX	90
Senderens - 8e	XXX ✿✿	90
Sensing - 6e	XX	69
Severo - 14e	X	113
Shin Jung - 8e	X	95
Silk et Spice - 2e	X	53
6 New-York - 16e	XX	125
Sizin - 9e	X	100
Le Soleil - Saint-Ouen	X	168
Sormani - 17e	XXX	130
Le Soufflé - 1er	XX	48
Spoon - 8e	XX	90
Spring - 9e	X ☺	100
Stella Maris - 8e	XXX ✿	90
Stéphane Martin - 15e	X ☺	116

PARIS page 20

St-Martin - Triel-sur-Seine	XX		171
St-Pierre - Longjumeau	XX		154
Le Stresa - 8ᵉ	X		93
Suan Thaï - 4ᵉ N	X	⊛	58
Sukhothaï - 13ᵉ	X		109
SYDR - 8ᵉ	X		94

T

			Page
La Table d'Alexandre - Puteaux	XX		162
La Table d'Antan - Sainte-Geneviève-des-Bois	XX		169
La Table de Babette - 16ᵉ	XX		124
La Table de Fabrice - 5ᵉ	X		62
La Table de Fès - 6ᵉ	X		71
La Table de Joël Robuchon - 16ᵉ	XXX	✿✿	123
La Table d'Erica - 6ᵉ	X		72
La Table des Montquartiers - Issy-les-Moulineaux	XX		152
Table des Oliviers - 17ᵉ	X		132
La Table d'Eugène - 18ᵉ N	X	⊛	135
La Table d'Hédiard - 8ᵉ	XX		91
La Table du Baltimore - 16ᵉ	XXX	✿	123
La Table du Lancaster - 8ᵉ	XXX	✿	89
La Table Lauriston - 16ᵉ	X		126
Taillevent - 8ᵉ	XXXXX	✿✿	89
Tampopo - 16ᵉ	X		127
Tang - 16ᵉ	XX		125
Tante Louise - 8ᵉ	XX		91
Tante Marguerite - 7ᵉ	XX		76
Tastevin - Maisons-Laffitte	XXX	✿	155
Le Temps au Temps - 11ᵉ	X		104
Terminus Nord - 10ᵉ	XX		102
Terrasse Fleurie - Sucy-en-Brie	XX		170
Les Terrines de Gérard Vié - 6ᵉ	X		71
Thierry Burlot "Le Quinze" - 15ᵉ	XX		115
Thiou - 7ᵉ	XX		77
Le Timbre - 6ᵉ N	X	⊛	72
Timgad - 17ᵉ	XX		130
Tokyo Eat - 16ᵉ	X		127
La Tour d'Argent - 5ᵉ	XXXXX	✿	61
La Tour de Marrakech - Antony	X		138
35 ° Ouest - 7ᵉ N	X	✿	80
Les Trois Marmites - Courbevoie	X		148
Le Troquet - 15ᵉ	X	⊛	117
La Truffe Noire - Neuilly-sur-Seine	XX	✿	159
La Truffière - 5ᵉ	XXX		61
Tsé Yang - 16ᵉ	XX		124
Tsukizi - 6ᵉ	X		72

U

			Page
Urbane - 10ᵉ	X	⊛	102

V

			Page
Le Valmont - Versailles	XX		175
Van Gogh - Asnières-sur-Seine	XXX		138
Vaudeville - 2ᵉ	XX		52
Les Vendanges - 14ᵉ	XX		112
Le Versance - 2ᵉ	XX		52
Les Vignes Rouges - Cergy-Pontoise	X		144
Le Vilgacy - Gagny	XX	⊛	151
Villa Corse - 15ᵉ	X		117
La Villa Corse - 16ᵉ	X		126
Le Village - Marly-le-Roi	XX		155
Village d'Ung et Li Lam - 8ᵉ	XX		93
Villaneuftrois - Montreuil	XX		158
Villaret - 11ᵉ	X		104
Villa Victoria - 9ᵉ	X		99
Le Vinci - 16ᵉ	XX		125
Vin et Marée - 11ᵉ	XX		103
Vin et Marée - 7ᵉ	XX		78
Vin et Marée - 14ᵉ	XX		111
Vin sur Vin - 7ᵉ	XX	✿	76
La Violette - 19ᵉ	X		136
Le Violon d'Ingres - 7ᵉ	XX	✿	76

Q

			Page
Willi's Wine Bar - 1ᵉʳ N	X	⊛	49

Y

			Page
Yanasé - 15ᵉ	X		116
Yen - 6ᵉ	X		70
Yugaraj - 6ᵉ	XX		69

Z

			Page
Ze Kitchen Galerie - 6ᵉ	X	✿	70
Zen - 1ᵉʳ N	X	⊛	50
Zin's à l'étape gourmande - Versailles	XX		175

LES TABLES ÉTOILÉES

✿✿✿ 2009

			Page
	Alain Ducasse au Plaza Athénée - 8ᵉ	XxXxX	88
	L'Ambroisie *(Bernard Pacaud)* - 4ᵉ	XxXx	56
	Arpège *(Alain Passard)* - 7ᵉ	XxX	75
	Astrance *(Pascal Barbot)* - 16ᵉ	XxX	123
N	Le Bristol - 8ᵉ	XxXxX	88
	Guy Savoy - 17ᵉ	XxXx	130
	Ledoyen - 8ᵉ	XxXxX	88
	le Meurice - 1ᵉʳ	XxXxX	47
	Pierre Gagnaire - 8ᵉ	XxXx	89
	Le Pré Catelan - 16ᵉ	XxXx	127

✿✿ 2009

			Page
	Les Ambassadeurs - 8ᵉ	XxXxX	88
	Apicius - 8ᵉ	XxXxX	88
	L'Atelier de Joël Robuchon - 7ᵉ	X	78
	Carré des Feuillants - 1ᵉʳ	XxXx	47
	Le "Cinq" - 8ᵉ	XxXxX	88
N	L'Espadon - 1ᵉʳ	XxXxX	47
N	Gordon Ramsay au Trianon - Versailles	XxXx	175
	Le Grand Véfour - 1ᵉʳ	XxXx	47
	Hélène Darroze-La Salle à Manger - 6ᵉ	XxX	68
	Lasserre - 8ᵉ	XxXxX	89
	Michel Rostang - 17ᵉ	XxXx	130
	Relais Louis XIII - 6ᵉ	XxX	68
	Senderens - 8ᵉ	XxX	90
	La Table de Joël Robuchon - 16ᵉ	XxX	123
	Taillevent - 8ᵉ	XxXxX	89

✥ 2009

N	Agapé - 17ᵉ	XX	131
	Aida - 7ᵉ	X	80
N	L'Angélique - Versailles	XX	175
	L'Angle du Faubourg - 8ᵉ	XX	91
N	L'Arôme - 8ᵉ	X	93
	Auberge des Saints Pères - Aulnay-sous-Bois	XXX	139
	Auberge du Château "Table des Blot" - Dampierre-en-Yvelines	XXX	149
	Auguste - 7ᵉ	XX	77
	Au Trou Gascon - 12ᵉ	XX	106
	Bath's - 17ᵉ	X	131
	La Belle Époque - Châteaufort	XXX	146
	Benoit - 4ᵉ	XX	56
N	Bigarrade - 17ᵉ	X	131
	La Braisière - 17ᵉ	XX	130
	La Bretèche - Saint-Maur-des-Fossés	XXX	167
	Le Camélia - Bougival	XXX	140
	Le Céladon - 2ᵉ	XXX	52
	Le Chiberta - 8ᵉ	XXX	90
	Au Comte de Gascogne - Boulogne-Billancourt	XXX	141
	Dominique Bouchet - 8ᵉ	X	93
N	Ducoté Cuisine - Boulogne-Billancourt	XX	141
	L'Escarbille - Meudon	XX	157
N	etc... - 16ᵉ	XX	125
	Les Fables de La Fontaine - 7ᵉ	X	78
N	Fogón - 6ᵉ	XX	69
	Gaya Rive Gauche par Pierre Gagnaire - 7ᵉ	X	78
	Gérard Besson - 1ᵉʳ	XXX	48
	La Grande Cascade - 16ᵉ	XXXX	127
	Hiramatsu - 16ᵉ	XXXX	123
	Il Vino d'Enrico Bernardo - 7ᵉ	XX	76
	Jacques Cagna - 6ᵉ	XXX	68
	Jean - 9ᵉ	XX	98
N	Le Jules Verne - 7ᵉ	XXX	75
	Laurent - 8ᵉ	XXXX	89
	Le Divellec - 7ᵉ	XXX	75
	Les Magnolias - Le Perreux-sur-Marne	XXX	162
	Montparnasse'25 - 14ᵉ	XXXX	111
	Paris - 6ᵉ	XXX	68
	Passiflore - 16ᵉ	XXX	124
	Le Pergolèse - 16ᵉ	XXX	123
	Le Pouilly - Sénart	XXX	169
	Le Pur' Grill - 2ᵉ	XXX	52
	Relais d'Auteuil - 16ᵉ	XXX	123
	Le Restaurant - 6ᵉ	XX	69
	Stella Maris - 8ᵉ	XXX	90
	La Table du Baltimore - 16ᵉ	XXX	123
	La Table du Lancaster - 8ᵉ	XXX	89
	Tastevin - Maisons-Laffitte	XXX	155
	La Tour d'Argent - 5ᵉ	XXXXX	61
N	35° Ouest - 7ᵉ	X	80
	La Truffe Noire - Neuilly-sur-Seine	XX	159
	Vin sur Vin - 7ᵉ	XX	76
	Le Violon d'Ingres - 7ᵉ	XX	76
	Ze Kitchen Galerie - 6ᵉ	X	70

Les espoirs

Pour ✥✥

La Grande Cascade - 16ᵉ	XXXX	127

BIB GOURMAND

		Page
A et M Restaurant - 16e	XX	126
Afaria - 15e	X	116
L'Affriolé - 7e	X	80
Ambassade d'Auvergne - 3e	XX	54
N L'Auberge Aveyronnaise - 12e	X	106
Auberge Pyrénées Cévennes - 11e	X	104
Au Bon Accueil - 7e	X	78
Au Gourmand - 1er	XX	48
Aux Lyonnais - 2e	X	53
N Le Baratin - 20e	X	137
Le Bélisaire - 15e	X	117
Beurre Noisette - 15e	X	117
N Bistrot Paul Bert - 11e	X	104
Café Constant - 7e	X	81
N Café des Musées - 3e	X	55
Café Panique - 10e	X	102
N Les Cailloux - 13e	X	108
N La Cantine du Troquet - 14e	X	113
Caroubier - 15e	XX	115
La Cerisaie - 14e	X	112
Chez Géraud - 16e	XX	125
Chez l'Ami Jean - 7e	X	80
Chez les Anges - 7e	XX	76
Chez Mathilde-Paris XVII - 17e	X	132
Chez Michel - 10e	X	102
Le Clos des Gourmets - 7e	X	79
N Les Cocottes - 7e	X	81
Le Dirigeable - 15e	X	117
N L'Entêtée - 14e	X	113
L'Entredgeu - 17e	X	133
L'Épi Dupin - 6e	X	70
N L'Épigramme - 6e	X	71
Graindorge - 17e	XX	131
Le Grand Pan - 15e	X	117
N Impérial Choisy - 13e	X	109
N Jadis - 15e	X	118
Jean-Pierre Frelet - 12e	X	107
N La Maison du Jardin - 6e	X	71
Mansouria - 11e	XX	103
N Meating - 17e	XX	131
N L'Os à Moelle - 15e	X	118
N L'Ourcine - 13e	X	109
Papilles - 5e	X	63
La Petite Sirène de Copenhague - 9e	X	99
N Pramil - 3e	X	55
Le Pré Cadet - 9e	X	99
La Régalade - 14e	X	112
Ribouldingue - 5e	X	63
Spring - 9e	X	100
Stéphane Martin - 15e	X	116
N Suan Thaï - 4e	X	58
N La Table d'Eugène - 18e	X	135
N Le Timbre - 6e	X	72
Le Troquet - 15e	X	117
Urbane - 10e	X	102
N Willi's Wine Bar - 1er	X	49
N Zen - 1er	X	50

Environs

Le Chefson - Bois-Colombes	X	140
La Petite Auberge - Asnières-sur-Seine	XX	139
Le Vilgacy - Gagny	XX	151

HOTELS PARTICULIÈREMENT AGRÉABLES

		Page
Le A - 8ᵉ		86
De l'Arcade - 8ᵉ		86
D'Aubusson - 6ᵉ		64
Banville - 17ᵉ		128
Bassano - 16ᵉ		121
Le Bellechasse - 7ᵉ		73
Bourg Tibourg - 4ᵉ		56
Le Bristol - 8ᵉ		82
Le 123 - 8ᵉ		86
Chambiges Élysées - 8ᵉ		86
Champs-Élysées Plaza - 8ᵉ		82
Costes - 1ᵉʳ		44
Crillon - 8ᵉ		82
Daniel - 8ᵉ		84
Des Académies et des Arts - 6ᵉ		66
Duc de St-Simon - 7ᵉ		72
Du Petit Moulin - 3ᵉ		54
Esprit Saint-Germain - 6ᵉ		65
Four Seasons George V - 8ᵉ		81
François 1ᵉʳ - 8ᵉ		84
L'Hôtel - 6ᵉ		65
L'Hôtel Particulier - 18ᵉ		133
Intercontinental Le Grand - 9ᵉ		95
Les Jardins du Marais - 11ᵉ		102
Keppler - 16ᵉ		119
Kléber - 16ᵉ		121
Kube - 18ᵉ		133
Mama Shelter - 20ᵉ		137
Le Meurice - 1ᵉʳ		44
Murano - 3ᵉ		54
Napoléon - 8ᵉ		83
Noailles - 2ᵉ		51
Pavillon de la Reine - 3ᵉ		54
Plaza Athénée - 8ᵉ		81
Pont Royal - 7ᵉ		72
Raphael - 16ᵉ		119
Relais Christine - 6ᵉ		64
Relais St-Germain - 6ᵉ		64
Renaissance Parc-Trocadéro - 16ᵉ		119
Ritz - 1ᵉʳ		44
De Sers - 8ᵉ		84
Sezz - 16ᵉ		120
Square - 16ᵉ		120
St-James Paris - 16ᵉ		119
Trocadero Dokhan's - 16ᵉ		120
Waldorf Arc de Triomphe - 17ᵉ		128
De Vendôme - 1ᵉʳ		44
Windsor Home - 16ᵉ		122

Environs

Les Étangs de Corot - Ville-d'Avray		176
La Forestière - Saint-Germain-en-Laye		167
Grand Hôtel Barrière - Enghien-les-Bains		150
Hostellerie du Prieuré - Saint-Ouen		168
Le Manoir de Gressy - Gressy		152
Trianon Palace - Versailles		172

ns
RESTAURANTS PARTICULIÈREMENT AGRÉABLES

		Page
Alain Ducasse au Plaza Athénée - 8ᵉ	XxXxX ✿✿✿	88
Les Ambassadeurs - 8ᵉ	XxXxX ✿✿	88
L'Ambroisie - 4ᵉ	XxxX ✿✿✿	56
Apicius - 8ᵉ	XxXxX ✿✿	88
L'Atelier de Joël Robuchon - 7ᵉ	X ✿✿	78
Le Bristol - 8ᵉ	XxXxX ✿✿✿	88
Le "Cinq" - 8ᵉ	XxXxX ✿✿	88
L'Espadon - 1ᵉʳ	XxXxX ✿✿	47
La Grande Cascade - 16ᵉ	XxxX ✿	127
Le Grand Véfour - 1ᵉʳ	XxxX ✿✿	47
Il Vino d'Enrico Bernardo - 7ᵉ	XX ✿	76
Le Jules Verne - 7ᵉ	XxX ✿	75
Lasserre - 8ᵉ	XxXxX ✿✿	89
Laurent - 8ᵉ	XxxX ✿	89
Ledoyen - 8ᵉ	XxXxX ✿✿✿	88
le Meurice - 1ᵉʳ	XxXxX ✿✿✿	47
1728 - 8ᵉ	XX	91
Paris - 6ᵉ	XxX ✿	68
Le Pré Catelan - 16ᵉ	XxxX ✿✿✿	127
Le Restaurant - 6ᵉ	XX ✿	69
Taillevent - 8ᵉ	XxXxX ✿✿	89
La Tour d'Argent - 5ᵉ	XxXxX ✿	61

Environs

L' Auberge de l'Élan - Cernay-la-Ville	X	146
Auberge Ravoux - Auvers-sur-Oise	X	139
Cazaudehore - Saint-Germain-en-Laye	XxX	167
L'Escarbille - Meudon	XX ✿	157
Gordon Ramsay au Trianon - Versailles	XxxX ✿✿	175
La Gueulardière - Ozoir-la-Ferrière	XxX	161
Le Pouilly - Sénart	XxX ✿	169
Tastevin - Maisons-Laffitte	XxX ✿	155

MENUS À MOINS DE 30 €

Restaurant		Page
A et M Restaurant - 16e	XX ⊛	126
Afaria - 15e	X ⊛	116
L'Affriolé - 7e	X ⊛	80
L'Agassin - 7e	X	79
À La Bonne Table - 14e	X	112
Al Ajami - 8e	XX	92
Les Allobroges - 20e	XX	137
L'Altro - 6e	X	72
Ambassade d'Auvergne - 3e	XX ⊛	54
Astier - 11e	X	104
L'Atelier d'Antan - 14e	X	113
L'Auberge Aveyronnaise - 12e	X ⊛	106
Auberge Pyrénées Cévennes - 11e	X ⊛	104
Au Bon Accueil - 7e	X ⊛	78
Au Gourmand - 1er	XX ⊛	48
Au Pied de Cochon - 1er	XX	48
Au Vieux Chêne - 11e	X	104
Banyan - 15e	X	118
Le Baratin - 20e	X ⊛	137
Le Bélisaire - 15e	X ⊛	117
Beurre Noisette - 15e	X ⊛	117
Bibimbap - 5e	X	63
La Biche au Bois - 12e	X	107
Bistro Poulbot - 18e	XX	134
Bistrot Niel - 17e	X	132
Le Bistrot des Soupirs "Chez les On" - 20e	X	137
Bistrot Paul Bert - 11e	X ⊛	104
Bistrot St-Honoré - 1er	X	49
Le Bouco - 8e	X	95
Le Café d'Angel - 17e	X	132
Café des Musées - 3e	X ⊛	55
Café Panique - 10e	X ⊛	102
Le Café qui Parle - 18e	X	135
Les Cailloux - 13e	X ⊛	108
La Cantine du Troquet - 14e	X ⊛	113
Caroubier - 15e	XX	115
Le Carré de Marguerite - 6e	X	72
Le Carré des Vosges - 3e	X	55
Chardenoux - 11e	XX	104
Le Chateaubriand - 11e	X	104
Chaumette - 16e	X	126
Chéri bibi - 18e	X	134
Chez Casimir - 10e	X	102
Chez La Vieille "Adrienne" - 1er	X	50
Le Clos des Gourmets - 7e	X ⊛	79
Clou Le - 17e	X	132
Coco de Mer - 5e	X	63
Dalva - 2e	X	53
Daru - 8e	X	95
Delizie d'Uggiano - 1er	XX	48
Le Dirigeable - 15e	X ⊛	117
Le Dôme du Marais - 4e	XX	57
L'Ecailler du Bistrot - 11e	X	104
L'Enoteca - 4e	X	58
L'Entêtée - 14e	X ⊛	113
L'Épigramme - 6e	X ⊛	71
Erawan - 15e	XX	116
L'Étoile Marocaine - 8e	XX	93
Les Fils de la Ferme - 14e	X	113
Le Fin Gourmet - 4e	X	57
Fish La Boissonnerie - 6e	X	71
Florimond - 7e	X	79
Fontanarosa - 15e	XX	116
Food et Beverage - 3e	X	55
Les Fous de l'Île - 4e	X	57
Le Gaigne - 4e	X	57
Gallopin - 2e	XX	52
Le Gastroquet - 15e	X	118
Graindorge - 17e	XX ⊛	131
Le Grand Pan - 15e	X ⊛	117
L'Hermès - 19e	X	136
Le Janissaire - 12e	XX	106
Jean-Pierre Frelet - 12e	X ⊛	107
Jodhpur Palace - 12e	XX	106
Kaï - 1er	X	49
Koetsu - 2e	X	53
Lescure - 1er	X	50
Lhassa - 5e	X	63
Liza - 2e	X	52
Louis Vins - 5e	X	62
Le Lys d'Or - 12e	X	107
La Maison du Jardin - 6e	X ⊛	71
Mansouria - 11e	XX ⊛	103
Du Marché - 15e	X	118
Le Mesturet - 2e	X	53
Millésimes 62 - 14e	X	112
Moissonnier - 5e	X	62
Momoka - 9e	X	100
Monsieur Lapin - 14e	XX	111
Montefiori - 17e	X	132
Le Moulin de la Galette - 18e	XX	134
Le Mûrier - 15e	X	117
Nabuchodonosor - 7e	X	79
New Jawad - 7e	XX	77
Les Olivades - 7e	X	79
L'Ordonnance - 14e	X	113

L'Os à Moelle - 15ᵉ	X 🐢	118	Yugaraj - 6ᵉ	XX	69
Les Oudayas - 5ᵉ	X	63	Zen - 1ᵉʳ	X 🐢	50
Oudino - 7ᵉ	X	80			
L'Ourcine - 13ᵉ	X 🐢	109	**Environs**		
Pasco - 7ᵉ	X	79	À La Grâce de Dieu - Saint-Ouen	XX	168
Les Pâtes Vivantes - 9ᵉ	X	100	L'Amandier - Antony	XX	138
Le Petit Bordelais - 7ᵉ	XX	78	L'Ambassade de Pékin		
La Petite Sirène de			- Saint-Mandé	XX	167
Copenhague - 9ᵉ	X 🐢	99	L'Amphitryon - Noisy-le-Grand	XX	160
Petit Marguery - 13ᵉ	XX	108	Auberge de la Poularde		
Pharamond - 1ᵉʳ	X	49	- Vaucresson	XxX	172
Le Pré Cadet - 9ᵉ	X 🐢	99	Auberge St-Pierre		
Ribouldingue - 5ᵉ	X 🐢	63	- Dampierre-en-Yvelines	XX	149
Romantica Caffé - 7ᵉ	X	80	Au Bord de l'Eau		
La Rotonde - 6ᵉ	X	70	- Conflans-Sainte-Honorine	X	147
Sa Mi In - 7ᵉ	X	81	Aux Saveurs d'Alice		
Saudade - 1ᵉʳ	XX	49	- Enghien-les-Bains	X	151
Shin Jung - 8ᵉ	XX	95	La Bastide - Villeparisis	XX	177
Silk et Spice - 2ᵉ	X	53	Le Bonheur de Chine		
6 New-York - 16ᵉ	XX	125	- Rueil-Malmaison	XX	164
Stéphane Martin - 15ᵉ	X 🐢	116	Canal (Le) - Evry	XX	151
Suan Thaï - 4ᵉ	X 🐢	58	Le Chefson - Bois-Colombes	X 🐢	140
Sukhothaï - 13ᵉ	X	109	Dariole de Viry - Viry-Châtillon	XX	177
SYDR - 8ᵉ	X	94	Gibraltar - Draveil	XX	150
La Table de Babette - 16ᵉ	XX	124	L'Heureux Père - Saint-Cloud	X	165
La Table d'Erica - 6ᵉ	XX	72	Marcigny - Viry-Châtillon	X	177
La Table Lauriston - 16ᵉ	X	126	La Mare au Diable - Sénart	XXX	169
Le Temps au Temps - 11ᵉ	X	104	Le Panoramic de Chine		
Terminus Nord - 10ᵉ	XX	102	- Carrières-sur-Seine	X	142
Thierry Burlot "Le Quinze" - 15ᵉ	XX	115	La Petite Auberge - Asnières-		
Le Timbre - 6ᵉ	X 🐢	72	sur-Seine	XX 🐢	139
Le Troquet - 15ᵉ	X	117	Le Pouilly - Sénart	XxX ❀	169
La Truffière - 5ᵉ	XxX	61	Au Pouilly Reuilly		
Urbane - 10ᵉ	X 🐢	102	- Le Pré-Saint-Gervais	X	162
Vaudeville - 2ᵉ	XX	52	La Renaissance		
Villa Corse - 15ᵉ	X	117	- Saint-Maur-des-Fossés	XX	167
La Villa Corse - 16ᵉ	X	126	Le Soleil - Saint-Ouen	X	168
Village d'Ung et Li Lam - 8ᵉ	XX	93	St-Martin - Triel-sur-Seine	X	171
Villaret - 11ᵉ	X	104	La Table d'Alexandre - Puteaux	XX	162
Vin et Marée - 7ᵉ	XX	78	Terrasse Fleurie - Sucy-en-Brie	XX	170
Vin et Marée - 14ᵉ	XX	111	La Tour de Marrakech - Antony	X	138
Willi's Wine Bar - 1ᵉʳ	X 🐢	49			

PARIS page 27

TABLES EN EXTÉRIEUR

		Page
A et M Restaurant - 16ᵉ	XX 😊	126
Les Arts - 16ᵉ	XXX	124
L'Atelier Berger - 1ᵉʳ	XX	49
L'Auberge Aveyronnaise - 12ᵉ	X 😊	106
Au Bourguignon du Marais - 4ᵉ	X	57
Au Pied de Cochon - 1ᵉʳ	XX	48
Au Relais des Buttes-Chaumont - 19ᵉ	XX	136
Aux Charpentiers - 6ᵉ	X	71
Le Bistrot de L'Alycastre - 6ᵉ	X	71
Bistrot Niel - 17ᵉ	X	132
Le Bistrot de Marius - 8ᵉ	X	94
Le Bristol - 8ᵉ	XXXXX ❀❀❀	88
Café de l'Alma - 7ᵉ	X	80
Café Lenôtre - Pavillon Elysée - 8ᵉ	X	94
La Cagouille - 14ᵉ	X	113
Caves Petrissans - 17ᵉ	X	133
Chez Casimir - 10ᵉ	X	102
Chez Georges - 17ᵉ	XX	131
Chez René - 5ᵉ	X	62
Cigale Récamier - 7ᵉ	XX	76
Le Comptoir - 6ᵉ	X	70
Dalva - 2ᵉ	X	53
Devez - 8ᵉ	X	94
Drouant - 2ᵉ	XXX	52
L'Espadon - 1ᵉʳ	XXXXX ❀❀	47
Les Fables de La Fontaine - 7ᵉ	X ❀	78
Fontaine de Mars - 7ᵉ	X	79
La Fontaine Gaillon - 2ᵉ	XXX	52
Fontanarosa - 15ᵉ	XX	116
Fouquet's - 8ᵉ	XXX	90
La Gauloise - 15ᵉ	XX	115
Gorille Blanc - 7ᵉ	X	80
La Grande Cascade - 16ᵉ	XXX ❀	127
Le Janissaire - 12ᵉ	XX	106
Jodhpur Palace - 12ᵉ	XX	106
Laurent - 8ᵉ	XXXX ❀	89
Lescure - 1ᵉʳ	X	50
Maison Blanche (La) - 8ᵉ	XXX	89
La Maison de L'Aubrac - 8ᵉ	X	94
Du Marché - 15ᵉ	X	118
Marius - 16ᵉ	XX	125
Marius et Janette - 8ᵉ	XX	92
Millésimes 62 - 14ᵉ	X	112
Le Moulin de la Galette - 18ᵉ	XX	134
Les Ombres - 7ᵉ	XX	76
L'Oriental - 9ᵉ	X	100
L'Os à Moelle - 15ᵉ	X 😊	118
L'Oulette - 12ᵉ	XXX	106
Palais Royal - 1ᵉʳ	XX	48
Pasco - 7ᵉ	X	79
Pavillon Montsouris - 14ᵉ	XX	111
Pétrus - 17ᵉ	XXX	130
Pharamond - 1ᵉʳ	X	49
Pierrot - 2ᵉ	X	53
Le Pré Catelan - 16ᵉ	XXXX ❀❀❀	127
Le Quinzième Cuisine Attitude - 15ᵉ	XX	115
Romantica Caffé - 7ᵉ	X	80
La Table du Lancaster - 8ᵉ	XXX ❀	89
La Villa Corse - 16ᵉ	X	126
La Violette - 19ᵉ	X	136
Zen - 1ᵉʳ	X 😊	50

Environs

À La Grâce de Dieu - Saint-Ouen	XX	168
L'Amphitryon - Noisy-le-Grand	XX	160
L'Auberge de l'Élan - Cernay-la-Ville	X	146
Auberge de la Poularde - Vaucresson	XXX	172
Auberge du Cheval Blanc - Cergy-Pontoise	XX	145
Auberge Ravoux - Auvers-sur-Oise	X	139
Au Cœur de la Forêt - Montmorency	XX	158
Les Autodidactes - Levallois-Perret	X	154
La Belle Époque - Châteaufort	XXX ❀	146
La Bretèche - Saint-Maur-des-Fossés	XXX ❀	167
Cazaudehore - Saint-Germain-en-Laye	XXX	167
Les Chanteraines - Villeneuve-la-Garenne	XX	176
Le Coq de la Maison Blanche - Saint-Ouen	XX	168
Ducoté Cuisine - Boulogne-Billancourt	XX ❀	141
Les Écuries du Château - Dampierre-en-Yvelines	XX	149
L'Escarbille - Meudon	XX ❀	157
Gibraltar - Draveil	XX	150
La Gueulardière - Ozoir-la-Ferrière	XXX	161
Hostellerie du Nord - Auvers-sur-Oise	XXX	139
Île - Issy-les-Moulineaux	XX	152

1294

PARIS page 29

Restaurant	Rating	Page
Instinct - La Garenne-Colombes	XX	152
Les Jardins de Camille - Suresnes	XX	170
Maison Cagna - Cergy-Pontoise	XX	143
Manufacture - Issy-les-Moulineaux	XX	152
La Mare au Diable - Sénart	XXX	169
Moulin de la Renardière - Cergy-Pontoise	XX	145
Le Panoramic de Chine - Carrières-sur-Seine	X	142
Pavillon de la Tourelle - Vanves	XXX	171
La Petite Marmite - Livry-Gargan	XX	154
Le Pouilly - Sénart	XXX ✤	169
La Renaissance - Saint-Maur-des-Fossés	XX	167
River Café - Issy-les-Moulineaux	XX	152
La Romantica - Clichy	XXX	147
Tastevin - Maisons-Laffitte	XXX ✤	155
Terrasse Fleurie - Sucy-en-Brie	XX	170
Le Valmont - Versailles	XX	175
Van Gogh - Asnières-sur-Seine	XXX	138
Le Vilgacy - Gagny	XX ⓐ	151
Villaneuftrois - Montreuil	XX	158
Zin's à l'étape gourmande - Versailles	XX	175

1295

RESTAURANTS AVEC SALONS PARTICULIERS

Restaurant		Page
Aida - 7ᵉ	XX ❀	80
Alcazar - 6ᵉ	XX	69
Ambassade d'Auvergne - 3ᵉ	XX 🍴	54
Les Ambassadeurs - 8ᵉ	XXXXX ❀❀❀	88
L'Ambroisie - 4ᵉ	XXXX ❀❀❀	56
L'Angle du Faubourg - 8ᵉ	XX ❀	91
Apicius - 8ᵉ	XXXXX ❀❀	88
Arpège - 7ᵉ	XXX ❀❀❀	75
Astier - 11ᵉ	X	104
L'Atelier Berger - 1ᵉʳ	XX	49
Au Bœuf Couronné - 19ᵉ	XX	136
Au Petit Riche - 9ᵉ	XX	99
Au Relais des Buttes-Chaumont - 19ᵉ	XX	136
Aux Lyonnais - 2ᵉ	X 🍴	53
Le Ballon des Ternes - 17ᵉ	XX	131
Bastide Odéon - 6ᵉ	XX	69
Benkay - 15ᵉ	XXX	115
Benoit - 4ᵉ	XX ❀	56
Bibimbap - 5ᵉ	X	63
Le Bistrot de L' Alycastre - 6ᵉ	X	71
Bistrot de Paris - 7ᵉ	X	79
Bistrot du Sommelier - 8ᵉ	XX	91
Bi Zan - 2ᵉ	X	53
Bofinger - 4ᵉ	XX	57
Café de la Paix - 9ᵉ	XXX	98
Café Lenôtre - Pavillon Elysée - 8ᵉ	X	94
La Cagouille - 14ᵉ	X	113
Carré des Feuillants - 1ᵉʳ	XXXX ❀❀	47
Le Céladon - 2ᵉ	XXX ❀	52
Chez Georges - 17ᵉ	XX	131
Chez La Vieille "Adrienne" - 1ᵉʳ	X	50
Chez Léon - 17ᵉ	X	131
Chez les Anges - 7ᵉ	XX 🍴	76
Le Chiberta - 8ᵉ	XXX ❀	90
Le "Cinq" - 8ᵉ	XXXXX ❀❀❀	88
La Coupole - 14ᵉ	XX	111
Delizie d'Uggiano - 1ᵉʳ	XX	48
Le Dôme - 14ᵉ	XXX	111
Dominique Bouchet - 8ᵉ	X ❀	93
Drouant - 8ᵉ	XXX	52
L'Espadon - 1ᵉʳ	XXXXX ❀❀	47
Fils de la Ferme - 14ᵉ	X	113
Fontaine de Mars - 7ᵉ	X	79
La Fontaine Gaillon - 2ᵉ	XXX	52
Food et Beverage - 3ᵉ	X	55
Fouquet's - 8ᵉ	XXX	90
Le Gaigne - 4ᵉ	X	57
Gallopin - 2ᵉ	XX	52
La Gauloise - 15ᵉ	XX	115
Goumard - 1ᵉʳ	XX	47
La Grande Cascade - 16ᵉ	XXXX ❀	127
Le Grand Véfour - 1ᵉʳ	XXXX ❀❀❀	47
Guy Savoy - 17ᵉ	XXXX ❀❀❀	130
Hanawa - 8ᵉ	XX	92
Hiramatsu - 16ᵉ	XXXX ❀❀	123
Jean - 9ᵉ	XX ❀	98
Kaï - 1ᵉʳ	X	49
Karl et Erick - 17ᵉ	X	132
Kinugawa - 1ᵉʳ	XX	49
Lasserre - 8ᵉ	XXXXX ❀❀	89
Laurent - 8ᵉ	XXXX ❀	89
Ledoyen - 8ᵉ	XXXXX ❀❀❀	88
Macéo - 1ᵉʳ	XXX ❀	48
La Maison de Charly - 17ᵉ	XX	131
Du Marché - 15ᵉ	X	118
Marty - 5ᵉ	XX	61
Mavrommatis - 5ᵉ	XX	61
Maxan - 8ᵉ	XX	92
Méditerranée - 6ᵉ	XX	69
Le Mesturet - 2ᵉ	X	53
le Meurice - 1ᵉʳ	XXXX ❀❀❀	47
Michel Rostang - 17ᵉ	XXXX ❀❀	130
1728 - 8ᵉ	XX	91
L'Oriental - 9ᵉ	X	100
Les Oudayas - 5ᵉ	X	63
Papilles - 5ᵉ	X 🍴	63
Paris - 6ᵉ	XXX ❀	68
Pasco - 7ᵉ	X	79
Pavillon Montsouris - 14ᵉ	XX	111
Pétrossian - 7ᵉ	XXX	76
Pétrus - 17ᵉ	XXX	130
Pharamond - 1ᵉʳ	XX	49
Prunier - 16ᵉ	XXX	124
Relais Louis XIII - 6ᵉ	XXX ❀❀	68
Saudade - 2ᵉ	XX	49
Senderens - 8ᵉ	XXX ❀❀	90
Silk et Spice - 2ᵉ	XX	53
Sormani - 17ᵉ	XXX	130
Suan Thaï - 4ᵉ	X 🍴	58
La Table de Babette - 16ᵉ	XX	124
Table des Oliviers - 17ᵉ	X	132
La Table du Lancaster - 8ᵉ	XXX ❀	89
Taillevent - 8ᵉ	XXXXX ❀❀❀	89
Tante Louise - 8ᵉ	XX	91
Tante Marguerite - 7ᵉ	XX	76
Terminus Nord - 10ᵉ	XX	102
La Tour d'Argent - 5ᵉ	XXXXX ❀	61

35° Ouest - 7ᵉ	XX ✿	80
Tsé Yang - 16ᵉ	XX	124
Vin et Marée - 14ᵉ	XX	111
La Violette - 19ᵉ	X	136
Yanasé - 15ᵉ	X	116

Environs

À La Grâce de Dieu - Saint-Ouen	XX	168
L'Amandier - Antony	XX	138
L'Angélique - Versailles	XX ✿	175
Auberge de la Poularde - Vaucresson	XXX	172
Auberge des Saints Pères - Aulnay-sous-Bois	XXX ✿	139
Auberge du Château "Table des Blot" - Dampierre-en-Yvelines	XXX ✿	149
Auberge St-Pierre - Dampierre-en-Yvelines	XX	149
Au Comte de Gascogne - Boulogne-Billancourt	XXX ✿	141
Aux Saveurs d'Alice - Enghien-les-Bains	X	151
La Barrière de Clichy - Clichy	XX	147
Le Bonheur de Chine - Rueil-Malmaison	XX	164

PARIS page 31

Bourgogne - Maisons-Alfort	XX	154
Le Camélia - Bougival	XXX ✿	140
Le Canal - Evry	XX	151
Cazaudehore - Saint-Germain-en-Laye	XXX	167
Le Cénacle - Tremblay-en-France	XX	171
Le Coq de la Maison Blanche - Saint-Ouen	XX	168
Coquibus - Issy-les-Moulineaux	X	153
Les Écuries du Château - Dampierre-en-Yvelines	XX	149
L'Escarbille - Meudon	XX ✿	157
Gibraltar - Draveil	XX	150
La Gueulardière - Ozoir-la-Ferrière	XXX	161
Jarrasse L'Ecailler de Paris - Neuilly-sur-Seine	XX	159
Pavillon de la Tourelle - Vanves	XXX	171
La Romantica - Clichy	XXX	147
La Table des Montquartiers - Issy-les-Moulineaux	XX	152
Van Gogh - Asnières-sur-Seine	XXX	138
Villaneuftrois - Montreuil	XX	158

BRASSERIES

		Page
Le Ballon des Ternes - 17e	XX	131
Bofinger - 4e	XX	57
La Coupole - 14e	XX	111
Le Dôme - 14e	XXX	111
Gallopin - 2e	XX	52
La Gauloise - 15e	XX	115
Marty - 5e	XX	61
Au Pied de Cochon - 1er	XX	48
La Rotonde - 6e	X	70
Terminus Nord - 10e	XX	102
Vaudeville - 2e	XX	52

Environs

Coquibus - Issy-les-Moulineaux	X	153

BISTROTS

		Page
L' A.O.C. - 5e	X	62
Afaria - 15e	X 🍃	116
Allard - 6e	X	70
L'Assiette - 14e	X	112
Astier - 11e	X	104
Au Moulin à Vent - 5e	X	62
Au Vieux Chêne - 11e	X	104
Aux Lyonnais - 2e	X 🍃	53
L'Avant Goût - 13e	X	108
Le Baratin - 20e	X 🍃	137
Le Bélisaire - 15e	X 🍃	117
Benoit - 4e	XX ✿	56
Le Bistrot de L' Alycastre - 6e	X	71
Bistrot de Paris - 7e	X	79
Le Bistrot des Soupirs "Chez les On" - 20e	X	137
Bistrot Paul Bert - 11e	X 🍃	104
Bistrot St-Honoré - 1er	X	49
La Boulangerie - 20e	X	137
Café Constant - 7e	X 🍃	81
Café des Musées - 3e	X 🍃	000
La Cantine du Troquet - 14e	X 🍃	113
Caves Petrissans - 17e	X	133
Chardenoux - 11e	XX	104
Chez Casimir - 10e	X	102
Chez Cécile la Ferme des Mathurins - 8e	X	94
Chez Georges - 2e	X	53
Chez Georges - 17e	XX	131
Chez Léon - 17e	X	131
Chez René - 5e	X	62
Clou (Le) - 17e	X	132
Le Comptoir - 6e	X	70
Dalva - 2e	X	53
Fontaine de Mars - 7e	X	79
Les Fous de l'Île - 4e	X	57
Georgette - 9e	X	100
Gorille Blanc - 7e	X	80
Le Grand Pan - 15e	X 🍃	117
Joséphine "Chez Dumonet" - 6e	X	70
Léo Le Lion - 7e	X	81
Louis Vins - 5e	X	62
La Maison du Jardin - 6e	X 🍃	71
Du Marché - 15e	X	118
Moissonnier - 5e	X	62
L'Os à Moelle - 15e	X 🍃	118
Oscar - 16e	X	127
Oudino - 7e	X	80
L'Ourcine - 13e	X 🍃	109
Pierrot - 2e	X	53
P'tit Troquet - 7e	X	80
Quincy - 12e	X	107
La Régalade - 14e	X 🍃	112
Le Timbre - 6e	X 🍃	72
Villaret - 11e	X	104
Villa Victoria - 9e	X	99

Environs

Aux Saveurs du Marché - Neuilly-sur-Seine	X	160
Le Bistrot d'à Côté la Boutarde - Neuilly-sur-Seine	X	160
Le Garde-Manger - Saint-Cloud	X	165
Au Pouilly Reuilly - Le Pré-Saint-Gervais	X	162
Le Soleil - Saint-Ouen	X	168

CUISINE D'ICI...

Andouillette

Restaurant		Page
À La Bonne Table - 14ᵉ	X	112
Allard - 6ᵉ	X	70
Auberge Pyrénées Cévennes - 11ᵉ	X 😊	104
Au Bourguignon du Marais - 4ᵉ	X	57
Au Moulin à Vent - 5ᵉ	X	62
Au Petit Riche - 9ᵉ	XX	99
La Biche au Bois - 12ᵉ	X	107
Bistrot de Paris - 7ᵉ	X	79
Bistrot St-Honoré - 1ᵉʳ	X	49
Chez Georges - 2ᵉ	X	53
Chez Georges - 17ᵉ	XX	131
Fontaine de Mars - 7ᵉ	X	79
Gallopin - 2ᵉ	XX	52
Georgette - 9ᵉ	X	100
La Marlotte - 6ᵉ	X	70
Moissonnier - 5ᵉ	X	62
Les Trois Marmites - Courbevoie	X	147
Vaudeville - 2ᵉ	XX	52

Boudin

L'A.O.C. - 5ᵉ	X	62
Astier - 11ᵉ	X	104
L'Auberge Aveyronnaise - 12ᵉ	X 😊	106
Au Pouilly Reuilly - Le Pré-Saint-Gervais	X	162
Aux Charpentiers - 6ᵉ	X	71
D'Chez Eux - 7ᵉ	XX	77
Chez Georges - 17ᵉ	XX	131
Fontaine de Mars - 7ᵉ	X	79
La Marlotte - 6ᵉ	X	70
Moissonnier - 5ᵉ	X	62

Bouillabaisse

Le Dôme - 14ᵉ	XXX	111
Marius - 16ᵉ	XX	125
Méditerranée - 6ᵉ	XX	69
Table des Oliviers - 17ᵉ	X	132
Terminus Nord - 10ᵉ	XX	102

Cassoulet

Auberge Pyrénées Cévennes - 11ᵉ	X 😊	104
Benoit - 4ᵉ	XX ❀	56
D'Chez Eux - 7ᵉ	XX	77
Quincy - 12ᵉ	X	107
Le Sardalais - 8ᵉ	XX	92
La Table d'Antan - Sainte-Geneviève-des-Bois	XX	169
Le Violon d'Ingres - 7ᵉ	XX ❀	76

Choucroute

Le Ballon des Ternes - 17ᵉ	XX	131
Bofinger - 4ᵉ	XX	57
La Coupole - 14ᵉ	XX	111
Terminus Nord - 10ᵉ	XX	102

Confit

L'A.O.C. - 5ᵉ	X	62
Auberge Pyrénées Cévennes - 11ᵉ	X 😊	104
La Bastide - Villeparisis	XX	177
Le Canal - Evry	XX	150
Cazaudehore - Saint-Germain-en-Laye	XXX	167
D'Chez Eux - 7ᵉ	XX	77
Chez Jacky - 13ᵉ	XX	108
Chez René - 5ᵉ	X	62
Fontaine de Mars - 7ᵉ	X	79
Joséphine "Chez Dumonet" - 6ᵉ	X	70
Lescure - 1ᵉʳ	X	50
La Maison de L'Aubrac - 8ᵉ	X	94
La Petite Marmite - Livry-Gargan	XX	154
Pierrot - 2ᵉ	X	53
Le Sardalais - 8ᵉ	XX	92
St-Pierre - Longjumeau	XX	154
La Table d'Antan - Sainte-Geneviève-des-Bois	XX	169

1299

Coq au vin

La Biche au Bois - 12ᵉ	X	107
Bourgogne - Maisons-Alfort	XX	154
Chez René - 5ᵉ	X	62
Le Coq de la Maison Blanche		
- Saint-Ouen	XX	168
Le Mesturet - 2ᵉ	X	53
Moissonnier - 5ᵉ	X	62
Quincy - 12ᵉ	X	107

Coquillages, crustacés, poissons

Au Pied de Cochon - 1ᵉʳ	XX	48
Le Ballon des Ternes - 17ᵉ	XX	131
Le Bistrot de Marius - 8ᵉ	X	94
Bistrot du Dôme - 14ᵉ	X	112
Bofinger - 4ᵉ	XX	57
La Cagouille - 14ᵉ	X	113
La Coupole - 14ᵉ	XX	111
Dessirier - 17ᵉ	XX	130
Le Dôme - 14ᵉ	XXX	111
Le Duc - 14ᵉ	XXX	111
L'Ecaille de la Fontaine - 2ᵉ	X	53
L'Ecailler du Bistrot - 11ᵉ	X	104
Les Embruns - 1ᵉʳ	X	49
L'Espadon Bleu - 6ᵉ	X	70
Les Fables de La Fontaine		
- 7ᵉ	X ✿	78
Gallopin - 2ᵉ	XX	52
Gaya Rive Gauche		
par Pierre Gagnaire - 7ᵉ	X ✿	78
Goumard - 1ᵉʳ	XX	47
L'Huîtrier - 17ᵉ	X	132
Jarrasse L'Ecailler de Paris		
- Neuilly-sur-Seine	XX	159
Le Divellec - 7ᵉ	XXX ✿	75
La Luna - 8ᵉ	XX	92
La Marée Denfert - 14ᵉ	X	112
La Marée Passy - 16ᵉ	X	126
Marius - 16ᵉ	XX	125
Marius et Janette - 8ᵉ	XX	92
Marty - 5ᵉ	XX	61
Méditerranée - 6ᵉ	XX	69
Pétrus - 17ᵉ	XXX	130
Prunier - 16ᵉ	XXX	124
Rech - 17ᵉ	XX	130
La Rotonde - 6ᵉ	X	70
Terminus Nord - 10ᵉ	XX	102
35° Ouest - 7ᵉ	X	80
Vin et Marée - 7ᵉ	XX	78
Vin et Marée - 11ᵉ	XX	103
Vin et Marée - 14ᵉ	XX	111

Escargots

Allard - 6ᵉ	X	70
Au Bœuf Couronné - 19ᵉ	XX	136
Au Bourguignon du Marais - 4ᵉ	X	57
Au Moulin à Vent - 5ᵉ	X	62
Au Petit Riche - 9ᵉ	XX	99
Au Pouilly Reuilly		
- Le Pré-Saint-Gervais	X	162
Le Ballon des Ternes - 17ᵉ	XX	131
Benoit - 4ᵉ	XX ✿	56
Bistrot St-Honoré - 1ᵉʳ	X	49
Bourgogne - Maisons-Alfort	XX	154
Gallopin - 2ᵉ	XX	52
La Petite Marmite		
- Livry-Gargan	XX	154
Petit Marguery - 13ᵉ	XX	108
Pharamond - 1ᵉʳ	X	49
Le Pré Cadet - 9ᵉ	X ✿	99
Le Sarladais - 8ᵉ	XX	92
Vaudeville - 2ᵉ	XX	52

Fromages

Astier - 11ᵉ	X	104

Grillade

L'A.O.C. - 5ᵉ	X	62
Au Bœuf Couronné - 19ᵉ	XX	136
Au Pied de Cochon - 1ᵉʳ	XX	48
Bofinger - 4ᵉ	XX	57
Bistrot St-Honoré - 1ᵉʳ	X	49
Le Coq de la Maison Blanche		
- Saint-Ouen	XX	168
La Coupole - 14ᵉ	XX	111
La Maison de L'Aubrac - 8ᵉ	X	94
Quincy - 12ᵉ	X	107
Severo - 14ᵉ	X	113

Soufflés

L'Amuse Bouche - 14ᵉ	X	112
Cigale Récamier - 7ᵉ	XX	76
Le Soufflé - 1ᵉʳ	XX	48

Tête de veau

Au Bœuf Couronné - 19ᵉ	XX	136
Au Petit Riche - 9ᵉ	XX	99
Au Pouilly Reuilly		
- Le Pré-Saint-Gervais	X	162
Benoit - 4ᵉ	XX ✿	56

PARIS page 35

Chez Georges - 17ᵉ	XX	131	
Chez Jacky - 13ᵉ	XX	108	
Louis Vins - 5ᵉ	X	62	
Manufacture - Issy-les-Moulineaux	XX	152	
Marty - 5ᵉ	XX	61	
Pamphlet - 3ᵉ	XX	55	
Petit Marguery - 13ᵉ	XX	108	
Le Pré Cadet - 9ᵉ	X 🌫	99	
Ribouldingue - 5ᵉ	X 🌫	63	
Stella Maris - 8ᵉ	XxX ✿	90	
Vaudeville - 2ᵉ	XX	52	

Tripes

Pharamond - 1ᵉʳ	X	49
Ribouldingue - 5ᵉ	X 🌫	63

...ET CUISINES D'AILLEURS

Antilles, Réunion, Seychelles

		Page
Coco de Mer - 5ᵉ	XX	63
La Table de Babette - 16ᵉ	XX	124
La Table d'Erica - 6ᵉ	X	72

Belge

Graindorge - 17ᵉ	XX 🌀	131

Chinoise

Impérial Choisy - 13ᵉ	X 🌀	109
Le Lys d'Or - 12ᵉ	X	107
Les Pâtes Vivantes - 9ᵉ	X	100
Tang - 16ᵉ	XX	125
Tsé Yang - 16ᵉ	XX	124
Village d'Ung et Li Lam - 8ᵉ	XX	93
Le Panoramic de Chine - Carrières-sur-Seine	X	142
Thiou - 7ᵉ	XX	77

Coréenne

Bibimbap - 5ᵉ	X	63
Gwon's Dining - 15ᵉ	X	118
Sa Mi In - 7ᵉ	X	81
Shin Jung - 8ᵉ	X	95

Espagnole

Fogón - 6ᵉ	XX ✿	69
Rosimar - 16ᵉ	X	126

Grecque

Les Délices d'Aphrodite - 5ᵉ	X	62
Mavrommatis - 5ᵉ	XX	61

Indienne

Indra - 8ᵉ	XX	91
Jodhpur Palace - 12ᵉ	XX	106
New Jawad - 7ᵉ	XX	77
Ratn - 8ᵉ	XX	93
Yugaraj - 6ᵉ	XX	69

Italienne

L'Altro - 6ᵉ	X	72
Les Cailloux - 13ᵉ	X 🌀	108
Conti - 16ᵉ	XX	124
Delizie d'Uggiano - 1ᵉʳ	XX	48
L'Enoteca - 4ᵉ	X	58
Fontanarosa - 15ᵉ	XX	116
Giulio Rebellato - 16ᵉ	XX	125
I Golosi - 9ᵉ	X	99
Montefiori - 17ᵉ	X	132
L'Osteria - 4ᵉ	X	57
Le Perron - 7ᵉ	X	79
Romain - 9ᵉ	XX	99
La Romantica - Clichy	XXX	146
Romantica Caffé - 7ᵉ	X	80
Sormani - 17ᵉ	XXX	130
Le Stresa - 8ᵉ	X	93
Le Vinci - 16ᵉ	XX	125

Japonaise

Aida - 7ᵉ	X ✿	80
Azabu - 6ᵉ	X	71
Benkay - 15ᵉ	XXX	115
Bi Zan - 2ᵉ	X	53
Hanawa - 8ᵉ	XX	92
Hotaru - 9ᵉ	XX	99
Isami - 4ᵉ	X	58
Kaï - 1ᵉʳ	X	49
Kaiseki - 15ᵉ	X	118
Kinugawa - 1ᵉʳ	XX	49
Koetsu - 2ᵉ	X	53
Momoka - 9ᵉ	X	100
Ozu - 16ᵉ	XX	125
Tampopo - 16ᵉ	X	127
Tsukizi - 6ᵉ	X	72
Yanasé - 15ᵉ	X	116
Yen - 6ᵉ	X	70
Zen - 1ᵉʳ	X 🌀	50

Libanaise

Al Ajami - 8ᵉ	XX	92
Lyza - 2ᵉ	X	52
Pavillon Noura - 16ᵉ	XX	124

Nord-Africaine

Caroubier - 15ᵉ	XX 🌀	115
El Mansour - 8ᵉ	XXX	90
Essaouira - 16ᵉ	X	126
L'Étoile Marocaine - 8ᵉ	XX	93
La Maison de Charly - 17ᵉ	XX	131
Mansouria - 11ᵉ	XX 🌀	103
L'Oriental - 9ᵉ	X	100

					PARIS page 37
Les Oudayas - 5ᵉ	X	63	**Erawan** - 15ᵉ	XX	116
La Table de Fès - 6ᵉ	X	71	**Silk et Spice** - 2ᵉ	X	53
Timgad - 17ᵉ	XX	130	**Suan Thaï** - 4ᵉ	X 😊	58
La Tour de Marrakech - Antony	X	138	**Sukhothaï** - 13ᵉ	X	109

Portugaise

Saudade - 1ᵉʳ	XX	49

Tibétaine

Lhassa - 5ᵉ	X	63

Russe

Daru - 8ᵉ	X	95

Turque

Le Janissaire - 12ᵉ	XX	106
Sizin - 9ᵉ	X	100

Scandinave

La Petite Sirène de Copenhague - 9ᵉ	X 😊	99

Vietnamienne

Bambou - 13ᵉ	X	109
Kim Anh - 15ᵉ	X	117
Lao Lane Xang 2 - 13ᵉ	X	109

Thaïlandaise

Baan Boran - 1ᵉʳ	X	50
Banyan - 15ᵉ	X	118

OUVERT SAMEDI ET DIMANCHE

Restaurant	Symboles	Page
Aida - 7ᵉ	✗ ✿	80
Al Ajami - 8ᵉ	✗✗	92
Alcazar - 6ᵉ	✗✗	69
Allard - 6ᵉ	✗	70
L'Altro - 6ᵉ	✗	72
Ambassade d'Auvergne - 3ᵉ	✗✗ ✿	54
L'Amuse Bouche - 14ᵉ	✗	112
L'Assiette - 14ᵉ	✗	112
Astier - 11ᵉ	✗	104
L'Atelier de Joël Robuchon - 7ᵉ	✗ ✿✿✿	78
Atelier Maître Albert - 5ᵉ	✗✗	61
L'Auberge Aveyronnaise - 12ᵉ	✗ ✿	106
Au Bœuf Couronné - 19ᵉ	✗✗	136
Au Petit Riche - 9ᵉ	✗✗	99
Au Pied de Cochon - 1ᵉʳ	✗✗	48
Aux Charpentiers - 6ᵉ	✗	71
Le Ballon des Ternes - 17ᵉ	✗✗	131
Bambou - 13ᵉ	✗	109
Banyan - 15ᵉ	✗	118
Benkay - 15ᵉ	✗✗✗	115
Benoit - 4ᵉ	✗✗ ✿	56
Bistro de la Muette - 16ᵉ	✗✗	125
Le Bistrot de Marius - 8ᵉ	✗	94
Bofinger - 4ᵉ	✗✗	57
Les Bouquinistes - 6ᵉ	✗✗	69
Le Bristol - 8ᵉ	✗✗✗✗✗ ✿✿✿	88
Café de l'Esplanade - 7ᵉ	✗✗	78
Café de l'Alma - 7ᵉ	✗	80
Café de la Paix - 9ᵉ	✗✗✗	98
Café des Musées - 3ᵉ	✗ ✿	55
La Cagouille - 14ᵉ	✗	113
La Cantine du Troquet - 14ᵉ	✗ ✿	113
Caroubier - 15ᵉ	✗✗ ✿	115
Chardenoux - 11ᵉ	✗✗	104
Chez Georges - 17ᵉ	✗✗	131
Christophe - 5ᵉ	✗	63
Le "Cinq" - 8ᵉ	✗✗✗✗ ✿✿✿	88
Le Comptoir - 6ᵉ	✗	70
La Coupole - 14ᵉ	✗✗	111
Les Délices d'Aphrodite - 5ᵉ	✗	62
Dessirier - 17ᵉ	✗✗	130
Devez - 8ᵉ	✗	94
Drouant - 2ᵉ	✗✗✗	52
L'Enoteca - 4ᵉ	✗	58
L'Espadon - 1ᵉʳ	✗✗✗✗✗ ✿✿✿	47
Les Fables de La Fontaine - 7ᵉ	✗ ✿	78
Fermette Marbeuf 1900 - 8ᵉ	✗✗	92
Le Fin Gourmet - 4ᵉ	✗	57
Fish La Boissonnerie - 6ᵉ	✗	71
Fogón - 6ᵉ	✗✗ ✿	69
Fontaine de Mars - 7ᵉ	✗	79
Fontanarosa - 15ᵉ	✗✗	116
Fouquet's - 8ᵉ	✗✗✗	90
Gallopin - 2ᵉ	✗✗	52
La Gauloise - 15ᵉ	✗✗	115
Giulio Rebellato - 16ᵉ	✗✗	125
Goumard - 1ᵉʳ	✗✗	47
Graindorge - 17ᵉ	✗✗ ✿	131
La Grande Cascade - 16ᵉ	✗✗✗✗ ✿	127
L'Huîtrier - 17ᵉ	✗	132
Il Vino d'Enrico Bernardo - 7ᵉ	✗✗ ✿	76
Impérial Choisy - 13ᵉ	✗ ✿	109
Jodhpur Palace - 12ᵉ	✗✗	106
Le Jules Verne - 7ᵉ	✗✗✗ ✿	75
Kaiseki - 15ᵉ	✗	118
Kim Anh - 15ᵉ	✗	117
Lao Lane Xang 2 - 13ᵉ	✗	109
Lhassa - 5ᵉ	✗	63
Liza - 2ᵉ	✗	52
Louis Vins - 5ᵉ	✗	62
Le Lys d'Or - 12ᵉ	✗	107
La Maison de Charly - 17ᵉ	✗✗	131
La Maison de L'Aubrac - 8ᵉ	✗	94
La Marée Passy - 16ᵉ	✗	126
Marius et Janette - 8ᵉ	✗✗	92
Market - 8ᵉ	✗✗	91
La Marlotte - 6ᵉ	✗	70
Marty - 5ᵉ	✗✗	61
Méditerranée - 6ᵉ	✗✗	69
Le Mesturet - 2ᵉ	✗	53
Michel Rostang - 17ᵉ	✗✗✗✗ ✿✿✿	130
Monsieur Lapin - 14ᵉ	✗✗	111
Mon Vieil Ami - 4ᵉ	✗	57
Le Moulin de la Galette - 18ᵉ	✗	134
New Jawad - 7ᵉ	✗✗	77
Les Olivades - 7ᵉ	✗	79
Les Ombres - 7ᵉ	✗✗	76
Les Oudayas - 5ᵉ	✗	63
Ozu - 16ᵉ	✗✗	125
Pasco - 7ᵉ	✗	79
Pavillon Noura - 16ᵉ	✗✗	124
Petit Marguery - 13ᵉ	✗✗	108
Petit Pontoise - 5ᵉ	✗	63
Pétrus - 17ᵉ	✗✗✗	130
Pharamond - 1ᵉʳ	✗	49
Pinxo - 1ᵉʳ	✗✗	49
Le Pur' Grill - 2ᵉ	✗✗✗ ✿	52
Radis Roses - 9ᵉ	✗	100
Ratn - 8ᵉ	✗✗	93

1304

Le Relais Plaza - 8ᵉ	XX	92	
Romantica Caffé - 7ᵉ	X	80	
La Rotonde - 6ᵉ	X	70	
Sa Mi In - 7ᵉ	X	81	
Senderens - 8ᵉ	XXX ✦✦	90	
Silk et Spice - 2ᵉ	X	53	
La Table de Babette - 16ᵉ	XX	124	
La Table de Joël Robuchon - 16ᵉ	XXX ✦✦	123	
La Table du Lancaster - 8ᵉ	XXX ✦	89	
Terminus Nord - 10ᵉ	XX	102	
Timgad - 17ᵉ	XX	130	
Tokyo Eat - 16ᵉ	X	127	
La Tour d'Argent - 5ᵉ	XXXXX ✦	61	
Tsé Yang - 16ᵉ	XX	124	
Vaudeville - 2ᵉ	XX	52	
Le Versance - 2ᵉ	XX	52	
Village d'Ung et Li Lam - 8ᵉ	XX	93	
Villa Victoria - 9ᵉ	X	99	
Vin et Marée - 11ᵉ	XX	103	
Vin et Marée - 7ᵉ	XX	78	

PARIS page 39

Vin et Marée - 14ᵉ	XX	111
Yugaraj - 6ᵉ	XX	69

Environs

L'Ambassade de Pékin - Saint-Mandé	XX	167
Auberge Ravoux - Auvers-sur-Oise	X	139
Le Bonheur de Chine - Rueil-Malmaison	XX	164
Les Écuries du Château - Dampierre-en-Yvelines	XX	149
Foc Ly - Neuilly-sur-Seine	XX	159
L'Heureux Père - Saint-Cloud	X	165
Île - Issy-les-Moulineaux	XX	152
Jarrasse L'Ecailler de Paris - Neuilly-sur-Seine	XX	159
River Café - Issy-les-Moulineaux	XX	152
Le Soleil - Saint-Ouen	X	168
La Tour de Marrakech - Antony	X	138

OUVERT TARD LE SOIR

		Page
Al Ajami - 8ᵉ (0 h)	XX	92
Alcazar - 6ᵉ (0 h)	XX	69
Allard - 6ᵉ (23 h30)	X	70
L'Atelier de Joël Robuchon - 7ᵉ (0 h)	X ✿✿	78
Atelier Maître Albert - 5ᵉ (1 h)	XX	61
L'Auberge Aveyronnaise - 12ᵉ (23 h30)	X 🌿	106
Au Petit Riche - 9ᵉ (0 h)	XX	99
Au Pied de Cochon - 1ᵉʳ (jour et nuit)	XX	48
Aux Charpentiers - 6ᵉ (23 h30)	X	71
Baan Boran - 1ᵉʳ (23 h30)	X	50
Le Ballon des Ternes - 17ᵉ (0 h)	XX	131
Bistro de la Muette - 16ᵉ (23 h30)	XX	125
Bistrot de Paris - 7ᵉ (23 h30)	X	79
Bofinger - 4ᵉ (0 h)	XX	57
Café de l'Esplanade - 7ᵉ (0 h30)	XX	78
Café de l'Alma - 7ᵉ (0 h)	X	80
Café de la Paix - 9ᵉ (23 h30)	XXX	98
Chéri bibi - 18ᵉ (0 h)	X	134
Chez Casimir - 10ᵉ (23 h30)	X	102
Chez Georges - 17ᵉ (23 h30)	XX	131
Chez Michel - 10ᵉ (0 h)	X 🌿	102
La Coupole - 14ᵉ (2 h)	XX	111
Devez - 8ᵉ (0 h)	X	94
Le Dôme - 14ᵉ (23 h30)	XXX	111
Drouant - 2ᵉ (0 h)	XXX	52
L'Ecaille de la Fontaine - 2ᵉ (23 h30)	X	53
L'Enoteca - 4ᵉ (23 h30)	X	58
Fermette Marbeuf 1900 - 8ᵉ (23 h30)	XX	92
Fogón - 6ᵉ (0 h)	XX ✿	69
La Fontaine Gaillon - 2ᵉ (23 h30)	XXX	52
Fouquet's - 8ᵉ (0 h)	XXX	90
Gallopin - 2ᵉ (0 h)	XX	52
Goumard - 1ᵉʳ (0 h)	XX	47
Il Vino d'Enrico Bernardo - 7ᵉ (0 h)	XX ✿	76
Le Janissaire - 12ᵉ (23 h30)	XX	106
La Maison de L'Aubrac - 8ᵉ (jour et nuit)	X	94
Market - 8ᵉ (23 h30)	XX	91
Miroir - 18ᵉ (23 h)	X	135
New Jawad - 7ᵉ (23 h30)	XX	77
L'Os à Moelle - 15ᵉ (23 h30)	X 🌿	118
Les Oudayas - 5ᵉ (1 h)	X	63
Ozu - 16ᵉ (23 h)	XX	125
Pierre au Palais Royal - 1ᵉʳ (0 h)	XX	48
Ratn - 8ᵉ (23 h45)	X	93
La Régalade - 14ᵉ (0 h)	X 🌿	112
Le Relais Plaza - 8ᵉ (23 h30)	XX	92
La Rotonde - 6ᵉ (0 h45)	X	70
Sensing - 6ᵉ (23 h30)	XX	69
Terminus Nord - 10ᵉ (1 h)	XX	102
Thiou - 7ᵉ (23 h30)	XX	77
Tokyo Eat - 16ᵉ (23 h30)	X	127
Vaudeville - 2ᵉ (1 h)	XX	52
Villa Corse - 15ᵉ (23.30)	X	117
La Villa Corse - 16ᵉ (23 h30)	X	126
Village d'Ung et Li Lam - 8ᵉ (23 h45)	XX	93
Villa Victoria - 9ᵉ (23 h30)	X	99
Vin et Marée - 7ᵉ (23 h30)	XX	78

→ heure de la dernière commande signalée entre parenthèses

CHAMBRES DOUBLES À MOINS DE 93 €

		Page
Aberotel - 15ᵉ	🏠	115
Abricôtel - 19ᵉ	🏠	135
Alane - 10ᵉ	🏠	101
Apollon Montparnasse - 14ᵉ	🏠	111
Boileau - 16ᵉ	🏠	122
Châtillon - 14ᵉ	🏠	110
Crimée - 19ᵉ	🏠	135
Croix de Malte - 11ᵉ	🏠	103
Damrémont - 18ᵉ	🏠	134
Des Grands Hommes - 5ᵉ	🏠🏠	59
Devillas - 5ᵉ	🏠	61
Laumière - 19ᵉ	🏠	135
Mama Shelter - 20ᵉ	🏠🏠	137
Mercure Monty - 9ᵉ	🏠🏠	98
Du Nord - 10ᵉ	🏠	101
De la Paix - 14ᵉ	🏠	110
Palma - 20ᵉ	🏠	137
Timhotel - 18ᵉ	🏠	134
Villa Opéra Lamartine - 9ᵉ	🏠	98
Vivienne - 2ᵉ	🏠	51

Environs

À la Grâce de Dieu		
- Brie-Comte-Robert	🏠🏠	142
De Berny - Antony	🏠🏠	138
La Brèche du Bois - Clamart	🏠	146

Cinépole - Joinville-le-Pont	🏠	153
Donjon - Vincennes	🏠	177
Espace Champerret - Levallois-Perret	🏠🏠	154
Express by Holiday Inn - Le Kremlin-Bicêtre	🏠🏠	153
George Sand - Courbevoie	🏠🏠	148
Ibis - Versailles	🏠	175
Kyriad Air Plus - Orly	🏠	161
Mercure - Versailles	🏠🏠	175
Mercure - Roissy-en-France	🏠🏠🏠	163
Mercure - Massy	🏠🏠	157
Mercure La Défense 5 - Courbevoie	🏠🏠🏠	148
Novotel - Sénart	🏠🏠🏠	170
Novotel - Saclay	🏠🏠🏠	165
Novotel - Rungis	🏠🏠🏠	164
Novotel - Créteil	🏠🏠🏠	149
Novotel - Aulnay-sous-Bois	🏠🏠🏠	139
Paris - Boulogne-Billancourt	🏠	141
Port Royal - Saint-Quentin-en-Yvelines	🏠	169
Radisson SAS - Le Mesnil-Amelot	🏠🏠🏠	157
Relais du Parisis - Villeparisis	🏠	176
Le Tartarin - Sucy-en-Brie	🏠🏠	170
Trosy - Clamart	🏠	146
La Vasconia - Bougival	🏠	140

ARRONDISSEMENTS ET QUARTIERS

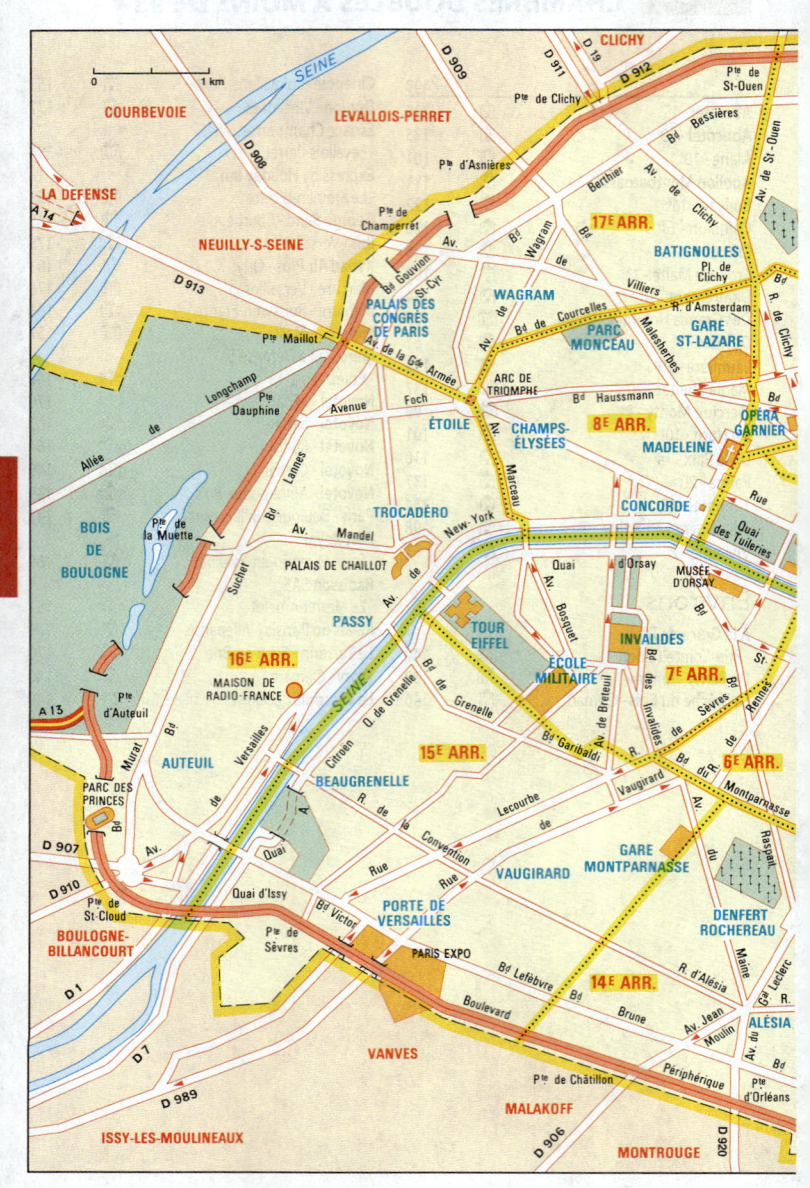

PARIS page 43

G12 : Ces lettres et chiffres correspondent au carroyage du **plan Michelin Paris** n° **54, Paris avec répertoire** n° **55, Paris du Nord au Sud** n° **56**, et **Paris par Arrondissement** n° **57**
En consultant ces quatre publications vous trouverez également les parkings les plus proches des établissements cités.

Palais-Royal •
Louvre-Tuileries •
Les Halles

1er arrondissement ✉ 75001

Le Meurice
228 r. Rivoli Ⓜ *Tuileries* – ✆ *01 44 58 10 10 – www.lemeurice.com*
– reservations@lemeurice.com – Fax 01 44 58 10 15
137 ch – †565/665 € ††625/805 €, ⊇ 36 € – 23 suites
Rest *le Meurice* – voir ci-après
Rest *Le Dali* – ✆ *01 44 58 10 44* – Carte 60/95 €

G 12

• L'un des premiers hôtels de luxe, né en 1817 et transformé en palace en 1907. Somptueuses chambres et superbe suite au dernier étage avec un panorama époustouflant sur Paris. Philippe Starck a apporté sa touche de modernité dans les espaces d'accueil. Impressionnante toile signée Ara Starck, ornant le plafond du Dali.

Ritz
15 pl. Vendôme Ⓜ *Opéra* – ✆ *01 43 16 30 30 – www.ritzparis.com – resa@ritzparis.com – Fax 01 43 16 33 75*
123 ch – †770 € ††770 €, ⊇ 67 € – 36 suites
Rest *L'Espadon* – voir ci-après
Rest *Bar Vendôme* – ✆ *01 43 16 33 63* – Carte 92/131 €

G 12

• César Ritz inaugura en 1898 "l'hôtel parfait" dont il rêvait. Valentino, Proust, Hemingway, Coco Chanel en furent les hôtes. Raffinement incomparable. Sublime piscine. Intérieur chic ou délicieuse terrasse au Bar Vendôme qui devient salon de thé l'après-midi.

The Westin Paris
3 r. Castiglione Ⓜ *Tuileries* – ✆ *01 44 77 11 11 – www.westin.com/paris*
– reservation.01729@starwoodhotels.com – Fax 01 44 77 14 60
440 ch – †390/750 € ††390/750 €, ⊇ 37 € – 29 suites
Rest *Le First* – ✆ *01 44 77 10 40 (fermé août)* Menu (29 €), 32 € (déj. en sem.)/75 € – Carte 80/95 €
Rest *La Terrasse* – ✆ *01 44 77 10 40 (ouvert 15 avril-30 sept.)* Menu (29 €), 32 € (déj. en sem.)/75 € – Carte 80/95 €

G 12

• Glorieux hôtel édifié en 1878. Le décor des chambres, revu, intègre au charme historique du lieu un esprit contemporain ; certaines ont vue sur les Tuileries. Salons Napoléon III. Ambiance chic et feutrée, façon boudoir moderne, au First. La Terrasse, côté cour, est isolée du tumulte parisien.

Costes
239 r. St-Honoré Ⓜ *Concorde* – ✆ *01 42 44 50 00 – www.hotelcostes.com*
– Fax 01 42 44 50 01
82 ch – †400 € ††550 €, ⊇ 32 € – 3 suites   **Rest** – Carte 80/140 €

G 12

• Style Napoléon III revisité dans des chambres pourpre et or, ravissante cour à l'italienne et bel espace de remise en forme : un palace extravagant, adulé par la jet-set. Le restaurant de l'hôtel Costes est le temple de la tendance branchée lounge.

De Vendôme
1 pl. Vendôme Ⓜ *Opéra* – ✆ *01 55 04 55 00 – www.hoteldevendome.com*
– reservations@hoteldevendome.com – Fax 01 49 27 97 89
19 ch – †535/630 €, ⊇ 32 € – 10 suites   **Rest** – Carte 70/90 €

G 12

• La place Vendôme forme le superbe écrin de ce bel hôtel particulier du 18e s. devenu palace. Meubles anciens, marbre et équipements high-tech dans les chambres. Au restaurant, élégant décor de style anglais et cuisine au goût du jour privilégiant les épices.

1er arrondissement – PARIS page 45

Renaissance Paris Vendôme
4 r. Mont-Thabor **Ⓜ** *Tuileries* – ☏ *01 40 20 20 00*
– *www.renaissanceparisvendome.com* – *francereservations@marriotthotels.com*
– *Fax 01 40 20 20 01* G 12
97 ch – †330/620 € ††330/620 €, ⊇ 29 € – 12 suites
Rest *Pinxo* – voir ci-après
♦ Immeuble du 19ᵉ s. métamorphosé en hôtel contemporain revisitant les années 1930-1950. Bois, tons miel et chocolat, équipements de pointe dans les chambres. Beau bar chinois.

Castille Paris
33 r. Cambon **Ⓜ** *Madeleine* – ☏ *01 44 58 44 58* – *www.castille.com*
– *reservations@castille.com* – *Fax 01 44 58 44 00* G 12
91 ch – †260/820 € ††260/820 €, ⊇ 28 € – 17 suites
Rest *Il Cortile* – 37 r. Cambon, ☏ *01 44 58 45 67* (fermé août, 24-30 déc., sam. et dim.) Menu (38 €), 48 € (déj.)/95 € – Carte 53/80 € ❀
♦ Côté "Opéra", précieux décor d'inspiration vénitienne ; côté "Rivoli", cadre chic tantôt épuré, tantôt noir et blanc graphique en écho à la maison Chanel voisine. Il Cortile sert une cuisine italienne, présentée avec soin, dans une salle façon "villa d'Este". Patio-terrasse.

Regina
2 pl. des Pyramides **Ⓜ** *Tuileries* – ☏ *01 42 60 31 10* – *www.regina-hotel.com*
– *reservation@regina-hotel.com* – *Fax 01 40 15 95 16* H 13
120 ch – †375 € ††375 €, ⊇ 32 € – 10 suites
Rest – Menu (34 €) – Carte 35/55 €
♦ Cet hôtel 1900 a su garder son atmosphère et son décor Art nouveau. Superbe hall, chambres riches en mobilier ancien – certaines ont vue sur la tour Eiffel – plus calmes côté patio. Salle à manger avec jolie cheminée Majorelle et cour-jardin très prisée en été.

Cambon sans rest
3 r. Cambon **Ⓜ** *Concorde* – ☏ *01 44 58 93 93* – *www.hotelcambon.com* – *info@hotelcambon.com* – *Fax 01 42 60 30 59* G 12
40 ch – †230/290 € ††330/370 €, ⊇ 19 € – 2 suites
♦ Entre jardin des Tuileries et rue St-Honoré, plaisantes chambres où cohabitent mobilier contemporain, jolies gravures et tableaux anciens. Clientèle fidèle.

Royal St-Honoré sans rest
221 r. St-Honoré **Ⓜ** *Tuileries* – ☏ *01 42 60 32 79* – *www.hotel-royal-st-honore.com*
– *rsh@hroy.com* – *Fax 01 42 60 47 44* G 12
72 ch – †340/390 € ††390/440 €, ⊇ 22 €
♦ Sur le site de l'ancien hôtel de Noailles, immeuble cossu du 19ᵉ s. aux chambres raffinées et soignées. Décor Louis XVI rafraîchi dans la salle des petits-déjeuners, bar cosy.

Meliá Vendôme sans rest
8 r. Cambon **Ⓜ** *Concorde* – ☏ *01 44 77 54 00* – *www.solmelia.com*
– *Fax 01 44 77 54 01* G 12
83 ch – †379 € ††399 €, ⊇ 28 € – 4 suites
♦ Élégante adresse à l'atmosphère feutrée tout de rouge et d'or. Chambres au mobilier de style, salon coiffé d'une verrière Belle Époque, bar chic et bel espace petit-déjeuner.

Washington Opéra sans rest
50 r. Richelieu **Ⓜ** *Palais Royal* – ☏ *01 42 96 68 06* – *www.washingtonopera.com*
– *hotel@washingtonopera.com* – *Fax 01 40 15 01 12* G 13
36 ch – †190/275 € ††245/335 €, ⊇ 13 €
♦ Ancien hôtel particulier de la marquise de Pompadour. Chambres de style Directoire ou gustavien. La terrasse du 6ᵉ étage offre une belle vue sur le jardin du Palais-Royal.

Mansart sans rest
5 r. des Capucines **Ⓜ** *Opéra* – ☏ *01 42 61 50 28* – *www.esprit-de-france.com*
– *mansart@espritfrance.com* – *Fax 01 49 27 97 44* G 12
57 ch – †160 € ††170/345 €, ⊇ 13 €
♦ Jouxtant la place Vendôme, cet hôtel rend hommage à Mansart, architecte de Louis XIV. Chambres classiques meublées en style Empire ou Directoire. Hall-salon plus actuel.

1311

PARIS page 46 – 1er arrondissement

Opéra Richepanse sans rest
14 r. Chevalier de St-George **M** *Madeleine* – ℰ 01 42 60 36 00
– www.richepanse.com – hotel@richepanse.com – Fax 01 42 60 13 03
38 ch – †250/444 € ††250/444 €, ⊇ 18 € G 12

♦ Bel établissement au cadre résolument Art déco. Chambres harmonieuses et bien équipées ; certaines donnent sur la Madeleine. Salle voûtée au sous-sol pour le petit-déjeuner.

Novotel Paris Les Halles
8 pl. M.-de-Navarre **M** *Châtelet* – ℰ 01 42 21 31 31
– www.novotelparisleshalles.com – h0785@accor.com
– Fax 01 40 26 05 79 H 14
280 ch – †195/309 € ††215/330 €, ⊇ 18 € – 5 suites
Rest – (fermé dim. midi et sam.) Carte 20/45 €

♦ Situation centrale, face au Forum des Halles avec l'église St-Eustache à l'horizon, équipements pour séminaires, chambres rénovées et zen : les bons points de cet hôtel moderne. Carte traditionnelle et à la plancha au restaurant ; bar ouvert jusqu'à 2 h.

Britannique sans rest
20 av. Victoria **M** *Châtelet* – ℰ 01 42 33 74 59 – www.hotel-britannique.fr
– mailbox@hotel-britannique.fr – Fax 01 42 33 82 65 J 14
39 ch – †128/160 € ††152/279 €, ⊇ 13 €

♦ Créé sous le règne de Victoria par une famille anglaise, cet hôtel superpose les influences impériales. Chambres cossues à l'exotisme raffiné et charmant salon. "So british" !

Thérèse sans rest
5 r. Thérèse **M** *Pyramides* – ℰ 01 42 96 10 01 – www.hoteltherese.com – info@
hoteltherese.com – Fax 01 42 96 15 22 G 13
43 ch – †155/320 € ††155/320 €, ⊇ 13 €

♦ Le charme de cette adresse tient à son décor contemporain soigné : tableaux, objets chinés, boiseries et tons pastel. Salon cosy, salle des petits-déjeuners dans la cave voûtée.

Relais St-Honoré sans rest
308 r. St Honoré **M** *Tuileries* – ℰ 01 42 96 06 06 – www.relaissainthonore.com
– relaissainthonore@wanadoo.fr – Fax 01 42 96 17 50 G 12
15 ch – †203 € ††203/340 €, ⊇ 13 €

♦ Dans cet immeuble du 17e s., le petit-déjeuner est servi uniquement dans les chambres ; elles sont calmes, meublées d'ancien et ornées de poutres peintes (sauf au 1er étage).

Molière sans rest
21 r. Molière **M** *Palais Royal Musée du Louvre* – ℰ 01 42 96 22 01
– www.hotel-moliere.fr – info@hotel-moliere.fr – Fax 01 42 60 48 68
32 ch – †145/170 € ††170/190 €, ⊇ 14 € G 13

♦ L'enseigne célèbre Molière qui serait né dans cette rue en 1622. Chambres cosy, assez spacieuses et toutes non-fumeurs ; mobilier de style, tissus choisis et double vitrage.

Relais du Louvre sans rest
19 r. Prêtres-St-Germain-l'Auxerrois **M** *Louvre Rivoli* – ℰ 01 40 41 96 42
– www.relaisdulouvre.com – contact@relaisdulouvre.com
– Fax 01 40 41 96 44 H 14
20 ch – †125 € ††170 €, ⊇ 13 € – 1 suite

♦ Étroite façade du 18e s. abritant un hôtel de caractère, paisible et bien tenu. Chambres colorées, conciliant raffinement et confort moderne. Belle suite au dernier étage.

Place du Louvre sans rest
21 r. Prêtres-St-Germain-L'Auxerrois **M** *Louvre Rivoli* – ℰ 01 42 33 78 68
– www.espritdefrance.com – hpl@espritfrance.com – Fax 01 42 33 09 95
20 ch – †125/200 € ††154/200 €, ⊇ 13 € H 14

♦ À l'ombre de l'église St-Germain-l'Auxerrois, chambres coquettes portant le nom d'un peintre. Petit-déjeuner servi dans une cave voûtée (14e s.) jadis reliée au Louvre.

Aux Ducs de Bourgogne sans rest
19 r. Pont-Neuf **M** *Châtelet* – ℰ 01 42 33 95 64
– www.paris-hotel-bourgogne.com – bourgogne@paris-inn.com
– Fax 01 40 39 01 25 H 14
50 ch – †150/290 € ††150/290 €, ⊇ 15 €

♦ Cet immeuble du 19e s. dispose de petites chambres très bien tenues (mansardées au dernier étage). Salles de bains récentes et mobilier fonctionnel. Agréable salon bourgeois.

1er arrondissement – PARIS page 47

Louvre Ste-Anne sans rest

32 r. Ste-Anne — Ⓜ Pyramides – ✆ 01 40 20 02 35 – www.louvre-ste-anne.fr
– contact@louvre-ste-anne.fr – Fax 01 40 15 91 13   G 13
20 ch – †116/130 € ††135/190 €, ⌑ 12 €

♦ Situé dans la rue des restaurants japonais, cet hôtel vous réserve un accueil charmant. Chambres aux tons pastel, petites mais bien agencées. Salle des petits-déjeuners voûtée.

Le Meurice – Hôtel Le Meurice

228 r. Rivoli Ⓜ Tuileries – ✆ 01 44 58 10 55 – www.lemeurice.com
– restaurant@lemeurice.com – Fax 01 44 58 10 76
– Fermé 1er-30 août, 3 fév.-7 mars, sam. et dim.   G 12
Rest – Menu 90 € (déj.)/220 € – Carte 205/290 € 🕮

Spéc. Poulet à la bouteille "Aniel Zélie" généreusement truffé, salade de jeunes pousses (hiver). Dos de saumon de l'Adour confit, chou aux écorces d'orange et fumet au genièvre. Fuseaux croustillants au chocolat lacté, truffe blanche à la fleur de sel.

♦ Salle à manger de style Grand Siècle, inspirée des Grands Appartements du château de Versailles, et talentueuse cuisine au goût du jour signée Yannick Alleno : un palace pour gourmets !

L'Espadon – Hôtel Ritz

15 pl. Vendôme Ⓜ Opéra – ✆ 01 43 16 30 80 – www.ritzparis.com
– espadon@ritzparis.com – Fax 01 43 16 33 75   G 12
Rest – Menu 80 € (déj.), 105/340 € – Carte 170/266 € 🕮

Spéc. Emietté de tourteau, jaune d'œuf fumé et caviar impérial. Sole aux coquillages, confit de pommes de terre au beurre demi-sel. Millefeuille "Tradition Ritz", crème glacée caramel.

♦ La salle submergée d'ors et de drapés est éblouissante. Dans ce cadre magique, la cuisine de Michel Roth, d'un classicisme sans faille, atteint sa meilleure expression. Service irréprochable.

Le Grand Véfour

17 r. Beaujolais Ⓜ Palais Royal – ✆ 01 42 96 56 27 – www.grand-vefour.com
– grand.vefour@wanadoo.fr – Fax 01 42 86 80 71
– Fermé 20-24 avril, 2-31 août, 24 déc.-1er janv., vend. soir, sam. et dim.   G 13
Rest – Menu 88 € (déj. en sem.)/268 € – Carte 210/230 € 🕮

Spéc. Ravioles de foie gras, crème foisonnée truffée. Parmentier de queue de bœuf aux truffes. Palet noisette et chocolat au lait, glace au caramel brun et prise de sel de Guérande.

♦ Dans les jardins du Palais-Royal, somptueux salons Directoire dans cette luxueuse maison chargée d'histoire(s). Nombre de personnalités se sont un jour attablées ici ! Cuisine inventive réalisée par un chef inspiré.

Carré des Feuillants (Alain Dutournier)

14 r. Castiglione Ⓜ Tuileries – ✆ 01 42 86 82 82 – www.carredesfeuillants.fr
– carredesfeuillants@orange.fr – Fax 01 42 86 07 71
– Fermé août, sam. et dim.   G 12
Rest – Menu 58 € (déj. en sem.)/175 € – Carte 137/176 € 🕮

Spéc. Huîtres de Marennes, caviar d'Aquitaine et algues marines (sauf été). Turbot sauvage rôti, riz noir et asperges vertes (printemps-été). Cerises burlat en jubilé façon "forêt verte" (été).

♦ Sur le site du couvent des Feuillants, restaurant moderne rehaussé d'œuvres d'art contemporaines. Carte dans l'air du temps au bel accent gascon, superbes vins et armagnacs.

Gérard Besson

5 r. Coq Héron Ⓜ Louvre Rivoli – ✆ 01 42 33 14 74 – www.gerardbesson.com
– gerard.besson4@libertysurf.fr – Fax 01 42 33 85 71
– Fermé 25 juil.-24 août, lundi midi, sam. midi et dim.   H 14
Rest – Menu (70 €), 130 € – Carte 125/160 € 🕮

Spéc. Fricassée de homard "Georges Garin". Gibier (début oct. à mi-déc.). Fenouil confit aux épices, glace vanille de Tahiti.

♦ Camaïeu de beiges, natures mortes et toile de Jouy dans cet élégant restaurant proche des Halles. Cuisine classique revisitée, spécialités de gibier et très beau livre de cave.

Macéo
15 r. Petits-Champs Ⓜ Bourse – ℰ 01 42 97 53 85 – www.maceorestaurant.com – info@maceorestaurant.com – Fax 01 47 03 36 93 – Fermé 1ᵉʳ-17 août, sam. midi, dim. et fériés   G 13
Rest – Menu (27 €), 32 € (sem.)/60 € – Carte 50/62 €
♦ Cadre Second Empire vivifié, associant miroirs d'époque et mobilier contemporain. Cuisine au goût du jour, menu végétarien et carte de vins du monde. Salon-bar convivial.

Goumard
9 r. Duphot Ⓜ Madeleine – ℰ 01 42 60 36 07 – www.goumard.com – goumard.philippe@wanadoo.fr – Fax 01 42 60 04 54   G 12
Rest – Menu (29 €), 39/49 € bc – Carte 49/70 €
♦ Cette maison plus que centenaire a pris un tournant : décor contemporain, choix de viandes en plus des spécialités de la mer (dégustation d'huîtres au bar du rdc). Ouvert de midi à minuit.

Palais Royal
110 Galerie de Valois - Jardin du Palais Royal Ⓜ Bourse – ℰ 01 40 20 00 27 – www.restaurantdupalaisroyal.com – palaisrest@aol.com – Fax 01 40 20 00 82 – Fermé 21 déc.-10 janv. et dim.   G 13
Rest – Carte 50/75 €
♦ Sous les fenêtres de l'appartement de Colette, salle de restaurant inspirée du style Art déco et son idyllique terrasse "grande ouverte" sur le jardin du Palais-Royal.

Pierre au Palais Royal
10 r. Richelieu Ⓜ Palais Royal – ℰ 01 42 96 09 17 – www.pierreaupalaisroyal.com – pierreaupalaisroyal@wanadoo.fr – Fax 01 42 96 26 40 – Fermé août, sam. midi et dim.   H 13
Rest – Menu (33 €), 39/54 €
♦ Changement de cap pour cette institution : une salle relookée en noir et blanc, d'un effet chic et sobre, et des plats inspirés par le Sud-Ouest que le patron présente avec passion.

Au Pied de Cochon
6 r. Coquillière Ⓜ Châtelet-Les Halles – ℰ 01 40 13 77 00 – www.pieddecochon.com – pieddecochon@blanc.net – Fax 01 40 13 77 09   H 14
Rest – Menu 26 € – Carte 35/66 €
♦ Mythique brasserie parisienne qui, depuis son ouverture en 1947, est connue pour régaler également les noctambules. Longue carte traditionnelle (plats canailles, fruits de mer).

Le Soufflé
36 r. Mont-Thabor Ⓜ Tuileries – ℰ 01 42 60 27 19 – c_rigaud@club.fr – Fax 01 42 60 54 98 – Fermé 3-24 août, 21 fév.-7 mars, dim. et fériés
Rest – Menu (25 € bc), 31/36 € – Carte 40/50 €   G 12
♦ Cela fait plus de 40 ans que cette maison bourgeoise, proche des Tuileries, se consacre à son péché mignon : le soufflé. Salé ou sucré, un menu lui est totalement dédié !

Delizie d'Uggiano
18 r. Duphot Ⓜ Madeleine – ℰ 01 40 15 06 69 – www.delizieduggiano.com – losapiog@wanadoo.fr – Fax 01 40 15 03 90 – Fermé 5-20 août, sam. midi et dim.   G 12
Rest – Menu 30 € bc (déj. en sem.), 36/89 € bc – Carte 46/79 €
♦ À l'étage, salle à manger principale et son joli décor inspiré de la Toscane. Au rez-de-chaussée, bar à vins et épicerie fine. Le tout voué à une cuisine "italianissime".

Au Gourmand
17 r. Molière Ⓜ Pyramides – ℰ 01 42 96 22 19 – www.augourmand.fr – Fax 01 42 96 05 72 – Fermé 21-25 mai, 10-17août, 24-28 déc., sam. midi, dim. et fériés   G 13
Rest – Menu 30/105 € – Carte 65/80 €
♦ Un cadre convivial pour une cuisine traditionnelle actualisée (dont un menu "tout légume de Joël Thiébault") concoctée par un chef autodidacte ; conseils avisés d'un pro sur les vins.

1er arrondissement – PARIS page 49

XX Saudade
34 r. Bourdonnais Ⓜ Pont Neuf – ℰ 01 42 36 03 65 – Fax 01 42 36 30 71
– Fermé 15-31 août et dim.   H 14
Rest – Menu 22 € bc (déj.) – Carte 35/59 €
♦ Pour un repas au Portugal... en plein Paris, rendez-vous dans cette salle de restaurant décorée d'azulejos. Plats typiques et vins lusitaniens à déguster au son du fado.

XX Pinxo – Hôtel Renaissance Paris Vendôme
9 r. d'Alger Ⓜ Tuileries – ℰ 01 40 20 72 00 – www.pinxo.fr – Fax 01 40 20 72 02
– Fermé 3 sem. en août   G 12
Rest – Menu (32 € bc) – Carte 48/70 €
♦ Mobilier épuré, tons noir et blanc, cuisine à la vue de tous : un décor sobre et chic pour "pinxer" (prendre avec les doigts) d'excellents petits plats à la mode Dutournier !

XX Kinugawa
9 r. Mont Thabor Ⓜ Tuileries – ℰ 01 42 60 65 07 – http://kinugawa.free.fr
– higashiuchi.kinugawa@free.fr – Fax 01 42 60 45 21 – Fermé 24 déc.-6 janv.
et dim.   G 12
Rest – Menu 32 € (déj.), 75/125 € – Carte 54/125 €
♦ À l'étage, cuisine japonaise servie dans une salle à manger contemporaine très "nippone" : tableaux, lignes épurées et sobres tonalités. Bar à sushis au rez-de-chaussée.

XX L'Atelier Berger
49 r. Berger Ⓜ Louvre Rivoli – ℰ 01 40 28 00 00
– www.restaurant-atelierberger.com – atelierberger@wanadoo.fr
– Fax 01 40 28 10 65 – Fermé sam. midi et dim.   H 14
Rest – Menu 37/69 € – Carte 37/55 €
♦ Face au jardin des Halles, salle à manger actuelle (à l'étage) où la clientèle du quartier apprécie un menu-carte au goût du jour et un beau choix de vins. Salon-fumoir.

X Willi's Wine Bar
13 r. Petits-Champs Ⓜ Bourse – ℰ 01 42 61 05 09 – www.williswinebar.com
– info@williswinebar.com – Fax 01 47 03 36 93 – Fermé 9-24 août, dim. et fériés   G 13
Rest – Menu (21 €), 27 € (déj.)/35 €
♦ Une collection d'affiches créées pour le lieu par des artistes contemporains décore ce bar à vins très convivial. Cuisine bistrot et nombreux crus attentivement sélectionnés.

X Pharamond
24 r. de la Grande-Truanderie Ⓜ Châtelet-Les-Halles – ℰ 01 40 28 45 18
– www.pharamond.fr – dorabineau@wanadoo.fr   H 15
Rest – Menu (19 €), 29 € – Carte 43/92 €
♦ Ancienne institution des Halles de la grande époque, cette adresse intemporelle régale toujours de plats traditionnels (spécialités de tripes et abats). Authentique décor 1900.

X Bistrot St-Honoré
10 r. Gomboust Ⓜ Pyramides – ℰ 01 42 61 77 78 – bistrotsthonore@orange.fr
– Fax 01 42 61 74 10 – Fermé 24 déc.-2 janv. et dim.   G 13
Rest – Menu 28 € – Carte 30/77 €
♦ D'allure typiquement parisienne, ce petit bistrot rustique célèbre la Bourgogne à travers une cuisine généreuse et des vins de terroir. Cadre chaleureux et ambiance décontractée.

X Les Embruns
4 r. Sauval Ⓜ Louvre Rivoli – ℰ 01 40 26 08 07 – magalie.granjon@gmail.com
– Fermé 1er -21 août, dim. et lundi   H 14
Rest – (nombre de couverts limité, prévenir) Menu (25 €), 35 € (sem.)/50 € – Carte 44/62 €
♦ Dans la petite salle rustique et contemporaine de cette adresse conviviale, vous pourrez observer le chef à l'œuvre, préparant les beaux produits en provenance des ports bretons.

X Kaï
18 r. du Louvre Ⓜ Louvre Rivoli – ℰ 01 40 15 01 99 – Fermé une sem. en avril, trois sem. en août, une sem. à Noël, dim. midi et lundi   H 14
Rest – Menu 28 € (déj.), 31/135 € – Carte 16/38 €
♦ Décor zen épuré, respect de la tradition japonaise oblige, pour déguster des spécialités de Tokyo : poissons et grillades sur charbon. Desserts de chez Pierre Hermé.

1er arrondissement

Zen
8 r. de L'Echelle – **Ⓜ** Palais Royal – ℘ 01 42 61 93 99 – www.restaurant-zen.cc – mondial.paris@wanadoo.fr – Fax 01 40 20 92 91 – Fermé 10-20 août
Rest – Menu (12 €), 18 € (déj.), 30/60 € – Carte 20/30 € H13
♦ Table japonaise traditionnelle par sa carte (étoffée), mais rafraîchissante par son décor fluide : lignes épurées tout en rondeur, omniprésence du blanc et du vert acidulé.

Baan Boran
43 r. Montpensier – **Ⓜ** Palais Royal – ℘ 01 40 15 90 45 – www.baan-boran.com – baan.boran@orange.fr – Fax 01 40 15 90 45 – Fermé sam. midi et dim.
Rest – Menu (16 €), 45 € (dîner) – Carte 30/40 € G 13
♦ Escale asiatique face au théâtre du Palais Royal : spécialités thaïlandaises préparées au wok et servies dans un cadre actuel égayé par de nombreuses orchidées.

Chez La Vieille "Adrienne"
1 r. Bailleul – **Ⓜ** Louvre Rivoli – ℘ 01 42 60 15 78 – Fax 01 42 60 15 78 – Fermé 1er-25 août, sam. et dim. H 14
Rest – (prévenir) Menu 26 € (déj. en sem.) – Carte 40/61 €
♦ Récemment reprise, la maison a conservé les plats traditionnels qui ont fait sa réputation (rognons, etc.) et son cadre patiné et convivial (grand comptoir garni de hors-d'œuvre).

Lescure
7 r. Mondovi – **Ⓜ** Concorde – ℘ 01 42 60 18 91 – Fermé août, vacances de Noël, sam. et dim. G 11
Rest – Menu 24 € bc – Carte 28/35 €
♦ Auberge rustique voisine de la place de la Concorde. On y déguste au coude à coude, à la table commune, de copieuses spécialités du Sud-Ouest.

Bourse • Sentier

2e arrondissement ✉ 75002

Park Hyatt
5 r. de la Paix – **Ⓜ** Opéra – ℘ 01 58 71 12 34 – www.paris.vendome.hyatt.fr – paris.vendome@hyatt.com – Fax 01 58 71 12 35 G 12
168 ch – †800 € ††800 €, ⇌ 48 € – 22 suites
Rest Le Pur' Grill – voir ci-après
Rest Les Orchidées – ℘ 01 58 71 10 61 (déj. seult) Carte 61/123 €
♦ Sur la célèbre rue de la Paix, palace des plus contemporains dans une architecture haussmannienne : décor signé Ed Tuttle, collection d'art moderne, spa et équipements high-tech. Carte au goût du jour à déguster sous la verrière des Orchidées.

Westminster
13 r. de la Paix – **Ⓜ** Opéra – ℘ 01 42 61 57 46 – www.hotelwestminster.com – resa.westminster@warwickhotels.com – Fax 01 42 60 30 66 G 12
102 ch – †280/630 € ††280/630 €, ⇌ 28 € – 22 suites
Rest Le Céladon – voir ci-après
Rest Le Petit Céladon – ℘ 01 47 03 40 42 (fermé août, lundi, mardi, merc., jeudi et vend.) Menu 55 €
♦ Cet hôtel adopta le nom de son plus fidèle client, le duc de Westminster, en 1846. Chambres et appartements luxueux. La décoration du hall change avec les saisons. Le Céladon devient Petit Céladon le week-end : menu-carte simplifié et service décontracté.

2ᵉ arrondissement – PARIS page 51

Édouard VII sans rest
39 av. Opéra Ⓜ *Opéra –* ℰ *01 42 61 56 90 – www.edouard7hotel.com – info@edouard7hotel.com – Fax 01 42 61 47 73* G 13
71 ch – †220/360 € ††250/500 €, ⊇ 25 € – 7 suites
♦ Le prince de Galles Édouard VII aimait séjourner ici lors de ses passages à Paris. Chambres spacieuses et feutrées, en partie refaites. Bar cosy (boiseries sombres, vitraux).

Mercure Stendhal sans rest
22 r. D. Casanova Ⓜ *Opéra –* ℰ *01 44 58 52 52 – www.mercure.com – h1610@accor.com – Fax 01 44 58 52 00* G 12
20 ch – †270/410 € ††290/420 €, ⊇ 17 €
♦ Sur les traces du célèbre écrivain, séjournez dans la suite "Rouge et Noir" de cette demeure de caractère. Chambres coquettes et personnalisées, bar-salon douillet avec cheminée.

L'Horset Opéra sans rest
18 r. d'Antin Ⓜ *Opéra –* ℰ *01 44 71 87 00 – www.hotelhorsetopera.com – reservation@hotelhorsetopera.com – Fax 01 42 66 55 54* G 13
54 ch ⊇ – †180/265 € ††195/295 €
♦ Tentures colorées, boiseries chaleureuses et mobilier choisi font le cachet des chambres de cet hôtel de tradition situé à deux pas du palais Garnier. Atmosphère cosy au salon.

Noailles sans rest
9 r. de la Michodière Ⓜ *Quatre Septembre –* ℰ *01 47 42 92 90 – www.hoteldenoailles.com – goldentulip.denoailles@wanadoo.fr – Fax 01 49 24 92 71* G 13
58 ch – †205/265 € ††215/280 €, ⊇ 15 € – 4 suites
♦ Élégance très contemporaine derrière une jolie façade ancienne. Chambres zen et épurées, ouvertes pour la plupart sur le patio-terrasse. Agréables salons trendy.

États-Unis Opéra sans rest
16 r. d'Antin Ⓜ *Opéra –* ℰ *01 42 65 05 05 – www.hotel-paris-opera.com – us-opera@wanadoo.fr – Fax 01 42 65 93 70* G 13
45 ch – †110/222 € ††135/255 €, ⊇ 12 €
♦ Cet immeuble des années 1930, niché dans une rue calme, propose des chambres confortables d'esprit actuel. Accueillant bar de style anglais où l'on sert le petit-déjeuner.

Victoires Opéra sans rest
56 r. Montorgueil Ⓜ *Etienne Marcel –* ℰ *01 42 36 41 08 – www.victoiresopera.com – hotel@victoiresopera.com – Fax 01 45 08 08 79* G 14
24 ch – †214 € ††214 €, ⊇ 12 €
♦ Un établissement dans l'air du temps, situé dans une rue piétonne à la mode et animée. Chambres cosy, sobres et élégantes. Jolie salle voûtée pour les petits-déjeuners.

Malte Opéra sans rest
63 r. de Richelieu Ⓜ *Quatre Septembre –* ℰ *01 44 58 94 94 – www.astotel.com – hotel.malte@astotel.com – Fax 01 42 86 88 19* G 13
64 ch – †176/240 € ††176/240 €, ⊇ 14 €
♦ Face à la Bibliothèque nationale, beau bâtiment du 17ᵉ s. À l'intérieur, séduisant patio, chambres de style classique – très calmes côté cour – et salon feutré et cossu.

Favart sans rest
5 r. Marivaux Ⓜ *Richelieu Drouot –* ℰ *01 42 97 59 83 – www.hotel-favart.com – favart.hotel@wanadoo.fr – Fax 01 40 15 95 58* F 13
37 ch – †102/130 € ††135/160 €
♦ Le peintre Goya séjourna dans ce charmant hôtel où règne une atmosphère intemporelle. Les chambres de la façade principale, tournées vers l'Opéra Comique, sont les plus agréables.

Vivienne sans rest
40 r. Vivienne Ⓜ *Grands Boulevards –* ℰ *01 42 33 13 26 – www.hotel-vivienne.com – paris@hotel-vivienne.com – Fax 01 40 41 98 19* F 14
45 ch – †62/116 € ††77/116 €, ⊇ 10 €
♦ Hôtel familial à deux pas des Grands Boulevards. Chambres d'ampleur et de style variables ; certaines ont un balcon, d'autres une miniterrasse (une donne sur les toits de Paris).

1317

PARIS page 52 – 2ᵉ arrondissement

XXX Le Pur' Grill – Hôtel Park Hyatt
❀
5 r. de la Paix ⓂOpéra – ℰ 01 58 71 10 60 – www.paris.vendome.hyatt.fr
– paris.vendome@hyatt.com – Fermé août   G12
Rest – (dîner seult) Menu 135/300 € bc – Carte 97/185 €
Spéc. Sashimi de langoustines sur l'idée d'une pinacolada. Bar de ligne confit à l'huile d'olive, supions, sauce tonato. Sablé breton au beurre demi-sel, marmelade figues et cassis, crème glacée au shizo.
♦ Simplicité et raffinement pour cette carte au goût du jour servie au dîner dans une salle en rotonde contemporaine et chic (cuisines théâtralement ouvertes).

XXX Le Céladon – Hôtel Westminster
❀
15 r. Daunou ⓂOpéra – ℰ 01 47 03 40 42 – www.leceladon.com – cmoisand@
leceladon.com – Fax 01 42 61 33 78 – Fermé août, sam. et dim.   G 12
Rest – Menu 55 € (déj. en sem.), 82/110 € – Carte 90/120 €
Spéc. Thon rouge et sardine bretonne marinés et rôtis à la chermoula. Turbot côtier rôti au beurre salé, salade de charlotte grillée. Chocolat, sablé à la fleur de sel et sabayon.
♦ Le décor, très raffiné, associe style Régence, tableaux anciens et notes orientales (vases en céladon : porcelaine chinoise vert pâle). Belle cuisine dans l'air du temps.

XXX La Fontaine Gaillon
pl. Gaillon ⓂQuatre Septembre – ℰ 01 47 42 63 22
– www.la-fontaine-gaillon.com – lafontainegaillon@cegetel.net
– Fax 01 47 42 82 84 – Fermé 1ᵉʳ-23 août, sam. et dim.   G 13
Rest – Menu 43 € (déj. en sem.), 49/58 € – Carte 60/70 €
♦ Superbe hôtel particulier du 17ᵉ s., supervisé par Gérard Depardieu : cadre feutré, terrasse autour de la fontaine, cuisine valorisant les mets et plaisante sélection de vins.

XXX Drouant
16 pl. Gaillon ⓂQuatre Septembre – ℰ 01 42 65 15 16 – www.drouant.com
– a.westermann@orange.fr – Fax 01 49 24 02 15   G13
Rest – Menu 43 € (déj.)/54 € – Carte 56/86 €
♦ Sous la houlette d'Antoine Westermann, le mythique restaurant du prix Goncourt propose une cuisine traditionnelle actualisée où les produits sont rois. Élégant décor cossu et épuré.

XX Le Versance
16 r. Feydeau ⓂBourse – ℰ 01 45 08 00 08 – www.leversance.fr – contact@
leversance.fr – Fax 01 45 08 47 99 – Fermé août, 24 déc.-5 janv., sam. midi, dim. et
lundi   F14
Rest – Menu (32 € bc), 38 € bc (déj. en sem.) – Carte 54/71 €
♦ Dans un écrin gris-blanc épuré, où l'ancien (poutres, vitraux) rencontre le moderne (mobilier design), savourez la cuisine au goût du jour d'un chef globe-trotter.

XX Gallopin
40 r. N.-D.-des-Victoires ⓂBourse – ℰ 01 42 36 45 38
– www.brasseriegallopin.com – administration@brasseriegallopin.com
– Fax 01 42 36 10 32   G 14
Rest – Menu (25 €), 30/36 € bc – Carte 30/50 €
♦ Du nom des propriétaires de l'époque, brasserie au précieux décor victorien (1876), située face au palais Brongniart. Service dynamique et plats bistrotiers bien maîtrisés.

XX Vaudeville
29 r. Vivienne ⓂBourse – ℰ 01 40 20 04 62 – www.vaudevilleparis.com
– Fax 01 40 20 14 35   G 14
Rest – Menu 24/32 € – Carte 35/60 €
♦ Grande brasserie Art déco, dans la pure tradition parisienne. Le jour, "cantine" de nombreux journalistes et le soir, "relâche" des sorties de théâtres. Carte classique du genre.

X Liza
14 r. de la Banque ⓂBourse – ℰ 01 55 35 00 66 – www.restaurant-liza.com
– info@restaurant-liza.com – Fax 01 40 15 04 60 – Fermé sam. midi et dim. soir
Rest – Menu 18 € (déj. en sem.), 23/50 € – Carte 35/70 €   G 14
♦ Loin des clichés, cette table libanaise, mise en scène par des designers du pays (ambiance lounge et orientale, fond musical), réinterprète finement les recettes traditionnelles.

2e arrondissement – PARIS page 53

Chez Georges
1 r. du Mail Ⓜ *Bourse* – ℰ *01 42 60 07 11 – Fermé août, vacances de Noël, sam., dim. et fériés*   G 14
Rest – Carte 50/81 €

◆ La façade à l'ancienne donne le ton et l'esprit du lieu : un vrai bistrot parisien avec son décor 1900. Cuisine traditionnelle, vins bien choisis et accueil aux petits soins.

Aux Lyonnais
32 r. St-Marc Ⓜ *Richelieu Drouot* – ℰ *01 42 96 65 04 – www.esprit-bistrot.com – auxlyonnais@online.fr – Fax 01 42 97 42 95 – Fermé 26 juil.-24 août, 24 déc.-2 janv., sam. midi, dim. et lundi*   F 13
Rest – *(prévenir)* Menu 32 € – Carte 40/49 €

◆ Ce bistrot fondé en 1890 propose de savoureuses recettes lyonnaises intelligemment réactualisées. Cadre délicieusement rétro : zinc, banquettes, miroirs biseautés, moulures.

Le Mesturet
77 r. de Richelieu Ⓜ *Bourse* – ℰ *01 42 97 40 68 – www.lemesturet.com – lemesturet@wanadoo.fr – Fax 01 42 97 40 68*   G 13
Rest – Menu (21 €), 27/34 €

◆ Vrais produits du terroir, généreuses recettes de tradition, judicieuse carte des vins et accueil charmant : ce bistrot décoré à l'ancienne fait très souvent salle comble.

Pierrot
18 r. Étienne Marcel Ⓜ *Etienne Marcel* – ℰ *01 45 08 00 10 – Fax 01 42 77 35 92 – Fermé 9-28 août et dim.*   H 15
Rest – Menu 50 € bc/70 € bc

◆ Ce bistrot du Sentier vous fera découvrir les saveurs et les produits de l'Aveyron : viande fermière de l'Aubrac, confit de canard, foie gras maison, etc. Terrasse-trottoir.

Silk & Spice
6 r. Mandar Ⓜ *Sentier* – ℰ *01 44 88 21 91 – www.groupsilkandspice.com – paris@groupsilkandspice.com – Fax 01 42 21 36 25*   G 14
Rest – Menu 21 € (déj.), 32/60 € – Carte 48/61 €

◆ Dépaysement feutré dans cette nouvelle table thaïlandaise qui a su créer une atmosphère très intimiste : orchidées sur chaque table, éclairage tamisé, dominante noire, boiseries.

Bi Zan
56 r. Ste-Anne Ⓜ *Quatre Septembre* – ℰ *01 42 96 67 76 – Fermé dim.*   G 13
Rest – Menu (20 €), 60/150 € – Carte 60/250 €

◆ Bi Zan désigne une région montagneuse du Japon. Adresse connue des amateurs de cuisine nippone, au cadre zen, voire minimaliste. Comptoir et salle à l'étage. Belle carte de sakés.

L'Écaille de la Fontaine
15 r. Gaillon Ⓜ *Quatre Septembre* – ℰ *01 47 42 02 99 – Fax 01 47 42 82 84 – Fermé 1er-23 août, sam. et dim.*   G 13
Rest – *(nombre de couverts limité, prévenir)* Menu (23 €) – Carte 35/45 €

◆ Huîtres et coquillages à emporter ou à déguster sur place, dans une jolie petite salle intimiste, décorée de photos souvenirs de Gérard Depardieu, propriétaire des lieux.

Dalva
48 r. d'Argout Ⓜ *Sentier* – ℰ *01 42 36 02 11 – www.dalvarestaurant.fr – Fermé dim.*   G 14
Rest – Menu (14 €), 28/35 €

◆ Une façade rouge vif, quelques tables sur rue, un décor hétéroclite : ce bistrot sur deux niveaux reste convivial en évitant les effets de mode. Cuisine du marché à prix doux.

Koetsu
42 r. Ste-Anne Ⓜ *Quatre Septembre* – ℰ *01 40 15 99 90 – Fax 01 40 15 99 59 – Fermé dim.*   G 13
Rest – Menu (15 €), 16/55 € bc – Carte 28/48 €

◆ Au milieu de ses consœurs, cette table japonaise ne déroge pas à la tradition avec son décor sobre, et va à l'essentiel en préparant surtout des sushis, sashimis et yakitoris.

PARIS page 54

Le Haut Marais • Temple

3e arrondissement ✉ 75003

Pavillon de la Reine sans rest
28 pl. des Vosges Ⓜ Bastille – ℰ 01 40 29 19 19 – www.pavillon-de-la-reine.com
– contact@pavillon-de-la-reine.com – Fax 01 40 29 19 20
41 ch – †380/480 € ††450/480 €, ⊃ 30 € – 16 suites   J 17
♦ Derrière l'un des 36 pavillons en brique de la place des Vosges, deux bâtisses, dont une du 17e s., abritant des chambres raffinées côté cour ou jardin (privé).

Murano
13 bd du Temple Ⓜ Filles du Calvaire – ℰ 01 42 71 20 00
– www.muranoresort.com – paris@muranoresort.com – Fax 01 42 71 21 01
49 ch – †440/2500 € ††440/2500 €, ⊃ 26 € – 2 suites   H 17
Rest – Menu (30 €) – Carte 49/151 €
♦ Unique en son genre, cet hôtel tendance, en partie rénové, dénote par son design immaculé ponctué de couleurs vives. Équipements high-tech, bar pop art, services à la carte... Côté restaurant, cadre contemporain, cuisine fusion, musique branchée et nouvelle terrasse couverte.

Du Petit Moulin sans rest
29 r. du Poitou Ⓜ St-Sébastien Froissart – ℰ 01 42 74 10 10
– www.hoteldupetitmoulin.com – contact@hoteldupetitmoulin.com
– Fax 01 42 74 10 97   H 16
17 ch – †190/350 € ††190/350 €, ⊃ 15 €
♦ Christian Lacroix a imaginé pour cet hôtel du Marais un décor inédit et raffiné jouant des contrastes entre tradition et modernité. Chaque chambre est "mise en scène" d'une façon différente. Bar cosy.

Little Palace sans rest
4 r. Salomon de Caus Ⓜ Réaumur Sébastopol – ℰ 01 42 72 08 15
– www.littlepalacehotel.com – info@littlepalacehotel.com
– Fax 01 42 72 45 81   G 15
53 ch – †170/230 € ††190/265 €, ⊃ 15 € – 4 suites
♦ Adresse de charme au décor mêlant habilement les styles Belle Époque et contemporain. Jolies chambres, à choisir de préférence aux 6e et 7e étages, avec balcon et vue sur Paris.

Des Archives sans rest
87 r. des Archives Ⓜ Temple – ℰ 01 44 78 08 00 – www.hoteldesarchives.com
– contact@hoteldesarchives.com – Fax 01 44 78 08 10   H 16
19 ch – †155/185 € ††155/215 €, ⊃ 12 € – 2 suites
♦ De jolies petites chambres contemporaines pour ce ravissant hôtel proche des Archives nationales. Hall-salon moderne au mobilier rouge.

Austin's sans rest
6 r. Montgolfier Ⓜ Arts et Métiers – ℰ 01 42 77 17 61 – www.hotelaustins.com
– austins.amhotel@wanadoo.fr – Fax 01 42 77 55 43   G 16
29 ch – †108/112 € ††148/155 €, ⊃ 9 €
♦ Dans une rue calme, face au Musée des arts et métiers. Les chambres, rouges ou jaunes, sont chaleureuses et gaies ; certaines ont conservé leurs poutres apparentes d'origine.

Ambassade d'Auvergne
22 r. Grenier St-Lazare Ⓜ Rambuteau – ℰ 01 42 72 31 22
– www.ambassade-auvergne.com – info@ambassade-auvergne.com
– Fax 01 42 78 85 47   H 15
Rest – Menu (22 € bc), 30 € – Carte 31/47 €
♦ De vrais ambassadeurs d'une province riche de traditions et de saveurs : cadre et meubles auvergnats, produits, recettes et vins du pays.

1320

3e arrondissement – PARIS page 55

Pamphlet
38 r. Debelleyme – **M** Filles du Calvaire – ℰ 01 42 72 39 24 – pamphlet@wanadoo.fr – Fax 01 42 72 12 53 – Fermé 1er-8 mai, 7-23 août, 1er-15 janv., sam. midi, lundi midi et dim.
H 17
Rest – Menu 35 € – Carte 50/80 €

♦ Séduisante adresse du Marais : décor rustique rajeuni par de jolies couleurs, gravures de pamphlets et affiches tauromachiques, cuisine du marché souvent renouvelée, bon accueil.

Food & Beverage
14 r. Charlot – **M** St-Sébastien Froissart – ℰ 01 42 78 02 31
– www.foodandbeverage.fr – fabien-renaud@hotmail.fr – Fax 01 42 78 02 51
– Fermé août, sam. midi et dim.
H 16
Rest – Menu (15 €), 19 € (déj. en sem.), 27/32 € – Carte environ 37 €

♦ Tons orange-marron, vieilles pierres et lignes épurées pour ce restaurant contemporain chaleureux. Cuisine traditionnelle, plats du Sud-Ouest, sélection de vins de Cahors.

Le Carré des Vosges
15 r. St-Gilles – **M** Chemin Vert – ℰ 01 42 71 22 21 – www.lecarredesvosges.fr
– lecarredesvosges@yahoo.fr – Fax 01 41 17 09 33 – Fermé 5-25 août, 1er-10 janv., sam. midi, lundi midi et dim.
G 17
Rest – Menu (21 €), 27 € (déj. en sem.)/40 € – Carte 38/60 €

♦ À deux pas de la rue des Francs-Bourgeois et des boutiques branchées, sympathique bistrot de quartier aux allures contemporaines. Cuisine du marché soignée, valorisant le poisson.

Pramil
9 r. Vertbois – **M** Temple – ℰ 01 42 72 03 60 – apramil@free.fr – Fermé 5-10 mai, 17-31 août, dim. midi et lundi
G 16
Rest – Menu (20 €), 31 € – Carte 30/40 €

♦ La sobriété du décor (orchidées blanches, peintures) de ce bistrot familial contraste avec la générosité de sa cuisine du marché et la gentillesse de son accueil.

Café des Musées
49 r. de Turenne – **M** Chemin Vert – ℰ 01 42 72 96 17 – cafe.des.musees@orange.fr
– Fax 01 44 59 38 68 – Fermé 1er-7 janv. et 7-27 août
J 17
Rest – Menu (14 €), 21 € – Carte 22/43 €

♦ Entre les musées Picasso et Carnavalet, ce bistrot, parisien dans l'âme, met tout le monde d'accord : convivialité, cuisine maison dans l'esprit du lieu, plats canailles, du marché.

Île de la Cité • Île St-Louis • Le Marais • Beaubourg

4e arrondissement ✉ 75004

S. Sauvignier/MICHELIN

Bourg Tibourg sans rest
19 r. Bourg Tibourg – **M** Hôtel de Ville – ℰ 01 42 78 47 39
– www.hotelbourgtibourg.com – hotel@bourgtibourg.com – Fax 01 40 29 07 00
30 ch – †180 € ††230/360 €, ⊇ 16 €
J 16

♦ Chambres personnalisées (néogothique, baroque ou orientaliste) et excellent petit-déjeuner caractérisent cette charmante adresse. Une petite perle en plein Marais.

Duo sans rest
11 r. Temple – **M** Hôtel de Ville – ℰ 01 42 72 72 22 – www.duoparis.com
– contact@duoparis.com – Fax 01 42 72 03 53
J 15
56 ch – †130/240 € ††200/480 €, ⊇ 15 € – 2 suites

♦ Chaque détail traduit la modernité et l'élégance dans cet hôtel de caractère, tenu par la même famille depuis trois générations. Tons chauds ou acidulés, bar lounge, fitness.

1321

Villa Mazarin sans rest
6 r. des Archives **Ⓜ** Hôtel de Ville – ℰ 01 53 01 90 90 – www.villamazarin.com
– paris@villamazarin.com – Fax 01 53 01 90 91
29 ch – ♦140/380 € ♦♦140/380 €, ⊇ 12 € J 15

◆ Parfait pour rejoindre Notre-Dame, la place des Vosges ou Beaubourg. Un hôtel central (non-fumeurs) qui revisite le style Second Empire sous l'angle contemporain. Quelques duplex.

Deux Îles sans rest
59 r. St-Louis-en-l'Île **Ⓜ** Pont Marie – ℰ 01 43 26 13 35
– www.hotelsdesdeuxiles.com – info@hotelsdesdeuxiles.com – Fax 01 43 29 60 25
17 ch – ♦155/165 € ♦♦195 €, ⊇ 12 € K 16

◆ Entièrement rénové, cet hôtel propose des chambres petites mais plaisantes, grâce à leurs couleurs douces (brun, ocre, bronze). Belles salles de bains ornées d'azulejos.

Beaubourg sans rest
11 r. S. Le Franc **Ⓜ** Rambuteau – ℰ 01 42 74 34 24 – www.hotelbeaubourg.com
– sa.beaubourg@wanadoo.fr – Fax 01 42 78 68 11
28 ch – ♦120/150 € ♦♦130/150 €, ⊇ 9 € H 15

◆ Dans une ruelle derrière le Centre Pompidou. Chambres accueillantes et bien insonorisées ; celles du premier bâtiment sont plus grandes et pour la plupart agrémentées de poutres.

Caron de Beaumarchais sans rest
12 r. Vieille-du-Temple **Ⓜ** Hôtel de Ville – ℰ 01 42 72 34 12
– www.carondebeaumarchais.com – hotel@carondebeaumarchais.com
– Fax 01 42 72 34 63
19 ch – ♦125/170 € ♦♦130/170 €, ⊇ 12 € J 16

◆ Le père de Figaro vécut dans cette rue du Marais historique ; cet établissement, doté de petites chambres, lui rend hommage à travers sa décoration bourgeoise.

Bretonnerie sans rest
22 r. Ste-Croix-de-la-Bretonnerie **Ⓜ** Hôtel de Ville – ℰ 01 48 87 77 63
– www.bretonnerie.com – hotel@bretonnerie.com – Fax 01 42 77 26 78
29 ch – ♦135/190 € ♦♦135/190 €, ⊇ 10 € J 16

◆ Les chambres de cet hôtel particulier du Marais (17ᵉ s.), aux tailles diverses, adoptent un style plutôt rustique ; plusieurs d'entre elles sont dotées de poutres apparentes.

Lutèce sans rest
65 r. St-Louis-en-l'Île **Ⓜ** Pont Marie – ℰ 01 43 26 23 52 – www.hoteldelutece.com
– info@hoteldelutece.com – Fax 01 43 29 60 25
23 ch – ♦155 € ♦♦195 €, ⊇ 12 € K 16

◆ Un emplacement idéal sur l'île St-Louis, pour les amoureux du Paris historique. Belles boiseries anciennes au salon, petites chambres fonctionnelles, tout en sobriété.

Castex sans rest
5 r. Castex **Ⓜ** Bastille – ℰ 01 42 72 31 52 – www.castexhotel.com – info@castexhotel.com – Fax 01 42 72 57 91
30 ch – ♦120 € ♦♦120/150 €, ⊇ 10 € K 17

◆ La clientèle américaine, entre autres, apprécie la mise en scène Grand Siècle de cette demeure. Petites chambres soignées, tomettes, mobilier Louis XIII et rustique.

XXXX L'Ambroisie (Bernard Pacaud)
9 pl. des Vosges **Ⓜ** St-Paul – ℰ 01 42 78 51 45
– Fermé août, 23 fév.-11 mars, dim. et lundi J 17
Rest – Carte 240/360 €

Spéc. Feuillantine de langoustines aux graines de sésame. Escalopines de bar à l'émincé d'artichaut, caviar "osciètre gold". Tarte fine sablée au chocolat, glace vanille.

◆ Sous les arcades de la place des Vosges, un décor royal et une cuisine subtile touchant à la perfection : l'ambroisie n'est-elle pas la nourriture des dieux de l'Olympe ?

XX Benoit
20 r. St-Martin **Ⓜ** Châtelet-Les Halles – ℰ 01 42 72 25 76 – www.esprit-bistrot.com
– restaurant.benoit@wanadoo.fr – Fax 01 42 72 45 68
– Fermé 26 juil.-25 août et 25 fév.-2 mars J 15
Rest – Menu 38 € (déj.) – Carte 55/84 €

Spéc. Langue de veau Lucullus. Filets de sole sauce nantua, épinards à peine crémés. Millefeuille à la vanille.

◆ Alain Ducasse supervise ce bistrot chic et animé, l'un des plus anciens de Paris. Cuisine classique, respectueuse de l'âme de cette authentique et belle maison.

4e arrondissement – PARIS page 57

XX Le Dôme du Marais VISA MC AE
53 bis r. Francs-Bourgeois Ⓜ *Rambuteau –* ✆ *01 42 74 54 17*
– www.ledomedumarais.fr – ledomedumarais@hotmail.com – Fax 01 42 77 78 17
– Fermé 2-27 août, 1er-7 janv., dim. et lundi   H 16-J 16
Rest – Menu (19 €), 25 € (déj.), 36/100 € bc – Carte environ 58 €
♦ On dresse les tables sous le joli dôme de l'ancienne salle des ventes du Crédit Municipal et dans une seconde salle d'esprit jardin d'hiver. Cuisine actuelle de saison.

XX Bofinger VISA MC AE
5 r. Bastille Ⓜ *Bastille –* ✆ *01 42 72 87 82 – www.bofingerparis.com – eberne@*
groupeflo.fr – Fax 01 42 72 97 68   J 17
Rest – Menu (25 €), 32 € – Carte 35/65 €
♦ Institution de la vie parisienne au remarquable décor alsacien : coupole, marqueteries, miroirs, peintures signées Hansi. Le charme de cette brasserie créée en 1864 opère toujours.

X Mon Vieil Ami VISA MC AE ①
69 r. St-Louis-en-l'Île Ⓜ *Pont Marie –* ✆ *01 40 46 01 35 – www.mon-vieil-ami.com*
– mon.vieil.ami@wanadoo.fr – Fax 01 40 46 01 35 – Fermé 1er-20 août,
1er-20 janv., lundi et mardi   K 16
Rest – Menu 41 € – Carte 42/55 € déjeuner seulement
♦ Vieilles poutres et décor actuel donnent des allures d'auberge tendance à cette adresse. Goûteuses recettes traditionnelles ponctuées de modernité et de clins d'œil à l'Alsace.

X Au Bourguignon du Marais VISA MC AE
52 r. François-Miron Ⓜ *St-Paul –* ✆ *01 48 87 15 40 – Fax 01 48 87 17 49*
– Fermé 11-31 août, 19 janv.-1er fév., dim. et lundi   J 16
Rest – Carte 40/62 €
♦ Entre l'Hôtel de Ville et Saint-Paul, une enseigne qui résume à elle seule la teneur de ses recettes : régionales et généreuses. Cadre apaisant et jolie carte des vins.

X Le Gaigne VISA MC AE
12 r. Pecquay Ⓜ *Rambuteau –* ✆ *01 44 59 86 72 – www.restaurantlegaigne.fr*
– legaigne@restaurantlegaigne.fr – Fax 01 44 59 81 32
– Fermé août, dim. midi et mardi   H 16
Rest – Menu (16 €), 22 € (déj. en sem.), 39/54 € bc – Carte 47/57 €
♦ Adresse confidentielle dans une ruelle calme du Marais, qui mérite le détour tant sa cuisine actuelle se révèle savoureuse. Côté décor, la petite salle mise sur la sobriété.

X Le Fin Gourmet VISA MC AE ①
42 r. St-Louis-en-l'Île Ⓜ *Pont Marie –* ✆ *01 43 26 79 27 – www.lefingourmet.fr*
– contact@lefingourmet.fr – Fax 01 43 26 96 08
– Fermé 15 juil.-15 août, 2-15 janv., lundi et mardi   K 16
Rest – Menu 20 € (déj.)/36 € bc – Carte 48/56 €
♦ On se laisse prendre par le charme de ce restaurant rustique (pierres et poutres apparentes), dirigé par une équipe passionnée. Présentation soignée et cuisine modernisée.

X b4 AC VISA MC AE
6 square Ste-Croix-de-la-Bretonnerie Ⓜ *Hôtel de Ville –* ✆ *01 42 72 16 19*
– www.b4resto.com – b4resto@b4resto.com – Fermé dim. soir et lundi
Rest – Menu (14 €), 55 € (dîner) – Carte 35/56 €   J 15
♦ Au cœur du Marais gay, restaurant au design très contemporain (mobilier blanc épuré, murs gris, éclairage bleuté le soir). Une modernité qui trouve son écho dans la cuisine.

X L'Osteria AC VISA MC AE
10 r. Sévigné Ⓜ *St-Paul –* ✆ *01 42 71 37 08*
– Fermé lundi midi, sam. soir et dim.   J 16
Rest – (prévenir) Carte 35/100 €
♦ Ni enseigne ni menu sur la façade de cette trattoria appréciée par une clientèle fidèle et quelques vedettes (autographes et dessins aux murs). Goûteuse cuisine italienne de saison.

X Les Fous de l'Île AC VISA MC AE
33 r. des Deux-Ponts Ⓜ *Pont Marie –* ✆ *01 43 25 76 67 – www.lesfousdelile.com*
– contact@lesfousdelile.com – Fax 01 55 42 96 04   K 16
Rest – Menu (21 €), 26 €
♦ Au cœur de l'île St-Louis, bistrot actuel dont le décor typique se distingue par des casiers et vitrines aux murs, exposant une collection de poules. Cuisine bien ficelée.

L'Enoteca

25 r. Charles V – **M** St-Paul – ✆ 01 42 78 91 44 – www.enoteca.fr – enoteca@enoteca.fr – Fax 01 44 59 31 72 – Fermé 10-23 août, 24-26 déc. et le midi en août   J 16

Rest – *(prévenir)* Menu (14 € bc), 30/45 € bc – Carte 33/42 €

♦ L'atout de ce restaurant logé dans des murs du 16ᵉ s. est sa superbe carte des vins : environ 500 références uniquement transalpines. Plats italiens et ambiance très animée.

Isami

4 quai d'Orléans – **M** Pont Marie – ✆ 01 40 46 06 97
– Fermé 3-25 août, dim. et lundi   K 16

Rest – *(nombre de couverts limité, prévenir)* Carte 60/150 €

♦ Adresse nippone très discrète où l'on sert un joli choix de poissons crus (spécialités de sushis et sashimis). Décor très sobre : quelques tables et un comptoir, comme au Japon.

Suan Thaï

41 r. Ste-Croix-de-la-Bretonnerie – **M** Rambuteau – ✆ 01 42 77 10 20 – suan.thai@yahoo.fr – Fermé lundi   J 15

Rest – Menu (14 €), 18 € (déj.)/28 € – Carte 37/61 €

♦ Retrouvez le goût authentique de la Thaïlande dans un cadre discrètement dépaysant. Vu les prix sages et la bonne réputation de cette table de quartier, pensez à réserver.

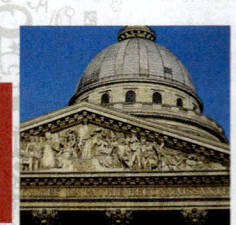

Quartier Latin • Jardin des Plantes • Mouffetard

5ᵉ arrondissement   ✉ 75005

Ph. Gajic/MICHELIN

Villa Panthéon sans rest

41 r. des Écoles – **M** Maubert Mutualité – ✆ 01 53 10 95 95
– www.leshotelsdeparis.com – pantheon@leshotelsdeparis.com
– Fax 01 53 10 95 96   K 14
59 ch – †160/380 € ††195/450 €, ⚏ 18 €

♦ Parquet, tentures colorées, mobilier en bois exotique et lampes d'inspiration Liberty : réception, chambres et bar (bon choix de whiskys) sont décorés dans l'esprit british.

Les Rives de Notre-Dame sans rest

15 quai St-Michel – **M** St-Michel – ✆ 01 43 54 81 16 – www.rivesdenotredame.com
– hotel@rivesdenotredame.com – Fax 01 43 26 27 09   J 14
10 ch – †170/550 € ††170/550 €, ⚏ 14 €

♦ Maison du 16ᵉ s. superbement conservée, dont les spacieuses chambres de style provençal s'ouvrent toutes sur la Seine et Notre-Dame. Penthouse au dernier étage.

Royal St-Michel sans rest

3 bd St-Michel – **M** St-Michel – ✆ 01 44 07 06 06 – www.hotelroyalsaintmichel.com
– hotelroyalsaintmichel@wanadoo.fr – Fax 01 44 07 36 25   K 14
39 ch – †169/260 € ††179/290 €, ⚏ 15 €

♦ Sur le "Boul' Mich", face à la fontaine Saint-Michel : toute l'ambiance du Quartier latin est aux portes de cet hôtel abritant des chambres modernes et agréables.

Panthéon sans rest

19 pl. Panthéon – **M** Luxembourg – ✆ 01 43 54 32 95 – www.hoteldupantheon.com
– reservation@hoteldupantheon.com – Fax 01 43 26 64 65   L 14
36 ch – †89/300 € ††99/310 €, ⚏ 13 €

♦ Chambres de style cosy ou d'inspiration Louis XVI avec vue sur le dôme du "temple de la Renommée". Plaisant salon et salle de petits-déjeuners voûtée.

5ᵉ arrondissement – PARIS page 59

Des Grands Hommes sans rest
17 pl. Panthéon Ⓜ *Luxembourg* – ℰ *01 46 34 19 60* – *www.hoteldesgrands hommes.com* – *reservation@hoteldesgrandshommes.com* – *Fax 01 43 26 67 32*
31 ch – †80/310 € ††90/310 €, ⌑ 13 € — L 14

• Face au Panthéon, plaisant hôtel aménagé dans le style Directoire (meubles chinés). Plus de la moitié des chambres a vue sur la dernière demeure des "grands hommes".

Tour Notre-Dame sans rest
20 r. Sommerard Ⓜ *Cluny la Sorbonne* – ℰ *01 43 54 47 60* – *www.tour-notre-dame.com* – *reservation@la-tour-notre-dame.com* – *Fax 01 43 26 42 34*
48 ch – †110/190 € ††120/250 €, ⌑ 13 € — K 14

• Très bel emplacement pour cet hôtel quasiment accolé au musée de Cluny. Chambres de bon confort, récemment rénovées ; celles sur l'arrière sont plus calmes.

Grand Hôtel St-Michel sans rest
19 r. Cujas Ⓜ *Luxembourg* – ℰ *01 46 33 33 02* – *www.grand-hotel-st-michel.com* – *grand.hotel.st.michel@wanadoo.fr* – *Fax 01 40 46 96 33*
47 ch – †170/290 € ††170/350 €, ⌑ 17 € – 1 suite — K 14

• Cet immeuble haussmannien abrite des chambres feutrées, garnies de meubles peints. Salon de style Napoléon III ; salle voûtée pour les petits-déjeuners.

Notre Dame sans rest
1 quai St-Michel Ⓜ *St-Michel* – ℰ *01 43 54 20 43* – *http://www.hotel-paris-notredame.com/* – *hotel.denotredame@libertysurf.fr* – *Fax 01 43 26 61 75*
26 ch – †159/199 € ††159/199 €, ⌑ 7 € — K 14

• Les douillettes petites chambres de cet hôtel sont toutes refaites, climatisées et bien équipées ; la majorité bénéficie d'une vue sur la cathédrale Notre-Dame.

Relais St-Jacques sans rest
3 r. Abbé de l'Épée Ⓜ *Luxembourg* – ℰ *01 53 73 26 00* – *www.relais-saint-jacques.com* – *info@relais-saint-jacques.com* – *Fax 01 43 26 17 81*
22 ch – †189/370 € ††189/370 €, ⌑ 17 € — L 14

• Chambres de styles variés (Directoire, Louis-Philippe, etc.), salle des petits-déjeuners sous verrière, salon Louis XV et bar 1925... Un inventaire (chic) à la Prévert !

St-Christophe sans rest
17 r. Lacépède Ⓜ *Place Monge* – ℰ *01 43 31 81 54* – *www.saint-christophe-hotel.com* – *saintchristophe@wanadoo.fr* – *Fax 01 43 31 12 54*
31 ch – †103/126 € ††113/138 €, ⌑ 9 € — L 15

• Le naturaliste Lacépède a donné son nom à la rue, rappelant la proximité du Jardin des Plantes. Petites chambres d'esprit rustique ; toutes sont non-fumeurs.

Sully St-Germain sans rest
31 r. des Écoles Ⓜ *Maubert Mutualité* – ℰ *01 43 26 56 02* – *www.hotelsullysaintgermain.com* – *sully@sequanahotels.com* – *Fax 01 43 29 74 42*
61 ch – †90/155 € ††100/165 €, ⌑ 10 € — K 15

• Est-ce le voisinage du musée du Moyen Âge ? Toujours est-il que l'établissement présente un décor d'inspiration médiévale. Salon sous verrière.

Jardin de Cluny sans rest
9 r. Sommerard Ⓜ *Maubert Mutualité* – ℰ *01 43 54 22 66* – *www.hoteljardindecluny.com* – *reservation@hoteljardindecluny.com* – *Fax 01 40 51 03 36*
40 ch – †139/369 € ††169/369 €, ⌑ 14 € — K 14

• Hôtel non-fumeur certifié Écolabel abritant des chambres joliment tendance. Petits-déjeuners proposés sous forme de buffet dans une grande salle voûtée aux pierres apparentes.

Select sans rest
1 pl. Sorbonne Ⓜ *Cluny la Sorbonne* – ℰ *01 46 34 14 80* – *www.selecthotel.fr* – *info@selecthotel.fr* – *Fax 01 46 34 51 79*
67 ch ⌑ – †195/275 € ††195/275 € — K 14

• Hôtel résolument contemporain au cœur du Paris estudiantin. Bar et salons répartis autour d'un patio abritant un jardin de cactus. Certaines chambres ont vue sur les toits.

PARIS page 60 – 5ᵉ arrondissement

Du Levant sans rest
18 r. Harpe ⓂSt-Michel – ℰ 01 46 34 11 00 – www.hoteldulevant.com
– hlevant@club-internet.fr – Fax 01 46 34 25 87
47 ch ⊇ – †73/135 € ††118/160 € K 14

◆ Les chambres de cet hôtel bâti en 1875 en plein Quartier latin sont agréables. Photos des années 1920 dans les couloirs, fresque dans la salle des petits-déjeuners.

Albe sans rest
1 r. Harpe Ⓜ St-Michel – ℰ 01 46 34 09 70 – www.albehotel.fr – albehotel@wanadoo.fr – Fax 01 40 46 85 70 K 14
45 ch – †150/170 € ††180/225 €, ⊇ 11 €

◆ Plaisante décoration moderne dans cet hôtel proposant des chambres un peu petites, mais bien agencées et gaies. Quartier latin, île de la Cité... Paris est à vos pieds !

Agora St-Germain sans rest
42 r. Bernardins Ⓜ Maubert Mutualité – ℰ 01 46 34 13 00
– www.agorasaintgermain.com – resa@agora-paris-hotel.com
– Fax 01 46 34 75 05 K 15
39 ch – †149 € ††189/195 €, ⊇ 11 €

◆ Voisin de l'église St-Nicolas-du-Chardonnet, cet hôtel s'est refait une jeunesse. Chambres cosy, plus calmes côté cour. Charmante salle des petits-déjeuners (murs en pierre).

Grandes Écoles sans rest ⅃
75 r. Cardinal-Lemoine Ⓜ Cardinal Lemoine – ℰ 01 43 26 79 23
– www.hotel-grandes-ecoles.com – Hotel.Grandes.Ecoles@orange.fr
– Fax 01 43 25 28 15 L 15
51 ch – †115/135 € ††115/140 €, ⊇ 9 €

◆ Ces trois maisons au charme bourgeois désuet (chambres sans TV) sont prisées pour leur grande tranquillité, en plein Quartier latin. L'été, petit-déjeuner servi au jardin.

Dacia-Luxembourg sans rest
41 bd St-Michel Ⓜ Cluny la Sorbonne – ℰ 01 53 10 27 77 – www.hoteldacia.com
– info@hoteldacia.com – Fax 01 44 07 10 33 K 14
38 ch – †95/140 € ††120/162 €, ⊇ 11 €

◆ Au cœur du Quartier latin, établissement chaleureux et bien tenu. Beaux jetés de lit en piqué blanc dans les chambres (deux avec baldaquin). Petit-déjeuner dans une salle voûtée.

Henri IV sans rest
9 r. St-Jacques Ⓜ St-Michel – ℰ 01 46 33 20 20 – www.hotel-henri4.com – info@hotel-henri4.com – Fax 01 46 33 90 90 K 14
23 ch – †165 € ††185 €, ⊇ 12 €

◆ Les jolies chambres de cet hôtel donnent presque toutes sur le chevet de l'église St-Séverin. Tomettes, meubles anciens et cheminée font le charme du salon.

Minerve sans rest
13 r. des Écoles Ⓜ Maubert Mutualité – ℰ 01 43 26 26 04
– www.parishotelminerve.com – resa@parishotelminerve.com
– Fax 01 44 07 01 96 L 15
54 ch – †93/179 € ††107/179 €, ⊇ 9 €

◆ Cet immeuble bâti en 1864 propose son plaisant salon d'accueil (pierres apparentes et mobilier de style) et ses petites chambres de caractère fort bien tenues.

The Five sans rest
3 r. Flatters Ⓜ Gobelins – ℰ 01 43 31 74 21 – www.thefivehotel.com – contact@thefivehotel.com – Fax 01 43 31 61 96 M 14
24 ch – †165/202 € ††195/232 €, ⊇ 15 € – 1 suite

◆ Five, comme le 5ᵉ et les cinq sens, d'où est né le concept de ce petit hôtel résolument design. Chambres calmes et très dépaysantes (couleur thématique, ambiance olfactive...).

Pierre Nicole sans rest
39 r. Pierre Nicole Ⓜ Port Royal – ℰ 01 43 54 76 86
– www.hotel-pierre-nicole.com – hotelpierre-nicole@voila.fr – Fax 01 43 54 22 45
– Fermé 1ᵉʳ-23 août M 13
33 ch – †85/90 € ††95/110 €, ⊇ 7 €

◆ L'enseigne rend hommage au moraliste de Port-Royal. Chambres pratiques, sans ampleur, mais fort bien tenues et à prix sages. Le jardin du Luxembourg est tout proche.

5ᵉ arrondissement – PARIS page 61

St-Jacques sans rest
35 r. des Écoles **Ⓜ** *Maubert Mutualité – ℰ 01 44 07 45 45*
– www.paris-hotel-stjacques.com – hotelsaintjacques@wanadoo.fr
– Fax 01 43 25 65 50   K 15
36 ch – †97 € ††105/189 €, ⊃ 10 €
◆ Confort moderne et charme d'antan caractérisent les chambres de cet hôtel dont la bibliothèque recèle des ouvrages des 18ᵉ et 19ᵉ s. Salle petits-déjeuners décorée façon cabaret des années folles.

Familia sans rest
11 r. des Écoles **Ⓜ** *Cardinal Lemoine – ℰ 01 43 54 55 27 – www.familiahotel.com*
– hotelfamilia@wanadoo.fr – Fax 01 43 29 61 77   L-K 15
30 ch – †83/125 € ††95/125 €, ⊃ 6 €
◆ En toile de fond, Notre-Dame et le Collège des Bernardins. Chambres rustiques ornées de fresques sépias figurant les monuments de Paris. Salle des petits-déjeuners familiale.

Devillas sans rest
4 bd St-Marcel **Ⓜ** *St-Marcel – ℰ 01 43 31 37 50 – www.hoteldevillas.com – info@hoteldevillas.com – Fax 01 43 31 96 03*   M 16
40 ch – †85/106 € ††92/120 €, ⊃ 10 €
◆ Chambres rénovées et bien agencées dans cet hôtel situé sur un boulevard voisin de l'hôpital de La Pitié-Salpêtrière. Pour plus de calme, réservez sur l'arrière.

La Tour d'Argent
15 quai Tournelle **Ⓜ** *Maubert Mutualité – ℰ 01 43 54 23 31*
– www.latourdargent.com – resa@latourdargent.com – Fax 01 44 07 12 04
– Fermé août et lundi   K 16
Rest – Menu 75 € (déj.) – Carte 250/300 €
Spéc. Quenelles de brochet "André Terrail". Caneton "Tour d'Argent". Crêpes "Belle Epoque".
◆ La salle à manger "en plein ciel" offre une vue somptueuse sur Notre-Dame. Cave exceptionnelle, fameux canards de Challans et clients célèbres depuis le 16ᵉ s.

La Truffière
4 r. Blainville **Ⓜ** *Place Monge – ℰ 01 46 33 29 82 – www.latruffiere.com*
– restaurant.latruffiere@wanadoo.fr – Fax 01 46 33 64 74 – Fermé 20-26 déc., dim. et lundi   L 15
Rest – Menu (24 €), 28 € (déj. en sem.), 50/125 € – Carte 99/110 €
◆ Dans le cadre intime et rustique de cette maison du 17ᵉ s. bien conservée, appréciez une cuisine traditionnelle autour de la truffe et du Sud-Ouest. Belle carte des vins.

Mavrommatis
42 r. Daubenton **Ⓜ** *Censier Daubenton – ℰ 01 43 31 17 17*
– www.mavrommatis.fr – info@mavrommatis.fr – Fax 01 43 36 13 08 – Fermé 15 août-15 sept., dim. et lundi   M 15
Rest – Menu (28 €), 39/49 € – Carte 55/75 €
◆ L'ambassade de la cuisine grecque à Paris. Pas de folklore mais un cadre sobre, élégant et confortable où l'accueil se montre attentionné. Terrasse d'été bordée d'oliviers.

Marty
20 av. Gobelins **Ⓜ** *Les Gobelins – ℰ 01 43 31 39 51*
– www.marty-restaurant.com – restaurant.marty@wanadoo.fr
– Fax 01 43 37 63 70 – Fermé août   M 15
Rest – Menu 35 € – Carte 38/65 €
◆ Boiseries en acajou, lustres, vitraux, meubles chinés et tableaux composent le plaisant décor années trente de ce restaurant. Carte traditionnelle et produits de la mer.

Atelier Maître Albert
1 r. Maître Albert **Ⓜ** *Maubert Mutualité – ℰ 01 56 81 30 01*
– www.ateliermaitrealbert.com – ateliermaitrealbert@guysavoy.com
– Fax 01 53 10 83 23 – Fermé 25 juil.-17 août, vacances de Noël,
sam. midi et dim. midi   K 15
Rest – Menu (29 €) – Carte 45/55 €
◆ Une monumentale cheminée médiévale et les rôtissoires (viandes à la broche) trônent dans ce bel intérieur design signé J.-M. Wilmotte. Alléchante carte pensée par Guy Savoy.

1327

Les Délices d'Aphrodite

4 r. Candolle ⓂCensier Daubenton – ✆ 01 43 31 40 39
– www.mavrommatis.fr – info@mavrommatis.fr
– Fax 01 43 36 13 08   M 15
Rest – Carte 35/50 €

◆ Cette taverne conviviale régale de spécialités gréco-chypriotes aux parfums ensoleillés. Photos de paysages locaux, lierre dégringolant du plafond... Un avant-goût de vacances !

La Table de Fabrice

13 quai de la Tournelle ⓂPont-Marie – ✆ 01 44 07 17 57
– www.restaurantlatabledefabrice.com – latabledefabrice@orange.fr
– Fax 01 43 25 37 55 – Fermé 5-25 août, sam. midi et dim.   K 16
Rest – Menu 40 € (déj.) – Carte 55/80 €

◆ Petite table sympathique dans un édifice du 17ᵉ s. À l'étage, atmosphère provinciale et vue sur les quais de Seine. Menu unique et suggestions à l'ardoise au fil des saisons.

Chez René

14 bd St-Germain ⓂMaubert Mutualité – ✆ 01 43 54 30 23 – Fax 01 43 54 33 57
– Fermé août, 24 déc.-1ᵉʳ janv., dim. et lundi   K 15
Rest – Carte 35/70 €

◆ Ambiance conviviale assurée par une équipe fidèle dans cette institution du quartier. Décor de bistrot authentique : banquettes, miroirs et barres en cuivre. Terrasse en été.

Moissonnier

28 r. Fossés-St-Bernard ⓂJussieu – ✆ 01 43 29 87 65 – Fax 01 43 29 87 65
– Fermé août, dim. et lundi   K 15
Rest – Menu 24 € (déj. en sem.) – Carte 32/45 €

◆ Le décor typique de ce bistrot n'a pas changé depuis des lustres : zinc rutilant, murs patinés, banquettes... Cuisine d'ascendance lyonnaise et "pots" de beaujolais.

Itinéraires

5 r. de Pontoise ⓂMaubert Mutualité – ✆ 01 46 33 60 11 – Fax 01 40 26 44 91
– Fermé 4-25 août, 20-29 déc., dim. et lundi   K 15
Rest – (réservation indispensable) Menu (29 €), 36 € 𝄪

◆ Un bistrot qui fait parler de lui, à juste titre : cuisine revisitée avec finesse, ambiance branchée, cadre actuel tamisé. Le soir, comptoir pour déguster charcuteries, tapas...

Au Moulin à Vent

20 r. Fossés-St-Bernard ⓂJussieu – ✆ 01 43 54 99 37
– www.au-moulinavent.com – alexandra.damas@au-moulinavent.com
– Fax 01 40 46 92 23 – Fermé 2-26 août, 31 déc.-8 janv., sam. midi,
dim. et lundi   K 15
Rest – Carte 50/100 €

◆ Depuis 1948, rien n'a changé dans ce bistrot parisien ; le joli décor rétro s'est patiné avec les ans et la cuisine traditionnelle s'est enrichie de spécialités de viandes.

Louis Vins

9 r. Montagne-Ste-Geneviève ⓂMaubert Mutualité – ✆ 01 43 29 12 12
– www.fifi.fr – louisvins@orange.fr   K 15
Rest – Menu (24 €), 27 € 𝄪

◆ Chaleureux décor d'esprit 1900 (comptoir en noyer, miroirs, fresques) où l'on s'attable autour d'une généreuse cuisine de bistrot et d'une belle sélection de vins.

L' A.O.C.

14 r. des Fossés St-Bernard ⓂMaubert Mutualité
– ✆ 01 43 54 22 52 – www.restoaoc.com – aocrestaurant@wanadoo.fr
– Fermé août, dim. et lundi   K 16
Rest – Menu (21 € bc), 32 € (dîner) – Carte 34/52 €

◆ Une adresse pour les amateurs de viandes, toutes d'origine contrôlée et portées à maturation par le propriétaire lui-même. Rôtissoire à l'entrée et ambiance bistrot sans chichi.

Ribouldingue
10 r. St-Julien le Pauvre **Ⓜ** *Maubert Mutualité –* ✆ *01 46 33 98 80*
– Fax 01 43 54 09 34 – Fermé 9-31 août, 27 déc.-4 janv., dim. et lundi K 14
Rest – Menu 29 €

♦ Osé, ce sympathique bistrot d'abats ravit les amateurs de "canailleries" (groins, tétines, cervelles, langues...) et pense aussi aux autres (plats classiques).

Petit Pontoise
9 r. Pontoise **Ⓜ** *Maubert Mutualité –* ✆ *01 43 29 25 20* L 15
Rest – Carte 35/45 €

♦ À deux pas des quais de la Seine et de Notre-Dame, bistrot de quartier décoré dans le style des années 1950. Plats proposés à l'ardoise. Clientèle d'habitués.

Les Oudayas
34 bd St-Germain **Ⓜ** *Maubert Mutualité –* ✆ *01 43 29 97 38* K 15
Rest – Menu 23/45 € – Carte 30/47 €

♦ À deux pas de l'Institut du monde arabe, restaurant du nom de la Kasbah de Rabat, restituant l'atmosphère marocaine. Spécialités raffinées ; ambiance lounge et salon de thé.

Papilles
30 r. Gay Lussac **Ⓜ** *Luxembourg –* ✆ *01 43 25 20 79 – www.lespapillesparis.com*
– lespapilles@hotmail.fr – Fax 01 43 25 24 35 – Fermé vacances de Pâques,
1er-21 août, 1er-8 janv., dim. et lundi L 14
Rest – Menu (22 €), 31 € – Carte le midi 30/38 €

♦ Bistrot, cave et épicerie pour cette sympathique adresse où l'on déguste une cuisine du marché entre casiers à vins et étagères garnies d'appétissantes conserves. Menu unique.

Christophe
8 r. Descartes **Ⓜ** *Maubert Mutualité –* ✆ *01 43 26 72 49*
– www.christopherestaurant.fr – Fermé merc. et jeudi L 15
Rest – Menu (16 €) – Carte 40/55 €

♦ Ce modeste bistrot très simplement aménagé cache bien son jeu : on y goûte une cuisine personnalisée où poisson et porc figurent au panthéon des produits, tous excellents.

Coco de Mer
34 bd St-Marcel **Ⓜ** *St-Marcel –* ✆ *01 47 07 06 64 – www.cocodemer.fr – contact@cocodemer.fr – Fax 01 43 31 45 75 – Fermé 2 sem. en août, lundi midi et dim.*
Rest – Menu 30 € – Carte 28/36 € M 16

♦ Marre de la grisaille ? Direction les Seychelles : ti-punch pieds nus dans le sable fin de la véranda et recettes des îles d'où l'on fait arriver le poisson chaque semaine.

Bibimbap
32 bd de l'Hôpital **Ⓜ** *Gare d'Austerlitz –* ✆ *01 43 31 27 42*
– www.bibimbap.fr – kwonyoungchul@hotmail.com – Fax 01 72 27 18 21
– Fermé dim. M 16
Rest – Menu 10 € (déj.), 12/25 €

♦ Une adresse coréenne simple, sur la forme comme sur le fond. Cuisine typique servie dans un décor qui n'a rien d'exotique mais repose sur la sobriété et l'effet d'espace.

Lhassa
13 r. Montagne Ste-Geneviève **Ⓜ** *Maubert Mutualité –* ✆ *01 43 26 22 19*
– Fax 01 42 17 00 08 – Fermé lundi K 15
Rest – Menu 13/21 € – Carte 22/30 €

♦ Comme son nom le laisse deviner, ce petit restaurant est entièrement dédié au Tibet : tissus colorés, objets artisanaux, photos du dalaï-lama et plats typiques du pays.

PARIS page 64

St-Germain-des-Prés •
Odéon •
Jardin du Luxembourg

6e arrondissement ✉ 75006

S. Sauvignier/MICHELIN

Lutetia
45 bd Raspail Ⓜ *Sèvres Babylone – ℰ 01 49 54 46 46 – www.lutetia-paris.com
– lutetia-paris@lutetia-paris.com – Fax 01 49 54 46 00*
K 12
231 ch – †450/600 € ††460/610 €, ⊆ 28 € – 11 suites
Rest *Paris* – voir ci-après
Rest *Brasserie Lutetia* – ℰ 01 49 54 46 76 – Menu (38 €), 43 € – Carte 60/73 €
♦ Témoin de l'histoire et des arts, ce palace de la rive gauche édifié en 1910 conjugue style Art déco et éléments contemporains (sculptures de César, Arman...). Chambres rénovées. Rendez-vous du Tout-Paris, la brasserie du Lutétia sert une belle carte de fruits de mer.

Victoria Palace sans rest
6 r. Blaise-Desgoffe Ⓜ *St-Placide – ℰ 01 45 49 70 00 – www.victoriapalace.com
– info@victoriapalace.com – Fax 01 45 49 23 75*
L 11
62 ch – †273/620 € ††273/620 €, ⊆ 18 €
♦ Petit palace au charme indéniable : toiles de Jouy, mobilier Louis XVI et salles de bains en marbre dans les chambres, tableaux, velours rouge et porcelaines dans les salons.

D'Aubusson sans rest
33 r. Dauphine Ⓜ *Odéon – ℰ 01 43 29 43 43 – www.hoteldaubusson.com
– reservations@hoteldaubusson.com – Fax 01 43 29 12 62*
J 13
49 ch – †275/305 € ††275/305 €, ⊆ 25 €
♦ Hôtel particulier (17e s.) de caractère : élégantes chambres rénovées, parquets Versailles, tapisseries d'Aubusson... et, en fin de semaine, soirées jazz au Café Laurent.

Relais Christine sans rest
3 r. Christine Ⓜ *St-Michel – ℰ 01 40 51 60 80 – www.relais-christine.com
– contact@relais-christine.com – Fax 01 40 51 60 81*
J 14
51 ch – †380/780 € ††380/780 €, ⊆ 30 €
♦ On prend son petit-déjeuner sous des voûtes du 13e s. dans cet hôtel particulier bâti sur des vestiges médiévaux. Belle cour pavée, espace fitness et chambres de caractère.

Relais St-Germain
9 carrefour de l'Odéon Ⓜ *Odéon – ℰ 01 44 27 07 97 – www.hotelrsg.com
– hotelrsg@wanadoo.fr – Fax 01 46 33 45 30*
K 13
22 ch ⊆ – †180/220 € ††230/285 €
Rest *Le Comptoir* – voir ci-après
♦ Trois immeubles du 17e s. abritent cet hôtel raffiné où poutres patinées, étoffes chatoyantes et meubles anciens participent au plaisant cachet des chambres.

Bel Ami St-Germain des Prés sans rest
7 r. St-Benoit Ⓜ *St-Germain des Prés – ℰ 01 42 61 53 53
– www.hotel-bel-ami.com – contact@hotel-bel-ami.com – Fax 01 49 27 09 33*
J 13
112 ch – †245/620 € ††245/620 €, ⊆ 25 €
♦ Rien à voir avec le roman de Maupassant. On est bien dans un immeuble 19e s., mais résolument ancré dans notre temps : luxe minimaliste contemporain, high-tech et décontracté.

Le Six sans rest
14 r. Stanislas Ⓜ *Notre-Dame des Champs – ℰ 01 42 22 00 75
– www.hotel-le-six.com – info@hotel-le-six.com – Fax 01 42 22 00 95*
L 12
37 ch – †199/525 € ††199/525 €, ⊆ 22 € – 4 suites
♦ Hôtel contemporain à la croisée du Luxembourg, de St-Germain-des-Prés et Montparnasse. Spacieuses chambres non-fumeurs, tons chauds et photos des légendes du quartier ; petit spa.

1330

6e arrondissement – PARIS page 65

Buci sans rest
22 r. Buci Ⓜ Mabillon – ℰ 01 55 42 74 74 – www.buci-hotel.com – reservations@buci-hotel.com – Fax 01 55 42 74 44

J 13

24 ch – †190/220 € ††220/335 €, ⊇ 18 € – 5 suites

♦ Une élégante façade bleu nuit donne le ton de cet hôtel intimiste. Chambres stylées (ciels de lit, meubles anglais), quelques-unes rénovées de façon plus contemporaine.

L'Abbaye sans rest
10 r. Cassette Ⓜ St-Sulpice – ℰ 01 45 44 38 11 – www.hotel-abbaye.com – hotel.abbaye@wanadoo.fr – Fax 01 45 48 07 86

K 12

40 ch ⊇ – †232/261 € ††427/472 € – 4 suites

♦ Charme d'hier et confort d'aujourd'hui dans un ancien couvent (18e s.): agréable véranda, duplex avec terrasse et coquettes chambres parfois tournées sur le ravissant patio.

Littré sans rest
9 r. Littré Ⓜ Montparnasse Bienvenüe – ℰ 01 53 63 07 07
– www.hotellittreparis.com – hotellittre@hotellittreparis.com
– Fax 01 45 44 88 13

L 11

88 ch – †315 € ††315/550 €, ⊇ 20 € – 2 suites

♦ À mi-chemin de Saint-Germain-des-Prés et de Montparnasse, cet immeuble classique abrite des chambres de style, toutes d'un excellent confort. Vue superbe du dernier étage.

L'Hôtel
13 r. des Beaux-Arts Ⓜ St-Germain-des-Prés – ℰ 01 44 41 99 00
– www.l-hotel.com – stay@l-hotel.com – Fax 01 43 25 64 81

J 13

20 ch – †280/370 € ††345/740 €, ⊇ 18 € – 4 suites

Rest Le Restaurant – voir ci-après

♦ "L'Hôtel", où s'éteignit Oscar Wilde laissant une facture impayée, arbore un vertigineux puits de lumière et un décor exubérant signé Garcia (baroque, Empire, Orient).

Esprit Saint-Germain sans rest
22 r. Saint-Sulpice Ⓜ Mabillon – ℰ 01 53 10 55 55 – www.espritsaintgermain.com
– contact@espritsaintgermain.com – Fax 01 53 10 55 56

K 13

28 ch – †320/790 € ††320/790 €, ⊇ 26 €

♦ Chambres élégantes et contemporaines mariant avec bonheur coloris rouge, chocolat et beige, tableaux et meubles modernes ; salles de bains agrémentées de murs en ardoise.

Pas de Calais sans rest
59 r. des Saints-Pères Ⓜ St-Germain-des-Prés – ℰ 01 45 48 78 74
– www.hotelpasdecalais.com – infos@hotelpasdecalais.com
– Fax 01 45 44 94 57

J 12

38 ch – †145/160 € ††155/180 €, ⊇ 15 €

♦ Le hall de l'hôtel, illuminé par une verrière, crée une belle surprise avec son mur végétal (orchidées). Jolies chambres personnalisées ; poutres apparentes au dernier étage.

Madison sans rest
143 bd St-Germain Ⓜ St-Germain des Prés – ℰ 01 40 51 60 00
– www.hotel-madison.com – resa@hotel-madison.com
– Fax 01 40 51 60 01

J 13

52 ch – †175/195 € ††235/255 €

♦ Camus aimait fréquenter cet établissement aux chambres élégantes. Préférez celles des derniers étages revues dans un style actuel, chic et cosy ; certaines ont vue sur l'église.

Left Bank St-Germain sans rest
9 r. de l'Ancienne Comédie Ⓜ Odéon – ℰ 01 43 54 01 70
– www.paris-hotels-charm.com – reservation@hotelleftbank.com
– Fax 01 43 26 17 14

K 13

31 ch ⊇ – †160/260 € ††170/280 €

♦ Boiseries, tapisseries d'Aubusson, damas, meubles de style Louis XIII et colombages président au décor de cet hôtel. Quelques chambres offrent une échappée sur Notre-Dame.

La Villa d'Estrées et Résidence des Arts sans rest
17 r. Gît le Coeur Ⓜ Saint-Michel – ℰ 01 55 42 71 11
– www.villadestrees.com – resa@villadestrees.com – Fax 01 55 42 71 00

J 14

21 ch – †175/325 € ††175/325 €, ⊇ 12 €

♦ Le style Napoléon III, revisité par un disciple de Garcia, imprègne chaque détail de la décoration de ces deux bâtiments. Chambres ou appartements, cosy et bien équipés.

PARIS page 66 – 6ᵉ arrondissement

La Villa sans rest
29 r. Jacob **Ⓜ** *St-Germain des Prés* – ℰ *01 43 26 60 00*
– *www.villa-saintgermain.com* – *hotel@villa-saintgermain.com*
– *Fax 01 46 34 63 63*

J 13

31 ch – †280/510 € ††280/510 €, ⊇ 22 €

♦ Derrière une façade 19ᵉ s., un décor épuré ravit les amateurs de chic contemporain en demi-teinte. Mobilier en wengé, étoffes précieuses et lumière douce sont au programme.

Sénat sans rest
10 r. de Vaugirard **Ⓜ** *Luxembourg* – ℰ *01 43 54 54 54* – *www.hotelsenat.com*
– *reservations@hotelsenat.com* – *Fax 01 43 54 54 55*

K 14

35 ch – †185/265 € ††185/265 €, ⊇ 15 € – 6 suites

♦ L'élégante façade noire et les grands vases gris surmontés de boules de buis affichent d'emblée le style chic de cet hôtel dans l'air du temps. Chambres très agréables.

Ste-Beuve sans rest
9 r. Ste-Beuve **Ⓜ** *Notre-Dame des Champs* – ℰ *01 45 48 20 07*
– *www.parishotelcharme.com* – *saintebeuve@wanadoo.fr*
– *Fax 01 45 48 67 52*

L 12

22 ch – †155/215 € ††199/315 €, ⊇ 15 €

♦ L'endroit, par son atmosphère intime, ressemble à une maison particulière. Chambres harmonieusement rénovées, ponctuées de touches raffinées ; salles de bain en noir et blanc.

Millésime sans rest
15 r. Jacob **Ⓜ** *St-Germain des Prés* – ℰ *01 44 07 97 97* – *www.millesimehotel.com*
– *reservation@millesimehotel.com* – *Fax 01 46 34 55 97*

J 13

21 ch – †190 € ††220 €, ⊇ 16 €

♦ Tons ensoleillés, mobilier et tissus choisis apportent une note chaleureuse aux ravissantes chambres proposées ici. Bel escalier du 17ᵉ s., patio et jolie salle voûtée.

Des Académies et des Arts sans rest
15 r. de la Grande-Chaumière **Ⓜ** *Vavin* – ℰ *01 43 26 66 44*
– *www.hotelsdesacademies.com* – *reservation@hoteldesacademies.com*
– *Fax 01 40 46 86 85*

L 12

20 ch – †183/294 € ††183/294 €, ⊇ 15 €

♦ "Corps blancs" peints de Jérôme Mesnager et sculptures de Sophie de Watrigant investissent les murs de cet hôtel dédié à la création. Chambres dans l'air du temps très soignées.

Relais Médicis sans rest
23 r. Racine **Ⓜ** *Odéon* – ℰ *01 43 26 00 60* – *www.relaismedicis.com*
– *reservation@relaismedicis.com* – *Fax 01 40 46 83 39*

K 13

16 ch ⊇ – †142/172 € ††172/258 €

♦ Une touche provençale égaye les chambres de cet hôtel proche du théâtre de l'Odéon ; celles situées côté patio offrent plus de calme. Meubles chinés chez les antiquaires.

Au Manoir St-Germain-des-Prés sans rest
153 bd St-Germain **Ⓜ** *St-Germain des Prés* – ℰ *01 42 22 21 65*
– *www.paris-hotels-charm.com* – *reservation@hotelaumanoir.com*
– *Fax 01 45 48 22 25*

J 12

28 ch ⊇ – †200 € ††300 €

♦ Installé face au Flore et aux Deux Magots, fameux cafés germanopratins, cet hôtel entièrement rénové a su conserver son charme bourgeois : fresques, boiseries et mobilier ancien.

St-Grégoire sans rest
43 r. Abbé-Grégoire **Ⓜ** *St-Placide* – ℰ *01 45 48 23 23*
– *www.hotelsaintgregoire.com* – *hotel@saintgregoire.com*
– *Fax 01 45 48 33 95*

L 12

20 ch – †195/250 € ††250/300 €, ⊇ 14 €

♦ L'établissement est appréciable pour son décor bourgeois. Deux chambres bénéficient d'une petite terrasse verdoyante. Sympathique salle des petits-déjeuners voûtée.

Villa des Artistes sans rest
9 r. Grande-Chaumière **Ⓜ** *Vavin* – ℰ *01 43 26 60 86* – *www.villa-artistes.com*
– *hotel@villa-artistes.com* – *Fax 01 43 54 73 70*

L 12

55 ch – †109/270 € ††129/350 €, ⊇ 15 €

♦ L'enseigne rend hommage aux artistes qui ont fait l'histoire du quartier Montparnasse. Une partie des chambres a été rénovée sur le thème des courants artistiques du 20ᵉ s.

Artus sans rest
34 r. de Buci Ⓜ *Mabillon –* ✆ *01 43 29 07 20 – www.artushotel.com – info@artushotel.com – Fax 01 43 29 67 44*
27 ch – ♦195/305 € ♦♦195/305 €

J 13

♦ Captant l'air du temps, cet hôtel apporte sa touche intimiste : chambres modernes ornées d'antiquités, jolie cave voûtée, bar design, peintures des galeries voisines exposées.

Relais St-Sulpice sans rest
3 r. Garancière Ⓜ *St-Sulpice –* ✆ *01 46 33 99 00 – www.relais-saint-sulpice.com – relaisstsulpice@wanadoo.fr – Fax 01 46 33 00 10*
26 ch – ♦178/217 € ♦♦178/250 €, ⚏ 12 €

K 13

♦ À deux pas du Sénat et du jardin du Luxembourg, ce séduisant hôtel propose des chambres de bonne ampleur, décorées avec soin ; celles sur l'arrière sont particulièrement calmes.

De Fleurie sans rest
32 r. Grégoire de Tours Ⓜ *Odéon –* ✆ *01 53 73 70 00 – www.hotel-de-fleurie.fr – bonjour@hotel-de-fleurie.fr – Fax 01 53 73 70 20*
29 ch – ♦135/215 € ♦♦175/320 €, ⚏ 13 €

K 13

♦ Pimpante façade du 18e s. agrémentée de "statues nichées". Chambres bourgeoises aux tonalités douces et boiseries chaleureuses ; préférez celles côté cour, plus tranquilles.

Prince de Conti sans rest
8 r. Guénégaud Ⓜ *Odéon –* ✆ *01 44 07 30 40 – www.prince-de-conti.com – princedeconti@wanadoo.fr – Fax 01 44 07 36 34*
26 ch – ♦165/280 € ♦♦165/280 €, ⚏ 13 €

J 13

♦ Immeuble du 18e s. jouxtant l'hôtel de la Monnaie : charmant salon transformé en cabinet de curiosités, chambres raffinées et duplex lumineux décorés d'objets précieux.

Clos Médicis sans rest
56 r. Monsieur Le Prince Ⓜ *Odéon –* ✆ *01 43 29 10 80 – www.hotelclosmedicisparis.com – message@hotelclosmedicisparis.com – Fax 01 43 54 26 90*
37 ch – ♦145/300 € ♦♦180/300 €, ⚏ 13 € – 1 suite

K 14

♦ À quelques pas du jardin de Marie de Médicis, cet hôtel de 1773 invite à la détente dans un intérieur très contemporain mêlant tons chauds, lumière douce et détails soignés.

Odéon sans rest
3 r. Odéon Ⓜ *Odéon –* ✆ *01 43 25 90 67 – www.odeonhotel.fr – odeon@odeonhotel.fr – Fax 01 43 25 55 98*
33 ch – ♦130 € ♦♦190/270 €, ⚏ 12 €

K 13

♦ Façade, poutres et murs en pierres apparentes témoignent de l'ancienneté de la maison (17e s.). Les chambres sont toutes personnalisées et certaines ont vue sur la Tour Eiffel.

Odéon St-Germain sans rest
13 r. St-Sulpice Ⓜ *Odéon –* ✆ *01 43 25 70 11 – www.paris-hotel-odeon.com – reservation@paris-hotel-odeon.com – Fax 01 43 29 97 34*
27 ch – ♦156/250 € ♦♦182/370 €, ⚏ 14 €

K 13

♦ L'intérieur de cette maison du 16e s., pour le moins éclectique, est pétri de charme : lits anciens en cuivre ou à baldaquin, bibelots chinés dans les brocantes, etc. Minijardin luxuriant.

Prince de Condé sans rest
39 r. de Seine Ⓜ *Mabillon –* ✆ *01 43 26 71 56 – www.prince-de-conde.com – princedeconde@wanadoo.fr – Fax 01 46 34 27 95*
11 ch – ♦195 € ♦♦195/280 €, ⚏ 13 €

J 13

♦ Dans le périmètre des galeries de peintures, un hôtel intime : chambres cosy au cachet renforcé par la présence de murs en pierre, belle cave voûtée, salon-bibliothèque.

Régent sans rest
61 r. Dauphine Ⓜ *Odéon –* ✆ *01 46 34 59 80 – www.hotelleregent.com – hotel.leregent@wanadoo.fr – Fax 01 40 51 05 07*
24 ch – ♦140/175 € ♦♦140/250 €, ⚏ 14 €

J 13

♦ Façade longiligne datant de 1769. Les chambres sont feutrées et bien équipées. La salle des petits-déjeuners, en sous-sol, ne manque pas de charme avec ses pierres apparentes.

PARIS page 68 – 6ᵉ arrondissement

Bréa sans rest
14 r. Bréa Ⓜ *Vavin* – ℰ 01 43 25 44 41 – www.jardinlebrea-paris-hotel.com
– brea.hotel@wanadoo.fr – Fax 01 44 07 19 25
23 ch – †110/195 € ††130/220 €, ⊇ 13 €   L 12

◆ Deux bâtiments rénovés, reliés par une verrière aménagée en un plaisant salon-jardin d'hiver. Spacieuses chambres bien équipées et décorées par la ligne anglaise Designers Guild.

De Sèvres sans rest
22 r. Abbé-Grégoire Ⓜ *St-Placide* – ℰ 01 45 48 84 07 – www.hoteldesevres.com
– info@hoteldesevres.com – Fax 01 42 84 01 55   K 11-12
31 ch – †99/129 € ††115/145 €, ⊇ 13 €

◆ Voisin du Bon Marché, paisible hôtel rénové aux chambres de style contemporain. La salle des petits-déjeuners donne sur une courette fleurie. Expositions temporaires au salon.

Le Clément sans rest
6 r. Clément Ⓜ *Mabillon* – ℰ 01 43 26 53 60 – www.hotel-clement.fr – info@
hotel-clement.fr – Fax 01 44 07 06 83   K 13
28 ch – †123/144 € ††123/144 €, ⊇ 11 €

◆ Face au marché St-Germain, une élégante façade grise marque l'entrée de cet hôtel, dans la même famille depuis trois générations. Chambres bien tenues, à prix raisonnables.

Paris – Hôtel Lutetia
45 bd Raspail Ⓜ *Sèvres Babylone* – ℰ 01 49 54 46 90 – www.lutetia-paris.com
– lutetia-paris@lutetia-paris.com – Fax 01 49 54 46 00
– Fermé août, 24-30 déc., sam., dim. et fériés   K 12
Rest – Menu 60 € bc (déj.), 80/130 € – Carte 65/145 €
Spéc. Homard breton au tartare de betterave, tétragone à l'huile de noisette. Langoustines dorées, fleurs de courgettes aux girolles et aux amandes fraîches. Fruits rouges et noirs, palet de noix de coco, coque de sucre filé, jus chaud à la fraise.

◆ Fidèle au style de l'hôtel, la salle de restaurant Art déco, signée Sonia Rykiel, reproduit l'un des salons du paquebot Normandie. Talentueuse cuisine au goût du jour.

Jacques Cagna
14 r. Grands Augustins Ⓜ *St-Michel* – ℰ 01 43 26 49 39 – www.jacques-
cagna.com – restaurant@jacques-cagna.com – Fax 01 43 54 54 48
– Fermé 1ᵉʳ-26 août, lundi midi, sam. midi et dim.   J 14
Rest – Menu 45 € (déj.)/100 € – Carte 104/170 €
Spéc. Langoustines de l'Atlantique en croustillant. Gibier (en saison). Paris-Brest au praliné à l'ancienne.

◆ Voici l'une des plus anciennes maisons de Paris. Confortable salle à manger (poutres massives, boiseries du 16ᵉ s., tableaux flamands) propice à la dégustation de plats raffinés.

Relais Louis XIII (Manuel Martinez)
8 r. Grands Augustins Ⓜ *Odéon* – ℰ 01 43 26 75 96 – www.relaislouis13.com
– contact@relaislouis13.com – Fax 01 44 07 07 80
– Fermé août, 22 déc.-3 janv., dim. et lundi   J 14
Rest – Menu (50 €), 80 € (dîner en sem.), 110/170 € bc – Carte 141/166 €
Spéc. Ravioli de homard breton, foie gras et crème de cèpes. Caneton challandais rôti entier aux épices douces et fortes. Millefeuille à la vanille bourbon.

◆ Dans une maison du 16ᵉ s., trois intimes salles à manger de style Louis XIII où règnent balustres, tissus à rayures et pierres apparentes. Subtile cuisine au goût du jour.

Hélène Darroze-La Salle à Manger
4 r. d'Assas Ⓜ *Sèvres Babylone* – ℰ 01 42 22 00 11 – reservation@
helenedarroze.com – Fax 01 42 22 25 40   K 12
Rest – (1ᵉʳ étage) (fermé le midi du 20 juil. au 30 août, dim. et lundi) Menu 72 € (déj.), 175/280 € – Carte 111/189 €
Rest *Le Salon* – (fermé 27 juil.-30 août, dim. et lundi) Menu (25 €), 88/180 €
– Carte 45/110 €
Spéc. Riz carnaroli acquarello noir et crémeux, chipirons au chorizo et tomates confites, jus au persil, émulsion de parmesan. Grosses langoustines bretonnes rôties aux épices tandoori, mousseline de carottes aux agrumes. Pigeonneau fermier de Racan flambé au capucin et foie gras de canard des Landes grillé au feu de bois.

◆ Décor contemporain, feutré et tamisé (tons aubergine-orange) où l'on savoure une délicieuse cuisine et des vins du Sud-Ouest. Au rez-de-chaussée, Hélène Darroze tient Salon, proposant tapas et petits plats au rustique accent des Landes.

6ᵉ arrondissement – PARIS page 69

XX Le Restaurant – Hôtel L'Hôtel
83

13 r. des Beaux-Arts Ⓜ *St-Germain-des-Prés* – ℰ *01 44 41 99 01*
– www.lerestaurantparis.com – eat@l-hotel.com – Fax 01 43 25 64 81
– Fermé 4-29 août, 21-29 déc., dim. et lundi   J 13
Rest – Menu (42 €), 95/155 € bc – Carte 95/130 €
Spéc. Cèpe en ravioles et grillé, truffe marinée et jus corsé de champignons (automne). Bar de ligne, chou fleur, œufs de hareng fumé et poutargue. Fraise des bois, cheese cake et sorbet citron (printemps).
♦ À l'intérieur de "L'Hôtel", table tout simplement baptisée "Le Restaurant" : décor orchestré par Jacques Garcia et petite cour intérieure. Cuisine soignée dans l'air du temps.

XX Sensing
19 r. Bréa Ⓜ *Vavin* – ℰ *01 43 27 08 80 – www.restaurant-sensing.com*
– contact@restaurantsensing.com – Fax 01 43 26 99 27
– Fermé août, lundi midi et dim.   L 12
Rest – Menu (25 €), 55 € bc (déj.), 75 € bc/140 € bc – Carte 59/73 €
♦ Une courte carte, contemporaine et épurée, valorisant d'excellents produits ; un cadre dépouillé ultradesign : ce restaurant piloté par Guy Martin ne manque pas de personnalité.

XX Bastide Odéon
7 r. Corneille Ⓜ *Odéon* – ℰ *01 43 26 03 65 – www.bastide-odeon.com*
– reservation@bastide-odeon.com – Fax 01 44 07 28 93
– Fermé 3-25 août, dim. et lundi   K 13
Rest – Menu (26 € bc), 41 €
♦ Proche du Luxembourg, agréable et confortable salle à manger rappelant l'intérieur d'une bastide provençale. Salon particulier à l'étage. Spécialités méditerranéennes.

XX Méditerranée
2 pl. Odéon Ⓜ *Odéon* – ℰ *01 43 26 02 30 – www.la-mediterranee.com*
– la.mediterranee@wanadoo.fr – Fax 01 43 26 18 44 – Fermé 22-28 déc.
Rest – Menu (27 €), 34 € – Carte 38/69 €   K 13
♦ Deux salles à manger agrémentées de fresques évoquant la grande bleue et une véranda tournée sur le théâtre de l'Europe servent de cadre à une cuisine méditerranéenne.

XX Yugaraj
14 r. Dauphine Ⓜ *Odéon* – ℰ *01 43 26 44 91 – Fax 01 46 33 50 77 – Fermé août, lundi midi et jeudi midi*   J 14
Rest – Menu (19 €), 28/66 € – Carte 36/48 €
♦ Nouveau décor mais même raffinement dans ce haut lieu de la gastronomie indienne qui a des airs de musée (boiseries, soieries, objets anciens). Carte très fournie.

XX Alcazar
62 r. Mazarine Ⓜ *Odéon* – ℰ *01 53 10 19 99 – www.alcazar.fr – contact@alcazar.fr – Fax 01 53 10 23 23*   J 13
Rest – Menu (26 € bc), 32 € bc (déj.), 35/43 € – Carte 40/66 €
♦ L'adresse de Sir Conran attire les adeptes d'ambiance électro-chic et de goûts dans l'air du temps. Verrière, mezzanine et vue sur les cuisines créent la personnalité du lieu.

XX Les Bouquinistes
53 quai Grands Augustins Ⓜ *St-Michel* – ℰ *01 43 25 45 94 – www.guysavoy.com*
– bouquinistes@guysavoy.com – Fax 01 43 25 23 07 – Fermé 5-23 août,
23 déc.-5 janv., sam. midi et dim.   J 14
Rest – Menu (26 € bc), 40 € bc/120 € bc – Carte 70/95 €
♦ Face aux bouquinistes des quais, une cuisine originale dans un cadre moderniste conçu par le jazzman D. Humair : mobilier design, lampes colorées et peintures abstraites.

XX Fogón (Juan Alberto Herráiz)
83
45 quai des Grands-Augustins Ⓜ *St-Michel* – ℰ *01 43 54 31 33 – www.fogon.fr*
– Fermé 15-31 août, 23 déc.-3 janv., lundi et le midi sauf sam. et dim.   J 14
Rest – Menu 44/49 € – Carte 46/55 €
Spéc. Jambon de porc ibérique. Riz aux langoustines dans une paella. Tapas sucrées.
♦ Cuisine espagnole (tapas, paellas) revisitée avec éclat et créativité, servie par la belle qualité des produits, et mise en scène dans un cadre design chic des plus tendance.

1335

PARIS page 70 – 6ᵉ arrondissement

Yen
22 r. St-Benoît Ⓜ *St-Germain des Prés –* ✆ *01 45 44 11 18 – restau.yen@wanadoo.fr – Fax 01 45 44 19 48 – Fermé 2 sem. en août et dim.* J 13
Rest – Menu (38 €), 58 € – Carte 30/65 €
♦ Deux salles à manger au décor japonais très épuré, un peu plus chaleureux à l'étage. La carte fait la part belle à la spécialité du chef : le soba (nouilles de sarrasin).

La Rotonde
105 bd Montparnasse Ⓜ *Vavin –* ✆ *01 43 26 68 84 – Fax 01 46 34 52 40*
Rest – Menu 18 € bc (déj. en sem.), 35/45 € – Carte 35/70 € L 12
♦ Lisez au verso de la carte l'histoire de cette typique brasserie parisienne qui, depuis 1903, a reçu de nombreux hôtes célèbres. Adresse idéale pour souper après le théâtre.

La Marlotte
55 r. du Cherche-Midi Ⓜ *St-Placide –* ✆ *01 45 48 86 79 – www.lamarlotte.com – Fax 01 44 07 28 93* K 12
Rest – Menu (23 € bc) – Carte 30/65 €
♦ Près du Bon Marché, sympathique bistrot de quartier où l'on croise éditeurs et politiciens. Salle des repas tout en longueur, décor rustique et cuisine traditionnelle.

L'Épi Dupin
11 r. Dupin Ⓜ *Sèvres Babylone –* ✆ *01 42 22 64 56 – www.epidupin.com – lepidupin@wanadoo.fr – Fax 01 42 22 30 42 – Fermé 1ᵉʳ-24 août, lundi midi, sam. et dim.* K 12
Rest – *(nombre de couverts limité, prévenir)* Menu (25 € bc), 34 €
♦ Poutres et pierres pour le caractère, tables serrées pour la convivialité et délicieuse cuisine pour se régaler : ce restaurant de poche a conquis le quartier du Bon Marché.

L'Espadon Bleu
25 r. Grands Augustins Ⓜ *St-Michel –* ✆ *01 46 33 00 85 – www.jacques-cagna.com – espadonbleu6@yahoo.fr – Fax 01 43 54 54 48 – Fermé août, lundi midi, sam. midi et dim.* J 14
Rest – Menu (25 €), 32 € (sem.) – Carte 30/70 €
♦ Sympathique maison spécialisée dans les produits de la mer. Les espadons, bien sûr de la fête, ornent les murs peints aux couleurs du Sud ainsi que les tables en mosaïque.

Joséphine "Chez Dumonet"
117 r. du Cherche-Midi Ⓜ *Duroc –* ✆ *01 45 48 52 40 – Fax 01 42 84 06 83 – Fermé sam. et dim.* L 11
Rest – Carte 35/70 €
♦ Authentique représentant des Années folles avec zinc, banquettes et décor de bistrot patiné. On y propose une belle carte des vins et une cuisine traditionnelle.

Ze Kitchen Galerie (William Ledeuil)
4 r. Grands Augustins Ⓜ *St-Michel –* ✆ *01 44 32 00 32 – www.zekitchengalerie.fr – zekitchen.galerie@wanadoo.fr – Fax 01 44 32 00 33 – Fermé sam. midi et dim.*
Rest – Menu (29 € bc), 35 € (déj.)/76 € – Carte environ 65 € J 14
Spéc. Bouillon Thaï de crustacé, ravioli de langoustine. Saint-Jacques grillées, condiment kumquat-citron caviar. Financier châtaigne, chocolat, coco et émulsion cacahuète.
♦ Séduisante carte fusion influencée par l'Asie, cadre épuré aux airs de loft, tableaux contemporains, vue sur les cuisines : Ze Kitchen est "Ze" adresse trendy de la rive gauche.

Allard
1 r. l'Eperon Ⓜ *St-Michel –* ✆ *01 43 26 48 23 – Fax 01 46 33 04 02 – Fermé 2-23 août*
Rest – Menu (25 €), 34 € – Carte 45/85 €
♦ Recettes façon grand-mère, atmosphère conviviale, zinc d'époque, gravures et tableaux illustrant des scènes de la vie bourguignonne font le charme de ce bistrot 1900.

Le Comptoir – Hôtel Relais-St-Germain
9 carr. de l'Odéon Ⓜ *Odéon –* ✆ *01 44 27 07 97 – www.hotelrsg.com – hotelrsg@wanadoo.fr – Fax 01 46 33 45 30* K 13
Rest – *(nombre de couverts limité, prévenir)* Menu 50 € (dîner en sem.) – Carte 35/80 € déjeuner
♦ Dans ce sympathique bistrot de poche, Yves Camdeborde régale ses clients d'une généreuse cuisine traditionnelle ménageant une place aux produits du Sud-Ouest. Authentique décor des années 1930.

6e arrondissement – PARIS page 71

Rôtisserie d'en Face
2 r. Christine **Ⓜ** Odéon – ℰ 01 43 26 40 98 – www.jacques-cagna.com
– la-rotisserie@orange.fr – Fermé sam. midi et dim.
Rest – Menu (26 €), 31 € (déj. en sem.) – Carte 39/63 €

J 14

♦ En face de quoi ? Du restaurant de Jacques Cagna qui a créé ici un sympathique bistrot de chef. Cadre aux tons ocre, sobrement élégant. Atmosphère décontractée.

La Maison du Jardin
27 r. Vaugirard **Ⓜ** Rennes – ℰ 01 45 48 22 31 – Fax 01 45 48 22 31 – Fermé 1er-24 août, sam. midi, dim. et fériés
Rest – (prévenir) Menu 26/31 €

K 12

♦ Entre vieux bistrot et auberge de province, cette maison sert une savoureuse cuisine traditionnelle revisitée. Petite carte des vins à prix sages.

L'Épigramme
9 r. l'Éperon **Ⓜ** Odéon – ℰ 01 44 41 00 09 – Fax 01 44 41 00 09 – Fermé trois sem. en août, une sem. à Noël, dim. et lundi
Rest – (nombre de couverts limité, prévenir) Menu (22 €), 28 € (déj.)/30 €

K 14

♦ La bonne cuisine de bistrot actualisée, le décor aux tons naturels (pierres blondes, poutres apparentes) et les prix doux justifient le succès de cette table, qui affiche souvent complet.

Les Terrines de Gérard Vié
97 r. du Cherche-Midi **Ⓜ** Duroc – ℰ 01 42 22 19 18 – patrick@legastronautre.com – Fax 01 42 22 19 18 – Fermé 2 semaines en août, dim. et lundi
Rest – (26 € bc) 30 €

L 11

♦ Voici un nouveau bistrot bien sympathique proposant une cuisine de tradition et les terrines d'un chef qui fit la renommée d'une table versaillaise. Sélection de vins naturels.

Fish La Boissonnerie
69 r. de Seine **Ⓜ** Odéon – ℰ 01 43 54 34 69 – Fax 01 46 34 63 41
– Fermé 10-17 août, 21 déc.-2 janv. et lundi
Rest – Menu (11 €), 24 € (déj.)/37 €

C 1

♦ Derrière sa façade en mosaïque, cette ancienne poissonnerie a tout d'un authentique gastropub. Cuisine de bistrot évoluant au gré du marché. Belle cave.

Azabu
3 r. A. Mazet **Ⓜ** Odéon – ℰ 01 46 33 72 05 – Fermé 19-27 avril, dim. midi et lundi
Rest – Menu (19 €), 39/59 € – Carte 45/60 €

J 13

♦ Bonne cuisine japonaise actuelle servie dans une petite salle à manger sobre et contemporaine, à table ou au bar, face au teppan-yaki (table de cuisson).

Aux Charpentiers
10 r. Mabillon **Ⓜ** Mabillon – ℰ 01 43 26 30 05 – auxcharpentiers@wanadoo.fr
– Fax 01 46 33 07 98
Rest – Menu (20 € bc) – Carte 36/55 €

K 13

♦ Cette maison historiquement liée aux Compagnons Charpentiers, dont elle fut le siège (1874-1970), porte la trace de cet héritage : photos, gravures, maquettes. Plats traditionnels.

La Table de Fès
5 r. Ste-Beuve **Ⓜ** Notre Dame des Champs – ℰ 01 45 48 07 22 – Fax 01 45 49 47 88
– Fermé 24 juil.-27 août et dim.
Rest – (dîner seult) Carte 35/60 €

L 12

♦ Salle de restaurant décorée de fresques (oasis, désert, jardin) et agrémentée d'objets provenant du Maroc. Authentique cuisine du pays axée sur le couscous.

Le Bistrot de L'Alycastre
2 r. Clément **Ⓜ** Mabillon – ℰ 01 43 25 77 66 – jmlemmery@hotmail.com
– Fax 01 43 25 77 66 – Fermé 10-30 août, vacances de fév., dim. midi, lundi midi et mardi midi
Rest – Menu (34 €) – Carte 46/60 €

K 13

♦ Face au marché St-Germain, un bistrot chic repris par un chef passionné. Pour preuve, sa cuisine actuelle, simple et savoureuse, et la qualité du service. Terrasse prisée.

PARIS page 72 – 6ᵉ arrondissement

L'Altro
16 r. du Dragon **Ⓜ** St-Germain-des-Prés – ℘ 01 45 48 49 49 – www.laltro.fr
– laltro@sljcohen.fr – Fax 01 45 80 96 36 – Fermé 14-23 août, 21-27 déc., dim. et lundi J 12
Rest – Menu (17 €), 22 € (déj. en sem.) – Carte 25/55 €
♦ L'Italie sur une assiette, dans un décor mi-bistrot, mi-loft new-yorkais (banquettes noires, carrelage blanc aux murs, cuisines vitrées). Ambiance décontractée et branchée.

Le Timbre
3 r. Ste-Beuve **Ⓜ** Notre-Dame des Champs – ℘ 01 45 49 10 40
– www.restaurantletimbre.com – Fermé 1ᵉʳ-7 mai, 27 juil.-23 août, vacances de Noël, dim. et lundi L 12
Rest – (nombre de couverts limité, prévenir) Menu (22 €), 26/30 €
– Carte 32/38 € dîner seulement
♦ On se bouscule dans ce sympathique petit bistrot, grand comme un timbre poste. L'ardoise affiche propositions du jour, réalisées sous vos yeux par un jeune chef britannique.

La Table d'Erica
6 r. Mabillon **Ⓜ** Mabillon – ℘ 01 43 54 87 61 – www.tablederica.com
– alatablederica@gmail.com – Fermé août, dim. et lundi K 13
Rest – Menu (13 €), 29 € – Carte 32/50 €
♦ Franchissez la passerelle pour rejoindre La Table d'Erica. Dépaysement garanti autour d'une courte carte typiquement créole : poisson des îles, poulet boucané, colombo, etc.

Le Carré de Marguerite
87 r. d'Assas **Ⓜ** Port Royal – ℘ 01 43 26 33 61 – www.lecarredemarguerite.fr
– restaurant@lecarredemarguerite.fr – Fermé sam. midi, dim. et lundi L 13-M 13
Rest – Menu (19 €), 22 € (déj.) – Carte 36/46 €
♦ Il flotte sur cette table un air de maison de famille (meubles chinés, étagères garnies façon épicerie, bibelots) qui met tout de suite à l'aise. Menu du marché changé chaque jour.

Tsukizi
2 bis r. des Ciseaux **Ⓜ** St-Germain-des-Prés – ℘ 01 43 54 65 19
– Fermé dim. midi et lundi K 13
Rest – Menu (16 €) – Carte 30/75 €
♦ Comme au Japon, installez-vous au comptoir de la petite salle, plutôt modeste, de ce restaurant traditionnel. Le chef prépare sous vos yeux sushis et autres spécialités nippones.

Tour Eiffel • École Militaire • Invalides

7ᵉ arrondissement ✉ 75007

S. Sauvignier/MICHELIN

Pont Royal sans rest
7 r. Montalembert **Ⓜ** Rue du Bac – ℘ 01 42 84 70 00 – www.hotel-pont-royal.com
– hpr@hotel-pont-royal.com – Fax 01 42 84 71 00
65 ch – †410 € ††550 €, ⊡ 27 € – 10 suites J 12
♦ Tons audacieux et boiseries en acajou dans les chambres : on peut vouloir vivre la bohème germanopratine tout en appréciant le confort d'un "hôtel littéraire" raffiné !

Duc de St-Simon sans rest
14 r. St-Simon **Ⓜ** Rue du Bac – ℘ 01 44 39 20 20
– www.hotelducdesaintsimon.com – duc.de.saint.simon@wanadoo.fr
– Fax 01 45 48 68 25 J 11
34 ch – †225/290 € ††250/290 €, ⊡ 15 €
♦ Couleurs gaies, boiseries, objets et meubles anciens : l'atmosphère est celle d'une belle demeure d'autrefois. Accueil courtois et quiétude ajoutent à la qualité du lieu.

7ᵉ arrondissement – PARIS page 73

Montalembert
3 r. Montalembert ⓂRue du Bac – ☏ 01 45 49 68 68 – www.montalembert.com
– welcome@montalembert.com – Fax 01 45 49 69 49   J 12
56 ch – †340/520 € ††340/520 €, ⊇ 24 € – 7 suites   **Rest** – Carte 56/87 €
♦ Bois sombres, cuirs, verre, acier, coloris tabac, prune, lilas, etc. : les chambres réunissent tous les ingrédients de la contemporanéité. Restaurant au cadre design, terrasse protégée par un rideau de buis et cuisine "en deux tailles"... selon l'appétit !

K+K Hotel Cayré sans rest
4 bd Raspail ⓂRue du Bac – ☏ 01 45 44 38 88 – www.kkhotels.com/cayre
– reservations@kkhotels.fr – Fax 01 45 44 98 13   J 12
125 ch – †248/406 € ††280/448 €, ⊇ 26 €
♦ La discrète façade hausmannienne contraste avec les élégantes chambres design. Espace remise en forme (sauna), salon cossu et bar proposant une petite restauration de style bistrot.

Le Bellechasse sans rest
8 r. de Bellechasse ⓂMusée d'Orsay – ☏ 01 45 50 22 31 – www.lebellechasse.com
– info@lebellechasse.com – Fax 01 45 51 52 36   H 11
34 ch – †290/390 € ††340/390 €, ⊇ 21 €
♦ Hôtel griffé Christian Lacroix. Le créateur a signé des chambres design aux touches colorées, anciennes ou contemporaines, souvent oniriques : un "voyage dans le voyage"... très mode !

Saint Vincent sans rest
5 r. Pré aux Clercs ⓂRue du Bac – ☏ 01 42 61 01 51 – www.hotel-st-vincent.com
– reservation@hotel-st-vincent.com – Fax 01 42 61 01 54 J 12
22 ch – †210/240 € ††210/240 €, ⊇ 13 € – 2 suites
♦ Établissement de luxe et de charme au cœur du carré rive gauche. Cet hôtel particulier (18ᵉ s.) abrite des chambres spacieuses et chaleureuses, revisitant l'esprit Napoléon III.

Bourgogne et Montana sans rest
3 r. de Bourgogne ⓂAssemblée Nationale – ☏ 01 45 51 20 22
– bourgogne-montana.com – bmontana@bourgogne-montana.com
– Fax 01 45 56 11 98   H 11
28 ch ⊇ – †180/200 € ††200/290 € – 4 suites
♦ Raffinement et esthétisme imprègnent chaque pièce de ce discret hôtel daté du 18ᵉ s. Les chambres du dernier étage ménagent une superbe perspective sur le Palais-Bourbon.

Le Walt sans rest
37 av. de la Motte-Picquet ⓂEcole Militaire – ☏ 01 45 51 55 83
– www.lewaltparis.com – lewalt@inwoodhotel.com
– Fax 01 47 05 77 59   J 9
25 ch – †275/325 € ††295/345 €, ⊇ 19 €
♦ L'originalité de ces chambres confortables et contemporaines ? De grandes reproductions de chefs-d'œuvre de l'art classique associées à des couvre-lits "panthère" ou "zèbre".

Le Tourville sans rest
16 av. Tourville ⓂEcole Militaire – ☏ 01 47 05 62 62 – www.hoteltourville.com
– hotel@tourville.com – Fax 01 47 05 43 90   J 9
28 ch – †150/350 € ††150/350 €, ⊇ 15 € – 2 suites
♦ Les mélanges de tons doux et vifs, de mobilier ancien et moderne insufflent un air british à cet hôtel cosy. Quatre chambres avec terrasse ; petit-déjeuner dans une salle voûtée.

Verneuil sans rest
8 r. Verneuil ⓂRue du Bac – ☏ 01 42 60 82 14 – www.hotelverneuil.com – info@
hotelverneuil.com – Fax 01 42 61 40 38   J 12
26 ch ⊇ – †157 € ††200/260 €
♦ Vieil immeuble aménagé dans l'esprit d'une demeure particulière. Belles gravures du 18ᵉ s. dans les petites chambres cosy. Au n° 5 bis, se trouve la maison de Gainsbourg.

Lenox St-Germain sans rest
9 r. de l'Université ⓂSt-Germain des Prés – ☏ 01 42 96 10 95
– www.lenoxsaintgermain.com – hotel@lenoxsaintgermain.com
– Fax 01 42 61 52 83   J 12
32 ch – †135/180 € ††160/295 €, ⊇ 14 € – 2 suites
♦ Un luxe discret de style Art déco imprègne cet hôtel. Chambres pas très grandes mais aménagées avec goût. Fresques "égyptiennes" dans la salle des petits-déjeuners. Agréable bar.

D'Orsay sans rest
93 r. Lille ⓂSolférino – ℰ 01 47 05 85 14 – www.esprit-de-france.com – orsay@espritfrance.com – Fax 01 45 55 51 16 H 11
41 ch – †155/210 € ††177/370 €, ⇱ 13 €
◆ L'hôtel occupe deux immeubles de la fin du 18ᵉ s. aux élégantes façades. Jolies chambres plutôt classiques et chaleureux salon avec vue sur un petit patio verdoyant.

De Suède Saint Germain sans rest
31 r. Vaneau Ⓜ Rue du Bac – ℰ 01 47 05 00 08 – www.hoteldesuede.com – hoteldesuede@aol.com – Fax 01 47 05 69 27 J 11
39 ch – †129/195 € ††129/300 €, ⇱ 13 €
◆ Au cœur du quartier des ministères, cet hôtel (18ᵉ s.) à la gestion familiale vous loge dans des chambres de style Louis XVI. Vue sur les jardins de Matignon pour certaines.

Muguet sans rest
11 r. Chevert Ⓜ Ecole Militaire – ℰ 01 47 05 05 93 – www.hotelmuguet.com – muguet@wanadoo.fr – Fax 01 45 50 25 37 J 9
43 ch – †106 € ††140 €, ⇱ 10 €
◆ Hôtel rafraîchi dans un esprit classique. Salon au mobilier de style Louis-Philippe, chambres soignées (7 ont vue sur la tour Eiffel ou les Invalides), véranda et jardinet.

Eiffel Park Hôtel sans rest
17bis r. Amélie Ⓜ La Tour Maubourg – ℰ 01 45 55 10 01 – www.eiffelpark.com – reservation@eiffelpark.com – Fax 01 47 05 28 68 J 9
36 ch – †135/260 € ††135/260 €, ⇱ 12 €
◆ Hôtel élégant à l'ambiance exotique : objets chinois et indiens, tissus ethniques. Son originalité ? Perchées sur le toit, une terrasse d'été et des ruches, dont on vend le miel.

Relais Bosquet sans rest
19 r. Champ-de-Mars Ⓜ Ecole Militaire – ℰ 01 47 05 25 45 – www.hotelrelaisbosquet.com – hotel@relaisbosquet.com – Fax 01 45 55 08 24 J 9
40 ch – †135/185 € ††155/210 €, ⇱ 15 €
◆ Cet hôtel discret dissimule un intérieur joliment meublé dans le style Directoire. Chambres classiques décorées avec le même souci du détail, et délicates attentions.

Splendid Tour Eiffel sans rest
29 av. Tourville Ⓜ Ecole Militaire – ℰ 01 45 51 29 29 – www.hotel-splendid-paris.com – reservation@hotel-splendid-paris.com – Fax 01 44 18 94 60 J 9
48 ch – †145/165 € ††165/225 €, ⇱ 12 €
◆ Immeuble haussmannien d'angle abritant d'élégantes chambres sobrement contemporaines. La plupart offrent une belle vue, certaines sur la tour Eiffel. Petit salon-bar cosy.

Londres Eiffel sans rest
1 r. Augereau Ⓜ Ecole Militaire – ℰ 01 45 51 63 02 – www.londres-eiffel.com – info@londres-eiffel.com – Fax 01 47 05 28 96 J 8
30 ch – †165 € ††185 €, ⇱ 14 €
◆ Près des allées du Champ-de-Mars, hôtel aux couleurs ensoleillées et à l'ambiance intime. Le second bâtiment, accessible par une cour intérieure, offre plus de calme.

Du Cadran sans rest
10 r. du Champ-de-Mars Ⓜ Ecole Militaire – ℰ 01 40 62 67 00 – www.hotelducadran.com – info@cadranhotel.com – Fax 01 40 62 67 13 J 9
41 ch – †150/230 € ††150/230 €, ⇱ 13 €
◆ Rajeunissement programmé pour cet hôtel proche du marché animé de la rue Cler. Style contemporain dans toutes les chambres, cheminée du 17ᵉ s. au salon et salle voûtée.

St-Germain sans rest
88 r. du Bac Ⓜ Rue du Bac – ℰ 01 49 54 70 00 – www.hotel-saint-germain.fr – info@hotel-saint-germain.fr – Fax 01 45 48 26 89 J 11
29 ch – †150/240 € ††150/240 €, ⇱ 12 €
◆ Empire, Louis-Philippe, design, objets anciens, peintures contemporaines : le charme de la diversité. Confortable bibliothèque, patio agréable en été.

De Varenne sans rest

44 r. Bourgogne ⓂVarenne – ℰ 01 45 51 45 55 – www.hoteldevarenne.com
– info@hoteldevarenne.com – Fax 01 45 51 86 63
J 10
25 ch – †125/177 € ††135/197 €, ⇌ 10 €

♦ Situation plutôt calme pour cet hôtel garni de meubles de style Empire ou Louis XVI. En été, petits-déjeuners servis dans une courette verdoyante.

Champ-de-Mars sans rest

7 r. du Champ-de-Mars Ⓜ Ecole Militaire – ℰ 01 45 51 52 30
– www.hotelduchampdemars.com – reservation@hotelduchampdemars.com
– Fax 01 45 51 64 36
J 9
25 ch – †89 € ††95 €, ⇌ 8 €

♦ Entre Champ-de-Mars et Invalides, hôtel intimiste à l'atmosphère anglaise : façade vert sapin, chambres cosy (projet de rénovation) et décoration soignée d'esprit "Liberty".

Bersoly's sans rest

28 r. de Lille Ⓜ Musée d'Orsay – ℰ 01 42 60 73 79 – www.bersolyshotel.com
– hotelbersolys@wanadoo.fr – Fax 01 49 27 05 55
– Fermé 10-21 août
J 13
16 ch – †130/140 € ††150/170 €, ⇌ 10 €

♦ Nuits impressionnistes dans un immeuble du 17ᵉ s. : chaque chambre rend hommage à un peintre dont les œuvres sont exposées au musée d'Orsay voisin (Renoir, Gauguin...).

France sans rest

102 bd de la Tour Maubourg Ⓜ Ecole Militaire – ℰ 01 47 05 40 49
– www.hoteldefrance.com – hoteldefrance@wanadoo.fr
– Fax 01 45 56 96 78
J 9
60 ch – †90/160 € ††110/160 €, ⇌ 12 €

♦ Deux bâtiments à l'ambiance familiale, disposant de chambres modernisées. Côté rue, vue sur l'Hôtel des Invalides ; côté cour, tranquillité assurée.

Le Jules Verne

2ᵉ étage Tour Eiffel, ascenseur privé pilier sud Ⓜ Bir-Hakeim
– ℰ 01 45 55 61 44 – www.lejulesverne-paris.com
– Fax 01 47 05 29 41
J 7
Rest – Menu 85 € (déj. en sem.), 165/200 € – Carte 190/242 €
Spéc. Pressé de volaille et foie gras. Pavé de turbot aux girolles. Ecrou au chocolat et praliné croustillant.

♦ Si le spectacle de la Ville lumière reste intemporel, le décor du fameux restaurant de la tour Eiffel, lui, s'est modernisé. Pour encore plus de magie, réservez une table près des baies.

Arpège (Alain Passard)

84 r. de Varenne Ⓜ Varenne – ℰ 01 45 51 47 33 – www.alain-passard.com
– arpege.passard@wanadoo.fr – Fax 01 44 18 98 39
– Fermé sam. et dim.
J 10
Rest – Menu 135 € (déj.)/360 € – Carte 190/285 €
Spéc. Couleur, saveur, parfum et dessin du jardin, cueillette éphémère. Volaille de pays "Grande Tradition". Tarte aux pommes bouquet de rose.

♦ Bois précieux, décor de verre signé Lalique : préférez l'élégante salle contemporaine au caveau, et dégustez l'éblouissante cuisine "légumière" d'un chef-poète du terroir.

Le Divellec (Jacques Le Divellec)

107 r. Université Ⓜ Invalides – ℰ 01 45 51 91 96 – ledivellec@noos.fr
– Fax 01 45 51 31 75 – Fermé 25 juil.-25 août, 25 déc.-2 janv. et dim.
H 10
Rest – Menu 55 € (déj.) – Carte 110/205 €
Spéc. Emincé de langoustines aux truffes. Gros turbot de ligne rôti. Harmonie des compotes.

♦ L'océan (ou presque) à deux pas des Invalides. La clientèle aisée apprécie cette institution du quartier des ministères. Un restaurant au décor un brin suranné, voué aux beaux produits de la mer.

Pétrossian

144 r. de l'Université ◎ *Invalides* – ℰ 01 44 11 32 32 – Fax 01 44 11 32 35
– Fermé août, dim. et lundi H 10
Rest – Menu 35 € (déj.)/90 € – Carte 65/110 €

♦ Les Pétrossian régalent les Parisiens du caviar de la Caspienne depuis 1920. À l'étage de la boutique, élégante salle de restaurant, sobre et confortable, et cuisine inventive.

Il Vino d'Enrico Bernardo

13 bd La Tour-Maubourg ◎ *Invalides* – ℰ 01 44 11 72 00
– www.ilvinobyenricobernardo.com – info@ilvinobyenricobernardo.com
– Fax 01 44 11 72 01 H 10
Rest – Menu 50 € bc (déj.), 95 € bc/1000 € bc – Carte 90/140 €

Spéc. Calamars poêlés, caviar d'aubergine et poivrons confits (été). Duo d'agneau, ballotines et côtelettes rôties, purée de petits pois et légumes croquants (printemps). Melon et abricots en salade, coulis de fruits exotiques, glace au fromage blanc et miel (été).

♦ Choisissez le vin et laissez-vous faire côté cuisine ! Dans son restaurant chic et design, le Meilleur Sommelier du monde 2004 inverse la tendance en associant les mets aux vins.

Le Violon d'Ingres (Christian Constant et Stéphane Schmidt)

135 r. St-Dominique ◎ *Ecole Militaire* – ℰ 01 45 55 15 05
– www.leviolondingres.com – violondingres@wanadoo.fr – Fax 01 45 55 48 42
– Fermé en août, dim. et lundi J 8
Rest – Menu 49 € (sem.)/65 € – Carte 49/60 €

Spéc. Foie gras d'oie brioché, gelée au pinot noir. Suprême de bar croustillant aux amandes, ravigote aux câpres de Sicile. Feuillantine au chocolat guanaja.

♦ Cette salle élégante, d'un style bistrot contemporain, réunit les gourmets, comblés par une cuisine de qualité qui valorise les produits et les saisons sans renier la tradition.

Les Ombres

27 quai Branly ◎ *Alma Marceau* – ℰ 01 47 53 68 00 – www.lesombres.fr
– ombres.restaurant@elior.com – Fax 01 47 53 68 18 H 8
Rest – Menu 38 € (déj.)/95 € – Carte 38/95 €

♦ Aérien, design et tout vitré : sur le toit-terrasse du musée du Quai Branly, ce restaurant fait un clin d'œil à la tour Eiffel et à ses jeux d'ombres et lumières. Carte actuelle.

Cigale Récamier

4 r. Récamier ◎ *Sèvres Babylone* – ℰ 01 45 48 86 58 – Fermé dim. K 12
Rest – Carte 55/65 €

♦ Cuisine classique et spécialités de soufflés salés et sucrés (changées chaque mois) en cette adresse accueillante, rendez-vous des auteurs et éditeurs. Terrasse au calme.

Vin sur Vin

20 r. de Monttessuy ◎ *Pont de l'Alma* – ℰ 01 47 05 14 20 – Fermé 1er-11 mai, août, 24 déc.-6 janv., lundi sauf le soir de sept. à mars, sam. midi et dim. H 8
Rest – (nombre de couverts limité, prévenir) Carte 88/138 €

Spéc. Galette de pied de cochon. Ris de veau de lait français. Soufflé chaud.

♦ Accueil aimable, élégant décor, délicieuse cuisine traditionnelle et carte des vins étoffée (600 appellations) : vingt sur vingt pour ce restaurant proche de la tour Eiffel !

Tante Marguerite

5 r. Bourgogne ◎ *Assemblée Nationale* – ℰ 01 45 51 79 42
– www.bernard-loiseau.com – tante.marguerite@bernard-loiseau.com
– Fax 01 47 53 79 56 – Fermé août, sam. et dim. H 11
Rest – Menu 47 €

♦ Cette Tante-là fait l'unanimité à la Chambre ! À deux pas du Palais Bourbon, elle propose dans un décor cossu et feutré une goûteuse cuisine traditionnelle.

Chez les Anges

54 bd de la Tour Maubourg ◎ *La Tour Maubourg* – ℰ 01 47 05 89 86
– www.chezlesanges.com – mail@chezlesanges.com – Fax 01 47 05 45 56
– Fermé sam. et dim. J 10
Rest – Menu (25 €), 34/40 € – Carte 44/73 €

♦ Ambiance chic, décor contemporain épuré et long comptoir où l'on peut s'attabler forment le cadre de ce restaurant à la cuisine entre tradition et modernité, goûteuse et sincère.

7e arrondissement – PARIS page 77

New Jawad
12 av. Rapp Ⓜ *Ecole Militaire* – ☏ *01 47 05 91 37 – Fax 01 45 50 31 27*
Rest – Menu 16/42 € – Carte 21/42 €
H 8
♦ Spécialités culinaires pakistanaises et indiennes, service soigné et cadre cossu, cosy et feutré font le charme de ce restaurant situé à proximité du pont de l'Alma.

Thiou
49 quai d'Orsay Ⓜ *Invalides* – ☏ *01 40 62 96 50 – Fax 01 40 62 97 30*
– Fermé août, sam. midi et dim.
Rest – Carte 45/90 €
H 9
♦ Thiou est le surnom de la médiatique cuisinière de ce restaurant fréquenté par des célébrités. Recettes thaïlandaises servies dans une confortable salle sagement exotique.

La Cuisine
14 bd La Tour-Maubourg Ⓜ *Invalides* – ☏ *01 44 18 36 32*
– www.lacuisine.lesrestos.com – lacuisine@lesrestos.com – Fax 01 44 18 30 42
– Fermé sam. midi
Rest – Menu (28 €), 42 € – Carte 56/82 €
H 10
♦ Une Cuisine qui soigne son décor : murs ensoleillés, tableaux, miroirs, banquettes et chaises capitonnées accompagnent chaleureusement les bons petits plats du chef.

Auguste (Gaël Orieux)
54 r. Bourgogne Ⓜ *Varenne* – ☏ *01 45 51 61 09 – www.restaurantauguste.fr*
– orieux.gael@wanadoo.fr – Fax 01 45 51 27 34
– Fermé 3-24 août, sam. et dim.
Rest – Menu 35 € (déj.) – Carte 62/94 €
J 10
Spéc. Huîtres creuses en gelée à la diable. Rouget de roche au confit de poivrons doux. Soufflé au chocolat pur Caraïbes.
♦ Ce restaurant dans l'air du temps, design, coloré et agréable, vous réserve une cuisine qui ne manque ni de saveurs ni d'inventivité. Un bel hommage à Auguste Escoffier !

153 Grenelle
153 r. de Grenelle Ⓜ *La Tour Maubourg* – ☏ *01 45 51 54 12 – jjjouteux@gmail.com*
Rest – Menu (25 €), 35 € (sem.)/59 € – Carte environ 60 €
J 9
♦ Reprise en main par un nouveau chef, cette adresse s'est réinventée en un lieu classique, apaisant et élégant (tons gris, fleurs fraîches, peintures). Cuisine traditionnelle.

Le Clarisse
29 r. Surcouf Ⓜ *La Tour Maubourg* – ☏ *01 45 50 11 10 – www.leclarisse.fr*
– olivier.maria@leclarisse.fr – Fax 01 45 50 11 14 – Fermé août, sam. midi et dim.
Rest – Menu (29 €), 35 € – Carte 54/70 €
H 9
♦ Proche des Invalides, restaurant contemporain au cadre épuré et sobre, où dominent le noir et le blanc. Salon intime à l'étage. Cuisine actuelle rythmée par les saisons.

Le Bamboche
15 r. Babylone Ⓜ *Sèvres Babylone* – ☏ *01 45 49 14 40 – www.lebamboche.com*
– lebamboche@aol.com – Fax 01 45 49 14 44 – Fermé 27 juil.-9 août et dim. midi
Rest – Menu (28 €), 35 € (sem.)/80 € – Carte 75/90 €
K 11
♦ Discrète et séduisante adresse, à côté du Bon Marché. Dans le sobre décor contemporain de la salle à manger, vous attend une cuisine au goût du jour. Service attentif.

D'Chez Eux
2 av. Lowendal Ⓜ *Ecole Militaire* – ☏ *01 47 05 52 55 – www.chezeux.com*
– contact@chezeux.com – Fax 01 45 55 60 74 – Fermé 1er-18 août et dim.
Rest – Menu 42 € (déj.) – Carte 55/75 €
J 9
♦ Copieuses assiettes inspirées de l'Auvergne et du Sud-Ouest, ambiance "auberge provinciale" et serveurs en blouse : la recette séduit depuis plus de 40 ans sans prendre une ride !

PARIS page 78 – 7ᵉ arrondissement

XX Le Petit Bordelais   VISA MC AE
22 r. Surcouf Ⓜ *Invalides –* ℰ *01 45 51 46 93 – www.lepetit-bordelais.com
– contact@le-petit-bordelais.fr – Fax 01 45 50 30 11 – Fermé 26 juil.-18 août, dim.
et lundi*   H 9
Rest – Menu 19 € (déj.), 33/45 € – Carte 48/66 €
♦ Nouvelle table contemporaine proposant un bon choix de vins au verre, bordeaux en tête. Décor intime, banquettes en velours (haut dossier capitonné longeant un mur), tons rouge-moka.

XX Café de l'Esplanade   AC 🍽 VISA MC AE
52 r. Fabert Ⓜ *La Tour Maubourg –* ℰ *01 47 05 38 80
– Fax 01 47 05 23 75*   J 9
Rest – Carte 55/80 €
♦ Belle situation face aux Invalides pour l'une des adresses des frères Costes. Étonnant décor de boulets et canons, très Napoléon III, et carte de brasserie fusion et tendance.

XX Vin et Marée   AC VISA MC AE
71 av. Suffren Ⓜ *La Motte Picquet Grenelle –* ℰ *01 47 83 27 12
– www.vin-et-maree.com – vmsuffren@orange.fr – Fax 01 53 86 98 26*   K 8
Rest – Menu (21 €) – Carte 30/50 €
♦ Cadre actuel façon brasserie, aux couleurs de l'océan. La carte, présentée sur ardoise, privilégie sans surprise les produits de la mer (deux viandes au choix néanmoins).

X L'Atelier de Joël Robuchon   AC 🍽 VISA MC
😊😊😊
5 r. Montalembert Ⓜ *Rue du Bac –* ℰ *01 42 22 56 56 – www.joel-robuchon.com
– latelierdejoelrobuchon@wanadoo.fr – Fax 01 42 22 97 91
– Accueil de 11h30 à 15h30 et de 18h30 à minuit. Réservations uniquement
pour certains services : se renseigner*   J 12
Rest – Menu 120 € – Carte 57/123 € 🍷
Spéc. Langoustines en papillote croustillante au basilic. Caille caramélisée farcie de foie gras et pomme purée. Chocolat "sensation", sorbet ivoire et crémeux araguani.
♦ Concept original dans un décor chic signé Rochon : pas de tables, mais de hauts tabourets alignés face au comptoir où l'on savoure une belle cuisine actuelle, déclinable en assiettes de dégustation façon tapas.

X Gaya Rive Gauche par Pierre Gagnaire   AC 🚭 VISA MC AE
😊
44 r. Bac Ⓜ *Rue du Bac –* ℰ *01 45 44 73 73 – www.pierre-gagnaire.com
– p.gagnaire@wanadoo.fr – Fax 01 45 44 73 73
– Fermé sam. midi et dim.*   J 12
Rest – Menu (38 €) – Carte 70/95 €
Spéc. Chair de tourteau à la gelée de fenouil au citron. Poêlée de langoustines à la coriandre fraîche. Gâteau au chocolat.
♦ Dans ce beau bistrot contemporain et décontracté, au décor gris-bleu conçu par Christian Ghion, on se régale de recettes plus créatives les unes que les autres, sublimant les produits de la mer.

X Au Bon Accueil   AC VISA MC AE
😊
14 r. Monttessuy Ⓜ *Pont de l'Alma –* ℰ *01 47 05 46 11
– www.aubonaccueilparis.com – mail@chezlesanges.com – Fax 01 45 56 15 80
– Fermé 7-20 août, sam. et dim.*   H 8
Rest – Menu 27/31 € – Carte 54/75 €
♦ À l'ombre de la tour Eiffel, salle à manger de style actuel et petit salon attenant où l'on sert une appétissante cuisine au goût du jour, sensible au rythme des saisons.

X Les Fables de La Fontaine (Sébastien Gravé)   🌿 AC VISA MC AE
😊
131 r. Saint-Dominique Ⓜ *Ecole Militaire –* ℰ *01 44 18 37 55
– www.lesrestaurantsdeconstant.com – violondingres@wanadoo.fr
– Fax 01 44 18 37 57*   J 8
Rest – Menu (35 € bc), 80 € – Carte 56/78 €
Spéc. Fine tarte de rouget façon pissaladière. Saint-Jacques à la plancha à l'écrasé de topinambour et châtaigne. Gâteau basque.
♦ Savoureux hommage à la mer dans ce bistrot de poche (tons bruns, banquette, carrelage, ardoises) et sur sa terrasse d'été. Courte carte bien pensée et belle sélection de vins au verre.

Il n'y a pas que les bonnes adresses

du guide MICHELIN

qui vont vous transporter.

**LEXUS
HYBRID
DRIVE**

www.lexus.fr

Motorisation : 299 ch*. Consommation l/100 km (Normes CE) en cycle mixte : 6,7*. Emissions de CO_2 : inférieures

Nouveau RX 450h
Le seul crossover hybride de luxe

à 160 g/km* (*homologation en cours) (1) Technologie hybride Lexus. RCS Nanterre B 712 034 040.

Toutes nos adresses pour découvrir le nouveau RX 450h

06 - LEXUS CANNES
Avenue du Campon
06110 Le Cannet - 04.92.18.03.03

13 - LEXUS MARSEILLE
48, boulevard de Pont de Vivaux
13010 Marseille - 04.91.80.87.90

14 - LEXUS CAEN
77-79 route de Paris
14120 Mondeville - 02.31.84.09.90

21 - LEXUS DIJON
5, rue du Clos Mutaut
21300 Chenove - 03.80.59.06.00

31 - LEXUS TOULOUSE
2, rue Maurice Caunes
31200 Toulouse - 05.61.61.84.29

33 - LEXUS BORDEAUX
52, quai Wilson
33130 Begles - 05.57.35.34.53

34 - LEXUS MONTPELLIER
Lotissement font de la banquière
34970 Lattes - 04.99.52.63.66

35 - LEXUS RENNES
1, rue des Mesliers
35510 Cesson Sevigne - 02.99.26.12.44

37 - LEXUS TOURS
21, rue Arthur Rimbaud
37100 Tours - 02.47.88.60.78

38 - LEXUS GRENOBLE
32, avenue de la houille blanche
38170 Seyssinet Pariset - 04.76.22.11.11

44 - LEXUS NANTES
Rond point du Croisy
44814 Saint Herblain - 02.40.72.92.38

45 - LEXUS ORLEANS
30 bis, rue Andre Dessaux
45400 Fleury-les-Aubrais
02.38.81.38.00

57 - LEXUS METZ
15, rue des Alliés - 57050 Metz
Ouverture juin 2009

59 - LEXUS LILLE
2, rue de Frenelet - Boulevard de l'Ouest
59650 Villeneuve d'Ascq
03.20.34.45.60

63 - LEXUS CLERMONT-FERRAND
9-11, rue Jacqueline Auriol
63170 Aubiere - 04.73.28.83.91

67 - LEXUS STRASBOURG
42, rue des Tuileries
67460 Souffelweyersheim
03.90.22.14.14

68 - LEXUS MULHOUSE
21 G, rue de Thann
68200 Mulhouse - 03.89.33.19.38

69 - LEXUS LYON
6, chemin des anciennes vignes
69410 Champagne au Mont d'Or
04.72.52.91.91

74 - LEXUS ANNEMASSE
8, rue de l'industrie
74240 Gaillard - 04.50.38.23.24

75 - LEXUS ETOILE
4, avenue de la Grande Armée
75017 Paris - 01.40.55.40.00

77 - LEXUS MEAUX
4, avenue de Fridingen
77100 Nanteuil-les-Meaux
01.64.35.27.00

78 - LEXUS SAINT GERMAIN
27, route de de Saint Germain
78560 Le Port Marly - 01.39.58.11.22

83 - LEXUS TOULON
469, rue sainte Claire Deville
83100 Toulon - 04.94.61.71.70

84 - LEXUS AVIGNON
Rue Charles Valente
zac de la Castelette
84143 Montfavet - 04.90.87.47.00

85 - LEXUS LA ROCHE-SUR-YON
Rue du Clair Bocage
zac de Beaupuy 2
85000 Mouilleron le Captif
02.51.05.88.50

92 - LEXUS LEVALLOIS
116, rue du Président Wilson
92300 Levallois-Perret
01.42.70.40.70

98 - LEXUS MONACO
23, boulevard d'Italie
98002 Monaco
00.377.93.30.10.00

98 - LEXUS ANDORRE
Avenida Del Pessebre Escaldes
98000 Andorre la Vieille
00.376.865.001

LEXUS

L'Agassin

8 r. Malard ⓜ La Tour Maubourg – ✆ 01 47 05 18 18 – lagassin@free.fr
– Fax 01 45 55 64 41 – Fermé août, dim. et lundi　　　　　　　　　　　H 9
Rest – Menu 23 € (déj.)/34 €

♦ L'Agassin, ce bourgeon le plus bas d'une branche de vigne, augure de l'amour du bon vin dans ce nouveau lieu façon bistrot épuré et contemporain ; cuisine actuelle.

Nabuchodonosor

6 av. Bosquet ⓜ Alma Marceau – ✆ 01 45 56 97 26 – www.nabuchodonosor.net
– rousseau.e@wanadoo.fr – Fax 01 45 56 98 44 – Fermé 1er-24 août, sam. midi
et dim.　　　　　　　　　　　　　　　　　　　　　　　　　　　　　　H 9
Rest – Menu (23 €), 29/50 € bc – Carte 40/68 €

♦ L'enseigne célèbre la plus grosse bouteille de champagne existante. Murs terre de Sienne, panneaux de chêne et nabuchodonosors à titre de décor. Cuisine du marché.

Bistrot de Paris

33 r. Lille ⓜ Musée d'Orsay – ✆ 01 42 61 16 83 – amicorrestauration@orange.fr
– Fax 01 49 27 06 09 – Fermé août, 24 déc.-1er janv., dim. et lundi　　　J 12
Rest – Carte 26/60 €

♦ Cet ancien "bouillon" eut André Gide pour pensionnaire. Le décor 1900 revu par Slavik scintille de cuivres et miroirs. Tables serrées, carte "bistrotière".

Les Olivades

41 av. Ségur ⓜ Ségur – ✆ 01 47 83 70 09 – Fax 01 42 73 04 75 – Fermé août, sam. midi, lundi midi, dim. et fériés　　　　　　　　　　　　　　　　　　　K 9
Rest – Menu (22 €), 28/70 € – Carte 45/57 €

♦ Ce lieu fleure bon l'huile d'olive avec son appétissante cuisine au goût du jour, à base de produits frais et les belles photos thématiques qui ornent le décor contemporain.

Le Clos des Gourmets

16 av. Rapp ⓜ Alma Marceau – ✆ 01 45 51 75 61 – www.closdesgourmets.com
– closdesgourmets@wanadoo.fr – Fax 01 47 05 74 20
– Fermé 1er-25 août, dim. et lundi　　　　　　　　　　　　　　　　　　H 8
Rest – Menu (25 €), 29 € (déj.)/35 €

♦ Nombre d'habitués apprécient cette adresse discrète, décorée dans des tons ensoleillés. La carte, appétissante, varie en fonction du marché.

Le Perron

6 r. Perronet ⓜ St-Germain des Prés – ✆ 01 45 44 71 51 – cadoniroberto@
hotmail.com – Fax 01 45 44 71 51 – Fermé en août et dim.　　　　　　J 12
Rest – Carte 43/52 €

♦ Discrète trattoria au cœur de Saint-Germain-des-Prés. Cadre rustique affichant pierres et poutres (mezzanine). Cuisine italienne à dominante sarde et vénitienne. Bon accueil.

Florimond

19 av. La Motte-Picquet ⓜ Ecole Militaire – ✆ 01 45 55 40 38 – Fax 01 45 55 40 38
– Fermé 27 juil.-17 août, 24-27 déc., 1er-4 janv., sam. midi et dim.　　　J 9
Rest – Menu 22 € (déj.)/36 € – Carte 47/64 €

♦ Restaurant de poche qui emprunte son nom au jardinier de Monet à Giverny. Cadre de bistrot rafraîchi où la clientèle du quartier se presse pour goûter des plats traditionnels.

Pasco

74 bd La Tour Maubourg ⓜ La Tour Maubourg – ✆ 01 44 18 33 26
– www.restaurantpasco.com – restaurant.pasco@wanadoo.fr
– Fax 01 44 18 34 06　　　　　　　　　　　　　　　　　　　　　　　J 9
Rest – Menu (21 €), 26 € – Carte 32/45 €

♦ Murs de briques, tons ocres et atmosphère décontractée au service d'une cuisine du marché qui puise ses fondamentaux dans les recettes du répertoire méditerranéen.

Fontaine de Mars

129 r. St-Dominique ⓜ Ecole Militaire – ✆ 01 47 05 46 44
– www.fontainedemars.com – lafontainedemars@orange.fr
– Fax 01 47 05 11 13　　　　　　　　　　　　　　　　　　　　　　　J 9
Rest – Carte 36/82 €

♦ L'enseigne de ce bistrot des années 1930, restauré à l'identique, évoque la fontaine voisine dédiée au dieu guerrier. Terrasse sous arcades ; plats traditionnels et du Sud-Ouest.

Café de l'Alma
5 av. Rapp ⓂAlma Marceau – ℘ 01 45 51 56 74 – www.cafe-de-l-alma.com/
– cafedelalma@wanadoo.fr – Fax 01 45 51 10 08   H 8
Rest – Carte 40/70 €
♦ Salle à manger chic et résolument contemporaine signée François Champsaur, coqueluche de la décoration intérieure. Recettes au goût du jour et cuisine bourgeoise.

35° Ouest
35 r. Verneuil ⓂRue du Bac – ℘ 01 42 86 98 88 – 35degresouest@orange.fr
– Fax 01 42 86 00 65 – Fermé 2-24 août, dim. et lundi   J 12
Rest – (nombre de couverts limité, prévenir) Menu (30 € bc) – Carte 45/85 €
Spéc. Friture d'éperlans sauce tartare. Saint-Pierre rôti aux girolles et pommes de terre ratte. Sablé breton aux pommes caramélisées.
♦ Restaurant contemporain sans faute de goût (tons gris et vert, beau comptoir en bois blond) où le chef réalise une cuisine de la mer inventive et savoureuse.

Aida (Koji Aida)
1 r. Pierre Leroux ⓂVaneau – ℘ 01 43 06 14 18 – www.aidaparis.com
– Fax 01 43 06 14 18 – Fermé 3 sem. en août, vacances de fév. et lundi   K 11
Rest – (dîner seult) (nombre de couverts limité, prévenir) Menu 140/160 €
Spéc. Foie gras chaud et radis blanc cuits vapeur et miso de Kyoto. Chateaubriand cuit au teppanyaki. Wagashi.
♦ Ambiance zen dans ce discret restaurant japonais avec comptoir et salon privé. Cuisine nipponne et menus teppanyaki ; cave riche en bourgognes composée par un chef passionné.

Gorille Blanc
11bis r. Chomel ⓂSèvres Babylone – ℘ 01 45 49 04 54 – legorilleblanc@orange.fr – Fax 01 45 49 04 54 – Fermé dim.   K 12
Rest – Menu (20 €) – Carte 29/48 €
♦ Un refuge très accueillant à deux pas du Bon Marché. Les habitués apprécient son décor ensoleillé, son style bistrotier et sa cuisine traditionnelle à l'accent du Sud-Ouest.

P'tit Troquet
28 r. de l'Exposition ⓂEcole Militaire – ℘ 01 47 05 80 39 – Fax 01 47 05 80 39
– Fermé août, sam. midi, lundi midi et dim.   J 9
Rest – (nombre de couverts limité, prévenir) Menu (20 €), 32 € – Carte environ 42 €
♦ Pour sûr, il est p'tit, ce bistrot ! Mais que d'atouts à son actif : charme nostalgique (vieilles réclames, siphons et zinc d'époque), convivialité, goûteuse cuisine du marché.

L'Affriolé
17 r. Malar ⓂInvalides – ℘ 01 44 18 31 33 – Fermé 3 sem. en août, dim. et lundi   H 9
Rest – Menu 19 € bc (déj.), 23/34 €
♦ Des suggestions annoncées sur l'ardoise du jour et un menu-carte qui change tous les mois : le chef de ce bistrot suit de près les arrivages du marché...

Chez l'Ami Jean
27 r. Malar ⓂLa Tour Maubourg – ℘ 01 47 05 86 89 – Fax 01 45 55 41 82
– Fermé août, 23 déc.-2 janv., dim. et lundi   H 9
Rest – Menu 34 €
♦ L'Ami Jean vous régale d'une généreuse cuisine du marché et du Sud-Ouest (spécialités de gibier en saison) dans un chaleureux décor évoquant le pays Basque.

Oudino
17 r. Oudinot ⓂVaneau – ℘ 01 45 66 05 09 – www.oudino.com
– Fax 01 45 66 53 35 – Fermé 9-19 août, 25 déc.-2 janv., sam. midi et dim.
Rest – Menu 18 € (déj.) – Carte 26/36 €   K 11
♦ Agréable pause gourmande au voisinage des ministères : salle à manger aux discrètes touches Art déco et propositions culinaires dans le registre bistrot à découvrir sur l'ardoise.

Romantica Caffé
96 bd de la Tour Maubourg ⓂÉcole Militaire – ℘ 01 44 18 36 37 – www.laromantica.fr – laromantica@wanadoo.fr – Fax 01 44 18 39 40   J 9
Rest – Menu 29 € (déj. en sem.)/39 € – Carte 35/59 €
♦ L'annexe parisienne de la Romantica (Clichy) propose une cuisine italienne soignée. Cadre actuel (pierres, casiers à bouteilles, miroirs vénitiens), terrasse face aux Invalides.

7e arrondissement – PARIS page 81

Léo Le Lion
23 r. Duvivier Ⓜ *Ecole Militaire* – ✆ *01 45 51 41 77* — VISA ⊛
– http://restaurantleolelion.site.voila.fr – restaurantleolelion@hotmail.com
– Fax 01 45 51 41 77 – Fermé août, 25 déc.-1er janv., dim. et lundi — J 9
Rest – Carte 43/55 €
♦ Bistrot des années 1930 et son gril à feu de bois. Dans l'assiette, le poisson se taille la part du lion toute l'année et, en saison, le gibier invite à rugir de plaisir !

Sa Mi In
74 av. Breteuil Ⓜ *Sèvres-Lecourbe* – ✆ *01 47 34 58 96* — VISA ⊛
– Fax 01 47 34 58 96 — K 10
Rest – Menu 18 € (déj.), 25/50 €
♦ Ambiance zen en ce petit restaurant authentiquement coréen : décor raffiné et intimiste, cuisine goûteuse aux notes parfumées. Menu végétarien.

Café Constant
139 r. St-Dominique Ⓜ *Ecole Militaire* – ✆ *01 47 53 73 34* — VISA ⊛
– www.lesrestaurantsdeconstant.com – violondingres@wanadoo.fr
– Fax 01 45 55 48 42 – Fermé dim. et lundi — J 8
Rest – Menu (16 €) – Carte 30/40 €
♦ Cette annexe de Christian Constant, dans les murs d'un ancien café, affiche une simplicité toute conviviale. Pour profiter à petit prix d'une cuisine de bistrot gourmande.

Les Cocottes
135 r. St-Dominique Ⓜ *Ecole Militaire* – www.lesrestaurantsdeconstant.com — VISA ⊛
– violondingres@wanadoo.fr – Fermé dim. — J 8
Rest – Carte 24/45 €
♦ Le concept de ce lieu convivial, sans réservation, qui tient plus du comptoir (tables hautes) que du restaurant : une cuisine bistrotière revisitée et servie dans des cocottes.

Champ-Élysées • Concorde • Madeleine

8e arrondissement — ✉ 75008

S. Sauvignier/MICHELIN

Plaza Athénée
25 av. Montaigne Ⓜ *Alma Marceau* – ✆ *01 53 67 66 65*
– www.plaza-athenee-paris.com – reservations@plaza-athenee-paris.com
– Fax 01 53 67 66 66 — G 9
146 ch – ♦595/650 € ♦♦740/790 €, ⊇ 50 € – 45 suites
Rest *Alain Ducasse au Plaza Athénée* et *Le Relais Plaza* – voir ci-après
Rest *La Cour Jardin* – rest.-terrasse – ✆ *01 53 67 66 02 (ouvert de mi-mai à mi-sept.)* Carte 82/118 €
♦ Styles classique ou Art déco dans les chambres somptueuses, thés musicaux à la galerie des Gobelins, étonnant bar design, luxueux institut de beauté Dior : le palace parisien par excellence ! À la belle saison, on ouvre la charmante et verdoyante terrasse de la Cour Jardin.

Four Seasons George V
31 av. George-V Ⓜ *George V*
– ✆ *01 49 52 70 00* – www.fourseasons.com/paris – reservation.paris@fourseasons.com – Fax 01 49 52 70 10 — G 8
197 ch – ♦770/1520 € ♦♦770/1520 €, ⊇ 49 € – 48 suites
Rest *Le Cinq* – voir ci-après
Rest *La Galerie* – ✆ *01 49 52 30 01* – Carte 95/157 €
♦ Entièrement refait dans le style du 18e s., le V dispose de chambres luxueuses et immenses (pour Paris s'entend), de belles collections d'œuvres d'art et d'un spa superbe. Les tables de la Galerie sont dressées dans la ravissante cour intérieure en été.

Le Bristol 🏨🏨🏨🏨🏨

112 r. St-Honoré Ⓜ Miromesnil – ℰ 01 53 43 43 00 – www.lebristolparis.com
– resa@lebristolparis.com – Fax 01 53 43 43 01   F 10
123 ch – †650 € ††710/1200 €, ⊇ 55 € – 38 suites
Rest *Le Bristol* – voir ci-après

♦ Palace de 1925 agencé autour d'un magnifique jardin. Luxueuses chambres, principalement de style Louis XV ou Louis XVI, et exceptionnelle piscine "bateau" au dernier étage.

Crillon 🏨🏨🏨🏨🏨

10 pl. de la Concorde Ⓜ Concorde – ℰ 01 44 71 15 00 – www.crillon.com
– crillon@crillon.com – Fax 01 44 71 15 02   G 11
119 ch – †770 € ††770/1220 €, ⊇ 49 € – 28 suites
Rest *Les Ambassadeurs* – voir ci-après
Rest *L'Obélisque* – ℰ 01 44 71 15 15 – Menu 54 € – Carte 54/110 €

♦ Les salons de cet hôtel particulier du 18ᵉ s. ont conservé leur fastueuse ornementation. Les chambres, habillées de boiseries, sont magnifiques. Le palace à la française !

Fouquet's Barrière 🏨🏨🏨🏨🏨

46 av. George-V Ⓜ George V – ℰ 01 40 69 60 00
– www.fouquets-barriere.com – hotelfouquets@lucienbarriere.com
– Fax 01 40 69 60 35   F 8
86 ch – †710/1190 € ††710/1190 €, ⊇ 46 € – 21 suites
Rest *Fouquet's* – voir ci-après
Rest *Le Diane* – (fermé 19 juil.-10 août, 3-11 janv., dim. et lundi) Menu 68 € (déj. en sem.), 90/135 € – Carte 109/155 €

♦ Le dernier-né des hôtels du groupe Barrière a fait appel à J. Garcia pour son décor mixant les styles Art déco et Empire. Confort moderne, salles de séminaire, spa, jardin. Au Diane, la sobriété feutrée est rehaussée de niches lumineuses garnies de fleurs ; agréable terrasse.

Lancaster 🏨🏨🏨🏨

7 r. Berri Ⓜ George V – ℰ 01 40 76 40 76 – www.hotel-lancaster.fr – restaurant@hotel-lancaster.fr – Fax 01 40 76 40 00   F 9
46 ch – †270/320 € ††425/520 €, ⊇ 37 € – 11 suites
Rest *La Table du Lancaster* – voir ci-après

♦ Boris Pastoukhoff payait ses séjours en peignant des tableaux, contribuant à enrichir l'élégant décor de cet ex-hôtel particulier dont Marlène Dietrich appréciait aussi le luxe discret.

Hilton Arc de Triomphe 🏨🏨🏨🏨

51 r. de Courcelles Ⓜ Courcelles – ℰ 01 58 36 67 00
– www.hilton.fr – reservations.adt@hilton.com – Fax 01 58 36 67 84   E 9
463 ch – †295/650 € ††295/650 €, ⊇ 30 € – 50 suites
Rest *Safran* – ℰ 01 58 36 67 96 – Menu 40 € (déj.) – Carte 50/75 €

♦ Inspiré des paquebots des années 1930, cet hôtel en restitue l'esprit luxueux et raffiné : élégantes chambres Art déco signées J. Garcia, patio-fontaine, fitness, etc. Au Safran, carte brasserie française et internationale (influences asiatiques).

Champs-Élysées Plaza sans rest 🏨🏨🏨🏨

35 r. de Berri Ⓜ George V – ℰ 01 53 53 20 20
– www.champselyseesplaza.com – info@champselyseesplaza.com
– Fax 01 53 53 20 21   F 9
35 ch – †490/690 € ††490/690 €, ⊇ 24 € – 10 suites

♦ Élégance des spacieuses chambres, harmonie des couleurs, union des styles ancien et moderne, services attentionnés, fitness… Cet hôtel est un concentré de luxe trendy chic.

Balzac sans rest 🏨🏨🏨🏨

6 r. Balzac Ⓜ George V – ℰ 01 44 35 18 00 – www.hotelbalzac.com
– reservation-balzac@jjwhotels.com – Fax 01 44 35 18 05   F 8
57 ch – †420/500 € ††470/550 €, ⊇ 38 € – 13 suites

♦ Hôtel entièrement refait version grand luxe. Décor néo-classique, tonalités chatoyantes, références à l'écrivain. Les chambres marient mobilier de style et équipements high-tech.

8ᵉ arrondissement – PARIS page 83

🏨 Hyatt Regency

24 bd Malherbes 🚇 *Madeleine* – ☎ 01 55 27 12 34 – www.paris.madeleine.
hyatt.com – paris.madeleine@hyatt.com – Fax 01 55 27 12 35
86 ch – †295/515 € ††330/545 €, ⊇ 42 €
F 11

Rest *Café M* – *(fermé dim. soir)* Menu (35 € bc), 47 € (sem.)/54 €

♦ Un cadre très contemporain, à la fois sobre et chaleureux, habille cet hôtel : hall-salon sous verrière (réalisée par Eiffel), belles chambres personnalisées. Sauna, hammam. La savoureuse cuisine au goût du jour donne envie de prendre ses quartiers au Café M. Bar à champagnes le soir.

🏨 Napoléon

40 av. Friedland 🚇 *Charles de Gaulle-Etoile* – ☎ 01 56 68 43 21
– www.hotelnapoleonparis.com – napoleon@hotelnapoleon.com
– Fax 01 47 66 82 33
101 ch – †540/640 € ††540/640 €, ⊇ 26 € – 30 suites
F 8

Rest – *(fermé le soir, sam. et dim.)* Carte 55/80 €

♦ À deux pas de l'Étoile chère à l'Empereur, hôtel-musée à la gloire de Napoléon (autographes, figurines, tableaux d'époque). Chambres cossues de style Directoire ou Empire. Carte traditionnelle servie dans le cadre feutré et cosy (belles boiseries) du restaurant.

🏨 San Régis

12 r. J. Goujon 🚇 *Champs-Elysées Clemenceau* – ☎ 01 44 95 16 16
– www.hotel-sanregis.fr – message@hotel-sanregis.fr – Fax 01 45 61 05 48
41 ch – †350/745 € ††465/745 €, ⊇ 36 € – 3 suites
G 9

Rest – *(fermé août et dim.)* Menu 40 € (déj. en sem.) – Carte 49/63 €

♦ Hôtel particulier de 1857 remanié avec goût : un bel escalier (vitraux et statues) conduit aux ravissantes chambres garnies de meubles chinés ici et là. Le restaurant traditionnel du San Régis – une vraie bonbonnière – occupe un luxueux salon-bibliothèque feutré et confidentiel.

🏨 Vernet

25 r. Vernet 🚇 *Charles de Gaulle-Etoile* – ☎ 01 44 31 98 00
– www.hotelvernet.com – reservations@hotelvernet.com
– Fax 01 44 31 85 69
50 ch – †290/340 € ††290/340 €, ⊇ 30 € – 9 suites
F 8

Rest *Les Élysées* – ☎ 01 44 31 98 98 – Menu (35 €), 45 € (déj.) – Carte 51/73 €

♦ Bel immeuble des années folles dont la façade en pierres de taille est agrémentée de balcons en fer forgé. Chambres de style Empire ou Louis XVI. Cuisine traditionnelle d'esprit bistrot chic ; salle sous une verrière et bar, tous deux dans l'air du temps.

🏨 Bedford

17 r. de l'Arcade 🚇 *Madeleine* – ☎ 01 44 94 77 77 – www.hotel-bedford.com
– reservation@hotel-bedford.com – Fax 01 44 94 77 97
135 ch – †172 € ††228 €, ⊇ 19 € – 10 suites
F 11

Rest – *(Fermé août, sam., dim. et fériés) (déj. seult)* Menu (34 €), 42 €
– Carte 63/75 €

♦ Cet élégant hôtel (1860), dont la façade haussmannienne est fleurie de géraniums, dispose de chambres de tailles variées, d'un raffinement tout en sobriété. Cadre 1900 avec profusion de motifs décoratifs en stuc et belle coupole : la salle de restaurant est le vrai joyau du Bedford.

🏨 De Vigny

9 r. Balzac 🚇 *George V* – ☎ 01 42 99 80 80 – www.hoteldevigny.com
– reservation@hoteldevigny.com – Fax 01 42 99 80 40
26 ch – †290/395 € ††290/440 €, ⊇ 39 € – 11 suites
F 8

Rest *Baretto* – *(fermé 15-24 août)* Menu 60 € bc/95 € bc – Carte 54/84 €

♦ Près des Champs-Élysées, hôtel discret et raffiné, dont la décoration oscille entre esprit british et contemporain chic. Salon cossu où crépitent de belles flambées. Cuisine méditerranéenne au Baretto ; très belle salle à manger de style Art déco, habillée de boiseries.

🏨 Crowne Plaza Champs Elysées

64 av. Marceau 🚇 *George V* – ☎ 01 44 43 36 36
– www.crowneplazaparischampselysees.com – reservations@
crowneplazaparischampselysees.com – Fax 0142 84 10 30
56 ch – †450/1500 € ††450/1500 €, ⊇ 30 €
F 8

Rest – *(Ouverture prévue au printemps)*

♦ Luxueux hôtel design à deux pas de la place de l'Étoile. Décor mariant haute technologie, meubles contemporains et répliques de fresques et de croquis de la Renaissance italienne.

PARIS page 84 – 8ᵉ arrondissement

Marriott
70 av. des Champs-Élysées Ⓜ *Franklin D. Roosevelt* – ℰ 01 53 93 55 00
– www.marriott.fr/pardt – mhrs.pardt.ays@marriothotels.com
– Fax 01 53 93 55 01   F 9
174 ch – †355/775 € ††355/775 €, ⍁ 29 € – 18 suites
Rest *Le Restaurant* – ℰ 01 53 93 55 44 *(Fermé sam. midi et dim. midi)*
Menu (35 €), 45 € – Carte 65/90 €

◆ Un Américain à Paris : efficacité d'outre-Atlantique et confort ouaté dans les chambres donnant pour partie sur la plus belle avenue du monde. Décor contemporain au Restaurant (tons rouge, chocolat), terrasse ; plats traditionnels et grillades.

La Trémoille
14 r. Trémoille Ⓜ *Alma Marceau* – ℰ 01 56 52 14 00 – www.hotel-tremoille.com
– reservation@hotel-tremoille.com – Fax 01 40 70 01 08   G 9
90 ch – †315/485 € ††370/570 €, ⍁ 37 € – 3 suites
Rest *Louis²* – *(fermé sam. midi, dim. et fériés)* Menu (35 €), 48/68 €
– Carte 49/70 €

◆ Hôtel fréquenté par les stars du show-bizz. Le décor contemporain associe ancien et moderne ; équipements de pointe, marbre et céramiques du Portugal dans les salles de bains. Relooké, confortable et doté d'un puit de lumière central, le Louis² sert une cuisine actuelle.

De Sers
41 av. Pierre 1ᵉʳ de Serbie Ⓜ *George V* – ℰ 01 53 23 75 75 – www.hoteldesers.com
– contact@hoteldesers.com – Fax 01 53 23 75 76   G 8
49 ch ⍁ – †299/550 € ††299/550 € – 3 suites
Rest – *(fermé août)* Menu (29 €) – Carte 50/85 €

◆ Cet hôtel particulier de la fin du 19ᵉ s. mélange les styles avec réussite : si le hall a gardé son caractère d'origine, les chambres, elles, sont résolument contemporaines. Produits bio et carte basses calories à l'affiche du restaurant design. Agréable terrasse en été.

François 1ᵉʳ sans rest
7 r. Magellan Ⓜ *George V* – ℰ 01 47 23 44 04 – www.the-paris-hotel.com
– hotel@hotel-francois1er.fr – Fax 01 47 23 93 43   F 8
40 ch – †300/390 € ††325/490 €, ⍁ 22 € – 2 suites

◆ Marbre de Carrare, moulures, bibelots chinés, meubles anciens et tableaux à foison : un décor luxueux très réussi, signé Pierre-Yves Rochon. Copieux petit-déjeuner (buffet).

Sofitel le Faubourg
15 r. Boissy d'Anglas Ⓜ *Concorde* – ℰ 01 44 94 14 14 – www.sofitel.com
– h1295-gr@accor.com – Fax 01 44 94 14 28   G 11
163 ch – †450/550 € ††550/850 €, ⍁ 32 € – 10 suites
Rest *Café Faubourg* – *(fermé août, sam. midi et dim. midi)* Menu 37 €
– Carte 58/70 €

◆ Ce Sofitel est aménagé dans deux demeures des 17ᵉ et 19ᵉ s. Chambres équipées high-tech, bar façon années 1930, salon sous verrière, fitness, hammam. Décoration tendance, jardin intérieur reposant, terrasse paysagée et cuisine au goût du jour au Café Faubourg.

Daniel
8 r. Frédéric Bastiat Ⓜ *St-Philippe du Roule* – ℰ 01 42 56 17 00
– www.hoteldanielparis.com – danielparis@relaischateaux.com
– Fax 01 42 56 17 01   F 9
25 ch – †350/500 € ††420/500 €, ⍁ 27 € – 1 suite
Rest – *(fermé 31 juil.-31 août, sam. et dim.)* Menu 40/80 € – Carte 50/73 €

◆ Cet hôtel a le goût des voyages ! Meubles et objets du monde entier, associés à divers tissus à motifs, campent un décor raffiné et chaleureux pour globe-trotters parisiens. Cuisine raffinée influencée par la Méditerranée et suggestions du marché.

Bradford Élysées sans rest
10 r. St-Philippe-du-Roule Ⓜ *St-Philippe du Roule* – ℰ 01 45 63 20 20
– www.astotel.com – hotel.bradford@astotel.com – Fax 01 45 63 20 07   F 9
50 ch – †290/545 € ††290/545 €, ⍁ 22 €

◆ Cheminées en marbre, moulures, lits en laiton, jolie salle sous verrière, décor rétro et ascenseur centenaire : un conservatoire du charme parisien... la modernité en plus.

8e arrondissement – PARIS page 85

Royal sans rest
33 av. Friedland ⓜ Charles de Gaulle-Etoile – ℰ 01 43 59 08 14
– www.royal-hotel.com – rh@royal-hotel.com – Fax 01 45 63 69 92
58 ch – †250/270 € ††340/360 €, ⊇ 22 €   F 8
◆ Les chambres offrent une atmosphère feutrée (décor classique actualisé, excellente insonorisation) ; certaines ménagent une vue sur l'Arc de Triomphe.

Sofitel Champs-Élysées
8 r. J. Goujon ⓜ Champs-Elysées Clemenceau
– ℰ 01 40 74 64 64 – www.sofitel-champselysees-paris.com – h1184-re@accor.com – Fax 01 40 74 79 66   G 9
40 ch – †410/500 € ††410/510 €, ⊇ 27 €
Rest *Les Signatures* – ℰ 01 40 74 64 94 (fermé 1er-23 août, 25 déc.-3 janv., sam., dim. et fériés) (déj. seult) Menu (36 €), 41/49 € – Carte 52/61 €
◆ Hôtel particulier Second Empire partagé avec le Press Club de France. Confortables chambres de style contemporain ; équipements dernier cri. Centre d'affaires. Salle en rotonde épurée et jolie terrasse au restaurant Les Signatures, fréquenté notamment par les journalistes.

Radisson SAS Champs-Élysées
78 av. Marceau ⓜ Charles de Gaulle-Etoile –
ℰ 01 53 23 43 43 – www.champselysees.paris.radissonsas.com
– reservations.paris@radissonsas.com – Fax 01 53 23 43 44   F 8
46 ch – †300/600 € ††300/700 €, ⊇ 29 €
Rest *La Place* – (fermé 1er-23 août, 25 déc.-3 janv., sam. et dim.) Menu 50/80 €
– Carte 65/84 €
◆ Hôtel récent occupant l'ancien siège social de Louis Vuitton. Chambres contemporaines et reposantes, équipements high-tech, insonorisation performante. Carte internationale dans l'air du temps et petite terrasse côté cour au restaurant La Place.

Powers sans rest
52 r. François 1er ⓜ Franklin D. Roosevelt – ℰ 01 47 23 91 05
– www.hotel-powers.com – contact@hotel-powers.com
– Fax 01 49 52 04 63   G 9
50 ch – †240/650 € ††240/650 €, ⊇ 25 €
◆ Bel immeuble avec quelques bow-windows. Les chambres – certaines relookées, mais dans le même style – ont l'âme bourgeoise (moulures, cheminées...). Salons cosy et bar anglais.

Franklin Roosevelt sans rest
18 r. Clément-Marot ⓜ Franklin D. Roosevelt – ℰ 01 53 57 49 50
– www.hroosevelt.com – hotel@hroosevelt.com – Fax 01 53 57 49 59
47 ch – †310/400 € ††310/400 €, ⊇ 25 € – 1 suite   G 9
◆ Cet hôtel au charme victorien a fière allure : bois précieux, chintz, cuir et marbre – utilisés à profusion – contribuent à créer un décor raffiné. Agréable bar.

Chateaubriand sans rest
6 r. Chateaubriand ⓜ George V – ℰ 01 40 76 00 50
– www.hotelchateaubriand.com – welcome@hotelchateaubriand.com
– Fax 01 40 76 09 22   F 9
28 ch – †190/450 € ††205/590 €, ⊇ 22 €
◆ Peintures, gravures, bibelots, mobilier chiné, salles de bains en marbre : chaque chambre a son charme propre. Petits-déjeuners face à la cour intérieure. Salon asiatique.

Relais Monceau sans rest
85 r. Rocher ⓜ Villiers – ℰ 01 45 22 75 11 – www.relais-monceau.com
– relaismonceau@wanadoo.fr – Fax 01 45 22 30 88   E 11
51 ch – †170/240 € ††170/240 €, ⊇ 12 €
◆ Entre parc Monceau et gare St-Lazare, établissement aux chambres contemporaines, habillées de bois et de tons doux. Salon-bibliothèque, bar ouvert sur un agréable petit patio.

Marignan
12 r. Marignan ⓜ Franklin D. Roosevelt – ℰ 01 40 76 34 56
– www.hotelmarignan.fr – reservation@hotelmarignan.fr – Fax 01 40 76 34 34
73 ch – †470/845 € ††470/845 €, ⊇ 27 €   G 9
Rest – Menu 47 € (sem.) – Carte 60/85 €
◆ À deux pas des Champs-Élysées, belles chambres personnalisées (mobilier de style Directoire) et confortables duplex pensés pour la clientèle d'affaires (espace de travail).

Chambiges Élysées sans rest

8 r. Chambiges Ⓜ *Alma Marceau –* ℰ *01 44 31 83 83 – www.hotelchambiges.com*
– reservation@hotelchambiges.com – Fax 01 40 70 95 51 G 9
32 ch ⌂ – †280/320 € ††280/320 € – 2 suites
♦ Boiseries, tentures et tissus choisis, meubles de style : atmosphère romantique et cosy dans cet immeuble hausmannien. Salon pour le thé l'après-midi, joli jardinet intérieur.

Pershing Hall

49 r. Pierre Charron Ⓜ *George V –* ℰ *01 58 36 58 00 – www.pershinghall.com*
– info@pershinghall.com – Fax 01 58 36 58 01 G 9
20 ch – †329/470 € ††329/470 €, ⌂ 26 € – 6 suites
Rest – Menu (49 €), 59 € – Carte 60/90 €
♦ Demeure du général Pershing, club de vétérans et enfin hôtel tendance scénographié par la designer Andrée Putman. Décor apaisant, jardin vertical très insolite. Rideaux de perles, cristal de Murano et coussins en soie assurent le dépaysement au restaurant-lounge. Carte branchée.

Le A sans rest

4 r. d' Artois Ⓜ *St-Philippe du Roule –* ℰ *01 42 56 99 99*
– www.hotel-le-a-paris.com – hotel-le-a@wanadoo.fr
– Fax 01 42 56 99 90 F 9
25 ch – †365/660 € ††365/660 €, ⌂ 23 € – 1 suite
♦ F. Hybert, plasticien, et F. Méchiche, architecte d'intérieur, ont imaginé cet hôtel(-musée ?) design en noir et blanc. Salon-bibliothèque et lounge-bar incitent au cocooning.

De l'Arcade sans rest

9 r. Arcade Ⓜ *Madeleine –* ℰ *01 53 30 60 00 – www.hotel-arcade.com*
– reservation@hotel-arcade.com – Fax 01 40 07 03 07 F 11
48 ch – †168/190 € ††203/420 €, ⌂ 13 €
♦ Pierre de Comblanchien, boiseries, coloris tendres et mobilier choisi participent au charme de cet hôtel familial, tenu par la quatrième génération, et proche de la Madeleine.

Monna Lisa

97 r. La Boétie Ⓜ *St-Philippe du Roule –* ℰ *01 56 43 38 38*
– www.hotelmonnalisa.com – contact@hotelmonnalisa.com
– Fax 01 45 62 39 90 F 9
22 ch – †250/280 € ††250/280 €, ⌂ 22 €
Rest *Caffe Ristretto* – *(fermé 3-24 août, 20-28 déc., sam. et dim.)* Menu (26 €)
– Carte 48/66 €
♦ Ce bel hôtel (immeuble de 1860) constitue une vitrine de l'audacieux design transalpin. Chambres décorées de tableaux contemporains (détails de Mona Lisa) ; plus vastes côté rue. Voyage gourmand à travers les spécialités italiennes dans le cadre feutré du Caffe Ristretto.

Le 123 sans rest

123 r. du Faubourg St Honoré Ⓜ *St-Philippe du Roule –* ℰ *01 53 89 01 23*
– www.astotel.com – hotel.le123@astotel.com – Fax 01 45 61 09 07 F 9
41 ch – †269/420 € ††309/450 €, ⌂ 24 €
♦ Décor dans l'air du temps, mélanges des styles, des matières et des couleurs : chambres ornées de croquis de mode, personnalisées, souvent originales et vraiment séduisantes.

Le Lavoisier sans rest

21 r. Lavoisier Ⓜ *St-Augustin –* ℰ *01 53 30 06 06 – www.hotellavoisier.com*
– info@hotellavoisier.com – Fax 01 53 30 23 00 F 11
27 ch – †179/300 € ††179/300 €, ⌂ 14 € – 3 suites
♦ Chambres contemporaines, petit salon-bibliothèque intime faisant office de bar et salle voûtée pour les petits-déjeuners en cet hôtel du quartier St-Augustin.

Élysées Mermoz sans rest

30 r. J. Mermoz Ⓜ *Franklin D. Roosevelt –* ℰ *01 42 25 75 30*
– www.hotel-elyseesmermoz.com – hotel@emhotel.com
– Fax 01 45 62 87 10 F 10
22 ch – †110/199 € ††122/229 €, ⌂ 12 € – 5 suites
♦ Une nouvelle décoration des chambres de cet hôtel cosy est prévue ; les salles de bains gardant leurs boiseries et pierre de lave. Salon conçu tel un jardin d'hiver sous verrière.

8e arrondissement – PARIS page 87

Le Vignon sans rest
23 r. Vignon ⓂMadeleine – ☏ 01 47 42 93 00 – www.levignon.com
– reservation@hotelvignon.com – Fax 01 47 42 04 60
F 12
28 ch – ♦190/330 € ♦♦195/360 €, ⊡ 20 €
♦ Hôtel chaleureux et feutré à deux pas de la place de la Madeleine. Chambres cosy ; certaines ont été refaites dans un style résolument contemporain.

Mercure Opéra Garnier sans rest
4 r. de l'Isly Ⓜ St Lazare – ☏ 01 43 87 35 50 – www.accor.com – h1913@
accor.com – Fax 01 43 87 03 29
F 12
140 ch – ♦180/360 € ♦♦180/360 €, ⊡ 16 €
♦ Hôtel de chaîne pratique, situé entre la gare St-Lazare et les grands magasins. Chambres fonctionnelles et buffet de petits-déjeuners servi dans un jardinet intérieur en été.

St-Augustin Elysées sans rest
9 r. Roy Ⓜ St Augustin – ☏ 01 42 93 32 17 – www.astotel.com
– hotel.staugustin@astotel.com – Fax 01 42 93 19 34
F 11
63 ch – ♦176/240 € ♦♦176/240 €, ⊡ 14 €
♦ Situé dans un quartier calme, un hôtel récemment rénové, à la décoration harmonieuse et résolument moderne. Agréables chambres contemporaines (bois sombre et couleurs gaies).

Élysées Céramic sans rest
34 av. Wagram Ⓜ Ternes – ☏ 01 42 27 20 30 – www.elysees-ceramic.com
– info@elysees-ceramic.com – Fax 01 46 22 95 83
E 8
57 ch – ♦195/205 € ♦♦220/230 €, ⊡ 12 €
♦ La façade Art nouveau en grès cérame (1904) est une merveille d'architecture. L'intérieur n'est pas en reste (meubles et décor de même inspiration) ; quelques balcons.

Atlantic sans rest
44 r. de Londres Ⓜ St-Lazare – ☏ 01 43 87 45 40 – www.atlanticparis.fr
– contact@atlanticparis.fr – Fax 01 42 93 06 26
E 12
82 ch – ♦160/210 € ♦♦160/210 €, ⊡ 16 €
♦ Ondulations, aquarelles, maquettes de bateaux… Quelques discrètes touches marines animent le décor contemporain et reposant de cet hôtel. Salon et bar sous une vaste verrière.

Astoria Opéra sans rest
42 r. de Moscou Ⓜ Rome – ☏ 01 42 93 63 53 – www.astotel.com – hotel.astoria@
astotel.com – Fax 01 42 93 30 30
D 11
86 ch – ♦124/220 € ♦♦124/220 €, ⊡ 14 €
♦ La clientèle d'affaires, entre autres, plébiscite ces coquettes chambres du quartier de l'Europe. Salon agrémenté de toiles modernes. Petits-déjeuners servis sous une verrière.

West-End sans rest
7 r. Clément-Marot Ⓜ Alma Marceau – ☏ 01 47 20 30 78
– www.hotel-west-end.com – contact@hotel-west-end.com
– Fax 01 47 20 34 42
G 9
49 ch ⊡ – ♦295/500 € ♦♦295/500 €
♦ Vieilles lithographies, copies de tableaux de maîtres et équipements actuels vous attendent dans les chambres sobres et chic (certaines voient la tour Eiffel) de cet hôtel.

Cordélia sans rest
11 r. Greffulhe Ⓜ Madeleine – ☏ 01 42 65 42 40 – www.cordelia-paris-hotel.com
– hotelcordelia@wanadoo.fr – Fax 01 42 65 11 81
F 12
30 ch – ♦155/185 € ♦♦185/205 €, ⊡ 15 €
♦ Chambres chaleureuses (de taille variable), sympathique salle voûtée pour les petits-déjeuners et salon réaménagé dans un style baroque-Empire caractérisent cet établissement.

Arioso sans rest
7 r. d'Argenson Ⓜ Miromesnil – ☏ 01 53 05 95 00 – www.arioso-hotel.com
– info@arioso-hotel.com – Fax 01 40 06 04 21
F 10
28 ch – ♦145/215 € ♦♦160/275 €, ⊡ 15 €
♦ Bien situé, ce bel immeuble haussmannien dispose de petites chambres soignées et cosy. Agréable salon-bibliothèque. Salle des petits-déjeuners donnant sur une cour intérieure.

Alison sans rest

21 r. de Surène ⓂMadeleine – ℰ 01 42 65 54 00 – www.hotelalison.com
– hotel.alison@orange.fr – Fax 01 42 65 08 17   F 11
34 ch – †96/172 € ††118/192 €, ⊇ 10 €

♦ Hôtel familial non-fumeurs, près du théâtre de la Madeleine. Hall orné de tableaux contemporains, chambres fonctionnelles – mansardées au 6ᵉ étage – en partie modernisées.

Le "Cinq" – Hôtel Four Seasons George V

31 av. George V ⓂGeorge V – ℰ 01 49 52 71 54 – www.fourseasons.com
– lecinq.par@fourseasons.com – Fax 01 49 52 71 81   G 8
Rest – Menu 85 € (déj.), 155/220 € – Carte 225/340 € 🍷
Spéc. Tartine de pied et oreille de porc. Pithiviers de gibier (saison). Macaron au caramel.

♦ Cuisine classique de haute volée servie dans une superbe salle à la gloire du Grand Trianon, et ouverte sur un ravissant jardin intérieur. Impressionnante cave.

Les Ambassadeurs – Hôtel Crillon

10 pl. Concorde ⓂConcorde – ℰ 01 44 71 16 16 – www.crillon.com
– ambassadeurs@crillon.com – Fax 01 44 71 15 02 – Fermé août, dim. et lundi
Rest – Menu 92 € (déj. en sem.)/220 € – Carte 168/273 € 🍷   G 11
Spéc. Blanc à manger d'œuf et truffe noire (janv. à mars). Pigeonneau désossé, foie gras de canard et jus à l'olive. Comme un vacherin aux fruits de saison.

♦ Cette splendide salle à manger – l'ancienne salle de bal d'un hôtel particulier du 18ᵉ s. – sert d'écrin à une cuisine inventive raffinée et à une magnifique carte des vins.

Alain Ducasse au Plaza Athénée – Hôtel Plaza Athénée

25 av. Montaigne ⓂAlma Marceau –
ℰ 01 53 67 65 00 – www.alain-ducasse.com – adpa@alain-ducasse.com
– Fax 01 53 67 65 12 – Fermé 17 juil.-25 août, 18-30 déc., lundi midi, mardi midi, merc. midi, sam. et dim.   G 9
Rest – Menu 260 €/360 € – Carte 215/395 € 🍷
Spéc. Caviar osciètre d'Iran, langoustines rafraîchies. Volaille de Bresse, sauce Albufera (15 oct.-31 déc.). Fraises des bois en coupe rafraîchie.

♦ Décor décalé signé Patrick Jouin (lustres aux 10 000 pampilles), plats inventifs d'une équipe talentueuse "coachée" par Ducasse et 1 001 vins choisis : la vie de palace !

Ledoyen

8 av. Dutuit (carré Champs-Élysées) ⓂChamps Elysées Clemenceau
– ℰ 01 53 05 10 01 – simiand@ledoyen.com – Fax 01 47 42 55 01
– Fermé 3-25 août, lundi midi, sam. et dim.   G 10
Rest – Menu 88 € (déj.), 199/299 € – Carte 160/285 € 🍷
Spéc. Grosses langoustines bretonnes, émulsion d'agrumes. Blanc de turbot de ligne juste braisé, pommes rattes truffées. Croquant de pamplemousse cuit et cru au citron vert.

♦ Délicieuse cuisine "terre et mer", superbe décor Napoléon III et vue sur les jardins dessinés par Hittorff en ce pavillon néo-classique édifié en 1792 sur les Champs-Élysées.

Le Bristol – Hôtel Bristol

112 r. Fg St-Honoré ⓂMiromesnil – ℰ 01 53 43 43 00 – www.lebristolparis.com
– resa@lebristolparis.com – Fax 01 53 43 43 01   F 10
Rest – Menu 95 € (déj.)/220 € – Carte 124/230 € 🍷
Spéc. Macaroni farcis, truffe noire, artichaut et foie gras de canard. Poularde de Bresse cuite en vessie aux écrevisses. Précieux chocolat nyangbo, cacao liquide et fine tuile croustillante.

♦ Avec ses boiseries anciennes, la salle à manger d'hiver ressemble à un petit théâtre. Celle d'été regarde le délicieux jardin de l'hôtel. Brillante cuisine personnalisée.

Apicius (Jean-Pierre Vigato)

20 r. d'Artois ⓂSt-Philippe du Roule – ℰ 01 43 80 19 66
– www.restaurant-apicius.com – restaurant-apicius@wanadoo.fr
– Fax 01 44 40 09 57 – Fermé août, sam., dim. et fériés   F 9
Rest – Menu 160 € – Carte 130/190 € 🍷
Spéc. Déclinaison sur le thème des langoustines. Tourte de canard façon grande cuisine bourgeoise. Grand dessert au caramel.

♦ Au rez-de-chaussée d'un hôtel particulier classé, avec jardin, belles salles en enfilade au décor tout à la fois classique, rococo, tendance. Cuisine "vérité" et superbe cave.

8ᵉ arrondissement – PARIS page 89

Taillevent
XXXXX ❀❀
15 r. Lamennais ⓜ Charles de Gaulle-Etoile – ℰ 01 44 95 15 01
– www.taillevent.com – mail@taillevent.com – Fax 01 42 25 95 18
– Fermé 25 juil.-24 août, sam., dim. et fériés
F 9
Rest – (nombre de couverts limité, prévenir) Menu 80 € (déj.)/190 €
– Carte 128/219 € ❀

Spéc. Epeautre du pays de Sault en risotto, cuisses de grenouilles dorées. Langoustines royales croustillantes, marmelade d'agrumes et thé vert. Tarte renversée au chocolat et au café grillé.

♦ Boiseries, œuvres d'art... L'ex-hôtel particulier (19ᵉ s.) du duc de Morny est devenu un lieu de mémoire de la haute gastronomie française. Belle cuisine et cave somptueuse.

Lasserre
XXXXX ❀❀
17 av. F.-D.-Roosevelt ⓜ Franklin D. Roosevelt – ℰ 01 43 59 53 43
– www.restaurant-lasserre.com – lasserre@lasserre.fr – Fax 01 45 63 72 23
– Fermé août, sam. midi, lundi midi, mardi midi, merc. midi et dim.
G 10
Rest – Menu 75 € (déj.)/185 € – Carte 130/180 € ❀

Spéc. Macaroni à la truffe et au foie gras. Pigeon André Malraux. Timbale Elysée Lasserre.

♦ Une institution du Paris gourmand. Salle à manger néo-classique, draperies, objets luxueux à foison et étonnant toit ouvrant. Répertoire classique et riche carte des vins.

Laurent
XXXX ❀
41 av. Gabriel ⓜ Champs Elysées Clemenceau – ℰ 01 42 25 00 39
– www.le-laurent.com – info@le-laurent.com – Fax 01 45 62 45 21
– Fermé 23 déc.-5 janv., sam. midi, dim. et fériés
G 10
Rest – Menu 80/160 € – Carte 136/225 € ❀

Spéc. Araignée de mer dans ses sucs en gelée, crème de fenouil. Flanchet de veau de lait braisé, blettes à la moelle et au jus (avril à oct.). Glace vanille minute en corolle.

♦ À deux pas des "Champs", cet ancien pavillon de chasse de Louis XIV, avec ses élégantes terrasses ombragées, compte de nombreux fidèles. Cuisine de tradition et belle carte des vins.

Pierre Gagnaire
XXXX ❀❀❀
6 r. Balzac ⓜ George V – ℰ 01 58 36 12 50 – www.pierre-gagnaire.com
– p.gagnaire@wanadoo.fr – Fax 01 58 36 12 51
– Fermé dim. midi et sam.
F 8
Rest – Menu 105 € (déj.)/255 € – Carte 230/449 €

Spéc. Gelée de poivron doux au citron, thon rouge confit et foie gras de canard. Galinette de Palamos braisée et poêlée de blettes aux petits pois. Le dessert "Rouge".

♦ Le cadre contemporain chic et feutré s'efface devant l'inventivité débordante d'un chef – amateur de jazz et d'art – qui élabore ses recettes en équilibriste de talent.

La Table du Lancaster – Hôtel Lancaster
XXX ❀
7 r. Berri ⓜ George V – ℰ 01 40 76 40 18
– www.hotel-lancaster.fr – restaurant@hotel-lancaster.fr
– Fax 01 40 76 40 00
F 9
Rest – (fermé sam. midi) Menu (52 €), 95 € (déj.)/150 € – Carte 92/143 €

Spéc. Cuisses de grenouilles au tamarin, chou-fleur en copeaux. Pièce de thon au ponzu, sur un riz "koshi hikari". Soufflé au citron et sirop au miel d'acacia.

♦ À La Table du Lancaster, cadre moderne (estampes chinoises), cour-jardin zen et inventive cuisine supervisée par Michel Troisgros, et déclinée par thèmes (produits, saveurs, sens).

Maison Blanche
XXX
15 av. Montaigne ⓜ Alma Marceau – ℰ 01 47 23 55 99 – www.maison-blanche.fr
– info@maison-blanche.fr – Fax 01 47 20 09 56 – Fermé sam. midi et dim. midi
G 9
Rest – Menu (45 €), 55 € (déj. en sem.) – Carte 95/185 €

♦ Sur le toit du théâtre des Champs-Élysées, loft-duplex design dont l'immense verrière regarde le dôme doré des Invalides. Le Languedoc influence la cuisine des Frères Pourcel.

PARIS page 90 – 8ᵉ arrondissement

XXX Le Chiberta
3 r. Arsène-Houssaye Ⓜ Charles de Gaulle-Etoile – ℰ 01 53 53 42 00
– www.lechiberta.com – chiberta@guysavoy.com – Fax 01 45 62 85 08
– Fermé 1ᵉʳ-23 août, vacances de Noël, sam. midi et dim. F 8
Rest – Menu 60/155 € bc – Carte 86/124 €
Spéc. Crème de carotte "citronnelle-gingembre" et gambas éclatées aux épices. Lièvre à la royale et gratin de macaroni aux champignons sauvages (oct. à déc.). Soufflé vanille et glace caramel.
◆ Lumière tamisée, décor feutré et dépouillé conçu par J.-M. Wilmotte (tons sombres, insolites "murs à bouteilles") : l'écrin chic d'une cuisine inventive supervisée par Guy Savoy.

XXX Senderens
9 pl. de la Madeleine Ⓜ Madeleine – ℰ 01 42 65 22 90 – www.senderens.fr
– restaurant@senderens.fr – Fax 01 42 65 06 23 – Fermé 2-24 août G 11
Rest – Menu 110/150 € bc – Carte 89/120 €
Rest *Bar le Passage* – ℰ 01 42 65 56 66 – Menu 36 € – Carte 39/52 €
Spéc. Langoustines croustillantes, coriandre et livèche. Morue des îles Féroé en brandade et pousses de salade. Fine dacquoise au poivre de Séchouan, marmelade de citron confit, glace au gingembre.
◆ Mariage réussi du mobilier design et des boiseries Art nouveau signées Majorelle dans cette luxueuse adresse, toujours très animée. Cuisine créative ; belles associations mets et vins. Au Bar Le Passage : ambiance salon et carte éclectique proposant alcools, tapas et sushis.

XXX Fouquet's
99 av. Champs Élysées Ⓜ George V – ℰ 01 40 69 60 50 – www.lucienbarriere.com
– fouquets@lucienbarriere.com – Fax 01 40 69 60 35 F 8
Rest – Menu 78 € – Carte 76/188 €
◆ Depuis sa création (1899), cette mythique adresse qui borde "la plus belle avenue du monde" a vu passer le Tout-Paris. Bel intérieur classé, terrasse prisée et carte de brasserie.

XXX El Mansour
7 r. Trémoille Ⓜ Alma Marceau – ℰ 01 47 23 88 18 – www.elmansour.fr
– Fax 01 40 70 13 53 – Fermé lundi midi et dim. G 9
Rest – Carte 43/69 €
◆ Ce restaurant du quartier du Triangle d'Or est une référence en matière de gastronomie marocaine. Boiseries, dorures, tableaux et musique orientale participent à son cadre cossu.

XXX Stella Maris (Tateru Yoshino)
4 r. Arsène Houssaye Ⓜ Charles de Gaulle-Etoile – ℰ 01 42 89 16 22
– www.tateruyoshino.com – stella.maris.paris@wanadoo.fr – Fax 01 42 89 16 01
– Fermé 10-22 août, sam. midi, dim. et fériés F 8
Rest – Menu 49 € (déj. en sem.), 99/130 € – Carte 119/163 €
Spéc. Millefeuille de thon rouge mariné, aubergine, tapenade et caviar français. Tête de veau en cocotte, crête de coq et œuf frit. Kouing-aman façon penthièvre.
◆ C'est un brillant chef japonais, épris de gastronomie française, qui signe la carte classique de ce restaurant raffiné, proche de l'Arc de Triomphe. Décor épuré, touches Art déco.

XX 1728
8 r. d'Anjou Ⓜ Madeleine – ℰ 01 40 17 04 77 – www.restaurant-1728.com
– restaurant1728@wanadoo.fr – Fax 01 42 65 53 87 – Fermé 5-25 août, dim. et fériés G 11
Rest – Menu (35 €) – Carte 55/121 €
◆ Ambiance romantique et cossue dans les salons d'époque de cet hôtel particulier (18ᵉ s.) où vécut La Fayette. Cuisine actuelle aux touches asiatiques, pâtisserie signée P. Hermé.

XX Spoon
12 r. Marignan Ⓜ Franklin D. Roosevelt – ℰ 01 40 76 34 44 – www.spoon.tm.fr
– spoon-paris@hotelmarignan.fr – Fax 01 40 76 34 37 – Fermé août,
25 déc.-3 janv., sam. et dim. G 9
Rest – Menu 36 € (déj.), 80/120 € bc – Carte environ 69 €
◆ On accède à ce restaurant chic et design (cuisines ouvertes) par le hall de l'hôtel Marignan. Cave internationale en osmose avec le concept culinaire ludique, signé Alain Ducasse.

8ᵉ arrondissement – PARIS page 91

XX Les Saveurs de Flora   AC VISA MC AE
36 av. George V Ⓜ *George V –* ℘ *01 40 70 10 49 – www.lessaveursdeflora.com*
– lessaveursdeflora@wanadoo.fr – Fax 01 47 20 52 87 – Fermé août, sam. midi et
dim.   G 8
Rest – Menu (29 €), 32 € (déj.), 38/98 € bc – Carte 60/100 €
♦ Flora, la maîtresse de maison, vous reçoit dans un cadre tendance et feutré où le contemporain côtoie le rétro. Cuisine actuelle métissant tradition et saveurs d'ailleurs.

XX Tante Louise   AC ⇔ VISA MC AE ①
41 r. Boissy-d'Anglas Ⓜ *Madeleine –* ℘ *01 42 65 06 85*
– www.bernard-loiseau.com – tante.louise@bernard-loiseau.com
– Fax 01 42 65 28 19 – Fermé août, sam., dim. et fériés   F 11
Rest – Menu 38 € (déj.)/42 € – Carte 46/72 €
♦ L'enseigne évoque la "Mère" parisienne qui tenait naguère ce restaurant au discret cadre Art déco. Carte traditionnelle agrémentée de quelques recettes bourguignonnes.

XX Citrus Étoile   & AC ⌂ VISA MC AE
6 r. Arsène-Houssaye Ⓜ *Charles de Gaulle-Étoile –* ℘ *01 42 89 15 51*
– www.citrusetoile.fr – info@citrusetoile.fr – Fax 01 42 89 28 67 – Fermé 8-19 août,
21 déc.-3 janv., sam., dim. et fériés   F 8
Rest – Menu 49/120 € – Carte 88/118 €
♦ Le chef Gilles Épié vous invite à découvrir une cuisine riche en nouvelles saveurs inspirée de ses séjours en Californie et au Japon. Déco élégante et épurée. Accueil délicieux.

XX L'Angle du Faubourg   AC ⇔ VISA MC AE ①
✿
195 r. Fg St-Honoré Ⓜ *Ternes –* ℘ *01 40 74 20 20 – www.taillevent.com*
– resa@angledufaubourg.com – Fax 01 40 74 20 21
– Fermé août, sam., dim. et fériés   E 9
Rest – Menu 38/75 € – Carte 63/93 € ⌘
Spéc. Sablé de thon aux épices. Saint-Jacques rôties à la vanille bourbon. Macaron moelleux à la banane et passion.
♦ À l'angle des rues du Faubourg-St-Honoré et Balzac. Le confortable cadre contemporain de cette table a des airs de bistrot chic et feutré. Cuisine classique actualisée.

XX Bistrot du Sommelier   AC ⇔ VISA MC AE
97 bd Haussmann Ⓜ *St-Augustin –* ℘ *01 42 65 24 85*
– www.bistrotdusommelier.com – bistrot-du-sommelier@noos.fr
– Fax 01 53 75 23 23 – Fermé 1ᵉʳ-30 août, 24 déc.-4 janv., sam. et dim. F 11
Rest – Menu (33 €), 39 € (déj.), 65 € bc/110 € – Carte 52/62 € ⌘
♦ Le bistrot de Philippe Faure-Brac, honoré du titre de meilleur sommelier du monde 1992, compose un hymne à Bacchus, nourri du feu roulant et chantant de dives bouteilles.

XX Market   AC ⌂ VISA MC AE
15 av. Matignon Ⓜ *Franklin D. Roosevelt –* ℘ *01 56 43 40 90*
– www.jean-georges.com – prmarketsa@aol.com – Fax 01 43 59 10 87
Rest – Menu (34 €) – Carte 53/80 €   F 10
♦ Emplacement prestigieux, décor de bois et de marbre, masques africains logés dans des niches et cuisine métissée (française, italienne et asiatique) : une adresse trendy.

XX La Table d'Hédiard   AC ⌂ VISA MC AE ①
21 pl. Madeleine Ⓜ *Madeleine –* ℘ *01 43 12 88 99 – www.hediard.fr*
– latablehediard@hediard.fr – Fax 01 43 12 88 98 – Fermé dim.   F 11
Rest – Carte 58/86 €
♦ Décor un brin exotique et cuisine aux mille épices : vous êtes conviés à un "safari" culinaire... après avoir parcouru les appétissants rayons de la célèbre épicerie de luxe.

XX Indra   AC VISA MC AE ①
10 r. Cdt-Rivière Ⓜ *St-Philippe du Roule –* ℘ *01 43 59 46 40*
– www.restaurant-indra.com – indrarest@wanadoo.fr – Fax 01 42 25 70 32
– Fermé sam. midi et dim.   F 9
Rest – Menu 40 € (déj.), 44/65 € – Carte 40/60 €
♦ L'un des premiers restaurants indiens de France (1976) dont le cadre ravissant – murs en patchwork, boiseries ouvragées – invite à un voyage culinaire au pays des Maharadjas.

Le Sarladais
2 r. Vienne — St-Augustin – ☏ 01 45 22 23 62 – www.lesarladais.com
– Fax 01 45 22 23 62 – Fermé 30 avril-10 mai, août, 24-31 déc., sam. sauf le soir du
20 sept. au 30 avril, dim. et fériés
E 11
Rest – Menu 38/64 € – Carte 48/124 €
♦ Lambris, tons chaleureux, compositions florales et expo-vente de tableaux : un cadre qui se prête à la dégustation des solides recettes périgourdines mitonnées par le chef.

Le Relais Plaza – Hôtel Plaza Athénée
25 av. Montaigne — Alma Marceau – ☏ 01 53 67 64 00
– www.plaza-athenee-paris.com – reservation@plaza-athenee-paris.com
– Fax 01 53 67 66 66 – Fermé août
G 9
Rest – Menu 50 € – Carte 68/148 €
♦ La cantine chic et intime des maisons de couture voisines. Atmosphère intemporelle et très beau décor des années 1930 inspiré du paquebot Normandie. Cuisine classique épurée.

Fermette Marbeuf 1900
5 r. Marbeuf — Alma Marceau – ☏ 01 53 23 08 00 – www.fermettemarbeuf.com
– fermettemarbeuf@blanc.net – Fax 01 53 23 08 09
G 9
Rest – Menu (20 €), 32 € – Carte 36/78 €
♦ Le décor Art nouveau de la salle à manger-verrière, où vous réserverez votre table, date de 1898 et a été retrouvé par hasard lors de travaux de rénovation. Plats classiques.

Marius et Janette
4 av. George V — Alma Marceau – ☏ 01 47 23 41 88 – www.mariusjanette@yahoo.fr – Fax 01 47 23 07 19
G 8
Rest – Menu 48 € – Carte 90/140 €
♦ Une adresse vouée aux produits de la mer dont le nom évoque l'Estaque. Élégant décor façon yacht et, pour les beaux jours, agréable terrasse sur l'avenue.

Hanawa
26 r. Bayard — Franklin D. Roosevelt – ☏ 01 56 62 70 70
– www.kinugawa-hanawa.com – hanawa2007@free.fr – Fax 01 56 62 70 71
– Fermé dim.
G 9
Rest – Menu (54 €), 85/115 € – Carte 65/115 €
♦ Sur 1100 m², ce restaurant raffiné et zen (bois, fleurs) décline les cuisines japonaise (à l'étage) et française (au sous-sol) autour des teppanyaki et sushi bar.

Maxan
37 r. Miromesnil — Miromesnil – ☏ 01 42 65 78 60 – www.rest-maxan.com
– rest.maxan@wanadoo.fr – Fax 01 49 24 96 17 – Fermé 3-25 août,
24 déc.-3 janv., lundi soir, sam. midi et dim.
F 10
Rest – Menu (30 €), 45 € – Carte 50/77 €
♦ Le décor contemporain signé Pierre Pozzi mélange sobriété et originalité (murs blancs, rayures multicolores, bandelettes et boules de papier). Plats classiques actualisés.

Chez Catherine
3 r. Berryer — George V – ☏ 01 40 76 01 40 – www.restaurantchezcatherine.com
– Fax 01 40 76 03 96 – Fermé vend. soir et dim. soir de nov. à fév.
F 9
Rest – Menu 44/70 €
♦ Élégante salle à manger contemporaine ouverte sur les cuisines et en partie coiffée d'une verrière : une adresse chic et cosy où déguster des recettes actuelles.

La Luna
69 r. Rocher — Villiers – ☏ 01 42 93 77 61 – www.restaurant-laluna.fr
– laluna75008@yahoo.fr – Fax 01 40 08 02 44 – Fermé 1er-24 août et dim.
E 11
Rest – Carte 87/110 €
♦ Du poisson à la carte ! Dans un cadre Art déco et une atmosphère paisible et huppée, recettes aux saveurs iodées, préparées au rythme des arrivages de l'Atlantique.

Al Ajami
58 r. François 1er — George V – ☏ 01 42 25 38 44 – www.ajami.com – ajami@free.fr – Fax 01 42 25 38 39
G 9
Rest – Menu (20 €), 28 € (sem.)/48 € – Carte 35/60 €
♦ Voici l'ambassade parisienne d'une enseigne libanaise, créée à Beyrouth en 1920. La clientèle internationale ne se lasse pas de son charme tout oriental et familial.

Palace Élysées ✕✕

20 r. Quentin-Bauchart – Ⓜ *Georges V* – ℘ 01 40 70 19 17
– www.palace-elysee.com – Fax 01 40 70 18 06 – *Fermé dim.*
Rest – Menu (19 €), 55/120 € – Carte 70/145 €

F 8

♦ Lounge s'il en est, ce lieu spacieux illustre le design tendance : mobilier classique et moderne à la blancheur immaculée, éclairages violets, photos, bar... et cuisine ad hoc.

Ratn ✕✕

9 r. de la Trémoille – Ⓜ *Alma Marceau* – ℘ 01 40 70 01 09
– www.restaurantratn.com – contact@restaurantratn.com
– Fax 01 40 70 01 22

G 9

Rest – Menu (21 €), 39 € (sem.) – Carte 50/60 €

♦ Une authentique adresse indienne : décor traditionnel sobrement chic (tissus dorés, panneaux de bois sculptés) et cuisine utilisant les épices avec justesse. Service aimable.

L'Étoile Marocaine ✕✕

56 r. Galilée – Ⓜ *Georges V* – ℘ 01 47 20 44 43 – www.etoilemarocaine.com
– *Fermé sam. midi*

F 8

Rest – Menu 25 € (déj. en sem.) – Carte 36/64 €

♦ Rien ne manque à cette table qui honore la tradition marocaine : salle intimiste, décor oriental (mosaïques, boiseries sculptées, plateaux en cuivre ciselé), musique d'ambiance...

Village d'Ung et Li Lam ✕✕

10 r. J. Mermoz – Ⓜ *Franklin D. Roosevelt* – ℘ 01 42 25 99 79 – menez.lam@orange.fr – Fax 01 42 25 12 06 – *Fermé sam. midi et dim. midi*

F 10

Rest – Menu 19/35 € – Carte 25/35 €

♦ Ambiance feutrée et chaleureuse chez Ung et Li. Cadre original – aquariums suspendus et sol en pâte de verre avec inclusions de sable – pour une cuisine sino-thaïlandaise.

Dominique Bouchet ✕ ₃

11 r. Treilhard – Ⓜ *Miromesnil* – ℘ 01 45 61 09 46 – www.dominique-bouchet.com
– dominiquebouchet@yahoo.fr – Fax 01 42 89 11 14
– *Fermé en août, sam., dim. et fériés*

E 10

Rest – *(prévenir)* Menu (46 €) – Carte 57/97 €

Spéc. Croustillant de tête de veau aux poireaux et œufs mimosa. Macaroni de homard sur purée de champignons et coulis de carapaces. Pêche glacée et crème brûlée à la vanille bourbon (juin à sept.).

♦ Décor contemporain de bon goût, ambiance conviviale et savoureuse cuisine du marché reposant sur des bases traditionnelles : succès mérité pour ce petit bistrot tendance.

L'Arôme ✕ ₃

3 r. St-Philippe-du-Roule – Ⓜ *St-Philippe-du-Roule* – ℘ 01 42 25 55 98
– www.larome.fr – contact@larome.fr – Fax 01 42 25 55 97
– *Fermé 2-23 août, 19-28 déc., sam. et dim.*

F 9

Rest – Menu (29 €), 36 € (déj.), 70/114 € bc – Carte 55/75 €

Spéc. Cannelloni de tourteau décortiqué et daïkon au pamplemousse. Foie gras de canard poêlé au cacao amer. Tarte aux pommes façon tatin.

♦ Un "néo-bistrot" chic mené de main de maître par Eric Martins en salle et Thomas Boullault aux fourneaux. Décor sobre aux tons corail et taupe, cuisines visibles. Carte actuelle.

Le Stresa ✕

7 r. Chambiges – Ⓜ *Alma Marceau* – ℘ 01 47 23 51 62 – *Fermé août, 20 déc.-3 janv., sam. et dim.*

G 9

Rest – *(prévenir)* Carte 70/120 €

♦ Trattoria du Triangle d'Or fréquentée par une clientèle très "jet-set". Tableaux de Buffet, compressions de César... Les artistes aussi apprécient cette cuisine italienne.

Bistro de l'Olivier ✕

13 r. Quentin Bauchart – Ⓜ *George V* – ℘ 01 47 20 78 63 – bistrotdelolivier@orange.fr – Fax 01 47 20 74 58 – *Fermé août, sam. midi et dim.*

G 8

Rest – *(nombre de couverts limité, prévenir)* Menu (29 €), 35 € – Carte 35/75 €

♦ Carrés provençaux et tableaux évoquant le Sud égayent la chaleureuse salle à manger de ce bistrot, situé près de l'avenue George V. Copieuse cuisine méridionale.

PARIS page 94 – 8ᵉ arrondissement

Chez Cécile la Ferme des Mathurins   AC VISA MC AE
*17 r. Vignon ⓂMadeleine – ℰ 01 42 66 46 39 – www.chezcecile.com – cecile@
chezcecile.com – Fermé août, sam. midi et dim.*
Rest – bistrot – Menu (32 €), 36 € (déj.), 38/59 €   F 12

◆ Plats traditionnels aussi copieux que soignés, délicieuse ambiance bon enfant et clientèle d'habitués : on joue souvent à guichets fermés dans cet authentique bistrot d'antan.

Café Lenôtre - Pavillon Elysée   🍽 ♿ AC ⇔ ⇗ P VISA MC AE ①
*10 av. Champs-Elysées Ⓜ Champs Elysées Clemenceau – ℰ 01 42 65 85 10
– www.lenotre.fr – webmaster@lenotre.fr – Fax 01 42 65 76 23 – Fermé 3 sem.
en août, 1 sem. en fév., lundi soir et dim. soir de nov. à fév.*   G 10
Rest – Carte 45/65 €

◆ Cet élégant pavillon bâti pour l'Exposition universelle de 1900 et bien restauré, abrite, outre une boutique et une école de cuisine, un restaurant résolument contemporain.

Aoki Makoto   VISA MC
*19 r. Jean Mermoz Ⓜ Mirosmenil – ℰ 01 43 59 29 24 – Fax 01 43 59 29 24
– Fermé 9-23 août, 23 déc.-3 janv., sam. midi et dim.*   F 10
Rest – Menu (21,50 €), 40 € (dîner)/60 € – Carte 58/78 €

◆ Ne vous fiez pas à l'enseigne trompeuse (il s'agit du nom du chef japonais) de cette discrète et conviviale adresse, d'allure bistrot. On y déguste une goûteuse cuisine française.

La Maison de L'Aubrac   🍽 AC VISA MC AE
*37 r. Marbeuf Ⓜ Franklin D. Roosevelt – ℰ 01 43 59 05 14
– www.maison-aubrac.fr – miguel.aubrac@orange.fr
– Fax 01 42 25 29 87*   G 9
Rest – Menu (30 €), 45 € – Carte 37/56 € 🍷

◆ Décor de ferme aveyronnaise, copieux plats rustiques honorant la race bovine et très belle cave : un vrai petit coin d'Aubrac... L'animation des Champs-Élysées voisins en plus.

SYDR   ♿ AC VISA MC AE
*6 r. de Tilsitt Ⓜ Charles de Gaulle-Etoile – ℰ 01 45 72 41 32
– Fax 01 45 72 41 79 – Fermé 3 sem. en août, sam. midi, lundi soir et dim.*   F 8
Rest – Menu (12 € bc), 28/48 € – Carte 36/48 €

◆ Une "sydrerie" façon post-moderne créée par Alain Dutournier et Philippe Sella. Cadre ultra dépouillé, cuisine du terroir revisitée et bar (tapas et dégustations de cidres).

Devez   🍽 AC VISA MC AE
*5 pl. de l'Alma Ⓜ Alma Marceau – ℰ 01 53 67 97 53 – www.devezparis.com
– contact@devezparis.com – Fax 01 47 23 09 48*   G 8
Rest – Carte 36/59 €

◆ Amoureux de sa terre d'origine, le patron – également éleveur – mitonne une cuisine au goût du jour axée sur la viande d'Aubrac. Bel intérieur contemporain et table d'hôte.

Le Bistrot de Marius   🍽 ⇗ VISA MC AE ①
*6 av. George V Ⓜ Alma Marceau – ℰ 01 40 70 11 76
– Fax 01 40 70 17 08*   G 8
Rest – Menu (28 €) – Carte 40/65 €

◆ Petites tables serrées et simplement dressées, décoration provençale vivement colorée et cuisine de la mer : on se croirait dans un restaurant du vieux port, peuchère !

L'Évasion   AC 🍴 VISA MC AE ①
*7 pl. St-Augustin Ⓜ Saint Augustin – ℰ 01 45 22 66 20 – restaurantlevasion@
orange.fr – Fax 01 40 75 04 32*   F 11
Rest – Carte 40/70 € 🍷

◆ Ce bistrot-bar à vins au décor typique (zinc à l'ancienne, profusion de bouteilles, ardoise murale) propose une superbe sélection de grands crus, accompagnés de plats du marché.

L'Atelier des Compères   VISA MC AE
*56 r. Galilée Ⓜ George V – ℰ 01 47 20 75 56 – www.atelierdescomperes.com
– contact@atelierdescomperes.com – Fermé août, vacances de Noël, sam., dim. et
fériés*   F 8
Rest – *(nombre de couverts limité, prévenir)* Carte 43/55 €

◆ Insolite "guinguette" chic installée dans une cour pavée dont on ouvre le toit en été. Sur l'ardoise : d'appétissantes recettes renouvelées chaque jour, au gré des arrivages.

Daru

19 r. Daru **Ⓜ** *Courcelles* – ℰ *01 42 27 23 60 – www.daru.fr – restaurant.daru@wanadoo.fr – Fax 01 47 54 08 14 – Fermé août et dim.*   E 9
Rest – Menu 28 € (déj. en sem.)/34 € – Carte 60/90 €

♦ Fondée en 1918, la maison Daru fut la première épicerie russe de Paris. Elle perpétue la tradition slave et vous transporte par son décor nostalgique dans la Russie d'autrefois.

Le Bouco

10 r. Constantinople **Ⓜ** *Europe* – ℰ *01 42 93 73 33 – www.lebouco.com – info@lebouco.com – Fax 01 42 93 95 44 – Fermé août, sam., dim. et fériés*   E 11
Rest – *(nombre de couverts limité, prévenir)* Menu (22 €), 29/37 € bc – Carte 32/55 €

♦ Renouveau pour ce restaurant qui a changé de propriétaire et raccourci son nom, devenant le Bouco ("bouche" en patois basque). Cadre de bistrot moderne, plats du Sud-Ouest.

Shin Jung

7 r. Clapeyron **Ⓜ** *Rome* – ℰ *01 45 22 21 06 – jung6161@aol.com – Fermé dim. midi et midi fériés*   D 11
Rest – Menu (9 €), 14/23 € – Carte 20/35 €

♦ Salle de restaurant un rien zen, dont les murs sont agrémentés de calligraphies. Cuisine sud-coréenne et spécialités de poissons crus. Accueil sympathique.

Opéra • Grands Boulevards

9ᵉ arrondissement   ✉ 75009

S. Sauvignier/MICHELIN

Intercontinental Le Grand

2 r. Scribe **Ⓜ** *Opéra* – ℰ *01 40 07 32 32*
– www.ichotelsgroupe.com – legrand@ihg.com – Fax 01 42 66 12 51   F 12
442 ch – †360/750 € ††360/750 €, ⊋ 38 € – 28 suites
Rest *Café de la Paix* – voir ci-après

♦ Le célèbre palace, inauguré en 1862 et rénové en 2003, offre un élégant cadre Second Empire judicieusement préservé et un confort d'aujourd'hui.

Scribe

1 r. Scribe **Ⓜ** *Opéra* – ℰ *01 44 71 24 24 – www.hotel-scribe-paris.com – h0663@accor.com – Fax 01 42 65 39 97*   F 12
204 ch – †570/1150 € ††570/1150 €, ⊋ 35 € – 9 suites
Rest *Café Lumière* – Carte 63/152 €

♦ Dans un bel immeuble haussmannien, hôtel entièrement rénové et apprécié pour son luxe discret. En 1895, le public y découvrait en première mondiale le cinématographe des Frères Lumière. Spa. Carte contemporaine au Café Lumière, éclairé par une verrière. Atmosphère feutrée et cosy.

Millennium Opéra

12 bd Haussmann **Ⓜ** *Richelieu Drouot* – ℰ *01 49 49 16 00*
– www.millenniumhotels.com – opera@millenniumhotels.fr
– Fax 01 49 49 17 00   F 13
157 ch – †180/500 € ††200/550 €, ⊋ 25 € – 6 suites
Rest *Brasserie Haussmann* – ℰ *01 49 49 16 64* – Menu (19 € bc) – Carte 29/55 €

♦ Cet hôtel de 1927 n'a rien perdu de son lustre des années folles. Chambres garnies de meubles Art déco et aménagées avec un goût sûr. Équipements modernes. Cadre judicieusement revisité et actualisé, et plats typiques du genre à la Brasserie Haussmann.

PARIS page 96 – 9ᵉ arrondissement

🏨 Ambassador
16 bd Haussmann Ⓜ *Richelieu Drouot* – ℰ 01 44 83 40 40
– *www.hotelambassador-paris.com* – *ambass@concorde-hotels.com*
– *Fax 01 44 83 40 57*   F 13
294 ch – †200/500 € ††200/500 €, ⚬ 28 € – 8 suites
Rest *16 Haussmann* – ℰ 01 48 00 06 38 – Menu (32 €), 44 € (déj.)/52 €
– Carte 48/59 €

♦ Panneaux de bois peints, lustres en cristal, meubles et objets anciens ornent cet élégant hôtel des années 1920. Les chambres rénovées offrent un sobre décor contemporain, les autres sont plus classiques. Au 16 Haussmann, tons bleu "parisien" et doré, bois blond, sièges rouges signés Starck et larges baies vitrées donnant sur le boulevard animé.

🏨 Pavillon de Paris sans rest
7 r. Parme Ⓜ *Liège* – ℰ 01 55 31 60 00 – *www.pavillondeparis.com* – *mail@pavillondeparis.com* – *Fax 01 55 31 60 01*   D 12
30 ch – †215/240 € ††270/296 €, ⚬ 21 €

♦ Dans une rue tranquille, hôtel contemporain aux chambres peu spacieuses, d'un luxe sobre mais dégageant une atmosphère plaisamment intimiste. Jardin japonais dans la minicour.

🏨 Villa Opéra Drouot sans rest
2 r. Geoffroy Marie Ⓜ *Grands Boulevards* – ℰ 01 48 00 08 08 – *drouot@leshotelsdeparis.com* – *Fax 01 48 00 80 60*   F 14
29 ch – †129/310 € ††139/320 €, ⚬ 20 €

♦ Laissez-vous surprendre par le subtil mélange d'un décor baroque et du confort très cossu en ces chambres agrémentées de tentures, velours, soieries et boiseries.

🏨 Jules sans rest
49 r. La Fayette Ⓜ *Le Peletier* – ℰ 01 42 85 05 44 – *www.hoteljules.com* – *info@hoteljules.com* – *Fax 01 49 95 06 60*   F 14
101 ch – †285/500 € ††285/500 €, ⚬ 20 €

♦ Cet hôtel a pris le tournant de la modernité sans rien perdre de son élégance. Au sous-sol, salle des petits-déjeuners lumineuse et vitaminée (tons orange, motif floral). Fitness.

🏨 Astra Opéra sans rest
29 r. Caumartin Ⓜ *Havre Caumartin* – ℰ 01 42 66 15 15 – *www.astotel.com*
– *hotel.astra@astotel.com* – *Fax 01 42 66 98 05*   F 12
82 ch – †225/295 € ††255/345 €, ⚬ 22 €

♦ Immeuble haussmannien aux chambres assez amples et confortables (rénovation prévue, dans un esprit actuel). Lumineux salon sous verrière, décoré de tableaux contemporains.

🏨 St-Pétersbourg sans rest
33 r. Caumartin Ⓜ *Havre Caumartin* – ℰ 01 42 66 60 38
– *www.hotelsaintpetersbourg.com* – *info@hotelpeters.com*
– *Fax 01 42 66 53 54*   F 12
100 ch ⚬ – †141/210 € ††181/267 €

♦ Grand hôtel traditionnel au fonctionnement familial. Élégante entrée – sol en marbre et lustres – nombreux salons et salles de réunion. Chambres spacieuses.

🏨 Lorette Opéra sans rest
36 r. Notre-Dame de Lorette Ⓜ *St-Georges* – ℰ 01 42 85 18 81 – *www.astotel.com*
– *hotel.lorette@astotel.com* – *Fax 01 42 81 32 19*   E 13
84 ch – †136/240 € ††136/240 €, ⚬ 14 €

♦ Dans cet hôtel entièrement rénové, style contemporain et pierres de taille se mêlent harmonieusement. Agréables chambres actuelles, petit-déjeuner servi dans une salle voûtée.

🏨 Villathéna sans rest
23 r. d'Athènes Ⓜ *St-Lazare* – ℰ 01 44 63 07 07 – *www.villathena.com*
– *reservation@villathena.com* – *Fax 01 44 63 07 60*   E 12
43 ch – †119/385 € ††119/385 €, ⚬ 17 €

♦ Dans les ex-bureaux de la Sécurité sociale, hôtel tout neuf au cadre contemporain : hall noir, blanc et rouge laqué, chambres au mobilier de bois clair (bons équipements).

Richmond Opéra sans rest
11 r. Helder Ⓜ *Chaussée d'Antin –* ✆ *01 47 70 53 20 – paris@richmond-hotel.com – Fax 01 48 00 02 10* F 13
59 ch – †136/151 € ††156/171 €, ⊇ 10 €
♦ Les chambres, spacieuses et élégantes, donnent presque toutes sur la cour. Le salon est bourgeoisement décoré dans le style Empire.

Opéra Franklin sans rest
19 r. Buffault Ⓜ *Cadet –* ✆ *01 42 80 27 27 – www.operafranklin.com – info@operafranklin.com – Fax 01 48 78 13 04* E 14
67 ch – †146/203 € ††189/247 €, ⊇ 13 €
♦ Dans une rue paisible, cet hôtel d'affaires est bâti autour d'une cour. Grand hall d'entrée sous verrière avec bar. Chambres pratiques et sobres.

ATN sans rest
21 r. d'Athènes Ⓜ *St-Lazare –* ✆ *01 48 74 00 55 – www.atnhotel.fr – atn@atnhotel.fr – Fax 01 42 81 04 75* E 12
36 ch – †139/350 € ††149/360 €, ⊇ 11 €
♦ À deux pas de la gare St-Lazare, hôtel complètement rénové et repensé. Design contemporain tendance, matériaux de qualité et aménagements réfléchis en résument l'esprit.

9HOTEL sans rest
14 r. Papillon Ⓜ *Cadet –* ✆ *01 47 70 78 34 – www.le9hotel.com – info@le9hotel.com – Fax 01 40 22 91 00* E 14
35 ch – †140/280 € ††140/280 €, ⊇ 15 €
♦ Établissement rénové dans un style épuré. Agréable salon avec livres à disposition. Chambres peu spacieuses mais fonctionnelles (mobilier contemporain, éclairage modulable).

Caumartin Opéra sans rest
27 r. Caumartin Ⓜ *Havre Caumartin –* ✆ *01 47 42 95 95 – www.astotel.com – hotel.caumartin@astotel.com – Fax 01 47 42 88 19* F 12
40 ch – †155/240 € ††165/240 €, ⊇ 14 €
♦ Cure de jouvence complète pour ce petit hôtel du quartier des grands magasins. Chambres au décor dans l'air du temps et salles de bains d'une blancheur immaculée.

Grand Hôtel Haussmann sans rest
6 r. Helder Ⓜ *Opéra –* ✆ *01 48 24 76 10 – www.hotelhaussmann.com – ghh@club-internet.fr – Fax 01 48 00 97 18* F 13
59 ch – †145/225 € ††160/225 €, ⊇ 15 €
♦ Cette discrète façade dissimule des chambres de tailles variées, douillettes, personnalisées et rénovées par étapes. Presque toutes donnent sur l'arrière.

Anjou Lafayette sans rest
4 r. Riboutté Ⓜ *Cadet –* ✆ *01 42 46 83 44 – www.hotelanjoulafayette.com – hotel.anjou.lafayette@wanadoo.fr – Fax 01 48 00 08 97* E 14
39 ch – †98/170 € ††118/190 €, ⊇ 12 €
♦ Près du verdoyant square Montholon orné de grilles du Second Empire, chambres de bon confort, insonorisées et décorées dans des tons chaleureux.

Les Trois Poussins sans rest
15 r. Clauzel Ⓜ *St-Georges –* ✆ *01 53 32 81 81 – www.les3poussins.com – h3p@les3poussins.com – Fax 01 53 32 81 82* E 13
40 ch – †106/156 € ††109/171 €, ⊇ 10 €
♦ Élégantes chambres offrant plusieurs niveaux de confort. Vue sur Paris depuis les derniers étages. Salle des petits-déjeuners joliment voûtée. Petite cour-terrasse.

Opéra d'Antin sans rest
75 r. de Provence Ⓜ *Chaussée d'Antin –* ✆ *01 48 74 12 99 – www.paris-inn.com – operadantin@paris-inn.com – Fax 01 48 74 16 14 – Réouverture prévue au printemps après travaux* F 12
30 ch – †145/195 € ††145/195 €, ⊇ 13 €
♦ Hôtel restauré proche des célèbres Galeries Lafayette. Salle des petits-déjeuners aménagée sous une verrière et plaisantes chambres optant pour le style Art déco.

Langlois sans rest

63 r. St-Lazare — Trinité — ☏ 01 48 74 78 24 — www.hotel-langlois.com — info@hotel-langlois.com — Fax 01 49 95 04 43

E 12

24 ch – †110/120 € ††140/150 €, ☲ 13 € – 3 suites

♦ Bâti en 1870, l'immeuble abrita d'abord une banque puis un hôtel à partir de 1896. Art nouveau, Art déco ou années 1950, toutes les chambres ont un caractère bien marqué.

Bergère Opéra sans rest

34 r. Bergère — Grands Boulevards — ☏ 01 47 70 34 34 — www.astotel.com — hotel.bergere@astotel.com — Fax 01 47 70 36 36

F 14

134 ch – †124/220 € ††165/220 €, ☲ 14 €

♦ Entre Grands Boulevards, Opéra et salle des ventes Drouot. Chambres rafraîchies, accessibles par un ascenseur panoramique ; certaines donnent sur un jardin d'hiver. Salon spacieux.

Mercure Monty sans rest

5 r. Montyon — Grands Boulevards — ☏ 01 47 70 26 10 — www.mercure.com — hotel@mercuremonty.com — Fax 01 42 46 55 10

F 14

69 ch – †75/250 € ††90/275 €, ☲ 18 €

♦ Belle façade des années 1930, cadre Art déco à l'accueil et équipements standard de la chaîne caractérisent ce Mercure situé dans la perspective des Folies Bergère.

Acadia sans rest

4 r. Geoffroy Marie — Grands Boulevards — ☏ 01 40 22 99 99 — www.astotel.com — hotel.acadia@astotel.com — Fax 01 40 22 01 82

F 14

36 ch – †124/220 € ††165/220 €, ☲ 14 €

♦ Dans un quartier animé, près des Folies Bergère, ce petit immeuble abrite des chambres rénovées avec goût dans un esprit contemporain et zen. Tenue sans reproche.

Villa Opéra Lamartine sans rest

39 r. Lamartine — Notre-Dame-de-Lorette — ☏ 01 48 78 78 58 — www.villa-opera-lamartine.com — lamartineopera@wanadoo.fr — Fax 01 48 74 65 15

E 14

28 ch – †80/130 € ††90/190 €, ☲ 12 €

♦ À deux pas de Notre-Dame-de-Lorette, cet hôtel revisite avec élégance le Paris des Romantiques. Chambres cossues, petit-déjeuner servi sous une belle voûte en pierres.

Du Pré sans rest

10 r. P. Sémard — Poissonnière — ☏ 01 42 81 37 11 — www.leshotelsdupre.com — hotel@duprehotels.com — Fax 01 40 23 98 28

E 15

40 ch – †102/105 € ††125/130 €, ☲ 12 €

♦ Chambres fonctionnelles et joliment colorées, salon garni de canapés Chesterfield, salle des petits-déjeuners et bar de style bistrot.

Monterosa sans rest

30 r. La Bruyère — St-Georges — ☏ 01 48 74 87 90 — www.hotelmonterosaparis.com — hotel.monterosa@wanadoo.fr — Fax 01 42 81 01 12 — Fermé 19-26 déc.

E 13

36 ch – †80/110 € ††95/145 €, ☲ 9 €

♦ Chaleureux décor en tons jaune-rouge et boiseries pour cet hôtel qui offre une atmosphère très intime en plein quartier de la Nouvelle Athènes. Agréable bar-salon.

Café de la Paix – Intercontinental Le Grand

12 bd Capucines — Opéra — ☏ 01 40 07 36 36 — www.cafedelapaix.fr — info@cafedelapaix.fr — Fax 01 40 07 36 13

F 12

Rest – Menu (37 €), 47 € (déj.)/85 € – Carte 62/100 €

♦ Belles fresques, lambris dorés et mobilier inspiré du style Napoléon III : ce luxueux et légendaire restaurant, ouvert de 7 h à minuit, reste le rendez-vous du Tout-Paris.

Jean

8 r. St-Lazare — Notre-Dame-de-Lorette — ☏ 01 48 78 62 73 — www.restaurantjean.fr — chezjean@wanadoo.fr — Fax 01 48 78 66 04 — Fermé 27 juil.-17 août, 23-27 fév., sam. et dim.

E 12

Rest – Menu 46 € (déj.), 65/85 € – Carte 70/77 €

Spéc. Foie gras, risotto et figues au vinaigre de Xérès. Pigeon et ravioles de foie de volaille au jus chocolaté. Pêche de vigne pochée au vin blanc.

♦ Séduisante cuisine actuelle dans ce restaurant redécoré. L'esprit bistrot a fait place à une ambiance cosy (tissus à rayures, motifs fleuris, mosaïque au sol). Salon à l'étage.

9e arrondissement – PARIS

XX Romain
VISA MC AE ①
40 r. St-Georges Ⓜ St-Georges – ℰ 01 48 24 58 94 – restaurant_romain@yahoo.fr
– Fax 01 42 47 09 75 – Fermé août, dim. et lundi
Rest – Menu 36 € – Carte 40/65 €
E 13
♦ Ce restaurant niché derrière Notre-Dame-de-Lorette propose une courte carte italienne (excellente charcuterie, pâtes maison) assortie à un livre de cave également transalpin.

XX Au Petit Riche
AC ⇔ VISA MC AE ①
25 r. Le Peletier Ⓜ Richelieu Drouot – ℰ 01 47 70 68 68 – www.aupetitriche.com
– aupetitriche@wanadoo.fr – Fax 01 48 24 10 79 – Fermé sam. du 14 juil. au
20 août et dim.
Rest – Menu (25 €), 31/37 € bc – Carte 32/64 € ℬ
F 13
♦ Banquettes en velours rouge, miroirs gravés, tables élégantes : voici intact le charme de salons "à la mode du 19e s.". Cuisine d'inspiration tourangelle et beau choix de vins de Loire.

XX Hotaru
VISA MC
18 r. Rodier Ⓜ Notre-Dame-de-Lorette – ℰ 01 48 78 33 74 – www.hotaru.fr
– Fermé dim. et lundi
Rest – Menu (23 €), 35/60 € – Carte 33/60 €
E 14
♦ Décor inattendu pour ce nouveau restaurant nippon installé dans une ancienne auberge, enrichie à présent de touches japonisantes. Cuisine traditionnelle axée sur les poissons.

X Casa Olympe
AC VISA MC
48 r. St-Georges Ⓜ St-Georges – ℰ 01 42 85 26 01 – www.casaolympe.com
– info@casaolympe.com – Fermé 1er-12 mai, 1er-25 août, 23 déc.-3 janv., sam. et
dim.
Rest – (nombre de couverts limité, prévenir) Menu (33 €), 42 €
E 13
♦ Deux petites salles ocre où l'on déguste à touche-touche les plats traditionnels qu'Olympe – Dominique Versini, égérie culinaire des années 1980 – interprète à sa façon.

X La Petite Sirène de Copenhague
VISA MC AE
47 r. N.-D. de Lorette Ⓜ St-Georges – ℰ 01 45 26 66 66 – Fermé 1er-31 août,
23 déc.-2 janv., sam. midi, dim. et lundi
Rest – (prévenir) Menu 29 € (déj.)/34 € – Carte 43/71 €
E 13
♦ Une sobre salle à manger – murs chaulés, éclairage tamisé à la mode danoise – pour des recettes originaires de la patrie d'Andersen. Accueil aux petits soins.

X Carte Blanche
AC VISA MC AE
6 r. Lamartine Ⓜ Cadet – ℰ 01 48 78 12 20 – www.restaurantcarteblanche.com
– rest.carteblanche@free.fr – Fax 01 48 78 12 21 – Fermé 27 juil.-17 août,
22-28 fév., sam. midi et dim.
Rest – Menu (28 €), 37/42 €
E 14
♦ Les patrons ont voyagé et cela se voit : objets et photos ramenés des quatre coins du globe, vaisselle exotique et bonne cuisine métissant influences françaises et étrangères.

X Villa Victoria
AC VISA MC AE
52 r. Lamartine Ⓜ Notre-Dame-de-Lorette – ℰ 01 48 78 60 05
– www.la-villa-victoria.com – victoria52@orange.fr – Fax 01 48 78 60 05
– Fermé août et dim.
Rest – Menu (25 €), 33/38 € – Carte 33/40 €
E 13
♦ Ce néo-bistrot au cadre chaleureux (pierres apparentes, petites tables serrées, menus et vins sur ardoise) propose une cuisine traditionnelle révisitée. Délicieux pain maison.

X I Golosi
AC VISA MC
6 r. Grange Batelière Ⓜ Richelieu Drouot – ℰ 01 48 24 18 63 – i.golosi@
wanadoo.fr – Fax 01 45 23 18 96 – Fermé 8-20 août, sam. soir et dim.
Rest – Carte 25/45 € ℬ
F 14
♦ Au 1er étage, design italien dont le "minimalisme" est compensé par la jovialité du service. Au rez-de-chaussée, café, boutique et coin dégustation. Cuisine transalpine.

X Le Pré Cadet
AC VISA MC AE
10 r. Saulnier Ⓜ Cadet – ℰ 01 48 24 99 64 – Fax 01 73 77 39 49
– Fermé 1er-8 mai, 3-21 août, 24 déc.-1erjanv., sam. midi et dim.
Rest – (nombre de couverts limité, prévenir) Menu 30 € – Carte 50/70 €
F 14
♦ Sympathie, convivialité et plats canailles dont la tête de veau, orgueil de la maison, font le succès de cette petite adresse voisine des "Folies". Belle carte de cafés.

PARIS page 100 – 9ᵉ arrondissement

Sizin
VISA MC

47 r. St-Georges ◎ St-Georges – ℰ 01 44 63 02 28 – www.sizin-restaurant.com
– ekilic@free.fr – Fermé août et dim.
Rest – Menu (15 €) – Carte 28/35 € E 13

◆ Gravures anciennes et faïences d'Iznik donnent le ton : c'est du côté de la Turquie et de ses richesses gastronomiques que vous emmène cet accueillant restaurant.

Georgette
VISA MC AE

29 r. St-Georges ◎ Notre-Dame-de-Lorette – ℰ 01 42 80 39 13 – Fermé vacances de Pâques, août, vacances de la Toussaint, sam., dim. et lundi
Rest – Menu (24 €) – Carte 35/50 € E 13

◆ Avec ses tables multicolores en formica et ses chaises en skaï, ce restaurant cultive un petit cachet rétro des plus sympathiques. Cuisine de bistrot valorisant les légumes.

L'Oriental

47 av. Trudaine ◎ Pigalle – ℰ 01 42 64 39 80 – www.loriental-restaurant.com
– Fax 01 42 64 39 80
Rest – Menu 32 € – Carte 25/40 € E 14

◆ En déménageant de la rue des Martyrs à l'avenue Trudaine, ce chaleureux restaurant a modernisé son cadre, toujours oriental mais plus épuré. Plats marocains parfumés.

Spring

28 r. Tour d'Auvergne ◎ Cadet – ℰ 01 45 96 05 72 – www.springparis.fr
– freshsnail@free.fr – Fermé 2 sem. en août, vacances de Noël, mardi midi, merc. midi, sam., dim. et lundi E 14
Rest – (nombre de couverts limité, prévenir) Menu 35/42 €

◆ Ambiance de quartier, menu unique composé selon le marché et l'inspiration du chef, vins sélectionnés chez les petits producteurs : une table d'hôte pleine de personnalité.

L'Office

3 r. Richer ◎ Poissonnière – ℰ 01 47 70 67 31 – Fax 01 47 70 67 31 – Fermé août, 21 déc.-5 janv., mardi midi, merc. midi, sam. midi, dim. et lundi F 15
Rest – (nombre de couverts limité, prévenir) Menu (16 €), 31 €

◆ Adresse au cadre sobre, qui s'inscrit dans la lignée des tables tendance. Le chef, autodidacte passionné, propose une cuisine du marché bien pensée, à prix serrés.

Radis Roses

68 r. Rodier ◎ Anvers – ℰ 01 48 78 03 20 – www.radis-roses.com – radisroses@tele2.fr – Fermé 1ᵉʳ-15 août, dim. sauf le soir en hiver et lundi E 14
Rest – (prévenir) Carte 27/34 €

◆ Cette sympathique petite adresse, un rien tendance, propose une cuisine qui revisite habilement les spécialités de la Drôme. Accueil charmant ; décor sobre et de bon goût.

Les Diables au Thym

35 r. Bergère ◎ Grands Boulevards – ℰ 01 47 70 77 09
– www.lesdiablesauthym.com – lesdiablesauthym@orange.fr
– Fax 01 47 70 77 09 – Fermé 3 sem. en août, sam. et dim. F 14
Rest – Menu (22 €) – Carte 36/49 €

◆ Près du musée Grévin, une salle toute simple d'esprit bistrot (quelques tableaux contemporains). Cuisine actuelle rythmée par les saisons et suggestions de vins bio à l'ardoise.

Momoka

5 r. Jean-Baptiste Pigalle ◎ Trinité d'Estienne d'Orves – ℰ 01 40 16 19 09
– masayohashimoto@aol.com – Fax 01 40 16 19 09 – Fermé août, sam. midi, dim. et lundi E 13
Rest – Menu 29 € (déj.), 39/49 €

◆ Pensez à réserver dans ce minirestaurant tenu par un couple franco-japonais. Masayo y cuisine de délicieuses recettes nippones, changées chaque jour. Authentique et familial.

Les Pâtes Vivantes

46 r. du Faubourg-Montmartre ◎ Le Peletier – ℰ 01 45 23 10 21
– www.lespatesvivantes.com – flx369@126.com – Fax 01 42 22 84 89
– Fermé août et dim. F 14
Rest – Menu (12,50 €), 15 € – Carte 20/30 €

◆ Contrairement aux traiteurs passe-partout, cette sobre cantine chinoise, vite bondée, propose d'authentiques spécialités du Nord du pays. Nouilles faites à la main sous vos yeux.

Gare de l'Est • Gare du Nord • Canal St-Martin

10e arrondissement ✉ 75010

Ph. Gagic/MICHELIN

Mercure Terminus Nord sans rest
12 bd Denain Ⓜ Gare du Nord – ✆ 01 42 80 20 00 – www.mercure.com – h2761@accor.com – Fax 01 42 80 63 89
E 16
236 ch – ♦148/298 € ♦♦178/348 €, ⊇ 16 €
◆ Une habile rénovation a redonné à cet hôtel de 1865 son éclat d'antan. Vitraux Art nouveau, décor british et atmosphère cosy lui donnent un air de belle demeure victorienne.

Holiday Inn Paris Opéra
38 r. de l'Échiquier Ⓜ Bonne Nouvelle – ✆ 01 42 46 92 75
– www.holiday-inn.com/paris-opera – information@hi-parisopera.com
– Fax 01 42 47 03 97
F 15
92 ch – ♦159/499 € ♦♦159/499 €, ⊇ 20 €
Rest – (fermé sam. midi et dim.) Menu (25 €), 35/39 € bc – Carte environ 40 €
◆ À deux pas des Grands Boulevards et de sa kyrielle de théâtres et brasseries, hôtel abritant de vastes chambres décorées dans l'esprit de la Belle Époque. La salle à manger est un petit joyau 1900 : mosaïques, verrière, boiseries et beau mobilier Art nouveau.

Paris-Est sans rest
4 r. du 8 Mai 1945 Ⓜ Gare de l'Est – ✆ 01 44 89 27 00
– www.bestwestern-hotelparisest.com – hotelparisest.bestwestern@autogrill.net
– Fax 01 44 89 27 49
E 16
45 ch – ♦114/150 € ♦♦114/150 €, ⊇ 13 €
◆ Bien que jouxtant la gare, cet établissement propose des chambres calmes, car tournées vers une arrière-cour ; elles sont refaites et insonorisées.

Eurostars Panorama sans rest
9 r. des Messageries Ⓜ Poissonnière – ✆ 01 47 70 44 02
– www.eurostarshotels.com – info@eurostarspanorama.com
– Fax 01 40 22 91 09
F 14
43 ch – ♦100/540 € ♦♦100/540 €, ⊇ 10 €
◆ Cet hôtel tout neuf, qui se veut une vitrine du Paris moderne, dénote pour le quartier par son allure très contemporaine. Décor design soigné, références à la culture française.

Albert 1er sans rest
162 r. Lafayette Ⓜ Gare du Nord – ✆ 01 40 36 82 40 – www.albert1erhotel.com
– paris@albert1erhotel.com – Fax 01 40 35 72 52
E 16
55 ch – ♦110/125 € ♦♦130/145 €, ⊇ 15 €
◆ Hôtel dont les chambres, modernes et bien aménagées, sont équipées d'un double vitrage et bénéficient d'efforts constants de rénovation. Atmosphère conviviale.

Du Nord sans rest
47 r. Albert Thomas Ⓜ Jacques Bonsergent – ✆ 01 42 01 66 00
– www.hoteldunord-leparivelo.com – contact@hoteldunord-leparivelo.com
– Fax 01 42 01 92 10
F 16
24 ch – ♦70/80 € ♦♦70/80 €, ⊇ 8 €
◆ Dans une rue tranquille, le lieu se distingue par son cachet rustique et le charme de ses petites chambres personnalisées. Salle voûtée pour le petit-déjeuner. Vélo à disposition.

Alane sans rest
72 bd Magenta Ⓜ Gare de l'Est – ✆ 01 40 35 83 30 – www.alane-paris-hotel.com
– alanehotel@wanadoo.fr – Fax 01 46 07 44 03
F 16
32 ch – ♦68/125 € ♦♦75/135 €, ⊇ 10 €
◆ Hôtel pratique situé face à la gare de l'Est. Petites chambres bien tenues, sobrement décorées ; celles du dernier étage sont mansardées. Agréable salon habillé de rotin.

1367

PARIS page 102 – 10ᵉ arrondissement

Terminus Nord
23 r. Dunkerque – Gare du Nord – ☏ 01 42 85 05 15 – www.terminusnord.com
– Fax 01 40 16 13 98   E 16
Rest – Menu (25 €)/32 € – Carte 35/45 €
♦ Haut plafond, fresques, affiches et sculptures se reflètent dans les miroirs de cette brasserie où Art déco et Art nouveau s'unissent pour le meilleur. Clientèle cosmopolite.

Café Panique
12 r. des Messageries – Poissonnière – ☏ 01 47 70 06 84 – www.cafepanique.com
– Fermé août, 1 sem. en fév., sam., dim. et fériés   E 15
Rest – Menu 20 € (déj.)/33 € – Carte environ 44 €
♦ Discret, cet atelier textile reconverti en agréable table actuelle a l'allure d'un loft contemporain : verrière, mezzanine, expositions temporaires et cuisines ouvertes.

Chez Michel
10 r. Belzunce – Gare du Nord – ☏ 01 44 53 06 20 – Fermé 2 sem. en août, lundi midi, sam. et dim.   E 15
Rest – Menu 32/55 €
♦ Ce bistrot au look rétro (quelques clins d'œil aux origines bretonnes du chef dans la cave voûtée) est couru pour ses nombreuses et bonnes spécialités de gibier, en saison.

Chez Casimir
6 r. Belzunce – Gare du Nord – ☏ 01 48 78 28 80 – Fermé 10-20 août,
21 déc.-1ᵉʳ janv., sam. et dim.   E 15
Rest – Menu (22 €), 26 € (déj.)/29 € – Carte environ 38 €
♦ Esprit cent pour cent bistrot dans la cuisine – simple mais franche – et dans le décor (boiseries, cuivres, serviettes à carreaux, etc.) de cette sympathique adresse.

Urbane
12 r. Arthur-Groussier – Goncourt – ☏ 01 42 40 74 75
– www.myspace.com/urbaneparis – urbane.resto@gmail.com – Fermé 2 sem.
en août, sam. midi, dim. et lundi   F 18
Rest – Menu (15 €), 20 € (déj.)/30 €
♦ Une table branchée mais toute simple (murs blancs, mobilier bistrot, banquettes en moleskine, lampes au design industriel) qui régale de plats actuels valorisant les produits.

Nation • Voltaire • République

11ᵉ arrondissement   ✉ 75011

H. Le Gac/MICHELIN

Les Jardins du Marais
74 r. Amelot – St-Sébastien Froissart – ☏ 01 40 21 20 00 – www.homeplazza.com
– resabastille@homeplazza.com – Fax 01 47 00 82 40   H 17
201 ch – †180/350 € ††180/350 €, ⇌ 20 € – 64 suites
Rest – (fermé dim.) Menu (22 €) – Carte 36/60 €
♦ Bâtiments en partie classés, tournés vers une belle ruelle pavée abritant des petites terrasses privées. Hall et bar très design ; décor des chambres aux touches Art déco.

Le Général sans rest
5 r. Rampon – République – ☏ 01 47 00 41 57 – www.legeneralhotel.com
– info@legeneralhotel.com – Fax 01 47 00 21 56   G 17
46 ch – †150/170 € ††185/245 €, ⇌ 18 € – 3 suites
♦ Agréable hôtel proche de la place de la République : chambres décorées dans un style contemporain très sobre et épuré. Petit business center ; fitness et sauna au sous-sol.

11e arrondissement – PARIS page 103

Le Standard Design sans rest
29 r. des Taillandiers ◎ *Bastille –* ✆ *01 48 05 30 97*
– www.standard-design-hotel-paris.com – reservation@
standard-design-hotel-paris.com – Fax 01 47 00 29 26 J 18
36 ch – †125/160 € ††150/210 €, ⊃ 15 €

◆ Intérieur dans l'air du temps tout en noir et blanc, rehaussé de notes colorées dans les chambres. Lumineuse salle de petit-déjeuner sous les toits…

Le Patio St-Antoine sans rest
289bis r. fg St-Antoine ◎ *Nation –* ✆ *01 40 09 40 00 – www.homeplazza.com*
– resanation@homeplazza.com – Fax 01 40 09 11 55 K 20
89 ch – †250/295 € ††250/295 €, ⊃ 18 €

◆ Les chambres, fonctionnelles (équipées d'une cuisinette), bénéficient du calme et de la verdure de deux patios fleuris. Petit-déjeuner servi dans une salle aux tons chaleureux.

Marais Bastille sans rest
36 bd Richard Lenoir ◎ *Bréguet Sabin –* ✆ *01 48 05 75 00*
– www.bestwestern.com/fr/maraisbastille – maraisbastille@wanadoo.fr
– Fax 01 43 57 42 85 J 18
36 ch – †89/100 € ††109/145 €, ⊃ 13 €

◆ L'hôtel longe le boulevard qui couvre une partie du canal St-Martin depuis 1860. Décoration sobre dans les chambres, à choisir de préférence sur l'arrière car plus au calme.

Le 20 Prieuré Hôtel sans rest
20 r. Grand Prieuré ◎ *Oberkampf –* ✆ *01 47 00 74 14 – www.hotelgrandprieure.fr*
– gprieure@yahoo.fr – Fax 01 49 23 06 64 G 17
32 ch – †150/169 € ††169 €, ⊃ 8,50 €

◆ Totalement rénové, cet hôtel s'aligne sur le style citadin contemporain : tons blancs, boiseries, mobilier design, immenses photos évoquant Paris au-dessus des têtes de lit…

Grand Hôtel Français sans rest
223 bd Voltaire ◎ *Nation –* ✆ *01 43 71 27 57 – www.grand-hotel-francais.fr*
– grand-hotel-francais@wanadoo.fr – Fax 01 43 48 40 05 K 20
36 ch – †155/160 € ††155/160 €, ⊃ 10 €

◆ Les chambres, petites mais modernes, ont été réaménagées avec soin dans un esprit actuel : literie confort, moquette épaisse, mobilier sombre et épuré. Bonne isolation phonique.

Nord et Est sans rest
49 r. Malte ◎ *Oberkampf –* ✆ *01 47 00 71 70 – www.paris-hotel-nordest.com*
– info@hotel-nord-est.com – Fax 01 43 57 51 16 G 17
45 ch – †101 € ††101 €, ⊃ 8,50 €

◆ Proche de la République, cet hôtel a su fidéliser ses clients grâce à son ambiance familiale et ses tarifs raisonnables. Préférez les chambres rénovées, plus dans l'air du temps.

Croix de Malte sans rest
5 r. Malte ◎ *Oberkampf –* ✆ *01 48 05 09 36 – www.hotelcroixdemalte-paris.com*
– hotelcroixdemalte@orange.fr – Fax 01 43 57 02 54 H 17
29 ch – †75/95 € ††80/100 €, ⊃ 10 €

◆ Mobilier coloré et grandes affiches représentant des perroquets caractérisent les chambres, plutôt calmes. Agréable salle des petits-déjeuners profitant d'une verrière.

Vin et Marée
276 bd Voltaire ◎ *Nation –* ✆ *01 43 72 31 23 – www.vin-et-maree.com*
– vmvoltaire@orange.fr – Fax 01 40 24 00 23 K 21
Rest – Menu (21 €), 35 € – Carte 36/64 €

◆ Cette brasserie dédiée aux produits de la mer les décline dans des plats proposés à l'ardoise et renouvelés selon la marée du jour. Vue sur les cuisines depuis l'arrière-salle.

Mansouria
11 r. Faidherbe ◎ *Faidherbe Chaligny –* ✆ *01 43 71 00 16*
– www.fatemahalreceptions.com – lollisoraya@yahoo.fr – Fax 01 40 24 21 97
– Fermé 10-18 août, lundi midi, mardi midi et dim. K 19
Rest – *(prévenir)* Menu 30/46 € bc – Carte 30/50 €

◆ Tenu par une ancienne ethnologue, figure parisienne de la cuisine marocaine. Fins et parfumés, les plats sont préparés par des femmes et servis dans un décor mauresque.

PARIS page 104 – 11ᵉ arrondissement

Chardenoux
1 r. Jules Vallès ⓜ Charonne – ✆ 01 43 71 49 52 – Fax 01 43 71 80 89

VISA ㊌

K 20

Rest – Menu (24 €), 29 € – Carte 38/50 €

◆ Rouvert pour ses 100 ans sous l'impulsion de Cyril Lignac, ce bistrot remet à l'honneur la cuisine de tradition. Décor d'antan : comptoir en marbre coloré, zinc et plafond peint.

Astier
44 r. J.-P. Timbaud ⓜ Parmentier – ✆ 01 43 57 16 35
– www.restaurant-astier.com – restaurant.astier@wanadoo.fr

⇔ VISA ㊌ ①

G 18

Rest – (prévenir) Menu (20 €), 26 € (déj.)/31 € ℬ

◆ Une ambiance décontractée règne dans ce bistrot traditionnel bien animé. Menu complété par une ardoise de suggestions et impressionnant choix de vins (environ 400 références).

Villaret
13 r. Ternaux ⓜ Parmentier – ✆ 01 43 57 75 56 – Fermé août, 24 déc.-4 janv., sam. midi et dim.

AC VISA ㊌ AE

H 18

Rest – Menu (22 €), 27/50 € – Carte 42/55 € ℬ

◆ Ce bistrot convivial, au cadre simple mais caractéristique, ne vous laissera pas indifférent grâce à sa bonne cuisine rythmée par les saisons et sa très belle sélection de vins.

Auberge Pyrénées Cévennes
106 r. Folie-Méricourt ⓜ République – ✆ 01 43 57 33 78 – Fermé 30 juil.-20 août, sam. midi, dim. et fériés

AC VISA ㊌

G 17

Rest – Menu 30 € – Carte 33/81 €

◆ Jambons, saucissons et piments d'Espelette suspendus, cadre rustique, plats canailles et "lyonnaiseries", accueil plus que convivial... Une table destinée aux bons vivants.

Bistrot Paul Bert
18 r. Paul-Bert ⓜ Faidherbe Chaligny – ✆ 01 43 72 24 01 – Fermé août, dim. et lundi

VISA ㊌

K19/K20

Rest – (prévenir) Menu (18 €), 23 € (déj. en sem.)/34 € ℬ

◆ Outre sa carte des vins très intéressante, ce sympathique bistrot à l'ancienne séduit par sa cuisine "familiale" – comme l'annonce la devanture – copieuse et parfumée.

Le Chateaubriand
129 av. Parmentier ⓜ Goncourt – ✆ 01 43 57 45 95 – anomalia@voila.fr – Fermé 15-31 août, sam. midi, dim. et lundi

VISA ㊌ AE ①

G 18

Rest – Menu 16 € (déj. en sem.)/43 € – Carte 34/49 €

◆ Cuisine actuelle et produits choisis (menu unique plus créatif le soir), décor sobrement rétro et personnel looké : tels sont les ingrédients de ce bistrot branché très médiatisé.

Le Temps au Temps
13 r. Paul-Bert ⓜ Faidherbe Chaligny – ✆ 01 43 79 63 40 – Fax 01 43 79 63 40 – Fermé 2-25 août, 20-26 déc., dim. et lundi

⌀ VISA ㊌ AE

K 19

Rest – Menu 18 € (déj. en sem.)/32 €

◆ La simplicité semble être le fil conducteur de cette charmante petite adresse. Atmosphère intime. Plats de saison soignés annoncés à l'ardoise.

Au Vieux Chêne
7 r. Dahomey ⓜ Faidherbe Chaligny – ✆ 01 43 71 67 69 – Fermé 11-20 avril, 25 juil.-18 août, 24 déc.-4 janv., sam. et dim.

VISA ㊌

K 19

Rest – Menu (14 €), 17 € (déj.)/32 € – Carte 37/48 € ℬ

◆ Ce bistrot de quartier ne désemplit pas. Sa cuisine bistrotière et son cadre authentique y sont pour beaucoup. Sympathique carte des vins proposant des crus à prix très sages.

L'Écailler du Bistrot
22 r. Paul-Bert ⓜ Faidherbe Chaligny – ✆ 01 43 72 76 77 – Fermé août, dim. et lundi

VISA ㊌

K 19

Rest – Menu 18 € (déj. en sem.)/50 € – Carte 38/73 € ℬ

◆ Le point fort de la maison est de vous régaler de produits de la mer extra-frais. Ambiance 100 % marine, ardoise du jour iodée, menu-homard toute l'année et belle carte des vins.

Bastille • Bercy • Gare de Lyon

12e arrondissement ✉ 75012

Paris Bercy Pullman
1 r. Libourne Ⓜ *Cour St-Emilion* – ℘ 01 44 67 34 00 – www.pullmanhotels.com
– h2192@accor.com – Fax 01 44 67 34 01
NP 20
395 ch – †410/490 € ††410/490 €, ⊇ 27 €
Rest *Café Ké* – (fermé 4-25 août, 22-29 déc., sam. et dim.) Menu (29 €), 36 €
– Carte 49/81 €
♦ Imposante façade en verre, cadre contemporain (tons brun, beige et bleu) et équipements modernes. Quelques chambres ménagent une vue sur Paris. L'élégant Café Ké constitue une halte sympathique au cœur du "village" de Bercy ; carte au goût du jour et brunch le dimanche.

Novotel Gare de Lyon
2 r. Hector Malot Ⓜ *Gare de Lyon* – ℘ 01 44 67 60 00
– www.novotel.com – h1735@accor.com – Fax 01 44 67 60 60
L 18
253 ch – †155/250 € ††155/250 €, ⊇ 16 €
Rest – Menu (20 €) – Carte 24/45 €
♦ Bâtiment récent donnant sur une place calme. Chambres conformes aux dernières normes Novotel (terrasses au 6e étage). Piscine ouverte 24 h sur 24 et espace enfant bien aménagé. Décor dans l'air du temps au restaurant Côté Jardin (carte actuelle "Novotel Café").

Novotel Bercy
85 r. Bercy Ⓜ *Bercy* – ℘ 01 43 42 30 00 – h0935@accor.com
– Fax 01 43 45 30 60
M 19
151 ch – †110/255 € ††110/255 €, ⊇ 15 €
Rest – Carte 26/47 €
♦ Les chambres lumineuses de ce Novotel déclinent le dernier style de la chaîne (gamme "Novation"). À vos pieds : le parc de Bercy qui a remplacé la "petite ville pinardière". Salle à manger-véranda et terrasse prisée à la belle saison. Carte traditionnelle.

Mercure Gare de Lyon sans rest
2 pl. Louis Armand Ⓜ *Gare de Lyon* – ℘ 01 43 44 84 84 – www.mercure.com
– h2217@accor.com – Fax 01 43 47 41 94
L 18
315 ch – †160/294 € ††175/310 €, ⊇ 18 €
♦ L'architecture récente de cet hôtel contraste avec le beffroi de la gare de Lyon auquel elle s'adosse. Chambres meublées en bois cérusé et bien insonorisées. Bar à vins.

Paris Bastille sans rest
67 r. Lyon Ⓜ *Bastille* – ℘ 01 40 01 07 17 – www.hotelparisbastille.com
– infosbastille@wanadoo.fr – Fax 01 40 01 07 27
K 18
37 ch – †170/260 € ††182/260 €, ⊇ 13 €
♦ Confort moderne, mobilier contemporain en bois exotique et teintes choisies caractérisent les chambres de cet hôtel, situé face à l'Opéra Bastille. Espace bar.

Claret
44 bd Bercy Ⓜ *Bercy* – ℘ 01 46 28 41 31 – www.hotel-claret.com
– reservation@hotel-claret.com – Fax 01 49 28 09 29
M 19
52 ch – †115/155 € ††135/235 €, ⊇ 12 € – ½ P 104/120 €
Rest – Menu (14 €), 18 € (sem.)/40 € – Carte 26/40 €
♦ Cet ex-relais de poste est l'un des derniers vestiges du Bercy d'antan. Les chambres cosy ont conservé leurs poutres apparentes. Plats de bistrot et recettes lyonnaises servis dans une salle à manger égayée de jolies couleurs ocre et terre, prolongée d'une terrasse.

PARIS page 106 – 12e arrondissement

Terminus Lyon sans rest
19 bd Diderot 🚇 *Gare de Lyon* – ✆ *01 56 95 00 00 – www.hotelterminuslyon.com*
– info@hotelterminuslyon.com – Fax 01 43 44 09 00 L 18
60 ch – †85/129 € ††119/129 €, ⊒ 11 €

♦ Face à la gare de Lyon, adresse familiale bien tenue. Les chambres, sobres, sont plus grandes côté boulevard, mais plus calmes côté cour. Commande possible de plateaux-repas.

Pavillon Bercy Gare de Lyon sans rest
209 r. Charenton 🚇 *Dugommier* – ✆ *01 43 40 80 30*
– www.leshotelsdeparis.com – bercy@leshotelsdeparis.com
– Fax 01 43 40 81 30 M 20
48 ch – †94/225 € ††99/230 €, ⊒ 9 €

♦ Ce récent immeuble d'angle se trouve au pied du métro et à deux pas de la mairie du 12e arrondissement. Petites chambres fonctionnelles et gaies, mobilier en bois blond.

L'Oulette
15 pl. Lachambeaudie 🚇 *Cour St-Emilion* – ✆ *01 40 02 02 12 – www.l-oulette.com*
– info@l-oulette.com – Fax 01 40 02 04 77 – Fermé 8-23 août, sam. et dim. N 20
Rest – Menu 41 €/90 € bc – Carte 55/86 €

♦ Dans le quartier moderne de Bercy, ce restaurant contemporain à l'élégante façade propose une cuisine actuelle aux accents du Sud-Ouest. Terrasse abritée derrière des thuyas.

Au Trou Gascon
40 r. Taine 🚇 *Daumesnil* – ✆ *01 43 44 34 26 – www.autrougascon.fr*
– trougascon@orange.fr – Fax 01 43 07 80 55 – Fermé août, sam. et dim.
Rest – Menu 36 € (déj.)/50 € – Carte 53/70 € M 21
Spéc. Gambas "plancha", royale de foie gras et émulsion de châtaignes (automne-hiver). Suprême de pigeonneau flanqué de foie gras et cuisse effilochée en cannelloni potager (printemps-été). Macaron à la rose, fraises des bois andalouses et litchis (hiver-printemps).

♦ Le décor de cet ancien bistrot 1900 marie moulures d'époque, mobilier design et tons gris. À la carte, produits des Landes, de la Chalosse et de l'océan ; vins du Sud-Ouest.

Le Janissaire
22 allée Vivaldi 🚇 *Daumesnil* – ✆ *01 43 40 37 37 – www.lejanissaire.fr*
– karamanmus@hotmail.com – Fax 01 43 40 38 39 – Fermé sam. midi et dim. M 20
Rest – Menu 13 € (déj. en sem.), 25/45 € – Carte 25/44 €

♦ Ambiance et cuisine sous le signe de la Turquie, comme l'indique l'enseigne : un soldat d'élite de l'infanterie ottomane. Profitez de la terrasse ou franchissez la Sublime Porte !

Jodhpur Palace
42 allée Vivaldi 🚇 *Daumesnil* – ✆ *01 43 40 72 46 – www.jodhpurpalace.com*
– jodhpur_palace@yahoo.fr – Fax 01 43 40 17 02 M 20
Rest – Menu (14 €), 25/29 € – Carte 32/46 €

♦ L'Inde et ses saveurs parfumées s'invitent à la table de ce "palace" oriental au décor exotique, sobre et très rafraîchissant. Calme terrasse. Accueil aimable, prix sages.

L'Auberge Aveyronnaise
40 r. Lamé 🚇 *Cour St-Emilion* – ✆ *01 43 40 12 24 – lesaubergistes@hotmail.fr*
– Fax 01 43 40 12 15 – Fermé 2-18 août N 20
Rest – Menu (19 €), 24 € (déj. en sem.)/26 €

♦ Ce bistrot-brasserie moderne, solidement ancré dans le terroir rouergat, vous régale de spécialités aveyronnaises. Grandes salles néo-rustiques et agréable terrasse.

La Gazzetta
29 r. de Cotte 🚇 *Ledru Rollin* – ✆ *01 43 47 47 05 – www.lagazzetta.fr – team@lagazzetta.fr – Fax 01 43 47 47 17 – Fermé août, dim. et lundi* K 19
Rest – Menu (16 €), 37 € (dîner)/49 € – Carte 45/64 € dîner seulement

♦ Adresse dédiée à la Méditerranée. Son concept "tout en un" – restaurant, bar à vins, café (presse étrangère à disposition) – en fait un repaire branché. Belle cuisine du Sud.

12ᵉ arrondissement – PARIS page 107

Ô Rebelle
24 r. Traversière Ⓜ *Gare de Lyon –* ✆ *01 43 40 88 98 – www.o-rebelle.fr – info@o-rebelle.fr – Fax 01 43 40 88 99 – Fermé 4-26 août, 24 déc.-1ᵉʳ janv., sam. midi et dim.* L 18
Rest – Menu 36/52 € – Carte 38/60 €
♦ Rebelles ou plutôt originales associations de saveurs pour cette cuisine créative, accompagnée de vins du Nouveau Monde et d'ailleurs. À découvrir dans un cadre cosy.

Jean-Pierre Frelet
25 r. Montgallet Ⓜ *Montgallet –* ✆ *01 43 43 76 65 – jean-pierre.frelet@orange.fr – Fermé 3-31 août, sam. midi et dim.* L 20
Rest – Menu (20 €), 28 € (dîner) – Carte 42/55 €
♦ Un décor volontairement dépouillé, des tables serrées invitant à la convivialité et une généreuse cuisine du marché font le charme de ce restaurant de quartier.

Quincy
28 av. Ledru-Rollin Ⓜ *Gare de Lyon –* ✆ *01 46 28 46 76 – www.lequincy.fr – Fax 01 46 28 46 76 – Fermé août, sam., dim. et lundi* L 17
Rest – Carte 60/85 €
♦ Une ambiance chaleureuse règne dans ce bistrot rustique où vous est servie une cuisine roborative qui, comme "Bobosse", le jovial patron, ne manque pas de caractère.

La Biche au Bois
45 av. Ledru-Rollin Ⓜ *Gare de Lyon –* ✆ *01 43 43 34 38 – Fermé 20 juil.-20 août, 23 déc.-2 janv., lundi midi, sam. et dim.* K 18
Rest – Menu 26/36 €
♦ On mange au coude à coude dans ce discret restaurant, mais l'atmosphère animée et le service attentionné font son charme. Copieuse cuisine traditionnelle et gibier en saison.

Le Lys d'Or
5 pl. Col-Bourgoin Ⓜ *Reuilly Diderot –* ✆ *01 44 68 98 88 – www.lysdorming.com – lysdorming@hotmail.fr – Fax 01 44 68 98 80* L 19
Rest – Menu (15 € bc), 24/29 € – Carte 25/35 €
♦ Dans ce cadre luxuriant (vrai jardin intérieur avec rivières et fontaines), vous découvrirez l'art culinaire chinois à travers quatre régions : Sichuan, Shanghai, Canton, Pékin.

Place d'Italie • Gare d'Austerlitz • Bibliothèque nationale de France

13ᵉ arrondissement ✉ 75013

S. Sauvignier/MICHELIN

Holiday Inn Bibliothèque de France sans rest
21 r. Tolbiac Ⓜ *Bibliothèque F. Mitterrand –* ✆ *01 45 84 61 61 – www.holiday-inn.com/paris-tolbiac – hibdf@wanadoo.fr – Fax 01 45 84 43 38* P 18
71 ch – †127/187 € ††127/187 €, ⊇ 14 €
♦ Dans une rue passante, à quelques pas des berges de la Seine, immeuble aux chambres progressivement rénovées : confort contemporain, double vitrage, wifi...

Mercure Place d'Italie sans rest
25 bd Blanqui Ⓜ *Place d'Italie –* ✆ *01 45 80 82 23 – www.mercure.com – h1191@accor.com – Fax 01 45 81 45 84* P 15
50 ch – †160/300 € ††170/310 €, ⊇ 17 €
♦ À proximité de la place d'Italie, cet établissement dispose de chambres fonctionnelles, chaleureuses et bien insonorisées.

1373

Demeure sans rest
51 bd St-Marcel Ⓜ *Les Gobelins* – ℰ 01 43 37 81 25
– *www.hotel-paris-lademeure.com* – *la_demeure@netcourrier.com*
– *Fax 01 45 87 05 03*

M 16

37 ch – †125/165 € ††145/202 €, ☑ 13 € – 6 suites

♦ Accueil soigné dans cette maison familiale et de caractère. Chambres pratiques et colorées, salon cosy, petit-déjeuner buffet. Belle collection de vieilles photos de Paris.

Résidence Vert Galant sans rest
43 r. Croulebarbe Ⓜ *Les Gobelins* – ℰ 01 44 08 83 50 – *www.vergalant.com*
– *hotel.vert.galant@gmail.com* – *Fax 01 44 08 83 69*

N 15

15 ch – †90/100 € ††95/150 €, ☑ 9 €

♦ La campagne au cœur de Paris : plaisante résidence aux chambres coquettes et calmes, donnant presque toutes sur un jardin privé bordé de ceps de vignes.

La Manufacture sans rest
8 r. Philippe-de-Champagne Ⓜ *Place d'Italie* – ℰ 01 45 35 45 25
– *www.hotel-la-manufacture.com* – *reservation@hotel-la-manufacture.com*
– *Fax 01 45 35 45 40*

N 16

56 ch – †115/165 € ††145/165 €, ☑ 12 €

♦ Élégant décor, bonne tenue et accueil charmant sont les atouts de cet hôtel chaleureux où les chambres, sans ampleur, sont décorées dans un style cosy et frais.

Chez Jacky
109 r. du Dessous-des-Berges Ⓜ *Bibliothèque F. Mitterrand* – ℰ 01 45 83 71 55
– *www.chezjacky.fr* – *contact@chezjacky.fr* – *Fax 01 45 86 57 73* – *Fermé août, 24 déc.-5 janv., sam., dim. et fériés*

P 18

Rest – Menu 39 € (sem.)/65 € – Carte 60/75 €

♦ Le sympathique décor rustique (poutres apparentes, tableaux colorés) de ce restaurant séduit les Parisiens en quête d'une auberge provinciale. Cuisine respectueuse de la tradition.

Petit Marguery
9 bd Port-Royal Ⓜ *Les Gobelins* – ℰ 01 43 31 58 59 – *www.petitmarguery.fr*
– *gm@petitmarguery.com* – *Fax 01 43 36 73 34*

M 15

Rest – Menu (23 €), 26 € (déj.), 35/65 € bc

♦ Les propriétaires ont changé, mais l'âme du lieu demeure. Cadre rétro et convivial, carte qui ne refuse pas un trait de modernité sans déroger aux grands classiques (gibier...).

BIOart
3 quai François-Mauriac Ⓜ *Bibliothèque F. Mitterrand* – ℰ 01 45 85 66 88
– *www.restaurantbioart.fr* – *evenement@bioart.fr*
– *Fermé 25 déc.-1ᵉʳ janv.*

N 19

Rest – Menu (34 €), 46 € – Carte 46/56 €

♦ Au pied de la BNF, un immense restaurant bio à la fibre écolo, aménagé sur deux niveaux. Cadre zen façon feng-shui, baies vitrées isolant du bruit et donnant sur la Seine.

L'Avant Goût
26 r. Bobillot Ⓜ *Place d'Italie* – ℰ 01 53 80 24 00 – *www.lavangout.com*
– *Fax 01 53 80 00 77* – *Fermé 3-25 août, dim. et lundi*

P 15

Rest – *(nombre de couverts limité, prévenir)* Menu (14 € bc), 31 €
– Carte 46/54 €

♦ Cuisine du marché assez originale, bon choix de vins au verre et ambiance décontractée : voilà un avant-goût de ce bistrot moderne, très prisé. La rançon du succès.

Les Cailloux
58 r. des Cinq-Diamants Ⓜ *Corvisart* – ℰ 01 45 80 15 08 – *www.lescailloux.fr*
– *lescailloux@sljcohen.fr* – *Fax 01 45 80 96 36* – *Fermé une sem. en août et à Noël*

P 15

Rest – *(prévenir)* Menu (14 € bc), 18 € bc (déj. en sem.) – Carte 23/46 €

♦ Parmi les nombreuses tables de la Butte aux Cailles, il y a ce bistrot italien à l'ambiance décontractée et au décor au ton marron. On s'y régale sans se ruiner.

13ᵉ arrondissement – PARIS page 109

L'Ourcine
92 r. Broca **Ⓜ** Les Gobelins – ✆ 01 47 07 13 65 – Fax 01 47 07 18 48
– Fermé 1 sem. vacances de fév., 1 sem. vacances de printemps, 13 juil.-25 août,
dim. et lundi   N 14
Rest – Menu (22 €), 30 €
♦ D'une moderne sobriété, ce petit bistrot sait rester simple tout en proposant une cuisine inspirée et liée aux saisons. En plus du menu du jour, une ardoise "coups de cœur".

Impérial Choisy
32 av. de Choisy **Ⓜ** Porte de Choisy – ✆ 01 45 86 42 40 – cdm13@free.fr
– Fax 01 45 83 93 34   R 17
Rest – Carte 25/50 €
♦ Authentique restaurant chinois fréquenté par de nombreux Asiatiques qui en ont fait leur cantine. Normal, à en juger par les délicieuses spécialités cantonaises qu'on y sert.

Lao Lane Xang 2
102 av. d'Ivry **Ⓜ** Tolbiac – ✆ 01 58 89 00 00   P 16
Rest – Menu (11 € bc) – Carte 18/30 €
♦ Ce restaurant familial du Chinatown parisien vous initiera aux saveurs du Laos, du Vietnam et de la Thaïlande. Cadre contemporain sobre, plus asiatique à l'étage.

Sukhothaï
12 r. Père Guérin **Ⓜ** Place d'Italie – ✆ 01 45 81 55 88 – Fermé 3-23 août, lundi midi
et dim.   P 15
Rest – Menu (12 € bc), 21/25 € – Carte 20/34 €
♦ L'enseigne évoque l'ancienne capitale d'un royaume thaïlandais (13ᵉ-14ᵉ s.). Cuisines chinoise et thaïe servies sous l'œil bienveillant de Bouddha (sculptures artisanales).

Bambou
70 r. Baudricourt **Ⓜ** Les Olympiades – ✆ 01 45 70 91 75 – Fermé 1ᵉʳ-15 août et lundi
Rest – Carte 15/30 €   P 17
♦ On se presse dans cette petite table vietnamienne qui réussit à dépayser ses hôtes rien que par sa cuisine bien parfumée ; le décor restant des plus sobres. Ambiance conviviale.

Montparnasse •
Denfert-Rochereau •
Parc Montsouris

14ᵉ arrondissement   ✉ 75014

J.-P. Clapham/MICHELIN

Méridien Montparnasse
19 r. Cdt Mouchotte **Ⓜ** Montparnasse Bienvenüe
– ✆ 01 44 36 44 36 – www.lemeridien.com/montparnasse
– meridien.montparnasse@lemeridien.com – Fax 01 44 36 49 00   M 11
918 ch – ♦159/600 € ♦♦159/600 €, ⊇ 25 € – 35 suites
Rest *Montparnasse'25* – voir ci-après
Rest *Justine* – ✆ 01 44 36 44 00 – Menu 42 € – Carte 45/70 €
♦ Revues dans un style contemporain avec une touche Art déco, les chambres de ce building en verre et béton sont spacieuses. Belle vue sur la capitale depuis les derniers étages. À la table de Justine, décor façon jardin d'hiver, terrasse verdoyante, formules buffets.

Concorde Montparnasse
40 r. Cdt Mouchotte **Ⓜ** Gaîté – ✆ 01 56 54 84 00
– www.concorde-montparnasse.com – montparnasse-booking@
concorde-hotels.com – Fax 01 56 54 84 84   M 11
354 ch – ♦150/500 € ♦♦150/500 €, ⊇ 21 €   **Rest** – Carte 52/60 €
♦ Sur la place de Catalogne, cet hôtel, qui a fait peau neuve il y a peu, a mis toutes les chances de son côté : chambres calmes et raffinées, jardin intérieur, fitness, bar. Le restaurant sobre et moderne – bois exotiques, tissus colorés – propose des plats actuels.

1375

PARIS page 110 – 14ᵉ arrondissement

Aiglon sans rest
232 bd Raspail – **M** Raspail – ℰ 01 43 20 82 42 – www.aiglon.com – aiglon@espritfrance.com – Fax 01 43 20 98 72
36 ch – †145/195 € ††145/195 €, ⊇ 12 € – 10 suites
M 12

♦ L'Aiglon où vécurent Giacometti et Bunuel se modernise par étapes. Couleurs gaies et détails soignés (mosaïques dans les salles de bain, photos...) signent le nouveau décor.

Villa Royale Montsouris sans rest
144 r. Tombe-Issoire **M** Porte d'Orléans – ℰ 01 56 53 89 89
– www.leshotelsdeparis.com – montsouris@leshotelsdeparis.com
– Fax 01 56 53 89 80
36 ch – †99/230 € ††109/290 €, ⊇ 15 €
R 12

♦ Dépaysement garanti à l'intérieur de ce bel hôtel qui recrée des ambiances andalouse et mauresque. Chambres un peu petites mais très cosy, aux noms de villes marocaines.

Lenox Montparnasse sans rest
15 r. Delambre **M** Vavin – ℰ 01 43 35 34 50 – www.hotellenox.com – hotel@lenoxmontparnasse.com – Fax 01 43 20 46 64
52 ch – †150/310 € ††150/310 €, ⊇ 16 €
M 12

♦ Établissement qui soigne son élégance : bar et des salons intimistes et feutrés, chambres de style personnalisées, agréables suites au 6ᵉ étage.

Nouvel Orléans sans rest
25 av. Gén. Leclerc **M** Mouton Duvernet – ℰ 01 43 27 80 20
– www.hotelnouvelorleans.com – nouvelorleans@aol.com
– Fax 01 43 35 36 57
46 ch – †110/145 € ††110/190 €, ⊇ 12 €
P 12

♦ Décryptage de l'enseigne : hôtel récemment embelli et situé tout près de la porte d'Orléans. Mobilier contemporain et chaleureux tissus colorés caractérisent les chambres.

Mercure Raspail Montparnasse sans rest
207 bd Raspail **M** Vavin – ℰ 01 43 20 62 94
– www.mercure.com – h0351@accor.com – Fax 01 43 27 39 69
63 ch – †170/220 € ††175/220 €, ⊇ 12 €
M 12

♦ Faites étape dans cet immeuble haussmannien proche des célèbres brasseries du quartier Montparnasse. Chambres toutes rénovées, sobres, actuelles, meublées en bois clair.

Delambre sans rest
35 r. Delambre **M** Edgar Quinet – ℰ 01 43 20 66 31 – www.hoteldelambre.com
– delambre@club-internet.fr – Fax 01 45 38 91 76
30 ch – †90/170 € ††95/170 €, ⊇ 11 €
M 12

♦ André Breton séjourna dans ces murs, à l'abri d'une rue tranquille proche de la gare Montparnasse. Cadre d'esprit contemporain ; chambres simples et gaies, souvent spacieuses.

Midi sans rest
4 av. René Coty **M** Denfert Rochereau – ℰ 01 43 27 23 25 – midi-hotel-paris.com
– info@midi-hotel-paris.com – Fax 01 43 21 24 58
45 ch – †88/108 € ††108/168 €, ⊇ 12 €
N 13

♦ Proximité de la place Denfert-Rochereau, chambres insonorisées, parfois dotées de baignoires balnéo, et petit-déjeuner biologique : ne cherchez plus Midi... à quatorze heures !

Châtillon sans rest
11 square Châtillon **M** Porte d'Orléans – ℰ 01 45 42 31 17 – www.hotelchatillon.fr
– chatillon.hotel@wanadoo.fr – Fax 01 45 42 72 09
31 ch – †85 € ††85 €, ⊇ 7 €
P 11

♦ Adresse fréquentée par des habitués, sensibles au calme du lieu : les chambres, assez spacieuses et bien tenues, donnent sur un square au bout d'une impasse. Accueil familial.

De la Paix sans rest
225 bd Raspail **M** Raspail – ℰ 01 43 20 35 82 – www.hoteldelapaix.com – resa@hoteldelapaix.com – Fax 01 43 35 32 63
39 ch – †79/107 € ††84/120 €, ⊇ 9 €
M 12

♦ Le cadre de cet accueillant hôtel témoigne du goût des années 1970, mais les chambres fonctionnelles et bien tenues sont peu à peu redécorées dans un style plus actuel.

14ᵉ arrondissement – PARIS

🏠 Apollon Montparnasse sans rest
91 r. Ouest Ⓜ *Pernety –* ℰ *01 43 95 62 00 – www.apollon-montparnasse.com*
– apollonm@wanadoo.fr – Fax 01 43 95 62 10 N 10-11
33 ch – †70/98 € ††85/125 €, ⊇ 11 €

♦ Hôtel familial qui se rénove en douceur. Ses principaux atouts : chambres de bon goût, accueil courtois, situation dans une rue assez calme, à deux pas de la gare.

🏠 Cécil sans rest
47 r. Beaunier Ⓜ *Porte d'Orléans –* ℰ *01 45 40 93 53 – www.cecilhotel.net*
– cecil-hotel@wanadoo.fr – Fax 01 45 40 43 26 R 12
25 ch – †98/148 € ††98/148 €, ⊇ 10 €

♦ Un lieu pétri de charme dans une rue paisible proche du parc Montsouris. Meubles et objets chinés confèrent à chaque chambre sa personnalité. Salon-bibliothèque, jardinet.

XXXX Montparnasse'25 – Hôtel Méridien Montparnasse
19 r. Cdt Mouchotte Ⓜ *Montparnasse Bienvenüe –*
ℰ *01 44 36 44 25 – www.lemeridien.com/montparnasse*
– meridien.montparnasse@lemeridien.com – Fax 01 44 36 49 03
– Fermé 1ᵉʳ-10 mai, 13 juil.-31 août, 22 déc.-4 janv., sam., dim. et fériés
Rest – Menu 50/110 € – Carte 110/133 € M 25
Spéc. Saint-Jacques et ormeaux, crème de chou fleur au caviar (saison). Sole au jus d'étrilles. Gaufre, crème légère et châtaigne (automne).

♦ L'atmosphère contemporaine sur fond de laque noire peut surprendre, mais ce restaurant s'avère confortable et chaleureux. Cuisine au goût du jour, superbe chariot de fromages.

XXX Le Dôme
108 bd Montparnasse Ⓜ *Vavin –* ℰ *01 43 35 25 81 – Fax 01 42 79 01 19*
– Fermé dim. et lundi en août L-M 12
Rest – Carte 85/150 €

♦ L'un des temples de la bohème littéraire et artistique des Années folles, devenu une brasserie chic tendance "rive gauche", au cadre Art déco préservé. Produits de la mer.

XXX Le Duc
243 bd Raspail Ⓜ *Raspail –* ℰ *01 43 20 96 30 – restaurantleduc@orange.fr*
– Fax 01 43 20 46 73 – Fermé 2-24 août, 24 déc.-2 janv., sam. midi, dim. et lundi
Rest – Menu 55 € (déj.) – Carte 90/120 € M 12

♦ Cuisine de la mer servie dans un décor de confortable cabine de yacht avec lambris d'acajou, appliques à thème marin et cuivres rutilants.

XX Pavillon Montsouris
20 r. Gazan Ⓜ *Cité Universitaire –* ℰ *01 43 13 29 00 – Fax 01 43 13 29 02 – Fermé vacances de fév. et dim. soir de mi-sept. à Pâques*
Rest – Menu 51 € – Carte 67/89 € R 14

♦ Ce pavillon créé à la Belle Époque dans le parc Montsouris offre le calme de la campagne en plein Paris. Jolie verrière, décor d'esprit colonial et terrasse face à la verdure.

XX La Coupole
102 bd Montparnasse Ⓜ *Vavin –* ℰ *01 43 20 14 20 – www.flobrasseries.com*
– jtosi@groupeflo.fr – Fax 01 43 35 46 14 L 12
Rest – Menu 36 € – Carte 35/70 €

♦ Le cœur de Montparnasse bat encore dans cette brasserie Art déco de 1927. Des œuvres d'artistes de l'époque ornent les 24 piliers ; nouvelle fresque contemporaine sur la coupole.

XX Vin et Marée
108 av. Maine Ⓜ *Gaîté –* ℰ *01 43 20 29 50 – www.vin-et-maree.com*
– vmmaine@orange.fr – Fax 01 43 27 84 11 N 11
Rest – Menu 21 € – Carte 30/50 €

♦ Les produits de la mer, spécialités de la maison, sont dévoilés chaque jour sur l'ardoise, selon le bon plaisir de Neptune. Salles à manger décorées dans le style marin.

XX Monsieur Lapin
11 r. R. Losserand Ⓜ *Gaîté –* ℰ *01 43 20 21 39 – www.monsieur-lapin.fr*
– franck.enee@wanadoo.fr – Fax 01 43 21 84 86 – Fermé août, sam. midi, dim. midi et lundi N 11
Rest – *(nombre de couverts limité, prévenir)* Menu (25 €), 29 € (déj. en sem.), 35/45 € – Carte 45/56 €

♦ Tel le personnage d'Alice au pays des merveilles, Monsieur Lapin est partout : dans la décoration de la salle à manger comme sur la carte qui l'accommode à moult sauces.

Les Vendanges

40 r. Friant — Porte d'Orléans – ✆ 01 45 39 59 98
– www.lesvendanges-paris.com – Fax 01 45 39 74 13
– Fermé 31 juil.-30 août, 24 déc.-3 janv., sam. et dim.
Rest – Menu (25 €), 35 €

R 11

♦ La façade ornée de grappes de raisins annonce la couleur : un très beau livre de cave (bon choix de bordeaux) accompagne la cuisine au goût du jour, orientée Sud-Ouest.

Millésimes 62

13 pl. Catalogne — Gaîté – ✆ 01 43 35 34 35 – www.millesimes62.com
– millesimes62@orange.fr – Fax 01 43 20 26 21
– Fermé 1er-17 août, sam. midi et dim.
Rest – Menu (20 €), 25 € (sem.)/35 €

M 11

♦ À proximité des grands hôtels et des théâtres de Montparnasse, avenant restaurant au décor contemporain. Vous y apprécierez une goûteuse cuisine du marché à prix serrés.

La Marée Denfert

83 av. Denfert-Rochereau — Denfert Rochereau – ✆ 0143 54 99 86
– www.lamareepassy.com – paudou@orange.fr – Fermé sam. midi et dim.
Rest – Carte 42/48 €

N 13

♦ Nouvelle table marine dont le décor élégant marie le rouge et le blanc, les banquettes en velours et les maquettes de bateaux. Marée du jour proposée sur ardoise.

La Régalade

49 av. J. Moulin — Porte d'Orléans – ✆ 01 45 45 68 58 – la_regalade@yahoo.fr
– Fax 01 45 40 96 74 – Fermé 25 juil.-20 août, 1er-10 janv., lundi midi, sam. et dim.
Rest – (prévenir) Menu 32 €

R 11

♦ Ici, on se régale d'une savoureuse cuisine du terroir dans un cadre informel. L'accueil tout sourire rend encore plus sympathique ce bistrot jouxtant la porte de Châtillon.

L'Assiette

181 r. du Château — Mouton Duvernet – ✆ 01 43 22 64 86 – Fax 01 43 20 54 66
– Fermé lundi et mardi
Rest – (prévenir) Menu (25 €) – Carte 40/50 €

N 11

♦ Vous n'êtes plus chez "Lulu", mais chez David Rathgeber (ex-chef de "Benoit") qui a repris ce bistrot patiné. Carte courte et belle cuisine classique, un brin bourgeoise.

La Cerisaie

70 bd E. Quinet — Edgar Quinet – ✆ 01 43 20 98 98 – Fax 01 43 20 98 98
– Fermé 1er-11 mai, 11 juil.-17 août, 19 déc.-4 janv., sam. et dim.
Rest – (prévenir) Menu (23 €), 34/40 €

N 13

♦ Restaurant de poche situé en plein quartier breton. Le patron écrit sur l'ardoise, chaque jour et à la craie, les plats du Sud-Ouest qu'il a consciencieusement mitonnés.

À La Bonne Table

42 r. Friant — Porte d'Orléans – ✆ 01 45 39 74 91 – Fax 01 45 43 66 92
– Fermé 12 juil.-2 août, 20 déc.-3 janv., sam. midi et dim.
Rest – Menu 26 € (déj.)/30 € – Carte 41/56 €

R 11

♦ Le chef, d'origine japonaise, prépare une cuisine française traditionnelle relevée de son savoir-faire nippon. Confortable salle à manger en longueur, d'esprit rétro.

L'Amuse Bouche

186 r. Château — Mouton Duvernet – ✆ 01 43 35 31 61 – Fermé 1er-20 août, dim. et lundi
Rest – Menu (21 € bc) – Carte environ 32 €

N 11

♦ Tables serrées et murs oranges vifs ornés de casseroles... Un petit restaurant simple où l'on découvre une goûteuse cuisine traditionnelle et des spécialités de soufflés.

Bistrot du Dôme

1 r. Delambre — Vavin – ✆ 01 43 35 32 00 – Fermé dim. et lundi en août
Rest – Carte 46/52 €

M 12

♦ L'annexe du Dôme, spécialisée elle aussi dans les produits de la mer. Ambiance décontractée dans la grande salle à manger au plafond orné de feuilles de vignes.

La Cagouille

10 pl. Constantin-Brancusi Ⓜ *Gaité* – ℰ 01 43 22 09 01
– www.la-cagouille.fr – la-cagouille@wanadoo.fr
– Fax 01 45 38 57 29

M 11

Rest – Menu (26 €), 42 € bc – Carte 35/70 €

◆ Accord parfait entre le cadre feutré (boiseries, poulies, cordages de vieux navires) et les beaux produits de la mer préparés simplement. Terrasse au calme d'une placette.

L'Ordonnance

51 r. Hallé Ⓜ *Mouton Duvernet* – ℰ 01 43 27 55 85 – *fredericchalette@orange.fr*
– Fax 01 43 20 64 72 – Fermé août, vacances de Noël, sam. sauf le soir en hiver et dim.

P 12

Rest – Menu 24 € (sem.)/30 €

◆ À quelques pas de la place Michel Audiard, cette table chaleureuse et actuelle sert une goûteuse cuisine traditionnelle qui met tout le monde de bonne humeur.

L'Atelier d'Antan

9 r. L.-Robert Ⓜ *Raspail* – ℰ 01 43 21 36 19 – *pascal.dantan@hotmail.fr*
– Fermé sam. midi et dim.

N 12

Rest – Menu (15 €), 18 € (déj.)/34 €

◆ Dans ce restaurant au cadre bistrot, le service souriant et l'ambiance conviviale vont de pair avec une cuisine traditionnelle simple et bonne. Une adresse bien sympathique.

La Cantine du Troquet

100 r. de l'Ouest Ⓜ *Pernety*

N 10

Rest – Menu (20 €), 30 € – Carte 25/35 €

◆ Petite sœur du Troquet en version plus simple (pas de réservation et pas de téléphone), cette cantine respire la convivialité. Banquettes rouges, tables en bois, grande ardoise du jour.

L'Entêtée

4 r. Danville Ⓜ *Denfert Rochereau* – ℰ 01 40 47 56 81
– www.myspace.com/entetee – Fermé août, sam. midi, dim. et lundi

Rest – *(nombre de couverts limité, prévenir)* Menu (20 €), 25 € (déj.), 30 €   N 12

◆ L'entêtée ou l'état d'esprit de la chef qui a repris ce discret bistrot, à deux pas de la rue Daguerre. Elle signe une cuisine familiale gourmande, relevée d'épices et d'aromates.

Les Fils de la Ferme

5 r. Mouton-Duvernet Ⓜ *Mouton Duvernet* – ℰ 01 45 39 39 61
– www.filsdelaferme.com – jc.dutter@noos.fr – Fax 01 45 39 39 61
– Fermé 3 sem. en août, dim. soir et lundi

N 12

Rest – Menu (19 €), 28 €

◆ À la tête de ce restaurant (murs jaunes, pierres apparentes brossées), deux frères travaillent à quatre main une cuisine de bistrot saisonnière, légèrement modernisée.

Le Jeu de Quilles

45 r. Boulard Ⓜ *Mouton Duvernet* – ℰ 01 53 90 76 22 – *Fermé 3 sem. en août, dim. et lundi*

N 12

Rest – *(déj. seult) (prévenir)* Carte 39/47 €

◆ Avec le coin épicerie à l'entrée et la cuisine au fond de la minisalle, ce bistrot "brut", plein de vie, éveille l'appétit. Ardoise courte, bons produits et convivialité sans égal.

Severo

8 r. des Plantes Ⓜ *Mouton Duvernet* – ℰ 01 45 40 40 91
– Fermé 11-19 avril, 25 juil.-23 août, 24 déc.-4 janv.,13-21 fév., sam., dim. et fériés

N 11

Rest – Carte 33/56 €

◆ Les produits d'Auvergne (viandes, charcuteries) jouent les vedettes sur l'ardoise du jour de ce chaleureux bistrot. Quant à la carte des vins, elle fait preuve d'éclectisme.

PARIS page 114

Porte de Versailles • Vaugirard • Beaugrenelle

15e arrondissement ✉ 75015

H. Le Gac/MICHELIN

Pullman Rive Gauche
8 r. L. Armand Ⓜ Balard – ℰ 01 40 60 30 30
– www.pullman-hotels.com – h0572@accor.com – Fax 01 40 60 30 00
606 ch – †141/430 € ††141/430 €, ⊇ 27 € – 12 suites
Rest *Brasserie* – Menu 28 € (déj. en sem.) – Carte 39/66 €
N 5
♦ Face à l'héliport, hôtel repensé pour la clientèle d'affaires, aux chambres insonorisées, contemporaines et homogènes. Jolie perspective sur l'ouest parisien aux derniers étages. Cuisine simple à la brasserie, bar de style anglais, salle des petits-déjeuners panoramique.

Novotel Tour Eiffel
61 quai de Grenelle Ⓜ Charles Michels
– ℰ 01 40 58 20 00 – www.novotel.com – h3546@accor.com
– Fax 01 40 58 24 44
K 6
758 ch – †260/450 € ††260/450 €, ⊇ 22 € – 6 suites
Rest *Benkay* – voir ci-après
Rest *Lattitudes Gourmandes* – ℰ 01 40 58 20 75 – Menu (25 €), 40/48 € bc
– Carte 29/55 €
♦ L'hôtel, situé face à la Seine, dispose de confortables chambres actuelles (bois, teintes claires), majoritairement tournées vers le fleuve. Centre de conférences high-tech. Plaisant décor épuré, carte au goût du jour aux Lattitudes Gourmandes.

Mercure Suffren Tour Eiffel
20 r. Jean Rey Ⓜ Bir-Hakeim – ℰ 01 45 78 50 00
– www.mercure.com – h2175@accor.com – Fax 01 45 78 91 42
J 7
405 ch – †175/310 € ††190/310 €, ⊇ 20 €
Rest – Menu (24 € bc) – Carte 30/45 €
♦ Cet édifice moderne du cœur de la capitale se distingue par ses abords et sa réception verdoyants. Lieu parfaitement insonorisé. Certaines chambres regardent la tour Eiffel. Salle à manger ouverte sur l'agréable terrasse entourée d'arbres et de végétation.

Novotel Vaugirard
257 r. Vaugirard Ⓜ Vaugirard – ℰ 01 40 45 10 00 – www.novotel.com – h1978@accor.com – Fax 01 40 45 10 10
M 9
187 ch – †109/350 € ††109/350 €, ⊇ 16 € **Rest** – Carte 20/47 €
♦ En plein 15e, un établissement bien pensé pour la clientèle d'affaires. Chambres sobres et fonctionnelles, conformes à l'esprit de la chaîne. Nombreux équipements pour séminaires. Au Novotel Café, on sert une cuisine traditionnelle et quelques spécialités à la plancha.

Océania sans rest
52 r. Oradour sur Glane Ⓜ Porte de Versailles – ℰ 01 56 09 09 09
– www.oceaniahotels.com – oceania.paris@oceaniahotels.com
– Fax 01 56 09 09 19
P 6
232 ch – †270 € ††285 €, ⊇ 17 € – 18 suites
♦ Ce récent hôtel a tout prévu pour offrir un confort moderne dans un cadre élégant et actuel. Chambres bien équipées, espace détente complet, terrasse-jardin exotique.

Novotel Gare Montparnasse
17 r. Cotentin Ⓜ Montparnasse Bienvenüe –
ℰ 01 53 91 23 75 – h5060@accor.com – Fax 01 53 91 23 76
M 10
197 ch – †160/400 € ††160/400 €, ⊇ 16 € – 2 suites
Rest – Menu (21 € bc) – Carte 25/45 €
♦ Cet hôtel tout neuf proche de la gare propose des chambres zen d'esprit contemporain (équipements dernier cri, bonne insonorisation). Copieux buffet au petit-déjeuner.

15ᵉ arrondissement – PARIS page 115

Holiday Inn Montparnasse sans rest
10 r. Gager Gabillot Ⓜ *Vaugirard –* ℰ *01 44 19 29 29*
– www.holiday-inn.fr/paris-mountain – reservations@hiparis-montparnasse.com
– Fax 01 44 19 29 39
60 ch – †90/99 € ††310/340 €, ⊇ 14 € — M 9

◆ Bâtisse moderne située dans une rue calme. Hall spacieux et salon contemporain sous une pyramide de verre. Chambres identiques, avant tout fonctionnelles.

Eiffel Cambronne sans rest
46 r. Croix-Nivert Ⓜ *Av. Emile Zola –* ℰ *01 56 58 56 78*
– www.eiffelcambronne.com – hotel@eiffelcambronne.com
– Fax 01 56 58 56 79 — L 8
31 ch – †119/189 € ††119/189 €, ⊇ 13 €

◆ Hall-salon aux fauteuils moelleux (feu de cheminée en hiver) et chambres de taille moyenne, plus calmes sur l'arrière. Copieux petit-déjeuner servi dans une cour intérieure.

Mercure Paris XV sans rest
6 r. St-Lambert Ⓜ *Boucicaut –* ℰ *01 45 58 61 00 – accor.com – h0903@accor.com*
– Fax 01 45 54 10 43 — M 7
56 ch – †135/161 € ††140/167 €, ⊇ 14 €

◆ Adresse située à 800 m de la porte de Versailles. Accueil et salons sont aménagés dans le style contemporain, de même que les chambres, confortables et bien tenues.

Aberotel sans rest
24 r. Blomet Ⓜ *Volontaires –* ℰ *01 40 61 70 50 – www.aberotel.com – aberotel@wanadoo.fr – Fax 01 40 61 08 31* — L 9
28 ch – †80/130 € ††90/150 €, ⊇ 8 €

◆ Une adresse prisée : plaisant salon orné de peintures sur bois évoquant les cartes à jouer, coquettes chambres et cour intérieure où l'on petit-déjeune en été.

XXX Benkay – Novotel Tour Eiffel
61 quai de Grenelle Ⓜ *Bir-Hakeim –* ℰ *01 40 58 21 26*
– www.restaurant-benkay.com – reservations@restaurant-benkay.com
– Fax 01 40 58 21 30 — K 6
Rest – Menu 35 € (déj.), 55/150 € – Carte 84/162 €

◆ Élégant cadre japonisant au dernier étage d'un hôtel dominant la Seine. Cuisine teppanyaki au comptoir (exécutée devant vous sur plaque chauffante) ou kaiseki (service à table).

XX Le Quinzième Cuisine Attitude
14 r. Cauchy Ⓜ *Javel –* ℰ *01 45 54 43 43 – www.restaurantlequinzieme.com*
– resa@lequinzieme.com – Fax 01 45 57 22 96 – Fermé 10-20 août, lundi midi, sam. midi et dim. — L 5
Rest – Menu (45 €), 110/155 € bc – Carte 80/110 €

◆ Cadre design, ambiance branchée, table d'hôte avec vue sur les fourneaux et goûteuse cuisine actuelle : la formule de Cyril Lignac suite à l'émission "Oui Chef!" s'avère séduisante.

XX La Gauloise
59 av. La Motte-Picquet Ⓜ *La Motte Picquet Grenelle –* ℰ *01 47 34 11 64*
– Fax 01 40 61 09 70 — K 8
Rest – brasserie – Menu (24 €) – Carte 33/45 €

◆ Cette brasserie des années 1900 a dû voir passer bon nombre de personnalités, à en juger par les photos dédicacées tapissant les murs. Plaisante terrasse sur le trottoir.

XX Thierry Burlot "Le Quinze"
8 r. Nicolas Charlet Ⓜ *Pasteur –* ℰ *01 42 19 08 59 – Fax 01 45 67 09 13 – Fermé 15 juil.-15 août, sam. et dim.* — L 10
Rest – Menu 28 € (déj.)/35 € – Carte 30/54 €

◆ Atmosphère paisible et feutrée – éclairage tamisé, cadre épuré tout simple ponctué d'un mur recouvert de feuilles d'or – pour savourer une cuisine de saison créative et soignée.

XX Caroubier
82 bd Lefebvre Ⓜ *Porte de Vanves –* ℰ *01 40 43 16 12 – Fax 01 40 43 16 12*
– Fermé 18 juil.-20 août et lundi — P 8
Rest – Menu 19 € (déj. en sem.)/30 € – Carte 31/48 €

◆ Décor contemporain rehaussé de touches orientales, chaleureuse ambiance familiale et accueil prévenant au service d'une cuisine marocaine généreuse et gorgée de soleil.

1381

PARIS page 116 – 15ᵉ arrondissement

XX Fontanarosa   VISA MC
28 bd Garibaldi ⓂCambronne – ✆ 01 45 66 97 84
– www.fontanarosa-ristorante.eu – contact@fontanarosa-ristorante.eu
– Fax 01 47 83 96 30   L 9
Rest – Menu (17 €), 21 € (déj. en sem.)/30 € – Carte 34/65 €
♦ Oubliés le métro aérien et l'agitation urbaine, cap sur l'Italie ! Ici, le soleil s'invite dans l'assiette : honneur aux plats transalpins et aux spécialités sardes. Terrasse d'été.

XX La Dînée   VISA MC AE ①
85 r. Leblanc Ⓜ Balard – ✆ 01 45 54 20 49 – www.restaurant-ladinee.com
– contact@restaurant-ladinee.com – Fax 01 40 60 73 76 – Fermé sam. et dim.
Rest – Menu (36 €), 39 €   M 5
♦ Cette salle de restaurant actuelle agrémentée de tableaux contemporains propose des recettes au goût du jour soignées. Cuisine à la plancha servie dans le bistrot attenant.

XX Erawan   AK VISA MC AE
76 r. Fédération Ⓜ La Motte Picquet Grenelle – ✆ 01 47 83 55 67
– Fax 01 47 34 85 98 – Fermé 3 sem. en août et dim.   K 8
Rest – Menu 14 € bc (déj.), 20/29 € – Carte 20/40 €
♦ Bois sculptés, tons pastel et objets asiatiques composent le cadre feutré de ce restaurant. Goûteux plats thaïlandais, service assuré en costume du pays et accueil charmant.

XX L'Épopée   AK VISA MC AE
89 av. Émile-Zola Ⓜ Charles Michels – ✆ 01 45 77 71 37 – www.lepopee.fr
– lepopee@hotmail.fr – Fax 01 45 77 71 37 – Fermé 9-17 août, 24 déc.-5 janv. et
dim.   L 7
Rest – Menu (24 €), 35 €
♦ Ce petit restaurant qui a changé de propriétaires n'a rien perdu de son côté convivial. Les habitués d'hier y retrouveront des plats traditionnels sans prétention.

X Stéphane Martin   AK ⌀ VISA MC
67 r. des Entrepreneurs Ⓜ Charles Michels – ✆ 01 45 79 03 31
– www.stephanemartin.com – resto.stephanemartin@free.fr – Fermé 19-27 avril,
1ᵉʳ-24 août, 20 déc.-4 janv., dim. et lundi   L 7
Rest – Menu (17 €), 22 € (déj. en sem.)/35 € – Carte 50/64 €
♦ Chaleureux restaurant décoré dans l'esprit d'une bibliothèque (fresque figurant des rayonnages de livres), où l'on propose une cuisine au goût du jour inspirée par le marché.

X Bernard du 15   VISA MC AE
62 r. des Entrepreneurs Ⓜ Charles Michels – ✆ 01 40 59 09 27 – Fermé sam. midi,
lundi midi et dim.   L 7
Rest – Menu (24 €), 34 € – Carte 34/54 €
♦ Le chef de ce restaurant sagement classique (tables rondes nappées de blanc, murs crème ornés de tableaux paysagers) réactualise des plats traditionnels et joue avec les épices.

X Bistro d'Hubert   VISA MC AE ①
41 bd Pasteur Ⓜ Pasteur – ✆ 01 47 34 15 50 – www.bistrodhubert.com
– message@bistrodhubert.com – Fax 01 45 67 03 09 – Fermé lundi midi, sam.
midi, dim. et fériés   L 10
Rest – Menu (28 €), 36 € – Carte 40/80 €
♦ Bocaux et bonnes bouteilles sur les étagères, nappes à carreaux, vue directe sur les fourneaux et les cuivres rutilants : le cadre de ce bistrot évoque une ferme landaise.

X Yanasé   AK ⌀ ⇔ VISA MC
75 r. Vasco-de-Gamma Ⓜ Lourmel – ✆ 01 42 50 07 20 – www.yanase.fr
– yanase@orange.fr – Fax 01 42 50 07 90 – Fermé 2-19 août, 24 déc.- 4 janv.,
sam. midi et dim.   N 6
Rest – Menu (20 € bc), 38 € (dîner)/58 € – Carte 38/61 €
♦ Décor épuré au Yanasé (cèdre du Japon) qui propose des grillades typiquement nippones cuites, sous vos yeux autour du comptoir, au "robata", un barbecue au charbon de bois.

X Afaria   VISA MC
15 r. Desnouettes Ⓜ Convention – ✆ 01 48 56 15 36 – Fax 01 48 56 15 36
– Fermé 23-28 déc., 2-24 août, dim. et lundi midi   N 7
Rest – Menu (22 €), 26 € (déj. en sem.)/45 € – Carte 34/50 €
♦ Une cuisine du Sud-Ouest goûteuse et soignée s'illustre dans ce restaurant à l'ambiance bistrot (nappes basques rayées et grands miroirs). Apéritif et tapas servis au bar.

15ᵉ arrondissement – PARIS

Beurre Noisette
68 r. Vasco de Gama **Ⓜ** *Lourmel* – ✆ 01 48 56 82 49 – Fax 01 48 28 59 38
– *Fermé 1ᵉʳ-24 août, 1ᵉʳ-7 janv., dim. et lundi*
Rest – Menu (22 €), 30 € (déj. en sem.), 32/40 €
♦ Recettes au goût du jour mitonnées avec soin et suggestions, au gré du marché, à découvrir sur ardoise. Bon choix de vins au verre. Deux salles contemporaines aux tons chauds.

Le Grand Pan
20 r. Rosenwald **Ⓜ** *Plaisance* – ✆ 01 42 50 02 50 – Fax 01 42 50 02 66
– *Fermé 1 sem. en mai, 10-30 août, vacances de Noël, sam. et dim.*
Rest – Menu (20 €), 28 € (déj.)/32 €
♦ Bistrot parisien à l'ancienne (bar en cuivre, tables en bois, ardoises), chaleureusement baigné dans des tons marron. Spécialités de viandes (gibier en saison), soupe en entrée.

Kim Anh
51 av. Emile Zola **Ⓜ** *Charles Michels* – ✆ 01 45 79 40 96 – Fax 01 40 59 49 78
– *Fermé 9-23 août et lundi*
Rest – (dîner seult) Menu 37/50 € – Carte 43/71 €
♦ Un rideau d'arbustes protège le restaurant des rumeurs de l'avenue. Son cadre ne paie pas de mine, mais vous serez séduits par sa cuisine vietnamienne, alléchante et parfumée.

Le Troquet
21 r. François Bonvin **Ⓜ** *Cambronne* – ✆ 01 45 66 89 00 – Fax 01 45 66 89 83
– *Fermé 1 sem. en mai, 1ᵉʳ-24 août, 24 déc.-1ᵉʳ janv., dim. et lundi*
Rest – Menu 30 € (déj.), 32/42 €
♦ Authentique troquet parisien : menu unique proposé sur ardoise, salle à manger de style rétro et goûteuse cuisine du marché. Pour les titis... et les autres !

Le Cristal de Sel
13 r. Mademoiselle **Ⓜ** *Commerce* – ✆ 01 42 50 35 29 – Fax 01 42 50 35 29
– *Fermé août, vacances de Noël, dim. et lundi*
Rest – Menu (20 €) – Carte 39/58 €
♦ Dans ce restaurant sobre et clair, de réjouissants plats au goût du jour s'affichent aux murs, sur des ardoises : pas de menu mais une carte soignée de produits frais.

La Villa Corse
164 bd Grenelle **Ⓜ** *La Motte Picquet Grenelle* – ✆ 01 53 86 70 81
– www.lavillacorse.com – lavillacorse@wanadoo.fr – Fax 01 53 86 90 73
– *Fermé dim.*
Rest – Menu 25 € (déj.) – Carte 45/60 €
♦ Chacune des trois charmantes salles de ce restaurant corse offre une atmosphère différente : bibliothèque, bar-salon et "terrasse". Savoureuse cuisine et vins insulaires.

Le Mûrier
42 r. Olivier de Serres **Ⓜ** *Convention* – ✆ 01 45 32 81 88 – lepimpecmartin@yahoo.fr – *Fermé 9-23 août, sam. midi et dim.*
Rest – Menu (19 €), 21 € (déj.)/25 €
♦ Sympathique pause-repas dans ce restaurant proche des boutiques de la rue de la Convention. Salle à manger ornée de vieilles affiches et recettes traditionnelles.

Le Bélisaire
2 r. Marmontel **Ⓜ** *Vaugirard* – ✆ 01 48 28 62 24 – Fax 01 48 28 62 24
– *Fermé 1ᵉʳ-8 mars, 2-23 août, 24 déc.-3 janv., sam. midi et dim.*
Rest – Menu 22 € (déj. en sem.), 32/42 €
♦ Ce bistrot au cadre soigné s'est bâti une solide réputation dans le quartier Convention grâce à la bonne tenue de sa cuisine au goût du jour et à la qualité de son accueil.

Le Dirigeable
37 r. d' Alleray **Ⓜ** *Vaugirard* – ✆ 01 45 32 01 54 – *Fermé 1ᵉʳ-24 août, 24-31 déc., dim. et lundi*
Rest – Menu (19 €), 22 € (déj.) – Carte 30/52 €
♦ Ambiance décontractée, cadre sans prétention et petits plats de tradition à prix attractifs : embarquez sans tarder pour une croisière à bord du Dirigeable !

Jadis
VISA MC AE

208 r. de la Croix Nivert — **Convention** — ℘ 01 45 57 73 20 – Fax 01 45 57 18 67
– Fermé 3 sem. en août, sam. et dim.   M 7
Rest – Menu 32 €

♦ "Jadis" et pourtant si nouveau ! Ce restaurant d'esprit bistrot est à l'image de son jeune chef-patron, sympathique et prometteur. Menu-carte actuel renouvelé au fil des saisons.

L'Os à Moelle
VISA MC AE

3 r. Vasco-de-Gama — **Lourmel** — ℘ 01 45 57 27 27 – th.faucher@laposte.net
– Fax 01 45 57 28 00 – Fermé 3 au 25 août, dim. et lundi   M 6
Rest – Menu (21 €), 28 € (déj. en sem.)/35 €

♦ Un refuge pour gourmands. Dans une petite salle aux murs ensoleillés, on choisit ses plats sur l'ardoise du jour. Belle cuisine du marché tendance bistrot.

Du Marché
VISA MC

59 r. Dantzig — **Porte de Versailles** — ℘ 01 48 28 31 55 – Fax 01 48 28 18 31
– Fermé août, dim. et lundi   P 8
Rest – Menu (26 €), 30 €

♦ Près du parc Georges-Brassens, ce sympathique bistrot, dont le cadre rappelle les années 1950, régale les habitués de petits plats bien ficelés, servis à la bonne franquette.

Le Gastroquet
VISA MC AE

10 r. Desnouettes — **Convention** — ℘ 01 48 28 60 91 – Fax 01 45 33 23 70
– Fermé 20 juil.-31 août, 23 déc.-3 janv., sam. en été et dim.   N 7
Rest – Menu 22 € (sem.)/29 € – Carte 51/61 €

♦ La cuisine traditionnelle mijotée avec soin en ce "gastronomique troquet" familial séduit gourmands du quartier et visiteurs du parc des Expositions de la porte de Versailles.

Gwon's Dining
VISA MC

51 r. Cambronne — **Cambronne** — ℘ 01 47 34 53 17 – gwonsdining@gmail.com
– Fax 01 47 34 09 93 – Fermé dim. et fériés le midi   L 9
Rest – Menu (19 €) – Carte 34/40 €

♦ Décor contemporain de bon goût, avec ici et là des touches asiatiques, qui crée une ambiance douce (malgré l'affluence), propice à la dégustation d'une cuisine coréenne typique.

Kaiseki
VISA MC AE ①

7 r. André-Lefebvre — **Javel André Citroën** — ℘ 01 45 54 48 60 – www.kaiseki.com
– le_chef@kaiseki.com – Fax 01 45 54 78 38   L 5
Rest – (nombre de couverts limité, prévenir) Menu 60 € (déj.), 80/200 €
– Carte 30/150 €

♦ Resto-labo atypique, parfois déroutant, tant sa cuisine japonaise revisitée par un chef créatif étonne. Décor minimaliste et tables à partager. Expérience insolite pour initiés.

Le Pétel
AC VISA MC AE

4 r. Pétel — **Vaugirard** — ℘ 01 45 32 58 76 – www.lepetel.com – millemarie@noos.fr – Fax 01 45 32 58 76 – Fermé 25 juil.-15 août, dim. et lundi   L 8
Rest – Menu (19 €) – Carte 32/38 €

♦ Une adresse de quartier où l'on se presse le soir, dans une chaleureuse atmosphère de bistrot. Cuisine traditionnelle du marché proposée sous forme d'un menu-carte à l'ardoise.

Banyan
AC VISA MC AE

24 pl. E. Pernet — **Félix Faure** — ℘ 01 40 60 09 31 – www.lebanyan.com
– lebanyan@noos.fr – Fax 01 40 60 09 20   L 7
Rest – Menu 25 € (déj. en sem.), 35/55 € – Carte 33/52 €

♦ Dépaysement des papilles assuré en ce petit restaurant thaïlandais qui concocte une cuisine subtilement parfumée. Plaisant cadre contemporain et accueil familial.

Trocadéro • Étoile • Passy • Bois de Boulogne

16e arrondissement   ✉ 75016

Raphael
17 av. Kléber ✉ 75116 Ⓜ Kléber – ℘ 01 53 64 32 00 – www.raphael-hotel.com
– reservation@raphael-hotel.com – Fax 01 53 64 32 01   F 7
45 ch – ♦345/505 € ♦♦345/605 €, ⊇ 39 € – 37 suites
Rest *La Salle à Manger* – *(fermé août, sam. et dim.)* Carte 50/200 €
Rest *Les Jardins Plein Ciel* – rest.-terrasse – ℘ 01 53 64 32 30 *(ouvert de mai à sept. et fermé sam. midi et dim.)* Menu 75 € (sem.)
◆ Superbe galerie habillée de boiseries, chambres raffinées, toit-terrasse panoramique et bar anglais "mondain" sont les trésors du Raphael (1925). Belle Salle à Manger d'esprit "palace". Vue sur Paris et cuisine traditionnelle aux Jardins Plein Ciel (7e étage).

St-James Paris
43 av. Bugeaud ✉ 75116 Ⓜ Porte Dauphine – ℘ 01 44 05 81 81
– www.saint-james-paris.com – contact@saint-james-paris.com
– Fax 01 44 05 81 82   F 5
38 ch – ♦390/660 € ♦♦510/660 €, ⊇ 32 € – 10 suites
Rest – *(fermé sam., dim. et fériés)* Menu (55 €) – Carte 75/200 €
◆ Bel hôtel particulier élevé en 1892 par Mme Thiers au sein d'un jardin arboré. Escalier majestueux, chambres spacieuses et bar-bibliothèque à l'atmosphère de club anglais.

Renaissance Parc-Trocadéro
55 av. R. Poincaré ✉ 75116 Ⓜ Victor Hugo
– ℘ 01 44 05 66 66 – www.marriott.com – restaurant.lerelais@
renaissancehotels.com – Fax 01 44 05 66 00   G 6
116 ch – ♦229/690 € ♦♦249/750 €, ⊇ 27 € – 4 suites
Rest *Le Relais du Parc* – ℘ 01 44 05 66 10 *(fermé août, vacances de Noël, sam. midi, dim. et lundi)* Menu 59 € (déj.)/85 € – Carte 50/90 €
◆ Les chambres, élégantes et délicieusement british, sont bien équipées (système wi-fi) et réparties autour d'une terrasse-jardin. Décor du bar en partie signé Arman. Au rez-de-chaussée d'un hôtel particulier de la Belle Époque, élégante salle à manger contemporaine ouverte sur une ravissante cour-terrasse arborée. Cuisine soignée évoluant au gré des saisons.

Sofitel Baltimore
88 bis av. Kléber ✉ 75116 Ⓜ Boissière – ℘ 01 44 34 54 54
– www.baltimore-sofitel-paris.com – h2789@accor.com
– Fax 01 44 34 54 44   G 7
103 ch – ♦470/890 € ♦♦470/890 €, ⊇ 26 € – 1 suite
Rest *Table du Baltimore* – voir ci-après
◆ Mobilier épuré, tissus tendance, photos anciennes de la ville de Baltimore : le décor contemporain des chambres contraste avec l'architecture de cet immeuble du 19e s.

Costes K. sans rest
81 av. Kléber ✉ 75116 Ⓜ Trocadéro – ℘ 01 44 05 75 75 – www.hotelcostesk.com
– reception@hotelcostesk.com – Fax 01 44 05 74 74   G 7
83 ch – ♦300/350 € ♦♦350/400 €, ⊇ 20 €
◆ Signé Ricardo Bofill, cet hôtel ultramoderne est une invite discrète à la sérénité avec ses vastes chambres aux lignes épurées ordonnées autour d'un joli patio japonisant.

Keppler sans rest
10 r. Keppler ✉ 75116 Ⓜ George V – ℘ 01 47 20 65 05 – www.keppler.fr – hotel@
keppler.fr – Fax 01 47 23 02 29   F 8
34 ch – ♦325/350 € ♦♦350/390 €, ⊇ 22 € – 5 suites
◆ Cet établissement offre un décor tout en luxe et raffinement signé Pierre-Yves Rochon. Espaces d'accueil et chambres allient styles, matières et lumière : la magie opère…

PARIS page 120 – 16ᵉ arrondissement

Square
3 r. Boulainvilliers ⊠ 75016 Ⓜ Mirabeau – ℰ 01 44 14 91 90
– www.hotelsquare.com – reservation@hotelsquare.com – Fax 01 44 14 91 99
20 ch – †320 € ††320 €, ⊋ 25 € – 2 suites
Rest *Zébra Square* – ℰ 01 44 14 91 91 – Menu 32 € – Carte 45/60 €
K 5

♦ Fleuron de l'architecture contemporaine face à la Maison de la Radio. Courbes, couleurs, équipements high-tech et toiles abstraites : un hymne à l'art moderne ! Décor design zébré, cave-bibliothèque et carte dans l'air du temps côté restaurant.

Trocadero Dokhan's sans rest
117 r. Lauriston ⊠ 75116 Ⓜ Trocadéro – ℰ 01 53 65 66 99
– www.dokhans-sofitel-paris.com – reservation@dokhans.com
– Fax 01 53 65 66 88
45 ch – †450/500 € ††450/500 €, ⊋ 27 € – 4 suites
G 6

♦ Bel hôtel particulier (1910) à l'architecture palladienne et au décor intérieur néoclassique. Boiseries céladon (18ᵉ s.) dans les salons "cocooning". Bar à champagne très intimiste.

Sezz sans rest
6 av. Frémiet ⊠ 75016 Ⓜ Passy – ℰ 01 56 75 26 26 – www.hotelsezz.com
– mail@hotelsezz.com – Fax 01 56 75 26 16
22 ch – †285/340 € ††335/470 €, ⊋ 25 € – 5 suites
J 6

♦ Relooké, cet hôtel s'inscrit parfaitement dans la modernité : décor design épuré (tons gris, vases géants, grands espaces), technologie et service personnalisé. Hammam, jacuzzi.

La Villa Maillot sans rest
143 av. Malakoff ⊠ 75116 Ⓜ Porte Maillot – ℰ 01 53 64 52 52
– www.lavillamaillot.fr – resa@lavillamaillot.fr – Fax 01 45 00 60 61
39 ch – †230/415 € ††230/415 €, ⊋ 28 € – 3 suites
F 6

♦ À proximité de la porte Maillot. Couleurs douces, grand confort et bonne isolation phonique pour les chambres. Verrière ouverte sur la verdure pour les petits-déjeuners.

Pergolèse sans rest
3 r. Pergolèse ⊠ 75116 Ⓜ Argentine – ℰ 01 53 64 04 04
– www.hotelpergolese.com – hotel@pergolese.com – Fax 01 53 64 04 40
40 ch – †230 € ††260/390 €, ⊋ 18 €
E 6

♦ Derrière une sage façade du beau 16ᵉ, un intérieur design mariant avec bonheur acajou, briques de verre, chromes et couleurs vives. Petits-déjeuners face à un agréable patio.

Élysées Régencia sans rest
41 av. Marceau ⊠ 75116 Ⓜ George V – ℰ 01 47 20 42 65 – www.regencia.com
– info@regencia.com – Fax 01 49 52 03 42
43 ch – †195/275 € ††215/295 €, ⊋ 19 €
G 8

♦ Hôtel rénové dans un style design : chambres modernes et raffinées (bleu, fuschia ou anis) ; deux juniors suites provençales dépaysantes. Élégants salon, bar et bibliothèque.

Waldorf Trocadero sans rest
97 r. Lauriston ⊠ 75116 Ⓜ Boissière – ℰ 01 45 53 83 30
– www.hotelwaldorftrocadero.com – trocadero@hotelswaldorfparis.com
– Fax 01 47 55 92 52
44 ch – †300/350 € ††320/440 €, ⊋ 20 €
G 7

♦ Cet ancien hôtel particulier situé entre l'Arc de Triomphe et le Trocadéro offre des aménagements récents et un joli décor contemporain. Chambres d'ampleurs variées.

Alexander sans rest
102 av. V. Hugo ⊠ 75116 Ⓜ Victor Hugo – ℰ 01 56 90 61 00 – www.solmelia.com
– melia.alexander@solmelia.com – Fax 01 56 90 61 01
61 ch – †179/399 € ††179/399 €, ⊋ 28 €
G 6

♦ Immeuble bourgeois sur une avenue chic. Salons feutrés (belles boiseries). Chambres de bonne ampleur, au cadre classique et cossu ; celles sur l'arrière sont plus calmes.

Garden Élysée sans rest
12 r. St-Didier ⊠ 75116 Ⓜ Boissière – ℰ 01 47 55 01 11
– www.paris-hotel-gardenelysee.com – garden.elysee@wanadoo.fr
– Fax 01 47 27 79 24
46 ch – †190/495 € ††200/620 €, ⊋ 22 €
G 7

♦ En retrait de la rue, au calme d'une cour intérieure (petit-déjeuner en été), chambres actuelles aux belles salles de bain en pierre ou marbre. Salon d'esprit jardin d'hiver.

Bassano sans rest
15 r. Bassano ⊠ *75116* Ⓜ *George V* – ☏ *01 47 23 78 23*
– *www.hotel-bassano.com* – *info@hotel-bassano.com*
– *Fax 01 47 20 41 22*
G 8
33 ch – †195/275 € ††215/295 €, ⊇ 19 € – 1 suite
◆ Ambiance douillette, mobilier en fer forgé, tissus ensoleillés : cette "maison d'ami" évoque la Provence alors que les Champs-Élysées sont à quelques centaines de mètres.

Kléber sans rest
7 r. Belloy ⊠ *75116* Ⓜ *Boissière* – ☏ *01 47 23 80 22* – *www.kleberhotel.com*
– *kleberhotel@wanadoo.fr* – *Fax 01 49 52 07 20*
G 7
23 ch – †99/299 € ††99/299 €, ⊇ 14 € – 1 suite
◆ Les salons de cet hôtel construit en 1853 abritent meubles de style Louis XV, fresques originales et toiles anciennes. Murs de pierres apparentes et parquet dans les chambres.

Montfleuri sans rest
21 av. Grande Armée ⊠ *75116* Ⓜ *Charles de Gaulle-Etoile* – ☏ *01 45 00 33 65*
– *www.montfleuri.fr* – *montfleuri@wanadoo* – *Fax 01 45 00 06 36*
F 7
42 ch – †230/250 € ††270/290 €, ⊇ 14 € – 3 suites
◆ À deux pas de l'Arc de Triomphe, hôtel entièrement repensé dans un esprit tendance. Chambres calmes et raffinées : tonalités douces, meubles élégants et tissus choisis délicats.

Étoile Résidence Impériale sans rest
155 av. de Malakoff ⊠ *75116* Ⓜ *Porte Maillot* – ☏ *01 45 00 23 45*
– *www.residenceimperiale.com* – *reservation@residenceimperiale.com*
– *Fax 01 45 01 88 82*
E 6
37 ch – †100/260 € ††100/260 €, ⊇ 14 €
◆ Chambres à thème (Afrique, Asie, etc.) bien insonorisées ; certaines ont gardé leurs poutres apparentes, d'autres sont de plain-pied avec le patio.

Passy Eiffel sans rest
10 r. de Passy ⊠ *75016* Ⓜ *Passy* – ☏ *01 45 25 55 66* – *www.passyeiffel.com*
– *contact@passyeiffel.com* – *Fax 01 42 88 89 88*
J 6
49 ch – †96/160 € ††110/185 €, ⊇ 13 €
◆ Dans une rue animée, hôtel familial disposant de chambres pratiques et bien tenues donnant sur la rue (certaines regardent la tour Eiffel) ou sur un joli patio fleuri.

Chambellan Morgane sans rest
6 r. Keppler ⊠ *75116* Ⓜ *George V* – ☏ *01 47 20 35 72*
– *www.hotel-paris-morgane.com* – *chambellan-morgane@wanadoo.fr*
– *Fax 01 47 20 95 69*
GF 8
20 ch – †110/165 € ††130/185 €, ⊇ 14 €
◆ Petit hôtel de caractère dont les chambres portent les couleurs de la Provence et profitent de salles de bain neuves. Réception et salon Louis XVI joliment rajeunis.

Victor Hugo sans rest
19 r. Copernic ⊠ *75116* Ⓜ *Victor Hugo* – ☏ *01 45 53 76 01*
– *www.victorhugohotel.com* – *paris@victorhugohotel.com* – *Fax 01 45 53 69 93*
G 7
75 ch – †159/255 € ††178/395 €, ⊇ 18 €
◆ Hôtel situé dans un quartier calme, face aux réservoirs de Passy. Chambres décorées de mobilier traditionnel et aux derniers étages, balcons offrant une vue dégagée.

Floride Étoile sans rest
14 r. St-Didier ⊠ *75116* Ⓜ *Boissière* – ☏ *01 47 27 23 36*
– *www.floride-paris-hotel.com* – *floride.etoile@wanadoo.fr*
– *Fax 01 47 27 82 87*
G 7
63 ch – †125/240 € ††145/240 €, ⊇ 16 €
◆ À quelques pas du Trocadéro. Chambres fonctionnelles rénovées ; celles côté cour sont plus petites mais aussi plus tranquilles. Salon fleuri, meublé avec goût.

Résidence Foch sans rest
10 r. Marbeau ⊠ *75116* Ⓜ *Porte Maillot* – ☏ *01 45 00 46 50*
– *www.residencefoch.com* – *residence@foch.com* – *Fax 01 45 01 98 68*
F 6
25 ch – †140/200 € ††140/200 €, ⊇ 13 €
◆ Voisin de l'aristocratique avenue Foch, ce petit hôtel familial héberge une agréable salle de petits-déjeuners et des chambres fonctionnelles, joliment décorées.

Windsor Home sans rest
3 r. Vital ⊠ 75016 Ⓜ La Muette – ℰ 01 45 04 49 49 – www.windsorhomeparis.fr
– whparis@wanadoo.fr – Fax 01 45 04 59 50 — H 6
8 ch – †130/170 € ††140/180 €, ⊆ 11 €

♦ Cette charmante demeure centenaire devancée d'un jardinet est aménagée comme une maison particulière : meubles anciens, moulures, coloris lumineux et touches contemporaines.

Du Bois sans rest
11 r. du Dôme ⊠ 75116 Ⓜ Kléber – ℰ 01 45 00 31 96 – www.hoteldubois.com
– reservations@hoteldubois.com – Fax 01 45 00 90 05 — F 7
39 ch – †117/325 € ††117/325 €, ⊆ 15 €

♦ Cet hôtel a élu domicile dans la rue où Baudelaire rendit son dernier soupir. Entièrement rénové, il a su marier son charme parisien à un décor contemporain soigné.

Gavarni sans rest
5 r. Gavarni ⊠ 75116 Ⓜ Passy – ℰ 01 45 24 52 82 – www.gavarni.com
– reservation@gavarni.com – Fax 01 40 50 16 95 — J 6
25 ch – †110/180 € ††160/200 €, ⊆ 15 €

♦ Agréable hôtel (non-fumeurs) aux chambres certes petites, mais cossues ; cheminée et moulures d'origine dans certaines. Produits du commerce équitable au petit-déjeuner.

Queen's sans rest
4 r. Bastien Lepage ⊠ 75016 Ⓜ Michel Ange Auteuil – ℰ 01 42 88 89 85
– www.hotel-queens-hotel.com – info@hotel-queens-hotel.com
– Fax 01 40 50 67 52 — K 4
22 ch – †90/102 € ††130/145 €, ⊆ 9 €

♦ Des tableaux d'artistes contemporains égayent le joli hall ainsi que la plupart des chambres ; leur coquet aménagement fait vite oublier la petitesse des surfaces.

Nicolo sans rest
3 r. Nicolo ⊠ 75116 Ⓜ Passy – ℰ 01 42 88 83 40 – www.hotel-nicolo.fr
– hotel.nicolo@wanadoo.fr – Fax 01 42 24 45 41 — J 6
28 ch ⊆ – †130/146 € ††140/175 €

♦ On accède à ce vénérable hôtel (non-fumeurs) par une arrière-cour. Meubles chinés (indonésiens, africains...) et bibelots asiatiques décorent les chambres, presque toutes rénovées.

Marceau Champs Élysées sans rest
37 av. Marceau ⊠ 75016 Ⓜ George V – ℰ 01 47 20 43 37
– www.hotelmarceau.com – info@hotelmarceau.com
– Fax 01 47 20 14 76 — G 8
30 ch – †138/198 € ††148/208 €, ⊆ 12 €

♦ Sur une avenue passante, immeuble haussmannien abritant des chambres classiques, équipées de salles de bains en marbre. Espace salon-petits-déjeuners au 1er étage.

Boileau sans rest
81 r. Boileau ⊠ 75016 Ⓜ Exelmans – ℰ 01 42 88 83 74 – www.hotel-boileau.com
– info@hotel-boileau.com – Fax 01 45 27 62 98 — M 3
31 ch – †55/77 € ††65/105 €, ⊆ 9 €

♦ Toiles et bibelots chinés contant Bretagne et Maghreb, minipatio fleuri et meubles rustiques : une adresse sympathique aux chambres discrètement personnalisées.

Le Hameau de Passy sans rest
48 r. Passy ⊠ 75016 Ⓜ La Muette – ℰ 01 42 88 47 55
– www.hameaudepassy.com – hameau.passy@wanadoo.fr
– Fax 01 42 30 83 72 — J 5-6
32 ch ⊆ – †132 € ††146 €

♦ Une impasse mène à ce discret hameau et à sa charmante cour intérieure envahie de verdure. Nuits calmes assurées dans des chambres petites, mais actuelles et bien tenues.

Au Palais de Chaillot sans rest
35 av. R. Poincaré ⊠ 75116 Ⓜ Trocadéro – ℰ 01 53 70 09 09
– www.hotel-palaisdechaillot.com – palaisdechaillot-hotel@magic.fr
– Fax 01 53 70 09 08 — G 6
28 ch – †119 € ††134 €, ⊆ 9 €

♦ Bel emplacement près du Trocadéro pour cet hôtel familial. Petites chambres fonctionnelles (plus calmes sur l'arrière). Accueil sympathique.

16e arrondissement – PARIS

XXXX Hiramatsu
52 r. Longchamp ⊠ 75116 Ⓜ Trocadéro – ℰ 01 56 81 08 80
– www.hiramatsu.co.jp – paris@hiramatsu.co.jp – Fax 01 56 81 08 81
– Fermé août, 1ᵉʳ-8 janv., sam. et dim. G 7
Rest – (nombre de couverts limité, prévenir) Menu 48 € (déj.), 95/130 €
– Carte 104/125 €
Spéc. Gourmandise de homard et pigeon fumé. Fines lamelles d'agneau, compotée d'oignons blancs et jus de truffe au thym. Gâteau au chocolat "Hiramatsu".
♦ Sous son enseigne japonaise, Hiramatsu honore la cuisine française avec inventivité et talent. La haute gastronomie dans un cadre très élégant orné de fleurs. Superbes vins.

XXX Astrance (Pascal Barbot)
4 r. Beethoven ⊠ 75016 Ⓜ Passy – ℰ 01 40 50 84 40
– Fermé 1ᵉʳ-3 mars, 1ᵉʳ-5 mai, 30 mai-3 juin, 11-15 juil., août, 1ᵉʳ-8 nov.,
vacances de Noël, sam., dim. et lundi J 7
Rest – (nombre de couverts limité, prévenir) Menu 70 € (déj.), 120/290 € bc
Spéc. Agrumes, herbes sauvages, fleurs et coquillages. Langoustines, girolles, concombre et pistache. Chocolat blanc et framboise.
♦ Proposée dans un cadre intimiste à travers un "menu surprise", cuisine inventive signée par un chef au sommet de son art. Vins et service en harmonie. L'Astrance brille de mille feux.

XXX Relais d'Auteuil (Patrick Pignol)
31 bd. Murat ⊠ 75016 Ⓜ Michel Ange Molitor – ℰ 01 46 51 09 54
– pignol-p@wanadoo.fr – Fax 01 40 71 05 03
– Fermé août, vacances de Noël, lundi midi, sam. midi et dim. L 3
Rest – Menu 60 € (déj.), 110/149 € – Carte 120/185 €
Spéc. Ravioles de Saint-Jacques à la truffe (saison). Ris de veau rissolé au beurre de cardamome. Madeleines cuites minute, glace miel et noix.
♦ Cadre intimiste aux tons neutres mettant en valeur peintures et sculptures modernes. Cuisine classique soignée et beau livre de cave (superbe sélection de vins de Bourgogne).

XXX La Table de Joël Robuchon
16 av. Bugeaud ⊠ 75116 Ⓜ Victor Hugo – ℰ 01 56 28 16 16
– latabledejoelrobuchon@wanadoo.fr – Fax 01 56 28 16 78 F 6
Rest – Menu 55 € bc (déj.)/150 € – Carte 60/155 €
Spéc. Langoustine en papillotes croustillantes au basilic. Caille au foie gras et caramélisée avec une pomme-purée truffée. "Chocolat tendance" crème onctueuse au chocolat araguani, glace chocolat au biscuit oréo.
♦ Cuisine d'inspiration classique subtilement revisitée par Joël Robuchon, carte d'assiettes de dégustation façon tapas et cadre élégant : c'est un vrai plaisir de se mettre à Table !

XXX Le Pergolèse (Stéphane Gaborieau)
40 r. Pergolèse ⊠ 75116 Ⓜ Porte Maillot – ℰ 01 45 00 21 40
– www.lepergolese.com – le-pergolese@wanadoo.fr – Fax 01 45 00 81 31
– Fermé 3 sem. en août, sam. et dim. F 6
Rest – Menu 42 € bc (déj.)/95 € – Carte 75/110 €
Spéc. Ravioli de langoustines, duxelles de champignons, émulsion de crustacés au foie gras. Aiguillette de Saint-Pierre meunière, cannelloni farcis aux multi saveurs. Feuilles d'ananas en raviole, fruits exotiques et sorbet fromage blanc.
♦ Tentures jaunes, boiseries claires et sculptures insolites jouent avec les miroirs et forment un décor élégant à deux pas de la sélecte avenue Foch. Belle cuisine classique revisitée.

XXX La Table du Baltimore – Hôtel Sofitel Baltimore
1 r. Léo Delibes ⊠ 75016 Ⓜ Boissière
– ℰ 01 44 34 54 34 – www.hotel-baltimore-paris.com – h2789-fb@accor.com
– Fax 01 44 34 54 44 – Fermé août, sam. et dim. G 7
Rest – Menu 48 € bc (déj.)/75 € – Carte 62/85 €
Spéc. Le tourteau. La volaille. Le chocolat.
♦ Le cadre du restaurant associe boiseries anciennes, mobilier contemporain, couleurs chaleureuses et collection de dessins. Belle cuisine au goût du jour.

Prunier
16 av. Victor-Hugo — Charles de Gaulle-Etoile — ℰ 01 44 17 35 85
— www.caviarhouse-prunier.com — maison-prunier3@wanadoo.fr
— Fax 01 44 17 90 10 — Fermé août, dim. et fériés F 7
Rest – Menu 59 € (déj.)/175 € – Carte 69/159 €
♦ Institution créée en 1925 par l'architecte Boileau, au superbe décor Art déco classé (marbre noir, mosaïques, vitraux). Excellents produits de la mer (caviars, saumons).

Les Arts
9 bis av. d'Iéna ⊠ 75116 — Iéna — ℰ 01 40 69 27 53
— www.sodexho-prestige.fr — restaurant.am@sodexho-prestige.fr
— Fax 01 40 69 27 08 — Fermé 24 juil.-24 août, 24 déc.-2 janv., sam. et dim. G 7
Rest – Menu 41 € – Carte 65/85 €
♦ Hôtel particulier bâti en 1892 devenu maison des "gadzarts" depuis 1925. Salle à manger (colonnades, moulures, tableaux) et jardin-terrasse sont désormais ouverts au public.

Passiflore (Roland Durand)
33 r. Longchamp ⊠ 75116 — Trocadéro — ℰ 01 47 04 96 81
— www.restaurantpassiflore.com — passiflore@club-internet.fr
— Fax 01 47 04 32 27 — Fermé 20 juil.-20 août, lundi midi, sam. midi et dim. G 7
Rest – Menu 42 € (déj.), 49/65 € – Carte 50/60 €
Spéc. Gratin de macaroni au foie gras. Tournedos de pied de cochon. Fraîcheur d'aloe vera à l'orange.
♦ Sobre et élégant décor d'inspiration ethnique (camaïeu de jaune et boiseries), cuisine classique personnalisée : ce "comptoir" du beau Paris fait voyager les papilles.

Cristal Room Baccarat
11 pl. des Etats-Unis ⊠ 75116 — Boissière — ℰ 01 40 22 11 10 — cristalroom@baccarat.fr — Fax 01 40 22 11 99 — Fermé dim. G 7
Rest – Menu (59 €), 99 € bc/200 € bc – Carte 80/120 €
♦ M.-L. de Noailles tenait salon dans cet hôtel particulier investi par la maison Baccarat. Décor "starckien", plats actuels et prix V.I.P. : la beauté n'est pas raisonnable !

Tsé Yang
25 av. Pierre 1er de Serbie ⊠ 75116 — Iéna — ℰ 01 47 20 70 22 — www.tseyang.fr
— Fax 01 47 20 75 34 G 8
Rest – Menu 49/59 € – Carte 45/90 €
♦ Deux architectes-décorateurs ont relooké cette ambassade chic de la cuisine traditionnelle chinoise : noir dominant, plafond à caissons doré, jolie mise en place, etc.

Pavillon Noura
21 av. Marceau ⊠ 75116 — Alma Marceau — ℰ 01 47 20 33 33 — noura@noura.fr
— Fax 01 47 20 60 31 G 8
Rest – Menu 36 € (déj. en sem.), 56/64 € – Carte 40/55 €
♦ Jolie salle aux murs ornés de fresques levantines. Le Liban se laisse découvrir à travers ses mezzés, ses petits plats chauds ou froids et ses traditionnels verres d'arack.

La Table de Babette
32 r. Longchamp ⊠ 75016 — Trocadéro — ℰ 01 45 53 00 07
— www.tabledebabette.com — tabledebabette@wanadoo.fr — Fax 01 45 53 00 15
— Fermé sam. midi, dim. et fériés le midi G 7
Rest – Menu 22 € (déj.) – Carte 30/60 €
♦ Babette vous invite à découvrir la cuisine antillaise qu'elle revisite à sa façon, avec finesse et sensibilité. Salle à manger cosy et ambiance musicale en fin de semaine.

Conti
72 r. Lauriston ⊠ 75116 — Boissière — ℰ 01 47 27 74 67 — Fax 01 47 27 37 66
— Fermé 3-23 août, 25 déc.-1er janv., sam., dim. et fériés G 7
Rest – Menu 34 € – Carte 47/75 €
♦ Les deux couleurs fétiches de Stendhal se retrouvent dans le décor de ce restaurant où brillent miroirs et lustres de cristal. Cuisine italienne et belle carte des vins.

6 New-York

XX

6 av. New-York ⊠ 75016 Ⓜ Alma Marceau – ℰ 01 40 70 03 30
– www.6newyork.fr – 6newyork@wanadoo.fr – Fax 01 40 70 04 77 – Fermé août,
sam. midi et dim. H 8
Rest – Menu 30 € (déj.) – Carte 42/64 €

♦ Si l'enseigne vous renseigne sur l'adresse, elle ne vous dit pas que ce bistrot chic concocte une cuisine en parfaite harmonie avec le cadre : résolument moderne et épurée.

etc...

XX
✿

2 r. La Pérouse ⊠ 75016 Ⓜ Kléber – ℰ 01 49 52 10 10 – etc@groupeepicure.com
– Fax 01 49 52 10 11 – Fermé sam. midi et dim. G 7
Rest – Menu 68 € bc (déj.) – Carte environ 85 €
Spéc. Fraîcheur de tourteau. Noix d'entrecôte de bœuf Hereford, laquée de soja-ciboulette. Caramel au goût de carambar glacé.

♦ La nouvelle table de Christian Le Squer a été conçue sous la forme d'un bistrot chic épuré, en noir et gris. Cuisine actuelle de qualité, courte carte misant sur la saisonnalité.

Giulio Rebellato

XX

136 r. Pompe ⊠ 75116 Ⓜ Victor Hugo – ℰ 01 47 27 50 26 – jrebellato@
hotmail.com – Fermé 3 sem. en août G 6
Rest – Menu 33 € (déj. en sem.) – Carte 50/80 €

♦ Beaux tissus, gravures anciennes et scintillements des miroirs président à un chaleureux intérieur d'inspiration vénitienne signé Garcia. Recettes de l'Italie septentrionale.

Tang

XX

125 r. de la Tour ⊠ 75116 Ⓜ Rue de la Pompe – ℰ 01 45 04 35 35
– www.restaurant-tang.fr – charlytang16@yahoo.fr – Fax 01 45 04 58 19 – Fermé
1ᵉʳ-24 août, lundi midi et dim. H 5
Rest – Menu (39 € bc) – Carte 70/139 €

♦ Derrière les larges baies vitrées, une salle haute sous plafond, dont le décor classique est rehaussé de touches asiatiques. Spécialités chinoises et thaïlandaises.

Chez Géraud

XX
☺

31 r. Vital ⊠ 75016 Ⓜ La Muette – ℰ 01 45 20 33 00 – Fax 01 45 20 46 60
– Fermé août, 23 déc.-5 janv., sam. et dim. H 5
Rest – Menu 32 € – Carte 48/75 €

♦ La façade, puis la fresque intérieure, toutes deux en faïence de Longwy, attirent l'œil. Cadre de bistrot chic pour une cuisine traditionnelle privilégiant le gibier en saison.

Bistro de la Muette

XX

10 chaussée de la Muette ⊠ 75016 Ⓜ La Muette – ℰ 01 45 03 14 84
– www.bistrocie.fr – bistro@bistrocie.fr J 5
Rest – Menu (27 €), 38 € bc

♦ La formule tout compris très attractive est l'un des atouts de cet élégant bistrot prisé par la clientèle du quartier. Décor moderne et chaleureux aux tons bruns. Véranda.

Ozu

XX

5 av. Albert de Mun ⊠ 75116 Ⓜ Iéna – ℰ 01 40 69 23 90
– www.ozurestaurants.com – Fax 01 40 69 23 01 H 7
Rest – Menu (28 €), 45 € bc (déj.), 65/85 € – Carte 46/63 €

♦ Dans le complexe CinéAqua du Trocadéro, cadre atypique : costumes de samouraï, écrans plats, aquarium géant, comptoir à sushis et sashimis. Carte inventive d'inspiration japonaise.

Marius

XX

82 bd Murat ⊠ 75016 Ⓜ Porte de St-Cloud – ℰ 01 46 51 67 80 – restaurant.marius@
orange.fr – Fax 01 40 71 83 75 – Fermé août, sam. midi et dim.
Rest – Carte 45/70 € M 2

♦ Chaises en velours jaune, murs clairs, stores en bois et grands miroirs caractérisent la salle à manger-véranda de ce restaurant dédié aux produits de la mer. Vins choisis.

Le Vinci

XX

23 r. P. Valéry ⊠ 75116 Ⓜ Victor Hugo – ℰ 01 45 01 68 18 – levinci@wanadoo.fr
– Fax 01 45 01 60 37 – Fermé 2-24 août, sam. et dim. F 7
Rest – Carte 45/75 €

♦ Goûteuse cuisine italienne, sympathique intérieur coloré et service aimable : un petit établissement très prisé à deux pas de la commerçante et huppée avenue Victor-Hugo.

A et M Restaurant

136 bd Murat ⌧ 75016 Ⓜ Porte de St-Cloud – ✆ 01 45 27 39 60
– am-bistrot-16@wanadoo.fr – Fax 01 45 27 69 71 – Fermé août, sam. midi et dim.
Rest – Menu (23 €), 30 € M 3

◆ "Bistrot de chef" tendance, situé à deux pas de la Seine : sobriété du décor contemporain, aux tons crème et havane, éclairage design et cuisine au goût du jour soignée.

L'Acajou

35bis r. Jean-de-la-Fontaine ⌧ 75016 Ⓜ Jasmin – ✆ 01 42 88 04 47
– www.l-acajou.com – jeanimbert.acajou@hotmail.fr – Fax 01 42 88 95 12
– Fermé août, sam. midi et dim.
Rest – Menu (28 €), 35/40 € bc – Carte 50/70 € K 5

◆ Cuisine au goût du jour bien ficelée, décor moderne préservant d'anciennes boiseries et accueil convivial : l'ex-Fontaine d'Auteuil a bénéficié d'un sérieux coup de jeune.

La Villa Corse

141 av. Malakoff Ⓜ Porte Maillot – ✆ 01 40 67 18 44 – www.lavillacorse.com
– lavillacorseriverdroite@wanadoo.fr – Fax 01 40 67 18 19 – Fermé dim.
Rest – Menu 25 € bc (déj.)/35 € bc – Carte 50/65 € E 6

◆ Cette villa de la rive droite, petite sœur de celle du 15e, mixe terroir corse et esprit lounge dans une grande salle à manger surmontée d'une mezzanine. Décontracté et branché.

La Marée Passy

71 av P. Doumer ⌧ 75016 Ⓜ La Muette – ✆ 01 45 04 12 81 – www.lamareepassy.com
Rest – Carte 45/60 € H 5

◆ La salle chaleureuse, avec ses boiseries, tons rouges et objets liés à la navigation, sied parfaitement aux repas iodés de cette adresse vouée à la mer (une viande à l'ardoise).

Le Petit Pergolèse

38 r. Pergolèse ⌧ 75016 Ⓜ Porte Maillot – ✆ 01 45 00 23 66 – Fax 01 45 00 44 03
– Fermé août, sam. et dim.
Rest – Carte 50/70 € F 6

◆ On mange un peu au coude à coude dans ce bistrot chic du 16e arrondissement. Décor contemporain, cuisine visible de tous et répertoire culinaire dans l'air du temps.

Essaouira

135 r. Ranelagh ⌧ 75016 Ⓜ Ranelagh – ✆ 01 45 27 99 93 – Fax 01 45 27 56 36
– Fermé août, lundi midi et dim.
Rest – Menu (16 €) – Carte 35/55 € J 4

◆ L'ancienne Modagor a prêté son nom à ce restaurant marocain décoré d'une fontaine en mosaïque, de tapis et d'objets artisanaux. Couscous, tajines et méchoui comme là-bas !

La Table Lauriston

129 r. Lauriston ⌧ 75016 Ⓜ Trocadéro – ✆ 01 47 27 00 07 – Fax 01 47 27 00 07
– Fermé 1er-24 août, sam. midi et dim.
Rest – Menu 25 € (déj.) – Carte 45/70 € G 6

◆ Cette table des beaux quartiers mise sur la simplicité et la qualité : une belle cuisine traditionnelle à déguster avec bonne humeur dans un décor de bistrot actuel.

Chaumette

7 r. Gros ⌧ 75016 Ⓜ Mirabeau – ✆ 01 42 88 29 27
– Fermé 8-24 août, 23 déc.-3 janv., sam. midi et dim.
Rest – Menu (21 €), 25 € (déj.) – Carte 37/55 € K 5

◆ Un beau bistrot à l'ancienne, tel qu'on se l'imagine : boiseries sombres, tables alignées, comptoir. La clientèle chic du quartier apprécie sa cuisine traditionnelle soignée.

Rosimar

26 r. Poussin ⌧ 75016 Ⓜ Michel Ange Auteuil – ✆ 01 45 27 74 91 – Fax 01 45 20 75 05
– Fermé août, 24-31 déc., sam., dim., fériés et le soir sauf vendredi
Rest – Menu 40 € bc – Carte 42/67 € K 3

◆ Cette salle à manger agrandie de miroirs contient toutes les saveurs de l'Espagne traditionnelle. "Hombre" ! Une sympathique petite affaire familiale !

Tokyo Eat

13 av. du Président Wilson ⌧ 75016 Ⓜ Iéna – ✆ 01 47 20 00 29 – tokyoeat@
palaisdetokyo.com – Fax 01 47 20 05 62 – Fermé lundi G 8
Rest – Menu (20 €) – Carte 35/65 €

◆ Espace industriel, béton brut, mezzanine avec DJ, lampes-ovnis, cuisine fusion, brunch le dimanche... Vous êtes au Palais de Tokyo, le temple de l'art contemporain. Intéressant !

16e arrondissement – PARIS page 127

Tampopo
VISA MC
66 r. Lauriston ⊠ 75116 Ⓜ Boissière – ℰ 01 47 27 74 52 – Fermé août, sam. midi et dim.   G 7
Rest – *(nombre de couverts limité, prévenir)* Menu (18 €) – Carte 35/50 €
♦ Cadre sobre chez Tampopo ("pissenlit" dans la langue de Molière). Sushis, sashimis, grillades et tempuras à l'affiche de ce petit restaurant japonais traditionnel et familial.

Oscar
VISA MC AE
6 r. Chaillot Ⓜ Iéna – ℰ 01 47 20 26 92 – fredmartinod@orange.fr
– Fax 01 47 20 27 93 – Fermé 5-20 août, sam. midi et dim.   G 8
Rest – Menu (23 €) – Carte 35/45 €
♦ Discrète façade, tables serrées, ardoise de suggestions du jour : le degré zéro du marketing et pourtant le "cœur de cible" de ce bistrot s'étend bien au-delà du quartier !

au Bois de Boulogne – ⊠ 75016

Le Pré Catelan
🚗 🍴 AC ✂ 🐕 P VISA MC AE ①
❀❀❀
rte Suresnes ⊠ 75016 – ℰ 01 44 14 41 14 – www.lenotre.fr
– leprecatelan-restaurant@lenotre.fr – Fax 01 45 24 43 25
– Fermé 2-24 août, 25 oct.-2 nov., 21 fév.-8 mars, dim. et lundi   H 2
Rest – Menu 85 € (déj. en sem.), 180/240 € – Carte 195/250 € ❀
Spéc. Homard breton rôti, pois gourmands au parfum d'ail, câpres et champignons. Bar poêlé recouvert de sésame doré acidulé et caviar d'Aquitaine. Pomme soufflée croustillante et crème glacée au carambar.
♦ Sur des bases classiques magnifiant le produit, la cuisine inventive de Frédéric Anton est parfaitement accomplie. Élégant pavillon Napoléon III au nouveau décor signé Pierre-Yves Rochon.

La Grande Cascade
🍴 ⇔ 🐕 P VISA MC AE ①
❀
allée de Longchamp ⊠ 75016 – ℰ 01 45 27 33 51 – www.grandecascade.com
– grandecascade@wanadoo.fr – Fax 01 42 88 99 06   A 2
Rest – Menu 79/185 € – Carte 131/200 € ❀
Spéc. Fleurs de courgette ivres de girolles. Bar de ligne nacré aux algues et beurre demi-sel. Chaud-froid d'un chocolat pure origine "Praïa".
♦ Un des paradis de la capitale, au pied de la Grande Cascade (10 m !) du bois de Boulogne. Cuisine raffinée, servie dans le beau pavillon 1850 ou sur l'exquise terrasse.

Palais des Congrès • Wagram • Ternes • Batignolles

17e arrondissement   ⊠ 75017

S. Sauvignier/MICHELIN

Le Méridien Étoile
📶 ઙ ch, AC 🔄 📞 🛁 VISA MC AE ①
81 bd Gouvion St-Cyr Ⓜ Neuilly-Porte Maillot – ℰ 01 40 68 34 34
– www.lemeriden.com/etoile – guest.etoile@lemeridien.com
– Fax 01 40 68 31 31   E 6
1025 ch – †175/475 € ††175/475 €, ⊇ 25 € – 21 suites
Rest *L'Oneroc* – ℰ 01 40 68 30 40 *(fermé de fin juil. à fin août, 20-28 déc., sam. et dim.)* Menu (35 €), 44 € (sem.)/75 € – Carte 52/90 €
Rest *Le Jazz Club Lounge* – ℰ 01 40 68 30 42 – Carte 25/49 €
♦ Gigantesque hôtel comprenant un club de jazz, un bar, des boutiques et un luxueux centre de conférences. Granit noir et camaïeu de beige dans les chambres contemporaines. Cuisine actuelle et chaleureux décor colonial à l'Orenoc. Carte au goût du jour et brunch musical le dimanche au Jazz Club Lounge.

1393

Concorde La Fayette

3 pl. Gén. Koenig ⓜ Porte Maillot – ✆ 01 40 68 50 68
– www.concorde-lafayette.com – booking@concorde-hotels.com
– Fax 01 40 68 50 43
E 6

931 ch – †150/600 € ††150/600 €, ⊆ 28 € – 21 suites
Rest *La Fayette* – ✆ 01 40 68 51 19 – Menu (35 €), 45 € (déj.) – Carte 46/69 €

♦ Intégrée au palais des congrès, cette tour de 33 étages offre une vue imprenable sur Paris depuis la plupart des chambres, spacieuses et confortables, et le bar panoramique. Repas servis sous forme de buffets à volonté au restaurant La Fayette.

Splendid Étoile

1bis av. Carnot ⓜ Charles de Gaulle-Etoile – ✆ 01 45 72 72 00
– www.hsplendid.com – sales@groupefrontenac.com
– Fax 01 45 72 72 01
F 7

54 ch – †310/400 € ††310/400 €, ⊆ 25 € – 3 suites
Rest *Le Pré Carré* – ✆ 01 46 22 57 35 *(fermé 8-23 août, sam. midi et dim.)*
Menu 34 € (dîner) – Carte 37/65 €

♦ Belle façade classique agrémentée de balcons ouvragés. Grandes chambres de caractère, meublées Louis XV ; certaines avec vue sur l'Arc de Triomphe. Deux miroirs reflètent à l'infini l'élégant décor du restaurant où le chef propose une cuisine au goût du jour.

Ampère

102 av. Villiers ⓜ Pereire – ✆ 01 44 29 17 17 – www.hotelampere.com – resa@hotelampere.com – Fax 01 44 29 16 50
D 8

96 ch – †260/400 € ††260/400 €, ⊆ 17 €
Rest *Le Jardin d'Ampère* – ✆ 01 44 29 16 54 *(fermé août et dim. soir)*
Menu (38 €) – Carte 58/77 €

♦ Confortable piano-bar ouvert sur la verdure, connexion wi-fi et douillettes chambres contemporaines en partie tournées vers la cour intérieure composent un hôtel bien agréable. Cadre soigné et jolie terrasse au Jardin d'Ampère ; dîners-concerts aux beaux jours.

Balmoral sans rest

6 r. Gén. Lanrezac ⓜ Charles de Gaulle-Etoile – ✆ 01 43 80 30 50
– www.hotel-balmoral.com – hotel@hotelbalmoral.fr – Fax 01 43 80 51 56
E 7

57 ch – †135/145 € ††150/185 €, ⊆ 10 €

♦ Ambiance feutrée, raffinement des décorations intérieures (mobilier de style, boiseries) caractérisent cet hôtel. Chambres rénovées dans un esprit moderne au confort douillet.

Regent's Garden sans rest

6 r. P. Demours ⓜ Ternes – ✆ 01 45 74 07 30 – hotel.regents.garden@wanadoo.fr
– Fax 01 40 55 01 42
E 7

39 ch – †290/440 € ††290/440 €, ⊆ 19 €

♦ Hôtel particulier, commande de Napoléon III pour son médecin, totalement reconçu dans un esprit "boutique hôtel". Chambres tendance, jardin japonais, certification Écolabel.

Novotel Porte d'Asnières

34 av. Porte d'Asnières ⓜ Pereire – ✆ 01 44 40 52 52 – www.novotel.com
– h4987@accor.com – Fax 01 44 40 44 23
C 9

139 ch – †99/235 € ††99/235 €, ⊆ 16 € **Rest** – Menu (22 €), 28 €

♦ Cette construction moderne proche du périphérique bénéficie de chambres très bien insonorisées ; celles à partir du 7ᵉ étage profitent de la vue sur les toits parisiens. Décor contemporain au restaurant où l'on propose des recettes de type brasserie.

Banville sans rest

166 bd Berthier ⓜ Porte de Champerret – ✆ 01 42 67 70 16 – www.hotelbanville.fr
– info@hotelbanville.fr – Fax 01 44 40 42 77
D 8

38 ch – †215/310 € ††215/310 €, ⊆ 20 €

♦ Immeuble de 1926 aménagé avec beaucoup de goût. Élégants salons, chambres personnalisées et particulièrement raffinées (influences provençales) ; le mardi, soirées jazz au piano-bar.

Waldorf Arc de Triomphe sans rest

36 r. Pierre Demours ⓜ Ternes – ✆ 01 47 64 67 67 – www.hotelswaldorfparis.com
– arc@hotelswaldorfparis.com – Fax 01 40 53 91 34
D 8

44 ch – †320/460 € ††340/460 €, ⊆ 20 €

♦ Façade élégante, atmosphère raffinée, chambres contemporaines un brin feutrées et espace de relaxation avec petite piscine : détente assurée dès la porte franchie.

17ᵉ arrondissement – PARIS page 129

Villa Alessandra sans rest
9 pl. Boulnois Ⓜ Ternes – ℰ 01 56 33 24 24 – www.villa-alessandra.com
– alessandra@leshotelsdeparis.com – Fax 01 56 33 24 30   E 8
49 ch – †310 € ††320 €, ⊇ 18 €
♦ Charmant hôtel des Ternes bordant une ravissante placette, apprécié pour sa tranquillité. Chambres aux couleurs du Sud, avec lits en fer forgé et meubles en bois peint.

Amarante Arc de Triomphe sans rest
25 r. Th.-de-Banville Ⓜ Pereire – ℰ 01 47 63 76 69
– www.jjwhotels.com – amarante-arcdetriomphe@jjwhotels.com
– Fax 01 43 80 63 96   D 8
50 ch – †140/250 € ††140/250 €, ⊇ 22 €
♦ Cet hôtel abrite des chambres de style Directoire plébiscitées par la clientèle d'affaires ; certaines s'ouvrent sur le patio et celles du dernier étage sont mansardées.

Princesse Caroline sans rest
1bis r. Troyon Ⓜ Charles de Gaulle-Etoile – ℰ 01 58 05 30 00
– www.hotelprincessecaroline.fr – contact@hotelprincessecaroline.fr
– Fax 01 42 27 49 53   E 8
53 ch – †158 € ††158 €, ⊇ 18 €
♦ Dans une ruelle voisine de l'Étoile, cet établissement rend hommage à Caroline Murat, sœur de Napoléon 1ᵉʳ. Chambres bourgeoises, lumineuses et cosy, très calmes côté cour.

Champerret Élysées sans rest
129 av. Villiers Ⓜ Porte de Champerret – ℰ 01 47 64 44 00
– www.champerret-elysees.fr – reservation@champerret-elysees.fr
– Fax 01 47 63 10 58   D 7
45 ch – †99/150 € ††99/150 €, ⊇ 15 €
♦ Cet hôtel de la porte de Champerret abrite des chambres colorées (plus tranquilles sur cour). Petit-déjeuner buffet pris devant un trompe-l'œil représentant Paris.

Magellan sans rest
17 r. J.-B. Dumas Ⓜ Porte de Champerret – ℰ 01 45 72 44 51
– www.hotelmagellan.com – paris@hotelmagellan.com
– Fax 01 40 68 90 36   D 7
72 ch – †103/137 € ††, ⊇ 14 €
♦ Chambres fonctionnelles et spacieuses, aménagées dans un bel immeuble 1900 et son petit pavillon au fond du jardin où l'on petit-déjeune en été. Salon de style Art déco.

Mercure Wagram Arc de Triomphe sans rest
3 r. Brey Ⓜ Charles de Gaulle-Etoile –
ℰ 01 56 68 00 01 – www.mercure.com – h2053@accor.com
– Fax 01 56 68 00 02   E 8
43 ch – †195/260 € ††205/270 €, ⊇ 14 €
♦ Entre l'Étoile et les Ternes, chaleureuse réception et petites chambres douillettes habillées de tissus chatoyants et de boiseries claires évoquant l'univers marin.

Tilsitt Étoile sans rest
23 r. Brey Ⓜ Charles de Gaulle-Etoile – ℰ 01 43 80 39 71 – www.tilsitt.com
– info@tilsitt.com – Fax 01 47 66 37 63   E 8
38 ch – †140 € ††170 €, ⊇ 13 €
♦ Mignonnes chambres cosy (quelques terrassettes), plaisante salle des petits-déjeuners et salon-bar design... Le tout dans une rue calme du quartier de l'Étoile.

Champlain sans rest
99 bis r. de Rome Ⓜ Rome – ℰ 01 42 27 49 52 – www.hotelchamplainparis.com
– hotelchamplainparis@jjwhotels.com   D 11
51 ch – †170/190 € ††190/230 €, ⊇ 16 €
♦ Hôtel proche de la gare St-Lazare récemment rénové. Bar et salon chaleureux, chambres d'esprit contemporain raffiné ; des deux derniers étages, vue imprenable sur Montmartre.

Monceau Élysées sans rest
108 r. Courcelles Ⓜ Courcelles – ℰ 01 47 63 33 08 – www.monceau-elysees.com
– monceau-elysees@wanadoo.fr – Fax 01 46 22 87 39   E 9
29 ch – †89/175 € ††99/235 €, ⊇ 11 €
♦ Près du parc Monceau, cet hôtel propose des chambres personnalisées (couleur saumon et tissus imprimés ou style plus actuel). Petits-déjeuners sous une voûte en pierres.

17ᵉ arrondissement

XXXX Guy Savoy ✿✿✿
18 r. Troyon Ⓜ *Charles de Gaulle-Etoile –* ✆ *01 43 80 40 61 – www.guysavoy.com*
– reserv@guysavoy.com – Fax 01 46 22 43 09
– Fermé août, 24 déc.-2 janv., sam. midi, dim. et lundi E 8
Rest – Menu 275/345 € – Carte 140/270 €
Spéc. Huîtres en nage glacée. Bar en écailles grillées aux épices douces. Noir (dessert).
♦ Verre, cuir et wengé, œuvres signées des grands noms de l'art contemporain, sculptures africaines, cuisine raffinée et inventive : "l'auberge du 21ᵉ s." par excellence.

XXXX Michel Rostang ✿✿
20 r. Rennequin Ⓜ *Ternes –* ✆ *01 47 63 40 77 – www.michelrostang.com*
– rostang@relaischateaux.com – Fax 01 47 63 82 75
– Fermé 3-25 août, lundi midi, sam. midi et dim. D 8
Rest – Menu 78 € (déj. en sem.), 165/285 € – Carte 133/222 €
Spéc. Carte des truffes et "sandwichs" à la truffe (15 déc. à mi-mars). Grosse sole de ligne meunière, marinière de coquillages au curry mauri. Tarte chaude au chocolat amer.
♦ Boiseries, figurines de Robj, œuvres de Lalique et vitrail Art déco composent ce décor à la fois luxueux et insolite. Belle cuisine maîtrisée et magnifique carte des vins.

XXX Sormani
4 r. Gén. Lanrezac Ⓜ *Charles de Gaulle-Etoile –* ✆ *01 43 80 13 91 – sasormani@wanadoo.fr – Fax 01 40 55 07 37 – Fermé 1ᵉʳ-25 août, sam., dim. et fériés* E 7
Rest – Carte 60/200 €
♦ Proche de la place de l'Étoile, joli cadre aux influences baroques dans les tons rouge où se sont donnés rendez-vous charme latin, ambiance "dolce vita" et cuisine italienne.

XXX Pétrus
12 pl. Mar. Juin Ⓜ *Pereire –* ✆ *01 43 80 15 95 – Fax 01 47 66 49 86*
– Fermé 5-25 août D 8
Rest – Carte 45/85 €
♦ Exit la pêche du jour, place à la modernité : nouveau cadre épuré toujours aussi soigné, service particulièrement attentif et saveurs actuelles sur fond de répertoire classique.

XX La Braisière (Jacques Faussat) ✿
54 r. Cardinet Ⓜ *Malesherbes –* ✆ *01 47 63 40 37 – labraisiere@free.fr*
– Fax 01 47 63 04 76 – Fermé 26 juil.-23 août, 1ᵉʳ-10 janv., sam. midi et dim.
Rest – Menu 38 € (déj. en sem.)/110 € – Carte 53/65 € D 9
Spéc. Gâteau de pomme de terre au foie gras et aux girolles (saison). Saint-Jacques poêlées (automne-hiver). Figues rôties aux fruits d'automne, crème de marrron et épices de la joie (saison).
♦ Confortable salle à manger moderne, sobre et de bon goût. La carte a une jolie pointe d'accent du Sud-Ouest, même si elle évolue au gré du marché et selon l'inspiration du chef.

XX Dessirier
9 pl. Mar. Juin Ⓜ *Pereire –* ✆ *01 42 27 82 14 – www.restaurantdessirier.com*
– reservation@restaurantdessirier.com – Fax 01 47 66 82 07 – Fermé 10-17 août, sam. et dim. en juil.-août D 8
Rest – Carte 62/97 €
♦ L'un des six "bistrots" de Michel Rostang. Le beau banc d'écailler rappelle la vocation marine de la carte. L'intérieur façon brasserie est élégant et l'ambiance pleine de vie.

XX Rech
62 av. des Ternes Ⓜ *Ternes –* ✆ *01 45 72 29 47 – www.esprit-bistrot.com*
– restaurant.rech@free.fr – Fax 01 45 72 41 60 – Fermé 26 juil.-24 août, 24 déc.-1ᵉʳ janv., dim. et lundi E 7
Rest – Menu 34 € (déj.)/55 € – Carte 50/85 €
♦ Les salles feutrées de ce vénérable restaurant d'esprit Art déco (miroirs, vitraux) augurent d'un agréable moment. Beaux produits de la mer ; une viande en alternative.

XX Timgad
21 r. Brunel Ⓜ *Argentine –* ✆ *01 45 74 23 70 – www.timgad.fr – contact@timgad.fr – Fax 01 40 68 76 46* E 7
Rest – Menu 69 € bc/113 € bc – Carte 40/85 €
♦ Retrouvez un peu de la splendeur passée de la cité de Timgad : le décor mauresque raffiné des salles fut réalisé par des stucateurs marocains. Cuisine parfumée du Maghreb.

La Maison de Charly

97 bd Gouvion-St-Cyr **Ⓜ** Porte Maillot – ℰ 01 45 74 34 62 – www.lamaisondecharly.fr – Fax 01 55 37 90 21 – Fermé août et lundi E 6
Rest – Menu (29 €), 34 €

◆ Façade ocre devancée d'oliviers, élégant décor mauresque, palmier sous verrière et trio couscous-tajines-pastillas sérieusement exécuté : une sympathique parenthèse orientale.

Agapé

51 r. Jouffroy-d'Abbans **Ⓜ** Wagram – ℰ 01 42 27 20 18 – www.agape-paris.fr – www.agape-paris@orange.fr – Fax 01 43 80 68 09 D 9
Rest – (Fermé août, sam. et dim.) Menu 39 € (déj. en sem.), 77/110 € – Carte 57/79 €
Spéc. Veau cru-fumé de Corrèze, citron vert-vanille et fines herbes. Pigeonneau de Sologne, endive carmine et abricot. Chocolat-café Panama.

◆ Un nom grec célébrant l'amour, un lieu chic au décor minimaliste en teintes douces, une carte courte et alléchante. Cette nouvelle table contemporaine ravit les gourmets.

Graindorge

15 r. Arc de Triomphe **Ⓜ** Charles de Gaulle-Etoile – ℰ 01 47 54 00 28 – le.graindorge@wanadoo.fr – Fermé 1er-15 août, sam. midi et dim. E 7
Rest – Menu (24 €), 28 € (sem.), 34/50 € – Carte 44/50 €

◆ Sélection de bières ou carte des vins, généreuse cuisine flamande ou attrayants plats du marché : à vous de choisir selon l'humeur du jour ! Joli cadre Art déco.

Meating

122 av. de Villiers **Ⓜ** Pereire – ℰ 01 43 80 10 10 – www.meating.abemadi.com – chezmichelpereire@wanadoo.fr – Fax 01 43 80 31 42 – Fermé dim. et lundi B 2
Rest – Menu 34 € – Carte 50/75 €

◆ Dans le décor branché de ce steakhouse des quartiers chic, le chef sélectionne de belles viandes et les cuit "au degré près". Plats classiques également.

Le Ballon des Ternes

103 av. Ternes **Ⓜ** Porte Maillot – ℰ 01 45 74 17 98 – leballondesternes@fr.oleane.com – Fax 01 45 72 18 84 E 6
Rest – Carte 40/65 €

◆ Non, vous n'avez pas bu trop de ballons ! La table dressée à l'envers au plafond fait partie du plaisant décor 1900 de cette brasserie voisine du Palais des Congrès.

Chez Georges

273 bd Péreire **Ⓜ** Porte Maillot – ℰ 01 45 74 31 00 – www.chez-georges.com – chez-georges@hotmail.fr – Fax 01 45 72 18 84 E 6
Rest – bistrot – Carte 42/75 €

◆ Dans cette institution parisienne depuis 1926, l'ambiance et le décor de brasserie s'accordent totalement avec une appétissante cuisine de bistrot. Carte et plats du jour.

Chez Léon

32 r. Legendre **Ⓜ** Villiers – ℰ 01 42 27 06 82 – chezleon32@wanadoo.fr – Fax 01 46 22 63 67 – Fermé 26 juil.-24 août, 24 déc.-4 janv., sam., dim. et fériés D 10
Rest – Menu (24 €), 32 € (déj.)/34 €

◆ Nouveau décor mariant esprit bistrot et touches contemporaines dans l'une des trois salles à manger. La cuisine panache aussi modernité et tradition. Ambiance conviviale.

Bigarrade (Christophe Pelé)

106 r. Nollet **Ⓜ** Brochant – ℰ 01 42 26 01 02 – www.bigarrade.fr – restobigarrade@orange.fr – Fermé août, vacances de Noël, lundi midi, sam. et dim. C 11
Rest – (nombre de couverts limité, prévenir) Menu 35 € (déj.), 45/65 €
Spéc. Menu du marché.

◆ Pas de carte dans ce petit restaurant épuré, mais deux menus "surprises" composés de plusieurs petits plats inventifs et séduisants. Cuisine ouverte pour suivre le chef à l'œuvre.

Bath's

25 r. Bayen **Ⓜ** Ternes – ℰ 01 45 74 74 74 – www.baths.fr – contact@baths.fr – Fax 01 45 74 71 15 – Fermé août, dim. et fériés E 7
Rest – Menu (28 €), 42 € (sem.) – Carte 50/70 €
Spéc. Cassolette d'œufs brouillés. Filet de bœuf de Salers aux épices douces. Riz au lait, compotée d'ananas.

◆ Sculptures du patron et tableaux contemporains ponctuent le cadre actuel de ce restaurant où dominent les tons orange et noir. Goûteuse cuisine du marché.

Caïus
6 r. d'Armaillé **Ⓜ** Charles de Gaulle-Etoile – ℰ 01 42 27 19 20 – Fax 01 40 55 00 93
– Fermé sam. et dim. E 7
Rest – Menu (23 €), 39 €
♦ Chaque jour, le chef de ce beau bistrot inscrit sur la monumentale ardoise de nouvelles recettes personnalisées à l'aide d'épices ou de produits "oubliés". Décor moderne épuré.

Montefiori
19 r. de l'Etoile **Ⓜ** Charles de Gaulle-Etoile – ℰ 01 55 37 90 00 – www.montefiori.fr
– montesiori@wanadoo.fr – Fermé 1er-23 août, 24 déc.-4 janv., sam. midi, lundi
soir et dim. E 8
Rest – Menu (17 €), 22 € (déj.) – Carte 30/50 €
♦ Rendez-vous dans cette ancienne boulangerie à la façade classée pour déguster, dans un décor contemporain rouge et vert, des spécialités italiennes de qualité.

Karl & Erick
20 r. de Tocqueville **Ⓜ** Villiers – ℰ 01 42 27 03 71 – vandevelde17@orange.fr
– Fermé 1er-24 août, sam. midi, dim. et lundi D 10
Rest – Menu (24 €) – Carte 37/57 €
♦ Deux jumeaux, l'un en salle, l'autre en cuisine, sont à l'origine de ce bistrot aux airs de loft contemporain. À l'ardoise : plats soignés mi-bistrots, mi-actuels.

Table des Oliviers
38 r. Laugier **Ⓜ** Pereire – ℰ 01 47 63 85 51 – www.latabledesoliviers.fr
– latabledesoliviers@hotmail.fr – Fax 01 47 63 85 81 – Fermé début août, sam.
midi et dim. D 7-8
Rest – Menu (24 €), 32 € – Carte 50/58 €
♦ Restaurant aux couleurs du Sud proposant une cuisine provençale qui a le goût de l'huile d'olive, du thym et du basilic... Peuchère, il ne manque plus que le chant des cigales !

Bistrot Niel
75 av. Niel **Ⓜ** Pereire – ℰ 01 42 27 88 44 – lebistrotdeniel@aol.com
– Fax 01 42 27 32 12 – Fermé sam. midi et dim. D 8
Rest – Menu 30 € (déj. en sem.)/35 € – Carte 43/61 €
♦ Un bistrot moderne à la fois chic et chaleureux. La cuisine est orientée produits de la mer et panache influences bourgeoises, touches modernes et notes épicées.

Le Café d'Angel
16 r. Brey **Ⓜ** Charles de Gaulle-Etoile – ℰ 01 47 54 03 33 – Fax 01 47 54 03 33
– Fermé 1er-21 août, 24 déc.-2 janv., sam., dim. et fériés E 8
Rest – Menu (22 €), 26 € – Carte 42/56 €
♦ Cette petite adresse a la nostalgie des bistrots parisiens d'antan : intérieur rétro avec banquettes en skaï, faïences aux murs et plats traditionnels énoncés sur ardoise.

Le Clou
132 r. Cardinet **Ⓜ** Malesherbes – ℰ 01 42 27 36 78
– www.restaurant-leclou.fr – le.clou@wanadoo.fr – Fax 01 42 27 89 96
– Fermé 1er-24 août et dim. C 10
Rest – Menu 22 € (déj. en sem.), 29/33 € – Carte 33/45 €
♦ Ce bistrot concilie convivialité et raffinement : tables à touche-touche, plats du terroir (poitevin notamment) revisités selon le marché et la saison, vins prestigieux.

Chez Mathilde-Paris XVII
41 r. Guersant **Ⓜ** Porte Maillot – ℰ 01 45 74 75 27 – www.chezmathilde.fr
– contact@chezmathilde.fr – Fermé 26 juil.-26 août, 24 déc.-1er janv., sam. et
dim. D 7
Rest – Carte environ 25 €
♦ La cuisine bistrotière du chef, mitonnée en fonction du marché, est suggérée sur ardoise. Un modeste restaurant familial fort éloigné de la branchitude parisienne...

L'Huîtrier
16 r. Saussier-Leroy **Ⓜ** Ternes – ℰ 01 40 54 83 44 – alainbunel17@free.fr
– Fax 01 40 54 83 86 – Fermé août et lundi E 8
Rest – Carte 40/70 €
♦ À l'entrée, le banc d'écailler vous mettra l'eau à la bouche. Vous dégusterez là huîtres et fruits de mer, au coude à coude, dans une salle à manger sagement contemporaine.

17ᵉ arrondissement – PARIS page 133

L'Entredgeu
VISA MC
83 r. Laugier **M** Porte de Champerret – ℰ 01 40 54 97 24 – Fax 01 40 54 96 62
– Fermé 25 avril-7 mai, 5-25 août, 22-29 déc., dim. et lundi D 7
Rest – Menu (24 €), 32 €
♦ Accueil souriant, décor aux accents du Sud-Ouest, ambiance animée, menu sur ardoise et cuisine du marché : entraînez-vous à prononcer son nom, l'Entredgeu en vaut la peine !

Caves Petrissans
VISA MC AE
30 bis av. Niel **M** Pereire – ℰ 01 42 27 52 03 – cavespetrissans@noos.fr
– Fax 01 40 54 87 56 – Fermé août, sam., dim. et fériés D 8
Rest – (prévenir) Menu 35 € – Carte 42/56 €
♦ Céline, Abel Gance, Roland Dorgelès aimaient fréquenter ces caves plus que centenaires, à la fois boutique de vins et restaurant. Cuisine bistrotière bien ficelée.

Montmartre • Pigalle

18ᵉ arrondissement ✉ 75018

S. Sauvignier/MICHELIN

Terrass'Hôtel
12 r. J. de Maistre **M** Place de Clichy – ℰ 01 46 06 72 85 – www.terrass-hotel.com
– reservation@terrass-hotel.com – Fax 01 44 92 34 30 C 13
98 ch – †280/330 € ††280/330 €, ⊇ 17 €
Rest *Le Diapason* – ℰ 01 44 92 34 00 (fermé dim. soir du 16 sept. au 30 avril et sam. midi) Menu (22 €), 29 € (déj.)/35 € bc – Carte 45/63 €
♦ Au pied du Sacré-Cœur. Vue imprenable sur Paris des chambres des étages supérieurs et de la terrasse au dernier niveau. Intérieur soigné (objets, boiseries). Décor contemporain sobre (tons sable, gris et noir) au Diapason ; cuisine à l'image du cadre, actuelle et épurée.

Kube
1 passage Ruelle **M** La Chapelle – ℰ 01 42 05 20 00 – www.kubehotel.com
– paris@kubehotel.com – Fax 01 42 05 21 01 C 16
41 ch – †250/275 € ††300/325 €, ⊇ 25 €
Rest – Menu (19 €), 25 € (déj.)/41 € – Carte 35/53 €
♦ La façade du 19ᵉ s. dissimule un hôtel du 21ᵉ s. résolument design et high-tech. Le bar entièrement construit en glace (-10°) constitue une expérience insolite, à ne surtout pas rater ! Concept très mode aussi au restaurant lounge : carte actuelle et "finger food".

L'Hôtel Particulier sans rest
23 av. Junot **M** Lamarck Caulaincourt – ℰ 01 53 41 81 40 – www.hotel-particulier-montmartre.com – hotelparticulier@orange.fr C 13
4 ch – †390 € ††390 €, ⊇ 20 € – 1 suite
♦ Étonnante, cette demeure Directoire forme un havre de paix au cœur de Montmartre. Entrée discrète par un passage pavé, jardin luxuriant, atmosphère intime, décors d'artistes.

Relais Montmartre sans rest
6 r. Constance **M** Abbesses – ℰ 01 70 64 25 25 – www.relaismontmartre.fr
– contact@relaismontmartre.fr – Fax 01 70 64 25 00 D 13
26 ch – †155/195 € ††155/195 €, ⊇ 13 €
♦ À proximité de Pigalle, retrouvez le charme – inattendu dans ce quartier très vivant – d'une demeure villageoise et paisible. Coquet décor classique et équipements modernes.

Holiday Inn Garden Court Montmartre sans rest

23 r. Damrémont **Ⓜ** *Lamarck Caulaincourt –* ℰ *01 44 92 33 40*
– www.holiday-inn.com/parismontmart – hiparmm@aol.com
– Fax 01 44 92 09 30

C 13

54 ch – †140/170 € ††160/190 €, ⊇ 13 €

◆ Dans une rue montmartroise pentue, bâtiment récent abritant des chambres rénovées et fonctionnelles. Salle des petits-déjeuners ouverte sur une petite terrasse.

Mercure Montmartre sans rest

3 r. Caulaincourt – **Ⓜ** *Place de Clichy –* ℰ *01 44 69 70 70 – www.mercure.com*
– h0373@accor.com – Fax 01 44 69 70 71

D 12

305 ch – †205 € ††215 €, ⊇ 15 €

◆ À deux pas du bal du Moulin Rouge. Préférez les chambres des trois derniers étages d'où la vue surplombe les toits. Hall décoré sur le thème de Montmartre et de ses peintres.

Timhotel sans rest

11 r. Ravignan – **Ⓜ** *Abbesses –* ℰ *01 42 55 74 79 – www.timhotel.com*
– montmartre.manager@timhotel.fr – Fax 01 42 55 71 01

D 13

59 ch – †85/130 € ††85/210 €, ⊇ 8,50 €

◆ Sur l'une des plus charmantes places du quartier, hôtel coquet et fonctionnel. Les chambres des 4ᵉ et 5ᵉ étages, rénovées, offrent une vue imprenable sur la capitale.

Roma Sacré Cœur sans rest

101 r. Caulaincourt – **Ⓜ** *Lamarck Caulaincourt –* ℰ *01 42 62 02 02*
– www.hotelromasacre.fr – hotel.roma@wanadoo.fr
– Fax 01 42 54 34 92

C 14

57 ch – †80/120 € ††95/145 €, ⊇ 8 €

◆ Tout le charme de Montmartre : un jardin sur le devant, des escaliers sur le côté et le Sacré-Cœur au-dessus ! Des couleurs vives animent les chambres agréables et fraîches.

Damrémont sans rest

110 r. Damrémont – **Ⓜ** *Jules Joffrin –* ℰ *01 42 64 25 75*
– www.damremont-paris-hotel.com – hotel.damremont@wanadoo.fr
– Fax 01 46 06 74 64

B 13

35 ch – †65/140 € ††75/140 €, ⊇ 7 €

◆ Près de Montmartre, chambres fonctionnelles plus calmes côté cour, pas très spacieuses, mais régulièrement entretenues et plutôt gaies. Petit salon.

Le Moulin de la Galette

83 r. Lepic – **Ⓜ** *Abbesses –* ℰ *01 46 06 84 77 – www.lemoulindelagalette.fr*
– reservation@lemoulindelagalette.fr – Fax 01 46 06 84 78

C 13

Rest – Menu (17 €), 25 € (déj.), 50/60 € – Carte 50/70 €

◆ Moulin dès 1622 puis bal populaire immortalisé par Renoir et Toulouse-Lautrec, ce lieu, repris et réaménagé, repart sur de nouvelles bases. Carte bistrotière. Terrasse verdoyante.

Au Clair de la Lune

9 r. Poulbot – **Ⓜ** *Abbesses –* ℰ *01 42 58 97 03 – www.auclairdelalune.fr*
– herve.kerfant@free.fr – Fax 01 42 55 64 74 – Fermé 17 août-15 sept., lundi midi et dim.

D 14

Rest – Menu 32 € – Carte 37/65 €

◆ L'ami Pierrot vous ouvre la porte de son auberge, juste derrière la place du Tertre. Ambiance conviviale sur fond de fresques représentant le vieux Montmartre. Plats classiques.

Bistro Poulbot

39 r. Lamarck – **Ⓜ** *Lamarck Caulaincourt –* ℰ *01 46 06 86 00 – bistro@poulbot.com*
– Fermé août, lundi midi et dim.

C 14

Rest – Menu (14 €), 18 € (déj.)/35 € – Carte 35/42 €

◆ L'enseigne de ce bistrot évoque les gamins de Montmartre immortalisés par Poulbot. Nouvelle direction, cadre convivial, carte traditionnelle et recettes au goût du jour (le soir).

Chéri bibi

15 r. André-del-Sarte – **Ⓜ** *Barbès Rochechouart –* ℰ *01 42 54 88 96 – Fermé 3 sem. en août et dim.*

D 14

Rest – (dîner seult) Menu (19 €), 24 €

◆ Lieu branché, animé, un brin bobo. Mobilier chiné des années 1950, vieux zinc. La cuisine marie classiques de bistrot, recettes de grand-mère et touches plus personnelles.

18ᵉ arrondissement – PARIS page 135

✗ **Miroir** 🌾 VISA 💳 AE
94 r. des Martyrs Ⓜ Abbesses – ℰ 01 46 06 50 73 – miroir.restaurant@gmail.com
– Fermé 2-24 août, 23-28 déc., dim. soir, lundi et fériés   D13-D14
Rest – Menu (25 €), 32 €

♦ À la tête de ce bistrot récent, une équipe jeune et pro. Cadre contemporain, dont une salle éclairée par une verrière ; ardoise inspirée par le marché et joli choix de vins.

✗ **La Table d'Eugène** VISA 💳
🍽 18 r. Eugène-Süe Ⓜ Jules Joffrin – ℰ 01 42 55 61 64 – Fermé 2-25 août, 20-29 déc.,
dim. et lundi   C 14
Rest – (prévenir) Menu (25 €), 32 €

♦ Bistrot sobre (moulures et tons pastel), cuisine de saison intelligente et soignée, autour d'un joli menu-carte renouvelé au fil des saisons… La bonne surprise du quartier.

✗ **Le Café qui Parle** AC VISA 💳
🍽 24 r. Caulaincourt Ⓜ Lamarck Caulaincourt – ℰ 01 46 06 06 88 – Fermé août,
dim. soir et merc.   C 13
Rest – Menu (13 €), 17 € – Carte 28/34 €

♦ Dans une ambiance conviviale, découvrez une cuisine ancrée sur des bases classiques, mises au goût du jour avec talent. Cadre dans les tons chocolat ; brunch le dimanche ; expos.

Parc de la Villette •
Parc des Buttes Chaumont

19ᵉ arrondissement   ✉ 75019

Ph. Gajic/MICHELIN

🏨 **Holiday Inn** 🛖 ♨ 🛗 ₠ ch, AC ⇆ 🌾 rest, 📞 🛁 🅿 VISA 💳 AE ①
216 av. J. Jaurès Ⓜ Porte de Pantin – ℰ 01 44 84 18 18
– www.holidayinn-parisvillette.com – hilavillette@alliance-hospitality.com
– Fax 01 44 84 18 20   C 21
182 ch – †240 € ††240 €, ⊇ 18 €
Rest – (fermé sam. et dim.) Menu 28 € – Carte 31/51 €

♦ Construction moderne face à la Cité de la Musique. Les chambres, spacieuses et insonorisées, offrent un confort actuel (mobilier en acajou). Salons pour séminaire, auditorium, fitness. Décor de cafétéria design et carte de brasserie ; petite terrasse verdoyante.

🏠 **Laumière** sans rest 🛗 🚗 VISA 💳
4 r. Petit Ⓜ Laumière – ℰ 01 42 06 10 77 – www.hotel-lelaumiere.com
– lelaumiere@wanadoo.fr – Fax 01 42 06 72 50   D 19
54 ch – †60/72 € ††61/75 €, ⊇ 8,50 €

♦ En manque d'espaces verts ? Cet hôtel, simple et bien tenu, vous invite à profiter de son agréable jardinet (petit-déjeuner) et du parc des Buttes-Chaumont tout proche.

🏠 **Crimée** sans rest 🛗 AC 📞 VISA 💳 AE ①
188 r. Crimée Ⓜ Crimée – ℰ 01 40 36 75 29 – www.hotelcrimee.com
– hotelcrimee19@wanadoo.fr – Fax 01 40 36 29 57   C 18
31 ch – †66/72 € ††68/75 €, ⊇ 7 €

♦ Adresse située à 300 m du canal de l'Ourcq. Les chambres, bien insonorisées, climatisées et équipées d'un mobilier fonctionnel, sont pour certaines tournées sur un jardinet.

🏠 **Abricôtel** sans rest 🛗 ₠ 🌾 VISA 💳
15 r. Lally Tollendal Ⓜ Jaurès – ℰ 01 42 08 34 49 – www.abricotel.fr – abricotel@
wanadoo.fr – Fax 01 42 40 83 95   D 18
39 ch – †52/55 € ††65 €, ⊇ 7 €

♦ Cette petite affaire familiale donnant sur une rue animée abrite des chambres simples et de faible ampleur, mais fonctionnelles et à prix sages.

1401

PARIS page 136 – 19ᵉ arrondissement

XX **Au Relais des Buttes-Chaumont**
86 r. Compans Ⓜ *Botzaris – ℰ 01 42 08 24 70 – aurelaisdesbutteschaumont@yahoo.fr – Fax 01 42 03 20 44 – Fermé août, 24 déc.-3 janv., sam. midi et dim.*
Rest – Menu 34 € – Carte 52/74 €   E 20
♦ Repris par une nouvelle équipe, ce restaurant à l'allure d'auberge provinciale joue la carte du classicisme, tant par sa cuisine que son cadre. Cour intérieure avec terrasse.

XX **Au Boeuf Couronné**
188 av. Jean Jaurès Ⓜ *Porte de Pantin – ℰ 01 42 39 44 44 – www.rest-gj.com – boeuf.couronne@laposte.net*   C 20
Rest – Menu 32 € bc – Carte 35/60 €
♦ Succès indéfectible pour cette institution face aux anciennes halles de la Villette. Cuisine copieuse (les amateurs de viandes sont à la fête), service aimable et décor rétro.

X **L'Hermès**
23 r. Mélingue Ⓜ *Pyrénées – ℰ 01 42 39 94 70 – lhermes@wanadoo.fr – Fermé vacances de Pâques, août, vacances de fév., merc. midi, dim. et lundi*   F 20
Rest – Menu 17 € (déj.)/33 € – Carte 35/58 €
♦ Délicieuse atmosphère provinciale (tons ocre, bois, nappes fleuries) et généreuse cuisine bistrotière proposée à l'ardoise : une bonne petite adresse aux allures de guinguette.

X **La Violette**
11 av. Corentin Cariou Ⓜ *Corentin Cariou – ℰ 01 40 35 20 45 – www.restaurant-laviolette.com – restolaviolette@free.fr – Fermé 18-22 mai, 9-24 août, 25 déc.-3 janv., sam. et dim.*   B 19
Rest – *(nombre de couverts limité, prévenir)* Carte 35/53 €
♦ Accueil aimable, convivialité, décor tendance (teintes noir et blanc, banquette violette, murs couverts de casiers à bouteilles) et goûteux petits plats dans l'air du temps.

X **La Cave Gourmande**
10 r. Gén. Brunet Ⓜ *Botzaris – ℰ 01 40 40 03 30 – lacavegourmande@wanadoo.fr – Fax 01 40 40 03 30 – Fermé 1ᵉʳ-24 août, vacances de fév., sam. midi et dim.*   E 20
Rest – Menu (31 €), 36 €
♦ Casiers à bouteilles, tables en bois et plats du marché font bon ménage dans ce sympathique bistrot voisin du parc des Buttes-Chaumont. Bonne humeur assurée.

Cimetière du Père Lachaise • Gambetta • Belleville

20ᵉ arrondissement   ✉ 75020

S. Sauvignier/MICHELIN

Mama Shelter
109 r. de Bagnolet Ⓜ *Gambetta – ℰ 01 43 48 48 48 – www.mamashelter.com – paris@mamashelter.com – Fax 01 44 54 38 66*   H 22
171 ch – †79/169 € ††89/179 €, ☐ 15 € – 1 suite   **Rest** – Carte 30/65 €
♦ L'imaginaire de Starck insuffle une originalité au décor, à la fois épuré, design et fantaisiste, de ce nouvel et vaste hôtel, à la pointe de la modernité. Grand bar lounge. Restaurant éclairé par de larges baies vitrées, longue terrasse surplombant la petite ceinture.

Palma sans rest
77 av. Gambetta Ⓜ *Gambetta – ℰ 01 46 36 13 65 – www.paris-hotel-palma.com – hotel.palma@wanadoo.fr – Fax 01 46 36 03 27*   G 21
32 ch – †67/74 € ††76/80 €, ☐ 7 €
♦ Voisin de la place Gambetta et du célèbre cimetière du Père-Lachaise, hôtel dont les chambres, petites et un brin désuètes, conservent leur style des années 1970.

20ᵉ arrondissement – PARIS page 137

Les Allobroges
71 r. Grands-Champs 🅜 *Maraîchers –* ✆ *01 43 73 40 00 – Fax 01 40 09 23 22*
– Fermé 3-25 août, dim. soir et lundi
Rest – Menu 20 € (sem.)/34 €
◆ Sortez des "quartiers battus" pour découvrir ce lieu sympathique proche de la porte de Montreuil. Décor sobre et coquet. Le nouveau chef y réalise une généreuse cuisine actuelle.

Le Bistrot des Soupirs "Chez les On"
49 r. Chine 🅜 *Gambetta –* ✆ *01 44 62 93 31 – Fax 01 44 62 77 83*
– Fermé 1ᵉʳ-8 mai, 5-25 août, 25 déc.-1ᵉʳ janv., dim. et lundi
Rest – Menu 17 € (déj.) – Carte 29/43 €
◆ Ce sympathique bistrot où trône un comptoir en chêne propose des petits plats canailles (gibier en saison) et une intéressante sélection de vins de propriétaires.

La Boulangerie
15 r. des Panoyaux 🅜 *Ménilmontant –* ✆ *01 43 58 45 45*
– Fax 01 43 58 45 46
Rest – Menu (14 €), 32 €
◆ L'adresse – à l'origine, une boulangerie – séduit les habitués et les touristes par son coquet décor de bistrot patiné. Plats généreux et jolie carte des vins à prix doux.

Le Baratin
3 r. Jouye-Rouve 🅜 *Pyrénées –* ✆ *01 43 49 39 70 – Fermé août, sam. midi, dim. et lundi*
Rest – *(prévenir)* Menu 17 € (déj.) – Carte 31/40 €
◆ Une ardoise alléchante, des prix sages, un choix de beaux vins. On comprend le succès de ce petit bistrot de quartier d'où l'on sort ravi et avec une seule envie : y revenir.

ENVIRONS DE PARIS page 138

Environs de Paris
cartes 18-21

"40 km autour de Paris"

Ph. Gajic/MICHELIN

ANTONY – 92 Hauts-de-Seine – **311** J3 – **101** 25 – 60 000 h. – alt. 80 m — 21 **C2** – ✉ 92160

■ Paris 13 – Bagneux 6 – Corbeil-Essonnes 28 – Nanterre 23 – Versailles 16
🛈 Syndicat d'initiative, place Auguste Mounié ✆ 01 42 37 57 77, Fax 01 46 66 30 80
◉ Sceaux : parc★★ et musée de l'Île-de-France★ N : 4 km - Châtenay-Malabry : église St-Germain-l'Auxerrois★, Maison de Chateaubriand★ NO : 4 km,
🟩 Île de France

De Berny sans rest
129 av. A.-Briand – ✆ 01 46 11 43 90 – www.hotel-berny.com – hoteldeberny@netgdi.com – Fax 01 46 74 96 46
40 ch – ♦79/130 € ♦♦79/140 €, ⇌ 12 € – 4 suites
◆ À proximité de la Croix de Berny, hôtel récent doté d'un salon feutré, de chambres bien équipées et de quelques suites. Esprit contemporain pour la déco et le mobilier.

L'Amandier
8 r. de l'Église – ✆ 01 46 66 22 02 – www.restaurant-lamandier.fr – colpart.eric@neuf.fr – Fermé 5-25 août, 25 déc.-1ᵉʳ janv., sam. midi, dim. soir et lundi
Rest – Menu 25 € (déj. en sem.)/34 € – Carte 38/50 €
◆ Ce restaurant du vieil Antony abrite une spacieuse et confortable salle à manger mi-classique, mi-actuelle. La carte, inventive, est renouvelée régulièrement.

La Tour de Marrakech
72 av. Division Leclerc – ✆ 01 46 66 00 54 – Fax 01 46 66 12 99 – Fermé août et lundi
Rest – Menu 23 € (déj. en sem.) – Carte 25/45 €
◆ Un voyage bien moins cher qu'un Paris-Marrakech ! Décor délicieusement mauresque, plats du pays mitonnés avec doigté, sans oublier l'accueil et le service prévenants.

ARGENTEUIL – 95 Val-d'Oise – **305** E7 – **101** 14 – 102 400 h. — 20 **B1** – alt. 33 m – ✉ 95100 🟩 Île de France

■ Paris 16 – Chantilly 38 – Pontoise 20 – St-Germain-en-Laye 19

La Ferme d'Argenteuil
2 bis r. Verte – ✆ 01 39 61 00 62 – www.lafermedargenteuil.com – info@lafermedargenteuil.com – Fax 01 30 76 32 31 – Fermé août, lundi soir, mardi soir, merc. soir et dim.
Rest – Menu 38/70 € – Carte 60/70 €
◆ Auberge légèrement excentrée tenue par deux sœurs : Amélia s'occupe de l'accueil dans la salle totalement redécorée, tandis que Marie, en cuisine, prépare des plats actuels.

ASNIÈRES-SUR-SEINE – 92 Hauts-de-Seine – **311** J2 – **101** 15 – 82 800 h. — 20 **B1** – alt. 37 m – ✉ 92600 🟩 Île de France

■ Paris 10 – Argenteuil 6 – Nanterre 8 – Pontoise 26 – St-Denis 8 – St-Germain-en-Laye 20

Van Gogh
2 quai Aulagnier, (accès par cimetière des chiens) – ✆ 01 47 91 05 10 – www.levangogh.com – levangogh@wanadoo.fr – Fax 01 47 93 00 93 – Fermé dim. soir
Rest – Menu (32 €), 39 € – Carte 47/90 €
◆ Van Gogh immortalisa dans ses tableaux ce bord de Seine… Cadre actuel façon bateau de plaisance, terrasse d'été face à l'eau, poisson de l'Atlantique et accueil tout sourire.

ASNIÈRES-SUR-SEINE – ENVIRONS DE PARIS page 139

La Petite Auberge   VISA ⓂⓄ
118 r. Colombes – ℰ 01 47 93 33 94 – lapetite.auberge@orange.fr
– Fax 01 47 93 33 94 – Fermé 6-24 août, dim. soir, merc. soir et lundi
Rest – Menu 30 €
♦ Petite auberge de bord de route à l'ambiance sympathique. Objets anciens, tableaux et collection d'assiettes décorent la salle à manger rustique. Cuisine traditionnelle.

AULNAY-SOUS-BOIS – 93 Seine-Saint-Denis – **305** F7 – **101** 18   21 **D1**
– 81 200 h. – alt. 46 m – ✉ 93600
  ▶ Paris 19 – Bobigny 9 – Lagny-sur-Marne 23 – Meaux 30 – St-Denis 16 – Senlis 38

Novotel
65 r. Michel Ange, (carrefour de l'Europe, N 370) – ℰ 01 58 03 90 90
– www.novotel.com – h0387@accor.com – Fax 01 58 03 90 99
139 ch – †80/300 € ††80/300 €, ☐ 14 €
Rest – (fermé sam. et dim.) Menu 18/22 € – Carte 25/49 €
♦ Hôtel classique de la chaîne composé d'un café (carte brasserie), d'un jardin avec piscine, et d'une "cyberterrasse". Chambres en partie réaménagées. Salle de restaurant moderne ; aux beaux jours, les tables sont dressées côté verdure.

Auberge des Saints Pères (Jean-Claude Cahagnet)
212 av. Nonneville – ℰ 01 48 66 62 11 – www.auberge-des-saints-peres.com
– aubergedessaintsperes@orange.fr – Fax 01 48 66 67 44
– Fermé 3-9 mars, 4-24 août, 10-15 nov., merc. soir, sam. et dim.
Rest – Menu 41 €/85 € bc – Carte 51/72 € ❀
Spéc. Queues de langoustines sur une tartine de cochon. Turbot sauvage poché à l'émultion de lait fumé et cécina craquant. Cube de chocolat, lait d'amande et myrtille.
♦ Cette maison offre une nouvelle décoration, plus actuelle. Le chef réalise une cuisine inventive, bien présentée et relevée par les herbes de son jardin aromatique.

AUVERS-SUR-OISE – 95 Val-d'Oise – **305** E6 – **106** 6 – **101** 3 – 6 938 h.   18 **B1**
– alt. 30 m – ✉ 95430 Île de France
  ▶ Paris 36 – Beauvais 52 – Chantilly 35 – Compiègne 84 – L'Isle-Adam 7 – Pontoise 10
  🛈 Office de tourisme, rue de la Sansonne ℰ 01 30 36 10 06, Fax 01 34 48 08 47
  ◉ Maison de Van Gogh★ - Parcours-spectacle "voyage au temps des Impressionnistes"★ au château de Léry.

Hostellerie du Nord avec ch
6 r. Gén. de Gaulle – ℰ 01 30 36 70 74 – www.hostelleriedunord.fr – contact@hostelleriedunord.fr – Fax 01 30 36 72 75 – Fermé dim. soir
8 ch – †99/129 € ††129/189 €, ☐ 14 €
Rest – (fermé sam. midi et lundi) Menu (49 € bc), 59/79 € – Carte 59/69 €
♦ Cet ancien relais de poste reçut jadis des peintres de renom. Les œuvres d'art ornant la salle à manger et les chambres témoignent de ce riche passé. Cuisine traditionnelle.

Auberge Ravoux
(face à la mairie) – ℰ 01 30 36 60 60 – www.maisondevangogh.com – info@vangoghfrance.com – Fax 01 30 36 60 61 – Ouvert mi-mars à mi-nov. et fermé merc. soir, jeudi soir, lundi et mardi
Rest – (nombre de couverts limité, prévenir) Menu (28 €), 37 € – Carte 50/57 €
♦ Ambiance attachante et généreuse cuisine des cafés d'artistes du 19ᵉ s. dans l'auberge où Van Gogh logea au crépuscule de sa vie. La petite chambre du peintre se visite (5 €).

BAGNOLET – 93 Seine-Saint-Denis – **305** F7 – **101** 17 – 33 900 h. – alt. 96 m   21 **C2**
– ✉ 93170
  ▶ Paris 8 – Bobigny 6 – Lagny-sur-Marne 32 – Meaux 39

Novotel Paris Est
1 av. de la République, (échangeur porte de Bagnolet) – ℰ 01 49 93 63 00
– www.novotel.com – h0380@accor.com – Fax 01 43 62 55 58
609 ch – †135/280 € ††135/280 €, ☐ 15 € – 7 suites
Rest – Menu (22 €) – Carte 25/30 €
♦ En bordure du périphérique, l'un des premiers hôtels de la chaîne, entièrement rénové dans un style contemporain. Chambres fonctionnelles et modernes. Hommes d'affaires, groupes et touristes du monde entier se croisent au restaurant, ouvert assez tard le soir.

1405

ENVIRONS DE PARIS page 140

BOIS-COLOMBES – 92 Hauts-de-Seine – **311** J2 – **101** 15 – 26 700 h. – alt. 37 m – ⊠ 92270   20 **B1**

🛣 Paris 12 – Nanterre 6 – Pontoise 25 – St-Denis 11 – St-Germain-en-Laye 19

Le Chefson
17 r. Ch. Chefson – ✆ 01 42 42 12 05 – Fax 01 47 80 51 68 – Fermé 1ᵉʳ-28 août, 1ʳᵉ sem. en fév., lundi soir, sam. et dim.
Rest – bistrot – *(nombre de couverts limité, prévenir)* Menu (19 €), 25/35 €
♦ L'ambiance bistrot et la cuisine traditionnelle, simple et généreuse, font le charme du lieu, apprécié de la clientèle locale. Suggestions sur ardoise au gré du marché.

BOUGIVAL – 78 Yvelines – **311** I2 – **101** 13 – 8 416 h. – alt. 40 m – ⊠ 78380 Île de France   20 **A2**

🛣 Paris 21 – Rueil-Malmaison 5 – St-Germain-en-Laye 6 – Versailles 8 – Le Vésinet 5

🛈 Syndicat d'initiative, 10, rue du Général Leclerc ✆ 01 39 69 21 23, Fax 01 39 69 37 65

Holiday Inn
10-12 r. Yvan Tourgueneff, (D 113) – ✆ 01 30 08 18 28 – www.holiday-inn.com – holidayinn.parvb@hotels-res.com – Fax 01 30 08 18 38
181 ch – †100/270 € ††100/270 €, ⊇ 18 €
Rest – Menu (28 €) – Carte 31/54 €
♦ Façade "années 1970" mais intérieur totalement rénové et restructuré autour d'un patio. Chambres spacieuses, dont une dizaine au mobilier de style tournées vers la Seine. Côté restaurant, décor ensoleillé, grande terrasse et cuisine traditionnelle aux accents du Sud.

Villa des Impressionnistes sans rest
15 quai Rennequin Sualem, (D 113) – ✆ 01 30 08 40 00 – www.villa-impressionnistes.fr – villa.impression@wanadoo.fr – Fax 01 39 18 58 89
50 ch – †115/165 € ††135/180 €, ⊇ 15 € – 1 suite
♦ Le charmant décor de cet hôtel – bibelots, mobilier choisi, couleurs vives – évoque les peintres impressionnistes. Chambres spacieuses, bien insonorisées et agréable parc.

La Vasconia sans rest
7 r. de la Butte-de-la-Celle – ✆ 01 39 69 03 93 – www.la-vasconia.com – jppilard@free.fr
3 ch ⊇ – †65 € ††85 €
♦ Au cœur d'un paisible quartier pavillonnaire, on pénètre dans cette maison par un grand jardin arboré et fleuri. Chambres personnalisées et soignées (meubles anciens ou chinés).

Le Camélia (Thierry Conte)
7 quai G. Clemenceau – ✆ 01 39 18 36 06 – www.lecamelia.com – info@lecamelia.com – Fax 01 39 18 00 25 – Fermé 22 fév.-2 mars, 19-27 avril, 26 juil.-24 août, dim. et lundi
Rest – Menu 45/75 € – Carte 90/110 €
Spéc. Royale de foie gras aux champignons. Gibier (saison). Fondant chocolat griottes et framboises (été).
♦ L'enseigne évoque le passé artistique de cette charmante auberge. Dans l'élégante salle colorée, vous apprécierez l'œuvre du chef : une cuisine inventive réalisée au gré du marché.

BOULOGNE-BILLANCOURT – 92 Hauts-de-Seine – **311** J2 – **101** 24 – 110 300 h. – alt. 35 m – ⊠ 92100 Île de France   20 **B2**

🛣 Paris 10 – Nanterre 9 – Versailles 11

◉ Musée départemental Albert-Kahn★ : jardins★ – Musée Paul Landowski★.

Radisson SAS
33 av. E. Vaillant – ✆ 01 46 08 85 00 – www.boulogne.radissonsas.com – info.boulogne@radissonsas.com – Fax 01 46 08 85 01
170 ch – †150/345 € ††150/345 €, ⊇ 24 €
Rest *A O C* – *(fermé 4-25 août et sam.)* Menu (35 €) – Carte 38/68 €
♦ Respect de l'environnement est le leitmotiv de cet "hôtel vert" : depuis le choix des matériaux (bois exotique) et des équipements jusqu'à la très forte implication du personnel. Cuisine actuelle à l'A.O.C., ouvert sur un patio-terrasse planté de vignes.

BOULOGNE-BILLANCOURT – ENVIRONS DE PARIS page 141

Mercure Porte de St-Cloud
37 pl. René Clair – ✆ *01 49 10 49 10 – www.mercure.com – h6188@accor.com
– Fax 01 46 08 26 16*
180 ch – †145/275 € ††165/295 €, ⌑ 19 € – 4 suites
Rest *Croisette Café* – ✆ *01 49 10 49 50 (fermé vend. soir, sam., dim. et fériés)*
Menu (22 €) – Carte 38/48 €

♦ Immeuble moderne en verre dont les chambres, toutes rénovées, offrent un bon confort. Business-center complet et lounge bar orné de photos de stars par le studio Harcourt. Des fresques figurant quelque 400 personnalités du monde du spectacle égayent le Croisette Café.

Acanthe sans rest
9 rd-pt Rhin et Danube – ✆ *01 46 99 10 40 – www.quality-acanthe-paris.com
– hotel-acanthe@france-paris.com – Fax 01 46 99 00 05*
69 ch – †195/225 € ††195/225 €, ⌑ 16 € – 1 suite

♦ Voisin des studios de Boulogne et des insolites jardins du musée Albert-Kahn, hôtel insonorisé disposant de chambres rénovées dans un style actuel. Agréable patio fleuri.

Sélect Hôtel sans rest
66 av. Gén.-Leclerc – ✆ *01 46 04 70 47 – www.select-hotel.fr – reception@
select-hotel.fr – Fax 01 46 04 07 77*
61 ch – †90/130 € ††100/140 €, ⌑ 12 €

♦ Établissement confortable situé sur la nationale conduisant de Paris à Versailles. Chambres bien insonorisées, de style Art nouveau dans l'aile principale ou Art déco à l'annexe.

Paris sans rest
104 bis r. Paris – ✆ *01 46 05 13 82 – www.hotel-paris-boulogne.com – contact@
hotel-paris-boulogne.com – Fax 01 48 25 10 43*
31 ch – †78 € ††86 €, ⌑ 9 €

♦ Dans un secteur calme, hôtel familial simple à la tenue irréprochable. Les petites chambres sont fonctionnelles et bien insonorisées. Accueil sympathique des propriétaires.

Au Comte de Gascogne (Henri Charvet)
89 av. J.-B. Clément – ✆ *01 46 03 47 27 – www.comtedegascogne.com
– aucomtedegasc@aol.com – Fax 01 46 04 55 70 – Fermé 3-18 août, lundi soir,
sam. midi et dim.*
Rest – Menu 58 € (déj. en sem.)/120 € – Carte 108/172 €
Spéc. Ballotine de tourteau en feuille de chou. Ragoût de homard aux pommes de terre safranées. Glace vanille bourbon et madeleines chaudes.

♦ C'est à la fraîcheur du jardin d'hiver exotique, envahi de plantes luxuriantes, que vous apprécierez l'excellente cuisine au goût du jour mitonnée par le chef-patron. Jolie cave.

L'Auberge
86 av. J.-B. Clément – ✆ *01 46 05 67 19*
*– www.restaurant-boulogne-billancourt.com – legouy.cyrille@9business.fr
– Fax 01 46 05 14 24 – Fermé 27 juil.-20 août, sam. midi, dim. soir et lundi*
Rest – Menu (32 €), 36/60 €

♦ Tons pastel et ensoleillés, poutres, pierres apparentes caractérisent cette charmante auberge. Le chef revisite les recettes classiques et élabore ses menus au gré des saisons.

Ducoté Cuisine (Julien Ducoté)
112 av. Victor Hugo – ✆ *01 48 25 49 20 – Fermé août, dim. et lundi*
Rest – Menu 43/85 € – Carte 60/80 €
Spéc. Mousseline de sandre et langoustines rôties. Ris de veau et gratin de macaroni soubise. Millefeuille à la vanille bourbon.

♦ De discrètes notes modernes ponctuent la cuisine traditionnelle, savoureuse et soignée de ce sympathique restaurant à l'allure contemporaine et dirigé par une jeune équipe.

**Un week-end de charme à la mer, à la campagne ou à la montagne ?
Découvrez le nouveau guide des "Chambres d'hôtes", une sélection
de nos plus belles adresses en France : confort, calme et volupté
garantis !**

LE BOURGET – 93 Seine-Saint-Denis – 305 F7 – 101 17 – 12 500 h. – alt. 47 m – ⌂ 93350 ▌Île de France   21 C1

▶ Paris 13 – Bobigny 6 – Chantilly 38 – Meaux 41 – St-Denis 8 – Senlis 38
◉ Musée de l'Air et de l'Espace★★.

Novotel
2 r. Perrin, (ZA pont Yblon au Blanc-Mesnil) ⌂ 93150 – ℰ 01 48 67 48 88
– www.novotel.com – h0388@accor-hotels.com – Fax 01 45 91 08 27
143 ch – ♦125/280 € ♦♦125/280 €, ⌂ 14 €
Rest – Menu (19 €) – Carte 24/40 €

♦ Hôtel en zone industrielle proche de l'aéroport, mais relativement préservé par son espace vert. Déclinaison du modèle "Novation" dans les chambres refaites. Des photos illustrant l'histoire de l'aviation décorent le restaurant. Terrasse et piscine.

BRIE-COMTE-ROBERT – 77 Seine-et-Marne – 312 E3 – 101 39 – 14 500 h. – alt. 90 m – ⌂ 77170 ▌Île de France   19 C2

▶ Paris 30 – Brunoy 10 – Évry 20 – Melun 18 – Provins 63
🛈 Syndicat d'initiative, place Jeanne d'Evreux ℰ 01 64 05 30 09, Fax 01 64 05 68 18
⛳ Clément Ader à Gretz-Armainvilliers Domaine du Château Péreire, NE : 12 km par D 216, ℰ 01 64 07 34 10
⛳ de Marolles en Brie à Marolles-en-Brie Mail de la Justice, NO : 6 km, ℰ 01 45 95 18 18
⛳ ASPTT Paris Golf des Corbuches à Lésigny Ferme des Hyverneaux, N : 6 km par N 104, ℰ 01 60 02 07 26
⛳ du Réveillon à Lésigny Ferme des Hyverneaux, N : 6 km par N 104, ℰ 01 60 02 17 33
◉ Verrière★ du chevet de l'église.

À la Grâce de Dieu
79 r. Gén.-Leclerc, (D 619) – ℰ 01 64 05 00 76 – www.gracededieu.com
– gracedie@wanadoo.fr – Fax 01 64 05 60 57
16 ch – ♦45 € ♦♦52/70 €, ⌂ 8,50 €
Rest – (fermé dim. soir) Menu 22/42 € – Carte 39/55 €

♦ Ce relais postal du 17e s. était l'ultime halte avant de possibles rencontres avec les bandits de grands chemins. Enseigne restée certes fataliste, mais confort actuel. Restaurant aux allures d'auberge provinciale (mobilier de style Louis XIII) et cuisine traditionnelle.

BRY-SUR-MARNE – 94 Val-de-Marne – 312 E2 – 101 18 – 15 000 h. – alt. 40 m – ⌂ 94360   21 D2

▶ Paris 16 – Créteil 12 – Joinville-le-Pont 5 – Nogent-sur-Marne 3 – Vincennes 9
🛈 Syndicat d'initiative, 2, grande rue ℰ 01 48 82 30 30, Fax 01 45 16 90 02

L'Auberge du Pont de Bry
3 av. Gén. Leclerc – ℰ 01 48 82 27 70 – Fermé août, 1er-15 janv., merc. soir, dim. soir et lundi
Rest – Menu 39 € – Carte 37/67 €

♦ Cette discrète auberge qui abrite une confortable salle à manger aux tons pastel et une jolie véranda, propose une carte bien alléchante ! Cuisine actuelle de produits frais.

CARRIÈRES-SUR-SEINE – 78 Yvelines – 311 J2 – 101 14 – 15 300 h. – alt. 52 m – ⌂ 78420   20 A1

▶ Paris 19 – Argenteuil 8 – Nanterre 7 – Pontoise 28 – St-Germain-en-Laye 7
⛳ de l'Île Fleurie Carrières sur Seine, ℰ 01 39 52 61 61

Le Panoramic de Chine
1 r. Fermettes – ℰ 01 39 57 64 58 – Jeanpierre.limy@orange.fr – Jeanpirre.limy@orange.fr – Fax 01 39 15 17 68 – Fermé août, 24-31 déc., dim. soir et lundi
Rest – Menu 22 € (sem.) – Carte 25/48 €

♦ L'entrée "en pagode" et la décoration intérieure résolument asiatique ne vous surprendront pas pour goûter une cuisine chinoise, thaïlandaise et vietnamienne. Terrasse en été.

ENVIRONS DE PARIS page 143

CERGY-PONTOISE – 95 Val-d'Oise – 305 D6 – 106 5 – 101 2 – 178 656 h. – ⌧ 95000 ◨ Île de France

18 **B1**

▶ Paris 35 – Mantes-la-Jolie 40 – Pontoise 3 – Rambouillet 60 – Versailles 33

🛩 de Cergy-Pontoise à Vauréal 2 allée de l'Obstacle d'Eau, O : 7 km par D 922, ℰ 01 34 21 03 48

🏌 d'Ableiges à Ableiges Chaussée Jules César, NO : 14 km par rte d'Ableiges, ℰ 01 30 27 97 00

🏌 de Gadancourt à Gadancourtpar rte de Rouen : 20 km, ℰ 01 34 66 12 97

CERGY-PRÉFECTURE

Arts (Pl. des) . . . . **Z** 2	
Boucle (R. de la) . . . . **Y** 3	
Bourgognes (R. des) . . . . **Y** 5	
Chênes Émeraude . . . . **Y** 13	
Columbia (Square) . . . . **Y** 14	
Diapason (Square du) . . . . **Y** 17	
Écureuil (R. de l') . . . . **Y** 19	
Étoile (Allée de l') . . . . **Y** 21	
Galeries (R. des) . . . . **Y** 24	
Gare (R. de la) . . . . **Y** 25	
Grouettes (Av. des) . . . . **Y** 33	
Herbes (R. aux) . . . . **Y** 34	
Italiens (R. des) . . . . **Y** 39	
Marché Neuf (R. du) . . . . **Y** 43	
Pays de France (R. des) . . . . **Y** 52	
Pergola (Pl. de la) . . . . **Z** 53	
Platanes (Allée des) . . . . **Z** 59	
Préfecture (Parvis de la) . . . . **Z** 63	
Préfecture (R. de la) . . . . **Z** 64	
Prieuré (R. du) . . . . **Z** 66	
Théâtre (Allée du) . . . . **Z** 71	
Traversière (R.) . . . . **Y** 74	
Verger (R. du) . . . . **Y** 77	
Villarceaux (R. de) . . . . **Z** 81	

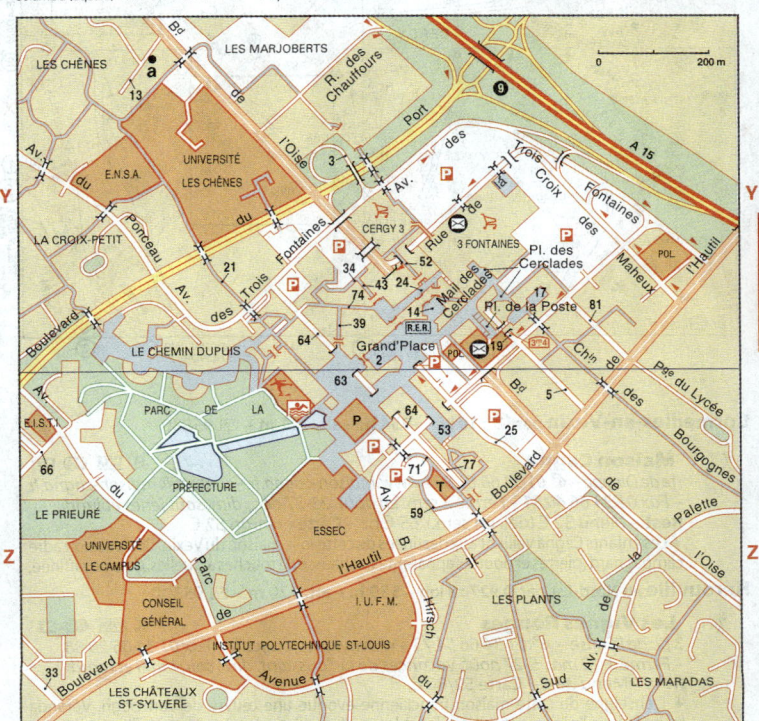

Cergy – 54 600 h. – alt. 30 m – ⌧ 95000

Mercure sans rest
3 r. Chênes Émeraude, par bd de l'Oise – ℰ 01 34 24 94 94 – www.mercure.com
– h3452@accor.com – Fax 01 34 24 95 15   **Y a**
56 ch – †145 € ††155 €, ⊇ 14 €

◆ Derrière sa façade refaite, construction récente aux vastes chambres très bien équipées et dotées d'un mobilier de style. Celles sur l'arrière profitent d'un plus grand calme.

1409

CERGY-PONTOISE

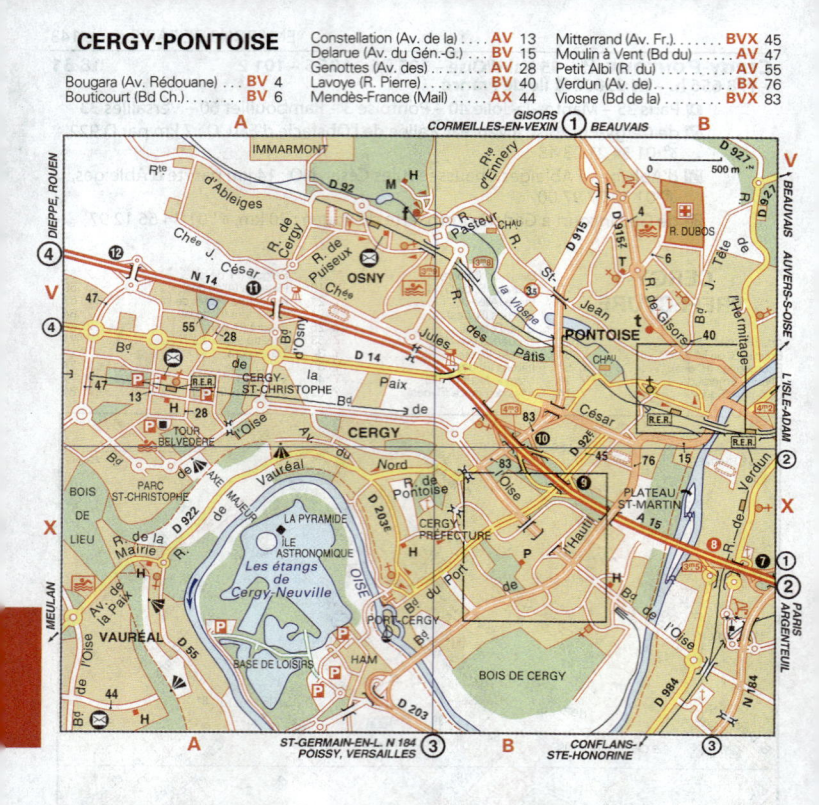

Bougara (Av. Rédouane) . . . **BV** 4	Constellation (Av. de la) . . . . **AV** 13	Mitterrand (Av. Fr.) . . . . . . **BVX** 45
Bouticourt (Bd Ch.) . . . . **BV** 6	Delarue (Av. du Gén.-G.) . . . **BV** 15	Moulin à Vent (Bd du) . . . . . **AV** 47
	Genottes (Av. des) . . . . **AV** 28	Petit Albi (R. du) . . . . **AV** 55
	Lavoye (R. Pierre) . . . . **BV** 40	Verdun (Av. de) . . . . **BX** 76
	Mendès-France (Mail) . . . . . **AX** 44	Viosne (Bd de la) . . . . **BVX** 83

Cormeilles-en-Vexin par ① : 10 km – 954 h. – alt. 111 m – ✉ 95830

XX **Maison Cagna**   🚗 🍴 **P** *VISA* **MC** **AE**
rte de Dieppe – 𝒞 *01 34 66 61 56 – www.maison-cagna.fr – contact@maison-cagna.fr
– Fax 01 34 66 40 31 – Fermé 3 sem. en août, 23-27 déc., dim. sauf fériés et lundi.*
Rest – Menu 32 € (déj. en sem.)/65 € bc – Carte environ 52 €
♦ Les enfants Cagna veillent aux destinées de cette jolie maison du Vexin. Chaleureux cadre campagnard (pierres et poutres apparentes) rehaussé de touches actuelles. Cuisine raffinée.

Hérouville au Nord-Est par D 927 : 8 km – 559 h. – alt. 120 m – ✉ 95300

X **Les Vignes Rouges**   **AC** *VISA* **MC** **AE**
3 pl. de l'Église – 𝒞 *01 34 66 54 73 – www.vignesrouges.fr – Fax 01 34 66 20 88
– Fermé 3-12 mai, 5-27 août, vacances de la Toussaint, dim. soir, lundi et mardi*
Rest – Menu 38 € – Carte 52/80 €
♦ L'enseigne de cette maison francilienne évoque une œuvre de Van Gogh. Véranda tournée vers l'église, exposition de tableaux d'un peintre local et plats traditionnels.

Méry-sur-Oise – 9 190 h. – alt. 29 m – ✉ 95540

🛈 Syndicat d'initiative, 30, avenue Marcel Perrin 𝒞 01 34 64 85 15

XXX **Le Chiquito**   🚗 ♿ **AC** **P** *VISA* **MC** **AE** ①
93 r. de l' Oise, (La Bonneville), rte Pontoise 1,5 km par D 922 ✉ *95540 –*
𝒞 *01 30 36 40 23 – www.lechiquito.fr – lechiquito@free.fr – Fax 01 30 36 42 22
– Fermé 2-9 janv., sam. midi, dim. soir et lundi*
Rest – Menu 56/71 €
♦ Adresse à découvrir le temps d'une escapade champêtre. Trois salles à manger élégantes et une agréable véranda vous accueillent pour déguster une cuisine classique. Beau jardin.

CERGY-PONTOISE – ENVIRONS DE PARIS page 145

Osny – 15 900 h. – alt. 37 m – ⌧ 95520

XX **Moulin de la Renardière**
r. Gd Moulin – ℘ 01 30 32 25 05 – www.moulinrenardiere.fr – severine@e-leos.net
– Fax 01 34 25 04 98 – Fermé dim. soir et lundi   AV f
Rest – Menu (28 € bc), 36/69 € bc – Carte 36/42 €
♦ Ancien moulin niché dans un parc. Attablez-vous dans la salle à grains égayée d'une belle cheminée ou sur la terrasse ombragée, au bord de la rivière.

Pontoise – 28 500 h. – alt. 48 m – ⌧ 95000

🛈 Office de tourisme, 6, place du Petit Martroy ℘ 01 30 38 24 45, Fax 01 30 73 54 84
Syndicat d'initiative, 6, place du Petit Martroy ℘ 01 30 38 24 45,
Fax 01 30 73 54 84

PONTOISE

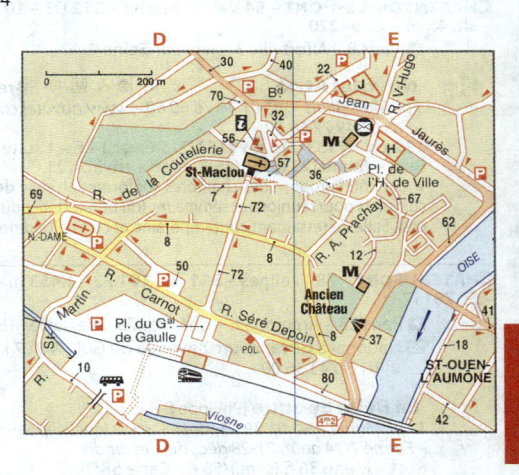

Bretonnerie (R. de la)	D 7
Butin (R. Pierre)	DE 8
Canrobert (Av. du Mar.)	D 10
Château (R. du)	E 12
Écluse (Quai de l')	E 18
Flamel (Pl. Nicolas)	E 22
Gisors (R. de)	D 30
Grand Martroy (Pl. du)	E 32
Hôtel de Ville (R. de l')	E 36
Hôtel Dieu (R. de l')	E 37
Lavoye (R. Pierre)	D 40
Leclerc (R. du Gén.)	E 41
Lecomte (R. A.)	E 42
Parc aux Charrettes (R. du)	D 50
Petit Martroy (Pl. du)	E 56
Pierre aux Poissons (R. de la)	D 57
Pothuis (Quai de)	E 62
Roche (R. de)	D 67
Rouen (R. de)	D 69
Souvenir (Pl. du)	D 70
Thiers (R.)	D 72
Vert Buisson (R. du)	E 80

XX **Auberge du Cheval Blanc**
47 r. Gisors – ℘ 01 30 32 25 05 – www.chevalblanc95.com – aubergeducheval
blanc95@wanadoo.fr – Fermé 27 juil.-16 août, sam. midi, dim. et lundi   BV t
Rest – Menu (35 €), 39 € – Carte 50/60 €
♦ Restaurant au cadre actuel où sont exposées des peintures d'artistes régionaux (petite terrasse d'été). Cuisine au goût du jour ; belle sélection de vins de petits viticulteurs.

CERNAY-LA-VILLE – 78 Yvelines – **311** H3 – **106** 29 – **101** 31 – 1 641 h.   18 **B2**
– alt. 170 m

◘ Paris 45 – Chartres 52 – Longjumeau 31 – Rambouillet 12 – Versailles 25
◙ Abbaye ★ des Vaux-de-Cernay O : 2 km, 🟩 Île de France – ⌧ 78720

Abbaye des Vaux de Cernay
2,5 km à l'Ouest par D 24
– ℘ 01 34 85 23 00 – www.abbayedecernay.com
– reception.cernay@leshotelsparticuliers.com – Fax 01 34 85 11 60
54 ch – †120/315 € ††120/315 €, ⌧ 18 € – 3 suites
Rest – Menu (28 €), 50/88 € – Carte 55/90 €
♦ On accède par un grand parc à cette abbaye cistercienne, magnifique ensemble architectural du 12e s. Salons gothiques, vastes chambres au mobilier ancien ou plus actuel. Cuisine traditionnelle servie dans l'étonnante salle à manger coiffée de superbes voûtes.

La Ferme des Vallées sans rest
Ouest : 3,5 km par D24 – ℘ 01 30 46 32 42 – www.lafermedesvallees.com
– vallees@leshotelsparticuliers.com – Fax 01 30 46 32 23
30 ch – †97/245 € ††97/245 €, ⌧ 15 €
♦ Espace et nature pour cette ancienne ferme située sur le domaine de l'abbaye des Vaux de Cernay. Chambres mansardées diversement meublées, plus simples à la bergerie.

1411

ENVIRONS DE PARIS page 146 – CERNAY-LA-VILLE
à La Celle-les-Bordes Sud : 4 km par D 72 – 842 h. – alt. 125 m – ⌧ 78720

L'Auberge de l'Élan
5 r. du Village (Les Bordes) – ℘ *01 34 85 15 55*
– www.laubergedelelan-78.com – aubergelan@wanadoo.fr
– Fax 01 34 85 15 55 – Fermé 10-31 août, 19-26 déc., 20-26 fév., dim. soir, mardi et merc.
Rest – Menu (28 €), 38/100 €
♦ Maison de village où se mêlent déco rustique et vaisselle moderne. Bon accueil ; cuisine du marché et de passion concoctée par le chef-patron. Epicerie.

CHARENTON-LE-PONT – 94 Val-de-Marne – **312** D3 – **101** 26 – 27 800 h. 21 **C2**
– alt. 45 m – ⌧ 94220

▶ Paris 8 – Alfortville 3 – Ivry-sur-Seine 4

Novotel Atria
5 pl. Marseillais – ℘ *01 46 76 60 60 – www.novotel.com – h1549@accor.com*
– Fax 01 49 77 68 00
132 ch – †153/215 € ††153/215 €, ⌧ 14 € – 1 suite
Rest – Menu (23 €), 37/45 € – Carte environ 21 €
♦ Cet hôtel propose des chambres conformes au style de la chaîne et des équipements complets pour réunions et séminaires (du bureau individuel à la grande salle de conférences). Salle de restaurant contemporaine et cuisine traditionnelle.

CHÂTEAUFORT – 78 Yvelines – **311** I3 – **101** 22 – 1 453 h. – alt. 153 m 20 **A3**
– ⌧ 78117

▶ Paris 28 – Arpajon 28 – Chartres 75 – Versailles 15

National à Guyancourt 2 avenue du Golf, NO : 7 km par D 36, ℘ 01 30 43 36 00

La Belle Époque (Philippe Delaune)
10 pl. Mairie – ℘ *01 39 56 95 48 – www.labelleepoque78.fr – Fax 01 39 56 99 93*
– Fermé 2-24 août, 21-28 déc., dim. et lundi
Rest – Menu 36 € (sem.)/56 € – Carte 58/70 €
Spéc. Pavé de thon rouge mi-cuit au coulis de roquette. Filet de Saint-Pierre meunière et aubergines confites. Tiramisu au café et pain épicé aux cerises amarena.
♦ L'enseigne évoque le style du décor : zinc, poutres, cuivres. On apprécie la cuisine mitonnée au gré des saisons et la terrasse ombragée avec vue sur la vallée de Chevreuse.

CLAMART – 92 Hauts-de-Seine – **311** J3 – **101** 25 – 49 800 h. – alt. 102 m 20 **B2**
– ⌧ 92140

▶ Paris 10 – Boulogne-Billancourt 7 – Issy-les-Moulineaux 4 – Nanterre 15
– Versailles 13

Syndicat d'initiative, 22, rue Paul Vaillant Couturier ℘ 01 46 42 17 95, Fax 01 46 42 44 30

La Brèche du Bois sans rest
7 pl. J. Hunebelle – ℘ *01 46 42 29 06 – www.hotel-brechedubois.com*
– brechebois@aol.com – Fax 01 46 42 00 05
30 ch – †59/62 € ††68/72 €, ⌧ 7 €
♦ Dans un quartier verdoyant, cet hôtel propose des chambres pratiques, plus tranquilles sur l'arrière. À deux pas, les sentiers du bois de Clamart vous attendent.

Trosy sans rest
41 r. P. Vaillant-Couturier – ℘ *01 47 36 37 37 – www.hoteldutrosy.com*
– hoteltrosy@aol.com – Fax 01 47 36 88 38
40 ch – †40/56 € ††40/62 €, ⌧ 7 €
♦ Il règne une ambiance familiale dans cette bâtisse moderne. Les chambres sont fonctionnelles et bien tenues ; préférez celles côté cour pour bénéficier du calme.

CLICHY – 92 Hauts-de-Seine – 311 J2 – 101 15 – 56 600 h. – alt. 30 m — 20 B1
– ✉ 92110

▶ Paris 9 – Argenteuil 8 – Nanterre 9 – Pontoise 26 – St-Germain-en-Laye 21
🛈 Office de tourisme, 61, rue Martre ✆ 01 47 15 31 61, Fax 01 47 15 30 29

Holiday Inn
2 r. 8 mai 1945 – ✆ *01 76 68 77 00 – www.holidayinn.com/parisclichy
– hipclichy@ihg.com – Fax 01 76 68 77 01*
270 ch ☐ – †175/400 € ††175/400 €
Rest – *(fermé dim. midi et sam.)* Menu (16 €) – Carte 27/49 €
◆ Malgré la proximité du périphérique, l'excellente insonorisation préserve l'hôtel de tout bruit. L'architecture moderne abrite des espaces harmonieux aux équipements de pointe.

Europe sans rest
52 bd Gén. Leclerc – ✆ *01 47 37 13 10 – www.hotel-residence-europe.com
– europe.hotel@wanadoo.fr – Fax 01 40 87 11 06*
83 ch – †110/140 € ††120/150 €, ☐ 10 €
◆ Cet immeuble en briques (1920) a bénéficié d'une cure de jouvence. Les chambres, confortables, arborent un décor reposant et tendance. Espace détente complet et de qualité.

Résidence Europe sans rest
15 r. Pierre Curie – ✆ *01 47 37 13 10 – www.hotel-residence-europe.com
– europe.hotel@wanadoo.fr – Fax 01 40 87 11 06*
28 ch – †100/150 € ††110/160 €, ☐ 10 €
◆ Dans une rue tranquille, établissement proposant des chambres rénovées et meublées en bois cérusé. Salle des petits-déjeuners feutrée (buffet).

La Romantica
73 bd J. Jaurès – ✆ *01 47 37 29 71 – www.laromantica.fr – laromantica@
wanadoo.fr – Fax 01 47 37 76 32 – Fermé sam. midi et dim.*
Rest – Menu 38 € (déj. en sem.), 48/80 € – Carte 49/92 €
◆ La clientèle d'affaire apprécie la fine cuisine italienne et la superbe cave de cette adresse soignée, mêlant classique, détails romains et rustiques. Terrasse fleurie sur cour.

La Barrière de Clichy
1 r. Paris – ✆ *01 47 37 05 18 – labarriereedeclichy@free.fr – Fax 01 47 37 77 05
– Fermé août, sam., dim. et fériés*
Rest – Menu 33/42 € – Carte 35/45 €
◆ Restaurant qui séduit par son cadre élégant, lumineux et épuré. Plats saisonniers et dans l'air du temps ; le menu du marché change chaque jour.

COLOMBES – 92 Hauts-de-Seine – 312 C2 – 101 14 – 81 400 h. – alt. 38 m — 20 B1
– ✉ 92700

▶ Paris 19 – Nanterre 9 – Boulogne-Billancourt 19 – Montreuil 23
– Argenteuil 4

Courtyard by Marriott
91 bd Charles de Gaulle – ✆ *01 47 69 59 49 – www.marriott.com – cy.colombes@
courtyard.com – Fax 01 47 69 59 20*
150 ch – †99/259 € ††99/259 €, ☐ 17 €
Rest – *(fermé sam. midi et dim. midi)* Menu (15 €) – Carte 24/37 € dîner seulement
◆ Ce bâtiment neuf est doté de chambres fonctionnelles. Hall-salon moderne, réchauffé par une cheminée, accueillant un "market" (boutique self-service). Salle de musculation. Cuisine méditerranéenne servie au restaurant contemporain. Formule buffet à midi.

CONFLANS-STE-HONORINE – 78 Yvelines – 311 I2 – 101 3 – 33 700 h. — 18 B1
– alt. 25 m – ✉ 78700 Île de France

▶ Paris 38 – Mantes-la-Jolie 39 – Poissy 10 – Pontoise 8 – Versailles 27
🛈 Office de tourisme, 1, rue René Albert ✆ 01 34 90 99 09, Fax 01 39 19 80 77
◉ ≤★ de la terrasse du parc du château - Musée de la Batellerie.

Au Bord de l'Eau
15 quai Martyrs-de-la-Résistance – ✆ *01 39 72 86 51 – Fermé 8-24 août,
23 déc.-3 janv., lundi et le soir sauf sam.*
Rest – Menu 29 € (déj. en sem.), 42/59 €
◆ Cette ancienne ferme du bord de l'Oise abrite un restaurant familial. L'intérieur rend hommage à la batellerie conflanaise. Sympathique cuisine traditionnelle.

ENVIRONS DE PARIS page 148

CORBEIL-ESSONNES – 91 Essonne – **312** D4 – **101** 37 – 40 900 h. – alt. 37 m – ✉ 91100   18 **B2**

- Paris 36 – Fontainebleau 37 – Créteil 27 – Évry 6 – Melun 24
- Syndicat d'initiative, 36, rue Saint-Spire ✆ 01 64 96 23 97, Fax 01 60 88 05 37
- Blue Green Golf de Villeray à Saint-Pierre-du-Perray, E : 6 km, ✆ 01 60 75 17 47
- de Greenparc à Saint-Pierre-du-Perray Route de Villepècle, NE : 6 km par D 947, ✆ 01 60 75 40 60

au Coudray-Montceaux Sud-Est : 6 km par N 7 – 2 800 h. – alt. 81 m – ✉ 91830

Mercure
rte de Milly-la-Forêt – ✆ 01 64 99 00 00 – h0977@accor-hotels.com – Fax 01 64 93 95 55
125 ch – †127 € ††137 €, ⊆ 15 €
Rest – Carte 25/35 €

♦ Tir à l'arc, golf, handball, etc. : en plus de belle salles de réunion, cet hôtel propose une multitude d'équipements sportifs appréciés des hommes d'affaires et des familles. Salle à manger-véranda moderne et sa terrasse ouvrant sur la forêt et la campagne.

COURBEVOIE – 92 Hauts-de-Seine – **311** J2 – **101** 15 – 84 000 h. – alt. 28 m – ✉ 92400 Île de France   20 **B1**

- Paris 10 – Asnières-sur-Seine 4 – Levallois-Perret 4 – Nanterre 5 – St-Germain-en-Laye 17

George Sand sans rest
18 av. Marceau – ✆ 01 43 33 57 04 – reception@georgesandhotel.net – Fax 01 47 88 59 38
31 ch – †90/145 € ††90/145 €, ⊆ 12 €

♦ Adoptez cet hôtel à jolie façade Art déco pour son intérieur raffiné évoquant l'univers de George Sand, son mobilier du 19ᵉ s. et son salon romantique où l'on écoute du Chopin.

Central sans rest
99 r. Cap. Guynemer – ✆ 01 47 89 25 25
– www.central-courbevoie-hotel.com – central-ladefense@wanadoo.fr
– Fax 01 46 67 02 21
55 ch – †98/107 € ††98/107 €, ⊆ 7 €

♦ Près de la Défense, cet hôtel familial a repris des couleurs. Des espaces communs aux chambres (insonorisées), il a été relooké dans un esprit actuel agréable.

Quartier Charras

Mercure La Défense 5
18 r. Baudin – ✆ 01 49 04 75 00 – www.mercure.com – h1546@accor.com – Fax 01 47 68 83 32
507 ch – †75/230 € ††90/245 €, ⊆ 18 € – 5 suites
Rest *Le Bistrot de l'Echanson* – ✆ 01 49 04 75 85 (fermé vend. soir, dim. midi et sam.) Menu (15 €) – Carte 20/36 €

♦ Originale façade en arc de cercle dissimulant des chambres fonctionnelles récemment rajeunies ; vue sur Paris ou la Défense pour certaines, à partir du 8ᵉ étage. Fitness, hammam et solarium. Décor design et ambiance chaleureuse au Bistrot de l'Échanson.

au Parc de Bécon

Les Trois Marmites
215 bd St-Denis – ✆ 01 43 33 25 35 – Fax 01 43 33 25 35 – Fermé août, sam., dim. et fériés
Rest – (déj. seult) Menu (34 €), 39/69 €

♦ La clientèle d'affaires apprécie ce petit restaurant de quartier proche des quais, face au parc de Bécon et au musée Roybet-Fould (œuvres de Carpeaux). Carte traditionnelle.

ENVIRONS DE PARIS page 149

CRÉTEIL P – 94 Val-de-Marne – **312** D3 – **101** 27 – 89 000 h. – alt. 48 m   21 **C2**
– ✉ 94000 ▌ Île de France
- Paris 14 – Bobigny 22 – Évry 32 – Lagny-sur-Marne 29 – Melun 35
- de Marolles-en-Brie à Marolles-en-Brie Mail de la Justice, SE : 10 km, ✆ 01 45 95 18 18
- d'Ormesson à Ormesson-sur-Marne Chemin du Belvédère, E : 15 km, ✆ 01 45 76 20 71
- Hôtel de ville ★ : parvis ★.

Novotel ⚜
r. Jean Gabin, (au lac) – ✆ 01 56 72 56 72 – www.novotel.com – h0382@accor.com – Fax 01 56 72 56 73
110 ch – †59/200 € ††59/200 €, ⊇ 14 €   **Rest** – Menu (26 €) – Carte 30/50 €
♦ L'atout majeur de cet hôtel est son emplacement face au lac (base de loisirs et parcours de jogging). Les chambres ont été rénovées selon le concept de la chaîne. Restaurant au cadre résolument design, animé par des écrans plasma. Cuisine traditionnelle.

DAMPIERRE-EN-YVELINES – 78 Yvelines – **311** H3 – **101** 31 – 1 128 h.   18 **B2**
– alt. 100 m – ✉ 78720
- Paris 38 – Chartres 57 – Longjumeau 32 – Rambouillet 16 – Versailles 21
- Office de tourisme, 9, Grande Rue ✆ 01 30 52 57 30, Fax 01 30 52 52 43
- de Forges-les-Bains à Forges-les-Bains Route du Général Leclerc, SE : 14 km, ✆ 01 64 91 48 18
- Château de Dampierre ★★, ▌ Île de France

Auberge du Château "Table des Blot" (Christophe Blot) avec ch
1 Grande Rue – ✆ 01 30 47 56 56
– www.latabledesblot.com – Fax 01 30 47 51 75
– Fermé 17-31 août, 21-29 déc., dim. soir, lundi et mardi
11 ch – †80/90 € ††80/90 €, ⊇ 8 €   **Rest** – Menu 37 € (sem.)/65 €
Spéc. Foie frais poché au vin rouge. Travers de cochon confit aux épices (oct. à mars). Soufflé au chocolat, cacao mi-cuit et mousse.
♦ La décoration soignée de cette belle auberge du 17ᵉ s. marie l'ancien et le moderne. Le talent du chef et les saisons rythment la créativité des recettes. Accueil chaleureux. Jolies chambres façon maison de campagne.

Les Écuries du Château
2 Grande Rue, (au château) – ✆ 01 30 52 52 99 – www.lesecuriesduchateau.com – contact@lesecuriesduchateau.com – Fax 01 30 52 59 90 – Fermé 16 fév.-4 mars, 31 juil.-21 août, mardi et merc.
Rest – Menu (30 €), 42/50 € – Carte environ 55 €
♦ Lieu magique pour ce restaurant installé dans la sellerie du Château de Dampierre. Vous apprécierez une cuisine traditionnelle dans un décor rustique et cosy avec vue sur le parc.

Auberge St-Pierre
1 r. Chevreuse – ✆ 01 30 52 53 53 – Fax 01 30 52 58 57 – Fermé août, dim. soir, mardi soir et lundi
Rest – Menu (25 €), 30 €
♦ La façade à colombages qui orne cette typique auberge de campagne donne le ton. Belle cheminée, poutres apparentes dans la salle à manger et, au menu, recettes de tradition.

LA DÉFENSE – 92 Hauts-de-Seine – **311** J2 – **101** 14 – ✉ 92400 ▌ Paris   20 **B1**
- Paris 10 – Courbevoie 1 – Nanterre 4 – Puteaux 2
- Quartier ★★ : perspective ★ du parvis.

Pullman La Défense
11 av. Arche, sortie Défense 6 ✉ 92081 – ✆ 01 47 17 50 00
– www.pullman-hotels.com – h3013@accor.com – Fax 01 47 17 56 78
368 ch – †410 € ††410 €, ⊇ 25 € – 16 suites
Rest Avant Seine – rôtisserie – ✆ 01 47 17 50 99
(fermé 7-30 août, 19 déc.-3 janv., vend. soir, sam., dim. et fériés) Carte environ 52 €
♦ Belle architecture en proue de navire, toute de verre et de pierre ocre. Chambres spacieuses et élégantes, salons et auditorium très bien équipés (avec cabines de traduction). Décor design de qualité et cuisine à la broche au restaurant l'Avant Seine.

1415

ENVIRONS DE PARIS page 150 – LA DÉFENSE

Renaissance
60 Jardin de Valmy, par bd circulaire, sortie La Défense 7 ⊠ *92918 –*
℘ *01 41 97 50 50 – www.renaissancehotels.com/parld – francereservation@mariott.com – Fax 01 41 97 51 51*
324 ch – †159/490 € ††159/490 €, ⊇ 25 € – 3 suites
Rest – *(fermé sam. midi, dim. midi et fériés le midi)* Menu 32 € (déj. en sem.) – Carte 51/68 €

♦ Luxe et raffinement caractérisent cet immeuble contemporain posé au pied de la Grande Arche : matériaux nobles, confort absolu, chambres chaleureuses parfaitement équipées. Côté restaurant, cadre tout bois, atmosphère de brasserie rétro avec vue sur les jardins de Valmy.

Hilton La Défense
2 pl. de la Défense ⊠ *92053 –* ℘ *01 46 92 10 10 – www.hilton.com – parldhirm@hilton.com – Fax 01 46 92 10 50*
142 ch – †255/360 € ††255/360 €, ⊇ 27 € – 6 suites
Rest *Coté Parvis* – Carte 48/81 €

♦ Hôtel situé dans l'enceinte du CNIT. Certaines chambres ont été pensées pour le bien-être de la clientèle d'affaires : espaces travail, repos, relaxation et salle de bains-jacuzzi. Côté Parvis, cuisine dans l'air du temps et jolie vue sur l'Arche.

Sofitel Centre
34 cours Michelet, par bd circulaire sortie La Défense 4 ⊠ *92060 Puteaux –*
℘ *01 47 76 44 43 – http://www.sofitel-paris-ladefense.com – h0912@sofitel.com – Fax 01 47 76 72 10* – **150 ch** – †140/495 € ††140/495 €, ⊇ 27 € – 1 suite
Rest *L'Italian Lounge* – ℘ *01 47 76 72 40* – Menu (40 €), 55/98 € bc – Carte 55/89 €

♦ Architecture en arc de cercle intégrée au paysage des tours de la Défense. Chambres spacieuses et bien équipées, joliment contemporaines. Cadre tendance, table méditerranéenne et beau choix de vins à l'Italian Lounge.

Novotel La Défense
2 bd Neuilly, sortie Défense 1 – ℘ *01 41 45 23 23 – www.novotel.com – h0747@accor.com – Fax 01 41 45 23 24*
280 ch – †290/390 € ††290/490 €, ⊇ 16 €   **Rest** – Carte 22/45 €

♦ Cet hôtel se dresse aux pieds de La Défense, véritable musée de plein air. Chambres rénovées, en partie tournées vers Paris, et bar relooké dans l'esprit Novotel Café. Décor contemporain et cuisine élaborée selon les saisons au restaurant.

DRAVEIL – 91 Essonne – **312** D3 – **101** 36 – 29 300 h. – alt. 55 m – ⊠ 91210   21 **C3**
◘ Paris 23 – Corbeil Essonnes 11 – Créteil 14 – Versailles 30
◘ Syndicat d'initiative, place de la République ℘ 01 69 03 09 39, Fax 01 69 42 50 02

Gibraltar
61 av. Libert – ℘ *01 69 42 32 05 – www.legibraltar.fr – legibraltars@wanadoo.fr – Fax 01 69 52 06 82 – Fermé dim. soir*
Rest – Menu (13 €), 17 € (sem.)/38 € – Carte 38/50 €

♦ Cap sur Gibraltar… au bord de la Seine ! Dégustez des recettes au goût du jour sur l'agréable terrasse face au fleuve ou dans la salle à manger récemment rénovée.

ENGHIEN-LES-BAINS – 95 Val-d'Oise – **305** E7 – **101** 5 – 12 300 h.   20 **B1**
– alt. 45 m – Stat. therm. : toute l'année – Casino – ⊠ 95880 ‖ Île de France
◘ Paris 17 – Argenteuil 7 – Chantilly 34 – Pontoise 22 – St-Denis 7 – St-Germain-en-Laye 25
◘ Office de tourisme, 81, r. du Gal-de-Gaulle ℘ 01 34 12 41 15, Fax 01 39 34 05 76
◘ de Domont Montmorency à Domont Route de Montmorency, N : 8 km, ℘ 01 39 91 07 50
◉ Lac★ – Deuil-la-Barre : chapiteaux historiés★ de l'église Notre-Dame NE : 2 km.

Grand Hôtel Barrière
85 r. Gén. de Gaulle – ℘ *01 39 34 10 00 – www.grand-hotel-enghien.fr – grandhotelenghien@lucienbarriere.com – Fax 01 39 34 10 01*
37 ch – †234/260 € ††234/260 €, ⊇ 19 € – 6 suites
Rest *L'Aventurine* – *(fermé 3-16 août, dim. soir, lundi et mardi)* Menu 45/95 € – Carte 68/86 €

♦ Décoration classique et esthétisante pour cet établissement doté d'un des plus grands spas et fitness de France. Chambres élégantes et personnalisées. Place à une cuisine actuelle au restaurant, très feutré (boiseries, tentures soyeuses). Terrasse verdoyante.

ENGHIENS-LES-BAINS – ENVIRONS DE PARIS page 151

Du Lac
89 r. Gén. de Gaulle – ℰ 01 39 34 11 00 – www.hotel-du-lac-enghien.com
– hoteldulac@lucienbarriere.com – Fax 01 39 34 11 01
138 ch – †234/328 € ††234/328 €, ⊇ 15 € – 3 suites
Rest – *(fermé sam. midi)* Menu (22 €), 29 € – Carte 40/66 €
♦ Un hôtel moderne aux airs de villégiature. Chambres confortables, avec vue sur le lac (plus calmes côté jardin). Possibilité d'accès au spa et au fitness. La salle à manger contemporaine préserve l'intimité. Belle terrasse d'été face au plan d'eau.

Aux Saveurs d'Alice
32 bd d'Ormesson – ℰ 01 34 12 78 36 – www.auxsaveursdalice.com
– auxsaveursdalice@orange.fr – Fax 01 34 12 22 78 – Fermé dim. soir, merc. soir et lundi
Rest – Menu (22 € bc), 28 € bc – Carte environ 38 €
♦ On apprécie ce restaurant du centre-ville pour sa cuisine traditionnelle simple, aux produits frais. Décor sagement rustique pour les trois salles à manger.

ÉVRY P – 91 Essonne – **312** D4 – **101** 37 – ⊠ 91000 – Île de France — 18 **B2**

▸ Paris 32 – Chartres 80 – Créteil 30 – Étampes 36 – Fontainebleau 36 – Melun 23

◉ Cathédrale de la Résurrection ★ - 5 mai-janv. Epiphanies (Exposition).

All Seasons
52 bd Coquibus, (face à la cathédrale) – ℰ 01 69 47 30 00
– www.all-seasons-hotels.com – H1986@accor.com – Fax 01 69 47 30 10
– Fermé 31 juil.-23 août et 23 déc.-3 janv.
110 ch ⊇ – †105 € ††115 €
Rest – *(fermé vend. soir, sam., dim. et fériés)* Menu (20 €) – Carte environ 30 €
♦ Sur un boulevard passant, face à la cathédrale de la Résurrection, hôtel aux chambres assez grandes, bien insonorisées et réaménagées dans un esprit très contemporain. Carte traditionnelle au restaurant.

à Courcouronnes – 14 500 h. – alt. 80 m – ⊠ 91080

◉ de Bondoufle à Bondoufle Départementale 31, O : 3 km, ℰ 01 60 86 41 71

Le Canal
31 r. du Pont Amar, (près de l'hôpital) – ℰ 01 60 78 34 72 – Fax 01 60 79 22 72
– Fermé août, 19-27 déc., sam. et dim.
Rest – Menu 20/28 € – Carte 35/45 €
♦ Petite brasserie au brin rétro dont on apprécie la franche cuisine mettant à l'honneur les cochonnailles (dont un bon pied de porc). Produits frais uniquement.

à Lisses – 7 206 h. – alt. 86 m – ⊠ 91090

Espace Léonard de Vinci
av. Parcs – ℰ 01 64 97 66 77
– www.leonard-de-vinci.com – contact@leonard-de-vinci.com
– Fax 01 64 97 59 21
74 ch – †100/110 € ††100/110 €, ⊇ 10 €   **Rest** – Carte 30/40 €
♦ Terrains de football, squash, piscines, sauna, hammam, jacuzzi, fitness, centre de balnéothérapie... Et des chambres pratiques pour vous remettre d'une journée bien remplie ! Espace brasserie ou restaurant classique plus cossu. Soirées jazz le samedi soir.

GAGNY – 93 Seine-Saint-Denis – **305** G7 – **101** 18 – 37 600 h. – alt. 70 m — 21 **D1**
– ⊠ 93220

▸ Paris 17 – Bobigny 11 – Raincy 3 – St-Denis 18

🛈 Syndicat d'initiative, 1, avenue Jean-Jaurès ℰ 01 43 81 49 09

Le Vilgacy
45 av. H. Barbusse – ℰ 01 43 81 23 33 – www.vilgacy.com – vilgacy@orange.fr
– Fax 01 43 81 23 33 – Fermé 27 juil.-20 août, 15-25 fév., dim. soir, mardi soir et lundi sauf fériés
Rest – Menu (24 €), 33 € – Carte 50/62 €
♦ Vous serez accueillis dans l'agréable décor contemporain des deux salles (tableaux en exposition-vente) ou dans le jardin-terrasse dressé en été. Généreuse cuisine traditionnelle.

1417

ENVIRONS DE PARIS page 152

LA GARENNE-COLOMBES – 92 Hauts-de-Seine – 311 J2 – 101 14 – 27 500 h. – alt. 40 m – ⌂ 92250

20 **B1**

- Paris 13 – Argenteuil 7 – Asnières-sur-Seine 5 – Courbevoie 2 – Nanterre 4 – Pontoise 27
- Syndicat d'initiative, 24, rue d'Estienne-d'Orves ℰ 01 47 85 09 90

XX L'Instinct

1 r. Voltaire – ℰ *01 56 83 82 82* – *www.restaurant-linstinct.com* – *Fax 01 47 82 09 53* – *Fermé 9-26 août, lundi soir, sam. midi et dim.*
Rest – *(prévenir)* Menu 34 €

♦ Face au marché couvert, restaurant au cadre résolument moderne et coloré. Salle claire et lumineuse et très beau bar en bois pour l'apéritif. Cuisine au goût du jour.

GRESSY – 77 Seine-et-Marne – 312 F2 – 101 10 – 813 h. – alt. 98 m – ⌂ 77410

19 **C1**

- Paris 32 – Meaux 20 – Melun 56 – Senlis 35

🏛 Le Manoir de Gressy ⚜

– ℰ *01 60 26 68 00* – *www.manoirdegressy.com*
– *information@manoirdegressy.com* – *Fax 01 60 26 45 46*
– *Fermé 24 déc.-5 janv.*
87 ch – †210/290 € ††210/290 €, ⌂ 19 €
Rest – Menu 46/140 € bc – Carte 47/57 €

♦ Ce manoir, dressé sur le site d'une ferme fortifiée du 18ᵉ s., marie joliment les styles. Les chambres, personnalisées, ouvrent sur le jardin et la piscine. Murs patinés et parquets habillent la grande salle de restaurant où buffets et carte évoluent au gré des saisons.

ISSY-LES-MOULINEAUX – 92 Hauts-de-Seine – 311 J3 – 101 25 – 62 600 h. – alt. 37 m – ⌂ 92130 ▮ Île de France

20 **B2**

- Paris 8 – Boulogne-Billancourt 3 – Clamart 4 – Nanterre 11 – Versailles 14
- Office de tourisme, esplanade de l'Hôtel de Ville ℰ 01 41 23 87 00, Fax 01 41 23 87 07
- Musée de la Carte à jouer★.

XX La Table des Montquartiers

5 chemin Montquartiers – ℰ *01 46 44 05 45* – *www.crayeres-montquartiers.com* – *contact@crayeres-montquartiers.com* – *Fax 01 46 45 66 55*
– *Fermé août, 24-27 déc., sam., dim. et fériés*
Rest – *(déj. seult)* Menu (35 €), 40 € ❀

♦ Pénétrez dans ce cadre insolite – les galeries d'une ancienne carrière de craie – et découvrez un choix exceptionnel de vins pour accompagner la carte réalisée au fil des saisons.

XX River Café

Pont d'Issy, 146 quai Stalingrad – ℰ *01 40 93 50 20* – *www.lerivercafe.net*
– *reservation@lerivercafe.net* – *Fax 01 41 46 19 45*
Rest – Menu 35 €

♦ Voyage gourmand ! Embarquement immédiat à bord de cette ex-barge pétrolière, amarrée face à l'île St-Germain. Cuisine du marché dans un décor colonial ; voiturier.

XX L'Île

Parc Île St-Germain, 170 quai Stalingrad – ℰ *01 41 09 99 99*
– *www.restaurant-lile.com* – *v.fresneau@restaurant-lile.com* – *Fax 01 41 09 99 19*
Rest – Menu 44 € bc/69 € bc – Carte 41/70 €

♦ Cette caserne postée sur une île de la Seine invite aujourd'hui au "repos", sans discussion... Un lieu tendance et convivial, où la carte met à l'honneur les produits de saisons.

XX Manufacture

20 espl. Manufacture, (face au 30 r. E. Renan) – ℰ *01 40 93 08 98*
– *www.restaurantmanufacture.com* – *restaurantmanufacture@wanadoo.fr*
– *Fax 01 40 93 57 22* – *Fermé 5-20 août, 25 déc.-1ᵉʳ janv., sam. et dim.*
Rest – Menu (29 €), 36 €

♦ Reconversion réussie : cette ancienne manufacture de tabac (1904) abrite un restaurant design et sa belle terrasse. Recettes de bistrot revues et corrigées à la mode d'aujourd'hui.

ISSY-LES-MOULINEAUX – ENVIRONS DE PARIS page 153

X **Coquibus**
16 av. de la République – ℰ 01 46 38 75 80 – www.coquibus.com – reservation@coquibus.com – Fax 01 41 08 95 80 – Fermé dim.
Rest – Menu (18 €) – Carte 25/45 €
♦ Adresse sympathique où boiseries, tableaux colorés et coqs en terre cuite reconstituent parfaitement un décor brasserie des années 1930. Cuisine traditionnelle au gré du marché.

JANVRY – 91 Essonne – **312** B4 – **101** 33 – 605 h. – alt. 160 m – ⌧ 91640 18 **B2**
▶ Paris 35 – Briis s/s Forges 4 – Dourdan 20 – Palaiseau 19

XX **Bonne Franquette**
1 r. du Marchais – ℰ 01 64 90 72 06 – www.bonnefranquette.fr – info@bonnefranquette.fr – Fax 01 64 90 53 63 – Fermé 4-25 mai, 1ᵉʳ-28 sept., 21 déc.-11 janv., sam. midi, dim. soir et lundi
Rest – Menu 35 €
♦ Ex-relais de poste situé face au château (17ᵉ s.) d'un joli village francilien. Deux grandes ardoises annoncent la cuisine du jour servie dans un chaleureux décor rustique.

JOINVILLE-LE-PONT – 94 Val-de-Marne – **312** D3 – **101** 27 – 17 100 h. 21 **D2**
– alt. 49 m – ⌧ 94340
▶ Paris 12 – Créteil 7 – Lagny-sur-Marne 22 – Maisons-Alfort 5 – Vincennes 6
🛈 Office de tourisme, 23, rue de Paris ℰ 01 42 83 41 16, Fax 01 49 76 92 98

🏨 **Kyriad Prestige**
16 av. Gén. Gallieni – ℰ 01 48 83 11 99
– www.kyriadprestige.fr – joinvillepont@kyriadprestige.fr
– Fax 01 48 89 51 58
89 ch – †103/133 € ††103/133 €, ⌕ 14 €
Rest – Menu (20 €), 27 € – Carte 27/43 €
♦ Architecture contemporaine abritant des chambres spacieuses et insonorisées, agencées avec un coin salon pour la détente ou un bureau pour le travail. Agréable salle à manger moderne et repas proposés sous forme de buffets.

🏨 **Cinépole** sans rest
8 av. Platanes – ℰ 01 48 89 99 77 – www.cinepole.com – cinepole@wanadoo.fr
– Fax 01 48 89 43 92
34 ch – †61/63 € ††61/63 €, ⌕ 8 €
♦ L'enseigne de l'hôtel évoque les anciens studios de cinéma de Joinville. Chambres pratiques et bien tenues. Minipatio où l'on sert les petits-déjeuners en été.

LE KREMLIN-BICÊTRE – 94 Val-de-Marne – **312** D3 – **101** 26 – 25 000 h. 21 **C2**
– alt. 60 m – ⌧ 94270
▶ Paris 5 – Boulogne-Billancourt 11 – Évry 28 – Versailles 23

🏨 **Novotel Porte d'Italie**
22 r. Voltaire – ℰ 01 45 21 19 09 – www.novotel.com – h5586@accor.com
– Fax 01 45 21 12 60
168 ch – †115/170 € ††115/170 €, ⌕ 15 €
Rest – Carte 20/45 €
♦ Cette construction récente à la sobre façade de granit poli (à 5 minutes de la place d'Italie) abrite des chambres aménagées selon le dernier concept de la chaîne. Décor actuel pour le restaurant qui sert une cuisine traditionnelle.

🏨 **Express by Holiday Inn** sans rest
1-3 r. Elisée Reclus – ℰ 01 47 26 26 26 – reservation@porteditalie.hiexpress.com
– Fax 01 47 26 16 66
89 ch ⌕ – †70/230 € ††79/230 €
♦ Discrète façade de briques rouges pour cet hôtel situé à proximité immédiate des quartiers sud de la capitale. Petites chambres habillées de bois clair et de tissus chamarrés.

1419

ENVIRONS DE PARIS page 154

LEVALLOIS-PERRET – 92 Hauts-de-Seine – 311 J2 – 101 15 – 62 800 h. – alt. 30 m – ⊠ 92300
20 B1

▶ Paris 9 – Argenteuil 8 – Nanterre 8 – Pontoise 27 – St-Germain-en-Laye 20

Evergreen Laurel
8 pl. G. Pompidou – ℰ 01 47 58 88 99 – www.evergreenhotel-paris.com – pardos@evergreen-hotels.com – Fax 01 47 58 88 99
337 ch – †330/480 €, ††330/480 €, ⊇ 19 € – 1 suite
Rest – (renseignements non communiqués)
♦ Luxe, élégance et luminosité : un hôtel pensé pour la clientèle d'affaires. Les chambres, dotées d'un plaisant mobilier en bois de rose, sont spacieuses. Restauration en pleine restructuration avant réouverture.

Espace Champerret sans rest
26 r. Louise Michel – ℰ 01 47 57 20 71 – www.hotel-espace-champerret.com – espace.champerret.hotel@wanadoo.fr – Fax 01 47 57 31 39
39 ch – †55/86 €, ††60/93 €, ⊇ 8 €
♦ Une cour, où l'on sert le petit-déjeuner en été, sépare les deux bâtiments de cet hôtel ; celui sur l'arrière est plus calme. Chambres rénovées, insonorisées et bien tenues.

Les Autodidactes
9 pl. Jean Zay – ℰ 01 47 39 54 02 – autodidactes.restaurant@wanadoo.fr – Fax 01 47 39 59 99 – Fermé août, 24 déc.-1er janv., lundi soir, merc. soir, sam., dim. et fériés
Rest – Menu 35 € – Carte 43/55 €
♦ Le patron, également artiste peintre, expose ses tableaux très colorés dans la salle de restaurant. Agréable terrasse ombragée et courte carte évoluant au gré du marché.

LIVRY-GARGAN – 93 Seine-Saint-Denis – 305 G7 – 101 18 – 40 900 h. – alt. 60 m – ⊠ 93190
21 D1

▶ Paris 19 – Aubervilliers 14 – Aulnay-sous-Bois 4 – Bobigny 8 – Meaux 26 – Senlis 42
🛈 Office de tourisme, 5, place François Mitterrand ℰ 01 43 30 61 60, Fax 01 43 30 48 41

La Petite Marmite
8 bd de la République – ℰ 01 43 81 29 15 – www.la-petite-marmite-93.com – contact@la-petite-marmite-93.com – Fax 01 43 02 69 59 – Fermé 5-27 août, dim. soir et merc.
Rest – Menu 35/60 € – Carte 56/68 €
♦ Une clientèle d'habitués se régale d'une cuisine traditionnelle à la table bistrotière de ce restaurant imitant une chaumière. Terrasse avec fresques bucoliques dans la cour.

LONGJUMEAU – 91 Essonne – 312 C3 – 101 35 – 20 900 h. – alt. 78 m – ⊠ 91160
20 B3

▶ Paris 20 – Chartres 70 – Dreux 84 – Évry 15 – Melun 41 – Orléans 113 – Versailles 27

St-Pierre
42 r. F. Mitterrand – ℰ 01 64 48 81 99 – www.lesaintpierre.com – saint-pierre@wanadoo.fr – Fax 01 69 34 25 53 – Fermé 27 juil.-18 août, lundi soir, merc. soir, sam. midi et dim.
Rest – Menu 33/46 € – Carte 43/58 €
♦ Les patrons aiment à faire partager leur amour des produits du Gers : canard et foie gras en tête, les plats du Sud-Ouest défilent dans un chaleureux cadre d'esprit rustique.

MAISONS-ALFORT – 94 Val-de-Marne – 312 D3 – 101 27 – 53 300 h. – alt. 37 m – ⊠ 94700 ∎ Île de France
21 C2

▶ Paris 10 – Créteil 4 – Évry 34 – Melun 39

La Bourgogne
164 r. J. Jaurès – ℰ 01 43 75 12 75 – www.restaurantlabourgogne.com – restaurant.labourgogne@orange.fr – Fax 01 43 68 05 86 – Fermé 8-20 août, 24 déc.-1er janv., sam. midi et dim.
Rest – Menu 32/49 € bc – Carte 40/68 €
♦ Cette maison traditionnelle fleure bon la province. On y sert une cuisine actuelle de produits frais, avec des touches terroir pour les fidèles ! Chaleureux accueil.

ENVIRONS DE PARIS page 155

MAISONS-LAFFITTE – 78 Yvelines – **311** I2 – **101** 13 – 22 600 h. 20 **A1**
– alt. 38 m – ⌧ 78600 Île de France

- Paris 21 – Mantes-la-Jolie 38 – Poissy 9 – Pontoise 17 – St-Germain-en-Laye 8 – Versailles 19
- Office de tourisme, 41, av. de Longueil ℰ 01 39 62 63 64, Fax 01 39 12 02 89
- Château★.

XXX **Tastevin** (Michel Blanchet)
£3
*9 av. Eglé – ℰ 01 39 62 11 67 – letastevin78@wanadoo.fr – Fax 01 39 62 73 09
– Fermé 3-26 août, 22 fév.-8 mars, lundi et mardi*
Rest – Menu 45 € (déj. en sem.)/95 € – Carte 92/121 € 🍷
Spéc. Foie gras sous toutes ses formes. Gibier (saison). Assiette du maître chocolatier.
♦ À l'orée du parc, cette maison de maître vous réserve un accueil attentionné. Art de vivre et amour des produits nobles sont là pour vous ravir. Belle carte des vins.

X **La Plancha**
5 av. St-Germain – ℰ 01 39 12 03 75 – Fax 01 34 93 43 46 – Fermé 1er-11 mars, 20 juil.-20 août, dim. soir, mardi soir et merc.
Rest – Menu 36/75 € – Carte 60/75 €
♦ Ambiance "voyage" dans ce restaurant proche de la gare. La carte, assez originale, propose des recettes combinant avec succès les produits français, espagnols et japonais.

MARLY-LE-ROI – 78 Yvelines – **312** B2 – **101** 12 – 16 600 h. – alt. 90 m 20 **A2**
– ⌧ 78160

- Paris 24 – Bougival 5 – St-Germain-en-Laye 5 – Versailles 9
- Office de tourisme, 2, avenue des Combattants ℰ 01 39 16 16 35, Fax 01 39 16 16 01

XX **Le Village**
*3 Grande Rue – ℰ 01 39 16 28 14 – tomohiro.uido@club-internet.fr
– Fax 01 39 58 62 60 – Fermé 3-24 août, sam. midi, dim. soir et lundi*
Rest – *(nombre de couverts limité, prévenir)* Menu 39/75 € – Carte 109/148 €
♦ Coquette auberge nichée dans le vieux Marly. Le chef, d'origine japonaise, mêle tout en finesse les saveurs du Pays du Soleil Levant aux classiques français...Un joli voyage.

MARNE-LA-VALLÉE – Île-de-France – **312** E2 – **101** 19 – 246 607 h. 19 **C2**
– ⌧ 77206 Île de France

- Paris 27 – Meaux 29 – Melun 40
- de Bussy-Saint-Georges à Bussy-Saint-Georges Promenade des Golfeurs, ℰ 01 64 66 00 00
- de Torcy à Torcy Base Régionale de loisirs, N : 5 km, ℰ 01 64 80 80 90
- Disneyland Paris à Magny-le-Hongre Allée de la Mare Houleuse, ℰ 01 60 45 68 90

à Bussy-St-Georges – 16 980 h. – alt. 105 m – ⌧ 77600

🏨 **Tulip Inn Marne la Vallée**
*44 bd A. Giroust – ℰ 01 64 66 11 11 – www.tulipinnmarnelavallee.com
– tulip.reservations@wanadoo.fr – Fax 01 64 66 29 05* x
87 ch – †129 € ††129 €, ⌑ 12 €
Rest – *(fermé sam. midi et dim.)* Menu (17 €), 20 € – Carte 34/43 €
♦ Intégré à un grand ensemble immobilier, face à la station RER, hôtel doté de chambres fonctionnelles, bien insonorisées, et d'un bar décoré façon "Louisiane". On apprécie une carte traditionnelle rehaussée de notes italiennes, dans la salle à manger aux tons pastel.

à Collégien – 3 165 h. – alt. 105 m – ⌧ 77090

🏨 **Novotel**
*(sortie 12) – ℰ 01 64 80 53 53 – www.accor-hotels.com – h0385@accor.com
– Fax 01 64 80 48 37* s
195 ch – †120/130 € ††133/143 €, ⌑ 15 € **Rest** – Carte 22/42 €
♦ Hôtel adapté à la clientèle d'affaires et aux séminaires "corporate". Chambres rénovées arborant un décor actuel (mobilier en bois, belles teintes). Restauration traditionnelle dans un cadre design ou en terrasse, autour de la piscine. Plats simples au Novotel Café.

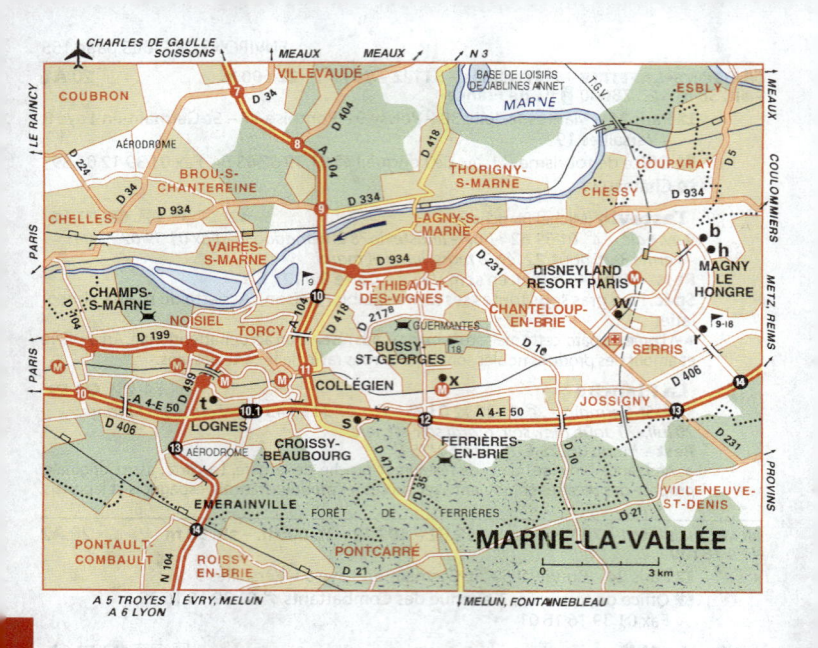

à Disneyland Resort Paris accès par autoroute A 4 et bretelle Disneyland – ✉ 77777

◉ **Disneyland Paris** ★★★ (voir Guide Vert Île-de-France)-Centrale de réservations hôtels : ✆ (00 33) 08 25 30 60 30 (0,15 €/mn), Fax (00 33) 01 64 74 57 50 - Les hôtels du Parc Disneyland Resort Paris pratiquent des forfaits journaliers comprenant le prix de la chambre et l'entrée aux parcs à thèmes - Ces prix variant selon la saison, nous vous suggérons de prendre contact avec la centrale de réservation.

à Magny-le-Hongre – 3 720 h. – alt. 117 m – ✉ 77700

Radisson
allée de la Mare-Houleuse, (près du golf) – ✆ 01 60 43 64 00
– www.golfresort.paris.radissonsas.com
– reservations.golfresort.paris@radissonsas.com
– Fax 01 60 43 64 01
241 ch – †180/230 € ††180/230 €, ⊇ 22 € – 9 suites   r
Rest – Menu (16 € bc) – Carte 39/63 €

♦ Styles design et contemporain caractérisent cet hôtel, dernier né du site Disneyland Paris et situé en plein cœur du golf. Chambres et suites ont vue sur les greens. Cuisine au goût du jour dans la grande salle de restaurant moderne (service uniquement le soir).

Holiday Inn
20 av. de la Fosse des Pressoirs, (Val de France) – ✆ 01 64 63 38 02
– www.vi-hotels.com – pr.holiday@vi-hotels.fr
– Fax 01 64 63 37 39   h
396 ch – †135/210 € ††135/210 €, ⊇ 10 € – 5 suites
Rest – buffet – Menu 29 € – Carte 24/34 € le midi

♦ Attention, le spectacle va commencer ! Le monde du cirque inspire le décor intérieur haut en couleurs de cet hôtel proche de Disneyland Paris. Piscine couverte. Le soir, entrez en piste sous le chapiteau du restaurant où trône un buffet à thème.

MARNE-LA-VALLÉE – ENVIRONS DE PARIS page 157

Dream Castle hôtel
40 av. Fosse des Pressoirs, (Val de France) –
℘ 01 64 17 90 00 – www.dreamcastle-hotel.com – info@dreamcastle-hotel.com
– Fax 01 64 17 90 10   b
396 ch ☐ – †118/242 € ††128/242 € – 10 suites
Rest *The Musketeer's* – buffet *(dîner seult)* Menu 29 €
Rest *Bar Excalibur* – *(déj. seult)* Menu (15 €) – Carte 33/54 €

♦ L'architecture et la décoration de cet hôtel font référence à l'univers des châteaux. Chambres élégantes et spacieuses, jolie piscine et jardin à la française. Le restaurant The Musketeer's propose le soir des buffets inspirés par le marché et les saisons. À midi, carte internationale au bar Excalibur.

à Serris – 2 320 h. – alt. 129 m – ⊠ 77700

L'Élysée Val d'Europe
7 cours Danube, (face gare RER) – ℘ 01 64 63 33 33 – www.hotelelysee.com
– info@hotelelysee.com – Fax 01 64 63 33 30   w
152 ch – †120/160 € ††130/170 €, ☐ 12 €
Rest – Menu (17 €), 22 € – Carte 30/38 €

♦ Architecture d'inspiration haussmannienne organisée autour de deux cours intérieurs. Belle serre tropicale coiffée d'une verrière façon Baltard. Chambres spacieuses et bien pensées. Carte traditionnelle au restaurant ou, en été, sur la grande place aménagée en terrasse.

MASSY – 91 Essonne – **312** C3 – **101** 25 – 40 500 h. – alt. 78 m – ⊠ 91300   **20 B3**

▶ Paris 19 – Arpajon 19 – Évry 20 – Palaiseau 4 – Rambouillet 45

Mercure
21 av. Carnot, (gare T.G.V) – ℘ 01 69 32 80 20 – www.mercure.com – h1176@
accor.com – Fax 01 69 32 80 25
116 ch – †69/175 € ††79/185 €, ☐ 14 €
Rest – *(fermé août, vacances de Noël, vend. soir, sam. et dim.)* Carte environ 32 €

♦ Situation idéale entre gares TGV et RER pour cet hôtel contemporain. Chambres fonctionnelles (30 ont été rajeunies) bien insonorisées et toutes dotées de salles d'eau neuves. Restaurant au cadre moderne ; cuisine traditionnelle de saison.

LE MESNIL-AMELOT – 77 Seine-et-Marne – **312** E1 – **101** 9 – 682 h.   **19 C1**
– alt. 80 m – ⊠ 77990

▶ Paris 34 – Bobigny 25 – Goussainville 15 – Meaux 28 – Melun 67

Radisson SAS
r. de la Chapelle – ℘ 01 60 03 63 00 – www.radissonsas.com – radisson.sas@
hotels-res.com – Fax 01 60 03 74 40
240 ch – †90/650 € ††90/650 €, ☐ 20 €
Rest – Menu (27 €), 29 € (sem.) – Carte 34/57 €

♦ Ce bâtiment en verre, proche de l'aéroport de Roissy, multiplie les atouts : équipements de loisirs, espaces séminaires, salon-bar et chambres actuelles. Grande brasserie au décor moderne, ouverte sur la terrasse ; formule buffet pour les entrées.

MEUDON – 92 Hauts-de-Seine – **311** J3 – **101** 24 – 44 200 h. – alt. 100 m   **20 B2**
– ⊠ 92190 ▌ Île de France

▶ Paris 11 – Boulogne-Billancourt 4 – Clamart 4 – Nanterre 12 – Versailles 10

◉ Terrasse ★ : ※ ★ – Forêt de Meudon ★.

L'Escarbille (Régis Douysset)
8 r. Vélizy – ℘ 01 45 34 12 03 – www.lescarbille.fr – contact@lescarbille.fr
– Fax 01 46 89 04 75 – Fermé 14 août-1er sept., 24 déc.-5 janv., 20 fév.-9 mars, dim. et lundi
Rest – Menu 44/61 €
Spéc. Poêlée de girolles, moelle et cébette (juin à nov.). Pigeon en crapaudine, jus lié au foie gras. Truffes fondantes au chocolat, kumquats confits.

♦ Cure de jouvence pour cette maison centenaire jouxtant la gare. Façade rafraîchie, intérieur soigné et belle cuisine dans l'air du temps variant au gré du marché et des saisons.

1423

ENVIRONS DE PARIS page 158

MONTMORENCY – 95 Val-d'Oise – 305 E7 – 101 5 – 21 500 h. 18 B1
– alt. 82 m – ⊠ 95160 — Île de France

- Paris 19 – Enghien-les-Bains 4 – Pontoise 24 – St-Denis 9
- Office de tourisme, 1, avenue Foch ℘ 01 39 64 42 94, Fax 01 39 34 95 29
- Collégiale St-Martin★.
- Château d'Écouen★★ : musée de la Renaissance★★ (tenture de David et de Bethsabée★★★).

XX Au Cœur de la Forêt
av. Repos de Diane, et accès par chemin forestier – ℘ 01 39 64 99 19
– www.aucoeurdelaforet.com – au.coeur.de.la.foret@wanadoo.fr
– Fax 01 34 28 17 52 – Fermé août, 15-25 fév., jeudi soir, dim. soir et lundi
Rest – Menu 43 €

♦ Intérieur chaleureux : deux salles rustiques, dont une grande avec poutres au plafond et cheminée. Terrasse d'été ombragée. Carte traditionnelle simple rythmée par les saisons.

MONTREUIL – 93 Seine-Saint-Denis – 311 K2 – 101 17 – 100 600 h. 21 C2
– alt. 70 m – ⊠ 93100 — Île de France

- Paris 11 – Bobigny 10 – Boulogne-Billancourt 18 – Argenteuil 28 – Saint-Denis 15
- Office de tourisme, 1, rue Kléber ℘ 01 41 58 14 09, Fax 01 41 58 14 13

XX Villa9Trois
28 r. Colbert – ℘ 01 48 58 17 37 – www.villa9trois.com – stephane@villa9trois.com – Fermé dim. soir
Rest – Menu 39/44 € – Carte 55/65 €

♦ Havre de verdure en pleine banlieue, cette villa à l'intérieur design vous reçoit pour un repas chic et décontracté, bien dans l'air du temps. Grande terrasse dans le jardin.

MONTROUGE – 92 Hauts-de-Seine – 311 J3 – 101 25 – 44 100 h. – alt. 75 m 20 B2
– ⊠ 92120

- Paris 5 – Boulogne-Billancourt 8 – Longjumeau 18 – Nanterre 16 – Versailles 16

▲ Mercure
13 r. F.-Ory – ℘ 01 58 07 11 11 – www.accorhotels.com – h0374@accor.com
– Fax 01 58 07 11 21
181 ch – †135/175 € ††145/195 €, ⊃ 15 € – 7 suites
Rest – *(fermé sam. et dim.)* Menu (19 €), 26 € – Carte 28/36 €

♦ En léger retrait du périphérique, vaste construction abritant des chambres modernes de bon goût, climatisées et bien insonorisées. Restaurant rénové dans le style contemporain, égayé de lithographies sur le thème des légumes. Cuisine traditionnelle.

MORANGIS – 91 Essonne – 312 D3 – 101 35 – 11 500 h. – alt. 85 m 21 C3
– ⊠ 91420

- Paris 21 – Évry 14 – Longjumeau 5 – Versailles 23

XXX Sabayon
15 r. Lavoisier – ℘ 01 69 09 43 80 – www.restaurantlesabayon.com
– von-moos.claude@wanadoo.fr – Fax 01 64 48 27 28 – Fermé 1er-29 août, lundi soir, mardi soir, merc. soir, sam. midi et dim.
Rest – Menu 43/80 €

♦ Ce restaurant est un vrai rayon de soleil dans une ZI un peu grise : tons jaune et rouge, toiles contemporaines et plantes vertes. Cuisine dans l'air du temps.

NANTERRE Ⓟ – 92 Hauts-de-Seine – 311 J2 – 101 14 – 87 800 h. – alt. 35 m 20 B1
– ⊠ 92000

- Paris 13 – Beauvais 81 – Rouen 124 – Versailles 15
- Syndicat d'initiative, 4, rue du Marché ℘ 01 47 21 58 02, Fax 01 47 25 99 02

▲ Mercure La Défense Parc
r. des 3 Fontanot – ℘ 01 46 69 68 00 – www.mercure.com – h1982@accor.com
– Fax 01 47 25 46 24
160 ch – †86/235 € ††101/250 €, ⊃ 16 € – 25 suites
Rest – *(fermé 18 juil.-21 août, 24-27 déc., 31 déc.-4 janv., dim. midi, vend. soir et sam.)* Menu (24 €), 31/47 € bc – Carte environ 31 €

♦ Immeuble moderne et son annexe situés à côté du parc André Malraux. Meubles design, équipement complet : demandez une chambre rénovée. Cuisine du monde à déguster dans une chaleureuse et confortable salle à manger dotée d'une ligne de mobilier contemporain.

ENVIRONS DE PARIS page 159

NEUILLY-SUR-SEINE – 92 Hauts-de-Seine – **311** J2 – **101** 15 – **61 100 h.** 20 **B1**
– alt. 34 m – ✉ 92200 ▮ Île de France

▶ Paris 9 – Argenteuil 10 – Nanterre 6 – Pontoise 29 – St-Germain-en-Laye 18
– Versailles 17

Courtyard by Marriott
58 bd V. Hugo – ✆ 01 55 63 64 65 – www.courtyard.com/parcy – cy.parcy.dosm@ courtyard.com – Fax 01 55 63 64 66
242 ch – ♦179/239 € ♦♦179/239 €, ⊇ 22 € – 69 suites
Rest – Menu (22 €) – Carte 30/70 €

◆ Près de l'Hôpital américain, imposant hôtel (années 1970) conjuguant confort et modernité. Belles chambres, atmosphère tendance dans le lobby et le bar, terrasses. Cuisine traditionnelle et brunch le dimanche midi, servis dans un plaisant cadre contemporain.

Paris Neuilly sans rest
1 av. Madrid – ✆ 01 47 47 14 67 – www.hotel-paris-neuilly.com – h0883@ accor.com – Fax 01 47 47 97 42
74 ch – ♦145/260 € ♦♦160/275 €, ⊇ 17 € – 6 suites

◆ Chambres disposées autour d'un atrium de huit étages en balcons. Petits-déjeuners dans le patio couvert orné de fresques rappelant le château de Madrid bâti par François 1er.

Jardin de Neuilly sans rest
5 r. P. Déroulède – ✆ 01 46 24 22 77 – www.hoteljardindeneuilly.com – reservation@hoteljardindeneuilly.com – Fax 01 46 37 14 60
29 ch – ♦175/255 € ♦♦220/355 €, ⊇ 16 €

◆ Hôtel particulier du 19e s. à 300 m de la Porte Maillot. Chambres personnalisées et rénovées. Certaines donnent côté jardin : la campagne aux portes de Paris !

De la Jatte sans rest
4 bd Parc – ✆ 01 46 24 32 62 – www.hoteldelajatte.com – hoteldelajatte@ wanadoo.fr – Fax 01 46 40 77 31
69 ch – ♦98/250 € ♦♦98/250 €, ⊇ 12 € – 2 suites

◆ Charme et tranquillité pour cette élégante maison située sur l'île de la Jatte, aujourd'hui très prisée des parisiens. Décor original, chambres design et plaisante véranda.

Neuilly Park Hôtel sans rest
23 r. M. Michelis – ✆ 01 46 40 11 15 – www.hotelneuillypark.com – hotel@ neuillypark.com – Fax 01 46 40 14 78
30 ch – ♦145/185 € ♦♦165/185 €, ⊇ 11 €

◆ Sympathique hôtel du quartier des Sablons, entièrement rénové : mobilier 1900 de style Art nouveau et tissus tendus personnalisent les menues chambres.

Foc Ly
79 av. Ch. de Gaulle – ✆ 01 46 24 43 36 – www.focly.fr – Fax 01 46 24 70 58
– Fermé 1er-23 août
Rest – Menu (23 €) – Carte 40/120 €

◆ Deux lions encadrent l'entrée de ce restaurant qui dévoile un intérieur contemporain orné de bois clair et de lithographies. Cuisine goûteuse thaï et chinoise.

La Truffe Noire (Patrice Hardy)
2 pl. Parmentier – ✆ 01 46 24 94 14 – www.truffenoire.net – patchef.hardy@ wanadoo.fr – Fax 01 46 24 94 60 – Fermé 1er-25 août, sam. et dim.
Rest – Menu 40/140 € – Carte 75/140 €

Spéc. Salade de pommes de terre fumées et lamelles de truffe. Lièvre à la royale et polenta blanche (15 oct. au 15 déc.). Crème glacée et soufflé à la truffe.

◆ Cette jolie maison au décor romantique célèbre le "diamant noir" mais aussi – en hommage à Parmentier qui fit aux "Sablons" ses premiers essais de culture – la pomme de terre.

Jarrasse L'Ecailler de Paris
4 av. de Madrid – ✆ 01 46 24 07 56 – www.jarrasse.com – reservation@ jarrasse.com – Fax 01 40 88 35 60 – Fermé 1 sem. en août
Rest – (prévenir) Menu 42 € – Carte 50/90 €

◆ Les salles décorées dans un style actuel aux tons pastel procurent une atmosphère reposante. Produits de la mer en provenance des petits bateaux de pêche bretons, banc d'écailler.

ENVIRONS DE PARIS page 160 – NEUILLY-SUR-SEINE

Le Bistrot d'à Côté la Boutarde
4 r. Boutard – ✆ *01 47 45 34 55 – www.bistrotboutarde.com – reservation@bistrotboutarde.com – Fax 01 47 45 15 08 – Fermé 9-17 août, sam. midi et dim.*
Rest – Menu (30 €), 43 €
♦ Un vrai bistrot ! Service décontracté, boiseries, collection de moulins à café, vin "à la ficelle" (on paie ce que l'on boit) et ardoise du jour suivant l'inspiration du chef.

À la Coupole
3 r. Chartres – ✆ *01 46 24 82 90 – Fermé vacances de printemps, août, sam. et dim.*
Rest – Carte 40/50 €
♦ Une collection de véhicules miniatures réalisés à Madagascar à partir de métal récupéré, décore la salle de ce restaurant familial. Cuisine traditionnelle et huîtres en saison.

Aux Saveurs du Marché
4 r. de l'Eglise – ✆ *01 47 45 72 11 – auxsaveursdumarche@wanadoo.fr – Fax 01 46 37 72 13 – Fermé 3-23 août, sam. et dim.*
Rest – Carte 43/52 €
♦ Adresse tendance avec son ambiance bistrot rétro : on est au coude à coude le midi pour apprécier les plats canailles inspirés du marché, à choisir sur ardoises. Service voiturier.

NOGENT-SUR-MARNE – 94 Val-de-Marne – 312 D2 – 101 27 – 21 D2
– 30 400 h. – alt. 59 m – ⌧ 94130 ▊ Île de France

▶ Paris 14 – Créteil 10 – Montreuil 6 – Vincennes 6
▶ Office de tourisme, 5, avenue de Joinville ✆ 01 48 73 73 97, Fax 01 48 73 75 90

Mercure Nogentel
8 r. du Port – ✆ *01 48 72 70 00 – www.lecanotiernogentel.com – h1710@accor.com – Fax 01 48 72 86 19*
60 ch – †128 € ††145 €, ⌐ 15 €
Rest *Le Canotier* – *(fermé 5-20 août et dim. soir)* Menu (36 €) – Carte environ 42 €
♦ Hôtel des bords de Marne proposant des chambres actuelles. L'esprit de Nogent flotte encore sur la berge, le long de la promenade fleurie. La spacieuse salle à manger du Canotier (décor marin) ouvre sur le port de plaisance ; table traditionnelle.

NOISY-LE-GRAND – 93 Seine-Saint-Denis – 305 G7 – 101 18 – 61 600 h. – 21 D2
– alt. 82 m – ⌧ 93160 ▊ Île de France

▶ Paris 19 – Bobigny 17 – Lagny-sur-Marne 14 – Meaux 38
▶ Syndicat d'initiative, 167, rue Pierre Brossolette ✆ 01 43 04 51 55, Fax 01 43 03 79 48

Mercure
2 bd Levant – ✆ *01 45 92 47 47 – www.accorhotel.com – h1984@accor.com – Fax 01 45 92 47 10*
192 ch – †112/145 € ††118/151 €, ⌐ 14 €
Rest – *(fermé vend. soir, sam., dim. et fériés)* Menu (16 € bc), 26 €
– Carte environ 35 €
♦ Immeuble moderne dont la façade vitrée permet de suivre le ballet des ascenseurs panoramiques. Chambres spacieuses et fonctionnelles. Restaurant-brasserie avec un pan de mur constellé d'étoiles multicolores. Terrasse dans la cour intérieure.

Novotel
2 allée Bienvenue-quartier Horizon – ✆ *01 48 15 60 60 – www.accorhotels.com – h1536@accor.com – Fax 01 43 04 78 83*
144 ch – †91/179 € ††101/189 €, ⌐ 14 € **Rest** – Menu (20 €) – Carte 23/45 €
♦ Dans un quartier d'affaires, ce bâtiment contemporain entièrement rénové, abrite des chambres fraîches et fonctionnelles, répondant aux normes de la chaîne. Spacieuse salle à manger où l'on sert la carte "Lenôtre". Jardin avec aire de jeux pour enfants.

L'Amphitryon
56 av. A. Briand – ✆ *01 43 04 68 00 – http://amphitryon.over-blog.com – nicole.guerineau@wanadoo.fr – Fax 01 43 04 68 10 – Fermé 5-26 août, vacances de fév., sam. midi et dim. soir*
Rest – Menu 26 € (sem.)/41 € – Carte 41/49 €
♦ Murs couleur melon et vaisselle chamarrée donnent le ton de cette élégante salle de restaurant. La cuisine, traditionnelle, est servie rapidement et avec le sourire.

ENVIRONS DE PARIS page 161

ORGEVAL – 78 Yvelines – **311** H2 – **101** 11 – 5 359 h. – alt. 100 m — **18 B1**
– ⌧ 78630

▶ Paris 32 – Mantes-la-Jolie 28 – Pontoise 22 – St-Germain-en-Laye 11
– Versailles 22

🏌 de Villennes à Villennes-sur-Seine Route d'Orgeval, N : 2 km,
℘ 01 39 08 18 18

Moulin d'Orgeval
r. de l'Abbaye, 1,5 km au Sud – ℘ 01 39 75 85 74 – www.moulindorgeval.com
– contact@moulindorgeval.com – Fax 01 39 75 48 52
14 ch – ♦140 € ♦♦165 €, ⊇ 15 €
Rest – (fermé 20 déc.-3 janv. et dim. soir) Menu (36 €), 46/72 € – Carte 36/74 €
♦ Cet ancien moulin entouré d'un parc arboré (5 ha) baigné par un étang vous assure calme et détente. Chambres cosy et bar de style anglais. On déguste une cuisine traditionnelle dans la salle de restaurant rustique ou, en été, sur l'agréable terrasse au bord de l'eau.

ORLY (AÉROPORTS DE PARIS) – 91 Essonne – **312** D3 – **101** 26 — **21 C3**
– 21 646 h. – alt. 89 m – ⌧ 94390

▶ Paris 16 – Corbeil-Essonnes 24 – Créteil 14 – Longjumeau 15
– Villeneuve-St-Georges 9

✈ Aérogare Sud ℘ 03 36 68 15 15

Hilton Orly
près de l'aérogare, Orly Sud ⌧ 94544 – ℘ 01 45 12 45 12 – www.hilton.fr
– Fax 01 45 12 45 00
351 ch – ♦130 € ♦♦130 €, ⊇ 19 €
Rest – brasserie – Menu (27 €) – Carte 41/64 €
♦ Dans cet hôtel des années 1960 : intérieur design, chambres sobres et élégantes, équipements de pointe pour les réunions et services liés au standing de la clientèle d'affaires. Cadre actuel au restaurant (une salle totalement relookée), cuisine traditionnelle.

Mercure
aérogare ⌧ 94547 – ℘ 01 49 75 15 50 – www.mercure.com – h1246-re@accor.com – Fax 01 49 75 15 51
192 ch – ♦110/220 € ♦♦120/230 €, ⊇ 15 €
Rest – Menu (15 €) – Carte environ 32 €
♦ Ce Mercure s'avère être une adresse très pratique entre deux vols : accueil souriant, cadre agréable (îlot de verdure), et surtout, chambres soignées, peu à peu rénovées. Restauration de bar ou cuisine plus traditionnelle adaptées aux horaires des voyageurs en transit.

à Orly-ville – 20 900 h. – alt. 71 m – ⌧ 94310

Kyriad Air Plus
58 voie Nouvelle – ℘ 01 41 80 75 75 – www.hotelairplus.com – Fax 01 41 80 12 12
72 ch – ♦65/82 € ♦♦65/82 €, ⊇ 8,50 €
Rest – (fermé août, sam. et dim.) Menu 13/16 € – Carte 32/38 €
♦ C'est ici que loge le personnel des compagnies aériennes. Ambiance aéronautique au pub anglais ; les adeptes du jogging foulent les allées du parc Méliès. Une cuisine classique vous attend dans un décor dédié à l'avion.

voir aussi à **Rungis**

OZOIR-LA-FERRIÈRE – 77 Seine-et-Marne – **312** F3 – **106** 33 – **101** 30 — **19 C2**
– 20 100 h. – alt. 110 m – ⌧ 77330

▶ Paris 34 – Coulommiers 42 – Lagny-sur-Marne 22 – Melun 29 – Sézanne 84

🛈 Syndicat d'initiative, 43, avenue du Général-de-Gaulle ℘ 01 64 40 10 20,
Fax 01 64 40 09 91

La Gueulardière
66 av. Gén. de Gaulle – ℘ 01 60 02 94 56 – www.la-gueuladiere.com
– gueulardiere@orange.fr – Fax 01 60 02 98 51 – Fermé 1ᵉʳ-15 sept. et dim. soir
Rest – Menu 38/78 € – Carte 58/102 €
♦ Cette ancienne maison de village, dotée de salles élégantes et feutrées aux tons pastel, propose une cuisine actuelle soignée. Belle terrasse d'été, dressée sous une pergola.

ENVIRONS DE PARIS page 162

LE PERREUX-SUR-MARNE – 94 Val-de-Marne – 312 E2 – 101 18 – 32 200 h. – alt. 50 m – ⊠ 94170   21 D2

- Paris 16 – Créteil 12 – Lagny-sur-Marne 23 – Villemomble 6 – Vincennes 7
- Office de tourisme, 75, avenue Ledru Rollin ℰ 01 43 24 26 58, Fax 01 43 24 02 10

XXX Les Magnolias (Jean Chauvel)
48 av. de Bry – ℰ 01 48 72 47 43 – www.lesmagnolias.com – jcmagno@wanadoo.fr – Fax 01 48 72 22 28 – Fermé août, sam. midi, dim. et lundi
Rest – Menu (41 €), 58/92 €
Spéc. Tagliatelles de seiche et bouillon d'algues corsé de citron vert. Agneau en crumble végétal, croque romaine à l'huile d'olive vierge. Cassant chocolat blanc-noir envoûté de passion onctueuse.
♦ Une invitation à la découverte d'une cuisine inventive et ludique dans un cadre élégant (boiseries blondes) et lumineux, égayé de tableaux contemporains et de fauteuils amusants.

LE PRÉ ST-GERVAIS – 93 Seine-Saint-Denis – 305 F7 – 101 16 – 17 000 h. – alt. 82 m – ⊠ 93310   21 C1

- Paris 8 – Bobigny 6 – Lagny-sur-Marne 33 – Meaux 38 – Senlis 47

X Au Pouilly Reuilly
68 r. A. Joineau – ℰ 01 48 45 14 59 – Fax 01 48 45 93 93 – Fermé sam. midi et dim.
Rest – Menu 29 € – Carte 45/81 €
♦ Décor de bistrot au charme rétro d'avant-guerre, joyeuse ambiance et cuisine roborative, où les abats sont à l'honneur. Le rendez-vous du Tout-Paris.

PUTEAUX – 92 Hauts-de-Seine – 311 J2 – 101 14 – 42 300 h. – alt. 36 m – ⊠ 92800   20 B1

- Paris 11 – Nanterre 4 – Pontoise 30 – St-Germain-en-Laye 17 – Versailles 15

🏨 Vivaldi sans rest
5 r. Roque de Fillol – ℰ 01 47 76 36 01 – www.hotelvivaldi.com – vivaldi@hotelvivaldi.com – Fax 01 47 76 11 45
27 ch ⊇ – †88/162 € ††94/194 €
♦ Dans une rue tranquille proche de l'hôtel de ville, cet immeuble abrite des chambres rénovées, équipées d'un mobilier fonctionnel. L'été, petit-déjeuner servi dans le patio.

XX La Table d'Alexandre
7 bd Richard-Wallace – ℰ 01 45 06 33 63 – latabledalexandre@9business.fr – Fax 01 45 06 33 63 – Fermé 2-24 août, sam., dim. et fériés
Rest – Menu 26 € (sem.)/35 € – Carte environ 37 €
♦ On repère ce sympathique restaurant à ses murs rouges. Intérieur classique, rehaussé de touches modernes, où l'on apprécie une cuisine au goût du jour évoluant au fil des saisons.

ROISSY-EN-FRANCE (AÉROPORTS DE PARIS) – 95 Val-d'Oise – 305 G6 – 101 8 – 2 564 h. – alt. 85 m – ⊠ 95700   19 C1

- Paris 26 – Chantilly 28 – Meaux 38 – Pontoise 39 – Senlis 28
- Charles-de-Gaulle ℰ 03 36 68 15 15.
- Office de tourisme, 40, avenue Charles-de-Gaulle ℰ 01 34 29 43 14, Fax 01 34 29 43 33

Z. I. Paris Nord II – ⊠ 95912

🏨🏨🏨🏨 Hyatt Regency
351 av. Bois de la Pie – ℰ 01 48 17 12 34 – www.paris.charlesdegaulle.hyatt.com – cdg@hyattintl.com – Fax 01 48 17 17 17
376 ch – †130/560 € ††130/560 €, ⊇ 27 € – 12 suites
Rest – buffet le midi – Menu 56 € – Carte 43/62 €
♦ Architecture contemporaine idéalement située près de l'aéroport. Grandes chambres feutrées aux équipements ultramodernes à l'attention d'une clientèle d'affaires. Buffets ou carte classique au restaurant, coiffé d'une verrière.

ROISSY-EN-FRANCE – ENVIRONS DE PARIS

à l'aérogare n° 2

Sheraton
– ℘ 01 49 19 70 70 – www.sheraton.com/parisairport – Fax 01 49 19 70 71
252 ch – †199/599 € ††199/599 €, ⊇ 30 €
Rest *Les Étoiles* – ℘ 01 41 84 64 54 (fermé 25 juil.-30 août, sam., dim. et fériés)
Menu 57 € – Carte 60/86 €
Rest *Les Saisons* – Menu 35 € (déj. en sem.) – Carte 40/55 €
♦ Descendez de l'avion ou du TGV et montez dans ce "paquebot" à l'architecture futuriste. Décor d'Andrée Putman, vue sur le tarmac, calme absolu et chambres raffinées. Carte au goût du jour et beau cadre contemporain aux Étoiles. Plats de brasserie aux Saisons.

à Roissypole

Hilton
– ℘ 01 49 19 77 77 – www.hilton.fr – events.parischarlesdegaulleairport@hilton.com – Fax 01 49 19 77 78
385 ch – †239/729 € ††239/729 €, ⊇ 25 €
Rest *Les Aviateurs* – ℘ 01 49 19 77 95 – Carte 35/85 €
♦ Architecture audacieuse, espace et lumière caractérisent cet hôtel. Ses équipements de pointe en font un lieu propice au travail comme à la détente. Carte de brasserie aux Aviateurs.

Pullman
Zone centrale Ouest – ℘ 01 49 19 29 29 – www.pullmanhotels.com – h0577-gm@accor.com – Fax 01 49 19 29 00
342 ch – †110/550 € ††110/550 €, ⊇ 27 € – 8 suites
Rest *L'Escale* – Menu 31/45 € – Carte 30/72 €
♦ Accueil personnalisé, atmosphère feutrée, salles de séminaires, bar élégant et chambres soignées sont les atouts de cet hôtel bâti entre les deux aérogares. Véritable invitation au voyage au restaurant L'Escale qui célèbre les saveurs du monde.

à Roissy-Ville

Courtyard by Marriott
allée du Verger – ℘ 01 34 38 53 53 – www.marriott.com – mhrs.parmc.sales.mgr@marriott.com – Fax 01 34 38 53 54
300 ch – †149/550 € ††149/550 €, ⊇ 22 € – 4 suites
Rest – Menu (27 €), 33 € – Carte 43/70 €
♦ Derrière sa façade blanche à colonnades, cet établissement offre des équipements modernes parfaitement adaptés à une clientèle d'affaires transitant par Paris. Carte brasserie autour d'un thème, servie dans la vaste salle à manger au décor soigné.

Millennium
allée du Verger – ℘ 01 34 29 33 33 – www.millenniumhotels.com – sales.cdg@mill-cop.com – Fax 01 34 29 03 05
239 ch – †380/500 € ††380/500 €, ⊇ 20 €   **Rest** – Menu (16 € bc) – Carte 28/46 €
♦ Bar, pub irlandais, fitness, belle piscine, salles de séminaires, chambres spacieuses et un étage spécialement aménagé pour la clientèle d'affaires : un hôtel bien équipé. Cuisine internationale et buffets à la brasserie, ou plats rapides servis côté bar.

Novotel Convention et Wellness
allée du Verger – ℘ 01 30 18 20 00
– www.novotel.com – h5418-fo@accor.com – Fax 01 34 29 95 60
282 ch – †109/350 € ††109/350 €, ⊇ 19 € – 7 suites
Rest – Menu (20 €), 25 € (sem.) – Carte environ 27 €
♦ Le dernier né du parc hôtelier de Roissy offre des services performants : vaste espace séminaires avec régie intégrée, coin enfants et wellness center très complet. Au Novotel Café, une grande salle actuelle, cuisine de brasserie traditionnelle et assez légère.

Mercure
allée du Verger – ℘ 01 34 29 40 00 – www.mercure.com – h1245@accor.com – Fax 01 34 29 00 18
203 ch – †79/250 € ††89/260 €, ⊇ 18 €   **Rest** – Menu (20 €) – Carte 28/42 €
♦ Cet hôtel offre un décor soigné : cadre provençal dans le hall, zinc à l'ancienne au bar et spacieuses chambres habillées de bois clair. Plats actualisés évoluant selon les saisons à goûter dans une agréable salle à manger ou sur une terrasse dressée côté jardin.

ENVIRONS DE PARIS page 164

ROSNY-SOUS-BOIS – 93 Seine-Saint-Denis – **305** F7 – **101** 17 – 40 900 h.   21 **D2**
– alt. 80 m – ⊠ 93110

▸ Paris 14 – Bobigny 8 – Le Perreux-sur-Marne 5 – St-Denis 16
▸ AS Golf de Rosny-sous-Bois 12 rue Raspail, ☏ 01 48 94 01 81

Quality Hôtel Golf
4 r. Rome – ☏ 01 48 94 33 08 – www.rosnysousbois.quality-hotel.fr
– qualityhotel.rosny@wanadoo.fr – Fax 01 48 94 30 05
97 ch – †140/160 € ††150/170 €, ⊇ 12 € – ½ P 170/190 €
Rest *Le Vieux Carré* – *(fermé août, 25 déc.-1ᵉʳ janv., vend. soir, sam., dim. et fériés)*
Menu 27/30 € – Carte 28/46 €
♦ Adossé au golf, hôtel dont l'architecture et la décoration intérieure s'inspirent de la Louisiane. Chambres spacieuses et confortables. L'enseigne et le mobilier du restaurant le Vieux Carré sont des clins d'œil à la Nouvelle-Orléans ; terrasse côté greens.

RUEIL-MALMAISON – 92 Hauts-de-Seine – **311** J2 – **101** 14 – 77 800 h.   20 **A1**
– alt. 40 m – ⊠ 92500 ▮ Île de France

▸ Paris 16 – Argenteuil 12 – Nanterre 3 – St-Germain-en-Laye 9 – Versailles 12
▸ Office de tourisme, 160, av. Paul Doumer ☏ 01 47 32 35 75,
  Fax 01 47 14 04 48
▸ de Rueil-Malmaison 25 Boulevard Marcel Pourtout, ☏ 01 47 49 64 67
▸ Château de Bois-Préau★ - Buffet d'orgues★ de l'église - Malmaison :
  musée★★ du château.

Novotel
21 av. Ed. Belin, – ☏ 01 47 16 60 60 – www.novotel.com – h1609@accorhotel.com
– Fax 01 47 51 09 29
118 ch – †150/320 € ††150/320 €, ⊇ 16 €   **Rest** – Carte 15/35 €
♦ Immeuble moderne du quartier d'affaires Rueil 2000, à deux pas de la gare RER. Les chambres contemporaines bénéficient d'un bon équipement. Centre de conférences. Au restaurant, cadre actuel et cuisine au goût du jour, soucieuse de votre équilibre.

Le Bonheur de Chine
6 allée A. Maillol, (face 35 av. J. Jaurès à Suresnes) – ☏ 01 47 49 88 88
▭ www.bonheurdechine.com – bonheurdechine@wanadoo.fr
– Fax 01 47 49 48 68 – Fermé lundi
Rest – Menu 23 € (déj. en sem.), 38/59 € – Carte 30/70 €
♦ Mobilier et autres éléments de décor en provenance d'Extrême-Orient composent le cadre authentique de ce restaurant où confluent toutes les saveurs de la cuisine chinoise.

RUNGIS – 94 Val-de-Marne – **312** D3 – **101** 26 – 5 644 h. – alt. 80 m   21 **C3**
– ⊠ 94150

▸ Paris 14 – Antony 5 – Corbeil-Essonnes 30 – Créteil 13 – Longjumeau 12

à Pondorly accès : de Paris, A6 et bretelle d'Orly ; de province, A6 et sortie Rungis
– ⊠ 94150 Rungis

Holiday Inn
4 av. Charles Lindbergh – ☏ 01 49 78 42 00 – www.holidayinn-parisorly.com
– hiorly@alliance-hospitality.com – Fax 01 45 60 91 25
169 ch ⊇ – †113/319 € ††131/338 €
Rest – *(fermé vacances scolaires, vend. soir, sam., dim. et fériés)* Menu (25 €),
30/55 € – Carte 30/50 €
♦ Au bord de l'autoroute, établissement de grand confort. Ses spacieuses chambres, bien insonorisées, offrent un équipement moderne et des teintes harmonieuses. Salle à manger actuelle rehaussée de discrètes touches Art déco ; plats traditionnels.

Novotel
Zone du Delta, 1 r. Pont des Halles – ☏ 01 45 12 44 12 – www.novotel.com
– h1628@accor.com – Fax 01 45 12 44 13
181 ch – †79/179 € ††79/179 €, ⊇ 15 € – 5 suites
Rest – *(fermé dim. midi et sam.)* Carte 24/46 €
♦ Les confortables chambres de ce vaste bâtiment de verre affichent un décor contemporain et sont dotées d'un double vitrage. Piscine bordée d'une terrasse. La salle de restaurant, tout comme le Novotel Café, a opté pour un style design et coloré.

ENVIRONS DE PARIS page 165

SACLAY – 91 Essonne – **312** C3 – **101** 24 – 3 013 h. – alt. 147 m – ✉ 91400 **20 A3**

▶ Paris 27 – Antony 14 – Chevreuse 13 – Montlhéry 16 – Versailles 12

Novotel
r. Charles Thomassin – ℘ 01 69 35 66 00 – www.novotel.com – h0392@accor.com
– Fax 01 69 41 01 77
137 ch – ♦79/160 € ♦♦79/160 €, ⊑ 14 €   **Rest** – Carte 23/47 €

◆ Cour pavée, maison bourgeoise du 19ᵉ s. et ancien corps de ferme : vous êtes au Novotel Saclay ! Chambres conformes aux standards de la chaîne, équipements sportifs complets. Agréable restaurant ouvert sur la piscine et le bois planté d'arbres centenaires.

ST-CLOUD – 92 Hauts-de-Seine – **311** J2 – **101** 14 – 29 200 h. – alt. 63 m **20 B2**
– ✉ 92210 Île de France

▶ Paris 12 – Nanterre 7 – Rueil-Malmaison 6 – St-Germain 16 – Versailles 10

🏌 du Paris Country Club 1 rue du Camp Canadien, (Hippodrome), ℘ 01 47 71 39 22

◉ Parc★★ (Grandes Eaux★★) - Église Stella Matutina★.

Quorum
2 bd République – ℘ 01 47 71 22 33 – www.hotel-quorum-paris.com
– hotel-quorum@club-internet.fr – Fax 01 46 02 75 64
58 ch – ♦100/125 € ♦♦105/135 €, ⊑ 10 €
Rest – (fermé août, sam. et dim.) Menu (21 €) – Carte environ 35 €

◆ Le beau parc de Saint-Cloud est à deux pas de cet hôtel où vous logerez dans des chambres relookées en 2007 (mobilier épuré dont quelques pièces signées Starck). Repas traditionnel dans une ample salle à manger contemporaine, dotée de sièges violets.

L'Heureux Père
47 bis Bd Semard – ℘ 01 46 02 09 43 – www.lheureuxpere.com – lheureuxpere@wanadoo.fr – Fax 01 46 02 93 28 – Fermé 8-30 août
Rest – Menu (19 €), 24 € (déj. en sem.) – Carte 35/52 €

◆ Les frontières de la cuisine s'effacent, dans la salle et dans l'assiette. Le chef aime surprendre avec les associations de saveurs et d'épices à dominante créole. Terrasse fleurie.

Le Garde-Manger
21 r. d'Orléans – ℘ 01 46 02 03 66 – www.legardemanger.com – restaurant@legardemanger.com – Fax 01 46 02 11 55 – Fermé dim., lundi et fériés
Rest – Carte 30/37 €

◆ Cet établissement qui avait déménagé a retrouvé son adresse d'origine et offre à présent un cadre flambant neuf. Cuisine généreuse de bistrot et sympathique carte des vins.

ST-DENIS – 93 Seine-Saint-Denis – **305** F7 – **101** 16 – 96 600 h. **21 C1**
– alt. 33 m – ✉ 93200 Île de France

▶ Paris 11 – Argenteuil 12 – Beauvais 70 – Bobigny 11 – Chantilly 31
– Pontoise 27 – Senlis 44

ℹ Office de tourisme, 1, rue de la République ℘ 01 55 87 08 70,
Fax 01 48 20 24 11

◉ Basilique★★★ - Stade de France★.

ST-GERMAIN-EN-LAYE – 78 Yvelines – **311** I2 – **101** 13 – 41 000 h. **20 A1**
– alt. 78 m – ✉ 78100 Île de France

▶ Paris 25 – Beauvais 81 – Dreux 66 – Mantes-la-Jolie 36 – Versailles 13

ℹ Office de tourisme, Maison Claude Debussy, 38, rue au Pain
℘ 01 34 51 05 12, Fax 01 34 51 36 01

🏌 de Joyenval à Chambourcy Chemin de la Tuilerie, par rte de Mantes : 6 km
par D 160, ℘ 01 39 22 27 50

◉ Terrasse★★ - Jardin anglais★ - Château★ : musée des Antiquités
nationales★★ - Musée Maurice Denis★.

Plan page suivante

ST-GERMAIN-EN-LAYE

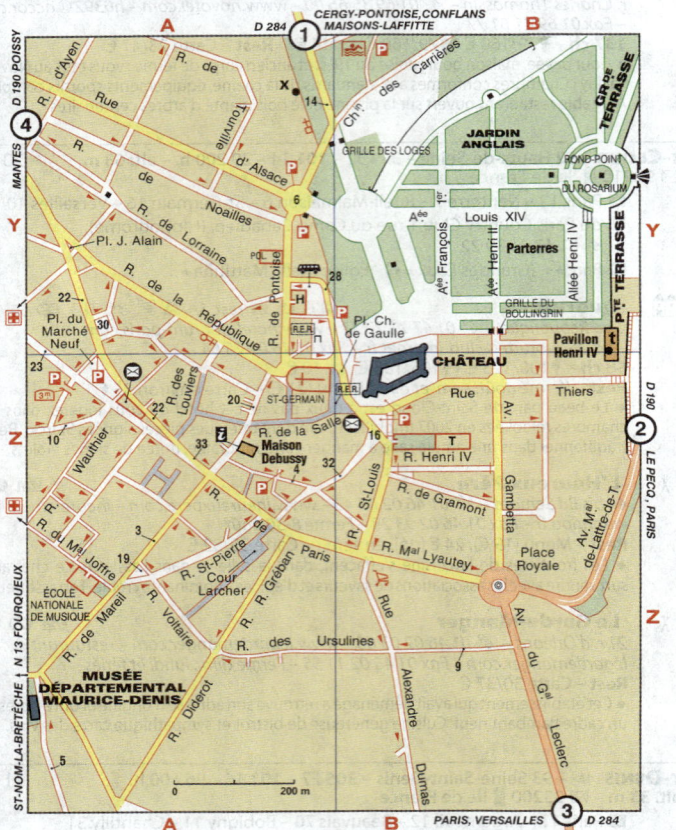

Bonnenfant (R. A.) . . . . **AZ** 3	Detaille (Pl. É.) . . . . **AY** 6	Paris (R. de) . . . . **AZ**
Coches (R. des) . . . . **AZ** 4	Gde-Fontaine (R. de la) . . . . . **AZ** 10	Poissy (R. de) . . . . **AZ** 22
Denis (R. M.) . . . . **AZ** 5	Giraud-Teulon (R.) . . . . **BZ** 9	Pologne (R. de) . . . . **AY** 23
	Loges (Av. des) . . . . **AY** 14	Surintendance
	Malraux (Pl. A.) . . . . **BZ** 16	R. de la) . . . . **AY** 28
	Marché-Neuf (Pl. du) . . . . **AZ**	Victoire (Pl. de la) . . . . **AY** 30
	Mareil (Pl.) . . . . **AZ** 19	Vieil-Abreuvoir (R. du) . . . . . . **AZ** 32
	Pain (R. au) . . . . **AZ** 20	Vieux-Marché (R. du) . . . . **AZ** 33

Pavillon Henri IV

21 r. Thiers – ℘ 01 39 10 15 15 – www.pavillonhenri4.fr – reservation@pavillonhenri4.fr – Fax 01 39 73 93 73

BYZ **t**

42 ch – †130/250 € ††130/250 €, ⊇ 17 €

Rest – (fermé 1er-22 août, 19-30 déc., sam. midi et dim. soir) Carte 57/79 €

◆ Achevée en 1604 sous l'impulsion d'Henri IV, cette demeure vit naître le futur roi Louis XIV. Atmosphère bourgeoise dans les salons et les chambres, joliment rafraîchis. La confortable salle à manger offre un superbe panorama sur la vallée de la Seine et Paris.

Ermitage des Loges

11 av. Loges – ℘ 01 39 21 50 90 – www.ermitage-des-loges.com – hotel@ermitagedesloges.com – Fax 01 39 21 50 91

AY **x**

56 ch – †100/133 € ††119/151 €, ⊇ 13 €

Rest – (fermé août) Menu 22 € bc (déj. en sem.), 34/52 € – Carte 40/65 €

◆ En lisière de la forêt de St-Germain, hôtel composé de deux bâtiments dont le principal date du 19e s. Les chambres sont plus modernes à l'annexe et ont vue sur le jardin. Grande salle de restaurant décorée sur le thème de l'aéronautique.

ST-GERMAIN-EN-LAYE – ENVIRONS DE PARIS

par ① et D 284 : 2,5 km – ⊠ 78100 St-Germain-en-Laye

La Forestière 🛏 rest, P VISA MC AE ①
1 av. Prés. Kennedy – ℘ *01 39 10 38 38* – *www.cazaudehore.fr* – *cazaudehore@relaischateaux.com* – *Fax 01 39 73 73 88*
25 ch – †165/175 € ††205/215 €, ⊇ 20 € – 5 suites
Rest *Cazaudehore* – voir ci-après
♦ Charme et confort sont au rendez-vous dans cette séduisante maison entourée de verdure. Beau mobilier contemporain et coloris choisis agrémentent les chambres, toutes uniques.

Cazaudehore – Hôtel La Forestière
1 av. Prés. Kennedy – ℘ *01 30 61 64 64* – *www.cazaudehore.fr* – *cazaudehore@relaischateaux.com* – *Fax 01 39 73 73 88* – *Fermé dim. soir de nov. à mars et lundi*
Rest – Menu (47 €), 59 € (dîner) – Carte 52/77 €
♦ Ambiance chic et cosy, décor dans l'air du temps, délicieuse terrasse sous les acacias, cuisine soignée et belle carte des vins… Une vraie histoire de famille depuis 1928.

ST-MANDÉ – 94 Val-de-Marne – **312** D2 – **101** 27 – 22 000 h. – alt. 50 m – ⊠ 94160   **21 C2**

▶ Paris 7 – Créteil 10 – Lagny-sur-Marne 29 – Maisons-Alfort 6 – Vincennes 2

L'Ambassade de Pékin
6 av. Joffre – ℘ *01 43 98 13 82* – *Fax 01 43 28 31 93*
Rest – Menu 14 € (déj. en sem.), 24/32 € – Carte 18/70 €
♦ Adresse appréciée pour l'originalité de sa cuisine chinoise, vietnamienne et thaïlandaise servie dans une salle revêtue de bois et ornée d'un aquarium à homards et poissons exotiques.

L'Ambre d'Or
44 av. du Gén. de Gaulle – ℘ *01 43 28 23 93* – *Fax 01 43 28 23 93* – *Fermé 21-25 août, 4-24 août, dim. et lundi*
Rest – Menu (27 €), 33 € – Carte 81/88 €
♦ Discret restaurant situé face à la mairie. La salle à manger associe avec goût poutres anciennes et mobilier contemporain. Carte au goût du jour sensible au rythme des saisons.

ST-MAUR-DES-FOSSÉS – 94 Val-de-Marne – **312** D3 – **101** 27 – 75 200 h. – alt. 38 m – ⊠ 94100   **21 D2**

▶ Paris 12 – Créteil 6 – Nogent-sur-Marne 6

La Renaissance
8 pl. des Marronniers – ℘ *01 48 85 91 74* – *ederle.bernard@wanadoo.fr* – *Fax 01 48 83 04 67* – *Fermé mardi soir, dim. soir et lundi*
Rest – Menu (18 €), 25 € (déj. en sem.), 28/41 €
♦ Cette sympathique maison située un peu à l'écart du centre offre un cadre coloré. Carte traditionnelle étoffée de plats mijotés et oubliés (bœuf mode, tête de veau…).

à La Varenne-St-Hilaire – ⊠ 94210

La Bretèche
171 quai Bonneuil – ℘ *01 48 83 38 73* – *www.labreteche.fr* – *contact@labreteche.fr* – *Fax 01 42 83 63 19* – *Fermé 2-16 août, 22 fév.-8 mars, dim. soir et lundi*
Rest – Menu 35 € (sem.)/60 € – Carte 88/118 €
Spéc. Thon rouge mi-cuit à la crème de wasabi, caviar d'Aquitaine. Pomme de ris de veau doré aux champignons des bois. Macaron noisette, crème glacée à la rose et fruits rouges.
♦ On vient dans cet établissement du bord de Marne pour sa goûteuse cuisine actuelle qu'on déguste dans un décor élégant. Aux beaux jours, réservez une table en terrasse.

Entre Terre et Mer
15 r. St-Hilaire – ℘ *01 55 97 04 98* – *Fermé 19 juil.-20 août, dim. soir et lundi*
Rest – Carte 42/60 €
♦ Restaurant de poche où il fait bon jeter l'ancre pour déguster une cuisine de la mer fraîche et bien exécutée. Coquet décor coloré, agrémenté de tableaux d'artistes locaux.

ENVIRONS DE PARIS page 168 – ST-MAUR-DES-FOSSÉS

Faim et Soif
28 r. St-Hilaire – ℘ 01 48 86 55 76 – Fax 01 48 86 55 76 – Fermé dim. et lundi
Rest – Carte 61/74 €

♦ Nouvelle adresse typiquement tendance : façade grise, tableaux contemporains, mobilier design, et écran plasma en guise d'ardoise du jour. Plats actuels et épurés.

ST-OUEN – 93 Seine-Saint-Denis – **305** F7 – **101** 16 – **43 400 h. – alt. 36 m**   21 **C1**
– ⊠ 93400

▶ Paris 9 – Bobigny 12 – Chantilly 46 – Meaux 49 – Pontoise 26 – St-Denis 5

🛈 Office de tourisme, 30, avenue Gabriel Péri ℘ 01 40 11 77 36, Fax 01 40 11 01 70

Manhattan
115 av. G. Péri – ℘ 01 41 66 40 00 – www.hotel-le-manhattan.com
– reservation@hotel-le-manhattan.com – Fax 01 41 66 40 66
126 ch – †158/190 € ††168/200 €, ⊆ 14 € – ½ P 168/190 €
Rest – (fermé août, sam., dim. et fériés) Menu (20 €), 25 € (sem.)
– Carte environ 46 €

♦ Cette architecture moderne en verre et pierre abrite des chambres claires et pratiques ; elles sont plus calmes sur l'arrière. Salle à manger-véranda perchée au 8ᵉ étage de l'hôtel ; carte traditionnelle.

Le Coq de la Maison Blanche
37 bd J. Jaurès – ℘ 01 40 11 01 23 – www.lecoqdelamaisonblanche.com
– coqmaisonblanche@orange.fr – Fax 01 40 11 67 68 – Fermé
11-14 juil., 10-15 août et dim.
Rest – Menu 32 € – Carte 44/80 €

♦ Cuisine bourgeoise digne des "Mères" d'antan, authentique décor de 1950, service efficace et habitués de longue date : on se croirait dans un film de M. Audiard !

Le Soleil
109 av. Michelet – ℘ 01 40 10 08 08 – www.restaurantlesoleil.com – lesoleil2@orange.fr – Fax 01 47 05 44 02
Rest – (déj. seult) Menu (26 €), 28 € (sem.), 32/48 € bc – Carte 40/70 €

♦ Sympathique bistrot dont l'amusant décor éclectique (meubles et bibelots chinés) rappelle la proximité du Marché aux Puces. Table généreuse, répertoire traditionnel.

ST-PRIX – 95 Val-d'Oise – **305** E6 – **101** 5 – **7 214 h. – alt. 70 m** – ⊠ 95390   18 **B1**

▶ Paris 26 – Cergy 22

Hostellerie du Prieuré sans rest
74 r. A.-Rey – ℘ 01 34 27 51 51 – www.hostelduprieure.com – contact@hostelduprieure.com – Fax 01 39 59 21 12
8 ch – †115 € ††115 €, ⊆ 15 € – 1 suite

♦ Un ancien bistrot de village du 17ᵉ s. Huit vastes chambres de charme invitent à la rêverie, certaines dédiées à la romance, d'autres aux pays lointains... Petit-déjeuner copieux.

À La Grâce de Dieu
r. de l'Église – ℘ 01 39 59 08 00 – www.grace-dieu.com – contact@grace-dieu.com – Fax 01 39 59 21 12 – Fermé dim. soir et lundi
Rest – Menu 30/44 € – Carte 40/50 €

♦ Au pied de l'église, une grande maison abrite trois salles, une véranda et une terrasse. Le chef propose une carte au goût du jour qui évolue souvent. Bonne sélection de vins.

ST-QUENTIN-EN-YVELINES – 78 Yvelines – **311** H3 – **101** 21   18 **B2**
– 116 082 h. – 🟩 Île de France

▶ Paris 33 – Houdan 33 – Palaiseau 28 – Rambouillet 21 – Versailles 14

⛳ Blue Green Golf St-Quentin-en-Yvelines à Trappes Base de loisirs, ℘ 01 30 50 86 40

⛳ National à Guyancourt 2 avenue du Golf, ℘ 01 30 43 36 00

ST-QUENTIN-EN-YVELINES – ENVIRONS DE PARIS page 169

Montigny-le-Bretonneux – 34 200 h. – alt. 162 m – ⌧ 78180

Mercure
9 pl. Choiseul – ℘ 01 39 30 18 00 – www.mercure.com – h1983@accor.com
– Fax 01 30 57 15 22
74 ch – †155/180 € ††165/190 €, ⌧ 16 €
Rest – (fermé 31 juil.-23 août, 18 déc.-3 janv., vend. soir, sam., dim. et fériés)
Menu (16 € bc) – Carte 34/41 €
♦ Intégré à un ensemble immobilier, hôtel dont la décoration des chambres a été revisitée dans un style actuel épuré. Salon-bar design et feutré avec écran plasma. Le restaurant, refait, propose des plats traditionnels. Terrasse ombragée l'été.

Voisins-le-Bretonneux – 12 400 h. – alt. 163 m – ⌧ 78960

◉ Vestiges de l'abbaye Port-Royal des Champs★ SO : 4 km.

Novotel St-Quentin Golf National
au Golf National, 2 km à l'Est par D 36
⌧ 78114 – ℘ 01 30 57 65 65 – www.novotel.com – h1139@accor.com
– Fax 01 30 57 65 00
131 ch – †109/179 € ††109/179 €, ⌧ 15 € – 1 suite   **Rest** – Carte 19/42 €
♦ Idéalement situé sur le Golf, cet hôtel joue la carte de la modernité. Accueil aimable, chambres au décor contemporain et équipements de détente : piscine, solarium, tennis. Recettes actuelles servies dans un cadre design et ambiance branchée au Novotel café.

Port Royal sans rest
20 r. H. Boucher – ℘ 01 30 44 16 27 – www.hotelportroyal.com – didiercadoret@wanadoo.fr – Fax 01 30 57 52 11 – Fermé 1er-16 août et 23 déc.-3 janv.
40 ch – †76 € ††80 €, ⌧ 8 €
♦ À l'orée de la vallée de Chevreuse, calme et convivialité sont les maîtres mots de cette maison. Les chambres, sobres, sont d'une tenue irréprochable. Agréable jardin arboré.

Ste-Geneviève-des-Bois – 91 Essonne – 312 C4 – 101 35 – 33 900 h.   18 B2
– alt. 78 m – ⌧ 91700 Île de France

◘ Paris 27 – Arpajon 10 – Corbeil-Essonnes 18 – Étampes 30 – Évry 10
– Longjumeau 9

La Table d'Antan
38 av. Gde Charmille du Parc, (près de l'hôtel de ville) – ℘ 01 60 15 71 53
– www.latabledantan.fr – table-antan@wanadoo.fr – Fermé 3-24 août, mardi soir, merc. soir, dim. soir et lundi
Rest – Menu 31/48 € – Carte 40/60 €
♦ Ambiance chaleureuse et extérieurs réaménagés pour cet aimable restaurant égaré dans un ensemble résidentiel. Cuisine classique et spécialités du Sud-Ouest. Carte de whiskies.

Sénart – 312 E4 – île-de-France – 101 39 – 93 069 h. Île de France   19 C2

◘ Paris 38 – Boulogne-Billancourt 50 – Montreuil 39 – Argenteuil 67
– Saint-Denis 50

le Plessis-Picard – ⌧ 77550

La Mare au Diable
– ℘ 01 64 10 20 90 – www.lamareaudiable.fr – mareaudiable@wanadoo.fr
– Fax 01 64 10 20 91 – Fermé 28 juil.-13 août, mardi soir, dim. soir et lundi
Rest – Menu 25 € (déj. en sem.), 45/55 € – Carte 38/69 €
♦ Cette demeure du 15e s. tapissée d'ampélopsis fut fréquentée par George Sand. L'intérieur, agrémenté de solives patinées et d'une cheminée, ne manque pas de caractère.

Pouilly-le-Fort – ⌧ 77240

Le Pouilly
1 r. de la Fontaine – ℘ 01 64 09 56 64 – www.lepouilly.fr – contact@lepouilly.fr
– Fax 01 64 09 56 64 – Fermé 9 août-11 sept., 21-28 déc., dim. soir et lundi
Rest – Menu 30 € bc (déj. en sem.), 48/75 € – Carte 75/90 €
Spéc. Foie gras de canard. Filet de lièvre (automne). Velouté de chocolat chaud.
♦ En cette vieille ferme briarde, pierres apparentes, tapisseries et cheminée composent un décor plein de charme. Terrasse dressée dans le jardin. Savoureuse cuisine actuelle.

1435

ENVIRONS DE PARIS page 170 – SÉNART

St-Pierre-du-Perray – 7 733 h. – alt. 88 m – ⊠ 91280

de Greenparc route de Villepêcle, ℰ 01 60 75 40 60

Novotel
golf de Greenparc – ℰ 01 69 89 75 75 – www.novotel.com – h1783-gm@accor.com – Fax 01 69 89 75 50
78 ch – †80/130 € ††80/130 €, ⊇ 14 € – 2 suites
Rest – Menu (20 €), 25 € (sem.) – Carte 20/43 €
♦ Hôtel moderne assurant repos et détente : golf, piscine, fitness, sauna. Les chambres "Harmonie" donnent pour moitié sur la verdure. Certaines ont un balcon. Salle à manger et salon contemporains, largement ouverts sur le green. Cuisine traditionnelle.

Sucy-en-Brie – 94 Val-de-Marne – 312 E3 – 101 28 – 26 200 h. – alt. 96 m – ⊠ 94370   21 **D2**

▷ Paris 21 – Créteil 6 – Chennevières-sur-Marne 4

◉ Château de Gros Bois★ : mobilier★★ S : 5 km, Île de France

quartier les Bruyères Sud-Est : 3 km – ⊠ 94370 Sucy-en-Brie

Le Tartarin
carrefour de la Patte d'Oie – ℰ 01 45 90 42 61 – www.auberge-tartarin.com – aubergetartarin@gmail.com – Fax 09 55 17 42 61 – Fermé août et dim. soir
12 ch – †55 € ††65 €, ⊇ 8,50 €
Rest – *(fermé jeudi soir, lundi, mardi et merc.)* Menu 22/49 € – Carte 35/53 €
♦ Depuis trois générations, la même famille vous reçoit dans cet ancien rendez-vous de chasse posté à l'orée de la forêt. Il y règne une chaleureuse atmosphère campagnarde. Salle à manger très cynégétique (trophées, animaux naturalisés). Cuisine traditionnelle.

Le Clos de Sucy
17 r. Porte – ℰ 01 45 90 29 29 – leclosdesucy@wanadoo.fr – Fax 01 45 90 29 29 – Fermé 3-25 août, 22-25 déc., sam. midi, dim. soir et lundi
Rest – Menu (23 €), 35/45 € – Carte 42/61 €
♦ Cloisons à pans de bois, poutres apparentes et tonalités lie de vin : la salle à manger est à la fois cossue et campagnarde. Cuisine de tradition revisitée.

Terrasse Fleurie
1 r. Marolles – ℰ 01 45 90 40 07 – www.laterrassefleurie.com – terrasse.fleurie@wanadoo.fr – Fax 01 45 90 40 07 – Fermé 27 juil.-21 août, dim. soir, lundi soir, mardi soir, jeudi soir et merc.
Rest – Menu (19 € bc), 27/40 €
♦ Aménagé dans un pavillon, restaurant dont la cuisine, simple et généreuse, se savoure dans la salle à manger rustique ou sur l'agréable terrasse fleurie.

Suresnes – 92 Hauts-de-Seine – 311 J2 – 101 14 – 43 400 h. – alt. 42 m   20 **B2**
– ⊠ 92150 Île de France

▷ Paris 12 – Nanterre 4 – Pontoise 32 – St-Germain-en-Laye 13 – Versailles 14

🛈 Office de tourisme, 50, boulevard Henri Sellier ℰ 01 41 18 18 76, Fax 01 41 18 18 78

◉ Fort du Mont Valérien (Mémorial National de la France combattante).

Novotel
7 r. Port aux Vins – ℰ 01 40 99 00 00 – www.novotel.com – h1143@accor.com – Fax 01 45 06 60 06
112 ch – †95/230 € ††95/230 €, ⊇ 16 € – 1 suite   **Rest** – Carte 23/45 €
♦ Hôtel récemment rénové, situé dans une rue calme proche des quais. L'ensemble arbore un décor contemporain chic ; tons clairs, sobres et reposants côté chambres. Cuisine traditionnelle au restaurant ou formule snack-bar au Novotel Café.

Les Jardins de Camille
70 av. Franklin Roosevelt – ℰ 01 45 06 22 66 – www.les-jardins-de-camille.fr – lesjardinsdecamille@free.fr – Fax 01 47 72 42 25 – Fermé dim. soir
Rest – Menu 42/60 € – Carte 58/70 €
♦ Salle à manger (grandes baies vitrées et jeux de miroirs) et terrasse ménagent une vue magnifique sur Paris et la Défense. Belle carte de bourgognes et de vins du monde.

THIAIS – 94 Val-de-Marne – **312** D3 – **101** 26 – 28 200 h. – alt. 60 m – ✉ 94320   21 **C2**

▶ Paris 18 – Créteil 7 – Évry 27 – Melun 37

※ **Ophélie la Cigale Gourmande**   AC VISA ⦿
82 av. de Versailles – ✆ 01 48 92 59 59 – luclamass@free.fr – Fax 01 48 53 91 53
– Fermé 4-28 août, 22-31 déc., merc. soir, sam. midi, dim. soir et lundi
Rest – Menu 32 € (déj. en sem.), 37/55 €
♦ Un petit coin de Provence aux portes de Paris ! Décor tout simple mais pimpant et coloré, goûteuse cuisine actuelle aux produits frais, mâtinée de saveurs méditerranéennes.

TREMBLAY-EN-FRANCE – 93 Seine-Saint-Denis – **305** G7 – **101** 18   21 **D1**
– 35 300 h. – alt. 60 m – ✉ 93290

▶ Paris 24 – Aulnay-sous-Bois 7 – Bobigny 13 – Villepinte 4

au Tremblay-Vieux-Pays

※※ **Le Cénacle**   AC ⇔ VISA ⦿
1 r. de la Mairie – ✆ 01 48 61 32 91 – Fax 01 48 60 43 89
– Fermé août, sam., dim. et fériés
Rest – Menu 38/68 € – Carte 60/87 €
♦ Repas traditionnels dans deux belles salles meublées de style et égayées de toiles impressionnistes. La plus récente a ses murs tendus de tissu et de cuir. Vivier à crustacés.

TRIEL-SUR-SEINE – 78 Yvelines – **311** I2 – **101** 10 – 11 700 h. – alt. 20 m   18 **B1**
– ✉ 78510 ▮ Île de France

▶ Paris 39 – Mantes-la-Jolie 27 – Pontoise 18 – Rambouillet 55
– St-Germain-en-Laye 12
◉ Église St-Martin★.

※ **St-Martin**   ⌘ VISA ⦿
2 r. Galande, (face à la Poste) – ✆ 01 39 70 32 00 – restaurantsaintmartin.com
– Fermé 3 sem. en août, vacances de Noël, merc. et dim.
Rest – (nombre de couverts limité, prévenir) Menu (17 €), 20 € (déj. en sem.), 32/55 € – Carte 35/55 €
♦ Proche d'une jolie église gothique du 13ᵉ s., ce restaurant propose une cuisine traditionnelle actualisée, dans un décor sagement contemporain.

VANVES – 92 Hauts-de-Seine – **311** J3 – **101** 25 – 26 800 h. – alt. 61 m   20 **B2**
– ✉ 92170

▶ Paris 7 – Boulogne-Billancourt 5 – Nanterre 13
🄙 Syndicat d'initiative, 2 rue Louis Blanc ✆ 01 47 36 03 26, Fax 01 47 36 06 63

🏨 **Mercure Paris Porte de Versailles Expo**   ⚑ ⅙ ch, AC ⇔ ♞ ⊠
36-38 r. Moulin – ✆ 01 46 48 55 55   ⇐ VISA ⦿ AE ①
– www.mercure.com – h0375@accor.com – Fax 01 46 48 56 56
388 ch – ♦152/295 € ♦♦162/305 €, ⚏ 17 €   **Rest** – Carte 30/60 €
♦ Ce bâtiment abrite un hall-patio, clos jusqu'au toit translucide et baigné de verdure, sur lequel s'ouvrent les chambres modernes, décorées dans des tons chauds. Cadre actuel, mobilier contemporain et mise en place simple au restaurant. Carte de style brasserie.

※※※ **Pavillon de la Tourelle**   🚗 🍴 ⇔ P VISA ⦿ AE
10 r. Larmeroux – ✆ 01 46 42 15 59 – www.pavillontourelle.fr – pavillontourelle@wanadoo.fr – Fax 01 46 42 06 27 – Fermé 27 juil.-27 août, vacances de fév., dim. soir et lundi
Rest – Menu (37 €), 53 € bc – Carte 43/71 €
♦ Bordant le parc, pavillon surmonté d'une tourelle abritant un élégant restaurant : tons pastel, lustres, fleurs, tableaux et tables joliment dressées. Cuisine traditionnelle.

VAUCRESSON – 92 Hauts-de-Seine – **311** I2 – **101** 23 – 8 547 h.   20 **A2**
– alt. 160 m – ✉ 92420

▶ Paris 18 – Mantes-la-Jolie 44 – Nanterre 11 – St-Germain-en-Laye 11
– Versailles 5
🏟 Stade Français 129 av. de la Celle St Cloud, N : 2 km, ✆ 01 47 01 15 04
◉ Etang de St-Cucufa★ NE : 2,5 km - Institut Pasteur - Musée des Applications de la Recherche★ à Marnes-la-Coquette SO : 4 km, ▮ Île de France

voir plan de Versailles

ENVIRONS DE PARIS page 172 – VAUCRESSON

XXX **Auberge de la Poularde** 🍴 ⇔ P VISA ⦿ AE
36 bd Jardy, (près de l'autoroute), D 182 – ℘ *01 47 41 13 47*
– auberge.lapoularde@free.fr – Fax 01 47 41 13 47 – Fermé août, vacances de fév.,
dim. soir, mardi soir et merc. U a
Rest – Menu 30 € – Carte 45/68 €
♦ Accueil aimable et service impeccable distinguent cette auberge à la charmante atmosphère provinciale. La carte, classique, met la poularde de Bresse à l'honneur.

VÉLIZY-VILLACOUBLAY – 78 Yvelines – **311** J3 – **101** 24 – 20 600 h. 20 **B2**
– alt. 164 m – ✉ 78140

▸ Paris 19 – Antony 12 – Chartres 81 – Meudon 8 – Versailles 6

🏨 **Holiday Inn** ⛱ ℔ 🛗 ♿ ch, 🅰🅲 ⇎ ⌘ rest, 📞 🎿 P 🚗 VISA ⦿ AE ①
av. de l'Europe, (près du centre commercial Vélizy II) – ℘ *01 39 46 96 98*
– www.holidayinn-parisvelizy.com – hivelizy@alliance-hospitality.com
– Fax 01 34 65 95 21
182 ch – †250/510 € ††250/510 €, ⊇ 20 € **Rest** – Menu 31 € – Carte 33/55 €
♦ Les chambres de cet hôtel, spacieuses et confortables, sont bien insonorisées et régulièrement rajeunies. Préférez celles tournant le dos à l'autoroute. Des poutres apparentes coiffent la confortable salle à manger du restaurant.

VERSAILLES P – 78 Yvelines – **311** I3 – **101** 23 – 87 100 h. – alt. 130 m 20 **A2**
– ✉ 78000 ▮ Île de France

▸ Paris 22 – Beauvais 94 – Dreux 59 – Évreux 90 – Melun 65 – Orléans 129

🛈 Office de tourisme, 2 bis, avenue de Paris ℘ 01 39 24 88 88, Fax 01 39 24 88 89

⛳ du Stade Français à Vaucresson 129 av. de la Celle St Cloud, par rte de Rueil :
7 km, ℘ 01 47 01 15 04

⛳ de Saint-Aubin à Saint-Aubin Route du Golf, par rte de Chevreuse : 17 km,
℘ 01 69 41 25 19

⛳ de Feucherolles à Feucherolles Sainte Gemme, par rte de Mantes (D 307) :
17 km, ℘ 01 30 54 94 94

⛳ du haras de jardy à Marnes-la-Coquette Boulevard de Jardy, NE : 9 km,
℘ 01 47 01 35 80

◉ Château★★★ - Jardins★★★ (Grandes Eaux★★★ et fêtes de nuit★★★ en été) -
Ecuries Royales★ - Trianon★★ - Musée Lambinet★ Y **M.**

◉ Jouy-en-Josas : la "Diège"★ (statue) dans l'église, 7 km par ③.

🏨 **Trianon Palace** ⚘ ⇐ 🍴 🏊 ⛱ 🌀 ℔ ⌘ 🛗 ♿ ch, 🅰🅲 ⇎ 📞 🎿 P 🚗
1 bd de la Reine – ℘ *01 30 84 50 00 – www.trianonpalace.fr* VISA ⦿ AE ①
– reservation.01104@westin.com – Fax 01 30 84 50 01 X r
199 ch – †250/730 € ††250/730 €, ⊇ 38 € – 17 suites
Rest Gordon Ramsay au Trianon – voir ci-après
Rest *La Véranda* – ℘ 01 30 84 55 56 – Menu 55 € bc (déj. en sem.) – Carte 55/73 €
♦ En lisière du parc du château, luxueux hôtel d'architecture classique. Chambres très confortables, d'esprit contemporain chic. Bel espace bien-être. Carte actuelle, terrasse d'été à la Brasserie Véranda.

🏨 **Pullman** 🍴 ℔ 🛗 ♿ ch, 🅰🅲 ⇎ ⌘ 🎿 🚗 VISA ⦿ AE ①
2 bis av. de Paris – ℘ *01 39 07 46 46 – www.pullman-hotels.com*
– h1300@accor.com Y a
146 ch – †180/395 € ††180/395 €, ⊇ 27 € – 6 suites
Rest – Menu (30 €), 38 € – Carte 40/60 €
♦ Protégé par son portail d'époque, unique vestige des anciennes écuries royales, cet hôtel dispose d'un hall-salon élégant et design. Chambres rénovées dans un style moderne. Restaurant et bar aux couleurs chaleureuses ; recettes associant saveurs d'ici et d'ailleurs.

🏨 **Le Versailles** sans rest ⚘ 🛗 ♿ 🅰🅲 ⇎ ⌘ 🎿 🚗 VISA ⦿ AE ①
7 r. Ste-Anne – ℘ *01 39 50 64 65 – www.hotel-le-versailles.fr – info@*
hotel-le-versailles.fr – Fax 01 39 02 37 85 Y p
45 ch – †123/154 € ††133/164 €, ⊇ 14 €
♦ Proche du château et au calme, établissement entièrement revisité façon Art déco. Les chambres à thème (voyage, rêve, amour...), colorées et ornées de maximes, invitent au repos.

VERSAILLES

Bellevue (Av. de)	U 2
Coste (R.)	V 9
Dr-Schweitzer (Av. du)	U 12
Franchet-d'Esperey (Av. du Mar.)	U 15
Glatigny (Bd de)	U 19
Leclerc (Av. du Gén.)	U 22
Marly-le-Roi (R. de)	U 26
Mermoz (R. Jean)	V 27
Moxouris (R.)	U 29
Napoléon III (Rte)	U 30
Pelin (R. L.)	U 32
Porchefontaine (Av.)	V 33
Pottier (R.)	U 35
Rocquencourt (Av. de)	V 39
St-Antoine (Allée)	V 40
Sports (R. des)	U 43
Vauban (R.)	V 45

La Résidence du Berry sans rest 🛎 ♿ (¹) VISA 🆗 AE ①

14 r. Anjou – ℘ 01 39 49 07 07 – www.hotel-berry.com – resa@hotel-berry.com
– Fax 01 39 50 59 40   Z s

38 ch – ♦140/165 € ♦♦150/165 €, ⌕ 14 €

♦ Entre carrés St-Louis et potager du Roi, ce bel immeuble du 18ᵉ s. abrite des chambres intimes et joliment personnalisées. Espace bar-billard cosy, petit jardinet.

VERSAILLES

Carnot (R.) .... Y	Europe (Av. de l') .... Y 14	Nolhac (R. Pierre-de-) ..... Y 31
Chancellerie (R. de la) .. Y 3	Foch (R. du Mar.) .... XY	Orangerie (R. de l') .... YZ
Clemenceau (R. Georges) . Y 7	Gambetta (Pl.) .... Y 17	Paroisse (R. de la) .... Y
Cotte (R. Robert de) ..... Y 10	Gaulle (Av. du Gén.-de-) .. YZ 18	Porte-de-Buc (R. de la) .. Z 34
États-Généraux (R. des) .. Z	Hoche (R.) .... Y	Rockfeller (Av.) .... Y 37
	Indép.-Américaine (R. de l') Y 20	Royale (R.) .... Z
	Leclerc (R. du Gén.) ..... Z 24	Satory (R. de) .... YZ 42
	Mermoz (R. Jean) .... Z 27	Vieux-Versailles (R. du) .. YZ 47

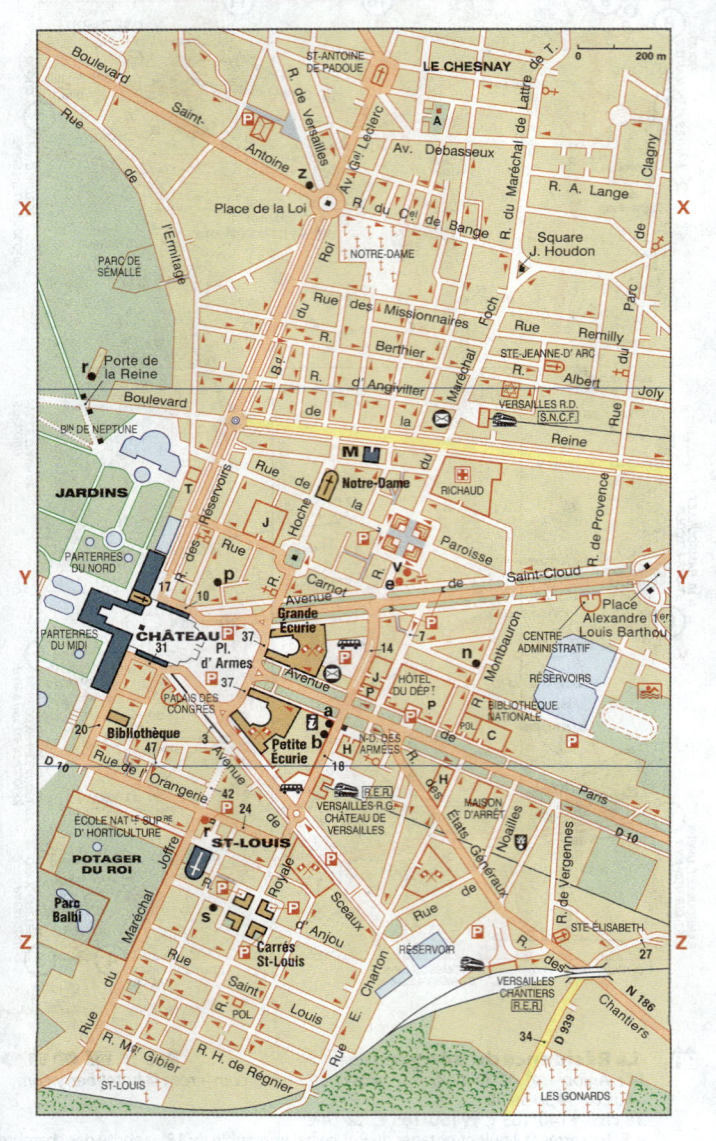

Vivre en Italien.

N°1*
sur l'info trafic

Autoroute FM 107.7

Radio trafic fm 107.7

Couverture Autoroute FM, Radio Trafic FM Janvier 2008
Les réseaux autoroutiers concédés ASF / COFIROUTE / ESCOTA

COFIROUTE

Autoroutes du Sud de la France

ESCOTA

Leseditionsdeproximite@yahoo.fr - 06 78 26 44 43 - RCS mandelieu RTFM 398 511 501 RCS CANNES

rfe
1ère Régie des Autoroutes

*source médiamétrie juillet 2008

www.rfe.fr

VERSAILLES – ENVIRONS DE PARIS

Mercure sans rest
19 r. Ph. de Dangeau – ℰ *01 39 50 44 10* – *www.mercure.com* – *hotel@mercure-versailles.com* – *Fax 01 39 50 65 11*
Y n
60 ch – †79/122 € ††79/132 €, ⌆ 10 €
◆ Dans un quartier paisible, établissement dont les chambres sont avant tout pratiques. Hall d'accueil bien meublé, ouvrant sur une agréable salle des petits-déjeuners.

Ibis sans rest
4 av. Gén. de Gaulle – ℰ *01 39 53 03 30* – *www.ibishotel.com* – *h1409@accor.com* – *Fax 01 39 50 06 31*
Y b
85 ch – †69/115 € ††69/115 €, ⌆ 8 €
◆ À deux pas du château et de l'hôtel de ville, cette enseigne récemment rafraîchie offre le dernier concept d'Ibis. Chambres couleur coquelicot, fonctionnelles et attrayantes.

Gordon Ramsay au Trianon – Hôtel Trianon Palace
1 bd de la Reine – ℰ *01 30 84 55 55* – *www.gordonramsay.com* – *trianon@gordonramsay.com* – *Fax 01 30 84 55 57*
– *Fermé 26 juil.-25 août, 3-11 janv., 21 fév.-1ᵉʳ mars, dim. et lundi*
X r
Rest – *(dîner seult)* Menu 150 € – Carte 120/150 €
Spéc. Pressé de chevreuil écossais, foie gras, cèpes et truffes du Périgord. Filet de bœuf Angus aux girolles, sauce vin rouge. Chocolat croustillant, fruit de la passion et praliné noisette.
◆ En lisière du parc du château, décoration contemporaine pour ce lieu classique, très élégant. On y savoure une cuisine inventive harmonieuse et subtile. Excellent choix de bourgognes.

Le Valmont
20 r. au Pain – ℰ *01 39 51 39 00* – *www.levalmont.com* – *levalmont@wanadoo.fr* – *Fax 01 39 51 39 00* – *Fermé dim. soir et lundi*
Y v
Rest – Menu (23 €), 33 € – Carte 56/79 €
◆ Une sympathique adresse avec sa façade engageante. Mobilier de style Louis XVI, peintures de paysages franciliens, terrasse d'été pour savourer une cuisine personnalisée.

L'Angélique (Régis Douysset)
27 av. Saint-Cloud – ℰ *01 30 84 98 85* – *contact@langelique.fr*
– *Fermé 16 août-1ᵉʳ sept., 24 déc.-4 janv., 21 fév.-9 mars, dim. et lundi.*
Y d
Rest – Menu 38 €
Spéc. Croque monsieur de foie gras. Paleron de bœuf, légumes de saison, raifort et moelle. Tarte aux pommes, crème glacée à la vanille.
◆ Le propriétaire de l'Escarbille à Meudon fait coup double. Régis Douysset a placé ici des fidèles au service et au piano. Ambiance sympathique. Cuisine généreuse et bien travaillée.

Le Potager du Roy
1 r. Mar.-Joffre – ℰ *01 39 50 35 34* – *Fax 01 30 21 69 30*
– *Fermé dim. et lundi*
Z r
Rest – Menu (27 €), 34 € (sem.)/42 €
◆ Proximité du potager du roi oblige, ce restaurant au cadre modernisé propose une cuisine mettant à l'honneur les légumes, parfait accompagnement des viandes et poissons.

Zin's à l'Étape Gourmande
125 r. Yves Le Coz – ℰ *01 30 21 01 63* – *www.arti-zins.fr* – *contact@arti-zins.fr*
– *Fermé 3 sem. en août, sam. midi, dim. et lundi*
V n
Rest – *(nombre de couverts limité, prévenir)* Menu 42 €
◆ Voici une étape idéale, dans le quartier de Porchefontaine, pour apprécier une cuisine élaborée selon les produits du jour. Belle carte de vins des producteurs régionaux.

au Chesnay – 29 600 h. – alt. 120 m – ⌧ 78150

Novotel Château de Versailles
4 bd St-Antoine – ℰ *01 39 54 96 96* – *www.novotel.com* – *h1022@accor.com* – *Fax 01 39 54 94 40*
X z
105 ch – †99/175 € ††99/175 €, ⌆ 14 €
Rest – *(fermé sam. midi et dim. midi)* Menu (18 €), 23 € – Carte 25/34 €
◆ À l'entrée de la ville, établissement situé face à la place de la Loi. Un atrium aménagé en salon (nombreuses plantes vertes) dessert des chambres fonctionnelles et bien insonorisées. Au restaurant, intérieur moderne de style bistrot et carte traditionnelle.

LE VÉSINET – 78 Yvelines – 311 I2 – 101 13 – 16 400 h. – alt. 44 m – ⊠ 78110 — 20 A1

🛣 Paris 19 – Maisons-Laffitte 9 – Pontoise 23 – St-Germain-en-Laye 4 – Versailles 12
ℹ Syndicat d'initiative, 60, boulevard Carnot ☎ 01 30 15 47 00

Auberge des Trois Marches
15 r. J. Laurent, (pl. de l'église) – ☎ 01 39 76 10 30 – www.auberge-des-3-marches.com – aubergedes3marches@yahoo.fr – Fax 01 39 76 62 58
15 ch – †90/105 € ††100/115 €, ⊇ 11 €
Rest – (fermé 12-21 août, dim. soir et lundi midi) Menu (18 €) – Carte 41/58 €
♦ Accueil sympathique dans cette discrète auberge d'un quartier à l'ambiance villageoise (église, marché). Chambres fonctionnelles bien tenues. Cuisine traditionnelle servie dans la salle de restaurant décorée d'une fresque évoquant les années 1930.

VILLE D'AVRAY – 92 Hauts-de-Seine – 311 J3 – 101 24 – 11 200 h. – alt. 130 m – ⊠ 92410 — 20 B2

🛣 Paris 14 – Antony 16 – Boulogne-Billancourt 5 – Neuilly-sur-Seine 10 – Versailles 6

Les Étangs de Corot
53 r. de Versailles – ☎ 01 41 15 37 00 – www.etangs-corot.com – contact@etangs-corot.com – Fax 01 41 15 37 99
43 ch – †185/245 € ††215/285 €, ⊇ 20 €
Rest *Le Corot* – (Fermé dim. soir, lundi et mardi) (prévenir) Menu 37 € – Carte 65/82 €
Rest *Les Paillottes* – (ouvert juin-sept.) Carte 45/57 €
♦ Ce ravissant hameau bâti au bord d'un étang inspira le peintre Camille Corot. Il abrite aujourd'hui un hôtel de charme invitant à dormir dans d'élégantes chambres personnalisées. Décor cosy et carte créative au Corot, ouvert sur le jardin. Vue sur l'eau, esprit guinguette et cuisine de bistrot aux Paillottes.

VILLENEUVE-LA-GARENNE – 92 Hauts-de-Seine – 311 J2 – 101 15 – 24 900 h. – alt. 30 m – ⊠ 92390 — 21 C1

🛣 Paris 13 – Nanterre 14 – Pontoise 23 – St-Denis 3 – St-Germain-en-Laye 24

Les Chanteraines
av. 8 Mai 1945 – ☎ 01 47 99 31 31 – leschanteraines@wanadoo.fr – Fax 01 41 21 31 17 – Fermé août, sam. et dim.
Rest – Menu 36 € – Carte 45/60 €
♦ Ce restaurant est aménagé dans le complexe contemporain qui jouxte le parc des Chanteraines. Table actuelle dressée dans une salle avec véranda et terrasse d'été, face au lac.

VILLENEUVE-LE-ROI – 94 Val-de-Marne – 312 D3 – 101 26 – 18 400 h. – alt. 100 m – ⊠ 94290 — 21 C3

🛣 Paris 20 – Créteil 9 – Arpajon 29 – Corbeil-Essonnes 21 – Évry 16

Beau Rivage
17 quai de Halage – ☎ 01 45 97 16 17 – beaurivage94290@orange.fr – beaurivage94290@orange.fr – Fax 01 49 61 02 60 – Fermé 15 août-4 sept., mardi soir, merc. soir, dim. soir et lundi
Rest – Menu 39 € – Carte environ 55 €
♦ Comme son nom l'indique, le Beau Rivage borde la rivière ; attablez-vous près des baies vitrées pour jouir de la vue sur la Seine. Cadre moderne et cuisine traditionnelle.

VILLEPARISIS – 77 Seine-et-Marne – 312 E2 – 101 19 – 23 400 h. – alt. 72 m – ⊠ 77270 — 19 C1

🛣 Paris 26 – Bobigny 15 – Chelles 10 – Tremblay-en-France 5

Relais du Parisis
2 av. Jean Monnet – ☎ 01 64 27 83 83 – www.relaisduparisis.com – relaisduparisis@wanadoo.fr – Fax 01 64 27 94 49
44 ch – †49/69 € ††49/69 €, ⊇ 9 € – ½ P 49/59 €
Rest – (fermé 1er-28 août) Menu (14 €), 20/27 € – Carte 32/46 €
♦ Pratique et fonctionnel, cet hôtel, situé dans une zone industrielle proche d'une rocade, héberge de petites chambres, meublées simplement et bien tenues. Cuisine entre tradition et Sud-Ouest, servie dans la grande salle à manger ou sur la terrasse d'été.

VILLEPARISIS – ENVIRONS DE PARIS page 177

XX **La Bastide**   VISA MC
*15 av. J. Jaurès – ℰ 01 60 21 08 99 – la-bastide@cegetel.net
– Fax 01 60 21 08 99 – Fermé 3 sem. en août, 22 fév.-1er mars, lundi soir, sam. midi et dim.*
Rest – *(prévenir le week-end)* Menu 22 € (déj. en sem.), 29/46 € – Carte 47/72 €
♦ Sympathique auberge du centre-ville : décor rustique et gai (poutres, cheminée, murs jaunes), accueil chaleureux et assiette au diapason des quatre saisons.

VINCENNES – 94 Val-de-Marne – **312** D2 – **101** 17 – 47 200 h. – alt. 51 m   21 **C2**
– ✉ 94300

▸ Paris 7 – Créteil 11 – Lagny-sur-Marne 26 – Meaux 47 – Melun 45 – Senlis 48

🛈 Office de tourisme, 11, avenue de Nogent ℰ 01 48 08 13 00, Fax 01 43 74 81 01

◉ Château★★ - Bois de Vincennes★★ : Zoo★★, Parc floral de Paris★★, Musée des Arts d'Afrique et d'Océanie★, ▌Paris

🏨 **St-Louis** sans rest   📶 & 🅰🅲 ↵ 🛜 ♨ VISA MC AE
*2 bis r. R. Giraudineau – ℰ 01 43 74 16 78 – www.hotel-paris-saintlouis.com
– saint-louis@paris-hotel-capital.com
– Fax 01 43 74 16 49*
25 ch – †98/140 € ††112/160 €, ⊇ 13 €
♦ Cet immeuble proche du château abrite des chambres élégantes au mobilier de style. Quelques-unes, de plain-pied avec le jardinet, ont leur salle de bains en sous-sol.

🏨 **Daumesnil Vincennes** sans rest   📶 🅰🅲 ↵ 🛜 🚗 VISA MC AE ①
50 av. Paris – ℰ 01 48 08 44 10 – www.hotel-daumesnil.com – info@hotel-daumesnil.com – Fax 01 43 65 10 94
50 ch – †87/109 € ††111/194 €, ⊇ 12 €
♦ Une jolie décoration d'inspiration provençale égaye cet hôtel situé sur une avenue passante. Salle des petits-déjeuners aménagée dans une véranda ouverte sur un minipatio.

🏨 **Donjon** sans rest   📶 & 🅰🅲 ↵ 🛜 VISA MC
22 r. Donjon – ℰ 01 43 28 19 17 – www.hotel-donjon-vincennes.fr – info@hotel-donjon-vincennes.fr – Fax 01 49 57 02 04 – Fermé 18 juil.-25 août
25 ch – †65/70 € ††70/80 €, ⊇ 7 €
♦ Établissement du centre-ville proposant des chambres un peu exiguës, toutes décorées différemment. Salle des petits-déjeuners et salon agréablement meublés.

X **La Rigadelle**   🅰🅲 VISA MC ①
23 r. de Montreuil – ℰ 01 43 28 04 23 – Fax 01 43 28 04 23 – Fermé 28 juil.-17 août, 20-28 déc., dim. et lundi
Rest – *(nombre de couverts limité, prévenir)* Menu (24 €), 33/51 €
– Carte 42/67 €
♦ Dans une salle à manger actuelle, ensoleillée et aux notes marines, dégustez des plats au goût du jour privilégiant poissons et produits de la mer (arrivages de Bretagne).

VIRY-CHÂTILLON – 91 Essonne – **312** D3 – **101** 36 – 30 600 h. – alt. 34 m   21 **C3**
– ✉ 91170

▸ Paris 26 – Corbeil-Essonnes 15 – Évry 8 – Longjumeau 10 – Versailles 29

XX **Dariole de Viry**   🅰🅲 VISA MC
21 r. Pasteur – ℰ 01 69 44 22 40 – www.dariole-de-viry.fr – la-dariole-de-viry@wanadoo.fr – Fermé sam. midi, dim. soir et lundi
Rest – Menu 25 € (déj. en sem.)/38 €
♦ Une cuisine sensible au rythme des saisons se conçoit derrière cette façade repeinte en couleur chocolat. Plaisante salle à manger également rafraîchie.

X **Marcigny**   🅰🅲 VISA MC
27 r. D. Casanova – ℰ 01 69 44 04 09 – Fermé sam. midi, dim. soir et lundi
Rest – Menu 26 € (déj. en sem.)/36 €
♦ Le Marcigny qui porte le nom d'un village bourguignon, affiche souvent complet. Ambiance conviviale, service attentionné, plats traditionnels et charolais, et pain maison.

PARTHENAY – 79 Deux-Sèvres – 322 E5 – 10 466 h. – alt. 175 m – ✉ 79200 ▌Poitou Vendée Charentes

38 **B1**

▶ Paris 377 – Bressuire 32 – Niort 42 – Poitiers 50 – Thouars 41

🛈 Office de tourisme, 8, rue de la Vau Saint-Jacques ℘ 05 49 64 24 24, Fax 05 49 64 52 29

🅖 Château des Forges à Les Forges Domaine des Forges, SE : 23 km par D 59 et D 121, ℘ 05 49 69 91 77

◉ ≤★ du Pont-Neuf - ≤★ de la terrasse de l'hôtel de ville - Pont et porte St-Jacques★ Y - Rue de la Vau-St-Jacques★ Y - Église St-Pierre★ de Parthenay-le-Vieux par ④ : 1,5 km.

Aguillon (R. Louis) . . . . **Z**	Faubourg St-Jacques	Picard (Pl. Georges) . . . . **Z** 25
Bancs (Pl. des) . . . . **Z** 2	(R. du) . . . . **Y** 13	Place (R. de la) . . . . **YZ** 27
Bombarde (R.) . . . . **Z** 3	Férolle (R.) . . . . **Y** 15	Saunerie (R. de la) . . . . **Z** 28
Château (R. du) . . . . **Y** 5	Godineau (R.) . . . . **Y** 16	Sires-de-Parthenay
Citadelle (R. de la) . . . . **Y** 6	Jean-Jaurès (R.) . . . . **Z**	(Bd des) . . . . **Z** 30
Cordeliers (R. des) . . . . **Y** 8	J.-J. Rousseau (R.) . . . . **Z** 18	Vauvert (Pl. du) . . . . **Y** 33
Denfert-Rochereau	Marchioux (R.) . . . . **Z** 19	Vau (R. des) . . . . **YZ** 31
(R.) . . . . **Z** 9	Michelet (Pl.) . . . . **Z** 22	Victor-Hugo (R.) . . . . **Z** 34
Donjon (Pl. du) . . . . **Z** 12	Niquet (R. Gaston) . . . . **Z** 24	11-Novembre (Pl. du) . . . . . **Z** 36

🏠 **St-Jacques** sans rest 🛗 🕭 🗛🗴 🕊 🏨 🕭 🅿 VISA 🕮 AE ⓘ

13 av. 114ᵉ R.I. – ℘ 05 49 64 33 33 – www.hotel-parthenay.com
– hotel.st.jacques@aliceadsl.fr – Fax 05 49 94 00 69   **Z** a

46 ch – †47/90 € ††47/90 €, ⊇ 8 €

♦ En contrebas de la citadelle, immeuble des années 1980 ayant bénéficié d'une belle rénovation. Chambres très sobres, mais neuves, à préférer sur l'arrière pour plus de calme.

PARTHENAY

au Nord 8 km par N 149 et D 127

⤊ **Château de Tennessus** sans rest
- ℘ 05 49 95 50 60 – www.tennessus.com – tennessus@orange.fr
- Fax 05 49 95 50 62
3 ch ⊇ – †110/140 € ††120/145 €

♦ Ce château (forteresse du 14ᵉ s. bien rénovée) vous transporte à l'époque médiévale grâce à sa belle architecture préservée et à son décor rustique qui a beaucoup de caractère.

PARVILLE – 27 Eure – **304** G7 – **rattaché à Évreux**

PASSENANS – 39 Jura – **321** D6 – **rattaché à Poligny**

PATRIMONIO – 2B Haute-Corse – **345** F3 – **voir à Corse**

PAU ℗ – 64 Pyrénées-Atlantiques – **342** J5 – 83 000 h. – **3 B3**
Agglo. 181 413 h. – alt. 207 m – Casino – ⊠ 64000 **Aquitaine**

▶ Paris 773 – Bayonne 112 – Bordeaux 198 – Toulouse 198 – Zaragoza 236

✈ de Pau-Pyrénées : ℘ 05 59 33 33 00, par ① : 12 km.

🛈 Office de tourisme, place Royale ℘ 05 59 27 27 08, Fax 05 59 27 03 21

🏌 Pau Golf Club à Billère Rue du Golf, ℘ 05 59 13 18 56

🏌 de Pau-Artiguelouve à Artiguelouve Domaine de Saint-Michel, par rte de Lourdes : 11 km, ℘ 05 59 83 09 29

Circuit automobile de Pau-Arnos ℘ 05 59 77 11 36, 20 km par ⑦.

◉ Boulevard des Pyrénées ✻★★★ DEZ - Château★★ : tapisseries★★★ - Musée des Beaux-Arts★ EZ **M.**

Plans pages suivantes

🏨 **Parc Beaumont**
1 av. Edouard VII – ℘ 05 59 11 84 00 – www.hotel-parc-beaumont.com – resa@hotel-parc-beaumont.com – Fax 05 59 11 85 00   FZ **b**
69 ch – †205/390 € ††205/390 €, ⊇ 21 € – 11 suites
Rest Le Jeu de Paume – Menu (30 €), 40/85 €
– Carte 60/80 €

♦ Côté Parc Beaumont ou côté ville, ces chambres sont confortables, élégantes et design ; certaines familiales. Équipements pour séminaires. Piscine, jacuzzi et spa pour la détente. Décor chaleureux au restaurant bénéficiant d'une jolie vue sur la verdure. Terrasse plein Sud.

🏨 **Villa Navarre**
59 av. Trespoey – ℘ 05 59 14 65 65 – www.accorhotels.com – h5677@accor.com – Fax 05 59 14 65 64   BX **a**
26 ch – †177/319 € ††197/339 €, ⊇ 18 € – 4 suites
Rest – (fermé dim. soir) Menu (24 €), 47/57 € bc
– Carte 47/58 €

♦ Atmosphère délicieusement british dans cette belle maison de maître de 1865 et son aile récente nichées au cœur d'un parc de 2 ha. Chambres amples et soignées. Salle à manger raffinée, largement ouverte sur la nature ; registre culinaire actuel.

🏨 **La Palmeraie**
1 passage de l'Europe – ℘ 05 59 14 14 14 – www.paupalmeraie.com – info@paupalmeraie.com – Fax 05 59 14 14 10   BV **f**
36 ch – †83/129 € ††91/151 €, ⊇ 15 €
Rest – (fermé 3-24 août, 22 déc.-6 janv., vend. soir, sam. et dim.) Menu 25 €
– Carte 33/46 €

♦ Hôtel moderne dans un environnement verdoyant, à deux tours du roue du Zénith. Chambres spacieuses et fonctionnelles, décorées dans des tons pastel. La salle de restaurant, joliment refaite, donne sur une terrasse ombragée. Cuisine traditionnelle.

1445

BILLÈRE

Baron Séguier (Av. du)	**AX** 7
Château d'Este (Av. du)	**AX** 23
Claverie (R.)	**AX** 24
Entrepreneurs (R. des)	**AX** 57
Galas (R. de)	**BV** 70
Golf (R. du)	**AX** 81
J.J. Rousseau (R.)	**AX** 145
Lalanne (Av.)	**AVX** 91
Lavoir (R. du)	**AX** 95
Lons (Av. de)	**ABV** 100
Piedmont (R.)	**AX** 129
Pilar (R.)	**BV** 130
Plaine (R. de la)	**AX** 132

BIZANOS

Albert 1er (Av.)	**BCX** 2
Clemenceau (R. G.)	**BX** 27
Foch (R. Maréchal)	**BX** 64
Larribau (Chemin)	**CX** 93
Pic du Midi (R. du)	**CX** 127
République (Av. de la)	**CX** 138

GELOS

Barthou (R. L.)	**BX** 9
Gélos (Av. de)	**BX** 80
Leclerc (Av. du Maréchal)	**BX** 96
Vallée Heureuse (Av. de la)	**BX** 162

JURANÇON

Cambot (Av. G.)	**AX** 17
Corps Franc Pommiès (Av. du)	**AX** 36
Espagne (Pont d')	**AX** 58
Gaulle (R. Ch.-de)	**AX** 77
Ollé-Laprune	**AX** 115

LESCAR

Carrérot (Av.)	**AV** 19
Coustettes (Chemin des)	**AV** 42
Lacau (R.)	**AV** 89
Santos-Dumont (Av.)	**AV** 147
Vigné (Côte du)	**AV** 168

LONS

Ampère (Av. André-Marie)	**AV** 3
Ariste (R.)	**AV** 6
Château (R. du)	**AV** 22
Dassault (Av. Marcel)	**AX** 45
Écoles (R. des)	**AV** 51
Église (R. de l')	**AV** 53
Frères Farman (Bd des)	**AV** 67
Frères Mongolfier (Av. des)	**AX** 68
Mairie (R. de la)	**AV** 103
Moulin (Av. du)	**AV** 110
Pau (Av. de)	**AV** 125
Souvenir (R. du)	**AV** 152

PAU

Bérard (Cours Léon)	**BV** 12

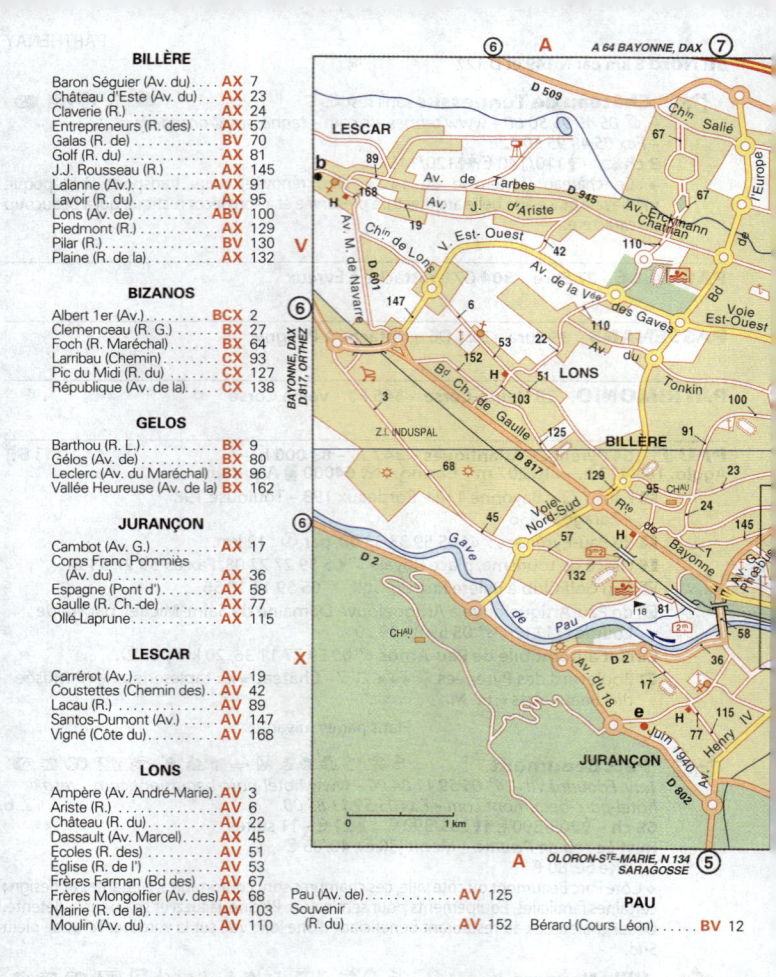

🏨 Continental   📶 ⇆ 📶 🛁 🚭 VISA 🅜🅞 AE ①

2 r. Mar. Foch – 📞 *05 59 27 69 31 – www.bestwestern-continental.com – hotel@bestwestern-continental.com – Fax 05 59 27 99 84*

EZ **a**

74 ch – †68/98 € ††68/98 €, ⊇ 9 €
Rest – *(fermé août, sam. et dim.)* Menu (12 €), 20/25 € – Carte 22/35 €

♦ Hall et salons du "grand hôtel" palois (1912) cultivent une certaine nostalgie. Chambres rafraîchies (couleurs gaies), dont quatre en rotonde, aménagées dans la tourelle. Tonalités vives et jeux de miroirs égayent la salle à manger. Plats traditionnels.

🏨 De Gramont sans rest   📶 ⇆ 📶 VISA 🅜🅞 AE ①

3 pl. Gramont – 📞 *05 59 27 84 04 – www.hotelgramont.com – hotelgramont@wanadoo.fr – Fax 05 59 27 62 23*
– Fermé 20 déc.-3 janv.

DZ **t**

34 ch – †60/86 € ††86/126 €, ⊇ 10 € – 2 suites

♦ Cet ex-relais de poste (17ᵉ s.) serait le plus vieil hôtel de Pau. Chambres redécorées avec soin, côté rue ou vallée du Hédas. Copieux buffet de petit-déjeuner, salon-billard.

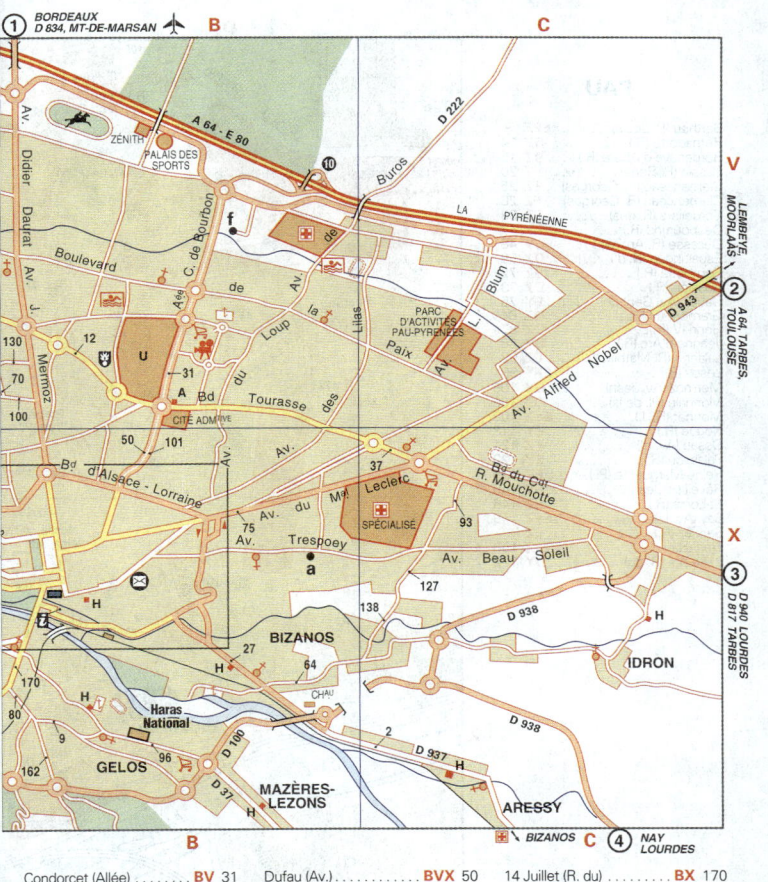

Condorcet (Allée) . . . . **BV** 31	Dufau (Av.) . . . . **BVX** 50	14 Juillet (R. du) . . . . **BX** 170
Corps Franc Pommiès	Gaulle (Av. Gén.-de) . . . . . **BV** 75	
et du 49e R.I. (Bd) . . . . . **CX** 37	Lyautey (Cours) . . . . **BVX** 101	

Bosquet sans rest

11 r. V.-Meunier – ℰ 05 59 11 50 11 – www.hotel-bosquet.com – welcome@hotel-bosquet.com – Fax 05 59 27 22 98

EZ **e**

30 ch – †62 € ††67 €, ⊇ 7,50 €

◆ Proche du centre-ville, cet établissement a fait peau neuve et arbore dorénavant un décor d'esprit tendance (tons orangé, mobilier en bois clair). Chambres de bon confort.

Le Bourbon sans rest

12 pl. Clemenceau – ℰ 05 59 27 53 12 – www.hotel-lebourbon.com – contact@hotel-lebourbon.com – Fax 05 59 82 90 99

EZ **d**

33 ch – †59 € ††69 €, ⊇ 6,50 €

◆ Hôtel situé dans un quartier animé par de nombreux cafés. Les chambres, toutes rénovées, donnent en majorité sur la place, tout comme la salle des petits-déjeuners.

Central sans rest

15 r. L. Daran – ℰ 05 59 27 72 75 – www.hotelcentralpau.com – contact@hotelcentralpau.com – Fax 05 59 27 33 28 – Fermé 29 déc.-5 janv.

EZ **t**

26 ch – †50/63 € ††55/79 €, ⊇ 8 €

◆ Central, cet hôtel l'est en effet ! Ampleur et décor varient suivant les chambres (on rénove les plus anciennes), dont certaines offrent une connexion wi-fi. Tenue sans faille.

PAU

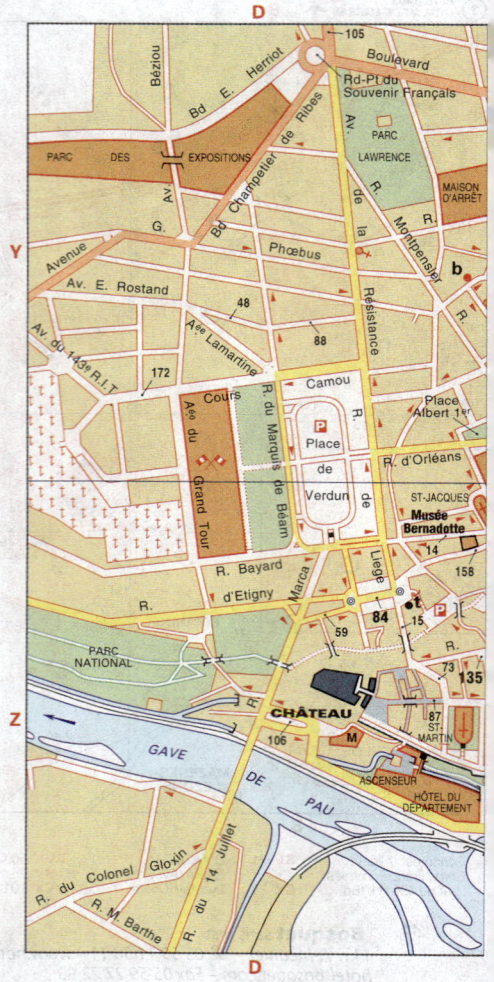

Barthou (R. Louis)	**EFZ**	
Bernadotte (R.)	**DZ**	14
Bordenave-d'Abère (R.)	**DZ**	15
Cassin (R. René)	**EY**	20
Clemenceau (Pl. Georges)	**EZ**	25
Clemenceau (R. Georges)	**FZ**	28
Cordeliers (R. des)	**EZ**	33
Despourrins (R.)	**EY**	47
Ducasse (R. Amiral)	**DY**	48
Espalungue (R. d')	**DZ**	59
Gambetta (R.)	**EZ**	72
Gassion (R.)	**DZ**	73
Gaulle (Av. Gén.-de)	**FY**	75
Gramont (Pl.)	**DZ**	84
Henri-IV (R.)	**DZ**	87
Jeanne-d'Arc (R.)	**DY**	88
Lalanne (R. Mathieu)	**EZ**	92
Lespy (R.)	**EFY**	98
Mermoz (Av. Jean)	**DY**	105
Monnaie (Pl. de la)	**DZ**	106
Monnet (R. J.)	**EYZ**	108
Nogue (R.)	**EY**	113
Ossau (Av. d')	**EY**	121
Palassou (R.)	**EY**	123
Reine-Marguerite (Pl.)	**EZ**	135
Réveil (R. Jean)	**EY**	140
St-Louis (R.)	**EZ**	146
Say (Av. L.)	**EFZ**	149
Serviez (R.)	**EZ**	
Tran (R.)	**EZ**	158
218e-R.I. (R. du)	**DY**	172

Au Fin Gourmet
24 av. G. Lacoste, (face à la gare) – ℰ 05 59 27 47 71 – contact@restaurant-aufingourmet.com – au.fin.gourmet@wanadoo.fr – Fax 05 59 82 96 77 – Fermé 25 juil.-10 août, vacances de fév., dim. soir, merc. midi et lundi
Rest – Menu 27 € (sem.)/75 € bc – Carte 40/61 €   EZ v
◆ Un lieu très agréable au pied du funiculaire : pavillon sous verrière évoquant un jardin d'hiver et salle plus ancienne revue dans le même esprit. Cuisine au goût du jour.

Chez Pierre
16 r. L. Barthou – ℰ 05 59 27 76 86 – www.restaurant-chez-pierre.com – restaurant.pierre@wanadoo.fr – Fax 05 59 27 08 14 – Fermé 1er-14 août, 1er-14 janv., sam. midi, lundi midi et dim. sauf fériés
Rest – Menu 35 € (sem.) – Carte 47/70 €   EZ x
◆ Les plus fidèles clients viennent ici pour déguster la poule au pot depuis des années ! Ambiance british au rez-de-chaussée, sobriété à l'étage ; cuisine classique bien faite.

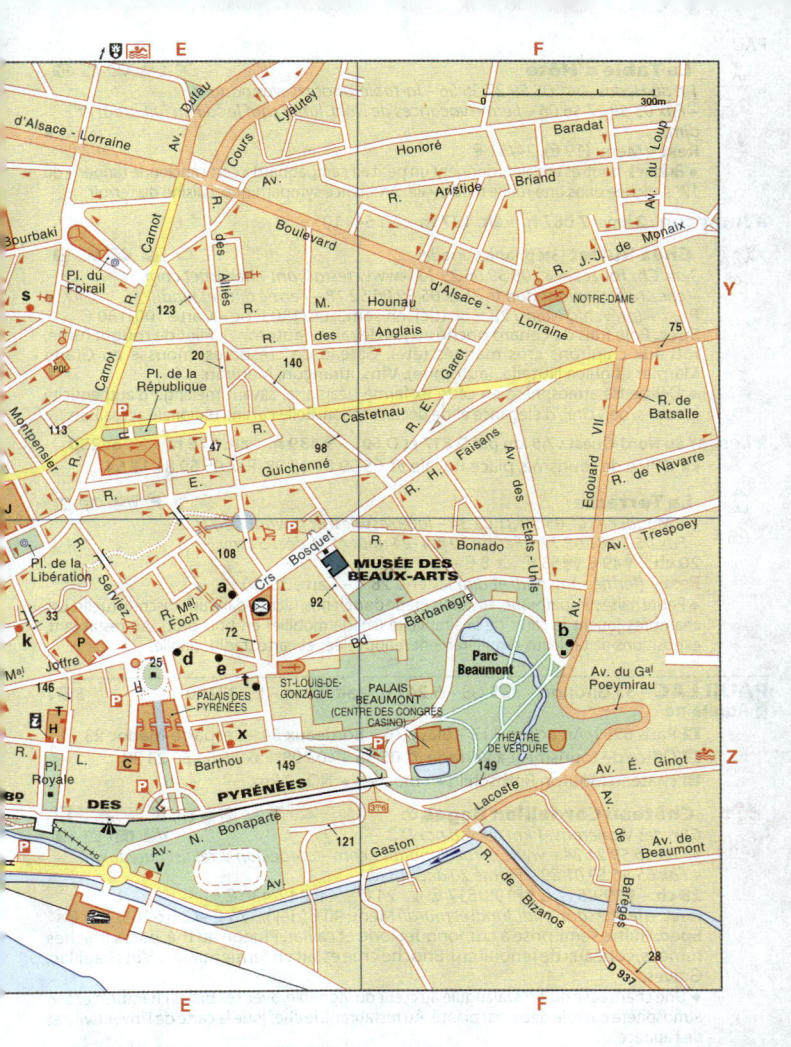

La Michodière

VISA **MC** **AE**

34 r. Pasteur – ℰ 05 59 27 53 85
– lamichodiere@wanadoo.fr – Fax 05 59 33 60 09
– Fermé 24 juil.-25 août, dim. et fériés

DY b

Rest – Menu 15 € (déj. en sem.)/27 € – Carte 32/75 €

♦ La façade en galets abrite deux salles à manger dont une, lambrissée, est animée par le spectacle des cuisiniers s'activant aux fourneaux. Cadre actuel et plats du marché.

Marc Destrade

AC *VISA* **MC**

30 r. Pasteur – ℰ 05 59 27 62 60 – Fax 05 59 27 62 60 – Fermé août, dim. soir, merc. soir et lundi

EY s

Rest – Menu 26/38 € – Carte 30/45 €

♦ Cette avenante maison ancienne donne envie de pousser la porte. Les tables près de la cheminée sont très demandées en hiver. Accueil aimable, cuisine traditionnelle.

PAU

La Table d'Hôte
1 r. du Hédas – ℰ 05 59 27 56 06 – la-table-dhote@wanadoo.fr
– Fax 05 59 27 56 06 – Fermé vacances de Noël, lundi sauf le soir en juil.-août et dim.

EZ k

Rest – Menu (19 €), 24/31 €

♦ Briques, poutres et galets donnent un petit air campagnard à cette ancienne tannerie du 17ᵉ s. nichée dans une ruelle médiévale. Ambiance sympathique, cuisine du terroir.

à Jurançon : 2 km – 7 087 h. – alt. 177 m – ⊠ 64110

Chez Ruffet (Stéphane Carrade)
3 av. Ch. Touzet – ℰ 05 59 06 25 13 – www.restaurant-chezruffet.com
– chez.ruffet@wanadoo.fr – Fax 05 59 06 52 18 – Fermé dim. et lundi

AX e

Rest – *(prévenir)* Menu 28 € bc (déj. en sem.), 66/130 € bc – Carte 100/130 €
Spéc. Foie frais de canard poché au jus de raisin (automne). Filet de rouget fumé, rôti aux chipirons crus marinés (été). Gâteau de crespères, mousse au Grand Marnier et glace Nutella. (automne). **Vins** Jurançon, Madiran.

♦ Délicieuse atmosphère en cette ex-ferme béarnaise, savant mélange d'authenticité (poutres, bois ciré), d'élégance et de décontraction. Belle cuisine régionale actualisée.

à Lescar au Nord-Ouest : 7,5 km par D 817 et D 601 – 9 439 h. – alt. 179 m – ⊠ 64230
ℹ Office de tourisme, place Royale ℰ 05 59 81 15 98, Fax 05 59 81 12 54

La Terrasse
1 r. Maubec – ℰ 05 59 81 02 34 – laterrasselescar@wanadoo.fr
– Fax 05 59 81 08 77 – Fermé 30 juil.-24 août et 21 déc.-5 janv.
20 ch – †49 € ††53 €, ⊇ 8 € – ½ P 48 €
Rest – *(fermé sam. midi et dim.)* Menu 28 € – Carte 35/50 €

♦ Petite halte sympathique, autrefois étape de pèlerins, nichée dans une discrète ruelle. Les chambres jouent la carte de la simplicité (solide mobilier en bois brut). Au restaurant, expositions de tableaux régulièrement renouvelées et carte traditionnelle.

PAUILLAC – 33 Gironde – 335 G3 – 5 242 h. – alt. 20 m – ⊠ 33250
Aquitaine

3 **B1**

▶ Paris 625 – Arcachon 113 – Blaye 16 – Bordeaux 54 – Lesparre-Médoc 23
ℹ Office de tourisme, La Verrerie ℰ 05 56 59 03 08, Fax 05 56 59 23 38
◉ château Mouton Rothschild★ : musée★★ NO : 2 km.

Château Cordeillan Bages
61 r. des Vignerons, 1 km au Sud par D 2 –
ℰ 05 56 59 24 24 – www.cordeillanbages.com – cordeillan@relaischateaux.fr
– Fax 05 56 59 01 89 – Fermé 20 déc.-13 fév.
28 ch – †199/517 € ††199/517 €, ⊇ 24 € – ½ P 242/430 €
Rest – *(fermé sam. midi, lundi et mardi)* Menu 90 € (déj.)/175 € – Carte 105/125 €
Spéc. Huître semi-prise à cru, longuet iodé et caviar. Pigeon au thé, pâtes fraîches fumées, copeaux de fenouil cru. Brioche crue et lait en fermentation. **Vins** Pauillac, Graves.

♦ Une chartreuse du 17ᵉ s. alanguie au cœur du vignoble, avec ses belles chambres et son atmosphère cosy : le décor est planté. Au restaurant, le chef joue la carte de l'inventivité et de l'audace...

France et Angleterre
3 quai Albert Pichon – ℰ 05 56 59 01 20 – www.hoteldefrance-angleterre.com
– contact@hoteldefrance-angleterre.com – Fax 05 56 59 02 31
– Fermé 18 déc.-11 janv.
29 ch – †57/90 € ††57/90 €, ⊇ 10 €
Rest – *(fermé dim. de nov. à fév.)* Menu (15 €), 20/40 € – Carte 42/54 €

♦ Bâtisse du 19ᵉ s. située sur les quais. Chambres pratiques bien rénovées ; en façade, elles offrent une jolie vue sur la Gironde. Salle à manger actuelle et véranda où l'on sert cuisine traditionnelle et plats du terroir.

Vignoble
20 ch – †87/100 € ††87/103 €, ⊇ 10 € – ½ P 76/80 €

♦ Cette annexe moderne abrite des chambres fonctionnelles, décorées sur le thème du vignoble. Balcon ou terrasse de plain-pied avec un coin de verdure. Espace séminaire complet.

PAUILLAC

Café Lavinal
à Bages, pl. Desquet – ℰ 05 57 75 00 09 – www.villagedebages.com
– cafe.lavinal@bordeauxsaveurs.com – Fax 05 57 75 00 10 – Fermé 24 déc.-1ᵉʳ fév. et dim. soir
Rest – Menu (14 €), 25/35 € – Carte 28/40 €
♦ Joli bistrot néo-rétro créé en 2006 au centre de Pauillac. Le chef argentin prépare ses plats traditionnels sous vos yeux. Ardoise du jour et vins locaux de propriété.

PAVILLON (COL DU) – 69 Rhône – **327** F3 – rattaché à Cours

PAYRAC – 46 Lot – **337** E3 – 626 h. – alt. 320 m – ⊠ 46350   28 **B1**

■ Paris 530 – Brive-la-Gaillarde 53 – Cahors 48 – Figeac 60 – Sarlat-la-Canéda 32

🛈 Syndicat d'initiative, avenue de Toulouse ℰ 05 65 37 94 27, Fax 05 65 37 94 27

Hostellerie de la Paix
– ℰ 05 65 37 95 15 – www.escalotel.com/hostlapaix – host.la.paix@escalotel.com – Fax 05 65 37 90 37 – Ouvert mars-oct.
50 ch – ♦49/59 € ♦♦55/65 €, ⊇ 8 € – ½ P 45/52 €
Rest – Menu 16/30 € – Carte 22/46 €
♦ Attrayante façade de pierre pour cet ancien relais de poste dont les chambres, fonctionnelles et pratiques, tournent presque toutes le dos à la route. Salles à manger rustiques et véranda où l'on propose des recettes du Quercy (poulet au verjus, tourin, etc.).

PÉGOMAS – 06 Alpes-Maritimes – **341** C6 – 6 296 h. – alt. 18 m   42 **E2**
– ⊠ 06580

■ Paris 896 – Cannes 12 – Draguignan 59 – Grasse 9 – Nice 41 – St-Raphaël 38

🛈 Office de tourisme, 287, avenue de Grasse ℰ 04 92 60 20 70, Fax 04 92 60 20 66

Le Bosquet sans rest
chemin des Périssols, rte de Mouans-Sartoux – ℰ 04 92 60 21 20
– www.hoteldubosquet.com – hotel.lebosquet@wanadoo.fr – Fax 04 92 60 21 49
– Fermé 15 janv.-1ᵉʳ fév.
23 ch – ♦50/65 € ♦♦65/70 €, ⊇ 7 €
♦ Accueil empressé, atmosphère paisible du parc arboré, tenue méticuleuse et confitures maison : un petit hôtel où l'on se sent bien. Chambres ou studios.

L'Écluse
chemin de l'Écluse, au bord de la Siagne – ℰ 04 93 42 22 55
– www.restaurant-lecluse.com – ecluse@wanadoo.fr – Fax 04 93 40 72 65
– Fermé nov., en sem. du 30 sept. au 15 avril et lundi du 16 avril au 30 sept.
Rest – Menu (18 €), 27/31 € – Carte 30/40 €
♦ Restaurant apprécié pour sa simplicité, son ambiance décontractée et sa grande terrasse au bord de l'eau qui lui donne un petit air de guinguette. Cuisine traditionnelle.

à St-Jean Sud-Est : 2 km par D 9 – ⊠ 06550 La Roquette-sur-Siagne

Les Chasseurs sans rest
1175 av. République – ℰ 04 92 19 18 00 – hoteldeschasseurs@wanadoo.fr
– Fax 04 92 19 19 61 – Fermé 23 oct.-15 nov. et 20-31 déc.
17 ch ⊇ – ♦46 € ♦♦62/72 €
♦ Chambres simples, déjà anciennes, mais d'une tenue sans défaut ; celles sur l'arrière sont plus calmes. Une étape à prix doux… à deux tours de roue de Cannes !

PEILLON – 06 Alpes-Maritimes – **341** F5 – 1 336 h. – alt. 200 m   42 **E2**
– ⊠ 06440 ▌Côte d'Azur

■ Paris 947 – Contes 14 – L'Escarène 14 – Menton 38 – Monaco 29 – Nice 20 – Sospel 34

🛈 Syndicat d'initiative, 620, avenue de l'Hôtel de Ville ℰ 04 93 91 98 34, Fax 04 93 79 87 65

◉ Village★ - Fresques★ dans la chapelle des Pénitents Blancs.

PEILLON

Auberge de la Madone (Christian et Thomas Millo)
– ℰ 04 93 79 91 17 – www.auberge-madone-peillon.com – auberge.de.la.madone@wanadoo.fr – Fax 04 93 79 99 36
– Fermé 6 nov.-22 déc. et merc.
14 ch – †90/180 €, ††95/200 €, ⊊ 24 € – 3 suites – ½ P 125/135 €
Rest – Menu (32 € bc), 49 € (sem.)/90 € – Carte 73/99 €
Spéc. Tourte d'herbes sauvages, escalope de foie gras poêlé. Duo d'agneau des Alpilles, carré rôti à la fleur de thym et épaule confite. Macaron à la blette, compotée de pomme-poire, glace niçoise. **Vins** Bellet, Côtes de Provence.
♦ Cette auberge de caractère entourée d'un jardin fleuri abrite des chambres soignées et calmes. Belle cuisine régionale servie dans une coquette salle à manger provençale ou sur la jolie terrasse tournée vers le délicieux village perché sur son piton rocheux.

Lou Pourtail
3 pl. A. Arnulf, accueil à l'Auberge de la Madone – ℰ 04 93 79 91 17
– Fermé 9 nov.-25 déc., 15-31 janv. et merc.
6 ch – †44/69 € ††44/69 €, ⊊ 13 €
Rest – (ouvert mai-sept.) (déj. seult) Carte 20/39 €
♦ Le charme d'une maison ancienne – murs chaulés, voûtes ou hauts plafonds, mobilier campagnard – à l'entrée du village-crèche. Chambres simples, sans TV. Petite salle à manger rustique et, à la belle saison, tables dressées dans le jardin. Produits du terroir.

PEISEY-NANCROIX – 73 Savoie – **333** N4 – 614 h. – alt. 1 320 m 45 **D2**
– ⊠ 73210 Alpes du Nord

▶ Paris 635 – Albertville 55 – Bourg-St-Maurice 13
🛈 Office de tourisme, place de Roscanvel ℰ 04 79 07 94 28, Fax 04 79 07 95 34

La Vanoise
à Plan Peisey – ℰ 04 79 07 92 19 – www.hotel-la-vanoise.com
– hotel-la-vanoise@wanadoo.fr – Fax 04 79 07 97 48 – Ouvert 1er juil.-31 août et 18 déc.-28 avril
33 ch – †70/90 € ††85/130 €, ⊊ 12 € – ½ P 70/106 €
Rest – Menu 24/32 € – Carte 27/37 €
♦ Jolie vue sur le dôme de Bellecôte depuis ce bâtiment abritant d'agréables chambres au décor alpin ; celles orientées au sud ont un balcon. Espace bien-être. Chaleureux lambris, recettes savoyardes et belle flambée : pas de doute, vous êtes à la montagne !

PELVOUX (Commune de) – 05 Hautes-Alpes – **334** G3 – 404 h. 41 **C1**
– alt. 1 260 m – Sports d'hiver : 1 250/2 300 m ≰7 ⚐ – ⊠ 05340
 Alpes du Sud

▶ Paris 702 – L'Argentière-la-Bessée 11 – Briançon 22 – Gap 84 – Guillestre 32
◉ Route des Choulières : ≤★★ E.

Ailefroide – alt. 1 510 m – ⊠ 05340 Pelvoux
◉ Pré de Madame Carle : paysage★★ NO : 6 km.

Chalet Hôtel d'Ailefroide
– ℰ 04 92 23 32 01 – www.chalets-hotels.com – contact@chaletshotel-ailefroide.com – Fax 04 92 23 49 97 – Ouvert 13 juin-6 sept.
24 ch ⊊ – †45/52 € ††58/72 € – ½ P 47/54 €
Rest – Menu 20/23 € – Carte 21/32 €
♦ Petite adresse bien connue des randonneurs. Vous serez hébergé dans des chambres simples et pas très grandes ; certaines sont relookées à la mode montagnarde. Sauna, jacuzzi. Près de la cheminée ou dans le jardin, table conviviale et roborative.

PÉNESTIN – 56 Morbihan – **308** Q10 – 1 527 h. – alt. 20 m – ⊠ 56760 10 **C3**

▶ Paris 458 – La Baule 29 – Nantes 84 – La Roche-Bernard 18 – St-Nazaire 43 – Vannes 48
🛈 Office de tourisme, allée du Grand Pré ℰ 02 99 90 37 74, Fax 02 99 90 47 08
◉ Pointe du Bile ≤★ S : 5 km, Bretagne

PÉNESTIN

🏠 Loscolo ⬧ ⇐ 🐕 🐴 P VISA ⓂⓈ
Pointe de Loscolo, 4 km au Sud-Ouest – ℰ 02 99 90 31 90 – www.hotelloscolo.com
– hotelloscolo@neuf.fr – Fax 02 99 90 32 14 – Ouvert 30 avril-5 oct.
14 ch – ♦49/101 €, ♦♦57/109 €, ⊇ 14 € – ½ P 78/104 €
Rest – *(fermé merc.) (dîner seult) (résidents seult)* Menu 35 €

♦ Séjour calme et iodé à la pointe de Loscolo, chez l'inventeur de la machine à ouvrir les huîtres, dans des chambres sobrement aménagées, presque toutes tournées vers le large. Salle à manger aux douces tonalités et cuisine aux saveurs océanes.

PENHORS – 29 Finistère – **308** E7 – **rattaché à Pouldreuzic**

PENNEDEPIE – 14 Calvados – **303** N3 – **rattaché à Honfleur**

PENVÉNAN – 22 Côtes-d'Armor – **309** C2 – 2 580 h. – alt. 70 m – ⌧ 22710   **9 B1**
▶ Paris 521 – Guingamp 34 – Lannion 16 – St-Brieuc 70 – Tréguier 8
🛈 Syndicat d'initiative, 12, place de l'Église ℰ 02 96 92 81 09

🍴 Le Crustacé   VISA ⓂⓈ
2 r. de la Poste – ℰ 02 96 92 67 46 – Fermé lundi en juil.-août, dim. soir, mardi soir
et merc. de sept. à juin
Rest – Menu 17/37 € – Carte 31/62 €

♦ En face de l'église, petit restaurant familial où l'on cultive le sens de l'accueil dans une salle rustique, simple et bien tenue. Cuisine traditionnelle et produits de la mer.

PENVINS – 56 Morbihan – **308** O9 – **rattaché à Sarzeau**

PERI – 2A Corse-du-Sud – **345** C7 – **voir à Corse**

PÉRIGNAC – 17 Charente-Maritime – **324** H6 – **rattaché à Pons**

PÉRIGNAC – 16 Charente – **324** K7 – 508 h. – alt. 164 m – ⌧ 16250   **39 C3**
▶ Paris 485 – Poitiers 147 – Angoulême 28 – Cognac 51 – Soyaux 32

🏡 Château de Lerse ⬧   🔄 P
2 km au Sud par D 10 – ℰ 05 45 60 32 81 – www.chateaudelerse.com
– fl.lafargue@wanadoo.fr – Ouvert mai-sept.
3 ch ⊇ – ♦80/100 € ♦♦90/110 €   **Table d'hôte** – Menu 25 € bc/35 € bc

♦ Dans un vaste domaine champêtre, ce petit château fortifié (13e s.) vous promet un moment convivial. Chambres spacieuses et classiques. Cuisine du terroir de produits du potager servie dans une salle à manger d'époque (grande cheminée, portraits d'ancêtres).

PÉRIGNAT-LÈS-SARLIÈVE – 63 Puy-de-Dôme – **326** F8 – **rattaché à Clermont-Ferrand**

PÉRIGNY – 86 Vienne – **322** H5 – **rattaché à Poitiers**

PÉRIGUEUX P – 24 Dordogne – **329** F4 – 29 600 h. – alt. 86 m   **4 C1**
– ⌧ 24000 ▌Périgord
▶ Paris 482 – Agen 138 – Bordeaux 128 – Limoges 96 – Poitiers 198
🛈 Office de tourisme, 26, place Francheville ℰ 05 53 53 10 63,
Fax 05 53 09 02 50
⛳ de Périgueux à Marsac-sur-l'Isle Domaine de Saltgourde, par rte d'Angoulême : 5 km, ℰ 05 53 53 02 35
◉ Cathédrale St-Front★★, église Saint-Étienne de la Cité★ - Quartier St-Front★★★: rue Limogeanne★ BY, escalier★ Renaissance de l'hôtel de Lestrade (rue de la sagesse) BY - Galerie Daumesnil★ face au n° 3 de la rue Limogeanne - Musée du Périgord★★ CY M².

PÉRIGUEUX

Abreuvoir (R. de l')	**CY** 2
Amphithéâtre (R. de l')	**AZ** 3
Arènes (Bd des)	**AZ** 6
Aubergerie (R.)	**CY** 9
Barbecane (R.)	**CY** 12
Barbusse (Av. Henri)	**AY** 13
Bride (R. de la)	**BZ** 15
Bugeaud (Pl.)	**BZ**
Calvaire (R. du)	**BZ** 16
Cavaignac (Av.)	**AZ** 18
Cité (R. de la)	**ABZ** 23
Clarté (R. de la)	**BZ** 24
Clautre (Pl. de la)	**BZ** 26
Clos-Chassaing	**BY** 27
Coderc (Pl. du)	**BYZ** 28
Condé (R.)	**BZ** 29
Constitution (R. de la)	**CY** 30
Daumesnil (Av. et Pl.)	**BCZ** 32
Daumesnil (Galerie)	**BYZ** 31
Durand (Rd-Pt Charles)	**AZ** 34
Eguillerie (R.)	**BY** 35
Fénelon (Cours)	**BZ**
Goudeau (Pl. Émile)	**CY** 36
Hôtel de Ville (Pl. de l')	**BZ** 37
Lammary (R.)	**BZ** 38
Limogeanne (R.)	**BY**
Maurois (Pl. André)	**BY** 39
Miséricorde (R. de la)	**BY** 40
Mobiles-de-Coulmiers (R.)	**AY** 41
Montaigne (Bd M.)	**BYZ**
Montaigne (Cours et Pl. M.)	**BYZ**
Notre-Dame (R.)	**CY** 42
Port-de-Graule (R. du)	**CYZ** 44
Port (Allée du)	**AY** 43
Président-Wilson (R. du)	**AY**
République (R. de la)	**BYZ** 45
Sagesse (R. de la)	**BY** 46
Ste-Marthe (R.)	**CZ** 50
St-Pierre-ès-Liens (R.)	**ABZ** 47
St-Roch (R.)	**BZ** 48
St-Silain (Pl.)	**BY** 49
Sully (R.)	**BZ** 53
Taillefer (R.)	**BZ**
Talleyrand-Périgord (R.)	**CZ** 54
Théâtre (Espl. du)	**BY** 55
Turenne (R. de)	**AZ** 60
15e-Régt-de-Tirailleurs-Algériens (R. du)	**AZ** 61
50e-Régt d'Infanterie (Av. du)	**AZ** 62

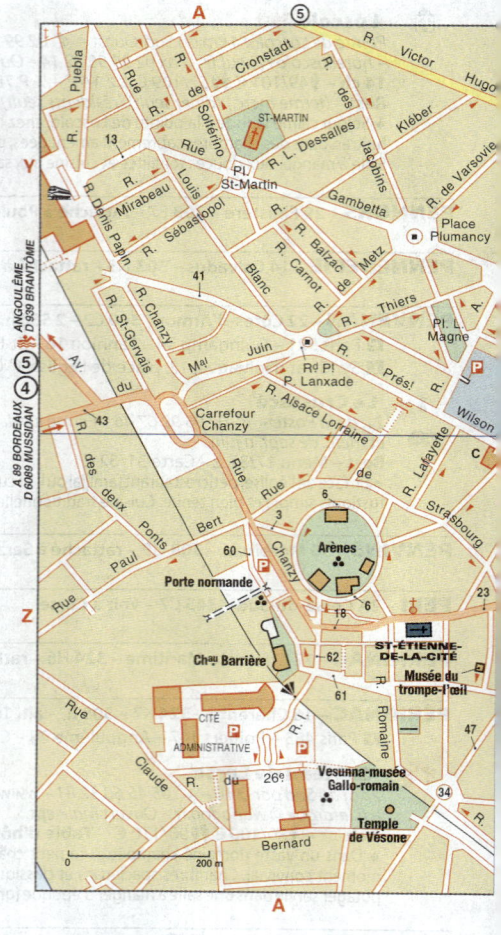

Mercure sans rest
7 pl. Francheville – ℰ 05 53 06 65 00 – www.mercure.com – h6237@accor.com – Fax 05 53 07 20 33 BZ **e**
66 ch – †85/95 € ††97/107 €, ⊇ 16 €
◆ Adossé à une façade en pierre de taille classée, cet hôtel flambant neuf jouit d'une bonne situation, face à un jardin et à un multiplex. Agréables chambres contemporaines.

Bristol sans rest
37 r. A. Gadaud – ℰ 05 53 08 75 90 – www.bristolfrance.com – hotel@bristolfrance.com – Fax 05 53 07 00 49 – Fermé 20 déc.-3 janv. BY **u**
29 ch – †60/68 € ††66/77 €, ⊇ 8 €
◆ Cet hôtel proche du centre et des curiosités touristiques abrite des chambres peu à peu refaites, assez bien insonorisées et de bonne dimension (sauf 6). Tenue exemplaire.

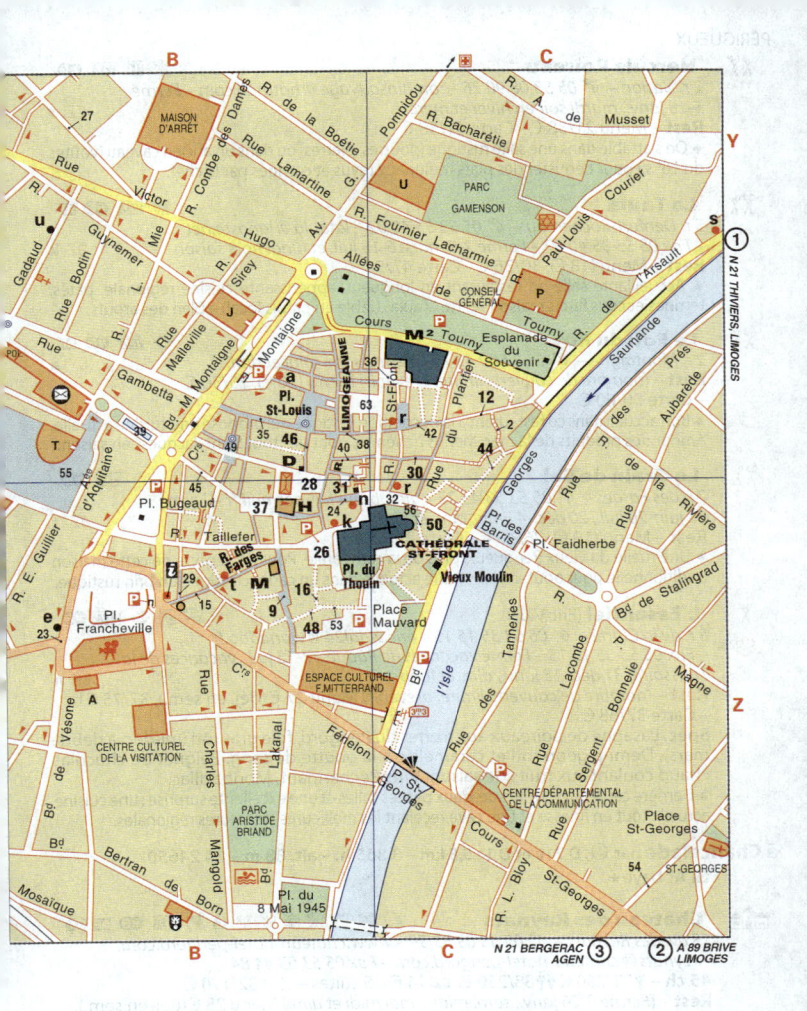

XXX Le Rocher de l'Arsault
15 r. L'Arsault – ℰ *05 53 53 54 06 – rocher.arsault@wanadoo.fr*
– Fax 05 53 08 32 32
– Fermé 6 juil.-2 août, 2-8 janv., dim. soir et merc. CY **s**
Rest – Menu (20 €), 28/81 € – Carte 42/60 €

♦ Longue bâtisse adossée au rocher où l'un des murs des coquettes salles à manger colorées laisse apparaître la pierre. Beaux salons particuliers. Cuisine du terroir.

XX Le Clos St-Front
5, 7 r. de la Vertu – ℰ *05 53 46 78 58 – www.leclossaintfront.com*
– leclossaintfront@wanadoo.fr – Fax 05 53 46 78 20 – Fermé vacances de fév., dim.
soir et lundi sauf de juin à sept. CY **r**
Rest – Menu (20 €), 27 € (sem.)/62 € – Carte 46/52 €

♦ Deux monumentales cheminées et des œuvres d'art contemporain ornent ce restaurant plutôt agréable. Cuisine mêlant exotisme et saveurs du terroir, terrasse sous les tilleuls.

1455

PÉRIGUEUX

XX Hercule Poireau
2 r. Nation – ℰ 05 53 08 90 76 – romainsauvage@hotmail.com – Fermé 5-18 janv., mardi soir en hiver et merc.
Rest – Menu 21/38 € – Carte 41/58 €

CZ r

♦ On s'attable dans une salle rustique (poutres, pierres) ou dans un ancien caveau (voûtes du 16e s.) pour déguster des plats régionaux revus et corrigés par le chef.

XX La Taula
3 r. Denfert-Rochereau – ℰ 05 53 35 40 02 – lataula@laposte.net – Fax 05 53 35 40 02 – Fermé 2-9 mars, 6-13 juil. et lundi hors saison
Rest – Menu (18 €), 30/36 € – Carte 47/54 €

BZ k

♦ Accueillante salle de restaurant en longueur, appétissante cuisine régionale, pâtés, terrines et cous farcis maison : cette "Taula" (table en patois local) a bien des atouts.

XX Le Fou du Roy
2 r. Montaigne – ℰ 05 53 09 43 77 – Fermé sam. midi et dim.
Rest – *(nombre de couverts limité, prévenir)* Menu (20 €), 25/36 € – Carte 50/60 €

BY a

♦ Bon accueil dans ce restaurant à la décoration rustique qui propose une cuisine actuelle. Amour des produits de la mer. Menus à thèmes, dont un "tout Saint-Jacques" en saison.

XX Le Grain de Sel
7 r. des Farges – ℰ 05 53 53 45 22 – alainbanier.@hotmail.fr – Fermé 28 juin-20 juil., 20 déc.-4 janv., dim. et lundi
Rest – Menu (19 €), 26/48 € – Carte 49/61 €

BZ t

♦ Une ruelle du vieux Périgueux, près de la cathédrale. Poussez la porte de cette maison traditionnelle pour goûter une cuisine actuelle dans un cadre classique un brin rustique.

X L'Essentiel (Eric Vidal) ✿
8 r. de la Clarté – ℰ 05 53 35 15 15 – eric.vidal24@wanadoo.fr – Fax 05 53 35 15 15 – Fermé vacances de Pâques, 7-15 juil., vacances de la Toussaint, 31 déc.-15 janv., dim. et lundi
Rest – *(nombre de couverts limité, prévenir)* Menu 27 € (déj. en sem.), 37/75 € bc – Carte 37/68 €

BZ n

Spéc. Lasagne de poireaux aux truffes du Périgord, foie gras rôti (mi-déc. à début mars). Demi-pigeon rôti et caramélisé à la goutte de sang. Beignet de chocolat chaud coulant aux fruits de saison. **Vins** Pécharmant, Monbazillac.

♦ Derrière cette discrète façade, deux petites salles et une excellente surprise : une cuisine actuelle tout en finesse et une cave recelant les meilleures signatures régionales.

à Chancelade par ⑤, D 710 et D 1 : 5,5 km – 3 865 h. – alt. 88 m – ⊠ 24650
◉ Abbaye ★.

🏠 Château des Reynats
15 av. des Reynats – ℰ 05 53 03 53 59 – www.chateau-hotel-perigord.com – reynats@chateau-hotel-perigord.com – Fax 05 53 03 44 84
45 ch – †88/250 € ††88/250 €, ⊇ 14 € – 5 suites – ½ P 82/170 €
Rest – *(Fermé 2-26 janv., sam. midi, lundi midi et dim.)* Menu 28 € (déj. en sem.), 48/65 € – Carte 78/99 €

♦ Dans un parc arboré, beau château du 19e s. aux chambres très joliment personnalisées ; celles de l'annexe, plus petites et plus sobres, viennent d'être refaites. La salle à manger, typiquement "châtelaine", a fière allure. Plats du terroir actualisés.

à Champcevinel au Nord : 5 km par av. G. Pompidou CY – 2 486 h. – alt. 210 m – ⊠ 24750

XXX La Table du Pouyaud
rte de Paris, D 8 – ℰ 05 53 09 53 32 – www.pouyaud.com – tablepouyaud@yahoo.fr – Fax 05 53 09 50 48 – Fermé dim. soir, lundi soir et mardi
Rest – Menu 25 € (déj. en sem.), 32/75 € – Carte 57/97 €

♦ Murs jaunes égayés de tableaux, jolies chaises en rotin et tables rondes bien dressées : l'ex-ferme abrite désormais un confortable restaurant. Plats du terroir à l'honneur.

PERNAND-VERGELESSES – 21 Côte-d'Or – **320** J7 – rattaché à Beaune

PERNAY – 37 Indre-et-Loire – 317 L4 – 1 016 h. – alt. 76 m – ⌧ 37230   11 B2

▸ Paris 256 – Orléans 132 – Tours 21 – Joué-lès-Tours 26
– Saint-Cyr-sur-Loire 19

Domaine de l'Hérissaudière sans rest
3 km au Nord-Est par D 48 – ✆ 02 47 55 95 28 – www.herissaudiere.com
– lherissaudiere@aol.com – Fax 02 47 55 97 45 – Ouvert 15 avril-15 nov.
5 ch ⌧ – †130 € ††140/150 €

◆ Cet ancien relais de chasse du 17e s. est blotti dans un parc aux essences rares. Chambres aux meubles d'époque et salons confortables. Buffet très complet (confitures maison).

PERNES-LES-FONTAINES – 84 Vaucluse – 332 D10 – 10 400 h.   42 E1
– alt. 75 m – ⌧ 84210 ▌Provence

▸ Paris 685 – Apt 43 – Avignon 23 – Carpentras 6 – Cavaillon 20
▪ Office de tourisme, place Gabriel Moutte ✆ 04 90 61 31 04,
Fax 04 90 61 33 23
◉ Porte Notre-Dame★.

L'Hermitage sans rest
614 Grande Rte de Carpentras – ✆ 04 90 66 51 41 – www.hotel-lhermitage.com
– hotel.lhermitage@wanadoo.fr – Fax 04 90 61 36 41 – Ouvert 1^{er}mars-15 nov.
20 ch – †65/78 € ††70/83 €, ⌧ 10 €

◆ Belle demeure datant de 1890 au milieu d'un parc. Ambiance méditerranéenne colorée dans les chambres, confort bourgeois et meubles de style dans les salons.

Au Fil du Temps
pl. L. Giraud, (face au centre culturel) – ✆ 04 90 30 09 48 – fildutemp@wanadoo.fr
– Fermé 20 déc.-6 janv., dim. et lundi
Rest – *(nombre de couverts limité, prévenir)* Menu (16 € bc), 25 €

◆ Sur une petite place, restaurant, aménagé dans une ancienne épicerie : décor rustique (murs blancs, poutres) et coquet. Belles saveurs provençales à prix doux. Service efficace.

au Nord-Est 4 km par D 1 et rte secondaire – ⌧ 84210 Pernes-les-Fontaines

Mas La Bonoty avec ch
chemin de la Bonoty – ✆ 04 90 61 61 09 – www.bonoty.com – infos@bonoty.com
– Fax 04 90 61 35 14 – Fermé 8 nov.-11 déc. et 11 janv.-13 fév.
8 ch ⌧ – †70/95 € ††70/95 € – ½ P 71/84 €
Rest – *(fermé mardi sauf le soir d'avril à sept. et lundi)* Menu (22 €), 41/68 €
– Carte 54/68 €

◆ Bergerie du 17e s. au charme préservé avec ses pierres et poutres dans la salle rustique. Cuisine locale à base de beaux produits de saison. Chambres de style provençal.

PÉRONNAS – 01 Ain – 328 E3 – rattaché à Bourg-en-Bresse

PÉRONNE – 80 Somme – 301 K8 – 8 213 h. – alt. 52 m – ⌧ 80200   37 C1
▌Nord Pas-de-Calais Picardie

▸ Paris 141 – Amiens 58 – Arras 48 – Doullens 54 – St-Quentin 30
▪ Office de tourisme, 16, place André Audinot ✆ 03 22 84 42 38,
Fax 03 22 85 51 25
◉ Historial de la Grande Guerre★★.

St-Claude
42 pl. du Cdt-L.-Daudré – ✆ 03 22 79 49 49 – www.hotelsaintclaude.com
– hotel.saintclaude@wanadoo.fr – Fax 03 22 79 10 57
40 ch – †60/80 € ††80/105 €, ⌧ 10 € – 2 suites – ½ P 105 €
Rest – Menu (15 €), 26 € – Carte 19/46 €

◆ Cet hôtel du centre-ville a été entièrement rénové et modernisé. Les chambres, simples et confortables, sont de bonnes dimensions. Joli cadre aux notes actuelles, pour une ambiance feutrée au restaurant. Carte au goût du jour.

PÉRONNE

à Rancourt 10 km au Nord ND 1017 – 176 h. – alt. 143 m – ⊠ 80360

Le Prieuré
24 rte nationale – ℰ 03 22 85 04 43 – www.hotel-le-prieure.fr – contact@hotel-le-prieure.fr – Fax 03 22 85 06 69
27 ch – †65/71 € ††68/73 €, ⊇ 8 € – ½ P 65/68 €
Rest – Menu 20 € bc (sem.)/43 € – Carte 35/56 €

♦ Architecture d'inspiration mauresque abritant des chambres personnalisées, plus spacieuses sur l'arrière. Au détour d'une arche, découvrez le bar écossais. Cuisine traditionnelle et régionale, à apprécier dans une salle élégante habillée de pierres et de briques.

Aire d'Assevillers 15 km au Sud par rte d'Amiens (D 1029) et rte secondaire puis A1 – ⊠ 80200 Péronne

Mercure
– ℰ 03 22 85 78 30 – www.mercure-peronne.com – mercure-peronne@wanadoo.fr – Fax 03 22 85 78 31
79 ch – †81/107 € ††98/130 €, ⊇ 14 €
Rest – grill – Menu 16/19 € – Carte 31/42 €

♦ Imposant bâtiment des années 1970. Grandes chambres fonctionnelles, progressivement rénovées et bien agencées. Bonne insonorisation. Au programme du restaurant : grillades, buffet d'entrées et service continu de 11 à 23 heures.

> Rouge = agréable. Repérez les symboles ✕ et 🏠 passés en rouge.

PÉROUGES – 01 Ain – 328 E5 – 1 189 h. – alt. 290 m – ⊠ 01800   44 **B1**
Lyon et la vallée du Rhône

▶ Paris 460 – Bourg-en-Bresse 39 – Lyon 37 – Villefranche-sur-Saône 58
🛈 Syndicat d'initiative, entrée de la Cité ℰ 04 74 46 70 84, Fax 04 74 46 70 84
⛳ de la Sorelle à Villette-sur-Ain Domaine de Gravagneux, N : 12 km par D 984, ℰ 04 74 35 47 27
◉ Cité★★ : place de la Halle★★★.

Ostellerie du Vieux Pérouges
pl. du Tilleul – ℰ 04 74 61 00 88 – www.hostelleriedeperouges.com – thibaut@ostellerie.com – Fax 04 74 34 77 90 – Fermé 15 fév.-1er mars
13 ch – †127 € ††200/240 €, ⊇ 16 € – 2 suites – ½ P 150/165 €
Rest – Menu 40/62 € – Carte 52/80 €

♦ Admirables bâtisses de style gothico-Renaissance réparties dans tout le village. Chambres alliant mobilier ancien (quelques lits à baldaquin) et confort moderne. Cadre médiéval ou ambiance bourgeoise au restaurant ; plats du terroir dont la fameuse galette.

Le Pavillon
– Fermé 2 sem. en fév.
13 ch – †84/95 € ††124/156 €, ⊇ 16 € – ½ P 115/138 €

♦ À quelques mètres de l'Ostellerie, chambres plus simplement meublées et avant tout pratiques ; celles de l'annexe offrent un meilleur niveau de confort.

PERPIGNAN P – 66 Pyrénées-Orientales – 344 I6 – 115 000 h.   22 **B3**
– Agglo. 162 678 h. – alt. 60 m – Casino : à Port-Barcarès – ⊠ 66000
Languedoc Roussillon

▶ Paris 848 – Andorra-la-Vella 170 – Béziers 94 – Montpellier 156 – Toulouse 204
✈ de Perpignan-Rivesaltes : ℰ 04 68 52 60 70, par ① : 3 km.
🛈 Office de tourisme, place Armand Lanoux ℰ 04 68 66 30 30, Fax 04 68 66 30 26
◉ Le Castillet★ - Loge de mer★ BY K - Hôtel de ville★ BY H - Cathédrale St-Jean★ - Palais des rois de Majorque★ - Musée numismatique Joseph-Puig★ - Place Arago : maison Julia★.

PERPIGNAN

Villa Duflot
rd-pt Albert Donnezan, 3 km par ④, dir.autoroute
– ℰ 04 68 56 67 67 – www.villa-duflot.com
– contact@villa-duflot.com – Fax 04 68 56 54 05
24 ch – ✝150/190 € ✝✝150/190 €, ⌂ 17 €
Rest – Menu (25 € bc), 31 € bc (déj. en sem.)
– Carte 43/51 €

♦ Cadre lumineux et élégant (statues contemporaines), grandes chambres au mobilier Art déco côté patio ou côté parc : un petit havre de verdure... en pleine zone commerciale ! Charme méridional de la cuisine et du restaurant ouvert sur la piscine.

Park Hôtel
18 bd J. Bourrat – ℰ 04 68 35 14 14 – www.parkhotel-fr.com – contact@parkhotel-fr.com – Fax 04 68 35 48 18   CY y
69 ch – ✝80/140 € ✝✝80/140 €, ⌂ 11 € – ½ P 66/88 €
Rest *Le Chap'* – ℰ 04 68 35 31 16 (Fermé 26 juil.-10 août, 2-25 janv., lundi midi, vend. midi, sam. midi et dim.) Menu (28 € bc), 30/50 € – Carte 35/65 €
Spéc. Cuisses de grenouilles à la bière et crème de cresson au chamalow à l'orange. Carré d'agneau de lait, chartreuse d'aubergine aux épices. Soufflé chaud au chocolat et Grand Marnier.

♦ L'Espagne s'invite dans cet hôtel proche du square Bir Hakeim. Chambres colorées bien tenues (certaines dotées de lits majorquins). Le Chap' offre un décor contemporain épuré : harmonie du minéral et du végétal, tons beige et gris, cave exposée en vitrine, écrans plats.

Le Mas des Arcades
840 av. d'Espagne, par ④ : 2 km sur N 9 ⊠ *66000* ℰ 04 68 85 11 11
– www.hotel-mas-des-arcades.fr – contact@hotel-mas-des-arcades.fr
– Fax 04 68 85 21 41
62 ch – ✝85/125 € ✝✝85/125 €, ⌂ 12 € – 3 suites – ½ P 83/103 €
Rest – Menu (20 €), 28/48 € – Carte 43/64 €

♦ Établissement récemment rénové : réception et salons tendance. Chambres pimpantes, pour moitié dotées de balcon et agréablement tournées côté piscine. Courts de tennis. Au restaurant, jardin d'hiver, choix classico-traditionnel et grillades d'été en plein air.

New Christina
51 cours Lassus – ℰ 04 68 35 12 21 – www.hotel-newchristina.com
– info@hotel-newchristina.com – Fax 04 68 35 67 01
– Fermé 21 déc.-4 janv.   CY w
25 ch – ✝68/95 € ✝✝75/115 €, ⌂ 10 €
Rest – (fermé 16 juil.-1ᵉʳ sept., vend., sam.et dim.) (dîner seult)
Menu (16 €), 22 €

♦ Chambres fonctionnelles d'allure simple (murs crépis, mobilier en bois cérusé). Pour la détente : petite piscine sur le toit, jacuzzi, hammam et bar. Salle à manger façon "bistrot moderne" et recettes traditionnelles présentées sur ardoise.

Ibis
16 cours Lazare Escarguel – ℰ 04 68 35 62 62 – h1045-gm@accor.com
– Fax 04 68 35 13 38   AY a
100 ch – ✝77/90 € ✝✝77/90 €, ⌂ 8 €
Rest – buffet – (fermé sam. midi et dim. midi) Menu (10 €)
– Carte 26/34 €

♦ Entre vieille ville et "centre du monde" (selon Salvador Dali), chambres rénovées selon les standards Ibis, bien tenues et insonorisées. Salon-bar assez cossu. Cuisine de buffets et plats simples servis dans un cadre frais et coloré.

Kyriad sans rest
8 bd Wilson – ℰ 04 68 59 25 94 – www.kyriad-perpignan-centre.fr
– kyriad.perpignan@wanadoo.fr – Fax 04 68 61 57 70   BY t
38 ch – ✝79/140 € ✝✝79/150 €, ⌂ 10 € – 11 suites

♦ Nouvelle enseigne pour l'ex-Windsor entièrement rénové. Mobilier fonctionnel en bois roux dans les chambres. Une suite décorée à la catalane. Cour intérieure ornée d'une fontaine.

PERPIGNAN

Alsace-Lorraine (R.)	**BY** 2
Anciens-Combattants-d'Indochine (Pl. des)	**BY** 3
Ange (R. de l')	**BZ** 4
Arago (Pl.)	**BZ** 5
Argenterie (R. de l')	**BY** 6
Barre (R. de la)	**BY** 7
Bartissol (R. E.)	**BY** 8
Batllo (Quai F.)	**BY** 9
Castillet (R. du)	**BY** 21
Clemenceau (Bd G.)	**BY**
Cloche d'Or (R. de la)	**BYZ** 22
Côte des Carmes (R.)	**CZ** 23
Fabriques d'En Nabot (R. des)	**BY** 24
Fabriques d'En Nadal (R. des)	**BY** 25
Fontaine-Neuve (R.)	**CZ** 26
Fontfroide (R.)	**BY** 27
Gambetta (Pl.)	**BY** 28
Grande la Monnaie (R.)	**BZ** 31
Lattre-de-Tassigny (Quai de)	**BZ** 32
Loge (R. et Pl. de la)	**BY** 33
Louis-Blanc (R.)	**ABY** 34
Marchands (R. des)	**BY** 35
Mermoz (Av. J.)	**CZ** 36
Mirabeau (R.)	**BY** 37
Payra (R. J.)	**BY** 38
Péri (Pl. Gabriel)	**BZ** 39
Petite la Monnaie (R.)	**BZ** 40
Porte d'Assaut (R.)	**BZ** 41
Porte de Canet (R.)	**CZ** 42
Remparts la Réal (R. des)	**BZ** 43
République (Pl. de la)	**BZ** 44
Résistance (Pl. de la)	**BZ** 45
Révolution Française (R. de la)	**CY** 46
Rigaud (Pl.)	**BZ** 47
Sadi-Carnot (Quai)	**BY** 50
St-Jean (R.)	**BY** 52
Théâtre (R. du)	**BZ** 55
Trois-Journées (R. des)	**BY** 58
Vauban (Quai)	**BY** 60
Verdun (Pl. de)	**BY** 64
Victoire (Pl. de la)	**BY** 67
Vielledent (R. J.)	**CZ** 69
Waldeck-Rousseau (R.)	**CZ** 72

XX **La Passerelle**
1 cours Palmarole – ℰ 04 68 51 30 65 – Fax 04 68 51 90 58 – Fermé 26 avril-3 mai, 9-16 août, 20 déc.-3 janv., lundi midi et dim.
BY z
Rest – Menu 25 € (déj.)/40 € – Carte 39/52 €

♦ Accueillant restaurant familial au bord de la Basse. Atmosphère marine raffinée (lustre de Murano), spécialités de poissons (quelques plats régionaux), et service aimable.

XX **Les Antiquaires**
pl. Després – ℰ 04 68 34 06 58 – www.lesantiquairesperpignan.fr.gd – lesantiquaires@sfr.fr – Fax 04 68 35 04 47
– Fermé 22 juin-14 juil., dim. soir et lundi
BZ u
Rest – Menu 24/43 € – Carte 31/55 €

♦ Sympathique adresse du vieux Perpignan décorée d'objets anciens chinés chez les antiquaires voisins. Dans l'assiette, cuisine catalane.

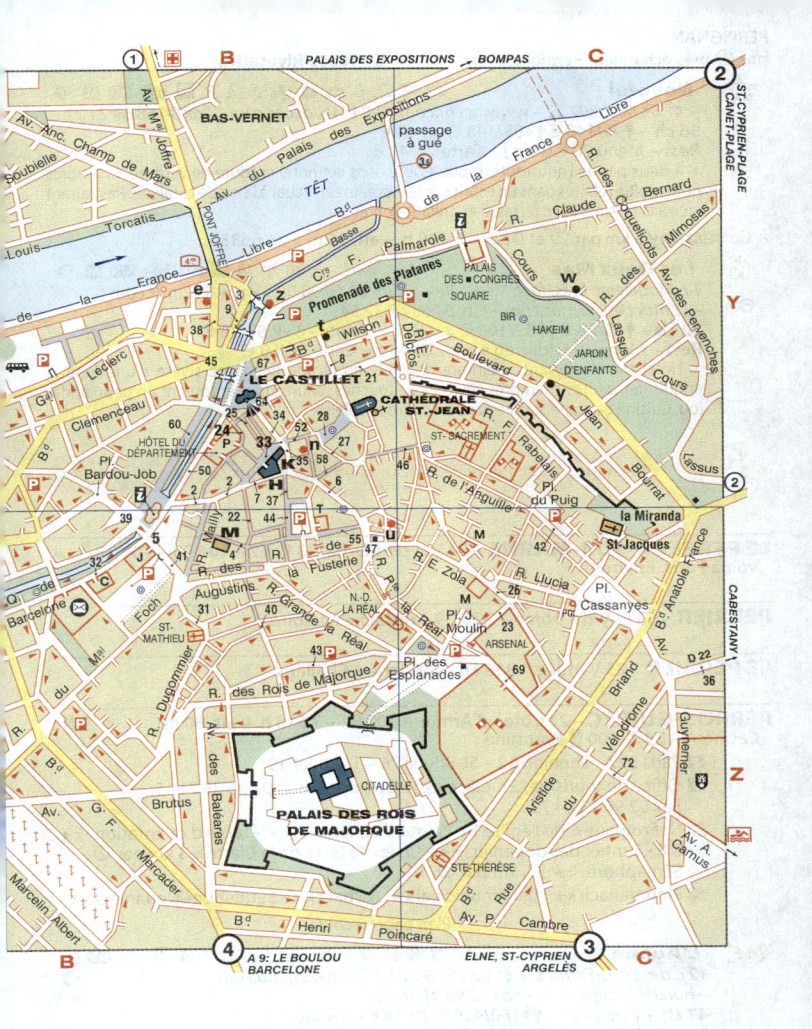

%% **La Galinette** (Christophe Comes)
23 r. Jean Payra
– ℘ 04 68 35 00 90
– Fax 04 68 35 15 20
– Fermé 15 juil.-15 août, 22 déc.-5 janv., dim. et lundi
Rest – Menu 19 € (déj. en sem.)/55 €
– Carte 52/80 €

BY **e**

Spéc. Dégustation de tomates anciennes et thon rouge de Méditerranée (juin à oct.). Dorade sauvage rôtie sans arête au citron confit, tajine de racines (hiver). Déclinaison de fraises (printemps). **Vins** Vin de Pays des Côtes Catalanes, Côtes du Roussillon.

♦ Mobilier contemporain, moulures et tables joliment dressées : un décor soigné où l'on se régale de belles spécialités de poissons escortées d'un choix complet de vins régionaux.

PERPIGNAN

par ① près échangeur Perpignan-Nord 10 km – ✉ 66600 Rivesaltes

Novotel
– ✆ 04 68 64 02 22 – www.accor.com – h0424@accor.com – Fax 04 68 64 24 27
56 ch – †95/148 € ††95/148 €, ⊇ 14 €
Rest – Menu 20 € (sem.) – Carte 22/40 €

♦ À deux pas de l'autoroute, repos assuré dans cet hôtel entouré de verdure. Chambres pour moitié refaites dans un esprit contemporain zen et bar à la mode catalane. Restaurant face à la piscine, avec terrasse et grillades en été.

à Cabestany 5 km par ③ et D22ᶜ – 8 230 h. – alt. 35 m – ✉ 66330

Les Deux Mas
1 r. Madeleine Brès, face Médipôle – ✆ 04 68 50 08 08 – www.les2mas.com
– contact@les2mas.com – Fax 04 68 62 32 54
32 ch – †65/88 € ††85/108 €, ⊇ 10 € – 1 suite – ½ P 67/78 €
Rest – Menu 19 € (déj. en sem.), 25/44 € – Carte 30/60 €

♦ Hôtel très dépaysant : peinture originale en façade (le visage endormi d'une femme endormie), petites chambres colorées de touches mauresques entourant un patio andalou. Cuisine catalane simple dans un cadre ensoleillé.

Le rouge est la couleur de la distinction : nos valeurs sûres !

LE PERREUX-SUR-MARNE – 94 Val-de-Marne – **312** E2 – **106** 20 – **101** 18
– voir à Paris, Environs

PERRIER – 63 Puy-de-Dôme – **326** G9 – rattaché à Issoire

LE PERRIER – 85 Vendée – **316** E6 – rattaché à Challans

PERROS-GUIREC – 22 Côtes-d'Armor – **309** B2 – 7 614 h. – alt. 60 m   9 **B1**
– Casino A – ✉ 22700 ▌Bretagne

▸ Paris 527 – Lannion 12 – St-Brieuc 76 – Tréguier 19

🛈 Office de tourisme, 21, place de l'Hôtel de Ville ✆ 02 96 23 21 15, Fax 02 96 23 04 72

◉ Nef romane★ de l'église B - Pointe du château ≤★ - Table d'orientation ≤★ B E - Sentier des douaniers★★ - Chapelle N.-D. de la Clarté★ 3 km par ② - Sémaphore ≤★ 3,5 km par ②.

◉ Ploumanach★★ : parc municipal★★, rochers★★ - Sentier des Douaniers★★.

Plan page ci-contre

L'Agapa
12 r. des Bons-Enfants – ✆ 02 96 49 01 10 – www.lagapa.com
– hotel@lagapa.com – Fax 02 96 91 16 36   A y
47 ch – †160/420 € ††160/420 €, ⊇ 18 € – 1 suite
Rest *Le Belouga* – (fermé 3-27 déc. et 7-31 janv.) Menu (25 € bc), 45/77 € bc
– Carte 60/116 €

♦ Surplombant la mer, cet hôtel tout de verre, granit et acier, propose des chambres au design épuré. Confort zen et high-tech propice à la détente. Magnifique spa (soins). Au Belouga, carte fine, actuelle et iodée ; accords mets vins ; petits plats.

Le Manoir du Sphinx
67 chemin de la Messe – ✆ 02 96 23 25 42 – www.lemanoirdusphinx.com
– lemanoirdusphinx@wanadoo.fr – Fax 02 96 91 26 13 – Fermé 16 nov.-2 déc.
et 17 janv.-25 fév.   B e
20 ch – †110/114 € ††110/128 €, ⊇ 10 € – ½ P 104/121 €
Rest – (fermé dim. soir d'oct. à mars sauf vacances scolaires, lundi midi et vend. midi sauf fériés) Menu 30/50 € – Carte 47/60 €

♦ Ravissante villa 1900 surplombant la mer. Ses chambres, d'esprit british, contemplent à loisir la baie et les îles, et son charmant jardin dégringole jusqu'aux rochers. Salle à manger-véranda panoramique au cadre bourgeois ; recettes au goût du jour et marines.

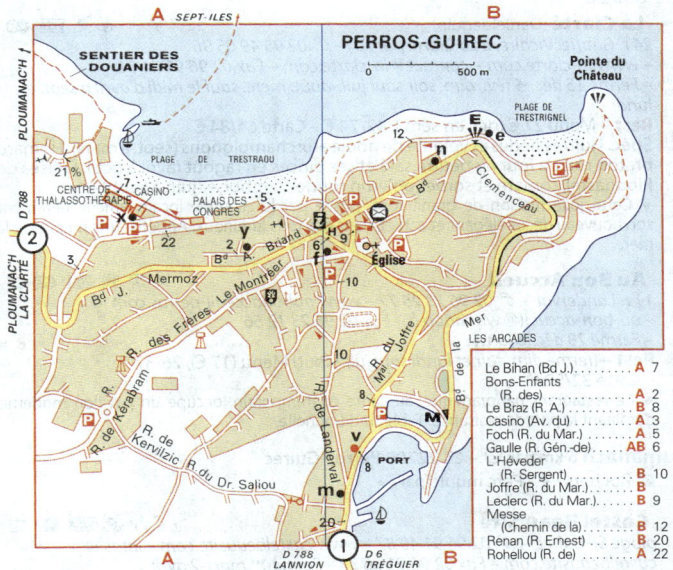

PERROS-GUIREC

Street	Grid
Le Bihan (Bd J.)	**A** 7
Bons-Enfants (R. des)	**B** 2
Le Braz (R. A.)	**B** 8
Casino (Av. du)	**A** 3
Foch (R. du Mar.)	**A** 5
Gaulle (R. Gén.-de)	**AB** 6
L'Hévéder (R. Sergent)	**B** 10
Joffre (R. du Mar.)	**B**
Leclerc (R. du Mar.)	**B** 9
Messe (Chemin de la)	**B** 12
Renan (R. Ernest)	**B** 20
Rohellou (R. de)	**A** 22

Les Feux des Îles
53 bd Clemenceau – ℰ 02 96 23 22 94 – www.feux-des-iles.com – feuxdesiles2@wanadoo.fr – Fax 02 96 91 07 30 – Fermé 15-19 mars, 4-12 oct., 21 déc.-4 janv., dim. soir et vend. soir (sauf hôtel) d'oct. à mai

B n

18 ch – †92/102 € ††115/140 €, ⊇ 12 € – ½ P 95/115 €
Rest – *(dîner seult sauf dim.)* Menu 26/65 € – Carte 36/58 €

◆ Hôtel familial composé d'une maison en pierre et d'une aile récente dont les chambres, plus amples et actuelles, ont vue sur mer et parfois accès direct au jardin. Salle à manger tournée vers les "feux" (phares) îliens ; repas traditionnels et notes marines.

Mercure sans rest
100 av. du Casino – ℰ 02 96 91 22 11 – accorhotels.com – H0476@accor.com – Fax 02 96 91 24 78

A x

49 ch – †65/111 € ††70/116 €, ⊇ 12 €

◆ Cet hôtel fonctionnel, tout près de la plage, a conçu chaque étage selon une thématique (oiseaux marins) et une teinte différentes. Les chambres répondent aux normes de la chaîne.

Hermitage
20 r. Frères Le Montréer – ℰ 02 96 23 21 22 – www.hotelhermitage-22.com – hermitage.hotel@wanadoo.fr – Fax 02 96 91 16 56 – Ouvert 1ᵉʳ avril-30 sept.

23 ch – †44/49 € ††52/62 €, ⊇ 7 € – ½ P 53/60 €

B f

Rest – *(ouvert 8 mai-15 sept.) (dîner seult) (résidents seult)* Menu 23 €

◆ Un grand hôtel du centre-ville, dans un jardin arboré. Chambres assez petites mais de bonne tenue. Les habitués viennent ici autant pour le cadre que pour l'ambiance familiale.

Le Levant
91 r. E. Renan, (sur le port) – ℰ 02 96 23 20 15 – www.le-levant.fr – le-levant@wanadoo.fr – Fax 02 96 23 36 31

B m

19 ch – †55/75 € ††55/78 €, ⊇ 8 € – ½ P 62/73 €
Rest – *(fermé 23 déc.-3 janv., sam. midi, dim. soir et vend.)* Menu 19/38 € – Carte 34/62 €

◆ Cet hôtel récent convient à une clientèle d'affaires. Les chambres petites, fonctionnelles, toutes dotées de balcon ou terrasse, regardent le port de plaisance. La salle à manger au décor marin jouit d'une jolie vue sur les mâts. Carte traditionnelle de la mer.

PERROS-GUIREC

La Clarté (Daniel Jaguin)

24 r. Gabriel Vicaire, à La Clarté par ② – ℰ 02 96 49 05 96
– www.la-clarte.com – contact@la-clarte.com – Fax 02 96 91 41 36
– Fermé 15 déc.-5 fév., dim. soir sauf juil.-août, merc. sauf le midi d'avril à sept. et lundi
Rest – Menu 27 € (déj. en sem.), 42/74 € – Carte 64/84 €
Spéc. Huîtres tièdes et velouté de poule aux champignons (sept. à mars). Homard breton rôti au four au beurre salé et ses pinces en ragoût (avril à oct.). Fraises de Plougastel, tomate et sorbet poivron rouge-framboise (juin à sept.).

◆ Cette jolie maison de granit rose, prisée par la clientèle locale, affiche fièrement son nouveau décor élégant et actuel, dans des tons lumineux. Appétissants menus de la mer.

Au Bon Accueil

11 r. Landerval – ℰ 02 96 23 25 77 – www.aubonaccueil-perros.com
– au-bon-accueil@wanadoo.fr – Fax 02 96 23 12 66
– Fermé 28 déc.-8 janv.   B v
Rest – (fermé dim. soir et lundi sauf juil.-août) Menu (17 €), 26/37 €
– Carte 32/52 €

◆ Ce restaurant panoramique, au cadre contemporain, occupe un pavillon moderne dominant le port de plaisance. Table traditionnelle.

à Ploumanach 6 km par ② – ⊠ 22700 Perros-Guirec

Rochers★★ - Parc municipal★★.

Castel Beau Site

plage St-Guirec – ℰ 02 96 91 40 87 – www.castelbeausite.com – infos@castelbeausite.com – Fax 02 96 91 66 37 – Fermé 1er mars-2 avril
34 ch – †110/450 € ††110/450 €, ⊇ 15 €
Rest – Menu 34 € (dîner)/48 € – Carte 43/67 €

◆ Grande bâtisse en granit rose des années 1930 en bord de plage et presque les pieds dans l'eau. Les chambres, rénovées, offrent un bon confort et une vue sur la mer. Cuisine actuelle. L'été, carte brasserie et fruits de mer servis en terrasse à midi.

Parc

174 pl. St-Guirec – ℰ 02 96 91 40 80 – www.hotelduparc.com
– hotel.du.parclacotriade@wanadoo.fr – Fax 02 96 91 60 48 – Fermé
11 nov.-20 déc., sam. midi et dim. soir sauf vacances scolaires
10 ch – †49/55 € ††49/55 €, ⊇ 8 € – ½ P 55/60 €
Rest – Menu 15/37 € – Carte 27/54 €

◆ Au centre du village, avec la plage et les célèbres rochers tout proches, une maison familiale en granit rose dotée d'un beau jardin. Chambres petites, mais bien tenues. Produits de la mer servis sur les grandes terrasses ou dans un cadre marin. Coin crêperie.

PERTUIS – 84 Vaucluse – 332 G11 – 18 600 h. – alt. 246 m – ⊠ 84120   40 B2
Provence

Paris 747 – Aix-en-Provence 23 – Apt 36 – Avignon 76 – Digne-les-Bains 97 – Manosque 36

Office de tourisme, place Mirabeau ℰ 04 90 79 15 56, Fax 04 90 09 59 06

Sévan Parc Hôtel

rte de Manosque, 1,5 km à l'Est – ℰ 04 90 79 19 30 – www.sevanparchotel.com
– hotel-sevan@orange.fr – Fax 04 90 79 35 77
46 ch – †90/130 € ††110/150 €, ⊇ 12 €
Rest L'Olivier – ℰ 04 90 79 08 19 (fermé 1er janv.-7 fév., dim. soir, lundi sauf le soir en juil.-août et merc.) Menu (19 €), 30/50 € – Carte environ 44 €
Rest La Paillote – ℰ 04 90 09 63 67 (fermé de mi-déc. à mi-janv. et mardi)
Menu 14 € bc (déj. en sem.) – Carte 24/40 €

◆ Au pied du Luberon, dans un parc fleuri, cet hôtel profite d'un environnement calme et verdoyant. Chambres ensoleillées d'inspiration provençale. Cuisine régionale à L'Olivier (agréable salle à manger contemporaine). Ambiance décontractée à La Paillote, terrasse au bord de la piscine, grillades et plats tex-mex.

PERTUIS

⌂ **Château Grand Callamand** sans rest
rte de Loubière, 2 km par r. Léon-Arnoux – ℰ 04 90 09 61 00
– *www.chateaugrandcallamand.fr – chateaugrandcallamand@wanadoo.fr*
– *Fax 04 90 09 61 00*
3 ch ⚏ – †130/160 € ††130/160 € – 1 suite
♦ Superbe bastide du 16ᵉ s. posée au cœur d'un domaine viticole. Accueil charmant, quiétude, piscine, terrasse face à la montagne Ste-Victoire et déco de bon goût dans les chambres.

✗ **Le Boulevard**
50 bd Pecout – ℰ 04 90 09 69 31 – *www.restaurant-le-boulevard.com* et
www.restaurant-leboulevard.com – leboulevard-bontoux@wanadoo.fr
– *Fax 04 90 09 09 48 – Fermé 1ᵉʳ-12 juil., vacances de fév., dim. soir, mardi soir et merc.*
Rest – *(nombre de couverts limité, prévenir)* Menu 19/35 € – Carte 35/44 €
♦ Aménagé à l'étage d'une jolie maison ancienne, ce restaurant du centre-ville vous reçoit dans sa salle un brin rustique. Cuisine traditionnelle évoluant au gré des saisons.

PETIT-BERSAC – 24 Dordogne – **329** C4 – 177 h. – alt. 90 m – ✉ 24600   **39** C3
▸ Paris 501 – Bordeaux 121 – Périgueux 50 – Angoulême 49 – Soyaux 47

🏠 **Château Le Mas de Montet**
– ℰ 05 53 90 08 71 – *www.lemasdemontet.com – reception@lemasdemontet.com – Fax 05 53 90 66 92*
10 ch ⚏ – †175/435 € ††175/435 €   **Rest** – Menu 45 € *(dîner)* – Carte 60/90 €
♦ Abords très soignés pour ce superbe château Renaissance : parc fleuri, piscine, potager, terrasse. L'intérieur séduit tout autant par son romantisme et son raffinement. Cuisine traditionnelle servie dans la salle à manger "chatelaine".

PETITE-HETTANGE – 57 Moselle – **307** I2 – rattaché à Malling

LA PETITE-PIERRE – 67 Bas-Rhin – **315** H3 – 604 h. – alt. 340 m   **1** A1
– ✉ 67290 ▌Alsace Lorraine
▸ Paris 433 – Haguenau 41 – Sarreguemines 48 – Sarre-Union 24 – Strasbourg 57
🛈 Office de tourisme, 2a, rue du Château ℰ 03 88 70 42 30, Fax 03 88 70 41 08

🏨 **La Clairière**
63 rte d'Ingwiller, D 7 : 1,5 km – ℰ 03 88 71 75 00
– *www.laclairiere.com – info@laclairiere.com – Fax 03 88 70 41 05*
50 ch – †111/135 € ††165/190 €, ⚏ 17 € – 4 suites – ½ P 128/154 €
Rest – *(dîner seult)* Menu 35 € – Carte environ 35 €
♦ Lové au cœur de la forêt, hôtel moderne dédié au bien-être. Spa de 950 m² et piscine ouverte face à la terrasse en teck. "Parcours challenge" pour les clients en séminaires. Bar british. Chambres spacieuses. Au restaurant, cadre actuel, cuisine saine et vins bio.

🏨 **Au Lion d'Or**
15 r. Principale – ℰ 03 88 01 47 57 – *www.liondor.com – contact@liondor.com*
– *Fax 03 88 01 47 50 – Fermé merc.*
42 ch – †57/70 € ††80/106 €, ⚏ 12 € – ½ P 76/89 €
Rest – Menu (12 €), 19 € (sem.)/65 € – Carte 30/75 €
♦ Parfaite adresse pour se ressourcer en pleine nature que cette structure qui a mis au point un centre d'arbrothérapie. Les chambres de la maison ancienne sont très apaisantes. De la salle à manger, on a une vue sur la cité et sur la forêt ; cuisine régionale.

🏨 **Des Vosges**
30 r. Principale – ℰ 03 88 70 45 05 – *www.hotel-des-vosges.com*
– *hotel-des-vosges@wanadoo.fr – Fax 03 88 70 41 13 – Fermé 16-31 juil.*
et 22 fév.-20 mars
30 ch – †58 € ††68/84 €, ⚏ 10 € – ½ P 63/72 €
Rest – *(fermé mardi hors saison)* Menu 24 € (sem.)/57 € – Carte 29/58 €
♦ Chambres douillettes, variées (certaines typiquement alsaciennes) et bien tenues, complétées par un agréable espace bien-être. Salle à manger ouverte sur la vallée, spécialités régionales et traditionnelles accompagnées de vins bien choisis (vieux millésimes).

1465

LA PETITE-PIERRE

à Grauthal 11 km au Sud-Ouest par D 178 et D 122 – ⊠ 67320 Eschbourg

Le Cheval Blanc
19 r. Principale – ℰ 03 88 70 17 11 – www.auchevalblanc.net – restaurant@auchevalblanc.net – Fax 03 88 70 12 37 – Fermé 1er-15 sept., 1er-21 janv., lundi soir, merc. soir et mardi
Rest – Menu (24 €), 27/38 € – Carte 35/50 €

◆ Cette engageante auberge décorée dans un esprit rustique et hétéroclite (bibelots) sert des recettes fidèles à la région. Joli poêle en faïence dans l'une des salles à manger.

Au Vieux Moulin avec ch
7 rue du Vieux Moulin – ℰ 03 88 70 17 28 – www.auvieuxmoulin.eu – auvieux.moulin@orange.fr – Fax 03 88 70 11 25 – Fermé 15 fév.-3 mars, 25 juin-7 juil.,
14 ch – †52/72 € ††52/72 €, ⊇ 8 € – ½ P 52 €
Rest – (fermé lundi sauf résidents) Menu 11 € (déj. en sem.), 15/34 € – Carte 22/45 €

◆ Dans ce hameau dont Erckmann et Chatrian ont vanté la sérénité, maison réservant un accueil chaleureux. Cuisine familiale à l'accent alsacien servie dans une salle lumineuse. Chambres simples et confortables, progressivement refaites.

LE PETIT-PRESSIGNY – 37 Indre-et-Loire – **317** O7 – **326** h.   11 **B3**
– alt. 80 m – ⊠ 37350

▶ Paris 290 – Le Blanc 38 – Châtellerault 36 – Châteauroux 68 – Poitiers 73 – Tours 61

La Promenade (Jacky Dallais)
11 r. du Savoureulx – ℰ 02 47 94 93 52 – Fax 02 47 91 06 03 – Fermé 22 sept.-7 oct., 5 janv.-4 fév., dim. soir, lundi et mardi
Rest – Menu 40/85 € – Carte 58/114 €

Spéc. Poireaux grillés en vinaigrette et ravioles de jaune de poule truffées. Côte de cochon fermier, beurre de genièvre et tombée d'oignons blancs. Fraises soufflées à la violette (été). **Vins** Touraine.

◆ Une salle très contemporaine (aux airs de vieille halle), une autre plus classique dans cette auberge. Savoureuse cuisine actuelle aux accents tourangeaux, belle carte des vins.

LE PETIT QUEVILLY – 76 Seine-Maritime – **304** G5 – **rattaché à Rouen**

PETRETO-BICCHISANO – 2A Corse-du-Sud – **345** C9 – **voir à Corse**

PEYRAT-LE-CHÂTEAU – 87 Haute-Vienne – **325** H6 – **1 009** h.   25 **C2**
– alt. 426 m – ⊠ 87470 ▌Limousin Berry

▶ Paris 409 – Aubusson 45 – Guéret 52 – Limoges 53 – Tulle 81 – Ussel 79 – Uzerche 58

🛈 Office de tourisme, 1, rue du Lac ℰ 05 55 69 48 75, Fax 05 55 69 47 82

au Lac de Vassivière – ⊠ 23460 Royère-de-Vassivière

◉ Centre d'art contemporain de l'île de Vassivière★★ - Centre d'art contemporain de l'île de Vassivière★★.

Au Golf du Limousin
à Auphelle, (Lac de Vassivière) – ℰ 05 55 69 41 34 – www.hotel-gorlfdulimousin.fr – hotel-golfdulimousin@wanadoo.fr – Fax 05 55 69 49 16 – Ouvert 1er fév.-14 nov.
18 ch – †44/54 € ††44/54 €, ⊇ 8 € – ½ P 44/54 €
Rest – (dîner seult) Menu 19 €

◆ Cet hôtel perché à 650 m d'altitude ménage une vue sur le lac. Les chambres, simples et bien tenues, offrent suffisamment d'ampleur et sont mansardées au 2e étage. Cuisine traditionnelle servie dans une agréable salle à manger ou sur la terrasse d'été.

PÉZENAS – 34 Hérault – 339 F8 – 8 511 h. – alt. 15 m – ✉ 34120   23 **C2**
Languedoc Roussillon

- Paris 734 – Agde 22 – Béziers 24 – Lodève 39 – Montpellier 55 – Sète 38
- Office de tourisme, place Gambetta ℰ 04 67 98 36 40, Fax 04 67 98 96 80
- Vieux Pézenas★★ : Hôtels de Lacoste★, d'Alfonce★, de Malibran★.

L'Entre Pots
8 av. Louis-Montagne – ℰ 04 67 90 00 00 – www.restaurantentrepots.com
– entre-pots@orange.fr – Fax 04 67 90 17 42 – Fermé vacances de la Toussaint, de printemps, dim. et lundi
Rest – Menu (21 €), 29 € – Carte 35/45 €

♦ Fraîche cuisine de saison alliant tradition régionale et modernité, bel intérieur actuel et intime, paisible cour-terrasse et service souriant : laissez le charme agir...

Le Pré Saint Jean
18 av. Mar. Leclerc – ℰ 04 67 98 15 31 – leprest.jean@wanadoo.fr
– Fax 04 67 98 89 23 – Fermé jeudi soir sauf juil. août, dim. soir et lundi
Rest – Menu 25/46 € – Carte 35/55 €

♦ Bordée par une route passante, cette discrète façade dissimule une salle accueillante, de style jardin d'hiver. Cuisine régionale actualisée et belle sélection de vins du pays.

à Nézignan-l'Évêque Sud : 5 km par D 609 et D 13 – 1 259 h. – alt. 40 m – ✉ 34120

Hostellerie de St-Alban
31 rte Agde – ℰ 04 67 98 11 38
– www.saintalban.com – info@saintalban.com – Fax 04 67 98 91 63 – Ouvert 14 fév.-14 nov.
13 ch – †82/127 € ††98/195 €, ⊇ 15 € – ½ P 96/143 €
Rest – (fermé jeudi midi et merc. sauf d'avril à oct.) Menu (24 €), 34/44 €
– Carte 42/60 €

♦ Jolie maison de maître du 19ᵉ s. nichée dans un coquet jardin fleuri. Espace, couleur et mobilier en fer forgé caractérisent les chambres, parfois très originales. Au restaurant, murs immaculés, œuvres contemporaines et carte traditionnelle à l'accent du Sud.

PEZENS – 11 Aude – 344 F3 – rattaché à Carcassonne

PÉZILLA-LA-RIVIÈRE – 66 Pyrénées-Orientales – 344 H6 – 2 957 h.   22 **B3**
– alt. 75 m – ✉ 66370

- Paris 857 – Argelès-sur-Mer 35 – Le Boulou 25 – Perpignan 12 – Prades 35

L'Aramon Gourmand
127 av. du Canigou, rte Baho, D 614 – ℰ 04 68 92 43 59
– http://restaurant.aramon.free.fr – philippe.coste66@wanadoo.fr
– Fax 04 68 92 43 59 – Fermé 1 sem. fin sept., 16-22 fév., dim. soir, mardi soir et merc.
Rest – Menu (20 €), 27/37 €

♦ Mets traditionnels et saveurs du Roussillon à apprécier dans une salle "Sang et Or" dotée de chaises robustes en bois ou à l'ombre des mûriers-platanes. Cave visible.

PFAFFENHOFFEN – 67 Bas-Rhin – 315 J3 – 2 677 h. – alt. 170 m   1 **B1**
– ✉ 67350 **Alsace Lorraine**

- Paris 457 – Haguenau 16 – Sarrebourg 55 – Sarre-Union 50 – Saverne 30 – Strasbourg 37
- Musée de l'Imagerie peinte et populaire alsacienne★.

De l'Agneau avec ch
3 r. de Saverne – ℰ 03 88 07 72 38 – www.hotel-restaurant-delagneau.com
– anne.ernwein@wanadoo.fr – Fax 03 88 72 20 24 – Fermé 3-10 mars, 16-23 juin, 7-28 sept., dim. soir, mardi sauf le midi de sept. à mai et lundi
12 ch – †55/61 € ††55/73 €, ⊇ 13 € – ½ P 60/89 €
Rest – Menu (14 €), 27/71 € bc – Carte 42/62 €

♦ Cette auberge de 1769 (tenue par la septième génération) propose une cuisine traditionnelle et une carte des vins étoffée. Terrasse d'été dressée dans une cour intérieure fleurie. Chambres coquettes.

PFULGRIESHEIM – 67 Bas-Rhin – **315** K5 – rattaché à Strasbourg

PHALSBOURG – 57 Moselle – **307** O6 – 4 630 h. – alt. 365 m — 27 **D2**
– ⊠ 57370 ▎Alsace Lorraine

▶ Paris 435 – Metz 110 – Sarrebourg 17 – Sarreguemines 50 – Strasbourg 59
🛈 Office de tourisme, 30, place d'Armes ℘ 03 87 24 42 42, Fax 03 87 24 42 87

Erckmann-Chatrian
pl. d'Armes – ℘ 03 87 24 31 33 – hotel.rest.e-chatrian@wanadoo.fr
– Fax 03 87 24 27 81
16 ch – ♦67 € ♦♦78 €, ⊆ 12 € **Rest** – Menu 21/58 € – Carte 20/38 €
◆ Maison ancienne dont la façade fleurie ne manque pas de cachet. Les chambres, de bonnes dimensions, sont pourvues de meubles de style et parfois d'un coin-salon. Repas traditionnel à apprécier dans une salle aux boiseries sombres ou dans une ambiance brasserie.

Au Soldat de l'An II (Georges Schmitt) avec ch
1 rte Saverne – ℘ 03 87 24 16 16 – www.soldatan2.com
– info@soldatan2.com – Fax 03 87 24 18 18 – Fermé 13-24 avril, 27 juil.-6 août, 26 oct.-6 nov., 4-22 janv., dim. soir, mardi midi et lundi
7 ch – ♦150 € ♦♦150 €, ⊆ 22 € – ½ P 185 €
Rest – Menu 40 € bc, 88/129 € – Carte 91/103 €
Spéc. Foie gras d'Alsace selon l'air du temps. Poisson de mer sauvage flambé. Île flottante aux truffes. **Vins** Gewurztraminer, Riesling.
◆ Les bibelots et le "soldat" gardant l'entrée de cette ex-grange évoquent l'épopée des patriotes au pantalon tricolore. Plats au goût du jour et belle carte de vins. Des chambres tout confort au décor raffiné vous attendent dans la maison voisine.

à Bonne-Fontaine Est : 4 km par D 604 et rte secondaire ⊠ 57370 Danne-et-Quatre-Vents

Notre-Dame de Bonne Fontaine
212 rte Bonne-Fontaine – ℘ 03 87 24 34 33
– www.notredamebonnefontaine.com – ndbonnefontaine@aol.com
– Fax 03 87 24 24 64 – Fermé 11-30 janv. et 14-21 fév.
34 ch – ♦53/63 € ♦♦65/78 €, ⊆ 9,50 € – ½ P 63/69 €
Rest – (fermé dim. soir en janv., fév., mars et nov.) Menu (12 €), 20/47 € bc
– Carte 20/47 €
◆ La même famille tient depuis plusieurs générations cet hôtel niché dans un site forestier proche d'un centre de pèlerinage. Chambres sobres ; jolies balades sylvestres au programme. Restaurant-véranda et terrasse ombragée ; table traditionnelle régionale.

PHILIPPSBOURG – 57 Moselle – **307** Q5 – 539 h. – alt. 215 m — 27 **D1**
– ⊠ 57230

▶ Paris 450 – Haguenau 29 – Strasbourg 58 – Wissembourg 42
🛈 Office de tourisme, 186, rue de Baerenthal ℘ 03 87 06 56 12, Fax 03 87 06 51 48

Au Tilleul
24 rte de Niederbronn – ℘ 03 87 06 50 10 – au.tilleul.issler@wanadoo.fr
– Fax 03 87 06 58 89 – Fermé janv., lundi soir, mardi soir et merc.
Rest – Menu 12 € (déj. en sem.), 17/51 € – Carte 26/50 €
◆ L'entrée de cette auberge familiale abrite un bar qui sert des plats du jour, tandis que l'agréable salle à manger de style rustique propose une cuisine traditionnelle.

à l'étang de Hanau Nord-Ouest : 5 km par D 662 et rte secondaire
– ⊠ 57230 Philippsbourg

Étang ★, ▎Alsace Lorraine

Beau Rivage sans rest
– ℘ 03 87 06 50 32 – www.hotel-beau-rivage-fr.com – Fax 03 87 06 57 46 – Fermé 2 sem. en nov. et fév.
22 ch – ♦40/49 € ♦♦59/89 €, ⊆ 8 €
◆ Les chambres de cet hôtel isolé dans la campagne ouvrent sur la forêt ou un étang. Mobilier alsacien dans certaines ; celles tournées vers le "beau rivage" ont souvent un balcon.

PIANA – 2A Corse-du-Sud – **345** A6 – voir à Corse

LE PIAN-MÉDOC – 33 Gironde – **335** H5 – 5 248 h. – alt. 36 m 3 **B1**
– ✉ 33290

■ Paris 578 – Bordeaux 20 – Mérignac 18 – Pessac 24 – Talence 29

Golf du Médoc Hôtel
chemin de Courmanteau, à Louens – ✆ 05 56 70 31 31
– www.hotelgolfdumedoc.com – contact@hotelgolfdumedoc.com
– Fax 05 56 70 78 78
79 ch – †70/190 € ††85/205 €, ⊇ 17 €
Rest – Menu (14 €), 39 € (dîner)/50 € – Carte 25/50 €
♦ Ensemble hôtelier bâti sur le site renommé du golf du Médoc, abritant des chambres modernes, spacieuses et fonctionnelles. Petit espace bien-être avec piscine. Déjeuner sportif au Club House et dîner à La table du Terroir. Terrasse face au green.

PIERRE-BUFFIÈRE – 87 Haute-Vienne – **325** F6 – 1 131 h. – alt. 330 m 24 **B2**
– ✉ 87260

■ Paris 415 – Limoges 22 – Brantôme 84 – Guéret 107 – Tulle 67
🛈 Office de tourisme, place du 8 Mai 1945 ✆ 05 55 00 94 33, Fax 05 55 00 94 33

La Providence
pl. Adeline – ✆ 05 55 00 60 16 – www.hotel-limoges.net – laprovidence@
hotel-limoges.net – Fax 05 55 00 98 69 – Fermé janv., dim. soir et lundi midi
du 15 nov. au 15 mars
14 ch – †55/95 € ††55/115 €, ⊇ 10 €
Rest – Menu 20/70 € – Carte 37/70 €
♦ Cet établissement familial borde la place centrale d'un village limousin. Les chambres, confortables et actuelles, sont tenues avec soin. Le restaurant propose une cuisine traditionnelle sans prétention dans une salle à manger garnie de meubles rustiques.

PIERREFITTE-EN-AUGE – 14 Calvados – **303** N4 – rattaché à Pont-L'Évêque

PIERREFITTE-SUR-SAULDRE – 41 Loir-et-Cher – **318** J6 – 854 h. 12 **C2**
– alt. 125 m – ✉ 41300

■ Paris 185 – Orléans 52 – Aubigny-sur-Nère 23 – Blois 73 – Bourges 55
– Salbris 13
🛈 Syndicat d'initiative, 10, place de l'Église ✆ 02 54 88 67 15,
Fax 02 54 88 67 15

Le Lion d'Or
1 pl. de l'Église – ✆ 02 54 88 62 14 – liondor41@orange.fr – Fax 02 54 88 62 14
– Fermé 1er-10 mars, 31 août-23 sept.,15-23 fév., merc. soir et jeudi soir hors saison, lundi et mardi sauf fériés
Rest – Menu 32/40 € – Carte environ 50 €
♦ Solognote dans l'âme, cette maison ne badine pas avec la tradition : cadre rustique (murs à pans de bois, poutres, faïences anciennes) et cuisine régionale. Terrasse-jardin.

PIERREFONDS – 60 Oise – **305** I4 – 2 039 h. – alt. 81 m – ✉ 60350 37 **C2**
🟩 Nord Pas-de-Calais Picardie

■ Paris 82 – Beauvais 78 – Compiègne 15 – Soissons 31 – Villers-Cotterêts 18
🛈 Office de tourisme, place de l'Hôtel de Ville ✆ 03 44 42 81 44,
Fax 03 44 42 86 31
◉ Château★★ - St-Jean-aux-Bois : église★ O : 6 km.

à Chelles 4,5 km à l'Est par D 85 – 412 h. – alt. 75 m – ✉ 60350

Relais Brunehaut avec ch
3 r. de l'Église – ✆ 03 44 42 85 05 – Fax 03 44 42 83 30
11 ch – †50 € ††62/65 €, ⊇ 9 € – ½ P 69/72 €
Rest – (fermé 15 janv.-15 fév., mardi midi et lundi du 15 avril au 15 nov., merc. midi et jeudi midi du 16 nov. au 15 avril) Menu 26 € (sem.)/41 € – Carte 63/70 €
♦ Le moulin, avec sa roue à aubes, et l'auberge s'ordonnent autour d'une belle cour fleurie. Le premier abrite d'agréables chambres, la seconde, une salle à manger rustique.

PIERREFONDS
à St-Jean-aux-Bois : 6 km par D 85 – 324 h. – alt. 71 m – ✉ 60350

XXX **Auberge A la Bonne Idée** avec ch
3 r. Meuniers – ℰ 03 44 42 84 09 – www.a-la-bonne-idee.fr
– a-la-bonne-idee.auberge@wanadoo.fr – Fax 03 44 42 80 45
– Fermé 5 janv.-2 fév., dim. soir et lundi d'oct. à avril
21 ch – ✝80/155 € ✝✝80/155 €, ⊇ 10 € – ½ P 85/125 €
Rest – Menu 31 € (sem.)/75 € – Carte 70/80 €
♦ Restaurant situé dans un charmant village. Intérieur campagnard (poutres, vieilles pierres, cheminée), terrasse tournée vers le jardin fleuri et carte classique.

PIERREFORT – 15 Cantal – 330 F5 – 1 002 h. – alt. 950 m – ✉ 15230   5 B3

▶ Paris 540 – Aurillac 64 – Entraygues-sur-Truyère 55 – Espalion 62 – St-Flour 29
🛈 Office de tourisme, 29, avenue Georges Pompidou ℰ 04 71 23 38 04, Fax 04 71 23 94 55

Du Midi
5 av. G. Pompidou – ℰ 04 71 23 30 20 – www.hoteldumidi-pierrefort.com – info@hoteldumidi-pierrefort.com – Fax 04 71 23 39 34 – Fermé 22 déc.-11 janv.
13 ch – ✝47/49 € ✝✝49/51 €, ⊇ 7 €
Rest – Menu (11 €), 15 € (sem.)/40 € – Carte 28/53 €
♦ Espace réunions, jeux pour enfants, salle à langer : cette adresse centrale convient à la clientèle d'affaires comme aux familles. Petites chambres printanières et ambiance sympathique. Plaisantes salles à manger voûtées et cuisine régionale bien faite.

PIERRELATTE – 26 Drôme – 332 B7 – 12 100 h. – alt. 50 m – ✉ 26700   44 B3
Lyon et la vallée du Rhône

▶ Paris 624 – Bollène 17 – Montélimar 23 – Nyons 45 – Orange 33 – Pont-St-Esprit 17
🛈 Office de tourisme, place du Champ de Mars ℰ 04 75 04 07 98, Fax 04 75 98 40 65
◉ Ferme aux crocodiles ★, S : 4 km par N 7 jusqu'à l'échangeur avec la D 59.

Du Tricastin sans rest
r. Caprais-Favier – ℰ 04 75 04 05 82 – www.hoteldutricastin.com
– hoteltriscastin@orange.fr – Fax 04 75 04 19 36
13 ch – ✝42/44 € ✝✝46/48 €, ⊇ 6,50 €
♦ Dans une rue calme proche du centre-ville, pimpante façade abritant des chambres correctement équipées. Tenue irréprochable et service attentionné.

Du Centre sans rest
6 pl. de l'Église – ℰ 04 75 04 28 59 – www.hotelducentre26.com – info@hotelducentre26.com – Fax 04 75 96 97 97 – Fermé 21 déc.-3 janv.
26 ch – ✝54 € ✝✝54/57 €, ⊇ 7,50 €
♦ Toutes simples mais de bonne taille, les chambres de cette ancienne abbaye sont progressivement rénovées. Agréable salle des petits-déjeuners. Accueil très aimable.

PIERRE-PERTHUIS – 89 Yonne – 319 F7 – rattaché à Vézelay

PIETRANERA – 2B Haute-Corse – 345 F3 – voir à Corse (Bastia)

PIGNA – 2B Haute-Corse – 345 C4 – voir à Corse (Île-Rousse)

LE PIN-AU-HARAS – 61 Orne – 310 J2 – 366 h. – alt. 202 m   33 C2
– ✉ 61310

▶ Paris 183 – Caen 78 – Alençon 47 – Lisieux 68 – Argentan 14

XX **La Tête au Loup**
– ℰ 02 33 35 57 69 – www.lateteauloup.fr – lateteauloup@wanadoo.fr – Fermé 23 juin-6 juil. et 19 déc.-11 janv.
Rest – Menu (25 €), 28/46 € – Carte 40/57 €
♦ Cadre moderne et lumineux dans la véranda, plus chic dans la salle située à l'arrière. En terrasse, vue imprenable sur la vallée. Cuisine traditionnelle et recettes des îles.

PINEY – 10 Aube – **313** F3 – **1 252** h. – alt. 116 m – ✉ 10220   13 **B3**
- Paris 192 – Troyes 22 – St-Dizier 149 – Sézanne 80
- Office de tourisme, Maison du Parc ✆ 03 25 43 38 88, Fax 03 25 41 54 09

Le Tadorne
1 pl. de la Halle – ✆ 03 25 46 30 35 – www.le-tadorne.com – le.tadorne@wanadoo.fr – Fax 03 25 46 36 49 – Fermé 1er-8 janv., 21 fév.-8 mars et dim. soir d' oct. à Pâques
26 ch – †59 € ††65 €, ⌧ 9 € – ½ P 65 €
Rest – Menu (12 €), 19/49 € – Carte 30/60 €
• Poutres et colombages habillent ces jolies maisons articulées autour d'une terrasse-piscine. Les petites chambres, souvent dotées d'un coin-salon, sont pour certaines climatisées. Le bois domine dans la salle à manger campagnarde dotée d'une mezzanine.

LE PIN-LA-GARENNE – 61 Orne – **310** M4 – **rattaché à Mortagne-au-Perche**

PINSOT – 38 Isère – **333** J5 – **rattaché à Allevard**

PIOGGIOLA – 2B Haute-Corse – **345** C4 – **voir à Corse**

PIRIAC-SUR-MER – 44 Loire-Atlantique – **316** A3 – **2 254** h. – alt. 7 m   34 **A2**
– ✉ 44420 **Bretagne**
- Paris 462 – La Baule 17 – Nantes 88 – La Roche-Bernard 33 – St-Nazaire 31
- Office de tourisme, 7, rue des Cap-Horniers ✆ 02 40 23 51 42, Fax 02 40 23 51 19
- Pointe du Castelli ≤★ SO : 1 km.

De la Poste
26 r. de la Plage – ✆ 02 40 23 50 90 – www.piriac-hoteldelaposte.com – hoteldelaposte.piriac@wanadoo.fr – Fax 02 40 23 68 96 – Ouvert 13 fév. -8 nov.
12 ch – †62/70 € ††62/70 €, ⌧ 9 € – ½ P 60 €
Rest – *(fermé 13 fév.-31 mars sauf week-ends et vacances scolaires)* Menu (20 €), 26/42 € – Carte 31/44 €
• Cette villa des années 1930 aux chambres récemment rafraîchies vous invite à faire halte dans ce petit port de pêche pittoresque (bel ensemble de maisons du 17e s.). Cuisine traditionnelle à déguster dans la chaleureuse salle à manger ou en terrasse.

PISCIATELLO – 2A Corse-du-Sud – **345** C8 – **voir à Corse (Ajaccio)**

PITHIVIERS – 45 Loiret – **318** K2 – **9 242** h. – alt. 115 m – ✉ 45300   12 **C1**
 Châteaux de la Loire
- Paris 82 – Chartres 74 – Fontainebleau 46 – Montargis 46 – Orléans 44
- Office de tourisme, 1, mail Ouest ✆ 02 38 30 50 02, Fax 02 38 30 55 00

Le Relais de la Poste
10 Mail Ouest – ✆ 02 38 30 40 30 – www.le-relais-de-la-poste.com – le-relais-de-la-poste@wanadoo.fr – Fax 02 38 30 47 79
41 ch – †54 € ††59 €, ⌧ 8 € – ½ P 60 €
Rest – *(fermé dim. soir)* Menu 18/32 € – Carte 30/48 €
• Cette grande bâtisse du centre-ville, jadis relais de poste, abrite des chambres de bonne ampleur, toutes lambrissées et garnies de meubles rustiques. Boiseries blondes et cheminée rendent la salle à manger très chaleureuse. Cuisine traditionnelle.

Aux Saveurs Lointaines
1 pl. Martroi – ✆ 02 38 30 18 18 – auxsaveurslointaines.com – hsnguyen55@gmail.com – Fermé dim. soir et lundi
Rest – Menu 14 € (déj. en sem.) – Carte 14/25 €
• Rideaux en bambou, objets en paille tressée et mobilier en teck et fer forgé décorent ce restaurant familial dédié à la cuisine vietnamienne. Spécialités de fruits exotiques.

PIZAY – 69 Rhône – 327 H3 – rattaché à Belleville

PLAGE DE CALALONGA – 2A Corse-du-Sud – 345 E11 – voir à Corse (Bonifacio)

PLAILLY – 60 Oise – 305 G6 – 1 646 h. – alt. 100 m – ⊠ 60128 19 C2

▷ Paris 40 – Beauvais 69 – Chantilly 16 – Compiègne 46 – Meaux 36 – Pontoise 48 – Senlis 16

La Gentilhommière VISA ©© AE
25 r. Georges Bouchard, (derrière l'église) – ℰ 03 44 54 30 20 – http://lagentil hommiere-plailly.neuf.fr – alain.gouraud@wanadoo.fr – Fax 03 44 54 31 27
– Fermé 4-25 août, 23 fév.-9 mars, sam. midi, dim. soir, lundi et mardi
Rest – Menu 25 € (déj. en sem.), 34/44 € – Carte 52/62 €

♦ Ex-relais de poste (17ᵉ s.) voisin du clocher. Cheminée, poutres et cuivres soulignent le caractère rustique de la salle à manger. Carte traditionnelle et suggestions du jour.

LA PLAINE-SUR-MER – 44 Loire-Atlantique – 316 C5 – 2 517 h. 34 A2
– alt. 26 m – ⊠ 44770

▷ Paris 438 – Nantes 58 – Pornic 9 – St-Michel-Chef-Chef 7 – St-Nazaire 28
🛈 Office de tourisme, square du Fort Gentil ℰ 02 40 21 52 52
◉ Pointe de St-Gildas ★ O : 5 km, **Poitou Vendée Charentes**

Anne de Bretagne (Philippe Vételé)
au Port de Gravette, 3 km au Nord-Ouest – ℰ 02 40 21 54 72 VISA ©© AE
– www.annedebretagne.com – bienvenue@annedebretagne.com
– Fax 02 40 21 02 33 – Fermé de début janv. à mi-fév.
20 ch – †125/320 € ††135/320 €, ⊇ 18 € – ½ P 149/216 €
Rest – *(fermé mardi sauf le soir en saison, dim. soir de nov. à mars et lundi)*
Menu 55 € bc (déj. en sem.), 59/110 €

Spéc. Marinière de palourdes et couteaux. Dos de bar cuit à basse température. Dacquoise réglisse, marmelade d'orange. **Vins** Muscadet de Sèvre et Maine sur lie, Fiefs Vendéens.

♦ Cette maison blanche posée sur une dune abrite des chambres récemment refaites, au design épuré (très beaux meubles et tableaux contemporains). Vue mer ou jardin. Modernisme dépouillé du restaurant dont les baies plongent sur l'océan. Cuisine iodée et riche carte des vins.

PLAISIANS – 26 Drôme – 332 E8 – 183 h. – alt. 612 m – ⊠ 26170 44 B3

▷ Paris 690 – Carpentras 44 – Nyons 33 – Vaison-la-Romaine 27

Auberge de la Clue
pl. de l'Église – ℰ 04 75 28 01 17 – laclue@libertysurf.fr – Fax 04 75 28 29 17
– Ouvert 1ᵉʳ avril-18 oct., week-end et fériés de nov. à mars sauf fév. et fermé dim. soir sauf juil.-août et lundi
Rest – Menu 26/32 € – Carte 32/45 €

♦ Les adeptes de cette sympathique adresse viennent parfois de loin pour savourer sa goûteuse cuisine de terroir. Salle aux couleurs provençales, terrasse face au mont Ventoux.

PLANCOËT – 22 Côtes-d'Armor – 309 I3 – 2 934 h. – alt. 41 m – ⊠ 22130 10 C2

▷ Paris 417 – Dinan 17 – Dinard 20 – St-Brieuc 46 – St-Malo 46
🛈 Syndicat d'initiative, 1, rue des Venelles ℰ 02 96 84 00 57

Maxime et Jean-Pierre Crouzil et Hôtel L'Ecrin avec ch
20 les quais – ℰ 02 96 84 10 24
– www.crouzil.com – jean-pierre.crouzil@wanadoo.fr – Fax 02 96 84 01 93 – Fermé 1ᵉʳ-15 oct., 10 janv.-1ᵉʳ fév., dim. soir sauf juil.-août, mardi en juil.-août et lundi
7 ch – †75 € ††120/160 €, ⊇ 23 € – ½ P 85/145 €
Rest – *(prévenir le week-end)* Menu 25 € (sem.)/130 € – Carte environ 90 €

Spéc. Saint-Jacques dorées au sautoir, tomates confites au basilic. Homard breton rôti, brûlé au lambic. Soufflé chaud aux poires et sorbet williamine.

♦ Plancoët, une ville connue pour son eau minérale et... son hostellerie du siècle dernier. Cuisine bretonne servie dans une salle à manger élégante. Boutique de produits maison. Côté hôtel, des chambres classiques, cossues et d'une tenue excellente.

PLAN-DE-CUQUES – 13 Bouches-du-Rhône – 340 H5 – rattaché à Marseille

PLAN-DE-LA-TOUR – 83 Var – 340 O5 – 2 524 h. – alt. 69 m — ✉ 83120
41 **C3**

▶ Paris 859 – Cannes 68 – Draguignan 36 – Fréjus 28 – St-Tropez 24 – Ste-Maxime 10
🛈 Office de tourisme, 1, rue du 19 mars 1962 ✆ 04 94 43 01 50, Fax 04 94 43 75 08

Mas des Brugassières sans rest
1,5 km au Sud par rte de Grimaud – ✆ 04 94 55 50 55
– www.mas-des-brugassieres.com – mas.brugassieres@free.fr
– Fax 04 94 55 50 51 – Ouvert 10 avril-25 nov.
12 ch – †75/90 € ††80/98 €, ⊇ 9 €

◆ Joli mas au cœur des Maures. Les chambres, personnalisées, sont décorées avec goût dans la note provençale. Certaines disposent d'une terrasse ; d'autres ouvrent sur le jardin.

PLAN-DU-VAR – 06 Alpes-Maritimes – 341 E4 – ✉ 06670 Levens
41 **D2**

▶ Paris 941 – Antibes 38 – Cannes 48 – Nice 32 – Puget-Théniers 35 – Vence 26
◉ Gorges de la Vésubie★★★ NE – Défilé du Chaudan★★ N : 2 km.
◉ Bonson : site★, ≤★★ de la terrasse de l'église, **▌Côte d'Azur**

Cassini
231 av. Porte des Alpes, D 6202 – ✆ 04 93 08 91 03 – www.restaurantcassini.com
– restaurantcassini@wanadoo.fr – Fax 04 93 08 45 48
– Fermé 10-25 nov.,10-25 fév., mardi soir, merc. soir, jeudi soir du 15 sept. au 15 juin, dim. soir et lundi
Rest – Menu (19 €), 39/68 € bc – Carte 29/58 €

◆ Sur la traversée du village, auberge tenue en famille depuis quatre générations. Salon séparé, bar et terrasse ont été rénovés pour passer le cap des 80 ans. Choix traditionnel.

PLANGUENOUAL – 22 Côtes-d'Armor – 309 G3 – 1 736 h. – alt. 76 m — ✉ 22400
10 **C2**

▶ Paris 449 – Rennes 96 – Saint-Brieuc 19 – Saint-Malo 89 – Plérin 21

Manoir de la Hazaie sans rest
2,5 km au Sud-Est par D 59 – ✆ 02 96 32 73 71 – www.manoir-hazaie.com
– manoir.hazaie@wanadoo.fr – Fax 02 96 32 79 72
6 ch – †116/130 € ††130/240 €, ⊇ 14 €

◆ Une bonne adresse pour se mettre au vert que ce manoir en granit du 16ᵉ s. dans son parc arboré. Chambres au meubles de style où chaque détail est soigné (baignoires balnéo).

PLANPRAZ – 74 Haute-Savoie – 328 O5 – rattaché à Chamonix-Mont-Blanc

PLAPPEVILLE – 57 Moselle – 307 H4 – rattaché à Metz

PLATEAU-D'ASSY – 74 Haute-Savoie – 328 N5 – ✉ 74480
46 **F1**
▌Alpes du Nord

▶ Paris 597 – Annecy 83 – Bonneville 41 – Chamonix-Mont-Blanc 23 – Megève 20
🛈 Office de tourisme, 1133, av. Jacques Arnaud ✆ 04 50 58 80 52, Fax 04 50 93 83 74
◉ ❋★★★ - Église★ : décoration★★ - Pavillon de Charousse ❋★★ O : 2,5 km puis 30 mn - Lac Vert★ NE : 5 km - Plaine-Joux ≤★★ NE : 5,5 km.

Tourisme sans rest
6 r. d'Anterne ✉ 74190 – ✆ 04 50 58 80 54 – www.hotel-letourisme.com
– hotel.le.tourisme@wanadoo.fr – Fax 04 50 93 82 11 – Fermé 25 juin-10 juil., 23 oct.-13 nov. et merc.
15 ch – †25 € ††32/49 €, ⊇ 6 €

◆ Cet hôtel-bar-P.M.U. propose des chambres simples et bien tenues, dont la moitié ouvre sur le Mont-Blanc. Plaisante terrasse panoramique où l'on petit-déjeune l'été.

PLAZAC – 24 Dordogne – 329 H5 – 686 h. – alt. 110 m – ⊠ 24580   4 D1

▶ Paris 530 – Bordeaux 170 – Périgueux 38 – Brive-la-Gaillarde 60 – Sarlat-la-Canéda 35

Béchanou

4 km au Nord par D 6 et rte secondaire – ℰ 05 53 50 39 52 – www.bechanou.com – info@bechanou.com

5 ch ⊇ – †80 € ††90 €   **Table d'hôte** – Menu 25 € bc

♦ Vieille demeure en pierre située au bout d'un chemin pentu, qui offre tranquillité et panorama de choix sur la vallée. Chambres sobres, préservant le cadre du lieu. Piscine. Alléchante cuisine familiale servie dans une salle à manger rustique ou en terrasse.

PLÉLO – 22 Côtes-d'Armor – 309 E3 – 2 631 h. – alt. 110 m – ⊠ 22170   10 C1

▶ Paris 470 – Lannion 54 – Rennes 118 – Saint-Brieuc 22

Au Char à Bancs avec ch

Moulin de la ville Geffroy, 1 km au Nord par D 84 – ℰ 02 96 74 13 63 – www.aucharabanc.com – charabanc@wanadoo.fr – Fax 02 96 74 13 03 – Fermé janv.

5 ch ⊇ – †60/80 € ††65/90 €

Rest – *(fermé en sem. hors saison et le mardi en juil.-août)* Carte 15/25 €

♦ L'auberge vous réserve un accueil familial autour de sa table en bois massif. On y sert une cuisine concoctée avec les produits de la ferme (potée mijotée dans la cheminée...). Chambres cosy, logées sous des poutres séculaires, et jolies salles de bain rétro.

PLÉNEUF-VAL-ANDRÉ – 22 Côtes-d'Armor – 309 G3 – 3 895 h. – alt. 52 m – Casino : la Rotonde au Val-André – ⊠ 22370   10 C1

▶ Paris 446 – Dinan 43 – Erquy 9 – Lamballe 16 – St-Brieuc 28 – St-Cast 30 – St-Malo 51

🛈 Office de tourisme, 1, rue Winston Churchill ℰ 02 96 72 20 55, Fax 02 96 63 00 34

🏌 de Pleneuf-Val-André Rue de la plage des Vallées, E : 1 km par D 515, ℰ 02 96 63 01 12

au Val-André 2 km à l'Ouest – ⊠ 22370 Pléneuf-Val-André   Bretagne

◉ Pointe de Pléneuf★ N 15 mn - Le tour de la Pointe de Pléneuf ≤★★ N 30 mn.

Georges sans rest

131 r. Clemenceau – ℰ 02 96 72 23 70 – www.partouche.fr – hotel-georges@ g-partouche.fr – Fax 02 96 72 23 72 – Ouvert fin-mars-10 nov., vacances de Noël et de fév.

24 ch – †64/81 € ††74/91 €, ⊇ 9 €

♦ Cet hôtel, situé au centre de la station balnéaire, dispose de chambres simples, claires et fonctionnelles. L'ensemble est décoré dans un style actuel.

Grand Hôtel du Val André

80 r. Amiral Charner – ℰ 02 96 72 20 56 – www.grand-hotel-val-andre.fr – monsejour@grand-hotel-val-andre.fr – Fax 02 96 63 00 24 – Fermé 2-26 janv.

39 ch – †71/81 € ††85/106 €, ⊇ 10 € – ½ P 96/101 €

Rest – *(fermé mardi midi, dim. soir et lundi)* Menu (17 €), 29 € (sem.)/50 € – Carte 45/70 €

♦ Créé en 1895, cet hôtel face à la mer respire la tradition. Mobilier en rotin dans les chambres, régulièrement rajeunies. Lumineux restaurant et terrasse où vous aurez presque les pieds dans l'eau... Longue carte mettant à l'honneur les spécialités marines.

Au Biniou

121 r. Clemenceau – ℰ 02 96 72 24 35 – Fermé 7 déc.-7 janv., en fév., mardi et merc. sauf juil.-août

Rest – Menu (17 €), 26/34 € – Carte 50/56 €

♦ Un décor contemporain vaguement marin, mais une cuisine personnelle tout en saveurs iodées, réalisée à partir des meilleurs poissons et coquillages. Ce Biniou-là sonne juste !

LE PLESSIS-PICARD – 77 Seine-et-Marne – **312** E4 – **voir à Paris, Environs** (Sénart)

PLESTIN-LES-GRÈVES – 22 Côtes-d'Armor – **309** A3 – 3 569 h. 9 **B1**
– alt. 45 m – ⊠ 22310 ■ Bretagne
- Paris 528 – Brest 79 – Guingamp 46 – Lannion 18 – Morlaix 24 – St-Brieuc 77
- Syndicat d'initiative, place de la Mairie ℘ 02 96 35 61 93, Fax 02 96 54 12 54
- Lieue de Grève★ - Corniche de l'Armorique★ N : 2 km.

Les Panoramas sans rest
rte Corniche Nord : 5,5 km par D 42 – ℘ 02 96 35 63 76 – www.lespanoramas.fr
– hotel.les.panoramas@wanadoo.fr – Fax 02 96 35 09 10 – Fermé 2 janv.-15 mars
13 ch – †35 € ††40/58 €, ⊇ 6 €
♦ Hôtel fonctionnel face au port de Beg Douar. Presque toutes les chambres sont dotées de bow-windows pour jouir du panorama sur la plage de St-Effalm et la côte des Bruyères.

PLEUDIHEN-SUR-RANCE – 22 Côtes-d'Armor – **309** K3 – 2 516 h. 10 **D2**
– alt. 62 m – ⊠ 22690
- Paris 395 – Rennes 59 – Saint-Brieuc 71 – Saint-Malo 22 – Granville 86

Manoir de St-Meleuc sans rest
St-Meleuc – ℘ 02 96 83 34 26 – www.manoir-de-saint-meleuc.com
– manoir_de_saint_meleuc@yahoo.fr
4 ch ⊇ – †95 € ††140/180 €
♦ Petit manoir du 15ᵉ s. bien rénové, au cœur d'un parc de 2,5 ha. Petit-déjeuner servi dans une grande salle avec pierres et poutres apparentes et chambres de style ancien.

PLÉVEN – 22 Côtes-d'Armor – **309** I4 – 597 h. – alt. 80 m – ⊠ 22130 10 **C2**
- Paris 431 – Dinan 24 – Dinard 28 – St-Brieuc 38 – St-Malo 34
- Ruines du château de la Hunaudaie★ SO : 4 km, ■ Bretagne

Manoir de Vaumadeuc sans rest
– ℘ 02 96 84 46 17 – www.vaumadeuc.com – manoir@vaumadeuc.com
– Fax 02 96 84 40 16 – Ouvert de Pâques à la Toussaint
13 ch – †80/175 € ††105/210 €, ⊇ 12 €
♦ Manoir du 15ᵉ s. niché dans un parc. Boiseries, cheminée et meubles de style composent un majestueux décor de caractère ; les chambres du 2ᵉ étage sont cosy et mansardées.

PLEYBER-CHRIST – 29 Finistère – **308** H3 – 2 882 h. – alt. 131 m 9 **B1**
– ⊠ 29410 ■ Bretagne
- Paris 548 – Brest 55 – Châteaulin 47 – Morlaix 12 – Quimper 67 – St-Pol-de-Léon 26

De la Gare
2 r. Parmentier – ℘ 02 98 78 43 76 – www.hotel-pleyber.com – hotelgare@wanadoo.fr – Fax 02 98 78 49 78 – Fermé 22 déc.-14 janv. et dim. sauf juil.-août
8 ch – †50/53 € ††53/57 €, ⊇ 7,50 €
Rest – (fermé sam. midi et dim.) Menu 14 € (déj. en sem.), 21/38 €
– Carte 20/38 €
♦ Étape familiale pratique située face à la gare. Chambres fonctionnelles, peu spacieuses mais très bien tenues, et sympathique petit salon donnant sur un jardin. Le restaurant est ultra simple, mais la cuisine traditionnelle se révèle généreuse et les prix tout doux.

PLOBSHEIM – 67 Bas-Rhin – **315** K6 – **rattaché à Strasbourg**

PLOEMEUR – 56 Morbihan – **308** K8 – 18 700 h. – alt. 45 m – ⊠ 56270 9 **B2**
- Paris 509 – Concarneau 51 – Lorient 6 – Quimper 68 – Vannes 65
- Office de tourisme, 25, place de l'Église ℘ 02 97 85 27 88
- de Ploemeur-Océan Saint Jude Kerham, O : 8 km par D 162, ℘ 02 97 32 81 82

1475

PLOEMEUR

Le Haut du Panier
20 bd de L'Atlantique, Le Courégant, 3 km au Sud par D 152 – ℰ 02 97 82 88 60
– lehautdupanier@yahoo.fr – Fermé vacances de la Toussaint, mardi d'oct. à mai et merc.
Rest – Carte 33/50 €

♦ Ce panier-là contient de beaux produits de saison, proposés à l'ardoise, que l'on déguste dans une salle actuelle ou sur une délicieuse terrasse face à la plage. Bon accueil.

à Lomener 4 km au Sud par D 163 – ✉ 56270 Ploemeur

Le Vivier
9 r. de Bergervir – ℰ 02 97 82 99 60 – www.levivier-lomener.com – info@levivier-lomener.com – Fax 02 97 82 88 89 – Fermé 27 déc.-4 janv.
14 ch – †76/94 € ††88/106 €, ☑ 9 € – ½ P 92/100 €
Rest – (fermé dim. soir sauf juil.-août) Menu 25 € (sem.)/46 € – Carte 38/60 €

♦ Cette maison ancrée sur un rocher semble vouée à Neptune : superbe vue sur l'océan et l'île de Groix depuis les chambres modernes et accueillantes (deux avec terrasse). Le restaurant, qui a presque les pieds dans l'eau, privilégie les produits de la pêche.

PLOËRMEL – 56 Morbihan – 308 Q7 – 7 525 h. – alt. 93 m – ✉ 56800   10 C2
▸ Paris 417 – Lorient 88 – Loudéac 47 – Rennes 68 – Vannes 46
🛈 Office de tourisme, 5, rue du Val ℰ 02 97 74 02 70, Fax 02 97 73 31 82
⛳ du Lac-au-Duc Le Clos Hazel, N : 2 km par D 8, ℰ 02 97 73 64 64

Le Roi Arthur
au lac au Duc : 1,5 km par D 8 – ℰ 02 97 73 64 64
– www.hotelroiarthur.com – info@hotelroiarthur.com – Fax 02 97 73 64 50
– Fermé vacances de fév.
46 ch – †83/164 € ††96/204 €, ☑ 13 € – ½ P 88/141 €
Rest – Menu (21 €), 33/45 € – Carte 34/51 €

♦ En quête du Graal ? Il se cache peut-être ici, entre le lac et le golf. Choisissez une des chambres récemment rénovées, confortables et d'esprit actuel. Clin d'œil à la légende : prenez place autour d'une table ronde pour déguster des plats bien de notre temps.

PLOGOFF – 29 Finistère – 308 D6 – 1 388 h. – alt. 70 m – ✉ 29770   9 A2
▸ Paris 610 – Audierne 11 – Douarnenez 32 – Pont-l'Abbé 43 – Quimper 48

Ker-Moor
plage du Loch, 2,5 km rte d'Audierne – ℰ 02 98 70 62 06
– www.hotel-kermoor.com – kermoor.h.rest@wanadoo.fr – Fax 02 98 70 32 69
– Fermé 7 janv.-12 fév. – **12 ch** – †50/85 € ††50/85 €, ☑ 9 € – ½ P 68/88 €
Rest – (fermé dim. soir et lundi hors saison) Menu (17 €), 19 € (sem.)/45 €
– Carte 25/80 €

♦ Seule la route sépare cette maison néo-bretonne de l'océan. Le mobilier et la vue varient selon les chambres ; certaines ont même une terrasse orientée vers les flots. Goûtez le ragoût de homard au cidre, spécialité maison (à réserver de préférence), tout en admirant la baie d'Audierne.

PLOMBIÈRES-LES-BAINS – 88 Vosges – 314 G5 – 1 936 h.   27 C3
– alt. 429 m – Stat. therm. : mi mars-mi nov. – Casino – ✉ 88370
Alsace Lorraine

▸ Paris 378 – Belfort 79 – Épinal 38 – Gérardmer 43 – Vesoul 54 – Vittel 61
🛈 Office de tourisme, 1, place Maurice Janot ℰ 03 29 66 01 30,
Fax 03 29 66 01 94
◉ La Feuillée Nouvelle ≤★ 5 km - Vallée de la Semouse★.

Le Prestige Impérial
av. des Etats-Unis – ℰ 03 29 30 07 07 – www.plombieres-les-bains.com
– residences.napoleon@plombieres-les-bains.com – Fax 03 29 30 07 08
80 ch – †80 € ††136 €, ☑ 11 € – 2 suites – ½ P 103 €
Rest – Menu 24 € (sem.)/48 € – Carte 30/51 €

♦ On entre dans cet hôtel Napoléon III – relié aux thermes de la ville – par un hall lumineux, sous une immense verrière. Chambres d'esprit Art déco. Le restaurant, entièrement rénové, propose une cuisine au goût du jour.

PLOMEUR – 29 Finistère – **308** F7 – 3 351 h. – alt. 33 m – ⊠ 29120 9 **A2**
▌Bretagne

▶ Paris 579 – Douarnenez 39 – Pont-l'Abbé 6 – Quimper 26

🛈 Office de tourisme, 1, place de l'Église ℰ 02 98 82 09 05

La Ferme du Relais Bigouden sans rest
à Pendreff, rte Guilvinec : 2,5 km – ℰ 02 98 58 01 32 – www.hotel-bigouden.com
– Fax 02 98 82 09 62 – Fermé 1ᵉʳ déc.-15 janv.
16 ch – †54 € ††58 €, ⊡ 8 €
♦ Ancienne ferme du pays bigouden abritant des chambres sobres et confortables, toutes tournées vers le jardin. La salle des petits-déjeuners a conservé son cachet d'origine.

PLOMODIERN – 29 Finistère – **308** F5 – 2 101 h. – alt. 60 m – ⊠ 29550 9 **A2**

▶ Paris 559 – Brest 60 – Châteaulin 12 – Crozon 25 – Douarnenez 18 – Quimper 28

🛈 Syndicat d'initiative, place de l'Église ℰ 02 98 81 27 37, Fax 02 98 81 59 91

◉ Retables ★ de la chapelle Ste-Marie-du-Ménez-Hom N : 3,5 km - Charpente ★ de la chapelle St-Côme NO : 4,5 km.

◉ Ménez-Hom ❋★★★ N : 7 km par D 47, ▌Bretagne

Pors-Morvan
3 km à l'Est par rte secondaire – ℰ 02 98 81 53 23 – www.porz-morvan.fr
– christian.nicolas19@wanadoo.fr – Fax 02 98 81 28 61 – Ouvert avril-oct., vacances de la Toussaint et de Noël
12 ch – †50 € ††50 €, ⊡ 6 € **Rest** – crêperie – Carte 10/25 €
♦ Les amoureux de la nature apprécieront cette ancienne ferme (1830) dont les dépendances abritent de petites chambres profitant du calme de la campagne. Joli jardin avec étang. Grange convertie en crêperie rustique (belles cheminée et charpente en bois).

Auberge des Glazicks (Olivier Bellin)
7 r. de la Plage – ℰ 02 98 81 52 32 – www.auberge-des-glazicks.com
– aubergedesglazicks@orange.fr – Fax 02 98 81 57 18 – Fermé 17-31 mars, 15 oct.-30 nov., lundi et mardi
Rest – Menu 48/150 € – Carte 102/141 €
Spéc. Langoustine rôtie en involtini de tête de cochon. Raviole de Saint-Jacques et foie gras (mi-sept. à mi-mars). Œufs à la neige version 2008.
♦ Cette ancienne maréchalerie offre une vue plongeante sur la baie de Douarnenez. On déguste une cuisine créative dans une coquette salle à manger où dominent le bleu et le blanc.

PLOUBALAY – 22 Côtes-d'Armor – **309** J3 – 2 488 h. – alt. 32 m 10 **C1**
– ⊠ 22650 ▌Bretagne

▶ Paris 412 – Dinan 18 – Dol-de-Bretagne 35 – Lamballe 36 – St-Brieuc 56 – St-Malo 15

◉ Château d'eau ❋★★ : 1 km NE.

De la Gare
4 r. Ormelets – ℰ 02 96 27 25 16 – restaurantdelagare3@wanadoo.fr
– Fax 02 96 82 63 22 – Fermé 23 juin-2 juil., 1ᵉʳ-15 oct., 15-28 fév., lundi soir et mardi soir de sept. à juin, mardi midi en juil.-août et merc.
Rest – Menu 25/52 € – Carte 38/60 €
♦ Cuisine actuelle "terre-mer", servie dans deux salles : esprit rustique pour l'une et vue sur le jardinet pour l'autre. Accueil et service avenants.

PLOUBAZLANEC – 22 Côtes-d'Armor – **309** D2 – rattaché à Paimpol

---

Grand luxe ou sans prétention ?
Les 🍴 et les 🏠 notent le confort.

PLOUER-SUR-RANCE – 22 Côtes-d'Armor – **309** J3 – **3 058 h.** – 10 **D2**
– alt. 62 m – ⊠ 22490 – Bretagne

▶ Paris 397 – Dinan 13 – Dol-de-Bretagne 20 – Lamballe 53 – St-Brieuc 70 – St-Malo 23

Manoir de Rigourdaine sans rest
(à Rigourdaine), 3 km par rte de Langrolay puis rte secondaire – ℰ 02 96 86 89 96
– www.hotel-rigourdaine.fr – hotel.rigourdaine@wanadoo.fr – Fax 02 96 86 92 46
– Ouvert de début avril à mi-nov.
19 ch – †68/82 € ††68/82 €, ⊇ 8 €
♦ Dominant l'estuaire de la Rance, ancienne ferme joliment restaurée où poutres ancestrales, cheminée et mobilier campagnard composent un décor de caractère. Calme garanti !

PLOUGASNOU – 29 Finistère – **308** I2 – **3 217 h.** – alt. 55 m 9 **B1**
– ⊠ 29630

▶ Paris 550 – Rennes 198 – Quimper 100 – Lannion 34 – Morlaix 17
🛈 Syndicat d'initiative, place du Général Leclerc ℰ 02 98 67 31 88, Fax 02 98 67 31 88

Ar Velin Avel
4 rte de Kerlevenez – ℰ 02 98 67 81 35 – www.arvelinavel.com
– arvelinavel@hotmail.com
4 ch – †135/270 € ††150/270 €, ⊇ 20 €
Table d'hôte – Menu 30/60 €
♦ Lieu d'exception réservant à ses hôtes un séjour de luxe : salon cossu, chambres thématiques (Asie, mer, romantisme), espace sauna-massage, site bucolique dominant la baie. À table, le client est roi : carte "terre et mer" étoffée ; petit-déjeuner haut de gamme (caviar parfois).

PLOUGASTEL-DAOULAS – 29 Finistère – **308** E4 – **12 900 h.** 9 **A2**
– alt. 113 m – ⊠ 29470 – Bretagne

▶ Paris 596 – Brest 12 – Morlaix 60 – Quimper 64
🛈 Office de tourisme, 4 bis, place du Calvaire ℰ 02 98 40 34 98, Fax 02 98 40 68 85
◉ Calvaire★★ - Site★ de la chapelle St-Jean NE : 5 km - Kernisi ※★ SO : 4,5 km.
◉ Pointe de Kerdéniel ※★★ SO : 8,5 km puis 15 mn.

Le Chevalier de l'Auberlac'h
5 r. Mathurin Thomas – ℰ 02 98 40 54 56 – chevalierauberlach@voila.fr
– Fax 02 98 40 65 16 – Fermé lundi sauf le midi en juil.-août et dim. soir
Rest – Menu 18 € (déj. en sem.), 24 € bc/41 € – Carte 30/47 €
♦ Vitraux, poutres, cheminée, lustre en fer forgé et armure soulignent l'orientation "médiévale" du décor du restaurant. Agréable petite terrasse d'été dans un jardin de curé.

PLOUGONVEN – 29 Finistère – **308** I3 – **3 199 h.** – alt. 176 m 9 **B1**
– ⊠ 29640 – Bretagne

▶ Paris 535 – Lannion 38 – Morlaix 12 – Rennes 183

La Grange de Coatélan
Coatélan, 4 km à l'Ouest par D 109 – ℰ 02 98 72 60 16
– www.lagrangedecoatelan.com – la-grange-de-coatelan@wanadoo.fr
– Fax 02 98 72 60 16 – Fermé vacances de Noël
5 ch ⊇ – †42/60 € ††50/70 €
Table d'hôte – (prévenir) Menu 22/24 €
♦ Située en pleine campagne, cette ferme bretonne du 16ᵉ s. est gage de calme absolu. Chambres lambrissées, de tailles éclectiques, aménagées dans les dépendances. À table, cuisine du terroir (menu unique) servie dans le cadre rustique d'une ancienne grange.

PLOUGOUMELEN – 56 Morbihan – **308** N9 – 2 083 h. – alt. 27 m 9 **A3**
– ⊠ 56400

▶ Paris 475 – Vannes 14 – Auray 10 – Lorient 49

Crêperie de Keroyal
3 imp. Keroyal, 1 km à l'Ouest par rte secondaire – ℰ 02 97 24 03 81
– www.creperie-keroyal.com – creperie-keroyal@wanadoo.fr – Fax 02 97 24 03 81
– *Fermé 9 mars-2 avril, 2 nov.-17 déc., lundi hors saison et mardi midi*
Rest – Carte 10/18 €
◆ Cette ex-chaumière au décor rustique surplombe le ria du Sal. On s'y régale de galettes et de crêpes essentiellement préparées avec des produits bio. Jeux d'enfants.

PLOUGRESCANT – 22 Côtes-d'Armor – **309** C1 – 1 402 h. – alt. 53 m 9 **B1**
– ⊠ 22820 ▌Bretagne

▶ Paris 514 – Guingamp 38 – Lannion 23 – Rennes 162

Manoir de Kergrec'h sans rest
– ℰ 02 96 92 59 13 – www.manoirdekergrech.com – kergrec.h@wanadoo.fr
– Fax 02 96 92 51 27
8 ch ⊡ – †100 € ††110 €
◆ Ancien manoir épiscopal (17ᵉ s.) au milieu d'un parc majestueux dégringolant jusqu'à la mer. Salon cossu, chambres dotées de meubles familiaux. Petit-déjeuner soigné (cheminée).

PLOUHARNEL – 56 Morbihan – **308** M9 – 1 865 h. – alt. 21 m 9 **B3**
– ⊠ 56340 ▌Bretagne

▶ Paris 492 – Rennes 141 – Vannes 32 – Lorient 50 – Lanester 44
🛈 Office de tourisme, rond-point de l'Océan ℰ 02 97 52 32 93, Fax 02 97 52 49 87

Carnac Lodge sans rest
Kerhueno – ℰ 02 97 58 30 30 – www.carnaclodge.com – contact@carnaclodge.com – Fax 02 97 58 31 33 – *Fermé 5 janv.-5 fév.*
20 ch – †65/135 € ††65/135 €, ⊡ 9 €
◆ Entre Carnac et Plouharnel, cet hôtel, situé dans un calme jardin, propose des chambres dont la décoration mélange habilement mobilier des années 1980 et touches actuelles.

PLOUIDER – 29 Finistère – **308** F3 – 1 871 h. – alt. 74 m – ⊠ 29260 9 **A1**

▶ Paris 582 – Brest 36 – Landerneau 21 – Morlaix 46 – St Pol de Léon 28

La Butte
10 r. de la Mer – ℰ 02 98 25 40 54 – www.labutte.fr – info@labutte.fr
– Fax 02 98 25 44 17 – *Fermé 28 janv.-21 fév.*
22 ch – †60/112 € ††65/116 €, ⊡ 12 € – ½ P 72/104 €
Rest – *(fermé dim. soir et lundi)* Menu 24 € (sem.)/68 € – Carte 35/97 €
◆ Cette construction récente abrite des chambres de bonne ampleur, fonctionnelles et bien tenues. Celles qui donnent sur le jardin profitent de la vue sur la baie de Goulven. À table, la cuisine traditionnelle valorise les produits de la mer et du terroir.

PLOUIGNEAU – 29 Finistère – **308** I3 – 4 278 h. – alt. 156 m – ⊠ 29610 9 **B1**

▶ Paris 530 – Rennes 177 – Quimper 96 – Lannion 32 – Morlaix 14

Manoir de Lanleya sans rest
manoir de Lanleya, 4 km au Nord par D 64 et rte secondaire – ℰ 02 98 79 94 15
– www.manoir-lanleya.com – manoir.lanleya@wanadoo.fr – Fax 02 98 79 94 15
5 ch ⊡ – †66 € ††71 €
◆ Ce manoir du 16ᵉ s. (non-fumeurs) a été remarquablement restauré : jolies chambres meublées d'ancien, courette fleurie et délicieux jardin longé par une rivière... Accueil charmant.

PLOUMANACH – 22 Côtes-d'Armor – **309** B2 – rattaché à Perros-Guirec

PLUVIGNER – 56 Morbihan – **308** M8 – 6 315 h. – alt. 87 m – ⊠ 56330   10 **C2**
- Paris 482 – Rennes 131 – Vannes 36 – Lorient 38 – Lanester 33
- Syndicat d'initiative, place Saint-Michel ✆ 02 97 24 79 18, Fax 02 97 24 92 44

Domaine de Kerbarh
r. de Kerbarh, rte de Ste Anne – ✆ 02 97 59 40 15 – www.domaine-dekerbarh.com
– accueil@domaine-dekerbarh.com – Fax 02 97 59 40 15
5 ch – †100/280 € ††100/280 €, ⊐ 15 €
Table d'hôte – Menu 30 € bc
♦ Cette ferme rénovée propose des chambres personnalisées (tons vifs, mobilier oriental, équipements high-tech, poêle à bois). Pour la détente : sauna, hammam, jacuzzi, piscine. Petit-déjeuner copieux à la manière d'un brunch et table d'hôte traditionnelle le soir.

LE POËT-LAVAL – 26 Drôme – **332** D6 – rattaché à Dieulefit

POGGIO-MEZZANA – 2B Haute-Corse – **345** F5 – voir à Corse

LE POINÇONNET – 36 Indre – **323** G6 – rattaché à Châteauroux

POINCY – 77 Seine-et-Marne – **312** G2 – rattaché à Meaux

POINTE DE MOUSTERLIN – 29 Finistère – **308** G7 – rattaché à Fouesnant

POINTE DE ST-MATHIEU – 29 Finistère – **308** C5 – rattaché au Conquet

POINTE DU GROUIN – 35 Ille-et-Vilaine – **309** K2 – rattaché à Cancale

POINTE-DU-RAZ ★★★ – 29 Finistère – **308** C6 – ⊠ 29770 Plogoff   9 **A2**
Bretagne
- Paris 614 – Douarnenez 37 – Pont-l'Abbé 48 – Quimper 53
- ※★★.

à La Baie des Trépassés par D 784 et rte secondaire : 3,5 km
– ⊠ Cleden Cap Sizun

De La Baie des Trépassés
– ✆ 02 98 70 61 34 – hoteldelabaie@aol.com – Fax 02 98 70 35 20 – Ouvert 15 fév.-10 nov.
27 ch – †39/77 € ††39/77 €, ⊐ 11 € – ½ P 62/81 €
Rest – (fermé lundi du 15 sept. au 15 juin sauf vacances scolaires) Menu 20/60 € – Carte 35/85 €
♦ Site colonisé le jour par les touristes, mais tranquille le soir. Réservez de préférence une chambre tournée vers les flots. Celles du 2ᵉ étage sont mansardées. Les tables du restaurant contemplent la pointe du Raz. Cuisine traditionnelle inspirée par la mer.

POINT-SUBLIME – 04 Alpes-de-Haute-Provence – **334** G10   41 **C2**
– ⊠ 04120 Rougon Alpes du Sud
- Paris 803 – Castellane 18 – Digne-les-Bains 71 – Draguignan 53 – Manosque 76
- ≤★★★ sur Grand Canyon du Verdon 15 mn - Couloir Samson★★ S : 1,5 km - Rougon ≤★ N : 2,5 km - Clue de Carejuan★ E : 4 km.
- Belvédères SO : de l'Escalès★★★ 9 km, de Trescaïre★★ 8 km, du Tilleul★★ 10 km, des Glacières★★ 11 km, de l'Imbut★★ 13 km.

POINT-SUBLIME

✗ **Auberge du Point Sublime** avec ch ⇐ 🈯 ⇋ 🈲 rest, 🅿 VISA 🟠
D 952 – ✆ 04 92 83 60 35 – pointsublime@nordnet.fr – Fax 04 92 83 74 31
– Ouvert de Pâques à mi-oct.
13 ch – ♦61 € ♦♦61 €, ⚏ 8 € – ½ P 60 €
Rest – (fermé jeudi midi sauf 14 juil.-15 août et merc.) Menu (16 €), 23/31 €
– Carte environ 44 €
♦ À proximité du belvédère, sympathique auberge familiale dont la cuisine fleure bon le terroir. Cadre rustique (comptoir rétro à souhait), terrasse ombragée. Chambres simples.

POISSON – 71 Saône-et-Loire – **320** E11 – rattaché à Paray-le-Monial

---

Ne confondez pas les couverts ✗ et les étoiles ✫ !
Les couverts définissent une catégorie de standing, tandis que l'étoile couronne les meilleures tables, dans chacune de ces catégories.

POITIERS 🅿 – 86 Vienne – **322** H5 – 89 200 h. – Agglo. 119 371 h. 39 **C1**
– alt. 116 m – ⌧ 86000 ▌ **Poitou Vendée Charentes**

▶ Paris 335 – Angers 134 – Limoges 126 – Nantes 215 – Niort 76 – Tours 102
✈ de Poitiers-Biard-Futuroscope : ✆ 05 49 30 04 40 AV.
🅘 Office de tourisme, 45, place Charles-de-Gaulle ✆ 05 49 41 21 24,
Fax 05 49 88 65 84
⛳ de Poitiers à Mignaloux-Beauvoir 635 route de Beauvoir, par rte de Lussac-les-Châteaux : 8 km, ✆ 05 49 55 10 50
⛳ du Haut-Poitou à Saint-Cyr Parc des Loisirs de Saint Cyr, par rte de Châtellerault : 22 km, ✆ 05 49 62 53 62
◉ Église N.-D.-la-Grande★★ : façade★★★ - Église St-Hilaire-le-Grand★★ - Cathédrale St-Pierre★ - Église Ste-Radegonde★ **D** - Baptistère St-Jean★ - Grande salle★ du Palais de Justice **J** - Boulevard Coligny ⇐★ - Musée Ste-Croix★★ - Statue N-D-des-Dunes : ⇐★.
🌲 Parc du Futuroscope★★★ : 12 km par ①.

Plans pages suivantes

🏨 **Le Grand Hôtel** sans rest 🈯 🛗 ♿ AC 🛜 🈯 🚗 VISA 🟠 AE ①
28 r. Carnot – ✆ 05 49 60 90 60 – www.grandhotelpoitiers.fr
– grandhotelpoitiers@wanadoo.fr – Fax 05 49 62 81 89 CZ **k**
41 ch – ♦68/70 € ♦♦78/86 €, ⚏ 12 € – 6 suites
♦ Central mais bénéficiant du calme d'une cour, l'hôtel présente un chaleureux cadre d'esprit Art déco. Chambres confortables et grande terrasse où l'on petit-déjeune en été.

🏨 **De l'Europe** sans rest 🚗 🛗 ♿ 🛜 🈯 🅿 🚗 VISA 🟠 AE
39 r. Carnot – ✆ 05 49 88 12 00 – www.hotel-europe-poitiers.com
– reservations@hotel-europe-poitiers.com – Fax 05 49 88 97 30
– Fermé 24 déc.-3 janv. CZ **n**
88 ch – ♦54/85 € ♦♦60/89 €, ⚏ 8 €
♦ À deux pas des rues piétonnes, trois bâtiments répartis autour d'une cour intérieure (le plus vieux date de 1810). Chambres de divers styles : contemporain, Louis-Philippe, oriental, etc.

🏠 **Come Inn** 🈯 🏋 ♿ ch, ⇋ 🈲 rest, 🛜 🈯 🅿 VISA 🟠
⚭ 13 r. Albin Haller, (Z.I. République 2) – ✆ 05 49 88 42 42 – www.hotelcomeinn.com
– come-inn@wanadoo.fr – Fax 05 49 88 42 44 – Fermé 24 juil.-13 août et
24 déc.-5 janv. AV **d**
44 ch – ♦45 € ♦♦52 €, ⚏ 8 € **Rest** – (fermé sam. et dim.) Menu (13 €), 15 €
♦ Avec ses chambres sobres et fonctionnelles, cet hôtel constitue une adresse pratique dans une zone d'activité proche de l'autoroute Aquitaine. Menu traditionnel servi dans une salle de restaurant au décor actuel.

POITIERS

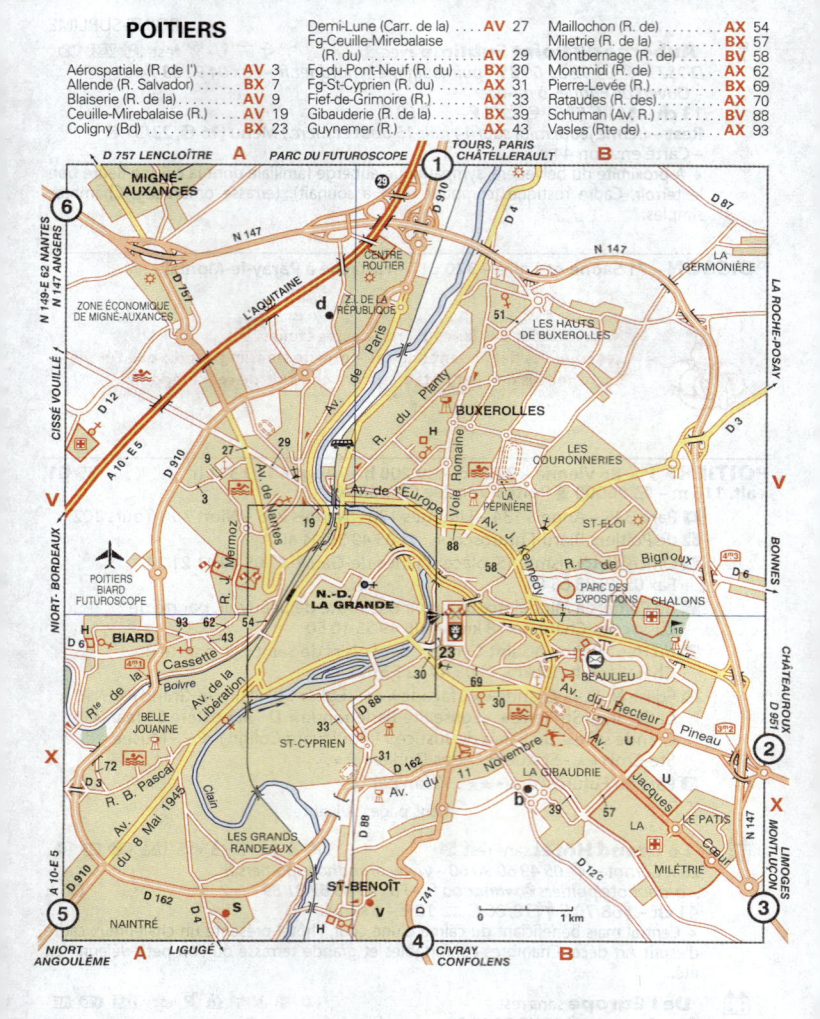

	Demi-Lune (Carr. de la) .... **AV** 27	Maillochon (R. de) .... **AX** 54
	Fg-Ceuille-Mirebalaise	Miletrie (R. de la) .... **BX** 57
Aérospatiale (R. de l') ..... **AV** 3	(R. du) .... **AV** 29	Montbernage (R. de) ..... **BV** 58
Allende (R. Salvador) ..... **BX** 7	Fg-du-Pont-Neuf (R. du) .. **AX** 30	Montmidi (R. de) .... **AV** 62
Blaiserie (R. de la) .... **AV** 9	Fg-St-Cyprien (R. du) ..... **AX** 31	Pierre-Levée (R.) .... **BX** 69
Ceuille-Mirebalaise (R.) ... **AV** 19	Fief-de-Grimoire (R.) ..... **AX** 33	Rataudes (R. des) .... **AX** 70
Coligny (Bd) .... **BX** 23	Gibauderie (R. de la) ..... **BX** 39	Schuman (Av. R.) .... **BV** 88
	Guynemer (R.) .... **AX** 43	Vasles (Rte de) .... **AX** 93

🏠 **Gibautel** sans rest   ♿ 🅿 VISA MC ⓘ
2 r. de la Providence – ℰ *05 49 46 16 16 – hotel.gibautel@wanadoo.fr*
– Fax 05 49 46 85 97   BX **b**
36 ch – †47/49 € ††52/54 €, ⊇ 6 €
♦ Chambres simples, formules buffets pour les petits-déjeuners et prix serrés : une étape utile dans un quartier excentré comptant plusieurs établissements hospitaliers.

XX **Le Poitevin**   A/C VISA MC AE
76 r. Carnot – ℰ *05 49 88 35 04 – http://le-poitevin.fr*
– contact@le-poitevin.fr – Fax 05 49 52 88 05 – Fermé 18 avril-4 mai, 6-26 juil.,
23 déc.-4 janv. et dim. soir   CZ **r**
Rest – Menu (12 €), 26/40 € – Carte 35/60 €
♦ Dans une rue jalonnée par de nombreux commerces, restaurant composé de trois petites salles à manger, d'esprit rustique ou plus contemporain. Plats traditionnels et régionaux.

POITIERS

Abbé-Frémont (Bd)........ **DY** 2	Fg-du-Pont-Neuf............ **DZ** 30	Marché-Notre-Dame
Alexandre (R. J.)........... **DZ** 4	Gabillet (R. H.)............. **DY** 34	(R. du)................... **DYZ** 55
Blossac (R. de)............. **CZ** 10	Gambetta (R.)............... **DY** 35	Marne (R. de la)........... **CY** 56
Boncenne (R.)............. **CDY** 12	Gaulle (Pl. Ch.-de)......... **DY** 36	Mouton (R. du)............. **DY** 63
Bouchet (R. Jean).......... **DY** 14	Grand-Rue................... **DY**	Oudin (R. H.)............... **DY** 67
Bretonnerie (R. de la)...... **DY** 16	Grignon-de-Montfort	Puygarreau (R. du)........ **DZ** 70
Carnot (R.).................. **CZ** 17	(R.)........................ **DY** 40	Rat (R. Pierre).............. **DY** 71
Chaine (R. de la)........... **DY** 20	Hôtel-Dieu (R. de l')........ **DY** 45	Riffault (R.)................. **DY** 74
Champagne (R. de)........ **DY** 21	Intendant-le-Nain (R. de l').. **DY** 46	St-Cyprien (R.).............. **DY** 76
Clos-des-Carmes (Pl. du).. **DY** 22	Jeanne-d'Arc (Bd).......... **DY** 48	St-Germain (R.)............. **DY** 77
Coligny (Bd)................ **DZ** 23	Jean-de-Berry (Pl.)......... **DY** 47	Solférino (Bd).............. **DY** 89
Cordeliers (R. des)......... **DY** 25	Leclerc (Pl. du Mar.)........ **DZ** 49	Thezard (R. Léopold)....... **CZ** 90
Descartes (R. René)........ **DY** 28	Libération (Av. de la)....... **CZ** 50	Tison (Bd de).............. **CZ** 92
	Liberté (Av. de la)........... **BV** 51	Verdun (Bd de)............. **CY** 94
	Liberté (Pl. de la).......... **DY** 52	3-Rois (R. des).............. **DY** 95
	Macé (R. Jean).............. **DY** 53	125e-R.-I. (R. du)........... **CZ** 97

à Chasseneuil-du-Poitou 9 km par ① – ✉ 86360 Chasseneuil-du-Poitou
– 3 845 h. – alt. 75 m

🛈 Office de tourisme, place du Centre ✆ 05 49 52 83 64, Fax 05 49 52 59 31

Château Clos de la Ribaudière
10 r. du Champ de Foire, au village
– ✆ 05 49 52 86 66 – www.ribaudiere.com – ribaudiere@ribaudiere.com
– Fax 05 49 52 86 32
41 ch – †85/129 € ††106/152 €, ⚏ 13 € – ½ P 95/104 €
Rest – Menu 31/57 € – Carte 48/67 €

♦ Demeure du 19ᵉ s. et son parc au bord du Clain. Chambres spacieuses, bourgeoises côté "château", plus classiques dans les pavillons annexes. L'agréable salle à manger-véranda contemporaine et la terrasse donnent sur le jardin incluant un bassin. Cuisine au goût du jour.

POITIERS

Mercure Alisée
D 910, 14 r. du Commerce – ℰ 05 49 52 90 41 – h0425@accor.com
– Fax 05 49 52 51 72 – Fermé 21 déc.-4 janv.
80 ch – †75/88 € ††87/103 €, ⊆ 13 €
Rest *Les 3 Garçons* – ℰ 05 49 37 86 09 (fermé lundi soir, sam. midi et dim.)
Menu (10 €), 13 € (sem.)/24 € – Carte 26/37 €
♦ Les couloirs, décorés à la façon d'une rue pavée, vous conduisent à de grandes chambres fonctionnelles, dont une partie bénéficie du calme du jardin. Aux 3 Garçons, menus à l'ardoise, sympathique cadre d'esprit brasserie, salon cosy et belle bibliothèque.

Parc du Futuroscope 12 km par ① – ⊠ 86360 Chasseneuil-du-Poitou

Novotel Futuroscope
Téléport 4 – ℰ 05 49 49 91 91 – contact@novotel-futuroscope.biz
– Fax 05 49 49 91 90
115 ch – †100/110 € ††127/190 €, ⊆ 14 €   **Rest** – Menu 23/32 € – Carte 26/39 €
♦ Cette élégante construction en verre et acier est en parfaite symbiose avec l'environnement futuriste du parc. Chambres actuelles et fonctionnelles. La grande salle de restaurant ouverte sur la piscine et le piano-bar présente un décor évoquant le cinéma.

Plaza Futuroscope
av. du Futuroscope Téléport 1 – ℰ 05 49 49 07 07
– www.hotel-plaza-futuroscope.com – reservation@plaza-futuroscope.com
– Fax 05 49 49 55 49
274 ch ⊆ – †95/140 € ††105/150 €
Rest *Relais Plaza* – Menu (19 €), 26/32 € – Carte 33/49 €
♦ Une structure qui sied au séjour d'affaires autant qu'au tourisme. Hall imitant une gare, confortables chambres (accueil "VIP" possible) et espace de remise en forme. Cuisine traditionnelle et décor sobrement actuel au Relais Plaza.

Mercure Aquatis Futuroscope
av. Jean Monnet, Téléport 3 ⊠ 86962 – ℰ 05 49 49 55 00
– h2773@accor.com – Fax 05 49 49 55 01
140 ch – †79/89 € ††84/94 €, ⊆ 14 €
Rest – Menu (14 €), 18 € – Carte environ 25 €
♦ Une silhouette épurée contrastant avec les singulières architectures du Futuroscope. Chambres pratiques, plus spacieuses dans l'aile récente. Vaste restaurant orné de colonnes, arcades et statues ; plats traditionnels et petite carte "assiettes et rôtisserie".

Ibis Futuroscope
av. Thomas Edison – ℰ 05 49 49 90 00 – www.ibishotel.com – h1193@accor.com
– Fax 05 49 49 90 09
140 ch – †53/72 € ††53/72 €, ⊆ 8 €   **Rest** – Menu 19 €
♦ Chambres fonctionnelles, bar-salon confortable, salles de conférences... Cet Ibis séduira autant la clientèle d'affaires que les amoureux de la quatrième dimension. Côté table, décor marin et repas sous forme de buffets privilégiant les produits de l'océan.

à Lavoux 15 km par ② et D 1 – 1 103 h. – alt. 126 m – ⊠ 86800

Logis du Château du Bois Dousset
– ℰ 05 49 44 20 26 – mariediane1012@yahoo.fr – Fax 05 49 44 20 26
3 ch ⊆ – †70/80 € ††80/90 €   **Table d'hôte** – Menu 30 € bc
♦ Domaine familial de 400 ha comprenant un château, un magnifique jardin à la française et un pavillon Louis XIII. Dans ce dernier : confortables chambres de plain-pied et somptueuse suite. À table, vous dégusterez légumes du potager et spécialités du Poitou.

rte de Limoges 10 km par ③, N 147 et rte secondaire – ⊠ 86550 Mignaloux

Manoir de Beauvoir
635 rte de Beauvoir, au golf – ℰ 05 49 55 47 47
– www.manoirdebeauvoir.com – resa-poitiers@monalisahotels.com
– Fax 05 49 55 31 95
41 ch – †99 € ††99 €, ⊆ 12 € – 4 suites – ½ P 82 €
Rest – Menu 29 € – Carte 31/50 €
♦ Les chambres se trouvent dans la maison bourgeoise datant du 19e s., les appartements avec kitchenette dans la "résidence". Parc de 90 ha et golf de 18 trous. La table du Manoir vous donne le choix entre la salle habillée de boiseries et celle plus british du club-house.

POITIERS

à St-Benoît 4 km au Sud du plan par D 88 – 6 859 h. – alt. 77 m – ⊠ 86280
🛈 Office de tourisme, 18, rue Paul Gauvin ℰ 05 49 88 42 12, Fax 05 49 56 08 82

XXX **Passions et Gourmandises** (Richard Toix) ≤ 🈲 & ℅ ❖ 🅿️ VISA 🞅
❀ 6 r. du Square – ℰ 05 49 61 03 99 – www.passionsetgourmandises.com – info@
passionsetgourmandises.com – Fermé 2-11 janv., dim. soir,
merc. midi et lundi BX v
Rest – Menu (18 €), 25 € (déj. en sem.), 35/70 € – Carte 60/80 €
Spéc. Huîtres à l'échalote. Langoustine à la plancha légèrement fumée et sabayon de mangue (sept. à janv.). Tube croustillant chocolat-café et crème glacée au cognac (hiver). **Vins** Haut-Poitou rouge.
♦ Séduisante cuisine actuelle dans ce restaurant tout en longueur de l'espace, la clarté et la blancheur résument l'esprit contemporain. Belle terrasse au bord du ruisseau.

rte de Ligugé 4 km au Sud du plan par D 4 – ⊠ 86280 St-Benoît

XX **L'Orée des Bois** avec ch 📶 VISA 🞅 AE
13 r. de Naintré – ℰ 05 49 57 11 44 – oreedesbois@free.fr – Fax 05 49 43 21 40
⌘ – Fermé sam. midi, dim. soir et lundi AX s
12 ch – †47 € ††54 €, ⌴ 7 € – ½ P 59 €
Rest – Menu 17 € (sem.)/55 € – Carte environ 43 €
♦ Une maison tapissée de vigne vierge au cœur de la vallée du Clain. Cuisine traditionnelle servie dans deux salles à manger d'esprit campagnard. Chambres refaites, sobres et propres, dotées de mobilier rustique.

rte d'Angoulême 6 km par ⑤, sortie Hauts-de-Croutelle – ⊠ 86240 Croutelle

XXX **La Chênaie** 🈲 🈲 🅿️ VISA 🞅
Les Hauts de Croutelle, lieu dit La Berlanderie, r. du Lejat – ℰ 05 49 57 11 52
– www.la-chenaie.com – restaurantlachenaie@wanadoo.fr – Fax 05 49 57 11 51
– Fermé 20 juil.-9 août, vacances de fév., dim. soir et lundi
Rest – Menu 20/40 € – Carte 41/65 €
♦ Ancienne ferme joliment restaurée, située en léger retrait de la route. Salle à manger assez cossue ouvrant sur un jardin planté de chênes séculaires. Cuisine au goût du jour.

rte de Niort 7 km par ⑤ – ⊠ 86240 Ligugé

🏨 **Le Bois de la Marche** 🈲 🈲 ⌘ ℅ 🈲 & ch, 🄼 rest, ↔ 📶 🛋 🅿️
intersection N 10-D 611 – ℰ 05 49 53 10 10 VISA 🞅 AE ①
– www.bois-de-la-marche.com – boisdelamarche@wanadoo.fr
– Fax 05 49 55 32 25
53 ch – †62/78 € ††73/129 €, ⌴ 11 € – ½ P 69/89 €
Rest – Menu 22 € (sem.)/49 € – Carte 41/50 €
♦ À quelques tours de roue du "plus ancien monastère d'Occident" (Ligugé), vaste bâtiment et son parc arboré. Chambres refaites par étapes, souvent meublées dans le style Louis XV. Plats traditionnels et périgourdins servis sur l'immense terrasse aux beaux jours.

à Périgny 17 km par ⑥, N 149 et rte secondaire – ⊠ 86190 Vouillé

🏨 **Château de Périgny** 🈲 ≤ ⌘ 🈲 ⌐ ℅ 📶 🛋 🅿️ VISA 🞅 AE ①
40 r. des Coteaux – ℰ 05 49 51 80 43 – www.chateau-perigny.com – info@
chateau-perigny.com – Fax 05 49 51 90 09
43 ch – †78/128 € ††88/148 €, ⌴ 14 € – 1 suite – ½ P 88/96 €
Rest – Menu (18 €), 32/58 € – Carte 49/77 €
♦ Château Renaissance s'élevant dans un vaste parc. Jolies chambres meublées d'ancien, plus actuelles dans les dépendances. Le restaurant donne sur un ravissant patio où l'on dresse des tables à la belle saison. Recettes au goût du jour.

POLIGNY – 05 Hautes-Alpes – **334** E4 – 275 h. – alt. 1 062 m – ⊠ 05500 **41 C1**
🛈 Paris 658 – Gap 19 – Marseille 199 – Vizille 71

⛫ **Le Chalet des Alpages** ⌘ ↔ ℅ 📶 ⌘
Les Forestons, 1,5 km à l'Ouest – ℰ 04 92 23 08 95 – www.lechaletdesalpages.com
– lechaletdesalpages@gmail.com
5 ch ⌴ – †70/100 € ††90/120 € – ½ P 70/85 € **Table d'hôte** – Menu 25 € bc
♦ Belle propriété de 6 000 m² d'où l'on admire le col du Noyer, la barrière de Faraud et le Vieux Chaillol. Chambres d'esprit montagnard (parfois avec balcon), fitness, bain norvégien à l'extérieur. La cuisine mêle les saveurs locales à celles de la Provence.

POLIGNY – 39 Jura – 321 E5 – 4 377 h. – alt. 373 m – ✉ 39800   16 B3
Franche-Comté Jura

- Paris 397 – Besançon 57 – Dole 45 – Lons-le-Saunier 30 – Pontarlier 63
- Office de tourisme, 20, place des Déportés ℰ 03 84 37 24 21, Fax 03 84 37 22 37
- Collégiale★ - Culée de Vaux★ S : 2 km - Cirque de Ladoye ≤★★ S : 2 km.

aux Monts de Vaux Sud-Est : 4,5 km par rte de Genève – ✉ 39800 Poligny

◉ ≤★.

Hostellerie des Monts de Vaux
– ℰ 03 84 37 12 50 – www.hostellerie.com
– mtsvaux@hostellerie.com – Fax 03 84 37 09 07 – Fermé 27 oct.-28 déc., mardi sauf le soir en juil.-août et merc. midi
10 ch – †115/190 € ††125/250 €, ⊡ 15 € – ½ P 160/190 €
Rest – Menu 28 € (déj.), 33/80 € – Carte 44/74 €
♦ Dans un parc juché au-dessus de la "reculée" de Vaux, ancienne ferme-relais perpétuant depuis le 18ᵉ s. sa tradition d'hospitalité. Décor bourgeois. Chambres de caractère. Cuisine classique et du terroir valorisée par une très belle sélection de vins régionaux.

à Passenans Sud-Ouest : 11 km par D 1083 et D 57 – 300 h. – alt. 320 m – ✉ 39230

Revermont
600 rte de Revermont – ℰ 03 84 44 61 02 – www.domaine-du-revermont.fr
– schmit-revermont@wanadoo.fr – Fax 03 84 44 64 83 – Fermé 20 déc.-1ᵉʳ mars
28 ch – †67/99 € ††67/106 €, ⊡ 12 € – ½ P 69/89 €
Rest – Menu (16 €), 23/78 € bc – Carte 27/60 €
♦ Imposante construction des années 1970 bâtie à flanc de colline, face au vignoble. Chambres pratiques ; les plus agréables (avec balcon ou terrasse) donnent côté piscine. Salle à manger rustique (poutres, pierres, cheminée) et cuisine franc-comtoise actualisée.

POLLIAT – 01 Ain – 328 D3 – 2 336 h. – alt. 260 m – ✉ 01310   44 B1
- Paris 415 – Bourg-en-Bresse 12 – Lyon 74 – Mâcon 26 – Villefranche-sur-Saône 53

De la Place avec ch
51 pl. de la Mairie – ℰ 04 74 30 40 19 – hoteldelaplacepolliat@orange.fr
– Fax 04 74 30 42 34 – Fermé 24 juil.-14 août, 2-16 janv., dim. soir et lundi
7 ch – †47 € ††50 €, ⊡ 8 € – ½ P 52 €
Rest – (fermé jeudi soir, dim. soir et lundi) Menu 18 € (sem.)/54 € – Carte 27/47 €
♦ Un décor aux tons lumineux (mobilier rustique ou en fer forgé) où l'on sert, avec le sourire, une goûteuse et généreuse cuisine du terroir. Chambres rénovées.

POLMINHAC – 15 Cantal – 330 D5 – 1 156 h. – alt. 650 m – ✉ 15800   5 B3
- Paris 553 – Aurillac 15 – Murat 34 – Vic-sur-Cère 5
- Syndicat d'initiative, rue de la Gare ℰ 04 71 47 48 36, Fax 04 71 47 58 56

Au Bon Accueil
– ℰ 04 71 47 40 21 – www.hotel-bon-accueil.com – info@hotel-bon-accueil.com
– Fax 04 71 47 40 13 – Fermé 15 oct.-1ᵉʳ déc., dim. soir et lundi
23 ch – †38/48 € ††43/55 €, ⊡ 6,50 € – ½ P 38/45 €   **Rest** – Menu 11/26 €
♦ L'architecture est certes banale, mais l'adresse mérite bien son nom : sourire et amabilité sont au rendez-vous. Chambres nettes, avant tout pratiques. Le restaurant s'ouvre sur la vallée de la Cère et son cadre montagneux ; cuisine régionale.

> Comment choisir entre deux adresses équivalentes ?
> Dans chaque catégorie, les établissements sont classés
> par ordre de préférence : nos coups de cœur d'abord.

LA POMARÈDE – 11 Aude – **344** C2 – 166 h. – alt. 304 m – ⊠ 11400   22 **A2**
◘ Paris 728 – Auterive 49 – Carcassonne 49 – Castres 38 – Gaillac 72 – Toulouse 57

XXX **Hostellerie du Château de la Pomarède** (Gérald Garcia) avec ch
✿ *Château de la Pomarède*
– ℰ 04 68 60 49 69 – www.hostellerie-lapomarede.fr – hostellerie-lapomarede@wanadoo.fr – Fax 04 68 60 49 71 – Fermé 26 oct.-24 nov. et 15 janv.-15 mars
14 ch – †85/110 € ††150/225 €, ⊇ 18 €
Rest – *(fermé dim. soir de déc. à avril, lundi et mardi)* Menu (25 €), 42/89 € – Carte 68/92 €
Spéc. Bonbons de foie gras et ormeaux du Cotentin sauce aigre douce. Pommes de ris de veau, queues de langoustines et carottes fanes glacées. Pequillos farcis à la marmelade d'orange et fruits secs. **Vins** Malepère, Corbières.
♦ Élégante salle à manger sous poutres, terrasse panoramique et grandes chambres modernes dans la dépendance d'un château "cathare" du 11ᵉ s. Cuisine inventive et vins régionaux.

POMMERIT-JAUDY – 22 Côtes-d'Armor – **309** C2 – 1 152 h. – alt. 74 m – ⊠ 22450   9 **B1**
◘ Paris 510 – Rennes 157 – Saint-Brieuc 62 – Lannion 20 – Morlaix 73

⌂ **Château de Kermezen** sans rest
2 km à l'Ouest par rte secondaire – ℰ 02 96 91 35 75 – micheldekermel@kermezen.com – Fax 02 96 91 35 75
5 ch ⊇ – †85/90 € ††90/110 €
♦ Accueil parfait dans ce manoir familial au cœur d'un parc bucolique (avec une chapelle). Chambres soignées, salle des petits-déjeuners au mobilier rustique breton des 15ᵉ-16ᵉ s.

POMMEUSE – 77 Seine-et-Marne – **312** H3 – **rattaché à Coulommiers**

POMMIERS – 69 Rhône – **327** H4 – 2 109 h. – alt. 315 m – ⊠ 69480   43 **E1**
◘ Paris 442 – Lyon 32 – Villeurbanne 45 – Vénissieux 45 – Caluire-et-Cuire 36

X **Les Terrasses de Pommiers**
La Buisante – ℰ 04 74 65 05 27 – www.terrasses-de-pommiers.com – Fax 04 74 65 05 27 – Fermé 26 oct.-10 nov., 22 fév.-9 mars, lundi et mardi
Rest – Menu (19 € bc), 28/52 € – Carte 40/55 €
♦ Belle vue sur la vallée de la Saone et les monts du Lyonnais par les vitres de la serre parquetée où l'on s'attable en été. Salle hivernale "en dur". Carte actuelle de saison.

PONS – 17 Charente-Maritime – **324** G6 – 4 442 h. – alt. 39 m – ⊠ 17800   38 **B3**
▮ Poitou Vendée Charentes
◘ Paris 493 – Blaye 64 – Bordeaux 97 – Cognac 24 – La Rochelle 99 – Royan 43 – Saintes 22
🛈 Syndicat d'initiative, place de la République ℰ 05 46 96 13 31, Fax 05 46 96 34 52
◉ Donjon★ de l'ancien château - Hospice des Pèlerins★ SO par D 732 - Boiseries★ du château d'Usson 1 km par D 249.

De Bordeaux
1 av. Gambetta – ℰ 05 46 91 31 12 – www.hotel-de-bordeaux.com – info@hotel-de-bordeaux.com – Fax 05 46 91 22 25 – Fermé vacances de Noël, sam. midi et dim. soir d'oct. à mars
16 ch – †53 € ††65 €, ⊇ 10 € – ½ P 58 €
Rest – Menu 18/49 € – Carte 37/52 €
♦ Dans une rue du centre-ville, hôtel centenaire remis au goût du jour proposant de coquettes chambres contemporaines et un bar d'esprit anglais. Le décor du restaurant, ouvert sur un charmant patio-terrasse, s'accorde avec la créativité de la cuisine. Vaste choix de cognacs.

PONS

à Pérignac Nord-Est : 8 km par rte de Cognac – 972 h. – alt. 41 m – ⊠ 17800

XX **La Gourmandière**
42 av. de Cognac – ℘ 05 46 96 36 01
– www.la-gourmandiere-perignac.com – lagourmandiere.perignac@wanadoo.fr
– Fermé 23 nov.-3 déc., 26 janv.-4 fév., mardi et merc. d'oct. à mi-juin sauf fériés et dim. soir de mi-juin à sept.
Rest – Menu (15 €), 26/58 € – Carte 39/56 €
♦ Une charmante maison de village redécorée par ses jeunes propriétaires dans un style actuel et chaleureux. Agréable terrasse dressée côté jardin et cuisine au goût du jour.

à Mosnac Sud : 11 km par rte de Bordeaux et D 134 – 448 h. – alt. 23 m – ⊠ 17240

Moulin du Val de Seugne
– ℘ 05 46 70 46 16 – www.valdeseugne.com – moulin@valdeseugne.com
– Fax 05 46 70 48 14 – Fermé 2 janv.-10 fév.
14 ch – †105/165 € ††105/165 €, ⊇ 13 € – ½ P 89/119 €
Rest – Menu (21 €), 29/79 € – Carte 50/90 €
♦ Élégante hostellerie au bord de la Seugne. Chambres raffinées, garnies de meubles anciens et dotées de luxueuses salles de bains. Salon ouvert sur le mécanisme du moulin. Plaisant restaurant et terrasse tournés vers la rivière. Boutique de produits régionaux.

PONT (LAC DE) – 21 Côte-d'Or – 320 G5 – rattaché à Semur-en-Auxois

PONTAILLAC – 17 Charente-Maritime – 324 D6 – rattaché à Royan

PONT-A-MOUSSON – 54 Meurthe-et-Moselle – 307 H5 – 14 100 h. 26 **B2**
– alt. 180 m – ⊠ 54700 ▌Alsace Lorraine
▶ Paris 325 – Metz 31 – Nancy 30 – Toul 48 – Verdun 66
🛈 Office de tourisme, 52, place Duroc ℘ 03 83 81 06 90,
Fax 03 83 82 45 84
◉ Place Duroc★ - Anc. abbaye des Prémontrés★.

X **Le Fourneau d'Alain**
64 pl. Duroc, (1er étage) – ℘ 03 83 82 95 09 – www.lefourneaudalain.com
– lefourneaudalain@neuf.fr – Fax 03 83 82 95 09 – Fermé 1er-7 mai,
1er-15 août, merc. soir, dim. soir et lundi
Rest – Menu 28/53 € – Carte 34/46 €
♦ Restaurant sagement contemporain installé sur la place principale, à l'étage d'une des maisons à arcades du 16e s. Tables bien dressées et service sans tralala.

PONTARLIER – 25 Doubs – 321 I5 – 18 700 h. – alt. 838 m 17 **C2**
– ⊠ 25300 ▌Franche-Comté Jura
▶ Paris 462 – Besançon 60 – Dole 88 – Lausanne 67 – Lons-le-Saunier 82
🛈 Office de tourisme, 14 bis, rue de la Gare ℘ 03 81 46 48 33,
Fax 03 81 46 83 32
▫ Pontarlier Les Étraches La Grange des Pauvres, E : 8 km par D 47,
℘ 03 81 39 14 44
◉ Portail★ de l'ancienne chapelle des Annonciades.
◉ Grand Taureau ※★★ par ② : 11 km.

Plan page suivante

XX **L'Alchimie**
1 av. Armée de l'Est – ℘ 03 81 46 65 89 – www.l-alchimie.com
– restau-lalchimie@wanadoo.fr – Fax 03 81 39 08 75 – Fermé 19-29 avril,
13 juil.-2 août, 2-12 janv., dim. soir, mardi soir et merc. B **e**
Rest – Menu (20 €), 39/54 € – Carte 52/58 €
♦ Le chef-alchimiste prépare ses petits plats inventifs en "transmutant" produits régionaux, épices et saveurs exotiques. Cadre relooké dans un esprit tendance.

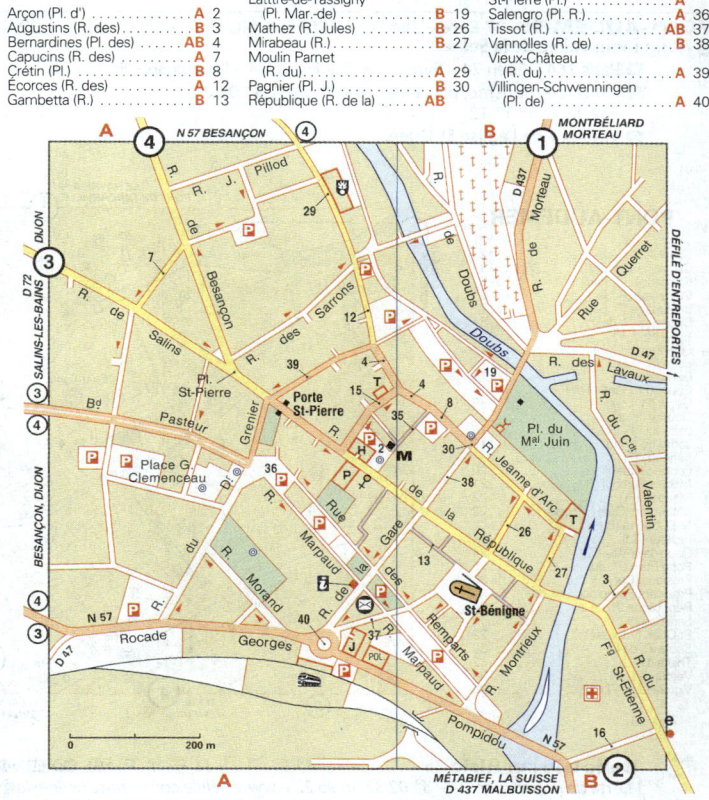

PONTARLIER

Arçon (Pl. d')	**A** 2
Augustins (R. des)	**B** 3
Bernardines (Pl. des)	**AB** 4
Capucins (R. des)	**A** 7
Crétin (Pl.)	**B** 8
Écorces (R. des)	**A** 12
Gambetta (R.)	**B** 13
Halle (R. de la)	**B** 15
Industrie (R. de l')	**B** 16
Lattre-de-Tassigny (Pl. Mar.-de)	**B** 19
Mathez (R. Jules)	**B** 26
Mirabeau (R.)	**B** 27
Moulin Parnet (R. du)	**A** 29
Pagnier (Pl. J.)	**B** 30
République (R. de la)	**AB**
Ste-Anne (R.)	**AB** 35
St-Étienne (R. du Fg)	**B**
St-Pierre (Pl.)	**A**
Salengro (Pl. R.)	**B**
Tissot (R.)	**AB** 37
Vannolles (R. de)	**B** 38
Vieux-Château (R. du)	**A** 39
Villingen-Schwenningen (Pl. de)	**A** 40

à Doubs par ④ : 2 km – 2 405 h. – alt. 813 m – ⊠ 25300

✗ **Le Doubs Passage** P VISA ⦿
  11 Gde Rue, D 130 – ℘ 03 81 39 72 71 – http://monsite.wanadoo.fr/ledoubspassage/
  – ledoubspassage@wanadoo.fr – Fax 03 81 39 72 71 – Fermé 20 août-1ᵉʳ sept., dim.
  soir, merc. soir et lundi
  Rest – Menu 18/30 € – Carte 25/38 €
  ♦ Table familiale rajeunie, au bord du Doubs. Parquet à bâtons rompus verni, sièges rouges modernes, mise de table actuelle et nombreuses touches végétales. Choix traditionnel.

PONTAUBAULT – 50 Manche – **303** D8 – 469 h. – alt. 25 m – ⊠ 50220   32 **A3**

◘ Paris 345 – Avranches 9 – Dol-de-Bretagne 35 – Fougères 38 – Rennes 78 – St-Malo 60

🏠 **Les 13 Assiettes**   🚗 🍽 🛋 ⼁ 🛁 P VISA ⦿ 丞
  6 rte de la Quintine, Nord : 1 km sur D 43ᴱ (ancienne rte d'Avranches) –
  ℘ 02 33 89 03 03 – www.hotel-le-mont-saint-michel.com – 13assiettes@
  wanadoo.fr – Fax 02 33 89 03 06
  39 ch – †65/75 € ††77/87 €, ⊃ 10 € – ½ P 61/66 €
  Rest – Menu 18 € (sem.)/63 € – Carte 25/48 €
  ♦ Chambres rafraîchies dans les bungalows, et un peu plus spacieuses dans l'unité principale (quelques familiales). Piscine extérieure couverrte. Lumineuse salle à manger ouverte sur un jardin-terrasse agrémenté de palmiers. Plats traditionnels et fruits de mer.

PONTAUBERT – 89 Yonne – 319 G7 – rattaché à Avallon

PONT-AUDEMER – 27 Eure – 304 D5 – 8 981 h. – alt. 15 m – ⊠ 27500   32 **B3**
◼ Normandie Vallée de la Seine

▶ Paris 164 – Caen 74 – Évreux 68 – Le Havre 44 – Lisieux 36 – Rouen 52
🛈 Office de tourisme, place Maubert ✆ 02 32 41 08 21,
Fax 02 32 57 11 12
◉ Vitraux★ de l'église St-Ouen.

PONT-AUDEMER

Canel (R. Alfred)	2
Carmélites (R. des)	3
Clemencin (R. Paul)	5
Cordeliers (R. des)	6
Delaquaize (R. S.)	7
Déportés (R. des)	8
Épée (R. de l')	9
Félix-Faure (Quai)	
Ferry (R. Jules)	
Gambetta (R.)	13
Gaulle (Pl. Général-de)	14
Gillain (Pl. Louis)	16
Goulley (Pl. J.)	
Jean-Jaurès (R.)	18
Joffre (R. Mar.)	19
Kennedy (Pl.)	
Leblanc (Quai R.)	20
Maquis-Surcouf (R.)	21
Maubert (Pl.)	22
Mitterrand (Quai François)	23
N.-D.-du-Pré (R.)	
Pasteur (Bd)	
Place-de-la-Ville (R.)	24
Pot-d'Étain (Pl. du)	25
Président-Coty (R. du)	26
Président-Pompidou (Av. du)	
République (R. de la)	27
Sadi-Carnot (R.)	
St-Ouen (Impasse)	29
Seule (R. de la)	30
Thiers (R.)	32
Verdun (Pl. de)	34
Victor-Hugo (Pl.)	35

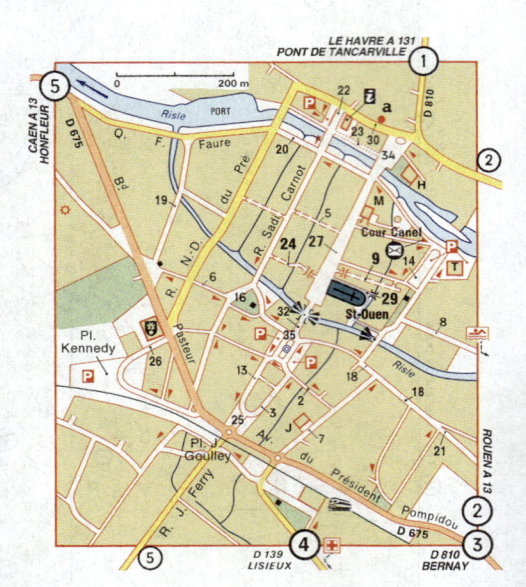

Belle Isle sur Risle
112 rte de Rouen, par ② – ✆ 02 32 56 96 22 – www.bellile.com – hotelbelle-isle@ wanadoo.fr – Fax 02 32 42 88 96 – Ouvert 18 mars-15 nov. et 30 déc.-3 janv.
20 ch – ♦100/137 € ♦♦115/259 €, ⊇ 18 €
Rest – *(fermé lundi midi, mardi midi et merc. midi)* Menu 30 € (déj. en sem.), 39/64 € – Carte 50/75 €

♦ Sur un îlot de la Risle, ce joli manoir (1856) couvert de verdure se fond dans le paysage d'un superbe parc (2 ha, pêche fluviale). Chambres d'ampleurs variées, bien personnalisées. Restaurant profitant d'une terrasse aménagée au milieu d'arbres bicentenaires.

Erawan
4 r. Sëule – ✆ 02 32 41 12 03 – Fermé août et merc.   **a**
Rest – Menu 20 € – Carte 25/44 €

♦ Carte cent pour cent thaïlandaise et cadre aux trois quarts normand : étonnant contraste, et mariage des cultures réussi en ce charmant restaurant des bords de la Risle.

au Sud-Est par ② et D 39 : 5 km – ⊠ 27500 Pont-Audemer

Au Jardin d'Eden
rte Condé-s-Risle – ✆ 02 32 57 01 52 – www.aujardindeden.fr – aujardindeden@ wanadoo.fr – Fax 02 32 41 42 01 – Fermé 11-29 janv., mardi soir et lundi sauf juil.-août et dim. soir
Rest – Menu (20 €), 28 € (sem.)/75 € – Carte 52/100 €

♦ C'est sur une presqu'île artificielle posée au milieu d'un grand lac que se trouve cette belle maison normande convertie en restaurant. Décor contemporain et carte traditionnelle.

PONT-AUDEMER

à Campigny par ③ et D 29 : 6 km – 818 h. – alt. 121 m – ⊠ 27500

XXX **Le Petit Coq aux Champs** avec ch 🌿 🐕 🗲 🖫 🐾 🕪 P VISA ⓜ AE ①
– ℰ 02 32 41 04 19 – www.lepetitcoqauxchamps.fr – le.petit.coq.aux.champs@
wanadoo.fr – Fax 02 32 56 06 25 – Fermé 17-24 nov., janv., dim. soir et lundi du
1er nov. au 31 mars
12 ch – †139 € ††139/159 €, ⊇ 13 € – ½ P 124/132 €
Rest – Menu (29 €), 43 € bc/68 € – Carte 43/80 € 🌿
♦ Accueil chaleureux et joli décor rustique actualisé en cette chaumière normande. Belle terrasse face au parc fleuri. Cuisine classique et carte des vins étoffée. Chambres calmes et confortables, quelquefois rajeunies par des tissus de lin coordonnés.

PONTAULT-COMBAULT – 77 Seine-et-Marne – 312 E3 – 101 29 – **voir à Paris, Environs**

PONTAUMUR – 63 Puy-de-Dôme – 326 D7 – 755 h. – alt. 535 m   5 **B2**
– ⊠ 63380

▶ Paris 398 – Aubusson 49 – Clermont-Ferrand 42 – Le Mont-Dore 49
– Montluçon 68

🛈 Office de tourisme, avenue du Pont ℰ 04 73 79 73 42, Fax 04 73 73 73 36

🏠 **Poste**   AC rest, 🛌 🕭 VISA ⓜ
😊 av. Marronnier – ℰ 04 73 79 90 15 – hotel-poste2@wanadoo.fr
– Fax 04 73 79 73 17 – Fermé 20 déc.-1er fév., dim. soir, lundi et mardi
15 ch – †42 € ††50 €, ⊇ 8 €
Rest – (résidents seult) Menu 17 € (sem.)/50 € – Carte 30/55 € 🌿
♦ Une sympathique auberge des années 1970 dotée de chambres au confort standard. Préférez celles de l'arrière, plus au calme. Restaurant rustique où dominent le bois et la pierre. Cuisine traditionnelle à base de produits d'Auvergne.

> **Première distinction : l'étoile** ✿.
> Elle couronne les tables pour lesquelles on ferait des kilomètres !

PONT-AVEN – 29 Finistère – 308 I7 – 2 934 h. – alt. 18 m – ⊠ 29930   9 **B2**
▮ Bretagne

▶ Paris 536 – Carhaix-Plouguer 65 – Concarneau 15 – Quimper 36 – Quimperlé 20
🛈 Office de tourisme, 5, place de l'Hôtel de Ville ℰ 02 98 06 04 70,
Fax 02 98 06 17 25

👁 Promenade au Bois d'Amour ★.

🏠 **Les Ajoncs d'Or**   🕭 🕪 VISA ⓜ
🍽 1 pl. Hôtel de Ville – ℰ 02 98 06 02 06 – www.ajoncsdor-pontaven.com
– ajoncsdor@aol.com – Fax 02 98 06 18 91 – Fermé 19-26 oct., fév., dim. soir
et lundi d'oct. à mai
20 ch – †56 € ††56/85 €, ⊇ 8 € – ½ P 58 €
Rest – (fermé lundi d'oct. à mai et dim. soir) Menu (18 €), 26/47 € – Carte 39/57 €
♦ Gauguin aurait logé dans cette maison bretonne (1892) lors de son dernier séjour à Pont-Aven. Coquettes chambres insonorisées portant des noms de peintres ; accueil charmant. Repas traditionnel dans une salle claire égayée de tableaux (expo-vente) ou en terrasse.

🏠 **Mimosas**   🕭 ✦ VISA ⓜ
1 square Théodore-Botrel – ℰ 02 98 06 00 30 – www.hotels-pont-aven.com
– hotelmimosas@wanadoo.fr – Fax 02 98 06 01 54 – Fermé 12 nov.-17 déc.
10 ch – †65 € ††65 €, ⊇ 8 €
Rest – (fermé mardi et merc. d'oct. à mars sauf vacances scolaires) Menu (14 €),
20/39 € – Carte 31/102 €
♦ Hôtel familial et sympathique, dans le port de Pont-Aven. Les chambres, bien tenues et coquettes (tissus fleuris), profitent d'une vue imprenable sur les bateaux. Décor rustique en adéquation avec la cuisine sans prétention, traditionnelle et marine.

PONT-AVEN

Moulin de Rosmadec (Frédéric Sebilleau) avec ch
près du pont, centre ville – ℰ 02 98 06 00 22 – www.moulinderosmadec.com
– moulinderosmadec@wanadoo.fr – Fax 02 98 06 18 00 – Fermé 18-31 oct.
et vacances de fév.
5 ch – ♦80/90 € ♦♦90 €, ⚘ 12 €
Rest – (fermé lundi midi d'oct. à mai, dim. soir et jeudi) Menu 35/76 € – Carte 64/75 €
Spéc. Langoustines en kadaïf, sucs de tomates à l'huile d'olive. Rôti décortiqué aux pâtes fraîches parfumées à l'estragon. Petit macaron rosé au citron vert et framboise (mai à oct.).

♦ Cuivres, faïences et mobilier bretons décorent l'une des salles de cet étonnant moulin du 15ᵉ s. ; l'autre, en véranda, ouvre sur le jardin et l'Aven. Séduisante cuisine "terre et mer".

Sur le Pont …
11 pl. Paul-Gauguin – ℰ 02 98 06 16 16 – moulinderosmadec@wanadoo.fr
– Fermé mardi soir hors saison, dim. soir sauf juil.-août et merc.
Rest – Menu (19 €), 23 € (déj. en sem.)/29 € – Carte 42/53 €

♦ Une adresse assez branchée proposant une cuisine attrayante et sans chichi. Ce fut aussi le lieu de tournage du célèbre film des "Galettes de Pont-Aven" avec J.P. Marielle.

rte de Concarneau Ouest : 4 km par D 783 – ⌂ 29930 Pont-Aven

La Taupinière (Guy Guilloux)
Croissant St André – ℰ 02 98 06 03 12 – www.la-taupiniere.com – lataupiniere@wanadoo.fr – Fax 02 98 06 16 46 – Fermé 16-24 mars, 20 sept.-14 oct., lundi et mardi
Rest – Menu 53/85 € – Carte 72/150 €
Spéc. Crépinettes de tourteau et araignée de mer. Panaché de poissons du marché aux légumes de saison (printemps-été). Soufflé chocolat amer aux framboises (printemps-été).

♦ Cette chaumière abrite une salle à manger élégante, animée par le spectacle des fourneaux. Cuisine classique faisant la part belle aux produits de la mer et joli livre de cave.

PONTCHARTRAIN – 78 Yvelines – 311 H3 – ⌂ 78760   18 A2
◻ Paris 37 – Dreux 42 – Mantes-la-Jolie 32 – Montfort-l'Amaury 10
– Versailles 20

▣ Isabella à Plaisir Sainte Appoline, E : 3 km, ℰ 01 30 54 10 62
◉ Domaine de Thoiry★★ NO : 12 km, ▌Île de France

L'Arpège
41 rte de Paris – ℰ 01 34 89 02 45 – www.arpege78.com – societearpege@aol.com – Fax 01 34 89 58 24 – Fermé 2-31 août
11 ch – ♦80/95 € ♦♦80/95 €, ⚘ 10 € – ½ P 125 €
Rest – (fermé sam. midi, dim. et lundi) Menu (24 €), 32 € (déj. en sem.), 48/53 €
– Carte environ 51 €

♦ Cet ancien relais de poste propose deux types de chambres : modernes et pratiques ou un brin campagnardes. Salon cosy et piano-bar jazzy le week-end. Plaisante salle à manger où règne une atmosphère feutrée ; carte au goût du jour.

Bistro Gourmand
7 rte Pontel, (N 12) – ℰ 01 34 89 25 36 – bistro.gourmand@free.fr
– Fax 08 72 64 48 31 – Fermé 9-16 mars, 27 juil.-17 août, dim. soir, merc. soir et lundi
Rest – Menu 38/48 €

♦ On repère ce restaurant à sa façade Belle Époque. Déco intérieure aux couleurs chatoyantes. La carte fait la part belle aux produits de la mer et change au fil des saisons.

à Ste-Apolline Est : 3 km par N 12 et D 134 – ⌂ 78370 Plaisir

La Maison des Bois
av. d'Armorique – ℰ 01 30 54 23 17 – www.lamaisondesbois.fr
– maison.des.bois@wanadoo.fr – Fax 01 30 68 92 26 – Fermé 4-25 août, dim. soir et jeudi
Rest – Menu 36 € (déj.) – Carte 47/71 €

♦ Dans une demeure rustique, deux salles à manger cossues dont la plus vaste s'ouvre sur le jardin et la terrasse d'été. Carte traditionnelle et suggestions du marché.

PONT-CROIX – 29 Finistère – 308 E6 – 1 699 h. – alt. 25 m – ⊠ 29790   9 **A2**
Bretagne

☐ Paris 602 – Rennes 251 – Quimper 40 – Brest 105 – Concarneau 64
ℹ Office de tourisme, rue Laënnec ℰ 02 98 70 40 38, Fax 02 98 70 40 38

⌂ L'Orée du Cap sans rest
29 r. du Goyen – ℰ *02 98 70 47 10* – *www.oreeducapsizun.com*
– *jean-yves.merrien@wanadoo.fr*
4 ch ⌑ – †45/49 € ††48/60 €

♦ Une maison accueillante déclinant deux ambiances : l'une actuelle, l'autre rustique avec du mobilier breton. Chambres cosy à la tenue irréprochable. Jardin fleuri.

PONT-DE-BRIQUES – 62 Pas-de-Calais – 301 C3 – **rattaché à Boulogne-sur-Mer**

PONT-DE-CHAZEY-VILLIEU – 01 Ain – 328 E5 – **rattaché à Meximieux**

PONT-DE-CHERUY – 38 Isère – 333 E3 – 4 591 h. – alt. 220 m   44 **B1**
– ⊠ 38230

☐ Paris 486 – Belley 57 – Bourgoin-Jallieu 22 – Grenoble 89 – Lyon 35
 – Meximieux 22

⌂ Bergeron
3 r. Giffard, près de l'église – ℰ *04 78 32 10 08* – *www.hotelbergeron.com*
– *hotel.bergeron@wanadoo.fr* – *Fax 04 78 32 11 70*
17 ch – †39 € ††45 €, ⌑ 9 €
Rest – *(fermé sam. et dim.) (dîner seult) (résidents seult)* Menu 12 €

♦ Adresse modeste mais bien tenue. Chambres rustiques, plus spacieuses dans la maison principale et plus calmes côté jardin. Annexe simplement aménagée. Le soir, menu unique réservé aux résidents dans une salle à manger campagnarde.

PONT-DE-DORE – 63 Puy-de-Dôme – 326 H7 – **rattaché à Thiers**

PONT-DE-FILLINGES – 74 Haute-Savoie – 328 L4 – **rattaché à Bonne**

PONT-DE-L'ARCHE – 27 Eure – 304 G6 – 3 898 h. – alt. 20 m   33 **D2**
– ⊠ 27340 **Normandie Vallée de la Seine**

☐ Paris 114 – Les Andelys 30 – Elbeuf 15 – Évreux 36 – Louviers 12
 – Rouen 19

⌂ De la Tour sans rest
41 quai Foch – ℰ *02 35 23 00 99* – *www.hoteldelatour.org* – *hotel-de-la-tour@wanadoo.fr* – *Fax 02 35 23 46 22* – *Fermé 8-15 août*
18 ch – †82 € ††82 €

♦ Deux pimpantes maisons mitoyennes adossées aux remparts. Dans les chambres personnalisées, couleurs vives, mobilier de style et tenue sans reproche. Accueil familial.

✕✕ La Pomme
aux Damps 1,5 km au bord de l'Eure – ℰ *02 35 23 00 46*
– *www.laubergedelapomme.com* – *william.boquelet@orange.fr*
– *Fax 02 35 23 52 09*
Rest – Menu 30 € (déj. en sem.), 42/65 € – Carte environ 73 €

♦ Aménagé dans une belle demeure normande à colombages située sur les bords de l'Eure, ce restaurant au cadre douillet et gentiment champêtre propose une cuisine au goût du jour.

PONT-DE-L'ISÈRE – 26 Drôme – 332 C3 – **rattaché à Valence**

LE PONT-DE-PACÉ – 35 Ille-et-Vilaine – 309 L6 – **rattaché à Rennes**

PONT-DE-POITTE – 39 Jura – 321 E7 – 619 h. – alt. 450 m – ⊠ 39130 16 B3
Franche-Comté Jura

▶ Paris 423 – Champagnole 34 – Genève 92 – Lons-le-Saunier 17

Ain avec ch
18 pl. Fontaine – ✆ *03 84 48 30 16* – *www.hoteldelain.fr* – *hoteldelain@wanadoo.fr* – *Fax 03 84 48 36 95* – *Fermé 24 déc.-2 fév., dim. soir et vend.*
9 ch – †38 € ††42/45 €, ⊇ 8 € – ½ P 48 €
Rest – Menu (13 €), 18/40 € – Carte 35/45 €
♦ Maison en pierre jouissant d'un environnement verdoyant à proximité de l'Ain. Salle à manger rustico-bourgeoise et terrasse d'été pour une cuisine régionale sans prétention.

PONT-DE-ROIDE – 25 Doubs – 321 K2 – 4 619 h. – alt. 351 m 17 C2
– ⊠ 25150 **Franche-Comté Jura**

▶ Paris 478 – Belfort 36 – Besançon 77 – La Chaux-de-Fonds 55 – Porrentruy 29

La Tannerie
1 pl. Gén. de Gaulle – ✆ *03 81 92 48 21* – *dominique.autran@wanadoo.fr* – *Fax 03 81 92 47 79* – *Fermé 25 juin-5 juil., 23 déc.-7 janv., dim. soir, jeudi soir et merc.*
Rest – Menu 11 € (déj. en sem.), 18/24 € – Carte 22/49 €
♦ Ce restaurant familial vous reçoit dans une salle chaleureuse ou sur une terrasse surplombant la rivière. Plats traditionnels et truites du vivier ; suggestions à l'ardoise.

PONT-DE-SALARS – 12 Aveyron – 338 I5 – 1 525 h. – alt. 700 m 29 D1
– ⊠ 12290

▶ Paris 651 – Albi 86 – Millau 47 – Rodez 25 – St-Affrique 56
  – Villefranche-de-Rouergue 71

ℹ Office de tourisme, place de la Mairie ✆ 05 65 46 89 90, Fax 05 65 46 81 16

Des Voyageurs
1 av. Rodez – ✆ *05 65 46 82 08* – *hotel-d-voyageurs.com* – *hotel-des-voyageurs@wanadoo.fr* – *Fax 05 65 46 89 99* – *Ouvert 2 mars-23 oct. et fermé dim. soir et lundi d'oct. à juin*
27 ch – †42/46 € ††42/58 €, ⊇ 9 € – ½ P 44/59 €
Rest – *(fermé 24 oct.-14 nov., 20 janv.-1er mars, le soir de nov. à janv., dim. soir et lundi d'oct. à juin)* Menu (13 €), 17 € bc (déj. en sem.), 26/40 € – Carte 21/56 €
♦ Accueil aimable garanti en cet établissement situé au cœur du village. Chambres claires et spacieuses, rénovées en façade ; les autres, de style années 1970, attendent leur tour. Deux salles à manger (rustique ou actuelle) où l'on sert une cuisine du terroir.

PONT-DES-SABLES – 47 Lot-et-Garonne – 336 C3 – rattaché à Marmande

PONT-DE-VAUX – 01 Ain – 328 C2 – 2 043 h. – alt. 177 m – ⊠ 01190 44 B1

▶ Paris 380 – Bourg-en-Bresse 40 – Lons-le-Saunier 69 – Mâcon 24

ℹ Office de tourisme, 2, rue Maréchal de Lattre de Tassigny ✆ 03 85 30 30 02, Fax 03 85 30 68 69

Le Raisin avec ch
2 pl. M.-Poisat – ✆ *03 85 30 30 97* – *www.leraisin.com* – *hotel.leraisin@wanadoo.fr* – *Fax 03 85 30 67 89* – *Fermé 5 janv.-5 fév., dim. soir sauf juil.-août, mardi midi et lundi*
18 ch – †64 € ††64 €, ⊇ 9 € **Rest** – Menu 27/67 € – Carte 47/65 €
♦ Cuisine du terroir revisitée et élégante salle à manger au décor rustique pour cette maison régionale de la Bresse savoyarde. Chambres agréables proposées à l'étape.

Les Platanes avec ch
aux Quatre-Vents – ✆ *03 85 30 32 84* – *www.hotelplatanes.com* – *hotel-des-platanes@wanadoo.fr* – *Fax 03 85 30 32 15* – *Fermé 20 fév.-20 mars, vend. midi et jeudi*
8 ch – †57 € ††58/68 €, ⊇ 9 € – ½ P 52/56 €
Rest – Menu (18 €), 26/65 € – Carte 26/65 €
♦ Coquette salle à manger rustique, belle terrasse sous les platanes, cuisine bressane généreuse et chambres actuelles font de cette auberge une sympathique étape.

PONT-DE-VAUX

à St-Bénigne Nord-Est : 2 km sur D 2 – 1 108 h. – alt. 208 m – ✉ 01190

St-Bénigne
– ℘ 03 85 30 96 48 – Fax 03 85 30 96 48 – Fermé 2-10 nov., 21 déc.-12 janv., 8-24 fév., lundi et le soir sauf sam.
Rest – Menu 13 € (déj. en sem.), 21/36 € – Carte 28/47 €
◆ On vient ici pour... les grenouilles, la spécialité maison. Le chef mitonne des plats régionaux servis dans une salle à manger rustique ou dans une autre plus coquette.

PONT-D'HÉRAULT – 30 Gard – 339 H5 – rattaché au Vigan

PONT-D'OUILLY – 14 Calvados – 303 J6 – 1 038 h. – alt. 65 m   32 **B2**
– ✉ 14690 Normandie Cotentin

▶ Paris 230 – Briouze 24 – Caen 41 – Falaise 20 – Flers 21 – Villers-Bocage 37 – Vire 39

ℹ Syndicat d'initiative, boulevard de la Noë ℘ 02 31 69 29 86

◉ Roche d'Oëtre ★★ S : 6,5 km.

Du Commerce
8 r. de la Vème République – ℘ 02 31 69 80 16 – www.relaisducommerce.com – relaisducommerce@wanadoo.fr – Fax 02 31 69 78 08 – Fermé 2-12 oct., 2-27 janv., dim. soir et lundi
12 ch – †60/70 € ††60/70 €, ⊆ 10 € – ½ P 75 €
Rest – Menu 16 € (déj. en sem.), 25/53 € – Carte 32/90 €
◆ Dans un charmant village de la Suisse normande, cet hôtel totalement rénové a pris un nouveau départ. Vous disposerez de chambres fraîches et bien tenues. Fruits de mer et plats traditionnels, comme la tête de veau, à déguster dans une ambiance classique ou en terrasse.

PONT-DU-BOUCHET – 63 Puy-de-Dôme – 326 D7 – ✉ 63770   5 **B2**
Les Ancizes Comps

▶ Paris 390 – Clermont-Ferrand 39 – Pontaumur 13 – Riom 36 – St-Gervais-d'Auvergne 18

◉ Méandre de Queuille ★★ NE : 11,5 km puis 15 mn, Auvergne

La Crémaillère
Pont du Bouchet – ℘ 04 73 86 80 07 – www.hotel-restaurant-cremaillere.com – la-cremaillere63@wanadoo.fr – Fax 04 73 86 93 17 – Fermé 18 déc.-25 janv., vend. soir, dim. soir et sam. hors saison
16 ch – †44/48 € ††46/48 €, ⊆ 8 € – ½ P 44/49 €
Rest – Menu 15 € (sem.)/42 € – Carte 22/47 €
◆ Respirez en pleine verdure ! Dans cette auberge familiale qui surplombe un lac, accueil aimable et écoute de la clientèle marquent le sérieux de la maison. Chambres impeccables. Côté restaurant, décor campagnard et plats régionaux.

PONT-DU-CASSE – 47 Lot-et-Garonne – 336 G4 – rattaché à Agen

PONT-DU-CHAMBON – 19 Corrèze – 329 N4 – rattaché à Marcillac-la-Croisille

PONT-DU-CHÂTEAU – 63 Puy-de-Dôme – 326 G8 – 8 874 h.   5 **B2**
– alt. 365 m – ✉ 63430 Auvergne

▶ Paris 418 – Billom 13 – Clermont-Ferrand 16 – Riom 21 – Thiers 37

ℹ Syndicat d'initiative, rond-point de Montboissier ℘ 04 73 83 37 42, Fax 04 73 83 37 42

L'Estredelle
24 r. Pont – ℘ 04 73 83 28 18 – www.hotel-estredelle.com – estredelle@wanadoo.fr – Fax 04 73 83 55 23 – Fermé 27 juil.-9 août, 21 déc.-4 janv., dim. soir et soirs fériés
44 ch – †44 € ††47 €, ⊆ 7 € – ½ P 42 €
Rest – Menu (13 €), 19/31 € – Carte 23/41 €
◆ Hôtel récent dans l'ancien quartier de la batellerie. Chambres fonctionnelles, réparties dans trois pavillons ; huit d'entre elles (à réserver en priorité) dominent l'Allier. Le restaurant et la terrasse offrent une jolie vue sur un pont du 18e s.

1495

PONT-DU-CHÂTEAU

XX Auberge du Pont
70 av. Dr Besserve – ℘ *04 73 83 00 36 – www.auberge-du-pont.com – info@auberge-du-pont.com – Fax 04 73 83 36 71 – Fermé 15 août-7 sept., 1er-11 janv., dim. soir, mardi soir et merc.*
Rest – Menu (16 €), 20 € (déj. en sem.), 28/95 € bc – Carte 52/69 €
♦ Ex-relais de batellerie (1809) au bord de l'Allier. Murs couleur brique, boiseries vert pâle et parquet patiné décorent la salle à manger. Terrasse tournée vers le pont.

XX Le Calliope
6 r. de la Poste – ℘ *04 73 83 50 03 – restaurant-calliope.com – lecalliope@orange.fr – Fermé 4 août-1er sept., 19 janv.-3 fév., dim. soir, lundi et merc.*
Rest – Menu (14 €), 17/46 €, 27/46 € – Carte environ 39 €
♦ Table dans l'air du temps située au centre du bourg, repérable à son élégante façade. Côté fourneaux, le chef propose une cuisine mariant tradition et saveurs actuelles.

PONT-DU-GARD – 30 Gard – 339 M5 – ⊠ 30210 Vers Pont du Gard   23 D2
Provence

▶ Paris 688 – Alès 48 – Arles 40 – Avignon 26 – Nîmes 25 – Orange 38 – Pont-St-Esprit 41
◉ Pont-aqueduc romain ★★★.

Le Colombier
24 av. du Pont du Gard, (rive droite), 1 km à l'Est par D 981 – ℘ *04 66 37 05 28 – hotelresto.colombier@free.fr – Fax 04 66 37 35 75*
18 ch – †42 € ††52 €, ⊇ 8 € – ½ P 47 €
Rest – Menu (14 €), 18/28 € – Carte 24/32 €
♦ Cette maison centenaire cache une adresse simple mais bien pratique, peu chère et sans cesse améliorée (1er étage rafraîchi). Jolie galerie-terrasse pour les petits-déjeuners. Salle à manger au décor provençal et cuisine traditionnelle sans fioriture.

à Castillon-du-Gard Nord-Est : 4 km par D 19 et D 228 – 1 115 h. – alt. 90 m – ⊠ 30210

Le Vieux Castillon
r. Turion Sabatier – ℘ *04 66 37 61 61 – www.vieuxcastillon.com – vieuxcastillon@relaischateaux.com – Fax 04 66 37 28 17 – Fermé 2 janv.-14 fév.*
32 ch – †195/385 € ††195/385 €, ⊇ 20 € – 3 suites – ½ P 182/304 €
Rest – *(fermé lundi midi et mardi midi)* Menu (53 €), 80 € (dîner), 94/116 € – Carte 75/111 € dîner seulement
Spéc. Châtaigne en soupe crémeuse, sucettes de pigeonneau rôti (automne-hiver). Noisette de chevreuil flambé au cognac (automne-hiver). Sphère au chocolat, biscuit crémeux au marron, glace au rhum. **Vins** Châteauneuf-du-Pape, Coteaux du Languedoc.
♦ Patios et terrasses étagées font le charme de cet hôtel situé au cœur d'un village médiéval perché. Belles chambres personnalisées. Poutres apparentes et couleurs provençales président au décor du restaurant où l'on propose de goûteux plats gorgés de soleil.

XX L'Amphitryon
pl. 8 Mai 1945 – ℘ *04 66 37 05 04 – Fermé mardi sauf juil.-août et merc.*
Rest – Menu 31 € (déj. en sem.), 45/57 € – Carte 60/86 €
♦ Voûtes et pierre brute ornent les salles à manger de ces demeures anciennes. Joli patio pour l'été. Cuisine régionale actualisée, ambiance à la fois chic et conviviale.

à Collias Ouest : 7 km par D 981, D 112 et D 3 – 829 h. – alt. 45 m – ⊠ 30210

Hostellerie Le Castellas
Grand'rue – ℘ *04 66 22 88 88 – www.lecastellas.fr – info@lecastellas.fr – Fax 04 66 22 84 28 – Fermé 5 janv.-4 avril*
15 ch – †60/130 € ††90/210 €, ⊇ 17 € – 2 suites – ½ P 154/200 €
Rest – *(fermé sam. midi et merc. sauf fériés)* Menu (20 €), 30 € (déj. en sem.), 58/105 € – Carte 85/150 €
Spéc. Contraste de foie gras en trois versions. Bœuf race "Aubrac". Nage tremblotante de melon et pastèque à la verveine (été). **Vins** Costières de Nîmes, Côtes-du-Rhône Villages.
♦ De solides maisons gardoises en pierres de taille (17e s.) cernent le patio. Belles chambres d'ampleur et de style variés. Accueil aimable. Salles voûtées ouvertes sur le jardin ; cuisine contemporaine s'appuyant sur des bases classiques parfaitement maîtrisées.

PONT-DU-GARD

🏨 **Le Gardon** ⌘ ← 🚗 🈺 ⛌ 🍴 & AC 📞 🎿 **P** *VISA* 🅜🅞
Campchestève – ℰ 04 66 22 80 54 – www.hotel-le-gardon.com
– auberge-le-gardon@wanadoo.fr – Fax 04 66 22 88 98 – Ouvert 27 fév.-4 nov.
14 ch – ✦67/77 € ✦✦67/96 €, ⊇ 10 € – ½ P 62/68 €
Rest – (fermé le midi du lundi au vend.) Menu 21/34 € – Carte 30/44 €
◆ Agréable refuge dans la garrigue, ce récent hôtel en bordure d'une oliveraie assure un séjour serein. Jardin, piscine et chambres confortables (mobilier en fer forgé). Cuisine du Sud aux produits frais à déguster sous la véranda ou en terrasse. Tout est "maison" !

à Vers-Pont-du-Gard 3,5 km au Nord par D 19 et D 112 – 1 509 h. – **alt. 40 m**
– ✉ 30210

🍴🍴 **Lisa M** avec ch ⌘ 🈺 ✂ 📞 *VISA* 🅜🅞
3 pl. de la Madone – ℰ 04 66 22 92 12 – www.lisam.fr – info@lisam.fr
– Fax 04 66 22 92 12 – Fermé 15 janv.-15 fév., merc. et dim. du 15 oct. au 15 fév., lundi et mardi
4 ch ⊇ – ✦120 € ✦✦140 €
Rest – (dîner seult) (nombre de couverts limité, prévenir) Menu 52/59 €
◆ Cette maison ancienne est un petit bijou : décoration romantique, tons gris perle et ivoire, tommettes blondes, salons voûtés, patio, minipiscine. Menu unique actuel et créatif. Chambres personnalisées.

PONT-EN-ROYANS – 38 Isère – **333** F7 – 878 h. – **alt. 197 m** 43 **E2**
– ✉ 38680 ▌**Alpes du Nord**
▶ Paris 604 – Grenoble 63 – Lyon 143 – Valence 45
🅘 Office de tourisme, Grande rue ℰ 04 76 36 09 10,
Fax 04 76 36 09 24

🏨 **Du Musée de l'Eau** 🈺 🍴 & AC 📞 🎿 **P** *VISA* 🅜🅞
♨ pl. Breuil – ℰ 04 76 36 15 53 – www.musee-eau.com – musee.eau@wanadoo.fr
– Fax 04 76 36 97 32
31 ch – ✦39 € ✦✦46/59 €, ⊇ 7 € – ½ P 46/51 €
Rest – Menu (13 €), 16 € (déj. en sem.), 23/34 € – Carte 23/34 €
◆ Grand bâtiment rénové surplombant la Bourne. Petites chambres dotées de mobilier design ; certaines ouvrent sur la montagne et le village suspendu. Salle à manger aux lignes épurées, prolongée d'une terrasse avec brumisateurs. Bar à eaux.

LE PONTET – 84 Vaucluse – **332** C10 – **rattaché à Avignon**

PONTGIBAUD – 63 Puy-de-Dôme – **326** E8 – 768 h. – **alt. 735 m** 5 **B2**
– ✉ 63230 ▌**Auvergne**
▶ Paris 432 – Aubusson 68 – Clermont-Ferrand 23 – Le Mont-Dore 37
– Riom 26 – Ussel 68
🅘 Office de tourisme, rue du Commerce ℰ 04 73 88 90 99, Fax 04 73 88 90 09

🍴🍴 **Poste** avec ch AC rest, ✂ *VISA* 🅜🅞
pl. de la République – ℰ 04 73 88 70 02 – h.delaposte@yahoo.fr
– Fax 04 73 88 79 74 – Fermé 2-28 janv., 7-23 fév., dim. soir et lundi d'oct. à mai
10 ch – ✦41/49 € ✦✦41/49 €, ⊇ 6 € – ½ P 45 €
Rest – Menu (13 € bc), 20/35 € – Carte 30/48 €
◆ Maison régionale séculaire au cœur d'un bourg tranquille. Parquet peint de Hongrie bien ciré, lustres et tables bourgeoises dans la salle à manger ornée de tableaux floraux.

à La Courteix Est : 4 km sur D 941⁸ – ✉ 63230 St-Ours

🍴🍴🍴 **L'Ours des Roches** 🈺 **P** *VISA* 🅜🅞 🅐🅔 ①
– ℰ 04 73 88 92 80 – www.oursdesroches.com – oursdesroches@wanadoo.fr
– Fax 04 73 88 75 07 – Fermé 2-24 janv., mardi d'oct. à mars, dim. soir et lundi sauf fériés
Rest – Menu (20 € bc), 27/65 € – Carte 39/81 € ❁
◆ Restaurant aménagé sous les voûtes d'une ancienne bergerie. Décor original qui mélange audacieusement les styles rustique et contemporain. Terrasse.

PONTHIERRY – 77 Seine-et-Marne – **312** E4 – ⊠ 77310 St Fargeau   19 **C2**
Ponthierry

▶ Paris 44 – Corbeil-Essonnes 12 – Étampes 35 – Fontainebleau 20
– Melun 12

XX **Auberge du Bas Pringy**   🛜 P VISA MC ①
à Pringy - D 607 – ☎ 01 60 65 57 75 – aubergedubaspringy@orange.fr
– Fax 01 60 65 48 57 – Fermé 28 avril-6 mai, 28 juil.-26 août, dim. soir, mardi et merc.
Rest – Menu 25 €, 38 € – Carte 55/77 €
♦ En bord de route, sympathique auberge de campagne avec sa terrasse d'été fleurie et verdoyante. Recettes au goût du jour, privilégiant la truffe et les champignons en saison.

PONTIVY 👁 – 56 Morbihan – **308** N6 – 13 508 h. – alt. 99 m   10 **C2**
– ⊠ 56300 ▌Bretagne

▶ Paris 460 – Lorient 59 – Rennes 110 – St-Brieuc 58 – Vannes 53
🛈 Syndicat d'initiative, 61, rue du Général de Gaulle ☎ 02 97 25 04 10, Fax 02 97 25 63 69
⛳ de Rimaison à Bieuzy, S : 15 km par D 768, ☎ 02 97 27 74 03
👁 Maisons anciennes ★.

🏨 **Rohan** sans rest   📶 ⇄ ⫶ 🛎 P VISA MC AE
90 r. Nationale – ☎ 02 97 25 02 01 – www.hotelpontivy.com
– contact@hotelpontivy.com – Fax 02 97 25 02 85   Z u
16 ch – †60/82 € ††74/100 €, ⊇ 12 €
♦ Belle demeure fin 19ᵉ s. sur la rue principale de "Napoléonville". Chambres refaites avec goût dans divers styles et thèmes (oriental, romantique, cinéma, BD...). Cour arborée.

PONTIVY

Anne-de-Bretagne (Pl.)	Y 2
Cainain (R.)	Z 3
Couvent (Q. du)	Y 4
Dr-Guépin (R. du)	Y 5
Fil (R. du)	Y 6
Friedland (R. de)	Y 8
Gaulle (R. du Gén.-de)	Y 9
Le Goff (R.)	Z 16
Jean-Jaurès (R.)	Z 10
Lamennais (R. J.-M. de)	Z 13
Lorois (R.)	Y 17
Marengo (R.)	Y 19
Martray (Pl. du)	Y 20
Mitterrand (R. François)	Y 24
Nationale (R.)	YZ
Niémen (Q.)	Y 27
Plessis (Q. du)	YZ 29
Pont (R. du)	Z 28
Presbourg (R.)	Y 32
Récollets (Q. des)	Y 33
Viollard (Bd)	Z 38

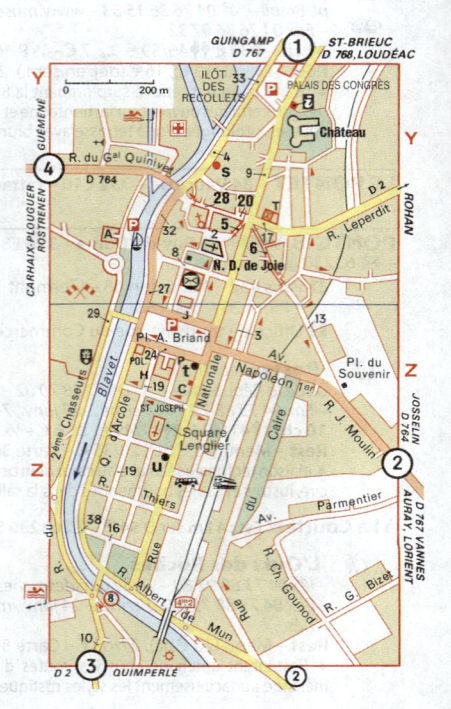

PONTIVY

L'Europe sans rest
12 r. F. Mitterrand – ☏ 02 97 25 11 14 – www.hotellerieurope.com
– hoteleuropepontivy@wanadoo.fr – Fax 02 97 25 48 04 – Fermé 25-31 déc.
18 ch – †60/82 € ††75/140 €, ⌑ 10 €   Z t
♦ Avenante maison d'époque Napoléon III. Petit-déjeuner servi dans une salle à manger bourgeoise (sous une verrière l'été). Préférez les chambres sur l'arrière, plus tranquilles.

Pommeraie
17 quai Couvent – ☏ 02 97 25 60 09 – restaurant.lapommeraie@wanadoo.fr
– Fax 02 97 25 75 93 – Fermé 12-19 avril, 16-31 août, 26 déc.-4 janv., dim. et lundi
Rest – Menu (19 €), 26/58 € – Carte 33/52 €   Y s
♦ Façade jaune, tons chaleureux dans la pimpante salle et courette fleurie : ce restaurant longeant le Blavet est une vraie symphonie de couleurs. Plats au goût du jour.

à Quelven par ③, D 2 et rte de Guern (D 2^B) : 10 km – ⌧ 56310 Guern

Auberge de Quelven
à la Chapelle – ☏ 02 97 27 71 50 – aubergedequelven@laposte.net – Fermé merc.
8 ch – †50 € ††55 €, ⌑ 6 €   **Rest** – Carte 7/17 €
♦ Dans un paisible hameau, face à une chapelle de la fin du 15e s., longue maison en granit hébergeant des petites chambres sobres et bien tenues. Accueil jovial. La carte du restaurant-crêperie de style rustique est dédiée aux galettes et crêpes bretonnes.

PONT-L'ABBÉ – 29 Finistère – 308 F7 – 8 001 h. – alt. 5 m – ⌧ 29120   9 A2
Bretagne

▶ Paris 573 – Douarnenez 33 – Quimper 20
🛈 Office de tourisme, square de l'Europe ☏ 02 98 82 37 99, Fax 02 98 66 10 82
◉ Manoir de Kerazan ★ 3 km par ② - Calvaire ★★ de la chapelle
N.-D.-de-Tronoën O : 8 km.

De Bretagne
24 pl. de la République – ☏ 02 98 87 17 22 – www.hoteldebretagne29.com
– hoteldebretagne29@orange.fr – Fax 02 98 82 39 31   A e
18 ch – †52/62 € ††57/67 €, ⌑ 8 € – ½ P 66/70 €
Rest – (fermé lundi midi) Menu (13 €), 16 € (déj. en sem.), 25/50 € – Carte 26/54 €
♦ Sans prétention, les petites chambres de cet hôtel familial du centre-ville, sobrement meublées mais bien tenues, offrent une étape calme et pratique. Cuisine de la mer dans une salle à manger rustique régionale ou sur la terrasse dressée dans la cour intérieure.

Cariou (R.)	B 2	Gare (R. de la)	A 9	Michelet (R.)	A 18
Château (R. du)	B 3	Gaulle (R. Gén.-de)	B	Moulin (R. J.)	A 19
Danton (R.)	B 4	J.-J.-Rousseau (R.)	B 10	Pasteur (R.)	B 20
Delessert (Pl. B.)	B 5	Kerentrée (R. de)	A 13	St-Laurent (Quai)	B
Église (R. de l')	B 7	Lamartine (R.)	A 14	Simon (R. Jules)	A 29
Gambetta (Pl.)	B 8	Marceau (R.)	B 17	Victor-Hugo (R.)	B

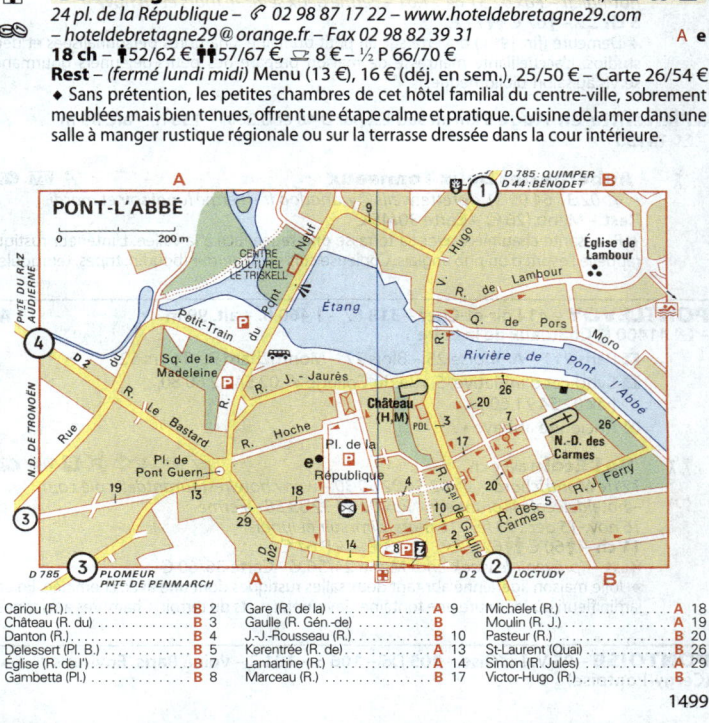

PONT-L'ÉVÊQUE – 14 Calvados – **303** N4 – 4 163 h. – alt. 12 m **32 A3**
– ✉ 14130 ▮ Normandie Vallée de la Seine

- Paris 190 – Caen 49 – Le Havre 43 – Rouen 78 – Trouville-sur-Mer 12
- Office de tourisme, 16, rue Saint-Michel ℘ 02 31 64 12 77, Fax 02 31 64 76 96
- de Saint-Julien, SE : 3 km par D 579, ℘ 02 31 64 30 30
- La belle époque de l'automobile★ au Sud par D 48.

Le Lion d'Or sans rest
8 pl. Calvaire – ℘ 02 31 65 01 55 – www.leliondorhotel.com – info@leliondorhotel.com – Fax 02 31 64 90 10
25 ch – †69/120 € ††69/160 €, ⊇ 10 €
♦ Cet ancien relais de poste du 17ᵉ s. propose des chambres sobres (mobilier en fer forgé), la plupart en duplex. Petits-déjeuners au salon-bar décoré d'objets chinés.

à St-Martin-aux-Chartrains 3 km par D 677, direction Deauville – 351 h. – alt. 13 m
– ✉ 14130

Mercure
– ℘ 02 31 64 40 40 – www.hoteldeauville.fr – mercurepontleveque@wanadoo.fr – Fax 02 31 64 40 41
63 ch – †69/122 € ††77/135 €, ⊇ 13 €
Rest – (fermé sam. midi et dim. midi sauf en juil.-août) Menu 21 € – Carte 25/38 €
♦ Au calme d'un parc avec un plan d'eau, un hôtel contemporain aux chambres confortables (certaines plus vastes), meublées classiquement et bien tenues. Nombreux espaces séminaires. Salle à manger aux grandes baies vitrées, où l'on sert des plats de type brasserie. Terrasse.

Manoir le Mesnil sans rest
rte Trouville – ℘ 02 31 64 71 01 – www.manoirlemesnil.com – manoirlemesnil@hotmail.fr – Fax 02 31 64 71 01 – Fermé deux sem. en mars et en nov.
5 ch ⊇ – †67 € ††72 €
♦ Demeure (fin 19ᵉ s.) ouverte sur un petit domaine. Chambres personnalisées et deux studios. L'accueillante maîtresse de maison prépare des petits-déjeuners gourmands servis au salon-bibliothèque.

à Pierrefitte-en-Auge 5 km au Sud-Est par D 48 et D 280ᴬ – 136 h. – alt. 59 m
– ✉ 14130

Auberge des Deux Tonneaux
– ℘ 02 31 64 09 31 – brettetwells@wanadoo.fr – Fermé lundi soir et mardi
Rest – Menu (26 €) – Carte 30/45 €
♦ Ravissante chaumière avec sa terrasse ombragée face à la vallée. L'intérieur rustique rappelle l'esprit d'un pub anglais. Copieuse cuisine de terroir (boudin, tripes, teurgoule).

PONTLEVOY – 41 Loir-et-Cher – **318** E7 – 1 460 h. – alt. 99 m **11 A1**
– ✉ 41400 ▮ Châteaux de la Loire

- Paris 211 – Amboise 25 – Blois 27 – Montrichard 9 – Tours 52
- Syndicat d'initiative, 5, rue du Collège ℘ 02 54 32 60 80, Fax 02 54 71 60 71
- Ancienne abbaye★.

De l'École avec ch
12 rte Montrichard – ℘ 02 54 32 50 30 – www.hotelrestaurantdelecole.com – hoteldelecole@orange.fr – Fax 02 54 32 33 58 – Fermé 16 nov.-15 déc., 23 fév.-19 mars, dim. soir et lundi
11 ch – †60 € ††62/77 €, ⊇ 13 € – ½ P 67 €
Rest – (prévenir le week-end) Menu 24/56 € – Carte 36/60 €
♦ Jolie maison ligérienne abritant deux salles rustiques dont une avec cheminée. En été, jardin fleuri où murmure une fontaine. Savoureux plats du terroir. Chambres anciennes.

PONTOISE – 95 Val-d'Oise – **305** D6 – **106** 5 – **101** 3 – voir à Paris, Environs (Cergy-Pontoise)

PONT-RÉAN – 35 Ille-et-Vilaine – 309 L6 – ⊠ 35580 Guichen — 10 D2

▶ Paris 361 – Châteaubriant 57 – Fougères 67 – Nozay 60 – Rennes 16 – Vitré 56

XX **Auberge de Réan**
86 rte de Redon – ℰ *02 99 42 24 80* – *www.auberge-de-rean.com*
– *auberge.de.rean@wanadoo.fr* – *Fax 02 99 42 28 66* – *Fermé dim. soir et lundi*
Rest – Menu (15 € bc), 29/55 € – Carte 34/51 €
♦ Maison bretonne postée face au pont de pierre (18e s.) qui enjambe la Vilaine. Plaisante salle à manger aux couleurs ensoleillées et jolie terrasse tournée vers la rivière.

PONT-ST-PIERRE – 27 Eure – 304 H5 – 1 063 h. – alt. 15 m – ⊠ 27360 — 33 D2
Normandie Vallée de la Seine

▶ Paris 106 – Les Andelys 20 – Évreux 47 – Louviers 23 – Pont-de-l'Arche 12 – Rouen 22

◉ Boiseries★ de l'église - Côte des Deux-Amants ≤★★ SO : 4,5 km puis 15 mn - Ruines de l'abbaye de Fontaine-Guérard★ NE : 3 km.

XX **Auberge de l'Andelle**
– ℰ *02 32 49 70 18* – *Fax 02 32 49 59 43* – *Fermé 22 déc.-6 janv. et mardi soir*
Rest – Menu 23/65 € – Carte 43/73 €
♦ Le cadre rustique égayé d'une cheminée en pierre et un espace recélant de multiples recoins font le charme de cette auberge normande. Sympathique carte traditionnelle.

PONT-STE-MARIE – 10 Aube – 313 E4 – rattaché à Troyes

Rouge = agréable. Repérez les symboles X et 🏠 passés en rouge.

PONT-SCORFF – 56 Morbihan – 308 K8 – 3 012 h. – alt. 42 m — 9 B2
– ⊠ 56620 **Bretagne**

▶ Paris 503 – Lanester 13 – Lorient 13 – Rennes 152
🛈 Syndicat d'initiative, rue de Lorient ℰ 02 97 32 50 27, Fax 02 97 32 59 96

XX **Laurent Le Berrigaud**
Le Moulin des Princes – ℰ *02 97 32 42 07* – *laurent.le-berrigaud@wanadoo.fr*
– *Fax 02 97 32 50 02* – *Fermé 27 oct.-3 nov., 1er-12 janv. et lundi*
Rest – Menu (29 € bc), 39/57 € – Carte 60/80 €
♦ Le décor associe joliment vieilles pierres, œuvres d'art et compositions florales. Terrasse au fil de l'eau, appétissante cuisine très inventive et accueil charmant.

LES PONTS-NEUFS – 22 Côtes-d'Armor – 309 G3 – ⊠ 22400 Morieux — 10 C2

▶ Paris 441 – Dinan 51 – Dinard 52 – Lamballe 9 – St-Brieuc 15 – St-Malo 58

XX **La Cascade**
4 r. des Ponts Neufs, sur D 786 – ℰ *02 96 32 82 20* – *restaurantlacascade.com*
– *la.cascade.jamme@wanadoo.fr* – *Fax 02 96 32 70 74* – *Fermé mardi soir, merc. soir et jeudi soir du 16 sept. au 14 juin, dim. soir et lundi*
Rest – Menu 23 € (déj. en sem.), 32/46 € – Carte 35/60 €
♦ De la salle à manger de ce restaurant, vous profiterez de la vue sur l'étang. Cadre associant joliment le rustique et le contemporain et séduisante cuisine traditionnelle.

PORNIC – 44 Loire-Atlantique – 316 D5 – 13 500 h. – alt. 20 m – Casino : le Môle – ⊠ 44210 **Poitou Vendée Charentes** — 34 A2

▶ Paris 429 – Nantes 49 – La Roche-s-Yon 89 – Les Sables-d'Olonne 93 – St-Nazaire 30
🛈 Office de tourisme, place de la Gare ℰ 02 40 82 04 40, Fax 02 40 82 90 12
🏌 de Pornic Avenue Scalby Newby, O : 1km, ℰ 02 40 82 06 69

PORNIC

Alliance
plage de la Source, 1 km au Sud – ℘ 02 40 82 21 21
– www.thalassopornic.com – info.resa@thalassopornic.com – Fax 02 40 82 80 89
– Fermé 1er-15 déc.
118 ch – †120/240 € ††145/260 €, ☐ 16 € – 2 suites
Rest *La Source* – Menu (23 €), 32 € – Carte 43/54 €
Rest *La Terrasse* – (réservation conseillée) Menu (23 €), 32 € – Carte 48/54 €
• Centre de thalassothérapie et complexe hôtelier récent, face à l'océan. Grandes chambres (30 nouvelles actuelles) dotées de terrasses et transats. Restaurant contemporain en rotonde (ancien casino) avec vue unique sur le large ; cuisine classique et diététique. À La Terrasse, carte "tout poisson" dans un cadre épuré intimiste.

Auberge La Fontaine aux Bretons
chemin des Noëlles, 3 km au Sud-Est par rte de la Bernerie
– ℘ 02 51 74 07 07 – www.auberge-la-fontaine.com
– auberge@auberge-la-fontaine.com – Fax 02 51 74 15 15 – Fermé en janv.
11 ch – †85/121 € ††85/121 €, ☐ 12 € – 12 suites – ††103/143 €
Rest – (fermé dim. soir et lundi hors saison sauf fériés) Menu (20 €), 29/48 €
– Carte 29/50 €
• La fontaine rafraîchissait les pèlerins bretons de St-Jacques. Aujourd'hui, cette auberge propose des chambres agréables avec balcon, aménagées dans une ancienne ferme (1867). Vigne, jardin potager et restaurant de style rustique. Cuisine traditionnelle.

Beau Soleil sans rest
70 quai Leray – ℘ 02 40 82 34 58 – www.annedebretagne.com/beausoleil
– beausoleil@annedebretagne.com – Fax 02 40 82 43 00
17 ch – †55/113 € ††55/113 €, ☐ 9 €
• Bâtisse moderne face au port et au château. Chambres peu spacieuses, mais fonctionnelles et bien tenues. Petits-déjeuners servis dans la vaisselle de la faïencerie de Pornic.

Les Alizés sans rest
44 r. Général de Gaulle – ℘ 02 40 82 00 51 – www.hotel-alizes-pornic.com
– alizes@britohotel.fr – Fax 02 40 82 87 32
29 ch – †60/75 € ††60/75 €, ☐ 8 €
• Dans une rue passante, construction récente abritant des chambres avant tout pratiques. Celles donnant sur l'arrière sont au calme, celles côté rue ont un triple vitrage.

Beau Rivage
plage Birochère, 2,5 km au Sud-Est – ℘ 02 40 82 03 08
– www.restaurant-beaurivage.com – info@restaurant-beaurivage.com
– Fax 02 51 74 04 24 – Fermé 15 déc.-31 janv., mardi sauf juil.-août et lundi
Rest – Menu (26 €), 37/80 € – Carte 48/90 €
• Maquettes de bateaux, coquillages et autres bibelots marins décorent ce restaurant ouvert sur l'océan. Produits de la pêche et belle sélection de muscadets. Boutique gourmande.

Le Bistrot
pl. Petit Nice – ℘ 02 40 82 51 25 – Fax 02 40 64 94 81 – Fermé mi-nov. à mi-déc., merc. soir, dim. sauf fériés et sauf vacances scolaires et jeudi
Rest – Menu (14 €), 19 € (déj. en sem.)/31 €
• À l'intérieur, décor de bistrot contemporain et touches marines ; à l'extérieur, terrasse dressée face au château. Dans l'assiette, recettes iodées et plats traditionnels.

à Ste-Marie Ouest : 3 km – ⊠ 44210 Pornic

Les Sablons
13 r. Sablons – ℘ 02 40 82 09 14 – www.hotelesablons.com – contact@hotelesablons.com – Fax 02 40 82 04 26
28 ch – †55/70 € ††55/90 €, ☐ 9 € – ½ P 57/75 €
Rest – (fermé 15 déc.-15 janv., dim. soir, mardi midi et lundi sauf du 1er juin au 15 sept.) Menu (15 €), 20/41 € – Carte 31/51 €
• Cet hôtel des années 1970 à mi-chemin du village et de la plage propose des chambres simples (certaines avec vue sur mer), dans un esprit pension de famille. Salle à manger colorée et fleurie et, en été, tables agréablement dressées côté jardin.

PORNICHET – 44 Loire-Atlantique – **316** B4 – 10 423 h. – alt. 12 m 34 **A2**
– Casino – ⊠ 44380 ▌Bretagne

- ◘ Paris 444 – La Baule 6 – Nantes 70 – St-Nazaire 11
- ◘ Office de tourisme, 3, boulevard de la République ℰ 02 40 61 33 33, Fax 02 40 11 60 88

Sud Bretagne
42 bd de la République – ℰ 02 40 11 65 00 – www.hotelsudbretagne.com – contact@hotelsudbretagne.com – Fax 02 40 61 73 70
25 ch – ♦100/180 € ♦♦120/200 €, ⊋ 14 € – 4 suites
Rest – *(fermé dim. hors saison)* Menu 48/75 € – Carte 50/70 €
♦ Hôtel géré par la même famille depuis 1912. Chaque chambre est joliment décorée selon un thème précis auquel se réfèrent tissus, meubles et objets. Jacuzzi de nage intérieur et massages sur demande. Salle à manger soignée, coquette terrasse et cuisine iodée.

Villa Flornoy
7 av. Flornoy, près Hôtel de Ville – ℰ 02 40 11 60 00 – www.villa-flornoy.com – hotflornoy@aol.com – Fax 02 40 61 86 47 – Fermé déc. et janv.
30 ch – ♦60/110 € ♦♦60/110 €, ⊋ 9 € – ½ P 54/79 €
Rest – *(ouvert 1ᵉʳ avril-30 sept.) (dîner seult)* Carte 30/38 €
♦ Dans un quartier résidentiel, grande villa aménagée dans un esprit cottage : tons pastel, mobilier de style, porcelaine anglaise. Jolies chambres personnalisées. Salle à manger claire et spacieuse ; menu unique limité à des propositions traditionnelles.

Ibis
66 bd Océanides – ℰ 02 51 73 13 13 – www.hotelibis-labaule.com – h1171-gm@accor.com – Fax 02 40 61 74 74
88 ch – ♦64/121 € ♦♦64/167 €, ⊋ 10 €
Rest *Entre Terre et Mer* – Menu (15 € bc), 20/24 € – Carte 22/33 €
♦ Ibis aux chambres simples et propres. Son atout : un accès direct au centre de thalassothérapie attenant. Atmosphère de croisière au restaurant, grâce à ses cartes marines, stores en bois et baies vitrées. Assiettes traditionnelles ou diététiques pour les curistes.

Le Régent
150 bd Océanides – ℰ 02 40 61 04 04 – www.le-regent.fr – hotel@le-regent.fr – Fax 02 40 61 06 06
23 ch – ♦77/170 € ♦♦77/170 €, ⊋ 11 €
Rest *Grain de Folie* – *(fermé 1ᵉʳ-24 janv., dim. soir sauf juil.-août)* Menu (16 €), 25/40 € – Carte 32/48 €
♦ Maison familiale du début du 20ᵉ s. donnant sur l'Atlantique. Agréables chambres bien tenues. Un "Grain de Folie" a soufflé sur le décor du restaurant, tendance : dominante noire rehaussée de touches vives, véranda en structure métallique face à la mer. Carte actuelle.

PORQUEROLLES (ÎLE DE) – 83 Var – **340** M7 – **voir à Île de Porquerolles**

PORT-CAMARGUE – 30 Gard – **339** J7 – **rattaché au Grau-du-Roi**

PORT-CROS (ÎLE DE) – 83 Var – **340** N7 – **voir à Île de Port-Cros**

PORT-DE-CARHAIX – 29 Finistère – **308** J5 – **rattaché à Carhaix**

PORT-DE-GAGNAC – 46 Lot – **337** H2 – **rattaché à Bretenoux**

PORT-DE-LA-MEULE – 85 Vendée – **316** B7 – **voir à Île d'Yeu**

PORT-DE-LANNE – 40 Landes – **335** D13 – 808 h. – alt. 28 m 3 **B3**
– ⊠ 40300

- ◘ Paris 747 – Bayonne 29 – Biarritz 37 – Dax 23 – Mont-de-Marsan 77 – Peyrehorade 7

PORT-DE-LANNE

La Vieille Auberge sans rest
66 pl. de la Liberté – ℰ 05 58 89 16 29 – www.vieille-auberge.izispot.com
– vieille.auberge@wanadoo.fr – Fax 05 58 89 12 89 – Ouvert début mai à fin sept.
8 ch – ✝49/69 € ✝✝69/78 €, ⊇ 8 € – 2 suites
♦ Cette ravissante auberge rustique abrite un petit musée des traditions locales. Les chambres occupent des cottages disséminés dans le jardin fleuri (piscine). Accueil charmant.

PORT-DE-SALLES – 86 Vienne – **322** J7 – rattaché à l'Isle-Jourdain

---

PORT-DE-SECHEX – 74 Haute-Savoie – **328** L2 – rattaché à Thonon-les-Bains

---

PORTEL-DES-CORBIÈRES – 11 Aude – **344** I4 – 1 097 h. – alt. 32 m — 22 **B3**
– ✉ 11490

▶ Paris 810 – Perpignan 50 – Béziers 50 – Carcassonne 61 – Narbonne 18

Domaine de la Pierre Chaude sans rest
Les Campets, rte Durban – ℰ 04 68 48 89 79 – www.lapierrechaude.com
– lapierrechaude@yahoo.fr – Fermé 4 janv.-28 fév.
5 ch ⊇ – ✝85/95 € ✝✝85/120 €
♦ Ancien chai du 18ᵉ s. entouré de garrigue. Spacieuses chambres méridionales (fer forgé, mosaïques, terres cuites, murs chaulés), grande terrasse fleurie et petit-déjeuner maison.

La Bergerie
au Château de Lastours, 2 km au Sud par rte secondaire – ℰ 04 68 48 64 77
– www.labergerie-corbieres.com – pgspringer@yahoo.fr – Fermé 1ᵉʳ-20 janv., lundi, mardi et dim. soir hors saison
Rest – Menu 24/32 €
♦ Ex-bergerie nichée sur le domaine viticole du Château de Lastours, AOC Corbières. Vins de la propriété et cuisine actuelle servis dans une belle salle à manger voûtée.

PORT-EN-BESSIN – 14 Calvados – **303** H3 – 2 005 h. – alt. 10 m — 32 **B2**
– ✉ 14520 Port-en-Bessin-Huppain ∥ **Normandie Cotentin**

▶ Paris 275 – Bayeux 10 – Caen 41 – Cherbourg 92 – St-Lô 43
🛈 Office de tourisme, quai Baron Gérard ℰ 02 31 22 45 80, Fax 02 31 51 28 29

La Chenevière
1,5 km au Sud par D 6 – ℰ 02 31 51 25 25 – www.lacheneviere.com
– reservation@lacheneviere.fr – Fax 02 31 51 25 20 – Fermé Fév.
26 ch – ✝202/410 € ✝✝202/410 €, ⊇ 21 € – 3 suites
Rest – *(dîner seult)* Menu 50/90 € – Carte 78/137 €
♦ Cette noble demeure (19ᵉ s.) et ses dépendances entourées d'un beau parc abritent des chambres soignées aux tons pastel. Salons cossus, bar-caveau à l'insolite décor exotique. La salle à manger bourgeoise possède l'âme de ces belles maisons qui savent recevoir.

Mercure
chemin du Colombier, sur le golf, 2 km à l'Ouest par D 514 – ℰ 02 31 22 44 44
– www.mercure.com – h1215@accor.com – Fax 02 31 22 36 77
– Fermé 17 déc.-15 janv.
70 ch – ✝80/150 € ✝✝90/185 €, ⊇ 14 € – ½ P 75/100 €
Rest – Menu (22 €), 27/75 € – Carte 31/51 €
♦ Complexe hôtelier idéalement situé à l'orée du golf. Nuits calmes dans des chambres rénovées, pratiques et actuelles. Salle à manger-véranda proposant une cuisine traditionnelle et club-house où l'on sert une petite carte de type brasserie.

L'Écailler
2 r. Bayeux, (au port) – ℰ 02 31 22 92 16 – lecailler@msn.com
– Fax 02 31 22 90 38 – Fermé 5 janv.-12 fév., lundi et mardi
Rest – Menu (19 €), 23 € (sem.) – Carte 40/80 €
♦ Joli cadre marin, terrasse tournée vers le port et banc d'écailler à l'entrée pour le plaisir des yeux ; coquillages, crustacés et poissons frais pour celui des papilles.

PORT-EN-BESSIN

✗ **Fleur de Sel** 🚗 VISA 𝕄
☕ *6 quai Félix Faure – ℰ 02 31 21 73 01 – Fax 02 31 21 73 01 – Fermé 23 déc.-1ᵉʳ fév., mardi d'oct. à Pâques et merc.*
Rest – Menu 17/35 € – Carte 23/48 €

◆ Ce restaurant face au port concocte des plats simples à partir des produits de la pêche. Suggestions à l'ardoise ; décor rustique en bas, marin à l'étage (vue sur la Tour Vauban).

PORT-GOULPHAR – 56 Morbihan – **308** L11 – **voir à Belle-Île-en-Mer**

PORT-GRIMAUD – 83 Var – **340** O6 – ⊠ 83310 Cogolin   41 **C3**
▌Côte d'Azur

▶ Paris 867 – Brignoles 63 – Fréjus 27 – Hyères 47 – St-Tropez 9 – Ste-Maxime 8 – Toulon 66

◉ ≤★ de la tour de l'Église œcuménique.

🏨 **Giraglia** ⚜ ≤ 🚗 🏊 ♿ 📺 ⚙ rest, 🍴 🅂 🅿 VISA 𝕄 AE
sur la plage – ℰ 04 94 56 31 33 – www.hotelgiraglia.com – message @ hotelgiraglia.com – Fax 04 94 56 33 77 – Ouvert mi-mai à fin sept.
49 ch – †280/430 € ††280/430 €, ⊇ 21 € – 10 suites
Rest – Menu 56 € (dîner) – Carte 35/85 €

◆ Côté golfe ou côté marina, chambres lumineuses aux teintes du Sud, le plus souvent avec balcons. En saison, coches d'eau pour se déplacer dans la station. Le restaurant et ses terrasses fleuries ouvrent plein cadre sur la grande bleue ; cuisine méditerranéenne.

🏨 **Suffren** sans rest 📺 ♿ 🅂 🍴 VISA 𝕄 AE ①
16 pl. du Marché – ℰ 04 94 55 15 05 – www.hotellerieдusoleil.com – lesuffren @ hotellerieдusoleil.com – Fax 04 94 55 15 06 – Ouvert 3 avril-31 oct.
19 ch ⊇ – †75/165 € ††75/255 €

◆ Au cœur de la cité lacustre, dans un secteur semi piéton, cet hôtel respire la Provence. Patines à l'ancienne et couleurs vives égayent les chambres, en partie dotées d'un balcon.

PORTICCIO – 2A Corse-du-Sud – **345** B8 – **voir à Corse**

PORTIRAGNES – 34 Hérault – **339** F9 – 3 094 h. – alt. 10 m – ⊠ 34420   23 **C2**

▶ Paris 762 – Montpellier 72 – Agde 13 – Béziers 13 – Narbonne 51
🛈 Office de tourisme, place du Bicentenaire ℰ 04 67 90 92 51, Fax 04 67 90 92 51

🏠 **Mirador** ♿ 🍴 VISA 𝕄 AE
4 bd Front-de-Mer, à Portiragnes-Plage – ℰ 04 67 90 91 33
– www.hotel-le-mirador.com – hotel_le_mirador@hotmail.com
– Fax 04 67 90 88 80 – Ouvert 1ᵉʳ fév.-31 oct.
16 ch – †49/113 € ††49/113 €, ⊇ 8 € – ½ P 53/85 €
Rest *Saveurs du Sud* – ℰ 04 67 90 97 67 (fermé le midi du lundi au jeudi)
Menu (16 €), 21/50 € – Carte 41/67 €

◆ Près du rivage, hôtel familial proposant des chambres fonctionnelles et bien tenues. Préférez celles dotées de terrasses orientées vers les flots. Cuisine traditionnelle aux accents du Sud servie dans une salle à manger-véranda contemporaine.

PORTIVY – 56 Morbihan – **308** M9 – **rattaché à Quiberon**

PORT-JOINVILLE – 85 Vendée – **316** B7 – **voir à Île d'Yeu**

PORT-LA-NOUVELLE – 11 Aude – **344** J4 – 5 610 h. – alt. 2 m   22 **B3**
– Casino – ⊠ 11210 ▌Languedoc Roussillon

▶ Paris 813 – Montpellier 120 – Carcassonne 81 – Perpignan 49 – Béziers 60
🛈 Syndicat d'initiative, place Paul Valéry ℰ 04 68 48 00 51, Fax 04 68 40 33 66

1505

PORT LA NOUVELLE

Méditerranée
bd Front-de-Mer – ℰ 04 68 48 03 08 – www.hotelmediterranee.com
– hotel.mediterranee@wanadoo.fr – Fax 04 68 48 53 81 – Fermé 4 janv.-4 fév.
30 ch – †62/88 € ††62/94 €, ⊒ 8 € – ½ P 60/76 €
Rest – (fermé 5-15 nov., 4 janv.-4 fév., vend. soir et dim. soir du 9 nov. au 7 fév.)
Menu 13/48 € – Carte 22/55 €

◆ Construction balnéaire bâtie le long de la promenade, face à la plage. Chambres de bonne ampleur et correctement équipées, à choisir avec balcon côté mer pour profiter de la vue. Cuisine axée sur les produits de la pêche au restaurant. Terrasse-trottoir.

PORT-LESNEY – 39 Jura – 321 E4 – 506 h. – alt. 251 m – ⊠ 39600   16 B2
Franche-Comté Jura

▶ Paris 401 – Arbois 12 – Besançon 36 – Dole 39 – Lons-le-Saunier 51
– Salins-les-Bains 10

Château de Germigney ॐ
r. Edgar-Faure – ℰ 03 84 73 85 85 – www.chateaudegermigney.com
– germigney@relaischateaux.com – Fax 03 84 73 88 88 – Fermé 1er janv.-5 fév.
20 ch – †130 € ††200/350 €, ⊒ 15 € – ½ P 138/213 €
Rest – (fermé lundi midi et mardi midi) Menu 39 € (déj.), 60/99 € – Carte 70/99 €
Spéc. Ravioli de foie gras poêlé. Volaille de Bresse cuite en terrine lutée, pomme de terre boulangère au vin jaune. Moelleux au chocolat et praliné croustillant.
Vins Arbois, Côtes du Jura.

◆ Manoir blotti dans un superbe parc doté d'une piscine écologique (eau venant d'un étang et filtrée naturellement). Grandes chambres personnalisées et salon feutré. Cuisine unissant pour le meilleur la Provence au Jura, servie dans une salle voûtée, à l'orangerie ou sur la terrasse.

Le Bistrot "Pontarlier"
pl. 8 Mai 1945 – ℰ 03 84 37 83 27 – www.chateaudegermigney.com
– germigney@relaischateaux.com – Fax 03 84 73 88 88
– Fermé 1er janv.-5 fév., lundi au jeudi d'oct. à avril, jeudi et merc. sauf juil.-août
Rest – bistrot – Menu 22 € – Carte 28/37 €

◆ Au bord de la Loue, repas "canaille" dans une salle bistrotière foisonnante de bibelots chinés, cannes à pêche et objets divers, ou dehors, à l'ombre d'un tulipier de Virginie.

Un week-end de charme à la mer, à la campagne ou à la montagne ?
Découvrez le nouveau guide des "Chambres d'hôtes", une sélection
de nos plus belles adresses en France : confort, calme et volupté
garantis !

PORT-LEUCATE – 11 Aude – 344 J5 – rattaché à Leucate

PORT-LOUIS – 56 Morbihan – 2 927 h. – alt. 5 m – ⊠ 56290   9 B2

▶ Paris 505 – Vannes 50 – Lorient 19 – Pontivy 61 – Quimper 84
🛈 Office de tourisme, 1, rue de la Citadelle ℰ 02 97 82 52 93,
Fax 02 97 82 14 75

Avel Vor (Patrice Gahinet)
25 r. Locmalo – ℰ 02 97 82 47 59 – Fax 02 97 82 47 59 – Fermé 30 juin-8 juil., 29 sept.-15 oct., 25 janv.-11 fév., dim. soir, lundi et mardi
Rest – Menu 29 € (sem.)/88 € – Carte 74/106 €
Spéc. Saint-Jacques saisies, foie gras de canard poêlé (oct. à fév.). Homard bleu cuit dans sa carapace (juin à sept.). Pomme rôtie à la cannelle, crème mascarpone, glace vanille (oct. à mai).

◆ Un "vent de mer" (avel vor en breton) souffle sur cette table : voisinage du port, cadre contemporain d'esprit nautique, échappée sur les flots, poissons fraîchement pêchés.

PORT-MANECH – 29 Finistère – **308** I8 – ✉ 29920 Nevez ▮ Bretagne 9 **B2**

▶ Paris 545 – Carhaix-Plouguer 73 – Concarneau 18 – Quimper 44 – Quimperlé 29

Du Port
30 r. Aven – ✆ 02 98 06 82 17 – www.hotelduport.com – hotel.du.port@wanadoo.fr – Fax 02 98 06 62 70 – Ouvert 1er avril-30 sept. et 23 oct.-1er nov.
31 ch – †42/60 € ††45/68 €, ⊇ 8 € – ½ P 49/60 €
Rest – *(fermé le midi hors saison, sam. midi et merc. en juil.-août)* Menu 20/50 € – Carte 27/80 €

♦ Là où se rejoignent les estuaires de l'Aven et du Belon : plus breton que ça... Les chambres, toutes meublées simplement, sont plus grandes à l'annexe. Cuisine familiale proposée dans une véranda ou en terrasse, face au petit port. Fruits de mer en saison.

PORT-MORT – 27 Eure – **304** I6 – 1 008 h. – alt. 19 m – ✉ 27940 33 **D2**

▶ Paris 89 – Les Andelys 11 – Évreux 33 – Rouen 55 – Vernon-sur-Eure 12

Auberge des Pêcheurs
– ✆ 02 32 52 60 43 – www.auberge-des-pecheurs.com – auberge-des-pecheurs@wanadoo.fr – Fax 02 32 52 07 62 – Fermé 3-23 août, janv., dim. soir, lundi soir et mardi
Rest – Menu (17 €), 22 € (sem.)/31 €

♦ La Seine méandre à quelques encablures de cette auberge. Grande salle à manger de style rustique, prolongée par une véranda tournée sur le jardin. Registre traditionnel.

PORT-NAVALO – 56 Morbihan – **308** N9 – rattaché à Arzon

PORTO – 2A Corse-du-Sud – **345** B6 – voir à Corse

PORTO-POLLO – 2A Corse-du-Sud – **345** B9 – voir à Corse

PORTO-VECCHIO – 2A Corse-du-Sud – **345** E10 – voir à Corse

PORTSALL – 29 Finistère – **308** C3 – ✉ 29830 ▮ Bretagne 9 **A1**

▶ Paris 616 – Rennes 263 – Quimper 98 – Brest 29 – Landerneau 46

La Demeure Océane sans rest
20 r. Bar Al Lan – ✆ 02 98 48 77 42 – www.demeure-oceane.fr – la-demeure-oceane@wanadoo.fr – Fax 02 98 48 04 15 – Ouvert 16 fév.-14 oct.
7 ch – †55/65 € ††60/70 €

♦ Maison bourgeoise (début 20e s.) située au-dessus du port, dans un quartier calme. Joli salon-véranda côté jardin, chambres avec vue océane et salle à manger d'esprit anglais.

PORT-SUR-SAÔNE – 70 Haute-Saône – **314** E6 – 2 773 h. – alt. 228 m 16 **B1**
– ✉ 70170

▶ Paris 347 – Besançon 61 – Bourbonne-les-Bains 46 – Épinal 75 – Gray 51 – Vesoul 13

🛈 Office de tourisme, rue de la Rézelle ✆ 03 84 78 10 66, Fax 03 84 78 18 09

à Vauchoux Sud : 3 km par D 6 – 124 h. – alt. 210 m – ✉ 70170

Château de Vauchoux (Jean-Michel Turin)
rte de la vallée de la Saône – ✆ 03 84 91 53 55 – Fax 03 84 91 65 38 – Fermé 23-28 fév., lundi et mardi
Rest – *(prévenir)* Menu 75/125 €

Spéc. Foie gras d'oie au pain d'épice. Pigeonneau rôti au gingembre "Edwige Feuillère". Plaisir des Gâtines. **Vins** Charcenne.

♦ Une adresse pleine de charme que cet ancien pavillon de chasse : parc fleuri, belle salle de style Louis XV, cuisine classique généreuse et cave riche, notamment en bordeaux.

PORT-VENDRES – 66 Pyrénées-Orientales – 344 J7 – 4 579 h. 22 **B3**
– alt. 3 m – ⌧ 66660 ◾ Languedoc Roussillon

▶ Paris 881 – Perpignan 32

🛈 Office de tourisme, 1, quai François Joly ℰ 04 68 82 07 54, Fax 04 68 82 62 95

◉ Tour Madeloc ✳ ★★ SO : 8 km puis 15 mn.

Les Jardins du Cèdre
29 rte Banyuls – ℰ *04 68 82 01 05 – www.lesjardinsducedre.com – contact@lesjardinsducedre.com – Fax 04 68 82 22 13 – Fermé 15 nov.-20 déc. et 7 janv.-1er fév.*
19 ch – †59/110 € ††59/110 €, ⌧ 9 € – 1 suite – ½ P 65/95 €
Rest – *(fermé lundi midi, merc. midi et mardi)* Menu (18 €), 35/46 €
– Carte 46/60 €

♦ Vue étendue sur le port et la mer, palmiers et vieux cèdre du Liban, jolie piscine : le jardin de cet hôtel est très séduisant. Chambres modernes et agréablement colorées. Coquet restaurant et charmante terrasse ; carte et menus composés de plats actuels.

Côte Vermeille
quai Fanal, direction la criée – ℰ *04 68 82 05 71 – Fax 04 68 82 05 71 – Fermé 1er-7 juil., 5 janv.-2 fév., dim. et lundi sauf juil.-août*
Rest – Menu 29 € bc (déj. en sem.), 36/58 € – Carte 55/65 €

♦ Table ancrée sur le port : le chef n'a donc que deux pas à faire pour trouver à la criée le meilleur de la marée du jour. Saveurs méditerranéennes. Le frère officie en salle.

LA POTERIE – 22 Côtes-d'Armor – 309 H4 – rattaché à Lamballe

POUANÇAY – 86 Vienne – 322 F2 – 243 h. – alt. 73 m 39 **C1**

▶ Paris 348 – Poitiers 75 – Saumur 29 – Bressuire 56 – Thouars 26

Trésor Belge
1 allée du Jardin Secret – ℰ *05 49 98 72 25 – www.tresorbelge.com – info@tresorbelge.com – Fermé 1er-7 juil., 1er-7 sept., janv., lundi et mardi*
Rest – *(nombre de couverts limité, prévenir)* Menu (25 € bc), 30/59 €
= Carte 38/48 €

♦ Une "ambassade" de la cuisine flamande où l'on déguste en toute convivialité de belles spécialités belges arrosées d'incontournables bières (plus de 40 sortes différentes !).

POUGUES-LES-EAUX – 58 Nièvre – 319 B9 – 2 509 h. – alt. 198 m 7 **A2**
– Casino – ⌧ 58320 ◾ Bourgogne

▶ Paris 225 – Auxerre 123 – Bourges 65 – Nevers 12

🛈 Syndicat d'initiative, 42, avenue de Paris ℰ 03 86 58 75 69, Fax 03 86 90 96 05

Hôtel des Sources sans rest
r. Mignarderie – ℰ *03 86 90 11 90 – www.hoteldessources.fr – contact@hoteldessources.fr – Fax 03 86 90 11 91*
29 ch – †60 € ††60 €, ⌧ 11 €

♦ Environnement calme, accueil convivial, proximité du casino et bons petits-déjeuners : voilà pour les atouts de cet hôtel familial. Chambres de bonne ampleur et fonctionnelles.

POUILLON – 40 Landes – 335 F13 – 2 746 h. – alt. 28 m – ⌧ 40350 3 **B3**

▶ Paris 742 – Dax 16 – Mont-de-Marsan 69 – Orthez 28 – Peyrehorade 15

🛈 Syndicat d'initiative, chemin de Lahitte ℰ 05 58 98 38 93, Fax 05 58 98 30 67

L'Auberge du Pas de Vent
281 av. du pas de Vent – ℰ *05 58 98 34 65 – www.auberge-dupasdevent.com – sophiedubern@cegetel.net – Fax 05 58 98 34 65 – Fermé 26 oct.-13nov., 22 fév.-8 mars, dim. soir, lundi soir, mardi soir et merc.*
Rest – Menu 12 € (déj. en sem.), 23/40 € – Carte 35/55 €

♦ Le chef de cette sympathique auberge champêtre réalise une cuisine régionale qui remet à l'honneur de vieilles recettes de grand-mère. Terrain de "quilles de Neuf" attenant.

POUILLY-EN-AUXOIS – 21 Côte-d'Or – 320 H6 – 1 438 h. — 8 C2
– alt. 390 m – ⊠ 21320 ▮ Bourgogne

▶ Paris 270 – Avallon 66 – Beaune 42 – Dijon 44 – Montbard 59

🖪 Office de tourisme, le Colombier ℰ 03 80 90 74 24, Fax 03 80 90 74 24

🖪 du Château de Chailly Chailly s/Armançon, O : 6 km par D 977,
ℰ 03 80 90 30 40

De La Poste avec ch
pl. de la Libération – ℰ 03 80 90 86 44 – www.hoteldelapostepouilly.fr
– hoteldelapostepouilly@orange.fr – Fax 03 80 90 75 99 – Fermé 10-30 nov., dim. soir et lundi
6 ch – †49/61 € ††49/61 €, ⊇ 7 €
Rest – Menu (13 € bc), 18/43 € – Carte 24/43 €

◆ Auberge en pierre sur la place centrale de cette petite localité bourguignonne. Salle à manger-véranda de style campagnard et choix traditionnel aux accents régionaux. Chambres spacieuses et modestes.

à Chailly-sur-Armançon 6,5 km à l'Ouest par D 977bis – 270 h. – alt. 387 m
– ⊠ 21320

Château de Chailly ⚘
– ℰ 03 80 90 30 30 – www.chailly.com
– reservation@chailly.com – Fax 03 80 90 30 00 – Fermé 13 déc.-22 janv. et 7-20 fév.
37 ch – †215/295 € ††260/340 €, ⊇ 20 € – 8 suites
Rest L'Armançon – (fermé dim. et lundi) (dîner seult) Menu 60/100 €
Rest Le Rubillon – (fermé le soir sauf dim. et lundi) Menu (33 €), 42 € (déj.)
– Carte 44/55 €

◆ Une riche façade Renaissance, une autre rappelant son rôle défensif au Moyen-Âge : ce château agrémenté d'un vaste parc et d'un superbe golf offre à ses hôtes un cadre fastueux. Table classique et décor au diapason à L'Armançon. Terrasse tournée vers la piscine, buffets et plats traditionnels au Rubillon.

POUILLY-LE-FORT – 77 Seine-et-Marne – 312 E4 – voir à Paris, Environs (Sénart)

POUILLY-SOUS-CHARLIEU – 42 Loire – 327 D3 – 2 674 h. — 44 A1
– alt. 264 m – ⊠ 42720

▶ Paris 393 – Charlieu 5 – Digoin 43 – Roanne 15 – Vichy 75

Loire
r. de la Berge – ℰ 04 77 60 81 36 – www.restauloire.fr – restoloire@yahoo.fr
– Fax 04 77 60 76 06 – Fermé 21 sept.-10 oct., 4-28 janv., dim. soir, mardi sauf le soir en juil.-août et lundi
Rest – Menu 22 € (sem.)/70 € – Carte 30/70 €

◆ Cette auberge servait jadis fritures et grenouilles ; c'est aujourd'hui un élégant restaurant doté d'une terrasse dressée côté jardin où l'on propose une carte traditionnelle.

POUILLY-SUR-LOIRE – 58 Nièvre – 319 A8 – 1 746 h. – alt. 168 m — 7 A2
– ⊠ 58150 ▮ Bourgogne

▶ Paris 200 – Bourges 58 – Clamecy 54 – Cosne-sur-Loire 18 – Nevers 38
– Vierzon 80

🖪 Syndicat d'initiative, 17, quai Jules Pabiot ℰ 03 86 39 54 54,
Fax 03 86 39 54 55

Relais de Pouilly
rte de Mesves-sur-Loire, 3 km au Sud par D 28ᴬ – ℰ 03 86 39 03 00
– www.relaisdepouilly.com – info@relaisdepouilly.com – Fax 03 86 39 07 47
24 ch – †55/68 € ††72/78 €, ⊇ 10 € – ½ P 72/76 €
Rest – Menu (14 €), 19/36 € – Carte 25/40 €

◆ Hôtel voisin de la cité vigneronne et d'une aire d'autoroute (accès piétonnier). Chambres actuelles et insonorisées tournées vers la réserve naturelle de la Loire. Restaurant ouvert sur le jardin, carte régionale, buffets, grillades et sélection de pouillys.

POUJOLS – 34 Hérault – **339** E6 – rattaché à Lodève

POULDREUZIC – 29 Finistère – **308** E7 – 1 814 h. – alt. 51 m   9 **A2**
– ✉ 29710

- Paris 587 – Audierne 17 – Douarnenez 17 – Pont-l'Abbé 15 – Quimper 25
- Syndicat d'initiative, rue de la Mer ✆ 02 98 54 49 90

à Penhors Ouest : 4 km par D 40 – ✉ 29710 Pouldreuzic

Breiz Armor
à la plage – ✆ 02 98 51 52 53 – www.breiz-armor.fr – breiz-armor@wanadoo.fr
– Fax 02 98 51 52 30 – Ouvert 4 avril-15 oct. et 26-31 déc.
36 ch – †70/82 € ††70/82 €, ⊇ 9 € – ½ P 71/80 €
Rest – *(fermé lundi sauf le soir en juil.-août)* Menu 16 € (déj. en sem.), 21/79 €
– Carte 22/55 €

♦ Ensemble moderne tourné vers l'océan. Chambres nettes et nombreux petits "plus" : joli musée (coquillages, oiseaux), billard, solarium, fitness, sauna, vélos, buanderie, etc. À table, belle vue sur le large, saveurs marines et spécialités du pays bigouden.

LE POULDU – 29 Finistère – **308** J8 – ✉ 29360 Clohars Carnoet   9 **B2**
Bretagne

- Paris 521 – Concarneau 37 – Lorient 25 – Moëlan-sur-Mer 10 – Quimper 61 – Quimperlé 14
- St-Maurice : site★ et ≤★ du pont NE : 7 km.

Le Panoramique sans rest
au Kérou-plage – ✆ 02 98 39 93 49 – www.hotel-panoramique.fr
– poulduramique@orange.fr – Fax 02 98 96 90 16 – Ouvert 3 avril-5 nov.
25 ch – †47/63 € ††47/63 €, ⊇ 9 €

♦ Hôtel proposant des chambres nettes et pratiques. Petit-déjeuner dans une salle lumineuse avec vue sur mer, salons de lecture et de détente, avec bar et TV.

POURVILLE-SUR-MER – 76 Seine-Maritime – **304** G2 – rattaché à Dieppe

---

POUZAY – 37 Indre-et-Loire – **317** M6 – rattaché à Ste-Maure-de-Touraine

---

LE POUZIN – 07 Ardèche – **331** K5 – 2 668 h. – alt. 90 m – ✉ 07250   44 **B3**

- Paris 590 – Lyon 127 – Privas 16 – Valence 28 – Romans-sur-Isère 48

La Cardinale
– ✆ 04 75 41 20 39 – www.lacardinale.net – lacardinale@orange.fr
– Fax 04 75 43 45 66 – Fermé 23 oct.-9 nov. et 21 déc.-7 janv.
10 ch – †90/195 € ††105/245 €, ⊇ 15 €
Rest – *(fermé lundi, mardi et merc. d'oct. à juin) (dîner seult) (prévenir)*
Carte 49/60 €

♦ Cette maison en pierre, avec piscine, est entourée d'un parc aux essences choisies. De plain-pied, les chambres raffinées (superbes salles de bain) donnent sur une terrasse. Cuisine traditionnelle servie dans une salle intime au décor tendance.

PRADES – 66 Pyrénées-Orientales – **344** F7 – 6 221 h. – alt. 360 m   22 **B3**
– ✉ 66500 **Languedoc Roussillon**

- Paris 892 – Mont-Louis 36 – Olette 16 – Perpignan 46 – Vernet-les-Bains 11
- Office de tourisme, 4, rue des Marchands ✆ 04 68 05 41 02, Fax 04 68 05 21 79
- de Marcevol à Arboussols Le Hameau de Marcevol, NE : 10 km par D 35, ✆ 04 68 96 18 08
- Abbaye St-Michel-de-Cuxa★★ S : 3 km - Village d'Eus★ NE : 7 km.

1510

PRADES

🏠 **Pradotel** sans rest 🚗 🍴 ♿ ♨ 🛁 **P** **VISA** **MC**
av. Festival, sur la rocade – ℘ 04 68 05 22 66 – pradotel66@orange.fr
– Fax 04 68 05 23 22
39 ch – †50/62 € ††54/72 €, ⊋ 8,50 €
♦ Bâtiment contemporain et fonctionnel. À l'arrière, belle perspective sur le Canigou depuis les balcons. Nouveauté : des terrasses pour les chambres de plain-pied côté piscine.

🏠 **Hexagone** ♿ ch, ♨ **P** **VISA** **MC**
🔗 rd-pt de Molitg, sur la rocade – ℘ 04 68 05 31 31 – www.hotelhexagone.fr
– hotelhexagone@cegetel.net – Fax 04 68 05 24 89
30 ch – †50/62 € ††56/68 €, ⊋ 8 €
Rest – (fermé sam. et dim.) (dîner seult) (résidents seult) Menu 17 €
♦ Une adresse pratique pour l'étape dans la petite cité courue pour son festival de musique. Chambres identiques, simples et correctement tenues.

à Clara au Sud 5 km par D 35 – ⊠ 66500

⛺ **Les Loges du Jardin d'Aymeric** 🌿 🚗 🍴 🍽 🛁 ♨ **P** **VISA** **MC**
7 rue du Canigou – ℘ 04 68 96 08 72 – www.logesaymeric.com – jardin.aymeric@wanadoo.fr – Fax 04 68 96 08 72 – Fermé janv.
3 ch ⊋ – †55/75 € ††65/85 €
Table d'hôte – (fermé mardi soir et merc. d'oct. à mai) Menu 30 €
♦ Maison d'hôte nichée dans un paisible village, au pied du Canigou. Chambres spacieuses, à la fois sobres et colorées. Agréable piscine dans un petit jardin fleuri. Cuisine régionale et familiale dans une salle au charme mi-rustique, mi-local.

LE PRADET – 83 Var – **340** L7 – **10 100** h. – alt. **1** m – ⊠ 83220 41 **C3**
🇫🇷 Côte d'Azur

▶ Paris 842 – Draguignan 76 – Hyères 11 – Toulon 10
🛈 Office de tourisme, place Général-de-Gaulle ℘ 04 94 21 71 69, Fax 04 94 08 56 96
👁 Musée de la mine de Cap Garonne : grande salle★, 3 km au Sud par D 86.

aux Oursinières Sud : 3 km par D 86 – ⊠ 83320 Le Pradet

🏨 **L'Escapade** sans rest 🌿 🚗 🍽 ♨ 🛁 ☕ **VISA** **MC**
1 r. de la Tartane – ℘ 04 94 08 39 39 – www.hotel-escapade.com – info@hotel-escapade.com – Fax 04 94 08 52 60 – Ouvert 6 mars-3 nov.
9 ch – †125/215 € ††125/215 €, ⊋ 13 € – 1 suite
♦ À 100 m de la mer, petites maisons nichées dans un beau jardin. La jolie salle des petits-déjeuners borde la piscine. Chambres décorées "à la tyrolienne". Bon accueil.

✕✕ **La Chanterelle** 🚗 🍴 **VISA** **MC**
50 r. de la Tartane – ℘ 04 94 08 52 60 – www.hotel-escapade.com – chanterelle@nerim.net – Fermé 2 nov.-5 déc., 4 janv.-5 mars, lundi et mardi de sept. à avril
Rest – Menu 39 € (sem.)/49 € – Carte 50/59 €
♦ Un plafond en bois sculpté agrémente la salle à manger ; aux murs, vitraux colorés représentant des natures mortes. Plaisant jardin fleuri. Cuisine régionale actualisée.

PRALOGNAN-LA-VANOISE – 73 Savoie – **333** N5 – **756** h. 45 **D2**
– alt. **1 425** m – Sports d'hiver : 1 410/2 360 m ⛷1 ⛷13 ⛷ – ⊠ 73710
🇫🇷 Alpes du Nord

▶ Paris 634 – Albertville 53 – Chambéry 103 – Moûtiers 28
🛈 Office de tourisme, avenue de Chasseforêt ℘ 04 79 08 79 08, Fax 04 79 08 76 74
👁 Site★ - Parc national de la Vanoise★★ - La Chollière★ SO : 1,5 km puis 30 mn - Mont Bochor ≤★ par téléphérique.

🏠 **Les Airelles** 🌿 ≤ 🍴 🍽 ♨ rest, **P** ☕ **VISA** **MC** **AE**
les Darbelays, 1 km au Nord – ℘ 04 79 08 70 32 – www.hotel-les-airelles.fr
– hotellesairelles@free.fr – Fax 04 79 08 73 51 – Ouvert 6 juin-18 sept.
et 19 déc.-16 avril
21 ch – †50/70 € ††73/95 €, ⊋ 8 € – ½ P 52/74 €
Rest – Menu 21/24 € – Carte 23/30 €
♦ Avenante adresse des années 1980 située à l'orée de la forêt des Granges. Les chambres, redécorées à la façon d'un chalet, offrent une belle vue sur les montagnes. Table régionale chaleureuse et spécialités fromagères (tartiflettes, fondues, gratins...).

PRALOGNAN-LA-VANOISE

De la Vanoise
≤ 🛋 🌿 ch, ♨ 🅿 VISA ◎ AE
– ☎ 04 79 08 70 34 – www.hoteldelavanoise.fr – hotel@la-vanoise.com
– Fax 04 79 08 75 79 – Ouvert de mi-juin à mi-sept. et 20 déc.-20 avril
32 ch – †39/52 € ††78/104 €, ☐ 9 € – ½ P 60/93 €
Rest – Menu (15 €), 18/35 € – Carte 20/40 €

◆ Au cœur de la station, près des remontées mécaniques. Chambres simples et lambrissées (dont quelques duplex), toutes dotées d'un balcon. Sauna. Plats traditionnels, savoyards ou végétariens dans un cadre alpin (bois blond et tissus fleuris).

Du Grand Bec
≤ 🛋 🛋 ⛱ 🛋 🍴 🏠 🏠 rest, 🚗 VISA ◎
– ☎ 04 79 08 71 10 – www.hoteldugrandbec.fr – grand_bec@wanadoo.fr
– Fax 04 79 08 72 22 – Ouvert 1er juin-18 sept. et 19 déc.-13 avril
39 ch – †55/80 € ††60/120 €, ☐ 10 € – ½ P 52/74 €
Rest – Menu 20/40 € – Carte 22/48 €

◆ La crête du Grand Bec veille sur cette construction régionale postée à l'entrée de la station. Chambres montagnardes avec balcon (12 ont un salon). Restaurant aux tons chauds et terrasse tournée vers le village et les sommets. Table traditionnelle et savoyarde.

PRA-LOUP – 04 Alpes-de-Haute-Provence – **334** H6 – **rattaché à Barcelonnette**

LE PRARION – 74 Haute-Savoie – **328** N5 – **rattaché aux Houches**

PRATS-DE-MOLLO-LA-PRESTE – 66 Pyrénées-Orientales — 22 **B3**
– **344** F8 – 1 141 h. – alt. 740 m – ✉ 66230 ▊ Languedoc Roussillon

◪ Paris 905 – Céret 32 – Perpignan 64
🛈 Office de tourisme, place du Foiral ☎ 04 68 39 70 83, Fax 04 68 39 74 51
◉ Ville haute ★.

Bellevue
🛋 AC rest, 🅿 VISA ◎ AE ①
pl. du Foiral – ☎ 04 68 39 72 48 – www.hotel-le-bellevue.fr – info@hotel-le-bellevue.fr
– Fax 04 68 39 78 04 – Fermé 1er déc.-14 fév., mardi et merc. du 6 nov. au 1er avril
17 ch – †42/54 € ††50/70 €, ☐ 8 € – ½ P 43/59 €
Rest – Menu 22/50 € – Carte 35/55 €

◆ Cette bâtisse régionale jouit d'une belle situation sur la place du foirail d'où l'on voit les remparts de la cité médiévale et la montagne. Chambres simples, parfois rajeunies. La carte aligne d'appétissantes recettes catalanes ; salle à manger aux tons pastel.

à La Preste : 8 km – ✉ 66230 Prats-de-Mollo-la-Preste – Stat. therm. : début avril-mi nov.

Ribes
≤ 🏠 rest, 🅿 VISA ◎
– ☎ 04 68 39 71 04 – www.hotel-ribes.com – info@hotel-ribes.com
– Fax 04 68 39 78 02 – Ouvert 12 avril-20 oct.
16 ch – †46/49 € ††46/55 €, ☐ 8,50 € – ½ P 40/46 €
Rest – Menu (11 €), 17/29 € – Carte 28/38 €

◆ La ferme, isolée au milieu des prés, est devenue une sympathique hôtellerie familiale. Chambres refaites par étapes, modestes mais bien tenues. Restaurant campagnard tourné vers la vallée ; cuisine catalane en partie élaborée avec des produits d'élevage maison.

Le Val du Tech
🛋 🅿 VISA ◎
– ☎ 04 68 39 71 12 – www.hotel-levaldutech.com – val.du.tech@wanadoo.fr
– Fax 04 68 39 78 07 – Ouvert 25 avril-24 oct.
25 ch – †34/37 € ††50/56 €, ☐ 7 € – ½ P 48/51 €   **Rest** – Menu (12 €), 16/26 €

◆ Curistes et randonneurs apprécient ce petit hôtel familial situé à flanc de colline, à deux pas des thermes. Chambres proprettes dotées de toutes les commodités. Cuisine traditionnelle servie dans une grande salle à manger au cadre sagement rustique et catalan.

PRATZ – 39 Jura – **321** E8 – 554 h. – alt. 682 m – ✉ 39170   16 **B3**
◪ Paris 460 – Besançon 130 – Lons-le-Saunier 47 – Genève 113 – Bourg-en-Bresse 84

Les Louvières
🛋 🛋 🌿 🅿 VISA ◎ AE
– ☎ 03 84 42 09 24 – www.leslouvieres.com – info@leslouvieres.com
– Fax 03 84 42 09 24 – Fermé 21 déc.-31 janv., dim. soir, lundi et mardi
Rest – Menu 28 € (déj. en sem.), 34/46 €

◆ Isolée, cette ferme de pays, parfaitement rénovée, offre un décor très contemporain qui ne renie pas le chaleureux style montagnard. Cuisine actuelle, vins étrangers. Bon accueil.

LE PRAZ – 73 Savoie – **333** M5 – rattaché à Courchevel

LES PRAZ-DE-CHAMONIX – 74 Haute-Savoie – **328** O5 – rattaché à Chamonix-Mont-Blanc

PRAZ-SUR-ARLY – 74 Haute-Savoie – **328** M5 – 1 349 h. **46 F1**
– alt. 1 036 m – Sports d'hiver : 1 036/2 070 m ≤12 ⊠ 74120
- Paris 602 – Albertville 28 – Chambéry 79 – Chamonix-Mont-Blanc 37 – Megève 5
- Office de tourisme, ℰ 04 50 21 90 57, Fax 04 50 21 98 08

La Griyotire
rte La Tonnaz – ℰ 04 50 21 86 36 – www.griyotire.com – hotel@griyotire.com – Fax 04 50 21 86 34 – Ouvert 13 juin-12 sept. et 13 déc.-12 avril
16 ch – †102/116 € ††102/116 €, ⊡ 11 € – ½ P 91/98 €
Rest – (dîner seult) Menu 29/35 € – Carte 30/46 €
◆ Cet élégant chalet savoyard, à la fois central et paisible, dispose de très belles chambres cosy et d'un salon-cheminée cossu. Hammam, sauna et massages. Au restaurant : chaleureux cadre montagnard, spécialités savoyardes et plats classiques.

PREIGNAC – 33 Gironde – **335** J7 – rattaché à Langon

PRENOIS – 21 Côte-d'Or – **320** J5 – rattaché à Dijon

LE PRÉ-ST-GERVAIS – 93 Seine-Saint-Denis – **305** F7 – **101** 16 – voir à Paris, Environs

LA PRESTE – 66 Pyrénées-Orientales – **344** F8 – rattaché à Prats-de-Mollo

PRINGY – 74 Haute-Savoie – **328** J5 – rattaché à Annecy

PRIVAS Ⓟ – 07 Ardèche – **331** J5 – 8 681 h. – alt. 300 m – ⊠ 07000 **44 B3**
▮ Lyon et la vallée du Rhône
- Paris 596 – Montélimar 34 – Le Puy-en-Velay 91 – Valence 41
- Office de tourisme, 3, place du Général-de-Gaulle ℰ 04 75 64 33 35, Fax 04 75 64 73 95
- Site ★.

Plan page suivante

La Chaumette
av. Vanel – ℰ 04 75 64 30 66 – www.hotelchaumette.fr
– hotelchaumette@wanadoo.fr – Fax 04 75 64 88 25 – Fermé vacances de la Toussaint et 2-15 janv.   **B e**
36 ch – †63/87 € ††79/102 €, ⊡ 13 € – ½ P 72/81 €
Rest – (fermé dim. sauf le soir de juin à mi-oct. et sam. midi) Menu (23 €), 35/58 € – Carte 49/63 €
◆ Cet hôtel à l'ambiance "Sud", établi en face du conseil général, vous réserve un accueil aimable. Espaces communs aux tons ocre et chambres refaites par étapes. Repas au goût du jour dans un cadre méridional contemporain ou sur la terrasse dominant la piscine.

Les Châtaigniers
Plaine du Lac – ℰ 04 75 66 39 60 – www.leschataigners.fr – hotel.chataigniers@free.fr – Fax 04 75 64 68 76
82 ch – †46/51 € ††49/54 €, ⊡ 8 € – ½ P 48/53 €
Rest – Menu 18 € (déj. en sem.), 21/32 € – Carte 26/41 €
◆ Avec ses chambres fonctionnelles et climatisées, cet hôtel constitue une étape toute trouvée sur la route du massif du Coiron. Petit-déjeuner servi au bar ou en terrasse. Une carte de recettes traditionnelles est proposée dans la lumineuse salle à manger.

PRIVAS

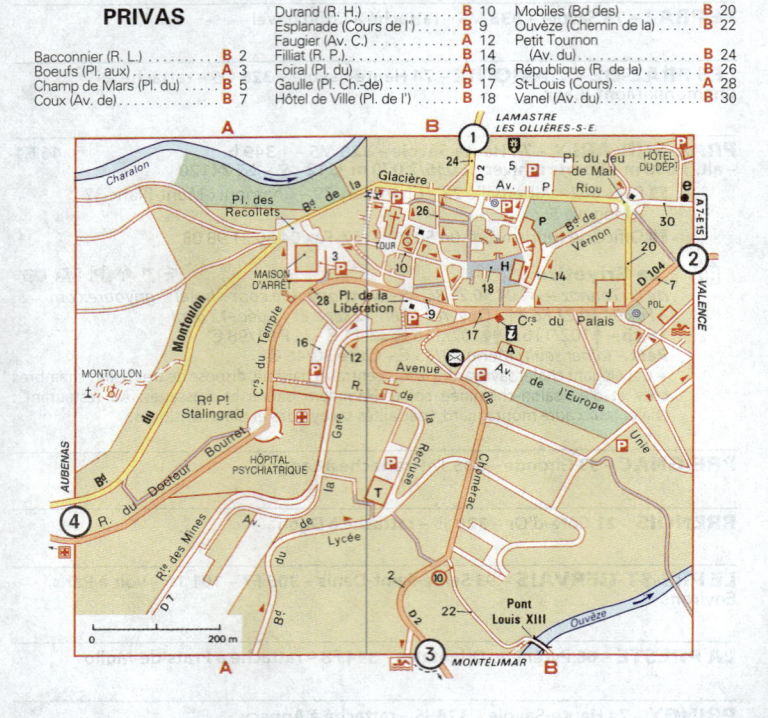

Bacconnier (R. L.)	**B** 2
Boeufs (Pl. aux)	**A** 3
Champ de Mars (Pl. du)	**B** 5
Coux (Av. de)	**B** 7
Durand (R. H.)	**B** 10
Esplanade (Cours de l')	**B** 9
Faugier (Av. C.)	**A** 12
Filliat (R. P.)	**B** 14
Foiral (Pl. du)	**A** 16
Gaulle (Pl. Ch.-de)	**B** 17
Hôtel de Ville (Pl. de l')	**B** 18
Mobiles (Bd des)	**B** 20
Ouvèze (Chemin de la)	**B** 22
Petit Tournon (Av. du)	**B** 24
République (R. de la)	**B** 26
St-Louis (Cours)	**B** 28
Vanel (Av. du)	**B** 30

à Rochessauve 11 km par ③, D 2 et D 999 – 378 h. – alt. 300 m – ✉ 07210

Château de Rochessauve
– ℰ 04 75 65 07 06 – www.chateau-de-rochessauve.com – vialley@wanadoo.fr
– Fermé 1ᵉʳ janv. à Pâques
5 ch – †100 € ††110/120 €
Table d'hôte – (fermé jeudi) Menu 20 € bc/40 € bc

♦ Les montagnes ardéchoises servent d'écrin à ce château très tranquille dont les chambres dégagent une atmosphère raffinée. Les repas, composés de produits du terroir, sont servis dans la salle à manger décorée d'objets de collection ou dans le patio en été.

PROJAN – 32 Gers – **336** A8 – 146 h. – alt. 157 m – ✉ 32400   28 **A2**
▸ Paris 742 – Pau 42 – Tarbes 60 – Toulouse 169

Le Château de Projan
– ℰ 05 62 09 46 21 – www.chateau-de-projan.com – infos@
chateau-de-projan.com – Fax 05 62 09 44 08 – Fermé vacances de Toussaint,
20-27 déc., fév. et dim. hors saison
7 ch – †95/100 € ††110/160 €, ⊒ 12 € – ½ P 85/99 €
Rest – (dîner seult) Menu 32/75 €

♦ Ambiance guesthouse en ce château blotti dans un parc au sommet d'une colline. Beau mobilier ancien et tableaux contemporains décorent chambres et salons. Lumineuse salle à manger prolongée d'une terrasse où l'on sert des plats régionaux. Cours de cuisine.

PROPRIANO – 2A Corse-du-Sud – **345** C9 – **voir à Corse**

PROVINS — 77 Seine-et-Marne – 312 I4 – 11 600 h. – alt. 91 m — 19 D2
— ✉ 77160 ▮ Champagne Ardenne

▶ Paris 88 – Châlons-en-Champagne 98 – Fontainebleau 55 – Sens 47
ℹ Office de tourisme, chemin de Villecran ☎ 01 64 60 26 26, Fax 01 64 60 11 97
◉ Ville Haute ★★ AV : remparts ★★ AY, Tour César ★★ : ≤★, Grange aux Dîmes ★
AV E - Place du Chatel ★ - Portail central ★ et groupe de statues ★★ dans
l'église St-Ayoul - Choeur ★ de la collégiale St-Quiriace AV - Musée de
Povins et du Provinois : collections de sculptures et de céramiques ★ M.
◉ St-Loup-de-Naud : portail ★★ de l'église ★ 7 km par ④.

Aux Vieux Remparts
3 r. Couverte - ville haute – ☎ 01 64 08 94 00 – www.auxvieuxremparts.com
– info@auxvieuxremparts.com – Fax 01 60 67 77 22 – Fermé de fin déc. à mi-janv.
32 ch – †80/265 € ††95/275 €, ⍁ 16 € AV **b**
Rest – Menu 28 € (sem.)/90 € – Carte 65/85 €
Rest *Le Petit Ecu* – Menu (15 €), 19 € (sem.)/23 € – Carte 25/33 €

◆ Au cœur de la cité médiévale, cet ensemble de trois maisons propose des chambres au style actuel, d'ampleurs diverses. Certaines bénéficient d'une mezzanine. Cuisine classique dans les salles à manger, d'inspiration moyenâgeuse ou rustique. Belle terrasse d'été. Au Petit Écu, carte traditionnelle.

PROVINS

Rue	Réf
Alips (R. Guy)	AX
Anatole-France (Av.)	AV 2
Arnoul (R. Victor)	BX 3
Balzac (Pl. Honoré-de)	BVX 4
Bellevue (Rampe de)	BX
Bordes (R. des)	BX 7
Bourquelot (R. Félix)	BV 8
Bray (Rte de)	AX
Briand (R. Aristide)	BX
Canal (R. du)	AX
Carnot (Bd)	BX
Champbenoist (Rte de)	BX 13
Changis (R. de)	BX 14
Châtel (Pl. du)	AX 18
Chomton (Bd Gilbert)	AX 19
Collège (R. du)	ABV 23
Cordonnerie (R. de la)	BV 24
Courloison (R.)	BV 27
Couverte (R.)	AV 28
Delort (Rue du Gén.)	BVX 29
Desmarets (R. Jean)	AV 30
Dromigny (R. Georges)	AX
Esternay (R. d')	BX
Ferté (Av. de la)	BX 33
Fourtier-Masson (R.)	BX 35
Friperie (R. de la)	BX 37
Garnier (R. Victor)	BV
Gd-Quartier-Gén. (Bd du)	BX 42
Hugues-le-Grand (R.)	BX 43
Jacobins (R. des)	BX 44
Jean-Jaurès (Av.)	BX
Leclerc (Pl. du Mar.)	BX 47
Malraux (Av. André)	AVY
Michelin (R. Maximilien)	AX
Nanteuil (Rte de)	BV
Nocard (R. Edmond)	BVX 54
Opoix (R. Christophe)	BV 57
Palais (R. du)	AV 59
Pasteur (Bd)	BV
Plessier (Bd du Gén.)	BVX 64
Pompidou (Av. G.)	BV 67
Pont-Pigy (R. du)	BV 68
Prés (R. des)	BV 69
Rebais (R.)	BV
Remparts (Allée des)	AV 72
Ste-Croix (R.)	BV
St-Ayoul (Pl.)	BV 73
St-Jean (R.)	BV 74
St-Quiriace (Pl.)	AV 77
St-Syllas (Rampe)	BV
Souvenir (Av. du)	BV 78
Val (R. du)	BV 79
Verdun (Av. de)	BV 82
Voulzie (Av. de la)	BX 85
29e-Dragons (Pl. du)	BV 84

PRUNETE – 2B Haute-Corse – **345** F6 – **voir à Corse (Cervione)**

PUGIEU – 01 Ain – **328** G6 – **rattaché à Belley**

PUJAUDRAN – 32 Gers – **336** I8 – **rattaché à L'Isle-Jourdain**

PUJAUT – 30 Gard – **339** N4 – **3 723 h.** – **alt. 70 m** – ⊠ 30131   23 **D2**
  ▶ Paris 683 – Montpellier 98 – Nîmes 52 – Avignon 14 – Arles 79

XX   **Entre Vigne et Garrigue** (Serge Chenet) avec ch
❀   *7 chemin des Falaises, 2 km au Sud-Ouest*
  – ℰ 04 90 95 20 29
  – *www.vigne-et-garrigue.com* – *contact@vigne-et-garrigue.com*
  – Fax 04 90 95 20 29 – Fermé janv., dim. soir et lundi
  4 ch ⌾ – †85/135 € ††85/135 €
  Rest – *(nombre de couverts limité, prévenir)* Menu (26 €), 37/55 €
  Spéc. Nage de homard et langoustines. Effiloché de lièvre façon royale (saison). Mousseux au chocolat arabica, sorbet cacao.
  ◆ L'alliance d'un cadre authentique – une ferme provençale isolée, entre falaises et vignobles – et d'une savoureuse cuisine classique (deux menus au choix). Décor simple, terrasse. Chambres personnalisées et gérées dans l'esprit d'une maison d'hôtes.

PUJOLS – 47 Lot-et-Garonne – **336** G3 – **rattaché à Villeneuve-sur-Lot**

PUJOLS – 33 Gironde – **335** K6 – **580 h.** – **alt. 60 m** – ⊠ 33350   4 **C2**
  ▶ Paris 560 – Bordeaux 51 – Mérignac 68 – Pessac 63

⌂   **Les Gués Rivières**
  5 pl. du Gén. de Gaulle – ℰ 05 57 40 74 73
  – *http://perso.orange.fr/margotte.olivier* – *margotte.olivier@wanadoo.fr*
  – Fax 05 57 40 73 26 – Fermé 23 déc.-4 janv.
  4 ch ⌾ – †68 € ††68 €   **Table d'hôte** – Menu (18 €), 20/25 €
  ◆ Cette maison, ouvrant ses portes sur la place centrale du village, offre des chambres colorées et meublées avec goût. Petits-déjeuners gargantuesques et cuisine régionale servis, si le temps le permet, sur la superbe terrasse face aux vignobles et à St-Émilion.

XX   **La Poudette**
  La Rivière, (sur D17) – ℰ 05 57 40 71 52 – *www.lapoudette.com* – *la-poudette@wanadoo.fr* – Fermé mars, dim. soir et mardi sauf juil.-août et lundi
  Rest – Menu (28 €), 33 €
  ◆ Malgré son accès difficile, sa devanture anodine et son intérieur sobre, cette maison entourée d'un jardin sauvage vous réserve une belle cuisine actuelle et de saison.

PULIGNY-MONTRACHET – 21 Côte-d'Or – **320** I8 – **rattaché à Beaune**

PULVERSHEIM – 68 Haut-Rhin – **315** H9 – **2 819 h.** – **alt. 235 m**   1 **A3**
– ⊠ 68840
  ▶ Paris 473 – Belfort 51 – Colmar 34 – Guebwiller 13 – Mulhouse 11 – Thann 18

à l'Écomusée 2,5 km au Nord-Ouest – ⊠ 68190 Ungersheim

⌂   **Les Loges de l'Écomusée**
  – ℰ 03 89 74 44 95 – *www.ecomusee-alsace.fr* – *hotel.loges@ecomusee-alsace.fr*
  – Fax 03 89 74 44 68 – Fermé janv.-fév., lundi et mardi sauf juil.-août
  40 ch – †50 € ††62 €, ⌾ 7 €
  Rest *La Taverne* – ℰ 03 89 74 44 49 *(fermé dim. soir et lundi)* Menu 20 € (sem.)/35 € – Carte environ 30 €
  ◆ Reconstitution d'un village traditionnel aux portes de l'Écomusée. Chambres modernes, réparties dans des maisons à colombages décorées à l'alsacienne. Esprit mi-brasserie, mi-winstub et cuisine régionale (truites du vivier, vins locaux) à l'immense Taverne.

PUTEAUX – 92 Hauts-de-Seine – **311** J2 – **101** 14 – **voir à Paris, Environs**

PUYCELCI – 81 Tarn – **338** C7 – 494 h. – alt. 258 m – ✉ 81140   29 **C2**
- Paris 637 – Albi 44 – Gaillac 25 – Montauban 40 – Rodez 107 – Toulouse 62
- Office de tourisme, chapelle Saint-Roch ✆ 05 63 33 20 47, Fax 05 63 33 19 25

L'Ancienne Auberge
pl. de l'Eglise – ✆ 05 63 33 65 90 – www.ancienne-auberge.com – caddack@aol.com – Fax 05 63 33 21 12
9 ch – ♦70/150 € ♦♦70/150 €, ⌕ 12 €
Rest – (fermé dim. soir et lundi) Menu 24/35 € – Carte 26/45 €
◆ Auberge de caractère installée dans les murs d'une demeure du 13ᵉ s., au cœur d'un village fortifié. Chambres personnalisées et magnifique cheminée dans le salon. Arcades en pierre et vitraux (fin 19ᵉ s.) font le cachet du restaurant, par ailleurs assez simple.

LE PUY-DE-DÔME – 63 Puy-de-Dôme – **326** E8 – voir à Clermont-Ferrand

---

LE PUY-EN-VELAY P – 43 Haute-Loire – **331** F3 – 19 300 h.   6 **C3**
– alt. 629 m – ✉ 43000 **Lyon et la vallée du Rhône**
- Paris 539 – Clermont-Ferrand 129 – Mende 87 – St-Étienne 76
- Office de tourisme, 2, place du Clauzel ✆ 04 71 09 38 41, Fax 04 71 05 22 62
- du Puy-en-Velay à Ceyssac Sénilhac, O : 7 km par D 590, ✆ 04 71 09 17 77
- Site★★★ - L'Île aux trésors★★★ BY : cathédrale Notre-Dame★★★, cloître★★ - Trésor d'art religieux★★ dans la salle des États du Velay - St-Michel d'Aiguilhe★★ AY - Peinture des arts libéraux★ de la chapelle des Sacrements - Ancienne cité★ - Musée Crozatier : collection lapidaire★, dentelles★
- Polignac★ : ※★ 5 km par ③.

Plan page suivante

Du Parc
4 av. C. Charbonnier – ✆ 04 71 02 40 40 – www.hotel-du-parc-le-puy.com – francoisgagnaire@wanadoo.fr – Fax 04 71 02 18 72   AZ **s**
15 ch – ♦75/195 € ♦♦75/195 €, ⌕ 11 €
Rest François Gagnaire – voir ci-après
◆ Tout près du beau jardin Vinay, cet hôtel joliment rénové propose des chambres séduisantes, fonctionnelles et contemporaines. Salle de petit-déjeuner avec terrasse et espace bar.

Regina
34 bd Mar. Fayolle – ✆ 04 71 09 14 71 – wwww.hotelregina.com – contact@hotelrestregina.com – Fax 04 71 09 18 57   BZ **d**
25 ch – ♦53/57 € ♦♦65/92 €, ⌕ 9 € – 3 suites – ½ P 62/65 €
Rest – (fermé dim. soir du 15 nov. au 15 mars) Menu (17 €), 22 € (sem.)/60 € bc – Carte 42/62 €
◆ Ce bel immeuble datant de 1905 rénove peu à peu ses chambres : personnalisées, parfois originales, elles sont chaleureuses et très souvent spacieuses (certaines avec jacuzzi). Salle à manger feutrée, contemporaine et haute en couleurs. Cuisine traditionnelle.

Le Brivas
2 av. Charles Massot, à Vals-près-le-Puy ✉ 43750 – ✆ 04 71 05 68 66
– www.hotel-le-brivas.com – brivas@wanadoo.fr – Fax 04 71 05 65 88
– Fermé 19 déc.-12 janv., vend. soir, dim. soir du 15 oct. au 15 avril et sam. midi
48 ch – ♦63/85 € ♦♦63/85 €, ⌕ 8,50 € – ½ P 54/65 €
Rest – Menu 15 € (déj.), 19/43 € – Carte 22/41 €
◆ Cet hôtel moderne d'un quartier résidentiel au sud du Puy propose des chambres fonctionnelles. Agréable jardin-terrasse au bord d'une rivière ; espace bien-être. Restaurant relooké dans un esprit actuel pour une cuisine traditionnelle de produits régionaux.

Le Val Vert
6 av. Baptiste Marcet, 1,5 km par N 88 et rte Mende par ② – ✆ 04 71 09 09 30
– www.hotelvalvert.com – info@hotelvalvert.com – Fax 04 71 09 36 49
– Fermé 25 déc.-9 janv.
23 ch – ♦45/58 € ♦♦45/58 €, ⌕ 9 €
Rest – (fermé sam. midi de nov. à juin) Menu (15 € bc), 20/40 € – Carte 40/48 €
◆ La route qui conduit à Mende, très passante, est effectivement verdoyante. Chambres colorées en partie refaites ; certaines sont décorées à l'italienne. Bonne insonorisation. De larges baies vitrées tournées vers le village éclairent la coquette salle à manger.

LE PUY-EN-VELAY

Street	Code	№
Aiguières (R. Porte)	AZ	2
Becdelièvre (R.)	AY	3
Bouillon (R. du)	BY	5
Card.-de-Polignac (R.)	BY	8
Chamarlenc (R. du)	AY	10
Charbonnier (Av. C.)	AY	12
Chaussade (R.)	BZ	
Chênebouterie (R.)	AY	13
Clair (Bd A.)	AZ	14
Collège (R. du)	BZ	17
Consulat (R. du)	AY	19
Courrerie (R.)	AZ	20
Crozatier (R.)	BZ	23
Dr-Chantemesse (Bd)	AY	24
Fayolle (Bd Mar.)	BZ	
Foch (Av. Mar.)	BZ	
For (Pl. du)	BY	27
Gambetta (Bd)	AY	29
Gaulle (Av. Gén.-de)	ABZ	30
Gouteyron (R.)	AY	31
Grangevieille (R.)	AY	32
Martouret (Pl. du)	ABZ	34
Monteil (R. A.-de)	AY	35
Pannessac (R.)	AY	
Philibert (R.)	AY	36
Pierret (R.)	BZ	37
Plot (Pl. du)	AZ	38
Raphaël (R.)	AY	39
République (Bd de la)	BY	40
Roche-Taillade (R.)	AY	42
Saint-François-Régis (R.)	BY	43
Saint-Georges (R.)	AY	45
Saint-Gilles (R.)	AZ	
Saint-Jean (R. du Fg)	AY	46
Saint-Louis (Bd)	AZ	
Saint-Maurice (Pl.)	AY	47
Séguret (R.)	AY	48
Tables (Pl. des)	AY	49
Tables (R. des)	AY	52
Vallès (R. J.)	BY	54
Vaneau (R.)	AY	55
Verdun (R.)	BY	58

1518

LE PUY-EN-VELAY

Dyke Hôtel sans rest
37 bd Mar. Fayolle – ℰ *04 71 09 05 30 – www.dykehotel.fr – dyke.hotel@wanadoo.fr – Fax 04 71 02 58 66 – Fermé 18 déc.-5 janv.*   BZ **r**
15 ch – †39/51 € ††43/55 €, ⴷ 6,50 €
◆ Dans la ville veillée par ses fameux dykes basaltiques, hôtel doté de petites chambres simples. Bien que toutes insonorisées, celles côté ruelle sont plus calmes. Accueil cordial.

François Gagnaire – Hôtel Du Parc
4 av. C. Charbonnier – ℰ *04 71 02 75 55 – www.francois-gagnaire-restaurant.com – francoisgagnaire@wanadoo.fr – Fax 04 71 02 18 72 – Fermé fin juin-début juil., début nov., en janv., mardi midi et lundi*   AZ **a**
Rest – Menu (27 €), 33 € (sem.)/134 € bc – Carte 70/90 €
Spéc. Gaspacho de lentilles vertes du Puy à la truffe (été). Souris d'agneau "noire du Velay" confite aux écorces d'orange et coriandre (automne-hiver). Les perles rouges du Velay et crémeux à la verveine verte (été). **Vins** Saint-Joseph, Condrieu.
◆ Ce restaurant au cadre contemporain et raffiné, égayé de lithographies de Raoul Dufy, séduit par sa belle cuisine personnalisée, mariant le terroir et les saveurs d'ailleurs.

Tournayre
12 r. Chênebouterie – ℰ *04 71 09 58 94 – www.restaurant-tournayre.com – info@restaurant-tournayre.com – Fax 04 71 02 68 38 – Fermé 1ᵉʳ-7 sept., 2-31 janv., merc. soir, dim. soir et lundi*   AY **f**
Rest – Menu 23/66 € – Carte 50/70 €
◆ Croisées d'ogives, pierres apparentes, boiseries et fresques composent le décor de cette ancienne chapelle (16ᵉ s.) où l'on goûte une cuisine auvergnate généreuse et bien faite.

Le Poivrier
69 r. Pannessac – ℰ *04 71 02 41 30 – www.lepoivrier.fr – lepoivrier@orange.fr – Fax 04 71 02 59 25 – Fermé dim. sauf le soir en août, lundi soir et mardi soir*
Rest – Menu 15 € (déj. en sem.), 22/35 € – Carte 28/44 €   AY **v**
◆ Restaurant relooké dans un style design épuré, assez tendance, sans perdre en convivialité. Exposition de photographies. Spécialités de viandes de bœuf de Haute-Loire.

Lapierre
6 r. Capucins – ℰ *04 71 09 08 44*   AZ **u**
Rest – (fermé mardi soir de nov. à fév.) (nombre de couverts limité, prévenir)
Menu (15 €), 20/29 € – Carte 27/34 €
◆ Mobilier bistrot, lambris peints et tissus tendus dans les tons gris côté décor, produits bio et incontournables lentilles du Puy côté cuisine : une étape gourmande prisée.

Bambou et Basilic
18 r. Grangevieille – ℰ *04 71 09 25 59 – www.bambou-basilic.com – delphineabrial@hotmail.com – Fax 04 71 09 25 59 – Fermé dim. et lundi*
Rest – Menu (18 €), 24/45 €   AY **b**
◆ La jeune chef s'inspire des quatre coins du monde pour réaliser une cuisine personnelle et inventive, parfois très originale mais toujours juste... Une adresse qui monte.

à Espaly-St-Marcel 3 km par ③ – 3 586 h. – alt. 650 m – ✉ 43000

L'Ermitage sans rest
73 av. de l'Ermitage, rte de Clermont-Ferrand – ℰ *04 71 07 05 05 – www.hotelermitage.com – hotelermitage@free.fr – Fax 04 71 07 05 00 – Fermé janv. et fév.*
20 ch – †50/75 € ††50/75 €, ⴷ 10 €
◆ Un hôtel dont la terrasse offre une vue panoramique sur le site du Puy. Chambres fonctionnelles et calmes ; celles côté Sud regardent la campagne.

L'Ermitage
73 av. de l'Ermitage, rte de Clermont-Ferrand – ℰ *04 71 04 08 99 – www.hotelermitage.com – bruno.chartier@wanadoo.fr – Fax 04 71 04 25 72 – Fermé 19-26 oct., 11 janv.-8 fév., dim. soir et lundi*
Rest – Menu (18 €), 22 € (sem.), 30/49 € – Carte 37/63 €
◆ Cette ferme joliment restaurée a conservé son cachet rustique et dégage une atmosphère cosy. Repas servis au coin du feu l'hiver. Cuisine traditionnelle bien faite.

PUY-GUILLAUME – 63 Puy-de-Dôme – 326 H7 – 2 668 h. – alt. 285 m – ⊠ 63290
6 **C2**

▶ Paris 374 – Clermont-Ferrand 53 – Lezoux 27 – Riom 35 – Thiers 15 – Vichy 21

Relais Hôtel de Marie
av. E. Vaillant – ℘ 04 73 94 18 88 – www.hotel-marie.com – hotel.marie@wanadoo.fr – Fax 04 73 94 73 98 – Fermé dim. soir et lundi
14 ch – ♦38/48 € ♦♦38/53 €, ⊇ 6,50 €
Rest – Menu 12 € (déj. en sem.), 18/36 € – Carte 23/38 €

◆ Pratique pour l'étape, immeuble récemment ravalé et modernisé, abritant des petites chambres actuelles et fonctionnelles, plus calmes côté parking. Salle de restaurant simple et fraîche où l'on sert des plats traditionnels et régionaux.

PUY-L'ÉVÊQUE – 46 Lot – 337 C4 – 2 178 h. – alt. 130 m – ⊠ 46700
28 **B1**
■ Périgord

▶ Paris 601 – Agen 71 – Cahors 31 – Gourdon 41 – Sarlat-la-Canéda 52 – Villeneuve-sur-Lot 43

🛈 Syndicat d'initiative, place de la Truffière ℘ 05 65 21 37 63, Fax 05 65 21 37 63

Bellevue
pl. Truffière – ℘ 05 65 36 06 60 – www.lothotel-bellevue.com – hotelbellevue.puyleveque@wanadoo.fr – Fax 05 65 36 06 61 – Fermé 15-30 nov. et 4 janv.-2 fév.
11 ch – ♦68/96 € ♦♦68/96 €, ⊇ 12 € – ½ P 70/86 €
Rest *Côté Lot* – (fermé mardi sauf d'oct. à juin, dim. sauf de juil. à sept. et lundi) Menu 25 € (déj.), 35/46 €
Rest *L'Aganit* – brasserie (fermé mardi sauf d'oct. à juin, dim. sauf de juil. à sept. et lundi) Menu 14 € (déj. en sem.)/20 € – Carte 21/33 €

◆ L'hôtel, bâti sur un éperon dominant le Lot, mérite bien son nom. Les chambres, spacieuses, sont contemporaines et personnalisées. Cuisine inventive et vue étendue sur la vallée au restaurant Côté Lot. Véranda, plats du terroir et esprit brasserie à L'Aganit.

à Touzac 8 km à l'Ouest par D 8 – 341 h. – alt. 75 m – ⊠ 46700
◉ Château de Bonaguil★★ N : 10,5 km.

De la Source Bleue
– ℘ 05 65 36 52 01 – www.sourcebleue.com – sourcebleue@wanadoo.fr – Fax 05 65 24 65 69 – Ouvert 1er avril-2 nov.
12 ch – ♦89/110 € ♦♦89/120 €, ⊇ 10 € – 1 suite – ½ P 82/97 €
Rest – (fermé le midi sauf sam. et dim.) Menu 32/39 € – Carte 39/45 €

◆ Dans une jolie bambouseraie au bord du Lot, ex-moulins du 14e s. convertis en hôtel où vous séjournerez dans d'élégantes chambres, claires, épurées, apaisantes. Une dépendance du 17e s. abrite le restaurant : belle charpente et murs en pierre, carte actuelle.

à Mauroux 12 km au Sud-Ouest par D 8 et D 5 – 417 h. – alt. 213 m – ⊠ 46700
🛈 Syndicat d'initiative, le Bourg ℘ 05 65 30 66 70, Fax 05 65 36 49 64

Hostellerie le Vert
Lieu dit "Le Vert" – ℘ 05 65 36 51 36 – www.hotellevert.com – info@hotellevert.com – Fax 05 65 36 56 84 – Ouvert 1er avril-31 oct.
7 ch – ♦85/130 € ♦♦85/130 €, ⊇ 10 € – ½ P 83/105 €
Rest – (fermé jeudi) (dîner seult) Carte 43/49 €

◆ Ambiance chaleureuse dans cette ferme quercynoise du 14e s. perdue en pleine nature. Chambres personnalisées où cohabitent mobilier de style et meubles campagnards. Cuisine traditionnelle revisitée servie sous les poutres rustiques de la salle à manger.

à Anglars-Juillac 8 km à l'Est par D 811 et D 67 – 342 h. – alt. 98 m – ⊠ 46140

Clau del Loup avec ch
Métairie Haute, D 8 – ℘ 05 65 36 76 20 – www.claudelloup.com – Fax 05 65 36 76 29 – Fermé mardi soir et merc. soir hors saison
5 ch – ♦100/120 € ♦♦100/120 €, ⊇ 12 € – ½ P 96/107 €
Rest – Menu 17 € bc (déj. en sem.), 29/65 € – Carte 35/52 €

◆ Accueil familial dans cette belle demeure (1818) dans un jardin arboré. Cuisine actuelle servie dans une ravissante salle à manger ou en terrasse, sous de vieux platanes. Chambres plaisantes et soignées, panachant divers styles de mobilier.

PUYMIROL – 47 Lot-et-Garonne – 336 G4 – 920 h. – alt. 153 m – ✉ 47270 ◼ Aquitaine
4 C2

◘ Paris 649 – Agen 17 – Moissac 35 – Villeneuve-sur-Lot 30
🛈 Syndicat d'initiative, 7, place Maréchal Leclerc ✆ 05 53 67 80 40, Fax 05 53 95 32 38

Michel Trama ❀❀❀
52 r. Royale – ✆ 05 53 95 31 46 – www.aubergade.com – trama@aubergade.com – Fax 05 53 95 33 80 – Fermé 3 sem. en nov., dim. soir et lundi hors saison, lundi midi en saison et mardi midi
9 ch – †270/500 € ††270/500 €, ⊇ 30 € – 1 suite
Rest – Menu 76 € (sem.)/225 € – Carte 120/210 € ❀
Spéc. Papillote de pomme de terre en habit vert à la truffe. Hamburger de foie gras chaud aux cèpes. Assiette des cinq sens. **Vins** Buzet, Côtes de Duras.
♦ Maisons des 13e (ex-résidence des comtes de Toulouse) et 17e s. luxueusement rénovées. Superbes chambres signées Garcia. Insolite "mur des senteurs", exubérante salle baroque, terrasse-cloître, richissime livre de cave et délicieuse carte où se côtoient plats mythiques et recettes inventives.

PUYRAVAULT – 17 Charente-Maritime – 324 F3 – rattaché à Surgères

---

PUY-ST-PIERRE – 05 Hautes-Alpes – 334 H3 – rattaché à Briançon

---

PUY-ST-VINCENT – 05 Hautes-Alpes – 334 G4 – 285 h. – alt. 1 325 m
41 C1
– Sports d'hiver : 1 400/2 700 m ⛷16 ⛷ – ✉ 05290 ◼ Alpes du Sud

◘ Paris 700 – L'Argentière-la-Bessée 10 – Briançon 21 – Gap 83 – Guillestre 30
🛈 Office de tourisme, les Alberts ✆ 04 92 23 58 42
◉ Les Prés ≤★ SE : 2 km - Église★ de Vallouise N : 4 km.

La Pendine
aux Prés, 1 km à l'Est par D 404 – ✆ 04 92 23 32 62 – www.lapendine.com – contact@lapendine.com – Fax 04 92 23 46 63 – Ouvert 20 juin-31 août et 16 déc.-6 avril
25 ch – †47/65 € ††56/92 €, ⊇ 9 € – ½ P 56/69 €
Rest – Menu (14 €), 20 € (déj.), 25/37 € – Carte 33/48 €
♦ Perché sur les hauteurs, cet hôtel habillé de bois abrite des chambres décorées dans le style montagnard, certaines avec balcon. Au restaurant, on déguste des plats traditionnels en admirant le panorama sur la vallée de la Vallouise et le massif des Écrins.

Saint-Roch
aux Prés, 1 km à l'Est par D 404 – ✆ 04 92 23 32 79 – www.hotel-st-roch.com – info@hotel-st-roch.com – Fax 04 92 23 45 11 – Ouvert 20 juin-31 août et 20 déc.-5 avril
15 ch – †90/94 € ††90/94 €, ⊇ 12 € – ½ P 75/90 €
Rest – self le midi en hiver – Menu 22/37 € – Carte 37/64 €
♦ Complexe des années 1970 idéalement situé au pied des pistes. Les chambres, amples, simples et fonctionnelles, bénéficient d'un balcon côté sud. Salle à manger et terrasse face aux Pelvoux et à la Barre des Écrins. À midi en hiver, on y propose une formule self.

PYLA-SUR-MER – 33 Gironde – 335 D7 – ✉ 33115 ◼ Pays Basque
3 B2

◘ Paris 648 – Arcachon 8 – Biscarrosse 34 – Bordeaux 66
🛈 Syndicat d'initiative, 2, avenue Ermitage ✆ 05 56 54 02 22, Fax 05 56 22 58 84
◉ Dune du Pilat★★.

Voir plan d'Arcachon agglomération.

Maminotte sans rest
av. Acacias – ✆ 05 57 72 05 05 – hotel-maminotte@wanadoo.fr – Fax 05 57 72 06 06 – Fermé 1er janv.-5 fév.
AY n
12 ch – †60/120 € ††60/120 €, ⊇ 9 €
♦ Dans un quartier pavillonnaire en retrait de la plage, villa offrant tout simplement des chambres rustiques, souvent rafraîchies. Certaines possèdent un balcon côté pinède.

PYLA-SUR-MER

L'Authentic d'Éric Thore

35 bd de l'Océan – ℘ *05 56 54 07 94 – Fermé 1er-10 mars, mardi et merc. sauf vacances scolaires* AY e
Rest – Menu 20 € (déj. en sem.)/32 € – Carte 44/70 €

♦ Une table rénovée dans un charmant esprit vacances, recréant l'atmosphère des cabanes tchanquées. Pergola appréciable aux beaux jours. Cuisine créative du chef-patron.

QUARRÉ-LES-TOMBES – 89 Yonne – 319 G7 – 714 h. – alt. 457 m 7 B2
– ⊠ 89630 ▌Bourgogne

▶ Paris 233 – Auxerre 73 – Avallon 18 – Château-Chinon 49 – Clamecy 49 – Dijon 118

🛈 Syndicat d'initiative, rue des Ecoles ℘ 03 86 32 22 20, Fax 03 86 32 23 43

Du Nord

25 pl. de l'Église – ℘ *03 86 32 29 30 – www.hoteldunord-morvan.com – Fax 03 86 32 29 31 – Fermé 3 nov.-16 fév., merc. soir et jeudi*
8 ch – †45/55 € ††60/75 €, ⊇ 9 € – 2 suites – ½ P 55/68 €
Rest – Menu 23 € (sem.)/39 € – Carte 31/39 €

♦ Pour l'anecdote, cet hôtel ancien, posté face à la célèbre église, a été "sauvé" par une association de 80 retraités du village. Petites chambres fonctionnelles rénovées. Atmosphère de bistrot rétro au restaurant et cuisine traditionnelle ad hoc.

Le Morvan avec ch

6 r. des Écoles, face au Parc Municipal – ℘ *03 86 32 29 29 – www.le-morvan.fr – reservation@le-morvan.fr – Fax 03 86 32 29 28 – Fermé 6-16 oct., 1er déc.-10 mars, merc. midi en mars, oct. et nov., lundi et mardi*
8 ch – †48/68 € ††54/74 €, ⊇ 10 € – ½ P 60/70 €
Rest – Menu 22/50 € – Carte 38/57 €

♦ Accueil chaleureux dans cette sympathique auberge et cuisine actuelle soignée, servie dans le cadre plaisant d'une salle aux poutres apparentes. Chambres confortables.

aux Lavaults 5 km au Sud-Est par D 10 – ⊠ 89630 Quarré-les-Tombes

Auberge de l'Âtre avec ch

– ℘ *03 86 32 20 79 – www.auberge-de-latre.com – laubergedelatr@free.fr – Fax 03 86 32 28 25 – Fermé 15 juin-1er juil., 16 fév.-12 mars, mardi et merc.*
7 ch – †58/72 € ††75/95 €, ⊇ 10 €
Rest – (prévenir) Menu 33 € (sem.)/58 € – Carte 48/75 € 🍷

♦ En pleine campagne, ferme de pays rustique à souhait, aux grandes chambres classiques. Cuisine de terroir (spécialité de champignons), escortée de bordeaux millésimés.

QUATRE-ROUTES-D'ALBUSSAC – 19 Corrèze – 329 L5 25 C3
– alt. 600 m – ⊠ 19380 Albussac

▶ Paris 492 – Aurillac 72 – Brive-la-Gaillarde 27 – Mauriac 67 – St-Céré 36 – Tulle 18

◉ Roche de Vic ✻ ★ S : 2 km puis 15 mn, ▌Berry Limousin

Roche de Vic

– ℘ *05 55 28 15 87 – rochedevic.fr – rochevic@orange.fr – Fax 05 55 28 01 09 – Fermé 1er-8 oct., 2 janv.-15 mars et lundi sauf juil.-août*
11 ch – †47/50 € ††47/60 €, ⊇ 7 € – ½ P 55/60 €
Rest – (fermé dim. soir et lundi d'oct. à mars) Menu (12 €), 17 € (déj. en sem.), 22/40 € – Carte 28/55 €

♦ Maison de pays des années 1950. Chambres très bien tenues, sobrement meublées dans le goût de l'époque ; l'orientation côté jardin (jeux pour enfants) est plus séduisante. Recettes régionales à déguster avant ou après la découverte du panorama à la Roche de Vic.

> Passée en rouge, la mention « Rest » repère l'établissement auquel est attribué notre distinction, ✿ (étoile) ou 🙂 (Bib Gourmand).

QUÉDILLAC – 35 Ille-et-Vilaine – **309** J5 – 1 036 h. – alt. 85 m — 10 **C2**
– ⌂ 35290

🅿 Paris 389 – Dinan 30 – Lamballe 45 – Loudéac 57 – Ploërmel 46 – Rennes 39

Le Relais de la Rance avec ch
6 r. de Rennes – ☏ 02 99 06 20 20 – relaisdelarance@21s.fr – Fax 02 99 06 24 01
– Fermé 20 déc.-20 janv., vend. soir et dim. soir
13 ch – ♦57/72 € ♦♦57/72 €, ⊇ 10 € – ½ P 68/78 €
Rest – Menu (18 €), 22/70 € – Carte 44/60 €
♦ Maison villageoise en granit abritant deux élégantes salles à manger et des chambres agréablement rénovées. Goûteuse cuisine traditionnelle ; un menu est dédié au terroir.

LES QUELLES – 67 Bas-Rhin – **315** G6 – rattaché à Schirmeck

QUELVEN – 56 Morbihan – **308** M6 – rattaché à Pontivy

QUEND – 80 Somme – **301** C6 – 1 378 h. – alt. 5 m – ⌂ 80120 — 36 **A1**

🅿 Paris 209 – Amiens 91 – Boulogne-sur-Mer 58 – Abbeville 35 – Outreau 60
🛈 Office de tourisme, 8 bis, avenue Vasseur ☏ 09 63 40 47 15, Fax 03 22 23 32 04

Les Augustines sans rest
18 rte de la plage Monchaux – ☏ 03 22 23 54 26 – www.hotel-augustines.com
– hoteldesaugustines@wanadoo.fr – Fax 03 22 24 10 53
15 ch – ♦65/78 € ♦♦65/78 €, ⊇ 10 €
♦ Hôtel aux petites chambres toutes identiques, de plain-pied, décorées dans des tons clairs. Une adresse bien sympathique, idéale pour séjourner dans ce beau coin de nature.

QUENZA – 2A Corse-du-Sud – **345** D9 – voir à Corse

QUESTEMBERT – 56 Morbihan – **308** Q9 – 6 272 h. – alt. 100 m — 10 **C3**
– ⌂ 56230 Bretagne

🅿 Paris 445 – Ploërmel 32 – Redon 34 – Rennes 96 – La Roche-Bernard 23 – Vannes 29
🛈 Office de tourisme, 15, rue des Halles ☏ 02 97 26 56 00, Fax 02 97 26 54 55

Le Bretagne et sa Résidence (Alain Orillac) avec ch
r. St-Michel – ☏ 02 97 26 11 12
– www.résidence-le-bretagne.com – lebretagne@wanadoo.fr – Fax 02 97 26 12 37
– Fermé 16-30 nov. et 12 janv.-2 fév.
9 ch – ♦70/90 € ♦♦90/150 €, ⊇ 15 € – ½ P 125/145 €
Rest – (Fermé dim. soir et mardi midi d'oct. à avril et lundi) (prévenir) Menu (28 €), 50/100 € – Carte 77/135 €
Spéc. Huîtres en paquets sous un beurre mousseux à l'estragon. Ris de veau rôti en cocotte. Boule fondante au chocolat, poire pochée à la vanille (oct. à déc.). **Vins** Muscadet de Sèvre et Maine sur lie.
♦ Ce restaurant vous reçoit dans son élégante salle habillée de boiseries ou dans son jardin d'hiver ; cuisine inventive. Chambres très confortables dans l'annexe.

QUETTEHOU – 50 Manche – **303** E2 – 1 475 h. – alt. 14 m – ⌂ 50630 — 32 **A1**
 Normandie Cotentin

🅿 Paris 345 – Barfleur 10 – Cherbourg 29 – St-Lô 66 – Valognes 16
🛈 Office de tourisme, place de la Mairie ☏ 02 33 43 63 21, Fax 02 33 43 63 21

Demeure du Perron sans rest
rte de St-Vaast – ☏ 02 33 54 56 09 – www.demeureduperron.com – hotel@demeureduperron.com – Fax 02 33 43 69 28 – Fermé dim. du 15 nov. au 31 mars
20 ch – ♦52/72 € ♦♦52/72 €, ⊇ 6 €
♦ Pavillons disséminés dans un agréable jardin où l'on petit-déjeune en été. Chambres parfaitement tenues, mais diverses en taille et en styles (récentes ou plus rustiques).

1523

QUETTEHOU

Auberge de Ket Hou
17 r. de Gaulle – ✆ 02 33 54 40 23 – aubergedekethou@wanadoo.fr
– Fax 02 33 54 02 11 – Fermé dim. soir et lundi
Rest – Menu (15 €), 19/43 € – Carte 30/50 €

♦ Cette auberge de village située au bord de la route départementale propose une cuisine traditionnelle dans un cadre champêtre où dominent les vieilles pierres et le bois.

LA QUEUE-EN-BRIE – 94 Val-de-Marne – **312** E3 – **101** 29 – voir à Paris, Environs

---

QUÉVEN – 56 Morbihan – **308** K8 – 8 753 h. – alt. 50 m – ✉ 56530   9 **B2**

▶ Paris 505 – Rennes 154 – Vannes 61 – Lorient 9 – Lanester 9

Manoir de Kerlebert
r. de Kerlebert – ✆ 02 97 80 22 37 – www.manoir-kerlebert.com
– manoirkerlebert@wanadoo.fr – Fax 02 97 80 20 83
4 ch ☐ – †50 € ††60 €
Table d'hôte – (fermé mardi, jeudi, sam. et dim.) Menu 25 € bc

♦ Au milieu d'un parc, cette belle longère du 17ᵉ s., remaniée dans les années 1950, offre un cadre feutré de bon goût. Salon, billard, bibliothèque. Chambres romantiques ou marines. Produits de la mer au dîner (pour les résidents).

QUEYRIÈRES – 43 Haute-Loire – **331** G3 – 311 h. – alt. 1 110 m   6 **C3**
– ✉ 43260

▶ Paris 563 – Clermont-Ferrand 149 – Le Puy-en-Velay 22 – Saint-Étienne 67 – Firminy 51

La Boria delh Castel
Le bourg – ✆ 04 71 57 70 81 – www.laboria-queyrieres.com – contact@laboria-queyrieres.com – Fax 04 71 57 70 81
4 ch ☐ – †46 € ††52 € – ½ P 63 €   **Table d'hôte** – Menu 18 € bc

♦ Vieille ferme en pierre restaurée, au pied du rocher basaltique. Chambres avenantes, minimusée d'artisanat et table d'hôte axée sur des plats rustiques à base de produits bio.

QUIBERON – 56 Morbihan – **308** M10 – 5 073 h. – alt. 10 m – Casino   9 **B3**
– ✉ 56170 ▮ Bretagne

▶ Paris 505 – Auray 28 – Concarneau 98 – Lorient 47 – Vannes 47

🛈 Office de tourisme, 14, rue de Verdun ✆ 08 25 13 56 00, Fax 02 97 30 58 22

◉ Côte sauvage ★★ NO : 2,5 km.

Plan page ci-contre

Sofitel Thalassa
pointe de Goulvars – ✆ 02 97 50 20 00
– www.accorthalassa.com – h0557@accor-hotels.com – Fax 02 97 50 46 32
– Fermé 4-24 janv.   B **a**
133 ch – †147/284 € ††168/347 €, ☐ 25 € – 17 suites – ½ P 140/231 €
Rest – Menu 55 € – Carte 58/77 €

♦ Séjour iodé dans ce complexe hôtelier agréablement situé face à la plage et directement relié à l'institut de thalassothérapie. Chambres plus spacieuses côté océan. Classique et diététique, la cuisine de cet établissement répond à l'appel du grand large.

Sofitel Diététique
pointe de Goulvars – ✆ 02 97 50 20 00
– h0562@accor.com – Fax 02 97 30 47 63 – Fermé 4-24 janv.   B **v**
78 ch ☐ – 2 suites – 285/415 €   **Rest** – rest. diététique – (résidents seult)

♦ Cet hôtel accueille les curistes de l'institut de thalassothérapie (accès direct). Les chambres sont toutes dotées de loggias et tournées vers la mer. Menus diététiques.

Corsaires (R. des)	**B** 2	Hoëdic (Bd d')	**A** 8	Peupliers (R. des)	**B** 19
France (Bd A.)	**B** 3	Houat (Quai de)	**A** 9	Port Maria
Gare (R. de la)	**AB** 4	Korrigans (R. des)	**B** 10	(R. de)	**A** 20
Genêts (R. des)	**A** 5	Mané (R. du)	**B** 15	Repos (Pl. du)	**B** 23
Golvan (R. V.)	**A** 6	Marronniers (Av. des)	**B** 16	Sirènes (R. des)	**B** 25
Goviro (Bd du)	**B** 7	Petit Pont d'Eau (R. du)	**A** 18	Verdun (R. de)	**A** 28

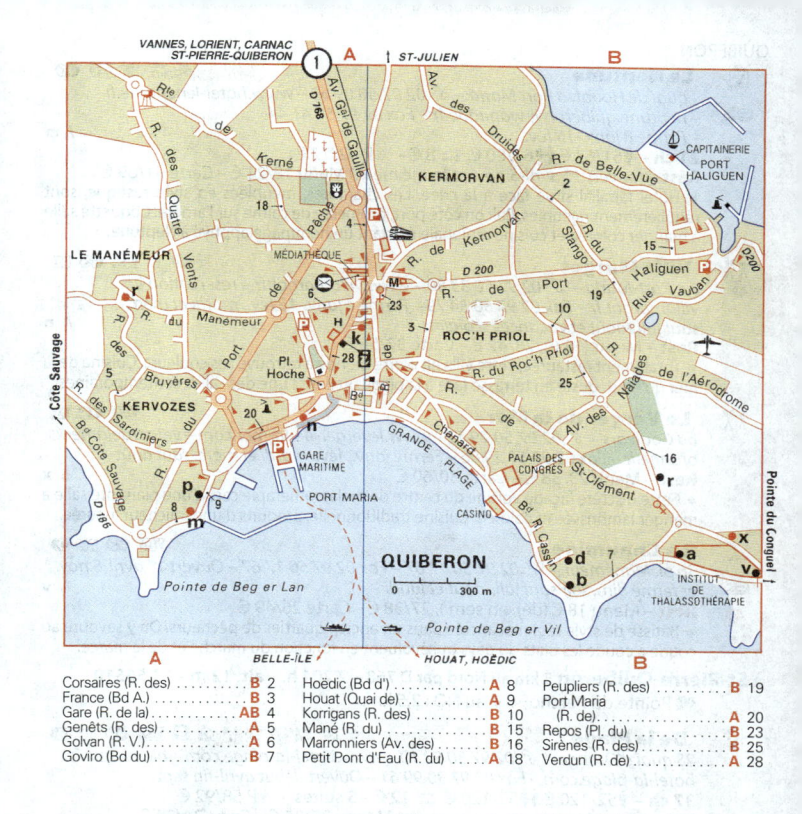

Bellevue

r. Tiviec – ℘ 02 97 50 16 28 – www.bellevuequiberon.com – bienvenue @ bellevuequiberon.com – Fax 02 97 30 44 34 – Ouvert avril-sept. **B d**
38 ch – †54/103 € ††60/120 €, ⇄ 10 € – ½ P 62/92 €
Rest – Menu 26/30 € – Carte 27/38 €

♦ Architecture passe-partout, mais intérieur printanier : gamme étendue de couleurs dans des chambres équipées de terrasses ; certaines offrent une échappée sur l'océan. Menu du jour et petite carte au registre traditionnel servis dans un cadre lumineux.

La Petite Sirène sans rest

15 bd R. Cassin – ℘ 02 97 50 17 34 – www.hotel-lapetitesirene.fr – info @ hotel-lapetitesirene.fr – Fax 02 97 50 03 73
– Ouvert 1er avril-4 oct. et 23 oct.-11 nov. **B b**
14 ch – †62/96 € ††62/96 €, ⇄ 11 €

♦ Cet hôtel ancré à la pointe de Beg er Vil abrite des chambres équipées d'un mobilier pratique, de salles de bains rénovées et de loggias tournées vers le large.

Ibis

av. Marronniers, (pointe de Goulvars) – ℘ 02 97 30 47 72
– www.hotelibis-quiberon.com – h0909 @ accor.com
– Fax 02 97 30 55 78 **B r**
95 ch – †69/121 € ††69/121 €, ⇄ 10 €
Rest – (fermé 5-23 janv.) Menu 19/24 € – Carte 30/50 €

♦ À quelques encablures de la côte sauvage, cet établissement vous accueille dans un agréable salon-bar d'esprit actuel. Chambres simples, certaines en duplex. Carte traditionnelle et cuisine diététique (sur demande) proposées dans une salle habillée de boiseries.

QUIBERON

Le Neptune
≤ ☆ ⌶ VISA ☻

4 quai de Houat, à Port Maria – ℰ 02 97 50 09 62 – www.hotel-leneptune.fr
– neptune.quiberon@wanadoo.fr – Fax 02 97 50 41 44
– Fermé 8 janv.-15 fév.

A p

21 ch – †51/63 € ††61/80 €, ⚏ 8 € – ½ P 62/72 €
Rest – (ouvert 1ᵉʳ avril-5 nov. et fermé merc.) Menu 18/21 € – Carte 31/69 €

♦ Hôtel familial situé face à la criée. Les chambres, meublées en style rustique, sont régulièrement rajeunies. Balcon côté port, promesse de calme sur l'arrière. Coquette salle à manger colorée et cuisine régionale rendant un hommage appuyé à Neptune.

Villa Margot
≤ ☆ & VISA ☻ AE

7 r. Port-Maria – ℰ 02 97 50 33 89 – www.villamargot.fr – reservation@
villamargot.fr – Fax 02 97 50 34 79 – Fermé 4 janv.-12 fév., mardi et merc.
sauf juil.-août et vacances scolaires

A n

Rest – Menu (18 €), 28/42 € – Carte 37/58 €

♦ Totalement restaurée, cette villa en pierre blonde a retrouvé ses couleurs. Cuisine de la mer qu'on déguste en terrasse face à la plage ou dans l'une des salles contemporaines.

Le Verger de la Mer
VISA ☻ AE

bd Goulvars – ℰ 02 97 50 29 12 – www.leverger-de-la-mer.com – vergerdelamer@
orange.fr – Fax 02 97 50 29 06 – Fermé janv., fév., mardi et merc. sauf août

B x

Rest – Menu 23/38 € – Carte 30/60 €

♦ Cette discrète façade voisine du centre de thalassothérapie cache une plaisante salle à manger lambrissée et colorée. Cuisine traditionnelle, produits d'une fraîcheur assurée.

La Chaumine
VISA ☻ AE ①

36 pl. Manémeur – ℰ 02 97 50 17 67 – Fax 02 97 50 17 67 – Ouvert 1ᵉʳ avril-8 nov.
et fermé dim. soir sauf juil.-août et lundi

A v

Rest – Menu 18 € (déj. en sem.), 27/38 € – Carte 26/49 €

♦ Bâtisse de style régional ancrée dans un ancien quartier de pêcheurs. On y savoure au coude à coude les plats du pays qui évoluent en fonction du marché et de la marée.

à St-Pierre-Quiberon 5 km au Nord par D 768 – 2 204 h. – alt. 12 m – ⊠ 56510

◉ Pointe du Percho ≤ ★ au NO : 2,5 km.

De la Plage
≤ ☆ ∥ ¾ ⁕ ⁽¹⁾ ♨ P VISA ☻ AE ①

25 quai d'Orange – ℰ 02 97 30 92 10 – www.hotel-la-plage.com – bienvenue@
hotel-la-plage.com – Fax 02 97 30 99 61 – Ouvert début avril-fin sept.

37 ch – †52/120 € ††52/120 €, ⚏ 12 € – 5 suites – ½ P 58/92 €
Rest – (fermé le midi sauf sam. et dim.) Menu 25/35 € – Carte 34/54 €

♦ Enseigne-vérité pour ce sympathique hôtel familial : la plage est à vos pieds ! Chambres agréablement rénovées ; celles s'ouvrant côté baie disposent d'un balcon. Au restaurant, carte traditionnelle, saveurs iodées et beau panorama sur l'Atlantique.

à Portivy 6 km au Nord par D 768 et rte secondaire – ⊠ 56150 St-Pierre-Quiberon

Le Petit Hôtel du Grand Large avec ch
≤ & rest, ⁕ ⁽¹⁾ VISA ☻

11 quai St-Ivy – ℰ 02 97 30 91 61 – www.lepetithoteldugrandlarge.fr – contact@
lepetithoteldugrandlarge.fr – Fax 02 97 30 72 52 – Fermé 10 nov.-26 déc.

6 ch – †90/125 € ††90/125 €, ⚏ 9 €
Rest – (fermé mardi et merc. sauf le soir en saison) Menu 38 €

♦ Les produits du terroir (poissons sauvages notamment) ont la faveur du chef-patron de ce bistrot marin. Toutes les chambres de cette charmante auberge familiale, joliment refaites par une décoratrice, donnent sur les flots ou le petit port de la Côte Sauvage.

QUIÉVRECHAIN – 59 Nord – 302 K5 – rattaché à Valenciennes

QUILINEN – 29 Finistère – 308 G6 – rattaché à Quimper

QUILLAN – 11 Aude – 344 E5 – 3 445 h. – alt. 291 m – ⊠ 11500   22 **A3**
▌Languedoc Roussillon

▶ Paris 797 – Andorra la Vella 113 – Carcassonne 52 – Foix 64 – Limoux 28
– Perpignan 76

🛈 Office de tourisme, square André Tricoire ℰ 04 68 20 07 78, Fax 04 68 20 04 91

◉ Défilé de Pierre Lys ★ S : 5 km.

QUILLAN

La Chaumière 🛜 AK ch, ⇄ ⁽¹⁾ 🚭 VISA MC AE
25 bd Ch. de Gaulle – ℰ *04 68 20 02 00 – www.pyren.fr – lachaumiere@pyren.fr
– Fax 04 68 20 27 06*
18 ch – †60/80 € ††70/95 €, ☑ 10 €
Rest – Menu (19 €), 24 € (sem.)/55 € – Carte 40/46 €

◆ Cette vaste bâtisse en rotonde, totalement rénovée, abrite des chambres spacieuses et contemporaines. Idéal pour l'étape ou pour un séjour prolongé. L'ample restaurant a gardé son atmosphère rustique (cheminée, poutres). Cuisine mi-classique, mi-traditionnelle.

Cartier 📶 AK rest, ⁽¹⁾ VISA MC AE
31 bd Ch. de Gaulle – ℰ *04 68 20 05 14 – www.hotelcartier.com – contact@
hotelcartier.com – Fax 04 68 20 22 57 – Fermé 15 janv.-28 fév.*
28 ch – †49/65 € ††49/65 €, ☑ 8,50 € – ½ P 56/62 €
Rest – *(fermé 15 déc.-20 mars et sam. midi d'oct. à avril)* Menu (15 € bc), 18/30 €
– Carte 26/35 €

◆ Hôtel familial occupant un immeuble du début du 20ᵉ s. situé sur un boulevard passant. Chambres simples, mais bien tenues et insonorisées. Salle de restaurant rustique avec cheminée, où l'on sert des spécialités audoises : lapin à l'ail, cassoulet, rouzolle.

🍴 Canal avec ch 🎇 🚭 VISA MC
36 bd Ch. de Gaulle – ℰ *04 68 20 08 62 – www.hotel-canal.com – hotel-canal@
wanadoo.fr – Fax 04 68 20 27 96 – Fermé 2-31 janv., dim. soir et lundi
sauf juil.-août*
12 ch – †34/36 € ††40/42 €, ☑ 7 € – ½ P 43/46 €
Rest – *(fermé dim. soir et lundi)* Menu 13 € (sem.)/32 € – Carte 24/37 €

◆ Sur l'artère principale de la ville, maison régionale où l'on déguste, en toute convivialité et dans un cadre sobre, une cuisine traditionnelle et locale. Chambres modestes.

QUIMPER 🅿 – **29 Finistère** – **308** G7 – **64 900 h.** – **Agglo. 120 441 h.** 9 **B2**
– **alt. 41 m** – ⌧ **29000** ▌**Bretagne**

▶ Paris 564 – Brest 73 – Lorient 67 – Rennes 215 – St-Brieuc 130
✈ de Quimper-Cornouaille : ℰ 02 98 94 30 30, par ⑥ : 8 km AX.
🛈 Office de tourisme, place de la Résistance ℰ 02 98 53 04 05,
Fax 02 98 53 31 33
◉ Cathédrale St-Corentin★★ - Le vieux Quimper★ : Rue Kéréon★ ABY - Jardin de l'Évêché ≤★ BZ K - Mont-Frugy ≤★ ABZ - Musée des Beaux-Arts★★ BY M¹ - Musée départemental breton★ BZ M² - Musée de la faïence★ AX M³ - Descente de l'Odet★★ en bateau 1 h 30 - Festival de Cornouaille★ (fin juillet).

Plans pages suivantes

Océania 🛜 🛖 👥 ♿ AK ⇄ ⁽¹⁾ 🏋 🅿 VISA MC AE ⓘ
17 r. Poher, zone de Kerdrézec par rte de Bénodet ⑤ – ℰ *02 98 90 46 26
– www.oceaniahotels.com – oceania.quimper@oceaniahotels.com
– Fax 02 98 53 01 96*
92 ch – †76/140 € ††76/140 €, ☑ 13 €
Rest – *(fermé vacances de Noël)* Menu (17 €), 20/25 € – Carte 19/31 €

◆ Hôtel de chaîne dans un secteur commercial, judicieusement entouré d'un îlot de verdure. Grandes chambres rénovées ; les "Océane" sont joliment design et très bien équipées. Salle à manger contemporaine aux tables un peu serrées. Terrasse près de la piscine.

Manoir-Hôtel des Indes sans rest 🌿 🎵 🛖 👥 ♿ ⇄ ⁽¹⁾ 🅿
1 allée de Prad ar C'hras, par ⑦ et D 765 – VISA MC AE ⓘ
ℰ *02 98 64 86 96 – www.manoir-hoteldesindes.com – sergeant.olivier@
wanadoo.fr – Fax 02 98 64 82 58*
14 ch – †90/230 € ††100/260 €, ☑ 15 €

◆ Cet hôtel rend hommage à son ancien propriétaire, navigateur de la route des Indes. Belles chambres sur le thème de l'exotisme. Parc, piscine, sauna.

Kregenn sans rest 📶 👥 AK ⁽¹⁾ 🏋 🅿 VISA MC AE ⓘ
13 r. des Réguaires – ℰ *02 98 95 08 70 – www.hotel-kregenn.fr – information@
kregenn.fr – Fax 02 98 53 85 12* BZ **t**
30 ch – †80/180 € ††95/200 €, ☑ 13 € – 2 suites

◆ Cet hôtel fraîchement rénové d'une rue calme du centre vous réserve le meilleur accueil. Chambres à la décoration sobre et actuelle, certaines disposant de baignoire balnéo.

1527

QUIMPER

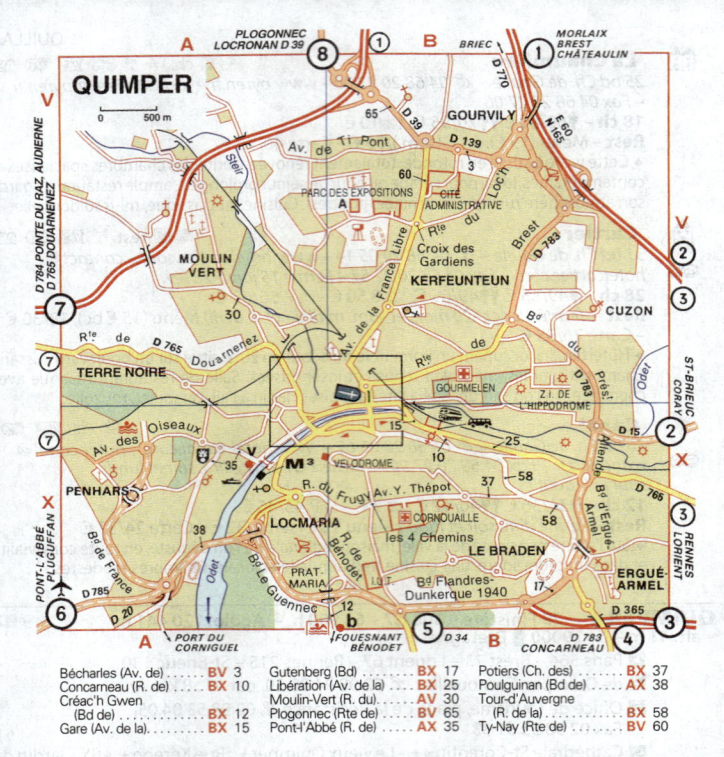

Bécharles (Av. de) .... **BV** 3	Gutenberg (Bd) ...... **BX** 17	Potiers (Ch. des) ...... **BX** 37
Concarneau (R. de) ... **BX** 10	Libération (Av. de la) .. **BX** 25	Poulguinan (Bd de) .... **AX** 38
Créac'h Gwen	Moulin-Vert (R. du).... **AV** 30	Tour-d'Auvergne
(Bd de) .... **BX** 12	Plogonnec (Rte de) .... **BV** 65	(R. de la) .... **BX** 58
Gare (Av. de la)....... **BX** 15	Pont-l'Abbé (R. de).... **AX** 35	Ty-Nay (Rte de) .... **BV** 60

Gradlon sans rest
30 r. Brest – ℰ 02 98 95 04 39 – www.hotel-gradlon.com
– contact@hotel-gradlon.com – Fax 02 98 95 61 25 – Fermé 12 déc.-11 janv.
20 ch – †82/135 €, ††82/160 €, ☐ 12 €   BY **a**
◆ Chambres personnalisées (styles Art déco, romantique...) donnant en majorité sur une courette fleurie, tout comme la véranda qui sert au petit-déjeuner. Accueil familial.

Le Logis du Stang sans rest
allée de Stang-Youen, par r. Ch. Le Goffic, à l'Est du plan – ℰ 02 98 52 00 55
– www.logis-du-stang.com – logis-du-stang@wanadoo.fr – Fax 02 98 52 00 55
– Fermé 20 déc.-5 fév.
3 ch ☐ – †52/75 € ††68/80 €
◆ Ce manoir du 19ᵉ s. entouré d'un ravissant jardin clos a été rénové avec goût. Trois chambres réellement délicieuses, dont deux dans l'ancienne grange, et accueil aux petits soins.

Les Acacias
85 bd Creac'h Gwen – ℰ 02 98 52 15 20
– www.les-acacias-quimper.monsite.orange.fr – acacias-qper@orange.fr
– Fax 02 98 10 11 48 – Fermé août, dim. soir et sam.   BX **b**
Rest – Menu 20 € (sem.)/48 € – Carte 30/60 €
◆ Restaurant aménagé dans une engageante maison contemporaine agrémentée d'un jardin bien fleuri. Cuisine classique servie dans une salle à manger moderne et lumineuse.

L'Ambroisie
49 r. Elie Fréron – ℰ 02 98 95 00 02 – www.ambroisie-quimper.com – gilbert.guyon@wanadoo.fr – Fax 02 98 95 00 02 – Fermé dim. soir sauf du 14 juil. au 25 août et lundi
Rest – Menu 23 € (déj. en sem.), 37/65 € – Carte environ 63 €   BY **u**
◆ Petite salle à manger contemporaine décorée d'originales peintures sur bois ; on y savoure une cuisine régionale actualisée privilégiant les produits locaux.

1528

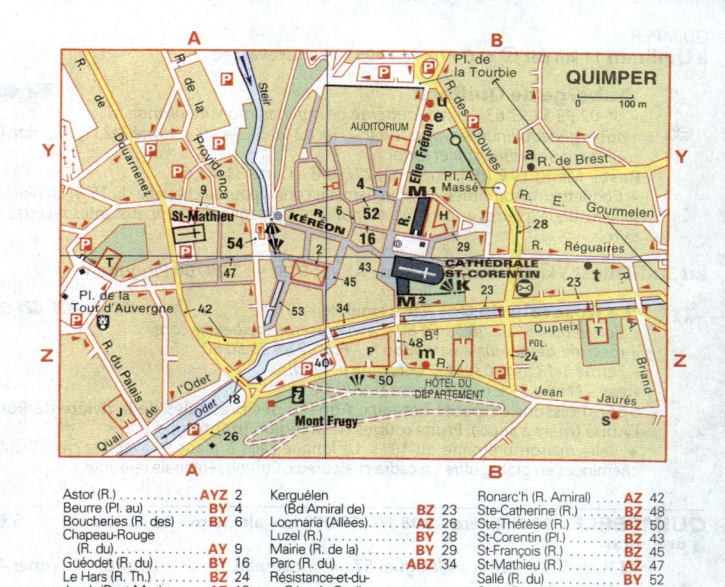

Astor (R.) . . . . **AYZ** 2	Kerguélen		Ronarc'h (R. Amiral) . . . . **AZ** 42
Beurre (Pl. au) . . . . **BY** 4	(Bd Amiral de) . . . . **BZ** 23		Ste-Catherine (R.) . . . . . . **BZ** 48
Boucheries (R. des) . . . . . **BY** 6	Locmaria (Allées) . . . . **AZ** 26		Ste-Thérèse (R.) . . . . **BZ** 50
Chapeau-Rouge	Luzel (R.) . . . . **BY** 28		St-Corentin (Pl.) . . . . **BZ** 43
(R. du) . . . . **AY** 9	Mairie (R. de la) . . . . **BY** 29		St-François (R.) . . . . **BZ** 45
Guéodet (R. du) . . . . **BY** 16	Parc (R. du) . . . . **ABZ** 34		St-Mathieu (R.) . . . . **AY** 47
Le Hars (R. Th.) . . . . **BZ** 24	Résistance-et-du-		Sallé (R. du) . . . . **BY** 52
Jacob (Pont Max) . . . . . . **AZ** 18	Gén.-de-Gaulle		Steir (Quai du) . . . . **AY** 53
Kéréon (R.) . . . . **ABY**	(Pl. de la) . . . . **AZ** 40		Terre-au-Duc (Pl.) . . . . . . **AY** 54

Fleur de Sel

*1 quai Neuf – ℘ 02 98 55 04 71 – www.fleur-de-sel-quimper.com
– Fax 02 98 55 04 71 – Fermé 24 déc.-2 janv., sam. midi et dim.* AX **v**
Rest – Menu 22 € bc (déj. en sem.), 27/37 € bc – Carte 29/50 €
♦ Dans un quartier pittoresque, adresse proposant des plats traditionnels dans une salle largement ouverte sur le cours de l'Odet, ou en plein air, au bord de l'eau.

Ailleurs

*43 r. Elie Fréron – ℘ 02 98 95 56 32 – contact@restaurant-ailleurs.com
– Fax 02 98 95 56 32 – Fermé 26 août-3 sept. et 23-29 déc., sam. midi, lundi midi et dim.*
Rest – Menu (15 €), 25/35 € – Carte 37/50 € BY **e**
♦ Épris de voyages, le chef réalise une cuisine du monde (à dominante asiatique) rythmée par les saisons. La carte des vins, tout aussi dépaysante, escorte cette escapade exotique.

L'Assiette

5 bis r. J. Jaurès – ℘ 02 98 53 03 65 – Fermé 24 août-7 sept. et dim. BZ **s**
Rest – Menu (15 €), 24 €
♦ Sympathique adresse familiale entre gare et centre-ville. Décor mi-bistrot, mi-brasserie et tables joliment dressées. Recettes traditionnelles simples et fraîches.

La VIIe Vague

*72 r. J. Jaurès – ℘ 02 98 53 33 10 – 7emevague@free.fr – Fax 02 98 52 23 85
– Fermé 1er-15 août, sam. et dim.* BZ **m**
Rest – Menu (16 €), 21/28 € – Carte 31/47 € le soir
♦ Décor tendance sobre et reposant, paisible terrasse et séduisante cuisine du terroir (le soir, carte thématique basée sur le chiffre 7) : cette table a le vent en poupe.

à Ty-Sanquer 7 km au Nord par D 770 – ⊠ 29000 Quimper

Auberge de Ti-Coz

*– ℘ 02 98 94 50 02 – www.restaurantticoz.com – restaurant-ty-coz@wanadoo.fr
– Fax 02 98 94 56 37 – Fermé 2 sem. en sept., mardi soir et merc. soir de sept. à juin, dim. soir et lundi sauf fériés*
Rest – Menu 21 € (déj. en sem.), 28/56 € – Carte 37/54 €
♦ Charmante petite auberge locale au cadre actuel où le chef concocte une cuisine traditionnelle actualisée (épices, produits du Sud, légumes d'antan, etc.). Vins de propriétaires.

QUIMPER

à Quilinen 11 km par ① et D 770 – ✉ 29510 Landrevarzec

Auberge de Quilinen
VISA ◉◉

– ℰ 02 98 57 93 63 – http://auberge.de.quilinen.monsite.orange.fr
– aubergedequilinen@wanadoo.fr – Fax 02 98 57 94 49 – Fermé 3-23 août, mardi soir, merc. soir, dim. soir et lundi

Rest – Menu 19 € (déj. en sem.), 27/36 € – Carte 31/43 €

♦ Coquette maison située dans un hameau connu pour sa chapelle du 15ᵉ s. Lumineuse salle rustique (pierres apparentes et mobilier campagnard) et appétissantes recettes du terroir.

au Sud-Ouest 5 km par bd Poulguinan - AX - et D 20 – ✉ 29700 Pluguffan

La Roseraie de Bel Air (Lionel Hénaff)
P VISA ◉◉ AE

r. Boissière – ℰ 02 98 53 50 80 – www.roseraie.de.bel.air.com
– roseraie-de-bel-air@wanadoo.fr – Fax 02 98 53 50 80
– Fermé 3-13 mai, 6 sept.-2 oct., dim. et lundi

Rest – Menu 25 € (déj. en sem.), 48/95 €

Spéc. Poissons de petits bateaux. Agneau des prés salés de la rivière de Pont-l'Abbé (mars à sept.). Fruits rouges de la région (printemps-été).

♦ Belle maison bretonne du 19ᵉ s. La longue salle à manger, avec ses deux hautes cheminées en granit, offre un cadre chaleureux. Cuisine régionale revisitée.

QUIMPERLÉ – 29 Finistère – **308** J7 – 10 900 h. – alt. 30 m – ✉ 29300 9 **B2**

🟩 Bretagne

▶ Paris 517 – Carhaix-Plouguer 57 – Concarneau 32 – Pontivy 76 – Quimper 49 – Rennes 169

🅘 Office de tourisme, 45, place Saint-Michel ℰ 02 98 96 04 32, Fax 02 98 96 16 12

◉ Église Ste-Croix★★ - Rue Dom-Morice★.

Le Vintage sans rest
VISA ◉◉ AE

20 r. Bremond d'Ars – ℰ 02 98 35 09 10 – www.hotelvintage.com – hotelvintage@orange.fr – Fax 02 98 35 09 29

10 ch – †60 € ††85/115 €, ⊇ 11 €

♦ Cette belle façade du 19ᵉ s. dissimule un hôtel contemporain voué au culte du vin. Chambres personnalisées par des fresques originales et un mobilier actuel.

Le Bistro de la Tour
VISA ◉◉ AE ①

2 r. Dom Morice – ℰ 02 98 39 29 58 – www.hotelvintage.com – bistrodelatour@orange.fr – Fax 02 98 39 21 77 – Fermé dim. midi en juil.-août, dim. soir hors saison, lundi sauf le soir en juil.-août et sam. midi

Rest – Menu (22 €), 31/61 € bc – Carte 36/42 €

♦ Ce bistrot rétro et cossu (bibelots, tableaux, bouteilles) sert de généreux petits plats oscillant entre tradition et terroir. Belle carte des vins. Épicerie fine attenante.

La Cigale Egarée
P VISA ◉◉

Villeneuve-Braouic par rte de Lorient – ℰ 02 98 39 15 53
– www.lacigaleegaree.com – lacigale29@yahoo.fr – Fermé vacances de la Toussaint, dim. et lundi

Rest – (nombre de couverts limité, prévenir) Menu (17 €), 21 € (déj. en sem.), 35/70 € – Carte 39/59 €

♦ Au fond d'une Z.I., table atypique occupant une maison ocre sur jardin. Cuisine d'avant-garde servie dans un joli décor néo-provençal : cette cigale-là s'est vraiment égarée !

au Nord-Est 6 km par rte d'Arzano et D 22 – ✉ 29300 Arzano

Château de Kerlarec
rest, P

rte d'Arzano – ℰ 02 98 71 75 06 – www.chateau-de-kerlarec.com
– chateau-de-kerlarec@orange.fr – Fax 02 98 71 74 55 – Fermé 23-27 déc.

5 ch ⊇ – †115 € ††125/160 € **Table d'hôte** – Menu 30/55 €

♦ Ce château du Second Empire offre un charme authentique par son décor soigné et par les attentions de ses propriétaires (beau linge de maison, plateau de courtoisie). La table d'hôte (uniquement sur demande) propose crêpes, fruits de mer et recettes du terroir.

QUINCIÉ-EN-BEAUJOLAIS – 69 Rhône – 327 G3 – 1 121 h. – alt. 325 m – ✉ 69430
43 **E1**

▶ Paris 428 – Beaujeu 6 – Bourg-en-Bresse 55 – Lyon 57 – Mâcon 33 – Roanne 66

Le Mont-Brouilly
Le Pont des Samsons, 2,5 km à l'Est par D 37 – ℰ 04 74 04 33 73
– www.hotelbrouilly.com – contact@hotelbrouilly.com – Fax 04 74 04 30 10
– *Fermé 21-28 déc., 1ᵉʳ fév.-2 mars, dim. soir et lundi d'oct. à mai*
28 ch – †65/70 € ††70/70 €, ⊆ 8,50 €
Rest – *(fermé dim. soir d'oct. à mai, mardi midi et lundi)* Menu (18 €), 23/46 € – Carte 34/45 €

♦ Au pied du mont Brouilly, entouré de vignes, hôtel des années 1980 où l'on s'endort dans des chambres fonctionnelles toutes identiques. Vaste salle à manger offrant une vue sympathique sur le jardin ; à table, recettes traditionnelles.

QUINÉVILLE – 50 Manche – 303 E2 – 303 h. – alt. 29 m – ✉ 50310
32 **A1**
Normandie Cotentin

▶ Paris 338 – Barfleur 21 – Carentan 31 – Cherbourg 37 – St-Lô 59

🛈 Office de tourisme, 17, avenue de la Plage ℰ 02 33 21 40 29, Fax 02 33 21 61 39

Château de Quinéville
– ℰ 02 33 21 42 67 – www.chateau-de-quineville.com – chateau.quineville@wanadoo.fr – Fax 02 33 21 05 79 – *Ouvert 31 mars-2 nov.*
30 ch – †65/165 € ††65/165 €, ⊆ 11 €
Rest – *(dîner seult)* Menu 33 € – Carte 33/50 €

♦ Les chambres, en général assez sobres, sont plus grandes et récentes dans les ex-écuries que dans le château (18ᵉ s.). Parc avec vestiges romains, tour du 14ᵉ s., serres et étang. Salle à manger de caractère face à un bel écrin de verdure. Plats traditionnels.

QUINGEY – 25 Doubs – 321 F4 – 1 217 h. – alt. 275 m – ✉ 25440
16 **B2**

▶ Paris 397 – Besançon 23 – Dijon 84 – Dole 36 – Gray 54

La Truite de la Loue
2 rte de Lyon – ℰ 03 81 63 60 14 – www.latruitedelaloue.com – latruitedelaloue@wanadoo.fr – Fax 03 81 63 64 77 – *Fermé janv., 23 fév.-4 mars, mardi soir et merc. d'oct. à mai*
10 ch – †40 € ††52 €, ⊆ 7 € – ½ P 47 € **Rest** – Menu 19/47 € – Carte 20/57 €

♦ Cette auberge familiale du bord de la Loue propose des chambres fonctionnelles de tailles diverses. Petite salle de restaurant campagnarde dont les fenêtres ouvrent sur la rivière. Cuisine régionale et spécialités de truites (visibles dans un vivier).

QUINSON – 04 Alpes-de-Haute-Provence – 334 E10 – 350 h. – alt. 370 m – ✉ 04500 **Alpes-du-Sud**
41 **C2**

▶ Paris 804 – Aix-en-Provence 76 – Brignoles 44 – Castellane 72 – Digne-les-Bains 62

🛈 Syndicat d'initiative, rue Saint-Esprit ℰ 04 92 74 01 12, Fax 04 92 74 01 12

Relais Notre-Dame
– ℰ 04 92 74 40 01 – www.relaisnotredame.com – relaisnotredame@orange.fr – Fax 04 92 74 02 10 – *Hôtel : ouvert 30 mars-15 nov. et fermé lundi et mardi ; rest : fermé 15 déc.-15 fév., lundi soir et mardi*
12 ch – †50/58 € ††58/65 €, ⊆ 9 € – ½ P 60/65 € **Rest** – Menu 26/42 €

♦ Sur la route des gorges du Verdon, hôtel familial et son joli jardin, voisins du musée de la Préhistoire. Chambres progressivement refaites dans un style provençal actuel. Agréable restaurant et verdoyante terrasse au calme ; plats régionaux, truffe en saison.

QUINTIN – 22 Côtes-d'Armor – 309 E4 – 2 797 h. – alt. 180 m – ✉ 22800 **Bretagne**
10 **C2**

▶ Paris 463 – Lamballe 35 – Loudéac 31 – St-Brieuc 18

🛈 Office de tourisme, 6, place 1830 ℰ 02 96 74 01 51, Fax 02 96 74 06 82

QUINTIN

Du Commerce
2 r. Rochonen – ℰ 02 96 74 94 67 – www.hotelducommerce-quintin.com
– valerie@hotelducommerce-quintin.com – Fax 02 96 74 00 94 – Fermé vend. midi
du 14 juil. au 18 août, vend. soir du 19 août au 13 juil., dim. soir et lundi
11 ch ⊇ – †57 € ††69/80 € – ½ P 56/62 €
Rest – Menu 15 € (sem.)/46 € bc – Carte 47/57 €

♦ Cette maison en granit qui daterait du 18e s. était autrefois un relais de diligence. Les chambres, traditionnelles et bien tenues, portent toutes un nom d'épice exotique. La salle à manger est décorée de belles boiseries et d'une cheminée aux armoiries bretonnes.

RABAT-LES-TROIS-SEIGNEURS – 09 Ariège – 343 H7 – rattaché à Tarascon-sur-Ariège

RAMATUELLE – 83 Var – 340 O6 – 2 271 h. – alt. 136 m – ⊠ 83350   41 C3
Côte d'Azur

🄳 Paris 873 – Fréjus 35 – Le Lavandou 34 – St-Tropez 10 – Ste-Maxime 15 – Toulon 70

🄸 Office de tourisme, place de l'Ormeau ℰ 04 98 12 64 00, Fax 04 94 79 12 66

◎ Col de Collebasse ≤★ S : 4 km.

Le Baou
av. Gustave Etienne – ℰ 04 98 12 94 20 – www.hostellerielebaou.com
– hostellerie.lebaou@wanadoo.fr – Fax 04 98 12 94 21 – Ouvert début mai-fin sept.
39 ch – †200/370 € ††200/370 €, ⊇ 21 € – 2 suites
Rest *La Terrasse* – (dîner seult) Carte 65/95 €

♦ Le Baou (sommet, en provençal) porte bien son nom : il domine l'anse de Pampelonne. Grandes chambres contemporaines dotées de balcon et profitant du paysage. Élégante salle à manger et terrasse panoramique tournée vers le village et la mer.

La Vigne de Ramatuelle sans rest
rte de La Croix-Valmer, à 3 km – ℰ 04 94 79 12 50
– www.hotel-vignederamatuelle.com – contact@hotel-vignederamatuelle.com
– Fax 04 94 79 13 20 – Ouvert 4 avril-18 oct.
14 ch – †125/295 € ††125/295 €, ⊇ 15 €

♦ Au milieu des vignes, villa conciliant charme, tranquillité et atmosphère de maison privée. Chambres d'esprit contemporain avec terrasse, salon d'été. Piscine dans la verdure.

L'Écurie du Castellas et H. Lou Castellas avec ch
rte du Moulins de Paillas – ℰ 04 94 79 11 59 – www.lecurieducastellas.com
– lecurieducastellas@wanadoo.fr – Fax 04 94 79 21 04
16 ch ⊇ – †55/180 € ††55/180 € **Rest** – Menu 28/65 € – Carte 50/65 €

♦ Votre regard se focalisera-t-il sur le décor provençal, sur le panorama de rêve dominant la campagne et la mer, ou sur l'appétissante cuisine régionale ? Les trois, pardi !

à la Bonne Terrasse 5 km à l'Est par D 93 et rte de Camarat – ⊠ 83350 Ramatuelle

Chez Camille
quartier de Bonne Terrasse – ℰ 04 98 12 68 98 – www.chezcamille.fr – Ouvert
9 avril-11 oct. et fermé vend. midi et mardi
Rest – (prévenir en saison et le week-end) Menu 42/75 €

♦ Depuis 1913, pères et fils se succèdent en cuisine dans ce restaurant agréablement situé les pieds dans l'eau. On y vient pour la bouillabaisse et les poissons grillés.

RAMBERVILLERS – 88 Vosges – 314 H2 – 5 647 h. – alt. 287 m   27 C3
– ⊠ 88700

🄳 Paris 407 – Epinal 27 – Lunéville 36 – Nancy 68 – St-Dié-des-Vosges 29

🄸 Syndicat d'initiative, 2, place du 30 Septembre ℰ 03 29 65 49 10,
Fax 03 29 65 25 20

Mirabelle
6 r. de l'Église – ℰ 03 29 65 37 37 – Fermé 16 août-20 sept., janv. et merc.
Rest – (déj. seult) Menu (15 €), 38/50 € – Carte 41/80 €

♦ Chaleureux accueil familial dans ce restaurant intimiste aux couleurs de la Lorraine. Vous aurez droit aux grands classiques, comme la tête de veau qui fait la fierté du chef.

RAMBOUILLET – 78 Yvelines – 311 G4 – 25 400 h. – alt. 160 m – ⊠ 78120 – Île de France

18 **A2**

- Paris 53 – Chartres 42 – Mantes-la-Jolie 50 – Orléans 93 – Versailles 35
- **🛈** Office de tourisme, place de la Libération ℰ 01 34 83 21 21, Fax 01 34 83 21 31
- de Forges-les-Bains à Forges-les-Bains Route du Général Leclerc, E : 22 km par D 906 et D 24, ℰ 01 64 91 48 18
- ◉ Boiseries★ du château - Parc★★ : laiterie de la Reine★ Z B - chaumière aux coquillages★ Z E - Bergerie nationale★ Z - Forêt de Rambouillet★.

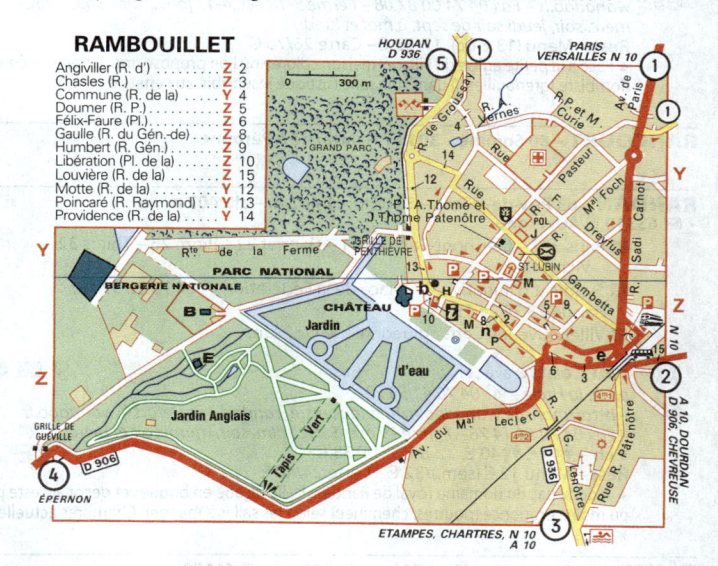

RAMBOUILLET

Angiviller (R. d')	Z 2
Chasles (R.)	Z 3
Commune (R. de la)	Y 4
Doumer (R. P.)	Z 5
Félix-Faure (Pl.)	Z 6
Gaulle (R. du Gén.-de)	Z 8
Humbert (R. Gén.)	Z 9
Libération (Pl. de la)	Z 10
Louvière (R. de la)	Z 15
Motte (R. de la)	Y 12
Poincaré (R. Raymond)	Y 13
Providence (R. de la)	Y 14

Mercure Relays du Château sans rest
1 pl. de la Libération – ℰ 01 34 57 30 00 – www.mercure-rambouillet.com
– relays@mercure-rambouillet.com – Fax 01 30 46 23 91
83 ch – †85/155 € ††90/170 €, ⊇ 14 €
Z b

♦ Face au château, ex-relais de poste du 16ᵉ s. superbement rénové : l'intérieur mêle avec raffinement l'ancien et le moderne. Chambres bien équipées et d'un grand confort.

Cheval Rouge
78 r. Gén. de Gaulle – ℰ 01 30 88 80 61 – www.cheval-rouge.fr – cpommier@aol.com – Fax 01 34 83 91 60 – Fermé mardi soir et merc.
Rest – Menu (28 €), 34 € – Carte 42/50 €
Z n

♦ Cuisine traditionnelle et menu-carte rythmé par les saisons proposés dans la véranda, classique et joliment colorée. À midi, en semaine, restauration simple au bar à vins.

L'Huître sur le Zinc
15 r. Chasles – ℰ 01 30 46 22 58 – www.lhuitresurlezinc.fr – lhuitresurlezinc@wanadoo.fr – Fermé 1ᵉʳ-21 août, 15-31 déc., dim. et lundi
Rest – Menu 39 € (déj. en sem.) – Carte 46/70 €
Z e

♦ Spécialités exclusivement marines en provenance de... la poissonnerie adjacente tenue par le frère du chef-patron. Agréable décor aux couleurs de la mer et beau jardin-terrasse.

à Gazeran 5 km par ④ – 1 176 h. – alt. 162 m – ⊠ 78125

Villa Marinette
20 av. Gén. de Gaulle – ℰ 01 34 83 19 01 – www.villamarinette.fr – villamarinette@wanadoo.fr – Fax 01 30 88 83 65 – Fermé dim. soir, mardi midi et lundi
Rest – Menu 29 € (déj. en sem.)/60 € – Carte 52/65 €

♦ La chaleureuse salle à manger et la terrasse dressée dans le délicieux jardin clos invitent à découvrir une cuisine inventive. Belle carte des vins de Bordeaux.

RAMONVILLE-ST-AGNE – 31 Haute-Garonne – 343 G3 – rattaché à Toulouse

RANCÉ – 01 Ain – 328 C5 – 633 h. – alt. 282 m – ✉ 01390 43 E1
▶ Paris 437 – Bourg-en-Bresse 44 – Lyon 32 – Villefranche-sur-Saône 13

De Rancé
– ℰ 04 74 00 81 83 – www.restaurantderance.com – jeanmarc.martin3@wanadoo.fr – Fax 04 74 00 87 08 – Fermé 5-18 oct.,4-17 janv., dim. soir, mardi soir, merc. soir, jeudi soir de sept. à mai et lundi
Rest – Menu (13 € bc), 17/55 € – Carte 26/76 €
♦ Face à la petite église du village, maison colorée où l'on propose une généreuse cuisine dombiste (grenouilles...) dans une salle rustique insensible aux effets de mode.

RANCOURT – 80 Somme – 301 K7 – rattaché à Péronne

RANDAN – 63 Puy-de-Dôme – 326 H6 – 1 462 h. – alt. 407 m 6 C2
– ✉ 63310 ▌Auvergne
▶ Paris 367 – Clermont-Ferrand 41 – Gannat 22 – Riom 26 – Thiers 32 – Vichy 15
🛈 Syndicat d'initiative, 27, place de la Fédération ℰ 04 73 38 59 45, Fax 04 73 38 25 15
◉ Villeneuve-les-Cerfs : pigeonnier★ O : 2 km.

Du Centre avec ch
pl. de la Halle – ℰ 04 70 41 50 23 – http//monsite.wanadoo.fr/hotelducentre_randan – jay.lefort@wanadoo.fr – Fax 04 70 56 14 78 – Fermé 19 oct.-5 déc., dim. soir, mardi soir et merc.
9 ch – ✝40 € ✝✝40 €, ⌑ 8 € – ½ P 38 €
Rest – Menu 12 € (sem.)/32 € – Carte 21/40 €
♦ À deux pas du domaine royal de Randan, belle façade en briques et décor agreste plus ou moins prononcé (poutres, cheminée) selon les salles à manger. Chambres actuelles.

RÂNES – 61 Orne – 310 H3 – 964 h. – alt. 237 m – ✉ 61150 32 B3
▌Normandie Cotentin
▶ Paris 212 – Alençon 40 – Argentan 20 – Bagnoles-de-l'Orne 20 – Falaise 34
🛈 Syndicat d'initiative, Mairie ℰ 02 33 39 73 87, Fax 02 33 39 79 77

St-Pierre
6 r. de la Libération – ℰ 02 33 39 75 14 – www.hotelsaintpierreranes.com – info@hotelsaintpierreranes.com – Fax 02 33 35 49 23
12 ch – ✝55 € ✝✝62 €, ⌑ 9 € – ½ P 68 €
Rest – (fermé vend. soir) Menu (18 €), 25/46 € – Carte environ 43 €
♦ Belle maison régionale dont les petites chambres rustiques soignées sont personnalisées et chaleureusement colorées. La cuisine, inspirée du terroir, met à l'honneur les tripes et les cuisses de grenouilles. Accueil charmant.

RASTEAU – 84 Vaucluse – 332 C8 – rattaché à Vaison-la-Romaine

RATTE – 71 Saône-et-Loire – 320 L10 – 365 h. – alt. 201 m – ✉ 71500 8 D3
▶ Paris 386 – Dijon 111 – Mâcon 97 – Chalon-sur-Saône 47 – Bourg-en-Bresse 72

Le Chaudron
au bourg – ℰ 03 85 75 57 81 – www.lechaudron.fr – Fax 03 85 75 19 35 – Fermé 19 janv.-3 fév., mardi et merc.
Rest – Menu (13 €), 16 € bc (déj. en sem.), 27/45 € – Carte 40/58 €
♦ Une bonne étape sur une route très fréquentée : accueil aimable, service attentionné et cuisine traditionnelle caractérisent cette auberge au décor sobre et rustique.

RAULHAC – 15 Cantal – 348 h. – alt. 740 m – ⊠ 15800 — 5 **B3**

▶ Paris 571 – Clermont-Ferrand 156 – Aurillac 31 – Saint-Flour 73 – Arpajon-sur-Cère 27

Château de Courbelimagne
4 km au Sud par rte de Mur-de-Barrez (D 600) – ✆ 04 71 49 58 25
– http://:perso.wanadoo.fr/courbelimagne/ – jean-louis.welsch@wanadoo.fr
– Fax 04 71 49 58 25
5 ch ⊇ – †75 € ††75/105 €   **Table d'hôte** – Menu 27 €
♦ Dans un parc romantique, un manoir (16e-19e s.) de caractère : mobilier d'époque, collection de fleurs séchées rares (1850), chambres personnalisées... Soins de naturothérapie. Une cuisine du terroir, créative et biologique, est proposée le soir aux résidents.

LE RAULY – 24 Dordogne – **329** D7 – rattaché à Bergerac

LE RAYOL-CANADEL-SUR-MER – 83 Var – **340** N7 – 508 h. – alt. 100 m – ⊠ 83820 — 41 **C3**

▶ Paris 886 – Fréjus 49 – Hyères 35 – Le Lavandou 13 – St-Tropez 27
🛈 Office de tourisme, place Michel Goy ✆ 04 94 05 65 69, Fax 04 94 05 51 80
◉ Domaine du Rayol Jardin des Méditerranées ★★

Le Bailli de Suffren
Le Rayol – ✆ 04 98 04 47 00 – www.lebaillidesuffren.com – infos@lebaillidesuffren.com – Fax 04 98 04 47 99 – Ouvert 15 avril-15 oct.
54 ch – †189/443 € ††189/443 €, ⊇ 24 €
Rest *Praya* – (ouvert de mi-avril à mi-oct., fermé le soir de fin juin à sept.) Menu 52/85 € – Carte 74/89 €
Rest *L'Escale* – (ouvert 15 mai-30 sept.) (déj. seult sauf de mi-juin à fin août) Carte 44/55 €
♦ Superbe vue sur les îles d'Hyères depuis ce bel hôtel qui embrasse la mer. Chambres spacieuses et raffinées, dotées de balcons ou de terrasses. Plage privée. Salle à manger feutrée et provençale, terrasse panoramique à la Praya. Cuisine traditionnelle revisitée à L'Escale, dans un cadre actuel et lounge.

Le Relais des Maures avec ch
av. Ch. Koeklin, La Canadel – ✆ 04 94 05 61 27 – www.lerelaisdesmaures.fr
– lerelaisdesmaures@wanadoo.fr – Fax 04 94 05 65 29 – Fermé 8 nov.-31 janv., le midi en juil.-août, dim. soir et lundi hors saison
12 ch – †65/85 € ††65/85 €, ⊇ 8 €   **Rest** – Menu 28/48 € – Carte 37/51 €
♦ Petite auberge familiale où la cuisine traditionnelle est proposée à prix raisonnables. Service en terrasse ou dans la salle d'esprit bistrot, avec la mer à deux pas... Les petites chambres, sobres et rustiques, profitent au deuxième étage d'une vue sur la grande bleue.

RÉ (ÎLE DE) – 17 Charente-Maritime – **324** B2 – voir à Île de Ré

RÉALMONT – 81 Tarn – **338** F8 – 3 081 h. – alt. 212 m – ⊠ 81120 — 29 **C2**

▶ Paris 704 – Albi 21 – Castres 24 – Graulhet 18 – Lacaune 57 – St-Affrique 84 – Toulouse 78
🛈 Office de tourisme, 8, place de la République ✆ 05 63 79 05 45, Fax 05 63 79 05 36

Les Secrets Gourmands
72 av. Gén. de Gaulle, (D 612) – ✆ 05 63 79 07 67 – les-secrets-gourmands@wanadoo.fr – Fax 05 63 79 07 69
– Fermé 25-31 août, 10-31 janv., dim. soir et mardi
Rest – Menu 21 € (sem.), 29/52 € – Carte 41/50 €
♦ Trois petites salles à manger raffinées, rehaussées de tableaux contemporains et ouvertes sur une agréable terrasse d'été. Cuisine actuelle gourmande.

REDON – 35 Ille-et-Vilaine – **309** J9 – 9 461 h. – alt. 10 m – ⊠ 35600   10 **C3**
▮ Bretagne

- Paris 410 – Nantes 78 – Rennes 65 – St-Nazaire 53 – Vannes 59
- Office de tourisme, place de la République ℘ 02 99 71 06 04, Fax 02 99 71 01 59
- Tour★ de l'église St-Sauveur.

XX **La Bogue**   VISA ᴹᶜ
3 r. Etats – ℘ 02 99 71 12 95 – Fax 02 99 71 12 95 – Fermé 29 juin-7 juil., 1 sem. en nov., dim. soir et lundi
Rest – Menu 23/60 € – Carte 42/68 €
♦ La salle à manger de ce restaurant (boiseries moulurées et chaises Louis XIII) accueille des expositions de peintres régionaux. Cuisine traditionnelle simple et légère.

rte de La Gacilly 3 km au Nord par D 873 – ⊠ 35600 Redon

XX **Moulin de Via**   🚗 🌳 ⇔ P VISA ᴹᶜ ᴬᴱ
– ℘ 02 99 71 05 16 – www.lemoulindevia.fr – moulindevia@orange.fr
– Fax 02 99 71 08 36 – Fermé 5-22 mars, sept., merc. d'oct. à juin, dim. soir, mardi soir et lundi
Rest – Menu 25/65 €
♦ Mobilier champêtre, poutres et cheminée participent au charme campagnard de cet ancien moulin à eau blotti dans la verdure. Terrasse ombragée grande ouverte sur le jardin.

REICHSTETT – 67 Bas-Rhin – **315** K5 – rattaché à Strasbourg

Petit-déjeuner compris ?
La tasse ⊋ suit directement le nombre de chambres.

REILHAC – 43 Haute-Loire – **331** C3 – rattaché à Langeac

REIMS – 51 Marne – **306** G7 – 184 800 h. – Agglo. 215 581 h.   13 **B2**
– alt. 85 m – ⊠ 51100 ▮ Champagne Ardenne

- Paris 144 – Bruxelles 218 – Châlons-en-Champagne 48 – Lille 208
- Reims-Champagne : ℘ 03 26 07 15 15, D 74 : 7 km U.
- Office de tourisme, 2, rue Guillaume de Machault ℘ 03 26 77 45 00, Fax 03 26 77 45 19
- de Reims-Champagne à Gueux Château des Dames de France, par rte de Paris : 9 km, ℘ 03 26 05 46 10
- Cathédrale Notre-Dame★★★ - Basilique St-Rémi★★ : intérieur★★★ - Palais du Tau★★ BY V - Caves de Champagne★★ BCX, CZ - Place Royale★ - Porte Mars★ - Hôtel de la Salle★ BY R - Chapelle Foujita★ - Bibliothèque★ de l'ancien Collège des Jésuites BZ C - Musée St-Rémi★★ CZ M⁴ - Musée-hôtel Le Vergeur★ BX M³ - Musée des Beaux-Arts★ BY M².
- Fort de la Pompelle (casques allemands★) 9 km par ③.

Plans pages suivantes

🏨 **Château les Crayères** ⊗   ⇐ 🕭 ℅ 🖨 ᴬᶜ ⇔ P VISA ᴹᶜ ᴬᴱ ⓘ
❀❀❀ 64 bd Henry Vasnier, – ℘ 03 26 82 80 80 – www.lescrayeres.com – crayeres@
relaischateaux.com – Fax 03 26 82 65 52 – Fermé 3-27 janv.   CZ **a**
17 ch – †350/810 € ††350/810 €, ⊋ 30 € – 3 suites
Rest – (Fermé lundi et mardi) (nombre de couverts limité, prévenir) Menu 70 €
(déj. en sem.), 185/305 € bc – Carte 140/176 € ⍟
Spéc. Langoustine royale. Menu Tradition de Champagne. Pamplemousse rose au biscuit rose de Reims. **Vins** Champagne.
♦ Une somptueuse demeure et son petit pavillon, entourés d'un grand parc à l'anglaise. Lustres, boiseries, moulures et mobilier de style agrémentent les belles chambres. Au restaurant, délicieuse cuisine de saison escortée de bons vins et champagnes.

www.nespresso.com

NESPRESSO®
Le café corps et âme

**Une crevaison au milieu de nulle part ?
MICHELIN *OnWay*
vous vient en aide 24h sur 24.**

**MICHELIN
OnWay**

3 SERVICES GRATUITS*:

> **Garantie Dommages Pneumatiques**
> **Assistance Pneumatiques**
> **SOS Direction**

*Dès 2 pneus MICHELIN achetés (tourisme, 4x4, camionnette, été, hiver) + une inscription

Un pneu endommagé ? MICHELIN OnWay vous indemnise*.
En panne ? MICHELIN OnWay vous envoie gratuitement un dépanneur en moins d'une heure.
Perdu ? Besoin d'une information ? MICHELIN OnWay répond à vos questions en direct.
Dès l'achat de deux pneus MICHELIN** et sur simple inscription, vous bénéficiez gratuitement des trois services exclusifs MICHELIN OnWay, 24h/24h, 7j/7, partout en Europe.

*50 % de la valeur du nouveau pneumatique la première année d'inscription, 25 % la seconde.
**Tourisme, 4x4, camionnette.

Pour en savoir plus, rendez-vous sur www.michelin.fr

MICHELIN
Une meilleure façon d'avancer

REIMS

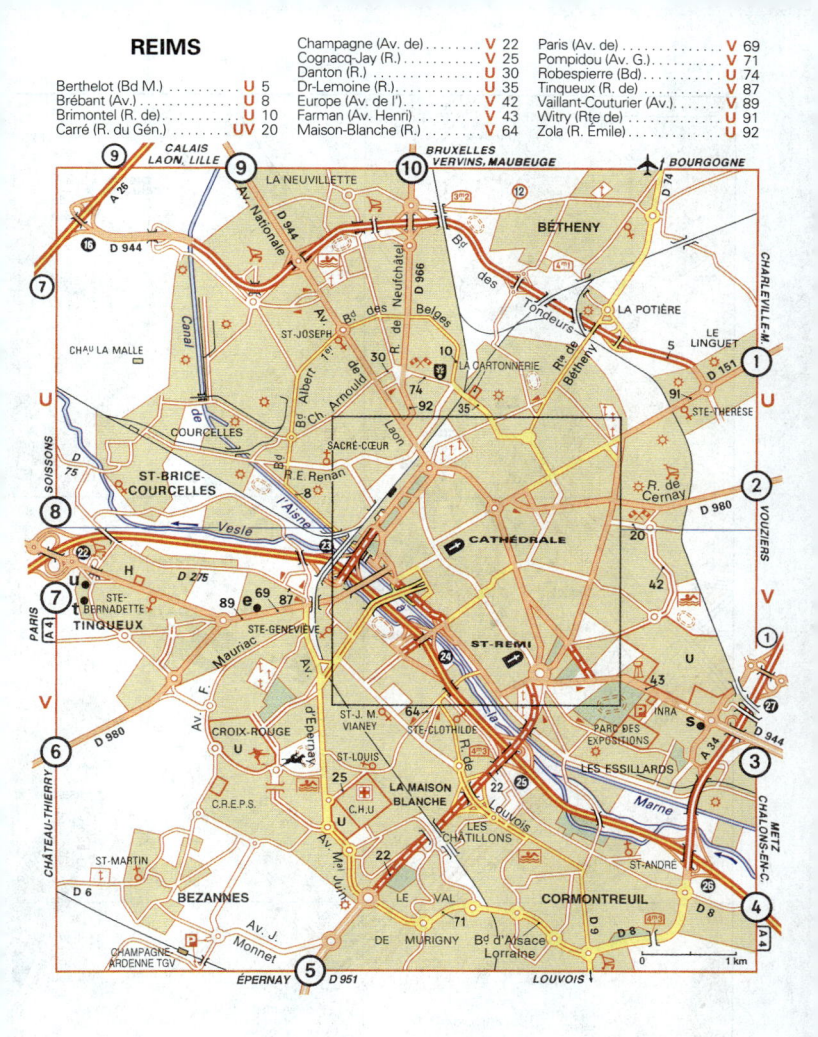

Berthelot (Bd M.)	**U** 5
Brébant (Av.)	**U** 8
Brimontel (R. de)	**U** 10
Carré (R. du Gén.)	**UV** 20
Champagne (Av. de)	**V** 22
Cognacq-Jay (R.)	**V** 25
Danton (R.)	**U** 30
Dr-Lemoine (R.)	**U** 35
Europe (Av. de l')	**V** 42
Farman (Av. Henri)	**V** 43
Maison-Blanche (R.)	**V** 64
Paris (Av. de)	**V** 69
Pompidou (Av. G.)	**V** 71
Robespierre (Bd)	**U** 74
Tinqueux (R. de)	**V** 87
Vaillant-Couturier (Av.)	**V** 89
Witry (Rte de)	**U** 91
Zola (R. Émile)	**V** 92

L'Assiette Champenoise (Arnaud Lallement)
à Tinqueux, 40 av. Paul Vaillant-Couturier — ch,
☒ 51430 – ✆ 03 26 84 64 64 – www.assiettechampenoise.com
– assiette.champenoise@wanadoo.fr – Fax 03 26 04 15 69   V **e**
40 ch – ♦160 € ♦♦160 €, ⌘ 14 € – 15 suites
Rest – (fermé 22 fév.-11 mars, merc. midi et mardi) Menu (68 €), 130/155 €
– Carte 118/138 €

Spéc. Langoustines en déclinaison. Ris de veau, carotte et badiane. Goûts et textures du chocolat. **Vins** Champagne, Bouzy.

♦ Belle maison de maître de la fin 19ᵉ s. dans un grand parc clos. Les chambres, récemment refaites, adoptent un style actuel de bon ton (teintes taupe, rouge, blanc). Élégant restaurant, ouvert sur une terrasse, et délicieuse cuisine au goût du jour.

1537

A
B
X
Y
Z
0
300 m
ST THOMAS
Av.
92
Lesage
R. Gosset
35
R. Geruzez
R. M. C.
d'Arène
de
R.
Jules
César
Bd
CH LLE
FOUJITA
de
Cave
Champ
NORD
Laon
R.
R.
Mont
Fouriaux
D 75
R.
du
Coquebert
X
k
73
R. des Romains
72
PORTE
MARS
7
Bd
R.
du
Lundy
Rue
R.
de
E. Mignot
R.
Joffre
Hautes
Promenades
85
a
e
b
R. de Mars
46
82
Courcelles
Bd
Square
Colbert
a
R.
R. Thiers
H
57
57
Pl. A.
Briand
Av.
St-
Brice
Roederer
v
n
ERLON
r
M3
33
26
Cères
4m
POL.
Basses
Promenades
38
de Talleyrand
60
R
26
4
47
s
C
Bd
Louis
13
40
59
31
R. Tarbe
60
BUIRETTE
PL. ROYALE
19
COUVENT
Voltaire
4m2
8
Bd
Cirque
38
P
65
CATHÉDRALE
Manège
f
12
q
a
68
J
Centre
des
Congrès
4m3
60
St-Jacques
T
3
56
Vesle
R.
M2
V
39
63
86
R.
75
Place
Stalingrad
Pont
de Vesle
de R.
e
Libergier
R.
23
Canal
Y
R.
Bd
Payen
R.
HINCMAR
Chanzy
88
50
t
Jard
R.
R. LE BARBATRE
de
R.
du C.el Fabien
6
des
CONSERVATOIRE
NAT. DE MUSIQUE
ET DE DANSE
53
du
Barbâtre
COMÉDIE DE REIMS
P.
v
6
Clovis
du
Venise
Gambetta
R.
Gaulle
PORT
Doumer
16
de
A. DELAUNE
l'Aisne
R.
de
Capucins
ST-MAURICE
PARC
Chaussée
Moulins
Pl.
Museux
Gal
Rue
Z
Bd
D.r
R.
des
Ruisselet
Pont
de Venise
LÉO LAGRANGE
Esplanade
L. Lagrange
24
a
H.
R. du
R. Simon
Av.
de
AUTOROUTE A4
Vesle
Henrot
la
Marchandeau
Bocquaine
Bd
COURLANCY
FLÉCHAMBAULT
Président
Paul
Courlancy
Chézel
Bd
Marne
Av.
STE-ANNE
Clovis
Dieu-
R.
3m6
Pl.
Marlin
Wilson
62
A
B

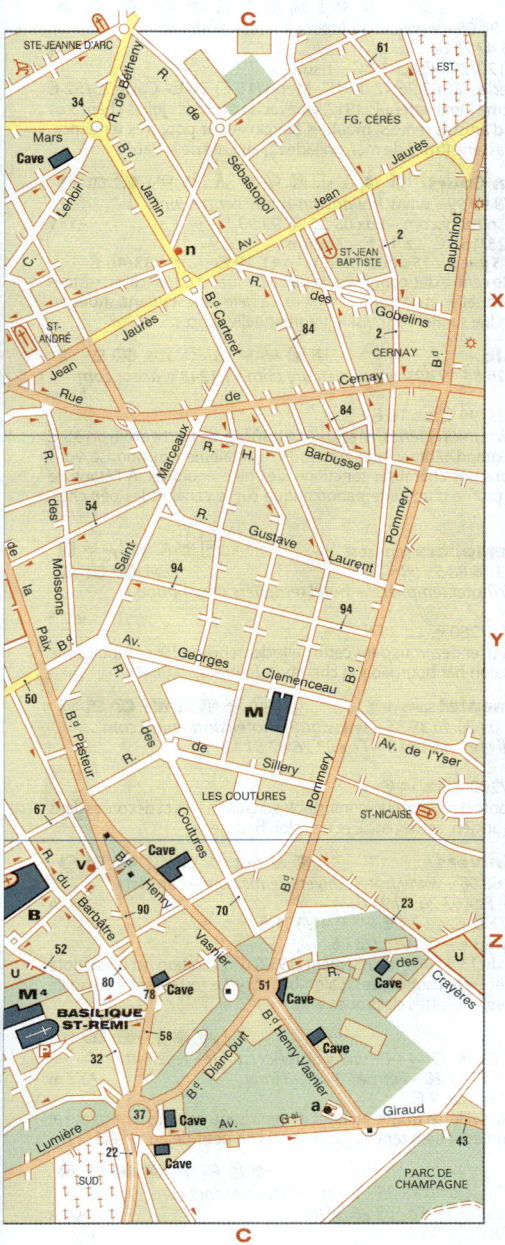

REIMS

Street	Ref	No
Alsace-Lorraine (R. d')	CX	2
Anatole-France (Cours)	BY	3
Arbalète (R. de l')	BY	4
Boulard (R.)	BY	6
Boulingrin (Pl. du)	BX	7
Brébant (Av.)	AY	8
Buirette (R.)	AY	12
Cadran St-Pierre (R.)	BY	13
Carmes (R. des)	BZ	16
Carnégie (Pl.)	BY	17
Carnot (R.)	BY	19
Champagne (Av. de)	CZ	22
Chemin Vert (R. du)	CZ	23
Colbert (R.)	BXY	26
Desteuque (R. E.)	BY	31
Dieu-Lumière (R.)	CZ	32
Dr-Jacquin (R.)	BXY	33
Dr-Knoéri (Pl. du)	CX	34
Dr-Lemoine (R.)	BX	35
Droits-de-l'Homme (Pl. des)	CZ	37
Drouet d'Erlon (Pl.)	AY	38
Dubois (R. Th.)	AY	39
Étape (R. de l')	AY	40
Farman (Av. H.)	CZ	43
Foch (Bd)	ABX	46
Forum (Pl.)	BY	47
Gerbert (R.)	BCY	50
Gouraud (Pl. Gén.)	CZ	51
Grand-Cerf (R. du)	CZ	52
Herduin (R. Lt)	BY	53
Houzeau-Muiron (R.)	CY	54
Jamot (R. Paul)	BY	56
Jean-Jaurès (Av.)	BCX	
J.-J.-Rousseau (R.)	BX	57
Lambert (Bd Victor)	CZ	58
Langlet (Crs J.-B.)	BY	59
Laon (Av. de)	ABX	
Leclerc (Bd Général)	AX	60
Lefèbvre (R. E.)	CX	61
Louvois (R. de)	BZ	62
Magdeleine (R.)	AY	63
Martyrs-de-la-Résistance (Pl. des)	BY	65
Montlaurent (R.)	CY	67
Myron-Herrick (Pl.)	BY	68
Philipe (R. Gérard)	CZ	70
Prés.-F.-Roosevelt (R.)	AX	72
République (Pl. de la)	BX	73
Rockefeller (R.)	BY	75
St-Nicaise (Pl.)	CZ	78
Salines (R. des)	CZ	80
Sarrail (R. Gén.)	BX	82
Strasbourg (R. de)	CX	84
Talleyrand (R. de)	ABY	
Temple (R. du)	BX	85
Thillois (R. de)	AY	86
Université (R. de l')	BY	88
Vesle (R. de)	ABY	
Victor-Hugo (Bd)	CZ	90
Zola (R. Émile)	AX	92
16e-et-22e-Dragons (R. des)	CY	94

REIMS

De la Paix
9 r. Buirette – ℰ 03 26 40 04 08 – www.hotel-lapaix.fr – reservation@hotel-lapaix.fr – Fax 03 26 47 75 04
AY **q**

168 ch – †120/205 € ††120/205 €, ⊇ 14 € – 1 suite
Rest *Café la Paix* – brasserie – ℰ 03 26 47 00 45 – Menu (15 €), 36 € – Carte 25/52 €

♦ Cet hôtel, tenu par la même famille depuis 1912, vit avec son temps : jolies chambres contemporaines (tableaux d'artistes rémois, meubles Starck) et bar pop, très tendance. Cadre design et carte de brasserie (fruits de mer, grillades...) au Café de la Paix.

Holiday Inn Garden Court
46 r. Buirette – ℰ 03 26 78 99 99 – www.holidayinn-reims-centre.com – higcreims@alliance-hospitality.com – Fax 03 26 78 99 90
AY **f**

80 ch – †125/150 € ††125/150 €, ⊇ 14 € – 2 suites
Rest – *(fermé le midi du 15 juil. au 15 août)* Menu (14 €), 19 € – Carte 33/46 €

♦ Situation pratique entre le centre des congrès et la place Drouet-d'Erlon (cafés, restaurants, cinémas). Chambres actuelles et de bonne ampleur. La salle de restaurant, située au 7ᵉ étage, offre une vue étendue sur Reims ; cuisine traditionnelle simple.

Mercure-Cathédrale
31 bd P. Doumer – ℰ 03 26 84 49 49 – www.mercure.com – h1248@accor.com – Fax 03 26 84 49 84
AY **v**

126 ch – †78/194 € ††82/199 €, ⊇ 16 €
Rest – *(fermé sam. midi, dim. midi et fériés)* Menu (24 €), 30/33 € – Carte environ 35 €

♦ Bordant un boulevard, ce grand bâtiment des années 1970, totalement insonorisé, vous assure des nuits calmes dans des chambres fonctionnelles bien équipées. À l'étage, le restaurant, contemporain, profite d'une vue panoramique sur le canal et les péniches. Cuisine actuelle.

Grand Hôtel des Templiers sans rest
22 r. des Templiers – ℰ 03 26 88 55 08 – http://perso.wanadoo.fr/hotel.templiers/ – hotel.templiers@wanadoo.fr – Fax 03 26 47 80 60
BX **a**

18 ch – †190/280 € ††190/280 €, ⊇ 25 €

♦ Luxe et raffinement sont au rendez-vous dans cette belle demeure du 19ᵉ s. : mobilier de style, opulence des tissus, salon-bar bourgeois et chambres feutrées.

Grand Hôtel Continental sans rest
93 pl. Drouet d'Erlon – ℰ 03 26 40 39 35 – www.grandhotelcontinental.com – grand-hotel-continental@wanadoo.fr – Fax 03 26 47 51 12 – Fermé 20 déc.-11 janv.
AXY **r**

50 ch – †79/290 € ††95/290 €, ⊇ 14 €

♦ La belle façade de 1862 abrite des chambres confortables, insonorisées et décorées dans des styles variés (classique, ancien, actuel, etc.), et un salon bourgeois.

Grand Hôtel de l'Univers
41 bd Foch – ℰ 03 26 88 68 08 – www.hotel-univers-reims.com – contact@hotel-univers-reims.com – Fax 03 26 40 95 61
AX **a**

42 ch – †73/79 € ††112/122 €, ⊇ 13 € – ½ P 91/131 €
Rest *Au Congrés* – Menu 23 € – Carte 23/37 €

♦ À 150 m de la cathédrale du 13ᵉ s., un établissement (1932) d'inspiration Art déco, doté de chambres confortables et bien insonorisées. Salon-bar cosy. Le restaurant est habillé d'élégantes boiseries sombres. Recettes classiques.

Crystal sans rest
86 pl. Drouet d'Erlon – ℰ 03 26 88 44 44 – www.hotel-crystal.fr – reservation@hotel-crystal.fr – Fax 03 26 47 49 28 – Fermé 24 déc.-3 janv.
AXY **n**

31 ch – †58/65 € ††63/75 €, ⊇ 9 €

♦ La maison, située en centre-ville, se trouve au bout d'un passage garantissant calme et tranquillité. Chambres rajeunies et bien tenues, jardinet où l'on petit-déjeune l'été.

Porte Mars sans rest
2 pl. de la République – ℰ 03 26 40 28 35 – www.hotelportemars.com – hotel.porte-mars@wanadoo.fr – Fax 03 26 88 92 12
AX **k**

24 ch – †82/89 € ††90/98 €, ⊇ 12 €

♦ Les chambres, habillées de boiseries, sont parfaitement insonorisées et climatisées. Salon feutré agrémenté d'une cheminée. Petit-déjeuner gourmand servi sous une verrière.

REIMS

De la Cathédrale sans rest
20 r. Libergier – ℰ *03 26 47 28 46* – *www.hotel-cathedrale-reims.fr*
– *hoteldelacathedrale@wanadoo.fr* – *Fax 03 26 88 65 81*
17 ch – ♦54/62 € ♦♦62/71 €, ⊋ 7 €   BY **e**

♦ Situé dans un immeuble d'angle, un hôtel aux chambres simples, bien tenues et rénovées par étape. Le petit-déjeuner est servi dans une salle égayée de tableaux d'artistes locaux.

Le Millénaire (Laurent Laplaige)
– ℰ *03 26 08 26 62* – *www.lemillenaire.com* – *reservations@lemillenaire.com*
– *Fax 03 26 84 24 13* – *Fermé sam. midi et dim.*   BY **s**
Rest – Menu 32 € (sem.)/80 € – Carte 85/95 €
Spéc. Crabe royal et tourteau. Ris de veau de lait et pied de cochon rissolés dans une pomme de terre croustillante. Moelleux au chocolat fort et griottines. **Vins** Champagne.

♦ Salle à manger actuelle, rehaussée de couleurs vives et agrémentées de nombreuses toiles contemporaines. Le chef réalise une cuisine savoureuse, bien ancrée dans son époque.

Le Foch (Jacky Louazé)
37 bd Foch – ℰ *03 26 47 48 22* – *www.lefoch.com* – *jacky.louaze@orange.fr*
– *Fax 03 26 88 78 22* – *Fermé 22 fév.-9 mars, 20 juil.-17 août, sam. midi, dim. soir et lundi*   AX **a**
Rest – Menu 33 € (sem.)/80 € – Carte 75/95 €
Spéc. Raviole virtuelle de Saint-Jacques et huîtres Marennes-Oléron (mi-oct à mi-avril). Bar de ligne cuit en terre d'argile de Vallauris. La part des anges (sept. à nov.). **Vins** Champagne blanc de blancs.

♦ Le restaurant borde les Promenades, ces cours ombragés dessinés au 18e s. Salle à manger relookée dans un style actuel et soigné. Cuisine au goût du jour sur une base classique.

La Vigneraie
14 r. Thillois – ℰ *03 26 88 67 27* – *www.vigneraie.com* – *lavigneraie@wanadoo.fr*
– *Fax 03 26 40 26 67* – *Fermé 27 juil.-17 août, 8-22 fév., dim. soir, merc. midi et lundi*
Rest – *(nombre de couverts limité, prévenir)* Menu (17 €), 25 € (déj. en sem.),   AY **a**
33/66 € – Carte 56/76 €

♦ Derrière une façade vigneronne, une salle coquette exposant les tableaux d'un artiste local. Une carte de vins étoffée en champagnes accompagne des plats actuels et de saison.

Flo
96 pl. Drouet d'Erlon – ℰ *03 26 91 40 50* – *www.floreims.com* – *_idarocha@groupeflo.fr* – *Fax 03 26 91 40 54*   AX **v**
Rest – brasserie – Menu (19 €), 30 € – Carte 30/50 €

♦ Joli cadre d'inspiration Art déco (sol en mosaïque d'époque dans une salle), boiseries, lustres et terrasse en rotonde prise d'assaut en été. Carte traditionnelle de brasserie.

Au Petit Comptoir
17 r. de Mars – ℰ *03 26 40 58 58* – *au.petit.comptoir@wanadoo.fr*
– *Fax 03 26 47 26 19* – *Fermé en août, vacances de Noël, dim. et lundi*   BX **b**
Rest – Menu (18 € bc) – Carte 37/45 €

♦ Un intérieur contemporain sobre mais égayé de peintures. Dans l'assiette, une généreuse cuisine de bistrot revisitée, assortie de vins de la région et du monde.

Brasserie Le Boulingrin
48 r. de Mars – ℰ *03 26 40 96 22* – *www.boulingrin.fr* – *boulingrin@wanadoo.fr*
– *Fax 03 26 40 03 92* – *Fermé dim.*   BX **e**
Rest – Menu 19 € bc/25 € – Carte 24/46 €

♦ Dans cette institution rémoise depuis 1925, l'ambiance joviale et le décor de brasserie Art déco s'accordent à merveille avec une cuisine de produits frais sans chichi.

Le Jamin
18 bd Jamin – ℰ *03 26 07 37 30* – *www.lejamin.com* – *eurl-jamin@wanadoo.fr*
– *Fax 03 26 02 09 64* – *Fermé 11-26 août, 19 janv.-2 fév., dim. soir et lundi*
Rest – Menu (14 € bc), 21 € bc/31 € – Carte 27/42 €   CX **n**

♦ Un petit restaurant de quartier simple et généreux, au cadre sobre et actuel. Cuisine traditionnelle et suggestions du jour à l'ardoise, à prix doux. Service aimable et efficace.

REIMS

Les Charmes
11 r. Brûlart – ℰ 03 26 85 37 63 – www.restaurantlescharmes.fr – jgoyeux@club-internet.fr – Fax 03 26 36 21 00 – Fermé 23 avril-3 mai, 27 juil.-17 août, 1ᵉʳ-4 janv., lundi soir, sam. midi et dim. CZ v

Rest – Menu 15 € (déj. en sem.), 25/34 € – Carte environ 32 €

♦ Proche des grandes caves de champagne et de la basilique St-Remi, sympathique salle de restaurant familiale agrémentée de peintures sur bois. Bon choix de whiskies.

La Table Anna
6 r. Gambetta – ℰ 03 26 89 12 12 – www.latableanna.com – latableanna@wanadoo.fr – Fax 03 26 89 12 12 – Fermé vacances de printemps, 20 juil.-15 août, 23 déc.-2 janv., dim. soir et lundi BY t

Rest – Menu 13 € (bc) – Carte 29/41 €

♦ Le "chef-artiste-étalagiste" est l'auteur des tableaux exposés en salle et compose lui-même ses vitrines. Il mitonne de bons petits plats. Sa femme, Anna, officie en salle.

rte de Châlons-en-Champagne 3 km vers ③ – ✉ 51100 Reims

Mercure-Parc des Expositions
– ℰ 03 26 05 00 08 – www.accorhotels.com – h0363@accor.com – Fax 03 26 85 64 72 V s

100 ch – †69/149 € ††79/159 €, ⌑ 16 €

Rest – *(fermé sam. midi, dim. midi et fériés le midi)*
Menu (20 €) – Carte 23/50 €

♦ Cette construction des années 1970, relookée peu à peu, abrite des chambres lumineuses et bien tenues. Véranda, terrasse et piscine agrémentent le restaurant, où l'on propose une carte traditionnelle et l'ardoise du jour.

à Sillery 11 km par ③ et D 8ᴱ – 1 564 h. – alt. 90 m – ✉ 51500

Le Relais de Sillery
3 r. de la Gare – ℰ 03 26 49 10 11 – Fax 03 26 49 12 07 – Fermé 16 août-9 sept., 2-9 janv., 9-22 fév., mardi soir, dim. soir et lundi

Rest – Menu 21 € (sem.)/65 € – Carte 63/75 €

♦ Une auberge élégante (boiseries, tableaux) dont la terrasse domine la Vesle. Beaux produits au service de recettes classiques ; cave impressionnante.

à Montchenot 11 km par ⑤ – ✉ 51500 Villers-Allerand

Grand Cerf (Dominique Giraudeau et Pascal Champion)
50 rte Nationale – ℰ 03 26 97 60 07 – giraudeau.lucie@orange.fr – Fax 03 26 97 64 24 – Fermé 10-31 août, vacances de fév., dim. soir, mardi soir et merc.

Rest – Menu 37 € (sem.)/84 € – Carte 72/100 €

Spéc. Homard-melon (mai à sept.) ou homard-poire (oct. à avril). Pied de cochon farci au ris de veau sauce truffe. Crêpes au beurre demi-sel aux truffes, glace à la truffe (déc. à mars). **Vins** Champagne, Bouzy.

♦ Située au pied de la Montagne de Reims, auberge composée de deux salles élégantes (boiseries), dont une aménagée en véranda, côté jardin. Belle cuisine classique.

par ⑦ 6 km, autoroute A 4 sortie Tinqueux – ✉ 51430 Tinqueux

Novotel
– ℰ 03 26 08 11 61 – www.novotel.com – h0428@accor.com – Fax 03 26 08 72 05 V u

127 ch – †113/143 € ††113/143 €, ⌑ 14 €   **Rest** – Carte 23/42 €

♦ Dans une zone commerciale et d'affaires, cet hôtel des années 1970 a retrouvé une seconde jeunesse : style épuré et concept Novation dans toutes les chambres, impeccables. Grande salle à manger façon bistrot, tournée vers la piscine. Préparations à la plancha.

Tip Top sans rest
1 av. d'A.F.N. – ℰ 03 26 83 84 85 – www.tiptop-hotel.com – info@tiptop-hotel.com – Fax 03 26 49 58 25 V t

66 ch – †63 € ††68 €, ⌑ 8 €

♦ Proche de l'autoroute, un hôtel récent aux chambres fonctionnelles bien tenues. Salon-bibliothèque et espace petits-déjeuners (buffet) au cadre contemporain.

REIPERTSWILLER – 67 Bas-Rhin – 315 I3 – 961 h. – alt. 230 m – ✉ 67340 ▮ Alsace Lorraine

1 **A1**

▶ Paris 450 – Bitche 19 – Haguenau 33 – Sarreguemines 48 – Saverne 32 – Strasbourg 54

La Couronne
13 r. Wimmenau – ℰ 03 88 89 96 21 – www.hotel-la-couronne.com – sb.kuhm@wanadoo.fr – *Fax 03 88 89 98 22* – *Fermé 15 juin-2 juil., 2-13 nov., 3-13 fév.*
16 ch – ♦48/55 € ♦♦52/63 €, ☑ 12 € – ½ P 57/62 €
Rest – *(fermé merc. soir sauf de juin à sept., dim. soir d'oct. à fév., merc. et jeudi en janv.-fév., lundi et mardi)* Menu (9 €), 19 € (déj. en sem.), 25/48 € – Carte 33/60 €
♦ Cette maison de style régional joue l'originalité avec une sculpture en fer forgé sur sa façade. À l'intérieur : chambres sobres, vue plongeante sur la verdure à l'arrière. Carte classique au restaurant dont le décor s'inspire de l'Art nouveau (boiseries en noyer).

LA REMIGEASSE – 17 Charente-Maritime – 324 C4 – voir à Île d'Oléron

---

REMIREMONT – 88 Vosges – 314 H4 – 8 104 h. – alt. 400 m – ✉ 88200
▮ Alsace Lorraine

27 **C3**

▶ Paris 413 – Belfort 70 – Colmar 80 – Épinal 28 – Mulhouse 81 – Vesoul 66

🛈 Office de tourisme, 2, rue Charles-de-Gaulle ℰ 03 29 62 23 70, Fax 03 29 23 96 79

◉ Rue Ch.-de-Gaulle ★ - Crypte ★ de l'abbatiale St-Pierre.

Du Cheval de Bronze sans rest
59 r. Ch. de Gaulle – ℰ 03 29 62 52 24 – hotel-du-cheval-de-bronze@wanadoo.fr – *Fax 03 29 62 34 90* – *Fermé en nov.*
B s
35 ch – ♦30 € ♦♦38/58 €, ☑ 7 €
♦ Hôtel aménagé dans un ancien relais de poste, sous les jolies arcades du centre-ville. Chambres de style rustique, modestes mais bien tenues, et d'un bon rapport qualité-prix.

XX Le Clos Heurtebise
13 chemin des Capucins, par r. Capit. Flayelle B – ℰ 03 29 62 08 04 – *Fax 03 29 62 38 80* – *Fermé 31 août-15 sept., 4-19 janv., dim. soir et lundi*
Rest – Menu 18 € (sem.)/60 € – Carte 51/60 €
♦ Sur les hauteurs de la ville, ce restaurant au décor ensoleillé propose une carte classique épurée et nuancée de touches locales et méditerranéennes. Belle terrasse.

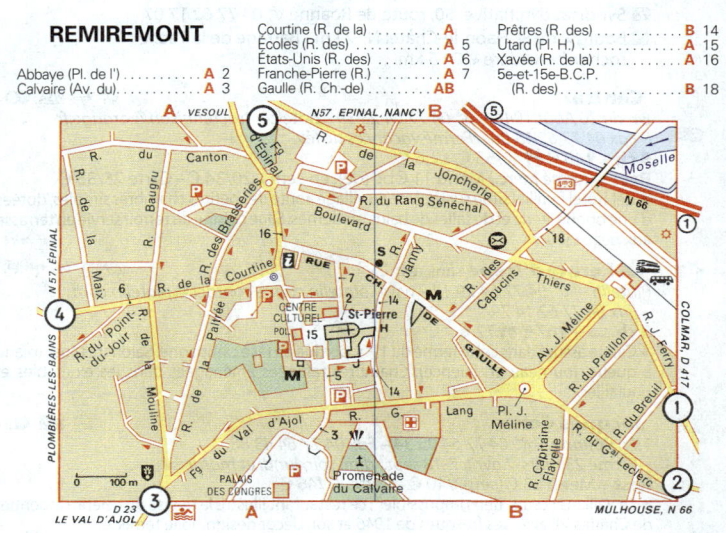

REMIREMONT

Abbaye (Pl. de l')........ **A** 2	
Calvaire (Av. du)......... **A** 3	
Courtine (R. de la)....... **A**	
Écoles (R. des)........... **A** 5	
États-Unis (R. des)....... **A** 6	
Franche-Pierre (R.)....... **A** 7	
Gaulle (R. Ch.-de)........ **AB**	
Prêtres (R. des).......... **B** 14	
Utard (Pl. H.)............ **A** 15	
Xavée (R. de la).......... **A** 16	
5e-et-15e-B.C.P. (R. des). **B** 18	

REMIREMONT

à Girmont-Val-d'Ajol 7 km au Sud-Est par D 23, D 57 et rte secondaire – 273 h.
– alt. 650 m – ⊠ 88340

La Vigotte ⌂

131 lieu-dit la Vigotte – ℰ *03 29 24 01 82 – www.vigotte.com
– contact@vigotte.com – Fax 03 29 24 04 55 – Fermé 9-28 mars, 7-18 déc., mardi et merc.*
25 ch – †36/76 € ††45/95 €, ⊇ 8 € – ½ P 50/65 €   **Rest** – Menu 23 €

◆ Forêt et étangs entourant cette ancienne ferme vosgienne invitent à la promenade. Chambres harmonieuses : murs peints à l'éponge, jolis mobilier et tableaux. Ambiance maison familiale de campagne (grande cheminée, tomettes) pour déguster des plats traditionnels.

REMOULINS – 30 Gard – **339** M5 – 1 996 h. – alt. 27 m – ⊠ 30210   **23 D2**
■ Provence

🄳 Paris 685 – Alès 50 – Arles 37 – Avignon 23 – Nîmes 23 – Orange 34
– Pont-St-Esprit 40

🄸 Office de tourisme, place des Grands Jours ℰ 04 66 37 22 34,
Fax 04 66 37 22 34

à St-Hilaire-d'Ozilhan 4,5 km au Nord-Est par D792 – 656 h. – alt. 55 m
– ⊠ 30210

L'Arceau ⌂

1 r. Arceau – ℰ *04 66 37 34 45 – www.hotel-arceau.com – contact@
hotel-arceau.com – Fax 04 66 37 33 90 – Fermé 20 déc.-14 fév., dim. soir, mardi midi et lundi du 1ᵉʳ oct. à Pâques*
23 ch – †80/85 € ††80/85 €, ⊇ 9 €   **Rest** – Menu 25/60 € – Carte 30/60 €

◆ Demeure du 18ᵉ s. à la belle façade en pierre dans un village entouré par les vignes et la garrigue. Chambres simples, assez grandes et bien tenues. Restaurant néo-rustique égayé de tons provençaux, terrasse ombragée et cuisine mi-traditionnelle, mi-régionale.

RENAISON – 42 Loire – **327** C3 – 2 798 h. – alt. 387 m – ⊠ 42370   **44 A1**
■ Lyon et la Vallée du Rhône

🄳 Paris 385 – Chauffailles 43 – Lapalisse 39 – Roanne 11 – St-Étienne 90
– Thiers 74 – Vichy 56

🄸 Syndicat d'initiative, 50, route de Roanne ℰ 04 77 62 17 07

◉ Bourg ★ de St-Haon-le-Châtel N : 2 km - Barrage de la Tache :
rocher-belvédère ★ O : 5 km.

Central

8 r. du 10 Août 1944 – ℰ *04 77 64 25 39 – hotelcentral.renaison@orange.fr
– Fax 04 77 62 13 09 – Fermé vacances de fév.*
9 ch – †40 € ††40/55 €, ⊇ 6 €
Rest – *(fermé merc.)* Menu 11 € bc (déj. en sem.), 20/34 € – Carte 25/35 €

◆ Cet hôtel familial situé sur la place du village abrite des petites chambres simples, dotées d'une bonne literie et de salles de bains modernes. Sage cuisine du terroir servie en terrasse aux beaux jours.

La Ferme d'Irène sans rest ⌂

Platelin – ℰ *04 77 64 29 12 – www.platelin.com – contact@platelin.com
– Fax 04 77 62 14 79*
3 ch ⊇ – †67 € ††72 €

◆ Calme assuré dans cette ferme du 19ᵉ s. perdue en rase campagne. Salon très cosy (piano à queue, fourneau en faïence). Chambres raffinées aménagées dans les ex-étables et poulailler.

Jacques Cœur

15 r. Roanne – ℰ *04 77 64 25 34 – Fax 04 77 64 43 88
– Fermé 23 mars-7 avril, 7-18 sept., dim. soir, lundi et mardi*
Rest – Menu 20 € (sem.)/40 € – Carte 37/46 €

◆ "À vaillans cœurs, riens impossible" : ce restaurant illustre la devise du célèbre argentier de Charles VII avec ses fresques de 1946 et son décor design. Jolie terrasse.

RENAISON

St-Haon-le-Vieux 3 km au Nord par D 8 – 859 h. – alt. 424 m – ⊠ 42370

Auberge du Bon Accueil
La Croix Lucas – ℰ 04 77 64 40 72 – auberge-bon-accueil2@wanadoo.fr
– Fermé 13-22 avril, 24 août-2 sept., 26-30 oct., 4-31 janv., merc. sauf juil.-août, lundi et mardi
Rest – Menu 20/52 € – Carte 31/53 €

◆ Cette auberge postée en bordure de la route départementale est devancée par un petit jardin. Sobre salle à manger rustique et cuisine traditionnelle bien faite.

RENNES P – 35 Ille-et-Vilaine – 309 L6 – 210 500 h. – Agglo. 272 263 h. – alt. 40 m – ⊠ 35000 ∎ Bretagne   10 **D2**

▶ Paris 349 – Angers 129 – Brest 246 – Caen 185 – Le Mans 155 – Nantes 108

✈ de Rennes-St-Jacques : ℰ 02 99 29 60 00, par ⑦ : 8 km.

🛈 Office de tourisme, 11, rue Saint-Yves ℰ 02 99 67 11 11, Fax 02 99 67 11 00

⛳ de la Freslonnière à Le Rheupar rte de Ploërmel : 7 km, ℰ 02 99 14 84 09

⛳ de Cicé Blossac à Bruz Domaine de Cicé-Blossac, par rte de Redon : 10 km, ℰ 02 99 52 79 79

⛳ de Cesson-Sévigné à Cesson-Sévigné Île de Tizé, E : 11 km par D 96, ℰ 02 99 83 26 74

⛳ de Rennes Saint-Jacques à Saint-Jacques-de-la-Lande Le Temple du Cerisier, par rte de Redon : 11 km, ℰ 02 99 30 18 18

◉ Le Vieux Rennes★★ - Jardin du Thabor★★ - Palais de justice★★ - Retable★★ à l'intérieur★ de la cathédrale St-Pierre AY - Musées : de Bretagne★, des Beaux-Arts★ BY M.

Plans pages suivantes

Mercure Colombier
1 r. Cap. Maignan – ℰ 02 99 29 73 73 – www.mercure.com – h1249@accor.com – Fax 02 99 29 54 00   ABZ **m**
142 ch – ♦55/255 €♦♦67/297 €, ⊇ 16 €   **Rest** – (dîner seult) Carte 15/40 €

◆ Cure de jouvence méritée et totale pour ce Mercure. Chambres en partie refaites. Le décor des hall et bar à vins – restauration décontractée – évoque la forêt de Brocéliande.

Le Coq-Gadby
156 r. Antrain – ℰ 02 99 38 05 55 – www.lecoq-gadby.com – lecoq-gadby@wanadoo.fr – Fax 02 99 38 53 40   DU **x**
22 ch – ♦130/280 €♦♦180/330 €, ⊇ 18 € – 2 suites
Rest *La Coquerie* – (fermé 12-20 avril, 26 juil.-25 août, 25 oct.-2 nov., 27 déc.-4 janv., 21 fév.-1er mars, merc. midi, dim. et lundi) Menu (30 € bc), 35 € (déj. en sem.), 49/70 € bc – Carte 66/75 €
Spéc. Légumes racines et fruits de saison à l'huile d'argan. Canard colvert rôti, jus d'une sangria. Sablé breton à la cannelle, fraises et framboises au sirop d'agrumes. **Vins** Savennières, Pouilly-Fumé.

◆ Charmantes constructions du 17e s. respectant les normes environnementales, chambres et suites raffinées. Spa écologique et soins bio, cours de cuisine et d'art floral... Cuisine classique à La Coquerie décoré de toiles et de coqs. Piscine et jardin.

Anne de Bretagne sans rest
12 r. Tronjolly – ℰ 02 99 31 49 49 – www.hotel-rennes.com
– hotelannedebretagne@wanadoo.fr – Fax 02 99 30 53 48 – Fermé 24 déc.-3 janv.
42 ch – ♦68/120 €♦♦68/120 €, ⊇ 10 €   AZ **q**

◆ Un hôtel des années 1970 situé tout près du centre historique : hall moderne, bar agréable, chambres contemporaines, spacieuses et bien équipées.

Mercure Place de Bretagne sans rest
6 r. Lanjuinais – ℰ 02 99 79 12 36 – h2027@accor.com – Fax 02 99 79 65 76
48 ch – ♦60/165 €♦♦60/185 €, ⊇ 14 €   AY **n**

◆ Derrière sa façade 19e, un hôtel contemporain du centre-ville. Bois blond et tissus chaleureux agrémentent les chambres fonctionnelles. Quelques-unes ont vue sur la Vilaine.

1545

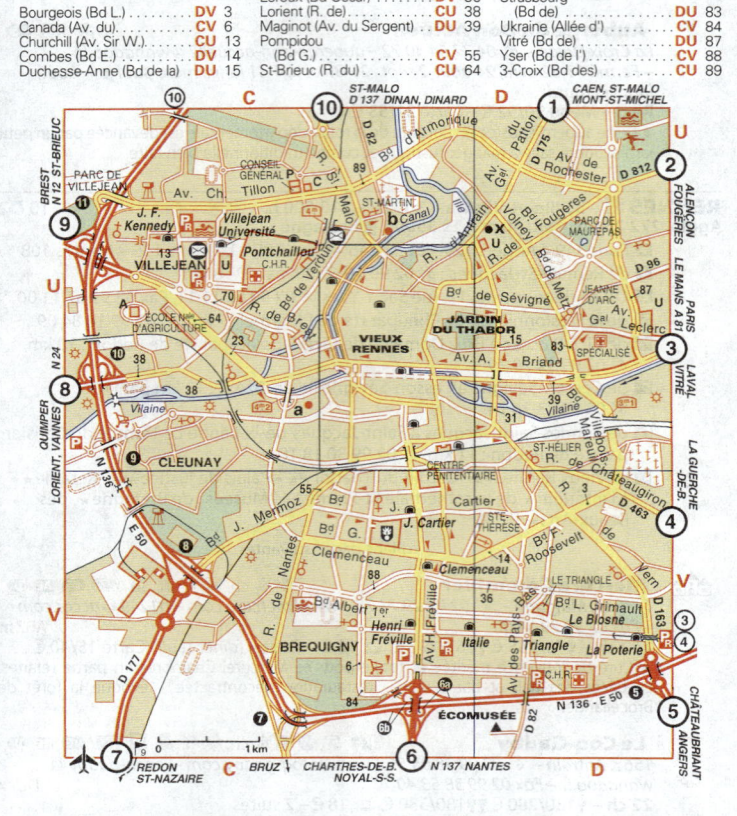

RENNES

Bourgeois (Bd L.)	**DV**	3
Canada (Av. du)	**CV**	6
Churchill (Av. Sir W.)	**CU**	13
Combes (Bd E.)	**DV**	14
Duchesse-Anne (Bd de la)	**DU**	15
Guilloux (R. L.)	**CU**	23
Laennec (Bd)	**DU**	31
Leroux (Bd Oscar)	**DV**	36
Lorient (R. de)	**CU**	38
Maginot (Av. du Sergent)	**DU**	39
Pompidou (Bd G.)	**CV**	55
St-Brieuc (R. du)	**CU**	64
St-Jean-Baptiste de la Salle (Bd)	**CU**	70
Strasbourg (Bd de)	**DU**	83
Ukraine (Allée d')	**CV**	84
Vitré (Bd de)	**DU**	87
Yser (Bd de l')	**DU**	88
3-Croix (Bd des)	**CU**	89

🏨 **Mercure Pré Botté** sans rest
r. Paul Louis Courier – ℰ 02 99 78 82 20 – www.mercure.com – h1056@accor.com
– Fax 02 99 78 82 21 – Fermé 24 déc.-4 janv.   BZ **t**
104 ch – ✝90/160 € ✝✝102/172 €, ⌑ 19 €

♦ L'immeuble hébergeait autrefois l'imprimerie du journal Ouest-France. Il dispose aujourd'hui de chambres rénovées et spacieuses. Le "plus" : un petit-déjeuner breton (crêpes...).

🏨 **Britannia** sans rest
bd la Robiquette, Z. I. St Grégoire ⌧ 35760 St-Grégoire – ℰ 02 99 54 03 03
– www.hotelbritannia.fr – hotel.britannia@wanadoo.fr – Fax 02 99 54 03 80
– Fermé 24 déc.-3 janv.
29 ch – ✝49/76 € ✝✝49/76 €, ⌑ 9 €

♦ Bâtiment moderne impersonnel, situé dans une zone commerciale sur la route de St-Malo. Les chambres s'y avèrent spacieuses, bien conçues et insonorisées. Clientèle d'affaires.

🏨 **Président** sans rest
27 av. Janvier – ℰ 02 99 65 42 22 – www.hotelpresident.fr – hotelpresident@
wanadoo.fr – Fax 02 99 65 49 77 – Fermé 24 juil.-17 août et 23 déc.-4 janv.
34 ch – ✝55/72 € ✝✝55/78 €, ⌑ 8,50 €   BZ **n**

♦ Le Président ose le mélange des styles : hall d'inspiration Art déco, salle des petits-déjeuners moderne et confortables chambres bourgeoisement meublées et insonorisées.

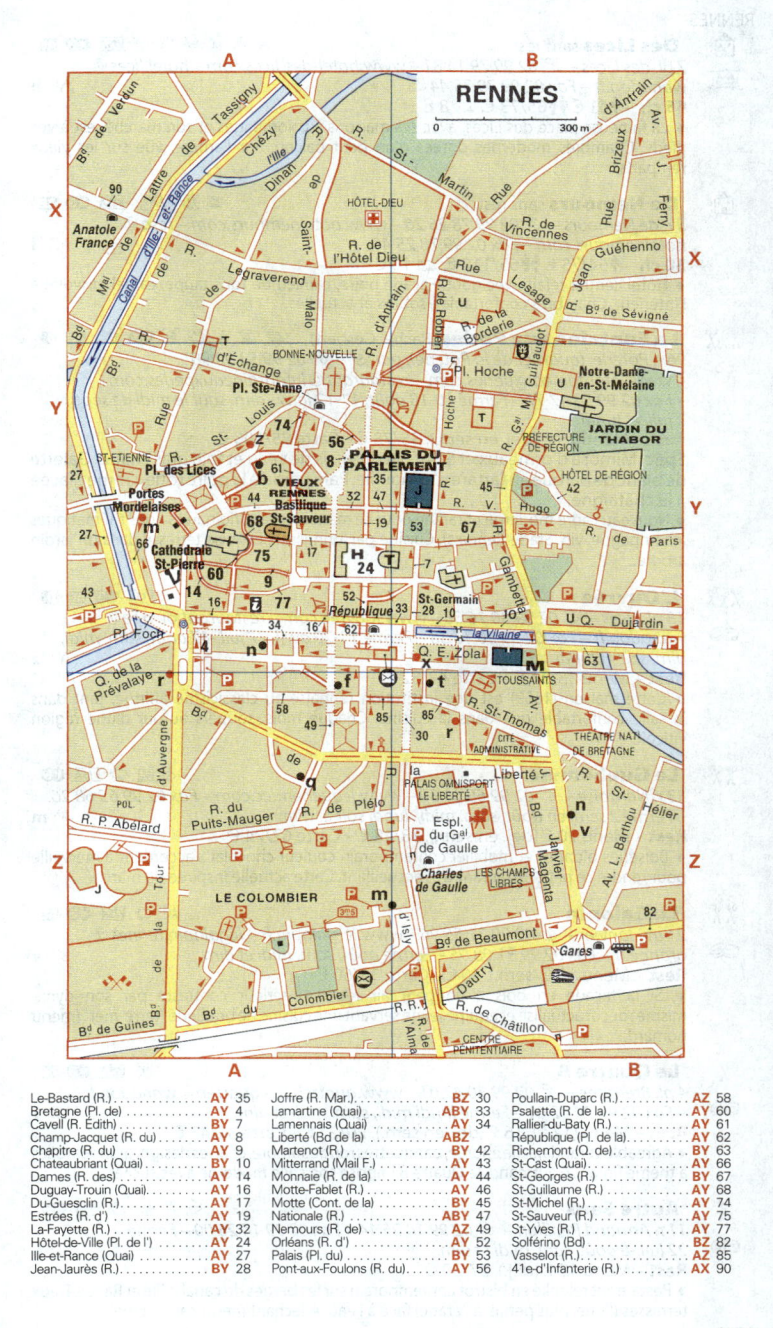

RENNES

Street	Ref
Le-Bastard (R.)	AY 35
Bretagne (Pl. de)	AY 4
Cavell (R. Edith)	BY 7
Champ-Jacquet (R. du)	AY 8
Chapitre (R. du)	AY 9
Chateaubriant (Quai)	BY 10
Dames (R. des)	AY 14
Duguay-Trouin (Quai)	AY 16
Du-Guesclin (R.)	AY 17
Estrées (R. d')	AY 19
La-Fayette (R.)	AY 32
Hôtel-de-Ville (Pl. de l')	AY 24
Ille-et-Rance (Quai)	AY 27
Jean-Jaurès (R.)	BY 28
Joffre (R. Mar.)	BZ 30
Lamartine (Quai)	ABY 33
Lamennais (Quai)	AY 34
Liberté (Bd de la)	ABZ
Martenot (R.)	BY 42
Mitterrand (Mail F.)	AY 43
Monnaie (R. de la)	AY 44
Motte-Fablet (R.)	AY 46
Motte (Cont. de la)	AY 45
Nationale (R.)	ABY 47
Nemours (R. de)	AY 49
Orléans (R. d')	AY 52
Palais (Pl. du)	AY 53
Pont-aux-Foulons (R. du)	AY 56
Poullain-Duparc (R.)	AZ 58
Psalette (R. de la)	AY 60
Rallier-du-Baty (R.)	AY 61
République (Pl. de la)	AY 62
Richemont (Q. de)	BY 63
St-Cast (Quai)	AY 66
St-Georges (R.)	BY 67
St-Guillaume (R.)	AY 68
St-Michel (R.)	AY 74
St-Sauveur (R.)	AY 75
St-Yves (R.)	AY 77
Solférino (Bd)	BZ 82
Vasselot (R.)	AZ 85
41e-d'Infanterie (R.)	AX 90

RENNES

Des Lices sans rest
7 pl. des Lices – ✆ 02 99 79 14 81 – www.hotel-des-lices.com – hotel.lices@wanadoo.fr – Fax 02 99 79 35 44 AY b
45 ch – †61 € ††65/73 €, ⊇ 8 €

◆ La fameuse place des Lices, avec ses maisons à colombages et son marché, est à vos pieds. Chambres modernes dotées d'un petit balcon. Sur l'arrière, vue sur les vieux remparts.

De Nemours sans rest
5 r. de Nemours – ✆ 02 99 78 26 26 – www.hotelnemours.com – resa@hotelnemours.com – Fax 02 99 78 25 40 AZ f
30 ch – †54/75 € ††65/110 €, ⊇ 10 €

◆ Hôtel central refait avec goût. Façade noire, camïeu de tons taupe, camel et ivoire à l'intérieur. Chambres confortables, sobres et actuelles.

La Fontaine aux Perles (Rachel Gesbert)
96 r. Poterie, (quartier de la Poterie), par ④ – ✆ 02 99 53 90 90
– www.lafontaineauxperles.com – restaurant@lafontaineauxperles.com
– Fax 02 99 53 47 77 – Fermé 10-18 août, 1ᵉʳ-12 janv., dim. sauf le midi de sept. à juil. et lundi
Rest – Menu 25 € (déj. en sem.), 35/78 € – Carte 85/105 €
Spéc. Mimosa d'ormeaux et Saint-Jacques, ris de veau et foie gras chaud. Galette de blanc de barbue au tartare d'andouille. Pain perdu à la poire rôtie, crème glacée à la châtaigne.

◆ Nouveau cadre moderne et raffiné pour ce manoir et ses originaux salons thématiques (champagne, vin, Stade Rennais). Cuisine personnalisée. Exquise terrasse dans un jardin arboré.

L'Ouvrée
18 pl. Lices – ✆ 02 99 30 16 38 – www.louvree.com – restaurantlouvree@wanadoo.fr – Fax 02 99 30 16 38 – Fermé 13-20 avril, 27 juil.-17 août, sam. midi, dim. soir et lundi AY z
Rest – Menu 15/34 € – Carte 42/52 €

◆ Cette maison (1659) est une institution rennaise au classicisme affirmé, tant dans la salle confortable que dans la cuisine. Chaque mois, soupers autour d'une région viticole.

Le Guehennec
33 r. Nantaise – ✆ 02 99 65 51 30 – www.leguehennec.com – Fax 02 99 65 68 26
– Fermé 2 sem. en août, sam. midi, lundi soir et dim. AY m
Rest – Menu 20 € (déj. en sem.), 38/48 € – Carte 62/74 €

◆ Boiseries blondes et mobilier contemporain couleur chocolat s'accordent à merveille pour rendre ce petit restaurant très accueillant. Carte actuelle inspirée du marché.

Le Galopin
21 av. Janvier – ✆ 02 99 31 55 96 – www.le-galopin.fr – legalopin.rennes@orange.fr – Fax 02 99 31 08 95 – Fermé août, sam. midi et dim. BZ v
Rest – Menu 18 € (sem.)/46 € – Carte 35/60 €

◆ Si la façade en bois a un petit air rétro, l'intérieur contraste par son dynamisme : décor actualisé et équipe jeune servant une cuisine de brasserie "terre-mer" (menu homard).

Le Quatre B
4 pl. Bretagne – ✆ 02 99 30 42 01 – www.quatreb.fr – quatreb@wanadoo.fr
– Fax 02 99 30 42 01 – Fermé lundi midi, sam. midi et dim. AYZ r
Rest – Menu (12 €), 16 € (déj. en sem.), 20/27 € – Carte 32/47 €

◆ Agréable véranda, salle épurée, banquettes rouge sombre, chaises design, grandes toiles à thème floral… Gourmand, le Quatre B impose son style moderne avec succès.

Autre Sens
11 r. Armand Rebillon – ✆ 02 99 14 25 14 – Fax 02 99 14 26 00 – Fermé 22 juil.-8 août, sam. midi et dim. CU b
Rest – Menu 18 € (déj.), 27/30 €

◆ Restaurant relooké en bistrot contemporain sur les berges du canal d'Ille et Rance. Deux terrasses (l'une, plus petite, à l'étage) face à l'eau. Alléchant menu-carte actuel.

RENNES

✗ Léon le Cochon   AC VISA MC
1 r. Mar. Joffre – ℰ *02 99 79 37 54 – www.leonlecochon.com – Fax 02 99 79 07 35*
Rest – Menu (13 €) – Carte 31/50 €   BY **x**
◆ Il fait un temps de cochon ? Entrez donc chez Léon : bistrot au nouveau décor décalé (arbre lumineux, colombages verts pomme) ; cochonnailles et poissons à la plancha.

✗ Le Petit Sabayon   VISA MC AE
16 r. Trente – ℰ *02 99 35 02 04 – lepetitsabayon@free.fr – Fermé 2-9 mars, 24 août-8 sept., sam. midi, dim. soir et lundi*   CU **a**
Rest – *(nombre de couverts limité, prévenir)* Menu 16 € (déj. en sem.), 24/32 €
– Carte 32/39 €
◆ Restaurant quasi confidentiel mais bien sympathique avec son élégante salle, à dénicher dans un quartier calme. Les habitués s'y régalent d'une appétissante cuisine du marché.

✗ Les Carmes   よ ✿ VISA MC AE
2 r Carmes – ℰ *02 99 79 28 95 – lescarmes.rennes@free.fr – Fax 02 99 79 28 95*
– Fermé dim. soir et lundi   BZ **r**
Rest – Menu (15 €), 30/65 € bc – Carte 32/47 €
◆ Derrière sa devanture couleur cacao, voici une adresse plus que recommandable. Délicieuse cuisine d'aujourd'hui, élaborée par un jeune chef et servie dans un cadre contemporain.

à St-Grégoire 3 km au Nord par D82 – 7 977 h. – alt. 45 m – ✉ 35760

✗✗✗ Le Saison (David Etcheverry)   🚗 🍽 よ ✿ P VISA MC AE
❀ *1 imp. Vieux Bourg, (près de l'église) –* ℰ *02 99 68 79 35 – www.le-saison.com*
– contact@le-saison.com – Fax 02 99 68 92 71 – Fermé 3-24 août, 3-10 janv., dim. soir et lundi
Rest – Menu (27 €), 38/75 € – Carte 60/87 € ❀
Spéc. Trois dimensions pour une étrille de roche (sept. à janv.). Noisettes de cochon de lait, tomato-cèpes et tartine d'abats (sept. à nov.). Tubes de potimarron au vieux bourbon et mûres sauvages (sept. à nov.).
◆ Cette longère reconstruite à l'identique est entourée d'un jardin. Belle cuisine dans l'air du temps, tout comme le cadre (tons beige et chocolat) ; agréable terrasse.

à Cesson-Sévigné 6 km par ③ – 15 800 h. – alt. 28 m – ✉ 35510

🏨 Germinal ॐ   ≼ 🍽 ♥ ✿ rest, 📶 ♨ VISA MC AE ①
9 cours Vilaine, au bourg – ℰ *02 99 83 11 01 – le-germinal@wanadoo.fr*
– Fax 02 99 83 45 16 – Fermé 23 déc.-4 janv.
18 ch – †80/100 € ††90/160 €, ☐ 12 €
Rest – *(fermé dim.)* Menu (18 €), 22 € (déj. en sem.), 32/55 € – Carte 43/64 €
◆ Hôtel familial aménagé dans un ancien moulin posé sur un bras de la Vilaine ; on y accède par un pont. Chambres et espaces communs rénovés. Belle salle à manger-véranda contemporaine et superbe terrasse moderne, tournées vers la rivière. Table traditionnelle.

✗ L'Adresse   🍽 VISA MC AE
32 cours Vilaine – ℰ *02 99 83 82 06 – www.restaurant-ladresse.com – Fermé 2-24 août, 9-15 fév., lundi soir, sam. midi et dim.*
Rest – Menu (14 € bc), 17 € bc (déj. en sem.), 27/45 € – Carte 24/42 €
◆ Ce troquet bien dans son époque et sa terrasse au bord de l'eau, ombragée d'une glycine, donnent le ton de la carte : un répertoire bistrotier qui met la Bretagne en avant.

à Noyal-sur-Vilaine 12 km par ③ – 4 794 h. – alt. 75 m – ✉ 35530

✗✗✗ Auberge du Pont d'Acigné (Sylvain Guillemot)   🍽 よ P VISA MC AE
❀ *rte d'Acigné : 3 km –* ℰ *02 99 62 52 55 – www.auberge-du-pont-dacigne.com*
– pont.d.acigne@wanadoo.fr – Fax 02 99 62 21 70 – Fermé 1 sem. en avril, 2-21 août, 2-8 janv., sam. midi, dim. soir et lundi
Rest – Menu 26 € (déj. en sem.), 38/75 € – Carte 80/110 € ❀
Spéc. Craquant de homard (juin à sept.). Saint-Jacques poêlées et céleri confit (oct. à mars). Gaufres de figues fraîches (août à oct.).
◆ Belle cuisine régionale revisitée à déguster dans une jolie salle ou sur la terrasse, au bord de la Vilaine ; vue sur le village. Excellentes propositions de vin au verre.

RENNES

XX Hostellerie Les Forges avec ch
22 av. du Gén. de Gaulle – ℘ 02 99 00 51 08 – *sarl.lesforges@orange.fr*
– Fax 02 99 00 62 02 – Fermé 1er-24 août, 19-28 fév., vend. soir, dim. soir et soirs fériés
12 ch – ♦40/45 € ♦♦40/55 €, ⌑ 7 €
Rest – Menu 15 € (déj. en sem.), 20/35 € – Carte 40/46 €

♦ Une engageante auberge de bord de route, dont l'une des deux salles à manger offre un décor rustique agrémenté d'une jolie cheminée. Chambres confortables, sobres et actuelles.

rte de St-Nazaire 8 km par ⑦ – ⌧35170 Bruz

Kerlann
℘ 02 99 05 95 80 – *www.kerlann.fr – direction@hotel-kerlann.fr*
– Fax 02 99 05 94 10
52 ch – ♦80/150 € ♦♦80/150 €, ⌑ 12 € – 3 suites – ½ P 75/109 €
Rest – *(fermé août, 24 déc.-4 janv., sam. et dim.)* Menu (19 €), 26/29 €
– Carte 35/47 €

♦ Bâtiment moderne situé entre l'aéroport et le golf de Cicé. Les chambres, réparties autour d'un patio, sont confortables et colorées. Juniors sur le thème de l'Asie. Petite restauration de brasserie servie dans un décor aux touches chinoises.

Le Rheu 8 km par ⑧ et D 224 – 6 920 h. – alt. 30 m – ⌧ 35650

Le Relais Fleuri
Les Landes d'Apigné – ℘ 02 99 14 60 14 – *www.hotel-restaurant-lerelaisfleuri.fr*
– *hotel.lerelaisfleuri@wanadoo.fr – Fax 02 99 14 60 03 – Fermé 10-30 août et 24 déc.-3 janv.*
24 ch – ♦48/75 € ♦♦56/80 €, ⌑ 7 €
Rest – Menu (13 €), 15 € (déj. en sem.), 18/28 € – Carte environ 33 €

♦ Les nouveaux propriétaires de ce relais vous proposent de goûter une cuisine traditionnelle. Les chambres, modernisées, offrent un confort contemporain.

rte de Lorient 6 km par ⑧, N 24 – ⌧ 35650 Le Rheu

XXX Manoir du Plessis avec ch
℘ 02 99 14 79 79 – *www.manoirduplessis.fr – info@manoirduplessis.fr*
– Fax 02 99 14 69 60 – Fermé 10-17 août et 28 déc.-4 janv.
5 ch – ♦95 € ♦♦100 €, ⌑ 12 €
Rest – *(fermé sam. midi, dim. soir et lundi)* Menu 17 € (déj. en sem.), 23/38 €
– Carte environ 48 €

♦ Maison de maître entourée d'un parc. Parquets, boiseries, cheminées, sièges de style Louis XVI et belle terrasse créent les meilleures conditions pour apprécier votre repas.

LA RÉOLE – 33 Gironde – 335 K7 – 4 218 h. – alt. 44 m – ⌧ 33190   4 **C2**

▶ Paris 649 – Bordeaux 74 – Casteljaloux 42 – Duras 25 – Libourne 45
– Marmande 33

? Office de tourisme, 18, rue Peysseguin ℘ 05 56 61 13 55, Fax 05 56 71 25 40

XX Aux Fontaines
8 r. de Verdun – ℘ 05 56 61 15 25 – *Fax 05 56 61 15 25 – Fermé 15 nov.-1er déc., 28 fév.-8 mars, dim. soir, merc. soir et lundi hors saison*
Rest – *(nombre de couverts limité, prévenir)* Menu 20/45 €

♦ Adossée à une colline, cette grande demeure du centre-ville abrite un restaurant où l'on déjeune l'été sur la terrasse, dressée dans un joli jardin. Cuisine traditionnelle.

LA RÉPARA-AURIPLES – 26 Drôme – 332 D6 – rattaché à Crest

RESTONICA (GORGES DE LA) – 2B Haute-Corse – 345 D6 – voir à Corse (Corte)

RETHONDES – 60 Oise – 305 I4 – rattaché à Compiègne

REUGNY – 03 Allier – 326 C4 – 269 h. – alt. 204 m – ⌧ 03190 — 5 B1

▶ Paris 312 – Bourbon-l'Archambault 43 – Montluçon 15 – Montmarault 45 – Moulins 64

La Table de Reugny
25 rte de Paris – ℘ *04 70 06 70 06 – www.restaurant-reugny.com – info@restaurant-reugny.com – Fax 04 70 06 77 52 – Fermé 24 août-6 sept., 2-9 janv., dim. soir, lundi et mardi*
Rest – Menu (16 €), 21 € (sem.), 28/47 € – Carte environ 28 €
♦ Derrière l'altière façade en bordure de route, une confortable salle à manger tout de rouge vêtue et sa terrasse donnant sur le jardin. Alléchante et généreuse cuisine actuelle.

REUILLY-SAUVIGNY – 02 Aisne – 306 D8 – 234 h. – alt. 78 m — 37 C3
– ⌧ 02850

▶ Paris 109 – Épernay 34 – Château-Thierry 16 – Reims 50 – Soissons 46 – Troyes 116

Auberge Le Relais (Martial Berthuit) avec ch
2 r. de Paris – ℘ *03 23 70 35 36 – www.relaisreuilly.com – auberge.relais.de.reuilly@wanadoo.fr – Fax 03 23 70 27 76 – Fermé 16 août-3 sept., 2 fév.-5 mars, mardi et merc.*
7 ch – ♦75/92 € ♦♦80/98 €, ⌧ 15 €
Rest – Menu 32 € (sem.)/82 € – Carte 82/100 €
Spéc. Langoustines poêlées, râpée de pomme granny-smith. Noix de ris de veau au sautoir, échalote fumée et vinaigrette de légumes au miel et citron. Autour de la figue (sept.-oct.). **Vins** Coteaux Champenois, Champagne.
♦ Nouvel intérieur actuel et élégant, belle véranda entourée de verdure, fine cuisine mariant habilement tradition et modernité : cette coquette auberge cumule de nombreux atouts.

REVEL – 31 Haute-Garonne – 343 K4 – 8 648 h. – alt. 210 m – ⌧ 31250 — 29 C2
▮ Midi-Pyrénées

▶ Paris 727 – Carcassonne 46 – Castelnaudary 21 – Castres 28 – Gaillac 62 – Toulouse 54

▮ Office de tourisme, place Philippe VI de Valois ℘ 05 34 66 67 68, Fax 05 34 66 67 67

Du Midi
34 bd Gambetta – ℘ *05 61 83 50 50 – www.hotelrestaurantdumidi.com – contact@hotelrestaurantdumidi.com – Fax 05 61 83 34 74 – Fermé 23-29 nov.*
17 ch – ♦49/55 € ♦♦49/70 €, ⌧ 7 € – ½ P 51/56 €
Rest – *(fermé 23-30 mars, 12 nov.-6 déc., dim. soir et lundi midi d'oct. à juin sauf fériés)* Menu (14 €), 23/45 € bc – Carte 32/48 €
♦ Situé sur un boulevard fréquenté, ce relais de poste du 19ᵉ s. propose des chambres diversement meublées, plus calmes sur l'arrière. Lumineuse salle à manger où l'on déploie une table alliant terroir et tradition.

à St-Ferréol 3 km au Sud-Est par D 629 – ⌧ 31250

◉ Bassin de St-Ferréol★.

La Comtadine
Lieu dit l'Hermitage – ℘ *05 61 81 73 03 – www.lacomtadine.com – contact@lacomtadine.com – Fax 05 61 83 55 28*
9 ch – ♦65/80 € ♦♦65/80 €, ⌧ 9 €
Rest – *(dîner seult) (résidents seult)* Menu 25 € bc
♦ À quelques pas du lac, tranquille petit hôtel restauré et entièrement non-fumeurs. Lumineuses chambres contemporaines agrémentées de meubles chinés. Au restaurant, la cuisine prend l'accent du terroir.

REVENTIN-VAUGRIS – 38 Isère – 333 C5 – rattaché à Vienne

REVIGNY-SUR-ORNAIN – Meuse – 307 A6 – 3 206 h. – alt. 144 m – ⊠ 55800   26 A2

▶ Paris 239 – Bar-le-Duc 18 – St-Dizier 30 – Vitry-le-François 36
🛈 Syndicat d'initiative, rue du Stade ℰ 03 29 78 73 34, Fax 03 29 78 73 34

La Maison Forte sans rest
6 pl. Henriot-du-Coudray – ℰ *03 29 70 78 94* – *www.lamaisonforte.fr* – *caroline_cheurlin@hotmail.com*
5 ch ⊠ – †65 € ††80 €

♦ Cette demeure du 18ᵉ s. appartint jadis au Duc de Bar puis au Duc de Lorraine. Chambres de caractère et petit-déjeuner fait maison (confitures, tartes aux fruits du jardin).

RÉVILLE – 50 Manche – 303 E2 – 1 198 h. – alt. 12 m – ⊠ 50760   32 A1

▶ Paris 351 – Carentan 44 – Cherbourg 30 – St-Lô 72 – Valognes 22
◉ La Pernelle ✶ ★★ du blockhaus O : 3 km - Pointe de Saire : blockhaus ≤ ★ SE : 2,5 km, 📗 **Normandie Cotentin**

La Villa Gervaiserie sans rest
17 rte des Monts – ℰ *02 33 54 54 64* – *www.lagervaiserie.com* – *la.gervaisie@wanadoo.fr* – *Fax 02 33 54 73 00* – *Ouvert d'avril à mi-nov.*
10 ch – †85/114 € ††85/114 €, ⊠ 8,50 €

♦ Toutes les chambres bénéficient d'un balcon ou d'une terrasse regardant la mer et l'île de Tatihou. Plaisant décor actuel et accueil aux petits soins. Beau jardin arboré.

Au Moyne de Saire avec ch
15 r. Général de Gaulle – ℰ *02 33 54 46 06* – *www.au-moyne-de-saire.com* – *au.moyne.de.saire@wanadoo.fr* – *Fax 02 33 54 14 99* – *Fermé 21-29 déc. et lundi*
12 ch – †44 € ††50/85 €, ⊠ 8 € – ½ P 45/60 €
Rest – Menu 17 € (sem.)/34 € – Carte 24/75 €

♦ Convivialité assurée dans cette charmante auberge familiale arborant un cadre sobre et de bon goût. Cuisine traditionnelle et normande ; petites chambres proprettes.

REY – 30 Gard – 339 G4 – rattaché au Vigan

REZÉ – 44 Loire-Atlantique – 316 G4 – rattaché à Nantes

LE RHEU – 35 Ille-et-Vilaine – 309 L6 – rattaché à Rennes

LE RHIEN – 70 Haute-Saône – 314 H6 – rattaché à Ronchamp

RHINAU – 67 Bas-Rhin – 315 K7 – 2 613 h. – alt. 158 m – ⊠ 67860   1 B2

▶ Paris 525 – Marckolsheim 26 – Molsheim 38 – Obernai 28 – Sélestat 28 – Strasbourg 39
🛈 Office de tourisme, 35, rue du Rhin ℰ 03 88 74 68 96, Fax 03 88 74 83 28

Au Vieux Couvent (Alexis Albrecht)
– ℰ *03 88 74 61 15* – *www.vieuxcouvent.fr* – *restaurant@vieuxcouvent.fr* – *Fax 03 88 74 89 19* – *Fermé 29 juin-17 juil., 12-16 oct., 2 sem. en fév.-mars, lundi soir, mardi et merc.*
Rest – Menu 35 € (sem.)/138 € bc – Carte 66/100 €
Spéc. Faux millefeuille de saumon fumé minute. Dos de bar sauvage rôti, légumes de notre potager (été-automne). Baba au kirsch et trois chantilly vertes. **Vins** Riesling, Pinot blanc.

♦ L'enseigne de ce restaurant invite au recueillement, le cadre y contribue. Accueil charmant. Cuisine inventive utilisant herbes et fleurs cultivées avec passion par le chef.

RIANS – 83 Var – 340 J4 – 4 127 h. – alt. 406 m – ⊠ 83560   40 B3

▶ Paris 770 – Aix-en-Provence 40 – Avignon 100 – Manosque 33 – Marseille 69 – Toulon 77
🛈 Office de tourisme, place du Posteuil ℰ 04 94 80 33 37, Fax 04 94 80 33 37

RIANS

※※ **La Roquette** 🏠 **P** *VISA* **MC**
1 km par rte de Manosque – ☏ *04 94 80 32 58 – Fax 04 94 80 32 58 – Fermé 29 juin-5 juil., 18-25 nov., 2-13 janv., dim. soir, merc. et le soir en hiver sauf sam. et dim.*
Rest – Menu 28/48 €
◆ Demeure familiale où l'on déguste une cuisine régionale évoluant au fil des saisons. Trois salles en enfilade, discrètement provençales, et agréable terrasse sous une tonnelle.

RIANTEC – 56 Morbihan – **308** L8 – 4 910 h. – alt. 4 m – ✉ 56670   9 **B2**
▶ Paris 503 – Rennes 152 – Vannes 59 – Lorient 16 – Lanester 14

⌂ **La Chaumière de Kervassal** *sans rest* 🏠   🚗 ♿ **P**
3 km au Nord de Kervassal – ☏ *02 97 33 58 66 – www.tymaya.com
– gonzague.watine@wanadoo.fr – Fax 02 97 33 58 66 – Ouvert d'avril à mi-oct.*
3 ch ⌕ – †75 € ††75 €
◆ Cette ancienne maison du vassal, qui a donné le nom de Kervassal, vous accueille dans son salon cosy et ses chambres classiques ou plus actuelles (au choix). Joli jardin.

RIBEAUVILLÉ ⊛ – 68 Haut-Rhin – **315** H7 – 4 948 h. – alt. 240 m   2 **C2**
– Casino – ✉ 68150 ▮ **Alsace Lorraine**
▶ Paris 439 – Colmar 16 – Mulhouse 60 – St-Dié 42 – Sélestat 14
◉ Grand'Rue★★ : tour des Bouchers★.
◉ Riquewihr★★★ - Château du Haut-Ribeaupierre : ☀★★ - Château de St-Ullrich★ : ☀★★.

🏨 **Le Clos St-Vincent** 🏠   ← 🚗 🏠 🛏 🍽 ♿ 🅰🄲 ch, 📶 **P** *VISA* **MC** **AE**
rte de Bergheim, 1,5 km au Nord-Est par rte secondaire – ☏ *03 89 73 67 65
– www.leclossaintvincent.com – reception.leclos@wanadoo.fr
– Fax 03 89 73 32 20 – Ouvert 15 mars-15 déc.*   B **u**
20 ch – †120/215 € ††140/215 €, ⌕ 15 € – 4 suites
Rest – *(fermé mardi soir) (dîner seult)* Menu 40/55 €
◆ Admirez en toute quiétude la superbe vue sur la plaine d'Alsace de cette maison (1960) cernée par les vignes. Vastes chambres confortables, quatre récemment rénovées. Salle à manger et terrasse offrent un splendide panorama. Cuisine traditionnelle.

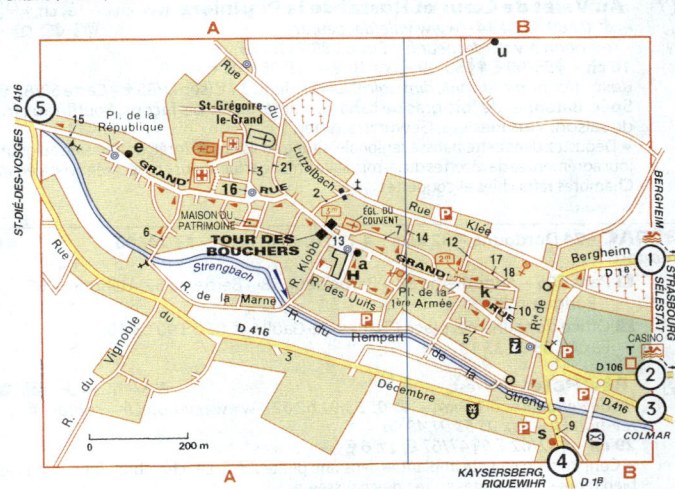

RIBEAUVILLÉ

Abbé-Kremp (R. de l')	**A** 2
Château (R. du)	**A** 3
Flesch (R.)	**B** 5
Fontaine (R. de la)	**A** 6
Frères-Mertian (R. des)	**A** 7
Gaulle (Av. du Gén.-de)	**B** 9
Gouraud (Pl.)	**B** 10
Grand'Rue	**AB**
Grand'Rue de l'Eglise	**A** 21
Halle aux Blés (R. de la)	**B** 12
Hôtel de Ville (Pl. de l')	**A** 13
Ortlieb (R.)	**B** 14
Ste-Marie-aux-Mines (Rte)	**A** 15
Sinne (Pl. de la)	**A** 16
Synagogue (R. de la)	**B** 17
Tanneurs (R. des)	**B** 18

1553

RIBEAUVILLÉ

Le Ménestrel sans rest
*27 av. Gén. de Gaulle, par ④ – ℰ 03 89 73 80 52 – www.menestrel.com
– menestrel2@wanadoo.fr – Fax 03 89 73 32 39*
29 ch – †63/73 € ††73/99 €, ⊇ 15 €

♦ Chambres agréablement actuelles, parfois dotées d'un balcon. Le patron, chef-pâtissier, prépare lui-même les viennoiseries et confitures du petit-déjeuner.

La Tour sans rest
1 r. de la Mairie – ℰ 03 89 73 72 73 – www.hotel-la-tour.com – info@hotel-la-tour.com – Fax 03 89 73 38 74 – Fermé 4 janv.-12 mars
A a
31 ch – †67/89 € ††73/100 €, ⊇ 9 €

♦ Ex-propriété viticole aux chambres pratiques et gaies ; les plus récentes affichent un décor vosgien au goût du jour. Certaines, très calmes, regardent une jolie cour intérieure.

Cheval Blanc
*122 Grand'Rue – ℰ 03 89 73 61 38 – www.cheval-blanc-alsace.fr
– cheval-blanc-ribeauville@wanadoo.fr – Fax 03 89 73 37 03
– Fermé 12-22 nov. et 6 janv.-12 fév.*
A e
23 ch – †56 € ††56 €, ⊇ 8 € – ½ P 55 €
Rest – *(fermé mardi midi et merc.)* Menu (11 € bc), 18/40 € – Carte 25/46 €

♦ La façade de cette bâtisse régionale se couvre de fleurs en saison. Intérieur de style rustique. Petites chambres offrant un confort fonctionnel ; salon-cheminée. Au restaurant, cadre alsacien un brin original et cuisine ancrée dans la tradition.

Au Relais des Ménétriers
*10 av. Gén. de Gaulle – ℰ 03 89 73 64 52 – Fax 03 89 73 69 94
– Fermé 14-29 juil., jeudi soir, dim. soir et lundi*
B s
Rest – Menu 12 € (déj. en sem.), 23/37 € – Carte 37/52 €

♦ Vaisselle alsacienne (véritables plats à baeckeoffe) et légumes achetés chez le paysan : le chef concocte ici une vraie cuisine du pays. Plaisant décor rustique.

Wistub Zum Pfifferhüs
*14 Grand'Rue – ℰ 03 89 73 62 28 – Fermé 1ᵉʳ-12 mars, 1ᵉʳ-14 juil.,
25 janv.-21 fév., jeudi de nov. à juil. et merc.*
B k
Rest – *(prévenir)* Menu 26 € – Carte 34/52 €

♦ Un charmant wistub qui conjugue convivialité, en particulier lors du Pfifferdaj (jour des fifres), et authenticité : cadre rétro et appétissantes recettes locales.

rte de Ste-Marie-aux-Mines 4 km par ⑤ sur D 416 – ⊠ 68150

Au Valet de Cœur et Hostel de la Pépinière avec ch
*– ℰ 03 89 73 64 14 – www.valetdecoeur.fr
– reception@valetdecoeur.fr – Fax 03 89 73 88 78*
16 ch – †55/99 € ††80/99 €, ⊇ 10 € – ½ P 85/105 €
Rest – *(fermé mardi midi, dim. soir et lundi)* Menu 34 €(sem.)/85 € – Carte 60/82 €
Spéc. Bâtonnet de foie gras de canard. Homard en trois façons. Soufflé aux fruits de saison. **Vins** Riesling, Gewurztraminer.

♦ Dégustez dans cette bâtisse régionale, située en lisière de forêt, une cuisine au goût du jour agrémentée de recettes du terroir. Salle à manger lumineuse redécorée avec élégance. Chambres rafraîchies et coquettes.

RIBÉRAC – 24 Dordogne – 329 D4 – 4 123 h. – alt. 68 m – ⊠ 24600 4 **C1**
Périgord

🅿 Paris 505 – Angoulême 58 – Barbezieux 58 – Bergerac 52 – Libourne 65 – Périgueux 39

🛈 Office de tourisme, place Charles-de-Gaulle ℰ 05 53 90 03 10, Fax 05 53 91 35 13

Rêv'Hôtel sans rest
rte de Périgueux, à 1,5 km – ℰ 05 53 91 62 62 – www.rev-hotel.fr – contact@rev-hotel.fr – Fax 05 53 91 48 96
29 ch – †42/62 € ††47/67 €, ⊇ 6 €

♦ Construction récente implantée dans une petite Z.A.C. Les chambres, fonctionnelles et bien tenues, sont toutes en rez-de-chaussée.

LES RICEYS – 10 Aube – 313 G6 – 1 395 h. – alt. 180 m – ⊠ 10340 13 **B3**
Champagne Ardenne

- Paris 210 – Bar-sur-Aube 48 – St-Florentin 58 – Tonnerre 37 – Troyes 46
- Office de tourisme, 14, place des Héros de la Résistance ✆ 03 25 29 15 38, Fax 03 25 29 15 38

XX **Le Magny** avec ch
rte de Tonnerre, (D 452) – ✆ 03 25 29 38 39 – www.le-magny.com – lemagny@wanadoo.fr – Fax 03 25 29 11 72 – Fermé 29 août-9 sept., 24 janv.-6 mars, mardi sauf de mai à sept. et merc.
12 ch – ♦63/77 € ♦♦63/77 €, ⊇ 9 € – ½ P 65/72 €
Rest – Menu 15/40 € – Carte 28/47 €
♦ Dans le fief du célèbre vin rosé, restaurant campagnard aménagé dans une maison en pierre restaurée avec soin. Accueil aimable. Carte traditionnelle. Chambres confortables.

RICHELIEU – 37 Indre-et-Loire – 317 K6 – 2 165 h. – alt. 40 m 11 **A3**
– ⊠ 37120 **Châteaux de la Loire**

- Paris 299 – Joué-lès-Tours 60 – Orléans 175 – Poitiers 66
- Office de tourisme, 7, Place Louis XIII ✆ 02 47 58 13 62, Fax 02 47 58 29 86

⌂ **La Maison** sans rest
6 r. Henri Proust – ✆ 02 47 58 29 40 – www.lamaisondemichele.com – lamaisondemichele@yahoo.com – Fax 02 47 58 29 40 – Ouvert 15 avril-30 sept.
4 ch ⊇ – ♦90 € ♦♦110 €
♦ Beaux volumes, mobilier ancien, papier peint à rayures et grands lits caractérisent les chambres de cette belle maison bourgeoise. Joli jardin agrémenté d'une bambouseraie.

> Ce guide vit avec vous : vos découvertes nous intéressent.
> Faites-nous part de vos satisfactions comme de vos déceptions.
> Coup de colère ou coup de cœur : écrivez-nous !

RIEC-SUR-BELON – 29 Finistère – 308 I7 – 4 129 h. – alt. 65 m 9 **B2**
– ⊠ 29340

- Paris 529 – Carhaix-Plouguer 61 – Concarneau 20 – Quimper 43 – Quimperlé 13
- Office de tourisme, 2, rue des Gentilshommes ✆ 02 98 06 97 65, Fax 02 98 06 93 73

au Port de Belon 4 km au Sud par C 3 et C 5 – ⊠ 29340 Riec-sur-Belon

X **Chez Jacky**
port du Belon – ✆ 02 98 06 90 32 – www.chez-jacky.com – chez.jacky@wanadoo.fr – Fax 02 98 06 49 72 – Ouvert Pâques-fin-sept. et fermé dim. soir et lundi sauf fériés
Rest – (prévenir en saison) Menu 18/80 € – Carte 24/59 €
♦ Avenante maison d'ostréiculteur au bord du Belon. Salle à manger rustique où l'on ne sert que des produits de la mer du cru. Terrasse avec vue. Bassin d'affinage d'huîtres.

RIEUMES – 31 Haute-Garonne – 343 E4 – 3 237 h. – alt. 270 m 28 **B2**
– ⊠ 31370

- Paris 712 – Toulouse 39 – Auch 56 – Foix 75

Auberge les Palmiers
13 pl. du Foirail – ✆ 05 61 91 81 01 – www.auberge-lespalmiers.com – auberge_lespalmiers@yahoo.fr – Fax 05 61 91 56 36
– Fermé 24 août-7 sept., 30 oct.-4 nov. et 24 déc.-3 janv.
12 ch – ♦56 € ♦♦62 €, ⊇ 8 € – ½ P 63 €
Rest – (fermé dim. soir et lundi) Menu (12 €), 15 € (déj. en sem.), 24/32 € – Carte 35/50 €
♦ Mobilier rustique et touches contemporaines se marient avec bonheur dans cette accueillante maison du 19ᵉ s. (non-fumeurs). Le "plus" : la junior suite et son sauna particulier. Cuisine traditionnelle et plats régionaux proposés dans un cadre plutôt coquet.

RIEUPEYROUX – 12 Aveyron – **338** F5 – 2 045 h. – alt. 750 m — 29 **C1**
– ✉ 12240

▶ Paris 632 – Albi 54 – Carmaux 38 – Millau 94 – Rodez 36 – Villefranche-de-Rouergue 24

🛈 Office de tourisme, 28, rue de l'Hom ℰ 05 65 65 60 00

Du Commerce
60 r. l'Hom – ℰ 05 65 65 53 06 – www.logis-commerce-hotel.com
– hotel.j.b.delmas@wanadoo.fr – Fax 05 65 81 43 72 – Fermé 27 sept.-6 oct., 27 déc.-2 fév., vend. soir (sauf hôtel), dim. soir et lundi sauf du 15 juin au 15 sept.
22 ch – ♦50 € ♦♦50/60 €, ⊇ 8 € – ½ P 52 €
Rest – Menu (12 €), 15 € (déj. en sem.), 18/38 € – Carte 25/40 €
◆ Hôtel familial proposant des chambres rénovées, fonctionnelles et bien tenues ; celles qui s'ouvrent sur le jardin et la piscine offrent plus de calme. À table, découvrez le tripoux du Ségala, le veau de lait de l'Aveyron ou les brochettes suspendues.

RIGNY – 70 Haute-Saône – **314** B8 – rattaché à Gray

RILLIEUX-LA-PAPE – 69 Rhône – **327** I5 – rattaché à Lyon

RIMBACH-PRÈS-GUEBWILLER – 68 Haut-Rhin – **315** G9 – rattaché à Guebwiller

---

RIMONT – 09 Ariège – **343** F7 – 512 h. – alt. 525 m – ✉ 09420 — 28 **B3**

▶ Paris 765 – Auch 136 – Foix 32 – St-Gaudens 56 – St-Girons 14 – Toulouse 92

Domaine de Terrac
4 km à l'Est par D 117 et rte secondaire – ℰ 05 61 96 39 60
– www.chambresdhotesariege.com – domainedeterrac@wanadoo.fr
– Fermé janv. et fév.
5 ch – ♦75 € ♦♦90 €, ⊇ 5 €   **Table d'hôte** – Menu 30 € bc
◆ Cette ferme merveilleusement restaurée n'aura aucun mal à vous séduire. Ses chambres concilient charme et tranquillité ; deux d'entre elles ont une terrasse dominant la vallée. Côté restauration, la propriétaire propose des plats régionaux, végétariens et indiens.

De la Poste
pl. 8-Mai – ℰ 05 61 96 33 23 – restaurantdelaposte@orange.fr
– Fax 05 61 96 33 23 – Fermé 25-30 août, 15 fév.-1er mars, lundi soir, mardi soir et merc. soir sauf juil.-août
Rest – Menu (12 €), 21/29 € – Carte 32/45 €
◆ La façade un peu rétro dissimule une salle de restaurant rustique et colorée qui dégage une ambiance chaleureuse. Cuisine traditionnelle, simple et sans fausse note.

RIOM – 63 Puy-de-Dôme – **326** F7 – 18 000 h. – alt. 363 m — 5 **B2**
– ✉ 63200 Auvergne

▶ Paris 407 – Clermont-Ferrand 15 – Montluçon 102 – Thiers 45 – Vichy 39

🛈 Office de tourisme, 27 place de la Fédération ℰ 04 73 38 59 45, Fax 04 73 38 25 15

◉ Église N.-D.-du-Marthuret★ : Vierge à l'Oiseau★★★ - Maison des Consuls★ **K** - Cour★ de l'hôtel Guimeneau **B** - Ste-Chapelle★ du palais de justice **N** - Cour★ de l'hôtel de ville **H** - Tour de l'Horloge★ **R** - Musées : Régional d'Auvergne★ **M¹**, Mandet★ **M²**.

◉ Mozac : chapiteaux★★, trésor★★ de l'église★ 2 km par ④ - Marsat : Vierge noire★★ dans l'église SO : 3 km par D 83.

Plan page ci-contre

Le Moulin de Villeroze
144 rte Marsat, Sud-Ouest du Plan par D 83 – ℰ 04 73 38 62 23
– www.le-moulin-de-villeroze.fr – Fax 04 73 38 62 23 – Fermé 17 août-4 sept., merc. soir, dim. soir et lundi
Rest – Menu 22/48 € – Carte 55/75 €
◆ Ce moulin bâti à la fin du 19e s. abrite deux chaleureuses salles à manger contemporaines coiffées de poutres apparentes. Terrasse ombragée. Carte dans l'air du temps.

RIOM

Bade (Fg de la) 2
Chabrol (R.) 3
Châtelguyon (Av. de) 4
Commerce (R. du) ....
Croisier (R.) 6
Daurat (R.) 7
Delille (R.) 8
Fédération (Pl. de la) 9
Hellénie (R.) 10
Horloge (R. de l') ....
Hôtel des Monnaies (R. de l') ... 12
Hôtel de Ville (R. de l') 13
Laurent (Pl. J.-B.) 14
Layat (Fg) 15
Libération (Av. de la) 16
Madeline (Av. du Cdt) 17
Marthuret (R. du) 18
Martyrs de la Résistance (Pl. des) ... 19
Menut (Pl. Marinette) 20
Pré Madame (Promenade du) ... 21
République (Bd de la) 22
Reynouard (Av. J.) 23
Romme (R. G.) 26
St-Amable (R.) 27
St-Louis (R.) 29
Soanen (Pl. Jean) 32
Soubrany (R.) 34
Taules (Coin des) 36

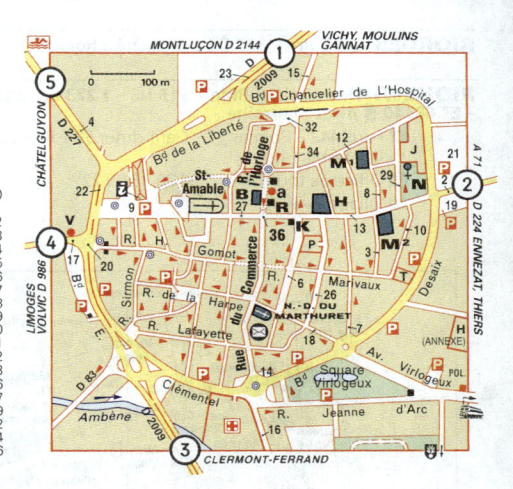

XX **Le Flamboyant** 🈴 VISA 🍪

😊 21 bis r. de l'Horloge – ℘ 04 73 63 07 97 – www.restaurant-le-flamboyant.com
– restaurant.leflamboyant@wanadoo.fr – Fax 04 73 64 17 36 – Fermé dim. soir et
lundi **a**
Rest – Menu 22 € bc (déj. en sem.), 28/58 € bc – Carte environ 45 €
◆ Admirez les cours intérieures des hôtels particuliers qui bordent la rue avant d'entrer dans ce restaurant au décor contemporain, sobre et coloré. Cuisine au goût du jour.

XX **Le Magnolia** AC VISA 🍪 AE

11 av. Cdt Madeline – ℘ 04 73 38 08 25 – www.lemagnolia.fr
– magnolia-gastronomie@wanadoo.fr – Fax 04 73 38 09 29 – Fermé 1er-15 mars,
2-16 août, dim. soir, sam. midi et lundi **v**
Rest – Menu (18 € bc), 24 € (sem.)/42 € – Carte 38/46 €
◆ Ce restaurant affiche un style volontairement moderne : ciment brossé, boiseries exotiques, murs bordeaux et mise en place originale. Cuisine au goût du jour.

RIOM-ÈS-MONTAGNES – 15 Cantal – 330 D3 – 2 727 h. – alt. 840 m 5 **B3**
– ✉ 15400

▶ Paris 506 – Aurillac 80 – Clermont-Ferrand 91 – Ussel 46
🛈 Office de tourisme, 1, avenue Fernand Brun ℘ 04 71 78 07 37,
Fax 04 71 78 16 87

🏠 **St-Georges** 📺 & ch, ⁽¹⁾ VISA 🍪

5 r. Cap. Chevalier – ℘ 04 71 78 00 15 – www.hotel-saint-georges.com
– hotel.saint-georges@wanadoo.fr – Fax 04 71 78 24 37 – Fermé 15-30 janv.
14 ch – †32/35 € ††44/52 €, ☑ 8,50 € – ½ P 38/43 €
Rest – (fermé dim. soir et lundi midi du 15 sept. au 30 juin) Menu (10 €),
14 € (sem.)/27 € – Carte 23/33 €
◆ Au centre du village, maison en pierre de la fin du 19e s. disposant de petites chambres refaites, pourvues d'équipements complets et fort bien tenues. Accueil courtois. À table, décor rustico-bourgeois et carte mettant à l'honneur les spécialités cantaliennes.

RIONS – 33 Gironde – 335 I6 – 1 518 h. – alt. 96 m – ✉ 33410 3 **B2**

▶ Paris 599 – Bordeaux 39 – Mérignac 46 – Pessac 42 – Talence 36

X **L'Auberge de l'Ancienne Poste** 🈴 & 🈴 VISA 🍪 AE

pl. Cazeaux Cazalet – ℘ 05 56 27 43 31 – ancienneposte@hotmail.fr – Fermé
1er-15 août, 1er-15 janv., sam. midi, dim. soir et lundi
Rest – Menu (16 €), 29/75 € bc – Carte 39/75 €
◆ Une maison de maître du 19e s., rustique, où l'on déguste des grillades et une spécialité, la côte de bœuf, préparées devant vous dans l'immense cheminée. Accueil tout sourire.

RIORGES – 42 Loire – **327** D3 – rattaché à Roanne

RIQUEWIHR – 68 Haut-Rhin – **315** H8 – 1 273 h. – alt. 300 m 2 **C2**
– ✉ 68340 ▋Alsace Lorraine

▶ Paris 442 – Colmar 15 – Gérardmer 52 – Ribeauvillé 5 – St-Dié 46 – Sélestat 19

🛈 Office de tourisme, ✆ 08 20 36 09 22

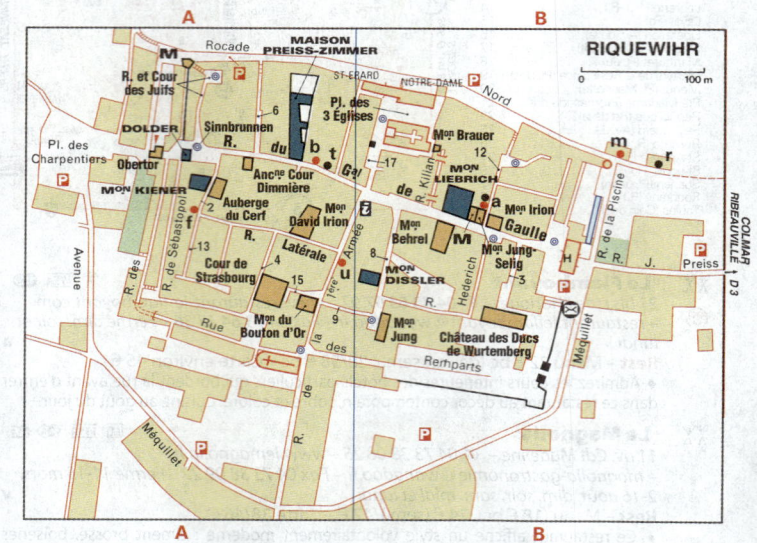

◉ Village ★★★.

Cerf (R. du) . . . . **A** 2	Couronne (R. de la) . . . . **B** 8
Château (Cour du) . . . . **B** 3	Dinzheim (R. de) . . . . **A** 9
Cheval (R. du) . . . . **A** 4	Écuries (R. des) . . . . **B** 12
Cordiers (R. des) . . . . **A** 6	St-Nicolas (R.) . . . . **A** 13
	Strasbourg (Cour de) . . . . **A** 15
	3-Eglises (R. des) . . . . **B** 17

Le Schoenenbourg sans rest
r. Schoenenbourg – ✆ 03 89 49 01 11
– www.hotel-schoenenbourg.fr – schoenenbourg@calixo.net – Fax 03 89 47 95 88
– Fermé 5-30 janv. **B r**
58 ch – †79/129 € ††81/135 €, ☐ 13 € – 4 suites

♦ Adossées au vignoble, constructions des années 1980 disposant de chambres confortables, sobrement décorées, et de bons équipements dont une grande piscine chauffée et au calme.

Riquewihr sans rest
rte de Ribeauvillé – ✆ 03 89 86 03 00 – www.hotel-riquewihr.fr – reservation@hotel-riquewihr.fr – Fax 03 89 47 99 76 – Fermé 1er janv. à mi-fév. **B**
44 ch – †61/87 € ††61/92 €, ☐ 11 € – 6 suites

♦ Vaste maison de style néo-alsacien au bord d'une route traversant les vignes. Chambres fonctionnelles bien tenues, copieux buffet de petits-déjeuners et minifitness.

À l'Oriel sans rest
3 r. des Ecuries Seigneuriales – ✆ 03 89 49 03 13 – www.hotel-oriel.com – info@hotel-oriel.com – Fax 03 89 47 92 87 **B a**
22 ch – †69 € ††79/99 €, ☐ 12 €

♦ Dans une ruelle tranquille, jolie façade du 16e s. ornée d'un oriel. Chambres rustiques personnalisées (quelques lits bateau), plus cossues à l'annexe. Caveau transformé en bar.

RIQUEWIHR

Le B. Espace Suites sans rest   🅰🅒 ❄ 📶 VISA ⓜⓞ AE
48 r. Gén. de Gaulle – ℰ *03 89 86 54 55 – www.jlbrendel.com – suites@jlbrendel.com – Fax 03 89 47 87 30*
5 ch – ♦118/150 € ♦♦118/250 €, ⚏ 16 €   A t
♦ Quatre chambres dans une ex-propriété de vigneron à la belle façade lie-de-vin. Leur décoration marie avec art charme des murs anciens, meubles design, luxe et raffinement.

XXX Table du Gourmet (Jean-Luc Brendel)   🅰🅒 ❄ VISA ⓜⓞ AE
❀
5 r. 1ère Armée – ℰ *03 89 49 09 09 – www.jlbrendel.com – table@jlbrendel.com – Fax 03 89 49 04 56 – Fermé 4 janv.-13 fév., merc. sauf le soir d'avril à mi-nov., jeudi midi et mardi*   A u
Rest – Menu 45 € (sem.)/92 € – Carte 60/90 € 🍷
Spéc. Grenouilles en beignets d'amandes, émulsion amande, pommes aigres (automne). Porcelet rôti et laqué sur choucroute de radis. Crème malabar sur fraises rôties (été). **Vins** Pinot gris, Riesling.
♦ L'original décor contemporain rouge et noir annonce la couleur d'une cuisine délicieusement ludique, réalisée avec de beaux produits parfois insolites (plantes aromatiques).

XXX Auberge du Schoenenbourg   🌳 🅰🅒 P VISA ⓜⓞ AE
r. de la Piscine – ℰ *03 89 47 92 28 – www.auberge-schoenenbourg.com – auberge-schoenenbourg@wanadoo.fr – Fax 03 89 47 89 84 – Fermé 19-26 août, 3-29 janv., merc. soir et le midi sauf dim. et lundi*   B m
Rest – Menu 29/81 € – Carte 48/70 € 🍷
♦ Maison familiale agrandie d'une terrasse largement ouverte sur le vignoble et les remparts. Herbes aromatiques et légumes du jardin parfument les plats que mitonne le chef.

XX Le Sarment d'Or avec ch   ❄ ch, VISA ⓜⓞ
🙂
4 r. du Cerf – ℰ *03 89 86 02 86 – www.riquewihr-sarment-dor.com – info@riquewihr-sarment-dor.com – Fax 03 89 47 99 23 – Fermé 16-24 nov. et 2-24 mars*   A f
9 ch – ♦60 € ♦♦70/80 €, ⚏ 8 €
Rest – *(fermé mardi midi, dim. soir et lundi)* Menu 20/55 € – Carte 41/52 €
♦ Dans cette demeure du 17ᵉ s., bois blond, poutres apparentes, cheminée et mobilier choisi composent le séduisant décor d'une cuisine traditionnelle soignée. Chambres douillettes.

X La Grappe d'Or   ⇔ VISA ⓜⓞ
🍷
1 r. Ecuries Seigneuriales – ℰ *03 89 47 89 52 – www.restaurant-grappedor.com – rest.grappe.or@wanadoo.fr – Fax 03 89 47 85 91 – Fermé 25 juin-10 juil., janv., merc. de fév. à mars et jeudi*   B a
Rest – Menu 16 € (déj. en sem.), 20/36 € – Carte 25/44 €
♦ Cette accueillante maison de 1554 héberge deux salles à manger aux murs patinés, l'une agrémentée d'outils agrestes et l'autre d'un joli poêle en faïence. Plats du terroir.

X d'Brendelstub   🅰🅒 VISA ⓜⓞ AE
48 r. Gén. de Gaulle – ℰ *03 89 86 54 54 – www.jlbrendel.com – stub@jlbrendel.com – Fax 03 89 47 87 30 – Fermé 12-29 janv.*   A b
Rest – Menu (14 €), 20/37 € – Carte 23/39 €
♦ Spécialités du terroir, cuissons au feu de bois ou à la rôtissoire, bel éventail de vins alsaciens au verre, joli cadre de winstub contemporaine et soirées musicales à thèmes.

à Zellenberg 1 km à l'Est par D 3 – 397 h. – alt. 300 m – ✉ 68340

XXX Maximilien (Jean-Michel Eblin)   ≤ 🌳 🅰🅒 ❄ ⇔ P VISA ⓜⓞ AE ①
❀
19a rte Ostheim – ℰ *03 89 47 99 69 – www.le-maximilien.com – Fax 03 89 47 99 85 – Fermé 25 août-8 sept., 23 fév.-9 mars, vend. midi, dim. soir et lundi*
Rest – Menu 32 € (déj. en sem.), 46/82 € – Carte 64/86 € 🍷
Spéc. Œuf mollet aux queues d'écrevisses et écume d'asperge verte. Poitrine de pigeon rôtie et homard. Millefeuille rhubarbe et fraises, sorbet fraise au poivre de sichuan (avril à sept.). **Vins** Riesling, Pinot gris.
♦ Parmi les atouts de cette demeure alsacienne ancrée à flanc de coteau : un élégant intérieur largement ouvert sur les vignes, de bons petits plats et un beau choix de vins.

RIQUEWIHR

Auberge du Froehn
5 rte Ostheim - ℰ 03 89 47 81 57 - Fax 03 89 47 80 28 - *Fermé 1er-18 mars, 29 juin-3 juil., 9-18 nov., mardi et merc.*
Rest – Menu (12 €), 23/39 € – Carte 37/49 €

♦ Le nom de cette auberge typique évoque le vignoble (et le grand cru éponyme) que surplombe le village. Décor de caveau rustique, atmosphère conviviale et cuisine régionale.

RISCLE – 32 Gers – **336** B8 – 1 701 h. – alt. 105 m – ⊠ 32400   28 **A2**

▶ Paris 739 – Aire-sur-l'Adour 17 – Auch 71 – Mont-de-Marsan 49 – Pau 59 – Tarbes 55

🛈 Syndicat d'initiative, 6, place du foirail ℰ 05 62 69 74 01, Fax 05 62 69 86 07

Le Pigeonneau
36 av. Adour – ℰ 05 62 69 85 64 – Fax 05 62 69 85 64 – *Fermé 22 juin-7 juil., 1 sem. en janv., dim. soir, lundi et mardi*
Rest – Menu (15 €) – Carte 34/45 €

♦ Sol carrelé à l'ancienne et tons ocre renforcent le côté chaleureux de ce restaurant de la vallée de l'Adour. Cuisine au goût du jour et plats à base de pigeonneau.

RISOUL – 05 Hautes-Alpes – **334** H5 – 622 h. – alt. 1 117 m – ⊠ 05600   41 **C1**

▶ Paris 716 – Briançon 37 – Gap 61 – Guillestre 4 – St-Véran 35

🛈 Office de tourisme, Risoul 1850 ℰ 04 92 46 02 60, Fax 04 92 46 01 23

◉ Belvédère de l'Homme de Pierre ✻✻✻ S : 15 km — **Alpes du sud**

La Bonne Auberge
au village – ℰ 04 92 45 02 40 – *Fermé avril-mai, 20 sept.-26 déc. et du lundi au jeudi en janv.*
25 ch – †41/61 € ††56/61 €, ⊇ 8 € – ½ P 51/55 €
Rest – *(dîner seult en hiver)* Menu 16/24 €

♦ Grand chalet en léger retrait du village. Des chambres, jolie perspective sur la place forte de Mont-Dauphin, créée par Vauban. Décor assez sobre et ambiance pension de famille dans la salle de restaurant offrant un beau panorama sur le Guillestrois.

RIVA-BELLA – 14 Calvados – **303** K4 – voir à Ouistreham-Riva-Bella

---

RIVE-DE-GIER – 42 Loire – **327** G6 – 14 600 h. – alt. 225 m – ⊠ 42800   44 **B2**
Lyon et la vallée du Rhône

▶ Paris 494 – Lyon 38 – Montbrison 65 – Roanne 105 – St-Étienne 23 – Thiers 128 – Vienne 27

Hostellerie La Renaissance avec ch
41 r. A. Marrel – ℰ 04 77 75 04 31 – restaurant.larenaissance@wanadoo.fr – Fax 04 77 83 68 58 – *Fermé 2 sem. en août, 4-10 janv., dim. soir, merc. soir et lundi*
5 ch – †48/56 € ††48/56 €, ⊇ 12 €   **Rest** – Menu 30/88 € – Carte 50/70 €

♦ Meubles rustiques, objets contemporains et tableaux colorés composent le décor de cette salle à manger tournée vers le jardin-terrasse. Cuisine au goût du jour.

à Ste-Croix-en-Jarez 10 km au Sud-Est par D 30 – 405 h. – alt. 450 m – ⊠ 42800

Le Prieuré avec ch
– ℰ 04 77 20 20 09 – prieure.bl@orange.fr – Fax 04 77 20 20 80 – *Fermé 2 janv.-13 fév.*
4 ch – †55 € ††70 €, ⊇ 10 € – ½ P 70 €
Rest – *(fermé lundi)* Menu (15 €), 18 € (sem.)/40 €

♦ Restaurant situé à l'entrée de cet insolite village qui occupe les bâtiments d'une ancienne chartreuse. Salle à manger champêtre. Cuisine régionale et charcuteries maison.

RIVEDOUX-PLAGE – 17 Charente-Maritime – **324** C3 – voir à Île de Ré

LA RIVIÈRE – 33 Gironde – **335** J5 – rattaché à Libourne

LA RIVIÈRE-ST-SAUVEUR – 14 Calvados – **303** N3 – rattaché à Honfleur

LA RIVIÈRE-THIBOUVILLE – 27 Eure – **304** E7 – **alt.** 72 m — 33 **C2**
– ✉ 27550 Nassandres

▶ Paris 140 – Bernay 15 – Évreux 34 – Lisieux 39 – Pont-Audemer 34 – Rouen 51

XX **Le Manoir du Soleil d'Or**
23 Côte de Paris – ℘ 02 32 44 90 31 – www.manoirdusoleildor.com
– lemanoirdusoleildor@orange.fr – Fax 02 32 44 90 31 – *Fermé dim. soir et merc.*
Rest – Menu (21 € bc), 25/52 € – Carte 38/51 €
♦ Ce petit castel normand offre une vue imprenable sur la vallée de la Risle depuis sa terrasse et son élégante salle à manger. Cuisine actuelle.

X **L'Auberge de la Vallée**
7 rte Brionne-Nassandres – ℘ 02 32 44 21 73 – *Fermé 24 déc.-1ᵉʳ janv., le soir du lundi au merc. et dim.*
Rest – Menu 13 € (sem.)/24 € – Carte environ 28 €
♦ Ce restaurant installé dans une belle maison à colombages abrite deux salles à manger champêtres, agrémentées d'une collection de paniers en osier. Cuisine au goût du jour.

RIXHEIM – 68 Haut-Rhin – **315** I10 – rattaché à Mulhouse

ROAIX – 84 Vaucluse – **332** D8 – rattaché à Vaison-la-Romaine

ROANNE – 42 Loire – **327** D3 – 35 700 h. – Agglo. 104 892 h. — 44 **A1**
– alt. 265 m – ✉ 42300 ▌ **Lyon et la Vallée du Rhône**

▶ Paris 395 – Clermont-Ferrand 115 – Lyon 84 – St-Étienne 85
✈ Roanne-Renaison : ℘ 04 77 66 83 55, par D 9 AV : 5 km.
🛈 Office de tourisme, 8, place de Lattre de Tassigny ℘ 04 77 71 51 77, Fax 04 77 71 07 11
⛳ du Roannais à Villerestpar rte de Thiers : 7 km, ℘ 04 77 69 70 60
◉ Musée Joseph-Déchelette : Faïences révolutionnaires★.
◉ Belvédère de Commelle-Vernay ≤★ : 7 km au S par quai Sémard BV.

Plan page suivante

🏨 **Troisgros** (Michel Troisgros)
pl. de la Gare – ℘ 04 77 71 66 97 – www.troisgros.com – info@troisgros.com
– Fax 04 77 70 39 77 – *Fermé 4-19 août, vacances de fév., lundi midi d'oct. à fév., mardi et merc.*   CX r
11 ch – †190 € ††190/375 €, ⚌ 27 € – 5 suites
Rest – *(nombre de couverts limité, prévenir)* Menu 95 € (déj. en sem.), 155/195 € – Carte 170/250 € ❀
Spéc. Mezzaluna de pomme de terre à la truffe. Rouget barbet et carmine aigrelette. Soufflé à la rhubarbe fraîche. **Vins** Pouilly-Fuissé, Saint-Joseph.
♦ Un hôtel de gare... façon 21ᵉ s. : superbes chambres design, bibliothèque gourmande et collections de toiles contemporaines. Au restaurant Troisgros, trois étoiles depuis 1968, excellence d'une astucieuse cuisine au goût du jour et belle carte des vins.

🏨 **Le Grand Hôtel** *sans rest*
18 cours de la République, (face à la gare) – ℘ 04 77 71 48 82
– www.grand-hotel-roanne.fr – granotel@wanadoo.fr
– Fax 04 77 70 42 40   CX f
31 ch – †62/78 € ††72/92 €, ⚌ 12 €
♦ Ce bâtiment du début du 20ᵉ s. abrite des chambres correctement tenues, diversement décorées (mobilier actuel, fer forgé, rotin, couleurs ensoleillées). Salon-bar feutré.

XXX **L'Astrée**
17 bis cours République, (face à la gare) – ℘ 04 77 72 74 22 – *Fermé 15-28 mars, 27 juil.-16 août, sam. et dim.*   CX f
Rest – Menu (21 €), 25 € (sem.)/80 € – Carte environ 70 €
♦ Confortable et plaisant décor contemporain avec boiseries et œuvres de peintres de la région, cuisine personnalisée : Astrées et Céladons adorent !

ROANNE

Alsace-Lor. (R.)	**CY** 2
Anatole-France (R.)	**CY** 3
Benoît (Bd C.)	**AV** 5
Cadore (R. de)	**CX** 7
Carnot (R.)	**BV** 8
Clemenceau (Pl. G.)	**DX** 10
Clermont (R. de)	**CY** 12
Dourdein (R. A.)	**CY** 14
Edgar-Quinet (Bd)	**BV** 15
Foch (R. Mar.)	**CDY**
Gaulle (Av. Ch.-de)	**AV** 16
Gaulle (Bd Ch.-de)	**BV** 17
Gaulle (R. Ch.-de)	**CY** 18
Hoche (R.)	**AV** 19
Hôtel de Ville (Pl.)	**DY** 20
Jean-Jaurès (R.)	**CDY**
Joffre (Bd Mar.)	**BV** 21
Lattre-de-T. (Pl. de)	**CX** 22
Libération (Av. de la)	**DY** 23
Loire (Levée de la)	**DY** 24
Marne (Av. de la)	**BV** 26
Renaison (R. de)	**DY** 28
République (Cours de la)	**CXY** 32
Roche (R. A.)	**DX** 34
Semard (Q. P.)	**BV** 35
Thiers (Bd de)	**AV** 36
Thomas (Bd A.)	**AV** 38
Vachet (R. J.)	**AV** 40
Villemontais (R. de)	**AV** 42

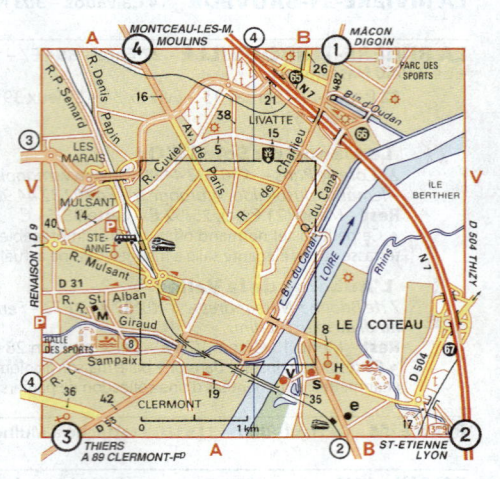

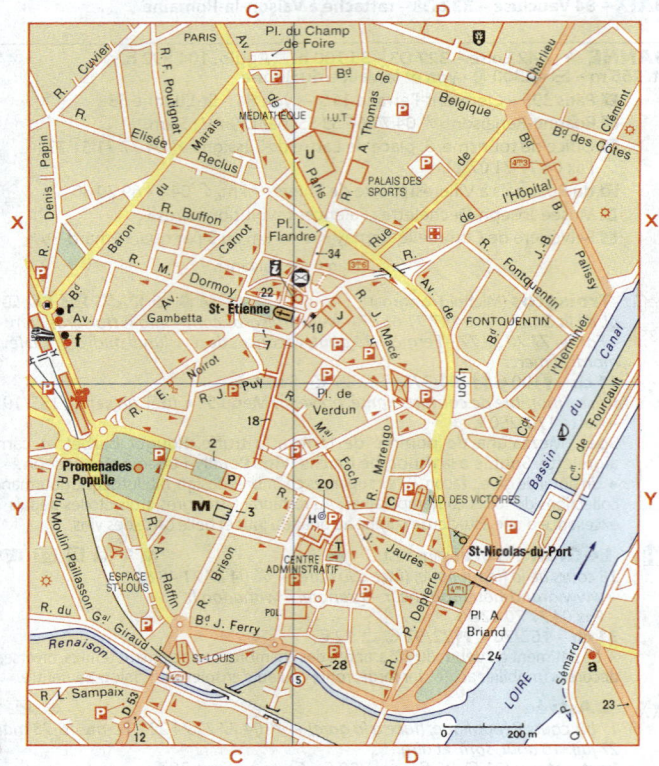

1562

ROANNE

XX Le Relais Fleuri
allée Claude Barge – ℰ 04 77 67 18 52 – www.perso.orange.fr/lerelaisfleuri/pub – relaisfleuri@orange.fr – Fermé dim. soir, mardi et merc.
BV **v**
Rest – Menu 20/46 € – Carte 48/65 €
♦ L'une des salles à manger de cette ex-guinguette (1900) est dressée sous un dôme vitré, aménagé récemment. L'été, on profite du beau jardin ombragé. Recettes au goût du jour.

X Le Central
20 cours République, (face à la gare) – ℰ 04 77 67 72 72 – restaurant.lecentral@wanadoo.fr – Fax 04 77 72 57 67 – Fermé 2-22 août, 24 déc.-1ᵉʳ janv., dim. et lundi
CX **r**
Rest – bistrot – *(prévenir)* Menu (21 €), 26 € (déj.)/29 € – Carte 39/50 €
♦ Des rayonnages de produits gourmands composent le cadre original de ce "bistrot-épicerie" où vous découvrirez une cuisine simple et goûteuse. Convivialité assurée !

au Coteau (rive droite de la Loire) – 7 065 h. – alt. 350 m – ✉ 42120

Des Lys
133 av. de la Libération – ℰ 04 77 68 46 44 – www.hotel-des-lys.com – hotel.deslys@orange.fr – Fax 04 77 72 23 50 – Fermé 2-24 août, 20 déc.-4 janv., sam. midi et dim.
BV **e**
18 ch ⊇ – †78/98 € ††87/107 €
Rest – Menu (12 €), 15/25 € – Carte 25/39 €
♦ Une nouvelle équipe a repris cet hôtel où s'étaient succédées trois générations de la même famille. Chambres dans le style des années 1980 ou plus actuelles. Cuisine traditionnelle au restaurant.

Ibis
53 bd Ch. de Gaulle, (ZI Le Coteau - BV) – ℰ 04 77 68 36 22 – www.ibishotel.com – H0708@accor.com – Fax 04 77 71 24 99
74 ch – †57/75 € ††57/75 €, ⊇ 8,50 €
Rest – Menu 10/25 € – Carte 20/32 €
♦ Pratique pour l'étape, un hôtel mettant à votre disposition des chambres conformes au standard de la chaîne. Les dernières-nées sont plus spacieuses. Restaurant moderne égayé de couleurs vives, terrasse dressée face à la piscine.

XXX L'Auberge Costelloise (Christophe Souchon)
2 av. de la Libération – ℰ 04 77 68 12 71 – auberge-costelloise@wanadoo.fr – Fax 04 77 72 26 78 – Fermé 9 août-2 sept., 26 déc.-8 janv., dim. et lundi
DY **a**
Rest – Menu (22 €), 27/53 € – Carte 38/72 €
Spéc. Foie gras cuit au sel de Guérande et fraises au vinaigre. Bar rôti à l'infusion de coriandre fraîche et jarret de bœuf. Croustillant de fraises et crème à la vanille (mai à sept.). **Vins** Côte Roannaise, Vin de Pays d'Urfé.
♦ Au bord de la Loire, élégant restaurant contemporain exposant des tableaux et complété d'une minivéranda. Généreuse carte classique, régulièrement renouvelée.

X Ma Chaumière
3 r. St-Marc – ℰ 04 77 67 25 93 – www.machaumiere.fr – ma-chaumiere@wanadoo.fr – Fax 04 77 23 35 94 – Fermé dim. soir, mardi soir et lundi
BV **s**
Rest – Menu (15 € bc), 20/46 € – Carte 28/49 €
♦ Adresse toute simple qui mérite le détour pour son atmosphère sympathique, son hospitalité et ses petits plats traditionnels adroitement mitonnés.

à Commelle-Vernay 6 km au Sud par D 43 – 2 849 h. – alt. 340 m – ✉ 42120

Château de Bachelard sans rest
440 rte de Commelle – ℰ 04 77 71 93 67 – www.chateaubachelard.com – dhnoirard@chateaubachelard.com
5 ch ⊇ – †90 € ††100 €
♦ Au sein d'une propriété de 18 ha avec étang de pêche, superbe manoir où les hôtes se sentent d'emblée comme chez eux. Chambres personnalisées et accueil d'une grande gentillesse.

ROANNE

à Riorges 3 km à l'Ouest par D 31 - **AV** - 10 200 h. - alt. 295 m - ⊠ 42153

XXX Le Marcassin avec ch
rte de St-Alban-les-Eaux – ℰ 04 77 71 30 18 – *lemarcassin@wanadoo.fr*
– *Fax 04 77 23 11 22 – Fermé 17-31 août, vacances de fév., dim. soir et sam.*
9 ch – †55 € ††65 €, ⊇ 8 € – ½ P 72 €
Rest – Menu (18 € bc), 23 € bc (sem.)/55 € – Carte 42/56 €

• Cuisine traditionnelle servie dans une vaste salle à manger : tables rondes nappées de blanc, meubles cérusés. Terrasse d'été bénéficiant d'un ombrage naturel.

à Villerest 6 km par ③ – 4 243 h. – alt. 363 m – ⊠ 42300

🛈 Office de tourisme, plage du Plan d'Eau ℰ 04 77 69 67 21, Fax 04 77 69 67 22

🏠 Domaine de Champlong sans rest
1218 chemin de Champlong – ℰ 04 77 69 78 78 – *www.hotel-champlong.com*
– *hotel.champlong@wanadoo.fr – Fax 04 77 69 35 45*
23 ch – †67/88 € ††67/88 €, ⊇ 9 €

• Bâtiment récent bénéficiant du calme de la campagne, à deux pas d'un golf. Les chambres, spacieuses et actuelles, disposent de balcons ou de terrasses privatives.

XXX Château de Champlong avec ch
100 chemin de la Chapelle, (près du golf) –
ℰ 04 77 69 69 69 – *www.chateau-de-champlong.com* – *chateauchamplong@wanadoo.fr – Fax 04 77 69 71 08 – Fermé 1ᵉʳ fév.-12 mars, dim. soir, mardi midi et lundi*
12 ch – †85/145 € ††85/145 €, ⊇ 12 €
Rest – Menu (26 €), 36/90 € bc – Carte 50/60 €

• Belle demeure du 18ᵉ s. dans un parc. La "salle des peintures" vaut le coup d'œil : tableaux d'époque, joli parquet et grande cheminée. Élégants salons. Recettes originales. Chambres flambant neuves, créées au-dessus du restaurant.

ROBION – 84 Vaucluse – **332** D10 – 3 941 h. – alt. 140 m – ⊠ 84440   42 **E1**

▶ Paris 713 – Aix-en-Provence 69 – Avignon 31 – Marseille 82

🛈 Office de tourisme, Place Clément Gros ℰ 04 90 05 84 31, Fax 04 90 06 08 79

X L'Escanson
450 av. Aristide-Briand – ℰ 04 90 76 59 61 – *www.lescanson.fr – info@lescanson.fr – Fermé 2 janv.-2 fév., le midi en juil., merc. midi et mardi*
Rest – *(nombre de couverts limité, prévenir)* Menu (18 €), 25/37 € – Carte 36/44 €

• Tons pastel et fer forgé donnent un cachet provençal à la salle de ce petit restaurant. Fine cuisine traditionnelle relevée d'une pincée de créativité. Terrasse ombragée.

ROCAMADOUR – 46 Lot – **337** F3 – 633 h. – alt. 279 m – ⊠ 46500   29 **C1**
Périgord

▶ Paris 531 – Brive-la-Gaillarde 54 – Cahors 60 – Figeac 47 – St-Céré 31

🛈 Office de tourisme, L'Hospitalet ℰ 05 65 33 22 00, Fax 05 65 33 22 01

◉ Site★★★ - Remparts ※★★★ - Tapisseries★ dans l'hôtel de ville - Vierge noire★ dans la chapelle Notre-Dame - Musée d'Art sacré★ **M¹** - Musée du Jouet ancien automobile : voitures à pédales - L'Hospitalet ※★★ - Féerie du rail : maquette★ par ②.

Plan page ci-contre

au château

🏨 Château
rte du château – ℰ 05 65 33 62 22 – *www.hotelchateauderocamadour.com*
– *hotelchateaurocamadour@wanadoo.fr – Fax 05 65 33 69 00 – Ouvert 28 mars-12 nov.*   AZ **r**
58 ch – †66/88 € ††70/102 €, ⊇ 10 € – ½ P 70/87 €
Rest – Menu (15 €), 25/49 € – Carte 38/66 €

• Loin de l'agitation touristique, hôtel contemporain aux chambres spacieuses et fonctionnelles. Calme ambiant, piscine, tennis et jardin sont fort appréciés. Le restaurant, à 50 m, sert des plats régionaux ; décor actuel et terrasse sous les chênes truffiers.

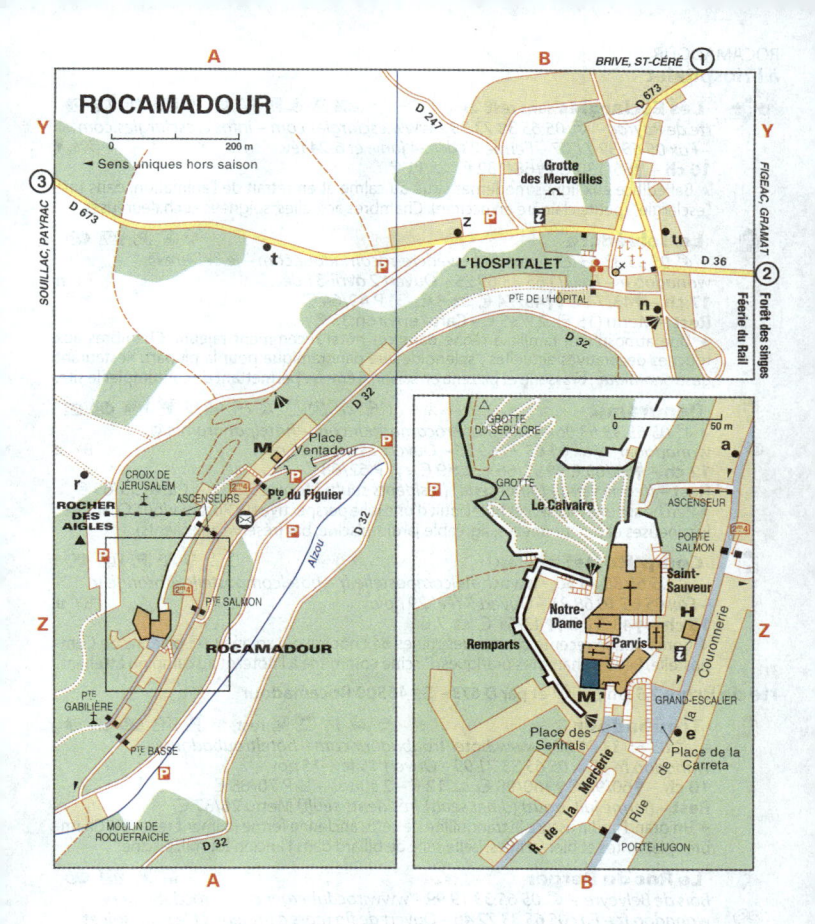

dans la cité

Beau Site ⊗   ≤ 😊 ⬚ AC ch, 🛏 "I" **P** 🚗 **VISA** **MC** **AE** ①
- ℘ 05 65 33 63 08 – www.bestwestern-beausite.com – info@bestwestern-beausite.com – Fax 05 65 33 65 23
- Ouvert 9 fév.-11 nov.

BZ **a**

38 ch – †42/93 € ††53/108 €, ⊇ 13 € – ½ P 71/82 €
Rest *Jehan de Valon* – Menu 18 € (déj.), 26/56 € – Carte 35/70 € 🍃

◆ Au cœur de la cité, maison du 15e s. hébergeant un joli hall d'inspiration médiévale et des chambres de caractère. À l'annexe, le décor est plus actuel. Au restaurant, plats traditionnels, vins du Sud-Ouest et du monde, et belle vue sur la vallée de l'Alzou.

Le Terminus des Pélerins ⊗   ≤ 🍴 "I" **VISA** **MC** **AE**
- ℘ 05 65 33 62 14 – www.terminus-des-pelerins.com – hotelterm.pelerinsroc@wanadoo.fr – Fax 05 65 33 72 10 – Ouvert 4 avril-1er nov.

BZ **e**

12 ch – †46/56 € ††51/69 €, ⊇ 8 € – ½ P 62/71 €
Rest – Menu 17/32 € – Carte 42/72 €

◆ Au pied de la falaise escarpée, petit hôtel familial à l'accueil chaleureux. Chambres nettes, bien équipées. De la terrasse, profitez du "spectacle" de la vallée. La salle à manger, aérée, invite à s'attabler autour de consistants plats du terroir.

ROCAMADOUR
à l'Hospitalet

Les Esclargies sans rest
rte de Payrac – ℰ 05 65 38 73 23 – www.esclargies.com – infos@esclargies.com – Fax 05 65 39 71 07 – *Fermé 23 déc.-4 janv. et 6-24 fév.* AY t
16 ch – †66/130 € ††68/132 €, ⊇ 11 €
♦ Bel édifice aux lignes modernes situé au calme et en retrait de l'animation, dans une "esclargie" (petite clairière en occitan). Chambres actuelles, soignées et chaleureuses.

Le Belvédère
– ℰ 05 65 33 63 25 – www.lebelvedere-rocamadour.com – le.belvere@wanadoo.fr – Fax 05 65 33 69 25 – *Ouvert 2 avril-31 déc.* BY n
17 ch – †43/74 € ††43/74 €, ⊇ 8 € – ½ P 49/64 €
Rest – Menu (15 €), 21/35 € – Carte environ 33 €
♦ Une atmosphère familiale règne dans cet hôtel récemment rajeuni. Chambres aux touches décoratives actuelles ; splendide vue panoramique pour la plupart. Restaurant gastronomique ; brasserie et pizzeria en saison. Terrasse permettant de contempler le site.

Panoramic
– ℰ 05 65 33 63 06 – www.hotelrocamadour.com – hotelpanoramic@wanadoo.fr – Fax 05 65 33 69 26 – *Ouvert 15 mars-15 nov.* BY z
12 ch – †55/65 € ††55/66 €, ⊇ 9 € – ½ P 62/68 €
Rest – *(fermé vend.) (dîner seult) (résidents seult)* Menu 19/37 € – Carte 35/65 €
♦ Perché sur une falaise, cet hôtel jouit d'une jolie perspective sur Rocamadour. Chambres lumineuses et fonctionnelles, agréable jardin-piscine, bar (réservé aux clients).

Comp'Hostel sans rest
– ℰ 05 65 33 73 50 – www.hotelcompostelle.fr – hotelcompostelle@orange.fr – Fax 05 65 10 68 21 – *Ouvert 7 fév.-29 nov.* BY u
15 ch – †43/51 € ††43/51 €, ⊇ 7 €
♦ Construction récente proche des ruines de l'hôpital qui soignait les pélerins de Compostelle. Petites chambres pratiques. Piscine commune à l'hôtel et au camping attenant.

rte de Brive 2,5 km par ① et par D 673 – ⊠ **46500 Rocamadour**

Troubadour
– ℰ 05 65 33 70 27 – www.hotel-troubadour.com – hoteltroubadour@wanadoo.fr – Fax 05 65 33 71 99 – *Ouvert 15 fév.-15 nov.*
10 ch – †60/98 € ††60/98 €, ⊇ 12 € – 2 suites – ½ P 70/85 €
Rest – *(fermé juil.-août) (dîner seult) (résidents seult)* Menu 26/37 €
♦ Un grand jardin assure la tranquillité de cette ancienne ferme joliment rénovée. Chambres plaisantes et bien tenues. Belle salle de billard dans l'ancien fournil, piscine.

Le Roc du Berger
Bois de Belveyre – ℰ 05 65 33 19 99 – www.rocduberger.com – rocduberger@wanadoo.fr – Fax 05 65 33 72 46 – *Ouvert de fin mars à fin sept. et le sam. soir et dim. midi en oct.*
Rest – Menu 13/27 € – Carte 19/57 €
♦ Terrasse sous les chênes truffiers, ambiance animée, service à la bonne franquette et, sur la table, des produits fermiers exclusivement régionaux et préparés au feu de bois.

à la Rhue 6 km par ① rte de Brive par D 673, D 840 et rte secondaire – ⊠ **46500 Rocamadour**

Domaine de la Rhue sans rest
– ℰ 05 65 33 71 50 – www.domainedelarhue.com – domainedelarhue@wanadoo.fr – Fax 05 65 33 72 48 – *Ouvert 11 avril-17 oct.*
14 ch – †75/145 € ††75/145 €, ⊇ 8,50 €
♦ Grandes chambres personnalisées aménagées dans d'élégantes écuries du 19e s. Superbe salon rustique doté d'une cheminée. L'été, petit-déjeuner en terrasse et piscine.

rte de Payrac 4 km par ③, D 673 et rte secondaire – ⊠ **46500 Rocamadour**

Les Vieilles Tours
– ℰ 05 65 33 68 01 – www.vieillestours-rocamadour.com – les.vieillestours@wanadoo.fr – Fax 05 65 33 68 59 – *Ouvert 29 mars-11 nov.*
16 ch – †73/160 € ††73/160 €, ⊇ 12 €   **Rest** – *(dîner seult)* Menu 25/39 €
♦ Accueil avenant, quiétude et ambiance campagnarde raffinée en cet ex-relais de chasse dont le fauconnier (13e s.) abrite la plus belle chambre. Parc avec vue sur la vallée. Régalez-vous dans la salle "rustique-cosy" ou sur la jolie terrasse. Cuisine du moment.

ROCBARON – 83 Var – **340** L6 – 3 180 h. – alt. 376 m – ✉ 83136 — 41 **C3**

▶ Paris 832 – Marseille 79 – Toulon 35 – La Seyne-sur-Mer 43 – Hyères 36

La Maison de Rocbaron
3 r. St-Sauveur, (face à la mairie) – ✆ 04 94 04 24 03
– www.maisonderocbaron.com – contact@maisonderocbaron.com
– *Ouvert 1ᵉʳ mars-15 nov.*
5 ch – †78/108 € ††78/108 €   **Table d'hôte** – Menu 35 €
◆ Atmosphère chaleureuse dans cette maison familiale (ex-bergerie) entourée de verdure. Chambres personnalisées ; piscine et calme jardin. Honneur au terroir à la table d'hôtes.

LA ROCHE-BERNARD – 56 Morbihan – **308** R9 – 796 h. – alt. 38 m — 10 **C3**
– ✉ 56130 ▌Bretagne

▶ Paris 444 – Nantes 70 – Ploërmel 55 – Redon 28 – St-Nazaire 37 – Vannes 42

🛈 Office de tourisme, 14, rue du Docteur Cornudet ✆ 02 99 90 67 98, Fax 02 99 90 67 99

🏌 de la Bretesche à Missillac Domaine de la Bretesche, SE : 11 km, ✆ 02 51 76 86 86

◉ Pont du Morbihan★.

Le Manoir du Rodoir
rte de Nantes – ✆ 02 99 90 82 68 – www.lemanoirdurodoir.com
– lemanoirdurodoir@wanadoo.fr – Fax 02 99 90 76 22 – *Fermé 15 janv.-1ᵉʳ mars*
24 ch – †85/130 € ††85/130 €, ⊇ 13 €
Rest – *(fermé le midi juil.-août, sam. midi, lundi midi et dim.)*
Menu (19 €), 20 € (déj.)/39 € – Carte 30/50 €
◆ Un parc de 2 ha entoure cette ex-fonderie qui abrite des chambres spacieuses et confortables, mansardées au 2ᵉ étage. La courte carte propose une cuisine fusionnant produits et recettes de France, d'Asie, d'Europe méditerranéenne et d'Amérique du Sud. Cadre rustique.

XXX L'Auberge Bretonne (Jacques Thorel) avec ch
2 pl. Duguesclin – ✆ 02 99 90 60 28 – www.auberge-bretonne.com
– aubbretonne@relaischateaux.com – Fax 02 99 90 85 00 – *Fermé 15 nov.-15 janv. sauf hôtel et sauf fêtes*
11 ch – †100/280 € ††100/280 €, ⊇ 17 € – ½ P 200/265 €
Rest – *(fermé lundi midi, mardi midi, vend. midi et jeudi)* Menu 35 € (sem.), 95/137 € 🕸
Spéc. Truffe de Saint-Jacques et bouillon d'asperge (oct. à mars). Homard de nos côtes, pommes confites. Les délices de Solange.
◆ Trois maisons bretonnes fleuries abritant un élégant restaurant aménagé dans une galerie entourant un potager. Cuisine "terre et mer" ; carte de vins aux références étonnantes.

ROCHECHOUART – 87 Haute-Vienne – **325** B6 – 3 808 h. – alt. 260 m — 24 **A2**
– ✉ 87600 ▌Limousin Berry

▶ Paris 433 – Limoges 43 – Saint-Junien 12 – Panazol 50 – Isle 44

🛈 Office de tourisme, 6, rue Victor Hugo ✆ 05 55 03 72 73

De France
7 pl. O-Marquet – ✆ 05 55 03 77 40 – www.hoteldefrance-rochechouart.fr
– contact@hoteldefrance-rochechouart.fr – Fax 05 55 03 03 87 – *Fermé 1ᵉʳ-7 janv. et dim. soir*
14 ch – †38/45 € ††45/55 €, ⊇ 8 €
Rest – Menu 13/34 € – Carte 24/47 €
◆ Cette auberge familiale du centre-ville a bénéficié d'une cure de jouvence et propose des chambres simples, propres et fonctionnelles, de style décoratif actuel. En cuisine, le patron concocte des recettes aux accents de la région. Salle à manger néo-rustique.

ROCHECORBON – 37 Indre-et-Loire – **317** N4 – rattaché à Tours

ROCHEFORT – 17 Charente-Maritime – 324 E4 – 26 300 h. — 38 B2
– alt. 12 m – Stat. therm. : mi mars-début déc. – ✉ 17300

Poitou Vendée Charentes

- Paris 475 – Limoges 221 – Niort 62 – La Rochelle 38 – Royan 40 – Saintes 44

Accès Pont de Martrou : passage gratuit.

- Office de tourisme, avenue Sadi-Carnot ℰ 05 46 99 08 60, Fax 05 46 99 52 64
- du pays Rochefortais à Saint-Laurent-de-la-Prée 1608 route Impériale, NO : 7 km par D 137, ℰ 05 46 84 56 36
- Quartier de l'Arsenal ★ - Corderie royale ★★ - Maison de Pierre Loti ★ AZ - Musée d'Art et d'Histoire ★ AZ M² - Les Métiers de Mercure ★ (musée) BZ D.

Plan page ci-contre

La Corderie Royale
r. Audebert, (près de la Corderie Royale) –
ℰ 05 46 99 35 35 – www.corderieroyale.com
– corderie.royale@wanadoo.fr – Fax 05 46 99 78 72 – Fermé 18 déc.-20 janv. et dim. soir de nov. à mars BY h
42 ch – ♦80/175 € ♦♦80/175 €, ⊇ 11 € – 3 suites – ½ P 79/158 €
Rest – (fermé sam. midi, dim. soir et lundi de nov. à mars)
Menu (30 €), 36/66 € – Carte 47/84 €
♦ Une étape chargée d'histoire : dans les murs de l'ex-artillerie royale (17e s.), au bord de la Charente et du port, profitez de grandes chambres actuelles, très tranquilles. La salle à manger-véranda et la terrasse regardent la rivière ; cuisine au goût du jour.

Les Remparts
43 av. C. Pelletan, (aux Thermes) – ℰ 05 46 87 12 44 – www.hotelrempart.com
– hotel.remparts.rochefort@eurothermes.com – Fax 05 46 83 92 62
– Fermé 5-18 janv. BY s
73 ch – ♦52/65 € ♦♦54/67 €, ⊇ 7 € – ½ P 51/58 €
Rest – Menu (14 €), 18/23 € – Carte 25/35 €
♦ Cette construction des années 1980 régulièrement rafraîchie bénéficie d'un accès direct aux thermes et à la source de l'Empereur. Les chambres sont grandes et fonctionnelles. Vaste salle de restaurant modernisée ouvrant sur une terrasse ; recettes traditionnelles.

Roca Fortis sans rest
14 r. de la République – ℰ 05 46 99 26 32 – www.hotel-rocafortis.com
– hotel-rocafortis@wanadoo.fr – Fax 05 46 99 26 62 – Fermé janv. BY t
16 ch – ♦44/49 € ♦♦53/62 €, ⊇ 6 €
♦ Deux maisons régionales autour d'une cour-terrasse où l'on petit-déjeune en été. Intérieur joliment rénové (mobilier chiné, tons actuels) ; chambres très calmes sur l'arrière.

Palmier sur Cour sans rest
55 r. de la République – ℰ 05 46 99 55 54 – www.palmiersurcour.com
– palmiersurcour@wanadoo.fr – Fermé 20 déc.-12 fév. BY u
3 ch ⊇ – ♦57/63 € ♦♦62/69 €
♦ Les hôtes n'hésitent pas à revenir dans cette demeure du 19e s., emballés par le calme et le raffinement des chambres, les goûteux petits-déjeuners et l'accueil attentif.

Le Tourne-Broche
56 av. Ch. de Gaulle – ℰ 05 46 87 14 32 – letournebroche@free.fr – Fermé 15 déc.-6 janv., dim. soir, lundi et mardi AZ e
Rest – Menu 28/42 € – Carte 52/70 €
♦ Au sein d'une maison édifiée pour les officiers de Colbert, restaurant familial sachant valoriser son cadre authentique : cheminée, tournebroche et tables joliment dressées.

par ② 3 km rte de Royan avant pont de Martrou – ✉ 17300 Rochefort

La Belle Poule
102 av. du 11 nov. 1918 – ℰ 05 46 99 71 87 – www.hotel-labellepoule.com
– belle-poule@wanadoo.fr – Fax 05 46 83 99 77 – Fermé 1er-22 nov. et 1er-5 janv.
21 ch – ♦55/64 € ♦♦61/73 €, ⊇ 8,50 € – ½ P 55/60 €
Rest – (fermé vend. et dim. sauf juil.-août) Menu (20 € bc), 26/43 € – Carte 45/60 €
♦ À proximité du pont transbordeur de Martrou, bâtisse des années 1980 entourée d'un jardin. Chambres confortables et bien tenues. De belles maquettes navales rehaussent le décor champêtre du restaurant et s'accordent avec sa cuisine du large.

ROCHEFORT

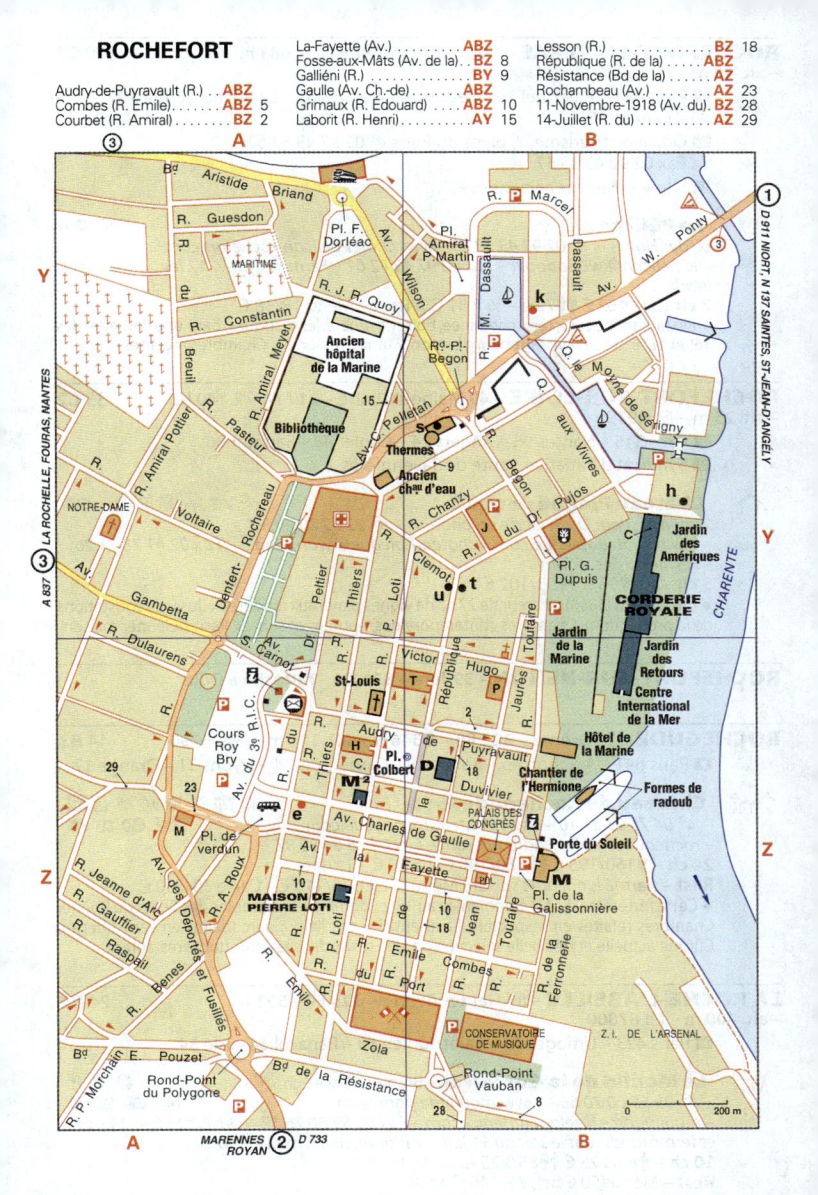

Audry-de-Puyravault (R.)	**ABZ**
Combes (R. Emile)	**ABZ** 5
Courbet (R. Amiral)	**BZ** 2
La-Fayette (Av.)	**ABZ**
Fosse-aux-Mâts (Av. de la)	**BZ** 8
Galliéni (R.)	**BY** 9
Gaulle (Av. Ch.-de)	**ABZ**
Grimaux (R. Édouard)	**ABZ** 10
Laborit (R. Henri)	**AY** 15
Lesson (R.)	**BZ** 18
République (R. de la)	**ABZ**
Résistance (Bd de la)	**AZ**
Rochambeau (Av.)	**AZ** 23
11-Novembre-1918 (Av. du)	**BZ** 28
14-Juillet (R. du)	**AZ** 29

Nous essayons d'être le plus exact possible dans les prix que nous indiquons.
Mais tout bouge !
Lors de votre réservation, pensez à vous faire préciser le prix du moment.

ROCHEFORT-EN-TERRE – 56 Morbihan – 308 Q8 – 683 h. — 10 C2
– alt. 40 m – ⊠ 56220 ■ Bretagne

▶ Paris 431 – Ploërmel 34 – Redon 26 – Rennes 82 – La Roche-Bernard 27 – Vannes 36

🛈 Office de tourisme, 7, place du Puits ☏ 02 97 43 33 57, Fax 02 97 43 33 57

◉ Site★ – Maisons anciennes★.

Le Pélican avec ch
pl. des Halles – ☏ *02 97 43 38 48* – *www.hotel-pelican-rochefort.com*
– *le.pelican@wanadoo.fr – Fax 02 97 43 42 01 – Fermé 26 janv.-17 fév., dim. soir et lundi*
7 ch ⊇ – †62 € ††72 € – ½ P 51 €   **Rest** – Menu 18/38 €

◆ Restaurant de caractère (cheminée, boiseries, meubles rustiques) dans une demeure des 16ᵉ et 18ᵉ s. de ce ravissant bourg breton. Cuisine régionale. Chambres récentes.

ROCHEFORT-SUR-LOIRE – 49 Maine-et-Loire – 317 F4 – 2 140 h. — 35 C2
– alt. 25 m – ⊠ 49190

▶ Paris 315 – Nantes 95 – Angers 24 – Cholet 48 – Saumur 86

🛈 Syndicat d'initiative, route de Savennières

Château Pieguë sans rest
2 km à l'Est par D 751 et rte secondaire – ☏ *09 63 20 20 39*
– *www.chateaupiegue.com – chateau-piegue@wanadoo.fr – Fax 02 41 78 71 26*
– *Fermé 15 déc.-5 janv.*
5 ch ⊇ – †93 € ††93/102 €

◆ Ce château (1840) au cœur de 27 ha de vignes plaira aux amoureux du vin (dégustations de la production). Chambres contemporaines, épurées et sobres. Petit-déjeuner maison.

ROCHEFORT-SUR-NENON – 39 Jura – 321 D4 – rattaché à Dôle

ROCHEGUDE – 26 Drôme – 332 B8 – 1 346 h. – alt. 121 m – ⊠ 26790 — 44 B3

▶ Paris 641 – Avignon 46 – Bollène 8 – Carpentras 34 – Nyons 31 – Orange 17

Château de Rochegude
– ☏ *04 75 97 21 10 – www.chateaurochegude.com*
– *rochegude@relaischateaux.com – Fax 04 75 04 89 87*
24 ch – †160/195 € ††160/195 €, ⊇ 20 € – 1 suite
Rest – *(fermé lundi hors saison)* Menu (22 €), 35/115 € – Carte 35/200 €

◆ Cette forteresse du 11ᵉ s., remaniée au 18ᵉ s., domine les vignobles des Côtes du Rhône. Chambres refaites en respectant l'authenticité des lieux ; parc (daims en semi-liberté). Cuisine actuelle et très belle sélection de vins servis dans le confortable restaurant.

LA ROCHE-L'ABEILLE – 87 Haute-Vienne – 325 E7 – 591 h. — 24 B2
– alt. 400 m – ⊠ 87800

▶ Paris 423 – Limoges 34 – Saint-Junien 63 – Panazol 34 – Isle 34

Le Moulin de la Gorce (Pierre Bertranet) avec ch
– ☏ *05 55 00 70 66 – www.moulindelagorce.com*
– *moulingorce@relaischateaux.com – Fax 05 55 00 76 57 – Ouvert 13 fév.-14 nov. et fermé lundi sauf le soir du 11 juil. à mi-août, merc. midi et mardi*
10 ch – †85/225 € ††85/225 €, ⊇ 18 €
Rest – Menu (50 € bc), 75/145 € bc

Spéc. Œufs brouillés aux truffes, mouillettes de pain brioché. Carré de veau fermier du Limousin "élevé sous la mère". Puits d'amour aux framboises de Juillac (mai à oct.). **Vins** Bergerac.

◆ Joli moulin du 16ᵉ s. et ses dépendances en bordure d'étang, dans un agréable parc champêtre. Intérieur de caractère et belle cuisine classique. Chambres personnalisées.

ROCHE-LEZ-BEAUPRÉ – 25 Doubs – 321 G3 – rattaché à Besançon

LA ROCHELLE ℙ – 17 Charente-Maritime – **324** D3 – 77 300 h. – 38 **A2**
Agglo. 116 157 h. – alt. 1 m – Casino AX – ✉ 17000
▌Poitou Vendée Charentes

▶ Paris 472 – Angoulême 150 – Bordeaux 183 – Nantes 141 – Niort 65

Accès à l'Île de Ré par le pont par ③. **Péage** en 2007 : auto (AR) 16,50 (saison) 9,00 (hors saison), auto et caravane 27,00 (saison), 15,00 (hors saison), camion 18,00 à 45,00, moto 2,00, gratuit pour piétons et vélos. Renseignements par Régie d'Exploitation des Ponts : ℘ 05 46 00 51 10, Fax 05 46 43 04 71.

🛫 de la Rochelle-Île-de-Ré : ℘ 05 46 42 30 26, NO : 4,5 km AV.

🛈 Office de tourisme, Le Gabut ℘ 05 46 41 14 68, Fax 05 46 41 99 85

⛳ de La Prée La Rochelle à Marsilly, N : 11 km par D 105, ℘ 05 46 01 24 42

◉ Vieux Port★★ : tour St-Nicolas★, ※★★ de la tour de la Lanterne★ - Le quartier ancien★★ : hôtel de ville★ Z H, Hôtel de la Bourse★ Z C, Porte de la Grosse Horloge★ Z N, Grande-rue des Merciers★ - Maison Henry II★, arcades★ de la rue du Minage, rue Chaudrier★, rue du Palais★, rue de l'Escale★ - Aquarium★ CDZ - Musées : Nouveau Monde★ CDMY M⁷, Beaux-Arts★ CDY M² - d'Orbigny-Bernon★ (histoire rochelaise et céramique) Y M⁸, Automates★ (place de Montmartre★★) Z M¹, maritime★ : Neptunéa C M⁵ - Muséum d'Histoire naturelle★★ Y.

Plans pages suivantes

🏨 Champlain-France Angleterre sans rest
30 r. Rambaud – ℘ 05 46 41 23 99
– www.hotelchamplain.com – larochelle@hotelchamplain.com
– Fax 05 46 41 15 19   CY b
36 ch – †92/125 € ††110/125 €, ⊇ 12 € – 4 suites

♦ Cet ancien hôtel particulier est doté d'un bien agréable et romantique jardin. Bel escalier central menant à des chambres spacieuses et garnies de meubles de style.

🏨 Résidence de France
43 r. Minage – ℘ 05 46 28 06 00 – www.hotel-larochelle.com – info@
hotel-larochelle.com – Fax 05 46 28 06 03   DY x
5 ch – †110/170 € ††110/170 €, ⊇ 15 € – 11 suites – ††150/400 €
Rest – (fermé dim. et lundi) (dîner seult) Menu 25 € – Carte environ 30 €

♦ Un bel édifice du 16ᵉ s. abrite cet établissement (intégré à une résidence hôtelière). Décoration soignée, espace et sérénité. Expositions d'œuvres d'artistes locaux. Mobilier d'inspiration 18ᵉ s. dans la salle de restaurant ouverte sur un patio-terrasse.

🏨 Masqhôtel sans rest
17 r. Ouvrage à Cornes – ℘ 05 46 41 83 83 – www.masqhotel.com – info@
masqhotel.com – Fax 05 46 07 04 43   DZ t
76 ch – †108/168 € ††108/168 €, ⊇ 14 €

♦ Des toiles contemporaines indonésiennes ponctuent les murs de ce nouvel hôtel situé dans une rue calme voisine de la gare. Mobilier design, ambiance minimaliste chic et high-tech.

🏨 Novotel ⌂
av. Porte Neuve – ℘ 05 46 34 24 24 – www.novotel.com – h0965@accor.com
– Fax 05 46 34 58 32   CY t
94 ch – †115/150 € ††130/170 €, ⊇ 14 €
Rest – (fermé sam. et dim. hors saison)
Menu (17 €), 22 € (déj. en sem.) – Carte 20/40 €

♦ Rénovation complète et réussie pour cet imposant immeuble en verre entouré d'un parc : chambres contemporaines et zen, pourvues d'équipements dernier cri. Salle à manger largement ouverte sur la piscine (plats traditionnels) et petite restauration non-stop au bar.

🏨 De la Monnaie sans rest ⌂
3 r. Monnaie – ℘ 05 46 50 65 65 – www.hotel-monnaie.com – info@
hotel-monnaie.com – Fax 05 46 50 63 19   CZ z
31 ch – †85/98 € ††108/124 €, ⊇ 13 € – 4 suites

♦ Près de la tour de la Lanterne, hôtel particulier du 17ᵉ s. Chambres de bonne ampleur, tournées sur la jolie cour intérieure pavée où l'on petit-déjeune aux beaux jours.

LA ROCHELLE

Briand (Av. Aristide) . . . . **AV** 13	Fétily (Av. de) . . . . **BV** 47	République (Bd de la) . . . . . **BX** 90
Cognehors (Bd de) . . . . **BV** 23	Joffre (Bd du Mar.) . . . . **BV** 61	Robinet (Av. L.) . . . . **BV** 92
Coligny (Av.) . . . . **AVX** 25	Juin (Av. Mar.) . . . . **AV** 62	Saintonge (R. A.-de) . . . . . . **AV** 103
Crépeau (Av. Michel) . . . . **ABX** 29	Lysiack (Av. Cdt.) . . . . **BX** 63	Salengro (Av. Roger) . . . . . . **BX** 106
Denfert-Rochereau (Av.) . . **AV** 33	Mail (Allées du) . . . . **AX** 64	Sartre (Av. Jean-Paul) . . . . . **BX** 109
	Marillac (Av.) . . . . **AX** 65	8-Mai-1945 (Av. du) . . . . . . **BV** 118
	Moulin (Av. Jean) . . . . **BX** 74	11-Novembre-1918 (Av. du) . . . . **BV** 121

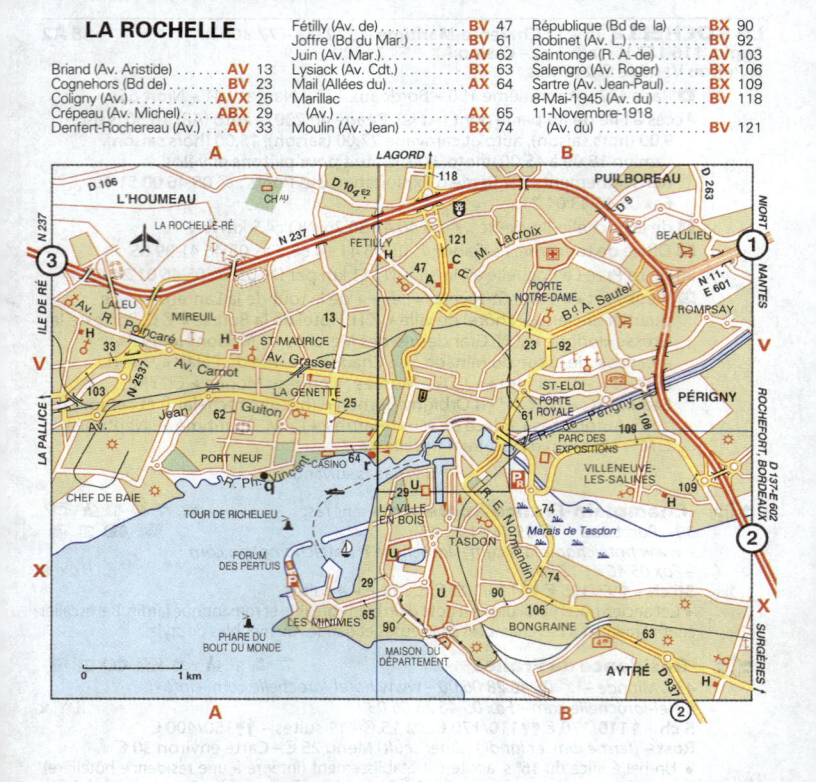

🏨 Les Brises sans rest

r. P. Vincent, (chemin de la digue Richelieu) – ℰ 05 46 43 89 37
– www.hotellesbrises.com – infos@hotellesbrises.com
– Fax 05 46 43 27 97

AX q

48 ch – †68/128 € ††86/128 €, ⊇ 11 € – 2 suites

♦ La terrasse au bord de la mer – on y petit-déjeune l'été – et la vue sur le port valent, à elles seules, une visite. Chambres relookées ; préférez celles côté océan (balcons).

🏨 Mercure Océanide

quai L. Prunier – ℰ 05 46 50 61 50 – www.mercure.com – h0569@accor.com
– Fax 05 46 41 24 31

DZ e

123 ch – †116/140 € ††136/156 €, ⊇ 14 € – ½ P 98/108 €
Rest – (fermé sam. et dim. du 14 nov. au 22 fév.)
Menu (17 €), 23/55 € bc – Carte 25/42 €

♦ Lifting complet pour cet hôtel jouxtant l'Aquarium et le musée maritime Neptunéa. Chambres pratiques et actuelles, et belle structure pour séminaires. Entièrement non-fumeurs. Au restaurant, vue sur le port, décor d'esprit brasserie et carte traditionnelle.

🏨 Trianon et de la Plage

6 r. Monnaie – ℰ 05 46 41 21 35 – www.hoteltrianon.com – trianonlarochelle@wanadoo.fr – Fax 05 46 41 95 78 – Fermé 18 déc.-1er fév.

CZ b

25 ch – †72/85 € ††76/110 €, ⊇ 9 € – ½ P 76/89 €
Rest – (fermé sam. midi et dim. du 15 oct. au 15 mars)
Menu 20/35 € – Carte 21/62 €

♦ Cet hôtel particulier du 19e s. au confort bourgeois est dans la même famille depuis 1920. Salle des petits-déjeuners façon jardin d'hiver. Chambres plus calmes sur l'arrière. Atmosphère feutrée dans la salle de restaurant ; cuisine traditionnelle.

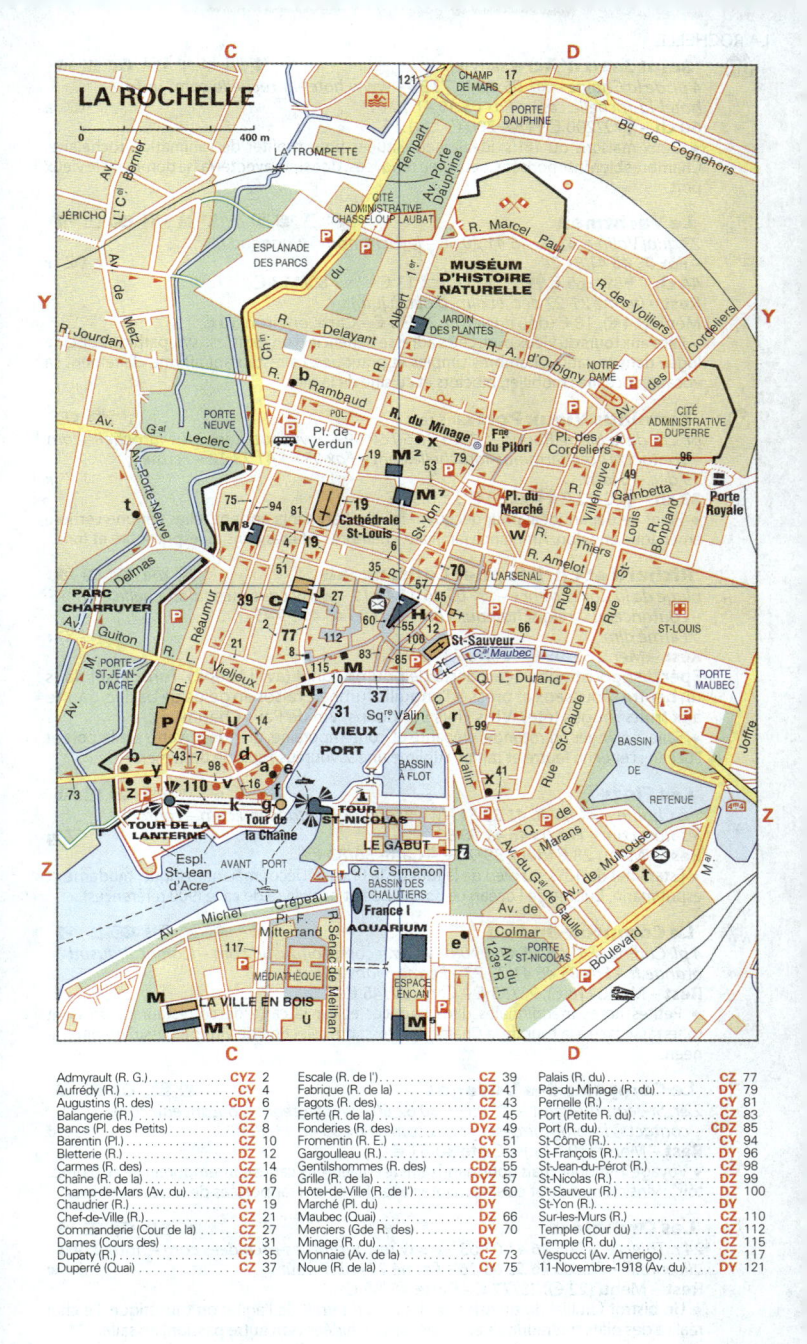

LA ROCHELLE

Admyrault (R. G.)	CYZ	2
Aufrédy (R.)	CY	4
Augustins (R. des)	CDY	6
Balangerie (R.)	CZ	7
Bancs (Pl. des Petits)	CZ	8
Barentin (Pl.)	CZ	10
Bletterie (R.)	DZ	12
Carmes (R. des)	CZ	14
Chaîne (R. de la)	CZ	16
Champ-de-Mars (Av. du)	DY	17
Chaudrier (R.)	CY	19
Chef-de-Ville (R.)	CZ	21
Commanderie (Cour de la)	CZ	27
Dames (Cours des)	CZ	31
Dupaty (R.)	CY	35
Duperré (Quai)	CZ	37
Escale (R. de l')	CZ	39
Fabrique (R. de la)	DZ	41
Fagots (R. des)	CZ	43
Ferté (R. de la)	DZ	45
Fonderies (R. des)	DYZ	49
Fromentin (R. E.)	CY	51
Gargoulleau (R.)	DY	53
Gentilshommes (R. des)	CDZ	55
Grille (R. de la)	DYZ	57
Hôtel-de-Ville (R. de l')	CDZ	60
Marché (Pl. du)	DY	
Maubec (Quai)	DZ	66
Merciers (Gde R. des)	DY	70
Minage (R. du)	DY	
Monnaie (Av. de la)	CZ	73
Noue (R. de la)	CY	75
Palais (R. du)	CZ	77
Pas-du-Minage (R. du)	DY	79
Pernelle (R.)	CY	81
Port (Petite R. du)	CZ	83
Port (R. du)	CDZ	85
St-Côme (R.)	CY	94
St-François (R.)	DY	96
St-Jean-du-Pérot (R.)	CZ	98
St-Nicolas (R.)	DZ	99
St-Sauveur (R.)	DZ	100
St-Yon (R.)	DY	
Sur-les-Murs (R.)	CZ	110
Temple (Cour du)	CZ	112
Temple (R. du)	CZ	115
Vespucci (Av. Amerigo)	CZ	117
11-Novembre-1918 (Av. du)	DY	121

1573

LA ROCHELLE

Saint Jean d'Acre sans rest
4 pl. de la Chaîne – ℰ 05 46 41 73 33 – www.hotel-la-rochelle.com – info@hotel-la-rochelle.com – Fax 05 46 41 10 01   CZ **a**
60 ch – †72/200 € ††87/200 €, ⊇ 12 €
♦ Deux maisons du 18ᵉ s. idéalement situées pour profiter de l'animation rochelaise. Chambres bien insonorisées, peu à peu rénovées. Une suite avec terrasse dominant le vieux port.

Le Yachtman
23 quai Valin – ℰ 05 46 41 20 68 – leyachtman@wanadoo.fr – Fax 05 46 41 81 24   DZ **r**
44 ch – †89/165 € ††99/165 €, ⊇ 13 € – ½ P 80/113 €
Rest – (*fermé 21-27 déc. et dim. d'oct. à juin*)
Menu (14 €), 18 € (déj. en sem.), 24/30 € – Carte environ 30 €
♦ Face aux tours du vieux port, cette adresse bénéficie d'un "plus" : sa sympathique piscine logée dans le patio. Chambres simples et pratiques. Le restaurant affirme clairement sa vocation océane : mobilier, bibelots et cuisine de la mer.

Terminus Vieux Port sans rest
pl. Cdt de la Motte Rouge – ℰ 05 46 50 69 69 – www.hotelterminus-larochelle.com – contact@hotelterminus-larochelle.com – Fax 05 46 41 73 12 – *Fermé 19 déc.-10 janv.*   DZ **x**
33 ch – †60/72 € ††60/83 €, ⊇ 6,50 €
♦ Point de départ idéal pour découvrir la ville, bâtiments anciens reliés par une verrière aménagée en salon. Ambiance familiale, chambres refaites dans un esprit sobre et frais.

XXXX Richard et Christopher Coutanceau
ඝඝ
plage de la Concurrence – ℰ 05 46 41 48 19 – www.coutanceaularochelle.com – coutanceau@relaischateaux.com – Fax 05 46 41 99 45 – *Fermé dim.*   AX **r**
Rest – Menu 52/95 € – Carte 73/129 €
Spéc. Langoustines en carpaccio de poulpe confit (avril à sept.). Turbot cuit dans un beurre mousseux et pressé d'anguille fumée. Fraises en gelée de basilic, gaufre aux fruits rouges (été). **Vins** Fiefs Vendéens, Vin de Pays Charentais.
♦ Salle à manger en rotonde, élégante et contemporaine, grande ouverte sur le port et l'océan : cet écrin feutré et raffiné sublime une savoureuse cuisine de la mer.

XX Les Flots
1 r. Chaîne – ℰ 05 46 41 32 51 – www.gregorycoutanceau.com – contact@les-flots.com – Fax 05 46 41 90 80   CZ **g**
Rest – Menu 28 € (déj.), 39/76 € – Carte 56/83 €
♦ Estaminet du 18ᵉ s. au pied de la tour de la Chaîne. Décor mêlant rustique, moderne et esprit marin. Cuisine de l'océan personnalisée et beau livre de cave (900 références).

XX Le Comptoir du Sud
4 pl. Chaîne – ℰ 05 46 41 06 08 – www.lecomptoirdusud.com – lcomptoirdusud@orange.fr – Fax 05 46 41 79 77 – *Fermé 5 janv.-5 fév.*   CZ **e**
Rest – Menu (18 €), 21/33 € – Carte 37/45 €
♦ Petites notes méridionales dans le décor et sur la carte de ce restaurant dressant sa terrasse face à la tour de la Chaîne. Intéressante sélection de vins du bassin méditerranéen.

XX Le Comptoir des Voyages
22 r. St-Jean-du-Pérot – ℰ 05 46 50 62 60 – www.gregorycoutanceau.com – contact@lecomptoirdesvoyages.com – Fax 05 46 41 90 80   CZ **d**
Rest – Menu (19 € bc) – Carte 30/51 €
♦ Voyage immobile mais gourmand dans le chaleureux cadre contemporain de ce "comptoir" : vins du monde et cuisine mijotée avec les épices rapportées de terres lointaines.

X Les Orchidées
24 r. Thiers – ℰ 05 46 41 07 63 – www.restaurant-les-orchidees.com – hottlet_y@alicepro.fr – Fax 05 46 50 05 16 – *Fermé 27 juil.-7 août*   DY **w**
Rest – Menu (22 €), 28/77 € – Carte 45/85 €
♦ Un bistrot familial du quartier des halles, en retrait de l'agitation touristique. Le chef réalise des plats traditionnels et expose ses orchidées (son autre passion) en salle.

LA ROCHELLE

André
pl. Chaîne – ✆ 05 46 41 28 24 – www.bar-andre.com – barandre@blanc.net
– Fax 05 46 41 64 22 CZ **f**
Rest – Menu (25 €), 33/37 € – Carte 40/50 €
◆ Cette institution locale a changé de mains mais reste fidèle à sa réputation de table dédiée à la mer. Dix salles au décor nautique très affirmé (objets insolites).

Le Champêtre
22 r. Verdière – ✆ 05 46 41 12 17 – Fermé 26 oct.-1er nov., lundi hors saison et dim.
Rest – Menu (23 €), 33/43 € – Carte 45/52 € CZ **u**
◆ Proche du port mais à l'écart des touristes, ce petit restaurant compte deux salles, l'une rustique, l'autre, à l'étage, actuelle et colorée. Cuisine au goût du jour soignée.

L'Entracte
35 r. St-Jean-du-Pérot – ✆ 05 46 52 26 69 – www.gregorycoutanceau.com
– contact@lentracte.net – Fax 05 46 41 90 80 CZ **v**
Rest – Menu 21 € bc – Carte 30/51 €
◆ Cette enseigne Coutanceau offre une ambiance de bistrot contemporain néanmoins empreint de nostalgie (boiseries, appliques en laiton, affiches anciennes). Plats d'aujourd'hui.

à Aytré 5 km par ② – 8 687 h. – ⌧ 17440

La Maison des Mouettes
1 r. Claires, (1er étage) – ✆ 05 46 44 29 12 – www.lamaisondesmouettes.fr
– reservation-mouettes@orange.fr – Fax 05 46 34 66 01
Rest – Menu 36/78 € – Carte 65/101 €
Rest *Version Original* – Menu 22 €
◆ Cette grande villa de bord de mer abrite au 1er étage une confortable salle à manger, moderne et soignée, qui ménage un superbe panorama. Cuisine au goût du jour. Ambiance lounge, décor tendance, carte simple et appétissante au Version Original.

> Un hôtel charmant pour un séjour très agréable ?
> Réservez dans un hôtel avec pavillon rouge : 🏠 … 🏨.

LA ROCHE-POSAY – 86 Vienne – 322 K4 – 1 522 h. – alt. 112 m 39 **D1**
– Stat. therm. : fin janv.-mi déc. – Casino – ⌧ 86270
■ **Poitou Vendée Charentes**

▶ Paris 325 – Le Blanc 29 – Châteauroux 76 – Loches 49 – Poitiers 61 – Tours 92
🛈 Office de tourisme, 14, boulevard Victor Hugo ✆ 05 49 19 13 00,
Fax 05 49 86 27 94
⛳ du Connetable Parc Thermal, S : 2 km par D 3, ✆ 05 49 86 25 10

Les Loges du Parc sans rest
10 pl. de la République – ✆ 05 49 19 40 50 – www.la-roche-posay.info – loges@la-roche-posay.info – Fax 05 49 19 40 51 – Ouvert 10 avril-11 oct.
44 ch – †84/106 € ††102/127 €, ⌑ 10 € – 33 suites
◆ Vaste ensemble Belle Époque proposant une prestation hôtelière classique ou des séjours en résidence. Deux belles suites sur les thèmes du jazz et de l'Égypte ; nombreux loisirs.

St-Roch
4 cours Pasteur – ✆ 05 49 19 49 00 – www.resorthotel-larocheposay.fr
– contact@la-roche-posay.info – Fax 05 49 19 49 40 – Fermé 14 déc.-15 janv.
37 ch – †49/78 € ††67/94 €, ⌑ 8,50 € – ½ P 60/73 €
Rest – Menu (22 €), 28/36 € – Carte 35/57 €
◆ Les curistes apprécient cet établissement central pour son accès direct aux thermes Saint-Roch. Chambres fonctionnelles ; certaines regardent le jardin. Cuisine traditionnelle servie dans une salle fraîche et lumineuse, disposant d'un coin jeux pour enfants.

LE ROCHER – 07 Ardèche – 331 H6 – rattaché à Largentière

ROCHESERVIÈRE – 85 Vendée – 316 G6 – 2 691 h. – alt. 58 m — 34 B3
– ⊠ 85620

- Paris 415 – La Roche-sur-Yon 34 – Nantes 34 – Saint-Herblain 42
- Office de tourisme, 21, rue du Péplu ℰ 02 51 94 94 05, Fax 02 51 94 94 28

Le Château du Pavillon sans rest
r. Gué-Baron, – ℰ 02 51 06 55 99 – www.le-chateau-du-pavillon.com
– annie.gilbert.rio@orange.fr – Fax 02 51 06 55 99 – Ouvert 30 avril-15 sept.
4 ch – †80/120 € ††80/120 €, ⊋ 8,50 €

◆ Charme, élégance et confort se conjuguent en ce château de 1885, dressé au sein d'un parc avec étang. Chambres romantiques à souhait et nursery pour les enfants de moins de 10 ans.

ROCHESAUVE – 07 Ardèche – 331 J5 – rattaché à Privas

LA ROCHE-SUR-FORON – 74 Haute-Savoie – 328 K4 – 8 538 h. — 46 F1
– alt. 548 m – ⊠ 74800 ▮ Alpes du Nord

- Paris 553 – Annecy 34 – Bonneville 8 – Genève 26 – Thonon-les-Bains 42
- Office de tourisme, place Andrevetan ℰ 04 50 03 36 68, Fax 04 50 03 31 38
- Vieille ville ★★.

Le Foron sans rest
imp. de l'Étang, (Z.I. du Dragiez), D 1203 – ℰ 04 50 25 82 76
– www.hotel-le-foron.com – lf7405@inter-hotel.com – Fax 04 50 25 81 54 – Fermé 22 déc.-4 janv. et dim.
26 ch – †55/57 € ††62/65 €, ⊋ 8 €

◆ Petit hôtel situé dans la zone industrielle de la Roche-sur-Foron, pour une étape avant tout pratique. Les chambres sont fonctionnelles, insonorisées et bien tenues.

LA ROCHE-SUR-YON ℙ – 85 Vendée – 316 H7 – 50 600 h. — 34 B3
– alt. 75 m – ⊠ 85000 ▮ Poitou Vendée Charentes

- Paris 418 – Cholet 69 – Nantes 68 – Niort 91 – La Rochelle 77
- Office de tourisme, rue Clemenceau ℰ 02 51 36 00 85, Fax 02 51 36 90 27
- de La Domangère à Nesmy La Roche sur Yon, S : 8 km par D 746 et D 85, ℰ 02 51 07 65 90

Plan page ci-contre

Mercure
117 bd A. Briand – ℰ 02 51 46 28 00
– www.mercure.com – h1552@accor.com
– Fax 02 51 46 28 98
67 ch – †72/106 € ††76/118 €, ⊋ 14 €
Rest – Menu (18 €), 22/28 € bc – Carte 39/50 €

AZ **u**

◆ À mi-chemin entre gare et place Napoléon, cet hôtel abrite des chambres spacieuses, fonctionnelles et bien insonorisées. Salle des petits-déjeuners sous verrière. Recettes traditionnelles simples au restaurant ou en terrasse, sous un toit en voiles de bateau.

Napoléon sans rest
50 bd A. Briand – ℰ 02 51 05 33 56 – www.hotel-le-napoleon.fr – hotel-nap@wanadoo.fr – Fax 02 51 62 01 69 – Fermé 23 déc.-1er janv.
29 ch – †74/92 € ††84/102 €, ⊋ 10 €

AY **r**

◆ La proximité d'un boulevard animé ne gêne en rien la tranquillité des chambres bien tenues et rénovées par étape. Copieux petits-déjeuners servis dans un cadre de style Empire.

Le Rivoli
31 bd A. Briand – ℰ 02 51 37 43 41 – rivoli4@wanadoo.fr – Fax 02 51 46 20 92
– Fermé 3-16 août, lundi soir, sam. midi et dim.
Rest – Menu (21 €), 26/39 € – Carte 31/38 €

AY **v**

◆ Couleurs vives, banquette zébrée, chaises bistrot et nappes aux motifs psychédéliques : le décor joue la carte de l'originalité. La cuisine, traditionnelle, est plus sage.

LA ROCHE-SUR-YON

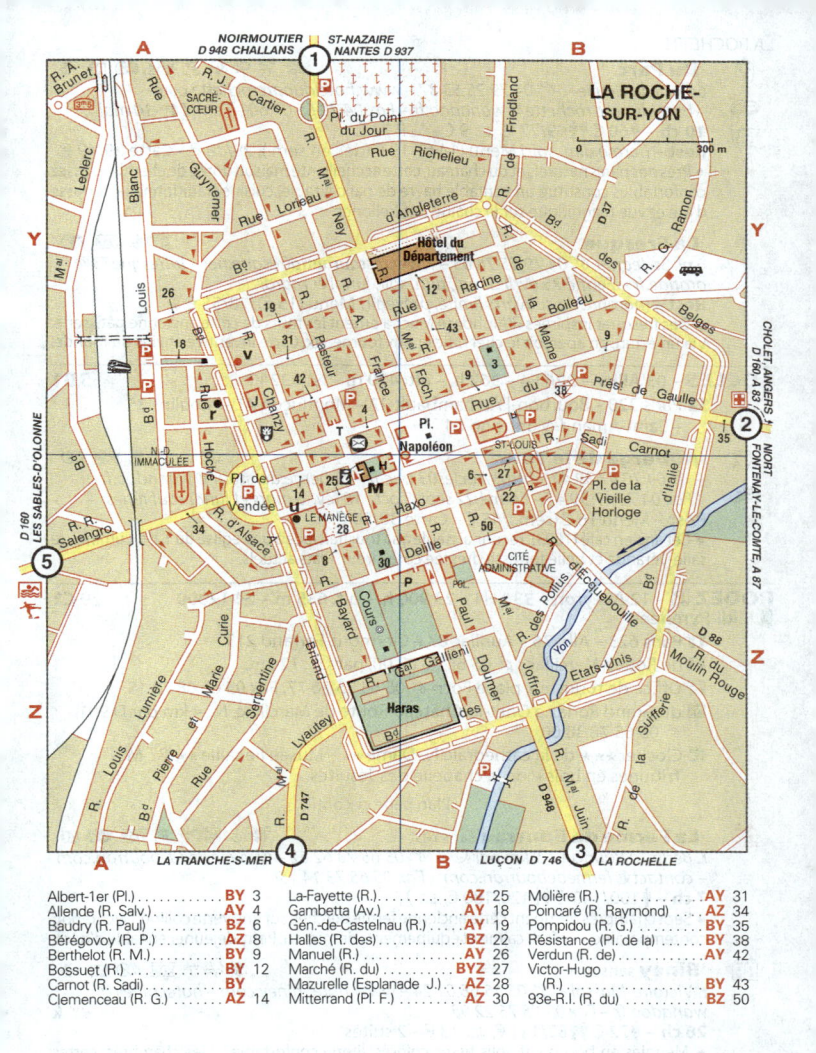

Albert-1er (Pl.) .... **BY** 3	La-Fayette (R.) .... **AZ** 25	Molière (R.) .... **AY** 31
Allende (R. Salv.) .... **AY** 4	Gambetta (Av.) .... **AY** 18	Poincaré (R. Raymond) .... **AZ** 34
Baudry (R. Paul) .... **BZ** 6	Gén.-de-Castelnau (R.) .... **AY** 19	Pompidou (R. G.) .... **BY** 35
Bérégovoy (R. P.) .... **AZ** 8	Halles (R. des) .... **BZ** 22	Résistance (Pl. de la) .... **BY** 38
Berthelot (R. M.) .... **BY** 9	Manuel (R.) .... **AY** 26	Verdun (R. de) .... **AY** 42
Bossuet (R.) .... **BY** 12	Marché (R. du) .... **BYZ** 27	Victor-Hugo
Carnot (R. Sadi) .... **BY**	Mazurelle (Esplanade J.) ... **AZ** 28	(R.) .... **BY** 43
Clemenceau (R. G.) .... **AZ** 14	Mitterrand (Pl. F.) .... **AZ** 30	93e-R.I. (R. du) .... **BZ** 50

Le rouge est la couleur de la distinction : nos valeurs sûres !

ROCHETAILLÉE – 42 Loire – **327** F7 – **rattaché à St-Étienne**

LA ROCHETTE – 73 Savoie – **333** J5 – 3 221 h. – alt. 360 m – ✉ 73110   46 **F2**
🏔 **Alpes du Nord**

▶ Paris 588 – Albertville 41 – Allevard 9 – Chambéry 28 – Grenoble 47

🛈 Office de tourisme, Maison des Carmes ✆ 04 79 25 53 12,
Fax 04 79 25 53 12

◉ Vallée des Huiles★ NE.

1577

LA ROCHETTE

Du Parc
64 r. de la Neuve – ℘ 04 79 25 53 37 – www.hotelduparccrochette.com
– hotelduparc.rochette@wanadoo.fr – Fax 04 79 65 07 60 – Fermé 1er-10 mai
10 ch – †60 € ††69/77 €, ⌸ 9 € – ½ P 72 €
Rest – *(fermé dim. soir)* Menu (14 €), 19 € (déj. en sem.), 28/38 € – Carte 29/49 €
♦ Près des parcs naturels et du château, cette accueillante maison dotée de chambres assez confortables constitue un véritable havre de paix. À table, cuisine traditionnelle, terrasse d'été et vue magnifique sur la chaîne des Bellones.

La Fresque
6 pl. St-Jean – ℘ 04 79 65 78 05 – www.restaurantlafresque.net – lafresque73@orange.fr – Fermé 25 avril-5 mai, dim. soir, lundi et mardi
Rest – *(nombre de couverts limité, prévenir)* Menu (15 €), 28/55 €
♦ Des fresques inspirées d'Alphonse Mucha ornent les murs de cette ancienne pâtisserie. Via un écran, on aperçoit le chef officier aux fourneaux. Carte inventive et vins du monde.

ROCLES – 03 Allier – **326** F4 – 362 h. – alt. 420 m – ⌧ 03240   5 **B1**

▶ Paris 320 – Bourbon-l'Archambault 22 – Montluçon 41 – Moulins 35 – Saint-Amand-Montrond 64

Auberge de la Tour
– ℘ 04 70 47 39 47 – http://rocles03.free.fr – auberge.delatour@wanadoo.fr
– Fax 04 70 47 39 47 – Fermé 22 sept-8 oct., 18 fév.-6 mars et lundi sauf fériés
Rest – Menu 16 € (sem.)/45 € – Carte 30/50 €
♦ Cet ancien café (1893), reconnaissable à sa tour, fait face à une église du 12e s. Lumineuse salle-véranda et belle terrasse dressée côté jardin. Plats actuels.

RODEZ P – 12 Aveyron – **338** H4 – 23 900 h. – alt. 635 m – ⌧ 12000   29 **C1**
Midi-Pyrénées

▶ Paris 623 – Albi 76 – Aurillac 87 – Clermont-Ferrand 213
✈ de Rodez-Marcillac : ℘ 05 65 76 02 00, par ③ : 12 km.
🛈 Office de tourisme, place Foch ℘ 05 65 75 76 77, Fax 05 65 68 78 15
⛳ du Grand Rodez à Onet-le-Château Route de Marcillac, N : 4 km par D 901, ℘ 05 65 78 38 00
◉ Clocher★★★ de la cathédrale N.-Dame★★ - Musée Fenaille★★ BZ M¹ - Tribunes en bois★ de la chapelle des Jésuites.

Plan page ci-contre

La Ferme de Bourran sans rest
r. Berlin, à Bourran 1,5 km par ③ – ℘ 05 65 73 62 62 – www.fermedebourran.com
– contact@fermedebourran.com – Fax 05 65 73 14 15
7 ch – †100/140 € ††120/180 €, ⌸ 15 €
♦ Sept chambres occupent cette ancienne ferme perchée sur une verte colline. Décoration contemporaine, confort, calme et équipements dernier cri. Petit-déjeuner en table d'hôte.

Biney sans rest
r. Victoire-Massol – ℘ 05 65 68 01 24 – www.hotel-biney.com – hotel.biney@wanadoo.fr – Fax 05 65 75 22 98   BY **k**
26 ch – †72 € ††82/141 €, ⌸ 13 € – 2 suites
♦ Meubles en bois peint, jolis tissus colorés, literie confortable... : les chambres, certes parfois un peu petites, sont personnalisées et plutôt coquettes. Hammam et sauna.

La Tour Maje sans rest
bd Gally – ℘ 05 65 68 34 68 – www.hotel-tour-maje.fr – tourmaje@orange.fr
– Fax 05 65 68 27 56   BZ **s**
40 ch – †55/70 € ††60/80 €, ⌸ 10 € – 3 suites
♦ Hôtel des années 1970 adossé à une tour du 15e s. où sont aménagées des suites de style rustique (murs en pierres apparentes). Chambres sobres, sagement provençales au 5e étage.

Ibis sans rest
46 r. St-Cyrice – ℘ 05 65 76 10 30 – www.ibis.com – h2748-gm@accor.com
– Fax 05 65 76 10 33   BX **a**
45 ch – †64/74 € ††64/74 €, ⌸ 7,50 €
♦ Au cœur d'un quartier totalement restauré, hôtel de chaîne disposant de petites chambres fonctionnelles, parfois dotées d'un balcon. Salle de réunions et salon-bar.

RODEZ

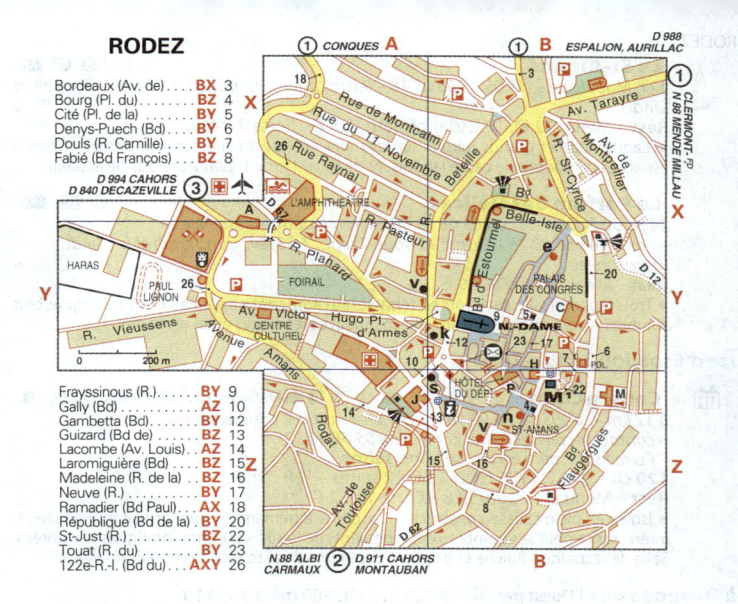

Bordeaux (Av. de)	**BX** 3
Bourg (Pl. du)	**BZ** 4
Cité (Pl. de la)	**BY** 5
Denys-Puech (Bd)	**BY** 6
Douls (R. Camille)	**BY** 7
Fabié (Bd François)	**BZ** 8
Frayssinous (R.)	**BY** 9
Gally (Bd)	**AZ** 10
Gambetta (Bd)	**BY** 12
Guizard (Bd de)	**BZ** 13
Lacombe (Av. Louis)	**AZ** 14
Laromiguière (Bd)	**BZ** 15
Madeleine (R. de la)	**BZ** 16
Neuve (R.)	**BY** 17
Ramadier (Bd Paul)	**AX** 18
République (Bd de la)	**BY** 20
St-Just (R.)	**BZ** 22
Touat (R. du)	**BY** 23
122e-R.-I. (Bd du)	**AXY** 26

Du Midi

1 r. Béteille – ℰ 05 65 68 02 07 – www.hotelmidi.com – hotel.du.midi@wanadoo.fr – Fax 05 65 68 66 93 – Fermé vacances de Noël   ABY **v**

34 ch – †54 € ††60 €, ☐ 7 € – ½ P 54 €

Rest – (fermé sam. midi et dim.) Menu 12/28 € – Carte 22/39 €

♦ À deux pas de la cathédrale, adresse bien située pour découvrir la ville à pied. Chambres simples et pratiques, calmes côté cour et pourvues d'un bon double vitrage côté rue. Au restaurant, plats traditionnels, salades, grillades et l'incontournable aligot.

Deltour sans rest

6 r. Bruxelles, à Bourran, 1,5 km par ③ – ℰ 05 65 73 03 03
– www.deltourhotel.com – hoteldeltourrodezb@wanadoo.fr – Fax 05 65 73 03 05
– Fermé 21 déc.-7 janv.

39 ch – †52 € ††52 €, ☐ 8 € – 3 suites

♦ Ce tout nouvel hôtel répond aux attentes d'une clientèle d'affaires : chambres fonctionnelles et claires conciliant confort, insonorisation et décoration sobre.

Les Jardins de l'Acropolis

r. Athènes, à Bourran, 1,5 km par ③ – ℰ 05 65 68 40 07 – non
– dominique.panis234@orange.fr – Fax 05 65 68 40 67 – Fermé 1er-15 août, lundi soir et dim.

Rest – Menu (18 € bc), 19 € (déj. en sem.), 24/59 € – Carte 42/56 €

♦ Dans un quartier d'affaires animé, cette adresse doit son succès à sa goûteuse cuisine actuelle et au cachet de ses deux élégantes salles contemporaines revêtues de boiseries.

Goûts et Couleurs (Jean-Luc Fau)

38 r. Bonald – ℰ 05 65 42 75 10 – www.goutsetcouleurs.com
– jean-luc.fau@wanadoo.fr – Fax 05 65 42 75 10
– Fermé 26 avril-6 mai, 1er-12 sept., 4-27 janv., merc. soir (sauf juin-juil.-août et déc.), dim. et lundi   BY **e**

Rest – Menu (30 € bc), 35/75 € – Carte 45/60 € 🌿

Spéc. Carpaccio de gambas à l'huile de fleur de sureau (juin à sept.). Compotée de lièvre à la royale en raviole de châtaigne (oct. à déc.). Croustillant de miel aux agrumes et eau de rose (fév. à mai). **Vins** Vin d'Entraygues et du Fel.

♦ Les goûts et les couleurs se marient avec créativité dans l'assiette et dans la salle exposant les tableaux du patron-artiste. Terrasse d'été prisée ; belle carte de vins du Sud.

RODEZ

Le St-Amans
XX 🍴 AC VISA MC AE

12 r. Madeleine – ℘ *05 65 68 03 18 – lesaintamans@orange.fr – Fermé dim. soir et lundi* BZ **v**

Rest – Menu (12 €), 18 € (déj. en sem.)/28 € – Carte 29/41 €

◆ Laque noire et grands miroirs sur les murs, chaises en cuir, lumière diffuse et tables espacées composent le cadre japonisant de ce restaurant. Goûteuse cuisine actuelle.

Le Parfum des Délices
X ⇔ VISA MC

24 pl. du Bourg – ℘ *05 65 68 95 00 – www.leparfumdesdelices.fr*
– Fax 05 65 68 08 25 – Fermé 15 août-7 sept., 7-23 fév., dim., lundi et le soir du mardi au jeudi BZ **n**

Rest – Menu (13 €), 24/39 €

◆ Trois espaces (salle, cave voûtée, terrasse) au cadre contemporain – murs aubergine, bois sombres – pour une cuisine actuelle jouant avec les épices et les aromates.

rte d'Espalion par ① et D 988

Causse Comtal 🏨

à 12 km – ℘ *05 65 74 90 98 – www.bestwester@caussecomtal.com*
– contact@caussecomtal.com – Fax 05 65 46 92 69
– Fermé sam. midi et dim. soir hors saison

120 ch – †76 € ††86 €, ⊇ 12 € – 2 suites – ½ P 75/90 €

Rest – Menu (22 €), 28/52 € – Carte 18/52 €

◆ Isolée en plein causse, construction moderne agrémentée d'une grosse tour en pierre, intéressante pour ses nombreux équipements de loisirs. Chambres pratiques et colorées. Salle de restaurant fraîche et gaie, petite terrasse d'été et recettes traditionnelles.

à Olemps 3 km à l'Ouest par ② – 3 020 h. – alt. 580 m – ⊠ 12510

Les Peyrières 🏨

22 r. Peyrières – ℘ *05 65 68 20 52 – www.hotel-les-peyrieres.com – contact@hotel-les-peyrieres.com – Fax 05 65 68 47 88 – Fermé dim. soir*

60 ch – †75/110 € ††75/110 €, ⊇ 10 €

Rest – *(fermé dim. soir et lundi midi)* Menu (14 €), 20 € (sem.)/40 € – Carte 49/63 €

◆ Grande villa contemporaine tout en longueur, située dans la banlieue résidentielle de Rodez. Chambres simples et bien tenues ; accueil aimable. Trois salles à manger où l'on déguste des plats traditionnels. Terrasse face à la piscine.

rte de Conques au Nord AX D 901

Hostellerie de Fontanges 🏨

rte de Conques, à 4 km – ℘ *05 65 77 76 00 – www.hostellerie-fontanges.com*
– fontanges.hotel@wanadoo.fr – Fax 05 65 42 82 29

43 ch – †59/75 € ††65/85 €, ⊇ 10 € – 5 suites – ½ P 75/85 €

Rest – *(fermé sam. midi et dim. soir de nov. à Pâques)*
Menu (20 €), 24/45 € – Carte 50/60 € 🍷

◆ Belle et vaste demeure des 16ᵉ et 17ᵉ s. blottie dans un parc attenant à un golf. Chambres rénovées, assez sobres, et suites personnalisées par un mobilier de style. Salle à manger "châtelaine" agrandie d'une véranda ; cuisine régionale et carte des vins étoffée.

Château de Labro sans rest 🏨

Onet Village, à 7 km par D 901 et D 568 – ℘ *05 65 67 90 62 – www.chateaulabro.fr*
– chateau.labro@wanadoo.fr – Fax 05 65 67 45 79

5 ch ⊇ – †110/130 € ††110/200 €

◆ Chambres romantiques (beaux meubles chinés), salles de bains modernes, petit-déjeuner servi parmi les objets de brocante, piscine dans l'ancien verger... Ce château et son parc sont tout simplement divins.

Retrouvez tous les Bibs Gourmands 🅑 dans notre guide
des "Bonnes Petites Tables du guide Michelin".
Pour bien manger à prix modérés, partout en France !

ROISSY-EN-FRANCE – 95 Val-d'Oise – 305 G6 – 101 – voir à Paris, Environs

ROLLEBOISE – 78 Yvelines – 311 F1 – 401 h. – alt. 20 m – ⊠ 78270   18 A1
☐ Paris 65 – Dreux 45 – Mantes-la-Jolie 9 – Rouen 72 – Vernon 15 – Versailles 56

Le Domaine de la Corniche
5 rte de la Corniche – ℘ 01 30 93 20 00
– www.domainedelacorniche.com – corniche@wanadoo.fr – Fax 01 30 42 27 44
34 ch – ♦120/250 € ♦♦120/250 €, ⊇ 15 € – 2 suites – ½ P 103/168 €
Rest – *(fermé dim. soir de nov. à fin-mars)* Menu (27 € bc), 67 € (dîner)
– Carte 34/92 €
♦ Dominant la Seine, une "folie" de Léopold II de Belgique pour son dernier amour. Chambres modernes dans le corps de logis et les extensions. Piscine d'été panoramique. Restaurant contemporain et terrasse-belvédère côté fleuve. Cuisine dans l'air du temps.

ROMAGNIEU – 38 Isère – 333 G4 – 1 374 h. – alt. 298 m – ⊠ 38480   45 C2
☐ Paris 539 – Grenoble 57 – Chambéry 35 – Lyon 109

Auberge les Forges de la Massotte
655 chemin des Forges, 2 km à l'Ouest, sortie ⑩ sur l'A 43 –
℘ 04 76 31 53 00 – www.aubergemassotte.com – lesforgesdelamassotte@wanadoo.fr – Fax 04 76 31 53 02 – Fermé vacances de la Toussaint et de Pâques
5 ch – ♦58 € ♦♦68 €, ⊇ 9 € – ½ P 66 €
Rest – *(fermé dim. soir) (dîner seult) (résidents seult)* Menu 29 €
♦ Dans les murs d'une ancienne forge, coquettes chambres ornées de mobilier savoyard ou dauphinois en bois massif. Grand calme, accueil charmant, petit-déjeuner copieux. Menu unique, mi-traditionnel, mi-régional, servi dans une salle à manger campagnarde.

ROMANÈCHE-THORINS – 71 Saône-et-Loire – 320 I12 – 1 767 h.   8 C3
– alt. 187 m – ⊠ 71570 ▌Lyon et la vallée du Rhône
☐ Paris 406 – Chauffailles 46 – Lyon 55 – Mâcon 17 – Villefranche-sur-Saône 24
◙ "Le Hameau du vin" ★★ - Parc zoologique et d'attractions Touroparc★.

Les Maritonnes
rte Fleurie, près de la gare – ℘ 03 85 35 51 70 – www.maritonnes.com – contact@maritonnes.com – Fax 03 85 35 58 14 – Fermé 17-30 déc.
25 ch – ♦80/130 € ♦♦90/175 €, ⊇ 15 € – ½ P 85/115 €
Rest – *(fermé dim. soir, lundi et mardi midi de mi-oct. à début mars)*
Menu (15 €), 35/70 € – Carte 58/80 €
♦ Cet hôtel paisible occupe une corpulente maison tapissée de vigne vierge, au cœur d'un parc fleuri. Préférez les chambres récemment refaites. Au restaurant, plats traditionnels se mariant bien avec le célèbre cru local : le moulin-à-vent.

ROMANS-SUR-ISÈRE – 26 Drôme – 332 D3 – 33 700 h. – alt. 162 m   43 E2
– ⊠ 26100 ▌Lyon et la vallée du Rhône
☐ Paris 558 – Die 78 – Grenoble 81 – St-Étienne 121 – Valence 20 – Vienne 73
🛈 Office de tourisme, place Jean Jaurès ℘ 04 75 02 28 72, Fax 04 75 05 91 62
🏌 de Valence Saint-Didier à Saint-Didier-de-Charpeypar rte de Crest : 15 km,
℘ 04 75 59 67 01
◙ Tentures★★ de la collégiale St-Barnard - Collection de chaussures★ du musée international de la chaussure - Musée diocésain d'Art sacré★ à Mours-St-Eusèbe, 4 km par ①.

Plan page suivante

L'Orée du Parc *sans rest*
6 av. Gambetta, par ② – ℘ 04 75 70 26 12 – www.hotel-oreeparc.com
– hotoree-parc@wanadoo.fr – Fax 04 75 05 08 23 – Fermé 11-18 oct.,
27 déc.-3 janv. et 6-22 fév.
10 ch – ♦80/111 € ♦♦83/115 €, ⊇ 10 €
♦ Cette belle maison bourgeoise des années 1920 abrite de jolies chambres aux noms de fleurs, personnalisées dans l'esprit contemporain. Bons petits-déjeuners servis sous la véranda ou au jardin (piscine). Établissement entièrement non-fumeurs.

ROMANS-SUR-ISÈRE

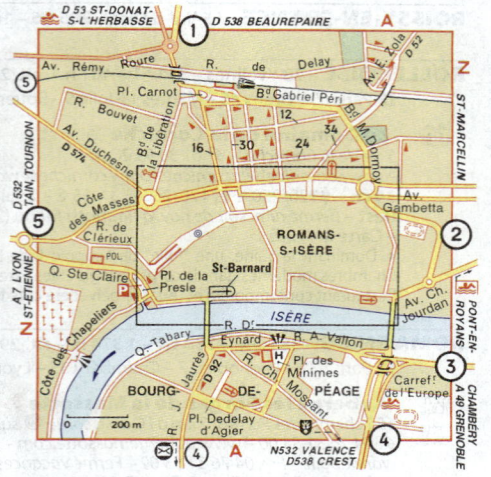

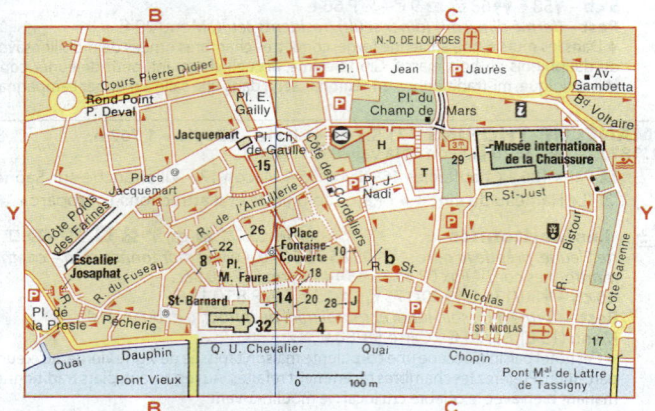

Clercs (R. des)	**CY** 4
Cordeliers (Côtes des)	**CY**
Écosserie (R. de l')	**BY** 8
Faure (Pl. M.)	**BY**
Fontaine des Cordeliers (R.)	**CY** 10
Gailly (Pl. E.)	**BY**
Guilhaume (R.)	**AZ** 12
Herbes (Pl. aux)	**BY** 14
Jacquemart (Côte)	**BY** 15
Jacquemart (R.)	**AZ** 16
Massenet (Pl.)	**CY** 17
Mathieu-de-la-Drôme (R.)	**CY** 18
Merlin (R.)	**CY** 20
Mouton (R. du)	**BY** 22
Palestro (R.)	**AZ** 24
Perrot-de-Verdun (Pl.)	**BY** 26
Sabaton (R.)	**CY** 28
Ste-Marie (R.)	**CY** 29
Semard (Av. P.)	**AZ** 30
Trois Carreaux (R.)	**CY** 32
Victor-Hugo (Av.)	**AZ** 34

✕ **Mandrin**   A/C VISA MC AE

70 r. St-Nicolas – ℰ 04 75 02 93 55 – destrait.emmanuel@wanadoo.fr
– Fax 04 75 02 93 55 – Fermé 3-25 août, 15-23 fév., dim. et lundi   CY **b**
Rest – Menu 20/38 € – Carte 26/35 €

◆ Mandrin, le célèbre contrebandier, aurait trouvé refuge dans cette maison datant de 1754. Sol en terre cuite, poutres, colombages et galets roulés donnent une atmosphère moyenâgeuse à la salle de restaurant. Carte traditionnelle ; paella sur commande.

à l'Est 4 km par ② et D 92N – ⊠ 26750 St-Paul-lès-Romans

🏠 **Karene**   🚗 ⌤ ↯ ¶ 🛁 P VISA MC AE ①

quartier St Verant – ℰ 04 75 05 12 50 – www.hotelkarene.com – contact@hotelkarene.com – Fax 04 75 05 25 17 – Fermé 22 déc.-1ᵉʳ janv.
23 ch – ♦58/60 € ♦♦67/72 €, ⊇ 10 €
Rest – *(fermé vend., sam., dim. et fériés) (dîner seult) (résidents seult)*
Menu 17 € – Carte environ 28 €

◆ En retrait de la route, ancien siège d'entreprise reconverti en hôtel et mettant à votre disposition des chambres fonctionnelles ; quelques-unes sont climatisées. Accueil aimable et repas traditionnel dans une salle ornée de reproductions de toiles de Van Gogh.

ROMANS-SUR-ISÈRE

à Châtillon-St-Jean 11 km par ② – 1 156 h. – alt. 198 m – ✉ 26750

Maison Forte de Clérivaux sans rest
– ℰ 04 75 45 32 53 – www.clerivaux.fr – contact@clerivaux.fr – Fax 04 75 71 45 43
– Fermé 3 janv.-3 mars
4 ch ⊆ – †60 € ††65 €
◆ Dans un site agreste, ensemble des 16ᵉ et 17ᵉ s. harmonieusement rénové en préservant son cachet ancien. Terrasses et beau jardin où l'on petit-déjeune sous la treille en été.

à Granges-lès-Beaumont 6 km par ⑤ – 963 h. – alt. 155 m – ✉ 26600

Les Cèdres (Jacques Bertrand)
Le Village – ℰ 04 75 71 50 67 – www.restaurantlescedres.fr – Fax 04 75 71 64 39
– Fermé 14-22 avril, 17 août-2 sept., 21 déc.-5 janv., dim. soir, lundi et mardi
Rest – (nombre de couverts limité, prévenir) Menu 40 € (déj. en sem.), 80/110 €
– Carte 70/90 €

Spéc. Saint-Jacques à la plancha aux graines de sésame torréfiées (hiver). Turbot rôti sur l'arête, jus de viande à la moelle de bœuf (printemps). Tarte sablée au chocolat guanaja, sorbet cacao amer (automne-hiver). **Vins** Hermitage, Crozes Hermitage.
◆ Maison villageoise accueillante vous conviant aux plaisirs d'un délicieux repas au goût du jour dans un cadre cossu. Belle cave rhodanienne. Salon-cheminée et jardin bichonné.

à St-Paul-lès-Romans 8 km par ② – 1 626 h. – alt. 171 m – ✉ 26750

La Malle Poste
Le Village – ℰ 04 75 45 35 43 – lamalle.poste@wanadoo.fr – Fax 04 75 71 40 48
– Fermé 27 juil.-22 août, 2-17 janv., dim. soir, mardi soir et lundi
Rest – Menu 32/62 €
◆ Cuisine sagement inventive, respectant le terroir et les saisons, et très belle carte des vins (plus de 350 références). Salle à manger simple et chaleureuse.

ROMILLY-SUR-SEINE – 10 Aube – 313 C2 – 14 100 h. – alt. 76 m   13 B2
– ✉ 10100

▶ Paris 124 – Châlons-en-Champagne 76 – Nogent-sur-Seine 18 – Sens 65 – Troyes 39

🛈 Office de tourisme, 27, rue Saint-Laurent ℰ 03 25 24 87 80

Auberge de Nicey
24 r. Carnot – ℰ 03 25 24 10 07 – www.denicey.com – contact@denicey.com
– Fax 03 25 24 47 01 – Fermé 22 déc.-4 janv.
23 ch – †85/99 € ††119/139 €, ⊆ 13 € – ½ P 96/109 €
Rest – (fermé sam. midi, dim. midi et lundi midi en août, et dim. soir)
Menu 23 € (sem.)/45 € – Carte 40/57 €
◆ À deux pas de la gare, établissement de bon confort abritant des chambres fonctionnelles et bien insonorisées ; celles de l'annexe sont plus grandes. Deux élégantes salles à manger en enfilade, ornées de tableaux colorés. Répertoire culinaire traditionnel.

ROMORANTIN-LANTHENAY – 41 Loir-et-Cher – 318 H7   12 C2
– 17 400 h. – alt. 93 m – ✉ 41200 ▮ Châteaux de la Loire

▶ Paris 202 – Blois 42 – Bourges 74 – Orléans 67 – Tours 95 – Vierzon 38

🛈 Office de tourisme, place de la Paix ℰ 02 54 76 43 89, Fax 02 54 76 96 24

◉ Maisons anciennes ★ **B** - Vues des ponts ★ - Musée de Sologne ★ M².

Plan page suivante

Grand Hôtel du Lion d'Or (Didier Clément)
69 r. Clemenceau – ℰ 02 54 94 15 15
– www.hotel-liondor.fr – liondor@relaischateaux.com – Fax 02 54 88 24 87
– Fermé 16 fév.-26 mars et 15-26 nov.   a
13 ch – †170 € ††170/400 €, ⊆ 24 € – 3 suites
Rest – (fermé mardi midi) (nombre de couverts limité, prévenir)
Menu 98/155 € – Carte 115/165 €
Spéc. Cuisses de grenouilles à la rocambole. Pigeon farci façon babylonienne. Brioche caramélisée, sorbet angélique. **Vins** Cour-Cheverny, Bourgueil.
◆ Une façade Renaissance, une autre Napoléon III, pour cet établissement fondé en 1774. Éléments anciens (boiseries, balcons...) se mêlent au mobilier récent dans les chambres. Cuisine actuelle et bons vins de la Loire servis dans trois salles ou en terrasse l'été.

1583

ROMORANTIN-LANTHENAY

Brault (R. Porte)	2
Capucins (R. des)	4
Clemenceau (R. Georges)	6
Four-à-Chaux (R. du)	8
Gaulle (Pl. Gén.-de)	10
Hôtel Dieu (Mail de l')	18
Ile-Marin (Quai de l')	13
Jouanettes (R. des)	14
Lattre-de-Tassigny (Av. du Mar. de)	15
Limousins (R. des)	17
Milieu (R. du)	20
Orléans (Fg d')	22
Paix (Pl. de la)	23
Pierre (R. de la)	24
Prés.-Wilson (R. du)	26
Résistance (R. de la)	28
St-Roch (Fg)	30
Sirène (R. de la)	33
Tour (R. de la)	34
Trois-Rois (R. des)	36
Verdun (R. de)	37

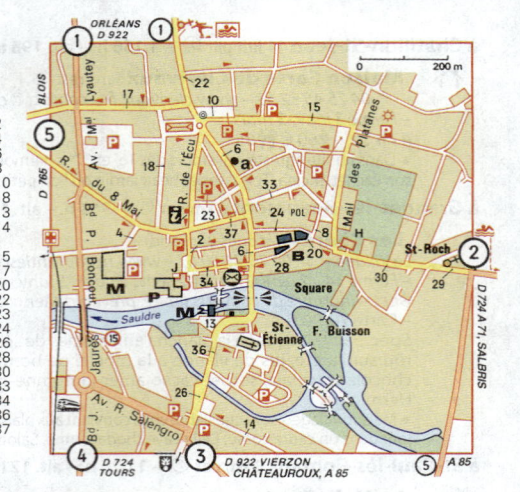

Pyramide
r. Pyramide, par ① – ℰ 02 54 76 26 34 – www.hotelapyramide.com
– lapyramide@wanadoo.fr – Fax 02 54 76 22 28
66 ch – †49 € ††59 €, ⊇ 10 € – ½ P 46 €
Rest – *(fermé 21 déc.-6 janv. et vend. midi)* Menu 17 € (sem.)/31 € – Carte 23/45 €
♦ Construction moderne voisine d'un complexe culturel. Chambres fonctionnelles et homogènes, de style actuel. Les repas traditionnels sont pris dans la sobre salle à manger ou sur la terrasse dressée sur l'arrière du restaurant.

Auberge le Lanthenay avec ch
9 r. Notre Dame du Lieu, 2,5 km par ① et D 922 – ℰ 02 54 76 09 19
– lelanthenay@orange.fr – Fax 02 54 76 72 91 – Fermé 2-26 janv., vend. midi, dim. soir et lundi
10 ch – †52/55 € ††52/55 €, ⊇ 8 € – ½ P 55 €
Rest – *(nombre de couverts limité, prévenir)* Menu 23 € (sem.)/52 € – Carte 28/48 €
♦ Dans un hameau pittoresque, étape sympathique où les plaisirs de la table rivalisent avec la quiétude des chambres rustiques. La salle à manger est plus intime que la véranda.

RONCE-LES-BAINS – 17 Charente-Maritime – 324 D5 38 A2
– ⊠ 17390 La Tremblade ▮ Poitou Vendée Charentes

▶ Paris 505 – Marennes 9 – Rochefort 31 – La Rochelle 68 – Royan 27
▮ Office de tourisme, place Brochard ℰ 05 46 36 06 02, Fax 05 46 36 38 17

Le Grand Chalet
2 av. La Cèpe – ℰ 05 46 36 06 41 – www.legrandchalet.net
– frederic.moinardeau@wanadoo.fr – Fax 05 46 36 38 87 – Fermé 4 nov.-10 fév.
26 ch – †46/85 € ††46/85 €, ⊇ 12 € – ½ P 55/75 €
Rest – *(fermé dim. soir hors saison, lundi sauf le soir en saison et mardi)*
Menu 26/48 €
♦ Hôtel de 1850 surplombant la mer ; accès direct à la plage. Chambres meublées simplement, à choisir avec vue panoramique sur l'île d'Oléron ou tournées sur le jardin. Au restaurant, quelques tables offrent une belle échappée sur le large. Carte traditionnelle.

RONCHAMP – 70 Haute-Saône – 314 H6 – 2 924 h. – alt. 380 m 17 C1
– ⊠ 70250 ▮ Franche-Comté Jura

▶ Paris 399 – Belfort 22 – Besançon 88 – Lure 12 – Luxeuil-les-Bains 31 – Vesoul 42
▮ Office de tourisme, 14, place du 14 Juillet ℰ 03 84 63 50 82, Fax 03 84 63 50 82

◉ Chapelle Notre-Dame-du-Haut★★.

RONCHAMP

au Rhien 3 km au Nord – ⊠ 70250 Ronchamp

Rhien Carrer 🅢   🚗 🍽 ⚙ ch, ↔ % ch, ⁽ᵗ⁾ 🛁 🅿 *VISA* 🆎
14 r. d'Orière – ℰ *03 84 20 62 32 – www.ronchamp.com – carrer@ronchamp.com
– Fax 03 84 63 57 08*
19 ch – †42 € ††50 €, ⊇ 8 € – ½ P 43 €   **Rest** – *(fermé dim. soir d'oct. à mars)*
Menu (8,50 €), 12 € (sem.)/42 € – Carte 25/55 €
♦ Hostellerie familiale proche de la chapelle N.-D.-du-Haut (chef-d'œuvre de Le Corbusier). Chambres non-fumeurs, offrant calme et bon petit confort, plus récentes à l'annexe. La table valorise le terroir à travers ses spécialités franc-comtoises. Terrasse.

à Champagney 4,5 km à l'Est par D 4 – 3 501 h. – alt. 370 m – ⊠ 70290

Le Pré Serroux   🚗 🍽 🛋 📶 💪 ↔ ⁽ᵗ⁾ 🛁 🅿 *VISA* 🆎 ㋐
4 av. Gén. Brosset – ℰ *03 84 23 13 24 – www.lepreserroux.com – lepreserroux@
wanadoo.fr – Fax 03 84 23 24 33 – Fermé 22 déc.-12 janv. et dim.*
25 ch – †65 € ††70 €, ⊇ 10 € – ½ P 60 €
Rest – *(fermé sam. midi, lundi midi, le midi en août et dim.)*
Menu 15 € (déj. en sem.), 23/40 € – Carte 30/50 € 🍷
♦ Hôtel agréable au décor personnalisé (collection de mobylettes Peugeot, machines à coudre). Chambres confortables, en partie meublées dans le style régional. Piscine couverte. Salle d'inspiration Art nouveau pour une cuisine de tradition et belle sélection de vins.

RONCQ – 59 Nord – **302** G3 – rattaché à Lille

LE ROND-D'ORLÉANS – 02 Aisne – **306** B5 – rattaché à Chauny

ROOST-WARENDIN – 59 Nord – **302** G5 – rattaché à Douai

ROPPENHEIM – 67 Bas-Rhin – **315** M3 – 956 h. – alt. 117 m – ⊠ 67480   **1 B1**
▶ Paris 503 – Haguenau 25 – Karlsruhe 41 – Strasbourg 48 – Wissembourg 35

A l'Agneau   🍽 *VISA* 🆎
11 r. Principale – ℰ *03 88 86 40 08 – Fermé 26 avril-4 mai,
12 juil.-10 août, 20 déc.-4 janv., dim. et lundi*
Rest – *(dîner seult sauf sam.)* Carte 20/55 €
♦ Une maison typiquement alsacienne où l'on apprécie la table généreuse (cuisine traditionnelle et grillades) et l'ambiance très joviale. Vitrine de produits régionaux.

ROQUEBILLIÈRE – 06 Alpes-Maritimes – **341** E3 – 1 634 h.   **41 D2**
– alt. 650 m – ⊠ 06450
▶ Paris 889 – Marseille 245 – Nice 58 – Cuneo 132 – San Remo 106

Le Provençal   🍽 *VISA* 🆎 ㋐ ①
5 r. des Héros-de-14-18, (face à l'église) – ℰ *04 93 05 13 13
– www.restaurant-le-provencal.com – jeromecornillon@hotmail.fr – Fermé
12 nov.-12 déc., vacances de fév., mardi et merc. sauf juil.-août*
Rest – Menu 13 € (déj.), 24/30 €
♦ Ce restaurant joue la carte provençale côté décor et prône la tradition côté papilles. Le chef privilégie les produits du jardin et du marché, dans le respect des saisons.

ROQUEBRUNE-CAP-MARTIN – 06 Alpes-Maritimes – **341** F5   **42 E2**
– 11 692 h. – alt. 257 m – ⊠ 06190 📕 Côte d'Azur
▶ Paris 953 – Menton 3 – Monaco 9 – Monte-Carlo 7 – Nice 26
🅘 Office de tourisme, 218, avenue Aristide Briand ℰ 04 93 35 62 87,
Fax 04 93 28 57 00
◉ Village perché ★★ : rue Moncollet★, ※ ★★ du donjon★ - Cap Martin ≤★★ X –
≤★★ du belvédère du Vistaëro SO : 4 km.
◉ Site★ de Gorbio N : 8 km par D 50.

Plans : voir à Menton.

1585

ROQUEBRUNE-CAP-MARTIN

Vista Palace
Grande Corniche, 4 km par ③ rte La Turbie D 2564
– ℰ 04 92 10 40 00 – www.vistapalace.com – info@vistapalace.com
– Fax 04 93 35 18 94
64 ch – †200/360 € ††300/440 €, ☑ 25 € – 4 suites
Rest Le Vistaero – ℰ 04 92 10 40 20 (dîner seult) Menu 58/85 € – Carte 74/92 €
Rest La Corniche – (déj. seult) Carte 50/60 €

♦ En surplomb de la Riviera, hôtel ultra-moderne à l'architecture audacieuse et au luxueux décor. Centre de beauté, piscine panoramique, parc botanique en terrasses. Au Vistaero, cuisine au goût du jour et vue à couper le souffle. Recettes du Sud à La Corniche.

Victoria sans rest
7 promenade Cap-Martin – ℰ 04 93 35 65 90
– www.hotelmenton.com/hotel-victoria – Fax 04 93 28 27 02
– Fermé 8 janv.-8 fév.
32 ch – †81/119 € ††81/119 €, ☑ 11 €   AV **k**

♦ Hôtel intégré à un immeuble résidentiel cossu. Chambres souvent meublées en rotin et bambou, avec balcon côté mer. Salon-bar décoré dans le style colonial. Accueil charmant.

Alexandra sans rest
93 av. W. Churchill – ℰ 04 93 35 65 45 – www.alexandrahotel.fr – info@
alexandrahotel.fr – Fax 04 93 57 96 51   AV **a**
40 ch – †65/102 € ††75/202 €, ☑ 10 €

♦ Dans cette construction balnéaire à balcons, typique des années 1960-70, demandez les chambres avec vue sur la grande bleue (derniers étages) ; on les rafraîchit par étapes.

Le Roquebrune sans rest
100 av. J. Jaurès, par ③ et rte de Monaco (D 6098) par basse corniche –
ℰ 04 93 35 00 16 – www.le-roquebrune.com – leroquebrune@wanadoo.fr
– Fax 04 93 28 98 36
5 ch ☑ – †90/110 € ††115/195 €

♦ On vous reçoit comme des amis dans cette coquette maison surplombant les flots. Les chambres, toutes neuves, sont raffinées et reposantes (certaines avec terrasse-jardinet).

XX Les Deux Frères avec ch
pl. des Deux Frères, au village, 3,5 km par ③ – ℰ 04 93 28 99 00
– www.lesdeuxfreres.com – info@lesdeuxfreres.com – Fax 04 93 28 99 10 – Fermé
1 sem. en mars et 15 nov.-15 déc.
10 ch – †75 € ††75/110 €, ☑ 10 € – ½ P 98 €
Rest – (fermé dim. soir, mardi midi et lundi) Menu 28 € bc (déj.)/48 €
– Carte 48/83 €

♦ Restaurant aménagé dans l'ex-école communale, sur une placette-belvédère dominant la mer ; plats au goût du jour. Jolies chambres thématiques ("Afrique", "mariage", etc.).

XX L'Hippocampe
44 av. W. Churchill – ℰ 04 93 35 81 91 – l-hippocampe.restaurant@orange.fr
– Fax 04 93 35 81 91 – Fermé 3 nov.-27 déc., le midi de juin à oct.
et lundi   AV **h**
Rest – (prévenir) Menu 32/39 € – Carte 47/80 €

♦ Cet établissement familial les pieds dans l'eau réserve, à midi, l'une de ses terrasses aux baigneurs. Spécialité de filet de sole en brioche (bouillabaisse et coq au vin sur commande).

ROQUEBRUNE-SUR-ARGENS – 83 Var – **340** O5 – 11 349 h.   41 **C3**
– alt. 13 m – ✉ 83520

🚗 Paris 869 – Marseille 141 – Toulon 85 – Antibes 56 – Cannes 45
🛈 Syndicat d'initiative, 12, av. Gabriel Péri ℰ 04 94 19 89 89, Fax 04 94 19 89 80

XX Les Templiers
3 pl. Alfred-Perrin – ℰ 04 94 45 12 52 – templierrestaurant@gmail.com
– Fax 04 94 45 12 52 – Fermé janv., fév., sam. en saison, mardi de nov. à mai et
lundi
Rest – Menu (18 €), 38 € (dîner)/68 € – Carte 78/89 €

♦ Adresse originale au cœur du village médiéval. Salle à manger au décor de bonbonnière, cuisine personnalisée et vins suisses, pays d'origine des patrons.

LA ROQUEBRUSSANNE – 83 Var – 340 K5 – 1 973 h. – alt. 365 m — 41 C3
– ✉ 83136

🖿 Paris 810 – Aix-en-Provence 61 – Aubagne 48 – Brignoles 15 – Toulon 35
🛈 Office de tourisme, 15, rue Georges Clemenceau ℘ 04 94 86 82 11

Auberge de la Loube
pl. de l'Église – ℘ 04 94 86 81 36 – www.aubergedelaloube.fr
– aubergedelaloube@orange.fr – Fermé mars, nov., janv. et mardi d'oct. à mai
8 ch – †70/80 € ††70/80 €, ⊇ 6,50 € – ½ P 75/88 €
Rest – Menu 27/57 € – Carte 67/81 €
♦ Face à l'église, cette auberge aux couleurs du Sud vous propose des chambres progressivement rénovées. Restaurant sobrement provençal (mobilier en bois peint et en fer forgé) ; agréable terrasse ombragée. Carte au goût du jour.

LA ROQUE-D'ANTHÉRON – 13 Bouches-du-Rhône – 340 G3 — 42 E1
– 4 722 h. – alt. 183 m – ✉ 13640 ▌Provence

🖿 Paris 726 – Aix-en-Provence 29 – Cavaillon 34 – Manosque 60 – Marseille 58
🛈 Office de tourisme, 3, cours Foch ℘ 04 42 50 70 74, Fax 04 42 50 70 76
👁 Abbaye de Silvacane★★ E : 2 km.

Mas de Jossyl
av. du Parc – ℘ 04 42 50 71 00 – www.masdejossyl.fr
– jossyl.mas@wanadoo.fr – Fax 04 42 50 75 94 – Fermé 23 août-4 sept. et 6-21 fév.
28 ch – †70/128 € ††72/136 €, ⊇ 8 €
Rest – (fermé dim. soir, lundi midi et mardi midi hors saison)
Menu 14 € (déj. en sem.), 20/36 € – Carte 30/45 €
♦ Face au parc du château de Florans (17ᵉ s.), hôtel actuel d'aspect régional, aux grandes chambres fonctionnelles, insonorisées. Nouvelle annexe contemporaine et espace loisirs. Plats traditionnels dans une salle claire (refaite) ou en terrasse, joliment arborée.

ROQUEFORT – 40 Landes – 335 J10 – 1 903 h. – alt. 69 m – ✉ 40120 — 3 B2
▌Aquitaine

🖿 Paris 667 – Bordeaux 107 – Mont-de-Marsan 23 – Saint-Pierre-du-Mont 31 – Aire-sur-l'Adour 40
🛈 Syndicat d'initiative, place du Soleil d'Or ℘ 05 58 45 50 46,
Fax 05 58 45 53 63

Le Logis de St-Vincent
76 r. Laubaner – ℘ 05 58 45 75 36 – www.logis-saint-vincent.com – contact@logis-saint-vincent.com – Fax 05 58 45 73 59 – Fermé 19-26 avril, 27 août-2 sept., 25 oct.-2 nov. et 1ᵉʳ-20 janv.
6 ch – †67/112 € ††67/112 €, ⊇ 11 € – 1 suite – ½ P 73/95 €
Rest – (fermé dim.) (prévenir) Menu 30/50 €
♦ Cette maison de maître du 19ᵉ s., restaurée avec amour, a retrouvé son éclat. Parquet d'origine, murs en pierres, tonalités douces et mobilier de style personnalisent le lieu. Coquette salle à manger, cour-jardin aux arbres exotiques et menu régional.

ROQUEFORT-LES-PINS – 06 Alpes-Maritimes – 341 D6 – 6 175 h. — 42 E2
– alt. 184 m – ✉ 06330

🖿 Paris 912 – Cannes 18 – Grasse 14 – Nice 25
🛈 Syndicat d'initiative, Centre Culturel R D 2085 ℘ 04 93 09 67 54

Auberge du Colombier
au Colombier, rte de Nice, sur D 2085 – ℘ 04 92 60 33 00
– www.auberge-du-colombier.com – auberge@auberge-du-colombier.com
– Fax 04 93 77 07 03 – Fermé 5 janv.-12 fév.
20 ch – †55/115 € ††65/130 €, ⊇ 8 € – 2 suites
Rest – (fermé mardi d'oct. à mars) Menu 23/39 € – Carte 50/70 €
♦ Maison nichée dans un parc arboré dominant la vallée. Les chambres, progressivement refaites, sont garnies de meubles en bois patiné. La salle à manger rustique et l'agréable terrasse tournée vers la végétation servent de cadre à une cuisine traditionnelle.

ROQUEFORT-LES-PINS

XX **Auberge du Clos des Pins**
35 rte Notre Dame – ℰ *04 93 77 00 23* – *www.aubergeclosdespins.com*
– *aubergeclosdespins@orange.fr* – *Fermé sam. midi, dim. soir et merc.*
Rest – Menu 34 € – Carte 31/49 €

◆ Auberge charmante tournée vers un rond-point à jets d'eau. Salon-cheminée, salle champêtre provençale, jolie terrasse et carte actuelle signée par un tandem australo-vosgien.

LA ROQUE-GAGEAC – 24 Dordogne – 329 I7 – 449 h. – alt. 85 m   4 D3
– ✉ 24250 ▌Périgord

🄳 Paris 535 – Brive-la-Gaillarde 71 – Cahors 53 – Périgueux 71 – Sarlat-la-Canéda 9

🄸 Office de tourisme, le Bourg ℰ 05 53 29 17 01, Fax 05 53 31 24 48

◉ Site★★.

XX **La Belle Étoile** avec ch
Le Bourg – ℰ *05 53 29 51 44* – *www.belleetoile.fr* – *hotel.belle-etoile@wanadoo.fr*
– *Fax 05 53 29 45 63* – *Ouvert 1ᵉʳ avril-1ᵉʳ nov.*
15 ch – ♦50/65 € ♦♦50/75 €, ☑ 9 € – ½ P 78 €
Rest – *(fermé merc. midi et lundi)* Menu (22 €), 27/43 €

◆ Plats traditionnels et cuisine au goût du jour à savourer dans de belles salles à manger ou sous la treille de la terrasse dressée face à la Dordogne. Chambres confortables.

XX **Auberge La Plume d'Oie** avec ch
Le Bourg – ℰ *05 53 29 57 05* – *www.aubergelaplumedoie.com* – *laplumedoie@wanadoo.fr* – *Fermé 15 nov.-20 déc., 10 janv. à début mars, mardi midi hors saison et lundi sauf le soir en juil.-août*
4 ch – ♦80/85 € ♦♦80/90 €, ☑ 14 €
Rest – *(nombre de couverts limité, prévenir)* Menu 32/65 € – Carte 64/75 €

◆ Cette demeure ancienne bien restaurée abrite un coquet restaurant rustique : pierres, poutres et vue sur le trafic des gabares ; cuisine au goût du jour. Petites chambres feutrées.

rte de Vitrac au Sud-Est par D 703 – ✉ 24250 La-Roque-Gageac

🏠 **Le Périgord**
à 3 km – ℰ *05 53 28 36 55* – *www.hotelperigord.eu* – *bienvenue@hotelperigord.eu* – *Fax 05 53 28 38 73* – *Fermé 1ᵉʳ janv.-28 fév.*
39 ch – ♦59/69 € ♦♦59/69 €, ☑ 8 € – ½ P 58/63 €
Rest – *(fermé lundi et mardi sauf de mai au 15 oct.)* Menu 20/40 € – Carte 44/52 €

◆ Au pied de la bastide de Domme, maison d'allure régionale entourée d'un grand jardin. Chambres d'esprit rustique, simples et bien tenues. Recettes actuelles qui – enseigne oblige – reposent sur des bases périgourdines. Salle à manger-véranda et terrasse d'été.

XX **Les Prés Gaillardou**
rte D46 – ℰ *05 53 59 67 89* – *www.lespresgaillardou.com*
– *restau.presgaillardou@wanadoo.fr* – *Fax 05 53 59 67 89* – *Fermé merc.*
Rest – Menu (17 €), 21/29 € – Carte 32/40 €

◆ Murs en pierres, belle cheminée et poutres agrémentent les trois petites salles à manger de cette ancienne ferme. Jardin clos, agréable terrasse et cuisine du terroir.

ROQUEMAURE – 30 Gard – 339 N4 – 5 207 h. – alt. 19 m – ✉ 30150   23 D2
▌Provence

🄳 Paris 665 – Alès 76 – Avignon 18 – Nîmes 47 – Orange 12 – Pont-St-Esprit 32

🄸 Office de tourisme, 1, cours Bridaine ℰ 04 66 90 21 01, Fax 04 66 90 21 01

🏠 **Le Clément V**
6 r. P. Semard, rte de Nîmes – ℰ *04 66 82 67 58* – *http://hotel-clementv.com*
– *hotel.clementv@wanadoo.fr* – *Fax 04 66 82 84 66* – *Fermé 22 déc.-28 janv.*
21 ch ☑ – ♦62/72 € ♦♦67/78 €
Rest – *(dîner seult) (résidents seult)* Menu 19 € (dîner)/25 €

◆ Le château de Roquemaure fut la dernière demeure du pape Clément V. Hôtel peu à peu rénové, aux chambres simples et colorées, plus spacieuses – mais sans balcon – à l'arrière.

1588

LA ROQUE-SUR-PERNES – 84 Vaucluse – 332 D10 – 425 h. – alt. 250 m – ⊠ 84210

42 **E1**

▶ Paris 697 – Avignon 34 – Marseille 99 – Salon-de-Provence 49

Château la Roque
chemin du Château – ℰ 04 90 61 68 77 – www.chateaularoque.com
– chateaularoque@wanadoo.fr – Fax 04 90 61 68 78 – Fermé 8-31 janv.
5 ch – †120/170 € ††120/240 €, ⊇ 18 € – ½ P 110/180 €
Rest – (fermé dim. soir) (dîner seult) (résidents seult) Menu 40/60 €
◆ La restauration de ce château du 11ᵉ s. a magnifiquement préservé son authenticité. Chambres spacieuses. Terrasses en restanques et piscine chauffée dominent la vallée. Repas concoctés par le maître des lieux, servis dans la salle templière ou dans le jardin.

ROQUETTE-SUR-SIAGNE – 06 Alpes-Maritimes – 341 C6 – 4 445 h. – alt. 12 m – ⊠ 06550

42 **E2**

▶ Paris 912 – Marseille 165 – Nice 44 – Antibes 20 – Cannes 12

La Terrasse
484 av. de la République, quartier Saint Jean – ℰ 04 92 19 04 88
– www.restaurantlaterrasse-06.com – resterrasse.roq@orange.fr
– Fermé 25 déc.-4 janv., sam. midi, dim. et fériés
Rest – Menu (21 € bc), 25 € bc (déj. en sem.), 35/45 € – Carte 48/60 €
◆ Bois exotiques, plantes vertes et palmiers : dans une lumineuse salle à l'ambiance du Sud, découvrez une cuisine actuelle et créative très soignée, à prix doux.

ROSAY – 78 Yvelines – 311 G2 – rattaché à Mantes-la-Jolie

ROSBRUCK – 57 Moselle – 307 M4 – rattaché à Forbach

ROSCOFF – 29 Finistère – 308 H2 – 3 732 h. – alt. 7 m – Casino – ⊠ 29680 ▎Bretagne

9 **B1**

▶ Paris 563 – Brest 66 – Landivisiau 27 – Morlaix 27 – Quimper 100
🛈 Office de tourisme, 46, rue Gambetta ℰ 02 98 61 12 13, Fax 02 98 69 75 75
◉ Église N.-D.-de-Croaz-Batz★ - Jardin exotique★.

Plan page suivante

Le Brittany
bd Ste Barbe – ℰ 02 98 69 70 78
– www.hotel-brittany.com – hotel.brittany@wanadoo.fr
– Fax 02 98 61 13 29 – Ouvert 24 mars-11 nov.
24 ch – †140/495 € ††140/495 €, ⊇ 19 € – 2 suites

Z **a**

Rest Le Yachtman – (fermé lundi) (dîner seult) (nombre de couverts limité, prévenir) Menu 59 €, 72/120 € – Carte 65/85 €
Spéc. Tourteau décortiqué, tapenade d'artichaut et herbes fraîches (mai à nov.). Interprétation du cochon de lait de Bretagne (juin à nov.). Dessert autour de l'artichaut (juin à nov.).
◆ Beau manoir du 17ᵉ s. entièrement démonté puis reconstruit à l'identique sur le port de Roscoff. Très jolies chambres (mobilier ancien ou contemporain) et accueil aux petits soins. Vue sur l'île de Batz et cuisine de la mer soignée dans l'élégante salle du Yachtman.

Talabardon
27 pl. Lacaze Duthiers, (près de l'église) – ℰ 02 98 61 24 95 – www.talabardon.fr
– hotel.talabardon@wanadoo.fr – Fax 02 98 61 10 54
– Ouvert mi-fév. à nov.

Y **b**

37 ch – †85/120 € ††95/205 €, ⊇ 14 € – ½ P 81/111 €
Rest – (fermé dim. soir et jeudi) Menu (22 €), 28/50 € – Carte 45/80 €
◆ Cet hôtel familial entièrement rénové ouvre sur la mer. Sobriété et style contemporain caractérisent les chambres ; les plus prisées jouissent d'une vue sur l'océan. Au restaurant, poissons et crustacés se dégustent avec la mer en toile de fond.

Auxerre (Quai d')...... **Z** 2	Keranveyer (R. de)...... **Z** 10	République (Pl. de la).... **Z** 19
Capucins (R. des)...... **Z** 3	Kléber (R.)........... **Z** 12	Reveillère (R. Amiral).... **Y** 20
Gambetta (R.)......... **Y** 6	Lacaze-Duthiers (Pl.).... **Y** 13	Ste-Barbe (Bd)......... **Z** 22
Gaulle (Q. Ch.-de)...... **Y** 7	Lannurien (R. G.-de).... **Z** 14	Tessier (R. P. G.)....... **Y** 23
Johnies (R. des)........ **Y** 8	Pasteur (R. L.)......... **Y** 15	Victor-Hugo
Jules-Ferry (R.)........ **Z** 9	Pen al Leur (Pl. de).... **Z** 17	(R.).............. **Y** 26

Thalasstonic
r. V. Hugo, (Y) – ℰ 02 98 29 20 20 – www.thalasso.com – thalasstonic.roscoff@thalasso.com – Fax 02 98 29 20 19 – Fermé 6-26 déc.
74 ch – ♦69/144 € ♦♦72/144 €, ⌧ 12 €   **Rest** – Menu 26 € – Carte 23/38 €
♦ Les curistes trouvent ici un accès direct au centre de thalassothérapie, les services ad hoc et des chambres pratiques (les plus spacieuses ont un balcon côté Sud). Coucher de soleil sur l'île de Batz, menu de type pension et formule diététique au restaurant.

La Résidence sans rest
14 r. Johnnies – ℰ 02 98 69 74 85 – hotel.laresidence.roscoff@orange.fr
– Fax 02 98 69 78 63 – Ouvert 1ᵉʳ avril-15 nov.   Y f
31 ch – ♦38/58 € ♦♦45/78 €, ⌧ 8 €
♦ Entre le port et l'église, construction traditionnelle isolée de la rue par un jardin joliment fleuri. Chambres soignées, pourvues de balcons au Sud. Adresse non-fumeurs.

Armen Le Triton sans rest
r. du Dr. Bagot – ℰ 02 98 61 24 44 – www.hotel-le-triton.com – resa@hotel-letriton.com – Fax 02 98 69 77 97   Z u
44 ch – ♦49/55 € ♦♦56/72 €, ⌧ 8 €
♦ Séjour au calme dans cet établissement situé à deux pas de la thalassothérapie et des plages. Les chambres sont plus spacieuses côté tennis. Petits-déjeuners face au jardin.

Aux Tamaris sans rest
49 r. É. Corbière – ℰ 02 98 61 22 99 – www.hotel-aux-tamaris.com – contact@hotel-aux-tamaris.com – Fax 02 98 69 74 36 – Ouvert 15 fév.-15 nov.   Y d
26 ch – ♦58/85 € ♦♦58/85 €, ⌧ 8,50 €
♦ Maison bretonne de 1935 abritant des chambres décorées sur les thèmes de la mer et de la campagne ; certaines ont vue sur les flots. Salle des petits-déjeuners panoramique.

Du Centre
le Port – ℰ 02 98 61 24 25 – www.chezjanie.com – contact@chezjanie.com
– Fax 02 98 61 15 43 – Fermé mi-nov. à mi-fév.   Y a
16 ch – ♦59/124 € ♦♦59/124 €, ⌧ 10 €
Rest – (fermé dim. soir et mardi sauf juil.-août) Menu (14 € bc) – Carte 26/35 €
♦ Cet hôtel voisin de la poste n'est qu'à une encablure du port. Chambres agencées avec goût : décor épuré, mobilier sobre et murs gris égayés d'extraits de poèmes. Fruits de mer, grillades et salades composent la carte de ce bar-restaurant tourné vers la Manche.

ROSCOFF

🏠 **Ibis** sans rest   📶 ✤ 📞 VISA 🆆 🅰 🅾
17 pl. Lacaze Duthiers, (pl. de l'église) – ℘ 02 98 61 22 61 – ibishotel.com
– h1109@accor.com – Fax 02 98 61 11 94   Y e
40 ch – †58/89 € ††58/89 €, ⌑ 8 €
♦ Dans le centre de Roscoff, petites chambres conformes aux normes de la chaîne profitant, pour certaines, de la vue sur la Manche. Peu de charme, mais bonne tenue et prix doux.

🏠 **Bellevue** sans rest   ≤ VISA 🆆
bd Sainte Barbe – ℘ 02 98 61 23 38 – www.hotel-bellevue-roscoff.fr
– hotelbellevue.roscoff@wanadoo.fr – Fax 02 98 61 11 80 – Ouvert de mi-mars à mi-nov. et du 25 déc. au 3 janv.   Z h
18 ch – †60/80 € ††60/80 €, ⌑ 8 €
♦ Échappée sur la mer depuis la salle du petit-déjeuner et la plupart des chambres, un peu exiguës, simples et bien tenues. Les autres regardent un patio fleuri. Bar-pub attenant.

XXX **Le Temps de Vivre** (Jean-Yves Crenn)   ≤ & ch, VISA 🆆 🅰
❀❀ pl. de l'Église – ℘ 02 98 61 27 28 – www.letempsdevivre.net
– contact@letempsdevivre.net – Fax 02 98 61 19 46
– Fermé 2 sem. en mars, 2 sem. en oct., 4-13 janv., mardi sauf le soir d'avril à déc., dim. soir et lundi   Y e
Rest – Menu 39 € (sem.)/105 € – Carte 69/115 € ⊛
Spéc. Huîtres tièdes, foie gras, pomme et jus de laitue. Bar, Saint-Pierre et turbot. Sablé breton et bonbon de pomme.
♦ La Manche en toile de fond, un cadre élégant, la cuisine inventive axée sur la pêche locale et une belle carte des vins : quatre raisons de prendre le temps de vivre !

Le Temps de Vivre 🏠🏠   📶 📞 VISA 🆆 🅰 🅾
pl. de l'Église – ℘ 02 98 19 33 19 – contact@letempsdevivre.net
– Fax 02 98 19 33 00 – Fermé 1er-15 oct.
15 ch – †95/268 € ††95/268 €, ⌑ 14 €
♦ Grandes chambres très épurées et raffinées (pierre, wengé, chêne), logées dans des maisons de corsaires réparties autour d'un patio fleuri ; certaines regardent la mer.

XX **L'Écume des Jours**   🌳 VISA 🆆
quai d'Auxerre – ℘ 02 98 61 22 83 – www.ecume-roscoff.com
– guillaume.peterken@wanadoo.fr – Fax 02 98 61 22 83 – Fermé 15 déc.-31 janv., merc. hors saison, merc. midi en juil.-août et mardi   Z x
Rest – Menu (21 €), 31/51 € – Carte 40/60 €
♦ La salle principale de cette ex-maison d'armateur (16e s.) a conservé son caractère d'antan et ses deux cheminées anciennes. Terrasse face au port et cuisine régionale soignée.

**Une nuit douillette sans se ruiner ?
Repérez les Bibs Hôtels 🛏.**

ROSENAU – 68 Haut-Rhin – 315 J11 – 1 988 h. – alt. 230 m – ⌧ 68128   **1 B3**
▶ Paris 492 – Altkirch 25 – Basel 15 – Belfort 70 – Colmar 59 – Mulhouse 24

XX **Au Lion d'Or**   🌳 🅰🅲 ✤ 🅿 VISA 🆆
⊛ 5 r. Village Neuf – ℘ 03 89 68 21 97 – www.auliondor-rosenau.com – baumlin@auliondor-rosenau.com – Fax 03 89 70 68 05 – Fermé 10-16 août, vacances de Toussaint, une sem. vacances de fév., lundi et mardi
Rest – Menu 13 € (déj. en sem.), 20/34 € – Carte 25/38 € ⊛
♦ Salle à manger chaleureuse (boiseries blondes) et agréable terrasse dans cette sympathique auberge tenue par la même famille depuis 1928. Belle sélection de vins au verre.

ROSHEIM – 67 Bas-Rhin – 315 I6 – 4 721 h. – alt. 190 m – ⌧ 67560   **1 A2**
🟩 Alsace Lorraine
▶ Paris 485 – Erstein 20 – Molsheim 9 – Obernai 6 – Sélestat 33 – Strasbourg 31
🛈 Office de tourisme, 94, rue du Général-de-Gaulle ℘ 03 88 50 75 38, Fax 03 88 50 45 49
◉ Église St-Pierre et St-Paul★.

1591

ROSHEIM

Hostellerie du Rosenmeer (Hubert Maetz)
45 av. de la Gare, 2 km au Nord-Est sur D 35 –
- ℘ 03 88 50 43 29 – www.le-rosenmeer.com – info@le-rosenmeer.com
– Fax 03 88 49 20 57 – Fermé 20 juil.-4 août et 16 fév.-10 mars
20 ch – †40/50 € ††61/98 €, ⌑ 10 € – ½ P 76/89 €
Rest – (fermé dim. soir, lundi et merc.) Menu 35 € bc (déj. en sem.), 49 € bc/76 €
– Carte 47/80 €
Rest *Winstub d'Rosemer* – (fermé dim. et lundi) Menu (8,50 €), 30 € bc/38 € bc
– Carte 22/48 €
Spéc. Escalope de foie de canard poêlée, jus de racines de primevères et son cappuccino. Dos de sandre cuit sur écorce de sapin à la purée d'orties. Forêt noire servie dans un verre, griottes d'Alsace. **Vins** Riesling, Muscat.
♦ Au bord du ruisseau qui lui a donné son nom, hôtel d'inspiration alsacienne. Chambres fonctionnelles, certaines classiques, d'autres rustiques ou modernisées. Restaurant lumineux (bois blond, tons prune-anthracite) pour une cuisine inventive inspirée du terroir. La petite winstub a vu son décor rajeuni.

Auberge du Cerf
120 r. Gén. de Gaulle – ℘ 03 88 50 40 14 – www.aubergeducerf-rosheim.com
– Fax 03 88 50 40 14 – Fermé 25 janv.-7 fév., dim. soir et lundi
Rest – Menu (12 €), 16/40 € – Carte 26/50 €
♦ Au centre de la cité vigneronne, cette auberge fleurie héberge deux petites salles à manger assez plaisantes. Cuisine classique et régionale.

La Petite Auberge avec ch
41 r. Gén. de Gaulle – ℘ 03 88 50 40 60 – www.petiteauberge.fr
– christophevasconi@wanadoo.fr – Fax 03 88 48 00 90 – Fermé 22-28 juin, merc. et jeudi
7 ch – †47 € ††47 €, ⌑ 7 € **Rest** – Menu 22/38 € – Carte 29/59 €
♦ Dans la rue principale, maisonnette alsacienne typique abritant un restaurant habillé de boiseries. Nombreux menus traditionnels et suggestions du jour. À 50 m, hôtel fonctionnel.

LA ROSIÈRE – 14 Calvados – **303** I4 – rattaché à Arromanches-les-Bains

---

LA ROSIÈRE 1850 – 73 Savoie – **333** O4 – alt. 1 850 m – Sports 45 **D2**
d'hiver : 1 100/2 600 m ≰20 ⌘ – ✉ 73700 Montvalezan
Alpes du Nord

🄳 Paris 657 – Albertville 76 – Bourg-St-Maurice 22 – Chambéry 125

Relais du Petit St-Bernard
– ℘ 04 79 06 80 48 – www.petit-saint-bernard.com – info@
petit-saint-bernard.com – Fax 04 79 06 83 40 – Ouvert 27 juin-6 sept. et
12 déc.-25 avril
20 ch – †37/53 € ††46/76 €, ⌑ 7,50 € – ½ P 51/72 €
Rest – Menu 17/20 € – Carte 16/40 €
♦ Au ras des pistes, gros chalet abritant également une taverne-restaurant et un magasin de souvenirs. Chambres rustiques sobres, parfois dotées d'un balcon panoramique. Repas de type brasserie, avec les sommets enneigés en toile de fond.

LES ROSIERS-SUR-LOIRE – 49 Maine-et-Loire – **317** H4 – 2 245 h. 35 **C2**
– alt. 22 m – ✉ 49350 **Châteaux de la Loire**

🄳 Paris 304 – Angers 32 – Baugé 27 – Bressuire 66 – Cholet 80 – La Flèche 45
– Saumur 18

🄴 Syndicat d'initiative, place du Mail ℘ 02 41 51 90 22, Fax 02 41 51 90 22

La Toque Blanche
2 rue Quarte, (rte d'Angers) – ℘ 02 41 51 80 75 – Fax 02 41 38 06 38 – Fermé
12 nov.-3 déc., 1er-22 janv., mardi et merc.
Rest – Menu 27 € bc (déj. en sem.), 37/53 €
♦ Salle à manger tout en longueur au décor classique et aux larges fenêtres ouvrant sur le fleuve. Plats traditionnels, recettes régionales et vins de Loire au programme.

LES ROSIERS-SUR-LOIRE

XX Au Val de Loire
pl. de l'Église – ℰ 02 41 51 80 30 – www.au-val-de-loire.com – info@vau-val-de-loire.com – Fax 02 41 51 95 00 – Fermé 15 fév.-15 mars, jeudi soir, dim. soir et lundi
Rest – Menu 25/42 € – Carte 30/54 €
◆ Plantes aromatiques et fleurs apportent un zeste d'originalité à la cuisine traditionnelle de cette hostellerie familiale. Salle à manger lumineuse et petit salon.

ROSNY-SOUS-BOIS – 93 Seine-Saint-Denis – **305** F7 – **101** 17 – voir à Paris, Environs

---

ROSPEZ – 22 Côtes-d'Armor – **309** B2 – rattaché à Lannion

ROSTRENEN – 22 Côtes-d'Armor – **309** C5 – 3 397 h. – alt. 216 m – ✉ 22110   9 **B2**

▶ Paris 485 – Quimper 71 – St-Brieuc 58 – Carhaix-Plouguer 22 – Pontivy 38
🛈 Office de tourisme, 6, rue Gilbert ℰ 02 96 29 02 72, Fax 02 96 29 02 72

XX L'Eventail des Saveurs
3 pl. Bourg Coz – ℰ 02 96 29 10 71 – leventail-des-saveurs@wanadoo.fr – Fax 02 96 29 34 75 – Fermé mardi soir de sept. à mai, dim. soir, merc. soir et lundi
Rest – Menu (15 €), 28/48 € – Carte 38/53 €
◆ Découvrez un éventail de saveurs bretonnes revisitées par un chef autodidacte passionné. Au choix, élégante salle épurée (tons beige, chocolat) ou cadre d'esprit brasserie.

ROUBAIX – 59 Nord – **302** H3 – 97 600 h. – alt. 27 m – ✉ 59100   31 **C2**
Nord Pas-de-Calais Picardie

▶ Paris 232 – Kortrijk 23 – Lille 15 – Tournai 20
🛈 Office de tourisme, 12, place de la Liberté ℰ 03 20 65 31 90, Fax 03 20 65 31 83
🏌 du Sart à Villeneuve-d'Ascq 5 rue Jean Jaurès, S : 5 km, ℰ 03 20 72 02 51
🏌 de Brigode à Villeneuve-d'Ascq 36 avenue du Golf, S : 6 km, ℰ 03 20 91 17 86
🏌 de Bondues à Bondues Château de la Vigne, par D 9 : 8 km, ℰ 03 20 23 02 62
◉ Centre des archives du monde du travail BX **M**[1] - La Piscine★★, Musée d'Art et d'Industrie★ - Chapelle d'Hem★ (murs-vitraux★★ de Manessier) 5 km, voir plan de Lille JS **B.**

Accès et sorties : voir plan de Lille

Plans pages suivantes

🏛 Le Grand Hôtel
22 av. J. Lebas – ℰ 03 20 73 40 00 – www.grand-hotel-roubaix.com – grand.hotel.roubaix@wanadoo.fr – Fax 03 20 73 22 42   BX **r**
93 ch – †75/105 € ††75/115 €, ⇌ 14 €
Rest – *(fermé août, vend. soir et sam. soir) (dîner seult)* Menu 22 €
◆ Monumental hall de réception, décoration soignée (moulures, colonnes) : un bel intérieur répond à la superbe architecture du 19ᵉ s. de cet hôtel bordant une avenue passante. Une grande verrière éclaire le restaurant de style Belle Époque. Carte traditionnelle.

XX Le Beau Jardin "saveurs"
av. Le Nôtre, (Le Parc Barbieux) – ℰ 03 20 20 61 85 – www.lebeaujardin.fr – restaurant@lebeaujardin.fr – Fax 03 20 45 10 65   AY **e**
Rest – Menu (21 €), 29 € – Carte 50/67 €
◆ Environnement unique pour ce restaurant niché au cœur du parc de Barbieux. Jolie salle contemporaine face à un plan d'eau et festival de saveurs dans l'assiette (herbes et épices).

à Lys-lez-Lannoy 5 km au Sud-Est par D 206 – alt. 28 m – ✉ 59390

🛈 Syndicat d'initiative, 130, rue Jules Guesde ℰ 03 20 82 30 90, Fax 03 20 82 30 90

XX Auberge de la Marmotte
5 r. J.-B. Lebas – ℰ 03 20 75 30 95 – Fax 03 20 81 16 34 – Fermé 1ᵉʳ-8 mai, 1ᵉʳ-22 août, vacances de fév., lundi et le soir sauf vend. et sam.   plan de Lille JS **f**
Rest – Menu (15 € bc), 19 € (sem.)/69 € bc – Carte 33/65 €
◆ Deux salles à manger – l'une de style rustique, l'autre plus actuelle – et un petit salon intime vous attendent dans cette maison régionale en briques. Plats traditionnels.

1593

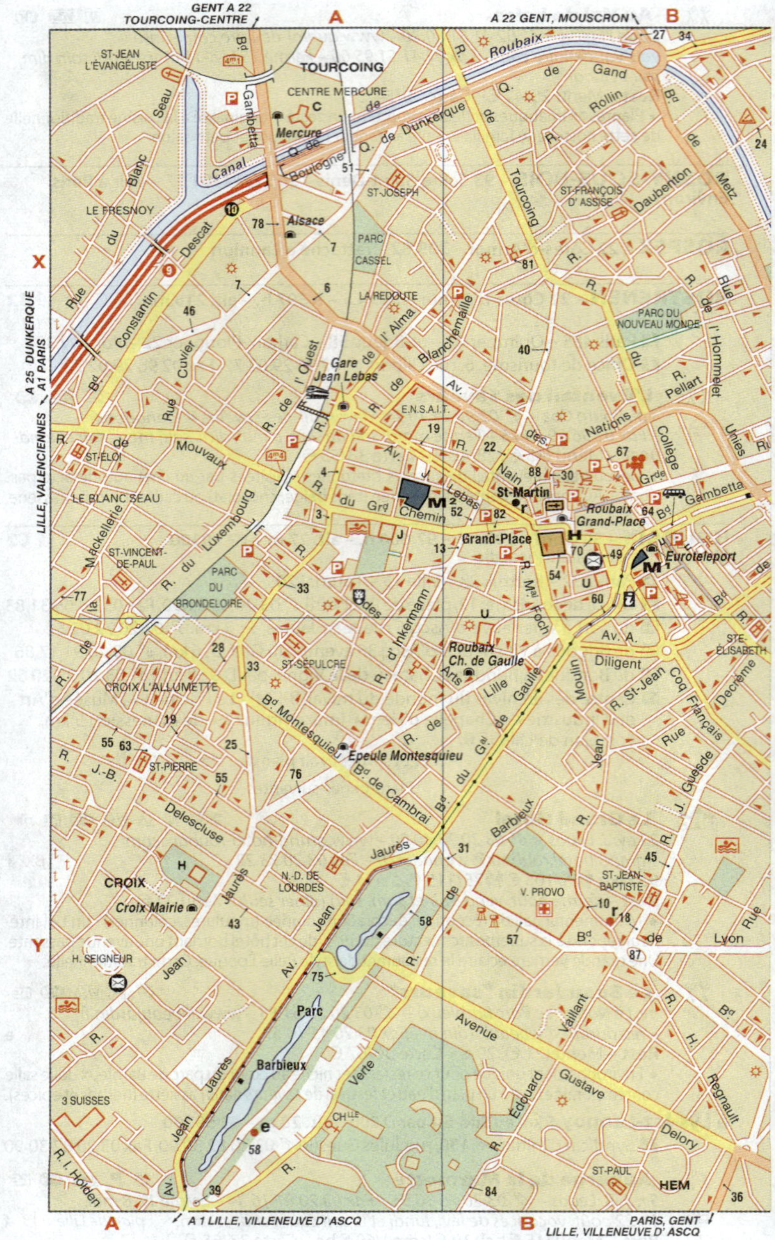
GENT A 22
TOURCOING-CENTRE
A
A 22 GENT, MOUSCRON
B
X
Y
A 25 DUNKERQUE
A 1 PARIS
LILLE, VALENCIENNES
A 1 LILLE, VILLENEUVE D' ASCQ
PARIS, GENT
LILLE, VILLENEUVE D' ASCQ
TOURCOING
CENTRE MERCURE
Mercure
ST-JEAN L'ÉVANGÉLISTE
Canal
Q. de Boulogne
Q. de Dunkerque
Roubaix
Q. de Gand
R. de Tourcoing
Bd Gambetta
Rollin
Daubenton
Bd de Metz
ST-JOSEPH
ST-FRANÇOIS D' ASSISE
LE FRESNOY
Alsace
PARC CASSEL
LA REDOUTE
PARC DU NOUVEAU MONDE
R. de l' Hommelet
R. Pellart
Rue du Collège
Av. des Nations Unies
Rue du Blanc Seau
Bd Constantin Descat
R. Cuvier
Rue de Mouvaux
R. de l' Ouest
Gare Jean Lebas
R. de l' Alma
R. de Blanchemaille
E.N.S.A.I.T.
Av. J. Lebas
R. Nain
St-Martin
Roubaix Grand-Place
Grand-Place
Gambetta
Grde Rue
Euroteleport
ST-ELOI
LE BLANC SEAU
R. du Luxembourg
R. du Grd Chemin
ST-VINCENT-DE-PAUL
R. de la Mackellerie
PARC DU BRONDELOIRE
R. des Arts
R. d' Inkermann
R. Mal Foch
Av. A. Diligent
Moulin
R. St-Jean
Coq Français
Decrême
STE-ÉLISABETH
ST-SÉPULCRE
CROIX L'ALLUMETTE
Roubaix Ch. de Gaulle
Bd de Lille
Bd du Gal de Gaulle
Bd Montesquieu
Bd de Cambrai
Epeule Montesquieu
R. J.-B. Delescluse
ST-PIERRE
Rue J. Guesde
Jean
Barbieux
N.-D. DE LOURDES
Jaurès
CROIX
Croix Mairie
H. SEIGNEUR
V. PROVO
ST-JEAN-BAPTISTE
Bd de Lyon
Rue
Av. Jean Jaurès
Parc Barbieux
R. Verte
Avenue Gustave Delory
R. Vaillant
R. Édouard
Bd H. Regnault
3 SUISSES
R. I. Holden
CHLLE
ST-PAUL
HEM
1594

CROIX

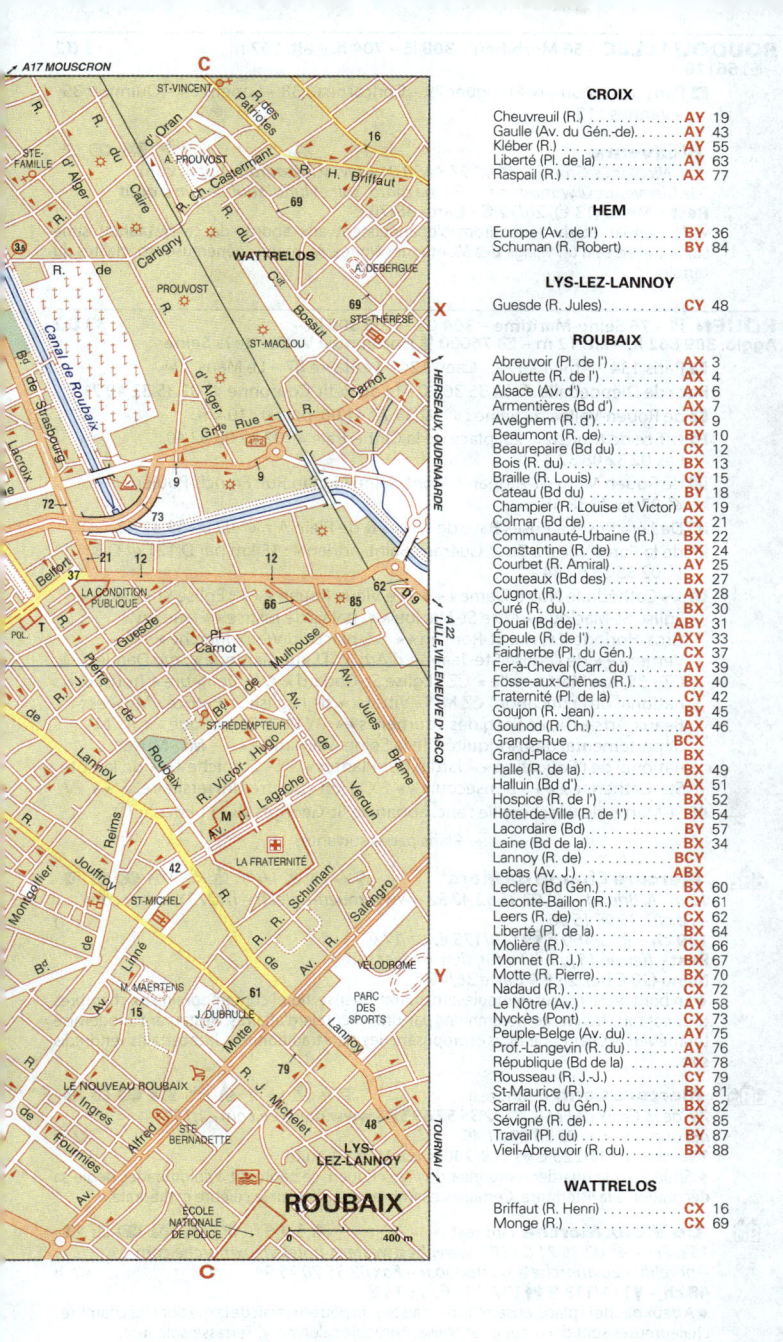

Cheuvreuil (R.)	**AY**	19
Gaulle (Av. du Gén.-de)	**AY**	43
Kléber (R.)	**AY**	55
Liberté (Pl. de la)	**AY**	63
Raspail (R.)	**AX**	77

HEM

Europe (Av. de l')	**BY**	36
Schuman (R. Robert)	**BY**	84

LYS-LEZ-LANNOY

Guesde (R. Jules)	**CY**	48

ROUBAIX

Abreuvoir (Pl. de l')	**AX**	3
Alouette (R. de l')	**AX**	4
Alsace (Av. d')	**AX**	6
Armentières (Bd d')	**AX**	7
Avelghem (R. d')	**CX**	9
Beaumont (R. de)	**BY**	10
Beaurepaire (Bd du)	**CX**	12
Bois (R. du)	**BX**	13
Braille (R. Louis)	**CY**	15
Cateau (Bd du)	**BY**	18
Champier (R. Louise et Victor)	**AX**	19
Colmar (Bd de)	**CX**	21
Communauté-Urbaine (R.)	**BX**	22
Constantine (R. de)	**BX**	24
Courbet (R. Amiral)	**AY**	25
Couteaux (Bd des)	**BX**	27
Cugnot (R.)	**AY**	28
Curé (R. du)	**BX**	30
Douai (Bd de)	**ABY**	31
Épeule (R. de l')	**AXY**	33
Faidherbe (R. du Gén.)	**CX**	37
Fer-à-Cheval (Carr. du)	**AY**	39
Fosse-aux-Chênes (R.)	**BX**	40
Fraternité (Pl. de la)	**CY**	42
Goujon (R. Jean)	**BY**	45
Gounod (R. Ch.)	**AX**	46
Grande-Rue	**BCX**	
Grand-Place	**BX**	
Halle (R. de la)	**BX**	49
Halluin (Bd d')	**AX**	51
Hospice (R. de l')	**BX**	52
Hôtel-de-Ville (R. de l')	**BX**	54
Lacordaire (Bd)	**BY**	57
Laine (Bd de la)	**BX**	34
Lannoy (R. de)	**BCY**	
Lebas (Av. J.)	**ABX**	
Leclerc (Bd Gén.)	**BX**	60
Leconte-Baillon (R.)	**CY**	61
Leers (R. de)	**CX**	62
Liberté (Pl. de la)	**BX**	64
Molière (R.)	**CX**	66
Monnet (R. J.)	**BX**	67
Motte (R. Pierre)	**BX**	70
Nadaud (R.)	**CX**	72
Le Nôtre (Av.)	**AY**	58
Nyckès (Pont)	**CX**	73
Peuple-Belge (Av. du)	**AY**	75
Prof.-Langevin (R. du)	**AY**	76
République (Bd de la)	**AX**	78
Rousseau (R. J.-J.)	**CY**	79
St-Maurice (R.)	**BX**	81
Sarrail (R. du Gén.)	**BX**	82
Sévigné (R. de)	**CX**	85
Travail (Pl. du)	**BY**	87
Vieil-Abreuvoir (R. du)	**BX**	88

WATTRELOS

Briffaut (R. Henri)	**CX**	16
Monge (R.)	**CX**	69

ROUDOUALLEC – 56 Morbihan – 308 I6 – 704 h. – alt. 167 m – ⊠ 56110 9 **B2**

▶ Paris 520 – Carhaix-Plouguer 29 – Concarneau 38 – Lorient 64 – Quimper 35 – Vannes 113

XX **Bienvenue** P VISA MC AE
84 r. Nicolas Le Grand – ℰ *02 97 34 50 01 – www.restaurant-hotels.com – le.bienvenue@wanadoo.fr – Fermé mardi soir et lundi sauf de juin à août*
Rest – Menu (13 €), 20/72 € – Carte 35/70 €

♦ Hortensias et rhododendrons s'épanouissent aux abords de ce restaurant situé sur la traversée d'un village des Montagnes Noires. Au menu : généreuses spécialités du terroir.

ROUEN P – 76 Seine-Maritime – 304 G5 – 108 300 h. – 33 **D2**
Agglo. 389 862 h. – alt. 12 m – ⊠ 76000 **Normandie Vallée de la Seine**

▶ Paris 134 – Amiens 122 – Caen 124 – Le Havre 87 – Le Mans 204

Bac : de Dieppedalle ℰ 02 35 36 20 81 ; du Petit-Couronne ℰ 02 35 32 40 21.

✈ de Rouen-Vallée de Seine : ℰ 02 35 79 41 00, par ③ : 10 km.

🛈 Office de tourisme, 25, place de la Cathédrale ℰ 02 32 08 32 40, Fax 02 32 08 32 44

⛳ de Rouen Mont-St-Aignan à Mont-Saint-Aignan Rue Francis Poulenc, ℰ 02 35 76 38 65

⛳ De Léry Poses à Poses Base de Loisirs & de Plein Air, ℰ 02 32 59 47 42

⛳ de la Forêt-Verte à Bosc-Guérard-Saint-AdrienN : 15 km par D 121 et D 3, ℰ 02 35 33 62 94

◉ Cathédrale Notre-Dame★★★ – Le Vieux Rouen★★★ : Église St-Ouen★★, Église St-Maclou★★ Aître St-Maclou★★, palais de justice★★, rue du Gros-Horloge★★, rue St-Romain★★ **BZ**, place du Vieux-Marché★ **AY**, - Verrière★★ de l'église Ste-Jeanne-d'Arc **AY D**, rue Ganterie★, rue Damiette★ **CZ** - 35, rue Martainville★ **CZ** – Église St-Godard★ **BY** – Demeure★ (musée national de l'Éducation) **CZ M**¹**5** - Vitraux★ de l'église St-Patrice - Musées : Beaux-Arts★★★, Le Secq des Tournelles★★ **BY M**¹³, Céramique★★ **BY M**³, départemental des Antiquités de la Seine-Maritime★★ **CY M**¹ - Musée national de l'Éducation★ - Jardin des Plantes★ **EX** – Corniche★★★ de la Côte Ste-Catherine★★ – Bonsecours★ **FX**, 3 km – Centre Universitaire ⁂★★ **EV**.

◉ St-Martin de Boscherville – anc. abbatiale St-Georges★★, 11 km par ⑦.

Plans pages suivantes

🏨🏨 **Mercure Champ de Mars** 🛏 & ch, 🆊 ⇄ ⁽¹⁾ 🍴 🗁 VISA MC AE ⓘ
12 av. A. Briand – ℰ *02 35 52 42 32 – www.rouen-hotel.fr – h1273@accor.com – Fax 02 35 08 15 06* **CZ j**

139 ch – ♦95/160 € ♦♦110/175 €, 🛏 17 €

Rest – *(fermé 13 juil.-23 août, dim. midi et sam.)*
Menu (20 € bc), 25 € – Carte 36/45 €

♦ En bord de Seine, sur un boulevard au trafic dense, hôtel contemporain aux chambres tout confort, fréquenté notamment par une clientèle d'affaires. Restaurant modernisé tourné vers le Champ-de-Mars et proposant des plats traditionnels. Jazz certains vendredis soirs.

🏨🏨 **Mercure Centre** sans rest 🛏 & 🆊 ⇄ ⁽¹⁾ 🍴 🗁 VISA MC AE ⓘ
7 r. de la Croix de Fer – ℰ *02 35 52 69 52 – www.mercure.com – h1301@accor.com – Fax 02 35 89 41 46* **BZ f**

125 ch – ♦109/220 € ♦♦119/240 €, 🛏 16 € – 1 suite

♦ Situé dans le quartier piétonnier du vieux Rouen, ce bâtiment à colombages dédie sa décoration à la littérature. Certaines chambres donnent sur la célèbre cathédrale.

🏨 **Du Vieux Marché** sans rest 🛏 & ⇄ ⁽¹⁾ P 🗁 VISA MC AE ⓘ
15 r. Pie – ℰ *02 35 71 00 88 – www.bestwestern-hotel-vieuxmarche.com – hotelduvieuxmarche@wanadoo.fr – Fax 02 35 70 75 94* **AY h**

48 ch – ♦111/118 € ♦♦127/132 €, 🛏 13 €

♦ À deux pas de la place, ensemble de maisons un peu en retrait de la rue dont les chambres chaleureuses sont décorées à l'anglaise. Agréable salon cosy. Terrasse-solarium.

ROUEN

De Dieppe
pl. B. Tissot, (face à la gare) – ℰ 02 35 71 96 00 – www.hotel-dieppe.fr
– hotel.dieppe@hoteldedieppe.fr – Fax 02 35 89 65 21   BY z
41 ch – †89 € ††99 €, ⊇ 11 €
Rest *Le Quatre Saisons* – *(fermé 21 juil.-10 août et sam. midi)* Menu (15 €), 23/58 € – Carte 46/67 €
♦ Cinq générations se sont succédées depuis 1880 dans cet hôtel situé face à la gare. Chambres diversement meublées, dotées d'équipements complets. Célèbre pour sa recette de canard à la rouennaise, le Quatre Saisons fait honneur à la tradition.

Suitehotel sans rest
10 quai de Boisguibert – ℰ 02 32 10 58 68 – www.suite-hotel.com – H6342@accor.com – Fax 02 32 10 58 69   EV t
80 ch – †99/134 € ††99/134 €, ⊇ 13 €
♦ Cet hôtel récent abrite d'agréables chambres d'esprit contemporain, vastes et claires, conçues aussi bien pour les hommes d'affaires que pour les familles (cuisinettes).

Dandy sans rest
93 bis r. Cauchoise – ℰ 02 35 07 32 00 – www.hotels-rouen.net – contact@hotels-rouen.net – Fax 02 35 15 48 82   AY p
18 ch – †80/105 € ††105/125 €, ⊇ 11 €
♦ Dans une rue piétonne menant à la place du Vieux-Marché, un hôtel aux chambres classiques, meublées en style Louis XV ou Louis XVI. Agréable salle pour le petit-déjeuner.

De l'Europe
87 r. aux Ours – ℰ 02 32 76 17 76 – www.h-europe.fr – europe-hotel@wanadoo.fr
– Fax 02 32 76 17 77 – Fermé 19 déc.-4 janv.   AZ e
22 ch – †60/75 € ††80/95 €, ⊇ 10 € – ½ P 60/80 €
Rest – *(fermé 18 juil.-23 août, sam. et dim.)* Menu (13 €), 23 € (sem.)/33 €
♦ Dans le Rouen historique, bâtiment moderne dont les chambres, pratiques, offrent, au dernier étage, une belle perspective sur la ville. Au restaurant, tables sobrement dressées et cuisine traditionnelle.

Le Cardinal sans rest
1 pl. Cathédrale – ℰ 02 35 70 24 42 – www.cardinal-hotel.fr – hotelcardinal.rouen@wanadoo.fr – Fax 02 35 89 75 14 – Fermé 25 déc.-15 janv. et fériés   BZ r
18 ch – †54/68 € ††64/89 €, ⊇ 8 €
♦ Voisin de la cathédrale Notre-Dame, chef-d'œuvre de l'art gothique, établissement familial aux petites chambres bien tenues, colorées en pastel. L'été, petit-déjeuner en terrasse.

Le Clos Jouvenet sans rest
42 r. Hyacinthe Langlois – ℰ 02 35 89 80 66 – www.leclosjouvenet.com
– cdewitte@club-internet.fr – Fax 02 35 98 37 65 – Fermé 15 déc.-15 janv.
4 ch ⊇ – †80/90 € ††100/110 €   EV v
♦ Belle demeure bourgeoise du 19e s. sur les hauteurs de la ville, au calme d'un grand jardin. Chambres cosy et impeccables, avec vue sur le verger ou les clochers.

Gill (Gilles Tournadre)
9 quai Bourse – ℰ 02 35 71 16 14 – www.gill.fr – gill@relaischateaux.com
– Fax 02 35 71 96 91 – Fermé 26 avril-5 mai, 2-26 août, 24 déc.-5 janv., dim. et lundi
Rest – Menu 37 € (déj. en sem.), 65/92 € – Carte 80/110 €   BZ a
Spéc. Queues de langoustines poêlées en chutney de poivron et tomate. Le pigeon à la rouennaise. Millefeuille à la vanille bourbon. **Vins** Vin de Pays du Calvados.
♦ Sur les quais de la Seine, élégante salle à manger confortable et épurée. La cuisine inventive, dans l'air du temps, met en scène les produits normands. Belle carte des vins.

Les Nymphéas (Patrice Kukurudz)
9 r. Pie – ℰ 02 35 89 26 69 – www.lesnympheas-rouen.com
– lesnympheas.rouen@wanadoo.fr – Fax 02 35 70 98 81
– Fermé 16 août-7 sept., 22 fév.-9 mars, dim. et lundi sauf fériés   AY h
Rest – Menu 30 € (déj. en sem.), 40/50 € – Carte 57/91 €
Spéc. Escalope de foie gras chaud de canard au vinaigre de cidre. Canard sauvageon à la rouennaise. Soufflé chaud aux pommes et au calvados.
♦ Cette belle maison à colombages située au fond d'une courette pavée mêle avec soin le rustique et le moderne. Agréable terrasse d'été fleurie. À table, répertoire classique.

ROUEN

Street	Ref	No
Alliés (Av. des)	DX	4
Ango (R. Jean)	EV	7
Béthencourt (Quai de)	EV	14
Bicheray (Av. du Cdt)	DV	15
Boisguilbert (Quai de)	EV	18
Bois-des-Dames (Av. du)	EV	17
Bonsecours (Rte de)	EV	21
Briand (R. Aristide)	DX	33
Brossolette (Bd)	DX	34
Bruyères (Rond-Point des)	EX	36
Caen (Av. de)	EV	37
Canteleu (Rte de)	DV	39
Carnot (Av.)	DV	40
Chasselièvre (R.)	EV	52
Clères (Chemin de)	EV	54
Coquelicots (R. des)	EV	55
Corneille (R. Pierre)	EX	58
Corniche (Rte de la)	FV	60
Darnétal (Rte de)	FV	64
Duclair (R. de)	DV	69
Elbeuf (R. d')	EX	75
Europe (Av. de l')	EV	78
Europe (Bd de l')	EVX	79
La-Fayette (R.)	EX	103
Felling (Av. de)	EX	82
Flaubert (Pt)	EV	83
Fond-du-Val (Allée du)	EV	85
France (Quai de)	DV	87
Gaulle (Bd Charles-de)	DX	88
Grand'Mare (Av. de la)	FV	92
Grand-Cours (Av. du)	EX	91
Jean-Jaurès (Av.)	DX	97
Jean-Jaurès (Bd)	DV	99
Leclerc-de-Hauteclocque (Av. du Gén.)	DX	106
Leclerc (Av. Général)	DX	105
Lesseps (Bd Ferdinand-de)	EV	107
Maréchal-Juin (Av. du)	FV	109
Martyrs-de-la-Résistance (R. des)	DV	110
Mont-Riboudet (Av. du)	EV	112
Nansen (R.)	DV	114
Paris (Rte de)	FX	158
Pène (R. Annie-de)	FV	118
Quatre-Mares (Grande R. de)	EX	122
Renard (R. du)	EV	125
République (R. de la)	FV	126
République (R. de la BONSECOURS)	EX	160
Rondeaux (Av. Jean)	EV	131
Roosevelt (Bd Franklin)	DX	132
Ste-Lucie (Rond-Point)	DX	135
Siegfried (Bd André)	EV	142
Sotteville (R. de)	EX	145
Verdun (Bd de)	EV	150
Verdun (Bd de GRAND-QUEVILLY)	DX	165
11-Novembre (Bd du)	EX	157

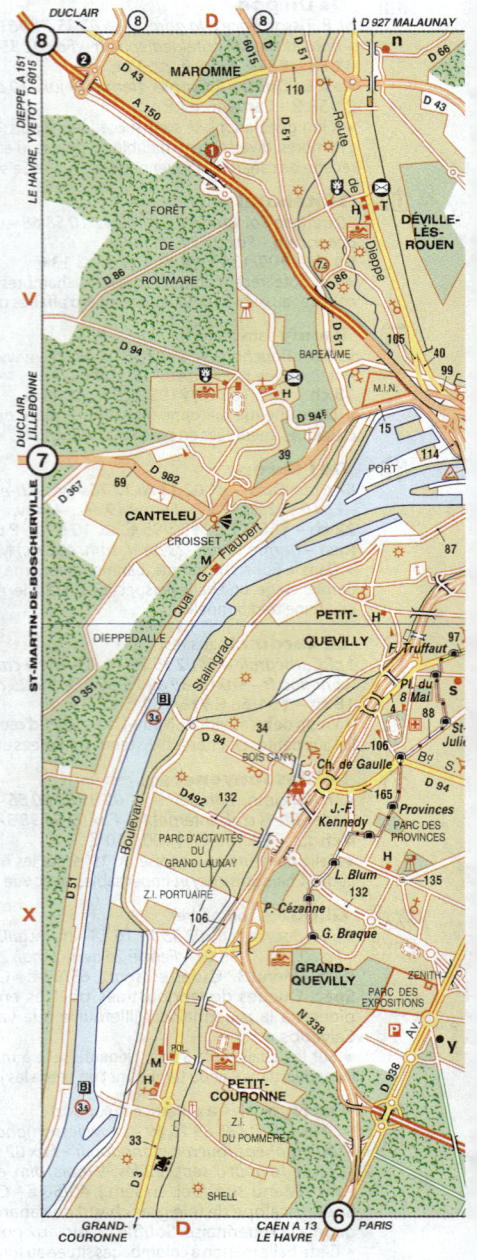

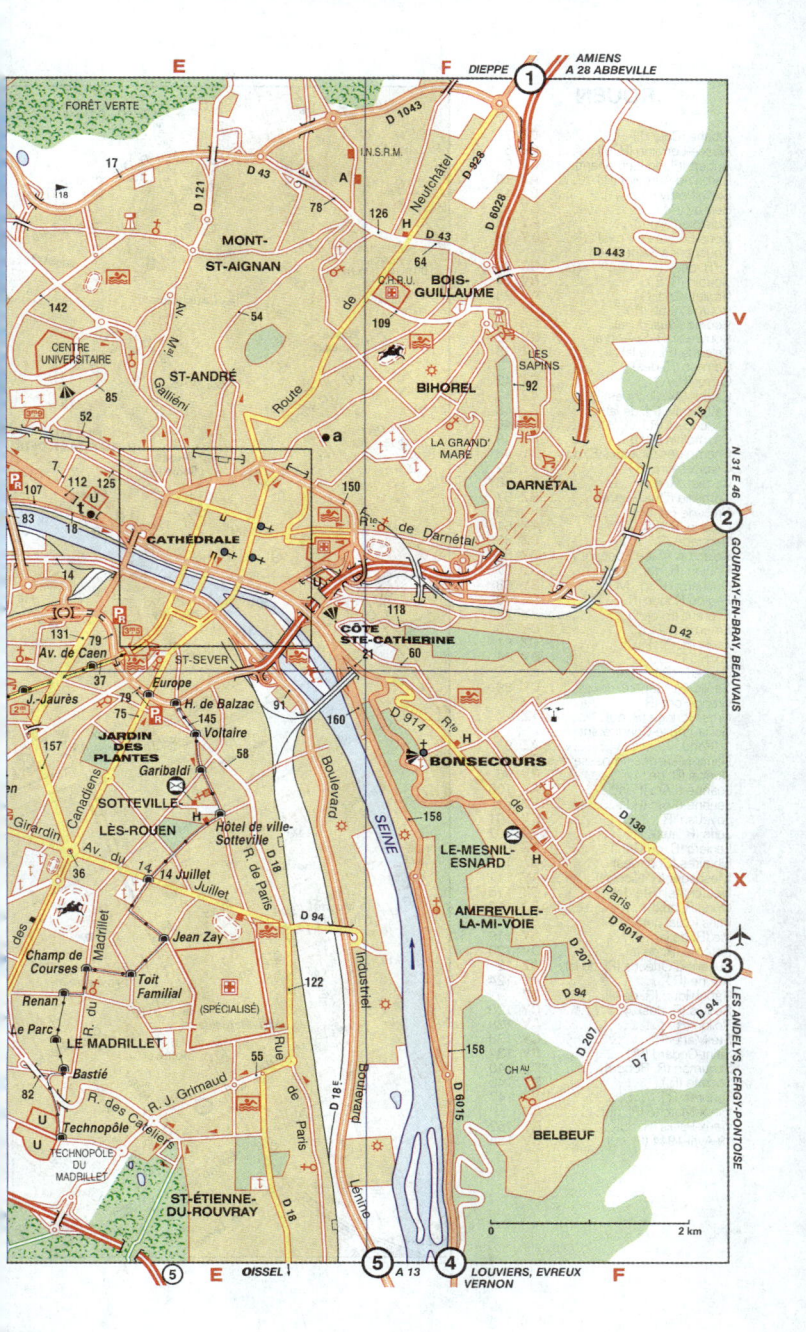

Rouen

Labels visible on map:

- FORÊT VERTE
- MONT-ST-AIGNAN
- CENTRE UNIVERSITAIRE
- ST-ANDRÉ
- BOIS-GUILLAUME
- BIHOREL
- LES SAPINS
- LA GRAND'MARE
- DARNÉTAL
- CATHÉDRALE
- ST-SEVER
- CÔTE STE-CATHERINE
- Av. de Caen
- J. Jaurès
- Europe
- H. de Balzac
- Voltaire
- JARDIN DES PLANTES
- Garibaldi
- SOTTEVILLE-LÈS-ROUEN
- Hôtel de ville-Sotteville
- BONSECOURS
- LE-MESNIL-ESNARD
- 14 Juillet
- Jean Zay
- AMFREVILLE-LA-MI-VOIE
- Champ de Courses
- Toit Familial (SPÉCIALISÉ)
- Renan
- Le Parc
- LE MADRILLET
- Bastié
- Technopôle
- TECHNOPÔLE DU MADRILLET
- BELBEUF
- ST-ÉTIENNE-DU-ROUVRAY
- SEINE

Roads / directions:

- DIEPPE — AMIENS A 28 ABBEVILLE (1)
- D 1043, D 43, D 121, D 928, D 6025, D 443, D 15
- N 31 E 46 GOURNAY-EN-BRAY, BEAUVAIS (2)
- D 42, D 914, D 138, D 6014, D 207, D 94, D 7, D 6015
- LES ANDELYS, CERGY-PONTOISE (3)
- LOUVIERS, EVREUX, VERNON (4)
- OISSEL — A 13 (5)
- Bd Industriel, Bd Lénine
- R. de Paris, R. J. Grimaud, R. des Canadiens, Av. du 14 Juillet
- Av. Galliéni

0 — 2 km

1599

ROUEN

Albane (Cour d')	**BZ**	3
Alsace-Lorraine (R. d')	**CZ**	6
Aubert (Pl. du Lieutenant)	**CZ**	9
Barbey-d'Aurevilly (R.)	**AZ**	10
Barthélemy (Pl.)	**BZ**	12
Belfroy (R.)	**BY**	13
Boieldieu (Pont)	**BZ**	16
Bons-Enfants (R. des)	**ABY**	19
Boucheries-Saint-Ouen (R. des)	**CZ**	22
Boudin (R. E.)	**BY**	24
Boulet (Quai G.)	**AY**	25
Bourg-l'Abbé (R.)	**CY**	27
Bourse (Quai de la)	**BZ**	28
Bouvreuil (R. St-André)	**BY**	30
Calende (Pl. de la)	**BZ**	35
Carmes (R. des)	**BYZ**	
Carrel (R. A.)	**CZ**	42
Cartier (Av. Jacques)	**AZ**	43
Cathédrale (Pl. de la)	**BZ**	45
Cauchoise (R.)	**AY**	46
Champlain (Av.)	**BZ**	49
Champ-des-Oiseaux (R. du)	**BY**	48
Chasselièvre (R.)	**AY**	52
Cordier (R. du)	**BY**	56
Corneille (Quai Pierre)	**BZ**	57
Croix-de-Fer (R.)	**BYZ**	59
Crosne (R. de)	**AY**	61
Damiette (R.)	**CZ**	63
Delacroix (Allée Eugène)	**BY**	66
Donjon (R. du)	**BY**	67
Duchamp (Espl. M.)	**BY**	68
Eau-de-Robec (R.)	**CZ**	70
Écureuil (R. de l')	**BY**	72
Ernemont (R. d')	**CY**	76
Faulx (R. des)	**CZ**	81
Foch (Pl.)	**BY**	84
Ganterie (R.)	**BY**	
Gaulle (Pl. Général-de)	**CY**	89
Grand-Pont (R.)	**BZ**	
Gros-Horloge (R. du)	**ABYZ**	
Guillaume-le-Conquérant (Pont)	**AZ**	93
Hauts-Mariages (Impasse des)	**CZ**	94
Hôpital (R. de l')	**BY**	96
Jeanne-d'Arc (Pont)	**AZ**	100
Jeanne-d'Arc (R.)	**BYZ**	
Joyeuse (R.)	**CY**	101
Juifs (R. aux)	**BYZ**	102
Leclerc (R. du Gén.)	**BZ**	
Libraires (Cour des)	**BZ**	108
Mesnager (R. Nicolas)	**AY**	111
Neufchatel (Rte de)	**CY**	115
Ours (R. aux)	**ABZ**	116
Paris (Quai de)	**BZ**	117
Pie (R. de la)	**AY**	119
Poterne (R. de la)	**BY**	120
Pucelle-d'Orléans (Pl. de la)	**AZ**	121
Racine (R.)	**AY**	124
République (R. de la)	**BZ**	
Requis (R. des)	**CY**	128
Rollon (R.)	**AY**	129
Ste-Marie (R.)	**BY**	138
Saint-Godard (Pl.)	**BY**	137
Schuman (R. Robert)	**CS**	140
Socrate (R.)	**BY**	143
Thouret (R.)	**BYZ**	147
Vieux-Marché (Pl. du)	**AY**	
Vieux-Palais (R. du)	**AY**	152
19-Avril-1944 (Pl. du)	**BY**	155

1600

B
C
Y
Z
0
200 m
ROUEN-R.D.
Gare-Rue Verte
St-Romain
Rue St-Maur
Rue Bouquet
Bouvreuil
Bd de la Marne
Tour Jeanne d'Arc
St-Patrice
R. St-Patrice
Rue Jeanne d'Arc
MUSÉE DES BEAUX-ARTS
M 3
SQUARE VERDREL
ST-GODARD
M 13
Lecanuet
Rue Ganterie
Rue Lecanuet
Rue de l'Avalasse
Rue de l'Yser
Beauvoisine
Rampe Beauvoisine
R. de Bihorel
R. du Nord
Bd de l'Yser
Boulingrin
R. d'Écosse
Rue Beauvoisine
M
M 1
Louis Ricard
R. des Minimes
R. Poussin
R. de la Cage
Rue des Champs
ST-NICAISE
Rue de la Porte des Champs
Av. de la Porte
Orbe
Palais de Justice
PALAIS DE JUSTICE
St-Lô
Rue des Carmes
Pl. des Carmes
ST-OUEN
R. St-Vivien
ST-VIVIEN
M 15
R. du Ruissel
Rue d'Amiens
GROS HORLOGE
Beffroi
Bureau des Finances
R. St-Romain
Rue de la République
CATHÉDRALE
AITRE ST-MACLOU
ST-MACLOU
R. Martainville
Pl. St-Marc
HÔTEL DE RÉGION
Rue du Gal Leclerc
Rue Grand Pont
Halle aux Toiles
SEINE
Pont Corneille
Bd Gambetta
ESPLANADE DU CHAMP-DE-MARS
Av. A. Briand
Pl. St-Paul
ST-PAUL
R. de l'Industrie
HALTE DE PLAISANCE
R. E. Flamand
ÎLE LACROIX
Rue Stendhal
Chastellain
Av. Jacques
Pont Mathilde
BUREAUX DU PORT FLUVIAL
Moulin
HÔTEL DU DÉPARTEMENT
Place Carnot
Quai J. Anquetil
ROUEN-R.-G.

ROUEN

XXX L'Écaille
AK VISA MC
26 rampe Cauchoise – ℰ 02 35 70 95 52 – www.restaurant-lecaille.fr
– marc.Tellier3@wanadoo.fr – Fax 02 35 70 83 49
– Fermé dim. et lundi   AY g
Rest – Menu (42 € bc), 48/78 € – Carte 73/88 €
◆ Restaurant dédié au monde marin, dans le décor comme dans les assiettes : teintes bleu-vert, tableaux modernes, cuisine au goût du jour centrée sur les produits de la mer.

XXX Les P'tits Parapluies
VISA MC AE
pl. Rougemare – ℰ 02 35 88 55 26 – www.lesptits-parapluies.com
– lespetitsparapluies@hotmail.fr – Fax 02 35 70 24 31 – Fermé 3-23 août,
2-10 janv., sam. midi, dim. soir et lundi   CY e
Rest – Menu 30 € (sem.)/49 € – Carte 52/65 € 🍷
◆ Cette bâtisse du 16ᵉ s. n'abrite plus une fabrique de parapluies mais un chaleureux restaurant au mobilier Art nouveau. Plats actuels et cave axée sur les bordeaux et bourgognes.

XXX La Couronne
🍽 ⇔ VISA MC AE ①
31 pl. Vieux Marché – ℰ 02 35 71 40 90 – www.lacouronne.com.fr – contact@lacouronne.com.fr – Fax 02 35 71 05 78   AY d
Rest – Menu 25 € (déj.), 35/48 € – Carte 56/90 €
◆ Superbement préservée, cette demeure familiale de1345 est la plus vieille auberge de France. Cadre rustique et terrasse fleurie, l'été. Le livre d'or reste sans comparaison.

XX Le Reverbère
AK VISA MC AE
5 pl. de la République – ℰ 02 35 07 03 14 – Fax 02 35 89 77 93
– Fermé 27 avril-4 mai, 27 juil.-17 août, 28 déc.-4 janv., dim. et fériés   BZ e
Rest – Menu 40 € bc/55 € – Carte 45/68 €
◆ Sur les quais, la façade de ce restaurant donne le ton de sa décoration intérieure : design, en rouge et noir avec des meubles de Starck. Recettes selon le marché et bons bordeaux.

X Minute et Mijoté
🍽 VISA MC AE
58 r. de Fontenelle – ℰ 02 32 08 40 00 – Fax 02 32 83 01 85
– Fermé dim.   AY b
Rest – Menu (16 €), 20/30 €
◆ Derrière sa devanture colorée, cette ex-brasserie du 19ᵉ s. arbore un décor simple, composé de vieux objets, façon bistrot. Menu-carte inspiré par les saisons et le marché.

X Le 37
AK VISA MC
37 r. St-Étienne-des-Tonneliers – ℰ 02 35 70 56 65 – Fax 02 35 71 96 91 – Fermé
26 avril-4 mai, 2-25 août, 24 déc.-4 janv., dim. et lundi   BZ v
Rest – Menu (19 € bc) – Carte environ 36 €
◆ Bistrot tendance, ambiance décontractée et, au piano, un chef qui prépare une cuisine actuelle et des suggestions à l'ardoise changées chaque jour. Le 37 ? Un numéro gagnant !

à Martainville-Épreville 3,5 km au Sud par D 13, D 43 et rte secondaire – 611 h.
– alt. 152 m – ✉ 76116

🏠 Sweet Home 🌿
🛏 🍽 ↔ 🍴 🛜 P
534 r. des Marronniers, accès par imp. Coquetier – ℰ 02 35 23 76 05
– http://jy.aucreterre.free.fr – jean-yves.aucreterre@libertysurf.fr
– Fax 02 35 23 76 05
4 ch ⊡ – †48 € ††52/90 €   **Table d'hôte** – Menu 16 € bc/52 €
◆ Au fond d'une impasse, dans un jardin fleuri, imposante maison aux chambres douillettes et romantiques, personnalisées par une couleur. Bon petit-déjeuner et accueil chaleureux.

au Petit Quevilly 3 km au Sud-Ouest – 22 200 h. – alt. 5 m – ✉ 76140

XXX Les Capucines
🍽 AK ⇔ P VISA MC AE
16 r. J. Macé – ℰ 02 35 72 62 34 – capucines@cegetel.net – Fax 02 35 03 23 84
– Fermé 3 sem. en août, sam. midi, dim. soir et lundi   DX s
Rest – Menu 27/52 € – Carte 50/70 €
◆ Tenue par la même famille depuis 1957, cette maison rouennaise cultive l'art de recevoir. Cadre actuel soigné et terrasse prisés par une clientèle d'affaires. Cuisine actuelle.

ROUEN

à Montigny 10 km par ⑦, D 94ᴱ et D 86 – 1 147 h. – alt. 110 m – ✉ 76380

Le Relais de Montigny
r. Lieutenant Aubert – ℰ 02 35 36 05 97 – www.le-relais-de-montigny.com
– info@le-relais-de-montigny.com – Fax 02 35 36 19 60
20 ch – †55 € ††80/86 €, ⊇ 10 € – ½ P 69/73 €
Rest – (fermé sam. midi) Menu 28/37 € – Carte 38/47 €
◆ Ce relais des années 1960, perché dans un petit village, dispose de chambres fonctionnelles dotées pour la plupart de balcons ouvrant sur un agréable jardin fleuri. Une belle terrasse verdoyante agrémentera l'été votre repas traditionnel.

à Notre-Dame-de-Bondeville 8 km au Nord-Ouest – 7 296 h. – alt. 25 m – ✉ 76960

Les Elfes
303 r. Longs Vallons – ℰ 02 35 74 36 21 – elfes2@wanadoo.fr
– Fax 02 35 75 27 09 – Fermé 15 juil.-17 août, 26 déc.-2 janv., dim. soir, lundi soir, mardi soir et merc. soir
Rest – Menu (17 €), 21 € (déj. en sem.), 23/42 € – Carte 33/68 €   DV n
◆ Un mobilier rustique et des nappes colorées participent au cadre chaleureux de cette auberge régionale, située en contrebas d'une ligne de chemin de fer. Carte traditionnelle.

ROUFFACH – 68 Haut-Rhin – 315 H9 – 4 491 h. – alt. 204 m – ✉ 68250   1 **A3**
▌Alsace Lorraine

▶ Paris 479 – Basel 61 – Belfort 57 – Colmar 16 – Guebwiller 10 – Mulhouse 28 – Thann 26
🛈 Office de tourisme, place de la République ℰ 03 89 78 53 15, Fax 03 89 49 75 30
⛳ Alsace Golf Club Moulin de Biltzheim, E : 2 km par D 8, ℰ 03 89 78 52 12

Château d'Isenbourg
rte de Pfaffenheim – ℰ 03 89 78 58 50
– www.isembourg.com – isenbourg@grandesetapes.fr – Fax 03 89 78 53 70
39 ch – †130/405 € ††130/405 €, ⊇ 24 € – 2 suites
Rest – Menu (27 €), 33 € (déj. en sem.), 50/88 € – Carte 73/107 €
◆ Ce château du 18ᵉ s., bordé de vignes, domine la vieille ville. Grandes chambres cossues un peu anciennes ; équipement sportif (tennis) complété par un spa (hammam, sauna...). Deux ambiances pour les repas : cave voûtée du 14ᵉ s. ou salle à manger classique.

A la Ville de Lyon sans rest
r. Poincaré – ℰ 03 89 49 62 49 – www.vdl-bohrer.com – villedelyon@villes-et-vignoble.com – Fax 03 89 49 76 67
48 ch – †59/145 € ††59/145 €, ⊇ 8,50 €
◆ Façade d'inspiration Renaissance. Les chambres refaites dans un esprit campagnard actuel se révèlent coquettes, les anciennes restent fonctionnelles. Piscine en mosaïque.

Philippe Bohrer
r. Poincaré – ℰ 03 89 49 62 49 – www.villes-et-vignoble.com
– villedelyon@villes-et-vignoble.com – Fax 03 89 49 76 67
– Fermé 9-22 mars et 27 juil.-9 août
Rest – (fermé lundi midi, merc. midi et dim.) Menu 27/85 € – Carte 51/67 €
Rest *Brasserie Chez Julien* – ℰ 03 89 49 69 80 – Menu 10/30 € – Carte 25/50 €
Spéc. Tranche de foie gras de canard à la gelée au gewurztraminer. Queue et pince de homard caramélisées, knödel et écume de citron confit. Tendre goûter chocolat carambar façon "sortie d'école". **Vins** Riesling, Pinot noir.
◆ Dans un beau décor de bois blond, façon "rustique chic", vous dégusterez une cuisine inventive et personnalisée, associée à une cave bien composée (nombreux vins d'Alsace). Ambiance élégante et conviviale à la Brasserie Chez Julien, aménagée dans un cinéma.

à Bollenberg 6 km au Sud-Ouest par D 83 et rte secondaire – ✉ 68250 Westhalten

Auberge au Vieux Pressoir
– ℰ 03 89 49 60 04 – www.bollenberg.com – info@bollenberg.com
– Fax 03 89 49 76 16 – Fermé 21-27 déc. et dim. soir de mi-nov. à mi-mars
Rest – Menu 28 € bc (déj. en sem.), 39/75 € bc – Carte 50/70 €
◆ Belles armoires et collection d'armes anciennes président au décor alsacien de cette maison de vignerons. Cuisine régionale soignée et dégustations de vins de la propriété.

ROUFFIAC-TOLOSAN – 31 Haute-Garonne – **343** H3 – **rattaché à Toulouse**

LE ROUGET – 15 Cantal – **330** B5 – 964 h. – alt. 614 m – ✉ 15290　　　5 **A3**
🖪 Paris 549 – Aurillac 25 – Figeac 41 – Laroquebrou 15 – St-Céré 37 – Tulle 74

Des Voyageurs
– ✆ 04 71 46 10 14 – www.hotel-des-voyageurs.com – info@hotel-des-voyageurs.com – Fax 04 71 46 93 89 – Fermé 1er-8 mars, 10-18 oct., 23-27 déc. et 15-27 fév.
24 ch – †57/60 € ††57/60 €, ⊇ 8 € – ½ P 56/59 €
Rest – (fermé dim. soir du 15 sept. au 1er mai)
Menu 12 € (déj. en sem.), 20/32 € – Carte 28/42 €
♦ Maison rajeunie cultivant depuis un demi siècle la tradition de l'hospitalité dans ce village de la Châtaigneraie cantalienne. Pimpantes chambres côté piscine ou campagne. Restaurant classiquement agencé, terrasse agréable, repas mi-terroir, mi-traditionnel.

ROULLET – 16 Charente – **324** K6 – **rattaché à Angoulême**

LE ROURET – 06 Alpes-Maritimes – **341** D5 – 3 763 h. – alt. 350 m　　　42 **E2**
– ✉ 06650
🖪 Paris 913 – Cannes 19 – Grasse 10 – Nice 28 – Toulon, 136

Du Clos sans rest
3 chemin des Écoles – ✆ 04 93 40 78 85 – www.hotel-du-clos.com – contact@hotel-du-clos.com – Fax 04 93 70 64 42
11 ch – †120/250 € ††120/250 €, ⊇ 15 €
♦ Dans le haut du village, bastide provençale et son ex-bergerie entourées d'un parc planté d'oliviers. Chambres personnalisées façon auberge. Piscine nichée dans une restanque.

Le Clos St-Pierre (Daniel Ettlinger)
pl. de l'Église – ✆ 04 93 77 39 18 – www.le-clos-saint-pierre.com
– contact@le-clos-saint-pierre.com – Fax 04 93 42 48 30
– Fermé 14 déc.-7 janv., vacances de fév., mardi et merc.
Rest – (nombre de couverts limité, prévenir) Menu 33 € (déj. en sem.)/57 €
Spéc. Asperges vertes du pays, œuf mollet et pancetta grillée (mai-juin). Selle d'agneau de Sisteron rôtie au four. Figues rôties au vin rouge et porto (août-sept.).
Vins Côtes de Provence.
♦ Sur la place de l'église, cette conviviale auberge sert une goûteuse cuisine méditerranéenne (menu unique, différent chaque jour). Bel intérieur provençal et jolie terrasse.

LES ROUSSES – 39 Jura – **321** G8 – 3 018 h. – alt. 1 110 m – Sports　　　16 **B3**
d'hiver : 1 100/1 680 m ✦40 ✗ – ✉ 39220 ▌**Franche-Comté Jura**
🖪 Paris 461 – Genève 45 – Gex 29 – Lons-le-Saunier 64 – Nyon 25 – St-Claude 31
🛈 Office de tourisme, Fort des Rousses ✆ 03 84 60 02 55, Fax 03 84 60 52 03
⛳ des Rousses Route du Noirmont, E : 1 km par D 29, ✆ 03 84 60 06 25
⛳ du Mont Saint-Jean, E : 1 km par D 29, ✆ 03 84 60 09 71
◉ Gorges de la Bienne★ O : 3 km.

Chamois
230 montée du Noirmont – ✆ 03 84 60 01 48 – www.lechamois.org – info@lechamois.org – Fax 03 84 60 39 38 – Fermé 14 avril-4 mai
11 ch – †61 € ††62 €, ⊇ 10 € – ½ P 56
Rest – Menu 18 € (déj. en sem.), 24/54 € – Carte 32/55 €
♦ Isolé au-dessus de la station des Rousses, ce chalet (non-fumeurs) dissimule un aménagement contemporain et chaleureux où domine le bois. Chambres très calmes, avec lecteur DVD. À table, jolie vue sur la nature, mise en place soignée et cuisine créative.

La Redoute
357 rte Blanche – ✆ 03 84 60 00 40 – www.hotellaredoute.com – info@hotellaredoute.com – Fax 03 84 60 04 59 – Fermé 5 avril-6 mai et 11 oct.-4 déc.
25 ch – †49/68 € ††49/68 €, ⊇ 8 € – ½ P 52/63 €
Rest – Menu 16/35 € – Carte 22/45 €
♦ Situation intéressante dans le village, malgré la proximité de la route, pour cet hôtel familial. Décor sans fioriture dans les chambres propres, lumineuses et insonorisées. Grande salle à manger rustique avec poutres et lustres en fer forgé (plats du terroir).

LES ROUSSES

Du Village sans rest VISA MC
344 r. Pasteur – ℘ 03 84 34 12 75 – www.hotelvillage.fr – herve.girod397@orange.fr – Fax 03 84 34 12 76
10 ch – †45/53 € ††49/61 €, ⊇ 6,50 €
♦ Petit hôtel central et fonctionnel disposant de chambres fraîches et colorées. La salle des petits-déjeuners fait aussi office de salon. Accueil à partir de 17 h.

par D 25 5 km au Sud-Ouest – ⊠ 39200 Prémanon

Darbella ⚘ P VISA MC AE
551 rte Darbella – ℘ 03 84 60 78 30 – www.darbella.com – hotelladarbella@wanadoo.fr – Fax 03 84 60 76 01 – Ouvert 1er juin-1er oct. et 1er déc.-30 avril
16 ch – †39/65 € ††52/75 €, ⊇ 6 € – ½ P 48/62 €
Rest – (fermé lundi et mardi hors saison) Menu (13 €), 18/30 € – Carte 25/49 €
♦ Skieurs et randonneurs apprécieront cet hôtel proche d'un téléski qui rejoint le domaine des Rousses. Chambres rajeunies et bien tenues, certaines conçues pour les familles. Petite salle à manger rustique où l'on sert une cuisine franc-comtoise et fromagère.

ROUSSILLON – 84 Vaucluse – **332** E10 – 1 280 h. – alt. 360 m 42 **E1**
– ⊠ 84220 ▌Provence
🅿 Paris 720 – Apt 11 – Avignon 46 – Bonnieux 12 – Carpentras 41 – Cavaillon 25 – Sault 31
🅸 Office de tourisme, place de la poste ℘ 04 90 05 60 25, Fax 04 90 05 63 31
◉ Site ★★.

Le Clos de la Glycine ≤ 🍴 🏠 & ch, AC 🎵 VISA MC AE
pl. de la Poste – ℘ 04 90 05 60 13 – www.luberon-hotel.com
– le.clos.de.la.glycine@wanadoo.fr – Fax 04 90 05 75 80
9 ch – †105/155 € ††105/175 €, ⊇ 13 € – 1 suite – ½ P 114/149 €
Rest David – (fermé 15 nov.-15 déc., 15 janv.-13 fév., dim. soir, jeudi midi et merc. du 15 oct. au 15 avril) (prévenir le week-end) Menu 33 €, 48/52 €
♦ Dans le village haut perché, un hôtel plein de charme : chambres fraîches et confortables, avec une vue magnifique sur la Chaussée des Géants et le Mont Ventoux. Au restaurant David, agréable terrasse panoramique sous les glycines pour profiter de recettes provençales.

Les Sables d'Ocre sans rest ⚘ 🚗 🛒 AC 🎵 P VISA MC
rte d'Apt – ℘ 04 90 05 55 55 – www.roussillon-hotel.com – sablesdocre@orange.fr – Fax 04 90 05 55 50 – Ouvert de mars à nov.
22 ch – †69/82 € ††69/82 €, ⊇ 10 €
♦ Au cœur du pays de l'Ocre, ce mas récent à l'aspect engageant allie confort moderne et décoration provençale. Le mobilier en métal peint apporte une note gaie à l'ensemble.

Le Piquebaure-Côté Soleil 🍴 P VISA MC AE ①
quartier les Estrayas, rte de Gordes – ℘ 04 90 05 79 65
– restaurant.piquebaure@wanadoo.fr – Fermé 12 nov.-10 déc., janv., merc. hors saison et mardi
Rest – (nombre de couverts limité, prévenir) Menu 30/59 € – Carte 34/54 €
♦ Ce restaurant emprunte son nom à l'un des rochers qui jalonnent le circuit de l'Ocre. Intérieur campagnard chic et belle terrasse couverte côté vallée. Cuisine du marché.

ROUSSILLON – 38 Isère – **333** B5 – 7 813 h. – alt. 200 m – ⊠ 38150 44 **B2**
🅿 Paris 505 – Annonay 24 – Grenoble 92 – St-Étienne 68 – Tournon-sur-Rhône 44 – Vienne 19
🅸 Office de tourisme, place de l'Edit ℘ 04 74 86 72 07, Fax 04 74 29 74 76

Médicis sans rest & 🎵 🛁 P 🚗 VISA MC AE
r. Fernand Léger – ℘ 04 74 86 22 47 – www.hotelmedicis.fr – info@hotelmedicis.fr
– Fax 04 74 86 48 05
15 ch – †52 € ††61 €, ⊇ 9 €
♦ Dans un quartier pavillonnaire calme, hôtel récent aux chambres spacieuses et fonctionnelles ; bonne isolation phonique. Salon équipé d'une TV grand écran.

ROUTOT – 27 Eure – 304 E5 – 1 340 h. – alt. 140 m – ⊠ 27350 — 33 **C2**
🟩 Normandie Vallée de la Seine

- Paris 148 – Bernay 45 – Évreux 68 – Le Havre 57 – Pont-Audemer 19 – Rouen 36
- La Haye-de-Routot : ifs millénaires★ N : 4 km.

L'Écurie
pl. de la Mairie – ℰ *02 32 57 30 30 – Fax 02 32 57 30 30 – Fermé dim. soir, mardi soir, merc. soir et lundi*
Rest – Menu (15 €), 20 € (sem.)/40 € – Carte 48/58 €

♦ Cet ancien relais de poste situé face aux halles abrite un salon réchauffé par une belle cheminée en pierre et deux salles (rustique ou actuelle). Cuisine traditionnelle.

ROUVRES-EN-XAINTOIS – 88 Vosges – 314 E3 – 297 h. – alt. 330 m — 26 **B3**
– ⊠ 88500

- Paris 357 – Épinal 42 – Lunéville 58 – Mirecourt 9 – Nancy 51 – Neufchâteau 34 – Vittel 19

Burnel
22 r. Jeanne d'Arc – ℰ *03 29 65 64 10 – www.burnel.fr*
– *hotelburnelleluth@wanadoo.fr – Fax 03 29 65 68 88*
– *Fermé 18-31 déc. et dim. soir hors saison*
21 ch – †50/55 € ††60/79 €, ⊇ 9 € – 2 suites – ½ P 53/60 €
Rest – *(fermé dim. soir sauf du 12 juil. au 20 sept., sam. midi et lundi midi)*
Menu (10 €), 15 € (sem.), 28/48 € – Carte environ 40 €

♦ Chambres spacieuses, très confortables et d'esprit champêtre. Certaines donnent sur le jardinet fleuri de l'établissement. La cuisine classique, variant selon le marché, est proposée dans une salle à manger refaite selon un style néo-rustique.

> Une bonne table sans se ruiner ?
> Repérez les Bibs Gourmands 😊.

ROUVROIS-SUR-OTHAIN – 55 Meuse – 307 E2 – rattaché à Longuyon (M.-et-M.)

ROYAN – 17 Charente-Maritime – 324 D6 – 18 100 h. – alt. 20 m — 38 **A3**
– Casino : Royan Pontaillac A – ⊠ 17200 🟩 Poitou Vendée Charentes

- Paris 504 – Bordeaux 121 – Périgueux 183 – Rochefort 40 – Saintes 38
- Office de tourisme, rond-point de la Poste ℰ 05 46 05 04 71, Fax 05 46 06 67 76
- de Royan à Saint-Palais-sur-Mer Maine Gaudin, par rte de St-Palais-sur-Mer : 7 km, ℰ 05 46 23 16 24
- Front de mer★ – Église Notre-Dame★ E – Corniche★ et Conche★ de Pontaillac.

Plans pages suivantes

Novotel
6 Allée des Rochers, (Conche du Chay) –
ℰ *05 46 39 46 39 – www.novotel.com – H1173@accor.com*
– *Fax 05 46 39 46 46*   A **b**
83 ch – †126/191 € ††152/191 €, ⊇ 16 € – ½ P 121/141 €
Rest – Menu (21 €), 26/79 € – Carte 35/66 €

♦ Parmi les atouts de cet hôtel : une belle situation en surplomb de la plage, un centre de thalassothérapie et d'agréables chambres (balcons) revues dans un style contemporain. Carte traditionnelle de qualité et panorama iodé singularisent cette table Novotel.

ROYAN

Family Golf Hôtel sans rest ≤ 🛋 📶 **P** *VISA* **MC** **AE** **①**
28 bd Garnier – ℰ *05 46 05 14 66 – www.hotel-family-golf.com*
– family-golf-hotel@wanadoo.fr – Fax 05 46 06 52 56
– Ouvert 16 mars-29 nov. C m
30 ch – †70 € ††70/107 €, ⊇ 10 €
♦ Cette adresse du front de mer bénéficie de rénovations régulières. Chambres de bonne ampleur pour moitié tournées vers l'océan ; terrasse pour les petits-déjeuners estivaux.

Les Bleuets sans rest **AC** ↔ 📶 *VISA* **MC** **AE**
21 façade de Foncillon – ℰ *05 46 38 51 79 – www.hotel-les-bleuets.com*
– info@hotel-les-bleuets.com – Fax 05 46 23 82 00
– Fermé 18 déc.-3 janv. B d
16 ch – †45/70 € ††50/100 €, ⊇ 8 €
♦ Discrète décoration marine, plaisantes chambres rénovées, vue sur les flots (balcons) ou le jardin : un sympathique établissement à trouver entre port et centre-ville.

Rêve de Sable sans rest ♿ 📶 *VISA* **MC** **AE**
10 pl. Foch – ℰ *05 46 06 52 25 – www.revedesable.com – contact@revedesable.fr*
– Fax 05 46 06 49 87 – Fermé 1er-18 oct. C z
11 ch – †50/80 € ††50/80 €, ⊇ 7 €
♦ Hôtel familial près de la plage et du centre-ville. Chambres claires, bien équipées, donnant en partie sur la mer. Décor parfois marin (filets de pêche). Patio (petit-déjeuner).

XX **Les Filets Bleus** **AC** *VISA* **MC**
14 r. Notre-Dame – ℰ *05 46 05 74 00 – Fermé 28 juin-12 juil., 25 oct.-8 nov.,*
🍝 *3-10 janv., lundi midi et dim.* B s
Rest – Menu (14 €), 18 € (déj. en sem.), 25/48 €
– Carte 40/80 €
♦ Restaurant dédié aux produits de la pêche et décoré à la façon d'un bateau : tons bleu et blanc, bois, hublots, lampes tempête, etc. Menu spécial homard en saison.

XX **Le Relais de la Mairie** **AC** *VISA* **MC** **AE**
1 r. du Chay – ℰ *05 46 39 03 15 – alain-gedoux@wanadoo.fr – Fax 05 46 39 03 15*
🍝 *– Fermé 17 nov.-7 déc., jeudi soir, dim. soir et lundi* A k
Rest – Menu (13 €), 16 € (sem.)/35 € – Carte 27/57 €
♦ Intérieur sobre et lumineux, tables agréablement dressées, cuisine traditionnelle et service familial : une adresse plutôt confidentielle appréciée par les gens de la région.

à Pontaillac – ✉ 17640

Pavillon Bleu et Résidence de Saintonge ⌘ ⌘ rest, **P**
12 allée des Algues – ℰ *05 46 39 00 00* *VISA* **MC**
🍝 *– www.le-pavillon-bleu.com – le.pavillon.bleu@wanadoo.fr – Fax 05 46 39 07 00*
– Ouvert 10 avril-20 sept. A q
37 ch – †38/46 € ††49/69 €, ⊇ 8 € – 5 suites – ½ P 51/61 €
Rest – Menu 19 € (déj. en sem.), 28/35 € ❀
♦ Un important programme de rénovation redonne progressivement des couleurs à cet établissement familial. Les chambres déjà refaites sont plus actuelles et agréables. Cuisine traditionnelle iodée et belle sélection de vins de Bordeaux au restaurant.

Miramar sans rest 🛋 ♿ ↔ *VISA* **MC**
173 av. Pontaillac – ℰ *05 46 39 03 64 – www.miramar-pontaillac.com*
– miramaroyan@wanadoo.fr – Fax 05 46 39 23 75 A n
27 ch – †63/162 € ††63/162 €, ⊇ 10 €
♦ Bâtiment des années 1950 bien entretenu, que seule une route sépare de la plage la plus en vue de Royan. Chambres assez spacieuses, à choisir côté mer.

Grand Hôtel de Pontaillac sans rest ≤ 🛋 📶 ⌘ 🚗
195 av. Pontaillac – ℰ *05 46 39 00 44* *VISA* **MC** **AE** **①**
– www.monalisahotels.com – resa-royan@monalisahotels.com
– Fax 05 46 39 04 05 A u
40 ch – †95 € ††95 €, ⊇ 12 €
♦ Face à la plage de Pontaillac, hôtel rénové dont la salle des petits-déjeuners et environ la moitié des chambres ménagent une jolie vue sur l'Atlantique.

ROYAN

Alsace-Lorraine (R.)	**B**	3
Briand (Bd A.)	**B**	5
Conche-du-Chay (Av. de la)	**A**	6
Desplats (R. du Colonel)	**B**	7
Dr-Audouin (Bd du)	**B**	8
Dr-Gantier (Pl. du)	**C**	9
Dugua (R. P.)	**B**	10
Europe (Cours de l')	**C**	
Façade de Foncillon	**B**	12
Foch (Pl. Mar.)	**C**	15
Foncillon (R. de)	**B**	16
Font-de-Cherves (R.)	**B**	17
Gambetta (R.)	**B**	
Gaulle (Pl. Ch.-de)	**B**	19
Germaine-de-la-Falaise (Bd)	**AB**	20
Grandière (Bd de la)	**C**	21
Leclerc (Av. Mar.)	**C**	26
Libération (Av. de la)	**C**	28
Loti (R. Pierre)	**B**	
Notre-Dame (R.)	**B**	32
Parc (Av. du)	**C**	35
République (Bd de la)	**B**	40
Rochefort (Av. de)	**B**	42
Schuman (Pl. R.)	**B**	45
Semis (Av. des)	**C**	46
Thibeaudeau (Rd-Pt du Cdt)	**B**	48
5-Janvier-1945 (Bd du)	**B**	52

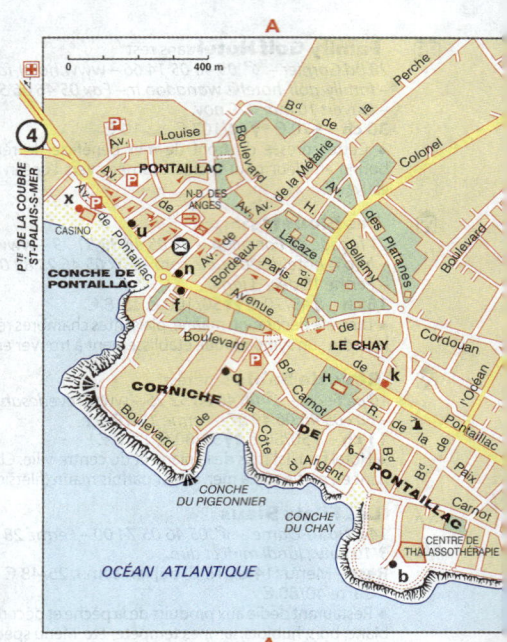

🏠 **Belle-Vue** sans rest ≤ 📶 🅿 VISA ⓜ

122 av. Pontaillac – ✆ 05 46 39 06 75
– www.bellevue-pontaillac.com
– belle-vueroyan@wanadoo.fr – Fax 05 46 39 44 92
– Ouvert d'avril à oct. **A f**
22 ch – ♦49/79 € ♦♦49/79 €, ⌑ 7 €

♦ Bordant l'avenue, vaste bâtisse des années 1950 modernisée. Chambres de taille moyenne, sagement rustiques et bien tenues, à choisir côté mer. Ambiance familiale.

XX **La Jabotière** ≤ VISA ⓜ AE

espl. Pontaillac – ✆ 05 46 39 91 29 – Fax 05 46 38 39 93
ಊ *– Fermé 12-18 oct., 20-27 déc., janv., merc. soir, dim. soir et lundi* **A x**
Rest – Menu 17 € (déj.), 20/56 € – Carte 56/81 €

♦ À même la plage, restaurant rustico-bourgeois largement ouvert sur l'Atlantique. Carte traditionnelle et poissons ; formule bistrot proposée au déjeuner.

rte de St-Palais 3,5 km par ④ – ✉ **17640 Vaux-sur-Mer**

🏠 **Résidence de Rohan** sans rest ⏳ ≤ 🌀 🛎 🅿 VISA ⓜ

Conche de Nauzan – ✆ 05 46 39 00 75
– www.residence-rohan.com
– info@residence-rohan.com – Fax 05 46 38 29 99
– Ouvert 26 mars-10 nov.
44 ch – ♦70/134 € ♦♦70/134 €, ⌑ 11 €

♦ Jadis salon littéraire de la duchesse de Rohan, jolie demeure du 19ᵉ s. complétée d'une villa dans un parc dominant la plage. Chambres romantiques, beau mobilier de style.

à St-Georges-de-Didonne 2 km au Sud-Est du plan par Bd F. Garnier – 5 059 h.
– alt. 7 m – ✉ 17110

🛈 Office de tourisme, 7, boulevard Michelet ✆ 05 46 05 09 73,
Fax 05 46 06 36 99

Colinette et Costabela VISA ⓂⒸ
16 av. de la Grande Plage – ✆ 05 46 05 15 75
– www.colinette.fr – infos@colinette.fr
– Fax 05 46 06 54 17 – Fermé 20 déc.-20 janv.
21 ch – ♦49/110 € ♦♦49/110 €, ⌑ 8 € – ½ P 53/70 €
Rest – *(fermé le midi d'oct. à mars)* Menu (13 €), 17/24 € – Carte 28/40 €
◆ Entre pinède et plage, maison des années 1930 aux allures de pension de famille.
Chambres lumineuses et fonctionnelles, plus spacieuses à l'annexe.

ROYAT – 63 Puy-de-Dôme – **326** F8 – 4 797 h. – alt. 450 m – Stat. 5 **B2**
therm. : début avril-mi oct. – Casino B – ✉ 63130 ▌**Auvergne**

▶ Paris 423 – Aubusson 89 – La Bourboule 47 – Clermont-Ferrand 5
– Le Mont-Dore 40

🛈 Syndicat d'initiative, 1, avenue Auguste Rouzaud ✆ 04 73 29 74 70,
Fax 04 73 35 81 07

⛳ Nouveau Golf de Charade, SO : 6 km, ✆ 04 73 35 73 09

⛳ des Volcans à Orcines La Bruyère des Moines, N : 9 km, ✆ 04 73 62 15 51
Circuit automobile de Charade, St Genès-Champanelle ✆ 04 73 29 52 95.
◉ Église St-Léger★.

Accès et sorties : voir plan de Clermont-Ferrand agglomération.

1609

ROYAT

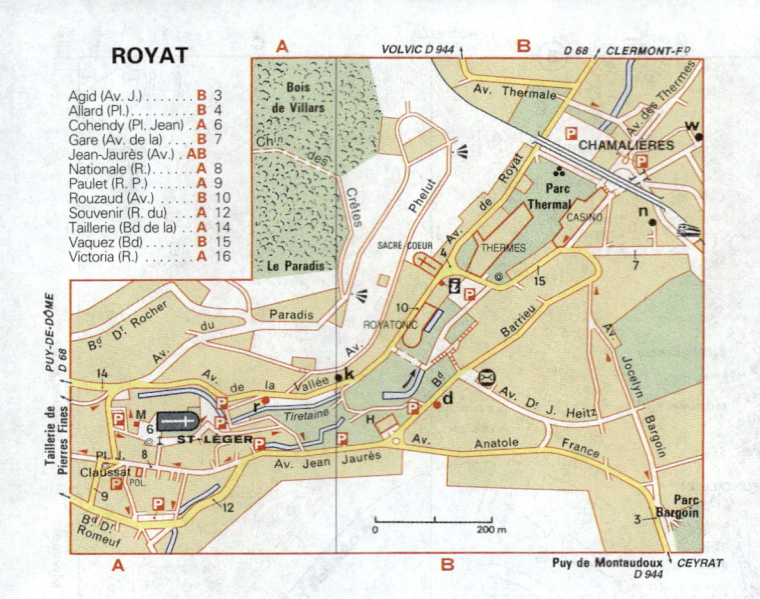

Agid (Av. J.)	**B**	3
Allard (Pl.)	**B**	4
Cohendy (Pl. Jean)	**A**	6
Gare (Av. de la)	**B**	7
Jean-Jaurès (Av.)	**AB**	
Nationale (R.)	**A**	8
Paulet (R. P.)	**A**	9
Rouzaud (Av.)	**B**	10
Souvenir (R. du)	**A**	12
Tailleric (Bd de la)	**A**	14
Vaquez (Bd)	**B**	15
Victoria (R.)	**A**	16

Royal St-Mart

av. de la Gare – ℰ 04 73 35 80 01 – www.hotel-auvergne.com – contact@hotel-auvergne.com – Fax 04 73 35 75 92 – Fermé mi déc.-fin janv.
55 ch – †57/120 € ††65/125 €, ⇌ 10 € – ½ P 57/100 €   B n
Rest – *(ouvert début avril à fin oct.)* Menu 29/32 € – Carte 25/56 €

♦ Depuis 1853, c'est la même famille qui vous accueille dans cette demeure ombragée de cèdres. Chambres diversement aménagées ; préférez celles côté jardin. Salon bourgeois. Salle à manger-véranda orientée vers la pelouse-terrasse. Registre culinaire classique.

Le Chatel

20 av. Vallée – ℰ 04 73 29 53 00 – www.hotel-le-chatel.com – info@hotel-le-chatel.com – Fax 04 73 29 53 29 – Fermé mi déc.-mi janv., sam. et dim. de nov. à mars
25 ch – †57 € ††63 €, ⇌ 9 € – 5 suites – ½ P 54 €   B k
Rest – Menu (13 € bc), 18/40 € – Carte 26/40 €

♦ Face à un parc où ruisselle la Tiretaine, bâtisse ancienne abritant des chambres bien tenues. Certaines, plus amples, occupent une maison voisine. Suites rénovées. Plaisante salle à manger. Cuisine traditionnelle et régionale escortée de formules diététiques.

Château de Charade sans rest

5 km au Sud-Ouest par D 941 et D 5 – ℰ 04 73 35 91 67
– www.chateau-de-charade.com – chateau-de-charade@orange.fr
– Fax 04 73 29 92 09 – Ouvert 31 mars-7 nov.
5 ch – †70/78 € ††70/78 €, ⇌ 6 €

♦ Château du 17ᵉ s. revu au 19ᵉ s., en lisière du golf de Royat : chambres garnies de meubles anciens regardant toutes le parc. Pour la détente, un agréable salon et un billard.

La Belle Meunière avec ch

25 av. Vallée – ℰ 04 73 35 80 17 – www.la-belle-meuniere.com – info@la-belle-meuniere.com – Fax 04 73 35 67 85 – Fermé 17-31 août, 15-22 fév., sam. midi, dim. soir et lundi
6 ch – †55/70 € ††65/95 €, ⇌ 12 € – ½ P 75/95 €   A r
Rest – Menu (17 €), 29/85 € – Carte 43/80 €

♦ En bord de Tiretaine, table inventive fusionnant l'Auvergne et l'Asie, dans un cadre d'esprit Napoléon III, semé de notes Art nouveau (vitraux) et de chinoiseries. L'idylle entre la Belle Meunière et le général Boulanger inspire le décor (19ᵉ s.) des chambres.

ROYAT

✗ **L'Hostalet** VISA MC AE
47 bd Barrieu – ℰ 04 73 35 82 67 – Fermé 11 janv.-9 mars,
❀ dim. et lundi sauf fériés B d
Rest – Menu 18 € (déj. en sem.), 25/36 € – Carte 24/39 €
♦ Les immuables plats traditionnels et la riche carte des vins semblent rassurer les habitués qui fréquentent ce restaurant familial au décor un brin suranné.

ROYE – 80 Somme – 301 J9 – 6 529 h. – alt. 88 m – ⌧ 80700 36 **B2**
▮ Nord Pas-de-Calais Picardie
▶ Paris 113 – Compiègne 42 – Amiens 44 – Arras 75 – St-Quentin 61

✗✗✗ **La Flamiche** (Marie-Christine Borck-Klopp) AC VISA MC
20 pl. Hôtel de Ville – ℰ 03 22 87 00 56 – www.laflamiche.fr
❀ – restaurantlaflamiche@wanadoo.fr – Fax 03 22 78 46 77
– Fermé 3 sem. en août, 1 sem. début janv., dim. soir, mardi midi et lundi
Rest – Menu 35/178 € bc – Carte 40/65 €
Spéc. Flamiche aux poireaux (oct. à mai). Colvert des marais (saison). Paris-Brest.
♦ Des expositions de tableaux et de sculptures ornent les plaisantes salles à manger meublées dans le style picard. Cuisine au goût du jour à l'accent régional.

✗✗ **Le Florentin Hôtel Central** avec ch AC rest, ✿ ch, ☏ VISA MC AE
36 r. d'Amiens – ℰ 03 22 87 11 05 – www.leflorentin.com – devauxd@
❀ clubinternet.fr – Fax 03 22 87 42 74 – Fermé 11-25 août, dim. soir et lundi
8 ch – ♦45 € ♦♦50 €, ⌧ 6 € **Rest** – Menu 16/42 € – Carte 30/50 €
♦ Une façade en briques rouges abritant un restaurant au décor d'inspiration italienne : colonnes, moulures, marbres et fresques. Cuisine traditionnelle. Chambres fonctionnelles.

✗✗ **Le Roye Gourmet** VISA MC
1 pl. de la République – ℰ 03 22 87 10 87 – leroye.gourmet@orange.fr – Fermé
❀ 11-23 août, 2-10 janv., dim. soir et lundi
Rest – Menu 17/45 € – Carte 30/65 €
♦ Sur une place sympathique, enseigne célébrant le terroir par une cuisine classique. Une salle au mobilier actuel, une autre, plus grande, aux murs égayés de tableaux.

✗ **Hostellerie La Croix d'Or** ⌂ VISA MC
123 r. St-Gilles – ℰ 03 22 87 11 57 – www.lacroixdor80.fr – contact@
lacroixdor80.fr – Fax 03 22 87 09 81 – Fermé lundi soir, merc. soir, jeudi soir, dim. soir et mardi
Rest – Menu (12 €), 20/38 € – Carte 29/58 €
♦ Une plaisante atmosphère campagnarde règne en les murs de cette auberge située à l'entrée de la ville. On y déguste une goûteuse cuisine classique.

ROYE – 70 Haute-Saône – 314 H6 – rattaché à Lure

LE ROZIER – 48 Lozère – 330 H9 – 149 h. – alt. 400 m – ⌧ 48150 22 **B1**
▮ Languedoc Roussillon
▶ Paris 632 – Florac 57 – Mende 63 – Millau 23 – Sévérac-le-Château 23
– Le Vigan 72
▮ Office de tourisme, route de Meyrueis ℰ 05 65 62 60 89, Fax 05 65 62 60 27
◉ Terrasses du Truel ≤★ E : 3,5 km - Gorges du Tarn★★★.
◉ Chaos de Montpellier-le-Vieux★★★ S : 11,5 km - Corniche du Causse Noir
≤★★ SE : 13 km puis 15 mn.

🏠 **Grand Hôtel de la Muse et du Rozier** ≤ 🐕 🐖 🎿 🎿 🏊 ✿
rte des Gorges, à La Muse (D 907) rive droite du Tarn 🅿 VISA MC AE ◉
⌧ 12720 Peyreleau (Aveyron) – ℰ 05 65 62 60 01 – www.hotel-delamuse.fr
– info@hotel-delamuse.fr – Fax 05 65 62 63 88 – Ouvert 3 avril-11 nov.
38 ch – ♦85/110 € ♦♦85/165 €, ⌧ 13 € **Rest** – Menu 33/65 € – Carte 52/74 €
♦ Une plage privée au bord du Tarn est aménagée dans le jardin de ce grand hôtel centenaire. Intérieur contemporain très zen, en harmonie avec les sublimes paysages environnants. Table créative respectueuse du terroir avec, en terrasse, la rivière pour décor.

LE ROZIER

Doussière sans rest
– ℰ 05 65 62 60 25 – www.hotel-doussiere.com – galtier.christine@libertysurf.fr
– Fax 05 65 62 65 48 – Ouvert Pâques-10 nov.
20 ch – †46/58 € ††48/62 €, ⊇ 9 €
♦ Dans le village, deux bâtiments situés de part et d'autre de la Jonte. Les chambres de l'annexe sont plus anciennes. Vue plaisante au petit-déjeuner ; espace de remise en forme.

RUCH – 33 Gironde – 335 K6 – 507 h. – alt. 100 m – ⊠ 33350 — 4 C1
▪ Paris 609 – Bordeaux 66 – Pessac 77 – Talence 71 – Villenave-d'Ornon 65

Le Domaine de Blaignac
3 lieu dit de Blaignac – ℰ 05 57 40 54 57 – www.domainedeblaignac.com
– reservation@domainedeblaignac.com
5 ch ⊇ – †58/62 € ††64/68 € **Table d'hôte** – Menu 25 € bc
♦ Située au cœur de l'Entre-deux-Mers, une ancienne maison de vignerons dans un grand jardin d'arbres fruitiers tourné vers les vignes. Chambres fraîches, très bien tenues. À la table d'hôtes, les vins régionaux accompagnent une cuisine familiale.

RUE – 80 Somme – 301 D6 – 3 075 h. – alt. 9 m – ⊠ 80120 — 36 A1
▌ Nord Pas-de-Calais Picardie
▪ Paris 212 – Abbeville 28 – Amiens 77 – Berck-Plage 22 – Le Crotoy 8
▪ Office de tourisme, 10, place Anatole Gosselin ℰ 03 22 25 69 94, Fax 03 22 25 76 26
▪ Chapelle du St-Esprit★ : intérieur★★.

à St-Firmin 3 km à l'Ouest par D 4 – ⊠ 80550 Le Crotoy

Auberge de la Dune
1352 r. de la Dune – ℰ 03 22 25 01 88 – www.auberge-de-la-dune.com
– contact@auberge-de-la-dune.com – Fax 03 22 25 66 74 – Fermé déc.
11 ch – †65 € ††65 €, ⊇ 10 € – ½ P 58 €
Rest – Menu (13 €), 18 € (sem.)/40 € – Carte 21/45 €
♦ Cette petite auberge, isolée au milieu des champs, se trouve à deux tours de roue du parc ornithologique. Sobres chambres actuelles et pratiques ; tenue méticuleuse. Salle à manger campagnarde. Cuisine traditionnelle et quelques spécialités picardes.

RUEIL-MALMAISON – 92 Hauts-de-Seine – 311 J2 – 101 14 – voir à Paris, Environs

RUILLÉ-FROID-FONDS – 53 Mayenne – 310 F7 – rattaché à Château-Gontier

RULLY – 71 Saône-et-Loire – 320 I8 – 1 463 h. – alt. 220 m – ⊠ 71150 — 8 C3
▪ Paris 332 – Autun 43 – Beaune 20 – Chalon-sur-Saône 16 – Le Creusot 32

Le Vendangerot avec ch
6 pl. Ste-Marie – ℰ 03 85 87 20 09 – www.vendangerot.com
– laurence_armand@hotmail.fr – Fax 03 85 91 27 18 – Fermé 1ᵉʳ fév.-15 mars, mardi et merc.
14 ch – †53 € ††53 €, ⊇ 7 € **Rest** – Menu 18 € (sem.)/47 € – Carte 50/58 €
♦ Face à un jardin public, auberge de village à la façade fleurie. Salle à manger décorée de vieilles photos sur la viticulture. Spécialités régionales. Chambres au cachet ancien.

RUMILLY – 74 Haute-Savoie – 328 I5 – 12 400 h. – alt. 334 m — 45 C1
– ⊠ 74150 ▌ Alpes du Nord
▪ Paris 530 – Aix-les-Bains 21 – Annecy 19 – Bellegarde-sur-Valserine 37 – Genève 64
▪ Office de tourisme, 4, place de l'Hôtel de Ville ℰ 04 50 64 58 32, Fax 04 50 01 03 53

RUMILLY

✗ **Boîte à Sel**　　　　　　　　　　　　　　　　　　　　VISA MC AE
27 r. Pont-Neuf – ℰ *04 50 01 02 52 – Fax 04 50 01 42 11 – Fermé 1er-15 août,*
1er-15 janv., jeudi soir, dim. soir et lundi
Rest – Menu (13 €), 23/30 € – Carte 26/37 €
◆ Modeste restaurant d'une rue commerçante proposant une cuisine traditionnelle façon bistrot. Trompe-l'œil paysager en toile de fond et aimable accueil.

RUNGIS – 94 Val-de-Marne – **312** D3 – **101** 26 – **voir à Paris, Environs**

RUOMS – Ardèche – **331** I7 – 2 189 h. – alt. 121 m – ✉ 07120　　　　　44 **A3**
▌ Lyon Drôme Ardèche

▶ Paris 651 – Alès 54 – Aubenas 24 – Pont-St-Esprit 49
🛈 Syndicat d'initiative, rue Alphonse Daudet ℰ 04 75 93 91 90, Fax 04 75 39 78 91
◉ Labeaume★ O : 4 km – Défilé de Ruoms★.

✗ **Le Savel** avec ch　　　　　　　　　　　　🍴 🌿 ⇔ 📶 P VISA MC
rte des Brasseries – ℰ *04 75 39 60 02 – www.ardechehotelsavel.com*
– hotel-le-savel@wanadoo.fr – Fax 04 75 39 76 02
14 ch – ♦54/68 € ♦♦54/68 €, ⊇ 8 € – ½ P 53/60 €
Rest *– (fermé 14-30 sept., vend., sam. d'oct. à avril et dim.) (dîner seult)*
(nombre de couverts limité, prévenir) Menu 25 €
◆ La passion des bons produits du terroir anime les propriétaires de cette demeure bourgeoise (1890) au cœur d'un parc. Repas dans un cadre rétro et chambres proprettes.

RUPT-SUR-MOSELLE – 88 Vosges – **314** H5 – 3 560 h. – alt. 424 m　　　27 **C3**
– ✉ 88360

▶ Paris 423 – Belfort 58 – Colmar 80 – Épinal 38 – Mulhouse 68 – St-Dié 63
– Vesoul 61

🏠 **Centre**　　　　　　　　　　AC rest, ⓘ 🛁 P 🚗 VISA MC AE ⓘ
30 r. de l'Église – ℰ *03 29 24 34 73 – www.hotelrestaurantducentre.com*
– hotelcentreperry@wanadoo.fr – Fax 03 29 24 45 26 – Fermé 1er-8 mai, 2-9 juin,
6-13 oct., vacances de Noël, sam. midi, dim. soir et lundi
8 ch – ♦46/57 € ♦♦56/72 €, ⊇ 8 € – ½ P 50/58 €
Rest – Menu (14 €), 25/48 € – Carte 36/79 €
◆ Dans cette ville aux portes du parc régional des ballons des Vosges, maison mosellane proche de l'église abritant des chambres propres et confortables. Carte traditionnelle de saison à déguster dans une salle à manger toute simple où trône une rotissoire décorative.

🏠 **Relais Benelux-Bâle**　　　　　　　　🍴 🌿 ⓘ P VISA MC AE
69 r. de Lorraine – ℰ *03 29 24 35 40 – www.benelux-bale.com – contact@*
benelux-bale.com – Fax 03 29 24 40 47 – Fermé 27 juil.-5 août, 20 déc.-5 janv. et
dim. soir
10 ch – ♦40/52 € ♦♦45/62 €, ⊇ 8 € – ½ P 41/44 €
Rest – Menu (13 €), 20/33 € – Carte 28/48 €
◆ En bordure de route, chalet assez avenant, correctement insonorisé. Chambres sobres, lumineuses et bien équipées. Le restaurant, tenu depuis 1921 par la même famille, propose une cuisine traditionnelle et régionale. Agréable terrasse.

RUSTREL – 84 Vaucluse – **332** F10 – 645 h. – alt. 400 m – ✉ 84400　　　40 **B2**
▌ Provence

▶ Paris 747 – Aix-en-Provence 66 – Marseille 94 – Salon-de-Provence 70

🏠 **La Forge** sans rest 🌿　　　　　　　　　　　🍴 ⊇ ⓘ 🚗
Notre-Dame-des-Anges, 2 km par rte d'Apt et rte secondaire – ℰ *04 90 04 92 22*
– www.laforge.com.fr – laforge@laforge.com.fr – Fax 04 88 10 05 76
– Ouvert 1er mars-15 nov.
5 ch ⊇ – ♦115 € ♦♦120 € – 1 suite
◆ Aux confins du Colorado provençal, ancienne fonderie partiellement réaménagée en accueillante maison d'hôtes. Grandes chambres personnalisées et jardin fleuri.

RŒUX – 62 Pas-de-Calais – **301** K6 – **rattaché à Arras**

LES SABLES-D'OLONNE – 85 Vendée – 316 F8 – 15 200 h. – alt. 4 m — 34 **A3**
– Casinos : des Pins **CY**, des Atlantes **AZ** – ⌧ 85100 — Poitou Vendée Charentes

- Paris 456 – Cholet 107 – Nantes 102 – Niort 115 – La Roche-sur-Yon 36
- Office de tourisme, 1, promenade Joffre ℰ 02 51 96 85 85, Fax 02 51 96 85 71
- des Olonnes à Olonne-sur-Mer par rte de la Roche-sur-Yon : 6 km, ℰ 02 51 33 16 16
- de Port-Bourgenay à Talmont-Saint-Hilaire, S : 17 km, ℰ 02 51 23 35 45
- Le Remblai ★.

LES SABLES D'OLONNE

Arago (Bd) . . . . **BY** 4	Castelnau (Bd de) . . . . **BY** 12	Ile Vertine (Bd de l') . . . . **AY** 32
Baudry (R. P.) . . . . **BY** 5	Château-d'Olonne (Rte de) . . **CY** 13	Nouch (Corniche du) . . . . . . **AY** 43
Beauséjour (R.) . . . . **BY** 7	Dr-Canteleau (R. du) . . . . **AY** 19	Nouettes (R. des) . . . . **CY** 44
Briand (Av. A.) . . . . **CY** 9	Dr-Schweitzer (R. du) . . . . . . **CY** 22	Président-Kennedy
	Doumer (Av. P.) . . . . **CY** 23	(Prom.) . . . . **CY** 48
	Estienne-d'Orves (Rd-Pt H. d')**AY** 25	Rhin-et-Danube (Av.) . . . . . . **CY** 50
	Fricaud (R. D.) . . . . **AY** 26	St-Nicolas (R.) . . . . **CY** 55
	Gabaret (Av. A.) . . . . **BY** 27	Sauniers (R. des) . . . . **AY** 57
	Godet (Prom. G.) . . . . **BY** 29	Souvenir Français (Bd du) . . **AY** 58

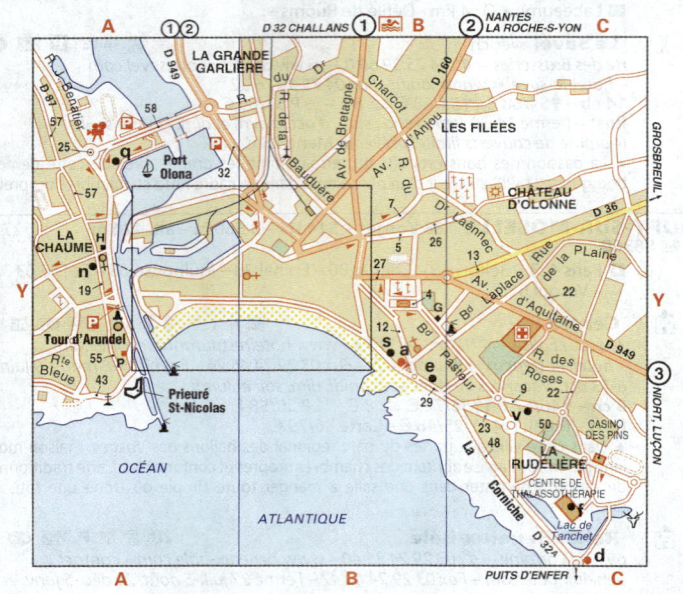

Mercure Thalassa ⌂ ⏃ ⏚ ⏛ ⏜ rest., ⏝ ⏞ **P**
au Lac de Tanchet, 2,5 km par la corniche – ℰ 02 51 21 77 77   VISA ⓜ AE ⓓ
– www.accorthalassa.com – H1078@accor.com – Fax 02 51 21 77 80
– Fermé 4-18 janv. **CY f**
100 ch – †109/234 €, ††124/234 €, ⌒ 13 € – ½ P 92/159 €
Rest – Menu (18 € bc), 27/31 € – Carte 30/40 €

◆ Dans un bâtiment moderne intégré au centre de thalassothérapie, chambres rénovées et contemporaines, décorées aux couleurs du Vendée Globe (vue sur la pinède ou sur le lac). Restaurant et terrasse panoramiques ; plats traditionnels, diététiques ou allégés.

Atlantic Hôtel ⏃ ⏚ ⏛ ⏜ VISA ⓜ AE
5 prom. Godet – ℰ 02 51 95 37 71 *– www.atlantichotel.fr – info@atlantichotel.fr*
– Fax 02 51 95 37 30 **BY e**
30 ch – †69/146 €, ††79/146 €, ⌒ 12 € – ½ P 71/106 €
Rest *Le Sloop* – *(fermé 20 déc.-4 janv., vend. et dim. d'oct. à avril) (dîner seult)*
Menu 24 €, 34/40 € – Carte 38/50 €

◆ Hôtel des années 1970 aux chambres pratiques très bien tenues ; certaines donnent sur les flots. Salon aménagé autour de la piscine couverte d'un toit vitré en partie amovible. Au restaurant, belle échappée sur l'océan et décor inspiré d'une cabine de bateau.

LES SABLES D'OLONNE

Bauduère (R. de la)	**BZ**	6
Bisson (R.)	**AZ**	8
Caisse-d'Épargne (R. de la)	**AZ**	10
Collineau (Pl. du Gén.)	**BZ**	14
Commerce (Pl. du)	**AZ**	15
Digue (Pl. de la)	**BZ**	17
Dingler (Quai)	**AZ**	18
Église (Pl. de l')	**AZ**	24
Gabaret (Av. A.)	**BZ**	27
Gaulle (R. Gén.-de)	**BZ**	
Guynemer (R.)	**BZ**	
Halles (R. des)	**AZ**	30
Hôtel-de-Ville (R. de l')	**AZ**	
Leclerc (R. Mar.)	**ABZ**	33
Liberté (Pl. de la)	**BZ**	35
Louis-XI (Pl.)	**BZ**	36
Nationale (R.)	**BZ**	
Navarin (Pl.)	**AZ**	40
Palais-de-Justice (Pl.)	**AZ**	46
Roosevelt (Bd F.)	**AZ**	53
Travot (R.)	**BZ**	60

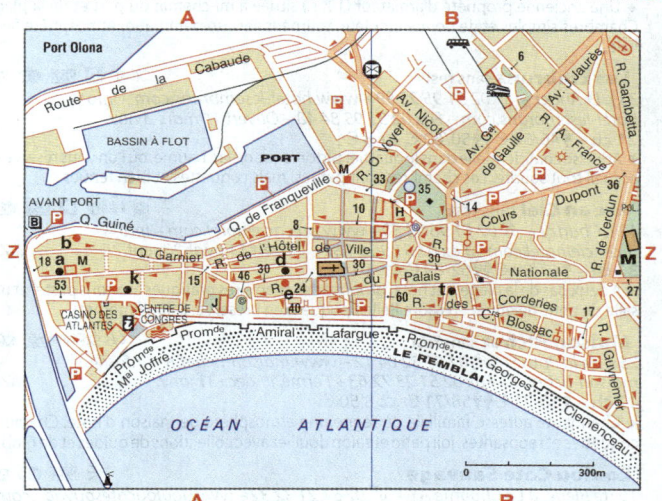

🏨 Arundel sans rest   🛗 🆎 ↔ 🛜 VISA 🔴 AE ①
8 bd F. Roosevelt – ℰ 02 51 32 03 77 – ww.arundel-hotel.fr – contact@
arundel-hotel.fr – Fax 02 51 32 86 28   AZ **k**
42 ch – †75/115 € ††90/135 €, ♋ 12 €

◆ Belle situation face au casino pour cet établissement dont le nom évoque celui d'un donjon devenu phare. Chambres fonctionnelles et confortables, pourvues d'un balcon côté mer.

🏨 Les Roches Noires sans rest   ≤ 🛗 🆎 📞 VISA 🔴 AE
12 promenade G. Clemenceau – ℰ 02 51 32 01 71
– www.bw-lesrochesnoires.com
– info@bw-lesrochesnoires.com – Fax 02 51 21 61 00   BY **s**
37 ch – †60/126 € ††60/126 €, ♋ 10 €

◆ Au cœur de la baie, chambres claires, pratiques, insonorisées et bien tenues (quelques balcons). La salle des petits-déjeuners offre un joli panorama iodé.

🏨 Admiral's sans rest   🛗 🆎 ↔ 🛜 🆎 P VISA 🔴 AE ①
pl. Jean-David Nau, à Port Olona – ℰ 02 51 21 41 41 – www.admiralhotel.fr
– contact@admiralhotel.fr – Fax 02 51 32 71 23   AY **q**
33 ch – †63/92 € ††63/92 €, ♋ 8,50 €

◆ Construction récente proche des salines. Chambres spacieuses et calmes, dotées de loggias ; certaines ont vue sur le port de plaisance d'où s'élance le Vendée Globe.

🏨 Le Calme des Pins sans rest   🛗 ⚙ ↔ 🛜 P VISA 🔴
43 av. A. Briand – ℰ 02 51 21 03 18
– www.calmedespins.com – calmedespins@wanadoo.fr
– Fax 02 51 21 59 85 – Ouvert 1ᵉʳ mars-31 oct.   CY **v**
45 ch – †60/68 € ††64/88 €, ♋ 9 € – ½ P 61/75 €

◆ Dans un secteur résidentiel, deux constructions récentes encadrent une jolie villa 1900. Hall-réception relooké, chambres fonctionnelles en partie rénovées et bien tenues.

LES SABLES-D'OLONNE

Antoine
60 r. Napoléon – ℰ 02 51 95 08 36 – www.antoinehotel.com – antoinehotel@club-internet.fr – Fax 02 51 23 92 78 – Ouvert de mi-mars à mi-oct.   AZ a
20 ch – ♦55/70 € ♦♦55/70 €, ⌑ 8 € – ½ P 55/60 €
Rest – (dîner seult) (résidents seult) Menu 23 €

◆ Une ancienne propriété d'armateur (18ᵉ s.) située à mi-chemin du port et de la plage. Chambres simples et de bonne ampleur, tournées vers un petit patio. Atmosphère familiale.

Les Embruns sans rest
33 r. Lt Anger – ℰ 02 51 95 25 99 – www.hotel-lesembruns.com – info@hotel-lesembruns.com – Fax 02 51 95 84 48 – Ouvert 1ᵉʳ mars-3 nov.   AY n
21 ch – ♦46/58 € ♦♦50/60 €, ⌑ 8 €

◆ Adresse confidentielle dans le quartier pittoresque de la Chaume, où l'on vous réserve un accueil tout sourire. Les chambres sont petites, mais coquettes et bien tenues.

Arc en Ciel sans rest
13 r. Chanzy – ℰ 02 51 96 92 50 – www.arcencielhotel.com – info@arcencielhotel.com – Fax 02 51 96 94 87 – Ouvert 11 avril-20 sept.   BZ t
37 ch – ♦62/89 € ♦♦62/89 €, ⌑ 10 €

◆ À deux pas de la plage, cet hôtel propose des chambres pratiques aux tons pastel et une salle de petit-déjeuner au cadre Belle Époque bien préservé. Salon (Internet).

Maison Richet sans rest
25 r. de la Patrie – ℰ 02 51 32 04 12 – www.maison-richet.fr – infos@maison-richet.fr – Fax 02 51 23 72 63 – Fermé 1ᵉʳ déc.-31 janv.   AZ d
17 ch – ♦58/71 € ♦♦58/71 €, ⌑ 8,50 €

◆ Charmante adresse familiale où règne une atmosphère de maison d'hôte. Chambres coquettes et reposantes, joli patio et salon douillet avec collections de guides et de globes.

Loulou Côte Sauvage
19 rte Bleue, à La Chaume AY – ℰ 02 51 21 32 32 – www.louloucotesauvage.com – loulou.cotesauvage@orange.fr – Fax 02 51 23 97 86 – Fermé 20 nov.-19 déc., vacances de fév., dim. soir, lundi et merc.
Rest – Menu 25 € (sem.)/64 € – Carte 41/86 €

◆ Ces anciens viviers accrochés au rocher abritent aujourd'hui un restaurant au décor modernisé, largement ouvert sur l'océan et la côte sauvage. Spécialités littorales.

Le Puits d'Enfer
56 bd de Lattre de Tassigny, par la corniche – ℰ 02 51 21 52 77 – puits.enfer@wanadoo.fr – Fax 02 51 21 52 77 – Fermé 10-31 janv. et le soir en sem. de nov. à mars
Rest – Menu (16 €), 21 € (sem.)/44 € – Carte 40/60 €

◆ Face à la mer, restaurant au décor contemporain zen (bois, ardoise, mobilier design). Cuisine traditionnelle d'inspiration régionale, à base d'épices et des produits du marché.

Le Clipper
19 bis quai Guiné – ℰ 02 51 32 03 61 – www.leclipper.com – le_clipper@alicepro.fr – Fax 02 51 95 21 28 – Fermé 15 fév.-3 mars, 20 nov.-17 déc., merc. sauf du 15 juin au 15 sept., jeudi midi et mardi   AZ b
Rest – Menu (sem.)/35 € – Carte 42/78 €

◆ Parmi les nombreux restaurants du port, cette maison se distingue par son décor : parquet couleur acajou et chaises Louis XVI. Plats traditionnels et produits de la mer.

La Pilotine
7 et 8 promenade Clemenceau – ℰ 02 51 22 25 25 – pvp.pilotine@tele2.fr – Fax 02 51 96 96 10 – Fermé dim., lundi et mardi sauf juil.-août   BY a
Rest – Menu 16 € (sem.), 24/46 € – Carte 44/76 €

◆ Cuisine à prix doux, soignée et basée sur les produits de la pêche, dans ce restaurant du front de mer. Nouveau décor coloré et accueil charmant.

La Flambée
81 r. des Halles – ℰ 02 51 96 92 35 – laflambeerestaurant@orange.fr – Fax 02 51 96 92 35 – Fermé dim. et lundi   AZ e
Rest – Menu (20 € bc), 36/43 €

◆ Dans le quartier des halles un peu excentré, une adresse où l'on choie ses hôtes : bonne cuisine de saison valorisant le terroir, accueil attentionné, chaleureux décor actuel.

LES SABLES-D'OLONNE

à l'anse de Cayola 7 km au Sud-Est par la Corniche – ⊠ 85180 Château-d'Olonne

Cayola
76 promenade Cayola – ℰ 02 51 22 01 01 – www.rest-lecayola.com
– Fax 02 51 22 08 28 – Fermé janv., dim. soir et lundi sauf fériés
Rest – Menu 38/95 € – Carte 67/75 €
Spéc. Gâteau tiède de tourteau au gingembre. Sole sablaise aux senteurs de livèche. Figues rôties aux fruits secs et glace aux cèpes (oct.-nov.). **Vins** Fiefs Vendéens blanc et rouge.

♦ Installé derrière les larges baies vitrées, en tête-à-tête avec l'océan, goûtez le plaisir d'une cuisine dans l'air du temps. Véranda face à la piscine à débordements.

SABLES-D'OR-LES-PINS – 22 Côtes-d'Armor – 309 H3 — 10 C1
– ⊠ 22240 Frehel ▮ Bretagne

▶ Paris 437 – Dinan 42 – Dol-de-Bretagne 60 – Lamballe 26 – St-Brieuc 39 – St-Malo 40

🏌 des Sables-d'Or à Fréhel Sables d'Or les Pins, S : 1 km, ℰ 02 96 41 42 57

La Voile d'Or - La Lagune (Maximin Hellio)
allée des Acacias – ℰ 02 96 41 42 49
– www.la-voile-dor.fr – la-voile-dor@wanadoo.fr – Fax 02 96 41 55 45
– Fermé 21 déc.-15 fév.
21 ch – †80/95 € ††95/225 €, ⊇ 15 €
Rest – (fermé mardi midi, merc. midi et lundi)
Menu 36 € (déj. en sem.), 52/99 € – Carte 77/95 €
Spéc. Saint-Jacques au chou-fleur et caviar d'Aquitaine (oct. à avril). Homard aux parfums de vadouvan et d'hibiscus (mai à oct.). Fraises de Saint-Potan à l'angélique (mai à sept.).

♦ Aux portes de la station, chambres spacieuses décorées dans un plaisant style actuel ; certaines regardent l'aber. Restaurant design, offrant le spectacle de la lagune ou des cuisines. Les recettes s'affirment créatives, privilégiant les produits locaux.

Diane
allée des Acacias – ℰ 02 96 41 42 07 – www.hoteldiane.fr – hoteldiane@orange.fr
– Fax 02 96 41 42 67 – Fermé 3 janv.-7 fév.
47 ch – †78/106 € ††78/108 €, ⊇ 11 € – ½ P 76/91 € **Rest** – (fermé dim. soir, lundi midi et mardi midi d'oct. à avril sauf vacances scolaires)
Menu 24/47 € – Carte 35/60 €

♦ Sur l'axe principal de la localité et à deux pas de la mer, grande bâtisse dans le style du pays abritant des chambres fonctionnelles. Plats au goût du jour parfumés aux herbes du jardin, servis dans une salle à manger rustique et sous une véranda.

Le Manoir St-Michel sans rest
38 r. de la Carquois, 1,5 km à l'Est par D 34 – ℰ 02 96 41 48 87
– www.hotel-bretagne.de – manoir-st-michel@fournel.de – Fax 02 96 41 41 55
– Ouvert 30 mars-5 nov.
20 ch – †47/110 € ††47/118 €, ⊇ 6 €

♦ Dominant la plage, beau manoir du 16ᵉ s. entouré d'un vaste parc avec plan d'eau (pêche autorisée). Les chambres, spacieuses et douillettes, gardent leur charme d'antan.

SABLÉ-SUR-SARTHE – 72 Sarthe – 310 G7 – 12 300 h. – alt. 29 m — 35 C1
– ⊠ 72300 ▮ Châteaux de la Loire

▶ Paris 252 – Angers 64 – La Flèche 27 – Laval 44 – Le Mans 61 – Mayenne 60

🛈 Office de tourisme, place Raphaël-Elizé ℰ 02 43 95 00 60, Fax 02 43 92 60 77

🏌 de Sablé Solesmes Domaine de l'Outinière, S : 6 km par D 159, ℰ 02 43 95 28 78

Parfum d'Epices
1 r. Plaisance, rte de Laval – ℰ 02 43 92 94 14 – stchupin@wanadoo.fr
– Fermé 1ᵉʳ-9 mars, 31 août-14 sept. et lundi sauf fériés
Rest – Menu (16 €), 19 € (sem.)/42 € – Carte 37/50 €

♦ Le nom évocateur de ce restaurant vous emmène déjà sur des terres lointaines. Cuisine régionale rehaussée d'épices et saveurs créoles dans un décor coloré, sur le thème du jazz.

1617

SABLÉ-SUR-SARTHE

à Solesmes 3 km au Nord-Est par D 22 – 1 333 h. – alt. 28 m – ⊠ 72300

- Statues des "Saints de Solesmes"★★ dans l'église abbatiale★ (chant grégorien) - Pont ≤★.

Le Grand Hôtel

16 pl. Dom Guéranger – ℘ 02 43 95 45 10 – www.grandhotelsolesmes.com – solesmes@grandhotelsolesmes.com – Fax 02 43 95 22 26 – *Fermé 26 déc.-2 janv.*
30 ch – †85/106 € ††90/140 €, ⊇ 12 € – 2 suites – ½ P 95/107 €
Rest – *(fermé sam. midi de nov. à mars et dim. soir d'oct. à mars)*
Menu (21 €), 27/66 € – Carte 46/69 €

♦ Hôtel confortable, face à l'abbaye St-Pierre où vous pourrez entendre des chants grégoriens. Jolis salons rénovés, chambres spacieuses et gaies, parfois dotées d'un balcon. Au restaurant, salle lumineuse et fraîche pour une cuisine classique modernisée.

SABLET – 84 Vaucluse – **332** D8 – 1 249 h. – alt. 147 m – ⊠ 84110   **40 A2**

- Paris 670 – Avignon 41 – Marseille 127 – Montélimar 67
- Syndicat d'initiative, 8, rue du Levant ℘ 04 90 46 82 46, Fax 04 90 46 82 46

Les Abeilles avec ch

4 rte de Vaison – ℘ 04 90 12 38 96 – www.abeilles-sablet.com – js@abeilles-sablet.com – Fax 04 90 12 12 70 – *Fermé 15 nov.-27 déc., 15-25 fév., dim. sauf le midi d'avril à sept. et lundi*
5 ch – †60/85 € ††90/120 €, ⊇ 18 €   **Rest** – Menu (19 €), 32/58 €

♦ Belle salle à manger contemporaine, tout en sobriété, décorée de tableaux réalisés par des artistes locaux. La cuisine, traditionnelle, privilégie les produits frais du marché. Coquettes chambres bien équipées.

SABRES – 40 Landes – **335** G10 – 1 107 h. – alt. 78 m – ⊠ 40630   **3 B2**
Aquitaine

- Paris 676 – Arcachon 92 – Bayonne 111 – Bordeaux 94 – Mimizan 41 – Mont-de-Marsan 36
- Ecomusée★ de la grande Lande NO : 4 km.

Auberge des Pins

r. de la piscine – ℘ 05 58 08 30 00 – www.aubergedespins.fr – aubergedespins@wanadoo.fr – Fax 05 58 07 56 74 – *Fermé 3 sem. en janv., lundi sauf le soir en juil.-août et dim. soir sauf juil.-août*
25 ch – †60/80 € ††65/140 € – ½ P 70/110 €
Rest – Menu 19 € (déj. en sem.), 25/66 € – Carte 45/70 €

♦ Grande maison landaise à colombages dans un beau parc arboré. Jolies chambres rénovées et personnalisées ; celles de l'annexe sont plus simples. Salon cosy. Boiseries et mobilier régional ancien font le cachet du restaurant. Cuisine du pays.

SACHÉ – 37 Indre-et-Loire – **317** M5 – **rattaché à Azay-le-Rideau**

SACLAY – 91 Essonne – **312** C3 – **101** 24 – **Voir à Paris, Environs**

SAGELAT – 24 Dordogne – **329** H7 – **rattaché à Belves**

SAIGNON – 84 Vaucluse – **332** F10 – **rattaché à Apt**

SAILLAGOUSE – 66 Pyrénées-Orientales – **344** D8 – 971 h.   **22 A3**
– alt. 1 309 m – ⊠ 66800   **Languedoc Roussillon**

- Paris 855 – Bourg-Madame 10 – Font-Romeu-Odeillo-Via 12 – Mont-Louis 12 – Perpignan 92
- Office de tourisme, Mairie ℘ 04 68 04 15 47, Fax 04 68 04 19 58
- Gorges du Sègre★ E : 2 km.

SAILLAGOUSE

Planes (La Vieille Maison Cerdane) 🏠 🛜 VISA ◎ AE ①
6 pl. Cerdagne – ℰ *04 68 04 72 08 – www.planotel.fr – hotelplanes@wanadoo.fr*
– Fax 04 68 04 75 93 – Fermé 10-20 mars et 5 nov.-20 déc.
19 ch – ∎45/60 € ∎∎55/70 €, ⌕ 7 € – ½ P 53/62 €
Rest – *(fermé dim. soir et lundi hors saison)* Menu 22/48 € – Carte 30/50 €
♦ Cet ancien relais de diligences situé au cœur du village est une véritable institution. Chambres peu à peu refaites. Généreuse cuisine du pays servie dans l'agréable décor régional du restaurant. Au bar-brasserie : plats de comptoir et spécialités maison.

Planotel 🏠 ⚘ ⇐ 🛋 🛜 ⓕ **P** VISA ◎ AE ①
5 r. Torrent – ℰ *04 68 04 72 08 – www.planotel.fr – hotelplanes@wanadoo.fr*
– Fax 04 68 04 75 93 – Ouvert juin-sept. et vacances scolaires
20 ch – ∎52/62 € ∎∎62/72 €, ⌕ 8 € – ½ P 59/69 €
♦ Bâtisse des années 1970, idéale pour se détendre au calme. Toutes les chambres bénéficient d'une récente rénovation et de balcons (sauf deux). Piscine avec toit coulissant.

à Llo 3 km à l'Est par D 33 – 148 h. – alt. 1 424 m – ⌂ 66800
◉ Site ★.

L'Atalaya ⚘ ⇐ 🛋 ⓕ rest, 🛜 **P** VISA ◎
– ℰ *04 68 04 70 04 – www.atalaya66.com – atalaya66@orange.fr*
– Fax 04 68 04 01 29 – Ouvert Pâques-15 oct.
13 ch – ∎98 € ∎∎98/163 €, ⌕ 14 €
Rest – *(fermé le midi sauf sam. et dim.)* Carte 50/65 €
♦ Perchée sur la montagne cerdane, jolie auberge restituant le charme raffiné et personnalisé des maisons d'hôte. Piscine panoramique. Carte classique et du terroir ; cadre romantique (mobilier catalan, piano, jarres de fruits) et magnifique vue jusqu'à l'Espagne.

ST-ADJUTORY – 16 Charente – 324 M5 – 314 h. – alt. 192 m – ⌂ 16310   39 **C3**
🚏 Paris 472 – Poitiers 134 – Angoulême 33 – Saint-Junien 48 – Soyaux 36

Château du Mesnieux ⚘ 🪟 ⇆ ⓕ 🛜 **P**
Le Mesnieux – ℰ *05 45 70 40 18 – www.chateaudumesnieux.com*
– contact@chateaudumesnieux.com
4 ch – ∎70/85 € ∎∎80/95 €   **Table d'hôte** – Menu 25 € bc
♦ Ce petit château bénéficie d'un domaine vallonné propice à la promenade, d'un beau salon rustique et de chambres spacieuses au mobilier ancien chiné. Repas servis en table d'hôte dans une salle à manger familiale où trône une grande cheminée.

ST-AFFRIQUE – 12 Aveyron – 338 J7 – 7 507 h. – alt. 325 m – ⌂ 12400   29 **D2**
▌ Languedoc Roussillon

🚏 Paris 662 – Albi 81 – Castres 92 – Lodève 66 – Millau 25 – Rodez 80
🅉 Office de tourisme, boulevard de Verdun ℰ 05 65 98 12 40, Fax 05 65 98 12 41
◉ Roquefort-sur-Soulzon : caves de Roquefort★, rocher St-Pierre ⇐ ★.

✕✕ Le Moderne   🪟 VISA ◎
54 av. A. Pezet – ℰ *05 65 49 20 44 – www.lemoderne.com*
– hotel-restaurant-le-moderne@wanadoo.fr – Fax 05 65 49 36 55
– Fermé 19-25 oct. et 19 déc.-19 janv.
Rest – Menu (16 €), 20/57 € – Carte 36/54 €
♦ Les amateurs de fromage aimeront cette maison qui propose un plateau composé d'au moins 12 roqueforts issus de différentes caves. L'ensemble de la carte est régional.

ST-AFFRIQUE-LES-MONTAGNES – 81 Tarn – 338 F9 – 706 h.   29 **C2**
– alt. 244 m – ⌂ 81290

🚏 Paris 741 – Albi 55 – Carcassonne 53 – Castres 12 – Toulouse 75

Domaine de Rasigous ⚘ 🪟 🛋 ⓕ ch, ⇆ ⓕ **P** VISA ◎
2 km au Sud par D 85 – ℰ *05 63 73 30 50 – www.domainederasigous.com – info@domainederasigous.com – Fax 05 63 73 30 51 – Ouvert 10 mars-20 nov.*
6 ch – ∎95 € ∎∎105 €, ⌕ 12 € – 2 suites – ½ P 90 €
Rest – *(fermé merc.) (dîner seult) (résidents seult)* Menu 29 €
♦ La situation isolée, le cadre verdoyant et le nombre limité des chambres font de cette demeure du 19e s. un havre de paix. Peintures et sculptures témoignent de la passion du propriétaire pour l'art.

1619

ST-AGNAN – 58 Nièvre – 319 H8 – 159 h. – alt. 525 m – ✉ 58230   7 B2

▶ Paris 242 – Autun 53 – Avallon 33 – Clamecy 63 – Nevers 98 – Saulieu 15

La Vieille Auberge
– ℰ 03 86 78 71 36 – www.vieilleauberge.com – lvasaintagnan@aol.com
– Fax 03 86 78 71 57 – Ouvert 15 fév.-4 nov.
8 ch – †45 € ††47 €, ⊇ 8,50 € – ½ P 50/55 €
Rest – *(fermé lundi et mardi)* Menu (20 €), 28/49 € – Carte 21/44 €
♦ Dans un hameau, près d'un lac, ancien café-épicerie converti en auberge familiale. Les chambres, mignonnes et colorées, possèdent des salles de bains récentes. Restaurant rustique (cheminée en pierres), service aux petits soins et authentique cuisine régionale.

ST-AGRÈVE – 07 Ardèche – 331 I3 – 2 588 h. – alt. 1 050 m – ✉ 07320   44 A2
Lyon et la vallée du Rhône

▶ Paris 582 – Aubenas 68 – Lamastre 21 – Privas 64 – Le Puy-en-Velay 51 – St-Étienne 69

🛈 Office de tourisme, Grand'Rue ℰ 04 75 30 15 06, Fax 04 75 30 60 93

◉ Mont Chiniac ≤★★.

Domaine de Rilhac avec ch
2 km au Sud-Est par D 120, D 21 et rte secondaire – ℰ 04 75 30 20 20
– *www.domaine-rilhac.com – hotel_rilhac@yahoo.fr – Fax 04 75 30 20 00*
– *Fermé 20 déc.-mi-mars, mardi soir, jeudi midi et merc.*
7 ch – †105/125 € ††105/125 €, ⊇ 14 € – ½ P 115/121 €
Rest – Menu 25 € (déj. en sem.), 40/78 € – Carte 54/68 €
♦ Repos assuré dans cette ancienne ferme ardéchoise perdue dans la campagne. Coquettes chambres. Cuisine au goût du jour à savourer face au Gerbier-de-Jonc.

Faurie (Philippe Bouissou) avec ch
36 av. des Cévennes – ℰ 04 75 30 11 45 – www.hotelfaurie.fr – philippebouissou@hotelfaurie.fr – Fax 04 75 29 23 88
3 ch – †90/130 € ††90/130 €, ⊇ 20 €
Rest – *(nombre de couverts limité, prévenir)* Menu 85 €
Spéc. Les girolles et l'amande (automne). La saucisse et la rhubarbe (printemps-été). Feuilleté framboise et crème de marron (été).
♦ Une adresse atypique au cadre rétro pimenté de touches décalées. Le chef s'inspire de son potager pour élaborer ses menus quotidiens. Ne manquez pas de réserver !

Les Cévennes avec ch
10 pl. de la République – ℰ 04 75 30 10 22 – rochedy07@orange.fr
– *Fax 04 75 29 83 06 – Fermé 16-20 sept., 12-26 nov. lundi soir et mardi*
6 ch – †50 € ††55 €, ⊇ 10 € – ½ P 56/66 €
Rest – Menu (12 €), 14 € (déj. en sem.), 24/36 € – Carte 30/40 €
♦ Ambiance conviviale dans cet hôtel-restaurant familial modeste mais bien tenu. Plats du terroir dans la salle "tout bois" ou repas rapides au café. Chambres neuves.

ST-AIGNAN – 41 Loir-et-Cher – 318 F8 – 3 542 h. – alt. 115 m   11 A2
– ✉ 41110 **Châteaux de la Loire**

▶ Paris 221 – Blois 41 – Châteauroux 65 – Romorantin-Lanthenay 36 – Tours 62 – Vierzon 70

🛈 Office de tourisme, 60, rue Constant Ragot ℰ 02 54 75 22 85, Fax 02 54 75 50 26

◉ Crypte★★ de l'église★ - Zoo Parc de Beauval★ S : 4 km.

Les Jardins de Beauval
(au zoo), parc de Beauval, 4 km par D 675 – ℰ 02 54 75 60 00
– *www.lesjardinsdebeauval.com – infos@lesjardinsdebeauval.com*
– *Fax 02 54 75 60 01 – Fermé 4-31 janv.*
92 ch – †88/180 € ††88/180 €, ⊇ 12 €
Rest – Menu 25 € – Carte 37/46 €
♦ Complexe neuf constitué de cinq pavillons, dans un jardin paysagé au pied d'un parc animalier. Le décor exotique s'inspire de l'Indonésie. Chambres classiques, suites et club. Restauration sous forme de buffet dans une grande salle à manger ouverte sur une terrasse.

ST-AIGNAN

Hostellerie Le Clos du Cher
2 r. Paul Boncour, Nord : 1 km par D 675 ⊠ 41140 Noyers sur Cher
– ℰ 02 54 75 00 03 – www.closducher.com – accueil@closducher.com
– Fax 02 54 75 03 79 – Fermé 26 oct.-8 nov. et 21 decembre-3 janv.
10 ch – †65/95 € ††65/95 €, ⊇ 10 € – ½ P 66/81 €
Rest – (fermé vend. midi, sam. midi et dim. soir d'oct. à mars)
Menu 16 € (déj. en sem.), 28/38 € – Carte 24/48 €

♦ Dans un parc arboré, cette maison de maître du 19e s. abrite des chambres d'esprit classique et propose des week-ends à thèmes (découverte du vin, St-Valentin...). Ambiance familiale et cuisine traditionnelle au restaurant, baigné dans des tons ensoleillés.

ST-ALBAN-DE-MONTBEL – 73 Savoie – 333 H4 – rattaché à Aiguebelette-le-Lac

---

ST-ALBAN-LES-EAUX – 42 Loire – 327 C3 – 939 h. – alt. 410 m — 44 **A1**
– ⊠ 42370

▶ Paris 390 – Lapalisse 45 – Montbrison 56 – Roanne 12 – St-Étienne 86
– Thiers 56 – Vichy 61

Le Petit Prince
Le bourg – ℰ 04 77 65 87 13 – www.restaurant.lepetitprince.fr – lp-prince@orange.fr – Fax 04 77 65 96 88 – Fermé 17 août-3 sept., 26 oct.-2 nov., dim. soir, lundi et mardi
Rest – Menu (22 €), 27/54 €

♦ Ce charmant restaurant fut fondé en 1805 par les arrières-grands-tantes du patron actuel ! On y accède par une terrasse ombragée de tilleuls. Cuisine inventive soignée.

> Un week-end de charme à la mer, à la campagne ou à la montagne ? Découvrez le nouveau guide des "Chambres d'hôtes", une sélection de nos plus belles adresses en France : confort, calme et volupté garantis !

ST-ALBAN-LEYSSE – 73 Savoie – 333 I4 – rattaché à Chambéry

ST-ALBAN-SUR-LIMAGNOLE – 48 Lozère – 330 I6 – 1 544 h. — 23 **C1**
– alt. 950 m – ⊠ 48120

▶ Paris 552 – Espalion 72 – Mende 40 – Le Puy-en-Velay 75
– St-Chély-d'Apcher 12

🛈 Syndicat d'initiative, Rue de l'hôpital ℰ 04 66 31 57 01,
Fax 04 66 31 58 70

Relais St-Roch ⌘
chemin du Carreirou – ℰ 04 66 31 55 48 – www.relais-saint-roch.fr – rsr@relais-saint-roch.fr – Fax 04 66 31 53 26 – Ouvert 10 avril-2 nov.
9 ch – †118/198 € ††118/198 €, ⊇ 15 € – ½ P 128/178 €
Rest *La Petite Maison* – voir ci-après

♦ Cette gentilhommière du 19e s. en granit rose vous accueille dans de coquettes chambres personnalisées et bien équipées. Confortable salon ; belle piscine chauffée au jardin.

La Petite Maison – Hôtel St-Roch
av. Mende – ℰ 04 66 31 56 00 – www.la-petite-maison.fr – rsr@relais-saint-roch.fr
– Fax 04 66 31 53 26 – Ouvert 10 avril-1er nov. et fermé lundi sauf le soir en juil.-août, mardi midi et merc. midi
Rest – Menu (24 €), 28/69 € – Carte 48/78 € 🍷

♦ Table régionale à l'ambiance chaleureuse et romantique. Spécialités de viande de bison et de friture de truitelles ; superbe choix de whiskies, dont le patron fait collection.

ST-AMAND-MONTROND – 18 Cher – 323 L6 – 11 800 h.

12 **C3**

– alt. 160 m – ⊠ 18200 ▮ Limousin Berry

- Paris 282 – Bourges 52 – Châteauroux 65 – Montluçon 56 – Nevers 70
- Office de tourisme, place de la République ℘ 02 48 96 16 86, Fax 02 48 96 46 64
- Abbaye de Noirlac★★ 4 km par ⑥.
- Château de Meillant★★ 8 km par ①.

Mercure L'Amandois

7 r. H. Barbusse. – ℘ *02 48 63 72 00 – www.mercure.com – h1890@accor.com – Fax 02 48 96 77 11*

B r

43 ch – †65 € ††75 €, ⊇ 10 €   **Rest** – Menu 18/25 € – Carte 31/39 €

♦ Relais de chaîne à l'esprit familial, disposant de seize chambres récentes, modernes et fort bien équipées ; les autres, dans l'ancien bâtiment, ont bénéficié d'une rénovation. Salle à manger actuelle. À table, prestations Mercure habituelles, sans prétention.

à Noirlac 4 km par ⑥ et D 35 – ⊠ 18200 Bruère Allichamps

Auberge de l'Abbaye de Noirlac

– ℘ 02 48 96 22 58 – http://aubergeabbayenoirlac.free.fr – aubergeabbayenoirlac@free.fr – Fax 02 48 96 86 63 – Ouvert 20 fév.-17 nov. et fermé mardi soir et merc. sauf juil.-août.

Rest – Menu 21 € (sem.), 26/34 € – Carte 40/60 €

♦ Petite auberge sise dans une chapelle des voyageurs du 12ᵉ s. Salle à manger avec poutres et tomettes ; terrasse tournée vers l'abbaye cistercienne. Cuisine du terroir.

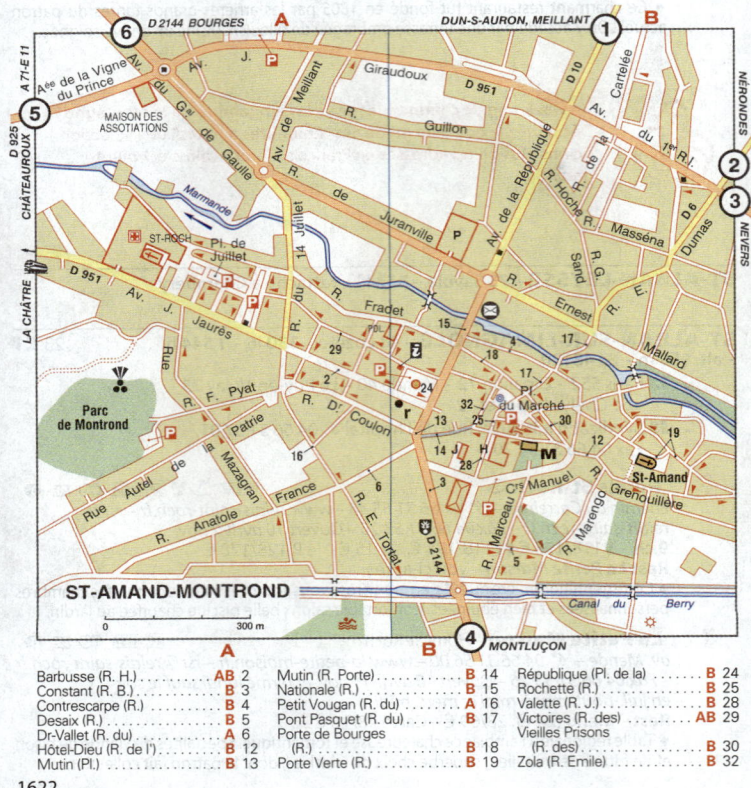

ST-AMAND-MONTROND

Barbusse (R. H.) . . . . **AB** 2	Mutin (R. Porte) . . . . **B** 14	République (Pl. de la) . . . . **B** 24
Constant (R. B.) . . . . **B** 3	Nationale (R.) . . . . **B** 15	Rochette (R.) . . . . **B** 25
Contrescarpe (R.) . . . . **B** 4	Petit Vougan (R. du) . . . . **B** 16	Valette (R. J.) . . . . **B** 28
Desaix (R.) . . . . **B** 5	Pont Pasquet (R. du) . . . . **B** 17	Victoires (R. des) . . . . **AB** 29
Dr-Vallet (R. du) . . . . **A** 6	Porte de Bourges	Vieilles Prisons
Hôtel-Dieu (R. de l') . . . . **B** 12	(R.) . . . . **B** 18	(R. des) . . . . **B** 30
Mutin (Pl.) . . . . **B** 13	Porte Verte (R.) . . . . **B** 19	Zola (R. Emile) . . . . **B** 32

ST-AMAND-MONTROND

à Bruère-Allichamps 8,5 km par ⑥ – 580 h. – alt. 170 m – ✉ 18200

Les Tilleuls
rte de Noirlac – ✆ 02 48 61 02 75 – www.hotel-restaurant-tilleuls.com
– eric.brendel18@orange.fr – Fax 02 48 61 08 41 – Fermé 15-30 nov.,
20-28 déc., 8-16 mars, dim. de mi-sept. à mi-juin et lundi
11 ch – †56/58 € ††56/58 €, ⊆ 9 €
Rest – Menu 20 € bc (déj. en sem.), 24/90 € bc – Carte 45/63 €
♦ Sur la route touristique longeant le Cher, bâtisse située au calme, face à la campagne. Chambres petites et sobres, mais bien entretenues. En vous attablant aux Tilleuls, vous vous offrirez une halte gourmande à un prix très digeste. Terrasse dans le jardin.

ST-AMARIN – 68 Haut-Rhin – 315 G9 – 2 486 h. – alt. 410 m – ✉ 68550   1 A3
▸ Paris 461 – Belfort 52 – Colmar 53 – Épinal 76 – Gérardmer 40 – Mulhouse 30
🛈 Office de tourisme, 81, rue Charles-de-Gaulle ✆ 03 89 82 13 90,
Fax 03 89 82 76 44

Auberge du Mehrbächel
4 km à l'Est par rte du Mehrbächel – ✆ 03 89 82 60 68
– www.auberge-mehrbachel.com – kornacker@wanadoo.fr – Fax 03 89 82 66 05
– Fermé 25 oct.-6 nov.
23 ch – †58 € ††58/75 €, ⊆ 10 €   **Rest** – (fermé lundi soir, jeudi soir et vend.)
Menu 14 € (déj. en sem.), 18/38 € – Carte 19/45 €
♦ Ambiance "refuge" et confort actuel pour cette ancienne ferme tenue par la même famille depuis 1886 et bénéficiant d'une situation privilégiée sur le passage d'un GR. Le restaurant propose quelques spécialités alsaciennes à partager avec les randonneurs.

ST-AMBROIX – 30 Gard – 339 K3 – 3 508 h. – alt. 142 m – ✉ 30500   23 C1
▸ Paris 686 – Alès 20 – Aubenas 56 – Mende 111
🛈 Office de tourisme, place de l'Ancien Temple ✆ 04 66 24 33 36,
Fax 04 66 24 05 83

à St-Victor-de-Malcap 2 km au Sud-Est par D 51 – 642 h. – alt. 140 m – ✉ 30500

La Bastide des Senteurs avec ch
5 r. de la Traverse – ✆ 04 66 60 24 45
– www.bastide-senteurs.com – subileau@bastide-senteurs.com
– Fax 04 66 60 26 10 – Ouvert 1er mars-30 oct.
14 ch – †68/138 € ††68/138 €, ⊆ 10 € – 2 suites – ½ P 86/96 €
Rest – (fermé sam. midi) Menu 35/80 € – Carte 50/85 €
♦ Magnanerie au cadre méridional et sa terrasse dégagée, où l'on propose une cuisine dans l'air du temps. Le vin est à l'honneur : boutique et cave (dégustations). Cinq chambres aux noms de cépages, confortables et personnalisées. Piscine.

à Larnac 3,5 km au Sud-Ouest par rte d'Alès – ✉ 30960 Les Mages

Le Clos des Arts sans rest
Domaine Villaret – ✆ 04 66 25 40 91 – www.closdesarts.com – contact@
closdesarts.com – Fax 04 66 25 40 92
13 ch – †53/58 € ††53/58 €, ⊆ 8 €
♦ Cette ancienne filature du 17e s. accueille des chambres spacieuses, neuves et sobres, une mignonne salle de petit-déjeuner voûtée et une galerie d'art (sculptures).

ST-AMOUR-BELLEVUE – 71 Saône-et-Loire – 320 I12 – 460 h.   8 C3
– alt. 306 m – ✉ 71570
▸ Paris 402 – Bourg-en-Bresse 48 – Lyon 63 – Mâcon 13 – Villefranche-sur-Saône 32

Auberge du Paradis
Le Plâtre Durand – ✆ 03 85 37 10 26 – www.aubergeduparadis.fr – info@
aubergeduparadis.fr – Fermé janv.
8 ch – †105 € ††105/200 €, ⊆ 14 €
Rest – (fermé vend. midi, dim. soir, lundi et mardi) Menu 48 €
♦ Un paradis bien sympathique : chambres originales et contemporaines, décorées avec goût et caractère. Couloir de nage, salon de lecture et excellent petit-déjeuner. Cuisine inspirée des quatre coins du monde (menu unique), servie dans un cadre romantique.

1623

ST-AMOUR-BELLEVUE

Chez Jean Pierre

Le Plâtre Durand – ℰ 03 85 37 41 26 – restaurant.jeanpierre@wanadoo.fr
– Fax 03 85 37 18 40 – Fermé 22 déc.-11 janv., dim. soir, merc. et jeudi
Rest – Menu 20/48 € – Carte 44/53 €
♦ Sympathique auberge campagnarde d'un village viticole. Salle à manger avec vivier à homard, cheminée en faïence bleue et gros billot de boucher. Terrasse fleurie et ombragée.

ST-ANDIOL – 13 Bouches-du-Rhône – 340 E3 – 3 138 h. – alt. 55 m   42 E1
– ⊠ 13670

▶ Paris 692 – Avignon 19 – Aix-en-Provence 63 – Arles 36 – Marseille 80

🛈 Syndicat d'initiative, avenue Alphonse Daudet ℰ 04 90 95 48 95,
Fax 04 32 61 08 79

Le Berger des Abeilles

– ℰ 04 90 95 01 91 – www.bergerabeilles.com – abeilles13@aol.com
– Fax 04 90 95 48 26 – Fermé lundi de nov. à mars
9 ch – †75/108 € ††95/168 € – ½ P 80/90 €   **Rest** – Menu (18 € bc), 30/59 €
♦ Isolé en pleine campagne, petit mas provençal abritant des chambres rustiques bien tenues ; trois d'entre elles ouvrent de plain-pied sur le paisible jardin. Salle à manger aux tons ensoleillés et terrasse ombragée par un majestueux platane. Cuisine régionale.

ST-ANDRÉ-DE-ROQUELONGUE – 11 Aude – 344 I4 – 959 h.   22 B3
– alt. 72 m – ⊠ 11200

▶ Paris 821 – Béziers 53 – Montpellier 112 – Perpignan 71

Demeure de Roquelongue

53 av. de Narbonne – ℰ 04 68 45 63 57 – www.demeure-de-roquelongue.com
– contact@demeure-de-roquelongue.com – Ouvert 1ᵉʳ mars-30 nov.
5 ch ⊇ – †95/135 € ††95/135 €   **Table d'hôte** – Menu 25 €
♦ Cette belle maison de vignerons (1885) possède un ravissant patio verdoyant. Chambres décorées avec un goût sûr, mobilier chiné, salles de bains à l'ancienne et salon cosy.

ST-ANDRÉ-DE-VALBORGNE – Gard – 339 H4 – 368 h. – alt. 450 m   23 C1
– ⊠ 30940

▶ Paris 653 – Alès 53 – Mende 69 – Millau 81

🛈 Office de tourisme, les Quais ℰ 04 66 60 32 11, Fax 04 66 60 32 11

Bourgade avec ch

pl. de l'Église – ℰ 04 66 56 69 32 – www.restaurant-bourgade.com – info@
restaurant-bourgade.com – Fax 04 66 25 81 92 – Fermé mardi, merc. et jeudi hors saison, dim. soir et lundi sauf 15 juin-15 sept.
10 ch – †50/70 € ††55/75 €, ⊇ 9 € – ½ P 60/70 €
Rest – Menu (20 €), 28/75 € – Carte 44/66 €
♦ Une carte actuelle et des produits frais : voici la règle d'or de ce chaleureux relais de diligences du 17ᵉ s. Terrasse sous glycine. Quelques petites chambres fonctionnelles.

ST-ANDRÉ-LEZ-LILLE – 59 Nord – 302 G4 – rattaché à Lille

ST-ANDRÉ-LES-VERGERS – 10 Aube – 313 E4 – rattaché à Troyes

ST-ANTHÈME – 63 Puy-de-Dôme – 326 K9 – 781 h. – alt. 950 m – ⊠ 63660   6 C2

▶ Paris 461 – Ambert 23 – Clermont-Ferrand 100 – Feurs 50 – Montbrison 24
– St-Étienne 57

🛈 Office de tourisme, place de l'Aubépin ℰ 04 73 95 47 06, Fax 04 73 95 41 06

à Raffiny 5 km au Sud par D 261 – ⊠ 63660 St-Romain

Au Pont de Raffiny

– ℰ 04 73 95 49 10 – www.hotel-pont-raffiny.com – hotel.pont.raffiny@wanadoo.fr
– Fax 04 73 95 80 21 – Fermé 1ᵉʳ janv. au 15 mars, dim. soir et lundi sauf juil.-août
11 ch – †35/37 € ††43/51 €, ⊇ 8 € – ½ P 47/51 €
Rest – Menu (13 €), 17 € (sem.)/35 € – Carte 27/38 €
♦ Dans la traversée du hameau, auberge campagnarde en pierre hébergeant de douillettes chambres lambrissées. À 50 m, deux chalets avec jardinets privatifs. Piscine et espace forme. Spacieux restaurant rustique (poutres, cheminée, fontaine...), recettes régionales.

1624

ST-ANTOINE-L'ABBAYE – 38 Isère – **333** E6 – 959 h. – alt. 339 m — 43 **E2**
– ✉ 38160 ▮ Lyon et la vallée du Rhône

🅳 Paris 553 – Grenoble 66 – Romans-sur-Isère 26 – St-Marcellin 12 – Valence 49
🅱 Office de tourisme, place Ferdinand Gilibert ✆ 04 76 36 44 46, Fax 04 76 36 40 49
◙ Abbatiale ★.

✕✕ Auberge de l'Abbaye
Mail de l'Abbaye – ✆ 04 76 36 42 83 – www.auberge-abbaye.com – leydierl@wanadoo.fr – Fax 04 76 36 46 13 – Fermé 5 janv.-5 fév., lundi et mardi sauf le midi du 1er juil. au 19 sept. et dim. soir
Rest – Menu 23/51 € – Carte 20/45 €

◆ Jolie maison (14e s.) au cœur du village médiéval. Chaleureux intérieur de style Louis XIII et terrasse donnant sur l'abbatiale. Cuisine utilisant les produis du terroir.

ST-ARCONS-D'ALLIER – 43 Haute-Loire – **331** D3 – 182 h. — 6 **C3**
– alt. 560 m – ✉ 43300

🅳 Paris 515 – Brioude 37 – Mende 87 – Le Puy-en-Velay 34 – St-Flour 60

🏠 Les Deux Abbesses ⌖
– ✆ 04 71 74 03 08 – www.lesdeuxabbesses.com – abbesses@relaischateaux.com – Fax 04 71 74 05 30 – Ouvert 9 avril-1er nov.
6 ch (½ P seult) – 6 suites – ½ P 230/330 €
Rest – (dîner seult) (nombre de couverts limité, prévenir) Menu 65 €

◆ Ravissantes chambres réparties dans plusieurs maisons d'un magnifique village médiéval perché. Ambiance romantique, jardin soigné, salle de massage, piscine-belvédère. Menu du marché servi le soir au château. Mets classiques revisités ou teintés d'exotisme.

ST-AUBIN-DE-LANQUAIS – 24 Dordogne – **329** E7 – 265 h. — 4 **C1**
– alt. 110 m – ✉ 24560

🅳 Paris 548 – Bergerac 13 – Bordeaux 101 – Périgueux 56

🏠 L'Agrybella sans rest ⌖
pl. de l'Église – ✆ 05 53 58 10 76 – www.agrybella.fr.st – legall.ma@wanadoo.fr – Fermé janv. et fév.
5 ch ⌑ – †85 € ††85 €

◆ Accolée à l'église, cette demeure du 18e s. abrite d'originales chambres à thème baptisées Coloniale, Rétro, Marine, Périgourdine et Surprise (suite dédiée au cirque). Une pleine réussite.

ST-AUBIN-DE-MÉDOC – 33 Gironde – **335** G5 – 5 567 h. – alt. 29 m — 3 **B1**
– ✉ 33160

🅳 Paris 592 – Angoulême 132 – Bayonne 193 – Bordeaux 19 – Toulouse 261

🏨 Le Pavillon de St-Aubin ⌖
rte de Lacanau – ✆ 05 56 95 98 68 – www.thierry-arbeau.com – pavillon.saintaubin@wanadoo.fr – Fax 05 56 05 96 65 – Fermé dim. soir
12 ch – †70/85 € ††75/85 €, ⌑ 10 €   **Rest** – (fermé 18-31 août, 2-7 janv., sam. midi, dim. soir et lundi) Menu (26 €), 37/62 €

◆ Cet hôtel moderne d'inspiration coloniale constitue une sympathique étape avant un périple en haut Médoc. Chambres fonctionnelles et joliment colorées. Plaisant restaurant : tons ensoleillés, cheminée, bibelots et tables bien dressées. Cuisine traditionnelle.

ST-AVÉ – 56 Morbihan – **308** O8 – rattaché à Vannes

ST-AVIT-DE-TARDES – 23 Creuse – 194 h. – alt. 560 m – ✉ 23200 — 25 **C2**
🅳 Paris 415 – Limoges 151 – Guéret 55 – Ussel 67 – Aubusson 16

🏠 Le Moulin de Teiteix ⌖
– ✆ 05 55 67 34 18 – http://perso.wanadoo.fr/moulin-de-teiteix – yvette.louisbrun@wanadoo.fr
5 ch ⌑ – †55 € ††75 € – 1 suite   **Table d'hôte** – Menu 22 € bc

◆ Au grand calme au pied d'une petite rivière poissonneuse, ce moulin du 19e s. vous accueille dans un cadre rustique. Chambres spacieuses, toutes décorées différemment. La table d'hôte propose une cuisine traditionnelle élaborée à base de produits de la région.

ST-AVOLD – 57 Moselle – 307 L4 – 16 900 h. – alt. 260 m – ⊠ 57500   27 C1
Alsace Lorraine

- Paris 372 – Metz 46 – Saarbrücken 33 – Sarreguemines 29 – Strasbourg 127
- Office de tourisme, 28, rue des Américains ✆ 03 87 91 30 19, Fax 03 87 92 98 02
- de Faulquemont à Faulquemont Avenue Jean Monnet, SO : 16 km par D 20, ✆ 03 87 81 30 52
- Groupe sculpté★ dans l'église St-Nabor.
- Mine-image★ de Freyming-Merlebach NE : 10 km.

au Nord : 2,5 km sur D 633 (près échangeur A 4) – ⊠ 57500 St-Avold

Novotel
RN 33 – ✆ 03 87 92 25 93 – www.novotel.com – h0433@accor.com – Fax 03 87 92 02 47
61 ch – †59/129 € ††59/129 €, ⊇ 14 €   **Rest** – Menu 16/20 € – Carte 26/51 €

◆ Rénovation intégrale en 2007 et grandes chambres à choisir de préférence devant la piscine, dans cet hôtel de chaîne établi à l'orée de la forêt. Côté restaurant, l'étape est sans surprise. Terrasse d'été face aux arbres.

ST-AY – 45 Loiret – 318 H4 – 3 016 h. – alt. 100 m – ⊠ 45130   12 C2

- Paris 140 – Orléans 13 – Blois 48 – Châteaudun 52 – Pithiviers 55 – Vendôme 63
- Syndicat d'initiative, Mairie ✆ 02 38 88 44 44, Fax 02 38 88 82 14

XX La Grande Tour
21 rte Nationale – ✆ 02 38 88 83 70 – www.lagrandetour.com – contact@lagrandetour.com – Fax 02 38 80 68 05 – Fermé 10-27 août, merc. soir, dim. soir et lundi
Rest – Menu (17 €), 25/66 € – Carte 49/58 €

◆ "La Pompadour" séjourna dans cet ex-relais de poste au cachet jalousement préservé. Terrasse ouverte sur le jardin et sa fontaine. Cuisine revue dans un style plus traditionnel.

ST-AYGULF – 83 Var – 340 P5 – ⊠ 83370 **Côte d'Azur**   41 C3

- Paris 872 – Brignoles 69 – Draguignan 35 – Fréjus 6 – St-Raphaël 9 – Ste-Maxime 14
- Office de tourisme, place de la Poste ✆ 04 94 81 22 09, Fax 04 94 81 23 04

Cap Riviera sans rest
3022 av. de la Corniche d'Azur – ✆ 04 94 81 21 42 – www.frejus-hotel.com – info@hotelcapriviera.com – Fax 04 94 81 72 39 – Ouvert 16 mars-14 oct.
20 ch – †54/135 € ††54/135 €, ⊇ 8 €

◆ Cet hôtel familial, en bordure de la côte, fait face à la mer. Les chambres, récentes et de style actuel, sont plus calmes côté patio. Petite restauration en saison.

ST-BARD – 23 Creuse – 325 L5 – 101 h. – alt. 640 m – ⊠ 23260   25 D2

- Paris 423 – Limoges 158 – Guéret 63 – Ussel 54 – Aubusson 23

Château de Chazelpaud
D 941 – ✆ 05 55 67 33 03 – http://membres.lycos.fr/chazelpaud/ – chazelpaud@aol.com – Fax 05 55 67 30 25 – Ouvert d'avril à sept.
70 ch ⊇ – †65/70 € ††70/85 €   **Table d'hôte** – Menu 25 €

◆ Mosaïque à l'italienne, hauteurs sous plafond hors normes, grandes chambres personnalisées (fresques dans les salles de bains) : une "folie" néo-Renaissance de toute beauté. Salle à manger lambrissée, ornée d'une magnifique cheminée sculptée.

ST-BAZILE-DE-MEYSSAC – 19 Corrèze – 329 L5 – 156 h. – alt. 230 m – ⊠ 19500   25 C3

- Paris 514 – Limoges 125 – Tulle 37 – Brive-la-Gaillarde 28 – Sarlat-la-Canéda 80

Le Manoir de la Brunie sans rest
– ✆ 05 55 84 23 07 – www.manoirlabrunie.com – appierre@wanadoo.fr
3 ch ⊇ – †90/110 € ††90/110 €

◆ Manoir du 18ᵉ s. au cœur d'un jardin propice à la détente. Hall-salon avec cheminée et salle des petits-déjeuners agrémentés de mobilier de style. Chambres dans le même esprit.

ST-BEAUZEIL – 82 Tarn-et-Garonne – 337 B5 – 122 h. – alt. 181 m – ⊠ 82150
28 B1

▶ Paris 631 – Agen 32 – Cahors 55 – Montauban 64 – Villeneuve-sur-Lot 23

Château de l'Hoste
rte d'Agen, (D 656) – ✆ 05 63 95 25 61 – www.chateaudelhoste.com – mail@chateaudelhoste.com – Fax 05 63 95 25 50
26 ch – †75/185 € ††82/185 €, ⊇ 12 € – ½ P 83/120 €
Rest – (fermé dim. soir, lundi midi et jeudi midi de mi-oct. à fin mars) Menu (24 €), 30 € (sem.)/55 € – Carte environ 35 €
◆ Jolie gentilhommière du 17e s. au cœur d'un parc boisé perdu dans la campagne quercynoise. Chambres non-fumeurs, plaisantes et confortables. La salle à manger mêle ambiances champêtre et aristocratique ; terrasse dressée dans le parc.

ST-BÉNIGNE – 01 Ain – 328 C2 – rattaché à Pont-de-Vaux

ST-BENOIT – 86 Vienne – 322 I5 – rattaché à Poitiers

ST-BENOÎT-SUR-LOIRE – 45 Loiret – 318 K5 – 1 876 h. – alt. 126 m – ⊠ 45730 ▮ Châteaux de la Loire
12 C2

▶ Paris 166 – Bourges 92 – Châteauneuf-sur-Loire 10 – Gien 32 – Montargis 43 – Orléans 42

🛈 Office de tourisme, 44, rue Orléanaise ✆ 02 38 35 79 00, Fax 02 38 35 10 45

◎ Basilique★★.

◉ Germigny-des-Prés : mosaïque★★ de l'église★ NO : 6 km.

Grand St-Benoît
7 pl. St-André – ✆ 02 38 35 11 92 – www.hoteldulabrador.fr – hoteldulabrador@wanadoo.fr – Fax 02 38 35 13 79 – Fermé 1er-9 mars, 17 août-1er sept., 19 déc.-4 janv., sam. midi, dim. soir et lundi
Rest – (nombre de couverts limité, prévenir) Menu (18 €), 26/51 € – Carte 50/56 €
◆ Poutres apparentes et meubles contemporains en salle et terrasse dressée sur une place piétonne du village où repose le poète Max Jacob. Cuisine au goût du jour soignée.

ST-BERNARD – 01 Ain – 328 B5 – 1 282 h. – alt. 250 m – ⊠ 01600
43 E1

▶ Paris 443 – Lyon 29 – Bourg-en-Bresse 57 – Villeurbanne 37

Le Clos du Chêne
370 chemin du Carré – ✆ 04 74 00 45 39 – www.leclosduchene.com – contact@leclosduchene.com – Fax 04 74 08 03 51 – Fermé 1er fév.-15 mars
5 ch ⊇ – †118/139 € ††124/145 € – ½ P 86/97 €
Table d'hôte – (fermé sam. et mardi) Menu 35 € bc
◆ En bordure de la Saône, superbes chambres romantiques et cosy dans une vaste propriété refaite, alliant esprit de maison de famille, équipements modernes et thématique équestre.

ST-BOIL – 71 Saône-et-Loire – 320 I10 – 406 h. – alt. 240 m – ⊠ 71390
8 C3

▶ Paris 357 – Chalon-sur-Saône 23 – Cluny 27 – Montceau-les-Mines 37 – Mâcon 50

Auberge du Cheval Blanc avec ch
– ✆ 03 85 44 03 16 – Fax 03 85 44 07 25 – Fermé 1er fév.-15 mars et merc.
11 ch – †75 € ††75 €, ⊇ 12 € – ½ P 80 € **Rest** – (dîner seult) Menu 41 €
◆ Deux bâtiments séparés par la route : d'un côté, maison bourgeoise (1870) aux chambres fraîches et de l'autre, auberge familiale servant une solide cuisine régionale.

ST-BÔMER-LES-FORGES – 61 Orne – 310 F3 – 954 h. – alt. 250 m – ⊠ 61700
32 B3

▶ Paris 261 – Caen 88 – Alençon 73 – Flers 16 – Argentan 58

Château de la Maigraire sans rest
2 km à l'Est par D 260 – ✆ 02 33 38 09 52
– http://chateaudelamaigraire.monsite.orange.fr – la.maigraire@wanadoo.fr
– Fax 02 33 38 09 52
3 ch ⊇ – †90 € ††100 €
◆ Les propriétaires de ce château normand (1860) vous ouvrent leurs salons et leurs chambres au décor ancien soigné ("Marie-Antoinette", "L'oiseau bleu" et "L'échauguette").

1627

ST-BONNET-EN-CHAMPSAUR – 05 Hautes-Alpes – 334 E4 – 41 C1
– 1 644 h. – alt. 1 025 m – ⊠ 05500 ▋Alpes du Sud

▶ Paris 652 – Gap 16 – Grenoble 90 – La Mure 50

🅘 Office de tourisme, place Grenette ℘ 04 92 50 02 57, Fax 04 92 50 02 57

La Crémaillère
4 rte de la Motte – ℘ 04 92 50 00 60 – www.alacremaillere.com
– hautesalpescremaillere@orange.fr – Fax 04 92 50 01 57
23 ch – †52/63 €, ††52/63 €, ⊒ 8 € – ½ P 53/59 €
Rest – Menu (13 € bc), 20 € – Carte 21/43 €

♦ À l'orée du Parc national des Écrins, grand chalet (non-fumeurs) entouré d'un jardin. Chambres en majorité orientées au sud, face au massif du Champsaur et au pic de l'Aiguille. Repas axé terroir dans une salle claire et ample ou en terrasse.

ST-BONNET-LE-CHÂTEAU – 42 Loire – 327 D7 – 1 492 h. – 44 A2
– alt. 870 m – ⊠ 42380 ▋Lyon et la vallée du Rhône

▶ Paris 484 – Ambert 48 – Montbrison 31 – Le Puy-en-Velay 66 – St-Étienne 34

🅘 Syndicat d'initiative, 7, place de la République ℘ 04 77 50 52 48, Fax 04 77 50 13 46

◉ Chevet de la collégiale ≤★ - Chemin des Murailles★.

Le Béfranc
7 rte d'Augel – ℘ 04 77 50 54 54 – www.hotel-lebefranc.com – info@hotel-lebefranc.com – Fermé 20-27 oct., 2 fév.-2 mars, dim. soir et lundi sauf juil.-août
17 ch – †43 € ††50 €, ⊒ 7 € – ½ P 48/57 €
Rest – Menu (13 € bc), 18/37 € – Carte 26/39 €

♦ Aux portes d'une localité surnommée "la perle du Forez", hébergement des plus "honnêtes", mettant à profit les anciens locaux de la gendarmerie ! Chambres proprettes. À l'heure de passer à table, choix de préparations traditionnelles.

La Calèche
2 pl. Cdt Marey – ℘ 04 77 50 15 58 – www.restaurantlacaleche.fr
– caleche.restaurant@orange.fr – Fax 04 77 50 15 58 – Fermé 2-16 janv., 10-25 fév., lundi soir d'oct. à mars, dim. soir, mardi soir et merc.
Rest – Menu (22 €), 32/55 €

♦ Le restaurant, aménagé dans une maison classée (17ᵉ s.) dispose de trois salles à manger joliment colorées. Le chef y concocte une cuisine dans l'air du temps personnalisée.

ST-BONNET-LE-FROID – 43 Haute-Loire – 331 I3 – 222 h. – 6 D3
– alt. 1 126 m – ⊠ 43290

▶ Paris 555 – Annonay 27 – Le Puy-en-Velay 58 – St-Étienne 51 – Valence 68 – Yssingeaux 31

🅘 Office de tourisme, place de la Mairie ℘ 04 71 65 64 41, Fax 04 71 65 64 41

Le Clos des Cimes
le village – ℘ 04 71 65 63 62 – www.regismarcon.fr – contact@regismarcon.fr
– Fax 04 71 59 93 40 – Fermé 23 déc.-13 fév., lundi de nov. à juin et mardi
12 ch – †160/240 € ††160/240 €, ⊒ 20 €
Rest *Bistrot la Coulemelle* – Menu (21 €), 27/40 €

♦ Le Clos abrite des chambres personnalisées, aussi raffinées que cosy, tournées vers la vallée. De goûteux plats du terroir vous attendent dans le décor rustique chic du Bistrot de La Coulemelle. Voir aussi le restaurant Régis et Jacques Marcon, ci-après.

Le Fort du Pré
rte du Puy – ℘ 04 71 59 91 83 – www.le-fort-du-pre.fr – info@le-fort-du-pre.fr
– Fax 04 71 59 91 84 – Fermé 30 août-3 sept., 18 déc.-4 mars, dim. soir et lundi sauf juil.-août
34 ch – †52/90 € ††69/120 €, ⊒ 10 € – ½ P 65/90 €
Rest – Menu (19 €), 25/65 € – Carte 40/55 €

♦ Ferme restaurée intéressante pour ses activités de loisirs (piscine couverte, fitness, salle de jeux). Simples et colorées, les chambres restent avant tout pratiques. Salle à manger-véranda ouverte sur la nature pour une table de qualité valorisant le terroir.

ST-BONNET-LE-FROID

XXXX **Régis et Jacques Marcon** avec ch
✿✿✿ *Larsiallas, sur les hauteurs du village –*
*𝒞 04 71 59 93 72 – www.regismarcon.fr – contact@regismarcon.fr
– Fax 04 71 59 93 40 – Ouvert 12 avril-19 déc. et fermé lundi soir de nov.
à juin, mardi et merc.*
10 ch – †350 € ††350 €, ⊃ 25 €
Rest – *(prévenir)* Menu 115 €, 135/190 € – Carte 177/202 €
Spéc. Cassoulet de homard aux lentilles vertes du Puy. Menu "champignons" (printemps et automne). Tarte soufflée à la châtaigne. **Vins** Saint-Joseph, Vin de Pays des Coteaux de l'Ardèche.

♦ Le restaurant, associant merveilleusement la pierre, le bois et le verre, a vue sur les massifs alentour, écrin idéal d'une cuisine envoûtante inspirée par les produits de la terre auvergnate (champignons). Élégantes chambres (non-fumeurs), ouvertes sur la nature.

XX **André Chatelard**
*pl. aux Champignons – 𝒞 04 71 59 96 09 – www.restaurant-chatelard.com
– restaurant-chatelard@wanadoo.fr – Fax 04 71 59 98 75 – Fermé 5 janv.-5 mars,
dim. soir, lundi et mardi*
Rest – Menu 19 € (sem.), 26/72 € – Carte 31/56 €

♦ Solide maison de pays estimée pour sa cuisine régionale goûteuse et soignée. Salles néo-rustiques, salon-cheminée et jardinet avec terrasse. Tentant chariot de desserts.

ST-BONNET-TRONÇAIS – 03 Allier – 326 D3 – 789 h. – alt. 224 m   5 B1
– ✉ 03360 ▮ Auvergne

▶ Paris 313 – Clermont-Ferrand 137 – Moulins 60 – Montluçon 44
– Saint-Amand-Montrond 26

à Tronçais 2 km au Sud-Est par D 250 – ✉ 03360

🏠 **Le Tronçais**
*12 av. Nicolas Rambourg, par D 978 – 𝒞 04 70 06 11 95 – www.letroncais.com
– contact@letroncais.com – Fax 04 70 06 16 15 – Ouvert 1ᵉʳ mars-30 nov. et
fermé dim. soir, mardi midi et lundi en mars-avril et oct.-nov.*
12 ch – †48 € ††55 €, ⊃ 8 € – ½ P 53 €   **Rest** – Menu 24/37 € – Carte 29/54 €

♦ Un parc, un étang et la magnifique forêt de Tronçais à proximité. Cette demeure et son annexe possèdent des chambres d'ampleur variée, au grand calme. Côté restaurant, on s'installe dans une grande salle à manger pimpante pour déguster des plats traditionnels.

ST-BRANCHS – 37 Indre-et-Loire – 317 N5 – 2 211 h. – alt. 97 m   11 B2
– ✉ 37320

▶ Paris 259 – Orléans 135 – Tours 24 – Joué-lès-Tours 19
– Saint-Cyr-sur-Loire 29

X **Le Diable des Plaisirs**
*2 av. des Marronniers – 𝒞 02 47 26 33 44
– www.restaurant-lediabledesplaisirs.com – lediabledesplaisirs@club-internet.fr
– Fermé dim. soir et merc.*
Rest – Menu (17 €), 22 € (sem.)/36 € – Carte 42/57 €

♦ Ce restaurant en retrait du centre du village vous reçoit dans le cadre très coloré, ludique et nostalgique d'une ancienne salle de classe. Accueil souriant et cuisine actuelle.

ST-BREVIN-LES-PINS – 44 Loire-Atlantique – 316 C4 – 12 055 h.   34 A2
– alt. 9 m – Casino – ✉ 44250 ▮ Poitou Vendée Charentes

▶ Paris 442 – Nantes 57 – Saint-Herblain 62 – Saint-Nazaire 15
🛈 Office de tourisme, 10, rue de l'Église 𝒞 02 40 27 24 32, Fax 02 40 39 10 34

🏠 **Du Beryl**
*55 bd de l'Océan – 𝒞 02 28 53 20 00 – www.groupe-emeraude.com
– resa.stbrevin@hotelduberyl.com – Fax 02 28 53 20 20*
94 ch – †89/120 € ††89/120 €, ⊃ 11 € – ½ P 68/82 €
Rest – Menu (16 €), 19 € (déj.), 25/41 € – Carte 28/43 €

♦ Face à la mer, l'hôtel occupe l'emplacement de l'ancien casino. Les chambres spacieuses et bien isolées sont dotées de mobilier de bois clair et d'une bonne literie. Décoration épurée dans l'air du temps et vue sur l'océan au restaurant. Plats traditionnels.

1629

ST-BRICE-EN-COGLÈS – 35 Ille-et-Vilaine – 309 N4 – 2 395 h.
– alt. 105 m – ✉ 35460   10 D2

■ Paris 343 – Avranches 34 – Fougères 17 – Rennes 57 – St-Malo 65
🛈 Office de tourisme, 7, place Charles-de-Gaulle ☎ 02 99 97 85 44

Le Lion d'Or
r. Chateaubriant – ☎ 02 99 98 61 44 – www.hotel-leliondor.fr – le-lion-dor3@wanadoo.fr – Fax 02 99 97 85 66
30 ch – ♦62/67 € ♦♦62/67 €, ⊇ 8,50 €
Rest – (fermé dim. soir sauf du 1er mai au 30 sept.)
Menu (11 €), 16 € (sem.)/30 € – Carte 20/43 €

♦ Dans la rue principale du village, cet ex-relais de diligence à la façade de granit abrite des chambres de confort simple, régulièrement rénovées. Confortable restaurant et sa véranda servant des plats traditionnels et du terroir. À midi, espace brasserie.

ST-BRIEUC ℗ – 22 Côtes-d'Armor – 309 F3 – 46 700 h. –
Agglo. 121 237 h. – alt. 78 m – ✉ 22000 ▍Bretagne   10 C2

■ Paris 451 – Brest 144 – Quimper 127 – Rennes 101 – St-Malo 71
✈ de St-Brieuc-Armor : ☎ 02 96 94 95 00, 10 km par ①.
🛈 Office de tourisme, 7, rue Saint-Gouéno ☎ 08 25 00 22 22, Fax 02 96 61 42 16
⛳ Club la Crinière à Lamballe Manoir de la Ville Gourio, par rte de Lamballe et D 786 : 15 km, ☎ 02 96 32 72 60
◉ Cathédrale St-Étienne ★ - Tertre Aubé ≤ ★ BV.

Plan page ci-contre

De Clisson sans rest
36 r. Gouët – ☎ 02 96 62 19 29 – www.hoteldeclisson.com – contact@hoteldeclisson.com – Fax 02 96 61 06 95   AY e
25 ch – ♦58/72 € ♦♦72/120 €, ⊇ 8,50 €

♦ Cette bâtisse blanche, à l'écart du centre, vous réserve un accueil charmant. Chambres diversement meublées ; celles avec baignoire balnéo sont plus spacieuses. Joli jardin.

Ker Izel sans rest
20 r. Gouët – ☎ 02 96 33 46 29 – www.hotel-kerizel.com – bienvenue@hotel-kerizel.com – Fax 02 96 61 86 12
– Fermé 25 oct.-11 nov. et 26 déc.-2 janv.   AY a
22 ch – ♦41/47 € ♦♦54/61 €, ⊇ 8 €

♦ Au cœur historique de la ville, c'est vraisemblablement le plus vieil hôtel de St-Brieuc. Chambres plutôt petites, mansardées au 2e étage, et bien tenues. Jardinet, piscine.

Champ de Mars sans rest
13 r. Gén. Leclerc – ☎ 02 96 33 60 99 – www.hotel-saint-brieuc.fr – hoteldemars@wanadoo.fr – Fax 02 96 33 60 05 – Fermé vacances de Noël   BZ s
21 ch – ♦46/52 € ♦♦56/59 €, ⊇ 8 €

♦ Emplacement pratique, près d'un grand parking public, pour ces chambres sobres et fonctionnelles, conçues à l'identique. Ici et là, quelques détails personnalisent cet hôtel simple.

XXX Aux Pesked (Mathieu Aumont)
59 r. Légué – ☎ 02 96 33 34 65 – www.auxpesked.com – contact@maisonphare.com – Fax 02 96 33 65 38 – Fermé 27 avril-4 mai, 31 août-14 sept., 2-18 janv., sam. midi, dim. soir et lundi   AV a
Rest – Menu (19 €), 23 € (déj. en sem.), 38/63 € – Carte environ 69 €
Spéc. Saint-Jacques au garam massala et jus de betterave (mi-oct. à fin-avril). Filet de Saint-Pierre, poudre d'orange et mousseux de coco de Paimpol au lard fumé (fin juil. à fin oct.). Tarte fine au chocolat et mandarine confite (oct. à avril).

♦ Avec la vallée du Gouët pour paysage, ce chaleureux restaurant contemporain propose *une fine carte actuelle, du marché, et mettant à l'honneur les Pesked (poissons en breton).*

XX Amadeus
22 r. Gouët – ☎ 02 96 33 92 44 – Fax 02 96 61 42 05 – Fermé 2-20 août, 15-27 fév., lundi midi, sam. midi et dim.   AY b
Rest – Menu 17 € (déj. en sem.), 20/65 € – Carte 58/68 €

♦ Ce restaurant familial a préservé son charme ancien (murs de pierre, beau plafond à solives), tout en modernisant et en épurant son décor. Cuisine dans l'air du temps.

ST-BRIEUC

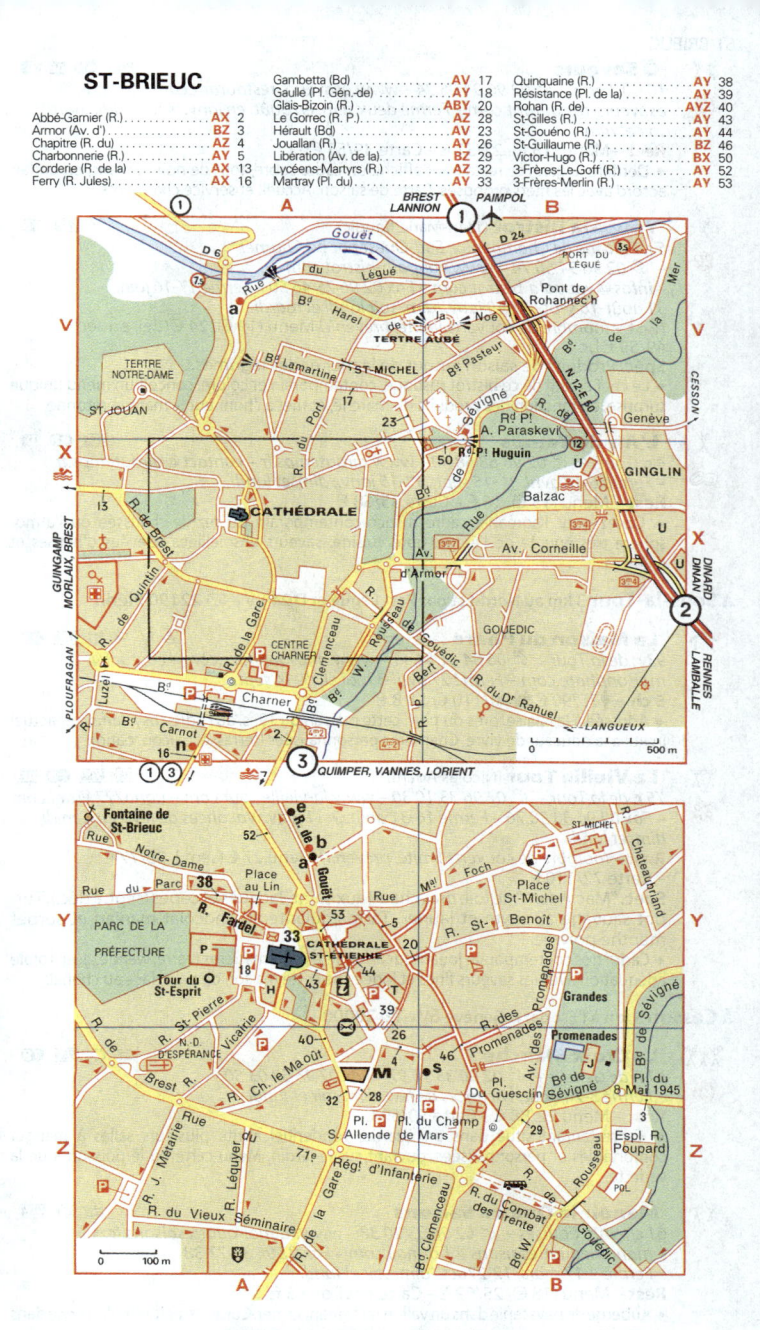

Abbé-Garnier (R.) . . . . **AX** 2	Gambetta (Bd) . . . . **AV** 17	Quinquaine (R.) . . . . **AY** 38
Armor (Av. d') . . . . **BZ** 3	Gaulle (Pl. Gén.-de) . . . . **AY** 18	Résistance (Pl. de la) . . . . **AY** 39
Chapitre (R. du) . . . . **AZ** 4	Glais-Bizoin (R.) . . . . **ABY** 20	Rohan (R. de) . . . . **AYZ** 40
Charbonnerie (R.) . . . . **AY** 5	Hérault (Bd) . . . . **AV** 23	St-Gilles (R.) . . . . **AY** 43
Corderie (R. de la) . . . . **AX** 13	Le Gorrec (R. P.) . . . . **AZ** 28	St-Gouéno (R.) . . . . **AY** 44
Ferry (R. Jules) . . . . **AX** 16	Jouallan (R.) . . . . **AY** 26	St-Guillaume (R.) . . . . **BZ** 46
	Libération (Av. de la) . . . . **BZ** 29	Victor-Hugo (R.) . . . . **BX** 50
	Lycéens-Martyrs (R.) . . . . **AY** 32	3-Frères-Le-Goff (R.) . . . . **AY** 52
	Martray (Pl. du) . . . . **AY** 33	3-Frères-Merlin (R.) . . . . **AY** 53

1631

ST-BRIEUC

Ô Saveurs
VISA MC AE ①

10 r. J. Ferry – ℰ 02 96 94 05 34 – www.osaveurs-restaurant.com – lavigne@osaveurs-restaurant.com – Fermé deux sem. en août, en janv., sam. midi, mardi soir et dim.
AX m
Rest – Menu (15 €), 27/51 € – Carte 39/51 €

♦ Derrière la gare, ce restaurant affiche un cadre sobre, tout de noir et blanc, en parfait accord avec les mets proposés. Carte de saison. Accueil et service charmants.

Youpala Bistrot (Jean-Marie Baudic)
VISA MC

5 r. Palasne de Champeaux, Sud-Ouest par bd Charner – ℰ 02 96 94 50 74 – www.youpala-bistrot.com – infos@youpala-bistrot.com – Fax 02 96 75 46 50 – Fermé 1er-16 juin, 31 août-16 sept., 1er-19 janv., dim. soir lundi et mardi
Rest – (nombre de couverts limité, prévenir) Menu (19 €), 24 € (déj. en sem.), 49/59 € bc
Spéc. Produits de saison autour de la mer et des légumes.

♦ Le chef créatif de ce bistrot rustique, contemporain et coloré, conçoit un menu unique surprise, en fonction des produits du marché, et met à l'honneur la marée bretonne.

L'Air du Temps
VISA MC ①

4 r. Gouët – ℰ 02 96 68 58 40 – www.airdutemps.fr – contact@airdutemps.fr – Fermé 6-18 avril, 1er-15 sept., 1er-15 janv., dim. et lundi
Rest – Menu (13 €), 16 € – Carte 35/58 €

♦ Optez pour l'agréable cadre rustico-contemporain du rez-de-chaussée ou l'atmosphère très épurée de l'étage. Côté cuisine, saveurs ensoleillées relevées d'herbes et d'épices.

à Sous-la-Tour 3 km au Nord-Est par Port Légué et D 24 BV – ✉ 22190 Plérin

La Maison du Phare sans rest
VISA MC

93 r. de la Tour – ℰ 06 84 81 54 41 – www.maisonphare.com – contact@maisonphare.com – Fermé 27 avril-3 mai et 1er-14 sept.
5 ch – ♦75/90 € ♦♦90/110 €, ⊆ 8 €

♦ Adossée à la falaise, près du port, cette maison du 19e s. au cadre cosy, raffiné et actuel invite à la douceur de vivre. Chambres personnalisées (terrasse, balcon, patio).

La Vieille Tour (Nicolas Adam)
AC VISA MC AE

75 r. de la Tour – ℰ 02 96 33 10 30 – www.la-vieille-tour.com – ugho777@aol.com – Fax 02 96 33 38 76 – Fermé 16-31 août, 2-11 janv., vacances de fév., sam. midi, dim. et lundi
Rest – (nombre de couverts limité, prévenir) Menu 27 € (sem.), 38/77 € – Carte 72/110 €
Spéc. "Mac'Adam" de foie gras chaud aux Saint-Jacques et cèpes (sept. à déc.). Turbot sauvage au thym et laurier. Tarte coulante au chocolat manjari et sorbet menthe poivrée.

♦ Cadre très contemporain jouant sur la lumière et les matières (verre, wengé...), en totale adéquation avec les saveurs fines et iodées de cette maison de pays, face au chenal.

à Cesson 3 km à l'Est par r. Genève BV – ✉ 22000

La Croix Blanche
VISA MC

61 r. de Genève – ℰ 02 96 33 16 97 – Fax 02 96 62 03 50 – Fermé 3-24 août, vacances de fév., dim. soir et lundi
Rest – Menu 22/88 € – Carte 50/60 €

♦ Ce restaurant situé dans un quartier résidentiel abrite plusieurs salles à manger confortables et personnalisées, ouvrant sur le jardin. Menu-carte où le poisson joue la vedette.

Manoir le Quatre Saisons
VISA

61 chemin Courses – ℰ 02 96 33 20 38 – www.manoirquatresaisons.fr – manoirlequatresaisons@hotmail.com – Fax 02 96 33 77 38 – Fermé 2-17 mars, 12-27oct., dim. soir et lundi
Rest – Menu (18 €), 25/69 € – Carte environ 65 €

♦ Auberge de pays tapie dans un vallon rejoignant la mer. Cuisine traditionnelle servie dans deux pimpantes salles à manger aux jolis détails Art nouveau.

ViaMichelin

Clic je choisis, clic je réserve !

RÉSERVATION HÔTELIÈRE SUR

www.ViaMichelin.com

Préparez votre itinéraire sur le site ViaMichelin pour optimiser tous vos déplacements. Vous pouvez comparer différents parcours, sélectionner vos étapes gourmandes, découvrir les sites à ne pas manquer… Et pour plus de confort, réservez en ligne votre hôtel en fonction de vos préférences (parking, restaurant...) et des disponibilités en temps réel auprès de 60 000 hôtels en Europe (indépendants ou chaînes hôtelières).

- *Pas de frais de réservation*
- *Pas de frais d'annulation*
- *Pas de débit de la carte de crédit*
- *Les meilleurs prix du marché*
- *La possibilité de sélectionner et de filtrer les hôtels du Guide Michelin*

MICHELIN
Une meilleure façon d'avancer

Cartes & Guides MICHELIN
UNE *MEILLEURE* FAÇON DE *VOYAGER*

Cartes et Atlas MICHELIN

Guide MICHELIN

Les Guides Verts MICHELIN

Les Guides Voyager Pratique MICHELIN

Les publications Cartes et Guides MICHELIN sont vos atouts pour un voyage réussi : choisissez vous-même votre parcours avec les Cartes et Atlas toujours mis à jour, découvrez les bonnes adresses d'hôtels et de restaurants du guide MICHELIN, laissez-vous guider par les itinéraires insolites du Guide Vert et créez vos voyages sur-mesure avec le guide Voyager Pratique. Découvrez toutes les nouveautés et les offres Michelin sur : www.cartesetguides.michelin.fr

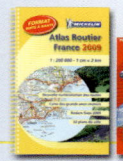

MICHELIN
Une meilleure façon d'avancer

ST-CALAIS – 72 Sarthe – **310** N7 – 3 589 h. – alt. 155 m – ✉ 72120   35 **D1**
 Châteaux de la Loire
- Paris 188 – La Ferté-Bernard 33 – Le Mans 47 – Tours 66 – Vendôme 32
- Office de tourisme, place de l'Hôtel de ville ✆ 02 43 35 82 95, Fax 02 43 35 15 13
- Façade★ de l'église Notre-Dame.

Rte de la Ferté-Bernard 3 km au Nord par D 1

Château de la Barre
– ✆ 02 43 35 00 17 – htttp://chateaudelabarre.com – info@chateaudelabarre.com – Fax 02 43 35 00 17 – Fermé 10 janv.-10 fév.
5 ch – †130 € ††150/450 €, ⊇ 15 €
Table d'hôte – (fermé dim. soir, lundi soir, merc. soir et vend. soir) Menu 65 € bc
♦ Ce beau château entouré d'un parc de 40 ha appartient à la même famille depuis le 15ᵉ s. Les chambres, raffinées et personnalisées, possèdent d'authentiques meubles anciens. Cuisine bourgeoise servie dans une salle à manger agrémentée d'un superbe vaisselier.

ST-CANADET – 13 Bouches-du-Rhône – **340** H4 – ✉ 13610   40 **B3**
- Paris 765 – Marseille 46 – Aix-en-Provence 18 – Avignon 93 – Toulon 100

Campagne le Bec sans rest
– ✆ 04 42 61 97 05 – www.campagnelebec.com – campagnelebec@hotmail.com – Fax 04 42 61 97 05
4 ch ⊇ – †110/150 € ††110/150 €
♦ Isolée dans la campagne, maison de famille (ex-bergerie) à l'ambiance décontractée. Chambres de styles baroque ou personnalisé. Table d'hôtes sur demande. Bassin de nage.

ST-CANNAT – 13 Bouches-du-Rhône – **340** G4 – 4 634 h. – alt. 216 m – ✉ 13760   40 **B3**
 Provence
- Paris 731 – Aix-en-Provence 17 – Cavaillon 39 – Manosque 65 – Marseille 46
- Syndicat d'initiative, avenue Pasteur ✆ 04 42 57 34 65, Fax 04 42 50 82 01

au Sud 2 km par rte d'Éguilles et rte secondaire – ✉ 13760 St-Cannat

Mas de Fauchon
1666 chemin de Berre – ✆ 04 42 50 61 77 – www.mas-de-fauchon.fr – contact@masdefauchon.fr – Fax 04 42 57 22 56
16 ch – †125/240 € ††125/240 €, ⊇ 15 € – 2 suites
Rest – Menu (20 €), 38/60 € – Carte 50/70 €
♦ Au cœur d'une forêt de pins, cette bergerie du 17ᵉ s. ne manque pas de charme avec ses chambres provençales cossues et très confortables, dotées de terrasses. Calme à l'état pur. Coquette salle à manger rustique où l'on savoure une cuisine de tradition.

ST-CAPRAISE-DE-LALINDE – 24 Dordogne – **329** E6 – rattaché à Lalinde

---

ST-CAST-LE-GUILDO – 22 Côtes-d'Armor – **309** I3 – 3 420 h. – alt. 52 m – ✉ 22380   10 **C1**
 Bretagne
- Paris 427 – Avranches 91 – Dinan 32 – St-Brieuc 50 – St-Malo 31
- Office de tourisme, place Charles-de-Gaulle ✆ 02 96 41 81 52, Fax 02 96 41 76 19
- de Saint-Cast Pen-Guen Chemin du Golf, S : 4 km, ✆ 02 96 41 91 20
- Pointe de St-Cast ≤★★ - Pointe de la Garde ≤★★ - Pointe de Bay ≤★ S : 5 km.

Ker Flore
40 r. Rioust des Villes Audrains, au bourg, près de l'Église – ✆ 02 96 81 03 79 – ker.flore@wanadoo.fr – Fermé 21 déc.-2 fév., dim. soir, mardi soir et merc. soir sauf juil.-août et lundi
Rest – Menu (13 €), 20/26 € – Carte 24/38 €
♦ Cadre champêtre égayé de murs ensoleillés et d'objets chinés pour ce restaurant où l'on déguste des plats traditionnels, réalisés en fonction du marché.

ST-CÉRÉ – 46 Lot – 337 H2 – 3 540 h. – alt. 152 m – ⌧ 46400 – Périgord – 29 C1

- Paris 531 – Aurillac 62 – Brive-la-Gaillarde 51 – Cahors 80 – Figeac 44 – Tulle 54
- Office de tourisme, 13, avenue Francois de Maynard ✆ 05 65 38 11 85, Fax 05 65 38 38 71
- de Montal à Saint-Jean-Lespinasse, O : 3 km par D 807, ✆ 05 65 10 83 09
- Site★ - Tapisseries de Jean Lurçat★ au casino - Atelier-musée Jean Lurçat★ - Château de Montal★★ O : 3 km.
- Cirque d'Autoire★ : ≤★★ par Autoire (site★) O : 8 km.

Les Trois Soleils de Montal (Frédérik Bizat)
rte de Gramat, 2 km par D 673
– ✆ 05 65 10 16 16
– www.lestroissoleils.fr.st – lestroissoleils@wanadoo.fr
– Fax 05 65 38 30 66 – Fermé 1er déc.-31 janv.
26 ch – †85/119 € ††95/119 €, ⌧ 14 € – 4 suites – ½ P 95/124 €
Rest – (fermé dim. soir, mardi midi et lundi d'oct. à mars, lundi midi d'avril à sept.) Menu 32 € (déj. en sem.), 42/78 € – Carte 62/78 €
Spéc. Saint-Jacques rôties, petits gâteaux de topinambour et truffe (oct. à avril). Carré d'agneau, tomates, aubergines confites et jus d'herbes. Soufflé chaud à l'orange et chocolat. **Vins** Pécharmant, Cahors.
♦ Cette grande maison située à proximité du château de Montal profite du calme d'un parc en pleine campagne. Chambres actuelles, de bonne ampleur. Savoureuse cuisine au goût du jour servie dans une élégante salle à manger agrémentée de toiles du 19e s.

De France
av. François de Maynard, rte d'Aurillac – ✆ 05 65 38 02 16
– www.lefrance-hotel.com – lefrance-hotel@wanadoo.fr – Fax 05 65 38 02 98
– Fermé 20 déc.-25 janv. et vend. soir du 15 oct. au 8 fév.
18 ch – †44/48 € ††50/54 €, ⌧ 8 € – ½ P 51/54 €
Rest – (dîner seult sauf dim.) Menu 24/50 € – Carte 33/58 €
♦ À deux pas du centre, hôtel aux chambres sobres et rustiques ; préférez celles donnant sur le jardin. Restaurant aménagé dans un style rustico-bourgeois, complété par une terrasse ombragée. Plats traditionnels et saveurs du Quercy.

Villa Ric
rte Leyme, 2,5 km par D 48 – ✆ 05 65 38 04 08 – www.villaric.com – hotel.jpric@libertysurf.fr – Fax 05 65 38 00 14 – Ouvert 4 avril-11 nov.
5 ch – †75 € ††75/105 €, ⌧ 10 € – ½ P 75/105 €
Rest – (dîner seult) (nombre de couverts limité, prévenir) (résidents seult) Menu 36/40 €
♦ Maison accrochée à flanc de colline proposant des chambres d'esprit cosy aux tons pastel. On apprécie son cadre reposant et son ambiance guesthouse. Cuisine au goût du jour servie dans une salle à manger lumineuse. Terrasse avec vue panoramique sur la vallée.

ST-CERGUES – 74 Haute-Savoie – 328 K3 – 2 513 h. – alt. 615 m – ⌧ 74140 – 46 F1

- Paris 547 – Annecy 54 – Annemasse 9 – Bonneville 25 – Genève 19 – Thonon-les-Bains 21

De France avec ch
1044 r. Allobroges – ✆ 04 50 43 50 32 – www.hoteldefrance74.com
– hoteldefrance74@wanadoo.fr – Fax 04 50 94 66 45
– Fermé 6-23 avril, 21 août-7 sept., dim. soir, merc. midi et lundi
18 ch – †54/64 € ††57/67 €, ⌧ 9 € – ½ P 60/65 €
Rest – Menu (13 €), 20 € (sem.)/52 € – Carte 35/66 €
♦ Cette maison tenue par la même famille depuis quatre générations soigne son décor, son accueil et sa cuisine. Élégant restaurant, joli jardin-terrasse et chambres actuelles.

ST-CERNIN-DE-LARCHE – 19 Corrèze – 329 J5 – 558 h. – alt. 300 m – 24 B3
– ⌧ 19600

- Paris 492 – Limoges 104 – Tulle 48 – Brive-la-Gaillarde 17 – Sarlat-la-Canéda 54

Le Moulin de Laroche sans rest
La Roche Ouest, 1,5 km par D 59 – ✆ 05 55 85 40 92 – Fax 05 55 85 34 66 – Ouvert 15 mars-15 nov.
6 ch ⌧ – †57/75 € ††60/75 €
♦ Avec pour cadre un parc sur une petite colline, cette ferme (1693) et son moulin à eau réunissent toutes les conditions d'un séjour tranquille. Mobilier ancien ou de style.

ST-CHAMAS – 13 Bouches-du-Rhône – 340 F4 – 7 268 h. – alt. 15 m — 40 A3
– ⊠ 13250 – Provence

- Paris 738 – Arles 43 – Marseille 50 – Martigues 26 – Salon-de-Provence 16
- Office de tourisme, Place Saint Pierre ℘ 04 90 50 90 54, Fax 04 90 50 90 10

Embarben sans rest
rte de Grans – ℘ 06 84 95 57 16 – www.embarben.fr – claude.dunan@9online.fr
6 ch – †50/60 € ††80/100 €
- Dans un parc bucolique (pré à moutons, bassin), une maison de maître aux chambres de caractère, délicieusement rétro. Jardin potager et fruitier, piscine. Pour un séjour au vert !

Le Rabelais
8 r. A. Fabre, (centre ville) – ℘ 04 90 50 84 40 – www.restaurant-le-rabelais.com
– le.rabelais@wanadoo.fr – Fax 04 90 50 84 40 – Fermé dim. soir, merc. soir et lundi
Rest – Menu 26 € (déj.), 39/60 € – Carte 26/39 €
- Près de l'ancienne fabrique de poudre, restaurant installé dans la jolie salle voûtée du 17e s. d'un vieux moulin à blé. Agréable terrasse fleurie. Cuisine inventive.

ST-CHAMOND – 42 Loire – 327 G7 – 35 500 h. – alt. 388 m – ⊠ 42400 — 44 B2
Lyon et la vallée du Rhône

- Paris 505 – Feurs 55 – Lyon 50 – Montbrison 53 – St-Étienne 11 – Vienne 38
- Office de tourisme, 23, avenue de la Libération ℘ 04 77 31 04 41, Fax 04 77 22 04 34

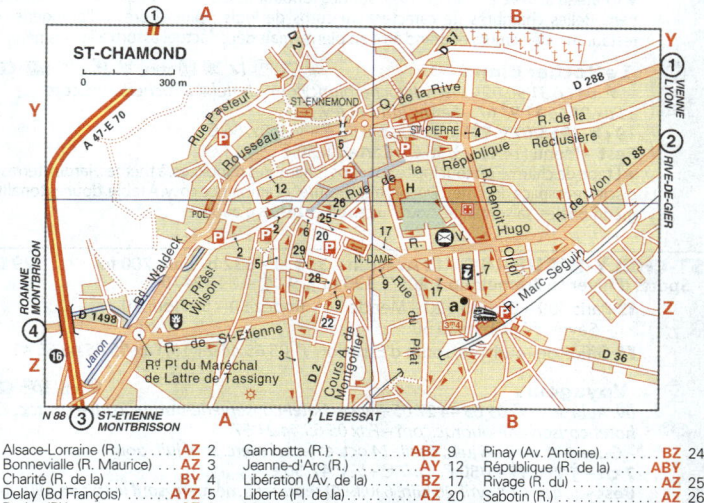

Alsace-Lorraine (R.) . . . . **AZ** 2	Gambetta (R.) . . . . **ABZ** 9	Pinay (Av. Antoine) . . . . . . **BZ** 24
Bonnevialle (R. Maurice) . . . **AZ** 3	Jeanne-d'Arc (R.) . . . . **AY** 12	République (R. de la) . . . . **ABY**
Charité (R. de la) . . . . **BY** 4	Libération (Av. de la) . . . . . . **BZ** 17	Rivage (R. du) . . . . **AZ** 25
Delay (Bd François) . . . . . **AYZ** 5	Liberté (Pl. de la) . . . . **AZ** 20	Sabotin (R.) . . . . **AZ** 26
Dorian (Pl.) . . . . **AZ** 6	Montgolfier (Crs A.-de). . . . . **AZ**	Timbaud (R. P.) . . . . **AZ** 28
Dugas-Montbel (R.) . . . . . . **BZ** 7	Morel (Pl. Germain) . . . . **AZ** 22	Trois Frères (R. des) . . . . . . **AZ** 29

Les Ambassadeurs
28 av. de la Libération – ℘ 04 77 22 85 80 – www.ambassadeurs.thomasson.com
– lesambassadeurs42@orange.fr – Fax 04 77 31 96 95 — BZ a
16 ch – †53/58 € ††53/60 €, ⊃ 8 €
Rest – (fermé 8-11 mai, 27 juil.-25 août, 1er-5 janv., sam. midi, dim. soir et sam.)
Menu 23 € (déj. en sem.), 32/50 € – Carte 54/67 €
- Établissement contemporain repris par un jeune couple expérimenté. Les chambres, simples, seront prochainement rénovées. Au restaurant, le chef concocte une goûteuse cuisine actuelle avec des touches inventives. Son épouse veille à la satisfaction des clients en salle.

ST-CHARTIER – 36 Indre – 323 H7 – rattaché à La Châtre

ST-CHÉLY-D'APCHER – 48 Lozère – 330 H6 – 4 468 h. – alt. 1 000 m — 22 **B1**
– ⊠ 48200

🛣 Paris 540 – Aurillac 106 – Mende 45 – Le Puy-en-Velay 85 – Rodez 114
– St-Flour 36

🛈 Office de tourisme, place du 19 mars 1962 ℘ 04 66 31 03 67, Fax 04 66 31 30 30

Les Portes d'Apcher
rte de St Flour, 1,5 km au Nord sur D 809 – ℘ 04 66 31 00 46 – lesportes48200@
hotmail.fr – Fax 04 66 31 28 85 – Fermé 22 déc.-17 janv.
16 ch – †55 € ††55 €, ⊇ 8 € – ½ P 51 €
Rest – (Fermé vend. soir et sam. midi du 1er nov. au 1er avril)
Menu (16 €), 18/55 € – Carte 30/60 €

♦ Une halte pratique à deux pas de l'autoroute : cette construction à l'architecture assez récente associe fonctionnalité, accueil familial et vue dégagée sur la campagne. Salle à manger en rotonde, coiffée d'une charpente apparente ; cuisine régionale.

à La Garde 9 km au Nord par D 809 – ⊠ 48200 Albaret-Ste-Marie

Château d'Orfeuillette
à l'échangeur A 75, sortie 32, sur D 809, suivre la Garde – ℘ 04 66 42 65 65
– www.chateauorfeuillette.com – orfeuillette48@aol.com – Fax 04 66 42 65 66
– Fermé 18-26 déc.
23 ch – †85 € ††85/180 €, ⊇ 16 € – 2 suites – ½ P 92/115 €
Rest – (fermé dim. hors juil.-août) (dîner seult) Menu 32/42 € – Carte 23/41 €

♦ Château achevé à la fin du 19e s. sur des fondations du 16e s. et agrémenté d'un vaste parc. Belles chambres de caractère au corps de logis ; plus sobres à l'orangerie. Au restaurant, vieux murs et grand âtre en pierre, mais décor actuel assorti à la cuisine.

Le Rocher Blanc
– ℘ 04 66 31 90 09 – www.lerocherblanc.com – hotel@lerocherblanc.com
– Fax 04 66 31 93 67 – Fermé janv. et fév.
19 ch – †53/82 € ††53/82 €, ⊇ 8,50 € – ½ P 52/66 €
Rest – Menu (14 €), 23/56 € – Carte 21/50 €

♦ Étape de charme où tout incite au repos : chambres relookées, à thèmes, jardin, terrasse, piscine et espace détente... Décors très "nature" et ambiance cosy. À table, douces tonalités méridionales, saisonnalité, goût du terroir et zestes d'audace.

ST-CHÉLY-D'AUBRAC – 12 Aveyron – 338 J3 – 532 h. – alt. 700 m — 29 **D1**
– Sports d'hiver : à Brameloup 1 200/1 390 m ⛷9 ⛷ – ⊠ 12470

🛣 Paris 589 – Espalion 20 – Mende 74 – Rodez 50 – St-Flour 70
– Sévérac-le-Château 60

🛈 Office de tourisme, route d'Espalion ℘ 05 65 44 21 15, Fax 05 65 48 55 41

Voyageurs
av. Aubrac – ℘ 05 65 44 27 05 – www.hotel-conserverie-aubrac.com – contact@
hotel-conserverie-aubrac.com – Fax 05 65 44 21 67
– Ouvert 11 avril-26 juin, 6 juil.-14 oct. et fermé merc. sauf juil.-août
7 ch – †45 € ††45/50 €, ⊇ 7 € – ½ P 47/50 €
Rest – (ouvert 11 avril-26 juin, 6 juil.-30 sept. et fermé merc. sauf le soir en juil.-août)
Menu 17/24 € – Carte 26/39 €

♦ Les villages perdus dans la campagne réservent de belles surprises ! Il en est ainsi de ce petit hôtel familial et de ses chambres impeccables, simples et coquettes. À table, cuisine familiale à l'accent aveyronnais (tripoux, aligot...). Conserverie artisanale.

ST-CHRISTOL – 84 Vaucluse – 332 F9 – alt. 856 m – ⊠ 84390 — 40 **B2**

🛣 Paris 737 – Carpentras 53 – Cavaillon 63 – Marseille 113

Le Lavandin
rte d'Apt, 3 km au Sud-Ouest – ℘ 04 90 75 09 18 – www.hotel-lavandin.com
– le-lavandin2@wanadoo.fr – Fax 04 90 75 09 17 – Ouvert 16 mars-14 nov.
32 ch – †55/70 € ††65/85 €, ⊇ 10 €   **Rest** – (dîner seult) Menu 18/28 €

♦ Sur le plateau d'Albion, entre champs de lavande et forêt de chênes, hôtel aux chambres propres et fonctionnelles ; certaines s'agrémentent d'une terrasse privative, d'autres peuvent accueillir les familles. Au restaurant, cuisine traditionnelle et régionale.

ST-CIERS-DE-CANESSE – 33 Gironde – 335 H4 – 764 h. – alt. 40 m – ✉ 33710   3 B1

🚗 Paris 548 – Blaye 10 – Bordeaux 45 – Jonzac 54 – Libourne 41
◉ Citadelle de Blaye★ NO : 8 km, **Pyrénées Aquitaine**

La Closerie des Vignes
village Arnauds, 2 km au Nord par D 250 et D 135 – ℰ 05 57 64 81 90
– www.hotel-restaurant-gironde.com – la-closerie-des-vignes@wanadoo.fr
– Fax 05 57 64 94 44 – Ouvert 4 avril-31 oct.
9 ch – †85/96 € ††85/96 €, ⛋ 10 € – ½ P 80/85 €
Rest – *(fermé mardi) (dîner seult)* Menu 35 €

◆ Pavillon récent cerné par les vignes de Blaye. Chambres calmes, de bonne ampleur, dotées d'un mobilier contemporain épuré. Salle à manger lambrissée avec vue sur les ceps et le jardin. La cuisine, traditionnelle, joue la carte de la simplicité.

ST-CIRQ-LAPOPIE – 46 Lot – 337 G5 – 215 h. – alt. 320 m – ✉ 46330   29 C1
Périgord

🚗 Paris 574 – Cahors 26 – Figeac 44 – Villefranche-de-Rouergue 37
🛈 Office de tourisme, place du Sombral ℰ 05 65 31 29 06, Fax 05 65 31 29 06
◉ Site★★ - Vestiges de l'ancien château ≼★★ - Le Bancourel ≼★ - Bouziès : chemin de halage du Lot★ NO : 6,5 km.

Auberge du Sombral "Les Bonnes Choses"
– ℰ 05 65 31 26 08 – www.lesombral.com – marionhardeveld@yahoo.fr
– Fax 05 65 31 26 37 – Ouvert 2 avril-14 nov. et fermé jeudi sauf 1er juil.-30 sept.
8 ch – †50/78 € ††72/78 €, ⛋ 8 €
Rest – *(fermé jeudi sauf 1er juil.-30 sept. et le soir sauf vend. et sam.)*
Menu (16 €), 19 € (déj.), 25/35 € – Carte 25/37 €

◆ Au cœur de ce superbe village médiéval perché, auberge familiale abritant des petites chambres simples. Décor rustique (tomettes, cheminée) pour les petits-déjeuners. Restaurant proposant de la cuisine du terroir.

Le Gourmet Quercynois
r. de la Peyrolerie – ℰ 05 65 31 21 20 – www.restaurant-legourmetquercynois.com
– Fax 05 65 31 36 78 – Fermé mi-nov. à mi-déc. et janv.
Rest – Menu (15 €), 20/36 € – Carte 32/51 €

◆ Ce restaurant convivial aménagé dans une maison du 17e s. propose une cuisine du terroir mettant à l'honneur le canard. Petit musée du vin et boutique de produits régionaux.

à Tour-de-Faure 2 km à l'Est par D 8 – 353 h. – alt. 137 m – ✉ 46330

Les Gabarres sans rest
– ℰ 05 65 30 24 57 – www.hotel-les-gabarres.com – hotel.les.gabarres@
wanadoo.fr – Fax 05 65 30 25 85 – Ouvert de Pâques au 15 oct.
28 ch – †54 € ††54 €, ⛋ 8 €

◆ Cet édifice récent niché près du Lot, au pied du magnifique village perché, invite à une halte touristique. Chambres fonctionnelles et pratiques. Le "petit plus" : la piscine.

Maison Redon sans rest
– ℰ 05 65 30 24 13 – www.maisonredon.com – patrice@maisonredon.com
– Fermé janv. et fév. – **5 ch** ⛋ – †59/69 € ††64/74 €

◆ Veillée par le superbe village classé, cette maison de maître (18e s.) tapissée de lierre reçoit ses hôtes dans un cadre chaleureux. Chambres récentes au mobilier ancien. Piscine.

ST-CLAIR – 83 Var – 340 N7 – rattaché au Lavandou

ST-CLAR – 32 Gers – 336 G6 – 969 h. – alt. 150 m – ✉ 32380   28 B2
Midi-Pyrénées

🚗 Paris 706 – Agen 49 – Auch 37 – Toulouse 79
🛈 Office de tourisme, 2, place de la Mairie ℰ 05 62 66 34 45, Fax 05 62 66 31 69

La Garlande sans rest
pl. de la Mairie – ℰ 05 62 66 47 31 – www.lagarlande.com – contact@
lagarlande.com – Fax 05 62 66 47 70 – Ouvert 21 mars-2 nov.
3 ch ⛋ – †49/61 € ††57/68 €

◆ Cette demeure, face à la halle du 13e s., recèle de belles et paisibles chambres (meubles anciens, tapisseries, tomettes, parquets...). Salon de lecture et ravissant jardin de curé, très fleuri.

1637

ST-CLAUD – 16 Charente – **324** M4 – **1 094** h. – alt. 144 m – ⊠ 16450   39 **C2**
🅿 Paris 437 – Poitiers 111 – Angoulême 44 – Saint-Junien 38 – Soyaux 46

⌂ **Logis de la Broue**
r. Abbé-Rousselot – ℰ 05 45 71 43 96 – www.logisdelabroue.com
– sylviane.casper@wanadoo.fr
3 ch ⌕ – ♦80 € ♦♦90 €   **Table d'hôte** – Menu 25 € bc
♦ Ex-propriété viticole, remontant en partie au 15e s., très bien restaurée. Salon bourgeois orné d'une authentique tapisserie d'Aubusson. Chambres au charme ancien. Parc, piscine. Cuisine qui revisite le terroir, servie dans une salle à manger rustique.

ST-CLAUDE – 39 Jura – **321** F8 – 12 303 h. – alt. 450 m – ⊠ 39200   16 **B3**
🟩 **Franche-Comté Jura**

🅿 Paris 465 – Annecy 88 – Genève 60 – Lons-le-Saunier 59
🛈 Office de tourisme, 1, avenue de Belfort ℰ 03 84 45 34 24, Fax 03 84 41 02 72
🅿 de la Valserine à Mijoux La Pellagrue, par rte de Genève : 24 km,
ℰ 04 50 41 31 56
◉ Site ★★ - Cathédrale St-Pierre ★ : stalles ★★ Z - Exposition de pipes, de diamants et de pierres fines Z E.
🅶 Georges du Flumen ★ par ② - Route de Morez ≤★★ 7 km par ①.

ST-CLAUDE

Abbaye (Pl. de l') .... Z 2
Belfort (Av. de) .... Y 3
Christin (Pl.) .... Y 5
Gambetta (R.) .... Z 6
Janvier (R. A.) .... Z 7
Lamartine (R.) .... Y 9
Louis-XI (Pl.) .... Z 12
Marché (R. du) .... Z 20
Pré (R. du) .... YZ
République (Bd de la) .. Y 23
Rosset (R.) .... Y 24
Victor-Hugo (R.) .... Y 25
Voltaire (Pl.) .... Y 26
9-Avril-1944 (Pl. du) ... Y 27

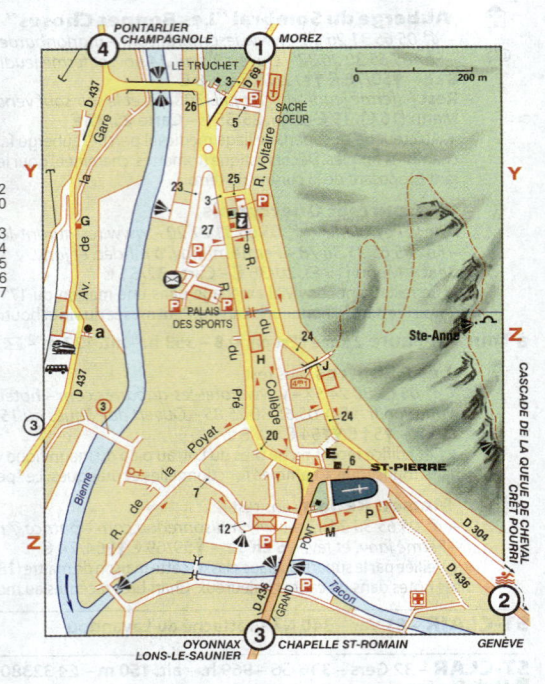

⌂ **Jura**   🆎 rest, ⚓ 🐕 🅿 VISA ⓜ AE
40 av. de la Gare – ℰ 03 84 45 24 04 – www.jurahotel.com – info@jurahotel.com
– Fax 03 84 45 58 10   Z **a**
35 ch – ♦48/58 € ♦♦51/63 €, ⌕ 8 € – ½ P 48/58 €
Rest – (fermé 22 déc.-5 janv. et dim. soir) Menu (14 €), 18 € (sem.)/27 €
– Carte 26/37 €
♦ Hôtel surplombant la rivière qui coule en face de la gare. Deux catégories de chambres. Les meilleures, plus calmes, ont vue sur la montagne. L'une d'entre elles a sa terrasse. Beau panorama sur la ville et la Bienne par les fenêtres du restaurant.

ST-CLÉMENT-DES-BALEINES – 17 Charente-Maritime – **324** A2 – **voir à Île de Ré**

ST-CLÉMENT-LES-PLACES – 69 Rhône – **327** F5 – 536 h. – alt. 625 m – ⊠ 69930   44 **A1**

🄳 Paris 458 – Lyon 54 – Saint-Étienne 69 – Villeurbanne 63 – Lyon 03 56

※※ **L'Auberge de Saint-Clément**
Le bourg – ℰ 04 74 26 03 83 – *Fermé 15-30 août, 25-31 déc., merc. et le soir sauf vend. et sam.*
Rest – Menu 17 € (déj. en sem.)/23 €
♦ Dans un village des Monts du Lyonnais, paisible auberge avec vue sur la campagne (belle terrasse). Goûteuse cuisine de bistrot réalisée avec la complicité des producteurs locaux.

ST-CLOUD – 92 Hauts-de-Seine – **311** J2 – **101** 14 – **voir à Paris, Environs**

ST-CRÉPIN-ET-CARLUCET – 24 Dordogne – **329** I6 – 463 h. – alt. 262 m – ⊠ 24590 ▌Périgord   4 **D3**

🄳 Paris 519 – Bordeaux 196 – Brive-la-Gaillarde 40 – Sarlat-la-Canéda 12

⌂ **Les Charmes de Carlucet** sans rest
Carlucet – ℰ 05 53 31 22 60 – www.carlucet.com – lescharmes@carlucet.com – Fax 05 53 31 22 60 – *Ouvert 1ᵉʳ mars- 12 nov.*
4 ch ⊇ – †79/99 € ††79/119 €
♦ Cette tranquille propriété périgourdine dispose de chambres sobres et spacieuses, dont deux mansardées. Belle véranda pour le petit-déjeuner. Accueil attentionné.

ST-CYPRIEN – 66 Pyrénées-Orientales – **344** J7 – 8 573 h. – alt. 5 m – Casino – ⊠ 66750 ▌Languedoc Roussillon   22 **B3**

🄳 Paris 859 – Céret 31 – Perpignan 17 – Port-Vendres 20
🄴 Office de tourisme, quai A. Rimbaud ℰ 04 68 21 01 33, Fax 04 68 21 98 33
🄶 de Saint-Cyprien à Saint-Cyprien-Plage Mas d'Huston, N : 1 km, ℰ 04 68 37 63 63

à St-Cyprien-Plage 3 km au Nord-Est par D 22 – ⊠ 66750 St-Cyprien

🏨 **Mas d'Huston**
r. Jouy d'Arnaud, au golf – ℰ 04 68 37 63 63
– www.saintcyprien-golfresort.com – contact@saintcyprien-golfresort.com
– Fax 04 68 37 64 64
50 ch – †129/200 € ††129/200 €, ⊇ 14 € – ½ P 108 €
Rest *Le Mas* – Menu 28 € (déj.), 35/50 € – Carte 58/76 €
Rest *L'Eagle* – brasserie *(fermé le soir sauf du jeudi au sam. en été)* Carte 20/39 €
♦ La rénovation de l'hôtel a été confiée à Henri Quinta qui a habillé les chambres contemporaines (avec balcon ou terrasse) de ses fameuses Toiles du Soleil, rayées et très colorées. Carte classique et décor trendy au Mas. Cuisine simple et cadre moderne à l'Eagle.

à St-Cyprien-Sud 3 km – ⊠ 66750 St-Cyprien

🏨 **L'Île de la Lagune**
bd de l'Almandin – ℰ 04 68 21 01 02
– www.hotel-ile-lagune.com – contact@hotel-ile-lagune.com – Fax 04 68 21 06 28
18 ch – †155/225 € ††155/225 €, ⊇ 18 € – 4 suites – ½ P 136/173 €
Rest *L'Almandin* – Menu 30 € bc (déj. en sem.), 49/105 € – Carte 75/87 €
Spéc. Marbré de foie gras de canard aux artichauts et jabugo. Suquet de baudroie et gambas, pommes de terre dans un bouillon de poissons. Chocolat noir mangaro, ganache et dacquoise. **Vins** Collioure, Côtes du Roussillon.
♦ Architecture récente de style régional posée sur un îlot-marina. Chambres fonctionnelles avec balcon. En été, une petite navette vous emmène à la plage. Au restaurant, goûteuse cuisine de saison revisitant à sa manière le terroir ; terrasse-véranda.

ST-CYPRIEN

La Lagune
28 av. Armand Lanoux – ℘ 04 68 21 24 24 – www.hotel-lalagune.com – contact@hotel-lalagune.com – Fax 04 68 37 00 00 – Ouvert 3 avril-10 nov.
49 ch – †87/146 € ††87/178 €, ☲ 12 € – ½ P 79/109 €
Rest – Menu 26/33 € bc
♦ Directement sur la plage, hôtel inséré dans un complexe résidentiel conçu pour une clientèle "club". Chambres avant tout pratiques avec vue sur la piscine ou la lagune. Billard. En saison, animations musicales et repas servis en terrasse. Cuisine simple.

ST-CYR-AU-MONT-D'OR – 69 Rhône – 327 I5 – rattaché à Lyon

ST-CYR-EN-TALMONDAIS – 85 Vendée – 316 H9 – 338 h. 34 B3
– alt. 31 m – ⌧ 85540
▸ Paris 444 – La Rochelle 57 – Luçon 14 – La Roche-sur-Yon 30 – Les Sables-d'Olonne 38
▪ Syndicat d'initiative, Mairie ℘ 02 51 30 82 82, Fax 02 51 30 88 29

Auberge de la Court d'Aron
1 allée des Tilleuls – ℘ 02 51 30 81 80 – www.court-d-aron.com – d.orizet@wanadoo.fr – Fermé 24 nov.-10 déc., 19 janv.-4 fév., lundi en juil.-août, dim. soir et merc. hors saison
Rest – Menu (14 €), 23/43 € – Carte 27/43 €
♦ Auberge installée dans les anciennes écuries du château éponyme. Selon la saison, profitez de la chaleureuse salle rustique, de la terrasse dressée dans une grange ou du jardin.

ST-CYR-SUR-MER – 83 Var – 340 J6 – 11 562 h. – alt. 10 m – ⌧ 83270 40 B3
▪ Côte d'Azur
▸ Paris 810 – Bandol 8 – Le Beausset 10 – Brignoles 70 – Marseille 40 – Toulon 23
▪ Office de tourisme, place de l'Appel du 18 Juin, les Lecques ℘ 04 94 26 73 73, Fax 04 94 26 73 74
▪ de Frégate Route de Bandol, S : 3 km par D 559, ℘ 04 94 29 38 00

Les Lecques – ⌧ 83270 St-Cyr-sur-Mer

Grand Hôtel des Lecques
24 av. du Port – ℘ 04 94 26 23 01
– www.lecques-hotel.com – info@lecques-hotel.com – Fax 04 94 26 10 22
60 ch – †61/195 € ††68/216 €, ☲ 14 € **Rest** – Menu 35 € – Carte 35/80 €
♦ Élégante demeure Belle Époque au milieu d'un luxuriant parc fleuri. Les chambres aux tons ensoleillés des derniers étages, côté façade, sont plus agréables. Dans un décor de jardin d'hiver ou sur une belle terrasse, dégustez une cuisine traditionnelle.

rte de Bandol 4 km par D 559 – ⌧ 83270 St-Cyr-sur-Mer

Dolce Frégate
– ℘ 04 94 29 39 39 – www.dolcefregate.com
– reservation-fregate@dolce.com – Fax 04 94 29 39 40
100 ch – †289/339 € ††289/399 €, ☲ 22 € – 33 suites
Rest *Le Mas des Vignes* – ℘ 04 94 29 39 47 (fermé dim. et lundi) (dîner seult) Menu 55/90 € – Carte 60/86 €
Rest *Restanque* – ℘ 04 94 29 38 18 (déj. seult) Menu 31 € – Carte environ 28 €
♦ Au grand calme et à flanc de colline, architecture contemporaine d'esprit local. Superbe vue sur la mer, chambres de style provençal, équipements de loisirs et espace séminaire. Au Mas des Vignes, carte traditionnelle actualisée, cadre cosy et chaleureux. Repas plus décontracté à la Restanque. Agréable terrasse.

ST-DALMAS-DE-TENDE – 06 Alpes-Maritimes – 341 G3 – rattaché à Tende

ST-DALMAS-VALDEBLORE – 06 Alpes-Maritimes – 341 E3 – voir à Valdeblore

ST-DENIS-DE-L'HÔTEL – 45 Loiret – 318 J4 – 2 730 h. – alt. 115 m – ⊠ 45550
12 **C2**

▶ Paris 153 – Orléans 19 – Gien 48 – Montargis 52 – Pithiviers 37

Le Dauphin sans rest   ♿ ⇌ 📶 VISA MC
3 av. des Fontaines – ⌀ 02 38 46 29 29 – www.hotel-le-dauphin.fr
– hotel.le.dauphin@wanadoo.fr – Fax 02 38 59 07 63 – Fermé 2 sem. en août et 26 déc.-3 janv.
21 ch – †47 € ††54 €, ⊇ 7 €

♦ Sur la route des châteaux de la Loire, sympathique hôtel familial proposant des chambres chaleureuses et bien tenues, équipées de meubles fonctionnels.

ST-DENIS-LE-FERMENT – 27 Eure – 304 K6 – rattaché à Gisors

ST-DÉSIRAT – 07 Ardèche – 331 K2 – 719 h. – alt. 130 m – ⊠ 07340
43 **E2**

▶ Paris 533 – Lyon 71 – Privas 83 – Saint-Étienne 53 – Valence 44

La Désirade   ≤ 🌳 🌸 ⇌ 📶 P VISA MC
rte de la syrah – ⌀ 04 75 34 21 88 – www.desirade-fr.com – contact@desirade-fr.com – Fermé déc. et janv.
6 ch ⊇ – †40 € ††59 € – ½ P 45 €
Table d'hôte – (fermé dim. et merc.) (prévenir) Menu 19 €

♦ À deux pas du musée de l'alambic, maison de famille (1860) et son beau jardin-terrasse ombragé. Coquettes chambres aux noms de fleurs évocateurs. Bonne tenue, accueil charmant. La maîtresse des lieux propose une table d'hôte valorisant le terroir.

ST-DIDIER – 35 Ille-et-Vilaine – 309 N6 – rattaché à Châteaubourg

ST-DIDIER – 84 Vaucluse – 332 D9 – rattaché à Carpentras

ST-DIDIER-DE-LA-TOUR – 38 Isère – 333 F4 – rattaché à La Tour-du-Pin

ST-DIDIER-EN-VELAY – 43 Haute-Loire – 331 H2 – 3 302 h. – alt. 830 m – ⊠ 43140
6 **D3**

▶ Paris 538 – Le Puy-en-Velay 55 – St-Étienne 25 – St-Agrève 45
🛈 Office de tourisme, 11, rue de l'ancien Hôtel de Ville ⌀ 04 71 66 25 72, Fax 04 71 61 25 83

XX **Auberge du Velay**   🌸 ⇌ VISA MC
Grand'place – ⌀ 04 71 61 01 54 – fabrice.lafite2@wanadoo.fr
– Fax 04 71 61 15 80 – Fermé 1 sem. en sept., 1 sem. en janv., mardi soir, jeudi soir et merc. en hiver, dim. soir et lundi
Rest – Menu 15 € (sem.)/46 € – Carte 50/75 €

♦ Auberge avenante connue depuis 300 ans pour sa cuisine du terroir, désormais teintée de créativité par le nouveau chef-patron arrivé en 2005. Mise de table originale (étains).

ST-DIÉ-DES-VOSGES – 88 Vosges – 314 J3 – 21 800 h. – alt. 350 m – ⊠ 88100 ▮ Alsace Lorraine
27 **C3**

▶ Paris 397 – Colmar 53 – Épinal 53 – Mulhouse 108 – Strasbourg 97
🛈 Office de tourisme, 8, quai du Mal de L. de Tassigny ⌀ 03 29 42 22 22, Fax 03 29 42 22 23

◉ Cathédrale St-Dié★ - Cloître gothique★.

Plan page suivante

Ibis   📶 ♿ ch, 🅰 ch, ⇌ 📶 🧖 🍽 VISA MC AE ①
5 quai Jeanne d'Arc – ⌀ 03 29 42 24 22 – www.ibishotel.com – h1102@accor.com
– Fax 03 29 55 49 15   B **a**
58 ch – †59/85 € ††59/85 €, ⊇ 8 €   **Rest** – (dîner seult) Carte environ 21 €

♦ Sur les berges de la Meurthe, hôtel aux chambres petites mais optimisées, rénovées dans le style contemporain de la chaîne. Préférez celles côté rivière. Au restaurant, atmosphère de bistrot (bois dominant, esprit bar à bières) et petite carte ad hoc.

1641

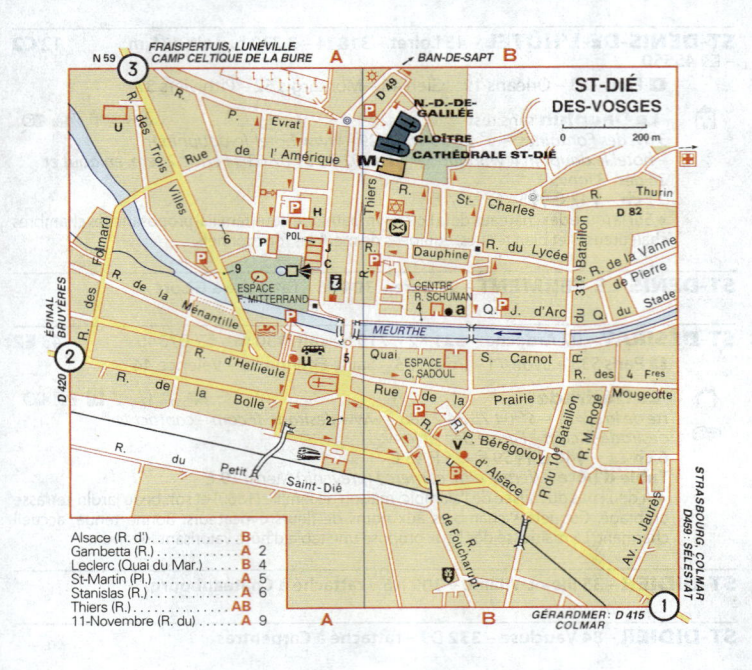

Alsace (R. d') . . . . **B**
Gambetta (R.) . . . . **A** 2
Leclerc (Quai du Mar.) . . . . . **A** 4
St-Martin (Pl.) . . . . **A** 5
Stanislas (R.) . . . . **A** 6
Thiers (R.) . . . . **AB**
11-Novembre (R. du) . . . . . . **A** 9

XX **Voyageurs** AC VISA MC AE
22 r. Hellieule – 𝒞 *03 29 56 21 56 – lesvoyageurs88@wanadoo.fr – Fermé dim. soir et lundi* **A u**
Rest – Menu (17 €), 21/32 € – Carte 34/48 €
◆ Dans un cadre égayé de jaune, on se régale de plats traditionnels (desserts maison, produits frais scrupuleusement choisis). Courte carte de vins où l'Alsace figure en tête.

X **La Table de Manaïs** avec ch P VISA MC
64 r. d'Alsace – 𝒞 *03 29 56 11 71 – Fax 03 29 56 45 06 – Fermé dim.* **B v**
10 ch – †45 € ††47/50 €, ⊇ 8,50 €
Rest – Menu (16,50 €), 22/35 € – Carte 32/49 €
◆ Alléchante carte classique renouvelée au fil des saisons. Décor apaisant aux tonalités claires pour cette table située dans une avenue commerçante. Petites chambres.

> Rouge = agréable. Repérez les symboles X et 🏠 passés en rouge.

ST-DISDIER – 05 Hautes-Alpes – **334** D4 – 134 h. – alt. 1 024 m 40 **B1**
– ⊠ 05250 ▌**Alpes du Nord**

▶ Paris 643 – Gap 46 – Grenoble 81 – La Mure 41
◉ Défilé de la Souloise ★ N.

La Neyrette ⚘ ← 🚗 🍴 P VISA MC AE
– 𝒞 *04 92 58 81 17 – www.la-neyrette.com – info@la-neyrette.com*
– *Fax 04 92 58 89 95 – Ouvert 2 fév.-14 avril et 1er mai-10 oct.*
12 ch – †58 € ††70/83 €, ⊇ 8,50 € – ½ P 63/70 €
Rest – *(dîner seult)* Menu 23/35 € – Carte 28/42 €
◆ Sympathique petite auberge dans un jardin avec plan d'eau où l'on peut ferrer sa truite pour le dîner ! Chambres décorées sur le thème des fleurs de montagne. La salle à manger rustique occupe les murs d'un ancien moulin. Copieuse cuisine du terroir.

ST-DIZIER 👁 – 52 Haute-Marne – 313 J2 – 26 700 h. – alt. 147 m — 14 C2
– ✉ 52100 ▮ Champagne Ardenne

▶ Paris 212 – Bar-le-Duc 26 – Chaumont 74 – Nancy 99 – Troyes 86
🛈 Office de tourisme, 4, avenue de Belle-Forêt-sur-Marne ☎ 03 25 05 31 84, Fax 03 25 06 95 51

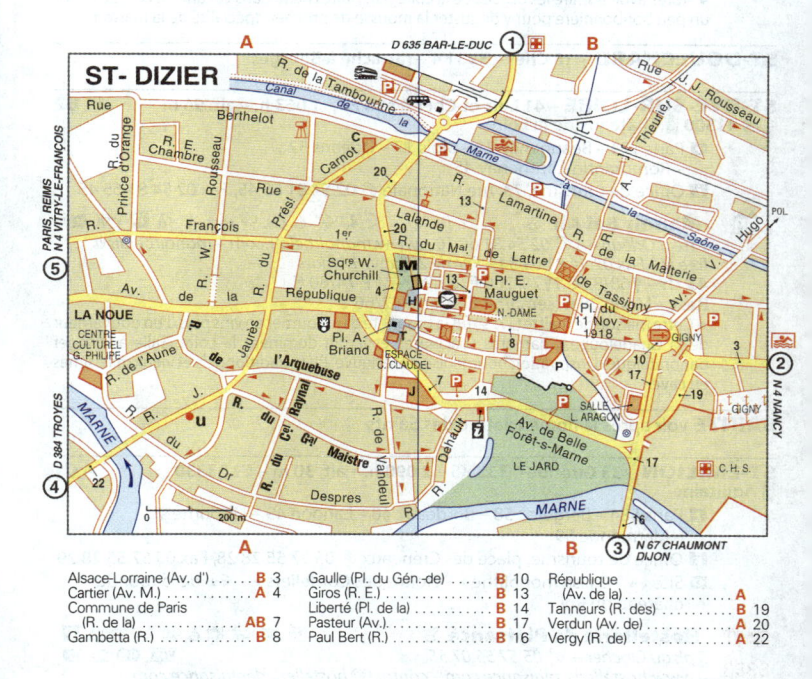

Alsace-Lorraine (Av. d')...... **B** 3	Gaulle (Pl. du Gén.-de)...... **B** 10	République
Cartier (Av. M.)............ **A** 4	Giros (R. E.).............. **B** 13	(Av. de la).............. **A**
Commune de Paris	Liberté (Pl. de la)........... **B** 14	Tanneurs (R. des)........... **B** 19
(R. de la)............ **AB** 7	Pasteur (Av.).............. **B** 17	Verdun (Av. de)............ **A** 20
Gambetta (R.)............ **B** 8	Paul Bert (R.)............. **B** 16	Vergy (R. de).............. **A** 22

✗✗ **La Gentilhommière** ⊕ 𝐕𝐈𝐒𝐀 ⓜ⊙ 𝐀𝐄
😊 29 r. J. Jaurès – ☎ 03 25 56 32 97 – restaurantlagentilhommiere@orange.fr
– Fax 03 25 06 32 66
– Fermé 1ᵉʳ-24 août, 1ᵉʳ-18 mars, sam. midi, dim. soir et lundi
Rest – Menu (18 €), 24/32 € – Carte 40/60 € **A u**

◆ Derrière sa petite barrière de buis, cette maison cache une chaleureuse salle à manger bourgeoise dans les tons beige et jaune ; lumineuse véranda. Cuisine du marché soignée.

ST-DONAT-SUR-L'HERBASSE – 26 Drôme – 332 C3 – 3 497 h. — 43 E2
– alt. 202 m – ✉ 26260 ▮ Lyon et la vallée du Rhône

▶ Paris 545 – Grenoble 92 – Hauterives 20 – Romans-sur-Isère 13 – Valence 27
🛈 Office de tourisme, 32, avenue Georges Bert ☎ 04 75 45 15 32, Fax 04 75 45 20 42

✗✗✗ **Chartron** avec ch 🍴 🅰🅲 📶 📺 𝐕𝐈𝐒𝐀 ⓜ⊙
av. Gambetta – ☎ 04 75 45 11 82 – www.restaurant-chartron.com – info@restaurant-chartron.com – Fax 04 75 45 01 36 – Fermé 1ᵉʳ-17 sept., 2-8 janv., merc. sauf le soir en juil.-août et mardi
8 ch – †60/80 € ††80/120 €, ⊃ 10 € **Rest** – Menu 30/85 €

◆ Grande bâtisse en pierre agrandie d'une rotonde vitrée. Vaste salle à manger contemporaine ; cuisine au goût du jour et menus "truffes" en saison. Chambres au décor moderne.

1643

ST-DONAT-SUR-L'HERBASSE

La Mousse de Brochet
pl. de la Marne – ℘ 04 75 45 10 47 – Fax 04 75 45 10 47 – Fermé 25 juin-16 juil., 23 janv.-13 fév., le soir en sem. de sept. à mai, dim. soir et lundi
Rest – Menu 18 € bc/56 €

♦ Après avoir admiré les orgues de la collégiale, faites halte dans cet ancien café au décor un peu bonbonnière pour y déguster la mousse de brochet, spécialité de la maison.

ST-DOULCHARD – 18 Cher – 323 K4 – rattaché à Bourges

ST-DYÉ-SUR-LOIRE – 41 Loir-et-Cher – 318 F6 – 1 063 h. – alt. 96 m — 11 B2
– ⊠ 41500 ▌Châteaux de la Loire

▐ Paris 173 – Beaugency 21 – Blois 17 – Orléans 52 – Romorantin-Lanthenay 45
▐ Office de tourisme, 73, rue Nationale ℘ 02 54 81 65 45, Fax 02 54 81 65 45

Manoir Bel Air
1 rte d'Orléans – ℘ 02 54 81 60 10 – www.manoirbelair.com – manoirbelair@free.fr – Fax 02 54 81 65 34 – Fermé 20 janv.-1er mars
43 ch – †68/82 € ††78/200 €, ⊇ 9 € – ½ P 74/80 €
Rest – Menu 28 € (sem.)/54 € – Carte 42/66 €

♦ Cette maison de maître (17e s.) fut la propriété d'un courtier en vins puis d'un gouverneur de la Guadeloupe. Chambres spacieuses et jardin dominent la Loire. Salle à manger panoramique d'inspiration bourgeoise, côté fleuve. Plats traditionnels et vieux millésimes en cave.

SAINTE voir après la nomenclature des Saints

ST-ÉMILION – 33 Gironde – 335 K5 – 2 090 h. – alt. 30 m – ⊠ 33330 — 4 C1
▌Aquitaine

▐ Paris 584 – Bergerac 58 – Bordeaux 40 – Langon 49 – Libourne 9 – Marmande 59
▐ Office de tourisme, place des Créneaux ℘ 05 57 55 28 28, Fax 05 57 55 28 29
◉ Site★★ - Église monolithe★ - Cloître des Cordeliers★ - ≤★ de la tour du château du Roi.

Hostellerie de Plaisance
5 pl. du Clocher – ℘ 05 57 55 07 55
– www.hostellerie-plaisance.com – contact@hostellerieplaisance.com
– Fax 05 57 74 41 11 – Fermé 21 déc.-10 fév.
21 ch – †350/650 € ††350/650 €, ⊇ 34 € – 4 suites
Rest – (fermé merc. midi, dim. et lundi) Menu 58 € (déj.), 110/130 € – Carte 105/165 €
Spéc. Foie gras de canard poêlé et champignons. Agneau, piquillos et pomelos. Fraises mara des bois et gelée à la citronnelle. **Vins** Saint-Emilion.

♦ Au cœur de la cité, luxe et calme en ces deux maisons en pierre blonde du 14e s. (rénovées), reliées par des jardins, et qui abritent de confortables chambres personnalisées. Le restaurant se distingue par sa belle cuisine offrant un festival de saveurs et par sa superbe carte de saint-émilion.

Palais Cardinal
pl. 11-novembre-1918 – ℘ 05 57 24 72 39 – www.palais-cardinal.com – hotel@palais-cardinal.com – Fax 05 57 74 47 54 – Ouvert avril-nov.
27 ch – †69/148 € ††84/212 €, ⊇ 15 € – ½ P 80/144 €
Rest – (fermé mardi midi, jeudi midi et merc.) Menu 27/42 €

♦ L'hôtel occupe une partie de la résidence d'un cardinal du 14e s. Les chambres de l'aile récente sont grandes et raffinées. Joli jardinet et agréable piscine. Au restaurant, mobilier de style, cuisine traditionnelle et saint-émilion de la propriété familiale.

Au Logis des Remparts sans rest
18 r. Guadet – ℘ 05 57 24 70 43 – www.logisdesremparts.com – contact@logisdesremparts.com – Fax 05 57 74 47 44 – Fermé 15 déc.-31 janv.
17 ch – †78/160 € ††78/185 €, ⊇ 14 € – 3 suites

♦ Chambres contemporaines personnalisées, dans deux maisons des 14e et 17e s. Véranda pour les petits-déjeuners, terrasse et jolie piscine au jardin, en lisière des vignes.

ST-ÉMILION

Auberge de la Commanderie sans rest
r. des Cordeliers – ℰ 05 57 24 70 19 – www.aubergedelacommanderie.com
– contact@aubergedelacommanderie.com – Fax 05 57 74 44 53 – Fermé
20 déc.-20 fév.
17 ch – †75 € ††75/140 €, ⊇ 11 €

♦ Ancienne commanderie du 17e s. vous logeant dans de pimpantes petites chambres remises en phase avec l'époque ; celles de l'annexe, plus grandes, conviennent aux familles.

Le Tertre
5 r. Tertre de la Tente – ℰ 05 57 74 46 33 – Fax 05 57 74 49 87 – Fermé
12 nov.-4 fév., jeudi en fév.-mars et merc.
Rest – Menu (20 €), 29/65 € – Carte 55/92 €

♦ Accolé à l'église, restaurant champêtre agrémenté d'un vivier de crustacés et, au fond, d'un petit caveau creusé dans la roche. Table régionale et belle carte de saint-émilion.

Le Clos du Roy
12 r. de la Petite Fontaine – ℰ 05 57 74 41 55 – www.leclosduroy.fr – contact@leclosduroy.fr – Fax 05 56 72 88 99 – Fermé janv., lundi et mardi
Rest – Menu (28 €), 38/80 € – Carte 60/75 €

♦ Maison en pierre blonde située à l'écart du circuit touristique. Plaisantes salles à manger où se marient le rustique et le contemporain. Appétissante cuisine au goût du jour.

rte de Libourne 4 km par D 243 – ⊠ 33330 St-Émilion

Château Grand Barrail
– ℰ 05 57 55 37 00
– www.grand-barrail.com – hotelgrandbarrail@hotels-emeraude.com
– Fax 05 57 55 37 49
37 ch – †290/330 € ††290/330 €, ⊇ 24 € – 5 suites
Rest – Menu (30 €), 50/65 € – Carte 72/102 €

♦ Château (19e s.) restauré avec goût, au milieu d'un parc perdu parmi la vigne et doté d'un étang. Chambres raffinées, beau spa, fitness et piscine d'été. Décor mauresque dans l'une des 3 superbes salles à manger ; cuisine d'aujourd'hui et riche choix de vins.

ST-ÉTIENNE ℙ – 42 Loire – 327 F7 – 175 500 h. – Agglo. 291 960 h. – alt. 520 m – ⊠ 42000 ▍ Lyon et la vallée du Rhône   44 A2

▶ Paris 517 – Clermont-Ferrand 147 – Grenoble 154 – Lyon 61 – Valence 122

✈ de St-Étienne-Bouthéon : ℰ 04 77 55 71 71, par ⑤ : 15 km.

🛈 Office de tourisme, 16, avenue de la Libération ℰ 08 92 70 05 42, Fax 04 77 47 49 39 03

⛳ de St-Étienne 62 rue Saint Simon, par rte d'Annonay et D 501 : 18 km, ℰ 04 77 32 14 63

◉ Le Vieux St-Etienne★ - Musée d'Art moderne★★ T M² - Puits Couriot, musée de la mine★ AY - Musée d'Art et d'Industrie★★ - Site de la Manufacture des Armes et Cycles de St-Étienne : planétarium★.

Plans pages suivantes

Mercure Parc de l'Europe
r. Wuppertal, Sud-Est du plan, par cours Fauriel – ℰ 04 77 42 81 81
– www.mercure.com – h1252@accor.com – Fax 04 77 42 81 89   V a
120 ch – †59/149 € ††69/159 €, ⊇ 17 €
Rest *La Ribandière* – (fermé 1er-24 août, 24 déc.-4 janv.) Menu (22 € bc)
– Carte 30/47 €

♦ Cure de jouvence réussie pour cet hôtel dont le décor s'inspire de l'art théâtral : chambres personnalisées, salles de bains neuves, joli salon et bar feutré. Le restaurant, contemporain, met en valeur les produits du Forez et les vins des côtes du Rhône.

Du Golf
67 r. St Simon face au golf par r. Revollier T – ℰ 04 77 41 41 00
– www.hoteldugolf42.com – resa@hoteldugolf42.com – Fax 04 77 38 28 16
48 ch – †110/126 € ††127/147 €, ⊇ 14 € – 5 suites
Rest – Menu (17 €), 21/36 € – Carte 32/39 €

♦ Bien situé face au golf municipal et à la plaine du Forez, l'hôtel a été entièrement relooké dans un style actuel soigné, mêlant design et fonctionnalité. Terrasse côté piscine. La salle à manger moderne en rotonde domine les greens. Cuisine traditionnelle.

ST-ÉTIENNE

Du Midi sans rest
19 bd. Pasteur – ℰ 04 77 57 32 55 – www.hotelmidi.fr – contact@hotelmidi.fr
– Fax 04 77 57 28 00 – Fermé 26 juil.-24 août et 27 déc.-5 janv.   V e
33 ch – †62/79 € ††75/100 €, ⊇ 10 €

♦ Deux bâtiments reliés entre eux par un plaisant salon doté d'une originale cheminée. Chambres un peu petites, mais pratiques et insonorisées. Tenue sans reproche.

Nouvelle (Stéphane Laurier)
30 r. St-Jean – ℰ 04 77 32 32 60 – www.nouvelle.fr – Fax 04 77 41 77 00
– Fermé 10-24 août, dim. et lundi   BY v
Rest – Menu 30 €, 37/95 €

Spéc. Foie gras de canard poêlé au concombre et melon (printemps-été). Endives au jambon, foie gras et truffe noire (hiver). Figues rôties au balsamique, sorbet romarin. **Vins** Côtes du Forez.

♦ Meubles contemporains, tons gris et marron, verrière et tableaux anciens : un cadre à la fois zen et chaleureux, bien approprié pour découvrir la cuisine inventive du chef.

André Barcet
19bis cours V. Hugo – ℰ 04 77 32 43 63 – www.restaurantandrebarcet.com
– restaurantbarcet@wanadoo.fr – Fax 04 77 32 23 93 – Fermé 15 juil.-9 août, dim. soir et merc.   BZ u
Rest – Menu (22 €), 36/68 € – Carte 58/74 €

♦ Élégante façade proche des halles. Un salon Chesterfield devance la grande salle, rajeunie en gardant son aspect classique (sièges de style, tables rondes). Carte au diapason.

A la Table des Lys
5 cours Fauriel – ℰ 04 77 25 48 55 – Fax 04 77 37 62 75 – Fermé 1er-23 août, sam. et dim.   CZ q
Rest – Menu 25 € (déj. en sem.), 34/78 € – Carte 50/89 €

♦ En reprenant cette table, le nouveau chef propriétaire a tout repensé : petits salons relookés dans un style contemporain et sobre ; cuisine actuelle, goûteuse et légère.

Evohé
10 pl. Villeboeuf – ℰ 04 77 32 70 22 – Fax 04 77 32 91 52 – Fermé 20-25 mai, 31 juil.-26 août, lundi soir, sam. midi et dim.   CZ n
Rest – Menu 20 € bc/39 € – Carte 35/42 €

♦ Face à un carré de verdure, près de la maison de la Culture. Les murs colorés sont agrémentés de tableaux (exposition-vente) et la disposition des tables préserve l'intimité.

Régency
17 bd J. Janin – ℰ 04 77 74 27 06 – alexis.bessette@laposte.net
– Fax 04 77 74 98 24 – Fermé août, 1er-9 janv., sam. et dim.   BX r
Rest – Menu (23 €), 32/49 € – Carte 45/55 €

♦ Pimpante façade dissimulant une salle colorée : tons acidulés jaune et orangé, belles voûtes en briques rouges. Le marché et la saison influencent la composition de la carte.

Corne d'Aurochs
18 r. Michel Servet – ℰ 04 77 32 27 27 – www.cornedaurochs.fr
– bruno.billamboz@wanadoo.fr – Fax 04 77 32 72 56 – Fermé
1er-12 mai, 19 juil.-31 août, sam. midi, lundi midi et dim.   BY a
Rest – Menu (15 € bc), 18 € (déj. en sem.), 21/40 € – Carte 26/45 €

♦ Ce bistrot à la devanture en bois, offre un intérieur original avec collection de fouets à pâtisserie et lithographies de la fête du livre. "Lyonnaiseries" côté cuisine.

à Sorbiers 10 km au Nord par D 106, N 82 et D 3 – 7 399 h. – alt. 560 m – ⊠ 42290

🛈 Office de tourisme, 2, avenue Charles-de-Gaulle ℰ 04 77 01 11 42, Fax 04 77 53 07 27

Le Valjoly
9 r. de l'Onzon – ℰ 04 77 53 60 35 – www.levaljoly.free.fr – levaljoly@free.fr
– Fermé 1er-14 août, dim. soir et lundi
Rest – Menu (15 €), 18 € (déj. en sem.), 27/50 € – Carte 26/56 €

♦ Accueil souriant, jolie décoration florale et touches colorées compensent les nuisances de la route et le cadre simple de cette auberge proposant une cuisine traditionnelle.

ST-ÉTIENNE

Aciéries (R. des)	T	2
Barrouin (R.)	T	13
Crozet-Boussingault (R.)	V	22
Daguerre (Bd)	UV	24
Déchaud (R. H.)	V	25
Dr-F.-Merlin (R. du)	T	30
Drs-Charcot (R. des)	V	31
Drs-H.-et-B.-Muller (R. des)	T	32
Dunkerque (R. de)	V	36
Fraissinette (Bd A.-de)	V	45
Franchet-d'Esperey (Bd Mar.)	U	46
Gauthier-Dumont (R.)	U	48
Grignard (R. V.)	T	55
Marx (Bd Karl)	UV	67
Oddé (R. C.)	V	78
Ogier (R. J.-B.)	U	79
Paré (R. A.)		131
Passementiers (R. des)	V	82
Pasteur (Bd)	V	83
Péri (R. G.)	V	84
Pompidou (Bd G.)	T	88
Revollier (R. J.-F.)	T	92
Robespierre (R.)	V	95
Rochetaillée (Av. de)	V	98
Scheurer-Kestner (R.)	T	104
Terrenoire (R. de)	V	110
Valbenoîte (Bd)	UV	119
Verdun (Av. de)	V	120
Vivaraize (R. de la)	V	125
8-Mai-1945 (Bd du)	V	127
11-Novembre (R. du)	V	128
38e-R.-I. (Bd du)	U	130

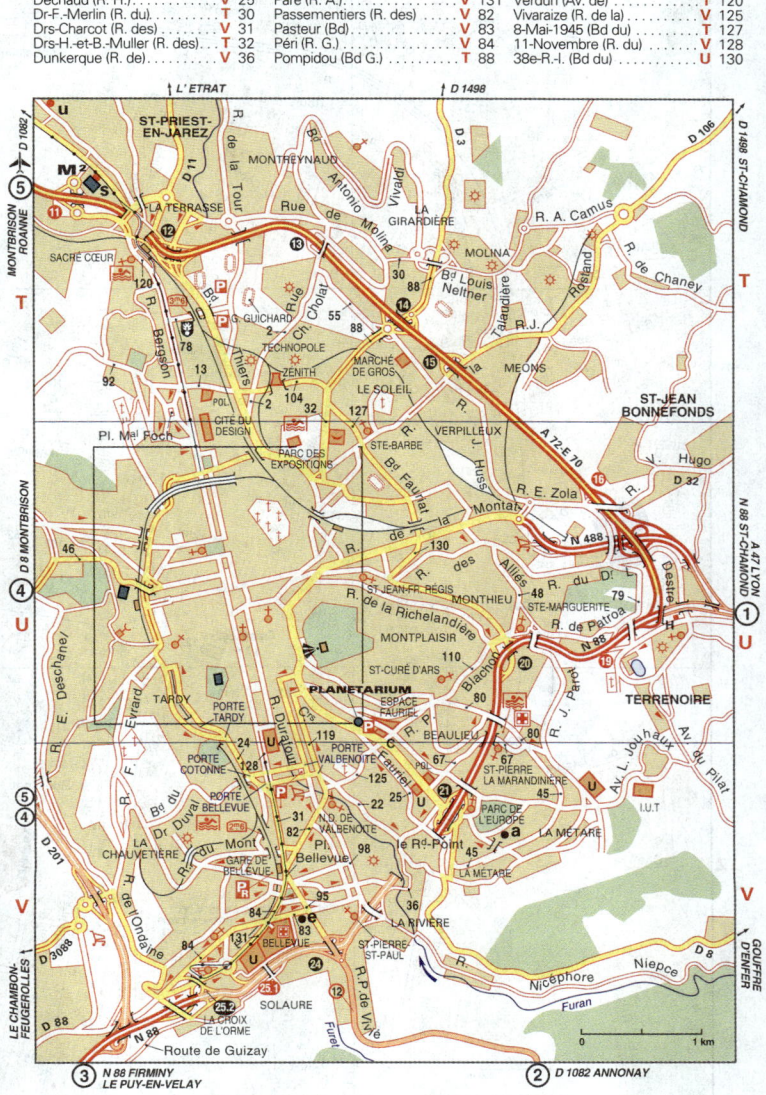

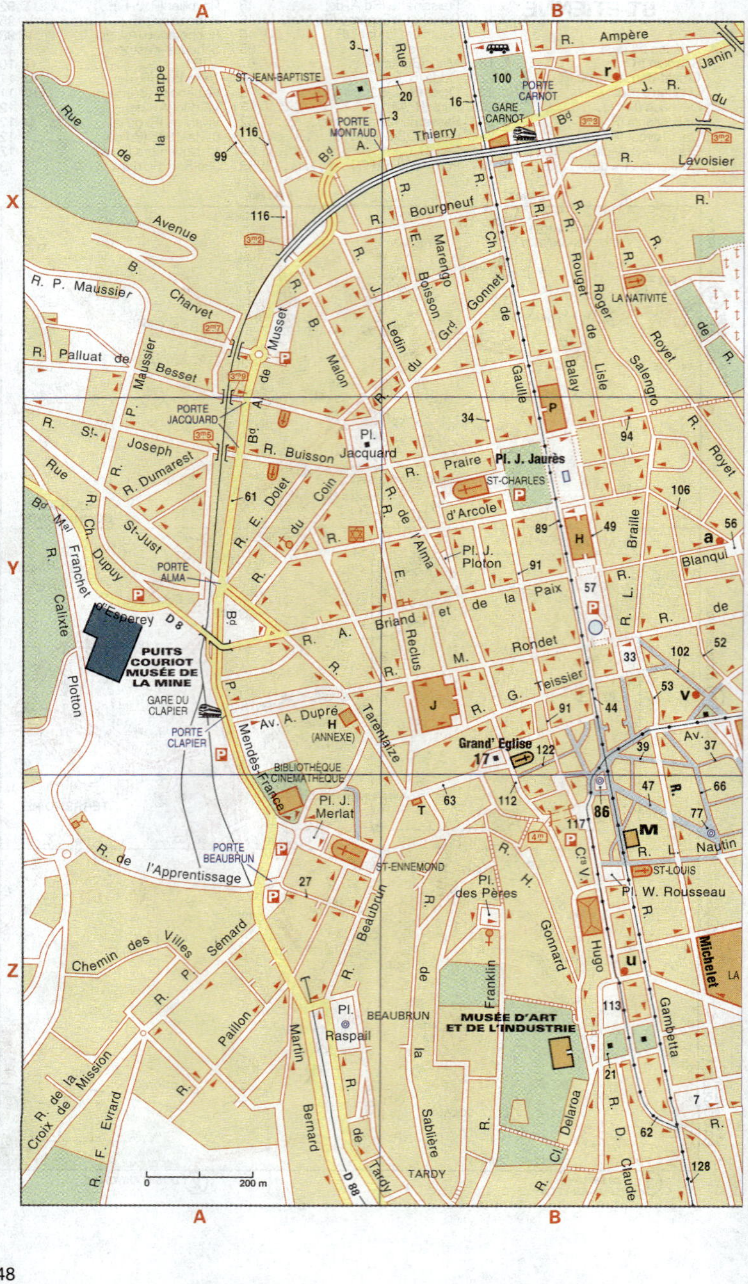
A
B
X
Y
Z
R. Ampère
Janin
J. R.
du
Lavoisier
Rue de la Harpe
ST-JEAN-BAPTISTE
100
PORTE CARNOT
GARE CARNOT
PORTE MONTAUD
Bd A. Thierry
Rue
Avenue B. Charvet
R. P. Maussier
R. Palluat de Besset
P. Maussier
R. Bourgneuf
R. E. Boisson
Marengo
Ch. Gonnet
R. J. Ledin
Grd R. du
R. B. Malon
R. de Musset
Bd A.
PORTE JACQUARD
Pl. Jacquard
R. Buisson
R. E. Dolet
R. du Coin
R. St-Joseph
R. Dumarest
Rue R. Ch. Dupuy
St-Just
Bd Mal Franchet d'Esperey
D 8
R. Calixte Plotton
PORTE ALMA
PUITS COURIOT MUSÉE DE LA MINE
GARE DU CLAPIER
PORTE CLAPIER
Bd P. Mendès-France
Av. A. Dupré
H (ANNEXE)
Tarentaize
BIBLIOTHÈQUE CINÉMATHÈQUE
Pl. J. Merlat
PORTE BEAUBRUN
R. de l'Apprentissage
ST-ENNEMOND
R. Beaubrun
Chemin des Villes
Sémard
R. P.
R. Paillon
R. de la Mission
R. de Croix
R. F. Evrard
R.
0
200 m
Martin Bernard
Pl. Raspail
BEAUBRUN
R. de Tardy
D 88
TARDY
R. de la Sablière
Pl. des Pères
Franklin
R. H. Gonnard
MUSÉE D'ART ET DE L'INDUSTRIE
Cl. Delaroa
R. D. Claude
Hugo
Crs V.
Gambetta
Michelet
LA
Pl. W. Rousseau
ST-LOUIS
R. L. Nautin
M
86
Grand' Eglise
17
T
J
R. G. Teissier
R. A. Briand
E. Reclus
M. Rondet
R. de la Paix
Pl. J. Ploton
R. de l'Alma
d'Arcole
R. Praire
Pl. J. Jaurès
ST-CHARLES
P
H
R. de Gaulle
R. Balay
R. Rouget de Lisle
R. Roger Salengro
R. Royet
LA NATIVITÉ
R. de
R. L. Braille
Blanqui
R. de
R.
Av.
R.
a
v
r
u
3
20
16
116
99
34
94
106
56
49
89
91
57
61
33
102
52
53
44
39
37
47
66
77
122
112
63
117
27
113
21
7
62
128

ST-ÉTIENNE

Albert-1er (Bd)	**ABX**	3
Anatole-France (Pl.)	**BZ**	7
Badouillère (R. de la)	**CZ**	9
Barbusse (R. H.)	**CZ**	12
Bérard (R. P.)	**BCY**	14
Bergson (R.)	**BX**	16
Boivin (Pl.)	**BY**	17
Chavanelle (Pl.)	**CZ**	18
Clovis-Hugues (R.)	**BX**	20
Comte (Pl. Louis)	**BZ**	21
Denfert-Rochereau (Av.)	**CY**	26
Descours (R.)	**AZ**	27
Dorian (Pl.)	**BY**	33
Dormoy (R. M.)	**BXY**	34
Dupré (R. G.)	**BY**	37
Durafour (R. A.)	**CZ**	38
Escoffier (R. D.)	**BY**	39
Fougerolle (R.)	**CZ**	41
Fourneyron (Pl.)	**CY**	42
Foy (R. Gén.)	**BY**	44
Frappa (R. J.)	**BZ**	47
Gambetta (R.)	**BZ**	
Gaulle (R. Ch.-de)	**BXY**	
Gérentet (R.)	**BY**	49
Gervais (R. E.)	**CY**	50
Gillet (R. F.)	**BY**	52
Grand Moulin (R. du)	**BY**	53
Guesde (Pl. J.)	**BY**	56
Hôtel-de-Ville (Pl. de l')	**BY**	57
Jacob (R.)	**CX**	58
Krumnow (Bd F.)	**AY**	61
Leclerc (R. du Gén.)	**BZ**	62
Libération (Av. de la)	**BCY**	
Loubet (Av. du Président E.)	**BZ**	63
Martyrs-de-Vingré (R. des)	**BYZ**	66
Michelet	**BYZ**	
Moine (Pl. Antonin)	**CYZ**	68
Moulin (Pl. J.)	**CY**	72
Mulatière (R. de la)	**CZ**	75
Neuve (Pl.)	**BZ**	77
Peuple (Pl. du)	**BZ**	86
Pointe-Cadet (R.)	**BCZ**	87
Président-Wilson (R.)	**BY**	89
République (R. de la)	**BCY**	
Résistance (R. de la)	**BY**	91
Rivière (R. du Sergent)	**CX**	93
Robert (R.)	**BY**	94
Ruel (R. A.)	**AX**	99
Sadi-Carnot (Pl.)	**BX**	100
St-Jean (R.)	**BZ**	102
Sauzéa (Cours H.)	**CY**	103
Servet (R. M.)	**BY**	106
Stalingrad (Square de)	**CY**	109
Théâtre (R. du)	**BYZ**	112
Thomas (Pl. A.)	**BZ**	113
Tilleuls (R. des)	**AX**	116
Ursules (Pl. des)	**CZ**	117
Valbenoite (Bd)	**CZ**	119
Villeboeuf (R.)	**CZ**	123
Ville (R. de la)	**BY**	122
11-Novembre (R. du)	**BZ**	128

ST-ÉTIENNE
à Rochetaillée 8 km au Sud-Est par D 8 – ⌧ 42100

XX **Yves Genaille**
3 r. du Parc – ℰ *04 77 32 88 48* – *www.restaurant-grenaille.fr*
– restaurant.genaille@wanadoo.fr – Fax 04 77 32 88 48 – Fermé 19-27 avril, août, le soir hors saison, sam. midi, dim. soir, mardi soir et lundi
Rest – rôtisserie – *(prévenir)* Menu 25 € (déj. en sem.), 30/60 € – Carte 46/58 €
◆ Restaurant au cœur d'un village situé sur la ligne de partage des eaux. Des citations sur la gastronomie ornent un mur de la salle panoramique. Cuisine actuelle et rôtissoire.

à St-Priest-en-Jarez 4 km au Nord-Ouest - T – 5 812 h. – alt. 605 m – ⌧ 42270

XXX **Clos Fleuri**
76 av. A. Raimond – ℰ *04 77 74 63 24* – *www.closfleuri.fr – f.deville@closfleuri.fr*
– Fax 04 77 79 06 70 – Fermé 11-18 août, 2-7 janv., merc. soir, dim. soir et lundi
Rest – Menu (20 €), 27/70 € – Carte 52/62 €   T u
◆ Cette grande villa fleurie vous accueille dans son élégante salle à manger meublée en rotin ou sur ses terrasses ombragées. Registre culinaire contemporain.

X **Du Musée**
⊂⊃ *musée d'Art moderne la Terrasse* – ℰ *04 77 79 24 52* – *Fax 04 77 79 92 07*
– Fermé 10-25 août, merc. soir et dim. soir   T s
Rest – Menu 10/37 € – Carte 27/37 €
◆ Nourritures de l'esprit puis gastronomiques... ou vice-versa selon l'appétit : le bistrot du musée d'Art moderne sert son menu du marché dans un décor résolument contemporain.

à La Fouillouse 8,5 km au Nord-Ouest par N 82 – 4 326 h. – alt. 438 m – ⌧ 42480

X **La Route Bleue**
⊂⊃ *40 r. du Vernay* – ℰ *04 77 30 12 09* – *Fax 04 77 30 27 16* – *Fermé 14 juil.-20 août, vacances de fév. et sam.*
Rest – *(déj. seult)* Menu 17 € (sem.)/35 € – Carte 40/57 €
◆ Façade envahie de vigne vierge et cadre sans chichi pour ce restaurant aux allures d'auberge. On y déguste une cuisine familiale, traditionnelle et copieuse.

ST-ÉTIENNE-DE-BAÏGORRY – 64 Pyrénées-Atlantiques – 342 D5   3 A3
– 1 602 h. – alt. 163 m – ⌧ 64430 ▌**Pays Basque**

▶ Paris 813 – Biarritz 51 – Cambo-les-Bains 31 – Pau 116
– St-Jean-Pied-de-Port 11
🛈 Office de tourisme, place de l'Église ℰ 05 59 37 47 28, Fax 05 59 37 49 58
◎ Église St-Etienne★.

🏨 **Arcé**
rte du col d'Ispéguy – ℰ *05 59 37 40 14* – *www.hotel-arce.com* – *reservations@hotel-arce.com – Fax 05 59 37 40 27 – Ouvert mi-mars- mi-nov.*
20 ch – †70/75 € ††125/145 €, ⊇ 11 € – 3 suites – ½ P 100/105 €
Rest – *(fermé merc. midi et lundi midi du 15 sept. au 15 juil. sauf fériés) (prévenir le week-end)* Menu 29/43 € – Carte 47/55 €
◆ En bord de Nivelle, attachante auberge née d'un café de pèlerins où l'on jouait à la pelote. Beau jardin et piscine sur l'autre rive. Grandes chambres bien tenues. Le restaurant occupe un ex-trinquet. Terrasse sous les platanes, table régionale et vins d'Irrouléguy.

ST-ÉTIENNE-DE-FURSAC – 23 Creuse – 325 G4 – rattaché à La Souterraine

ST-ÉTIENNE-DU-VAUVRAY – 27 Eure – 304 H6 – 706 h. – alt. 13 m   33 D2
– ⌧ 27430

▶ Paris 105 – Rouen 28 – Évreux 35 – Sotteville-lès-Rouen 29
– Saint-Étienne-du-Rouvray 25

X **La Ferme**
rte de Crémonville, 2,5 km au Sud-Ouest par D 77 et rte secondaire –
ℰ *02 32 59 14 22* – *manoir.haute.cremonville@orange.fr* – *Fax 02 32 40 79 32*
– Fermé 1er-20 août et 24 déc.-1er janv.
Rest – *(nombre de couverts limité, prévenir)* Menu 28 € – Carte 30/50 €
◆ Une belle ferme normande (18ᵉ s.) rénovée à découvrir. Plongez dans l'ambiance campagnarde de ce restaurant. Registre traditionnel rythmé par les saisons et menus à l'ardoise.

ST-ÉTIENNE-LA-THILLAYE – 14 Calvados – 303 M4 – 437 h. — 32 A3
– alt. 20 m – ⌂ 14950

🄳 Paris 198 – Caen 45 – Le Havre 47 – Lisieux 28 – Hérouville-Saint-Clair 48

⌂ **La Maison de Sophie** sans rest ♨ 🐾 ⇌ 📶 🅿 VISA ⓜⓞ
– ⌂ 02 31 65 69 97 – www.lamaisondesophie.fr – sophie@lamaisondesophie.fr
– Fax 02 31 65 69 98 – Fermé janv., dim. et lundi sauf vacances scolaires
5 ch ⌂ – †170 € ††170 €

♦ Ancien presbytère (1789) en parfait état, parc et petit jardin à la française. Décor très étudié : chambres dépaysantes conçues sur divers thèmes associés à des musiques et senteurs.

ST-ÉTIENNE-LÈS-REMIREMONT – 88 Vosges – 314 H4 – rattaché à Remiremont

ST-EUTROPE-DE-BORN – 47 Lot-et-Garonne – 336 G2 – rattaché à Cancon

ST-EVROULT-NOTRE-DAME-DU-BOIS – 61 Orne – 310 L2 — 33 C2
– 438 h. – alt. 355 m – ⌂ 61550 ▎Normandie Vallée de la Seine

🄳 Paris 155 – Argentan 42 – Caen 91 – Lisieux 52

⌂ **Le Relais de l'Abbaye** ♨   ✂ ch, ☎ ♨ VISA ⓜⓞ AE
r. principale – ⌂ 02 33 84 19 00 – lerelaisdelabbaye@orange.fr
– Fax 02 33 84 19 04
11 ch – †40/45 € ††50/60 €, ⌂ 8 €
Rest – (fermé dim. soir et vend.) Menu (11 €), 23/37 € – Carte 23/37 €

♦ Dans la rue principale d'un village connu pour son ancienne abbatiale normande, hôtel entièrement rénové. Chambres fonctionnelles et bien insonorisées. Restaurant logé sous une originale verrière pyramidale. Cuisine traditionnelle.

ST-FARGEAU – 89 Yonne – 319 B6 – 1 693 h. – alt. 175 m – ⌂ 89170 — 7 A2
▎Bourgogne

🄳 Paris 180 – Auxerre 45 – Clamecy 48 – Gien 41

🄴 Office de tourisme, 3, place de la République ⌂ 03 86 74 10 07,
Fax 03 86 74 10 07

◉ Château★.

⌂ **Les Grands Chênes** sans rest ♨   🐾 ♿ ⇌ ✂ 📶 VISA ⓜⓞ
Les Berthes-Bailly, 4,5 km au Sud par D 18 – ⌂ 03 86 74 04 05
– www.hotel-de-puisaye.com – contact@hotel-de-puisaye.com
– Fax 03 86 74 11 41 – Fermé 20 déc.-4 janv. et 6-22 fév.
13 ch – †69/74 € ††69/74 €, ⌂ 8,50 €

♦ Entre maison d'hôte et demeure de charme, une bâtisse bourgeoise pleine de cachet aux chambres colorées, près du "chantier médiéval" (édification d'un château fort) de Guédelon.

ST-FÉLIX-LAURAGAIS – 31 Haute-Garonne – 343 J4 – 1 354 h. — 29 C2
– alt. 332 m – ⌂ 31540 ▎Midi-Pyrénées

🄳 Paris 716 – Auterive 46 – Carcassonne 58 – Castres 38 – Gaillac 71 – Toulouse 43

🄴 Syndicat d'initiative, place Guillaume de Nogaret ⌂ 05 62 18 96 99

◉ Site★.

※※※ **Auberge du Poids Public** (Claude Taffarello) avec ch   ⬅ 🍴 AC ♨
✿ rte de Toulouse, fg. St Roch – ⌂ 05 62 18 85 00   VISA ⓜⓞ AE
– www.auberge-du-poidspublic.com – poidspublic@wanadoo.fr
– Fax 05 62 18 85 05 – Fermé janv. et vacances de la Toussaint
12 ch – †65/68 € ††70/102 €, ⌂ 12 € – ½ P 73/90 €
Rest – (fermé dim. soir sauf juil.-août) Menu (25 €), 30/72 € – Carte 58/79 €
Spéc. Foie gras de canard en trois préparations. Pigeonneau du Lauragais en croûte d'épices. Macarons chocolat-caramel et fruits rouges. **Vins** Minervois, Vin de Pays des Côtes du Tarn.

♦ Joli décor mi-rustique, mi-contemporain, collection de vieux outils, vue panoramique sur la campagne et belle cuisine actuelle attentive au terroir : une bien charmante auberge ! Côté chambres, optez pour la perspective sur la plaine du Lauragais.

ST-FERRÉOL – 31 Haute-Garonne – **343** K4 – rattaché à Revel

ST-FIRMIN – 80 Somme – **301** C6 – rattaché à Rue

ST-FLORENT – 2B Haute-Corse – **345** E3 – voir à Corse

ST-FLORENTIN – 89 Yonne – **319** F3 – 5 076 h. – alt. 120 m – ⌧ 89600   7 **B1**
Bourgogne

- Paris 169 – Auxerre 32 – Chaumont 145 – Dijon 172 – Sens 45 – Troyes 51
- Syndicat d'initiative, 8, rue de la Terrasse ℘ 03 86 35 11 86, Fax 03 86 35 11 86
- Vitraux★ de l'église **E**.

Les Tilleuls   ch, VISA MC AE
3 r. Decourtive – ℘ 03 86 35 09 09 – www.hotel-les-tilleuls.com
– lestilleuls.stflorentin@wanadoo.fr – Fax 03 86 35 36 90 – Fermé 17-24 nov., 24 déc.-4 janv., 16 fév.-15 mars, dim. soir et lundi de mi-sept. à mi-juin
9 ch – †51 € ††58 €, ⌑ 9 €
Rest – (fermé lundi de mi juin à mi sept.) Menu (17 €) – Carte 41/58 €
♦ Hôtel familial aménagé dans les murs d'un couvent des Capucins datant de 1635. Petites chambres proprettes donnant parfois sur le jardin ombragé de tilleuls. Agréable restaurant agrémenté de poutres colorées ; verdoyante terrasse. Cuisine traditionnelle.

ST-FLOUR – 15 Cantal – **330** G4 – 6 625 h. – alt. 783 m – ⌧ 15100   5 **B3**
Auvergne

- Paris 513 – Aurillac 70 – Issoire 67 – Le Puy-en-Velay 94 – Rodez 111
- Office de tourisme, 17 bis, place d'Armes ℘ 04 71 60 22 50, Fax 04 71 60 05 14
- Site★★ - Cathédrale★ - Brassard★ dans le musée de la Haute Auvergne **H**.

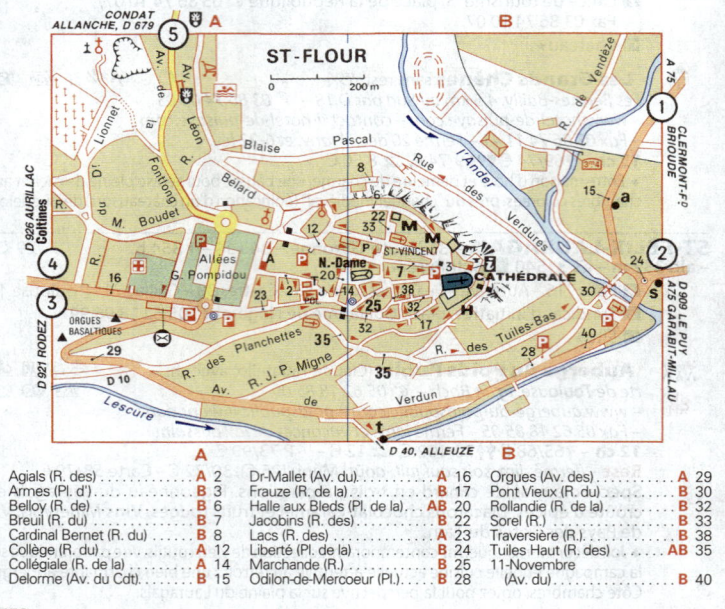

Agials (R. des) .... **A** 2	Dr-Mallet (Av. du) .... **A** 16	Orgues (Av. des) .... **A** 29
Armes (Pl. d') .... **B** 3	Frauze (R. de la) .... **B** 17	Pont Vieux (R. du) .... **B** 30
Belloy (R. de) .... **B** 6	Halle aux Bleds (Pl. de la) .... **AB** 20	Rollandie (R. de la) .... **B** 32
Breuil (R. du) .... **B** 7	Jacobins (R. des) .... **B** 22	Sorel (R.) .... **B** 33
Cardinal Bernet (R. du) ...... **B** 8	Lacs (R. des) .... **A** 23	Traversière (R.) .... **B** 38
Collège (R. du) .... **A** 12	Liberté (Pl. de la) .... **B** 24	Tuiles Haut (R. des) .... **AB** 35
Collégiale (R. de la) .... **A** 14	Marchande (R.) .... **B** 25	11-Novembre
Delorme (Av. du Cdt) .... **B** 15	Odilon-de-Mercoeur (Pl.) ..... **B** 28	(Av. du) .... **B** 40

ST-FLOUR

Ville basse

Grand Hôtel de l'Étape
18 av. de la République, par ② – ℰ 04 71 60 13 03 – www.hotel-etape.com
– info@hotel-etape.com – Fax 04 71 60 48 05 – Fermé dim. soir sauf juil.-août
23 ch – †50/58 € ††58/77 €, ⊇ 9 €
Rest – *(fermé dim. soir et lundi sauf juil.-août)* Menu (16 € bc), 23/30 €
– Carte 30/47 €

♦ Immeuble des années 1970 au fonctionnement familial. Chambres assez grandes et pratiques ; préférez celles avec vue sur la montagne. L'allure "seventies" du restaurant cache une authentique table régionale où la majorité des légumes viennent du potager maison.

Auberge de La Providence
1 r. Château d'Alleuze, par D 40 (sud du plan) – ℰ 04 71 60 12 05
– www.auberge-providence.com – info@auberge-providence.com
– Fax 04 71 60 33 94 – Fermé 15 nov.-5 janv.   B t
12 ch – †57 € ††60/75 €, ⊇ 9 € – ½ P 48/50 €
Rest – *(fermé dim. midi, vend. et sam. en hiver et dim. soir) (dîner seult) (résidents seult)* Menu (20 €), 28 € – Carte 30/40 €

♦ Accueil sympathique en cette auberge familiale légèrement excentrée. Chambres modestes mais très bien tenues et insonorisées (deux avec terrasse). L'imposant buffet en bois patiné donne du cachet au restaurant campagnard ; recettes simples à l'accent régional.

St-Jacques
8 pl. de la Liberté – ℰ 04 71 60 09 20 – www.hotelsaintjacques.com – info@
hotelsaintjacques.com – Fax 04 71 60 33 81 – Fermé 9 nov.-3 janv. et vend. soir
de janv. à Pâques   B s
28 ch – †46 € ††54 €, ⊇ 8 €
Rest – *(fermé sam. midi, dim. soir et lundi)* Carte 21/36 €
Rest *Grill* – *(fermé vend. soir et sam. midi)* Menu (12 €)
– Carte 21/36 €

♦ Bordant une placette, ancien relais sur la route de Compostelle. Quelques chambres destinées aux familles ; jolie vue sur la ville haute depuis la piscine. Au restaurant, décor coloré et cuisine de l'océan Indien. Esprit bistrot et plats traditionnels côté Grill.

L'Ander
6 av. du Cdt Delorme – ℰ 04 71 60 21 63 – www.hotel-ander.com – info@
hotel-ander.com – Fax 04 71 60 46 40 – Fermé 20 janv.-8 mars   B a
23 ch – †48 € ††48/57 €, ⊇ 9 € – ½ P 48/52 €
Rest – Menu 14/36 € – Carte 18/37 €

♦ Dominé par la ville haute et sa cathédrale, cet accueillant hôtel a retrouvé une nouvelle jeunesse et affiche un décor rustique actualisé. Chambres fonctionnelles et sobres. La cuisine du patron affirme un penchant pour la tradition orientée terroir.

à St-Georges par ②, D 909 et rte secondaire : 5 km – 1 128 h. – alt. 860 m – ⊠ 15100

Le Château de Varillettes
– ℰ 04 71 60 45 05 – www.chateaudevarillettes.com
– varillettes@leshotelsparticuliers.com – Fax 04 71 60 34 27
– Ouvert mai à sept.
12 ch – †135/195 € ††135/195 €, ⊇ 15 € – 1 suite – ½ P 115/145 €
Rest – Menu 35/45 € – Carte 40/65 €

♦ Profitez du charme de l'ancien, le confort en plus, en ce château du 15e s., ex-résidence d'été des évêques de St-Flour. Le "must" : une chambre avec vue sur le jardin médiéval. La salle à manger, voûtée et dotée d'une vénérable cheminée, a du caractère.

Nous essayons d'être le plus exact possible dans les prix que nous indiquons.
Mais tout bouge !
Lors de votre réservation, pensez à vous faire préciser le prix du moment.

ST-FORT-SUR-GIRONDE – 17 Charente-Maritime – 324 F7 – 914 h. – alt. 28 m – ⊠ 17240
38 **B3**

🖪 Paris 518 – Poitiers 186 – La Rochelle 115 – Saintes 45 – Cognac 51

Château des Salles
61 r. du Gros Chêne, 1,5 km au Nord-Est par D 125 – ℰ 05 46 49 95 10
– www.chateaudessalles.com – chateaudessalles@wanadoo.fr
– Fax 05 46 49 02 81 – Ouvert 1ᵉʳ avril-1ᵉʳ nov.
5 ch – †86/130 € ††86/130 €, ⊊ 10 € – ½ P 86/110 €
Table d'hôte – Menu 29/38 €

◆ Joli château du 15ᵉ s. plusieurs fois remanié. Il règne une atmosphère de maison de famille dans les chambres, meublées d'ancien, et au salon (piano et livres à disposition). Cuisine du marché à base de produits du terroir et du potager, et vins du domaine.

ST-FRONT – 43 Haute-Loire – 331 G4 – 475 h. – alt. 1 223 m – ⊠ 43550
6 **C3**

🖪 Paris 570 – Clermont-Ferrand 156 – Le Puy-en-Velay 27 – Firminy 69
– Le Chambon-Feugerolles 73
🛈 Syndicat d'initiative, le bourg ℰ 04 71 59 54 93

La Vidalle d'Eyglet sans rest
La Vidalle, 7 km au Sud par D 39, D 500 et rte secondaire – ℰ 04 71 59 55 58
– www.vidalle.fr – infos@vidalle.fr – Fax 04 71 59 55 58
– Ouvert 4 avril-15 sept.
5 ch – †90/100 € ††100/110 €

◆ Jolie ferme restaurée posée au milieu des champs. Chambres très coquettes, salon-bibliothèque, atelier de peinture (stages). L'hiver, on peut quitter la maison skis aux pieds !

ST-GALMIER – 42 Loire – 327 E6 – 5 705 h. – alt. 400 m – Casino
– ⊠ 42330 ▌Lyon et la vallée du Rhône
44 **A2**

🖪 Paris 457 – Lyon 82 – Montbrison 25 – Montrond-les-Bains 11 – Roanne 68
– St-Étienne 24
🛈 Office de tourisme, Le Cloître, 3, boulevard Cousin ℰ 04 77 54 06 08,
Fax 04 77 54 06 07
◉ Vierge du Pilier★ et triptyque★ dans l'église.

La Charpinière
– ℰ 04 77 52 75 00 – www.lacharpiniere.com
– charpiniere.hot.rest@wanadoo.fr – Fax 04 77 54 18 79
– Fermé dim. soir
49 ch – †79/120 € ††79/120 €, ⊊ 13 € – ½ P 68/88 €
Rest *La Closerie de la Tour* – Menu (18 €), 26/50 € – Carte 31/65 €

◆ Un grand parc clos offre un havre de paix à cette gentilhommière tapissée de vigne vierge. Nombreux équipements de loisirs à disposition. Chambres avant tout pratiques. Repas servis dans un agréable jardin d'hiver : cuisine au goût du jour et carte saisonnière.

Hostellerie du Forez
6 r. Didier Guetton – ℰ 04 77 54 00 23 – www.hostellerieduforez.com – contact@hostellerieduforez.com – Fax 04 77 54 07 49
16 ch – †53/57 € ††62/67 €, ⊊ 9 €
Rest – *(fermé 10-30 août, 21 déc.-4 janv., dim. soir et lundi midi)* Menu (13 €),
16 € (sem.)/35 € – Carte 25/47 €

◆ L'édifice en parfait état qui abrite cette auberge n'est autre qu'un ancien relais de poste du 19ᵉ s. Chambres fonctionnelles bien tenues. Un programme de rénovation suit son cours. Cuisine actuelle servie dans une salle à manger rustique.

Le Bougainvillier
Pré Château – ℰ 04 77 54 03 31 – www.restaurant-bougainvillier.com
– bougain@wanadoo.fr – Fax 04 77 94 95 93 – Fermé 28 juil.-25 août, 9-23 fév., merc. soir, dim. soir et lundi
Rest – *(prévenir)* Menu 29 € (sem.)/62 € – Carte 57/69 €

◆ Faites une halte gourmande dans cette imposante maison bourgeoise. Le restaurant se distribue en trois salles, dont une ouverte sur un jardin. Bonne table dans l'air du temps.

ST-GATIEN-DES-BOIS – 14 Calvados – 303 N3 – 1 163 h. — 32 A3
– alt. 149 m – ⊠ 14130

🛣 Paris 195 – Caen 58 – Le Havre 36 – Deauville 10 – Honfleur 13 – Lisieux 27

Le Clos Deauville St-Gatien
4 r. des Brioleurs – ℰ 02 31 65 16 08
– www.clos-st-gatien.fr – hotel@clos-st-gatien.fr – Fax 02 31 65 10 27
58 ch – †81/194 € ††81/194 €, ⊇ 13 € – ½ P 85/140 €
Rest *Le Michels* – Menu (21 €), 31/75 € – Carte 38/63 €

♦ A cœur d'un jardin arboré, cette ancienne ferme et ses dépendances disposent de chambres rafraîchies et de nombreux équipements de loisirs et de séminaires. Le Michels, qui a préservé son cachet (poutres, colombages), propose une cuisine traditionnelle.

ST-GAUDENS – 31 Haute-Garonne – 343 C6 – 10 800 h. — 28 B3
– alt. 405 m – ⊠ 31800 ▮ Midi-Pyrénées

🛣 Paris 766 – Bagnères-de-Luchon 48 – Tarbes 68 – Toulouse 94

🛈 Office de tourisme, 2, rue Thiers ℰ 05 61 94 77 61, Fax 05 61 94 77 50

◉ Boulevards des Pyrénées ≤★ - Belvédères★.

Du Commerce
2 av. de Boulogne – ℰ 05 62 00 97 00 – www.commerce31.com
– hotel.commerce@wanadoo.fr – Fax 05 62 00 97 01 – Fermé 18 déc.-11 janv.
48 ch – †57/75 € ††57/75 €, ⊇ 9 € – ½ P 53/63 €
Rest – Menu 21/37 € – Carte 27/53 €

♦ Construction moderne à deux pas du centre-ville. Les chambres, fonctionnelles, sont diversement meublées et toutes climatisées. Au restaurant, couleurs ensoleillées, mélange d'ancien et de contemporain et carte où le cassoulet figure en bonne place.

ST-GENIEZ-D'OLT – 12 Aveyron – 338 J4 – 2 019 h. – alt. 410 m — 29 D1
– ⊠ 12130 ▮ Midi-Pyrénées

🛣 Paris 612 – Espalion 28 – Florac 80 – Mende 68 – Rodez 46
– Sévérac-le-Château 25

🛈 Office de tourisme, Le Cloître ℰ 05 65 70 43 42, Fax 05 65 70 47 05

Hostellerie de la Poste
3 pl. Gén de Gaulle – ℰ 05 65 47 43 30 – www.hoteldelaposte12.com – hotel@hoteldelaposte12.com – Fax 05 65 47 42 75 – Ouvert de Pâques à la Toussaint
50 ch – †50/55 € ††60/65 €, ⊇ 8 €
Rest *La Table d'Olt* – Menu (12 €), 25/42 € – Carte 36/51 €

♦ Diverses générations de chambres, d'ampleur et de confort disparates, dans cet hôtel central réparti entre plusieurs bâtiments. Cadre de verdure ; clientèle de groupes. Au Rive Gauche, carte régionale présentée en salles ou sur la terrasse côtoyant la piscine.

ST-GENIS-POUILLY – 01 Ain – 328 J3 – 7 237 h. – alt. 445 m — 46 F1
– ⊠ 01630

🛣 Paris 524 – Bellegarde-sur-Valserine 28 – Bourg-en-Bresse 100 – Genève 12 – Gex 10

🛈 Office de tourisme, 11 rue de Gex ℰ 04 50 42 29 37, Fax 04 50 28 32 94

⛳ des Serves Route de Meyrin, E : 2 km par D 984, ℰ 04 50 42 16 48

L'Amphitryon
– ℰ 04 50 20 64 64 – www.saint-genis-pouilly.com/amphitryon
– Fax 04 50 42 06 98 – Fermé 28 juil.-20 août, 28 déc.-18 fév., mardi soir, dim. soir et lundi
Rest – Menu (20 €), 33/55 € – Carte 50/69 €

♦ Derrière la sage façade de ce pavillon récent se cache une surprenante salle à manger : fresques, voûtes et statuettes de style antique. Cuisine classique et cave fournie.

ST-GENIX-SUR-GUIERS – 73 Savoie – 333 G4 – 1 817 h. – alt. 235 m — 45 C2
– ⊠ 73240

🛣 Paris 513 – Belley 22 – Chambéry 34 – Grenoble 58 – Lyon 74

🛈 Office de tourisme, rue du faubourg ℰ 04 76 31 63 16, Fax 04 76 31 71 30

ST-GENIX-SUR-GUIERS

à Champagneux 4 km au Nord-Ouest par D 1516 – 471 h. – alt. 214 m – ⊠ 73240

Les Bergeronnettes
Le Bourg, près de l'église – ℰ 04 76 31 50 30 – www.silencehotel.com – gourjux@orange.fr – Fax 04 76 31 61 29 – Fermé 26 déc.-1ᵉʳ janv.
18 ch – †70 € ††70 €, ⊇ 10 € – ½ P 70 €
Rest – *(fermé dim. soir)* Menu 14/36 € – Carte 19/46 €
♦ Hôtel de campagne alangui dans un cadre verdoyant abritant des chambres spacieuses et bien entretenues. Petits-déjeuners sous forme de buffet. Restaurant actuel, cuisine régionale simple (spécialités de cuisses de grenouilles) et terrasse sous un chapiteau.

ST-GEORGES – 15 Cantal – **330** G4 – rattaché à St-Flour

ST-GEORGES-DE-DIDONNE – 17 Charente-Maritime – **324** D6 – rattaché à Royan

---

ST-GEORGES-D'ESPÉRANCHE – 38 Isère – **333** D4 – 2 982 h. **44 B2**
– alt. 400 m – ⊠ 38790

▶ Paris 496 – Bourgoin-Jallieu 25 – Grenoble 92 – Lyon 40 – Vienne 22

Castel d'Espérance
14 rte Lafayette – ℰ 04 74 59 18 45 – www.castel-esperance.com – info@castel-esperance.com – Fax 04 74 59 04 40 – Fermé 27 oct.-8 nov., 9-27 fév., lundi, mardi et merc.
Rest – Menu 18 € (sem.)/54 € – Carte 45/58 €
♦ Restaurant installé en partie dans une tour de garde du 13ᵉ s. dont quelques vestiges agrémentent les salles à manger. Cuisine régionale et menu "du Moyen Âge".

ST-GEORGES-DES-SEPT-VOIES – 49 Maine-et-Loire – **317** H4 **35 C2**
– 570 h. – alt. 83 m – ⊠ 49350

▶ Paris 314 – Nantes 127 – Angers 30 – Saumur 27 – La Flèche 71

Auberge de la Sansonnière avec ch
(près de la mairie) – ℰ 02 41 57 57 70
– www.auberge-sansonniere.com – contact@auberge-sansonniere.com
– Fax 02 41 57 51 38 – Fermé 9-25 mars, 3 sem. en nov., 1 sem. en janv., dim. soir et lundi
7 ch – †60/75 € ††60/75 €, ⊇ 8,50 € – ½ P 53/61 €
Rest – Menu (12 €), 17/36 € – Carte 30/48 €
♦ Un vrai petit bijou d'auberge que cet ex-prieuré joliment restauré : esprit bistrot moderne (pierres, poutres, couleurs gaies) et appétissante cuisine traditionnelle actualisée. Petites chambres aussi mignonnes qu'accueillantes.

ST-GEORGES-SUR-CHER – 41 Loir-et-Cher – **318** D8 – 2 268 h. **11 A1**
– alt. 70 m – ⊠ 41400

▶ Paris 225 – Blois 40 – Orléans 102 – Tours 40

Prieuré de la Chaise sans rest
8 r. Prieuré – ℰ 02 54 32 59 77 – www.prieuredelachaise.com
– prieuredelachaise@yahoo.fr – Fax 02 54 32 69 49
5 ch ⊇ – †60 € ††65 €
♦ Adresse pleine de charme – prieuré du 16ᵉ s. – au calme d'un parc. Tomettes et meubles anciens dans les chambres. Salle à manger où crépitent en hiver de belles flambées.

ST-GERMAIN-DE-JOUX – 01 Ain – **328** H3 – 494 h. – alt. 507 m **45 C1**
– ⊠ 01130

▶ Paris 487 – Bellegarde-sur-Valserine 13 – Belley 61 – Bourg-en-Bresse 63
  – Nantua 13

ST-GERMAIN-DE-JOUX

XX **Reygrobellet** avec ch
D 1084 – ℰ 04 50 59 81 13 – reygrobellet@orange.fr – Fax 04 50 59 83 74
– Fermé 4-21 juil., 26 oct.-10 nov., 23 fév.-4 mars, merc. soir hors saison, dim. soir et lundi
10 ch – †53/65 € ††53/65 €, ⊇ 8,50 €
Rest – Menu 22 € (sem.)/59 € – Carte 39/70 €
♦ Outre son confortable intérieur campagnard, cette maison a pour elle une généreuse cuisine traditionnelle (beau chariot de desserts). Chambres simples en partie rénovées.

ST-GERMAIN-DES-VAUX – 50 Manche – 303 A1 – 422 h. – alt. 59 m   32 A1
– ✉ 50440

▶ Paris 383 – Barneville-Carteret 48 – Cherbourg 28 – Nez de Jobourg 7
– St-Lô 104

◉ Baie d'Ecalgrain★★ S : 3 km – Port de Goury★ NO : 2 km.

◉ Nez de Jobourg★★ S : 7,5 km puis 30 mn - ≤★★ sur anse de Vauville
SE : 9,5 km par Herqueville, **Normandie Cotentin**

X **Le Moulin à Vent**
10 rte de Port Racine, (Hameau Danneville), 1,5 km à l'Est par D 45 –
ℰ 02 33 52 75 20 – www.le-moulin-a-vent.fr – contact@le-moulin-a-vent.fr
– Fax 02 33 52 22 57 – Fermé 27 nov.-27 déc. et merc.
Rest – (prévenir) Menu 26/37 € – Carte 29/43 €
♦ Bel emplacement pour cette auberge isolée au bout de la presqu'île du Cotentin. Cuisine actuelle servie dans un cadre contemporain ouvert sur le panorama.

ST-GERMAIN-DU-BOIS – 71 Saône-et-Loire – 320 L9 – 1 890 h.   8 D3
– alt. 210 m – ✉ 71330 **Bourgogne**

▶ Paris 367 – Chalon-sur-Saône 33 – Dole 58 – Lons-le-Saunier 29 – Mâcon 75
– Tournus 40

Hostellerie Bressane
2 rte de Sens – ℰ 03 85 72 04 69 – www.giot-hostelleriebressane.fr – la.terrinee4@wanadoo.fr – Fax 03 85 72 00 75 – Fermé dim. soir sauf juil.-août et lundi
9 ch – †48 € ††52 €, ⊇ 6 € – ½ P 54 €
Rest – Menu (13 €), 20/37 € – Carte 32/43 €
♦ Hôtel particulier du 18ᵉ s. dont l'intérieur régional et pittoresque a été rénové avec soin. Chambres de caractère, plus calmes côté cour. Généreuse cuisine traditionnelle, préparée sans fioritures et proposée à des prix raisonnables.

ST-GERMAIN-EN-LAYE – 78 Yvelines – 311 I2 – 101 13 – voir à Paris, Environs

ST-GERMAIN-LÈS-ARLAY – 39 Jura – 321 D6 – 521 h. – alt. 255 m   16 B3
– ✉ 39210

▶ Paris 398 – Besançon 74 – Chalon-sur-Saône 58 – Dole 46
– Lons-le-Saunier 11

X **Hostellerie St-Germain** avec ch
635 Grande rue – ℰ 03 84 44 60 91 – www.hostelleriesaintgermain.com
– hoststgermain@wanadoo.fr – Fax 03 84 44 63 64
7 ch – †57/72 € ††57/72 €, ⊇ 9 € – ½ P 64 €
Rest – (Fermé mardi sauf en saison et lundi) Menu (18 €), 23/60 €
– Carte 43/62 €
♦ Cette adresse vaut le détour pour sa cuisine régionale valorisée par une belle carte de vins du Jura. Cadre rustico-bourgeois. Chambres bien tenues, plus calmes côté terrasse.

ST-GERMER-DE-FLY – 60 Oise – 305 B4 – 1 732 h. – alt. 105 m   36 A2
– ✉ 60850 **Nord Pas-de-Calais Picardie**

▶ Paris 92 – Les Andelys 40 – Beauvais 26 – Gisors 21 – Gournay-en-Bray 8
– Rouen 58

🛈 Syndicat d'initiative, 11, place de Verdun ℰ 03 44 82 62 74,
Fax 03 44 82 23 56

◉ Église★ - ≤★ de la D 129 SE : 4 km.

ST-GERMER-DE-FLY

Auberge de l'Abbaye

5 pl. de L' Abbaye – ℰ 03 44 82 50 73 – Fax 03 44 82 64 54 – Fermé 27 juil.-9 août, 23 fév.-8 mars, dim. soir, lundi soir, mardi soir et merc.
Rest – Menu 16 € bc (sem.)/33 €
♦ Face à l'abbaye, bâtisse tapissée de vigne vierge. Grande salle à manger avec poutres apparentes. Cuisine traditionnelle et régionale. Salon de thé.

ST-GERVAIS – 33 Gironde – 335 I4 – 1 392 h. – alt. 39 m – ✉ 33240   3 B1

▸ Paris 543 – Bordeaux 29 – Mérignac 38 – Pessac 44

Au Sarment

50 r. la Lande – ℰ 05 57 43 44 73 – www.au-sarment.com – contact@au-sarment.com – Fax 05 57 43 90 28 – Fermé vacances de fév., sam. midi, dim. soir et lundi
Rest – Menu 39/59 € – Carte 48/76 €
♦ Le chef, d'origine antillaise, rehausse ses bons petits plats de saveurs créoles. L'intérieur de cette belle maison de pays, clair et sobre, donne sur une terrasse ombragée.

ST-GERVAIS-D'AUVERGNE – 63 Puy-de-Dôme – 326 D6 – 1 344 h. – alt. 725 m – ✉ 63390 ▌Auvergne   5 B2

▸ Paris 377 – Aubusson 72 – Clermont-Ferrand 55 – Gannat 41 – Montluçon 47 – Riom 39
🛈 Office de tourisme, rue du Général Desaix ℰ 04 73 85 80 94

Castel Hôtel 1904

r. du Castel – ℰ 04 73 85 70 42 – www.castel-hotel-1904.com – castel.hotel.1904@wanadoo.fr – Fax 04 73 85 84 39 – Ouvert avril-11 nov.
15 ch – ♦59 € ♦♦65/79 €, ⥮ 10 € – ½ P 55/59 €
Rest – (Fermé lundi midi) Menu 31/60 €
Rest *Le Comptoir à Moustaches* – Menu (14 €), 18 € – Carte environ 30 €
♦ Cette demeure de charme du 17ᵉ s. dispose de chambres fraîchement rénovées, dotées de mobilier de style. Chaleureux accueil par la famille qui tient la maison depuis 1904. Repas simples au Comptoir à Moustaches. L'autre restaurant propose des mets traditionnels dans une salle au décor délicieusement suranné.

Le Relais d'Auvergne

rte de Châteauneuf – ℰ 04 73 85 70 10 – www.relais-auvergne.com – relais.auvergne.hotel@wanadoo.fr – Fax 04 73 85 85 66 – Ouvert de mars à nov. et fermé dim. soir et lundi en oct., nov. et mars
12 ch – ♦54/57 € ♦♦55/68 €, ⥮ 7 € – ½ P 51/53 €
Rest – Menu (13 €), 19/36 € – Carte 23/41 €
♦ La présence de meubles et de bibelots chinés dans la région (vente à la boutique) évoque une atmosphère d'antan. Chambres personnalisées au mobilier ancien ou de style. Belle salle à manger rustique. Recettes traditionnelles et spécialités locales.

ST-GERVAIS-EN-VALLIÈRE – 71 Saône-et-Loire – 320 J8 – 346 h. – alt. 203 m – ✉ 71350   7 A3

▸ Paris 324 – Beaune 16 – Chalon-sur-Saône 24 – Dijon 57 – Mâcon 84 – Nevers 164

à Chaublanc 3 km au Nord-Est par D 94 et D 183 – ✉ 71350 St-Gervais-en-Vallière

Le Moulin d'Hauterive

8 r. du Moulin – ℰ 03 85 91 55 56 – www.moulinhauterive.com – info@moulinhauterive.com – Fax 03 85 91 89 65 – Fermé 1ᵉʳ déc.-12 fév., merc. soir, mardi d'oct. à mai et merc. en juin et sept.
10 ch – ♦70/139 € ♦♦109/139 €, ⥮ 15 € – 10 suites
Rest – (fermé dim. soir de nov. à mai, mardi midi en juil.-août, merc., mardi, jeudi de sept. à juin et lundi) Menu (25 €), 40/62 € – Carte 54/77 €
♦ Isolé en pleine nature, ce vieux moulin à farine bordant la Dheune fut bâti au 12ᵉ s. par les moines de l'abbaye de Cîteaux. Chambres personnalisées ; beaux meubles anciens. Deux salles à manger cossues et jolie terrasse au bord de l'eau ; boutique de vins.

ST-GERVAIS-LES-BAINS – 74 Haute-Savoie – 328 N5 – 5 276 h. – alt. 820 m – Sports d'hiver : 1 400/2 000 m ⛷2 ⛷25 ⛷ – Stat. therm. : toute l'année – Casino – ✉ 74170 ▮ Alpes du Nord

46 **F1**

- Paris 597 – Annecy 84 – Bonneville 42 – Chamonix-Mont-Blanc 25 – Megève 12
- ☎ 3635 et tapez 42 (0,34 €/mn)
- Office de tourisme, 43, rue du Mont-Blanc ℘ 04 50 47 76 08, Fax 04 50 47 75 69
- Route du Bettex★★★ 8 km par ③ puis D 43.

ST-GERVAIS-LES-BAINS LE FAYET

Comtesse (R.)	2
Gontard (Av.)	4
Miage (Av. de)	5
Mont-Blanc (R. et jardin du)	6
Mont-Lachat (R. du)	7

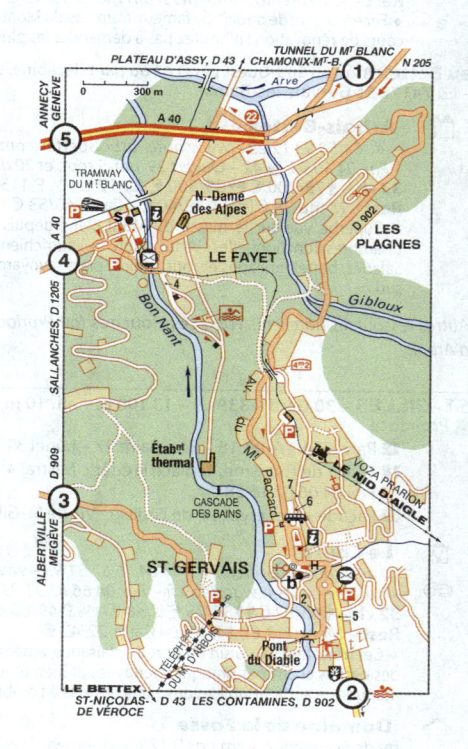

🏠 **Val d'Este**   ≤ VISA ⓂⒸ ﷼

pl. de l'Église – ℘ 04 50 93 65 91 – www.hotel-valdeste.com – hotelvaldeste@voila.fr – Fax 04 50 47 76 29 – Fermé 12 nov.-15 déc.

14 ch – ♦56/86 € ♦♦56/86 €, ⛛ 8 € – ½ P 58/74 €

Rest *Le Sérac* – voir ci-après

b

♦ Au cœur de la station, bâtisse abritant des chambres bien insonorisées et peu à peu rénovées. Celles qui donnent sur les montagnes sont équipées d'une baignoire.

※※ **Le Sérac** – Hôtel Val d'Este   ≤ VISA ⓂⒸ

😊 *pl. de l'Église* – ℘ 04 50 93 80 50 – Fermé 19 avril-7 mai, 8-26 nov., merc. sauf le soir en été, lundi midi et jeudi midi

Rest – Menu 25/65 € – Carte 38/46 €

b

♦ Cuisine mariant habilement saveurs régionales et méditerranéennes, avec les sommets en toile de fond. Les amateurs de chocolat seront séduits par la carte des desserts !

1659

ST-GERVAIS-LES-BAINS

au Fayet 4 km au Nord-Ouest par D 902 – ⊠ 74190

🛈 Office de tourisme, 104, avenue de la gare ℘ 04 50 93 64 64, Fax 04 50 78 38 48

Deux Gares
50 impasse des deux Gares – ℘ 04 50 78 24 75 – www.hotel2gares.com
– hotel.2gares@wanadoo.fr – Fax 04 50 78 15 47 – Fermé 25 avril-3 mai, 26 sept.-4 oct. et 1er nov.-18 déc.
28 ch – †42/47 € ††52/56 €, ⊇ 8 € – 2 suites – ½ P 45/48 €
Rest – (dîner seult) (résidents seult) Menu 15/17 €

◆ Face à la gare de départ du fameux tramway du Mont-Blanc. Petites chambres sobres en cours de rénovation : n'hésitez pas à demander les plus récentes. Belle piscine couverte.

au Bettex 8 km au Sud-Ouest par D 43 ou par télécabine, station intermédiaire – ⊠ 74170 St-Gervais-les-Bains

Arbois-Bettex
– ℘ 04 50 93 12 22 – www.hotel-arboisbettex.com – arboisbettex@wanadoo.fr
– Fax 04 50 93 14 42 – Ouvert 29 juin-5 sept. et 20 déc.-19 avril
33 ch – †75/200 € ††95/300 €, ⊇ 12 € – ½ P 115/190 €
Rest – Menu 28 € (déj.), 38/40 € – Carte 40/53 €

◆ Superbe vue sur le massif du Mont-Blanc depuis ce chalet voisin des télécabines. Chambres fonctionnelles. Vaste salon "à l'autrichienne" et salle de remise en forme. Salades, buffet, grillades et rôtis à midi ; plats savoyards au dîner. Terrasse exposée plein sud.

Autres ressources hôtelières voir : **Les Houches** *(au Prarion) et* **Megève** *(sommet du Mont d'Arbois)*

ST-GILLES – 30 Gard – **339** L6 – 13 100 h. – alt. 10 m – ⊠ 30800   23 **D2**
Provence

▶ Paris 724 – Arles 18 – Beaucaire 27 – Lunel 31 – Montpellier 64 – Nîmes 20
🛈 Office de tourisme, 1, place Frédéric Mistral ℘ 04 66 87 33 75, Fax 04 66 87 16 28
◎ Façade★★ et crypte★ de l'église - Vis de St-Gilles★.

Le Cours
10 av. François Griffeuille – ℘ 04 66 87 31 93 – www.hotel-le-cours.com
– hotel-le-cours@wanadoo.fr – Fax 04 66 87 31 83 – Ouvert 11 mars- 9 déc.
32 ch – †46/62 € ††56/75 €, ⊇ 8 € – ½ P 49/60 €
Rest – Menu (12 €), 14/36 € – Carte 22/42 €

◆ Cet hôtel familial voisin du port de plaisance, aménagé sur le canal du Rhône, propose des petites chambres pratiques, rénovées et bien tenues. Aux beaux jours, fi de la salle à manger-véranda, attablez-vous sur la terrasse à l'ombre des platanes ! Plats du terroir.

Domaine de la Fosse
rte de Sylvéréal, à 7 km par D 179, croisement D 202 – ℘ 04 66 87 05 05
– www.domaine-de-la-fosse.com – alain.abecassis@orange.fr
– Fax 04 66 87 40 90
5 ch ⊇ – †120 € ††135/145 € – ½ P 100/125 €   **Table d'hôte** – Menu 35 € bc

◆ Au cœur d'un domaine rizicole en pleine Camargue, cette commanderie des Templiers (17e s.) abrite des chambres souvent mansardées, au mobilier chiné. Sauna, hammam, jacuzzi.

ST-GILLES-CROIX-DE-VIE – 85 Vendée – **316** E7 – 7 189 h.   34 **A3**
– alt. 12 m – Casino : Le Royal Concorde – ⊠ 85800
Poitou Vendée Charentes

▶ Paris 462 – Cholet 112 – Nantes 79 – La Roche-sur-Yon 44 – Les Sables-d'Olonne 29
🛈 Office de tourisme, boulevard de l'Égalité ℘ 02 51 55 03 66, Fax 02 51 55 69 60
⛳ des Fontenelles à L'Aiguillon-sur-Vie Route de Coëx, E : 11 km par D 6, ℘ 02 51 54 13 94

ST-GILLES-CROIX-DE-VIE

✗ **Le Casier** 🈁 VISA ⓜ AE
pl. du Vieux Port – ℰ *02 51 55 01 08 – www.lecasier.com – restaurant.lecasier@orange.fr – Fermé 20 déc.-3 mars et lundi*
Rest – Carte 20/41 €
◆ Décor de bistrot marin très convivial, cuisine iodée simple et bien faite : le patron de cette ex-charcuterie proche des quais a troqué le tablier pour la toque, avec succès !

à Sion-sur-l'Océan 5 km à l'Ouest par la Corniche Vendéenne – ⌧ 85270

🏠 **Frédéric** sans rest ≤ 🛇 📡 P 🈁 VISA ⓜ AE
25 r. des Estivants – ℰ *02 51 54 30 20 – www.hotel-frederic.com – info@hotel-frederic.com – Fax 02 51 54 11 68*
13 ch – ♦64/120 € ♦♦64/120 €, ⊋ 12 €
◆ Cette jolie villa des années 1930 a été modernisée tout en conservant son cachet d'antan. Choisir une chambre avec vue sur l'océan. Bar à huîtres au délicieux cadre rétro.

ST-GINGOLPH – 74 Haute-Savoie – 328 N2 – 626 h. – alt. 385 m   46 F1
– ⌧ 74500 ⋮ Alpes du Nord

▶ Paris 560 – Annecy 102 – Évian-les-Bains 19 – Montreux 21 – Thonon-les-Bains 28

✗✗ **Aux Ducs de Savoie** ≤ 🈁 P VISA ⓜ AE
℗ *r. 23 Juillet 44 –* ℰ *04 50 76 73 09 – www.ducsdesavoie.net – ducsdesavoie@orange.fr – Fermé 4-20 janv., 17-24 fév., mardi sauf juil.-août et lundi*
Rest – Menu 19 € (sem.)/64 € – Carte 37/65 €
◆ Les atouts de ce chalet situé en aplomb du village et entouré de platanes : une terrasse ombragée face au lac et une cuisine traditionnelle, préparée dans les règles de l'art.

ST-GIRONS – 09 Ariège – 343 E7 – 6 552 h. – alt. 398 m – ⌧ 09200   28 B3
⋮ Midi-Pyrénées

▶ Paris 774 – Auch 123 – Foix 45 – St-Gaudens 43 – Toulouse 101
🛈 Office de tourisme, place Alphonse Sentein ℰ 05 61 96 26 60, Fax 05 61 96 26 69

🏠 **Eychenne** 🍴 🈁 🏊 🅰 rest, P VISA ⓜ AE
8 av. P. Laffont – ℰ *05 61 04 04 50 – www.ariege.com/hotel-eychenne – hotel-eychenne@wanadoo.fr – Fax 05 61 96 07 20 – Fermé déc., janv., dim. soir et lundi sauf fériés de nov. à fin mars*
42 ch – ♦53/58 € ♦♦71/205 €, ⊋ 11 € – 3 suites – ½ P 70/138 €
Rest – Menu 28/57 € – Carte 30/50 €
◆ Ex-relais de poste où règne une plaisante atmosphère bourgeoise. Souci du détail et meubles anciens dans les chambres ; certaines ont vue sur les Pyrénées. Accueil personnalisé. Cuisine traditionnelle et belle terrasse au cœur d'un ravissant jardin.

🏠 **Château de Beauregard** 🍴 🏊 🛁 ⓓ rest, 🅰 📡 P
av. de la Résistance – ℰ *05 61 66 66 64*   VISA ⓜ AE
– www.chateaubeauregard.net – contact@chateaubeauregard.net
– Fax 05 34 14 07 93 – Fermé 1er-22 mars et 6 nov.-1er déc.
10 ch – ♦60/200 € ♦♦60/200 €, ⊋ 16 € – 3 suites – ½ P 70/140 €
Rest *Auberge d'Antan* – (Fermé lundi sauf en été) Menu 29/40 €
◆ Petit château et son pavillon de chasse (19e s.), au calme d'un parc avec roseraie. Chambres au charme rétro et cossu (mobilier chiné), suites de caractère et spa original. À l'Auberge d'Antan, décor rustique et plats de grand-mère préparés au feu de bois.

🏠 **La Clairière** 🍴 🏊 🛁 ⓓ 🅰 📡 🧖 P VISA ⓜ AE ⓘ
av. de la Résistance – ℰ *05 61 66 66 66 – www.hotel-clairiere.com – reservation@hotel-clairiere.com – Fax 05 34 14 30 30*
19 ch – ♦58/68 € ♦♦58/68 €, ⊋ 9 € – ½ P 63/68 €
Rest – Menu (23 €), 29/64 € – Carte environ 42 € 🌿
◆ Dans un parc, insolite construction moderne dotée d'un toit de bardeaux tombant jusqu'au sol. Chambres confortables, la plupart lambrissées. Au restaurant, cuisine au goût du jour et cave riche en vins du Languedoc-Roussillon. Terrasse au bord de la piscine.

ST-GRÉGOIRE – 35 Ille-et-Vilaine – 309 L6 – rattaché à Rennes

ST-GUÉNOLÉ – 29 Finistère – 308 E8 – ✉ 29760 Penmarch 9 **A2**
Bretagne

▶ Paris 587 – Douarnenez 47 – Guilvinec 8 – Pont-l'Abbé 14 – Quimper 34
🛈 Office de tourisme, Pl. du Mar. Davout ☏ 02 98 58 81 44, Fax 02 98 58 86 62
◉ Musée préhistorique ★ - ≤★★ du phare d'Eckmühl★ S : 2,5 km – Église★ de Penmarch SE : 3 km – Pointe de la Torche ≤★ NE : 4 km.

Sterenn
plage de la Joie – ☏ 02 98 58 60 36 – www.hotel-sterenn.com – contact@hotel-sterenn.com – Fax 02 98 58 71 28 – Fermé janv.
16 ch – †46/98 € ††46/98 €, ⊆ 11 € – ½ P 65/98 €
Rest – (fermé lundi) Menu (15 €), 22/39 € – Carte 25/65 €
◆ Face à la plage, grand édifice (1978) coiffé d'un toit d'ardoise. Chambres sobres et nettes, et la nature préservée de la Côte sauvage pour écrin.

Les Ondines
90 r. Pasteur, rte du phare d'Eckmühl – ☏ 02 98 58 74 95 – www.lesondines.com – hotel@lesondines.com – Fax 02 98 58 73 99 – Ouvert 3 avril-15 nov. et fermé mardi sauf juil.-août
14 ch – †52/68 € ††52/68 €, ⊆ 8 € – ½ P 52/62 €
Rest – Menu 17/40 € – Carte 30/65 €
◆ On accède par une impasse à cette construction bretonne ancrée à deux pas de la mer, à l'extrême pointe du pays bigouden. Plaisantes chambres au décor marin. Salle à manger-véranda où l'océan règne sur les repas : même la choucroute n'y échappe pas !

La Mer avec ch
184 r. F. Péron – ☏ 02 98 58 62 22 – www.hotelstgue.com – sannierloic@orange.fr – Fax 02 98 58 53 86 – Fermé 16-30 nov., 20 janv.-10 fév.
10 ch – †50/66 € ††50/66 €, ⊆ 9 € – ½ P 70/78 €
Rest – (fermé dim. soir et mardi soir hors saison et lundi sauf le soir en saison) Menu 22 € (sem.)/52 € – Carte 54/71 €
◆ Ce restaurant situé au 1ᵉʳ étage d'une maison de pays offre une jolie vue sur la baie. Les recettes régionales mettent à l'honneur la bonne pêche locale.

ST-GUILHEM-LE-DESERT – 34 Hérault – 339 G6 – 241 h. – alt. 89 m 23 **C2**
– ✉ 34150

▶ Paris 726 – Montpellier 41 – Lodève 31 – Millau 90
🛈 Office de tourisme, 3, parc d'activités de Calamcé ☏ 04 67 57 58 83

Le Guilhaume d'Orange
2 av. Guillaume d'Orange – ☏ 04 67 57 24 53 – www.guillaumedorange.com – contact@guilhaumedorange.com – Fax 04 67 60 38 56
– Fermé 15-23 déc. et merc.
10 ch – †67/87 € ††87/97 €, ⊆ 7,50 € – ½ P 57/72 €
Rest – Menu 19/26 € – Carte environ 35 €
◆ Face aux gorges de l'Hérault, cette bâtisse restaurée avec goût a su garder son cachet d'origine. Coquettes chambres romantiques à souhait, dotées du confort moderne. En salle ou sur la belle terrasse, vous apprécierez une cuisine simple et familiale.

ST-GUIRAUD – 34 Hérault – 339 F6 – rattaché à Clermont-l'Hérault

ST-HAON – 43 Haute-Loire – 331 E4 – 376 h. – alt. 1 000 m – ✉ 43340 6 **C3**
Auvergne

▶ Paris 559 – Langogne 25 – Mende 68 – Le Puy-en-Velay 29

Auberge de la Vallée avec ch
– ☏ 04 71 08 20 73 – auberge-de-la-vallée.fr – aubergevallee43@wanadoo.fr – Fax 04 71 08 29 21 – Fermé 1ᵉʳ janv.-20 mars, dim. soir et lundi d'oct. à avril
10 ch – †40 € ††47 €, ⊆ 8 € – ½ P 46 € **Rest** – Menu 17/38 € – Carte 25/44 €
◆ Auberge familiale modeste établie dans un village d'altitude. Grande salle aux tables simplement dressées pour des repas traditionnels connotés terroir. Chambres proprettes.

ST-HAON-LE-VIEUX – 42 Loire – **327** C3 – rattaché à Renaison

ST-HERBLAIN – 44 Loire-Atlantique – **316** G4 – rattaché à Nantes

ST-HILAIRE-DE-BRETHMAS – 30 Gard – **339** J4 – rattaché à Alès

ST-HILAIRE-DES-LOGES – 85 Vendée – **316** L9 – 1 788 h. – alt. 48 m   35 **C3**
– ✉ 85240

▪ Paris 444 – Nantes 130 – La Roche-sur-Yon 77 – Niort 34 – Bressuire 53

✗ Le Pantagruelion   VISA ⓂⒸ
9 r. Octroi – ✆ 02 51 00 59 19 – lepantagruelion@wanadoo.fr
– Fax 02 51 51 29 55 – Fermé sam. midi, dim. soir et merc.
Rest – Menu (17 €), 21/28 € – Carte 35/48 €

♦ Plafond poutré, murs en pierre et sol en jonc tressé : un cadre rustique agréable pour déguster une appétissante cuisine traditionnelle valorisant les producteurs régionaux.

ST-HILAIRE-D'OZILHAN – 30 Gard – **339** M5 – rattaché à Remoulins

ST-HILAIRE-DU-HARCOUËT – 50 Manche – **303** F8 – 4 273 h.   32 **A3**
– alt. 70 m – ✉ 50600 ▌Normandie Cotentin

▪ Paris 339 – Alençon 100 – Avranches 27 – Caen 102 – Fougères 29 – Laval 66 – St-Lô 69

🛈 Office de tourisme, place du Bassin ✆ 02 33 79 38 88, Fax 02 33 79 38 89

◉ Centre d'Art Sacré★.

🏨 Le Cygne et Résidence   VISA ⓂⒸ ⒶⒺ
99 r. Waldeck Rousseau, rte de Fougères –
✆ 02 33 49 11 84 – www.hotel-le-cygne.fr – contact@hotel-le-cygne.fr
– Fax 02 33 49 53 70 – Fermé vend. soir et dim. soir d'oct. à Pâques
30 ch – †54 € ††68 €, ☲ 9 € – ½ P 60/80 €
Rest – Menu 17/72 € bc – Carte 35/80 €

♦ Hébergement familial partagé entre une plaisante résidence bourgeoise et une construction récente. Chambres sobrement agencées, plus calmes sur l'arrière. À table, produits de la mer, recettes normandes et belle carte des vins. Terrasse côté jardin.

ST-HILAIRE-LE-CHÂTEAU – 23 Creuse – **325** I5 – 273 h.   25 **C1**
– alt. 453 m – ✉ 23250

▪ Paris 385 – Guéret 27 – Le Palais-sur-Vienne 56 – Limoges 64

à l'Est 3 km par D 941 (rte Aubenas), D10 et rte secondaire
– ✉ 23250 St-Hilaire-le-Château

⌂ Château de la Chassagne 🍃   P
La Chassagne – ✆ 05 55 64 55 75 – www.chateau-lachassagne.com – m.fanton@tiscali.fr – Fax 05 55 64 55 75
4 ch ☲ – †95 € ††140 €   **Table d'hôte** – Menu 30 € bc

♦ Beau château des 15e et 17e s. dans un parc où paissent des chevaux. Un escalier à vis dessert des chambres raffinées, dont une offre à la vue une superbe charpente. Table d'hôte.

ST-HILAIRE-ST-FLORENT – 49 Maine-et-Loire – **317** I5 – rattaché à Saumur

ST-HIPPOLYTE – 25 Doubs – **321** K3 – 936 h. – alt. 380 m – ✉ 25190   17 **C2**
▌Franche-Comté Jura

▪ Paris 490 – Basel 93 – Belfort 48 – Besançon 89 – Montbéliard 32 – Pontarlier 71

🛈 Office de tourisme, place de l'Hôtel de Ville ✆ 03 81 96 58 00

◉ Site★ - Vallée du Dessoubre★ S.

ST-HIPPOLYTE

Le Bellevue
rte de Maîche – ℰ 03 81 96 51 53 – www.hotel.bellevue.free.fr – hotel.bellevue@free.fr – Fax 03 81 81 96 52 40 – Fermé 2-16 janv., dim. soir et vend. soir de sept. à avril
16 ch – †54/60 € ††57/68 €, ⍁ 10 € – ½ P 59/67 €
Rest – (fermé lundi midi) Menu (12 €), 25/35 € – Carte 32/49 €

♦ Hostellerie ancienne au bord du Dessoubre. Chambres rénovées par étapes, les plus récentes sont celles aménagées sous les toits. Selon la saison, poisson de rivière ou gibier à déguster dans une charmante salle à manger ou sur une terrasse panoramique.

ST-HIPPOLYTE – 68 Haut-Rhin – 315 I7 – 1 049 h. – alt. 234 m — 2 C1
– ✉ 68590 ▍Alsace Lorraine

▶ Paris 439 – Colmar 21 – Ribeauvillé 8 – St-Dié 42 – Sélestat 10 – Villé 18
◉ Château du Haut-Koenigsbourg★★ : ✻★★ NO : 8 km.

Le Parc
6 r. du Parc – ℰ 03 89 73 00 06 – www.le-parc.com – hotel-le-parc@wanadoo.fr – Fax 03 89 73 04 30 – Fermé 29 juin-9 juil. et 11 janv.-5 fév.
26 ch – †75 € ††88/140 €, ⍁ 14 € – 5 suites – ½ P 90/125 €
Rest – (fermé dim. soir, lundi et mardi) Menu (36 €), 45/70 €
Rest *Winstub Rabseppi-Stebel* – (fermé lundi midi et mardi midi) Menu (10 €), 20/70 € – Carte 32/62 €

♦ Profusion de couleurs, à l'intérieur comme à l'extérieur, dans cet hôtel situé face à un parc. Chambres raffinées, progressivement rénovées, et bons équipements de loisirs. Cuisine dans l'air du temps au restaurant. Spécialités et vins du cru à la Winstub.

Hostellerie Munsch Aux Ducs de Lorraine
– ℰ 03 89 73 00 09 – www.hotel-munsch.com
– hotel.munsch@wanadoo.fr – Fax 03 89 73 05 46 – Fermé 15-30 nov. et mi-janv. à mi-fév.
40 ch – †50/70 € ††80/124 €, ⍁ 12 € – ½ P 82/104 €
Rest – (fermé 29 juin-10 juil., mardi soir et merc.) Menu 16 € (déj. en sem.), 23/56 € – Carte 23/56 €

♦ Dans cette imposante auberge d'allure régionale, les chambres personnalisées (parfois avec balcon) donnent sur le château du Haut-Koenigsbourg ou sur les vignes. Boiseries sculptées, terrasse fleurie, plats traditionnels et carte de vins régionaux au restaurant.

ST-HUBERT – 57 Moselle – 307 I3 – 233 h. – alt. 220 m – ✉ 57640 — 27 C1
▶ Paris 336 – Luxembourg 63 – Metz 21 – Saarbrücken 69

La Ferme de Godchure sans rest
r. Principale – ℰ 03 87 77 03 96 – www.lafermedegodchure.fr
– godchure@wanadoo.fr
4 ch ⍁ – †75/95 € ††75/95 €

♦ Aux portes d'un village agreste, maison d'hôtes logée dans la grange d'une ex-ferme cistercienne. Chambres personnalisées, bon accueil et service aux petits soins. Minispa.

ST-ISIDORE – 06 Alpes-Maritimes – 341 E5 – rattaché à Nice

ST-JACQUES-DES-BLATS – 15 Cantal – 330 E4 – 330 h. – alt. 990 m — 5 B3
– ✉ 15800
▶ Paris 536 – Aurillac 32 – Brioude 76 – Issoire 91 – St-Flour 39

L'Escoundillou
rte de la gare – ℰ 04 71 47 06 42 – www.hotel-escoundillou.com
– hotel-escoundillou@wanadoo.fr – Fax 04 71 47 00 97 – Fermé 15 nov.-20 déc., vend. soir et sam. du 15 oct. au 15 nov.
12 ch – †43 € ††46 €, ⍁ 8 € – ½ P 45/48 € **Rest** – Menu 14/24 €

♦ Au bord d'une pittoresque route de campagne, petite cachette ("escoundillou" en patois) idéale pour ceux qui aiment la verdure. Chambres fraîches et nettes. Cuisine cantalienne servie dans une salle claire et sobre.

ST-JACQUES-DES-BLATS

Le Brunet
– ℰ 04 71 47 05 86 – www.hotel-brunet.com – hotel.brunet@wanadoo.fr
– Fax 04 71 47 04 27
15 ch – †43/55 € ††43/55 €, ☲ 7 € – ½ P 43/55 €
Rest – Menu 16/30 € – Carte environ 21 €
◆ En contrebas du village, bâtiments récents construits dans le style du pays. Chambres bien agencées, souvent dotées de balcons tournés vers la vallée de la Cère. Spécialités auvergnates servies dans un cadre sobre ou sur la terrasse d'été dressée face au pré.

Le Griou
– ℰ 04 71 47 06 25 – www.hotel-griou.com – hotel.griou@wanadoo.fr
– Fax 04 71 47 00 16 – Fermé 20 oct.-20 déc.
16 ch – †45/53 € ††45/53 €, ☲ 7 € – ½ P 45/49 €
Rest – Menu 15/32 € – Carte 23/30 €
◆ Entouré par les monts du Cantal, cette pension de famille dispose d'un agréable jardin sur l'arrière, surplombant la rivière. Chambres sobres. Cuisine régionale (pountis, potées auvergnates) servie dans un cadre d'esprit rustique avec vue sur la campagne.

ST-JAMES – 50 Manche – 303 E8 – 2 917 h. – alt. 100 m – ⊠ 50240   32 A3
Normandie Cotentin

▶ Paris 357 – Avranches 21 – Fougères 29 – Rennes 69 – St-Lô 78 – St-Malo 61
🛈 Office de tourisme, 21, rue de la Libération ℰ 02 33 89 62 12, Fax 02 33 89 62 09
◉ Cimetière américain

Normandie
2 pl. Bagot – ℰ 02 33 48 31 45 – www.hotel-normandiehotel.com
– Normandie-hotel.saint-james@hotmail.fr – Fax 02 33 48 31 37
– Fermé 20 déc.-5 janv. et dim. soir sauf fériés
10 ch – †33/45 € ††35/55 €, ☲ 6,50 € – ½ P 49/53 €
Rest – Menu 16/24 € – Carte 19/43 €
◆ Auberge de village située aux confins de la Bretagne et de la Normandie. Les chambres, sobrement meublées, sont plus grandes au 1ᵉʳ étage. Restaurant au cadre rustique dont la carte privilégie les fruits de mer. À midi, plats du jour servis au bar animé.

ST-JEAN – 06 Alpes-Maritimes – 341 C6 – rattaché à Pégomas

ST-JEAN-AUX-AMOGNES – 58 Nièvre – 319 D9 – 462 h.   7 B2
– alt. 230 m – ⊠ 58270

▶ Paris 252 – Bourges 81 – Château-Chinon 51 – Clamecy 61 – Nevers 16

Le Relais de Bourgogne
– ℰ 03 86 58 61 44 – Fax 03 86 58 61 44 – Fermé 2-22 janv., dim. soir et merc.
Rest – Menu 23/40 € – Carte 31/50 €
◆ Derrière la façade rénovée de cette maison de village, chaleureux intérieur campagnard et véranda ouverte sur un sympathique jardin-terrasse. Plats traditionnels.

ST-JEAN-AUX-BOIS – 60 Oise – 305 I4 – rattaché à Pierrefonds

ST-JEAN-CAP-FERRAT – 06 Alpes-Maritimes – 341 E5 – 2 103 h.   42 E2
– alt. 12 m – ⊠ 06230 **Côte d'Azur**

▶ Paris 935 – Menton 25 – Nice 8
🛈 Office de tourisme, 59, avenue Denis Semeria ℰ 04 93 76 08 90, Fax 04 93 76 16 67
◉ Site de la Villa Ephrussi-de-Rothschild★★ M : musée Île de France★★, jardins★★ - Phare ✻★★ - Pointe de St-Hospice : ≤★ de la chapelle, sentier★ - Promenade Maurice-Rouvier★.

1665

ST-JEAN-CAP-FERRAT

Albert-1er (Av.)	2
Gaulle (Bd Gén.-de)	6
Grasseuil (Av.)	7
Libération (Bd)	9
Mermoz (Av. J.)	12
Passable (Ch. de)	13
Phare (Av. du)	14
Prince-Rainier III de Monaco (Av.)	3
Puncia (Av. de la)	15
Sabatier (Av. Marie-Louise)	5
St-Jean (Pont)	16
Sauvan (Bd H.)	17
Serneria (Av. D.)	18
Verdun (Av. de)	20
Vignon (Av. C.)	21

Les flèches noires indiquent les sens uniques supplémentaires l'été

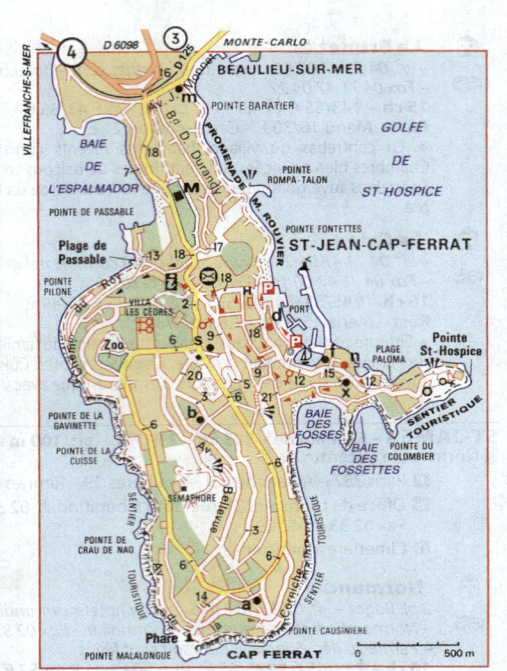

Grand Hôtel du Cap Ferrat
71 bd Gén.de Gaulle,
au Cap-Ferrat – ℰ 04 93 76 50 50 – www.grand-hotel-cap-ferrat.com – reserv @ grand-hotel-cap-ferrat.com – Fax 04 93 76 04 52
– Fermé 1er mars-30 avril **a**
49 ch – †250/1550 € ††250/1550 €, ⊊ 45 € – 24 suites
Rest *Le Cap* – *(fermé le midi sauf week-end)* Menu 135 € – Carte 137/217 €
Rest *Club Dauphin* – rest. de piscine *(déj. seult)* Menu (60 €) – Carte 88/106 €
Spéc. Lasagne au caviar d'aubergine, jeunes poireaux à l'huile d'olive. Dos d'agneau "allaiton" de l'Aveyron, aubergine et kumquat. Tendance chocolat à l'orange, sorbet cacao. **Vins** Vin de Pays du Var, Bandol.

♦ Vous traverserez le superbe parc en funiculaire privé – et climatisé ! – pour rejoindre le bassin à débordement de ce luxueux palace (1908) entièrement redécoré. Vue sur la mer. Restaurant raffiné, sublime terrasse et cuisine classique. Repas face à la piscine au Club Dauphin.

Royal Riviera
3 av. J. Monnet – ℰ 04 93 76 31 00 – www.royal-riviera.com – resa @ royal-riviera.com – Fax 04 93 01 23 07 – Fermé 29 nov.-17 janv. **m**
94 ch – †250/1415 € ††250/1415 €, ⊊ 36 € – 3 suites
Rest *Le Panorama* – *(dîner seult en juil.-août)* Menu 53 € – Carte 89/139 €
Rest *La Pergola* – rest. de piscine *(ouvert mi-avril à mi-oct.) (déj. seult)*
Carte 46/109 €

♦ Palace bâti en 1904 et son beau jardin au bord de l'eau. Chambres raffinées, tournées pour la plupart vers le large (décor provençal contemporain à l'Orangerie). Élégantes salles à manger feutrées au Panorama. Buffets et grillades à la Pergola (brunch le dimanche).

ST-JEAN-CAP-FERRAT

La Voile d'Or 🌿
7 av. Jean Mermoz, au port – ℰ 04 93 01 13 13 – www.lavoiledor.fr
– reservation@lavoiledor.fr – Fax 04 93 76 11 17 – Ouvert de début avril à
début oct.   **f**
45 ch ☑ – †196/890 € ††270/890 €
Rest – Menu (48 € bc), 85/110 € – Carte 110/190 €
♦ Idéalement situé face au port de plaisance, avec piscines en bord de mer et décor soigné : l'hôtel, ancré sur un rocher, est la promesse d'un agréable séjour. Salle à manger panoramique, belle terrasse d'été et table classique. Petite restauration sur la plage.

Brise Marine sans rest 🌿
av. J. Mermoz – ℰ 04 93 76 04 36 – www.hotel-brisemarine.com – info@
hotel-brisemarine.com – Fax 04 93 76 11 49 – Ouvert de fév. à oct.
16 ch – †150/178 € ††150/178 €, ☑ 14 €   **x**
♦ En surplomb d'une rue calme, jolie villa de style italien (1878) recevant ses clients dans de coquettes chambres. La terrasse des petits-déjeuners domine le jardin en espaliers.

Le Panoramic sans rest 🌿
3 av. Albert 1er – ℰ 04 93 76 00 37 – www.hotel-lepanoramic.com – info@
hotel-lepanoramic.com – Fax 04 93 76 15 78 – Fermé 15 nov.-25 déc.
20 ch – †145 € ††145/175 €, ☑ 12 €   **s**
♦ Enseigne-vérité pour cet hôtel familial des années 1950 : vue exceptionnelle sur le golfe, le Cap et la ville. Chambres un peu désuètes, mais bien tenues et pourvues de balcons.

Clair Logis sans rest 🌿
12 av. Prince Rainier III de Monaco – ℰ 04 93 76 51 81 – www.hotel-clair-logis.fr
– hotel.clair.logis@orange.fr – Fax 04 93 76 51 82 – Fermé 10 nov.-20 déc. et
10 janv.-6 mars   **b**
18 ch – †90/115 € ††105/175 €, ☑ 13 €
♦ Le général de Gaulle fut l'un des célèbres hôtes de cette villa provençale nichée dans un agréable parc. Chambres de caractère ou confort plus modeste à l'annexe.

La Table du Cap (Laurent Poulet)
2 av. Denis-Séméria – ℰ 04 93 76 03 97 – www.laurentpoulet.com
– latableducap@laurentpoulet.com – Fax 04 93 76 05 39 – Ouvert mars-oct.
et fermé lundi et mardi   **d**
Rest – (nombre de couverts limité, prévenir) Menu (25 € bc), 37 € (déj.), 47 €
bc/80 € – Carte 70/130 €
Spéc. Tartare d'un filet de Saint-Pierre et barigoule de fenouil. Cœur de queue de lotte rôtie au romarin. "Cécile", le tout chocolat !
♦ Cet agréable restaurant profite d'une terrasse ombragée et d'expositions de sculptures et tableaux contemporains. Cuisine provençale actualisée et inventive.

Capitaine Cook
11 av. J. Mermoz – ℰ 04 93 76 02 66
– Fax 04 93 76 02 66 – Fermé 4 nov.-26 déc., jeudi midi et merc.   **n**
Rest – Menu 26/31 € – Carte 44/66 €
♦ Dans un recoin discret du Cap, restaurant propret où l'on mange au coude à coude dans une salle rustique ou sur une petite terrasse. Plats traditionnels aux saveurs iodées.

ST-JEAN D'ALCAS – 12 Aveyron – 338 K7 – ✉ 12250   29 **D2**
Languedoc Roussillon

▶ Paris 677 – Toulouse 170 – Rodez 118 – Millau 35 – Saint-Affrique 14

Le Moulin de Gauty sans rest 🌿
– ℰ 05 65 97 51 90 – www.moulindegauty.com – contact@moulindegauty.com
4 ch ☑ – †70/110 € ††80/120 €
♦ En pleine nature, ancien moulin propice au repos et à la détente. Chambres de style contemporain épuré et beau jardin traversé par une rivière. VTT à disposition et piscine.

ST-JEAN-D'ANGÉLY – 17 Charente-Maritime – 324 G4 – 7 491 h.   38 **B2**
– alt. 25 m – ✉ 17400 **Poitou Vendée Charentes**

▶ Paris 444 – La Rochelle 72 – Niort 48 – Royan 69 – Saintes 36

🛈 Office de tourisme, 8, rue Grosse Horloge ℰ 05 46 32 04 72,
Fax 05 46 32 20 80

ST-JEAN-D'ANGÉLY

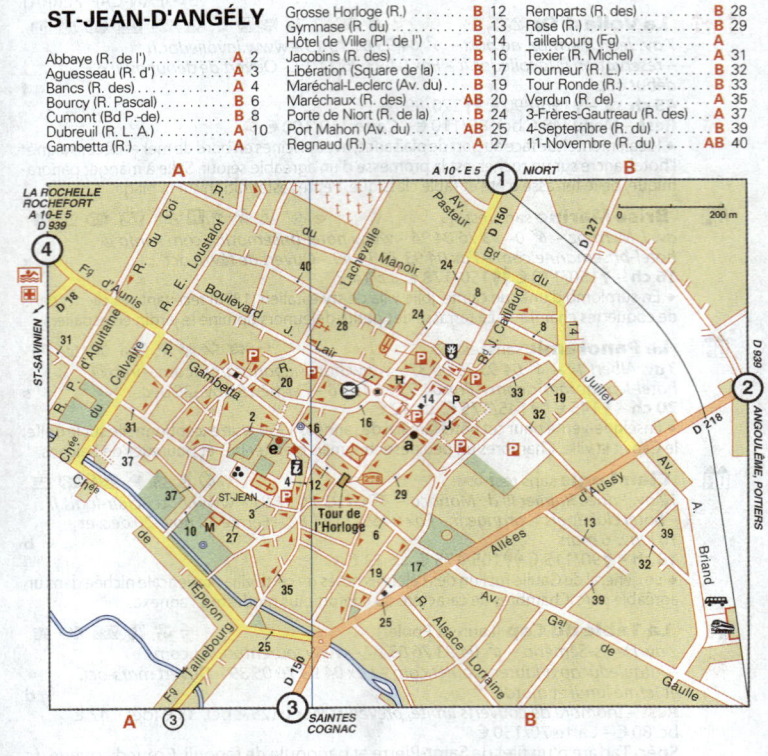

Abbaye (R. de l')	**A** 2
Aguesseau (R. d')	**A** 3
Bancs (R. des)	**A** 4
Bourcy (R. Pascal)	**B** 6
Cumont (Bd P.-de)	**B** 8
Dubreuil (R. L. A.)	**A** 10
Gambetta (R.)	**A**
Grosse Horloge (R.)	**B** 12
Gymnase (R. du)	**B** 13
Hôtel de Ville (Pl. de l')	**B** 14
Jacobins (R. des)	**B** 16
Libération (Square de la)	**B** 17
Maréchal-Leclerc (Av. du)	**B** 19
Maréchaux (R. des)	**AB** 20
Porte de Niort (R. de la)	**B** 24
Port Mahon (Av. du)	**AB** 25
Regnaud (R.)	**A** 27
Remparts (R. des)	**B** 28
Rose (R.)	**B** 29
Taillebourg (Fg)	**A**
Texier (R. Michel)	**A** 31
Tourneur (R. L.)	**B** 32
Tour Ronde (R.)	**B** 33
Verdun (R. de)	**B** 35
3-Frères-Gautreau (R. des)	**A** 37
4-Septembre (R. du)	**B** 39
11-Novembre (R. du)	**AB** 40

De la Place
pl. Hôtel de Ville – ℘ *05 46 32 69 11 – www.hoteldelaplace.net – paris.mail.sinclair @ wanadoo.fr – Fax 05 46 32 08 44 – Fermé vacances de la Toussaint et 1er-21 janv.*
10 ch – †48/60 € ††58/64 €, ⊇ 6,50 €   **B a**
Rest – Menu (12 €), 18/47 € – Carte 32/48 €

♦ Au cœur de la ville et proche du centre historique, établissement familial disposant de chambres simples et bien insonorisées. Un programme de rénovation est en cours. Cuisine au goût du jour servie dans une agréable salle de type bistrot.

Le Scorlion
5 r. Abbaye – ℘ *05 46 32 52 61 – robertcr@hotmail.com – Fax 05 46 59 99 90 – Fermé 14-20 avril, 28 oct.-12 nov., 23 fév.-8 mars, merc. soir d'oct. à mai, dim. soir et lundi*   **A e**
Rest – Menu (15 €), 17/48 €

♦ Dans les murs de l'ex-abbaye royale, restaurant sympathique et confortable, mariant avec bonheur l'ancien et le contemporain. Répertoire culinaire au goût du jour.

ST-JEAN-DE-BLAIGNAC – 33 Gironde – 335 K6 – 374 h. – alt. 50 m   4 **C1**
– ✉ 33420

▸ Paris 592 – Bergerac 56 – Bordeaux 40 – Libourne 17 – La Réole 29

Auberge St-Jean
8 r. du Pont – ℘ *05 57 74 95 50 – Fax 05 57 84 51 57 – Fermé 7-19 déc., mardi soir en hiver, merc. sauf le midi en saison et dim. soir*
Rest – Menu (28 €), 46 € – Carte 60/80 €

♦ Ex-relais de poste tourné vers la Dordogne. Un salon feutré orné de vieux cuivres donne accès à deux salles de bon goût, dont une terrasse fermée. Repas classique actualisé.

ST-JEAN-DE-BRAYE – 45 Loiret – 318 I4 – rattaché à Orléans

ST-JEAN-DE-LUZ – 64 Pyrénées-Atlantiques – 342 C4 – 13 300 h.   3 **A3**
– alt. 3 m – Casino **ABY** – ✉ 64500 ▊ **Aquitaine**

- Paris 785 – Bayonne 24 – Biarritz 18 – Pau 129 – San Sebastián 31
- Office de tourisme, pl. du Maréchal Foch ✆ 05 59 26 03 16, Fax 05 59 26 21 47
- de Chantaco Route d'Ascain, par rte d'Ascain : 2 km, ✆ 05 59 26 14 22
- de la Nivelle à Ciboure Pl. William Sharp, S : 3 km par D 704, ✆ 05 59 47 18 99
- Port★ – Église St-Jean-Baptiste★★ – Maison Louis-XIV★ **N** – Corniche basque★★ par ④ – Sémaphore de Socoa ≤★★ 5 km par ④.

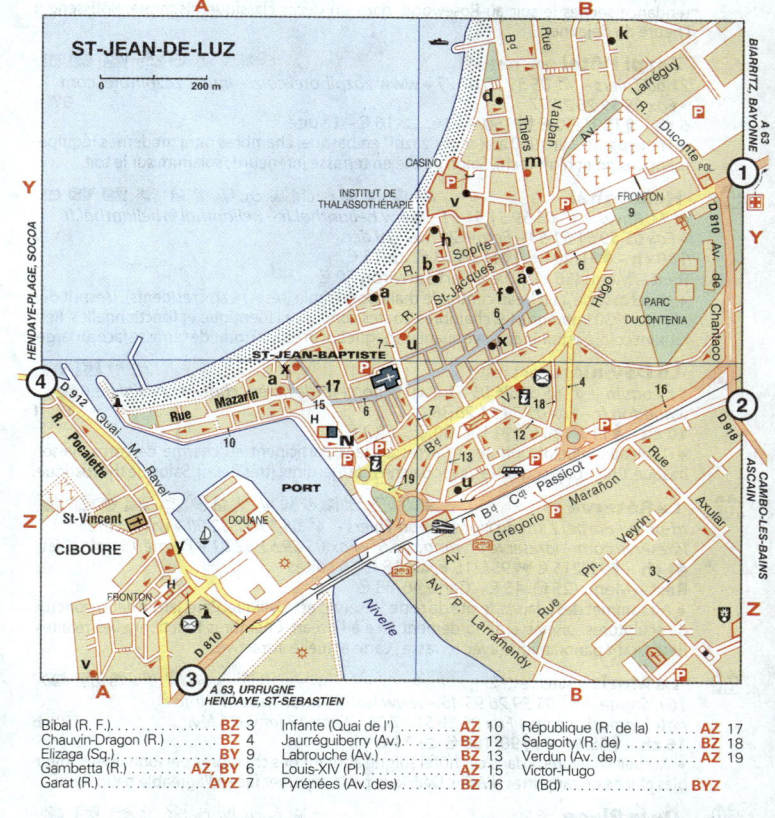

Bibal (R. F.)......**BZ** 3	Infante (Quai de l')......**AZ** 10	République (R. de la)......**AZ** 17
Chauvin-Dragon (R.)......**BZ** 4	Jaurréguiberry (Av.)......**BZ** 12	Salagoity (R. de)......**BZ** 18
Elizaga (Sq.)......**BY** 9	Labrouche (Av.)......**BZ** 13	Verdun (Av. de)......**AZ** 19
Gambetta (R.)......**AZ, BY** 6	Louis-XIV (Pl.)......**AZ** 15	Victor-Hugo
Garat (R.)......**AYZ** 7	Pyrénées (Av. des)......**BZ** 16	(Bd)......**BYZ**

🏠 **Parc Victoria** 🌿 🍴 🏊 🖥 AC 🛰 🅿 VISA 🞋 AE ①
5 r. Cépé, par bd Thiers et rte Quartier du Lac – ✆ 05 59 26 78 78
– www.parcvictoria.com – parcvictoria@relaischateaux.com – Fax 05 59 26 78 08
– Ouvert 15 mars-14 nov. et 19 déc.-3 janv.
13 ch – ♦140/320 € ♦♦170/360 €, ⊇ 20 € – 5 suites – ½ P 138/233 €
Rest *Les Lierres* – (fermé le midi sauf week-ends et fériés) Menu 40/85 €
– Carte 70/95 €

♦ Villa fin 19ᵉ s. et ses annexes au cœur d'un parc très fleuri (piscine, jacuzzi). Décor cossu où le mobilier Art déco est omniprésent. Suites dotées d'un jardinet privé. Salles à manger-véranda logées dans un pavillon verdoyant : ambiance jardin d'hiver ou style 1930.

1669

ST-JEAN-DE-LUZ

Grand Hôtel
43 bd Thiers – ℰ 05 59 26 35 36 – www.luzgrandhotel.fr
– reservation@luzgrandhotel.fr – Fax 05 59 51 99 84
BY **d**
52 ch – †170/320 € ††170/320 €, ⊇ 30 € – 3 suites
Rest *Le Rosewood* – *(fermé lundi et mardi) (dîner seult)* Menu 45/110 €
– Carte 75/110 €
Rest *La Rôtisserie* – *(fermé le soir du merc. au dim.)* Menu 45/70 € – Carte 75/110 €
Spéc. Cannelloni de mangue et chair de tourteau à la coriandre (15 mai au 15 sept.). Suprême de Saint-Pierre au croustillant de boudin des Aldudes. Soufflé chaud et gaspacho pomme verte, sorbet manzana (15 sept. au 15 fév.). **Vins** Irouléguy.
♦ Ce "grand hôtel" balnéaire de la Belle Époque séduit par son élégant mobilier, ses équipements actuels et ses chambres raffinées. Spa haut de gamme. Savoureuses recettes tendance servies le soir au Rosewood, dans un décor classique distingué. Rôtisserie à l'heure du déjeuner.

Zazpi Hôtel sans rest
21 bd Thiers – ℰ 05 59 26 07 77 – www.zazpihotel.com – info@zazpihotel.com
– Fax 05 59 26 27 77
BY **a**
6 ch – †150/450 € ††150/450 €, ⊇ 16 € – 1 suite
♦ Hôtel particulier 1900 aux sept ("zazpi" en basque) chambres ultra modernes (équipement design et high-tech). Salon de thé en terrasse intérieure ; solarium sur le toit.

Hélianthal
pl. M. Ravel – ℰ 05 59 51 51 51 – www.helianthal.fr – helianthal@helianthal.fr
– Fax 05 59 51 51 54 – Fermé 29 nov.-19 déc.
BY **v**
100 ch – †91/201 € ††113/273 €, ⊇ 15 €
Rest – Menu (36 €), 40 € – Carte environ 50 €
♦ Hôtel associé à un beau centre de thalassothérapie (réservé aux résidents). L'esprit des années 1930 imprègne les chambres, toutes conçues à l'identique et fonctionnelles. Restaurant coloré et lumineux, évoquant un paquebot (fresque) ; grande terrasse face au large.

La Devinière sans rest
5 r. Loquin – ℰ 05 59 26 05 51 – www.hotel-la-deviniere.com – la.deviniere.64@wanadoo.fr – Fax 05 59 51 26 38
BY **f**
10 ch – †110/180 € ††110/180 €, ⊇ 12 €
♦ Tableaux, bibelots, photos et livres anciens participent au charme de cette maison basque. Chambres coquettes, avec balcons côté jardinet (très fleuri). Salon de thé rustique.

La Réserve
rd-pt Ste-Barbe, 2 km au Nord par bd Thiers – ℰ 05 59 51 32 00 – www.hotel-lareserve.com – lareserve@wanadoo.fr – Fax 05 59 51 32 01 – Fermé 15 nov.-5 fév.
41 ch – †95/215 € ††95/215 €, ⊇ 15 € – 6 suites
Rest – Menu (25 €), 45 € – Carte 46/63 €
♦ Au sommet des falaises, le site de cette "réserve" est idyllique. Parc, jardin fleuri ponctué de sculptures, piscine à débordement face à l'océan. Chambres fonctionnelles refaites. Restaurant panoramique avec terrasse ; carte actuelle attractive.

La Marisa sans rest
16 r. Sopite – ℰ 05 59 26 95 46 – www.hotel-lamarisa.com – info@hotel-lamarisa.com – Fax 05 59 51 17 06 – Fermé 3 janv.-11 fév.
BY **b**
16 ch – †85/99 € ††90/160 €, ⊇ 11 €
♦ Accueil chaleureux dans cet hôtel soigné abritant des chambres personnalisées (meubles chinés ou rapportés d'Asie). Délicieux petit-déjeuner face à l'agréable patio fleuri.

De la Plage
promenade J. Thibaud – ℰ 05 59 51 03 44 – www.hoteldelaplage.com
– reservation@hoteldelaplage.com – Fax 05 59 51 03 48 – Fermé 15 nov.-17 déc. et 4 janv.-12 fév.
AY **a**
22 ch ⊇ – †88/169 € ††88/169 €
Rest *Le Brouillarta* – ℰ 05 59 51 29 51 *(fermé dim. soir et lundi sauf juil.-août)*
Menu (25 €) – Carte 32/45 €
♦ Comme son nom l'indique, cette grande bâtisse de style régional borde la grande bleue. Cadre actuel et fonctionnel dans les chambres situées en majorité côté mer. Cuisine régionale simple servie dans une ambiance bistrot avec la baie de Saint-Jean-de-Luz pour paysage.

ST-JEAN-DE-LUZ

Les Almadies sans rest
58 r. Gambetta – ℘ 05 59 85 34 48 – www.hotel-les-almadies.com
– hotel.lesalmadies@wanadoo.fr – Fax 05 59 26 12 42 – Fermé 12 nov.-5 déc.
7 ch – †85/105 € ††95/130 €, ⊇ 12 €   BY **x**

♦ Décor soigné (mélange d'ancien et de moderne) dans ce charmant petit hôtel bien restauré. Chambres impeccables, salle des petits-déjeuners un peu ethnique, miniterrasse fleurie.

Colbert sans rest
3 bd du Cdt Passicot – ℘ 05 59 26 31 99 – www.hotelcolbertsaintjeandeluz.com
– contact@hotelcolbertsaintjeanluz.com – Fax 05 59 51 05 61
– Fermé 29 nov.-8 janv.
34 ch – †72/126 € ††77/141 €, ⊇ 13 €   BZ **u**

♦ Face à la gare. La nouvelle décoration de l'hôtel mise sur la sobriété contemporaine, le bois clair et les camaïeux de marrons. Chambres confortables. Petit-déjeuner-buffet.

Villa Bel Air sans rest
60 promenade J. Thibaud – ℘ 05 59 26 04 86 – www.hotel-bel-air.com
– belairhotel@wanadoo.fr – Fax 05 59 26 62 34
– Ouvert 3 avril-15 nov.
21 ch – †84/147 € ††84/166 €, ⊇ 10 €   BY **h**

♦ Cette grande villa balnéaire basque (1850) cultive un esprit "pension de famille", à la mode d'antan. Petit salon cossu et chambres bien tenues, regardant en majorité la plage.

Les Goëlands
4 av. Etcheverry – ℘ 05 59 26 10 05 – www.hotel-lesgoelands.com – reception@hotel-lesgoelands.com – Fax 05 59 51 04 02 – Fermé 18-26 déc.
33 ch (½ P seult en juillet-août) – †40/60 € ††69/130 €, ⊇ 8 € – ½ P 68/100 €   BY **k**
Rest – *(ouvert 9 avril-3 nov.) (résidents seult)* Menu 21 €

♦ L'atmosphère familiale et le calme propre au quartier résidentiel caractérisent ces deux maisons basques (1902) bien rénovées. Mobilier ancien et cadre coquet.

Villa Argi-Eder sans rest
av. Napoléon III, 3 km par ①, D 810 et rte secondaire – ℘ 05 59 54 81 65
– www.chambresdhotes-argi-eder.com – villa-argi-eder.@wanadoo.fr
– Fax 05 59 51 26 51
4 ch – †55 € ††55 €, ⊇ 6 €

♦ Une adresse conviviale, à deux pas de la plage, loin de la foule. Vastes et paisibles, les chambres de plain-pied ouvrent sur des terrasses privées où il fait bon petit-déjeuner.

Le Kaïku
17 r. République – ℘ 05 59 26 13 20 – Fax 05 59 51 07 47 – Fermé 15-30 nov.,
15-30 janv., lundi midi en juil.-août, mardi et merc. sauf juil.-août   AZ **x**
Rest – Menu (25 €), 35/75 € – Carte 40/58 €

♦ Installé pour partie en sous-sol dans la plus vieille maison de Saint-Jean-de-Luz (16ᵉ s.), ce restaurant est une institution prisée. Cuisine actuelle et plateaux de fruits de mer.

Zoko Moko
6 r. Mazarin – ℘ 05 59 08 01 23 – zokomoko@hotmail.com
– Fax 05 59 51 01 77   AZ **a**
Rest – Menu (19 €), 25 € (déj. en sem.), 42/50 €

♦ Élégant décor contemporain dans une maison du 18ᵉ s. et cuisine méridionale mâtinée d'épices pour ce "coin tranquille" (zoko moko en basque), qui n'en est pas moins très couru.

Petit Grill Basque "Chez Maya"
2 r. St-Jacques – ℘ 05 59 26 80 76 – Fax 05 59 26 80 76 – Fermé 20 déc.-25 janv.,
jeudi midi, lundi midi et merc.   AY **u**
Rest – Menu 22/30 € – Carte 40/50 €

♦ Incontournable, cette auberge authentiquement basque ! Fresques et assiettes de Louis Floutier, cuivres et amusant système de ventilation manuelle. Cuisine régionale immuable.

Olatua
30 bd Thiers – ℘ 05 59 51 05 22 – www.olatua.fr – olatua@wanadoo.fr
– Fax 05 59 51 32 99   BY **m**
Rest – Menu (14 €), 35 €

♦ Institution locale revisitant le répertoire culinaire basque dans un cadre frais et coloré. Intérieur aux tons jaune et bleu ; terrasse d'été protégée et jardinet couvert.

ST-JEAN-DE-LUZ

à Urrugne 4 km par ③ – 7 759 h. – alt. 34 m – ⌂ 64122

🛈 Office de tourisme, place René Soubelet ✆ 05 59 54 60 80, Fax 05 59 54 63 49

Château d'Urtubie sans rest
– ✆ 05 59 54 31 15 – www.chateaudurtubie.fr – chateaudurtubie@wanadoo.fr
– Fax 05 59 54 62 51 – Ouvert d'avril à oct.
10 ch – †75/150 € ††85/160 €, ⌂ 11 €
◆ Sur la route de l'Espagne, château fort du 14ᵉ s. remanié au fil du temps. Aujourd'hui musée et hostellerie, il abrite des chambres de caractère garnies de meubles de style.

Auberge Chez Maïté avec ch
pl. de la Mairie – ✆ 05 59 26 14 62 – www.auberge-chezmaite.com
– aubergechezmaite@orange.fr – Fax 05 59 26 64 20 – Fermé 10 nov.-14 déc. et 5 janv.-15 fév.
7 ch – †75/120 € ††95/150 €, ⌂ 10 € – ½ P 95/115 €
Rest – (fermé dim. soir et lundi) Menu 29 € – Carte 43/52 €
◆ Sur la place de la mairie, petite salle de restaurant décorée dans le style basque, où l'on mange au coude à coude une cuisine traditionnelle du Sud-Ouest. Chambres neuves assez spacieuses, aux tons rouge et blanc et d'un équipement complet.

à Ciboure 1 km par ④ – 6 282 h. – alt. 3 m – ⌂ 64500

🛈 Office de tourisme, 27, quai Maurice Ravel ✆ 05 59 47 64 56, Fax 05 59 47 64 55

◉ Chapelle N.-D. de Socorri : site★ 5 km par ③.

voir plan de St-Jean-de-Luz

Chez Dominique
15 quai M. Ravel – ✆ 05 59 47 29 16 – Fax 05 59 47 29 16 – Fermé 2 sem. en mars, 2 sem. en déc., mardi de nov. à mars, dim. soir et lundi
Rest – Menu 30 € (sem.) – Carte 48/65 €
AZ y
◆ Le quai abrite la maison natale de Maurice Ravel (n°27) et cet accueillant restaurant au joli cadre marin éclairé de lamparos. Produits de l'océan et vins régionaux.

Chez Mattin
63 r. E. Baignol – ✆ 05 59 47 19 52 – Fax 05 59 47 05 57 – Fermé 14 juil.-30 août, dim. sauf fériés et lundi
AZ v
Rest – Carte 28/48 €
◆ Ambiance très familiale pour ce restaurant rustique aménagé dans une vieille maison de pays. Le choix de poissons dépend de la marée ; plats typiquement locaux.

à Socoa 3 km par ④ – ⌂ 64122

Iguski-Begui sans rest
8 chemin d'Atalaya – ✆ 06 63 08 03 93 – www.iguski-begui.com – info@iguski-begui.com – Fax 05 59 47 21 19
4 ch – †65 € ††65 €, ⌂ 8 €
◆ Dans cette belle maison avec vue sur la Rhune et la baie de St-Jean-de-Luz, chaque chambre a sa personnalité. Si vous voulez voir le phare de Socoa, optez pour la Sémaphore.

Pantxoa
au port de Socoa – ✆ 05 59 47 13 73 – Fax 05 59 47 01 54 – Fermé 15-30 nov., 5-31 janv. et mardi
Rest – Menu 27 € (sem.) – Carte 30/65 €
◆ La grande salle à manger offre le spectacle de tableaux basques et les véranda et terrasse (très prisée) celui de la baie. Dans l'assiette, les poissons frais ont le beau rôle.

ST-JEAN-DE-MAURIENNE – 73 Savoie – **333** L6 – 8 731 h. 46 **F2**
– alt. 556 m – ⌂ 73300 ▮ Alpes du Nord

▶ Paris 635 – Albertville 62 – Chambéry 75 – Grenoble 105

🛈 Office de tourisme, place de la Cathédrale ✆ 04 79 83 51 51, Fax 04 79 83 42 10

◉ Ciborium★ et stalles★★ de la cathédrale St-Jean-Baptiste.

ST-JEAN-DE-MAURIENNE

St-Georges sans rest
334 r. de la République – ℰ 04 79 64 01 06 – www.hotel-saintgeorges.com
– info@hotel-saintgeorges.com – Fax 04 79 59 84 84
30 ch – †50/53 € ††63/66 €, ⊆ 9 €

◆ Au calme, accueillant hôtel de 1866 proche du centre abrite de nouvelles chambres spacieuses et bien meublées. Confitures maison au petit-déjeuner, prix doux.

Nord
pl. Champ de Foire – ℰ 04 79 64 02 08 – www.hotelnord.net – info@hotelnord.net – Fax 04 79 59 91 31 – Fermé 4-19 avril, 24 oct.-8 nov., dim. soir sauf juil.-août et lundi midi
19 ch – †41/45 € ††58/60 €, ⊆ 8,50 € – ½ P 50 €
Rest – Menu (15 €), 25/52 € – Carte 30/70 €

◆ A proximité de la cathédrale et du musée Opinel, ancien relais de poste abritant des chambres simples et colorées. Dans une salle voûtée, la délicieuse carte de vins (sélection régionale) se conjugue à merveille aux recettes actualisées, service ad hoc.

Dorhotel sans rest
r. L. Sibué – ℰ 04 79 83 23 83 – www.dorhotel.com – info@dorhotel.com
– Fax 04 79 83 23 00
41 ch – †43/55 € ††50/57 €, ⊆ 7,50 €

◆ À 500 m de la gare, hôtel pratique aux chambres fonctionnelles. Formule buffet pour le petit-déjeuner, servi dans une salle assez vaste et actuelle. Prix attractif.

Déjeunez dehors, il fait si beau !
Optez pour une terrasse :

ST-JEAN-DE-MONTS – 85 Vendée – 316 D7 – 7 599 h. – alt. 16 m — 34 A3
– Casino : La Pastourelle – ⊠ 85160 ▮ Poitou Vendée Charentes

▶ Paris 451 – Cholet 123 – Nantes 73 – La Roche-sur-Yon 61
– Les Sables-d'Olonne 47

🛈 Office de tourisme, 67, esplanade de la Mer ℰ 08 26 88 78 87,
Fax 02 51 59 87 87

⛳ de Saint-Jean-de-Monts Avenue des Pays de la Loire, O : 2 km,
ℰ 02 51 58 82 73

Mercure
16 av. Pays de Monts – ℰ 02 51 59 15 15 – www.mercure-st-jean.com
– hotelmercurestjean@wanadoo.fr – Fax 02 51 59 91 03 – Fermé 3 janv.-1ᵉʳ fév.
44 ch – †94/168 € ††100/176 €, ⊆ 14 €
Rest – (fermé dim. midi du 1ᵉʳ nov. au 19 déc.) Menu (17 €), 27/38 €
– Carte 29/50 €

◆ Curistes et vacanciers apprécieront la proximité de la plage, du golf et du centre de thalassothérapie. Chambres de bon confort possédant toutes un balcon. Au choix, cuisine traditionnelle ou allégée. La vue sur les pins est comprise dans l'addition !

De la Forêt sans rest
13 r. Pouvreau – ℰ 02 51 58 00 36 – www.hotel-de-la-foret.fr – hotel.foret@gmail.com – Fermé janv. et fév.
16 ch – †64/103 € ††64/103 €, ⊆ 10 €

◆ Ce paisible hôtel en lisière de forêt sort d'une rénovation complète. Les chambres, réparties dans plusieurs maisons autour d'une minipiscine, sont plaisantes et insonorisées.

L'Espadon
8 av. de la Forêt – ℰ 02 51 58 03 18 – www.hotel-espadon.com – info@hotel-espadon.com – Fax 02 51 59 16 11
27 ch – †54/77 € ††54/77 €, ⊆ 6,50 € – ½ P 55/65 €
Rest – (fermé mi-nov. à début fév., dim. soir et lundi sauf de juin à sept.)
Menu 13 € bc (déj. en sem.), 22/35 € – Carte 25/43 €

◆ Sur une large avenue menant à la plage, construction des années 1970 abritant des chambres assez petites mais bien tenues (la plupart avec balcon). Cuisine iodée proposée dans deux salles à manger agréablement lumineuses.

ST-JEAN-DE-MONTS

Le Robinson
28 bd Gén. Leclerc – ℰ 02 51 59 20 20 – www.hotel-lerobinson.com – infos@hotel-lerobinson.com – Fax 02 51 58 88 03 – Fermé déc. et janv.
66 ch – †52/70 € ††52/77 €, ⊆ 8,50 € – ½ P 52/68 €
Rest – Menu (12 €), 16 € (sem.)/45 € – Carte 25/47 €
♦ Distribuées autour du patio-terrasse, les chambres, rénovées par étape, offrent différents niveaux de confort. Belle piscine intérieure et petite salle de musculation. Trois salles à manger accueillent les convives autour de produits de la mer.

La Cloche d'Or
26 av. des Tilleuls – ℰ 02 51 58 00 58 – www.laclochedor.com – la-cloche-dor@voila.fr – Fax 02 51 58 82 85 – Fermé 16 déc.-7 fév.
21 ch – †46/75 € ††46/75 €, ⊆ 8 € – ½ P 46/64 €
Rest – Menu 14 € (sem.)/32 € – Carte 25/41 €
♦ À mi-chemin entre le centre-ville et la plage, cet établissement tranquille est idéalement situé pour partir en balade. Chambres un peu étroites, mais pratiques et bien tenues. Salle à manger sobrement rustique et cuisine traditionnelle.

Le Petit St-Jean
128 rte Notre-Dame-de-Monts – ℰ 02 51 59 78 50 – Fermé dim. soir et merc.
Rest – Menu (18 €), 24/38 € – Carte 29/44 €
♦ Pierres, poutres, bibelots, cuivres et meubles anciens composent le sympathique décor de cette auberge où l'on déguste une cuisine traditionnelle influencée par la marée.

La Quich'Notte
200 rte Notre-Dame-de-Monts – ℰ 02 51 58 62 64 – ferdi.quichnotte@hotmail.fr – Ouvert 21 mars-15 sept. et fermé mardi midi, sam. midi et lundi sauf juil.-août
Rest – Menu 24/35 € – Carte 25/45 €
♦ Cuisine du terroir (spécialités de grenouilles et anguilles) servie dans une chaleureuse bourrine vendéenne datant du 19ᵉ s. La rotonde vitrée est utilisée les jours d'affluence.

à Orouët 7 km au Sud-Est sur D 38 – ✉ 85160

La Chaumière
103 av. Orouët – ℰ 02 51 58 67 44 – www.chaumierehotel.fr – hotelchaumiere@wanadoo.fr – Fax 02 51 58 98 12 – Fermé 16 nov.-2 fév.
32 ch – †47/67 € ††47/67 €, ⊆ 8 € – ½ P 48/57 €
Rest – (fermé dim. soir et lundi d'oct. à mars) Menu (12 €), 18/32 € – Carte 24/47 €
♦ Longue bâtisse aux auvents couverts de chaume, appréciable pour son grand jardin et sa piscine découvrable. Chambres assez petites, mais fraîches et bien tenues (quelques balcons). Salles à manger néo-rustiques sous charpente et cuisine traditionnelle.

Passée en rouge, la mention « Rest » repère l'établissement auquel est attribué notre distinction, ✿ (étoile) ou ⓑ (Bib Gourmand).

ST-JEAN-DE-SIXT – 74 Haute-Savoie – 328 L5 – 1 212 h. – alt. 963 m – ✉ 74450 ▌Alpes du Nord 46 **F1**

▶ Paris 561 – Annecy 28 – Bonneville 22 – Chamonix-Mont-Blanc 76 – La Clusaz 4 – Genève 48

🛈 Office de tourisme, ℰ 04 50 02 70 14, Fax 04 50 02 78 78

◉ Défilé des Étroits★ NO : 3 km.

Beau Site
La Ruaz – ℰ 04 50 02 24 04 – www.hotelbeausite.biz – hotelbeausite@hotmail.com – Fax 04 50 02 35 82 – Ouvert 7 juin-12 sept. et 19 déc.-13 avril
15 ch – †40/60 € ††55/80 €, ⊆ 8 € – ½ P 47/71 €
Rest – Menu (14 €), 18/24 € – Carte 24/32 €
♦ Cet hôtel-pension propose deux styles de chambres : savoyard avec lambris et tissus chaleureux, ou moderne et avant tout fonctionnel. Dans tous les cas, calme assuré. Les baies vitrées du restaurant dévoilent un joli panorama sur le village. Cuisine familiale.

ST-JEAN-DU-BRUEL – 12 Aveyron – 338 M6 – 690 h. – alt. 520 m — 29 D2
– ✉ 12230 ▌Languedoc Roussillon

▶ Paris 676 – Lodève 43 – Millau 40 – Montpellier 97 – Rodez 108 – Le Vigan 36

🛈 Office de tourisme, 32, Grand'Rue ℘ 05 65 62 23 64, Fax 05 65 62 12 82

◉ Gorges de la Dourbie★★ NE : 10 km.

Du Midi-Papillon
pl. du Manège – ℘ *05 65 62 26 04 – Fax 05 65 62 12 97*
– Ouvert 31 mars-11 nov.
18 ch – †36/64 € ††36/64 €, ⌑ 6 € – ½ P 41/57 €
Rest – Menu 15 € (sem.), 23/41 € – Carte 24/44 €

♦ Au bord de la Dourbie, maison ancienne romantique et douillette, alliant le charme du bien recevoir au confort de chambres joliment personnalisées. Pour les papilles, savoureuse cuisine du terroir ; pour l'œil, belle vue sur la rivière et le pont médiéval.

ST-JEAN-EN-ROYANS – 26 Drôme – 332 E3 – 2 895 h. – alt. 250 m — 43 E2
– ✉ 26190 ▌Alpes du Nord

▶ Paris 584 – Die 62 – Romans-sur-Isère 28 – Grenoble 71 – St-Marcellin 20 – Valence 44

🛈 Office de tourisme, 13, place de l'Église ℘ 04 75 48 61 39, Fax 04 75 47 54 44

au col de la Machine 11 km au Sud-Est par D 76 – alt. 1 011 m – ✉ 26190
◉ Combe Laval★★★.

Du Col de la Machine
– ℘ *04 75 48 26 36 – www.hotel-coldelamachine.com*
– jfaravello@aol.com – Fax 04 75 48 29 12
– Fermé 9-21 mars, 24 oct.-1ᵉʳ nov., 29 nov.-27 déc., 5-17 janv., mardi soir et merc. sauf juil.-août et vacances scolaires
11 ch – †53/56 € ††59/62 €, ⌑ 10 € – ½ P 63/66 €
Rest – *(fermé merc. midi en juil.-août)* Menu 18/42 € – Carte 30/60 €

♦ Bâtisse tenue en famille depuis 1848 au début de l'héroïque parcours de Combe Laval. Chambres en majorité rénovées (décor montagnard). Jardin en lisière de forêt. Salle de restaurant d'esprit chalet. Accueil et service soignés.

ST-JEAN-LE-THOMAS – 50 Manche – 303 C7 – 395 h. – alt. 20 m — 32 A2
– ✉ 50530

▶ Paris 350 – Avranches 16 – Granville 18 – St-Lô 71 – St-Malo 82 – Villedieu-les-Poêles 37

🛈 Syndicat d'initiative, 21, place Pierre le Jaudet ℘ 02 33 70 90 71, Fax 02 33 70 90 71

Des Bains
8 allée Clemenceau – ℘ *02 33 48 84 20 – www.hdesbains.fr – hdbains@orange.fr*
– Fax 02 33 48 66 42 – Ouvert 31 mars-2 nov. et fermé merc. en oct.
25 ch – †50/80 € ††58/80 €, ⌑ 8 € – ½ P 57/68 €
Rest – *(fermé merc. midi et jeudi midi sauf du 14 juil. au 31 août)* Menu (12 €), 16 € (sem.)/35 € – Carte 24/47 €

♦ Depuis 1912, la même famille vous accueille dans cet ensemble de maisons villageoises. Chambres à la mode d'antan. Piscine entourée d'un jardin. Grande salle à manger rustique et soignée, dotée d'un joli comptoir. Cuisine "mer et bocage".

ST-JEAN-PIED-DE-PORT – 64 Pyrénées-Atlantiques – 342 E6 — 3 B3
– 1 511 h. – alt. 159 m – ✉ 64220 ▌Pays Basque

▶ Paris 817 – Bayonne 54 – Biarritz 55 – Pau 106 – San Sebastián 96

🛈 Office de tourisme, 14, place Charles-de-Gaulle ℘ 05 59 37 03 57, Fax 05 59 37 34 91

◉ Trajet des pèlerins★ de St-Jacques.

ST-JEAN-PIED-DE-PORT

Çaro (Rte de)	2
Citadelle (R. de la)	4
Église (R. de l')	6
Espagne (R. d')	
France (R.)	12
Fronton (Av. du)	15
Gaulle (Pl. Ch.-de)	16
Liberté (R. de la)	17
St-Jacques (Ch. de)	18
St-Michel (Rte de)	21
Trinquet (Pl. du)	24
Uhart (R. d')	27
Zuharpeta (R.)	30

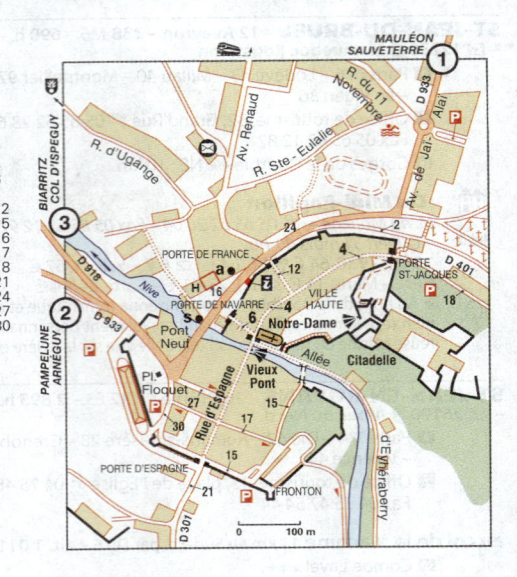

Les Pyrénées (Philippe et Firmin Arrambide)
pl. Ch. de Gaulle – ℘ 05 59 37 01 01
– www.hotel-les-pyrenees.com – pyrenees@relaischateaux.com
– Fax 05 59 37 18 97 – Fermé 20 nov.-22 déc., 5-28 janv., lundi soir de nov. à mars et mardi du 20 sept. au 30 juin sauf fériés a
14 ch – †110/260 € ††160/260 €, ⊇ 16 € – 4 suites – ½ P 160/220 €
Rest – *(prévenir en saison et le week-end)* Menu 45/105 € – Carte 60/110 €
Spéc. Assiette de langoustines aux quatre façons. Saumon sauvage de l'Adour grillé, sauce béarnaise. Gratin de fraises des bois du jardin (juil. à sept.). **Vins** Jurançon sec, Irouléguy.
◆ Ancien relais de diligences abritant de vastes chambres raffinées (belles salles de bains) et profitant d'une piscine entourée d'une végétation luxuriante. Séduisante cuisine basque réalisée à quatre mains (père et fils), servie dans la salle contemporaine ou la véranda.

Central
pl. Ch. de Gaulle – ℘ 05 59 37 00 22 *– Fax 05 59 37 27 79*
– Ouvert 11 mars-30 nov. et fermé mardi de mars à juin s
12 ch – †58/74 € ††62/77 €, ⊇ 9 € – ½ P 60/68 €
Rest – Menu 21/46 € – Carte 40/70 €
◆ Enseigne-vérité pour cet hôtel situé à deux pas de la citadelle. Escalier bicentenaire en bois ciré desservant de grandes chambres ancrées dans la tradition. Plats régionaux servis dans la salle à manger-véranda ou sur la miniterrasse au bord de la Nive.

à Estérençuby 8 km au Sud par D 301 – 382 h. – alt. 229 m – ⊠ 64220

Artzain Etchea
rte d'Iraty, 1km – ℘ 05 59 37 11 55 *– www.artzain-etchea.com – info@artzain-etchea.fr – Fax 05 59 37 20 16 – Ouvert 2 mars-19 nov. et fermé mardi et merc. sauf en saison*
11 ch – †50 € ††50 €, ⊇ 6,50 € – ½ P 47 € **Rest** – *(résidents seult)*
◆ Cette grande bâtisse blanche postée à flanc de montagne domine la Nive. Chambres sobres et bien tenues, parfois dotées de balcons. Forfaits pêche et chasse. Salle à manger agrémentée d'une charpente apparente et de photos pastorales. Cuisine du Pays basque.

ST-JEAN-PIED-DE-PORT

Les Sources de la Nive
à Béherobie – ℰ 05 59 37 10 57 – source.nive@wanadoo.fr – Fax 05 59 37 39 06
– *Fermé janv. et mardi hors saison*
26 ch – †50 € ††50 €, ⴹ 5 € – ½ P 45 € **Rest** – Menu 14/30 € – Carte 19/43 €
♦ Ce petit établissement isolé sur les bords de la Nive séduira les amoureux de nature et de calme. Chambres progressivement rénovées, simples et bien tenues. Salle à manger au décor basque et véranda tournée vers la rivière pour déguster des plats régionaux.

à Aincille par ① et D 18 : 7 km – 118 h. – alt. 253 m – ✉ 64220

Pecoïtz avec ch
rte d'Iraty – ℰ 05 59 37 11 88 – pecoitzjp@orange.fr – Fax 05 59 37 35 42
– *Ouvert 1er avril- 1er janv. et fermé merc. soir et jeudi sauf vacances scolaires*
14 ch – †45/48 € ††45/48 €, ⴹ 5 € – ½ P 45 €
Rest – Menu 16/33 € – Carte 23/35 €
♦ Dans ce restaurant coloré – une salle profite de la vue sur la campagne –, on mange au coude à coude une cuisine familiale, copieuse et régionale. Chambres simples d'appoint.

ST-JEAN-ST-MAURICE-SUR-LOIRE – 42 Loire – 327 D4 44 A1
– ✉ 42155 ▌ **Lyon et la Vallée du Rhône**

▶ Paris 406 – Lyon 95 – Roanne 15 – Vichy 79

L'Échauguette
– ℰ 04 77 63 15 89 – www.echauguette-alex.com
– contact@echauguette-alex.com
4 ch ⴹ – †57 € ††67/77 € **Table d'hôte** – Menu 27 € bc
♦ Ces trois maisonnettes ouvrent sur les eaux paisibles du lac de Villerest. Les chambres, décorées dans des styles différents et toujours avec goût, disposent d'une entrée indépendante. Repas servis directement en cuisine ou sur la terrasse si le temps le permet.

ST-JEAN-SAVERNE – 67 Bas-Rhin – 315 I4 – rattaché à Saverne

ST-JEAN-SUR-VEYLE – 01 Ain – 328 C3 – 1 009 h. – alt. 200 m 44 B1
– ✉ 01290

▶ Paris 402 – Bourg-en-Bresse 32 – Mâcon 12 – Villefranche-sur-Saône 45

La Petite Auberge
Le bourg – ℰ 03 85 31 53 92 – www.chefcuisiniers-ain.com
– lapetiteaubergeperonnet@wanadoo.fr – *Fermé 1er-15 sept., 31 déc.-19 janv., mardi soir, dim. soir et lundi*
Rest – Menu (12 € bc), 20 € bc/41 € – Carte 41/50 €
♦ La salle à manger coquette de cette maison à colombages (briquettes rouges, poutres, tableaux d'artistes locaux) sert de décor à la dégustation de spécialités régionales.

ST-JOACHIM – 44 Loire-Atlantique – 316 C3 – 3 772 h. – alt. 5 m 34 A2
– ✉ 44720 ▌ **Bretagne**

▶ Paris 435 – Nantes 61 – Redon 40 – St-Nazaire 14 – Vannes 64
◉ Tour de l'île de Fédrun ★ O : 4,5 km - Promenade en chaland ★★.

La Mare aux Oiseaux (Eric Guérin) avec ch
Île de Fedrun – ℰ 02 40 88 53 01
– www.mareauxoiseaux.fr – courriel@mareauxoiseaux.fr – Fax 02 40 91 67 44
– *Fermé lundi midi*
10 ch – †130/160 € ††130/160 €, ⴹ 12 €
Rest – Menu 38/80 € – Carte environ 74 €
Spéc. Grosses crevettes en tzatziki. Saint-Pierre à la plancha comme un poulet rôti. Tarte fine au citron.
♦ Avec ses oiseaux en liberté, une halte de charme au cœur du parc de la Brière. Surprenante et parfois déroutante cuisine imaginative qui ne manque pas de séduire. Jolies chambres.

ST-JOSSE – 62 Pas-de-Calais – **301** C5 – 1 170 h. – alt. 35 m – ⊠ 62170   30 **A2**
Nord Pas-de-Calais Picardie

🖪 Paris 223 – Lille 144 – Arras 94 – Boulogne-sur-Mer 39 – Abbeville 49

Le Relais de St-Josse
17 Grand'Place, (près de l'église) – ℰ 03 21 94 61 75
– www.le-relais-de-st-josse.com – contact@le-relais-de-st-josse.com
– Fax 03 21 84 88 72 – Fermé 5 janv.-12 fév., merc. soir et dim. soir hors saison et jeudi
Rest – Menu (20 €), 29/39 € – Carte 34/43 €
♦ Façade colorée et ancien taxi anglais, cette pimpante auberge attire le regard. Cuisine actuelle soignée, servie dans une avenante salle parquetée et pourvue d'une bibliothèque.

au Moulinel 2 km au Nord-Est par D 145 – ⊠ 62170 St-Josse

Auberge du Moulinel
116 chaussée de l'Avant Pays – ℰ 03 21 94 79 03 – www.aubergedumoulinel.com
– aubergedumoulinel@free.fr – Fax 03 21 09 37 14 – Fermé 5-25 janv., dim. soir, lundi et mardi sauf juil.-août
Rest – Menu (20 €), 28 € (sem.)/49 € – Carte 60/72 €
♦ Cette auberge, située à l'écart des axes fréquentés, vous invite à découvrir dans l'une de ses trois plaisantes salles une cuisine au goût du jour élaborée selon le marché.

ST-JOUAN-DES-GUÉRETS – 35 Ille-et-Vilaine – **309** K3 – 2 484 h.   10 **D1**
– alt. 31 m – ⊠ 35430

🖪 Paris 398 – Rennes 65 – Saint-Malo 10 – Granville 89 – Dinan 28

La Malouinière des Longchamps sans rest
1,5 km à l'Est par D 204 –
ℰ 02 99 82 74 00 – www.malouiniere.com – contact@malouiniere.com
– Fax 02 99 82 74 14 – Fermé 4 janv.-6 fév.
15 ch – †79/198 € ††99/198 €, ☑ 15 €
♦ Pour un séjour au calme, cette ferme en pleine campagne est parfaite. Jardin fleuri, piscine, espace bien-être. Chambres actuelles ; duplex plus classiques à l'annexe.

ST-JOUIN-BRUNEVAL – 76 Seine-Maritime – **304** A4 – 1 782 h.   33 **C1**
– alt. 110 m – ⊠ 76280

🖪 Paris 202 – Fécamp 25 – Le Havre 20 – Rouen 92

Le Belvédère
– ℰ 02 35 20 13 76 – www.restaurant-lebelvedere.com – Fermé 4 janv.-4 fév., dim. soir, merc. soir et jeudi
Rest – Menu 21 € (sem.)/40 € – Carte 46/65 €
♦ Tout en savourant plats traditionnels et spécialités de la mer, vous jouirez d'une vue panoramique impressionnante sur les falaises et le grand large. Décor contemporain soigné.

ST-JULIEN-AUX-BOIS – 19 Corrèze – **329** N5 – 490 h. – alt. 594 m   25 **C3**
– ⊠ 19220

🖪 Paris 524 – Aurillac 53 – Brive-la-Gaillarde 66 – Mauriac 29 – St-Céré 60
  – Tulle 50 – Ussel 63

Auberge de St-Julien-aux-Bois avec ch
1 rte des Pierres Blanches – ℰ 05 55 28 41 94 – www.auberge-saint-julien.com
– auberge_st_julien@hotmail.com – Fax 05 55 28 37 85 – Fermé vacances de fév., dim. soir, merc. hors saison et merc. midi en juil.-août
6 ch – †42 € ††49/56 €, ☑ 7 € – ½ P 47/50 €
Rest – Menu (14 €), 16/48 € – Carte 25/37 €
♦ Maison villageoise à l'âme "verte" : cuisine assez originale et saine, à base de produits bio, desserts à la mode allemande, cadre champêtre. Chambres coquettes et fleuries.

1678

ST-JULIEN-CHAPTEUIL – 43 Haute-Loire – 331 G3 – 1 886 h. – alt. 815 m – ⊠ 43260 ▌Lyon et la vallée du Rhône 6 C3

▶ Paris 559 – Lamastre 52 – Privas 88 – Le Puy-en-Velay 20 – St-Agrève 32 – Yssingeaux 17

🛈 Office de tourisme, place Saint-Robert ℘ 04 71 08 77 70, Fax 04 71 08 42 20

◉ Site ★ - Montagne du Meygal ★ : Grand Testavoyre ✵ ★★ NE : 14 km puis 30 mn.

※※ **Vidal** VISA ⦿ AE
18 pl. du Marché – ℘ 04 71 08 70 50 – www.restaurant-vidal.com – info@restaurant-vidal.com – Fax 04 71 08 40 14 – Fermé 27-30 juin, 1er-4 sept. et 13 janv.-21 fév.
Rest – *(fermé mardi soir hors saison, dim. soir et lundi)* Menu 28/75 €
– Carte 58/80 €
Rest *Bistrot de Justin* – bistrot *(fermé dim. et lundi) (déj. seult)* Menu 15 € bc
– Carte 15/25 €
◆ Fresques représentant la région, sets en dentelle, meubles en bois blond et portes anciennes agrémentent le décor de ce restaurant rustique du terroir vellave.

ST-JULIEN-DE-CREMPSE – 24 Dordogne – 329 E6 – rattaché à Bergerac

ST-JULIEN-D'EMPARE – 12 Aveyron – 338 E3 – rattaché à Capdenac-Gare

ST-JULIEN-DU-SAULT – 89 Yonne – 319 C3 – 2 380 h. – alt. 82 m – ⊠ 89330 7 A1

▶ Paris 137 – Dijon 187 – Auxerre 40 – Sens 25 – Montereau-Fault-Yonne 68

※※ **Les Bons Enfants** VISA ⦿ AE
4 pl. de la Mairie – ℘ 03 86 91 17 38 – www.bonsenfants.fr – bonsenfants@orange.fr – Fax 03 86 91 14 19 – Fermé 18 janv.-7 fév., mardi midi, dim. soir et lundi
Rest – *(nombre de couverts limité, prévenir)* Menu 39 € (déj. en sem.), 44/77 €
– Carte 53/72 €
Rest *Le Bistrot* – *(fermé dim. soir)* Menu (16 €), 19 € (déj. en sem.)/28 €
◆ Solide maison bourgeoise au centre du village. Carte gastronomique avec une cuisine inventive faisant la part belle aux légumes. Petits plats mijotés et soignés au Bistrot.

ST-JULIEN-EN-CHAMPSAUR – 05 Hautes-Alpes – 334 E5 – 275 h. – alt. 1 050 m – ⊠ 05500 41 C1

▶ Paris 658 – Gap 17 – Grenoble 95 – La Mure 55 – Orcières 21

※※ **Les Chenets** avec ch AC rest, ⁽¹⁾ VISA ⦿ AE
Le village – ℘ 04 92 50 03 15 – les-chenets.com – les-chenets@wanadoo.fr – Fax 04 92 50 73 06 – Fermé avril, 11 nov.-27 déc., dim. soir et merc. hors saison
18 ch – †26/30 € ††39/45 €, ⍁ 7 € – ½ P 43/46 €
Rest – Menu 21/37 € – Carte 35/45 €
◆ Au cœur du verdoyant Champsaur, restaurant dont le décor associe bois, pierre et verre. Cuisine traditionnelle et spécialités du terroir soignées. Quelques chambres pour dépanner.

ST-JULIEN-EN-GENEVOIS – 74 Haute-Savoie – 328 J4 – 10 691 h. – alt. 460 m – Casino – ⊠ 74160 46 F1

▶ Paris 525 – Annecy 35 – Bonneville 36 – Genève 11 – Nantua 56 – Thonon-les-Bains 47

🛈 Office de tourisme, 2, place du Crêt ℘ 04 50 04 71 63, Fax 04 50 04 89 76

à Archamps 5 km à l'Est par A40, sortie 13.1 – 1 693 h. – alt. 535 m – ⊠ 74160

🏨 **Porte Sud de Genève**
parc d'affaire international, (site d'Archamps) – ℘ 04 50 31 16 06 – www.bestwesternportesudgeneve.com – hotel-portesudgva@site-archamps.com – Fax 04 50 31 29 71 VISA ⦿ AE
90 ch – †108/158 € ††119/169 €, ⍁ 15 €
Rest – Menu (26 €), 31 € – Carte environ 40 €
◆ Hôtel moderne installé au cœur d'une technopole franco-suisse. Les chambres, contemporaines, sont à la fois reposantes et idéalement pensées pour la clientèle d'affaires. Salle à manger lumineuse, terrasse dressée dans le jardin et recettes traditionnelles.

ST-JULIEN-EN-GENEVOIS

à Bossey 7 km à l'Est par D 1206 – 664 h. – alt. 438 m – ⊠ 74160

XXX **La Ferme de l'Hospital** (Jean-Jacques Noguier)
rte du golf – ℰ 04 50 43 61 43
– *www.ferme-hospital.com* – *jjnoguier@wanadoo.fr* – Fax 04 50 95 31 53
– *Fermé 1er-16 août, 1er-15 fév., dim. et lundi*
Rest – (prévenir) Menu (38 €), 50/75 € – Carte 60/80 €
Spéc. Ravioles de foie gras, cèpes et truffes. Foie gras de canard rôti. Macarons orange-Grand Marnier-hysope. **Vins** Chignin-Bergeron, Mondeuse.
♦ Cette ferme du 17e s. fut propriété de l'hôpital de Genève. Intérieur de caractère et agréable terrasse. Belle cuisine au goût du jour et vins judicieusement sélectionnés.

rte d'Annecy 9,5 km au Sud par N 201 – ⊠ 74350 Cruseilles

Rey sans rest
131 rte d'Annecy, au Col du Mont Sion – ℰ 04 50 44 13 29 – *www.hotelrey.com*
– *contact@hotel-rey.com* – Fax 04 50 44 05 48 – Fermé 13-20 avril, 7-22 sept. et 27 déc.-11 janv.
30 ch – †61/64 € ††72/75 €, ⊇ 9 €
♦ Séparé de la route par un cadre de verdure, l'hôtel abrite des chambres fonctionnelles et gaies, plus calmes sur l'arrière. Petit-déjeuner servi dans la véranda côté jardin.

ST-JULIEN-LE-FAUCON – 14 Calvados – **303** M5 – 670 h. – alt. 40 m – ⊠ 14140   33 **C2**

▶ Paris 192 – Caen 41 – Falaise 32 – Lisieux 14

X **Auberge de la Levrette**
48 r. Lisieux – ℰ 02 31 63 81 20 – *aubergedelalevrette@orange.fr*
– Fax 02 31 63 97 05 – Fermé 18-24 mars, 18-24 nov., 22-29 déc., lundi et mardi sauf fériés
Rest – Menu (14 € bc), 20/25 € – Carte 23/45 €
♦ Jadis relais de poste, cette maison à colombages (1550), typique du Pays d'Auge, abrite un petit musée dédié à la musique mécanique. Table traditionnelle sensible aux saisons.

ST-JULIEN-MOLIN-MOLETTE – 42 Loire – **327** G8 – rattaché à Annonay

---

ST-JULIEN-SUR-CHER – 41 Loir-et-Cher – **318** H8 – 663 h. – alt. 110 m – ⊠ 41320   12 **C2**

▶ Paris 227 – Blois 51 – Bourges 66 – Châteauroux 62 – Vierzon 25

X **Les Deux Pierrots**
9 r. Nationale – ℰ 02 54 96 40 07 – Fermé août, lundi et mardi
Rest – Menu (24 €), 27/40 €
♦ Cette auberge villageoise vous reçoit l'hiver dans une salle rustique (poutres apparentes) ; profitez l'été de celle côté jardin potager. Simplicité et tradition en cuisine.

ST-JULIEN-VOCANCE – 07 Ardèche – 257 h. – alt. 680 m – ⊠ 07690   44 **B2**

▶ Paris 553 – Saint-Étienne 56 – Valence 68 – Annonay 18

XX **Julliat**
Le Marthouret – ℰ 04 75 34 71 61 – *www.restaurant-julliat.com* – *contact@restaurant-julliat.com* – Fax 04 75 34 79 19 – Fermé 2-9 janv., 4-25 fév., mardi et merc.
Rest – Menu (22 €), 31/63 €
♦ Heureux mariage d'une décoration contemporaine et des vieilles pierres dans cette maison ancienne joliment restaurée où l'on sert une appétissante cuisine au goût du jour.

ST-JUNIEN – 87 Haute-Vienne – **325** C5 – 11 500 h. – alt. 240 m – ⊠ 87200 ▮ Limousin Berry   24 **A2**

▶ Paris 416 – Angoulême 73 – Bellac 34 – Confolens 27 – Limoges 32
🛈 Office de tourisme, place du Champ de Foire ℰ 05 55 02 17 93, Fax 05 55 02 94 31
🏌 de Saint-Junien Les Jouberties, O : 4 km, ℰ 05 55 02 96 96
◉ Collégiale ★ B.

ST-JUNIEN

Le Relais de Comodoliac
22 av. Sadi-Carnot – ℰ *05 55 02 27 26 – www.comodoliac.com – comodoliac@wanadoo.fr – Fax 05 55 02 68 79 – Fermé 27 fév.-7 mars*
29 ch – †56 € ††72 €, ☐ 9 € – ½ P 65 €
Rest – *(fermé dim. soir d'oct. à Pâques)* Menu 17 € (sem.)/39 € – Carte 38/47 €
♦ À l'entrée de la ville, construction des années 1970, séparée de la route par un joli jardin. Réservez une des chambres relookées, de style contemporain. Agréable salle à manger-véranda ouverte sur une petite terrasse verdoyante. Carte traditionnelle.

au Sud : 2 km par rte de Rochechouart, D 675 et rte secondaire – ✉ 87200 St-Junien

Lauryvan
200 allée du Bois au Boeuf – ℰ *05 55 02 26 04 – www.lauryvan.fr – lauryvan@nomade.fr – Fax 05 55 02 25 29 – Fermé 2-7 janv., dim. soir, lundi et soirs fériés*
Rest – Menu 28 € (sem.)/56 € – Carte 27/49 €
♦ Pavillon en sous-bois, près d'un étang. Plats du terroir et mets classiques actualisés servis dans deux salles – l'une bleue, l'autre rouge (tables plus serrées) – ou en terrasse.

ST-JUST-ET-VACQUIÈRES – 30 Gard – **339** K4 – 260 h. – alt. 190 m — 23 **C1**
– ✉ 30580

▫ Paris 699 – Montpellier 104 – Nîmes 54 – Alès 18 – Orange 75

Mas Vacquières sans rest
hameau de Vacquières – ℰ *04 66 83 70 75 – www.masvac.com – info@masvac.com*
5 ch ☐ – †80/120 € ††85/145 €
♦ Dans une ruelle du hameau, maison typique blottie dans un jardin fleuri bien au calme. Chambres fraîches et impeccablement tenues. Copieux petit-déjeuner (terrasse).

ST-JUSTIN – 40 Landes – **335** J11 – 845 h. – alt. 90 m – ✉ 40240 — 3 **B2**

▫ Paris 694 – Aire-sur-l'Adour 38 – Casteljaloux 49 – Dax 84 – Mont-de-Marsan 25 – Pau 89
▫ Office de tourisme, place des Tilleuls ℰ 05 58 44 86 06, Fax 05 58 44 86 06

France avec ch
pl. des Tilleuls – ℰ *05 58 44 83 61 – hoteldefrance.stjustin@orange.fr – Fax 05 58 44 83 89 – Fermé 22 nov.-7 déc., dim. et lundi*
8 ch – †40 € ††40 €, ☐ 7 €
Rest – Menu 28/40 € – Carte 34/48 €
Rest *Bistrot* – *(fermé sam. soir, dim., lundi et fériés)* Menu 15 € (sem.)/34 € – Carte 34/48 €
♦ Bâtisse du pays s'ouvrant sous les arcades de la place médiévale où l'on dresse la terrasse en saison. Copieuse cuisine traditionnelle. Confitures maison au petit-déjeuner. Au Bistrot, ambiance de café de village et menu inscrit sur l'ardoise du jour.

ST-JUST-ST-RAMBERT – 42 Loire – **327** E7 – 14 900 h. – alt. 380 m — 44 **A2**
– ✉ 42170

▫ Paris 542 – St Etienne 17 – Lyon 81 – Montbrison 18 – Roanne 74
▫ Office de tourisme, place de la Paix ℰ 04 77 52 05 14, Fax 04 77 52 15 91

Le Neuvième Art (Christophe Roure)
pl. 19 Mars 1962 – ℰ *04 77 55 87 15 – www.leneuviemeart.com – le.neuvieme.art@wanadoo.fr – Fax 04 77 55 80 77 – Fermé 9 août-2 sept., 23-29 déc., 15 fév.-2 mars, dim. et lundi*
Rest – *(nombre de couverts limité, prévenir)* Menu 65/115 € – Carte 80/88 €
Spéc. Barrette de foie gras mi-cuit et "flanby" à la fève de tonka. Grosse langoustine bretonne pochée dans un bouillon d'infusion. Pureté et géométrie d'une mousse chocolat intense, "After Eight" glacé. **Vins** Vin de Pays d'Urfé, Côtes du Forez.
♦ Concentré de créativité pour une cuisine contemporaine pleine de saveurs. Un cadre design et un service aux petits soins en prime, cette ancienne gare réserve de belles surprises !

1681

ST-LARY – 09 Ariège – 343 D7 – 153 h. – alt. 692 m – ⌂ 09800   28 B3

▶ Paris 786 – Bagnères-de-Luchon 48 – St-Gaudens 36 – St-Girons 24 – Salies-du-Salat 197

Auberge de l'Isard
r. des Bains – ☏ 05 61 96 72 83 – www.hotel.logis.ariege.com – aubergeisard@aol.fr – Fax 05 61 96 73 71 – Ouvert de mars à nov. et fermé lundi

8 ch – †38/40 € ††40/42 €, ⌂ 6 € – ½ P 45 €

Rest – Menu 18/29 € – Carte 22/42 €

♦ Sympathique auberge bien tenue où l'on trouve aussi le bar du village et une boutique de produits du terroir. Décor rustique dans les chambres correctement équipées. Le restaurant, séparé de l'hôtel par un torrent, sert une carte traditionnelle assez étoffée.

ST-LARY-SOULAN – 65 Hautes-Pyrénées – 342 N8 – 1 084 h. – alt. 820 m – Sports d'hiver : 1 680/2 450 m ≼2 ≼30 ≼ – Stat. therm. : début avril-fin oct. – ⌂ 65170 ▌Midi-Pyrénées   28 A3

▶ Paris 830 – Arreau 12 – Auch 103 – Bagnères-de-Luchon 44 – St-Gaudens 66 – Tarbes 74

🛈 Office de tourisme, 37, rue Vincent Mir ☏ 05 62 39 50 81, Fax 05 62 39 50 06

La Pergola
25 r. Vincent Mir – ☏ 05 62 39 40 46 – www.hotellapergola.fr – jean-pierre.mir@wanadoo.fr – Fax 05 62 40 06 55

22 ch – †62/77 € ††69/111 €, ⌂ 11 € – ½ P 64/91 €

Rest *L'Enclos des Saveurs* – (fermé nov.) Menu (14 €), 32/52 € – Carte 43/56 €

♦ Paisible maison dans un jardin. Grandes chambres personnalisées avec raffinement ; sept sont dotées d'une terrasse ou d'un balcon tourné vers les cimes. Accueil aux petits soins. Carte au goût du jour et menu du terroir à l'Enclos des Saveurs.

Les Arches sans rest
15 av. des Thermes – ☏ 05 62 49 10 10 – www.hotel-les-arches.com – contact@hotel-les-arches.com – Fax 05 62 49 10 15 – Fermé 1er-16 nov.

30 ch – †50/70 € ††50/70 €, ⌂ 8,50 €

♦ Architecture moderne abritant de petites chambres fonctionnelles au mobilier contemporain. Salle des petits-déjeuners conviviale et agréable salon avec cheminée.

Aurélia
chemin de St Lary, à Vielle-Aure – ☏ 05 62 39 56 90 – www.hotel-aurelia.com – hotel-aurelia@wanadoo.fr – Fax 05 62 39 43 75 – Fermé 27 sept.-14 déc.

20 ch – †41/45 € ††49/56 €, ⌂ 7,50 € – ½ P 48/54 €

Rest – (résidents seult)

♦ Près des thermes, hôtel familial prisé pour ses activités de loisirs, sa piscine et son fitness. Chambres confortables, mansardées au 3e étage. Deux duplex. Au restaurant, cuisine régionale (réservée aux résidents) élaborée par le jeune fils de la maison.

De la Neste
– ☏ 05 62 39 42 79 – www.hotel-delaneste.com – hoteldelaneste@wanadoo.fr – Fax 05 62 39 58 77 – Fermé 15 avril-31 mai et 15 oct.-2 déc.

17 ch – †48/57 € ††48/57 €, ⌂ 8 € – 3 suites – ½ P 49/58 €

Rest – (dîner seult) (résidents seult)

♦ Cet hôtel actuel jouit d'une belle situation en bordure de rivière, au calme, à côté d'un centre thermo-ludique. Grandes chambres de bon confort (certaines mansardées). Plats régionaux à déguster dans une atmosphère conviviale.

Pons "Le Dahu"
4 r. Coudères – ☏ 05 62 39 43 66 – hotelpons.com – hotelpons@wanadoo.fr – Fax 05 62 40 00 86 – Fermé 20 avril-3 mai

39 ch – †55/60 € ††65/70 €, ⌂ 8 € – ½ P 56 €

Rest – Menu 15 € (sem.)/25 € – Carte 20/41 €

♦ Constructions des années 1970 situées dans un quartier résidentiel proche du téléphérique et du centre. Les plus grandes chambres, toutes dotées d'un balcon, sont à l'annexe. Repas traditionnel servi dans une atmosphère de pension de famille.

ST-LARY-SOULAN

La Grange
rte d'Autun – ℰ 05 62 40 07 14 – hotel-angleterre-arreau.com – contact@angleterre-arreau.com – Fax 05 62 98 69 66 – Fermé 27 avril-10 mai, en juin, en nov., mardi et merc. sauf le soir en saison
Rest – Menu 20/45 € – Carte 49/61 €
♦ Cette ancienne grange s'est transformée en un confortable et coquet restaurant au chaleureux décor de bois. En hiver, belles flambées dans la cheminée. Menus régionaux.

ST-LATTIER – 38 Isère – 333 E7 – 1 031 h. – alt. 170 m – ⌧ 38840   43 E2
▶ Paris 571 – Grenoble 67 – Romans-sur-Isère 13 – St-Marcellin 15 – Valence 34

Le Lièvre Amoureux
La Gare – ℰ 04 76 64 50 67 – www.lelievreamoureux.com – lelievreamoureux@wanadoo.fr – Fermé 12-22 août et 10-20 fév.
5 ch – †65 € ††75 €, ⌧ 10 €   **Table d'hôte** – (fermé dim.) Menu 40/65 €
♦ Cet ancien relais de chasse a été habilement rénové pour faire place à trois belles chambres, spacieuses et personnalisées, et deux duplex. Une grande cheminée veille sur la table d'hôte où l'on déguste de savoureux produits du terroir dauphinois.

Auberge du Viaduc avec ch
D 1092 (hameau de la rivière) – ℰ 04 76 64 51 65
– www.auberge-du-viaduc.new.fr – auberge.du.viaduc@wanadoo.fr
– Fax 04 76 64 30 93 – Fermé 28 nov.-15 janv., dim. soir de déc. à avril, mardi (sauf hôtel), merc. midi de juin à sept. et lundi
7 ch – †82/122 € ††82/122 €, ⌧ 10 €
Rest – (nombre de couverts limité, prévenir) Menu 29/59 € – Carte 36/72 €
♦ Demeure familiale ancienne ouverte sur un agréable jardin. Salle à manger intime. Mobilier régional dans les chambres. Piscine de plein air et pool house équipé d'un bar.

Brun avec ch
Les Fauries, D 1092 – ℰ 04 76 64 54 08 – www.hotel-brun.com – contact@hotel-brun.com – Fax 04 76 64 31 78 – Fermé 12-30 oct., 18 fév.-5 mars et dim. soir
10 ch – †47 € ††57 €, ⌧ 7 € – ½ P 47 €
Rest – Menu (14 €), 18 € (sem.)/45 € – Carte 38/45 €
♦ Restaurant champêtre agrandi d'une belle terrasse sous les tilleuls, au bord de l'Isère. Les chambres se trouvent dans un bâtiment distant de 400 m.

ST-LAURENT-DE-CERDANS – 66 Pyrénées-Orientales – 344 G8   22 B3
– 1 267 h. – alt. 675 m – ⌧ 66260   ▌Languedoc Roussillon
▶ Paris 901 – Céret 28 – Perpignan 60
🛈 Syndicat d'initiative, 7, rue Joseph Nivet ℰ 04 68 39 55 75, Fax 04 68 39 59 59

au Sud-Ouest 6,5 km par D 3 et rte secondaire – ⌧ 66260 St-Laurent-de-Cerdans

Domaine de Falgos
– ℰ 04 68 39 51 42 – www.falgos.com – contact@falgos.com – Fax 04 68 39 52 30 – Ouvert 15 mars-11 nov.
25 ch ⌧ – †96/134 € ††139/209 € – 7 suites
Rest – Carte 39/50 €
♦ Isolée sur la frontière espagnole, ancienne ferme d'altitude devenue complexe hôtelier : spacieuses chambres cosy bien équipées, parcours de golf et bel espace remise en forme. Carte brasserie à midi et traditionnelle le soir. Terrasse d'été face aux greens.

ST-LAURENT-DE-LA-SALANQUE – 66 Pyrénées-Orientales   22 B3
– 344 I6 – 8 224 h. – alt. 2 m – ⌧ 66250
▶ Paris 845 – Elne 26 – Narbonne 62 – Perpignan 19 – Quillan 80 – Rivesaltes 12
🛈 Syndicat d'initiative, place Gambetta ℰ 04 68 28 31 03
◉ Fort de Salses ★★ NO : 9 km, ▌Languedoc Roussillon

ST-LAURENT-DE-LA-SALANQUE

Le Commerce avec ch   AC rest, ⚙ 🐶 🎧 VISA ⓜ
*2 bd de la Révolution – ℰ 04 68 28 02 21 – www.lecommerce66.com – contact@
lecommerce66.com – Fax 04 68 28 39 86 – Fermé 26 oct.-17 nov., 16 fév.-3 mars,
dim. soir sauf juil.-août et lundi sauf le soir en juil.-août*
11 ch – †51 € ††51 €, ⌑ 8,50 € – ½ P 53 €
Rest – Menu (19 €), 28/39 € – Carte 40/63 €

♦ Au centre de la localité, cuisine du terroir servie dans une salle à manger rustique aux tons jaunes. Petites chambres garnies d'un mobilier catalan.

ST-LAURENT-DE-MURE – 69 Rhône – 327 J5 – 4 745 h. – alt. 252 m   43 E1
– ✉ 69720

▶ Paris 478 – Lyon 19 – Pont-de-Chéruy 16 – La Tour-du-Pin 38 – Vienne 38

Hostellerie Le St-Laurent   🎐 🍽 ⚙ ch, 🎧 P P VISA ⓜ AE
*8 r. Croix Blanche – ℰ 04 78 40 91 44 – www.lesaintlaurent.fr – le.st.laurent@
wanadoo.fr – Fax 04 78 40 45 41 – Fermé en mai, 1er-23 août, 26 déc.-3 janv., vend.
soir, dim. soir, fériés le soir et sam.*
30 ch – †70/126 € ††70/126 €, ⌑ 8,50 €
Rest – Menu 26 € (sem.)/63 € – Carte 45/63 €

♦ Belle demeure dauphinoise du 18e s. au cœur d'un parc arboré. Les chambres, simples et d'ampleurs variées, sont plus petites à l'annexe. Lorsque le temps le permet, les repas se prennent sur la terrasse, à l'ombre d'un tilleul tricentenaire.

ST-LAURENT-DES-ARBRES – 30 Gard – 339 N4 – 2 017 h.   23 D2
– alt. 60 m – ✉ 30126

▶ Paris 673 – Alès 70 – Avignon 20 – Nîmes 47 – Orange 22
🛈 Office de tourisme, Tour de Ribas ℰ 04 66 50 10 10, Fax 04 66 50 10 10

Le Saint-Laurent sans rest   ⛱ AC ⚙ 🎧 P VISA ⓜ AE
*pl. de l'Arbre – ℰ 04 66 50 14 14 – www.lesaintlaurent.biz – info@
lesaintlaurent.biz – Fax 04 66 50 46 30 – Fermé 3 sem. en nov.*
9 ch – †95/165 € ††95/195 €, ⌑ 16 € – 1 suite

♦ Cette ex-maison de viticulteur, chaleureuse et douillette, a un vrai cachet. Décoration très soignée, meubles anciens et vieilles pierres, chambres cosy, piscine, solarium…

Felisa sans rest   🚗 ⛱ 🎧 P VISA ⓜ
*6 r. Barris – ℰ 04 66 39 99 84 – www.maison-felisa.com – information@
maison-felisa.com – Ouvert 3 avril-3 janv.*
5 ch ⌑ – †120/160 € ††120/160 €

♦ Un esprit zen règne sur cette demeure en pierre (1830) proposant massages variés, yoga, piscine. Chambres épurées (sur le thème de diverses senteurs), ambiance jeune et branchée.

ST-LAURENT-DU-PONT – 38 Isère – 333 H5 – 4 479 h. – alt. 410 m   45 C2
– ✉ 38380 ▌Alpes du Nord

▶ Paris 560 – Chambéry 29 – Grenoble 34 – La Tour-du-Pin 42 – Voiron 15
🛈 Office de tourisme, place de la Mairie ℰ 04 76 06 22 55, Fax 04 76 06 21 21
◉ Gorges du Guiers Mort★★ SE : 2 km - Site★ de la Chartreuse de Currière SE : 4 km.

La Blache   🍽 VISA ⓜ
*2 pl. du 10ème Groupement – ℰ 04 76 55 29 57 – Fermé 27 avril-12 mai,
31 août-15 sept., 4-19 janv., dim. soir, lundi et mardi*
Rest – Menu 30/53 € – Carte 34/57 €

♦ Sobre restaurant meublé de fauteuils en bois originaux dans cette ex-gare située à proximité des gorges du Guiers Mort. Cuisine du marché concoctée à base de produits frais.

> **Première distinction : l'étoile ✲.**
> **Elle couronne les tables pour lesquelles on ferait des kilomètres !**

ST-LAURENT-DU-VAR – 06 Alpes-Maritimes – 341 E5 – 30 400 h. – alt. 18 m – ⊠ 06700 ∎ Côte d'Azur 42 E2

▶ Paris 919 – Antibes 16 – Cagnes-sur-Mer 5 – Cannes 26 – Grasse 31 – Nice 10 – Vence 16

🛈 Syndicat d'initiative, 18-19, route du Bord de Mer ℰ 04 93 31 31 21, Fax 04 93 14 92 83

◉ Corniche du Var★ N.

Voir plan de NICE Agglomération

au Cap 3000

Novotel
40 av. de Verdun – ℰ 04 93 19 55 55 – www.novotel.com – h0414@accor-hotels.com – Fax 04 93 19 55 59
103 ch – †89/189 € ††89/189 €, ⊇ 15 €   **Rest** – Carte 32/45 €
◆ Proche de l'aéroport de Nice-Côte-d'Azur, dans une zone commerciale satellite, établissement hôtelier moderne et récemment actualisé. À table : havre de verdure côté terrasse, ou fraîcheur de la salle à manger climatisée fort appréciée les jours de "cagnard".

au Port St-Laurent

Holiday Inn Resort
167 promenade Flots Bleus – ℰ 04 93 14 80 00 – resort@wanadoo.fr – Fax 04 93 07 21 24
124 ch – †350/380 € ††385/415 €, ⊇ 23 €
Rest *Chez Panisse* – Menu 22/31 € bc – Carte 36/60 €
◆ Hôtel joignant l'utile à l'agréable : au cœur de la marina, directement sur la plage, confortables chambres côté flots azurés ou arrière-pays. Jardin méditerranéen. Ambiance balnéaire, déco ensoleillée, saveurs provençales et viandes à la broche Chez Panisse.

La Mousson
promenade Flots Bleus – ℰ 04 93 31 13 30 – barthelemi.eric@wanadoo.fr – Fermé 25 déc.-1er janv.
Rest – Menu (25 €), 31 € (déj. en sem.)/45 € – Carte 40/55 € dîner seulement
◆ Saveurs thaïlandaises et épices exotiques vous transportent au royaume de Siam le temps d'un repas, agréablement installé dans ce restaurant situé sur le front de mer.

ST-LAURENT-DU-VERDON – 04 Alpes-de-Haute-Provence – 334 E10 – 92 h. – alt. 468 m – ⊠ 04500 41 C2

▶ Paris 806 – Brignoles 49 – Castellane 70 – Digne-les-Bains 59 – Manosque 37

Le Moulin du Château ⌕
– ℰ 04 92 74 02 47 – www.moulin-du-chateau.com – info@moulin-du-chateau.com – Fax 04 92 74 02 97 – Ouvert 14 mars-8 nov.
10 ch – †69/109 € ††75/115 €, ⊇ 9 € – 1 suite – ½ P 77/97 €
Rest – *(fermé lundi et jeudi) (dîner seult) (résidents seult)* Menu 32 €
◆ Charmant moulin à huile d'olive (17e s.) aux chambres actuelles et salon aménagé face à la meule. Ambiance farniente au jardin et éthique écologique (citerne à eau de pluie, produits bio...). Petit-déjeuner régional et dîner provençal (menu unique réservé aux résidents).

ST-LAURENT-LA-GÂTINE – 28 Eure-et-Loir – 311 F3 – 452 h. – alt. 134 m – ⊠ 28210 11 B1

▶ Paris 77 – Évreux 66 – Orléans 121 – Versailles 57

Clos St-Laurent sans rest ⌕
6 r. de l'Église – ℰ 02 37 38 24 02 – www.clos-saint-laurent.com – james@clos-saint-laurent.com – Fermé 22 déc.-5 janv.
4 ch ⊇ – †68 € ††73 €
◆ Cet ancien corps de ferme abrite quatre grandes chambres décorées avec goût dans un style à la fois rustique et chic. Charmante salle des petits-déjeuners et jardin-terrasse.

ST-LAURENT-SUR-SAÔNE – 01 Ain – 328 C3 – rattaché à Mâcon

ST-LÉON – 47 Lot-et-Garonne – 336 D4 – 293 h. – alt. 80 m – ⌧ 47160   4 C2
◘ Paris 667 – Bordeaux 107 – Agen 43 – Villeneuve-sur-Lot 44 – Marmande 35

Le Hameau des Coquelicots sans rest
Lieu dit Goutte d'Or, 2 km au Sud par D 285 – ℘ 05 53 84 06 13
– www.lehameaudescoquelicots.com – contact@lehameaudescoquelicots.com
– Fax 05 53 84 06 13
5 ch ⌧ – †120 € ††130 €
◆ Trois maisons en pleine campagne. Au calme du lieu s'ajoutent un accueil charmant et un décor épuré fait de matériaux naturels et d'œuvres d'art. Potager, piscine "naturelle".

ST-LÉONARD-DE-NOBLAT – 87 Haute-Vienne – 325 F5 – 4 667 h.   24 B2
– alt. 347 m – ⌧ 87400 ▮ Limousin Berry
◘ Paris 407 – Aubusson 68 – Brive-la-Gaillarde 99 – Guéret 62 – Limoges 21
▮ Office de tourisme, place du Champ de Mars ℘ 05 55 56 25 06, Fax 05 55 56 36 97
◉ Église★ : clocher★★.

Relais St-Jacques
6 bd A. Pressemane – ℘ 05 55 56 00 25 – www.lerelaissaintjacques.com
– le.relais.st.jacques@orange.fr – Fax 05 55 56 19 87 – Fermé 24 déc.-3 janv., 23 fév.-15 mars, dim. soir et lundi midi d'oct. à mai
7 ch – †50 € ††50 €, ⌧ 7 € – ½ P 52 €
Rest – Menu 15 € bc (déj. en sem.), 19/37 € – Carte 33/47 €
◆ Bâtisse traditionnelle sur le boulevard contournant le centre. Petites chambres fraîches, modestement meublées et bien entretenues. Salle à manger simple où l'on sert une cuisine traditionnelle et des plats du terroir. Accueil charmant.

XXX Le Grand St-Léonard avec ch
23 av. Champs de Mars – ℘ 05 55 56 18 18
– www.hotelrestaurantlegrandsaintleonard-limousin.com – grandsaintleonard@wanadoo.fr – Fax 05 55 56 98 32 – Fermé 20 déc.-20 janv., lundi sauf le soir du 15 juin au 15 sept. et mardi midi
14 ch – †57/61 € ††57/61 €, ⌧ 11 €
Rest – Menu (15 €), 26/61 € – Carte 56/65 €
◆ Ex-relais de poste à l'ambiance vieille France. Repas classique dans un cadre rustique soigné ; collections de moules à gâteaux et de vaisselle en Limoges. Chambres au charme provincial, parfois désuètes.

ST-LIGUAIRE – 79 Deux-Sèvres – 322 C7 – rattaché à Niort

ST-LÔ ℙ – 50 Manche – 303 F5 – 19 600 h. – alt. 20 m – ⌧ 50000   32 A2
▮ Normandie Cotentin
◘ Paris 296 – Caen 62 – Cherbourg 80 – Laval 154 – Rennes 141
▮ Office de tourisme, place Général-de-Gaulle ℘ 02 33 77 60 35, Fax 02 33 77 60 36
▮ Centre Manche à Saint-Martin-d'Aubigny Le Haut Boscq, par D900 : 20 km, ℘ 02 33 45 24 52
◉ Haras national★ - Tenture des Amours de Gombaut et Macée du musée des Beaux-Arts.

Plan page ci-contre

Mercure
1 av. Briovère – ℘ 02 33 05 10 84 – www.mercure.com – h1072@accor.com
– Fax 02 33 56 46 92   A v
67 ch – †85/105 € ††95/115 €, ⌧ 13 €
Rest – (fermé dim.) (dîner seult) Menu 16/31 € – Carte 22/52 €
◆ Face aux remparts, deux hôtels ont été réunis pour composer cet ensemble assez contemporain. Les chambres, neuves ou récemment refaites, offrent un bon confort. Au restaurant, la cuisine, traditionnelle, prend l'accent régional.

ST-LÔ

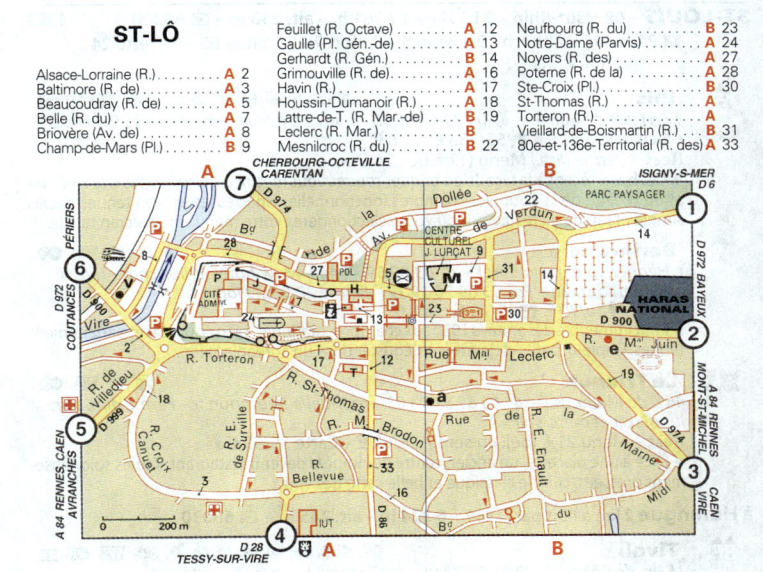

Alsace-Lorraine (R.) .... **A** 2
Baltimore (R. de) .... **A** 3
Beaucoudray (R. de) .... **A** 5
Belle (R. du) .... **A** 7
Briovère (Av. de) .... **A** 8
Champ-de-Mars (Pl.) .... **B** 9
Feuillet (R. Octave) .... **A** 12
Gaulle (Pl. Gén.-de) .... **A** 13
Gerhardt (R. Gén.) .... **B** 14
Grimouville (R. de) .... **A** 16
Havin (R.) .... **A** 17
Houssin-Dumanoir (R.) ..... **A** 18
Lattre-de-T. (R. Mar.-de) ... **B** 19
Leclerc (R. Mar.) .... **B**
Mesnilcroc (R. du) .... **B** 22
Neufbourg (R. du) .... **B** 23
Notre-Dame (Parvis) .... **A** 24
Noyers (R. des) .... **A** 27
Poterne (R. de la) .... **A** 28
Ste-Croix (Pl.) .... **B** 30
St-Thomas (R.) .... **A**
Torteron (R.) .... **A**
Vieillard-de-Boismartin (R.) . **B** 31
80e-et-136e-Territorial (R. des) **A** 33

Le Péché Mignon VISA MC AE ①

84 r. Mar. Juin – ☏ 02 33 72 23 77 – http://le-peche-mignon.monsite.wanadoo.fr
– restaurant-le-peche-mignon@wanadoo.fr – Fax 02 33 72 27 58 – Fermé
14 juil.-1er août, 16-22 fév. et lundi   **B e**
Rest – Menu (12 €), 17/50 € – Carte 38/50 €

♦ L'adresse se trouve à proximité du haras national. Deux petites salles à manger, simples mais confortables, où l'on sert une cuisine traditionnelle mâtinée de modernité.

au Calvaire 7 km par ② et D 972 – ⊠ 50810 St-Pierre-de-Semilly

La Fleur de Thym P VISA MC AE

– ☏ 02 33 05 02 40 – www.la-fleur-de-thym.com – contact@la-fleur-de-thym.com
– Fax 02 33 56 29 32 – Fermé 16-31 août, 2-19 janv., sam. midi, dim. soir et lundi
Rest – Menu 21 € (sem.)/60 € – Carte 45/81 €

♦ Cette ancienne ferme possède une terrasse d'été ombragée bien préservée des bruits de la route voisine. Répertoire culinaire classique rehaussé de saveurs du Sud.

ST-LOUBÈS – 33 Gironde – 335 I5 – 7 639 h. – alt. 28 m – ⊠ 33450   3 **B1**

▶ Paris 568 – Bordeaux 18 – Créon 20 – Libourne 18 – St-André-de-Cubzac 15

Le Coq Sauvage avec ch AC rest, VISA MC AE

71 av. du Port-Cavernes, à Cavernes, Nord-Ouest : 4 km – ☏ 05 56 20 41 04
– www.lecoqsauvage.com – coq.sauvage@wanadoo.fr – Fax 05 56 20 44 76
– Fermé 8-23 août et 19 déc.-3 janv.
6 ch – †50 € ††60 €, ⊇ 7 € – ½ P 48 €
Rest – (fermé sam. et dim.) Menu (17 €), 27 € – Carte 32/43 €

♦ Maison au charme rustique installée sur le port de plaisance, avec la Dordogne en toile de fond. Plats régionaux servis dans un agréable patio en été. Chambres au calme.

Ne confondez pas les couverts ✕ et les étoiles ✤ !
Les couverts définissent une catégorie de standing, tandis que l'étoile couronne les meilleures tables, dans chacune de ces catégories.

ST-LOUIS – 68 Haut-Rhin – **315** J11 – 19 961 h. – alt. 250 m – ✉ 68300 1 **B3**

▶ Paris 498 – Altkirch 29 – Basel 5 – Belfort 76 – Colmar 65 – Ferrette 24 – Mulhouse 30

Ibis
17 r. Gén. de Gaulle – ✆ 03 89 69 06 58 – h5612@accor.com – Fax 03 89 69 45 03
65 ch – †55/125 € ††55/135 €, ☐ 8 €
Rest – (fermé dim.) Menu (11 € bc), 14 € bc

◆ Cet hôtel récent à la façade en briques rouges vous mettra à quelques pas des cinémas et du théâtre de la Coupole. Chambres fonctionnelles, spacieuses et bien tenues. Repas simple et rapide au restaurant où vous sélectionnerez votre menu sur un écran tactile.

Berlioz sans rest
r. Henner, (près de la gare) – ✆ 03 89 69 74 44 – www.hotelberlioz.com – info@hotelberlioz.com – Fax 03 89 70 19 17 – Fermé 22 déc.-3 janv.
20 ch – †60/70 € ††60/70 €, ☐ 8 €

◆ Petit immeuble des années 1930 aux chambres pratiques, bien équipées et parfaitement tenues. Copieux petits-déjeuners à déguster dans un agréable salon.

Le Trianon
46 r. du Mulhouse – ✆ 03 89 67 03 03 – raphael@le-trianon.fr – Fermé dim. soir, lundi soir et merc. soir
Rest – Menu 21 € (déj. en sem.), 28/62 € – Carte 35/59 € 🎜

◆ Face à une placette, un ancien centre des impôts devenu restaurant. Tables soigneusement dressées, cuisine classique et belle carte des vins.

à Huningue 2 km à l'Est par D 469 – 6 324 h. – alt. 245 m – ✉ 68330

Tivoli
15 av. de Bâle – ✆ 03 89 69 73 05 – www.tivoli.fr – info@tivoli.fr – Fax 03 89 67 82 44
41 ch – †58/85 € ††63/99 €, ☐ 10 € – ½ P 63/86 €
Rest *Philippe Schneider* – (fermé 23 juil.-16 août et 23 déc.-6 janv.) Menu 24/47 € – Carte 37/64 €

◆ L'hôtel est situé à deux pas des frontières suisse et allemande. Les chambres rénovées adoptent un look contemporain ; les autres restent actuelles et bien tenues. Restaurant assez cossu (carte au goût du jour) ou salle plus tendance (menu sur ardoise).

à Village-Neuf 3 km au Nord-Est par D 66 et D 21 – 3 444 h. – alt. 240 m – ✉ 68128

🛈 Office de tourisme, 81, rue Vauban ✆ 03 89 70 04 49, Fax 03 89 67 30 80

Au Cerf
72 r. Gén. de Gaulle – ✆ 03 89 67 12 89 – lorpasc.martin@wanadoo.fr – lorpasc.martin@wanadoo.fr – Fax 03 89 69 85 57 – Fermé 14 juil.-10 août, 24 déc.-1er janv., jeudi soir, dim. soir et lundi
Rest – Menu 11 € (déj. en sem.), 18/42 € – Carte 25/45 €

◆ Près de la Petite Camargue alsacienne, auberge familiale au cadre rustique ponctué de trophées de chasse. Plats traditionnels et, en saison, spécialités d'asperges et de gibier.

à Hésingue 4 km à l'Ouest par D 419 – 2 265 h. – alt. 290 m – ✉ 68220

Au Bœuf Noir
2 r. de Folgensbourg – ✆ 03 89 69 76 40 – www.boeufnoir.com – giuggiola.auboeufnoir@orange.fr – Fax 03 89 67 77 29
– Fermé 18-25 mars, 18-31 août, sam. midi, dim. et lundi
Rest – Menu (36 € bc), 48/64 € – Carte 47/73 €

◆ À proximité d'un carrefour animé, accueillante salle de restaurant agrémentée de tableaux réalisés par le patron-artiste. Cuisine au goût du jour soignée.

ST-LOUP-DE-VARENNES – 71 Saône-et-Loire – **320** J9 – rattaché à Chalon-sur-Saône

---

ST-LUNAIRE – 35 Ille-et-Vilaine – **309** J3 – rattaché à Dinard

---

ST-LUPERCE – 28 Eure-et-Loir – **311** D5 – rattaché à Chartres

ST-LYPHARD – 44 Loire-Atlantique – 316 C3 – 4 030 h. – alt. 12 m — 34 A2
– ⌧ 44410 – Bretagne

◘ Paris 447 – La Baule 17 – Nantes 73 – Redon 43 – St-Nazaire 22
☐ Office de tourisme, place de l'Eglise ℘ 02 40 91 41 34, Fax 02 40 91 34 96
◉ Clocher de l'église ❋★★.

Les Chaumières du Lac et Auberge Les Typhas
rte Herbignac – ℘ *02 40 91 32 32*
– www.leschaumieresdulac.com – info@leschaumieresdulac.com
– Fax 02 40 91 30 33 – Fermé 23 déc.-17 janv.
20 ch – ♦64/74 € ♦♦64/110 €, ⌧ 10 €
Rest – *(fermé merc. midi et mardi)* Menu (15 €), 20 € (déj. en sem.), 22/44 €
– Carte 48/96 €

♦ Ce hameau de chaumières inscrit dans le Parc naturel régional de Brière dispose de vastes chambres (certaines refaites). Bons petits-déjeuners à base de produits fermiers. Plaisante salle à manger ouvrant sur une terrasse et plats dans l'air du temps.

rte de St-Nazaire 3 km au Sud par D 47 – ⌧ 44410 St-Lyphard

Auberge le Nézil
– ℘ *02 40 91 41 41* – *www.aubergelenezil.com* – *aubergelenezil@wanadoo.fr*
– Fax 02 40 91 45 39 – Fermé 5-12 oct., 16 nov.-14 déc., merc. soir d'oct. à mai, dim. soir et lundi
Rest – Menu (20 €), 27/49 € – Carte 30/65 €

♦ À la lisière des marais de Grande Brière, auberge rustique et bien tenue. Goûteuses recettes traditionnelles (produits locaux) servie, l'été, sur l'agréable terrasse-jardin.

à Bréca 6 km au Sud par D 47 et rte secondaire – ⌧ 44410 St-Lyphard

Auberge de Bréca
D 47 – ℘ *02 40 91 41 42 – www.auberge-breca.com – aubergedebreca@wanadoo.fr – Fax 02 40 91 37 41 – Fermé 4-24 janv., dim. soir et lundi sauf juil.-août*
Rest – Menu (20 €), 28/54 € – Carte 35/80 €

♦ Cette chaumière briéronne (1903) abrite un restaurant régional chaleureux, agrandi d'une véranda. Aux beaux jours, profitez du jardin et de la terrasse tournée vers les marais.

ST-MACAIRE – 33 Gironde – 335 J7 – rattaché à Langon

ST-MACLOU – 27 Eure – 304 C5 – 463 h. – alt. 114 m – ⌧ 27210 — 32 A3
◘ Paris 179 – Le Grand-Quevilly 67 – Le Havre 35 – Rouen 73

La Crémaillère avec ch
– ℘ *02 32 41 17 75 – Fax 02 32 42 50 90 – Fermé 30 juin-9 juil., 12-21 nov., mardi soir et merc. ; hôtel ouvert 15 avril-15 oct.*
3 ch – ♦30 € ♦♦46 €, ⌧ 6,50 € – ½ P 52 €
Rest – Menu (11 €), 14 € (sem.)/38 € – Carte 39/58 €

♦ Charmante petite auberge fleurie située au cœur du village. Boiseries et couleurs gaies dans l'agréable salle à manger ouverte sur la terrasse d'été. Cuisine régionale créative.

ST-MAIXENT-L'ÉCOLE – 79 Deux-Sèvres – 322 E6 – 6 602 h. — 38 B2
– alt. 85 m – ⌧ 79400 – Poitou Vendée Charentes

◘ Paris 383 – Angoulême 106 – Niort 24 – Parthenay 30 – Poitiers 52
☐ Syndicat d'initiative, porte Châlon ℘ 05 49 05 54 05, Fax 05 49 05 76 25
☒ du Petit Chêne à Mazières-en-Gâtine, O : 20 km par D 6, ℘ 05 49 63 20 95
◉ Église abbatiale★ - Musée du sous-officier (série d'uniformes★).

Le Logis St-Martin
chemin Pissot – ℘ *05 49 05 58 68 – www.logis-saint-martin.com – contact@logis-saint-martin.com – Fax 05 49 76 19 93*
12 ch – ♦110/155 € ♦♦125/180 €, ⌧ 16 € – 1 suite – ½ P 120/155 €
Rest – *(fermé sam. midi, mardi midi et lundi sauf le soir en saison)* Menu (35 €), 48/78 € – Carte 52/75 € ⚜

♦ Au cœur d'un parc bordé par la Sèvre niortaise, cette noble gentilhommière du 17ᵉ s. restaurée avec goût dispose de chambres personnalisées. Au restaurant, cadre rajeuni, très raffiné et cosy, mettant en valeur les poutres et l'ancienne cheminée ; plats classiques.

1689

ST-MAIXENT-L'ÉCOLE

à Soudan 7,5 km à l'Est par N 11 – 399 h. – alt. 155 m – ⊠ 79800

> Musée des Tumulus de Bougon★★.

L'Orangerie
10 rte de l'Atlantique – ℰ *05 49 06 56 06 – www.lorangerie79.com*
– orangerie79@orange.fr – Fax 05 49 06 56 10 – Fermé 2 sem. en janv., lundi midi en juil.-août, dim. soir et lundi de sept. à juin
Rest – Menu 15 € (sem.)/45 € – Carte 46/58 €
♦ Avec à sa tête une nouvelle direction, ce restaurant en bordure de nationale change de cap : salle à manger ouverte sur le jardin et cuisine traditionnelle actualisée.

ST-MAIXME-HAUTERIVE – 28 Eure-et-Loir – **311** D4 – 349 h. — 11 **B1**
– alt. 194 m – ⊠ 28170

▶ Paris 105 – Chartres 31 – Évreux 61 – Orléans 112

La Rondellière
11 r. de la Mairie – ℰ *02 37 51 68 26 – www.ferme-rondelliere.com*
– jeanpaul.langlois@wanadoo.fr
4 ch ⊇ – †33 € ††42 €   **Table d'hôte** – *(fermé dim. soir)* Menu 15 € bc
♦ Les chambres, spacieuses et bien aménagées, sont logées dans les anciens greniers à foin de cette ferme pratiquant la culture de céréales. Calme garanti et accueil sympathique. Cuisine élaborée avec les produits du potager à la table d'hôte (sur réservation).

ST-MALO – 35 Ille-et-Vilaine – **309** J3 – 49 600 h. – alt. 5 m – Casino   10 **D1**
AXY – ⊠ 35400 ▮ Bretagne

▶ Paris 404 – Avranches 68 – Dinan 32 – Rennes 70 – St-Brieuc 71

✈ de Dinard-Pleurtuit-St-Malo : ℰ 02 99 46 18 46, par ③ : 14 km.

🛈 Office de tourisme, esplanade Saint-Vincent ℰ 08 25 13 52 00, Fax 02 99 56 67 00

> Remparts★★★ - Château★★ : musée d'Histoire de la ville et d'Ethnographie du pays malouin★ M², tour Quic-en-Groigne★ **DZ** E - Fort national★ : ≤★★ 15 mn - Vitraux★ de la cathédrale St-Vincent - Mystères de la mer★★ (aquarium) par ③ - Rothéneuf : musée-manoir Jacques-Cartier★, 3 km par ① - St Servan sur Mer : corniche d'Aleth ≤★, tour Solidor★, échappées du parc des Corbières★, belvédère du Rosais★.

Plans pages suivantes

Intra muros

Central
6 Gde-Rue – ℰ *02 99 40 87 70 – www.bestwestern-hotelcentral-saintmalo.com*
– centralbw@wanadoo.fr – Fax 02 99 40 47 57
50 ch – †60/108 € ††80/130 €, ⊇ 11 € – 3 suites   DZ **n**
Rest – Menu 17/32 € – Carte 33/54 €
♦ Afin de goûter pleinement le charme de St-Malo intra-muros, installez-vous au cœur de la cité corsaire, dans l'une des chambres fonctionnelles et bien entretenues du Central. Au restaurant, produits de la mer et murs décorés de matériel de pêche.

Ajoncs d'Or sans rest
10 r. Forgeurs – ℰ *02 99 40 85 03 – www.st-malo-hotel-ajoncs-dor.com*
– hotel-ajoncs-dor@wanadoo.fr – Fax 02 99 40 80 70
– Fermé déc. et janv.   DZ **a**
22 ch – †74/150 € ††94/150 €, ⊇ 13 €
♦ Dans une rue tranquille de la vieille ville, chambres personnalisées (marines aux murs). Salle des petits-déjeuners agrémentée de gravures et de boiseries.

Hôtel du Louvre sans rest
2 r. Marins – ℰ *02 99 40 86 62 – www.hoteldulouvre-saintmalo.com – contact@ hoteldulouvre-saintmalo.com – Fax 02 99 40 86 93*   DZ **b**
50 ch – †70/125 € ††79/139 €, ⊇ 12 €
♦ Décor contemporain et sobre pour cet hôtel entièrement rénové. Bois sombre, tableaux, tons chauds et murs pastel habillent les chambres et la salle des petits-déjeuners.

ST-MALO

La Cité sans rest

26 r. Ste-Barbe – ℰ 02 99 40 55 40 – www.hotelcite-stmalo.com – hotelcite-stmalo@wanadoo.fr – Fax 02 99 40 10 04   DZ **v**

41 ch – †50/88 € ††69/133 €, ⊇ 12 €

♦ Cet immeuble de la vieille ville abrite des chambres fonctionnelles, de bonne ampleur. On prend son petit-déjeuner sous une charpente apparente, avec une vue sur les remparts.

San Pedro sans rest

1 r. Ste-Anne – ℰ 02 99 40 88 57 – www.sanpedro-hotel.com – hotelsanpedro@wanadoo.fr – Fax 02 99 40 46 25 – Ouvert 1ᵉʳ mars-15 nov.   DZ **f**

12 ch – †48/50 € ††57/71 €, ⊇ 8 €

♦ À deux pas de la plage de Bon Secours, un hôtel de poche dont l'accueil chaleureux est incomparable. Petites chambres impeccablement tenues et petit-déjeuner très soigné.

Le Croiseur sans rest

2 pl. de la Poissonnerie – ℰ 02 99 40 80 40 – www.hotel-le-croiseur.com – hotel.le.croiseur@free.fr – Fax 02 99 56 83 76 – Fermé 11 nov.-1ᵉʳ janv.   DZ **h**

14 ch – †55/65 € ††59/72 €, ⊇ 7 €

♦ Cuir brun et mobilier en wengé donnent à cet établissement un style contemporain épuré. En été, on petit-déjeune sur la mignonne place pavée où officie parfois un poissonnier.

Le Chalut (Jean-Philippe Foucat)

8 r. Corne de Cerf – ℰ 02 99 56 71 58 – Fax 02 99 56 71 58 – Fermé lundi et mardi   DZ **d**

Rest – (nombre de couverts limité, prévenir) Menu 25 € (déj. en sem.), 40/70 € – Carte 53/68 €

Spéc. Feuilles de lotte et chair de tourteau marinés. Etuvé de Saint-Pierre à la coriandre fraîche. Délice glacé au pur malt.

♦ Belle façade évoquant la vie des marins, intérieur convivial et cuisine raffinée axée sur les produits de la mer : trois bonnes raisons de ne pas prendre le large !

Delaunay

6 r. Ste-Barbe – ℰ 02 99 40 92 46 – www.restaurant-delaunay.com – bdelaunay@orange.fr – Fermé de mi-janv. à mi-fév., lundi hors saison et dim.   DZ **x**

Rest – (dîner seult) Menu 35 € – Carte 38/64 €

♦ Entourée de nombreux restaurants, une devanture lie-de-vin abritant une petite salle entièrement rafraîchie, agrémentée de nombreux tableaux. Carte dans l'air du temps.

A la Duchesse Anne (Serge Thirouard)

5 pl. Guy La Chambre – ℰ 02 99 40 85 33 – Fax 02 99 40 00 28 – Fermé déc., janv., dim. soir hors saison, lundi midi et merc.   DZ **e**

Rest – Menu 78 € – Carte 47/95 €

Spéc. Gratin de langoustines à l'estragon. Homard à l'armoricaine. Tarte tatin.

♦ Découvrez cette institution malouine (1945) et son beau décor de mosaïque et de fresques. Un vrai conservatoire de la cuisine bourgeoise telle qu'on la faisait il y a cent ans.

Gilles

2 r. Pie qui boit – ℰ 02 99 40 97 25 – Fax 02 99 40 97 25 – Fermé jeudi hors saison et merc.   DZ **t**

Rest – (nombre de couverts limité, prévenir) Menu (21 €), 26/40 €

♦ La superbe promenade sur les remparts vous a ouvert l'appétit ? Ce discret restaurant aux grandes baies vitrées vous régalera de sa cuisine actuelle soignée.

L'Ancrage

7 r. J. Cartier – ℰ 02 99 40 15 97 – Fax 02 23 18 03 61 – Fermé 4 janv.-4 fév., mardi et merc. sauf juil.-août   DZ **r**

Rest – Menu 16/36 € – Carte 50/71 €

♦ Adossé aux remparts, restaurant de poissons et fruits de mer où vous serez servis à la bonne franquette ! Décor marin au rez-de-chaussée ; jolie salle voûtée à l'étage.

1691

St-Malo Est et Paramé – ✉ 35400 St-Malo

Grand Hôtel des Thermes ⚜ ← 🅿 ⓢ₽ℴ 🛁 ≡ & ch, 🅰🄲 ⁂ 🏊 🚗
100 bd Hébert – ℰ 02 99 40 75 75   VISA ⓶ AE ①
– www.thalassotherapie.com – resa@thalassotherapie.com – Fax 02 99 40 76 00
– Fermé 3-17 janv.   BX **n**
169 ch – †80/172 € ††140/422 €, ⊇ 20 € – 7 suites
Rest *Le Cap Horn* – ℰ 02 99 40 75 40 – Menu 29 € (sem.)/56 € – Carte 50/65 €
Rest *La Verrière* – Menu (23 €), 34/43 € – Carte 35/45 €

♦ Sur le front de mer, ancien palace du 19ᵉ s. et son centre de thalassothérapie (six piscines à l'eau de mer et soins au top). Chambres et suites confortables, récemment rénovées. Jolie vue sur le large et carte classique au Cap Horn. Décor Belle Époque et cuisine diététique à La Verrière.

1692

En saison: zone piétonne intra-muros.

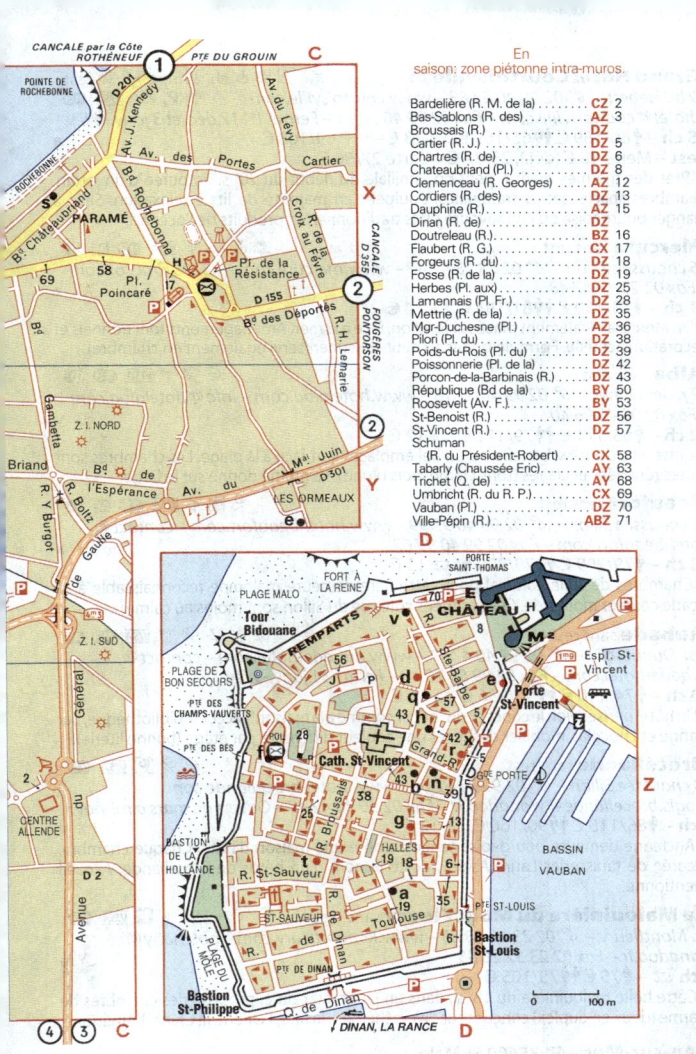

Street	Grid	No.
Bardelière (R. M. de la)	CZ	2
Bas-Sablons (R. des)	AZ	3
Broussais (R.)	DZ	
Cartier (R. J.)	DZ	5
Chartres (R. de)	DZ	6
Chateaubriand (Pl.)	DZ	8
Clemenceau (R. Georges)	AZ	12
Corbiers (R. des)	AZ	13
Dauphine (R.)	AZ	15
Dinan (R. de)	DZ	
Doutreleau (R.)	BZ	16
Flaubert (R. G.)	CX	17
Forgeurs (R. du)	DZ	18
Fosse (R. de la)	DZ	19
Herbes (Pl. aux)	DZ	25
Lamennais (Pl. Fr.)	DZ	28
Mettrie (R. de la)	DZ	35
Mgr-Duchesne (Pl.)	AZ	36
Piloi (Pl. du)	DZ	38
Poids-du-Rois (Pl. du)	DZ	39
Poissonnerie (Pl. de la)	DZ	42
Porcon-de-la-Barbinais (R.)	AZ	43
République (Bd de la)	BY	50
Roosevelt (Av. F.)	BY	53
St-Benoist (R.)	DZ	56
St-Vincent (R.)	DZ	57
Schuman (R. du Président-Robert)	CX	58
Tabarly (Chaussée Eric)	AY	63
Trichet (Q. de)	AY	68
Umbricht (R. du R. P.)	CX	69
Vauban (Pl.)	DZ	70
Ville-Pépin (R.)	ABZ	71

🏨 **Alexandra** ≤ 🛜 🖃 ᴆ AC 🕸 🏄 🐕 P 🏠 VISA 🐠 AE ①
138 bd Hébert – ℰ 02 99 56 11 12 – 20 99 56 30 03 – alexandra.hotel@wanadoo.fr
– Fax 02 99 56 11 12 – Fermé janv. BX **h**
31 ch – ✝83/147 € ✝✝95/173 €, ⌂ 14 € – ½ P 94/126 €
Rest – Menu 24/72 € – Carte 28/50 €

♦ Les chambres – avec terrasse ou bow-window – jouissent d'une belle vue sur la baie ou sur les toits de la cité. Cadre ensoleillé et fonctionnel, maquettes de navires en déco. Restaurant-brasserie proposant une carte traditionnelle inspirée par la mer.

🏨 **La Villefromoy** sans rest 🖃 🕸 🏄 P VISA 🐠 AE ①
*7 bd Hébert – ℰ 02 99 40 92 20 – www.villefromoy.fr – villefromoy.hotel@
wanadoo.fr – Fax 02 99 56 79 49 – Fermé 15 nov.-25 déc. et 3 janv.-4 fév.*
26 ch – ✝89/175 € ✝✝89/175 €, ⌂ 13 € CX **s**

♦ Ces deux demeures d'un quartier résidentiel vous réservent un charmant accueil. Douce atmosphère actuelle au salon (dans la villa Second Empire) ; chambres au mobilier acajou.

1693

ST-MALO

Grand Hôtel Courtoisville
69 bd Hébert – ℘ 02 99 40 83 83 – www.courtoisville.com
– hotel@courtoisville.com – Fax 02 99 40 57 83 – Fermé 1er-17 déc. et 3 janv.-4 fév.
45 ch – †66/169 € ††66/169 €, ⊇ 13 € – ½ P 69/108 €   BX a
Rest – Menu 18 € (déj.), 25/32 € – Carte 27/56 €

♦ Près des thermes marins, pension familiale du début du 20e s. entourée d'un jardin. Chambres spacieuses et tranquilles, équipées en majorité de lits à relaxation. Salle à manger bourgeoise où l'on savoure plats traditionnels et produits de l'océan.

Mercure sans rest
36 chaussée Sillon – ℘ 02 23 18 47 47 – www.mercure.com – h3225@accor.com
– Fax 02 23 18 47 48   AY z
51 ch – †73/150 € ††81/195 €, ⊇ 14 €

♦ Un Mercure idéalement placé sur le Sillon, face à la mer. Aménagements fonctionnels et décoration actuelle. Formule buffet au petit-déjeuner (servi également en chambre).

Alba sans rest
17 r. des Dunes – ℘ 02 99 40 37 18 – www.hotelalba.com – info@hotelalba.com
– Fax 02 99 40 96 40   BX v
22 ch – †65/171 € ††79/171 €, ⊇ 12 €

♦ Cette villa du 19e s. bénéficie d'un bel emplacement face à la plage. Les chambres sont toutes rénovées et claires (tons crème, bois blond). La moitié donne sur le large.

Beaufort sans rest
25 chaussée Sillon – ℘ 02 99 40 99 99 – www.hotel-beaufort.com – contact@hotel-beaufort.com – Fax 02 99 40 99 62   BX x
22 ch – †79/209 € ††79/209 €, ⊇ 13 €

♦ Chambres de style colonial pour cette fière demeure malouine reconnaissable à sa façade couleur moutarde. Celles situées côté rue du Sillon sont moins au calme.

Aubade sans rest
8 pl. Duguesclin – ℘ 02 99 40 47 11 – www.aubade-hotel.com – contact@aubade-hotel.com – Fax 02 99 56 10 49 – Fermé 31 janv.-9 fév.   BXY
20 ch – †74/110 € ††90/136 €, ⊇ 11 €

♦ Un hôtel pensé selon le concept du "décor comme à la maison" : accueil-bibliothèque, bar orange et chocolat, mobilier design et une couleur différente par étage (bonne literie).

Brocéliande sans rest
43 chaussée Sillon – ℘ 02 99 20 62 62 – www.hotel-broceliande.com
– logis.broceliande@wanadoo.fr – Fax 02 99 40 42 47 – Ouvert de mars à mi-nov.
9 ch – †85/115 € ††90/160 €, ⊇ 12 €   BX v

♦ Ancienne demeure bourgeoise tenue comme une maison d'hôte. Chaque chambre, décorée de tapisseries Laura Ashley, porte le nom d'un héros de Brocéliande. Accueil attentionné.

La Malouinière du Mont Fleury sans rest
2 r. Montfleury – ℘ 02 23 52 28 85 – www.lemontfleury.com – bob.haby@wanadoo.fr – Fax 02 23 52 28 85   CY e
4 ch ⊇ – †75 € ††75/105 €

♦ Cette belle malouinière du 18e s., dans un jardin au calme, propose des chambres de charme (deux en duplex) conçues sur divers thèmes : la mer, l'Orient, la Chine, l'Amérique.

à St-Servan-sur-Mer – ⊠ 35400 St Malo

Valmarin sans rest
7 r. Jean XXIII – ℘ 02 99 81 94 76 – www.levalmarin.com – levalmarin@wanadoo.fr – Fax 02 99 81 30 03   AZ n
12 ch – †100/145 € ††100/145 €, ⊇ 11 €

♦ Les chambres personnalisées de cette élégante demeure traditionnelle portent le nom de figures célèbres de la région. Les plus agréables s'ouvrent sur le paisible parc arboré.

Manoir du Cunningham sans rest
9 pl. Mgr Duchesne – ℘ 02 99 21 33 33 – www.st-malo-hotel-cunningham.com
– cunningham@wanadoo.fr – Fax 02 99 21 33 34 – Ouvert de mi-mars à mi-nov., week-ends, vacances de Noël et de fév.   AZ a
13 ch – †90/190 € ††90/190 €, ⊇ 10 €

♦ Jolie maison aux allures de manoir anglo-normand, face à l'anse des Sablons. Grandes chambres baptisées de noms d'îles, plaisantes mais datées ; la plupart donnent sur la mer.

ST-MALO

L'Ascott sans rest
35 r. Chapitre – ✆ 02 99 81 89 93 – www.ascotthotel.com – informations@ascotthotel.com – Fax 02 99 81 77 40 – Fermé 5-22 janv. BZ s
10 ch – †85/100 € ††100/155 €, ⊵ 13 €
- Heureux mariage de meubles contemporains, parfois design, et de multiples objets chinés (lustres à pendeloques, tableaux) en cette demeure bourgeoise d'un quartier résidentiel.

La Rance sans rest
15 quai Sébastopol, (port Solidor) – ✆ 02 99 81 78 63 – www.larancehotel.com – hotel-la-rance@wanadoo.fr – Fax 02 99 81 44 80 – Ouvert de début fév. à mi-nov. AZ k
11 ch – †60/88 € ††60/88 €, ⊵ 9 €
- Ici, vous serez reçus comme chez des amis. Hôtel situé dans une anse du quartier Solidor, aux petites chambres face à la mer, personnalisées et peu à peu rénovées.

Le St-Placide (Luc Mobihan)
6 pl. Poncel – ✆ 02 99 81 70 73 – www.lesaintplacide.com – imobihan@wanadoo.fr – Fermé 14 juin-2 juil., 9-20 nov., 15-25 fév., merc. sauf le soir du 14 juil. au 15 août et mardi BZ a
Rest – Menu 26 € (déj. en sem.), 42/82 € – Carte 69/86 €
Spéc. Risotto homard-bacon (printemps-été). Pigeonneau rôti au thé fumé (automne-hiver). Retour sur la tarte au citron meringuée.
- Dans le décor contemporain de son restaurant "de poche", le chef laisse courir son imagination pour faire vivre sa cuisine avec son temps. Accueil et service aimables.

Les Corbières
6 pl. Mgr Juhel – ✆ 02 99 82 07 46 – www.lescorbieres-saintmalo.fr – restaurantlescorbieres@yahoo.fr – Fermé 18-30 juin, 5-30 nov., 15-28 fév., mardi sauf le soir en juil.-août et lundi BZ t
Rest – (nombre de couverts limité, prévenir) Menu 25 € (déj. en sem.), 36/55 € – Carte environ 40 €
- Au cœur du quartier des Corbières, une discrète façade marron cache ce restaurant au cadre actuel (lustres et appliques de Murano). Esthétisme et inventivité dans l'assiette.

La Gourmandise
2 r. des Bas-Sablons – ✆ 02 99 21 93 53 – www.lagourmandise.book.fr – steve.delamaire@wanadoo.fr – Fax 02 99 21 93 53 – Fermé 22-28 déc., 15-21 fév., mardi soir, sam. midi et dim. AZ g
Rest – Menu (15 €), 24/44 € – Carte 49/64 €
- Située derrière l'anse des Sablons (quartier St-Servan), cette table simple mais soignée propose une cuisine de saison aux accents méditerranéens. Accueil souriant.

rte de Rennes 3 km par ③ et av. Gén. de Gaulle – ✉ 35400 St-Malo

La Grassinais
12 allée Grassinais – ✆ 02 99 81 33 00 – www.saint-malo-hebergement.com – manoirdelagrassinais@wanadoo.fr – Fax 02 99 81 60 90 – Fermé 20 déc.-31 janv.
29 ch – †58/79 € ††58/89 €, ⊵ 9 € – ½ P 61/76 €
Rest – (fermé sam. midi et lundi de sept. à mi-juil., dim. soir sauf en août) Menu (19 €), 24/39 € – Carte 39/51 €
- En périphérie de St-Malo, ancienne ferme rattrapée par l'urbanisation et joliment restaurée. Elle abrite des chambres actuelles, confortables et rajeunies. Chaleureuse salle à manger lambrissée et recettes traditionnelles gourmandes mitonnées avec soin.

ST-MANDÉ – 94 Val-de-Marne – **312** D2 – **101** 27 – voir à Paris, Environs

Retrouvez tous les Bibs Gourmands ☺ dans notre guide des "Bonnes Petites Tables du guide Michelin". Pour bien manger à prix modérés, partout en France !

ST-MARC-A-LOUBAUD – 23 Creuse – 325 I5 – 131 h. – alt. 705 m – ⌧ 23460 — 25 **C2**

▶ Paris 411 – Aubusson 24 – Guéret 54 – Limoges 78 – Tulle 87 – Ussel 57

Les Mille Sources
Le Bourg – ℰ 05 55 66 03 69 – Fax 05 55 66 03 69 – *Ouvert de Pâques à mi-nov. et fermé dim. soir et lundi sauf vacances scolaires*
Rest – *(prévenir)* Menu 35/49 € – Carte environ 58 €
♦ Ex-ferme habilement réaménagée où vous serez accueilli comme chez des amis. Canards de Challans et gigots rôtissent dans la cheminée d'époque de la très jolie salle rustique.

ST-MARCEL-DU-PÉRIGORD – 24 Dordogne – 329 F6 – 140 h. – alt. 160 m – ⌧ 24510 — 4 **C1**

▶ Paris 538 – Bordeaux 144 – Périgueux 58 – Bergerac 26 – Sarlat-la-Canéda 55

Auberge Lou Peyrol
au bourg – ℰ 05 53 24 09 71 – www.loupeyrol.com – fiona.wavrin@wanadoo.fr – *Fermé 1 sem. en mars, 15 nov.-15 déc., lundi en hiver et mardi*
Rest – Menu 27/38 € – Carte 34/42 €
♦ Auberge périgourdine au charme très rustique prolongée d'une terrasse à l'ombre d'un vénérable tilleul. Cuisine régionale de saison.

ST-MARCEL-EN-DOMBES – 01 Ain – 328 C5 – 1 202 h. – alt. 265 m – ⌧ 01390 — 43 **E1**

▶ Paris 440 – Bourg-en-Bresse 36 – Lyon 30 – Meximieux 21 – Villefranche-sur-Saône 26

La Colonne
– ℰ 04 72 26 11 06 – Fax 04 72 08 59 24 – *Fermé 18 déc.-18 janv., lundi soir et mardi*
Rest – Menu 16 € (déj. en sem.), 20/38 € – Carte 27/47 €
♦ L'enseigne évoque la colonne en pierre du 16ᵉ s. qui trône au milieu de la salle à manger (boiseries en chêne et plafond à la française). Cuisine régionale. Jardin-terrasse.

ST-MARCEL-LÈS-SAUZET – 26 Drôme – 332 B6 – rattaché à Montélimar

ST-MARCELLIN – 38 Isère – 333 E7 – 6 955 h. – alt. 282 m – ⌧ 38160 — 43 **E2**
▮ Lyon et la vallée du Rhône

▶ Paris 570 – Die 76 – Grenoble 55 – Valence 46 – Vienne 71 – Voiron 47
🛈 Office de tourisme, 2, avenue du Collège ℰ 04 76 38 53 85, Fax 04 76 38 17 32

La Tivollière
Château du Mollard – ℰ 04 76 38 21 17 – www.lativolliere.com – restaurant.lativolliere@orange – Fax 04 76 38 94 51 – *Fermé jeudi soir, dim. soir et lundi*
Rest – Menu 30/49 €
Rest *Face B* – (*fermé lundi et le soir sauf vend. et sam.*) Menu (18 €), 21 € (déj. en sem.) – Carte 30/45 €
♦ Restaurant au décor moderne assez inattendu, aménagé dans un château du 15ᵉ s. dominant la ville. La terrasse ombragée offre une petite échappée sur le Vercors. Au Face B, plats de bistrot au déjeuner en semaine et tapas au bar lounge (vendredi et samedi soir).

ST-MARTIAL-DE-NABIRAT – 24 Dordogne – 329 I7 – 513 h. – alt. 175 m – ⌧ 24250 — 4 **D2**

▶ Paris 556 – Bordeaux 213 – Périgueux 82 – Cahors 43 – Sarlat-la-Canéda 20

Le St-Martial
au bourg – ℰ 05 53 29 18 34 – www.lesaintmartial.com – le-saint-martial@aliceadsl.fr – Fax 05 53 29 73 45 – *Fermé lundi midi de mi-juil. à fin août, mardi et merc. sauf le soir du 16 juil. au 31 août*
Rest – Menu (25 €), 32/60 € – Carte 48/63 €
♦ Avec son mobilier en fer forgé, la terrasse sur la place du village invite à s'attabler. À l'intérieur : cadre minéral et décor au look actuel pour savourer une cuisine moderne.

ST-MARTIN-AUX-CHARTRAINS – 14 Calvados – 303 N4 – rattaché à Pont-L'Évêque

ST-MARTIN-DE-BELLEVILLE – 73 Savoie – 333 M5 – 3 080 h. 46 **F2**
– alt. 1 450 m – Sports d'hiver : 1 450/2 850 m ⬈ 9 ⬊ 37 ⬈ – ⊠ 73440
 Alpes du Nord

   ▶ Paris 624 – Albertville 44 – Chambéry 93 – Moûtiers 20
   ℹ Office de tourisme, immeuble L'Épervière ℘ 04 79 00 20 00, Fax 04 79 08 91 71

St-Martin
– ℘ 04 79 00 88 00 – www.hotel-stmartin.com – hotelsaintmartin@orange.fr
– Fax 04 79 00 88 39 – Ouvert 19 déc.-18 avril
27 ch (½ P seult) – 5 suites – ½ P 98/205 €
Rest *Le Grenier* – Carte 39/79 €

♦ Ce plaisant chalet à toiture de lauzes abrite des chambres douillettes à la mode alpine, toutes dotées d'un balcon. Au Grenier, cuisine du terroir et suggestions du jour annoncées sur de grandes ardoises du pays ; cadre savoyard.

L'Edelweiss
r. St-François – ℘ 04 79 08 96 67 – www.hotel-edelweiss73.com
– hoteledelweiss@wanadoo.fr – Fax 04 79 08 90 40 – Ouvert 10 juil.-31 août et 20 déc.-26 avril
16 ch ⊇ – †90/108 € ††120/160 € – ½ P 98/112 €
Rest – Menu 30 € (dîner)/45 € – Carte 45/80 €

♦ L'esprit montagnard fleurit à l'Edelweiss, les chambres meublées au bois de pin sont très bien tenues, sauna et aimable accueil. Le salon-bar est le lieu de rendez-vous des habitués du village. Table traditionnelle accessible en période estivale.

La Bouitte (René et Maxime Meilleur) avec ch
à St-Marcel, 2 km au Sud-Est – ℘ 04 79 08 96 77
– www.la-bouitte.com – info@la-bouitte.com – Fax 04 79 08 96 03
– Ouvert 1ᵉʳ juil.-3 sept. et 2 déc.-30 avril
8 ch ⊇ – †180/215 € ††266/278 €
Rest – (fermé lundi en été) Menu 59/165 € – Carte 85/140 €

Spéc. Demi-lobe de foie gras de canard grillé, figues rôties et balsamique verdi. Pomme de ris de veau caramélisée, poire et beaufort, fumée de chêne. Pêches blanches et jaunes cuites façon risotto, feuilles de fenouil et chocolat. **Vins** Chignin-Bergeron, Vin de Savoie passerillé

♦ Décor de vieux chalet, cuisine "salée-sucrée" inventive (herbes alpestres) et raffinée, service attentif : cette "bouitte" offre aux gourmets avertis un délicieux concentré de Savoie. Superbes chambres montagnardes et espace détente. Accueil attentif.

Étoile des Neiges
r. St-Martin – ℘ 04 79 08 92 80 – www.hotel-edelweiss73.com – hoteledelweiss@wanadoo.fr – Fax 04 79 08 90 40 – Ouvert 10 juil.-30 août, et 20 déc.-25 avril
Rest – Menu 30 € (dîner)/45 € – Carte 45/80 €

♦ Table traditionnelle se complétant d'une terrasse agréable lorsque perce le soleil. Salles au cadre montagnard, réchauffées par une cheminée centrale ; mezzanine à l'étage.

Le Montagnard
– ℘ 04 79 01 08 40 – www.le-montagnard.com – info@le-montagnard.com
– Ouvert 1ᵉʳ juil.-31 août et 15 déc.-15 mai et fermé le midi en juil.-août
Rest – Menu (21 €) – Carte 38/70 €

♦ Murs chaulés, mobilier massif, vieux outils et bibelots composent le chaleureux décor montagnard de cette sympathique table perchée dans le haut village. Saveurs régionales ou gastronomiques.

ST-MARTIN-DE-LONDRES – 34 Hérault – 339 H6 – 2 159 h. 23 **C2**
– alt. 194 m – ⊠ 34380 Languedoc Roussillon

   ▶ Paris 744 – Montpellier 25 – Le Vigan 37
   ℹ Office de tourisme, Maison de Pays ℘ 04 67 55 09 59, Fax 04 67 55 70 91

ST-MARTIN-DE-LONDRES

XXX **Les Muscardins**
19 rte des Cévennes – ℰ *04 67 55 75 90 – www.les-muscardins.fr*
– thierry.rousset@wanadoo.fr – Fax 04 67 55 70 28 – Fermé 5 fév.-8 mars, lundi et mardi sauf fériés
Rest – Menu (29 €), 44/76 € – Carte 74/94 €
♦ Ravissante salle à manger et son petit salon d'attente décorés dans des tons chaleureux et ornés de tableaux colorés. Cuisine au goût du jour et service traiteur.

au Sud 12 km par D 32, D 127 et D 127^E6 – ⊠ 34380 Argelliers

XX **Auberge de Saugras** avec ch
Domaine de Saugras – ℰ *04 67 55 08 71 – www.aubergedesaugras.fr*
– auberge.saugras@wanadoo.fr – Fax 04 67 55 04 65
– Fermé 3-26 août, 21 déc.-6 janv., lundi midi en juil.-août, mardi sauf le soir en juil.-août et merc.
7 ch – †45/85 € ††45/85 €, ⊇ 7 € – ½ P 59/79 €
Rest – (prévenir) Menu 20 € (sem.)/59 € – Carte 25/95 €
♦ N'hésitez pas à braver la garrigue sauvage ! Avec à la clé, la découverte de ce mas en pierre du 12ᵉ s. Généreuse cuisine du terroir, jolie terrasse et chambres fonctionnelles.

ST-MARTIN-D'ENTRAUNES – 06 Alpes-Maritimes – **341** B3 – 88 h.   41 **C2**
– alt. 1 050 m – ⊠ 06470
▶ Paris 778 – Barcelonnette 50 – Castellane 66 – Digne-les-Bains 104
  – Nice 108

Hostellerie de la Vallière
le village – ℰ *04 93 05 59 59 – www.hotel-lavalliere.com – info@hotel-lavalliere.com – Fax 04 93 05 59 60 – Ouvert 15 avril-30 oct.*
10 ch (½ P seult) – ½ P 46 € **Rest** – Menu 21/25 € – Carte 25/35 €
♦ Randonneurs et chasseurs de repos apprécieront cette auberge colorée tournée vers le massif du Mercantour. Décor champêtre et confort sommaire dans les chambres (sans TV). Repas traditionnel à savourer dans une salle prolongée d'une petite terrasse.

ST-MARTIN-DE-LA-PLACE – 49 Maine-et-Loire – **317** I5 – 1 130 h.   35 **C2**
– alt. 80 m – ⊠ 49160
▶ Paris 314 – Nantes 147 – Angers 60 – Saumur 11 – La Flèche 70
🛈 Syndicat d'initiative, Mairie ℰ 02 41 38 43 06, Fax 02 41 38 09 93

Domaine de la Blairie
5 r. de la Mairie – ℰ *02 41 38 42 98*
– www.hotel-blairie.com – contact@hotel-blairie.com – Fax 02 41 38 41 20
– Fermé 15 déc.-15 fév. et dim. soir du 15 nov. au 15 mars
44 ch – †39/54 € ††57/83 €, ⊇ 9 €
Rest – (fermé dim. soir du 15 nov. au 15 mars, merc. et jeudi) Menu (14 €), 18/32 €
– Carte 28/42 €
♦ Cette demeure en tuffeau propose des chambres pratiques et bien tenues, réparties sur trois bâtiments. On profite du calme d'un village du Saumurois et d'un grand jardin avec piscine. Cuisine traditionnelle à prix attractifs servie dans un cadre chaleureux.

ST-MARTIN-DE-RÉ – 17 Charente-Maritime – **324** B2 – **voir à Île de Ré**

ST-MARTIN-DU-FAULT – 87 Haute-Vienne – **325** E5 – **rattaché à Limoges**

ST-MARTIN-DU-TOUCH – 31 Haute-Garonne – **343** G3 – **rattaché à Toulouse**

ST-MARTIN-DU-VAR – 06 Alpes-Maritimes – **341** E5 – 2 197 h.   41 **D2**
– alt. 110 m – ⊠ 06670
▶ Paris 938 – Antibes 34 – Cannes 44 – Nice 28 – Puget-Théniers 40
  – Vence 22

ST-MARTIN-DU-VAR

XXX **Jean-François Issautier** AC P VISA MC AE ①
❀ *3 km rte de Nice (D 6202) – ℰ 04 93 08 10 65 – www.issautier.fr – restaurant@issautier.fr – Fax 04 93 29 19 73 – Fermé 26 oct.-4 nov., début janv. à début fév., dim. soir, lundi et mardi*
Rest – Menu 43/115 € – Carte 75/118 €
Spéc. Pied de cochon cuit croustillant. Cul d'agneau rôti rosé, jus de menthe et légumes du marché. Tarte au chocolat fort en goût "araguani" et glace vanille. **Vins** Bellet, Côtes de Provence.
♦ Adresse discrète isolée de la route par une haie de conifères. Cuisine classique et régionale proposée dans une grande salle haute sous plafond et bourgeoisement décorée.

> Les bonnes adresses à petit prix ?
> Suivez les Bibs : Bib Gourmand rouge ⊛ pour les tables
> et Bib Hôtel bleu 🛏 pour les chambres.

ST-MARTIN-EN-BRESSE – 71 Saône-et-Loire – **320** K9 – 1 792 h. – 8 **C3**
– alt. 192 m – ⌂ 71620

🄳 Paris 353 – Beaune 48 – Chalon-sur-Saône 18 – Dijon 86 – Dôle 56
– Lons-le-Saunier 48

XX **Au Puits Enchanté** avec ch ✦ rest, 📶 🐾 P VISA MC
⊛ *1 pl. René Cassin – ℰ 03 85 47 71 96 – www.aupuitsenchante.com
– chateau.jacky@wanadoo.fr – Fax 03 85 47 74 58 – Fermé 9-17 mars, 21-29 sept., 23 nov.-1ᵉʳ déc., 5-23 janv., dim. soir, lundi et mardi*
13 ch – †51/61 € ††51/61 €, ⌂ 9 € – ½ P 52/58 €
Rest – Menu 21/48 € – Carte 28/38 €
♦ Au centre d'un bourg de la Bresse bourguignonne, maison de pays où l'on se met en quatre pour vous faire passer un délicieux moment. Généreuse cuisine à base des produits du terroir. Chambres pour l'étape.

ST-MARTIN-LA-MÉANNE – 19 Corrèze – **329** M4 – 359 h. – 25 **C3**
– alt. 500 m – ⌂ 19320

🄳 Paris 510 – Aurillac 67 – Brive-la-Gaillarde 54 – Mauriac 48 – St-Céré 53
– Tulle 32 – Ussel 65

◉ Barrage du Chastang ★ SE : 5 km, ▮ Berry Limousin

X **Des Voyageurs** avec ch 🚗 🌿 📶 P VISA MC AE
pl. Mairie – ℰ 05 55 29 11 53 – www.hotellesvoyageurs.com – info@hotellesvoyageurs.com – Fax 05 55 29 27 70 – Ouvert 28 mars-11 nov. et fermé dim. soir et lundi sauf de mai à sept.
8 ch – †43/46 € ††43/56 €, ⌂ 7 € – ½ P 44/50 €
Rest – Menu (17 €), 22/36 € – Carte 40/46 €
♦ Charmante auberge en pierre où le temps s'arrête à la faveur d'une cuisine du terroir servie dans un cadre campagnard ou, en été, dans le jardin prolongé d'un étang (pêche).

ST-MARTIN-LE-BEAU – 37 Indre-et-Loire – **317** O4 – 2 606 h. – 11 **B2**
– alt. 55 m – ⌂ 37270 ▮ Châteaux de la Loire

🄳 Paris 231 – Amboise 9 – Blois 45 – Loches 34 – Tours 20

XX **Auberge de la Treille** avec ch AC VISA MC
*2 r. d'Amboise – ℰ 02 47 50 67 17 – www.auberge-de-la-treille.com
– auberge-de-la-treille@wanadoo.fr – Fax 02 47 50 20 14 – Fermé 1ᵉʳ-9 mars, 25 oct.-4 nov., dim. soir et merc. sauf juil.-août*
8 ch – †50 € ††50 €, ⌂ 8 € – ½ P 56 €
Rest – Menu (13 €), 20/40 € – Carte 33/40 €
♦ À quelques minutes de l'Aquarium de Touraine. Carte aux notes actuelles servie dans deux salles à manger rustiques avec colombages. Chambres simples, lumineuses et colorées.

ST-MARTIN-LE-GAILLARD – 76 Seine-Maritime – 304 I2 – 323 h. — 33 D1
– alt. 60 m – ⊠ 76260 ▮ Normandie Vallée de la Seine

◻ Paris 168 – Amiens 99 – Dieppe 27 – Eu 12 – Neufchâtel-en-Bray 34 – Rouen 87

XX **Moulin du Becquerel**
2 r. des Moulins, Nord-Ouest : 1,5 km sur D 16 – ℘ *02 35 86 74 94*
– www.moulindubecquerel.fr – moulindubecquerel@free.fr – Fermé
20 janv.-6 mars, dim. soir, lundi, mardi et merc. sauf juil.-août et fériés
Rest – Menu 20/44 € – Carte 31/52 €
♦ Paisible maison normande longée par une rivière. Intérieur rustique et terrasse dressée dans le jardin invitent les hôtes à s'attabler autour de plats traditionnels du marché.

ST-MARTIN-VÉSUBIE – 06 Alpes-Maritimes – 341 E3 – 1 300 h. — 41 D2
– alt. 1 000 m – ⊠ 06450 ▮ Côte d'Azur

◻ Paris 845 – Antibes 73 – Barcelonnette 111 – Cannes 83 – Menton 88
 – Nice 66

z Office de tourisme, place Félix Faure ℘ 04 93 03 21 28, Fax 04 93 03 21 44

◉ Venanson : ≤★, fresques★ de la chapelle St-Sébastien S : 4,5 km.

◉ Le Boréon★★ (cascade★) N : 8 km - Cirque★★ du vallon de la Madone de Fenestre NE : 12 km.

⌂ **Gelas** sans rest
27 r. Dr Cagnoli – ℘ *04 93 03 21 81 – www.hotel-gelas.com – contact@*
hotel-gelas.com – Fax 04 93 03 24 87 – Fermé nov.
10 ch – †68 € ††68 €, ⌴ 9 €
♦ Accueil charmant dans cette maison familiale rénovée par un passionné de ski ; chambres lambrissées et petit-déjeuner dans un décor célébrant la glisse ou en terrasse.

ST-MATHIEU-DE-TRÉVIERS – 34 Hérault – 339 I6 – 4 341 h. — 23 C2
– alt. 81 m – ⊠ 34270

◻ Paris 761 – Marseille 176 – Montpellier 22 – Nice 334 – Nîmes 53
 – Toulouse 261

XX **Lennys**
266 av. Louis Cancel, D 17 – ℘ *04 67 55 37 97 – restaurant.lennys@wanadoo.fr*
– Fax 04 67 54 71 82 – Fermé 6-30 sept., 10-19 janv., sam. midi, dim. soir et lundi
Rest – Menu (21 €), 45/84 € – Carte 72/85 €
♦ Sympathique auberge proche du pic St-Loup qui donne également son nom au vin local : le pic-saint-loup. Cadre méridional, terrasse ombragée et cuisine inventive bien maîtrisée.

ST-MATHURIN – 85 Vendée – 316 F8 – 1 256 h. – alt. 30 m – ⊠ 85150 — 34 A3

◻ Paris 451 – Nantes 95 – La Roche-sur-Yon 29 – Challans 66
 – Les Sables-d'Olonne 10

⌂ **Le Château de la Millière** sans rest
La Millière – ℘ *02 51 22 73 29 – www.chateau-la-milliere.com*
– chateaudelamilliere@club-internet.fr – Ouvert 1ᵉʳ mai-30 sept.
3 ch ⌴ – †92 € ††100 €
♦ Un vaste parc – piscine, étangs, allées – renforce l'attrait de ce château (19ᵉ s.) qui a préservé son caractère (mobilier d'époque) tout en se dotant d'un confort actuel.

ST-MAUR-DES-FOSSÉS – 94 Val-de-Marne – 312 D3 – 101 27 – voir à Paris, Environs

ST-MAURICE-DE-SATONNAY – 71 Saône-et-Loire – 320 I11 — 8 C3
– 394 h. – alt. 250 m – ⊠ 71260

◻ Paris 400 – Dijon 129 – Mâcon 17 – Chalon-sur-Saône 61 – Bourg-en-Bresse 49

X **Auberge des Grenouillats**
Le Bourg – ℘ *03 85 33 40 50 – les.grenouillats@orange.fr – Fermé 1ᵉʳ-9 mars,*
25 oct.-5 nov., 20 déc.-4 janv., 6-22 fév., mardi soir et merc.
Rest – *(nombre de couverts limité, prévenir)* Carte 32/38 €
♦ Dans l'ancien café du village, petit bistrot proposant, entre autres, des spécialités régionales (grenouilles, bœuf charolais). Terrasse à l'ombre des platanes.

ST-MAXIMIN-LA-STE-BAUME – 83 Var – 340 K5 – 13 900 h. — 40 **B3**
– alt. 289 m – ⌧ 83470 ▌Provence
- Paris 793 – Aix-en-Provence 44 – Marseille 51 – Toulon 55
- Office de tourisme, Hôtel de Ville ℘ 04 94 59 84 59, Fax 04 94 59 82 92

Couvent Royal
pl. Jean Salusse – ℘ *04 94 86 55 66 – www.hotelfp-saintmaximin.com – contact@hotelfp-saintmaximin.com – Fax 04 94 59 82 82*
67 ch – ♦99/109 € ♦♦122/159 €, ⌧ 12 € **Rest** – Menu 39/55 € – Carte 45/55 €
• Hôtellerie originale, accolée à une basilique du 13ᵉ s. Chambres douillettes mettant à profit d'anciennes cellules de moines. Repas traditionnel servi dans la belle salle capitulaire. Aux beaux jours, on profite d'une terrasse donnant sur le cloître.

ST-MÉDARD – 46 Lot – 337 D4 – 164 h. – alt. 170 m – ⌧ 46150 — 28 **B1**
- Paris 571 – Cahors 17 – Gourdon 34 – Villeneuve-sur-Lot 59

Gindreau (Alexis Pélissou)
– ℘ *05 65 36 22 27 – http://perso.wanadoo.fr/le.gindreau – le.gindreau@wanadoo.fr – Fax 05 65 36 24 54 – Fermé 16 mars-8 avril, 19 oct.-12 nov., merc. midi de déc. à mars, lundi et mardi*
Rest – *(prévenir le week-end)* Menu 38 € (sem.)/115 € – Carte 69/103 €
Spéc. Truffes fraîches (déc. à mars). Agneau fermier du Quercy. Soufflé "alliance de la truffe et du Marasquin". **Vins** Vins de Pays du Lot blanc et rouge.
• Goûteuse cuisine contemporaine qui met en valeur le terroir, à découvrir dans cette ancienne école de village. Salles aux couleurs pastel et terrasse sous les marronniers.

ST-MÉDARD-EN-JALLES – 33 Gironde – 335 G5 – 27 000 h. — 3 **B1**
– alt. 22 m – ⌧ 33160
- Paris 591 – Blaye 62 – Bordeaux 18 – Jonzac 97 – Libourne 48 – Saintes 129

Tournebride
55 r. Alexis Puyo, à Hastignan – ℘ *05 56 05 09 08 – le.tournebride@hotmail.fr – Fax 05 56 05 09 08 – Fermé merc. soir, dim. soir et lundi*
Rest – Menu 14 € (déj. en sem.), 19/36 € – Carte 27/35 €
• Salle à manger rajeunie et joliment égayée d'une fresque représentant le bassin d'Arcachon. Le décor de la seconde décline une thématique sur la vigne. Spécialités régionales.

ST-MICHEL-EN-L'HERM – 85 Vendée – 316 I9 – 1 948 h. – alt. 9 m — 34 **B3**
– ⌧ 85580
- Paris 453 – La Rochelle 46 – Luçon 15 – La Roche sur Yon 47 – Les Sables-d'Olonne 54
- Syndicat d'initiative, 5, place de l'Abbaye ℘ 02 51 30 21 89, Fax 02 51 30 21 89

La Rose Trémière
4 r. de l'Église – ℘ *02 51 30 25 69 – rose.tremiere@wanadoo.fr – Fax 02 51 30 25 69 – Fermé 5-20 oct., 15 fév.-4 mars, mardi sauf juil.-août, dim. soir et lundi*
Rest – Menu 18 € (sem.), 24/47 € – Carte 31/47 €
• Maison ancienne abritant une agréable salle au décor rustique soigné. On s'attable autour de la cheminée centrale pour savourer de bons petits plats traditionnels.

ST-MICHEL-ESCALUS – 40 Landes – 335 D11 – 231 h. – alt. 23 m — 3 **B2**
– ⌧ 40550
- Paris 721 – Bayonne 67 – Bordeaux 135 – Dax 30

La Bergerie-St-Michel sans rest
St-Michel, par D 142, rte de Castets – ℘ *05 58 48 74 04 – www.bergeriestmichel.fr – bergerie-saintmichel@wanadoo.fr – Fax 05 58 48 74 04*
4 ch ⌧ – ♦75/85 € ♦♦95/130 €
• La forêt landaise entoure cette ancienne ferme magnifiquement restaurée. Chambres de grand confort décorées de tableaux contemporains. Copieux petits-déjeuners.

ST-MICHEL-MONT-MERCURE – 85 Vendée – **316** K7 – 1 875 h. — 34 **B3**
– alt. 284 m – ⌧ 85700 ▍**Poitou Vendée Charentes**

- Paris 383 – Bressuire 36 – Cholet 35 – Nantes 85 – Pouzauges 7
  – La Roche-sur-Yon 52
- ※★★ du clocher de l'église.

Château de la Flocellière
La Flocellière, 2 km à l'Est – ℘ 02 51 57 22 03 – www.flocellierecastle.com
– flocelliere.chateau@wanadoo.fr – Fax 02 51 57 75 21
5 ch – ♦155/205 € ♦♦175/305 €, ⌧ 12 €
Table d'hôte – Menu 54 € bc/61 € bc
♦ Ce lieu chargé d'histoire était au Moyen Âge une importante forteresse du bas Poitou. Il abrite aujourd'hui des chambres vastes et tranquilles avec vue sur le parc ; celles du donjon sont splendides. Dîners à thème médiéval ou Renaissance dans une époustouflante salle à manger du 16ᵉ s.

Auberge du Mont Mercure
8 r. de l'Orbrie, (près de l'église) – ℘ 02 51 57 20 26 – www.aubergemontmercure.com
– contact@aubergemontmercure.com – Fax 02 51 57 78 67 – Fermé vacances de la Toussaint, de fév., lundi soir de sept. à juin, mardi soir et merc.
Rest – Menu 15 € (sem.)/35 € – Carte 21/36 €
♦ Perchée au sommet de la colline, cette auberge bénéficie d'un large panorama sur le bocage vendéen. Salle de jeux aménagée pour les enfants. Adresse familiale.

ST-MIHIEL – 55 Meuse – **307** E5 – 4 816 h. – alt. 228 m – ⌧ 55300 — 26 **B2**
▍**Alsace Lorraine**

- Paris 287 – Metz 63 – Nancy 66 – Bar-le-Duc 35 – Toul 52 – Verdun 36
- Office de tourisme, rue du Palais de Justice ℘ 03 29 89 06 47, Fax 03 29 89 06 47
- de Madine à Nonsard Base de Loisirs, NE : 25 km par D 901 et D 179, ℘ 03 29 89 56 00
- Sépulcre★★ dans l'église St-Étienne - Pâmoison de la Vierge★ dans l'église St-Michel.

à Heudicourt-sous-les-Côtes 15 km au Nord-Est par D 901 et D 133 – 187 h.
– alt. 240 m – ⌧ 55210

- Butte de Montsec : ※★★, monument★ S : 13 km.

Lac de Madine
22 r. Charles de Gaulle – ℘ 03 29 89 34 80 – www.hotel-lac-madine.com
– hotel-lac-madine@wanadoo.fr – Fax 03 29 89 39 20 – Fermé 20-28 déc., 2 janv.-13 fév.
41 ch – ♦55/95 € ♦♦55/95 €, ⌧ 10 € – ½ P 58/78 €
Rest – *(fermé lundi midi)* Menu 23/35 € – Carte 40/60 €
♦ Près du lac, maison ancienne rénovée, aux chambres fraîches et actuelles dont dix avec une baignoire balnéo. Celles de l'annexe donnent sur le jardin. Table traditionnelle dressée dans une salle à manger lumineuse et coiffée d'une charpente apparente. Terrasse ombragée.

ST-NAZAIRE – 44 Loire-Atlantique – **316** C4 – 68 200 h. – — 34 **A2**
Agglo. 136 886 h. – alt. 4 m – ⌧ 44600 ▍**Bretagne**

- Paris 435 – La Baule 19 – Nantes 61 – Vannes 79
- **Accès Pont de Saint-Nazaire : passage gratuit.**
- Office de tourisme, boulevard de la Légion d'Honneur ℘ 02 40 22 40 65, Fax 02 40 22 19 80
- de Savenay à Savenay Le Chambeau, par rte de Nantes : 27km, ℘ 02 40 56 88 05
- de Guérande à Guérande Ville Blanche, par rte de Guérande : 22 km, ℘ 02 40 60 24 97
- Base de sous-marins★ - Forme-écluse "Louis-Joubert"★ - Terrasse panoramique★ **B** - Pont routier de St-Nazaire-St-Brévin★ par ①.

Street	Ref		Street	Ref		Street	Ref
Amérique Latine (Pl.de l')	**BZ** 2		Jean-Jaurès (R.)	**ABY**		Perrin (Bd P.)	**AY** 20
Auriol (R. Vincent)	**BZ** 3		Lechat (R. A. B.)	**AY** 15		Quatre Z'Horloges (Pl. des)	**BZ** 21
Blancho (Pl. F.)	**AZ** 5		Légion-d'Honneur (Bd de la)	**BZ** 16		République (Av. de la)	**AYZ**
Chêneveaux (R.)	**AZ** 9		Martyrs-de-la-Résistance (Pl. des)	**AY** 18		Salengro (R. R.)	**AYZ** 22
Coty (Bd René)	**BZ** 10		Mendès-France (R.)	**AZ** 19		Verdun (Bd de)	**BZ** 23
Croisic (R. du)	**AZ** 12		Paix et des Arts (R. de la)	**AYZ**		28-Février-1943 (R. du)	**BZ** 24
Herminier (Av. Cdt-l')	**AY** 13						
Ile-de-France (R. de l')	**AY** 14						

Le Berry

1 pl. Pierre Semard – ℘ 02 40 22 42 61 – www.hotel-du-berry.fr – berry.hotel@wanadoo.fr – Fax 02 40 22 45 34
– Fermé 23 déc.-4 janv.

AY r

27 ch – ♦75/133 € ♦♦75/145 €, ⊇ 12 €
Rest – (fermé 27 juil.-16 août) Menu 20 € (sem.)/30 € – Carte 29/47 €
Rest *Brasserie* – (fermé dim. midi et sam.) Menu (14 €), 15/30 €
– Carte 24/44 €

♦ Établissement construit après-guerre, face à la gare. Chambres colorées et bien insonorisées. Choix de mets classiques au restaurant, clair et agréable, avec vivier à homards. À la brasserie, vins de Loire (au pichet) et plats plus simples, proposés à l'ardoise.

ST-NAZAIRE

Au Bon Accueil
39 r. Marceau – ℰ 02 40 22 07 05 – www.au-bon-accueil44.com
– au-bon-accueil44@wanadoo.fr – Fax 02 40 19 01 58 – Fermé 20 juil.-9 août et
vacances de fév.　　　　　　　　　　　　　　　　　　　　　　　　　　　　　AZ n
17 ch – †84/160 € ††84/190 €, ⊇ 9 € – ½ P 74/109 €
Rest – (fermé dim. soir) Menu (18 €), 25/57 € – Carte 38/69 €

♦ Une bâtisse réchappée de la Seconde Guerre mondiale abrite des chambres simples et bien tenues. Une construction plus récente propose également des chambres modernes et des duplex. Jolie salle de restaurant aux tables bien dressées, pour une cuisine traditionnelle.

De Touraine sans rest
4 av. de la République – ℰ 02 40 22 47 56 – www.hotel-de-touraine.com
– hoteltouraine@free.fr – Fax 02 40 22 55 05 – Fermé 21 déc.-2 janv.　　　AZ a
18 ch – †32/42 € ††32/42 €, ⊇ 6,50 €

♦ En plein centre-ville, chambres nettes et meublées simplement, calmes sur l'arrière et disposant de double-vitrage côté rue. L'été, petits-déjeuners dans le jardin. Bon accueil.

Le Sabayon
7 r. de la Paix – ℰ 02 40 01 88 21 – touzeau.landry@orange.fr
– Fax 02 40 22 04 77 – Fermé 1ᵉʳ-20 mars, en août, dim. et lundi　　　　　AZ b
Rest – Menu 18/50 € – Carte 27/40 €

♦ Derrière sa devanture aux airs marins, cette maison de 1880 vous régalera de poissons… mais aussi de viandes (gibiers en saison). Cuisine traditionnelle de produits frais.

ST-NAZAIRE-EN-ROYANS – 26 Drôme – 332 E3 – 703 h.　　　　　　　43 **E2**
– alt. 172 m – ⊠ 26190 ▮ Alpes du Nord

▮ Paris 576 – Grenoble 69 – Pont-en-Royans 9 – Romans-sur-Isère 19 – Valence 35

Rome
Le Village – ℰ 04 75 48 40 69 – www.hotelrestaurantrome.com – hotel.rome@orange.fr – Fax 04 75 48 31 17 – Fermé 16 nov.-12 déc., dim. soir sauf juil.-août et lundi
10 ch – †47/56 € ††48/56 €, ⊇ 7 € – ½ P 48/65 €
Rest – Menu (17 €), 26/45 € – Carte 32/54 €

♦ Imposante maison abritant des chambres fraîches et insonorisées, certaines avec vue sur l'imposant aqueduc et la retenue d'eau. La raviole, bien connue des gourmets, compte parmi les spécialités de cette sympathique table drômoise vouée à une cuisine régionale.

Muraz "du Royans"
– ℰ 04 75 48 40 84 – www.muraz.com – restaurant@muraz.com
– Fax 04 75 48 47 06 – Fermé 8-16 juin, 28 sept.-27 oct., lundi soir sauf juil.-août et mardi
Rest – Menu 18 € bc (sem.)/45 € – Carte 28/45 €

♦ Ce petit restaurant familial dispose d'une salle à manger colorée, agrémentée d'expositions de tableaux. Cuisine traditionnelle et régionale à base de produits frais.

ST-NECTAIRE – 63 Puy-de-Dôme – 326 E9 – 675 h. – alt. 700 m　　　5 **B2**
– Stat. therm. – Casino – ⊠ 63710 ▮ Auvergne

▮ Paris 453 – Clermont-Ferrand 43 – Issoire 27 – Le Mont-Dore 24
▮ Office de tourisme, les Grands Thermes ℰ 04 73 88 50 86, Fax 04 73 88 40 48
◉ Église★★ : trésor★★ - Puy de Mazeyres ※★ E : 3 km puis 30 mn.

Mercure
Les Bains Romains – ℰ 04 73 88 57 00 – www.hotel-bains-romains.com
– h1814-gm@accor.com – Fax 04 73 88 57 02
71 ch – †80/100 € ††90/110 €, ⊇ 14 €　　**Rest** – Menu (23 €) – Carte 30/40 €

♦ Ces anciens thermes et leur parc arboretum ont laissé tout leur charme nostalgique à cet hôtel. Les chambres, refaites ou en cours de rénovation, sont confortables. Atmosphère douce et raffinée dans la salle à manger aux tons pastel. Repas autour de la piscine en été.

ST-NEXANS – 24 Dordogne – **329** E7 – rattaché à Bergerac

ST-NIZIER-LE-BOUCHOUX – 01 Ain – **328** D2 – 713 h. – alt. 216 m — 44 **B1**
– ✉ 01560

▶ Paris 394 – Lyon 126 – Bourg-en-Bresse 43 – Chalon-sur-Saône 55 – Mâcon 40

La Closerie
Jassans, (1,5 km au Sud par D 97 et rte secondaire) – ✆ 04 74 52 96 67
– www.lacloserie.net – francois.bongard@wanadoo.fr – Fax 04 74 52 96 67
5 ch ⊏⊐ – †50 € ††55 €   **Table d'hôte** – Menu 21 € bc

♦ Au cœur du bocage bressan, une ferme de charme (1830) qui a su conserver ses colombages et son délicieux cadre bucolique. Chambres fraîches et personnalisées, aux noms de fleurs.

ST-OMER – 62 Pas-de-Calais – **301** G3 – 14 900 h. – alt. 23 m — 30 **B2**
– ✉ 62500 ▐ Nord Pas-de-Calais Picardie

▶ Paris 257 – Arras 77 – Boulogne-sur-Mer 52 – Calais 43 – Ieper 57 – Lille 65

🛈 Office de tourisme, 4, rue du Lion d'Or ✆ 03 21 98 08 51, Fax 03 21 98 08 07

🏌 Saint-Omer Golf Club à Acquin Chemin des Bois, par rte de Boulogne-sur-Mer : 15 km, ✆ 03 21 38 59 90

◉ Quartier de la cathédrale★★ : cathédrale Notre-Dame★★ - Hôtel Sandelin et musée★ AZ - Anc. chapelle des Jésuites★ AZ B - Jardin public★ AZ.

◉ Ascenseur à bateaux des Fontinettes★ SE : 5,5 km - Coupole d'Helfaut-Wizernes★★, S : 5 km.

Plan page suivante

St-Louis
25 r. d'Arras – ✆ 03 21 38 35 21 – www.hotel-saintlouis.com – contact@hotel-saintlouis.com – Fax 03 21 38 57 26 – Fermé 18 déc.-5 janv.   BZ **s**
30 ch – †63 € ††75 €, ⊏⊐ 9 € – ½ P 63 €
Rest – (fermé le midi du 13 juil. au 23 août, sam. midi et dim. midi)
Menu 17 € (sem.)/31 € – Carte 22/36 €

♦ À proximité de la cathédrale, ce plaisant hôtel sous arcades a succédé à un relais de poste. Il abrite des chambres chaleureuses et fonctionnelles, plus récentes à l'annexe. Salle à manger agencée dans un esprit "brasserie moderne". Carte traditionnelle.

Le Bretagne
2 pl. du Vainquai – ✆ 03 21 38 25 78 – www.hotellebretagne.com – accueil@hotellebretagne.com – Fax 03 21 93 51 22 – Fermé 1er-18 janv.   BY **r**
70 ch – †70 € ††70/120 €, ⊏⊐ 9 €
Rest – (fermé sam. midi, dim. soir et fériés le soir)
Menu 15/25 € – Carte 22/54 €

♦ Cette imposante bâtisse contemporaine agréablement située en centre-ville possède des chambres impeccablement tenues. Banquettes en velours rouge, miroirs et appliques donnent une allure de brasserie parisienne au restaurant ; cuisine traditionnelle.

Le Cygne
8 r. Caventou – ✆ 03 21 98 20 52 – www.restaurantlecygne.fr – Fax 03 21 95 57 12
– Fermé 10 août-1er sept., dim. soir et lundi sauf fériés   AZ **e**
Rest – Menu (15 €), 18 € (sem.)/50 € – Carte 36/73 €

♦ Lumineuse salle à manger bourgeoise, précédée d'un salon d'accueil (avec cheminée) et prolongée par une terrasse. Caveau pour les repas commandés. Plats traditionnels soignés.

à Blendecques 4 km par ② et D 211 – 5 018 h. – alt. 25 m – ✉ 62575

Le St-Sébastien
2 pl. de la Libération – ✆ 03 21 38 13 05 – saint-sebastien@wanadoo.fr
– Fax 03 21 39 77 85 – Fermé 22-30 déc., dim. soir, lundi et soirs fériés
Rest – Menu (15 €), 17/37 € – Carte 36/49 €

♦ Sympathique adresse à dénicher dans une petite commune de l'agglomération audomaroise : accueil familial, coquet décor rustique et bonnes recettes traditionnelles.

ST-OMER

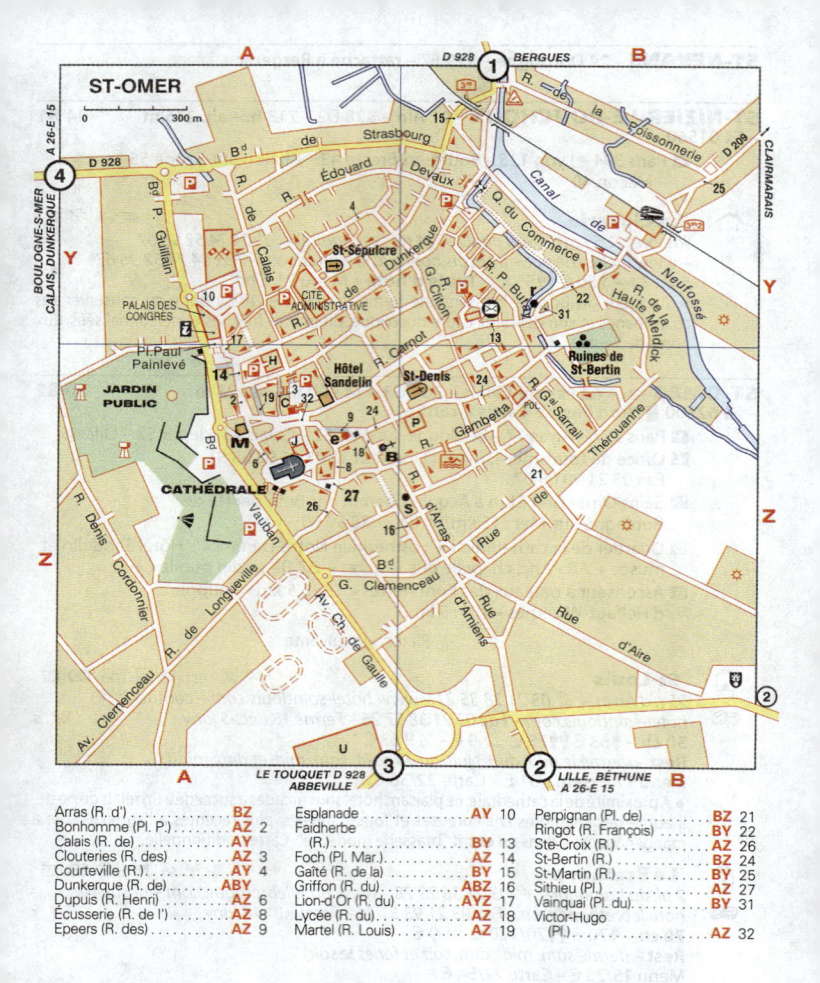

Street	Ref
Arras (R. d')	BZ
Bonhomme (Pl. P.)	AZ 2
Calais (R. de)	AY
Clouteries (R. des)	AZ 3
Courteville (R.)	AY 4
Dunkerque (R. de)	ABY
Dupuis (R. Henri)	AZ 6
Écusserie (R. de l')	AZ 8
Epeers (R. des)	AZ 9
Esplanade	AY 10
Faidherbe (R.)	BY 12
Foch (Pl. Mar.)	AY 13
Gaîté (R. de la)	BY 15
Griffon (R. du)	ABZ 16
Lion-d'Or (R. du)	AYZ 17
Lycée (R. du)	AZ 18
Martel (R. Louis)	AZ 19
Perpignan (Pl. de)	BZ 21
Ringot (R. François)	BY 22
Ste-Croix (R.)	AZ 26
St-Bertin (R.)	BZ 24
St-Martin (R.)	BY 25
Sithieu (Pl.)	AZ 27
Vainquai (Pl. du)	BY 31
Victor-Hugo (Pl.)	AZ 32

à Tilques 6 km par ④, D 943 et rte secondaire – 993 h. – alt. 27 m – ⊠ 62500

Château Tilques 🌿 🚗 🐕 🛎 ✻ 🍴 🗣 🛋 🅿 🌐 VISA ⦾ AE ①
– ℘ 03 21 88 99 99 – www.chateautilques.com – chateau-tilques.hotel@najeti.com – Fax 03 21 38 34 23
53 ch – ♦145/460 € ♦♦145/460 €, ⊇ 19 €
Rest – (fermé le midi sauf sam. et dim.) Menu (20 €), 39/72 € – Carte 67/77 €
♦ Ce château en briques de 1891 jouit d'un parc arboré (plan d'eau) où évoluent cygnes et paons en liberté. Chambres dotées de meubles de style, plus contemporaines à l'annexe. Le restaurant, cossu, occupe les anciennes écuries ; on y sert une cuisine classique.

ST-OUEN – 41 Loir-et-Cher – **318** D5 – **rattaché à Vendôme**

ST-OUEN – 93 Seine-Saint-Denis – **305** F7 – **101** 16 – **voir à Paris, Environs**

ST-OUEN-LES-VIGNES – 37 Indre-et-Loire – **317** O4 – **rattaché à Amboise**

ST-PAIR-SUR-MER – 50 Manche – **303** C7 – rattaché à Granville

ST-PALAIS – 64 Pyrénées-Atlantiques – **342** F5 – 1 874 h. – alt. 50 m — 3 **B3**
– ✉ 64120 ▮ **Pays Basque**
- ▸ Paris 788 – Bayonne 52 – Biarritz 63 – Dax 60 – Pau 74 – St-Jean-Pied-de-Port 32
- 🛈 Office de tourisme, place Charles-de-Gaulle ✆ 05 59 65 71 78, Fax 05 59 65 69 15

La Maison d'Arthezenea
42 r. du Palais de Justice – ✆ *05 59 65 85 96*
– www.gites64.com/maison-darthezenea – francois.barthaburu@wanadoo.fr
– Fax 05 59 65 85 96 – Ouvert d'avril à déc.
4 ch ⇆ – †63 € ††73 €   **Table d'hôte** – Menu 25 € bc
◆ Dans un joli jardin, demeure en pierre où l'on se sent comme chez soi. Les chambres, aux meubles anciens ou de style, se distinguent par leur couleur et leur nom. À la table d'hôte, belles spécialités (foie gras maison, ris d'agneau et palombe flambée en saison).

Trinquet avec ch
31 r. du Jeu de Paume – ✆ *05 59 65 73 13 – www.le-trinquet-saint-palais.com*
– hoteltrinquet.saintpalais@wanadoo.fr – Fax 05 59 65 83 84
– Fermé 13 avril-4 mai et 18 sept.-6 oct.
9 ch – †57 € ††57/67 €, ⇆ 7 €
Rest – *(fermé dim. soir et lundi)* Menu (12 €) – Carte 26/45 €
◆ Sur la place centrale, cette maison qui sort d'une cure de jouvence est dotée d'un authentique trinquet (salle de pelote basque) de 1891. Carte régionale servie dans un décor actuel. Chambres refaites au goût du jour.

ST-PALAIS-SUR-MER – 17 Charente-Maritime – **324** D6 – 3 343 h. — 38 **A3**
– alt. 5 m – ✉ 17420 ▮ **Poitou Vendée Charentes**
- ▸ Paris 512 – La Rochelle 82 – Royan 6
- 🛈 Office de tourisme, 1, avenue de la République ✆ 05 46 23 22 58, Fax 05 46 23 36 73
- ◉ La Grande Côte★★ NO : 3 km - Zoo de la Palmyre★★ NO : 10 km.

Primavera
12 r. Brick, par av. Gde Côte – ✆ *05 46 23 20 35 – www.hotel-primavera.com*
– contact@hotel-primavera.com – Fax 05 46 23 28 78 – Fermé 15 nov.-15 déc.
40 ch – †75/135 € ††75/135 €, ⇆ 14 € – 2 suites
Rest – *(fermé mardi midi, merc. midi et lundi)* Menu 25/48 € – Carte 38/90 €
◆ Élégante "folie" 1900 dont l'architecture s'inspire du style roman et ses deux annexes superbement situées dans un paisible parc surplombant la mer. Chambres de bon confort. Restaurant bourgeois, en partie panoramique, et cuisine traditionnelle iodée.

Ma Maison de Mer
21 av. du Platin – ✆ *05 46 23 64 86 – www.mamaisondemer.com – reservations@ mamaisondemer.com – Fax 05 46 23 64 86*
5 ch ⇆ – †65/90 € ††75/155 €
Table d'hôte – *(ouvert juil.-août)* Menu 30 € bc/50 € bc
◆ Au cœur d'un jardin et d'une pinède, et à 300 m de la plage. Une famille anglaise tient cette demeure bourgeoise dont le beau décor marin – entre autres – dégage un charme fou. Petits-déjeuners préparés avec des produits frais du marché.

Les Agapes
8 r. M. Vallet – ✆ *05 46 23 10 23 – www.les-agapes.fr – patrick.morin25@ wanadoo.fr – Fax 05 46 23 09 23 – Fermé vacances de la Toussaint, janv. et lundi*
Rest – Menu (18 €), 25/48 € – Carte environ 53 €
◆ Intérieur actuel et agréable terrasse dans cette maison voisine du marché. En cuisine, le chef concocte de fines recettes traditionnelles qu'il revisite parfois à sa façon.

Le Flandre
av. Tamaris, rte de la Palmyre – ✆ *05 46 23 36 16 – www.leflandre.com*
– yves.minot@wanadoo.fr – Fax 05 46 23 48 95 – Fermé 16 nov.-31 janv., mardi et merc. d'oct. à mars
Rest – Menu (17 €), 22/39 € – Carte 30/60 €
◆ Plafond façon coque de bateau renversée, vivier à homards et produits de la mer dans l'assiette : ce restaurant niché dans la forêt de la Palmyre affirme son ancrage maritime.

ST-PAL-DE-MONS – 43 Haute-Loire – **331** H2 – 1 748 h. – alt. 840 m 6 **D3**
– ✉ 43620

▶ Paris 516 – Clermont-Ferrand 177 – Le Puy-en-Velay 57 – Saint-Étienne 35 – Saint-Chamond 43

Les Feuillantines
La Vialatte – ℰ 04 71 75 63 25 – www.lesfeuillantines.com – contact@lesfeuillantines.com – Fax 04 71 75 63 24 – Fermé 27 avril-3 mai, 3-23 août, 1ᵉʳ-4 janv. et dim.
12 ch – †59 € ††62 €, ⊇ 8 € – ½ P 58/61 €
Rest – *(fermé dim. soir et vend.)* Menu (20 €) – Carte 31/54 €

♦ Cet hôtel inauguré en 2006 vous propose des chambres majoritairement tournées vers la vallée et les massifs. Elles offrent espace et confort fonctionnel (certaines avec balcon). Les grandes baies vitrées du restaurant ménagent un joli panorama agreste.

ST-PATERNE – 72 Sarthe – **310** J4 – rattaché à Alençon

ST-PATRICE – 37 Indre-et-Loire – **317** K5 – rattaché à Langeais

---

ST-PAUL – 06 Alpes-Maritimes – **341** D5 – 3 336 h. – alt. 125 m 42 **E2**
– ✉ 06570 Côte d'Azur

▶ Paris 922 – Antibes 18 – Cagnes-sur-Mer 7 – Cannes 28 – Grasse 22 – Nice 21 – Vence 4

🛈 Office de tourisme, 2, rue Grande ℰ 04 93 32 86 95, Fax 04 93 32 60 27

◉ Site★ - Remparts★ - Fondation Maeght★★.

Le Saint-Paul
86 r. Grande, (au village) – ℰ 04 93 32 65 25 – www.lesaintpaul.com – stpaul@relaischateaux.com – Fax 04 93 32 52 94 – Fermé janv.
16 ch – †250/820 € ††250/820 €, ⊇ 28 € – 3 suites
Rest – *(fermé merc. midi et mardi de nov. à mars)*
Menu (48 €), 70/100 € – Carte 110/130 €
Spéc. Paupiette d'aubergine et cabillaud farcie à la chair d'araignée de mer. Lasagne de homard et pousses de salade poêlées. Surprise chocolatée. **Vins** Côtes de Provence, Bellet.

♦ Belles pierres, fresques champêtres, fontaine et meubles colorés : voici le décor raffiné de cette demeure du 16ᵉ s. perchée dans le village médiéval. Élégante salle à manger voûtée et terrasse verdoyante ; cuisine pleine de saveurs, rythmée par les saisons.

La Colombe d'Or
pl. Ch. de Gaulle – ℰ 04 93 32 80 02 – www.la-colombe-dor.com – contact@la-colombe-dor.com – Fax 04 93 32 77 78 – Fermé 26 oct.-18 déc. et 5-15 janv.
15 ch – †230/290 € ††230/290 €, ⊇ 15 € – 11 suites **Rest** – Carte 36/80 €

♦ Prisé des artistes et des célébrités, cet hôtel-musée abrite une superbe collection de peintures et sculptures modernes. Cadre "vieille Provence" et chambres personnalisées. Terrasse délicieusement ombragée et confortable restaurant décoré avec un goût sûr.

Le Mas de Pierre
2320 rte des Serres, 2 km au Sud – ℰ 04 93 59 00 10
– www.lemasdepierre.com – info@lemasdepierre.com – Fax 04 93 59 00 59
46 ch – †230/770 € ††230/770 €, ⊇ 29 € – 2 suites
Rest – *(fermé lundi et mardi d'oct. à mars)* Menu (50 €), 75 € – Carte 70/98 €

♦ Chambres raffinées, réparties dans cinq bastides, autour d'une superbe piscine agrémentant un beau jardin méridional. Luxe, confort et ressourcement (spa). Repas servis dans deux salles soignées ou en plein air. Choix traditionnel le soir ; rôtisserie à midi.

La Toile Blanche avec ch
826 chemin Pounchounière – ℰ 04 93 32 74 21 – www.toileblanche.com – info@toileblanche.com – Fax 04 93 32 87 43
6 ch – †150/255 € ††150/255 €, ⊇ 15 €
Rest – *(ouvert 15 juin-15 sept.) (dîner seult) (nombre de couverts limité, prévenir)*
Menu 55 €

♦ Ce restaurant propose, le soir seulement, un alléchant menu, unique mais inventif et moderne. Service en terrasse à la belle saison. Agréable chambres d'hôtes : mobilier et objets contemporains, tons gris et provençaux. Jardin et piscine tout en longueur.

ST-PAUL

par rte de La Colle-sur-Loup – ✉ 06570 St-Paul

🏨 Mas d'Artigny ⊗ ≤ 🐕 🎢 ⅃ 🆂🅿🅳 Ⅰ₆ ✕ |≋| 🅰🅲 ch, ⇆ 🛜 🕍 🅿
chemin des Salettes, 3 km rte des Hauts de St-Paul   🆅🅸🆂🅰 🅼🅾 🅰🅴 ①
– ℘ 04 93 32 84 54 – www.mas-artigny.com
– mas@grandesetapes.fr – Fax 04 93 32 95 36
55 ch – †165/560 € ††165/560 €, ⊆ 27 € – 30 suites
Rest – Menu 49 € (dîner), 75/95 € – Carte 35/75 €
◆ Dans la pinède, dominant la baie des Anges, ce complexe hôtelier voit les choses en grand : appartements avec piscine privée, superbe et immense spa, parc orné de sculptures. Salle à manger et terrasse panoramiques ; registre culinaire à dominante littorale.

🏠 La Grande Bastide sans rest ≤ 🎢 ⅃ 🅰🅲 ⇆ 🛜 🅿 🆅🅸🆂🅰 🅼🅾 🅰🅴 ①
1350 rte de la Colle – ℘ 04 93 32 50 30 – www.la-grande-bastide.com – stpaullgb@wanadoo.fr – Fax 04 93 32 50 59 – Fermé 26 nov.-20 déc. et 19 janv.-15 fév.
14 ch – †145/315 € ††145/315 €, ⊆ 19 € – 2 suites
◆ Ce mas du 18ᵉ s., joliment rénové, vous réserve un accueil tout sourire. Chambres de style provençal avec balcon, vue sur la piscine ou la verdure, copieux petits-déjeuners.

🏠 Les Vergers de St Paul sans rest ⊗ ≤ 🎢 ⅃ 🅰🅲 ✕ 🛜 🅿
940 rte de la Colle – ℘ 04 93 32 94 24   🆅🅸🆂🅰 🅼🅾 🅰🅴
– www.vergersdesaintpaul.com – h.vergers@wanadoo.fr – Fax 04 93 32 91 07
17 ch – †110/175 € ††125/245 €, ⊆ 14 €
◆ Hôtel niché dans un jardin à l'entrée du village de St-Paul. Autour de la piscine, chambres harmonieuses (murs blancs, tissus rayés, parquet) avec terrasse ou balcon.

🏠 Le Hameau sans rest 🎢 ⅃ 🅰🅲 🅿 🆅🅸🆂🅰 🅼🅾 🅰🅴
528 rte de la Colle, à 500 m. – ℘ 04 93 32 80 24 – www.le-hameau.com
– lehameau@wanadoo.fr – Fax 04 93 32 55 75 – Ouvert 13 fév.-15 nov.
15 ch – †105/220 € ††120/220 €, ⊆ 16 € – 2 suites
◆ Cadre rustique, jardins en terrasses et petites chambres joliment meublées font le charme de cette ferme entourée de coquettes maisonnettes blanches. Hammam, jacuzzi.

🏠 Hostellerie des Messugues sans rest ⊗ 🎢 ⅃ |≋| 🅰🅲 🛜 🕍 🅿
allée des Lavandes, 500 m,   🆅🅸🆂🅰 🅼🅾 🅰🅴 ①
quartier Gardettes par rte de la Fondation Maeght – ℘ 04 93 32 53 32
– www.messugues.com – info@messugues.com – Fax 04 93 32 94 15
– Ouvert 1ᵉʳ avril-31 oct.
15 ch – †85/140 € ††85/140 €, ⊆ 11 €
◆ Au calme d'une pinède, villa provençale, bien rénovée, et son originale piscine. Petite curiosité dans les couloirs : les portes des chambres proviennent d'une prison du 19ᵉ s. !

au Sud 4 km par D 2 et rte secondaire - ✉ 06570 St-Paul

🏠 Les Bastides de St-Paul sans rest 🎢 ⅃ & 🅰🅲 🅿 🆅🅸🆂🅰 🅼🅾 🅰🅴 ①
880 chemin Blaquières (D 336 - axe Cagnes-Vence) – ℘ 04 92 02 08 07
– www.hotelbastides.fr – contact@hotelbastides.fr – Fax 04 93 20 50 41
20 ch – †75/95 € ††85/145 €, ⊆ 15 €
◆ En léger retrait d'une route passante, ce discret mas aux couleurs du Sud propose des chambres spacieuses, fonctionnelles et bien insonorisées. Piscine en forme de trèfle.

ST-PAUL-DES-LANDES – 15 Cantal – 330 B5 – 1 100 h. – alt. 554 m   5 **A3**
– ✉ 15250

▷ Paris 544 – Aurillac 13 – Figeac 59 – St-Céré 49

✕ Voyageurs   🎢 🆅🅸🆂🅰 🅼🅾
– ℘ 04 71 46 38 43 – www.lesvoyageurs15ifrance.com – nelly.beguin@wanadoo.fr – Fax 04 71 46 38 06 – Fermé 23-31 août, 22 déc.-5 janv., sam. de sept. à mai et lundi soir
Rest – Menu (12 € bc), 28 € (sem.) – Carte 20/30 €
◆ Cette auberge située sur la traversée du bourg entretient une atmosphère conviviale. Préparations "cent pour cent maison" à goûter dans une salle rustique ou en terrasse, l'été.

ST-PAUL-DOUEIL – 31 Haute-Garonne – 343 B8 – rattaché à Bagnères-de-Luchon

ST-PAUL-LÈS-DAX – 40 Landes – 335 E12 – rattaché à Dax

ST-PAUL-LÈS-ROMANS – 26 Drôme – 332 D3 – rattaché à Romans-sur-Isère

ST-PAUL-TROIS-CHATEAUX – 26 Drôme – 332 B7 – 7 892 h. — 44 B3
– alt. 90 m – ⌂ 26130 ▮ Lyon et la vallée du Rhône

- ▸ Paris 628 – Montélimar 28 – Nyons 39 – Orange 33 – Vaison-la-Romaine 34 – Valence 73
- ▸ Office de tourisme, place Chausy ℰ 04 75 96 59 60, Fax 04 75 96 90 20
- ▸ Cathédrale St-Paul★ - Barry ≤★★ S : 8 km.

Villa Augusta
14 r. Serre Blanc – ℰ 04 75 97 29 29 – www.villaaugusta.fr – contact@villaaugusta.fr – Fax 04 75 97 29 27 – Fermé 4-24 janv.
23 ch – †120/230 € ††120/230 €, ⌂ 18 € – 1 suite
Rest *David Mollicone* – (fermé dim. soir et lundi sauf juil.-août) Menu 28 € (déj. en sem.), 45/75 € – Carte 62/72 €
♦ Belle maison de maître du 19ᵉ s. dans un jardin arboré. La décoration d'esprit méridional mêle les couleurs vives et les styles ancien et contemporain. Accueil prévenant. Élégante salle de restaurant rénovée (tons gris, blanc), délicieuse terrasse et cuisine inventive.

L'Esplan
pl. l'Esplan – ℰ 04 75 96 64 64 – www.esplan-provence.com – saintpaul@esplan-provence.com – Fax 04 75 04 92 36 – Fermé 19 déc.-11 janv.
36 ch – †69/100 € ††69/119 €, ⌂ 11 €
Rest – (fermé dim. d'oct. à avril) (dîner seult) Menu 26/70 € – Carte 56/98 €
♦ Hôtel particulier du 16ᵉ s. à dénicher au cœur du bourg. Intérieur contemporain produisant son effet et chambres soignées aux couleurs ensoleillées. Restaurant égayé de tons pastel. Recettes originales valorisant herbes, fleurs et plantes du potager maison.

Vieille France-Jardin des Saveurs
1,2 km rte La Garde Adhémar – ℰ 04 75 96 70 47
– www.restaurant-vieillefrance-jardindessaveurs.com
– vieillefrance.jardindessaveurs@wanadoo.fr – Fax 04 75 96 70 47 – Fermé 1 sem. en avril, 1 sem. en oct., lundi, mardi et le midi en juil.-août sauf dim.
Rest – (nombre de couverts limité, prévenir) Menu 25 € (déj. en sem.), 39/115 € – Carte 49/57 €
♦ Mas provençal dans la campagne. Chaleureux décor contemporain, plaisante terrasse ombragée, goûteuse cuisine méridionale et belle carte de côtes-du-rhône. Menu truffe en saison.

L et Lui
2 r. Charles-Chaussy – ℰ 04 75 46 61 14 – www.letlui.com – letlui@orange.fr – Fermé 1ᵉʳ-8 mars, 15-23 nov., 3-7 janv., vend. midi et sam. midi en été, merc. soir et jeudi soir en hiver, dim. et lundi
Rest – Menu (22 €), 27 € (déj. en sem.), 37/52 €
♦ Ici, Cathy jardine, Cédric cuisine... Plats inventifs anti-routine, à base des produits du potager maison. Chaque mois, la cave met à l'honneur un vigneron. Cadre acidulé.

ST-PÉE-SUR-NIVELLE – 64 Pyrénées-Atlantiques – 342 C4 — 3 A3
– 5 106 h. – alt. 30 m – ⌂ 64310

- ▸ Paris 785 – Bayonne 22 – Biarritz 17 – Cambo-les-Bains 17 – Pau 129 – St-Jean-de-Luz 14
- ▸ Office de tourisme, place du Fronton ℰ 05 59 54 11 69, Fax 05 59 85 86 38

L'Auberge Basque (Cédric Béchade) avec ch
quartier Helbarron, D 307 (ancienne rte de St-Pée à St-Jean-de-Luz)
– ℰ 05 59 51 70 00 – www.aubergebasque.com – contact@aubergebasque.com
– Fax 05 59 51 70 17 – Fermé 29 juin-6 juil., 23 nov.-1ᵉʳ déc., 26 janv.-25 fév.
11 ch – †110/240 € ††110/240 €, ⌂ 28 €
Rest – (fermé mardi midi et lundi) Menu 43/85 € – Carte 59/89 €
Spéc. Œuf poché en fine gelée d'une piperade. Agneau de Castille moelleux et caramélisé à la sauge. Reine-Claude, pannacotta au citron et melon d'Espagne, sucette à l'anis.
♦ Dans un parc arboré sur une colline face à la Rhune, la vieille ferme s'est transformée en élégante auberge contemporaine. En cuisine, le chef revisite le répertoire régional... Chambres spacieuses et douillettes.

ST-PÉE-SUR-NIVELLE

XX **Le Fronton** 🚗 VISA ⓜ AE
quartier Ibarron, rte de St-Jean-de-Luz – ℰ *05 59 54 10 12*
– *jeanbaptiste.daguerre@wanadoo.fr* – *Fax 05 59 54 18 09*
– *Fermé 10 fév.-20 mars, le midi en août, dim. soir, lundi, mardi, merc. et jeudi*
Rest – Menu 37/43 € – Carte 43/50 €
♦ Ici, la cuisine rime avec tradition : produits du marché et nombreux poissons frais vous mettront en appétit. Décor confortable et compassé, façon jardin d'hiver ; terrasse.

ST-PÉRAY – 07 Ardèche – **331** L4 – 6 963 h. – alt. 124 m – ✉ 07130   43 **E2**
  ▶ Paris 562 – Lamastre 35 – Privas 39 – Tournon-sur-Rhône 15 – Valence 4
  🛈 Office de tourisme, 45, rue de la République ℰ 04 75 40 46 75, Fax 04 75 40 55 72
  ◉ Ruines du château de Crussol : site★★★ et ≤★★ SE : 2 km.
  ◉ Saint-Romain-de-Lerps ※★★★ NO : 9,5 km par D 287, **Vallée du Rhône**

à Soyons 7 km au Sud par D 86 – 1 936 h. – alt. 106 m – ✉ 07130

🏨 **Domaine de Soyons** 🌿 🚗 ⛱ ℔ ✂ ⚑ AK ch, 🎵 SA 🅿
D 86, 670 rte de Nîmes – ℰ *04 75 60 83 55*   VISA ⓜ AE ⓘ
– *www.ledomainedesoyons.com* – *info@ledomainedesoyons.fr*
– *Fax 04 75 60 85 21* – *Fermé 26 oct.-2 nov. et 2-10 janv.*
28 ch – †96/171 € ††112/208 €, ⊡ 18 €
Rest – Menu (21 €), 26 € (déj.), 34/63 € – Carte 52/70 €
♦ Une chaleureuse atmosphère règne dans cette belle demeure du 19ᵉ s. entourée d'un parc verdoyant (cèdre tricentenaire). Chambres garnies d'un mobilier de style Empire. Goûteuses recettes actuelles servies dans une agréable salle à manger prolongée d'une véranda.

ST-PÈRE – 89 Yonne – **319** F7 – **rattaché à Vézelay**

ST-PHILBERT-DE-GRAND-LIEU – 44 Loire-Atlantique – **316** G5   34 **B2**
– 6 253 h. – alt. 10 m – ✉ 44310 **Poitou Vendée Charentes**
  ▶ Paris 405 – Nantes 27 – Niort 150 – Rennes 138 – La Roche-sur-Yon 50 – Tours 218
  🛈 Office de tourisme, place de l'Abbatiale ℰ 02 40 78 73 88, Fax 02 40 78 83 42

🏨 **La Bosselle** 🚗 ⚐ AK rest, 🎵 ✂ ch, SA 🅿 🅿 VISA ⓜ AE
🍴 *8 r. du Port* – ℰ *02 40 78 73 47* – *www.la-bosselle.fr* – *info@restaurant-hotel-la-bosselle.fr* – *Fax 02 40 78 01 85*
14 ch – †56 € ††56 €, ⊡ 8 € – ½ P 65 €
Rest – Menu 13 € (déj. en sem.), 24/37 € – Carte 26/40 €
♦ Près de l'abbatiale, cet établissement familial récent propose des chambres simples et bien conçues, plus calmes à l'arrière. Au restaurant tout rénové, grillades préparées dans la cheminée, produits du terroir et spécialités de poissons du lac pêchés à la bosselle.

ST-PHILBERT-DES-CHAMPS – 14 Calvados – **303** N4 – **rattaché au Breuil-en-Auge**

ST-PHILIBERT – 56 Morbihan – **308** N9 – 1 442 h. – alt. 15 m   9 **A3**
– ✉ 56470
  ▶ Paris 489 – Rennes 137 – Vannes 29 – Lorient 50 – Lanester 45

🏨 **Le Galet** ⚘ 🚗 ⛱ ✂ 🎵 ⚐ SA 🅿 VISA ⓜ
rte de la Trinité-sur-Mer, 1,2 km au Nord par D 28 et D 781 – ℰ *02 97 55 00 56*
– *www.legalet.fr* – *contact@legalet.fr* – *Fax 02 97 55 19 77*
21 ch – †65/125 € ††65/125 €, ⊡ 12 € – 2 suites
Rest – (dîner seult) (résidents seult) Menu 23 €
♦ Pour une escale tranquille à deux minutes de La-Trinité-sur-Mer. Cet hôtel entouré d'un joli jardin a été harmonieusement réaménagé et propose des chambres au design actuel. Sobre salle à manger pour une restauration snack le midi et un menu unique le soir.

ST-PIERRE-CANIVET – 14 Calvados – **303** K6 – rattaché à Falaise

ST-PIERRE-D'ALBIGNY – 73 Savoie – **333** J4 – 3 583 h. – alt. 410 m – ✉ 73250   46 **F2**

- Paris 596 – Lyon 137 – Chambéry 29 – Annecy 77 – Aix-les-Bains 45
- Office de tourisme, place de l'Europe ✆ 04 79 25 19 38, Fax 04 79 71 44 55

Château des Allues
Les Allues – ✆ 06 75 38 61 56 *– www.chateaudesallues.com – info@chateaudesallues.com – Fermé 30 mars-10 avril et 1ᵉʳ nov.-15 déc.*
5 ch ☑ – †95/120 € ††110/150 €
Table d'hôte *– (fermé lundi et mardi)* Menu 42 € bc

♦ On met tout en œuvre pour le bien-être des convives dans ce vieux manoir rénové avec beaucoup de goût. Vue sur les montagnes, grandes chambres d'esprit ancien ou contemporain. Bons petits plats à base de légumes du jardin, servis à la table d'hôte.

ST-PIERRE-DE-CHARTREUSE – 38 Isère – **333** H5 – 848 h.   46 **F2**
– alt. 885 m – Sports d'hiver : 900/1 800 m ⇗ 1 ⇘ 13 ⇗ – ✉ 38380
Alpes du Nord

- Paris 571 – Belley 62 – Chambéry 39 – Grenoble 28 – La Tour-du-Pin 52 – Voiron 25
- Office de tourisme, place de la Mairie ✆ 04 76 88 62 08, Fax 04 76 88 68 78
- Terrasse de la Mairie ≤★ - Prairie de Valombré ≤★ 0 : 4 km - Site★ de Perquelin E : 3 km - La Correrie : musée Cartusien★ du couvent de la Grande Chartreuse NO : 3,5 km - Décoration★ de l'église de St-Hugues-de-Chartreuse S : 4 km.

Beau Site
Le Bourg – ✆ 04 76 88 61 34 *– www.hotelbeausite.com – hotel.beausite@libertysurf.fr – Fax 04 76 88 64 69 – Fermé 2 avril-2 mai et 15 oct.-26 déc.*
26 ch – †45/75 € ††55/75 €, ☑ 10 € – ½ P 55/72 €
Rest *– (fermé mardi midi, dim. soir et lundi)*
Menu 17/31 € – Carte 21/42 €

♦ Cette grande maison centenaire recèle une collection d'œuvres du peintre local Peter Rahmsdorf. Chambres sobres et confortables et piscine avec vue sur la vallée. Spacieuse salle à manger, terrasse panoramique et plats traditionnels.

ST-PIERRE-DE-JARDS – 36 Indre – **323** H4 – 131 h. – alt. 148 m   12 **C3**
– ✉ 36260

- Paris 232 – Bourges 35 – Issoudun 22 – Romorantin-Lanthenay 40 – Vierzon 21

Les Saisons Gourmandes
pl. des Tilleuls – ✆ 02 54 49 37 67 *– Fax 02 54 49 37 67 – Fermé 19 oct.-4 nov., 4-27 janv., lundi sauf le midi de sept. à juin, mardi soir et merc. sauf juil.-août, dim. soir en juil.-août*
Rest – Menu 22/41 € – Carte 29/47 €

♦ La salle de cette typique maison a conservé ses poutres d'origine, aujourd'hui peintes en "bleu berrichon". Agréable terrasse et carte traditionnelle bien composée.

ST-PIERRE-DE-MANNEVILLE – 76 Seine-Maritime – **304** F5   33 **C2**
– 728 h. – alt. 6 m – ✉ 76113 **Normandie Vallée de la Seine**

- Paris 150 – Évreux 72 – Rouen 18 – Sotteville-lès-Rouen 20

Manoir de Villers sans rest
30 rte de Sahurs – ✆ 02 35 32 07 02 *– www.manoirdevillers.com – contact@manoirdevillers.com – Fax 02 35 32 07 02 – Fermé 15 déc.-15 janv.*
4 ch – †130/160 € ††140/160 €, ☑ 9 €

♦ Ce fabuleux manoir des 16ᵉ et 19ᵉ s. ressemble à un musée. Décor d'époque dans les pièces communes ouvertes à la visite. Chambres parquetées garnies de beaux meubles anciens.

ST-PIERRE-DES-CHAMPS – 11 Aude – **344** G4 – 158 h. – alt. 146 m   22 **B3**
– ✉ 11220

▸ Paris 808 – Perpignan 84 – Carcassonne 41 – Narbonne 41

La Fargo 🏠 🚗 🍽 ch, ⚙ ch, ¶¶ **P** VISA ◎
– ☎ 04 68 43 12 78 – www.lafargo.fr – contact@lafargo.fr – Fax 04 68 43 29 20
– Fermé 21 déc.-23 fév.
12 ch – ♦75/105 € ♦♦75/125 €, ⊊ 8 €
Rest – (fermé lundi et le midi sauf juil.-août et week-ends) Menu 30 €
– Carte 39/60 €
♦ Cette ancienne forge isolée dans les Corbières assure un séjour reposant et oxygénant (lieu non-fumeurs). Chambres joliment meublées et épurées, avec des touches indonésiennes. Plaisante terrasse ombragée et salle à manger d'inspiration rustique.

ST-PIERRE-D'OLÉRON – 17 Charente-Maritime – **324** C4 – **voir à Île d'Oléron**

ST-PIERRE-DU-MONT – 14 Calvados – **303** G3 – 78 h. – alt. 25 m   32 **B2**
– ✉ 14450

▸ Paris 291 – Caen 58 – Saint-Lô 58 – Bayeux 29 – Valognes 58

Le Château Saint Pierre sans rest 🏠   🚗 ⚙ 🍽 **P**
1 km à l'Ouest sur D 514 – ☎ 02 31 22 63 79
– www.chambresdhotes-bayeuxarromanchesgrancamp.com
– chateaustpierre@orange.fr
4 ch ⊊ – ♦55 € ♦♦70 €
♦ Adresse idéale pour visiter les plages du débarquement. Entouré d'un jardin, ce château de 1600 au décor rustique propose des chambres confortables. Petit-déjeuner normand.

ST-PIERRE-DU-PERRAY – 91 Essonne – **312** D4 – **101** 38 – **voir à Paris, Environs (Sénart)**

ST-PIERRE-LA-NOAILLE – 42 Loire – **327** D2 – **rattaché à Charlieu**

ST-PIERRE-LÈS-AUBAGNE – 13 Bouches-du-Rhône – **340** I6 – **rattaché à Aubagne**

ST-PIERREMONT – 88 Vosges – **314** H2 – 158 h. – alt. 251 m – ✉ 88700   27 **C2**

▸ Paris 366 – Lunéville 24 – Nancy 56 – St-Dié 43

Le Relais Vosgien   🚗 🍽 🛌 AC rest, ⚙ ¶¶ 🛁 **P** 🐕 VISA ◎ AE ①
9 Grande Rue – ☎ 03 29 65 02 46 – relais.vosgien@wanadoo.fr
– Fax 03 29 65 02 83 – Fermé 10-22 janv.
20 ch – ♦55/108 € ♦♦60/118 €, ⊊ 11 € – 6 suites – ½ P 60/80 €
Rest – (fermé dim. soir) Menu (20 €), 28/66 € – Carte 38/61 €
♦ Une ambiance familiale règne dans cettte ancienne ferme qui fait station-service et bar-tabac. Les chambres sont régulièrement rénovées – la plupart situées côté jardin. Cuisine traditionnelle alléchante et belle carte des vins à déguster dans un cadre campagnard.

ST-PIERRE-QUIBERON – 56 Morbihan – **308** M9 – **rattaché à Quiberon**

ST-PIERRE-SUR-DIVES – 14 Calvados – **303** L5 – 3 701 h. – alt. 30 m   33 **C2**
– ✉ 14170 ▮ Normandie Cotentin

▸ Paris 194 – Caen 35 – Hérouville-Saint-Clair 34 – Lisieux 27

🛈 Syndicat d'initiative, 23, rue Saint-Benoist ☎ 02 31 20 97 90, Fax 02 31 20 36 02

✕ **Auberge de la Dives** avec ch   🍽 ¶¶ **P** VISA ◎
27 bd Collas – ☎ 02 31 20 50 50 – auberge-de-la-dives@wanadoo.fr
– Fax 02 31 20 50 50 – Fermé 15 nov.-7 déc., 15-30 mars, dim. soir du 17 nov. au 31 mars, lundi soir et mardi
5 ch – ♦36 € ♦♦40 €, ⊊ 6,50 €   **Rest** – Menu (15 €), 20/40 € – Carte 34/50 €
♦ Cette auberge champêtre, dont la terrasse se trouve au bord de la Dives, propose des plats traditionnels faisant la part belle aux produits normands. Chambres simples à l'étage.

1713

ST-POL-DE-LÉON – 29 Finistère – 308 H2 – 7 121 h. – alt. 60 m — 9 B1
– ⊠ 29250 — Bretagne

- Paris 557 – Brest 62 – Brignogan-Plages 31 – Morlaix 21 – Roscoff 6
- Office de tourisme, Pavillon du Tourisme ℰ 02 98 69 05 69, Fax 02 98 69 01 20
- de Carantec à Carantec Rue de Kergrist, S : 10 km par D 58, ℰ 02 98 67 09 14
- Clocher★★ de la chapelle du Kreisker★ : ✼★★ de la tour - Ancienne cathédrale★ - Rocher Ste-Anne : ≤★ dans la descente.

France sans rest
29 r. des Minimes – ℰ 02 98 29 14 14 – www.hotel-saint-pol.com
– hotel.de.france.finistere@wanadoo.fr – Fax 02 98 29 10 57 – Fermé 5-20 janv.
22 ch – †45/60 € ††55/75 €, ⊇ 6 €
♦ Dans une rue assez tranquille, élégante demeure régionale datant des années 1930. Chambres fonctionnelles et bien tenues ; optez pour celles donnant sur le jardin.

Auberge La Pomme d'Api
49 r. Verderel – ℰ 02 98 69 04 36 – yannick.lebeaudour@free.fr
– Fax 02 98 29 06 53 – Fermé 12-30 nov., dim. soir et lundi sauf juil.-août
Rest – Menu (17 € bc), 23 € bc (déj. en sem.), 28/75 € bc – Carte 55/80 €
♦ Poutres, pierres et cheminée monumentale font le cachet rustique de cette maison bretonne du 16ᵉ s. Cuisine "terre-mer" mêlant produits du terroir, épices et saveurs exotiques.

ST-PONS – Ardèche – 331 J6 – 203 h. – alt. 350 m – ⊠ 07580 — 44 B3

- Paris 621 – Aubenas 24 – Montélimar 21 – Privas 24 – Valence 66

Hostellerie Gourmande "Mère Biquette"
Les Allignols, 4 km au Nord par rte secondaire –
ℰ 04 75 36 72 61 – www.merebiquette.fr – info@merebiquette.fr
– Fax 04 75 36 76 25 – Fermé 12 nov.-10 fév., dim. soir d'oct. à mars, lundi midi, mardi midi et merc. midi
15 ch – †63/112 € ††63/112 €, ⊇ 10 € **Rest** – Menu 22/45 € – Carte 28/50 €
♦ Les amoureux de nature et de grand calme apprécieront cette ferme ardéchoise nichée entre vignes et châtaigniers. Chambres pratiques, plus spacieuses dans l'aile récente. Au restaurant, plats régionaux servis dans une salle à manger-véranda avec vue sur la vallée.

ST-PONS – 04 Alpes-de-Haute-Provence – 334 H6 – rattaché à Barcelonnette

ST-PONS-DE-THOMIÈRES – 34 Hérault – 339 B8 – 2 195 h. — 22 B2
– alt. 301 m – ⊠ 34220 — Languedoc Roussillon

- Paris 750 – Béziers 54 – Carcassonne 64 – Castres 54 – Lodève 73 – Narbonne 53
- Office de tourisme, place du Foirail ℰ 04 67 97 06 65, Fax 04 67 97 95 07
- Grotte de la Devèze★ SO : 5 km.

à Courniou 6 km au Sud-Ouest par N 112 – 619 h. – alt. 362 m – ⊠ 34220

L'Assiette Gourmande
av. de l'Occitanie – ℰ 04 67 97 52 11 – lassiettecourniou@orange.fr – Fermé lundi et le soir hors saison sauf vend. et sam.
Rest – Menu 14 € (déj. en sem.), 19/24 € – Carte 30/45 €
♦ C'est pour le meilleur que le chef de cet avenant restaurant a quitté ses Alpes natales. Le lieu se caractérise par un cadre convivial et une cuisine traditionnelle revisitée.

ST-PORCHAIRE – 17 Charente-Maritime – 324 E5 – 1 335 h. — 38 B2
– alt. 16 m – ⊠ 17250

- Paris 474 – La Rochelle 56 – Niort 77 – Rochefort 27 – Royan 36 – Saintes 16

Le Bruant avec ch
76 r. Nationale – ℰ 05 46 94 65 36 – www.lebruant.com – lebruantotel@aol.com
– Fax 05 46 94 71 00 – Fermé 3-26 nov., dim. soir et lundi
5 ch – †50 € ††55 €, ⊇ 8 € **Rest** – Menu 20/45 € – Carte 25/60 €
♦ Cette maison charentaise incarne peut-être l'auberge du 21ᵉ s. : décor campagnard chic très tendance et soigné dans les moindres détails, belle terrasse fleurie. Les chambres (tons clairs, sculptures d'animaux, fleurs) sont des nids modernes.

ST-PORQUIER – 82 Tarn-et-Garonne – 337 D7 – 1 271 h. – alt. 95 m 28 **B2**
– ✉ 82700

> ◘ Paris 651 – Colomiers 60 – Montauban 18 – Toulouse 55

🏠 **Les Hortensias** sans rest
r. Ste-Catherine – ℘ 05 63 31 85 57 – www.chambres-hotes-leshortensias.com
– bernard-barthe075@orange.fr
3 ch – †60 € ††60 €

♦ Les chambres de cette maison en briques roses s'égayent de jolies couleurs. Vous apprécierez aussi l'ancien chai où est servi le petit-déjeuner et l'agréable jardin fleuri.

ST-PÔTAN – 22 Côtes-d'Armor – 309 I3 – 735 h. – alt. 55 m – ✉ 22550 10 **C1**

> ◘ Paris 429 – Rennes 79 – Saint-Brieuc 46 – Saint-Malo 35

XX **Auberge du Manoir**
31 r. du 19 mars 1962 – ℘ 02 96 83 72 58 – Fermé 16-29 sept., 15-28 fév., mardi et merc.
Rest – Menu (13 €), 32/56 € – Carte 35/57 €

♦ Agréable étape gourmande en cette accueillante maison située sur la traversée du village : attrayants plats du jour le midi côté bar et carte traditionnelle plus élaborée à découvrir dans la salle à manger néo-rustique.

> **Un week-end de charme à la mer, à la campagne ou à la montagne ? Découvrez le nouveau guide des "Chambres d'hôtes", une sélection de nos plus belles adresses en France : confort, calme et volupté garantis !**

ST-POURÇAIN-SUR-SIOULE – 03 Allier – 326 G5 – 5 046 h. 5 **B1**
– alt. 234 m – ✉ 03500 ▌ Auvergne

> ◘ Paris 325 – Montluçon 66 – Moulins 33 – Riom 61 – Roanne 79 – Vichy 28
> 🛈 Office de tourisme, 29, rue Marcellin Berthelot ℘ 04 70 45 32 73, Fax 04 70 45 60 27
> de Briailles 15 rue de Metz, E : 3 km, ℘ 04 70 45 49 49
> ◉ Église Ste-Croix★ - Musée de la Vigne et du Vin★.

🏨 **Le Chêne Vert**
bd Ledru-Rollin – ℘ 04 70 47 77 00 – www.hotel-restaurant-chene-vert.com
– hotel.chenevert@wanadoo.fr – Fax 04 70 47 77 39 – Fermé 4-26 janv.
29 ch – †50/65 € ††59/67 €, ⊡ 8 €
Rest – (fermé dim. soir hors saison et lundi sauf le soir en saison)
Menu 18 € (sem.)/38 € – Carte 26/46 €

♦ Hôtel de tradition, formé de deux maisons séparées par la rue. Chambres anciennes rajeunies, salles de réunion (dont une avec cheminée) et vitrine de produits régionaux. Chaleureux restaurant et agréable terrasse. Cuisine classique et vins du pays.

ST-PRIEST-BRAMEFANT – 63 Puy-de-Dôme – 326 H6 – 791 h. 6 **C2**
– alt. 290 m – ✉ 63310

> ◘ Paris 365 – Clermont-Ferrand 49 – Riom 34 – Thiers 26 – Vichy 13

🏰 **Château de Maulmont**
1,5 km au Sud sur D 59 – ℘ 04 70 59 14 95 – www.chateau-maulmont.com
– info@chateau-maulmont.com – Fax 04 70 59 11 88 – Ouvert 16 mars-1er nov.
19 ch – †95/185 € ††95/185 €, ⊡ 14 € – 3 suites
Rest – (fermé mardi midi, dim. soir et lundi)
Menu (25 €), 42 € (dîner), 54/95 € – Carte 56/83 € dîner seulement

♦ On goûte la tranquillité de ce château en faisant un saut dans le 19e s., époque où Mme Adélaïde, sœur de Louis-Philippe, le redécora. Meubles de style, boiseries, jardin à la française...

ST-PRIEST-EN-JAREZ – 42 Loire – 327 F7 – rattaché à St-Étienne

ST-PRIEST-TAURION – 87 Haute-Vienne – 325 F5 – 2 613 h. 24 B2
– alt. 255 m – ⊠ 87480 ▌Limousin Berry
- ◘ Paris 387 – Bellac 47 – Bourganeuf 33 – Limoges 15 – La Souterraine 53
- ◘ – ≤★ du parc de Montméry N : 9 km par D 44.

※ **Relais du Taurion** avec ch
2 chemin des Contamines – ℰ 05 55 39 70 14 – Fax 05 55 39 67 63
– Fermé 12 déc.-12 janv., dim. soir et lundi
6 ch - ♦53 € ♦♦53 €, ⌑ 9 € – ½ P 60 €
Rest – Menu 23 € (sem.)/44 € – Carte 48/55 €
♦ Cette demeure bourgeoise entourée d'un grand jardin vous convie à un repas traditionnel dans une pimpante salle égayée de fleurs fraîches et de tableaux ou en terrasse. Petites chambres rustiques (non-fumeurs).

ST-PRIVAT-DES-VIEUX – 30 Gard – 339 J4 – rattaché à Alès

ST-PRIX – 71 Saône-et-Loire – 320 E8 – 230 h. – alt. 464 m – ⊠ 71990 7 B2
- ◘ Paris 308 – Dijon 107 – Le Creusot 41 – Montceau-les-Mines 54

※※ **Chez Franck et Francine**
Le bourg – ℰ 03 85 82 45 12 – chez-franck-et-francine@wanadoo.fr
– Fermé janv., dim. soir et lundi
Rest – *(nombre de couverts limité, prévenir)* Menu 38/46 €
♦ Restaurant de village à l'ambiance familiale. Salle à manger au décor sans prétention, agencée autour d'une cheminée. Cuisine au goût du jour personnalisée.

ST-PRIX – 95 Val-d'Oise – 305 E6 – 101 5 – voir à Paris, Environs

ST-PUY – 32 Gers – 336 E6 – 567 h. – alt. 171 m – ⊠ 32310 28 A2
- ◘ Paris 731 – Agen 52 – Auch 32 – Toulouse 107

⌂ **La Lumiane** ⊗
Grande rue – ℰ 05 62 28 95 95 – www.lalumiane.com – info@lalumiane.com
– Fax 05 62 28 59 67
5 ch ⌑ – ♦42/58 € ♦♦50/66 € **Table d'hôte** – Menu 23 € bc
♦ Cette maison de notable du 17ᵉ s., voisine de l'église du 12ᵉ s., abrite de belles chambres rustiques chic, un salon de lecture empreint de sérénité et un agréable jardin fleuri. La cuisine servie à la table d'hôte fait la part belle aux produits du terroir.

ST-QUAY-PORTRIEUX – 22 Côtes-d'Armor – 309 F3 – 3 036 h. 10 C1
– alt. 25 m – Casino – ⊠ 22410 ▌Bretagne
- ◘ Paris 470 – Étables-sur-Mer 3 – Guingamp 29 – Lannion 54 – Paimpol 26
 – St-Brieuc 22
- ◙ Office de tourisme, 17 bis, rue Jeanne d'Arc ℰ 02 96 70 40 64,
 Fax 02 96 70 39 99
- ◫ des Ajoncs d'Or, O : 7 km, ℰ 02 96 71 90 74

🏨 **Ker Moor** sans rest ⊗
13 r. Prés. Le Sénécal – ℰ 02 96 70 52 22 – www.ker-moor.com – hotelkermoor@orange.fr – Fax 02 96 70 50 49 – Ouvert 15 mars-15 déc.
27 ch – ♦107/159 € ♦♦107/159 €, ⌑ 12 €
♦ Cette villa centenaire d'inspiration mauresque est perchée au sommet d'une petite falaise. Les chambres disposent de balcons et d'une jolie vue sur le large.

🏨 **Gerbot d'Avoine**
2 bd Littoral – ℰ 02 96 70 40 09 – www.gerbotdavoine.com – gerbotdavoine@wanadoo.fr – Fax 02 96 70 34 06 – Fermé 2 janv.-12 fév.
18 ch – ♦68/78 € ♦♦68/125 €, ⌑ 12 € – ½ P 72/105 €
Rest – *(fermé dim. soir, lundi et mardi de nov. à mars)*
Menu 42/88 € bc – Carte 55/83 €
♦ Dans la station balnéaire, maison bretonne aux chambres donnant en partie sur la Manche. Deux salles à manger dont une profitant d'une échappée sur la mer... Là où, précisément, la cuisine du chef puise son inspiration.

ST-QUAY-PORTRIEUX

※ **Le Saint-Quay** avec ch ⇔ ℅ 🅿 VISA ⓜ©
72 bd Foch – ℰ *02 96 70 40 99 – www.lesaintquay.fr – lestquayhotel@orange.fr
– Fax 02 96 70 34 04 – Fermé 10-14 mai, 17-27 nov., 12-20 janv. et mardi en saison*
7 ch – †45/58 € ††52/58 €, ⊆ 7,50 €   **Rest** – Menu 22/59 € – Carte 53/78 €
◆ Petit restaurant familial au sobre cadre néo-rustique où l'on goûte une cuisine traditionnelle présentée sur tableau noir. Chambres simples et rénovées.

ST-QUENTIN ⊛ – 02 Aisne – **306** B3 – 57 100 h. – **Agglo.** 103 781 h.   37 **C2**
– alt. 74 m – ⊠ 02100 ▌Nord Pas-de-Calais Picardie

▶ Paris 165 – Amiens 81 – Charleroi 161 – Lille 113 – Reims 99
🛈 Office de tourisme, espace Victor Basch ℰ 03 23 67 05 00, Fax 03 23 67 78 71
⛳ de Saint-Quentin-Mesnil à Mesnil-Saint-Laurent Rue de Chêne de Cambrie,
   SE : 10 km par D 12, ℰ 03 23 68 19 48
◎ Basilique★ – Hôtel de ville★ – Collection de portraits de Maurice Quentin de
  La Tour★★ au musée Antoine-Lécuyer.

Plan page suivante

🏨 **Le Grand Hôtel** sans rest 🛗 & 🐾 🆑 🅿 VISA ⓜ© AE ①
6 r. Dachery – ℰ *03 23 62 69 77 – www.grand-hotel2.cabanova.fr – grand-hotel2@
wanadoo.fr – Fax 03 23 62 53 52 – Fermé 3 sem. en août et 2 sem. en déc.*
24 ch – †72 € ††90 €, ⊆ 9 €   BZ **n**
◆ Cette grande bâtisse construite au pied de la colline propose des chambres spacieuses
et fonctionnelles desservies par un ascenseur panoramique.

🏨 **Des Canonniers** sans rest 🚗 📶 🆑 🅿 VISA ⓜ© AE
15 r. Canonniers – ℰ *03 23 62 87 87 – www.hotel-canonniers.com
– lescanonniers@aol.com – Fax 03 23 62 87 86 – Fermé 3-16 août et dim. soir*
7 ch – †52/92 € ††62/102 €, ⊆ 13 €   AZ **m**
◆ On pénètre dans cette demeure bourgeoise par une belle cour pavée. Chambres calmes
et personnalisées (avec cuisinette). Salons habillés de boiseries donnant sur un parc.

🏨 **Ibis** sans rest 🛗 & 🐾 ⇔ 📶 🆑 VISA ⓜ© AE ①
14 pl. Basilique – ℰ *03 23 67 40 40 – h1641@accor.com – Fax 03 23 67 84 90*
76 ch – †65/70 € ††65/70 €, ⊆ 8 €   ABZ **r**
◆ Idéalement situé pour une visite du centre ville, cet édifice à l'élégante façade en briques
rouges dispose de chambres bien spacieuses pour un Ibis.

🏨 **Mémorial** sans rest ⇔ 📶 🅿 VISA ⓜ© AE ①
8 r. Comédie – ℰ *03 23 67 90 09 – 03 23 62 34 96 – contact@hotel-memorial.com
– Fax 03 23 62 34 96*
18 ch – †55/87 € ††55/95 €, ⊆ 8,50 €   AZ **b**
◆ Cet ancien hôtel particulier profite d'une grande cour intérieure arborée. Chaque
chambre possède sa personnalité (double vitrage côté rue). Rénovations en cours.

※※ **Villa d'Isle** 🚗 🍽 ⇔ 🅿 VISA ⓜ© AE
111-113 r. d'Isle – ℰ *03 23 67 08 09 – www.villadisle.com – Fax 03 23 67 06 07
– Fermé sam. midi, dim. soir et lundi*   BZ **h**
Rest – Menu (16 € bc), 23 € bc/32 €
◆ Belle verrière, objets d'époque et aménagement moderne : cette maison ancienne et
d'associer évocations du passé et touches actuelles. Cuisine bistrotière très alléchante.

※※ **Auberge de l'Ermitage** 🍽 & 🅿 VISA ⓜ©
331 rte de Paris, 3 km par ⑤ *–* ℰ *03 23 62 42 80 – auberge.ermitage@
wanadoo.fr – Fax 03 23 64 29 28 – Fermé 3-14 août, 1 sem. en fév., sam. midi, dim.
soir et merc.*
Rest – Menu (22 €), 28 € (sem.)/53 € – Carte 50/60 €
◆ Cette auberge a fière allure avec sa façade, sa terrasse et ses extérieurs fraîchement
rénovés. Plaisante salle à manger mi-classique mi-champêtre, petits plats traditionnels.

※※ **Le Rouget Noir** 🅰🅲 VISA ⓜ© AE
19 r. Victor-Basch – ℰ *03 23 62 44 44 – www.lerougetnoir.com – lerougenoir@
wanadoo.fr – Fax 03 23 07 87 98 – Fermé sam. midi et dim. soir*   AYZ **a**
Rest – Menu (18 € bc), 29/36 € – Carte 37/53 €
◆ Un beau restaurant contemporain tout en "Roug(e) et Noir", orné de tableaux originaux
réalisés par une artiste-peintre amie du chef. Cuisine "de produits" pleine de saveurs.

ST-QUENTIN

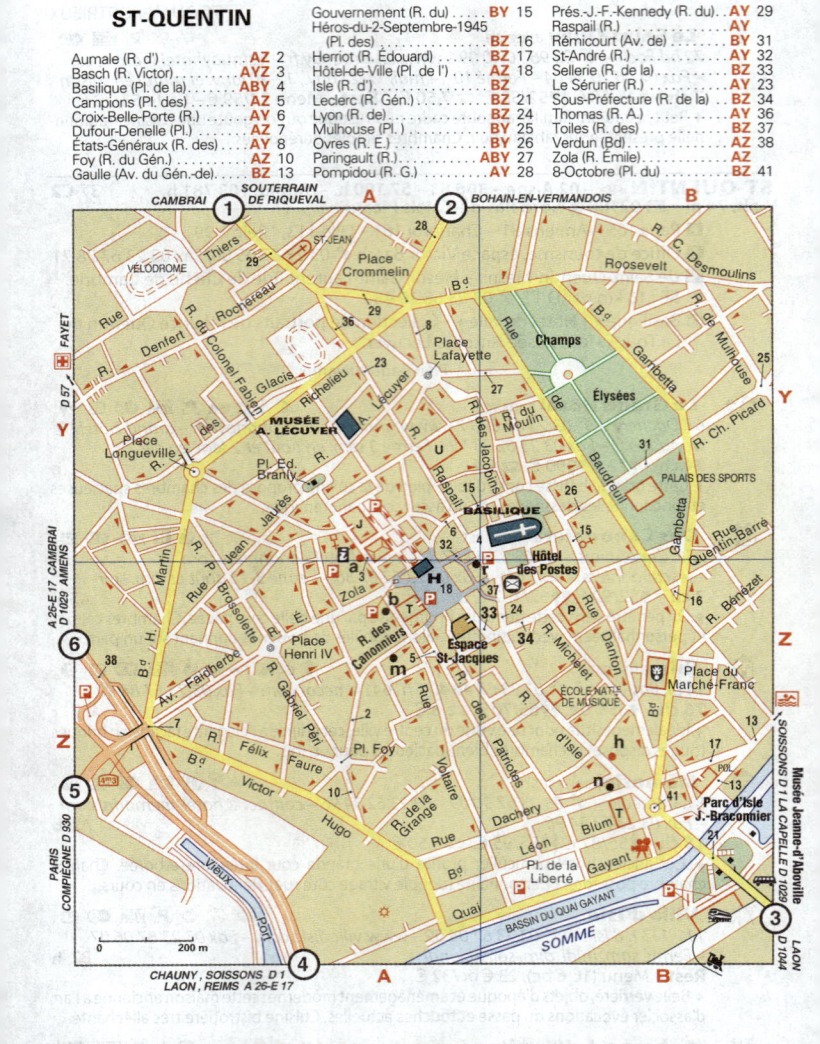

Aumale (R. d')	**AZ** 2
Basch (R. Victor)	**AYZ** 3
Basilique (Pl. de la)	**ABY** 4
Campions (Pl. des)	**AZ** 5
Croix-Belle-Porte (R.)	**AY** 6
Dufour-Denelle (Pl.)	**AZ** 7
États-Généraux (R. des)	**AY** 8
Foy (R. du Gén.)	**AZ** 10
Gaulle (Av. du Gén.-de)	**BZ** 13
Gouvernement (R. du)	**BY** 15
Héros-du-2-Septembre-1945 (Pl. des)	**BZ** 16
Herriot (R. Édouard)	**BZ** 17
Hôtel-de-Ville (Pl. de l')	**AZ** 18
Isle (R. d')	**BZ**
Leclerc (R. Gén.)	**BZ** 21
Lyon (R. de)	**BZ** 24
Mulhouse (Pl.)	**BY** 25
Ovres (R. E.)	**BY** 26
Paringault (R.)	**ABY** 27
Pompidou (R. G.)	**AY** 28
Prés.-J.-F.-Kennedy (R. du)	**AY** 29
Raspail (R.)	**AY**
Rémicourt (Av. de)	**BY** 31
St-André (R.)	**AY** 32
Sellerie (R. de la)	**BZ** 33
Le Sérurier (R.)	**AY** 23
Sous-Préfecture (R. de la)	**BZ** 34
Thomas (R. A.)	**BZ** 36
Toiles (R. des)	**BZ** 37
Verdun (Bd)	**AZ** 38
Zola (R. Émile)	**AZ**
8-Octobre (Pl. du)	**BZ** 41

à Neuville-St-Amand 3 km par ③ et D 12 – 859 h. – alt. 82 m – ✉ 02100

Château 🍃
11 r. de la Fontaine – ☎ 03 23 68 41 82
– www.chateauneuvillestamand.com
– chateaudeneuville.st.amand@wanadoo.fr
– Fax 03 23 68 46 02 – Fermé 2-24 août, 21 déc.-4 janv., sam. midi, dim. soir et lundi
15 ch – ♦71 € ♦♦82 €, ⊊ 12 €
Rest – Menu 29/58 € – Carte 50/65 €
♦ Un parc bien entretenu entoure cette maison de maître restaurée, gage d'une bien agréable quiétude. Chambres personnalisées avec salles de bain spacieuses. À l'heure des repas, le chef prépare une cuisine traditionnelle de qualité, à base de produits frais.

ST-QUENTIN

à Holnon 6 km par ⑥ et D 1029 – 1 334 h. – alt. 102 m – ⊠ 02760

Le Pot d'Étain
D 1029 – ℰ 03 23 09 34 35 – info@lepotdetain.fr – Fax 03 23 09 34 39
30 ch – ✝63 € ✝✝85 €, ⊇ 10 € – ½ P 75 €
Rest – Menu (18 € bc), 22 € bc (sem.)/42 € – Carte 40/76 €

♦ À l'entrée du bourg, pavillon aux allures d'hacienda complété d'un motel abritant des chambres fonctionnelles et bien insonorisées. Repas traditionnel actualisé servi dans un décor d'esprit rustique ou l'été en plein air.

ST-QUENTIN-EN-YVELINES – 78 Yvelines – **311** H3 – **106** 29 – **101** 21 – **voir à Paris, Environs**

ST-QUENTIN-LA-POTERIE – 30 Gard – **339** L4 – **rattaché à Uzès**

ST-QUENTIN-SUR-LE-HOMME – 50 Manche – **303** E8 – **rattaché à Avranches**

ST-QUIRIN – 57 Moselle – **307** N7 – 826 h. – alt. 305 m – ⊠ 57560 27 **D2**
Alsace Lorraine

▶ Paris 433 – Baccarat 40 – Lunéville 56 – Phalsbourg 34 – Sarrebourg 19 – Strasbourg 91

▶ Syndicat d'initiative, Mairie ℰ 03 87 08 60 34, Fax 03 87 08 66 44

Hostellerie du Prieuré avec ch
163 r. Gén. de Gaulle – ℰ 03 87 08 66 52 – www.saintquirin.com – leprieure@laposte.net – Fax 03 87 08 66 49 – Fermé 24-31 juil., 26 oct.-4 nov., 16-28 fév., sam. midi, mardi soir et merc.
8 ch – ✝45/50 € ✝✝45/50 €, ⊇ 7 €
Rest – Menu (12 €), 25/70 € – Carte 30/64 €

♦ Ancien couvent du 18ᵉ s. au cœur de ce village apprécié des randonneurs. Cuisine traditionnelle servie dans des salles à manger colorées. Chambres pratiques pour l'étape, aménagées dans la maison familiale, typique, située à deux pas.

ST-RAPHAËL – 83 Var – **340** P5 – 32 700 h. – Casino Z – ⊠ 83700 41 **C3**
Côte d'Azur

▶ Paris 870 – Aix-en-Provence 121 – Cannes 42 – Fréjus 4 – Toulon 93

▶ Office de tourisme, rue Waldeck Rousseau ℰ 04 94 19 52 52, Fax 04 94 83 85 40

▶ Esterel Latitudes 745 Boulevard Darby, E : 5 km, ℰ 04 94 52 68 30

▶ de Cap Estérel BP 940 - Cap Esterel, E : 3 km, ℰ 04 94 82 55 00

◉ Collection d'amphores ★ dans le musée archéologique **M.**

Accès et sorties : voir plan de Fréjus.

Plan page suivante

La Marina
port Santa-Lucia (Palais des Congrès), par ① – ℰ 04 94 95 31 31 – www.bestwestern-lamarina.com – hotel@bestwestern-lamarina.com – Fax 04 94 82 21 46
100 ch – ✝99/145 € ✝✝99/145 €, ⊇ 12 € **Rest** – Carte 25/35 €

♦ Les chambres, teintées de bleu ou de rouge, affichent une décoration dans l'air du temps. La plupart ont un balcon et certaines ouvrent sur la piscine ou sur le port de plaisance. Carte simple et traditionnelle à savourer en terrasse en été, au bord du quai.

Continental sans rest
100 promenade René Coty – ℰ 04 94 83 87 87 – www.hotels-continental.com – info@hotels-continental.com – Fax 04 94 19 20 24 – Ouvert de fév. à début nov. et 21 déc.-2 janv. Z **e**
44 ch – ✝75/229 € ✝✝75/229 €, ⊇ 13 €

♦ Face à la plage, au cœur de l'animation, hôtel occupant le 1ᵉʳ étage d'une vaste bâtisse néoclassique blanche. Chambres claires et confortables à choisir de préférence côté mer.

ST-RAPHAËL

Aicard (R. J.) . . . . **Z** 2	Baux (R. Amiral) . . . . **Y** 9
Albert-1er (Quai) . . . . **Z** 3	Carnot (Pl.) . . . . **Y** 10
Allongue (R. Marius) . . . . . . **Y** 5	Coty (Promenade René) . . . **Z** 13
Barbier (R. J.) . . . . **Y** 6	Doumer (Av. Paul) . . . . **Z** 14
Basso (R. Léon) . . . . **Y** 7	Gambetta (R.) . . . . **Y** 15
	Gounod (R. Ch.) . . . . **Z** 17
	Guilbaud (Cours Cdt) . . . . . **Y** 18
	Karr (R. A.) . . . . **Y** 21

Libération (Bd de la) . . . . . . **Z** 22
Liberté (R. de la) . . . . **Y** 23
Martin (Bd Félix) . . . . **YZ** 24
Péri (Pl. Gabriel) . . . . **Z** 26
Remparts (R. des) . . . . **Y** 28
Rousseau (R. W.) . . . . **Y** 30
Vadon (R. H.) . . . . **Z** 31

Excelsior
193 bd F. Martin, (prom. R. Coty) – ℘ 04 94 95 02 42
– www.excelsior-hotel.com – info@excelsior-hotel.com
– Fax 04 94 95 33 82

Z h

36 ch – †60/190 € ††125/190 €
Rest – Menu (23 €), 30 € (déj. en sem.), 35/55 € – Carte 35/75 €

♦ Hôtel de caractère à deux pas du centre-ville avec un petit pub à l'anglaise au rez-de-chaussée. Les chambres donnent sur la baie ou sur la ville. Recettes régionales à déguster en terrasse, aux beaux jours, face à la Méditerranée.

Santa Lucia sans rest
418 Corniche D'Or, par ① – ℘ 04 94 95 23 00 – www.hotelsantalucia.fr
– contact@hotelsantalucia.fr – Fax 04 94 19 49 79 – Fermé 21 déc.-31 janv.

12 ch – †69/139 € ††84/154 €

♦ Adresse familiale au décor de paquebot où chaque chambre, impeccablement tenue, évoque l'atmosphère d'un pays lointain : Louisiane, Chine, Kenya... À l'arrière, vue sur la mer.

Provençal sans rest
195 r. de la Garonne – ℘ 04 98 11 80 00 – www.hotel-provencal.com
– reception@hotel-provencal.com – Fax 04 98 11 80 13

Y b

24 ch – †55/80 € ††55/80 €, ⇌ 8 €

♦ En retrait du port et de son animation, cet hôtel contemporain tout simple dispose de chambres fonctionnelles et colorées, parfaitement tenues. Accueil sympathique.

ST-RAPHAËL

XXX L'Arbousier
6 av. de Valescure – ℰ *04 94 95 25 00 – www.arbousier.net*
– arbousier.restaurant@wanadoo.fr – Fax 04 94 81 83 04 – Fermé 22 déc.-6 janv.,
vacances de fév., mardi sauf le soir en saison et lundi
Rest – Menu 30 € (déj. en sem.), 44/59 € – Carte environ 80 €
♦ Aux beaux jours, optez pour la terrasse, véritable oasis de verdure ombragée de magnolias et d'arbousiers. La carte, influencée par la Provence, privilégie les produits de saison.

X La Cave
23 r. Thiers – ℰ *04 94 95 79 62 – www.la-cave-restaurant.com*
– lacaverestaurant@aol.com – Fax 04 94 53 93 35 – Fermé 1er-7 juin et 5-26 janv.
Rest – Menu (18 € bc), 29/39 € – Carte 46/59 €
♦ Le chef de ce bistrot contemporain propose une cuisine du marché et des plats d'autrefois, comme les mitonnaient nos grands-mères. Belle cave à vins et épicerie fine attenante.

à Valescure 5 km au Nord-Est – ⊠ 83700

Golf de Valescure
55 av. Paul L'Hermite, (au golf) – ℰ *04 94 52 85 00*
– www.valescure.com – info@valescure.com – Fax 04 94 82 41 88
62 ch – †205/260 € ††205/260 €, ⊇ 16 € – 8 suites
Rest *Les Pins Parasols* – *(dîner seult)* Menu 37/65 € – Carte 44/80 €
Rest *Club House* – *(déj. seult)* Menu 26 € bc – Carte 26/36 €
♦ Face aux greens, hôtel abritant des chambres relookées dans un style actuel (bois clair et wengé, tons beige ou chocolat...), dotées de terrasses privatives. Aux Pins Parasols, recettes provençales revisitées et atmosphère cosy. Repas façon brasserie au Club House, ex-Pavillon de l'Exposition universelle de 1900.

La Chêneraie sans rest
167 av. des Gondins – ℰ *04 94 44 48 84 – www.lacheneraie.jimdo.com – lacheneraie@orange.fr – Fax 04 94 51 21 71 – Fermé 1er nov.-5 déc. et 19 janv.-13 fév.*
10 ch – †58/145 € ††73/160 €, ⊇ 12 €
♦ Cette demeure des années 1890 aurait presque des allures de maison d'hôte. Décoration mêlant l'ancien, le moderne et les tons reposants. Piscine et beau jardin au calme.

XX Le Jardin de Sébastien
599 av. des Golfs – ℰ *04 94 44 66 56 – www.jardindesebastien.com – thomar83@hotmail.fr – Fax 04 94 44 66 56 – Fermé 11-30 nov., 15-30 janv., jeudi soir, dim. soir et lundi*
Rest – Menu (22 €), 28/58 € – Carte 43/68 €
♦ Une villa récente voisine du golf. Salle à manger de style provençal et agréable terrasse-jardin où l'on sert une cuisine au goût du jour s'inspirant du terroir.

X La Table d'Emi
85 r. du Bruant, rte des Golfs – ℰ *04 94 44 63 44 – latabledemi@orange.fr – Fermé 28 déc.-4 janv., 8-22 fév., dim. soir d'oct. à mai, mardi midi de juin à sept. et lundi*
Rest – Menu (18 €), 22 € (déj. en sem.), 29/46 €
♦ Cuisine traditionnelle et du marché, avec accents du Sud, et ardoise du jour. La salle est décorée de tableaux peints par la fille des propriétaires. Terrasse verdoyante.

X Le Sud
16 bd Darby, rte des Golfs – ℰ *04 94 44 67 86 – le-sud@wanadoo.fr*
– Fax 04 94 44 68 73 – Fermé 3-10 juin, 22 déc.-5 janv., mardi, merc. sauf juil.-août, sam. midi, dim. midi et lundi midi
Rest – Menu (18 €), 32/40 €
♦ La Provence inspire autant le décor que la cuisine, savoureuse et bien tournée, dans ce restaurant voisin d'un petit pôle commercial. Photos anciennes évoquant la région.

au Dramont 6 km par ① – ⊠ 83530 Agay

Sol e Mar
90 Bd 36 éme Division Texas, rte de la Corniche d'Or – ℰ *04 94 95 25 60*
– www.monalisahotels.com – resa-agay@monalisahotels.com
– Fax 04 94 83 83 61 – Ouvert 15 mars-11 nov.
45 ch – †99/170 € ††99/210 €, ⊇ 12 € – 5 suites **Rest** – Carte 37/48 €
♦ Un vrai hôtel balnéaire : chambres sobres tournées pour la plupart vers l'île d'Or, plage-solarium et bassin d'eau de mer à débordement creusé dans la roche du rivage. Restaurant panoramique coiffé d'un toit ouvrant et complété par une belle terrasse surplombant la grande bleue.

ST-RÉMY – 71 Saône-et-Loire – **320** J9 – rattaché à Chalon-sur-Saône

ST-RÉMY – 21 Côte-d'Or – **320** G4 – rattaché à Montbard

ST-RÉMY-DE-CHARGNAT – 63 Puy-de-Dôme – **326** G9 – rattaché à Issoire

> Nous essayons d'être le plus exact possible
> dans les prix que nous indiquons.
> Mais tout bouge !
> Lors de votre réservation, pensez à vous faire préciser le prix du moment.

ST-RÉMY-DE-PROVENCE – 13 Bouches-du-Rhône – **340** D3   **42 E1**
– 10 251 h. - alt. 59 m – ⊠ 13210 Provence

- Paris 702 – Arles 25 – Avignon 20 – Marseille 89 – Nîmes 45
- Office de tourisme, place Jean-Jaurès ℰ 04 90 92 05 22, Fax 04 90 92 38 52
- de Servanes à Mouriès Domaine de Servanes, SE : 17 km, ℰ 04 90 47 59 95
- Le plateau des Antiques★★ : Mausolée★★, Arc municipal★, Glanum★ 1km par ③ - Cloître★ de l'ancien monastère de St-Paul-de-Mausole par ③ - Hôtel de Sade : dépôt lapidaire★ **L** - Donation Mario Prassinos★ **S**.
- ※★★ de la Caume 7 km par ③.

ST-RÉMY-DE-PROVENCE

Commune (R.)	**Z** 2
Estrine (R.)	**YZ** 3
La-Fayette (R.)	**Z** 6
Hoche (R.)	**Z** 4
Libération (Av. de la)	**Y** 7
Mauron (Av. Ch.)	**Y** 8
Mirabeau (Bd)	**YZ** 9
Nostradamus (R.)	**Y** 10
Parage (R.)	**Y** 12
Pelletan (R. C.)	**YZ** 14
Résistance (Av.)	**Z** 15
Roux (R.)	**Z** 16
Salengro (R. R.)	**Y** 18
8 Mai 1945 (R. du)	**Z** 20

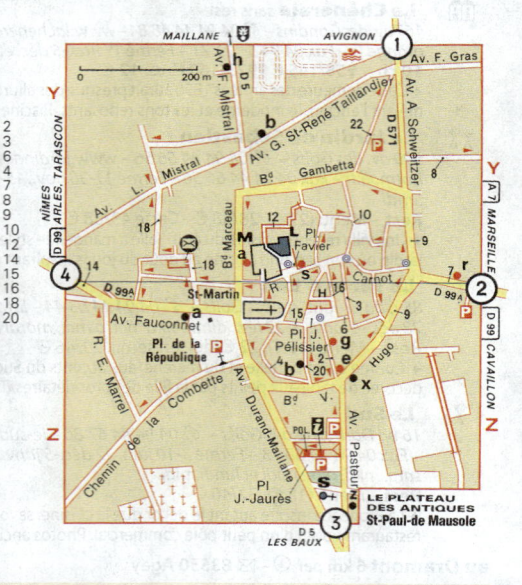

Hostellerie du Vallon de Valrugues
chemin Canto Cigalo, 1 km par ② –
ℰ 04 90 92 04 40 – www.vallondevalrugues.com – resa@vallondevalrugues.com
– Fax 04 90 92 44 01 – Fermé 11 janv.-11 fév.
53 ch – ♦190/240 € ♦♦190/310 €, ⊇ 23 € – 7 suites
Rest Marc de Passorio – voir ci-après
Rest *Bistrot Gourmand* – Menu 29 € bc – Carte 30/40 €
♦ Dans un quartier résidentiel, grande villa entourée d'un jardin arboré. Luxueux décor, chambres refaites et équipements de loisirs complets. Plats méditerranéens au Bistrot.

ST-RÉMY-DE-PROVENCE

Le Château des Alpilles
2 km à l'Ouest par D 31 – ℰ 04 90 92 03 33
– www.chateaudesalpilles.com – chateau.alpilles@wanadoo.fr
– Fax 04 90 92 45 17 – Ouvert 13 mars-4 janv.
16 ch – †124/139 € ††180/399 €, ⌑ 20 € – 4 suites
Rest – *(fermé jeudi midi et merc. hors saison)* Menu (20 €), 26 € (déj. en sem.)/42 € – Carte 42/57 €

◆ Superbe demeure du 19ᵉ s. dans un parc aux platanes tricentenaires. Chambres joliment personnalisées : classiques (bâtiment principal) ou contemporaines (annexes). Entre chic bourgeois et design seventies, le restaurant mélange les styles avec goût. Cuisine régionale.

Les Ateliers de l'Image
36 bd V. Hugo – ℰ 04 90 92 51 50
– www.hotelphoto.com – info@hotelphoto.com – Fax 04 90 92 43 52 – Fermé de début à fin fév.
28 ch – †175/380 € ††175/380 €, ⌑ 19 € – 4 suites
Rest – *(fermé mardi et merc. hors saison)*
Menu (19 €), 44 € (dîner)/62 € – Carte 55/75 €

Z x

◆ Un parc en plein centre-ville ! C'est le cadre de cet "hôtel-atelier" dédié à la photo (expo, galerie, labo). Chambres zen et raffinées (la moitié avec terrasse). Originale suite-cabane dans un arbre. À table, optez pour le sushi bar ou une carte fleurant bon la Provence.

Gounod sans rest
18 pl. de la République – ℰ 04 90 92 06 14 – www.hotel-gounod.com
– contact@hotel-gounod.com – Fax 04 90 92 56 54
– Fermé 20 déc.-31 mars
30 ch ⌑ – †99/220 € ††110/220 €

Z a

◆ Charles Gounod séjourna ici en 1863 pour composer son opéra Mireille. Atmosphère feutrée, joli décor d'inspiration baroque bien rénové, jardin, piscine et salon de thé cosy.

Le Mas des Carassins
1 chemin Gaulois, 1 km par ③ – ℰ 04 90 92 15 48 – www.masdescarassins.com
– info@masdescarassins.com – Fax 04 90 92 63 47 – Fermé 29 nov.-19 déc. et 6 janv.-7 mars
12 ch ⌑ – †87/177 € ††99/189 € – 2 suites
Rest – *(dîner seult) (résidents seult)* Menu 30 €

◆ Noyé dans un grand jardin avec piscine (lavandes, thym, lauriers, citronniers, oliviers, fontaines et bassins...), mas du 19ᵉ s. aménagé avec goût. Jolies chambres provençales.

Sous les Figuiers sans rest
3 av. Taillandier – ℰ 04 32 60 15 40 – www.hotel-charme-provence.com
– hotel.souslesfiguiers@wanadoo.fr – Fax 04 32 60 15 39
– Fermé 10 janv.-13 mars
13 ch – †62/140 € ††72/140 €, ⌑ 12 €

Y b

◆ Petit hôtel de charme chaleureux. Les chambres raffinées (boutis et meubles chinés) disposent d'une terrasse privative ombragée d'un figuier centenaire. Atelier de peinture.

L'Amandière sans rest
av. Théodore Aubanel, 1 km par ① puis rte Noves – ℰ 04 90 92 41 00
– www.hotel-amandiere.com – hotel-amandiere@wanadoo.fr
– Fax 04 90 92 48 38
26 ch – †60/75 € ††60/75 €, ⌑ 8 €

◆ Cette villa provençale possède un agréable jardin arboré et fleuri. Chambres paisibles et pratiques avec balcon ou terrasse. Petit-déjeuner servi dans un jardin d'hiver.

Van Gogh sans rest
1 av. J. Moulin par ② – ℰ 04 90 92 14 02 – www.hotel-vangogh.com
– vangoghhot@aol.com – Fax 04 90 92 09 05 – Ouvert 15 mars-20 oct.
21 ch – †65/85 € ††65/85 €, ⌑ 8 €

◆ À proximité du centre, petit hôtel simple aux chambres décorées dans la note provençale (celles du 1ᵉʳ étage sont mansardées). On profite d'une belle terrasse devant la piscine.

1723

ST-RÉMY-DE-PROVENCE

Du Soleil sans rest
35 av. Pasteur – ℰ *04 90 92 00 63 – www.hotelsoleil.com – info@hotelsoleil.com*
– Fax 04 90 92 61 07 – Ouvert 30 mars-11 nov. Z z
24 ch – †64/80 € ††64/80 €, ⊊ 8 €

♦ Ces bâtiments plus que centenaires (ex-usine reconvertie) encadrent une vaste cour (terrasse, fontaine, jardin, piscine). Sobriété et tranquillité sont de mise dans les chambres.

Le Chalet Fleuri sans rest
15 av. Frédéric Mistral – ℰ *04 90 92 03 62 – le.chalet.fleuri@orange.fr*
– Fax 04 90 92 60 28 – Fermé janv. Y h
12 ch – †64/80 € ††64/110 €, ⊊ 10 €

♦ Une adresse sympathique à deux pas du centre-ville. Chambres pratiques et colorées. Aux beaux jours, petit-déjeuner servi au jardin (marronniers, pins, tilleuls et palmiers).

Canto Cigalo sans rest
8 chemin Canto-Cigalo, 1 km par ② *–* ℰ *04 90 92 14 28 – www.cantocigalo.com*
– hotel.cantocigalo@wanadoo.fr – Fax 04 90 92 24 48
20 ch – †68/84 € ††68/84 €, ⊊ 8 €

♦ Dans un quartier résidentiel calme, cette maison cache un intérieur chaleureux aux couleurs éclatantes. Chambres rustico-provençales. Piscine et terrasse face aux Alpilles.

La Maison du Village sans rest
10 r. du 8 mai 1945 – ℰ *04 32 60 68 20 – www.lamaisonduvillage.com – contact@lamaisonduvillage.com – Fax 04 32 60 68 21* Z b
5 ch – †150/210 € ††150/210 €, ⊊ 12 €

♦ Jolie maison du 18e s. située en plein centre historique. Harmonies de couleurs dans la décoration. Les chambres sont toutes superbes et la cour-terrasse délicieuse.

Mas de Figues
Vieux Chemin d'Arles, 3 km par chemin de la Combette – ℰ *04 32 60 00 98*
– www.masdesfigues.com – info@masdesfigues.com – Fax 04 32 60 00 95
– Ouvert mars à nov.
5 ch – †99/150 € ††130/200 €, ⊊ 20 € – 2 suites – ½ P 95/140 €
Table d'hôte – *(prévenir)* Menu 28 €

♦ Au cœur des lavandes et des oliviers, vieille bastide provençale traditionnelle. Lits à baldaquin dans les chambres aux noms de personnages d'Alphonse Daudet. Cuisine du Sud à base des produits du potager de la ferme. Cadre raffiné (grande table, charpente apparente).

Marc de Passorio – Hostellerie du Vallon de Valrugues
chemin Canto Cigalo, 1 km par ② *–* ℰ *04 90 92 04 40*
– www.restaurant-marcdepassorio.com – resa@vallondevalrugues.com
– Fax 04 90 92 44 01 – Fermé 11 janv.-11 fév., dim. soir et lundi hors saison
Rest – *(nombre de couverts limité, prévenir)* Menu 58/98 €
– Carte 113/124 €
Spéc. Langoustines à la poudre d'orange. Selle d'agneau et cannelloni d'aubergine. Tarte renversée au chocolat noir et blanc.

♦ Cuisine valorisant le terroir, à base des meilleurs produits régionaux, servie dans un cadre élégant et serein, où classicisme et modernité cohabitent en harmonie. Belle terrasse fleurie.

La Maison Jaune (François Perraud)
15 r. Carnot – ℰ *04 90 92 56 14 – www.lamaisonjaune.info – lamaisonjaune@wanadoo.fr – Fermé 2 janv.-2 fév., dim. soir en hiver, mardi midi de juin à sept. et lundi*
Rest – *(nombre de couverts limité, prévenir)* Menu 36/66 € – Carte 58/85 € Y s
Spéc. Asperges vertes de Provence, poutargue et herbes en vinaigrette (printemps). Pigeon rôti au vin des Baux, légumes à l'huile de noisette. Fruits rouges, rhubarbe, vieux vinaigre balsamique et sorbet (été). **Vins** Les Baux-de-Provence.

♦ Belle demeure dotée à l'étage d'une grande terrasse ombragée dominant la vieille ville (toit de tuiles du pays et meubles en teck). Goûteuse cuisine provençale actuelle.

ST-RÉMY-DE-PROVENCE

XX **Alain Assaud** AC VISA MC AE
13 bd Marceau – ℰ *04 90 92 37 11* – *Ouvert 15 mars-15 nov. et fermé jeudi midi, sam. midi et merc.* Y a
Rest – Menu 28/44 € – Carte 45/65 €
♦ Plaisante salle de restaurant rustique (pierres et poutres apparentes, tableaux, vieille horloge et buffet campagnard) où l'on sert une cuisine généreuse à l'accent du Sud.

X **Le Bistrot Découverte** VISA MC AE
19 bd Victor Hugo – ℰ *04 90 92 34 49* – *www.bistrotdecouverte.com*
– *Fax 04 32 61 09 77* – *Fermé janv., dim. soir sauf juil.-août et lundi* Z e
Rest – Menu (16 €), 30 € – Carte 32/52 €
♦ Ce bistrot de caractère, avec véranda-terrasse, propose une cuisine de tradition provençale. Belle cave voûtée en pierre ; grands et petits crus à boire sur place ou à emporter.

X **L'Aile ou la Cuisse** AC VISA MC
5 r. Commune – ℰ *04 32 62 00 25* – *laileoulacuisse@orange.fr*
– *Fax 04 32 62 00 25* – *Fermé 3 janv.-16 fév., dim. d'oct. à juin et lundi* Z g
Rest – Menu (19 €) – Carte 47/67 € *dîner seulement*
♦ Jadis réfectoire d'un ancien couvent, ce lieu ne laisse pas indifférent : intérieur feutré et chic, ravissant patio-terrasse, savoureuse cuisine bistrotière et vente de pâtisseries.

au Domaine de Bournissac 11 km par ②, D 30 et D 29
– ✉ 13550 Paluds-des-Noves

La Maison de Bournissac (Christian Peyre) VISA MC AE
montée d'Eyragues – ℰ *04 90 90 25 25*
– *www.lamaison-a-bournissac.com* – *bournissac@wanadoo.fr*
– *Fax 04 90 90 25 26* – *Fermé 3 janv.-10 fév.*
13 ch – ♦145/190 € ♦♦145/190 €, ⟂ 17 € – 3 suites
Rest – *(fermé lundi et mardi d'oct. à avril)* Menu 45/120 € – Carte 85/115 €
Spéc. Foie gras de canard en trois façons (sept. à déc.). Rouget barbet, raviole d'olive taggiasche et encornet à la plancha (sept. à déc.). Chocolat araguani et poire, croustillant au praliné. **Vins** Côtes du Luberon, Les Baux-de-Provence.
♦ Un lieu assez magique entouré par les vignes et les oliviers. Ce vieux mas domine Luberon, Alpilles et Ventoux. Ambiance cocooning dans les salons et les chambres romantiques. Fine cuisine régionale, salle chaleureuse et terrasses (une située dans un patio avec figuiers).

à Verquières 11 km par ②, D 30 et D 29 – 786 h. – alt. 48 m – ✉ 13670

XX **Le Croque Chou** VISA MC AE
pl. de l'Église – ℰ *04 90 95 18 55* – *www.le-croque-chou.fr* – *folzfamily@le-croque-chou.fr* – *Fermé mardi midi du 15 juin au 15 sept., dim. soir et merc. soir du 15 sept. au 15 juin et lundi*
Rest – *(prévenir)* Menu 22/80 € bc – Carte 54/88 €
♦ Une cuisine inventive et ensoleillée (beaux produits) vous attend derrière la façade tapissée de lierre de cette bergerie. Intérieur campagnard et terrasse à l'ombre des arbres.

par ④ 4,5 km et rte des Baux D 27 – ✉ 13210 St-Rémy-de-Provence

Domaine de Valmouriane VISA MC AE
– ℰ *04 90 92 44 62* – *www.valmouriane.com* – *info@valmouriane.com* – *Fax 04 90 92 37 32* – *Fermé 17 nov.-4 déc. et 5 janv.-5 fév.*
13 ch – ♦145/320 € ♦♦145/320 €, ⟂ 18 € – 1 suite
Rest – Menu 30 € (déj.), 55/80 € – Carte 40/60 €
♦ Au pied des Alpilles, confortable mas niché entre les pins : bar avec piano et cheminée, grandes chambres au mobilier de style. Espace détente (massages en plein air). Salle voûtée et colorée pour une cuisine au goût du jour et à thème (tour du monde des saveurs).

à Maillane 7 km au Nord-Ouest par D 5 – 2 013 h. – alt. 14 m – ✉ 13910

XX **L'Oustalet Maïanen** AC VISA MC
– ℰ *04 90 95 74 60* – *www.oustaletmaianen.com* – *contact@oustaletmaianen.com* – *Fax 04 90 95 76 17* – *Fermé 23 juin-2 juil., nov. à janv., mardi midi en juil.-août, sam. midi d'avril à sept., dim. soir sauf juil.-août, mardi et merc.*
Rest – Menu (19 €), 27/40 € – Carte 38/60 €
♦ Adresse sympathique que ce restaurant situé face à la maison du poète Mistral. Salle à manger provençale, terrasse sous la treille et goûteuse cuisine régionale.

ST-RÉMY-DU-PLAIN – 35 Ille-et-Vilaine – **309** M4 – 698 h.   10 **D2**
– alt. 108 m – ✉ 35560

▶ Paris 383 – Rennes 38 – Saint-Malo 58 – Fougères 40 – Vitré 44

La Haye d'Irée
1,5 km au Sud par D 90 puis D 12 – ✆ 02 99 73 62 07 – www.chateaubreton.com
– m.deprevoisin@orange.fr – Ouvert d'avril à oct.
4 ch ⌑ – †60/70 € ††85/115 €   **Table d'hôte** – Menu 20/25 €
♦ Dans un grand parc (étang, piscine, roseraie), ce manoir en granit vous plonge dans une atmosphère typique : salon avec cheminée, pierres, poutres, chambres au mobilier ancien. Repas traditionnels (sur réservation) servis dans une salle à manger rustique.

ST-RIQUIER – 80 Somme – **301** E7 – rattaché à Abbeville

ST-ROMAIN – 21 Côte-d'Or – **320** I8 – 243 h. – alt. 350 m – ✉ 21190   7 **A3**

▶ Paris 330 – Dijon 59 – Chalon-sur-Saône 41 – Le Creusot 50 – Beaune 13

Les Roches avec ch
pl. de la Mairie – ✆ 03 80 21 21 63 – www.les-roches.fr – lesroches.sarl@wanadoo.fr – Fax 03 80 21 66 93 – Fermé 20 déc.-26 janv., lundi et mardi
8 ch – †65 € ††65 €, ⌑ 10 € – ½ P 85 €   **Rest** – Carte 29/41 €
♦ Une sympathique adresse où l'accueil se veut proche du client. Copieuse cuisine de terroir et plats canailles à l'ardoise, soignés et servis dans un cadre de bistrot simple. Quelques chambres sobres et fonctionnelles pour l'étape.

ST-ROMAIN-LE-PUY – 42 Loire – **327** D6 – rattaché à Montbrison

---

ST-ROME-DE-TARN – 12 Aveyron – **338** J6 – 817 h. – alt. 360 m   29 **D2**

▶ Paris 660 – Millau 21 – Rodez 68 – Toulouse 170

🛈 Syndicat d'initiative, place du Terral ✆ 05 65 62 50 89, Fax 05 65 58 44 00

Les Raspes
av. Denis Affre – ✆ 05 65 58 11 44 – www.aveyron.com-hebergement.hotel
– lesraspes@wanadoo.fr – Fax 05 65 58 11 45 – Fermé 26 oct.-4 nov.
16 ch – †65/70 € ††75/95 €, ⌑ 10 € – ½ P 70/85 €
Rest – (fermé dim. soir d'oct. à mai, sam. midi et lundi) Menu 20/49 € – Carte 25/65 €
♦ Cette maison traditionnelle en pierre, située dans le village perché, était à l'origine un couvent. Les cellules sont aujourd'hui des chambres douillettes, sobres et soignées. Jolie salle à manger et terrasse où l'on goûte une cuisine locale aux accents du Sud.

ST-SATUR – 18 Cher – **323** N2 – rattaché à Sancerre

ST-SATURNIN – 63 Puy-de-Dôme – **326** F9 – 1 115 h. – alt. 520 m   5 **B2**
– ✉ 63450 ▮ **Auvergne**

▶ Paris 438 – Clermont-Ferrand 24 – Cournon-d'Auvergne 18 – Riom 37
– Chamalières 25

Château de Saint-Saturnin
– ✆ 04 73 39 39 64 – www.chateaudesaintsaturnin.com
– chateaudesaintsaturnin@yahoo.fr – Fax 04 73 39 30 86 – Ouvert 27 mars-8 nov.
5 ch – †150/210 € ††150/210 €, ⌑ 15 €
Table d'hôte – Menu 42 € bc/54 € bc
♦ On replonge au temps du Moyen-Âge dans ce château du 13ᵉ s., dominant le village. Chambres et suites (Duchesse, Louis III...) raffinées, mobilier ancien. Cuisine familiale, bourgeoise et régionale, servie aux résidents le soir, dans une salle voûtée.

ST-SATURNIN – 72 Sarthe – **310** J6 – rattaché au Mans

ST-SATURNIN-DE-LUCIAN – 34 Hérault – **339** F6 – rattaché à
Clermont-l'Hérault

ST-SATURNIN-LÈS-APT – 84 Vaucluse – 332 F10 – 2 479 h. — 42 E1
– alt. 420 m – ⌂ 84490 ▌Provence

▶ Paris 728 – Apt 9 – Avignon 55 – Carpentras 44 – Manosque 50

XXX **Domaine des Andéols** avec ch
D2 – ✆ 04 90 75 50 63 – www.domainedesandeols.com
– info@domaine-des-andeols.com – Fax 04 90 75 43 22 – Ouvert 12 fév.-14 nov.,
14 déc.-2 janv. et fermé mardi midi, dim. soir et lundi hors saison
10 ch – †260/350 € ††645/1220 €, ⌂ 25 €
Rest – Menu (42 €), 53/95 € – Carte 67/105 €

◆ Un lieu magique au cœur du Luberon : table actuelle au cadre ultra design (vue sur les cuisines), appartements-maisons soigneusement personnalisés, piscine intérieure et hammam.

ST-SAUD-LACOUSSIÈRE – 24 Dordogne – 329 F2 – 861 h. — 4 C1
– alt. 370 m – ⌂ 24470

▶ Paris 443 – Brive-la-Gaillarde 105 – Châlus 23 – Limoges 57 – Nontron 16
– Périgueux 62

Hostellerie St-Jacques
– ✆ 05 53 56 97 21 – hostellerie-st-jacques.com – hostellerie.st.jacques@
wanadoo.fr – Fax 05 53 56 91 33 – Ouvert 2 mars-30 nov. et fermé lundi midi, mardi
midi, merc. midi du 16 juin au 14 sept., dim. soir, lundi et mardi du 15 sept. au
15 juin
12 ch – †80/210 € ††80/210 €, ⌂ 13 € – 1 suite
Rest – Menu (28 € bc), 40/80 € – Carte 75/85 €

◆ Ancienne halte des pèlerins de Compostelle, cette maison tapissée de verdure n'est en rien austère : chambres personnalisées par un décor précieux, piscine et jardin fleuri. Salle à manger prolongée d'une terrasse ombragée. Repas traditionnel et belle carte des vins.

ST-SAUVANT – 17 Charente-Maritime – 324 G5 – rattaché à Saintes

ST-SAUVES-D'AUVERGNE – 63 Puy-de-Dôme – 326 D9 – rattaché
à La Bourboule

ST-SAUVEUR-DE-MONTAGUT – 07 Ardèche – 331 J5 – 1 161 h. — 44 B3
– alt. 218 m – ⌂ 07190

▶ Paris 597 – Le Cheylard 24 – Lamastre 29 – Privas 24 – Valence 38
ℹ Syndicat d'initiative, quartier de la Tour ✆ 04 75 65 43 13, Fax 04 75 65 43 13

X **Le Montagut** avec ch
pl. de l'Église – ✆ 04 75 65 40 31 – www.lemontagut.fr – lemontagut@orange.fr
– Fermé 14-30 juin, mardi soir, dim. soir et lundi sauf juil.-août
4 ch – †45 € ††45 €, ⌂ 6 €   **Rest** – Menu (16 €), 20 € (sem.)/40 € – Carte 33/39 €

◆ La carte de cette auberge familiale ardéchoise honore les saveurs régionales. En décor, une salle sobre et une vaste terrasse sous auvent. Petites chambres fonctionnelles.

ST-SAVIN – 65 Hautes-Pyrénées – 342 L7 – rattaché à Argelès-Gazost

ST-SAVIN – 86 Vienne – 322 L5 – 913 h. – alt. 76 m – ⌂ 86310 — 39 D1
▌Poitou Vendée Charentes

▶ Paris 344 – Poitiers 44 – Belac 62 – Châtellerault 48 – Montmorillon 19
◉ Peintures murales★★★ de l'Abbaye★★.

De France
38 pl. de la République – ✆ 05 49 48 19 03 – www.hoteldefrance86.fr
– hotel-saint-savin@wanadoo.fr – Fax 05 49 48 97 07 – Fermé 21 déc.-5 janv.
11 ch – †48 € ††48 €, ⌂ 7 € – ½ P 45 €
Rest – (fermé sam. sauf le soir en juil.-août et dim.)
Menu (13 €), 18/21 € – Carte environ 20 €

◆ L'hôtel occupe une maison de pays qui s'élève sur la place du village. Chambres fonctionnelles, souvent spacieuses et sobrement décorées. Des tons ensoleillés égayent la salle de restaurant où l'on goûte des recettes traditionnelles et régionales.

ST-SAVIN

※※※ **Christophe Cadieu** AC ⇔ VISA ⓜ
15 r. de l'Abbaye – ℰ 05 49 48 17 69 – www.cadieu-86.com – restaurantcadieu@orange.fr – Fax 05 49 48 17 69
– Fermé 15 juin-2 juil., 22 sept.-8 oct., 5-21 janv., merc. sauf le midi de mai à oct., dim. soir et lundi
Rest – Menu (22 €), 40/70 €
Spéc. Foie gras de canard confit. Homard, ris de veau ou lapin du Poitou (selon saison). Chocolat ou fruit. **Vins** Touraine, Vin de Pays de la Vienne.
♦ Non loin de l'abbaye, ancienne grange convertie en un confortable restaurant. Décor rustique soigné, tables joliment dressées et appétissante cuisine dans l'air du temps.

ST-SEINE-L'ABBAYE – 21 Côte-d'Or – 320 I5 – 365 h. – alt. 451 m 8 C2
– ✉ 21440 Bourgogne

▶ Paris 289 – Autun 78 – Dijon 28 – Châtillon-sur-Seine 57 – Montbard 48
🛈 Office de tourisme, place de l'Église ℰ 03 80 35 07 63, Fax 03 80 35 07 63
🎯 Dolce Chantilly à Salives Larçon, N : 32 km par D 16, ℰ 03 80 75 68 54

🏠 **La Poste** 🚗 🍽 ⤴ & ch, ⇆ 🛏 P VISA ⓜ
17 r. Carnot – ℰ 03 80 35 00 35 – www.postesoleildor.fr – contact@postesoleildor.fr – Fax 03 80 35 07 64 – Fermé 20 déc.-3 janv. et dim.
15 ch – †58/78 € ††66/88 €, ⊇ 10 €
Rest – (dîner seult) Menu 20 €, 30/35 € bc – Carte 28/45 €
♦ Louis XIV aurait séjourné dans cet ancien relais de poste apprécié pour le calme de son jardin ombragé. Chambres assez spacieuses (en cours de rénovation), piscine. Le restaurant avec sa belle cheminée a conservé son cachet bourguignon. Cuisine traditionnelle.

ST-SERNIN-DU-BOIS – 71 Saône-et-Loire – 320 G8 – rattaché au Creusot

ST-SERNIN-SUR-RANCE – 12 Aveyron – 338 H7 – 530 h. 29 D2
– alt. 300 m – ✉ 12380 Languedoc Roussillon

▶ Paris 694 – Albi 50 – Castres 69 – Lacaune 29 – Rodez 83 – St-Affrique 32
🛈 Syndicat d'initiative, avenue d'Albi ℰ 05 65 99 29 13, Fax 05 65 97 60 77

🏨 **Carayon** ⚜ ≤ 🛥 🍽 🌳 ⛵ ✱ 🎿 ⛷ 🛏 P 🚭 VISA ⓜ AE ①
pl. du Fort – ℰ 05 65 98 19 19 – www.hotel-carayon.com – contact@hotel-carayon.fr – Fax 05 65 99 69 26 – Fermé mardi midi, dim. soir, lundi sauf juil.-août et fériés
74 ch – †39/77 € ††39/116 €, ⊇ 8 € – ½ P 48/86 €
Rest – Menu 15 € (sem.)/54 € bc – Carte 23/46 €
♦ Divers types de chambres dans cet hôtel centré sur les loisirs. 55 occupent l'unité principale et 19, les annexes du parc (pigeonnier, maison de pêcheur, chalet et pavillon). Copieux repas du terroir servis dans deux salles claires et amples ou en terrasse.

ST-SERVAN-SUR-MER – 35 Ille-et-Vilaine – 309 K3 – rattaché à St-Malo

ST-SEURIN-DE-CADOURNE – 33 Gironde – 335 G3 – 767 h. 3 B1
– alt. 10 m – ✉ 33180

▶ Paris 623 – Bordeaux 65 – Saint-Médard-en-Jalles 55 – Le Bouscat 61
– Eysines 56
🛈 Syndicat d'initiative, espace Paul Daumains ℰ 05 56 59 84 14,
Fax 05 53 94 77 63

⌂ **Réal** ⚜ 🚗 🍽 ⇆ ✱ ⛷ P VISA ⓜ
6 r. Clément-Lemaignan – ℰ 05 56 59 31 04
– http://perso.orange.fr/real-en-medoc – real-en-medoc@wanadoo.fr
– Fax 05 56 59 31 04
5 ch ⊇ – †56 € ††66 € **Table d'hôte** – Menu 25 € bc
♦ Dans un parc d'arbres centenaires, au calme, cette maison familiale, ancien château viticole, constitue une étape de charme. Chambres cosy. Four à pain, atelier d'iconographie. Cadre bourgeois pour une table d'hôtes traditionnelle, vins du pays.

ST-SEURIN-D'UZET – 17 Charente-Maritime – 324 F6 – 572 h. – alt. 47 m – ⊠ 17120

38 **B3**

▶ Paris 516 – Poitiers 183 – La Rochelle 113 – Rochefort 67 – Saintes 49

⌂ **Blue Sturgeon**
3 r. de la Cave – ℰ 05 46 74 17 18 – www.bluesturgeon.com – reservations@bluesturgeon.com – Ouvert de mars à oct.
5 ch ⊐ – †95/120 € ††95/120 €   **Table d'hôte** – Menu 35/95 €
♦ Le propriétaire, anglais et décorateur, a joliment restauré cette grange viticole du 17ᵉ s. Mélange d'ancien et de contemporain (dont les tableaux "maison"), jardin et plan d'eau. Belle hauteur sous plafond et poutres peintes dans la salle à manger.

ST-SIFFRET – 30 Gard – 339 L4 – rattaché à Uzès

ST-SILVAIN-BELLEGARDE – 23 Creuse – 325 K5 – 220 h. – alt. 535 m – ⊠ 23190

25 **D1**

▶ Paris 413 – Limoges 148 – Guéret 53 – Montluçon 75 – Ussel 66

⌂ **Les Trois Ponts**
– ℰ 05 55 67 12 14 – www.lestroisponts.nl – info@lestroisponts.nl
– Fax 05 55 67 12 14
5 ch ⊐ – †53 € ††80 €   **Table d'hôte** – Menu 28 €
♦ Deux Hollandais ont rénové cet ancien moulin au bord de la Tardes en préservant son authenticité. Douillettes chambres d'esprit provençal. Aménagements pour la détente. Ambiance conviviale garantie autour de la superbe table des propriétaires.

ST-SORLIN-D'ARVES – 73 Savoie – 333 K6 – 333 h. – alt. 1 550 m – ⊠ 73530 ▮ Alpes du Nord

45 **C2**

▶ Paris 657 – Albertville 84 – Le Bourg-d'Oisans 50 – Chambéry 97 – St-Jean-de-Maurienne 22

🛈 Office de tourisme, Champ Rond ℰ 04 79 59 71 77, Fax 04 79 59 75 50

◉ Site★ de l'église de St-Jean-d'Arves SE : 2,5 km.

◉ Col de la Croix de Fer ✳★★ O : 7,5 km puis 15 mn - Col du Glandon ≼★ puis Combe d'Olle★★ O : 10 km.

🏠 **Beausoleil**
Le Pré – ℰ 04 79 59 71 42 – www.hotel-beausoleil.com – info@hotel-beausoleil.com – Fax 04 79 59 75 25 – Ouvert 1ᵉʳ juil.-31 août et 20 déc.-18 avril
21 ch (½ P seult) – ½ P 69/81 €   **Rest** – Menu (14 €), 20/29 € – Carte 16/30 €
♦ Au centre de la station au pied des pistes, chalet aux chambres petites ou familiales toutes avec balcon et bien tenues. Espace bien-être avec hammam, sauna, fitness. Carte brasserie le midi au bar ou en terrasse et plats savoyards en salle moderne.

ST-SORNIN – 17 Charente-Maritime – 324 E5 – 328 h. – alt. 16 m – ⊠ 17600 ▮ Poitou Vendée Charentes

38 **B2**

▶ Paris 500 – La Rochelle 56 – Poitiers 167 – Rochefort 26

⌂ **La Caussolière** sans rest
10 r. du Petit Moulin – ℰ 05 46 85 44 62 – www.caussoliere.com – reservations@caussoliere.com – Fax 05 46 85 44 62 – Ouvert de mars à oct.
4 ch ⊐ – †60 € ††69 €
♦ Cette ex-ferme du 19ᵉ s. s'ouvre sur un superbe jardin agrémenté d'un bassin. Les chambres, cosy, disposent toutes d'une entrée indépendante. Accueil convivial.

ST-SULIAC – 35 Ille-et-Vilaine – 309 K3 – 901 h. – alt. 30 m – ⊠ 35430 ▮ Bretagne

10 **D1**

▶ Paris 396 – Rennes 62 – Saint-Malo 14 – Granville 87 – Dinan 26

✕ **La Ferme du Boucanier**
2 r. de l'Hôpital – ℰ 02 23 15 06 35 – simonpitou@wanadoo.fr
– Fax 02 99 19 51 32 – Fermé fin déc. à début janv., merc. sauf le soir de mai à sept., jeudi midi hors saison et mardi
Rest – Menu (15 €), 28/40 € – Carte 28/40 €
♦ Deux restaurants en un : l'été, salle rétro et plats actuels relevés d'épices ; l'hiver, cadre régional avec cheminée où l'on rôtit les viandes et cuisine rustique. Un régal !

ST-SULPICE – 81 Tarn – 338 C8 – 6 402 h. – alt. 112 m – ✉ 81370   29 C2

- ▶ Paris 666 – Albi 46 – Castres 54 – Montauban 44 – Toulouse 32
- 🛈 Office de tourisme, parc Georges Spenale ⌀ 05 63 41 89 50, Fax 05 63 40 23 30
- 🏌 de Palmola à Buzet-sur-Tarn Route d'Albi, O : 9 km par N 88, ⌀ 05 61 84 20 50

XX Auberge de la Pointe 🍽 P VISA ⓜ AE

D 988 – ⌀ *05 63 41 80 14 – www.aubergelapointechabbert.com*
– chabbert.patrick@wanadoo.fr – Fax 05 63 41 90 24
– Fermé 28 sept.-16 oct., 4-22 janv., jeudi midi en juil.-août, mardi soir de sept. à juin, dim. soir et merc.
Rest – Menu (16 €), 23/46 € – Carte 33/50 €

♦ Ancien relais de poste à la façade rosée et au bel intérieur rustique. La terrasse ombragée dominant le Tarn vaut qu'on s'y attarde ! Plats traditionnels.

ST-SULPICE-LE-VERDON – 85 Vendée – 316 H6 – 701 h. – alt. 65 m   34 B3
– ✉ 85260 ▌Poitou Vendée Charentes

- ▶ Paris 430 – Nantes 45 – Angers 130 – Cholet 51 – La Roche-sur-Yon 31
- 🛈 Office de tourisme, Logis de la Chabotterie ⌀ 02 51 43 48 18

XXX Thierry Drapeau Logis de la Chabotterie 🚗 🍽 ♿ %
❀   VISA ⓜ AE

– ⌀ *02 51 09 59 31 – www.restaurant-thierrydrapeau.com*
– restaurant.thierrydrapeau@wanadoo.fr
– Fax 02 51 09 59 27 – Fermé 30 juin-13 juil., 27 oct.-9 nov., 26-30 déc., dim. soir, mardi soir et lundi
Rest – Menu (37 € bc), 62/115 € bc – Carte 68/81 €
Spéc. Homard poêlé au beurre demi-sel. Poularde sauce albufera, sushi de légumes de pot-au-feu et foie gras. Framboises et glace à la crème brûlée (mai à sept.).
Vins Fiefs Vendéens.

♦ Dans l'enceinte d'une demeure-musée près de laquelle il fut mis fin à la guerre de Vendée, savoureuse cuisine actuelle et décor rustique sous une belle charpente.

ST-SULPICE-SUR-LÈZE – 31 Haute-Garonne – 343 F5 – 1 771 h.   28 B2
– alt. 200 m – ✉ 31410

- ▶ Paris 709 – Auterive 14 – Foix 53 – St-Gaudens 66 – Toulouse 36

XX La Commanderie 🚗 🍽 VISA ⓜ

pl. Hôtel de Ville – ⌀ *05 61 97 33 61 – www.lacommanderie.venez.fr*
– la-commanderie2@wanadoo.fr – Fax 05 61 97 32 60
– Fermé vacances de la Toussaint, 23-30 déc., vacances de fév., mardi et merc.
Rest – Menu 21 € (déj. en sem.), 35/60 €

♦ Beau décor fait d'ancien et de contemporain, service souriant et subtil mélange des saveurs dans l'assiette ; le tout dans une ex-commanderie de Templiers... Une réussite !

ST-SYLVESTRE-CAPPEL – 59 Nord – 302 C3 – rattaché à Cassel

ST-SYMPHORIEN – 72 Sarthe – 310 I6 – 532 h. – alt. 135 m – ✉ 72240   35 C1

- ▶ Paris 231 – Laval 65 – Le Mans 28 – Nantes 201

X Relais de la Charnie ⇔ P VISA ⓜ
⊜
4 pl. Louis des Cars – ⌀ *02 43 20 72 06 – relais.charnie@wanadoo.fr*
– Fax 02 43 20 70 59 – Fermé 27 juil.-10 août, 15-22 fév., dim. soir et lundi
Rest – Menu 16/26 € – Carte 30/52 €

♦ Ambiance un brin vieille France dans cet ancien relais de poste avec sa salle rustique dotée de poutres et d'une grande cheminée. Cuisine traditionnelle.

Déjeunez dehors, il fait si beau !
Optez pour une terrasse : 🍽

ST-THÉGONNEC – 29 Finistère – 308 H3 – 2 562 h. – alt. 83 m – ⊠ 29410 — Bretagne 9 **B1**

🅿 Paris 549 – Brest 50 – Châteaulin 50 – Morlaix 13 – Quimper 70 – St-Pol-de-Léon 28

👁 Enclos paroissial★★ - Guimiliau : Enclos paroissial★★, SO : 7,5 km.

Auberge St-Thégonnec
6 pl. de la Mairie – ✆ 02 98 79 61 18 – www.aubergesaintthegonnec.com – contact@aubergesaintthegonnec.com – Fax 02 98 62 71 10
– Fermé 19 déc.-10 janv. et dim. de sept. à mars
19 ch – †75/95 € ††85/110 €, ⊇ 11 € – ½ P 75/95 €
Rest – Menu (22 €), 26 € (sem.)/46 € – Carte 50/60 €
◆ Maison bretonne face à l'église et son célèbre enclos. Chambres contemporaines ouvrant, pour la plupart, sur le jardin. Plats traditionnels soignés et décor d'esprit régional (meubles et tableaux) caractérisent le restaurant.

Ar Presbital Koz
18 r. Lividic – ✆ 02 98 79 45 62 – http://ar.presbital.koz.free.fr – ar.presbital.koz@orange.fr – Fax 02 98 79 48 47
5 ch ⊇ – †47 € ††55 € – ½ P 44 €
Table d'hôte – (fermé 10 juil.-20 août, dim. et fériés) Menu 22 € bc
◆ Une douce quiétude règne entre les murs de cet ancien presbytère (1750) décoré avec goût par sa propriétaire. La demeure sent bon la cire et les chambres sont très douillettes. Cuisine traditionnelle subtilement relevée d'épices à la table d'hôte (sur demande).

ST-THIBAULT – 18 Cher – 323 N2 – rattaché à Sancerre

ST-THIERRY – 51 Marne – 306 F7 – 572 h. – alt. 140 m – ⊠ 51220 13 **B2**
🅿 Paris 149 – Châlons-en-Champagne 64 – Reims 18 – Soissons 66 – Laon 43

Le Clos du Mont d'Hor sans rest
8 r. du Mont-d'Hor – ✆ 03 26 03 12 42 – www.mhchampagne.com – info@mhchampagne.com – Fax 03 26 03 02 80
6 ch – †90 € ††90 €, ⊇ 7 €
◆ Partez à la découverte de la vinification du champagne dans cette belle ferme restaurée au sein d'un vignoble clos. Confortables chambres (mezzanine) sur le thème du voyage.

ST-THOMÉ – 07 Ardèche – 331 J6 – 386 h. – alt. 140 m – ⊠ 07220 44 **B3**
🅿 Paris 628 – Lyon 165 – Privas 46 – Montélimar 19 – Orange 59

La Bastide Bernard sans rest
à Chasser, 1,5 km au Sud-Est par D 107 – ✆ 06 83 34 60 54
– www.bastidebernard.com – bastide@bastidebernard.com – Fax 04 75 96 45 34
– Fermé 20 déc.-5 janv. et 1 sem. en mars
4 ch ⊇ – †50/75 € ††85 €
◆ Maison perchée sur une colline, avec une belle vue sur Saint-Thomé. Chambres claires, nettes et spacieuses. Agréable terrasse pour les petits-déjeuners ; piscine avec transats.

ST-TROJAN-LES-BAINS – 17 Charente-Maritime – 324 C4 – voir à Île d'Oléron

ST-TROPEZ – 83 Var – 340 O6 – 5 635 h. – alt. 4 m – ⊠ 83990 41 **C3**
— Côte d'Azur

🅿 Paris 872 – Aix-en-Provence 123 – Cannes 73 – Draguignan 47 – Fréjus 34 – Toulon 69

🛈 Office de tourisme, 40, rue Gambetta ✆ 08 92 68 48 28, Fax 04 94 55 98 59

⛳ de Sainte-Maxime à Sainte-Maxime Route du Débarquement, par rte de Ste-Maxime : 16 km, ✆ 04 94 55 02 02

⛳ Gassin Golf Country Club à Gassin Route de Ramatuelle, S : 9 km par D 93, ✆ 04 94 55 13 44

👁 Port★★ - Musée de l'Annonciade★★ - Môle Jean Réveille ≤★ - Citadelle★ : ≤★ des remparts - Chapelle Ste-Anne ≤★ S : 1 km par av. P. Roussel.

1731

ST-TROPEZ

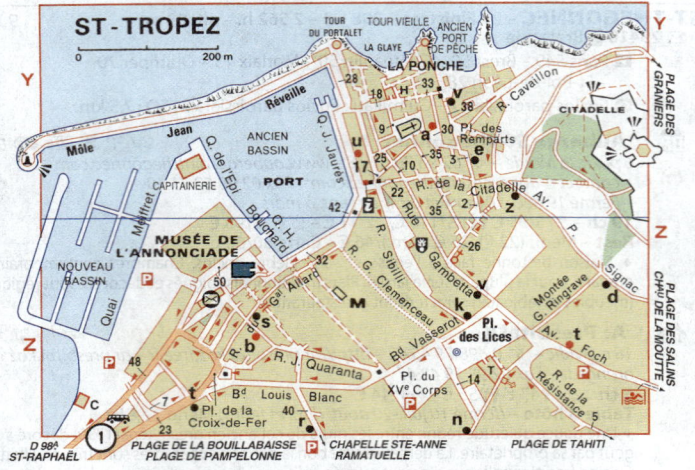

En saison: zone piétonne dans la vieille ville.

Aire du Chemin (R.)	Y 2	Herbes (Pl. aux)	Y 17	Péri (Quai Gabriel)	Z 32
Aumale (Bd d')	Y 3	Hôtel de ville (Pl. de l')	Y 18	Ponche (R. de la)	Y 33
Belle Isnarde (Rte de la)	Z 5	Laugier (R. V.)	Y 22	Portail Neuf (R. du)	YZ 35
Blanqui (Pl. Auguste)	Z 7	Leclerc (Av. Général)	Z 23	Remparts (R. des)	Z 38
Clocher (R. du)	Y 9	Marché (R. du)	Y 25	Roussel (Av. Paul)	Z 40
Commerçants (R. des)	Y 10	Miséricorde (R.)	Z 26	Suffren (Quai)	Y 42
Grangeon (Av.)	Z 14	Mistral (Quai Frédéric)	Y 28	8-Mai-1945 (Av. du)	Z 48
Guichard (R. du Cdt)	Y 15	Ormeau (Pl. de l')	Y 30	11-Novembre (Av. du)	Z 50

Byblos

av. P. Signac – ℰ 04 94 56 68 00 – www.byblos.com – saint-tropez@byblos.com
– Fax 04 94 56 68 01 – Ouvert 9 avril-1ᵉʳ nov.   Z d
51 ch – †325/500 € ††420/900 €, ⊔ 36 € – 44 suites
Rest *Spoon-Byblos* – voir ci-après
Rest *Le B* – ℰ 04 94 56 68 19 (fermé dim. et lundi sauf juil.-août) (dîner seult)
Menu 52 € – Carte 53/82 €

♦ Maisons colorées entrelacées de jardins et de patios : un luxueux village dans le village, qui compte parmi les lieux exclusifs de St-Tropez. Très beau spa. Le B propose une restauration dans l'air du temps – finger food et tapas au dîner – à déguster autour de la terrasse intérieure. L'alliance du luxe et de la convivialité.

Résidence de la Pinède

1 km par ①, à la plage de la Bouillabaisse –
ℰ 04 94 55 91 00 – www.residencepinede.com – reservation@
residencepinede.com – Fax 04 94 97 73 64 – Ouvert 10 avril-18 oct.
35 ch – †395/1335 € ††395/1335 €, ⊔ 28 € – 4 suites
Rest – (dîner seult) Menu 95 €, 150/210 € – Carte 130/200 €
Spéc. Déclinaison sur les légumes varois (saison). Pagre cuit à l'unilatérale, gamberoni et ormeaux rôtis. Accord pomme verte-combava. **Vins** Palette, Bellet.

♦ Cette superbe demeure tournée vers la mer allie luxe et bien-être. Chambres raffinées et personnalisées. Plage privée avec ponton. Une fine cuisine du moment est servie dans une salle feutrée ou sur une terrasse ombragée, face à la grande bleue.

La Bastide de St-Tropez

rte Carles : 1 km par av. P. Roussel - Z –
ℰ 04 94 55 82 55 – www.bastide-saint-tropez.com – contact@
bastidesaint-tropez.com – Fax 04 94 97 21 71 – Fermé 2 janv.-12 fév.
18 ch – †247/651 € ††247/651 €, ⊔ 28 € – 8 suites   **Rest** – Menu 55/80 €

♦ Élégante maison tropézienne et ses quatre mas profitant du calme d'un luxuriant jardin méditerranéen (belle piscine). Chambres décorées avec goût, dotées de terrasse ou balcon. Cadre classique et cuisine actuelle au restaurant en véranda, ouvert sur la verdure.

ST-TROPEZ

Pan Deï Palais
52 r. Gambetta – ℰ 04 94 17 71 71 – www.pandei.com – saint-tropez@pandei.com – Fax 04 94 17 71 72

Z v

10 ch – †195/515 € ††195/1040 €, ⊇ 32 € – 2 suites
Rest – (fermé lundi et mardi de janv. à mars) Menu 65 € (dîner) – Carte 50/110 €
♦ Le maître mot de cette demeure de 1835 construite pour une princesse indienne est la sérénité : jardin et piscine abrités, intérieur distillant un doux parfum d'exotisme, hammam. Cuisine inventive proposée dans une salle intimiste ; petite restauration au déjeuner.

Le Yaca
1 bd Aumale – ℰ 04 94 55 81 00 – www.hotel-le-yaca.fr – hotel-le-yaca@wanadoo.fr – Fax 04 94 97 58 50 – Ouvert Pâques-30 oct.

Y e

26 ch – †300/700 € ††300/700 €, ⊇ 28 € – 2 suites
Rest – (fermé lundi sauf juil.-août) (dîner seult) Carte 57/87 €
♦ Cet hôtel de charme (18e s.), le premier de St-Tropez, fut et demeure le refuge des artistes (P. Signac, Colette, B. Bardot...). Chambres soignées : tomettes, meubles anciens... Inventive cuisine italienne servie sur une terrasse intime, autour de la piscine.

La Ponche
pl. Révelin – ℰ 04 94 97 02 53 – www.laponche.com – hotel@laponche.com – Fax 04 94 97 78 61 – Ouvert 15 fév.-1er nov.

Y v

17 ch – †145/300 € ††170/490 €, ⊇ 19 € – 1 suite
Rest – Menu 27 € (déj.)/40 € – Carte 45/85 €
♦ Romy Schneider, entre autres personnalités, a séjourné dans ce charmant hôtel composé d'anciennes maisons de pêcheurs colorées du pittoresque quartier de la Ponche. L'esprit provençal s'épanouit dans le décor et dans l'assiette du restaurant. Terrasse.

Y sans rest
av. Paul Signac – ℰ 04 94 55 55 15 – hotel-le-yaca.fr – hotel-le-y@wanadoo.fr – Fax 04 94 55 55 19 – Fermé 14 avril-21 mai, 30 oct.-26 déc. et 3-31 janv.

Z d

11 ch – †295/525 € ††295/525 €, ⊇ 28 € – 2 suites
♦ Cette bâtisse postée au pied de la citadelle abrite des chambres contemporaines très confortables (meubles d'inspiration années 1960 du designer italien Gio Ponti).

Domaine de l'Astragale
1,5 km par ①, chemin de la Gassine ⊠ 83580 Gassin – ℰ 04 94 97 48 98 – www.lastragale.com – message@lastragale.com – Fax 04 94 97 16 01 – Ouvert mi-mai-fin sept.

50 ch – †310/455 € ††310/455 €, ⊇ 21 € – 16 suites
Rest – Menu 56 € – Carte 60/85 €
♦ Villa agrandie de bâtiments colorés, agencés autour de deux piscines. Amples chambres avec balcon ou terrasse. Suites récentes, certaines avec jacuzzi. Cuisine traditionnelle servie dans une salle à manger bourgeoise ou sous un pavillon ouvert.

La Mistralée
1 av. Gén. Leclerc – ℰ 04 98 12 91 12 – www.hotel-mistralee.fr – contact@hotel-mistralee.fr – Fax 04 94 43 48 43

Z t

8 ch – †190/790 € ††190/790 €, ⊇ 25 € – 2 suites
Rest – (fermé 10 oct.-30 avril sauf week-end) Carte 30/98 €
♦ Ex-pied-à-terre d'Alexandre, coiffeur des stars, cette villa (1850) entourée d'un jardin a gardé son empreinte baroque. Chambres personnalisées "Maroc", "Chanel"... Recettes d'inspiration provençale et exotique à savourer dans une salle à manger classique.

La Maison Blanche sans rest
pl. des Lices – ℰ 04 94 97 52 66 – www.hotellamaisonblanche.com – hotellamaisonblanche@wanadoo.fr – Fax 04 94 97 89 23 – Fermé fév.

Z k

9 ch – †180/890 € ††180/890 €, ⊇ 32 €
♦ Pour fuir l'agitation tropézienne, maison de caractère abritant des chambres à la décoration blanche et douce, très romantique. Bar à champagne lounge et exquise terrasse.

Pastis sans rest
61 av. Gén. Leclerc, par ① – ℰ 04 98 12 56 50 – www.pastis-st-tropez.com – reception@pastis-st-tropez.com – Fax 04 94 96 99 82 – Fermé 30 nov.-27 déc.

9 ch – †150/600 € ††175/600 €, ⊇ 20 €
♦ Chaque pièce de cet hôtel est superbe : mobilier ancien, provençal, contemporain, tableaux, objets d'art. Chambres plus calmes côté piscine et jardin avec palmiers centenaires.

ST-TROPEZ

Le Mandala sans rest
av. P. Signac – ℘ 04 94 97 68 22 – /www.lemandala.net – contact@lemandala.net – Fax 04 94 97 77 48

Z a

12 ch – †190/490 € ††190/690 €, ⊇ 25 € – 1 suite

◆ Design contemporain aux lignes épurées, tons blanc et gris, ambiance zen : cet hôtel avec terrasse paysagée et petit bassin de nage forme un ensemble bien dans l'air du temps.

Des Lices sans rest
av. Augustin Grangeon – ℘ 04 94 97 28 28 – www.hoteldeslices.com – contact@hoteldeslices.com – Fax 04 94 97 59 52 – Ouvert 28 mars-11 nov. et 29 déc.-6 janv.

Z n

42 ch – †95/305 € ††140/380 €, ⊇ 16 €

◆ Proche de la place des Lices, cette adresse familiale a su évoluer et restitue une atmosphère pleine de vie. Un style provençal revisité préside au décor des chambres.

La Bastide du Port sans rest
port du Pilon, par ① – ℘ 04 94 97 87 95 – www.bastideduport.com – bastide-du-port@wanadoo.fr – Fax 04 94 97 91 00 – 1er avril-5 nov.

27 ch – †135/185 € ††145/200 €, ⊇ 12 €

◆ Ce vaste hôtel proche du centre propose des chambres fraîches et lumineuses, à choisir avec vue mer, ou bien sur l'arrière pour plus de calme. L'été, petit-déjeuner en terrasse.

Mouillage sans rest
port du Pilon, par ① – ℘ 04 94 97 53 19 – www.hotelmouillage.fr – contact@hotelmouillage.fr – Fax 04 94 97 50 31 – Fermé de mi-nov. à mi-déc.

12 ch – †100/240 € ††100/240 €, ⊇ 17 €

◆ Jetez l'ancre à une encablure du port du Pilon, dans cet hôtel aux chatoyantes couleurs du Sud. La décoration des chambres joue carte du voyage : Maroc, Asie, etc.

Playa sans rest
57 r. Allard – ℘ 04 98 12 94 44 – www.playahotelsttropez.com – playahotel@aol.com – Fax 04 98 12 94 45 – Ouvert de mars à oct.

Z s

16 ch – †95/134 € ††95/247 €, ⊇ 10 €

◆ Établissement profitant d'un emplacement de choix au cœur de St-Tropez. Chambres confortables de style méridional, à préférer sur l'arrière, car plus calmes.

Lou Cagnard sans rest
av. P. Roussel – ℘ 04 94 97 04 24 – www.hotel-lou-cagnard.com – Fax 04 94 97 09 44 – Fermé 1er nov.-27 déc.

Z r

19 ch – †54/67 € ††65/130 €, ⊇ 10 €

◆ Maison tropézienne ancienne à deux pas du centre proposant des chambres colorées d'esprit provençal. Aux beaux jours, petit-déjeuner servi en terrasse à l'ombre des mûriers.

Spoon Byblos – Hôtel Byblos
av. du Mar. Foch – ℘ 04 94 56 68 20 – www.byblos.com – saint-tropez@byblos.com – Fax 04 94 56 68 01 – Ouvert 10 avril-26 oct.

Z t

Rest – (fermé mardi et merc. hors saison) (dîner seult) Menu 89 € – Carte 60/122 €

◆ Voici la déclinaison méditerranéenne du "Spoon" parisien, le concept ludique de Ducasse. Cadre design et éclairage tamisé pour se régaler d'une cuisine créative. Vins du monde.

Le Girelier
quai Jean-Jaurès – ℘ 04 94 97 03 87 – www.legirelier.fr – aimestoesser@hotmail.fr – Fax 04 94 97 43 86 – Ouvert 15 mars-30 oct.

Y u

Rest – Menu 39 € – Carte 70/95 €

◆ Sur le port, cette cabane de pêcheurs aux couleurs de la mer prend un nouveau départ et tient le cap : poissons et crustacés simplement cuisinés à la plancha, bouillabaisse.

L'Auberge des Maures
4 r. du Dr-Boutin – ℘ 04 94 97 01 50 – www.aubergedesmaures.com – aubergedesmaures@wanadoo.fr – Fax 04 94 97 67 24 – Ouvert 2 mars-29 nov.

Rest – (dîner seult) Menu 49 € – Carte 55/78 €

Z b

◆ L'originalité de cette maison sympathique à deux pas du vieux port ? Sa décoration, dans la note rustique, est régulièrement changée par la patronne. Cuisine orientée terroir.

ST-TROPEZ

Le Banh Hoï

12 r. Petit St-Jean – ℰ 04 94 97 36 29 – banh-hoi@wanadoo.fr
– Fax 04 98 12 91 47 – Ouvert 3 avril-4 oct.   Y a
Rest – *(dîner seult)* Carte 58/75 €

• Lumière tamisée, murs et plafonds laqués de noir et objets décoratifs asiatiques composent le cadre de cette maison où l'on propose une cuisine vietnamienne et thaïlandaise.

au Sud-Est par av. Foch - Z – ⊠ 83990 St-Tropez

La Tartane Saint-Amour

rte des Salins – ℰ 04 94 97 21 23 – www.hotel-latartane.com – reservations@latartane.fr – Fax 04 94 97 09 16 – Ouvert Pâques -14 oct.
24 ch – †275/460 € ††315/935 €, ⊊ 29 € – 4 suites
Rest – Carte 60/110 €

• Une adresse idéale pour se ressourcer : chambres décorées avec soin (thèmes de l'Afrique, du bord de mer...), piscine, petit spa. Cadre mi-baroque mi-lounge pour déguster des spécialités asiatiques. Carte actuelle en terrasse ; bar à sushi le soir à l'apéritif.

Benkiraï

11 chemin du Pinet, à 3 km – ℰ 04 94 97 04 37
– www.hotel-benkirai.com – info@hotel-benkirai.com – Fax 04 94 97 04 98
– Ouvert de début avril à mi-oct.
39 ch – †240/650 € ††240/650 €, ⊊ 25 €
Rest – Carte 55/80 €

• La décoration, d'une modernité étudiée, est l'œuvre du designer Patrick Jouin. Chambres conjuguant lignes pures, jeux de lumière et bains intégrés à la chambre. Salle à manger très contemporaine ou terrasse dominant la piscine pour savourer une cuisine thaï.

La Bastide des Salins sans rest

chemin des Salins, à 4 km – ℰ 04 94 97 24 57 – www.bastidedessalins.com
– info@labastidedessalins.com – Fax 04 94 54 89 03 – Ouvert de mars à oct.
14 ch – †200/700 € ††200/700 €, ⊊ 27 €

• Cette ancienne bastide à l'ambiance familiale allie le calme d'un jardin arboré et fleuri et le charme de chambres de style provençal. Agréable terrasse autour de la piscine.

au Sud-Est par av. Paul Roussel et rte de Tahiti

Château de la Messardière

à 2 km ⊠ 83990 – ℰ 04 94 56 76 00
– www.messardiere.com – hotel@messardiere.com – Fax 04 94 56 76 01
– Ouvert 21 mars-3 nov.
75 ch – †240/840 € ††240/840 €, ⊊ 25 € – 40 suites
Rest – *(fermé lundi soir sauf de juin à août)* Menu 50 € (déj.)/105 €
– Carte 62/99 €

• Dans une pinède de 10 ha dominant la baie, château du 19ᵉ s. et luxueuses villas groupées autour d'un patio. Couleurs ocre et de touches orientales. Espace bien-être, piscine. Élégante salle provençale et terrasse dominant la mer. Carte actuelle.

Ferme d'Augustin sans rest

plage de Tahiti, à 4 km ⊠ 83350 Ramatuelle – ℰ 04 94 55 97 00
– www.fermeaugustin.com – info@fermeaugustin.com – Fax 04 94 97 59 76
– Ouvert d'avril à oct.
46 ch – †120/660 € ††165/660 €, ⊊ 14 €

• À 100 m de la plage de Tahiti, une adresse calme et familiale, de style rustique provençal. Chambres logées dans plusieurs maisons profitant d'un jardin. Petite restauration.

St-Vincent

à 4 km ⊠ 83350 – ℰ 04 94 97 36 90 – www.hotelsaintvincent.com
– hotelsaintvincent@wanadoo.fr – Fax 04 94 54 80 37 – Ouvert 2 avril-11 oct.
20 ch ⊊ – †130/170 € ††170/250 €
Rest – rest. de piscine – *(ouvert 1ᵉʳ mai-15 sept.)* Carte 33/45 €

• Dans la quiétude d'un vignoble, quatre maisons provençales égayées de lauriers-roses. Chambres spacieuses, pourvues parfois de terrasses. Beau jardin. Recettes aux saveurs ensoleillées, grillades et salades à déguster au bord de la piscine.

ST-TROPEZ

Mas Bellevue
à 2 km ⊠ 83990 – ℰ 04 94 97 07 21 – www.masbellevue.com – masbellevue@wanadoo.fr – Fax 04 94 97 61 07 – Ouvert 4 avril-2 nov.
47 ch ⊊ – †95/495 € ††95/495 € – ½ P 80/280 €
Rest – rest. de piscine – Carte 39/69 €

♦ Sur les hauteurs de la baie Pampelonne, mas provençal et bungalows profitant du calme d'un parc. Au choix : grandes chambres avec balcon ou roulottes bohèmes. Salle à manger rustique et terrasse où l'on sert une minicarte à midi et un choix plus étoffé au dîner.

La Figuière
rte de Tahiti, à 4 km ⊠ 83350 – ℰ 04 94 97 18 21 – www.hotel-lafiguiere.com – la.figuiere@wanadoo.fr – Fax 04 94 97 68 48 – Ouvert 2 avril-4 oct.
41 ch – †110/150 € ††140/180 €, ⊊ 15 €
Rest – rest. de piscine – Carte 50/90 €

♦ Sur la route des plages au cœur des vignes, cette ancienne ferme provençale propose des chambres de charme dotées de meubles anciens (quelques duplex). Terrasse au bord de la piscine, à l'ombre des mûriers, pour une sobre cuisine traditionnelle.

rte de Ramatuelle par ① et D 93le – ⊠ 83350 Ramatuelle

Villa Marie
chemin Val Rian – ℰ 04 94 97 40 22 – www.villamarie.fr – contact@villamarie.fr – Fax 04 94 97 37 55 – Ouvert 25 avril-5 oct.
42 ch – †350/1200 € ††350/1200 €, ⊊ 31 €
Rest – Menu 90 € (dîner) – Carte 60/150 €

♦ Raffinement, luxe et charme réunis sous le même toit en cette villa enchanteresse nichée dans une pinède dominant la baie de Pampelonne. Au séduisant restaurant : camaïeu de beige, touche baroque, vue sur les cuisines, terrasse ombragée et plats ensoleillés.

La Romarine
quartier des Marres, (rte des plages), à 3 km sur rte secondaire – ℰ 04 94 97 32 26 – www.hotel-laromarine.net – hromarine@aol.com – Fax 04 94 97 44 45 – Ouvert 3 avril-4 oct.
18 ch – †105/140 € ††160/235 €, ⊊ 12 € – 9 suites
Rest – rest. de piscine – (ouvert juil.-août) Carte 34/47 €

♦ Dans un parc conçu pour la détente et les loisirs, hôtel-village de type hacienda. Chambres spacieuses et villas particulièrement bien équipées pour les familles. Restauration simple servie autour de la piscine en juillet et en août.

Les Bouis
sur rte secondaire – ℰ 04 94 79 87 61 – www.hotel-les-bouis.com – hotellesbouis@aol.com – Fax 04 94 79 85 20 – Ouvert 25 mars-15 sept.
23 ch – †170/218 € ††218/240 €, ⊊ 14 €
Rest – rest. de piscine – (ouvert 15 avril- 30 sept.) (déj. seult) (résidents seult) Carte 12/18 €

♦ Sur les hauteurs de l'arrière-pays tropézien, hôtel dans les pins parasols avec la mer pour horizon. Chambres fraîches, d'esprit provençal, dotées de terrasse ou balcon. En saison, plats familiaux et grillades proposés au bord de la piscine.

par ① et rte secondaire – ⊠ 83580 Gassin

Villa Belrose
bd des Crêtes, à 3 km – ℰ 04 94 55 97 97 – www.villabelrose.com – info@villa-belrose.com – Fax 04 94 55 97 98 – Ouvert 10 avril-23 oct.
40 ch – †220/500 € ††280/890 €, ⊊ 32 € – 3 suites
Rest – (fermé le midi en juil.-août)
Menu (55 €), 95/125 € – Carte 84/124 €
Spéc. Légumes tendres d'une salade niçoise (saison). Rougets dans la bouillabaisse (printemps). Les grands crus de chocolat. **Vins** Côtes de Provence.

♦ Emplacement exceptionnel pour cet hôtel-villa formant trois terrasses face à la mer. Intérieur cossu et chambres de grand confort. Élégant restaurant décoré dans l'esprit florentin, jolie terrasse offrant un beau point de vue sur le golfe. Fine cuisine actuelle.

ST-UZE – 26 Drôme – **332** C2 – rattaché à St-Vallier

ST-VAAST-LA-HOUGUE – 50 Manche – 303 E2 – 2 080 h. – alt. 4 m — 32 A1
– ⊠ 50550 – Normandie Cotentin

- Paris 347 – Carentan 41 – Cherbourg 31 – St-Lô 68 – Valognes 19
- Office de tourisme, 1, place Général de Gaulle ℘ 02 33 23 19 32, Fax 02 33 54 41 37

La Granitière sans rest
74 r. Mar. Foch – ℘ 02 33 54 58 99 – www.hotel-la-granitiere.com – contact@hotel-la-granitiere.com – Fax 02 33 20 34 91
9 ch – †57/108 € ††75/108 €, ⊇ 10 €
- Station balnéaire et port de pêche, "St-Va" abrite cette belle demeure ancienne en granit gris, où l'on se sent comme chez des amis. Chambres personnalisées et salon cosy.

France et Fuchsias
20 r. Mar. Foch – ℘ 02 33 54 40 41 – www.france-fuchsias.com – reception@france-fuchsias.com – Fax 02 33 43 46 79 – Fermé 30 nov.-9 déc., 4 janv.-20 fév., lundi d'oct. à mai et mardi de nov. à mars
35 ch – †50/132 € ††50/132 €, ⊇ 11 € – ½ P 60/99 €
Rest – Menu (20 €), 29/60 € – Carte 51/60 €
- Fuchsias, palmiers, mimosas et eucalyptus agrémentent le jardin de cet hôtel familial. Les chambres, au confort simple, sont plus spacieuses et récentes à l'annexe. Salle à manger-véranda, jolie terrasse et bonne cuisine traditionnelle orientée terroir.

Le Chasse Marée
8 pl. Gén. de Gaulle – ℘ 02 33 23 14 08 – Fermé janv. à mi-fév., mardi et lundi sauf le midi hors saison
Rest – Menu 17 € (déj. en sem.), 21/32 € – Carte 38/72 €
- Photos de bateaux, fanions laissés par les clients navigateurs, terrasse sur le port, produits de la pêche locale : une charmante petite adresse où l'on se sent simplement bien.

ST-VALERY-EN-CAUX – 76 Seine-Maritime – 304 E2 – 4 782 h. — 33 C1
– alt. 5 m – Casino – ⊠ 76460 – Normandie Vallée de la Seine

- Paris 190 – Bolbec 46 – Dieppe 35 – Fécamp 33 – Le Havre 80 – Rouen 59 – Yvetot 31
- Office de tourisme, Maison Henri IV ℘ 02 35 97 00 63, Fax 02 35 97 32 65
- Falaise d'Aval ≤ ★ O : 15 mn.

Du Casino
14 av. Clemenceau – ℘ 02 35 57 88 00 – www.hotel-casino-saintvalery.com – contact@hotel-casino-saintvalery.com – Fax 02 35 57 88 88
76 ch – †76/95 € ††83/147 €, ⊇ 12 € – ½ P 74/81 €
Rest – Menu (18 €), 22/40 € – Carte 27/47 €
- Face au port de plaisance, cet hôtel récent abrite des chambres contemporaines et fonctionnelles, appréciées par la clientèle d'affaires et touristique. Dans une grande salle claire, on sert une cuisine du terroir actualisée privilégiant les produits locaux et de la mer.

Les Remparts sans rest
4 r. des Bains – ℘ 02 35 97 16 13 – Fax 02 35 97 19 89 – Fermé 1er-10 janv.
15 ch – †40 € ††46/56 €, ⊇ 8 €
- Sympathique petite adresse proche de la mer et des falaises. Chambres parfaitement tenues, garnies de meubles anciens (style années 1930). Accueil très aimable.

La Maison des Galets sans rest
22 cour Le Perrey – ℘ 02 35 97 11 22 – www.lamaisondesgalets.fr – geraldinecouture@hotmail.com – Fax 02 35 97 05 83 – Fermé 7-21 janv.
14 ch – †43/50 € ††65/80 €, ⊇ 11 €
- Face à la plage, hôtel familial dont la salle polyvalente (meubles anciens, objets chinés, palmiers, cheminée) offre une belle vue sur la mer. Chambres actuelles à thème marin.

Du Port
quai d'Amont – ℘ 02 35 97 08 93 – Fax 02 35 97 28 32 – Fermé dim. soir, jeudi soir sauf juil.-août et lundi
Rest – Menu 25/45 € – Carte 52/83 €
- Le ballet des bateaux rythme agréablement les repas dans ce restaurant du port. Cuisine de la mer (produits des pêcheurs locaux) ou plus traditionnelle. Cadre classique.

ST-VALERY-EN-CAUX
au Sud-Est 7 km par D 20 et D 70 - ✉ 76740 Ermenouville

Château du Mesnil Geoffroy sans rest
2 r. Dame Blanche – ✆ 02 35 57 12 77 – www.chateau-mesnil-geoffroy.com
– contact@chateau-mesnil-geoffroy.com – Fax 02 35 57 10 24
5 ch – †85/120 € ††85/120 €, ☐ 11 €

♦ Ce château du 18ᵉ s. vous replonge au temps de la Pompadour comme si rien n'avait changé ! Authentiques chambres Louis XV, objets d'art d'époque, parc à la française, roseraie.

ST-VALERY-SUR-SOMME – 80 Somme – 301 C6 – 2 805 h. — 36 A1
– alt. 27 m – ✉ 80230 ▌Nord Pas-de-Calais Picardie

▶ Paris 206 – Abbeville 18 – Amiens 71 – Blangy-sur-Bresle 45 – Le Tréport 25
🛈 Office de tourisme, 2, place Guillaume-Le-Conquérant ✆ 03 22 60 93 50, Fax 03 22 60 80 34
👁 Digue-promenade★ - Chapelle des Marins ≤★ - Ecomusée Picarvie★ - La baie de Somme★★.

Du Cap Hornu
Au Cap Hornu au Nord : 2 km – ✆ 03 22 60 24 24 – www.baiedesomme.fr
– cap.hornu@baiedesomme.fr – Fax 03 22 26 85 13
91 ch ☐ – †78/89 € ††88/98 € – ½ P 63/72 €
Rest – Menu 22/39 € – Carte 22/45 €

♦ Dans un immense parc surplombant la baie de Somme, ensemble de maisons régionales aux chambres récentes (certaines avec mezzanine) et respectueuses de l'écologie. Piscine, tennis. Cuisine de tradition orientée terroir, servie dans des salles à manger classiques.

Du Port et des Bains
1 quai Balvet – ✆ 03 22 60 80 09 – hotel.hpb@wanadoo.fr – Fax 03 22 60 77 90
– Fermé 15 nov.-6 déc. et 2-25 janv.
16 ch – †55 € ††65/80 €, ☐ 9 €
Rest – Menu 16 € (sem.), 20/35 € – Carte 28/40 €

♦ Bien situé près du port, cet hôtel offre une jolie perspective sur la baie. Coloris vifs et meubles en rotin dans les chambres. Des peintures évoquant St-Valery au début du 20ᵉ s. ornent le restaurant. Plats traditionnels et de la mer.

Picardia sans rest
41 quai Romerel – ✆ 03 22 60 32 30 – http://hotel.picardia.akeonet.com
– hotel.picardia@akeonet.com – Fax 03 22 60 76 69 – Fermé 5-30 janv.
18 ch ☐ – †57/85 € ††95/108 €

♦ Cette accueillante maison de pays jouxte le petit quartier médiéval. Chambres spacieuses et lumineuses. Certaines, dotées d'une mezzanine, accueillent volontiers les familles.

Le Relais Guillaume de Normandy
46 quai Romerel – ✆ 03 22 60 82 36
– www.relaisguillaumedenormandy.akeonet.com
– relaisguillaumedenormandy@akeonet.com – Fax 03 22 60 81 82
– Fermé 14 déc.-10 janv. et mardi sauf du 14 juil. au 18 août
14 ch – †55/60 € ††64/80 €, ☐ 10 € – ½ P 64/72 €
Rest – Menu 19/43 € – Carte 30/55 €

♦ Guillaume partit du port valéricain conquérir l'Angleterre. Ce joli manoir en briques face à la baie de Somme abrite des chambres pratiques et rajeunies. Au restaurant : carte classique, salle à manger panoramique dominant les flots ; agréable terrasse couverte.

Le Nicol's
15 r. La Ferté – ✆ 03 22 26 82 96 – nicols@wanadoo.fr – Fax 03 22 60 97 46
– Fermé 17-27 nov., 5 janv.-5 fév., merc. soir, jeudi soir 18 nov. au 28 mars et lundi
Rest – Menu 15/49 € – Carte 25/76 €

♦ Dans une rue commerçante du centre, derrière une belle façade régionale, salle rustique et chaleureuse où l'on fait des repas traditionnels enrichis de saveurs iodées.

Le rouge est la couleur de la distinction : nos valeurs sûres !

ST-VALLIER – 26 Drôme – 332 B2 – 4 051 h. – alt. 135 m – ✉ 26240   43 E2
▌ Lyon et la vallée du Rhône

- ▶ Paris 526 – Annonay 21 – St-Étienne 61 – Tournon-sur-Rhône 16 – Valence 35 – Vienne 41
- 🛈 Office de tourisme, avenue Désiré Valette ✆ 04 75 23 45 33, Fax 04 75 23 44 19
- 🏌 d'Albon à Saint-Rambert-d'Albon Château de Senaud, N : 9 km par N 7 et D 122, ✆ 04 75 03 03 90

Le Bistrot d'Albert
116 av. J. Jaurès, (rte de Lyon) – ✆ *04 75 23 01 12 – bistrot.albert@wanadoo.fr – Fax 04 75 23 38 82*
– *Fermé 2 sem. en août et 2 sem. en fév.*
Rest – Menu 15/26 € – Carte 27/35 €

♦ Belle hauteur sous plafond, lumineuse véranda et goûteuse cuisine du marché vous attendent dans ce bistrot voisin de la gare. La convivialité de l'ambiance y est garantie.

au Nord-Est 8 km par N 7, D 122 et D 132 – ✉ 26140 Albon

Domaine des Buis
rte de St-Martin-des-Rosiers – ✆ *04 75 03 14 14 – www.domaine-des-buis.com – info@domaine-des-buis.com – Fax 04 75 03 14 14 – Fermé 15 déc.-15 fév.*
7 ch – †95/110 € ††95/150 €, ⟂ 12 €
Rest – *(dîner seult) (résidents seult)* Menu 30 €

♦ Dans un parc entouré de collines, demeure du 18ᵉ s. aux senteurs de cèdre et de magnolia. Chambres spacieuses, garnies de mobilier anglais. Atmosphère guesthouse. Plats traditionnels concoctés par la maîtresse de maison et servis dans une salle à manger raffinée.

à St-Uze 6 km à l'Est par D 51 – 1 783 h. – alt. 189 m – ✉ 26240

Philip Liversain
23 r. P. Sémard – ✆ *04 75 03 52 58 – Fax 04 75 03 52 63 – Fermé 13 juillet-4 août, dim. soir et lundi*
Rest – Menu (12 €), 16/36 €

♦ Le soleil et la fraîcheur sont au rendez-vous dans cet ancien relais de poste (19ᵉ s.). Décor aux tons clairs (fer forgé, nappes colorées) et menu-carte inspiré du marché.

ST-VALLIER-DE-THIEY – 06 Alpes-Maritimes – 341 C5 – 3 142 h.   42 E2
– alt. 730 m – ✉ 06460 ▌ Côte d'Azur

- ▶ Paris 907 – Cannes 29 – Castellane 52 – Draguignan 57 – Grasse 12 – Nice 47
- 🛈 Syndicat d'initiative, 10, place du Tour ✆ 04 93 42 78 00, Fax 04 93 42 78 00
- ◉ Pas de la Faye ≤★★ NO : 5 km - Grotte de Beaume Obscure★ S : 2 km - Col de la Lèque ≤★ SO : 5 km.

Le Relais Impérial
2 et 4 pl. Cavalier Fabre, rte Napoléon – ✆ *04 92 60 36 36*
– *www.relaisimperial.com – info@relaisimperial.com – Fax 04 92 60 36 39*
29 ch – †42/48 € ††48/78 €, ⟂ 8 € – ½ P 53/65 €
Rest – Menu (15 €), 19 € (déj. en sem.), 27/43 € – Carte 29/49 €
Rest *Le Grill du Relais* – pizzeria – ✆ *04 92 60 36 30* – Menu 15 € (déj. en sem.)/20 € – Carte 26/44 €

♦ Petites chambres rustiques rénovées par étapes dans ce relais séculaire posté sur la route Napoléon (l'Empereur s'est arrêté ici le 2 mars 1815). Repas traditionnel dans un décor de style Louis XIII ou côté véranda. Pizzas et plats simples au Grill du Relais.

ST-VÉRAN – 05 Hautes-Alpes – 334 J4 – 290 h. – alt. 2 042 m – la plus   41 C1
haute commune d'Europe – Sports d'hiver : 1 750/3 000 m ⛷15 ⛸
– ✉ 05350 ▌ Alpes du Sud

- ▶ Paris 729 – Briançon 49 – Guillestre 32
- 🛈 Office de tourisme, la ville ✆ 04 92 45 82 21, Fax 04 92 45 84 52
- ◉ Vieux village★★ - Musée du Soum★.

1739

ST-VÉRAN

L'Astragale ⬥ ≼ 🔲 🏨 ⚭ ⚿ rest, 🍴 🛋 P VISA 🞉
- ✆ 04 92 45 87 00 – www.astragale.eu – contact@astragale.eu
- Fax 04 92 45 87 10 – Ouvert 18 juin-31 août et 18 déc.-31 mars

21 ch – †88/179 € ††100/258 €, ⊆ 15 € – ½ P 74/155 €
Rest – (dîner seult) Menu 26 €

♦ Cadre d'esprit montagnard, grandes chambres confortables (toutes dotées d'un magnétoscope), vue sur les sommets : ce chalet récent régulièrement relooké ne manque pas de charme. Chaleureuse salle à manger dotée d'une cheminée ; salon de thé.

ST-VÉRAND – 71 Saône-et-Loire – **320** I12 – 183 h. – alt. 300 m – ✉ 71570   8 **C3**

▸ Paris 401 – Bourg-en-Bresse 49 – Lyon 66 – Mâcon 14 – Villefranche-sur-Saône 35

Auberge du St-Véran   🚗 🌳 ⚿ rest, 🍴 P VISA 🞉 AE ①
La Roche – ✆ 03 85 23 90 90 – www.auberge-saint-veran.com – direction@auberge-saint-veran.com – Fax 03 85 23 90 91 – Fermé 3 sem. en janv., mardi sauf le soir en saison et lundi

11 ch – †57 € ††70 €, ⊆ 10 € – ½ P 70 €
Rest – Menu (15 € bc), 25 € (sem.)/52 € – Carte 36/60 € 🌿

♦ Au cœur des vignobles, ancien moulin à eau au charme campagnard et aux confortables chambres portant le nom de crus du terroir. Restaurant d'esprit rustique ouvert sur une terrasse face à la piscine. Cuisine traditionnelle, bon choix de mâcons et de beaujolais.

ST-VIANCE – 19 Corrèze – **329** J4 – 1 595 h. – alt. 119 m – ✉ 19240   24 **B3**
▮ Périgord

▸ Paris 479 – Limoges 90 – Tulle 45 – Brive-la-Gaillarde 12 – Sarlat-la-Canéda 67

Auberge sur Vézère   🌳 ⚿ P VISA 🞉
Le bourg – ✆ 05 55 84 28 23 – www.aubergesurvezere.com – aubergesurvezere@wanadoo.fr – Fax 05 55 84 42 47 – Fermé 20 déc.-31 janv. et dim. sauf juil.-août

10 ch – †60/65 € ††65/68 €, ⊆ 8,50 € – ½ P 55/60 €
Rest – (fermé sam. midi, dim. soir et lundi) (prévenir) Menu (21 €), 27 €

♦ À l'entrée du village, petite auberge de pays tenue par un sympathique couple franco-britannique. Chambres fonctionnelles et bien équipées. Menu-carte actuel proposé dans une salle à manger d'esprit provençal ou sous les arbres de la terrasse.

ST-VIATRE – 41 Loir-et-Cher – **318** I6 – 1 188 h. – alt. 107 m – ✉ 41210   12 **C2**

▸ Paris 179 – Orléans 53 – Blois 106 – Vierzon 53 – Fleury-les-Aubrais 60

Villepalay sans rest ⬥   ⚘ ⚿ P
2 km par rte de Nouan le Fuzelier – ✆ 02 54 88 22 35 – www.digikom.fr/villepalay – navucet@wanadoo.fr – Fermé mars

3 ch ⊆ – †55/65 € ††60/70 €

♦ Cette ancienne ferme solognote au charme bucolique – étang pour la pêche et le canotage – vous réserve le meilleur accueil. Chambres soignées et petit-déjeuner biologique.

ST-VICTOR – 03 Allier – **326** C4 – **rattaché à Montluçon**

ST-VICTOR-DE-MALCAP – 30 Gard – **339** K3 – **rattaché à St-Ambroix**

ST-VICTOR-DES-OULES – 30 Gard – **339** L4 – **rattaché à Uzès**

ST-VINCENT – 43 Haute-Loire – **331** F3 – 938 h. – alt. 605 m – ✉ 43800   6 **C3**

▸ Paris 543 – La Chaise-Dieu 37 – Le Puy-en-Velay 18 – St-Étienne 76

XX La Renouée   🚗 ⚿ AE ⇔ VISA 🞉
à Cheyrac, 2 km au Nord par D 103 – ✆ 04 71 08 55 94 – auberge.larenouee@laposte.net – Fermé vacances de la Toussaint, 5 janv.-7 mars, mardi soir, merc. soir et jeudi soir du 15 oct. au 31 mars, dim. soir et lundi

Rest – Menu 19 € (déj. en sem.), 26/46 € – Carte 19/43 €

♦ Maison centenaire devancée par un jardinet. Grande cheminée en pierre et beau vaisselier rustique en merisier dans la salle redécorée. Carte régionale teintée de créativité.

ST-VINCENT-DE-TYROSSE – 40 Landes – 335 D13 – 5 955 h. – 3 B3
– alt. 24 m – ✉ 40230

▶ Paris 743 – Anglet 32 – Bayonne 29 – Bordeaux 157
🛈 Office de tourisme, placette du Midi ℘ 05 58 77 12 00, Fax 05 58 77 12 00

Le Hittau
1 r. du Nouaou – ℘ 05 58 77 11 85 – hittau@orange.fr – Fermé 1ᵉʳ-9 juil., 21 oct.-5 nov., 19 fév.-12 mars, mardi sauf du 14 juil. au 30 août et merc.
Rest – Menu 36/75 € – Carte environ 50 €

♦ Cette ancienne bergerie ne manque pas de cachet avec sa charpente apparente et sa cheminée monumentale. Agréable terrasse-jardin. Cuisine au goût du jour utilisant les produits régionaux.

ST-VINCENT-SUR-JARD – 85 Vendée – 316 G9 – 1 184 h. – alt. 10 m – 34 B3
– ✉ 85520 ▮ Poitou Vendée Charentes

▶ Paris 454 – Luçon 34 – La Rochelle 70 – La Roche-sur-Yon 35 – Les Sables-d'Olonne 23
🛈 Syndicat d'initiative, place de l'Eglise ℘ 02 51 33 62 06, Fax 02 51 33 01 23

L'Océan
1 km au Sud : (près maison de Clemenceau) – ℘ 02 51 33 40 45
– www.hotel-restaurant-ocean.com – hotel.locean@wanadoo.fr
– Fax 02 51 33 98 15 – Fermé 16 nov.-28 fév. et merc. d'oct. à mars
37 ch – ♦53/71 € ♦♦53/87 €, ⊆ 8 € – ½ P 54/74 €
Rest – Menu 22/60 € – Carte 25/50 €

♦ Non loin de la plage, imposante villa balnéaire tenue par la même famille depuis trois générations. Chambres simples, jardin ombragé de pins et véranda pour le petit-déjeuner. Au restaurant, carte traditionnelle valorisant les produits de l'océan.

Le Chalet St-Hubert
rte de Jard – ℘ 02 51 33 40 33 – www.le-chalet-saint-hubert.com
– lechaletsthubert@orange.fr – Fermé jeudi soir, dim. soir et lundi de sept. à juin
Rest – Menu 17/33 € – Carte 24/78 €

♦ Maison ancienne dotée d'une salle lambrissée où l'on sert une cuisine traditionnelle orientée produits de la mer.

ST-YBARD – 19 Corrèze – 329 K3 – rattaché à Uzerche

ST-YORRE – 03 Allier – 326 H6 – rattaché à Vichy

STE-ANNE-D'AURAY – 56 Morbihan – 308 N8 – 2 067 h. – alt. 42 m – 9 A3
– ✉ 56400 ▮ Bretagne

▶ Paris 475 – Auray 7 – Hennebont 33 – Locminé 27 – Lorient 44 – Quimperlé 58 – Vannes 16
🛈 Office de tourisme, 26, rue de Vannes ℘ 02 97 57 69 16, Fax 02 97 57 79 22
◉ Trésor★ de la basilique - Pardon (26 juil.).

L'Auberge
56 r. de Vannes – ℘ 02 97 57 61 55 – www.auberge-larvoir.com
– auberge-jl-larvoir@wanadoo.fr – Fax 02 97 57 69 10
16 ch – ♦60/89 € ♦♦60/89 €, ⊆ 10 € – 2 suites – ½ P 65/80 €
Rest – (fermé merc. midi en hiver) Menu 25/85 € – Carte 38/100 €

♦ Deux décors, deux ambiances différentes pour cet établissement. L'hôtel joue la carte Art déco : palissandre, loupe d'orme ; reproductions de Mucha et Lempicka ; appliques Lalique. Le restaurant adopte un style breton et sert une cuisine dans l'air du temps.

Myriam sans rest
35 bis r. Parc – ℘ 02 97 57 70 44 – www.hotellemyriam.com – contact@hotellemyriam.com – Fax 02 97 57 63 49 – Ouvert 15 fév.-15 nov.
30 ch – ♦50/60 € ♦♦50/60 €, ⊆ 8 €

♦ Construction des années 1970 dans un paisible quartier résidentiel. Chambres simples, sobrement rajeunies. Salle des petits-déjeuners égayée de bibelots marins.

STE-ANNE-DU-CASTELLET – 83 Var – 340 J6 – rattaché au Castellet

STE-ANNE-LA-PALUD (Chapelle de) – 29 Finistère – 308 F6 – 9 A2
– alt. 65 m – ⌧ 29550 — Bretagne

■ Paris 584 – Brest 68 – Châteaulin 20 – Crozon 27 – Douarnenez 12 – Quimper 24
◉ Pardon (fin août).

De La Plage ≤ 🚗 ≋ ※ ⊟ AC rest, ¶ P VISA ◎ AE
à la plage – ℘ 02 98 92 50 12 – www.plage.com – laplage@relaischateaux.com
– Fax 02 98 92 56 54 – Ouvert 4 avril-2 nov.
23 ch – †187/336 € ††187/336 €, ⊇ 19 € – 1 suite
Rest – Menu 54/96 € – Carte 75/100 €

♦ Au pied d'une chapelle et entourée de jardins fleuris, cette demeure du bord de plage bénéficie d'un bel environnement. Les chambres et les suites donnent sur la baie. Au restaurant, plats traditionnels à déguster face à la mer.

STE-CÉCILE – 71 Saône-et-Loire – 320 H11 – 273 h. – alt. 250 m – ⌧ 71250   8 C3
■ Paris 391 – Charolles 35 – Cluny 8 – Mâcon 22 – Roanne 73

✕ **L'Embellie**   🏠 P VISA ◎ ⓘ
– ℘ 03 85 50 81 81 – www.lembellie.com – sarl.delagrange@wanadoo.fr
– Fax 03 85 50 81 81 – Fermé 23 juin-11 juil., 27 oct.-21 nov., dim. soir
sauf juil.-août, mardi sauf le midi de sept. à juin et merc.
Rest – Menu (12 €), 17 € (sem.)/39 € – Carte 25/47 €

♦ Restaurant installé dans une ancienne étable en pierres conservant son cachet rustique : poutres, meubles en frêne et cheminée où crépitent de bonnes flambées hivernales. Agréable terrasse d'été ombragée d'où l'on aperçoit le Carmel (couvent). Repas classique.

STE-CÉCILE-LES-VIGNES – 84 Vaucluse – 332 C8 – 2 142 h. – 40 A2
– alt. 108 m – ⌧ 84290

■ Paris 646 – Avignon 47 – Bollène 13 – Nyons 26 – Orange 17
– Vaison-la-Romaine 19

✕ **La Farigoule** avec ch   🏠 AC VISA ◎
26 cours M. Trintignant – ℘ 04 90 30 89 89 – www.lafarigoule.net
– farigoule.raphael@wanadoo.fr – Fax 04 90 30 78 00 – Fermé 1er-30 mars
et 22 nov.-7 déc.
9 ch ⊇ – †55 € ††75 € – ½ P 65 €
Rest – (fermé dim. soir et lundi sauf juil.-août) Menu 18 € (sem.)/39 €
– Carte 38/46 €

♦ Au cœur du vignoble des Côtes du Rhône, cette auberge sympathique propose de belles recettes régionales, à déguster sous la tonnelle verdoyante ou dans la salle à manger cosy. Chambres personnalisées et coquettes.

✕ **Campagne, Vignes et Gourmandises**   🏠 AC ※ P VISA ◎
rte de Suze-la-Rousse – ℘ 04 90 63 40 11 – www.restaurant-cvg.com
– sylfernandes@wanadoo.fr – Fax 04 90 63 40 25 – Fermé 29 mars-7 avril,
25 oct.-4 nov., 20 déc.-19 janv., mardi hors saison, dim. soir et lundi
Rest – (nombre de couverts limité, prévenir) Menu (17 €), 22/55 € – Carte 44/71 €

♦ Dans un paisible quartier résidentiel, ce petit mas respire l'air des vignes. Salle à manger champêtre complétée par une jolie terrasse ; cuisine actuelle aux accents du Sud.

STE-COLOMBE – 84 Vaucluse – 332 E9 – rattaché à Bédoin

STE-CROIX – 01 Ain – 328 D5 – rattaché à Montluel

STE-CROIX-DE-VERDON – 04 Alpes-de-Haute-Provence – 334 E10   41 C2
– 138 h. – alt. 530 m – ⌧ 04500 — Alpes du Sud

■ Paris 780 – Brignoles 59 – Castellane 59 – Digne-les-Bains 51 – Manosque 44
– Salernes 35

✕ **L'Olivier**   ≤ VISA ◎
Le village – ℘ 04 92 77 87 95 – www.l-olivier-restaurant.com – Fax 04 92 77 87 95
– Ouvert de mi-fév. à mi-nov. et fermé lundi et mardi sauf juil.-août
Rest – Menu 28/42 € – Carte 45/61 €

♦ Dans un village adossé à la falaise, ce restaurant vous invite à découvrir une cuisine actuelle soignée. Terrasse-véranda avec une vue splendide sur le lac de Sainte-Croix.

STE-CROIX-EN-JAREZ – 42 Loire – 327 G7 – **rattaché à Rive-de-Gier**

STE-CROIX-EN-PLAINE – 68 Haut-Rhin – 315 I8 – **rattaché à Colmar**

STE-ÉNIMIE – 48 Lozère – 330 I8 – 512 h. – alt. 470 m – ⌧ 48210   23 **C1**
Languedoc Roussillon
- Paris 612 – Florac 27 – Mende 28 – Meyrueis 30 – Millau 57 – Sévérac-le-Château 49
- Office de tourisme, village ℰ 04 66 48 53 44, Fax 04 66 48 47 70
- ≤★★ sur le canyon du Tarn S : 6,5 km par D 986.

Auberge du Moulin   ch, P VISA
r. Combe – ℰ 04 66 48 53 08 – www.aubergedumoulin.free.fr
– aubergedumoulin48@orange.fr – Fax 04 66 48 58 16 – Ouvert de fin mars à mi-nov. et fermé dim. soir sauf juil.-août et fériés
10 ch – †50/60 € ††55/65 €, ⌧ 8 € – ½ P 52/65 €
Rest – (fermé lundi sauf juil.-août et fériés) Menu (14 €), 17/36 € – Carte 24/36 €
♦ Cette belle demeure en pierres se dresse au cœur d'un village très touristique inscrit dans un site extraordinaire. Chambres proprettes, pour moitié tournées vers le Tarn. À l'immense salle du restaurant, préférez la paisible terrasse qui domine la rivière.

STE-EULALIE – 07 Ardèche – 331 H5 – 240 h. – alt. 1 233 m – ⌧ 07510   44 **A3**
- Paris 587 – Aubenas 47 – Langogne 47 – Privas 51 – Le Puy-en-Velay 48 – Thueyts 36
- Syndicat d'initiative, Mairie ℰ 04 75 38 89 78, Fax 04 75 38 87 37

Du Nord   rest, P VISA AE
– ℰ 04 75 38 80 09 – www.hoteldunord-ardeche.com – hotelnord.mouyon@wanadoo.fr – Fax 04 75 38 85 50 – Ouvert 7 mars-11 nov.
15 ch – †52/60 € ††52/88 €, ⌧ 8 € – ½ P 54/56 €
Rest – (Fermé mardi soir sauf en juil.-août et merc.)
Menu 20 € (sem.)/37 € – Carte 28/35 €
♦ Sympathique hostellerie appréciée des pêcheurs qui viennent ferrer le poisson dans la Loire toute proche. Chambres confortables, régulièrement rénovées. Cuisine du terroir, ambiance familiale et cadre néo-rustique caractérisent le restaurant.

STE-EULALIE-D'OLT – 12 Aveyron – 338 J4 – 330 h. – alt. 425 m   29 **D1**
– ⌧ 12130
- Paris 615 – Espalion 25 – Rodez 45 – Sévérac-le-Château 28
- Office de tourisme, rue Fon Sainte-Anne ℰ 05 65 47 82 68

Au Moulin d'Alexandre avec ch
– ℰ 05 65 47 45 85 – moulin.alexandre@wanadoo.fr – Fax 05 65 52 73 78
– Fermé sam. du 15 nov. à Pâques
9 ch – †50/55 € ††50/55 €, ⌧ 8 €
Rest – Menu (13 €), 23/28 € – Carte 30/40 €
♦ Ce moulin du 16e s. participe à l'animation de ce charmant village aveyronnais : bar-tabac, restaurant et hôtel. La salle des repas conserve une agréable rusticité (cheminée, poutres et pierres). Les chambres offrent un confort plutôt modeste.

STE-EUPHÉMIE – 01 Ain – 328 B5 – 1 118 h. – alt. 247 m – ⌧ 01600   43 **E1**
- Paris 435 – Bourg-en-Bresse 49 – Dijon 168 – Lyon 36

Au Petit Moulin   VISA
615 rte d'Ars – ℰ 04 74 00 60 10
– Fermé 20 janv.-20 fév., jeudi soir en hiver, lundi, mardi et merc.
Rest – Menu (17 €), 23/33 € – Carte 35/44 €
♦ Sur la carte de cette modeste auberge de campagne voisine de la Dombes : grenouilles, poissons d'eau douce et volailles, soigneusement mitonnés et généreusement servis.

STE-FEYRE – 23 Creuse – 325 I4 – **rattaché à Guéret**

STE-FLORINE – 43 Haute-Loire – 331 B1 – 3 002 h. – alt. 440 m – ⌧ 43250 6 **C2**
▶ Paris 465 – Brioude 16 – Clermont-Fd 55 – Issoire 19 – Murat 60
– Le Puy-en-Velay 77

Le Florina avec ch 🏠 ﬞ ch, 🛉 *VISA* **MC** AE
pl. Hôtel de Ville – ℰ 04 73 54 04 45 – www.hotel-leflorina.com – le.florina@
wanadoo.fr – Fax 04 73 54 02 62 – *Fermé 19 déc.-11 janv.*
14 ch – ⋔38 € ⋔⋔42/60 €, ⊡ 6,50 € – ½ P 42/50 €
Rest – *(fermé dim. soir)* Menu (10 €), 15/25 € – Carte 23/44 €
◆ Ce bâtiment récent abrite un sobre restaurant proposant une cuisine régionale. Chambres fonctionnelles ou, à réserver en priorité, plus colorées et personnalisées.

Ce symbole en rouge ⌇ ?
La tranquillité même, juste le chant des oiseaux au petit matin…

STE-FOY-LA-GRANDE – 33 Gironde – 335 M5 – 2 554 h. – alt. 10 m 4 **C1**
– ⌧ 33220 **Aquitaine**
▶ Paris 555 – Bordeaux 71 – Langon 59 – Marmande 44 – Périgueux 67
🛈 Office de tourisme, 102, rue de la République ℰ 05 57 46 03 00,
Fax 05 57 46 16 62
🏌 Chateau des Vigiers Golf Club à Monestier, SE : 9 km par D 18,
ℰ 05 53 61 50 33

Au Fil de l'Eau AC *VISA* **MC** AE
3 r. de la Rouquette, à Port-Ste-Foy – ℰ 05 53 24 72 60
– www.restaurantaufildeleau.com – christelle.dewannain@orange.fr
– Fax 05 53 24 94 97 – *Fermé 2-16 mars, 8-30 nov., merc. soir d'oct. à mars, dim. soir
sauf juil.-août et lundi* s
Rest – Menu 14 € (déj. en sem.), 21/53 € – Carte 39/67 €
◆ La maison est d'allure un peu banale, certes, mais il fait bon s'attabler dans son intérieur refait, doté d'une véranda au bord de la Dordogne. Cuisine régionale actualisée.

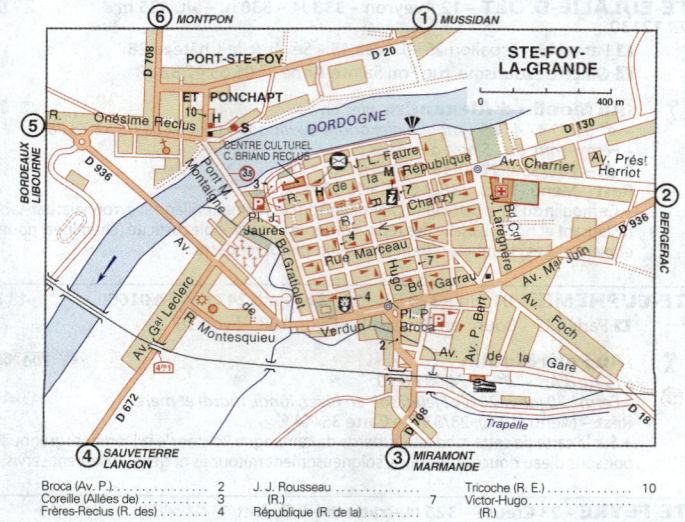

Broca (Av. P.) 2	J. J. Rousseau (R.) 7	Tricoche (R. E.) 10
Coreille (Allées de) 3		Victor-Hugo (R.) . . . .
Frères-Reclus (R. des) 4	République (R. de la)	

STE-FOY-LA-GRANDE

au Sud-Est : 8 km sur D 18 – ✉ 24240 Monestier

Château des Vigiers ⌘
au golf des Vigiers – ℘ 05 53 61 50 00
– www.vigiers.fr – reception@vigiers.fr – Fax 05 53 61 50 20 – Fermé 16 déc.-28 fév.
87 ch – †165/330 € ††165/330 €, ⊇ 17 € – ½ P 125/235 €
Rest *Les Fresques* – ℘ 05 53 61 50 39 (Ouvert 1er mai-30 sept. et fermé mardi et merc.) (dîner seult) Carte 40/70 €
Rest *Brasserie Le Chai* – ℘ 05 53 61 50 39 – Menu 25 € (déj.), 39/47 €

◆ Ce château du 16e s. et ses dépendances modernes s'inscrivent dans un parc aménagé en golf (27 trous, dont 3 mémorables). Grandes chambres personnalisées et spa. Cadre chic, carte actuelle et vins de la propriété aux Fresques. Brasserie occupant l'ancien chai.

par ⑤ **et rte secondaire** – ✉ 33220 Port-Ste-Foy

L'Escapade ⌘
La Grâce – ℘ 05 53 24 22 79 – www.escapade-dordogne.com – info@escapade-dordogne.com – Fax 05 53 57 45 05 – Ouvert 2 fév.-14 oct. et fermé vend. et dim. soir en fév.-mars
11 ch – †48 € ††52 €, ⊇ 7 € – ½ P 55 €
Rest – (dîner seult) (prévenir) Menu 22 €, 25/30 € – Carte 35/63 €

◆ Sur la route de Compostelle, ancienne ferme à tabac (17e s.) voisinant avec un centre équestre. Chambres rustiques, sauna, piscine d'été et silence de la campagne. Spécialités régionales servies dans une salle champêtre ou en terrasse.

STE-FOY-L'ARGENTIÈRE – 69 Rhône – **327** F5 – 1 247 h. – alt. 430 m – ✉ 69610   44 **A2**

▸ Paris 487 – Lyon 49 – Saint-Étienne 52 – Villeurbanne 52

Manoir de Tourville ⌘
8 km au Nord par D 483 et rte secondaire – ℘ 04 74 26 66 57
– www.manoirdetourville.com – tourville@manoirdetourville.com
– Fax 04 74 26 66 57
5 ch ⊇ – †75/120 € ††75/120 €   **Table d'hôte** – Menu 25 € bc/45 € bc

◆ Ce manoir du 15e s. jouit d'une belle situation au milieu de prés accueillant des chevaux (élevage). Ravissantes chambres de caractère ; suite logée dans une tour. Petits étangs. Belle salle à manger habillée de boiseries et cuisine classique.

STE-FOY-TARENTAISE – 73 Savoie – **333** O4 – 815 h. – alt. 1 050 m   45 **D2**
– ✉ 73640 ▮ **Alpes du Nord**

▸ Paris 647 – Albertville 66 – Chambéry 116 – Moûtiers 40 – Val-d'Isère 20
▮ Office de tourisme, station ℘ 04 79 06 95 19, Fax 04 79 06 95 09

Le Monal
Chef Lieu – ℘ 04 79 06 90 07 – www.le-monal.com – le.monal@wanadoo.fr
– Fax 04 79 06 94 72 – Fermé sam. et dim. de mai à oct.
19 ch – †60/80 € ††70/100 €, ⊇ 10 € – 2 suites – ½ P 77/85 €
Rest – Menu 16 € (déj. en sem.)/30 € – Carte 39/68 € ❀

◆ Cet ancien relais de poste, dans la même famille depuis 1888, abrite aujourd'hui un charmant hôtel. Belles chambres et suites familiales, façon chalet. Décor tout bois et carte traditionnelle au restaurant. Dégustation et vente de vin.

rte de la Station 6 km au SE par rte secondaire – ✉ 73640 Ste-Foy-Tarentaise

La Ferme du Baptieu ⌘
Le Baptieu, (D 84) – ℘ 04 79 06 97 52 – www.lafermedubaptieu.com
– contact.baptieu@lafermedubaptieu.com – Fax 04 79 06 97 52 – Ouvert juil.-août et déc.-avril
5 ch ⊇ – †150/170 € ††150/170 € – 1 suite   **Table d'hôte** – Menu 37 €

◆ Ce chalet du 18e s. a un charme fou : meubles et objets chinés, boiseries... Chaque chambre possède une superbe salle de bains et un balcon ouvrant sur la montagne. Spécialités savoyardes et méditerranéennes à la table d'hôte.

STE-GEMME-MORONVAL – 28 Eure-et-Loir – **311** E3 – rattaché à Dreux

STE-GENEVIÈVE-DES-BOIS – 91 Essonne – **312** C4 – **101** 35 – **voir à Paris, Environs**

STE-GENEVIÈVE-SUR-ARGENCE – 12 Aveyron – **338** I2 – 1 019 h. – alt. 800 m – ⊠ 12420   29 **D1**

▫ Paris 571 – Aurillac 56 – Chaudes-Aigues 34 – Espalion 40
▫ Syndicat d'initiative, Syndicat d'Initiative ℘ 05 65 66 19 75, Fax 05 65 66 19 75
▫ Barrage de Sarrans★ N : 8 km, ▪ Midi-Pyrénées

Des Voyageurs avec ch   VISA ⓜⓒ
r. du Riols – ℘ 05 65 66 41 03 – hoteldesvoyageurs.cruveiller@wanadoo.fr
– Fax 05 65 66 10 94 – Fermé 20 sept-15 oct., 20 déc.-10 janv., dim. soir et sam. du 15 oct. au 30 juin
14 ch – †43/46 € ††43/46 €, ⊇ 6 € – ½ P 46 €
Rest – Menu (10 €), 12 € (déj. en sem.), 14/32 € – Carte 24/40 €
♦ Cet ex-relais de diligences accueille les voyageurs depuis 1872. Le décor rustique du restaurant ouvert sur un jardin se prête bien aux plats régionaux préparés à l'ancienne. Chambres simples et pratiques.

STE-HERMINE – 85 Vendée – **316** J8 – 2 503 h. – alt. 28 m – ⊠ 85210   34 **B3**

▫ Paris 433 – Nantes 93 – La Roche-sur-Yon 35 – La Rochelle 59 – Les Herbiers 44
▫ Office de tourisme, la Gare ℘ 02 51 27 39 32, Fax 02 51 27 39 32

Clem'otel   ⓘ VISA ⓜⓒ
parc Atlantique Vendée, 2 km au Sud sur D 137 – ℘ 02 51 28 46 94 – clemotel.com
– clem.otel@wanadoo.fr – Fax 02 51 28 46 81 – Fermé 24 déc.-4 janv.
49 ch – †52 € ††64 €, ⊇ 7 € – ½ P 51/53 €
Rest – (fermé dim. de nov. à fin mars) Menu (12 €), 16 € – Carte 20/25 €
♦ Nouvel hôtel doté de chambres claires et bien insonorisées. Palmiers et tournesols donnent une allure exotique au patio central. À table, régalez-vous de grillades (préparées sous vos yeux) ou de plats du terroir dans un décor mi-contemporain, mi-rustique.

STE-LUCIE-DE-PORTO-VECCHIO – 2A Corse-du-Sud – **345** F9 – **voir à Corse**

STE-LUCIE-DE-TALLANO – 2A Corse-du-Sud – **345** D9 – **voir à Corse**

STE-MAGNANCE – 89 Yonne – **319** H7 – 365 h. – alt. 310 m – ⊠ 89420 ▪ Bourgogne   7 **B2**

▫ Paris 224 – Avallon 15 – Auxerre 65 – Dijon 68 – Saulieu 24
▫ Tombeau★ dans l'église.

Auberge des Cordois   P VISA ⓜⓒ
D 606 – ℘ 03 86 33 11 79 – lescordois@hotmail.fr – Fermé 29 juin-8 juil., 12-19 nov., 4 janv.-4 fév., lundi soir, mardi et merc.
Rest – Menu 28/43 € – Carte 39/60 €
♦ Maison bicentenaire en bord de route, repérable à sa façade jaune. Formule bistrot ou cuisine régionale actualisée servie dans une salle aux tons ocre et violet.

STE-MARGUERITE (ÎLE) – 06 Alpes-Maritimes – **341** D6 – **voir à Île Sainte-Marguerite**

STE-MARIE – 44 Loire-Atlantique – **316** D5 – **rattaché à Pornic**

STE-MARIE-AUX-MINES – 68 Haut-Rhin – **315** H7 – 5 816 h. – alt. 350 m – ⊠ 68160 ▪ Alsace Lorraine   1 **A2**

▫ Paris 422 – Colmar 43 – St-Dié 25 – Sélestat 23
Tunnel de Ste-Marie-aux-Mines : péage en 2008, aller simple : autos et caravanes 17 €, motos 5,30 € ; autos 7,50 €, camions 33,30 € à 55,60 €.
▫ Office de tourisme, 86, rue Wilson ℘ 03 89 58 80 50, Fax 03 89 58 67 92

STE-MARIE-AUX-MINES

Aux Mines d'Argent avec ch 🛜 ⇆ 🕪 𝗩𝗜𝗦𝗔 🅬 🅐🅔
8 r. Dr Weisgerber – ℰ 03 89 58 55 75 – auxminesargent.com
– wistubwillmann@orange.fr – Fax 03 89 58 65 49
9 ch – †45/55 € ††45/55 €, ⊇ 6 € – ½ P 45/55 €
Rest – Menu (12 €), 14 € (déj.), 16/32 € – Carte 15/32 €
♦ Lambris, mobilier alsacien, gravures sur bois (scènes de la vie minière) : une authentique wistub dans une maison du 16ᵉ s. Terrasse au bord d'un ruisseau et carte régionale.

STE-MARIE-DE-RÉ – 17 Charente-Maritime – 324 C3 – voir à Île de Ré

STE-MARIE-DE-VARS – 05 Hautes-Alpes – 334 I5 – rattaché à Vars

STES-MARIES-DE-LA-MER – voir après Saintes

STE-MARIE-SICCHÉ – 2A Corse-du-Sud – 345 C8 – voir à Corse

STE-MARINE – 29 Finistère – 308 G7 – rattaché à Bénodet

STE-MAURE – 10 Aube – 313 E3 – rattaché à Troyes

STE-MAURE-DE-TOURAINE – 37 Indre-et-Loire – 317 M6   11 B3
– 3 909 h. – alt. 85 m – ✉ 37800 ▌Châteaux de la Loire

▶ Paris 273 – Le Blanc 71 – Châtellerault 39 – Chinon 32 – Loches 31
 – Thouars 73 – Tours 40

▌ Office de tourisme, rue du Château ℰ 02 47 65 66 20, Fax 02 47 34 04 28

Hostellerie des Hauts de Ste-Maure   🚗 🛜 🅸 🖻 🏩 🄰🄲 ch, ⇆
av. Gén. de Gaulle – ℰ 02 47 65 50 65   🕪 🅿 𝗩𝗜𝗦𝗔 🅬
– www.hostelleriehautsdestemaure.fr – hauts-de-ste-maure@wanadoo.fr
– Fax 02 47 65 60 24 – Fermé janv., lundi (sauf hôtel) et dim. d'oct. à mai
20 ch – †109/189 € ††109/189 €, ⊇ 12 € – 1 suite
Rest *La Poste* – (fermé lundi midi et dim. d'oct. à mai) Menu 36 € (sem.)/150 € 🥂
♦ Ancien relais de poste abritant des chambres actuelles et personnalisées, réparties entre un bâtiment principal et son annexe. Piscine-balnéo, jardin, potager. Mets classiques, belle carte de chinons et cadre élégant au restaurant.

Le Grand Menasson sans rest 🌿   🍃 ⇆ 🐾 🕪 🅿
2 km par ancienne rte de Loches et rte secondaire – ℰ 06 11 08 51 80
– www.augrandmenasson.fr – ghislaine@augrandmenasson.fr
– Fax 02 47 65 21 24 tél
4 ch ⊇ – †70/90 € ††70/90 €
♦ Au calme, cette ferme ancienne recouverte de vigne vierge vous réserve un accueil chaleureux. Grand parc avec étang, chambres rustiques ou agrémentées de mobilier chiné.

à Pouzay 8 km au Sud-Ouest – 755 h. – alt. 51 m – ✉ 37800

Au Gardon Frit   🛜 𝗩𝗜𝗦𝗔 🅬
16 pl. de l'Eglise – ℰ 02 47 65 21 81 – www.au-gardon-frit.com
– Fermé 21-29 avril, 15 sept.-30 oct., 12-27 janv., mardi et merc. sauf fériés
Rest – Menu (11 €), 14 € (déj. en sem.), 18/39 € – Carte 28/55 €
♦ Point de "gardon frit" sur la carte, mais des produits de la mer en direct de l'océan dans ce restaurant familial accolé à un café. Décor marin et jolie terrasse ombragée.

rte de Chinon 2,5 km à l'Ouest : par D 760 – ✉ 37800 Noyant-de-Touraine

La Ciboulette   🛜 🅿 𝗩𝗜𝗦𝗔 🅬
78 rte de Chinon, (face échangeur A 10, sortie n° 25) – ℰ 02 47 65 84 64
– www.laciboulette.fr – laciboulette@wanadoo.fr – Fax 02 47 65 89 29 – Fermé dim. soir, lundi soir, mardi soir et merc. soir d'oct. à mars sauf vacances scolaires et fériés
Rest – Menu (19 €), 24/56 € – Carte 31/54 €
♦ L'attrait de cette grande maison couverte de vigne vierge ? Son intéressante formule menu-carte de plats classiques. Salle à manger sobrement décorée et terrasse d'été.

à Noyant-de-Touraine 5 km à l'Ouest – 780 h. – alt. 92 m – ⊠ 37800

Château de Brou
2 km au Nord par rte secondaire – ℰ 02 47 65 80 80 – www.chateau-de-brou.fr
– info@chateau-de-brou.fr – Fax 02 47 65 82 92 – *Fermé 13-25 déc., 1ᵉʳ janv.-5 fév.*
10 ch – ♦115/170 € ♦♦115/170 €, ⊇ 15 € – 2 suites
Rest – *(fermé dim. et lundi d'oct. à mars) (dîner seult)*
Menu 35 €, 45/65 € – Carte 49/73 €

♦ Beau château du 15ᵉ s. isolé dans un vaste parc. Remarquable décor historique au service d'un très grand confort. Ravissant pigeonnier aménagé en suite. Chapelle du 19ᵉ s. Élégante petite salle à manger agrémentée d'une jolie cheminée ; carte traditionnelle.

STE-MAXIME – 83 Var – 340 O6 – 13 800 h. – alt. 10 m – Casino — 41 C3
– ⊠ 83120 ▌ Côte d'Azur

▶ Paris 872 – Cannes 59 – Draguignan 34 – Fréjus 20 – Toulon 72
🛈 Office de tourisme, 1, promenade Simon-Loriere ℰ 04 94 55 75 55, Fax 04 94 55 75 56
🏌 de Sainte-Maxime Route du Débarquement, N : 2 km, ℰ 04 94 55 02 02
🏌 de Beauvallon Boulevard des Collines, par rte de Toulon : 4 km, ℰ 04 94 96 16 98

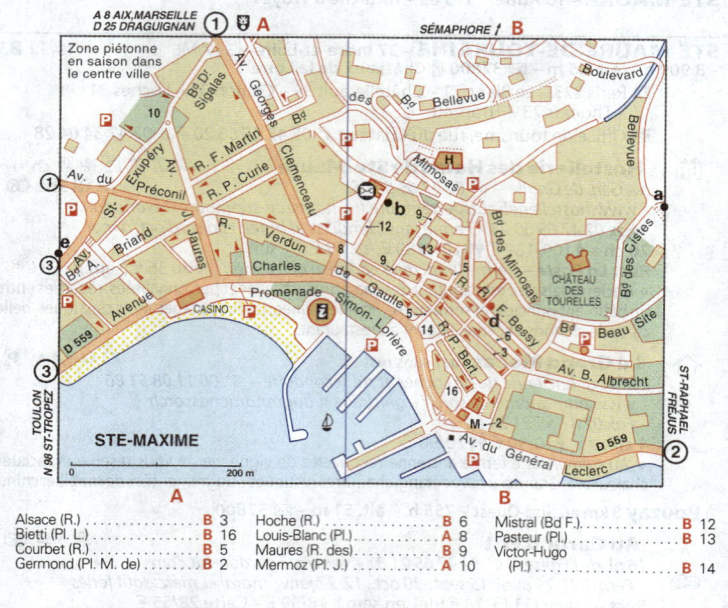

Alsace (R.) .... B 3	Hoche (R.) .... B 6	Mistral (Bd F.) ...... B 12
Bietti (Pl. L.) ..... B 16	Louis-Blanc (Pl.) ..... A 8	Pasteur (Pl.) .... B 13
Courbet (R.) ...... B 5	Maures (R. des) ..... B 9	Victor-Hugo
Germond (Pl. M. de) .. B 2	Mermoz (Pl. J.) ..... A 10	(Pl.) .... B 14

Le Beauvallon
bd des Collines, par ③, 5 km par rte de St-Tropez –
ℰ 04 94 55 78 88 – www.hotel-lebeauvallon.com – reservation@lebeauvallon.com – Fax 04 94 55 78 78 – *Ouvert 11 avril-10 oct.*
65 ch – ♦210/990 € ♦♦210/990 €, ⊇ 28 € – 5 suites
Rest *Les Colonnades* – *(fermé lundi) (dîner seult)*
Menu 90 € – Carte 85/105 €
Rest *Beauvallon Beach* – *(déj. seult sauf juil.-août)* Carte 48/80 €

♦ Luxueux hôtel au cœur d'un parc de 4 ha (pins parasols et palmiers). Façade 1914 flirtant avec le rivage et chambres élégantes et spacieuses orientées mer ou colline. Plage privée. Salle de style Art déco, belle terrasse et cuisine au goût du jour aux Colonnades. Au Beauvallon Beach, panorama embrassant le littoral.

STE-MAXIME

Hostellerie la Belle Aurore
5 bd Jean Moulin, par ③ – ℘ 04 94 96 02 45 – www.belleaurore.com – info@belleaurore.com – Fax 04 94 96 63 87 – Ouvert 4 avril-11 oct.
16 ch – ♦145/325 € ♦♦145/325 €, ⊆ 20 € – 1 suite – ½ P 133/223 €
Rest – *(fermé lundi midi et merc. sauf juil.-août)*
Menu (29 €), 40/86 € – Carte 100/116 €

♦ Établissement les pieds dans l'eau. Chambres paisibles aux couleurs du Sud et donnant sur golfe de St-Tropez. Terrasse ou balcon pour profiter de la grande bleue. Salle panoramique pour une table soignée honorant la Provence, avec un clin d'œil au Gers.

Villa les Rosiers
4 chemin de Guerrevieille Beauvallon-Grimaud, 5 km par ③ – ℘ 04 94 55 55 20 – www.villa-les-roseiers.com – info@villa-les-roseiers.com – Fax 04 94 55 55 33 – Ouvert 16 mars-31 oct. et 23 déc.-9 janv.
12 ch – ♦160/470 € ♦♦160/470 €, ⊆ 22 €
Rest – *(ouvert 1er avril-31 oct.)* Carte 42/74 €

♦ Sculptures et tableaux contemporains personnalisent cette villa récente dominant le golfe. Chambres au raffinement actuel, toutes côté jardin, et dotées de terrasse ou balcon. Cuisine du marché servie dans une salle claire et tendance ou sur la terrasse.

Martinengo sans rest
bd Jean-Moulin, par ③ – ℘ 04 94 55 09 09 – www.hotel-martinengo.com – hotel-martinengo@wanadoo.fr – Fax 04 94 55 09 10 – Ouvert 2 avril-11 oct.
10 ch – ♦65/183 € ♦♦65/183 €, ⊆ 18 €

♦ Longeant la route côtière, bâtisse portant le nom d'un village de Lombardie, aux chambres de style classique (mobilier ancien et beaux tableaux). Bonne insonorisation.

Les Santolines
la Croisette par ③ – ℘ 04 94 96 31 34 – www.hotel-les-santolines.com – hotel.les.santolines@wanadoo.fr – Fax 04 94 49 22 12
14 ch – ♦75/148 € ♦♦75/148 €, ⊆ 10 €
Rest *Le Sarment de Vigne* – ℘ 04 94 96 34 99 *(fermé déc. et janv.)* Menu 27/39 € – Carte 40/55 €

♦ Pimpante maison de style mas provençal en bord de route (double vitrage). Chambres coquettes dotées de faïences dans les salles de bains, avec vue mer pour celles de l'étage. Mets régionaux et grillades à apprécier dans un cadre actuel ouvrant sur la piscine.

Montfleuri
3 av. Montfleuri, par ② – ℘ 04 94 55 75 10 – www.montfleuri.com – reservation@montfleuri.com – Fax 04 94 49 25 07 – Fermé 8 nov.-23 déc. et 3 janv.-1er mars
31 ch – ♦45/105 € ♦♦60/235 €, ⊆ 10 €
Rest – *(dîner seult)* Menu 28 € – Carte 30/48 €

♦ Dans un quartier résidentiel, adresse familiale abritant des chambres bien tenues, à préférer avec terrasse-balcon côté mer. Petit jardin aux essences méditerranéenes. Repas traditionnel servi dans une salle aux notes coloniales ou en plein air.

Le Mas des Oliviers sans rest
quartier de la Croisette, 1 km par ③ – ℘ 04 94 96 13 31 – www.hotellemasdesoliviers.com – masdesoliviers@9business.fr – Fax 04 94 49 01 46 – Fermé déc.-janv.
20 ch – ♦57/160 € ♦♦57/160 €, ⊆ 12 €

♦ Au calme sur une colline de pins parasols, hôtel familial aux couleurs du Sud proposant des chambres spacieuses, avec loggias tournées sur le golfe ou sur le jardin.

Le Petit Prince sans rest
11 av. St-Exupéry – ℘ 04 94 96 44 47 – www.hotellepetitprince.com – lepetit.prince@wanadoo.fr – Fax 04 94 49 03 38
31 ch – ♦56/80 € ♦♦72/132 €, ⊆ 11 €

A e

♦ Chambres actuelles et bien insonorisées, avec balcons (sauf deux), donnant sur une avenue passante proche des plages. Solariums et terrasse pour les petits-déjeuners.

Croisette sans rest
2 bd Romarins, par ③ – ℘ 04 94 96 17 75 – www.hotel-sainte-maxime.com – hotel.la.croisette@wanadoo.fr – Fax 04 94 96 52 40 – Ouvert 1er avril-15 oct.
18 ch – ♦67/174 € ♦♦67/174 €, ⊆ 11 €

♦ Lauriers roses, palmiers et figuiers agrémentent le plaisant jardin entourant cette villa d'un quartier pavillonnaire. Certaines chambres offrent la vue sur le large.

STE-MAXIME

Hôtellerie de la Poste sans rest

11 bd F. Mistral – ℰ 04 94 96 18 33 – www.hotelleriedusoleil.com – laposte@hotelleriedusoleil.com – Fax 04 94 55 58 63 – Fermé 6-27 déc.
28 ch ⊇ – †70/135 € ††70/225 €   B b

♦ Face à la poste, cet hôtel de 1932 vous accueille dans un cadre d'inspiration cubaine. Chambres aux tons chauds, plus calmes sur l'arrière. Petit patio-terrasse avec piscine.

La Badiane

6 r. Fernand-Bessy – ℰ 04 94 96 53 93 – la.badiane@hotmail.fr – Fax 04 94 96 53 93 – Fermé 7-14 juin, 22 nov.-6 déc., 17 janv.-7 fév., le midi et dim. soir   B d
Rest – Menu 32/60 € – Carte 71/120 €

♦ Sympathique adresse contemporaine du quartier de la vieille ville. Le chef-patron cuisine "à l'instinct" des recettes actuelles tandis que son épouse assure le service.

au Nord-Est par av. Clemenceau et rte du Débarquement – ✉ 83120 Ste-Maxime

Jas Neuf sans rest

112 av. du Débarquement – ℰ 04 94 55 07 30 – www.hotel-jasneuf.com – infos@hotel-jasneuf.com – Fax 04 94 49 09 71 – Fermé 1er-20 déc. et 4-31 janv.
24 ch – †68/159 € ††68/159 €, ⊇ 10 €

♦ Un ensemble de petites maisons méridionales en retrait de la ville. Chambres fraîches et coquettes aux tons de la Provence, la plupart avec terrasse et balcon.

à La Nartelle 4 km par ② – ✉ 83120 Ste-Maxime

La Plage sans rest

36 av. Gén.-Touzet-du-Vigier – ℰ 04 94 96 14 01 – www.hotel-la-plage.fr – hotel-la-plage@orange.fr – Fax 04 94 49 23 53
18 ch – †70/160 € ††70/160 €, ⊇ 12 €

♦ Hôtel des années 1970 bordant la route et la plage. Petites chambres fonctionnelles, insonorisées et rénovées, affichant une décoration dans l'air du temps. Vue sur la mer.

à Val d'Esquières 6 km au Nord-Ouest par rte des Issambres – ✉ 83520 Roquebrune-sur-Argens

La Villa

122 av. Croiseur Léger Le Malin, (D 559), à la Garonnette – ℰ 04 94 49 40 90 – www.hotellavilla.fr – contact@hotellavilla.fr – Fax 04 94 49 40 85 – Fermé 1er déc.-29 janv.
8 ch – †75/150 € ††75/150 €, ⊇ 8 € – 4 suites
Rest – Menu 19/29 € – Carte 26/42 €

♦ Face à la plage (route à traverser), établissement familial abritant de petites chambres personnalisées d'esprit provençal ; certaines donnent sur la mer. La table conjugue une ambiance chaleureuse (couleurs vives, meubles en rotin) avec des mets provençaux.

STE-MÉNÉHOULD – 51 Marne – 306 L8 – 4 662 h. – alt. 137 m   14 C2
– ✉ 51800 ▌Champagne Ardenne

▶ Paris 221 – Bar-le-Duc 50 – Châlons-en-Champagne 48 – Reims 80 – Verdun 48

🛈 Syndicat d'initiative, 5, place du Général Leclerc ℰ 03 26 60 85 83, Fax 03 26 60 27 22

◉ ≤★ de la butte appelée "Le château" - Château de Braux-Ste-Cohière ★ O : 5,5 km.

Le Cheval Rouge

1 r. Chanzy – ℰ 03 26 60 81 04 – www.lechevalrouge.com – rouge.cheval@wanadoo.fr – Fax 03 26 60 93 11 – Fermé 21 déc.-10 janv.
24 ch – †40 € ††50 €, ⊇ 7 € – ½ P 50/55 €
Rest – (fermé dim. soir et lundi) Menu 13 € (sem.), 20/60 € – Carte 50/68 €
Rest *La Brasserie* – Menu 12 € (sem.) – Carte 14/30 €

♦ À deux pas de l'hôtel de ville, cette auberge ancienne, aux chambres impeccablement tenues, assure des nuits paisibles. Dans une salle classique agrémentée de touches rustiques (cheminée, poutres apparentes), on sert un savoureux répertoire traditionnel. À la brasserie, recettes simples suggérées à l'ardoise.

STE-MÉNEHOULD

à Futeau 13 km à l'Est par D 603 et D 2 – 153 h. – alt. 190 m – ⊠ 55120

XXX **L'Orée du Bois** avec ch
1 km au Sud – ℰ 03 29 88 28 41 – www.aloreedubois.fr – argonnealoreedubois@wanadoo.fr – Fax 03 29 88 24 52 – Fermé 22 nov.-22 déc., 4-26 janv., lundi et mardi sauf le soir de Pâques à fin sept. et dim. soir hors saison
14 ch – ✝82/85 € ✝✝88/138 €, ⊇ 14 € – ½ P 98/138 €
Rest – Menu 46/70 € – Carte 58/78 €
♦ En lisière de la forêt d'Argonne, cette auberge accueillante abrite deux jolies salles à manger tournées vers la campagne. Carte classique. Confort et bonne tenue des chambres.

STE-MÈRE-ÉGLISE – 50 Manche – 303 E3 – 1 611 h. – alt. 28 m   32 A2
– ⊠ 50480 Normandie Cotentin
▶ Paris 321 – Bayeux 57 – Cherbourg 39 – St-Lô 42
🛈 Office de tourisme, 6, rue Eisenhower ℰ 02 33 21 00 33, Fax 02 33 21 53 91

au Sud-Ouest 6 km par D 67 et D 70 – ⊠ 50360 Picauville

⌂ **Château de L'Isle Marie** sans rest
– ℰ 02 33 21 37 25 – www.islemarie.com – info@islemarie.com
– Fax 02 33 21 42 22 – Ouvert 6 mars-9 nov.
5 ch ⊇ – ✝160/180 € ✝✝170/195 € – 2 suites
♦ Ce somptueux château médiéval qui appartient à la même famille depuis des siècles se dresse au fond d'un immense domaine. Grand confort, romantisme et authenticité : un lieu unique.

STE-NATHALENE – 24 Dordogne – 329 I6 – 495 h. – alt. 145 m   4 D3
– ⊠ 24200
▶ Paris 538 – Bordeaux 205 – Périgueux 74 – Brive-la-Gaillarde 63
– Sarlat-la-Canéda 9

⌂ **La Roche d'Esteil**
La Croix d'Esteil – ℰ 05 53 29 14 42 – www.larochedesteil.com – contact@larochedesteil.com – Ouvert 1er mars-15 nov.
5 ch – ✝64/90 € ✝✝64/90 €, ⊇ 6,50 €
Table d'hôte – Menu 12 € bc/25 € bc
♦ Domaine restauré avec goût et dans le respect de la tradition périgourdine par des propriétaires passionnés. Chambres soignées et indépendantes, logées dans les ex-granges. Table d'hôte le soir dans un décor plus contemporain et convivial.

STE-PREUVE – 02 Aisne – 306 F5 – 89 h. – alt. 115 m – ⊠ 02350   37 D2
▶ Paris 188 – Saint-Quentin 69 – Laon 29 – Reims 49 – Soissons 62

🏛 **Domaine du Château de Barive**
3 km au Sud-Ouest – ℰ 03 23 22 15 15
– www.chateau-de-barive.com – contact@lesepicuriens.com – Fax 03 23 22 08 39
18 ch – ✝90/350 € ✝✝120/450 €, ⊇ 20 € – 4 suites
Rest *Les Epicuriens* – Menu (30 €), 40/90 € – Carte 77/105 €
♦ Cette superbe bâtisse (19e s.) et son vaste parc profitent du calme de la campagne picarde. Chambres cosy, mansardées au 2e étage. Nouvelles suites et accueil personnalisé. Salle à manger-véranda rénovée et ouverte sur la verdure. Cuisine actuelle soignée.

SAINTES – 17 Charente-Maritime – 324 G5 – 26 300 h. – alt. 15 m   38 B3
– ⊠ 17100 Poitou Vendée Charentes
▶ Paris 469 – Bordeaux 117 – Poitiers 138 – Rochefort 42 – Royan 38
🛈 Office de tourisme, 62, cours National ℰ 05 46 74 23 82,
Fax 05 46 92 17 01
⛳ de Saintonge 43, route du Golf, par rte de Niort : 5 km, ℰ 05 46 74 27 61
◉ Abbaye aux Dames : église abbatiale ★ - Vieille ville ★ - Arc de Germanicus ★ B - Église St-Eutrope : église inférieure ★ **E** - Amphithéâtre gallo-romain ★ - Musée des Beaux-Arts ★ : Musée du Présidial M^5 - Musée Archéologique : char de parade ★.

1751

SAINTES

Allende (Av. Salvador)	Y 2
Alsace-Lorraine (R.)	AZ 3
Arc-de-Triomphe (R.)	BZ 4
Bassompierre (Pl.)	BZ 5
Berthonnière (R.)	AZ 7
Blair (Pl.)	AZ 9
Bois d'Amour (R.)	AZ 10
Bourignon (R.)	Y 12
Brunaud (R. A.)	AZ 13
Clemenceau (R.)	AZ 15
Denfert-Rochereau (R.)	BZ 16
Dufaure (Av. J.)	Y 18
Foch (Pl. Mar.)	AZ 20
Gambetta (Av.)	BZ
Jacobins (R. des)	AZ 25
Jean (R. du Dr)	Y 27
Kennedy (Av. J.-F.)	Y 31
Lacurie (R.)	Y 33
Leclerc (Crs Mar.)	Y 34
Lemercier (Cours)	AZ 35
Marne (Av. de la)	BZ 37
Mestreau (R. F.)	BZ 38
Monconseil (R.)	AZ 39
National (Cours)	AZ
République (Quai)	AZ 41
St-Eutrope (R.)	AZ 42
St-François (R.)	AZ 43
St-Macoult (R.)	AZ 45
St-Pierre (R.)	AZ 46
St-Vivien (Pl.)	AZ 47
Victor-Hugo (R.)	AZ 49

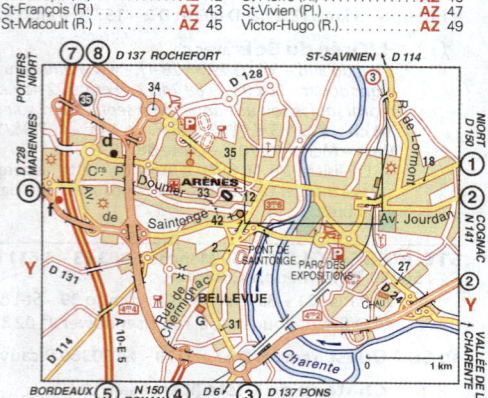

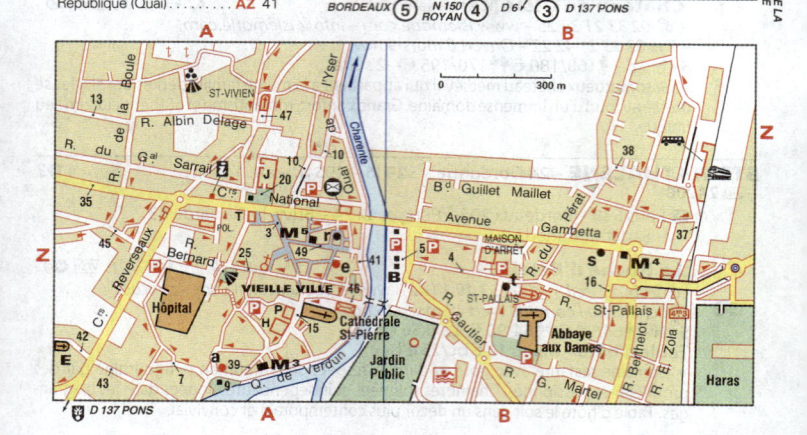

🏨 **Relais du Bois St-Georges** ⚜
r. de Royan, (D 137) – ✆ 05 46 93 50 99
– www.relaisdubois.com – info@relaisdubois.com – Fax 05 46 93 34 93
31 ch – †68/180 € ††74/360 €, ⚏ 19 €   Y d
Rest – Menu 42/135 € bc – Carte 59/84 €
Rest *La Table du Bois* – Menu (20 € bc), 26 € bc/32 € bc
♦ Bâti sur le site d'un ancien chai, cet hôtel propose des chambres personnalisées, parfois très originales : capitaine Némo, Tombouctou, Monte Cristo... Parc avec étang. La salle à manger rustique ouvre sur la nature. Ambiance cosy et formule bistrot à La Table du Bois.

🏨 **Des Messageries** sans rest
r. des Messageries – ✆ 05 46 93 64 99 – www.hotel-des-messageries.com – info@
hotel-des-messageries.com – Fax 05 46 92 14 34
34 ch – †59/81 € ††63/81 €, ⚏ 8 €   AZ r
♦ Près du quartier historique, ex-relais de diligences datant de 1792. Chambres en partie refaites dans un style actuel. Produits du terroir au petit-déjeuner. Accueil charmant.

🏨 **L'Avenue** sans rest
114 av. Gambetta – ✆ 05 46 74 05 91 – www.hoteldelavenue.com – contact@
hoteldelavenue.com – Fax 05 46 74 32 16 – Fermé 24 déc.-3 janv.   BZ s
15 ch – †45/69 € ††45/69 €, ⚏ 8 €
♦ Accueil souriant garanti dans cet immeuble des années 1970 bordant un axe passant. Les chambres, personnalisées et chaleureuses, donnent sur l'arrière et sont calmes.

SAINTES

XXX Le Saintonge AC P VISA MC AE ①
complexe Saintes-Végas, (La Champagne St-Georges) – ℰ *05 46 97 00 00*
– www.saintes-vegas.com – sasercol@wanadoo.fr – Fax 05 46 97 21 46 – Fermé dim. soir et lundi soir Y f
Rest – Menu (15 €), 25/45 € – Carte 60/69 €
♦ Dans le complexe de "Saintes-Vegas" (amphithéâtre, salons et discothèques), lumineuse salle de restaurant en rotonde au cadre plutôt élégant. Cuisine classique.

XX Le Bistrot Galant VISA MC AE
28 r. St-Michel – ℰ *05 46 93 08 51 – www.lebistrotgalant.com – bistrot.galant@club-internet.fr – Fax 05 46 90 95 58 – Fermé 1 sem. en mars, 15-31 oct., dim. et lundi* AZ e
Rest – Menu (14 €), 16/38 € – Carte 28/45 €
♦ Dans une rue calme, derrière une façade vitrée, deux petites salles à manger décorées dans les tons assez gais, où l'on propose une carte dans l'air du temps.

XX Saveurs de l'Abbaye avec ch ⛲ ↩ VISA MC
1 pl. St Palais – ℰ *05 46 94 17 91 – www.saveurs-abbaye.com – infos@saveurs-abbaye.com – Fax 05 46 94 47 54 – Fermé 22 sept.-5 oct., vacances de fév., dim. et lundi* BZ t
8 ch – †45 €, ††48 €, ⛛ 6 € – ½ P 59 €
Rest – Menu (16 €), 24/46 € – Carte 32/38 €
♦ Cette maison familiale, à deux pas de l'Abbaye aux Dames, offre un cadre actuel chaleureux (bois, tons chocolat). Cuisine associant produits régionaux, herbes et épices. Chambres modernes avec une touche de personnalisation ("Couleurs d'Asie", "Côté Mer"...).

X La Table de Marion AC ✂ VISA MC
10 pl. Blair – ℰ *05 46 74 16 38 – latabledemarion.unblog.fr – latabledemarion@orange.fr – Fermé mardi soir et merc.* AZ a
Rest – *(nombre de couverts limité, prévenir)* Menu (25 €), 37/47 € – Carte environ 58 €
♦ Sur une placette bordée par la Charente, restaurant contemporain où l'on prend place entre des murs en pierres. Cuisine créative évoluant au gré du marché ; vins bio.

à St-Sauvant 13 km à l'Est par ② et N 141 – 508 h. – alt. 18 m – ✉ 17610

🏠 Design Hôtel des Francs Garçons ⚡ ધ AC ↩ ✂ rest, ⃟ VISA MC AE
1 r. des Francs-Garçons – ℰ *05 46 90 33 93*
– www.francsgarçons.com – contact@francsgarcons.com
5 ch – †85/105 € ††85/105 €, ⛛ 12 € – 2 suites
Rest – *(dîner seult) (résidents seult)* Menu 25 €, 32/39 € – Carte 25/39 €
♦ Dans un village médiéval, maison rénovée par des architectes. Sur plusieurs niveaux : décor moderne, vieilles pierres, mobilier design, jeux de lumières. Piscine face à l'église.

à Thénac 10 km au Sud par ③ et D 6 – 1 214 h. – alt. 62 m – ✉ 17460

XX L'Atelier Gourmand de Jean-Yves ⛲ ✂ P VISA MC
41 r. de la République – ℰ *05 46 97 84 26 – www.l-ateliergourmand.fr – agjy@orange.fr – Fermé 5-19 janv., dim. soir et lundi*
Rest – Menu (21 € bc), 25 € bc (déj. en sem.), 28/65 € bc – Carte 40/50 €
♦ Installé dans les anciennes écuries d'un chai, ce restaurant affiche une belle convivialité. Cuisines ouvertes sur la salle joliment rustique ; terrasse face au parc.

STE-SABINE – 24 Dordogne – 329 F7 – 375 h. – alt. 133 m – ✉ 24440 4 C2
▶ Paris 565 – Bordeaux 130 – Périgueux 79 – Bergerac 32 – Villeneuve-sur-Lot 38

XX Étincelles-La Gentilhommière (Vincent Lucas) avec ch 🌿 🚗
ॐ *–* ℰ *05 53 74 08 79 – www.gentilhommiere-etincelles.com* ⛲ ⚡ ✂ ↩ VISA MC
– accueil@gentilhommiere-etincelles.com – Fermé vacances de la Toussaint, vacances de fév. et le soir du 15 sept. au 15 juin sauf dim.
4 ch ⛛ – †80/95 € ††85/100 € – ½ P 86/94 €
Rest – *(nombre de couverts limité, prévenir la veille)* Menu 30 € (déj.)/46 €
Spéc. Bourdaloue de foie gras aux noix. Magret de canard rôti au poivre de malabar. Salade d'asperges à la menthe poivrée et aux fraises mara des bois.
♦ Chaleureuse maison périgourdine : mariage du rustique et du contemporain, jardin aux arbres majestueux et belle cuisine du marché créative servie sous forme de menu unique (réservez la veille). Chambres personnalisées par thèmes (romantique, oriental, montagnard...).

STE-SAVINE – 10 Aube – 313 E4 – rattaché à Troyes

STES-MARIES-DE-LA-MER – 13 Bouches-du-Rhône – 340 B5 — 40 **A3**
– 2 478 h. – alt. 1 m ■ Provence

▶ Paris 778 – Marseille 129 – Nîmes 67 – Arles 39 – Istres 84
🛈 Office de tourisme, 5, avenue Van Gogh ℰ 04 90 97 82 55, Fax 04 90 97 71 15

Plan page ci-contre

Le Galoubet sans rest
rte de Cacharel – ℰ 04 90 97 82 17 – www.hotelgaloubet.com
– info@hotelgaloubet.com – Fax 04 90 97 71 20
– Fermé 7-26 déc. et 4 janv.-13 fév. B s
20 ch – †50/55 € ††55/72 €, ⇄ 6,50 €
♦ Ce sympathique hôtel familial abrite des chambres rustico-provençales ; au 1er étage, quatre ont un balcon avec vue dégagée sur la Réserve des Impériaux. Tenue méticuleuse.

Pont Blanc sans rest
chemin du Pont Blanc, par rte d'Arles – ℰ 04 90 97 89 11
– www.pont-blanc.camargue.fr – hotel.du.pont.blanc@wanadoo.fr
– Fax 04 90 97 87 00 – Fermé 20 nov.-27 déc. A z
15 ch – †48/58 € ††48/66 €, ⇄ 6 €
♦ Les chambres de ce petit mas blanc et fleuri encadrent les piscine et disposent d'une terrasse donnant sur la nature. Belle cabane de gardian au fond du jardin (deux duplex).

Le Mas des Salicornes
rte d'Arles – ℰ 04 90 97 83 41 – www.hotel-salicornes.com
– info@hotel-salicornes.com – Fax 04 90 97 85 70 – Fermé janv.-fév. A y
24 ch – †75/85 € ††75/85 €, ⇄ 8 €
Rest – (fermé 15 nov.-31 mars) (dîner seult)
Menu 28 € – Carte environ 27 €
♦ Constructions de plain-pied respectant le style local. Certaines chambres sont rénovées, six occupent une aile récente et toutes bénéficient de terrasses privatives. Restaurant au cadre rustico-provençal proposant un menu du jour d'inspiration régionale.

Le Fangassier sans rest
12 rte de Cacharel – ℰ 04 90 97 85 02 – www.fangassier.camargue.fr
– fangassier@camargue.fr – Fax 04 90 97 76 05 – Fermé 15 nov.-25 déc. et 4 janv.-26 fév. B e
22 ch – †42/58 € ††42/60 €, ⇄ 6,50 €
♦ Maison traditionnelle aux volets bleus et sobre cadre rustique. Au rez-de-chaussée, les chambres sur l'arrière ont une petite terrasse ; au 2e étage, elles sont mansardées.

Les Arcades sans rest
r. P. Herman – ℰ 04 90 97 73 10 – www.lesarcades.camargue.fr – contact@lesarcades.camargue.fr – Fax 04 90 97 75 23 – Ouvert 1er mars-11 nov. B n
17 ch – †44/60 € ††44/60 €, ⇄ 7 €
♦ Ce bâtiment récent en angle de rue, tout près du centre-ville, propose des chambres colorées très bien tenues (souvent refaites). Celles des étages sont plus amples. Prix doux.

rte du Bac du Sauvage 4 km au Nord-Ouest par D 38
– ✉ 13460 Les Stes-Maries-de-la-Mer

Le Mas de la Fouque
rte du Petit Rhône – ℰ 04 90 97 81 02
– www.masdelafouque.com – info@masdelafouque.com – Fax 04 90 97 96 84
– Ouvert 26 mars-14 nov.
24 ch – †220/230 € ††220/230 €, ⇄ 20 € – 6 suites **Rest** – Menu 50 €
♦ Cadre de rêve pour ce mas entouré d'étangs et isolé dans la Camargue. Spacieuses chambres raffinées. Héliport. Spa épuré. Restaurant au décor exotique et chic, ouvert sur le parc. Plats régionaux à base de produits naturels ou bio. Terrasse sous un gazebo balinais.

STES-MARIES-DE-LA-MER

Aubanel (R. Théodore) ...... **A** 2	
Bizet (R. Georges) .... **A** 6	
Carrière (R. Marcel) .... **B** 8	
Châteaubriand (R.) .... **A** 10	
Château d'eau (R. du) .... **A** 12	
Crin Blanc (R.) .... **A** 15	
Eglise (Pl. de l') .... **A** 17	
Espelly (R.) .... **A** 18	
Etang (R. de l') .... **A** 20	
Ferrade (R. de la) .... **B** 22	
Fouque (R. du Capitaine) .... **A** 23	
Gambetta (Av. Léon) .... **AB** 25	
Lamartine (Pl.) .... **A** 27	
Marquis-de-Baroncelli (Pl.) .. **A** 28	
Médina (R. François) .... **B** 29	
Pénitents Blancs (R. des) .... **A** 30	
Portalet (Pl.) .... **A** 32	
Razeteurs (R. des) .... **A** 34	

L'Estelle
rte Petit-Rhône, (D 38) – ℰ 04 90 97 89 01 – www.hotelestelle.com – reception @ hotelestelle.com – Fax 04 90 97 80 36 – Ouvert 28 mars-21 nov. et 19 déc.-3 janv.
19 ch ⊐ – †175/230 € – ††190/390 € – 1 suite – ½ P 135/235 €
Rest – *(fermé lundi midi et mardi midi)* Menu 40/85 € – Carte 57/98 €
◆ Ravissant jardin et confortables chambres provençales avec vue sur la piscine à débordement ou les étangs : un hôtel plein de charme, au bord du Petit-Rhône. Cuisine actuelle servie dans le cadre cossu du restaurant ou sur une charmante terrasse. Espace bistrot.

STES-MARIES-DE-LA-MER
rte d'Arles Nord-Ouest par D 570 – ✉ 13460 Les Stes-Maries-de-la-Mer

Le Pont des Bannes
rte d'Arles, à 1 km – ℰ 04 90 97 81 09 – www.pontdesbannes.net – contact@pontdesbannes.net – Fax 04 90 97 89 28 – Fermé 1er fév.-8 mars
27 ch ⇌ – †133/173 € ††133/173 €
Rest – Carte 45/62 €

♦ Hôtel de caractère dont les chambres, d'esprit rustique ou contemporain, sont logées dans des cabanes de gardians au milieu des marais. Centre équestre. Tomettes, poutres, cheminée et baies vitrées ouvertes sur la piscine composent le cadre du restaurant.

Mas Ste-Hélène
à 800 m. – ℰ 04 90 97 83 29 – www.lodge-saintehelene.com – contact@lodge-saintehelene.com – Fax 04 90 97 89 28
13 ch ⇌ – †133/173 € ††133/173 €

♦ Le Mas Ste-Hélène, situé sur une presqu'île de l'étang des Launes, abrite des chambres avec terrasse idéale pour observer la faune et la flore. Accueil au Pont des Bannes.

Les Rizières sans rest
rte d'Arles, à 2,5 km – ℰ 04 90 97 91 91 – www.lesrizieres-camargue.com – contact@lesrizieres-camargue.com – Fax 04 90 97 70 77 – Fermé 15 nov.-1er fév.
27 ch – †78/108 € ††78/108 €, ⇌ 8 €

♦ Les chambres se répartissent autour du patio. L'ensemble, à l'instar du hall et de la salle des petits-déjeuners, est progressivement rénové. Décoration actuelle ou rustique.

Hostellerie du Pont de Gau avec ch
à 5 km – ℰ 04 90 97 81 53 – www.hotelpontdegau.com
– hotellerie-du-pont-de-gau@wanadoo.fr – Fax 04 90 97 98 54 – Fermé merc. du 15 nov. à Pâques sauf vacances scolaires
9 ch – †53 € †† €, ⇌ 8,50 €
Rest – Menu 23/55 € – Carte 48/62 €

♦ À côté du Parc ornithologique, salle à manger avec poutres apparentes, cheminée et trompe-l'œil, et agréable véranda aux tons bleu et blanc. Goûteux plats du terroir.

Ce guide vit avec vous : vos découvertes nous intéressent. Faites-nous part de vos satisfactions comme de vos déceptions. Coup de colère ou coup de cœur : écrivez-nous !

STE-VERGE – 79 Deux-Sèvres – **322** E3 – **rattaché à Thouars**

LES SAISIES – 73 Savoie – **333** M3 – **Sports d'hiver : 1 600/1 870 m**   45 **D1**
⚶24 – ✉ 73620

▶ Paris 597 – Albertville 29 – Annecy 61 – Bourg-St-Maurice 53
  – Chamonix-Mont-Blanc 55 – Megève 23
🛈 Office de tourisme, avenue des Jeux Olympiques ℰ 04 79 38 90 30, Fax 04 79 38 96 29

Le Calgary
– ℰ 04 79 38 98 38 – www.hotelcalgary.com – contact@hotelcalgary.com
– Fax 04 79 38 98 00 – Ouvert 21 juin-30 août et 12 déc.-25 avril
39 ch – †102/122 € ††139/189 €, ⇌ 14 € – 1 suite – ½ P 107/134 €
Rest – (fermé le midi sauf en janv., mars et avril)
Menu (19 €), 27 € (dîner)/42 € – Carte 32/42 € dîner seulement

♦ Chalet à la tyrolienne dont le nom rappelle les exploits de F. Piccard, l'enfant du pays, aux JO de 1988. Espace, confort et bois blond dans les chambres rénovées. Sauna, hammam. Cuisine classique et plats savoyards servis dans une grande salle à manger.

SALBRIS – 41 Loir-et-Cher – **318** J7 – 5 836 h. – alt. 104 m – ⊠ 41300　　　12 **C2**
Châteaux de la Loire

▶ Paris 187 – Blois 65 – Bourges 62 – Montargis 102 – Orléans 64 – Vierzon 24
ℹ Office de tourisme, 1, rue du Général Giraud ✆ 02 54 97 22 27, Fax 02 54 97 22 27
de Nançay à Nançay Domaine de Samord, SE : 15 km, ✆ 02 48 51 86 55

Domaine de Valaudran
Sud-Ouest : 1,5 km par rte Romorantin – ✆ 02 54 97 20 00
– www.hotelvaladran.com – info@hotelvaladran.com – Fax 02 54 97 12 22
– Fermé 19 déc.-6 janv., mi-fév. à mi mars et dim. de sept. à mai
32 ch – †72/106 € ††95/110 €, ⇌ 13 €
Rest – *(fermé lundi midi et dim. de sept. à mai et sam. midi)*
Menu (27 €), 32 € (sem.)/55 €
♦ Laissez-vous charmer par cette gentilhommière du 19ᵉ s., son vaste parc et sa piscine, propices au farniente. Chambres fraîches et actuelles (certaines mansardées). Au restaurant, les spécialités portent les couleurs de la Sologne et honorent les produits du potager.

Le Parc
8 av. d'Orléans – ✆ 02 54 97 18 53 – www.leparcsalbris.com – reservation@leparcsalbris.com – Fax 02 54 97 24 34 – Fermé 11 janv.-2 fév.
23 ch – †58/74 € ††70/92 €, ⇌ 12 €
Rest – *(fermé lundi midi, sam. midi et dim. du 15 oct. au 30 avril)*
Menu (15 €), 24/45 € – Carte 37/56 €
♦ Grande demeure bourgeoise entourée d'un jardin arboré. La décoration des chambres reste sobre et profite de fréquentes rénovations. Salons agréables. Le chef mitonne une cuisine maison fleurant bon la tradition et potagère en saison. Cadre rustique ; terrasse.

SALERS – 15 Cantal – **330** C4 – 368 h. – alt. 950 m – ⊠ 15140　　　5 **B3**
Auvergne

▶ Paris 509 – Aurillac 43 – Brive-la-Gaillarde 100 – Mauriac 20 – Murat 43
ℹ Office de tourisme, place Tyssandier d'Escous ✆ 04 71 40 70 68, Fax 04 71 40 70 94

◉ Grande-Place★★ - Église★ - Esplanade de Barrouze ≤★.

Le Bailliage
r. Notre-Dame – ✆ 04 71 40 71 95 – www.salers-hotel-bailliage.com – info@salers-hotel-bailliage.com – Fax 04 71 40 74 90 – Fermé 15 nov.-6 fév.
24 ch – †49/65 € ††70/95 €, ⇌ 11 € – 3 suites – ½ P 65/95 €
Rest – *(fermé lundi midi d'oct. à avril)* Menu (16 €), 23/43 € – Carte 28/52 €
♦ Cette demeure régionale propose de grandes chambres personnalisées et rénovées avec goût ; elles ont vue sur le jardin ou la campagne. Chaleureuse salle de restaurant et jolie terrasse pour déguster une appétissante cuisine auvergnate.

Demeure de Jarriges
à 300 m – Fermé 15 nov.-6 fév.
26 ch – †49/65 € ††65/140 €, ⇌ 10 € – ½ P 65/120 €
♦ Chambres cosy, où règne une atmosphère de maison de famille et jardin verdoyant, idéal pour le farniente.

Le Gerfaut sans rest
rte de Puy Mary, 1 km au Nord-Est par D 680 – ✆ 04 71 40 75 75
– www.salers-hotel-gerfaut.com – info@salers-hotel-gerfaut.com
– Fax 04 71 40 73 45 – Ouvert de mars à oct.
25 ch – †50/80 € ††50/86 €, ⇌ 9 €
♦ Sur les hauteurs du bourg, hôtel moderne et fonctionnel où vous dormirez paisiblement. Les chambres, refaites et dotées de balcons ou de terrasses, donnent sur la vallée.

Saluces sans rest
r. Martille – ✆ 04 71 40 70 82 – www.hotel-salers.fr – contact@hotel-salers.fr
– Fax 04 71 40 71 70 – Fermé 12 nov.-20 déc.
8 ch – †60/95 € ††60/95 €, ⇌ 10 €
♦ Chambres simples et raffinées, mobilier chiné, petit-déjeuner sous le marronnier ou face au beau cantou du salon, etc. : le tout dans l'ex-propriété du marquis de Lur Saluces.

SALERS

à Fontanges 5 km au Sud par D 35 – 228 h. – alt. 692 m – ✉ 15140

Auberge de l'Aspre 🌿 ≤ 🚗 🈶 🏊 **P** VISA ⓜ AE ⓓ
– ℘ 04 71 40 75 76 – www.auberge-aspre.com – auberge-aspre@wanadoo.fr
– Fax 04 71 40 75 27 – Fermé 15 nov.-15 mars, dim. soir, merc. soir, lundi d'oct.
à mai et lundi midi, vend. midi de juin à sept.
8 ch – †55 € ††55 €, ⊆ 8 € – ½ P 59 €   **Rest** – Menu 19/30 € – Carte 25/45 €
♦ En pleine nature, ancienne ferme dont les chambres, actuelles et colorées, possèdent d'originales salles de bains en mezzanine. Carte régionale servie dans une salle à manger rustique complétée d'une véranda ouverte sur le jardin et d'une terrasse abritée.

au Theil 6 km au Sud-Ouest par D 35 et D 37 – ✉ 15140 St-Martin-Valmeroux

Hostellerie de la Maronne 🌿   ≤ 🚗 🏊 📶 AC 🐾 rest, "📶" **P**
– ℘ 04 71 69 20 33 – www.maronne.com   VISA ⓜ AE ⓓ
– maronne@maronne.com – Fax 04 71 69 28 22 – Ouvert 4 avril-3 nov.
17 ch – †100/200 € ††100/200 €, ⊆ 14 € – 4 suites
Rest – (Fermé le midi sauf dim.) Menu 38 €, 48/58 €
♦ En pleine campagne, ensemble de caractère (19ᵉ s.) posé dans son écrin végétal. Chambres et communs rajeunis, piscine-belvédère, tennis et jardin soigné. Table élégante, avec la nature cantalienne en toile de fond. Cuisine actuelle faite par le fils du patron.

SALIES-DE-BÉARN – 64 Pyrénées-Atlantiques – **342** G4 – 4 759 h.   3 **B3**
– alt. 50 m – Stat. therm. : début mars-mi déc. – Casino – ✉ 64270
Aquitaine

▶ Paris 762 – Bayonne 60 – Dax 36 – Orthez 17 – Pau 64 – Peyrehorade 26
🛈 Office de tourisme, rue des Bains ℘ 05 59 38 00 33, Fax 05 59 38 02 95
◉ Sauveterre-de-Béarn : site★, ≤★★ du vieux pont, S : 10 km.

Maison Léchémia 🌿   🚗 ⇔ 🐾 **P**
quartier du Bois, 3 km au Nord-Ouest par rte de Caresse et rte secondaire –
℘ 05 59 38 08 55 – www.gites64.com/maison-lechemia – contact@
chambresdhoteslechemia.com – Fax 05 59 38 08 55
3 ch ⊆ – †40 € ††55/65 € – ½ P 46 €   **Table d'hôte** – Menu 25 € bc
♦ Cette ferme isolée dans la campagne conjugue accueil chaleureux et confort. Petites chambres décorées avec goût ; celle qui possède une mezzanine est idéale pour les familles. Au menu, produits du jardin servis sur la terrasse ou devant la cheminée.

La Demeure de la Presqu'île   🚗 🈶 🚙
22 av. des Docteurs-Foix – ℘ 05 59 38 06 22 – www.demeurepresquile.com
– info@demeurepresquile.com – Fax 05 59 38 06 22
5 ch ⊆ – †70 € ††70 € – ½ P 95 €   **Table d'hôte** – Menu 28 €
♦ Cette belle demeure entourée d'un parc, près du centre-ville, dispose de chambres spacieuses, garnies de meubles anciens, et de suites familiales. À la table d'hôte, repas concoctés par un ancien pâtissier et servis, si le temps le permet, sous un magnifique magnolia.

à Castagnède 8 km au Sud-Ouest par D 17, D 27 et D 384 – 199 h. – alt. 38 m
– ✉ 64270

La Belle Auberge avec ch   🚗 🈶 🏊 🐾 ch, **P** VISA ⓜ
– ℘ 05 59 38 15 28 – Fax 05 59 65 03 57 – Fermé 1ᵉʳ-14 juin et 14 déc.-31 janv.
14 ch – †42/46 € ††46/48 €, ⊆ 7 € – ½ P 46 €
Rest – (fermé dim. soir et lundi soir sauf juil.-août) Menu 13/24 € – Carte 17/40 €
♦ Ce paisible hameau du Béarn abrite une sympathique auberge au cadre campagnard où l'on sert une copieuse cuisine du terroir. Chambres sobres. Belle piscine et jardin fleuri.

SALIES-DU-SALAT – 31 Haute-Garonne – **343** D6 – 1 943 h.   28 **B3**
– alt. 300 m – Stat. therm. : début avril-fin oct. – Casino – ✉ 31260
Midi-Pyrénées

▶ Paris 751 – Bagnères-de-Luchon 73 – St-Gaudens 27 – Toulouse 79
🛈 Office de tourisme, boulevard Jean Jaurès ℘ 05 61 90 53 93,
Fax 05 61 90 49 39

SALIES-DU-SALAT

🏠 **Du Parc** sans rest
6 r. d'Austerlitz – ℰ 05 61 90 51 99 – www.hotelduparcsaliesdusalat.com
– philippe.robic1@orange.fr – Fax 05 61 90 43 07 – Fermé vacances de Printemps
et 23 déc.-3 janv.
21 ch – †42 € ††49 €, ⊇ 7 €
♦ Dans le parc du casino, construction bien entretenue datant des années 1920. Chambres pratiques et insonorisées. Formule buffet au petit-déjeuner, service en terrasse l'été.

SALIGNAC-EYVIGUES – 24 Dordogne – **329** I6 – 1 128 h. 4 **D1**
– alt. 297 m – ⊠ 24590 Périgord

▶ Paris 509 – Brive-la-Gaillarde 34 – Cahors 84 – Périgueux 70
– Sarlat-la-Canéda 18

🛈 Syndicat d'initiative, pl. du 19 Mars 1962 ℰ 05 53 28 81 93, Fax 05 53 28 85 26

au Nord-Ouest 3 km par D 62^B et rte secondaire – ⊠ 24590 Salignac-Eyvigues

✕✕ **La Meynardie**
– ℰ 05 53 28 85 98 – lameynardie24@wanadoo.fr – Fax 05 53 28 82 79
– Ouvert avril-oct. et fermé mardi et merc.
Rest – Menu (13 €), 23/38 € – Carte 35/50 €
♦ Poutres, pierres, sol en galets et cheminée datée de 1603 composent le cadre rustique d'origine de cette ferme périgourdine isolée dans la campagne. Terrasse sous la treille.

SALINS-LES-BAINS – 39 Jura – **321** F5 – 3 045 h. – alt. 340 m 16 **B2**
– Stat. therm. : fin fév.-début déc. – Casino – ⊠ 39110 Franche-Comté Jura

▶ Paris 419 – Besançon 41 – Dole 43 – Lons-le-Saunier 52 – Poligny 24
– Pontarlier 46

🛈 Office de tourisme, place des Salines ℰ 03 84 73 01 34, Fax 03 84 37 92 85
◉ Site ★ - Fort Belin ★.

🏨 **Grand Hôtel des Bains**
pl. des Alliés – ℰ 03 84 37 90 50 – www.hotel-des-bains.fr – hotel.bains@
wanadoo.fr – Fax 03 84 37 96 80
31 ch – †66/88 € ††66/88 €, ⊇ 10 € – ½ P 59/71 €
Rest – Menu 20/30 € – Carte 32/49 €
♦ Nouvelle décoration contemporaine pour cet hôtel de 1860 abritant un superbe salon classé. Chambres fonctionnelles, piscine thermale et fitness indépendant. Salle à manger moderne et cuisine à composantes régionales. Espace brasserie pour un repas plus simple.

🏨 **Charles Sander** sans rest
26 r. de la République – ℰ 03 84 73 36 40 – www.residencesander.com
– residencesander@wanadoo.fr – Fax 03 84 73 36 46
14 ch – †60/95 € ††65/95 €, ⊇ 8,50 €
♦ Belle maison ancienne dotée de chambres neuves et chaleureuses (une seule sans cuisinette). Les amateurs de vins régionaux feront une halte à l'épicerie fine du rez-de-chaussée.

SALLANCHES – 74 Haute-Savoie – **328** M5 – 15 200 h. – alt. 550 m 46 **F1**
– ⊠ 74700 Alpes du Nord

▶ Paris 585 – Annecy 72 – Bonneville 29 – Chamonix-Mont-Blanc 28 – Megève 14

🛈 Office de tourisme, 32, quai de l'Hôtel de Ville ℰ 04 50 58 04 25,
Fax 04 50 58 38 47

◉ ✻★★ sur le Mt-Blanc - Chapelle de Médonnet : ✻★★ - Cascade d'Arpenaz★
N : 5 km.

🏨 **Hostellerie des Prés du Rosay**
285 rte de Rosay – ℰ 04 50 58 06 15 – www.lespresdurosay.com
– contact@hotellerie-pres-du-rosay.com – Fax 04 50 58 48 70
15 ch – †71/75 € ††83/88 €, ⊇ 9 € – ½ P 75/80 €
Rest – (fermé 3-10 mai, 1er-8 nov., 1er-7 janv., sam. et dim.)
Menu 18 € (sem.)/28 € – Carte 36/46 €
♦ Chalet contemporain situé dans un quartier résidentiel. Les chambres, simples et fonctionnelles (literie récente, système wi-fi), ouvrent sur la campagne alpine. Au restaurant, décor coquet, vue bucolique sur les prés et cuisine traditionnelle.

1759

SALLANCHES

Auberge de l'Orangerie
carrefour de la Charlotte, 2,5 km par rte Passy (D 13) – ℰ 04 50 58 49 16
– http://perso.wanadoo.fr/auberge-orangerie – orangerie74@orange.fr
– Fax 04 50 58 54 63 – Fermé 20 juin-10 juil.
18 ch – ✝55/65 € ✝✝65/75 €, ⍁ 10 €
Rest – *(fermé 20 juin-10 juil., 5-25 janv. et dim. soir) (dîner seult sauf dim.)*
Menu 25 € (dîner en sem.) – Carte 41/60 €

♦ Accueil charmant et chambres douillettes à choisir dans l'unité principale ou à la nouvelle annexe, dont les balcons sont braqués vers le Mont-Blanc. Espace bien-être. À table, convivialité, cuisine traditionnelle et spécialités locales.

Le St-Julien
53 r. Chenal – ℰ 04 50 58 02 24 – Fermé vacances de printemps, de la
Toussaint, dim. soir, lundi et merc.
Rest – Menu (26 €), 24/40 € – Carte 41/48 €

♦ Avenante façade fleurie en été. Salle à manger entièrement lambrissée d'épicéa, où l'on sert une cuisine axée sur les produits de saison assortie de quelques plats régionaux.

SALLES-LA-SOURCE – 12 Aveyron – **338** H4 – 1 912 h. – alt. 450 m   29 **C1**
– ✉ 12330 ▌ Midi-Pyrénées

▶ Paris 670 – Toulouse 160 – Rodez 13 – Villefranche-de-Rouergue 71
 – Onet-le-Château 11

Gîtes de Cougousse
r. du Père Colombier, à Cougousse 4 km au Nord Ouest par D 901 –
ℰ 05 65 71 85 52 – www.gites.cougousse.free.fr – gites.de.cougousse@
wanadoo.fr – Ouvert 1er avril-15 oct.
4 ch ⍁ – ✝50 € ✝✝55 €
Table d'hôte – *(fermé lundi soir, merc. soir et sam. soir)* Menu 20 € bc

♦ Belle et grande demeure du 15e s. agrémentée par ses jardin, rivière et potager. Chambres calmes et personnalisées, salon rustique aménagé dans l'ancienne cuisine. Table d'hôte.

LES SALLES-SUR-VERDON – 83 Var – **340** M3 – 202 h. – alt. 440 m   41 **C2**
– ✉ 83630 ▌ Alpes du Sud

▶ Paris 790 – Brignoles 57 – Draguignan 49 – Digne-les-Bains 60
 – Manosque 62
☐ Office de tourisme, place Font Freye ℰ 04 94 70 21 84, Fax 04 94 84 22 57
◉ Lac de Ste-Croix★★.

Auberge des Salles sans rest
18 r. Ste-Catherine – ℰ 04 94 70 20 04 – www.var-provence.com
– auberge.des.salles@wanadoo.fr – Fax 04 94 70 21 78 – Ouvert 16 avril-5 oct.
30 ch – ✝55/75 € ✝✝55/75 €, ⍁ 7 €

♦ Paisible hôtel surplombant les rives du lac de Ste-Croix. Mobilier rustique et carrelage dans les chambres, presque toutes dotées de balcon. Jardin avec piscine.

SALON-DE-PROVENCE – 13 Bouches-du-Rhône – **340** F4   40 **B3**
– 39 900 h. – alt. 80 m – ✉ 13300 ▌ Provence

▶ Paris 720 – Aix-en-Provence 37 – Arles 46 – Avignon 50 – Marseille 54
☐ Office de tourisme, 56, cours Gimon ℰ 04 90 56 27 60, Fax 04 90 56 77 09
▦ de Miramas à Miramas Mas de Combe, SO : 10 km, ℰ 04 90 58 56 55
▦ Pont Royal Country Club à Mallemort Domaine de Pont Royal, NE : 16 km par D 538 et D 17, ℰ 04 90 57 40 79
◉ Musée de l'Empéri★★.

Plan page ci-contre

Angleterre sans rest
98 cours Carnot – ℰ 04 90 56 01 10 – www.hotel-dangleterre.biz
– hoteldangleterre@wanadoo.fr – Fax 04 90 56 71 75 – Fermé 20 déc.-6 janv.
26 ch – ✝47/52 € ✝✝52/64 €, ⍁ 7 €   AY **b**

♦ La proximité des musées fait de cet hôtel une étape bien pratique. Chambres rafraîchies (certaines sont climatisées), salle des petits-déjeuners sous coupole vitrée.

SALON-DE-PROVENCE

Ancienne Halle (Pl.)	**BY** 2
Capucins (Bd des)	**BZ** 3
Carnot (Cours)	**AY** 4
Centuries (Pl. des)	**BY** 6
Clemenceau (Bd Georges)	**AY** 7
Coren (Bd Léopold)	**AY** 8
Craponne (Allées de)	**BZ** 10
Crousillat (Pl.)	**BY** 12
Farreyroux (Pl.)	**BZ** 13
Ferrage (Pl.)	**BZ** 14
Fileuses de Soie (R. des)	**AY** 15
Frères J. et R.-Kennedy (R. des)	**AY**
Gambetta (Pl.)	**BZ** 18
Gimon (Cours)	**BZ**
Horloge (R. de l')	**BY** 20
Ledru-Rollin (Bd)	**AY** 22
Massenet (R.)	**AY** 23
Médicis (Pl. C. de)	**BZ** 24
Mistral (Bd Frédéric)	**BY** 26
Moulin d'Isnard (R.)	**BY** 27
Nostradamus (Bd)	**AY** 28
Pasquet (Bd)	**BZ** 30
Pelletan (Cours Camille)	**AY** 32
Raynaud-d'Ursule (R.)	**BZ** 34
République (Bd de la)	**AY** 33
St-Laurent (Square)	**BY** 35
Victor-Hugo (Cours)	**BY** 38

XXX Le Mas du Soleil avec ch
38 chemin St-Côme, (Est par D 17 - BY) – ℰ 04 90 56 06 53
– www.lemasdusoleil.com – mas.du.soleil.@wanadoo.fr – Fax 04 90 56 21 52
10 ch – ♦115/280 € ♦♦115/280 €, ⊇ 15 € – ½ P 105/195 €
Rest – *(fermé dim. soir et lundi sauf fériés)* Menu 33 € (sem.)/82 € – Carte 55/80 €

◆ Villa méridionale où l'on goûte des plats aux saveurs du Sud dans un cadre moderne et lumineux, face au jardin. Certaines des confortables chambres regardent aussi la verdure.

XX Le Craponne
146 allées de Craponne – ℰ 04 90 53 23 92 – Fermé 24 août-15 sept.,
24 déc.-4 janv., dim. soir, merc. soir et lundi
Rest – Menu (15 €), 24/37 € – Carte 38/56 €

BZ **m**

◆ L'enseigne évoque le bienfaiteur de la Crau. Boiseries sombres, murs jaune citron et mobilier campagnard. À la belle saison, repas dans une courette fleurie. Accueil familial.

au Nord-Est 5 km par D 17 BY puis D 16 – ⌧ 13300 Salon-de-Provence

Abbaye de Sainte-Croix
rte du Val de Cuech – ℰ 04 90 56 24 55 – www.relais
chateaux.com/saintecroix – saintecroix@relaischateaux.com – Fax 04 90 56 31 12
– Fermé de mi-déc. à mi-janv., mi-fév. à mi-mars et di. soir, mi-nov. de nov. à mars
21 ch – ♦149/377 € ♦♦149/377 €, ⊇ 24 € – 4 suites – ½ P 165/286 €
Rest – *(fermé du lundi au vend. en oct. et avril et ouvert uniquement le sam. soir de nov. à mars)* Menu 51 € (déj. en sem.), 78/120 € – Carte 78/137 €

◆ Au sein d'un parc isolé dans la garrigue, abbaye du 12ᵉ s. dominant Salon. Chambres actuelles ou ex-cellules d'esprit rustique. Salle à manger provençale et terrasse panoramique ombragée. Cuisine au goût du jour le soir, choix plus limité à midi.

à la Barben 8 km au Sud-Est par ②, D 572 et D 22ᴱ – 649 h. – alt. 105 m – ⌧ 13330

XX La Touloubre avec ch
29 chemin Salatier – ℰ 04 90 55 16 85 – www.latouloubre.com – latouloubre@
wanadoo.fr – Fax 04 90 55 17 99
12 ch – ♦65/85 € ♦♦65/85 €, ⊇ 8 € – ½ P 64/74 €
Rest – Menu 19 € (sem.)/42 € – Carte 38/60 €

◆ Les nouveaux propriétaires ont paré la Touloubre des couleurs du Sud : coquet cadre provençal, délicieuse terrasse sous les platanes, généreuse cuisine régionale… Une réussite ! Chambres joliment refaites et personnalisées.

SALON-DE-PROVENCE
au Sud 5 km par ②, N 538, N 113 et D 19 (direction Grans) – ⊠ 13250 Cornillon-Confoux

Devem de Mirapier sans rest
rte de Grans – ℰ 04 90 55 99 22 – www.mirapier.com – contact@mirapier.com – Fax 04 90 55 86 14 – Fermé 1er nov.-15 janv., sam. et dim. du 15 oct. au 15 mars
15 ch – †82/98 € ††102/138 €, ⊆ 10 € – 2 suites
♦ Adresse au calme au milieu des pins et de la garrigue. On profite des chambres coquettes et rafraîchies. Les "plus" : une agréable terrasse devant la piscine et un salon-billard.

SALT-EN-DONZY – 42 Loire – 327 E5 – rattaché à Feurs

SALVAGNAC – 81 Tarn – 338 C7 – 984 h. – alt. 231 m   29 C2

▶ Paris 657 – Albi 44 – Montauban 33 – Toulouse 49
🛈 Office de tourisme, les Sourigous ℰ 05 63 33 57 84, Fax 05 63 33 58 78

Le Relais des Deux Vallées
Grand'rue – ℰ 05 63 33 61 90 – www.tarn-hotel.com – relais-deux-vallees@wanadoo.fr – Fax 05 63 33 61 91 – Fermé 26 août-2 sept. et 2-10 janv.
10 ch – †42 € ††46 €, ⊆ 6 € – ½ P 50 €
Rest – (fermé lundi) Menu 11 € bc (déj. en sem.), 18/35 € – Carte 25/51 €
♦ Petit hôtel familial situé sur la place du village. Chambres mignonnettes, garnies de meubles en bois ou en fer forgé ; certaines bénéficient d'une terrasse. La salle à manger ouvre ses baies vitrées sur la campagne. Cuisine traditionnelle simple et goûteuse.

SAMATAN – 32 Gers – 336 H9 – 2 130 h. – alt. 170 m – ⊠ 32130   28 B2

▶ Paris 703 – Auch 37 – Gimont 18 – L'Isle-Jourdain 21 – Rieumes 206
🛈 Office de tourisme, 3, rue du chamoine Dieuzaide ℰ 05 62 62 55 40, Fax 05 62 62 50 26
🏌 du Château de Barbet à Lombez Route de Sauveterre, SO : 5 km, ℰ 05 62 66 44 49

Au Canard Gourmand avec ch
La Rente, par D 632 – ℰ 05 62 62 49 81 – www.aucanardgourmand.com – contact@aucanardgourmand.com – Fermé merc. midi, lundi soir et mardi
5 ch – †65/85 € ††75/120 €, ⊆ 12 € – ½ P 82/92 €
Rest – (nombre de couverts limité, prévenir)
Menu (26 €), 35/40 € bc – Carte environ 48 €
♦ Cuisine régionale à déguster dans un cadre mêlant habilement touches design et couleurs vives. Aux beaux jours, la salle s'ouvre sur la terrasse et le jardin fleuri. Chambres confortables décorées dans un esprit cosy pimenté de notes africaines.

Côté Sud
2 bis pl. Fontaine – ℰ 05 62 62 63 29 – www.restaurant-cote-sud.com – contact@restaurant-cote-sud.com – Fax 05 62 62 35 05 – Fermé 1 sem. en mai, vacances de la Toussaint, dim. soir d'oct. à avril, mardi et merc.
Rest – Menu 13 € bc – Carte 35/47 €
♦ Élégant restaurant mariant briques rouges, poutres apparentes, tables en bois ciré, bibliothèque et objets décoratifs choisis. Recettes actuelles et accueil aux petits soins.

LE SAMBUC – 13 Bouches-du-Rhône – 340 D4 – ⊠ 13200   40 A3

▶ Paris 742 – Arles 25 – Marseille 117 – Stes-Marie-de-la-Mer 50
– Salon-de-Provence 68

Le Mas de Peint
2,5 km par rte Salins – ℰ 04 90 97 20 62 – www.masdepeint.com – hotel@masdepeint.net – Fax 04 90 97 22 20 – Ouvert 20 mars-12 nov. et 19 déc.-5 janv.
11 ch – †235/410 € ††235/410 €, ⊆ 22 € **Rest** – (fermé mardi midi, jeudi midi et merc.) (nombre de couverts limité, prévenir) Menu 42 € (déj.), 52/62 €
♦ Dans un vaste domaine, ce superbe mas du 17e s. cultive avec passion les traditions camarguaises. Chambres douillettes ; jardin avec piscine ; centre équestre, arènes privées. Cuisine "rétro-chic" où le chef réalise sous vos yeux d'appétissants petits plats du terroir.

SAMER – 62 Pas-de-Calais – **301** D4 – **3 377 h.** – alt. 70 m – ✉ 62830   30 **A2**
- ▸ Paris 244 – Lille 132 – Arras 112 – Calais 50 – Boulogne-sur-Mer 17
- **☑** Office de tourisme, rue de Desvres ✆ 03 21 87 10 42, Fax 03 21 06 01 90

XX **Le Clos des Trois Tonneaux**   ❦ ⇔ 𝗩𝗜𝗦𝗔 ⓶ 𝔸𝔼
73 r. de Montreuil – ✆ *03 21 92 33 33* – *www.leclosdestroistonneaux.com*
– *leclosdes3tonneaux@orange.fr* – *Fax 03 21 30 50 94* – *Fermé 4-26 janv., sam.*
midi, dim. soir et lundi
Rest – Menu (17 €), 22/45 € – Carte 45/57 €
◆ L'ancienne distillerie, sur trois niveaux, de n'a rien perdu de son caractère, elle s'est juste modernisée avec succès. Salon feutré dans la cave voûtée. Cuisine actuelle, bons vins.

SAMOËNS – 74 Haute-Savoie – **328** N4 – **2 332 h.** – alt. 710 m   46 **F1**
– **Sports d'hiver** : 720/2 480 m ⛷ 8 ✦ 70 ⛷ – ✉ 74340 ▮ **Alpes du Nord**
- ▸ Paris 581 – Annecy 75 – Chamonix-Mont-Blanc 60 – Genève 53
  – Thonon-les-Bains 56
- **☑** Office de tourisme, gare routière ✆ 04 50 34 40 28, Fax 04 50 34 95 82
- ◉ Place du Gros Tilleul ★ - Jardin alpin Jaÿsinia ★.
- ⚑ La Rosière ≤ ★★ N : 6 km - Cascade du Rouget ★★ S : 10 km - Cirque du Fer à Cheval ★★ E : 13 km.

🏨 **Neige et Roc**   ≤ 🍽 🏠 🏊 𝗟𝗮 ✂ 🛌 🖴 ❦ ﹙﹚ ≈ **P** 𝗩𝗜𝗦𝗔 ⓶ 𝔸𝔼
rte de Taninges – ✆ *04 50 34 40 72* – *www.neigeetroc.com* – *resa@neigeetroc.com* – *Fax 04 50 34 14 48* – *Ouvert 13 juin-20 sept. et 19 déc.-11 avril*
50 ch – †80/160 € ††100/160 €, ⛌ 14 € – ½ P 74/140 €
Rest – Menu 23 € (déj. en sem.)/50 € – Carte 50/60 €
◆ Grand chalet abritant des chambres douillettes dotées de balcons. Un autre bâtiment héberge de jolis studios avec cuisinette. Piscines d'été et d'hiver ; espace bien-être. Vaste salle à manger-véranda rustique (poutres, bois blond, pierres). Carte régionale.

🏨 **Les Glaciers**   🍽 🏠 🏊 𝗟𝗮 ✂ 🛌 🖴 ❦ rest, ﹙﹚ ≈ **P** 𝗩𝗜𝗦𝗔 ⓶ 𝔸𝔼 ⓞ
– ✆ *04 50 34 40 06* – *www.hotel-les-glaciers.com* – *contact@hotel-les-glaciers.com*
– *Fax 04 50 34 16 75* – *Ouvert 16 juin-8 sept. et 21 déc.-14 avril*
42 ch – †100/120 € ††110/130 €, ⛌ 15 € – ½ P 100/120 €
Rest – *(dîner seult en hiver)* Menu 23 € – Carte 41/52 €
◆ Imposante bâtisse du centre de la station. Boiseries claires et meubles en pin dans les chambres ; équipements de loisirs complets. Lac privé à 6 km : pêche et jet-ski. Ample restaurant à l'ambiance "pension de famille". Cuisine d'inspiration régionale.

🏠 **Edelweiss** ✿   ≤ 🏠 ﹙﹚ **P** 𝗩𝗜𝗦𝗔 ⓶ 𝔸𝔼
La Piaz, 1,5 km au Nord-Ouest par rte de Plampraz – ✆ *04 50 34 41 32*
– *www.edelweiss-samoens.com* – *hotel-edelweiss@wanadoo.fr*
– *Fax 04 50 34 18 75* – *Fermé 13-30 avril, 28 juin-10 juil. et 24 oct.-21 nov.*
20 ch – †55/72 € ††68/85 €, ⛌ 8,50 € – ½ P 60/70 €
Rest – *(fermé 13 avril-20 mai, 28 juin-10 juil. et 26 sept.-19 déc.) (dîner seult)*
Menu 23 €, 25/46 € – Carte 33/44 €
◆ L'edelweiss figure parmi les 5 000 espèces du jardin alpin créé par Mme Cognacq-Jay et situé à proximité de ce chalet-hôtel simple et confortable. Vue panoramique sur le village et la vallée. Salle à manger orientée plein sud et prolongée d'une terrasse. Cuisine traditionnelle.

🏠 **Gai Soleil**   ≤ 🖴 𝗟𝗮 🛌 🅰🅺 rest, ❦ ﹙﹚ **P** 𝗩𝗜𝗦𝗔 ⓶ 𝔸𝔼
– ✆ *04 50 34 40 74* – *www.hotel-samoens.com* – *hotel.gai-soleil@wanadoo.fr*
– *Fax 04 50 34 10 78* – *Ouvert 6 juin-19 sept. et 18 déc.-21 avril*
22 ch – †52/100 € ††52/100 €, ⛌ 10 € – ½ P 52/88 €
Rest – *(Fermé merc. et sam.) (dîner seult)* Menu 21/28 € – Carte 16/34 €
◆ À l'entrée du village, chalet abritant des chambres sobres, au décor savoyard, donnant sur un grand balcon. Bar-salon au coin du feu ; activités pour enfants dans le parc. Le restaurant propose des recettes régionales.

X **Le Monde à L'Envers**   🏠 𝗩𝗜𝗦𝗔 ⓶ ⓞ
pl. Criou – ✆ *04 50 34 19 36* – *Fermé 29 mai-3 juil., 27 oct.-14 déc.,*
merc. sauf juil.-août et mardi
Rest – Menu (18 € bc) – Carte 45/58 €
◆ Clins d'œil au voyage dans le décor – objets du monde entier – et dans la cuisine, séduisante d'originalité (heureux mariages de produits classiques et exotiques) et de finesse.

SAMOËNS
à Morillon 4,5 km à l'Ouest – 498 h. – alt. 687 m – Sports d'hiver : 700/2 200 m ⛷ 5
⛷ 74 ⛷ – ⊠ 74440

🛈 Office de tourisme, Chef-lieu ✆ 04 50 90 15 76, Fax 04.50.90.11.47

Morillon
– ✆ 04 50 90 10 32 – www.hotellemorillon.com – infos@hotellemorillon.com
– Fax 04 50 90 70 08 – Ouvert 2 juin-19 sept. et 16 déc.-14 avril
22 ch – †75/150 € ††75/150 €, ⊇ 12 € – ½ P 70/125 €
Rest – (dîner seult) Menu 25/35 € – Carte 37/45 €

◆ Boiseries sculptées, meubles régionaux et fauteuils au coin du feu illustrent l'esprit "montagne" de ce plaisant chalet. Petites chambres souvent pourvues de larges balcons. Spécialités des alpages à déguster dans une sympathique ambiance et un cadre ad hoc.

SAMOUSSY – 02 Aisne – **306** E5 – rattaché à Laon

SAMPANS – 39 Jura – **321** C4 – rattaché à Dole

SANARY-SUR-MER – 83 Var – **340** J7 – 17 400 h. – alt. 1 m **40 B3**
– ⊠ 83110 ▊ Côte d'Azur

▶ Paris 824 – Aix-en-Provence 75 – La Ciotat 23 – Marseille 55 – Toulon 13
◉ Chapelle N.-D.-de-Pitié ≤★.

Soleil et Jardin Le Parc sans rest
445 av. Europe Unie, par ② – ✆ 04 94 25 80 08
– www.sanary-hotel-soleiljardin.com – hotelsanarysoleiljardin@wanadoo.fr
– Fax 04 94 26 63 90
40 ch – †110/190 € ††150/280 €, ⊇ 15 € – 4 suites

◆ À deux pas de la plage, avenante demeure régionale et son extension récente abritant des chambres de qualité et bien équipées. Excellente insonorisation. Accueil tout sourire.

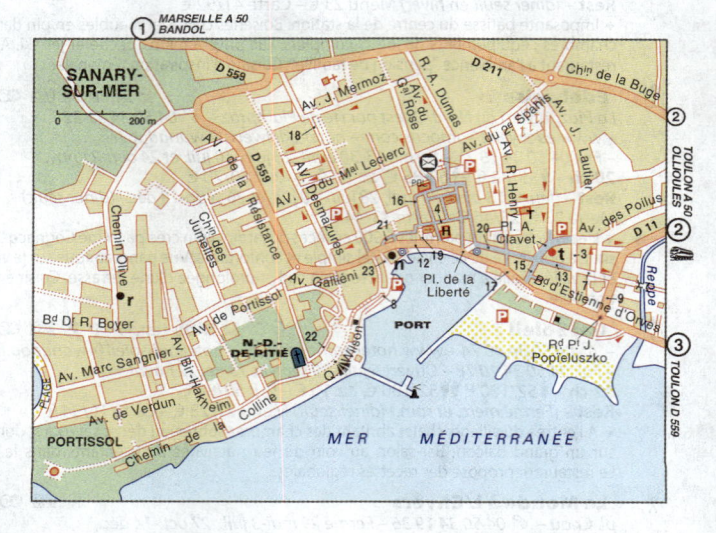

Avenir (Bd de l') 3	Giboin (R.) 13
Blanc (R. Louis) 4	Granet (R.) 15
Clemenceau (Av. G.) 7	Gueirard (R. L.) 16
Esménard (Quai M.) 8	Jean-Jaurès
Europe-Unie (Av. de l') 9	(Av.) 17
Gaulle (Quai Charles-de) 12	Lyautey (Av. Mar.) 18
	Pacha (Pl. Michel) 19
	Péri (R. Gabriel) 20
	Prudhomie (R. de la) 21
	Sœur-Vincent (Montée) 22
	Tour (Pl. de la) 23

1764

SANARY-SUR-MER

De La Tour
quai Gén. de Gaulle – ℰ 04 94 74 10 10 – www.sanary-hoteldelatour.com
– *la.tour.sanary@wanadoo.fr – Fax 04 94 74 69 49*
24 ch ⊐ – †64/90 € ††84/130 €   **n**
Rest – *(Fermé 13-22 oct., mardi sauf juil.-août et merc.)*
Menu 33/48 € – Carte 38/60 €
♦ Situation agréable pour cette affaire familiale, accolée à une tour de guet du 11ᵉ s. La plupart des chambres donnent sur le port animé. Restaurant dont la terrasse offre une vue sur l'arrivée des pêcheurs et carte orientée poissons, au gré des marées et des saisons.

Synaya sans rest
92 chemin Olive – ℰ 04 94 74 10 50 – www.hotelsynaya.fr – *hotelsynaya@wanadoo.fr – Fax 04 94 34 70 30 – Ouvert 27 mars-5 nov.*   **r**
11 ch – †80/145 € ††80/170 €, ⊐ 10 €
♦ Petit hôtel dans un quartier résidentiel calme, agrémenté d'un jardin planté de palmiers. Chambres fonctionnelles de style contemporain et belles salles de bains.

XX San Lazzaro
10 pl. Albert Cavet – ℰ 04 94 88 41 60 – *Fax 04 94 74 07 84 – Fermé le midi sauf dim. de sept. à juin et lundi*   **t**
Rest – Menu 29/60 € – Carte 57/63 €
♦ Sur une charmante place, restaurant au cadre actuel et à l'ambiance conviviale. Le fils de la maison réalise une cuisine inventive inspirée par les parfums de la Provence.

SANCERRE – 18 Cher – 323 M3 – 1 831 h. – alt. 342 m – ⌧ 18300   12 **D2**
▮ Limousin Berry

▶ Paris 198 – Bourges 46 – La Charité-sur-Loire 30 – Salbris 69 – Vierzon 68
▮ Office de tourisme, rue de la croix de bois ℰ 02 48 54 08 21,
 Fax 02 48 78 03 58
▮ du Sancerrois: 6 km par D 9 et D4, ℰ 02 48 54 11 22
◉ Esplanade de la porte César ≼★★ - Carrefour D 923 et D 7 ≼★★ O : 4 km par D955.

SANCERRE

Abreuvoirs (Remp. des)........ 2	Paix (R. de la) 8
Marché-aux-Porcs (R. du) 5	Panneterie (R. de la).......... 9
Nouvelle Place 6	Pavé-Noir (R. du) 12
	Porte-César (R.) 13
	Porte-Serrure (R.) 15
Puits-des-Fins (R. du)......... 16	
St-André (R.).................. 18	
St-Jean (R.)................... 20	
St-Père (R.)................... 22	
Trois-Piliers (R. des) 23	

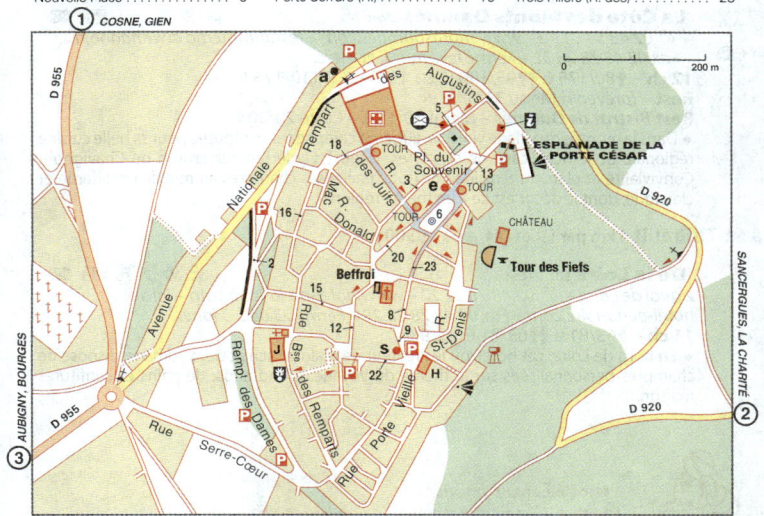

SANCERRE

Panoramic
rempart des Augustins – ℰ 02 48 54 22 44 – www.panoramicotel.com
– panoramicotel@wanadoo.fr – Fax 02 48 54 39 55
57 ch – †65/85 € ††75/137 €, ⊇ 12 € – ½ P 80 €
Rest *Les Augustins* – ℰ 02 48 54 01 44 *(fermé 5-20 janv. et lundi midi)*
Menu (18 €), 25/53 € – Carte 31/59 €
◆ Le Panoramic n'a pas volé son nom ! Il offre un superbe point de vue sur le vignoble. Autre atout, sa rénovation complète : confort cosy dans les chambres et salon, boutique de vins. Atmosphère feutrée et teintes douces au restaurant ; bonne cuisine traditionnelle.

La Tour
Nouvelle Place – ℰ 02 48 54 00 81 – www.la-tour-sangerre.fr – info@la-tour-sancerre.fr – Fax 02 48 78 01 54 – *Fermé dim. soir et lundi hors saison*
Rest – Menu 27 € (sem.)/80 € bc – Carte 30/50 €
◆ Surmonté d'une tour du 14ᵉ s., le restaurant possède deux salles : l'une élégamment rustique, l'autre actuelle (à l'étage) avec vue sur les vignes. Bon choix de sancerres.

La Pomme d'Or
pl. de la Mairie – ℰ 02 48 54 13 30 – Fax 02 48 54 19 22 – *Fermé vacances de la Toussaint, dim. soir de nov. à mars, mardi soir et merc. d'avril à oct.*
Rest – *(nombre de couverts limité, prévenir)* Menu 20 € (déj. en sem.), 28/48 €
◆ Cette table très prisée est située à deux pas de la mairie. Une jolie fresque évoquant les collines du Sancerrois égaie la petite salle. Goûteuse cuisine traditionnelle.

à St-Satur 3 km par ① et D 955 – 1 712 h. – alt. 155 m – ⊠ 18300

🛈 Office de tourisme, 25, rue du Commerce ℰ 02 48 54 01 30, Fax 02 48 54 01 30

La Chancelière sans rest
5 r. Hilaire-Amagat – ℰ 02 48 54 01 57 – www.la-chanceliere.com
– jaudibert@wanadoo.fr
5 ch ⊇ – †105 € ††130 €
◆ La terrasse de cette maison de maître (18ᵉ s.) jouit du panorama sur Sancerre et son vignoble. Tomettes, poutres apparentes et meubles anciens donnent du caractère aux chambres.

à Chavignol 4 km par ① et D 183 – ⊠ 18300

La Côte des Monts Damnés avec ch
– ℰ 02 48 54 01 72 – www.montsdamnes.com – restaurantcmd@wanadoo.fr
– Fax 02 48 78 28 32 – *Fermé fév., mardi et merc.*
12 ch – †80/175 € ††95/190 €, ⊇ 12 € – ½ P 110/125 €
Rest – *(prévenir)* Menu 31/53 €
Rest *Bistrot de Damnés* – Menu 10/15 € – Carte 20/30 €
◆ Dans la montée du village vinicole, auberge campagnarde réputée pour sa belle cuisine régionale et sa riche cave de sancerres. Dégustez-y le fameux crottin de Chavignol ! Convivialité et plats du terroir au Bistrot. Spacieuses chambres au mobilier moderne et classique, dont le décor est lié à un thème régional.

à St-Thibault 4 km par ① et D 4 – ⊠ 18300

De la Loire sans rest
2 quai de Loire – ℰ 02 48 78 22 22 – www.hotel-de-la-loire.com – info@hotel-de-la-loire.com – Fax 02 48 78 22 29 – *Fermé 23 déc.-3 janv.*
11 ch – †63/81 € ††63/81 €, ⊇ 9 €
◆ En bord de Loire, cet hôtel, où le créateur de Maigret écrivit deux romans, dispose de chambres personnalisées sur le thème du voyage. Grand choix de pains et confitures maison.

Petit-déjeuner compris ?
La tasse ⊇ suit directement le nombre de chambres.

SANCY – 77 Seine-et-Marne – 312 G2 – 321 h. – alt. 142 m – ✉ 77580   19 C2
◘ Paris 55 – Château-Thierry 48 – Coulommiers 14 – Meaux 13 – Melun 50

Château de Sancy
1 pl. de l'Église – ℰ 01 60 25 77 77 – www.chateaudesancy.com – info@chateaudesancy.com – Fax 01 60 25 60 55
21 ch – ♦132/182 € ♦♦132/253 €, ⊆ 14 €   **Rest** – Menu 28/39 €
♦ Les nombreux équipements de loisirs proposés sur le domaine de cette gentilhommière du 18ᵉ s. invitent à la détente. Chambres douillettes, plus fonctionnelles au pavillon. Salle à manger bourgeoise à l'atmosphère intime pour une cuisine sensible aux saisons.

SAND – 67 Bas-Rhin – 315 J6 – 1 073 h. – alt. 159 m – ✉ 67230   1 B2
◘ Paris 501 – Barr 15 – Erstein 7 – Molsheim 26 – Obernai 16 – Sélestat 22 – Strasbourg 34

Hostellerie la Charrue
4 r. 1ᵉʳ décembre – ℰ 03 88 74 42 66 – www.lacharrue.com – info@lacharrue.com – Fax 03 88 74 12 02 – Fermé 25 août-6 sept. et 21 déc.-8 janv.
23 ch – ♦55 € ♦♦65 €, ⊆ 9 € – ½ P 56 €
Rest – (fermé lundi et le midi sauf dim. et fériés) (dîner seult)
Menu 23 €, 30/35 € bc – Carte 25/35 €
♦ Cet ancien relais de charretiers converti en auberge familiale respire la tranquillité. Chambres fraîches, décorées de mobilier peint et bien équipées. Bon accueil. Boiseries et couleurs chatoyantes président au chaleureux décor alsacien des salles à manger.

SANDARVILLE – 28 Eure-et-Loir – 311 E5 – 385 h. – alt. 171 m   11 B1
– ✉ 28120
◘ Paris 105 – Brou 23 – Chartres 16 – Châteaudun 36 – Le Mans 109 – Nogent-le-Rotrou 47

Auberge de Sandarville
14 r. Sente aux Prêtres, (près de l'église) – ℰ 02 37 25 33 18 – Fermé 4-20 janv., 15-21 fév., mardi soir en hiver, dim. soir et lundi
Rest – Menu 28 € (sem.)/57 € bc – Carte environ 52,50 €
♦ Dans une ferme beauceronne de 1850, trois charmantes salles campagnardes avec poutres, cheminée, tomettes, meubles et bibelots chinés. Jolie terrasse dans le jardin fleuri.

SANDILLON – 45 Loiret – 318 J4 – 3 570 h. – alt. 101 m – ✉ 45640   12 C2
◘ Paris 148 – Orléans 13 – Châteaudun 65 – Châteauneuf-sur-Loire 16 – Montargis 60

Rest. Saisons d'Ailleurs et H. un Toit pour Toi avec ch
2 r. Villette – ℰ 02 38 41 00 22
– www.restaurant-saisonsdailleurs.com – 1toitpourtoi@wanadoo.fr
– Fax 02 38 41 07 74
12 ch – ♦58 € ♦♦65 €, ⊆ 9 € – ½ P 65 €
Rest – (fermé 4-19 août, dim. soir et lundi) Menu (26 €), 42/75 € – Carte 52/120 €
♦ Une étonnante cuisine inventive aux antipodes de la tradition régionale distingue cette auberge familiale, à l'orée de la Sologne. Espace bistrot pour repas de type brasserie. Chambres en partie mises au goût du jour.

SANILHAC – 07 Ardèche – 331 H6 – **rattaché à Largentière**

SAN-MARTINO-DI-LOTA – 2B – 345 F3 – **Voir à Corse (Bastia)**

SAN-PEIRE-SUR-MER – 83 Var – 340 P5 – **rattaché aux Issambres**

SANTA-GIULIA (GOLFE DE) – 2A Corse-du-Sud – 345 E10 – **voir à Corse (Porto-Vecchio)**

SANT'ANTONINO – 2B Haute-Corse – 345 C4 – **voir à Corse**

SANTENAY – 21 Côte-d'Or – 320 I8 – 839 h. – alt. 225 m – Casino   7 **A3**
– ⊠ 21590 ▌ **Bourgogne**

> ▶ Paris 330 – Autun 39 – Beaune 18 – Chalon-sur-Saône 25 – Le Creusot 29 – Dijon 63
>
> 🛈 Office de tourisme, gare SNCF ℰ 03 80 20 63 15, Fax 03 80 20 69 15

XX **Le Terroir**

pl. du Jet-d'Eau – ℰ *03 80 20 63 47 – www.restaurantleterrroir.com*
– *restaurant.le.terroir@wanadoo.fr – Fax 03 80 20 66 45*
– *Fermé 4 déc.-11 janv., merc. soir de nov. à mars, dim. soir et jeudi*
Rest – Menu 22/45 € – Carte 34/56 €

◆ Cette maison officiant au centre du village vous régale de ses plats du terroir dans une salle rustico-moderne où trône une tapisserie d'Aubusson. Bon choix de crus régionaux.

LE SAPPEY-EN-CHARTREUSE – 38 Isère – 333 H6 – 995 h.   45 **C2**
– alt. 1 014 m – Sports d'hiver : au Sappey et au Col de Porte
1 000/1 700 m ⟟ 11 ⟟ – ⊠ 38700 ▌ **Alpes du Nord**

> ▶ Paris 577 – Chambéry 61 – Grenoble 14 – St-Pierre-de-Chartreuse 14 – Voiron 37
>
> 🛈 Syndicat d'initiative, Le Bourg ℰ 04 76 88 84 05
>
> ◉ Charmant Som ✳ ★★★ NO : 9 km puis 1 h.

XX **Les Skieurs** avec ch

– ℰ *04 76 88 82 76 – www.lesskieurs.com – hotelskieurs@wanadoo.fr*
– *Fax 04 76 88 85 76 – Fermé vacances de Pâques, de Noël et dim.*
11 ch – †85 € ††85 €, ⇌ 12 € – ½ P 73 €
Rest – *(fermé mardi midi, dim. soir et lundi)*
Menu 28 € (sem.), 32/44 € – Carte 48/60 €

◆ Charmante salle à manger de chalet de montagne – murs lambrissés, cheminée et mobilier rustique – pour déguster une cuisine régionale soignée et généreuse. Belle terrasse. Petites chambres pratiques où le bois s'impose (quelques-unes avec balcon).

X **Le Dagobert**

pl. de l'Église – ℰ *04 76 88 80 26*
– *Fermé merc. sauf vacances scolaires*
Rest – Menu 16/29 € – Carte 30/48 €

◆ Précédée d'un petit bar à vin, salle à manger d'esprit rustique agrémentée d'une cheminée. Agréable terrasse ombragée pour les beaux jours. Cuisine traditionnelle.

SARE – 64 Pyrénées-Atlantiques – 342 C5 – 2 262 h. – alt. 70 m   3 **A3**
– ⊠ 64310 ▌ **Pays Basque**

> ▶ Paris 794 – Biarritz 26 – Cambo-les-Bains 19 – Pau 138 – St-Jean-de-Luz 14
>
> 🛈 Office de tourisme, Herriko Etxea ℰ 05 59 54 20 14, Fax 05 59 54 29 15

🏠 **Arraya**

place du village – ℰ *05 59 54 20 46 – www.arraya.com – hotel@arraya.com*
– *Fax 05 59 54 27 04 – Ouvert 28 mars-2 nov.*
20 ch – †84/94 € ††84/130 €, ⇌ 10 € – ½ P 77/100 €
Rest – *(fermé lundi midi, jeudi midi et dim. soir sauf du 1ᵉʳ juil. au 21 sept.)*
Menu (17 €), 23/33 € – Carte 40/49 €

◆ Ancien relais de Compostelle d'architecture traditionnelle. Cadre champêtre et coquettes chambres basques (plus spacieuses et récentes au 2ᵉ étage). Jardin. Décor régional bien marqué au restaurant, terrasse ombragée. Plats du terroir et boutique gourmande.

🏠 **Pikassaria**

Quartier Lehenbiscay – ℰ *05 59 54 21 51 – www.hotel-pikassaria.com*
– *hotelpikassaria@orange.fr – Fax 05 59 54 27 40 – Ouvert 15 mars-11 nov.*
18 ch – †55 € ††57/59 €, ⇌ 7 € – ½ P 50/52 €
Rest – *(fermé le midi sauf dim.)* Menu (16 €) – Carte 30/40 €

◆ Bâtisse d'aspect régional située dans la campagne, sur la route de l'Espagne. Elle possède des chambres plutôt petites, simples et nettes ; certaines regardent la montagne. La table du Pikassaria défend hardiment les couleurs de la cuisine euzkadienne.

SARE

Baratxartea
≤ & ch, ↳ ※ rest, **P** *VISA* **MC** **AE**

quartier Ihalar, 2 km à l'Est – ℰ *05 59 54 20 48 – www.hotel-baratxartea.com
– contact@hotel-baratxartea.com – Fax 05 59 47 50 84 – Ouvert 15 mars-11 nov.
et fermé lundi midi, mardi sauf du 1ᵉʳ juil. au 15 sept.*
22 ch – †44/58 € ††50/58 €, ⊆ 8 € – ½ P 44/56 €
Rest – Menu 18/25 € – Carte 25/32 €

◆ À l'écart du bourg, sympathique maison familiale dont le nom signifie "entre les jardins".
Chambres rustiques dans le bâtiment principal, plus fonctionnelles dans l'annexe. Décor
100 % basque dans la salle du restaurant (1505), agrandie d'une véranda ; menus
régionaux.

Olhabidea avec ch ⅋
🍴 & rest, ↳ ☏ *VISA* **MC**

quartier Sainte-Catherine, Rte de St-Pée – ℰ *05 59 54 21 85 – www.olhabidea.com
– Fermé 1ᵉʳ-7 juil., janv. et fév.*
3 ch ⊆ – †75/80 € ††85/90 €
Rest – *(nombre de couverts limité, prévenir)* Menu 40 € (dîner)

◆ Cette ancienne ferme en pleine verdure possède un charme fou qui la rend unique.
Chaque jour, un nouveau menu est composé selon les produits du marché et du potager.
Dans une atmosphère très personnelle, trois vastes chambres douillettes. Riz au lait au
petit-déjeuner.

SARLAT-LA-CANÉDA – 24 Dordogne – 329 I6 – 9 707 h.   4 **D3**
– alt. 145 m – ⊠ 24200 ▌Périgord

▶ Paris 526 – Bergerac 74 – Brive-la-Gaillarde 52 – Cahors 60 – Périgueux 77
▌Office de tourisme, rue Tourny ℰ 05 53 31 45 45, Fax 05 53 59 19 44
▌du Domaine de Rochebois Route de Montfort, S : 8 km par D 46,
ℰ 05 53 31 52 52
◉ Vieux Sarlat★★★ : place du marché aux trois Oies★ Y, hôtel Plamon★ Y,
hôtel de Maleville★ Y - Maison de La Boétie★ Z - Quartier Ouest★.
◎ Décor★ et mobilier★ du château de Puymartin NO : 7 km par ④.

Plan page suivante

Clos La Boëtie sans rest
▨ *Lᵦ* |₴| & AK ↳ ※ ⁽ᵗ⁾ **P** *VISA* **MC** **AE** ①

97 av. de Selves – ℰ *05 53 29 44 18 – www.closlaboetie-sarlat.com – hotel@
closlaboetie-sarlat.com – Fax 05 53 28 61 40 – Ouvert 1ᵉʳ avril-15 nov.*   V **b**
11 ch – †200/340 € ††200/340 €, ⊆ 20 € – 3 suites

◆ Cette maison bourgeoise refaite à neuf abrite un intérieur superbement pensé associant
l'ancien et le contemporain. Très confortables chambres à l'ambiance romantique et
raffinée.

De Selves sans rest
🚗 ▨ |₴| & AK ↳ ⁽ᵗ⁾ ♨ ⇌ *VISA* **MC** **AE** ①

93 av. de Selves – ℰ *05 53 31 50 00 – www.selves-sarlat.com – hotel@
selves-sarlat.com – Fax 05 53 31 23 52 – Fermé 4 janv.-12 fév.*   V **v**
40 ch – †80/120 € ††90/140 €, ⊆ 12 €

◆ Construction moderne aux chambres actuelles et fonctionnelles ; certaines bénéficient
de loggias en bow-windows ouvertes sur le jardin. La piscine se découvre l'été. Sauna.

La Madeleine
🍴 |₴| & AK ↳ ⁽ᵗ⁾ ♨ ⇌ *VISA* **MC** **AE** ①

1 pl. Petite Rigaudie – ℰ *05 53 59 10 41 – www.hoteldelamadeleine-sarlat.com
– hotel.madeleine@wanadoo.fr – Fax 05 53 31 03 62
– Fermé 1ᵉʳ janv.-15 fév.*   Y **e**
39 ch – †62/93 € ††70/108 €, ⊆ 10 € – ½ P 69/93 €
Rest – *(ouvert 15 mars-15 nov. et fermé lundi midi et mardi midi sauf juil.-août)*
Menu 29/48 € – Carte 40/138 €

◆ Cette belle demeure (19ᵉ s.) restaurée et située aux portes de la vieille ville compte parmi
les doyennes de l'hôtellerie sarladaise. Fringantes chambres bien équipées. Restaurant
confortable et aéré, récemment relooké. Cuisine régionale.

Le Renoir sans rest
▨ |₴| ↳ ⁽ᵗ⁾ *VISA* **MC** **AE** ①

2 r. Abbé-Surgier – ℰ *05 53 59 35 98 – www.hotel-renoir-sarlat.com – info@
hotel-renoir-sarlat.com – Fax 05 53 31 22 32*   X **u**
35 ch – †70/105 € ††95/145 €, ⊆ 13 € – 1 suite

◆ Établissement accueillant qui possède une piscine dans sa cour centrale. Les chambres
sont d'ampleur moyenne mais soignées et joliment décorées de mobilier de style.

1769

SARLAT-LA-CANÉDA

Albusse (R. d')	YZ	2
Allende (Pl. Salvador)	Y	3
Arlet (Bd Henri)	YZ	
La Boétie (R. de)	Z	21
Bouquerie (Pl. de la)	Y	
Breuil (R. du)	X	
Brossard (Av.)	X	4
Cahors (R. de)	X	
Cahuet (R. Alberic)	YZ	6
Chanoines (Cour des)	Y	7
Consuls (R. des)	Y	
Cordil (R. du)	Z	8
Delpeyrat (R. J.-Baptiste)	X	10
Desmouret (Chemin de)	V	
Escande (R. J.-Joseph)	Z	
Faure (R. Émile)	X, Z	12
Fénelon (R.)	Y	
Fontaines (Cour des)	Z	13
Frères Chambon (R. des)	Z	16
Gabin (R. Jean)	X	17
Gallière (R.)	X	
Gambetta (Av.)	X	18
Gaubert (R.)	V	
Gaulle (Av. du Gén.-de)	Y	20
Grande Rigaudie (Pl. de la)	Z	
Jean-Jaurès (R.)	V	
J.-J.-Rousseau (R.)	Y	
Lakanal (R.)	Y	22
Landry (R.)	Y	25
Leclerc (Av. du Gén.)	X, Z	26
Leroy (Bd Eugène)	Y	
Libération (Pl. de la)	Y	
Liberté (Pl. de la)	Y	27
Liberté (R. de la)	YZ	30
Marché aux Oies (Pl. du)	Y	
Monges (Chemin des)	V	
Montaigne (R.)	Z	
Montfort (R. Sylvia)	V	31
Moulin (R. Jean)	V	32
Nessmann (Bd Victor)	Y	
Papucie (R.)	Y	34
Pasteur (Pl.)	X	
Peyrou (Pl. du)	Z	35
Plantier (Chemin du)	X	
Présidial (R. du)	Y	36
République (R. de la)	YZ	
Rossignol (R. Pierre)	Z	38
Rousset (R.)	Z	39
Salamandre (R. de la)	Y	40
Ségogne (Pass. Henri-de)	Z	42
Selves (Av. de)	Y	43
Siège (R. du)	Z	
Thiers (Av.)	Z	
Tourny (R.)	Z	44
Trappe (R. de la)	X	46
Trois Conils (R. des)	Z	47
Troubadour Cayrels (R. du)	V	48
Tunnel (R. du)	Z	50
Turenne (R. de)	Z	51
Victor-Hugo (R.)	Z	52
Voltaire (Bd)	X, Z	
8-Mai-1945 (Square du)	V	
11-Novembre (Pl. du)	Y	
14-Juillet (Pl. du)	Z	
19-Mars-1962 (Pl. du)	Z	54
26-Juin-1944 (R. du)	V	55

1770

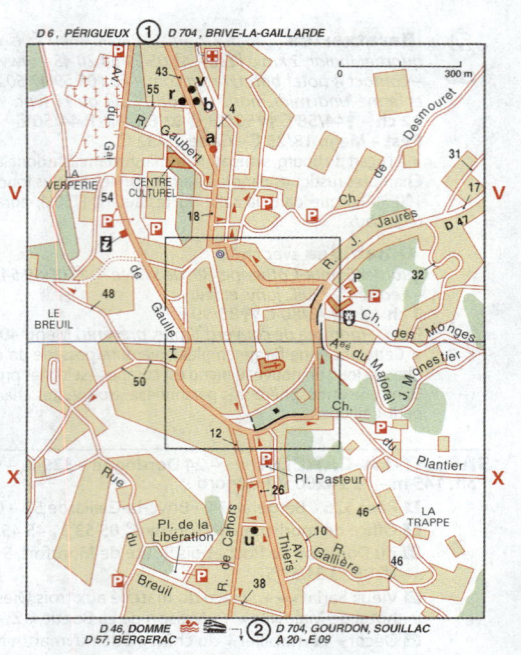

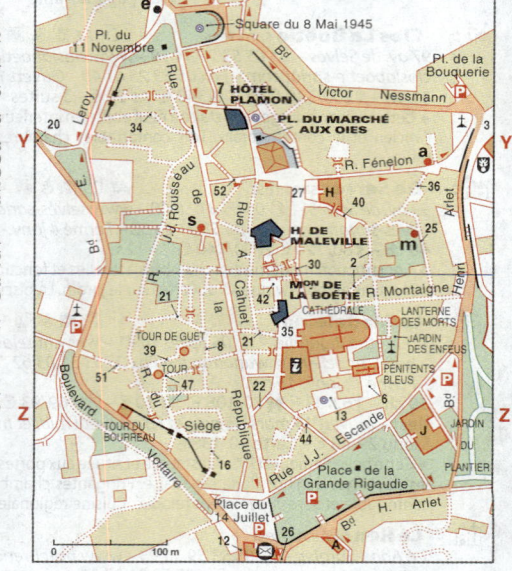

SARLAT-LA-CANÉDA

Compostelle sans rest
66 av. de Selves – ℰ 05 53 59 08 53 – www.hotel-compostelle-sarlat.com – info@hotel-compostelle-sarlat.com – Fax 05 53 30 31 65 – Ouvert 1er fév.-15 nov.
23 ch – ♦72/88 € ♦♦72/88 €, ⊒ 9 €
V r
♦ À 400 m du centre historique, établissement progressivement rénové vous réservant un accueil familial. Préférez les chambres récentes, d'esprit plus contemporain.

Le Mas del Pechs sans rest
1,5 km à l'Est, par chemin des Monges –VX – ℰ 05 53 31 12 11
– www.sarlat-hotel.com – contact@sarlat-hotel.com – Fax 05 53 31 16 99
– Ouvert 1er mars-31 déc.
18 ch – ♦51/59 € ♦♦54/67 €, ⊒ 8,50 €
♦ Demeure au grand calme à la campagne, sur les hauteurs de Sarlat. Optez pour les chambres récentes, plus coquettes ; toutes sont de plain-pied avec le jardin.

La Maison des Peyrat
Le Lac de la Plane, à l'Est par chemin des Monges-VX – ℰ 05 53 59 00 32
– www.maisondespeyrat.com – hoteldecharme@maisondespeyrat.com
– Fax 05 53 28 56 56 – Ouvert 1^{er}avril-15 nov.
10 ch – ♦55/100 € ♦♦55/100 €, ⊒ 8,50 € – ½ P 58/81 €
Rest – (fermé merc. et dim.) (dîner seult) (résidents seult) Menu 22 €
♦ Belle maison noyée sous la verdure dont le jardin et la piscine à eau salée incitent au repos. Chambres au décor campagnard (pierres, poutres, bois). Accueil très soigné. Le restaurant, qui mêle cadre rustique et mobilier bistrot, sert un menu du terroir. Terrasse.

Les Peyrouses sans rest
aux Peyrouses, Ouest : 2 km - V – ℰ 05 53 28 89 25 – www.lespeyrouses-24.com
– lespeyrouses24@wanadoo.fr – Fax 05 53 28 89 25
5 ch – ♦50/69 € ♦♦50/69 €, ⊒ 7 €
♦ Étape au calme à deux pas du centre de Sarlat. Cette maison vous accueille dans un agréable salon moderne avec cheminée. Chambres de bonne ampleur, d'esprit joliment rustique.

Le Présidial
6 r. Landry – ℰ 05 53 28 92 47 – Fax 05 53 59 43 84 – Ouvert fin mars-fin oct., jeudi midi de sept. à juin, lundi midi et dim.
Y m
Rest – Menu 28/48 € – Carte 50/70 €
♦ Un coquet jardin fleuri devance cette demeure du 17e s., ancien siège du tribunal d'appel des bailliages (présidial). Décor bourgeois, terrasse ombragée et cuisine régionale.

Le Grand Bleu (Maxime Lebrun)
43 av. de la Gare, par ② – ℰ 05 53 31 08 48 – www.legrandbleu.eu – contact@legrandbleu.eu – Fax 05 53 31 08 48 – Fermé mardi midi, merc. midi, dim. soir et lundi
Rest – Menu 33/60 € – Carte 33/63 €
Spéc. Œuf au plat à la périgourdine. Homard et son risotto au caviar d'aubergine fumé. Soufflé chaud aux fruits de saison. **Vins** Pécharmant, Montravel.
♦ Dans une salle à manger associant sobriété (murs en pierre, boiseries claires) et espace, dégustez une goûteuse cuisine au goût du jour, rythmée par le marché et les saisons.

Le Quatre Saisons
2 Côte Toulouse – ℰ 05 53 29 48 59 – lequatresaisons0040@orange.fr
– Fax 05 53 59 53 74 – Fermé mardi et merc. sauf juil.-août
Y s
Rest – Menu 29/41 €
♦ Ancienne maison de pays proche de l'hôtel de Maleville (16e s.). Plats du terroir servis dans une salle à manger contemporaine. Bel escalier à vis et terrasse entre de vieux murs.

Rossignol
15 r. Fénelon – ℰ 05 53 31 02 30 – Fax 05 53 31 02 30 – Fermé lundi
Y a
Rest – Menu 17 € (déj. en sem.), 23/60 € – Carte 33/55 €
♦ La salle à manger, bien que rénovée, conserve un petit air champêtre avec son mobilier en bois et ses cuivres accrochés aux murs. Cuisine familiale et régionale.

SARLAT-LA-CANÉDA

Le Bistro de L'Octroi
111 av. de Selves – ℰ 05 53 30 83 40 – www.lebistrodeloctroi.fr – bistrodeloctroi@orange.fr – Fax 05 53 28 36 43 V a
Rest – Menu (15 € bc), 18/26 € – Carte 20/40 €
◆ Dans les murs d'un ancien octroi, ce bistrot régale de bons plats régionaux. Deux salles, l'une rustique (pierres, briques), l'autre traditionnelle ; grande terrasse appréciée.

par ②, 5 km rte de Gourdon puis rte de la Canéda et rte secondaire – ✉ 24200 Sarlat-la-Canéda

Le Mas de Castel sans rest
Le Sudalissant – ℰ 05 53 59 02 59 – www.hotel-lemasdecastel.com – info@hotel-lemasdecastel.com – Fax 05 53 28 25 62 – Ouvert 4 avril-11 nov.
13 ch – †46/60 € ††48/84 €, ⊇ 8 €
◆ À la campagne, ancien corps de ferme aménagé en sympathique hostellerie. Nuits paisibles dans des chambres confortables, rustiques et bien tenues ; six sont en rez-de-jardin.

par ②, 3 km rte de Bergerac et rte secondaire – ✉ 24200 Sarlat-la-Canéda

Relais de Moussidière sans rest
Moussidière Basse – ℰ 05 53 28 28 74
– www.hotel-moussidiere.com – contact@hotel-moussidiere.com
– Fax 0553282511 – Ouvert d'avril à oct.
35 ch ⊇ – †101/151 € ††122/172 €
◆ Calme absolu pour cette maison de caractère bâtie à flanc de rocher, dans un parc en terrasses descendant jusqu'à un étang. Chambres confortables et personnalisées.

par ②, rte de Souillac – ✉ 24200 Sarlat-la-Canéda

Abbys sans rest
ZA E. Vialard – ℰ 05 53 30 85 50 – www.abbys-hotel.com – contact@abbys-hotel.com – Fax 05 53 30 85 51
30 ch – †36/44 € ††36/44 €, ⊇ 5 €
◆ Cet établissement récent conviendra à ceux qui cherchent un hôtel avant tout pratique et non ruineux. Chambres de plain-pied, modernes, bien équipées et sobrement décorées.

SARLIAC-SUR-L'ISLE – 24 Dordogne – **329** G4 – 978 h. – alt. 102 m 4 **C1**
– ✉ 24420
▷ Paris 473 – Brive-la-Gaillarde 65 – Limoges 86 – Périgueux 15

Chabrol avec ch
3 r. de l'Eglise – ℰ 05 53 07 83 39 – Fax 05 53 07 86 53 – Fermé sept., dim. soir et lundi
10 ch – †38/40 € ††50 €, ⊇ 5 € **Rest** – Menu 15 € (sem.)/55 € – Carte 25/55 €
◆ Modeste auberge familiale composée de deux bâtiments anciens. Plats régionaux mitonnés par la patronne et servis dans une salle rustique. Petites chambres simples (certaines sans sanitaires) d'une tenue méticuleuse, rajeunies à l'annexe.

SARPOIL – 63 Puy-de-Dôme – **326** H10 – **rattaché à Issoire**

SARRAS – 07 Ardèche – **331** K2 – 1 981 h. – alt. 133 m – ✉ 07370 43 **E2**
▷ Paris 527 – Annonay 20 – Lyon 72 – St-Étienne 60 – Tournon-sur-Rhône 18 – Valence 36
◉ De la D 506 coup d'œil★★ sur le défilé de St-Vallier★ S : 5 km,
▮ Vallée du Rhône

Le Vivarais avec ch
– ℰ 04 75 23 01 88 – levivarais@wanadoo.fr – Fax 04 75 23 49 73
– Fermé 3-26 août, 15 fév.-11 mars, dim. soir, lundi soir et mardi
6 ch – †43 € ††49/58 €, ⊇ 7 € **Rest** – Menu 17 € (sem.)/54 € – Carte 40/57 €
◆ Auberge familiale où l'on déguste une cuisine classique dans une élégante salle à manger égayée de couleurs vives. Chambres pratiques pour une étape sur la route du soleil.

SARREBOURG – 57 Moselle – 307 N6 – 12 600 h. – alt. 282 m — 27 D2
– ⊠ 57400 ▌Alsace Lorraine

▶ Paris 426 – Épinal 86 – Lunéville 59 – Metz 95 – St-Dié 72 – Strasbourg 73
🛈 Office de tourisme, place des Cordeliers ℰ 03 87 03 11 82, Fax 03 87 07 13 93
🏌 du Pays de Sarrebourg Route de Winkelhof, O : 2 km, ℰ 03 87 23 01 02
◉ Vitrail ★ dans la chapelle des Cordeliers **B.**

SARREBOURG

Berrichons et Nivernais (R. des) 2	Fayolle (Av. Gén.) 8	Lebrun (Quai) 18
Bossuet (R.) 3	Foch (R. Mar.) 10	Marché (Pl. du) 19
Cordeliers (Pl. des) 5	France (Av. de) 12	Napoléon (R.) 20
Erckmann-Chatrian (R.) 7	Gare (R. de la) 13	Poincaré (Av.) 21
	Grand'Rue	Président-Schuman (R.) 22
	Jardins (R. des) 15	St-Pierre (R.) 24
	Jean-XXIII (Quai) 16	

Les Cèdres
3 km, Zone de loisirs par ③ et chemin d'Imling – ℰ 03 87 03 55 55
– www.hotel-lescedres.fr – info@hotel-lescedres.fr – Fax 03 87 03 66 33
– Fermé 21 déc.-2 janv.
44 ch – †62/103 € ††69/110 €, ⊇ 8 € – ½ P 80/111 €
Rest – (fermé sam. midi et dim. soir) Menu (15 €), 23/49 € bc – Carte 26/55 €
◆ Étape tranquille au cœur d'une zone de loisirs, près d'une forêt et d'un étang, dans cet hôtel récent aux chambres claires et fonctionnelles. Salle à manger moderne et spacieuse, largement ouverte sur la nature environnante ; table régionale.

Mathis (Ernest Mathis)
7 r. Gambetta – ℰ 03 87 03 21 67 – www.ernest-mathis.fr – Fax 03 87 23 00 64
– Fermé 27 juil.-8 août, 8-15 sept., 3-8 nov., 2-12 janv., dim. soir, mardi soir et lundi
Rest – Menu 30/75 € – Carte 47/90 € s
Spéc. Tranche de foie grillée, pomme de terre de Noirmoutier écrasée à la fourchette, jus truffé (juin à sept.). Pavé de bar sauvage rôti (saison). Gratin chaud de framboises et son sorbet. **Vins** Pinot blanc.
◆ Décor de table soigné, comme il se doit au pays du cristal et de la faïence, accueil chaleureux et plaisirs d'une assiette inventive : un restaurant aux multiples atouts.

1773

SARREGUEMINES – 57 Moselle – 307 N4 – 21 600 h. – alt. 210 m — 27 **D1**
– ⊠ 57200 ▌ Alsace Lorraine

- Paris 396 – Metz 70 – Nancy 96 – Saarbrücken 18 – Strasbourg 106
- Office de tourisme, 11, rue rue du Maire Massing
  ℘ 03 87 98 80 81,
  Fax 03 87 98 25 77
- de Sarreguemines Chemin Départemental n 81 A, O : 3 km par D 81,
  ℘ 03 87 27 22 60
- Musée : jardin d'hiver★★, collection de céramiques★ BZ **M**.
- Parc archéologique européen de Bliesbruck-Reinheim : thermes★, 9,5 km par ①.

SARREGUEMINES

Chamborand (R. du Marquis-de)	**BZ** 2
Chapelle (R. de la)	**BZ** 3
Cremer (R. des Généraux)	**ABZ** 6
Faïenceries (Bd des)	**BZ** 7
France (R. de)	**AZ** 8
Gare (Av. de la)	**BZ** 12
Louvain (Chaussée de)	**BYZ** 15
Marché (Pl. du)	**AZ** 17
Nationale (R.)	**ABZ** 20
Or (R. de l')	**AZ** 22
Paix (R. de la)	**AY** 23
Pasteur (R. L.)	**BZ** 24
Ste-Croix (R.)	**BZ** 27
St-Nicolas (R.)	**AZ** 26
Sibille (Pl. du Gén.)	**BZ** 28
Utzschneider (R.)	**BZ** 30
Verdun (R. de)	**AZ** 33

1774

SARREGUEMINES

Auberge St-Walfrid (Stéphan Schneider) 🍴 🚗 🛎 📶 👤 ch,
2 km par ③ et rte de Grosbliederstroff 📺 rest, ⌘ ch, ⌞ 🎿 **P** **VISA** 🆎 AE
– ℰ 03 87 98 43 75 – www.stwalfrid.com – stwalfrid@free.fr – Fax 03 87 95 76 75
– Fermé 20 juil.-3 août et 7-23 fév.
11 ch – †98/160 € ††98/160 €, ⌷ 15 € – ½ P 135/165 €
Rest – (fermé sam. midi, lundi midi et dim.) Menu 35 € (sem.)/82 € – Carte 55/86 €
Spéc. Escalope de foie gras de canard poêlée aux quetsches (15 sept. au 15 nov.).
Gibier (saison). Croustillant à la mirabelle de Lorraine, crème glacée bergamote
(15 août au 15 sept.). **Vins** Pinot noir, Vin de Moselle.
♦ Belle maison en pierre où, depuis cinq générations, la même famille cultive l'art de
recevoir. Le décor associe plaisamment rustique et contemporain. Chambres soignées.
Salle à manger ornée de tableaux colorés et d'objets en faïence. Goûteuse cuisine régionale.

Amadeus sans rest 📶 👤 ⌞ **VISA** 🆎 AE ①
7 av. de la Gare – ℰ 03 87 98 55 46 – www.amadeus-hotel.fr – amadeushotel@
aol.com – Fax 03 87 98 66 92 – Fermé 10-14 avril, 23 déc.-4 janv. et sam.
39 ch – †56 € ††65 €, ⌷ 8,50 € BZ **r**
♦ Cure de jouvence réussie pour cet immeuble des années 1930 situé à côté de la gare.
Chambres de tailles diverses, repensées dans un esprit contemporain coloré.

Le Petit Thierry **P** **VISA** 🆎
135 r. France, 1,5 km par ③ – ℰ 03 87 98 22 59 – Fax 03 87 28 12 63
– Fermé 3 sem. en août, 2 sem. en janv., merc. soir et jeudi
Rest – Menu (29 €), 35 €
♦ Discrète auberge abritant une salle de restaurant spacieuse et cossue, habillée de
boiseries et de poutres. Cuisine inventive variant avec les saisons et belle sélection de vins.

rte de Bitche 11 km par ① sur D 662 – ✉ 57200 Sarreguemines

Pascal Dimofski 🚗 🛎 **P** **VISA** 🆎 AE
– ℰ 03 87 02 38 21 – pascal.dimofski@gmail.com – Fermé août, vacances de
fév., lundi et mardi
Rest – Menu 25/72 € – Carte 48/84 € 🍷
♦ À l'orée d'un bois, auberge campagnarde où poutres, cheminée et fauteuils design en
cuir composent un décor original. Cuisine personnalisée et carte des vins bien balancée.

SARRE-UNION – 67 Bas-Rhin – **315** G3 – 3 161 h. – alt. 240 m **1 A1**
– ✉ 67260

▶ Paris 407 – Metz 81 – Nancy 84 – St-Avold 37 – Sarreguemines 24
– Strasbourg 83

rte de Strasbourg 10 km au Sud-Est par N 61 – ✉ 67260 Burbach

Windhof 🛎 AC **P** **VISA** 🆎
(lieu dit Windhof) – ℰ 03 88 01 72 35 – www.windhof.fr – bernard.kehne@
wanadoo.fr – Fax 03 88 01 72 71 – Fermé 27 juil.-14 août, dim. soir, mardi soir et
lundi
Rest – Menu (13 €), 29/65 € – Carte 37/57 €
♦ Quittez l'autoroute pour une halte gourmande dans cette maison cossue. Une salle
agrémentée de boiseries et des plats mi-classiques, mi-traditionnels vous y attendent.

SARS-POTERIES – 59 Nord – **302** M6 – 1 480 h. – alt. 181 m **31 D3**
– ✉ 59216 ▮ Nord Pas-de-Calais Picardie

▶ Paris 258 – Avesnes-sur-Helpe 12 – Charleroi 46 – Lille 107 – Maubeuge 15
– St-Quentin 77

🛈 Office de tourisme, 20, rue du Gal-de-Gaulle ℰ 03 27 59 35 49,
Fax 03 27 59 36 23

◉ Musée du Verre★.

Marquais sans rest 🚗 ⌘ ⌷ **P** **VISA** 🆎
65 r. du Gén.-de-Gaulle – ℰ 03 27 61 62 72 – www.hoteldumarquais.com
– hoteldumarquais@aol.com – Fax 03 27 57 47 35 – Fermé janv.
11 ch – †50 € ††60 €, ⌷ 8 €
♦ Deux pétillantes sœurs jumelles – d'environ 70 ans ! – tiennent à la perfection ce petit
hôtel. Mobilier ancien et couleurs "bonbon" dans les chambres. Pas de TV : repos garanti.

SARS-POTERIES

XXX **L'Auberge Fleurie** avec ch 🐕   🚗 🈴 & ch, ¶ 🅿 VISA 🆔 AE
67 r. Gén. de Gaulle, (D 962) – ℰ *03 27 61 62 48 – auberge-fleurie.net – fauberge@
wanadoo.fr – Fax 03 27 61 56 66 – Fermé 17 août-1er sept., 2-16 janv., dim. soir et
lundi*
8 ch – †70 €, ††95 €, ⊆ 10 €
Rest – Menu 31 € (sem.)/88 € bc – Carte 55/135 €

♦ Accueil attentionné dans cette salle à manger rustique, revisitée avec soin, où l'on sert
une cuisine traditionnelle. Chambres aux tons chatoyants, spacieuses et personnalisées.

SARTÈNE – 2A Corse-du-Sud – **345** C10 – voir à Corse

SARZEAU – 56 Morbihan – **308** O9 – 6 941 h. – alt. 30 m – ⊠ 56370   9 **A3**
🟢 Bretagne

▶ Paris 478 – Nantes 111 – Redon 62 – Vannes 23
🅘 Office de tourisme, rue du Père Coudrin ℰ 02 97 41 82 37,
Fax 02 97 41 74 95
🏌 de Rhuys à Saint-Gildas-de-Rhuys, O par D 780 : 7 km, ℰ 02 97 45 30 09
⊙ Ruines★ du château de Suscinio SE : 3,5 km - Presqu'île de Rhuys★.

à Penvins 7 km au Sud-Est par D 198 – ⊠ 56370 Sarzeau

XX **Mur du Roy** avec ch 🐕   ≤ 🚗 🈴 & rest, 🅿 VISA 🆔
– ℰ *02 97 67 34 08 – www.lemurduroy.com – contact@lemurduroy.com
– Fax 02 97 67 36 23 – Fermé 15 déc.-31 janv., lundi et mardi sauf hôtel*
10 ch – †52/86 €, ††52/86 €, ⊆ 10 € – ½ P 66/83 €
Rest – Menu 25/42 € – Carte 32/52 €

♦ Cuisine iodée servie dans deux vérandas égayées par un décor marin et agréablement
tournées vers la terrasse, le jardin et l'océan. Petites chambres très calmes.

SASSENAY – 71 Saône-et-Loire – **320** J9 – rattaché à Chalon-sur-Saône

---

SASSETOT-LE-MAUCONDUIT – 76 Seine-Maritime – **304** D3   33 **C1**
– 930 h. – alt. 89 m – ⊠ 76540

▶ Paris 198 – Bolbec 29 – Fécamp 16 – Le Havre 55 – Rouen 65 – Yvetot 30
🅘 Office de tourisme, 4, rue des Fusillés ℰ 02 35 29 79 88, Fax 02 35 29 79 88

XX **Le Relais des Dalles** avec ch   🚗 🈴 🐾 ¶ VISA 🆔 AE
👺 *6 r. Elizabeth d'Autriche, près du château –* ℰ *02 35 27 41 83
– www.relais-des-dalles.fr – le-relais-des-dalles@wanadoo.fr – Fax 02 35 27 13 91
– Fermé vacances de la Toussaint, 14 déc.-7 janv., lundi et mardi sauf
13 juil.-23 août*
4 ch – †75/150 €, ††75/150 €, ⊆ 12 €
Rest – *(prévenir le week-end)* Menu 28/55 € – Carte 38/61 € 🌿

♦ Une sympathique auberge normande, rustique à souhait, où l'on se régale de savoureux
plats traditionnels. Beau choix de vins de Loire et de bordeaux. Chambres cosy.

SAUBUSSE – 40 Landes – **335** D13 – 759 h. – alt. 10 m – Stat. therm. :   3 **B3**
début mars-fin nov. – ⊠ 40180

▶ Paris 736 – Bayonne 43 – Biarritz 50 – Dax 19 – Mont-de-Marsan 72
🅘 Syndicat d'initiative, rue Vieille ℰ 05 58 57 76 68, Fax 05 58 57 37 37

XX **Villa Stings** (Francis Gabarrus)   🈴 & AC VISA 🆔 AE
❀ *9 r. du Port –* ℰ *05 58 57 70 18 – villa-stings@wanadoo.fr – Fax 05 58 57 71 86
– Fermé 8-15 juin, 9-16 nov., fév., sam. midi, dim. soir et lundi du 7 sept. au 25 juil. et
merc. soir du 9 sept. au 26 avril*
Rest – Menu 36/80 € – Carte 36/65 €
Spéc. Escalope de foie gras poêlée au gingembre. Lièvre à la royale (automne).
Biscuit moelleux de noix de pécan aux fraises et framboises (été). **Vins** Jurançon,
Madiran.

♦ Grande demeure en pierre du 19e s. posée au bord de l'Adour. Élégante salle à manger où
l'on sert une cuisine au goût du jour privilégiant les produits de qualité.

SAUGUES – 43 Haute-Loire – 331 D4 – 2 013 h. – alt. 960 m – ✉ 43170 — 6 C3
Auvergne

▶ Paris 529 – Brioude 51 – Mende 72 – Le Puy-en-Velay 43 – St-Flour 52
🛈 Office de tourisme, cours Dr Gervais ℘ 04 71 77 71 38, Fax 04 71 77 71 38

La Terrasse AC rest, 🛜 VISA ⓜⓒ AE
cours Dr Gervais – ℘ 04 71 77 83 10 – www.hotellaterrasse-saugues.com
– laterrasse.saugues@wanadoo.fr – Fax 04 71 77 63 79 – *Fermé déc., janv., dim.
soir et lundi hors saison*
9 ch – ♦55/65 € ♦♦65 €, ⚏ 10 € – ½ P 55 €
Rest – *(fermé dim. soir, mardi midi et lundi sauf juil.-août)*
Menu 19 € (sem.), 28/38 €

♦ Au centre du village dominé par la tour des Anglais, ancienne maison de notaire tenue par la même famille depuis 1795. Fraîches chambres rénovées. Restaurant au cadre rustique agrémenté d'une cheminée et d'une mise en place soignée. Cuisine traditionnelle.

SAUJON – 17 Charente-Maritime – 324 E5 – 5 392 h. – alt. 7 m — 38 B3
– ✉ 17600 Saujon

▶ Paris 499 – Poitiers 165 – La Rochelle 71 – Saintes 28 – Rochefort 34
🛈 Syndicat d'initiative, 22, place du Général-de-Gaulle ℘ 05 46 02 83 77, Fax 05 46 02 14 48

Le Richelieu ♿ ch, AC ch, ↬ 🛜 VISA ⓜⓒ
pl. Richelieu – ℘ 05 46 02 82 43 – www.hotel-lerichelieu-saujon.com
– richelieu.saujon@wanadoo.fr – Fax 05 46 02 82 43 – *Fermé 3-20 janv.*
20 ch – ♦55/75 € ♦♦55/75 €, ⚏ 11 € – ½ P 82/102 €
Rest *Le Ménestrel* – ℘ 05 46 06 92 35 (fermé 12-20 oct., 12 janv.-2 fév., dim. et lundi) Menu 25/38 € – Carte 30/52 €

♦ Un vent de renouveau a soufflé sur cet hôtel de Saintonge. Un édifice ancien (18ᵉ s.) et une extension récente abritent des chambres fonctionnelles d'esprit contemporain. Au restaurant le cadre s'accorde bien avec la cuisine au goût du jour du chef-patron.

> **Comment choisir entre deux adresses équivalentes ?
> Dans chaque catégorie, les établissements sont classés
> par ordre de préférence : nos coups de cœur d'abord.**

SAULES – 25 Doubs – 321 G4 – rattaché à Ornans

SAULGES – 53 Mayenne – 310 G7 – 328 h. – alt. 97 m – ✉ 53340 — 35 C1
Normandie Cotentin

▶ Paris 249 – Château-Gontier 37 – La Flèche 48 – Laval 33 – Le Mans 55 – Mayenne 41
🛈 Syndicat d'initiative, 4, place Jacques Favrot ℘ 02 43 90 49 81, Fax 02 43 90 55 44

L'Ermitage 🈁 🚗 🍽 ⚒ ♿ ch, 🛜 🛎 🅿 ⚏ VISA ⓜⓒ
3 pl. St-Pierre – ℘ 02 43 64 66 00 – www.hotel-ermitage.fr – info@
hotel-ermitage.fr – Fax 02 43 64 66 20 – *Fermé janv. et dim. d'oct. à mars*
35 ch – ♦72/116 € ♦♦72/116 €, ⚏ 10 € – ½ P 76/100 €
Rest – *(fermé sam. midi)* Menu (11 € bc), 24/59 € – Carte 42/48 €

♦ Cette maison ancienne abrite de coquettes chambres tournées vers la campagne ou le village. Celles du "Relais", bien rénovées, sont plus modernes. Piscine, minigolf, jardin. Cuisine au goût du jour, servie dans une salle au décor actuel qui donne sur la terrasse.

SAULIEU – 21 Côte-d'Or – 320 F6 – 2 837 h. – alt. 535 m – ✉ 21210 — 8 C2
Bourgogne

▶ Paris 248 – Autun 40 – Avallon 39 – Beaune 65 – Clamecy 78 – Dijon 73
🛈 Syndicat d'initiative, 24, rue d'Argentine ℘ 03 80 64 00 21, Fax 03 80 64 00 21

◉ Basilique St-Andoche★ : chapiteaux★★.

SAULIEU

- Argentine (R. d') 3
- Bertin (R. J.J.) 4
- Collège (R. du) 6
- Courtépée (R.) 7
- Foire (R. de la) 8
- Fours (R. des) 9
- Gambetta (R.) 10
- Gare (Av. de la) 12
- Gaulle (Pl. Ch.-de) 14
- Grillot (R.) 15
- Marché (R. du) 17
- Parc des Sports (R. du) 18
- Sallier (R.) 19
- Tanneries (R. des) 20
- Vauban (R.) 21

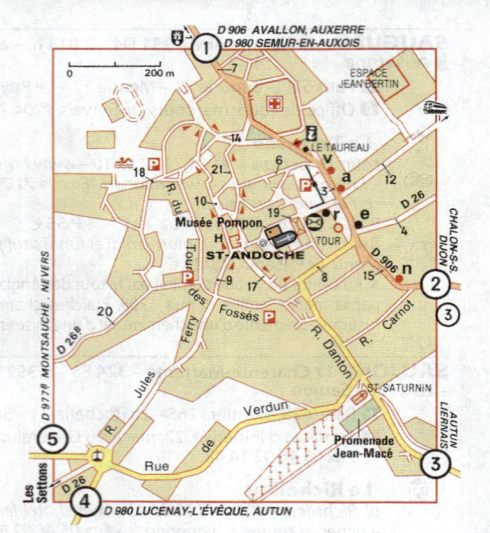

Le Relais Bernard Loiseau
2 r. Argentine – ℰ 03 80 90 53 53 – www.bernard-loiseau.com
– loiseau@relaischateaux.com – Fax 03 80 64 08 92 – Fermé 4 janv.-4 fév.
23 ch – ✝145/195 € ✝✝145/345 €, ⌑ 30 € – 9 suites
Rest – (fermé merc. midi et mardi sauf de mai à sept., et sauf vacances de Noël)
Menu 98 € bc (déj. en sem.), 120/185 € – Carte 144/242 €
Spéc. Jambonnettes de grenouilles à la purée d'ail et au jus de persil. Filet de bœuf charolais cuit au foin en croûte d'argile. Rose des sables à la glace pur chocolat et son coulis d'orange confite. **Vins** Puligny-Montrachet, Chambolle-Musigny.
♦ Ce luxueux Relais (18ᵉ s.), fer de lance de cette ville-étape qui fait honneur à l'hospitalité bourguignonne, s'illustre par son confort et sa sérénité. Spa bien équipé. Élégantes salles ouvertes sur le jardin à l'anglaise. Patrick Bertron signe de talentueuses recettes rendant hommage au maître de Saulieu.

Hostellerie la Tour d'Auxois
sq. Alexandre Dumaine – ℰ 03 80 64 36 19
– www.tourdauxois.com – info@tourdauxois.com – Fax 03 80 64 93 10
– Fermé fév.
29 ch – ✝99 € ✝✝99 €, ⌑ 13 € – 6 suites
Rest – (fermé mardi midi d'oct. à mai, dim. soir et lundi)
Menu (15 € bc), 29/52 € – Carte 24/44 €
♦ Hôtel charmant mettant à profit un ancien couvent. Jardin paysager avec piscine, chambres cosy et jolie salle aux allures de bistrot pour le petit-déjeuner. Carte au goût du jour dans la salle en rotonde côté verdure.

La Borne Impériale avec ch
16 r. Argentine – ℰ 03 80 64 19 76 – www.borne-imperiale.com
– Fax 03 80 64 30 63 – Fermé 10 janv.- 10 fév., lundi soir et mardi
sauf juil.- août
7 ch – ✝45 € ✝✝60 €, ⌑ 10 € – ½ P 60 €   **Rest** – Menu 23/48 € – Carte 45/60 €
♦ Cuisine de tradition régionale, copieuse et soignée, servie dans la salle classique ou sur la belle terrasse ouverte sur un jardin. Hébergement pratique à l'étage.

Auberge du Relais
8 r. Argentine – ℰ 03 80 64 13 16 – taverna.serge@wanadoo.fr
– Fax 03 80 64 08 33 – Fermé 16 nov.-13 déc.
Rest – Menu (18 €), 21/40 € – Carte 30/40 €
♦ En centre ville, cette auberge à la façade rose propose une carte qui privilégie le terroir. Décor intérieur un brin rustique et terrasse au calme.

SAULIEU

La Vieille Auberge
15 r. Grillot – ℰ 03 80 64 13 74 – lavieilleauberge3@wanadoo.fr – Fermé 30 juin-10 juil., 12-30 janv., 27 fév.-11 mars, mardi soir et merc. du 1er sept. au 13 juil.
Rest – Menu 13/40 € – Carte 24/42 €   **n**

♦ Restaurant familial situé à proximité du centre. Table régionale, salle rajeunie dans les tons jaune et orange, terrasse sur un jardinet bien appréciée en saison.

SAULON-LA-RUE – 21 Côte-d'Or – 320 K6 – 526 h. – alt. 215 m — ⊠ 21910   **8 D1**

🛣 Paris 324 – Dijon 12 – Beaune 43 – Gevrey-Chambertin 9 – Seurre 30

Château de Saulon
rte de Seurre – ℰ 03 80 79 25 25 – www.chateau-saulon.com – commercial@chateau-saulon.com – Fax 03 80 79 25 26 – Fermé 26 fév.-1er mars
30 ch – †75/140 € ††90/140 €, ⊇ 15 €
Rest – *(fermé dim. soir d'oct. à mai et lundi midi)* Menu 31/57 € – Carte 51/68 €

♦ Joli petit château du 17e s. entouré d'un parc arboré agrémenté d'une piscine et d'un étang privé. Les chambres offrent un cadre contemporain (mobilier fonctionnel). Dans une dépendance, salle à manger où l'on sert une cuisine actuelle. Boutique de vins ; dégustation.

SAULT – 84 Vaucluse – 332 F9 – 1 301 h. – alt. 765 m – ⊠ 84390   **42 E1**
Alpes du Sud

🛣 Paris 718 – Aix-en-Provence 86 – Apt 31 – Avignon 69 – Carpentras 42 – Digne-les-Bains 96

🛈 Office de tourisme, avenue de la Promenade ℰ 04 90 64 01 21, Fax 04 90 64 15 03

◉ Gorges de la Nesque★★ : belvédère★★ SO : 11 km par D 942 - Mont Ventoux ※★★★ NO : 26 km.

Hostellerie du Val de Sault
2 km, rte St-Trinit et rte secondaire
– *ℰ 04 90 64 01 41 – www.valdesault.com*
– *valdesault@aol.com – Fax 04 90 64 12 74 – Ouvert 11 avril-8 nov.*
15 ch – †140 € ††140 €, ⊇ 14 € – 9 suites – ½ P 123/143 €
Rest – *(fermé jeudi midi et lundi sauf de juin à août)* Menu 43/97 € – Carte 41/50 €

♦ Parfum de lavande, vue enchanteresse, chambres avec salon et miniterrasse ou duplex "Provence-Asie": un capital-séduction auquel on ne reste pas insensible ! Apaisante salle à manger mariant les styles, terrasse bien exposée, menu régional honorant la truffe.

SAULXURES – 67 Bas-Rhin – 315 G6 – 457 h. – alt. 535 m – ⊠ 67420   **1 A2**

🛣 Paris 407 – Épinal 71 – Strasbourg 67 – Lunéville 65 – Saint-Dié 30

La Belle Vue
36 r. Principale – ℰ 03 88 97 60 23 – www.la-belle-vue.com – labellevue@wanadoo.fr – Fax 03 88 47 23 71 – Fermé 4-20 janv.
11 ch – †89/130 € ††89/130 €, ⊇ 12 € – ½ P 76/97 €
Rest – *(fermé mardi et merc. d'oct. à mai)* Menu 15 € bc (déj. en sem.), 20/56 €

♦ La même famille tient cette auberge depuis quatre générations. Suites, duplex et chambres au décor soigné (charpente apparente, tableaux contemporains). Salle à manger vitrée ouverte sur un jardin et mezzanine servent de joli cadre à des repas dans l'air du temps.

SAUMUR – 49 Maine-et-Loire – 317 I5 – 28 700 h. – alt. 30 m   **35 C2**
– ⊠ 49400 **Châteaux de la Loire**

🛣 Paris 300 – Angers 67 – Le Mans 124 – Poitiers 97 – Tours 64

🛈 Office de tourisme, place de la Bilange ℰ 02 41 40 20 60, Fax 02 41 40 20 69

⛳ de Saumur 2, route des Mortins, O : 5 km par D 751 et D 161, ℰ 02 41 50 87 00

◉ Château★★ : musée d'Arts décoratifs★★, musée du Cheval★, tour du Guet ※★ - Église N.-D.-de-Nantilly★ : tapisseries★★ - Vieux quartier★ BY : Hôtel de ville★ H ,tapisseries★ de l'église St-Pierre - Musée de l'école de Cavalerie★ M¹ - Musée des Blindés★★ au Sud.

SAUMUR

Anjou (R. d')	**BZ** 2
Beaurepaire (R.)	**AY** 3
Bilange (Pl. de la)	**BY** 4
Cadets (Ponts des)	**BX** 5
Dr-Bouchard (R. du)	**AZ** 6
Dupetit-Thouars (Pl.)	**BZ** 7
Fardeau (R.)	**AZ** 9
Gaulle (Av. Général-de)	**BX**
Leclerc (R. du Mar.)	**AZ**
Nantilly (R. de)	**BZ** 10
Orléans (R. d')	**ABY**
Poitiers (R. de)	**AZ** 12
Portail-Louis (R. du)	**BY** 13
République (Pl. de la)	**BY** 15
Roosevelt (R. Fr.)	**BY** 16
St-Jean (R.)	**BY** 18
St-Pierre (Pl.)	**BY** 19
Tonnelle (R. de la)	**BY** 20
Vieux-Pont (R. du)	**BY** 22

Château de Verrières sans rest
53 r. d'Alsace – ℰ 02 41 38 05 15 – www.chateau-verrieres.com – contact@chateau-verrieres.com – Fax 02 41 38 18 18   **VISA MC AE ①**   AY **v**

10 ch – †140/310 € ††140/310 €, ⊇ 15 €

♦ Les châtelains vous reçoivent en amis dans cette séduisante demeure du 19ᵉ s. nichée au cœur d'un parc de 2 ha. Luxe et raffinement (salons Napoléon III, mobilier d'époque).

St-Pierre sans rest
8 r. Haute-St-Pierre – ℰ 02 41 50 33 00 – www.saintpierresaumur.com – contact@saintpierresaumur.com – Fax 02 41 50 38 68   BY **b**

15 ch – †85/115 € ††90/165 €, ⊇ 13 €

♦ Poutres massives, colombages, hautes cheminées en tuffeau, escalier à vis et meubles de style : un bien charmant hôtel installé dans des maisons du 17ᵉ s. joliment restaurées.

Anne d'Anjou sans rest
32 quai Mayaud – ℰ 02 41 67 30 30 – www.hotel-anneanjou.com – contact@hotel-anneanjou.com – Fax 02 41 67 51 00   BY **k**

43 ch – †82/135 € ††100/210 €, ⊇ 12 €

♦ Bel hôtel particulier du 18ᵉ s. dont les chambres – Empire ou actuelles – sont tournées vers le fleuve ou le château. L'été, petit-déjeuner servi dans une ravissante cour.

SAUMUR

Adagio sans rest
94 av. du Gén. de Gaulle – ℰ 02 41 67 45 30 – www.hoteladagio.com
– contact@hoteladagio.com – Fax 02 41 67 74 59
– Fermé 23 déc.-26 déc.   BX t
38 ch – †74/79 € ††84/130 €, ⊇ 13 €

◆ À 500 m de la gare, un bien plaisant hôtel proposant cinq catégories de chambres, toutes joliment décorées dans un style contemporain et coloré ; certaines regardent la Loire.

Mercure Bord de Loire sans rest
r. du vieux Pont – ℰ 02 41 67 22 42
– www.mercure.com/www.loire-hotel.fr – h6648@accor.com
– Fax 02 41 67 88 80   BY g
45 ch – †55/149 € ††69/162 €, ⊇ 14 € – 1 suite

◆ Bâtiment moderne situé sur l'île d'Offard. Chambres fonctionnelles rénovées ; certaines offrent une agréable perspective sur le château et la Loire.

Kyriad sans rest
23 r. Daillé – ℰ 02 41 51 05 78 – www.central-kyriad.com – kyriad.saumur@multi-micro.com – Fax 02 41 67 82 35   BY d
29 ch – †50/99 € ††65/120 €, ⊇ 8 €

◆ Situation centrale mais calme assuré, accueil particulièrement soigné, chambres décorées avec goût – dont deux très spacieuses et flambant neuves : agréable en tous points.

Le Volney sans rest
1 r. Volney – ℰ 02 41 51 25 41 – www.levolney.com – contact@levolney.com
– Fax 02 41 38 11 04 – Fermé 25 déc.-3 janv.   BZ a
14 ch – †35/58 € ††35/58 €, ⊇ 7 €

◆ Face à la Poste, chambres simples mais bien tenues et régulièrement rafraîchies : un bon point de départ pour les petits budgets souhaitant découvrir la "perle de l'Anjou".

Les Ménestrels
11 r. Raspail – ℰ 02 41 67 71 10 – menestrel@wanadoo.fr – Fax 02 41 50 89 64
– Fermé lundi sauf le soir d'avril à oct. et dim.   BZ u
Rest – Menu (19 €), 25/68 € – Carte 65/87 €

◆ Un beau choix de vins de Loire escorte la cuisine actuelle de ce restaurant, dont une salle est aménagée dans une chapelle qui daterait du 14ᵉ s. Original : le menu marocain.

Le Gambetta
12 r. Gambetta – ℰ 02 41 67 66 66 – www.restaurantlegambetta.com
– legambetta@neuf.fr – Fax 02 41 50 83 23 – Fermé 27 juil.-20 août, 4-20 janv., dim. soir, lundi et merc.   AY w
Rest – Menu 20 € (déj. en sem.), 27/82 € – Carte 54/72 €

◆ Cette maison de pays sise à proximité de l'École de cavalerie abrite deux sobres salles à manger. Terrasse d'été dressée dans la cour. Goûteuse cuisine de saison.

à St-Hilaire-St-Florent 3 km par av. Foch AXY et D 751 – ✉ 49400 Saumur
◉ École nationale d'Équitation ★.

Les Terrasses de Saumur
chemin de l'Alat – ℰ 02 41 67 28 48 – www.lesterrassesdesaumur.fr
– contact@lesterrassesdesaumur.fr – Fax 02 41 67 13 71
– Fermé 20-30 déc.
22 ch – †65/90 € ††65/90 €, ⊇ 12 € – ½ P 73/85 €
Rest – (fermé lundi midi et mardi midi) Menu (23 €), 28/58 €
– Carte 47/81 €

◆ Nouveau départ pour cet hôtel dominant Saumur et son château : on rajeunit joliment les chambres (couleurs gaies, beaux équipements), parfois dotées d'une terrasse. Repas traditionnels dans une salle en rotonde donnant sur la ville ou autour de la piscine.

SAUMUR

à Chênehutte-les-Tuffeaux 8 km par av. Foch AXY et D 751 – 1 092 h. – alt. 29 m – ⊠ 49350

Le Prieuré
– ℰ 02 41 67 90 14 – www.prieure.com – prieure@grandesetapes.fr
– Fax 02 41 67 92 24
21 ch – †146 € ††146 €, ⊇ 23 € – 1 suite
Rest – Menu (24 €), 33 € (dîner), 52/100 € bc – Carte 28/73 €

♦ Ce prieuré des 12e et 16e s. domine la Loire. Chambres soignées (meubles de style), profitant toutes de la vue. Restaurant au cadre bourgeois offrant un panorama inoubliable. Légumes, poissons et beau choix de vins du cru.

Les Résidences du Prieuré
– ℰ 02 41 67 90 14 – www.prieure.com – prieure@grandesetapes.fr
– Fax 02 41 67 92 24
15 ch – †130/340 € ††130/340 €, ⊇ 23 €

♦ Chambres avec terrasse et jardinet privé, réparties dans six bungalows disséminés dans un immense parc boisé.

SAUSHEIM – 68 Haut-Rhin – 315 I10 – rattaché à Mulhouse

LA SAUSSAYE – 27 Eure – 304 F6 – 1 954 h. – alt. 137 m – ⊠ 27370   33 **D2**

▸ Paris 130 – Évreux 40 – Louviers 20 – Pont-Audemer 49 – Rouen 25

Manoir des Saules (Jean-Paul Monnaie)
2 pl. St Martin – ℰ 02 35 87 25 65
– www.manoirdessaules.com – manoirsaules@relaischateaux.com
– Fax 02 35 87 49 39 – Fermé 2-25 nov., 22 fév.-3 mars, dim. soir de sept. à avril, lundi et mardi
9 ch – †195 € ††210/265 €, ⊇ 22 €
Rest – (nombre de couverts limité, prévenir)
Menu (55 €), 65 € (sem.)/125 € – Carte 86/126 €
Spéc. Buisson de homard à l'huile de truffe. Poissons sauvages (selon pêche). Soufflé chaud au Grand Marnier.

♦ Accueil charmant dans cet authentique manoir normand avec jardin. Colombages et tourelles ornent la façade ; un beau mobilier de style décore les chambres. Originales salles à manger où l'on savoure une cuisine actuelle, privilégiant les produits locaux. Belle cave.

SAUSSET-LES-PINS – 13 Bouches-du-Rhône – 340 F6 – 7 278 h.   40 **B3**
– alt. 15 m – ⊠ 13960 **Provence**

▸ Paris 768 – Aix-en-Provence 41 – Marseille 37 – Martigues 13 – Salon-de-Provence 48

🛈 Syndicat d'initiative, 16, avenue du Port ℰ 04 42 45 60 65, Fax 04 42 45 60 68

Paradou-Méditerranée
Le Port – ℰ 04 42 44 76 76 – www.paradou.fr – hotel.paradou@wanadoo.fr
– Fax 04 42 44 78 48
42 ch – †95/125 € ††95/125 €, ⊇ 10 €
Rest – (fermé 19 déc.-3 janv., sam. et dim.) Menu 25/35 € – Carte 31/53 €

♦ Cet hôtel, idéalement situé face à la mer, offre aussi les joies d'une piscine et d'un jardin. Chambres refaites et colorées, pourvues de balcons. Accueil charmant. Salle à manger d'esprit provençal où l'on sert une cuisine aux saveurs méditerranéennes.

Les Girelles
r. Frédéric Mistral – ℰ 04 42 45 26 16 – www.restaurant-les-girelles.com
– restaurant-les-girelles@wanadoo.fr – Fax 04 42 45 49 65 – Fermé 2-31 janv., mardi midi, merc. midi en juil.-août, dim. soir de sept. à juin et lundi
Rest – Menu 29/65 € – Carte 42/80 €

♦ Véranda confortable et terrasse tournées vers la grande bleue, salle provençale soignée. Actuelle, la carte privilégie tout naturellement produits de la mer et accents du Sud.

SAUTERNES – 33 Gironde – 335 I7 – 586 h. – alt. 50 m – ⊠ 33210   3 **B2**
 Aquitaine

▸ Paris 624 – Bazas 24 – Bordeaux 49 – Langon 11

🛈 Office de tourisme, 11, rue Principale ℰ 05 56 76 69 13, Fax 05 57 31 00 67

SAUTERNES

Relais du Château d'Arche sans rest
0,5 km au Nord, rte de Bommes – ℰ 05 56 76 67 67
– www.chateaudarche-sauternes.com – chateaudarche@wanadoo.fr
– Fax 05 56 76 69 76
9 ch – †120/160 € ††120/160 €, ⟱ 10 €
♦ Chartreuse du 17e s. au cœur du domaine viticole du Château d'Arche, dont on peut déguster les grands crus après une visite. Chambres cosy et personnalisées. Salle de réception.

Saprien
14 r. Principale – ℰ 05 56 76 60 87 – www.saprien.free.fr – saprien@aliceadsl.fr
– Fax 05 56 76 68 92 – Fermé 21 déc.-4 janv., 11 fév.-2 mars, dim. soir et merc. soir d'avril à oct., le soir en sem. de nov. à mars et lundi
Rest – Menu (20 €), 25/37 € – Carte 40/59 €
♦ Maison typique de vigneron et son coquet intérieur rustique (cheminée). Terrasse au pied des vignes. Bonne sélection de sauternes au verre et goûteuse cuisine régionale.

SAUVE – 30 Gard – 339 I5 – 1 856 h. – alt. 103 m – ⌧ 30610   23 **C2**
▸ Paris 747 – Montpellier 48 – Alès 28 – Nîmes 40 – Le Vigan 38
🛈 Office de tourisme, place René Isouard ℰ 04 66 77 57 51, Fax 04 66 77 05 99

La Magnanerie avec ch
rte de Nîmes – ℰ 04 66 77 57 44 – www.lamagnanerie.fr – la.magnanerie@wanadoo.fr – Fax 04 66 77 02 31
8 ch – †49/57 € ††56/65 €, ⟱ 7 € – ½ P 67/75 €
Rest – (fermé 15-30 nov., merc. soir sauf juil.-août, mardi midi et lundi)
Menu (14 € bc), 26/50 € – Carte 38/60 €
♦ En bordure de rivière, cette paisible bastide du 17e s., entourée d'un jardin (avec les vestiges d'un aqueduc), propose des chambres fonctionnelles. Goûteuse cuisine actuelle.

SAUVETERRE – 30 Gard – 339 N4 – 1 793 h. – alt. 23 m – ⌧ 30150   23 **D2**
▸ Paris 669 – Alès 77 – Avignon 15 – Nîmes 49 – Orange 15 – Pont-St-Esprit 36

Château de Varenne sans rest
pl. St-Jean – ℰ 04 66 82 59 45 – www.chateaudevarenne.com – info@chateaudevarenne.com – Fax 04 66 82 84 83 – Fermé 6 janv.-18 fév.
13 ch – †98/168 € ††98/248 €, ⟱ 19 €
♦ Le parc à la française ajoute au charme de cette élégante demeure du 18e s. Chambres raffinées, personnalisées et agrémentées de riches tissus et objets anciens.

SAUVETERRE-DE-BÉARN – 64 Pyrénées-Atlantiques – 342 G2   3 **B3**
– 1 304 h. – alt. 69 m – ⌧ 64390 **Aquitaine**
▸ Paris 777 – Pau 64 – Bayonne 60 – Orthez 22 – Peyrehorade 25
– Saint-Jean-Pied-de-Port 44
🛈 Office de tourisme, place Royale ℰ 05 59 38 32 86

La Maison de Navarre
– ℰ 05 59 38 55 28 – www.lamaisondenavarre.com – infos@lamaisondenavarre.com – Fax 05 59 38 55 71 – Fermé 28 août-5 sept., 2 nov.-3 déc., 22 fév.-7 mars
7 ch – †54/65 € ††59/71 €, ⟱ 8 € – ½ P 56/62 €
Rest – (fermé dim. soir sauf juil.-août et merc.) Menu 19 € bc/30 €
– Carte environ 40 €
♦ Charmante maison de maître (fin 18e) dans un jardin profitant de la vue sur les Pyrénées. Mobilier chiné, parquet et couleurs gaies rendent les chambres coquettes. Au restaurant, cadre cosy, belle terrasse et cuisine mi-béarnaise, mi-provençale.

Domaine de Betouzet sans rest
Andrein, 3 km à l'Est par D 27 – ℰ 05 59 38 91 40 – www.betouzet.com – book@betouzet.com – Fax 05 59 38 91 51 – Ouvert 20 mars-30 nov.
5 ch – †150/200 € ††150/200 €, ⟱ 12 €
♦ Des arbres centenaires et des haies de buis bien taillées agrémentent le parc de cette jolie gentilhommière. Chambres calmes et confortables, boudoir et espace bien-être.

SAUVETERRE-DE-COMMINGES – 31 Haute-Garonne – 343 C6 – 28 B3
– 724 h. – alt. 480 m – ✉ 31510

▶ Paris 777 – Bagnères-de-Luchon 36 – Lannemezan 31 – Tarbes 71 – Toulouse 104

Les 7 Molles
à Gesset – ☎ 05 61 88 30 87 – www.hotel7molles.com – contact@hotel7molles.com – Fax 05 61 88 36 42 – Fermé 15 fév.-15 mars, mardi et merc. hors saison
18 ch – ♦83 € ♦♦105/153 €, ☐ 12 € – ½ P 103/127 €
Rest – (fermé le midi en sem.) Menu 30/47 € – Carte 43/52 €
♦ Les chambres avec balcon regardent le joli jardin fleuri orné de "sept molles" (meules) récupérées sur des moulins en ruines. Style parfois désuet, mais confort appréciable. Belle salle à manger bourgeoise (faïence du pays sur les tables) et cuisine classique.

SAUVETERRE-DE-ROUERGUE – 12 Aveyron – 338 F5 – 811 h. – 29 C1
– alt. 460 m – ✉ 12800 ▮ Midi-Pyrénées

▶ Paris 652 – Albi 52 – Millau 88 – Rodez 30 – St-Affrique 78 – Villefranche-de-Rouergue 44

🛈 Office de tourisme, place des Arcades ☎ 05 65 72 02 52, Fax 05 65 72 02 85

◉ Place centrale ★.

Le Sénéchal (Michel Truchon)
– ☎ 05 65 71 29 00 – www.hotel-senechal.fr – info@hotel-senechal.fr
– Fax 05 65 71 29 09 – Fermé 1er janv.-15 mars, mardi midi et jeudi midi sauf juil.-août et lundi
8 ch – ♦130/140 € ♦♦130/140 €, ☐ 17 € – 3 suites – ½ P 135 €
Rest – (nombre de couverts limité, prévenir) Menu 27 € (sem.)/130 € – Carte 48/90 €
Spéc. Foies gras chaud et froid. "Pascadou" et feuilles d'amarante. Ris d'agneau de l'Aveyron. **Vins** Marcillac.
♦ Une bastide royale du 13e s. sert de cadre à cette auberge reconstruite dans le style du pays. Intérieur mariant le moderne à l'ancien. Cuisine actuelle et décor original : poisson rouge en bocal à chaque table, œuvre d'art contemporain en fer, salon design.

SAUVIAT-SUR-VIGE – 87 Haute-Vienne – 325 G5 – 942 h. – 24 B2
– alt. 450 m – ✉ 87400

▶ Paris 404 – Limoges 34 – Guéret 49 – Panazol 30 – Isle 38

Auberge de la Poste
141 r. Emile Dourdet – ☎ 05 55 75 30 12 – www.aubergedelaposte.fr
– aubergedelaposte@wanadoo.fr – Fax 05 55 75 33 60 – Fermé 13 déc.-12 janv.
10 ch ☐ – ♦51 € ♦♦68 € – ½ P 50 €
Rest – (fermé dim. soir et lundi) Menu (15 € bc), 17 € (sem.)/38 € – Carte 27/49 €
♦ Auberge familiale sur l'axe principal du village. Les chambres, fonctionnelles et de style rustique, sont logées dans un bâtiment à l'abri des nuisances de la route. Cuisine classique servie dans un agréable cadre campagnard (pierres apparentes, poutres, parquet).

SAUVIGNY-LES-BOIS – 58 Nièvre – 319 C10 – rattaché à Nevers

SAUXILLANGES – 63 Puy-de-Dôme – 326 H9 – 1 109 h. – alt. 460 m – 6 C2
– ✉ 63490 ▮ Auvergne

▶ Paris 455 – Ambert 46 – Clermont-Ferrand 45 – Issoire 14 – Thiers 45 – Vic-le-Comte 20

🛈 Syndicat d'initiative, place de l'Ancienne Poste ☎ 04 73 96 37 63, Fax 04 73 96 87 24

◉ Pic d'Usson ✹ ★ SO : 4 km.

Restaurant de la Mairie
11-17 pl. St-Martin – ☎ 04 73 96 80 32 – www.fontbonne.fr – contact@fontbonne.fr – Fax 04 73 96 89 92 – Fermé 23 juin-3 juil., 21 sept.-2 oct., 2-17 janv., mardi soir et merc. soir de la Toussaint à Pâques, dim. soir et lundi
Rest – Menu (15 €), 20 € (sem.), 28/60 € – Carte 33/73 €
♦ Face à la mairie, maison de village datant de 1811. Salles à manger plaisantes (poutres, vitraux) et petit salon intime pour une fine cuisine mi-traditionnelle mi-régionale.

SAUZON – 56 Morbihan – **308** L10 – voir à Belle-Île-en-Mer

SAVERNE – 67 Bas-Rhin – **315** I4 – 11 300 h. – alt. 200 m – ⌧ 67700   **1 A1**
Alsace Lorraine

- Paris 450 – Lunéville 88 – St-Avold 89 – Sarreguemines 65 – Strasbourg 39
- Office de tourisme, 37, Grand'Rue ℘ 03 88 91 80 47, Fax 03 88 71 02 90
- Château★ : façade★★ - Maisons anciennes à colombage★ N.

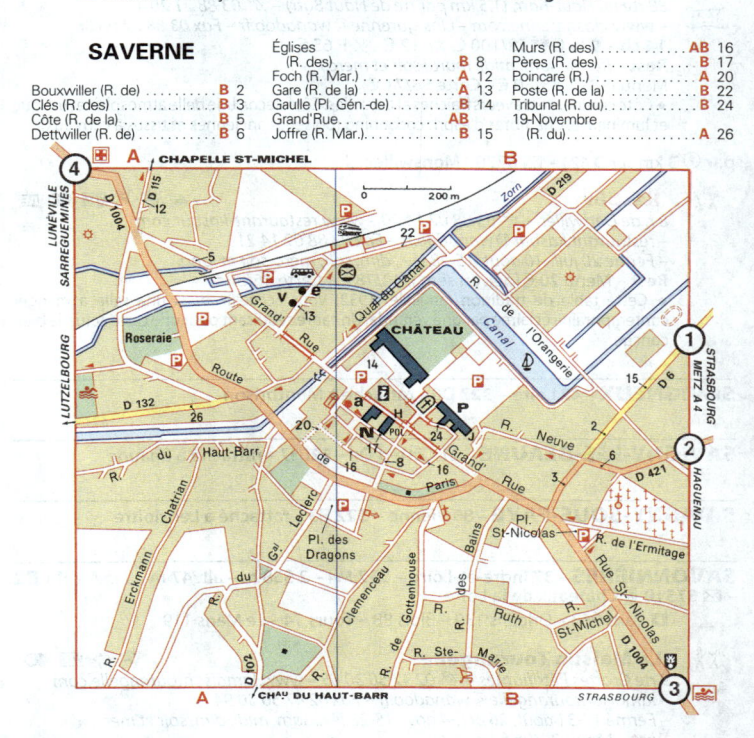

SAVERNE

Bouxwiller (R. de) .... **B** 2	Églises (R. des) .... **B** 8
Clés (R. des) .... **B** 3	Foch (R. Mar.) .... **A** 12
Côte (R. de la) .... **B** 5	Gare (R. de la) .... **A** 13
Dettwiller (R. de) .... **B** 6	Gaulle (R. Gén.-de) .... **B** 14
	Grand'Rue .... **AB**
	Joffre (R. Mar.) .... **B** 15
	Murs (R. des) .... **AB** 16
	Pères (R. des) .... **B** 17
	Poincaré (R.) .... **A** 20
	Poste (R. de la) .... **B** 22
	Tribunal (R. du) .... **B** 24
	19-Novembre (R. du) .... **A** 26

Europe sans rest
7 r. de la Gare – ℘ 03 88 71 12 07 – www.hotel-europe-fr.com – info@hotel-europe-fr.com – Fax 03 88 71 11 43 – Fermé 21 déc.-4 janv.   A **e**
28 ch – †65/70 € ††69/94 €, ⊇ 10 €

♦ Hôtel décoré sur le thème de l'Europe. Chambres sobres, très spacieuses et fonctionnelles, à la tenue parfaite. Salon et bar anglais élégants côté rue. Climatisation générale.

Chez Jean
3 r. de la Gare – ℘ 03 88 91 10 19 – www.chez-jean.com – chez.jean@wanadoo.fr – Fax 03 88 91 27 45   A **v**
25 ch – †64/68 € ††80/87 €, ⊇ 10 € – ½ P 75/85 €
Rest – (fermé 21 déc.-11 janv., dim. soir et lundi) Menu (13 €), 16 € (déj. en sem.), 30/47 € – Carte 33/57 €
Rest *Winstub s'Rosestiebel* – (fermé 21 déc.-11 janv., dim. soir et lundi) Menu (13 €), 16 € (déj. en sem.), 30/47 € – Carte 33/57 €

♦ À deux pas du centre piétonnier, un établissement aux chambres claires et bien agencées, d'esprit alsacien : bois patiné, couettes et linge de qualité. Cuisine régionale servie dans une salle à manger habillée de boiseries. Repas conviviaux à la Winstub s'Rosestiebel.

1785

SAVERNE

✕✕ Zum Staeffele
1 r. Poincaré – ℰ 03 88 91 63 94 – www.stasnet.com/staeffele.htm
– michel.jaeckel@wanadoo.fr – Fax 03 88 91 63 94 – Fermé 27 juil.-17 août,
22 déc.-3 janv., dim. soir, jeudi midi et merc.   B a
Rest – Menu 23/56 € – Carte environ 53 €

◆ Cette maison en pierre des 18e et 19e s. située face au château des Rohan possède un intérieur soigné et orné de tableaux. Plats au goût du jour à base de beaux produits.

✕✕ Le Clos de la Garenne avec ch
88 rte du Haut-Barr, (1,5 km par rte de Haut Barr) – ℰ 03 88 71 20 41
– www.closgarenne.com – clos-garenne@wanadoo.fr – Fax 03 88 02 08 86
14 ch – †35 € ††58/100 €, ⊇ 12 € – ½ P 65 €
Rest – (fermé sam. midi, mardi soir et merc.)
Menu (18 €), 35/80 € – Carte 58/71 €

◆ Côté cuisine, des saveurs fraîches et actuelles. Côté décor, une belle atmosphère rustique et lumineuse. Chambres d'esprit cocooning (boiseries anciennes et tissus à carreaux).

par ② 3 km sur D 421 – ✉ 67700 Monswiller

✕✕ Kasbür
8 r. de Dettwiller – ℰ 03 88 02 14 20 – www.restaurant-kasbur.com
– restaurant.kasbur@wanadoo.fr – Fax 03 88 02 14 21
– Fermé 20 juil.-10 août, 15-28 fév., dim. soir, merc. soir et lundi
Rest – Menu 20 € (déj. en sem.), 42/78 € – Carte 46/58 €

◆ Cette table de tradition familiale (1932) vous accueille dans une salle à manger contemporaine éclairée par une véranda. Un cadre séduisant pour une carte actuelle bien conçue.

SAVIGNEUX – 42 Loire – **327** D6 – rattaché à Montbrison

SAVIGNY-LÈS-BEAUNE – 21 Côte-d'Or – **320** I7 – rattaché à Beaune

SAVIGNY-SOUS-FAYE – 86 Vienne – **322** H3 – rattaché à Lencloitre

SAVONNIÈRES – 37 Indre-et-Loire – **317** M4 – 2 558 h. – alt. 47 m   **11 B2**
– ✉ 37510 ▮ Châteaux de la Loire

▶ Paris 263 – Orléans 139 – Blois 88 – Tours 14 – Le Mans 119

✕✕ La Maison Tourangelle
9 rte Grottes Pétrifiantes – ℰ 02 47 50 30 05 – www.lamaisontourangelle.com
– lamaisontourangelle@wanadoo.fr – Fax 02 47 50 30 94
– Fermé 17-31 août, 26 oct.-4 nov., 15-28 fév., sam. midi, dim. soir et merc.
Rest – Menu 26/56 € bc

◆ Joli décor panachant l'actuel et le rustique, délicieuse terrasse sur le Cher et cuisine au goût du jour soignée résument les attraits de cette maison tourangelle du 18e s.

SAZILLY – 37 Indre-et-Loire – **317** L6 – rattaché à L'Île-Bouchard

SCEAUX-SUR-HUISNE – 72 Sarthe – **310** M6 – 547 h. – alt. 93 m   **35 D1**
– ✉ 72160

▶ Paris 173 – Châteaudun 75 – La Ferté-Bernard 12 – Mamers 41 – Le Mans 35
– Nogent-le-Rotrou 34

✕✕ Le Panier Fleuri
1 av. Bretagne – ℰ 02 43 93 40 08 – Fax 02 43 93 43 86 – Fermé 5-21 juil.,
4-14 janv., dim. soir, lundi soir, mardi soir et merc.
Rest – Menu (13 €), 21/30 € – Carte 25/55 €

◆ Au cœur de la localité, cette maison du 19e s. abrite un petit salon et une salle tout en longueur, dotée de poutres et de boiseries. Cuisine actuelle revisitant le terroir.

SCHERWILLER – 67 Bas-Rhin – **315** I7 – 2 958 h. – alt. 185 m – ✉ 67750 2 **C1**
- Paris 439 – Barr 21 – Colmar 27 – St-Dié 42 – Sélestat 5
- Office de tourisme, 30, rue de la Mairie ℰ 03 88 92 25 62

Auberge Ramstein
1 r. Riesling – ℰ *03 88 82 17 00* – *www.hotelramstein.fr* – *hotel.ramstein@wanadoo.fr*
– *Fax 03 88 82 17 02* – *Fermé 23 déc.-10 janv. et vacances de fév.*
21 ch – †49/59 € ††62/72 €, ⊇ 9 € – ½ P 63/68 €
Rest – *(fermé dim., merc. et le midi du 15 juil. au 15 août)*
Menu (17 €), 25/46 € – Carte 30/41 €

♦ Sympathique demeure régionale ouverte de toutes parts sur le vignoble alsacien. Chambres spacieuses et bien équipées. Petit-déjeuner servi dans le salon. Chaleureux restaurant où se déguste une cuisine actuelle accompagnée d'une belle sélection de vins.

SCHIRMECK – 67 Bas-Rhin – **315** H6 – 2 453 h. – alt. 315 m – ✉ 67130 1 **A2**
Alsace Lorraine
- Paris 412 – Nancy 101 – St-Dié 41 – Saverne 48 – Sélestat 59 – Strasbourg 53
- Office de tourisme, 114, Grand'Rue ℰ 03 88 47 18 51, Fax 03 88 97 09 59
- Vallée de la Bruche ★ N et S.

aux Quelles 7,5 km au Sud-Ouest par D 1420, D 261 et rte forestière – ✉ 67130 La Broque

Neuhauser
– ℰ *03 88 97 06 81* – *www.hotel-neuhauser.com* – *hotelneuhauser@wanadoo.fr*
– *Fax 03 88 97 14 29* – *Fermé 17-30 nov. et 20 fév.-10 mars*
15 ch – †67 € ††84 €, ⊇ 12 € – ½ P 82 €
Rest – Menu (10 €), 21/45 € – Carte 28/50 €

♦ Le calme est garanti dans cette auberge campagnarde au cœur de la forêt proposant chambres et chalets de style rustique, piscine intérieure et sauna. Au restaurant, bonne cuisine régionale et eau-de-vie de la distillerie familiale en digestif !

LA SCHLUCHT (COL DE) – 88 Vosges – **314** K4 – voir à Col de la Schlucht

---

SECLIN – 59 Nord – **302** G4 – 12 200 h. – alt. 30 m – ✉ 59113 31 **C2**
Nord Pas-de-Calais Picardie
- Paris 212 – Lens 26 – Lille 17 – Tournai 33 – Valenciennes 47
- Office de tourisme, 70, rue Roger Bouvry ℰ 03 20 90 12 12, Fax 03 20 90 12 00
- Cour ★ de l'hôpital.

Auberge du Forgeron avec ch
17 r. Roger Bouvry – ℰ *03 20 90 09 52* – *www.aubergeduforgeron.com*
– *contact@aubergeduforgeron.com* – *Fax 03 20 32 70 87* – *Fermé 25 juil.-23 août et 24-30 déc.*
16 ch – †75/189 € ††80/189 €, ⊇ 12 € – ½ P 85 €
Rest – *(fermé sam. midi et dim.)* Menu (35 € bc), 39/75 € – Carte 59/89 €

♦ Cheminée et rôtissoire réchauffent la salle à manger-véranda de cette vieille maison en briques. Cuisine dans l'air du temps et belle cave. Confort moderne dans les chambres.

SEDAN – 08 Ardennes – **306** L4 – 20 000 h. – alt. 154 m – ✉ 08200 14 **C1**
Champagne Ardenne
- Paris 246 – Charleville-Mézières 25 – Metz 134 – Reims 101
- Office de tourisme, place du Château Fort ℰ 03 24 27 73 73, Fax 03 24 29 03 28
- Château fort ★★.

Plan page suivante

Hôtellerie le Château Fort
dans le château fort : accès Porte des Princes – ℰ *03 24 26 11 00*
– *www.hotelfp-sedan.com* – *contact@hotelfp-sedan.com* – *Fax 03 24 27 19 00*
52 ch – †75/194 € ††75/194 €, ⊇ 15 € – 10 suites BY **a**
Rest – *(fermé dim. soir et lundi midi)* Menu 35/60 € – Carte 46/65 €

♦ Ce château fort du 15ᵉ s., aujourd'hui classé, surplombe la ville et abrite un hôtel dans son ancien magasin à poudre. Chambres et suites agrémentées de peintures à thème médiéval. Les repas se déroulent dans l'ex-logis du lieutenant du roi.

1787

SEDAN

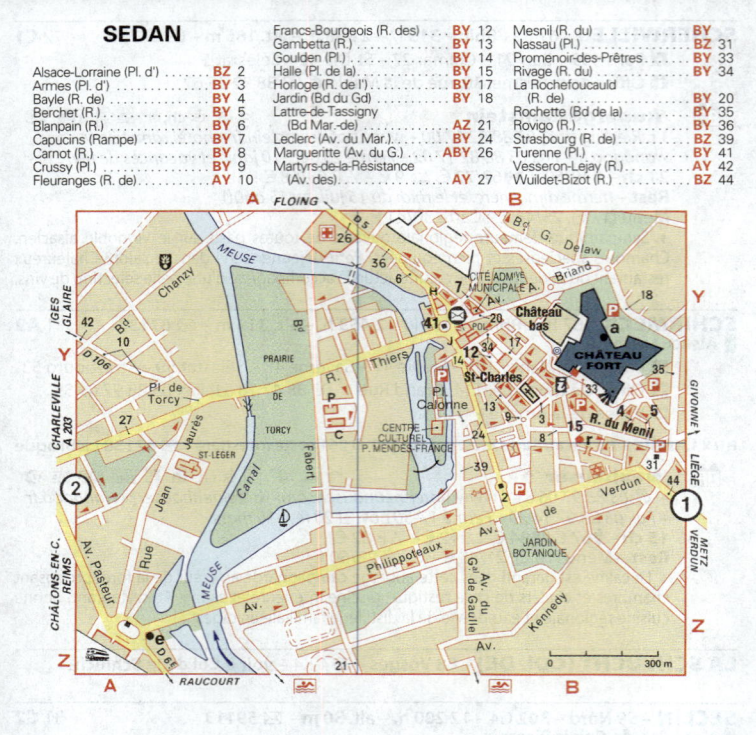

Alsace-Lorraine (Pl. d')	**BZ** 2	Francs-Bourgeois (R. des)	**BY** 12	Mesnil (R. du)	**BY**
Armes (Pl. d')	**BY** 3	Gambetta (R.)	**BY** 13	Nassau (Pl.)	**BZ** 31
Bayle (R. de)	**BY** 4	Goulden (Pl.)	**BY** 14	Promenoir-des-Prêtres	**BY** 33
Berchet (R.)	**BY** 5	Halle (Pl. de la)	**BY** 15	Rivage (R. du)	**BY** 34
Blanpain (R.)	**BY** 6	Horloge (R. de l')	**BY** 17	La Rochefoucauld (R. de)	**BY** 20
Capucins (Rampe)	**BY** 7	Jardin (Bd du Gd)	**BY** 18	Rochette (Bd de la)	**BY** 35
Carnot (R.)	**BY** 8	Lattre-de-Tassigny (Bd Mar.-de)	**AZ** 21	Rovigo (R.)	**BY** 36
Crussy (Pl.)	**BY** 9	Leclerc (Av. du Mar.)	**BY** 24	Strasbourg (R. de)	**BZ** 39
Fleuranges (R. de)	**AY** 10	Marguerite (Av. du G.)	**ABY** 26	Turenne (Pl.)	**BY** 41
		Martyrs-de-la-Résistance (Av. des)	**AY** 27	Vesseron-Lejay (R.)	**AY** 42
				Wuildet-Bizot (R.)	**BZ** 44

XXX Au Bon Vieux Temps

3 pl. de la Halle – ℘ 03 24 29 03 70 – www.restaurant-aubonvieuxtemps.com
– restaurant.au.bon.vieux.temps@wanadoo.fr
– Fax 03 24 29 20 27
– Fermé 31 août-7 sept., 26 déc.-1er janv., 15 fév.-7 mars, dim. soir, merc. soir et lundi

BYZ r

Rest – Menu (19 €), 25/48 € – Carte 37/75 €
Rest *Marmiton* – (fermé dim. et lundi) (déj. seult) Menu 13 € (sem.)/16 €
– Carte environ 18 €

♦ Au rez-de-chaussée d'une maison du 17e s., restaurant orné de fresques murales : vues de Sedan dans les années 1900 et paysages régionaux. Registre culinaire classique. Décor de bistrot et ambiance décontractée au Marmiton (menu, plat du jour et carte simple).

à Bazeilles 3 km par ① – 1 976 h. – alt. 161 m – ✉ 08140

Auberge du Port

r. de la Gare, 1 km au Sud par rte Remilly-Aillicourt
– ℘ 03 24 27 13 89 – www.auberge-du-port.fr
– auberge-du-port@wanadoo.fr – Fax 03 24 29 35 58
– Fermé août, 18 déc.-5 janv.

20 ch – ♦57 €, ♦♦68 €, ☑ 8,50 € – ½ P 62 €
Rest – (fermé vend. sauf le soir du 1er avril au 30 oct., sam. midi et dim. soir)
Menu (19 €), 25/48 €

♦ Atout de cette auberge familiale : son petit jardin qui longe un bras de la Meuse... Calme garanti dans les chambres, simples et fonctionnelles avant tout. La table séduira particulièrement les amateurs de vin avec sa cave richement fournie (dégustation et vente).

SEDAN

Château de Bazeilles 🅗 🅟 🆅🅸🆂🅰 ch, ⓘ 🅟 VISA ⓜ AE ①
r. Galliéni – ℰ 03 24 27 09 68 – www.chateau-bazeilles.com – contact@
chateau-bazeilles.com – Fax 03 24 27 64 20
20 ch – †74 € ††92 €, ⌧ 9 € – ½ P 83 €
Rest *L'Orangerie* – *(fermé 24-30 déc., dim. soir du 15 nov. au 15 mars et sam. midi)* Menu (19 €), 31/38 € – Carte 38/62 €
♦ Hôtel aménagé dans les dépendances (anciennes écuries) et la conciergerie du château de 1750. Chambres spacieuses, propres et calmes. Le cadre du restaurant l'Orangerie a du caractère : charpente apparente, grande cheminée et terrasse tournée vers les jardins.

SÉES – 61 Orne – **310** K3 – 4 508 h. – alt. 186 m – ✉ 61500 33 **C3**
Normandie Cotentin

▶ Paris 183 – L'Aigle 42 – Alençon 22 – Argentan 24 – Domfront 66 – Mortagne-au-Perche 33

🄳 Office de tourisme, place du Général-de-Gaulle ℰ 02 33 28 74 79, Fax 02 33 28 18 13

👁 Cathédrale Notre-Dame★ : chœur et transept★★ - Forêt d'Ecouves★★ SO : 5 km.

à Macé 5,5 km par rte d'Argentan, D 303 et D 747 – 495 h. – alt. 173 m – ✉ 61500
👁 Château d'O★ NO : 5 km.

Île de Sées 🅗 rest, ⓘ 🅟 VISA ⓜ
– ℰ 02 33 27 98 65 – www.ile-sees.fr – ile-sees@ile-sees.fr – Fax 02 33 28 41 22
– *Ouvert 1er mars-30 nov. et fermé dim. soir*
16 ch ⌧ – †69 € ††69 €, ⌧ 9 € – ½ P 70 €
Rest – *(fermé dim. soir, lundi midi, mardi midi et merc. midi)*
Menu 18/35 € – Carte 28/43 €
♦ En pleine campagne normande, cette belle maison de pays entourée d'un parc propose d'agréables chambres (mobilier lasuré, tons pastel). Petit-déjeuner sous forme de buffet. Salle à manger élégante et chaleureuse où l'on sert une cuisine traditionnelle.

SEGONZAC – 19 Corrèze – **329** I4 – 231 h. – alt. 345 m – ✉ 19310 24 **B3**
Périgord

▶ Paris 506 – Limoges 117 – Tulle 58 – Brive-la-Gaillarde 31 – Périgueux 69

Pré Laminon 🅟
– ℰ 05 55 84 17 39 – www.prelaminon.com – prelaminon@wanadoo.fr – *Ouvert 1er avril-30 sept.*
3 ch ⌧ – †40/50 € ††52/60 € **Table d'hôte** – Menu 12 € bc/18 € bc
♦ Ancienne grange corrézienne dans un paysage de collines. L'intérieur est aussi chaleureux qu'un chalet savoyard : cadre artisanal tout en bois, chambres douillettes. Piscine. Table d'hôte.

SÉGOS – 32 Gers – **336** A8 – **rattaché à Aire-sur-l'Adour**

SEGRÉ – 49 Maine-et-Loire – **317** D2 – 6 671 h. – alt. 40 m – ✉ 49500 34 **B2**
▶ Paris 334 – Nantes 83 – Angers 44 – Laval 55 – Châteaubriant 45

Le Segré 🅗 rest, ⓘ 🅟 VISA ⓜ AE ①
r. Gustave-Eiffel – ℰ 02 41 94 81 81 – hotel.lesegre@orange.fr
– Fax 02 41 94 81 88
48 ch – †55/72 € ††55/72 €, ⌧ 8 €
Rest – grill – *(fermé dim.)* Menu (12 €), 15 € (sem.)/30 € – Carte 23/34 €
♦ À côté d'une zone industrielle entourée d'espaces verts, complexe tout récent d'esprit régional. Les chambres offrent un bon confort et une décoration sobre et contemporaine. Au 1er étage, restaurant servant une cuisine traditionnelle (formules buffet et grillades).

SÉGURET – 84 Vaucluse – **332** D8 – **rattaché à Vaison-la-Romaine**

SEIGNOSSE – 40 Landes – **335** C12 – 2 778 h. – alt. 15 m – ⊠ 40510 3 **A3**
- ▶ Paris 747 – Biarritz 36 – Dax 32 – Mont-de-Marsan 85 – Soustons 11
- 🛈 Office de tourisme, avenue des Lacs ℰ 05 58 43 32 15, Fax 05 58 43 32 66
- 🏌 de Seignosse Avenue du Belvédère, O : 4 km par D 86, ℰ 05 58 41 68 30

Golf Hôtel
av. du Belvédère, au golf, 4 km à l'Ouest par D 86 – ℰ 05 58 41 68 40
– www.bluegreen.com/seignosse – golfhotel@bluegreen.com – Fax 05 58 41 68 41
– Fermé 13 déc.-21 fév.
45 ch – †75/95 € ††100/145 €, ⛛ 13 €
Rest – *(dîner seult) (résidents seult)* Menu 25 €

♦ Dans la pinède, construction en bois coloré, de style Louisiane, associée à un joli parcours de golf. Immense hall sous verrière. Certaines chambres possèdent un balcon. Cuisine traditionnelle servie au restaurant le soir et, à midi, formule rapide au club-house.

Villa de l'Étang Blanc
2265, rte Etang Blanc, 2,5 Km au Nord par D 185 et D 432 – ℰ 05 58 72 80 15
– villaetangblanc@hotmail.fr – Fax 05 58 72 83 67
8 ch – †70/110 € ††70/110 €, ⛛ 15 €
Rest – *(fermé dim. soir et lundi)* Menu (19 €), 28 € – Carte 35/45 €

♦ Ambiance rétro teintée d'exotisme en cette maison charmante posée dans son jardin bichonné. Chambres et junior suites soignées. Salle à manger vitrée donnant sur l'étang et belle terrasse près du canal, au bord duquel sont amarrées les barques des pêcheurs.

SEILH – 31 Haute-Garonne – **343** G2 – rattaché à Toulouse

SEILHAC – 19 Corrèze – **329** L3 – 1 724 h. – alt. 500 m – ⊠ 19700 25 **C3**
- ▶ Paris 461 – Aubusson 97 – Brive-la-Gaillarde 33 – Limoges 73 – Tulle 15 – Uzerche 16
- 🛈 Office de tourisme, place de l'Horloge ℰ 05 55 27 97 62

Au Relais des Monédières
Montargis, 1 km rte de Tulle – ℰ 05 55 27 04 74 – Fax 05 55 27 90 03 – Fermé 22-29 mars, 28 juin-5 juil., vend. soir, sam. midi et dim. soir hors saison et fériés
16 ch – †49 € ††49/53 €, ⛛ 7 € – ½ P 50/60 €
Rest – Menu (13 €), 15 € (sem.)/34 € – Carte 26/42 €

♦ Les amateurs de pêche apprécieront cette maison familiale agrémentée d'un joli parc avec plan d'eau, face au massif des Monédières. Modestes chambres parfaitement tenues. Restaurant rustique, verdoyante terrasse sous chapiteau. Plats traditionnels et régionaux.

SEILLANS – 83 Var – **340** O4 – 2 543 h. – alt. 350 m – ⊠ 83440 41 **C3**
- ▶ Paris 890 – Marseille 142 – Toulon 106 – Antibes 54 – Cannes 43
- 🛈 Syndicat d'initiative, 1, rue du Valat ℰ 04 94 76 85 91, Fax 04 94 39 13 53

Des Deux Rocs
1 pl. Font d'Amont – ℰ 04 94 76 87 32 – www.hoteldeuxrocs.com
– hoteldeuxrocs@wanadoo.fr – Fax 04 94 76 88 68 – Fermé 2-17 nov. et 2 janv.-13 fév.
13 ch – †68/135 € ††68/135 €, ⛛ 13 €
Rest – *(fermé dim. soir et mardi midi d'oct. à mai et lundi)*
Menu 40/62 € – Carte 48/64 €

♦ Sur les hauteurs du bourg, belle bastide du 18e s. où règnent une atmosphère et un charme dignes des maisons d'antan. Chambres personnalisées de meubles chinés. Recettes au goût du jour dans une salle cosy ou sous les platanes de la place du village.

Le Relais
1 pl. Thouron – ℰ 04 94 60 18 65 – Fax 04 94 60 10 92
– Fermé 15-30 nov., merc. sauf en juil.-août et mardi
Rest – Menu 28/43 € – Carte 39/49 €

♦ Cuisine au goût du jour à base de beaux produits dans cet ancien relais de poste, converti en sympathique restaurant contemporain. Agréable terrasse sous les platanes.

SEILLANS

La Gloire de mon Père
*pl. du Thouron – ℰ 04 94 76 98 68 – www.lagloiredemonpere.fr
– lagloiredemonpere@free.fr – Fax 04 94 76 98 68 – Fermé 5 janv.-5 fév.*
Rest – Menu 28 € – Carte 38/50 €
♦ Dressée sur une place bucolique (fontaine, lavoir), la terrasse de ce restaurant sobrement rustique est une invitation à s'y attabler. Cuisine traditionnelle.

SEILLONNAZ – 01 Ain – **328** F6 – 143 h. – alt. 530 m – ⊠ 01470   45 **C1**

▶ Paris 498 – Lyon 87 – Bourg-en-Bresse 66 – Villeurbanne 75 – Chambéry 71

La Cigale d'Or
au village – ℰ 04 74 36 13 61 – www.restaurantlacigaledor.fr – cigaledor@orange.fr – Fax 04 74 36 15 64 – Fermé vacances de la Toussaint, 22-28 déc., lundi soir du 15 oct. au 15 mars, dim. soir, mardi soir et merc.
Rest – Menu (15 € bc), 23/55 € – Carte 38/45 €
♦ Ne manquez pas cette adresse d'un village perdu : vous y dégusterez de savoureuses recettes actuelles dans une salle feutrée et voûtée (pierre). Terrasse dominant la vallée.

SEIN (ÎLE DE) – 29 Finistère – **308** B6 – voir à Île de Sein

---

SÉLESTAT – 67 Bas-Rhin – **315** I7 – 19 200 h. – alt. 170 m – ⊠ 67600 ▌ Alsace Lorraine   2 **C1**

▶ Paris 441 – Colmar 24 – Gérardmer 65 – St-Dié 44 – Strasbourg 55

🛈 Office de tourisme, boulevard Leclerc ℰ 03 88 58 87 20, Fax 03 88 92 88 63

◉ Vieille ville★ : église Ste-Foy★, église St-Georges★, Bibliothèque humaniste★ **M**.

◎ Ebermunster : intérieur★★ de l'église abbatiale★, 9 km par ①.

Plan page suivante

Hostellerie de l'Abbaye la Pommeraie
*8 av. Mar. Foch – ℰ 03 88 92 07 84
– www.relaischateau.com/pommeraie – pommeraie@relaischateaux.com
– Fax 03 88 92 08 71*   BY **a**
12 ch – †145 € ††173/250 €, ⊇ 18 € – 2 suites – ½ P 153/205 €
Rest *Le Prieuré* – (fermé dim. soir et lundi midi) Menu 27 € (déj. en sem.), 52 € bc/100 € – Carte 76/109 €
Rest *S'Apfelstuebel* – Menu 27 € (déj. en sem.) – Carte 46/60 €
♦ Dans la vieille ville, noble demeure du 17e s., jadis dépendance de l'abbaye de Baumgarten. Chambres dotées d'un mobilier de style. Le Prieuré offre un décor élégant en accord avec la cuisine classique. Plats du terroir et cadre relooké à la winstub S'Apfelstuebel.

Vaillant
7 r. Ignace Spiess – ℰ 03 88 92 09 46 – www.hotel-vaillant.com – hotel-vaillant@wanadoo.fr – Fax 03 88 82 95 01   AZ **e**
47 ch – †61/102 € ††72/102 €, ⊇ 9 € – ½ P 58/73 €
Rest – (fermé 21 déc.-5 janv., sam. midi et dim. soir hors saison)
Menu 15 € (sem.)/35 € – Carte 27/41 €
♦ Beaucoup d'œuvres d'artistes locaux sont exposées dans cet hôtel moderne bordant un parc fleuri. Spacieuses chambres personnalisées et refaites par étapes. Salles à manger, design ou classique, proposant plats traditionnels de brasserie et spécialités régionales.

La Vieille Tour
*8 r. Jauge – ℰ 03 88 92 15 02 – www.vieille-tour.com – vieille.tour@wanadoo.fr
– Fax 03 88 92 19 42 – Fermé 20 juil.-3 août, 15 fév.-1er mars et lundi*   BY **s**
Rest – Menu (12 €), 27/42 € – Carte 31/51 €
♦ Jolie maison alsacienne flanquée d'une vieille tour. Salles à manger fraîchement rustiques et fine cuisine du terroir (valorisant le produit) arrosée de vins à prix doux.

SÉLESTAT

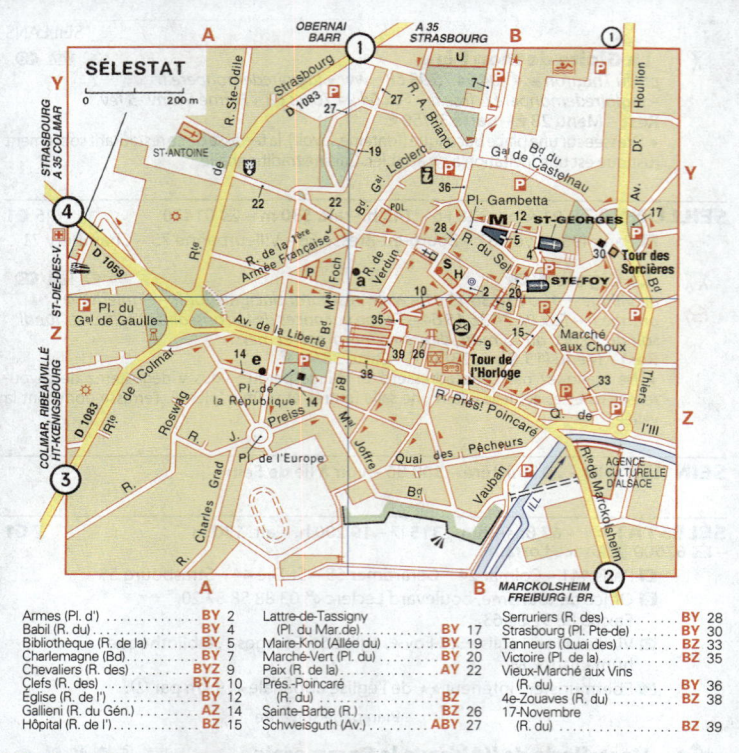

Armes (Pl. d') .... **BY** 2	Lattre-de-Tassigny	Serruriers (R. des) .... **BY** 28
Babil (R. du) .... **BY** 4	(Pl. du Mar. de) .... **BY** 17	Strasbourg (Pl. Pte-de) ...... **BY** 30
Bibliothèque (R. de la) ... **BY** 5	Maire-Knol (Allée du) ... **BY** 19	Tanneurs (Quai des) .... **BZ** 33
Charlemagne (Bd) .... **BY** 7	Marché-Vert (Pl. du) .... **BY** 20	Victoire (Pl. de la) .... **BZ** 35
Chevaliers (R. des) ..... **BYZ** 9	Paix (R. de la) .... **AY** 22	Vieux-Marché aux Vins
Clefs (R. des) .... **BYZ** 10	Prés.-Poincaré	(R. du) .... **BY** 36
Église (R. de l') .... **BY** 12	(R. du) .... **BZ**	4e-Zouaves (R. du) .... **BZ** 38
Gallieni (R. du Gén.) ..... **AZ** 14	Sainte-Barbe (R.) .... **BZ** 26	17-Novembre
Hôpital (R. de l') .... **BZ** 15	Schweisguth (Av.) ..... **ABY** 27	(R. du) .... **BZ** 39

à Rathsamhausen 5 km à l'Est par D 21 et D 209 – ✉ 67600 Baldenheim

Les Prés d'Ondine
5 rte Baldenheim – ℰ 03 88 58 04 60 – www.presdondine.com
– message@presdondine.com – Fax 03 88 58 04 61 – Fermé 1er-15 mars
12 ch – †60/139 € ††80/139 €, ☑ 12 € – ½ P 84/114 €
Rest – table d'hôte – *(fermé dim. soir et merc.) (prévenir)* Menu 22 € bc/32 € bc
♦ On se sent comme chez soi dans cette conviviale maison forestière du début du 20e s. : salon feutré, bibliothèque et chambres cocooning au mobilier chiné. Plats régionaux (au gré du marché) et vue sur l'Ill sont les atouts principaux de l'élégante table d'hôte.

à Baldenheim 8,5 km par ①, D 21 et D 209 – 924 h. – alt. 170 m – ✉ 67600

XX Couronne
45 r. Sélestat – ℰ 03 88 85 32 22 – la-couronne-baldenheim@wanadoo.fr
– Fax 03 88 85 36 27 – Fermé 18 juil.-2 août, 4-11 janv., jeudi soir, dim. soir et lundi
Rest – Menu (14 €), 32/62 € – Carte 45/70 €
♦ Auberge de village qui abrite deux grandes salles soignées aux belles boiseries. Carte classique centrée sur les spécialités locales, accompagnée d'une cave bien fournie.

Le Schnellenbuhl 8 km par ②, D 159 et D 424 – ✉ 67600 Sélestat

Auberge de l'Illwald
– ℰ 03 90 56 11 40 – www.illwald.fr – contact@illwald.fr – Fax 03 88 85 39 18
– Fermé 24 déc.-13 janv.
16 ch – †72/125 € ††72/125 €, ☑ 12 € – 5 suites
Rest – ℰ 03 88 85 35 40 *(fermé 30 juin-15 juil., 24 déc.-13 janv., mardi et merc.)*
Menu (11 €) – Carte 28/42 €
♦ Belle bâtisse typiquement régionale bordant une route de campagne. Chambres très confortables, personnalisées avec goût : esprit rustique chic ou contemporain épuré. Chaleureuse winstub ornée de fresques où la cuisine proposée oscille entre modernité et terroir.

SELLES-ST-DENIS – 41 Loir-et-Cher – **318** I7 – 1 205 h. – alt. 98 m — 12 **C2**
– ✉ 41300

▶ Paris 194 – Bourges 69 – Orléans 71 – Romorantin-Lanthenay 16 – Vierzon 26

XXX **L'Auberge du Cheval Blanc** avec ch
5 pl. du Mail – ℰ *02 54 96 36 36* – *auberge@chevalblanc-sologne.com* – *Fax 02 54 96 13 96*
– *Fermé 17-26 août, 16 fév.-10 mars, mardi soir et merc.*
7 ch – ♦64/76 € ♦♦64/76 €, ⊇ 9,50 € – ½ P 63 €
Rest – Menu 22 € (déj. en sem.), 33/65 € – Carte 66/90 €
♦ Derrière la façade à colombages de ce relais de poste du 17ᵉ s., un cadre rustique tout en élégance, des salons feutrés et des chambres contemporaines. Cuisine traditionnelle axée sur les légumes oubliés. L'été, on profite de la vaste cour intérieure.

SELONNET – 04 Alpes-de-Haute-Provence – **334** F6 – rattaché à Seyne

---

SEMBLANÇAY – 37 Indre-et-Loire – **317** M4 – 1 960 h. – alt. 100 m — 11 **B2**
– ✉ 37360

▶ Paris 248 – Angers 96 – Blois 77 – Le Mans 70 – Tours 17

XX **La Mère Hamard** avec ch
pl. de l'Église – ℰ *02 47 56 62 04* – *www.lamerehamard.com* – *reservation@lamerehamard.com* – *Fax 02 47 56 53 61* – *Fermé 2-23 janv., 15 fév.-5 mars, dim. soir, mardi midi et lundi*
11 ch – ♦70/93 € ♦♦74/95 €, ⊇ 13 € – ½ P 79/90 €
Rest – Menu 22 € (sem.), 30/60 € – Carte 60/80 €
♦ Maisons régionales séparées par la rue : d'un côté, les chambres confortables ; de l'autre, le restaurant cossu et soigné. Cuisine classique et bon choix de vins de Loire.

SEMÈNE – 43 Haute-Loire – **331** H1 – rattaché à Aurec-sur-Loire

---

SEMNOZ (MONTAGNE DU) – 74 Haute-Savoie – **328** J6 – Voir à Montagne du Semnoz

---

SEMUR-EN-AUXOIS – 21 Côte-d'Or – **320** G5 – 4 195 h. – alt. 286 m — 8 **C2**
– ✉ 21140 ▮ Bourgogne

▶ Paris 246 – Auxerre 87 – Avallon 42 – Beaune 78 – Dijon 82 – Montbard 20

🛈 Office de tourisme, 2, place Gaveau ℰ 03 80 97 05 96, Fax 03 80 97 08 85

▥ du Pré-Lamy à Précy-sous-Thil Le Brouillard, S : 18 km par D980, ℰ 03 80 64 46 83

◉ Église N.-Dame★ – Pont Joly ≤★.

Plan page suivante

🏠 **Hostellerie d'Aussois**
rte de Sauliéu – ℰ *03 80 97 28 28* – *www.hostellerie.fr* – *info@hostellerie.fr* – *Fax 03 80 97 34 56*
42 ch – ♦90/95 € ♦♦100/110 €, ⊇ 13 € – ½ P 84 €
Rest – Menu 25/55 € – Carte 53/72 €
♦ Cet hôtel propose des chambres toutes rénovées, fonctionnelles et bien insonorisées, au cadre design. Agréable hall-salon-bar. Le restaurant d'esprit actuel ouvre sur la piscine et sa terrasse, avec les remparts de Semur à l'arrière-plan. Cuisine traditionnelle.

🏠 **Les Cymaises** sans rest
7 r. Renaudot – ℰ *03 80 97 21 44* – *www.hotelcymaises.com* – *hotel.cymaises@wanadoo.fr* – *Fax 03 80 97 18 23* – *Fermé 3 nov.-7 déc. et 5 fév.-3 mars*   **u**
18 ch – ♦57/62 € ♦♦66 €, ⊇ 8 €
♦ Demeure cossue (18-19ᵉ s.) située au cœur de la cité médiévale. Calmes chambres classiquement aménagées, petit-déjeuner sous véranda, cour et jardin de repos.

SEMUR-EN-AUXOIS

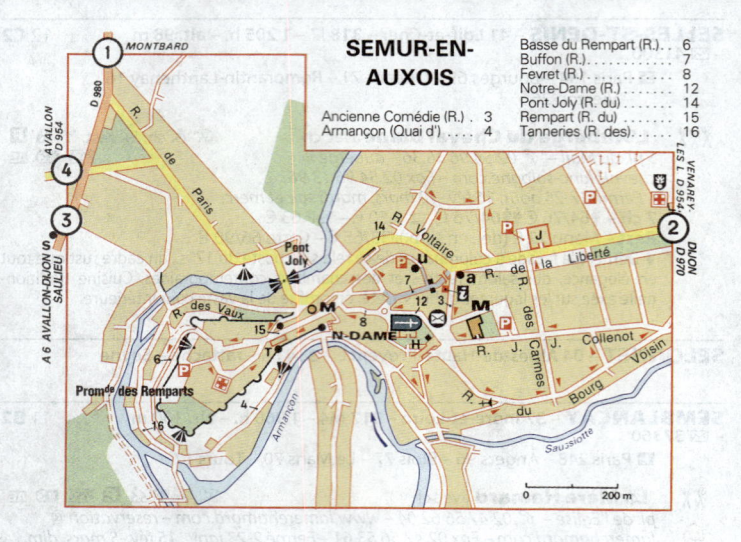

Ancienne Comédie (R.) . . . 3	Basse du Rempart (R.) . . 6
Armançon (Quai d') 4	Buffon (R.) 7
	Fevret (R.) 8
	Notre-Dame (R.) 12
	Pont Joly (R. du) 14
	Rempart (R. du) 15
	Tanneries (R. des) 16

La Côte d'Or sans rest

1 r. de la Liberté – ℰ 03 80 97 24 54 – www.auxois.fr – cotedor@auxois.fr
– Fax 03 80 97 00 18

10 ch – †75/115 € ††85/125 €, ⊇ 10 €

♦ Relais de poste refait à neuf dont les chambres spacieuses et bien insonorisées sont toutes personnalisées. Excellente literie et décoration intérieure soignée.

SÉNART – Île-de-France – **312** E4 – **101** 39 – voir à Paris, Environs

---

SENLIS – 60 Oise – **305** G5 – 16 500 h. – alt. 76 m – ⊠ 60300   36 **B3**
Île de France

▸ Paris 52 – Amiens 102 – Beauvais 56 – Compiègne 33 – Meaux 40

🛈 Office de tourisme, place du Parvis Notre Dame ℰ 03 44 53 06 40, Fax 03 44 53 29 80

▸ d'Apremont à Apremont CD 606, NO : 5 km par D 1330, ℰ 03 44 25 61 11

▸ Dolce Chantilly à Vineuil-Saint-Firmin Route d'Apremont, par rte de Chantilly : 8 km, ℰ 03 44 58 47 74

▸ Château Raray Paris Golf Club à Raray Domaine de Raray, par rte de Compiègne : 26 km, ℰ 03 44 54 70 61

◉ Cathédrale N.-Dame★★ - Vieilles rues★ **ABY** - Place du Parvis★ **BY** - Chapelle royale St-Frambourg★ **B** - Jardin du Roy ≤★ - Musée d'Art et d'Archéologie★.

◉ Parc Astérix★★ S : 12 km par autoroute A1.

Plan page ci-contre

Ibis

2 km par ③ sur D 1324 – ℰ 03 44 53 70 50 – www.ibishotel.com – h0709@accor.com – Fax 03 44 53 51 93

92 ch – †65/95 € ††65/95 €, ⊇ 8 €

Rest – Menu 11/20 € – Carte 26/43 €

♦ Hôtel pratique car situé juste à la sortie de l'autoroute. L'ensemble des chambres du bâtiment principal et de l'annexe ont été rénovées selon le dernier concept de la chaîne. Restaurant d'allure campagnarde (poutres apparentes, cheminée) où l'on prépare les grillades.

SENLIS

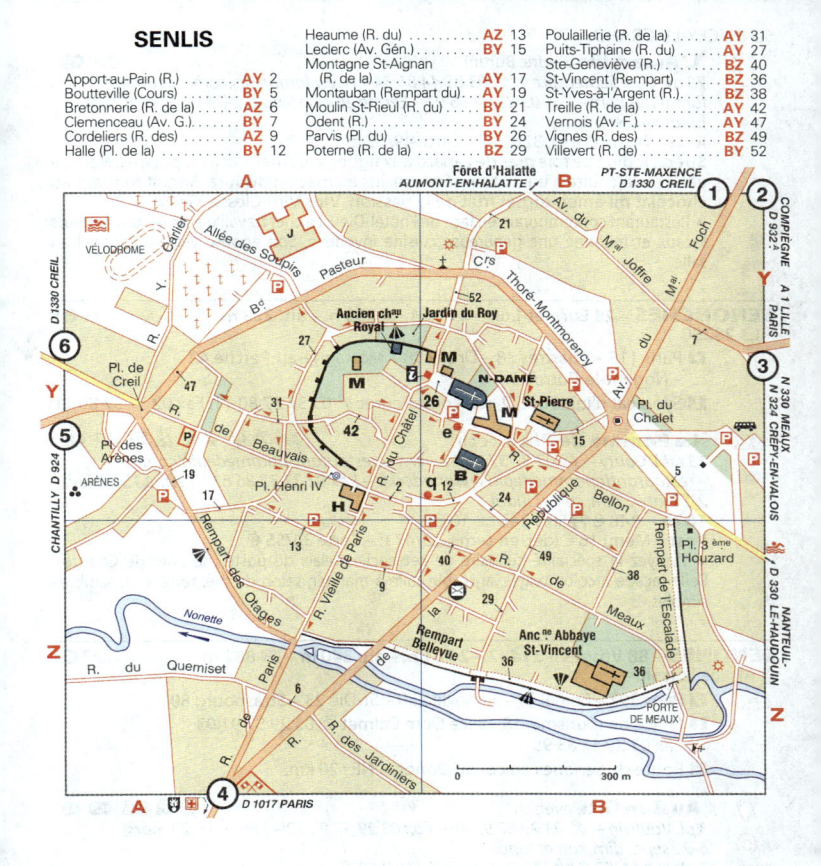

Apport-au-Pain (R.) . . . . **AY** 2	Heaume (R. du) . . . . **AZ** 13	Poulaillerie (R. de la) . . . . . . **AY** 31
Boutteville (Cours) . . . . **BY** 5	Leclerc (Av. Gén.) . . . . **BY** 15	Puits-Tiphaine (R. du) . . . . . . **AY** 27
Bretonnerie (R. de la) . . . . . . **AZ** 6	Montagne St-Aignan (R. de la) . . . . **AY** 17	Ste-Geneviève (R.) . . . . **BZ** 40
Clemenceau (Av. G.) . . . . . . **BY** 7	Montauban (Rempart du) . . . **AY** 19	St-Vincent (Rempart) . . . . . . **BZ** 36
Cordeliers (R. des) . . . . **AZ** 9	Moulin St-Rieul (R. du) . . . . . **BY** 21	St-Yves-à-l'Argent (R.) . . . . . **BZ** 38
Halle (Pl. de la) . . . . **BY** 12	Odent (R.) . . . . **BY** 24	Treille (R. de la) . . . . **AY** 42
	Parvis (Pl. du) . . . . **BY** 26	Vernois (Av. F.) . . . . **AY** 47
	Poterne (R. de la) . . . . **BZ** 29	Vignes (R. des) . . . . **BZ** 49
		Villevert (R. de) . . . . **BY** 52

%%% **Le Scaramouche**
4 pl. Notre-Dame – ℘ 03 44 53 01 26 – www.le-scaramouche.fr – info@le-scaramouche.fr – Fax 03 44 53 46 14 – *Fermé 18-30 août, mardi et merc.*
Rest – Menu 29/39 € – Carte 47/79 €   BY **e**
♦ Chaleureuse maison à la belle devanture en bois peint. Intérieur feutré agrémenté de tableaux et tapisseries ; jolie terrasse tournée vers la cathédrale Notre-Dame (12ᵉ s.).

Hôtels et restaurants bougent chaque année.
Chaque année, changez de guide Michelin !

SENNECÉ-LÈS-MÂCON – 71 Saône-et-Loire – 320 J11 – rattaché à Mâcon

---

SENNECEY-LE-GRAND – 71 Saône-et-Loire – 320 J10 – 2 990 h.   8 **C3**
– alt. 200 m – ✉ 71240 **Bourgogne**
  ▶ Paris 359 – Dijon 89 – Mâcon 42 – Chalon-sur-Saône 18 – Le Creusot 53
  🛈 Office de tourisme, place de l'hôtel de ville ℘ 03 85 44 82 54,
     Fax 03 85 44 86 19

1795

SENNECEY-LE-GRAND

XX L'Amaryllis (Cédric Burtin) — VISA ⦿

78 av. du 4 Septembre – ℰ 03 85 44 86 34 – www.lamaryllis.com – courrier@lamaryllis.com – Fax 03 85 44 96 92 – Fermé 26 oct.-5 nov., 2-15 janv., dim. soir, lundi midi et merc.

Rest – Menu (19 €), 32/65 € – Carte 49/65 €

Spéc. Dodine de foie gras de canard aux figues, caramel aux trois poivres. Noix de veau de lait cuite à basse température, jus au macvin du Jura. Biscuit fondant au chocolat mi-amer, sorbet fruit de la passion. **Vins** Viré-Clessé, Givry.

♦ Restaurant contemporain en face de l'hôtel-Dieu. Le chef travaille avec les producteurs locaux et mitonne une généreuse cuisine inventive. Son épouse veille à l'accueil en salle.

SENONCHES – 28 Eure-et-Loir – 311 C4 – 3 203 h. – alt. 223 m — 11 B1
– ✉ 28250

▸ Paris 115 – Chartres 38 – Dreux 38 – Mortagne-au-Perche 42 – Nogent-le-Rotrou 34

▸ Syndicat d'initiative, 2, rue Louis Peuret ℰ 02 37 37 80 11, Fax 02 37 37 80 11

XX La Pomme de Pin avec ch

15 r. M. Cauty – ℰ 02 37 37 76 62 – www.restaurant-pommedepin.com – restaurantlapommedepin@wanadoo.fr – Fax 02 37 37 86 61 – Fermé 15-30 juil., 2-27 janv., dim. soir et lundi

10 ch – †48 € ††58/72 €, 🖃 10 €

Rest – Menu 16 € (déj. en sem.), 25/47 € – Carte 36/55 €

♦ Essayez la spécialité culinaire de cet ancien relais de poste : le pâté de Chartres. Belle façade à colombages, agréable salle à manger, salon de thé, terrasse. Chambres simples.

SENONES – 88 Vosges – 314 J2 – 2 781 h. – alt. 340 m – ✉ 88210 — 27 C2
Alsace Lorraine

▸ Paris 392 – Épinal 57 – Lunéville 50 – St-Dié 23 – Strasbourg 80

▸ Office de tourisme, 18, place Dom Calmet ℰ 03 29 57 91 03, Fax 03 29 57 83 95

▸ Route de Senones au col du Donon ★ NE : 20 km.

XX Au Bon Gîte avec ch

3 pl. Vaultrin – ℰ 03 29 57 92 46 – Fax 03 29 57 93 92 – Fermé 1er-20 mars, 6-29 sept., dim. soir et lundi

7 ch – †44/52 € ††44/52 €, 🖃 7 € – ½ P 58 €

Rest – Menu (13 €), 20/35 € – Carte 35/50 €

♦ Pimpante maison au cœur de l'ancienne capitale de la principauté de Salm. Goûteuse cuisine actuelle servie dans un décor chargé de photographies et de bibelots en tous genres.

SENS – 89 Yonne – 319 C2 – 26 800 h. – alt. 70 m – ✉ 89100 — 7 B1
Bourgogne

▸ Paris 116 – Auxerre 59 – Fontainebleau 54 – Montargis 50 – Troyes 71

▸ Office de tourisme, place Jean Jaurès ℰ 03 86 65 19 49, Fax 03 86 64 24 18

▸ du Senonais à Lixy Les Ursules, O : 22 km par D 26, ℰ 03 86 66 58 46

▸ Cathédrale St-Étienne★ – Trésor★★ - Musée et palais synodal★ M[1].

Plan page ci-contre

🏠 Paris et Poste

97 r. de la République – ℰ 03 86 65 17 43 – www.hotel-paris-poste.com – hotelparisposte@orange.fr – Fax 03 86 64 48 45

26 ch – †72/155 € ††72/155 €, 🖃 15 € – 4 suites

Rest – (fermé vend. soir, dim. soir et lundi) Menu (26 €), 38/80 € – Carte 60/80 €

♦ Hostellerie de tradition à l'ambiance provinciale. Chambres de tailles diverses, les plus spacieuses et modernes donnant sur un joli patio. Au restaurant, cuisine classique revisitée servie dans une chaleureuse salle à manger ou dans l'agréable véranda.

SENS

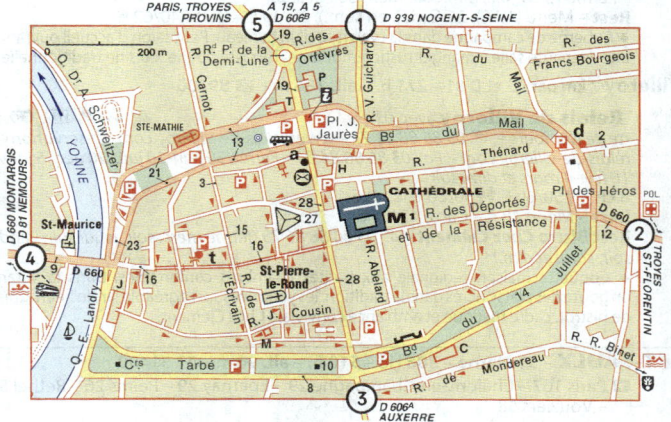

Alsace-Lorraine (R. d') 2	Cousin (Square J.) 10	Grande-R. 16
Beaurepaire (R.) 3	Déportés-et-de-la-Résistance (R. des)	Leclerc (R. du Gén.) 19
Chambonas (Cours) 8	Foch (Bd Mar.) 12	Maupéou (Bd de) 21
Cornet (Av. Lucien) 9	Garibaldi (Bd des) 13	Moulin (Quai J.) 23
	Gateau (R. A.) 15	République (Pl. de la) 27
		République (R. de la) 28

%%% **La Madeleine** (Patrick Gauthier)   AC VISA MC AE

❀❀ *1 r. Alsace-Lorraine, (1er étage) – ℰ 03 86 65 09 31*
– www.restaurant-lamadeleine.fr – Fax 03 86 95 37 41 – Fermé 7-22 juin,
9-23 août, 20 déc.-4 janv., mardi midi, dim., lundi et fériés   **d**
Rest – *(nombre de couverts limité, prévenir)* Menu 52 € (déj. en sem.), 65/115 €
– Carte 102/135 € ❀

Spéc. Foie gras au cassis. Parmentier de homard breton (juin à sept.). Mousseline de chocolat guanaja. **Vins** Bourgogne blanc, Rully.

♦ Restaurant cossu aux teintes pastel, apprécié des gourmets qui y dégustent une savoureuse cuisine dans l'air du temps. Fourneau et rayonnages d'épicerie décorent le vestibule.

%% **Le Clos des Jacobins**   AC VISA MC AE

49 Gde-Rue – ℰ 03 86 95 29 70 – www.restaurantlesjacobins.com – lesjacobins@wanadoo.fr – Fax 03 86 64 22 98 – Fermé 29 avril-6 mai, 13-27 juil., 23 déc.-6 janv., dim. soir, mardi soir et merc.   **t**
Rest – Menu 29/52 € – Carte 37/65 €

♦ "Relooking" complet pour ce restaurant affichant une nouvelle décoration contemporaine dans les tons beige et chocolat. Sympathique cuisine au goût du jour.

%% **La Potinière**   ≤ 🍽 & AC VISA MC AE

🍃 *51 r. Cécile de Marsangy, par ④ – ℰ 03 86 65 31 08 – la.potiniere@hotmail.fr*
– Fax 03 86 64 60 19 – Fermé dim. soir et lundi
Rest – *(prévenir en saison)* Menu 19 € (déj. en sem.), 29/65 € – Carte 50/80 €

♦ Ex-guinguette dont la terrasse ombragée au bord de l'Yonne est prisée des touristes fluviaux (ponton d'accostage). Salle à manger lumineuse et très tendance. Cuisine actuelle.

% **Miyabi**   AC VISA MC

1 r. Alsace-Lorraine – ℰ 03 86 95 00 70 – Fax 03 86 95 37 41 – Fermé dim.   **d**
Rest – *(nombre de couverts limité, prévenir)* Menu 24/75 €

♦ Beau mariage des cultures culinaires japonaise et française : restaurant comptoir occupant une étroite salle tamisée, bandes de tissus suspendus, musique nippone... Dépaysant.

% **Au Crieur de Vin**   VISA MC

1 r. Alsace-Lorraine – ℰ 03 86 65 92 80 – www.restaurant-lamadeleine.fr
– Fax 03 86 95 37 41 – Fermé 7-22 juin, 9-23 août, 20 déc.-4 janv., mardi midi, dim., lundi et fériés   **d**
Rest – Menu 25/41 € ❀

♦ Plaisante atmosphère de bistrot, plats traditionnels, viandes cuites à la broche et crus choisis : "vin sur vin" pour cette sympathique adresse à ne pas crier sur les toits.

SENS

à **Subligny** 7 km par ④ et D 660 – 478 h. – alt. 150 m – ✉ 89100

XX **La Haie Fleurie** 🚗 🍴 **P** VISA ⓜ⊙

30 rte de Coutenay, 2 km au Sud-Ouest – ✆ 03 86 88 84 44 – Fax 03 86 88 86 67
– *Fermé 15-31 juil., dim. soir, merc. soir et jeudi*
Rest – Menu (17 €), 25 € (déj. en sem.), 39/49 € – Carte 40/62 €

◆ Auberge de campagne dans la traversée d'un hameau. Petit salon d'accueil ouvrant sur une avenante salle à manger rustico-moderne. Terrasse fleurie. Cuisine traditionnelle.

à **Villeroy** 7 km par ④ et D 81 – 271 h. – alt. 184 m – ✉ 89100

XXX **Relais de Villeroy** avec ch 🚗 🍴 **P** VISA ⓜ⊙ AE

rte de Nemours – ✆ 03 86 88 81 77 – www.relais-de-villeroy.com – reservation@
relais-de-villeroy.com – Fax 03 86 88 84 04 – *Fermé 30 juin-10 juil., 20 déc.-5 janv.,*
16 fév.-4 mars et dim. soir
8 ch – †50/60 € ††50/60 €, ⊒ 8 €
Rest – Menu 28 € – Carte 42/65 €
Rest *Bistro Chez Clément* – ✆ 03 86 88 86 73 (*fermé merc. soir, jeudi soir, vend. soir, sam. et dim.*)

◆ Coquette maison régionale aux petites chambres confortables. Dans la véranda, on goûte des plats ancrés dans la tradition, les yeux rivés sur l'agréable jardin fleuri. Cuisine de bistrot, cadre rustique et ambiance conviviale Chez Clément.

SEPT-SAULX – 51 Marne – **306** H8 – 510 h. – alt. 96 m – ✉ 51400 13 **B2**

🅟 Paris 167 – Châlons-en-Champagne 29 – Épernay 29 – Reims 26 – Rethel 51
– Vouziers 58

🏠 **Le Cheval Blanc** ⌂ 🚗 🍴 ❀ 🅖 ch, 🛎 **P** VISA ⓜ⊙ AE

r. du Moulin – ✆ 03 26 03 90 27 – www.chevalblanc-sept-saulx.com
– *cheval.blanc-sept-saulx@wanadoo.fr* – Fax 03 26 03 97 09 – *Fermé fév., merc. midi et mardi d'oct. à mars*
21 ch – †64/143 € ††70/160 €, ⊒ 13 € – 3 suites – ½ P 96/201 €
Rest – Menu (27 €), 32/90 € bc – Carte 55/65 €

◆ Au pied d'une église du 13e s., deux bâtiments récents abritant de confortables chambres qui donnent sur un jardin fleuri, au bord d'une rivière. Le restaurant (ancien relais de diligences) s'ouvre sur une agréable et verdoyante terrasse d'été. Cuisine actuelle.

SÉREILHAC – 87 Haute-Vienne – **325** D6 – 1 605 h. – alt. 322 m 24 **B2**
– ✉ 87620

🅟 Paris 405 – Confolens 50 – Limoges 19 – Périgueux 77
– St-Yrieix-la-Perche 37

🏠 **Le Relais des Tuileries** 🚗 🏊 🄰🄲 ❝ **P** VISA ⓜ⊙

aux Betoulles, 2 km au Nord-Est sur N 21 – ✆ 05 55 39 10 27
– *www.relais-tuileries.fr* – contact@relais-tuileries.fr – Fax 05 55 36 09 21 – *Fermé 16 nov.-1er déc., 12 janv.-5 fév., dim. soir et lundi sauf juil.-août*
10 ch – †58 € ††64 €, ⊒ 9 € – ½ P 60 €
Rest – Menu (17 €), 21/46 € – Carte 29/56 €

◆ En rez-de-jardin, chambres sobres réparties dans deux pavillons. À découvrir dans le parc, les éléments restaurés d'une ancienne tuilerie limousine. Menus du terroir proposés dans une salle à manger rustique agrémentée de poutres apparentes et d'une cheminée.

SÉRIGNAN – 34 Hérault – **339** E9 – 6 522 h. – alt. 7 m – ✉ 34410 23 **C2**

🅟 Paris 770 – Montpellier 70 – Béziers 12 – Narbonne 39
🅗 Office de tourisme, place de la Libération ✆ 04 67 32 42 21,
Fax 04 67 32 37 97

XX **L'Harmonie** 🚗 🍴 🅖 🄰🄲 VISA ⓜ⊙ AE
☺
chemin de la Barque, parking de la Cigalière – ✆ 04 67 32 39 30
– *www.lharmonie.fr* – lharmonie@wanadoo.fr – Fax 04 67 32 39 30
– *Fermé 14-27 avril, 27 oct.-9 nov., mardi soir de sept. à juin, jeudi midi en juil.-août, sam. midi et merc.*
Rest – Menu (18 € bc), 25/55 € – Carte 42/65 €

◆ Ce restaurant a déménagé à quelques mètres de son ancienne adresse. Décor moderne, mobilier en fer forgé, et généreuse cuisine actuelle à base de beaux produits.

SÉRIGNAN-DU-COMTAT – 84 Vaucluse – **332** C8 – **rattaché à Orange**

SERMAIZE-DU-BAS – 71 Saône-et-Loire – **320** F11 – **rattaché à Paray-le-Monial**

SERMERSHEIM – 67 Bas-Rhin – **315** J6 – 801 h. – alt. 160 m — 2 **C1**
– ✉ 67230

▶ Paris 506 – Lahr/Schwarzwald 41 – Obernai 21 – Sélestat 14 – Strasbourg 40

Au Relais de l'Ill sans rest
r. du Rempart – ✆ 03 88 74 31 28 – relais-de-lill@wanadoo.fr – Fax 03 88 74 17 51
– Fermé 20 déc.-10 janv.
23 ch – †52/60 € ††65/75 €, ☑ 7 €
♦ Hôtel familial, nullement gêné par les bruits de la voie rapide située à proximité. L'accueil y est chaleureux et les chambres spacieuses et bien tenues. Abords fleuris.

SERRE-CHEVALIER – 05 Hautes-Alpes – **334** H3 – alt. 2 483 m — 41 **C1**
– **Sports d'hiver : 1 200/2 800 m ⟜ 9 ⟜ 67 ⟜** – ✉ 05330 ▌ **Alpes du Sud**

▶ Paris 678 – Briançon 7 – Gap 95 – Grenoble 110 – Col du Lautaret 21
▐ Office de tourisme, Chantemerle ✆ 04 92 24 98 98, Fax 04 92 24 98 84
◉ ☀★★.

à Chantemerle – alt. 1 350 m – ✉ 05330 St-Chaffrey

◉ Col de Granon ☀★★ N : 12 km.

Plein Sud
Allée des Boutiques – ✆ 04 92 24 17 01 – www.hotelpleinsud.com – lynne@hotelpleinsud.com – Fax 04 92 24 10 21 – Fermé 19 avril-25 mai et 10 oct.-10 déc.
41 ch – †70/135 € ††100/180 €, ☑ 10 €
Rest – Menu 18 € (déj.) – Carte 30/40 €
♦ Dans cet hôtel central, optez pour les chambres côté sud, plus grandes et dotées de loggias avec vue sur les forêts de mélèzes. Accès Internet et belle piscine découvrable. Cuisine traditionnelle et formules buffets au restaurant ; carte snack au pub.

Les Marmottes
22 r. du Centre – ✆ 04 92 24 11 17 – www.chalet-marmottes.com
– lucas.marmottes@wanadoo.fr – Fax 04 92 24 11 17
5 ch ☑ – †65/85 € ††86/113 € – ½ P 60/86 € **Table d'hôte** – Menu 23 € bc
♦ Il fait bon hiberner dans cette vieille grange convertie en maison d'hôtes : salon au coin du feu et douillettes chambres personnalisées, tournées vers les sommets alentours. Cuisine familiale bien faite (menu unique changé chaque jour) sur la grande table en bois.

à Villeneuve-la-Salle – ✉ 05240 La Salle-les-Alpes

◉ Église St-Marcellin★ de La-Salle-les-Alpes.

Christiania
23 rte de Briançon – ✆ 04 92 24 76 33 – www.le-christiania.com – le.christiania@wanadoo.fr – Fax 04 92 24 83 82 – Ouvert 13 juin-13 sept. et 12 déc.-11 avril
26 ch – †83/105 € ††95/105 €, ☑ 15 €
Rest – (ouvert 20 juin-6 sept. et 15 déc.-4 avril) (dîner seult) Menu (18 €), 24/28 €
– Carte 30/40 €
♦ Accueil familial, bar-salon rustique réchauffé par une cheminée et chambres sagement montagnardes caractérisent cet hôtel sis au bord de la Guisane. Restaurant au cadre alpin rehaussé de vieux objets et terrasse dressée dans le jardin longé par un torrent.

Le Mont Thabor sans rest
1 bis chemin Envers – ✆ 04 92 24 74 41 – www.mont-thabor.com
– hotelmonthabor@wanadoo.fr – Fax 04 92 24 99 50 – Fermé 19 avril-15 juin et 1er sept.-1er déc.
27 ch – †85/130 € ††95/175 €
♦ Cet hôtel neuf, réservé aux non-fumeurs, arbore un décor contemporain d'esprit montagnard. Chambres confortables et très bien équipées, sauna, jacuzzi...

SERRE-CHEVALIER

au Monêtier-les-Bains – 1 066 h. – alt. 1 480 m – ✉ 05220

L'Auberge du Choucas
17 r. de la Fruitière – ✆ 04 92 24 42 73 – www.aubergeduchoucas.com
– auberge.du.choucas@wanadoo.fr – Fax 04 92 24 51 60 – Fermé 3-29 mai
et 2 nov.-4 déc.
12 ch – ♦80/180 € ♦♦100/220 €, ⊇ 17 € – ½ P 90/240 €
Rest – (fermé 14 avril-29 mai, 12 oct.-17 déc., et le midi du lundi au jeudi en avril,
juin, sept. et oct.) Menu (19 €), 29/79 € – Carte 53/83 €
♦ Auberge de caractère voisine de l'église datant du 15ᵉ s. L'intérieur empreint d'authenticité marie élégance et raffinement. Chambres et duplex chaleureux. Salle à manger voûtée, feu dans l'âtre et cuisine au goût du jour.

Alliey
– ✆ 04 92 24 40 02 – www.alliey.com – hotel@alliey.com – Fax 04 92 24 40 60
– Ouvert 19 juin-6 sept. et 13 déc.-18 avril
22 ch – ♦85/88 € ♦♦88/128 €, ⊇ 13 € – 2 suites – ½ P 79/109 €
Rest *Maison Alliey* – (dîner seult) Menu 32 € – Carte 28/47 €
♦ Cette maison de village propose un hébergement de charme : l'omniprésence du bois y crée une ambiance chaleureuse. Douillettes chambres montagnardes et bel espace balnéo. Cuisine actuelle dans la salle de restaurant où pierre et bois se marient subtilement.

Le Chazal
Les Guibertes, 2,5 km au Sud-Est par rte de Briançon – ✆ 04 92 24 45 54
– Fermé 22 juin-3 juil., 1ᵉʳ-10 oct., 23 nov.-12 déc. et lundi
Rest – (dîner seult sauf dim.) (prévenir) Menu 28/50 €
♦ Maison de pays nichée dans un hameau. Le décor soigné, coquet et rustique des salles à manger voûtées est parfait pour déguster une cuisine traditionnelle actualisée.

SERRIÈRES – 07 Ardèche – 331 K2 – 1 154 h. – alt. 140 m – ✉ 07340   43 **E2**
Lyon et la vallée du Rhône

▶ Paris 514 – Annonay 16 – Privas 91 – St-Étienne 55 – Vienne 29
ℹ Syndicat d'initiative, quai Jule Roche ✆ 04 75 34 06 01, Fax 04 75 34 06 01

Schaeffer avec ch
D 86 – ✆ 04 75 34 00 07 – www.hotel-schaeffer.com – mathe@
hotel-schaeffer.com – Fax 04 75 34 08 79 – Fermé 4-18 août, 24 oct.-4nov.,
2-17 janv., sam. midi, dim. soir et lundi
15 ch – ♦50/60 € ♦♦68/88 €, ⊇ 8,50 €
Rest – Menu (24 €), 36/110 € – Carte 55/70 €
♦ Restaurant cossu prolongé d'une véranda tournée sur le pont suspendu qui enjambe le Rhône. Cuisine classique et belle carte de côtes-du-rhône. Chambres fonctionnelles.

SERRIS – 77 Seine-et-Marne – 312 F2 – voir à Paris, Environs (Marne-la-Vallée)

SERVIERS-ET-LABAUME – 30 Gard – 339 L4 – **rattaché à Uzès**

SERVON – 50 Manche – 303 D8 – 275 h. – alt. 25 m – ✉ 50170   32 **A3**
▶ Paris 352 – Avranches 15 – Dol-de-Bretagne 30 – St-Lô 72 – St-Malo 55

Auberge du Terroir avec ch
Le Bourg – ✆ 02 33 60 17 92 – aubergeduterroir@wanadoo.fr
– Fax 02 33 60 35 26 – Fermé 20 fév.-10 mars, jeudi midi, sam. midi et merc.
6 ch – ♦60 € ♦♦ 64 €, ⊇ 10 € – ½ P 66 €
Rest – (prévenir) Menu 19/43 € – Carte 33/53 €
♦ Un bon repas traditionnel vous sera concocté dans cette charmante auberge villageoise occupant l'ex-école de filles et l'ancien presbytère. Salle rafraîchie et terrasse. Coquettes chambres en partie rénovées, pourvues de meubles de famille. Court de tennis.

SERVOZ – 74 Haute-Savoie – **328** N5 – 818 h. – alt. 816 m – ✉ 74310   46 **F1**
◼ Alpes du Nord

▶ Paris 598 – Annecy 85 – Bonneville 43 – Chamonix-Mont-Blanc 14 – Megève 22
🛈 Office de tourisme, ✆ 04 50 47 21 68, Fax 04 50 47 27 06

✕ **Les Gorges de la Diosaz** avec ch 🌿   ≤ 🍴 🛜 *VISA* 🅜🅒
Le Bouchet – ✆ *04 50 47 20 97 – www.hoteldesgorges.com – infos@hoteldesgorges.com – Fax 04 50 47 21 08 – Fermé 12 nov.-10 déc., dim. soir et lundi sauf vacances scolaires*
6 ch – †60/70 € ††60/80 €, ⊇ 8,50 €
Rest – Menu (15 €), 25/44 € – Carte 35/45 €
♦ Chalet de village sur la route des gorges. Réception et salle à manger aux typiques boiseries montagnardes et cuisine régionale un brin actualisée. Terrasse avec vue.

SESSENHEIM – 67 Bas-Rhin – **315** L4 – 2 023 h. – alt. 120 m – ✉ 67770   1 **B1**
◼ Alsace Lorraine

▶ Paris 497 – Haguenau 18 – Strasbourg 39 – Wissembourg 44

✕✕ **Au Bœuf**   🍴 🅿 *VISA* 🅜🅒 🅐🅔
1 r. Église – ✆ *03 88 86 97 14 – www.auberge-au-boeuf.com – contact@auberge-au-boeuf.com – Fax 03 88 86 04 62 – Fermé lundi et mardi*
Rest – Menu 28 € (sem.)/58 € – Carte 40/53 €
♦ Des bancs d'église du 18ᵉ s. agrémentent l'une des salles de cette belle maison alsacienne. Jolie terrasse, petit musée dédié à Goethe et boutique de produits du terroir.

SÈTE – 34 Hérault – **339** H8 – 43 300 h. – alt. 4 m – Casino – ✉ 34200   23 **C2**
◼ Languedoc Roussillon

▶ Paris 787 – Béziers 48 – Lodève 63 – Montpellier 35
🛈 Office de tourisme, 60, rue Mario Roustan ✆ 04 67 74 71 71, Fax 04 67 46 17 54

◉ Mont St-Clair★ : terrasse du presbytère de la chapelle N.-D. de la Salette ※★★ AZ - Le Vieux Port★ - Cimetière marin★.

Plan page suivante

🏨 **Le Grand Hôtel**   🛗 🅰🅚 🛜 🛁 🚗 *VISA* 🅜🅒 🅐🅔 ①
17 quai Mar. de Lattre de Tassigny – ✆ *04 67 74 71 77*
– www.legrandhotelsete.com – info@legrandhotelsete.com – Fax 04 67 74 29 27 – Fermé 24 déc.-4 janv.   AY **t**
43 ch – †75/140 € ††75/140 €, ⊇ 10 € – 1 suite
Rest *Quai 17 –* ✆ *04 67 74 71 91 (fermé 20-31 juil., 24 déc.-4 janv., sam. midi et dim.)* Menu (20 €), 27/47 € – Carte 32/58 €
♦ Près de la maison natale de G. Brassens et face au canal, élégant hôtel (1882) de style Belle Époque. Chambres raffinées mêlant ancien et moderne, joli patio sous verrière. Cuisine actuelle au restaurant décoré de jolies fresques retraçant l'histoire maritime sétoise.

🏨 **Port Marine**   ≤ 🛗 ♿ 🅰🅚 🛜 🛁 🅿 🚗 *VISA* 🅜🅒 🅐🅔 ①
Môle St-Louis – ✆ *04 67 74 92 34 – www.hotel-port-marine.com – contact@hotel-port-marine.com – Fax 04 67 74 92 33*   AZ **d**
46 ch – †70/95 € ††79/112 €, ⊇ 10 € – 6 suites – ½ P 72/88 €
Rest – Menu (16 €), 26 € – Carte 32/48 €
♦ Architecture moderne face au môle St-Louis d'où "L'Exodus" prit la mer en 1947. Les chambres, fonctionnelles, disposent d'un mobilier de style bateau. Toit-solarium. Cuisine traditionnelle servie au restaurant ou sur la terrasse avec vue sur la grande bleue.

🏨 **Orque Bleue** sans rest   🛗 🅰🅚 ♨ 📞 🚗 *VISA* 🅜🅒 🅐🅔
10 quai Aspirant-Herber – ✆ *04 67 74 72 13 – www.hotel-orquebleue-sete.com – lorque-bleue@wanadoo.fr – Fax 04 67 51 20 17 – Fermé 4-31 janv.*   BZ **e**
30 ch – †60/120 € ††60/120 €, ⊇ 12 €
♦ Sur les quais, bel immeuble en pierre doté de balcons en fer forgé. Chambres confortables à choisir côté canal pour découvrir les joutes sétoises ou au calme côté patio.

1801

Name	Ref
Alsace-Lorraine (R. d')	AZ 2
Arabes (Rampe des)	AZ 3
Blum (Pl. Léon)	AZ 4
Casanova (Bd D.)	AY 5
Consigne (Quai de la)	AZ 6
Danton (R.)	AY 7
Delille (Pl.)	BY 9
Durand (Quai Gén.)	AZ 10
Euzet (R. H.)	BY
Franklin (R.)	AZ 12
Gambetta (R.)	AZ 13
Garenne (R.)	AZ 14
Gaulle (R. Général-de)	AY 16
Guignon (Quai N.)	AY 18
Jardins (R. des)	AY 22
Lattre-de-Tassigny (Quai Mar.-de)	AZ 23
Marty (Prom. J.-B.)	AZ 24
Mistral (R. F.)	AZ 27
Palais (R. du)	AZ 29
Péri (R. G.)	AY 30
Résistance (Quai de la)	AZ 33
Rhin-et-Danube (Quai)	BY 34
Roustan (Gd-R.-Mario)	AZ 36
Savonnerie (R. de la)	BZ 38
Stalingrad (Pl.)	AY 39
Valéry (Rampe P.)	AZ 40
Villaret-Joyeuse (R.)	AZ 43

1802

SÈTE

✗ **Paris Méditerranée**   AC VISA MC AE
47 r. Pierre Semard – ℰ 04 67 74 97 73 – Fermé 1er-15 juil., 7-16 fév., sam. midi, dim. et lundi   BY p
Rest – Menu 25/45 €
♦ L'original décor réalisé par la patronne s'accorde parfaitement aux recettes inventives et gourmandes que vous dégusterez dans ce restaurant un peu "décalé", mais réellement séduisant.

sur la Corniche 2 km au Sud du plan par D 2 – ⊠ 34200 Sète

Les Tritons sans rest   🚗 🛋 🎫 & AC 🛞 📶 P VISA MC AE
bd Joliot-Curie – ℰ 04 67 53 03 98 – www.hotellestritons.com – info@hotellestritons.com – Fax 04 67 53 38 31
56 ch – †40/60 € ††45/85 €, ⊇ 8 €
♦ Bâtiment à la façade ocre dressé sur la corniche. Les chambres, spacieuses, fonctionnelles et colorées, contemplent la mer ou jouissent d'un plus grand calme sur l'arrière.

SÉVÉRAC-LE-CHÂTEAU – 12 Aveyron – **338** K5 – 2 402 h.   **29 D1**
– alt. 735 m – ⊠ 12150 **Languedoc Roussillon**
◨ Paris 605 – Espalion 46 – Florac 74 – Mende 64 – Millau 33 – Rodez 51
🛈 Office de tourisme, 5, rue des Douves ℰ 05 65 47 67 31, Fax 05 65 47 65 94

✗ **Des Causses**   🍽 P VISA MC ①
38 av. Aristide Briand – ℰ 05 65 70 23 00 – www.hotel-causses.com – contact@hotel-causses.com – Fax 05 65 70 23 04 – Fermé 27 sept.-26 oct., lundi sauf le soir en juil.-août et dim. soir de sept. à juin
Rest – Menu 14/37 € – Carte 17/50 €
♦ On apprécie une copieuse cuisine du terroir dans le cadre chaleureux d'une salle à manger pimpante ou, dès les premiers beaux jours, sur une terrasse ombragée.

SÉVRIER – 74 Haute-Savoie – **328** J5 – rattaché à Annecy

SEWEN – 68 Haut-Rhin – **315** F10 – 531 h. – alt. 500 m – ⊠ 68290   **1 A3**
◨ Paris 462 – Altkirch 41 – Belfort 33 – Colmar 66 – Épinal 77 – Mulhouse 39 – Thann 24
◉ Lac d'Alfeld★ O : 4 km, **Alsace Lorraine**

✗ **Hostellerie au Relais des Lacs** avec ch   🕭 📶 P 🛋
30 Grand'rue – ℰ 03 89 82 01 42   VISA MC AE ①
– Fax 03 89 82 09 29 – Fermé 6 janv.-6 fév., mardi soir et merc.
13 ch – †42 € ††45 €, ⊇ 7 € – ½ P 45/49 €
Rest – Menu 11 € (sem.)/35 € – Carte 16/35 €
♦ Cette pension de famille sert une cuisine traditionnelle dans un cadre rustique soigné (cheminée, boiseries, objets paysans). Grand parc bordant la rivière. Chambres simples.

SEYNE – 04 Alpes-de-Haute-Provence – **334** G6 – 1 436 h. – alt. 1 200 m   **41 C2**
– ⊠ 04140 **Alpes du Sud**
◨ Paris 719 – Barcelonnette 43 – Digne-les-Bains 43 – Gap 54 – Guillestre 71
🛈 Office de tourisme, place d'Armes ℰ 04 92 35 11 00, Fax 04 92 35 28 84
◉ Col du Fanget ≼★ SO : 5 km.

à Selonnet 4 km au Nord-Ouest par D 900 – 404 h. – alt. 1 060 m – Sports d'hiver : 1 500/2 050 m ⭤12 🎿 – ⊠ 04140

🏠 **Relais de la Forge** ♨   🍽 🛋 VISA MC AE
– ℰ 04 92 35 16 98 – www.relaisdelaforge.fr – relaisdelaforge@orange.fr
– Fax 04 92 35 07 37 – Fermé 18-26 avril, 11 nov.-13 déc., dim. soir et lundi hors vacances scolaires
14 ch – †42/56 € ††48/62 €, ⊇ 8 € – ½ P 45/54 €
Rest – Menu (15 €), 20/30 € – Carte 23/43 €
♦ Bâti à l'emplacement de l'ancienne forge du village, cet hôtel familial aux chambres simples et rafraîchies s'est doté d'un nouvel espace sauna. Piscine couverte. Salle à manger d'inspiration rustique agrémentée d'une cheminée ; carte traditionnelle.

LA SEYNE-SUR-MER – 83 Var – 340 K7 – 58 000 h. – alt. 3 m — 40 B3
– ⊠ 83500 ▌Côte d'Azur

- ▶ Paris 830 – Aix-en-Provence 81 – La Ciotat 32 – Marseille 60 – Toulon 8
- ✗ Office de tourisme, corniche Georges Pompidou ✆ 04 98 00 25 70, Fax 04 98 00 25 71
- ◉ ≤★ de la terrasse du fort Balaguier E : 3 km.

à Fabrégas 4 km au Sud par rte de St-Mandrier et rte secondaire – ⊠ 83500 La Seyne-sur-Mer

XX Chez Daniel et Julia "rest. du Rivage" ≤ 🏠 P VISA ⓜ⊙
– ✆ 04 94 94 85 13 – Fax 04 94 87 25 25 – Fermé nov., dim. soir et lundi hors saison et sauf fériés
Rest – Menu 40 € – Carte 58/86 €

◆ Table familiale accueillante nichée au bord d'une jolie crique. Salle rustico-provençale, expo d'outils anciens, terrasse tournée vers le rivage et cuisine axée sur la marée.

aux Sablettes 4 km au Sud-Est – ⊠ 83500 La Seyne-sur-Mer

XX La Parenthèse de Terrebrune 🏠 AC VISA ⓜ⊙
724 chemin de la Tourelle – ✆ 04 94 88 36 19 – fages.laffontpartners@orange.fr – Fax 04 94 87 60 45 – Fermé 1ᵉʳ-9 nov., 10-31 janv., dim. soir et lundi
Rest – Menu 34 € (déj.)/55 € – Carte 60/87 €

◆ Cuisine d'aujourd'hui servie dans un cadre moderne brun-blanc-rouge ou sur la terrasse estivale meublée en fer forgé, cachée par des claustras en bois et abritée du soleil.

SÉZANNE – 51 Marne – 306 E10 – 5 585 h. – alt. 137 m – ⊠ 51120 — 13 B2
▌Champagne Ardenne

- ▶ Paris 116 – Châlons-en-Champagne 59 – Meaux 78 – Melun 89 – Sens 83 – Troyes 62
- ✗ Office de tourisme, place de la République ✆ 03 26 80 51 43, Fax 03 26 80 54 13

🏨 Le Relais Champenois & ch, AC rest, ⇔ ❄ ¶ 🚿 P VISA ⓜ⊙
157 r. Notre-Dame – ✆ 03 26 80 58 03 – www.lerelaischampenois.com – relaischamp@infonie.fr – Fax 03 26 81 35 32 – Fermé 16-31 août et dim. soir
19 ch – †40/75 € ††50/85 €, ⊇ 11 €
Rest – Menu (20 €), 24 € (sem.)/50 € – Carte 33/50 €

◆ Façade champenoise rénovée, joliment fleurie, abritant des chambres fraîches et bien meublées, plus calmes à l'annexe (deux sont climatisées). Salles à manger champêtres agrémentées de boiseries et de poutres apparentes. Bon choix de menus traditionnels.

à Mondement-Montgivroux – 12 km par D 951 et D 439 – 46 h. – alt. 188 m – ⊠ 51120

🏨 Domaine de Montgivroux sans rest 🌿 🐾 ≾ & ¶ 🚿 P VISA ⓜ⊙
rte d'Epernay – ✆ 03 26 42 06 93 – www.audomainedemontgivroux.com – domainedemontgivroux@orange.fr – Fax 03 26 42 06 94
20 ch – †70 € ††100/110 €, ⊇ 11 € – 1 suite

◆ Au cœur d'un vaste domaine, cette ancienne ferme champenoise (17ᵉ s.) magnifiquement rénovée vous invite à séjourner dans des chambres spacieuses à la décoration personnalisée.

SIERCK-LES-BAINS – 57 Moselle – 307 J2 – 1 710 h. – alt. 147 m — 27 C1
– ⊠ 57480 ▌Alsace Lorraine

- ▶ Paris 355 – Luxembourg 40 – Metz 46 – Thionville 17 – Trier 52
- ✗ Office de tourisme, rue du Château ✆ 03 82 83 74 14, Fax 03 82 83 22 10
- ◉ ≤★ du château fort.

à Montenach 3,5 km au Sud-Est sur D 956 – 414 h. – alt. 200 m – ⊠ 57480

XX Auberge de la Klauss 🐎 🏠 P VISA ⓜ⊙ AE
1 rte de Kirschnaumen – ✆ 03 82 83 72 38 – www.auberge-de-la-klauss.com – la-klauss@wanadoo.fr – Fax 03 82 83 73 00 – Fermé 24 déc.-7 janv. et lundi
Rest – Menu 16/52 € – Carte 47/73 € 🍷

◆ Ferme de 1869 où palmipèdes et cochons évoluent en plein air. Côté auberge, joli cadre rustique, produits maison (dont un délicieux foie gras) et beau livre de cave. Vente à emporter.

SIERCK-LES-BAINS

à Manderen 7 km à l'Est par D 654 et D 64 – 406 h. – alt. 290 m – ✉ 57480

Relais du Château Mensberg
15 r. du Château – ✆ 03 82 83 73 16
– www.relais-mensberg.com – aurelaismensberg@aol.com
– Fax 03 82 83 23 37 – Fermé 26 déc.-24 janv., lundi midi et mardi
13 ch – †36/48 € ††45/60 €, ☐ 8 € – ½ P 53/60 €
Rest – Menu (13 €), 19/58 € – Carte 15/60 €

♦ Cette ancienne ferme montant la garde au pied du château fort de Malbrouck (15ᵉ s.) vous héberge en toute simplicité dans ses petites chambres avant tout pratiques. Table traditionnelle et de terroir ; salle à manger rustique où trône une cheminée.

SIERENTZ – 68 Haut-Rhin – **315** I11 – 2 647 h. – alt. 270 m – ✉ 68510 **1 A3**

▶ Paris 487 – Altkirch 19 – Basel 18 – Belfort 65 – Colmar 54 – Mulhouse 16
🛈 Syndicat d'initiative, 57, rue Rogg-Haas ✆ 03 89 81 68 58, Fax 03 89 81 60 49

Auberge St-Laurent (Marco Arbeit) avec ch
1 r. Fontaine – ✆ 03 89 81 52 81
– www.auberge-saintlaurent.fr – marco.arbeit@wanadoo.fr – Fax 03 89 81 67 08
– Fermé 13-28 juil., 14-22 sept., 15-25 fév., lundi et mardi
10 ch – †80 € ††100 €, ☐ 13 € – ½ P 91 €
Rest – Menu (28 €), 39/75 € – Carte 75/92 €

Spéc. Foie gras de canard maison et confit de choucroute. Croustillant de bar à l'unilatéral, purée de pommes de terre et caviar d'Aquitaine. Vacherin glacé et coulis de fruits rouges. **Vins** Pinot blanc, Crémant d'Alsace.

♦ Le chaleureux décor mi-rustique mi-bourgeois de cet ancien relais de poste sert de cadre à une fine cuisine classique misant sur l'équilibre des saveurs. Plaisante terrasse. Jolies chambres personnalisées.

SIGNY-L'ABBAYE – 08 Ardennes – **306** I4 – 1 365 h. – alt. 240 m **13 B1**
– ✉ 08460 ▌Champagne Ardenne

▶ Paris 208 – Charleville-Mézières 31 – Hirson 41 – Laon 74 – Rethel 23 – Rocroi 30 – Sedan 52
🛈 Syndicat d'initiative, cour Rogelet ✆ 03 24 53 10 10, Fax 03 24 53 10 10

Auberge de l'Abbaye avec ch
2 pl. A. Briand – ✆ 03 24 52 81 27 – aubergeabbaye@wanadoo.fr
– Fax 03 24 53 71 72 – Fermé 12 janv.-8 mars
8 ch – †40/56 € ††56/59 €, ☐ 10 € – ½ P 48 €
Rest – *(fermé mardi soir et merc.)* Menu (12 €), 14 € – Carte 20/38 €

♦ Cette ex-relais de poste, dans la même famille depuis 1803, cultive la tradition : cadre rustique, cuisine valorisant les produits terroir (ferme et potager). Chambres sobres.

SIGNY-LE-PETIT – 08 Ardennes – **306** H3 – 1 290 h. – alt. 238 m **13 B1**
– ✉ 08380

▶ Paris 228 – Charleville-Mézières 37 – Hirson 15 – Chimay 959
🛈 Syndicat d'initiative, place de l'Église ✆ 03 24 53 55 44, Fax 03 24 53 51 32

Au Lion d'Or
pl. de l'Église – ✆ 03 24 53 51 76 – www.lahulotte-auliondor.fr
– blandine-bertrand@wanadoo.fr – Fax 03 24 53 36 96 – Fermé 26 juin-10 juil., 19 déc.-11 janv. et dim.
12 ch – †66/85 € ††66/112 €, ☐ 9 € – ½ P 61/100 €
Rest – *(fermé dim. sauf le midi de mars à fin sept., mardi midi, merc. midi et sam. midi) (prévenir dim.)* Menu 20/60 € bc

♦ Ancien relais de poste situé face à l'église de Signy. Chambres proprettes, toutes différentes, réparties entre la bâtisse principale et les dépendances. Restaurant rustique, tableaux et bibelots figurant des chouettes (l'emblème de la maison) et cuisine actuelle.

SILLÉ-LE-GUILLAUME – 72 Sarthe – 310 I5 – 2 386 h. – alt. 161 m — 35 C1
– ⊠ 72140 ▌Normandie Cotentin

▶ Paris 230 – Alençon 39 – Laval 55 – Le Mans 35 – Mayenne 40
🛈 Office de tourisme, place de la Résistance ✆ 02 43 20 10 32, Fax 02 43 20 01 23

Le Bretagne avec ch
pl. Croix d'Or, – ✆ 02 43 20 10 10 – www.hotelsarthe.com
– hotelrestaurantlebretagne@wanadoo.fr – Fax 02 43 20 03 96 – Fermé 22 juil.-12 août, 1er-10 janv., vend. soir, sam. midi et dim. soir
15 ch – †57 € ††62 €, ⊇ 6 € – ½ P 58 €
Rest – Menu 16 € (sem.), 27/50 € – Carte environ 54 €

♦ Ancien relais de diligences situé à l'orée du Parc Normandie-Maine. Cuisine traditionnelle soignée, servie dans une coquette salle. Chambres fonctionnelles, à choisir côté cour.

SILLERY – 51 Marne – 306 G7 – rattaché à Reims

SION-SUR-L'OCÉAN – 85 Vendée – 316 E7 – rattaché à St-Gilles-Croix-de-Vie

SIORAC-EN-PÉRIGORD – 24 Dordogne – 329 G7 – 893 h. – alt. 77 m — 4 C3
– ⊠ 24170 ▌Périgord

▶ Paris 548 – Sarlat-la-Canéda 29 – Bergerac 45 – Brive-la-Gaillarde 73 – Périgueux 60
🛈 Syndicat d'initiative, place de Siorac ✆ 05 53 31 63 51
⛳ de Lolivarie, S : 5km par D 51, ✆ 05 53 30 22 69

Relais du Périgord Noir
pl. de la Poste – ✆ 05 53 31 60 02 – www.relais-perigord-noir.fr – hotel@relais-perigord-noir.fr – Fax 05 53 31 61 05 – Ouvert 15 avril-30 sept.
43 ch – †68/88 € ††68/95 €, ⊇ 10 € – ½ P 65/80 €
Rest – (dîner seult) (résidents seult) Menu 30/45 € – Carte 42/60 €

♦ Maison de 1870 totalement rénovée (bien conçue pour les handicapés). Chambres fonctionnelles. Deux ambiances dans les salons : objets préhistoriques ou billard (snooker). Pour déguster une cuisine de tradition, optez pour la salle ornée de fresques ou la véranda.

SISTERON – 04 Alpes-de-Haute-Provence – 334 D7 – 6 964 h. — 40 B2
– alt. 490 m – ⊠ 04200 ▌Alpes du Sud

▶ Paris 704 – Barcelonnette 100 – Digne-les-Bains 40 – Gap 52
🛈 Office de tourisme, 1, place de la République ✆ 04 92 61 12 03, Fax 04 92 61 19 57
◉ Vieux Sisteron★ - Site★★ - Citadelle★ : ≤★ - Cathédrale Notre-Dame-des-Pommiers★.

Plan page ci-contre

Grand Hôtel du Cours
pl. de l'Église – ✆ 04 92 61 04 51 – www.hotel-lecours.com – hotelducours@wanadoo.fr – Fax 04 92 61 41 73 – Ouvert 1er mars-5 nov.   Z r
45 ch – †63/73 € ††73/90 €, ⊇ 10 € – 5 suites – ½ P 61/71 €
Rest – (ouvert 1er mars-10 déc.) Menu (15 €), 25/31 € – Carte 30/43 €

♦ Tenu la même famille depuis 1932, cet hôtel se trouve en plein centre historique, tout près des tours d'enceinte du 14e s. Chambres refaites, plus spacieuses et calmes sur l'arrière. Véranda et terrasse ombragée côté place. Spécialités d'agneau de Sisteron.

au Nord-Ouest par ① et D 4085 – ⊠ 04200 Sisteron

Les Chênes
300 rte de Gap, à 2 km – ✆ 04 92 61 13 67 – leschenes.hotel@wanadoo.fr
– Fax 04 92 61 16 92 – Fermé 24 déc.-31 janv., sam. sauf d'avril à sept. et dim. sauf de juin à sept.
23 ch – †55 € ††55/72 €, ⊇ 9 € – ½ P 52/60 €
Rest – (fermé sam. et dim.) Menu 19/32 € – Carte 35/45 €

♦ Adresse pratique pour une étape non loin de la Durance. Les chambres, petites et fonctionnelles, sont insonorisées. Sur l'arrière, piscine et jardin planté de vieux chênes. Recettes traditionnelles à déguster dans un cadre sobre ou sur la terrasse ombragée.

SISTERON

Arène (Av. Paul)	**YZ**	3
Basse des Remparts (R.)	**Y**	4
Combes (R. des)	**Z**	6
Cordeliers (R. des)	**Z**	8
Deleuze (R.)	**YZ**	9
Dr-Robert (Pl. du)	**Y**	10
Droite (R.)	**Y**	
Font-Chaude (R.)	**Y**	12
Gaulle (Pl. Gén.-de)	**Z**	13
Glissoir (R. du)	**Y**	14
Grande École (Pl. de la)	**Z**	15
Horloge (Pl. de l')	**Y**	16
Libération (Av. de la)	**Z**	17
Longue-Andrône (R.)	**Y**	18
Melchior-Donnet (Cours)	**Y**	20
Mercerie (R.)	**Y**	22
Moulin (Av. Jean)	**Z**	23
Porte-Sauve (R.)	**Z**	24
Poterie (R.)	**Z**	25
Provence (R. de)	**Z**	26
République (Pl. de la)	**Z**	28
Ste-Ursule (R.)	**Z**	29
Saunerie (R.)	**Y**	
Tivoli (Pl. du)	**Y**	30
Verdun (Allée de)	**Z**	32

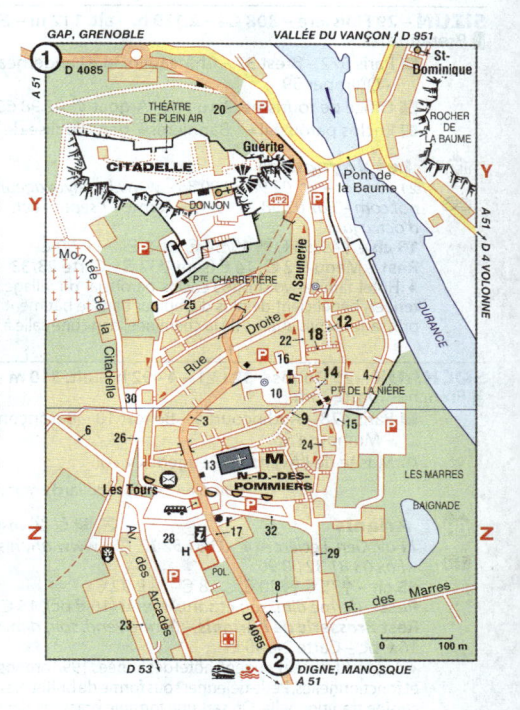

SIX-FOURS-LES-PLAGES – 83 Var – **340** K7 – 34 000 h. – alt. 20 m   40 **B3**
– ✉ 83140 ▌ Côte d'Azur

- ▶ Paris 830 – Aix-en-Provence 81 – La Ciotat 33 – Marseille 61 – Toulon 12
- ▫ Office de tourisme, promenade Charles-de-Gaulle ℘ 04 94 07 02 21, Fax 04 94 25 13 36
- ◉ Fort de Six-Fours ❋★ N : 2 km - Presqu'île de St-Mandrier★ : ❋★★ E : 5 km - ❋★★ du cimetière de St Mandrier-sur-Mer E : 4 km.
- ◉ Chapelle N.-D.-du-Mai ❋★★ S : 6 km.

Le Clos des Pins   🛏 |🏨| & ch, 𝗔𝗖 ⇔ ⁽ᵗ⁾ **P** 🕭 **VISA** **◎◎** **AE**
101 bis r. de la République – ℘ 04 94 25 43 68 – www.hotel-six-fours-var.com
– cavagnac.dominique@wanadoo.fr – Fax 04 94 07 63 07
25 ch – †54/78 € ††61/89 €, ⊡ 9 € – ½ P 79/105 €
Rest – *(dîner seult) (résidents seult)* Menu 18/21 €

♦ Cette adresse sympathique a bénéficié d'une belle cure de jouvence. Les chambres, au style actuel, fraîches et fonctionnelles, sont d'une tenue parfaite. Cuisine familiale traditionnelle dans la salle de restaurant aux couleurs du sud.

au Brusc 4 km au Sud – ✉ 83140 Six-Fours-les-Plages

✗   **Le St-Pierre - Chez Marcel**   & 𝗔𝗖 **VISA** **◎◎** **AE** ①
47 r. de la Citadelle – ℘ 04 94 34 02 52 – www.lesaintpierre.fr – rnan@wanadoo.fr
– Fax 04 94 34 18 01 – *Fermé janv., dim. soir de sept. à juin et lundi*
Rest – Menu 22 € (sem.)/36 € – Carte 30/65 €

♦ Située près du port, ancienne maison de pêcheur proposant un choix de préparations de poissons imprégnées de saveurs régionales. À déguster dans un espace très lumineux.

SIZUN – 29 Finistère – **308** G4 – 2 129 h. – alt. 112 m – ⊠ 29450 9 **B2**
Bretagne

- Paris 572 – Brest 37 – Châteaulin 36 – Landerneau 16 – Morlaix 36 – Quimper 59
- Office de tourisme, 3, rue de l'Argoat ℰ 02 98 68 88 40
- Enclos paroissial ★ - Bannières ★ dans l'église de Locmélar N : 5 km.

Les Voyageurs
2 r. Argoat – ℰ 02 98 68 80 35 – www.hotelvoyageurs-sizun.com – hotelvoyag@aol.com – Fax 02 98 24 11 49 – Fermé 11 sept.-4 oct., vend. soir, dim. soir et sam. d'oct. à juin
18 ch – †49/54 € ††49/54 €, ⊆ 8 € – ½ P 50 €
Rest – Menu (12 €), 14 € (sem.)/37 € – Carte 23/33 €
♦ Hôtel familial voisin de l'enclos paroissial du village. Les chambres, simples et bien tenues, bénéficient de plus d'ampleur dans le bâtiment principal. Menus traditionnels à prix sages servis auprès de la cheminée, dans une salle à manger champêtre.

SOCHAUX – 25 Doubs – **321** L1 – 4 492 h. – alt. 310 m – ⊠ 25600 17 **C1**
Franche-Comté Jura

- Paris 478 – Audincourt 5 – Belfort 18 – Besançon 77 – Montbéliard 5 – Mulhouse 56
- Musée de l'Aventure Peugeot ★★ AX.

Voir plan de Montbéliard agglomération.

Arianis
11 av. Gén. Leclerc – ℰ 03 81 32 17 17 – www.arianis.fr – arianis@wanadoo.fr – Fax 03 81 32 00 90 X **u**
65 ch – †75 € ††80 €, ⊆ 8 € – ½ P 92 €
Rest – (fermé dim. soir et sam.) Menu (16 € bc), 18 € – Carte 36/52 €
Rest *Brasserie de l'Arianis* – (fermé vend. soir, dim. soir et sam.) Menu (13 € bc), 16 € bc – Carte 24/40 €
♦ À côté du musée Peugeot, hôtel des années 1990 proposant de grandes chambres sobres et fonctionnelles. Petit-déjeuner sous forme de buffet. Restaurant dans les tons bleu et gris, cuisine traditionnelle. On sert une formule brasserie dans la véranda.

à Étupes 3 km par ③ et D 463 – 3 467 h. – alt. 337 m – ⊠ 25460

XX Au Fil des Saisons
3 r. de la Libération – ℰ 03 81 94 17 12 – www.aufildessaisons.eu – aufildessaisons@clubinternet.fr – Fax 03 81 32 36 04 – Fermé 4-24 août, 22 déc.-4 janv., sam. midi, dim., lundi et fériés
Rest – Menu 22 € (déj.), 33 € – Carte 35/57 €
♦ Enseigne-vérité : c'est une cuisine évoluant "au fil des saisons" et un bon choix de poissons qui composent la carte de ce restaurant familial. Salle agréablement rajeunie.

SOCOA – 64 Pyrénées-Atlantiques – **342** B2 – rattaché à St-Jean-de-Luz

---

SOCX – 59 Nord – **302** C2 – 972 h. – alt. 24 m – ⊠ 59380 30 **B1**
- Paris 287 – Lille 64 – Calais 52 – Dunkerque 20 – Roeselare 68

X Au Steger
27 rte de St-Omer – ℰ 03 28 68 20 49 – www.restaurant-lesteger.com – restaurant.steger@wanadoo.fr – Fax 03 28 68 27 83 – Fermé 1er-20 août
Rest – (déj. seult sauf sam.) Menu (13 €), 16 € (déj. en sem.), 23/45 € – Carte 30/40 €
♦ L'épicerie familiale convertie en restaurant aux allures de taverne, où il fait bon s'attabler autour de plats traditionnels et de recettes flamandes de qualité.

Un hôtel charmant pour un séjour très agréable ?
Réservez dans un hôtel avec pavillon rouge : 🏠 ... 🏨.

SOISSONS – 02 Aisne – 306 B6 – 28 500 h. – alt. 47 m – ✉ 02200   37 C2
Nord Pas-de-Calais Picardie

- Paris 102 – Compiègne 39 – Laon 37 – Reims 59 – St-Quentin 61
- Office de tourisme, 16, place Fernand Marquigny ℰ 03 23 53 17 37, Fax 03 23 59 67 72
- Anc. Abbaye de St-Jean-des-Vignes★★ - Cathédrale St-Gervais-et-St-Protais★★.

SOISSONS

Rue	Réf
Arquebuse (R. de l')	BZ 2
Château-Thierry (Av.)	BZ 4
Collège (R. du)	AY 5
Commerce (R. du)	BY 6
Compiègne (Av.)	AY 8
Desmoulins (Bd C.)	ABZ 12
Gambetta (Bd L.)	BY 14
Intendance (R. de l')	BY 15
Leclerc (Av. Gén.)	BZ 22
Marquigny (Pl. F.)	BY 23
Paix (R. de la)	BY 24
Panleu (R. de)	AY 25
Prés.-Kennedy (Av.)	AZ 26
Quinquet (R.)	ABY 28
Racine (R.)	BZ 29
République (Pl. de la)	BZ 30
St-Antoine (R.)	BY 31
St-Christophe (Pl.)	AY 32
St-Christophe (R.)	AY 33
St-Jean (R.)	AZ 34
St-Martin (R.)	BY 35
St-Quentin (R.)	BY 36
St-Rémy (R.)	BY 37
Strasbourg (Bd de)	BY 38
Villeneuve (R. de)	BZ 39

1809

SOISSONS

XX L'Assiette Gourmande   VISA MC AE
16 av. de Coucy – ℰ 03 23 93 47 78 – Fax 03 23 93 47 78 – Fermé 12-20 avril, août, sam. midi, dim. soir, soirs fériés et lundi   BY e
Rest – Menu 16 € (déj. en sem.), 30/51 € – Carte 45/58 €
♦ Cette adresse a conquis sans mal le cœur des Soissonais grâce à son décor élégant, son ambiance feutrée et douce, et sa goûteuse cuisine de tradition revisitée.

X Chez Raphaël   VISA MC
7 r. St-Quentin – ℰ 03 23 93 51 79 – chez.raphael@wanadoo.fr – Fax 03 23 93 26 50 – Fermé 18-31 août, 1er-8 janv., 23-28 fév., sam. midi, dim. soir et lundi   BY a
Rest – Menu (18 € bc), 20 € (déj. en sem.), 25/42 € – Carte 38/62 €
♦ Sympathique établissement situé dans une rue commerçante. Salle à manger simple et chaleureuse, aménagée dans l'esprit bistrot, où l'on propose des petits plats du terroir.

à Belleu 3 km au Sud par D 1 et D 690 – 3 969 h. – alt. 55 m – ⊠ 02200

XX Le Grenadin   VISA MC
19 rte de Fère-en-Tardenois – ℰ 03 23 73 20 57 – restaurantlegrenadin@free.fr – Fax 03 23 73 11 61 – Fermé 15-31 janv., dim. soir, lundi et fériés   BZ f
Rest – Menu (16 €), 23/45 € – Carte 29/50 €
♦ Un angelot veille sur la façade de cette sympathique maison servant une cuisine traditionnelle soignée. Salles champêtre et rustique ; l'été, tables dressées dans le jardin.

SOLAIZE – 69 Rhône – 327 I6 – 2 527 h. – alt. 232 m – ⊠ 69360   44 B2

▸ Paris 472 – Lyon 17 – Rive-de-Gier 25 – La Tour-du-Pin 58 – Vienne 17

🏨 Soleil et Jardin   VISA MC AE ①
44 r. de la République – ℰ 04 78 02 44 90 – www.soleiletjardin.com – soleiletjardin@wanadoo.fr – Fax 04 78 02 09 26 – Fermé 20 déc.-2 janv.
22 ch – †120/210 € ††150/230 €, ⊆ 10 €
Rest – (fermé sam. et dim.) Menu 34 € – Carte 40/53 €
♦ Sur la place centrale du village, cette maison abrite des chambres fonctionnelles aux tons ensoleillés ; trois d'entre elles possèdent une terrasse. Gaieté et lumière dans la salle à manger prolongée d'une terrasse fleurie ; carte traditionnelle bien composée.

SOLENZARA – 2A Corse-du-Sud – 345 F8 – voir à Corse

SOLESMES – 72 Sarthe – 310 H7 – rattaché à Sablé-sur-Sarthe

SOLIGNAC – 87 Haute-Vienne – 325 E6 – 1 454 h. – alt. 251 m   24 B2
– ⊠ 87110

▸ Paris 400 – Bourganeuf 55 – Limoges 10 – Nontron 70 – Périgueux 90 – Uzerche 52
ℹ Office de tourisme, place Georges Dubreuil ℰ 05 55 00 42 31, Fax 05 55 00 42 31

🏨 St-Éloi   VISA MC
66 av. St-Éloi – ℰ 05 55 00 44 52 – www.lesainteloi.fr – lesaint.eloi@wanadoo.fr – Fax 05 55 00 55 56 – Fermé 2-9 juin, 17-30 sept., 3-26 janv., sam. midi, dim. soir et lundi
15 ch – †55/85 € ††55/85 €, ⊆ 10 € – ½ P 67/80 €
Rest – Menu (15 €), 25 (sem.)/45 € – Carte 33/48 €
♦ La façade en pierre et colombages dissimule un intérieur de caractère : chambres actuelles aux tons ensoleillés et salon design. Cuisine personnalisée servie dans une lumineuse salle à manger, réchauffée par une cheminée. Terrasse pittoresque.

SOMMIÈRES – 30 Gard – 339 J6 – 4 505 h. – alt. 34 m – ⊠ 30250   23 C2

▸ Paris 734 – Montpellier 35 – Nîmes 29
ℹ Office de tourisme, 5, quai Frédéric Gaussorgues ℰ 04 66 80 99 30, Fax 04 66 80 06 95

SOMMIÈRES

Auberge du Pont Romain
2 r. Emile Jamais – ℰ 04 66 80 00 58 – www.aubergedupontromain.com – aubergedupontromain@wanadoo.fr – Fax 04 66 80 31 52 – Fermé nov., 15 janv.-15 mars et lundi midi
19 ch – †75/125 € ††75/125 €, ⊇ 14 € – ½ P 85/110 €
Rest – Menu (25 €), 36/60 € – Carte 50/70 €
♦ Cette belle demeure en pierre du Gard abritait au 19ᵉ s. une fabrique de draps de laine. Grandes chambres rustico-bourgeoises, plus calmes côté jardin. Au restaurant, style campagnard chic et tonnelle romantique ; cuisine actuelle.

De l'Estelou sans rest
à 200m par rte d'Aubais – ℰ 04 66 77 71 08 – http://hoteldelestelou.free.fr – hoteldelestelou@free.fr – Fax 04 66 77 08 88 – Fermé 20 déc.-10 janv.
24 ch – †48/80 € ††56/80 €, ⊇ 8 €
♦ Cet hôtel installé dans l'ex-gare de Sommières (1870) a du cachet : chambres actuelles de bon goût, jolie véranda pour les petits-déjeuners et jardin-piscine au calme.

à Boisseron 3 Km au Sud par D 610 – 1 313 h. – alt. 32 m – ⊠ 34160

La Rose Blanche
51 r. Maurice Chauvet – ℰ 04 67 86 60 76 – www.laroseblanche.fr – restoroseblanche@yahoo.fr – Fax 04 67 86 60 76 – Fermé 12-22 oct., 5-22 janv., dim. soir d'oct. à mars, mardi midi et lundi
Rest – Menu (19 €), 27/55 € – Carte 50/58 €
♦ Dans l'ancienne salle de garde du château, meubles, tissus et tableaux contemporains se marient à merveille aux voûtes et murs de pierres apparentes du 12ᵉ s. Cuisine actuelle.

Ce guide vit avec vous : vos découvertes nous intéressent.
Faites-nous part de vos satisfactions comme de vos déceptions.
Coup de colère ou coup de cœur : écrivez-nous !

SONDERNACH – 68 Haut-Rhin – 315 G9 – 651 h. – alt. 540 m – ⊠ 68380   1 A2
▶ Paris 466 – Colmar 27 – Gérardmer 41 – Guebwiller 39 – Thann 42

A l'Orée du Bois avec ch
4 rte du Schnepfenried – ℰ 03 89 77 70 21 – www.oredubois.com – contact@oredubois.com – Fax 03 89 77 77 58 – Fermé 23-30 juin et 5 janv.-5 fév.
7 ch ⊇ – †31 € ††62 € – ½ P 47 €
Rest – *(fermé merc. midi et mardi)* Menu (7 €), 12/32 € – Carte 12/32 €
♦ Chaleureuse salle à manger rustique (boiseries, poêle en faïence), carte régionale avec tartes flambées et fondues, chambres façon chalet : l'Alsace dans toute sa générosité.

SONNAZ – 73 Savoie – 333 I4 – rattaché à Chambéry

SOPHIA-ANTIPOLIS – 06 Alpes-Maritimes – 341 D6 – rattaché à Valbonne

SORBIERS – 42 Loire – 327 F7 – rattaché à St-Étienne

SORÈZE – 81 Tarn – 338 E10 – 2 388 h. – alt. 272 m – ⊠ 81540   29 C2
Midi-Pyrénées

▶ Paris 732 – Toulouse 59 – Carcassonne 44 – Castelnaudary 26 – Castres 27 – Gaillac 64
🛈 Office de tourisme, rue Saint-Martin ℰ 05 63 74 16 28, Fax 05 63 50 86 61

1811

SORÈZE

Hôtel Abbaye Ecole Le Logis des Pères
18 r. Lacordaire – ℰ 05 63 74 44 80
– www.hotelfp-soreze.com – reception@hotelfp.soreze.com – Fax 05 63 74 44 89
52 ch – †98/153 € ††98/153 €, ⊇ 12 € – ½ P 82 €
Rest – (fermé dim. soir de nov. à mars) Menu 21 (sem.)/40 € – Carte environ 38 €
♦ Hôtel installé dans une aile de la célèbre abbaye-école des bénédictins (17ᵉ s.), fondée en 754 par Pépin le Bref. Sobres chambres joliment décorées et parc arboré de 6 ha. Repas traditionnels servis dans l'ancien réfectoire ou à l'ombre des platanes.

Le Pavillon des Hôtes
– ℰ 05 63 74 44 80 – www.hotelfp-soreze.com – reception@hotelfp-soreze.com
– Fax 05 63 74 44 89
20 ch – †55 € ††55 €, ⊇ 12 € – ½ P 61 €
♦ Chambres simples, réparties autour d'une cour intérieure.

SORGES – 24 Dordogne – **329** G4 – 1 157 h. – alt. 178 m – ⊠ 24420 ▌ Périgord 4 **C1**

▶ Paris 463 – Brantôme 24 – Limoges 77 – Nontron 36 – Périgueux 20 – Thiviers 15

🛈 Syndicat d'initiative, écomusée de la Truffe ℰ 05 53 46 71 43, Fax 05 53 46 71 43

Auberge de la Truffe
sur N 21 – ℰ 05 53 05 02 05 – www.auberge-de-la-truffe.com – contact@auberge-de-la-truffe.com – Fax 05 53 05 39 27
19 ch – †50 € ††54/67 €, ⊇ 10 € – 5 suites – ½ P 60/87 €
Rest – (fermé dim. soir et lundi midi du 12 nov. au 30 mars) Menu (13 € bc), 18 € (sem.), 24/100 € – Carte 29/90 €
♦ À proximité de la Maison de la Truffe, accueillante adresse villageoise disposant de chambres assez grandes et bien meublées, parfois en rez-de-jardin. Pimpante salle à manger et cuisine du terroir où "diamant noir" et foie gras tiennent le haut de l'affiche.

> Le rouge est la couleur de la distinction : nos valeurs sûres !

SORGUES – 84 Vaucluse – **332** C9 – 18 100 h. – alt. 24 m – ⊠ 84700 42 **E1**

▶ Paris 672 – Avignon 12 – Carpentras 20 – Cavaillon 34 – Orange 18

Alonso
12 r. 19-Mars-1962, (pl. de l'Hôtel-de-Ville) – ℰ 04 90 39 11 02
– restaurantalonso@orange.fr – Fax 04 90 83 48 42 – Fermé 15-31 août, sam. midi et dim.
Rest – (nombre de couverts limité, prévenir) Menu 35/50 €
♦ Cette charmante maison de maître cache un intérieur bourgeois et une belle terrasse sous les pins. Carte courte très attentive aux produits de saison et renouvelée chaque semaine.

SOSPEL – 06 Alpes-Maritimes – **341** F4 – 3 394 h. – alt. 360 m 41 **D2**
– ⊠ 06380 ▌ Côte d'Azur

▶ Paris 967 – Menton 19 – Nice 41 – Tende 38 – Ventimiglia 28

🛈 Office de tourisme, 19, avenue Jean Médecin ℰ 04 93 04 15 80, Fax 04 93 04 19 96

◉ Vieux village★ : vieux pont★, vierge immaculée★ dans l'église St-Michel - Fort St-Roch★ S : 1 km par la D 2204.

Des Étrangers
7 bd Verdun – ℰ 04 93 04 00 09 – www.sospel.net – sospel@sospel.net
– Fax 04 93 04 12 31 – Ouvert 5 mars-30 nov.
27 ch – †68/72 € ††72/90 €, ⊇ 8,50 € – ½ P 68/85 €
Rest – (fermé merc. midi et mardi) Menu 25/55 € – Carte 38/60 €
♦ Accueil sympathique dans cet hôtel géré de père en fils depuis 1883. Chambres rafraîchies à la mode provençale (fer forgé, tons pastel, murs patinés). Jacuzzi au sous-sol. À table, goûteuse cuisine régionale préparée avec les produits du potager et du marché.

SOUDAN – 79 Deux-Sèvres – 322 F6 – rattaché à St-Maixent-l'École

SOUILLAC – 46 Lot – 337 E2 – 3 898 h. – alt. 104 m – ✉ 46200 ▮ Périgord   28 **B1**

- Paris 516 – Brive-la-Gaillarde 39 – Cahors 68 – Figeac 74 – Sarlat-la-Canéda 29
- Office de tourisme, boulevard Louis-Jean Malvy ✆ 05 65 37 81 56, Fax 05 65 27 11 45
- Souillac Country Club à Lachapelle-Auzac, N : 8 km par D 15, ✆ 05 65 27 56 00
- Anc. église abbatiale : bas-relief "Isaïe" ★★, revers du portail ★ - Musée national de l'Automate et de la Robotique ★.

Grand Hôtel
1 allée Verninac – ✆ *05 65 32 78 30* – *www.grandhotel-souillac.com* – *grandhotel-souillac@wanadoo.fr* – *Fax 05 65 32 66 34* – *Ouvert 23 mars-31 oct.*   Z **e**

30 ch – †45/60 € ††52/70 €, ☐ 8 € – ½ P 57/66 €
Rest – Menu (13 €), 20/35 € – Carte 27/47 €

♦ Cet édifice centenaire abrite des chambres contemporaines personnalisées. Un agréable patio, vrai puits de lumière, éclaire la salle des petits-déjeuners. Carte traditionnelle servie dans un décor actuel. L'été : véranda (toit ouvrant) ou terrasse sous les platanes.

Le Pavillon St-Martin sans rest
5 pl. St-Martin – ✆ *05 65 32 63 45* – *www.hotel-saint-martin-souillac.com* – *contact@hotel-saint-martin-souillac.com* – *Fax 05 65 32 75 37*   Z **f**

11 ch – †49/98 € ††75/98 €, ☐ 8,50 €

♦ Face au beffroi, une maison de caractère (16ᵉ s.) possédant des chambres personnalisées alliant éléments classiques et contemporains. Agréable salle des petits-déjeuners voûtée.

SOUILLAC

Abbaye (Pl. de l')	Z 2
Barebaste (R.)	Z 4
Barnicou (Pl.)	Z 5
Bénétou (R.)	Y 7
Betz (Pl. Pierre)	Z
La Borie (Pl. de)	Y 20
La Borie (R. de)	Y
Bouchier (Pl. J.-B.)	Z 8
Doussot (Pl.)	Z 9
Figuier (Pl. du)	Y 12
Forail Marsalès (Pl. du)	YZ
Frégière (R. de la)	Z
Gambetta (Av.)	Y 14
Gaulle (Av. du Gén.-de)	Y 15
Gourgue (R. de)	Y 16
Granges (R. des)	Z
Grozel (R. de)	Y
Halle (R. de la)	Y 17
Juillet (R. de)	Y
Louqsor (R.)	Z 21
Malvarès (R.)	Z 22
Malvy (Av. Martin)	Y
Malvy (Bd Louis-Jean)	YZ
Morlet (R.)	Z 24
Pons (Pl. de l'Abbé)	Y 25
Pont (R. du)	Z 26
Puits (Pl. du)	Z 28
Rajol (Pl. du)	Y 29
Recège (R. de la)	Y
St-Martin (R.)	Z 32
Sarlat (Av. de)	Z
Verlhac (Av. P.)	Y

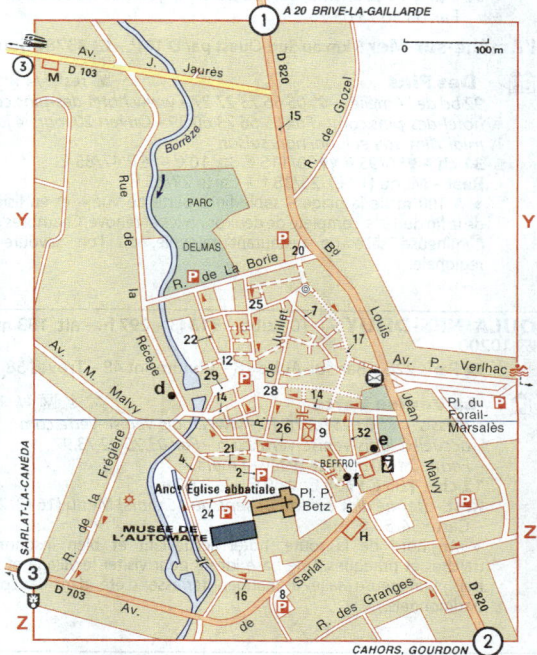

SOUILLAC

Le Quercy sans rest
1 r. Récège – ℰ 05 65 37 83 56 – www.le-quercy.fr
– reservation@le-quercy.fr – Fax 05 65 37 07 22
– Ouvert 20 mars-15 déc.   Y d
25 ch – †50/55 € ††60/65 €, ⚌ 8 €

♦ Accueil familial dans cet hôtel confortable, à l'écart du centre. Les chambres, bien tenues, sont pour la plupart dotées d'un balcon tourné vers la terrasse fleurie ou la piscine.

Belle Vue sans rest
68 av. J. Jaurès, (à la gare) – ℰ 05 65 32 78 23
– www.hotelbellevue-souillac.com – hotelbellevue.souillac@wanadoo.fr
– Fax 05 65 37 03 89
26 ch – †42/50 € ††42/50 €, ⚌ 6,50 €

♦ Grande bâtisse des années 1960 proche de la gare. Chambres simples mais propres. Équipements sportifs côté jardin (piscine, tennis) et petite boutique de produits régionaux.

Le Redouillé
28 av. de Toulouse, par ② – ℰ 05 65 37 87 25 – leredouille.souillac@wanadoo.fr
– Fermé 7 janv.-2 fév., lundi et mardi
Rest – Menu 19/50 € – Carte 40/77 €

♦ Deux salles de restaurant séparées par un salon ; l'une d'elles, très ensoleillée, affiche les couleurs de la Provence. Cuisine traditionnelle parfois revisitée. Terrasse d'été.

SOULAC-SUR-MER – 33 Gironde – 335 E1 – 2 679 h. – alt. 7 m   3 **B1**
– Casino : de la Plage – ✉ 33780 ▌Aquitaine

▸ Paris 515 – Bordeaux 99 – Lesparre-Médoc 31 – Royan 12
▸ Office de tourisme, 68, rue de la plage ℰ 05 56 09 86 61,
  Fax 05 56 73 63 76

à l'Amélie-sur-Mer 5 km au Sud-Ouest par D 101ᴱ – ✉ 33780 Soulac-sur-Mer

Des Pins
92 bd de l'Amélie – ℰ 05 56 73 27 27 – www.hotel-des-pins.com – info@hotel-des-pins.com – Fax 05 56 73 60 39 – Ouvert 20 mars-4 janv. et fermé sam. midi, dim. soir et lundi hors saison
31 ch – †50/95 € ††50/115 €, ⚌ 10 € – ½ P 47/85 €
Rest – Menu (17 €), 25/38 € – Carte 27/65 €

♦ À 100 m de la plage – sable fin à perte de vue – et en lisière des pins, bâtiment de la fin du 19ᵉ s. complété de deux annexes et rénové. Chambres diversement meublées. Lumineuse salle de restaurant rajeunie, où l'on savoure poissons et cuisine régionale.

SOULAINES-DHUYS – 10 Aube – 313 I3 – 297 h. – alt. 153 m   14 **C3**
– ✉ 10200

▸ Paris 228 – Bar-sur-Aube 18 – Chaumont 48 – Troyes 58

La Venise Verte
r. Plessis – ℰ 03 25 92 76 10 – www.logis-venise-verte.com
– accueil@logis-venise-verte.com – Fax 03 25 92 73 97
– Fermé 24-30 août et 19 fév.-4 mars
12 ch – †65 € ††68 €, ⚌ 9 € – ½ P 68 €
Rest – (fermé dim. soir du 21 sept. au 16 mars) Menu (16 €), 25/65 € bc
– Carte 34/50 €

♦ Au bord de la route, hôtel accueillant et bien insonorisé. Petites chambres fraîches et pratiques. Une base idéale pour visiter le village et ses maisons à pans de bois. Lumineuse salle à manger, terrasse d'été dans la cour intérieure et plats traditionnels.

LA SOURCE – 45 Loiret – 318 I5 – rattaché à Orléans

SOURDEVAL – 50 Manche – 303 G7 – 2 878 h. – alt. 217 m – ⊠ 50150 32 B2

🚇 Paris 310 – Avranches 36 – Domfront 30 – Flers 31 – Mayenne 64 – St-Lô 53 – Vire 14

🛈 Office de tourisme, jardin de l'Europe ℘ 02 33 79 35 61, Fax 02 33 79 35 59

◉ Vallée de la Sée ★ O, ▮ Normandie Cotentin

Le Temps de Vivre

12 r. St-Martin – ℘ 02 33 59 60 41 – le-temps-de-vivre@wanadoo.fr
– Fax 02 33 59 88 34 – Fermé 27 sept.-13 oct., 4-18 fév. dim. soir et lundi sauf août
10 ch – †34 € ††40/49 €, ⇌ 6 € – ½ P 37/41 €
Rest – Menu 12 € (sem.)/30 € – Carte 15/33 €

♦ Sur la place du village, à côté du cinéma, façade en granit embellie de jardinières fleuries. Les chambres sont petites, mais récentes et bien tenues. Plaisante salle de restaurant invitant à prendre le "temps de vivre" ; cuisine simple à prix sages.

SOURZAC – 24 Dordogne – 329 D5 – rattaché à Mussidan

SOUSCEYRAC – 46 Lot – 337 I2 – 941 h. – alt. 559 m – ⊠ 46190 29 C1

🚇 Paris 548 – Aurillac 47 – Cahors 96 – Figeac 41 – Mauriac 69 – St-Céré 17

🛈 Office de tourisme, place de l'Église ℘ 05 65 33 02 20, Fax 05 65 11 66 19

Au Déjeuner de Sousceyrac (Patrick Lagnès) avec ch

Le Bourg – ℘ 05 65 33 00 56 – Fax 05 65 33 04 37
– Fermé 3 janv.-1er fév., dim. soir et lundi
10 ch – †48 € ††48 €, ⇌ 8 € – ½ P 65 €
Rest – (nombre de couverts limité, prévenir) Menu 18/50 €
– Carte 45/60 €

Spéc. Cannelloni de langoustines au gésier de canard confit. Bœuf poêlé au foie gras de canard, sabayon à la truffe noire. Demi-sphère chocolat-coco, tartare d'ananas à la vanille bourbon. **Vins** Cahors, Vin de Pays du Lot.

♦ Cuisine du terroir à l'honneur dans cette avenante maison située sur la place du village. L'accueil souriant et le plaisant cadre rustique et coloré ajoutent au charme du lieu. Chambres entièrement refaites.

SOUS-LA-TOUR – 22 Côtes-d'Armor – 309 F3 – rattaché à St-Brieuc

---

SOUSTONS – 40 Landes – 335 D12 – 6 560 h. – alt. 9 m – ⊠ 40140 3 B2
▮ Aquitaine

🚇 Paris 736 – Anglet 51 – Bayonne 47 – Bordeaux 150

🛈 Office de tourisme, grange de Labouyrie ℘ 05 58 41 52 62, Fax 05 58 41 30 63

Domaine de Bellegarde

23 av. Ch. de Gaulle, dir. N 10 – ℘ 05 58 41 24 06 – www.qsun.co.uk – info@qsun.co.uk – Fax 05 58 41 33 60
5 ch ⇌ – †100/220 € ††120/290 €
Table d'hôte – (prévenir) Menu 40 € bc (déj. en sem.)/45 € bc

♦ Dressée dans un parc, belle maison mi-landaise, mi-basque abritant des chambres et suites toutes meublées dans le même style (sol en coco, lit en fer forgé...). L'une d'elles possède une terrasse, une autre un sauna privatif. Cuisine familiale au gré du marché.

> Première distinction : l'étoile ✯.
> Elle couronne les tables pour lesquelles on ferait des kilomètres !

LA SOUTERRAINE – 23 Creuse – 325 F3 – 5 309 h. – alt. 390 m — 23300 — Limousin Berry — 24 B1

- Paris 344 – Bellac 41 – Châteauroux 79 – Guéret 35 – Limoges 58
- Office de tourisme, place de la Gare ☎ 05 55 63 10 06
- Église★.

à l'Est : 7 km par N 145, D 74 et rte secondaire – ⊠ 23300 La Souterraine

Château de la Cazine ⊗ ≤ 🐦 🏡 🎯 🍴 🛗 ♿ ch, 🧖 P VISA ⓂⓄ AE
Domaine de la Fôt – ☎ 05 55 89 60 00 – www.chateaulacazine.com
– chateau-de-la-cazine@wanadoo.fr – Fax 05 55 63 71 85
– Fermé 23 déc.-14 janv.
20 ch – †60/78 € ††60/78 €, ⊇ 13 € – 2 suites – ½ P 66/85 €
Rest – Menu 24 € (déj. en sem.), 39/75 € – Carte 75/90 €
♦ Suivez bien la signalisation pour dénicher ce charmant petit château du 19ᵉ s. et son vaste parc, promesse d'un séjour au grand calme. Au restaurant : trois salles bourgeoises, une terrasse face à la nature et une cuisine classique revisitée.

à St-Étienne-de-Fursac 11 km au Sud par rte de Fursac (D 1) – 816 h. – alt. 322 m – ⊠ 23290

Nougier avec ch   🎯 🍴 ❡ P VISA ⓂⓄ AE
2 pl. de l'Église – ☎ 05 55 63 60 56 – www.hotelnougier.fr
– hotelnougier@orange.fr – Fax 05 55 63 65 47
– Ouvert de mi-mars à fin nov. et fermé lundi sauf le soir en juil.-août, dim. soir de sept. à juin et mardi midi
12 ch – †52 € ††62/72 €, ⊇ 10 € – ½ P 63/70 €
Rest – Menu (13 €), 22/48 € – Carte 40/56 €
♦ Cet établissement installé depuis trois générations a revu son décor dans un esprit actuel. Cuisine gourmande et soignée. Chambres plaisantes ; ravissant jardin-piscine.

SOUVIGNY – 03 Allier – 326 G3 – 1 980 h. – alt. 242 m – ⊠ 03210 — 5 B1
Auvergne

- Paris 301 – Bourbon-l'Archambault 16 – Montluçon 70 – Moulins 13
- Prieuré St-Pierre★★ - Calendrier★★ dans l'église-musée St-Marc.

Auberge des Tilleuls   🏡 VISA ⓂⓄ
pl. St-Éloi – ☎ 04 70 43 60 70 – www.auberge-tilleuls.com – Fax 04 70 43 60 70
– Fermé 24 août-2 sept., 28 déc.-4 janv., 16-28 fév., merc. soir de nov. à mars, mardi soir, dim. soir et lundi
Rest – Menu (12 €), 19 € (sem.)/43 € – Carte 33/58 €
♦ Cette pimpante auberge vous accueille dans deux salles champêtres soignées, dont une agrémentée de colombages en trompe-l'œil. Étroite terrasse ombragée à l'arrière.

SOUVIGNY-EN-SOLOGNE – 41 Loir-et-Cher – 318 J6 – 476 h. – alt. 210 m – ⊠ 41600 — 12 C2

- Paris 171 – Gien 43 – Lamotte-Beuvron 15 – Montargis 63 – Orléans 39

Auberge de la Grange aux Oies   🏡 VISA ⓂⓄ
2 r. du Gâtinais – ☎ 02 54 88 40 08 – aubergedelagrangeauxoies@orange.fr
– Fax 02 54 88 40 08 – Fermé dim. soir, mardi soir et merc. sauf de juin à août et fériés
Rest – Menu (16 €), 27 € (sem.)/51 € – Carte 38/57 €
♦ Agréable atmosphère campagnarde avec poutres et tomettes dans cette jolie maison à colombages (17ᵉ et 18ᵉ s.). Plats traditionnels d'esprit solognot et gibier en saison.

SOYAUX – 16 Charente – 324 L6 – rattaché à Angoulême

SOYONS – 07 Ardèche – 331 L4 – rattaché à St-Péray

STEENVOORDE – 59 Nord – **302** D3 – 3 964 h. – alt. 50 m – ⊠ 59114   30 **B1**
- ▶ Paris 259 – Calais 73 – Dunkerque 33 – Hazebrouck 12 – Lille 45 – St-Omer 28
- **ℹ** Syndicat d'initiative, place Jean-Marie Ryckewaert ℰ 03 28 42 97 98

Auprès de mon Arbre
932 rte d'Eecke – ℰ 03 28 49 79 49 – www.STOPapresdemonarbre.fr – aupres.de.mon.arbre457@orange.fr – Fax 03 28 49 72 29 – Fermé le soir sauf vend. et sam.
Rest – Menu (16 €), 18 € (déj. en sem.), 28/50 € – Carte 36/47 €
♦ Cette jolie ferme recèle une cheminée et un poêle Godin dont on ne voudra plus s'éloigner... Sauf peut-être en été, pour s'attabler dans le délicieux jardin. Cuisine authentique et soignée.

STELLA-PLAGE – 62 Pas-de-Calais – **301** C5 – **rattaché au Touquet**

STIRING-WENDEL – 57 Moselle – **307** M3 – **rattaché à Forbach**

Le vieux Strasbourg et la flèche de la cathédrale Notre-Dame

STRASBOURG

Département : 67 Bas-Rhin
Carte Michelin LOCAL : n° 315 K5
Paris 489 – Basel 141 – Karlsruhe 81 – Stuttgart 149

Population : 272 700 h.
Pop. agglomération : 451 240 h.
Altitude : 143 m
Code Postal : ✉ 67000
Alsace Lorraine
Carte régionale 1 B1

HÔTELS ET RESTAURANTS	p. 3 et 10 à 18
PLANS DE STRASBOURG	
AGGLOMÉRATION	p. 4 et 5
STRASBOURG CENTRE	p. 6 et 7
CENTRE (ZOOM)	p. 8 et 9

RENSEIGNEMENTS PRATIQUES

OFFICES DE TOURISME

🛈 17, place de la Cathédrale ✆ 03 88 52 28 28, Fax 03 88 52 28 29
🛈 Office de tourisme, place de la Gare ✆ 03 88 32 51 49
🛈 Office de tourisme, 17, place de la Cathédrale
 ✆ 03 88 52 28 28, Fax 03 88 52 28 29

TRANSPORTS

🚆 Auto-train ✆ 3635 et tapez 42 (0,34 €/mn)

AÉROPORT

✈ Strasbourg-International ✆ 03 88 64 67 67 AT

QUELQUES GOLFS

⛳ de La Wantzenau à La Wantzenau C.D. 302, ✆ 03 88 96 37 73
⛳ Le Kempferhof Golf Club à Plobsheim 351 rue du Moulin, S : 15 km par D 468,
 ✆ 03 88 98 72 72

STRASBOURG page 2

◉ A VOIR

QUARTIER DE LA CATHÉDRALE

Cathédrale Notre-Dame ★★★ : horloge astronomique ★ ≤★ de la flèche - Place de la Cathédrale ★ : maison Kammerzell ★ **KZ** Musée ★★ du palais Rohan ★ - Musée alsacien ★★ **KZ** M¹ Musée de l'Œuvre Notre-Dame ★★ **KZ** M⁶ - Musée historique ★ **KZ** M⁵

LA PETITE FRANCE

Rue du Bains-aux-Plantes ★★ **HJZ** - Ponts couverts ★ **HZ** - Barrage Vauban ❋★★ **HZ** - Mausolée du maréchal de Saxe ★★ dans l'église St-Thomas **JZ** - Musée d'Art moderne et contemporain ★★ **HZ** M³ - Promenade en vedette sur l'Ill

AUTOUR DES PLACES KLÉBER ET BROGLIE

Place Kléber ★, la plus célèbre place de Strasbourg, bordée au Nord par l'Aubette **JY** Place Broglie : hôtel de ville ★ **KY** H

L'EUROPE À STRASBOURG

Palais de l'Europe ★ **FGU** - Nouveau palais des Droits de l'Hommes **GU** - Orangerie ★ **FGU**

Régent Petite France
5 r. des Moulins – ⌀ 03 88 76 43 43
– www.regent-hotels.com – rpf@regent-hotels.com – Fax 03 88 76 43 76 p.8 JZ f
66 ch – †265/395 € ††287/417 €, ⌑ 22 € – 6 suites
Rest – (fermé dim., lundi et le midi d'oct. à mai) Menu 42 € (dîner) – Carte 33/42 €
♦ Aménagé dans les ex-glacières des bords de l'Ill, cet hôtel contemporain offre de beaux volumes, confortables et lumineux. Matériel high-tech, terrasse, sauna. Carte actuelle adaptée à l'esprit tendance du restaurant, bar lounge et vue sur la rivière.

Sofitel
pl. St-Pierre-le-Jeune – ⌀ 03 88 15 49 00 – www.sofitel-strasbourg.com – h0568@accor.com – Fax 03 88 15 49 99 p.8 JY s
153 ch – †140/380 € ††140/380 €, ⌑ 25 € – 2 suites
Rest – (fermé sam. midi, dim. et fériés) Menu (35 €) – Carte 46/67 €
♦ Deux types de chambres – classiques ou design sur le thème de l'Europe politique – vous attendent dans ce Sofitel aux équipements modernes, agrémenté d'un patio et d'un fitness. Air du temps et touches japonisantes caractérisent la table ; service brasserie de luxe.

Hilton
av. Herrenschmidt – ⌀ 03 88 37 10 10 – www.strasbourg.hilton.fr – contact@hilton-strasbourg.com – Fax 03 88 36 83 27 p.6 EU e
238 ch – †130/355 € ††130/355 €, ⌑ 23 € – 5 suites
Rest *La Table du Chef* – ⌀ 03 88 37 41 42 (fermé juil.-août, lundi soir, sam. midi et dim.) Menu (29 €), 35 €
Rest *Le Jardin du Tivoli* – ⌀ 03 88 35 72 61 – Menu 30 € – Carte 34/46 €
♦ Ce building de verre et d'acier, bien entretenu, abrite des chambres spacieuses et standardisées. Hall avec boutiques, centre multimédia et bars. Cadre british à La Table du Chef (traditionnelle), qui devient bar à vins le soir. Buffets au Jardin du Tivoli.

Régent Contades sans rest
8 av. de la Liberté – ⌀ 03 88 15 05 05 – www.regent-hotels.com
– rc@regent-hotels.com – Fax 03 88 15 05 15 p.9 LY f
45 ch – †195/325 € ††215/345 €, ⌑ 20 € – 2 suites
♦ Hôtel particulier du 19e s. empreint de raffinement et de classicisme feutré (boiseries, tableaux). Vastes chambres rénovées, salle des petits-déjeuners Belle Époque et sanarium.

Beaucour sans rest
5 r. Bouchers – ⌀ 03 88 76 72 00 – www.hotel-beaucour.com – info@hotel-beaucour.com – Fax 03 88 76 72 60 p.9 KZ k
49 ch – †110 € ††135/165 €, ⌑ 13 €
♦ Deux maisons alsaciennes du 18e s. réunies autour d'un patio fleuri. Les chambres les plus agréables disposent d'un cadre rustique régional (boiseries, poutres) douillet.

Maison Rouge sans rest
4 r. des Francs-Bourgeois – ⌀ 03 88 32 08 60 – www.maison-rouge.com – info@maison-rouge.com – Fax 03 88 22 43 73 p.8 JZ g
140 ch – †76/170 € ††88/185 €, ⌑ 14 € – 2 suites
♦ Derrière sa façade de pierres rouges, cet hôtel dévoile une atmosphère élégante et cosy. Chambres bien conçues et personnalisées, salons décorés avec soin à chaque niveau.

Monopole-Métropole sans rest
16 r. Kuhn – ⌀ 03 88 14 39 14
– www.bw-monopole.com – infos@bw-monopole.com – Fax 03 88 32 82 55
86 ch ⌑ – †80/200 € ††85/200 € p.8 HY p
♦ Proche de la gare, hôtel partagé en deux ailes : l'une, contemporaine et agrémentée d'œuvres d'art locales, l'autre ancienne et rustique. Pièces d'artisanat dans les salons.

Novotel Centre Halles
4 quai Kléber – ⌀ 03 88 21 50 50 – www.novotel.com – h0439@accor.com
– Fax 03 88 21 50 51 p.8 JY k
96 ch – †87/198 € ††87/198 €, ⌑ 15 €   **Rest** – Carte 22/47 €
♦ Dans le centre commercial des Halles. Chambres refaites optant pour un plaisant décor actuel et épuré. Fitness avec vue sur la cathédrale au 8e étage. Relooking du bar dans un style moderne, tout comme le restaurant ; carte simplifiée et pratique.

BISCHHEIM

Marais (R. du)	**CS** 121
Périgueux (Av. de)	**BS** 159
Robertsau (R. de la)	**BS** 179
Triage (R. du)	**BS** 219

ECKBOLSHEIM

Gaulle (Av. du Gén.-de)	**BS** 67
Wasselonne (Rte de)	**BS** 237

HŒNHEIM

Fontaine (R. de la)	**BR** 55
République (R. de la)	**BR** 174

ILLKIRCH-GRAFFENSTADEN

Bürkell (Rte)	**BT** 24
Ceinture (R. de la)	**BT** 27
Faisanderie (R. de la)	**BT** 48
Industrie (R. de l')	**BT** 97
Kastler (R. Alfred)	**BT** 99
Lixenbühl (R.)	**BT** 115
Messmer (Av.)	**BT** 138
Neuhof (Rte de)	**BT** 144
Strasbourg (Rte de)	**BT** 207
Vignes (R. des)	**BT** 233

LINGOLSHEIM

Eckbolsheim (R. d')	**BS** 44
Ostwald (R. d')	**BT** 152
Près (R. des)	**BS** 168

OBERHAUSBERGEN

Mittelhausbergen (Rte de)	**BS** 139
Oberhausbergen (Rte de)	**BS** 149

OSTWALD

Foch (R. du Maréchal)	**BT** 50
Gelspolsheim (R. de)	**BT** 73
Leclerc (R. du Gén.)	**BT** 112
Vosges (R. des)	**BT** 232
23-Novembre (R. du)	**BT** 246

SCHILTIGHEIM

Bischwiller (Rte de)	**BS** 18
Gaulle (Rte du Gén.-de)	**BS** 70
Hausbergen (Rte de)	**BS** 81
Mendès-France (Av. P.)	**BS** 132
Pompiers (R. des)	**BS** 164

STRASBOURG

Atenheim (Rte d')	**CT** 8
Austerlitz (Pont d')	**BS** 9
Bauerngrund (R. de)	**CT** 15
Ganzau (R. de la)	**BT** 66
Holtzheim (R. de)	**AS** 88
Ill (R. de l')	**CS** 96
Neuhof (Rte de)	**CT** 144
Plaine des Bouchers (R. de la)	**BS** 163
Polygone (Rte du)	**BS** 165
Pont (R. du)	**BT** 166
Ribeauvillé (R. de)	**CS** 177
Romains (Rte des)	**BS** 180
Schirmeck (Rte de)	**BS** 198

WOLFISHEIM

Oberhausbergen (R. d')	**AS** 148
Seigneurs (R. des)	**AS** 204

1822

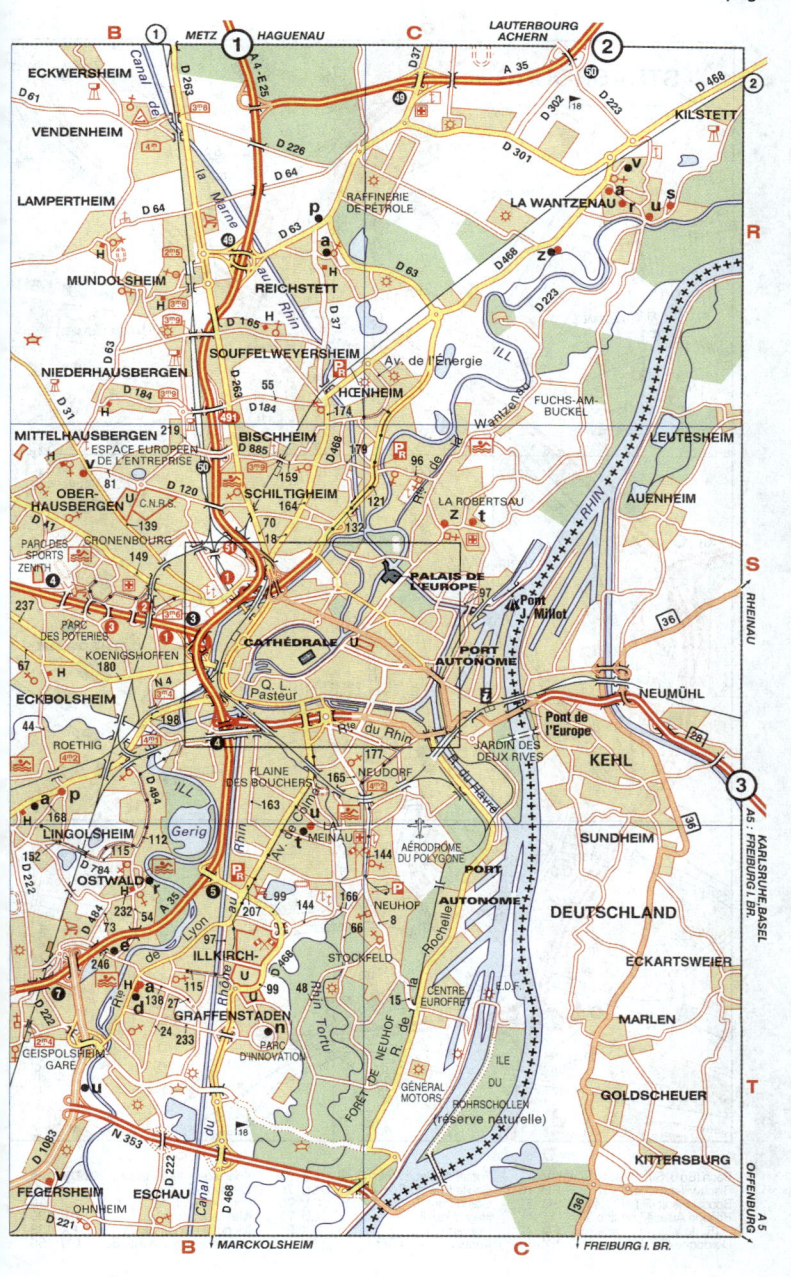

STRASBOURG page 5

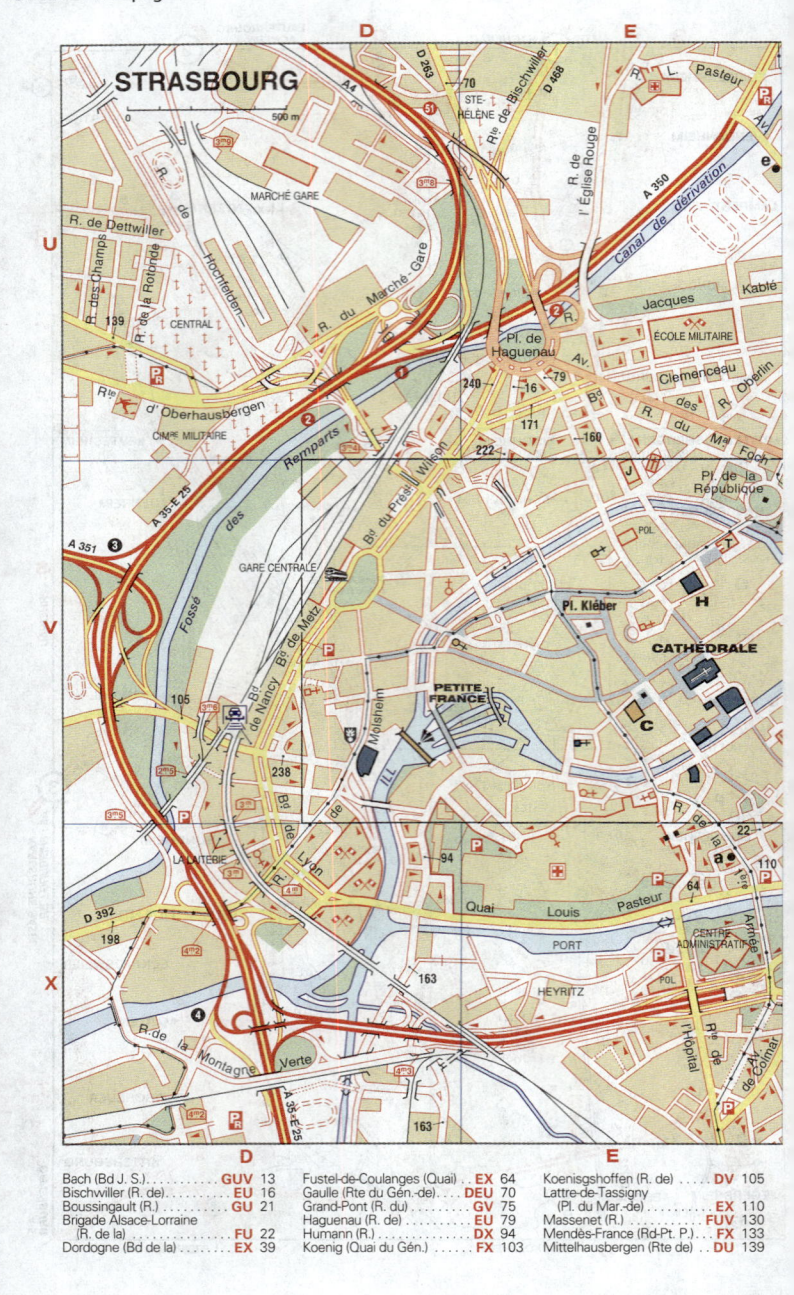

STRASBOURG

Bach (Bd J. S.) . . . . **GUV** 13	Fustel-de-Coulanges (Quai) . . **EX** 64	Koenigshoffen (R. de) . . . . . **DV** 105
Bischwiller (R. de) . . . . **EU** 16	Gaulle (Rte du Gén.-de) . . . . **DEU** 70	Lattre-de-Tassigny
Boussingault (R.) . . . . **GU** 21	Grand-Pont (R. du) . . . . **GV** 75	(Pl. du Mar.-de) . . . . **EX** 110
Brigade Alsace-Lorraine	Haguenau (R. de) . . . . **EU** 79	Massenet (R.) . . . . **FUV** 130
(R. de la) . . . . **FU** 22	Humann (R.) . . . . **DX** 94	Mendès-France (Rd-Pt. P.) . . **FX** 133
Dordogne (Bd de la) . . . . **EX** 39	Koenig (Quai du Gén.) . . . . . **FX** 103	Mittelhausbergen (Rte de) . . **DU** 139

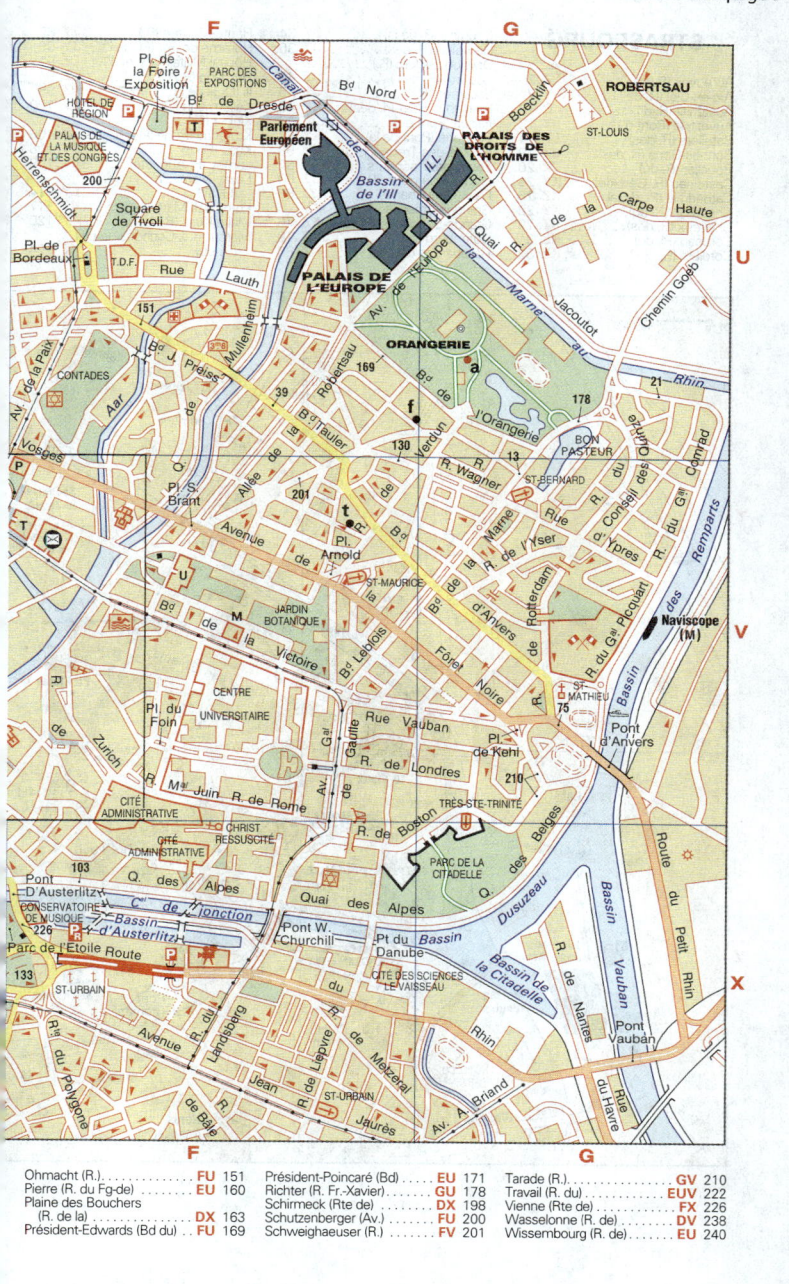

STRASBOURG page 7

Name	Ref	No
Ohmacht (R.)	FU	151
Pierre (R. du Fg-de)	EU	160
Plaine des Bouchers (R. de la)	DX	163
Président-Edwards (Bd du)	FU	169
Président-Poincaré (Bd)	EU	171
Richter (R. Fr.-Xavier)	GU	178
Schirmeck (Rte de)	DX	198
Schutzenberger (Av.)	FU	200
Schweighaeuser (R.)	FV	201
Tarade (R.)	GV	210
Travail (R. du)	EUV	222
Vienne (Rte de)	FX	226
Wasselonne (R. de)	DV	238
Wissembourg (R. de)	EU	240

1825

STRASBOURG

Abreuvoir (R. de l')	**LZ**	3
Arc-en-Ciel (R. de l')	**KLY**	7
Austerlitz (R. d')	**KZ**	10
Auvergne (Pont d')	**LY**	12
Bateliers (R. des)	**LZ**	14
Bonnes-Gens (R. des)	**JY**	19
Bouclier (R. du)	**JZ**	20
Castelnau (R. Gén.-de)	**KY**	25
Cathédrale (Pl. de la)	**KZ**	26
Chaudron (R. du)	**KY**	28
Cheveux (R. des)	**JZ**	29
Corbeau (Pl. du)	**KZ**	31
Cordiers (R. des)	**KZ**	32
Courtine (R. de la)	**LY**	34
Dentelles (R. des)	**JZ**	36
Division-Leclerc (R.)	**JKZ**	
Écarlate (R. de l')	**JZ**	43
Escarpée (R.)	**JZ**	45
Étudiants (R. et Pl. des)	**KY**	46
Faisan (Pont du)	**JZ**	47
Fonderie (Pont de la)	**KY**	52
Fossés-des-Treize (R. du)	**KY**	58
Fossé-des-Tanneurs (R. du)	**JZ**	57
Francs-Bourgeois (R. des)	**JZ**	60
Frey (Quai Charles)	**JZ**	63
Grandes-Arcades (R. des)	**JKY**	
Grande-Boucherie (Pl. de la)	**KZ**	76
Gutenberg (R.)	**JKZ**	78
Hallebardes (R. des)	**KZ**	80
Haute-Montée (R.)	**JY**	82
Homme de Fer (Pl. de l')	**JY**	90
Hôpital-Militaire (R. de l')	**LZ**	91
Humann (R.)	**HZ**	94
Ill (Quai de l')	**HZ**	95
Kellermann (Quai)	**JY**	100
Kléber (Pl.)	**JY**	
Krutenau (R. de la)	**LZ**	106
Kuss (Pont)	**HY**	108
Lamey (R. Auguste)	**LY**	109
Lezay-Marnésia (Quai)	**LY**	114
Luther (R. Martin)	**JZ**	117
Maire Kuss (R. du)	**HY**	120
Marché-aux-Cochons-de-Lait (Pl. du)	**KZ**	124

STRASBOURG page 9

Marché-aux-Poissons (Pl. du) **KZ** 125	Pierre (R. du Fg-de) **JY** 160	Temple-Neuf (R. du) **KY** 214
Marché-Gayot (Pl. du) **KYZ** 126	Pontonniers (R. des) **LY** 167	Théâtre (Pont du) **KY** 216
Marché-Neuf (Pl. du) **KYZ** 127	Récollets (R. des) **KLY** 172	Thomann (R. des) **JY** 217
Maroquin (R. du) **KZ** 129	Ste-Madeleine (Pont et R.) **KLZ** 192	Tonneliers (R. des) **KZ** 220
Mercière (R.) **KZ** 135	St-Étienne (Quai) **LY** 183	Turckheim (Quai) **HZ** 225
Mésange (R. de la) **JKY** 136	St-Michel (R.) **HZ** 187	Vieil-Hôpital (R. du) **KZ** 228
Monnaie (R. de la) **JZ** 141	St-Nicolas (Pont) **KZ** 189	Vieux-Marché-aux-Poissons (R. et Pl. du) **KZ** 229
Munch (R. Ernest) **LZ** 142	St-Pierre-le-Jeune (Pl.) **JKY** 190	Vieux-Marché-aux-Vins (R. et Pl. du) **JY** 230
Noyer (R. du) **JY** 147	Salzmann (R.) **JZ** 193	Vieux-Seigle (R. du) **JZ** 231
Nuée-Bleue (R. de la) **KY**	Sanglier (R. du) **KY** 194	Wasselonne (R.) **HZ** 238
Obernai (R. d') **HZ** 150	Saverne (Pont de) **HY** 195	Wodli (R. Georges) **HY** 242
Outre (R. de l') **KY** 153	Schoelcher (Av. Victor) **LY** 199	22-Novembre (R. du) **HJYZ**
Paix (Av. de la) **KLY** 154	Sébastopol (R. de) **JY** 202	
Parchemin (R. du) **KY** 156	Serruriers (R. des) **JKZ** 205	
	Temple-Neuf (Pl. du) **KY** 213	

Chut - Au Bain aux Plantes

4 r. Bain-aux-Plantes – ℰ 03 88 32 05 06 – www.hote-strasbourg.fr – contact@
hote-strasbourg.fr – Fax 03 88 32 05 50   *p. 9* KZ u
8 ch – †90/100 € ††100/160 €, ⊇ 10 € – 1 suite
Rest – *(fermé 26 avril-5 mai, 9-18 août, 21 déc.-7 janv., dim. et lundi)* Menu (15 €),
18 € (déj. en sem.) – Carte 32/44 €

♦ Matériaux et mobilier design ou chinés, décoration reposante, chambres spacieuses et ambiance zen font le charme de cet hôtel semblable à une maison d'hôtes. La cuisine, mâtinée d'épices, fuit la routine et change chaque jour. Terrasse intime dans la cour.

Diana-Dauphine sans rest

30 r. de la 1ère Armée – ℰ 03 88 36 26 61 – www.hotel-diana-dauphine.com
– info@hotel-diana-dauphine.com – Fax 03 88 35 50 07
– *Fermé 22 déc.-2 janv.*   *p. 6* EX a
45 ch – †90/150 € ††90/150 €, ⊇ 11 €

♦ Au pied du tramway menant à la vieille ville, cet hôtel totalement refait a pris un tournant radical, s'affirmant désormais contemporain et visant à un confort modernisé.

Hannong sans rest

15 r. du 22 Novembre – ℰ 03 88 32 16 22 – www.hotel-hannong.com – info@
hotel-hannong.com – Fax 03 88 22 63 87 – *Fermé 4-10 janv.*   *p. 8* JY a
72 ch – †65/157 € ††75/197 €, ⊇ 14 €

♦ Mélange des genres (classique, cosy, moderne) dans ce bel hôtel édifié sur le site de la faïencerie Hannong (18ᵉ s.). Parquets, boiseries, sculptures, tableaux. Plaisant bar à vin.

Du Dragon sans rest

2 r. Écarlate – ℰ 03 88 35 79 80 – www.dragon.fr – hotel@dragon.fr
– Fax 03 88 25 78 95   *p. 8* JZ d
32 ch – †79/116 € ††89/129 €, ⊇ 12 €

♦ Demeure du 17ᵉ s. tournée sur une courette tranquille. Intérieur résolument contemporain : camaïeu de gris, meubles design, chambres au style épuré et expositions d'art.

Mercure St-Jean sans rest

3 r. Maire Kuss – ℰ 03 88 32 80 80 – h1813@accor.com
– Fax 03 88 23 05 39   *p. 8* HY e
52 ch – †69/125 € ††69/125 €, ⊇ 14 €

♦ Entre gare et quartier de la Petite France, Mercure au décor zen et relaxant. Des tons café colorent les chambres douillettes et pratiques. Patio agrémenté de minifontaines.

Gutenberg sans rest

31 r. des Serruriers – ℰ 03 88 32 17 15 – www.hotel-gutenberg.com – info@
hotel-gutenberg.com – Fax 03 88 75 76 67   *p. 9* KZ m
42 ch – †74/113 € ††74/113 €, ⊇ 9 €

♦ Bâtiment de 1745 logeant des chambres hétéroclites et plutôt spacieuses, originalement aménagées sous les combles. Salle des petits-déjeuners éclairée par une verrière.

Mercure Centre sans rest

25 r. Thomann – ℰ 03 90 22 70 70 – www.mercure.com – h1106@accor.com
– Fax 03 90 22 70 71   *p. 8* JY q
98 ch – †85/195 € ††90/205 €, ⊇ 15 €

♦ Situation centrale idéale pour cet établissement revu et corrigé avec des tons vifs et un mobilier design. La salle des petits-déjeuners (7ᵉ étage) jouit d'une vue panoramique.

Cathédrale sans rest

12-13 pl. Cathédrale – ℰ 03 88 22 12 12 – www.hotel-cathedrale.fr
– reservation@hotel-cathedrale.fr – Fax 03 88 23 28 00   *p. 9* KZ h
47 ch – †55/140 € ††65/150 €, ⊇ 13 €

♦ Demeure séculaire juste en face de la cathédrale que l'on peut admirer de la salle des petits-déjeuners, d'une partie des confortables chambres et dans le décor même de l'hôtel.

Cardinal de Rohan sans rest

17 r. Maroquin – ℰ 03 88 32 85 11 – www.hotel-rohan.com – info@
hotel-rohan.com – Fax 03 88 75 65 37   *p. 9* KZ u
36 ch – †75/139 € ††75/149 €, ⊇ 14 €

♦ Hôtel situé près de la cathédrale, en plein secteur piétonnier. Chambres bourgeoisement meublées (styles Louis XV, Louis XVI ou rustique). Beaux produits au petit-déjeuner.

STRASBOURG page 11

La Villa Novarina sans rest
11 r. Westercamp – ℰ 03 90 41 18 28
– www.villanovarina.com – clauschristine@wanadoo.fr
– Fax 03 90 41 49 91
p. 7 FGU f
12 ch – †105/175 € ††125/250 €, ⊇ 15 €

◆ Près du parc de l'Orangerie, grande maison joliment aménagée dans un esprit contemporain avec meubles et tableaux de famille. Belle piscine, calme jardin et accueil attentionné.

Des Princes sans rest
33 r. Geiler – ℰ 03 88 61 55 19 – www.hotel-princes.com – hoteldesprinces@gmail.com – Fax 03 88 41 10 92
– Fermé 25 juil.-22 août et 2-10 janv.
p. 7 FV t
43 ch – †110 € ††123 €, ⊇ 13 €

◆ Accueillant hôtel dans un quartier résidentiel calme. Chambres au mobilier classique ; grandes salles de bains. Petit-déjeuner servi dans un décor de fresques bucoliques.

Le Kléber sans rest
29 pl. Kléber – ℰ 03 88 32 09 53 – www.hotel-kleber.com
– hotel-kleber-strasbourg@wanadoo.fr – Fax 03 88 32 50 41
p. 8 JY p
30 ch – †58/78 € ††68/86 €, ⊇ 9 €

◆ "Meringue", "Fraise", "Cannelle", etc. : les chambres contemporaines de ce confortable hôtel se prêtent à une décoration thématique sucrée-salée, richement colorée.

Couvent du Franciscain sans rest
18 r. du Fg de Pierre – ℰ 03 88 32 93 93 – www.hotel-franciscain.com – info@hotel-franciscain.com – Fax 03 88 75 68 46 – Fermé 24 déc.-3 janv.
p. 8 JY e
43 ch – †40/64 € ††68/74 €, ⊇ 8 €

◆ Au fond d'une impasse, hôtel assurant un hébergement simple et confortable. Salon lumineux, petits-déjeuners dans un caveau aux faux-airs de winstub (fresque amusante).

Aux Trois Roses sans rest
7 r. Zürich – ℰ 03 88 36 56 95 – www.hotel3roses-strasbourg.com – info@hotel3roses-strasbourg.com – Fax 03 88 35 06 14
p. 9 LZ y
32 ch – †49/79 € ††65/86 €, ⊇ 8 €

◆ Couettes moelleuses et meubles en pin équipent chaleureusement les chambres calmes de cet élégant immeuble posé au bord de l'Ill. Espace de remise en forme, sauna, jacuzzi.

Pax sans rest
24 r. Fg National – ℰ 03 88 32 14 54 – www.paxhotel.com – info@paxhotel.com
– Fax 03 88 32 01 16 – Fermé 1er-10 janv.
p. 8 HYZ u
106 ch – †57/84 € ††69/84 €, ⊇ 8,50 €

◆ L'hôtel longe une rue où ne circule que le tramway strasbourgeois. Chambres en partie rénovées et bien tenues. Espaces communs égayés par des objets anciens évoquant la ferme.

La Belle Strasbourgeoise sans rest
13 r. Gén.-Offenstein – ℰ 03 88 39 68 15 – www.la-belle-strasbourgeoise.fr
– contact@la-belle-strasbourgeoise.fr
p. 5 BST t
3 ch ⊇ – †80 € ††90 €

◆ Voici un petit nid douillet entouré d'un charmant jardin, à deux pas du centre. Chambres tout confort, chaleureuses et décorées avec goût. Copieux petit-déjeuner en terrasse.

Au Crocodile (Emile Jung)
10 r. Outre – ℰ 03 88 32 13 02 – www.au-crocodile.com
– info@au-crocodile.com – Fax 03 88 75 72 01
– Fermé 12 juil.-4 août, 24 déc.-6 janv., dim. et lundi
p. 9 KY x
Rest – Menu 59 € (déj. en sem.), 89/128 € – Carte 108/164 €
Spéc. Foie de canard poêlé aux pommes et jus d'agrumes. Noisette de faon de biche à l'écorce d'orange (saison). Meringue glacée aux fruits chauds et sorbet litchi. **Vins** Riesling, Pinot gris.

◆ De splendides boiseries, des tableaux et le fameux crocodile ramené de la campagne d'Égypte par un capitaine alsacien : le cadre est aussi raffiné que la belle cuisine classique !

1829

Buerehiesel (Eric Westermann)

XXX ✿

dans le parc de l'Orangerie – ℰ 03 88 45 56 65 – www.buerehiesel.com
– reservation@buerehiesel.fr – Fax 03 88 61 32 00 – Fermé 1er-21 août,
31 déc.-21 janv., dim. et lundi   p. 7 GU a
Rest – Menu 37 € (déj. en sem.), 67/96 € – Carte 55/110 € ✿

Spéc. Schniederspaetle et cuisses de grenouille poêlées au cerfeuil. Pigeon d'Alsace farci d'un tajine de céleri. Croustillant café-caramel au beurre salé. **Vins** Pinot blanc, Riesling

♦ À la suite de son père Antoine, Éric Westermann signe une intéressante cuisine à prix doux, chez lui, dans cette belle ferme à colombages, au cœur du parc de l'Orangerie.

Maison Kammerzell et Hôtel Baumann avec ch

XXX

16 pl. de la Cathédrale – ℰ 03 88 32 42 14
– www.maison-kammerzell.com – info@maison-kammerzell.com
– Fax 03 88 23 03 92 – Fermé 3 sem. en fév.   p. 9 KZ e
9 ch – †75 € ††110/125 €, ⊑ 10 €   **Rest** – Menu 31/46 € – Carte 32/59 €

♦ Près de la cathédrale, maison strasbourgeoise du 16e s. dégageant une authentique ambiance moyenâgeuse : vitraux, peintures, bois sculpté, voûtes gothiques. Chambres sobres. Cuisine du terroir, belle carte de brasserie avec en spécialité la choucroute.

Maison des Tanneurs dite "Gerwerstub"

XXX

42 r. Bain aux Plantes – ℰ 03 88 32 79 70 – www.maison-des-tanneurs.com
– maison.des.tanneurs@wanadoo.fr – Fax 03 88 22 17 26
– Fermé 27 juil.-11 août, 30 déc.-26 janv., dim. et lundi   p. 8 JZ t
Rest – Menu 25 € (déj. en sem.)/30 € – Carte 41/62 €

♦ Idéalement située au bord de l'Ill, cette typique maison alsacienne de la Petite France est l'adresse incontournable pour qui veut se régaler d'une choucroute.

La Cambuse

XX

1 r. des Dentelles – ℰ 03 88 22 10 22 – Fax 03 88 23 24 99 – Fermé
17-31 mai, 2-24 août, 1er-12 janv., dim. et lundi   p. 8 JZ a
Rest – (nombre de couverts limité, prévenir) Carte 47/55 €

♦ Petite salle intimiste – réplique d'une cabine de yacht – où l'on déguste une cuisine de poissons mariant saveurs françaises et asiatiques (épices, herbes, cuissons courtes).

L'Atable 77

XX

77 Grand'Rue – ℰ 03 88 32 23 37 – www.latable77.com – latable77@free.fr
– Fax 03 88 32 50 24 – Fermé 1er-11 mai, 26 juil.-16 août, 10-24 janv., dim., lundi et
fériés le midi   p. 8 JZ h
Rest – Menu (25 €), 32/80 € bc – Carte 32/50 €

♦ Un séduisant restaurant tendance qui revendique de bout en bout sa modernité : décor épuré égayé de tableaux, vaisselle design et appétissantes assiettes au goût du jour. À table !

Le Violon d'Ingres

XX

1 r. Chevalier Robert, à La Robertsau – ℰ 03 88 31 39 50 – www.violondingres.com
– Fermé 14-28 avril, 25 juil.-12 août, 2-10 janv., sam. midi, dim. soir
et lundi   p. 5 CS z
Rest – Menu 30/65 € – Carte 62/72 €

♦ Vieille maison alsacienne du quartier de la Robertsau. L'élégante salle à manger et la terrasse ombragée servent de cadre à des repas actuels axés sur les poissons.

La Casserole (Eric Girardin)

XX ✿

24 r. des Juifs – ℰ 03 88 36 49 68 – Fax 03 88 24 25 12
– Fermé 1er-11 mai, 2-24 août, 24 déc.-4 janv., sam. midi, dim. et lundi   p. 9 KY b
Rest – (prévenir) Menu (37 €), 49/78 € ✿

Spéc. Œuf cassé à la truffe tuber mélanosporum et topinambours. Barbue, "risotto" de céleri et sauce au curry. Mousse soufflée chaude au chocolat guanaja. **Vins** Riesling, Pinot Noir.

♦ Le couple de sommeliers qui tient ce restaurant sélectionne judicieusement et avec passion des vins à prix doux, qu'il marie à une carte inventive épurée. Décor design et original.

XX Gavroche

4 r. Klein – ✆ 03 88 36 82 89 – www.restaurant-gavroche.com
– restaurant.gavroche@free.fr – Fax 03 88 36 82 89 – Fermé 27 juil.-14 août,
21 déc.-4 janv., sam. et dim. *p.9* KZ **g**

Rest – Menu (26 €), 36/56 € – Carte 52/72 €

◆ Le Gavroche s'est installé dans un espace tout neuf, jouxtant l'ancien restaurant. Cadre contemporain, élégant et sobre. Belle cuisine actuelle et créative, rythmée par le marché.

XX La Vieille Tour

1 r. A. Seyboth – ✆ 03 88 32 54 30 – lercher@hotmail.fr – Fermé dim. sauf le midi en déc. et lundi *p.8* HZ **e**

Rest – Menu (25 €), 39 € – Carte 40/60 €

◆ Couleurs du Sud, compositions florales, jambons entiers et bocaux de fruits égayent la pimpante petite salle à manger. Recettes du marché inscrites sur ardoise.

XX Côté Lac

2 pl. Paris, Espace Européen de l'Entreprise ⊠ 67300 Schiltigheim –
✆ 03 88 83 82 81 – www.cote-lac.com – info@cote-lac.com – Fax 03 88 83 82 83
– Fermé 22 déc.-4 janv. *p.5* BS **t**

Rest – Menu (25 €), 53 € – Carte 36/44 €

◆ Les larges baies vitrées de cette architecture contemporaine s'ouvrent sur un petit lac. Original décor néo-industriel chic, terrasse au bord de l'eau et cuisine actuelle.

XX Umami (René Fieger) ✿

8 r. des Dentelles – ✆ 03 88 32 80 53 – www.restaurant-umami.com
– contact@restaurant-umami.com
– Fermé 30 août-14 sept., 25 déc.-4 janv., dim. et lundi *p.8* JZ **b**

Rest – Menu 42/60 €

Spéc. Tartare de langoustines. Joue de bœuf braisée aux aromates et cacahuètes. Le chocolat.

◆ Umami ? La 5e saveur, selon la culture gastronomique japonaise. Le chef de cet établissement de poche, adepte des conjugaisons de goûts, signe ici une séduisante partition culinaire.

XX Le Pont aux Chats

42 r. de la Krutenau – ✆ 03 88 24 08 77 – le-pont-aux-chats.restaurant@orange.fr
– Fax 03 88 24 08 77 – Fermé 3 sem. en août, vacances de Pâques, sam. midi et merc. *p.9* ZL **t**

Rest – Menu (22 €), 48/60 €

◆ Heureux mariage de colombages anciens et de mobilier contemporain, adorable terrasse sur cour, produits de saisons cuisinés dans l'air du temps : une séduisante petite adresse.

XX Pont des Vosges

15 quai Koch – ✆ 03 88 36 47 75 – pontdesvosges@noos.fr – Fax 03 88 25 16 85
– Fermé dim. *p.9* LY **h**

Rest – Carte 30/55 €

◆ À l'angle d'un immeuble ancien, cette brasserie, dont la réputation n'est plus à faire, régale de bons plats généreux. Vieilles affiches publicitaires et miroirs en décor.

XX L'Alsace à Table

8 r. Francs-Bourgeois – ✆ 03 88 32 50 62 – www.alsace-a-table.fr – info@alsace-a-table.fr – Fax 03 88 22 44 11 *p.8* JZ **z**

Rest – Menu 28 € – Carte 32/60 €

◆ Ode à la mer dans cette chaleureuse brasserie d'allure "bouillon" de la Belle Époque (fresques, boiseries, vitraux). Banc d'huîtres, vivier, découpe de poissons en salle.

XX L'Écrin des Saveurs

5 r. Leitersperger ⊠ 67100 – ✆ 03 88 39 21 20 – www.ecrinsaveurs.com – info@ecrinsaveurs.com – Fax 03 88 39 16 05 – Fermé 18 juil.-9 août, 24 déc.-10 janv., lundi soir, sam. midi et dim. *p.5* BTS **u**

Rest – Menu 33 €

◆ Simple et sérieuse, cette table sort du lot dans le secteur du stade de La Meinau. Cuisine actuelle qui tranche avec le look désuet mais coquet de la salle, accueil enjoué.

La Cuiller à Pot

18b r. Finkwiller – ℰ 03 88 35 56 30 – www.lacuillerapot.com – lacuillerapot@orange.fr – Fermé 2-24 août, 24-26 déc., 1er-4 janv., 14-22 fév., dim., lundi et fériés le midi
p. 8 JZ **v**

Rest – Menu (19 €), 38/68 € bc – Carte 50/60 €

♦ On se presse dans cet ex-winstub pour goûter une cuisine actuelle et des vins bien sélectionnés. Exposition de tableaux dans la salle à manger contemporaine située à l'étage.

L'Atelier du Goût

17 r. des Tonneliers – ℰ 03 88 21 01 01 – www.atelier-du-gout.fr – ateliergout.morabito@free.fr – Fax 03 88 23 64 36 – Fermé vacances de fév., 28 juil.-10 août, sam. sauf le soir en déc., dim. et fériés
p. 9 KZ **d**

Rest – Menu 36 € (sem.) – Carte 40/48 €

♦ Pensée comme un lieu décontracté dédié au "bien-manger", cette ancienne winstub, colorée et design, propose de petites préparations à base d'excellents produits bio et de saison.

L'Amuse Bouche

3a r. Turenne – ℰ 03 88 35 72 82 – www.lamuse-bouche.fr – lamuse-bouche@wanadoo.fr – Fax 03 88 36 75 30 – Fermé 1 sem. en mars, 15-31 août, sam. midi, lundi soir et dim.
p. 9 LY **t**

Rest – Menu 37/77 € bc – Carte 42/54 €

♦ Plus sobre que chic, une salle à manger tout de blanc vêtue et ornée de miroirs pour un répertoire inscrit dans l'air du temps, d'une grande fraîcheur et sans fausse note.

La Vignette

29 r. Mélanie, à la Robertsau – ℰ 03 88 31 38 10 – restaurant.lavignette.robertsau@orange.fr – Fax 03 88 45 48 66 – Fermé 20 juil.-18 août, 22 déc.-10 janv., sam., dim. et fériés
p. 5 CS **t**

Rest – Carte 29/39 €

♦ Fourneau en faïence et vieilles photos du quartier embellissent la salle à manger de cette charmante maison aux allures de guinguette. Appétissante cuisine du marché.

La Table de Christophe

28 r. des Juifs – ℰ 03 88 24 63 27 – www.tabledechristophe.com – Fax 03 88 24 64 37 – Fermé 27 avril-3 mai, 27 juil.-19 août, lundi soir, dim. et fériés
p. 9 KY **a**

Rest – (prévenir) Carte 33/40 €

♦ Petit restaurant de quartier au cadre simple et rustique propice à la convivialité. Le chef mélange les influences terroir et actuelles tout en respectant les saisons.

LES WINSTUBS : *dégustation de vins et cuisine du pays, ambiance typiquement alsacienne*

L'Ami Schutz

1 Ponts Couverts – ℰ 03 88 32 76 98 – www.ami-schutz.com – info@ami-schutz.com – Fax 03 88 32 38 40 – Fermé vacances de Noël
p. 8 HZ **r**

Rest – Menu (21 € bc), 25/41 € – Carte 29/58 €

♦ Entre les bras de l'Ill, winstub typique à l'ambiance chaleureuse (boiseries, banquettes) ; la plus petite des deux salles offre plus de charme. Terrasse ombragée de tilleuls.

S'Burjerstuewel - Chez Yvonne

10 r. Sanglier – ℰ 03 88 32 84 15 – www.chez-yvonne.net – info@chez-yvonne.net – Fax 03 88 23 00 18
p. 9 KYZ **r**

Rest – (prévenir) Carte 30/60 €

♦ Atmosphère chic dans cette winstub devenue une institution (photos et dédicaces de stars à l'appui). On y mange au coude à coude des plats régionaux et dans l'air du temps.

Le Clou

3 r. Chaudron – ℰ 03 88 32 11 67 – www.le-clou.com – winstub.le.clou@wanadoo.fr – Fax 03 88 21 06 43 – Fermé 27 juil.-8 août, merc. midi, dim. et fériés
p. 9 KY **n**

Rest – Menu (15 €) – Carte 26/55 €

♦ Proximité de la cathédrale, décor traditionnel (esprit maison de poupée à l'étage) et bonne humeur caractérisent cette authentique et fameuse winstub à la cuisine généreuse.

STRASBOURG page 15

Le Tire Bouchon
7 r. Maroquin – ✆ 03 88 22 16 32 – www.letirebouchon.fr – reservation@letirebouchon.fr – Fax 03 88 22 60 88 p.9 KZ t
Rest – Menu (10 €), 23/32 € – Carte 23/35 €
♦ Enseigne-vérité : on vient ici pour faire bonne chère ! Attention, le décor modernisé dénote par rapport aux autres winstubs, mais l'assiette reste traditionnelle à souhait.

Fink'Stuebel avec ch
26 r. Finkwiller – ✆ 03 88 25 07 57 – http://finkstuebel.free.fr – finkstuebel@orange.fr – Fax 03 88 36 48 82 – Fermé 1er-8 mars, dim. et lundi p.8 JZ x
4 ch – †66 € ††€, ⊇ 9 € **Rest** – Menu 10 € (déj. en sem.)/35 € – Carte 30/54 €
♦ Colombages, parquet brut, bois peints, mobilier régional et nappes fleuries : cet endroit a tout de la winstub "image d'Épinal". Cuisine du terroir ; foie gras à l'honneur. Chambres d'hôte refaites récemment, bien équipées et décorées à l'alsacienne.

Au Pont du Corbeau
21 quai St-Nicolas – ✆ 03 88 35 60 68 – corbeau@reperes.com
– Fax 03 88 25 72 45 – Fermé août, vacances de fév., dim. midi et sam. sauf en déc. p.9 KZ b
Rest – Menu (12 €) – Carte 24/38 €
♦ Sur les quais de l'Ill, jouxtant le musée alsacien (art populaire), maison réputée dont le cadre s'inspire du style Renaissance régional. Spécialités du terroir.

S'Muensterstuewel
8 pl. Marché aux Cochons de Lait – ✆ 03 88 32 17 63 – info@bateaux-strasbourg.fr – Fax 03 88 21 96 02 – Fermé août, 25-31 déc., 1er-11 janv., 1er-8 mars et dim. p.9 KZ y
Rest – Menu (15 €), 19 € (déj. en sem.)/49 € – Carte 37/55 €
♦ Boucherie convertie en winstub rustique, simplement décorée. Terrasse d'été au bord de la pittoresque place du Marché aux Cochons de lait. Salaisons et charcuteries maison.

Environs

à Reichstett 7 km au Nord par D 468 et D 37 ou par A 4 et D 63 – 4 882 h. – alt. 141 m – ✉ 67116

L'Aigle d'Or sans rest
(près de l'église) – ✆ 03 88 20 07 87 – www.aigledor.com – info@aigledor.com – Fax 03 88 81 83 75 – Fermé 31 juil.-23 août et 25 déc.-3 janv. p.5 BR a
17 ch – †59/99 € ††59/99 €, ⊇ 10 €
♦ Belle façade à colombages au cœur d'un village pittoresque. Chambres sans ampleur mais pleines de charme, égayées de tons chaleureux. Coquette salle des petits-déjeuners.

à La Wantzenau 12 km au Nord-Est par D 468 – 5 859 h. – alt. 130 m – ✉ 67610

Le Moulin de la Wantzenau
3 impasse du Moulin, 1,5 km au Sud par D 468 – ✆ 03 88 59 22 22
– www.moulin-wantzenau.com – moulin-wantzenau@wanadoo.fr
– Fax 03 88 59 22 00 – Fermé 24 déc.-5 janv. p.5 CR z
20 ch – †70/100 € ††70/100 €, ⊇ 13 € – ½ P 74/83 €
Rest *Au Moulin* – voir ci-après
♦ Calme de la campagne, plaisant salon, ravissantes chambres harmonieuses, expositions de peintures et petits-déjeuners soignés sont les atouts de cet ancien moulin posté sur une rive de l'Ill.

Relais de la Poste avec ch
21 r. Gén. de Gaulle – ✆ 03 88 59 24 80 – www.relais-poste.com – info@relais-poste.com – Fax 03 88 59 24 89 – Fermé 27 juil.-10 août, 2-12 janv. et 23 fév.-2 mars p.5 CR a
18 ch – †85/95 € ††85/155 €, ⊇ 18 € – ½ P 155 €
Rest – (fermé sam. midi, dim. soir et lundi) Menu (30 €), 55/135 €
– Carte 62/104 €
♦ Maison alsacienne au cadre cossu : boiseries, fresques, plafonds à caissons et véranda moderne ouverte sur la verdure. Cuisine classique revisitée et belle carte des vins. Chambres peu à peu rénovées dans un style contemporain.

1833

STRASBOURG page 16

XXX Zimmer
🆗 VISA ⓂⓄ AE ①
23 r. Héros – ℰ *03 88 96 62 08 – www.restaurant-zimmer.fr*
– zimmer-nadeau.restaurant@neuf.fr – Fax 03 88 96 37 40 – Fermé 6-22 oct.,
24 fév.-5 mars, dim. soir et lundi sauf fériés   p.5 **CR r**
Rest – Menu (23 €), 29 € (sem.)/64 € – Carte 52/66 €
♦ La carte, étoffée, annonce des recettes au goût du jour et personnalisées, à déguster dans trois petites salles en enfilade au décor parfaitement sobre.

XX Les Semailles
🆗 VISA ⓂⓄ
10 r. Petit-Magmod – ℰ *03 88 96 38 38 – www.semailles.fr – info@semailles.fr*
– Fax 03 88 68 09 06 – Fermé 11-31 août, 15 fév.-2 mars, dim. soir, merc.
et jeudi   p.5 **CR s**
Rest – Menu (22 €), 28 € (déj. en sem.), 41/62 € bc
– Carte environ 42 €
♦ Cure de jouvence pour cette maison du 19ᵉ s. (façade et intérieur). La jolie véranda et la terrasse ombragée permettent de profiter des journées ensoleillées. Menus actuels.

XX Au Moulin – Hôtel Au Moulin
🚗 🆗 AC Ⓟ VISA ⓂⓄ AE ①
1,5 km au Sud par D 468 – ℰ *03 88 96 20 01*
– www.restaurant-moulin-wantzenau.fr – philippe.clauss@wanadoo.fr
– Fax 03 88 68 07 97 – Fermé 8-28 juil., 26 déc.-7 janv., 26 fév.-8 mars, dim. soir et
fériés le soir   p.5 **CR z**
Rest – Menu (20 €), 25 € (sem.)/60 € – Carte 39/65 €
♦ Restaurant installé dans les dépendances d'un moulin. Élégantes salles à manger modernisées où l'on sert une cuisine actuelle axée sur le terroir avec des spécialités régionales.

X Le Jardin Secret
🆗 Ⓟ VISA ⓂⓄ
32 r. de la Gare – ℰ *03 88 96 63 44 – www.restaurant-jardinsecret.fr – contact@*
restaurant-jardinsecret.fr – Fermé sam. midi, dim. soir et lundi   p.5 **CR v**
Rest – Menu (25 €), 33/74 € bc – Carte environ 35 €
♦ Accueillant restaurant où l'on déguste une cuisine d'aujourd'hui. Le cadre contemporain et zen expose également des tableaux, pour le plaisir des yeux.

X Au Pont de l'Ill
🆗 AC VISA ⓂⓄ AE
2 r. Gén. Leclerc – ℰ *03 88 96 29 44 – www.aupontdelill.com – aupontdelill@*
orange.fr – Fax 03 88 96 21 18 – Fermé 10-31 août et sam. midi   p.5 **CR u**
Rest – Menu (12 €), 22/44 € – Carte 25/49 €
♦ Fruits de mer et poissons jouent les vedettes sur la carte de cette brasserie qui abrite cinq salles aux styles différents : marin, Art nouveau, etc. Terrasse ombragée.

à Illkirch-Graffenstaden 5 km par rte de Colmar BST ou par A 35 (sortie nº 7)
– 25 600 h. – alt. 140 m – ✉ 67400

🏨 Alsace
🆗 📶 ¶¶ 🆗 Ⓟ VISA ⓂⓄ AE
187 rte de Lyon – ℰ *03 90 40 35 00 – www.hotelalsace.com – contact@*
hotelalsace.com – Fax 03 90 40 35 01 – Fermé 31 déc.-3 janv.   p.5 **BT d**
40 ch – ♦64/82 € ♦♦64/82 €, ⏝ 9 € – ½ P 53/60 €
Rest – *(fermé 21 déc.-3 janv., sam., dim. et fériés)* Menu (12 €), 22/25 €
– Carte 22/37 €
♦ Hôtel veillant sur la place principale. Chambres fonctionnelles, fraîches et de bonne ampleur. Celles de l'arrière sont plus calmes. Quelques fresques à thème alsacien apportent une sympathique note de fantaisie à la salle à manger rustique. Carte traditionnelle.

XXX À l'Agneau
🆗 AC VISA ⓂⓄ AE
⊖⊖
185 rte de Lyon – ℰ *03 88 66 06 58 – www.agneau-illkirch.com*
– agneau-illkirch@orange.fr – Fax 03 88 67 05 84 – Fermé 3 août-1ᵉʳ sept.,
30 déc.-12 janv., dim. soir, lundi et mardi   p.5 **BT a**
Rest – Menu (13 €), 19 € (déj. en sem.), 33/39 €
– Carte 37/53 €
♦ Derrière la façade ornée d'une fresque, trois salles personnalisées (atmosphère contemporaine, traditionnelle ou baroque). Cuisine classique avec des touches créatives.

vers ④ 11 km sur D 1083 – ✉ **67400 Illkirch-Graffenstaden**

Novotel Strasbourg-Sud
Sortie 7, Z. A. de l'Ill ✉ *67118 Geispolsheim –* ℰ *03 88 66 21 56*
– www.novotel.com – h0441@accor.com – Fax 03 88 67 21 63
p. 5 BT u
76 ch – †65/149 € ††65/149 €, ⊇ 14 € **Rest** – Carte 23/40 €

♦ À proximité des grandes voies d'accès, hôtel de chaîne proposant des chambres spacieuses conformes aux nouvelles normes Novotel. Minigolf. Thématique automobile au bar et cadre contemporain au restaurant. Petit jardin des senteurs et potager.

à Fegersheim 14 km vers ④ par A 35 (sortie n° 7), N 283 et D 1083 – 4 846 h.
– alt. 145 m – ✉ 67640

Auberge du Bruchrhein
24 r. de Lyon – ℰ *03 88 64 17 77 – Fax 03 88 64 17 77 – Fermé dim. soir, lundi soir et jeudi soir*
p. 4 AT x
Rest – Menu (13 €), 18 € (déj. en sem.), 24/29 € – Carte 37/50 €

♦ Cuisine sans chichi, réalisée avec de bons produits, dans une veine actuelle teintée d'influences régionales. Cadre simple et petite terrasse où règne une ambiance conviviale.

à Lipsheim vers ④ par A 35, D 1083 et D 221 – 2 527 h. – alt. 146 m – ✉ 67640

Alizés sans rest
r. des Vosges – ℰ *03 88 59 02 00 – www.hotel-les-alizes.com – hotellesalizes@wanadoo.fr – Fax 03 88 64 21 61 – Fermé 23 déc.-1ᵉʳ janv.*
p. 4 AT e
49 ch – †63 € ††76 €, ⊇ 10 €

♦ Cette maison régionale, proposant des chambres fonctionnelles et claires, a pour principal atout son site calme et champêtre. La piscine couverte donne sur un paysage de forêt.

à Blaesheim 19 km par A 35 (sortie n° 9), D 1422 et D 84 – 1 369 h. – alt. 150 m
– ✉ 67113

Au Bœuf
– ℰ *03 88 68 68 99 – www.hotel-au-boeuf.com – auboeuf.resa@wanadoo.fr – Fax 03 88 68 60 07 – Fermé 26 déc.-13 janv.*
p. 4 AT q
22 ch – †59 € ††76 €, ⊇ 11 € – 2 suites – ½ P 72 €
Rest – *(fermé sam. midi et dim.)* Menu (12 €), 19 € – Carte 25/45 €

♦ Les chambres de cette hostellerie villageoise, conçues à l'identique, ont l'avantage d'être grandes, confortables et bien tenues. Menus régionaux servis dans une salle à manger-véranda actuelle et rustique (assiettes en faïence, poêle et boiseries).

à Entzheim 12 km par A 35 (sortie n° 8), D 400 et D 392 – 1 837 h. – alt. 150 m
– ✉ 67960

Père Benoit
34 rte de Strasbourg – ℰ *03 88 68 98 00 – www.hotel-perebenoit.com – resa@hotel-perebenoit.com – Fax 03 88 68 64 56 – Fermé 26 juil.-16 août et 24 déc.-3 janv.*
p. 4 AT h
60 ch – †65 € ††71 €, ⊇ 8,50 €
Rest *Steinkeller* – ℰ *03 88 68 91 65 (fermé sam. midi, lundi midi et dim.)*
Menu 19/24 € – Carte 22/45 €

♦ Ferme à colombages du 18ᵉ s., délicieusement alsacienne, et sa grande cour fleurie. Cadre traditionnel et chaleureux. Belle salle rustique sous voûtes – d'où l'enseigne qui signifie caveau – et style winstub à l'étage. Carte régionale, "flammekueches" au feu de bois.

à Ostwald 7 km par rte Schirmeck D 392 et D 484 ou par A35 (sortie n° 7) et D 484
– 10 500 h. – alt. 140 m – ✉ 67540

Château de l'Île
4 quai Heydt – ℰ *03 88 66 85 00 – www.chateau-ile.com – ile@grandesetapes.fr – Fax 03 88 66 85 49*
p. 5 BT r
60 ch – †205/610 € ††205/610 €, ⊇ 23 € – 2 suites
Rest – Menu (26 €), 31/95 € – Carte 29/71 €
Rest *Winstub* – Menu (26 €), 31/39 € – Carte 30/44 €

♦ Manoir du 19ᵉ s. entouré de maisons récentes à colombages dans un parc boisé de 4 ha bordant l'Ill. Chambres soignées, garnies de meubles de style. Salle à manger raffinée pour une cuisine classique ; belle terrasse longeant la rivière. L'élégante winstub ouverte sur la verdure revisite la tradition avec sophistication.

1835

STRASBOURG page 18

à **Lingolsheim** 5 km par rte de Schirmeck (D 392) – 17 100 h. – alt. 140 m – ✉ 67380

Kyriad sans rest
59 r. Mar. Foch – ℰ *03 88 76 11 00* – *www.kyriadstrasbourg.com* – *hotelkyriad@evc.net* – *Fax 03 88 77 39 31*
37 ch – †56/78 € ††56/85 €, ☑ 9 € p. 5 BS **a**

♦ Hôtel intégré à un ensemble résidentiel et commercial proche de l'aéroport. Chambres confortables, fonctionnelles et bien équipées. Plaisant salon-bar contemporain.

À la Diligence
7 r. Mar. Foch – ℰ *03 88 78 32 24* – *diligence@estvideo.fr* – *Fax 03 88 78 40 48* – *Fermé 2-10 août* p. 5 BS **p**
Rest – Menu 40 € – Carte 32/50 €

♦ Près du parc des Tanneries, une accueillante demeure dotée d'une petite salle rustique et d'une véranda plus claire. Carte courte qui évolue avec le marché et les saisons.

à **Mittelhausbergen** 5 km au Nord-Ouest par D 31 – 1 738 h. – alt. 155 m – ✉ 67206

Tilleul avec ch
5 rte de Strasbourg – ℰ *03 88 56 18 31* – *www.autilleul.fr* – *autilleul@wanadoo.fr* – *Fax 03 88 56 07 23* – *Fermé 2-16 août, 15-21 fév., mardi, merc., sam. midi et dim. soir* p. 5 BS **v**
22 ch – †60/65 € ††66/72 €, ☑ 11 € – ½ P 70/80 €
Rest – Menu 34/39 € – Carte 40/50 €
Rest *La Stub 1888* – Menu (13 €), 18 € (déj.), 25/40 €

♦ Cette auberge traditionnelle de 1888 prévoit un programme de rénovation dans un style contemporain. Cuisine actuelle et cadre feutré au restaurant. Atmosphère néo-rustique et plats du terroir à La Stub. Chambres simples et pratiques.

à **Pfulgriesheim** 10 km au Nord-Ouest par D 31 – 1 281 h. – alt. 135 m – ✉ 67370

Bürestubel
8 r. Lampertheim – ℰ *03 88 20 01 92* – *www.restaurantburestubel.com* – *restaurant.burestubel@wanadoo.fr* – *Fax 03 88 20 48 97* – *Fermé 26 juil.-11 août, 7 fév.-18 mars, mardi de janv. à oct., dim. de nov. à déc. et lundi* p. 4 AR **a**
Rest – Menu 17/28 € – Carte 21/48 €

♦ Jolie ferme à colombages abritant une vaste winstub. Selon les salles, décor rustique ou bourgeois avec plafonds polychromes. Tartes flambées et autres spécialités régionales.

à **Plobsheim** 17 km par A35 (sortie n° 7) N 283, N 353 et D 468 – 3 651 h. – alt. 150 m – ✉ 67115

Le Kempferhof ⚘
351 r. du Moulin, au golf – ℰ *03 88 98 72 72* – *www.golf-kempferhof.com* – *info@golf-kempferhof.com* – *Fax 03 88 98 74 76* – *Ouvert 16 mars-13 déc.*
25 ch – †180/280 € ††180/280 €, ☑ 20 € – 4 suites – ½ P 170/280 €
Rest – Menu (35 €), 40 € – Carte 45/55 €

♦ Cette demeure du 19e s. jouit d'un domaine boisé (85 ha) incluant un golf 18 trous. Chambres personnalisées, décor actuel et épuré dans celles des annexes. Restaurant lumineux dressé sous une véranda, terrasse face au green. Carte internationale et beau choix de vins.

STURZELBRONN – 57 Moselle – 307 Q4 – 201 h. – alt. 250 m – ✉ 57230   27 **D1**

🄳 Paris 449 – Strasbourg 68 – Bitche 13 – Haguenau 39 – Wissembourg 34

Au Relais des Bois
13 r. Principale – ℰ *03 87 06 20 30* – *www.relaisdesbois.com* – *denis.hoff@wanadoo.fr* – *Fax 03 87 06 21 22* – *Fermé lundi et mardi*
Rest – Menu 11 € (déj. en sem.), 18/25 € – Carte 22/41 €

♦ Modeste adresse familiale à débusquer au cœur d'un village du Parc naturel régional des Vosges du Nord. Cadre rustique, cuisine aux accents du terroir, terrasse et jardin.

1836

SUBLIGNY – 89 Yonne – 319 C2 – rattaché à Sens

SUCY-EN-BRIE – 94 Val-de-Marne – 312 E3 – 101 28 – voir à Paris, Environs

SULLY-SUR-LOIRE – 45 Loiret – 318 L5 – 5 830 h. – alt. 115 m — 12 C2
– ✉ 45600 ▮ Châteaux de la Loire

▶ Paris 149 – Bourges 84 – Gien 25 – Montargis 40 – Orléans 51 – Vierzon 84

🛈 Office de tourisme, place de Gaulle ✆ 02 38 36 23 70, Fax 02 38 36 32 21

🏌 de Sully-sur-Loire Domaine de l'Ousseau, par rte de Bourges : 4 km, ✆ 02 38 36 52 08

◉ Château★ : charpente★★.

SULLY-SUR-LOIRE

Abreuvoir (R. de l')	2
Béthune (Av. de)	3
Champ-de-Foire (Bd du)	4
Chemin-de-Fer (Av. du)	5
Grand-Sully (R. du)	6
Jeanne-d'Arc (Bd)	7
Marronniers (R. des)	9
Porte-Berry (R.)	10
Porte-de-Sologne (R.)	12
St-François (R. du Fg)	15
St-Germain (R. du Fg)	16
Venerie (Av. de la)	20

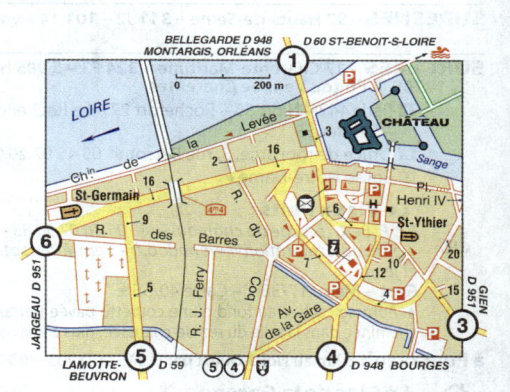

Hostellerie du Château
4 rte de Paris à St-Père-sur-Loire, 1 km par ① – ✆ 02 38 36 24 44 – www.hostellerie-du-chateau.fr – resasylvie@wanadoo.fr – Fax 02 38 36 62 40
42 ch – ♦46/68 €, ♦♦46/68 €, ⊇ 8 € – ½ P 62 €
Rest – Menu (25 €), 28/46 € – Carte 45/74 €

♦ Construction récente abritant des chambres fonctionnelles assez plaisantes et très bien tenues ; la moitié a vue sur le château de Sully. Atmosphère un brin "british" dans la confortable salle à manger habillée de boiseries. Table traditionnelle.

aux Bordes 6 km par ①, D 948 et D 961 – 1 678 h. – alt. 132 m – ✉ 45460

La Bonne Étoile
D 952 – ✆ 02 38 35 52 15 – Fax 02 38 35 52 15 – Fermé dim. soir et lundi
Rest – Menu 16/36 €

♦ Engageante petite auberge champêtre au bord d'une route passante. Un vent nouveau (déco, chaises, mise de table) souffle en salle ces derniers temps. Mets traditionnels.

SUPERDÉVOLUY – 05 Hautes-Alpes – 334 D4 – Sports d'hiver : 40 B1
1500/2500m ⭐ 1 ⭐ 28 ⭐ – ✉ 05250 ▮ Alpes du Sud

▶ Paris 654 – Gap 36 – Grenoble 92 – La Mure 52

Les Chardonnelles
– ✆ 04 92 58 86 90 – www.hotel-chardonnelles.com – info@hotel-chardonnelles.com – Fax 04 92 58 87 76 – Ouvert 13 juin-7 sept. et 22 déc.-22 avril
42 ch – ♦58/93 €, ♦♦74/110 €, ⊇ 7 € – ½ P 60/82 €
Rest – Menu 15 € (déj.)/35 € – Carte 26/48 €

♦ Érigé aux portes de la station, ce gros chalet est le point de départ de nombreuses randonnées. Chaleureuses chambres (non-fumeurs), piscine chauffée, hammam, sauna, jacuzzi. Au restaurant, la cuisine alpine déploie son "écharpe" de tartiflettes, fondues et raclettes.

LE SUQUET – 06 Alpes-Maritimes – 341 E4 – alt. 400 m – ⊠ 06450 — 41 D2
Lantosque

▶ Paris 878 – Levens 19 – Nice 46 – Puget-Théniers 48 – St-Martin-Vésubie 21

Auberge du Bon Puits
– ℰ 04 93 03 17 65 – lebonpuits@wanadoo.fr – Fax 04 93 03 10 48
– Ouvert 20 avril-1er déc. et fermé mardi sauf du 10 juil.-30 août
8 ch – †62/65 € ††63/68 €, ⊇ 10 € – ½ P 65/70 €
Rest – Menu (20 € bc), 24/36 € – Carte 32/38 €

♦ La route sépare cette robuste maison d'un petit parc animalier situé en bordure de la Vésubie et doté de jeux d'enfants. Chambres insonorisées et rénovées. Poutres et cheminée monumentale en pierre décorent la salle à manger. Cuisine régionale.

SURESNES – 92 Hauts-de-Seine – 311 J2 – 101 14 – voir à Paris, Environs

SURGÈRES – 17 Charente-Maritime – 324 F3 – 5 905 h. – alt. 16 m — 38 B2
– ⊠ 17700 ▌Poitou Vendée Charentes

▶ Paris 442 – Niort 35 – Rochefort 27 – La Rochelle 38 – St-Jean-d'Angély 30 – Saintes 55

🛈 Office de tourisme, 5, rue Bersot ℰ 05 46 07 20 02, Fax 05 46 07 20 30

◉ Église Notre-Dame★.

Le Vieux Puits
6 r. P. Bert, (proche du château) – ℰ 05 46 07 50 83 – www.vieux-puits.com
– giraudrestauration@wanadoo.fr – Fermé 28 sept.-14 oct., 17-28 fév., dim. soir et jeudi
Rest – Menu 17/38 € – Carte 40/55 €

♦ Adresse cachée au fond d'une courette pavée (terrasse en été). Décor rustique avec cheminée dans la salle du rez-de-chaussée, plus conviviale. Cuisine attentive aux saisons.

à Puyravault 6 km au Nord-Ouest par D 115 et D 205 – ⊠ 17700

Le Clos de la Garenne
9 r. Garenne – ℰ 05 46 35 47 71 – www.closdelagarenne.com – info@closdelagarenne.com – Fax 05 46 35 47 91
4 ch ⊇ – †60 € ††67/77 €
Table d'hôte – (fermé merc., sam. et dim.) Menu 25 € bc

♦ Chaque pièce de cet authentique logis charentais évoque une époque différente : chambre Belle Époque, grand salon 18e s., salle à manger 17e s... Beau parc de 4 ha (ânes, moutons et poules). Table familiale à l'écoute du marché et des saisons.

SURVILLIERS – 95 Val-d'Oise – 305 G6 – 3 710 h. – alt. 110 m – ⊠ 95470 — 19 C1
▶ Paris 37 – Chantilly 14 – Compiègne 48 – Meaux 39 – Pontoise 45 – Senlis 14

Novotel
D 16, par échangeur A1 Survilliers – ℰ 01 34 68 69 80 – www.novotel.com
– h0459@accor.com – Fax 01 34 68 64 94
79 ch – †80/280 € ††80/280 €, ⊇ 16 €   **Rest** – Menu (14 €) – Carte 20/50 €

♦ Cet hôtel dispose de chambres fonctionnelles et insonorisées. Pour la détente, jardin, terrain de volley-ball, jeux d'enfants et boulodrome. Carte traditionnelle proposée dans une salle actuelle prolongée par une véranda ou sur la terrasse d'été bordant la piscine.

SUZE-LA-ROUSSE – Drôme – 332 C8 – 1 787 h. – alt. 92 m – ⊠ 26790 — 44 B3
▌Provence

▶ Paris 641 – Avignon 59 – Bollène 7 – Nyons 28 – Orange 23 – Valence 85
🛈 Office de tourisme, le village ℰ 04 75 04 81 41, Fax 04 75 04 81 41

Les Aiguières
r. Fontaine-d'Argent – ℰ 04 75 98 40 80 – www.les-aiguieres.com – brigitte@les-aiguieres.com – Fermé 22 déc.-5 janv.
5 ch ⊇ – †75 € ††85 €   **Table d'hôte** – Menu 28 € bc

♦ Une adresse à deux pas du château et de son université du vin. Maison du 18e s. avec jardin, piscine, grand salon (feu de cheminée en hiver) et chambres d'esprit provençal. Cuisine familiale ; menu dégustation "alliances de mets et vins" sur réservation.

TAILLECOURT – 25 Doubs – **321** L2 – rattaché à Audincourt

TAIN-L'HERMITAGE – 26 Drôme – **332** C3 – 5 764 h. – alt. 124 m   43 **E2**
– ✉ 26600

- 🄳 Paris 545 – Grenoble 97 – Le Puy-en-Velay 105 – St-Étienne 76 – Valence 18 – Vienne 59
- 🄱 Office de tourisme, place du 8 mai 1945 ✆ 04 75 08 06 81, Fax 04 75 08 34 59
- 🄾 Belvédère de Pierre-Aiguille ★ N : 4 km par D 241.

TAIN-L'HERMITAGE

Batie (Quai de la)	**C** 3
Defer (Pl. H.)	**C** 8
Église (Pl. de l')	**C** 12
Gaulle (Q. Gén.-de)	**C** 14
Grande-Rue	**B** 16
Jean-Jaurès (Av.)	**BC**
Michel (R. F.)	**C** 21
Peala (R. J.)	**B** 24
Prés.-Roosevelt (Av.)	**C** 29
Rostaing (Q. A.)	**C** 30
Seguin (Q. M.)	**B** 32
Souvenir-Français (Av. du)	**C** 33
Taurobole (Pl. du)	**BC**
8-Mai-1945 (Pl. du)	**BC** 39

TOURNON-SUR-RHÔNE

Dumaine (R. A.)	**B** 9
Faure (R. G.)	**B** 13
Grande-Rue	**B**
Juventon (Av. M.)	**B** 19
Thiers (R.)	**B** 35

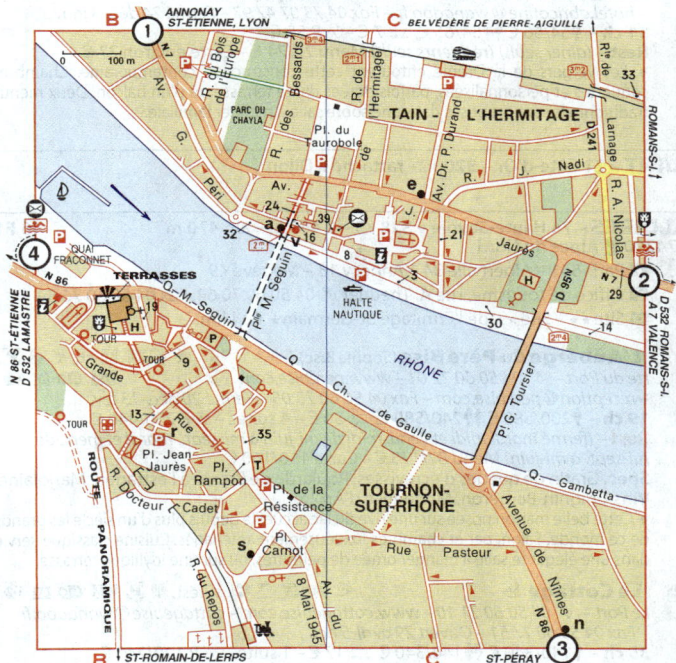

🏨 **Le Pavillon de l'Ermitage**   C e
69 av J. Jaurès – ✆ 04 75 08 65 00
– www.pavillon-ermitage.com – pavillon.26@wanadoo.fr
– Fax 04 75 08 66 05
44 ch – ♦82/85 € ♦♦93/97 €, ⊇ 11 € – 2 suites
Rest – *(fermé 24 déc.-2 janv., sam. et dim. de nov. à mars)*
Menu 13/28 €

◆ Grosse bâtisse abritant des chambres récentes ; demandez-en une côté piscine, avec loggia tournée sur le coteau de l'Hermitage et les hauteurs de Tournon. Plats traditionnels servis en terrasse ou en salle... suivant l'humeur du temps !

TAIN-L'HERMITAGE

Les 2 Côteaux sans rest
18 r. J.-Péala – ℰ 04 75 08 33 01 – www.hotel-les-2-coteaux.com
– hotel2coteaux@wanadoo.fr – Fax 04 75 08 44 20

B a

18 ch – †52/62 € ††60/67 €, ⊇ 9 €

◆ Cet hôtel familial rénové se situe au calme face à l'ancien pont enjambant le Rhône. Chambres fraîches et lumineuses ; quelques-unes sont dotées de balcons.

Le Quai
17 r. J.-Péala – ℰ 04 75 07 05 90 – www.michelchabran.fr – chabran@michelchabran.fr – Fax 04 75 06 55 55

B v

Rest – Menu (25 €), 33 € – Carte 36/45 €

◆ Au pied de ce restaurant, le Rhône avec au loin la vue sur les vignes. Salle à manger modernisée dans un esprit zen (mobilier en wengé, photos anciennes) et belle terrasse.

rte de Romans 4 km par ② – ✉ 26600 Tain-l'Hermitage

L'Abricotine
rte de Romans – ℰ 04 75 07 44 60 – www.hotel-abricotine.com
– hotel.abricotine@wanadoo.fr – Fax 04 75 07 47 97 – Fermé 24 déc.-3 janv.

11 ch – †54/56 € ††54/65 €, ⊇ 7 € – ½ P 55 €

Rest – (dîner seult) (résidents seult) Menu 22/24 € – Carte environ 27 €

◆ Les vergers de la Drôme entourent cette construction contemporaine. Chambres coquettes et personnalisées, parfois dotées d'une terrasse ou d'un balcon. Deux menus traditionnels sont proposés dans une sobre salle à manger familiale.

TALANT – 21 Côte-d'Or – 320 J5 – rattaché à Dijon

TALLOIRES – 74 Haute-Savoie – 328 K5 – 1 469 h. – alt. 470 m   46 F1
– ✉ 74290 ▌Alpes du Nord

▸ Paris 551 – Albertville 34 – Annecy 13 – Megève 49

▸ Office de tourisme, rue A. Theuriet ℰ 04 50 60 70 64, Fax 04 50 60 76 59

◉ Site★★ - Site★★ de l'Ermitage St-Germain★ E : 4 km.

L'Auberge du Père Bise (Sophie Bise)
rte du Port – ℰ 04 50 60 72 01 – www.perebise.com
– reception@perebise.com – Fax 04 50 60 73 05 – Fermé 20 déc.-13 fév.

19 ch – †200/580 € ††240/580 €, ⊇ 30 € – 4 suites – ½ P 250/440 €

Rest – (fermé mardi midi et vend. midi de mi-juin à mi-sept., mardi et merc. de mi-sept. à mi-juin) Menu 82/175 € – Carte 110/160 €

Spéc. Gratin de queues d'écrevisses. Poularde de Bresse à l'estragon. Marjolaine. **Vins** Chignin-Bergeron, Mondeuse d'Arbin.

◆ Cette belle maison posée sur une rive du lac accueille depuis plus d'un siècle les grands de ce monde. Salon, bar et chambres luxueusement aménagés. Cuisine classique servie dans une élégante salle à manger ornée de peintures, ou sur une idyllique terrasse.

Le Cottage
Le Port – ℰ 04 50 60 71 10 – www.cottagebise.com – cottagebise@wanadoo.fr
– Fax 04 50 60 77 51 – Ouvert 29 avril-5 oct.

35 ch – †140/340 € ††140/340 €, ⊇ 17 € – 1 suite – ½ P 120/240 €

Rest – Menu (30 €), 39/65 € – Carte 55/75 €

◆ Face à l'embarcadère, maisons des années 1930 de style cottage. Lac, jardin ou montagne sont les différents points de vue des chambres, personnalisées et calmes (trois suites). Carte classique à découvrir dans une salle raffinée ou sur une agréable terrasse.

L'Abbaye
chemin des Moines – ℰ 04 50 60 77 33 – www.abbaye-talloires.com – abbaye@abbaye-talloires.com – Fax 04 50 60 78 81 – Ouvert mi-fév. à mi-nov.

33 ch – †147/630 € ††147/630 €, ⊇ 23 €

Rest – (fermé lundi et mardi sauf juil.-août) Menu 48 € (dîner)/80 €
– Carte 60/90 €

◆ Cette abbaye bénédictine du 17ᵉ s. accueillit en son temps Cézanne et aujourd'hui Jean Reno. Chambres raffinées, classiques ou savoyardes, et jardin face au lac (ponton privé). Cuisine actuelle servie dans une salle à manger bourgeoise ou en terrasse.

TALLOIRES

La Charpenterie
72 r. A. Theuriet – ℰ 04 50 60 70 47 – www.la-charpenterie.com – contact@la-charpenterie.com – Fax 04 50 60 79 07 – Fermé 12 nov.-5 fév.
18 ch – †75/110 € ††75/110 €, ⚏ 10 € – ½ P 69/86 €
Rest – Menu 24/45 € – Carte environ 38 €

◆ Chalet récent orné de balcons ouvragés. Intérieur chaleureux et confortable où le bois s'impose partout. Nombreuses chambres avec terrasse. Salle de restaurant lambrissée, décorée de photos anciennes ; cuisine ancrée dans la tradition (spécialités fromagères).

Villa des Fleurs avec ch
rte du Port – ℰ 04 50 60 71 14 – www.hotel-lavilladesfleurs74.com – lavilladesfleurs@wanadoo.fr – Fax 04 50 60 74 06 – Fermé 15 nov.-10 fév., dim. soir et lundi
9 ch – †88/125 € ††98/135 €, ⚏ 13 € – ½ P 100/109 €
Rest – Menu (20 €), 33/60 € – Carte 38/72 €

◆ Dans le bourg mais entourée de verdure, confortable villa savoyarde où l'on déguste une cuisine régionale et surtout les poissons du lac d'Annecy. Chambres très calmes.

à Angon 2 km au Sud par D 909a – ⊠ 74290 Veyrier-du-Lac

Les Grillons
– ℰ 04 50 60 70 31 – www.hotel-grillons.com – accueil@hotel-grillons.com – Fax 04 50 60 72 19 – Ouvert 10 avril-16 oct.
30 ch ⚏ – †55/97 € ††80/134 € **Rest** – Menu 25/48 € – Carte 25/58 €

◆ Établissement de style pension qui bénéficie d'une grande piscine, très agréable l'été. Chambres bien tenues ; la plupart ont vue sur le lac. Salle à manger relookée dans un style actuel : poutres apparentes neuves, plantes vertes, tons rouge et blanc.

TALMONT-SUR-GIRONDE – 17 Charente-Maritime – 324 E6 – 38 B3
– 78 h. – alt. 20 m – ⊠ 17120 ▮ Poitou Vendée Charentes

▸ Paris 503 – Blaye 72 – La Rochelle 93 – Royan 18 – Saintes 36

◉ Site★ de l'église Ste-Radegonde★.

L'Estuaire avec ch
au Caillaud, 1 av. Estuaire – ℰ 05 46 90 43 85 – www.hotelestuaire.com – hotelestuaire@orange.fr – Fax 05 46 90 43 88 – Fermé 16 nov.-13 déc. et 12 janv.-10 fév.
6 ch – †55/66 € ††55/66 €, ⚏ 8 €
Rest – (fermé lundi et mardi sauf juil.-août) Menu (22 €), 30/42 € – Carte 25/65 €

◆ Belle situation face à la Gironde pour ce restaurant rustique égayé de tons pastel. Plats régionaux et produits de la pêche locale. Chambres calmes, spacieuses et bien tenues.

LA TAMARISSIÈRE – 34 Hérault – 339 F9 – rattaché à Agde

TAMNIÈS – 24 Dordogne – 329 H6 – 301 h. – alt. 200 m – ⊠ 24620 4 D3

▸ Paris 522 – Brive-la-Gaillarde 47 – Périgueux 60 – Sarlat-la-Canéda 14

Labordie
Le Bourg – ℰ 05 53 29 68 59 – www.hotel-labordie.com – info@hotel-labordie.com – Fax 05 53 29 65 31 – Ouvert 4 avril-1er nov.
45 ch – †34/84 € ††40/92 €, ⚏ 9 € – ½ P 45/75 €
Rest – (fermé lundi midi, mardi midi et merc. midi) Menu 22/44 € – Carte 25/65 €

◆ Maison périgourdine, son annexe et son vaste parc tourné vers la vallée, proposant des chambres paisibles, rustiques ou actuelles. Cuisine régionale à l'ancienne servie dans une salle à manger campagnarde ou en terrasse à la belle saison.

TANCARVILLE – 76 Seine-Maritime – 304 C5 – 1 233 h. – alt. 10 m 33 C2
– ⊠ 76430 ▮ Normandie Vallée de la Seine

▸ Paris 175 – Caen 86 – Le Havre 32 – Pont-Audemer 24 – Rouen 64

Accès pont de Tancarville. Péage en 2007 : auto 2,30, auto et caravane 2,90, camions et autocars 3,50 à 6,10, gratuit pour motos ℰ 02 35 39 65 60.

◉ ≤★ sur estuaire.

TANCARVILLE

XXX La Marine avec ch
10 rte du Havre, au pied du pont (D 982) – ℰ *02 35 39 77 15*
– www.lamarine-tancarville.com – hoteldelamarine2@wanadoo.fr
– Fax 02 35 38 03 30 – Fermé 22 juil.-20 août et dim. soir
8 ch – †65/85 € ††70/85 €, ⊇ 10 € – ½ P 80/95 €
Rest – *(fermé sam. midi et lundi)* Menu 27 € (sem.)/65 € – Carte 80/91 €
Rest *Le Bistrot* – *(déj. seult)* Menu 13/20 €

♦ Hôtellerie des bords de Seine officiant au pied du célèbre pont de Tancarville. Traditionnelle, la cuisine du restaurant évolue au gré des arrivages du marché et de la pêche. Chambres récemment rafraîchies. Bistrot au décor boisé.

LA TANIA – 73 Savoie – 333 M5 – rattaché à Courchevel

TANINGES – 74 Haute-Savoie – 328 M4 – 3 394 h. – alt. 640 m 46 F1
– ✉ 74440 ▌Alpes du Nord

▶ Paris 570 – Annecy 68 – Chamonix-Mont-Blanc 51 – Genève 42
– Thonon-les-Bains 46

🛈 Office de tourisme, avenue des Thézières ℰ 04 50 34 25 05,
Fax 04 50 34 83 96

XX La Crémaillère
au lac de Flérier, 1 km au Sud-Ouest – ℰ *04 50 34 21 98 – Fermé 11-29 janv., lundi soir, merc. sauf juil.-août et dim. soir*
Rest – *(nombre de couverts limité, prévenir)* Menu 25/47 € – Carte 39/65 €

♦ Belle situation au bord d'un petit lac. Attablez-vous près des baies vitrées ou, en saison, sur la terrasse panoramique, pour goûter à une cuisine plutôt traditionnelle.

TANNERON – 83 Var – 340 Q4 – 1 473 h. – alt. 376 m – ✉ 83440 42 E2
▌Côte d'Azur

▶ Paris 903 – Cannes 20 – Draguignan 53 – Grasse 20 – Nice 49
– Saint-Raphaël 37

🛈 Syndicat d'initiative, place de la Mairie ℰ 04 93 60 71 73

XX Le Champfagou avec ch
53 pl. du Village – ℰ *04 93 60 68 30 – www.lechampfagou.fr – lechampfagou@wanadoo.fr – Fax 04 93 60 70 60 – Fermé en nov., le soir en janv. et fév., lundi en juil.-août, dim. soir, mardi soir et merc.*
9 ch – †50 € ††50 €, ⊇ 8 € – ½ P 60 €
Rest – Menu 31/55 € – Carte 40/50 €

♦ Salle à manger sobrement méridionale et plaisante terrasse fleurie dans un paisible village réputé pour ses mimosas ; cuisine provençale revisitée. Petites chambres simples.

TANTONVILLE – 54 Meurthe-et-Moselle – 307 H8 – 629 h. 26 B2
– alt. 300 m – ✉ 54116

▶ Paris 327 – Épinal 48 – Lunéville 35 – Nancy 29 – Toul 37 – Vittel 44

XX La Commanderie
1 r. Pasteur – ℰ *03 83 52 49 83 – www.restaurant-la-commanderie.com*
– contact@restaurant-la-commanderie.com – Fax 03 83 52 49 83
– Fermé 24 août-10 sept., 2-10 janv., mardi soir, merc. soir, dim. soir et lundi
Rest – Menu (12 €), 30/55 € – Carte 32/62 €

♦ Cette maison du début du 20e s., ex-siège social de la brasserie Tourtel, abrite un élégant restaurant décoré dans des tons chauds. Belle terrasse agrémentée d'une fontaine.

TANUS – 81 Tarn – 338 F6 – 510 h. – alt. 439 m – ✉ 81190 29 C2

▶ Paris 668 – Albi 33 – Rodez 46 – St-Affrique 62

🛈 Syndicat d'initiative, 24, avenue Paul Bodin ℰ 05 63 76 36 71,
Fax 05 63 76 36 10

◉ Viaduc du Viaur★ NE : 7 km.

TANUS

Des Voyageurs
🚄 AC rest, ⁽¹⁾ 🛎 P 🚗 VISA ⓜⓒ
11 av. Paul Bodin – ✆ *05 63 76 30 06 – ddelpous@wanadoo.fr*
– Fax 05 63 76 37 94 – Fermé le soir du 4 au 11 janv., dim. soir et lundi sauf juil.-août
15 ch – †44/57 € ††44/57 €, ⊇ 7 € – ½ P 42/46 €
Rest – Menu 15 € (sem.)/30 € – Carte 26/49 €
◆ Près de l'église, hôtel tout simple doté d'un petit jardin ombragé d'un saule pleureur. Chambres toutes rénovées, peu à peu remeublées dans un style plus actuel. Cuisine traditionnelle et courte sélection de vins servis dans une confortable salle à manger.

TARARE – 69 Rhône – **327** F4 – 10 800 h. – alt. 383 m – ⊠ 69170   44 **A1**
Lyon et la vallée du Rhône

▶ Paris 463 – Lyon 45 – Montbrison 60 – Roanne 40 – Villefranche-sur-Saône 33

🛈 Office de tourisme, place Madeleine ✆ 04 74 63 06 65, Fax 04 74 63 52 69

Burnichon
🚄 🏊 ⁽¹⁾ 🛎 P VISA ⓜⓒ AE
1,5 km à l'Est par D 307 – ✆ *04 74 63 44 01 – www.hotel-burnichon.com*
– hotelburnichon@wanadoo.fr – Fax 04 74 05 08 52 – Fermé 21-27 déc.
34 ch – †40/47 € ††47/54 €, ⊇ 9 € – ½ P 47 €
Rest – *(fermé sam. soir et dim.)* Menu 15/36 € – Carte 24/35 €
◆ Bâtisse hôtelière des années 1980 qui propose des chambres fonctionnelles ayant conservé leur mobilier d'origine. À 50 m, piscine entourée de verdure. Restaurant-véranda misant sur un buffet d'entrées et une carte traditionnelle simple. Terrasse d'été.

XXX Jean Brouilly
🎔 P VISA ⓜⓒ AE
3 ter r. de Paris – ✆ *04 74 63 24 56 – www.restaurant-brouilly.com – contact@restaurant-brouilly.com – Fax 04 74 05 05 48 – Fermé 4-18 janv., dim. soir et lundi*
Rest – Menu 28 € (sem.)/72 € – Carte 47/69 €
◆ Cette belle demeure (1906) au cœur d'un parc vous convie à une halte gourmande. Salle à manger au décor rajeuni ; cuisine classique et cave honorant les vins de Bourgogne.

TARASCON – 13 Bouches-du-Rhône – **340** C3 – 13 100 h. – alt. 8 m   42 **E1**
– ⊠ 13150 **Provence**

▶ Paris 702 – Arles 20 – Avignon 24 – Marseille 102 – Nîmes 27

🛈 Office de tourisme, 59, rue des Halles ✆ 04 90 91 03 52, Fax 04 90 91 22 96

◉ Château du roi René★★ : ※★★ - Église Ste-Marthe★ - Musée Charles-Deméry★ (Souleïado).

Les Échevins
📶 & ch, AC rest, ⁽¹⁾ 🚗 VISA ⓜⓒ ①
26 bd Itam – ✆ *04 90 91 01 70 – www.hotel-echevins.com – contact@hotel-echevins.com – Fax 04 90 43 50 44 – Ouvert Pâques-Toussaint*
40 ch – †58 € ††64/74 €, ⊇ 11 €
Rest *Le Mistral* – ✆ *04 90 91 27 62 (fermé sam. midi et merc.)* Menu 19/26 € – Carte 30/40 €
◆ Les "Tartarins" en route pour l'Afrique feront étape en cette demeure du 17ᵉ s. à l'ambiance familiale. Bel escalier à rampe forgée et chambres modestes mais bien tenues. Joli restaurant-véranda très coloré et cuisine traditionnelle caressée par le mistral.

2 km au Sud par D 35 et D 970 - ⊠ 13150 Tarascon

Le Mas des Comtes de Provence ॐ
🎔 🏊 AC ※ P VISA ⓜⓒ
petite rte d'Arles – ✆ *04 90 91 00 13 – www.mas-provence.com – valo@mas-provence.com – Fax 04 90 91 02 85*
9 ch – †140/200 € ††140/200 €, ⊇ 13 €
Table d'hôte – Menu 25 € (déj.)/40 €
◆ Tout simplement superbe ! Ce mas du 15ᵉ s. recèle de magnifiques meubles anciens, dignes d'un musée. Les chambres sont de vrais petits joyaux. Parc et vaste piscine à l'avenant.

TARASCON-SUR-ARIÈGE – 09 Ariège – 343 H7 – 3 487 h. – alt. 474 m – ⌧ 09400 ▮ Midi-Pyrénées

29 C3

- ▶ Paris 777 – Ax-les-Thermes 27 – Foix 18 – Lavelanet 30
- 🛈 Office de tourisme, avenue Paul Joucla ℰ 05 61 05 94 94, Fax 05 61 05 57 79
- ⊙ Parc pyrénéen de l'art préhistorique★★ O : 3 km - Grotte de Niaux★★ (dessins préhistoriques) SO : 4 km - Grotte de Lombrives★ S : 3 km par N 20.

Domaine Fournié

rte de Saurat, 2,5 km au Nord-Ouest par D 618 rte du Col de Port –
ℰ *05 61 05 54 52 – www.domaine-fournie.com – contact@domaine-fournie.com*
– Fax 05 61 02 73 63 – Fermé 23 déc.-2 janv.
5 ch ⌑ – ♦45/50 € ♦♦54/58 €
Table d'hôte *– (fermé jeudi la sem. sauf vacances scolaires)* Menu 20 € bc
◆ Le décor des chambres de cette maison du 17ᵉ s. rend hommage au cinéma. Certaines s'agrémentent de meubles anciens. Salle de petit-déjeuner dotée d'une cheminée.

à Rabat-les-Trois-Seigneurs 5,5 km au Nord-Ouest par D 618 et D 223 – ⌧ 09400

La Table de la Ramade

r. des Écoles – ℰ 05 61 64 94 32 – latabledelaramade.com – latablelaramade@orange.fr – Fermé 27 sept.-14 oct., dim. soir et lundi
Rest – Menu 18/35 € – Carte 26/49 €
◆ Ex-forge du village, tout en hauteur, coincée dans une ruelle étroite. Petite salle d'esprit contemporain au 1ᵉʳ étage et terrasse sur le toit. Alléchante cuisine actuelle.

TARBES ℗ – 65 Hautes-Pyrénées – 342 M5 – 45 800 h. – Agglo. 109 892 h. – alt. 320 m – ⌧ 65000 ▮ Midi-Pyrénées

28 A3

- ▶ Paris 831 – Bordeaux 218 – Lourdes 19 – Pau 44 – Toulouse 158
- ✈ de Tarbes-Lourdes-Pyrénées : ℰ 05 62 32 92 22, par ④ : 9 km.
- ℰ 3635 et tapez 42 (0,34 €/mn)
- 🛈 Office de tourisme, 3, cours Gambetta ℰ 05 62 51 30 31, Fax 05 62 44 17 63
- 🏌 de Tarbes les Tumulus à Laloubère 1 rue du Bois, par rte de Bagnères-de-Bigorre : 2 km, ℰ 05 62 45 14 50
- 🏇 Hippodrome de La Loubère à Laloubère Rue de la Châtaigneraie, par rte de Bagnères-de-Bigorre : 3 km, ℰ 05 62 45 07 10

Plan page ci-contre

Le Rex Hotel

10 cours Gambetta – ℰ 05 62 54 44 44 – www.lerexhotel.com – reception@lerexhotel.com – Fax 05 62 54 45 45

AZ **b**

98 ch – ♦110/350 € ♦♦130/350 €, ⌑ 15 €
Rest *– (fermé dim.)* Menu 22/45 €
◆ Audacieuse architecture en verre et alu dont la façade s'anime de jeux de lumières la nuit. Chambres ultra modernes où cohabitent des créations de Starck et Panton. Lounge-bar et restaurant au cadre design. Cuisine tendance ; fond musical assorti.

Ibis sans rest

61 av. de Lourdes par ④ – ℰ 05 62 93 51 18 – www.ibishotel.com – h5973-gm@accor.com – Fax 05 62 93 78 40
76 ch – ♦50/65 € ♦♦50/65 €, ⌑ 8 €
◆ Hôtel entièrement rénové aux portes de la ville. Salon-bar lumineux au mobilier moderne en bois clair. Vastes chambres confortables, et, pour l'été, piscine extérieure.

Foch sans rest

18 pl. de Verdun – ℰ 05 62 93 71 58 – hotelfoch@wanadoo.fr – Fax 05 62 93 34 59

AYZ **e**

30 ch – ♦53 € ♦♦57 €, ⌑ 8 € – 3 suites
◆ En plein centre, établissement bien insonorisé bordant une place animée. Chambres simples, plus spacieuses et ouvertes sur d'agréables balcons aux deux derniers étages.

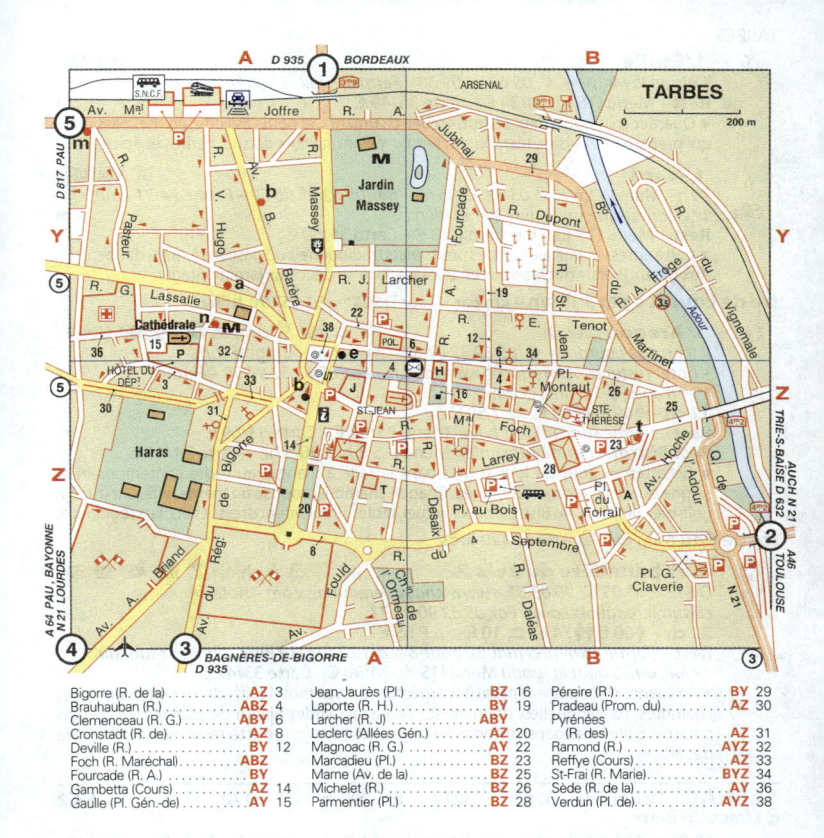

Bigorre (R. de la)	**AZ** 3	Jean-Jaurès (Pl.)	**BZ** 16	Péreire (R.)	**BY** 29
Brauhauban (R.)	**ABZ** 4	Laporte (R. H.)	**BY** 19	Pradeau (Prom. du)	**AZ** 30
Clemenceau (R. G.)	**ABY** 6	Larcher (R. J)	**ABY**	Pyrénées	
Cronstadt (R. de)	**AZ** 8	Leclerc (Allées Gén.)	**AZ** 20	(R. des)	**AZ** 31
Deville (R.)	**BY** 12	Magnoac (R. G.)	**AY** 22	Ramond (R.)	**AYZ** 32
Foch (R. Maréchal)	**ABZ**	Marcadieu (Pl.)	**BZ** 23	Reffye (Cours)	**AZ** 33
Fourcade (R. A.)	**BY**	Marne (Av. de la)	**BZ** 25	St-Frai (R. Marie)	**BYZ** 34
Gambetta (Cours)	**AZ** 14	Michelet (R.)	**BZ** 26	Sède (R. de la)	**AY** 36
Gaulle (Pl. Gén.-de)	**AY** 15	Parmentier (Pl.)	**BZ** 28	Verdun (Pl. de)	**AYZ** 38

XXX **L'Ambroisie** (Daniel Labarrère)

48 r. Abbé Torné – ✆ 05 62 93 09 34 – www.restaurant-lambroisie.com
– lambroisie@wanadoo.fr – Fax 05 62 93 09 24 – Fermé 1er-11 mai, 1er-7 sept.,
22-30 déc., 2-11 janv., dim. et lundi   AY **n**
Rest – Menu (25 €), 35 € (sem.)/80 € – Carte 65/80 €
Spéc. Pavé de cabillaud au chorizo, Ossau-Iraty et haricots tarbais (fév. à août).
Grosse côte de veau rôtie et petits légumes au beurre (janv. à sept.). Mi-cuit-mi-cru
au chocolat noir. **Vins** Madiran, Jurançon.
♦ Une "nourriture divine" qui rime avec savoureuse et fine ! Cette maison de 1882
(ex-presbytère) abrite une belle salle à manger bourgeoise et une terrasse ouverte sur le
jardin.

X **Le Petit Gourmand**

62 av. B. Barère – ✆ 05 62 34 26 86 – Fax 05 62 34 26 86 – Fermé 2 sem. en août,
4-10 janv., sam. midi, dim. soir et lundi   AY **b**
Rest – Menu 19/30 € – Carte 19/30 €
♦ Accueil sympathique et intérieur chaleureux de style bistrot chic. Cuisine au goût du jour
à base de produits frais et jolie sélection de vins du Languedoc-Roussillon.

X **Le Fil à la Patte**

30 r. G. Lassalle – ✆ 05 62 93 39 23 – lefilalapatte@neuf.fr – Fax 05 62 93 39 23
– Fermé 18-29 août, sam. midi, dim. et lundi   AY **a**
Rest – Menu (15 €), 20 € bc/26 € – Carte environ 26 €
♦ Ici pas de chichi et les habitués l'ont bien compris ! L'ambiance est conviviale dans ce
restaurant où l'on s'attable au coude à coude autour de plats du terroir et du marché.

TARBES

L'Étoile
1 av. de la Marne – ✆ 05 62 93 09 30 – *Fermé 25 juil.-17 août, dim. et lundi*
Rest – Menu (15 €), 24/34 € – Carte 35/49 €

BZ t

♦ Quartier animé, intérieur bistrot, accueil charmant... et pour l'assiette, un chef passionné qui prépare une cuisine bien de son temps mêlant saveurs du sud, herbes et épices.

L'Isard
70 av. Mar.-Joffre – ✆ 05 62 93 06 69 – Fax 05 62 93 06 69 – *Fermé 24-31 août, 1er-8 janv., sam. midi, dim. soir et merc.*

AY m

Rest – Menu (13 €), 16 € (sem.)/28 € – Carte 39/50 €
♦ Cette adresse familiale sert des petits plats traditionnels ou gascons (confit, daube, etc.). Aux beaux jours, attablez-vous en terrasse, face au délicieux jardin potager.

rte de Lourdes par Juillan 4 km par ④ sur D 921ᴬ – ⊠ 65290 Juillan

L'Aragon avec ch
2 ter rte de Lourdes – ✆ 05 62 32 07 07 – www.hotel-aragon.com
– hotel-restaurant.laragon@wanadoo.fr – Fax 05 62 32 29 50 – *Fermé 1er-18 août, 2-18 janv. et dim. soir*
12 ch – †49 € ††58 €, ⊇ 7,50 €
Rest – *(fermé sam. midi et lundi)* Menu 35/58 € – Carte 53/69 €
Rest *Bistrot* – *(fermé sam. midi)* Menu (15 € bc), 20 € bc – Carte 24/41 €
♦ Recettes au goût du jour servies dans la salle à manger au cadre contemporain et soigné ou sur la terrasse ombragée. Chaque chambre propose un thème différent (rugby, golf, mer, vin, etc.). Au Bistrot : décor actuel, tables simplement dressées et plats régionaux.

rte de Pau 6 km par ⑤ – ⊠ 65420 Ibos

La Chaumière du Bois
D 817 – ✆ 05 62 90 03 51 – www.chaumieredubois.com – hotel@chaumieredubois.com – Fax 05 62 90 05 33
22 ch – †60 € ††74 €, ⊇ 10 € – ½ P 65 €
Rest – *(fermé 26 avril-5 mai, 30 août-8 sept., 20 déc.-12 janv., dim. soir sauf du 14 juil. au 20 août et lundi)* Menu (15 €), 20/30 € – Carte 33/47 €
♦ Ambiance champêtre dans cet hébergement de type motel coiffé de toits en chaume. Les chambres, fonctionnelles, donnent sur l'agréable jardin planté de palmiers et de pins parasols. Salle à manger en rotonde sous une haute charpente et terrasse dressée à l'ombre des arbres.

TARNAC – 19 Corrèze – 329 M1 – 327 h. – alt. 700 m – ⊠ 19170 25 **C2**
Limousin Berry

▶ Paris 434 – Aubusson 47 – Bourganeuf 44 – Limoges 68 – Tulle 62 – Ussel 45

Des Voyageurs
av. de la Mairie – ✆ 05 55 95 53 12 – www.hotel-voyageurs-correze.com
– voyageurstarnac@voila.fr – Fax 05 55 95 40 07 – *Fermé 29 juin-6 juil., 20 déc.-18 janv., 1er-9 mars, dim. soir et lundi (sauf hôtel en juil.-août)*
15 ch – †47 € ††50 €, ⊇ 9 € – ½ P 58 €
Rest – Menu 17 € (sem.), 26/31 € – Carte 24/44 €
♦ Au bord du plateau de Millevaches, sympathique hôtel de village hébergeant les voyageurs dans des chambres simples et fraîches. Petit-déjeuner soigné. Si le décor de la salle à manger joue la sobriété, la cuisine du terroir est quant à elle bien appétissante.

TASSIN-LA-DEMI-LUNE – 69 Rhône – 327 H5 – rattaché à Lyon

TAVEL – 30 Gard – 339 N4 – 1 688 h. – alt. 100 m – ⊠ 30126 23 **D2**
▶ Paris 673 – Avignon 15 – Alès 68 – Nîmes 41 – Orange 22

Les Chambres de Vincent
r. Grillons – ✆ 04 66 50 94 76 – www.chambres-de-vincent.com
– chambresdevincent@orange.fr – *Fermé 8 fév.-8 nov.*
5 ch ⊇ – †60/70 € ††70/80 € – ½ P 55 €
Table d'hôte – *(fermé mardi)* Menu 30/75 € bc
♦ Maison de village régionale abritant de petites chambres colorées et fonctionnelles. Essences de garrigue au jardin ; glycine et muscat ombragent la terrasse. La patronne avignonnaise prépare une bonne cuisine familiale (bouillabaisse sur commande).

TAVEL

Auberge de Tavel avec ch
Voie Romaine – ℰ *04 66 50 03 41 – www.auberge-de-tavel.com – info@auberge-de-tavel.com – Fax 04 66 50 24 44 – Fermé 15 fév.-15 mars*
11 ch – †87/97 € ††104/184 €
Rest – *(fermé merc.)* Menu 18 € bc (déj. en sem.), 27/72 € – Carte 45/70 €
♦ Sous les poutres d'une plaisante salle à manger rustique ou en terrasse, vous partirez à la découverte d'une cuisine actuelle explorant avec bonheur le terroir provençal. Chambres simples au mobilier campagnard. Préférez celles sur l'arrière, plus au calme.

TAVERS – 45 Loiret – **318** G5 – **rattaché à Beaugency**

TEILHÈDE – 63 Puy-de-Dôme – **326** F7 – 374 h. – alt. 500 m – ⊠ 63460 5 **B2**
▶ Paris 401 – Clermont-Ferrand 31 – Cournon-d'Auvergne 32 – Vichy 45

Château des Raynauds
2 km à l'Ouest par D 17 – ℰ *04 73 64 30 12 – www.chateau-raynauds.com – info@chateau-raynauds.com – Fax 04 73 64 30 12*
4 ch – †70 € ††85 €   **Table d'hôte** – Menu 38 € bc
♦ À deux pas des volcans, un château du 11e-12e s. reconverti fin 16e s. en relais de chasse : escalier à vis, cheminée, mobilier ancien et chambres dotées de grands lits. La table d'hôte de style Louis XIII propose une cuisine traditionnelle.

TENCE – 43 Haute-Loire – **331** H3 – 3 232 h. – alt. 840 m – ⊠ 43190 6 **D3**
▮ Lyon et la vallée du Rhône

▶ Paris 564 – Lamastre 38 – Le Puy-en-Velay 46 – St-Étienne 52 – Yssingeaux 19
ℹ Office de tourisme, place du Chatiague ℰ 04 71 59 81 99, Fax 04 71 59 83 50

Hostellerie Placide
av. de la Gare, rte d'Annonay – ℰ *04 71 59 82 76 – www.hostellerie-placide.fr – placide@hostellerie-placide.fr – Fax 04 71 65 44 46 – Fermé janv. à mars, dim. soir, lundi et mardi de sept. à juin*
12 ch – †75 € ††88/105 €, ⊇ 10 € – ½ P 70/90 €
Rest – *(Fermé lundi midi et mardi midi en juil.-août)* Menu (13 €), 32/63 € – Carte 40/60 €
♦ Cette demeure (1902) à façade végétale servit de relais de diligence. Chambres personnalisées et cosy : mobilier de style ou actuel, tons chauds. À table, décor bourgeois et carte au goût du jour sur base classico-traditionnelle. L'été, apéro au jardin.

"Les Prairies" sans rest
1 r. du Prè-Long – ℰ *04 71 56 35 80 – www.lesprairies.com – bourgeois40@gmail.com – Ouvert 15 avril-1^{er}nov.*
5 ch – †63 € ††71 €
♦ Ces chambres d'hôte occupent une demeure en pierre de 1850, nichée au sein d'un parc arboré. Leur décor est simple et de bon goût. L'hiver, sympathiques soirées autour de la cheminée.

TENCIN – 38 Isère – **333** I6 – 1 115 h. – alt. 257 m – ⊠ 38570 46 **F2**
▶ Paris 604 – Chambéry 38 – Grenoble 25 – Lyon 137
ℹ Syndicat d'initiative, route du Lac - Grangeneuve ℰ 04 76 13 00 00, Fax 04 76 45 71 92

La Tour des Sens
La Tour, 1 km rte de Theys – ℰ *04 76 04 79 67 – www.latourdessens.fr – contact@latourdessens.fr – Fax 04 76 04 79 67 – Fermé 5-13 avril, 1er-24 août, 25-28 oct., 20-27 déc., lundi midi, dim. et fériés*
Rest – Menu 22 € (déj. en sem.), 34/62 € – Carte 41/70 €
♦ De la terrasse du restaurant, vous pourrez contempler le massif de la Chartreuse. À l'intérieur, des touches de couleurs chaudes viennent égayer le mobilier contemporain en bois sombre. Recettes inventives.

TENDE – 06 Alpes-Maritimes – **341** G3 – 2 025 h. – alt. 815 m – ✉ 06430 41 **D2**
▌Côte d'Azur

- ▶ Paris 888 – Cuneo 47 – Menton 56 – Nice 78 – Sospel 38
- 🛈 Office de tourisme, avenue du 16 septembre 1947 ✆ 04 93 04 73 71, Fax 04 93 04 68 77
- 🏌 de Vievola Hameau de Vievola, N : 5 km par D 6204, ✆ 04 93 04 88 91
- ◉ Site★ - veille ville★ - Fresques★★★ de la chapelle Notre-Dame des fontaines★★ SE : 11 km.

L'Auberge Tendasque
🍴
65 av. 16-Septembre-1947 – ✆ 04 93 04 62 26 – Fax 04 93 04 68 34 VISA ⓂⒸ
Rest – *(déj. seult)* Menu 16/25 € – Carte 25/38 €

◆ Au pied du village médiéval, haute maison au toit de lauzes vous conviant à un repas régional dans un décor agreste frais. Joli plafond peint et aquarelles d'un artiste local.

à St-Dalmas-de-Tende 4 km au Sud par D 6204 – ✉ 06430

Le Prieuré ⌂
🏠
r. J. Médecin – ✆ 04 93 04 75 70 – www.leprieure.org – contact@leprieure.org
– Fax 04 93 04 71 58 – Fermé 25 déc.-1ᵉʳ janv.
24 ch – †43/59 € ††49/64 €, ⚌ 10 € – ½ P 46/56 €
Rest – Menu (15 €), 19/24 € – Carte 19/37 €

◆ Le hameau est célèbre pour sa gare monumentale bâtie sur les ordres de Mussolini. Cet ancien prieuré, qui accueille un ESAT, abrite des chambres simples et rustiques. Plats traditionnels servis dans une salle voûtée ou en terrasse, sous la treille.

à la Brigue 6,5 km au Sud-Est par D 6204 et D 43 – 630 h. – alt. 810 m – ✉ 06430

- 🛈 Office de tourisme, 26, avenue du Général de Gaulle ✆ 04 93 79 09 34, Fax 04 93 79 09 34
- ◉ Collégiale St-Martin★.

Mirval ⌂
🏠
3 r. Ferrier – ✆ 04 93 04 63 71 – www.lemirval.com – lemirval@club-internet.fr
– Fax 04 93 04 79 81 – Ouvert 1ᵉʳ avril-2 nov.
18 ch – †45/49 € ††45/75 €, ⚌ 8,50 € – ½ P 48/62 €
Rest – *(fermé vend. midi)* Menu (18 €), 22/24 €

◆ Un joli pont de pierres enjambant une rivière poissonneuse donne accès à cette accueillante auberge de montagne (19ᵉ s.). Chambres fonctionnelles nettes ; patron randonneur. Salle à manger contemporaine et véranda tournées vers les sommets ; cuisine régionale simple.

TERGNIER – 02 Aisne – **306** B5 – 14 500 h. – alt. 55 m – ✉ 02700 37 **C2**

- ▶ Paris 136 – Compiègne 54 – Saint-Quentin 27 – Amiens 99 – Laon 29 – Soissons 37

La Mandoline
🍴
45 pl. Herment – ✆ 03 23 57 08 71 – www.lamandoline.fr – Fax 03 23 57 08 71 VISA ⓂⒸ
– Fermé le soir du dim. au jeudi
Rest – Menu (12 €), 25/45 € – Carte 28/64 €

◆ À la belle saison, la devanture fleurie permet de repérer ce restaurant ouvert à proximité du centre-ville. Recettes traditionnelles dans l'assiette.

TERMES – 48 Lozère – **330** H6 – 202 h. – alt. 1 120 m – ✉ 48310 22 **B1**

- ▶ Paris 545 – Aurillac 112 – Chaudes-Aigues 19 – Mende 56 – St-Flour 41

Auberge du Verdy
🏠
– ✆ 04 66 31 60 97 – Ouvert 2 avril-19 déc.
8 ch – †39,45 € ††39,45 €, ⚌ 6 € – ½ P 40 €
Rest – Menu 12 € (sem.)/25 € – Carte 25/33 €

◆ Grosse maison de pays des années 1990 située au pied du village. Chambres basiques assez amples et aire de jeux pour les petits. Restaurant réchauffé en hiver par une cheminée typiquement lozérienne ; viandes grillées à la pierrade et spécialités régionales.

TERRASSON-LAVILLEDIEU – 24 Dordogne – 329 I5 – 6 336 h. 4 D1
– alt. 90 m – ⊠ 24120 ▊ Périgord

▶ Paris 497 – Brive-la-Gaillarde 22 – Lanouaille 44 – Périgueux 53
– Sarlat-la-Canéda 32

🛈 Office de tourisme, Rue Jean Rouby ✆ 05 53 50 86 82, Fax 05 53 50 55 61

◉ Les jardins de l'imaginaire ★.

XXX **L'Imaginaire** (Eric Samson) avec ch
✿ pl. du Foirail, (direction église St-Sour) – ✆ 05 53 51 37 27 – www.l-imaginaire.
com – limaginaire@club-internet.fr – Fax 05 53 51 60 37 – Fermé 3-11 mars,
10 nov.-4 déc., 5-16 janv., mardi midi et dim. soir de sept. à avril et lundi
7 ch – ✝85/115 € ✝✝85/149 €, ⊇ 12 € – ½ P 97/128 €
Rest – Menu (27 €), 43/69 € – Carte environ 43 €
Spéc. Grillade de foie gras acidulée au fruit de la passion (mai à sept.). Esturgeon
laqué au vin de noix, écume de fleur d'oranger (avril à sept.). Fine gelée de rhum
agricole et marmelade d'ananas aux épices. **Vins** Bergerac rouge et blanc.
♦ Plaisirs des yeux et du palais rivalisent dans la salle à manger voûtée, ex-hospice du 17ᵉ s.
Mise en place élégante et cuisine au goût du jour soignée. Les belles chambres déclinent
des tons reposants, allant de l'écru au beige, et offrent un confort moderne.

TERRAUBE – 32 Gers – 336 F6 – 389 h. – alt. 150 m – ⊠ 32700 28 B2

▶ Paris 721 – Toulouse 114 – Auch 43 – Agen 48 – Castelsarrasin 63

⌂ **Maison Ardure**
2 km par D 42 rte de Lecteure – ✆ 05 62 68 59 56 – www.ardure.fr – reservations@
ardure.fr – Fax 05 62 68 97 61 – Fermé 20-30 juin et 12 nov.-24 avril sauf vacances
de Noël
5 ch ⊇ – ✝75/85 € ✝✝80/100 € **Table d'hôte** – Menu 30 € bc
♦ Superbe manoir gascon du 17ᵉ s. entouré d'un joli parc planté d'arbres fruitiers. Chambres
décorées avec goût selon des thèmes régionaux ou voyageurs. Beaux espaces de
détente. Le soir, découvrez à la table d'hôte une cuisine créative inspirée du terroir.

TERTENOZ – 74 Haute-Savoie – 328 K6 – rattaché à Faverges

TÉTEGHEM – 59 Nord – 302 C1 – rattaché à Dunkerque

TEYSSODE – 81 Tarn – 338 D9 – 346 h. – alt. 270 m – ⊠ 81220 29 C2

▶ Paris 699 – Albi 54 – Castres 27 – Toulouse 51

⌂ **Domaine d'En Naudet** sans rest
D 43 – ✆ 05 63 70 50 59 – www.domainenaudet.com
– contact@domainenaudet.com
5 ch ⊇ – ✝78/85 € ✝✝89 €
♦ Cette demeure de caractère perchée sur une colline domine la campagne et jouit d'une
grande tranquillité. Belles chambres rustiques chic, salle de sport, joli jardin. Accueil
charmant.

THANN – 68 Haut-Rhin – 315 G10 – 8 033 h. – alt. 343 m – ⊠ 68800 1 A3
▊ Alsace Lorraine

▶ Paris 464 – Belfort 42 – Colmar 44 – Épinal 87 – Guebwiller 22 – Mulhouse 21

🛈 Office de tourisme, 7, rue de la 1ère Armée ✆ 03 89 37 96 20,
Fax 03 89 37 04 58

◉ Collégiale St-Thiébaut ★★ - Grand Ballon ※★★★ N : 19 km.

🏨 **Le Parc**
23 r. Kléber – ✆ 03 89 37 37 47 – www.alsacehotel.com – reception@
alsacehotel.com – Fax 03 89 37 56 23 – Fermé 4-31 janv.
21 ch – ✝69/149 € ✝✝79/189 €, ⊇ 16 €
Rest – (fermé merc. midi et jeudi midi) Menu (25 €), 28 € (déj. en sem.)/39 €
– Carte 50/65 €
♦ Dans un parc arboré, cette belle maison bourgeoise du début du 20ᵉ s. a des allures de
petit palais : salon noble et raffiné, chambres actuelles aux détails baroques. Piscine.
Lumineuse salle à manger, paisible terrasse d'été et cuisine traditionnelle.

THANN

Le Moschenross
42 r. Gén. de Gaulle – ℰ *03 89 37 00 86 – www.moschenross.fr – info@moschenross.fr – Fax 03 89 37 52 81 – Fermé 17-30 août*
23 ch – †35/48 € ††40/58 €, ⊑ 7 € – ½ P 38/48 €
Rest – *(fermé sam. midi et dim. soir)* Menu (9 €), 17/47 € – Carte 29/60 €
♦ Dominé par le fameux vignoble de Rangen, cet hôtel central à la pimpante façade rouge brique dispose de chambres actuelles. Les plus calmes donnent sur l'arrière. Spacieuse salle à manger, claire et agréable. Cuisine dans l'air du temps et sans prétention.

Aux Sapins
3 r. Jeanne d'Arc – ℰ *03 89 37 10 96 – www.auxsapinshotel.fr – aux.sapins.hotel@free.fr – Fax 03 89 37 23 83 – Fermé 24 déc.-3 janv.*
17 ch – †42 € ††52 €, ⊑ 7 € – ½ P 55 €
Rest – *(fermé 1er-16 août, 24 déc.-3 janv. et sam.)* Menu (12 €), 18/35 € – Carte 25/45 €
♦ Quelques sapins ombragent cette bâtisse des années 1980, légèrement excentrée. Accueil soigné et chambres personnalisées aux tons pastel. Vous goûterez une cuisine traditionnelle dans un cadre contemporain ou dans un coquet bistrot façon winstub.

THANNENKIRCH – 68 Haut-Rhin – 315 H7 – 501 h. – alt. 520 m — 2 C2
– ✉ 68590 ▌Alsace Lorraine
▶ Paris 436 – Colmar 25 – St-Dié 40 – Sélestat 17
◉ Route ★ de Schaentzel (D 48¹) N : 3 km.

Auberge La Meunière
30 r. Ste Anne – ℰ *03 89 73 10 47 – www.aubergelameuniere.com – info@aubergelameuniere.com – Fax 03 89 73 12 31 – Ouvert 16 mars-22 déc.*
25 ch – †59 € ††60/110 €, ⊑ 8 € – ½ P 49/78 €
Rest – Menu (14 €), 18 € (sem.)/38 € – Carte 30/47 €
♦ Les styles rustique et contemporain se marient bien dans cette ravissante auberge. Les chambres, spacieuses et souvent dotées d'un balcon, offrent de belles échappées sur la campagne. Chaleureuse salle à manger, terrasse panoramique et carte saisonnière à l'accent régional.

Touring-Hôtel
2 rte du Haut Koenigsbourg – ℰ *03 89 73 10 01 – www.touringhotel.com – touringhotel@free.fr – Fax 03 89 73 11 79 – Fermé 4 janv.-1er mars*
45 ch – †59/108 € ††59/139 €, ⊑ 10 €
Rest – Menu 19/40 € – Carte 22/49 €
♦ Grand hôtel familial blotti dans le village, au pied du massif du Taennchel. Chambres à l'alsacienne, très coquettes. Espace wellness. Buffet campagnard au petit-déjeuner. À table, on privilégie recettes et vins régionaux.

THARON-PLAGE – 44 Loire-Atlantique – 316 C5 – ✉ 44730 — 34 A2
▶ Paris 437 – Challans 53 – Nantes 57 – St-Nazaire 24

Le Belem
56 av. Convention – ℰ *02 40 64 90 06 – www.restaurant-le-belem.com – loirat-thierry@wanadoo.fr – Fax 02 40 39 43 14 – Fermé 2 janv.-6 fév., dim. soir hors saison et lundi*
Rest – Menu (18 € bc), 25/48 € – Carte 35/49 €
♦ À deux pas de la plage, restaurant à la décoration des années 1980, égayée de plantes vertes et d'une fresque figurant le Belem. Le chef propose une bonne cuisine actuelle.

LE THEIL – 15 Cantal – 330 C4 – rattaché à Salers

Les bonnes adresses à petit prix ?
Suivez les Bibs : Bib Gourmand rouge ⊕ pour les tables
et Bib Hôtel bleu 🏠 pour les chambres.

LE THEIL – 03 Allier – 326 F4 – 404 h. – alt. 450 m – ⊠ 03240   5 B1

▶ Paris 343 – Clermont-Ferrand 92 – Montluçon 46 – Vichy 43

Château du Max
2 km au Nord-Ouest par D 129 – ℰ 04 70 42 35 23 – www.chateaudumax.com – chateaudumax@club-internet.fr – Fax 04 70 42 34 90
3 ch – †60 € ††70/90 € – ½ P 80 €   **Table d'hôte** – Menu 25 € bc/30 € bc
♦ Château des 13ᵉ et 15ᵉ s. entouré de douves. Les chambres et les suites ont été aménagées avec goût par la propriétaire, ancienne décoratrice de théâtre. À table, plats du terroir servis dans un cadre médiéval de toute beauté.

THÉNAC – 17 Charente-Maritime – 329 D7 – rattaché à Saintes

THENAY – 36 Indre – 323 E7 – 873 h. – alt. 120 m – ⊠ 36800   11 B3

▶ Paris 299 – Châteauroux 33 – Limoges 104 – Le Blanc 30 – La Châtre 49

Auberge de Thenay
23 r. R. d'Helbingue – ℰ 02 54 47 99 00 – www.auberge-de-thenay.fr – orain.pascal@wanadoo.fr – Fermé 1ᵉʳ-9 sept., 19-31 janv., dim. soir et lundi
Rest – *(nombre de couverts limité, prévenir)* Menu (13 € bc), 23/30 €
♦ Menus composés autour d'une viande rôtie à la broche et beau choix de vins. Le propriétaire organise régulièrement des soirées irlandaises et écossaises (carte de whiskies).

THÉOULE-SUR-MER – 06 Alpes-Maritimes – 341 C6 – 1 296 h.   42 E2
– ⊠ 06590 ▮ Côte d'Azur

▶ Paris 895 – Cannes 11 – Draguignan 58 – Nice 42 – St-Raphaël 30
▸ Office de tourisme, 1, corniche d'Or ℰ 04 93 49 28 28, Fax 04 93 49 00 04
◉ Massif de l'Estérel ★★★.

à Miramar 5 km par D 6098 - rte de St-Raphaël – ⊠ 06590 Théoule-sur-Mer
▮ Côte d'Azur

◉ Pointe de l'Esquilon ≤★★ NE : 1 km puis 15 mn.

Miramar Beach
47 av. Miramar – ℰ 04 93 75 05 05
– www.mbhriviera.com – reception@mbhotel.com – Fax 04 93 75 44 83
55 ch – †155/355 € ††155/355 €, ⊇ 19 € – 1 suite – ½ P 137/237 €
Rest *L'Étoile des Mers* – Menu 39 € (déj.), 49/89 € – Carte 72/111 €
♦ Le charme de cet établissement tient à sa superbe situation au creux d'une calanque de roches rouges. Chambres provençales raffinées et magnifique spa décoré à l'orientale. Restaurant panoramique et service en terrasse l'été.

au port de la Rague

Riviera beach hôtel sans rest
Port de la Rague – ℰ 04 92 97 11 99 – beachaffaires@orange.fr – beachaffaires@orange.fr – Fax 04 92 97 12 10 – Fermé 1ᵉʳ déc.-15 janv.
9 ch ⊇ – †128/228 € ††168/260 €
♦ Au port, chambres cossues à touches nautiques dont les balcons, orientés plein sud, offrent une superbe vue balnéaire. Piscine et jacuzzi sur le toit, bar design, plage à deux pas.

THÉRONDELS – 12 Aveyron – 338 I1 – 486 h. – alt. 965 m – ⊠ 12600   29 D1

▶ Paris 561 – Aurillac 44 – Chaudes-Aigues 48 – Murat 43 – Rodez 88
– St-Flour 49

Miquel
le bourg – ℰ 05 65 66 02 72 – www.hotel-miquel.com – hotel-miquel@wanadoo.fr – Fax 05 65 66 19 84 – Ouvert 16 mars-14 déc.
15 ch – †55/65 € ††65/85 €, ⊇ 8 €
Rest – *(fermé dim. soir et lundi)* Menu 12 € bc (déj. en sem.), 25/36 €
♦ Bâtisse du début du 20ᵉ s. tenue par la même famille depuis trois générations. Chambres bien rénovées donnant sur le jardin et sa piscine ou sur la place du village. Chaleureux restaurant complété par une terrasse sous tonnelle. Cuisine à l'accent aveyronnais.

THIAIS – 94 Val-de-Marne – **312** D3 – **101** 26 – rattaché à Paris, Environs

THIERS – 63 Puy-de-Dôme – **326** I7 – 12 400 h. – alt. 420 m — 6 **C2**
– ⊠ 63300 ▮ Auvergne

▶ Paris 388 – Clermont-Ferrand 43 – Lyon 133 – St-Étienne 108 – Vichy 36

🛈 Office de tourisme, maison du Pirou ℘ 04 73 80 65 65, Fax 04 73 80 01 32

◉ Site★★ - Le Vieux Thiers★ : Maison du Pirou★ **N** - Terrasse du Rempart ※★ - Rocher de Borbes ≤★ S : 3,5 km par D 102.

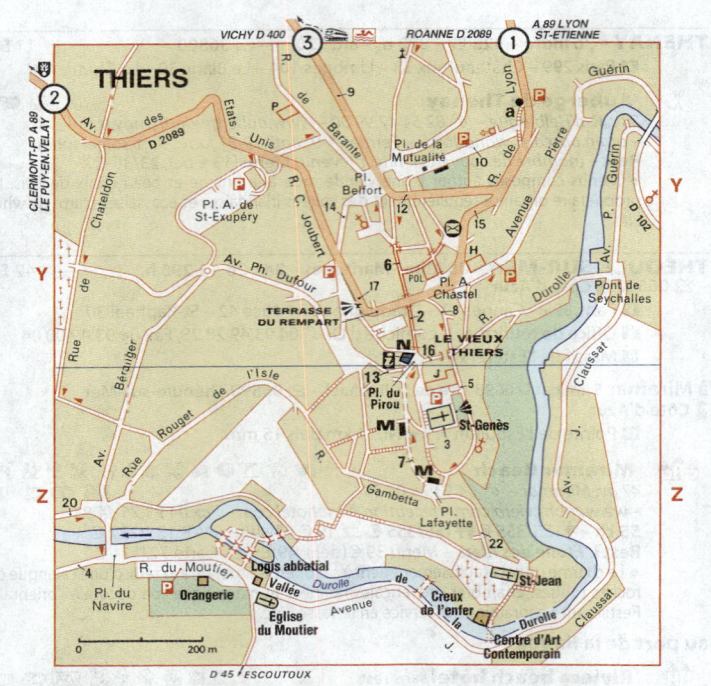

Bourg (R. du) .... **Y** 2	Dr-Dumas (R. des) .... **Y** 9	Mitterrand (R. F.) .... **Y** 15
Brugière (Imp. Jean) .... **Z** 3	Duchasseint (Pl.) .... **Y** 10	Pirou (R. du) .... **Y** 16
Chabot (R. M.) .... **Z** 5	Dumas (R. Alexandre) ...... **Y** 8	Terrasse (R.) .... **Y** 17
Clermont (R. de) .... **Z** 4	Grammonts (R. des) .... **Y** 12	Voltaire (Av.) .... **Z** 20
Conchette (R.) .... **Y** 6	Grenette (R.) .... **Z** 13	4-Septembre
Coutellerie (R. de la) .... **Z** 7	Marilhat (R. Prosper) .... **Y** 14	(R. du) .... **Z** 22

🏠 **L'Aigle d'Or**   📶 📶 VISA ⓂⒸ
  8 r. de Lyon – ℘ 04 73 80 00 50
∽ – www.aigle-dor.com – aigle.dor@wanadoo.fr – Fax 04 73 80 17 00
  – Fermé 13-26 avril, 25 oct.-17 nov., lundi midi, sam. midi
  et dim.   **Y a**
  18 ch – ♦48 € ♦♦58 €, ⊇ 7 €
  Rest – Menu (13 €), 17/26 € – Carte 29/40 €
  ♦ Cet établissement fondé en 1836 abrite un confortable salon feutré et des chambres bien insonorisées. Cadre du 19ᵉ s. et meubles rustiques dans la salle de restaurant où l'on propose une cuisine traditionnelle.

1852

THIERS

à Pont-de-Dore 6 km par ② par D 2089 – ⊠ 63920 Peschadoires

Eliotel
rte de Maringues – ℰ 04 73 80 10 14 – www.eliotel.fr – contact@eliotel.fr
– Fax 04 73 80 51 02 – Fermé 4-15 août et 21 déc.-11 janv.
12 ch – †55/76 € ††55/76 €, ⊇ 8 € – ½ P 60/68 €
Rest – Menu (17 €), 19 € bc (sem.)/55 – Carte 34/57 €
♦ Un établissement sympathique tenu par un passionné de coutellerie thiernoise (vitrine de présentation et site Internet). Chambres de bonne ampleur, demandez les plus récentes. Le chef, originaire d'Armorique, mitonne recettes auvergnates et spécialités bretonnes.

THIÉZAC – 15 Cantal – **330** E4 – 600 h. – alt. 805 m – ⊠ 15800   5 **B3**
Auvergne

▶ Paris 542 – Aurillac 26 – Murat 23 – Vic-sur-Cère 7
ℹ Office de tourisme, le Bourg ℰ 04 71 47 03 50, Fax 04 71 47 03 83
◉ Pas de Compaing★ NE : 3 km.

L'Elancèze
le bourg – ℰ 04 71 47 00 22 – www.elanceze.com – info@elanceze.com
– Fax 04 71 47 02 08 – Fermé 2 nov.-22 déc.
31 ch – †56 € ††57 €, ⊇ 8 € – **Rest** – Menu (12 €), 18/35 € – Carte 19/39 €
♦ Adresse familiale située au cœur d'un bourg auvergnat. Le bâtiment principal abrite des chambres fonctionnelles, parfois dotées d'un balcon. Belle perspective sur les toits du village depuis la salle à manger où l'on sert des plats du terroir.

Belle Vallée
10 ch – †47/48 € ††47/48 €, ⊇ 10 € – ½ P 45/46 €
♦ À quelques mètres de l'établissement principal, cette annexe bâtie en 1957 dispose de chambres plus simples, mais bien tenues.

Le Casteltinet
Grand-Rue – ℰ 04 71 47 00 60 – www.casteltinet.com – lecasteltinet@orange.fr
– Fax 04 71 47 04 08 – Fermé nov.
23 ch – †48 € ††48 €, ⊇ 9 € – ½ P 47 €
Rest – (fermé mardi midi, dim. soir et lundi) Menu 14 € (sem.)/59 € – Carte 40/70 €
♦ Voici une maison récente bâtie selon le style local : les chambres – fonctionnelles – avec loggia offrent une vue imprenable sur les monts du Cantal. Cuisine traditionnelle mâtinée de touches régionales à déguster dans un cadre sobre ou sur une terrasse verdoyante.

LE THILLOT – 88 Vosges – **314** I5 – 3 745 h. – alt. 495 m – ⊠ 88160   27 **C3**
Alsace Lorraine

▶ Paris 434 – Belfort 46 – Colmar 72 – Épinal 49 – Mulhouse 57 – St-Dié 59
– Vesoul 64
ℹ Office de tourisme, 11, avenue de Verdun ℰ 03 29 25 28 61,
Fax 03 29 25 38 39

au Ménil 3,5 km au Nord-Est par D 486 – 1 181 h. – alt. 524 m – ⊠ 88160

Les Sapins
60 Gde Rue – ℰ 03 29 25 02 46 – www.hotel-les-sapins.fr – les.sapins@voila.fr
– Fax 03 29 25 80 23 – Fermé 23 juin-6 juil., 21 nov.-17 déc., dim. soir et lundi midi
22 ch – †47 € ††54 €, ⊇ 9 € – ½ P 56 €
Rest – Menu 14 € (déj. en sem.), 22/46 € – Carte 30/50 €
♦ L'architecture originale, l'aménagement des chambres – romantiques ou exotiques –, le bon accueil et la vente de confitures artisanales font l'attrait du lieu. Le restaurant propose une cuisine au goût du jour dans un cadre profitant d'exposition de tableaux.

THIONVILLE – 57 Moselle – **307** I2 – 41 600 h. – Agglo. 130 480 h.   26 **B1**
– alt. 155 m – ⊠ 57100 **Alsace Lorraine**

▶ Paris 339 – Luxembourg 32 – Metz 30 – Nancy 84 – Trier 77 – Verdun 88
ℹ Office de tourisme, 16, rue du vieux collège ℰ 03 82 53 33 18,
Fax 03 82 53 15 55
◉ Château de la Grange★.

THIONVILLE

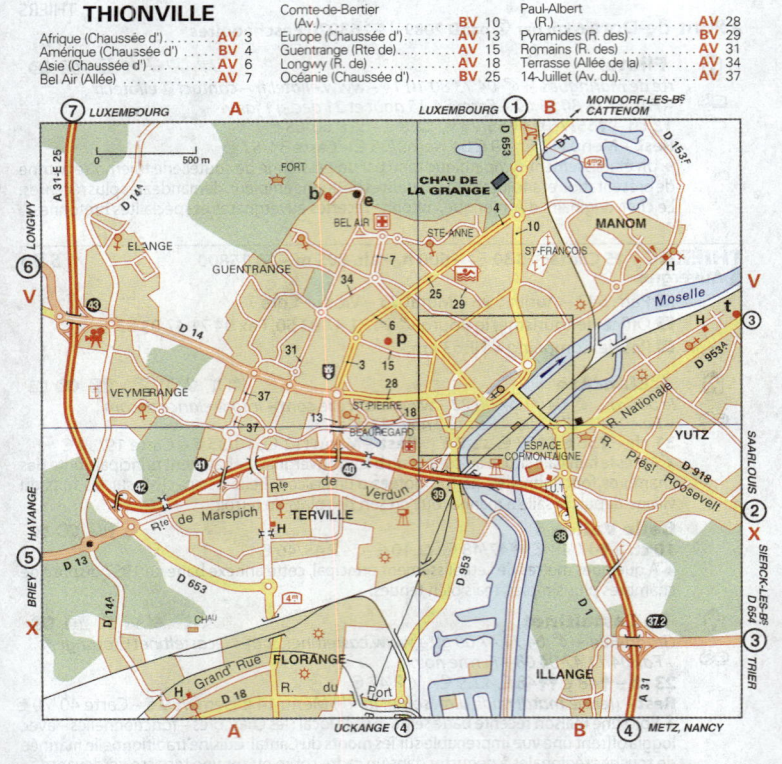

Afrique (Chaussée d').... **AV** 3	Comte-de-Bertier (Av.).... **BV** 10	Paul-Albert (R.).... **AV** 28
Amérique (Chaussée d').... **BV** 4	Europe (Chaussée d').... **AV** 13	Pyramides (R. des).... **BV** 29
Asie (Chaussée d').... **AV** 6	Guentrange (Rte de).... **AV** 15	Romains (R. des).... **AV** 31
Bel Air (Allée).... **AV** 7	Longwy (R. de).... **AV** 18	Terrasse (Allée de la).... **AV** 34
	Océanie (Chaussée d').... **BV** 25	14-Juillet (Av. du).... **AV** 37

🏠 **Des Oliviers** sans rest
1 r. Four Banal – ✆ *03 82 53 70 27 – www.hoteldesoliviers.com – contact@hoteldesoliviers.com – Fax 03 82 53 23 34 – Fermé 23 déc.-3 janv.*
26 ch – †55 € ††57 €, ⟠ 7 €   **DY n**

♦ Petit hôtel familial situé dans une rue piétonne du centre. Chambres peu spacieuses mais fonctionnelles, à la tenue irréprochable. L'été, petit-déjeuner en terrasse.

🏠 **Du Parc** sans rest
10 pl. de la République – ✆ *03 82 82 80 80 – www.hoteldu-parc.com – contact@hoteldu-parc.com – Fax 03 82 82 71 82*   **CZ a**
41 ch – †55/70 € ††55/70 €, ⟠ 9 €

♦ Proche du centre-ville, immeuble du début du 20ᵉ s. tourné vers un petit parc public. Les chambres, pratiques et toutes semblables, se répartissent sur six étages.

XXX **Aux Poulbots Gourmets**
9 pl. aux Fleurs – ✆ *03 82 88 10 91 – www.poulbotsgourmets.com*
– philippe.ardizzoia@orange.fr – Fax 03 82 88 42 76 – Fermé 14-21 avril, 27 juil.-16 août, 1ᵉʳ-15 janv., sam. midi, dim. soir, merc. soir et lundi   **AV p**
Rest – Menu 40/65 € – Carte 40/76 €

♦ La réputation de cette table d'inspiration classique n'est plus à faire. Grandes baies vitrées, chaises Lloyd Loom et lustres modernes participent au charme contemporain du lieu.

X **Au Petit Chez Soi**
23 r. du Luxembourg – ✆ *03 82 53 62 96 – Fermé 31 juil.-22 août, 28 déc.-8 janv., merc. soir, dim. et lundi*   **DY**
Rest – Menu (19 €), 23 € (déj.)/39 € – Carte 61/72 €

♦ Sympathique petit restaurant d'allure bistrot, installé dans une maison ancienne (18ᵉ s.) du centre piétonnier. Cuisine traditionnelle et boutique-traiteur juste en face.

THIONVILLE

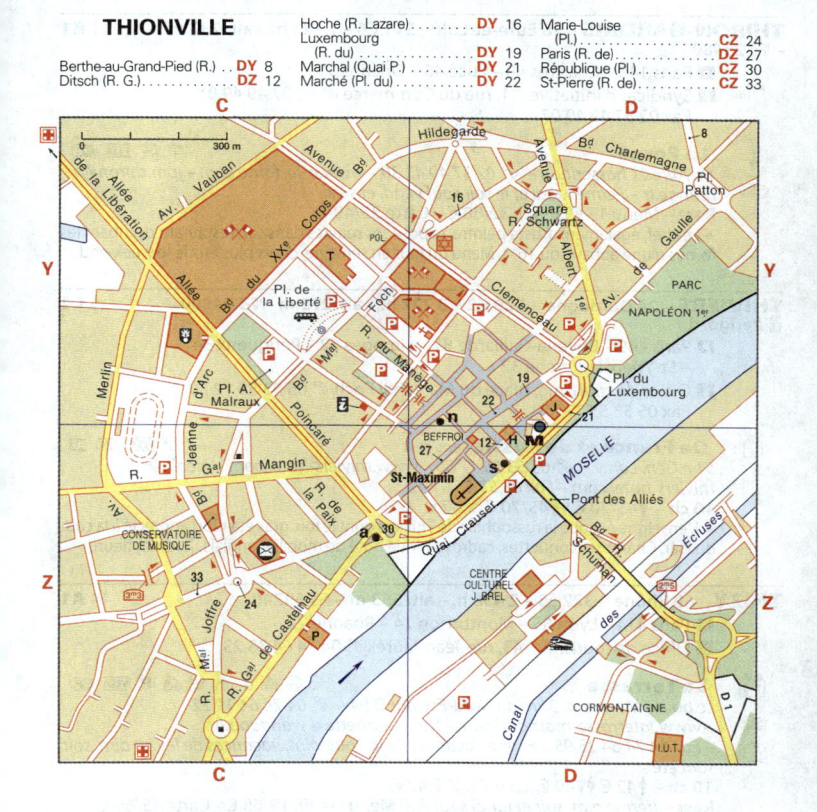

Berthe-au-Grand-Pied (R.) . . **DY** 8	Hoche (R. Lazare) . . . . **DY** 16	Marie-Louise
Ditsch (R. G.) . . . . **DZ** 12	Luxembourg (R. du) . . . . **DY** 19	(Pl.) . . . . **CZ** 24
	Marchal (Quai P.) . . . . **DY** 21	Paris (R. de) . . . . **DZ** 27
	Marché (Pl. du) . . . . **DY** 22	République (Pl.) . . . . **CZ** 30
		St-Pierre (R. de) . . . . **CZ** 33

au Crève-Cœur – ✉ 57100 Thionville

🏠 **L'Horizon** ⇐ 🚗 🍴 📶 ♿ **P** *VISA* **MC AE ①**
50 rte du Crève Coeur – ✆ *03 82 88 53 65* – *www.lhorizon.fr*
– hotel@lhorizon.fr – Fax 03 82 34 55 84 – Fermé 20 déc.-20 janv. et dim. soir de nov. à mars
AV e
13 ch – †98/164 € ††164 €, ⊆ 14 € – ½ P 142/170 €
Rest *– (fermé dim. soir de nov. à mars, lundi midi, mardi midi, vend. midi et sam. midi)* Menu 41/56 € – Carte 51/61 €
◆ Belle demeure tapissée de vigne vierge et entourée de jardins fleuris. Ambiance feutrée, chambres soignées, salons raffinés et bar panoramique. Table classique par sa cuisine et son décor. Tapisserie d'Aubusson en salle ; belle vue dominant la ville.

✕✕ **Auberge du Crève-Cœur** ⇐ 🍴 **P** *VISA* **MC AE**
9 Le Crève-Coeur – ✆ *03 82 88 50 52 – www.aubergeducrevecoeur.com*
– aubergeducrevecoeur@wanadoo.fr – Fax 03 82 34 89 06 – Fermé dim. soir, lundi soir, mardi soir et merc. soir
AV b
Rest – Menu 34/52 € – Carte 46/70 €
◆ La même famille tient cette auberge depuis 1899. Décor vigneron (tapisseries, tonneaux, pressoir géant du 18ᵉ s.), généreuse cuisine du terroir et terrasse dominant Thionville.

> **Petit-déjeuner compris ?**
> **La tasse ⊆ suit directement le nombre de chambres.**

1855

THIRON-GARDAIS – 28 Eure-et-Loir – **311** C6 – 1 121 h. – alt. 237 m — 11 **B1**
– ✉ 28480

- ▶ Paris 148 – Chartres 48 – Lucé 46 – Orléans 95
- 🛈 Syndicat d'initiative, 11, rue du Commerce ✆ 02 37 49 49 01, Fax 02 37 49 49 07

La Forge
1 r. Alfred Chasseriaud – ✆ 02 37 49 42 30 – www.a-la-forge.com – jpm.thiron@orange.fr – *Fermé lundi et le soir sauf vend. et sam.*
Rest – Menu 13 € (sem.), 32/88 € – Carte 35/49 €
◆ Le chef, également artiste peintre, expose ses œuvres dans son restaurant occupant les forges d'une abbaye du 16ᵉ s. Menu du jour en semaine, choix plus étoffé le week-end.

THIVIERS – 24 Dordogne – **329** G3 – 3 227 h. – alt. 273 m – ✉ 24800 — 4 **C1**
Périgord

- ▶ Paris 449 – Brive-la-Gaillarde 81 – Limoges 62 – Périgueux 34 – St-Yrieix-la-Perche 32
- 🛈 Office de tourisme, place du Maréchal Foch ✆ 05 53 55 12 50, Fax 05 53 55 12 50

De France et de Russie sans rest
51 r. Gén. Lamy – ✆ 05 53 55 17 80 – www.thiviers-hotel.com – nicola@thiviers-hotel.com – Fax 05 53 55 01 42
10 ch – †45/70 € ††45/70 €, ⊇ 7 €
◆ L'enseigne évoque la russophilie de Thiviers dont le foie gras était fort apprécié à la cour du tsar. Chambres coquettes, cadre rustique doté de mobilier anglais. Jardinet fleuri.

THIZY – 69 Rhône – **327** E3 – 2 456 h. – alt. 553 m – ✉ 69240 — 44 **A1**

- ▶ Paris 414 – Lyon 65 – Montbrison 74 – Roanne 22
- 🛈 Office de tourisme, r.43, rue Jean Jaurès ✆ 04 74 64 35 23

La Terrasse
Le bourg Marnand, 2 km au Nord-Est par D 94 – ✆ 04 74 64 19 22
– www.laterrasse-marnand.com – francis.arnette@wanadoo.fr
– Fax 04 74 64 25 95 – *Fermé vacances de la Toussaint, vacances de fév. et dim. soir sauf été*
10 ch – †42 € ††49 €, ⊇ 6 € – ½ P 47 €
Rest – *(fermé dim. soir et lundi sauf été)* Menu (14 €), 19/65 € – Carte 45/65 €
◆ Ancienne usine textile convertie en hôtel. Les jolies chambres, ouvertes sur le jardin, portent le nom de plantes aromatiques et sont décorées – même parfumées – sur ce thème. Salles à manger actuelles et belle terrasse tournée vers les monts du Lyonnais.

THOIRY – 01 Ain – **328** I3 – 4 063 h. – alt. 500 m – ✉ 01710 — 45 **C1**

- ▶ Paris 523 – Bellegarde-sur-Valserine 27 – Bourg-en-Bresse 99 – Gex 13

Holiday Inn
av. Mont-Blanc – ✆ 04 50 99 19 99 – www.holidayinn-geneve.com – hi.geneve@wanadoo.fr – Fax 04 50 42 27 40
95 ch – †95/300 € ††95/300 €, ⊇ 14 €
Rest – *(fermé sam. midi et dim. midi)* Menu (17 €), 25 € (dîner)/30 € – Carte 29/47 €
◆ Jouxtant la frontière suisse et l'aéroport de Genève, cet hôtel (un peu daté dans son décor mais bien tenu) constitue une bonne étape pour la clientèle d'affaires internationale. Confortable salle à manger en bois clair ; formules rapides et buffets, semaines à thèmes.

Les Cépages (Jean-Pierre Delesderrier)
465 r. Briand Stresemann – ✆ 04 50 20 83 85 – www.lescepages.com
– Fax 04 50 41 24 58 – *Fermé en mars, en oct., dim. soir, lundi et mardi*
Rest – *(prévenir)* Menu 30 € (déj. en sem.), 48/98 € – Carte 70/120 €
Spéc. Foie gras de canard. Homard aux arômes d'Asie. Palette des petits desserts.
Vins Bugey Pinot gris, Bugey Manicle.
◆ Plats classiques soignés à déguster dans une élégante salle contemporaine ou sur la terrasse, face au jardin fleuri, et à escorter d'un cru choisi sur la belle carte des vins.

THOLLON-LES-MÉMISES – 74 Haute-Savoie – 328 N2 – 691 h. — 46 F1
– alt. 920 m – Sports d'hiver : 1 000/2 000 m ⤒1 ⛷18 ⛷ – ⊠ 74500
Alpes du Nord

▶ Paris 588 – Annecy 95 – Évian-les-Bains 11 – Thonon-les-Bains 21
🛈 Office de tourisme, station ℰ 04 50 70 90 01, Fax 04 50 70 92 80
◉ Pic de Mémise ✳★★ 30 mn.

⌂ **Bellevue** ≤ 🛋 🏡 ▧ 🛉 🛜 P VISA ⓶ Æ ⓪
Le Nouy – ℰ *04 50 70 92 79 – www.hotelbellevue.fr – hotelbellevuethollon@wanadoo.fr – Fax 04 50 70 97 63 – Ouvert 1ᵉʳ mai-fin sept. et mi-déc.-30 mars*
35 ch – †50 € ††61/105 €, ⌧ 9 € – ½ P 53/59 €
Rest – *(fermé jeudi hors saison)* Menu 21/34 € – Carte 28/52 €
◆ Imposant chalet situé sur les hauteurs du "balcon du Léman". Chambres fonctionnelles bien tenues ; certaines sont prévues pour les familles. Sauna et jacuzzi. La terrasse du restaurant savoyard ménage une belle vue sur le village ; cuisine traditionnelle.

THONES – 74 Haute-Savoie – 328 K5 – 5 795 h. – alt. 650 m – ⊠ 74230 — 46 F1
Alpes du Nord

▶ Paris 560 – Lyon 171 – Annecy 21 – Genève 59 – Chambéry 73
🛈 Office de tourisme, place Avet ℰ 04 50 02 00 26,
Fax 04 50 02 11 87

⌂ **Le Clos Zénon** ⌲ ≤ 🛋 ⌧ ⌲ 🛁 🛜 P
rte de Bellossier – ℰ *04 50 02 10 86 – www.thones-chalet-gite.com*
– hotel@thones-chalet-hotel.com – Fax 04 50 02 10 86
– Ouvert 1ᵉʳ avril-18 déc.
5 ch ⌧ – †55/60 € ††65/90 € – ½ P 60/70 €
Table d'hôte – Menu 30 € bc
◆ Bonne adresse pour les amoureux de la nature : un chalet récent avec piscine. L'accueil sympathique, les chambres douillettes, le cadre montagnard sont les autres atouts du lieu. Repas d'inspiration savoyarde servis dans une salle chaleureuse (belle cheminée).

à La Balme-de-Thuy 2,5 km au Sud-Ouest par D 909 et rte secondaire – 360 h.
– alt. 623 m – ⊠ 74230

⌂ **Le Paddock des Aravis** sans rest ⌲ ≤ 🛋
Les Chenalettes, dir. Sappey – ℰ *04 50 02 98 28*
– www.le-paddock-des-aravis.com – nathalie@le-paddock-des-aravis.com
5 ch ⌧ – †90/115 € ††90/115 €
◆ Haut perchée et isolée, cette ferme jouit d'une belle vue sur la Tournette. Tout y est douillet et raffiné : intérieur en bois clair et tons écrus, et chambres confortables.

THONON-LES-BAINS ⊙ – 74 Haute-Savoie – 328 L2 – 30 700 h. — 46 F1
– alt. 431 m – Stat. therm. : début avril-début déc. – ⊠ 74200
Alpes du Nord

▶ Paris 568 – Annecy 75 – Chamonix-Mont-Blanc 99 – Genève 34
🛈 Office de tourisme, place du Marché ℰ 04 50 71 55 55,
Fax 04 50 26 68 33
⛳ Évian Masters Golf Club à Évian-les-Bains Rive Sud du Lac de Genève, par rte d'Évian : 8 km, ℰ 04 50 75 46 66
◉ Les Belvédères sur le lac Léman ★★ ABY - Voûtes ★ de l'église St-Hippolyte - Domaine de Ripaille ★ N : 2 km.

Plan page suivante

⌂ **Arc en Ciel** sans rest 🛋 ⌧ 🛁 🛉 🛜 🛎 P 🚗 VISA ⓶ Æ ⓪
18 pl. Crête – ℰ *04 50 71 90 63 – www.hotelarcencielthonon.com – info@hotel-arcenciel.com – Fax 04 50 26 27 47*
– Fermé 25 avril-6 mai et 19 déc.-6 janv.   BZ **k**
40 ch – †58/69 € ††64/75 €, ⌧ 8 €
◆ Près du centre-ville, hôtel moderne doté d'un jardin avec piscine. Chambres avec balcon ou terrasse, spacieuses et bien équipées ; certaines peuvent disposer d'une cuisinette.

1857

THONON-LES-BAINS

Allobroges (Av. des) . . . . . . BZ 2	Arts (R. des) . . . . BZ 3	Moulin (Pl. Jean) . . . . AY 12	
	Bordeaux (Pl. Henry) . . . . . AY 4	Ratte (Ch.de la) . . . . BZ 13	
	Grande-Rue . . . . AYZ	Trolliettes	
	Granges (R. des) . . . . BY 5	(Bd des) . . . . AZ 15	
	Léman (Av. du) . . . . BY 6	Ursules (R. des) . . . . BY 16	
	Michaud (R.) . . . . AY 10	Vallées (Av. des) . . . . BZ 18	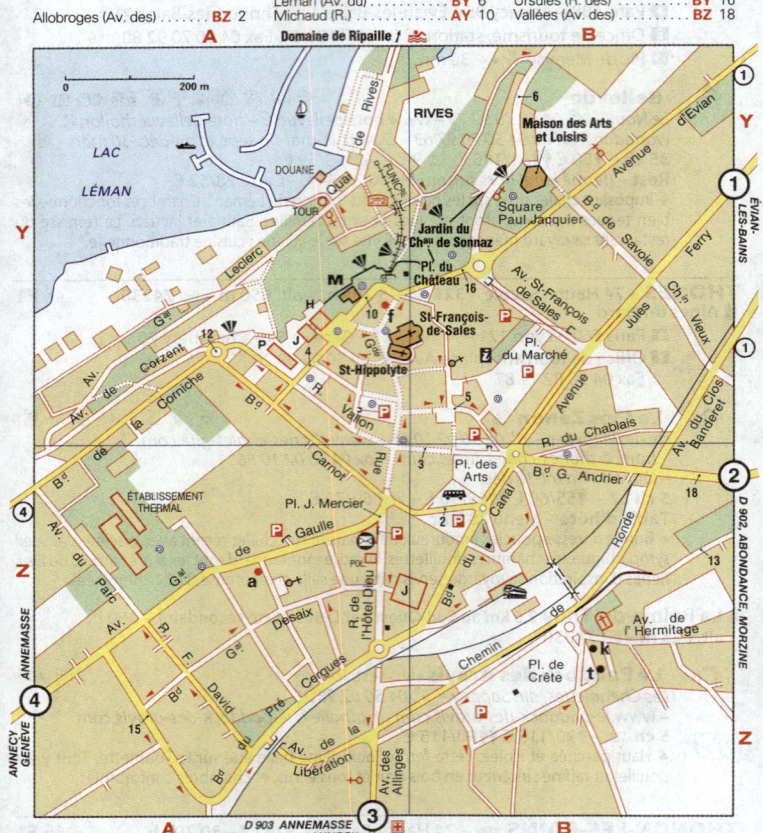

🏠 **À l'Ombre des Marronniers** 🛏 ch, ⌘ 🅿 VISA ◎◎ AE ①
17 pl. Crête – ℰ *04 50 71 26 18 – www.hotellesmarronniers.com – info@*
hotel-marronniers.com – Fax 04 50 26 27 47 – Fermé 25 avril-6 mai et 20 déc.-5 janv.
17 ch – ♦45/54 € ♦♦50/62 €, ⊇ 7 € – ½ P 45/52 €   BZ **t**
Rest – *(Fermé 25 avril-6 mai, 20 déc.-17 janv., dim. soir et lundi du 15 nov. au 21 mai)* Menu 13/33 € – Carte 25/49 €
◆ Les chambres de cet hôtel aux allures de chalet sont quelque peu désuètes, mais fonctionnelles. Salle à manger-véranda et terrasse dressée à l'ombre des marronniers ; cuisine traditionnelle et spécialités montagnardes.

XXX **Le Prieuré** (Charles Plumex)   ⇔ VISA ◎◎ AE ①
✿ *68 Gde rue –* ℰ *04 50 71 31 89 – plumex-prieure@wanadoo.fr*
– Fax 04 50 71 31 09 – Fermé 13-28 avril, 9-24 nov., dim. soir, lundi et mardi
Rest – Menu (37 € bc), 38/80 € – Carte 70/95 €   AY **f**
Spéc. Foie gras en fausse poire panée de pistache. Arrière de veau caramélisé et confit de légumes aux herbes. Soliloque guayaquil, mascarpone praliné et sorbet réglisse. **Vins** Roussette de Savoie Mondminod.
◆ À l'entrée d'un ancien hôtel particulier, restaurant voûté, habillé de boiseries et décoré de tableaux contemporains, proposant une cuisine inventive, généreuse et soignée.

THONON-LES-BAINS

X Les Alpes   VISA MC AE
3 bis r. des Italiens – ℘ 04 50 26 51 24 – restaurant.lesalpes@club-internet.fr
– Fax 04 50 26 51 24 – Fermé 15 juil.-13 août, dim. soir et merc.   AZ **a**
Rest – *(nombre de couverts limité, prévenir)* Menu (19 €), 26/58 €
– Carte 41/54 €

♦ Dans une rue commerçante de la station thermale, adresse au décor sagement campagnard (poutres, tableaux, compositions florales) servant une cuisine traditionnelle.

à Armoy 7 km au Sud-Est par ② et D 26 – 940 h. – alt. 620 m – ⊠ 74200

🏨 À l'Écho des Montagnes
– ℘ 04 50 73 94 55 – www.echo-des-montagnes.com – alechodesmontagnes@yahoo.fr – Fax 04 50 70 54 07 – Fermé 28 sept.-3 oct., 21 déc.-7 fév., dim. soir et lundi sauf de juin à août
47 ch – †32 € ††52/60 €, ⊆ 8 € – ½ P 50/54 €
Rest – Menu 16 € (sem.)/40 € – Carte 28/50 €

♦ Accueil familial dans cette imposante maison de la fin du 19ᵉ s. Chambres simples et fonctionnelles, un peu plus grandes à l'annexe. Expo-vente d'artisanat local. Le restaurant lambrissé est chaleureux et la cuisine régionale copieusement servie.

à Anthy-sur-Léman 6 km par ④ et D 33 – 1 857 h. – alt. 400 m – ⊠ 74200

🏨 L'Auberge d'Anthy
2 r. des Écoles – ℘ 04 50 70 35 00 – www.auberge-anthy.com – info@auberge-anthy.com – Fax 04 50 70 40 90
13 ch – †52/66 € ††64/77 €, ⊆ 8 € – ½ P 62/68 €
Rest – *(fermé 23 mars-2 avril, 5-12 oct., dim. soir, mardi midi et lundi)* Menu (13 €), 17 € (déj. en sem.), 30/44 € – Carte 30/51 €

♦ "Ici, on mange, on boit, et on dort" ! Telle est la devise de cette auberge de village refusant tout superflu : petites chambres sobres, bistrot campagnard et cuisine du terroir.

XX Le Galanthy
11 r. des Pêcheurs – ℘ 04 50 70 61 50 – http://www.legalanthy.com
– restaurant.legalanthy@neuf.fr – Fermé 29 juin-6 juil., 26 oct.-2 nov., 9-16 fév., dim. soir et lundi
Rest – Menu (18 €), 28/39 € – Carte 38/49 €

♦ La salle au décor actuel ouvre ses baies vitrées sur une terrasse ombragée avec vue sur le lac. Accueil sympathique et appétissante cuisine traditionnelle.

aux Cinq Chemins 7 km par ④ – ⊠ 74200 Margencel

🏨 Denarié
25 r. de Séchex – ℘ 04 50 72 63 45 – www.hoteldenarie.com – francoise@hoteldenarie.com – Fax 04 50 72 30 69 – Fermé 8-15 juin, 21-28 sept., 21 déc.-20 janv. et dim. soir sauf juil.-août
20 ch – †68/77 € ††72/97 €, ⊆ 9,50 € – 3 suites – ½ P 70/85 €
Rest *Les Cinq Chemins* – *(fermé dim. soir de sept. à juin et lundi sauf le soir en juil.-août)* Menu (15 €), 18 € (déj. en sem.), 26/42 € – Carte 32/57 €

♦ Proche de la route mais préservé du bruit, cet hôtel distille un charme savoyard simple et chaleureux. Chambres décorées avec goût et agréable jardin-piscine. Convivialité et authenticité aux Cinq Chemins, autour d'une assiette à l'accent régional.

au Port-de-Séchex 7 km par ④ – ⊠ 74200

XX Le Clos du Lac
Port de Séchex – ℘ 04 50 72 48 81 – le-clos-du-lac@wanadoo.fr
– Fax 04 50 72 48 81 – Fermé 29 juin -8 juil., 5-15 oct., 4-27 janv., dim. soir, mardi midi sauf juil.-août et lundi
Rest – Menu (22 €), 28/62 € – Carte 44/64 €

♦ Dans cette vieille ferme restaurée, les anciennes mangeoires en pierre cohabitent harmonieusement avec un décor et des tableaux modernes. Cuisine dans l'air du temps, soignée.

THONON-LES-BAINS
à Bonnatrait 9 km par ④ – ⊠ 74140 Sciez

Hôtellerie Château de Coudrée ⑤
– ℰ 04 50 72 62 33 – www.coudree.com – chateau@coudree.fr – Fax 04 50 72 57 28 – Fermé 26 oct.-3 déc.
19 ch – †138/482 € ††138/482 €, ⌑ 18 €
Rest – (fermé le midi du lundi au jeudi de déc. à avril, mardi et merc. sauf juil.-août) Menu 39 € (déj. en sem.), 59/85 € – Carte 93/106 €
♦ Ce château érigé au bord du lac est un majestueux témoin du Moyen Âge. Chambres personnalisées et dotées de meubles anciens ; celle du donjon est particulièrement insolite. Noble salle à manger – boiseries, tapisseries, cheminée – et carte au goût du jour.

LE THOR – 84 Vaucluse – **332** C10 – 7 508 h. – alt. 50 m – ⊠ 84250   42 **E1**

▶ Paris 696 – Marseille 89 – Avignon 21 – Arles 84 – Istres 68

La Bastide Rose ⑤
99 chemin des Courpières – ℰ 04 90 02 14 33 – www.bastiderose.com – contact@bastiderose.com – Fax 04 90 02 19 38 – Fermé 9 janv.-13 mars
5 ch ⌑ – †155/205 € ††160/210 € – 3 suites
Rest – table d'hôte – (dîner seult) (résidents seult) Menu 38 €
♦ Cette belle bastide – abritant aussi un musée à la mémoire de Pierre Salinger, journaliste et conseiller politique – a tout le charme d'une maison de famille : élégance, confort, vue sur un parc. Sous la verrière ou en terrasse, cuisine aux saveurs provençales.

THORÉ-LA-ROCHETTE – 41 Loir-et-Cher – **318** C5 – 922 h.   11 **B2**
– alt. 75 m – ⊠ 41100

▶ Paris 176 – Blois 42 – La Flèche 94 – Le Mans 72 – Vendôme 9

Du Pont
15 r. du Mar. de Rochambeau – ℰ 02 54 72 80 62 – Fax 02 54 72 70 95 – Fermé 16 août-3 sept., 16 janv.-10 fév., mardi soir, dim. soir et lundi
Rest – Menu 22 € (sem.)/48 € – Carte 43/59 €
♦ Vins et cuisine du terroir à déguster dans ce petit restaurant tout simple, situé à proximité de l'arrêt du train touristique de la vallée du Loir.

THORENC – 06 Alpes-Maritimes – **341** B5 – alt. 1 250 m   41 **C2**
– ⊠ 06750 Andon

▶ Paris 832 – Castellane 35 – Draguignan 64 – Grasse 40 – Nice 58 – Vence 41
◉ Col de Bleine ≤★★ N : 4 km, ▌**Alpes du Sud**

Auberge Les Merisiers avec ch ⑤
24 av. Belvédère – ℰ 04 93 60 00 23 – www.aubergelesmerisiers.com – info@aubergelesmerisiers.com – Fax 04 93 60 02 17 – Fermé 10 mars-4 avril, lundi soir et mardi sauf vacances scolaires
12 ch – †45 € ††45 €, ⌑ 12 € – ½ P 50 €
Rest – Menu (23 €), 28/35 € – Carte 30/40 €
♦ Pratique pour l'étape dans la montée du col de Bleine, auberge montagnarde proposant des plats régionaux servis dans un cadre simple et rustique. Petites chambres bien tenues.

THORIGNÉ-SUR-DUÉ – 72 Sarthe – **310** M6 – 1 557 h. – alt. 82 m   35 **D1**
– ⊠ 72160

▶ Paris 173 – Châteaudun 80 – Mamers 44 – Le Mans 30 – Nogent-le-Rotrou 45 – St-Calais 25
🛈 Syndicat d'initiative, Mairie ℰ 02 43 89 05 13, Fax 02 43 89 20 46

Le St-Jacques
pl. du Monument – ℰ 02 43 89 95 50 – www.hotel-sarthe.fr
– hotel.st-jacques.thorigne@wanadoo.fr – Fax 02 43 76 58 42 – Fermé 12-24 nov. et 14-22 fév.
15 ch – †54/64 € ††64/84 €, ⌑ 12 € – ½ P 60 €
Rest – Menu 19/48 € – Carte 38/59 €
♦ À l'entrée du village, cet hôtel à la façade jaune dispose de chambres rénovées pour la plupart, claires et bien tenues. Bar-salon cossu ; accueil chaleureux. Au restaurant (salle colorée), cuisine au goût du jour rehaussée d'épices.

LE THORONET – 83 Var – **340** M5 – 1 952 h. – alt. 120 m – ⊠ 83340 41 **C3**

▶ Paris 831 – Brignoles 24 – Draguignan 21 – St-Raphaël 51 – Toulon 62
ℹ Office de tourisme, boulevard du 17 août 1944 ✆ 04 94 60 10 94
◉ Abbaye du Thoronet★★ O : 4,5 km, **Côte d'Azur**

Hostellerie de l'Abbaye
chemin du Château – ✆ 04 94 73 88 81 – www.hotelthoronet.fr – info@hotelthoronet.fr – Fax 04 94 73 89 24 – Fermé 15 déc.-3 fév.
23 ch – ♦59/76 € ♦♦59/76 €, ⊠ 9 € – ½ P 57/68 €
Rest – *(fermé dim. soir et lundi de nov. à mars)* Menu 21 € (sem.)/42 €
– Carte 36/56 €

♦ Près de la doyenne des abbayes cisterciennes de Provence, construction contemporaine ordonnée autour d'une piscine. Chambres fonctionnelles. Deux salles de restaurant (dont une terrasse-véranda) où l'on sert une cuisine traditionnelle simple.

à l'Est 8 km par D 84 et rte secondaire

Bastide des Hautes Moures
Les Moures – ✆ 04 94 60 13 36 – www.bastidedesmoures.com – infos@bastidedesmoures.com – Fax 04 94 73 81 23 – Fermé janv. et fév.
4 ch ⊠ – ♦75/105 € ♦♦80/150 € **Table d'hôte** – Menu 15 € bc/35 € bc

♦ Isolée en pleine campagne, cette ancienne ferme à l'allure de mas provençal ne manque pas de charme avec sa décoration empreinte de classicisme. Chambres personnalisées, salon billard. Cuisine de terroir proposée à la table d'hôte.

THOUARCÉ – 49 Maine-et-Loire – **317** G5 – 1 682 h. – alt. 35 m 35 **C2**
– ⊠ 49380

▶ Paris 318 – Angers 29 – Cholet 43 – Saumur 38
ℹ Syndicat d'initiative, Mairie ✆ 02 41 54 14 36, Fax 02 41 54 09 11
◉ Château★★ de Brissac-Quincé, NE : 12 km, **Châteaux de la Loire**

Le Relais de Bonnezeaux
1 km rte d'Angers – ✆ 02 41 54 08 33 – www.cuisineriesgourmandesanjou.com
– relais.bonnezeaux@wanadoo.fr – Fax 02 41 54 00 63 – Fermé 26 déc.-20 janv., mardi soir, dim. soir et lundi
Rest – Menu (17 €), 27 € (sem.)/58 € bc – Carte 30/55 €

♦ Sur la Route des vins, restaurant aménagé dans une ex-gare de campagne. Les tables de la véranda profitent de la vue sur les vignes. Cuisine traditionnelle et crus locaux.

THOUARS – 79 Deux-Sèvres – **322** E3 – 10 656 h. – alt. 102 m 38 **B1**
– ⊠ 79100 **Poitou Vendée Charentes**

▶ Paris 336 – Angers 71 – Bressuire 31 – Châtellerault 72 – Cholet 56
ℹ Office de tourisme, 3 bis, boulevard Pierre Curie ✆ 05 49 66 17 65, Fax 05 49 67 87 58
◉ Façade★★ de l'église St-Médard★ - Site★ - Maisons anciennes★.

Hôtellerie St-Jean
25 rte de Parthenay – ✆ 05 49 96 12 60 – www.hotellerie-st-jean.fr
– hotellerie-st-jean@wanadoo.fr – Fax 05 49 96 34 02 – Fermé vacances de fév. et dim. soir
18 ch – ♦45 € ♦♦45 €, ⊠ 7 € – ½ P 45 €
Rest – Menu 17 € (sem.)/35 € – Carte 38/60 €

♦ Bâtisse des années 1970 offrant une vue sur la vieille ville. Cadre frais, tons jaune et orangé dans les chambres impeccablement tenues ; elles sont plus calmes sur l'arrière. Salle à manger à la fois simple et pimpante, où l'on sert une cuisine classique.

à Ste-Verge 4 km au nord – 1 453 h. – alt. 65 m – ⊠ 79100

Le Logis de Pompois
13 r. de la Gosselinière – ✆ 05 49 96 27 84 – www.logis-de-pompois.com
– catpompois@adapei79.org – Fax 05 49 96 13 97 – Fermé 4-10 janv., dim. soir, lundi et mardi
Rest – Menu (22 €), 29/48 € – Carte 60/67 €

♦ Domaine viticole des 18e-19e s. abritant un centre d'aide par le travail où l'on réalise et sert une sérieuse cuisine traditionnelle. Salle chaleureuse aménagée dans l'ancien chai.

1861

THOURON – 87 Haute-Vienne – 325 E5 – 462 h. – alt. 374 m – ✉ 87140   24 B1
Paris 380 – Bellac 23 – Guéret 79 – Limoges 28

La Pomme de Pin
étang de Tricherie, 2,5 km au Nord-Est par D 225 – ✆ 05 55 53 43 43
– lapommedepin.thouron@orange.fr – Fax 05 55 53 43 43
– Fermé 1ᵉʳ-30 sept., 26 janv.-12 fév., mardi midi et lundi
7 ch – †59 € ††59/69 €, ⊇ 7 € – ½ P 59 €
Rest – Menu 19/29 € – Carte 25/38 €
♦ Chambres confortables aménagées dans un ensemble en pierre qui abrita un moulin et une filature alimentés par la petite rivière traversant le jardin boisé. Salle rustique réchauffée par une cheminée où le patron grille ses viandes limousines au feu de bois.

THUIR – 66 Pyrénées-Orientales – 344 H7 – 7 427 h. – alt. 99 m   22 B3
– ✉ 66300 ▮ Languedoc Roussillon
Paris 897 – Figueres 56 – Montpellier 168 – Perpignan 16
ℹ Office de tourisme, boulevard Violet ✆ 04 68 53 45 86

Le Patio Catalan
4 pl. du Général-de-Gaulle – ✆ 04 68 53 57 28 *– Fermé 6-28 janv., merc. et jeudi*
Rest – Menu (13 €), 19/34 € – Carte 33/50 €
♦ Sur une place face aux caves de Byrrh, restaurant rustique et actuel, doté d'un charmant patio à l'entrée. Cuisine traditionnelle et cave axée sur les Côtes du Roussillon.

THURET – 63 Puy-de-Dôme – 326 G7 – 703 h. – alt. 330 m – ✉ 63260   5 B2
Paris 379 – Clermont-Ferrand 32 – Vichy 24 – Cournon-d'Auvergne 35 – Riom 16

Château de la Canière
2 km au Nord par D 212 et D 12 –
✆ 04 73 97 98 44 *– www.caniere.com – info@caniere.com – Fax 04 73 97 98 42*
27 ch – †113/125 € ††132/145 €, ⊇ 15 € – 2 suites
Rest *Lavoisier* – Menu (28 €), 39/62 € – Carte 45/77 €
♦ Château du 19ᵉ s. bien réaménagé, dont la majorité des chambres affiche un décor de style Empire. Piscine, parc arboré et jardin à la française : voici un vrai havre de paix. Une cuisine inventive a rendez-vous avec la science au restaurant, dédié à Lavoisier.

THURY – 21 Côte-d'Or – 320 H7 – 289 h. – alt. 382 m – ✉ 21340   8 C2
Paris 303 – Beaune 33 – Autun 25 – Avallon 80 – Dijon 71

Manoir Bonpassage
La Grande Pièce, 1 km au Sud par D 36 et rte secondaire – ✆ 03 80 20 26 16
– www.bonpassage.com – bonpassage@wanadoo.fr – Fax 03 80 20 26 17
– Ouvert 1ᵉʳ avril-31 oct.
9 ch – †59 € ††59/80 €, ⊇ 9 €
Rest – *(fermé dim., mardi et jeudi) (dîner seult) (résidents seult)* Menu 24 €
♦ Une halte propice au repos : des chambres sobres, d'une tenue excellente et tournées en partie vers la campagne, une piscine d'été, et une ambiance de maison d'hôte.

THURY-HARCOURT – 14 Calvados – 303 J6 – 1 813 h. – alt. 45 m   32 B2
– ✉ 14220 ▮ Normandie Cotentin
Paris 257 – Caen 28 – Condé-sur-Noireau 20 – Falaise 27 – Flers 32 – St-Lô 68 – Vire 41
ℹ Office de tourisme, 2, place Saint-Sauveur ✆ 02 31 79 70 45, Fax 02 31 79 15 42
◉ Parc et jardins du château★ – Boucle du Hom★ NO : 3 km.

Le Relais de la Poste avec ch
7 r. de Caen – ✆ 02 31 79 72 12 *– www.hotel-relaisdelaposte.com*
– relaisdelaposte@ohotellerie.com – Fax 02 31 39 53 55 – Fermé mars et 20-31 déc.
10 ch – †65/140 € ††65/140 €, ⊇ 11 €
Rest – *(fermé sam. midi d'oct. à mai et vend. sauf le midi de mai à oct.)*
Menu (18 €), 23 € (déj. en sem.), 28/80 € – Carte 45/62 €
♦ Ancien relais de poste agrémenté d'une cour et d'un jardin fleuris dès les premiers beaux jours. Petites chambres simples mais rénovées avec goût. Cuisine traditionnelle.

TIERCÉ – 49 Maine-et-Loire – **317** G3 – 3 876 h. – alt. 30 m – ⊠ 49125   35 **C2**
▶ Paris 278 – Angers 22 – Château-Gontier 34 – La Flèche 34
🛈 Syndicat d'initiative, Mairie ℰ 02 41 31 14 41,
Fax 02 41 34 14 44

XX La Table d'Anjou   🈂 *VISA* 🆚 AE
16 r. Anjou – ℰ 02 41 42 14 42 – www.destination-anjou.com/tabledanjou
– latabledanjou@club-internet.fr – Fax 02 41 42 64 80 – Fermé 20 juil.-12 août,
2-14 janv., dim. soir, lundi et mardi
Rest – Menu (19 €), 25 € (sem.)/75 € – Carte 41/67 €
◆ Au centre du village, chaleureux restaurant bénéficiant d'une salle à manger rustique et d'une petite terrasse fleurie dressée sur l'arrière. Accueil aimable ; cuisine actuelle.

Retrouvez tous les Bibs Gourmands 🅑 dans notre guide
des "Bonnes Petites Tables du guide Michelin".
Pour bien manger à prix modérés, partout en France !

TIGNES – 73 Savoie – **333** O5 – 2 220 h. – alt. 2 100 m – Sports d'hiver :   45 **D2**
1 550/3 450 m ⛷ 4 ⛷ 44 ⛷ – ⊠ 73320 ▎**Alpes du Nord**
▶ Paris 665 – Albertville 85 – Bourg-St-Maurice 31 – Chambéry 134
– Val-d'Isère 14
🛈 Office de tourisme, Tignes Accueil ℰ 04 79 40 04 40,
Fax 04 79 40 03 15
⛳ du Lac de Tignes Le Val Claret, S : 2 km, ℰ 04 79 06 37 42
◉ Site★★ - Barrage★★ NE : 5 km - Panorama de la Grande Motte★★ SO.

🏨 Les Suites du Montana ॐ   ≤ 🈂 🏊 🚭 📶 & ch, 🕻 🕸 🚗
Les Almes – ℰ 04 79 40 01 44 – www.vmontana.com   *VISA* 🆚 AE ①
– contact@vmontana.com – Fax 04 79 40 04 03
– Ouvert mi déc.-mi avril
1 ch – ⬥108/209 € ⬥⬥166/318 €, ⊇ 12 € – 27 suites – ⬥⬥366/520 €
Rest – *(dîner seult)* Menu 45 € – Carte 52/61 €
◆ Un "hameau" de chalets abritant de grandes suites raffinées. De style savoyard, autrichien ou provençal, elles sont dotées de saunas privatifs et de balcons orientés au sud. On tourne la broche sous vos yeux dans la rôtisserie "tout bois" ouverte sur les pistes.

🏨 Les Campanules ॐ   ≤ 🈂 🏊 🚭 📶 🕸 *VISA* 🆚 AE
– ℰ 04 79 06 34 36 – www.campanules.com
– campanules@wanadoo.fr – Fax 04 79 06 35 78 – Ouvert 8 juil.-26 août et
11 nov.-2 mai
31 ch ⊇ – ⬥110/190 € ⬥⬥150/280 € – 10 suites – ½ P 110/185 €
Rest – Menu 28 € (déj.), 40/51 € – Carte 50/70 €
◆ Au cœur de la station, joli chalet aux chambres spacieuses et douillettes, en duplex au dernier étage. Piscine extérieure et spa panoramiques. La fresque qui orne les murs du restaurant évoque le vieux village, englouti après la mise en eau du barrage de Tignes en 1952.

🏨 Village Montana ॐ   ≤ 🈂 🏊 🚭 📶 & 🕸 rest, 🕻 🕸 🚗
Les Almes – ℰ 04 79 40 01 44 – www.vmontana.com   *VISA* 🆚 AE ①
– contact@vmontana.com – Fax 04 79 40 04 03 – Ouvert fin juin- mi-sept. et
début nov.-début mai
78 ch ⊇ – ⬥108/209 € ⬥⬥166/318 € – 4 suites
Rest – Menu 32 €
Rest *La Chaumière* – *(ouvert début déc.-début mai)* Carte 20/35 €
◆ Ces splendides chalets conjuguent tradition, confort actuel et calme dans de spacieuses chambres familiales tournées vers le domaine skiable. Carte de brasserie et spécialités savoyardes à la Chaumière (décor façon vieille bergerie).

TIGNES

Le Lévanna
Quartier le Rosset – ℰ 04 79 06 32 94 – www.levanna.com – info@levanna.com – Fax 04 79 06 33 18 – Ouvert 2 oct.-9 mai
40 ch (½ P seult) – ½ P 93/166 €   **Rest** – Menu 35 € – Carte 44/63 €
♦ Les chambres de ce chalet récent sont confortables et décorées de boiseries. Toutes possèdent un balcon et certaines aménagées en duplex. Agréable espace sauna-hammam. Au restaurant, cuisine traditionnelle, spécialités fromagères et grande terrasse côté pistes.

Le Refuge sans rest
– ℰ 04 79 06 36 64 – www.hotel-refuge-tignes.com – info@hotel-refuge-tignes.com – Fax 04 79 06 33 78 – Fermé 8 mai-1ᵉʳ juil. et 8 sept.-18 oct.
33 ch ⊇ – †62/115 € ††97/175 €
♦ Emplacement de choix pour cet hôtel situé face au lac et à seulement 50 m des remontées mécaniques. Chambres simples et fonctionnelles, dotées de balcons orientés au sud.

L'Arbina
– ℰ 04 79 06 34 78 – www.hotel-arbina.com – hotelarbina@aol.com – Fax 04 79 06 32 99 – Ouvert 10 juil.-31 août et 2 oct.-10 mai
22 ch – †50/100 € ††75/124 €, ⊇ 12 € – ½ P 60/105 €
Rest – (ouvert 20 nov.-10 mai) Menu (23 €), 29/40 € – Carte 36/64 €
♦ L'Arbina est aussi le nom de la perdrix des Alpes. Cet hôtel familial abrite des chambres confortables, décorées dans un style montagnard simple et contemporain. La terrasse du restaurant donne sur le glacier de la Grande Motte. Bon choix de vins au verre.

Gentiana
montée du Rosset – ℰ 04 79 06 52 46 – www.hotelgentiana.com – serge.revial@wanadoo.fr – Fax 04 79 06 35 61 – Ouvert 1ᵉʳ juil.-23 août et 1ᵉʳ déc.-3 mai
40 ch (½ P seult) – ½ P 86/140 €   **Rest** – (dîner seult) Menu 26 €, 30/40 €
♦ Les chambres, progressivement rénovées, adoptent un style chalet plutôt chaleureux. Certaines possèdent un balcon. Grand espace bien-être (fitness, hammam, sauna, etc.). À table, plats traditionnels et recettes à base de produits exotiques et épices.

Le Paquis
Le Rosset – ℰ 04 79 06 37 33 – www.hotel-lepaquis.fr – info@hotel-lepaquis.fr – Fax 04 79 06 36 59 – Ouvert déc. à mai
36 ch (½ P seult) – ½ P 70/115 €
Rest – (dîner seult) Menu (15 €), 25 € – Carte 29/45 €
♦ Sur les hauteurs de Tignes, une robuste bâtisse des années 1960 proposant des chambres fonctionnelles. Préférez les plus récentes, rénovées dans un esprit chalet. Au restaurant, on s'attable autour de petits plats traditionnels dans un décor montagnard.

La Ferme des 3 Capucines
Le Lavachet – ℰ 04 79 06 35 10 – Fax 04 79 06 35 10 – Ouvert 10 juil.-28 août et 8 déc.-5 mai
Rest – (prévenir) Menu 25/30 €
♦ Dans cette ferme-fromagerie, on peut observer les vaches dans l'étable attenante, tout en dégustant une copieuse cuisine familiale et du terroir... Atypique et sympathique.

au Val Claret 2 km au Sud-Ouest – alt. 2 100 m – ✉ 73320 Tignes

Le Ski d'Or
– ℰ 04 79 06 51 60 – www.hotel-skidor.com – thomas.boulais@hotel-skidor.com – Fax 04 79 06 45 49 – Ouvert 25 oct.-5 mai
27 ch ⊇ – †98/250 € ††150/380 € – ½ P 115/215 €
Rest – (dîner seult) Menu 40 €
♦ Entièrement rénové, l'hôtel arbore un joli décor contemporain où dominent le bois et les couleurs crème et taupe. Les chambres sont chic et confortables. Salle à manger grande ouverte sur les montagnes et les pistes ; ambiance chaleureuse et conviviale.

TILQUES – 62 Pas-de-Calais – **301** G3 – rattaché à St-Omer

LES TINES – 74 Haute-Savoie – **328** O5 – rattaché à Chamonix-Mont-Blanc

TONNEINS – 47 Lot-et-Garonne – 336 D3 – 9 141 h. – alt. 26 m – ✉ 47400
4 C2

- ▶ Paris 683 – Agen 44 – Nérac 38 – Villeneuve-sur-Lot 37
- 🛈 Office de tourisme, 3, avenue Charles-de-Gaulle ✆ 05 53 79 22 79, Fax 05 53 79 39 94
- 🏌 de Barthe à Tombebœuf Route de Villeneuve, NE : 20 km par D 120, ✆ 05 53 88 83 31

Des Fleurs sans rest
rte de Bordeaux – ✆ 05 53 79 10 47 – www.hoteldesfleurs47.com
– hoteldesfleurs@wanadoo.fr – Fax 05 53 79 46 37 – Fermé 20 déc.-3 janv. et 14-22 fév.
26 ch – †35/59 € ††38/66 €, ☑ 8 €

◆ Sur l'axe principal de la ville, établissement abritant des chambres assez petites mais pratiques, très colorées, bien aménagées. Celles côté rue sont isolées et climatisées.

TONNERRE – 89 Yonne – 319 G4 – 5 440 h. – alt. 156 m – ✉ 89700
7 B1
Bourgogne

- ▶ Paris 199 – Auxerre 38 – Châtillon-sur-Seine 49 – Montbard 45 – Troyes 60
- 🛈 Office de tourisme, place Marguerite de Bourgogne ✆ 03 86 55 14 48, Fax 03 86 54 41 82
- 🏌 de Tanlay à Tanlay Parc du Château, par rte de Châtillon-s-Seine : 9 km, ✆ 03 86 75 72 92
- ◉ Fosse Dionne ★ - Intérieur ★ de l'ancien hôpital : mise au tombeau ★ - Château de Tanlay ★★ 9 km par ①.

L'Auberge de Bourgogne
D 905, 2 km par ① et rte de Dijon – ✆ 03 86 54 41 41
– www.aubergedebourgogne.com – auberge.bourgogne@wanadoo.fr
– Fax 03 86 54 48 28 – Fermé 15 déc.-15 janv.
40 ch – †56/60 € ††60 €, ☑ 9 € – ½ P 55 €
Rest – (fermé sam. midi, dim. et lundi) Menu 18/26 € – Carte 29/35 €

◆ Bâtiment voisin des vignobles d'Épineuil. Chambres fonctionnelles et rafraîchies ; celles situées sur l'arrière offrent une jolie vue sur la campagne. Wi-fi. Cuisine régionale servie dans une lumineuse salle avec les rangées de ceps en toile de fond.

TORCY – 71 Saône-et-Loire – 320 G9 – rattaché au Creusot

TORNAC – 30 Gard – 339 I4 – rattaché à Anduze

TÔTES – 76 Seine-Maritime – 304 G3 – 1 084 h. – alt. 150 m – ✉ 76890
33 D1

- ▶ Paris 168 – Dieppe 34 – Fécamp 60 – Le Havre 80 – Rouen 37

Auberge du Cygne
5 r. G. de Maupassant – ✆ 02 35 32 92 03 – lalegendedeselfes@orange.fr
– Fax 02 35 32 92 03 – Fermé dim. soir et lundi soir
Rest – Menu 29/49 € – Carte 38/58 €

◆ Cette auberge de 1611 a toujours eu l'art de satisfaire ses hôtes, souvent illustres. Et propose un répertoire traditionnel dans deux salles, l'une rustique, l'autre chinoise.

TOUL – 54 Meurthe-et-Moselle – 307 G6 – 16 300 h. – alt. 209 m – ✉ 54200
26 B2
Alsace Lorraine

- ▶ Paris 291 – Bar-le-Duc 62 – Metz 75 – Nancy 23 – St-Dizier 78 – Verdun 80
- 🛈 Office de tourisme, parvis de la Cathédrale ✆ 03 83 64 11 69, Fax 03 83 63 24 37
- ◉ Cathédrale St-Étienne ★★ et cloître ★ - Église St-Gengoult : cloître ★★ - Façade ★ de l'ancien palais épiscopal H - Musée municipal ★ : salle des malades ★ M.

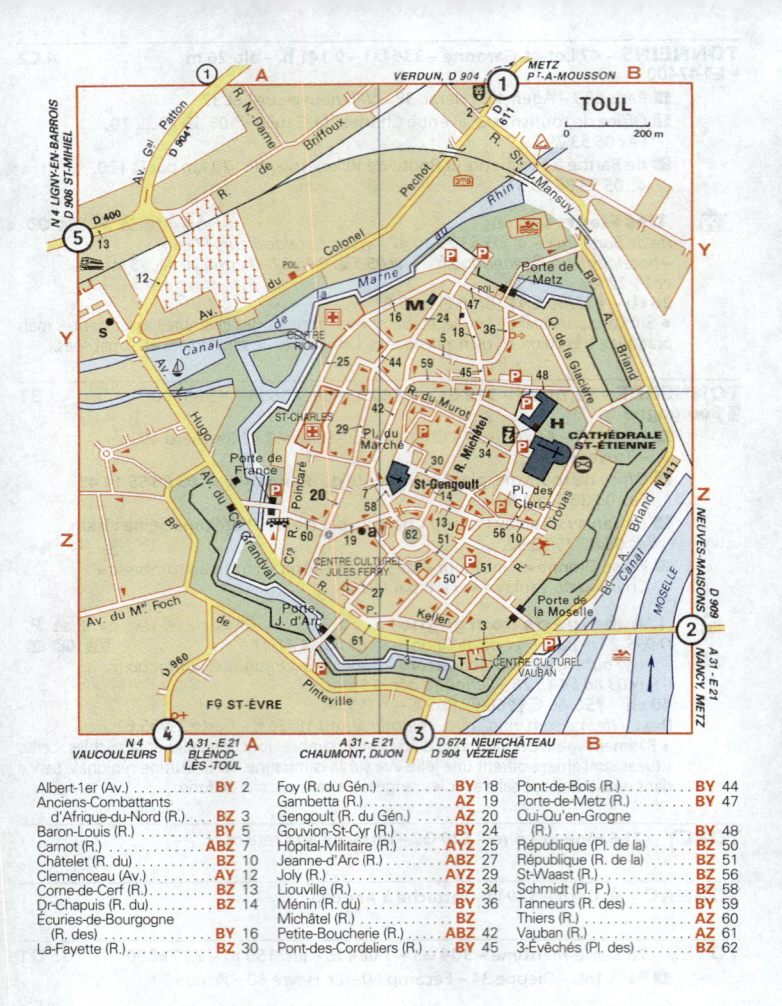

Street	Ref
Albert-1er (Av.)	BY 2
Anciens-Combattants d'Afrique-du-Nord (R.)	BZ 3
Baron-Louis (R.)	BY 5
Carnot (R.)	ABZ 7
Châtelet (R. du)	BZ 10
Clemenceau (Av.)	AY 12
Corne-de-Cerf (R.)	BZ 13
Dr-Chapuis (R. du)	BZ 14
Écuries-de-Bourgogne (R. des)	BY 16
La-Fayette (R.)	BZ 30
Foy (R. du Gén.)	BY 18
Gambetta (R.)	AZ 19
Gengoult (R. du Gén.)	AZ 20
Gouvion-St-Cyr (R.)	BY 24
Hôpital-Militaire (R.)	AYZ 25
Jeanne-d'Arc (R.)	ABZ 27
Joly (R.)	AYZ 29
Liouville (R.)	BZ 34
Ménin (R. du)	BY 36
Michâtel (R.)	BZ
Petite-Boucherie (R.)	ABZ 42
Pont-des-Cordeliers (R.)	BY 45
Pont-de-Bois (R.)	BY 44
Porte-de-Metz (R.)	BY 47
Qui-Qu'en-Grogne (R.)	BY 48
République (Pl. de la)	BZ 50
République (R. de la)	BZ 51
St-Waast (R.)	BZ 56
Schmidt (Pl. P.)	BZ 58
Tanneurs (R. des)	BY 59
Thiers (R.)	AZ 60
Vauban (R.)	AZ 61
3-Évêchés (Pl. des)	BZ 62

⌂ **L'Europe** sans rest   ✍ ⁽¹⁾ 🅿 VISA ⓜⓒ

373 av. V. Hugo, (près de la gare) – ✆ *03 83 43 00 10 – www.hotel-europe54.com – hoteldeleurope.toul@wanadoo.fr – Fax 03 83 63 27 67*
– Fermé 10-24 août   AY s
21 ch – †50/53 € ††50/53 €, ⌑ 6 €
◆ Adresse pratique pour ceux qui voyagent par le train. Chambres joliment rétro (parquet d'origine et mobilier Art déco). Tenue sérieuse et accueil familial.

⌂ **La Villa Lorraine** sans rest   ✍ ⁽¹⁾ 🅿 VISA ⓜⓒ

15 r. Gambetta – ✆ *03 83 43 08 95 – www.hotel-la-villa-lorraine.com – hotel.villalorraine@wanadoo.fr – Fax 03 83 64 63 64 – Fermé vacances de la Toussaint*   AZ a
21 ch – †46 € ††52 €, ⌑ 7 €
◆ Ancien théâtre, ce petit hôtel du cœur de la cité abrite, derrière sa belle façade, des chambres fonctionnelles et rustiques, ainsi qu'une agréable salle des petits-déjeuners.

TOUL

à Lucey 5 km par ⑤ et D 908 – 573 h. – alt. 260 m – ⌧ 54200

XX **Auberge du Pressoir** 🚗 🌳 **P** *VISA* **MC**
7 pl. des Pachenottes – ℰ 03 83 63 81 91 – *Fermé 17 août-1ᵉʳ sept., dim. soir, merc. soir et lundi*
Rest – Menu 17 € (déj. en sem.), 25/30 € – Carte 29/40 €
◆ Le cadre de ce restaurant aménagé dans l'ancienne gare du village reste sobre ; quelques objets paysans décorent les murs. Terrasse bien ensoleillée.

> Un week-end de charme à la mer, à la campagne ou à la montagne ?
> Découvrez le nouveau guide des "Chambres d'hôtes", une sélection
> de nos plus belles adresses en France : confort, calme et volupté
> garantis !

TOULON 🅿 – 83 Var – **340** K7 – 167 400 h. – Agglo. 519 640 h.   41 **C3**
– alt. 10 m – ⌧ 83000 ▮ **Côte d'Azur**

▶ Paris 835 – Aix-en-Provence 86 – Marseille 66
✈ de Toulon-Hyères : ℰ 0 825 01 83 87, par ① : 21 km.
🚆 ℰ 3635 et tapez 42 (0,34 €/mn)
⛴ pour la Corse : SNCM (avr.-oct.) 49 av. Infanterie de Marine ℰ 3260 dites "SNCM" (0,15 €/mn).
🛈 Office de tourisme, place Raimu ℰ 04 94 18 53 00, Fax 04 94 18 53 09
⛳ de Valgarde à La Garde Chemin de Rabasson, E : 10 km par D 29, ℰ 04 94 14 01 05
◉ Rade★★ - Port★ - Vieille ville★ **GYZ** : Atlantes★ de la mairie d'honneur **F**, Musée de la marine★ - Porte★ de la Corderie.
◉ Corniche du Mont Facon ≼★ du téléphérique - Musée-mémorial du Débarquement en Provence★ et ≼★★★ au Nord.

Plans pages suivantes

All Seasons 🌳 🛗 ♿ ch, 🅰🅲 ⇆ 📶 🏊 🚭 *VISA* **MC** **AE**
pl. Besagne – ℰ 04 98 00 81 00 – www.all-seasons-hotels.com – h2095@accor.com – Fax 04 94 41 57 51   **GZ r**
139 ch ⌂ – †67/123 € ††77/123 €
Rest – (dîner seult) Menu 15 € bc/23 €
◆ Face au Palais des Congrès, l'établissement entièrement rénové propose des chambres de standing aux couleurs provençales. Verrières et palmiers égayent la salle à manger spacieuse et aérée ; cuisine traditionnelle.

Grand Hôtel de la Gare sans rest 🛗 ♿ 🅰🅲 ⇆ 📶 *VISA* **MC** **AE** ①
14 bd Tessé – ℰ 04 94 24 10 00 – www.grandhotelgare.com – contact@grandhotelgare.com – Fax 04 94 22 34 82   **FX a**
39 ch – †49/90 € ††55/90 €, ⌂ 9 €
◆ En plein centre, un hôtel confortable et bien tenu : chambres fonctionnelles, homogènes, parfaitement insonorisées et climatisées.

Dauphiné sans rest 🛗 🅰🅲 ⇆ 📶 *VISA* **MC** **AE**
10 r. Berthelot – ℰ 04 94 92 20 28 – www.grandhoteldauphine.com – contact@grandhoteldauphine.com – Fax 04 94 62 16 69   **GY s**
55 ch – †51/60 € ††62/68 €, ⌂ 9 €
◆ Adresse familiale idéalement située pour sillonner les ruelles enchevêtrées de la vieille ville. Chambres contemporaines (bois blond ou cérusé) et salles de bains modernes.

Bonaparte sans rest 📞 *VISA* **MC** **AE** ①
16 r. Anatole-France – ℰ 04 94 93 07 51 – www.hotel-bonaparte.com – reservation@hotel-bonaparte.com – Fax 04 94 93 24 55   **FY f**
22 ch – †52 € ††57/59 €, ⌂ 8,50 € – 2 suites
◆ Cet immeuble napoléonien arbore une décoration provençale assez chaleureuse. Petit-déjeuner copieux façon table d'hôte. En été, chambres sur l'arrière plus calmes et fraîches.

1867

Le Jardin du Sommelier

20 allée Amiral Courbet – ℰ 04 94 62 03 27 – www.lejardindusommelier.com – scalisi@le-jardin-du-sommelier.com – Fax 04 94 09 01 49 – Fermé sam. midi et dim.

FY **r**

Rest – Menu 38 € – Carte environ 46 €

♦ Dans sa maison vigneronne, le patron-sommelier vous invite à partager sa passion pour grands et petits crus (de France et d'ailleurs) autour d'une cuisine du marché.

Blanc le Bistro

290 r. Jean-Jaurès – ℰ 04 94 10 20 40 – www.blanc-lebistro.fr – blanc.lebistro@ wanadoo.fr – Fax 04 94 10 20 39 – Fermé 25 juil.-24 août, 24-28 déc., lundi soir, sam. midi et dim.

FY **d**

Rest – Menu (18 €), 29/39 € – Carte 40/50 €

♦ Dans une petite rue du centre-ville, ex-cinéma aménagé en bistrot tendance. Salle sobre et conviviale, aux lignes épurées ; cuisine "bistronomique" franche et généreuse.

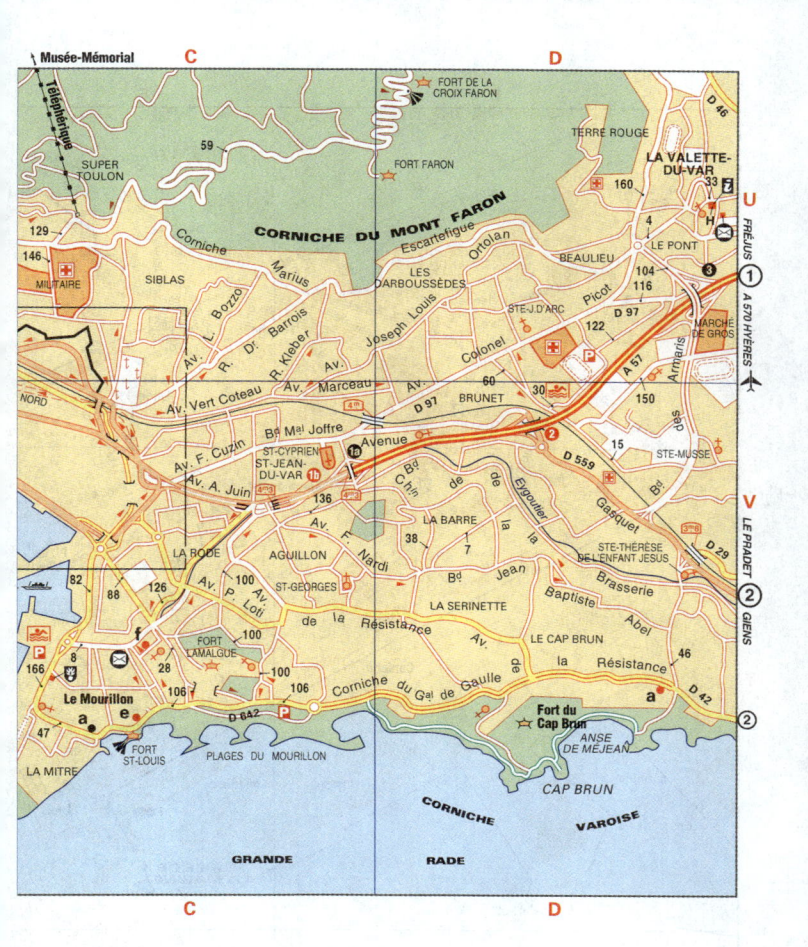

au Mourillon – ⌧ 83100 Toulon

Tour royale ✽ ★.

La Corniche sans rest   ≤ 📶 AC ⇵ ⚡ 📶 VISA ⓜ AE ①
*17 littoral F. Mistral – ℰ 04 94 41 35 12 – www.bestwestern-hotelcorniche.com
– info@cornichehotel.com – Fax 04 94 41 24 58*   CV **a**
28 ch – †95/150 € ††200/350 €, ⌑ 14 €
♦ À deux pas du port St-Louis et des plages du Mourillon, cet hôtel propose des chambres ou des suites élégantes et confortables ; la plupart avec vue panoramique sur la mer.

Le Gros Ventre   ☕ VISA ⓜ AE ①
*279 littoral F. Mistral – ℰ 04 94 42 15 42 – www.legrosventre.net
– alain.audibert503@orange.fr – Fax 04 94 31 40 32 – Fermé sam. midi, jeudi et vend.*   CV **e**
Rest – Menu 28/85 € – Carte 40/100 € 🌿
♦ Le chef réalise de savoureux plats en croûte (bœuf ou poisson issu de la pêche locale) et sa fille, sommelière, saura vous conseiller sur les meilleurs accords mets et vins.

TOULON

0 — 200 m

Map of Toulon

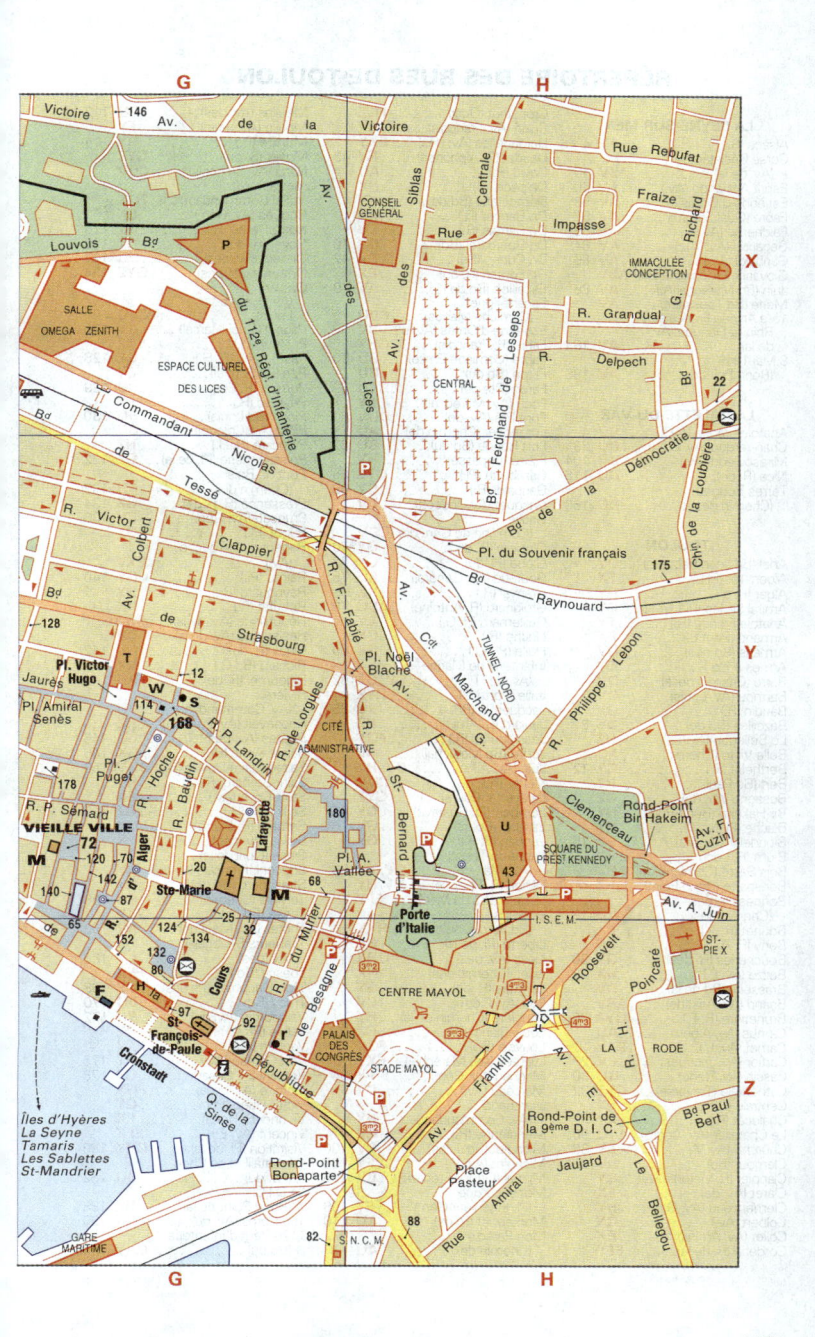

Grid references: G, H (horizontal); X, Y, Z (vertical)

Streets and locations:

- Av. de la Victoire — 146
- Rue Rebufat
- Rue Siblas
- Rue Centrale
- Impasse Fraize
- Rue Richard
- Conseil Général
- Bd Louvois
- Av. du 112e Rég. d'Infanterie
- Salle Omega Zenith
- Espace Culturel des Lices
- P
- Immaculée Conception
- R. Grandual
- R. Delpech
- Av. des Lices
- Bd Ferdinand de Lesseps
- CENTRAL
- Bd Commandant Nicolas
- R. de Tessé
- 22
- Bd de la Démocratie
- Chin de la Loubière — 175
- R. Victor Colbert
- Clappier
- Pl. du Souvenir français
- Bd Raynouard
- Bd de Strasbourg — 128
- Pl. Victor Hugo
- T
- 12
- Pl. Noël Blache
- Av. Marchand
- Tunnel Nord
- R. Philippe Lebon
- W, S
- 114
- 168
- R. F. Fabié
- R. P. Landrin
- R. de Lorgues
- CITÉ ADMINISTRATIVE
- Av. F. Cuzin
- Pl. Amiral Senès
- Pl. Puget — 178
- R. Hoche
- R. Baudin
- Lafayette
- 180
- St-Bernard
- G. Clemenceau
- Rond-Point Bir Hakeim
- R. P. Sémard
- VIEILLE VILLE
- 72
- 120, 70
- Alger
- 20
- Pl. A. Vallée
- 66
- U
- 43
- Square du Prés' Kennedy
- M
- 140, 142, 87
- Ste-Marie
- M
- Porte d'Italie
- I.S.E.M.
- Av. A. Juin
- 65
- 152, 132, 134
- 25, 32
- R. du Mûrier
- ST-PIE X
- 124, 80
- Cours
- R. de Besagne
- CENTRE MAYOL
- Roosevelt
- Poincaré
- R. H.
- LA RODE
- F — 97
- St-François-de-Paule
- 92
- PALAIS DES CONGRÈS
- Franklin
- Cronstadt
- République
- STADE MAYOL
- Av. E. Bellegou
- Bd Paul Bert
- Îles d'Hyères, La Seyne, Tamaris, Les Sablettes, St-Mandrier
- Q. de la Sinse
- Rond-Point Bonaparte
- Rond-Point de la 9ème D.I.C.
- Place Pasteur
- Rue Amiral Jaujard
- GARE MARITIME
- 82
- S.N.C.M.
- 88

RÉPERTOIRE DES RUES DE TOULON

LA SEYNE-SUR-MER

Alsace (R. d') . . . . **AV** 4
Corse Résistante
  (Av. de la) . . . . **ABV** 40
Esprit Armando (Av.) . . . . . **AV** 50
Estienne-d'Orves (Av. d') . . **AV** 53
Fabre (Quai Saturnin) . . . . . **AV** 57
Faidherbe (Av.) . . . . **AV** 58
Gagarine (Av. Y.) . . . . **AV** 64
Garibaldi (Av.) . . . . **AV** 66
Giovannini (Corniche Ph.) **ABV**
Juin (Bd Maréchal A.) . . . . **AV** 86
Merle (Bd Toussaint) . . . . . **AV**
1ère Armée Française
  Rhin et Danube (Av.
  de la) . . . . **AV** 184
8 Mai 1945
  (Rond Point du) . . . . **AV** 186

LA VALETTE-DU-VAR

Anatole-France (Av.) . . . . . **DU** 4
Char Verdun (Av. du) . . . . **DU** 33
Mirasouleou (Av.) . . . . **DU**
Nice (R. de) . . . . **DU** 116
Terres Rouges
  (Chemin des) . . . . **DU** 160

TOULON

Abel (Bd Jean-Baptiste) . . . **DV**
Albert-1er (Pl.) . . . . **FX**
Alger (R. d') . . . . **GY**
Amiral Senès (Pl.) . . . . **GY**
Anatole-France (R.) . . . . . . **FY**
Armand (Pont L.) . . . . **EX**
Armaris (Bd des) . . . . **DUV**
Armes (Pl. d') . . . . **FY**
Barre (Chemin de la) . . . . . **DV**
Barthou (Av. Louis) . . . . . . **DV** 7
Baudin (R.) . . . . **GY**
Bazeilles (Bd de) . . . . **CV** 8
Le Bellegou (Av. E.) . . . . . . **HZ**
Belle Visto (Chemin) . . . . . **AU**
Berthelot (R.) . . . . **GY** 12
Bert (Bd Paul) . . . . **HZ**
Besagne (Av. de) . . . . **GZ**
Bir-Hakeim (Rond-Point) . . **HY**
Blache (Pl. Noël) . . . . **HY**
Blondel (R. André) . . . . **DV** 15
Blum (R. Léon) . . . . **EY**
Bois Sacré (Corniche du) **ABV**
Bonaparte (Rond-Point) . . **GHZ**
Bonnes Herbes
  (Chemin des) . . . . **AU** 18
Bonnet (R. A.) . . . . **DV**
Bony (R. A.) . . . . **EX**
Boucheries (R. des) . . . . . . **GY** 20
Bozzo (Av. L.) . . . . **HX** 22
Brasserie (Bd de la) . . . . . . **DV**
Briand (Av. Aristide) . . . . . **ABV**
Brunetière (R. F.) . . . . **GYZ** 25
Camus (Av. Albert) . . . . **AU**
Carnot (Av. L.) . . . . **EXY**
Cartier (Av. Jacques) . . . . . **CV** 28
Cassin (Av. René) . . . . **DU** 30
Cathédrale (Traverse) . . . **GYZ** 32
Centrale (R.) . . . . **HX**
Chalucet (R.) . . . . **FXY**
Le Chatelier (Av. André) **ABU** 90
Churchill (Av. W.) . . . . **EY** 36
Clamour (Bd) . . . . **DV** 38
Clappier (R. Victor) . . . . . . **GY**
Claret (Av. G.) . . . . **EX**
Clemenceau (Av. G.) . . . . . **HY**
Colbert (R.) . . . . **GY**
Collet (Av. Amiral) . . . . **EX**
Corderie (R. de la) . . . . . . **EFY**
Cronstadt (Quai) . . . . **FGZ**
Cuzin (Av. François) . . . . **CV, HY**
Dardanelles (Av. des) . . . . **EXY**
Daudet (R. Alphonse) . . . . **HY** 43
David (R.) . . . . **AU**
Delpech (R.) . . . . **HX**
Démocratie (Bd de la) . . . . **HY**
Dr. Barnier (R.) . . . . **FX**
Dr. Barrois (R.) . . . . **CU**
Dr. Bourgarel (Bd) . . . . **DV** 46
Dr. Cunéo (Bd) . . . . **CV** 47
Dr. Fontan (R. du) . . . . **EX**
Escaillon (Bd de l') . . . . . . **AV** 49
Escartefigue
  (Corniche Marius) . . . . . **CDU**
Estienne-d'Orves (Av. d') . . **BV**
Fabié (R. François) . . . . . . **GHY**
Fabre (Corniche Émile) . . . **BU** 56
Faron (Bd du) . . . . **BU**
Faron (Rte de) . . . . **BCU** 59
Foch (Av. Maréchal) . . . . . . **EY**
Font Pré (Av. de) . . . . **DUV** 60
Forgentier (Chemin de) . . . **AU**
Fort Rouge (Bd du) . . . . . . **BU** 62
Fraize (Impasse) . . . . **HY**
Gambetta (Pl.) . . . . **GYZ** 65
Garibaldi (R.) . . . . **GY** 68
Gasquet (Av. Joseph) . . . . **DV**
Gaulle
  (Corniche du Gén.-de) . **CDV**
Glacière (R. de la) . . . . **GY** 70
Globe (Pl. du) . . . . **GY** 72
Gouraud (Av. Général) . . . **BU** 75
Granval (R.) . . . . **HX**
Groignard (R. Antoine) . . **ABU** 78
Guillemard (R. G.) . . . . **EY**
Hoche (R.) . . . . **GY**
Huile (Pl. à l') . . . . **GZ** 80
Infanterie de Marine
  (Av. de l') . . . . **CV, GZ** 82
Italie (Porte d') . . . . **HYZ**
Jacquemin (R.) . . . . **BU** 85
Jaujard (R. Amiral) . . . . **HZ**
Jean-Jaurès (R.) . . . . **FGY**
Joffre (Bd Maréchal) . . . . . . **CV**
Juin (Av. A.) . . . . **CV, HY**
Kléber (R.) . . . . **CUV**
Lafayette (Cours) . . . . **GYZ**
Lambert (R. Pl. Gustave) . . **GY** 87
Landrin (Cours) . . . . **GY**
Landrin (R. P.) . . . . **GY**
Lattre-de-Tassigny
  (Av. Mar.-de) . . . . . **CV, HZ** 88
Lebon (R. Philippe) . . . . . . **HY**
Leclerc (Bd. du Mar.) . . . . **EFY**
Lesseps
  (Bd Ferdinand de) . . . . **HXY**
Liberté (Pl. de la) . . . . **GY**
Lices (Av. des) . . . . **GHX**
Lices (Chemin des) . . . . . . **HX**
Lorgues (R. de) . . . . **GY**
Loti (Av. Pierre) . . . . **CV**
Loubière (Chemin de la) . . **HY**
Louis-Blanc (Pl.) . . . . **GZ** 92
Louvois (Bd) . . . . **FGX**
Lyautey (Av. Maréchal) . . **EXY**
Magnan (Av. Gén.) . . . . **FY** 94
Marceau (Av.) . . . . **CV**
Marchand
  (Av. Commandant) . . . . **HY**
Méridienne (R.) . . . . **GZ** 97
Michelet (Bd Jules) . . . . . . **CV** 100
Michelet (Av. V.) . . . . **FY** 102
Mistral (Littoral Frédéric) . . **CV** 106
Monsenergue
  (Pl. Ingénieur-Gén.) . . . . **FY** 108
Montserrat (R. de) . . . . **AU** 110
Mon Paradis
  (Chemin de) . . . . **AU**
Moulins (Av. des) . . . . **BU** 112
Moulin (Av. Jean) . . . . **FY**
Muraire (R.) . . . . **GY** 114
Murier (R. du) . . . . **GYZ**
Nardi (Av. François) . . . . . **CDV**
Nicolas
  (Bd Commandant) . . . . **FGX**
Noguès (Av. Gén.) . . . . **EX**
Notre Dame (R.) . . . . **GY** 118
Noyer (R. du) . . . . **GY** 120
Oliviers (Av. des) . . . . **DU** 122
Orfèvres (Pl. des) . . . . **GYZ** 124
Ortolan
  (Av. Joseph-
  Louis) . . . . **CDU**
Pagnol (Quai Marcel) . . . . . **CV** 126
Pasteur (Pl.) . . . . **HZ**
Pastoureau (R. H.) . . . . **GY** 128
Péri (Pl. Gabriel) . . . . **EY**
Perrichi (R. Edouard) . . . . . **CU** 129
Peyresc (R.) . . . . **FY**
Picon (Bd Louis) . . . . **BU** 130
Picot (Av. Colonel) . . . . **DU**
Poincaré (R.) . . . . **HZ**
Poissonnerie (Pl. de la) . . . **GZ** 132
Pont de Bois
  (Chemin du) . . . . **BU** 133
Pressencé (R. F. de) . . . . . **GZ** 134
Pruneau (Av. Gén.) . . . . . . **CV** 136
Puget (Pl.) . . . . **GY**
Rageot-de-la-Touche
  (Av.) . . . . **EXY**
Raimu (R.) . . . . **GY** 140
Raynouard (Bd) . . . . **HY**
Rebufat (R.) . . . . **HX**
République (Av. de la) . . . **FGZ**
Résistance (Av. de la) . . . . . **DV**
Riaux (R. des) . . . . **GY** 142
Richard (Bd G.) . . . . **HX**
Rigoumel (R. de) . . . . **BU** 144
Rivière
  (Av. Commandant) . . . . . **BU**
Roosevelt (Av. Franklin) . . . **HZ**
Routes (Av. des) . . . . **BU** 145
Sainte-Anne (Bd) . . . . **CU, GX** 146
Sainte-Claire-Deville (R.) . **DUV** 150
Saint-Bernard (R.) . . . . **HY**
Saint-Roch (Av.) . . . . **EX**
Seillon (R. H.) . . . . **GZ** 152
Sernard (R. Pierre) . . . . . . **GY**
Siblas (Av. des) . . . . **HX**
Sinse (Quai de la) . . . . **GZ**
Souvenir Français (Pl. du) . **HY**
Strasbourg (Bd de) . . . . . . **GY**
Temple (Chemin) . . . . **BU** 158
Tessé (Bd de) . . . . **GXY**
Thorez (Av. Maurice) . . . . . **AV** 162
Tirailleurs Sénégalais
  (Av. des) . . . . **CV** 166
Toesca (Bd P.) . . . . **EFX**
Trois Dauphins (Pl. des) . . **GY** 168
Trucy (Bd) . . . . **BU** 170
Valbourdin (Av. de) . . . . . . **BU** 172
Vallée (Pl. A.) . . . . **HY**
Vauban (R.) . . . . **FXY**
Vert Coteau (Av.) . . . . **HY** 175
Vezzani (Pl. César) . . . . . . **HY** 178
Victoire (Av. de la) . . . . . . **FGX**
Victor-Hugo (Pl.) . . . . **GY**
Vienne (R. Henri) . . . . **EX**
Vincent (Av. E.) . . . . **EFX**
Visitation (Pl. de la) . . . . . **GHY** 180
1er Bataillon de Choc
  (Av. du) . . . . **BU** 182
9e D.I.C.
  (Rond-Point de la) . . . . . **HZ** 188
15e Corps (Av. du) . . . . **BU** 190
112e Régt d'Infanterie
  (Bd du) . . . . **GXY**

TOULON

au Cap Brun – ⊠ 83100 Toulon

XxX **Les Pins Penchés**
*3182 av. de la Résistance – ℰ 04 94 27 98 98 – www.restaurant-pins-penches.com
– infos@restaurant-pins-penches.com – Fax 04 94 27 98 27 – Fermé dim. soir,
mardi midi et lundi* DV **a**
Rest – Menu (38 €), 58/68 €
♦ Charmant castel du 19e s. où l'on sert une cuisine traditionnelle dans un cadre cossu. Superbe panorama sur le parc arboré, le Cap Brun et la Méditerranée.

TOULON-LA-MONTAGNE – 51 **Marne** – 306 F9 – ⊠ 51130   13 **B2**

🅳 Paris 128 – Châlons-en-Champagne 40 – Épernay 29 – Reims 58

⌂ **Les Corettes** sans rest
*chemin du Pâti – ℰ 03 26 59 06 92 – Fax 03 26 59 06 92
– Fermé 1er déc.-1er mars*
5 ch ⌑ – †55 € ††65 €
♦ Au milieu du paisible vignoble, demeure dominant le village viticole. Chambres personnalisées, salon-billard et jardin fleuri.

La basilique Saint Sernin

TOULOUSE

P Département : 31 Haute-Garonne
Carte Michelin LOCAL : n° 343 G3
▶ Paris 677 – Barcelona 320 – Bordeaux 244 – Lyon 535 – Marseille 405

Population : 437 100 h.
Pop. agglomération : 936 800 h.
Altitude : 146 m
Code Postal : ✉ 31000
▌ Midi-Pyrénées
Carte régionale 28 B2

RÉPERTOIRE DES RUES DE TOULOUSE	p. 3
PLANS DE TOULOUSE	
AGGLOMÉRATION	p. 4 et 5
TOULOUSE CENTRE	p. 6 et 7
HÔTELS ET RESTAURANTS	p. 8 à 14

RENSEIGNEMENTS PRATIQUES

🛈 OFFICE DE TOURISME
Donjon du Capitole ✆ 05 61 11 02 22, Fax 05 61 23 74 97

TRANSPORTS
Auto-train ✆ 3635 et tapez 42 (0,34 €/mn)

AÉROPORT
✈ Toulouse-Blagnac ✆ 0 825 380 000 (0,15 €/mn) AS

QUELQUES GOLFS
⛳ de Toulouse La Ramée à Tournefeuille Ferme du Cousturier, ✆ 05 61 07 09 09
⛳ de Toulouse à Vieille-Toulouse, S : 9 km par D 4, ✆ 05 61 73 45 48
⛳ Saint-Gabriel à Montrabé "Lieu dit Castié", par rte de Lavaur : 10 km, ✆ 05 61 84 16 65
⛳ Seilh Toulouse à Seilh Route de Grenade, par rte de Seilh : 12 km, ✆ 05 62 13 14 14
⛳ de Borde-Haute à Drémil-Lafage Borde-Haute, par rte de Castres (N126) : 15 km, ✆ 05 62 18 84 00
⛳ de Teoula à Plaisance-du-Touch 71, avenue des Landes, SO : 20 km par D 632, ✆ 05 61 91 98 80
⛳ de Palmola à Buzet-sur-Tarn Route d'Albi, NE : 22 km par A 68, sortie N°4, ✆ 05 61 84 20 50

CASINO
– Du théâtre, 18 chemin de la Loge

Hippodrome de la Cépière 1 chemin des Courses ✆ 05 34 39 01 45

👁 A VOIR

TOULOUSE ET L'AÉRONAUTIQUE

Usine Clément-Ader à Colomiers dans la banlieue Ouest par ⑦

QUARTIERS DE LA BASILIQUE ST-SERNIN ET DU CAPITOLE

Basilique St-Sernin★★★ - Musée St-Raymond★★ - Église les Jacobins★★ (vaisseau de l'église★★) - Capitole★ - Tour d'escalier★ de l'hôtel de Bernuy **EY**

DE LA PLACE DE LA DAURADE À LA CATHÉDRALE

Hôtel d'Assézat et fondation Bemberg★★ **EY** - Cathédrale St-Étienne★ - Musée des Augustins★★ (sculptures★★★) **FY**

AUTRES CURIOSITÉS

Muséum d'histoire naturelle★★ **FZ** - Musée Paul-Dupuy★ **FZ** - Musée Georges-Labit★ **DV** M²

RÉPERTOIRE DES RUES DE TOULOUSE

Rue	Code	N°
Agde (Rte d')	CS	
Albi (Rte d')	CS	
Alsace-Lorraine (R. d')	EXY	
Arcole (Bd)	EX	
Arcs-St-Cyprien (R. des)	DV	
Arènes-Romaines (Av.)	AT	3
Arnaud-Bernard (Pl.)	EX	
Arnaud-Bernard (R.)	EX	4
Arts (R. des)	FY	
Astorg (R. d')	FY	5
Aubuisson (R. d')	FY	
Austerlitz (R. d')	FX	
Barcelone (Allée)	DV	
Baronie (R.)	EY	9
Bayard (R. de)	FX	
Bayonne (Rte de)	AT	
Béarnais (R. du)	DV	
Belfort (R.)	FX	
Biarritz (Av. de)	AT	12
Billières (Av. E.)	DV	13
Blagnac (Rte de)	AST	
Bonnefoy (R. Fg)	CS	15
Bonrepos (Bd)	DV	16
Bordebasse (R. de)	AS	
Born (R. B. de)	FX	
Boulbonne (R.)	FY	18
Bouquières (R.)	FZ	19
Bourse (Pl. de la)	EY	20
Bourse (R. de la)	FY	
Brienne (Allée de)	DV	
Brunaud (Av.)	CT	
Cantegril (R.)	FY	23
Capitole (Pl. du)	EY	
Carmes (Pl. des)	EZ	
Carnot (Bd L.)	FY	
Cartailhac (R. E.)	EX	26
Casselardit (Av. de)	AT	28
Castres (Av. de)	CT	
Chaîne (R. de la)	EX	31
Changes (R. des)	EY	
Château d'Eau (Av. du)	BT	32
Chaubet (Av. Jean)	CT	
Colombette (R. de la)	FZ	
Concorde (R. de la)	FZ	
Cornebarrieu (Av. de)	AS	33
Couteliers (R. des)	EYZ	
Crêtes (Bd des)	CT	
Croix-Baragnon (R.)	FY	
Cugnaux (R. de)	DV	35
Cujas (R.)	EY	36
Dalbade (R. de la)	EZ	
Daurade (Pl. de la)	EY	
Daurade (Quai de la)	EY	38
Demoiselles (Allée des)	DV	40
Denfert-Rochereau (R.)	FX	
Déodat-de-Sév. (Bd)	BU	43
Déville (R.)	EX	
Dr-Baylac (Pl. du)	AT	47
Duméril (R. A.)	DV	
Duportal (Bd A.)	DV	
Eisenhower (Av. du Gén.)	AU	
Embouchure (Bd de l')	DV	
Espagne (Rte d')	BU	
Espinasse (R.)	FZ	
Esquirol (Pl.)	EY	54
Etats-Unis (Av. des)	BS	55
Europe (Pl. de l')	DV	
La-Fayette (R.)	EY	
Fermat (R.)	FYZ	
Fer-à-Cheval (Pl. du)	DV	
Feuga (Allée P.)	EZ	
Filatiers (R. des)	EYZ	
Fitte (Allée Ch.-de)	DV	
Fonderie (R. de la)	EZ	60
Fonvielle (R. M.)	FY	
France (Pl. A.)	EX	
Frères-Lion (R. des)	FY	62
Frizac (Av.)	DV	
Fronton (Av. de)	BS	
Gambetta (R.)	EY	
Gare (Bd de la)	DV	
Garonnette (R. de la)	EZ	
Gatien-Arnoult (R.)	EX	
Gloire (Av. de la)	CT	
Gonin (Av. Cl.)	AS	
Grande-Bretagne (Av. de)	AT	67
Grand-Rond	FZ	
Grenade (Rte de)	AS	
Griffoul-Dorval (Bd)	DV	72
Guesde (Allée J.)	FZ	
Hauriou (Av. M.)	EZ	
Henry-de-Gorsse (R.)	EZ	76
Jeanne-d'Arc (Pl.)	FX	
Jean-Jaurès (Allées)	FX	
Jules-Chalande (R.)	EY	79
Julien (Av. J.)	BU	80
Lafourcade (Pl. A.)	EZ	
Laganne (R.)	DV	
Lakanal (R.)	EY	
Langer (Av. M.)	BU	84
Languedoc (R. du)	EZ	
Lapeyrouse (R.)	FY	85
Lardenne (Av. de)	AT	
Lascrosses (Bd)	DV	
Lautmann (R.)	EX	
Leclerc (Bd Mar.)	DV	87
Lois (R. des)	EX	
Lombez (Av. de)	AT	88
Lyon (Av. de)	DV	
Mage (R.)	FZ	
Magre (R. Genty)	EY	91
Malcousinat (R.)	EY	92
Marchands (R. des)	EY	95
Marquette (Bd de la)	DV	
Matabiau (Bd)	DV	
Matabiau (R.)	DV	
May (R. du)	EY	
Mercié (R. A.)	EY	103
Merly (R.)	FZ	
Metz (R. de)	EFY	
Minimes (Av. des)	BS	104
Minimes (Bd des)	DV	
Mirail (Av. du)	AU	
Mistral (Allées-F.)	FZ	
Montoulieu (Pl.)	FZ	
Muret (Av. de)	DV	
Narbonne (Rte de)	BCU	
Nazareth (Gde-R.)	EFZ	
Ninau (R.)	FZ	
Occitane (Pl.)	FY	
Ozenne (R.)	FZ	
Pargaminières (R.)	EY	
Paris (Barrière de)	BS	109
Parlement (Pl. du)	EZ	
Pauilhac (R. C.)	EFX	
Perchepinte (R.)	FZ	
Périgord (R. du)	EX	
Péri (R. G.)	FX	
Peyras (R.)	EY	113
Peyrolières (R.)	EY	
Pharaon (R.)	EZ	
Pleau (R. de la)	FZ	114
Poids-de-l'Huile (R.)	EY	115
Polinaires (R. des)	EZ	116
Pomme (R. de la)	EFV	117
Pompidou (Allée)	DV	118
Potiers (R. des)	FZ	
Pt-Guilheméry (R.)	CT	119
Pujol (Av. C.)	CT	121
Ramelet-Moundi (Ch. de)	AU	
Raymond IV (R.)	FX	
Récollets (Bd des)	BU	123
Rémusat (R. de)	EX	
République (R. de la)	DV	124
Revel (Rte de)	CU	125
Rieux (Av. J.)	DV	
Riguepels (R.)	FY	127
Riquet (Bd)	DV	
Romiguières (R.)	EY	129
Roosevelt (Allées)	FXY	130
Rouaix (Pl.)	EY	
Ste-Lucie (R.)	DV	
Ste-Ursule (R.)	EY	137
St-Antoine-du-T. (R.)	FY	
St-Bernard (R.)	EX	
St-Etienne (Port)	DV	133
Saint-Exupéry (Av.)	CU	
St-Georges (Pl.)	FY	
St-Jacques (R.)	FZ	
St-Michel (Gde-R.)	DV	134
St-Pierre (Pl.)	DV	
St-Rome (R.)	EY	
St-Sernin (Pl.)	EX	
St-Simon (Rte de)	AU	136
Salin (Pl. du)	EZ	
Sébastopol (R. de)	DV	139
Ségoffin (Av. V.)	BU	140
Séjourné (Av. P.)	DV	
Semard (Bd P.)	DV	142
Serres (Av. H.)	DV	
Seysses (Rte de)	AU	
Strasbourg (Bd de)	FX	
Suau (R. J.)	EY	146
Suisse (Bd de)	BST	
Taur (R. du)	EX	
Temponières (R.)	EY	147
Tolosane (R.)	FYZ	
Tounis (Quai de)	EZ	
Trentin (Bd S.)	BS	148
Trinité (R. de la)	EY	149
U.R.S.S. (Av. de l')	BU	154
Vélane (R.)	FZ	158
Verdier (Allées F.)	FZ	
Victor-Hugo (Pl.)	FX	
Wagner (Bd Richard)	BT	160
Wilson (Pl. Prés.)	FY	
3-Journées (R. des)	FY	162
3-Piliers (R. des)	EX	164

TOULOUSE page 4

Agde (Rte d')	**CS**
Albi (Rte d')	**CS**
Arènes-Romaines (Av.)	**AT** 3
Bayonne (Rte de)	**AT**
Biarritz (Av. de)	**AT** 12
Blagnac (Rte de)	**AST**
Bonnefoy (R. Fg)	**CS** 15
Bordebasse (R. de)	**AS**
Brunaud (Av.)	**CT**
Casselardit (Av. de)	**AT** 28
Castres (Av. de)	**CT**
Château d'Eau (Av. du)	**BT** 32
Chaubet (Av. Jean)	**CT**
Cornebarrieu (Av. de)	**AS** 33
Crêtes (Bd des)	**CT**
Déodat-de-Sév. (Bd)	**BU** 43
Dr-Baylac (Pl. du)	**AT** 47
Eisenhower (Av. du Gén.)	**AU**
Espagne (Rte d')	**BU**
Etats-Unis (Av. des)	**BS** 55
Fronton (Av. de)	**BS**
Gloire (Av. de la)	**CT**
Gonin (Av. Cl.)	**AS**
Grande-Bretagne (Av. de)	**AT** 67
Grenade (Rte de)	**AS**
Julien (Av. J.)	**BU** 80
Langer (Av. M.)	**BU** 84
Lardenne (Av. de)	**AT**
Lombez (Av. de)	**AT** 88
Minimes (Av. des)	**BS** 104
Mirail (Av. du)	**AU**
Narbonne (Rte de)	**BCU**
Paris (Barrière de)	**BS** 109
Pt-Guilheméry (R.)	**CT** 119
Pujol (Av. C.)	**CT** 121
Ramelet-Moundi (Ch. de)	**AU**
Récollets (Bd des)	**BU** 123
Revel (Rte de)	**CU** 125
Rieux (Av. J.)	**DV**
Saint-Exupéry (Av.)	**CU**
St-Simon (Rte de)	**AU** 136
Ségoffin (Av. V.)	**BU** 140
Suisse (Bd de)	**BST**
Trentin (Bd S.)	**BS** 148
U.R.S.S. (Av. de l')	**BU** 154
Victor-Hugo (Pl.)	**FX**
Wagner (Bd Richard)	**BT** 160

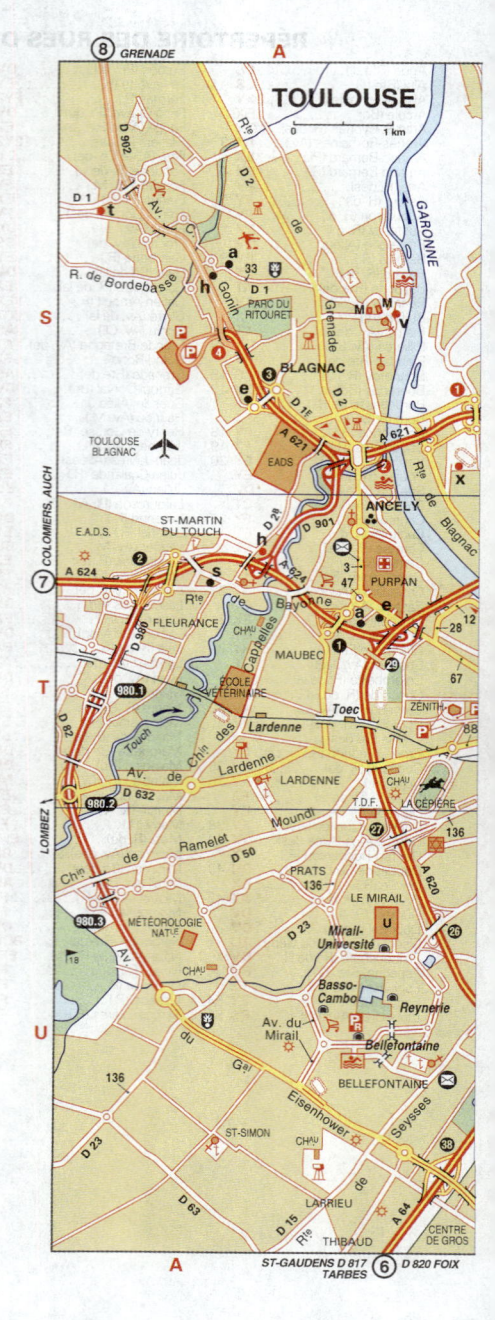

1878

TOULOUSE page 5

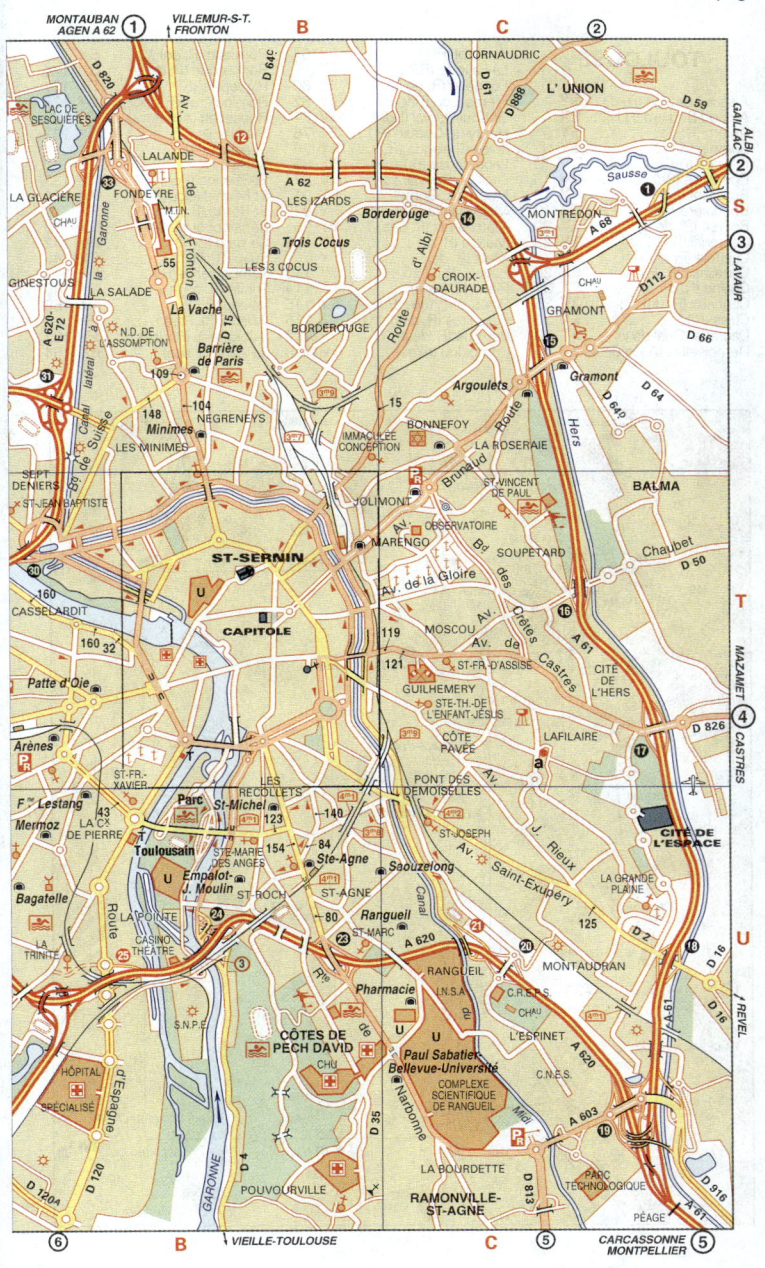

TOULOUSE

Alsace-Lorraine (R. d') . **EXY**	Esquirol (Pl.) . . . . **EY** 54	Rémusat (R. de) . . . . . . **EX**
Arnaud-Bernard (R.) . . . . **EX** 4	La-Fayette (R.) . . . . **EY**	République (R. de la) . . . **DV** 124
Astorg (R. d') . . . . **FY** 5	Fonderie (R. de la) . . . . . **EZ** 60	Riquepels (R.) . . . . **FY** 127
Baronie (R.) . . . . **EY** 9	Frères-Lion (R. des) . . . . **FY** 62	Romiguières (R.) . . . . . . **EY** 129
Billières (Av. E.) . . . . **DV** 13	Griffoul-Dorval (Bd) . . . . **DV** 72	Roosevelt (Allées) . . . . . **FXY** 130
Bonrepos (Bd) . . . . **DV** 16	Henry-de-Gorsse (R.) . . . **EZ** 76	Ste-Ursule (R.) . . . . **EY** 137
Boulbonne (R.) . . . . **FY** 18	Jules-Chalande (R.) . . . . **EY** 79	St-Antoine-du-T.
Bouquières (R.) . . . . **FZ** 19	Lapeyrouse (R.) . . . . **FY** 85	(R.) . . . . **FY**
Bourse (Pl. de la) . . . . . . **EY** 20	Leclerc (Bd Mar.) . . . . . . **DV** 87	St-Etienne (Port) . . . . . . **DV** 133
Cantegril (R.) . . . . **FY** 23	Magre (R. Genty) . . . . . . **EY** 91	St-Michel (Gde-R.) . . . . . **DV** 134
Capitole (Pl. du) . . . . **EY**	Malcousinat (R.) . . . . **EY** 92	St-Rome (R.) . . . . **EY**
Cartailhac (R. E.) . . . . . . **EX** 26	Marchands (R. des) . . . . **EY** 95	Sébastopol (R. de) . . . . . **DV** 139
Chaîne (R. de la) . . . . . . **EX** 31	Mercié (R. A.) . . . . **EY** 103	Semard (Bd P.) . . . . **EY** 142
Cugnaux (R. de) . . . . **DV** 35	Metz (R. de) . . . . **EFY**	Suau (R. J.) . . . . **EY** 146
Cujas (R.) . . . . **EY** 36	Peyras (R.) . . . . **EY** 113	Temponières (R.) . . . . . . **EY** 147
Daurade (Quai de la) . . . **EY** 38	Pleau (R. de la) . . . . **FZ** 114	Trinité (R. de la) . . . . **EY** 149
Demoiselles (Allée des) . **DV** 40	Poids-de-l'Huile (R.) . . . . **EY** 115	Vélane (R.) . . . . **FZ** 158
	Polinaires (R. des) . . . . . **EZ** 116	Wilson (Pl. Prés.) . . . . . . **EY**
	Pomme (R. de la) . . . . . . **EFY** 117	3-Journées (R. des) . . . . **FY** 162
	Pompidou (Allée) . . . . . . **DV** 118	3-Piliers (R. des) . . . . . . **EX** 164

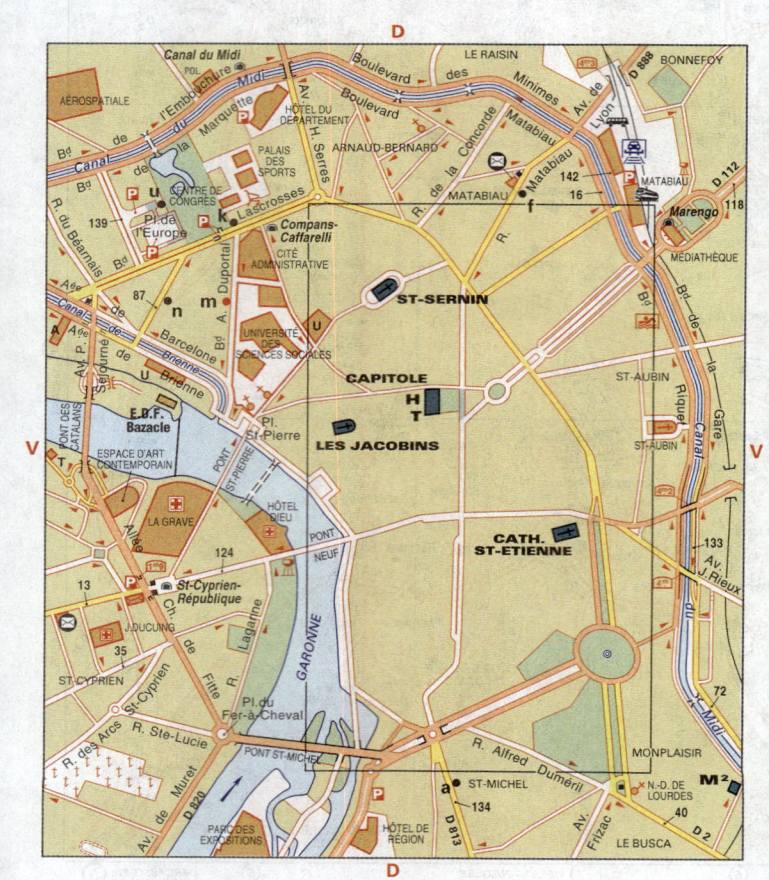

1880

TOULOUSE page 7

TOULOUSE page 8

Pullman Centre
84 allées J. Jaurès – ℰ 05 61 10 23 10 – www.pullmanhotels.com
– h1091@accor.com – Fax 05 61 10 23 20
p. 7 FX v
119 ch – †300/340 € ††340/380 €, ⊊ 22 € – 14 suites
Rest *S W Café* – ℰ 05 61 10 23 40 – Menu (17 € bc), 25 € bc (dîner en sem.) – Carte 35/58 €

◆ L'hôtel occupe un imposant immeuble en verre et briques roses. Chambres au luxe discret, spacieuses et bien insonorisées. Centre d'affaires et bel espace séminaires. Au SW Café, cadre moderne épuré et recettes panachant produits régionaux et épices du monde.

Crowne Plaza
7 pl. du Capitole – ℰ 05 61 61 19 19 – www.crowne-plaza-toulouse.com
– hicptoulouse@alliance-hospitality.com – Fax 05 61 61 19 08
p. 7 EY t
162 ch ⊊ – †130/390 € ††145/405 € – 3 suites
Rest – (fermé août) Menu (19 €), 29/60 € bc – Carte 49/72 €

◆ Situation prestigieuse sur la place du Capitole pour cet établissement doté d'un centre d'affaires. Espace et confort dans les chambres ; certaines regardent l'hôtel de ville. Le restaurant donne sur un agréable patio florentin.

Grand Hôtel de l'Opéra sans rest
1 pl. du Capitole – ℰ 05 61 21 82 66 – www.grand-hotel-opera.com
– hotelopera@guichard.fr – Fax 05 61 23 41 04
p. 7 EY a
49 ch – †190/490 € ††260/490 €, ⊊ 22 €

◆ Chambres cossues habillées de boiseries et de velours, jolie salle de réception voûtée et plaisant salon-bar : le charme du passé perdure en cet ancien couvent du 17ᵉ s.

De Brienne sans rest
20 bd du Mar. Leclerc – ℰ 05 61 23 60 60 – www.hoteldebrienne.com – brienne@hoteldebrienne.com – Fax 05 61 23 18 94
p. 6 DV n
70 ch – †70/95 € ††70/95 €, ⊊ 11 € – 1 suite

◆ Chambres colorées et impeccablement tenues, nombreux espaces de travail et de détente (bar-bibliothèque, patio) : une adresse appréciée par la clientèle d'affaires.

Mercure Atria
8 espl. Compans Caffarelli – ℰ 05 61 11 09 09 – www.mercure – h1585@accor.com – Fax 05 61 23 14 12
p. 6 DV k
136 ch – †82/158 € ††92/168 €, ⊊ 14 € – 2 suites   **Rest** – Carte 25/35 €

◆ Mobilier moderne et confortable, panneaux de bois décoratifs et couleurs chaudes : les chambres bénéficient depuis peu des nouvelles normes Mercure. Vaste espace affaires. Au restaurant : vue apaisante sur le parc public ou plus trépidante... sur les cuisines.

Novotel Centre
5 pl. A. Jourdain – ℰ 05 61 21 74 74 – www.novotel.com – h0906@accor.com
– Fax 05 61 22 81 22
p. 6 DV u
135 ch – †103/175 € ††103/175 €, ⊊ 15 € – 2 suites   **Rest** – Carte 25/45 €

◆ Ce bâtiment de style régional jouxte un jardin japonais et un grand parc. Chambres amples et rénovées dans un esprit contemporain ; certaines possèdent une terrasse. Festival de couleurs au restaurant proposant une cuisine à la fois traditionnelle et locale.

Holiday Inn Centre
13 pl. Wilson – ℰ 05 61 10 70 70 – www.hotel-capoul.com – hicapoul@guichard.fr – Fax 05 61 21 96 70
p. 7 FY n
130 ch – †99/178 € ††99/178 €, ⊊ 16 €
Rest *Brasserie le Capoul* – ℰ 05 61 21 08 27 – Menu (22 €), 25 € (sem.) – Carte 30/50 €

◆ Sur une jolie place animée, hostellerie ancienne se distinguant par son superbe hall sous verrière et ses chambres dotées de salles de bains originales. Fruits de mer, plats du jour et spécialités du Sud-Ouest vous attendent à la Brasserie le Capoul.

Garonne sans rest
22 descente de la Halle aux Poissons – ℰ 05 34 31 94 80 – www.hotelgaronne.com
– contact@hotelgaronne.com – Fax 05 34 31 94 81
p. 7 EY d
14 ch – †190/290 € ††190/290 €, ⊊ 25 €

◆ Bâtisse ancienne dans une venelle du Vieux Toulouse. Bel intérieur contemporain : parquet en chêne teinté, meubles design, tentures soyeuses et petites touches japonisantes.

TOULOUSE page 9

Des Beaux Arts sans rest
1 pl. du Pont-Neuf – ℰ 05 34 45 42 42 – www.hoteldesbeauxarts.com – contact@hoteldesbeauxarts.com – Fax 05 34 45 42 43   p. 7 EY **v**
19 ch – †110/250 € ††110/250 €, ⚌ 16 €
◆ Maison du 18ᵉ s. aménagée avec goût aux chambres douillettes et raffinées. La plupart ont vue sur la Garonne et la n° 42 possède un atout supplémentaire : une miniterrasse.

Les Capitouls sans rest
29 allées J. Jaurès – ℰ 05 34 41 31 21 – www.bestwestern-capitouls.com
– reservation@hotel-capitouls.com – Fax 05 61 63 15 17   p. 7 FX **g**
55 ch – †130/181 € ††130/181 €, ⚌ 14 € – 2 suites
◆ Au pied de la station de métro Jean-Jaurès, cet ex-hôtel particulier qui a conservé un hall de caractère (voûtes en briques roses) abrite des chambres pourvues du système wi-fi.

Mermoz sans rest
50 r. Matabiau – ℰ 05 61 63 04 04 – www.hotel-mermoz.com – reservation@hotel-mermoz.com – Fax 05 61 63 15 64   p. 7 DV **f**
52 ch – †125/140 € ††125/140 €, ⚌ 15 €
◆ Rénové par étape, le décor de l'hôtel évoque sobrement les héroïques pilotes de l'Aéropostale : chambres aux tons acidulés, verrière ou terrasse arborée pour le petit-déjeuner.

Mercure Wilson sans rest
7 r. Labéda – ℰ 05 34 45 40 60 – www.mercure.com – h1260@accor.com
– Fax 05 34 45 40 61   p. 7 FY **m**
95 ch – †79/189 € ††89/199 €, ⚌ 14 €
◆ Derrière la façade toulousaine, chambres bien équipées et égayées de teintes ensoleillées. Aux beaux jours, petits-déjeuners servis en terrasse. Garage très pratique.

Athénée sans rest
13 bis r. Matabiau – ℰ 05 61 63 10 63 – www.athenee-hotel.com
– hotel-athenee@wanadoo.fr – Fax 05 61 63 87 80   p. 7 FX **a**
35 ch – †89/137 € ††99/147 €, ⚌ 11 €
◆ Sobre bâtiment situé à 500 m de la basilique St-Sernin. Chambres fonctionnelles rehaussées de couleurs gaies. Pierres et briques habillent les murs du salon.

Albert 1ᵉʳ sans rest
8 r. Rivals – ℰ 05 61 21 17 91 – www.hotel-albert1.com – toulouse@hotel-albert1.com – Fax 05 61 21 09 64   p. 7 EX **r**
47 ch – †55/115 € ††65/123 €, ⚌ 10 €
◆ Adresse très pratique pour sillonner à pied la Ville rose. Préférez les chambres joliment relookées ; celles sur l'arrière sont plus calmes.

Ours Blanc-Centre sans rest
14 pl. Victor Hugo – ℰ 05 61 21 25 97 – www.hotel-oursblanc.com – centre@hotel-oursblanc.com – Fax 05 61 23 96 27   p. 7 FX **s**
44 ch – †79 € ††85 €, ⚌ 7 €
◆ Emplacement privilégié pour cet hôtel proche des lieux les plus en vue. Petites chambres fonctionnelles climatisées, double vitrage efficace, entretien régulier...

Castellane sans rest
17 r. Castellane – ℰ 05 61 62 18 82 – www.castellanehotel.com
– castellanehotel@wanadoo.fr – Fax 05 61 62 58 04   p. 7 FX **f**
53 ch – †76 € ††76 €, ⚌ 8 €
◆ Accueil sympathique dans cet hôtel ordonné autour d'un patio. Chambres simples et rénovées, parfois dotées de terrasses ; certaines conviennent particulièrement aux familles.

Les Loges de St-Sernin sans rest
12 r. St-Bernard – ℰ 05 61 24 44 44 – www.logessaintsernin.fr – logesaintsernin@live.fr – Fermé 20-27 déc., une sem. en fév. et le week-end hors saison   p. 7 EX **t**
4 ch ⚌ – †105/120 € ††105/120 €
◆ Au 2ᵉ étage de cet immeuble totalement refait se trouvent des chambres raffinées, mariant l'ancien au confort d'aujourd'hui. Une adresse de charme bien sympathique.

1883

TOULOUSE page 10

XXX Les Jardins de l'Opéra   AC ⇔ VISA MC AE
1 pl. du Capitole – ℰ *05 61 23 07 76 – www.lesjardinsdelopera.com – contact@lesjardinsdelopera.com – Fax 05 61 23 63 00*
– Fermé midi fériés, dim. et lundi   p. 7 EY **q**
Rest – Menu 29 € (déj.), 44 € bc/110 € – Carte environ 110 €
◆ Élégantes salles à manger coiffées d'une verrière et séparées par un bassin dédié à Neptune. Original : la carte propose des plats en trilogie (trois mets dans la même assiette).

XXX Michel Sarran   😤 AC ⇔ 🛏 VISA MC AE
ॐॐ
21 bd A. Duportal – ℰ *05 61 12 32 32 – www.michel-sarran.com – restaurant@michel-sarran.com – Fax 05 61 12 32 33 – Fermé août, 20-28 déc., merc. midi, sam. et dim.*   p. 6 DV **m**
Rest – *(prévenir)* Menu 48 € bc (déj. en sem.), 98/165 € bc – Carte 86/127 €
Spéc. Langoustines translucides sur un risotto glacé. Agneau allaiton de l'Aveyron rôti en viennoise aux dattes. Haricots tarbais en mousse légère au vieux rhum et lait de coco.
◆ Dans cette charmante demeure du 19e s., l'ambiance familiale – un peu comme à la maison – et le joli décor moderne épuré sublime la belle cuisine inventive préparée par le chef.

XX En Marge (Frank Renimel)   AC 😤 VISA MC ①
ॐ
8 r. Mage – ℰ *05 61 53 07 24 – www.restaurantenmarge.com – Fermé 6-12 avril, 12 août-6 sept., 21 déc.-3 janv., dim., lundi et mardi*   p. 7 FZ **v**
Rest – *(nombre de couverts limité, prévenir)* Menu (30 €), 55/80 €
Spéc. Crème de potimarron aux Saint-Jacques crues (déc. à fév.). Suprême de pigeon rôti aux ravioles de foie gras. Parfait à la feuille de tabac et "cigare" à la crème au rhum. **Vins** Côtes du Marmandais.
◆ Nouvelle enseigne très familiale : accueil attentif, décor moderne un brin baroque et nombre limité de couverts pour déguster de beaux menus inventifs, souvent renouvelés.

XX Metropolitan   😤 ♿ AC ⇔ P VISA MC AE
ॐ
2 pl. Auguste-Albert – ℰ *05 61 34 63 11 – www.metropolitan-restaurant.fr – contact@metropolitan-restaurant.fr – Fax 05 61 52 88 91 – Fermé 1er-21 août, 25-30 déc., sam. midi, dim. et lundi*   p. 5 CT **a**
Rest – Menu (23 €), 30 € (déj. en sem.), 39/85 € – Carte 76/103 €
Spéc. Chair de crabe en barigoule de légumes à la coriandre. Calamars en persillade, pressé de tomate au pesto. Framboises au naturel, croustillant de chocolat au lait et thé (saison). **Vins** Fronton rouge.
◆ Adresse moderne qui accumule les bons points : goûteuse cuisine dans le vent, salle design (comptoir), miniterrasse intérieure avec pieds de vignes, service motivé et sympathique.

XX Le L   😤 AC ⇔ VISA MC AE
24 pl. de la Bourse – ℰ *05 61 21 69 05 – www.restaurantlel.com*
– laurent.guillard@le-l.com – Fax 05 61 21 61 79
– Fermé 5-25 août, dim. et lundi   p. 7 EY **c**
Rest – Menu 24 €, 48/75 € – Carte 32/64 €
◆ Au cœur de la vieille ville, cette table contemporaine propose une carte créative aux influences asiatiques, renouvelée souvent, et plus étoffée au dîner. Terrasse d'été.

XX Valentin   VISA MC
21 r. Perchepinte – ℰ *05 61 53 11 15 – www.valentin-restaurant.fr – contact@valentin-restaurant.fr – Fermé lundi*   p. 7 FZ **n**
Rest – *(dîner seult)* Menu 34/54 €
◆ Derrière l'entrée vitrée en arcade se cache une table attrayante par sa cuisine inventive (chef, MOF en 2001) et son cadre élégant (mobilier de style, cave voûtée, murs de briques).

XX 7 Place St-Sernin   😤 AC ⇔ VISA MC AE
7 pl. St-Sernin – ℰ *05 62 30 05 30 – www.7placesaintsernin.com*
– restaurant@7placesaintsernin.com – Fax 05 62 30 04 06
– Fermé sam. midi et dim.   p. 7 EX **v**
Rest – Menu (20 € bc), 26 € (déj. en sem.), 34/75 € bc – Carte 49/68 €
◆ Dans les murs d'une "Toulousaine" typique, restaurant aux flamboyantes couleurs, élégamment aménagé et égayé de toiles contemporaines. Plats au goût du jour.

TOULOUSE page 11

XX La Corde
4 r. Chalande – ℰ 05 61 29 09 43 – Fax 05 62 15 25 88 – Fermé sam. midi, lundi midi et dim. p. 7 EY e
Rest – Menu 25 € (déj.), 37/110 € – Carte 70/110 €

• Cette majestueuse tour du 15ᵉ s., vestige d'un hôtel particulier où logèrent des capitouls, abrite le plus vieux restaurant de la ville rose (1881). Cuisine régionale actualisée.

XX Brasserie Flo "Les Beaux Arts"
1 quai Daurade – ℰ 05 61 21 12 12 – www.brasserielesbeauxarts.com – Fax 05 61 21 14 80 p. 7 EY v
Rest – Menu (23 €), 31 € – Carte 33/50 €

• Les Toulousains apprécient l'ambiance et le décor rétro de cette brasserie des bords de la Garonne, jadis fréquentée par Ingres, Matisse et Bourdelle. Carte très variée.

XX Le 19
19 descente de la Halle aux Poissons – ℰ 05 34 31 94 84 – www.restaurantle19.com – contact@restaurantle19.com – Fax 05 34 31 94 85 – Fermé 11-17 août, 22 déc.-6 janv., lundi midi, sam. midi et dim. p. 7 EY h
Rest – Menu (25 €), 35 € (sem.)/60 € bc – Carte 42/60 €

• Chaleureuses salles à manger, dont une sous croisée d'ogives du 16ᵉ s., et cave à vins ouverte arborent un style contemporain. Plats du terroir simples et généreux.

XX Chez Laurent Orsi "Bouchon Lyonnais"
13 r. de l'Industrie – ℰ 05 61 62 97 43 – www.le-bouchon-lyonnais.com – orsi.le-bouchon-lyonnais@wanadoo.fr – Fax 05 61 63 00 71 – Fermé sam. midi et dim. sauf fériés p. 7 FY f
Rest – Menu 22/36 € – Carte 30/40 €

• Grand bistrot où banquettes en cuir, tables serrées et miroirs recréent une attachante ambiance d'entre-deux-guerres. Saveurs du Sud-Ouest, du Lyonnais et marée à l'honneur.

XX Émile
13 pl. St-Georges – ℰ 05 61 21 05 56 – www.restaurant-emile.com – restaurant-emile@wanadoo.fr – Fax 05 61 21 42 26 – Fermé 20 déc.-4 janv., lundi sauf le soir de mai à sept. et dim. p. 7 FY r
Rest – Menu 20 € (déj.), 30/55 € – Carte 39/61 €

• Belle carte des vins, cuisine axée sur le terroir (spécialité de cassoulet) et le poisson : cette adresse pourvue d'une agréable terrasse est très prisée.

X L'Adresse
4 r. Baronie – ℰ 05 61 22 55 48 – www.adresserestaurant.com – ladresserestaurant@orange.fr – Fermé 9-31 août, mardi soir, dim., lundi et fériés p. 7 EY b
Rest – Menu (15 €), 19 € (déj.), 28/36 €

• Mobilier contemporain, miroirs, bibliothèque, bouteilles, ardoises de suggestions du jour... : un décor à la mode pour cette "adresse" servant une cuisine actuelle bien mitonnée.

X L'Empereur de Huê
17 r. Couteliers – ℰ 05 61 53 55 72 – www.empereurdehue.com – Fermé dim. et lundi p. 7 EZ a
Rest – (dîner seult) (prévenir) Menu 37 € – Carte 47/54 €

• Si le décor de ce restaurant familial s'inscrit dans l'air du temps, la cuisine, quant à elle, revendique son ancrage dans la tradition vietnamienne.

X Michel, Marcel, Pierre et les Autres
35 r. Rémusat – ℰ 05 61 22 47 05 – www.michelmarcelpierre.com – bistrot@michelmarcelpierre.com – Fax 05 61 22 47 05 – Fermé 10-18 août, dim. et lundi p. 7 EX m
Rest – Menu (16 €), 20 € bc (déj.) – Carte 36/42 €

• Convivialité garantie dans ce bistrot dont l'enseigne évoque un film de C. Sautet. Diffusion de matchs de rugby, maillots de sport accrochés aux murs et recettes du marché.

X Brasserie du Stade
114 r. Troënes ⊠ 31200 – ℰ 05 34 42 24 20 – brasserie@stadetoulousain.fr – Fax 05 34 42 24 21 – Fermé 18 juil.-26 août, 20 déc.-1ᵉʳ janv., lundi soir, mardi soir, sam. et dim. **Rest** – Menu (29 €) – Carte 37/43 € p. 4 AS x

• Grande salle de restaurant située dans l'enceinte du temple du rugby toulousain. Entre photos et trophées, on mange des petits plats soignés d'inspiration brasserie.

1885

TOULOUSE page 12

✕ Rôtisserie des Carmes ⇔ VISA MC AE
38 r. Polinaires – ✆ *05 61 53 34 88 – http://rotisseriedescarmes.cartesurtables.com – rotisserie@wanadoo.fr – Fax 24-27 déc., 31 déc.-3 janv., sam., dim. et fériés*
Rest – Menu (16 €), 21 € (déj.), 27 € bc/31 € bc – Carte 40/60 €   p. 7 EZ x
◆ Voisinage du marché des Carmes oblige, la petite carte et le menu du jour évoluent selon les arrivages. Le truculent patron officie dans une cuisine offerte à la vue de tous.

à Gratentour 15 km au Nord par D 4 et D 14 – 3 361 h. – alt. 174 m – ⌂ 31150

🏠 Le Barry 🍃   🚗 🍴 ⃣ ⃣ ch, ⃣ 🅿 VISA MC AE
47 r. Barry – ✆ *05 61 82 22 10 – www.lebarry.fr – le-barry@wanadoo.fr – Fax 05 61 82 22 38 – Fermé 18 déc.-4 janv., vend., sam. et dim. sauf du 1er avril au 30 sept.*
22 ch – †53 € ††60 €, ⌂ 8 € – ½ P 60 €
Rest – *(fermé 1er-24 août, vend. soir, sam. soir d'oct. à mars, sam. midi et dim.)* Menu (14 €), 23 € (sem.) – Carte 19/41 €
◆ Le calme est au rendez-vous dans cette sympathique ferme de briques roses réaménagée en hôtellerie simple et conviviale. Jardin, piscine et vignoble du Frontonnais à proximité. Salle à manger accueillante et soignée ; répertoire culinaire traditionnel.

à l'Union 7 km au Nord-Est – 12 300 h. – alt. 146 m – ⌂ 31240

✕✕ La Bonne Auberge   🍴 AC ⇔ 🅿 VISA AE ①
2 bis r. Autan-Blanc, (N 88) – ✆ *05 61 09 32 26 – bonne.auberge.la@wanadoo.fr – Fax 05 61 09 97 53 – Fermé 10 août-1er sept., 21 déc.-5 janv., dim. et lundi*
Rest – Menu 27/50 € – Carte 36/52 €
◆ Sur la traversée du village, cette grange convertie en restaurant ne manque pas d'allure avec son mobilier rustique, ses poutres et sa cheminée en briques. Carte dans l'air du temps.

à Rouffiac-Tolosan 12 km par ② – 1 404 h. – alt. 210 m – ⌂ 31180

✕✕✕ Ô Saveurs (Daniel Gonzalez et David Biasibetti)   🍴 AC ⇔ VISA MC AE
✤ *8 pl. Ormeaux, (au village) –* ✆ *05 34 27 10 11 – http://o.saveurs.free.fr – o.saveurs@free.fr – Fax 05 62 79 33 84 – Fermé 27 avril-5 mai, 17 août-8 sept., sam. midi, dim. soir et lundi*
Rest – Menu (25 €), 39/80 € – Carte 75/90 € 🍷
Spéc. Fricassée de langoustine et foie gras, coulis de corail et pleurotes. Filet de Saint-Pierre, tombée d'épinard et noisette sur une aubergine cuite à la plancha. Ravioles d'ananas farcies d'un riz au lait passion. **Vins** Gaillac, Fronton.
◆ Charmante maison et sa terrasse dressée sur la place pavée de ce pittoresque village. Dans l'assiette, une bonne dose de tradition relevée d'un zeste de créativité... Savoureux !

✕✕ Le Clos du Loup avec ch   AC rest, ⃣ ⃣ 🅿 VISA MC
N 88 – ✆ *05 61 09 28 39 – www.hotel-leclosduloup.com – hotel-leclosduloup@orange.fr – Fax 05 61 35 13 97 – Fermé 26 déc.-2 janv. et dim. soir*
19 ch – †65 € ††65 €, ⌂ 8 €
Rest – *(fermé août, sam. midi, dim. soir et vend.)* Menu (18 €), 24/34 € – Carte 28/47 €
◆ Surtout, pas d'affolement ! Le loup n'est plus... Tons chatoyants et poutres dans la salle à manger gaiement rustique. Cuisine traditionnelle simple et chambres proprettes.

à Labège 6 km au Sud-Est par D 2 et D 16, direction Gare SNCF – ⌂ 31670

✕✕✕ L'Orangerie de Labège-L'Arôme et le Grain   🍴 ⃣ AC ✗ ⇔ 🅿 VISA MC AE
4 r. Isatis – ✆ *05 62 47 54 53 – www.orangeriedelabege.com – laromeetlegrain@wanadoo.fr – Fax 05 62 47 54 51 – Fermé 2-26 août, 20-28 déc., sam. midi, dim. et lundi*
Rest – Menu (22 €), 26 € (déj. en sem.) – Carte 56/70 € dîner seulement
◆ À l'ambiance feutrée qui règne dans cette ferme du 17e s. (salons intimes, briques roses, mobilier design) répond une cuisine actuelle sophistiquée. Joli patio-terrasse.

à Ramonville-St-Agne 6 km au Sud-Est par D 113 – 12 000 h. – alt. 162 m – ⌂ 31520

🏠 Peniche Soléïado 🍃   AC ⃣
Pont de Mange-Pomme, près Pont-Sud, par D 113, direction Ferme de Cinquante – ✆ *06 86 27 83 19 – www.peniche-soleiado.com – Fax 05 62 19 07 71*
5 ch ⌂ – †85 € ††90 €   **Table d'hôte** – Menu 30 € bc
◆ Cette péniche amarrée sur le canal du Midi dissimule un intérieur chaleureux : trois chambres certes petites, mais tout à fait exquises.

TOULOUSE page 13

à **Castanet-Tolosan** 8 km par ⑤ et N 113 – 10 200 h. – alt. 164 m – ✉ 31320

La Table des Merville
3 pl. Richard – ℰ *05 62 71 24 25 – www.table-des-merville.fr – contact@table-des-merville.fr – Fax 05 34 66 18 56 – Fermé 12-20 avril, 26 juil.-16 août, 25 oct.-2 nov., 24 déc.-4 janv., dim. et lundi*
Rest – Menu (15 €), 27/39 € – Carte 38/58 €
♦ L'appétissante cuisine de ce restaurant familial est concoctée en fonction des arrivages du marché... et à la vue de tous. Expo-vente de tableaux modernes. Un lieu séduisant !

à **Lacroix-Falgarde** 13 km au Sud par D 4 – 1 928 h. – alt. 154 m – ✉ 31120

Le Bellevue
1 av. Pyrénées – ℰ *05 61 76 94 97 – Fax 05 62 20 96 57 – Fermé 2-8 mars, 15 oct.-15 nov., merc. de sept. à avril et mardi*
Rest – Menu (19 €), 28/39 € – Carte 45/62 €
♦ Ancienne guinguette entourée de verdure bordant l'Ariège. Aux beaux jours, la grande terrasse à fleur d'eau a beaucoup de succès. Plats traditionnels et spécialités du Sud-Ouest.

à **Tournefeuille** 10 km à l'Ouest par D 632 AT – 24 500 h. – alt. 155 m – ✉ 31170

L'Art de Vivre
279 chemin Ramelet-Moundi – ℰ *05 61 07 52 52 – www.lartdevivre.fr – contact@lartdevivre.fr – Fax 05 61 06 41 94 – Fermé vacances de Pâques, 10-31 août, vacances de Noël, dim. soir, lundi soir, mardi soir et merc.*
Rest – Menu 25 € (déj. en sem.), 36/58 € – Carte 55/70 €
♦ Aux beaux jours, cette maison proche du golf s'agrandit d'une agréable terrasse que l'on installe au milieu du jardin bordé par un ruisseau. Table traditionnelle revisitée.

à **Purpan** 6 km à l'Ouest par N 124 - ✉ 31300 Toulouse

Palladia
271 av. Grande Bretagne – ℰ *05 62 12 01 20 – www.hotelpalladia.com – info@hotelpalladia.com – Fax 05 62 12 01 21*   *p. 4* AT e
90 ch – †109/215 € ††109/215 €, ⊇ 18 € – 3 suites
Rest – *(fermé dim. et fériés)* Menu (20 €), 25 € (déj.)/59 € bc – Carte 40/65 €
♦ Imposant immeuble à égale distance de l'aéroport et du centre-ville. Aménagements particulièrement soignés. Chambres progressivement rénovées, spacieuses et confortables. Salle à manger moderne et lumineuse ; terrasse d'été dressée à l'ombre des parasols.

Novotel Aéroport
23 impasse Maubec – ℰ *05 61 15 00 00*
– www.novotel.com – h0445@accor.com – Fax 05 61 15 88 44   *p. 4* AT a
123 ch – †81/160 € ††81/160 €, ⊇ 15 €   **Rest** – Menu (18 €) – Carte 33/50 €
♦ Cet hôtel de chaîne abrite des chambres bien insonorisées. Espace vert, jeux pour les enfants, wi-fi et navette gratuite pour l'aéroport. Le restaurant contemporain et l'agréable terrasse regardent la piscine ; recettes actuelles, suggestions et plats allégés.

à **St-Martin-du-Touch** vers ⑦ – ✉ 31300 Toulouse

Airport Hôtel sans rest
176 rte de Bayonne – ℰ *05 61 49 68 78 – www.airport-hotel-toulouse.com*
– airporthotel@wanadoo.fr – Fax 05 61 49 73 66   *p. 4* AT s
45 ch – †72/74 € ††90/92 €, ⊇ 10 € – 3 suites
♦ Ce bâtiment des années 1980 en briques rouges constitue une étape pratique à proximité de l'aéroport. Chambres simples, mais bien protégées du bruit et assez confortables.

Le Cantou
98 r. Velasquez, (D 2B) – ℰ *05 61 49 20 21 – www.cantou.fr*
– le.cantou@wanadoo.fr – Fax 05 61 31 01 17
– Fermé 3 sem. en août, 21 déc.-3 janv., sam. et dim.   *p. 4* AT h
Rest – Menu 30 € (sem.)/58 € – Carte 41/55 € 🕸
♦ Cette coquette ferme entourée d'un immense jardin dresse sa terrasse autour d'un joli puits. Goûteuse cuisine actuelle et remarquable sélection de vins (1 300 références).

1887

TOULOUSE page 14

à Colomiers 10 km par ⑦, sortie n° 3 puis direction Cornebarrieu par D 63 – 31 800 h. – alt. 182 m – ✉ 31770

XXX L'Amphitryon (Yannick Delpech)
chemin de Gramont – ℰ 05 61 15 55 55 – www.lamphitryon.com – contact@lamphitryon.com – Fax 05 61 15 42 30

Rest – Menu (26 €), 34 € (déj. en sem.), 64/105 € – Carte 95/113 €

Spéc. Sardine fraîche taillée au couteau, crème de morue et caviar de hareng. Bar de ligne en deux cuissons, parfum de dulse et poutargue. Macaron moelleux au "cachou Lajaunie", tube givré au citron jaune et menthe. **Vins** Côtes du Frontonnais.

♦ Nouvelles ambiances : air (la verrière), terre (la table d'hôtes) et feu (la salle cheminée) pour une brillante cuisine créative, très originale, sublimant les produits du terroir.

à Pibrac 12 km par ⑦, sortie n° 6 – 7 755 h. – alt. 157 m – ✉ 31820

X Le Pavillon Saint Jean
1 chemin Beauregard – ℰ 05 61 06 71 71 – pierre-jean.darroze@orange.fr – Fax 05 61 86 35 63 – Fermé 3-24 août, 22-28 fév., sam. midi, dim. soir et lundi

Rest – Menu 19 € (déj. en sem.), 30/48 €

♦ En léger retrait du centre, paisible maison régionale proposant une bonne cuisine traditionnelle dans un sobre cadre contemporain ou en terrasse, lorsque le soleil le permet.

à Blagnac 7 km au Nord-Ouest – 21 100 h. – alt. 135 m – ✉ 31700

🏨 Pullman
2 av. Didier Daurat, dir. aéroport (sortie n° 3) – ℰ 05 34 56 11 11 – www.pullmanhotels.com – h0565@accor.com – Fax 05 61 30 02 43   p. 4 AS e

100 ch – †115/335 € ††130/350 €, ⌧ 25 €

Rest *Le Caouec* – (fermé 27 juil.-23 août, vend. soir, sam. et dim.) Menu (24 € bc) – Carte 51/67 €

♦ Un hôtel des années 1970 en pleine mutation : nouveaux espaces communs tendance et une partie des chambres relookées dans le même esprit. Navette gratuite pour l'aéroport. Petite restauration façon tapas au bar ou carte plus traditionnelle en salle.

🏨 Holiday Inn Airport
pl. Révolution – ℰ 05 34 36 00 20 – www.holiday-inn.com/toulouse-apt – tlsap@ihg.com – Fax 05 34 36 00 30

150 ch ⌧ – †99/240 € ††99/240 €   p. 4 AS h

Rest – (fermé sam. midi et dim. midi) Menu 16 € (déj.), 22/38 € – Carte 25/45 €

♦ Des tons à la fois apaisants et chaleureux habillent les chambres garnies d'un mobilier contemporain. Espace séminaire bien aménagé. Une navette relie l'hôtel à l'aéroport. Plaisant restaurant de type brasserie agrémenté de fresques honorant l'olivier.

XX Le Cercle d'Oc
6 pl. M. Dassault – ℰ 05 62 74 71 71 – cercledoc@wanadoo.fr – Fax 05 62 74 71 72 – Fermé 25 août, 25 déc.-1ᵉʳ janv., sam. et dim.   p. 4 AS t

Rest – Menu (34 € bc), 45 € bc/80 € bc – Carte 50/67 €

♦ Cette jolie ferme du 18ᵉ s. est un îlot de verdure au cœur d'une zone commerciale. Élégantes salles à manger aux allures de club anglais, bar-billard et belle terrasse d'été.

à Seilh 15 km par ⑧ – 2 916 h. – alt. 133 m – ✉ 31840

🏨 Latitudes Golf de Seilh
rte Grenade – ℰ 05 62 13 14 15 – www.latitudes-hotels-toulouse.com – toh@pierre-vacances.fr – Fax 05 61 59 77 97

172 ch – †99/155 € ††99/155 €, ⌧ 14 € – 2 suites

Rest – (dîner seult) Menu 28/37 € – Carte environ 47 €

♦ Ce vaste complexe hôtelier ouvert sur deux parcours de golf accueille de nombreux séminaires et séjours sportifs. Possibilité de location de studios et d'appartements. Restaurant décoré sur le thème de l'aéropostale ; cuisine aux accents du Sud-Ouest.

TOUQUES – 14 Calvados – **303** M3 – rattaché à Deauville

LE TOUQUET-PARIS-PLAGE – 62 Pas-de-Calais – **301** C4 – 5 536 h. – 30 **A2**
– alt. 5 m – Casino : du Palais **BZ**, les 4 Saisons AYZ – ✉ 62520
■ Nord Pas-de-Calais Picardie

▶ Paris 242 – Abbeville 58 – Arras 99 – Boulogne-sur-Mer 30 – Calais 68
🛈 Office de tourisme, place de l'Hermitage ☏ 03 21 06 72 00, Fax 03 21 06 72 01
⛳ du Touquet Avenue du Golf, S : 2 km, ☏ 03 21 06 28 00

Plan page suivante

Westminster
av. Verger – ☏ 03 21 05 48 48 – www.opengolfclub.com – reception@westminster.fr – Fax 03 21 05 45 45

BZ **a**

115 ch – ♦80/320 € ♦♦120/401 €, ⌧ 20 € – 1 suite
Rest *Le Pavillon* – (fermé 2 janv.-31 mars et mardi sauf juil.-août) (dîner seult) Menu 55/130 € bc – Carte 72/90 € ⚜
Rest *Les Cimaises* – ☏ 03 21 06 74 95 – Menu 28 € bc/35 € – Carte 50/76 €
Spéc. Thon, foie gras et glace cacahuète. Ris de veau, avocat et fromage blanc aux herbes. Chocolat guanaja, épices et croquant, glace blanc choco.
◆ Séduisant palace d'architecture anglo-normande (1925-1928), posté entre la mer et la pinède. Hall aux superbes ascenseurs ; chambres de style Art déco ou tout simplement rétro. Terrasse prisée en été. Cuisine classique revisitée et remarquable carte des vins au Pavillon. Buffets et plats de brasserie aux Cimaises.

Holiday Inn
av. Mar. Foch – ☏ 03 21 06 85 85 – www.holidayinnletouquet.com – hotel@holidayinnletouquet.com – Fax 03 21 06 85 00

BZ **n**

88 ch – ♦135/205 € ♦♦165/245 €, ⌧ 17 € – 2 suites – ½ P 105/160 €
Rest *Le Picardy* – Menu (19 €), 25 € – Carte 32/51 €
◆ En lisière de forêt, bâtiment récent dont les chambres, fonctionnelles, sont desservies par une galerie fleurie ; celles de la catégorie "privilège" viennent d'être rénovées. Parquet et plantes vertes apportent une petite touche d'originalité à la belle salle à manger en rotonde. Carte traditionnelle.

Mercure Grand Hôtel
4 bd Canche – ☏ 03 21 06 88 88 – www.mercure.com – H5605@accor.com – Fax 03 21 06 87 87

BY **s**

132 ch – ♦105/200 € ♦♦105/300 €, ⌧ 16 € – 5 suites
Rest – Menu (18 €), 28 € – Carte 36/79 €
◆ Face à la Canche, établissement de grand standing avec spa intégré. Chambres spacieuses ; certaines ont vue sur la rivière. Cuisine dans l'air du temps au restaurant récemment redécoré.

Le Manoir Hôtel
av. du Golf, 2,5 km par ② – ☏ 03 21 06 28 28 – www.opengolfclub.com – manoirhotel@opengolfclub.com – Fax 03 21 06 28 29 – Fermé 2 janv.-5 fév.
41 ch – ♦70/240 € ♦♦140/290 € **Rest** – Menu 35/55 € – Carte 51/64 €
◆ Beau manoir du début du 20e s. entouré d'un jardin fleuri, à proximité immédiate de la forêt et du golf. Chambres douillettes. Bar de style anglais. Clientèle de golfeurs. Cuisine traditionnelle accordée au cadre classique de la plaisante salle à manger.

Novotel
Front de Mer – ☏ 03 21 09 85 00 – www.accorthalassa.com – h0449-SB@accor.com – Fax 03 21 09 85 40

AZ **a**

146 ch – ♦114/264 € ♦♦114/264 €, ⌧ 17 € – 3 suites
Rest – (fermé 4-18 janv.) Menu 25/33 € – Carte 40/60 €
◆ Ce Novotel bénéficie d'un agréable emplacement au bord de la plage et à proximité d'un centre de thalassothérapie. Menues chambres récemment rénovées. Les baies du restaurant sont tournées vers le rivage ; carte consacrée aux produits de la mer.

Le Bristol sans rest
17 r. Jean Monnet – ☏ 03 21 05 49 95 – www.hotelbristol.fr – reservations@hotelbristol.fr – Fax 03 21 05 90 93

AZ **x**

49 ch – ♦70/170 € ♦♦90/180 €, ⌧ 12 €
◆ Coquette villa des années 1920, entre plage et centre-ville, aux chambres fonctionnelles, refaites par étapes dans un style contemporain. Bar-salon intime, joli patio-terrasse.

LE TOUQUET-PARIS-PLAGE

Aboudaram (Av. L.)	**BZ** 2	Garet (Av. et R. L.)	**ABY** 26	Pins (Av. des)	**BZ** 40
Atlantique (Av. de l')	**ABZ** 4	Genets (Av. des)	**ABZ** 27	Recoussine
Bardol (R. E.)	**BY** 6	Hubert (Av. L.)	**ABY** 29	(Av. F.)	**BZ** 42
Bourdonnais (Av. de la)	**ABY** 10	Londres (R. de)	**AYZ** 31	Reine-May (Av. de la)	**ABZ** 43
Bruxelles (R. de)	**AYZ** 12	Metz (R. de)	**AYZ** 33	St-Amand (R.)	**AZ** 45
Calais (R. de)	**BY** 15	Monnet (R. J.)	**AZ** 34	St-Jean (Av. et R.)	**ABZ** 46
Desvres (R. de)	**ABY** 18	Moscou		St-Louis (R.)	**AZ** 47
Docteur-J.-Pouget		(R. de)	**AYZ** 35	Tourville (Av. de l'Amiral)	**ABY** 50
(Bd du)	**AYZ** 19	Oyats (Av. et R. des)	**ABZ** 37	Troènes (Av. des)	**BZ** 52
Dorothée (R.)	**AZ** 21	Paix (Av. et R. de la)	**ABZ** 38	Verger (Av. du)	**BZ** 54
Duboc (Av. et R. J.)	**ABY** 23	Paris (R. de)	**AYZ** 39	Whitley (Av. J.)	**BZ** 56

Red Fox sans rest

60 r. de Metz – ℰ 03 21 05 27 58 – hotelredfox.com – reception@hotelredfox.com – Fax 03 21 05 27 56 – **53 ch** – ✝55/105 € ✝✝65/105 €, ⚌ 13 €   **AY r**

◆ Dans une rue animée, chambres pratiques, de tailles variables, mansardées au dernier étage. Salon confortable et salle des petits-déjeuners à l'ambiance cosy (copieux buffet).

Windsor sans rest

7 r. St-Georges – ℰ 03 21 05 05 44 – www.hotel-windsor.fr – reservations@ hotel-windsor.fr – Fax 03 21 05 75 81 – Fermé 3-31 janv.   **AZ w**

28 ch – ✝50/60 € ✝✝60/70 €, ⚌ 8 €

◆ Cet hôtel jouxtant la plage dispose de chambres de bon confort dont l'ampleur varie du simple au quadruple. Plaisant salon ; salle de petit-déjeuner au plafond de stuc peint.

LE TOUQUET-PARIS-PLAGE

La Forêt sans rest VISA MC AE
*73 r. de Moscou – ℰ 03 21 05 09 88 – www.letouquet.com/hotel-laforet
– Fax 03 21 05 59 40 – Ouvert 1er avril-30 sept.* AZ **b**
10 ch – †50/61 € ††53/61 €, ⊇ 7 €
♦ Des chambres bien tenues, fonctionnelles et tranquilles et une sympathique salle des petits-déjeuners font le succès de cet hôtel familial idéalement situé en centre-ville.

Villa Fierval sans rest ((•)) VISA MC AE ①
*6 av. Léon-Garet – ℰ 06 08 33 20 07 – www.flavio.fr – fierval@wanadoo.fr
– Fax 03 21 05 91 55 – Fermé 10 janv.-5 fév.* BZ **h**
4 ch ⊇ – †49/69 € ††69/98 €
♦ Serge Gainsbourg séjourna dans cette maison familiale, entre autres hôtes célèbres... Élégante façade cachant un spacieux intérieur aux chambres confortables et bien équipées.

XXX **Flavio** 🍽 VISA MC AE ①
*1 av. Verger – ℰ 03 21 05 10 22 – www.flavio.fr – flavio@flavio.fr
– Fax 03 21 05 91 55 – Fermé 10 janv.-10 fév., dim. soir d'oct. à déc., lundi
sauf juil.-août et 15-30 nov.* BZ **r**
Rest – Menu (22 € bc), 69/153 € – Carte 55/107 €
♦ Cette adresse soignée vous proposera à coup sûr sa pêche du jour aux produits magnifiques, par laquelle on se laisse volontiers tenter. Piano, lustres, meubles de style en décor.

XX **Le Village Suisse** 🍽 AC VISA MC
*52 av. St-Jean – ℰ 03 21 05 69 93 – www.levillagesuisse.fr – contact@
levillagesuisse.fr – Fax 03 21 05 66 97 – Fermé 24 nov.-8 déc., dim. soir d'oct. à avril,
mardi midi et lundi de sept. à juin* BZ **e**
Rest – Menu 28 € (sem.)/80 € bc – Carte 44/72 €
♦ Cette villa construite en 1905 pour la fille d'un richissime Suisse abrite un plaisant restaurant et une belle terrasse aménagée sur le toit de boutiques d'antiquités.

XX **Le Paris** 🍽 VISA MC
*88 r. de Metz – ℰ 03 21 05 79 33 – Fermé 22 juin-1er juil., 16-27 nov., 15-25 fév.,
dim. soir hors saison, mardi soir et merc.* AZ **p**
Rest – Menu (16 €), 18 € (sem.)/39 € – Carte 30/50 €
♦ Situation très centrale et décor contemporain mariant avec bonheur tons rouge et chocolat pour ce restaurant où vous savourerez des recettes dans l'air du temps.

XX **Côté Sud** 🍽 AC VISA MC
*187 bd du Dr Pouget – ℰ 03 21 05 41 24 – www.le-touquet-cote-sud.com
– cotesud62@orange.fr – Fax 03 21 86 54 48 – Fermé 9-24 mars, 15-24 juin,
24 nov.-9 déc., dim. soir hors saison, lundi midi et merc.* AZ **n**
Rest – Menu (15 €), 19 € (sem.)/55 € – Carte 43/51 €
♦ Cadre minimaliste, tout blanc, et soigné pour ce restaurant situé le long de la digue du Touquet, face à la mer. La cuisine, au goût du jour, fait la part belle aux poissons.

X **Ricochet** AC VISA MC AE
*49 r. de Paris – ℰ 03 21 06 41 36 – www.ricochet-letouquet.com – contact@
ricochet-letouquet.com – Fermé janv., mardi et merc.* AY **t**
Rest – Menu (17 €), 31 € (dîner) – Carte 27/38 €
♦ Adresse branchée du centre de la station : atmosphère design, jardin intérieur, service jeune et suggestions à l'ardoise de mets épurés qui témoignent d'une belle diversité.

à Stella-Plage 7 km par ② – ⊠ 62780 Cucq
🛈 Office de tourisme, Place Jean Sapin ℰ 03 21 09 04 32, Fax 03 21 84 49 88

Des Pelouses 🍽 ⧉ ≠ ℋ ch, 🅿 VISA MC
*bd E. Labrasse – ℰ 03 21 94 60 86 – www.lespelouses.com – accueil@
lespelouses.com – Fax 03 21 94 10 11 – Fermé 2-31 janv.*
26 ch – †52/65 € ††65/70 €, ⊇ 8,50 € – ½ P 75 €
Rest – *(fermé 23 déc.-31 janv., dim. soir et lundi d'oct. à avril)*
Menu (14 €), 18/27 € – Carte 28/53 €
♦ Nombreuses rénovations entreprises dans cette construction cubique située à 1 800 m de la plage. Chambres nettes, plus spacieuses sur l'arrière. Les recettes régionales figurent en bonne place sur l'appétissante carte proposée dans la sobre salle à manger.

1891

TOURCOING – 59 Nord – 302 G3 – 92 200 h. – alt. 37 m – ✉ 59200 — 31 **C2**
Nord Pas-de-Calais Picardie

- ▶ Paris 234 – Kortrijk 19 – Gent 61 – Lille 17 – Oostende 81 – Roubaix 5
- **ℹ** Office de tourisme, 9, rue de Tournai ✆ 03 20 26 89 03, Fax 03 20 24 79 80
- ⛳ des Flandres à Marcq-en-Baroeul 159 boulevard Clémenceau, par D 670 : 9 km, ✆ 03 20 72 20 74

Accès et sorties : voir plan de Lille

Altia
r. Vertuquet, au Nord près échangeur de Neuville-en-Ferrain (sortie 18) –
✆ 03 20 28 88 00 – www.altia-hotel.com – reservation@altia-hotel.com
– Fax 03 20 28 88 10 *plan de Lille* **HR e**

108 ch – †59/125 € ††75/135 €, ⌑ 13 € **Rest** – Carte 20/36 €

◆ Récemment repris, cet hôtel proche de la frontière belge (300 m) cible la clientèle d'affaires. Optez pour une chambre rénovée, plus actuelle et confortable. Cuisine traditionnelle servie dans une vaste salle à manger ouverte sur la terrasse et la piscine.

TOURCOING

Allende (Bd Salvador)	BY	2
Anges (R. des)	BYZ	3
Austerlitz (R. d')	ABZ	4
Bienfaisance (R. de la)	BY	6
Brun Pain (R. du)	AY	
Buisson (R. Ferdinand)	BZ	7
Chateaubriand (R.)	CZ	8
Cherbourg (Quai de)	BZ	9
Clavell (Pl. Miss)	BY	10
Cloche (R. de la)	BY	12
Condorcet (R.)	BY	13
Courbet (R. de l'Amiral)	BY	15
Croix Blanche (R. de la)	CX	16
Croix Rouge (R. de la)	CXY	
Delobel (R.)	BY	18
Doumer (R. Paul)	BY	19
Dron (Av. Gustave)	BZ	
Duguay-Trouin (R.)	CY	21
Faidherbe (R.)	BZ	22
Famelart (R.)	BZ	24
La-Fayette (Av.)	BZ	33
Froissart (R. Jean)	AY	25
Gambetta (Bd)	BZ	27
Gand (R. de)	BXY	
Grand'Place	BY	28
Hassebroucq (Pl. V.)	BY	30
Hénaux (R. Marcel)	BXY	31
Leclerc (R. du Gén.)	BY	36
Lefrançois (Av. Alfred)	CZ	37
Marne (Av. de la)	BZ	39
Marseille (Quai de)	BZ	40
Menin (R. de)	BXY	
Millet (Av. Jean)	AY	42
Moulin Fagot (R. du)	BY	43
Nationale (R.)	ABY	
Péri (R. Gabriel)	BY	45
Petit Village (R. du)	AY	46
Pompidou (Av. G.)	BZ	48
Pont de Neuville (R. du)	CX	49
République (Pl. de la)	BY	51
Résistance (R. de la)	BY	52
Ribot (R. Alexandre)	BY	54
Roosevelt (R. F.)	BY	55
Roussel (Pl. Ch.-et-A.)	BY	57
St-Jacques (R.)	BY	58
Sasselange (R. Ed.)	BZ	60
Testelin (R. A.)	CX	61
Thiers (R.)	BZ	63
Tournai (R. de)	BY	64
Turenne (R.)	BZ	66
Ursulines (R. des)	BYZ	68
Victoire (Pl. de la)	BZ	69
Wailly (R. de)	BY	70
Wattine (R. Ch.)	BZ	72

WATTRELOS

Vaneslander (R. M.)	CZ	67

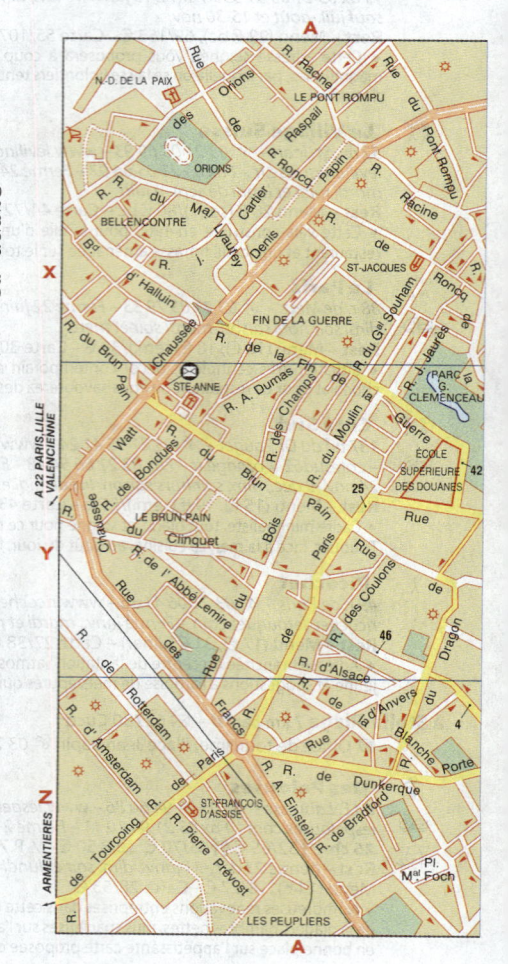

1892

TOURCOING

Ibis
r. Carnot – ☎ 03 20 24 84 58 – www.accor.com – h0642@accor.com
– Fax 03 20 26 29 58
BZ s
102 ch – †74 €, ††74 €, ⌑ 8 €   **Rest** – Menu (10 €), 25 €
♦ Cet immeuble jouit d'une situation centrale convenant à ceux qui souhaitent profiter de l'animation urbaine. Préférez les chambres refaites. La carte du restaurant propose des recettes traditionnelles.

La Baratte
395 r. Clinquet – ☎ 03 20 94 45 63 – www.la-baratte.com – la.baratte@wanadoo.fr – Fax 03 20 03 41 84
– Fermé sam. midi, dim. soir et lundi   *plan de Lille* **HR d**
Rest – Menu 22 € (sem.), 29/57 € – Carte 53/65 €
♦ Accueillante salle à manger d'esprit rustique, en partie ouverte sur le jardin, cuisine à la fois généreuse et gourmande : zéro faute pour cette ancienne boucherie familiale !

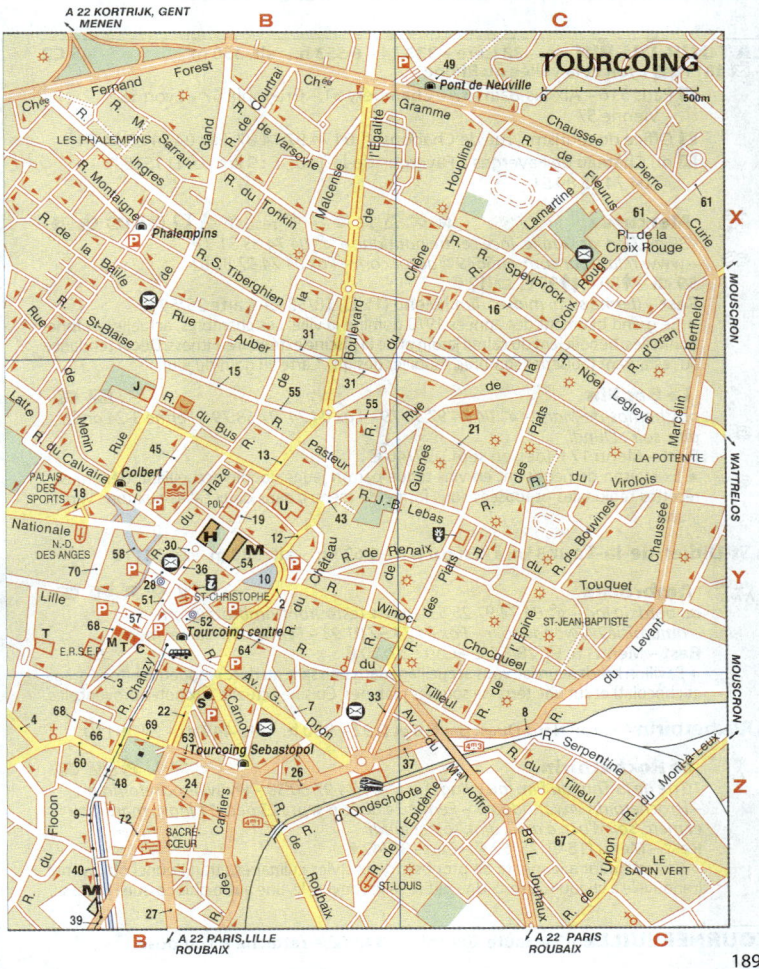

1893

LA TOUR-D'AIGUES – 84 Vaucluse – 332 G11 – 3 860 h. – alt. 250 m — 40 **B2**
– ⊠ 84240 ▮ Provence

▶ Paris 752 – Aix-en-Provence 29 – Apt 35 – Avignon 81 – Digne-les-Bains 92
▮ Office de tourisme, le Château ℰ 04 90 07 50 29, Fax 04 90 07 35 91

Le Petit Mas de Marie
quartier Revol, 1 km, rte de Pertuis – ℰ 04 90 07 48 22
– www.lepetitmasdemarie.com – lepetitmasdemarie@wanadoo.fr
– Fax 04 90 07 34 26 – Fermé vacances de la Toussaint et de fév.
15 ch – ♦50/60 € ♦♦70/77 €, ⊇ 10 € – ½ P 61/71 €
Rest – *(fermé sam. midi, dim. soir et lundi d'oct. à mars)*
Menu 14 € (déj. en sem.), 26/36 € – Carte 50/65 €
♦ Cette accueillante maison du pays d'Aigues est ceinte d'un jardin fleuri. Chambres provençales impeccablement tenues. Cuisine aux accents du Sud dans une salle à manger spacieuse et claire ou sur l'agréable terrasse, lorsque le temps le permet.

TOUR-DE-FAURE – 46 Lot – 337 G5 – rattaché à St-Cirq-Lapopie

LA TOUR-DU-PIN ⊛ – 38 Isère – 333 F4 – 6 553 h. – alt. 350 m — 45 **C2**
– ⊠ 38110 ▮ Lyon et la vallée du Rhône

▶ Paris 516 – Aix-les-Bains 57 – Chambéry 51 – Grenoble 67 – Lyon 55 – Vienne 57
▮ Office de tourisme, rue de Châbons ℰ 04 74 97 14 87, Fax 04 74 83 34 74
▮ du Château de Faverges à Faverges-de-la-Tour, E : 9 km par D 1516, ℰ 04 74 88 89 51

Mercure
439 av. Gén. de Gaulle, face centre nautique – ℰ 04 74 83 31 31
– www.relaistour.com – h6649@accor.com – Fax 04 74 97 87 01
59 ch – ♦80 € ♦♦95 €, ⊇ 12 €
Rest – *(fermé sam. midi et dim.)* Menu (15 €), 18/35 € – Carte 25/50 €
♦ Ce grand bâtiment des années 1970 domine la ville. Les chambres, actuelles et fonctionnelles, bénéficient du calme jardin et de la piscine extérieure. Fitness. Décor tendance au restaurant (boiseries sombres, mobilier design). Carte au goût du jour.

Le Bec Fin
pl. Champs-de-Mars – ℰ 04 74 97 58 79 – Fax 04 74 97 58 79 – Fermé 3-24 août, dim. soir et lundi
Rest – Menu 17 € (déj. en sem.), 27/46 €
♦ Ex-maison de négociant en vins tenue par un jeune couple accueillant. Généreuses recettes régionales proposées sous forme de menus, dans deux salles aux tons vert et jaune.

à St-Didier-de-la-Tour 3 km à l'Est par N 6 – 1 621 h. – alt. 380 m – ⊠ 38110

Ambroisie
au bord du lac – ℰ 04 74 97 25 53 – www.restaurant-ambroisie.com
– ambroisie2@wanadoo.fr – Fax 04 74 97 01 93 – Fermé dim. soir et merc.
Rest – Menu (16 €), 28/55 € – Carte 37/50 €
♦ Pavillon bordant un lac vous accueillant dans une salle au décor modernisé (tons grège et chocolat) et sur une terrasse sous les platanes. Cuisine actuelle aux notes provençales.

à Rochetoirin 4 km au Nord-Ouest par N 6 et D 92 – 980 h. – alt. 449 m – ⊠ 38110

Le Rochetoirin
10 rte de la Tour du Pin, (au village) – ℰ 04 74 97 60 38 – www.lerochetoirin.fr
– lerochetoirin@wanadoo.fr – Fermé 24 août-6 sept., 23 déc.-11 janv., mardi soir et merc. soir d'oct. à avril, dim. soir et lundi
Rest – Menu (18 €), 25/52 € – Carte 35/42 €
♦ Ce restaurant a le mérite de proposer deux styles culinaires : traditionnel ou inventif (renouvelé à chaque saison). Une petite salle conviviale, une autre plus cossue ; terrasse.

TOURNEFEUILLE – 31 Haute-Garonne – 343 G3 – rattaché à Toulouse

TOURNON-SUR-RHÔNE – 07 Ardèche – 332 B3 – 10 582 h. – alt. 125 m – ⊠ 07300 ■ Lyon et la vallée du Rhône

43 **E2**

- Paris 545 – Grenoble 98 – Le Puy-en-Velay 104 – St-Étienne 77 – Valence 18 – Vienne 60
- Office de tourisme, 2, place Saint-Julien ℘ 04 75 08 10 23, Fax 04 75 08 41 28
- Terrasses★ du château B - Route panoramique★★★ B.

Plan : voir à Tain-l'Hermitage

Les Amandiers sans rest
13 av. de Nîmes – ℘ 04 75 07 24 10 – www.hotel-amandiers.com – hotel@hotel-amandiers.com – Fax 04 75 07 06 30 – Fermé 18 déc.-3 janv.
25 ch – ♦59 € ♦♦59/69 €, ⊇ 8 €

C n

♦ Pavillon moderne fréquenté par la clientèle d'affaires en semaine. Chambres refaites, climatisées, bien insonorisées et équipées de grandes salles de bains.

Azalées
6 av. Gare – ℘ 04 75 08 05 23 – www.hotel-azalees.com – contact@hotel-azalees.com – Fax 04 75 08 18 27 – Fermé 27 oct.-2 nov. et 22 déc.-4 janv.
37 ch – ♦55 € ♦♦55 €, ⊇ 8 € – ½ P 49 €

B s

Rest – (fermé dim. soir du 15 oct. au 15 mars) Menu 20/26 € – Carte 23/30 €

♦ Entre gare et centre-ville, chambres aménagées dans deux bâtiments situés de part et d'autre d'une cour ; choisir les plus récentes. Gratin de ravioles, picodon, senteurs de thym, etc. : la table affiche ouvertement son attachement au terroir. Petite terrasse.

Tournesol
44 av. Mar. Foch – ℘ 04 75 07 08 26 – www.letournesol.net – contact@letournesol.net – Fermé 1er-24 août, vacances de la Toussaint, de fév., dim. soir, mardi et merc.

B v

Rest – Menu (15 €), 18 € (sem.)/34 € – Carte 30/42 €

♦ Cuisine au goût du jour, produits frais et belle sélection de vins des Côtes du Rhône rangés dans une cave vitrée, sont à l'affiche de ce restaurant au cadre actuel. Terrasse.

Le Chaudron
7 r. St-Antoine – ℘ 04 75 08 17 90 – Fax 04 75 08 06 61 – Fermé 2-24 août, 23 déc.-6 janv., mardi soir, jeudi soir et dim.

B r

Rest – Menu (12 € bc), 27/36 € – Carte 32/52 €

♦ Boiseries foncées, banquettes en moleskine verte et agréable terrasse composent le cadre de ce sympathique bistrot. Goûteuse cuisine du terroir et riche carte de côtes-du-rhône.

TOURNUS – 71 Saône-et-Loire – 320 J10 – 5 892 h. – alt. 193 m – ⊠ 71700 ■ Bourgogne

8 **C3**

- Paris 360 – Bourg-en-Bresse 70 – Chalon-sur-Saône 28 – Mâcon 37
- Office de tourisme, 2, place de l'abbaye ℘ 03 85 27 00 20, Fax 03 85 27 00 21
- Abbaye★★.

Plan page suivante

Hôtel de Greuze
5 pl. de l'Abbaye – ℘ 03 85 51 77 77 – www.hotelgreuze.com – contact@hotelgreuze.fr – Fax 03 85 51 77 23
19 ch – ♦100/195 € ♦♦135/225 €, ⊇ 26 € – 2 suites

e

Rest Greuze – voir ci-après

♦ Entre l'abbaye de St-Philibert (10e s.) et le centre-ville, une belle demeure bressane. Spacieuses chambres raffinées de styles variés : Louis XVI, Directoire, Empire...

Le Rempart
2 av. Gambetta – ℘ 03 85 51 10 56 – www.lerempart.com – lerempart@wanadoo.fr – Fax 03 85 51 77 22
23 ch – ♦95/155 € ♦♦130/170 €, ⊇ 16 € – 11 suites – ½ P 100/130 €

x

Rest – Menu 33/77 € – Carte 56/80 €
Rest Le Bistrot – Menu 18/27 € – Carte 31/38 €

♦ Sur l'ancien rempart de Tournus, maison du 15e s. aux chambres presque toutes refaites dans un esprit contemporain (matériaux nobles, beaux équipements). Cuisine d'inspiration régionale à déguster dans un restaurant cossu (vestiges romans). Toit ouvrant et petits plats sympathiques au Bistrot.

TOURNUS

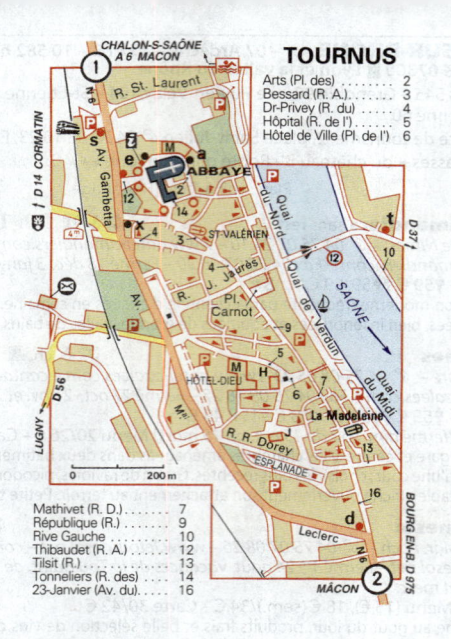

Arts (Pl. des)	2
Bessard (R. A.)	3
Dr-Privey (R. du)	4
Hôpital (R. de l')	5
Hôtel de Ville (Pl. de l')	6
Mathivet (R. D.)	7
République (R.)	9
Rive Gauche	10
Thibaudet (R. A.)	12
Tilsit (R.)	13
Tonneliers (R. des)	14
23-Janvier (Av. du)	16

La Tour du Trésorier sans rest
9 pl. Abbaye – ℰ 03 85 27 00 47 – www.la-tour-vialle.com – michel.vialle@worldonline.fr – Fax 03 85 27 00 48 – Fermé 5 janv.-16 fév. **a**
5 ch – †120/170 € ††130/180 €

◆ Cette belle maison médiévale, flanquée d'une puissante tour, fait face à l'abbaye. Accueil charmant, salon cossu, chambres personnalisées avec goût et magnifique jardin.

Rest. Greuze (Yohann Chapuis) – Hôtel de Greuze
1 r. A. Thibaudet – ℰ 03 85 51 13 52
– www.restaurant-greuze.fr – restaurant@hotelgreuze.fr – Fax 03 85 51 75 42
– Fermé 15-30 nov., jeudi midi, mardi midi et merc. **e**
Rest – Menu 35/80 € – Carte 73/90 €
Spéc. Tatin d'escargots. Volaille de Bresse en deux cuissons, cappuccino des sous-bois. Soufflé chaud au Grand Marnier.

◆ Vénérable maison (vieilles pierres, poutres) rendue célèbre par Jean Ducloux. Fine cuisine actuelle signée du nouveau jeune chef qui jongle entre tradition régionale et modernité.

Aux Terrasses (Jean-Michel Carrette) avec ch
18 av. 23-Janvier – ℰ 03 85 51 01 74 – www.aux-terrasses.com – courrier@aux-terrasses.com – Fax 03 85 51 09 99 – Fermé 1er-11 juin, 16-26 nov., 4-26 janv., dim. soir, mardi midi et lundi **d**
18 ch – †64 € ††64/78 €, ⊇ 11 €   **Rest** – Menu (25 €), 30/75 € – Carte 43/65 €
Spéc. Escargots de Bourgogne rôtis au vinaigre balsamique. Homard rôti au beurre de tandoori, légumes de saison. Croustillant d'agrumes "explosif", jus suzette et sorbet fenouil. **Vins** Mâcon Viré-Clessé, Mâcon Cruzille.

◆ Étape de charme : salles à manger alliant touches classiques, baroques et modernes, beau jardin intérieur, cuisine traditionnelle complice du terroir, et chambres insonorisées.

Meulien
1 bis av. Alpes – ℰ 03 85 51 20 86 – www.meulien.com – vmeulien@wanadoo.fr
– Fax 03 85 51 20 86 – Fermé 16 fév.-1er mars, dim. soir, mardi midi et lundi **t**
Rest – Menu 21 € (sem.)/56 € – Carte 36/75 €

◆ Ce restaurant de la rive gauche s'agrémente d'une décoration contemporaine aux tons crème et chocolat. Chaleureuse atmosphère familiale et cuisine au goût du jour soignée.

TOURNUS

Le Terminus avec ch
21 av. Gambetta – ℰ 03 85 51 05 54 – www.hotel-terminus-tournus.com
– reservation@hotel-terminus-tournus.com – Fax 03 85 51 79 11 – Fermé jeudi midi et merc.
11 ch – †69 € ††€, ⊆ 10 €   **Rest** – Menu 18 € (sem.), 26/50 – Carte 38/59 €
◆ Cette maison du début du 20ᵉ s., à deux pas de la gare, abrite des chambres (non-fumeurs) au décor contemporain. Salle des petits-déjeuners délicieusement rétro. Cuisine actuelle.

au Villars 4 km au Sud par N 6 et D 210 – 241 h. – alt. 184 m – ⊠ 71700

L'Auberge des Gourmets
pl. de l'Église – ℰ 03 85 32 58 80 – www.aubergedesgourmets.fr
– laubergedesgourmets@orange.fr – Fax 03 85 51 08 32 – Fermé 10-17 juin, 4-13 nov., 23-26 déc., 6-31 janv., dim. soir, mardi soir et merc. sauf fériés
Rest – Menu 21 € (sem.), 28/47 – Carte 36/55 €
◆ Sympathique petite auberge à la façade jaune, dont la salle (poutres, pierres) accueille des expositions de peintures. On y sert des repas traditionnels personnalisés.

à Ozenay 6 km au Sud-Ouest par D 14 – 218 h. – alt. 250 m – ⊠ 71700

Le Relais d'Ozenay
Le Bourg – ℰ 03 85 32 17 93 – www.le-relais-dozenay.com – lerelaisdozenay@orange.fr – Fax 03 85 51 37 70 – Fermé 1ᵉʳ-18 janv., 20-30 oct., mardi soir hors saison et merc.
Rest – Menu (19 €), 24/43 – Carte 39/65 €
◆ Bâtisse en pierre d'un village pittoresque. Cuisine actuelle (à prix sages) et vins du Mâconnais servis dans une élégante salle ; espace café ; grande terrasse sur l'arrière.

à Brancion 14 km à l'Ouest par D 14 – ⊠ 71700 Martailly-les-Brancion

◉ Donjon du château ⩽ ★.

La Montagne de Brancion
au col de Brancion – ℰ 03 85 51 12 40 – www.brancion.com
– lamontagnedebrancion@wanadoo.fr – Fax 03 85 51 18 64 – Fermé 1ᵉʳ-20 déc. et 5 janv.-10 mars
19 ch – †100/140 € ††100/220 €, ⊆ 18 € – ½ P 116/186 €
Rest – (fermé mardi midi, merc. midi et jeudi midi)
Menu (28 €), 48/75 – Carte 46/98 €
◆ Cette charmante demeure perchée sur la colline face au vignoble offre une vue agréable sur les monts du Mâconnais. Chambres calmes. Beau panorama au restaurant où l'on propose une cuisine traditionnelle, généreuse et goûteuse.

Ce guide vit avec vous : vos découvertes nous intéressent.
Faites-nous part de vos satisfactions comme de vos déceptions.
Coup de colère ou coup de cœur : écrivez-nous !

TOURRETTES – 83 Var – 340 P4 – 2 180 h. – alt. 350 m – ⊠ 83440   41 **C3**
▮ Côte d'Azur
▶ Paris 884 – Castellane 56 – Draguignan 31 – Fréjus 35 – Grasse 26

au Sud 6 km sur D 56 – ⊠ 83440 Tourrettes

Four Seasons Resort Provence at Terre Blanche
Domaine de Terre Blanche – ℰ 04 94 39 90 00 – www.fourseasons.com/provence
– reservations.provence@fourseasons.com – Fax 04 94 39 90 01
114 suites ⊆ – ††375/2100 €
Rest *Faventia* – voir ci-après
Rest *Gaudina* – Menu (38 €), 48 € – Carte 58/90 €
Rest *Tousco Grill* – grill (résidents seult) – Carte 21/57 € dîner seulement
Rest *Infusion* – (déj. seult) Menu 45 €
◆ Magnifique complexe hôtelier sur un domaine comprenant 2 golfs 18 trous, une grande demeure provençale et 45 villas (vastes suites). Superbe spa et aire de jeux. Saveurs du Sud au Gaudina Lounge. Au Tousco Grill, côté piscine, formule grill et buffets. Cadre zen et confortable à l'infusion ; plats diététiques raffinés.

TOURRETTES

XXXX **Faventia** – Hôtel Four Seasons Resort Provence at Terre Blanche
😊😊😊 Domaine de Terre Blanche –
℘ 04 94 39 90 00 – www.fourseasons.com/provence – reservations.provence@
fourseasons.com – Fax 04 94 39 90 01 – Ouvert 8 avril-5 nov. et fermé dim. et lundi
Rest – (dîner seult) Menu 68/120 € – Carte 99/140 €
Spéc. Foie gras poêlé aux écorces confites à la badiane et macaron citron. Bar de
ligne au thym frais, courgette violon et aubergine confite. Barre de chocolat aux
éclats de fruits croustillants et glace pistache. **Vins** Vin de Pays des Alpes
Maritimes, Côtes de Provence.
♦ Le chef, Meilleur Ouvrier de France, signe ici une cuisine subtile et savoureuse. Salle à
manger cossue et agréable terrasse offrant de belles échappées sur les villages perchés.

TOURRETTES-SUR-LOUP – 06 Alpes-Maritimes – **341** D5 – 4 199 h. 42 **E2**
– alt. 400 m – ✉ 06140 ▮ Côte d'Azur

▶ Paris 929 – Grasse 18 – Nice 29 – Vence 6
🛈 Office de tourisme, 2, place de la Libération ℘ 04 93 24 18 93, Fax 04 93 59 24 40
◉ Vieux village ★ - ≤★ sur le village de la route des Quenières.

Résidence des Chevaliers sans rest
521 rte du Caire – ℘ 04 93 59 31 97
– http://hoteldeschevaliers06.monsite.wanadoo.fr – hoteldeschevaliers06@
wanadoo.fr – Fax 04 93 59 27 97 – Ouvert 1er avril-1er oct.
12 ch – †90 € ††200 €, ⊆ 14 €
♦ Cette bâtisse en pierre, joliment fleurie, ménage une vue sur le village médiéval et sur la
côte. Chambres de style rustique. Petit-déjeuner servi sur une plaisante terrasse.

Auberge de Tourrettes
11 rte de Grasse – ℘ 04 93 59 30 05 – www.aubergedetourrettes.fr – info@
aubergedetourrettes.fr – Fax 04 93 59 28 66 – Fermé déc. et janv.
9 ch – †96/136 € ††102/140 €, ⊆ 12 €
Rest – (fermé dim. soir, mardi midi et lundi)
Menu (20 €), 30 € (déj.), 37/55 € – Carte 30/56 €
♦ Décor provençal revu à la mode scandinave et ambiance guesthouse pour ce petit hôtel
de charme. Salon cossu, chambres simples et élégantes (quatre face à la mer). Jardin.
Cuisine régionale préparée par un jeune chef danois et servie dans un cadre sans fioriture.

Histoires de Bastide sans rest
chemin du Moulin à Farine – ℘ 04 93 58 96 49 – www.histoiresdebastide.com
– histoiresdebastide@wanadoo.fr – Fax 04 93 59 08 46
4 ch – †150/210 € ††150/210 €, ⊆ 15 €
♦ Ambiance provençale raffinée dans cette bastide pétrie de charme. Ravissantes chambres nommées d'après l'œuvre de Pagnol. Terrasse, belle piscine et oliviers vénérables au
jardin.

Le Médiéval
6 Grand-Rue – ℘ 04 93 59 31 63 – Fermé déc., merc. et jeudi
Rest – Menu 25/35 € – Carte 43/59 €
♦ Restaurant familial situé dans une ruelle du ravissant vieux village investi par artistes et
artisans. Longue salle rustique où l'on sert une généreuse cuisine traditionnelle.

TOURS 🅿 – 37 Indre-et-Loire – **317** N4 – 136 400 h. – Agglo. 297 631 h. 11 **B2**
– alt. 60 m – ✉ 37000 ▮ Châteaux de la Loire

▶ Paris 237 – Angers 124 – Bordeaux 346 – Le Mans 84 – Orléans 117
✈ de Tours-Val de Loire ℘ 02 47 49 37 00, NE : 7 km U.
🛈 Office de tourisme, 78-82, rue Bernard Palissy ℘ 02 47 70 37 37,
   Fax 02 47 61 14 22
⛳ de Touraine à Ballan-Miré Château de la Touche, SO : 10 km par D 751,
   ℘ 02 47 53 20 28
⛳ d'Ardrée à Saint-Antoine-du-Rocher, N : 12 km par D 2, ℘ 02 47 56 77 38
◉ Quartier de la cathédrale★★ : cathédrale St-Gatien★★, musée des Beaux-Arts★★
   - La Psalette (cloître St-Gratien)★, Place Grégoire-de-Tours★ - Vieux Tours★★★ :
   place Plumereau★, hôtel Gouin★, rue Briçonnet★ - Quartier de St-Julien★ :
   musée du Compagnonnage★★, Jardin de Beaune-Semblançay★ **BY K** - Musée
   des Équipages militaires et du Train★ **V** M[5] - Prieuré de St-Cosme★ O : 3 km **V**.

CHAMBRAY-LÈS-TOURS

République (Av. de la) .... **X** 88

JOUÉ-LÈS-TOURS

Martyrs (R. des) .... **X** 64
Verdun (R. de) .... **X** 102

ST-AVERTIN

Brulon (R. Léon) .... **X** 14
Lac (Av. du) .... **X** 58
Larçay (R. de) .... **X** 59

ST-CYR-SUR-LOIRE

St-Cyr (Quai de) .... **V** 91

ST-PIERRE-DES-CORPS

Jaurès (Boulevard Jean) .... **V** 57
Moulin (R. Jean) .... **V** 70

TOURS

Alouette (Av. de l') .... **X** 2
Bordeaux (Av. de) .... **V** 51
Bordiers (R. des) .... **U** 9
Boyer (R. Léon) .... **V** 10
Chevallier (R.A.) .... **V** 19
Churchill (Bd W.) .... **V** 20
Compagnons
  d'Emmaüs
  (Av. des) .... **U** 23
Eiffel (Av. Gustave) .... **V** 37
Gaulle (Av. Gén.-de) .... **V** 44

Giraudeau (R.) .... **V** 46
Grammont (Av. de) .... **V** 47
Groison (R.) .... **U** 54
Marmoutier
  (Quai de) .... **U** 63
Monnet (Bd J.) .... **U** 69
Portillon (Quai de) .... **U** 81
Proud'hon (Av.) .... **V** 82
République
  (Av. de la) .... **X** 88
St-Avertin (Rte de) .... **X** 89
St-François (R.) .... **V** 92
St-Sauveur (Pont) .... **V** 94
Sanitas (Pont du) .... **VX** 95
Tonnellé (Bd) .... **V** 97
Tranchée (Av. de la) .... **U** 98
Vaillant (R. E.) .... **V** 99
Wagner (Bd R.) .... **V** 105

TOURS

Amandiers (R. des) .... **CY** 4	Carmes (Pl. des) .... **BY** 16	Cygne (R. du) .... **CY** 29
Berthelot (R.) .... **BCY** 7	Châteauneuf (Pl. de) .... **BY** 17	Descartes (R.) .... **BZ** 33
Bons Enfants (R. des) .... **BY** 8	Châteauneuf (R. de) .... **AY** 18	Dolve (R. de la) .... **BZ** 35
Bordeaux (R. de) .... **CZ**	Coeur-Navré (Passage du) . **CY** 21	Favre (R. Jules) .... **BY** 38
Boyer (R. Léon) .... **AZ** 10	Commerce (R. du) .... **BY**	Fusillés (R. des) .... **BY** 41
Briçonnet (R.) .... **AY** 13	Constantine (R. de) .... **BY** 24	Gambetta (R.) .... **BZ** 43
	Corneille (R.) .... **CY** 25	Giraudeau (R.) .... **AZ** 46
	Courier (R. Paul-Louis) .... **BY** 27	Grammont (Av. de) .... **CZ**
	Courteline (R. G.) .... **AY** 28	Grand-Marché (Pl. du) .... **AY** 49

1900

Street	Ref	No
Grand Passage	CZ	50
Grégoire-de-Tours (Pl.)	DY	52
Grosse-Tour (R. de la)	AY	55
Halles (Pl. des)	AZ	
Halles (R. des)	BY	
Herbes (Carroi aux)	AY	56
Lavoisier (R.)	CY	60
Manceau (R.)	DY	61
Marceau (R.)	BYZ	
Merville (R. du Prés.)	BY	65
Meusnier (R. Gén.)	DY	66
Monnaie (R. de la)	BY	68
Mûrier (R. du)	AY	71
Nationale (R.)	BYZ	
Paix (R. de la)	BY	73
Petites-Boucheries (Pl. des)	DY	80
Petit-Cupidon (R. du)	DY	77
Petit-St-Martin (R. du)	AY	78
Racine (R.)	DY	84
Rapin (R.)	AZ	85
St-Pierre-le-Puellier (Pl.)	ABY	93
Scellerie (R. de la)	BCY	
Sully (R. de)	BZ	96
Victoire (Pl. de la)	AY	103
Vinci (R. Léonard de)	BZ	104

1901

TOURS

De l'Univers
🏨 ch, AC ⚡ 📶 🧖 🚗 VISA 💳 AE 💳

5 bd Heurteloup – ℘ *02 47 05 37 12 – www.oceaniahotels.com – univers.tours@oceaniahotels.com – Fax 02 47 61 51 80*

CZ u

85 ch ⚏ – †115/270 € ††115/270 € – 2 suites

Rest *La Touraine* – *(fermé 15 juil.-15 août, sam. et dim.)* Menu 22 € (sem.)/39 € – Carte 40/67 €

♦ Fleuron de la grande galerie : les superbes fresques représentent les visiteurs célèbres de l'hôtel depuis 1846. Esprit "petit palace", chambres cossues, luxueuses suites. Cuisine traditionnelle servie dans une salle à manger claire et confortable ; bar feutré.

Central Hôtel sans rest
🖨 🏨 ⚡ 🧖 📶 🅿 🚗 VISA 💳 AE 💳

21 r. Berthelot – ℘ *02 47 05 46 44 – www.bestwesterncentralhoteltours.com – bestwestern.centralhotel@wanadoo.fr – Fax 02 47 66 10 26 – Fermé 24 déc.-3 janv.*

CY r

35 ch – †100/121 € ††121/140 €, ⚏ 13 € – 2 suites

♦ Parmi les atouts de cet hôtel "central" : garage, chambres régulièrement entretenues – certaines donnent sur le jardin intérieur –, belles salles de bains et terrasse d'été.

Mercure Centre sans rest
🏨 ⚡ AC 🧖 📶 🅿 VISA 💳 AE

29 r. E. Vaillant – ℘ *02 47 60 40 60 – www.mercure.com – h3475@accor.com – Fax 02 47 64 74 81*

DZ f

92 ch – †98/170 € ††118/170 €, ⚏ 13 €

♦ À deux pas de la gare, une adresse bien pratique : chambres fonctionnelles aux teintes douces, donnant côté rue ou voie ferrée (bonne insonorisation), petit-déjeuner complet.

Kyriad sans rest
🏨 AC 🧖 📶 🧖 🚗 VISA 💳 AE 💳

65 av. Grammont – ℘ *02 47 64 71 78 – www.kyriadtours.com – contact@kyriadtours.com – Fax 02 47 05 84 62*

V s

50 ch – †80/84 € ††90 €, ⚏ 9 €

♦ Style et équipements actuels caractérisent les chambres de cet hôtel, joliment rénovées. Salon de style (cheminée, boiseries) et salle des petits-déjeuners façon jardin d'hiver.

L'Adresse sans rest
🧖 📶 VISA 💳 AE

12 r. de la Rôtisserie – ℘ *02 47 20 85 76 – www.hotel-ladresse.com – contactladresse@aol.com – Fax 02 47 05 74 87*

AY u

17 ch – †50 € ††70/90 €, ⚏ 8 €

♦ Ses petites chambres douillettes, mêlant harmonieusement contemporain et ancien (poutres), font de cette demeure du 18e s. une bien charmante "adresse" du quartier historique.

Turone
🏨 ⚡ ch, AC 🧖 📶 🧖 🅿 🚗 VISA 💳 AE 💳

4 pl. de la Liberté – ℘ *02 47 05 50 05 – www.hotelturone.com – contact@hotelturone.com – Fax 02 47 20 22 07*

V z

120 ch – †95/125 € ††95/125 €, ⚏ 13 € – ½ P 106/136 €

Rest – Menu 20 € (sem.) – Carte 25/38 €

♦ Hôtel apprécié pour sa situation pratique, son grand garage et ses plaisantes chambres actuelles (dont 7 "Club", mansardées et plus soignées). Grand calme côté cour. Salle à manger de type brasserie, carte traditionnelle.

Le Grand Hôtel sans rest
🏨 AC 🧖 📶 🧖 VISA 💳 AE 💳

9 pl. du Gén. Leclerc – ℘ *02 47 05 35 31 – www.legrandhoteltours.com – contact@legrandhoteltours.com – Fax 02 47 64 10 77 – Fermé 15 déc.-15 janv.*

CZ z

107 ch – †80/110 € ††80/110 €, ⚏ 14 €

♦ Le nouveau propriétaire a entrepris de redonner à cet hôtel son cachet d'antan, insufflé par l'architecte français Pierre Chareau en 1927. Optez pour les chambres rénovées.

Du Manoir sans rest
🏨 📶 🅿 VISA 💳 AE

2 r. Traversière – ℘ *02 47 05 37 37 – http://site.voila.fr/hotel.manoir.tours – manoir37@wanadoo.fr – Fax 02 47 05 16 00*

CZ a

19 ch – †50/58 € ††56/65 €, ⚏ 8,50 €

♦ Cette demeure du 19e s. abrite des chambres classiques (quelques meubles anciens, ciels de lit) et bien tenues. Produits maison au petit-déjeuner, dans une jolie salle voûtée.

TOURS

🏠 **Mondial** sans rest   ⇔ ⚙ ⁽ⁱ⁾ VISA ⦿
*3 pl. de la Résistance – ℰ 02 47 05 62 68 – www.hotelmondialtours.com – info@
hotelmondialtours.com – Fax 02 47 61 85 31 – Fermé 24 déc.-7 janv.,
8-17 fév., vend. et sam. de nov. à janv.*   BY g
21 ch – †54/64 € ††58/66 €, ⊆ 8 €
♦ Sur une place du centre-ville, un hôtel aussi appréciable pour sa situation que pour son cadre joliment remis au goût du jour : tons gris et pastel, chambres soignées.

🏠 **Du Théâtre** sans rest   ⚙ ⁽ⁱ⁾ VISA ⦿
*57 r. Scellerie – ℰ 02 47 05 31 29 – www.hotel-du-theatre37.com
– hotelduthéatre.tours@wanadoo.fr – Fax 02 47 61 20 78 – Fermé 1ᵉʳ-15 août,
26 déc.-4 janv. et 6-15 fév.*   CY t
14 ch – †53/60 € ††58/68 €, ⊆ 8 €
♦ L'intérieur de cette maison du 15ᵉ s. a quelque chose d'assez intimiste : petites chambres chaleureuses et bien tenues (plus calmes côté cour), vieilles poutres et colombages.

🏠 **Châteaux de la Loire** sans rest   ⇕ ⁽ⁱ⁾ VISA ⦿ AE ①
*12 r. Gambetta – ℰ 02 47 05 10 05 – www.hoteldeschateaux.fr – contact@
hoteldeschateaux.fr – Fax 02 47 20 20 14 – Ouvert 16 mars-15 déc.*   BZ x
30 ch – †46/56 € ††46/66 €, ⊆ 7 €
♦ Cet hôtel central, situé à mi-chemin de la gare et du vieux Tours, propose des chambres contemporaines et fonctionnelles, rénovées par étapes.

🏠 **Castel Fleuri** sans rest ⊛   ⚙ ⁽ⁱ⁾ **P** VISA ⦿ AE
*10-12 r. Groison – ℰ 02 47 54 50 99 – www.castel-fleuri-tours.com
– hotelcastelfleuri@orange.fr – Fax 02 47 54 86 59 – Fermé 24 juil.-10 août,
29 déc.-3 janv., 15-20 fév. et dim.*   U b
15 ch – †44/55 € ††55/69 €, ⊆ 7 €
♦ Dans un quartier résidentiel, hôtel familial tout simple, mais calme et bien pratique : parking, petites chambres sobres – optez pour les plus récentes – et prix mesurés.

XXX **La Roche Le Roy** (Alain Couturier)   😊 **P** VISA ⦿ AE ①
❀❀ *55 rte St-Avertin – ℰ 02 47 27 22 00 – www.rocheleroy.com – laroche.leroy@
wanadoo.fr – Fax 02 47 28 08 39 – Fermé 1ᵉʳ-26 août, 7-22 fév., dim. et lundi*   X r
Rest – Menu 35 € (déj.), 55/75 € – Carte 58/76 €
Spéc. Fraîcheur de homard et mesclun à la mangue. Matelote d'anguille dite "blanche" au vouvray. Baba "Miquette" un classique d'autrefois. **Vins** Vouvray, Chinon.
♦ Cette charmante gentilhommière tourangelle vous invite à goûter, dans une atmosphère intime, des spécialités culinaires renouvelées au fil des saisons. Agréable terrasse.

XXX **Charles Barrier** (Hervé Lussault)   😊 AC ⇔ **P** VISA ⦿ AE ①
❀❀ *101 av. Tranchée – ℰ 02 47 54 20 39 – charles_barrier@yahoo.fr
– Fax 02 47 41 80 95 – Fermé sam. midi et dim. sauf fériés*   U e
Rest – Menu 29 € (sem.)/89 € – Carte 69/123 €
Spéc. Langoustines croustillantes au curry de Madras et légumes confits. Pigeonneau du pays de Racan rôti. Soufflé chaud aux fruits de la passion. **Vins** Vouvray sec, Chinon.
♦ Les recettes personnalisées du jeune chef font revivre l'illustre passé gastronomique de cette belle demeure bourgeoise. Jolie véranda et paisible jardin-terrasse fleuri.

XX **La Chope**   AC VISA ⦿ AE ①
⊛ *25 bis av. de Grammont – ℰ 02 47 20 15 15 – www.lachope.info
– Fax 02 47 05 70 51 – Fermé 27 juil.-9 août*   CZ f
Rest – Menu (17 €), 19/24 € – Carte 31/52 €
♦ Brasserie chic décorée dans l'esprit Belle Époque : banquettes en velours rouge, miroirs et lampes tulipes. Large choix de poissons et fruits de mer, quelques grands bordeaux.

XX **Rive Gauche** (Pascal Vuillemin)   😊 AC VISA ⦿ AE
❀ *23 r. du Commerce – ℰ 02 47 05 71 21 – www.toursrivegauche.com
– contact@toursrivegauche.com – Fax 02 72 22 05 76*   BY a
Rest – Menu (24 €), 30/80 € – Carte 52/73 € ⊛
Spéc. Foie gras de canard à la pomme granny smith. Brochet aux herbes sauce chardonnay. Nougat de Tours.
♦ Restaurant tendance : une salle bistrot chic, une autre contemporaine, donnant sur la paisible cour de l'École des Beaux Arts. Recettes personnalisées revisitant les classiques.

TOURS

XX La Deuvalière
18 r. de la Monnaie – ℰ 02 47 64 01 57 – ladeuvaliere@wanadoo.fr
– Fax 02 47 64 01 57 – Fermé sam. midi, dim. et lundi   BY **e**
Rest – Menu (14 €), 28/32 € – Carte environ 30 €

◆ Heureux mariage entre les vieilles pierres d'une maison tourangelle du 15ᵉ s. et le style contemporain (bois sombre, tons orange). Appétissante carte traditionnelle actualisée.

XX L'Odéon
10 pl. Gén. Leclerc – ℰ 02 47 20 12 65 – www.restaurant-odeon.fr – l.odeon@ orange.fr – Fax 02 47 20 47 58 – Fermé 1ᵉʳ-16 août et dim.   CZ **r**
Rest – Menu 27/49 € – Carte 41/66 €

◆ Le même chef officie dans ce restaurant ouvert en 1893 – l'un des plus anciens de Tours – depuis plus de vingt ans. Esprit brasserie sobrement Art déco, plats traditionnels.

X La Trattoria des Halles
31 pl. G.-Pailhou – ℰ 02 47 64 26 64 – Fermé août, dim. et lundi   AZ **b**
Rest – Carte 30/50 €

◆ Ambiance chic et décontractée dans ce bistrot contemporain situé face aux Halles. La chef, d'origine russe, prépare une appétissante cuisine aux couleurs de l'Italie.

X Cap Sud
88 r. Colbert – ℰ 02 47 05 24 81 – www.capsudrestaurant.fr – Fermé 1ᵉʳ-14 sept., dim. et lundi   CY **d**
Rest – Menu (16 €), 20/33 € – Carte 35/51 €

◆ L'esprit du Sud souffle sur le chaleureux décor de ce petit restaurant de quartier. Cuisine dans l'air du temps, courte carte des vins bien composée.

X L'Atelier Gourmand
37 r. Étienne Marcel – ℰ 02 47 38 59 87 – www.lateliergourmand.fr – mail@ lateliergourmand.fr – Fax 02 47 50 14 23 – Fermé 20 déc.-15 janv., sam. midi, dim. et lundi   AY **z**
Rest – Menu (12 €), 22 € – Carte 30/36 €

◆ Cette maison (15ᵉ s.) du vieux Tours héberge une charmante salle mariant poutres et cheminée à un décor plutôt design. Plaisante terrasse dressée dans une cour intérieure.

X Le Bistrot de la Tranchée
103 av. Tranchée – ℰ 02 47 41 09 08 – charles_barrier@yahoo.fr
– Fax 02 47 41 80 95 – Fermé 1ᵉʳ-15 août, dim. et lundi   U **s**
Rest – Menu (9 €), 12 € (déj. en sem.), 17/25 € – Carte 25/41 €

◆ Belle façade en bois, décor simple et chaleureux, vue sur les cuisines, plats soignés et ardoise du jour : ce sympathique bistrot gourmand fait souvent salle comble.

X Le Rif
12 av. Maginot – ℰ 02 47 51 12 44 – Fax 02 47 51 14 50
– Fermé 18 juil.-18 août, merc. soir du 15 sept. au 15 juin, dim. sauf le midi du 15 juin au 15 sept. et lundi.   U **f**
Rest – Menu 26 € bc (sem.)/30 € bc – Carte 26/32 €

◆ Tajines et couscous tiennent la vedette sur la carte de ce restaurant marocain où l'on est reçu avec une grande gentillesse. Sobre décor égayé de bibelots et lampes-poteries.

X Le Petit Patrimoine
58 r. Colbert – ℰ 02 47 66 05 81 – Fermé 16-31 juil., 24 déc.-4 janv.,
dim. et lundi   CY **b**
Rest – Menu (13 €), 17 € (dîner), 20/26 € – Carte 30/40 €

◆ Intérieur rustique tout en longueur, plats du terroir comme les préparaient nos grands-mères, accueil sympathique : une adresse à inscrire au "petit patrimoine" tourangeau.

par ② 9 km

Mercure
11 r. Aviation, (Z.I. Milletière) ⊠ 37100 Tours – ℰ 02 47 49 55 00
– www.mercuretours.com – h1572@accor.com – Fax 02 47 49 55 25
93 ch – ♦77/130 € ♦♦77/150 € – ½ P 68/111 €
Rest – Menu (20 € bc), 23 € – Carte 26/35 €

◆ À proximité de l'accès autoroutier, bâtiment à l'architecture moderne, fréquenté notamment par la clientèle d'affaires. Chambres sobres, spacieuses et fonctionnelles. Lumineux restaurant ouvert sur la terrasse d'été, cuisine traditionnelle et vins régionaux.

TOURS

L'Arche de Meslay
※※ 14 r. Ailes ⊠ 37210 Parçay-Meslay – ℰ 02 47 29 00 07 – Fax 02 47 29 04 04
– Fermé 3-25 août, dim. et lundi sauf fériés
Rest – Menu (15 €), 17/45 € – Carte 48/55 €
♦ Colonnade dressée au centre de la salle à manger, grands miroirs et cuisines visibles de tous caractérisent ce cadre séduisant. Menus régionaux variant selon les saisons.

à Rochecorbon 6 km par ④ – 2 982 h. – alt. 58 m – ⊠ 37210
🛈 Office de tourisme, place du Croissant ℰ 02 47 52 80 22

Les Hautes Roches
86 quai Loire – ℰ 02 47 52 88 88 – www.leshautesroches.com – hautesroches@relaischateaux.com – Fax 02 47 52 81 30 – Fermé 15 fév.-27 mars et 19-27 avril
15 ch – †150/280 € ††150/280 €, ⊇ 20 € – ½ P 165/225 €
Rest – (fermé dim. soir, mardi midi et lundi) Menu 54/90 € – Carte 56/79 €
Spéc. Foie gras de canard à la façon d'un nougat. Sandre de Loire au beurre blanc nantais. Tarte fine aux pommes caramélisées. **Vins** Vouvray, Bourgueil.
♦ Cet insolite castel du 18ᵉ s. surplombant la Loire était autrefois un monastère. Belles chambres parfois troglodytiques. Élégante salle de restaurant et sa délicieuse terrasse panoramique tournée vers le fleuve. Recettes dans l'air du temps.

à Chambray-lès-Tours 6,5 km au Sud, par rte de Poitiers - X – 10 600 h. – alt. 90 m – ⊠ 37170

Novotel
Z.A.C. La Vrillonnerie, (D 910) – ℰ 02 47 80 18 10 – www.novotel.com – h0453@accor.com – Fax 02 47 80 18 18
127 ch – †79/130 € ††79/130 €, ⊇ 14 €   **Rest** – Carte 21/43 €
♦ Une vaste Z.A.C. entoure cet hôtel fonctionnel où vous choisirez de préférence l'une des chambres donnant sur le jardin, bien au calme. Service 24h/24 au Novotel Café. Restaurant actuel (cuisines à vue) ouvert sur la piscine. Carte traditionnelle bien composée.

à Joué-lès-Tours 5 km au Sud-Ouest, par rte de Chinon – 36 000 h. – alt. 65 m – ⊠ 37300
🛈 Office de tourisme, 39, avenue de la République ℰ 02 47 80 05 97, Fax 02 47 80 05 97

Château de Beaulieu
67 r. Beaulieu – ℰ 02 47 53 20 26 – www.chateaudebeaulieu37.com – reservation@chateaudebeaulieu37.com – Fax 02 47 53 84 20   X b
18 ch – †75/125 € ††90/165 €, ⊇ 13 € – ½ P 90/125 €
Rest – Menu (29 €), 40/75 € – Carte 55/70 €
♦ Un parc paysagé entoure cette gentilhommière du 18ᵉ s. dont la vue s'étend jusqu'à la cité tourangelle. Mobilier de style dans les chambres spacieuses (10 dans un pavillon). Élégante salle à manger bourgeoise, cuisine classique et bon choix de vins.

Mercure
parc des Bretonnières – ℰ 02 47 53 16 16 – www.mercure.com – h1788@accor.com – Fax 02 47 53 14 00   X u
75 ch – †77/140 € ††87/160 €, ⊇ 13 € – ½ P 94 €
Rest – Menu (15 €), 20 € (déj. en sem.), 27/34 € – Carte environ 30 €
♦ Cet hôtel, intégré au centre de congrès Malraux, dispose de chambres contemporaines parfaitement insonorisées et reposantes. Espace de remise en forme complet. Salle à manger prolongée d'une terrasse côté jardin et cuisine traditionnelle à l'accent régional.

Chéops
75 bd J. Jaurès – ℰ 02 47 67 72 72 – www.inter-hotel-cheops.fr – hotel.cheops@wanadoo.fr – Fax 02 47 67 85 38   X a
58 ch – †50/72 € ††50/72 €, ⊇ 8 €
Rest – (fermé 18 déc.-3 janv., vend., sam. et dim. d'oct. à avril) (dîner seult)
Menu (14 €), 17 € – Carte 17/31 €
♦ Au centre de Joué, hôtel intégré à un ensemble résidentiel et commercial. Couleurs vives et fer forgé donnent un air provençal aux petites chambres, pour moitié climatisées. Salle à manger agréablement lumineuse et garnie d'un mobilier moderne.

TOURS

à La Guignière 4 km par ⑬, rte de Langeais - ✉ 37230 Fondettes

Manoir sans rest
10 r. de Beaumanoir, D 952 – ℰ 02 47 42 04 02 – www.lemanoirhotel.fr
– lemanoirhotel@orange.fr – Fax 02 47 49 79 29
16 ch – †38/44 € ††47/52 €, ⊇ 6,50 €

V t

♦ Pavillon des années 1970 bénéficiant de la tranquillité d'un quartier résidentiel. Les chambres, égayées de tentures murales, offrent parfois une jolie vue sur la Loire.

à Vallières 8 km par ⑬, rte de Langeais - ✉ 37230 Fondettes

Auberge de Port Vallières
D 952 – ℰ 02 47 42 24 04 – www.touraine-gourmande.com – Fax 02 47 49 98 83
– Fermé 17 août-2 sept., vacances de fév., mardi soir sauf juil.-août, dim. soir, merc. soir et lundi
Rest – Menu 18 € (déj. en sem.), 28/52 € – Carte 45/70 €

♦ Une cuisine d'inspiration tourangelle vous attend dans cette ancienne guinguette transformée il y a bien longtemps en auberge. Objets chinés en décor. Table d'hôte à disposition.

TOURTOUR – 83 Var – 340 M4 – 519 h. – alt. 652 m – ✉ 83690   41 C3
Côte d'Azur

▶ Paris 827 – Aups 10 – Draguignan 17 – Salernes 11

🛈 Syndicat d'initiative, Château communal ℰ 04 94 70 59 47, Fax 04 94 70 59 47

◉ Église ✽✽.

La Bastide de Tourtour ⚜
rte de Flayosc – ℰ 04 98 10 54 20
– www.bastidedetourtour.com – bastide@bastidedetourtour.com
– Fax 04 94 70 54 90
25 ch – †110/140 € ††150/350 €, ⊇ 23 €   **Rest** – (fermé lundi, mardi, merc., jeudi et vend. midi du 15 sept. au 22 déc. et du 3 janv. au 15 juin) Menu 30/75 €
– Carte 60/78 €

♦ Cette bastide provençale juchée sur une colline bénéficie d'une vue imprenable sur le massif des Maures. Chambres personnalisées, parfois dotées d'une loggia. Cuisine au goût du jour dans la belle salle à manger voûtée ou sur l'idyllique terrasse ombragée.

La Petite Auberge ⚜
rte de Flayosc, 1,5 km par D 77 – ℰ 04 98 10 26 16 – www.petiteauberge.net
– aubergetourtour@orange.fr – Fax 04 98 10 26 50 – Ouvert 2 avril-14 nov.
11 ch – †77/175 € ††77/255 €, ⊇ 15 €
Rest – (fermé lundi) (dîner seult) Menu 35 €

♦ En retrait du village, construction de type mas entourée de végétation. Chambres spacieuses, assez romantiques ; quatre d'entre elles, de plain-pied, donnent sur la piscine. Élégante salle à manger et terrasse tournée vers le massif des Maures. Plats traditionnels.

Auberge St-Pierre ⚜
3 km à l'Est par D 51 et rte secondaire – ℰ 04 94 50 00 50
– www.guideprovence.com/hotel/saint-pierre/ – aubergestpierre@wanadoo.fr
– Fax 04 94 70 59 04 – Ouvert 11 avril-19 oct.
16 ch – †81/96 € ††82/105 €, ⊇ 11 € – ½ P 77/89 €
Rest – (dîner seult sauf sam., dim. et fériés) Menu 26/41 €

♦ Au sein d'un domaine agricole, paisible auberge du 16ᵉ s. aménagée près d'une ancienne bergerie. Chambres avec loggia face à la nature. Piscine et petit fitness. Salle à manger rustique et belle terrasse tournée vers la campagne. Cuisine régionale.

Le Mas des Collines ⚜
chemin des collines, 2,5 km par rte de Villecroze (D 51) et rte secondaire –
ℰ 04 94 70 59 30 – lemasdescollines@wanadoo.fr – Fax 04 94 70 57 62 – Ouvert mi-avril à mi-nov.
7 ch ⊇ – †98/100 € ††102/108 € – ½ P 76 €   **Rest** – (dîner seult) Menu 28/38 €

♦ Nom évocateur pour cet hôtel situé en pleine nature, à deux pas de Tourtour. On admire le splendide panorama depuis le balcon des chambres, sobrement décorées, et la piscine.

TOURTOUR

XX **Les Chênes Verts** (Paul Bajade) avec ch 🏠   🚗 🛋 AC rest, 🅿 VISA 🐵
😊 rte de Villecroze, 2 km par D 51 – ℰ 04 94 70 55 06 – Fax 04 94 70 59 35
– Fermé 1er juin-20 juil., mardi et merc.
3 ch – †80/100 € ††100 €, ⊇ 20 €
Rest – (nombre de couverts limité, prévenir) Menu 55/145 € – Carte 100/170 €
Spéc. Ecrevisses sautées aux herbes. Noisettes d'agneau de pays aux truffes. Le grand dessert. **Vins** Côtes de Provence., Coteaux Varois.
♦ Maison provençale isolée dans un joli cadre forestier. Cuisine régionale forte en caractère (spécialités de truffes) servie dans deux confortables salles à manger ou en terrasse.

X **La Table**   🛋 AC VISA 🐵
1 Traverse du Jas, Les Ribas – ℰ 04 94 70 55 95 – www.latable.fr – Fermé
29 juin-5 juil., lundi et mardi sauf du 15 juil. au 15 août
Rest – Menu 28/39 € – Carte 55/77 €
♦ Décor contemporain et sobriété dans ce tout petit restaurant situé à l'étage de la maison. Menu végétarien et appétissante carte valorisant les produits du marché.

LA TOUSSUIRE – 73 Savoie – **333** K6 – alt. 1 690 m – Sports d'hiver :   **46 F2**
1 800/2 400 m ✦19 ✦ – ✉ 73300 ∎ **Alpes du Nord**
▶ Paris 651 – Albertville 78 – Chambéry 91 – St-Jean-de-Maurienne 16

🏨 **Les Soldanelles**   ≤ 🚗 🔲 🛋 ⓘ 🌀 rest, 📶 🅿 VISA 🐵
r. des Chasseurs Alpins – ℰ 04 79 56 75 29 – www.hotelsoldanelles.com – infos @ hotelsoldanelles.com – Fax 04 79 56 71 56 – Ouvert 28 juin-31 août et 21 déc.-19 avril
38 ch – †46/67 € ††68/124 €, ⊇ 10 € – ½ P 75/110 €
Rest – Menu 22/40 € – Carte 32/58 €
♦ Hôtel familial perché sur les hauteurs de la station. Accueil chaleureux, chambres spacieuses avec balcon (jolie vue pour celles côté sud), piscine, hammam... Plats traditionnels et spécialités fromagères servies dans un élégant restaurant panoramique.

🏠 **Les Airelles**   ≤ 🛋 ⓘ 🌀 rest, 📶 🅿 VISA 🐵
– ℰ 04 79 56 75 88 – www.hotel-les-airelles.com – info@hotel-les-airelles.com
– Fax 04 79 83 03 48 – Ouvert juil.-août et 15 déc.-20 avril
31 ch ⊇ – †50/55 € ††58/63 € – ½ P 72/89 €
Rest – (résidents seult) Menu 20 €
♦ Imposant chalet au pied des remontées mécaniques, décor chaleureux et contemporain; préférez les chambres rénovées ! Repas simple le midi au bar ; au restaurant, les pensionnaires goûtent aux plats traditionnels et au spectacle offert par le ballet des skieurs.

TOUZAC – 46 Lot – **337** C5 – rattaché à Puy-l'Évêque

TRACY-SUR-MER – 14 Calvados – **303** I3 – rattaché à Arromanches-les-Bains

TRAENHEIM – 67 Bas-Rhin – **315** I5 – 592 h. – alt. 200 m – ✉ 67310   **1 A1**
▶ Paris 471 – Haguenau 54 – Molsheim 8 – Saverne 22 – Strasbourg 25

X **Zum Loejelgucker**   🛋 VISA 🐵
17 r. Principale – ℰ 03 88 50 38 19 – www.loejelgucker-auberge-traenheim.com
– loejelgucker@traenheim.net – Fax 03 88 50 36 31 – Fermé
30 déc.-5 janv., 16 fév.-2 mars, lundi soir et mardi
Rest – Menu (12 €), 20/47 € bc – Carte 25/45 €
♦ Dans un village au pied des Vosges, cette ferme alsacienne du 18e s. séduit par ses plats régionaux et par son cadre (boiseries sombres, fresques, cour fleurie l'été).

Comment choisir entre deux adresses équivalentes ?
Dans chaque catégorie, les établissements sont classés
par ordre de préférence : nos coups de cœur d'abord.

1907

LA TRANCHE-SUR-MER – 85 Vendée – **316** H9 – 2 644 h. – alt. 4 m — 34 **B3**
– ⊠ 85360 ▌Poitou Vendée Charentes

▶ Paris 459 – La Rochelle 64 – La Roche-sur-Yon 40 – Les Sables-d'Olonne 39
▸ Office de tourisme, place de la Liberté ℘ 02 51 30 33 96, Fax 02 51 27 78 71
◉ Parc de Californie★ (parc ornithologique) E : 9 km.

Les Dunes
68 av. M. Samson – ℘ 02 51 30 32 27 – www.hotel-les-dunes.com – info@hotel-les-dunes.com – Fax 02 51 27 78 30 – Ouvert 1er avril-30 sept.
45 ch – †41/58 € ††59/108 €, ⊇ 9 € – ½ P 55/83 €
Rest – Menu (14 €), 19/34 € – Carte 20/50 €

◆ Établissement apprécié pour sa situation calme, sa tenue parfaite et sa superbe piscine sous verrière tournée vers la mer. Certaines chambres avec balcon profitent de la vue. Au restaurant : poissons et fruits de mer, dont les langoustes et homards du vivier.

à la Grière 2 km à l'Est par D 46 - ⊠ 85360 La-Tranche-sur-Mer

Les Cols Verts
48 r. de Verdun – ℘ 02 51 27 49 30 – www.hotelcolsverts.com – info@hotelcolsverts.com – Fax 02 51 30 11 42 – Ouvert 4 avril-29 sept.
31 ch – †51/70 € ††63/137 €, ⊇ 8 € – ½ P 61/82 €
Rest – Menu (22 €), 20/39 € – Carte 29/39 €

◆ À 150 m de la plage, hôtel des années 1970 abritant des chambres bien tenues, plus calmes et plus petites à l'annexe sise de l'autre côté du jardin. Piscine dans un bâtiment voisin. À table, plaisante terrasse et cuisine traditionnelle privilégiant la marée.

TRANS-EN-PROVENCE – **340** N4 – 5 388 h. – alt. 140 m – ⊠ 83720 — 41 **C3**

▶ Paris 866 – Marseille 137 – Toulon 75 – Cannes 58 – Grasse 72
▸ Office de tourisme, 1, avenue Notre-Dame ℘ 04 94 67 76 17, Fax 04 94 67 76 48

Domaine de St-Amour sans rest
986 rte de la Motte, au Sud-Est par D 47 – ℘ 06 81 33 43 80
– www.domainedesaintamour.com – wahl@domainedesaintamour.com
– Fax 04 94 70 88 92 – Ouvert 3 avril-4 oct.
3 ch ⊇ – †81/85 € ††81/85 €

◆ À quelques pas du village, une bastide du 18e s. posée au milieu d'un parc bucolique (prairies, lac, rivière...). Belles chambres thématiques : Océane, Afrique et Provence.

TRAVEXIN – 88 Vosges – **314** I5 – rattaché à Ventron

TRÉBEURDEN – 22 Côtes-d'Armor – **309** A2 – 3 733 h. – alt. 81 m — 9 **B1**
– ⊠ 22560 ▌Bretagne

▶ Paris 525 – Lannion 10 – Perros-Guirec 14 – St-Brieuc 74
▸ Office de tourisme, place de Crec'h Héry ℘ 02 96 23 51 64, Fax 02 96 15 44 87
◉ Le Castel ≤★ 30 mn - Pointe de Bihit ≤★ SO : 2 km - Pleumeur-Bodou : Radôme et musée des Télécommunications★, Planétarium du Trégor★, NE : 5,5 km.

Manoir de Lan-Kerellec
Allée de Lan-Kerellec – ℘ 02 96 15 00 00 – www.lankerellec.com – lankerellec@relaischateaux.com – Fax 02 96 23 66 88 – Ouvert début mars -15 nov.
19 ch – †115/360 € ††165/440 €, ⊇ 20 €
Rest – (fermé le midi du lundi au jeudi) Menu 50/70 € – Carte 59/110 €
Spéc. Araignée décortiquée, foie gras et émulsion de pomme verte (mars à mi-juin). Homard bleu rôti, aubergine grillée aux légumes. Barre croustillante aux fraises, crème légère menthe et sorbet champagne (mai à sept.).

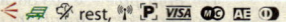

◆ Dominant les îles de la côte de granit rose, ce noble manoir breton du 19e s. déborde de charme : vastes chambres aux tissus chatoyants, avec balcons ou terrasse. Une splendide charpente en carène de bateau coiffe le restaurant ; carte de la mer attentive aux saisons.

TRÉBEURDEN

Ti al Lannec ≤ 🕭 🏠 🚭 £₆ 🎗 ⇆ ※ rest, ⁽ᵢ⁾ ♨ **P** *VISA* **MC** ⓪
14 allée de Mezo Guen – ✆ *02 96 15 01 01* – *www.tiallannec.com* – *contact@tiallannec.com* – *Fax 02 96 23 62 14* – *Ouvert de début mars à mi-nov.*
26 ch – †92/123 € ††171/364 €, ⚌ 17 € – 7 suites – ½ P 145/251 €
Rest – Menu (26 €), 28 € bc (déj. en sem.), 39/80 € – Carte 67/154 €
♦ Paisible maison familiale juchée sur une colline surplombant la mer. Les chambres coquettes regardent en partie le parc descendre jusqu'à la plage. Au restaurant, le spectacle vaut le coup d'œil et les produits de la pêche valent... le coup de fourchette ! Belle cave.

Toëno sans rest ≤ ♿ ⁽ᵢ⁾ **P** *VISA* **MC** **AE** ⓪
1,5 km par rte de Trégastel – ✆ *02 96 23 68 78* – *hoteltoeno.com* – *toeno@wanadoo.fr* – *Fax 02 96 15 42 54* – *Fermé 5 janv.-2 fév.*
17 ch – †53/99 € ††53/99 €, ⚌ 9 €
♦ Construction récente aux chambres lumineuses et fonctionnelles, sobrement décorées et dotées de balcons ou terrasses face à la Manche. Confortable salon.

✗ **Le Quellen** avec ch *VISA* **MC** **AE**
18 corniche Goas Treiz – ✆ *02 96 15 43 18* – *www.lequellen.com* – *lequellen@wanadoo.fr* – *Fax 02 96 23 64 43* – *Fermé 9-31 mars, 4-26 nov., dim. soir hors saison, lundi et mardi*
6 ch ⚌ – †42/60 € ††42/60 € – ½ P 46/55 €
Rest – Menu (15 €), 27/57 € – Carte 42/75 €
♦ Restaurant situé sur la route principale de Trébeurden. Une collection de moulins à café orne la salle à manger, un rien rustique. Cuisine traditionnelle. Chambres simples.

TRÉBOUL – 29 Finistère – **308** E6 – rattaché à Douarnenez

TREFFORT – 38 Isère – **333** G8 – 208 h. – alt. 618 m – ⌂ 38650   45 **C2**
▶ Paris 598 – Grenoble 36 – Monestier-de-Clermont 9 – La Mure 43

au bord du lac 3 km au Sud par D 110ᴱ – ⌂ 38650 Treffort

Le Château d'Herbelon ≤ 🚗 🏠 ※ ch, ♨ **P** *VISA* **MC**
– ✆ *04 76 34 02 03* – *www.chateau-herbelon.fr* – *chateaudherbelon@wanadoo.fr* – *Fax 04 76 34 05 44* – *Ouvert 5 mars-15 nov. et fermé lundi et mardi sauf juil.-août*
10 ch – †68/98 € ††68/98 €, ⚌ 10 € – ½ P 72/87 €
Rest – Menu 23/46 € – Carte 29/48 €
♦ Au bord du lac de Monteynard, demeure du 17ᵉ s. à la façade recouverte de vigne vierge et de rosiers grimpants. Chambres spacieuses. L'hiver, une imposante cheminée réchauffe la salle à manger rustique ; aux beaux jours, on dresse des tables sur la pelouse.

TREFFORT – 01 Ain – **328** F3 – 2 011 h. – alt. 280 m – ⌂ 01370   44 **B1**
▶ Paris 436 – Bourg-en-Bresse 18 – Lons-le-Saunier 57 – Mâcon 51 – Oyonnax 42

L'Embellie 🏠 ♿ rest, ⇆ ※ rest, ⁽ᵢ⁾ **P** *VISA* **MC**
pl. du Champ-de-Foire – ✆ *04 74 42 35 64* – *embellietreffort@aol.com* – *Fax 04 74 51 25 81* – *Fermé 1ᵉʳ-5 janv.*
8 ch – †40 € ††49 €, ⚌ 6 €
Rest – *(fermé dim. soir hors saison)* Menu (12 €), 18/33 € – Carte 24/36 €
♦ Cette jolie maison en pierre se trouve sur la place centrale du village. Accueil sympathique dans de petites chambres toutes simples, peu à peu rafraîchies. Cuisine traditionnelle et plats bressans servis dans un agréable décor actuel ou sur la terrasse.

TRÉGASTEL – 22 Côtes-d'Armor – **309** B2 – 2 397 h. – alt. 58 m   9 **B1**
– ⌂ 22730 ▌ Bretagne
▶ Paris 526 – Lannion 11 – Perros-Guirec 9 – St-Brieuc 75 – Trébeurden 11 – Tréguier 26
🛈 Office de tourisme, place Sainte-Anne ✆ 02 96 15 38 38, Fax 02 96 23 85 97
🏌 de Saint-Samson à Pleumeur-Bodou Avenue Jacques Ferronière, S : 3 km, ✆ 02 96 23 87 34
◉ Rochers ★★ - Île Renote ★★ NE - Table d'Orientation ≤★.

TRÉGASTEL

Park Hotel Bellevue
20 r. Calculots – ℰ 02 96 23 88 18 – www.hotelbellevuetregastel.com
– bellevue.tregastel@wanadoo.fr – Fax 02 96 23 89 91 – Ouvert 16 mars-11 nov.
31 ch – †55/150 € ††65/150 €, ⊇ 13 €
Rest – (ouvert 1er mai-30 sept.) (dîner seult) Menu 28 €, 40/60 € – Carte 42/110 €
♦ Une grosse bâtisse des années 1930, dans un site calme et verdoyant. Les chambres simples et bien tenues sont plus petites dans l'annexe. Billard au salon. Bon accueil. Au restaurant, nappes colorées, sièges exotiques et terrasse face à la mer. Cuisine classique.

Beau Séjour
5 plage du Coz-Pors – ℰ 02 96 23 88 02 – www.beausejoursarl.com
– daniel.laveant@wanadoo.fr – Fax 02 96 23 49 73 – Fermé 11 nov.-15 déc. et 10 janv.-10 fév.
16 ch – †45/60 € ††55/89 €, ⊇ 10 €
Rest – (fermé 1er-25 oct., 5 nov.-30 mars et lundi)
Menu (15 €), 35 € (dîner), 39/49 € – Carte 38/82 €
♦ Situation idéale près du Forum et de la plage, nombreuses chambres avec vue sur la mer, petit-déjeuner buffet : un beau séjour en perspective ! Salle à manger dont le décor, en trompe-l'œil, représente la Côte de Granit rose. Cuisine actuelle.

De la Mer et de la Plage sans rest
plage du Coz-Pors – ℰ 02 96 15 60 00 – hoteldelamer.ifrance.com
– hoteldelamer.tregastel@laposte.net – Fax 02 96 15 31 11 – Ouvert 28 mars-15 nov.
19 ch – †45/105 € ††45/105 €, ⊇ 9 €
♦ Maison traditionnelle en bordure de la plage, à côté du Forum. Préférez les chambres du troisième étage, modernes et conçues à la façon d'une cabine de bateau.

à la plage de Landrellec 3 km au Sud par D 788 et route secondaire - ⊠ 22560 Pleumeur-Bodou

Le Macareux
21 r. des Plages – ℰ 02 96 23 87 62 – infos@lemacareux.com – Fax 02 96 15 94 97
– Fermé 1er janv.-13 fév., dim. soir, mardi midi sauf juil.-août et lundi
Rest – Menu 24/52 € – Carte 42/89 €
♦ Rendez-vous dans cette auberge bretonne pour déguster des spécialités (homards, ormeaux) et d'autres produits issus de la pêche locale. Terrasse face à la mer. Ambiance conviviale.

TRÉGUIER – 22 Côtes-d'Armor – **309** C2 – 2 679 h. – alt. 40 m 9 **B1**
– ⊠ 22220 ▌ Bretagne
▶ Paris 509 – Guingamp 28 – Lannion 19 – Paimpol 15 – St-Brieuc 61
🛈 Office de tourisme, 67, rue Ernest Renan ℰ 02 96 92 22 33
◉ Cathédrale St-Tugdual ★★ : cloître ★.

Aigue Marine
5 r. M. Berthelot, (sur le port) – ℰ 02 96 92 97 00
– www.aiguemarine-hotel.com – aiguemarine@aiguemarine.fr
– Fax 02 96 92 44 48 – Fermé 21-25 déc., 4 janv.-24 fév. et dim. de nov. à mars
33 ch – †74/99 € ††74/99 €, ⊇ 14 € – 15 suites – ½ P 79/91 €
Rest – (fermé sam. midi, dim. soir et lundi hors saison et le midi sauf dim. de juin à sept.) Menu 32/64 € – Carte 49/68 €
♦ Hôtel doté de chambres fonctionnelles côté port ou côté piscine et jardin ; certaines ont un balcon, d'autres sont prévues pour les familles. Buffet soigné au petit-déjeuner. Table au goût du jour dans un cadre actuel, lumineux et fleuri.

rte de Lannion 2 km au Sud-Ouest par D 786 et rte secondaire – ⊠ 22220 Tréguier

Kastell Dinec'h sans rest
rte de Lannion – ℰ 02 96 92 49 39 – kastell@club-internet.fr – Fax 02 96 92 34 03
– Ouvert 1er avril-5 oct. et fermé mardi soir et merc.
15 ch – †75/79 € ††100/111 €, ⊇ 13 €
♦ Ancienne ferme fortifiée profitant du calme de la campagne et d'un jardin. Petites chambres soignées et cosy, réparties dans la maison principale et ses dépendances.

TRÉGUNC – 29 Finistère – 308 H7 – 6 354 h. – alt. 45 m – ⊠ 29910   9 B2

▶ Paris 543 – Concarneau 7 – Pont-Aven 9 – Quimper 29 – Quimperlé 27
🛈 Office de tourisme, Kérambourg ✆ 02 98 50 22 05, Fax 02 98 50 18 48

Auberge Les Grandes Roches
r. Grandes Roches, 0,6 km au Nord-Est par rte secondaire
– ✆ 02 98 97 62 97 – www.hotel-lesgrandesroches.com
– hrlesgrandesroches@club-internet.fr – Fax 02 98 50 29 19 – *Fermé 1er déc.-1er fév.*
17 ch – †85/135 € ††85/135 €, ⊇ 14 € – 1 suite – ½ P 80/110 €
Rest – *(fermé mardi et merc.)* Menu 45 € – Carte 50/60 €

♦ Ce superbe ensemble de fermes aménagées en hôtel dans un parc où se dressent dolmen et menhir, conserve une séduisante rusticité. Chambres douillettes et de bon goût. Charmant restaurant où pierre et bois rivalisent de chaleur ; cuisine de notre temps.

TREIGNAC – 19 Corrèze – 329 – 1 389 h. – alt. 500 m – ⊠ 19260   25 C2

▶ Paris 490 – Limoges 102 – Tulle 40 – Brive-la-Gaillarde 74 – Ussel 62
🛈 Office de tourisme, 1, place de la République ✆ 05 55 98 15 04,
 Fax 05 55 98 17 02

Maison Grandchamp
9 pl. des Pénitents – ✆ 05 55 98 10 69 – www.hotesgrandchamp.com
– teyssier.marielle@wanadoo.fr – *Ouvert avril-déc.*
3 ch ⊇ – †68/73 € ††68/73 €   **Table d'hôte** – Menu 25 € bc/29 € bc

♦ Dans cette maison familiale du 16e s., décorée de meubles anciens et des portraits des aïeux, profitez de chambres coquettes et fraîches. Table d'hôte dans la grande salle à manger ou dans le jardin quand le temps le permet.

TRÉLAZÉ – 49 Maine-et-Loire – 317 G4 – rattaché à Angers

TRÉLON – 59 Nord – 302 M7 – 2 828 h. – alt. 188 m – ⊠ 59132   31 D3
Nord Pas-de-Calais Picardie

▶ Paris 218 – Avesnes-sur-Helpe 15 – Charleroi 53 – Lille 115 – St-Quentin 68 – Vervins 35
🛈 Office de tourisme, 3, rue Clavon Collignon ✆ 03 27 57 08 18,
 Fax 03 27 57 06 80

Le Framboisier
rte Val Joly – ✆ 03 27 59 73 34 – www.framboisier.terascia.com
– dumotier-arnaud@orange.fr – Fax 03 27 57 07 47 – *Fermé 16 fév.-3 mars,
17 août-2 sept., dim. soir, mardi soir et lundi sauf fériés*
Rest – Menu (14 €), 32 € bc/49 € – Carte 37/55 €

♦ Ancien corps de ferme bordant un axe passant. Accueillante façade, salles à manger intimes, meublées dans le style rustique et cuisine renouvelée au fil des saisons.

TREMBLAY-EN-FRANCE – 93 Seine-Saint-Denis – 305 G7 – 101 18 – voir à Paris, Environs

LE TREMBLAY-SUR-MAULDRE – 78 Yvelines – 311 H3 – 956 h.   18 A2
– alt. 132 m – ⊠ 78490

▶ Paris 42 – Houdan 24 – Mantes-la-Jolie 32 – Rambouillet 18 – Versailles 24
🛈 du Domaine du Tremblay Place de l'Eglise, S : par D 34, ✆ 01 34 94 25 70

Laurent Trochain
3 r. Gén. de Gaulle – ✆ 01 34 87 80 96 – www.restaurant-trochain.fr
– trochain.laurent@wanadoo.fr – Fax 0134 87 91 52
– *Fermé 13-21 avril, 2 août-1er sept., 2-9 janv., lundi et mardi*
Rest – Menu (35 € bc), 42 € bc (déj. en sem.), 49/78 € bc – Carte 49/62 €
Spéc. Filet de bœuf, façon "ch'ti", maroilles, salade et frites. L'esprit d'un lièvre à la royale (saison). Fromages marinés dans différentes huiles.

♦ Poutres et cheminée créent une ambiance chaleureuse dans cette coquette maison au décor mi-rustique, mi-bourgeois assez cossu. Belle cuisine au goût du jour personnalisée.

TRÉMEUR – 22 Côtes-d'Armor – 309 I4 – 682 h. – alt. 62 m – ⌧ 22250 — 10 C2

▶ Paris 407 – Dinan 26 – Loudéac 54 – Rennes 57 – St-Brieuc 46 – St-Malo 56

Les Dineux
voie express N 12, Z.A. les Dineux – ℰ 02 96 84 65 80
– http://pagesperso-orange.fr/lesdineux/ – les-dineux.hotel-village@wanadoo.fr
– Fax 02 96 84 76 35 – Fermé 20 déc.-4 janv. et 7-23 fév.
12 ch ⌂ – †55/60 € ††67/74 € – ½ P 56/59 €
Rest – (fermé sam. et dim. sauf dîner en juil.-août)
Menu (14 €), 19 € – Carte 20/30 €

◆ Les chambres de cet établissement de type motel, pour la plupart en duplex, possèdent toutes une petite terrasse avec vue sur la campagne. Plats traditionnels au restaurant.

TRÉMOLAT – 24 Dordogne – 329 F6 – 656 h. – alt. 53 m – ⌧ 24510 — 4 C3
Périgord

▶ Paris 532 – Bergerac 34 – Brive-la-Gaillarde 87 – Périgueux 46
– Sarlat-la-Canéda 50

ℹ Syndicat d'initiative, îlot Saint-Nicolas ℰ 05 53 22 89 33, Fax 05 53 22 69 20

◉ Belvédère de Racamadou★★ N : 2 km.

Le Vieux Logis
Le Bourg – ℰ 05 53 22 80 06 – www.vieux-logis.com – vieuxlogis@
relaischateaux.com – Fax 05 53 22 84 89
26 ch – †185/390 € ††185/390 €, ⌂ 22 € – ½ P 182/284 €
Rest – Menu 38 € (déj. en sem.), 42/95 € – Carte 71/114 €
Spéc. Foie gras au naturel, aiguillettes de canard marinées aux aromates (juin à sept.). Saumon confit à l'huile de noix (printemps et automne). Framboises et betterave en association, spéculos croustillant (juin à sept.). **Vins** Bergerac blanc, Péchармant.

◆ Ancien prieuré (16e-17e s.), cette maison raconte l'histoire de famille des actuels propriétaires, vieille de 450 ans ! Chambres cosy, salons douillets et superbe jardin. Insolite salle à manger aménagée dans un ancien séchoir à tabac ; terrasse. Délicieuse carte classique.

Bistrot d'en Face
Le Bourg – ℰ 05 53 22 80 69 – vieuxlogis@relaischateaux.com
– Fax 05 53 22 84 89
Rest – Menu (16 €), 27/29 € – Carte 27/43 €

◆ Une adresse pour se régaler dans le village où Chabrol tourna Le Boucher (1970). Vieilles pierres, poutres et goûteuse cuisine du terroir : andouillette, confit de canard...

TRÉMONT-SUR-SAULX – 55 Meuse – 307 B6 – rattaché à Bar-le-Duc

LE TRÉPORT – 76 Seine-Maritime – 304 I1 – 5 719 h. – alt. 12 m — 33 D1
– Casino – ⌧ 76470 **Normandie Vallée de la Seine**

▶ Paris 180 – Abbeville 37 – Amiens 92 – Blangy-sur-Bresle 26 – Dieppe 30
– Rouen 95

ℹ Office de tourisme, quai Sadi Carnot ℰ 02 35 86 05 69, Fax 02 35 86 73 96

◉ Calvaire des Terrasses ≤★.

Golf Hôtel sans rest
102 rte de Dieppe, (D 940) – ℰ 02 27 28 01 52 – www.treport-hotels.com
– evergreen2@wanadoo.fr – Fax 02 27 28 01 51 – Fermé 21-27 déc.
10 ch – †46/49 € ††66/90 €, ⌂ 8 €

◆ Demeure de style normand proposant des petites chambres meublées dans un esprit anglais. Coquette salle rustique et sa cheminée pour les petits-déjeuners.

Le St-Louis
43 quai François 1er – ℰ 02 35 86 20 70 – Fax 02 35 50 67 10
– Fermé 20 nov.-19 déc.
Rest – Menu 19 € (sem.)/60 € – Carte 40/65 €

◆ La grande baie vitrée donnant sur les quais dévoile une ample salle de style brasserie. Carte et menus évoluent au gré de la pêche et du marché. Ambiance conviviale.

TRÉVOU-TRÉGUIGNEC – 22 Côtes-d'Armor – 309 B2 – 1 371 h. – alt. 56 m – ⊠ 22660　　9 B1

▶ Paris 524 – Guingamp 36 – Lannion 14 – Paimpol 27 – Perros-Guirec 11 – St-Brieuc 72

🛈 Syndicat d'initiative, 28, rue de Trestel ℰ 02 96 23 74 05, Fax 02 96 91 73 82

Kerbugalic
1 Vieille Côte de Trestel – ℰ 02 96 23 72 15 – www.kerbugalic.fr – kerbugalic@voila.fr – Fax 02 96 23 74 71 – Fermé 5 janv.-5 fév.
18 ch – †55/90 € ††55/90 €, ⊇ 8 €
Rest – *(fermé le midi sauf vend., sam. et dim.et mardi et merc.) (dîner seult)* Menu 29/39 € – Carte 43/50 €

♦ La situation de cette maison dominant la baie de Trestel est plus qu'agréable. Toutes les chambres regardent la mer, exceptées certaines de l'annexe (avec terrasse côté jardin). Belle salle à manger panoramique face aux flots ; carte traditionnelle à dominante océane.

TRIEL-SUR-SEINE – 78 Yvelines – 311 I2 – 101 10 – voir à Paris, Environs

---

TRIGANCE – 83 Var – 340 N3 – 150 h. – alt. 800 m – ⊠ 83840　　41 C2

▶ Paris 817 – Castellane 20 – Digne-les-Bains 74 – Draguignan 43 – Grasse 70

🛈 Office de tourisme, RD 955 - ferme de la Sagne ℰ 04 94 85 68 40, Fax 04 94 85 68 40

Château de Trigance
rte du château, accès par voie privée – ℰ 04 94 76 91 18
– www.chateau-de-trigance.fr – chateautrigance@wanadoo.fr
– Fax 04 94 85 68 99 – Ouvert 3 avril-31 oct.
10 ch – †115/125 € ††125/175 €, ⊇ 15 € – ½ P 115/145 €
Rest – *(fermé le midi sauf sam., dim. et fériés)* Menu 30/48 € – Carte 50/66 €

♦ Perché sur un piton rocheux, hôtel de caractère occupant les murs d'un château fort. Chambres personnalisées, dotées de lits à baldaquin. Restaurant installé dans une ancienne salle d'armes creusée dans la roche. Cadre médiéval, mais cuisine au goût du jour.

Le Vieil Amandier
Montée de St-Roch – ℰ 04 94 76 92 92 – www.levieilamandier.free.fr
– levieilamandier@free.fr – Fax 04 94 85 68 65 – Ouvert 10 avril-11 nov.
12 ch – †55/68 € ††61/99 €, ⊇ 10 € – ½ P 63/83 €
Rest – *(dîner seult) (résidents seult)*

♦ Au pied du village, construction récente entourée d'un jardin déjà méditerranéen. Toutes les chambres offrent désormais des aménagements rénovés. Une belle charpente coiffe la salle à manger ; dans l'assiette, cuisine traditionnelle aux accents du midi.

TRILBARDOU – 77 Seine-et-Marne – 312 F2 – rattaché à Meaux

LA TRINITÉ-SUR-MER – 56 Morbihan – 308 M9 – 1 531 h. – alt. 20 m　　9 B3
– Casino – ⊠ 56470 ▌ Bretagne

▶ Paris 488 – Auray 13 – Carnac 4 – Lorient 52 – Quiberon 23 – Quimperlé 66 – Vannes 31

🛈 Office de tourisme, 30, cours des Quais ℰ 02 97 55 72 21, Fax 02 97 55 78 07

◉ Pont de Kerisper ≤★.

Le Lodge Kerisper sans rest
4 r. Latz – ℰ 02 97 52 88 56 – www.lodge-kerisper.com – contact@lodgekerisper.com – Fax 02 97 52 76 39
17 ch – †80/180 € ††80/180 €, ⊇ 15 € – 3 suites

♦ Ces deux longères du 19ᵉ s. offrent un intérieur chaleureux et épuré, associant matériaux nobles, meubles chinés et tissus choisis. Plusieurs chambres disposent d'une terrasse.

1913

LA TRINITÉ-SUR-MER

Petit Hôtel des Hortensias
4 pl. de la Mairie – ℰ 02 97 30 10 30 – www.leshortensias.info – leshortensias@aol.com – Fax 02 97 30 14 54 – *Fermé janv.*
6 ch – ♦99/160 € ♦♦99/160 €, ⌑ 12 €
Rest *L'Arrosoir* – ℰ 02 97 30 13 58 *(ouvert fin-fév. à mi-nov. et fermé mardi midi, merc. midi et lundi)* Carte 35/50 €

♦ La silhouette scandinave de cette charmante villa (1880) domine le port. Intérieur nautique chic, meubles et bibelots anciens, ambiance guesthouse... Une perle rare ! Coquet décor de bistrot marin, belle terrasse panoramique et cuisine océane à L'Arrosoir.

L'Azimut
1 r. Men-Dû – ℰ 02 97 55 71 88 – azimut56@orange.fr – Fax 02 97 55 80 15 – *Fermé 24 nov.-5 déc., 5-9 janv., 16-27 fév., mardi et merc. sauf juil.-août*
Rest – Menu (20 €), 35/60 € – Carte 55/95 €

♦ Ambiance maritime tous azimuts dans la salle à manger, agréable terrasse offrant une échappée sur le port et carte actuelle orientée poisson.

TRIZAY – 17 Charente-Maritime – **324** E4 – 1 122 h. – alt. 20 m — 38 **B2**
– ✉ 17250

▣ Paris 475 – Rochefort 13 – La Rochelle 52 – Royan 36 – Saintes 27
▣ Syndicat d'initiative, 48, rue de la République ℰ 05 46 82 34 25, Fax 05 46 82 19 64

au Lac du Bois Fleuri 2,5 km à l'Ouest par D 238, D 123 et rte secondaire – ✉ 17250 Trizay

Les Jardins du Lac avec ch
3 chemin fontchaude – ℰ 05 46 82 03 56
– jardins-du-lac.com – hotel@jardins-du-lac.com – Fax 05 46 82 03 55 – *Fermé vacances de fév., dim. soir, lundi et mardi de nov. à mars*
8 ch – ♦101/107 € ♦♦101/107 €, ⌑ 13 € **Rest** – Menu 37/55 € – Carte 70/85 €

♦ Dans un parc au-dessus du lac, deux pavillons récents reliés par une passerelle vitrée enjambant un ruisseau. Restaurant et chambres (avec terrasse ou balcon) donnent sur le plan d'eau.

LES TROIS-ÉPIS – 68 Haut-Rhin – **315** H8 – alt. 658 m – ✉ 68410 — 2 **C2**
Alsace Lorraine

▣ Paris 445 – Colmar 11 – Gérardmer 51 – Munster 18 – Orbey 12
▣ Office de tourisme, 2, Impasse Poincaré ℰ 03 89 49 80 56, Fax 03 89 49 80 68

Villa Rosa
4 r. Thierry Schoeré – ℰ 03 89 49 81 19 – www.villarosa.fr – contact@villarosa.fr – Fax 03 89 78 90 45 – *Fermé janv., fév., 15-29 nov. et jeudi soir*
8 ch – ♦60/62 € ♦♦60/64 €, ⌑ 10 € – ½ P 62/65 €
Rest – table d'hôte – *(dîner seult) (résidents seult)* Menu 25 €

♦ Chambres coquettes portant des noms de roses ; séjours à thèmes. Ambiance guesthouse dans cette maison 1900 entourée d'un jardin fleuri. Au restaurant, Anne-Rose concocte des plats régionaux à partir de produits bio et de son potager.

LE TRONCHET – 35 Ille-et-Vilaine – **309** K4 – 845 h. – alt. 65 m — 10 **D2**
– ✉ 35540 **Bretagne**

▣ Paris 391 – Saint-Malo 27 – Dinan 19 – Fougères 56 – Rennes 57 – Saint-Brieuc 82

Golf & Country Club
Domaine Saint Yvieux – ℰ 02 99 58 98 99
– www.saintmalogolf.com – saintmalogolf@st-malo.com – Fax 02 99 58 10 39 – *Fermé 20 nov.-1er mars*
29 ch – ♦88/145 € ♦♦88/145 €, ⌑ 11 €
Rest – Menu (22 €), 28 € (dîner)/34 € – Carte 29/42 €

♦ Au sein d'un golf, cet ancien prieuré du 19e s. abrite de grandes chambres dans des tons clairs (jolis tissus), disposant d'une loggia ou d'une miniterrasse. Le restaurant donne sur l'étang et offre une vue panoramique sur les greens. Cuisine traditionnelle.

LE TRONCHET

⌂ **Le Mesnil des Bois** sans rest 🌿   𝒞 02 99 58 97 12
2 km au Sud-Ouest par D9 et D3 –
– www.le-mesnil-des-bois.com – villette@le-mesnil-des-bois.com – Fermé mi nov.
à fin fév.
5 ch – ⚤ – †95/120 € ††95/120 €
♦ Cette belle ferme-manoir (16ᵉ s.) isolée dans la campagne, en lisière de forêt, appartenait
aux descendants du corsaire Surcouf. Jolies chambres aux meubles anciens.

TRONGET – 03 Allier – 326 F4 – 955 h. – alt. 460 m – ✉ 03240   5 **B1**
▶ Paris 317 – Bourbon-l'Archambault 24 – Montluçon 53 – Moulins 30

⌂ **Du Commerce**
16 rte départementale 945 – 𝒞 04 70 47 12 95 – Fax 04 70 47 32 53
11 ch – †43 € ††50 €, ⚤ 8 € – ½ P 49 €
Rest – Menu 16 € (sem.)/40 € – Carte 32/52 €
♦ Au cœur du bourg, établissement composé de deux bâtiments. La maison mère abrite le
café-restaurant ; les chambres, fonctionnelles et bien tenues, occupent l'annexe récente.
Salle à manger de style classico-rustique et répertoire culinaire traditionnel.

TRONÇAIS – 03 Allier – 326 D3 – rattaché à St-Bonnet-Tronçais

---

TROUVILLE-SUR-MER – 14 Calvados – 303 M3 – 5 411 h. – alt. 2 m   32 **A3**
– Casino AY – ✉ 14360 ▮ Normandie Vallée de la Seine
▶ Paris 201 – Caen 51 – Le Havre 43 – Lisieux 30 – Pont-l'Évêque 13
✈ de Deauville-St-Gatien : 𝒞 02 31 65 65 65, par ② : 7 km BZ.
🛈 Office de tourisme, 32, boulevard Fernand-Moureaux 𝒞 02 31 14 60 70,
Fax 02 31 14 60 71
⛳ de l'Amirauté à Tourgéville par rte de Pont-L'Évêque et D 278 : 5 km,
𝒞 02 31 14 42 00
◉ Corniche ≤★.

Plan page suivante

⌂ **Hostellerie du Vallon** sans rest 🌿
12 r. Sylvestre Lasserre – 𝒞 02 31 98 35 00
– www.hostellerieduvallon.com – resahduvallon@wanadoo.fr
– Fax 02 31 98 35 10   BZ **v**
62 ch – †110/200 € ††120/220 €, ⚤ 15 €
♦ Cette hostellerie de style normand offre un joli panorama sur les hauteurs de la ville.
Chambres spacieuses rénovées par étape. Salon-bar cosy, billard, piscine, fitness.

⌂ **Le Flaubert** sans rest
2 r. Gustave Flaubert – 𝒞 02 31 88 37 23 – www.flaubert.fr – hotel@flaubert.fr
– Fax 02 31 88 21 56 – Ouvert de mi-fév. à mi-nov.   AY **t**
33 ch – †64/80 € ††104/130 €, ⚤ 10 €
♦ À deux pas des célèbres "planches", villa à colombages de 1936 très romantique : mobilier
chiné, affiches anciennes, tons doux. Chambres souvent rafraîchies (la moitié côté mer).

⌂ **Le Fer à Cheval** sans rest
11 r. Victor Hugo – 𝒞 02 31 98 30 20 – www.hotel-trouville.com – info@
hotel-trouville.com – Fax 02 31 98 04 00   AY **u**
34 ch – †51/82 € ††75/87 €, ⚤ 10 €
♦ Deux bâtisses mitoyennes abritant des chambres fonctionnelles et de douillettes suites
familiales. Viennoiseries maison au petit-déjeuner et salon de thé l'après-midi.

⌂ **Le Central**
5 et 7 r. des Bains – 𝒞 02 31 88 80 84 – www.le-central-trouville.com
– central-hotel@wanadoo.fr – Fax 02 31 88 42 22   AY **n**
21 ch – †86/128 € ††86/128 €, ⚤ 8,50 € – ½ P 72/82 €
Rest – brasserie – 𝒞 02 31 88 13 68 – Carte 28/40 €
♦ Au cœur de Trouville, des chambres feutrées tout en sobriété (tons harmonieux, mobilier
en bois blanc patiné). Vues sur le port, les hauteurs de la ville ou la rue piétonne. Le cadre
de la brasserie, très touristique, s'inspire des années 1930. Vaste terrasse chauffée l'hiver.

TROUVILLE-SUR-MER

Bains (R. des) .... **AY** 3	Chalet-Cordier (R.) .... **BY** 6	Moureaux (Bd F.) .... **BZ**
Carnot (R.) .... **AY** 5	Chapelle (R. de la) .... **AY** 7	Moureaux (Pl. F.) .... **BZ** 22
	Foch (Pl. Mar.) .... **AY** 9	Notre-Dame
	Gaulle (R. Gén.-de) .... **BZ** 10	(R.) .... **BY** 23
	Lattre-de-Tassigny	Plage (R. de la) .... **AY** 26
	(Pl. Mar.-de) .... **AY** 12	Verdun (R. de) .... **BY** 29
	Maigret (R. A.-de) .... **AY** 20	Victor-Hugo (R.) .... **AY** 31

🏠 **Les Sablettes** sans rest   4/ 🛇 **VISA** ◉
15 r. P.-Besson – ✆ *02 31 88 10 66 – www.trouville-hotel.com – info @
trouville-hotel.com – Fax 02 31 88 59 06 – Fermé 15 nov.-7 déc.*   AY **r**
18 ch – †40/45 € ††47/66 €, ⏥ 7 €
◆ Une adresse familiale, proche du Casino et de la plage. Chambres simples, plutôt calmes,
donnant sur la cour ou la rue ; deux sont aménagées dans l'annexe. Bon accueil.

1916

TROUVILLE-SUR-MER

✕ **La Petite Auberge**   VISA ◎
*7 r. Carnot – ℰ 02 31 88 11 07 – www.lapetiteaubergesurmer.fr
– lapetiteauberge@wanadoo.fr – Fermé 1ᵉʳ-15 déc., mardi et merc.*   AY **f**
Rest – *(prévenir)* Menu (23 €), 32 € bc/49 € – Carte 47/70 €
♦ Dans une petite rue du centre-ville, à l'écart de la foule, cette auberge conviviale, au cadre rustique et marin, valorise le terroir et les produits régionaux.

✕ **Les Mouettes**   🍴 VISA ◎ AE
⊂⊃ *11 r. Bains – ℰ 02 31 98 06 97 – www.brasserie-les-mouettes.com
– central-hotel@wanadoo.fr – Fax 02 31 88 42 22*   AY **d**
Rest – Menu 14/28 € – Carte 23/36 €
♦ Ambiance et décor de bistrot, carte typique du genre, joli plafond peint et terrasse-trottoir abritée pour cette table conviviale naguère fréquentée par Marguerite Duras.

TROYES ℗ – 10 Aube – **313** E4 – 60 400 h. – Agglo. 128 945 h.   **13 B3**
– alt. 113 m – ⊠ 10000 ▯ **Champagne Ardenne**

▯ Paris 170 – Dijon 185 – Nancy 186
✈ de Troyes-Barberey ℰ 03 25 71 79 00, NO : 5 km AV
🛈 Office de tourisme, 16, boulevard Carnot ℰ 03 25 82 62 70, Fax 03 25 73 06 81
▯ de la Forêt d'Orient à Rouilly-Sacey Route de Geraudot, par rte de Nancy :
11 km, ℰ 03 25 43 80 80
▯ de Troyes à Chaource Château de la Cordelière, par rte de Tonnerre (D 444) :
31 km, ℰ 03 25 40 18 76

◉ Le Vieux Troyes ★★ BZ : Ruelle des Chats ★ - Cathédrale
St-Pierre-et-St-Paul ★★ - Jubé ★★ de l'église Ste-Madeleine ★ - Basilique
St-Urbain ★ BCY B - Église St-Pantaléon ★ - Apothicairerie ★ de l'Hôtel-Dieu
CY M⁴ - Musée d'Art Moderne ★★ CY M³ - Maison de l'Outil et de la Pensée
ouvrière ★★ dans l'hôtel de Mauroy ★★ BZ M² - Musée historique de Troyes
et de Champagne ★ et musée de la Bonneterie dans l'hôtel de Vauluisant ★
BZ M¹ - Musée des Beaux-Arts et d'Archéologie ★ dans l'abbaye St-Loup.

Plans pages suivantes

🏠 **La Maison de Rhodes** ⊛   🚗 🍴 & ch, ⇄ ((ℓ)) ℗ VISA ◎ AE
*18 r. Linard Gonthier – ℰ 03 25 43 11 11 – www.maisonderhodes.com
– message@maisonderhodes.com – Fax 03 25 43 10 43*   CY **e**
8 ch – †160/255 € ††160/255 €, ⊇ 19 € – 3 suites
Rest – *(fermé dim.) (dîner seult)* Carte environ 63 €
♦ Belles demeures du 17ᵉ s. nichées dans une ruelle pavée. Poutres, pierres, torchis, tomettes, mobilier ancien et contemporain se marient avec élégance dans ce délicieux hôtel. Charmante salle à manger rustique ouverte sur le minuscule jardin ; carte traditionnelle.

🏠 **Le Champ des Oiseaux** sans rest ⊛   🚗 & ((ℓ)) 🚗 VISA ◎ AE ①
*20 r. Linard Gonthier – ℰ 03 25 80 58 50 – www.champdesoiseaux.com
– message@champdesoiseaux.com – Fax 03 25 80 98 34*   CY **e**
12 ch – †140/240 € ††140/240 €, ⊇ 17 € – 1 suite
♦ Ces trois maisons des 15ᵉ-16ᵉ s., dont le nom est un clin d'œil aux cigognes de la région, encadrent une cour pavée verdoyante. Chambres confortables et cosy (poutres, boiseries).

🏠 **Mercure** sans rest   🛗 ⌘ & AC ⇄ ((ℓ)) 🛏 🚗 VISA ◎ AE ①
*11 r. Bas-Trévois – ℰ 03 25 46 28 28 – www.mercure-troyes.com – h3168@
accor.com – Fax 03 25 46 28 27*   CZ **h**
70 ch – †82/159 € ††92/189 €, ⊇ 14 €
♦ La décoration des chambres, spacieuses et reposantes, et le métier à tisser du 19ᵉ s. qui trône dans le hall rappellent que cet hôtel était à l'origine une usine à bonneterie.

🏠 **Le Relais St-Jean** sans rest ⊛   ⌘ & AC ((ℓ)) 🛏 🚗 VISA ◎ AE ①
*51 r. Paillot de Montabert – ℰ 03 25 73 89 90 – www.relais-st-jean.com – infos@
relais-st-jean.com – Fax 03 25 73 88 60*   BZ **s**
25 ch – †86/136 € ††97/142 €, ⊇ 15 €
♦ Pittoresque maison à colombages bordant une rue piétonne. Chambres contemporaines ; celles du 4ᵉ étage ont conservé leurs belles poutres. Salon-bar feutré et élégant.

TROYES

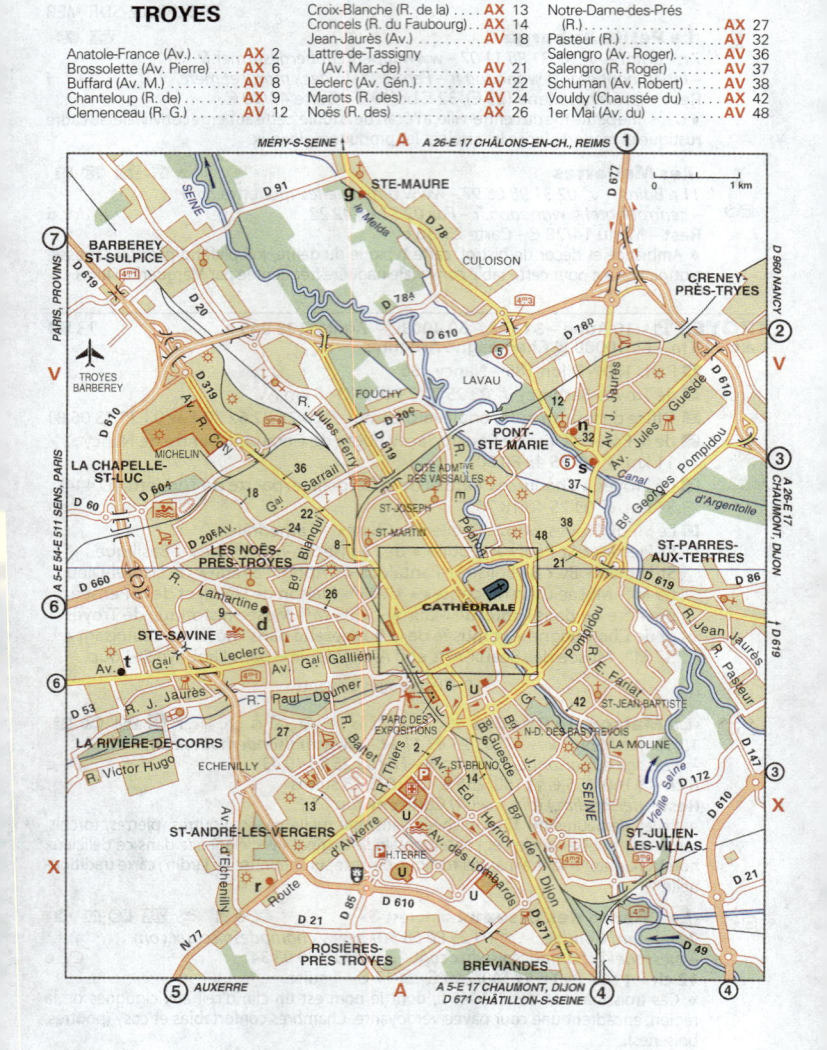

Anatole-France (Av.) .... **AX** 2	Croix-Blanche (R. de la) .... **AX** 13	Notre-Dame-des-Prés (R.) .... **AX** 27
Brossolette (Av. Pierre) .... **AX** 6	Croncels (R. du Faubourg) ... **AX** 14	Pasteur (R.) .... **AV** 32
Buffard (Av. M.) .... **AV** 8	Jean-Jaurès (Av.) .... **AV** 18	Salengro (Av. Roger) .... **AV** 36
Chanteloup (R. de) .... **AX** 9	Lattre-de-Tassigny (Av. Mar.-de) .... **AV** 21	Salengro (R. Roger) .... **AV** 37
Clemenceau (R. G.) .... **AV** 12	Leclerc (Av. Gén.) .... **AV** 22	Schuman (Av. Robert) ...... **AV** 38
	Marots (R. des) .... **AV** 24	Vouldy (Chaussée du) ...... **AX** 42
	Noës (R. des) .... **AX** 26	1er Mai (Av. du) .... **AV** 48

Royal Hôtel
22 bd Carnot – ℰ *03 25 73 19 99* – *www.royal-hotel-troyes.com*
– *reservation@royal-hotel-troyes.com* – *Fax 03 25 73 47 85*
– *Fermé 18 déc.-11 janv.*

BZ **n**

40 ch – ♦68/92 € ♦♦80/120 €, ⊇ 11 € – ½ P 80 €
Rest – *(fermé sam. midi, lundi midi et dim.)*
Menu (20 €), 25 € (sem.)/30 € – Carte 46/58 €

◆ Cet immeuble situé sur un boulevard fréquenté héberge des chambres simples, fonctionnelles et bien tenues. Agréable salon-bar feutré et élégante salle à manger actuelle agrémentée d'un vaisselier et d'un miroir de style Renaissance flamande.

TROYES

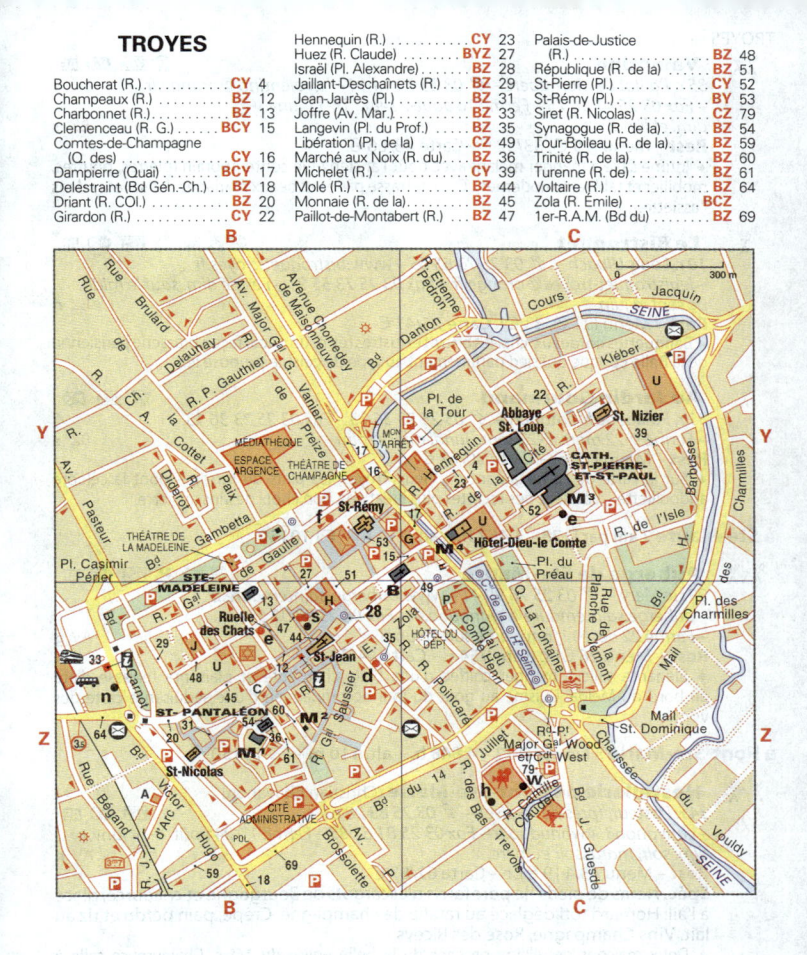

Boucherat (R.)	**CY** 4
Champeaux (R.)	**BZ** 12
Charbonnet (R.)	**BZ** 13
Clemenceau (R. G.)	**BCY** 15
Comtes-de-Champagne (Q. des)	**CY** 16
Dampierre (Quai)	**BCY** 17
Delestraint (Bd Gén.-Ch.)	**BZ** 18
Driant (R. COl.)	**BZ** 20
Girardon (R.)	**CY** 22
Hennequin (R.)	**CY** 23
Huez (R. Claude)	**BYZ** 27
Israël (Pl. Alexandre)	**BZ** 28
Jaillant-Deschaînets (R.)	**BZ** 29
Jean-Jaurès (Pl.)	**BZ** 31
Joffre (Av. Mar.)	**BZ** 33
Langevin (Pl. du Prof.)	**BZ** 35
Libération (Pl. de la)	**CZ** 49
Marché aux Noix (R. du)	**BZ** 36
Michelet (R.)	**CY** 39
Molé (R.)	**BZ** 44
Monnaie (R. de la)	**BZ** 45
Paillot-de-Montabert (R.)	**BZ** 47
Palais-de-Justice (R.)	**BZ** 48
République (R. de la)	**BZ** 51
St-Pierre (Pl.)	**CY** 52
St-Rémy (Pl.)	**BY** 53
Siret (R. Nicolas)	**CZ** 79
Synagogue (R. de la)	**BZ** 54
Tour-Boileau (R. de la)	**BZ** 59
Trinité (R. de la)	**BZ** 60
Turenne (R. de)	**BZ** 61
Voltaire (R.)	**BZ** 64
Zola (R. Émile)	**BCZ**
1er-R.A.M. (Bd du)	**BZ** 69

Ibis sans rest

r. Camille Claudel – ℘ 03 25 75 99 99
– www.ibishotel.com – H5546@accor.com
– Fax 03 25 75 90 69   CZ w
77 ch – †61/75 € ††61/75 €, ⊇ 8,50 €

♦ Récent établissement bénéficiant des dernières normes Ibis en matière de confort : chambres climatisées, salles de bains new look, plaisante salle des petits-déjeuners, etc.

La Mignardise

1 ruelle des Chats – ℘ 03 25 73 15 30
– www.lamignardise.net
– lamignardise@orange.fr
– Fax 03 25 73 15 30 – Fermé dim. soir et lundi   BZ e
Rest – Menu (25 €), 27/56 € – Carte 50/90 €

♦ Élégant intérieur (pierres, briques, bois et touches modernes), cuisine actuelle et service attentionné : on passe un bon moment dans cette maison à colombages du 16ᵉ s.

TROYES

Valentino
35 r. Paillot de Montabert – ℰ 03 25 73 14 14 – le.valentino@orange.fr
– Fax 03 25 41 36 75 – Fermé 16 août-2 sept., 1ᵉʳ-11 janv.,
dim. et lundi   BZ s
Rest – Menu (25 €), 33/52 € – Carte 48/66 €
◆ Intime salle à manger mêlant avec goût l'ancien et le contemporain (pierres, poutres, mobilier et tableaux modernes). Cour-terrasse pavée et beaux mariages des saveurs dans l'assiette.

Le Bistroquet
10 r. Louis Ulbach – ℰ 03 25 73 65 65 – www.bistroquet-troyes.fr
– lebistroquet-troyes@orange.fr – Fax 03 25 73 55 91 – Fermé dim. sauf le midi
de sept. à juin   BZ d
Rest – Menu (21 €), 33 € – Carte 26/47 €
◆ Banquettes bordeaux, chaises bistrot et lustres rétro : un décor façon brasserie parisienne de la Belle Époque qui sied parfaitement au type de cuisine proposé ici.

Au Jardin Gourmand
31 r. Paillot de Montabert – ℰ 03 25 73 36 13 – Fax 03 25 73 36 13
– Fermé 9-22 mars, 7-27 sept., lundi midi et dim.   BZ s
Rest – Menu (17 €) – Carte 30/67 €
◆ Sur la carte de ce restaurant du Vieux Troyes, les plats du terroir – dont la célèbre andouillette – côtoient des recettes plus créatives. Bon choix de vins au verre.

à Ste-Maure 7 km par D 78 – 1 457 h. – alt. 111 m – ✉ 10150

Auberge de Ste-Maure
99 rte Mery – ℰ 03 25 76 90 41 – www.auberge-saintemaure.fr
– auberge.saintemaure@wanadoo.fr – Fax 03 25 80 01 55
– Fermé 22 déc.-11 janv., dim. soir et lundi   AV g
Rest – Menu 26 € bc (sem.)/54 € – Carte 44/72 €
◆ Élégante salle à manger coiffée d'une belle charpente et plaisante terrasse d'été au bord du Melda. Cuisine au goût du jour accompagnée d'une séduisante carte des vins.

à Pont-Ste-Marie 3 km par D 77 – 4 848 h. – alt. 110 m – ✉ 10150

Hostellerie de Pont-Ste-Marie (Christian Chavanon)
34 r. Pasteur, (près de l'église) – ℰ 03 25 83 28 61
– chavanon3@wanadoo.fr – Fax 03 25 81 67 85 – Fermé 1ᵉʳ-24 août, 4-14 janv.,
dim. soir, mardi soir et merc.   AV n
Rest – Menu 43/119 € bc – Carte 62/87 €
Spéc. Nems de pieds de porc farcis d'escargots de Bourgogne et chaource, glace à l'ail. Homard rôti déglacé au ratafia de champagne. Crêpe, pain perdu et riz au lait. **Vins** Champagne, Rosé des Riceys.
◆ Deux maisons de village proches de la belle église du 16ᵉ s. Chaleureuse salle à manger (mélange d'ancien et de contemporain) et appétissantes recettes dans l'air du temps.

Bistrot DuPont
5 pl. Ch. de Gaulle – ℰ 03 25 80 90 99 – Fermé 27 avril-4 mai, 3-24 août,
21 déc.-4 janv., jeudi soir, dim. soir et lundi   AV s
Rest – (prévenir) Menu 19/30 € – Carte 31/64 €
◆ Tout à côté de la Seine, sympathique établissement de type bistrot proposant une cuisine copieuse et soignée. Ne ratez pas la spécialité maison : l'andouillette.

à Moussey 10 km par ④, D 671 et D 444 – 434 h. – alt. 131 m – ✉ 10800

Domaine de la Creuse sans rest
D 444 – ℰ 03 25 41 74 01 – www.domainedelacreuse.com – contact@domainedelacreuse.com – Fermé 20 déc.-5 janv.
5 ch ⌂ – †100/115 € ††105/120 €
◆ Cette demeure champenoise traditionnelle (18ᵉ s.) s'articule autour d'une jolie cour centrale aménagée en jardin. Chambres de plain-pied, vastes et réellement délicieuses.

TROYES

à Ste-Savine 3 km – 10 500 h. – alt. 116 m – ⊠ 10300

Chantereigne sans rest
128 av. Gén. Leclerc – ℰ *03 25 74 89 35 – contact@hotel-chantereigne.com
– Fax 03 25 74 47 78 – Fermé 23 déc.-2 janv.*
30 ch – †58 € ††70 €, ⊐ 8 €   AX **t**
♦ Bâtiment en forme de fer à cheval abritant des chambres un peu exiguës, mais fonctionnelles et orientées vers l'arrière. Formule buffet à l'heure du petit-déjeuner.

Motel Savinien ⌂
87 r. Jean de la Fontaine – ℰ *03 25 79 24 90 – www.motelsavinien.com
– motel.savinien@orange.fr – Fax 03 25 78 04 61*   AX **d**
49 ch – †53/58 € ††59/72 €, ⊐ 9 € – ½ P 55/60 €
Rest – *(fermé dim. soir et lundi)* Menu (13 €), 17/31 € – Carte environ 37,50 €
♦ À l'écart du bruit, grande bâtisse des années 1970 bien entretenue. On améliore régulièrement le confort des chambres, pratiques et en partie rénovées. Sauna, jacuzzi et minifitness. Cuisine traditionnelle servie en terrasse, lorsque le temps le permet.

TRUN – 61 Orne – **310** J1 – 1 325 h. – alt. 90 m – ⊠ 61160   33 **C2**

▶ Paris 198 – Caen 63 – Alençon 60 – Lisieux 47 – Flers 59
🛈 Syndicat d'initiative, place Charles-de-Gaulle ℰ 02 33 36 93 55

La Villageoise
66 r. de la République – ℰ *09 71 38 56 87 – www.lavillageoise.fr – lavillageoise@
orange.fr – Fax 02 33 39 13 07*
5 ch ⊐ – †70/90 € ††70/90 €   **Table d'hôte** – Menu 20 € bc/30 € bc
♦ Cette maison abrite un beau salon ouvert sur une grande cour-jardin, autour de laquelle sont aménagées la plupart des chambres, sobres mais remplies de bibelots. Bon accueil. Des petits plats du terroir vous sont proposés dans un décor rustique.

> Ce symbole en rouge ⌂ ?
> La tranquillité même, juste le chant des oiseaux au petit matin…

TULETTE – 26 Drôme – **332** C8 – 1 714 h. – alt. 147 m – ⊠ 26790   44 **B3**

▶ Paris 657 – Lyon 195 – Valence 95 – Avignon 56 – Montélimar 50
🛈 Syndicat d'initiative, place des Tisserands ℰ 04 75 98 34 53, Fax 04 75 98 36 16

K-Za ⌂
rte du Moulin – ℰ *04 75 98 34 88 – www.maison-hotes-k-za.com – k-za@
wanadoo.fr – Fax 04 7 97 49 70*
5 ch ⊐ – †130/150 € ††130/260 €   **Table d'hôte** – Menu 30/50 €
♦ "Che bella casa !" La patronne de cette K-Za, Elizabeth, est italienne. Maison en galets roulés du Rhône (17ᵉ s.) au superbe intérieur design, tout en sophistication contemporaine. À la table d'hôte, cuisine familiale méditerranéenne de qualité et vins locaux.

TULLE ℗ – 19 Corrèze – **329** L4 – 15 700 h. – alt. 210 m – ⊠ 19000   25 **C3**
Limousin Berry

▶ Paris 475 – Aurillac 83 – Brive-la-Gaillarde 27 – Clermont-Ferrand 141
🛈 Office de tourisme, 2, place Emile Zola ℰ 05 55 26 59 61, Fax 05 55 20 72 93
◉ Maison de Loyac ★ Z **B** - Clocher ★ de la Cathédrale Notre-Dame.

Plan page suivante

Mercure sans rest
16 quai de la République – ℰ *05 55 26 42 00 – www.mercure.com – H5065@
accor.com – Fax 05 55 20 31 17*   Z **b**
48 ch – †68 € ††77/82 €, ⊐ 10 € – 1 suite
♦ En centre-ville, cet impeccable hôtel est doté d'un hall spacieux, d'un bar confortable et de chambres chaleureuses et insonorisées, plus spacieuses côté quai de la Corrèze.

1921

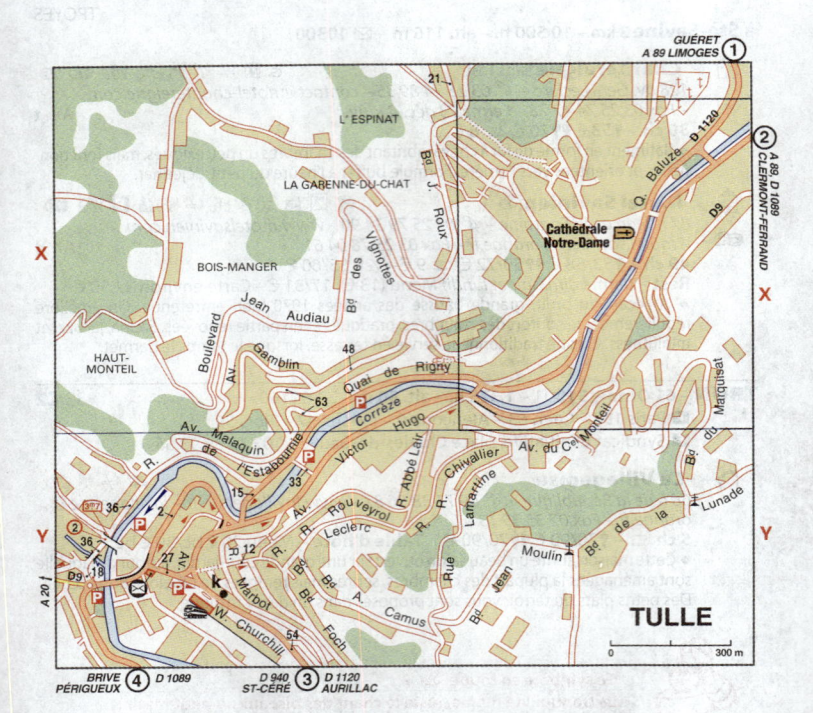

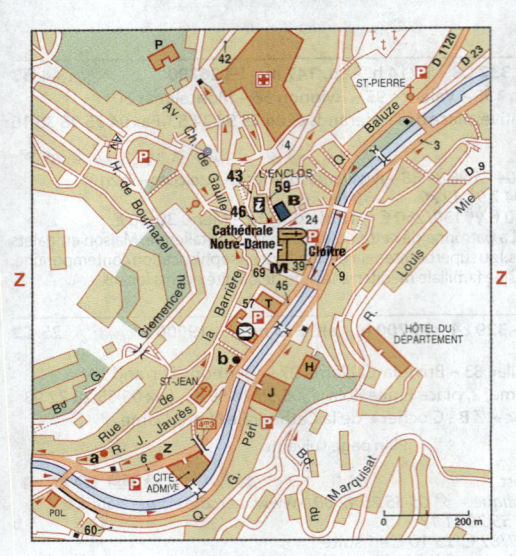

TULLE

↑ GUÉRET
① A 89 LIMOGES

② A 89, D 1089
CLERMONT-FERRAND

④ BRIVE D 1089
PÉRIGUEUX

③ D 940 D 1120
ST-CÉRÉ AURILLAC

Street	Ref
Alsace-Lorraine (Av.)	Y 2
Baluze (Quai)	Z
Briand (Quai A.)	Z 3
Bride (Pl. de la)	Z 4
Brigouleix (Pl. Martial)	Z 6
Chammard (Quai A.-de)	Z 9
Condamines (R. des)	Y 12
Dunant (R. Henri)	Z 15
Faucher (Pl. Albert)	Y 18
Faugeras (Bd J.-F.)	X 21
Gambetta (Pl.)	Z 24
Gaulle (Av. Ch.-de)	Z
Jean-Jaurès (R.)	Z
Lovy (R. Sergent)	Y 27
Mermoz (R.)	Y 33
Pauphile (R.)	Y 36
Perrier (Quai Edmond)	Z 39
Poincaré (Av.)	Z 42
Portes-Chanac (R. des)	Z 43
République (Quai de la)	Z 45
Riche (R.)	Z 46
Roche-Bailly (Bd de la)	X 48
Sampeix (R. Lucien)	Y 54
Tavé (Pl. Jean)	Z 57
Tour-de-Maïsse (R. de la)	Z 59
Vialle (R. Anne)	Z 60
Victor-Hugo (Av.)	XY
Vidalie (Av.)	X 63
Zola (Pl. Émile)	Z 69

1922

TULLE

De la Gare
25 av. W. Churchill – ℘ 05 55 20 04 04
– www.hotel-restaurant-delagare-farjounel.com – hotel.de.la.gare.tulle@wanadoo.fr – Fax 05 55 20 15 87 – Fermé 18-30 août et 15-21 fév.
11 ch – †52 € ††52 €, ⊇ 7 € – ½ P 55 €
Rest – (fermé dim. soir sauf juil.-août) Menu 15/25 € – Carte 27/37 €

♦ Petit hôtel familial situé face à la gare. Chambres de bonne ampleur, fonctionnelles et agencées autour d'un patio (celles du 1er étage ouvrent directement dessus). Au restaurant, le décor est rustique, la carte simplement traditionnelle, et l'addition légère.

Le Central
12 r. Barrière – ℘ 05 55 26 24 46 – r-poumier@internet19.fr – Fax 05 55 26 53 16 – Fermé 26 juil.-9 août, dim. soir et sam.
Rest – Menu 27/60 € – Carte 62/74 €

♦ Cette maison à colombages du 18e s. abrite un restaurant cosy (pierres, poutres, vaisseliers). Cuisine traditionnelle aussi soignée que l'accueil. Brasserie au rez-de-chaussée.

La Toque Blanche
pl. M. Brigouleix – ℘ 05 55 26 75 41 – www.hotel-latoqueblanche.com – toque.blanche@orange.fr – Fax 05 55 20 93 95 – Fermé une sem. en juil., 15-26 fév., dim. soir et lundi
Rest – Menu 27/40 € – Carte 43/55 €

♦ Cette toque-là vous réserve une cuisine traditionnelle à base des produits du terroir. À déguster dans la grande salle joliment rustique ou dans celle résolument contemporaine.

TUNNEL DU MONT-BLANC H.-Savoie – 74 H.-Savoie – 328 O5 – voir à Chamonix-Mont-Blanc

---

TUNNEL SOUS LA MANCHE voir à Calais.

LA TURBALLE – 44 Loire-Atlantique – 316 A3 – 4 350 h. – alt. 6 m — 34 **A2**
– ✉ 44420 ▮ Bretagne

▶ Paris 457 – La Baule 13 – Guérande 7 – Nantes 84 – La Roche-Bernard 31 – St-Nazaire 27

▮ Office de tourisme, place du Général-de-Gaulle ℘ 02 40 23 39 87, Fax 02 40 23 32 01

Les Chants d'Ailes sans rest
11 bd Bellanger – ℘ 02 40 23 47 28 – http://laturballe.free.fr/hotel-chantsdailes/ – hotel.chantsdailes@wanadoo.fr – Fax 02 40 62 86 43 – Fermé 17 nov.-17 déc. et 19 janv.-6 fév.
19 ch – †40/53 € ††55/69 €, ⊇ 7,50 €

♦ Bordant une longue plage, chambres fonctionnelles peu à peu rénovées. Celles situées en façade bénéficient d'une vue sur l'océan. Lumineuse salle des petits-déjeuners.

Le Manoir des Quatre Saisons sans rest
744 bd de Lauvergnac – ℘ 02 40 11 76 16
– www.manoir-des-quatre-saisons.com – jean-philippe.meyran@club-internet.fr – Fax 02 40 11 76 16
5 ch ⊇ – †60/65 € ††70/89 €

♦ Vraie réussite que cette longère, fidèlement reconstituée ! Ses chambres colorées possèdent souvent un petit salon. Gargantuesque petit-déjeuner servi l'hiver devant la cheminée.

Le Terminus
18 quai St-Paul – ℘ 02 40 23 30 29 – terminus44420@aol.com
– Fermé 1 sem. en oct., vacances de fév., dim. soir, mardi soir et merc. sauf vacances scolaires
Rest – Menu (19 € bc), 23/70 € – Carte 32/80 €

♦ Dans ce restaurant au nouveau décor contemporain, toutes les tables ont vue sur le port de La Turballe. Cuisine spécialisée dans les produits de la mer.

LA TURBALLE
à Pen-Bron 3 km au Sud par D 92 – ✉ 44420 La Turballe

Pen Bron
– ℰ 02 28 56 77 99 – www.hotels-aptitudes.com – hotelpenbron@wanadoo.fr
– Fax 02 28 56 77 77 – Fermé 2 sem. en nov. et déc.
45 ch – †55/99 € ††55/185 €, ⇌ 10 €
Rest – (fermé lundi et mardi en hiver) Menu 32 € – Carte 28/48 €
♦ Maison bretonne remarquablement située à la pointe d'une presqu'île, face au Croisic. Le "plus" : l'aménagement a été pensé pour l'accueil des personnes à mobilité réduite. Cuisine traditionnelle servie dans un agréable restaurant tourné vers les flots.

LA TURBIE – 06 Alpes-Maritimes – **341** F5 – **3 156 h.** – **alt. 495 m**   42 **E2**
– ✉ 06320

▶ Paris 943 – Monaco 8 – Menton 13 – Nice 16

Hostellerie Jérôme (Bruno Cirino) avec ch
20 r. Comte de Cessole – ℰ 04 92 41 51 51 – www.hostelleriejerome.com
– hostellerie.jerome@wanadoo.fr – Fax 04 92 41 51 50 – Fermé 4 nov.-12 fév., lundi et mardi sauf juil.-août
5 ch – †90/150 € ††90/150 €, ⇌ 16 €
Rest – (dîner seult) Menu 70/130 € – Carte 90/130 €
Spéc. Langouste puce en croûte d'amande à la bergamote. Spaghetti pilés aux truffes, foie gras et blettes. Tarte soufflée au citron à la mentonnaise. **Vins** Bellet, Bandol.
♦ Le restaurant était le réfectoire des moines cisterciens qui résidaient jadis dans cette demeure du 13ᵉ s. Délicieuse cuisine méridionale et belles chambres personnalisées.

Café de la Fontaine
4 av. Gén. de Gaulle – ℰ 04 93 28 52 79 – hostellerie.jerome@wanadoo.fr
– Fermé lundi de nov. à mars
Rest – Menu 25 €
♦ Il y a toujours du monde et l'ambiance est animée dans ce vrai café de village. Il faut dire que sa goûteuse cuisine du marché aux accents du terroir mérite ce succès !

TURCKHEIM – 68 Haut-Rhin – **315** H8 – **3 731 h.** – **alt. 225 m**   2 **C2**
– ✉ 68230 ▌Alsace Lorraine

▶ Paris 471 – Colmar 7 – Gérardmer 47 – Munster 14 – St-Dié 51 – le Thillot 66
🛈 Office de tourisme, Corps de Garde ℰ 03 89 27 38 44,
Fax 03 89 80 83 22

Le Berceau du Vigneron sans rest
10 pl. Turenne – ℰ 03 89 27 23 55 – www.berceau-du-vigneron.com
– hotel-berceau-du-vigneron@wanadoo.fr – Fax 03 89 30 01 33 – Fermé 11-25 janv.
16 ch – †44/58 € ††44/73 €, ⇌ 9,50 €
♦ Maison à colombages bâtie en partie sur les remparts de la vieille ville. Chambres fraîches, plus calmes sur l'arrière. L'été, on petit-déjeune dans la cour intérieure.

Les Portes de la Vallée
29 r. Romaine – ℰ 03 89 27 95 50 – www.hotelturckheim.com – mail@hotelturckheim.com – Fax 03 89 27 40 71
14 ch – †43/60 € ††46/64 €, ⇌ 8 € – ½ P 49/66 €
Rest – (fermé dim.) (dîner seult) (résidents seult) Menu 18 €
♦ Dans un quartier calme, deux bâtiments réunis par une treille. Préférez les chambres claires de l'aile moderne. Plats alsaciens servis dans une salle d'inspiration winstub.

À l'Homme Sauvage
19 Grand'Rue – ℰ 03 89 27 56 15 – homme.sauvage.sarl@wanadoo.fr
– Fax 03 89 80 82 03 – Fermé mardi soir de nov. à avril, dim. soir et merc.
Rest – Menu (13 €), 18 € (déj. en sem.), 26/38 € – Carte 38/46 €
♦ Cette auberge accueille les amateurs de bonne chère depuis 1609. Cuisine actuelle à déguster dans un cadre mi-rustique, mi-contemporain, ou l'été, dans la cour pavée ombragée.

TURENNE – 19 Corrèze – 329 K5 – 770 h. – alt. 350 m – ⊠ 19500   24 B3
Périgord

- Paris 496 – Brive-la-Gaillarde 15 – Cahors 91 – Figeac 76
- Office de tourisme, place du Belvédère ℘ 05 55 24 08 80, Fax 05 55 24 58 24
- Site★ du château et ※★★ de la tour de César.
- Collonges-la-Rouge : village★★ E : 10 km.

Clos Marnis
pl. de la Halle – ℘ 05 55 22 05 28 – www.closmarnis.online.fr – keny.sourzat@wanadoo.fr – Fermé 15 nov.-15 déc.
5 ch ⊇ – †57/78 € ††57/78 € – ½ P 51/61 €   **Table d'hôte** – Menu 23 € bc
♦ Belle demeure du 18ᵉ s. bâtie par la confrérie des pénitents blancs. Chambres de caractère, mobilier d'époque ou actuel et jolie vue sur le château depuis l'agréable jardin. Les produits régionaux ont les honneurs de la table d'hôte (uniquement sur réservation).

Maison des Chanoines avec ch
r. Joseph Rouveyrol – ℘ 05 55 85 93 43 – www.maison-des-chanoines.com – maisondeschanoines@wanadoo.fr – Fax 05 55 85 93 43 – Ouvert 12 avril-15 oct.
7 ch – †56/70 € ††65/100 €, ⊇ 9 € – ½ P 70/86 €
Rest – *(fermé merc. soir en juin et le midi sauf dim. et fériés)*
(nombre de couverts limité, prévenir) Menu 33/48 €
♦ Charmante maison du 16ᵉ s. : porte d'entrée sculptée, escalier à vis, salle à manger voûtée (meuble d'esprit Marjorelle), chambres coquettes. Carte traditionnelle et créative.

TURQUANT – 49 Maine-et-Loire – 317 J5 – 448 h. – alt. 68 m   35 C2
– ⊠ 49730

- Paris 294 – Angers 76 – Châtellerault 68 – Chinon 21 – Saumur 10 – Tours 58

Demeure de la Vignole
imp. Marguerite d'Anjou – ℘ 02 41 53 67 00 – http://demeure-vignole.com – demeure@vignole.com – Fax 02 41 53 67 09 – Ouvert 15 mars-15 nov.
10 ch – †85/93 € ††85/93 €, ⊇ 9 € – 3 suites – ½ P 75/96 €
Rest – *(fermé dim. et lundi) (dîner seult) (résidents seult)* Menu 28 €
♦ Ambiance guesthouse dans cette belle demeure en tuffeau, bâtie à flanc de coteau. Chambres bien décorées dont une troglodyte (comme la piscine). Terrasse dominant le vignoble.

TUSSON – 16 Charente – 324 K4 – 302 h. – alt. 125 m – ⊠ 16140   39 C2

- Paris 421 – Angoulême 41 – Cognac 49 – Poitiers 83
- Office de tourisme, le bourg ℘ 05 45 21 26 70

Le Compostelle
– ℘ 05 45 31 15 90 – http://monsite.orange.fr/le-compostelle – le-compostelle@wanadoo.fr – Fax 05 45 31 15 90 – Fermé 22 sept.-9 oct., 2-26 janv., dim. soir, lundi sauf le soir en août et jeudi
Rest – Menu 16 € bc (déj. en sem.), 27/40 € – Carte 42/55 €
♦ Au cœur du village et sur l'antique route des pèlerins, un sympathique restaurant rustique où la carte, variée, revisite avec simplicité la tradition régionale.

TY-SANQUER – 29 Finistère – 308 G6 – rattaché à Quimper

UBERACH – 67 Bas-Rhin – 315 J3 – 1 091 h. – alt. 175 m – ⊠ 67350   1 B1

- Paris 473 – Baden-Baden 59 – Offenburg 64 – Strasbourg 38

De la Forêt
94 Grande Rue – ℘ 03 88 07 73 17 – bernardohl@wanadoo.fr
– Fax 03 88 72 50 33 – Fermé 28 juil.-16 août, 29 déc.-3 janv., 23 fév.-7 mars, lundi soir, mardi soir et merc.
Rest – Menu (10 €), 16 € (déj. en sem.), 26/65 € bc – Carte environ 43 €
♦ Ancienne brasserie convertie en restaurant soigné. À l'image de l'ambiance chaleureuse, la cuisine, concoctée avec les légumes du jardin, se révèle traditionnelle et sincère.

UCHAUX – 84 Vaucluse – 332 B8 – 1 387 h. – alt. 80 m – ⌧ 84100 — 40 **A2**

▶ Paris 645 – Avignon 40 – Montélimar 45 – Nyons 37 – Orange 11

Château de Massillan
Hauteville, 3 km au Nord par D 11 et rte secondaire –
℘ 04 90 40 64 51 – www.chateau-de-massillan.com – chateau-de-massillan@wanadoo.fr – Fax 04 90 40 63 85 – Ouvert 1er avril-30 oct.
13 ch – †260 € ††260 €, ⌑ 16 € – 1 suite **Rest** – Menu (38 €), 56/82 €
♦ Beau château du 16e s. au cœur d'un magnifique parc entouré de vignes. Séduisante décoration contemporaine associée aux pierres et poutres d'époque. Cuisine au goût du jour servie dans un très joli cadre : meubles design, murs blancs et lustres à pendeloques.

Côté Sud
rte d'Orange – ℘ 04 90 40 66 08 – www.restaurantcotesud.com
– restaurantcotesud@wanadoo.fr – Fax 04 90 40 64 77
– Fermé 19 oct.-4 nov., 21 déc.-6 janv., lundi soir et mardi sauf juil.-août et merc.
Rest – (nombre de couverts limité, prévenir)
Menu 24/47 € – Carte 43/49 €
♦ Garrigue, colline... Les noms des menus, tout comme la cuisine, célèbrent la Provence. Ambiance cosy au sein d'une charmante maison en pierre et ravissant jardin.

Le Temps de Vivre
Les Farjons – ℘ 04 90 40 66 00 – cuisine.passion904@orange.fr
– Fax 04 90 40 66 00 – Fermé 22 déc.-21 janv., jeudi midi de sept. à avril et merc.
Rest – Menu (18 €), 28/39 € – Carte 41/53 €
♦ Chant des cigales, guarrigue et vignes alentour... Une maison en pierre du 18e s. à l'ambiance campagnarde, avec terrasse ombragée. Cuisine actuelle qui séduit par sa générosité.

UGINE – 73 Savoie – 333 L3 – 7 004 h. – alt. 484 m – ⌧ 73400 — 45 **C1**

▶ Paris 581 – Annecy 37 – Chambéry 63 – Lyon 162
fi Office de tourisme, 15, place du Val d'Arly ℘ 04 79 37 56 33, Fax 04 79 89 01 69

La Châtelle
3 r. Paul Proust – ℘ 04 79 37 30 02 – www.lachatelle.com – lachatelle@yahoo.fr
– Fax 04 79 37 30 02 – Fermé 1er-10 mai, 16-25 août, dim. et lundi sauf fériés
Rest – Menu 19 € (déj. en sem.), 24/48 € – Carte 40/60 €
♦ Une maison forte du 13e s. prolongée d'une véranda-terrasse avec vue panoramique. Cuisine actuelle assortie d'une belle carte de vins régionaux et d'ailleurs.

L'UNION – 31 Haute-Garonne – 343 G3 – rattaché à Toulouse

UNTERMUHLTHAL – 57 Moselle – 307 Q5 – rattaché à Baerenthal

URÇAY – 03 Allier – 326 C3 – 287 h. – alt. 169 m – ⌧ 03360 — 5 **B1**

▶ Paris 297 – La Châtre 55 – Montluçon 34 – Moulins 66
– St-Amand-Montrond 15

L'Étoile d'Urçay
42 rte Nationale – ℘ 04 70 06 92 66 – letoiledurcay@orange.fr – Fermé 24 nov.-3 déc., 16 fév.-11 mars, mardi d'oct. à juin, dim. soir et lundi
Rest – Menu 10 € (sem.)/30 € – Carte environ 48 €
♦ Dans la traversée du bourg, ce restaurant à l'agréable décor rustique propose une cuisine traditionnelle. Ressource simple et conviviale à proximité de la forêt de Tronçais.

URDOS – 64 Pyrénées-Atlantiques – 342 I7 – 67 h. – alt. 780 m – ⌧ 64490 — 3 **B3**

▶ Paris 850 – Jaca 38 – Oloron-Ste-Marie 41 – Pau 75
◉ Col du Somport★★ SE : 14 km, ▌Aquitaine

URDOS

Voyageurs-Somport
– ℰ 05 59 34 88 05 – www.hotel-voyageurs-aspe.com – hotel.voyageurs.urdos@wanadoo.fr – Fax 05 59 34 86 74 – Fermé 18 oct.-1er déc., dim. soir et lundi sauf vacances scolaires
28 ch – ♦33/36 € ♦♦37/46 €, ⊇ 6 € – ½ P 37/44 €
Rest – Menu 14/30 € – Carte 20/40 €

♦ Ancien relais de diligences sur le chemin de St-Jacques, dans la vallée d'Aspe. Outre un accueil chaleureux et familial, il propose des chambres rustiques, plus calmes sur l'arrière. Salle à manger campagnarde où l'on sert une cuisine traditionnelle sans prétention.

URIAGE-LES-BAINS – 38 Isère – 333 H7 – alt. 414 m – Stat. therm. : 45 C2
fin janv.-début déc. – Casino : Palais de la Source – ⊠ 38410
Alpes du Nord

▶ Paris 576 – Grenoble 11 – Vizille 11

🛈 Office de tourisme, 5, avenue des Thermes ℰ 04 76 89 10 27, Fax 04 76 89 26 68

⛳ Uriage à Vaulnaveys-le-Haut Les Alberges, au Sud, ℰ 04 76 89 03 47

◉ Forêt de Prémol ★ SE : 5 km par D 111.

Grand Hôtel
pl. Hygie – ℰ 04 76 89 10 80 – www.grand-hotel-uriage.com – grandhotel.fr@wanadoo.fr – Fax 04 76 89 04 62 – Fermé 16-30 août et 20 déc.-18 janv.
39 ch – ♦105/182 € ♦♦131/208 €, ⊇ 20 € – 3 suites
Rest *Les Terrasses* – *(fermé dim. sauf juil.-août, mardi sauf le soir de sept. à juin, vend. midi en juil.-août, merc. midi, jeudi midi et lundi)* Menu 78 € bc (déj. en sem.), 98/185 € – Carte environ 132 € 𖡎
Spéc. Foie gras confit, pain d'épice, haricot vert et consommé de champignons (automne). Féra rôtie au pain, citron, huile d'olive, jeunes carottes et cardamome noire fumée (printemps). Pêche, granité verveine et vinaigre balsamique blanc (été). **Vins** Chignin-Bergeron, Crozes-Hermitage.

♦ Naguère fréquentée par Coco Chanel ou Sacha Guitry, cette belle hostellerie Napoléon III reliée au centre thermal, abrite des chambres très élégantes et personnalisées. Restaurant raffiné ou délicieuse terrasse : deux lieux pour une cuisine bien inspirée.

Les Mésanges ⌬
1,5 km rte St-Martin-d'Uriage et rte de Bouloud – ℰ 04 76 89 70 69 – www.hotel-les-mesanges.com – prince@hotel-les-mesanges.com – Fax 04 76 89 56 97 – Ouvert 1er fév.-20 oct.
33 ch – ♦58/69 € ♦♦64/82 €, ⊇ 9 € – ½ P 62/71 €
Rest – *(fermé dim. soir, lundi et mardi)* Menu (19 €), 28/60 €

♦ Un lieu très tranquille sur un plateau dominant la vallée et la station. Chambres pratiques et bien tenues, dotées de terrasses ou de petits balcons. Lumineuse salle à manger, mi-provençale, mi-montagnarde ; terrasse ombragée. Plats traditionnels.

Le Manoir
62 rte Prémol – ℰ 04 76 89 10 88 – www.hotel-manoir.fr – contact@hotel-manoir.fr – Fax 04 76 89 20 63 – Ouvert mi fév.-mi nov.
15 ch – ♦36 € ♦♦45/65 €, ⊇ 8 € – ½ P 45/57 €
Rest – *(fermé le midi en sem. d'oct. à mars et dim. soir)* Menu (15 €), 20 € (sem.)/49 € – Carte 43/65 €

♦ Une façade colorée signale aux passants cette maison 1900 postée à l'entrée de la station. Grandes chambres au 1er étage, plus petites et rénovées dans un esprit actuel au 2e. Agréables salles à manger, salon chaleureux et véranda ouverte sur une plaisante terrasse.

au Sud 2 km par D 524 - ⊠ 38410 Uriage-les-Bains

Le Manoir des Alberges ⌬
251 chemin des Alberges – ℰ 04 76 51 92 11 – www.lemanoirdesalberges.com – contact@lemanoirdesalberges.com
5 ch ⊇ – ♦110/130 € ♦♦110/130 €   **Table d'hôte** – Menu 30 € bc/45 € bc

♦ Cette maison, dont le corps central date de 1903, surplombe un golf et abrite cinq chambres de styles différents : bavarois, indien, ethnique, Art déco... La patronne concocte une cuisine inventive servie en salle ou en terrasse aux beaux jours.

URMATT – 67 Bas-Rhin – **315** H5 – 1 357 h. – alt. 240 m – ✉ 67280   **1 A2**

- Paris 487 – Molsheim 15 – Saverne 37 – Sélestat 49 – Strasbourg 44 – Wasselonne 23
- Église ★ de Niederhaslach NE : 3 km, **Alsace Lorraine**

Clos du Hahnenberg
65 r. du Gén. de Gaulle – ℘ 03 88 97 41 35 – www.closhahnenberg.com – clos.hahnenberg@wanadoo.fr – Fax 03 88 47 36 51
33 ch – ✝45/65 € ✝✝55/75 €, ⊇ 10 € – ½ P 50/58 €
Rest Chez Jacques – Menu 16 € (déj. en sem.), 20/40 € – Carte 30/48 €
◆ Sur la rue principale du village, hôtel accordant un soin particulier à ses chambres, plus spacieuses, claires et insonorisées dans la partie moderne. Chez Jacques, cadre rustique et cuisine traditionnelle étoffée de quelques spécialités alsaciennes.

La Poste
74 r du Gén. de Gaulle – ℘ 03 88 97 40 55 – www.hotel-rest-laposte.fr – contact@hotel-rest-laposte.fr – Fax 03 88 47 38 32 – Fermé 13-28 juil., 24 déc.-4 janv. et 22 fév.-9 mars
14 ch – ✝42/50 € ✝✝49/60 €, ⊇ 8 € – ½ P 57/60 €
Rest – (fermé dim. soir et lundi) Menu (11 €), 18/48 € – Carte 25/60 €
◆ Ambiance familiale garantie dans cette auberge villageoise centenaire située face à la mairie. Chambres confortables et bien tenues ; certaines ont été soigneusement rénovées. Vitraux et boiseries rehaussent le décor des salles à manger. Cuisine régionale.

URRUGNE – 64 Pyrénées-Atlantiques – **342** B4 – rattaché à St-Jean-de-Luz

---

USCLADES-ET-RIEUTORD – 07 Ardèche – **331** G5 – 121 h. – alt. 1 270 m – ✉ 07510   **44 A3**

- Paris 590 – Aubenas 45 – Langogne 41 – Privas 59 – Le Puy-en-Velay 51 – Thueyts 98

à Rieutord - ✉ 07510 Usclades-et-Rieutord

Ferme de la Besse
– ℘ 04 75 38 80 64 – www.aubergedelabesse.com – Fax 04 75 38 80 64 – Ouvert 1ᵉʳ avril-30 nov.
Rest – (prévenir) Menu 32 €
◆ Dans les murs d'une authentique ferme du 15ᵉ s. au beau toit de lauzes. Intérieur rustique superbement préservé, avec pierres, poutres et cheminée. Cuisine du terroir.

USSAT – 09 Ariège – **343** H8 – rattaché à Tarascon-sur-Ariège

---

USSEAU – 86 Vienne – **322** J3 – rattaché à Châtellerault

USSEL – 19 Corrèze – **329** O2 – 10 000 h. – alt. 631 m – ✉ 19200   **25 D2**
Limousin Berry

- Paris 444 – Aurillac 99 – Clermont-Ferrand 83 – Guéret 101 – Tulle 63
- Office de tourisme, place Voltaire ℘ 05 55 72 11 50, Fax 05 55 72 54 44
- de Neuvic à Neuvic Legta Henri Queuille, S : 14 km, ℘ 05 55 95 98 89
- du Chammet à Peyrelevade Geneyte, NO : 42 km, ℘ 05 55 94 77 54

Auberge de l'Empereur
La Goudouneche, (parc d'activité de l'Empereur), 5 km au Sud-Ouest par D 1089 – ℘ 05 55 46 04 30 – www.aubergedelempereur.com – xavierconcept@wanadoo.fr – Fermé 2-11 fév., dim. soir et lundi
Rest – (prévenir) Menu 21 € (déj. en sem.), 26/52 € – Carte 32/51 €
◆ Cette auberge, une ancienne grange (vaste hauteur sous plafond, poutres, lambris et décor hétéroclite), bénéficie d'un site calme près de la zone industrielle. Cuisine actuelle.

USSON-EN-FOREZ – 42 Loire – 327 C7 – 1 391 h. – alt. 925 m – ⊠ 42550

44 A2

▶ Paris 472 – Issoire 86 – Montbrison 41 – Le Puy-en-Velay 52 – St-Étienne 48
ℹ Office de tourisme, place de la Mairie ℘ 04 77 50 66 15, Fax 04 77 50 66 15

Rival avec ch
r. Centrale – ℘ 04 77 50 63 65 – hotelrival@msn.com – Fax 04 77 50 67 62
– Fermé 8-21 juin, 12 nov.-1ᵉʳ déc. et lundi sauf juil.-août
8 ch – †42 € ††44 €, ⊇ 7 € – ½ P 43 €
Rest – Menu (11 €), 14 € (sem.)/42 € – Carte 20/40 €
♦ Simple affaire familiale proche de l'écomusée du bourg, sur le chemin de Compostelle. Menus régionaux et salle des repas rustique. Chambres rafraîchies. Tarif spécial pèlerins.

UTELLE – 06 Alpes-Maritimes – 341 E4 – 685 h. – alt. 800 m – ⊠ 06450

41 D2

Côte d'Azur

▶ Paris 883 – Levens 24 – Nice 51 – Puget-Théniers 53 – St-Martin-Vésubie 34

◉ Retable ★ dans l'église St-Véran – Madone d'Utelle ❋ ★★★ SO : 6 km.

Bellevue
rte de la Madone – ℘ 04 93 03 17 19 – Fax 04 93 03 19 17 – Fermé 4 janv.-13 fév. et merc. sauf juil.-août
Rest – (déj. seult) Carte 27/53 €
♦ Maison embusquée dans un village d'altitude. Décor agreste, âtre et vue montagnarde en salle. Cuisine régionale où entre la récolte du potager familial. Platanes en terrasse.

UZER – 07 Ardèche – 331 H6 – 385 h. – alt. 165 m – ⊠ 07110

44 A3

▶ Paris 663 – Lyon 196 – Privas 44 – Alès 63 – Montélimar 50

Château d'Uzer
– ℘ 04 75 36 89 21 – www.chateau-uzer.com – chateau-uzer@wanadoo.fr
– Fermé 20 déc.-4 fév.
5 ch ⊇ – †90/120 € ††100/130 €
Table d'hôte – (fermé merc. et dim.) Menu 32 € bc
♦ La fibre décorative des propriétaires, leur belle hospitalité, le mélange des styles ancien et moderne, le jardin semi-sauvage, la piscine, le petit-déjeuner maison... Ce château médiéval a tout pour plaire. Plats régionaux, servis en terrasse aux beaux jours.

UZERCHE – 19 Corrèze – 329 K3 – 3 195 h. – alt. 380 m – ⊠ 19140

24 B3

Limousin Berry

▶ Paris 444 – Brive-la-Gaillarde 38 – Limoges 57 – Périgueux 106 – Tulle 30
ℹ Office de tourisme, place de la Libération ℘ 05 55 73 15 71, Fax 05 55 73 88 36

◉ Ste-Eulalie ≤ ★ E : 1 km.

Teyssier
r. Pont Turgot – ℘ 05 55 73 10 05 – www.hotel-teyssier.com – reservation@hotel-teyssier.com – Fax 05 55 98 43 31 – Fermé 19 déc.-3 janv., 6-21 fév., dim. soir, lundi midi et mardi midi du 9 nov. au 28 mars
14 ch – †54/68 € ††54/78 €, ⊇ 8 €   **Rest** – Menu 15/26 € – Carte 40/60 €
♦ Près de la Vézère, cette auberge du 18ᵉ s. à la façade blanche propose des chambres tout confort ; certaines avec vue sur la rivière. Cuisine épurée aux accents du Sud servie dans une salle à manger moderne et panoramique.

Ambroise
av. Ch. de Gaulle – ℘ 05 55 73 28 60 – www.hotel-ambroise.fr – hotelambroise@orange.fr – Fax 05 55 98 45 73
14 ch ⊇ – †54/75 € ††62/88 € – ½ P 46/65 €
Rest – Menu (12 €), 15 € (sem.)/36 € – Carte 25/65 €
♦ Les chambres simples de cet hôtel familial ont l'avantage de donner sur la rivière et la verdure. Chaleureuse salle à manger rustique. L'été venu, la terrasse-balcon qui surplombe le jardin permet de profiter du soleil tout en dégustant une bonne cuisine.

UZERCHE
à St-Ybard 6 km au Nord-Ouest par D 920 et D 54 – 593 h. – alt. 320 m – ✉ 19140

Auberge St-Roch
2 r. du Château – ✆ 05 55 73 09 71 – www.auberge-saint-roch.fr
– contact@auberge-saint-roch.fr – Fax 05 55 98 41 63
– *Fermé 20 juin-7 juil., 19 déc.-19 janv., le soir de nov. à avril, dim. soir et lundi*
Rest – Menu (13 €), 19/40 € – Carte 22/68 €

♦ Au centre du village, auberge campagnarde comprenant deux belles salles et un bar à clientèle locale. Agréable terrasse ombragée avec vue sur l'église. Recettes régionales.

UZÈS – 30 Gard – 339 L4 – 7 859 h. – alt. 138 m – ✉ 30700 ▌ Provence   23 **D2**

▶ Paris 682 – Montpellier 83 – Alès 34 – Arles 52 – Avignon 38 – Nîmes 25

🛈 Office de tourisme, place Albert 1ᵉʳ ✆ 04 66 22 68 88, Fax 04 66 22 95 19

🏰 d'Uzès Mas de la Place, par rte d'Avignon : 5 km, ✆ 04 66 22 40 03

◉ Ville ancienne★★ - Duché★ - ※★★ de la Tour Bermonde - Tour Fenestrelle★★ - Place aux Herbes★ - Orgues★ de la Cathédrale St-Théodorit **V**.

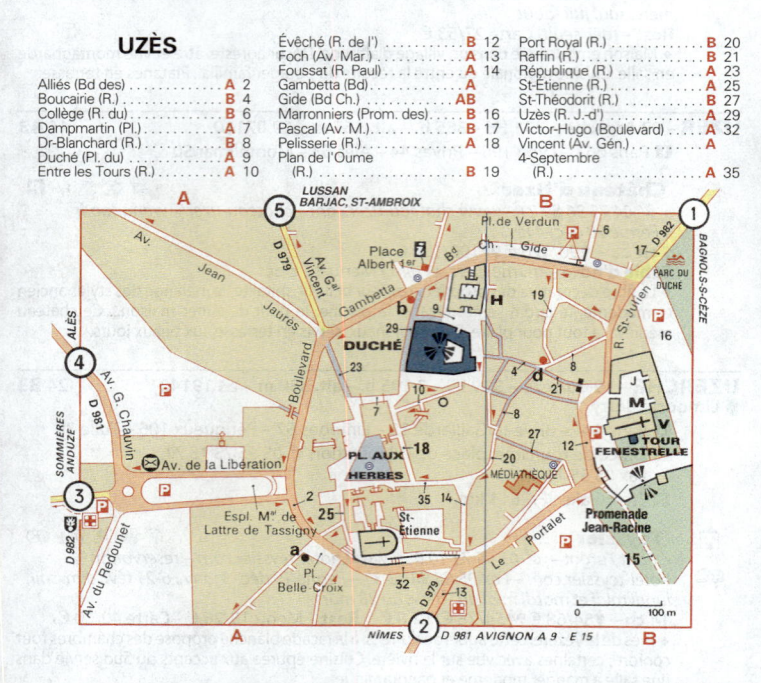

UZÈS

Alliés (Bd des) . . . . **A** 2	Évêché (R. de l') . . . . **B** 12	Port Royal (R.) . . . . **B** 20
Boucairie (R.) . . . . **B** 4	Foch (Av. Mar.) . . . . **A** 13	Raffin (R.) . . . . **B** 21
Collège (R. du) . . . . **A** 6	Foussat (R. Paul) . . . . **A** 14	République (R.) . . . . **B** 23
Dampmartin (Pl.) . . . . **A** 7	Gambetta (Bd) . . . . **A**	St-Etienne (R.) . . . . **A** 25
Dr-Blanchard (R.) . . . . **B** 8	Gide (Bd Ch.) . . . . **AB**	St-Théodorit (R.) . . . . **B** 27
Duché (Pl. du) . . . . **A** 9	Marronniers (Prom. des) . . . **B** 16	Uzès (R. J.-d') . . . . **A** 29
Entre les Tours (R.) . . . . **A** 10	Pascal (Av. M.) . . . . **B** 17	Victor-Hugo (Boulevard) . . . **A** 32
	Pelisserie (R.) . . . . **A** 18	Vincent (Av. Gén.) . . . . **A**
	Plan de l'Oume (R.) . . . . **B** 19	4-Septembre (R.) . . . . **A** 35

Hostellerie Provençale
1-3 r. Grande-Bourgade – ✆ 04 66 22 11 06 – www.hostellerieprovencale.com
– contact@hostellerieprovencale.com – Fax 04 66 75 01 03   **A a**
9 ch – †75/98 € ††85/135 €, ⊇ 11 € – ½ P 82/107 €
Rest – *(fermé 15 nov.-15 déc., lundi et mardi)* Menu 34 €

♦ À deux pas de la place aux Herbes, maison ancienne joliment rénovée où pierres apparentes, tomettes et mobilier chiné créent une ambiance chaleureuse. Quelques jacuzzis. Menu du marché servi dans une plaisante salle à manger colorée.

UZÈS

🏠 **Mercure** 🚗 ⛱ ♨ ✕ 📶 ♿ 📺 rest, ↔ 🛜 🧖 🅿 VISA ⓂⓄ ÆⒺ ①
rte de Nîmes, par ② : 0,5 km – ✆ 04 66 03 32 22 – www.mercure-uzes-gard.com
– H2065@accor.com – Fax 04 66 03 32 10
65 ch – †75/95 € ††75/95 €, ⊇ 15 €
Rest – (dîner seult) Menu 17 € – Carte 24/30 €
♦ Ambiance plus "familiale" que "chaîne" pour ce petit hôtel situé aux portes d'Uzès : plusieurs bâtiments autour d'une piscine et d'une terrasse ombragée, chambres fraîches. Salle à manger d'esprit provençal et tables dressées dehors à la belle saison.

🏠 **Le Patio de Violette** ⛱ ♨ 📶 ♿ ↔ 🛜 🧖 🅿 VISA ⓂⓄ
chemin Trinquelaïgues, (lieu dit la Perrine) – ✆ 04 66 01 09 83
– www.patiodeviolette.com – contact@patiodeviolette.com – Fax 04 66 59 33 61
25 ch – †60/75 € ††60/75 €, ⊇ 8,50 € – ½ P 62/69 €
Rest – (ouvert d'avril à oct.) (dîner seult) (résidents seult) Carte environ 26 €
♦ Le patio moderne et son agréable terrasse constituent le cœur de cette maison récente et contemporaine. Décoration épurée. Restaurant dans l'air du temps avec des plats simples proposés à l'ardoise et des vins locaux.

✕✕ **Le 80 Jours** ⛱ ⇔ VISA ⓂⓄ
2 pl. Albert-1ᵉʳ – ✆ 04 66 22 09 89 – Fermé dim.   **A b**
Rest – Menu (16 €), 19 € (déj.), 26/36 € – Carte 33/48 €
♦ Voûtes et vieilles pierres, décor ethnique, joli patio ombragé : il fait bon s'attabler dans cette brasserie moderne dont l'enseigne évoque Jules Verne et les voyages du patron.

✕ **Les Trois Salons** ⛱ VISA ⓂⓄ ÆⒺ
18 r. Dr Blanchard – ✆ 04 66 22 57 34 – les3salons@orange.fr
– Fax 04 66 57 45 86 – Fermé dim. et lundi   **B d**
Rest – Menu (24 €) – Carte environ 48 €
♦ Enseigne-vérité pour cette maison bâtie en 1699 près du Duché : les tables occupent trois jolis salons au décor épuré. Carte moderne mâtinée de saveurs régionales.

à St-Victor-des-Oules 7 km par ①, D 982 et rte secondaire – 219 h. – alt. 168 m – ✉ 30700

🏠🏠 **Villa Saint-Victor** 🎵 🚗 ⛱ ♨ ♿ ↔ 🛜 🧖 🅿 VISA ⓂⓄ ÆⒺ
pl. du Château – ✆ 04 66 81 90 47 – www.villasaintvictor.com – info@
villasaintvictor.com – Fax 04 66 81 93 30 – Fermé 2 janv.-5 mars
16 ch – †100/140 € ††100/230 €, ⊇ 15 € – ½ P 104/124 €
Rest – (fermé sam. midi, dim. soir et lundi) Menu (18 €), 39 € (dîner)
♦ Ambiance familiale dans ce petit château 19ᵉ s., entouré d'un parc arboré. Décor personnalisé : mobilier chiné, style rétro ou boudoir, toile de Jouy… Deux pavillons indépendants. La table (le soir, sur réservation) propose une cuisine du marché, teintée terroir.

à St-Quentin-la-Poterie 5 km par ① et D 5 – 2 731 h. – alt. 113 m – ✉ 30700

🏠 **Clos de Pradines** ⛄ ≤ 🚗 ⛱ ♨ ♿ ch, 📶 rest, ↔ 🛜 🧖 🅿 VISA ⓂⓄ
pl. du Pigeonnier – ✆ 04 66 20 04 89 – www.clos-de-pradines.com – contact@
clos-de-pradines.com – Fax 04 66 57 19 53 – Fermé 16-29 nov. et 11-31 janv.
18 ch – †68/162 € ††68/162 €, ⊇ 12 € – ½ P 71/118 €
Rest – Menu 16 € (déj. en sem.), 30/39 € – Carte 34/44 €
♦ Sur les hauteurs du village, hôtel paisible proposant de ravissantes chambres de style néo-provençal dotées de miniterrasses ou de balcons orientés plein sud. Au restaurant, belle terrasse dominant la vallée, salle à manger actuelle et cuisine traditionnelle.

à St-Siffret 5 km par ① et D982 – 921 h. – alt. 140 m – ✉ 30700

✕ **L'Authentic** ⛱ 📶 VISA ⓂⓄ
Ancienne Ecole – ✆ 04 66 22 60 09 – lauthenticrestaurant@wanadoo.fr
– Fax 04 66 22 60 09 – Fermé 15 nov.-15 déc., 30 janv.-1ᵉʳ mars et merc.
Rest – (dîner seult sauf sam. et dim.) (nombre de couverts limité, prévenir)
Menu (20 €), 28/38 €
♦ Cuisine ensoleillée (menu selon le marché), vins proposés sur ardoise, le tout servi dans l'ancienne salle de classe : cette école est devenue une bien charmante auberge !

UZÈS

à Serviers-et-Labaume 6 km par ④ et D 981 – 355 h. – alt. 114 m – ⊠ 30700

L'Olivier avec ch
Le Village – ℰ 04 66 22 56 01 – www.l-olivier.fr – info@l-olivier.fr
– Fax 04 66 22 54 49 – Fermé 9-16 nov., 1ᵉʳ janv.-12 fév., mardi et merc.
5 ch ⊋ – †70 € ††70 €
Rest – *(nombre de couverts limité, prévenir)* Menu 22 € (déj.), 43/65 €
– Carte 48/57 €

◆ L'ex-café du village accueille un coquet restaurant : couleurs du Sud, mobilier en fer forgé et patio fleuri. Cuisine actuelle soignée et vins locaux. Chambres neuves.

à Montaren-et-St-Médiers 6 km par ④ et D 337 – 1 328 h. – alt. 115 m – ⊠ 30700

Clos du Léthé sans rest
Hameau de St-Médiers – ℰ 06 07 09 01 21 – www.closdulethe.com – info@closdulethe.com – Ouvert d'avril à oct.
5 ch ⊋ – †190/290 € ††190/290 €

◆ Intimité, confort luxueux, décor design, accueil adorable, calme, piscine à débordement, hammam, cours de cuisine... Cette belle maison en pierre (ex-prieuré) a tout pour plaire !

VAAS – 72 Sarthe – **310** K8 – 1 621 h. – alt. 41 m – ⊠ 72500   35 **D2**
■ Châteaux de la Loire

▸ Paris 237 – Angers 77 – Château-du-Loir 8 – Château-la-Vallière 15 – Le Mans 42

Le Vedaquais
pl. de la Liberté – ℰ 02 43 46 01 41 – www.vedaquais-72.com – levedaquais@orange.fr – Fax 02 43 46 37 60 – Fermé vacances de Noël, de fév., vend. soir, dim. soir et lundi
12 ch – †52/62 € ††52/62 €, ⊋ 8 €
Rest – Menu 17 € (sem.)/33 € bc – Carte 46/59 €

◆ Du nom des habitants de Vaas, l'ancienne mairie-école du village abrite des chambres personnalisées, récentes et pratiques (quelques-unes plus rustiques occupent l'annexe).

LA VACHETTE – 05 Hautes-Alpes – **334** I3 – rattaché à Briançon

VACQUEYRAS – 84 Vaucluse – **332** C9 – 1 019 h. – alt. 117 m   42 **E1**
– ⊠ 84190

▸ Paris 662 – Avignon 35 – Nyons 34 – Orange 19 – Vaison-la-Romaine 18
🛈 Syndicat d'initiative, place de la Mairie ℰ 04 90 12 39 02, Fax 04 90 63 83 28

Le Pradet sans rest
rte de Vaison – ℰ 04 90 65 81 00 – www.hotellepradet.fr – hotellepradet@wanadoo.fr – Fax 04 90 65 80 27
32 ch – †56 € ††75 €, ⊋ 9 €

◆ À l'entrée du village, cette maison récente héberge des chambres fonctionnelles et insonorisées. Certaines possèdent une terrasse ou un balcon. Salle de jeux, fitness.

à Montmirail 2 km à l'Est par rte secondaire – ⊠ 84190

Montmirail
Château des Eaux – ℰ 04 90 65 84 01 – www.hotel-montmirail.com
– hotel-montmirail@wanadoo.fr – Fax 04 90 65 81 50 – Ouvert 4 avril-14 oct.
39 ch – †59/70 € ††82/92 €, ⊋ 12 € – ½ P 84/101 €
Rest – *(fermé jeudi midi et sam. midi)* Menu (24 €), 34 € (déj. en sem.)/42 €
– Carte 48/54 €

◆ Au pied des célèbres Dentelles de Montmirail, demeure de caractère (19ᵉ s.) au milieu d'un plaisant jardin arboré. Chambres bien tenues, en partie rénovées. Salle de restaurant cosy et terrasse couverte vous attendent pour déguster une appétissante cuisine traditionnelle.

VACQUIERS – 31 Haute-Garonne – 343 G2 – 1 259 h. – alt. 200 m – ✉ 31340   28 B2

🛣 Paris 658 – Albi 71 – Castres 80 – Montauban 35 – Toulouse 31

La Villa les Pins sans rest
1660 rte de Bouloc, 2 km à l'Ouest par D 30 – ℰ 05 61 84 96 04
– www.villa-les-pins.fr – villalespins@9business.fr – Fax 05 61 84 28 54
15 ch – †59 € ††69 €, ⊇ 9 €
◆ Grande villa bénéficiant du calme d'un parc arboré. Un escalier en marbre dessert les chambres bourgeoises, aux équipements parfois désuets, mais récemment rafraîchies.

VAGNAS – 07 Ardèche – 331 I7 – 520 h. – alt. 200 m – ✉ 07150   44 A3

🛣 Paris 678 – Alès 38 – Aubenas 37 – Mende 112 – Orange 57

La Bastide d'Iris sans rest
D 579 – ℰ 04 75 88 44 77 – www.labastidediris.com – labastidediris@wanadoo.fr
– Fax 04 75 38 61 29
12 ch – †69/89 € ††69/120 €, ⊇ 11 €
◆ Murs joliment colorés, tissus assortis, mobilier personnalisé et salles de bains gaies caractérisent les chambres de cette charmante bastide flambant neuve. Agréable jardin.

VAGNEY – 88 Vosges – 314 I4 – 3 845 h. – alt. 412 m – ✉ 88120   27 C3

🛣 Paris 437 – Metz 163 – Épinal 40 – Belfort 99 – Saint-Dié-des-Vosges 53
🛈 Syndicat d'initiative, 11, place Caritey ℰ 03 29 24 88 69, Fax 03 29 61 82 36

Les Lilas
12 r. Gén. de Gaulle – ℰ 03 29 23 69 47 – Fermé 17 août-1ᵉʳ sept., 25 janv.-9 fév., mardi soir et merc.
Rest – *(nombre de couverts limité, prévenir)* Menu (13 €), 18 € (sem.), 21/37 €
– Carte 34/48 €
◆ Les lilas ont inspiré la décoration, classique et actuelle, de cette maison, colorée de tons doux et parme. Excellent accueil. Plats traditionnels avec des notes terroir.

VAIGES – 53 Mayenne – 310 G6 – 1 151 h. – alt. 90 m – ✉ 53480   35 C1

🛣 Paris 255 – Château-Gontier 35 – Laval 24 – Le Mans 61 – Mayenne 32

Commerce
r. du Fief aux Moines – ℰ 02 43 90 50 07 – www.hotelcommerce.fr
– oger-samuel.hotel-du-commerce@wanadoo.fr – Fax 02 43 90 57 40 – Fermé
24 déc.-18 janv., dim. soir et vend. soir d'oct. au 1ᵉʳ mai
32 ch – †65/110 € ††68/120 €, ⊇ 9 € – ½ P 65/95 €
Rest – Menu 18 € (déj. en sem.), 24/50 € – Carte 35/60 €
◆ Dans un village du bocage mayennais, hôtel tenu par la même famille depuis 1883 proposant des chambres correctement tenues et bien équipées. Billard, sauna. Salles à manger rustiques aux belles charpentes massives et cheminées ; véranda façon jardin d'hiver.

VAILLY-SUR-SAULDRE – 18 Cher – 323 L2 – 914 h. – alt. 205 m – ✉ 18260 ▌Limousin Berry   12 C2

🛣 Paris 182 – Aubigny-sur-Nère 17 – Bourges 55 – Cosne-sur-Loire 25 – Gien 36
– Sancerre 23
🛈 Office de tourisme, 5 bis, place du 8 mai 1945 ℰ 02 48 73 87 57,
Fax 02 48 73 87 57

Le Lièvre Gourmand (William Page)
14 r. Grande Rue – ℰ 02 48 73 80 23 – www.lelievregourmand.com – contact@lelievregourmand.com – Fermé 15-23 juin, 31 août-8 sept., 5-30 janv., dim. soir, lundi et mardi
Rest – *(nombre de couverts limité, prévenir)* Menu 39/59 €
Spéc. Blanc manger aux truffes d'été. Râble de lièvre juste saisi, jus de betterave (hiver). Abricots, miel, fleur d'oranger et glace cannelle (été). **Vins** Pouilly-Fumé, Sancerre.
◆ Ces vieilles maisons villageoises abritent une élégante salle contemporaine et un salon cosy. Cuisine inventive et personnalisée ; vins australiens et régionaux.

VAISON-LA-ROMAINE – 84 Vaucluse – 332 D8 – 6 147 h.
– alt. 193 m – ⊠ 84110 ▌Provence

40 **B2**

▶ Paris 664 – Avignon 51 – Carpentras 27 – Montélimar 64 – Pont-St-Esprit 41
🛈 Office de tourisme, place du Chanoine-Sautel ℘ 04 90 36 02 11, Fax 04 90 28 76 04
◉ Les vestiges gallo-romains★★ : théâtre antique★, musée archéologique Théo-Desplans★ M - Haute Ville★ - cloître★ B.

VAISON-LA-ROMAINE

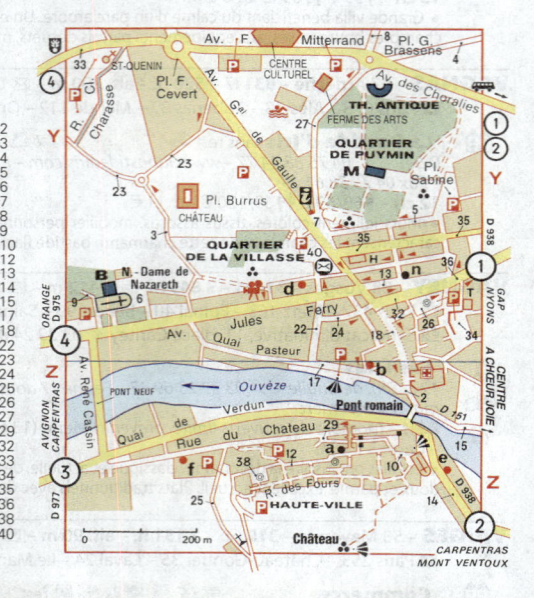

Aubanel (Pl.)	Z 2
Bon Ange (Chemin du)	Y 3
Brusquet (Chemin du)	Y 4
Burrus (R.)	Y 5
Cathédrale (Pl. de la)	Y 6
Chanoine-Sautel (Pl.)	Y 7
Coudray (Av.)	Y 8
Daudet (R. A.)	Z 9
Église (R. de l')	Z 10
Évêché (R. de l')	Z 12
Fabre (Cours H.)	Y 13
Foch (Quai Maréchal)	Y 14
Géoffray (Av. C.)	Z 15
Gontard (Quai P.)	Z 17
Grande-Rue	Y 18
Jean-Jaurès (R.)	Y 22
Mazen (Av. J.)	Y 23
Mistral (R. Frédéric)	Y 24
Montée du Château	Y 25
Montfort (Pl.)	Y 26
Noël (R. B.)	Y 27
Poids (Pl. du)	Z 29
République (R.)	Z 32
St-Quenin (Av.)	Y 33
Sus Auze (Pl.)	Y 34
Taulignan (Crs)	Y 35
Victor-Hugo (Av.)	Y 36
Vieux Marché (Pl. du)	Z 38
11 Novembre (Pl. du)	Y 40

🏨 Hostellerie le Beffroi
r. de l'Évêché, (Haute Ville) – ℘ 04 90 36 04 71 – www.le-beffroi.com
– lebeffroi@wanadoo.fr – Fax 04 90 36 24 78
– Fermé 20 janv. à fin mars et 21-26 déc.
22 ch – †70/90 € ††75/145 €, ⊇ 12 €

Z a

Rest – (ouvert 3 avril à fin oct. et fermé mardi et le midi en sem.) Menu 28/45 € – Carte 37/52 €

◆ Au pied du château et dominant la cité, deux demeures des 16e et 17e s. au cachet préservé. Chambres joliment décorées ; beau jardin en terrasses. Tables dressées dans une salle rustique ou dans la jolie cour. Carte classique, saladerie et salon de thé.

🏠 Burrhus sans rest
2 pl. Monfort – ℘ 04 90 36 00 11 – www.burrhus.com – info@burrhus.com
– Fax 04 90 36 39 05 – Fermé 11 nov.-24 janv.
39 ch – †49/85 € ††53/85 €, ⊇ 9 €

Y n

◆ Les propriétaires de cette maison aux tons ocre organisent régulièrement des expositions (peintures, sculptures, photos). Côté chambres, déco rustique, contemporaine ou "arty".

✕✕ Le Moulin à Huile (Robert Bardot) avec ch
quai Mar. Foch – ℘ 04 90 36 20 67 – www.moulin-huile.com – info@
moulin-huile.com – Fax 04 90 36 20 20 – Fermé dim. soir et lundi
3 ch – †130/150 € ††130/150 €, ⊇ 25 €

Z e

Rest – (prévenir) Menu (28 €), 60/75 € – Carte 83/90 €

Spéc. Boudin de homard (avril à sept.). Filet de bœuf sur une purée de persil. Millefeuille à la vanille (sept. à juin). **Vins** Châteauneuf-du-Pape, Rasteau.

◆ Cet ancien moulin à huile des bords de l'Ouvèze est rempli de charme. Belle cuisine actuelle à base d'épices, servie en véranda face à la terrasse ou dans l'élégante cave voûtée. Chambres décorées avec soin où l'on se sent comme chez soi. Petite piscine.

VAISON-LA-ROMAINE

XX **Le Brin d'Olivier**
4 r. Ventoux – ℰ 04 90 28 74 79 – www.restaurant-lebrindolivier.com
– lebrindolivier.mlm@orange.fr – Fax 04 90 36 13 36 – Fermé 4-11 nov., sam. midi
et merc. midi de juil. à sept. et merc. midi d'oct. à juin   Z b
Rest – Menu 28/38 € – Carte 38/58 €
• Cette charmante adresse abrite plusieurs petites salles champêtres (cheminée pour l'hiver). L'été, elles s'ouvrent sur le patio fleuri, planté d'un bel olivier. Cuisine du pays.

X **Le Bistro du O**
r. Gaston Gévaudan, Haute-Ville – ℰ 04 90 41 72 90 – bistroduo@orange.fr
– Fermé janv., lundi midi et dim.   Z f
Rest – (nombre de couverts limité, prévenir) Menu (19 €), 28 € – Carte 35/45 €
• Un cadre bistrot, élégant et épuré, qui associe voûtes, pierre, mobilier chiné et contemporain. Menu sagement créatif et régulièrement renouvelé ; bons vins à prix doux.

X **Leonardo**
55 r. Trogue-Pompée – ℰ 04 90 28 79 10 – leosnova@wanadoo.fr – Fermé
22-30 juin et 5-12 oct.   Y d
Rest – Carte 20/50 €
• Installé sur la terrasse ou dans la coquette salle à manger, difficile de faire son choix parmi les spécialités italiennes listées sur l'ardoise. À midi, salades et bruschetta.

au Crestet 5 km par ②, D 938 et D 76 – 473 h. – alt. 310 m – ⌧ 84110

🏠 **Mas d'Hélène**
Quartier chante coucou – ℰ 04 90 36 39 91 – www.lemasdhelene.com
– mas-helene@wanadoo.fr – Fax 04 90 28 73 40
13 ch – †55/112 € ††55/112 €, ⌧ 13 €   **Rest** – (dîner seult) Carte 25/33 €
• En pleine campagne, un mas coloré dressé autour d'une piscine et d'un jardin parfumé des fragrances du Midi. Séduisant décor provençal. Chambres avec terrasse (sauf deux).

à Entrechaux 7 km par ②, D 938 et D 54 – 1 008 h. – alt. 280 m – ⌧ 84340
Alpes du Sud

XX **St-Hubert**
Le Village – ℰ 04 90 46 00 05 – http://restaurantsthubert.free.fr
– Fax 04 90 46 00 06 – Fermé 5-17 oct., 1ᵉʳ fév.-14 mars, mardi et merc.
Rest – Menu 16 € (déj. en sem.), 27/51 € – Carte 28/52 €
• Depuis 1929, la même famille vous reçoit dans ce restaurant d'esprit rustique. L'été, repas sous la treille où grimpe une glycine. Cuisine généreuse et gibier en saison.

à Séguret 10 km par ③, D 977 et D 88 – 904 h. – alt. 250 m – ⌧ 84110

🏨 **Domaine de Cabasse**
rte Sablet – ℰ 04 90 46 91 12 – www.cabasse.fr – info@cabasse.fr
– Fax 04 90 46 94 01 – Ouvert d'avril à oct.
13 ch – †75/95 € ††115/135 €, ⌧ 13 €   **Rest** – Menu (22 €), 29 €
• Au pied des Dentelles de Montmirail, hôtel intégré à un domaine viticole (visite, dégustation). Les chambres, sobres et nettes, bénéficient du silence du vignoble. Spacieuse salle à manger, terrasse ombragée, cuisine traditionnelle et vins de la propriété.

XXX **La Table du Comtat** avec ch
Le Village – ℰ 04 90 46 91 49 – www.table-comtat.fr – table.comtat@wanadoo.fr
– Fax 04 90 46 94 27 – Fermé 16 nov.-5 déc., 16 fév.-8 mars, mardi soir et merc.
sauf juil.-août
8 ch – †60/110 € ††60/110 €, ⌧ 13 € – ½ P 75/100 €
Rest – Menu 20 € (déj. en sem.), 34/48 € – Carte 55/65 €
• Nouveau départ pour cette maison offrant un superbe panorama sur la plaine et les Dentelles de Montmirail. Intérieur relooké dans un esprit actuel ; cuisine généreuse et goûteuse.

X **Le Mesclun**
r. Poternes, (accès piétonnier) – ℰ 04 90 46 93 43 – www.lemesclun.com
– mesclunseguret@aol.com – Fax 04 86 38 03 33 – Fermé janv., fév., mardi
sauf juil.-août et lundi
Rest – (nombre de couverts limité, prévenir) Menu (19 €), 27/40 € – Carte 35/50 €
• Sympathique adresse nichée au cœur d'un charmant village. Salles à manger provençales aux tons colorés, douce terrasse ombragée et cuisine personnalisée aux accents du Sud.

1935

VAISON-LA-ROMAINE

à Rasteau 9 km par ④, D 975 et D 69 – 716 h. – alt. 200 m – ⊠ 84110

🛈 Syndicat d'initiative, place du Village ℰ 04 90 46 18 73

Bellerive
rte Violès – ℰ 04 90 46 10 20 – www.hotel-bellerive.fr – hotel-bellerive@wanadoo.fr – Fax 04 90 46 14 96 – Ouvert début avril à mi-oct.
20 ch – †75/175 € ††75/175 €, ⊇ 15 € – ½ P 92/140 €
Rest – (fermé lundi midi, vend. midi et mardi) Menu 28/54 € – Carte 51/79 €

◆ Au milieu des vignes, cette grande villa vous invite à la détente autour de sa piscine. Chambres dotées d'agréables loggias ouvrant sur la vallée de l'Ouvèze. Le cru de Rasteau se déguste avec le même plaisir dans la salle à manger provençale et sur la terrasse.

à Roaix 5 km par ④ et D 975 – 587 h. – alt. 168 m – ⊠ 84110

Le Grand Pré (Raoul Reichrath)
rte de Vaison-la-Romaine – ℰ 04 90 46 18 12 – www.legrandpre.com – info@legrandpre.com – Fax 04 90 46 17 84 – Ouvert de mi-fév. à mi-nov. et fermé sam. midi et mardi
Rest – (prévenir) Menu 35 € (déj. en sem.), 55/115 € bc – Carte 70/100 €
Spéc. Anchoïade de figues et crevettes rôties à l'huile d'olive (mi-août à oct.). Pigeonneau au jus de café turc et boudin basque. Mousse de banane et pain d'épice. **Vins** Côtes du Rhône Villages Roaix, Vin de Pays de Vaucluse.

◆ Cuisine gorgée de soleil et belle carte de côtes-du-rhône à découvrir dans l'élégant intérieur blanc d'une ancienne ferme. Agréable terrasse tournée sur un jardin aromatique.

VAÏSSAC – 82 Tarn-et-Garonne – 337 F7 – 599 h. – alt. 134 m – ⊠ 82800   29 C2

▶ Paris 620 – Albi 60 – Montauban 23 – Toulouse 76 – Villefranche-de-Rouergue 66

Terrassier
– ℰ 05 63 30 94 60 – www.chezterrassier.net – hotel-rest.terrassier@wanadoo.fr – Fax 05 63 30 87 40 – Fermé 19-25 nov., 1ᵉʳ-15 janv., vend. soir et dim. soir
18 ch – †45/70 € ††45/85 €, ⊇ 8 € – ½ P 48/65 €
Rest – Menu (10 € bc), 13 € bc (déj. en sem.), 22/42 € – Carte 27/50 €

◆ Cette auberge familiale, pratique pour rayonner dans le Quercy et l'Albigeois, propose des chambres bien tenues. Préférez celles de l'annexe récente. Salle de restaurant lumineuse (teintes jaunes) et actuelle, pour une cuisine régionale.

LE VAL – 83 Var – 340 L5 – 3 760 h. – alt. 242 m – ⊠ 83143   41 C3

▶ Paris 818 – La Seyne-sur-Mer 63 – Marseille 70 – Toulon 55

🛈 Office de tourisme, place de la Mairie ℰ 04 94 37 02 21, Fax 04 94 37 31 96

La Crémaillère
23 r. Nationale – ℰ 04 94 86 40 00 – Fax 04 94 86 40 00
– Fermé 24 nov.-3 déc., 16 fév.-4 mars, dim. soir du 15 nov. au 7 mars, merc. sauf le soir en juil.-août et lundi
Rest – Menu (20 €), 26/34 € – Carte 33/45 €

◆ Dans le centre de ce joli village, accueillant restaurant familial où la Provence tient la vedette, tant dans le décor que dans l'assiette. Petite terrasse.

VALADY – 12 Aveyron – 338 G4 – 1 321 h. – alt. 350 m – ⊠ 12330   29 C1

▶ Paris 625 – Decazeville 20 – Rodez 20

Auberge de l'Ady
1 av. du Pont-de-Malakoff, (près de l'église) – ℰ 05 65 72 70 24
– www.auberge-ady.com – auberge.ady@orange.fr – Fax 05 65 72 68 15
– Fermé 22 juin-5 juil., 5-25 janv., merc. soir d'oct. à avril, dim. soir, mardi soir et lundi
Rest – Menu (16 €), 28/60 € bc – Carte 43/57 €

◆ Sympathique auberge transformée en table contemporaine au cœur d'un petit village rural de l'Aveyron. Le patron, de retour au pays, mitonne une cuisine au goût du jour.

LE VAL-ANDRÉ – 22 Côtes-d'Armor – 309 G3 – voir à Pléneuf-Val-André

VALAURIE – 26 Drôme – 332 B7 – 540 h. – alt. 162 m – ✉ 26230   44 B3

▶ Paris 622 – Montélimar 21 – Nyons 33 – Pierrelatte 14

Le Moulin de Valaurie

Le Foulon – ℰ 04 75 97 21 90 – www.lemoulindevalaurie.com – info@lemoulindevalaurie.com – Fax 04 75 98 63 72 – *Fermé vacances de la Toussaint, fév. et dim. soir d'oct. à avril*

16 ch – †110/215 € ††110/215 €, ☐ 12 €

Rest – *(fermé dim. soir hors saison, merc. midi en juil.-août, mardi midi et lundi)* Menu (28 €), 36/42 €

♦ Un chemin entouré de vignes mène à ce moulin du 19ᵉ s. transformé en hôtel de caractère. Grandes chambres provençales, objets et meubles chinés, beau parc et calme absolu. Élégante salle à manger et terrasse en fer forgé ; cuisine traditionnelle et régionale.

Domaine Les Mejeonnes

2 km rte de Montélimar – ℰ 04 75 98 60 60 – www.mejeonnes.com – contact@mejeonnes.com – Fax 04 75 98 63 44

25 ch – †75/95 € ††75/95 €, ☐ 8 € – ½ P 68/78 €   **Rest** – Menu (19 €), 25 €

♦ Sur un coteau, charmante ferme en pierre bordée d'un jardin aux senteurs de lavande et de romarin. Bel intérieur rustique. Petites chambres égayées de tissus provençaux. Au restaurant, décor et recettes possèdent l'accent du pays. Agréable terrasse d'été.

VALBERG – 06 Alpes-Maritimes – 341 C3 – alt. 1 669 m – Sports d'hiver : 1 430/2 100 m ⛷26 – ✉ 06470 Peone ▮ Alpes du Sud   41 D2

▶ Paris 803 – Barcelonnette 75 – Castellane 67 – Nice 84 – St-Martin-Vésubie 57

🛈 Office de tourisme, Centre Administratif ℰ 04 93 23 24 25, Fax 04 93 02 52 27

◉ Intérieur★ de la chapelle N.-D.-des-Neiges.

Le Chalet Suisse sans rest

4 av. Valberg – ℰ 04 93 03 62 62 – www.chalet-suisse.com – info@chalet-suisse.com – Fax 04 93 03 62 64 – *Ouvert de mi-juin à sept. et de mi-déc. à mars*

23 ch – †70/87 € ††88/120 €, ☐ 10 €

♦ Au centre de la station, joli chalet d'allure helvétique récemment refait, offrant confort et détente avec ses chambres agréables, son sauna et son hammam.

L'Adrech de Lagas

63 av. Valberg – ℰ 04 93 02 51 64 – www.adrech-hotel.com – adrech-hotel@wanadoo.fr – Fax 04 93 02 52 33 – *Ouvert de juin à sept. et de déc. à mars*

20 ch – †73/111 € ††79/120 €, ☐ 10 € – ½ P 75/95 €

Rest – Menu 19 € (déj.)/25 € – Carte 20/42 €

♦ L'enseigne de ce chalet bien rénové, situé au pied des pistes, rappelle l'esprit catalan de son origine. Chambres colorées, avec loggias exposées au sud et peu à peu refaites. Une cuisine traditionnelle et copieuse vous attend dans la lumineuse salle à manger.

Blanche Neige

10 av. Valberg – ℰ 04 93 02 50 04 – www.hotelblancheneige.fr – contact@hotelblancheneige.fr – Fax 04 93 02 61 90 – *Fermé deux sem. en automne et deux sem. au printemps*

17 ch – †79/103 € ††79/103 €, ☐ 10 € – ½ P 88/130 €

Rest – *(dîner seult) (résidents seult)*

♦ Coquet chalet tout juste rafraîchi qui évoque la maison des sept nains avec ses petites chambres douillettes, rehaussées de tissus fleuris. À l'heure des repas, on se restaure d'une cuisine régionale au coin du feu l'hiver et on profite de la terrasse l'été.

Côté Jardin

1 pl. Cluot de la Mule – ℰ 04 93 02 64 70 – www.cotejardin-valberg.com – restocotejardin@hotmail.fr – Fax 04 93 02 64 70 – *Fermé dim. soir et merc. d'oct. à nov. et d'avril à juin*

Rest – Menu 16/20 € – Carte 28/45 €

♦ Ce restaurant dégage une ambiance cosy et plus festive lors de ses soirées à thèmes. Au menu : table à l'accent provençal, quelques spécialités dont le foie gras maison.

1937

VALBONNE – 06 Alpes-Maritimes – **341** D6 – 12 300 h. – alt. 250 m 42 **E2**
– ✉ 06560 ▊ Côte d'Azur

- ▶ Paris 907 – Antibes 14 – Cannes 13 – Grasse 11 – Mougins 7 – Nice 32 – Vence 21
- 🛈 Office de tourisme, 1, place de l'Hôtel de Ville ℰ 04 93 12 34 50, Fax 04 93 12 34 57
- 🏌 Victoria Golf Club Chemin du Val Martin, S : 4 km, ℰ 04 93 12 23 26
- 🏌 Opio Valbonne à Opio Route de Roquefort les Pins, N : 1 km, ℰ 04 93 12 00 08

🏨 La Bastide de Valbonne sans rest
107 rte Cannes – ℰ 04 93 12 33 40 – www.bastidevalbonne.com
– bastide-de-valbonne@wanadoo.fr – Fax 04 93 12 33 41
34 ch – ✝95/125 € ✝✝95/250 €, ⭐ 15 €

◆ Demeure récente à la pimpante façade jaune égayée de volets bleus. Les chambres sur l'arrière bénéficient du calme et de la vue sur la piscine. Plaisant cadre provençal.

🏨 Les Armoiries sans rest
pl. des Arcades – ℰ 04 93 12 90 90 – www.hotellesarmoiries.com – valbonne@hotellesarmoiries.com – Fax 04 93 12 90 91
16 ch – ✝97/168 € ✝✝97/168 €, ⭐ 12 €

◆ Cette bâtisse du 17ᵉ s. dotée d'une belle décoration intérieure se trouve dans le secteur piétonnier de ce pittoresque village. Chambres personnalisées et mobilier chiné.

XX Lou Cigalon (Alain Parodi) 🕸
4 bd Carnot – ℰ 04 93 12 27 07 – Fax 04 93 12 09 96 – Fermé dim. et lundi
Rest – (nombre de couverts limité, prévenir) Menu (31 €), 56 € (sem.)/115 €
– Carte 86/110 €

Spéc. Tourteau émietté, salpicon de mangue, mousse au chorizo. Pigeon rôti et sucrines braisées. Baba au rhum, crème fouettée vanillée. **Vins** Coteaux Varois, Bellet.

◆ Discrète adresse abritant deux coquettes salles à manger avec pierres et poutres apparentes. Savoureuse cuisine du marché gorgée de soleil ; sélection de vins du Sud-Est.

XX L'Auberge Fleurie
rte de Cannes, (D 3) : 1,5 km – ℰ 04 93 12 02 80 – Fleurie.auberge@wanadoo.fr
– Fax 04 93 12 22 27 – Fermé 1ᵉʳ déc.-5 janv., lundi et mardi
Rest – Menu 27/34 € – Carte environ 50 €

◆ Accueillante maison entourée d'un jardin fleuri. Salle à manger d'inspiration provençale et petite terrasse où l'on sert une copieuse cuisine traditionnelle.

X Le Bistro de Valbonne
11 r. Fontaine – ℰ 04 93 12 05 59 – www.bistro-valbonne.com – bozzano0330@orange.fr – Fax 04 93 12 05 59 – Fermé 25 oct.-5 nov., 10-20 fév., lundi midi et dim.
Rest – (nombre de couverts limité, prévenir) Menu (21 €), 38/42 €
– Carte 45/55 €

◆ Miroirs, banquettes, éclairages tamisés, tableaux et photos anciennes composent le cadre chaleureux et feutré de cette coquette salle voûtée. Généreux plats traditionnels.

au golf d'Opio-Valbonne Nord-Est : 2 km par rte de Biot (D 4 et D 204)
– ✉ 06650 Opio

🏨 Château de la Bégude 🌿
rte de Roquefort les Pins – ℰ 04 93 12 37 00
– www.opengolfclub.com/begude – begude@opengolfclub.com
– Fax 04 93 12 37 13 – Fermé 16 nov.-27 déc.
31 ch – ✝78/200 € ✝✝96/240 €, ⭐ 19 € – 6 suites
Rest – (fermé le soir du 16 nov. au 27 déc. et dim. soir du 1ᵉʳ oct. au 31 mars)
Menu 38/65 € – Carte 48/95 €

◆ Bordée d'un rideau de chênes-lièges, sur l'un des golfs les plus réputés de la région, une charmante bastide du 16ᵉ s. et sa bergerie. Les chambres refaites sont cosy. Salle à manger-véranda et agréable terrasse dominant le trou n° 9 du parcours.

VALBONNE

rte d'Antibes au Sud par D 3 – ✉ 06560 Valbonne

Castel Provence sans rest
30 chemin Pinchinade, à 2,5 km – ℰ *04 93 12 11 92*
– www.hotelcastelprovence.com – reservation@hotelcastelprovence.com
– Fax 04 93 12 90 01
36 ch – †75/130 € ††95/170 €, ⊇ 18 €
◆ Cette construction récente de style régional abrite des chambres spacieuses et joliment décorées ; certaines offrent une vue sur la piscine et le jardin.

XX **Daniel Desavie**
1360 rte d'Antibes – ℰ *04 93 12 29 68 – www.restaurantdanieldesavie.fr*
– Fax 04 93 12 18 85 – Fermé 1er-9 mars, 28 juin-13 juil., 8-23 nov., dim. et lundi
Rest – Menu 32 € (déj.), 37/52 € – Carte 53/83 €
◆ Recettes provençales valorisant les produits locaux à déguster dans une lumineuse salle à manger contemporaine ou sous les arcades d'une galerie tournée vers le jardin fleuri.

à Sophia-Antipolis 7 km au Sud-Est par D 3 et D 103 - ✉ 06560 Valbonne

Sophia Country Club Grand Mercure ⟡
Les Lucioles 2 - 3550 rte Dolines
– ℰ *04 92 96 68 78 – www.webtvnice.com/grand-mercure-sophia/ – H1279@accor.com – Fax 04 92 96 68 96 – Fermé 21 déc.-3 janv.*
155 ch – †160/170 € ††170/180 €, ⊇ 19 €
Rest *Le Club –* ℰ *04 92 96 68 98* – Carte 25/45 €
◆ Complexe hôtelier doté d'un centre sportif très complet : club de tennis, practice de golf, fitness, piscines. Préférez les nouvelles chambres, spacieuses et soignées. Restaurant-brasserie et terrasse tournée vers la piscine. Cuisine actuelle.

Novotel ⟡
Les Lucioles 1, 290 r. Dostoievski – ℰ *04 92 38 72 38 – www.novotel.com*
– h0398-dm@accor.com – Fax 04 93 95 80 12
97 ch – †99/189 € ††99/189 €, ⊇ 15 €
Rest – Menu (20 €), 24 € (sem.) – Carte 30/50 €
◆ Chambres tout confort, au calme d'un agréable jardin en plein Sophia-Antipolis. Côté détente, piscine et tennis entourés d'arbres. Rajeunissement intégral de l'hôtel. Le restaurant-terrasse propose une cuisine provençale dans un cadre verdoyant et ressourçant.

Mercure ⟡
Les Lucioles 2, r. A. Caquot – ℰ *04 92 96 04 04 – www.mercure.com – h1122@accor.com – Fax 04 92 96 05 05*
104 ch – †79/189 € ††89/199 €, ⊇ 17 €
Rest – Menu (22 €), 29 € – Carte 32/44 €
◆ Ensemble moderne aux couleurs provençales niché sur le plateau boisé du Sophia-Antipolis. Toutes les chambres sont rénovées. Piscine et essences méridionales au jardin. Côté restaurant : menu du marché à l'accent du pays et rafraîchissantes salades estivales.

Relais Omega
Les Lucioles 1, 49 r. L. Van Beethoven – ℰ *04 92 96 07 07 – www.hotelomega.com*
– reservation@hotelomega.com – Fax 04 92 38 98 08 – Fermé 17 déc.-2 janv.
60 ch – †109 € ††119 €, ⊇ 14 € – 4 suites
Rest – Menu (20 €), 25 € – Carte 35/45 €
◆ Une décoration provençale raffinée et des équipements complets (climatisation, wi-fi, salle de séminaires) vous attendent dans ce confortable hôtel entièrement refait. Au restaurant, plats traditionnels simples et tons méridionaux.

Ne confondez pas les couverts X et les étoiles ✧ !
Les couverts définissent une catégorie de standing, tandis que l'étoile couronne les meilleures tables, dans chacune de ces catégories.

VALCEBOLLÈRE – 66 Pyrénées-Orientales – 344 D8 – 41 h. – alt. 1 470 m – ⊠ 66340   22 A3

☑ Paris 856 – Bourg-Madame 9 – Font-Romeu-Odeillo-Via 27 – Perpignan 107 – Prades 62

Auberge Les Écureuils
Caer de la coma – ℘ 04 68 04 52 03 – www.aubergeecureuils.com
– auberge-ecureuils@wanadoo.fr – Fax 04 68 04 52 34
– Fermé 5 nov.-5 déc.
16 ch – ♦70/95 € ♦♦72/110 €, ⊇ 11 € – ½ P 65/95 €
Rest – Menu (19 €), 25/50 € – Carte 32/55 €

♦ Ex-bergerie convertie en coquette auberge rustique. Agréables chambres personnalisées. Jardin au bord du torrent. Organisation de randonnées ; skis et raquettes à disposition. Restaurant de caractère, carte classique et plats catalans. Petite crêperie.

> Nous essayons d'être le plus exact possible
> dans les prix que nous indiquons.
> **Mais tout bouge !**
> Lors de votre réservation, pensez à vous faire préciser le prix du moment.

VAL-CLARET – 73 Savoie – 333 O5 – rattaché à Tignes

VALDAHON – 25 Doubs – 321 I4 – 4 728 h. – alt. 645 m – ⊠ 25800   17 C2

☑ Paris 436 – Besançon 33 – Morteau 33 – Pontarlier 32

Relais de Franche Comté
1 r. Charles Schmitt – ℘ 03 81 56 23 18
– www.relais-de-franche-comte.com
– relais.de.franche.comte@wanadoo.fr
– Fax 03 81 56 44 38
– Fermé 29 avril-3 mai, 27 août-1er sept., 18 déc.-11 janv., vend. soir, sam. midi sauf juil.-août, et dim. soir de sept. à juin
20 ch – ♦44/47 € ♦♦54/58 €, ⊇ 8 € – ½ P 54/57 €
Rest – Menu 14 € (sem.)/50 € – Carte 22/45 €

♦ Cet hôtel imposant situé à l'entrée de la ville abrite des chambres actuelles et pratiques, aux tissus colorés. Restaurant lumineux, où l'on sert des menus traditionnels suivant le rythme des saisons (gibier en période de chasse).

LE VAL-D'AJOL – 88 Vosges – 314 G5 – 4 452 h. – alt. 380 m   27 C3
– ⊠ 88340 ▌Alsace Lorraine

☑ Paris 382 – Épinal 41 – Luxeuil-les-Bains 18 – Plombières-les-Bains 10 – Remiremont 16

🛈 Office de tourisme, 17, rue de Plombières ℘ 03 29 30 61 55, Fax 03 29 30 56 78

La Résidence
5 r. des Mousses, par rte de Hamanxard – ℘ 03 29 30 68 52
– www.la-residence.com – contact@la-residence.com – Fax 03 29 66 53 00
– Fermé 26 nov.-26 déc.
49 ch – ♦53/68 € ♦♦65/95 €, ⊇ 11 € – ½ P 69/84 €
Rest – (fermé dim. soir d'oct. à mai sauf vacances scolaires et fériés) Menu (15 €), 26/52 € – Carte 35/60 €

♦ Au cœur d'un parc arboré, La Résidence, une belle maison bourgeoise du milieu du 19e s., et ses deux annexes abritent de chaleureuses chambres un brin désuètes. Le chef vous réserve une originale carte axée terroir, tantôt traditionnelle tantôt novatrice.

VALDEBLORE (Commune de) – 06 Alpes-Maritimes – 341 E3 — 41 D2
– 686 h. – alt. 1 050 m – Sports d'hiver : à la Colmiane 1 400/1 800 m ⚡7
– ✉ 06420 ▮ Côte d'Azur

▶ Paris 841 – Cannes 89 – Nice 72 – St-Étienne-de-Tinée 46
– St-Martin-Vésubie 11

ℹ Syndicat d'initiative, la Roche ☎ 04 93 23 25 90, Fax 04 93 23 25 91

à St-Dalmas-Valdeblore - ✉ 06420 Valdeblore – 796 h. – alt. 1 050 m

◉ Pic de Colmiane ※ ★★ E 4,5 km accès par télésiège.

Auberge des Murès ⌂ ⟵ 🍴 🍽 ❄ rest, 🛜 P VISA ⦿
rte du col St-Martin – ☎ 04 93 23 24 60 – http://auberge-mure.ifrance.com
– aubergesdesmures@wanadoo.fr – Fax 04 93 23 24 67 – Fermé 15 nov.-15 déc.,
lundi, mardi et merc. sauf vacances scolaires
7 ch – ♦50 € ♦♦63 €, ⊑ 9 € – ½ P 53/60 €
Rest – Menu (20 €), 26 € – Carte 26/35 €

♦ Petite auberge familiale aux allures de chalet offrant une jolie vue sur la montagne depuis les balcons des chambres. On s'y sent un peu comme à la maison. L'hiver, salle à manger avec pierres et poutres apparentes ; l'été, agréable terrasse face aux sommets.

VAL-D'ESQUIÈRES – 83 Var – 340 P5 – rattaché à Ste-Maxime

VAL-D'ISÈRE – 73 Savoie – 333 O5 – 1 732 h. – alt. 1 850 m – Sports — 45 D2
d'hiver : 1 850/2 560 m ⚡6 ⚡45 ⚡ – ✉ 73150 ▮ Alpes du Nord

▶ Paris 667 – Albertville 86 – Chambéry 135

ℹ Office de tourisme, ☎ 04 79 06 06 60, Fax 04 79 06 04 56

🚠 du Lac de Tignes à Tignes Le Val Claret, par rte de Bourg-St-Maurice : 14km,
☎ 04 79 06 37 42

◉ Rocher de Bellevarde ※ ★★★ par téléphérique - Route de l'Iseran ★★★.

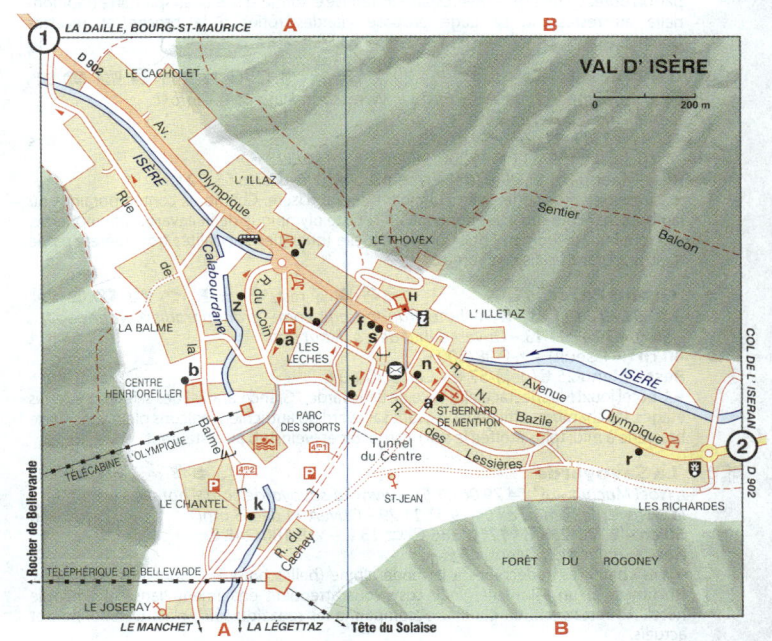

VAL-D'ISÈRE

Les Barmes de l'Ours
chemin des Carats – ℘ 04 79 41 37 00
– www.hotel-les-barmes.com – welcome@hotel-les-barmes.com
– Fax 04 79 41 37 01 – Ouvert 4 déc.-25 avril   A b
55 ch ⊇ – †440/1240 € ††470/1270 € – 21 suites
Rest *La Table de l'Ours* – (ouvert 4 déc.-25 avril et fermé dim.) (dîner seult)
Menu 90/190 € – Carte 100/200 €
Rest *Le Pas de l'Ours* – Menu 80 €
Spéc. Tarte au foie gras frais de canard et truffe. Ris de veau doré au sautoir. Chocolat noir intense et amandes. **Vins** Vin de Pays de l'Allobrogie, Mondeuse.

♦ Dans ce vaste chalet, quatre ambiances président au décor des chambres : scandinave, grand Nord, savoyarde et contemporaine. Salon, bar et spa. Cuisine actuelle ou rôtisserie, selon le lieu choisi...

Christiania
℘ 04 79 06 08 25 – www.hotel-christiania.com – welcome@hotel-christiania.com – Fax 04 79 41 11 10 – Ouvert mi-déc. à mi-avril   A a
68 ch ⊇ – †306/900 € ††320/915 € – 1 suite
Rest – Menu (39 €), 64 € (dîner) – Carte 46/170 €

♦ Grand chalet offrant une vue sur les pistes. Chambres toutes différentes arborant, pour certaines, un chaleureux décor alpin. Espace de remise en forme et salon-fumoir. Salle de restaurant montagnarde, terrasse panoramique et plats traditionnels.

Le Blizzard
r. Principale – ℘ 04 79 06 02 07 – www.hotelblizzard.com – information@hotelblizzard.com – Fax 04 79 06 04 94 – Ouvert 11 déc.-2 mai   B f
79 ch – †275/300 € ††315/1110 €, ⊇ 18 € – ½ P 210/305 €
Rest – Carte 46/86 €
Rest *La Luge* – rôtisserie – ℘ 04 79 06 69 39 (dîner seult)
Carte 30/65 €

♦ Le bois règne en maître dans ce joli chalet abritant de ravissantes chambres, parfois dotées d'une cheminée. Espace de remise et forme et très beau spa. Carte traditionnelle au restaurant. La Luge propose viandes rôties à la broche et recettes fromagères.

Le Tsanteleina
av. Olympique – ℘ 04 79 06 12 13 – www.tsanteleina.com – info@tsanteleina.com – Fax 04 79 41 14 16
– Ouvert 3 juil.-31 août et 4 déc.-2 mai   B s
71 ch ⊇ – †139/411 € ††200/588 € – ½ P 130/325 €
Rest – Menu (24 €), 29 € (déj. en sem.), 50/80 € – Carte 55/72 €

♦ L'enseigne évoque le point culminant de Val d'Isère. Chambres contemporaines ou lambrissées ; côté sud, elles donnent sur la piste olympique de Bellevarde. Bar moderne, spa, piscine à débordement... Cuisine actuelle (quelques spécialités fromagères) servie dans une grande salle chaleureuse.

Grand Paradis
℘ 04 79 06 11 73 – www.hotelgrandparadis.com – grandparadis@wanadoo.fr
– Fax 04 79 41 11 13 – Ouvert début déc. à début mai   B t
40 ch (½ P seult) – ½ P 98/300 €
Rest – Menu 25 € (déj.)/57 € – Carte 30/60 €

♦ L'hôtel jouxte la spectaculaire Face de Bellevarde, "Grand Paradis" des skieurs. Selon les étages, les chambres affichent un cadre savoyard ou autrichien (balcons plein sud). Carte brasserie à midi (plus étoffée le soir), carnotzet et weinstub au restaurant.

La Savoyarde
r. Noël Machet – ℘ 04 79 06 01 55 – www.la-savoyarde.com – hotel@la-savoyarde.com – Fax 04 79 41 11 29 – Ouvert 11 déc.-5 mai   A u
50 ch – †170/235 € ††250/386 €, ⊇ 13 € – ½ P 180/248 €
Rest – (dîner seult) Menu 45 €

♦ Les chambres, redécorées à la mode alpine (belles boiseries), sont très douillettes. Un fitness et un salon-cheminée cosy vous attendent également dans cet agréable hôtel. Au restaurant, un pianiste accompagne les repas du soir ; plats traditionnels et actuels.

VAL-D'ISÈRE

Kandahar
*av. Olympique – ℰ 04 79 06 02 39 – www.hotel-kandahar.com
– hotel.kandahar@wanadoo.fr – Fax 04 79 41 15 54
– Ouvert début déc.-début mai*
41 ch ⌧ – †138/210 € ††170/290 € **Rest** – *(dîner seult)* Carte 30/65 €

♦ L'enseigne évoque soit l'Orient, soit une prestigieuse épreuve de ski autrichienne. Les chambres, typiquement montagnardes, sont coquettes et très chaleureuses. L'Alsace et la Savoie se partagent les honneurs de la carte, dans le décor tout bois de la taverne.

Les Lauzes sans rest
*pl. de l'Église – ℰ 04 79 06 04 20 – www.hotel-lauzes.com – lauzes@
club-internet.fr – Fax 04 79 41 96 84 – Ouvert 28 nov.-4 mai*
23 ch ⌧ – †115/177 € ††136/187 €

♦ À deux pas de l'église. Simplicité, tenue sans faille et décoration façon chalet dans les chambres offrant, au dernier étage, une vue sur les toits du village.

Altitude
*– ℰ 04 79 06 12 55 – www.hotelaltitude.com – booking@hotelaltitude.com
– Fax 04 79 41 11 09 – Ouvert 1ᵉʳ juil.-31 août et 1ᵉʳ déc.-3 mai*
40 ch – †122/198 € ††155/294 €, ⌧ 15 € – ½ P 108/180 €
Rest – Menu 32/35 €

♦ Cet hôtel profite d'une situation pratique au départ des remontées mécaniques. Chambres habillées de belles boiseries sombres ou simples et fonctionnelles. Hammam, fitness, sauna. Repas traditionnels ou régionaux au restaurant.

La Becca
*Le Laisinant, rte de l'Iseran, 0,8 km par ② – ℰ 04 79 06 09 48
– www.labecca-val.com – info@labecca-val.com – Fax 04 79 41 12 03
– Ouvert mi-juin à août et déc. à mai*
11 ch ⌧ – †90/205 € ††120/270 € – ½ P 149/203 €
Rest – *(ouvert déc. à mai)* Menu (30 €), 35 € (déj.)/64 € – Carte 49/73 €

♦ Authentique et sympathique chalet au cœur d'un hameau tranquille. Les chambres, fidèles au style décoratif local (fresques et meubles peints), sont confortables et charmantes. Cuisine traditionnelle et régionale à midi ; carte au goût du jour et inventive le soir.

Bellier
*– ℰ 04 79 06 03 77 – www.hotelbellier.com – info@hotelbellier.com
– Fax 04 79 41 14 11 – Ouvert 5 déc.-5 mai*
22 ch (½ P seult) – ½ P 90/165 €
Rest – *(fermé 15 avril-5 mai et 5-20 déc.) (dîner seult) (résidents seult)* Menu 28 €

♦ Bâtisse des années 1950 proche du centre-ville, mais au calme. Chambres fonctionnelles, rénovées par étape, la plupart avec balcon. Détente au coin du feu du salon ; sauna. Si le temps le permet, on prend ses repas sur la terrasse plein sud ouverte sur le jardin.

La Galise sans rest
*r. de la Poste – ℰ 04 79 06 05 04 – www.lagalise.fr – lagalise@gmail.com
– Fax 04 79 41 16 16 – Ouvert 15 déc.-25 avril*
30 ch – †64/110 € ††100/170 €, ⌧ 12 €

♦ Situation privilégiée, prix doux et ambiance familiale sont les atouts de cet hôtel. Chambres simples, en partie lambrissées, et petit-déjeuner sous forme de buffet.

L'Avancher sans rest
*rte du Prariond – ℰ 04 79 06 02 00 – www.avancher.com – hotel@avancher.com
– Fax 04 79 41 16 07 – Ouvert 6 déc.-1ᵉʳ mai*
17 ch ⌧ – †76/180 € ††134/200 €

♦ Au pied des pistes de Solaise et légèrement excentré, ce chalet dispose de chambres pratiques ; les plus récentes sont spacieuses et décorées dans le style montagnard.

L'Atelier d'Edmond
*au Fornet, rte de l'Iseran, 2 km par ② – ℰ 04 79 00 00 82
– www.atelier-edmond.com – restaurant@atelier-edmond.com
– Fax 04 79 00 00 82 – Ouvert 15 déc.-15 avril et fermé dim. soir et lundi soir*
Rest – Menu (29 €), 59 € (dîner), 63/69 € – Carte 43/56 €

♦ Hommage au grand-père du propriétaire dans ce chalet de montagne. Bel intérieur reconstituant un refuge, un atelier de menuiserie, etc. Cuisine simple, plus élaborée le soir.

VAL-D'ISÈRE
à la Daille 2 km par ① - ✉ 73150 Val-d'Isère

Le Samovar   🛜 VISA ⓂⓄ 𝔸𝔼 ⓄⓄ
– ✆ 04 79 06 13 51 – www.lesamovar.com – samovar@wanadoo.fr
– Fax 04 79 41 11 08 – Ouvert 10 déc.-18 avril
18 ch ⊃ – †120/210 € ††130/320 €
Rest – pizzeria – Menu 14 € (déj.), 18/35 € – Carte 19/45 € dîner seulement
◆ Près du funiculaire "Funival" qui grimpe sur le rocher de Bellevarde, ce chalet propose d'agréables chambres douillettes, quelques-unes familiales. Restauration simple servie dans la brasserie-pizzéria (murs habillés de peaux de vache) ou en terrasse.

VALENÇAY – 36 Indre – **323** F4 – 2 641 h. – alt. 140 m – ✉ 36600   11 **B3**
▌Châteaux de la Loire

▯ Paris 233 – Blois 59 – Bourges 73 – Châteauroux 42 – Loches 50 – Vierzon 51
🛈 Office de tourisme, 2, avenue de la Résistance ✆ 02 54 00 04 42, Fax 02 54 00 27 67
◉ Château★★★.

à Veuil 6 km au Sud par D 15 et rte secondaire – 366 h. – alt. 140 m – ✉ 36600

XX Auberge St-Fiacre   🍴 VISA ⓂⓄ
5 r. de la Fontaine – ✆ 02 54 40 32 78 – aubergesaintfiacre@wanadoo.fr
– Fax 02 54 40 35 66 – Fermé 31 août-24 sept., janv., mardi de sept. à juin, dim. soir et lundi
Rest – Menu 22 € (sem.)/45 € – Carte 34/48 €
◆ Maison du 17ᵉ s. et sa terrasse sous les marronniers bercées par le murmure d'un ruisseau. Bel intérieur rustique et cuisine au goût du jour.

VALENCE ℗ – 26 Drôme – **332** C4 – 64 900 h. – Agglo. 117 448 h.   43 **E2**
– alt. 126 m – ✉ 26000 ▌Lyon et la vallée du Rhône

▯ Paris 558 – Avignon 126 – Grenoble 96 – St-Étienne 121
✈ de Valence-Chabeuil : ✆ 04 75 85 26 26, par ③ : 5 km AX.
🛈 Office de tourisme, 11, boulevard Bancel ✆ 08 92 70 70 99, Fax 04 75 44 90 41
⛳ des Chanalets à Bourg-lès-Valence Route de Châteauneuf sur Isère, par rte de Lyon : 6 km, ✆ 04 75 83 16 23
⛳ New Golf du Bourget à Montmeyran, S : 17 km par D 538, ✆ 04 75 59 48 18
◉ Maison des Têtes★ CY - Intérieur★ de la cathédrale St-Apollinaire BZ - Champ de Mars ≼★ BZ - Sanguines de Hubert Robert★★ au musée des Beaux-Arts BZ.
◉ Site★★★ de Cruzol 5 km O.

Plans pages suivantes

🏨🏨🏨 Pic (Anne-Sophie Pic)   🚗 ⛲ |📶| & ch, 🆎 ℅ 🛜 🕍 ℗ ⌂ VISA ⓂⓄ 𝔸𝔼 ⓄⓄ
ಳಿಳಿಳಿ 285 av. Victor-Hugo – ✆ 04 75 44 15 32 – www.pic-valence.com – contact@ pic-valence.com – Fax 04 75 40 96 03 – Fermé 2-27 janv.   AX f
12 ch – †290/460 € ††290/460 €, ⊃ 28 € – 3 suites
Rest Le 7 – voir ci-après
Rest – (fermé dim. et lundi) (prévenir le week-end) Menu 110 € (déj. en sem.), 195/320 € – Carte 147/260 € ❀
Spéc. Thon bluefin mariné et marbré au lard colonnata et foie gras des Landes (mai à oct.). Loup au caviar "Jacques Pic". Chocolat alpaco et les fruits exotiques. **Vins** Saint-Péray, Condrieu.
◆ Cette belle demeure familiale modernisée est une institution valentinoise. Élégantes chambres contemporaines, au luxe discret. La chef a de qui tenir : après son grand-père et son père, elle atteint à son tour le sommet étoilé avec une cuisine délicieusement inventive. Prestigieuse carte des vins.

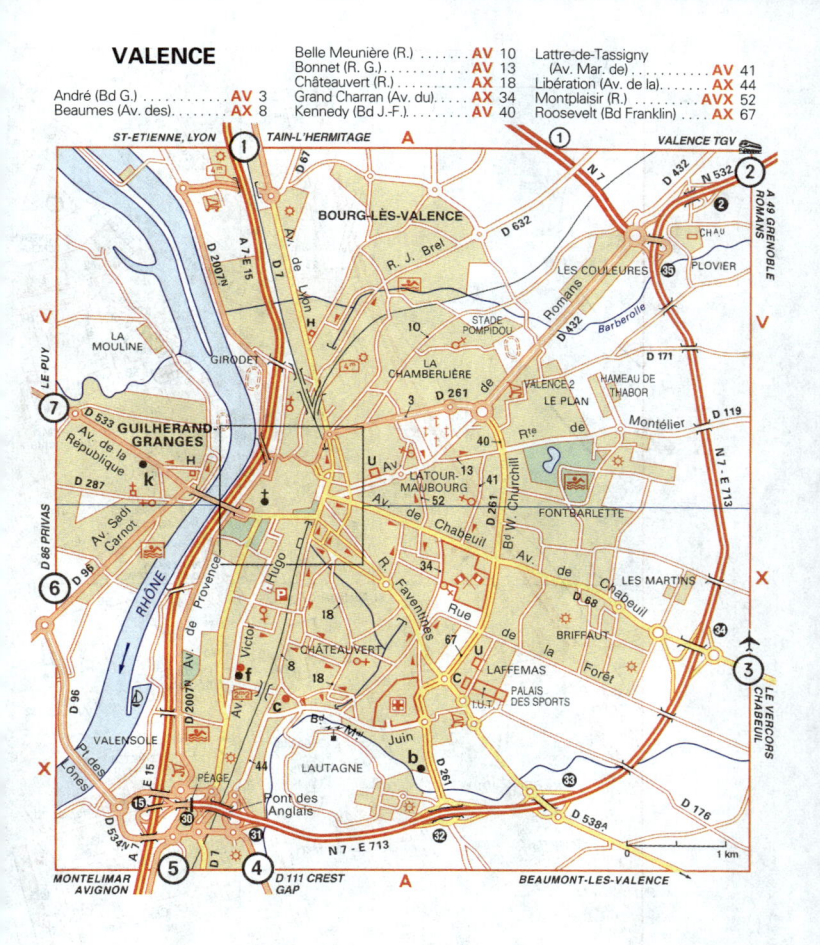

VALENCE

André (Bd G.) . . . . **AV** 3	Belle Meunière (R.) . . . . **AV** 10	Lattre-de-Tassigny
Beaumes (Av. des). . . . . **AX** 8	Bonnet (R. G.) . . . . **AV** 13	(Av. Mar. de) . . . . **AV** 41
	Châteauvert (R.) . . . . **AX** 18	Libération (Av. de la). . . . . . **AX** 44
	Grand Charran (Av. du). . . . **AX** 34	Montplaisir (R.) . . . . **AVX** 52
	Kennedy (Bd J.-F.) . . . . **AV** 40	Roosevelt (Bd Franklin) . . . . **AX** 67

🏨 **Clos Syrah** 🚗 🌳 🏊 AK ch, ⇔ 📶 🧖 P 🚘 VISA ◎ AE ①
Quartier Maninet, bd Pierre Tézier, (rte Montéléger) – ✆ 04 75 55 52 52
– www.clos-syrah.com – info@clos-syrah.com
– Fax 04 75 42 27 37   AX **b**
38 ch – †75/90 € ††94/124 €, ⇌ 10 € – ½ P 70/90 €
Rest – *(fermé 21 déc.-10 janv., sam. et dim. de juin à sept.)*
Menu (20 €), 25/35 €
♦ Bâtiment néo-provençal des années 1980 situé à proximité du centre hospitalier. Mobilier contemporain dans les chambres orientées vers la piscine et le parc. Confortable salle à manger, belle terrasse et recettes traditionnelles.

🏨 **De France** sans rest 📞 & AK ⇔ 📶 🧖 P VISA ◎ AE ①
16 bd du Gén.-de-Gaulle – ✆ 04 75 43 00 87 *– www.hotel-valence.com – info@hotel-valence.com – Fax 04 75 55 90 51*   CZ **w**
46 ch – †70/125 € ††90/125 €, ⇌ 11 €
♦ Un hôtel en pleine évolution : agrandissement et rénovation complète, chambres élégantes, sobres et dans l'air du temps, salle de séminaires, bar, terrasse, parking fermé.

1945

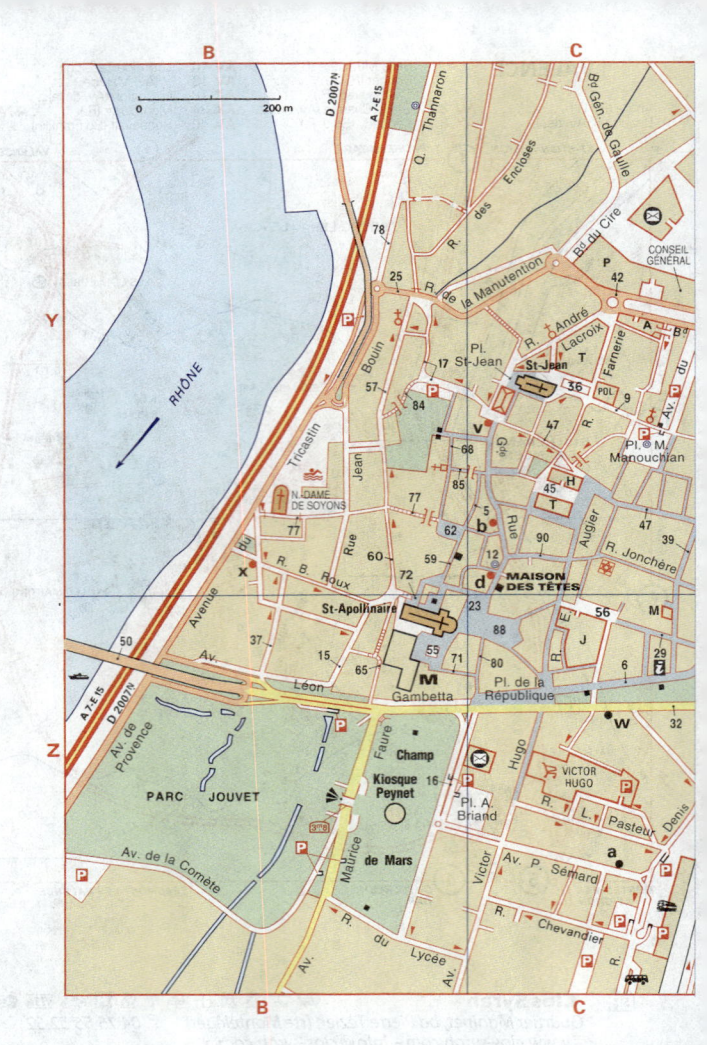

🏠 **Atrium** sans rest   🛋️ 🛗 ♿ 📶 🏊 🅿 🚗 VISA ⓂⓄ AE
20 r. J.-L. Barrault – ℰ *04 75 55 53 62 – www.atrium-hotel.fr – info@
atrium-hotel.fr – Fax 04 75 55 53 68*   DY **c**
64 ch – †65 € ††73 €, ⌑ 9 €
♦ Hôtel d'aspect moderne, idéal pour les longs séjours car un coin cuisine équipe chaque chambre. Au dernier étage, duplex tournés vers le Vercors ou l'Ardèche.

🏠 **Les Négociants**   🛗 AK ※ rest, 📶 🏊 🚗 VISA ⓂⓄ AE ①
27 av. Pierre-Sémard – ℰ *04 75 44 01 86 – www.hotel-lesnegociantsvalence.com
– hotel.les-negociants@wanadoo.fr – Fax 04 75 44 77 57*   CZ **a**
37 ch – †40/71 € ††40/71 €, ⌑ 6,50 € – ½ P 54/72 €
Rest – *(fermé 11-17 août, 26-31 déc., sam. et dim.)* Menu (13 €) – Carte 23/31 €
♦ Un hôtel sympathique à deux pas de la gare, pour les adeptes de sobriété contemporaine. Chambres aux tons taupe et marron, climatisées. Copieux petit-déjeuner. Le restaurant sert une cuisine familiale et simple dans un décor actuel.

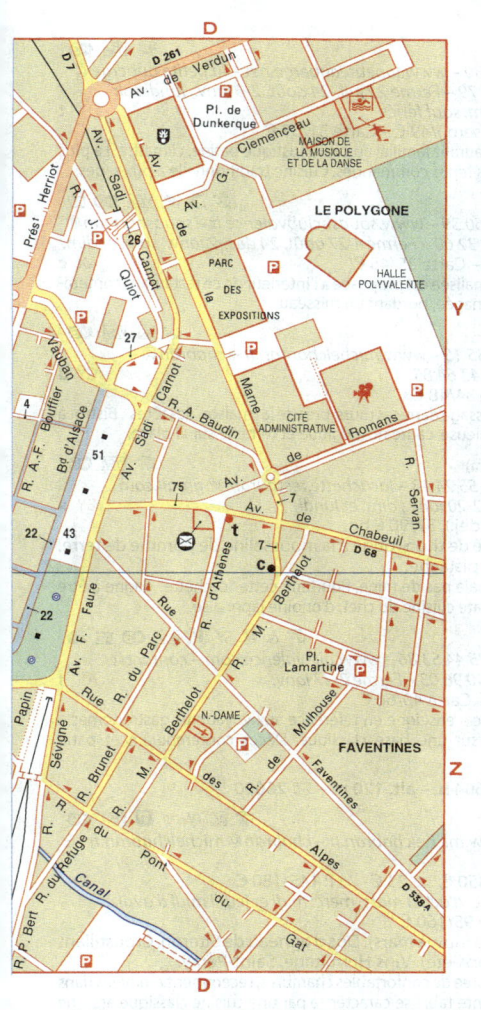

VALENCE

Street	Ref
Alsace (Bd d')	**DY**
Arménie (R. d')	**DY** 4
Augier (R. Émile)	**CYZ**
Balais (R. des)	**BCY** 5
Bancel (Bd)	**CY** 6
Barrault (R. J.-L.)	**DY** 7
Belle Image (R.)	**CY** 9
Bonaparte (R. du Lieutenant)	**BCY** 12
Chambaud (R. Mirabel)	**BZ** 15
Championnet (Pl.)	**CY** 16
Chapeliers (Côte des)	**BY** 17
Clercs (Pl. des)	**BCZ** 23
Clerc (Bd M.)	**CYZ** 22
Docteur-Schweitzer (R. du)	**BY** 25
Dragonne (Pl. de la)	**DY** 26
Dupré-de-Loire (Av.)	**DY** 27
Farre (R. du Gén.)	**CZ** 29
Félix-Faure (R.)	**DZ**
Gaulle (Bd du Gén.-de)	**CZ** 32
Huguenel (R. Ch.)	**CY** 36
Jacquet (R. V.)	**BZ** 37
Jeu-de-Paume (R. du)	**CYZ** 39
Lecardonnel (Pl. L.)	**CY** 42
Leclerc (Pl. Gén.)	**CY** 43
Liberté (Pl. de la)	**CY** 45
Madier-de-Montjau (R.)	**CY** 47
Mistral (Pont Frédéric)	**BZ** 50
Montalivet (Pl. de)	**CY** 51
Ormeaux (Pl. des)	**BZ** 55
Palais (Pl. du)	**CZ** 56
Paré (R. Ambroise)	**BY** 57
Pérollerie (R.)	**BY** 59
Petit Paradis (R.)	**BY** 60
Pierre (Pl. de la)	**BY** 62
Repenties (R. des)	**BZ** 65
République (Pl. de la)	**CZ**
Sabaterie (R.)	**BY** 68
St-Didier (R.)	**BCZ** 71
St-Estève (Côte)	**BY** 72
St-Jacques (Faubourg)	**DY** 75
St-Martin (Côte et R.)	**BY** 77
St-Nicolas (Q.)	**BY** 78
Saunière (R.)	**CZ** 80
Semard (Av.)	**CZ**
Sylvante (Côte)	**BY** 84
Temple (R. du)	**BCY** 85
Université (Pl. de l')	**CZ** 88
Vernoux (R.)	**CY** 90
Victor-Hugo (Av.)	**CZ**

XXX **Flaveurs** (Baptiste Poinot)   AE VISA MC

❀ *32 Grande Rue –* ℰ *04 75 56 08 40 – poinot.baptiste@neuf.fr – Fax 04 75 43 41 76 – Fermé 1ᵉʳ-24 août, 1ᵉʳ-7 janv., dim. et lundi*   **CY b**

Rest – *(nombre de couverts limité, prévenir)* Menu 28 € (déj. en sem.), 35/67 €
Spéc. Nugget's crousti-fondants de tête de veau. Bar sauvage cuit avec douceur. Poire william pochée au fruit de la passion.

♦ Dans une petite rue près de la place des Clercs, une salle tout en longueur au décor sobre et élégant. Cuisine contemporaine qui sonne juste dans la réalisation et l'harmonie des goûts.

XX **L'Épicerie**   VISA MC AE

18 pl. St-Jean, (ex Belat) – ℰ *04 75 42 74 46 – pierre.seve@free.fr – Fax 04 75 42 10 87 – Fermé 28 avril-13 mai, 29 juil.-19 août, 23 déc.-4 janv., sam. midi et dim.*

Rest – Menu (18 €), 25/68 € – Carte 36/55 € ❀   **CY v**

♦ Maison du 16ᵉ s. dont chaque salle représente un style différent : rustique chaleureux, design, ou bistrot (pour la formule du jour). Terrasse sur la place. Plats traditionnels.

1947

VALENCE

La Petite Auberge
1 r. Athènes – ℰ *04 75 43 20 30 – www.lapetiteauberge.net – la.petite.auberge@wanadoo.fr – Fax 04 75 42 67 79 – Fermé 22 juil.-24 août, 2-6 janv., lundi soir de mai à sept., merc. soir et dim. sauf fériés*   DY **t**
Rest – Menu (18 € bc), 26 € (sem.)/49 € – Carte 31/57 €

◆ Sobre façade abritant un restaurant familial au cadre rustique patiné, climatisé. La plus petite salle est réservée pour les repas commandés. Cuisine traditionnelle à prix sages.

L'Origan
58 av. Baumes – ℰ *04 75 41 60 39 – www.squashclubvalence.fr – squashorigan@numericable.fr – Fax 04 26 50 32 60 – Fermé 4-27 août, 24 déc.-2 janv., sam. et dim.*
Rest – Menu (15 €), 18 /40 € – Carte 35/45 €   AX **c**

◆ Une cuisine régionale personnalisée est proposée à l'intérieur de ce restaurant contemporain ou sur sa terrasse réaménagée, bordant un ruisseau.

Le Bistrot des Clercs
48 Grande rue – ℰ *04 75 55 55 15 – www.michelchabran.fr – chabran@michelchabran.fr – Fax 04 75 43 64 85*   CY **d**
Rest – Menu 22/31 € – Carte 34/48 €

◆ Napoléon Bonaparte fit un passage dans ces murs, près de la "maison des têtes". Bistrot à la mode parisienne, cuisine copieuse, cadre nostalgique et terrasse sur la place.

La Cachette (Masashi Ijichi)
16 r. des Cévennes – ℰ *04 75 55 24 13 – lacachette.restaurant@gmail.com – Fax 04 75 55 24 13 – Fermé 2-20 janv., dim. et lundi*   BY **x**
Rest – Menu (18 € bc), 25 € (déj.), 37/90 € bc
Spéc. Terrine de canard. Pavé de thon rouge à la mousseline de pomme de terre. Tarte à l'abricot et crème de pistache.

◆ L'extérieur de la maison ne paie pas de mine. Pourtant, cette "cachette" gagne à être découverte pour la fine et délicate cuisine du chef, d'origine japonaise.

Le 7 – Hôtel Pic
285 av. Victor-Hugo – ℰ *04 75 44 53 86 – www.pic-valence.com – contact@pic-valence.com – Fax 04 75 40 96 03 – Fermé 2-27 janv.*   AX **f**
Rest – Menu (19 € bc), 28 € – Carte 40/66 €

◆ L'autre table de la maison Pic – enseigne en référence aux voyageurs gastronomes – propose une cuisine actuelle sur une base classique. Décor contemporain et patio ombragé.

à Pont de l'Isère 9 km par ① – 2 604 h. – alt. 120 m – ⊠ 26600

Michel Chabran
N 7 – ℰ *04 75 84 60 09 – www.michelchabran.fr – chabran@michelchabran.fr – Fax 04 75 84 59 65*
11 ch – ✝150/220 € ✝✝175/350 €, ⌑ 23 € – ½ P 145/180 €
Rest – *(fermé dim. soir et merc. d'oct. à mars, merc. midi et jeudi midi d'avril à sept.)* Menu 49/169 € – Carte 95/160 €
Spéc. Plats autour de la truffe (nov. à mars). Dos d'agneau de Siteron. Croustillant aux fraises des bois (printemps-été). **Vins** Hermitage, Saint-Péray.

◆ Maison en galets du Rhône dotée de confortables chambres, récemment rénovées dans un style contemporain. L'élégante table se caractérise par une cuisine classique assortie d'une belle sélection de côtes-du-rhône.

Auberge Chalaye
17 r. 16-août-1944 – ℰ *04 75 84 59 40 – Fax 04 75 58 27 06 – Fermé le midi sauf dim. et fériés, lundi, mardi et merc.*
Rest – Menu 33 € (dîner), 50/60 € – Carte environ 50 €

◆ Auberge dissimulée par un rideau de verdure. Cuisine classique servie dans trois petites salles d'esprit rustique ou, aux beaux jours, sur l'agréable terrasse du jardin.

à Guilherand-Granges (07 Ardèche) – 10 700 h. – alt. 130 m – ⊠ 07500

Alpes-Cévennes sans rest
641 av. de la République – ℰ *04 75 44 61 34 – www.hotelalpescevennes.com – alpescevennes@aol.com – Fax 04 75 41 12 41 – Fermé 16-24 août et dim.*
26 ch – ✝36/40 € ✝✝42/56 €, ⌑ 6 €   AV **k**

◆ Étape ardéchoise sur la rive droite du Rhône. Les chambres, spacieuses, équipées de meubles de série, sont régulièrement rénovées. Insonorisation efficace. Accueil aimable.

VALENCE-SUR-BAÏSE – 32 Gers – 336 E6 – 1 199 h. – alt. 117 m — 28 A2
– ✉ 32310

◘ Paris 734 – Agen 50 – Auch 36 – Condom 9
🛈 Syndicat d'initiative, rue Jules Ferry ℘ 05 62 28 59 19, Fax 05 62 28 97 66
◉ Abbaye de Flaran★ NO : 2 km, ▌Midi-Pyrénées

La Ferme de Flaran
rte de Condom – ℘ 05 62 28 58 22 – www.fermedeflaran.com – hotel-flaran@wanadoo.fr – Fax 05 62 28 56 89 – Fermé 21 déc.-15 janv.
15 ch – †49/59 € ††55/65 €, ⇌ 8 € – ½ P 56/61 €
Rest – (fermé mardi midi d'oct. à mai, dim. soir et lundi sauf du 7 juil. au 29 août)
Menu (16 €), 20/38 € – Carte 38/46 €

♦ Ancienne dépendance de l'abbaye cistercienne, cette ferme garde une agréable rusticité. Les chambres, champêtres et confortables, sont plus tranquilles côté piscine. Authentique salle à manger agreste, jolie terrasse et cuisine soignée à l'accent du Gers.

VALENCIENNES – 59 Nord – 302 J5 – 43 100 h. – 31 C2
Agglo. 357 395 h. – alt. 22 m – ✉ 59300 ▌Nord Pas-de-Calais Picardie

◘ Paris 208 – Arras 68 – Bruxelles 105 – Lille 54 – St-Quentin 80
🛈 Office de tourisme, 1, rue Askièvre ℘ 03 27 28 89 10, Fax 03 27 28 89 11
⛳ de Mormal à Preux-au-Sart Bois Saint Pierre, par rte de Maubeuge : 13 km, ℘ 03 27 63 07 00
⛳ de Valenciennes à Marly Rue du Chemin Vert, E : 1 km, ℘ 03 27 46 30 10
◉ Musée des Beaux-Arts★ BY M - Bibliothèque des Jésuites★.

Plan page suivante

Le Grand Hôtel
8 pl. de la Gare – ℘ 03 27 46 32 01 – www.grand-hotel-de-valenciennes.fr
– grandhotel.val@wanadoo.fr – Fax 03 27 29 65 57 AX d
95 ch – †82/103 € ††94/120 €, ⇌ 15 € – ½ P 105/133 €
Rest *Les Quatre Saisons* – Menu 30 € (sem.)/50 € bc – Carte 41/68 €
Rest *Brasserie Hans* – Menu (15 €) – Carte 23/36 €

♦ La même famille cultive depuis plusieurs générations le sens de l'hospitalité dans ce bel établissement bâti au début du 20e s. Confortables chambres de style classique. Restaurant traditionnel avec rôtissoire et flambage en salle. Esprit alsacien à la Brasserie Hans.

Auberge du Bon Fermier
64 r. Famars – ℘ 03 27 46 68 25 – www.bonfermier.com – beinethierry@hotmail.com – Fax 03 27 33 75 01 AY n
16 ch – †105/110 € ††125/130 €, ⇌ 11 €
Rest – Menu (17 €), 27/49 € – Carte 26/52 €

♦ Cet authentique relais de poste du 17e s. a préservé son cachet : vieilles pierres et briques en façade, chambres de caractère (beaux meubles chinés) et jolie cour pavée. Restaurant-rôtisserie occupant d'anciennes écuries, terrasse et gibier en saison.

Le Chat Botté sans rest
25 r. Tholozé – ℘ 03 27 14 58 59 – www.hotel-lechatbotte.com
– hotel.lechatbotte@wanadoo.fr – Fax 03 27 14 58 60 AX p
33 ch – †75/87 € ††75/91 €, ⇌ 11 €

♦ Fer forgé, bois, mobilier contemporain et couleurs gaies : décor ludique et ambiance chaleureuse dans une sympathique maison abritant des chambres paisibles et douillettes.

Ibis sans rest
90 r. Baudouin l'Édifieur – ℘ 03 27 22 80 80 – www.ibishotel.com – h6549@accor.com – Fax 03 27 22 80 81 BZ k
72 ch – †70/74 € ††70/74 €, ⇌ 8 €

♦ Cet hôtel proche du stade de football de Nungesser vous propose des chambres pratiques, progressivement rénovées. Les plus : parking fermé, garage et quelques cuisinettes.

Notre Dame sans rest
1 pl. Abbé Thellier de Poncheville – ℘ 03 27 42 30 00
– www.hotel-valenciennes-notredame.com – hotel.notredame@wanadoo.fr
– Fax 03 27 45 12 68 – Fermé 20 déc.-4 janv. BY s
35 ch – †55/65 € ††58/70 €, ⇌ 9 €

♦ Deux bâtisses face à l'église éponyme du 15e s. Chambres bourgeoises dans la partie ancienne, fonctionnelles dans l'autre et calme assuré pour celles donnant sur le jardinet.

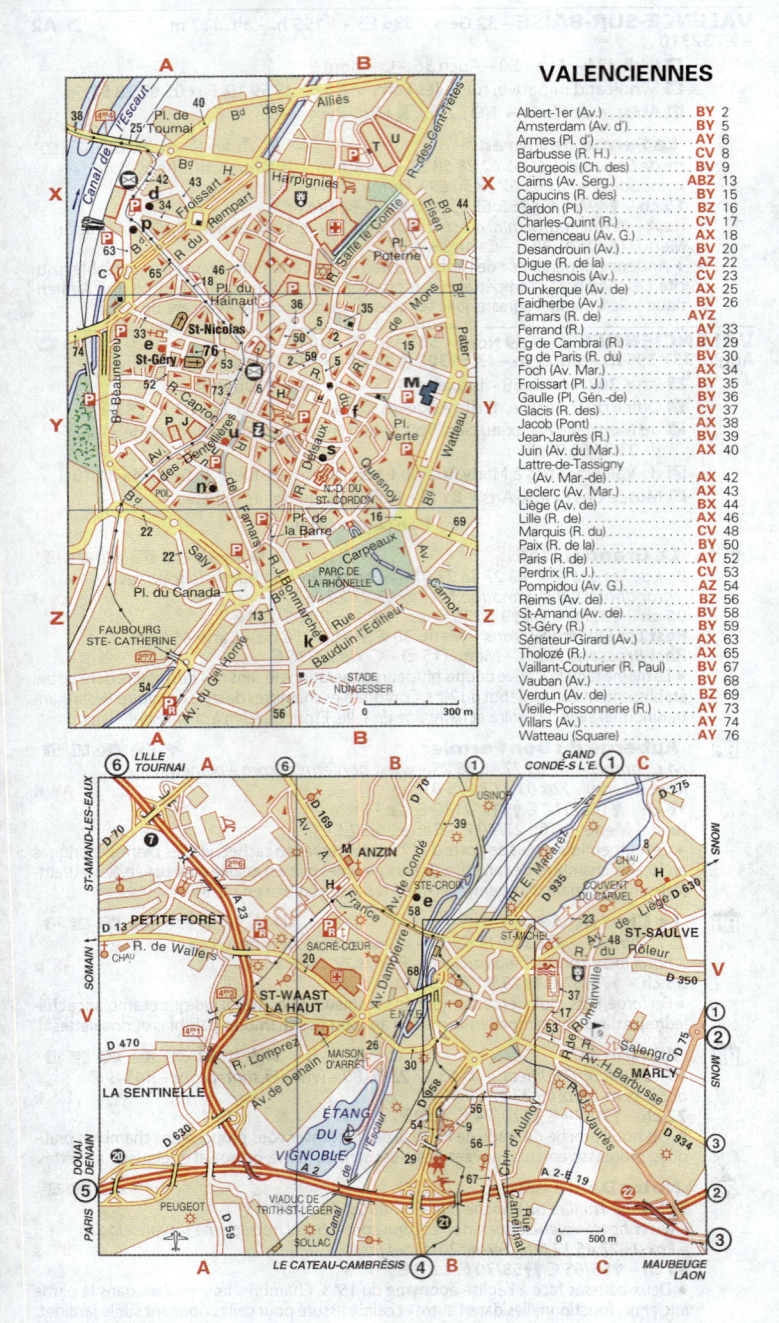

VALENCIENNES

Albert-1er (Av.)	**BY**	2
Amsterdam (Av. d'.)	**BY**	5
Armes (Pl. d')	**AY**	6
Barbusse (R. H.)	**CV**	8
Bourgeois (Ch. des)	**BV**	9
Cairns (Av. Serg.)	**ABZ**	13
Capucins (R. des)	**BY**	15
Cardon (Pl.)	**BZ**	16
Charles-Quint (R.)	**CV**	17
Clemenceau (Av. G.)	**AX**	18
Desandrouin (Av.)	**BV**	20
Digue (R. de la)	**AZ**	22
Duchesnois (Av.)	**CV**	23
Dunkerque (Av. de)	**AX**	25
Faidherbe (Av.)	**BV**	26
Famars (R. de)	**AYZ**	
Ferrand (R.)	**AY**	33
Fg de Cambrai (R.)	**BY**	29
Fg de Paris (R. du)	**BV**	30
Foch (Av. Mar.)	**AX**	34
Froissart (Pl. J.)	**BY**	35
Gaulle (Pl. Gén.-de)	**BY**	36
Glacis (R. des)	**CV**	37
Jacob (Pont)	**AX**	38
Jean-Jaurès (R.)	**BV**	39
Juin (Av. du Mar.)	**AX**	40
Lattre-de-Tassigny (Av. Mar.-de)	**AX**	42
Leclerc (Av. Mar.)	**AX**	43
Liège (Av. de)	**BX**	44
Lille (R. de)	**AX**	46
Marquis (R. du)	**CV**	48
Paix (R. de la)	**BY**	50
Paris (R. de)	**AY**	52
Perdrix (R. J.)	**CV**	53
Pompidou (Av. G.)	**AZ**	54
Reims (Av. de)	**BZ**	56
St-Amand (Av. de)	**BV**	58
St-Géry (R.)	**BY**	59
Sénateur-Girard (Av.)	**AX**	63
Tholozé (R.)	**AX**	65
Vaillant-Couturier (R. Paul)	**BV**	67
Vauban (Av.)	**BV**	68
Verdun (Av. de)	**BZ**	69
Vieille-Poissonnerie (R.)	**AY**	73
Villars (Av.)	**AY**	74
Watteau (Square)	**AY**	76

VALENCIENNES

%% **L'Endroit** 🛱 VISA 🚳 AE
69 r. du Quesnoy – ℰ *03 27 42 99 23* – *www.restaurant-lendroit.fr* – *lionel.coint@
nordnet.fr* – *Fax 03 27 42 99 23* – *Fermé dim. soir et lundi* BY f
Rest – Menu (25 €), 30 € – Carte 45/55 €
♦ Un écran TV trône dans la salle et retransmet en direct l'activité des brigades en cuisine. Élégant décor contemporain, ambiance branchée, carte réduite et suggestions du marché.

%% **Les Salons Brabant** 🛱 VISA 🚳 ①
68 r. de Paris – ℰ *03 27 26 04 03* – *www.lessalonsbrabant.com*
⊂⊃ – *lessalonsbrabant@orange.fr* – *Fax 03 27 26 04 03* – *Fermé dim. soir et lundi*
Rest – Menu 31 € (sem.)/47 € – Carte 40/55 €
Rest *La Véranda* – *(fermé dim. et lundi)* Menu (11 €), 17 € bc (déj. en sem.)/25 € AY e
– Carte 23/31 €
♦ Le mobilier moderne met superbement en valeur le décor de style Napoléon III (moulures, stucs, peintures, etc.) de cette belle salle coiffée d'une verrière. Carte traditionnelle. Cadre façon bistrot et cuisine simple assortie de suggestions du jour à la Véranda.

à Quiévrechain 12 km au Nord-Est par D 630 – 5 705 h. – alt. 32 m – ⊠ 59920

%% **Le Manoir de Tombelle** 🚗 🛱 ✥ P VISA 🚳
135 av. J. Jaurès – ℰ *03 27 35 12 30* – *Fax 03 27 26 27 61* – *Fermé 1ᵉʳ-19 août,
26 déc.-2 janv. et le soir sauf sam.*
Rest – Menu (20 €), 25 € (déj. en sem.), 27/49 € – Carte environ 48 €
♦ Villa bourgeoise des années 1920 nichée dans un grand jardin avec étang. Cuisine traditionnelle servie dans de confortables salles à manger (cheminées) ou sous la tonnelle.

à Artres 11 km par ④, D 958 et D 400 – 1 057 h. – alt. 65 m – ⊠ 59269

🏠 **La Gentilhommière** ⌾ 🎵 🛱 ⁽ᵠ⁾ 🕿 P VISA 🚳 AE ①
(face à l'église) – ℰ *03 27 28 18 80* – *www.hotel-lagentilhommiere.com*
– *la.gentilhommiere@wanadoo.fr* – *Fax 03 27 28 18 81* – *Fermé 2-27 août,
26-30 déc. et dim. soir*
10 ch – ♦85 € ♦♦100 €, ⊆ 11 € **Rest** – Menu 36/62 € – Carte 39/63 €
♦ Deux hectares de verdure entourent cette ferme du 18ᵉ s. joliment restaurée dont les chambres, spacieuses et calmes, regardent le jardin intérieur. Généreuse cuisine actuelle dans un séduisant restaurant voûté où affleurent les briques rouges.

Z. I. de Prouvy-Rouvignies 5 km par ⑤ et D 630 – ⊠ 59300 **Valenciennes**

🏨 **Novotel** 🚗 🛱 ⅗ & ch, ⁴⁄ 🕿 P VISA 🚳 AE ①
Parc d'activité de l'Aérodrome – ℰ *03 27 21 12 12* – *www.novotel.com* – *h0456@
accor.com* – *Fax 03 27 21 06 02*
80 ch – ♦62/150 € ♦♦62/150 €, ⊆ 17 € **Rest** – Carte 25/45 €
♦ Le centre-ville se trouve à 15 minutes de cet hôtel bordant l'axe Paris-Bruxelles, et bénéficiant depuis peu des nouvelles normes de la chaîne (plaisant décor contemporain). Pause déjeuner ou dîner au restaurant.

VALESCURE – 83 Var – **340** P5 – **rattaché à St-Raphaël**

VALGORGE – 07 Ardèche – **331** G6 – 407 h. – alt. 560 m – ⊠ 07110   44 **A3**
🟩 Lyon et la vallée du Rhône

▶ Paris 614 – Alès 76 – Aubenas 37 – Langogne 46 – Privas 69
– Le Puy-en-Velay 83

🏠 **Le Tanargue** ⌾ ≤ 🚗 🛉 ⁴⁄ P 🕿 VISA 🚳 AE
⊂⊃ – ℰ *04 75 88 98 98* – *www.hotel-le-tanargue.com* – *hoteltanargue@wanadoo.fr*
– *Fax 04 75 88 96 09* – *Ouvert 15 mars-25 nov. et fermé dim. soir et lundi sauf
du 5 avril au 28 sept. et vacances de la Toussaint*
22 ch – ♦37/51 € ♦♦46/59 €, ⊆ 8 € – ½ P 45/55 €
Rest – Menu (11 €), 16/34 € – Carte 32/50 €
♦ Hôtel familial situé au pied du massif du Tanargue. Les chambres cossues et scrupuleusement tenues, disposant parfois d'un balcon, ouvrent sur le parc ou la vallée. Salle à manger d'inspiration rustique agrémentée de vieux objets. Vente de produits du terroir.

VALIGNAT – 03 Allier – **326** F5 – **rattaché à Charroux**

VALLAURIS – 06 Alpes-Maritimes – **341** D6 – **rattaché à Golfe-Juan**

VALLERAUGUE – 30 Gard – **339** G4 – 1 081 h. – alt. 346 m – ✉ 30570 23 **C2**
▌Languedoc Roussillon

> ▶ Paris 684 – Mende 100 – Millau 75 – Nîmes 86 – Le Vigan 22
> ▌Office de tourisme, quartier des Horts ℘ 04 67 82 25 10, Fax 04 67 64 82 15

Hostellerie Les Bruyères VISA ⓜⓒ
– ℘ 04 67 82 20 06 – Fax 04 67 82 20 06 – Ouvert 1ᵉʳ mai-5 oct.
20 ch – ♦48 €, ♦♦48/61 €, ☐ 8 € – ½ P 48/55 €
Rest – Menu 16/38 € – Carte 30/47 €
♦ Ancien relais de poste situé dans un pittoresque village cévenol. Un bel escalier dessert des chambres simples, très propres et dotées d'une bonne literie. La salle de restaurant champêtre est complétée par une charmante terrasse d'été surplombant la rivière.

rte du Mont-Aigoual 4 km sur D 986 – ✉ 30570

Auberge Cévenole P VISA ⓜⓒ
La Pénarié – ℘ 04 67 82 25 17 – auberge.cevenole@wanadoo.fr
– Fax 04 67 82 26 26 – Fermé 1ᵉʳ déc.-2 janv., lundi soir et mardi sauf juil.-août
6 ch – ♦42 €, ♦♦42 €, ☐ 7 € – ½ P 47 €
Rest – Menu (13 €), 18/29 € – Carte 20/48 €
♦ L'Hérault musarde au pied de cette sympathique auberge de pays située sur la route du mont Aigoual. Petites chambres fraîches et garnies d'un mobilier régional. Coquette salle à manger (poutres, cheminée, objets agrestes) et terrasse qui domine la rivière.

VALLET – 44 Loire-Atlantique – **316** I5 – 7 906 h. – alt. 54 m – ✉ 44330 34 **B2**

> ▶ Paris 375 – Ancenis 27 – Cholet 36 – Clisson 10 – Nantes 27
> ▌Syndicat d'initiative, 1, place Charles-de-Gaulle ℘ 02 40 36 35 87, Fax 02 40 36 29 13

Château d'Yseron sans rest P VISA ⓜⓒ
4 km au Nord-Est par D 116 – ℘ 02 51 71 70 40 – www.yseron.net – ostalbin@wanadoo.fr – Fax 02 51 71 70 11
5 ch ☐ – ♦80/120 € ♦♦80/120 €
♦ En plein vignoble, charmante demeure de 1830 : chambres au mobilier d'époque 18ᵉ-19ᵉ s., galerie ornée de ravissantes fresques, et dégustation du Muscadet produit au domaine.

Don Quichotte avec ch P VISA ⓜⓒ
35 rte de Clisson – ℘ 02 40 33 99 67
– donquichottevallet@wanadoo.fr – Fax 02 40 33 99 72
– Fermé 21 juil.-4 août, 21 déc.-5 janv., dim. soir et lundi midi
12 ch – ♦55 € ♦♦59 €, ☐ 9,50 € – ½ P 58 €
Rest – Menu (14 €), 20/33 €
♦ De grandes fresques parent les murs de cet ex-moulin, au cœur du vignoble. Salle à manger-véranda ; plats traditionnels composés selon les produits du marché (de préférence bio).

VALLIÈRES – 37 Indre-et-Loire – **317** M4 – **rattaché à Tours**

VALLOIRE – 73 Savoie – **333** L7 – 1 243 h. – alt. 1 430 m – Sports 45 **D2**
d'hiver : 1 430/2 600 m ≰2 ≰31 – ✉ 73450 ▌Alpes du Nord

> ▶ Paris 664 – Albertville 91 – Briançon 52 – Chambéry 104 – Lanslebourg-Mont-Cenis 57
> ▌Office de tourisme, rue des Grandes Alpes ℘ 04 79 59 03 96, Fax 04 79 59 09 66
> ◉ Col du Télégraphe ≤★ N : 5 km.

VALLOIRE

Grand Hôtel de Valloire et du Galibier
r. des Grandes-Alpes – ℰ 04 79 59 00 95
– www.grand-hotel-valloire.com – info@grand-hotel-valloire.com
– Fax 04 79 59 09 41 – Ouvert 13 juin-12 sept. et 19 déc.-10 avril
44 ch – †70/90 € ††70/100 €, ⇌ 14 € – ½ P 75/105 €
Rest *L'Escarnavé* – Menu 24/61 € – Carte 38/68 €

♦ Oubliez la façade un peu défraîchie de cet imposant hôtel. Face aux pistes, il abrite des chambres rénovées, boisées de bonne dimension et une piscine d'été. Salle en rotonde, cheminée en cuivre pour le "feu de joie" (escarnavé en patois) et cuisine classique.

Christiania
av. de la Vallée d'Or – ℰ 04 79 59 00 57 – www.christiania-hotel.com – info@christiania-hotel.com – Fax 04 79 59 00 06 – Ouvert 15 juin-15 sept. et 13 déc.-20 avril
24 ch – †56/69 € ††59/74 €, ⇌ 10 € – 2 suites – ½ P 59/79 €
Rest – Menu 17/35 € – Carte 27/52 €

♦ Chalet fleuri situé sur l'avenue où se déroule l'insolite concours de sculptures sur neige. Chambres bien tenues rajeunies dans un esprit montagnard. Accueil familial, restaurant traditionnel en salle s'ouvrant sur une terrasse, façon brasserie le midi au bar.

aux Verneys 2 km au Sud - ✉ 73450 Valloire

Relais du Galibier
– ℰ 04 79 59 00 45 – www.relais-galibier.com – info@relais-galibier.com
– Fax 04 79 83 31 89 – Ouvert 13 juin-12 sept. et 19 déc.-5 avril
26 ch – †53/57 € ††57/65 €, ⇌ 10 € – ½ P 58/79 €
Rest – Menu 17 €, 23/34 € – Carte 26/37 €

♦ Engageant chalet familial à 100 m des pistes de ski l'hiver. Chambres simples, nettes, certaines avec vue sur le Grand Galibier. Dans une salle aux larges baies vitrées on se régale des généreuses recettes régionales élaborées avec des produits de qualité.

VALLON-PONT-D'ARC – 07 Ardèche – 331 I7 – 2 359 h. – alt. 117 m   44 A3
– ✉ 07150 ▌Lyon et la vallée du Rhône

▸ Paris 658 – Alès 47 – Aubenas 32 – Avignon 81 – Carpentras 95 – Montélimar 59

▪ Office de tourisme, 1, place de l'ancienne gare ℰ 04 75 88 04 01, Fax 04 75 88 41 09

▫ Gorges de l'Ardèche★★★ au SE – Arche★★ de Pont d'Arc SE : 5 km.

Le Clos des Bruyères
rte des Gorges – ℰ 04 75 37 18 85 – www.closdesbruyeres.fr
– closdesbruyeres@online.fr – Fax 04 75 37 14 89 – Ouvert avril-fin sept.
32 ch – †58/75 € ††60/75 €, ⇌ 8 € – ½ P 59/65 €
Rest – ℰ 04 75 37 20 92 *(fermé merc. midi)* Menu (11 €), 23/30 € – Carte 21/37 €

♦ Hôtel récent situé à 100 m de l'Ardèche (location de canoës). Les chambres, avec balcon ou en rez-de-jardin, sont spacieuses et simplement décorées. Au restaurant, coiffé d'une charpente apparente, vous goûterez une cuisine traditionnelle orientée terroir.

Le Manoir du Raveyron
r. Henri Barbusse – ℰ 04 75 88 03 59 – www.manoir-du-raveyron.com
– le.manoir.du.raveyron@wanadoo.fr – Fax 04 75 37 11 12 – Ouvert de mi-mars à mi- oct.
8 ch ⇌ – †55/60 € ††66/88 € – ½ P 57/67 €
Rest – *(dîner seult sauf dim.)* Menu 29 €, 35/48 € – Carte 36/48 €

♦ Cette demeure du 16ᵉ s. située dans une rue calme abrite des petites chambres coquettes et personnalisées. Agréable cour ombragée et fleurie. Plaisante salle à manger voûtée où l'on déguste des plats au goût du jour préparés avec des produits du terroir.

VALLORCINE – 74 Haute-Savoie – 328 O4 – 390 h. – alt. 1 260 m   45 D1
– Sports d'hiver : 1 260/1 400 m ⚡2 🛷 – ✉ 74660 ▌Alpes du Nord

▸ Paris 628 – Annecy 115 – Chamonix-Mont-Blanc 19 – Thonon-les-Bains 96

▪ Office de tourisme, Maison du Betté ℰ 04 50 54 60 71, Fax 04 50 54 61 73

VALLORCINE

L'Ermitage sans rest
au Buet, 2 km au Sud-Ouest par D 1506 et rte secondaire – ℰ 04 50 54 60 09
– www.chamonix-montblanc.net/ermitage/ – hotel-ermitage@wanadoo.fr
– Fax 04 50 54 64 38 – Ouvert 7 fév.-4 mai, 7 juin-21 sept. et 26 déc.-4 janv.
15 ch – †40/70 € ††68/80 €, ⊇ 11 €
♦ Atmosphère chaleureuse dans ce coquet chalet surplombant le village, à 400 m de la gare. Chambres sobrement et diversement aménagées. Plaisant petit jardin ombragé.

VALLOUX – 89 Yonne – 319 G6 – rattaché à Avallon

VALMONT – 76 Seine-Maritime – 304 D3 – 993 h. – alt. 60 m 33 **C1**
– ✉ 76540 ▊ Normandie Vallée de la Seine

▪ Paris 193 – Bolbec 22 – Dieppe 58 – Fécamp 11 – Le Havre 48 – Rouen 67 – Yvetot 28
▪ Syndicat d'initiative, Mairie ℰ 02 35 10 08 12, Fax 02 35 10 08 12
▪ Abbaye★.

Le Bec au Cauchois avec ch
22 r. A.-Fiquet, 1,5 km à l'Ouest par rte de Fécamp – ℰ 02 35 29 77 56
– www.lebecaucauchois.com – lebecaucauchois@orange.fr – Fax 02 35 29 77 52
– Fermé 5-22 oct. et 4-28 janv.
5 ch – †75 € ††75 €, ⊇ 10 €
Rest – (fermé merc. sauf le soir de mai à sept. et mardi) Menu (18 €), 27/56 € – Carte 41/52 €
♦ Idéale pour une halte gourmande, cette auberge propose deux ambiances – rustique ou contemporaine – pour faire honneur à sa cuisine actuelle de produits locaux. Les chambres, toutes de plain-pied, simples et lumineuses, donnent sur le jardin ou sur l'étang.

VALOJOULX – 24 Dordogne – 329 H5 – 236 h. – alt. 75 m – ✉ 24290 4 **D1**

▪ Paris 523 – Bordeaux 195 – Périgueux 65 – Brive-la-Gaillarde 53 – Sarlat-la-Canéda 25

La Licorne
– ℰ 05 53 50 77 77 – www.licorne-lascaux.com – licornelascaux@free.fr
– Fax 05 53 50 77 77 – Ouvert d'avril à oct.
5 ch ⊇ – †58 € ††65/90 €
Table d'hôte – (Fermé dim., lundi, mardi et merc.) Menu 22 €
♦ Vous rêvez d'un séjour alliant tranquillité, découverte du terroir périgourdin et convivialité ? Cette charmante demeure est idéale. Chambres joliment rustiques, grand jardin. Belle table d'hôte sous une magnifique charpente en bois.

VALRAS-PLAGE – 34 Hérault – 339 E9 – 3 625 h. – alt. 1 m – Casino 23 **C2**
– ✉ 34350 ▊ Languedoc Roussillon

▪ Paris 767 – Agde 25 – Béziers 16 – Montpellier 76
▪ Office de tourisme, place René Cassin ℰ 04 67 32 36 04, Fax 04 67 32 33 41

Mira-Mar
bd Front de Mer – ℰ 04 67 32 00 31 – www.hotel-miramar.org – info@hotel-miramar.org – Fax 04 67 32 51 21 – Ouvert mars-fin oct.
27 ch – †59/102 € ††59/102 €, ⊇ 8 € – 3 suites – ½ P 55/81 €
Rest – (fermé dim. soir et merc. sauf juil.-août) Menu (16 €) – Carte 27/57 €
♦ Nul doute : la majorité des chambres de cet immeuble "mira el mar" ("regarde la mer" en espagnol). Hébergement clair et pratique ; quatre spacieux appartements. Bar-glacier. Salle à manger feutrée, terrasse face à la grande bleue et carte traditionnelle.

Albizzia sans rest
bd Chemin Creux – ℰ 04 67 37 48 48 – hotelalbizziavalras@wanadoo.fr
– Fax 04 67 37 58 10
27 ch – †46/76 € ††48/76 €, ⊇ 7 €
♦ À 200 m de la plage, sympathique hôtel aux abords assez cossus, agrémentés d'un jardinet méditerranéen et d'une piscine. Chambres fonctionnelles, certaines avec loggia.

VALRAS-PLAGE

XX **Le Delphinium**
av. Élysées, (face au casino) – ℘ 04 67 32 73 10 *– ledelphinium@wanadoo.fr
– Fax 04 67 32 73 10 – Fermé vacances de la Toussaint et lundi sauf d'avril à octobre*
Rest – Menu (21 € bc), 28/48 € – Carte 52/70 €
♦ Discrète façade voisine du casino abritant une salle à manger claire et lumineuse, meublée en fer forgé. Terrasse d'été et cuisine au goût du jour gorgée de soleil.

XX **La Méditerranée**
32 r. Ch. Thomas – ℘ 04 67 32 38 60 *– mediterranee32@wanadoo.fr
– Fax 04 67 32 30 91 – Fermé 12-30 nov., 5-23 janv., mardi sauf le soir en saison et lundi.*
Rest – Menu 17/45 € – Carte 25/70 €
♦ Petit restaurant familial situé dans une rue piétonne tout près de l'embouchure de l'Orb. Cadre rustique, grande terrasse et cuisine traditionnelle orientée poisson.

VALRÉAS – 84 Vaucluse – **332** C7 – 9 771 h. – alt. 250 m – ✉ 84600   40 **A2**
▌Provence

▶ Paris 639 – Avignon 67 – Crest 51 – Montélimar 38 – Nyons 14 – Orange 37
🄸 Office de tourisme, avenue Maréchal Leclerc ℘ 04 90 35 04 71, Fax 04 90 35 03 60

XX **Au Délice de Provence**
6 La Placette, (centre ville) – ℘ 04 90 28 16 91 *– Fax 04 90 37 42 49 – Fermé mardi et merc.*
Rest – Menu (17 €), 26/30 € – Carte 47/64 €
♦ Les murs sacrés d'une ancienne synagogue accueillent cette grande salle à manger ensoleillée, divisée en deux par de belles arcades. Appétissante cuisine au goût du jour.

VALS-LES-BAINS – 07 Ardèche – **331** I6 – 3 741 h. – alt. 210 m   44 **A3**
– Stat. therm. : fin fév.-début déc. – Casino – ✉ 07600
▌Lyon et la vallée du Rhône

▶ Paris 629 – Aubenas 6 – Langogne 58 – Privas 33 – Le Puy-en-Velay 87
🄸 Office de tourisme, 116 bis, avenue Jean Jaurès ℘ 04 75 89 02 03, Fax 04 75 89 02 04

Plan page suivante

🏨 **Grand Hôtel de Lyon**
11 av. P. Ribeyre – ℘ 04 75 37 43 70 *– www.grandhoteldelyon.fr – info@grandhoteldelyon.fr – Fax 04 75 37 59 11 – Ouvert 10 avril-4 oct.*   s
34 ch – ♦60/72 € ♦♦68/94 €, ⊇ 9 € – ½ P 56/69 €
Rest – Menu (16 €), 22/45 € – Carte 27/50 €
♦ Situation très centrale, à 100 m du parc de la source intermittente, pour ces chambres spacieuses et bien tenues. Piscine découvrable. De grandes baies vitrées éclairent l'agréable salle à manger ornée d'une fresque originale.

🏨 **Helvie**
5 av. Expilly – ℘ 04 75 94 65 85 *– www.hotel-helvie.com – courriel@hotel-helvie.com – Fax 04 75 37 47 63*   b
27 ch – ♦65/150 € ♦♦65/150 €, ⊇ 12 € – ½ P 98/184 €
Rest – Menu (19 € bc), 29/59 € – Carte 53/63 €
♦ À proximité du parc et du casino, cet hôtel rénové a retrouvé son éclat grâce à un décor classique, chic et feutré. Chambres confortables, salon-bar cossu, belle piscine. Cuisine dans l'air du temps au restaurant, soigné et élégant.

🏠 **Château Clément** ⊗
La Châtaigneraie – ℘ 04 75 87 40 13 *– www.chateauclement.com – contact@chateauclement.com – Fermé 15 déc.-15 mars*   a
5 ch ⊇ – ♦135 € ♦♦135/230 €
Table d'hôte – *(fermé mardi, merc. et dim.)* Menu 55 € bc/60 € bc
♦ Sur les hauteurs de la ville, dans un parc aux essences exotiques, cette demeure (19ᵉ s.) vous ouvre ses salons élégants. Superbes chambres – et une suite – décorées avec goût. Cuisine traditionnelle de produits bio et régionaux servis à la table d'hôte.

1955

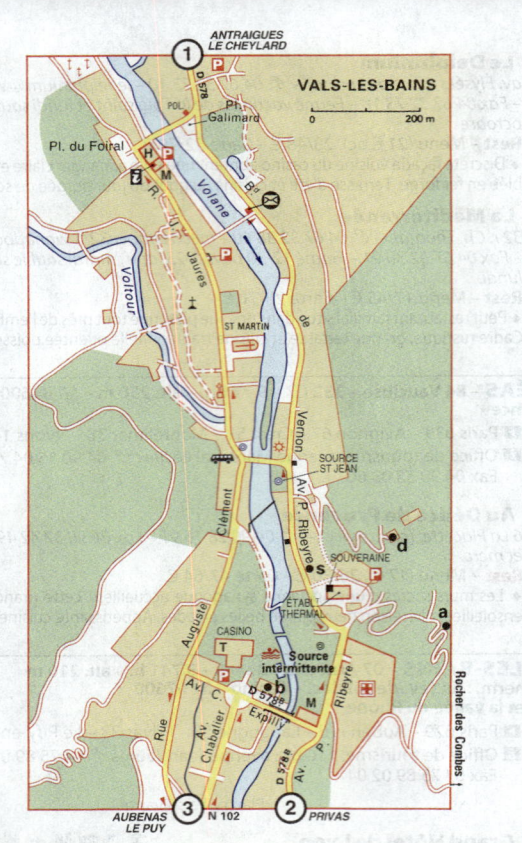

VALS-LES-BAINS

🏠 **Villa Aimée** ⊗ ≤ 🚗 🏊 📶 🅿️ VISA ⓜ
8 montée des Aulagniers – ☎ *04 75 88 52 75 – www.villaaimee.com*
– villa.aimee@hotmail.com – Fax 04 75 88 52 75 **d**
4 ch 🍽 – †75/110 € ††89/125 € – 2 suites
Table d'hôte – *(réservation indispensable)* Menu 30 € bc
♦ Sur les hauteurs de la station, cette grande villa jouit de la tranquillité et d'une belle vue. Chambres et suites personnalisées, piscine en contrebas et accueil charmant. Table d'hôtes proposée dans un salon rustique.

VAL-THORENS – 73 Savoie – **333** M6 – alt. 2 300 m – Sports d'hiver :   46 **F2**
2 300/3 200 m ⛷ 4 ⛷ 25 – ⊠ 73440 St-Martin-de-Belleville   🟢 **Alpes du Nord**
▶ Paris 640 – Albertville 60 – Chambéry 109 – Moûtiers 36
🛈 Office de tourisme, immeuble Eskival ☎ 04 79 00 08 08, Fax 04 79 00 00 04
◉ Cime de Caron ✳ ★★★ (accès par le téléphérique de Caron).

🏨 **Le Val Thorens** ⊗   ≤ 🍽 📺 ⚐ ch, ⚙ VISA ⓜ AE ①
– ☎ *04 79 00 04 33 – www.levalthorens.com – contact@levalthorens.com*
– Fax 04 79 00 09 40 – Ouvert 5 déc.-26 avril
80 ch 🍽 – †100/202 € ††160/324 € – 1 suite
Rest *Le Bellevillois* – *(ouvert 7 déc.-19 avril) (dîner seult)* Menu 48 € – Carte 42/63 €
Rest *La Fondue* – *(ouvert 22 déc.-14 avril) (dîner seult)* Menu 23 € – Carte 30/39 €
♦ Au cœur de la station, cette construction assez récente abrite de grandes chambres à la mode alpine avec balcons. Equipement complet de remise en forme, ski room et boutique. Cuisine gastronomique au Bellevillois. Ambiance et recettes montagnardes à la Fondue.

VAL-THORENS

Mercure
- ℰ 04 79 00 04 04 – www.mercurevalthorens.com – reception@mercurevalthorens.com – Fax 04 79 00 05 93 – Ouvert 2 déc.-29 avril
104 ch – ♦112 € ♦♦160 €, ⊇ 10 € – ½ P 140/160 €
Rest – Menu (16 €), 30 € (dîner)/40 € – Carte environ 32 €
♦ Au pied des pistes, confortable hôtel dont les chambres offrent de belles échappées sur les glaciers. Bar d'ambiance, boutique d'articles de ski.

Le Sherpa
r. de Gébroulaz – ℰ 04 79 00 00 70 – www.lesherpa.com – courrier@lesherpa.com – Fax 04 79 00 08 03 – Ouvert 29 nov.-3 mai
52 ch (½ P seult) – 4 suites – ½ P 85/185 €
Rest – Menu (22 €), 33 € (dîner) – Carte 28/48 €
♦ Chalet récent avec les pistes de ski à portée de bâton. Chambres et duplex rénovés : lambris, murs blancs et meubles en pin. Salon-bar au coin du feu et espace Internet. Au restaurant, chaleureuse ambiance de chalet savoyard et recettes de tradition.

Les Trois Vallées
Grande Rue – ℰ 04 79 00 01 86 – www.hotel3vallees.com – reservation@hotel3vallees.com – Fax 04 79 00 04 08 – Ouvert 24 nov.-5 mai
29 ch ⊇ – ♦70/170 € ♦♦108/240 €
Rest – (dîner seult) Menu 25/31 € – Carte 28/53 €
♦ Le plus grand domaine skiable des Alpes a prêté son nom à ce bâtiment moderne. Chambres fonctionnelles, dont 7 "familiales". Du salon-bar, joli coup d'œil sur les cimes. Salle à manger décorée dans un esprit montagnard. Carte traditionnelle.

L'Oxalys (Jean Sulpice)
- ℰ 04 79 00 12 00 – www.jean-sulpice.com – jean-sulpice@loxalys.com – Fax 04 79 00 24 10 – Ouvert 4 juil.-29 août et 1er déc.-24 avril
Rest – Menu 48/150 € bc – Carte 80/110 €
Spéc. Soupe de châtaigne en chaud-froid de parmesan et truffe (hiver). Féra du lac Léman, légumes d'hiver sur fine pâte de polenta. Pomme en coque meringuée, miel de montagne et parfum d'Antésite. **Vins** Vin de Pays de l'Allobrogie, Mondeuse d'Arbin.
♦ Ici, vous apprécierez les délicieuses recettes inventives du chef (aussi sommelier) combinées à de bons crus régionaux et du Rhône. Jolie vue sur le domaine skiable.

LE VALTIN – 88 Vosges – 314 K4 – 95 h. – alt. 751 m – ⌧ 88230   27 D3
▸ Paris 440 – Colmar 46 – Épinal 55 – Guebwiller 55 – St-Dié 27 – Col de la Schlucht 10

Auberge du Val Joli avec ch
12 bis le village – ℰ 03 29 60 91 37 – www.levaljoli.com – contact@levaljoli.com – Fax 03 29 60 81 73 – Fermé dim. soir, lundi soir, mardi midi sauf vacances scolaires et lundi midi sauf fériés
10 ch – ♦82 € ♦♦82/140 €, ⊇ 12 € – ½ P 72/90 €
Rest – Menu 22 € (sem.), 31/70 € – Carte 42/70 €
♦ Deux salles à manger : l'une de style rustique, l'autre dotée d'une large verrière ouverte sur la terrasse, face à la nature. Cuisine du terroir actualisée. Chambres rénovées.

LA VANCELLE – 67 Bas-Rhin – 315 H7 – rattaché à Lièpvre

VANDŒUVRE-LÈS-NANCY – 54 Meurthe-et-Moselle – 307 H7 – rattaché à Nancy

Retrouvez tous les Bibs Gourmands ⊛ dans notre guide des "Bonnes Petites Tables du guide Michelin".
Pour bien manger à prix modérés, partout en France !

VANNES P – 56 Morbihan – **308** O9 – 53 700 h. – Agglo. 118 029 h. 9 **A3**
– alt. 20 m – ⊠ 56000 ▌Bretagne

- Paris 459 – Quimper 122 – Rennes 110 – St-Brieuc 107 – St-Nazaire 86
- Office de tourisme, 1, rue Thiers ℰ 08 25 13 56 10,
  Fax 02 97 47 29 49
- de Baden à Baden Kernic, par rte d'Auray et D 101 : 14 km,
  ℰ 02 97 57 18 96
- Vieille ville★★ AZ : Place Henri-IV★ AZ 10, Cathédrale St-Pierre★ B,
  Remparts★, Promenade de la Garenne ⇐★★ - La Cohue★ (anciennes halles)
  - Musée archéologique★ - Aquarium océanographique et tropical★ - Golfe
  du Morbihan★★ en bateau.

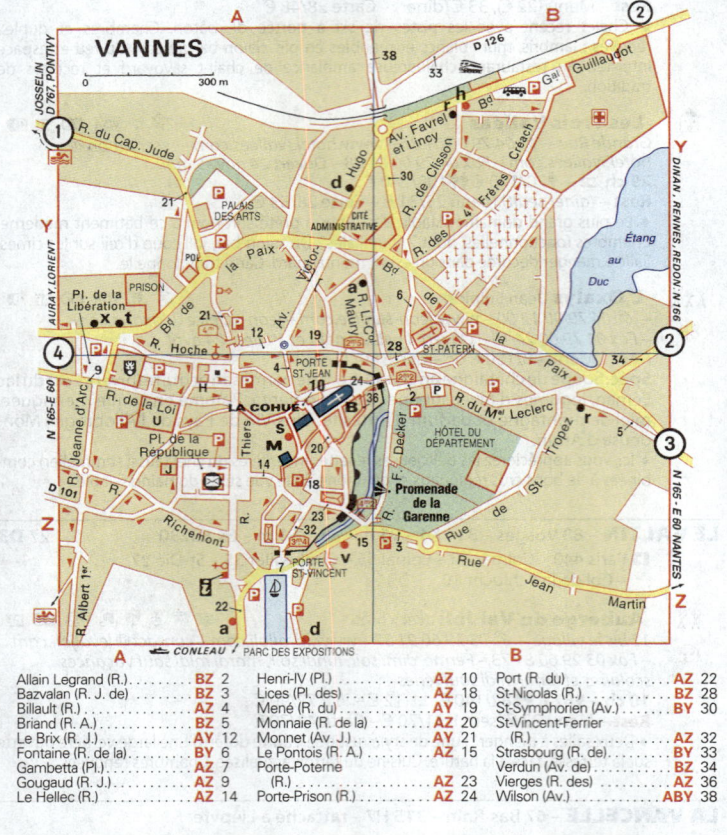

Allain Legrand (R.) . . . . **BZ** 2	Henri-IV (Pl.) . . . . **AZ** 10	Port (R. du) . . . . **AZ** 22
Bazvalan (R. J. de) . . . . **BZ** 3	Lices (Pl. des) . . . . **AZ** 18	St-Nicolas (R.) . . . . **BZ** 28
Billault (R.) . . . . **BZ** 4	Mené (R. du) . . . . **AY** 19	St-Symphorien (Av.) . . . . . . **BY** 30
Briand (R. A.) . . . . **BZ** 5	Monnaie (R. de la) . . . . **AZ** 20	St-Vincent-Ferrier
Le Brix (R. J.) . . . . **AY** 12	Monnet (Av. J.) . . . . **AZ** 21	(R.) . . . . **AZ** 32
Fontaine (R. de la) . . . . **BY** 6	Le Pontois (R. A.) . . . . **AZ** 15	Strasbourg (R. de) . . . . **BZ** 33
Gambetta (Pl.) . . . . **AZ** 7	Porte-Poterne	Verdun (Av. de) . . . . **BZ** 34
Gougaud (R. J.) . . . . **AZ** 9	(R.) . . . . **AZ** 23	Vierges (R. des) . . . . **AZ** 36
Le Hellec (R.) . . . . **AZ** 14	Porte-Prison (R.) . . . . **AZ** 24	Wilson (Av.) . . . . **ABY** 38

Mercure ⇐ 🏠 🖃 & ㎄ ⇆ ⁽⁾ 🖧 P 🖨 VISA ⓜ ㋐ ①
Le parc du Golfe, 2 km au Sud rte de Conleau – ℰ 02 97 40 44 52
– www.mercure-vannes.com – h2182-gm@accor-hotels.com
– Fax 02 97 63 03 20
89 ch – ♦65/115 € ♦♦69/125 €, ⊇ 14 €
Rest *Brasserie Edgar* – ℰ 02 97 40 68 08 – Menu (18 €), 23 €
– Carte 26/45 €

♦ Construction moderne en arc de cercle située près de l'Aquarium. Chambres spacieuses
et insonorisées (douze nouvelles), bénéficiant d'une vue sur le golfe du Morbihan. Les baies
vitrées du restaurant ouvrent sur la terrasse et sur un petit coin de verdure.

VANNES

Villa Kerasy sans rest
20 av. Favrel et Lincy – ℰ 02 97 68 36 83 – www.villakerasy.com – info@villakerasy.com – Fax 02 97 68 36 84 – Fermé 1er-29 mars et 15 nov.-11 déc.
15 ch – †97/128 € ††125/228 €, ⊋ 14 €
BY **r**
♦ Chaque chambre vous transporte littéralement dans une escale de la compagnie des Indes, pour un voyage plein de charme et d'attentions. Excellent petit-déjeuner, jardin japonais.

Best Western Vannes Centre
6 pl. de la Libération – ℰ 02 97 63 20 20
– www.bestwestern-vannescentre.com – info@bestwestern-vannescentre.com
– Fax 02 97 63 80 22
58 ch – †75/110 € ††75/110 €, ⊋ 13 €
AY **t**
Rest – Menu (15 €) – Carte environ 26 €
♦ Hôtel récent tout proche du centre historique et des commerces. Chambres contemporaines au cadre sobre et épuré. Salle de réunion pour la clientèle d'affaires. Fitness. Cuisine traditionnelle au restaurant, dont le décor s'aligne sur celui du lieu, actuel.

Marébaudière sans rest
4 r. A. Briand – ℰ 02 97 47 34 29 – www.marebaudiere.com – marebaudiere@wanadoo.fr – Fax 02 97 54 14 11
41 ch – †76/94 € ††76/94 €, ⊋ 10 €
BZ **r**
♦ À 5 mn à pied des remparts, bâtisse régionale coiffée d'ardoises, aux chambres colorées (tons bleu, jaune et rouille), très pratiques et bien équipées. Tenue irréprochable.

Manche-Océan sans rest
31 r. Lt-Col. Maury – ℰ 02 97 47 26 46 – www.manche-ocean.com – info@manche-ocean.com – Fax 02 97 47 30 86 – Fermé 18 déc.-10 janv.
41 ch – †51/85 € ††61/95 €, ⊋ 8,50 €
AY **a**
♦ Nouveaux atouts pour cet hôtel rénové de pied en cap : grandes chambres bien équipées (literie "king size", mobilier fonctionnel), bonne insonorisation et salle de séminaires.

Kyriad Image Ste-Anne
8 pl. de la Libération – ℰ 02 97 63 27 36 – www.kyriad-vannes.fr
– kyriad.vannes@wanadoo.fr – Fax 02 97 40 97 02
33 ch – †66/73 € ††66/80 €, ⊋ 8 € – ½ P 59/65 €
AY **x**
Rest – Menu (16 €), 21/30 € – Carte 36/46 €
♦ Cet établissement central recèle des chambres de bon confort, climatisées et bien insonorisées, ainsi qu'un bel espace séminaires flambant neuf. Chaleureux restaurant au décor breton (boiseries ouvragées, peintures d'une artiste locale) et carte traditionnelle.

France sans rest
57 av. V. Hugo – ℰ 02 97 47 27 57 – www.hotelfrance-vannes.com
– hotel-de-france-vannes@wanadoo.fr – Fax 02 97 42 59 17 – Fermé 21 déc.-5 janv.
AY **d**
30 ch – †54/66 € ††58/81 €, ⊋ 8 € – 1 suite
♦ On reconnaît aisément cet hôtel à sa façade de bois et de zinc. Chambres fraîches et fonctionnelles, rénovées il y a peu dans un plaisant style contemporain. Salon-véranda.

Régis
24 pl. de la Gare – ℰ 02 97 42 61 41 – Fax 02 97 54 99 01 – Fermé 29 juin-6 juil., 16-30 nov., 15 fév.-1er mars, dim. sauf le midi hors saison et lundi
BY **h**
Rest – Menu 25 € (déj. en sem.) – Carte 46/64 €
♦ Décoration soignée de style médiéval avec vitraux, copies de blasons anciens, murs en tuffeau et cheminée sculptée d'un chevalier en armure. Cuisine personnalisée.

La Table des Gourmets
6 r. A. Le Pontois – ℰ 02 97 47 52 44 – www.latabledesgourmets.com – contact@latabledesgourmets.com – Fax 02 97 47 15 87 – Fermé dim. soir et lundi du 15 sept. au 15 juin
AZ **v**
Rest – Menu (17 €), 26/60 € – Carte 53/61 €
♦ Face aux remparts de la vieille ville, un restaurant tout en blanc et beige égayé de tableaux représentant des coquelicots. Cuisine actuelle enrichie de touches régionales.

VANNES

Roscanvec
17 r. des Halles – ℰ 02 97 47 15 96 – roscanvec@yahoo.fr
– Fermé dim. et lundi
AZ s
Rest – (nombre de couverts limité, prévenir) Menu 20 € (déj. en sem.), 27/53 €
– Carte 51/58 €

♦ Maison à colombages d'une pittoresque ruelle piétonne. Quelques tables au rez-de-chaussée offrent le coup d'œil sur la cuisine. Salle principale à l'étage. Carte inventive.

Le Carré Blanc
28 r. du Port – ℰ 02 97 47 48 34 – www.lecarreblanc-vannes.com – lionelcolson@orange.fr – Fax 02 97 47 48 34 – Fermé sam. midi, dim. soir et lundi
AZ a
Rest – Menu (15 €), 20/25 € – Carte environ 30 €

♦ Un Carré Blanc carrément séduisant, dans une maison à colombages où tableaux et meubles contemporains égayent un intérieur immaculé. Cuisine actuelle simple et bien tournée.

Le Vent d'Est
23 r. Ferdinand Le Dressay – ℰ 02 97 01 34 53 – Fax 02 97 01 34 53
– Fermé 5-15 avril, 15 juil.-31 août, dim. sauf le midi d'oct. à mars et lundi
AZ d
Rest – Menu (14 €), 25 € – Carte 28/46 €

♦ Décor de winstub pour cette table située à l'étage d'une maison ancrée face au port de plaisance. Les Bretons y savourent des spécialités alsaciennes copieusement servies.

à St-Avé par ① et D 767, Nord : 6 km (près centre hospitalier spécialisé) – 10 104 h.
– alt. 50 m – ⌂ 56890

Le Pressoir (Bernard Rambaud)
7 r. de l'Hôpital, (par rte de Plescop), à 1.5 km – ℰ 02 97 60 87 63
– www.le.pressoir.st-ave.com – le.pressoir.st-ave@wanadoo.fr
– Fax 02 97 44 59 15 – Fermé 2-17 mars, 29 juin-7 juil., 5-20 oct., 4-12 janv., dim. soir, lundi et mardi
Rest – Menu 35 € (déj. en sem.), 56/94 € – Carte 63/130 €
Spéc. Homard breton à la tête de veau et vinaigrette façon ravigote. Galette de rouget aux pommes de terre et romarin. Petites crêpes à l'écorce d'orange et sorbet orange. **Vins** Muscadet de Sèvre et Maine sur lie.

♦ Une auberge séduisante à plus d'un égard : belle carte inventive honorant l'Armor, joli choix de vins, accueil chaleureux et nouveau décor contemporain semé de touches florales.

à Conleau Sud-Ouest : 4,5 km – ⌂ 56000 Vannes

◉ Presqu'île de Conleau ★ 30 mn.

Le Roof
10 allée des Frères Cadoret – ℰ 02 97 63 47 47 – www.le-roof.com – leroof@club-internet.fr – Fax 02 97 63 48 10
40 ch – †85/124 € ††108/151 €, ⌂ 13 €
Rest – Menu (25 € bc), 29/56 € – Carte 45/85 €
Rest Café de Conleau – Menu (15 €) – Carte 25/41 €

♦ Le charme de cet hôtel tient à son emplacement, sur une presqu'île dominant une anse peuplée de voiliers. Chambres fonctionnelles (certaines profitent de la vue). Le restaurant offre un beau panorama sur le golfe du Morbihan. Esprit bistrot au Café de Conleau.

rte d'Arradon par ④ et D 101 : 5 km – ⌂ 56610 Arradon

L'Arlequin
parc d'activités de Botquelen, (3 allée D.-Papin) – ℰ 02 97 40 41 41
– arlequin.caradec@wanadoo.fr – Fax 02 97 40 52 93 – Fermé sam. midi, dim. soir et merc.
Rest – Menu (18 €), 22/42 € – Carte 35/45 €

♦ Belle salle en rotonde coiffée d'une charpente, vue verdoyante et recettes actuelles alternant clins d'œil à la tradition et touches "fusion" : pensez à réserver !

VANNES

à Arradon par ④, D 101, D 101^A et D 127 : 7 km – 5 125 h. – alt. 40 m – ⊠ 56610
🛈 Syndicat d'initiative, 2, place de l'Église ☏ 02 97 44 77 44, Fax 02 97 44 81 22
◉ ≤★.

Le Logis de Parc er Gréo sans rest
au Gréo, 2 km à l'Ouest (dir. le Moustoir) –
☏ 02 97 44 73 03 – www.parcergreo.com – contact@parcergreo.com
– Fax 02 97 44 80 48 – Ouvert 13 mars-11 nov.
14 ch – †96/139 € ††96/139 €, ⊇ 14 € – 1 suite
♦ Maison entourée de verdure, aux intérieurs très soignés : agréable salon (maquettes de bateaux, belles aquarelles), chambres douillettes et personnalisées. Piscine chauffée.

Les Vénètes
à la pointe, 2 km – ☏ 02 97 44 85 85 – www.lesvenetes.com – Fax 02 97 44 78 60
– Fermé 2-20 janv.
10 ch – †90/230 € ††90/230 €, ⊇ 12 €
Rest – *(fermé dim. soir de sept. à juin)* Menu 40/70 € – Carte 56/108 €
♦ "Les pieds dans l'eau" : les chambres, joliment aménagées, bénéficient d'une vue exceptionnelle sur le golfe (balcons au 1er étage). Agréable salle à manger au décor marin, superbement située au bord de la "mor bihan" (petite mer en breton).

Le Médaillon
10 r. Bouruet Aubertot – ☏ 02 97 44 77 28 – http://lemedaillon.chez-alice.fr
– Fax 02 97 44 79 08 – Fermé 21-27 déc., dim. soir, mardi soir et merc. sauf du 14 juil. au 31 août
Rest – Menu 16/35 € – Carte 41/60 €
♦ Aux portes du village, ancien bar converti en restaurant. Poutres et pierres apparentes agrémentent la sobre salle à manger. Terrasse d'été sous la tonnelle et jeux d'enfants.

LES VANS – 07 Ardèche – **331** G7 – 2 727 h. – alt. 170 m – ⊠ 07140   44 **A3**
▌ Lyon et la vallée du Rhône

▶ Paris 663 – Alès 44 – Aubenas 37 – Pont-St-Esprit 66 – Privas 68 – Villefort 24
🛈 Office de tourisme, place Ollier ☏ 04 75 37 24 48, Fax 04 75 37 27 46

Le Carmel
montée du Carmel – ☏ 04 75 94 99 60 – www.le-carmel.com – contact@
le-carmel.com – Fax 09 59 61 80 37 – Ouvert 1er avril-11 nov.
26 ch – †45/55 € ††65/85 €, ⊇ 10 €
Rest – Menu (19 €), 28/42 € – Carte 45/58 €
♦ Dominant le bourg médiéval, ex-couvent carmélite abritant des chambres rénovées : tissus provençaux, murs ocres, mobilier en fer forgé et salles de bains neuves. Joli jardin. Salle à manger aux couleurs ensoleillées et terrasse ombragée. Plats du marché.

au Sud-Est 6 km par D 901 – ⊠ 07140 Les Vans

Mas de l'Espaïre
Combe de Mège – ☏ 04 75 94 95 01 – www.hotel-espaire.fr – espaire@
wanadoo.fr – Fax 04 75 37 21 00 – Fermé janv. et fév.
30 ch – †40/72 € ††60/95 €, ⊇ 9 €
Rest – *(fermé de nov. à avril) (dîner seult) (résidents seult)* Menu 25 €
♦ À l'orée du bois de Païolive, ex-magnanerie bercée par le chant des cigales. Les murs des vastes chambres laissent apparaître çà et là la pierre d'origine. Lits "king size". Agréable salle de restaurant et cuisine familiale.

VANVES – 92 Hauts-de-Seine – **311** J3 – **101** 25 – **voir à Paris, Environs**

VARADES – 44 Loire-Atlantique – **316** J3 – 3 403 h. – alt. 13 m   34 **B2**
– ⊠ 44370

▶ Paris 333 – Angers 40 – Cholet 42 – Laval 95 – Nantes 54
🛈 Syndicat d'initiative, place Jeanne d'Arc ☏ 02 40 83 41 88

VARADES

XX La Closerie des Roses ⇐ VISA ⓂⒸ AE Ⓞ
La Meilleraie, 1,5 km au Sud par rte de Cholet – ℘ 02 40 98 33 30
– www.lacloseriedesroses.com – Fax 02 40 09 74 23 – Fermé 5-21 oct.,
18 janv.-10 fév., dim. soir, lundi soir, mardi soir et merc.
Rest – Menu 18 € (déj. en sem.), 27/58 € – Carte 50/60 €
♦ Table ancrée depuis 1938 face à la Loire et à l'abbatiale de St Florent-le-Vieil. Le chef achète ses poissons de rivière aux pêcheurs du coin et concocte une cuisine régionale.

VARENGEVILLE-SUR-MER – 76 Seine-Maritime – 304 F2 – 1 179 h. 33 D1
– alt. 80 m – ⌧ 76119 ▌ Normandie Vallée de la Seine

▶ Paris 199 – Dieppe 10 – Fécamp 57 – Fontaine-le-Dun 18 – Rouen 68
◉ Site★ de l'église - Parc des Moustiers★ - Colombier★ du manoir d'Ango, S : 1 km
– Ste-Marguerite : arcades★ de l'église O : 4,5 km - Phare d'Ailly ⇐★ NO : 4 km.

à Vasterival 3 km au Nord-Ouest par D 75 et rte secondaire
– ⌧ 76119 Varengeville-sur-Mer

🏠 De la Terrasse ⇐ 🚗 ✕ ✗ rest, ¶ 🛌 P VISA ⓂⒸ
rte de Vasterival – ℘ 02 35 85 12 54 – www.hotel-restaurant-la-terrasse.com
– francois.delafontaine@wanadoo.fr – Fax 02 35 85 11 70
– Ouvert 16 mars-11 oct.
22 ch – ♦53/65 € ♦♦53/65 €, ⌧ 8 € – ½ P 52/58 €
Rest – Menu (17 €), 22/35 € – Carte 26/35 €
♦ Au terme d'une route bordée de sapins, belle demeure (1902) entourée d'un jardin ombragé. La moitié des chambres offre une vue sur la mer. Salon avec jeux de société. Cuisine traditionnelle dans la salle à manger tournée vers la Manche.

LA VARENNE-ST-HILAIRE – 94 Val-de-Marne – 312 E3 – 101 28 – voir à Paris, Environs (St-Maur-des-Fossés)

VARENNES-SUR-ALLIER – 03 Allier – 326 H5 – 3 879 h. – alt. 245 m 6 C1
– ⌧ 03150

▶ Paris 327 – Digoin 59 – Lapalisse 20 – Moulins 31 – St-Pourçain-sur-Sioule 11 – Vichy 26
🛈 Office de tourisme, place de l'Hôtel de Ville ℘ 04 70 47 45 86, Fax 04 70 47 45 86

à Boucé 8 km à l'Est par N 7 et D 23 – 512 h. – alt. 310 m – ⌧ 03150

XX Auberge de Boucé 🚗 VISA ⓂⒸ
1 rte de Cindré – ℘ 04 70 43 70 59 – Fermé mardi soir, merc. soir, dim. soir et lundi
Rest – Menu (14 €), 18/35 € – Carte 25/51 €
♦ Auberge villageoise à la chaleureuse ambiance campagnarde. Jolie terrasse et salle à manger ensoleillée décorée de tableaux peints par le chef ; cuisine traditionnelle.

VARENNES-SUR-USSON – 63 Puy-de-Dôme – 326 G9 – rattaché à Issoire

VARETZ – 19 Corrèze – 329 J4 – rattaché à Brive-la-Gaillarde

VARS – 05 Hautes-Alpes – 334 I5 – 597 h. – alt. 1 650 m – ⌧ 05560 41 C1
▌ Alpes du Sud

▶ Paris 726 – Barcelonnette 41 – Briançon 46 – Digne-les-Bains 126 – Gap 71
🛈 Office de tourisme, cours Fontanarosa ℘ 04 92 46 51 31, Fax 04 92 46 56 54

à Ste-Marie-de-Vars – ⌧ 05560 Vars

🏠 Alpage 🚗 🛋 🛌 ✕ ✆ P VISA ⓂⒸ
– ℘ 04 92 46 50 52 – www.hotel-alpage.com – info@hotel-alpage.com
– Fax 04 92 46 64 23 – Ouvert 15 juin-1ᵉʳ sept. et 15 déc.-15 avril
17 ch – ♦43/81 € ♦♦50/130 €, ⌧ 9 € – ½ P 50/92 €
Rest – Menu (17 €), 20/26 € – Carte 24/32 €
♦ Vieille ferme de village rénovée en chalet-hôtel. Les chambres, spacieuses et agréables à vivre, arborent une mignonne décoration régionale. Une sympathique cuisine tradition-nelle vous attend au restaurant, logé sous les voûtes de l'ancienne étable.

1962

VARS

Le Vallon
≤ 🚗 🛋 ⚡ rest, 📞 P VISA MC
– ✆ 04 92 46 54 72 – www.hotelvallon.com – info@hotelvallon.com
– Fax 04 92 46 61 62 – Ouvert 1er juil.-31 août et 19 déc.-19 avril
34 ch – †59/69 € ††88/104 €, ⌐ 8 € – ½ P 65/75 €
Rest – Menu (15 €), 19/22 € – Carte 19/27 €
◆ Un séjour tout schuss ! Emplacement idéal au pied des pistes, accueil convivial, ambiance et décor montagnards, chambres ouvertes sur la nature, billard et ping-pong. Le restaurant, égayé de photos représentant le pays, propose des plats traditionnels.

aux Claux – ✉ 05560 Vars – **Sports d'hiver : 1 650/2 750 m** ⚡ 2 ⚡ 56 ⚡

L'Écureuil sans rest
≤ ⚡ 📶 P VISA MC AE
Les Claux – ✆ 04 92 46 50 72 – www.hotelecureuil.com – hotel.ecureuil@wanadoo.fr – Fax 04 92 46 52 51 – Ouvert 23 juin-6 sept. et 6 déc.-24 avril
21 ch – †80/120 € ††90/180 €, ⌐ 8 €
◆ À 150 m des pistes, chalet dans le plus pur style savoyard. Bois omniprésent depuis le chaleureux salon-cheminée jusqu'aux chambres feutrées (la plupart avec balcon). Sauna.

Les Escondus
🚗 🛋 P VISA MC AE
– ✆ 04 92 46 67 00 – www.hotel-les-escondus.com – hotel.les.escondus@wanadoo.fr – Fax 04 92 46 50 47 – Ouvert 1er juil.-31 août et 1er déc.-30 avril
22 ch (½ P seult) – ½ P 68/96 €   **Rest** – Menu 19 € (déj.)/29 € – Carte 15/35 €
◆ Tout pour se ressourcer : accès direct aux pistes, espace détente, piano-bar et chambres pratiques. Les amateurs d'insolite choisiront celle occupant une cabane dans les arbres ! Plats traditionnels dans la grande salle lambrissée ou en terrasse, côté forêt.

Chez Plumot
🛋 VISA MC
– ✆ 04 92 46 52 12 – dominique.lallez@wanadoo.fr – Ouvert juil.-août et déc.-avril
Rest – Menu 20 € (déj.)/31 € – Carte 30/70 €
◆ Un incontournable de la station. Le cadre rustique s'accorde bien avec les plats traditionnels proposés ici. Carte allégée à midi, en hiver (snack, spécialités du Sud-Ouest).

VASSIVIÈRE (LAC DE) – 23 Creuse – **326** I6 – **rattaché à Peyrat-le-Château (87 H.-Vienne)**

VASTERIVAL – 76 Seine-Maritime – **304** F2 – **rattaché à Varengeville-sur-Mer**

VAUCHOUX – 70 Haute-Saône – **314** E7 – **rattaché à Port-sur-Saône**

VAUCHRÉTIEN – 49 Maine-et-Loire – **317** G5 – **1 509 h.** – **alt. 67 m**   35 **C2**
– ✉ 49320
▶ Paris 313 – Nantes 119 – Angers 22 – Cholet 66 – Saumur 45
🛈 Syndicat d'initiative, Mairie ✆ 02 41 91 24 18, Fax 02 41 91 20 06

Le Moulin de Clabeau sans rest
🚗 ⚡ ⚡ P
5 km au Nord par D 55 puis D 123 – ✆ 02 41 91 22 09 – www.gite-brissac.com – moulin-clabeau@gite-brissac.com – Fermé 24-31 août
4 ch ⌐ – †63 € ††68 €
◆ Moulin (1320) des bords de l'Aubance abritant des chambres avec poutres et pierres apparentes. Confitures et gâteaux maison au petit-déjeuner. Expositions, vente de produits locaux.

VAUCRESSON – 92 Hauts-de-Seine – **311** I2 – **101** 23 – **voir à Paris, Environs**

VAUDEVANT – 07 Ardèche – **331** J3 – **211 h.** – **alt. 600 m** – ✉ 07410   44 **B2**
▶ Paris 558 – Lyon 96 – Privas 89 – Saint-Étienne 67 – Valence 50

La Récré
🛋 P VISA MC
– ✆ 04 75 06 08 99 – www.restaurant-la-recre.com – restaurant-la-recre@restaurant-la-recre.com – Fax 04 75 06 08 99 – Fermé dim. soir, lundi et mardi
Rest – (nombre de couverts limité, prévenir) Menu (14 €), 20/55 € – Carte 33/45 €
◆ Ex-école villageoise devenue restaurant, ce qui explique enseigne et décor (tableau noir, photos d'écoliers, cartes murales). Cuisine actuelle soignée ; ambiance cordiale.

VAUGINES – 84 Vaucluse – 332 F11 – 551 h. – alt. 375 m – ⌧ 84160   42 E1
▶ Paris 736 – Digne-les-Bains 112 – Apt 23 – Cavaillon 36 – Salon-de-Provence 37

L'Hostellerie du Luberon
cours St-Louis – ℘ 04 90 77 27 19 – www.hostellerieduluberon.com – hostellerieduluberon@hostellerieduluberon.com – Fax 04 90 77 13 08 – *Ouvert 10 mars-10 nov.*
16 ch – †90/93 € ††99/118 € – ½ P 70 €
Rest – *(fermé merc. midi et mardi)* Carte 29/48 €
♦ Face à la Vallée de la Durance, un hôtel familial qui dispose de jolies chambres provençales. Bibliothèque et jeux variés pour la détente des petits et grands. Restauration de style brasserie servie dans une salle à manger lumineuse, ou en terrasse, au bord de la piscine.

VAULT-DE-LUGNY – 89 Yonne – 319 G7 – rattaché à Avallon

VAUVILLE – 14 Calvados – 303 M4 – 253 h. – alt. 40 m – ⌧ 14800   32 A3
▶ Paris 201 – Caen 44 – Le Havre 52 – Lisieux 30 – Hérouville-Saint-Clair 44

Manoir de la Haulle
– ℘ 02 31 81 10 62 – www.lahaulle.com – lahaulle@orange.fr – Fax 02 31 81 10 62
4 ch – †100/150 € ††130/230 €   **Table d'hôte** – Menu 40/60 € bc
♦ Abbaye au 12ᵉ s., ferme au 19ᵉ s. puis cidrerie, cette magnifique propriété a beaucoup de caractère. Confortables chambres, décor sur le thème de l'équitation. Superbe parc. Cuisine de tradition servie dans une belle salle rustique ou en terrasse au bord de la piscine.

VAUX-EN-BEAUJOLAIS – 69 Rhône – 327 G3 – 946 h. – alt. 360 m – ⌧ 69460   43 E1
▶ Paris 443 – Lyon 49 – Villeurbanne 58 – Lyon 03 51 – Lyon 08 51

Auberge de Clochemerle avec ch
r. Gabriel-Chevallier – ℘ 04 74 03 20 16 – www.aubergedeclochemerle.fr – contact@aubergedeclochemerle.fr – Fax 04 74 03 20 74 – *Fermé lundi et mardi sauf de juin à sept.*
7 ch – †65 € ††70 €, ⌑ 10 €   **Rest** – Menu 30/65 € – Carte 57/69 €
♦ Auberge d'un village rendu célèbre par le roman "Clochemerle" de Gabriel Chevallier, proposant une cuisine actuelle et créative. Bon choix de vins. Agréable cadre néo-rustique. Chambres fraîches dotées de mobilier de famille.

VAUX-LE-PÉNIL – 77 Seine-et-Marne – 312 F4 – rattaché à Melun

VAUX-SOUS-AUBIGNY – 52 Haute-Marne – 313 L8 – 669 h. – alt. 275 m – ⌧ 52190   14 C3
▶ Paris 304 – Dijon 44 – Gray 43 – Langres 25

Auberge des Trois Provinces
r. de Verdun – ℘ 03 25 88 31 98 – *Fermé 1 sem. en nov., 4-25 janv., dim. soir et lundi*
Rest – *(prévenir)* Menu 19/29 € – Carte 39/58 €
♦ Fresques, poutres peintes et beau pavement composent le plaisant décor de ce restaurant familial installé dans une maison ancienne en pierre. Cuisine au goût du jour.

Le Vauxois
r. de Verdun – ℘ 03 25 84 36 74 – Fax 03 25 84 25 61 – *Fermé 17-23 nov., 5-25 janv., dim. soir et lundi*
9 ch – †48 € ††55 €, ⌑ 6,50 €
♦ Chambres fonctionnelles situées à 50 m de l'Auberge des Trois Provinces et à deux pas de l'église. Lumineuse salle des petits-déjeuners.

VELARS-SUR-OUCHE – 21 Côte-d'Or – **320** J6 – **rattaché à Dijon**

VÉLIZY-VILLACOUBLAY – 78 Yvelines – **311** J3 – **101** 24 – **voir à Paris, Environs**

VELLÈCHES – 86 Vienne – **322** J3 – 371 h. – alt. 69 m – ⊠ 86230   39 **C1**
- ▸ Paris 302 – Poitiers 58 – Joué-lès-Tours 60 – Châtellerault 21 – Chambray-lès-Tours 60

✕ **La Table des Écoliers**
1 bis r. de l'Étang – ✆ *05 49 93 35 51* – *www.latabledesecoliers.com* – *latabledesecoliers@wanadoo.fr*
Rest – *(fermé mardi et merc.)* Menu (22 € bc), 29/42 € – Carte environ 37 €
♦ On replonge en enfance dans une ancienne salle de classe (tables d'écoliers, portemanteaux...), pour une intéressante leçon gustative. Accueil sympathique et plats actuels.

VELLUIRE – 85 Vendée – **316** K9 – **rattaché à Fontenay-le-Comte**

VENAREY-LES-LAUMES – 21 Côte-d'Or – **320** G4 – 3 068 h.   8 **C2**
– alt. 235 m – ⊠ 21150 ▮ Bourgogne
- ▸ Paris 259 – Avallon 54 – Dijon 66 – Montbard 15 – Saulieu 42 – Semur-en-Auxois 13
- ▮ Office de tourisme, place Bingerbrück ✆ 03 80 96 89 13, Fax 03 80 96 13 22

à Alise-Ste-Reine 2 km à l'Est – 674 h. – alt. 415 m – ⊠ 21150
- ◉ Mont Auxois★ : ❊★ - Château de Bussy-Rabutin★.

✕✕ **Cheval Blanc**
r. du Miroir – ✆ *03 80 96 01 55* – *www.regis-bolatre.com* – *regis.bolatre@free.fr*
– *Fermé 7-15 sept., 2 janv.-4 fév., dim. soir sauf juil.-août, lundi et mardi*
Rest – Menu 20 € (sem.), 32/45 € – Carte 50/68 €
♦ Bâtisse en pierre où l'intérieur, rafraîchi et actuel, est agréablement réchauffé l'hiver par un bon feu de bois. Généreuse cuisine à composantes bourguignonnes.

à Mussy-la-Fosse 3 km à l'Ouest par rte secondaire – **320** G4 – 82 h. – alt. 280 m – ⊠ 21150

⌂ **Clos Mussy**
r. du Château – ✆ *03 80 96 97 87* – *www.closmussy.fr* – *contact@closmussy.fr*
– *Fermé 24 déc.-3 janv.*
3 ch ⊇ – †60/75 € ††70/85 €   **Table d'hôte** – Menu 30 € bc
♦ Face au site d'Alésia, cette maison forte (16ᵉ s.) témoigne de l'architecture militaire du Moyen-Âge. Vastes chambres personnalisées ; grange aménagée en salon rustique. Table d'hôtes proposée dans une grande salle au décor médiéval rehaussé d'une cheminée.

VENASQUE – 84 Vaucluse – **332** D10 – 1 131 h. – alt. 310 m – ⊠ 84210   42 **E1**
▮ Provence
- ▸ Paris 690 – Apt 32 – Avignon 33 – Carpentras 13 – Cavaillon 30 – Orange 36
- ▮ Office de tourisme, Grand 'Rue ✆ 04 90 66 11 66, Fax 04 90 66 11 66
- ◉ Baptistère★ - Gorges★ E : 5 km par D 4.

⌂ **Auberge La Fontaine**
pl. de la Fontaine – ✆ *04 90 66 02 96* – *www.auberge-lafontaine.com* – *fontvenasq@aol.com* – *Fax 04 90 66 13 14*
4 suites – ††125 €, ⊇ 10 €
Rest – *(fermé merc.) (dîner seult) (nombre de couverts limité, prévenir)*
Menu (25 €), 41 €
♦ Auberge, façon maison d'hôtes, dédiée à l'art culinaire et musical ; duplex au style épuré et design (cuisinette, cheminée) avec vue sur le patio ou les toits. Appréciez dans une ambiance rétro, de fines saveurs provençales ; cours de cuisine et dîners-concerts.

VENASQUE

🏠 **La Garrigue** 🐾   🚗 🏊 ♿ 🐕 rest, 🍴 **P** **VISA** **MC** **AE**
rte de l'Appié – ℰ 04 90 66 03 40 – www.hotel-lagarrigue.com
– hotel-lagarrigue@club-internet.fr – Fax 04 90 66 61 43 – Ouvert 1er mars-15 nov.
15 ch – †53/60 € ††57/75 €, ⊈ 8 € – ½ P 58/65 €
Rest – (fermé sam. et dim.) (dîner seult) (résidents seult) Menu 20 €
♦ Aux portes d'un village haut perché, hôtel familial, entièrement rénové, aux chambres bien tenues ; certaines sont climatisées. Salle des petits-déjeuners de style provençal.

> Passée en rouge, la mention « Rest » repère l'établissement auquel est attribué notre distinction, 😊 (étoile) ou 😊 (Bib Gourmand).

VENCE – 06 Alpes-Maritimes – **341** D5 – 18 200 h. – alt. 325 m   42 **E2**
– ✉ 06140 ▌Côte d'Azur

▪ Paris 923 – Antibes 20 – Cannes 30 – Grasse 24 – Nice 23
▪ Office de tourisme, 8, place du Grand Jardin ℰ 04 93 58 06 38, Fax 04 93 58 91 81
▪ Chapelle du Rosaire★ (chapelle Matisse) - Place du Peyra★ **B** 13 - Stalles★ de la cathédrale **B** **E** - ≤★ de la terrasse du château N. D. des Fleurs NO : 2,5 km par D 2210.
▪ Col de Vence ✻★★ NO : 10 km par D 2 - St-Jeannet : site★, ≤★ 8 km par ③.

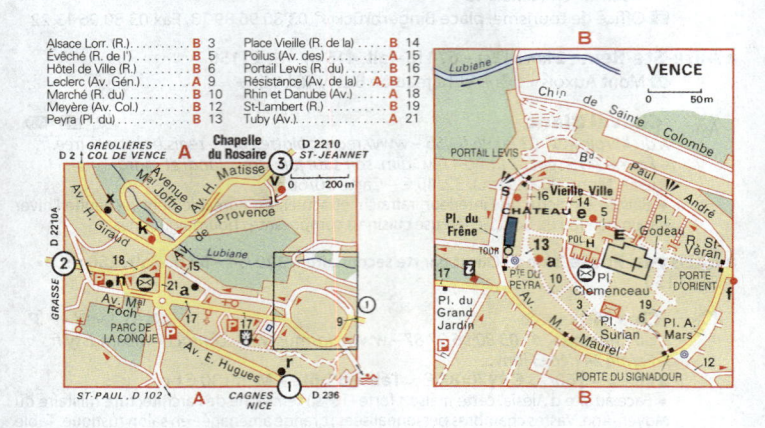

Alsace Lorr. (R.)	**B** 3	Place Vieille (R. de la)	**B** 14
Évêché (R. de l')	**B** 5	Poilus (Av. des)	**A** 15
Hôtel de Ville (R.)	**B** 6	Portail Levis (R. du)	**B** 16
Leclerc (Av. Gén.)	**A** 9	Résistance (Av. de la)	**A**, **B** 17
Marché (R. du)	**B** 10	Rhin et Danube (Av.)	**A** 18
Meyère (Av. Col.)	**B** 12	St-Lambert (R.)	**B** 19
Peyra (Pl. du)	**B** 13	Tuby (Av.)	**A** 21

🏨🏨🏨 **Château St-Martin & Spa** 🐾   ≤ 🌴 🌳 🏊 👶 🎾 🍴 ♿ ch, 🅺 ✂
                                     ♿ 🐕 ♨ 🚗 **VISA** **MC** **AE** **①**
✱ av des Templiers,
2,5 km par rte du col de Vence (D 2) **A** – ℰ 04 93 58 02 02
– www.chateau-st-martin.com – stmartin@relaischateaux.com
– Fax 04 93 24 08 91 – Fermé 13 déc.-12 fév.
45 ch – †290/760 € ††290/760 €, ⊈ 35 € – 6 suites
Rest *Le St-Martin* – (fermé le midi du lundi au jeudi du 15 juin au 31 août)
Menu 62 € (déj.), 75/105 € – Carte 105/140 €
Rest *La Rôtisserie* – Carte 51/73 €
Rest *L'Oliveraie* – grill (ouvert 1er juin-19 sept.) (déj. seult) Menu 48/61 €
– Carte 51/73 €
Spéc. Risotto al dente à la crème de topinambour au jus de truffe. Rouget crispy au jus de poivron rouge et paprika. Orange en tarte soufflée au Grand Marnier.
♦ Dans un parc planté d'oliviers avec vue s'étendant jusqu'à la mer, un superbe palace provençal. Charme, luxe et détente. Fine cuisine, créative et sans superflu, dans le cadre classique du restaurant. Grillades au teppanyaki et recettes à la broche à La Rôtisserie. Déjeuner servi l'été en terrasse à L'Oliveraie.

VENCE

Cantemerle
258 chemin Cantemerle, par av. Col. Meyère B – ℰ 04 93 58 08 18
– www.hotelcantemerle.com – info@hotelcantemerle.com – Fax 04 93 58 32 89
– Ouvert fin mars-mi-oct.
9 ch – †200/220 € ††225/245 €, ☑ 18 € – 18 suites – ††225/500 €
Rest – (ouvert mai-sept. et fermé lundi) Carte 50/65 €
• Villa méridionale aménagée autour d'une piscine et d'un jardin ombragé. Intérieur soigné d'inspiration Art déco. Chambres élégantes et spacieuses ; duplex dotés de terrasses. Restaurant niché dans un écrin de verdure ; cuisine traditionnelle.

Diana sans rest
79 av. des Poilus – ℰ 04 93 58 28 56 – www.hotel-diana.fr – info@hotel-diana-vence.com – Fax 04 93 24 64 06
28 ch – †75/160 € ††100/160 €, ☑ 13 €
A a
• Hôtel central aux chambres fraîches et confortables, un peu plus calmes côté jardin. Belle véranda pour les petits-déjeuner. Solarium et jacuzzi sur le toit-terrasse ; fitness.

Floréal
440 av. Rhin et Danube, par ② – ℰ 04 93 58 64 40 – www.hotel-floreal-vence.fr
– hotel.floreal@wanadoo.fr – Fax 04 93 58 79 69
41 ch – †60/112 € ††78/137 €, ☑ 12 €
Rest – (fermé dim. hors saison) (dîner seult) (résidents seult) Menu 26 €
• Un jardin d'essences méditerranéennes entoure cet établissement situé aux portes de Vence. Les chambres, dotées de balcons, ont profité pour certaines d'une cure de jouvence. Sobre salle à manger et terrasse ouvertes sur la piscine cernée par la végétation.

Mas de Vence
539 av. E. Hugues – ℰ 04 93 58 06 16 – www.azurline.com/mas – mas@azurline.com – Fax 04 93 24 04 21
41 ch – †67/88 € ††87/110 €, ☑ 10 € – ½ P 78/85 €
A r
Rest – Menu (17 € bc), 30/35 € – Carte 29/45 €
• Cette construction récente aux tons ocre surplombe un axe passant. Chambres bien insonorisées, à la tenue impeccable, souvent avec loggia. Hall sous verrière. Vaste salle à manger et terrasse à arcades bordant la piscine. Plats traditionnels et méditerranéens.

Miramar sans rest
167 av. Bougearel, (plateau St-Michel), par av. Col. Meyère B – ℰ 04 93 58 01 32
– www.hotel-miramar-vence.com – contact@hotel-miramar-vence.com
– Fax 04 93 58 20 22 – Fermé 17 nov.-12 déc.
18 ch – †78/88 € ††88/148 €, ☑ 12 €
• Jolie maison des années 1920 offrant une échappée sur baous (sommets) et vallée. Communs ornés de peintures murales, chambres coquettement personnalisées, terrasse charmante.

Villa Roseraie sans rest
128 av. Henri Giraud – ℰ 04 93 58 02 20 – www.villaroseraie.com – accueil@villaroseraie.com – Fax 04 93 58 99 31 – Fermé 5 nov.-14 déc. et 5 janv.-15 fév.
12 ch – †87/157 € ††97/157 €, ☑ 13 €
A x
• Plaisante villa 1900 paressant au milieu d'un jardin conçu comme une oasis. Chambres petites, mais décorées avec tissus Souleiado, lits ouvragés et fleurs séchées.

La Colline de Vence sans rest
806 chemin des Salles, 1,5 km par rte du col de Vence (D 2) -A – ℰ 04 93 24 03 66
– www.colline-vence.com – contact@colline-vence.com – Fax 04 93 24 03 66
3 ch ☑ – †74/135 € ††74/135 €
• Habilement restaurées, ces anciennes dépendances d'un château abritent de jolies chambres personnalisées, tournées vers les baous et la Méditerranée. Jardin fleuri, piscine.

Auberge Les Templiers
39 av. Joffre – ℰ 04 93 58 06 05 – www.restaurant-vence.com – lestempliers3@wanadoo.fr – Fax 04 93 58 92 68 – Fermé 22 nov.-4 déc., 18-31 janv., lundi et merc.
Rest – Menu (29 €), 39/74 € – Carte 54/66 €
A k
• Cette auberge ancienne est devancée par une avenante terrasse ombragée. Cadre rénové et frais de style provençal. Cuisine au goût du jour dans la note méridionale.

VENCE

Le Vieux Couvent
VISA MC
37 av. Alphonse Toreille – ℰ 04 93 58 78 58
– www.restaurant-levieuxcouvent.com – levieuxcouventvence@aliceadsl.fr
– Fax 04 93 58 78 58 – Fermé 25 janv.-1er mars, mardi midi en juil.-août, merc. sauf
le soir en été et jeudi midi   B f
Rest – (nombre de couverts limité, prévenir) Menu 28/38 € – Carte 42/50 €
◆ Cadre élégant pour ce restaurant installé dans un séminaire du 17e s. Peintures et
sculptures modernes contrastent avec les voûtes et murs en pierres. Cuisine régionale.

Les Bacchanales (Christophe Dufau)
VISA MC ①
247 av. de Provence – ℰ 04 93 24 19 19 – lesbacchanales06@orange.fr – Fermé
21-27 déc., mardi et merc.   A v
Rest – Menu 36 € (déj. en sem.), 50/70 €
Spéc. Salade d'encornets et palourdes au jus d'oursin. Noix de veau aux aubergines rôties et raviole d'oignon doux au citron. Mousseux de fromage blanc au spéculos et cacao.
◆ Découvrez une cuisine créative pleine de spontanéité, qui fait la part belle aux légumes, dans ce restaurant au cadre lumineux et contemporain (cheminée et petite vinothèque).

Auberge des Seigneurs avec ch
VISA MC AE
1, rue du Dr Binet – ℰ 04 93 58 04 24 – www.auberge-seigneurs.com
– sandrine.rodi@wanadoo.fr – Fax 04 93 24 08 01 – Fermé janv.   B s
6 ch – †65 € ††85/95 €, ⊇ 9 € – ½ P 95 €
Rest – (fermé de mi-déc. à fin janv., dim. et lundi) Menu (23 €), 32/43 €
– Carte 45/56 €
◆ François 1er, Renoir, Modigliani, etc. Cette auberge historique sise dans une aile du
château de Villeneuve eut de célèbres convives. Plats provençaux, agneau à la broche.

L' Armoise
AC VISA MC AE
9 pl. du Peyra – ℰ 04 93 58 19 29 – www.larmoise.com – valentin.nelly@
wanadoo.fr – Fermé 23-30 juin, 3-20 nov., 18-25 fév., le midi en juil.-août, dim. soir,
mardi midi et lundi   B a
Rest – (nombre de couverts limité, prévenir) Menu (26 € bc), 36 € – Carte 36/51 €
◆ Ce restaurant où entre la marée occupe une ancienne poissonnerie et dresse sa terrasse
sur la jolie place du Peyra. Grands classiques (bouillabaisse) et recettes "maison".

La Litote
VISA MC AE
5 r. Evéché – ℰ 04 93 24 27 82 – www.lalitote.com – stephanefurlan@wanadoo.fr
– Fax 04 93 44 71 24 – Fermé 12 nov.-16 déc., 14 janv.-5 fév., mardi d'oct.
à avril, dim. soir et lundi   B e
Rest – Menu (20 €), 25/35 € – Carte 30/40 €
◆ Adresse située sur une placette du vieux Vence, réservée aux piétons. Accueil et service
avenants, cadre chaleureux, terrasse et carte actuelle à composantes provençales.

VENDÔME – 41 Loir-et-Cher – 318 D5 – 17 200 h. – alt. 82 m   11 B2
– ✉ 41100 ▮ Châteaux de la Loire

▶ Paris 169 – Blois 34 – Le Mans 78 – Orléans 91 – Tours 56

🛈 Office de tourisme, parc Ronsard ℰ 02 54 77 05 07, Fax 02 54 73 20 81

▧ de La Bosse à Oucques La Guignardière, par rte de Beaugency : 20 km,
ℰ 02 54 23 02 60

◉ Anc. abbaye de la Trinité★ : église abbatiale★★, musée★ BZ **M** - Château :
terrasses ≤★.

Plan page ci-contre

Le St-Georges
& ch, AC ch, ☏ P VISA MC AE ①
14 r. Poterie – ℰ 02 54 67 42 10 – www.hotel-saint-georges-vendome.com
– contact@hotel-saint-georges-vendome.com – Fax 02 54 77 29 22   AZ t
28 ch – †65 € ††65/100 €, ⊇ 8,50 € – ½ P 90 €
Rest – (fermé dim. sauf fériés) Menu (18 € bc) – Carte 30/55 €
◆ Cet immeuble du centre-ville, en angle de rue, cache un hôtel bien dans l'air du temps.
Chambres fonctionnelles de style actuel, certaines avec baignoire balnéo. Au restaurant,
cuisine aux saveurs des quatre continents sur fond de décor ethnique. Bar lounge
africain.

VENDÔME

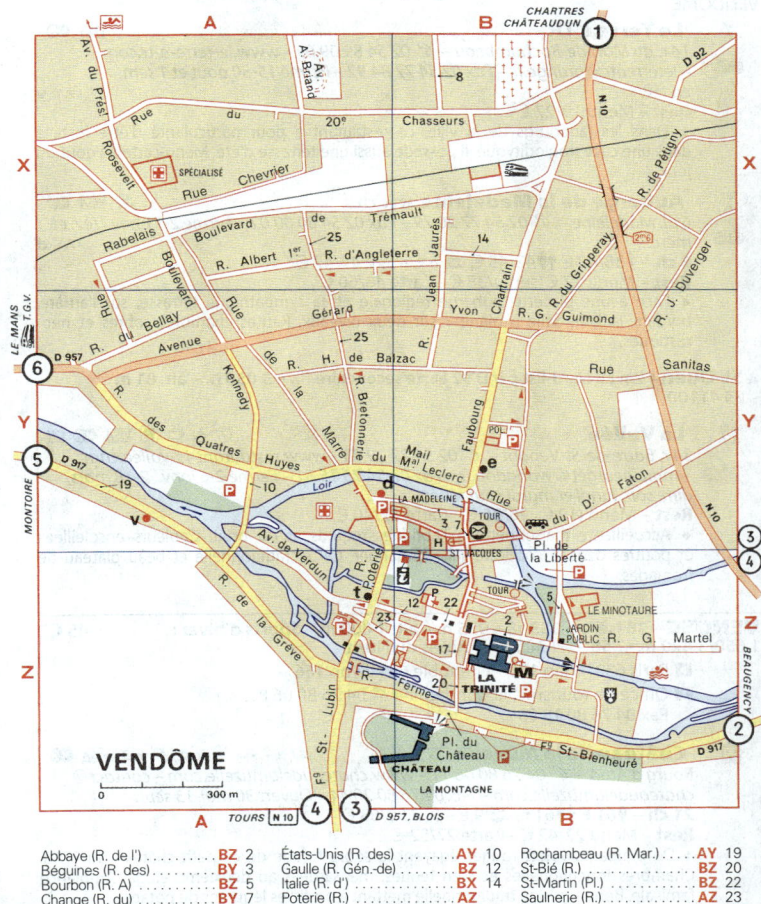

Abbaye (R. de l') .... **BZ** 2	États-Unis (R. des) .... **AY** 10	Rochambeau (R. Mar.) ...... **AY** 19
Béguines (R. des) .... **BY** 3	Gaulle (R. Gén.-de) .... **BZ** 12	St-Bié (R.) .... **BZ** 20
Bourbon (R. A) .... **BZ** 5	Italie (R. d') .... **BX** 14	St-Martin (Pl.) .... **BZ** 22
Change (R. du) .... **BY** 7	Poterie (R.) .... **AZ**	Saulnerie (R.) .... **AZ** 23
Clemenceau (Av. G.) ...... **BX** 8	République (Pl. de la) ...... **BZ** 17	Verrier (R. Cdt) .... **AXY** 25

🏠 **Mercator**   ♿ ch, 🅰🅲 rest, 📞 🎵 🅿 VISA ⦿ AE
rte de Blois, 2 km par ③ – 📞 *02 54 89 08 08 – www.hotelmercator.fr*
✉ *– hotelmercator.vendome@wanadoo.fr – Fax 02 54 89 09 17*
53 ch – †52/58 € ††54/61 €, ⇌ 8 €
Rest – *(fermé 25 juil.-23 août, sam. et dim.)* Menu (16 €), 19 €
♦ Proche d'un rond-point mais bordé d'espaces verts, hôtel dont les petites chambres chaleureuses affichent un style actuel. L'accueil familial est soigné. Au restaurant, cadre contemporain épuré et recettes traditionnelles.

🏠 **Le Vendôme** *sans rest*   📶 🎵 VISA ⦿ AE
15 fg Chartrain – 📞 *02 54 77 02 88 – www.hotelvendomefrance.com – info@*
hotelvendomefrance.com – Fax 02 54 73 90 71 – Fermé 19 déc.-2 janv.   Y **e**
35 ch – †59/65 € ††68/85 €, ⇌ 10 €
♦ Adresse familiale au cœur de la ville : une maison d'angle à la façade blanche abritant des chambres pratiques et un salon cosy (piano). Au petit-déjeuner, buffet très complet.

VENDÔME

Le Terre à TR
14 r. du Mar.-de-Rochambeau – ℰ *02 54 89 09 09 – www.le-terre-a-tr.com – leterreatr@orange.fr – Fax 02 54 77 84 92 – Fermé 15-30 août et 1 sem. en fév.*

AY v

Rest – Menu 19/27 €

♦ Dans les faubourgs de la ville, ce restaurant a pour particularité d'être installé dans une cave troglodityque. Il possède aussi une terrasse d'été. Menu-carte au goût du jour.

Auberge de la Madeleine avec ch
6 pl. Madeleine – ℰ *02 54 77 20 79 – Fax 02 54 80 00 02 – Fermé 2-11 nov., fév. et merc.*

AY d

8 ch – †38/42 € ††42/45 €, ⊇ 8 € – ½ P 44/47 €
Rest – Menu 17 € (sem.)/38 € – Carte 48/60 €

♦ Face à une placette, auberge régionale et sa sympathique terrasse, sur l'arrière, bordant le Loir. Salle à manger sur deux niveaux. Petites chambres sobres et néo-rustiques.

à St-Ouen 4 km au Nord-Est par D 92 et rte secondaire BX – 3 050 h. – alt. 81 m – ⊠ 41100

La Vallée
34 r. Barré-de-St-Venant – ℰ *02 54 77 29 93 – www.restaurant-la-vallée.com – marc.georget@wanadoo.fr – Fax 02 54 73 15 51 – Fermé 2-6 janv., 2-18 mars, dim. soir, lundi et mardi sauf fériés*
Rest – Menu (19 €), 26/35 € – Carte 32/40 €

♦ Accueillante maisonnette à l'abri des regards et du bruit. Couleurs ensoleillées et poutres dans la coquette salle à manger. Carte traditionnelle et beau plateau de fromages.

VENOSC – 38 Isère – 333 J8 – 935 h. – alt. 1 000 m – Sports d'hiver : 45 C2
1 650/3 420 m ⩙ 58 – ⊠ 38520 ▌Alpes du Nord

▶ Paris 633 – Gap 105 – Grenoble 66 – Lyon 166

🛈 Office de tourisme, la Condamine ℰ 04 76 80 06 82, Fax 04 76 80 18 95

Château de la Muzelle
Bourg d'Arud – ℰ *04 76 80 06 71 – www.chateaudelamuzelle.com – contact@chateaudelamuzelle.com – Fax 04 76 80 20 44 – Ouvert 30 mai-13 sept.*
21 ch – †61 € ††61 €, ⊇ 9 € – ½ P 59/63 €
Rest – Menu 22/42 € – Carte 27/52 €

♦ De pimpants volets rouges égayent la sobre façade de ce petit château du 17e s. Chambres fonctionnelles et bien tenues, mansardées au deuxième étage. Ambiance familiale. Bonne cuisine traditionnelle mettant à profit les légumes du potager.

VENSAT – 63 Puy-de-Dôme – 326 G6 – 424 h. – alt. 395 m – ⊠ 63260   5 B2
▶ Paris 370 – Clermont-Ferrand 40 – Cournon-d'Auvergne 42 – Vichy 26

Château de Lafont
2 r. de la Côte Rousse – ℰ *04 73 64 21 24 – www.chateaudelafont.com – info@chateaudelafont.com – Fax 04 73 64 50 83*
4 ch ⊇ – †70/105 € ††70/110 €   **Table d'hôte** – Menu 25 € bc

♦ Un château et un joli parc composent cette propriété familiale. Les chambres, confortables et tranquilles, sont logées dans des murs datant du 15e s. Petits-déjeuners et repas servis dans une salle à manger habillée de boiseries.

VENTABREN – 13 Bouches-du-Rhône – 340 G4 – 4 831 h. – alt. 210 m   40 B3
– ⊠ 13122 ▌Provence

▶ Paris 746 – Aix-en-Provence 14 – Marseille 33 – Salon-de-Provence 27

🛈 Syndicat d'initiative, 11, boulevard de Provence ℰ 04 42 28 76 47, Fax 04 42 28 96 92

◉ ≤★ des ruines du Château.

VENTABREN

XX **La Table de Ventabren** (Dan Bessoudo)
r. F. Mistral – ℰ 04 42 28 79 33 – www.latabledeventabren.com – contact@
latabledeventabren.com – Fax 04 42 28 83 15 – Fermé 23 déc.-31 janv., merc. soir
d'oct. à mars, dim. soir d'oct. à avril et lundi
Rest – (prévenir en saison et le week-end) Menu 27 € (déj. en sem.), 39/48 €
– Carte 38/70 €
Spéc. Brandade froide, crème d'avocat et gaspacho. Dos de cabillaud poêlé,
mousseline de carotte, cébettes et poireaux. Fraises et cerises en salade, mousse
de pomme verte.
♦ Au cœur du pittoresque village perché, convivialité assurée dans les jolies salles voûtées
de ce restaurant ou sur la terrasse dominant la vallée. Séduisante cuisine actuelle.

VENTRON – 88 Vosges – **314** J5 – 930 h. – alt. 630 m – Sports d'hiver : 27 **C3**
850/1 110 m ⚲8 ⚲ – ⌧ 88310

▶ Paris 441 – Épinal 56 – Gérardmer 25 – Mulhouse 51 – Remiremont 30
– Thann 31

🛈 Office de tourisme, 4, place de la Mairie ℰ 03 29 24 07 02, Fax 03 29 24 23 16

◉ Grand Ventron ✻★★ NE : 7 km, ▮ **Alsace Lorraine**

à l'Ermitage-du-Frère-Joseph 5 km au Sud par D 43 et D 43E- ⌧ 88310 Ventron
– Sports d'hiver : 850/1 110 m ⚲8 ⚲

🏠 **Les Buttes** ⚲
Ermitage Frère Joseph – ℰ 03 29 24 18 09 – www.frerejo.com – info@frerejo.com
– Fax 03 29 24 21 96 – Fermé 11 nov.-19 déc.
26 ch – ♦101/217 € ♦♦101/217 €, ⌧ 14 € – 1 suite – ½ P 101/141 €
Rest – (fermé le midi sauf dim. et fériés) (dîner seult) Menu 33/35 €
– Carte environ 34 €
♦ Décoration montagnarde chic et images d'Épinal partout, chambres douillettes (certaines avec jacuzzi), salon très cossu : un chalet-hôtel bien agréable ! Chaleureux restaurant ouvert sur les pistes et carte traditionnelle renouvelée chaque quinzaine.

à Travexin 3 km à l'Ouest – ⌧ 88310 Cornimont

🏠 **Le Géhan**
9 rte de Travexin – ℰ 03 29 24 10 71 – www.legehan-charlemagne.com
– le.gehan@online.fr – Fax 03 29 24 10 70 – Fermé 26 juil.-10 août
11 ch – ♦50 € ♦♦50 €, ⌧ 9 € – ½ P 55 €
Rest – (fermé dim. soir, merc. midi et lundi) Menu (14 €), 18/40 € – Carte 25/43 €
♦ Des tons jaune et bleu égaient les chambres fonctionnelles et bien insonorisées de cette
maison ancienne située à un carrefour. Tenue exemplaire et accueil attentionné. Salle à
manger lumineuse et rénovée ; menus traditionnels et quelques plats régionaux.

VERBERIE – 60 Oise – **305** H5 – 3 462 h. – alt. 33 m – ⌧ 60410 36 **B3**

▶ Paris 70 – Beauvais 56 – Clermont 31 – Compiègne 16 – Senlis 18
– Villers-Cotterêts 31

XX **Auberge de Normandie** avec ch
26 r. Pêcherie – ℰ 03 44 40 92 33 – www.auberge-normandie.fr – sarl.vulfina@
orange.fr – Fax 03 44 40 50 62
3 ch – ♦55 € ♦♦55 €, ⌧ 6,50 €
Rest – (fermé dim. soir) Menu (17 €), 22/42 € – Carte 35/46 €
♦ Auberge de campagne fleurie s'ordonnant autour d'une cour. Intérieur chaleureux avec
poutres, boiseries et cheminée. Demandez une table dans la salle côté jardin.

VERDUN – 55 Meuse – **307** D4 – 19 300 h. – alt. 198 m – ⌧ 55100 26 **A1**
▮ **Alsace Lorraine**

▶ Paris 263 – Metz 78 – Bar-le-Duc 56 – Châlons-en-Champagne 89 – Nancy 95

🛈 Office de tourisme, place de la Nation ℰ 03 29 86 14 18, Fax 03 29 84 22 42

◉ Ville Haute★ : Cathédrale Notre-Dame★, BYZ Palais épiscopal★ (Centre
mondial de la paix) BZ – Citadelle souterraine★ : circuit★★ BZ – Les champs
de bataille★★★ : Mémorial de Verdun, Fort et Ossuaire de Douaumont,
Tranchée des Baïonnettes, le Mort-Homme, la Cote 304.

1971

VERDUN

Alsace-Lorraine (Av.).... **CZ** 2	Douaumont (Av. de)....... **CY** 6	Mazel (R.)............... **CY** 14
Beaurepaire (R.).......... **CZ** 3	Foch (Pl. Mar.)........... **CY** 7	Prés.-Poincaré (R.)....... **CZ** 17
Belle-Vierge (R. de la)..... **BY** 4	Fort de Vaux (R. du)...... **CZ** 8	République (Quai de la)... **CY** 18
Chevert (Pl.)............. **CZ** 5	Frères-Boulhaut (R. des) ... **CY** 9	Rû (R. de) .... **BZ** 19
	Lattre-de-Tassigny	St-Paul (R.) .... **CY** 20
	(Av. Mar.-de)............ **CY** 10	St-Pierre (R.) .... **BY** 21
	Mautroté (R.)............ **BY** 13	Soupirs (Allée des) .... **BY** 24

🏨 Hostellerie du Coq Hardi 🍴 📶 ♿ ch, ↔ 🛁 VISA 🌐 AE
8 av. Victoire – ℘ *03 29 86 36 36 – www.coq-hardi.com – coq.hardi@wanadoo.fr*
– Fax 03 29 86 09 21 **CY v**
33 ch – †76/95 € ††100/135 €, ⊇ 17 € – 2 suites – ½ P 90/110 €
Rest *– (fermé mi-fév. à mi-mars, sam. midi, dim. soir et vend.)* Menu 46/99 €
– Carte 62/88 € 🍷
Rest *Le Bistrot – (fermé dim. soir et vend. de sept. à avril)* Menu (15 € bc), 21 €
(sem.)/39 € bc – Carte 28/45 €
♦ Maison de tradition (1827) teintée de charme rétro : collection de coqs dans le hall,
salon-cheminée, mobilier lorrain et quelques chambres dotées de superbes lits à balda-
quin. Au restaurant, vénérables boiseries et cuisine classique. Repas simple et rapide au
Bistrot.

🏠 Montaulbain sans rest VISA 🌐
4 r. de la Vieille-Prison – ℘ *03 29 86 00 47 – Fax 03 29 84 75 70* **BCY e**
10 ch – †30/38 € ††35/42 €, ⊇ 6 €
♦ Dans une rue semi-piétonne, cet hôtel propose des petites chambres simples, propres
et au calme. Le hall, rustique, fait office de salle des petits-déjeuners.

VERDUN

aux Monthairons 13 km par ④ et D 34 – 373 h. – alt. 200 m – ⊠ 55320

Hostellerie du Château des Monthairons ⌂
– ℘ 03 29 87 78 55 – www.chateaudes
monthairons.fr – accueil@chateaudesmonthairons.fr – Fax 03 29 87 73 49 – Fermé
1er janv. au 12 fév., dim. et lundi du 15 nov. au 31 mars
22 ch – †75/98 € ††85/190 €, ⌒ 15 € – 3 suites – ½ P 120/195 €
Rest – (fermé lundi sauf le soir du 15 juin au 15 sept. et mardi midi) Menu (26 € bc),
39/89 € – Carte 56/70 €
◆ La Meuse forme un joli méandre au bord du parc qui entoure ce château (19e s.).
Chambres élégantes, suites et duplex confortables. Hammam, sauna, jacuzzi, pour la
détente. Décor bourgeois ou terrasse aux abords soignés pour un repas actuel.

à Charny-sur-Meuse 8 km au Nord par D 38 – 523 h. – alt. 197 m – ⊠ 55100

🛈 Syndicat d'initiative, 4, place de la Mairie ℘ 03 29 84 33 44,
Fax 03 29 84 85 84

Les Charmilles sans rest
12 r. de la Gare – ℘ 03 29 86 93 49 – www.les-charmilles.com – valerie@
les-charmilles.com – Fax 03 29 86 37 65 – Fermé janv.
3 ch ⌒ – †45 € ††55 €
◆ Anciennement café de village, puis hôtel, cette accueillante adresse, très bien tenue,
propose de grandes chambres aux couleurs pimpantes. Pâtisseries maison au petit-
déjeuner.

VERDUN-SUR-LE-DOUBS – 71 Saône-et-Loire – **320** K8 – 1 143 h.   7 **B3**
– alt. 180 m – ⊠ 71350 **Bourgogne**

▷ Paris 332 – Beaune 24 – Chalon-sur-Saône 24 – Dijon 65 – Dole 49
– Lons-le-Saunier 56
🛈 Office de tourisme, 3, place Charvot ℘ 03 85 91 87 52

Hostellerie Bourguignonne avec ch
2 av du Président Borgeot – ℘ 03 85 91 51 45
– www.hostelleriebourguignonne.com – hostelleriebourguignonne@hotmail.com
– Fax 03 85 91 53 81 – Fermé fév., dim. soir hors saison, mardi sauf le soir de mai
à sept. et merc. midi
8 ch – †95 € ††95/116 €, ⌒ 14 € – ½ P 100 €
Rest – Menu 22 € (déj.), 28/80 € – Carte 72/94 €
◆ Hostellerie charmante proposant une carte traditionnelle valorisant le terroir. Spécialité
de "pôchouse", superbe sélection de bourgognes, décor rustique raffiné, belle terrasse.
Chambres personnalisées.

VERGÈZE – 30 Gard – **339** K6 – 3 930 h. – alt. 30 m – ⊠ 30310   23 **C2**

▷ Paris 724 – Montpellier 43 – Nîmes 20
🛈 Office de tourisme, 4, rue Basse ℘ 04 66 35 45 92, Fax 04 66 35 45 92

La Passiflore sans rest ⌂
1 r. Neuve – ℘ 04 66 35 00 00 – www.hotel-lapassiflore.com – hotel.lapassiflore@
orange.fr – Fax 04 66 35 09 21
11 ch – †46/67 € ††46/67 €, ⌒ 8 €
◆ Avenante façade pour cette ancienne ferme datée du 18e s. abritant de petites chambres
simples, tournées sur une jolie cour.

VERGONCEY – 50 Manche – **303** D8 – 215 h. – alt. 70 m – ⊠ 50240   32 **A3**

▷ Paris 352 – Caen 120 – Saint-Lô 86 – Saint-Malo 60 – Fougères 37

Château de Boucéel sans rest ⌂
4 km à l'Est par D 108, D 40 et D 308 – ℘ 02 33 48 34 61
– www.chateaudebouceel.com – chateaudebouceel@wanadoo.fr
– Fax 02 33 48 16 26 – Fermé 11 janv.-8 fév.
5 ch ⌒ – †150/170 € ††150/170 €
◆ Entouré d'un parc à l'anglaise et d'étangs, château de famille (1763) au décor bourgeois :
mobilier de style, parquet à caisson, portraits d'ancêtres. Chambres personnalisées.

1973

LA VERNAREDE – 30 Gard – 339 J3 – 389 h. – alt. 345 m – ⊠ 30530 — 23 C1

▶ Paris 708 – Montpellier 124 – Nîmes 74 – Alès 29 – Aubenas 79

Lou Cante Perdrix avec ch
Le Château – ℰ 04 66 61 50 30 – www.canteperdrix.fr – lou.cante.perdrix@wanadoo.fr – Fax 04 66 61 43 21 – Fermé 2 janv.-15 fév.
12 ch – †52/67 € ††58 € – ½ P 55 €
Rest – (fermé dim. soir, lundi et mardi sauf du 16 juin au 20 sept.) Menu 20 € (déj. en sem.), 28/60 € – Carte 50/65 €

♦ Perdue au milieu des pins, cette imposante maison en pierre (1860) abrite une coquette salle à manger (cheminée, plantes, tableaux...) où l'on sert une cuisine traditionnelle.

VERNET-LES-BAINS – 66 Pyrénées-Orientales – 344 F7 – 1 483 h. — 22 B3
– alt. 650 m – Stat. therm. : mi mars-fin nov. – Casino – ⊠ 66820
Languedoc Roussillon

▶ Paris 904 – Mont-Louis 36 – Perpignan 57 – Prades 11
🛈 Office de tourisme, 2, rue de la chapelle ℰ 04 68 05 55 35, Fax 04 68 05 60 33
◉ Site★ - Abbaye Saint-Martin-du-Canigou 2,5 km S★★.

Princess
r. des Lavandières – ℰ 04 68 05 56 22 – www.hotel-princess.fr – contact@hotel-princess.fr – Fax 04 68 05 62 45 – Ouvert 15 mars-23 nov.
40 ch – †46/96 € ††55/96 €, ⊇ 8,50 € – ½ P 51/72 €
Rest – Menu (14 €), 18/34 € – Carte 27/40 €

♦ Au pied du vieux Vernet. Chambres rénovées dans un style actuel ; certaines ont un balcon tourné vers les montagnes, d'autres donnent sur les toits du village. Vaste restaurant et terrasse où l'on sert plusieurs menus dont un "du terroir".

Mas Fleuri sans rest
bd Clemenceau – ℰ 04 68 05 51 94 – www.hotellemasfleuri.fr – hotel.masfleuri@wanadoo.fr – Fax 04 68 05 50 77 – Ouvert 15 avril-15 oct.
30 ch – †80/90 € ††80/120 €, ⊇ 12 €

♦ Les atouts de cet hôtel des années 1970 : ses chambres rajeunies, avec balcon et vue sur un parc, et sa grande piscine. Buffet de petit-déjeuner dans une maison attenante.

VERNEUIL-SUR-AVRE – 27 Eure – 304 F9 – 6 655 h. – alt. 155 m — 33 C3
– ⊠ 27130 **Normandie Vallée de la Seine**

▶ Paris 114 – Alençon 77 – Argentan 77 – Chartres 57 – Dreux 37 – Évreux 43
🛈 Syndicat d'initiative, 129, place de la Madeleine ℰ 02 32 32 17 17, Fax 02 32 32 17 17
⛳ de Center Parcs par rte de Mortagne : 9 km, ℰ 02 32 60 50 02
◉ Église de la Madeleine★ - Statues★ de l'église Notre-Dame.

Plan page ci-contre

Le Clos
98 r. de la Ferté-Vidame – ℰ 02 32 32 21 81 – www.leclos-normandie.com – leclos@relaischateaux.com – Fax 02 32 32 21 36 – Fermé 11 janv.-12 fév.
7 ch – †180/220 € ††180/220 €, ⊇ 22 € – 3 suites
n
Rest – (fermé mardi midi et lundi) Menu (35 €), 45 € (déj.), 60/85 €
– Carte 65/99 € ⓐ

♦ Parquets cirés et meubles de style créent un cadre d'une grande élégance en ce castel normand bâti en briques rouges et coiffé d'ardoises. Les salles à manger possèdent le raffinement des belles demeures de famille. Charmante terrasse ; bon choix de bordeaux.

Du Saumon
89 pl. de la Madeleine – ℰ 02 32 32 02 36 – www.hoteldusaumon.fr
– hotel.saumon@wanadoo.fr – Fax 02 32 37 55 80 – Fermé 19 déc.-10 janv. et dim. soir de nov. à mars
a
29 ch – †50/60 € ††50/68 €, ⊇ 8 €
Rest – Menu 12 € (sem.)/52 € – Carte 31/50 €

♦ Ex-relais de poste (18ᵉ s.) tourné sur une cour intérieure. Les chambres du bâtiment principal, plus grandes, sont garnies de meubles anciens. En tartare, fumé, mariné, poêlé, grillé... : le saumon est ici chez lui ! Salle rajeunie et terrasse-trottoir.

VERNEUIL-SUR-AVRE

Breteuil (Rue Porte de)	2
Briand (R. A.)	4
Canon (R. du)	5
Casati (Bd)	7
Chasles (Av. A.)	8
Clemenceau (R.)	9
Demolins (Av. E.)	10
Ferté-Vidame (Rte de la)	12
Lait (R. au)	13
Madeleine (Pl. de la)	15
Notre-Dame (Pl.)	16
Paul-Doumer (R.)	17
Poissonnerie (R. de la)	18
Pont-aux-Chèvres (R. du)	19
Tanneries (R. des)	21
Thiers (R.)	22
Tour-Grise (R. de la)	24
Verdun (Pl. de)	25
Victor-Hugo (Av.)	27
Vlaminck (Av. M.-de)	30

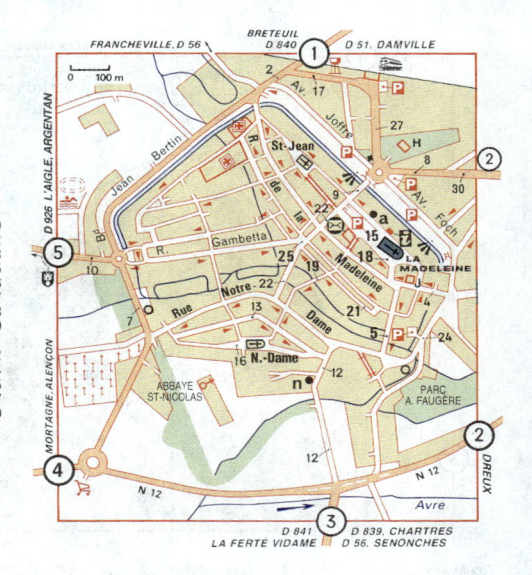

aux Barils 7 km par ⑤, D 926 et D 166 – 159 h. – alt. 201 m – ✉ 27130

Auberge des Barils
2 r. de Verneuil – ✆ 02 32 60 05 88 – auberge-des-barils@wanadoo.fr
– Fermé 8-14 sept., 2-16 janv., mardi de sept. à avril et merc.
Rest – Menu 22/37 € – Carte 35/57 €
♦ Une auberge du 18ᵉ s. dotée de trois salles plaisantes et d'une jolie terrasse d'été. La carte appétissante et saisonnière met à l'honneur les beaux produits normands du marché.

VERNON – 27 Eure – 304 I7 – 23 600 h. – alt. 32 m – ✉ 27200   33 D2
Normandie Vallée de la Seine

▶ Paris 77 – Beauvais 66 – Évreux 34 – Mantes-la-Jolie 25 – Rouen 62
🛈 Office de tourisme, 36, rue Carnot ✆ 02 32 51 39 60, Fax 02 32 51 86 55
◉ Église Notre-Dame★ - Château de Bizy★ 2 km par ③ - Giverny★ 3 km.

Plan page suivante

Normandy
1 av. P.-Mendès-France – ✆ 02 32 51 97 97 – www.le-normandy.net
– normandye.hotel@wanadoo.fr – Fax 02 32 21 01 66   BY t
50 ch – †78/125 € ††78/125 €, ⊡ 10 € – ½ P 72/78 €
Rest – (fermé lundi midi et dim.) Menu (15 €), 23/29 € – Carte 28/47 €
♦ Situé au centre-ville, cet hôtel propose des chambres bien tenues, garnies d'un mobilier fonctionnel. Salon et bar à l'ambiance cosy. Au restaurant, cuisine traditionnelle à déguster dans un plaisant décor de style brasserie-pub.

Les Fleurs
71 r. Carnot – ✆ 02 32 51 16 80 – lesfleurs@tele2.fr – Fax 02 32 21 30 51 – Fermé
mardi midi d'oct. à avril, dim. soir et lundi   BX a
Rest – (nombre de couverts limité, prévenir) Menu (20 € bc), 28/54 €
– Carte 41/56 €
♦ Dans une ruelle du centre-ville, vénérable maison dont l'arrière-corps présente de beaux colombages. Agréable salle contemporaine à l'ambiance feutrée et carte traditionnelle.

1975

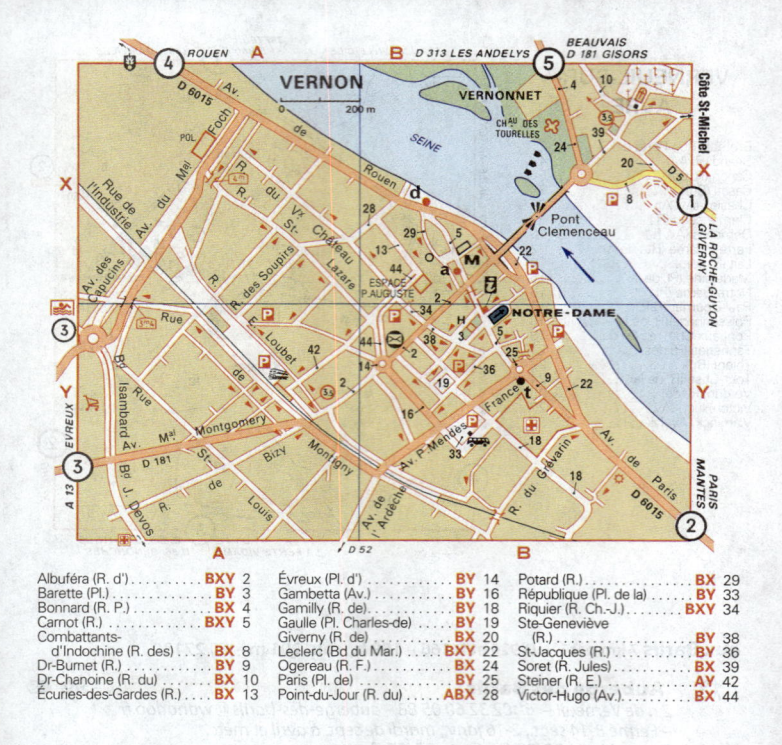

Albuféra (R. d') . . . . **BXY** 2	Évreux (Pl. d') . . . . **BY** 14	Potard (R.) . . . . **BX** 29
Barette (Pl.) . . . . **BY** 3	Gambetta (Av.) . . . . **BY** 16	République (Pl. de la) . . . . . . **BY** 33
Bonnard (R. P.) . . . . **BX** 4	Gamilly (R. de) . . . . **BY** 18	Riquier (R. Ch.-J.) . . . . **BXY** 34
Carnot (R.) . . . . **BXY** 5	Gaulle (Pl. Charles-de) . . . . . **BY** 19	Ste-Geneviève
Combattants-	Giverny (R. de) . . . . **BX** 20	(R.) . . . . **BY** 38
d'Indochine (R. des) . . . . **BX** 8	Leclerc (Bd du Mar.) . . . . **BXY** 22	St-Jacques (R.) . . . . **BY** 36
Dr-Burnet (R.) . . . . **BY** 9	Ogereau (R. F.) . . . . **BY** 24	Soret (R. Jules) . . . . **BX** 39
Dr-Chanoine (R. du) . . . . **BX** 10	Paris (Pl. de) . . . . **BY** 25	Steiner (R. E.) . . . . **AY** 42
Écuries-des-Gardes (R.) . . . . **BX** 13	Point-du-Jour (R. du) . . . . . . **ABX** 28	Victor-Hugo (Av.) . . . . **BX** 44

✕✕ Côté Marine VISA ⓂⒸ
😊 *2 pl. Chantereine* – ✆ *02 32 51 01 95 – Fax 02 32 51 68 91*   BX **d**
Rest – Menu 18/38 €

♦ En bordure de Seine, face au "Vieux Moulin" et au château des Tourelles, ce bâtiment année 1970 cache une agréable salle panoramique dans les tons pastel. Cuisine traditionnelle.

✕ Le Bistro VISA ⓂⒸ
😊 *73 r. Carnot* – ✆ *02 32 21 29 19 – bistro.parcelle@wanadoo.fr*
– *Fax 02 32 21 29 19 – Fermé 1ᵉʳ-9 mars, 6-24 juil., dim. et lundi*   BX **a**
Rest – Menu 18 € bc – Carte environ 28 €

♦ Cet ancien bar a conservé son comptoir aujourd'hui réservé aux clients pressés. Plats traditionnels à découvrir sur l'ardoise du jour et excellent choix de vins au verre.

à Douains 8 km par ③, D 181 et D 75 – 468 h. – alt. 128 m – ✉ 27120

🏠 Château de Brécourt ⓈⒸ VISA ⓂⒸ ⒶⒺ ⓄⒹ
– ✆ *02 32 52 40 50 – www.chateaudebrecourt.com*
– *brecourt@leshotelsparticuliers.com – Fax 02 32 52 69 65*
26 ch – †105/245 € ††105/245 €, ⊇ 15 € – 4 suites
Rest – Menu (25 €), 48/78 € – Carte 50/85 €

♦ En pleine campagne normande, château du 17ᵉ s. entouré de douves et d'un vaste parc. Décor Grand Siècle avec poutres, tomettes et cheminées. Chambres personnalisées. Bar aménagé dans l'ancienne salle des gardes et restaurant empreint d'une certaine noblesse.

VERNOUILLET – 28 Eure-et-Loir – **311** E3 – rattaché à Dreux

1976

VERQUIÈRES – 13 Bouches-du-Rhône – **340** E2 – **rattaché à**
St-Rémy-de-Provence

VERRIERES – 86 Vienne – **322** J6 – 877 h. – alt. 115 m – ⊠ 86410   39 **C2**
- ◘ Paris 368 – Poitiers 31 – Châtellerault 68 – Buxerolles 33 – Chauvigny 26

Les Deux Porches sans rest   VISA ⓂⓄ AE
pl. de la Mairie – ℘ 05 49 42 83 85 – www.hotel-des-deux-porches.fr – hddp@
wanadoo.fr – Fax 05 49 42 83 79
16 ch – †45/52 € ††47/58 €, ⊇ 8 €
♦ Sa situation centrale et ses chambres fonctionnelles décorées dans un style actuel font de cette adresse un point de chute bien pratique. Aimable accueil et petite restauration.

VERSAILLES – 78 Yvelines – **311** I3 – **101** 23 – **voir à Paris, Environs**

VERS-PONT-DU-GARD – 30 Gard – **339** M5 – **rattaché à Pont-du-Gard**

VERTEUIL-SUR-CHARENTE – 16 Charente – **324** L4 – 715 h.   39 **C2**
– alt. 100 m – ⊠ 16510 ▌Poitou Charentes Vendée
- ◘ Paris 414 – Poitiers 78 – Angoulême 42 – Soyaux 44 – Ruelle-sur-Touvre 41

Le Couvent des Cordeliers ⊛   VISA ⓂⓄ
8 r du Docteur Deux Després – ℘ 05 45 31 01 19
– www.lecouventdescordeliers.com – barbou@lecouventdescordeliers.com
– Fermé janv.
5 ch ⊇ – †90 € ††100 €
Table d'hôte – *(dîner sur réservation)* Menu 28 € bc
♦ Une adresse de caractère installée dans un couvent du 16e s. au passé chargé d'histoire. Chambres raffinées et chaleureuses. Expositions et concerts dans l'ancienne chapelle. La maîtresse de maison vous fait découvrir le terroir charentais à sa table d'hôte.

VERTOU – 44 Loire-Atlantique – **316** H4 – **rattaché à Nantes**

VERTUS – 51 Marne – **306** G9 – 2 653 h. – alt. 85 m – ⊠ 51130   13 **B2**
▌Champagne Ardenne
- ◘ Paris 139 – Châlons-en-Champagne 30 – Épernay 21 – Montmirail 39
 – Reims 48

à Bergères-les-Vertus 3,5 km au Sud par D 9 – 533 h. – alt. 108 m – ⊠ 51130

Hostellerie du Mont-Aimé   VISA ⓂⓄ AE ⓪
4-6 r. de Vertus – ℘ 03 26 52 21 31
– www.hostellerie-mont-aime.com – mont.aime@wanadoo.fr
– Fax 03 26 52 21 39 – Fermé dim. soir de nov. à mars
46 ch – †70/90 € ††90/140 €, ⊇ 13 € – ½ P 95 €
Rest – Menu 28 € (sem.)/90 € – Carte 67/87 €
♦ Au pied du Mont-Aimé, cet hôtel dispose de chambres bien tenues, le plus souvent de plain-pied sur le jardin ou avec balcon. Goûteuse cuisine traditionnelle proposée dans l'élégante salle à manger fleurie, dotée d'une verrière. Belle carte de vins (champagnes).

LES VERTUS – 76 Seine-Maritime – **304** G2 – **rattaché à Dieppe**

VERVINS ⊛ – 02 Aisne – **306** F3 – 2 653 h. – alt. 147 m – ⊠ 02140   37 **D2**
▌Nord Pas-de-Calais Picardie
- ◘ Paris 187 – Charleville-Mézières 70 – Laon 36 – Reims 89 – St-Quentin 52
 – Valenciennes 76
- ☒ Office de tourisme, place de l'Hôtel de ville ℘ 03 23 98 11 98,
 Fax 03 23 98 02 47

1977

VERVINS

Tour du Roy
45 r. Gén. Leclerc – ℰ 03 23 98 00 11 – www.latourduroy.com – latourduroy@wanadoo.fr – Fax 03 23 98 00 72 – Fermé lundi midi et mardi midi
22 ch – †80/110 € ††110/250 €, ☑ 15 € – ½ P 110/135 €
Rest – Menu (28 €), 44/75 €

♦ Noble manoir au passé prestigieux, cantonné de trois tours dominant la ville. Les élégantes chambres personnalisées portent des noms évocateurs. "Divins" duplex. Anne de Bretagne, Henri IV, C. de Gaulle et F. Mitterrand s'attablèrent aussi dans ce restaurant.

VERZY – 51 Marne – **306** G8 – 1 068 h. – alt. 210 m – ⌧ 51380   13 **B2**
Champagne Ardenne

▸ Paris 163 – Châlons-en-Champagne 32 – Épernay 23 – Reims 22 – Rethel 52 – Vouziers 56

▸ Syndicat d'initiative, place de l'Hôtel de Ville ℰ 03 26 97 93 65, Fax 03 26 97 95 74

▸ Faux de Verzy★ S : 2 km.

Au Chant des Galipes
2 r. Chanzy – ℰ 03 26 97 91 40 – chantdesgalipes@wanadoo.fr
– Fax 03 26 97 91 44 – Fermé 17 août-3 sept., 21 déc.-21 janv., lundi soir d'oct. à avril, dim. soir, mardi soir et merc.
Rest – Menu (15 €), 19 € (déj. en sem.), 24/41 € – Carte 35/46 €

♦ Au cœur du bourg vigneron, une table sympathique (tons chauds, peinture au plafond représentant le ciel), où l'on peut écouter le chant des Galipes. Recettes dans l'air du temps.

VESCOUS – 06 Alpes-Maritimes – **341** D4 – **rattaché à Gilette**

LE VÉSINET – 78 Yvelines – **311** I2 – **101** 13 – **voir à Paris, Environs**

VESOUL ℗ – 70 Haute-Saône – **314** E7 – 16 200 h. – alt. 221 m   16 **B1**
– ⌧ 70000 Franche-Comté Jura

▸ Paris 360 – Belfort 68 – Besançon 47 – Épinal 91 – Langres 76 – Vittel 86
▸ Office de tourisme, 2,rue Gevrey ℰ 03 84 97 10 85, Fax 03 84 97 10 84

Plan page ci-contre

Du Lion sans rest
4 pl. de la République – ℰ 03 84 76 54 44 – www.hoteldulion.fr – hoteldulion@wanadoo.fr – Fax 03 84 75 23 31 – Fermé 2-17 août et 26 déc.-3 janv.
18 ch – †50 € ††50/56 €, ☑ 6,50 €   **a**

♦ Petit hôtel familial à proximité des rues commerçantes de la ville. Chambres au décor des années 1970, scrupuleusement tenues.

Le Caveau du Grand Puits
r. Mailly – ℰ 03 84 76 66 12 – Fax 03 84 76 66 12 – Fermé 18-24 mai,
15 août-6 sept., 24 déc.-3 janv., merc. soir, sam. midi et dim.   **u**
Rest – Menu 18 € (sem.)/37 € – Carte 25/55 €

♦ Dans une ruelle de la vieille ville, cave voûtée aux murs de pierres, complétée d'une seconde salle avec mezzanine. Courette intérieure où l'on sert les repas aux beaux jours.

à Épenoux 5 km par ①, rte de St-Loup-sur-Semouse et D10 – 479 h. alt. 240
– ⌧ 70000 Pusy-et-Épenoux

Château d'Épenoux
5 r. Ruffier d'Épenoux – ℰ 03 84 75 19 60 – www.chateau-epenoux.com
– chateau.epenoux@orange.fr – Fax 03 84 76 45 05
5 ch ☑ – †90/100 € ††95/105 €   **Table d'hôte** – Menu 19/26 €

♦ Petit château du 18e s. protégé par son parc planté d'arbres centenaires. Meubles et lustres anciens personnalisent les chambres spacieuses. Grand salon feutré. Les dîners ont pour cadre une élégante salle à manger toute de jaune décorée. Cuisine bourgeoise.

VESOUL

Aigle-Noir (R. de l')	2
Alsace-Lorraine (R. d')	3
Annonciades (R. des)	4
Bains (R. des)	6
Banque (R. de la)	7
Châtelet (R. du)	8
Faure (R. Edgar)	10
Fleurier (R. de)	12
Gare (Av. de la)	13
Gaulle (Bd Ch.-de)	14
Genoux (R. Georges)	15
Gevrey (R.)	16
Girardot (R. du Cdt)	20
Grandes-Faulx (R. des)	22
Grand-Puits (Pl. du)	21
Ilottes (R. des)	23
Kennedy (Bd)	24
Leblond (R.)	25
Maginot (R. A.)	26
Moilly (R. de)	36
Morel (R. Paul)	27
Moulin-des-Prés (Pl. du)	28
République (Pl. de la)	29
St-Georges (R.)	30
Salengro (R. Roger)	31
Tanneurs (R. des)	32
Vendémiaire (R.)	33
Verlaine (R.)	35

Les bonnes adresses à petit prix ?
Suivez les Bibs : Bib Gourmand rouge ⊛ pour les tables
et Bib Hôtel bleu 🏨 pour les chambres.

VEUIL – 36 Indre – **323** F4 – rattaché à Valençay

VEULES-LES-ROSES – 76 Seine-Maritime – **304** E2 – 599 h.   33 **C1**
– alt. 15 m – ⊠ 76980 ▊ **Normandie Vallée de la Seine**

▶ Paris 188 – Dieppe 27 – Fontaine-le-Dun 8 – Rouen 57
– St-Valery-en-Caux 8

🛈 Office de tourisme, 27, rue Victor-Hugo ℰ 02 35 97 63 05,
Fax 02 35 57 24 51

XXX Les Galets   AC ⇔ VISA MC
à la plage – ℰ 02 35 97 61 33 – Fax 02 35 57 06 23
– *Fermé mardi et merc.*
Rest – Menu 36/80 € – Carte 54/75 €

◆ Bâtisse en briques proche d'une plage de galets typique de la Côte d'Albâtre. Confortables salles à manger-véranda, tables soigneusement dressées et recettes d'aujourd'hui.

LE VEURDRE – 03 Allier – 326 F2 – 550 h. – alt. 190 m – ⊠ 03320 — 5 B1
Auvergne

▶ Paris 272 – Bourges 66 – Montluçon 73 – Moulins 36 – Nevers 34 – St-Amand-Montrond 48

Le Pont Neuf
– ℰ 04 70 66 40 12 – www.hotel-lepontneuf.com – hotel.le.pontneuf@wanadoo.fr – Fax 04 70 66 44 15 – Fermé mi-nov. à mi-fév. et dim. soir du 15 oct. au 31 mars
46 ch – †50/55 € ††60/95 €, ⊇ 9 € – ½ P 53/77 €
Rest – Menu 19 € (sem.)/41 € – Carte 24/60 €
◆ Hôtel traditionnel modernisé, apprécié pour ses équipements de loisirs. À l'arrière les chambres bénéficient du silence du parc ; les plus récentes sont dans l'annexe. Restaurant campagnard où des suggestions saisonnières étoffent carte et menus traditionnels.

VEUVES – 41 Loir-et-Cher – 318 D7 – 220 h. – alt. 62 m – ⊠ 41150 — 11 A1
▶ Paris 205 – Bourges 135 – Orléans 84 – Poitiers 137 – Tours 38

L'Auberge de la Croix Blanche
2 av. de la Loire – ℰ 02 54 70 23 80 – www.cuisine-en-loir-et-cher.fr – jean-claude.sichi@orange.fr – Fax 02 54 70 21 47 – Fermé vacances de fév., merc. midi de Pâques à oct., merc. soir de nov. à Pâques, mardi soir du 15 janv. à Pâques, lundi sauf le soir en juil.-août et dim. soir.
Rest – Menu (18 €), 22/33 € – Carte 30/48 €
◆ Auberge familiale (1888) sur les bords de la Loire où l'on déguste une cuisine actuelle rythmée par les saisons. Joli cadre rustique rénové ou terrasse dressée dans le jardin.

VEYNES – 05 Hautes-Alpes – 334 C5 – 3 202 h. – alt. 827 m – ⊠ 05400 — 40 B1
▶ Paris 660 – Aspres-sur-Buëch 9 – Gap 25 – Sisteron 51
ℹ Office de tourisme, avenue Commandant Dumont ℰ 04 92 57 27 43, Fax 04 92 58 16 18

La Sérafine
Les Paroirs, 2 km à l'Est par rte Gap et D 20 – ℰ 04 92 58 06 00 – Fax 04 92 58 09 11 – Fermé lundi et mardi
Rest – (nombre de couverts limité, prévenir) Menu 25/32 €
◆ Jolie bâtisse (18ᵉ s.) où vous serez reçu comme à la maison. Cuisine du marché proposée oralement (deux menus changés chaque jour), accompagnée de bons vins. Terrasse en saison.

VEYRIER-DU-LAC – 74 Haute-Savoie – 328 K5 – rattaché à Annecy

---

VÉZAC – 24 Dordogne – 329 I6 – rattaché à Beynac et Cazenac

VÉZAC – 15 Cantal – 330 D5 – rattaché à Aurillac

VÉZELAY – 89 Yonne – 319 F7 – 473 h. – alt. 285 m – Pèlerinage (22 juillet) – ⊠ 89450 **Bourgogne** — 7 B2
▶ Paris 221 – Auxerre 52 – Avallon 16 – Château-Chinon 58 – Clamecy 23
ℹ Office de tourisme, 12, rue Saint-Etienne ℰ 03 86 33 23 69, Fax 03 86 33 34 00
◉ Basilique Ste-Madeleine★★★ : tympan du portail central★★★, chapiteaux★★★.

Poste et Lion d'Or
pl. du Champ de Foire – ℰ 03 86 33 21 23 – www.laposte-liondor.com – contact@laposte-liondor.com – Fax 03 86 32 30 92 – Fermé janv. et fév.
38 ch – †71/103 € ††75/107 €, ⊇ 12 € – ½ P 72/77 €
Rest – (fermé lundi et mardi de nov. à mars) Menu 26/58 € – Carte 42/60 €
◆ Cet ex-relais de poste cossu accueille les voyageurs depuis plus de 200 ans ! Confortables chambres de style classique ; celles ouvertes sur la campagne sont très prisées. Cuisine régionale revisitée au restaurant et vente de produits du terroir à la boutique.

VÉZELAY

Compostelle sans rest
pl. du Champ de Foire – ℰ 03 86 33 28 63
– http://monsite.wanadoo.fr/compostelle.vezelay – le.compostelle@wanadoo.fr
– Fax 03 86 33 34 34 – Fermé 1er-27 déc. et 3 janv.15 fév.
18 ch – †49/63 € ††49/63 €, ⌘ 10 €
♦ Petit hôtel familial dont certaines chambres, fonctionnelles, en rez-de-jardin ou avec balcon, donnent sur la vallée. Salle des petits-déjeuners panoramique.

Le St-Étienne
39 r. St-Étienne – ℰ 03 86 33 27 34 – www.le-saint-etienne.fr – lesaintetienne@aol.com – Fax $$$ – Fermé 10 janv.-26 mars, merc. et jeudi
Rest – Menu 29/59 € – Carte 57/113 €
♦ Cette bâtisse du 18e s. borde la rue principale conduisant à la basilique. À l'intérieur : chaleureux décor rajeuni avec belles poutres peintes. Cuisine au goût du jour.

Le Bougainville
28 r. St-Etienne – ℰ 03 86 33 27 57 – lebougainvillevezelay@wanadoo.fr
– Fax 03 86 33 35 12 – Ouvert mi-fév. à mi-nov. et fermé lundi hors saison, mardi et merc.
Rest – Menu 21/28 € – Carte 25/47 €
♦ Dans une maison ancienne sur la rue montant à la basilique, un restaurant familial au cachet rétro proposant une cuisine du terroir accompagnée de vins de la région.

à St-Père 3 km au Sud-Est par D 957 – 380 h. – alt. 148 m – ✉ 89450
◉ Église N.-Dame★.

L'Espérance (Marc Meneau)
rte de Vézelay – ℰ 03 86 33 39 10
– www.marc-meneau-esperance.com – reservation@marc-meneau.com
– Fax 03 86 33 26 15 – Fermé 15 janv.-1er mars, lundi midi, merc. midi et mardi sauf fériés
19 ch – †150/300 € ††150/300 €, ⌘ 30 € – 8 suites – ½ P 250/350 €
Rest – (prévenir) Menu 95 € bc (déj. en sem.), 160/210 €
– Carte 150/250 € ❀

Spéc. Langoustines royales rôties en casserole. Filet de veau sous la mère et crème de laitue braisée. Dessert "Marie-Antoinette". **Vins** Bourgogne Vézelay blanc, Chablis.

♦ Chambres élégantes et rénovées dans la maison de maître, actuelles avec terrasse privative au Pré des Marguerites, d'esprit cottage au Moulin : un choix cornélien ! Restaurant sous verrière ouvrant sur le parc. Table classico-créative et superbe sélection de bourgognes.

La Renommée sans rest
19 et 20 rte de Vézelay – ℰ 03 86 33 21 34 – perso.orange.fr/la.renommee/
– la.renommee89@wanadoo.fr – Fax 03 86 33 34 17 – Fermé
24 déc.-1er mars et dim. sauf de mai à août
16 ch – †42/49 € ††49/58 €, ⌘ 7 €
♦ Au centre du village, hôtel faisant aussi bar-tabac et dépôt de presse. Demandez l'une des chambres de l'annexe située juste en face, plus récentes et assez confortables.

à Fontette 5 km à l'Est par D 957 – ✉ 89450 Vézelay

Crispol
rte d'Avallon – ℰ 03 86 33 26 25 – www.crispol.com – crispol@wanadoo.fr
– Fax 03 86 33 33 10 – Fermé janv., fév. et lundi de nov. à avril
12 ch – †78/128 € ††78/128 €, ⌘ 10 € – ½ P 78 €
Rest – (fermé mardi midi et lundi) Menu 25/56 €
– Carte 32/45 €
♦ Maison en pierre à l'entrée du village, avec la colline éternelle en toile de fond. L'annexe cache de vastes chambres décorées d'œuvres de la patronne-artiste. Lumineuse salle à manger dont les baies ménagent une belle vue sur la basilique.

1981

VÉZELAY

à Pierre-Perthuis 6 km au Sud-Est par D 957 et D 958 – 116 h. – alt. 220 m – ✉ 89450

Les Deux Ponts
1 rte de Vézelay – ℰ 03 86 32 31 31 – lesdeuxponts@gmail.com – Ouvert 6 mars-30 nov.
7 ch – †50/60 € ††50/65 €, ⛌ 7 € – ½ P 57/69 €
Rest – (fermé merc. d'oct. à mai et mardi) (nombre de couverts limité, prévenir) Menu 23/45 € – Carte 31/50 €

◆ Maison de pays avenante et fleurie au bord d'une route de campagne. Chambres simples (sans TV) dotées d'une bonne literie et de salles de bains bien équipées. Originale salle à manger dont le cadre épuré est égayé d'amusants lustres hollandais en verre.

VIA – 66 Pyrénées-Orientales – **344** D8 – rattaché à Font-Romeu

---

VIADUC DE GARABIT ★★ – 15 Cantal – **330** H5 – ✉ 15100   5 **B3**
Auvergne

▶ Paris 520 – Aurillac 84 – Mende 74 – Le Puy-en-Velay 90 – St-Flour 14

◉ Maison du paysan★ à Loubaresse S : 7 km - Belvédère de Mallet ≤★★ SO : 13 km puis 10 mn.

Beau Site
N 9 – ℰ 04 71 23 41 46 – www.beau-site-hotel.com – info@beau-site-hotel.com – Fax 04 71 23 46 34 – Ouvert 3 avril-3 nov.
17 ch – †48/60 € ††48/65 €, ⛌ 10 € – 3 suites – ½ P 50/66 €
Rest – Menu (13 €), 18/48 € – Carte 39/54 €

◆ Viaduc, lac ou jardin ? Si l'on trouve ici des chambres coquettes et confortables (la plupart avec écran plasma), reste à choisir la vue ! Tennis, piscine, aire de jeux. Au restaurant, le célèbre ouvrage de Gustave Eiffel illumine les dîners.

Anglards-de-St-Flour 3 km au Nord – 321 h. – alt. 840 m – ✉ 15100

La Méridienne
– ℰ 04 71 23 40 53 – www.hoteldelameridienne.com – info@hoteldelameridienne.com – Fax 04 71 23 91 05 – Fermé 20 déc.-6 fév.
16 ch – †41/56 € ††41/56 €, ⛌ 8 € – ½ P 49/54 €
Rest – Menu 15 € (sem.)/51 € – Carte 29/58 €

◆ Accueil tout en gentillesse dans cette maison récente. Chambres pratiques, sans fioritures mais très bien tenues ; choisir celles donnant sur le grand jardin (jeux pour enfants). À table, mets régionaux et, sur commande, plateaux de fruits de mer et zarzuela.

VIBRAC – 16 Charente – **324** J6 – rattaché à Jarnac

VIC-EN-BIGORRE – 65 Hautes-Pyrénées – **342** M4 – 4 788 h.   28 **A2**
– alt. 216 m – ✉ 65500

▶ Paris 775 – Pau 47 – Aire sur l'Adour 53 – Auch 62 – Mirande 37 – Tarbes 19

Réverbère
29 bd d'Alsace – ℰ 05 62 96 78 16 – www.lereverbere.fr – le.reverbere@wanadoo.fr – Fax 05 62 96 79 85 – Fermé 18-31 déc. et 12-20 fév.
10 ch – †48 € ††48 €, ⛌ 6,50 €
Rest – (fermé sam. sauf le soir de juin à sept. et dim. soir) Menu (11 €), 13 € (sem.)/28 € – Carte environ 40 €

◆ En léger retrait de la route, cet hôtel accueillant bénéficie de chambres confortables, bien équipées et dotées d'un agréable mobilier en bois blond. Cuisine traditionnelle servie dans une salle lumineuse aux tons ocre, égayée de subtiles touches colorées.

Le Tivoli
pl. Gambetta – ℰ 05 62 96 70 39 – www.hotel-resto-tivoli65.com – hotel.tivoli@wanadoo.fr – Fax 05 62 96 29 74
24 ch – †43/50 € ††46/54 €, ⛌ 10 € – ½ P 40/48 €
Rest – (fermé dim. soir et lundi midi) Menu (11 €), 13 € (sem.)/38 € – Carte 20/50 €

◆ Étape pratique au pays de l'Adour dans cet établissement situé sur la place principale de Vic. Chambres simples et bien tenues. Au restaurant, deux salles dont une véranda "façon Eiffel" et terrasse dans la cour arborée. Recettes traditionnelles.

VIC-EN-BIGORRE

⌂ **La Maison d'Anaïs** 🚗 ⌘ 📶 🅿️
3 r. Pasteur – ℰ 05 62 96 84 04 – www.chambres-d-hotes-pyrenees.com
– lamaisondanais@wanadoo.fr
3 ch ⌂ – †60 € ††60/65 €
Table d'hôte – Menu 20 € bc/25 € bc
♦ Ferme typiquement régionale entourée d'un jardin. Grandes chambres personnalisées, salon, bibliothèque et terrasse sous pergola ouverte sur la verdure. Petit-déjeuner et dîner servis autour de la table en bois massif de la cuisine.

VICHY 👁 – **03 Allier** – **326** H6 – 26 000 h. – alt. 340 m – Stat. therm. : 6 **C1**
1er mars-fin nov. – Casinos : Le Grand Café **BZ**, Elysée Palace – ✉ 03200
🍃 **Auvergne**

▶ Paris 353 – Clermont-Ferrand 55 – Montluçon 99 – Moulins 57 – Roanne 74
🛈 Office de tourisme, 19, rue du Parc ℰ 04 70 98 71 94, Fax 04 70 31 06 00
⛳ du Sporting Club de Vichy à Bellerive-sur-Allier Allée Georges Baugnies, ℰ 04 70 32 39 11
⛳ la Forêt de Montpensier à Bellerive-sur-Allier Domaine du château de Rilhat, par rte de Clermont-Ferrand : 8 km, ℰ 04 70 56 58 39
◉ Parc des Sources★ - Les Parcs d'Allier★ - Chalets★ (boulevard des États-Unis) **BYZ** - Le quartier thermal★ - Grand casino-théâtre★.

Plan page suivante

🏨 **Sofitel Les Célestins** 🚗 🍽 🖼 SPA ₤₅ 🛗 AC ⇄ ✴ rest, 📶 🧖 ☎
111 bd États-Unis – ℰ 04 70 30 82 00
– h3241@accor.com – Fax 04 70 30 82 01 VISA MC AE ①
131 ch – †191/252 € ††231/293 €, ⌂ 21 € – 5 suites BY **e**
Rest *N 3* – *(fermé le midi du lundi au jeudi du 15 sept. au 13 avril) (dîner seult)*
Menu (32 €), 43/140 € – Carte 69/100 €
Rest *Le Bistrot des Célestins* – *(fermé dim. soir sauf fériés)* Menu 25 €
– Carte 37/68 €
♦ Cet hôtel moderne jouxte les fameux chalets qui accueillirent Napoléon III. Chambres actuelles, centre de remise en forme complet et piscine panoramique. Cuisine inventive, cadre contemporain et belle terrasse d'été au N 3. Plats traditionnels et grillades au Bistrot.

🏨 **Aletti Palace Hôtel** 🌊 ₤₅ 🛗 AC ⇄ 📶 🧖 VISA MC AE ①
3 pl. Joseph Aletti – ℰ 04 70 30 20 20 – www.hotel-aletti.fr – contact@aletti.fr
– Fax 04 70 98 13 82 BZ **u**
129 ch ⌂ – †120/168 € ††133/186 €
Rest *La Véranda* – ℰ 04 70 30 21 21 – Menu (21 €), 23/50 € – Carte 31/52 €
♦ Face au Grand Casino, élégant hôtel du début du 20e s. alliant modernité et charme d'antan. Mobilier d'inspiration Art déco dans les chambres, peu à peu rajeunies. Fitness. Agréable salle à manger agrandie d'une véranda ; carte traditionnelle.

🏨 **Les Nations** 🛗 AC rest, ⇄ ✴ rest, 📶 🧖 VISA MC AE
13 bd Russie – ℰ 04 70 98 21 63 – www.lesnations.com – contact_lesnations@
lesnations.com – Fax 04 70 98 61 13 – Ouvert 1er avril-20 oct. BZ **c**
70 ch – †58/84 € ††58/105 €, ⌂ 12 € – ½ P 54/67 €
Rest – Menu (17 €), 21 € – Carte 33/39 €
♦ Situation centrale pour ce bel immeuble 1900 à la façade finement ouvragée. Les chambres fonctionnelles et les salles de bains profitent d'une bénéfique cure de jouvence. Cuisine traditionnelle servie dans deux salles à manger chaleureuses au décor actuel.

🏨 **Pavillon d'Enghien** 🍽 🌊 🛗 ⇄ 📶 🧖 VISA MC AE
🔗 *32 r. Callou – ℰ 04 70 98 33 30 – www.pavillondenghien.com – hotel.pavi@*
wanadoo.fr – Fax 04 70 31 67 82 – Fermé 20 déc.-1er fév. BY **b**
22 ch – †59/68 € ††75/81 €, ⌂ 8,50 € – ½ P 54/62 €
Rest *Les Jardins d'Enghien* – *(fermé vend. soir de nov. à avril, dim. soir et lundi)*
Menu 19/34 € – Carte 20/35 €
♦ Cette sympathique adresse dispose de coquettes chambres personnalisées, diversement meublées et peu à peu refaites. Accueil aimable. Décor actuel, petite terrasse entourée de verdure et cuisine traditionnelle au restaurant.

BELLERIVE-SUR-ALLIER

Auberger (Av. F.)	A 2
Jean-Jaurès (Av.)	A 16
Ramin (R.G.)	A 28
République (Av.)	A 30

VICHY

Alquié (R.)	BY 15
Belgique (R. de)	BZ 3
Besse (R.)	CZ 20
Briand (Av. A.)	BZ 4
Casino (R. du)	BZ 5
Clemenceau (R. G.)	BZ 6
Colombier (R. Hubert)	BZ 23
Coulon (Av. P.)	BY 7
Foch (R. Mar.)	CZ 8
Glénard (Pl. Frantz)	BY 9
Gramont (Av. de)	A 10
Hôpital (Bd de l')	A 13
Hôtel des Postes (R.)	CY 14
Lattre-de-T. (Bd Mar.-de)	CY 17
Lucas (R.)	BY 18
Lyautey (R. du Mar.)	A 19
Parc (R. du)	BZ 22
Paris (R. de)	CY
Poincaré (Av.)	24
Porte-Verrier (R. de la)	BZ 31
Prés.-Eisenhower (Av. du)	BY 25
Prés.-Wilson (R.)	BZ 26
Prunelle (R.)	BZ 27
République (Av.)	A 29
Tour (R. de la)	BZ 32

1984

VICHY

Chambord
82 r. de Paris – ℰ 04 70 30 16 30 – www.hotel-chambord-vichy.com
– le.chambord@wanadoo.fr – Fax 04 70 31 54 92 – Fermé 20 déc.-30 janv.
27 ch – ♦43/52 € ♦♦50/62 €, ☐ 10 € – ½ P 52/62 €   CY **k**
Rest *L'Escargot qui Tette* – *(fermé dim. soir et lundi)* Menu 23 € (sem.)/45 €
– Carte 35/60 €
• Depuis trois générations, la même famille vous accueille dans cet hôtel aux chambres pratiques et bien insonorisées. Un amusant escargot qui "tette" une bouteille de vin rouge est devenu l'emblème du restaurant, sagement contemporain.

Arverna sans rest
12 r. Desbrest – ℰ 04 70 31 31 19 – www.hotels-vichy.com – arverna-hotel@
wanadoo.fr – Fax 04 70 97 86 43 – Fermé 7-22 fév. et 31 déc.-3 janv.
26 ch – ♦45/50 € ♦♦50/65 €, ☐ 8 €   CY **g**
• Un hôtel familial aux petites chambres doucement rénovées, orientées sur la rue ou sur la cour intérieure où l'on petit-déjeune en été.

Kyriad sans rest
6 av. Prés. Doumer – ℰ 04 70 31 45 00 – www.vichyevasion.fr – Fax 04 70 97 67 37
36 ch – ♦45/50 € ♦♦50/115 €, ☐ 8 €   CZ **h**
• Dans le quartier commerçant de la célèbre station, hôtel proposant des chambres de taille variable, pratiques et bien insonorisées. Formule buffet au petit-déjeuner.

Maison Decoret (Jacques Decoret) avec ch
15 r. du Parc – ℰ 04 70 97 65 06 – www.jacquesdecoret.com – jacques.decoret@
wanadoo.fr – Fax 04 70 97 80 11 – Fermé 12 août-5 sept., 5-26 fév., mardi et merc.
BZ **b**
5 ch – ♦180 € ♦♦180 €, ☐ 18 €
Rest – Menu 68 € (déj. en sem.), 65/115 € – Carte 95/115 €
Spéc. Pomme de terre "institut de Beauvais" en crème. Bar sauvage d'Erquy confit, jus d'herbes, dattes et petits fenouils. Sablé chocolat et tube craquant garni de café. **Vins** Saint-Pourçain blanc et rouge.
• Bâtisse (1850) dans un quartier historique : voici le nouveau terrain d'expression de Jacques Décoret. Audacieuse cuisine inventive proposée dans une salle à manger au décor épuré. Chambres actuelles ponctuées de clins d'œil à Napoléon III et esprit maison d'hôte.

L'Alambic
8 r. N.-Larbaud – ℰ 04 70 59 12 71 – alambic.vichy@orange.fr
– Fax 04 70 97 98 88 – Fermé 10 août-3 sept., 8 fév.-25 mars, dim. soir, lundi et mardi   CY **u**
Rest – *(nombre de couverts limité, prévenir)* Menu 26/47 € – Carte 36/42 €
• Appétissante carte actuelle, service soigné et ambiance intime vous attendent dans cette adresse de poche, près du quartier commerçant. Sobre décor aux tons verts et gris.

La Table d'Antoine
8 r. Burnol – ℰ 04 70 98 99 71 – www.latabledantoine.com – Fax 04 70 98 99 71
– Fermé 2-8 nov., 15 fév.-6 mars, jeudi soir en hiver,
dim. soir et lundi sauf fériés   BZ **d**
Rest – Menu 22 € (déj. en sem.), 29/60 € – Carte 45/69 €
• Carte dans l'air du temps à déguster dans un décor "Baltard" (verre et fonte) rajeuni avec bonheur. Beau plateau de fromages auvergnats. Terrasse sur rue piétonne.

L'Aromate
9 r. Besse – ℰ 04 70 32 13 22 – Fax 04 70 32 13 22 – Fermé 20 juil.-12 août,
2-15 janv., dim. soir, mardi soir et merc.   CZ **n**
Rest – *(prévenir)* Menu (15 €), 20/38 € – Carte environ 38 €
• Dans la rue natale d'Albert Londres, on déguste une cuisine "herbes et épices" dans une salle à manger redécorée avec goût : tableaux, miroir, mise de table ivoire et chocolat.

Brasserie du Casino
4 r. du Casino – ℰ 04 70 98 23 06 – www.allier-hotels-restaurants.com
– bdcvichy@wanadoo.fr – Fax 04 70 98 53 17 – Fermé 25 oct.-19 nov., 22 fév.
-4 mars, mardi et merc.   BZ **a**
Rest – Menu (16 €), 26 € – Carte 41/50 €
• L'authentique cadre 1920 de cette brasserie est agrémenté de photos d'artistes lyriques ayant fait les beaux soirs de l'opéra tout proche. Terrasse-trottoir.

VICHY

Michelangelo.s
44 av. Eugène-Gilbert – ℘ 04 70 32 85 15 – michelangelo.s@orange.fr
– Fax 04 70 32 85 15 – Fermé dim. soir, lundi soir, mardi soir et merc.   CZ **b**
Rest – *(nombre de couverts limité, prévenir)* Menu (14 €), 18 € (déj. en sem.), 24/33 € – Carte 28/50 €

♦ Dans cette maison familiale, simple et accueillante, le chef, d'origine piémontaise, prépare des recettes qui célèbrent toute l'Italie. Belle carte des vins. Coin épicerie.

L'Hippocampe
3 bd de Russie – ℘ 04 70 97 68 37 – Fax 04 70 97 68 37 – Fermé 1er-21 juin, 16 nov.-6 déc., mardi midi, dim. soir et lundi   BZ **z**
Rest – Menu (18 € bc), 27/56 € – Carte 40/70 €

♦ Le boulevard est jalonné de somptueuses et excentriques villas. Cadre simple et cuisines visibles depuis la salle. Les produits de la mer ont l'honneur de la carte.

à Abrest 4 km par ② – 2 500 h. – alt. 290 m – ⊠ 03200

La Colombière avec ch
136 av. de Thiers, par D 906 – ℘ 04 70 98 69 15 – www.allier-hotel-restaurant.com
– lacolombiere@wanadoo.fr – Fax 04 70 31 50 89 – Fermé 2 sem. en oct., de fin janv. à mi-fév., dim. soir et lundi
3 ch – ♦40/43 € ♦♦57/66 €, ⊇ 9 €
Rest – Menu 20 € (sem.)/50 € – Carte 45/57 €

♦ À flanc de colline, charmante villa des années 1950, son colombier et son jardin en terrasses courant jusqu'à l'Allier. Superbe panorama sur la vallée, cuisine traditionnelle. Chambres personnalisées et parfaitement tenues ; accueil aimable.

à St-Yorre 8 km par ② – 2 734 h. – alt. 275 m – ⊠ 03270

L'Auberge Bourbonnaise
2 av. Vichy – ℘ 04 70 59 41 79 – aubergebourbonnaise@wanadoo.fr
– Fax 04 70 59 24 94 – Fermé 15 fév.-16 mars, dim. soir et lundi sauf juil.-août
16 ch – ♦52/60 € ♦♦52/76 €, ⊇ 9 € – ½ P 50/54 €
Rest – Menu (12 € bc), 22/50 € – Carte 25/55 €

♦ Malgré la proximité de la route, les chambres sont tranquilles car bien insonorisées. L'annexe abrite de spacieux duplex au décor frais et soigné. Salle à manger-véranda rustique et terrasse ; bon choix de menus traditionnels.

Piquenchagne
Domaine des grands Jarraux, Sud : 2 km sur rte Thiers – ℘ 04 70 59 23 77
– Fax 04 70 59 23 77 – Fermé 1er-14 sept., 25 janv.-8 fév. et lundi
Rest – Menu (15 € bc), 19/39 € – Carte 37/57 €

♦ Cette ex-ferme restaurée abrite deux salles à manger sobres et accueillantes ; terrasse dressée face au jardin à l'anglaise. Cuisine du terroir à prix sages.

VIC-LE-COMTE – 63 Puy-de-Dôme – 326 G9 – 4 612 h. – alt. 472 m – ⊠ 63270 ▮ Auvergne   5 **B2**

▶ Paris 433 – Ambert 56 – Clermont-Ferrand 23 – Issoire 16 – Thiers 40
◉ Ste-Chapelle ★ - Château de Busséol ★ N : 6,5 km.

à Longues 4 km au Nord-Ouest par D 225 - ⊠ 63270 Vic-le-Comte

Le Comté
186 bd. du Gén. de Gaulle – ℘ 04 73 39 90 31 – www.restaurantlecomte.com
– pascal_bonniol@orange.fr – Fermé 31 août-13 sept., merc. soir, dim. soir et lundi
Rest – Menu 21/38 € – Carte 36/50 €

♦ Une maison régionale du début du 20e s. qui voisine la Banque de France. Décor classique. Quartier oblige : on y croise les notables locaux amateurs de plats au goût du jour.

VIC-SUR-CÈRE – 15 Cantal – 330 D5 – 1 971 h. – alt. 678 m – Casino – ⊠ 15800 ▮ Auvergne   5 **B3**

▶ Paris 549 – Aurillac 19 – Murat 29
▯ Office de tourisme, avenue André Mercier ℘ 04 71 47 50 68, Fax 04 71 47 58 56

VIC-SUR-CÈRE

🏠 **Family Hôtel** ⟨ 🚗 🏊 🏊 🍽 |♣| &. ch, % rest, 🛋 **P** [VISA] 🟦 AE ①
🔗 *av. E. Duclaux –* 𝒞 *04 71 47 50 49 – www.family-hotel.fr – francois.courbebaisse@
wanadoo.fr – Fax 04 71 47 51 31*
55 ch – †45/69 € ††55/79 €, ⟹ 7 € – 16 suites – ½ P 44/57 €
Rest – *(fermé 15 nov.-15 déc.)* Menu 16/30 € – Carte 16/27 €
♦ Idéal pour les familles, cet ensemble hôtelier propose au choix des chambres fonctionnelles ou des studios, et diverses activités : piscines, tennis, animations, excursions... Restaurant de type pension, vue panoramique sur la vallée et carte traditionnelle.

🏠 **Bel Horizon** ⟨ 🚗 🏡 🏊 |♣| ⅔ ୩₹ 🛋 **P** [VISA] 🟦
🔗 *r. Paul Doumer –* 𝒞 *04 71 47 50 06 – www.hotel-bel-horizon.com – bouyssou@
wanadoo.fr – Fax 04 71 49 63 81 – Fermé 16 nov.-6 déc.*
24 ch ⟹ – †48/59 € ††63/75 € – ½ P 46/52 €
Rest – Menu (15 €), 19/42 € – Carte 25/60 €
♦ La perspective sur les reliefs du Carladès justifie l'enseigne de cet établissement traditionnel proche de la gare. Petites chambres entièrement et bien refaites. Les larges baies de la salle à manger offrent une échappée sur les plateaux alentour.

au Col de Curebourse 6 km au Sud-Est par D 54 - ✉ 15800 St-Clément
– alt. 994 m – ✉ 15800

🏠🏠 **Hostellerie St-Clément** ⟨ 🌳 🏡 &. ⅔ % 🛋 **P** [VISA] 🟦
🔗 – 𝒞 *04 71 47 51 71 – hotelstclementcantal.com – hostelleriesaintclement@
wanadoo.fr – Fax 04 71 49 63 02 – Femé 11-31 janv., dim. soir et lundi
sauf juil.-août*
21 ch – †56 € ††56/65 €, ⟹ 8 € – ½ P 56/65 €
Rest – Menu 27/105 € – Carte 55/78 €
♦ Longue bâtisse dominant la vallée, sise à 1 000 m d'altitude. Les chambres, presque toutes rafraîchies, donnent sur le parc. Adresse entièrement non-fumeurs. Au restaurant : vue panoramique sur plateaux et ravins du Carladès et appétissante carte traditionnelle.

VIDAUBAN – 83 Var – **340** N5 – 9 331 h. – alt. 60 m – ✉ 83550   **41 C3**
🚘 Paris 841 – Cannes 63 – Draguignan 19 – Fréjus 29 – Toulon 61
🛈 Office de tourisme, 56, avenue du Président Wilson 𝒞 04 94 73 10 28,
Fax 04 94 73 07 82

🏠 **La Fontaine** &. [AC] rest, % 📞 **P** 🚗 [VISA] 🟦
60 rte Départementale 84, rte du Thoronet : 1,5 km – 𝒞 *04 94 99 91 91
– http://hotelfontaine.monsite.orange.fr – hotelfontaine@orange.fr
– Fax 04 94 73 16 49*
13 ch – †65 € ††65 €, ⟹ 8 € – ½ P 65 €
Rest – *(dîner seult)* Menu 20/29 € – Carte 27/34 €
♦ Cet hôtel familial, posté à un carrefour, dispose de chambres identiques, fonctionnelles et impeccablement tenues. Restaurant au cadre actuel agrémenté de nombreuses plantes vertes ; cuisine simple et traditionnelle, rehaussée d'une petite touche indienne.

XXX **La Bastide des Magnans** avec ch 🏡 % ch, ୩₹ 🛋 **P** [VISA] 🟦 AE ①
20 av. de la Résistance, rte La Garde-Freinet – 𝒞 *04 94 99 43 91
– www.bastidedesmagnans.com – magnans83@orange.fr – Fax 04 94 99 44 35
– Fermé 25 juin-4 juil., 24-31 déc., dim. soir et lundi hors saison*
5 ch – †75/85 € ††85/95 €, ⟹ 10 € – ½ P 90/105 €
Rest – *(fermé dim. soir, merc. soir et lundi hors saison)* Menu (19 €), 29/68 €
– Carte 68/90 €
♦ Cette ancienne magnanerie abrite deux lumineuses salles à manger décorées dans un style campagnard chic. Carte traditionnelle bien composée. Intérieur soigné pour les cinq chambres de charme, toutes imaginées sur un thème et une ambiance différents.

X **Concorde** 🏡 [VISA] 🟦
9 pl. G. Clemenceau – 𝒞 *04 94 73 01 19 – Fax 04 94 73 01 19 – Fermé mardi soir et
merc.*
Rest – Menu (19 € bc), 31/58 € – Carte 50/80 €
♦ Sur la place du village, ce restaurant typiquement provençal propose une généreuse cuisine cent pour cent terroir avec, en saison, des spécialités de gibier et de champignons.

VIEILLEVIE – 15 Cantal – 330 C7 – 114 h. – alt. 220 m – ⊠ 15120 5 **B3**

▶ Paris 600 – Aurillac 45 – Entraygues-sur-Truyère 15 – Figeac 44 – Montsalvy 14 – Rodez 50

La Terrasse
– ℰ 04 71 49 94 00 – www.hotel-terrasse.com – hotel-de-la-terrasse@wanadoo.fr
– Fax 04 71 49 92 23 – Ouvert 2 avril-7 nov.
26 ch – †50/55 € ††59/64 €, ⊇ 10 € – ½ P 54/65 €
Rest – (fermé dim. soir et lundi sauf juil.-août, et week-end fériés) Menu (11 €), 24 € (sem.)/43 € – Carte 33/46 €

◆ Cet hôtel géré par la même famille depuis 1870 est situé au bord du Lot. Bons équipements de loisirs, chambres d'esprit campagnard et bar à clientèle locale. Une glycine ombrage la terrasse du restaurant, aménagée en surplomb de la piscine ; carte régionale.

VIENNE – 38 Isère – 333 C4 – 30 600 h. – alt. 160 m – ⊠ 38200 44 **B2**
▌ Lyon et la vallée du Rhône

▶ Paris 486 – Grenoble 89 – Lyon 31 – St-Étienne 49 – Valence 73

🛈 Office de tourisme, cours Brillier ℰ 04 74 53 80 30, Fax 04 74 53 80 31

◉ Cathédrale St-Maurice ★★ - Temple d'Auguste et de Livie ★★ R - Théâtre romain ★ - Église ★ et cloître ★ de St-André-le-Bas - Esplanade du Mont Pipet ≤ ★ - Anc. église St-Pierre ★ - Groupe sculpté ★ de l'église de Ste-Colombe AY - Cité gallo-romaine de St-Romain-en-Gal ★★ (musée ★, site ★).

Plans pages suivantes

La Pyramide (Patrick Henriroux)
14 bd F. Point, cours de Verdun, sud du plan –
ℰ 04 74 53 01 96 – www.lapyramide.com – pyramide@relaischateaux.com
– Fax 04 74 85 69 73 – Fermé 3 fév.-5 mars et 11-19 août
21 ch – †190/230 € ††200/250 €, ⊇ 20 € – 4 suites
Rest – (fermé mardi et merc.) Menu 64 € bc (déj. en sem.)/164 € – Carte 110/200 €
Spéc. Crème soufflée de crabe "dormeur" au caviar. Cul de veau de lait et poêlon de légumes de la vallée. Piano au chocolat praliné, amandes, noisettes, sauce café. **Vins** Condrieu, Côte-Rôtie.

◆ Belle maison régionale aux vastes chambres très élégantes (tendance provençale) et agréable jardin. Finesse et saveurs actuelles dans les assiettes ; flacons rares dans la superbe cave. À midi, en semaine, on s'offre le menu du marché... sans casser sa tirelire !

Le Bec Fin
7 pl. St-Maurice – ℰ 04 74 85 76 72 – Fax 04 74 85 15 30 – Fermé merc. soir, dim. soir et lundi AY **r**
Rest – Menu 23 € (sem.)/60 € – Carte 45/70 €

◆ À l'image de son jovial patron, la cuisine mi-régionale, mi-traditionnelle de ce restaurant ne manque pas de caractère. Décor sobre ; terrasse dressée sur la place en été.

Le Cloître
*2 r. Cloîtres – ℰ 04 74 31 93 57 – Fax 04 74 85 03 51
– Fermé 10-17 août, sam. et dim.* BY **n**
Rest – Menu (17 €), 24 € (sem.)/41 € – Carte 39/60 €

◆ Aimable maison au pied de la cathédrale St-Maurice. Vitraux, pierres et poutres forment le cadre de la salle à manger principale. Recettes au goût du jour et bon choix de vins.

Saveurs du Marché
*34 cours de Verdun, sud du plan – ℰ 04 74 31 65 65 – www.lessaveursdumarché.fr
– saveurs.du.marche@wanadoo.fr – Fax 04 74 31 65 65 – Fermé 18 juil.-17 août, 24 déc.-5 janv., sam., dim. et fériés*
Rest – Menu (13 €), 18 € (dîner en sem.), 23/37 € – Carte 35/47 €

◆ Petite salle à manger colorée près de la pyramide de l'ancien cirque romain. Menu du marché à midi ; cuisine au goût du jour plus élaborée le soir. Carte de côtes-du-rhône.

L'Estancot
4 r. Table Ronde – ℰ 04 74 85 12 09 – Fax 04 74 85 12 09 – Fermé 1ᵉʳ-16 sept., Noël à mi-janv., dim., lundi et fériés BY **e**
Rest – Menu 14 € (déj. en sem.), 20/28 € – Carte 21/38 €

◆ Sympathique adresse, genre bistrot, fréquentée par une clientèle d'habitués. Carte traditionnelle et régionale ; spécialités de criques (galettes de pommes de terre) le soir.

VIENNE

à Chasse-sur-Rhône 8 km par ① (Échangeur A7 - sortie Chasse-sur-Rhône) – 4 795 h. – alt. 180 m – ⊠ 38670

Mercure
1363 av F. Mistral – ℘ 04 72 49 58 68 – www.mercure.com – h0349@accor.com – Fax 04 72 49 58 88
115 ch – †109/149 € ††119/159 €, ⊇ 16 €
Rest – (fermé sam. midi, dim. midi et fériés) Menu 20/27 € – Carte 29/44 €
♦ Grand bâtiment proche de l'autoroute. Les chambres, conçues pour être pratiques, sont décorées sur le thème du jazz, clin d'œil au célèbre festival de Vienne. Au restaurant, cadre contemporain et cuisine traditionnelle assortie de quelques "lyonnaiseries".

à Estrablin 8 km par ② et D 41 – 3 283 h. – alt. 223 m – ⊠ 38780

La Gabetière sans rest
269 Le Logis Neuf, sur D 502 – ℘ 04 74 58 01 31 – www.la-gabetiere.com – lagabetiere@orange.fr – Fax 04 74 58 08 98 – Fermé 24 déc.-15 janv.
12 ch – †52 € ††68/70 €, ⊇ 10 €
♦ Dans un parc, charmant manoir du 16e s. joliment restauré et ses annexes. Chambres diversement décorées (styles "bonbonnière", provençal, ancien...). Piscine et aire de jeux.

à Reventin-Vaugris (village) 9 km par ④, N 7 et D 131 – 1 623 h. – alt. 230 m – ⊠ 38121

La Maison de l'Aubressin
847 chemin Aubressin, 1 km au Nord par rte secondaire – ℘ 04 74 58 83 02 – aubressin@wanadoo.fr – Fermé 7-25 avril, 1er-20 sept., 24-31 déc., dim. soir, lundi et mardi
Rest – (nombre de couverts limité, prévenir) Menu 48 € bc/78 € bc – Carte 27/65 €
♦ Maison tapissée de lierre, perchée sur une colline avec vue sur le Pilat. Cuisine de tradition servie au milieu de reproductions de tapisseries du musée de Cluny ou en terrasse.

à Chonas-l'Amballan 9 km au Sud par ④ et N 7 – 1 372 h. – alt. 250 m – ⊠ 38121

Hostellerie Le Marais St-Jean sans rest
chemin Marais – ℘ 04 74 58 83 28 – contact@domaine-de-clairefontaine.fr – Fax 04 74 58 80 93 – Fermé 16-21 août et 20 déc.-15 janv.
10 ch – †82/90 € ††82/90 €, ⊇ 15 €
♦ Cet ancien corps de ferme restauré possède un intérieur ultra sobre et de bon ton. Terrasse orientée plein sud (pour les petits-déjeuners en saison) et jardin aromatique.

Domaine de Clairefontaine (Philippe Girardon) avec ch
chemin Fontanettes – ℘ 04 74 58 81 52 – www.domaine-de-clairefontaine.fr – contact@domaine-de-clairefontaine.fr – Fax 04 74 58 80 93 – Fermé 18 déc.-16 janv., lundi et mardi sauf le soir en saison
9 ch – †56/90 € ††56/90 €, ⊇ 17 € – 2 suites – ½ P 79/115 €
Rest – Menu 35 € bc (déj. en sem.), 65/110 € – Carte 93/133 €
Spéc. Homard à la coque et calamars poêlés. Pigeon de l'Isère et foie gras de canard en croustille, jus de truffe. Soufflé chaud à la Chartreuse. **Vins** Saint-Joseph, Crozes-Hermitage.
♦ Cette élégante demeure nichée dans un parc de 3 ha, jadis maison de repos des évêques de Lyon, est de nos jours un rendez-vous gourmand : cuisine soignée et au goût du jour.

Les Jardins de Clairefontaine
– Fermé 18 déc.-16 janv.
18 ch – †125/130 € ††125/130 €, ⊇ 17 € – ½ P 113/115 €
♦ Tranquillité, espace et verdure : un environnement de choix pour ces chambres dotées de balcon ou de terrasse. Accueil au Domaine.

STE-COLOMBE

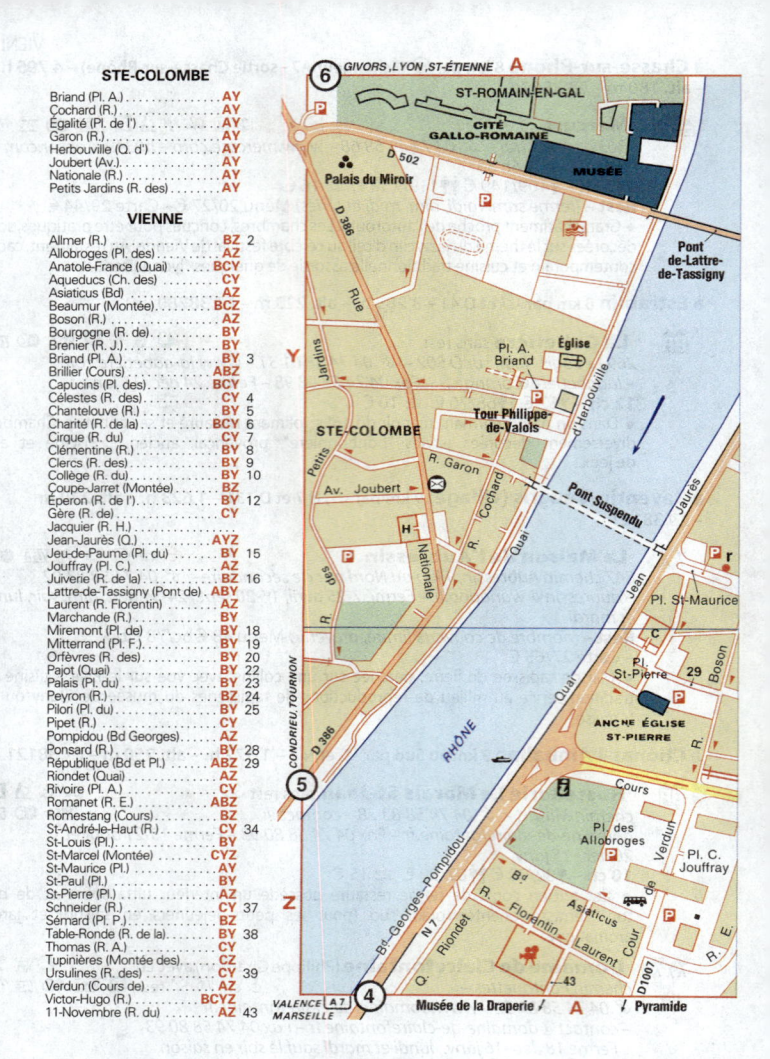

Briand (Pl. A.)	**AY**
Cochard (R.)	**AY**
Égalité (Pl. de l')	**AY**
Garon (R.)	**AY**
Herbouville (Q. d')	**AY**
Joubert (Av.)	**AY**
Nationale (R.)	**AY**
Petits Jardins (R. des)	**AY**

VIENNE

Allmer (R.)	**BZ**	2
Allobroges (Pl. des)	**AZ**	
Anatole-France (Quai)	**BCY**	
Aqueducs (Ch. des)	**CY**	
Asiaticus (Bd)	**AZ**	
Beaumur (Montée)	**BCZ**	
Boson (R.)	**AZ**	
Bourgogne (R. de)	**BY**	
Brenier (R. J.)	**BY**	
Briand (Pl. A.)	**BY**	3
Brillier (Cours)	**ABZ**	
Capucins (Pl. des)	**BCY**	
Célestes (R. des)	**CY**	4
Chantelouve (R.)	**BY**	5
Charité (R. de la)	**BCY**	6
Cirque (R. du)	**CY**	7
Clémentine (R.)	**BY**	8
Clercs (R. des)	**BY**	9
Collège (R. du)	**CY**	10
Coupe-Jarret (Montée)	**BZ**	
Éperon (R. de l')	**BY**	12
Gère (R. de)	**CY**	
Jacquier (R. H.)		
Jean-Jaurès (Q.)	**AYZ**	
Jeu-de-Paume (Pl. du)	**BY**	15
Jouffray (Pl. C.)	**AZ**	
Juiverie (R. de la)	**BZ**	16
Lattre-de-Tassigny (Pont de)	**ABY**	
Laurent (R. Florentin)	**AZ**	
Marchande (R.)	**BY**	
Miremont (Pl. de)	**BY**	18
Mitterrand (Pl. F.)	**BY**	19
Orfèvres (R. des)	**BY**	20
Pajot (Quai)	**BY**	22
Palais (Pl. du)	**BY**	23
Peyron (R.)	**BZ**	
Pilori (Pl. du)	**BY**	25
Pipet (R.)	**CY**	
Pompidou (Bd Georges)	**AZ**	
Ponsard (R.)	**BY**	28
République (Bd et Pl.)	**ABZ**	29
Riondet (Quai)	**AZ**	
Rivoire (R.)	**CY**	
Romanet (R. E.)	**ABZ**	
Romestang (Cours)	**BZ**	
St-André-le-Haut (R.)	**CY**	34
St-Louis (Pl.)	**BY**	
St-Marcel (Montée)	**CYZ**	
St-Maurice (Pl.)	**AY**	
St-Paul (Pl.)	**BY**	
St-Pierre (Pl.)	**AZ**	
Schneider (R.)	**CY**	37
Sémard (Pl. P.)	**BZ**	
Table-Ronde (R. de la)	**BY**	38
Thomas (R. A.)	**CY**	
Tupinières (Montée des)	**CZ**	
Ursulines (R. des)	**CY**	39
Verdun (Cours de)	**AZ**	
Victor-Hugo (R.)	**BCYZ**	
11-Novembre (R. du)	**AZ**	43

au Sud au Mas de Gerbey, 10 km par ④ et D 4 - ✉ 38121 Chonas-l'Amballan

L'Atelier d'Antoine

*2176 Mas de Gerbey - CD4 – ☏ 04 74 56 41 21 – www.atelier-antoine.fr
– latelierdantoine@orange.fr – Fax 04.74.56.41.21 – Fermé dim. soir, mardi et merc.*

Rest – Menu (17 €), 28/44 €
– Carte 25/34 €

◆ Dans son atelier, le chef réalise une cuisine traditionnelle revisitée et teintée d'exotisme. Décor classique ou tendance (suivi en direct des cuisines via un écran), terrasse.

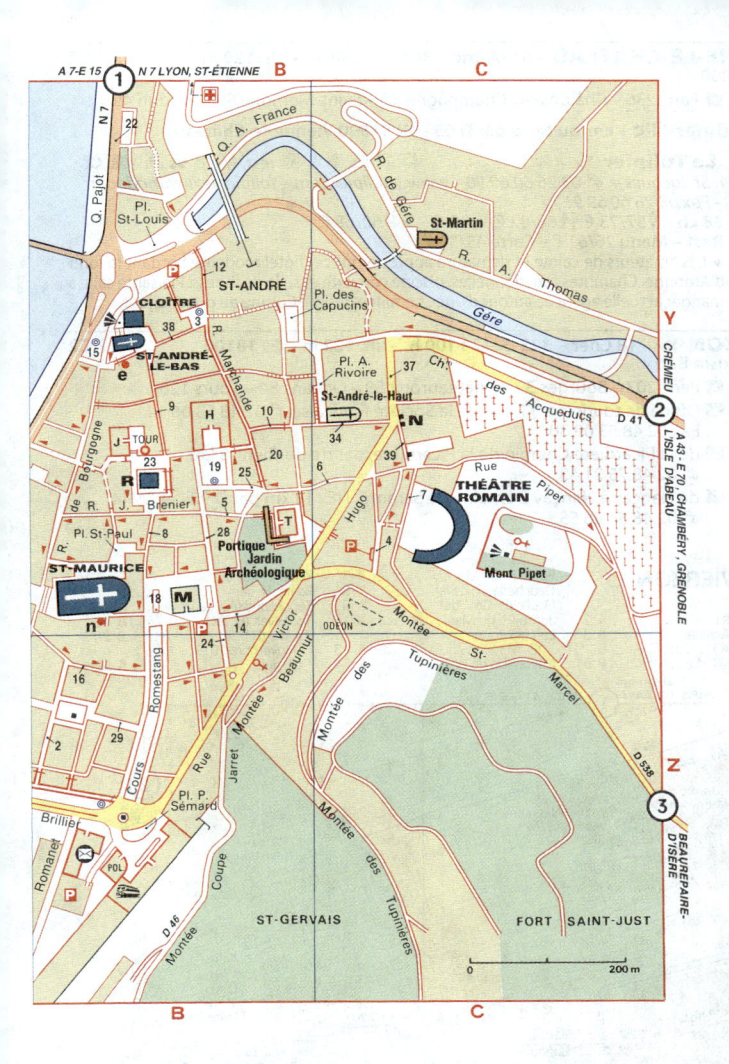

VIENNE-EN-VAL – 45 Loiret – **318** J5 – 1 681 h. – alt. 112 m – ✉ 45510

12 **C2**

🄳 Paris 157 – La Ferté-St-Aubin 22 – Montargis 57 – Orléans 23 – Sully-sur-Loire 20

XX **Auberge de Vienne** 🈯 & AK ⌘ VISA ⓂⒸ AE
– ✆ 02 38 58 85 47 – www.aubergedevienne.com – dsalmon@wanadoo.fr
– Fax 02 38 58 63 29 – Fermé 31 août-15 sept., 12 janv.-3 fév., dim. soir, lundi et mardi sauf fériés
Rest – Menu (28 €), 35 € (sem.)/61 € – Carte 50/60 €
♦ Maison ancienne d'un village situé aux portes de la Sologne. Plaisante salle à manger rustique cloisonnée de colombages et agrémentée d'une cheminée. Cuisine traditionnelle.

VIENNE-LE-CHÂTEAU – 51 Marne – 306 L7 – 608 h. – alt. 129 m – ⊠ 51800

14 C2

▸ Paris 236 – Châlons-en-Champagne 52 – Saint-Memmie 50 – Verdun 49

rte de Binarville 1 km au Nord par D 63 – ⊠ 51800 Vienne-le-Château

Le Tulipier 🍃   🌐 🍴 📺 🛗 ♿ AC rest, ↔ 🛎 🐕 P VISA ⦿

r. St-Jacques – ☏ 03 26 60 69 90 – www.letulipier.com – tulipier.le@wanadoo.fr – Fax 03 26 60 69 91

38 ch – †57/73 € ††68/82 €, ⊇ 9 € – ½ P 60/68 €

Rest – Menu 26/61 € – Carte 45/58 €

♦ Les amateurs de calme et de nature apprécieront cet hôtel moderne bordant la forêt d'Argonne. Chambres fonctionnelles, piscine couverte et salle de fitness. Plaisante salle à manger actuelle agencée autour d'une cheminée design. Cuisine au goût du jour.

VIERZON 👁 – 18 Cher – 323 I3 – 28 100 h. – alt. 122 m – ⊠ 18100

12 C2

🟩 Limousin Berry

▸ Paris 207 – Bourges 39 – Châteauroux 58 – Orléans 84 – Tours 120

🛈 Office de tourisme, 11, rue de la Société Française ☏ 02 48 53 06 14, Fax 02 48 53 09 30

⛳ de la Picardière Chemin de la Picardière, par rte de Gien : 8 km, ☏ 02 48 75 21 43

⛳ de Nançay à Nançay Domaine de Samord, NE : 18 km par D 926 et D944, ☏ 02 48 51 86 55

VIERZON

Baron (R. Bl.)	A 2
Briand (Pl. Aristide)	B 3
Brunet (R. A.)	B
Dr-P.-Roux (R. du)	B 6
Foch (Pl. du Mar.)	B 7
Gaucherie (R. de la)	A 8
Gaulle (R. Gén.-de)	A 9
Joffre (R. du Mar.)	B 12
Larchevêque (R. M.)	A 13
Nation (Bd de la)	A 14
Péri (Pl. Gabriel)	A
Ponts (R. des)	B
République (Av. de la)	A 16
Roosevelt (R. Th.)	B 18
Voltaire (R.)	B 20
11-Novembre-1918 (R. du)	A 22

VIERZON

Continental 📶 🛉 🛋 🅿 🚗 VISA ⓜⓢ
104 bis av. Ed. Vaillant, par ① : 1,5 km – ✆ *02 48 75 35 22*
– www.hotelcontinental18.com – info@hotelcontinental18.com
– Fax 02 48 71 10 39
37 ch – †48 € ††59/70 €, ⊇ 7 €
Rest *– (dîner seult) (résidents seult)* Menu (12 €) – Carte environ 26 €
♦ "T'as voulu voir Vierzon et on a vu Vierzon..." : une étape "obligée", rendue confortable par cet hôtel aux chambres régulièrement rajeunies. Restauration très simple.

Arche Hôtel 🛤 📶 ↭ 🛉 🛋 🚗 VISA ⓜⓢ 🅰🅴 ①
13 r. du 11 Novembre 1918 – ✆ *02 48 71 93 10 – www.arche-hotel.fr – info@arche-hotel.fr – Fax 02 48 71 83 63*   A b
41 ch – †48/65 € ††55/75 €, ⊇ 8 €
Rest – snack *– (fermé dim.) (dîner seult)* Menu (14 €), 18/22 €
♦ Derrière cette façade de verre moderne près des arches du vieux pont sur l'Yèvre, un décor axé sur la culture pop américaine. Chambres fonctionnelles, bien équipées et soignées. Repas sans prétention, orientés "salades et grillades", servis dans une salle actuelle.

XXX **La Maison de Célestin** (Pascal Chaupitre) 🛤 🅰🅲 ⇄ VISA ⓜⓢ 🅰🅴
✿ *20 av. P. Sémard –* ✆ *02 48 83 01 63 – www.lamaisondecelestin.com*
– lamaisondecelestin@wanadoo.fr – Fax 02 48 71 63 41 – Fermé 13-21 avril,
10 août-1er sept., 4-16 janv., dim. soir, lundi et mardi   A v
Rest – Menu (25 €), 40 € (sem.)/59 € bc
– Carte environ 50 €
Spéc. Terrine de foie gras de canard et son condiment. Brochette de lapereau, frite de polenta aux girolles et au lard (automne). Petits pots de crème brûlée. **Vins** Reuilly, Menetou-Salon.
♦ Cette maison de maître du 19e s. dissimule un bel intérieur façon loft, très contemporain. Véranda et terrasse s'ouvrent sur un jardin public. Cuisine au goût du jour maîtrisée.

rte de Tours 2,5 km par ⑤ – ⊠ 18100 Vierzon

XX **Le Champêtre** 🛤 🅿 VISA ⓜⓢ
☺ *89 rte de Tours –* ✆ *02 48 75 87 18 – Fax 02 48 71 67 04 – Fermé 25 juil.-15 août, lundi soir, merc. soir, dim. soir et mardi*
Rest – Menu 20 € (sem.), 26/44 € – Carte 33/53 €
♦ Petite maison sympathique à la salle à manger sagement champêtre. Au programme des réjouissances : de savoureuses recettes classiques et régionales.

VIEUX-BOUCAU-LES-BAINS – 40 Landes – 335 C12 – 1 576 h.   3 **A2**
– alt. 5 m – ⊠ 40480 ▌Aquitaine

▶ Paris 740 – Bayonne 41 – Biarritz 48 – Castets 28 – Dax 37
– Mont-de-Marsan 90
🛈 Office de tourisme, Le Mail ✆ 05 58 48 13 47, Fax 05 58 48 15 37
🅟 de Pinsolle à Soustons Port d'Albret Sud, S : 9 km par D 4,
✆ 05 58 48 03 92

X **Marinero** avec ch 🛤 VISA ⓜⓢ
15 Grande Rue – ✆ *05 58 48 14 15 – www.marinero.biz – marinero2@wanadoo.fr – Fax 05 17 47 52 15 – Ouvert de fin mars à fin sept.*
19 ch – †33/48 € ††36/61 €, ⊇ 7 €
Rest *– (fermé mardi hors saison et lundi sauf le soir en juil.-août)* Menu 19/32 €
– Carte 25/40 €
♦ Tons bleu et blanc, meubles acajou, tableaux et bibelots relatifs à l'océan donnent à ce restaurant des allures de bistrot marin. Cuisine ibérico-landaise tournée vers la mer.

VIEUX-MOULIN – 60 Oise – 305 I4 – rattaché à Compiègne

VIEUX-VILLEZ – 27 Eure – 304 H6 – rattaché à Gaillon

LE VIGAN – 30 Gard – 339 G5 – 4 429 h. – alt. 221 m – ✉ 30120 — 23 **C2**
■ Languedoc Roussillon

▶ Paris 707 – Alès 66 – Lodève 50 – Mende 108 – Millau 72 – Montpellier 61 – Nîmes 77

🛈 Office de tourisme, place du Marché ✆ 04 67 81 01 72, Fax 04 67 81 86 79

◉ Musée Cévenol ★.

au Rey 5 km à l'Est par D 999 – ✉ 30570 St-André-de-Majencoules

Château du Rey ⚜
– ✆ 04 67 82 40 06 – www.chateaudurey.fr – contact@chateaudurey.fr
– Fax 04 67 82 47 79 – Ouvert d'avril à oct.
13 ch – †75 € ††85/98 €, ⊇ 8 € – 1 suite – ½ P 68/81 €
Rest – (fermé dim. soir et lundi) Menu (15 €), 23/46 € – Carte 33/51 €

◆ Forteresse médiévale restaurée par Viollet-le-Duc au cœur d'un parc longé par une rivière. Chambres personnalisées, garnies de meubles anciens. Salle à manger voûtée aménagée dans l'ex-bergerie (13ᵉ s.) du château ; agréable terrasse.

à Pont d'Hérault 6 km à l'Est par D 999 – ✉ 30570 Valleraugue

Maurice ⚜
– ✆ 04 67 82 40 02 – www.hotelmaurice.fr.st – hotelmaurice@aol.com
– Fax 04 67 82 46 12 – Fermé janv.
14 ch – †68 € †† €, ⊇ 8 € – ½ P 68/88 €
Rest – (résidents seult) Menu 39/62 € – Carte 58/68 €

◆ Auberge traditionnelle tenue par la même famille depuis trois générations sur la jolie route longeant l'Hérault. Chambres confortables, plus tranquilles côté rivière. Salle à manger colorée et plaisante terrasse surplombant la piscine et la vallée.

LE VIGAN – 46 Lot – 337 E3 – rattaché à Gourdon

VIGNOUX-SUR-BARANGEON – 18 Cher – 323 J3 – 2 042 h. – alt. 157 m – ✉ 18500 — 12 **C3**

▶ Paris 215 – Bourges 26 – Cosne-sur-Loire 69 – Gien 70 – Issoudun 37 – Vierzon 9

🛈 Office de tourisme, 23, rue de la République ✆ 02 48 51 11 41, Fax 02 48 51 11 46

Le Prieuré avec ch ⚜
r. Jean Graczyk – ✆ 02 48 51 58 80 – www.leprieurehotel.com – prieurehotel@wanadoo.fr – Fax 02 48 51 56 01 – Fermé vacances de la Toussaint et de fév., mardi et merc.
6 ch – †63/76 € ††63/76 €, ⊇ 7 € – ½ P 72/78 €
Rest – Menu (18 €), 25 € (sem.)/45 € – Carte 45/55 €

◆ Dans un presbytère du 19ᵉ s., restaurant au décor sagement contemporain et belle terrasse au bord de la piscine ; cuisine au goût du jour. Petites chambres rénovées.

VILLAGE-NEUF – 68 Haut-Rhin – 315 J11 – rattaché à St-Louis

VILLAINES-LA-JUHEL – 53 Mayenne – 310 H4 – 3 179 h. – alt. 185 m – ✉ 53700 — 35 **C1**

▶ Paris 222 – Alençon 32 – Bagnoles-de-l'Orne 31 – Le Mans 58 – Mayenne 28

🛈 Syndicat d'initiative, boulevard du Général-de-Gaulle ✆ 02 43 03 78 88, Fax 02 43 03 77 92

Oasis sans rest
1 km par rte de Javron – ✆ 02 43 03 28 67 – www.oasis.fr – oasis@oasis.fr
– Fax 02 43 03 35 30
14 ch – †45 € ††55/85 €, ⊇ 9 €

◆ Cette vieille ferme au cachet rustique recèle d'agréables chambres ornées de poutres et de murs en briquettes. Petit parc (plan d'eau, minigolf) ; restauration rapide au bar.

VILLARD-DE-LANS – 38 Isère – 333 G7 – 4 088 h. – alt. 1 040 m 45 **C2**
– Sports d'hiver : 1 160/2 170 m ≰2 ≰27 ≱ – Casino – ⊠ 38250
Alpes du Nord

- Paris 584 – Die 67 – Grenoble 34 – Lyon 123 – Valence 67 – Voiron 44
- Office de tourisme, 101, place Mure Ravaud ℰ 08 11 46 00 15,
  Fax 04 76 95 98 39
- de Correncon-en-Vercors, S : 6 km par D 215, ℰ 04 76 95 80 42
- Gorges de la Bourne★★★ – Route de Valchevrière★ O par D 215ᶜ.

VILLARD-DE-LANS

Adret (R. de l')	2
Chabert (Pl. P.)	4
Chapelle-en-Vercors (R. de la)	5
Croix Margot (Chemin de la)	27
Dr-Lefrançois (R. du)	6
Francs-Tireurs (Av. des)	8
Galizon (Chemin de)	9
Gambetta (R.)	10
Gaulle (Av. Gén.-de)	12
Libération (Pl. de la)	13
Lycée Polonais (R. du)	14
Martyrs (Pl. des)	15
Moulin (R. Jean)	16
Mure-Ravaud (Pl. R.)	17
Pouteil-Noble (R. P.)	19
Professeur Nobecourt (Av.)	20
République (R. de la)	22
Roux-Fouillet (R. A.)	23
Victor-Hugo (R.)	26

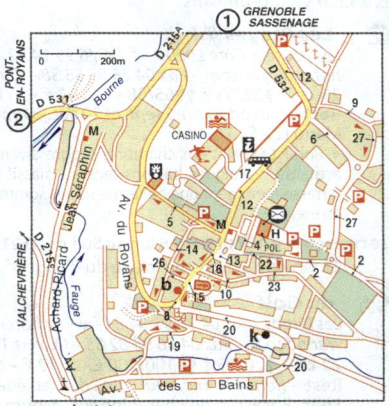

Le Christiania
av. Prof. Nobecourt – ℰ 04 76 95 12 51 – www.hotel-le-christiania.fr – info@
hotel-le-christiania.fr – Fax 04 76 95 00 75 – Ouvert 20 mai-30 sept.
et 19 déc. à mi-avril   **k**
23 ch – ♦55/92 € ♦♦70/165 €, ⊇ 10 €
Rest *Le Tétras* – (ouvert 22 mai-31 août et 19 déc.-31 mars) Menu (15 €), 25 €
(dîner), 35/50 € – Carte 40/80 € dîner seulement
♦ Hôtel familial dont les vastes chambres personnalisées évoquent parfois un chalet de
montagne ; presque toutes possèdent un balcon et regardent les sommets. Piscine
couverte. Restaurant orné de bibelots et de trophées de chasse ; cuisine à l'accent du
pays.

Les Trente Pas
16 r. des Francs-Tireurs – ℰ 04 76 94 06 75 – Fax 04 76 95 80 69
– Fermé 13-30 avril et 16 nov.-11 déc., merc. soir, jeudi soir, lundi et mardi sauf
fériés   **b**
Rest – Menu 15 € (déj. en sem.), 28/51 € bc – Carte 35/45 €
♦ À quelques pas – une trentaine ? – de l'église du village, petit restaurant proposant une
généreuse cuisine traditionnelle. Les œuvres d'un peintre local décorent la salle.

au Sud-Ouest par rte du col du Liorin – ⊠ 38250 Villard-de-Lans

Auberge des Montauds
aux Montauds : 4 km – ℰ 04 76 95 17 25 – www.auberge-des-montauds.fr
– aubergedesmontauds@wanadoo.fr – Fax 04 76 95 17 69 – Fermé 14 avril-1ᵉʳ mai
et 4 nov.-18 déc.
12 ch ⊇ – ♦55/59 € ♦♦68/73 € – ½ P 54/57 €
Rest – (fermé lundi et mardi sauf juil.-août) Menu 20/35 € – Carte 25/42 €
♦ Pittoresque adresse installée dans une ancienne ferme, à l'extrémité d'un hameau
d'altitude. Chaleureuses petites chambres de style chalet. Plats traditionnels, spécialités du Vercors, raclettes et fondues servis devant les flambées de la salle ou en
terrasse.

1995

VILLARD-DE-LANS

La Ferme du Bois Barbu avec ch
à Bois- Barbu : 3 km – ℘ 04 76 95 13 09 *– www.fermeboisbarbu.com – contact@fermeboisbarbu.com – Fax 04 76 95 13 09, Fermé 14-20 avril, 5-10 oct., 12 nov.-5 déc.*
8 ch – †50 € ††58 €, ☐ 9 € – ½ P 56 €
Rest – *(fermé dim. soir et merc.)* Menu (19 €), 25/34 € – Carte environ 35 €
♦ Non loin des pistes de ski de fond, agréable restaurant rustique (lambris, cheminée, etc.). Cuisine traditionnelle à l'accent du terroir. Chambres d'inspiration montagnarde.

au Balcon de Villard rte Côte 2000, 4 km au Sud-Est par D 215 et D 215ᴮ – ✉ 38250 Villard-de-Lans

Les Playes
Les Pouteils Côte 2000 – ℘ 04 76 95 14 42 *– www.hotel-playes.com – contact@hotel-playes.com – Fax 04 76 95 58 38 – Ouvert 9 mai-19 sept. et 20 déc.-12 avril*
23 ch – †52/65 € ††55/88 €, ☐ 11 € – ½ P 66/78 €
Rest – *(ouvert 2 juin-5 sept. et 20 déc.-31 mars) (dîner seult en hiver)*
Menu (22 €), 26/40 €
♦ Robuste chalet aux chambres progressivement rénovées dans un esprit montagnard actualisé ; quelques balcons face au massif de la Grande Moucherolle. Restaurant et terrasse ménagent une belle vue sur les sommets ; plats régionaux en hiver, traditionnels en été.

à Corrençon-en-Vercors 6 km au Sud par D 215 – 358 h. – alt. 1 105 m – ✉ 38250
🛈 Office de tourisme, place du Village ℘ 04 76 95 81 75, Fax 04 76 95 84 63

du Golf
Les Ritons – ℘ 04 76 95 84 84 *– www.hotel-du-golf-vercors.fr – hotel-du-golf@wanadoo.fr – Fax 04 76 95 82 85 – Ouvert 1ᵉʳ mai-18 oct. et 19 déc.-28 mars*
22 ch – †70/95 € ††100/200 €, ☐ 12 € – 6 suites – ½ P 92/140 €
Rest – *(fermé le midi sauf sam., dim. et fériés)* Menu 32/85 € – Carte 42/80 €
Spéc. Fricassée de champignons, espuma de gratin de pomme de terre, caviar d'escargots (été). Filet de pigeon rôti sur l'os, les abats en tartine, pois gourmands et langoustine. Soufflé chaud à la pomme verte (automne). **Vins** Vin de Pays des Balmes Dauphinoises, Châtillon-en-Diois blanc.
♦ Chambres coquettes, superbe extension "tout bois", beau bar cosy, sauna et jacuzzi flambant neufs, copieux petit-déjeuner : nouveau départ réussi pour cet hôtel familial ! Cuisine inventive soignée (produits du terroir), servie au coin du feu ou sur la jolie terrasse.

VILLARD-RECULAS – 38 Isère – 333 J7 – 63 h. – alt. 1 450 m – ✉ 38114
45 **C2**

▸ Paris 626 – Lyon 168 – Grenoble 58 – Échirolles 50 – Saint-Martin-d'Hères 59
🛈 Office de tourisme, 1, rue des pistes ℘ 04 76 80 45 69, Fax 04 76 80 92 34

Bonsoir Clara
23 rte des Alpages – ℘ 04 76 80 37 20 *– www.bonsoirclara.fr – il-fera-beau-demain@wanadoo.fr – Fax 04 76 80 37 20 – Ouvert 15 juin-15 oct. et 15 déc.-1ᵉʳ mai*
Rest – *(prévenir le week-end)* Menu 30/37 € – Carte 31/53 €
♦ Pour une copieuse cuisine actuelle mariant produits du terroir et notes orientales, rendez-vous chez Clara, la patronne de ce chalet surplombant le village. Bon choix de vins.

LE VILLARS – 71 Saône-et-Loire – 320 J10 – rattaché à Tournus

VILLARS – 84 Vaucluse – 332 F10 – 697 h. – alt. 330 m – ✉ 84400
43 **E1**

▸ Paris 739 – Marseille 112 – Avignon 58 – Aix-en-Provence 96 – Salon-de-Provence 62

La Table de Pablo
Hameau des Petits-Cléments – ℘ 04 90 75 45 18 *– www.latabledepablo.com – restaurantlatabledepablo@orange.fr – Fermé 1ᵉʳ janv.-13 fév., jeudi midi, sam. midi et merc. de sept. à mai*
Rest – *(nombre de couverts limité, prévenir)* Menu (16 €), 28/39 € – Carte 36/48 €
♦ Pour goûter une cuisine délicate et volontiers créative, n'hésitez pas à faire étape dans ce restaurant isolé entre vignes et cerisiers. Cadre "couleur locale", paisible terrasse.

VILLARS-LES-DOMBES – 01 Ain – 328 D4 – 4 190 h. – alt. 281 m – ✉ 01330 ▌Lyon et la vallée du Rhône 43 E1

▶ Paris 433 – Bourg-en-Bresse 29 – Lyon 37 – Villefranche-sur-Saône 29
▪ Office de tourisme, 3, place de l'Hôtel de Ville ℘ 04 74 98 06 29, Fax 04 74 98 29 13
▪ du Clou RN 83, S : 3 km par D 1083, ℘ 04 74 98 19 65
▪ du Gouverneur à Monthieux Château du Breuil, SO : 8 km par D 904 et D 6, ℘ 04 72 26 40 34
◉ Parc ornithologique★★ S : 1 km.

Ribotel
rte de Lyon – ℘ 04 74 98 08 03 – www.ribotel.fr – ribotel@wanadoo.fr – Fax 04 74 98 29 55 – Fermé 22 déc.-3 janv.
45 ch ⟂ – †50 € ††58 € – ½ P 52 €
Rest *La Villardière* – (fermé dim. soir de nov. à février et lundi) Menu (17 €), 20/35 € – Carte 31/41 €
♦ Une bonne adresse aux portes du parc ornithologique : chambres en grande partie rafraîchies et petit salon pour la détente (fauteuils club, écran LCD). Au restaurant La Villardière, cuisine traditionnelle servie dans la salle à manger en rotonde.

à Bouligneux 4 km au Nord-Ouest par D 2 – 304 h. – alt. 282 m – ✉ 01330

Auberge des Chasseurs
Le Village – ℘ 04 74 98 10 02 – Fax 04 74 98 28 87 – Fermé 1er-10 sept., 20 déc.-20 janv., lundi soir du 15 nov. au 15 mars, mardi et merc.
Rest – Menu 30 € (sem.)/70 € – Carte 40/80 €
♦ Près de l'église, cette maison accueille chaleureusement les chasseurs... et les autres. Cuisine bressane et dombiste servie dans une salle campagnarde et, en été, au jardin.

Hostellerie des Dombes
Le Village – ℘ 04 74 98 08 40 – www.hostelleriedesdombes.com – bruno.levet@aol.com – Fax 04 74 98 16 63 – Fermé 17-28 août, vacances de fév., jeudi sauf le soir en été et merc.
Rest – Menu 23 € (sem.)/49 € – Carte 39/63 €
♦ Maison traditionnelle qui abrite une salle à manger d'esprit champêtre, remplie par l'alléchant parfum d'une cuisine de terroir (grenouilles, gibier). Agréable terrasse.

Le Thou
Le Village – ℘ 04 74 98 15 25 – www.lethou.com – lethou@orange.fr – Fax 04 74 98 13 57 – Fermé vacances de la Toussaint et de fév., dim. soir, lundi et mardi
Rest – Menu 29/56 € – Carte 32/54 €
♦ Lumineuse entrée sous verrière pour cette ex-auberge de village superbement fleurie, dont la carte célèbre les terroirs de la Bresse et de la Dombes (grenouilles toute l'année).

VILLARS-SOUS-DAMPJOUX – 25 Doubs – 321 K2 – 411 h. – alt. 362 m – ✉ 25190 17 C2

▶ Paris 482 – Baume-les-Dames 50 – Besançon 81 – Montbéliard 24 – Morteau 49

à Bief 3 km au Sud – 115 h. – alt. 362 m – ✉ 25190

L'Auberge Fleurie
4 chemin de Dampjoux – ℘ 03 81 96 53 01 – jacri@tele2.fr – Fax 03 81 96 55 64 – Fermé lundi et mardi sauf fériés
Rest – Menu (11 €), 19/38 € – Carte 28/43 €
♦ Face à une chapelle et surplombant le Doubs, petite auberge de village où l'on propose une cuisine panachant tradition et terroir dans une jolie salle à manger colorée.

VILLÉ – 67 Bas-Rhin – 315 H6 – 1 691 h. – alt. 260 m – ✉ 67220 2 C1
▌Alsace Lorraine

▶ Paris 445 – Lunéville 82 – St-Dié 48 – Ste-Marie-aux-Mines 27 – Sélestat 16 – Strasbourg 56
▪ Office de tourisme, place du Marché ℘ 03 88 57 11 69, Fax 03 88 57 24 87

1997

VILLÉ

La Bonne Franquette
6 pl. Marché – ℘ *03 88 57 14 25 – www.hotel-bonne-franquette.com*
– bonne-franquette@wanadoo.fr – Fax 03 88 57 08 15 – Fermé 2-9 juil.,
24 oct.-9 nov. et 7-22 fév.
10 ch – †36/50 € ††40/55 €, ⊇ 8 € – ½ P 49/52 €
Rest – *(fermé sam. midi, dim. soir et lundi)* Menu (8,50 €), 20/39 €
– Carte 27/48 €

♦ Sur une placette du centre-ville, auberge familiale, abondamment fleurie en saison. Chambres bien tenues, meublées dans le style rustique. Accueil chaleureux. La clientèle locale apprécie le restaurant pour ses petits plats traditionnels servis "à la bonne franquette".

LA VILLE-AUX-CLERCS – 41 Loir-et-Cher – 318 D4 – 1 197 h. — 11 B2
– alt. 143 m – ✉ 41160

▶ Paris 159 – Brou 41 – Châteaudun 29 – Le Mans 74 – Orléans 73
– Vendôme 18
ℹ Syndicat d'initiative, Mairie ℘ 02 54 80 62 35, Fax 02 54 80 30 08

Manoir de la Forêt
r. Françoise de Lorraine, à Fort-Girard, Est : 1,5 km par rte secondaire –
℘ *02 54 80 62 83 – www.manoirdelaforet.fr – manoirdelaforet@wanadoo.fr*
– Fax 02 54 80 66 03 – Fermé 3-13 janv., dim. soir et lundi d'oct. à avril
18 ch – †55/80 € ††70/95 €, ⊇ 12 € – ½ P 80/90 €
Rest – Menu (18 €), 27/51 € – Carte 48/66 €

♦ Pavillon de chasse du 19e s. isolé dans un parc. Les chambres (préférez celles du 1er étage, rénovées) aux meubles de style et le salon avec cheminée composent un cadre cossu. Répertoire culinaire classique à découvrir dans une salle à manger confortable et feutrée.

LA VILLE-BLANCHE – 22 Côtes-d'Armor – 309 B2 – rattaché à Lannion

VILLECOMTAL-SUR-ARROS – 32 Gers – 336 D9 – 809 h. — 28 A2
– alt. 177 m – ✉ 32730

▶ Paris 760 – Pau 70 – Aire-sur-l'Adour 67 – Auch 48 – Tarbes 26

Le Rive Droite
1 chemin Saint Jacques – ℘ *05 62 64 83 08 – www.lerivedroite.com*
– rive-droite2@wanadoo.fr – Fax 05 62 64 84 02 – Fermé lundi, mardi et merc. sauf
du 12 juil. au 23 août
Rest – Menu 35 € – Carte 25/35 €

♦ George Sand séjourna dans cette élégante chartreuse (18e s.) située au bord de la rivière. Décor mariant avec brio l'ancien et le contemporain ; belle cuisine du terroir actualisée.

VILLECROZE – 83 Var – 340 M4 – 1 094 h. – alt. 300 m – ✉ 83690 — 41 C3
Côte d'Azur

▶ Paris 835 – Aups 8 – Brignoles 38 – Draguignan 21
ℹ Office de tourisme, rue Amboise Croizat ℘ 04 94 67 50 00,
Fax 04 94 67 50 00
◉ Belvédère ★ : ✻ ★ N : 1 km.

Le Colombier avec ch
rte de Draguignan – ℘ *04 94 70 63 23 – www.lecolombier-var.com*
– hotel-restaurant@lecolombier-var.com – Fax 04 94 70 63 23 – Fermé
20 nov.-12 déc.
6 ch – †65/70 € ††70/120 €, ⊇ 10 € – ½ P 75/80 €
Rest – *(fermé dim. soir et lundi sauf fériés)* Menu (20 €), 29/55 €
– Carte 44/65 €

♦ Cette maison régionale propose une appétissante carte traditionnelle servie l'hiver dans un plaisant cadre provençal, et l'été sous la véranda. Jolies chambres avec balcon.

VILLECROZE

au Sud-Est 3 km par rte de Draguignan et rte secondaire – ✉ 83690 Salernes

※ **Au Bien Être** avec ch
chemin du Bien-être – ℰ 04 94 70 67 57 – www.aubienetre.com – aubienetre@libertysurf.fr – Fax 04 94 70 67 57 – Fermé 15 oct.-1ᵉʳ mars, lundi midi, mardi midi et merc. midi
8 ch – †50/76 € ††50/79 €, ⊑ 8 € – ½ P 53/68 €
Rest – Menu (19 €), 26/68 € – Carte 42/70 €
♦ Le bien-être au cœur d'un joli parc : cadre repensé dans une dominante de rouge et de blanc, agréable terrasse ombragée donnant sur le jardin et plats orientés terroir.

VILLE D'AVRAY – 92 Hauts-de-Seine – **311** J3 – voir à Paris, Environs

VILLEDIEU-LES-POÊLES – 50 Manche – **303** E6 – 3 950 h.   **32 A2**
– alt. 105 m – ✉ 50800 ▊ Normandie Cotentin

▶ Paris 314 – Alençon 122 – Avranches 26 – Caen 82 – Flers 59 – St-Lô 35
🛈 Office de tourisme, place des Costils ℰ 02 33 61 05 69, Fax 02 33 91 71 79
◉ Fonderie de cloches★.

🏨 **Le Fruitier**
pl. Costils – ℰ 02 33 90 51 00 – www.le-fruitier.com – hotel@lefruitier.com – Fax 02 33 90 51 01
48 ch – †50/91 € ††52/91 €, ⊑ 8 € – ½ P 56/76 €
Rest – *(fermé 24 déc.-15 janv.)* Menu (17 €), 27/35 € – Carte 30/39 €
♦ Chambres et duplex, fonctionnels et bien tenus, vous attendent dans ce sympathique hôtel familial proche de l'Office de tourisme. Salles de réunions. Plafond peint et fresques à thème fruitier égaient le restaurant ; tradition et saveurs iodées dans l'assiette.

✕✕✕ **La Ferme de Malte**
11 r. Jules Tétrel – ℰ 02 33 91 35 91 – www.lafermedemalte.fr – contact@lafermedemalte.fr – Fax 02 33 91 35 90 – Fermé 15 déc.-12 janv., dim. soir, merc. soir et lundi
Rest – Menu 26/60 € – Carte 42/61 €
♦ Cette ancienne ferme de l'ordre de Malte abrite une chaleureuse salle à manger (pierres, poutres, boiseries, bibelots chinés) en partie ouverte sur le jardin. Cuisine régionale.

✕✕ **Manoir de l'Acherie** avec ch
à l'Acherie, 3,5 km à l'Est par D 975 et D 554 (autoroute A 84 sortie 38) – ℰ 02 33 51 13 87 – www.manoir-acherie.fr – manoir@manoir-acherie.fr – Fax 02 33 51 33 69 – Fermé 15 nov.-3 déc., 15 fév.-4 mars, dim. soir du 15 oct. au 5 avril et lundi sauf le soir du 7 juil. au 31 août
19 ch – †60 € ††60/110 €, ⊑ 9 € – ½ P 71/98 €
Rest – Menu (15 €), 18/40 € – Carte 27/40 €
♦ Au cœur du bocage normand, manoir du 17ᵉ s. et petite chapelle groupés autour d'un jardin fleuri. Plaisant intérieur rustique, plats du terroir et grillades sur la braise.

VILLEFORT – 48 Lozère – **330** L8 – 639 h. – alt. 600 m – ✉ 48800   **23 C1**
▊ Languedoc Roussillon

▶ Paris 616 – Alès 52 – Aubenas 61 – Florac 63 – Mende 58 – Pont-St-Esprit 90
🛈 Office de tourisme, rue de l'Église ℰ 04 66 46 87 30, Fax 04 66 46 85 33

🏠 **Balme**
pl. Portalet – ℰ 04 66 46 80 14 – www.hotelbalme.free.fr – hotelbalme@free.fr – Fax 04 66 46 85 26 – Fermé 15-20 oct., 15 nov.-15 fév., dim. soir et lundi sauf juil.-août
16 ch – †48 € ††48/55 €, ⊑ 8 € – ½ P 59 €   **Rest** – Menu 21/38 €
♦ Au centre d'un paisible bourg comptant parmi les portes d'entrée du Parc national des Cévennes, maison régionale ancienne aux chambres de tailles et de confort très divers. Cuisine aux accents cévenols, assortie de créations personnelles.

1999

VILLEFRANCHE-DE-CONFLENT – 66 Pyrénées-Orientales   22 **B3**
– **344** F7 – 238 h. – alt. 435 m – ✉ 66500 ▮ Languedoc Roussillon

▶ Paris 898 – Mont-Louis 31 – Olette 11 – Perpignan 51 – Prades 6
– Vernet-les-Bains 6

🛈 Office de tourisme, place de l'Église ✆ 04 68 96 22 96, Fax 04 68 96 07 66

◉ Ville forte ★ – Fort Liberia : ≤ ★★.

XXX Auberge Saint-Paul   🍴 VISA ⦿ AE
7 pl. de l'Église – ✆ 04 68 96 30 95 – http://perso.wanadoo.fr/auberge.stpaul
– auberge-st-paul@wanadoo.fr – Fax 04 68 05 60 30
– Fermé 15-20 juin, 23 nov.-3 déc., 5-29 janv., mardi hors saison, dim. soir et lundi
Rest – Menu 20 € bc (sem.)/85 € – Carte 55/80 € 🍷

♦ Cette chapelle du 13ᵉ s. abrite un restaurant rustique soigné. Carte actuelle renouvelée chaque saison et bon choix de vins de Bourgogne et du Roussillon. Terrasse ombragée.

VILLEFRANCHE-DE-ROUERGUE 👁 – 12 Aveyron – **338** E4   29 **C1**
– 12 100 h. – alt. 230 m – ✉ 12200 ▮ Midi-Pyrénées

▶ Paris 614 – Albi 68 – Cahors 61 – Montauban 80 – Rodez 60

🛈 Office de tourisme, promenade du Guiraudet ✆ 05 65 45 13 18,
Fax 05 65 45 55 58

◉ La Bastide ★ : place Notre-Dame ★, église Notre-Dame ★ – Ancienne chartreuse St-Sauveur ★ par ③.

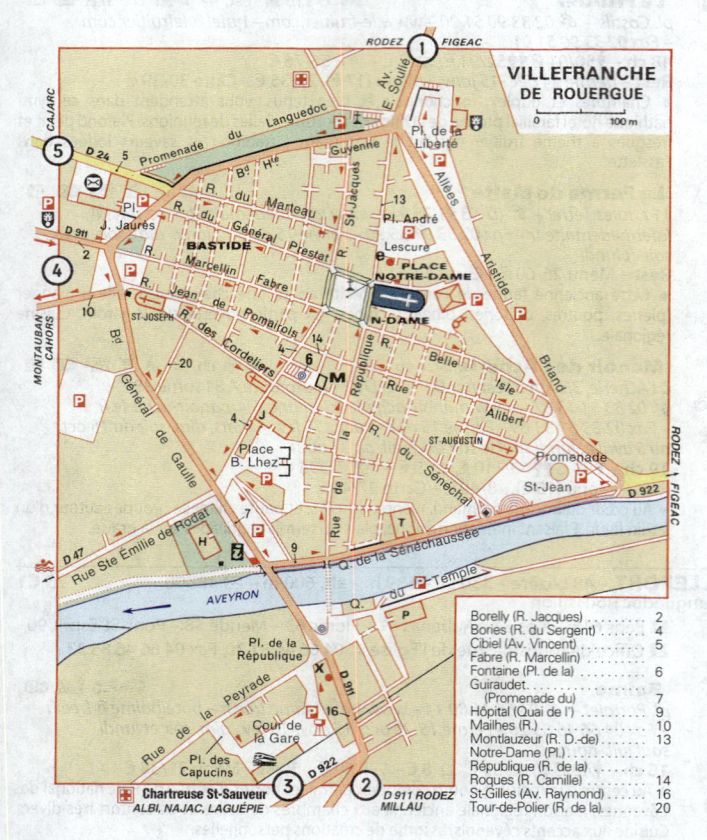

VILLEFRANCHE DE ROUERGUE

Borelly (R. Jacques)	2
Bories (R. du Sergent)	4
Cibiel (Av. Vincent)	5
Fabre (R. Marcellin)	
Fontaine (Pl. de la)	6
Guiraudet (Promenade du)	7
Hôpital (Quai de l')	9
Mailhes (R.)	10
Montlauzeur (R. D.-de)	13
Notre-Dame (Pl.)	
République (R. de la)	
Roques (R. Camille)	14
St-Gilles (Av. Raymond)	16
Tour-de-Polier (R. de la)	20

2000

VILLEFRANCHE-DE-ROUERGUE

L'Épicurien
8bis av. R.-St-Gilles – ℘ 05 65 45 01 12 – Fax 05 65 45 01 12
– *Fermé 27 avril-6 mai, 16 nov.-2 déc., dim. soir et mardi du 15 sept. au 15 juin et lundi*
Rest – Menu 15 € (déj. en sem.), 21/43 € – Carte 31/54 €

♦ Vous apprécierez l'atmosphère chaleureuse de cette ex-droguerie, à moins que la fraîcheur du soir ne vous attire vers sa terrasse. Goûteuse cuisine axée sur le poisson et la région.

L'Assiette Gourmande
pl. A. Lescure – ℘ 05 65 45 25 95 – *Fermé 11-25 mars, 10-17 juin, 9-16 sept., 11-25 nov., dim. soir sauf de sept. à juin, mardi soir et merc. sauf juil.-août*
Rest – Menu (12 €), 15 € (sem.)/35 € – Carte 25/50 €

♦ Emplacement privilégié au cœur de la vieille ville pour cette maison du 13e s. rénovée dans un esprit mi-rustique, mi-moderne. Grillades au feu de bois et recettes régionales.

au Farrou 4 km par ① – ⊠ 12200 Villefranche-de-Rouergue

Relais de Farrou
– ℘ 05 65 45 18 11 – www.relaisdefarrou.com – le.relais.de.farrou@wanadoo.fr
– Fax 05 65 45 32 59 – *Fermé 8-22 mars, 2-16 nov., 21-27 déc.*
26 ch – †51/73 € ††57/92 €, ⊇ 9 € – ½ P 62/78 €
Rest – *(fermé sam. midi, dim. soir et lundi hors saison)* Menu (16 €), 22/45 €
– Carte 45/60 €

♦ Ancien relais de poste de 1792 entièrement rénové. Chambres confortables de taille variable et nombreux équipements de détente (tennis, minigolf, piscine, fitness). Salle à manger vaste et claire ouverte sur un patio ; cuisine régionale sagement revisitée.

VILLEFRANCHE-DU-PÉRIGORD – 24 Dordogne – 329 H8 – 803 h. 4 D2
– alt. 220 m – ⊠ 24550 ▌ Périgord

▶ Paris 575 – Agen 77 – Sarlat-la-Canéda 41 – Bergerac 68 – Cahors 41
– Périgueux 87

🛈 Syndicat d'initiative, rue Notre-Dame ℘ 05 53 29 98 37,
Fax 05 53 30 40 12

Petite Auberge
– ℘ 05 53 29 91 01 – www.la-petite-auberge.com – lapetiteauberge24@orange.fr
– Fax 05 53 28 88 10 – *Fermé 19 nov.-3 déc., merc. et dim. soir d'oct. à avril*
10 ch – †46/50 € ††52/56 €, ⊇ 7 € – ½ P 72/75 €
Rest – Menu (10 €), 20/38 € – Carte 25/33 €

♦ Dans un environnement verdoyant, maison régionale située à 500 m du village renommé pour ses marchés aux châtaignes et aux cèpes. Chambres simples et bien tenues. Cuisine régionale servie au choix dans une salle rustique, sous la véranda ou en terrasse.

VILLEFRANCHE-SUR-MER – 06 Alpes-Maritimes – 341 E5 42 E2
– 6 649 h. – alt. 30 m – ⊠ 06230 ▌ Côte d'Azur

▶ Paris 932 – Beaulieu-sur-Mer 3 – Nice 5

🛈 Office de tourisme, jardin François Binon ℘ 04 93 01 73 68,
Fax 04 93 76 63 65

◉ Rade★★ - Vieille ville★ - Chapelle St-Pierre★ - Musée Volti★.

Accès et sorties : Voir plan de Nice

Plan page suivante

Welcome sans rest
3 quai Courbet – ℘ 04 93 76 27 62 – www.welcomehotel.com – resa@welcomehotel.com – Fax 04 93 76 27 66 – *Fermé 2 nov.-26 déc.*
35 ch – †74/99 € ††98/340 €, ⊇ 13 € – 1 suite

♦ Jean Cocteau fréquenta ce charmant hôtel et décora la chapelle Saint-Pierre également située sur le port. Plaisantes chambres personnalisées avec balcon et vue sur la mer.

2001

VILLEFRANCHE-SUR-MER

Cauvin (Av. V.) 2
Corderie (Quai de la) 3
Corne d'Or (Bd de la) 5
Courbet (Quai Amiral) 6
Église (R. de l') 7
Foch (Av. du Maréchal) 8
Gallieni (Av. Général) 9
Gaulle (Av. Général-de) 10
Grande-Bretagne (Av. de) 12
Joffre (Av. Maréchal) 14
Leclerc (Av. Général) 15
Marinières (Promenade des). . 16
May (R. de) 18
Obscure (R.) 19
Paix (Pl. de la) 20
Poilu (R. du) 22
Pollonais (Pl. A.) 24
Ponchardier (Quai Amiral) . . . 25
Poullan (Pl. F.) 26
Sadi-Carnot (Av.) 28
Settimelli-Lazare (Bd) 30
Soleil d'Or (Av. du) 31
Verdun (Av. de) 32
Victoire (R. de la) 34
Wilson (Pl.) 35

Flore sans rest
5 av. Princesse Grace de Monaco – ℰ 04 93 76 30 30 – www.hotel-la-flore.fr
– hotel-la-flore@wanadoo.fr – Fax 04 93 76 99 99   **e**
31 ch – †52/217 € ††52/217 €, ⊇ 13 €

♦ Cette bâtisse ocre domine agréablement la baie. Les chambres, coquettes et peu à peu rafraîchies, sont souvent pourvues d'une loggia.

Versailles
7 bd Princesse Grace de Monaco – ℰ 04 93 76 52 52 – www.hotelversailles.com
– contact@hotelversailles.com – Fax 04 93 01 97 48 – Ouvert 1er avril à
mi-oct.   **k**
46 ch – †120/160 € ††130/170 €, ⊇ 16 €
Rest – *(fermé lundi et mardi)* Menu 40 € – Carte 45/55 €

♦ Toutes les chambres de cet établissement familial situé en surplomb de la rade ont été rénovées dans un style actuel et jouissent d'un panorama inoubliable ! Salle à manger moderne et vaste terrasse offrant une vue superbe ; carte régionale.

L'Oursin Bleu
11 quai Courbet – ℰ 04 93 01 90 12 – oursinbleu@club-internet.fr
– Fax 04 93 01 80 45 – Fermé 10 janv.-10 fév. et mardi du 1er nov. au 30 mars
Rest – Carte 40/110 €   **b**

♦ Aquarium, hublots, jeux d'eau, fresques et belle terrasse installée sur les quais, face au port : la mer célébrée dans le décor autant que dans l'assiette, fine et actuelle.

La Mère Germaine
9 quai Courbet – ℰ 04 93 01 71 39 – www.meregermaine.com – contact@
meregermaine.com – Fax 04 93 01 96 44 – Fermé 9 nov.-24 déc.   **a**
Rest – Menu 42 € – Carte 56/90 €

♦ Bel emplacement sur le port de pêche pour ce restaurant de poissons et fruits de mer. Salles rustiques et terrasse face aux bateaux. Navette pour plaisanciers en escale.

VILLEFRANCHE-SUR-SAÔNE – 69 Rhône – 327 H4 – 31 700 h. – alt. 190 m – ⊠ 69400 ▮ Lyon et la vallée du Rhône

43 **E1**

▶ Paris 432 – Bourg-en-Bresse 54 – Lyon 33 – Mâcon 47 – Roanne 73

🛈 Office de tourisme, 96, rue de la sous-préfecture ☏ 04 74 07 27 40, Fax 04 74 07 27 47

⛳ du Beaujolais à Lucenay, S : 8 km par D 306 et D 30, ☏ 04 74 67 04 44

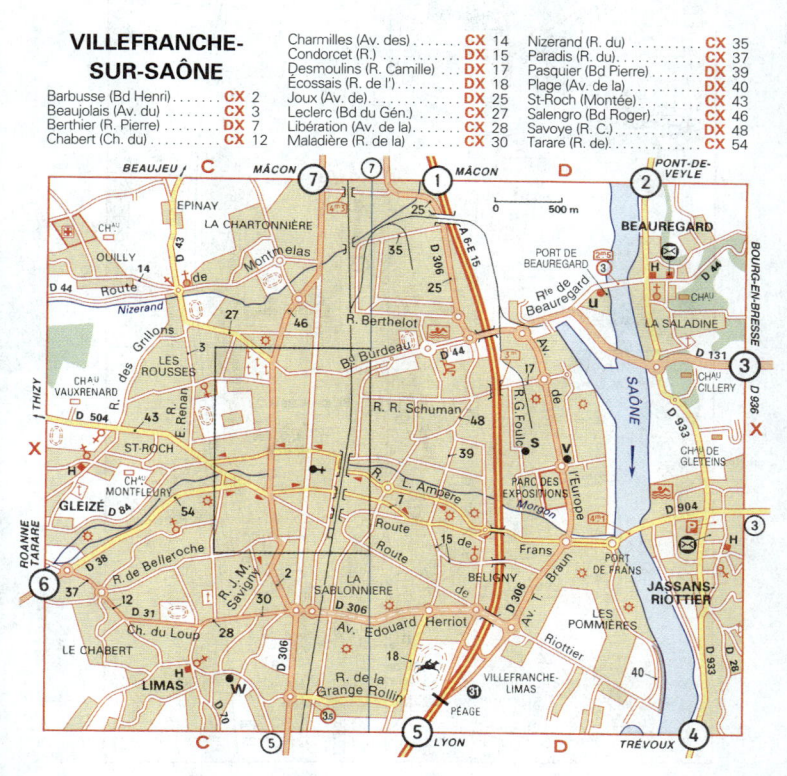

VILLEFRANCHE-SUR-SAÔNE

Barbusse (Bd Henri)	**CX** 2
Beaujolais (Av. du)	**CX** 3
Berthier (R. Pierre)	**DX** 7
Chabert (Ch. du)	**CX** 12
Charmilles (Av. des)	**CX** 14
Condorcet (R.)	**DX** 15
Desmoulins (R. Camille)	**DX** 17
Écossais (R. de l')	**DX** 18
Joux (Av. de)	**DX** 25
Leclerc (Bd du Gén.)	**CX** 27
Libération (Av. de la)	**CX** 28
Maladière (R. de la)	**CX** 30
Nizerand (R. du)	**CX** 35
Paradis (R. du)	**CX** 37
Pasquier (Bd Pierre)	**DX** 39
Plage (Av. de la)	**CX** 40
St-Roch (Montée)	**CX** 43
Salengro (Bd Roger)	**CX** 46
Savoye (R. C.)	**DX** 48
Tarare (R. de)	**CX** 54

La Ferme du Poulet
180 r. Mangin, (Z.I. Nord-Est) – ☏ 04 74 62 19 07 – www.lafermedupoulet.com – la.ferme.du.poulet@wanadoo.fr – Fax 04 74 09 01 89 – Fermé 23 déc.-2 janv., dim. soir et lundi

DX s

10 ch – †110 € ††110 €, ⊇ 14 €
Rest – Menu 35/68 € – Carte 50/80 €

♦ Solide ferme du 17e s. joliment rénovée, où se marient le rustique et le contemporain. Chambres spacieuses et lumineuses. Élégant restaurant coiffé d'un plafond à la française.

Plaisance
96 av. de la Libération – ☏ 04 74 65 33 52 – www.hotel-plaisance.com – info@hotel-plaisance.com – Fax 04 74 62 02 89 – Fermé 23 déc.-2 janv.

AZ n

68 ch – †59/103 € ††59/103 €, ⊇ 11 €
Rest – ☏ 04 74 68 10 37 (fermé 1er-21 août, 23 déc.-6 janv., sam. de nov. à mars et dim.) Menu (15 € bc), 25/40 € – Carte 29/41 €

♦ Immeuble des années 1970 situé au cœur de la capitale du Beaujolais. Jolies chambres et suites au look récemment actualisé. Parking et garage pratiques. Salle à manger agrémentée de fresques ; cuisine traditionnelle.

2003

VILLEFRANCHE-SUR-SAÔNE

Arts (Pl. des) .... **AZ** 49	
Belleville (R. de) .... **BY** 5	Nationale (R.) .... **BYZ**
Carnot (Pl.) .... **BZ** 9	République (R. de la) .... **AZ** 41
Faucon (R. du) .... **BY** 19	Salengro (Bd Roger) .... **AY** 46
Fayettes (R. des) .... **BZ** 20	Savigny (R. J.-M.) .... **AZ** 47
Grange-Blazet (R.) .... **BZ** 23	Sous-Préfecture (R.) .... **AZ** 50
Marais (Pl. des) .... **BZ** 32	Stalingrad (R. de) .... **BZ** 52

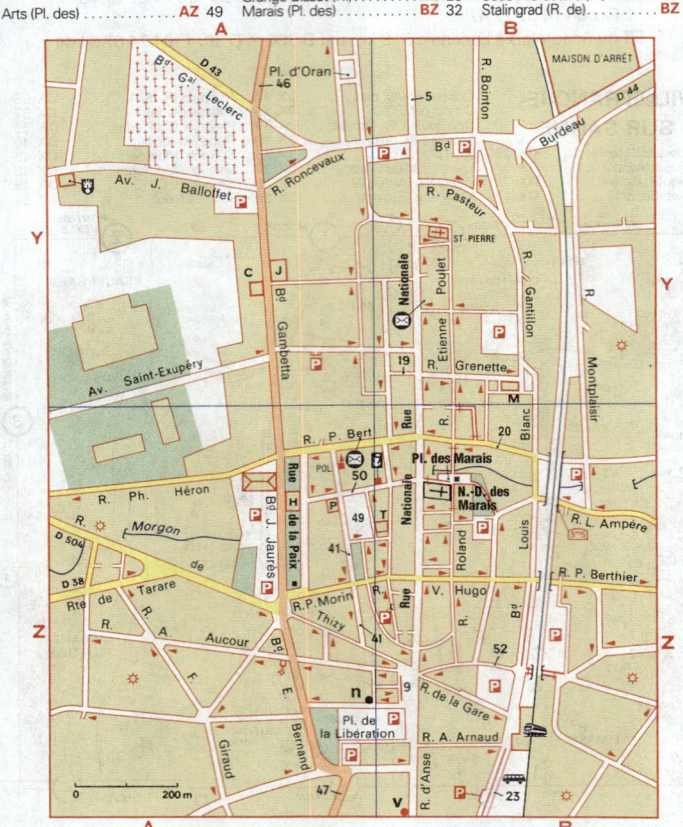

🏨 **Newport** 🛜 ♿ ch, 🆎 ⇄ 🛜 😊 **P** **VISA** **MC** **AE**
610 av. de l'Europe, (Z.I. Nord-Est) – ℰ 04 74 68 75 59 – newport.mdb@orange.fr
– Fax 04 74 09 08 89 – Fermé 24 déc.-4 janv. **DX** v
48 ch – ♦60 € ♦♦71 €, ⊇ 8 € – ½ P 56 €
Rest – *(fermé sam. midi, dim. et fériés)* Menu 17 € (sem.)/46 € – Carte 24/44 €
♦ Ce gros pavillon proche d'axes passants et jouxtant le parc des expositions, dispose d'une insonorisation efficace. Chambres plus récentes dans l'annexe. Restaurant décoré de vieilles plaques émaillées ; plats traditionnels, menu du terroir et vins du cru.

🏠 **Le Clos de la Barre** sans rest 🐾 ♿ 😊 **VISA** **MC**
14 r. Barre, 2 km au Sud à Limas – ℰ 04 74 65 97 85 – www.leclosdelabarre.com
– ajoffard@wanadoo.fr – Fax 04 74 09 09 13 28 – Ouvert 1ᵉʳ mai-31 août
5 ch ⊇ – ♦85/145 € ♦♦85/145 € **CX** w
♦ Pièces d'eau, massifs d'iris et arbres centenaires composent le décor extérieur de cette maison de 1830. Les chambres et suites, joliment décorées, possèdent toutes un petit salon d'été.

VILLEFRANCHE-SUR-SAÔNE

XXX **Le Faisan Doré**
686 rte de Beauregard, pont de Beauregard, 2,5 km au Nord-Est – ℘ *04 74 65 01 66
– www.faisan-dore.com – auberge.lefaisandore@wanadoo.fr – Fax 04 74 09 00 81
– Fermé dim. soir, lundi soir et mardi soir*   DX **u**
Rest – Menu 29 € (sem.)/69 € – Carte 40/70 €

♦ Un piano et une vitrine à la gloire de la basse-cour personnalisent l'entrée de cette auberge au confort bourgeois. Agréable terrasse ombragée sur les berges de la Saône.

X **Le Juliénas**
236 r. Anse – ℘ *04 74 09 16 55 – www.restaurant-lejulienas.com – contact@restaurant-lejulienas.com – Fermé 2-21 août, lundi soir, sam. midi et dim.*
Rest – Menu (18 €), 26/48 € – Carte 51/62 €   BZ **v**

♦ Vins de pays et savoureuse cuisine aux accents du Sud sont à l'honneur dans ce petit restaurant d'esprit bistrot aux tables simplement dressées.

à Arnas 5 km au ⑦, D 306 et D 43 – 3 212 h. – alt. 195 m – ⌧ 69400

⌂ **Château de Longsard**
4060 rte Longsard – ℘ *04 74 65 55 12 – www.longsard.com – longsard@gmail.com – Fax 04 74 65 03 17 – Fermé vacances de Noël*
5 ch ⌸ – †100/120 € ††130/150 € – ½ P 133/143 €
Table d'hôte – Menu 38 € bc/45 € bc

♦ Un magnifique jardin à la française devance ce château du 18e s., tandis qu'un majestueux cèdre du Liban trône au centre de sa cour intérieure. Chambres et suites élégantes. La salle à manger possède de belles boiseries. Plats traditionnels et régionaux.

VILLEMAGNE-L'ARGENTIÈRE – 34 Hérault – **339** D7 – rattaché à Bédarieux

---

VILLEMONTAIS – 42 Loire – **327** C4 – 952 h. – alt. 466 m – ⌧ 42155   **44** A1
▶ Paris 404 – Lyon 95 – Roanne 13 – Vichy 77

⌂ **Domaine de Fontenay** *sans rest*
– ℘ *04 77 63 12 22 – www.domainedufontenay.com – hawkins@tele2.fr
– Fax 04 77 63 15 95*
4 ch ⌸ – †58 € ††68 €

♦ Au cœur des vignes, découvrez une maison viticole et sa chapelle abritant un retable du 15e s. Chambres voûtées à la déco simple et cosy. Vue plongeante sur la plaine de la Loire.

VILLEMOYENNE – 10 Aube – **313** F4 – 629 h. – alt. 130 m – ⌧ 10260   **13** B3
▶ Paris 184 – Troyes 21 – Bar-sur-Aube 46 – Châtillon-sur-Seine 51

XX **La Parentèle**
32 r. Marcellin Lévêque – ℘ *03 25 43 68 68 – www.la-parentele-caironi.com
– contact@la-parentele-caironi.com – Fax 03 25 43 68 69
– Fermé 27 juil.-12 août, vacances de fév., jeudi soir d'oct. à mars, dim. soir, lundi et mardi*
Rest – *(nombre de couverts limité, prévenir)* Menu (24 € bc), 28/65 €
– Carte 28/58 €

♦ Salle à manger au décor contemporain récent et terrasse s'étirant sur la place du village pour déguster une cuisine actuelle (formules repensées). Bons conseils sur les vins.

Un week-end de charme à la mer, à la campagne ou à la montagne ? Découvrez le nouveau guide des "Chambres d'hôtes", une sélection de nos plus belles adresses en France : confort, calme et volupté garantis !

VILLEMUR-SUR-TARN – 31 Haute-Garonne – **343** H1 – 5 078 h. — 28 **B2**
– alt. 108 m – ⊠ 31340 ▐ Midi-Pyrénées

▶ Paris 646 – Albi 63 – Castres 73 – Montauban 24 – Toulouse 39
🛈 Office de tourisme, 1, rue de la République ✆ 05 34 27 97 40, Fax 05 61 35 78 34

au Sud 5 km par D 14, D 630 et rte secondaire – ⊠ 31340 Villemur-sur-Tarn

X **Auberge du Flambadou** avec ch
820 chemin d'Ayrolles – ✆ 05 61 09 40 72
– www.aubergeduflambadou.com – bienvenue@aubergeduflambadou.com
– Fax 05 61 09 29 66
5 ch – †75 € ††75 €, ⊇ 9 € – ½ P 65 €
Rest – *(fermé dim. soir et lundi)* Menu 19/41 € – Carte 45/75 €
♦ Mangeoire convertie en cave à vins, poissons exotiques, expo-vente de tableaux : cette adresse, certes rustique, ne manque pas d'originalité ! Plats traditionnels simples et sincères.

VILLENEUVE-D'ASCQ – 59 Nord – **302** G4 – rattaché à Lille

VILLENEUVE-DE-BERG – 07 Ardèche – **331** J6 – 2 765 h. — 44 **B3**
– alt. 320 m – ⊠ 07170 ▐ Lyon Drôme Ardèche

▶ Paris 628 – Aubenas 16 – Largentière 27 – Montélimar 27 – Privas 30 – Valence 73
🛈 Syndicat d'initiative, Grande Rue ✆ 04 75 94 89 28, Fax 04 75 94 89 28

XX **La Table de Léa**
Le Petit Tournon, 1,5 km sud-ouest par D 558 – ✆ 04 75 94 70 36 – Fermé 2 nov.-2 déc., merc. et le midi du lundi au jeudi
Rest – *(nombre de couverts limité, prévenir)* Menu 26/52 € – Carte environ 60 €
♦ Cette ancienne grange modernisée profite d'une belle terrasse dressée sous les marronniers. Dans l'assiette, produits de saison et du terroir et recettes régionales.

VILLENEUVE-DE-MARSAN – 40 Landes – **335** J11 – 2 333 h. — 3 **B2**
– alt. 80 m – ⊠ 40190

▶ Paris 701 – Auch 88 – Langon 81 – Marmande 86 – Mont-de-Marsan 17 – Pau 73
🛈 Syndicat d'initiative, 181, Grand'Rue ✆ 05 58 45 80 90, Fax 05 58 45 88 38

🏠 **Hervé Garrapit**
21 av. Armagnac – ✆ 05 58 45 20 08 – www.herve-garrapit.com
– hotelrestauranthervegarrapit@wanadoo.fr – Fax 05 58 45 34 14
8 ch – †55/220 € ††55/220 €, ⊇ 18 €
Rest – Menu (22 €), 35/85 € – Carte 50/70 €
♦ Dans la famille depuis plusieurs générations, ancien relais de poste et son agréable jardin. Chambres personnalisées et très raffinées, toutes avec balcon côté cour. Belle salle à manger de style Louis XVI tournée vers une place plantée d'arbres centenaires.

VILLENEUVE-LA-GARENNE – 92 Hauts-de-Seine – **311** J2 – **101** 15 – voir à Paris, Environs

VILLENEUVE-L'ARCHEVÊQUE – 89 Yonne – **319** E2 – 1 242 h. — 7 **B1**
– alt. 111 m – ⊠ 89190 ▐ Bourgogne

▶ Paris 135 – Troyes 44 – Auxerre 58 – Sens 24
🛈 Syndicat d'initiative, 38, rue de la République ✆ 03 86 86 74 58, Fax 03 86 86 76 88

XX **Auberge des Vieux Moulins Banaux** avec ch
1 km au Sud sur D 84 – ✆ 03 86 86 72 55
– www.bourgognehotels.fr – contact@bourgognehotels.fr – Fax 03 86 86 78 94
– Fermé 10-18 mai et 1er-23 janv.
14 ch – †45/65 € ††45/65 €, ⊇ 8 € – ½ P 58/61 €
Rest – *(fermé lundi midi)* Menu (22 € bc), 27/30 € – Carte environ 28,50 €
♦ Moulin du 16e s. dans un parc traversé par la Vanne. Machinerie préservée, terrasse au bord de l'eau, poutres et pierres font le charme du restaurant. Chambres simples.

VILLENEUVE-LA-SALLE – 05 Hautes-Alpes – **334** H3 – rattaché à Serre-Chevalier

VILLENEUVE-LE-COMTE – 77 Seine-et-Marne – **312** F3 – 1 747 h. – alt. 126 m – ⌧ 77174

19 **C2**

▶ Paris 40 – Lagny-sur-Marne 13 – Meaux 19 – Melun 38

XXX   A la Bonne Marmite
15 r. Gén.-de-Gaulle – ℰ 01 60 43 00 10 – www.restaurant-labonnemarmite.com – labonnemarmite@wanadoo.fr – Fax 01 60 43 11 01 – Fermé 9 août-2 sept., 22-27 nov., 24 janv.-11 fév., dim. soir, lundi et mardi
Rest – Menu 34 € (sem.)/70 € – Carte 53/80 € ⌘

◆ Superbe maison briarde du 16ᵉ s., autrefois ferme puis relais postal. Salles bourgeoises, belle terrasse d'été fleurie sous une treille, cuisine actuelle et beau choix de vins.

VILLENEUVE-LE-ROI – 94 Val-de-Marne – **312** D3 – **101** 26 – voir à Paris, Environs

VILLENEUVE-LÈS-AVIGNON – 30 Gard – **339** N5 – 11 791 h. – alt. 23 m – ⌧ 30400 ▊ Provence

23 **D2**

▶ Paris 678 – Avignon 8 – Nîmes 46 – Orange 28 – Pont-St-Esprit 42
🅕 Office de tourisme, 1, place Charles David ℰ 04 90 25 61 33, Fax 04 90 25 91 55
◉ Fort et Abbaye St-André★ : ≤★★ AV - Tour Philippe-le-Bel ≤★★ AV - Vierge★★ au musée municipal Pierre de Luxembourg★ AV M - Chartreuse du Val-de-Bénédiction★ AV.

Plan : voir à Avignon

🏛 Le Prieuré
7 pl. Chapitre – ℰ 04 90 15 90 15 – www.leprieure.com – leprieure@relaischateaux.com – Fax 04 90 25 45 39 – Fermé mars et janv.

AV **t**

26 ch – ♦145/150 € ♦♦205/530 €, ☑ 19 € – 13 suites
Rest – *(fermé lundi sauf juil.-août)* Menu (32 €), 45 € bc (déj. en sem.), 65/92 € – Carte 68/108 € ⌘

◆ Cet ancien prieuré sort d'une cure de jouvence. Un lieu magique aux chambres revues dans un esprit résolument contemporain, à découvrir dans la quiétude d'un splendide parc. Blancheur et pureté côté restaurant pour une fine cuisine actuelle aux accents du Sud.

🏛 La Magnaneraie ⌘
37 r. Camp de Bataille – ℰ 04 90 25 11 11 – www.hostellerie-la-magnaneraie.com – magnaneraie.hotel@najeti.com – Fax 04 90 25 80 06

AV **b**

30 ch – ♦139/249 € ♦♦139/249 €, ☑ 18 € – 2 suites
Rest – *(fermé merc. du 1ᵉʳ nov.-30 avril, sam. midi et dim. soir)* Menu (26 € bc), 35/89 € – Carte 68/79 €

◆ Cette élégante demeure du 15ᵉ s. renaît avec éclat grâce à un rafraîchissement général : chambres raffinées (styles romantique, colonial...), salon-bar cosy, jardin fleuri, etc. Restaurant rehaussé de fresques et de colonnes ; délicieuse terrasse verdoyante.

🏠 L'Atelier sans rest
5 r. Foire – ℰ 04 90 25 01 84 – www.hoteldelatelier.com – hotel-latelier@libertysurf.fr – Fax 04 90 25 80 06 – Fermé en janv.

AV **e**

23 ch – ♦59/105 € ♦♦59/135 €, ☑ 10 €

◆ Une vraie maison de charme (16ᵉ s.) : bel escalier, chambres dotées de meubles anciens, poutres apparentes, objets d'art et patio ombragé pour petit-déjeuner aux beaux jours.

X   La Banaste
28 r. de la République – ℰ 04 90 25 64 20 – restaurant@la-banaste.com – Fermé 15-30 nov., 10-31 janv. et jeudi

AV

Rest – *(nombre de couverts limité, prévenir)* Menu 30/43 € – Carte 40/53 €

◆ L'accueil est au diapason du décor dans ce restaurant : chaleureux ! On y sert une cuisine traditionnelle. Bon à savoir, la banaste désigne en Provence un panier en osier.

2007

VILLENEUVE-LÈS-AVIGNON

aux Angles AV – 7 578 h. – alt. 66 m – ✉ 30133

Roques sans rest
30 av. Verdun, par ⑤ – ℰ 04 90 25 41 02 – www.hotel-roques.com
– reservation@hotel-roques.com – Fax 04 32 70 22 93
16 ch – †69/79 € ††79/99 €, ⊇ 10 €

◆ Maison traditionnelle où vous profiterez de chambres rénovées, égayées par des tissus assortis et des teintes gaies, plus paisibles sur l'arrière. Jolie piscine.

Fabrice Martin
22 bd Victor-Hugo – ℰ 04 90 84 09 02 – laubrice@neuf.fr – Fax 04 90 84 09 02
– Fermé 13-19 avril, 24 août-6 sept., 26 oct.-4 nov., 15 fév., merc. soir, sam. midi, dim. soir, lundi et mardi
Rest – (nombre de couverts limité, prévenir) Menu (18 €), 26 € (déj. en sem.), 40/60 € – Carte 55/62 €

◆ Cadre contemporain épuré, agréable terrasse ombragée, fine cuisine dans l'air du temps évoluant au gré du marché et des saisons : cette villa colorée s'avère fort séduisante !

VILLENEUVE-LÈS-BÉZIERS – 34 Hérault – 339 E9 – rattaché à Béziers

---

VILLENEUVE-LOUBET – 06 Alpes-Maritimes – 341 D6 – 14 500 h. 42 E2
– alt. 10 m – ✉ 06270 ■ Côte d'Azur

▶ Paris 915 – Antibes 12 – Cannes 22 – Grasse 24 – Nice 15
🛈 Office de tourisme, 16, avenue de la Mer ℰ 04 92 02 66 16, Fax 04 92 02 66 19
⛳ de Villeneuve-Loubet Route de Grasse, par D 2085 : 4 km, ℰ 04 93 22 52 25
◉ Musée de l'Art culinaire★ AX M².

Voir plan de Cagnes-sur-Mer-Villeneuve-Loubet Haut-de-Cagnes.

L'Auberge Fleurie
au village, 13 r. Mesures – ℰ 04 93 73 90 92 – Fax 04 93 73 90 92
– Fermé 20 nov.-10 déc., jeudi sauf le soir en juil.-août et merc.   AX u
Rest – (prévenir) Menu 25/38 € – Carte 45/70 €

◆ Dans le village natal du célèbre cuisinier Auguste Escoffier, sympathique auberge proposant des plats inspirés du terroir. Poutres, pierres, tableaux modernes et terrasse d'été.

à Villeneuve-Loubet-Plage – ✉ 06270

Galoubet sans rest
174 av. Castel – ℰ 04 92 13 59 00 – www.galoubet.fr.st – hotel.galoubet@wanadoo.fr – Fax 04 92 13 59 29   AY s
22 ch – †69/88 € ††69/88 €, ⊇ 9 €

◆ Le son du galoubet (instrument à vent méridional) ne viendra pas troubler votre repos dans ces chambres actuelles meublées en rotin et dotées d'une terrasse ou d'une loggia.

VILLENEUVE-SUR-LOT ⊚ – 47 Lot-et-Garonne – 336 G3 4 C2
– 23 300 h. – alt. 51 m – ✉ 47300 ■ Aquitaine

▶ Paris 622 – Agen 29 – Bergerac 60 – Bordeaux 146 – Cahors 70
🛈 Office de tourisme, 3, place de la Libération ℰ 05 53 36 17 30, Fax 05 53 49 42 98
⛳ de Villeneuve-sur-Lot à Castelnaud-de-Gratecambepar rte de Bergerac : 12 km, ℰ 05 53 01 60 19

Plan page ci-contre

La Résidence sans rest
17 av. L. Carnot – ℰ 05 53 40 17 03 – www.hotellaresidence47.com – contact@hotellaresidence47.com – Fax 05 53 01 57 34 – Fermé 27 déc.-5 janv.   BZ s
18 ch – †30/54 € ††30/60 €, ⊇ 6,50 €

◆ Aux portes de la bastide médiévale, hôtel convivial offrant un hébergement simple. Les chambres côté cour, claires et calmes, ont l'avantage de donner sur les jardins voisins.

VILLENEUVE-SUR-LOT

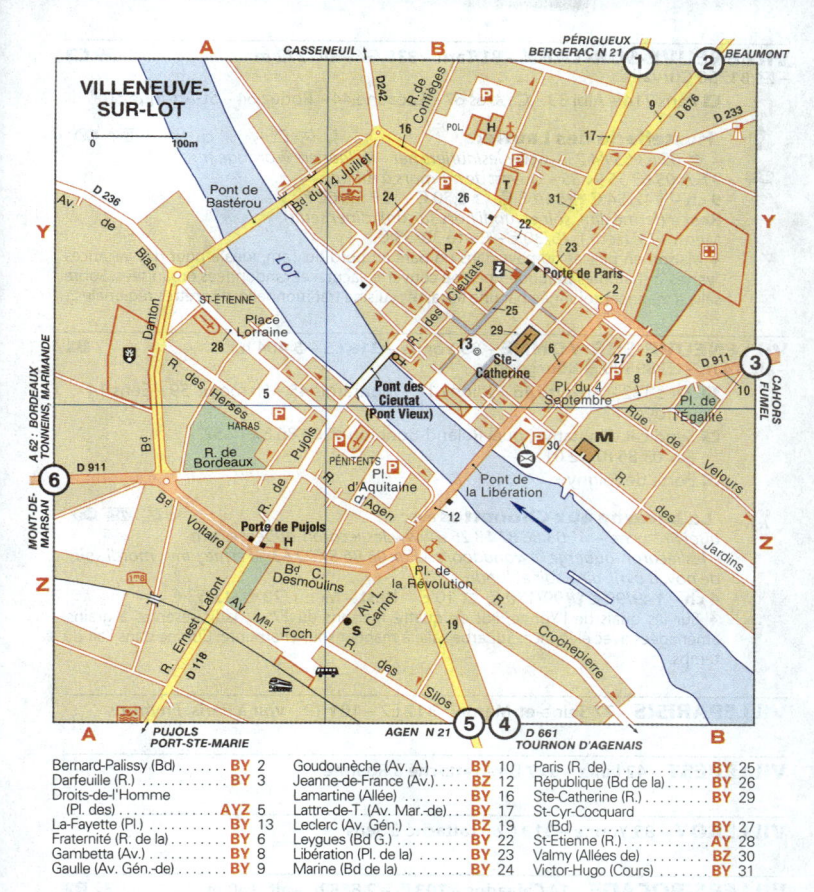

Name	Ref
Bernard-Palissy (Bd)	BY 2
Darfeuille (R.)	BY 3
Droits-de-l'Homme (Pl. des)	AYZ 5
La-Fayette (Pl.)	BY 13
Fraternité (R. de la)	BY 6
Gambetta (Av.)	BY 8
Gaulle (Av. Gén.-de)	BY 9
Goudounèche (Av. A.)	BY 10
Jeanne-de-France (Av.)	BZ 12
Lamartine (Allée)	BY 16
Lattre-de-T. (Av. Mar.-de)	BY 17
Leclerc (Av. Gén.)	BZ 19
Leygues (Bd G.)	BY 22
Libération (Pl. de la)	BY 23
Marine (Bd de la)	BY 24
Paris (R. de)	BY 25
République (Bd de la)	BY 26
Ste-Catherine (R.)	BY 29
St-Cyr-Cocquard (Bd)	BY 27
St-Etienne (R.)	AY 28
Valmy (Allées de)	BZ 30
Victor-Hugo (Cours)	BY 31

à Pujols 4 km au Sud-Ouest par D 118 – 3 657 h. - alt. 180 m – ⌧ 47300

🛈 Office de tourisme, place Saint Nicolas ☏ 05 53 36 78 69, Fax 05 53 36 78 70
◉ ≤ ★.

Des Chênes sans rest
– ☏ 05 53 49 04 55 – www.hoteldeschenes.com – hotel.des.chenes@wanadoo.fr
– Fax 05 53 49 22 74 – Fermé 18 déc.-10 janv. et dim. de nov. à avril
21 ch – †52/73 € ††68/89 €, ⌑ 11 €

◆ Face au village perché de Pujols, bâtisse inspirée de l'architecture régionale, égayée par sa piscine et sa terrasse. Chambres fraîches, bien tenues, d'une tranquillité assurée.

La Toque Blanche
– ☏ 05 53 49 00 30 – www.la-toque-blanche.com – latoque.blanche@wanadoo.fr
– Fax 05 53 70 49 79 – Fermé 22 juin-7 juil., 16-24 nov., 24 janv.-1er fév., dim. et lundi
Rest – Menu (25 €), 39/85 € – Carte 62/107 €

◆ Pavillon à flanc de coteau, tourné vers le bourg. Service à midi dans une véranda-jardin d'hiver panoramique, le soir dans une élégante salle à manger. Cuisine de tradition.

Lou Calel
Le bourg – ☏ 05 53 70 46 14 – restaurantloucel@orange.fr – Fax 05 53 70 46 14
– Fermé 10-17 juin, 7-22 oct., 7-22 janv., mardi et merc.
Rest – Menu 24/40 € – Carte 42/54 €

◆ Cette auberge située dans le village vous accueille dans deux salles rustiques (dont une panoramique) ou sur sa terrasse surplombant la vallée du Lot. Goûteuse cuisine du terroir.

2009

VILLENEUVE-SUR-TARN – 81 Tarn – 338 G7 – alt. 272 m — 29 **C2**
– ⊠ 81250 Curvalle

▶ Paris 714 – Albi 33 – Castres 67 – Lacaune 44 – Rodez 64 – St-Affrique 50

Hostellerie des Lauriers
– ℰ 05 63 55 84 23 – www.leslauriers.net – leslauriers@orange.fr
– Fax 05 63 55 94 85 – Ouvert de mi-mars à mi-oct.
9 ch – †42/54 € ††54/68 €, ⊇ 8,50 € – ½ P 52/62 €
Rest – *(fermé dim. soir et lundi hors saison) (dîner seult)*
Menu 17 € (sem.), 25/30 € – Carte 30/55 €

♦ Maison en pierres du pays dans un parc au bord du Tarn, idéale pour des vacances "vertes" : chambres pratiques, piscine couverte, jacuzzi et randonnées organisées. Sobre salle à manger prolongée par une terrasse ; cuisine traditionnelle et recettes régionales.

VILLENEUVE-SUR-YONNE – 89 Yonne – 319 C3 – 5 404 h. — 7 **B1**
– alt. 74 m – ⊠ 89500 ▌ Bourgogne

▶ Paris 132 – Auxerre 46 – Joigny 19 – Montargis 45 – Nemours 59 – Sens 14 – Troyes 77

🛈 Syndicat d'initiative, quai Roland-Bonnion ℰ 03 86 87 12 52, Fax 03 86 87 12 01

◉ Porte de Joigny★.

La Lucarne aux Chouettes avec ch
quai Bretoche – ℰ 03 86 87 18 26 – www.lesliecaron-auberge.com
– lesliecaron-auberge@wanadoo.fr – Fax 03 86 87 22 63 – *Fermé janv., mardi soir de nov. à avril, dim. soir et lundi*
4 ch – †49/99 € ††99/170 €, ⊇ 10 € **Rest** – Menu (20 €), 45/53 €

♦ Sur les quais de l'Yonne, îlot de quatre maisons du 17ᵉ s., jadis réserves à grains, aménagées avec élégance. Superbe salle à manger sous charpente. Cuisine dans l'air du temps.

VILLEPARISIS – 77 Seine-et-Marne – 312 E2 – 101 19 – voir à Paris, Environs

VILLEREST – 42 Loire – 327 D4 – rattaché à Roanne

VILLEROY – 89 Yonne – 319 C2 – rattaché à Sens

VILLERS-BOCAGE – 14 Calvados – 303 I5 – 2 868 h. – alt. 140 m — 32 **B2**
– ⊠ 14310 ▌ Normandie Cotentin

▶ Paris 262 – Argentan 83 – Avranches 77 – Bayeux 26 – Caen 30 – Flers 44 – St-Lô 47 – Vire 35

🛈 Syndicat d'initiative, place du Général de Gaulle ℰ 02 31 77 16 14, Fax 02 31 77 65 46

Des Trois Rois avec ch
2 pl. Jeanne d'Arc – ℰ 02 31 77 00 32 – www.trois-rois.fr – les3rois@orange.fr
– Fax 02 31 77 93 25 – *Fermé dim. soir d'oct. à avril*
13 ch – †60/90 € ††65/90 €, ⊇ 12 € – ½ P 71/90 €
Rest – Menu (26 €), 29/65 € – Carte 34/76 €

♦ Cette maison familiale, à la salle à manger bourgeoise et classique (tons jaunes, tableaux), propose des menus dans l'air du temps. Chambres rajeunies, sobres et actuelles.

VILLERS-COTTERÊTS – 02 Aisne – 306 A7 – 10 106 h. – alt. 126 m — 37 **C3**
– ⊠ 02600 ▌ Nord Pas-de-Calais Picardie

▶ Paris 81 – Compiègne 32 – Laon 61 – Meaux 41 – Senlis 41 – Soissons 23

🛈 Office de tourisme, 6, place Aristide Briand ℰ 03 23 96 55 10, Fax 03 23 96 49 13

◉ Château de François 1ᵉʳ : grand escalier★.

◉ Forêt de Retz★.

VILLERS-COTTERÊTS

Le Régent sans rest
26 r. Gén. Mangin – ℰ 03 23 96 01 46 – www.hotel-leregent.com – info@
hotel-leregent.com – Fax 03 23 96 37 57 – Fermé 25-31 déc.
30 ch – †67 € ††76/82 €, ⊇ 8 €

♦ Relais de poste du 18ᵉ s. bâti autour d'une cour pavée où trône un bel abreuvoir. Chambres au charme d'antan (meubles anciens) peu à peu rajeunies dans le style contemporain.

VILLERSEXEL – 70 Haute-Saône – 314 G7 – 1 423 h. – alt. 287 m 17 C1
– ⊠ 70110 ▌Franche-Comté Jura

▶ Paris 386 – Belfort 41 – Besançon 59 – Lure 18 – Montbéliard 34 – Vesoul 27

🛈 Office de tourisme, 33, rue des Cités ℰ 03 84 20 59 59, Fax 03 84 20 59 59

Le Relais des Moines
1 r. 13 Septembre 1944 – ℰ 03 84 20 50 50 – www.lerelaisdesmoines.fr
– relais-des-moines@orange.fr – Fax 03 84 20 59 57 – Fermé 24 déc.-8 janv. et dim. soir
24 ch – †49 € ††49/63 €, ⊇ 8 €
Rest – Menu 13 € (sem.)/33 € – Carte 27/55 €

♦ Hôtel familial composé de plusieurs bâtiments. Chambres pratiques, rénovées par étape (les plus récentes sont logées dans une ancienne maison bourgeoise). Cuisine d'influence régionale, pizzas et salaisons maison, servis dans l'une des salles à manger ou sur la terrasse.

La Terrasse
rte de Lure – ℰ 03 84 20 52 11 – www.laterrasse-villersexel.com
– laterrassevillersexel@wanadoo.fr – Fax 03 84 20 56 90 – Fermé 20 déc.-7 janv., vend. soir et dim. soir d'oct. à mars
13 ch – †43/45 € ††46/50 €, ⊇ 8 € – ½ P 48/52 €
Rest – Menu (12 €), 15/34 € – Carte 24/44 €

♦ Dans la même famille depuis 1921, cette auberge, bordée par une rivière tranquille, dispose de chambres fonctionnelles, en cours de rénovation. Carte traditionnelle au restaurant ; agréable terrasse ombragée et fleurie en saison.

VILLERS-LE-LAC – 25 Doubs – 321 K4 – 4 339 h. – alt. 730 m 17 C2
– ⊠ 25130 ▌Franche-Comté Jura

▶ Paris 471 – Basel 116 – Besançon 68 – La Chaux-de-Fonds 18 – Morteau 7 – Pontarlier 38

🛈 Office de tourisme, rue Pierre Berçot ℰ 03 81 68 00 98, Fax 03 81 68 00 98

◉ Saut du Doubs★★★ NE : 5 km - Lac de Chaillexon★ NE : 2 km - Musée de la montre★.

Le France (Hugues Droz)
8 pl. Cupillard – ℰ 03 81 68 00 06 – www.hotel-restaurant-lefrance.com
– info@hotel-restaurant-lefrance.com – Fax 03 81 68 09 22
– Fermé 5-16 nov. et 5 janv.-5 fév.
12 ch – †55/75 € ††60/100 €, ⊇ 10 € – ½ P 60/90 €
Rest – (fermé mardi midi d'oct. à mai, dim. soir et lundi)
Menu 21 € (déj.), 28/70 € – Carte 43/75 €
Spéc. Foie chaud de canard caramélisé aux pommes. Grosses Saint-Jacques et ormeaux du Cotentin sauce mélisse (sept. à mai). Verrine de chocolat mi-cuit gianduja et nuage aux épices royales. **Vins** Arbois-melon, Arbois-trousseau.

♦ Cet établissement accueillant perpétue la tradition familiale : quatre générations s'y sont succédées depuis 1900. Chambres au décor actuel. Belle salle à manger avec boiseries et collection d'ustensiles de cuisine ; délicieux plats au goût du jour et vins d'Arbois.

VILLERS-SUR-MER – 14 Calvados – 303 L4 – 2 566 h. – alt. 10 m 32 A3
– Casino ▌Normandie Vallée de la Seine

▶ Paris 208 – Caen 35 – Le Havre 52 – Deauville 8 – Lisieux 31 – Pont-l'Évêque 21

🛈 Office de tourisme, place Jean Mermoz ℰ 02 31 87 01 18, Fax 02 31 87 46 20

VILLERS-SUR-MER

Domaine de Villers
chemin Belvédère – ℰ 02 31 81 80 80 – www.domainedevillers.com – info@domainedevillers.com – Fax 02 31 81 80 70
17 ch – †126/245 € ††126/245 €, ⊇ 15 €
Rest – *(fermé merc. et le midi du lundi au jeudi)* Menu 35/49 € – Carte 50/70 €
♦ Manoir récent entouré d'un parc, avec vue sur la baie de Deauville. Ses chambres luxueuses, déclinent les styles contemporain, nautique, Art déco ou Directoire. Séduisante carte au goût du jour servie au coin du feu, dans une salle confortable, piano.

VILLERVILLE – 14 Calvados – 303 M3 – rattaché à Honfleur

VILLEURBANNE – 69 Rhône – 327 I5 – rattaché à Lyon

VILLIÉ-MORGON – 69 Rhône – 327 H3 – 1 724 h. – alt. 262 m   43 E1
– ⊠ 69910   Lyon et la vallée du Rhône

▸ Paris 412 – Lyon 54 – Mâcon 23 – Villefranche-sur-Saône 22
▸ La Terrasse ※★★ près du col du Fût d'Avenas NO : 7 km, Vallée du Rhône

Le Villon
bd du Parc – ℰ 04 74 69 16 16 – www.hotel-levillon.com – contact@hotel-levillon.com – Fax 04 74 69 16 81 – Fermé 21 déc.-19 janv., dim. soir et lundi de mi-oct. à fin avril
45 ch – †55/62 € ††65/72 €, ⊇ 10 € – ½ P 58/62 €
Rest – Menu (18 € bc), 21/53 € – Carte 28/43 €
♦ Dominant le village, bâtisse dont les chambres (cinq avec terrasse), simples et pratiques, offrent une vue étendue sur le vignoble de Morgon. Salle à manger au décor néo-rustique, terrasse tournée vers les collines plantées de vignes et cuisine traditionnelle.

à Morgon 2 km au Sud par D 68 – ⊠ 69910

Le Morgon
– ℰ 04 74 69 16 03 – restaurantlemorgon@orange.fr – Fax 04 74 69 16 03
– Fermé 15 déc.-1ᵉʳ fév., soirs fériés, mardi soir, dim. soir et merc.
Rest – Menu 15 € (sem.)/42 € – Carte 24/40 €
♦ Sobre cadre rustique (flambées dans la cheminée en hiver), agréable terrasse, accueil aimable et cuisine du terroir soignée : pas mal d'atouts pour cette auberge villageoise.

VILLIERS-LE-MAHIEU – 78 Yvelines – 311 G2 – 703 h. – alt. 127 m   18 A2
– ⊠ 78770

▸ Paris 53 – Dreux 37 – Évreux 63 – Mantes-la-Jolie 18 – Rambouillet 33 – Versailles 36

Château de Villiers le Mahieu sans rest
r. du Centre – ℰ 01 34 87 44 25
– www.chateauvilliers.com – accueil@chateauvilliers.com – Fax 01 34 87 44 40
– Fermé 24 déc.-4 janv. et 15 fév.-1ᵉʳ mars
95 ch – †210 € ††210 €, ⊇ 19 €
♦ Bordé de ses douves en eau, ce château fort du 13ᵉ s. trône au milieu d'un parc boisé. Charme du passé et modernité côté chambres, bien-être grâce à l'espace spa de 700 m².

VILLIERS-SOUS-GREZ – 77 Seine-et-Marne – 312 E6 – 764 h.   19 C3
– alt. 86 m – ⊠ 77760

▸ Paris 75 – Corbeil-Essonnes 42 – Évry 43 – Savigny-sur-Orge 52

La Cerisaie sans rest
10 r. Larchant – ℰ 01 64 24 23 71 – www.cerisaie.fr – andre.chastel@free.fr
– Fax 01 64 24 23 71
4 ch ⊇ – †75 € ††85 €
♦ Remarquablement restaurée, cette ferme du 19ᵉ s. est un vrai paradis. Ses chambres personnalisées portent des noms évocateurs : "Photographe", "Orientale", "Musicale", "Voyageur".

VILLIERS-SUR-MARNE – 52 Haute-Marne – **313** K4 – ✉ 52320 — 14 **C3**

▶ Paris 282 – Bar-sur-Aube 41 – Chaumont 31 – Neufchâteau 52 – Saint-Dizier 46

XX La Source Bleue
– ℰ 03 25 94 70 35 – source-bleue@wanadoo.fr – Fax 03 25 05 02 09
– Fermé 21 déc.-20 janv., dim. soir, lundi et mardi
Rest – Menu (18 €), 28/55 € – Carte 45/56 €

◆ Moulin du 18ᵉ s. entouré d'un grand parc longeant la rivière où l'on cueille le cresson. Intérieur sobre et plaisant, terrasse les pieds dans l'eau et goûteuse cuisine actuelle.

VINAY – 51 Marne – **306** F8 – rattaché à Épernay

VINCELOTTES – 89 Yonne – **319** E5 – rattaché à Auxerre

VINCENNES – 94 Val-de-Marne – **312** D2 – **101** 17 – voir à Paris, Environs

VINCEY – 88 Vosges – **314** F2 – rattaché à Charmes

VINON-SUR-VERDON – 83 Var – **340** J3 – 2 992 h. – alt. 280 m — 40 **B2**
– ✉ 83560

▶ Paris 775 – Aix-en-Provence 47 – Brignoles 52 – Digne-les-Bains 70 – Manosque 16

🛈 Syndicat d'initiative, rue Saint-André ℰ 04 92 78 84 45, Fax 04 92 78 83 74

X Relais des Gorges avec ch
230 av. de la République – ℰ 04 92 78 80 24 – bertet.relais@wanadoo.fr
– Fax 04 92 78 96 47 – Fermé 26 oct.-9 nov., 19-29 déc. et dim. soir d'oct. à mars
9 ch – †43 € ††52 €, ⇌ 7 € – ½ P 48 € **Rest** – Menu 19/60 € – Carte 43/64 €

◆ Aux portes des grandioses gorges du Verdon, faites halte dans cette auberge où l'on sert une appétissante cuisine traditionnelle. Chambres pour l'étape, en partie rénovées.

VIOLÈS – 84 Vaucluse – **332** C9 – 1 538 h. – alt. 94 m – ✉ 84150 — 42 **E1**

▶ Paris 659 – Avignon 34 – Carpentras 21 – Nyons 33 – Orange 14 – Vaison-la-Romaine 17

🏠 Mas de Bouvau
2 km rte Cairanne – ℰ 04 90 70 94 08 – www.mas-de-bouvau.com
– henri.hertzog@wanadoo.fr – Fax 04 90 70 95 99
– Fermé 28 sept.-3 oct., 1ᵉʳ déc.-28 fév., le midi de juin à sept., le soir de nov. à fév., mardi midi, dim. soir et lundi d'oct. à mai
6 ch – †63 € ††63 €, ⇌ 10 € – ½ P 66 € **Rest** – (résidents seult) Menu 27 €

◆ Isolé au milieu des vignes, un authentique mas à l'hospitalité chaleureuse. Chambres personnalisées, décorées dans l'esprit maison d'hôte. Recettes inspirées de la Provence servies dans un charmant cadre campagnard ou dans la grange, convertie en terrasse.

VIRE – 14 Calvados – **303** G6 – 12 815 h. – alt. 275 m – ✉ 14500 — 32 **B2**
Normandie Cotentin

▶ Paris 296 – Caen 64 – Flers 31 – Laval 103 – Rennes 135 – St-Lô 39

🛈 Office de tourisme, square de la Résistance ℰ 02 31 66 28 50, Fax 02 31 66 28 55

🏌 de Vire la Dathée à Saint-Manvieu-Bocage La Basse Haie, SE : 8 km par D 150, ℰ 02 31 67 71 01

🏨 De France
4 r. d'Aignaux – ℰ 02 31 68 00 35 – www.hoteldefrancevire.com – information@hoteldefrancevire.com – Fax 02 31 68 22 65 – Fermé 1ᵉʳ-7 août, 12 déc.-15 janv., dim. soir et lundi midi
20 ch – †50 € ††60 €, ⇌ 8 € **Rest** – Menu 16/37 €

◆ Maison en pierre du centre-ville récemment rénovée, pour un résultat plaisant : des chambres contemporaines et épurées. Restaurant relooké (tableaux, poutres blanchies). Carte actuelle aux bases traditionnelles ; l'andouille est mise à l'honneur.

VIRE
rte de Flers 2,5 km par ③ sur D 524 – ⊠ 14500 Vire

XX **Manoir de la Pommeraie** 🔊 🏠 **P** VISA ⓂⓄ
– ℰ 02 31 68 07 71 – www.manoirdelapommeraie.com – Fax 02 31 67 54 21
– Fermé 27 juil.-10 août, 18-25 janv., dim. soir et lundi
Rest – Menu 34/80 € bc – Carte 41/47 €
♦ En retrait de Vire, petit manoir du 18ᵉ s. isolé dans un parc aux arbres centenaires. Le nouveau chef propose une alléchante cuisine actuelle à base de bons produits de saison.

VIRÉ – 71 Saône-et-Loire – **320** J11 – 1 070 h. – alt. 225 m – ⊠ 71260   8 **C3**
  🄳 Paris 378 – Mâcon 20 – Cluny 23 – Tournus 19

XXX **Relais de Montmartre** (Frédéric Carrion)   ♿ AC VISA ⓂⓄ
❀ pl. A. Lagrange – ℰ 03 85 33 10 72 – www.relais-de-montmartre.fr
– relais-de-montmartre@wanadoo.fr – Fax 03 85 33 98 49
– Fermé 29 juin-6 juil., 5-12 oct., 11-25 janv., sam. midi, dim. soir et lundi
Rest – Menu (20 €), 23 € (déj. en sem.), 32/66 € – Carte 38/55 € 🕮
Spéc. Langoustine bretonne saisie, artichaut fondant et coulis de petits pois. Poulet de Bresse en cocotte et poivron farci de mousseline de pomme de terre. Tarte au chocolat et sorbet abricot.
♦ Cet ancien café de village propose une cuisine contemporaine personnalisée, dans une élégante salle à manger (drapés, lustres en verre de Murano). Chambres toutes récentes.

VIRIVILLE – 38 Isère – **333** E6 – 1 281 h. – alt. 380 m – ⊠ 38980   43 **E2**
  🄳 Paris 549 – Lyon 92 – Grenoble 62 – Saint-Priest 73 – Saint-Martin-d'Hères 64

🏠 **Hostellerie de Chambaran** ⏎   🍴 🏠 ⛱ ⚘ ⓘ 🅂 **P** VISA ⓂⓄ
185 Grande-Rue-Jeanne-Sappey – ℰ 04 74 54 02 18
– www.hostelleriedechambaran.com – hostelleriedechambaran@wanadoo.fr
– Fax 04 74 54 11 83
19 ch – ♦71 € ♦♦92 €, ⊇ 10 € – ½ P 86/92 €
Rest – (fermé sam. midi, dim. soir et lundi) Menu 24/55 € – Carte 28/51 €
♦ Au cœur d'un pittoresque village aux maisons en galets roulés, affaire familiale dont les chambres, sans fioriture mais rafraîchies, donnent sur un grand jardin-piscine. Chaleureuse salle à manger, terrasse ombragée et cuisine traditionnelle au restaurant.

VIRY-CHÂTILLON – 91 Essonne – **312** D3 – **101** 36 – voir à Paris, Environs

---

VISCOS – 65 Hautes-Pyrénées – **342** L7 – 44 h. – alt. 800 m – ⊠ 65120   28 **A3**
  🄳 Paris 880 – Pau 75 – Tarbes 50 – Argelès-Gazost 17 – Cauterets 23
  – Lourdes 30

🏠 **La Grange aux Marmottes** ⏎   ⛰ 🍴 ⛱ 🛋 ⓘ VISA ⓂⓄ AE
au village – ℰ 05 62 92 88 88 – www.grangeauxmarmottes.com – hotel@ grangeauxmarmottes.com – Fax 05 62 92 93 75 – Fermé 11 nov.-15 déc.
14 ch – ♦70/105 € ♦♦70/105 €, ⊇ 10 € – ½ P 61/85 €
Rest – Menu (17 €), 21/40 € – Carte 21/52 €
♦ Ceux qui recherchent le calme absolu seront séduits par cette ancienne grange en pierre située aux portes du Parc national des Pyrénées. Chambres amples et douillettes. Atmosphère campagnarde dans la salle à manger où l'on sert une cuisine honorant la région.

VITERBE – 81 Tarn – **338** D8 – 254 h. – alt. 141 m – ⊠ 81220   29 **C2**
  🄳 Paris 693 – Albi 62 – Castelnaudary 52 – Castres 31 – Montauban 69
  – Toulouse 55

XX **Les Marronniers**   🍴 🏠 AC **P** VISA ⓂⓄ AE
☺ – ℰ 05 63 70 64 96 – www.lesmarronniers-viterbe.com – viala.marronniers@ wanadoo.fr – Fax 05 63 70 60 96 – Fermé 2-22 nov., 23-26 fév., lundi soir d'oct. à mars, mardi soir et merc.
Rest – Menu (12 €), 19 € (sem.)/40 € – Carte 28/43 €
♦ Salle contemporaine dans les tons sable et chocolat, éclairage étudié, chaises à médaillon ajouré, salon-cheminée et plaisante terrasse face au jardin. Carte traditionnelle.

VITRÉ – 35 Ille-et-Vilaine – **309** O6 – 15 313 h. – alt. 106 m – ⊠ 3550
Bretagne

- Paris 310 – Châteaubriant 52 – Fougères 30 – Laval 38 – R...
- Office de tourisme, place Gal-de-Gaulle ℰ 02 99 75 04 46, Fax 02 99 74 02 01
- des Rochers Sévigné Château des Rochers, par rte d'Argentré : 6 ℰ 02 99 96 52 52
- Château★★ : tour de Montalifant ≤★, tryptique★ - La Ville★ : rue Baudrairie★★ **A** 5, remparts★, église Notre-Dame★ **B** - Tertres noirs ≤ par ④ - Jardin du parc★ par ③ - ≤★ des D178 **B** et D857 **A** - Champea... place★, stalles★ et vitraux★ de l'église 9um par ④.

Argentré (R. B.-d') . . . . **B** 2	Gaulle (Pl. Gén.-de) . . . . **B** 13	Poterie (R.) . . . . **B**
Augustins (R. des) . . . . **A** 3	Jacobins (Bd des) . . . . **B** 15	Rochers (Bd des) . . . . **B** 22
Bas-Val (R. du) . . . . **A** 4	Leclerc (Pl. Gén.) . . . . **B** 17	St-Louis (R.) . . . . **AB** 23
Baudrairie (R. de la) . . . . **A** 5	Liberté (R. de la) . . . . **B** 18	St-Yves (Pl.) . . . . **A** 25
Borderie (R. de la) . . . . **B**	Notre-Dame (Pl. et R.) . . . . **B** 20	Sévigné (R.) . . . . **B** 26
En-Bas (R. d') . . . . **A** 8	Paris (R. de) . . . . **B**	70e-R.I. (R. du) . . . . **B** 27
Garengeot (R.) . . . . **B** 12	Pasteur (R.) . . . . **A**	

Ibis sans rest
1 bd Chateaubriant, par ③ – ℰ *02 99 75 51 70 – www.ibishotel.com – H6233@accor.com – Fax 02 99 75 51 71*
50 ch – †51/85 € ††51/85 €, ⊇ 8,50 €
◆ Ce nouvel Ibis à proximité du centre médiéval dispose de chambres au mobilier fonctionnel (minidressing). Pour plus de calme, préférez celles donnant sur le parc à l'arrière.

Le Pichet
17 bd Laval, par ① – ℰ *02 99 75 24 09 – www.lepichet.fr – restaurant@lepichet.fr*
– Fermé merc. soir, jeudi soir et dim.
Rest – *(nombre de couverts limité, prévenir)* Menu 18 € (déj. en sem.), 26/50 € – Carte 38/53 €
◆ Demeure d'allure régionale prolongée par un joli jardin arboré où l'on dresse la terrasse l'été (barbecue). Lumineuse et confortable salle à manger-véranda.

Le Potager
5 pl. Gén. Leclerc – ℰ *02 99 74 68 88 – www.restaurant-lepotager.fr*
– contact@restaurant-lepotager.fr – Fax 02 99 75 38 13   **B** t
– Fermé 11-24 août, dim. soir et lundi
Rest – Menu 17 € (sem.)/32 € – Carte 24/35 €
◆ Décor frais composé d'un charmant espace bistrot et d'une salle contemporaine dans les tons aubergine, orange et vert. Cuisine actuelle ; un petit menu différent chaque midi.

VITRAC – 24 Dordogne – **329** I7 – 824 h. – alt. 150 m – ⊠ 24200   4 **D3**

- Paris 541 – Brive-la-Gaillarde 64 – Cahors 54 – Périgueux 85 – Sarlat-la-Canéda 8
- Office de tourisme, lieu-dit le bourg ✆ 05 53 28 57 80
- du Domaine de Rochebois à Sarlat-la-Canéda Route de Montfort, SE : 2 km, ✆ 05 53 31 52 52
- Château de Montfort ★ NE : 2 km - Cingle de Montfort ★ NE : 3,5 km,
- **Périgord Quercy**

Domaine de Rochebois
rte de Montfort, 2 km à l'Est par D 703 –
✆ 05 53 31 52 52 – www.rochebois.com – info@rochebois.com
– Fax 05 53 29 36 88 – Ouvert début mai à fin oct.
40 ch – †145/420 € ††145/420 €, ⚏ 18 € – ½ P 202/267 €
Rest – (dîner seult) Menu 45/95 € bc – Carte 89/100 €

♦ Vaste parc, golf de 9 trous, joli jardin étagé, belle piscine, décoration intérieure raffinée : cette demeure du 19ᵉ s. est un petit paradis au cœur du Périgord Noir. Belle cuisine actuelle servie dans la salle à manger cossue ou sur l'agréable terrasse.

Plaisance
*au port – ✆ 05 53 31 39 39 – www.hotelplaisance.com – plaisance@wanadoo.fr
– Fax 05 53 31 39 38 – Ouvert 2 mars-11 nov.*
48 ch – †54 € ††54/110 €, ⚏ 9 € – ½ P 63/80 €
Rest – (fermé dim. soir et vend. d'oct. à avril, vend. midi et sam. midi de mai à sept.) Menu 15 € (déj. en sem.), 25/45 € – Carte 30/68 €

♦ Bâtisse régionale construite en 1808 à flanc de rocher, aux chambres bien tenues. Annexe occupant un ex-moulin. De l'autre côté de la route, jardin bordant la Dordogne. Salle à manger classique et terrasse sous des tilleuls ; copieuse cuisine du pays.

Le Clos Roussillon sans rest
*1 km à l'Ouest par D703 et rte secondaire – ✆ 05 53 28 13 00
– www.closroussillon-perigord.com – hotel@closroussillon-perigord.com
– Fax 05 53 59 40 25 – Ouvert 11 avril-1ᵉʳ nov.*
31 ch – †50/65 € ††50/90 €, ⚏ 10 €

♦ Cet hôtel des années 1980 a été entièrement rénové. Chambres modernes et de bon confort, parfois pourvues de balcons et de kitchenettes. Agréable et paisible parc arboré.

La Treille avec ch
*Le Port – ✆ 05 53 28 33 19 – www.latreille-perigord.com – hotel@
latreille-perigord.com – Fax 05 53 30 38 54 – Fermé 15 nov.-15 déc., 15 fév.-5 mars,
mardi sauf le soir du 15 juin au 15 oct. et lundi*
8 ch – †47/57 € ††47/85 €, ⚏ 8 € – ½ P 68 €
Rest – Menu (20 €), 23/43 € – Carte 47/61 €

♦ Les Latreille tiennent cette maison depuis 1866. Façade tapissée de vigne vierge, salle à manger, véranda, terrasse ombragée d'une treille et immuables recettes périgourdines.

> Première distinction : l'étoile ✪.
> Elle couronne les tables pour lesquelles on ferait des kilomètres !

VITRAC – 15 Cantal – **330** B6 – 294 h. – alt. 490 m – ⊠ 15220   5 **A3**

- Paris 561 – Aurillac 26 – Figeac 44 – Rodez 77

Auberge de la Tomette
*– ✆ 04 71 64 70 94 – www.auberge-la-tomette.com – latomette@wanadoo.fr
– Fax 04 71 64 77 11 – Ouvert Pâques-12 nov.*
16 ch (½ P seult) – ½ P 68/80 €
Rest – (dîner seult) (résidents seult) Menu 29/39 € – Carte 40/50 €

♦ Chambres mignonnes et douillettes, toutes rajeunies, jardin soigné, piscine découvrable, espace relaxation (sauna, hammam) : cette auberge ne manque pas d'atouts. Au restaurant, boiseries, tomettes, vieux meubles, sièges à médaillon cannés et terrasse-pergola.

VITRÉ – 35 Ille-et-Vilaine – **309** O6 – 15 313 h. – alt. 106 m – ⊠ 35500   **10 D2**
🟩 Bretagne

- Paris 310 – Châteaubriant 52 – Fougères 30 – Laval 38 – Rennes 38
- Office de tourisme, place Gal-de-Gaulle ✆ 02 99 75 04 46, Fax 02 99 74 02 01
- des Rochers Sévigné Château des Rochers, par rte d'Argentré : 6 km, ✆ 02 99 96 52 52
- Château★★ : tour de Montalifant ≤★, tryptique★ - La Ville★ : rue Baudrairie★★ A 5, remparts★, église Notre-Dame★ B - Tertres noirs ≤★★ par ④ - Jardin du parc★ par ③ - ≤★★ des D178 B et D857 A - Champeaux : place★, stalles★ et vitraux★ de l'église 9 km par ④.

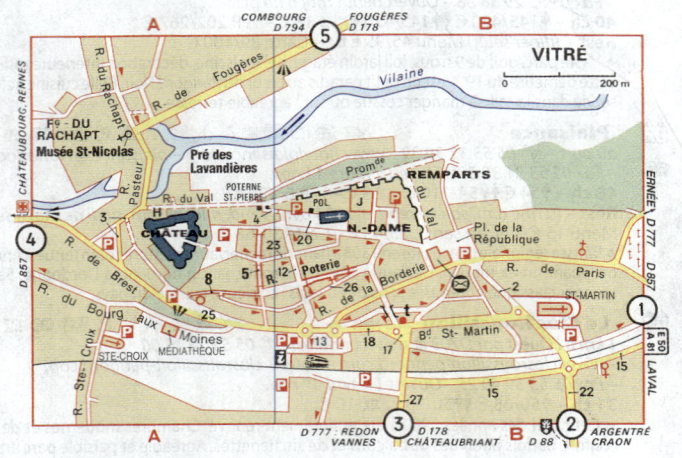

Argentré (R. B.-d') . . . . B 2	Gaulle (Pl. Gén.-de) . . . . B 13	Poterie (R.) . . . . B
Augustins (R. des) . . . . A 3	Jacobins (Bd des) . . . . B 15	Rochers
Bas-Val (R. du) . . . . A 4	Leclerc (Pl. Gén.) . . . . B 17	(Bd des) . . . . B 22
Baudrairie (R. de la) . . . . A 5	Liberté (R. de la) . . . . B 18	St-Louis (R.) . . . . AB 23
Borderie (R. de la) . . . . B	Notre-Dame (Pl. et R.) . . . . B 20	St-Yves (Pl.) . . . . A 25
En-Bas (R. d') . . . . A 8	Paris (R. de) . . . . B	Sévigné (R.) . . . . B 26
Garengeot (R.) . . . . B 12	Pasteur (R.) . . . . A	70e-R.I. (R. du) . . . . B 27

🏠 **Ibis** sans rest
1 bd Chateaubriant, par ③ – ✆ *02 99 75 51 70 – www.ibishotel.com – H6233@accor.com – Fax 02 99 75 51 71*
50 ch – †51/85 € ††51/85 €, ⊇ 8,50 €
♦ Ce nouvel Ibis à proximité du centre médiéval dispose de chambres au mobilier fonctionnel (minidressing). Pour plus de calme, préférez celles donnant sur le parc à l'arrière.

✕✕ **Le Pichet**
17 bd Laval, par ① – ✆ *02 99 75 24 09 – www.lepichet.fr – restaurant@lepichet.fr*
– *Fermé merc. soir, jeudi soir et dim.*
Rest – *(nombre de couverts limité, prévenir)* Menu 18 € (déj. en sem.), 26/50 €
– Carte 38/53 €
♦ Demeure d'allure régionale prolongée par un joli jardin arboré où l'on dresse la terrasse l'été (barbecue). Lumineuse et confortable salle à manger-véranda.

✕✕ **Le Potager**
5 pl. Gén. Leclerc – ✆ *02 99 74 68 88 – www.restaurant-lepotager.fr*
– *contact@restaurant-lepotager.fr – Fax 02 99 75 38 13*
– *Fermé 11-24 août, dim. soir et lundi*   B t
Rest – Menu 17 € (sem.)/32 € – Carte 24/35 €
♦ Décor frais composé d'un charmant espace bistrot et d'une salle contemporaine dans les tons aubergine, orange et vert. Cuisine actuelle ; un petit menu différent chaque midi.

2016

VITRY-LE-FRANÇOIS – 51 Marne – 306 J10 – 14 900 h. — 13 B2
– alt. 105 m – ⊠ 51300 ■ Champagne Ardenne

▶ Paris 181 – Bar-le-Duc 55 – Châlons-en-Champagne 33 – Verdun 96
🛈 Office de tourisme, place Giraud ℘ 03 26 74 45 30, Fax 03 26 74 84 74

VITRY-LE-FRANÇOIS

Armes (Pl. d')	ABY
Arquebuse (R. de l')	BZ 2
Beaux-Anges (R. des)	BZ 4
Bourgeois (Fg Léon)	BZ 7
Briand (R. Aristide)	AZ
Chêne-Vert (R. du)	BY 9
Dominé (Bd du Col.)	AZ 10
Domyné-de-Verzet (R.)	BZ 13
Grande-Rue-de-Vaux	BY
Guesde (R. Jules)	AZ 14
Hôtel-de-Ville (R. de l')	BZ 19
Joffre (Pl. Mar.)	BZ 21
Leclerc (Pl. Mar.)	BY 23
Minimes (R. des)	AY 24
Moll (Av. du Col.)	AZ 25
Paris (Av. de)	AY 26
Petite-Rue-de-Vaux	BY 29
Petite-Sainte (R. de la)	BZ 30
Petit-Denier (R. du)	AY 28
Pont (R. du)	AY
République (Av. de la)	BZ 33
Royer-Collard (Pl.)	BZ 34
Ste-Memje (R.)	BY 37
St-Éloi (R.)	BY 35
St-Michel (R.)	ABY 36
Soeurs (R. des)	AY 40
Tanneurs (R. des)	AYZ 42
Tour (R. de la)	AY 44
Vieux-Port (R. du)	BZ 46
Vitry-le-Brûlé (Fg de)	BY 47
106e-R.-I. (Av. du)	BZ 49

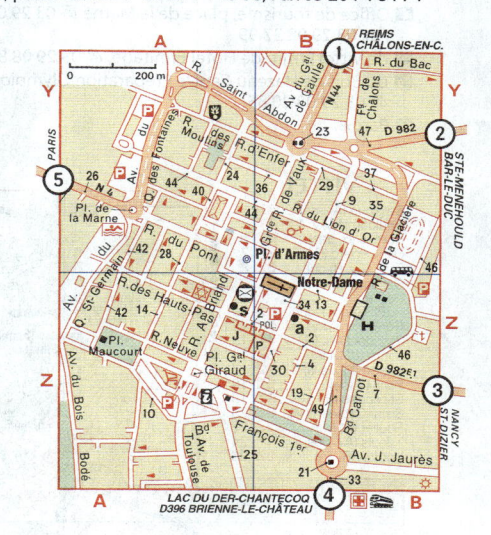

🏨 La Poste
pl. Royer-Collard – ℘ 03 26 74 02 65 – www.hotellaposte.com
– hoteldelaposte.vitry@wanadoo.fr – Fax 03 26 74 54 71 – *Fermé 21 déc.-4 janv. et dim.*
BZ **a**

28 ch – †57/74 € ††65/82 €, ⊇ 9 € – ½ P 65/73 €
Rest – *(fermé 2-23 août, 21 déc.-4 janv. et dim.)* Menu 24/75 € bc – Carte 65/92 €
♦ Face à la collégiale Notre-Dame, cet hôtel abrite des chambres pratiques, bien entretenues (certaines avec baignoire balnéo), et un agréable coin salon. Cuisine dans l'air du temps au restaurant.

🏠 De la Cloche
34 r. A. Briand – ℘ 03 26 74 03 84 – www.hotel-de-la-cloche.fr
– chef.sautetepicerie@wanadoo.fr – Fax 03 26 41 35 12 – *Fermé 23 déc.-3 janv. et dim. soir du 1ᵉʳ oct. au 31 mai*
AZ **s**

22 ch – †52/85 € ††56/115 €, ⊇ 10 € – ½ P 65/75 €
Rest *Jacques Sautet* – Menu 27/60 € – Carte 50/95 €
Rest *Vieux Briscard* – brasserie Menu (13 €), 25 € – Carte 36/68 €
♦ Établissement du centre-ville disposant de chambres rénovées, fonctionnelles et de bonne ampleur. Deux sont plus spacieuses et plus cossues. Chez Jacques Sautet, cuisine classique dans un cadre bourgeois. Ambiance et carte de brasserie au Vieux Briscard.

VITTEAUX – 21 Côte-d'Or – 320 H5 – 1 114 h. – alt. 320 m – ⊠ 21350 — 8 C2
■ Bourgogne

▶ Paris 259 – Auxerre 100 – Avallon 55 – Beaune 64 – Dijon 47 – Montbard 34 – Saulieu 34

🛈 Office de tourisme, 16, rue Hubert Languet ℘ 03 80 33 90 14, Fax 03 80 33 90 14

✕ Vieille Auberge
19 r. Verdun – ℘ 03 80 49 60 88 – Fax 03 80 49 68 14
– *Fermé 16-29 juin, 4-11 janv., dim. soir, mardi soir, merc. soir, jeudi soir et lundi*
Rest – Menu (11 €), 15/28 € – Carte 22/44 €
♦ Un bar à l'ambiance rurale dessert les deux salles rustiques de cette auberge familiale villageoise où l'on sert une cuisine traditionnelle. Petite terrasse et boulodrome.

VITTEL – 88 Vosges – **314** D3 – 5 783 h. – alt. 347 m – Stat. therm. : 26 **B3**
début avril-mi déc. – Casino **AY** – ⌧ 88800 🟩 **Alsace Lorraine**

- Paris 342 – Belfort 129 – Chaumont 84 – Épinal 43 – Langres 80 – Nancy 85
- 🛈 Office de tourisme, place de la Marne ℰ 03 29 08 08 88, Fax 03 29 08 37 99
- de Vittel Ermitage Hotel Ermitage, ℰ 03 29 08 81 53
- du Bois de Hazeau Centre Préparation Olympique, SO : 1 km, ℰ 03 29 08 20 85
- Parc★.

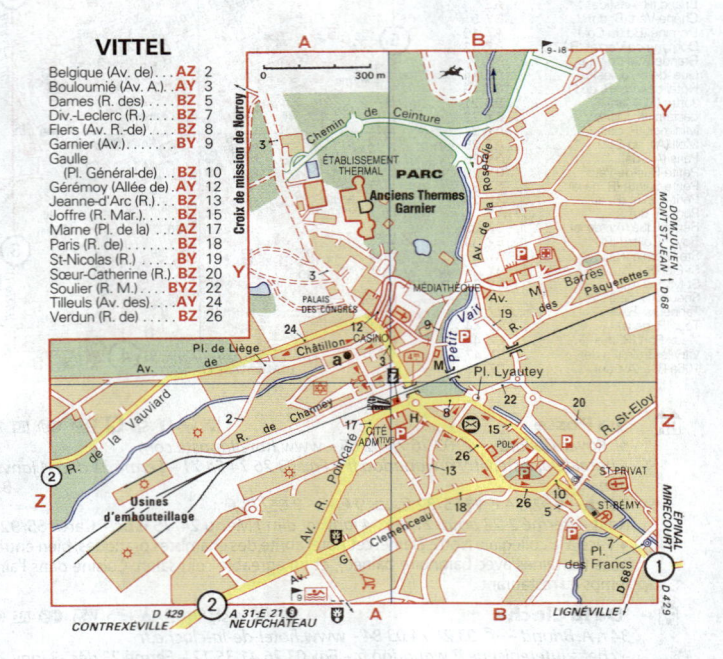

VITTEL

Belgique (Av. de)	**AZ** 2
Bouloumié (Av. A.)	**AY** 3
Dames (R. des)	**BZ** 5
Div.-Leclerc (R.)	**BZ** 7
Flers (Av. R.-de)	**BZ** 8
Garnier (Av.)	**BY** 9
Gaulle (Pl. Général-de)	**BZ** 10
Gérémoy (Allée de)	**AY** 12
Jeanne-d'Arc (R.)	**BZ** 13
Joffre (R. Mar.)	**BZ** 15
Marne (Pl. de la)	**AZ** 17
Paris (R. de)	**BZ** 18
St-Nicolas (R.)	**BY** 19
Sœur-Catherine (R.)	**BZ** 20
Soulier (R. M.)	**BYZ** 22
Tilleuls (Av. des)	**AY** 24
Verdun (R. de)	**BZ** 26

Providence
125 av. Châtillon – ℰ 03 29 08 08 27 – www.hotelvittel.com – providence.vittel@wanadoo.fr – Fax 03 29 08 62 60 **AY a**
38 ch – ♦57/75 € ♦♦67/85 €, ⌧ 9 € – ½ P 61/71 €
Rest – (fermé 8-17 mars, 1er-6 janv. et 1er-10 fév.)
Menu (15 €), 19/36 € – Carte 21/47 €
♦ Cet établissement vittellois a fait peau neuve. Jolies petites chambres dans des tons chauds et junior suites plus spacieuses et bien équipées (grande baignoire). Cet établissement vittellois a fait peau neuve. Résultat : la plupart des chambres, certes petites mais confortables, arborent un aspect des plus engageants.

à l'Ouest 3 km par r. de la Vauviard **AZ** – ⌧ 88800 Vittel

L'Orée du Bois
– ℰ 03 29 08 88 88 – www.loreeduboisvittel.fr – info@loreeduboisvittel.fr
– Fax 03 29 08 01 61
57 ch – ♦52/88 € ♦♦64/88 €, ⌧ 9 € – ½ P 60/72 €
Rest – Menu 18/35 € – Carte 29/49 €
♦ Face au golf, un établissement conçu pour la détente : balnéothérapie, massages, sauna, hammam. Chambres soignées ; testez les bio ou les familiales. Cuisine traditionnelle qui tend à plus de modernité tout en restant attachée au terroir. Jardin-terrasse.

VIVÈS – 66 Pyrénées-Orientales – **344** H7 – rattaché au Boulou

VIVIERS – 07 Ardèche – **331** K7 – 3 768 h. – alt. 65 m – ⊠ 07220   44 **B3**
- Paris 618 – Lyon 163 – Marseille 167 – Montpellier 158 – Valence 63
- Office de tourisme, 5, place Riquet ℰ 04 75 52 77 00, Fax 04 75 52 81 63

Le Relais du Vivarais avec ch
31 rte Nationale 86 – ℰ 04 75 52 60 41 – www.relaisduvivarais.fr – relais.viviers@wanadoo.fr – Fermé 12 mars-3 avril, 8-15 oct., 23 déc.-4 janv.
5 ch – †72/75 € ††72/95 €, ⊇ 9 €
Rest – (fermé dim. soir sauf résidents) Menu (17 €), 27/46 € – Carte 28/56 €
♦ Non content de vous servir une belle cuisine du terroir revisitée, ce sympathique restaurant familial vous réserve un charmant accueil. Salles pleines de cachet et terrasse ombragée. Jolies chambres au décor sobre ; pain et confiture maison au petit-déjeuner.

VIVONNE – 86 Vienne – **322** H6 – 3 045 h. – alt. 103 m – ⊠ 86370   39 **C2**
Poitou Vendée Charentes
- Paris 354 – Angoulême 94 – Confolens 62 – Niort 67 – Poitiers 20 – St-Jean-d'Angély 90
- Office de tourisme, place du Champ de Foire ℰ 05 49 43 47 88, Fax 05 49 43 34 87

Le St-Georges
Grande Rue, (près de l'église) – ℰ 05 49 89 01 89 – www.hotel-st-georges.com – courrier@hotel-st-georges.com – Fax 05 49 89 00 22
31 ch – †40/60 € ††48/82 €, ⊇ 7 €
Rest – (fermé 20 déc.-4 janv.) Menu (10 €), 12 € (sem.)/29 € – Carte 16/37 €
♦ Ravaillac eut à Vivonne la terrible vision qui le conduisit au régicide. Dormez tranquille dans cet hôtel disposant de chambres fonctionnelles et bien tenues. Salle à manger contemporaine (cuisine traditionnelle) et espace bistrot pour le menu du jour.

VIVY – 49 Maine-et-Loire – **317** I5 – 2 021 h. – alt. 29 m – ⊠ 49680   35 **C2**
- Paris 311 – Nantes 144 – Angers 57 – Saumur 12 – La Flèche 67

Château de Nazé sans rest
– ℰ 02 41 51 80 91 – www.chateau-de-naze.com – info@chateau-de-naze.com
4 ch ⊇ – †110/115 € ††110/115 €
♦ En plus du château avec sa belle cour, ce domaine comprend une piscine dans un jardin clos, un verger et une prairie. Décor élégant et romantique, salle châtelaine et salons.

VOIRON – 38 Isère – **333** G5 – 20 400 h. – alt. 290 m – ⊠ 38500   45 **C2**
Alpes du Nord
- Paris 546 – Chambéry 43 – Grenoble 29 – Lyon 85 – Valence 89
- Office de tourisme, 30, cours Becquart Castelbon ℰ 04 76 05 00 38, Fax 04 76 65 63 21
- Caves de la Chartreuse ★ - Massif de la Chartreuse ★★.

près échangeur A 48 3 km par sortie n° 10

Palladior
4 r. A. Bouffard Roupé – ℰ 04 76 06 47 47 – www.hotel-palladior-voiron.fr – welcome@hotel-palladior-voiron.fr – Fax 04 76 06 48 48
82 ch – †79/195 € ††79/215 €, ⊇ 12 €
Rest – Menu (22 €), 28 € – Carte 35/54 €
♦ À proximité de l'échangeur autoroutier, cette hôtellerie neuve propose des chambres fonctionnelles contemporaines et très bien équipées. Intérieur design et agréable terrasse au restaurant. On y sert des menus du terroir et une carte actuelle.

VOISINS-LE-BRETONNEUX – 78 Yvelines – **311** I3 – **101** 22 – voir à Paris, Environs (St-Quentin-en-Yvelines)

VOITEUR – 39 Jura – **321** D6 – 779 h. – alt. 260 m – ✉ 39210　　16 **B3**
- Paris 409 – Besançon 79 – Dole 51 – Lons-le-Saunier 12
- Office de tourisme, 1 place de la Mairie ✆ 03 84 44 62 47, Fax 03 84 44 64 86

Château St-Martin sans rest
- ✆ 03 84 44 91 87 – www.juranatura.fr – kellerbr@wanadoo.fr
- Fax 03 84 44 91 87 – Fermé déc. et janv.
4 ch ⊇ – †90 € ††100 €
♦ Un apéritif accueille les hôtes de ce château classé monument historique. Ses chambres, de styles différents, donnent parfois sur le parc et la chapelle du 14ᵉ s. Piano à disposition.

VOLLORE-VILLE – 63 Puy-de-Dôme – **326** I8 – 684 h. – alt. 540 m　　6 **C2**
– ✉ 63120
- Paris 408 – Clermont-Ferrand 58 – Roanne 63 – Vichy 52

Château de Vollore sans rest
- ✆ 04 73 53 71 06 – www.chateaux-france.com/vollore – chateau.vollore@ wanadoo.fr – Fax 04 73 53 72 44
5 ch ⊇ – †100/150 € ††130/230 €
♦ Château "avec vue" appartenant aux La Fayette. L'arrière-petit-fils du personnage historique avait épousé la fille des propriétaires. Chambres et suites au mobilier d'époque.

VOLNAY – 21 Côte-d'Or – **320** I7 – rattaché à Beaune

Un week-end de charme à la mer, à la campagne ou à la montagne ? Découvrez le nouveau guide des "Chambres d'hôtes", une sélection de nos plus belles adresses en France : confort, calme et volupté garantis !

VONNAS – 01 Ain – **328** C3 – 2 623 h. – alt. 200 m – ✉ 01540　　43 **E1**
▮ Bourgogne
- Paris 409 – Bourg-en-Bresse 23 – Lyon 69 – Mâcon 21 – Villefranche-sur-Saône 41
- Syndicat d'initiative, rue du Moulin ✆ 04 74 50 04 47, Fax 04 74 50 09 74

Georges Blanc
pl. du Marché – ✆ 04 74 50 90 90 – www.georgesblanc.com – blanc@ relaischateaux.com – Fax 04 74 50 08 80 – Fermé janv.
35 ch – †180/450 € ††180/450 €, ⊇ 27 € – 7 suites
Rest – (fermé merc. midi, lundi et mardi) (nombre de couverts limité, prévenir)
Menu 130/195 € – Carte 141/196 €
Spéc. Foie gras de canard en écorce d'épices, chutney figue-tomate à la cardamome. Homard au savagnin. Vague croustillante chocolat-passion, glace à l'amande et coulis acidulé. **Vins** Mâcon-Azé, Moulin-à-Vent.
♦ Le luxe au bord de la Veyle. Cette demeure régionale (colombages et briquettes rouges), dans son parc aménagé, abrite de grandes chambres cossues. La délicieuse cuisine bressane distingue cette table comme l'un des fleurons de la gastronomie française. Superbe cave.

Résidence des Saules sans rest
pl. du Marché – ✆ 04 74 50 90 51 – www.georgesblanc.com – blanc@ relaischateaux.com – Fax 04 74 50 08 80 – Fermé janv.
6 ch – †160/190 € ††160/190 €, ⊇ 27 € – 4 suites
♦ Cette très jolie maison fleurie de géranuims est un peu l'annexe de l'hôtel Georges Blanc situé de l'autre côté de la place. Au-dessus de la boutique, chambres confortables.

L'Ancienne Auberge
– ✆ 04 74 50 90 50 – www.georgesblanc.com – auberge1900@georgesblanc.com
– Fax 04 74 50 08 80 – Fermé janv.
Rest – Menu (19 €), 22 € (déj. en sem.), 28/48 € – Carte 37/59 €
♦ Bistrot au décor rétro en mémoire de l'auberge – ex-fabrique de limonade – ouverte par la famille Blanc à la fin du 19ᵉ s. (photos et affiches anciennes). Cuisine régionale.

VOSNE-ROMANEE – 21 Côte-d'Or – 320 J7 – 451 h. – alt. 242 m – ⊠ 21700   8 **D1**

▶ Paris 330 – Chalon-sur-Saône 49 – Dijon 21 – Dole 71

Le Richebourg sans rest
ruelle du Pont – ℰ 03 80 61 59 59 – www.hotel-lerichebourg.com – hotel@lerichebourg.com – Fax 03 80 61 59 50 – Fermé 22-27 déc.
24 ch – †125 € ††250 €, ⊇ 16 € – 2 suites
♦ Au cœur du célèbre village, hôtel contemporain offrant tout le confort moderne et un espace détente (soins, sauna, hammam) pour rendre votre séjour agréable. Chambres spacieuses.

VOUGEOT – 21 Côte-d'Or – 320 J6 – 215 h. – alt. 239 m – ⊠ 21640   8 **D1**
Bourgogne

▶ Paris 325 – Beaune 27 – Dijon 17
◉ Château du Clos de Vougeot ⋆ O.

Clos de la Vouge
1 r. Moulin – ℰ 03 80 62 89 65 – www.hotel-closdelavouge.com
– closdelavouge@wanadoo.fr – Fax 03 80 62 83 14 – Fermé 20 déc.-31 janv.
10 ch – †69/125 € ††69/125 €, ⊇ 10 € – ½ P 83 €
Rest – (fermé lundi de nov. à mars) Menu (15 €), 23/36 € – Carte 25/63 €
♦ À proximité du célébrissime château du Clos de Vougeot, cette bâtisse dispose de chambres personnalisées et bien tenues. Ambiance familiale. Cuisine traditionnelle.

à Gilly-lès-Cîteaux 2 km à l'Est par D 251 – 599 h. – alt. 227 m – ⊠ 21640

Château de Gilly
– ℰ 03 80 62 89 98 – www.chateau-gilly.com – contact@chateau-gilly.fr
– Fax 03 80 62 82 34
37 ch – †165 € ††321 €, ⊇ 23 € – 11 suites
Rest *Clos Prieur* – (fermé le midi sauf dim.) Menu 46/69 € – Carte 77/100 €
Rest *Côté Terroirs* – (fermé le soir et dim.) Menu 21/26 €
♦ Calme et raffinement caractérisent cet ancien palais abbatial cistercien abritant de spacieuses chambres personnalisées. Agréables jardins à la française. Le Clos Prieur occupe un superbe cellier voûté d'ogives du 14ᵉ s. Plats classiques, superbe carte des vins. Au Côté Terroirs, formule bistrot et ambiance conviviale.

L'Orée des Vignes sans rest
6 rte d'Épernay – ℰ 03 80 62 49 77 – www.oreedesvignes.com – info@oreedesvignes.com – Fax 03 80 62 49 76 – Fermé 21 déc.-4 janv.
26 ch – †66/125 € ††66/125 €, ⊇ 10 €
♦ Ferme du 16ᵉ s. encadrant une belle cour aménagée en jardin. Chambres calmes, assez grandes et équipées de meubles fonctionnels. Bel espace petit-déjeuner.

à Flagey-Échezeaux 3 km au Sud-Est par D 971 et D 109 – 494 h. – alt. 227 m – ⊠ 21640

Losset sans rest
10 pl. de l'Église – ℰ 03 80 62 46 00 – www.hotel-losset-bourgogne.com
– hotel.losset@wanadoo.fr – Fax 03 80 62 46 08
7 ch – †85 € ††85/130 €, ⊇ 8 €
♦ Hôtel récent aux chambres confortables diversement aménagées : certains meubles réalisés par un ébéniste, parquet, poutres au plafond, parfois un petit salon avec cheminée.

Petit Paris sans rest
6 r. du Petit-Paris – ℰ 03 80 62 84 09 – www.petitparis.bourgogne.free.fr
– petitparis.bourgogne@free.fr – Fax 03 80 62 83 88
4 ch ⊇ – †85 € ††85 €
♦ Accueil chaleureux et chambres personnalisées dans cette maison (17ᵉ s.) entourée d'un parc. Artiste, la propriétaire expose ses œuvres et vous initiera à la peinture (cours).

Simon
12 pl. de l'Église – ℰ 03 80 62 88 10 – famille.simon7@wanadoo.fr
– Fax 03 80 62 88 10 – Fermé 22-28 déc., 1ᵉʳ-28 fév., dim. soir et merc.
Rest – (nombre de couverts limité, prévenir) Menu 20 € bc (déj. en sem.), 36/85 €
– Carte 45/70 €
♦ Au centre d'un village viticole, un élégant restaurant contemporain apprécié par une clientèle fidèle. Appétissante cuisine actuelle à base de beaux produits. Accueil aimable.

VOUGY – 74 Haute-Savoie – 328 L4 – rattaché à Bonneville

VOUILLÉ – 86 Vienne – 322 G5 – 3 152 h. – alt. 118 m – ⊠ 86190   39 **C1**
- Paris 345 – Châtellerault 46 – Parthenay 34 – Poitiers 18 – Saumur 89 – Thouars 55
- Office de tourisme, 10, place de l'Eglise ℰ 05 49 51 06 69, Fax 05 49 50 87 48

Cheval Blanc avec ch
3 r. Barre – ℰ 05 49 51 81 46 – www.blondinhotel.fr – lechevalblanc.clovis@wanadoo.fr – Fax 05 49 51 96 31 – Fermé 29 juin-13 juil. et 22 fév.-8 mars
14 ch – †51 € ††51 €, ⊇ 6,50 € – ½ P 47 €
Rest – Menu (12 €), 18 € (sem.)/43 € – Carte 29/45 €
♦ Au cœur du bourg, plusieurs salles à manger contemporaines (dont une avec cheminée) donnant sur une rivière, tout comme la paisible terrasse d'été. Chambres pratiques.

Clovis
30 ch – †51 € ††51 €, ⊇ 6,50 € – ½ P 47 €
♦ A 100 m de la maison mère, construction récente aux chambres fonctionnelles bien tenues. Petits-déjeuners proposés sous forme de buffet.

VOUTENAY-SUR-CURE – 89 Yonne – 319 F6 – 196 h. – alt. 130 m   7 **B2**
– ⊠ 89270
- Paris 206 – Auxerre 37 – Avallon 15 – Vézelay 15

Auberge Le Voutenay avec ch
– ℰ 03 86 33 51 92 – www.aubergelevoutenay.com – auberge.voutenay@wanadoo.fr – Fax 03 86 33 51 91 – Fermé 16-24 juin, 1er-21 janv., dim. soir, lundi et mardi
7 ch – †45/65 € ††45/65 €, ⊇ 9 €
Rest – (nombre de couverts limité, prévenir) Menu (15 €), 26/56 €
♦ Longeant la route, demeure du 18e s. tournée vers son agréable parc. Salle rustico-bourgeoise, coin bistrot et petite boutique de produits du terroir. Chambres rétro.

VOUVRAY – 37 Indre-et-Loire – 317 N4 – 3 083 h. – alt. 55 m   11 **B2**
– ⊠ 37210   Châteaux de la Loire
- Paris 240 – Amboise 18 – Blois 51 – Château-Renault 25 – Tours 10
- Office de tourisme, 12, rue Rabelais ℰ 02 47 52 68 73, Fax 02 47 52 70 88

Domaine des Bidaudières sans rest
r. Peu Morier, rte de Vernon-sur-Brenne par D 46 – ℰ 02 47 52 66 85
– www.bidaudieres.com – contact@bidaudieres.com – Fax 02 47 52 62 17
7 ch ⊇ – †80/100 € ††120/130 €
♦ Toiles de Jouy et meubles chinés ornent les confortables chambres de ce beau castel du 18e s. (ex-domaine viticole), ouvertes sur un parc somptueux. Un lieu plein de charme.

Le Grand Vatel
8 av. Brûlé – ℰ 02 47 52 70 32 – legrandvatel@orange.fr – Fax 02 47 52 74 52
– Fermé 5-15 mars, 20-28 déc., dim. soir et lundi
Rest – Menu 20/24 € – Carte 45/75 €
♦ Cette maison tourangelle en pierre abrite deux salles à manger dont une décorée dans le style des années 1920. Cuisine inspirée du terroir et belle sélection de vouvrays.

VOVES – 28 Eure-et-Loir – 311 F6 – 2 928 h. – alt. 146 m – ⊠ 28150   12 **C1**
- Paris 99 – Ablis 36 – Bonneval 23 – Chartres 25 – Châteaudun 38 – Étampes 51 – Orléans 61

Le Quai Fleuri
15 r. Texier Gallas – ℰ 02 37 99 15 15 – www.quaifleuri.com – quaifleuri@wanadoo.fr – Fax 02 37 99 11 20
21 ch – †65 € ††75 €, ⊇ 10 € – 4 suites
Rest – (fermé dim. soir) Menu (20 €), 25/62 € bc – Carte 37/61 €
♦ Cet hôtel récent, flanqué d'un moulin reconstitué – emblème beauceron –, abrite de petites chambres personnalisées. Celles logées dans l'annexe sont plus spacieuses et de plain-pied avec le parc. Au restaurant, lumineux décor contemporain et cuisine traditionnelle.

VRON – 80 Somme – 301 D6 – 721 h. – alt. 15 m – ⊠ 80120　　36 **A1**

▣ Paris 211 – Abbeville 27 – Amiens 76 – Berck-sur-Mer 17 – Calais 89 – Hesdin 24

L'Hostellerie du Clos du Moulin ⌘
1 r. Maréchal Leclerc – ℰ *03 22 23 74 75* – *www.leclosdumoulin.fr* – *contact@leclosdumoulin.fr* – *Fax 03 22 23 74 76*
15 ch ⊇ – †90 € ††115 €　**Rest** – Menu 18/55 € – Carte 37/69 €
♦ Les ex-écuries de ce domaine ceint d'un joli jardin abritent des chambres personnalisées et cosy (décor à l'ancienne, confort moderne) ; certaines disposent d'un coin salon. Les salles à manger aménagées dans des étables du 16ᵉ s. ont beaucoup de caractère.

WAHLBACH – 68 Haut-Rhin – 315 I11 – rattaché à Altkirch

LA WANTZENAU – 67 Bas-Rhin – 315 K5 – rattaché à Strasbourg

WATTIGNIES – 59 Nord – 302 G4 – rattaché à Lille

WENGELSBACH – 67 Bas-Rhin – 315 K2 – rattaché à Niedersteinbach

WESTHALTEN – 68 Haut-Rhin – 315 H9 – 904 h. – alt. 240 m　　1 **A3**
– ⊠ 68250 ▌Alsace Lorraine

▣ Paris 480 – Colmar 22 – Guebwiller 11 – Mulhouse 28 – Thann 27

Auberge du Cheval Blanc (Gilbert Koehler) avec ch ⌘
20 r. Rouffach – ℰ *03 89 47 01 16*
– *www.auberge-chevalblc.com* – *chevalblanc.west@wanadoo.fr*
– *Fax 03 89 47 64 60* – Fermé 11 janv.-5 fév., mardi midi, dim. soir et lundi
11 ch – †75 € ††85/120 €, ⊇ 12 € – ½ P 92/106 €
Rest – Menu (19 €), 37/79 € – Carte 47/83 € ⌘
Spéc. Dégustation de foie gras d'oie en trois services. Filet de bœuf au pinot noir. Brochette d'ananas flambé, sorbet coco. **Vins** Riesling.
♦ Voici une élégante maison, tenue par la même famille de vignerons depuis 1785. Cuisine à la fois classique et créative ; belle carte de vins d'Alsace dont ceux de la propriété. Les chambres récemment refaites, sont spacieuses, confortables et modernes.

WETTOLSHEIM – 68 Haut-Rhin – 315 H8 – rattaché à Colmar

WEYERSHEIM – 67 Bas-Rhin – 315 K4 – 3 073 h. – alt. 140 m – ⊠ 67720　　1 **B1**

▣ Paris 486 – Haguenau 18 – Saverne 49 – Strasbourg 21 – Wissembourg 50

Auberge du Pont de la Zorn
2 r. République – ℰ *03 88 51 36 87* – *debeer.m@wanadoo.fr* – *Fax 03 88 51 32 67*
– Fermé 20 août-4 sept., 16 fév.-1ᵉʳ mars, sam. midi, merc. et jeudi
Rest – Menu (11 €), 15 € (déj. en sem.) – Carte 13/31 €
♦ Reproductions de dessins signés Hansi, poutres apparentes, poteries régionales : un concentré d'Alsace ! Bucolique terrasse en bord de Zorn. Tartes flambées servies le soir.

WIERRE-EFFROY – 62 Pas-de-Calais – 301 D3 – 782 h. – alt. 28 m　　30 **A2**
– ⊠ 62720

▣ Paris 262 – Calais 29 – Abbeville 88 – Boulogne-sur-Mer 14 – Saint-Omer 47

La Ferme du Vert ⌘
r. du Vert – ℰ *03 21 87 67 00* – *www.fermeduvert.com* – *ferme.du.vert@wanadoo.fr* – *Fax 03 21 83 22 62* – Fermé 19 déc.-22 janv. et dim. d'oct. à mars
16 ch – †59/92 € ††64/98 €, ⊇ 12 € – 2 suites – ½ P 67/97 €
Rest – (fermé sam. midi sauf juil.-août, dim. et lundi) Menu 28/48 € – Carte 37/55 €
♦ Le calme et la campagne réunis dans cette ancienne ferme du Boulonnais. Chambres de taille variable, décorées avec goût et simplicité. À table, régalez-vous de petits plats traditionnels élaborés avec des produits maison. Vente de fromages.

2023

WIHR-AU-VAL – 68 Haut-Rhin – **315** H8 – rattaché à Munster

WILLIERS – 08 Ardennes – **306** N4 – 44 h. – alt. 277 m – ✉ 08110   14 **C1**

▶ Paris 277 – Châlons-en-Champagne 174 – Charleville-Mézières 57 – Arlon 44 – Differdange 67

Chez Odette
– ℰ 03 24 55 49 55 – www.chez-odette.com – chez.odette@skynet.be
– Fax 03 24 55 49 59
10 ch – †160/260 € ††160/260 €, ⊇ 18 €
Rest – (Fermé 29 mars -7 avril, 23 août - 15 sept., lundi, mardi midi et dim. soir) Menu (28 €), 55 € – Carte 58/64 €

♦ Odette tenait autrefois cette auberge convertie aujourd'hui en un hôtel plein de charme. Meubles contemporains et chinés dans les chambres, parfaitement équipées. Table gastronomique et café où l'on sert les mêmes plats et boissons qu'à l'époque d'Odette...

WIMEREUX – 62 Pas-de-Calais – **301** C3 – 7 493 h. – alt. 7 m – ✉ 62930   30 **A2**
▮ Nord Pas-de-Calais Picardie

▶ Paris 269 – Arras 125 – Boulogne-sur-Mer 7 – Calais 33 – Marquise 13
▮ Office de tourisme, quai Alfred Giard ℰ 03 21 83 27 17, Fax 03 21 32 76 91

Du Centre
78 r. Carnot – ℰ 03 21 32 41 08 – www.hotelducentre-wimereux.fr
– hotel.du.centre@wanadoo.fr – Fax 03 21 33 82 48 – Fermé 21 déc.-30 janv.
23 ch – †61/70 € ††70/88 €, ⊇ 9 €
Rest – (fermé lundi) Menu (19 €), 22/31 € – Carte 23/45 €

♦ Bâtisse ancienne bordant la rue principale de cette station balnéaire de la Côte d'Opale. Les chambres, toutes rénovées, sont parfois dotées d'une mezzanine. Le restaurant affiche un sympathique look bistrot ; plats traditionnels et produits de la mer.

Liégeoise et Atlantic Hôtel avec ch
digue de mer – ℰ 03 21 32 41 01
– www.atlantic-delpierre.com – Alain.delpierre@wanadoo.fr – Fax 03 21 87 46 17
– Fermé fév., dim. soir et lundi midi
18 ch – †130/170 € ††130/170 €, ⊇ 12 € – ½ P 138/158 €
Rest – Menu 38/65 € – Carte 62/76 €

♦ Bien situé sur la digue-promenade, face à la Manche. Belle salle à manger panoramique, joliment meublée dans le style Louis XVI. Chambres neuves, à choisir côté mer.

Epicure (Philippe Carrée)
1 r. Pompidou – ℰ 03 21 83 21 83 – Fax 03 21 33 53 20 – Fermé 20 août-5 sept., 20 déc.-6 janv., merc. soir et dim.
Rest – (nombre de couverts limité, prévenir) Menu 25/39 € – Carte 48/65 €
Spéc. Homard côtier, raviole d'aubergine et tomate (mai à sept.). Lotte rôtie, rhubarbe et mimolette croustillante (mai à août). Sablés aux amandes, yaourt de brebis et sauce mangue.

♦ En centre-ville, derrière une façade discrète, toute petite salle à manger au cadre intime et feutré. Attrayante cuisine au goût du jour, axée sur les produits de la mer.

WINKEL – 68 Haut-Rhin – **315** H12 – 366 h. – alt. 575 m – ✉ 68480   1 **A3**

▶ Paris 466 – Altkirch 23 – Basel 35 – Belfort 50 – Colmar 92 – Montbéliard 46 – Mulhouse 42

Au Cerf avec ch
76 r. Principale – ℰ 03 89 40 85 05 – Fermé 28 sept.-19 oct. et 8-21 fév.
6 ch – †43/49 € ††47/60 €, ⊇ 6,50 € – ½ P 48 €
Rest – (fermé lundi et jeudi) Menu (12 €), 25/59 € – Carte 25/60 €

♦ Accueillante auberge à la façade rouge située à deux pas de la source de l'Ill. Salles à manger cossues dont une aux allures de winstub. Plaisantes chambres sous les combles.

WISSEMBOURG

XX L'Ange

2 r. de la République – ℰ 03 88 94 12 11 – www.restaurant-ange.com – pierrel4@wanadoo.fr – Fax 03 88 94 12 11 – Fermé 16-26 juin, 10-18 nov., 16 fév.-3 mars, dim. soir en hiver, lundi et mardi
Rest – Menu (18 €), 29/38 € – Carte 35/52 €

B u

♦ Agréable petite cour-terrasse pavée à l'entrée, puis deux salles à manger en enfilade, dont une plus rustique, façon winstub-bistrot. Cuisine classique aux notes régionales.

XX Le Carrousel Bleu

17 r. Nationale – ℰ 03 88 54 33 10 – www.le-carrousel-bleu.fr
– le.caroussel.bleu@orange.fr – Fax 03 88 54 33 10 – Fermé 1er-15 août, dim. soir, lundi et merc.
Rest – Menu (20 €), 28/70 € bc – Carte 32/48 €

B d

♦ Ce sympathique et intimiste restaurant, situé dans une maison du 18e s., propose des recettes actuelles, originales et dépaysantes, à mille lieues de la "Petite Venise".

à Altenstadt 2 km par ② - ⊠ 67160

XX Rôtisserie Belle Vue

1 r. Principale – ℰ 03 88 94 02 30 – Fax 03 88 54 80 14 – Fermé 10 août-3 sept., 15 fév.-5 mars, dim. soir, lundi et mardi
Rest – Menu 25/53 € – Carte 30/60 €

♦ Grande maison familiale où l'on sert une cuisine traditionnelle dans deux salles à manger bourgeoises tournées sur le joli jardin. Plats du jour servis au bar.

XONRUPT-LONGEMER – 88 Vosges – 314 J4 – rattaché à Gérardmer

Ce guide vit avec vous : vos découvertes nous intéressent.
Faites-nous part de vos satisfactions comme de vos déceptions.
Coup de colère ou coup de cœur : écrivez-nous !

YERRES – 91 Essonne – 312 D3 – 28 300 h. – alt. 45 m – ⊠ 91330   21 D3

▯ Paris 28 – Évry 20 – Boulogne-Billancourt 36 – Montreuil 29 – Argenteuil 52

Château du Maréchal de Saxe

av. Grange, 2 km par D 94 dir. Créteil
– ℰ 01 69 48 78 53 – www.chateaudumarechaldesaxe.com
– saxe@leshotelsparticuliers.com – Fax 01 69 83 84 91
25 ch – †105/290 € ††105/290 €, ⊡ 15 € – 2 suites – ½ P 111/203 €
Rest – Menu 48/78 € – Carte 50/90 €

♦ Ce château de briques rouges fut une folie du Maréchal de Saxe. Décor cossu dans les chambres principales, actuel dans celles de l'annexe. Vaste parc. Deux salles à manger au cadre bourgeois (fresques allégoriques, vaisselle ancienne) et carte traditionnelle.

YERVILLE – 76 Seine-Maritime – 304 F4 – 2 274 h. – alt. 156 m   33 C1
– ⊠ 76760

▯ Paris 164 – Dieppe 44 – Fécamp 48 – Le Havre 69 – Rouen 33
▯ de Yerville 367 rue des Acacias, NO : 0,5 km, ℰ 02 32 70 15 49

XX Hostellerie des Voyageurs

3 r. Jacques Ferny – ℰ 02 35 96 82 55 – www.hostellerie-voyageurs.com
– andre.jumel@hostellerie-voyageurs.com – Fermé dim. soir et lundi sauf fériés
Rest – Menu 18 € (déj. en sem.), 27/49 € – Carte 48/55 €

♦ Ex-relais de poste (1875) proposant une cuisine traditionnelle dans une grande salle rustique en deux parties. Terrasse côté jardin utilisée pour l'apéritif et le café.

WISEMBACH – 88 Vosges – 314 K3 – 412 h. – alt. 500 m – ⊠ 88520   27 D3

▶ Paris 413 – Colmar 54 – Épinal 69 – St-Dié 16 – Ste-Marie-aux-Mines 11 – Sélestat 34

Blanc Ru avec ch
19 r. du 8 mai 45 – ✆ *03 29 51 78 51 – Fax 03 29 51 70 67 – Fermé 22 sept.-7 oct., 3 fév.-10 mars, dim. soir, lundi et mardi*
7 ch – †51 € ††51/62 €, ⊇ 9 € – ½ P 52/62 €
Rest – Menu (17 €), 24/44 € – Carte 35/65 €

♦ Installez-vous au choix dans le joli jardin d'hiver ou la grande salle rustique pour déguster une cuisine traditionnelle (spécialités de grenouilles). Chambres simples.

WISSEMBOURG – 67 Bas-Rhin – 315 L2 – 7 978 h. – alt. 157 m   1 B1
– ⊠ 67160 ▌Alsace Lorraine

▶ Paris 512 – Haguenau 33 – Karlsruhe 42 – Sarreguemines 80 – Strasbourg 67

🛈 Office de tourisme, 9, place de la République ✆ 03 88 94 10 11, Fax 03 88 94 18 82

◉ Vieille ville★ : église St-Pierre et St-Paul★.

◉ Village★★ d'Hunspach 11 km par ②.

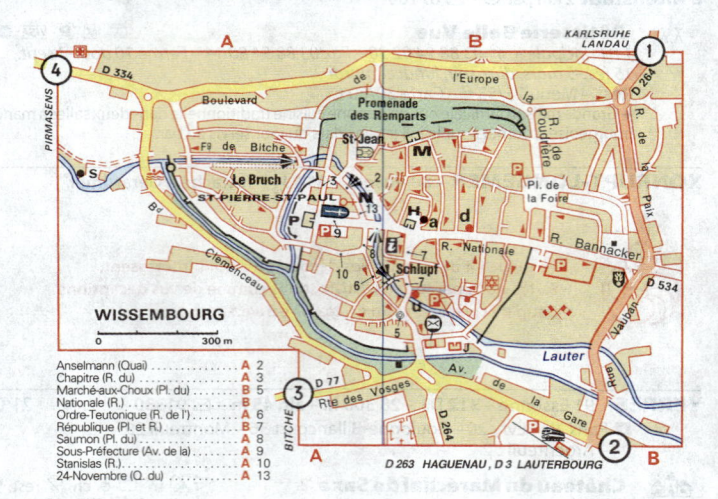

[Map of Wissembourg]

Anselmann (Quai) . . . . **A** 2
Chapitre (R. du) . . . . **A** 3
Marché-aux-Choux (Pl. du) . . . . **B** 5
Nationale (R.) . . . . **B**
Ordre-Teutonique (R. de l') . . . . **A** 6
République (Pl. et R.) . . . . **A** 7
Saumon (Pl. du) . . . . **A** 8
Sous-Préfecture (Av. de la) . . . . **A** 9
Stanislas (R.) . . . . **A** 10
24-Novembre (Q. du) . . . . **A** 13

Au Moulin de la Walk
2 r. Walk – ✆ *03 88 94 06 44 – www.moulin-walk.com – info@moulin-walk.com – Fax 03 88 54 38 03 – Fermé 8-28 janv.*   A s
25 ch – †55/69 € ††64/69 €, ⊇ 8 € – ½ P 70 €
Rest – *(fermé 19 juin-2 juil., 8-28 janv., vend. midi, dim. soir et lundi)*
Menu 32/50 € – Carte 30/50 €

♦ Au bord d'une rivière, bâtiments aménagés sur les vestiges d'un moulin dont la roue tourne encore. Décor chaleureux et épuré avec du bois brut pour rappeler le style local. Carte classique et régionale (spécialité de foie gras), vins choisis. Jolie terrasse d'été.

Hostellerie du Cygne avec ch
3 r. Sel – ✆ *03 88 94 00 16 – www.hostellerie-cygne.com – hostellerie-cygne@wanadoo.fr – Fax 03 88 54 38 28 – Fermé 6-19 juil., 9-22 nov. et 16 fév.- 1er mars*   B a
16 ch – †50/65 € ††50/75 €, ⊇ 9 € – ½ P 52/90 €
Rest – *(fermé jeudi midi, dim. soir et merc.)* Menu (15 €), 30/65 € – Carte 36/65 €

♦ Cuisine traditionnelle servie dans des salles à manger habillées de boiseries ou dans le patio organisé autour de ces deux maisons du centre-ville. Chambres cosy.

YEU (ÎLE D') – 85 Vendée – 361 BC7 – voir à Île d'Yeu

YGRANDE – 03 Allier – 326 E3 – 753 h. – alt. 333 m – ⊠ 03160

▸ Paris 310 – Clermont-Ferrand 111 – Moulins 34 – Montluçon 41 – Yzeure 35

Château d'Ygrande
Le Mont, 4 km à l'Est par D 192 et rte secondaire – ℰ 04 70 66 33 11
*– www.chateauygrande.fr – reservation@chateauygrande.fr – Fax 04 70 66 33 63
– Fermé 13-25 déc., 4 janv.-27 fév., dim. soir et lundi sauf juil.-août*
19 ch – †122/220 € ††122/220 €, ⊇ 16 €
Rest – *(fermé dim. soir, mardi midi et lundi sauf juil.-août)*
Menu 28/66 € – Carte environ 52 €
◆ Belle maison du 19e s. au charme romantique, dont le parc de 40 ha se fond dans la paisible campagne bourbonnaise. À l'intérieur, tout respire l'élégance et le bon goût. Salle à manger de style Directoire et carte actuelle utilisant les produits du potager.

YSSINGEAUX – 43 Haute-Loire – 331 G3 – 6 931 h. – alt. 829 m – ⊠ 43200 ▌Lyon et la vallée du Rhône

▸ Paris 565 – Ambert 73 – Privas 98 – Le Puy-en-Velay 27 – St-Étienne 52 – Valence 93

🛈 Office de tourisme, 16, place Foch ℰ 04 71 59 10 76, Fax 04 71 56 03 12

Le Bourbon
5 pl. Victoire – ℰ 04 71 59 06 54 – *www.le-bourbon.com – le.bourbon.hotel@wanadoo.fr – Fax 04 71 59 00 70 – Fermé 25 juin-8 juil., 8-21 oct., 23 déc.-20 janv., dim. soir, mardi midi et lundi*
11 ch – †65/75 € ††65/75 €, ⊇ 12 € – ½ P 60/65 €
Rest – Menu (13 €), 21/46 € bc – Carte 35/48 €
◆ Petite auberge accueillante établie sur une place réaménagée. Chambres fonctionnelles proprettes dotées de jolies salles d'eau récentes. Restaurant au cadre coloré où l'on goûte de la cuisine régionale s'approvisionnant auprès de petits producteurs locaux.

YVETOT – 76 Seine-Maritime – 304 E4 – 10 800 h. – alt. 147 m 33 C1
– ⊠ 76190 ▌Normandie Vallée de la Seine

▸ Paris 171 – Dieppe 57 – Fécamp 35 – Le Havre 58 – Lisieux 85 – Rouen 36

🛈 Office de tourisme, 8, place Maréchal Joffre ℰ 02 35 95 08 40, Fax 02 35 95 08 40

▸ de Yerville à Yerville 367 rue des Acacias, NE : 13 km, ℰ 02 32 70 15 49

◉ Verrières ★★ de l'église St-Pierre **E.**

Du Havre
pl. des Belges – ℰ 02 35 95 16 77 – *www.hotel-du-havre.fr – contact@hotel-du-havre.fr – Fax 02 35 95 21 18*
23 ch – †53/60 € ††58/66 €, ⊇ 10 €
Rest – *(fermé vend. soir et sam. soir en hiver)* Menu (21 €) – Carte 30/45 €
◆ Une ambiance conviviale vous attend dans cet hôtel familial du centre. Chambres personnalisées de bon confort. Repas traditionnels à déguster dans une salle classique, où le décor évolue au gré de l'actualité, sportive notamment.

Le Manoir aux Vaches
2 r. Guy de Maupassant – ℰ 02 35 95 65 65 – *www.lemanoirauxvaches.com
– contact@manoirauxvaches.com – Fax 02 35 95 21 18*
9 ch ⊇ – †86/106 € ††96/126 €
◆ Belles chambres à mezzanine au décor original sur le thème des bovidés.

au Sud-Est 5 km sur D 5 – ⊠ 76190 Yvetot

Auberge du Val au Cesne avec ch
rte Duclair – ℰ 02 35 56 63 06 – *www.valaucesne.fr – valaucesne@hotmail.com
– Fax 02 35 56 92 78 – Fermé 24 août-6 sept. et 11-31 janv.*
5 ch – †90 € ††90 €, ⊇ 9 €
Rest – *(fermé lundi et mardi)* Menu 28/60 € bc – Carte 40/59 €
◆ En pleine campagne, ravissante auberge normande du 17e s. proposant, dans cinq salles à manger rustiques (meubles anciens, cheminées), une cuisine traditionnelle et du marché. Mobilier de divers styles dans les chambres (régional, Art nouveau ou actuel). Bon confort.

YVETOT

à Motteville 9 km à l'Est par D 929 et D 20 – 720 h. – alt. 160 m – ⊠ 76970

XX **Auberge du Bois St-Jacques** 🅿 VISA ⓜ AE
à la gare – ℰ 02 35 96 83 11 – www.aubergebsj.com – bsj.nicolas@wanadoo.fr
– Fax 02 35 96 23 18 – Fermé 3 sem. en août, 27 fév.-7 mars, dim. soir, lundi soir et mardi
Rest – Menu (13 €), 20 € (sem.)/45 € – Carte 30/45 € 🕸
♦ Ex-buffet de gare offrant le choix entre deux salles : l'une rustique (poutres, cuivres), l'autre actuelle, dans les tons rouges, en forme de rotonde. Cuisine au goût du jour.

YVOIRE – 74 Haute-Savoie – 328 K2 – 810 h. – alt. 380 m – ⊠ 74140   46 F1
Alpes du Nord

🄳 Paris 563 – Annecy 71 – Bonneville 41 – Genève 26 – Thonon-les-Bains 16
🄸 Office de tourisme, place de la mairie ℰ 04 50 72 80 21, Fax 04 50 72 84 21
◉ Village médiéval★★ : jardin des Cinq Sens★.

🏨 **Villa Cécile** sans rest ⅋ ≤ 🚗 🛏 🛎 & 🅰🅲 ↯ 🐕 🍴 🅿 ☎ VISA ⓜ AE
156 rte de Messery, par D 25 – ℰ 04 50 72 27 40 – www.villacecile.com
– reservation@villacecile.com – Fax 04 50 72 27 15
15 ch – †90/165 € ††90/165 €, ⊇ 12 €
♦ Vue sur le lac, jacuzzi, hammam, sauna, piscines : cette paisible villa, aux portes de la cité médiévale, est une invitation à la détente. Chambres claires à touches marines.

🏨 **Les Flots Bleus** ≤ 🚗 🛎 & 🅰🅲 ch, ☎ 🍴 VISA ⓜ AE
– ℰ 04 50 72 80 08 – www.flotsbleus-yvoire.com – contact@flotsbleus-yvoire.com
– Fax 04 50 72 84 28 – Ouvert Pâques à mi-oct.
17 ch – †110/195 € ††110/195 €, ⊇ 11 €
Rest – Menu 22 € (sem.)/88 € – Carte 33/63 €
♦ Vue imparable sur le lac, terrasse ou balcon, confort moderne et équipements au top… Des chambres très agréables au beau mobilier contemporain ou montagnard. Cuisine traditionnelle servie dans deux salles à manger, l'une moderne, l'autre au décor marin.

🏨 **Le Pré de la Cure** ≤ 🚗 🈴 🛏 🛎 & rest, 🍴 🅿 ☎ VISA ⓜ AE
pl. de la Mairie – ℰ 04 50 72 83 58 – www.pre-delacure.com – lepredelacure@wanadoo.fr – Fax 04 50 72 91 15 – Ouvert 28 fév.-11 nov.
25 ch – †72/95 € ††72/95 €, ⊇ 10 € – ½ P 80/86 €
Rest – Menu 20 € (sem.)/47 € – Carte 36/52 €
♦ À l'entrée du pittoresque village médiéval. Les grandes chambres fonctionnelles bénéficient de la vue sur le lac ou du calme côté jardin. Accueil attentionné. Cuisine régionale, salle-véranda et terrasse face à Yvoire et au Léman.

XX **Vieille Porte** 🚗 🈴 VISA ⓜ
2 pl. de la Mairie – ℰ 04 50 72 80 14 – www.la-vieille-porte.com – info@la-vieille-porte.com – Fax 04 50 72 92 04 – Fermé 1er déc.-5 fév. et lundi sauf juil.-août
Rest – Menu 26/40 € – Carte 40/50 €
♦ Maison du 14e s. appartenant à la même famille depuis… 1587 ! Bel intérieur avec terre cuite, poutres et pierres. Terrasse à l'ombre des remparts, face aux flots.

XX **Du Port** avec ch ≤ 🈴 🛎 🅰🅲 ch, ⋉ ch, 🍴 VISA ⓜ AE
r. du Port – ℰ 04 50 72 80 17 – www.hotelrestaurantduport-yvoire.com
– hotelduport.yvoire@wanadoo.fr – Fax 04 50 72 90 71 – Ouvert 1er mars-5 nov.
7 ch – †110/210 € ††110/210 €, ⊇ 15 € – ½ P 105/155 €
Rest – (fermé merc. sauf de mai à sept.)
Menu (25 €), 31 € (sem.)/47 € – Carte 48/66 €
♦ Terrasse au bord du lac et plaisante façade fleurie pour cette maison idéalement située sur le port de plaisance. Spécialités de poissons. Belles chambres de style lacustre.

YVOY-LE-MARRON – 41 Loir-et-Cher – 318 I6 – 603 h. – alt. 129 m   12 C2
– ⊠ 41600

🄳 Paris 163 – Orléans 35 – Blois 45 – La Ferté-St-Aubin 13
– Lamotte-Beuvron 15 – Romorantin-Lanthenay 34
🄸 Syndicat d'initiative, route de Chaumont ℰ 02 54 88 07 14,
Fax 02 54 88 07 14

YVOY-LE-MARRON

Auberge du Cheval Blanc
1 pl. Cheval Blanc – ℰ *02 54 94 00 00 – www.aubergeduchevalblanc.com
– auberge.cheval.blanc@wanadoo.fr – Fax 02 54 94 00 01*
15 ch – †70/95 € ††85/95 €, ⊇ 12 €
Rest – *(fermé mardi midi et lundi sauf juil.-août)* Menu 28/46 € – Carte 40/60 €
♦ Au centre du petit village, cette avenante maison solognote propose des chambres de qualité, chaleureuses et raffinées (tons ocre, rouge et jaune). Colombages et tomettes judicieusement préservés font le cachet de la salle à manger. Carte actuelle.

YZEURES-SUR-CREUSE – 37 Indre-et-Loire – 317 O8 – 1 463 h. – alt. 74 m – ⊠ 37290 — 11 **B3**

🚆 Paris 318 – Châteauroux 72 – Châtellerault 28 – Poitiers 65 – Tours 85

La Promenade
1 pl. du 11 Novembre – ℰ *02 47 91 49 00 – Fax 02 47 94 46 12 – Fermé
20 déc.-25 janv., lundi et mardi*
15 ch – †52/55 € ††55/59 €, ⊇ 11 € – ½ P 51/61 €
Rest – Menu 19/35 € – Carte 31/40 €
♦ Ancien relais de poste datant de 1880, au cœur de ce petit village du Sud Touraine. Chambres au décor soigné et ambiance familiale. Poutres, pierres apparentes et imposante cheminée participent au cachet rustique du restaurant ; cuisine traditionnelle.

ZELLENBERG – 68 Haut-Rhin – 315 H7 – rattaché à Riquewihr

ZIMMERSHEIM – 68 Haut-Rhin – 315 I10 – rattaché à Mulhouse

ZONZA – 2A Corse-du-Sud – 345 E9 – voir à Corse

ZOUFFTGEN – 57 Moselle – 307 H2 – 667 h. – alt. 250 m – ⊠ 57330 — 26 **B1**

🚆 Paris 341 – Luxembourg 20 – Metz 48 – Thionville 18

La Lorraine (Marcel Keff) avec ch
80 r. Principale – ℰ *03 82 83 40 46 – www.la-lorraine.fr – info@la-lorraine.fr
– Fax 03 82 83 48 26 – Fermé lundi et mardi*
3 ch – †115 € †† €, ⊇ 18 €   **Rest** – Menu 38 € (sem.)/110 € – Carte 60/95 €
Spéc. Fricassée d'escargots de Cleurie, coulis de persil et émulsion de pommes de terre ratte. Pièce de cochon de lait de Kanfen rôti dans sa peau croustillante. L'œuf tiède au chocolat noir, sabayon au rhum. **Vins** Vin de Moselle rouge.
♦ Table frontalière estimée pour sa cuisine actuelle. La cave s'expose sous vos pieds, à travers des hublots. Véranda et terrasse sur jardin agrandissent la salle, contemporaine. Chambres amples et cossues, de style lorrain. Petit-déjeuner gastronomique.

Paysage andorran

PRINCIPAUTÉ D'ANDORRE

Carte Michelin LOCAL : n° **343** H9
Population : 83 734 h.
Altitude : 2 946 m
Midi-Pyrénées

RENSEIGNEMENTS PRATIQUES

La Principauté d'Andorre, d'une superficie de 464 km^2, est située au coeur des Pyrénées, entre la France et l'Espagne. Depuis 1993, la Principauté est un état souverain membre de l'O.N.U.

La langue officielle est le catalan mais la majorité de la population parle aussi le français et l'espagnol.

La monnaie locale est l'euro.

Pour se rendre en Andorre, les citoyens de l'Union Européenne ont besoin d'un passeport ou d'une carte d'identité en cours de validité.

Accès depuis la France : RN 22 passant par le tunnel d'Envalira.

☏ OFFICE DE TOURISME
rue du Dr-Vilanova, Andorre-la- Vieille ✆ (00-376) 82 02 14, Fax (00-376) 82 58 23

TRANSPORTS

Liaison par autocars : depuis l'aéroport de Toulouse-Blagnac par la Cie Novatel, renseignements (00-376) 803 789 et la Cie Nadal (00-376) 805 151.

Depuis les gares SNCF de l'Hospitalet et Latour-de-Carol par la Cie Hispano-Andorranne, renseignements (00-376) 807 000.

ANDORRA-LA-VELLA Capitale de la Principauté – 343 H9 – 23 587 h. – alt. 1 029 m 28 **B3**

▶ Paris 861 – Carcassonne 165 – Foix 102 – Perpignan 170
◉ Vallée du Valira del Nord ★ N.

Plaza
Maria Pla 19 – ℰ *00 376 87 94 44* – *www.plazandorra.com* – *hotelplaza@plazandorra.com* – *Fax 00 376 87 94 45* C **a**
45 ch – ♦100/210 € ♦♦120/250 €, ⊇ 17 € – 45 suites **Rest** – Menu 19 €

♦ Deux ascenseurs panoramiques desservent les six étages de ce luxueux hôtel agencé autour d'un patio verdoyant. Superbes chambres avec vue sur les sommets andorrans. Le restaurant sert également un buffet au petit-déjeuner.

Arthotel
Prat de la Creu 15-25 – ℰ *00 376 76 03 03* – *www.arthotel.ad* – *arthotel@andorra.ad* – *Fax 00 376 76 03 04* C **d**
125 ch ⊇ – ♦84/233 € ♦♦106/312 €
Rest – Menu 27 €
Rest *Plató* – Carte 27/46 €

♦ Mariage réussi de fonctionnement professionnel et confort actuel. Zones communes comportant une cafétéria. Chambres assez spacieuses. Le restaurant Plató jouit d'un aménagement fonctionnel et d'une entrée indépendante.

Cèntric H.
av. Meritxell 87-89 – ℰ *00 376 87 75 00* – *www.husa.es* – *husacentric@andornet.ad* – *Fax 00 376 87 75 01* C **h**
74 ch – ♦97/135 € ♦♦141/208 €, ⊇ 14 € – 6 suites **Rest** – Menu 23 €

♦ Une adresse moderne et bien située, en plein quartier commerçant. Chambres spacieuses, parfois avec terrasse ; confortables salles de bains dotées d'une douche indépendante. Salle à manger très lumineuse que complète une chaleureuse cafeteria.

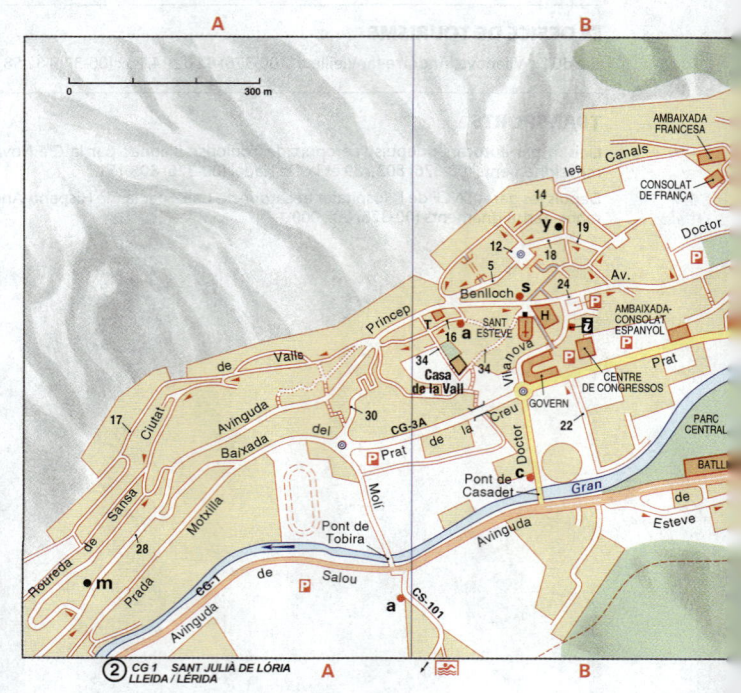

ANDORRA-LA-VELLA

President
av. Santa Coloma 44 – ℰ 00 376 87 72 77 – www.janhotels.com – reserves@janhotels.com – Fax 00 376 87 62 22

A m

100 ch – †60/278 € ††80/371 €, ⊇ 7 €   **Rest** – Menu 19 €

♦ Ce complexe hôtelier doté de bonnes parties communes propose des chambres actuelles et confortables. Piscine couverte et solarium au 7e étage. Le restaurant, correctement aménagé, arbore un cadre au modernisme épuré.

Diplomatic
av. Tarragona – ℰ 00 376 80 27 80 – www.diplomatichotel.com – info@diplomatichotel.com – Fax 00 376 80 27 90

C m

83 ch ⊇ – †65/115 € ††93/165 € – 2 suites   **Rest** – Menu 19 €

♦ Cette construction cubique entourée d'une zone d'activités abrite des chambres avant tout pratiques séduisant aussi bien la clientèle d'affaires que les touristes. Cuisine internationale sans prétention servie dans un cadre sagement contemporain.

Florida sans rest
Llacuna 15 – ℰ 00 376 82 01 05 – www.hotelflorida.ad – hotelflorida@andorra.ad – Fax 00 376 86 19 25

B y

27 ch ⊇ – †43/67 € ††58/96 €

♦ Fonctionnement familial dans cet hôtel à la façade actuelle. Parties communes un peu réduites, chambres fonctionnelles et parquetées, petit gymnase et sauna.

Borda Estevet
rte de La Comella 2 – ℰ 00 376 86 40 26 – www.bordaestevet.com – bordaestevet@quarsandorra.com – Fax 00 376 86 40 26

A a

Rest – Carte 33/54 €

♦ Dans les beaux murs de pierre d'une ancienne grange, plusieurs salles à manger au décor rustique, avec mobilier andorran et cheminée. Cuisine du marché et catalane.

ANDORRA LA VELLA

Baixada del Molí	A
Bonaventura Armengol	C 2
Bonaventura Riberaygua	C
Canals	BC
Casadet (Pont de)	B
Ciutat de Valls	C
Consell d'Europa (Av. del)	C
Creu Grossa	C 4
Doctor Mitjavila (Av.)	C
Doctor Molines	BC
Doctor Nèqui	B 5
Doctor Vilanova	C
Escaler (Pl.)	C
Esteve Dolça Pujal	BC
Fener	C
Fiter i Rossell	C 10
Guillermó (Pl.)	B 12
Joan Maragall	C
Llacuna	C 14
Major (Antic Carrer)	B 16
Maria Pla	C
Meritxell (Av.)	C
Mestre Xavier Plana	A 17
Mossèn Cinto Verdaguer	B 18
Mossèn Tremosa	B 19
Obac	C
Pere d'Urg	C
Pompeu Fabra	C 20
Prada Casadet	B 22
Prada de la Creu	BC
Prada Motxilla	A
Prat de la Creu (Pont)	C
Princep Benlloch (Av. de)	AB
Rebés (Pl.)	B 24
Roda	C 26
Rotonda (Pont de la)	C
Roureda de Sansa	A
Salou (Av.)	A
Santa Coloma (Av. de)	A 28
Sant Andreu	A
Sardana	C
Tarragona (Av. de)	BC
Toriba	A 30
Toriba (Pont de)	A
Unió	C
Vall	B 34

2033

ANDORRA-LA-VELLA

XX La Borda Pairal 1630
Doctor Vilanova 7 – ℰ 00 376 86 99 99 – www.labordapairal1630.com – lbp1630@andorra.ad – Fax 00 376 86 66 61 – Fermé dim. soir et lundi
Rest – Carte 25/38 €

B c

♦ Vieille ferme andorrane en pierre de pays ayant conservé son décor rustique. Bar d'accueil et restaurant avec cave à vins ouverte. Salle de banquets au premier étage.

XX Taberna Ángel Belmonte
Ciutat de Consuegra 3 – ℰ 00 376 82 24 60 – www.tabernaangelbelmonte.com – Fax 00 376 82 35 15
Rest – Carte 46/67 €

C b

♦ Un lieu agréable que ce restaurant aux airs de taverne. Beau décor où domine le bois et mise en place impeccable. À la carte, produits du terroir, poissons et fruits de mer.

XX Can Benet
ancienne rte Major 9 – ℰ 00 376 82 89 22 – www.restaurant_canbenet.com – Fax 00 376 82 89 22 – Fermé 15 au 30 juin et lundi
Rest – Carte 28/37 €

B a

♦ Petit espace doté d'un bar d'accueil au rez-de-chaussée. À l'étage, la salle principale, de style andorran avec ses murs en pierre et son plafond en bois.

CANILLO – 343 H9 – 4 633 h. – alt. 1 531 m

29 **C3**

▸ Andorra la Vella 12

◉ Crucifixion★ dans l'église de Sant Joan de Caselles NE : 1 km – Sanctuaire de Meritxell★ SE : 3 km.

Ski Plaza
rte General – ℰ 00 376 73 94 44 – www.plazandorra.com – skiplaza@plazandorra.com – Fax 00 376 73 94 45
121 ch – †80/210 € ††100/250 €, ☑ 17 € **Rest** – Menu 23 €

♦ À 1 600 m d'altitude, établissement particulièrement bien équipé. Chambres de style montagnard et de grand confort, parfois avec jacuzzi ; certaines sont réservées aux enfants. Vaste restaurant proposant un buffet.

ENCAMP – 343 H9 – 13 225 h. – alt. 1 313 m

29 **C3**

▸ Andorra la Vella 8

Coray
Caballers 38 – ℰ 00 376 83 15 13 – Fax 00 376 83 18 06 – Fermé nov.
85 ch ☑ – †25/34 € ††50/64 € **Rest** – (buffet seult) Menu 10,50 €

♦ Hôtel bien situé sur les hauteurs de la localité. Parties communes actuelles et chambres fonctionnelles donnant, pour la plupart, sur les champs environnants. Vaste et lumineuse salle à manger où l'on propose principalement les repas sous forme de buffet.

Univers
René Baulard 13 – ℰ 00 376 73 11 05 – www.hoteluniversandorra.com – hotelunivers@andorra.ad – Fax 00 376 83 19 70 – Fermé nov.
31 ch – †38/42 € ††65/75 €, ☑ 8 € **Rest** – Menu 14 €

♦ Sur les berges du Valira d'Orient, un hôtel familial sympathique abritant des chambres actuelles un peu petites mais de confort suffisant. Dans la salle à manger correctement dressée, la carte volontairement réduite présente des recettes traditionnelles.

ESCALDES-ENGORDANY – 343 H9 – 16 078 h. – alt. 1 105 m

28 **B3**

▸ Andorra-la-Vella 2

▸ Office de tourisme, place dels Co-Princeps ℰ (00-376) 82 09 63, Fax (00-376) 82 66 97

Plan page ci-contre

Roc de Caldes
rte d'Engolasters, por ① route de l'Obac ℰ 00 376 87 45 55 – www.rocdecaldes.com – rocdecaldes@andorra.ad – Fax 00 376 86 33 25
45 ch – ††110/240 €, ☑ 16 € **Rest** – Menu 30 €

♦ L'architecture contemporaine de ce luxueux hôtel bâti à flanc de montagne se fond dans le paysage naturel. Les chambres, décorées avec goût, jouissent d'une superbe vue. Cadre classique élégant et beau panorama au restaurant.

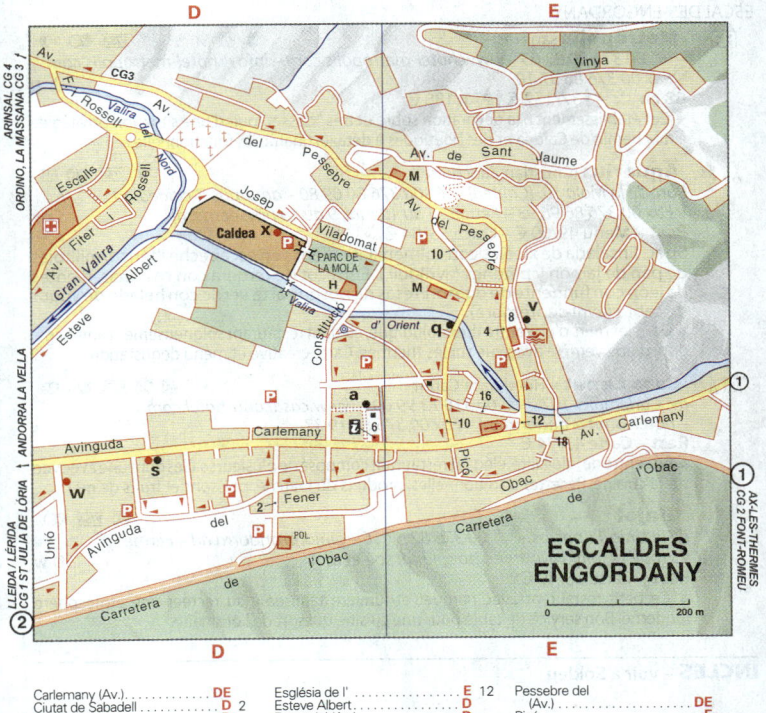

Carlemany (Av.)	**DE**
Ciutat de Sabadell	**D** 2
Constitució	**D**
Coprinceps (Pl.)	**D** 6
Coprincep de Gaulle (Av.)	**E** 4
Creu Blanca (Pl.)	**E** 8
Escalls	**D**
Escoles (Av. de les)	**E** 10
Església de l'	**E** 12
Esteve Albert	**D**
Fener del (Av.)	**D**
Fiter i Rossell (Av.)	**D**
Josep Viladomat	**DE**
l'Obac	**D**
Obac (Ctra de l')	**DE**
Pessebre del (Av.)	**DE**
Picó	**E**
Santa Anna	**E** 16
Santa Anna (Pl.)	**E**
Sant Jaume (Av.)	**DE**
Unió	**D**
Vinya	**E**

Roc Blanc
pl. dels Co-Princeps 5 – ℘ *00 376 87 14 00 – www.rocblanchotels.com*
– hotelrocblanc@rocblanchotels.com – Fax 00 376 87 14 44   **D a**
157 ch ⊇ – †90/232 € ††120/310 € – 3 suites
Rest *L'Entrecôte* – Carte 30/52 €

♦ En centre-ville, composé de trois bâtiments reliés entre-eux. Élégant décor intérieur ; chambres accueillantes et plutôt actuelles. Bonnes installations et accès indépendant à L'Entrecôte.

Casa Canut
av. Carlemany 107 – ℘ *00 376 73 99 00 – www.casacanuthotel.com*
– hotelcanut@andorra.ad – Fax 00 376 82 19 37   **D s**
33 ch – †120/160 € ††200/250 €, ⊇ 15 €
Rest Casa Canut – voir ci-après

♦ La façade reste discrète mais sitôt franchi le seuil vous serez séduit par le raffinement de cet hôtel. Chambres très confortables, aux équipements dernier cri.

Espel
pl. Creu Blanca 1 – ℘ *00 376 82 08 55 – www.hotelespel.com – hotelespel@*
andorra.ad – Fax 00 376 82 80 56 – Fermé mai   **E v**
84 ch ⊇ – †50/74 € ††64/106 €   **Rest** – *(menu seult)* Menu 16 €

♦ Après des travaux importants, l'hôtel offre des installations confortables. Chambres avec parquet et mobilier fonctionnel. Restauration simple proposant seulement un menu.

ESCALDES-ENGORDANY

🏨 Metropolis sans rest 🛗 AC 🛋 🍽 🚗 VISA ⓜ ⓘ
– ℰ 00 376 80 83 63 – www.hotel-metropolis.com – info@hotel-metropolis.com
– Fax 00 376 86 37 10
68 ch ⇌ – †57/152 € ††71/188 € E q

◆ Cet établissement à la décoration sobre et très "classe" jouit d'une situation privilégiée à mi-chemin de Caldea et des boutiques à détaxe. Chambres fonctionnelles.

XXX Aquarius (Christian Zanchetta) 🛋 VISA ⓜ AE
❀ Parc de la Mola 10, (Caldea) – ℰ 00 376 80 09 80 – aquarius@caldea.ad
– Fax 00 376 86 96 93 – Fermé 1ᵉʳ au 12 mai, 9 au 13 nov. et mardi
Rest – Menu 49/69 € – Carte 55/64 € 🌿 D x

Spéc. Ensalada de xicoires con colmenillas rellenas en escabeche ibérico, milhojas de pan de jamón y piñones (avril-juil.). Entrecot de ternera con castañas, dientes de león con fundente de queso. Fresas de bosque al té verde con helado de yogur de cabra (avril-septembre).

◆ Dans les murs d'un complexe thermoludique, élégant restaurant soigneusement aménagé, doté d'une verrière avec vue sur les thermes. Carte créative et menu dégustation.

XXX Casa Canut – Hotel Casa Canut AC 🛋 VISA ⓜ AE
av. Carlemany 107 – ℰ 00 376 73 99 00 – www.casacanuthotel.com
– hotelcanut@andorra.ad – Fax 00 376 82 19 37
Rest – Carte 43/74 € D s

◆ Au centre de la localité, élégant restaurant composé de plusieurs salles dont une avec vue sur la cuisine. Recettes traditionnelles, produits du marché, poissons et fruits de mer.

XX Gínjol AC VISA ⓜ
de la Unió 11 baixos – ℰ 00 376 82 67 16 – ginjol@andorra.ad – Fermé
25 mai-14 juin, 10 jours en nov., lundi soir et dim.
Rest – Carte 36/49 € D w

◆ Ce petit restaurant avec parquet et lumière tamisée a su recréer une atmosphère moderne. Bon service de table pour une cuisine qui sort de l'ordinaire.

INCLES – voir à Soldeu

LA MASSANA – 343 H9 – 9 276 h. – alt. 1 241 m   28 B3
▶ Andorra la Vella 7
🛈 Office de tourisme, avenue Sant-Antoni ℰ (00-376) 82 56 93, Fax (00-376) 82 86 93

🏨 Rutlan ≤ 🌳 🏊 🛗 & ch, 🛋 rest, 🚗 VISA ⓜ
av. del Ravell 3 – ℰ 00 376 83 50 00 – www.hotelrutllan.com – info@
hotelrutllan.com – Fax 00 376 83 51 80
96 ch ⇌ – †60/150 € ††100/250 € **Rest** – Menu 30 €

◆ Grande adresse familiale, de type chalet, où le bois domine. Les chambres, confortables, possèdent toutes un balcon joliment fleuri à la belle saison. Restaurant de style classique, décoré de nombreux vases en cuivre ou en céramique ; plats traditionnels.

🏨 Abba Xalet Suites H. 🌿 🏊 🛗 P 🚗 VISA ⓜ AE
rte de Sispony, Sud : 1,8 km – ℰ 00 376 73 73 00 – www.abbaxaletsuiteshotel.com
– xaletsuites@abbahoteles.com – Fax 00 376 73 73 01
47 ch – †60/107 € ††60/144 €, ⇌ 10 € – 36 suites **Rest** – Menu 22 €

◆ Installé dans deux bâtiments : l'un ouvert toute l'année, avec des chambres classiques ; l'autre, saisonnier, offre seulement des suites. Deux restaurants correctement aménagés, un dans chaque bâtiment.

XXX El Rusc AC 🛋 P VISA ⓜ
rte de Arinsal, 1,5 km – ℰ 00 376 83 82 00 – www.elrusc.com – info@elrusc.com
– Fax 00 376 83 51 80 – Fermé 15 juin-15 juil., dim. soir et lundi
Rest – Carte 40/58 €

◆ Jolie maison locale abritant une belle salle à manger rustique. Plats traditionnels, spécialités basques et cave assez complète.

LLORTS – voir à Ordino

MERITXELL – 343 H9 – alt. 1 527 m   28 B3

🄳 Andorra la Vella 10 – Canillo 4 – La Seu d'Urgell 31 – Foix 91 – Puigcerdà 50

L'Ermita
Meritxell – ℰ 00 376 75 10 50 – www.hotelermita.com – info@hotelermita.com
– Fax 00 376 85 25 10 – Fermé 11 juin-16 juil. et 15 oct.-19 nov.
27 ch ⚏ – †33/52 € ††57/94 € **Rest** – Menu 14 €
♦ Un hôtel familial tout simple, situé au milieu des montagnes, près du sanctuaire de la Vierge de Meritxell. Chambres fonctionnelles, bien tenues et en partie lambrissées. À table, carte régionale très complète, décor champêtre et vue sur les sommets.

ORDINO – 343 H9 – 3 309 h. – alt. 1 304 m – Sports d'hiver :   28 B3
1940/2 640 m ⛷14

🄳 Andorra la Vella 9

Coma
– ℰ 00 376 73 61 00 – www.hotelcoma.com – hotelcoma@hotelcoma.com
– Fax 00 376 73 61 01
48 ch – †20/50 € ††40/80 €, ⚏ 10 € **Rest** – *(fermé 3 au 27 nov.)* Menu 20 €
♦ Depuis 1932, la même famille accueille le voyageur dans cet hôtel bien équipé. Mobilier design et baignoire hydromassante dans des chambres disposant souvent d'une terrasse. Le restaurant sert une goûteuse cuisine traditionnelle.

en Llorts

La Neu
rte General, Nord-Ouest : 5,5 km – ℰ 00 376 85 06 50 – restaurantlaneu@andorra.ad – Fermé mardi
Rest – Carte 36/52 €
♦ Ce petit restaurant aménagé avec goût dispose d'une salle à manger avec verrière et offre une vue superbe sur les montagnes. La carte, annoncée oralement, propose des plats personnalisés intéressants.

par rte de Canillo Ouest : 2,3 km

Babot
✉ AD300 – ℰ 00 376 74 70 47 – www.hotelbabotandorra.com – hotelbabot@andorra.ad – Fax 00 376 83 55 48 – Fermé 2 nov.-2 déc.
55 ch ⚏ – †41/83 € ††70/116 € **Rest** – Menu 13 €
♦ Cet hôtel d'altitude, bâti à flanc de montagne et ceint d'un immense parc, jouit d'une splendide vue sur la vallée et les sommets. Jolies chambres confortables. Restaurant dont les grandes baies vitrées ouvrent sur un superbe panorama.

PAS-DE-LA-CASA – 343 I9 – alt. 2 085 m – Sports d'hiver :   29 C3
1710/2640 m ⛷4 ⛷67

🄳 Andorra-la-Vella 29

◉ Site★

◉ Col d'Envalira★★

rte de Soldeu Sud-Est : 10 km

Grau Roig
Grau Roig ✉ AD200 – ℰ 00 376 75 55 56 – www.hotelgrauroig.com
– hotelgrauroig@andorra.ad – Fax 00 376 75 55 57 – Fermé 4 mai-18 juin et 13 oct.-26 nov.
42 ch ⚏ – †130/315 € ††175/400 € **Rest** – Carte 42/64 €
♦ Le cirque de Pessons sert de cadre à cette typique construction montagnarde. Chambres coquettes et bien équipées. Très beau décor au restaurant : plafond à caissons, boiseries, pierres, objets anciens, etc.

**Une nuit douillette sans se ruiner ?
Repérez les Bibs Hôtels 🅱.**

SANT JULIÀ DE LÒRIA – 343 G10 – 9 207 h. – alt. 909 m 28 **B3**

▶ Andorra-la-Vella 7

au Sud-Est : 7 km

Coma Bella
bosque de La Rabassa, - alt. 1 300 ⊠ AD600
– ℰ 00 376 74 24 30 – www.hotelcoma-bella.com
– comabella@myp.ad – Fax 00 376 84 14 60
– Fermé 19 au 29 avril et 1ᵉʳ au 25 nov.
30 ch ⊇ – †36/57 € ††53/93 €
Rest – Menu 12 €

♦ Belle situation dans la forêt de la Rabassa pour cet hôtel très reposant. Chambres fonctionnelles et vastes parties communes. Le restaurant offre une jolie vue sur les sommets environnants.

> Ce guide vit avec vous : vos découvertes nous intéressent.
> Faites-nous part de vos satisfactions comme de vos déceptions.
> Coup de colère ou coup de cœur : écrivez-nous !

SOLDEU – 343 H9 – 698 h. – alt. 1 826 m – Sports d'hiver : 1710/2640 m 29 **C3**
4 ⚡ 67

▶ Andorra la Vella 20

Sport H. Hermitage
rte de Soldeu – ℰ 00 376 87 06 70 – www.sporthotels.ad
– hotel.hermitage@sporthotels.ad – Fax 00 376 87 06 71
– Fermé 15 avril-mai et 15 oct.-15 nov.
114 ch ⊇ – †180/320 € ††280/560 € – 6 suites
Rest – Carte 44/61 €

♦ Bel aménagement intérieur pour ce luxueux hôtel : bois omniprésent, styles zen et contemporain dans les chambres plutôt spacieuses et tournées vers les pistes. Spa très complet. Au restaurant, spécialités méditerranéennes et asiatiques.

Xalet Montana
rte General – ℰ 00 376 73 93 33 – www.xaletmontana.net
– hotelnaudi@andornet.ad – Fax 00 376 73 93 31
– Ouvert déc.-15 avril
40 ch ⊇ – †86/109 € ††117/147 €
Rest – (résidents seult) Menu 20 €

♦ Hôtel à la décoration soignée où toutes les chambres profitent de la vue sur les champs de neige. Plaisant cadre nordique au salon. Agréable espace de détente.

à Incles Ouest : 1,8 km – 538 h. – ⊠ AD100

Galanthus
rte General – ℰ 00 376 75 33 00 – www.somriuhotels.com
– info@hotelgalanthus.com – Fax 00 376 75 33 33
– Fermé 4 mai-4 juin
55 ch – †40/174 € ††80/232 €, ⊇ 15 €
Rest – Carte 30/50 €

♦ Établissement de style contemporain, offrant des communs composés de plusieurs salons. Dans les chambres, mobilier fonctionnel, parquet et douches à l'italienne. Salle à manger lumineuse proposant une carte actuelle.

à El Tarter Ouest : 3 km – 1 052 h. – ⊠ AD100

Nordic
⊠ AD100 – ℰ 00 376 73 95 00 – www.grupnordic.ad
– hotelnordic@grupnordic.ad – Fax 00 376 73 95 01 – Fermé nov.
120 ch ⊇ – †60/198 € ††80/265 €
Rest – (buffet seult) (dîner seult) Menu 19 €

♦ Ce grand hôtel est doté d'un vaste hall agrémenté d'une collection de motos anciennes. Chambres avec terrasse et vue sur le village ou les montagnes. Les repas, sans prétention, sont servis sous forme de buffets.

SOLDEU

🏠 **Del Clos** ≤ 📶 ✦ 📡 🅿 VISA ⓜ
⊠ AD100 – ℰ 00 376 75 35 00 – www.grupnordic.ad
– hoteldelclos@grupnordic.ad – Fax 00 376 85 15 54
– Ouvert déc.-avril
54 ch ⌂ – †84/132 € ††112/176 €
Rest – *(buffet seult en hiver) (dîner seult)* Menu 19 €
♦ Cette belle demeure érigée face aux sommets est entourée de fermes andorranes typiques. Chambres spacieuses, meublées dans le style régional ; certaines ont un balcon. Pierres, poutres et bois sculpté donnent un petit air montagnard au restaurant.

EL TARTER – voir à Soldeu

Le casino de Monte-Carlo

PRINCIPAUTÉ DE MONACO

Carte Michelin LOCAL : n° **341** F5　　**Altitude :** 163 m
115 pli 27 pli 28　　**Côte d'Azur**
Population : 32 020 h.　　**Carte régionale** 42 **E2**

RENSEIGNEMENTS PRATIQUES

État souverain, enclavé dans le département français des Alpes-Maritimes et bordant la Méditerranée. Il s'étend sur 1.5 km^2 et comprend : le Rocher de Monaco (la vieille ville) et Monte-Carlo (la ville neuve) réunis par la Condamine (le port), Fontvieille à l'Ouest (l'industrie) et le Larvotto à l'Est (la plage). Depuis 1993 la Principauté est membre de l' O.N.U.

Depuis l'héliport de Monaco-Fontvieille, liaisons quotidiennes avec l'aéroport de Nice-Côte d'Azur. Renseignements : Héli Air Monaco ✆ (00-377) 92 05 00 50

🛈 OFFICE DE TOURISME

2a boulevard des Moulins Monte Carlo ✆ (00-377) 92 16 61 16, Fax (00-377) 92 16 60 00

GOLF

Monte-Carlo , par rte de la Turbie : 11 km, ✆ (33) (0) 4 92 41 50 70

CIRCUIT AUTOMOBILE URBAIN

✆ (00-377) 93 15 26 00, Fax (00-377) 93 25 80 08

MONACO Capitale de la Principauté – MCO Monaco – 32 020 h.
– alt. 163 m – ⌧ 98000

42 **E2**

- Paris 949 – Menton 11 – Nice 23 – San Remo 41
- Office de tourisme, 2a, boulevard des Moulins, Monte Carlo
  ℰ (00-377) 92 16 61 16, Fax (00-377) 92 16 60 00
- **Circuit automobile urbain.**
- Jardin exotique★★ CZ : ≤★ - Grotte de l'Observatoire★ CZ D - Jardins St-Martin★ DZ - Ensemble de primitifs niçois★★ dans la cathédrale DZ - Christ gisant★ dans la chapelle de la Miséricorde D B - Place du Palais★ CZ - Palais du Prince★ : musée napoléonien et des Archives du palais★ CZ - Musées : océanographique★★ DZ (aquarium★★, ≤★★ de la terrasse), d'anthropologie préhistorique★ CZ M³, - Collection des voitures anciennes★ CZ M¹.

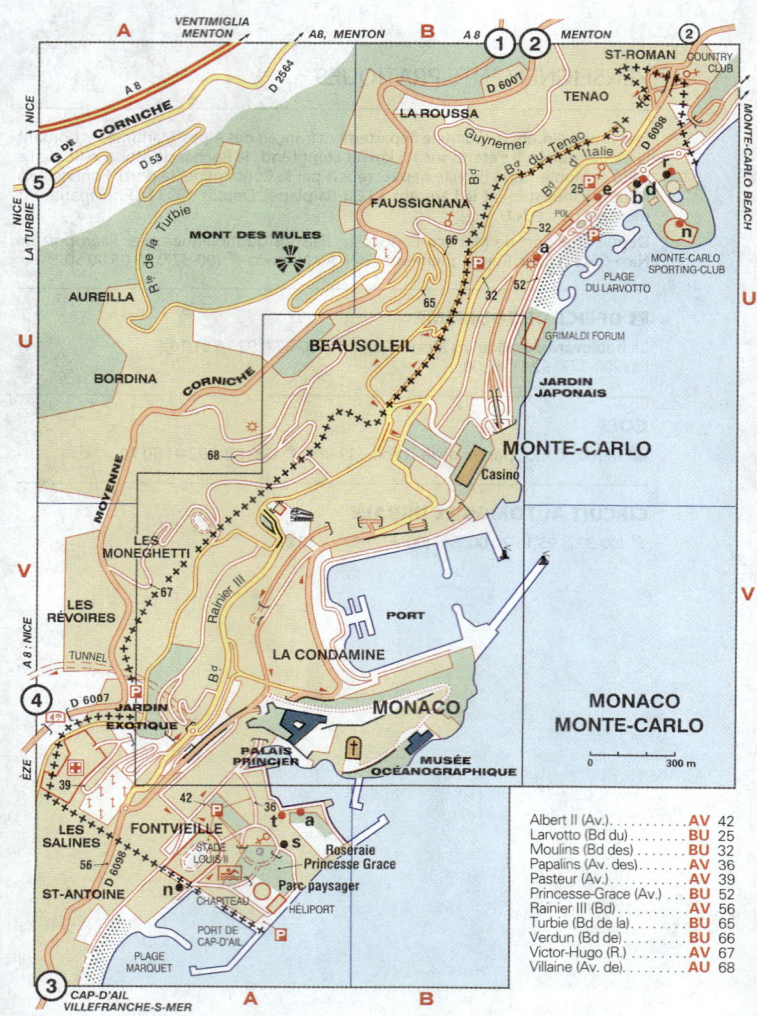

Albert II (Av.)	**AV**	42
Larvotto (Bd du)	**BU**	25
Moulins (Bd des)	**BU**	32
Papalins (Av. des)	**AV**	36
Pasteur (Av.)	**AV**	39
Princesse-Grace (Av.)	**BU**	52
Rainier III (Bd)	**AV**	56
Turbie (Bd de la)	**BU**	65
Verdun (Bd de)	**BU**	66
Victor-Hugo (R.)	**AV**	67
Villaine (Av. de)	**AU**	68

MONACO

XX **Castelroc** ≤ AC VISA MC AE ①
pl. du Palais – ℰ *(00-377) 93 30 36 68 – www.restaurant-castelroc.com*
– castelroc@libello.com – Fax (00-377) 93 30 59 88 – Fermé 15 déc.-15 janv., sam.
et le soir de mi-sept. à mi-mai CZ p
Rest – Menu 35 € (déj.) – Carte 45/74 €
◆ Dans la même famille depuis les années 1950, ce restaurant traditionnel est doté d'une élégante véranda d'où vous pourrez observer à loisir le Palais. Cuisine régionale.

à Fontvieille

🏨 **Columbus** ≤ 🍴 £₆ 🛏 AC ⟵ 🛎 🚗 VISA MC AE ①
23 av. Papalins – ℰ *(00-377) 92 05 90 00 – www.columbusmonaco.com – resa@*
columbus.mc – Fax (00-377) 92 05 91 67 AV s
170 ch – †180/400 € ††180/400 €, ⊇ 25 € – 11 suites **Rest** – Carte 39/65 €
◆ Entre le port et la roseraie Princesse Grace, l'hôtel abrite des chambres cossues agrémentées de meubles contemporains aux lignes épurées et, pour la plupart, d'un balcon. Cuisine actuelle au restaurant chic ou sur l'agréable terrasse.

XX **Amici Miei** ≤ 🍴 AC VISA MC AE
16 quai J.-C. Rey – ℰ *(00-377) 92 05 92 14 – www.monte-carlo.mc/amici-miei*
– amici-miei@monte-carlo.mc – Fax (00-377) 92 05 31 74 AV t
Rest – Menu (16 €), 30 € (déj. en sem.) – Carte 35/60 €
◆ Ce restaurant familial propose une cuisine italienne traditionnelle dans une salle décorée de tableaux naïfs. En été, préférez la terrasse dominant le port de Fontvieille.

XX **Beefbar** ≤ AC VISA MC AE
42 quai Jean-Charles-Rey – ℰ *(00-377) 97 77 09 29 – www.beefbar.com*
– h.jarry@beefbar.com – Fax (00-377) 97 77 09 30 AV a
Rest – Menu (18 € bc), 39 € (sem.) – Carte 41/80 €
◆ Nouveau concept autour de la viande (argentine, américaine et française) cuite au four, sans ajout de matière grasse. Cadre tendance, très couru à midi par la clientèle locale.

> Déjeunez dehors, il fait si beau !
> Optez pour une terrasse : 🍴

MONTE-CARLO Centre Mondain de la Principauté – MCO Monaco 42 **E2**
– Casinos : Grand Casino **DY**, Monte-Carlo Sporting Club **BU**, Sun Casino **DX**

▶ Paris 947 – Menton 9 – Monaco 2 – Nice 20 – San Remo 40

◉ Terrasse ★★ du Grand casino **DXY** - Musée de poupées et automates ★ DX M[5]
- Jardin japonais ★ U.

Plan page suivante

🏨 **Paris** ≤ 🍴 🏊 🕸 £₆ 🛏 & AC ⟵ 🛎 🚗 VISA MC AE ①
pl. du Casino – ℰ *(00-377) 98 06 30 00 – www.hoteldeparismontecarlo.com*
– hp@sbm.mc – Fax (00-377) 98 06 59 13 DY y
143 ch – †420/1600 € ††420/1600 €, ⊇ 42 € – 39 suites
Rest *Le Louis XV-Alain Ducasse et Grill de l'Hôtel de Paris* – voir ci-après
Rest *Salle Empire* – ℰ *(00-377) 98 06 89 89 (ouvert juil.-août) (dîner seult)*
Carte 98/188 €
Rest *Côté Jardin* – ℰ *(00-377) 98 06 39 39 (déj. seult)* Menu 55 € – Carte 65/98 €
◆ Situation idyllique, aménagements somptueux, riche passé et clients célèbres : entrez dans la légende du plus prestigieux des palaces monégasques, inauguré en 1864. Majestueuse Salle Empire (ors, stucs et cristal). Côté Jardin, terrasse avec vue sur le Rocher.

🏨 **Métropole** 🏊 🕸 £₆ 🛏 & AC ⟵ 🛎 🚗 VISA MC AE ①
4 av. Madone – ℰ *(00-377) 93 15 15 15 – www.metropole.com – metropole@*
metropole.com – Fax (00-377) 93 25 24 44 DX z
77 ch – †500/800 € ††500/800 €, ⊇ 38 € – 64 suites
Rest *Joël Robuchon Monte-Carlo* – voir ci-après
◆ Luxe et raffinement à tous les étages de ce palace (1886) relooké par Jacques Garcia. Cour-jardin à l'italienne, jolie piscine, bar feutré, magnifique spa.

MONACO
MONTE-CARLO

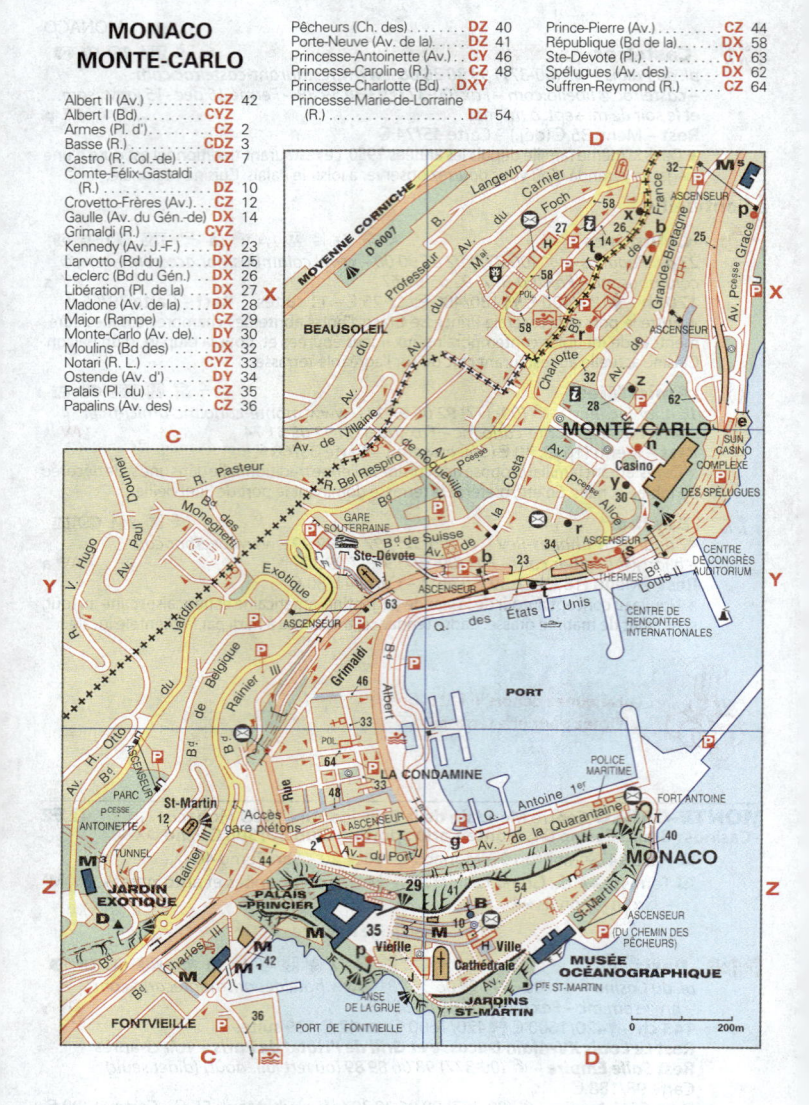

Albert II (Av.)	**CZ** 42
Albert I (Bd)	**CYZ**
Armes (Pl. d')	**CZ** 2
Basse (R.)	**CDZ** 3
Castro (R. Col.-de)	**CZ** 7
Comte-Félix-Gastaldi (R.)	**DZ** 10
Crovetto-Frères (Av.)	**CZ** 12
Gaulle (Av. du Gén.-de)	**DX** 14
Grimaldi (R.)	**CYZ**
Kennedy (Av. J.-F.)	**DY** 23
Larvotto (Bd du)	**DX** 25
Leclerc (Bd du Gén.)	**DX** 26
Libération (Pl. de la)	**DX** 27
Madone (Av. de la)	**DX** 28
Major (Rampe)	**CZ** 29
Monte-Carlo (Av. de)	**DY** 30
Moulins (Bd des)	**DX** 32
Notari (R. L.)	**CYZ** 33
Ostende (Av. d')	**DY** 34
Palais (Pl. du)	**CZ** 35
Papalins (Av. des)	**CZ** 36
Pêcheurs (Ch. des)	**DZ** 40
Porte-Neuve (Av. de la)	**DZ** 41
Princesse-Antoinette (Av.)	**CY** 46
Princesse-Caroline (R.)	**CZ** 48
Princesse-Charlotte (Bd)	**DXY**
Princesse-Marie-de-Lorraine (R.)	**DZ** 54
Prince-Pierre (Av.)	**CZ** 44
République (Bd de la)	**DX** 58
Ste-Dévote (Pl.)	**CY** 63
Spélugues (Av. des)	**DX** 62
Suffren-Reymond (R.)	**CZ** 64

Hermitage

square Beaumarchais – ℘ (00-377) 98 06 40 00 – www.montecarloresort.com
– hh@sbm.mc – Fax (00-377) 98 06 59 70   **DY** r

252 ch – †380/940 €, ††380/940 €, ⊇ 37 € – 28 suites
Rest *Vistamar* – voir ci-après
Rest *Limun Bar* – ℘ (00-377) 98 06 48 48 – Menu (29 € bc) – Carte 40/73 €

♦ Fresques et loggias à l'italienne agrémentent la splendide façade tournée vers le port. Hall d'une belle élégance, jardin d'hiver sous la coupole signée Eiffel, chambres luxueuses. Petite restauration au Limùn Bar qui se mue en salon de thé l'après-midi.

MONTE-CARLO

Monte Carlo Bay Hôtel and Resort
– ℰ (00-377) 98 06 02 00
– www.montecarlobay.mc – info@montecarlobay.mc – Fax (00-377) 98 06 00 03
323 ch – †320/895 € ††320/895 €, ⊇ 32 € – 11 suites — BU r
Rest *Le Blue Bay* – ℰ (00-377) 98 06 03 60 *(fermé le midi de mai à sept.)*
Menu (30 €), 70 € (dîner), 80/95 € – Carte 61/93 €
Rest *L'Orange Verte* – ℰ (00-377) 98 06 03 60 – Carte 37/53 €
Rest *Las Brisas* – ℰ (00-377) 98 06 03 60 *(ouvert de mai à sept.) (déj. seult)*
Menu (30 €) – Carte 41/79 €
♦ Ce palace monégasque s'étend sur 4 ha en bord de mer. Chambres, suites et duplex affichent un style résolument contemporain. Piscine-lagon. Cuisine riche en épices sur les tables du Blue Bay. À L'Orange Verte, tartares et carpaccios. Carte au goût du jour au Las Brisas.

Méridien Beach Plaza
22 av. Princesse Grace, à la plage du Larvotto
– ℰ (00-377) 93 30 98 80 – www.lemeridien.com/montecarlo
– reservations.montecarlo@lemeridien.com – Fax (00-377) 93 50 23 14
403 ch – †409/770 € ††409/770 €, ⊇ 31 € – 6 suites — BU b
Rest *L'Intempo* – ℰ (00-377) 93 15 78 88 – Carte 55/135 €
Rest *Bar and Lunch* – rest. de plage *(ouvert fin mai-fin sept.) (déj. seult)* Carte 30/80 €
♦ Grand hôtel de style moderne. Chambres panoramiques dans deux tours de verre côté mer, superbes suites au mobilier design, centre de conférences, piscines et plage privée. Recettes du bassin méditerranéen à L'Intempo (ouvert 24 h/24). Ambiance balnéaire au Bar and Lunch.

Port Palace
7 av. J. F. Kennedy – ℰ (00-377) 97 97 90 00 – www.portpalace.com
– reservation@portpalace.com – Fax (00-377) 97 97 90 01 — DY t
50 ch – †245/540 € ††245/1765 €, ⊇ 22 €
Rest Mandarine – voir ci-après
♦ Hôtel dans l'air du temps, intime et luxueux, tourné vers la méditerranée et les yachts. Chambres épurées, salles de bains en marbre et minispa au sous-sol.

Fairmont-Monte-Carlo
12 av. Spélugues – ℰ (00-377) 93 50 65 00
– www.fairmont.com/montecarlo – montecarlo@fairmont.com
– Fax (00-377) 93 30 01 57 — DX e
572 ch – †249/899 € ††249/899 €, ⊇ 30 € – 30 suites
Rest *L'Argentin* – *(fermé le midi de nov. à mars)* Menu (44 €) – Carte 55/120 €
♦ Vaste complexe hôtelier bâti sur pilotis. Chambres pour la plupart rénovées dans un style marin, avec superbe vue côté mer. Galerie marchande, centre de conférences. Recettes au goût du jour et intérieur contemporain à l'Argentin.

Novotel
16 bd. Princesse-Charlotte – ℰ (00-377) 99 99 83 00 – www.novotel.com
– h5275@accor.com – Fax (00-377) 99 99 83 10 — CY j
201 ch – †120/445 € ††120/445 €, ⊇ 17 € – 17 suites
Rest *Les Grandes Ondes* – Menu (25 €) – Carte 43/68 €
Rest *Novotel Café* – Menu (25 €) – Carte 35/51 €
♦ Sur les hauteurs de la principauté, nouvel établissement d'architecture contemporaine profitant d'un cadre lumineux. Vastes chambres fonctionnelles, souvent dotées d'une loggia. Aux Grandes Ondes, restaurant clair et épuré, vous attend une cuisine provençale.

XXXXX Le Louis XV-Alain Ducasse – Hôtel de Paris
❀❀❀ pl. du Casino – ℰ (00-377) 98 06 88 64
– www.alain-ducasse.com – lelouisxv@alain-ducasse.com
– Fax (00-377) 98 06 59 07 – Fermé 1er-11 mars, 1er-30 déc., 9-24 fév., merc. sauf le soir du 1er juil. au 19 août et mardi — DY y
Rest – Menu 140 € bc, 210/280 € – Carte 193/250 € ✤
Spéc. Légumes des jardins de Provence à la truffe noire, huile d'olive et aceto balsamico. Poitrine de pigeonneau et foie gras de canard sur la braise, polenta et jus aux abats. Le "Louis XV" au croustillant de pralin. **Vins** Bandol, Côtes de Provence.
♦ Étonnant, merveilleux... Harmonie parfaite entre ce somptueux décor classique, la terrasse ouverte sur le casino, des saveurs méditerranéennes sublimées et une cave exceptionnelle.

MONTE-CARLO

XXXX   Joël Robuchon Monte-Carlo – Hôtel Métropole
4 av. Madone – ℰ *(00-377) 93 15 15 10*
– www.metropole.com – restaurant@metropole.com
– Fax (00-377) 93 25 24 44   DX z
Rest – *(dîner seult du 11 juil. au 23 août)*
Menu 75 € bc (déj.)/180 € – Carte 75/366 €
Spéc. "King crab" et tomate farcie de légumes acidulés. Saint-Pierre aux saveurs méridionales. Chocolat sensation. **Vins** Bellet, Vin de Pays du Var.
• La salle à colonnades offre une vue sur les cuisines où s'élabore une carte inventive aux associations inattendues. En terrasse, panorama sur les toits monégasques.

XXXX   Grill de l'Hôtel de Paris
pl. du Casino – ℰ *(00-377) 98 06 88 88*
– www.hoteldeparismontecarlo.com – legrill@sbm.mc – Fax (00-377) 98 06 59 03
– Fermé janv.-fév. et le midi en juil.-août   DY y
Rest – Menu 75 € bc (déj.) – Carte 92/240 €
Spéc. Foie gras de canard grillé. Carré d'agneau à la broche. Soufflé "Tradition". **Vins** Bellet blanc et rouge.
• Au 8e étage de l'hôtel, entre ciel et mer, vous serez aux premières loges pour admirer la Principauté. Rôtissoire ouverte sur la salle ; soufflés "à toutes les sauces" en dessert.

XXX   Vistamar – Hôtel Hermitage
pl. Beaumarchais – ℰ *(00-377) 98 06 98 98*
– www.montecarloresort.com – hh@sbm.mc
– Fax (00-377) 98 06 59 70 – Fermé le midi en juil.-août   DY r
Rest – Menu (45 €), 129 € – Carte 87/117 €
• Vue époustouflante sur le large depuis la terrasse panoramique et la salle à manger bordée de baies vitrées ; la carte associe plats classiques et cuisine de la mer.

XXX   Bar Bœuf & Co
av. Princesse Grace, (au Sporting-Mont-Carlo) – ℰ *(00-377) 98 06 71 71*
– www.alain-ducasse.com – b.b@sbm.mc
– Fax (00-377) 98 06 57 85
– Ouvert 15 mai-19 sept.   BU n
Rest – *(dîner seult)* Carte 90/250 €
Spéc. Pièce de bœuf rafraîchie au goût ginger-lime, croq salade de printemps. Loup à la plancha, jeunes carottes au jus parfumées au gingembre, pulpe de citron de pays. Coupe glacée cheese cake, compotée de fruits rouges.
• Décor design tonique et minéral, carte déclinant le bar et le bœuf et vins provenant du monde entier : le lieu, bien connu des noctambules, l'est aussi des fins gourmets.

XXX   Mandarine – Hôtel Port Palace
7 av. J. F. Kennedy – ℰ *(00-377) 97 97 90 00*
– Fermé 9-30 nov. et 9-28 fév.   DY t
Rest – Menu (35 €) – Carte 78/109 €
Spéc. Tarte au fromage de chèvre et à la tomate, sorbet gaspacho. Millefeuille de brandade de pintade, pomme de terre translucide et riquette. Soufflé au nougat et glace pain d'épice.
• Au sixième étage de l'hôtel, salle panoramique avec vue sur le port à travers de grandes baies vitrées, cadre contemporain et grande terrasse. Cuisine raffinée dans l'air du temps.

XX   Le Saint Benoit
10 ter av. Costa – ℰ *(00-377) 93 25 02 34 – www.monte-carlo.mc/lesaintbenoit*
– lesaintbenoit@monte-carlo.mc – Fax (00-377) 93 30 52 64 – Fermé
21 déc.-7 janv., dim. soir et lundi   DY b
Rest – Menu 28/39 € – Carte 36/70 €
• Trouver ce restaurant n'est pas aisé, mais la belle vue sur le port et le Rocher, de la terrasse, récompensera votre peine. Salle à manger spacieuse et spécialités de la mer.

XX   Café de Paris
pl. Casino – ℰ *(00-377) 98 06 76 23 – www.montecarloresort.mc – brasseriecp@sbm.mc – Fax (00-377) 98 06 59 30*   DY n
Rest – Carte 57/98 €
• En 1897, Édouard Michelin y fit une entrée remarquée... au volant de sa voiture ! Décor d'une brasserie de la Belle Époque. Terrasse très prisée en saison.

MONTE-CARLO

XX Maya Bay

24 av. Princesse-Grace – ℰ (00-377) 97 70 74 67 – www.mayabay.mc – mayabay@mayabay.mc – Fax (00-377) 97 77 58 10 – Fermé nov., dim. et lundi BU **d**
Rest – Menu (20 €), 50/69 € – Carte 62/128 €
Rest *Sushi Bar* – Menu (18 €), 22 € (sem.) – Carte 32/50 €
♦ Influences asiatiques (Buddha géant, sushi-bar laqué rouge, collection de kimonos Kenzo) et magnifiques compositions florales pour cette adresse branchée. Cuisine inventive.

XX Pétrossian

11 av. Princesse-Grace – ℰ (00-377) 97 77 00 24 – www.petrossianmonaco.com – petrossianmonaco@libello.com – Fax (00-377) 97 70 04 57 DX **p**
Rest – Menu 25/55 €
♦ Fauteuils en cuir blanc, boiseries foncées, lustres, bar, boutique signent le cadre élégant de ce Pétrossian, face au Forum Grimaldi. Produits phares de l'enseigne (caviar, saumon...).

XX Avenue 31

31 av. Princesse Grace – ℰ (00-377) 97 70 31 31 – www.avenue31.mc – monaco@avenue31.mc BU **a**
Rest – Menu (25 €) – Carte 80/150 €
♦ Une cuisine de style brasserie moderne vous attend à cette adresse branchée, dont le décor fait rimer minimalisme et bon goût. Grande terrasse devant la plage du Larvotto.

XX La Maison du Caviar

1 av. St-Charles – ℰ (00-377) 93 30 80 06 – maisonducaviar@monaco.mc – Fax (00-377) 93 30 23 90 – Fermé août, sam. midi et dim. DX **r**
Rest – Menu (17 €), 29 € (déj. en sem.), 36/56 € – Carte 36/85 €
♦ Adopté par les Monégasques, ce restaurant familial propose depuis 1954 une cuisine traditionnelle dans un décor mariant ferronneries, casiers à bouteilles et meubles rustiques.

XX La Romantica

3 av. Saint-Laurent – ℰ (00-377) 93 25 65 66 – maurizio.grossi@orange.fr – Fermé 1er-14 août et dim. DX **b**
Rest – Carte 40/60 €
♦ Agréable restaurant situé en centre-ville. La petite salle est parfaite pour apprécier une cuisine authentique entre spécialités du nord de l'Italie et saveurs marines.

X Loga

25 bd des Moulins – ℰ (00-377) 93 30 87 72 – www.leloga.com – kettyvigon@hotmail.com – Fax (00-377) 93 25 06 41 – Fermé 8-23 août, le soir et dim.
Rest – *(déj. seult)* Menu (24 € bc) – Carte 32/46 € DX **v**
♦ Sympathique petite adresse familiale proposant des recettes régionales et une ardoise du jour appréciée des habitués. Décor intérieur modernisé et terrasse-trottoir.

à Monte-Carlo-Beach (France Alpes-Mar.) 2,5 km au Nord-Est BU
– ⌧ 06190 Roquebrune-Cap-Martin

🏨 Monte-Carlo Beach Hôtel

(réouverture prévue au printemps après rénovation)
av. Princesse Grace – ℰ 04 93 28 66 66 – www.montecarlobeachhotel.com – bh@sbm.mc – Fax 04 93 78 14 18 – Fermé 4 janv.- 4 mars
31 ch – †305/815 € ††305/815 €, ⌧ 30 € – 9 suites
Rest *La Salle à Manger* – ℰ 04 93 28 66 72 – Carte 70/105 €
Rest *Le Deck* – ℰ 04 93 28 66 42 (ouvert 11 avril-11 oct.) (déj. seult) Carte 37/111 €
Rest *La Vigie* – ℰ 04 93 28 66 44 (ouvert 26 juin-30 août et fermé lundi) Menu 45 € (déj.)/55 €
Rest *Le Sea Lounge* – ℰ 04 93 28 66 43 (ouvert 16 mai-30 août) (dîner seult) Carte 42/119 €
♦ Créé en 1929, l'hôtel accueillit Nijinski, Cocteau, Morand, etc. Belles chambres revues dans un esprit bateau, balcons tournés vers la mer et Monaco. Superbe complexe balnéaire. La Méditerranée est à l'honneur façon classique à la Salle à Manger. Brasserie au Deck. Poissons grillés à la Vigie. Tapas et DJ au Sea Lounge.

voir aussi ressources hôtelières à **Beausoleil** *et* **Cap d'Ail**

- → Dénicher la meilleure table ?
- → Trouver l'hôtel le plus proche ?
- → Vous repérer sur les plans et les cartes ?
- → Décoder les symboles utilisés dans le guide...

Suivez les Bibs rouges !

Les conseils du **Bib Chef** pour vous aider au restaurant.

Les « bons tuyaux » et les informations du **Bib Astuce** pour vous repérer dans le guide... et sur la route.

Les conseils du **Bib Groom** pour vous aider à l'hôtel.

Le Guide MICHELIN
Une collection à savourer!

Belgique & Luxembourg
Deutschland
España & Portugal
France
Great Britain & Ireland
Italia
Nederland
Österreich
Portugal
Suisse-Schweiz-Svizzera
Main Cities of Europe

Et aussi:

Hong Kong Macau
Las Vegas
London
Los Angeles
New York City
Paris
San Francisco
Tokyo

Localité possédant au moins
- ● un hôtel ou un restaurant
- ✤ une table étoilée
- ㊉ un restaurant « Bib Gourmand »
- 🏨 un hôtel « Bib Hôtel »
- ⚡ un restaurant agréable
- 🏠 une maison d'hôte agréable
- 🏡 un hôtel agréable
- 🕊 un hôtel très tranquille

Place with at least
- ● a hotel or a restaurant
- ✤ a starred establishment
- ㊉ a restaurant « Bib Gourmand »
- 🏨 a hotel « Bib Hôtel »
- ⚡ a particularly pleasant restaurant
- 🏠 a particularly pleasant guesthouse
- 🏡 a particularly pleasant hotel
- 🕊 a particularly quiet hotel

La località possiede come minimo
- ● un albergo o un ristorante
- ✤ una delle migliori tavole dell'anno
- ㊉ un ristorante « Bib Gourmand »
- 🏨 un albergo « Bib Hotel »
- ⚡ un ristorante molto piacevole
- 🏠 un piacevole agriturismo
- 🏡 un albergo molto piacevole
- 🕊 un esercizio molto tranquillo

Ort mit mindestens
- ● einem Hotel oder Restaurant
- ✤ einem der besten Restaurants des Jahres
- ㊉ einem Restaurant « Bib Gourmand »
- 🏨 einem Hotel « Bib Hotel »
- ⚡ einem sehr angenehmen Restaurant
- 🏠 ein angenehmes Gästehaus
- 🏡 einem sehr angenehmen Hotel
- 🕊 einem sehr ruhigen Haus

Localidad que posee com mínimo
- ● un hotel o un restaurante
- ✤ una de los mejores mesas del año
- ㊉ un restaurante « Bib Gourmand »
- 🏨 un hotel « Bib Hotel »
- ⚡ un restaurante muy agradable
- 🏠 una casa rural agradable
- 🏡 un hotel muy agradable
- 🕊 un hotel muy tranquilo

Cartes
Cartes régionales des localités citées

Maps
Regional maps of listed towns

Carta
Carta regionale delle località citate

Regionalkarten
Regionalkarten der erwähnten Orte

Mapas
Mapas de las localidades citadas, por regiones

La France en 46 cartes

- **BRETAGNE** 9 10
- **NORMANDIE** 32 33
- **PAYS-DE-LA-LOIRE** 34 35
- **CENTRE** 11
- **POITOU-CHARENTES** 38 39
- **LIMOUSIN** 24
- **AQUITAINE** 3 4
- **MIDI** 28

BELGIË
BRUXELLES
BRUSSEL
BELGIQUE
BUNDESREPUBLIK
DEUTSCHLAND
LUXEMBOURG
LUXEMBOURG
30
31
LILLE
NORD-PAS-DE-CALAIS
AMIENS
PICARDIE
36
37
METZ
CHÂLONS-
EN-CHAMPAGNE
26
27
LORRAINE
PARIS
ÎLE-DE-FRANCE
13
14
18
19
20
21
CHAMPAGNE-
ARDENNE
STRASBOURG
ALSACE
1
2
ORLÉANS
12
16
17
FRANCHE-COMTÉ
DIJON
BESANÇON
BOURGOGNE
7
8
BERN
SCHWEIZ
SUISSE
5
6
AUVERGNE
25
CLERMONT-
FERRAND
LYON
RHÔNE-ALPES
43
44
45
46
ITALIA
PROVENCE-ALPES-
CÔTE-D'AZUR
29
PYRÉNÉES
40
41
42
MONTPELLIER
LANGUEDOC-
ROUSSILLON
22
23
MARSEILLE
CORSE
AJACCIO
15
MER
MÉDITERRANÉE

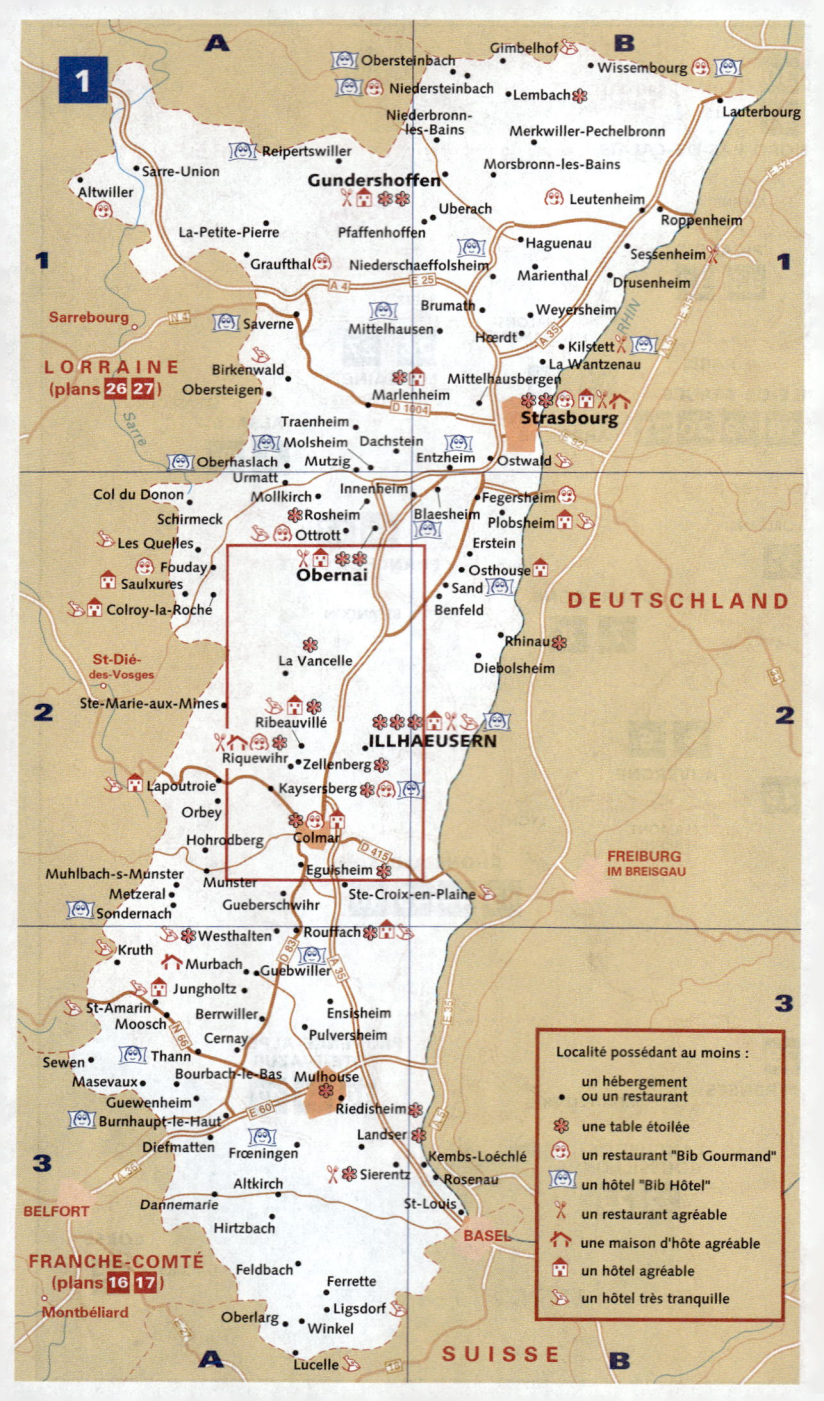

1

A

- Altwiller
- Sarre-Union
- Reipertswiller
- La-Petite-Pierre
- Grauthal
- Saverne
- Birkenwald
- Obersteigen
- Oberhaslach
- Col du Donon
- Urmatt
- Schirmeck
- Les Quelles
- Fouday
- Saulxures
- Colroy-la-Roche
- St-Dié-des-Vosges
- Ste-Marie-aux-Mines
- Lapoutroie
- Orbey
- Hohrodberg
- Muhlbach-s-Munster
- Metzeral
- Sondernach
- Kruth
- St-Amarin
- Moosch
- Sewen
- Masevaux
- Gueweheim
- Burnhaupt-le-Haut
- Diefmatten
- Fræningen
- Dannemarie
- Hirtzbach
- Feldbach
- Oberlarg
- Lucelle

LORRAINE
(plans 26 27)

Sarrebourg

FRANCHE-COMTÉ
(plans 16 17)

Montbéliard

BELFORT

B

- Oberstenbach
- Gimbelhof
- Niedersteinbach
- Wissembourg
- Niederbronn-les-Bains
- Lembach
- Lauterbourg
- Merkwiller-Pechelbronn
- Morsbronn-les-Bains
- Gundershoffen
- Uberach
- Leutenheim
- Pfaffenhoffen
- Haguenau
- Roppenheim
- Niederschaeffolsheim
- Sessenheim
- Marienthal
- Brumath
- Drusenheim
- Mittelhausen
- Weyersheim
- Hœrdt
- Kilstett
- La Wantzenau
- Marlenheim
- Mittelhausbergen
- Traenheim
- Strasbourg
- Molsheim
- Dachstein
- Mutzig
- Entzheim
- Ostwald
- Mollkirch
- Innenheim
- Rosheim
- Blaesheim
- Fegersheim
- Ottrott
- Plobsheim
- **Obernai**
- Erstein
- Osthouse
- Sand
- Benfeld
- La Vancelle
- Rhinau
- Diebolsheim
- Ribeauvillé
- **ILLHAEUSERN**
- Riquewihr
- Zellenberg
- Kaysersberg
- Colmar
- Eguisheim
- Munster
- Ste-Croix-en-Plaine
- Gueberschwihr
- Westhalten
- Rouffach
- Murbach
- Jungholtz
- Guebwiller
- Berrwiller
- Ensisheim
- Cernay
- Pulversheim
- Bourbach-le-Bas
- Mulhouse
- Thann
- Riedisheim
- Landser
- Altkirch
- Sierentz
- Kembs-Loéchlé
- Rosenau
- St-Louis
- Ferrette
- Ligsdorf
- Winkel

DEUTSCHLAND

FREIBURG IM BREISGAU

BASEL

SUISSE

Localité possédant au moins :

- • un hébergement ou un restaurant
- une table étoilée
- un restaurant "Bib Gourmand"
- un hôtel "Bib Hôtel"
- un restaurant agréable
- une maison d'hôte agréable
- un hôtel agréable
- un hôtel très tranquille

Alsace 2

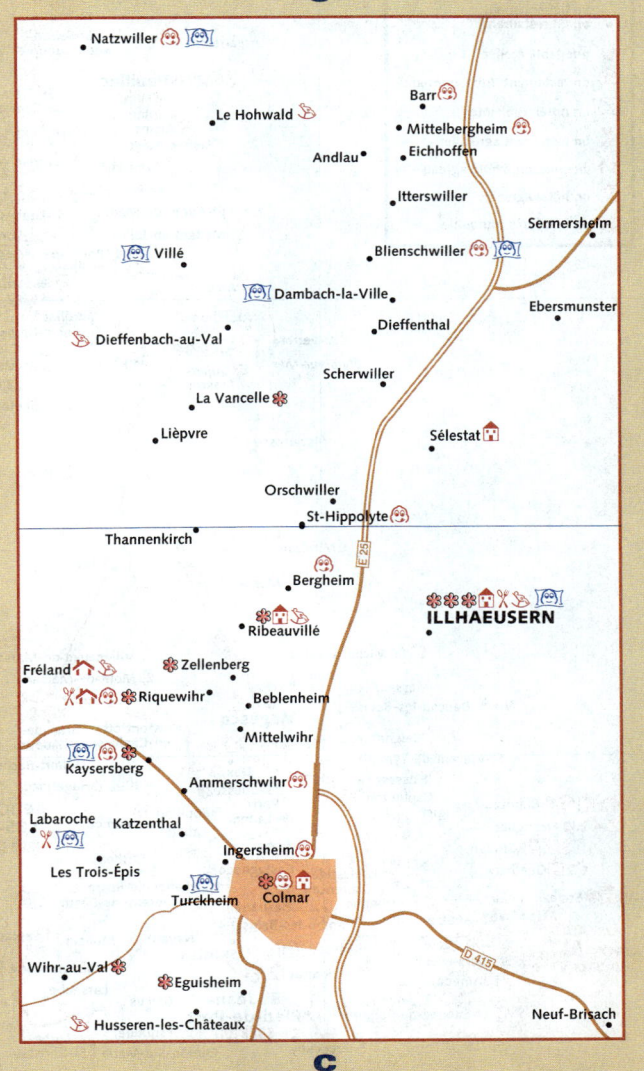

- Natzwiller
- Le Hohwald
- Barr
- Mittelbergheim
- Andlau
- Eichhoffen
- Itterswiller
- Sermersheim
- Villé
- Blienschwiller
- Ebersmunster
- Dambach-la-Ville
- Dieffenthal
- Dieffenbach-au-Val
- Scherwiller
- La Vancelle
- Sélestat
- Lièpvre
- Orschwiller
- St-Hippolyte
- Thannenkirch
- Bergheim
- ILLHAEUSERN
- Ribeauvillé
- Fréland
- Zellenberg
- Riquewihr
- Beblenheim
- Mittelwihr
- Kaysersberg
- Ammerschwihr
- Labaroche
- Katzenthal
- Ingersheim
- Les Trois-Épis
- Turckheim
- Colmar
- Wihr-au-Val
- Eguisheim
- Husseren-les-Châteaux
- Neuf-Brisach

Aquitaine

3

Localité possédant au moins :
- un hébergement ou un restaurant
- ❀ une table étoilée
- 😊 un restaurant "Bib Gourmand"
- 🏨 un hôtel "Bib Hôtel"
- ✗ un restaurant agréable
- 🏠 une maison d'hôte agréable
- 🏛 un hôtel agréable
- 🌿 un hôtel très tranquille

B POITOU -

Soulac-sur-Mer
Jonzac
Lesparre-Médoc
Pauillac
St-Seurin-de-Cadourne
Margaux
St-Ciers-de-Canesse
Arcins
Blaye
Listrac-Médoc
Gauriac
Libourne
Avensan
St-Gervais
Le Pian-Médoc
La Rivière
St-Aubin-de-Médoc
St-Loubes
St-Médard-en-Jalles
Lormont
Cenon
Bordeaux
Bègles
Bouliac
Arès
Créon
Arcachon
Martillac
Cap-Ferret
Lestiac-s-Garonne
Rions
Pyla-sur-Mer
Le Barp
Cadillac
Gujan-Mestras
St-Macaire
Langon
Sauternes
Biscarrosse
Bazas
Bernos-Beaulac

GOLFE DE GASCOGNE

Mimizan
Mézos
Sabres
Roquefort
St-Justin
St-Michel-Escalus
Villeneuve-de-Marsan
Léon
Mont-de-Marsan
Messanges
Magescq
Vieux-Boucau-les-Bains
Montfort-en-Chalosse
Grenade-s-l'Adour
Seignosse
Soustons
Aire-s-l'Adour
St-Vincent-de-Tyrosse
Dax
Hossegor
Saubusse
Duhort-Bachen
Capbreton
Port-de-Lanne
Hagetmau
Biarritz
Pouillon
Anglet
Labatut
Amou
Eugénie-les-Bains
Arcangues
Bayonne
Bidart
Orthez
Guéthary
La Bastide-Clairence
Castagnède
St-Jean-de-Luz
Arbonne
Salies-de-Béarn
Hendaye
Ahetze
Hasparren
Sauveterre-de-Béarn
Sare
Cambo-les-Bains
Navarrenx
Lescar
Morlaàs
Donostia S. Sebastian
St-Pée-s-Nivelle
Itxassou
St-Palais
Monein
Jurançon
Pau
Ainhoa
Bidarray
Espelette
St-Jean-Pied-de-Port
Lasseube
Bosdarros
St-Étienne-de-Baïgorry
Barcus
Gan
Estérençuby
Esquiule
Lurbe-St-Christau
Lestelle-Bétharram
Oloron-Ste-Marie
Gourette
Larrau
Bielle
Cette-Eygun
Urdos

ESPAÑA

PAMPLONA

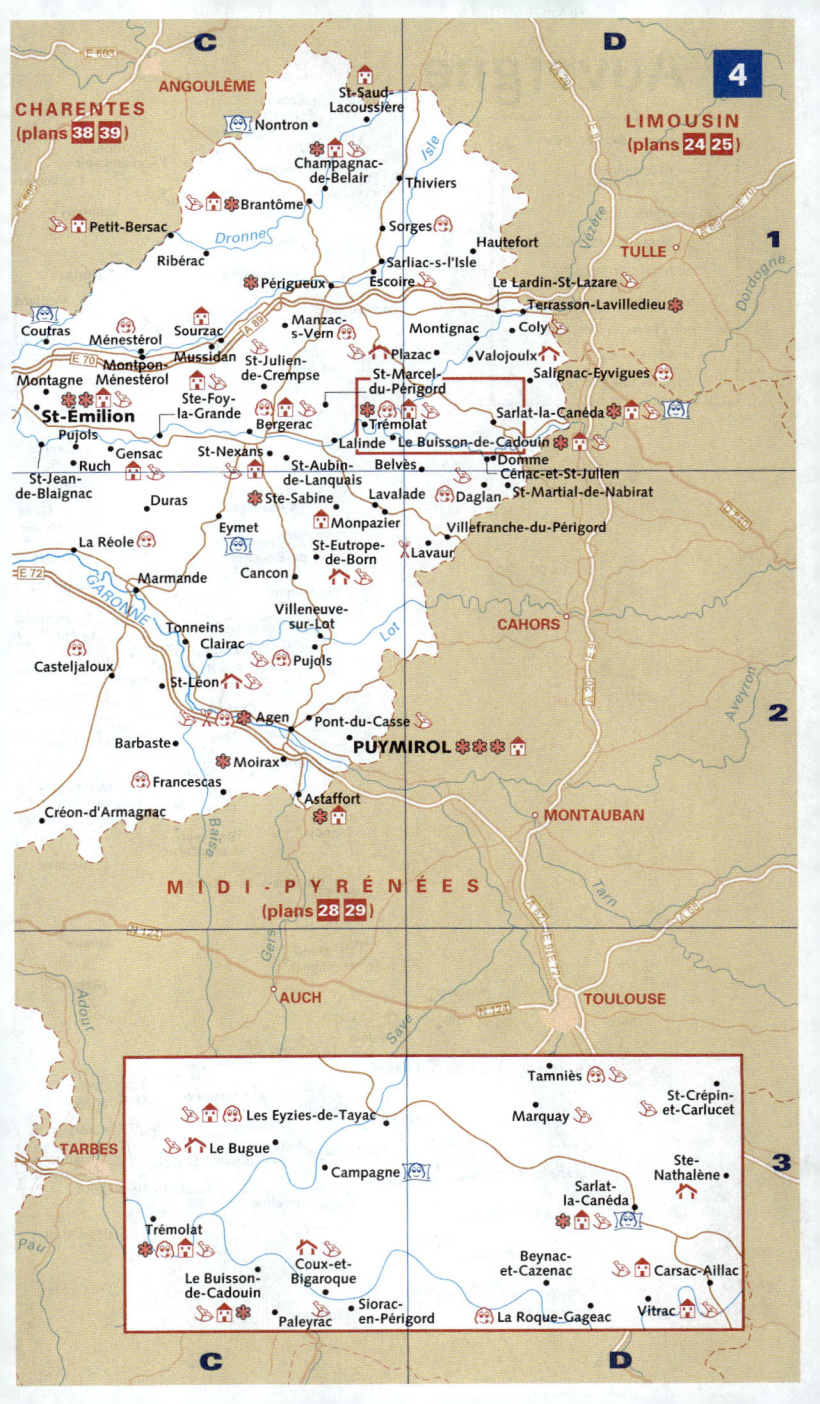

4

C ANGOULÊME **D**

CHARENTES
(plans 38 39)

LIMOUSIN
(plans 24 25)

St-Saud-Lacoussière
Nontron
Champagnac-de-Belair
Thivers
Brantôme
Sorges
Hautefort
Petit-Bersac
Ribérac
Sarliac-s-l'Isle
Le Lardin-St-Lazare
TULLE
Périgueux
Escoire
Terrasson-Lavilledieu
Coutras
Ménestérol
Sourzac
Manzac-s-Vern
Montignac
Coly
Montpon-Ménestérol
Mussidan
St-Julien-de-Crempse
Plazac
Valojoulx
Salignac-Eyvigues
Montagne
St-Marcel-du-Périgord
St-Émilion
Ste-Foy-la-Grande
Bergerac
Trémolat
Sarlat-la-Canéda
Pujols
Gensac
St-Nexans
Lalinde
Le Buisson-de-Cadouin
Domme
St-Jean-de-Blaignac
Ruch
St-Aubin-de-Lanquais
Belvès
Cénac-et-St-Julien
Duras
Lavalade
Daglan
St-Martial-de-Nabirat
Ste-Sabine
Monpazier
Villefranche-du-Périgord
La Réole
Eymet
St-Eutrope-de-Born
Lavaur
Marmande
Cancon
Villeneuve-sur-Lot
CAHORS
Tonneins
Clairac
Pujols
Castejaloux
St-Léon
Agen
Pont-du-Casse
Barbaste
Moirax
PUYMIROL
Francescas
Astaffort
Créon-d'Armagnac

MONTAUBAN

MIDI-PYRÉNÉES
(plans 28 29)

AUCH
TOULOUSE

TARBES

Tamniès
St-Crépin-et-Carlucet
Les Eyzies-de-Tayac
Marquay
Le Bugue
Ste-Nathalène
Campagne
Sarlat-la-Canéda
Trémolat
Coux-et-Bigaroque
Beynac-et-Cazenac
Carsac-Aillac
Le Buisson-de-Cadouin
Siorac-en-Périgord
La Roque-Gageac
Vitrac
Paleyrac

C **D**

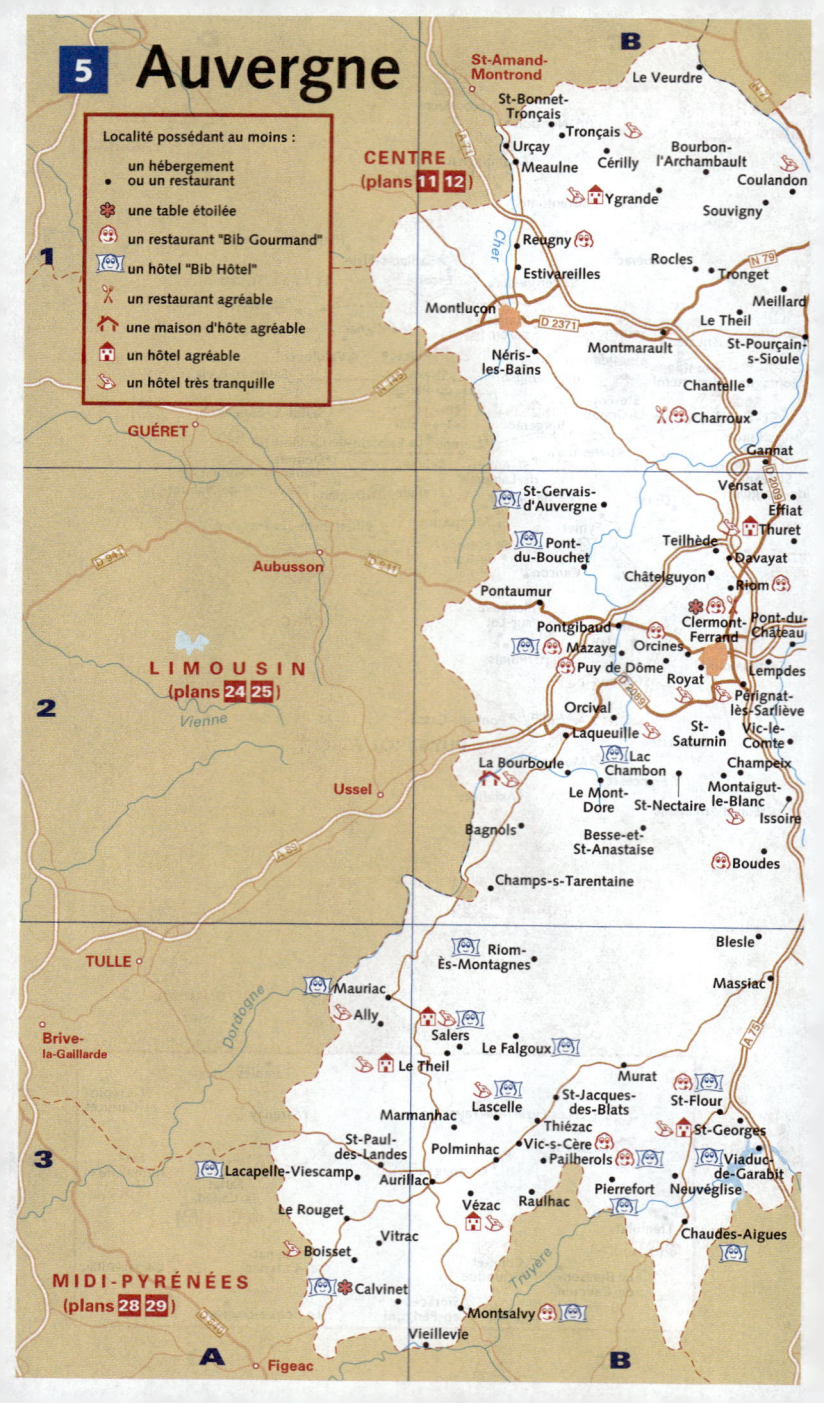

Auvergne

5

Localité possédant au moins :
- un hébergement ou un restaurant
- une table étoilée
- un restaurant "Bib Gourmand"
- un hôtel "Bib Hôtel"
- un restaurant agréable
- une maison d'hôte agréable
- un hôtel agréable
- un hôtel très tranquille

CENTRE (plans 11 12)

LIMOUSIN (plans 24 25)

MIDI-PYRÉNÉES (plans 28 29)

St-Amand-Montrond · Le Veurdre · St-Bonnet-Tronçais · Tronçais · Bourbon-l'Archambault · Urçay · Cérilly · Meaulne · Coulandon · Ygrande · Souvigny · Reugny · Rocles · Tronget · Estivareilles · Meillard · Le Theil · Montluçon · Montmarault · St-Pourçain-s-Sioule · Néris-les-Bains · Chantelle · Charroux · Gannat · Guéret · Vensat · Effiat · Thuret · St-Gervais-d'Auvergne · Teilhède · Davayat · Pont-du-Bouchet · Châtelguyon · Riom · Aubusson · Pontaumur · Pont-du-Château · Pontgibaud · Clermont-Ferrand · Mazaye · Orcines · Lempdes · Puy de Dôme · Royat · Pérignat-lès-Sarliève · Orcival · St-Saturnin · Vic-le-Comte · Laqueuille · Lac Chambon · Champeix · Ussel · La Bourboule · Le Mont-Dore · St-Nectaire · Montaigut-le-Blanc · Issoire · Bagnols · Besse-et-St-Anastaise · Boudes · Champs-s-Tarentaine · Blesle · Tulle · Mauriac · Riom-Ès-Montagnes · Massiac · Brive-la-Gaillarde · Ally · Salers · Le Falgoux · Le Theil · Murat · St-Flour · Lascelle · St-Jacques-des-Blats · Marmanhac · Thiézac · Vic-s-Cère · St-Georges · St-Paul-des-Landes · Polminhac · Pailherols · Viaduc-de-Garabit · Lacapelle-Viescamp · Aurillac · Vézac · Raulhac · Pierrefort · Neuvéglise · Le Rouget · Vitrac · Chaudes-Aigues · Boisset · Calvinet · Montsalvy · Vieillevie · Figeac

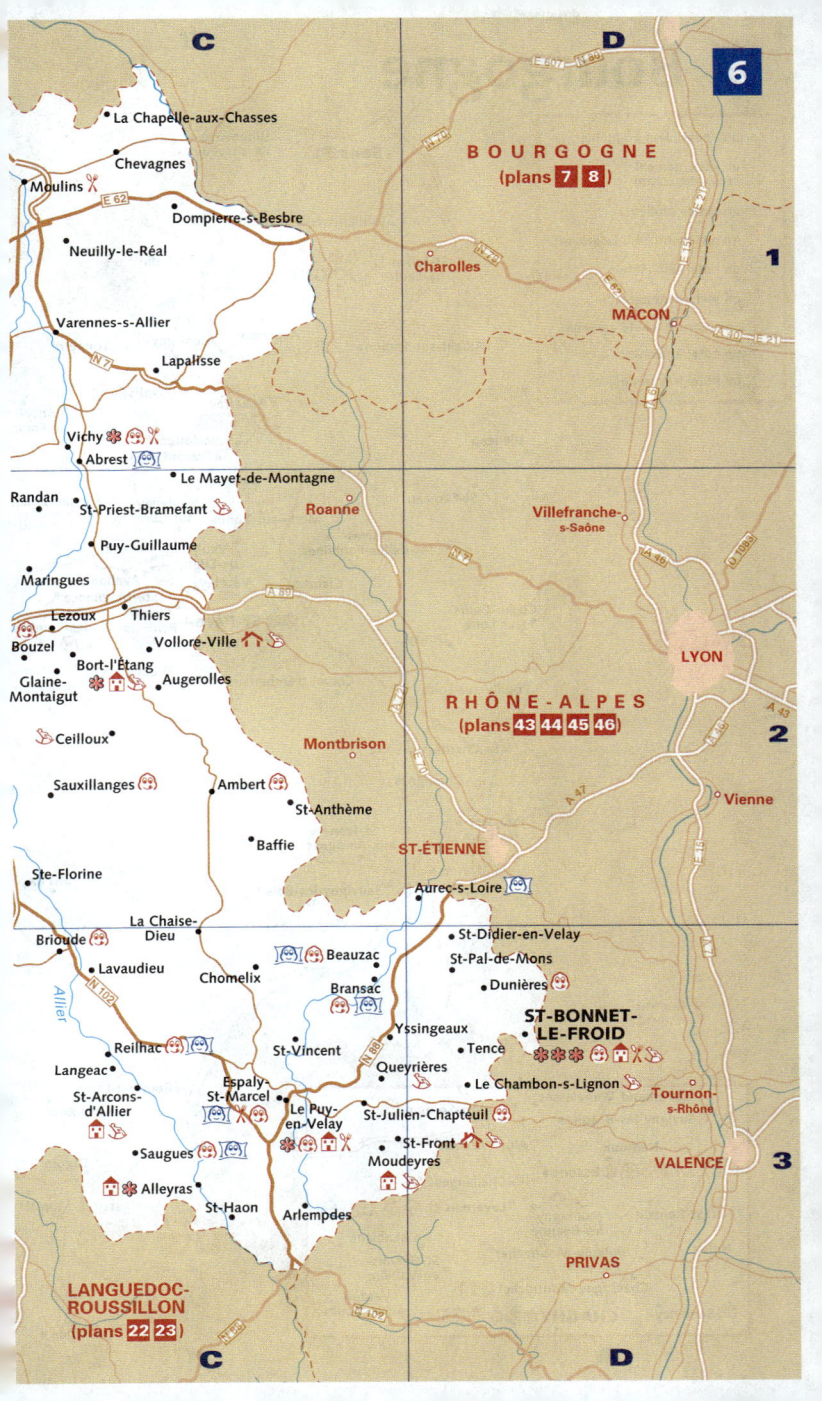

6

BOURGOGNE
(plans 7 8)

RHÔNE-ALPES
(plans 43 44 45 46)

LANGUEDOC-ROUSSILLON
(plans 22 23)

- La Chapelle-aux-Chasses
- Chevagnes
- Moulins
- Dompierre-s-Besbre
- Neuilly-le-Réal
- Charolles
- MÂCON
- Varennes-s-Allier
- Lapalisse
- Vichy
- Abrest
- Le Mayet-de-Montagne
- Randan
- St-Priest-Bramefant
- Roanne
- Villefranche-s-Saône
- Puy-Guillaume
- Maringues
- Lezoux
- Thiers
- Bouzel
- Volloré-Ville
- Glaine-Montaigut
- Bort-l'Étang
- Augerolles
- LYON
- Ceilloux
- Sauxillanges
- Ambert
- Montbrison
- St-Anthème
- Baffie
- ST-ÉTIENNE
- Vienne
- Ste-Florine
- Aurec-s-Loire
- La Chaise-Dieu
- St-Didier-en-Velay
- Brioude
- Beauzac
- St-Pal-de-Mons
- Lavaudieu
- Chomelix
- Bransac
- Dunières
- ST-BONNET-LE-FROID
- Reilhac
- Yssingeaux
- Tence
- Langeac
- St-Vincent
- Queyrières
- Le Chambon-s-Lignon
- St-Arcons-d'Allier
- Espaly-St-Marcel
- Le Puy-en-Velay
- St-Julien-Chapteuil
- Tournon-s-Rhône
- Sauges
- St-Front
- Moudeyres
- VALENCE
- Alleyras
- St-Haon
- Arlempdes
- PRIVAS

Bourgogne

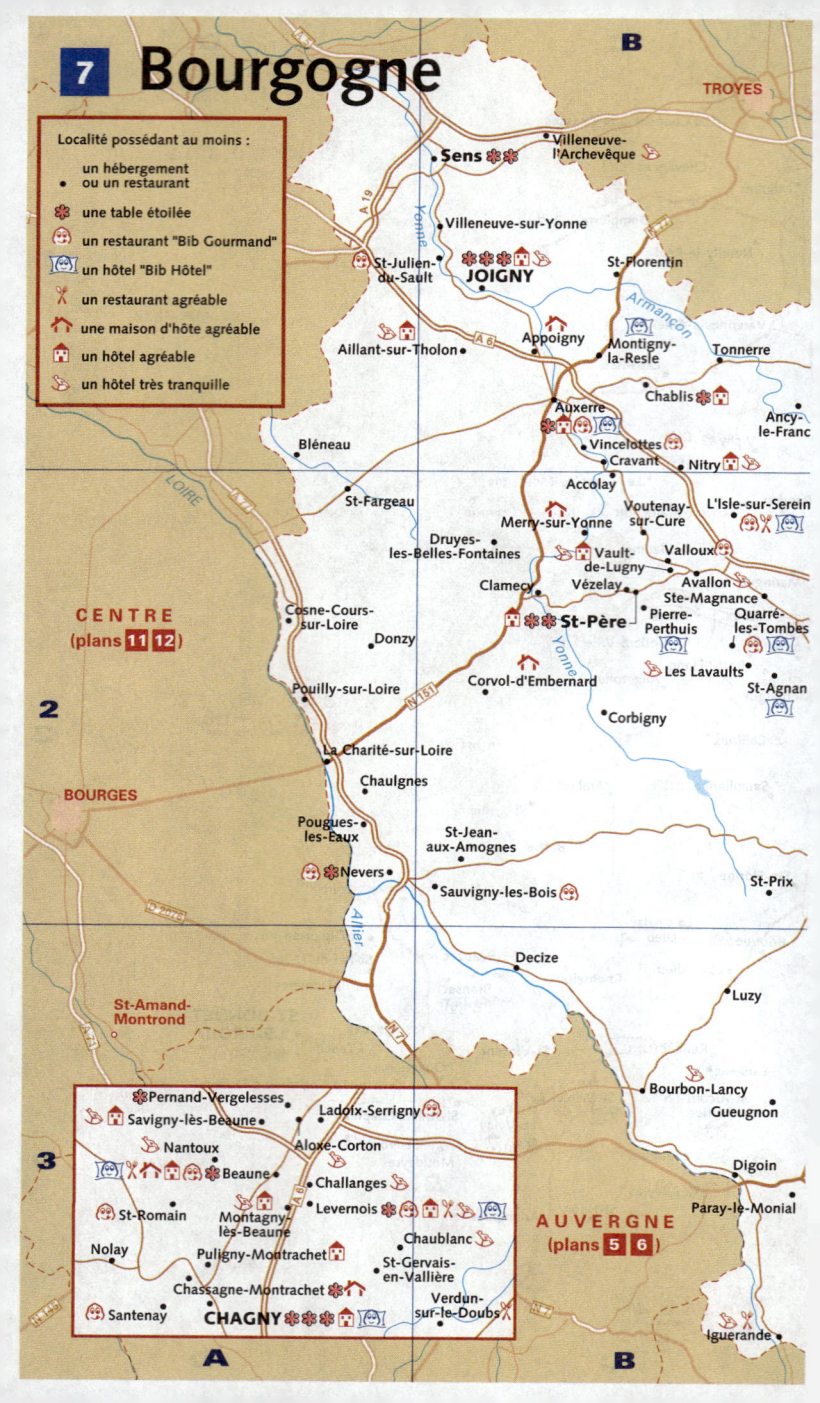

7

Localité possédant au moins :
- un hébergement
- ou un restaurant
- une table étoilée
- un restaurant "Bib Gourmand"
- un hôtel "Bib Hôtel"
- un restaurant agréable
- une maison d'hôte agréable
- un hôtel agréable
- un hôtel très tranquille

B
TROYES
Sens
Villeneuve-l'Archevêque
Villeneuve-sur-Yonne
St-Julien-du-Sault
JOIGNY
St-Florentin
Aillant-sur-Tholon
Appoigny
Montigny-la-Resle
Tonnerre
Chablis
Auxerre
Ancy-le-Franc
Bléneau
Vincelottes
Cravant
Nitry
Accolay
Voutenay-sur-Cure
L'Isle-sur-Serein
St-Fargeau
Merry-sur-Yonne
Druyes-les-Belles-Fontaines
Vault-de-Lugny
Valloux
Clamecy
Vézelay
Avallon
Cosne-Cours-sur-Loire
St-Père
Ste-Magnance
Pierre-Perthuis
Quarré-les-Tombes
Donzy
Corvol-d'Embernard
Les Lavaults
Pouilly-sur-Loire
St-Agnan
Corbigny
La Charité-sur-Loire
Chaulgnes
Pougues-les-Eaux
St-Jean-aux-Amognes
Nevers
Sauvigny-les-Bois
St-Prix
Decize
Luzy
St-Amand-Montrond
Bourbon-Lancy
Gueugnon
Digoin
Paray-le-Monial

CENTRE (plans 11 12)

BOURGES

AUVERGNE (plans 5 6)

Pernand-Vergelesses
Savigny-lès-Beaune
Ladoix-Serrigny
Nantoux
Aloxe-Corton
Beaune
Challanges
St-Romain
Levernois
Montagny-lès-Beaune
Chaublanc
Nolay
Puligny-Montrachet
St-Gervais-en-Vallière
Chassagne-Montrachet
Verdun-sur-le-Doubs
Santenay
CHAGNY
Iguerande

A **B**

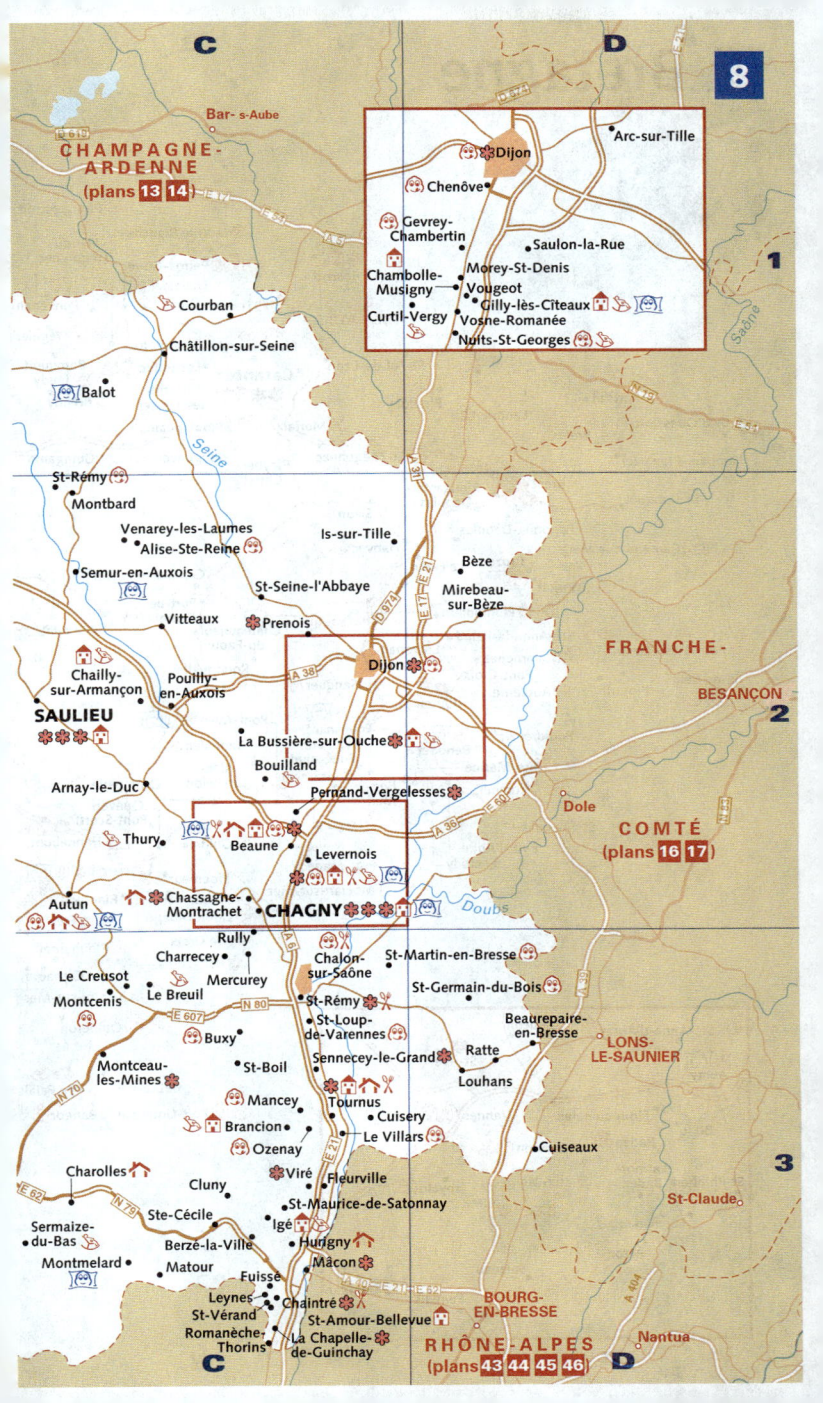

8

CHAMPAGNE-ARDENNE (plans 13 14)

Bar-s-Aube
Arc-sur-Tille
Dijon
Chenôve
Gevrey-Chambertin
Saulon-la-Rue
Chambolle-Musigny
Morey-St-Denis
Vougeot
Curtil-Vergy
Gilly-lès-Cîteaux
Vosne-Romanée
Nuits-St-Georges
Courban
Châtillon-sur-Seine
Balot
St-Rémy
Montbard
Venarey-les-Laumes
Alise-Ste-Reine
Is-sur-Tille
Bèze
Semur-en-Auxois
St-Seine-l'Abbaye
Mirebeau-sur-Bèze
Vitteaux
Prenois

FRANCHE-COMTÉ (plans 16 17)

Chailly-sur-Armançon
Pouilly-en-Auxois
Dijon
SAULIEU
La Bussière-sur-Ouche
Bouilland
BESANÇON
Arnay-le-Duc
Pernand-Vergelesses
Thury
Beaune
Dole
Levernois
Autun
Chassagne-Montrachet
CHAGNY
Rully
Charrecey
Mercurey
Chalon-sur-Saône
St-Martin-en-Bresse
Le Creusot
Le Breuil
St-Germain-du-Bois
Montcenis
St-Rémy
St-Loup-de-Varennes
Beaurepaire-en-Bresse
Buxy
St-Boil
Sennecey-le-Grand
Ratte
LONS-LE-SAUNIER
Montceau-les-Mines
Mancey
Tournus
Louhans
Brancion
Cuisery
Ozenay
Le Villars
Cuiseaux
Charolles
Viré
Fleurville
Cluny
St-Maurice-de-Satonnay
St-Claude
Ste-Cécile
Igé
Sermaize-du-Bas
Berzé-la-Ville
Hurigny
Montmelard
Matour
Mâcon
Fuissé
Leynes
Chaintré
St-Vérand
St-Amour-Bellevue
BOURG-EN-BRESSE
Romanèche-Thorins
La Chapelle-de-Guinchay
Nantua

RHÔNE-ALPES (plans 43 44 45 46)

9 Bretagne

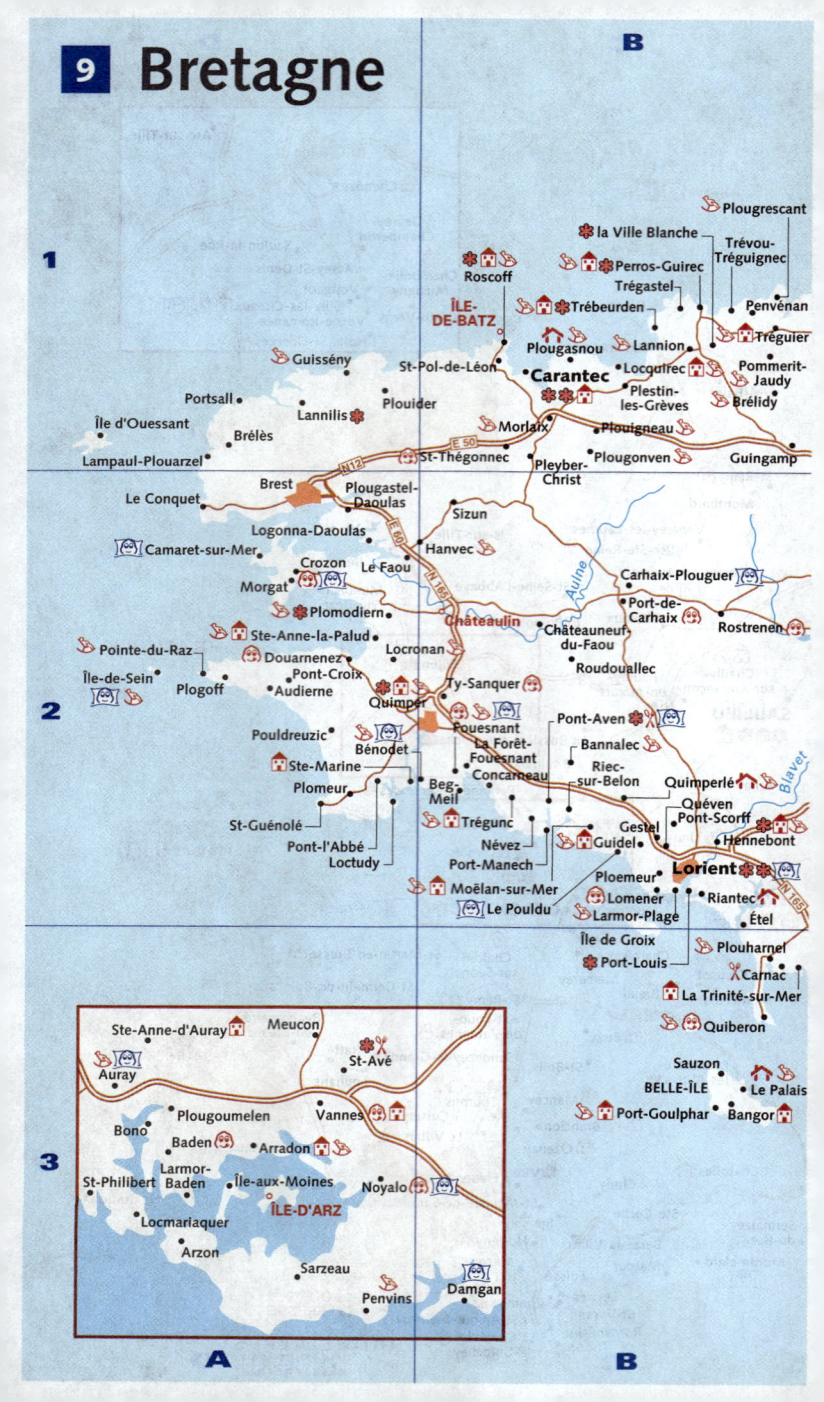

B1

- Plougrescant
- Trévou-Tréguignec
- la Ville Blanche
- Roscoff
- Perros-Guirec
- Trégastel
- Penvénan
- Trébeurden
- Tréguier
- ÎLE-DE-BATZ
- St-Pol-de-Léon
- Plougasnou
- Lannion
- Pommerit-Jaudy
- Locquirec
- Carantec
- Plestin-les-Grèves
- Brélidy
- Morlaix
- Plouigneau
- Pleyber-Christ
- Plougonven
- Guingamp
- St-Thégonnec

A1

- Guissény
- Portsall
- Lannilis
- Plouider
- Île d'Ouessant
- Brélès
- Lampaul-Plouarzel

A2

- Le Conquet
- Brest
- Plougastel-Daoulas
- Logonna-Daoulas
- Camaret-sur-Mer
- Crozon
- Sizun
- Morgat
- Le Faou
- Hanvec
- Plomodiern
- Châteaulin
- Ste-Anne-la-Palud
- Locronan
- Châteauneuf-du-Faou
- Pointe-du-Raz
- Douarnenez
- Île-de-Sein
- Pont-Croix
- Ty-Sanquer
- Plogoff
- Audierne
- Quimper
- Pouldreuzic
- Fouesnant
- Bénodet
- La Forêt-Fouesnant
- Ste-Marine
- Concarneau
- Plomeur
- Beg-Meil
- St-Guénolé
- Trégunc
- Pont-l'Abbé
- Névez
- Loctudy
- Port-Manech
- Moëlan-sur-Mer
- Le Pouldu

B2

- Carhaix-Plouguer
- Port-de-Carhaix
- Rostrenen
- Roudouallec
- Pont-Aven
- Bannalec
- Riec-sur-Belon
- Quimperlé
- Quéven
- Gestel
- Pont-Scorff
- Guidel
- Hennebont
- Ploemeur
- Lorient
- Lomener
- Riantec
- Larmor-Plage
- Étel
- Île de Groix
- Plouharnel
- Port-Louis
- Carnac
- La Trinité-sur-Mer
- Quiberon
- Sauzon
- BELLE-ÎLE
- Le Palais
- Port-Goulphar
- Bangor

A3

- Ste-Anne-d'Auray
- Meucon
- Auray
- St-Avé
- Plougoumelen
- Vannes
- Bono
- Baden
- Arradon
- St-Philibert
- Larmor-Baden
- Île-aux-Moines
- Noyalo
- Locmariaquer
- ÎLE-D'ARZ
- Arzon
- Sarzeau
- Penvins
- Damgan

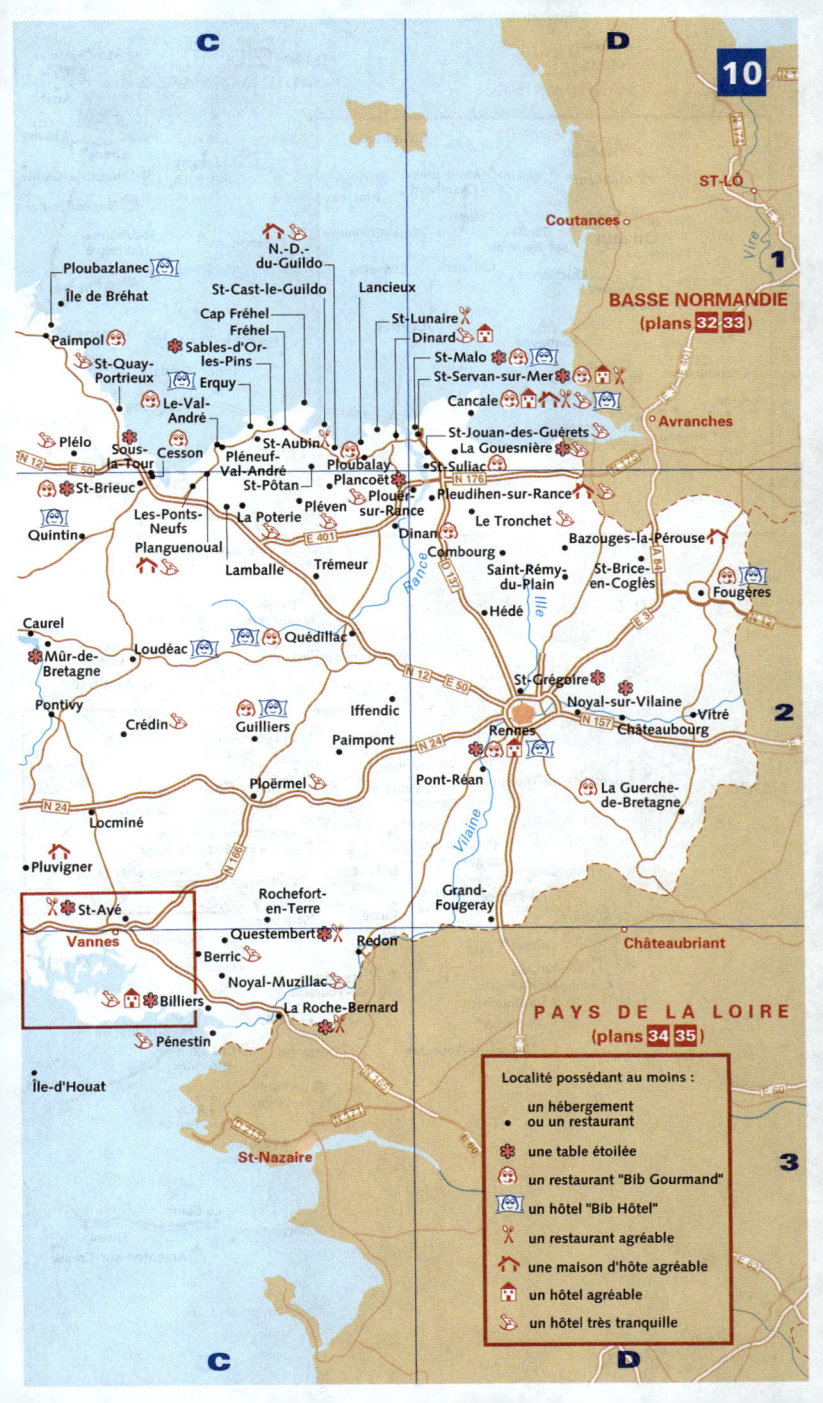

10

BASSE NORMANDIE
(plans 32 33)

ST-LÔ
Coutances
Avranches

Ploubazlanec
Île de Bréhat
Paimpol
St-Quay-Portrieux
Plélo
St-Brieuc
Quintin
Sous-la-Tour
Le-Val-André
Cesson
Sables-d'Or-les-Pins
Erquy
Cap Fréhel
Fréhel
N.-D.-du-Guildo
St-Cast-le-Guildo
Lancieux
St-Lunaire
Dinard
St-Malo
St-Servan-sur-Mer
Cancale
St-Jouan-des-Guérets
La Gouesnière
St-Aubin
Pléneuf-Val-André
St-Pôtan
Ploubalay
Plancoët
Plouër-sur-Rance
St-Suliac
Pleudihen-sur-Rance
Les-Ponts-Neufs
Planguenoual
La Poterie
Pléven
Dinan
Le Tronchet
Bazouges-la-Pérouse
Lamballe
Trémeur
Combourg
Saint-Rémy-du-Plain
St-Brice-en-Coglès
Fougères
Caurel
Mûr-de-Bretagne
Loudéac
Quédillac
Pontivy
Crédin
Guilliers
Iffendic
Paimpont
St-Grégoire
Rennes
Noyal-sur-Vilaine
Châteaubourg
Vitré
Ploërmel
Pont-Réan
La Guerche-de-Bretagne
Locminé
Pluvigner
St-Avé
Vannes
Questembert
Rochefort-en-Terre
Redon
Berric
Noyal-Muzillac
Billiers
La Roche-Bernard
Grand-Fougeray
Châteaubriant
Pénestin
Île-d'Houat
St-Nazaire

PAYS DE LA LOIRE
(plans 34 35)

Localité possédant au moins :

- un hébergement ou un restaurant
- ❋ une table étoilée
- 🙂 un restaurant "Bib Gourmand"
- 🙂 un hôtel "Bib Hôtel"
- ✕ un restaurant agréable
- 🏠 une maison d'hôte agréable
- 🏠 un hôtel agréable
- 🍃 un hôtel très tranquille

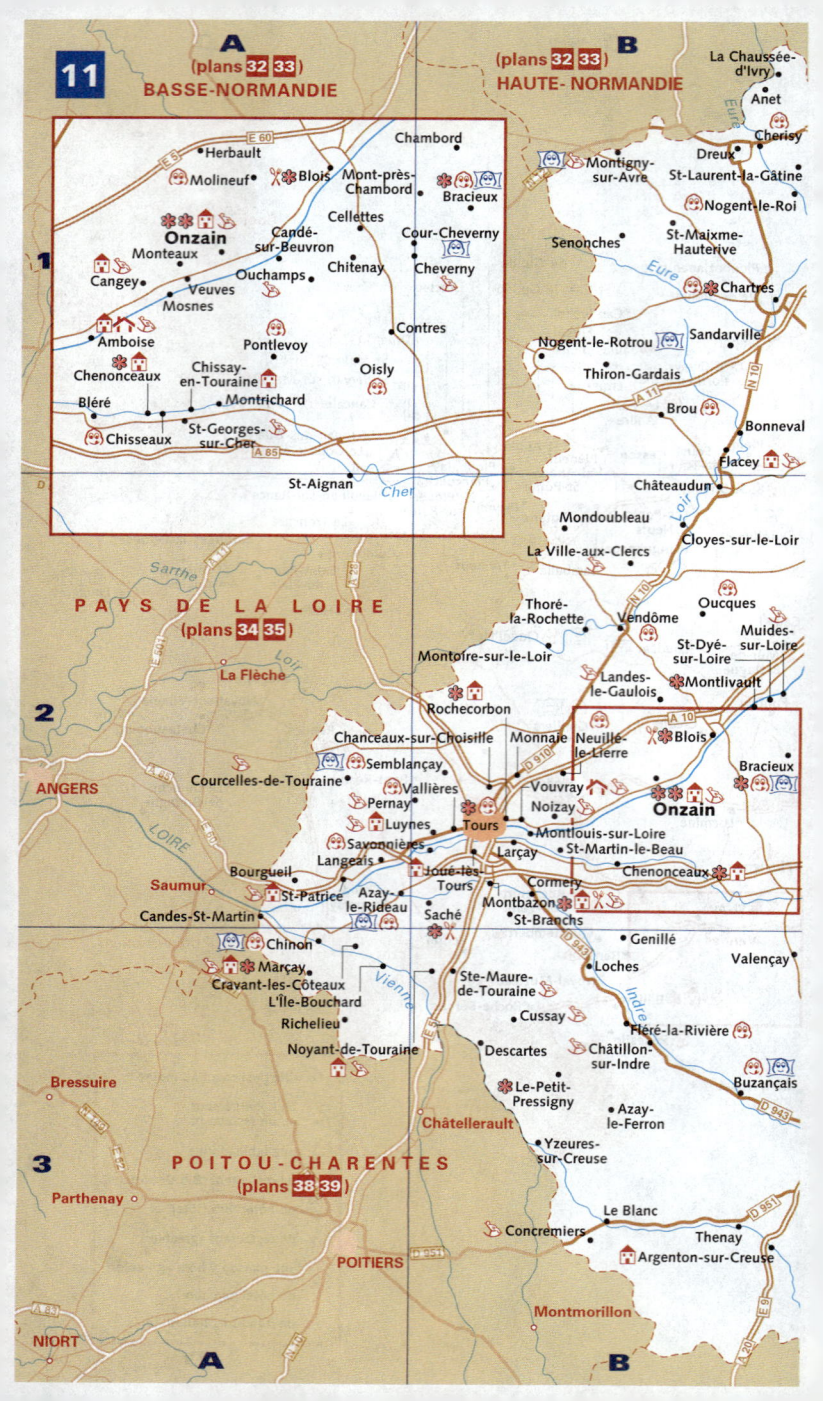

11

A (plans 32 33) BASSE-NORMANDIE
B (plans 32 33) HAUTE-NORMANDIE

1

- Herbault
- Molineuf
- Blois
- Chambord
- Mont-près-Chambord
- Cellettes
- Bracieux
- Onzain
- Candé-sur-Beuvron
- Cour-Cheverny
- Monteaux
- Ouchamps
- Chitenay
- Cheverny
- Cangey
- Veuves
- Mosnes
- Contres
- Amboise
- Pontlevoy
- Oisly
- Chenonceaux
- Chissay-en-Touraine
- Bléré
- Montrichard
- Chisseaux
- St-Georges-sur-Cher
- St-Aignan

- La Chaussée-d'Ivry
- Anet
- Cherisy
- Montigny-sur-Avre
- Dreux
- St-Laurent-la-Gâtine
- Nogent-le-Roi
- Senonches
- St-Maixme-Hauterive
- Chartres
- Nogent-le-Rotrou
- Sandarville
- Thiron-Gardais
- Brou
- Bonneval
- Flacey
- Châteaudun
- Mondoubleau
- Cloyes-sur-le-Loir

2

PAYS DE LA LOIRE (plans 34 35)

- La Ville-aux-Clercs
- Thoré-la-Rochette
- Vendôme
- Oucques
- Muides-sur-Loire
- La Flèche
- Montoire-sur-le-Loir
- St-Dyé-sur-Loire
- Landes-le-Gaulois
- Montlivault
- Rochecorbon
- Chanceaux-sur-Choisille
- Monnaie
- Neuillé-le-Lierre
- Blois
- Bracieux
- Courcelles-de-Touraine
- Semblançay
- Vallières
- Vouvray
- Onzain
- Pernay
- Luynes
- Noizay
- Savonnières
- Tours
- Montlouis-sur-Loire
- Larçay
- St-Martin-le-Beau
- ANGERS
- Bourgueil
- Langeais
- Joué-lès-Tours
- Cormery
- Chenonceaux
- Saumur
- St-Patrice
- Azay-le-Rideau
- Saché
- Montbazon
- St-Branchs
- Candes-St-Martin
- Genillé
- Chinon
- Marçay
- Loches
- Valençay
- Cravant-les-Côteaux
- L'Île-Bouchard
- Ste-Maure-de-Touraine
- Richelieu
- Cussay
- Fléré-la-Rivière
- Noyant-de-Touraine
- Descartes
- Châtillon-sur-Indre
- Buzançais
- Le-Petit-Pressigny
- Azay-le-Ferron
- Bressuire
- Châtellerault
- Yzeures-sur-Creuse

3

POITOU-CHARENTES (plans 38 39)

- Parthenay
- Le Blanc
- Thenay
- Concremiers
- Argenton-sur-Creuse
- POITIERS
- Montmorillon
- NIORT

A   B

Centre 12

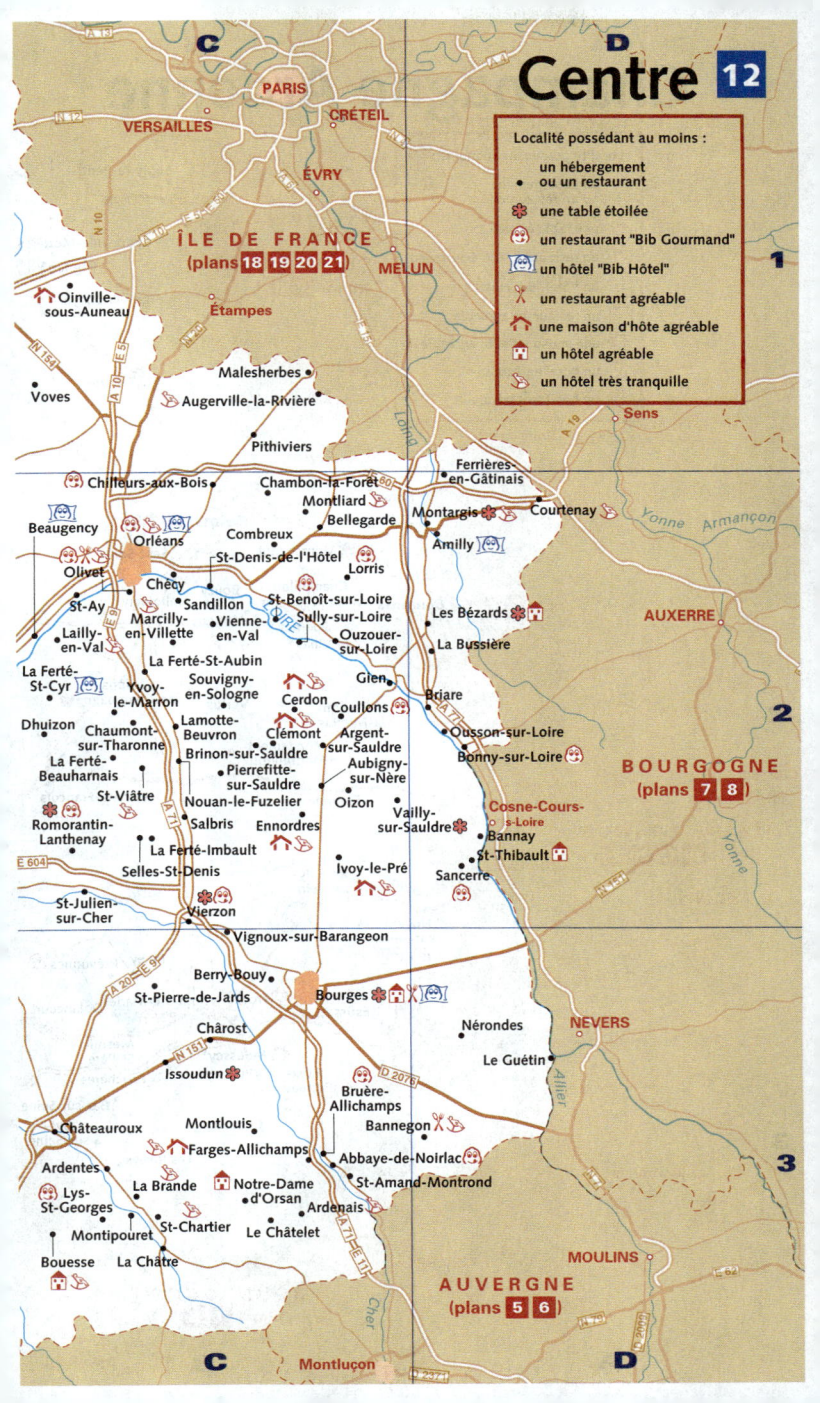

Localité possédant au moins :
- un hébergement ou un restaurant
- une table étoilée
- un restaurant "Bib Gourmand"
- un hôtel "Bib Hôtel"
- un restaurant agréable
- une maison d'hôte agréable
- un hôtel agréable
- un hôtel très tranquille

VERSAILLES • PARIS • CRÉTEIL • ÉVRY • MELUN

ÎLE DE FRANCE (plans 18 19 20 21)

Étampes

Oinville-sous-Auneau

Voves

Malesherbes
Augerville-la-Rivière

Pithiviers

Sens

Chilleurs-aux-Bois
Chambon-la-Forêt
Montliard
Bellegarde
Ferrières-en-Gâtinais
Montargis
Courtenay

Beaugency
Orléans
Combreux
Amilly
Olivet
Checy
St-Denis-de-l'Hôtel
Lorris
St-Ay
Sandillon
St-Benoît-sur-Loire
Lailly-en-Val
Marcilly-en-Villette
Vienne-en-Val
Sully-sur-Loire
Les Bézards
La Ferté-St-Cyr
La Ferté-St-Aubin
Ouzouer-sur-Loire
La Bussière
Souvigny-en-Sologne
Gien
AUXERRE

Dhuizon
Yvoy-le-Marron
Cerdon
Briare
Chaumont-sur-Tharonne
Lamotte-Beuvron
Clémont
Coullons
Ousson-sur-Loire
La Ferté-Beauharnais
Brinon-sur-Sauldre
Argent-sur-Sauldre
Bonny-sur-Loire
St-Viâtre
Pierrefitte-sur-Sauldre
Aubigny-sur-Nère
Romorantin-Lanthenay
Nouan-le-Fuzelier
Oizon
BOURGOGNE (plans 7 8)
Salbris
Vailly-sur-Sauldre
Cosne-Cours-s-Loire
Ennordres
Bannay
La Ferté-Imbault
St-Thibault
Selles-St-Denis
Ivoy-le-Pré
St-Julien-sur-Cher
Sancerre

Vierzon
Vignoux-sur-Barangeon

Berry-Bouy
St-Pierre-de-Jards
Bourges
Nérondes
NEVERS
Le Guétin
Chârost
Issoudun
Bruère-Allichamps
Châteauroux
Montlouis
Bannegon
Ardentes
Farges-Allichamps
Lys-St-Georges
La Brande
Notre-Dame-d'Orsan
Abbaye-de-Noirlac
Montipouret
St-Chartier
St-Amand-Montrond
Bouesse
La Châtre
Le Châtelet
Ardenais

MOULINS

AUVERGNE (plans 5 6)

Montluçon

Champagne Ardenne

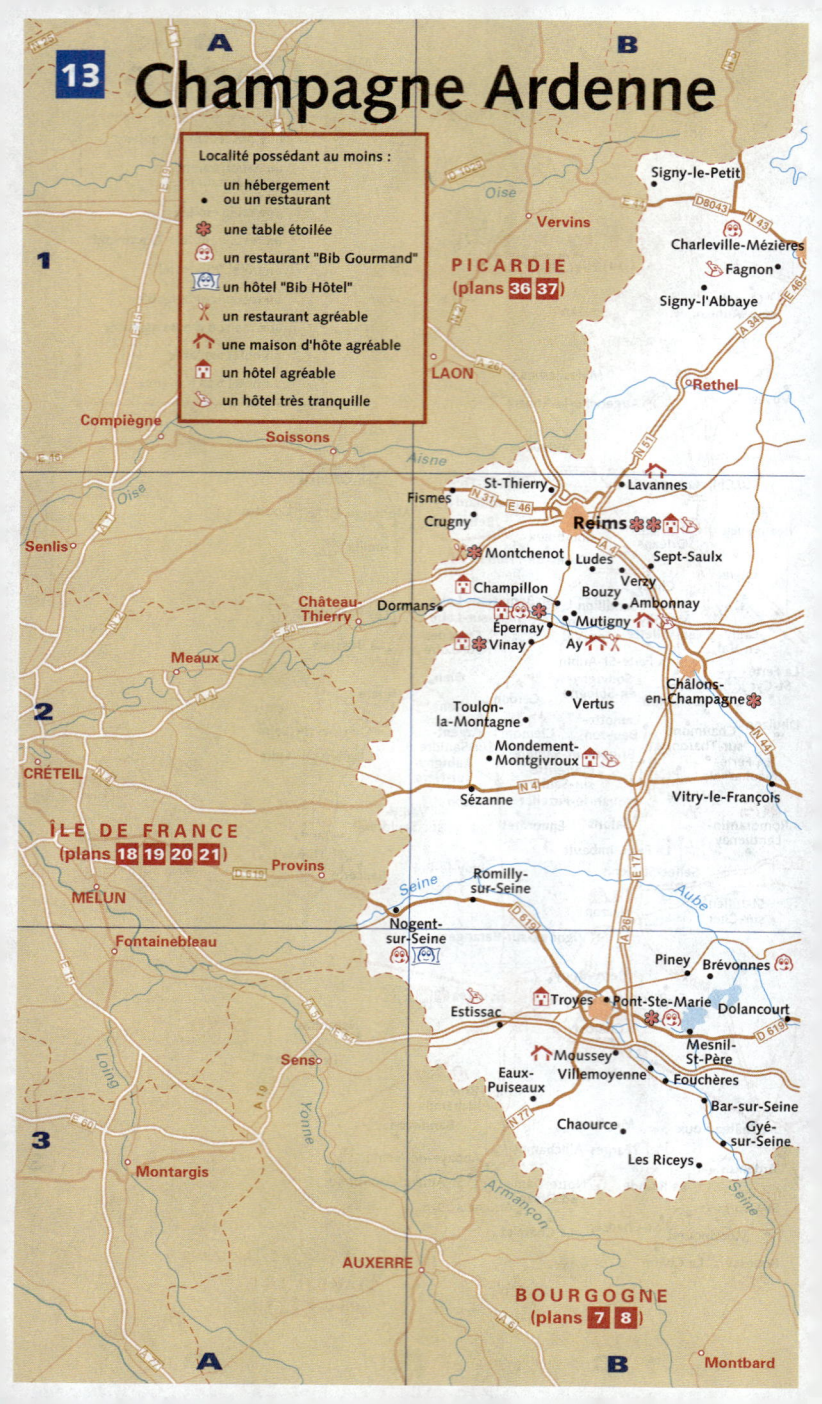

13

Localité possédant au moins :
- un hébergement
- ou un restaurant
- ✻ une table étoilée
- 😊 un restaurant "Bib Gourmand"
- 🏨 un hôtel "Bib Hôtel"
- ✗ un restaurant agréable
- 🏠 une maison d'hôte agréable
- 🏩 un hôtel agréable
- ⚜ un hôtel très tranquille

A

1

Compiègne
Soissons
Senlis
Château-Thierry
Meaux
CRÉTEIL

ÎLE DE FRANCE
(plans 18 19 20 21)

MELUN
Provins
Fontainebleau

2

Montargis
Sens

3

AUXERRE

B

Vervins

PICARDIE
(plans 36 37)

Signy-le-Petit
Charleville-Mézières
Fagnon
Signy-l'Abbaye

LAON
Rethel

Fismes
St-Thierry
Lavannes
Crugny
Reims
Montchenot
Ludes
Sept-Saulx
Champillon
Bouzy
Verzy
Dormans
Épernay
Mutigny
Ambonnay
Vinay
Ay
Châlons-en-Champagne

Toulon-la-Montagne
Vertus
Mondement-Montgivroux
Sézanne
Vitry-le-François

Romilly-sur-Seine
Nogent-sur-Seine
Piney
Brévonnes
Estissac
Troyes
Pont-Ste-Marie
Dolancourt
Moussey
Mesnil-St-Père
Eaux-Puiseaux
Villemoyenne
Fouchères
Chaource
Bar-sur-Seine
Gyé-sur-Seine
Les Riceys

BOURGOGNE
(plans 7 8)

Montbard

14

BELGIQUE
DEUTSCHLAND
LUXEMBOURG

- Givet
- Les Hautes-Rivières
- Sedan
- Williers
- ARLON (AARLEN)
- TRIER
- Carignan
- Mouzon
- LUXEMBOURG
- Thionville
- Harricourt
- Forbach
- Vienne-le-Château
- Verdun
- METZ
- Ste-Menéhould

LORRAINE
(plans 26 27)

- BAR-LE-DUC
- Toul
- NANCY
- St-Dizier
- Giffaumont-Champaubert
- Joinville
- Soulaines-Dhuys
- Villiers-sur-Marne
- Neufchâteau
- Colombey-les-Deux-Églises
- Froncles-Buxières
- Bar-sur-Aube
- Bourg-Ste-Marie
- Chaumont
- ÉPINAL
- Chamarandes
- Nogent
- Arc-en-Barrois
- Montigny-le-Roi
- Bourbonne-les-Bains
- Bay-sur-Aube
- Langres

FRANCHE-COMTÉ
(plans 16 17)

- Vaux-sous-Aubigny
- VESOUL

Corse

15

Localité possédant au moins :
- un hébergement ou un restaurant
- une table étoilée
- un restaurant "Bib Gourmand"
- un hôtel "Bib Hôtel"
- un restaurant agréable
- une maison d'hôte agréable
- un hôtel agréable
- un hôtel très tranquille

Ersa · Macinaggio
Nonza · Erbalunga
San-Martino-di-Lota
Patrimonio
Saint-Florent · Bastia
Oletta
L'Île-Rousse
Algajola · Pigna
Lumio · Sant'Antonino
Calvi · Muro · Feliceto
Casamozza
Ferayola
Galéria
Poggio-Mezzana
Cervione
Calacuccia · Corte · Prunete
Porto · Évisa
Piana
Aléria
Cargèse
Bocognano
Peri · Bastelica
Eccica-Suarella
Ajaccio · Cauro
Porticcio · Sta-Maria-Sicché
Solenzara
Petreto-Bicchisano · Col de Bavella · Favone
Coti-Chiavari · Aullène · Quenza · Zonza
Olmeto · Levie
Porto-Pollo · Ste-Lucie-de-Tallano · Ste-Lucie-de-Porto-Vecchio
Propriano · Cala Rossa
Sartène · Porto-Vecchio
Bonifacio

Franche-Comté

16

Localité possédant au moins :
- un hébergement ou un restaurant
- 🏵 une table étoilée
- 😊 un restaurant "Bib Gourmand"
- 🏨 un hôtel "Bib Hôtel"
- ✗ un restaurant agréable
- 🏡 une maison d'hôte agréable
- 🏠 un hôtel agréable
- 🍃 un hôtel très tranquille

CHAMPAGNE-ARDENNE (plans 13 14)

Langres

Faverney
Breurey-lès-Faverney
Combeaufontaine
Port-s-Saône
Vauchoux
Vesoul

Nantilly
Rigny
Gray
Gy
Cussey-s-l'Ognon
Geneuille
Cult
Besançon

BOURGOGNE (plans 7 8)

DIJON

Sampans
Dole
Quingey
Ornans
Port-Lesney
Mouchard
Salins-les-Bains
Chaussin
Montigny-lès-Arsures
Arbois
Beaune
Poligny
Monts-de-Vaux
Chalon-s-Saône
Passenans
Champagnole
St-Germain-lès-Arlay
Voiteur
Château-Chalon
Baume-les-Messieurs
Mirebel
Doucier
Chaux-Neuve
Chille
Louhans
Lons-le-Saunier
Ilay
Bonlieu
Pont-de-Poitte
Orgelet
Les Rousses
Lamoura
Saint-Claude
Pratz
Les Molunes
Gex

RHÔNE-ALPES (plans 43 44 45 46)

MÂCON

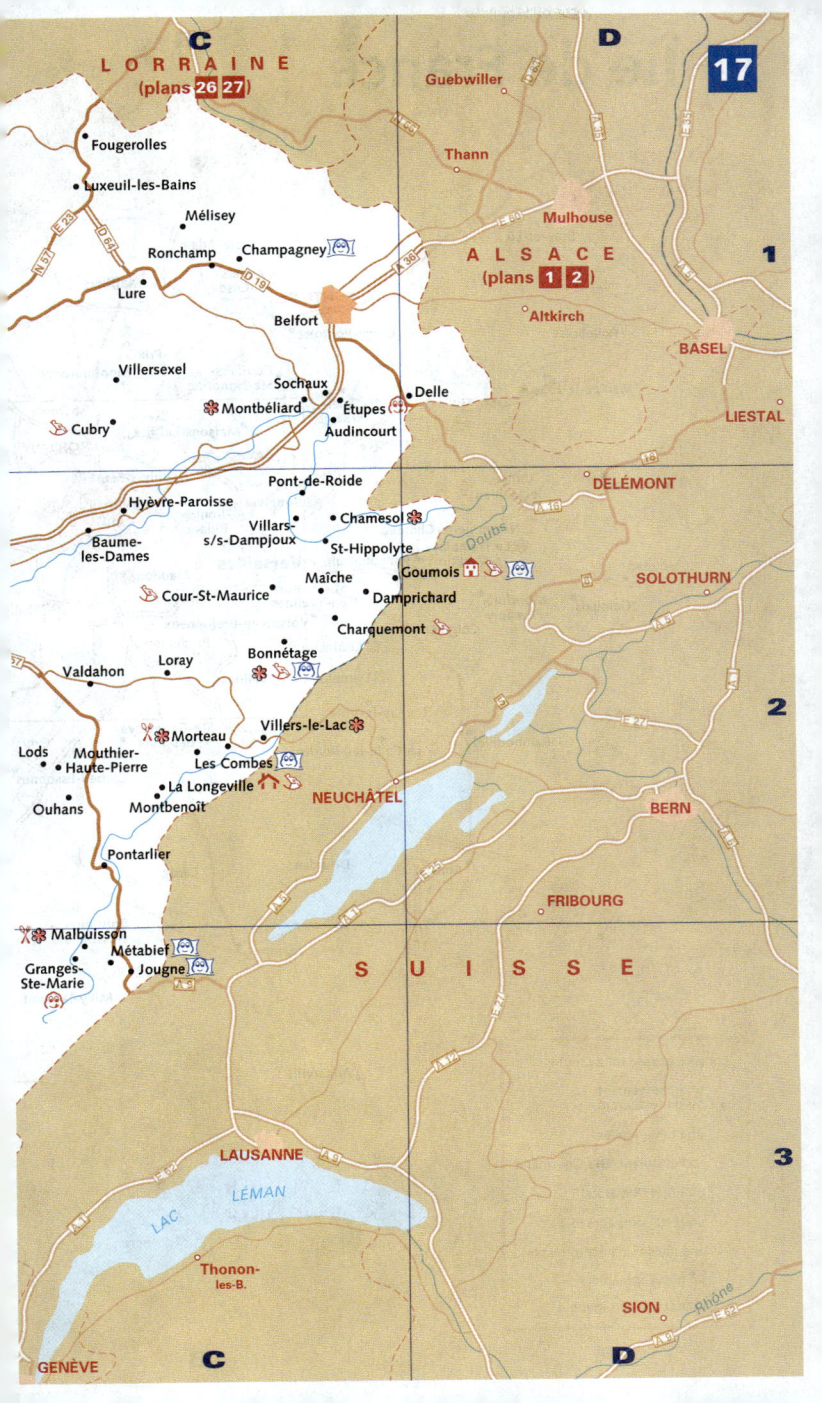

17

C
LORRAINE
(plans 26 27)

- Fougerolles
- Luxeuil-les-Bains
- Mélisey
- Ronchamp
- Champagney
- Lure
- Belfort
- Villersexel
- Sochaux
- Montbéliard
- Étupes
- Delle
- Audincourt
- Cubry
- Pont-de-Roide
- Hyèvre-Paroisse
- Villars-s/s-Dampjoux
- Chamesol
- Baume-les-Dames
- St-Hippolyte
- Goumois
- Cour-St-Maurice
- Maîche
- Damprichard
- Charquemont
- Valdahon
- Loray
- Bonnétage
- Morteau
- Villers-le-Lac
- Lods
- Mouthier-Haute-Pierre
- Les Combes
- Ouhans
- La Longeville
- Montbenoît
- Pontarlier
- Malbuisson
- Métabief
- Granges-Ste-Marie
- Jougne

D
ALSACE
(plans 1 2)

- Guebwiller
- Thann
- Mulhouse
- Altkirch
- BASEL
- LIESTAL
- DELÉMONT
- SOLOTHURN
- NEUCHÂTEL
- BERN
- FRIBOURG
- SUISSE
- LAUSANNE
- LAC LÉMAN
- Thonon-les-B.
- SION
- GENÈVE

18 Île de France

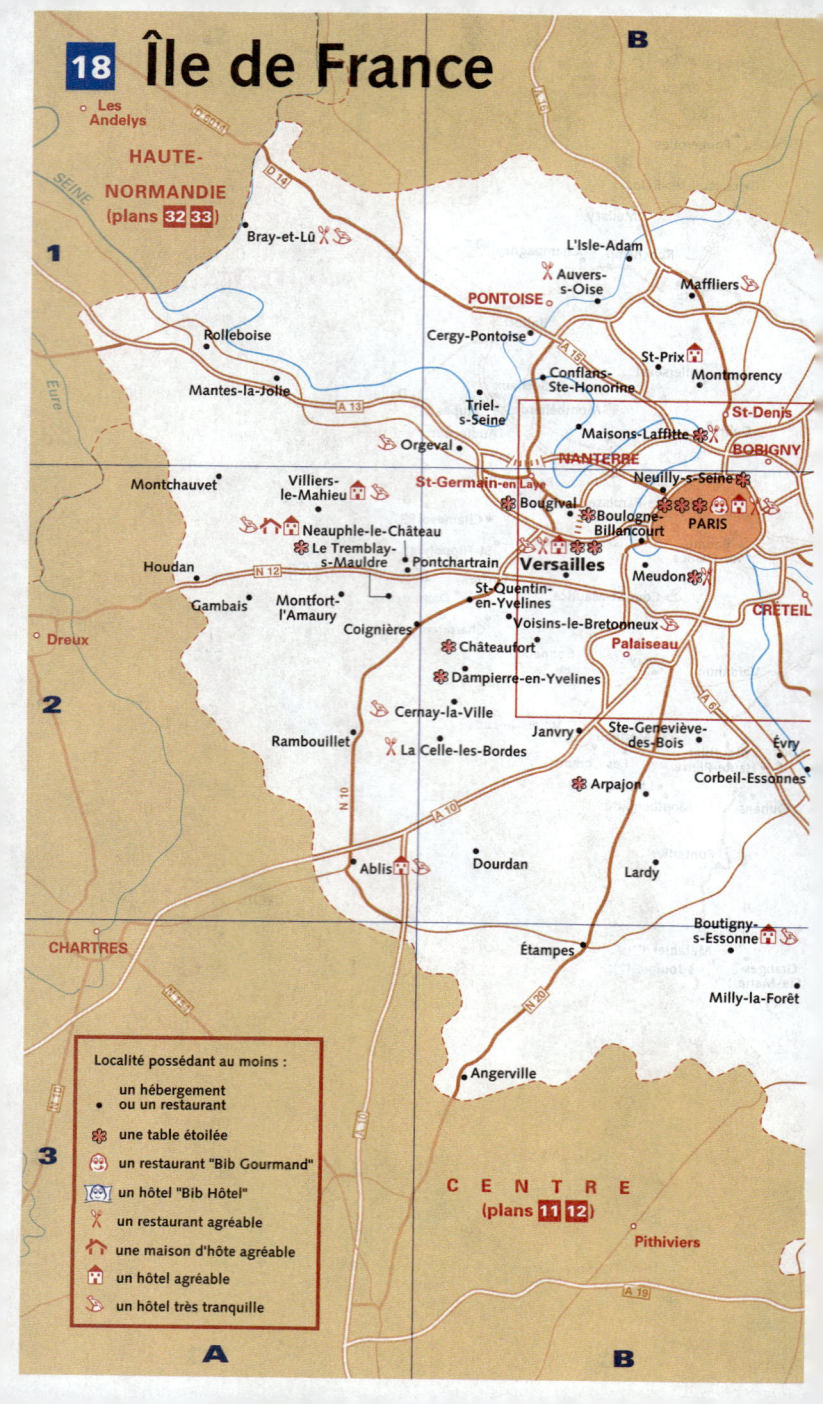

HAUTE-NORMANDIE (plans 32 33)

- Les Andelys
- Bray-et-Lû
- Rolleboise
- Mantes-la-Jolie
- L'Isle-Adam
- Auvers-s-Oise
- **PONTOISE**
- Maffliers
- Cergy-Pontoise
- St-Prix
- Conflans-Ste-Honorine
- Montmorency
- Triel-s-Seine
- Orgeval
- **St-Denis**
- Maisons-Laffitte
- **NANTERRE**
- **BOBIGNY**
- Montchauvet
- Villiers-le-Mahieu
- Neauphle-le-Château
- St-Germain-en-Laye
- Bougival
- Neuilly-s-Seine
- Boulogne-Billancourt
- **PARIS**
- Le Tremblay-s-Mauldre
- Pontchartrain
- **Versailles**
- Houdan
- Meudon
- Gambais
- Montfort-l'Amaury
- St-Quentin-en-Yvelines
- **CRÉTEIL**
- Coignières
- Voisins-le-Bretonneux
- Châteaufort
- **Palaiseau**
- Dampierre-en-Yvelines
- Cernay-la-Ville
- Rambouillet
- Janvry
- Ste-Geneviève-des-Bois
- La Celle-les-Bordes
- Évry
- Arpajon
- Corbeil-Essonnes
- Dreux
- Ablis
- Dourdan
- Lardy
- Boutigny-s-Essonne
- **CHARTRES**
- Étampes
- Milly-la-Forêt
- Angerville
- **CENTRE** (plans 11 12)
- Pithiviers

Localité possédant au moins :
- un hébergement ou un restaurant
- ❀ une table étoilée
- 🙂 un restaurant "Bib Gourmand"
- 🏨 un hôtel "Bib Hôtel"
- ✗ un restaurant agréable
- 🏠 une maison d'hôte agréable
- 🏡 un hôtel agréable
- 🛏 un hôtel très tranquille

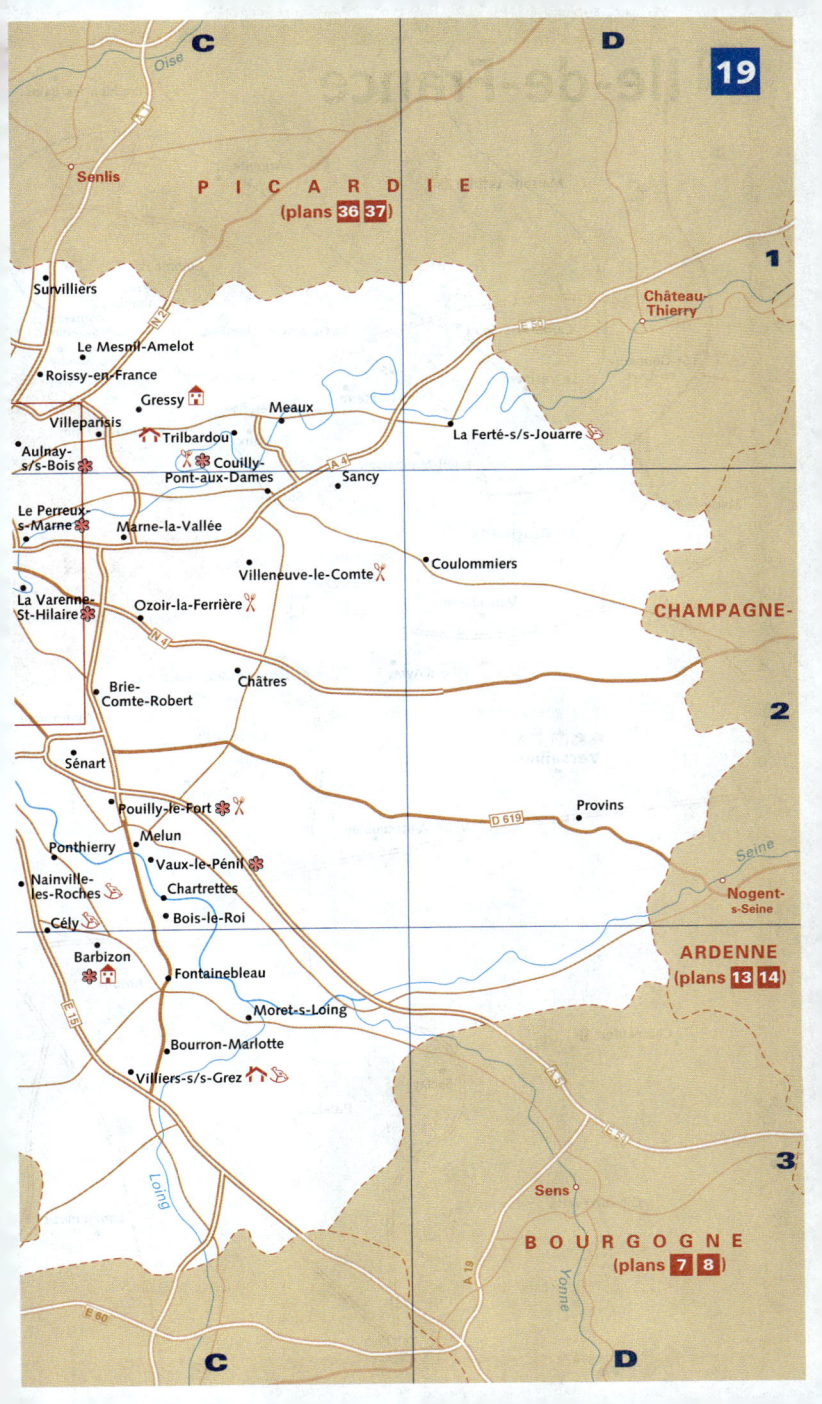

19

PICARDIE
(plans 36 37)

- Senlis
- Château-Thierry
- Survilliers
- Le Mesnil-Amelot
- Roissy-en-France
- Gressy
- Villeparisis
- Meaux
- Trilbardou
- La Ferté-s/s-Jouarre
- Aulnay-s/s-Bois
- Couilly-Pont-aux-Dames
- Sancy
- Le Perreux-s-Marne
- Marne-la-Vallée
- Villeneuve-le-Comte
- Coulommiers
- La Varenne-St-Hilaire
- Ozoir-la-Ferrière

CHAMPAGNE-

- Brie-Comte-Robert
- Châtres
- Sénart
- Pouilly-le-Fort
- Provins
- Ponthierry
- Melun
- Vaux-le-Pénil
- Nainville-les-Roches
- Chartrettes
- Cély
- Bois-le-Roi
- Barbizon
- Fontainebleau
- Moret-s-Loing
- Nogent-s-Seine

ARDENNE
(plans 13 14)

- Bourron-Marlotte
- Villiers-s/s-Grez
- Sens

BOURGOGNE
(plans 7 8)

20 Île-de-France

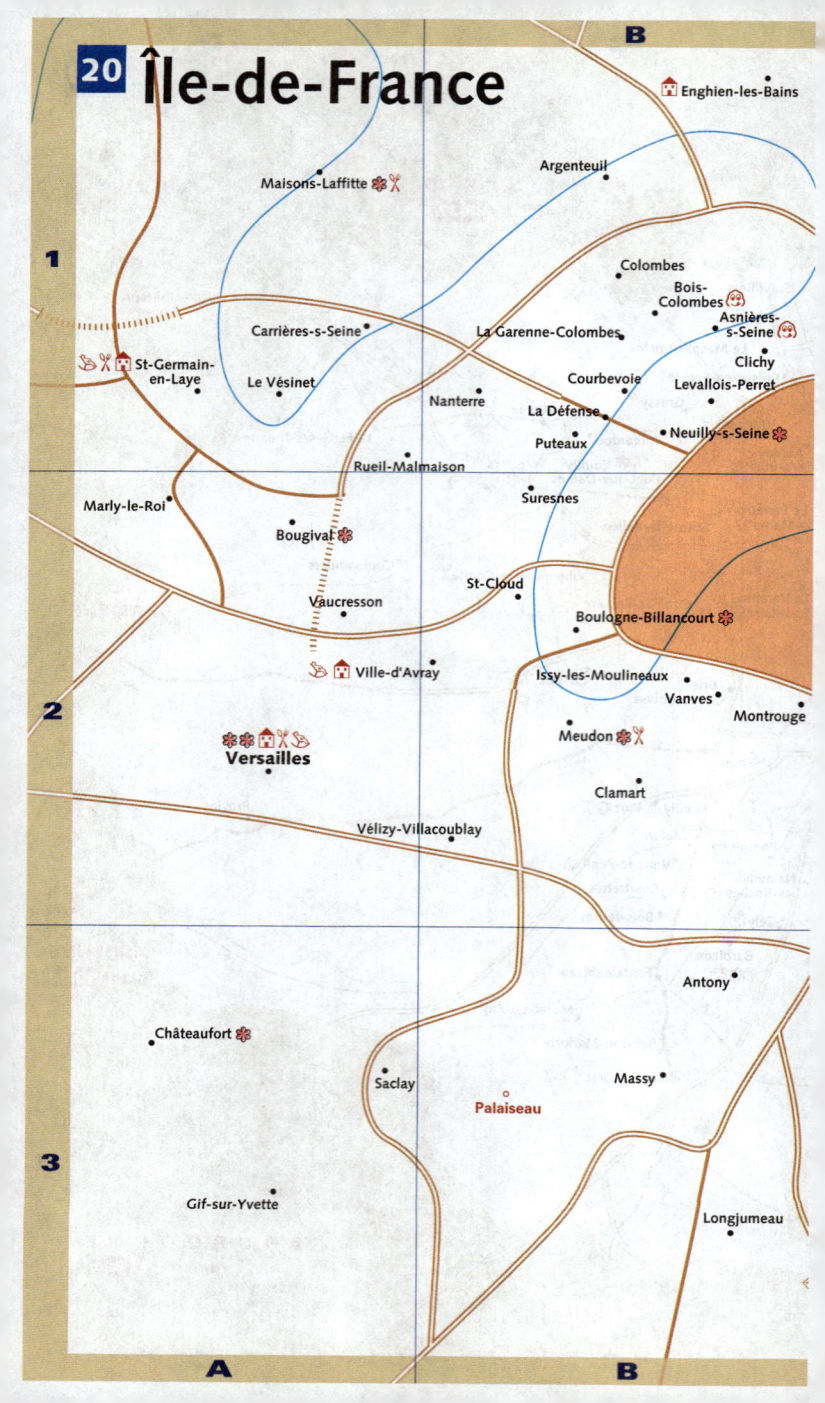

B

🏠 Enghien-les-Bains

Maisons-Laffitte ✿ ✖

Argenteuil

1

Colombes
Bois-Colombes
Asnières-s-Seine

Carrières-s-Seine
La Garenne-Colombes
Clichy

✖ 🏠 St-Germain-en-Laye
Le Vésinet
Courbevoie
Levallois-Perret

Nanterre
La Défense
• Neuilly-s-Seine ✿

Puteaux

Rueil-Malmaison

Marly-le-Roi
Suresnes

Bougival ✿

Vaucresson
St-Cloud
Boulogne-Billancourt ✿

🏠 Ville-d'Avray
Issy-les-Moulineaux
Vanves
Montrouge

2

✿ 🏠 ✖
Versailles
Meudon ✿ ✖

Clamart

Vélizy-Villacoublay

Antony

Châteaufort ✿
Massy

Saclay
Palaiseau

3

Gif-sur-Yvette
Longjumeau

A   **B**

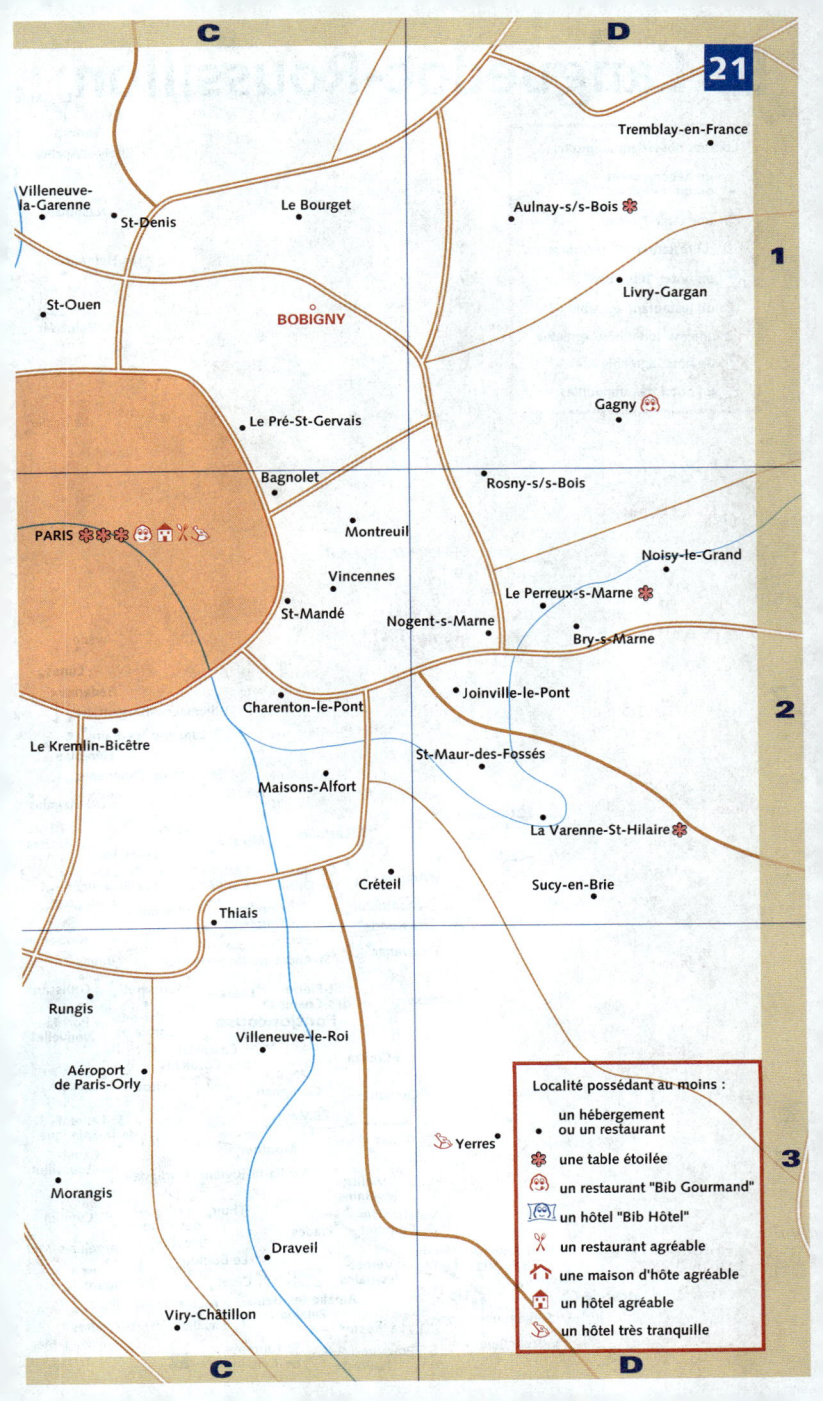

21

Carte des environs de Paris

- Tremblay-en-France
- Villeneuve-la-Garenne
- St-Denis
- Le Bourget
- Aulnay-s/s-Bois ✽
- St-Ouen
- Livry-Gargan
- **BOBIGNY**
- Gagny (Bib Gourmand)
- Le Pré-St-Gervais
- Bagnolet
- Rosny-s/s-Bois
- PARIS ✽✽✽ (Bib Gourmand) (maison d'hôte) (hôtel agréable) (restaurant agréable)
- Montreuil
- Noisy-le-Grand
- Vincennes
- Le Perreux-s-Marne ✽
- St-Mandé
- Nogent-s-Marne
- Bry-s-Marne
- Charenton-le-Pont
- Joinville-le-Pont
- Le Kremlin-Bicêtre
- St-Maur-des-Fossés
- Maisons-Alfort
- La Varenne-St-Hilaire ✽
- Créteil
- Sucy-en-Brie
- Thiais
- Rungis
- Villeneuve-le-Roi
- Aéroport de Paris-Orly
- Yerres (hôtel très tranquille)
- Morangis
- Draveil
- Viry-Châtillon

Localité possédant au moins :

- • un hébergement ou un restaurant
- ✽ une table étoilée
- (Bib Gourmand) un restaurant "Bib Gourmand"
- (Bib Hôtel) un hôtel "Bib Hôtel"
- ✗ un restaurant agréable
- ⌂ une maison d'hôte agréable
- 🏠 un hôtel agréable
- un hôtel très tranquille

Languedoc-Roussillon

22

Localité possédant au moins :
- un hébergement ou un restaurant
- • un restaurant
- ✿ une table étoilée
- ☺ un restaurant "Bib Gourmand"
- 🏨 un hôtel "Bib Hôtel"
- ✗ un restaurant agréable
- 🏠 une maison d'hôte agréable
- 🏡 un hôtel agréable
- 🍃 un hôtel très tranquille

MIDI-PYRÉNÉES
(plans 28 29)

La Garde
Termes
St-Chély-d'Apcher
Nasbinals
Les Hermaux
Banassac
Figeac
Villefranche-de-Rouergue
RODEZ
Le Rozier
Millau
MONTAUBAN
ALBI
Avène
Lunas
Bédarieux
TOULOUSE
Castres
Villemagne-l'Argentière
Lamalou-les-Bains
Hérépian
St-Pons-de-Thomières
Magalas
Muret
La Pomarède
Lastours
Minerve
Bize-Minervois
Colombiers
Béziers
Castelnaudary
Conques-sur-Orbiel
Lézignan-Corbières
Nissan-Lez-Enserune
Aragon
Montredon
Conilhac-Corbières
Ornaisons
Lespignan
Pamiers
Carcassonne
Cavanac
St-André-de-Roquelongue
Narbonne
Bages
St-Pierre-des-Champs
Lagrasse
Montséret
Gruissan
Limoux
Fontjoncouse
Portel-des-Corbières
Port-la-Nouvelle
FOIX
Couiza
Cascastel-des-Corbières
Quillan
Cucugnan
Fitou
Leucate
Belcaire
Maury
St-Laurent-de-la-Salanque
Gincla
Montner
Canet-en-Roussillon
Molitg-les-Bains
Pézilla-la-Rivière
Perpignan
Villefranche-de-Conflent
Thuir
Laroque-des-Albères
St-Cyprien
PRICIPAUTÉ D'ANDORRE
Font-Romeu-Odeillo-Via
Prades
Brouilla
Argelès-s-Mer
Dorres
Mont-Louis
Vernet-les-Bains
Le Boulou
Collioure
Latour-de-Carol
Céret
Maureillas-las-Illas
Saillagouse
Llo
Amélie-les-Bains-Palalda
Port-Vendres
ESPAÑA
Valcebollère
La Preste
Las Illas
Banyuls-s-Mer
Prats-de-Mollo-la-Preste
St-Laurent-de-Cerdans

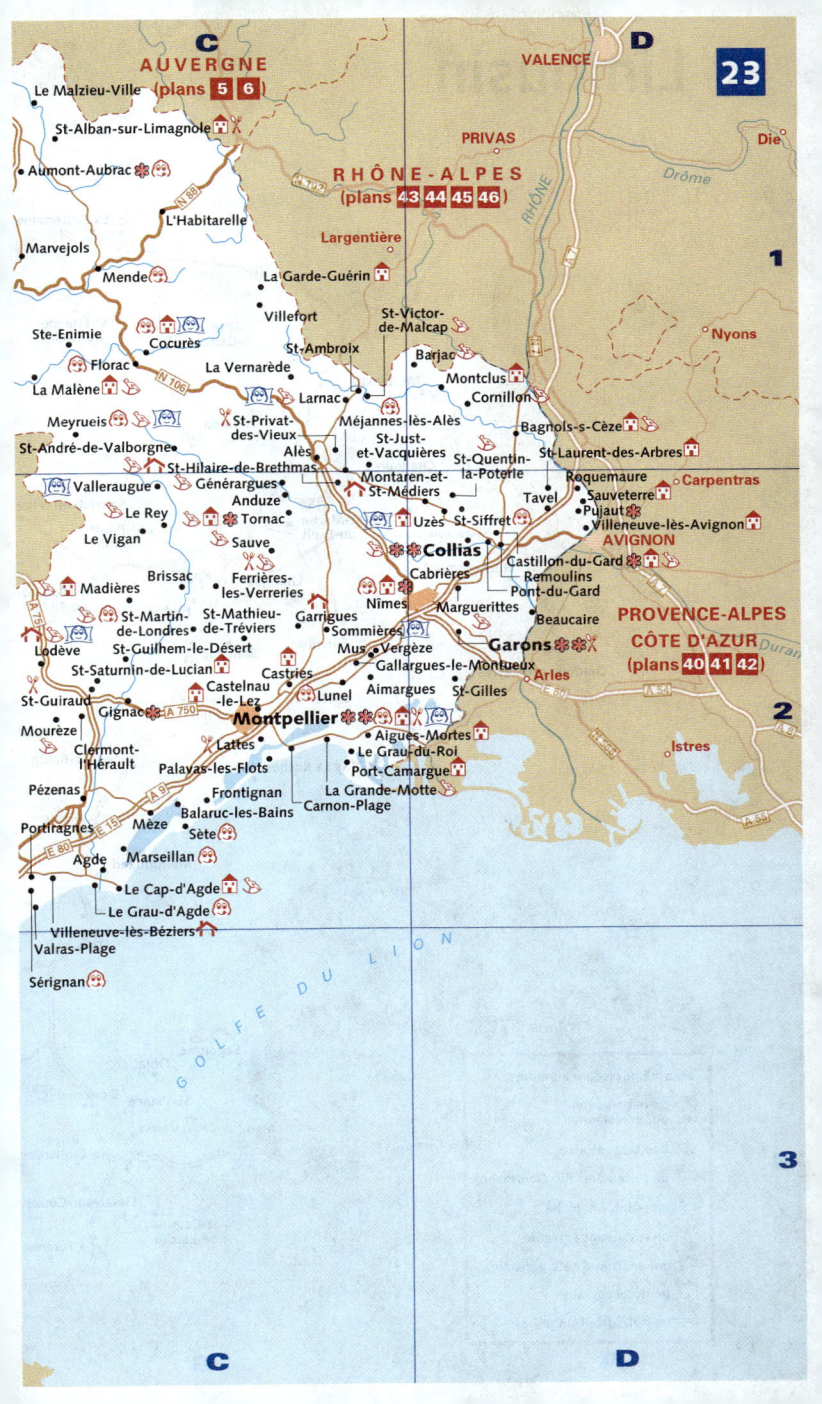

23

AUVERGNE (plans 5 6)
RHÔNE-ALPES (plans 43 44 45 46)
PROVENCE-ALPES CÔTE D'AZUR (plans 40 41 42)

VALENCE
PRIVAS
AVIGNON
Die
Nyons
Carpentras

Le Malzieu-Ville
St-Alban-sur-Limagnole
Aumont-Aubrac
Marvejols
L'Habitarelle
Largentière
Mende
La Garde-Guérin
Ste-Enimie
Cocurès
Villefort
Florac
St-Ambroix
St-Victor-de-Malcap
La Malène
La Vernarède
Barjac
Meyrueis
Larnac
Montclus
St-Privat-des-Vieux
Cornillon
St-André-de-Valborgne
Méjannes-lès-Alès
Bagnols-s-Cèze
Valleraugue
St-Hilaire-de-Brethmas
Alès
St-Just-et-Vacquières
St-Laurent-des-Arbres
Le Rey
Générargues
Montaren-et-St-Médiers
St-Quentin-la-Poterie
Roquemaure
Le Vigan
Anduze
Tornac
Uzès
Tavel
Sauveterre
Madières
Sauve
St-Siffret
Pujaut
Brissac
Ferrières-les-Verreries
Collias
Villeneuve-lès-Avignon
St-Martin-de-Londres
Cabrières
Castillon-du-Gard
St-Mathieu-de-Tréviers
Garrigues
Remoulins
Lodève
St-Guilhem-le-Désert
Nîmes
Pont-du-Gard
St-Saturnin-de-Lucian
Sommières
Marguerittes
St-Guiraud
Castries
Mus
Beaucaire
Mourèze
Gignac
Castelnau-le-Lez
Gallargues-le-Montueux
Garons
Clermont-l'Hérault
Lattes
Lunel
Aimargues
Arles
Pézenas
Montpellier
Vergèze
St-Gilles
Istres
Portiragnes
Palavas-les-Flots
Aigues-Mortes
Frontignan
Le Grau-du-Roi
Mèze
Balaruc-les-Bains
Port-Camargue
Agde
Sète
La Grande-Motte
Marseillan
Carnon-Plage
Le Cap-d'Agde
Le Grau-d'Agde
Villeneuve-lès-Béziers
Valras-Plage
Sérignan

GOLFE DU LION

24 Limousin

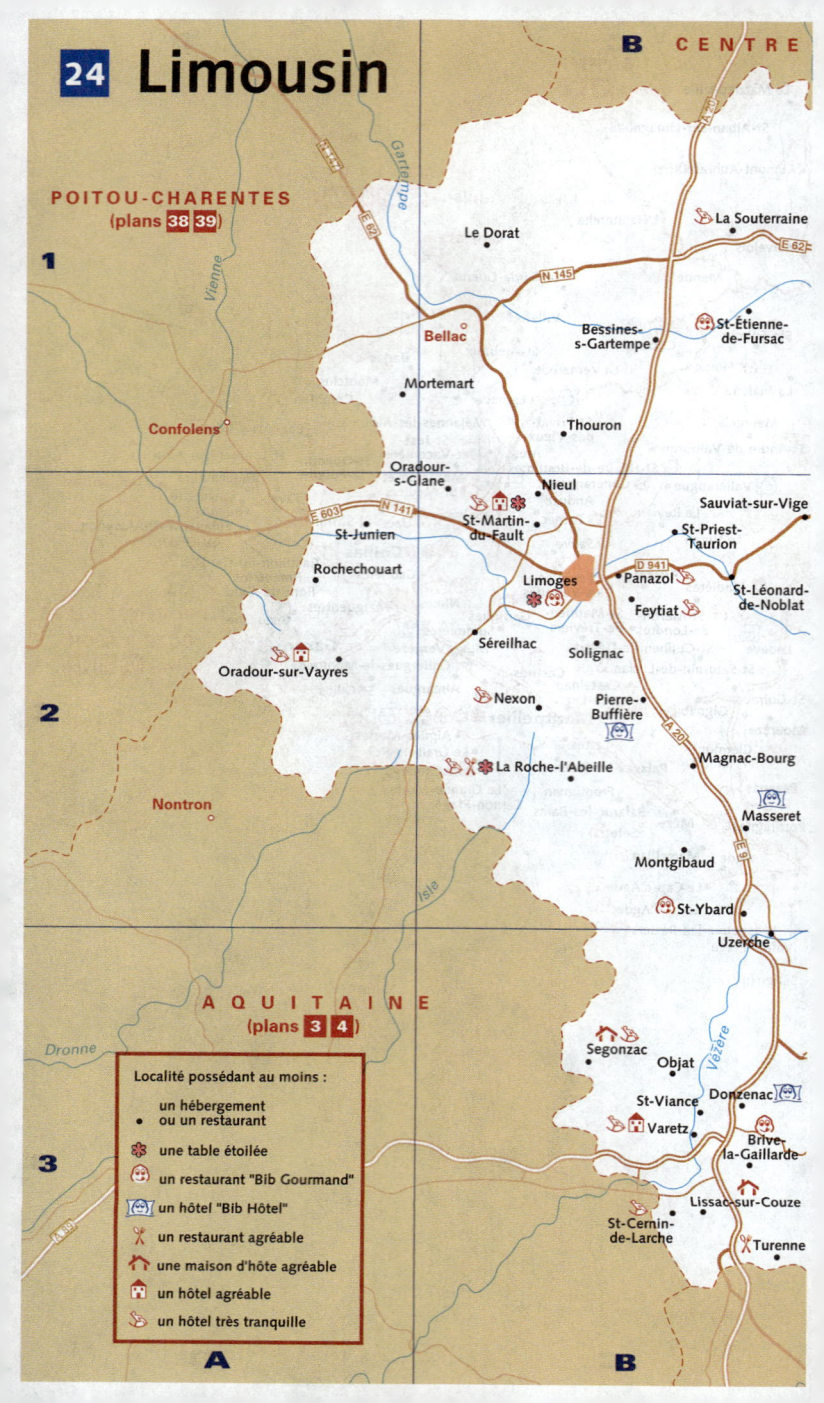

POITOU-CHARENTES
(plans 38 39)

CENTRE

AQUITAINE
(plans 3 4)

- La Souterraine
- Le Dorat
- St-Étienne-de-Fursac
- Bessines-s-Gartempe
- Bellac
- Mortemart
- Thouron
- Confolens
- Oradour-s-Glane
- Nieul
- Sauviat-sur-Vige
- St-Martin-du-Fault
- St-Junien
- St-Priest-Taurion
- Rochechouart
- Limoges
- Panazol
- St-Léonard-de-Noblat
- Feytiat
- Séreilhac
- Solignac
- Oradour-sur-Vayres
- Nexon
- Pierre-Buffière
- Magnac-Bourg
- La Roche-l'Abeille
- Masseret
- Nontron
- Montgibaud
- St-Ybard
- Uzerche
- Segonzac
- Objat
- St-Viance
- Donzenac
- Varetz
- Brive-la-Gaillarde
- Lissac-sur-Couze
- St-Cernin-de-Larche
- Turenne

Localité possédant au moins :
- un hébergement ou un restaurant
- une table étoilée
- un restaurant "Bib Gourmand"
- un hôtel "Bib Hôtel"
- un restaurant agréable
- une maison d'hôte agréable
- un hôtel agréable
- un hôtel très tranquille

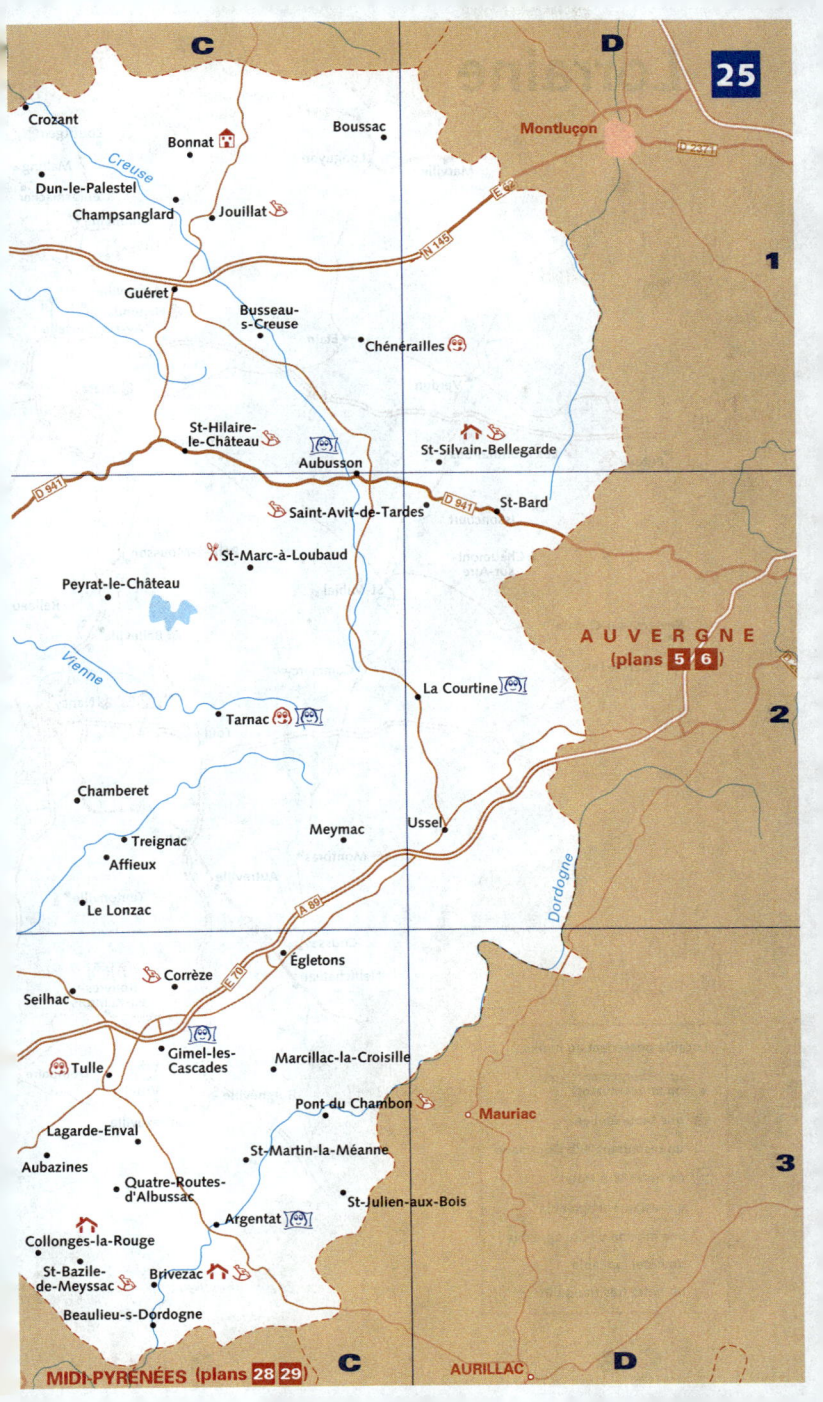

25

C **D**

- Crozant
- Bonnat
- Boussac
- Montluçon
- Dun-le-Palestel
- Champsanglard
- Jouillat
- Creuse
- N 145
- **1**
- Guéret
- Busseau-s-Creuse
- Chénerailles
- St-Hilaire-le-Château
- Aubusson
- St-Silvain-Bellegarde
- D 941
- Saint-Avit-de-Tardes
- St-Bard
- D 941
- St-Marc-à-Loubaud
- Peyrat-le-Château
- Vienne
- **AUVERGNE (plans 5 6)**
- La Courtine
- Tarnac
- **2**
- Chamberet
- Meymac
- Treignac
- Ussel
- Affieux
- Le Lonzac
- A 89
- Corrèze
- Égletons
- Dordogne
- Seilhac
- E 70
- Tulle
- Gimel-les-Cascades
- Marcillac-la-Croisille
- Pont du Chambon
- Mauriac
- Lagarde-Enval
- St-Martin-la-Méanne
- Aubazines
- Quatre-Routes-d'Albussac
- Argentat
- St-Julien-aux-Bois
- **3**
- Collonges-la-Rouge
- St-Bazile-de-Meyssac
- Brivezac
- Beaulieu-s-Dordogne

MIDI-PYRÉNÉES (plans 28 29)   **C**   AURILLAC   **D**

Lorraine

26

LUXEMBOURG

- Longwy
- Marville
- Longuyon
- Zoufftgen
- Malling
- Kœnigsmacker
- Thionville
- Amnéville
- Briey
- Hagondange
- Ay-sur-Moselle
- Étain
- Verdun
- Ste-Menehould
- Metz
- Futeau
- Les Monthairons
- Gorze
- Issoncourt
- Chaumont-sur-Aire
- St-Mihiel
- Pont-à-Mousson
- Belleau
- Revigny-sur-Ornain
- Belleville
- Bar-le-Duc
- Commercy
- Nancy
- Toul
- St-Dizier
- Montbras
- Allain
- Autreville
- Tantonville
- Coussey
- Neufchâteau
- Rouvres-en-Xaintois
- Bar-s-Aube
- Bulgnéville
- Vittel
- Dompaire
- Contrexéville
- Langres

CHAMPAGNE-ARDENNE (plans **13 14**)

FRANCHE-

Localité possédant au moins :
- un hébergement ou un restaurant
- ❁ une table étoilée
- 🙂 un restaurant "Bib Gourmand"
- 🏨 un hôtel "Bib Hôtel"
- ✕ un restaurant agréable
- 🏠 une maison d'hôte agréable
- 🏡 un hôtel agréable
- 🛁 un hôtel très tranquille

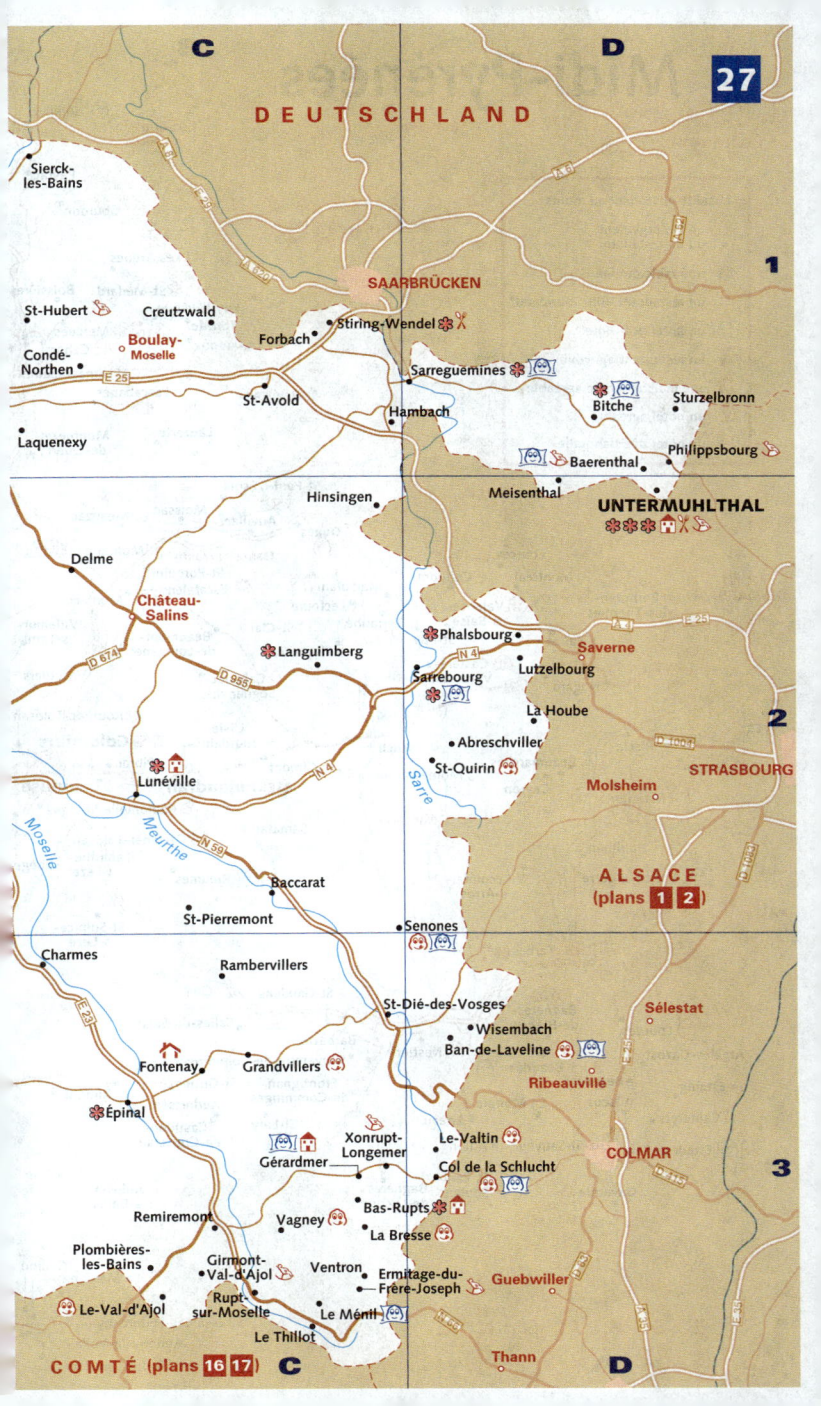

27

DEUTSCHLAND

C / **D**

1

Sierck-les-Bains
St-Hubert
Creutzwald
Condé-Northen
Boulay-Moselle
Forbach
SAARBRÜCKEN
Stiring-Wendel
Sarreguemines
Bitche
Sturzelbronn
Laquenexy
St-Avold
Hambach
Baerenthal
Philippsbourg
Meisenthal
UNTERMUHLTHAL

Delme
Hinsingen
Château-Salins
Languimberg
Phalsbourg
Saverne
Sarrebourg
Lutzelbourg
La Hoube

2

Lunéville
Abreschviller
St-Quirin
Molsheim
STRASBOURG

Baccarat
St-Pierremont
Senones
ALSACE (plans 1 2)

Charmes
Rambervillers
St-Dié-des-Vosges
Wisembach
Ban-de-Laveline
Sélestat

Fontenay
Grandvillers
Ribeauvillé
Épinal
Xonrupt-Longemer
Le Valtin
Col de la Schlucht
COLMAR

3

Gérardmer
Bas-Rupts
Vagney
La Bresse
Remiremont
Girmont-Val-d'Ajol
Ventron
Ermitage-du-Frère-Joseph
Guebwiller
Plombières-les-Bains
Rupt-sur-Moselle
Le Ménil
Le-Val-d'Ajol
Le Thillot
Thann

COMTÉ (plans 16 17)

C / **D**

Midi-Pyrénées

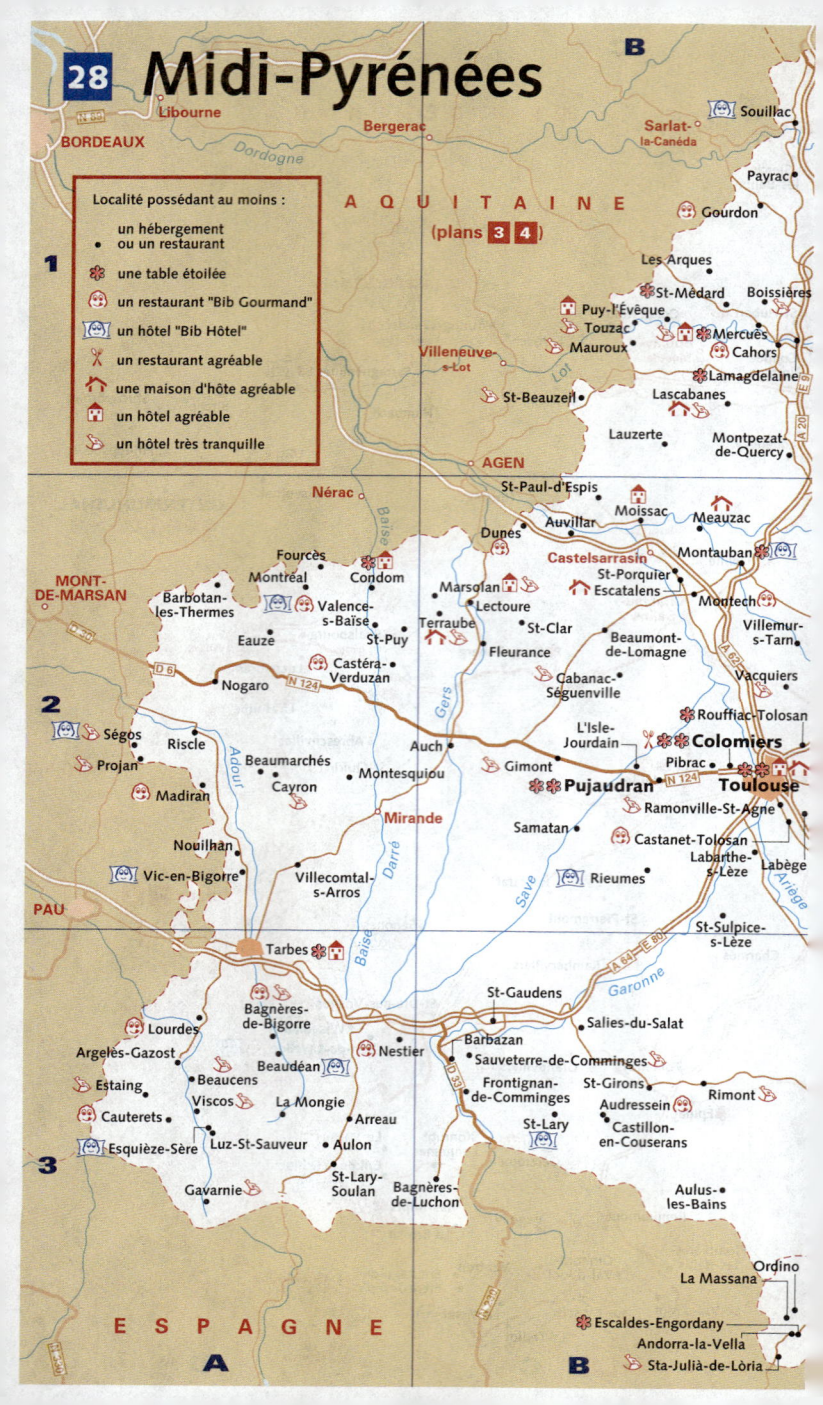

28

Localité possédant au moins :
- un hébergement ou un restaurant
- une table étoilée
- un restaurant "Bib Gourmand"
- un hôtel "Bib Hôtel"
- un restaurant agréable
- une maison d'hôte agréable
- un hôtel agréable
- un hôtel très tranquille

AQUITAINE (plans 3 4)

BORDEAUX
Libourne
Bergerac
Sarlat-la-Canéda
Souillac
Payrac
Gourdon
Les Arques
St-Médard
Boissières
Puy-l'Évêque
Touzac
Mercuès
Mauroux
Cahors
Lamagdelaine
St-Beauzeil
Lascabanes
Lauzerte
Montpezat-de-Quercy

Nérac
AGEN
St-Paul-d'Espis
Villeneuve-s-Lot
Moissac
Meauzac
Dunes
Auvillar
Castelsarrasin
Montauban
Fourcès
Montréal
Condom
Marsolan
St-Porquier
Escatalens
Montech
MONT-DE-MARSAN
Barbotan-les-Thermes
Valence-s-Baïse
Lectoure
Terraube
St-Puy
St-Clar
Beaumont-de-Lomagne
Villemur-s-Tarn
Eauze
Castéra-Verduzan
Fleurance
Vacquiers
Nogaro
Cabanac-Séguenville
Rouffiac-Tolosan
L'Isle-Jourdain
Colomiers
Ségos
Riscle
Beaumarchés
Auch
Gimont
Pibrac
Toulouse
Projan
Montesquiou
Pujaudran
Madiran
Cayron
Mirande
Ramonville-St-Agne
Samatan
Castanet-Tolosan
Nouilhan
Labarthe-s-Lèze
Labège
Vic-en-Bigorre
Villecomtal-s-Arros
Rieumes
PAU
St-Sulpice-s-Lèze
Tarbes
St-Gaudens
Garonne
Lourdes
Bagnères-de-Bigorre
Barbazan
Salies-du-Salat
Argelès-Gazost
Nestier
Sauveterre-de-Comminges
Estaing
Beaudéan
Frontignan-de-Comminges
St-Girons
Rimont
Cauterets
Beaucens
Viscos
La Mongie
Arreau
Audressein
Esquièze-Sère
Luz-St-Sauveur
Aulon
St-Lary
Castillon-en-Couserans
Gavarnie
St-Lary-Soulan
Bagnères-de-Luchon
Aulus-les-Bains

ESPAGNE

Ordino
La Massana
Escaldes-Engordany
Andorra-la-Vella
Sta-Julià-de-Lòria

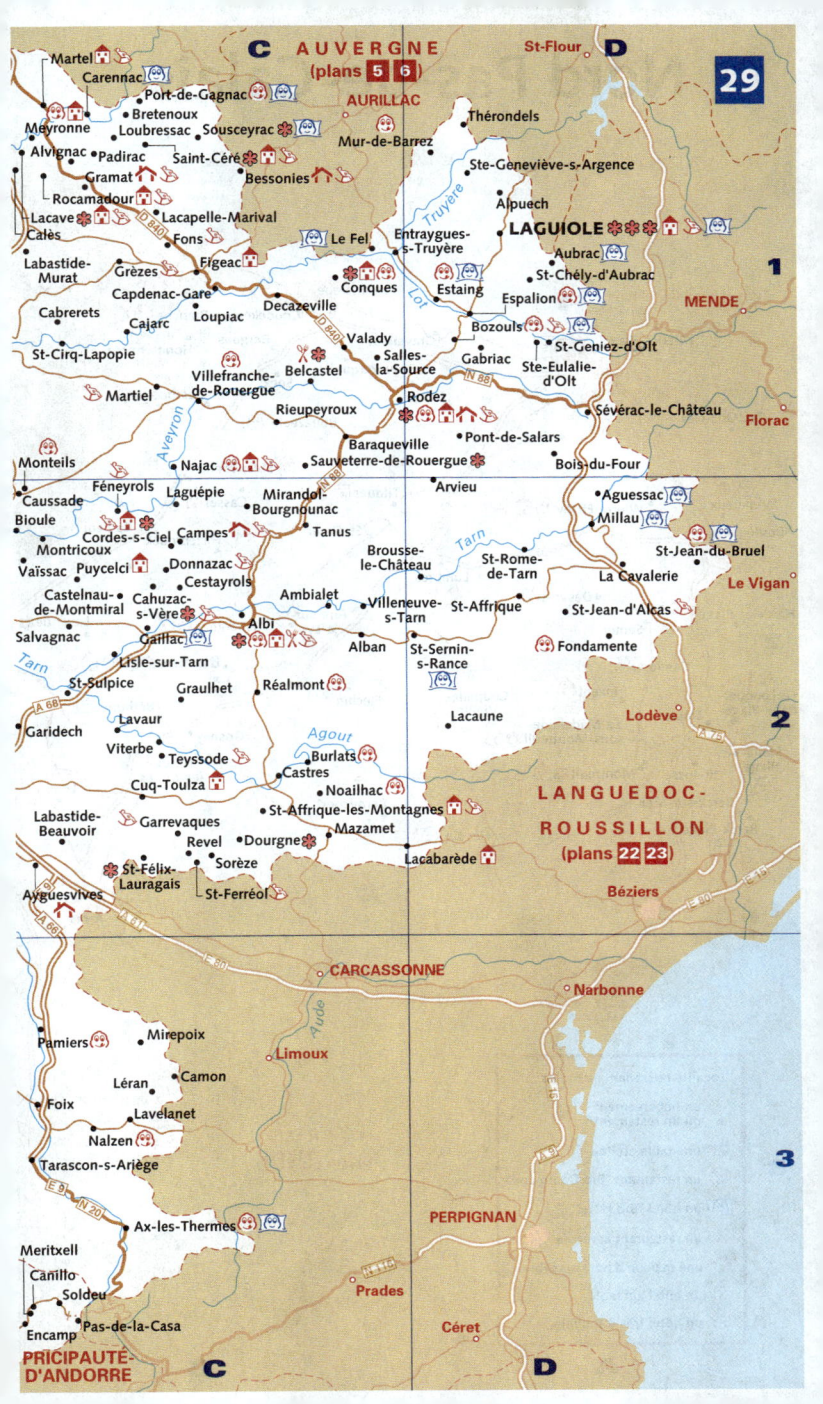

29

AUVERGNE (plans 5 6)

St-Flour
AURILLAC
Martel
Carennac
Port-de-Gagnac
Bretenoux
Meyronne
Loubressac
Souceyrac
Thérondels
Alvignac
Padirac
Saint-Céré
Mur-de-Barrez
Gramat
Bessonies
Ste-Geneviève-s-Argence
Rocamadour
Lacapelle-Marival
Alpuech
Lacave
Calès
Fons
Le Fel
LAGUIOLE
Labastide-Murat
Grèzes
Figeac
Conques
Entraygues-s-Truyère
Aubrac
Cabrerets
Capdenac-Gare
Estaing
St-Chély-d'Aubrac
Cajarc
Loupiac
Decazeville
Espalion
MENDE
St-Cirq-Lapopie
Valady
Salles-la-Source
Bozouls
St-Geniez-d'Olt
Villefranche-de-Rouergue
Belcastel
Gabriac
Ste-Eulalie-d'Olt
Martiel
Rieupeyroux
Rodez
Sévérac-le-Château
Monteils
Baraqueville
Pont-de-Salars
Florac
Najac
Sauveterre-de-Rouergue
Bois-du-Four
Caussade
Fénéyrols
Laguépie
Mirandol-Bourgnounac
Arvieu
Aguessac
Bioule
Cordes-s-Ciel
Campes
Tanus
Brousse-le-Château
Millau
Montricoux
Donnazac
St-Rome-de-Tarn
St-Jean-du-Bruel
Vaïssac
Puycelci
Cestayrols
Ambialet
Villeneuve-s-Tarn
La Cavalerie
Le Vigan
Castelnau-de-Montmiral
Cahuzac-s-Vère
St-Affrique
St-Jean-d'Alcas
Salvagnac
Gaillac
Albi
Alban
St-Sernin-s-Rance
Fondamente
Lisle-sur-Tarn
St-Sulpice
Graulhet
Réalmont
Lodève
Garidech
Lavaur
Viterbe
Teyssode
Lacaune
Cuq-Toulza
Burlats
Castres
Noailhac
LANGUEDOC-ROUSSILLON (plans 22 23)
Labastide-Beauvoir
Garrevaques
St-Affrique-les-Montagnes
Revel
Dourgne
Mazamet
Ayguesvives
St-Félix-Lauragais
Sorèze
Lacabarède
St-Ferréol
Béziers

CARCASSONNE
Narbonne

Pamiers
Mirepoix
Limoux
Léran
Camon
Foix
Lavelanet
Nalzen
Tarascon-s-Ariège

PERPIGNAN

Ax-les-Thermes

Meritxell
Canillo
Soldeu
Encamp
Pas-de-la-Casa
Prades
Céret

PRINCIPAUTÉ D'ANDORRE

30 Nord Pas-de-Calais

1

Tunnel sous la Manche

BELGIQUE

Dunkerque
Coudekerque-Branche
Blériot-Plage
Calais
Gravelines
Bergues
Hondschoote
Brouckerque
Socx
Bambecque
Cap Gris-Nez
Bollezeele
Ardres
Steenvoorde
Tilques
Cassel
Wimereux
Wierre-Effroy
Bailleul
Boulogne-sur-Mer
St-Omer
Hazebrouck
Desvres
Lumbres
Hardelot-Plage
Aire-sur-la-Lys
Isbergues
Laventie
Samer
Busnes
Camiers
Inxent
Béthune
Le Touquet-Paris-Plage
Étaples
Coupelle-Vieille
Fléchin
Stella-Plage
La Madelaine-sous-Montreuil
Gosnay
Nœux-les-Mines
St-Josse
Montreuil
Lens
Berck-sur-Mer
Bermicourt
Berck-Plage
Hesdin

Arras

2

3

Localité possédant au moins :
- • un hébergement ou un restaurant
- ❋ une table étoilée
- 😊 un restaurant "Bib Gourmand"
- 🙂 un hôtel "Bib Hôtel"
- ✕ un restaurant agréable
- 🏠 une maison d'hôte agréable
- 🏡 un hôtel agréable
- 🛏 un hôtel très tranquille

PICARDIE
(plans 36 37)

AMIENS

A **B**

31

BELGIQUE

BRUGGE (BRUGES)
GENT (GAND)
BRUXELLES / BRUSSEL
MONS (BERGEN)

Bondues
Marcq-en-Barœul
Tourcoing
Roubaix
Lille
Capinghem
Emmerin
Seclin
Carvin
Orchies
Hénin-Beaumont
Douai
Valenciennes
Bavay
Maubeuge
Haspres
Dourlers
Sars-Poteries
Cambrai
Beauvois-en-Cambrésis
Le Cateau-Cambrésis
Avesnes-s-Helpe
Liessies
Ligny-en-Cambrésis
Trélon
Fourmies
Péronne
St-Quentin
Vervins

Shelde
Oise

PICARDIE
(plans 36 37)

32 Normandie

- Auderville
- St-Germain-des-Vaux
- Omonville-la-Petite
- Cosqueville
- Barfleur
- Cherbourg-Octeville
- Réville
- Quettehou
- St-Vaast-la-Hougue
- Flamanville
- Négreville
- Quinéville
- Bricquebec
- Carteret
- Ste-Mère-Église
- St-Pierre-du-Mont
- Port-en-Bessin
- Courseulles-sur-Mer
- Houlgate
- Cabourg
- Barneville-Carteret
- Grandcamp-Maisy
- Colleville-sur-Mer
- Arromanches-les-Bains
- Bernières-sur-Mer
- Luc-sur-Mer
- Isigny-sur-Mer
- La Cambe
- Crépon
- Creully
- Ouistreham
- Bayeux
- Douvres-la-Délivrande
- Merville-Franceville-Plage
- Dives-sur-Mer
- Balleroy
- Audrieu
- Caen
- Beuvron-en-Auge
- Blainville-sur-Mer
- St-Lô
- Villers-Bocage
- Bretteville-sur-Laize
- Coutances
- Aunay-sur-Odon
- Goupillières
- Hambye
- Thury-Harcourt
- Îles Chausey
- **BASSE NORMANDIE**
- St-Pierre-Canivet
- Falaise
- Villedieu-les-Poêles
- Granville
- Vire
- Pont-d'Ouilly
- La Lucerne-d'Outremer
- Champeaux
- Flers
- St-Jean-le-Thomas
- Cuves
- Le Mont-St-Michel
- Sourdeval
- Servon
- Avranches
- St-Bômer-les-Forges
- Rânes
- Pontaubault
- La Ferrière-aux-Étangs
- Vergoncey
- Ducey
- St-Hilaire-du-Harcouët
- Domfront
- La Ferté-Macé
- St-James
- Juvigny-sous-Andaine
- Bagnoles-de-l'Orne
- **BRETAGNE** (plans 9 10)
- Lalacelle
- Honfleur
- Conteville
- Deauville
- Trouville-sur-Mer
- Bourneville
- Genneville
- St-Maclou
- Blonville-sur-Mer
- Touques
- Beuzeville
- **Mayenne**
- Vauville
- St-Gatien-des-Bois
- Pont-Audemer
- Villers-sur-Mer
- Canapville
- Pont-l'Évêque
- Épaignes
- Campigny
- **PAYS DE LA LOIRE** (plans 34 35)
- La Haie-Tondue
- St-Étienne-la-Thillaye
- Beaumont-en-Auge
- Cormeilles

33

Abbeville — PICARDIE (plans 36 37)

Le Tréport
Mesnil-Val
Eu
Varengeville-sur-Mer
Vastérival
Dieppe
Derchigny
St-Martin-le-Gaillard
Blangy-sur-Bresle
Veules-les-Roses
St-Valery-en-Caux
Le Bourg-Dun
Longueville-sur-Scie
Londinières
Sassetot-le-Mauconduit
Fécamp
Valmont
Yerville
Tôtes
Aumale
Étretat
Criquetot-l'Esneval
Yvetot
Frichemesnil
Clères
Neufchâtel-en-Bray
Forges-les-Eaux
St-Jouin-Bruneval
Notre-Dame-de-Gravenchon
Caudebec-en-Caux
HAUTE NORMANDIE
Le Havre
Tancarville
St-Pierre-de-Manneville
Martainville-Épreville
Gournay-en-Bray
Honfleur
Conteville
Jumièges
Rouen
Lyons-la-Forêt
Fleury-la-Forêt
Deauville
Routot
La Bouille
Pont-St-Pierre
Ménesqueville
Bazincourt-sur-Epte
Le Breuil-en-Auge
Bourg-Achard
La Saussaye
Pont-de-l'Arche
Connelles
Gisors
St-Philbert-des-Champs
Le Bec-Hellouin
Louviers
St-Étienne-du-Vauvray
Les Andelys
Beuvron-en-Auge
Fresne-Cauverville
Brionne
Acquigny
Port-Mort
Cambremer
Lisieux
La Rivière-Thibouville
La Croix-St-Leufroy
Gaillon
Fourges
Corbon
Notre-Dame-de-Livaye
Cocherel
Vernon
Gasny
St-Julien-le-Faucon
Bernay
Évreux
Douains
Pacy-sur-Eure
Mantes-la-Jolie
St-Pierre-sur-Dives
Orbec
Montreuil-l'Argillé
Conches-en-Ouche
Notre-Dame-du-Hamel
Ivry-la-Bataille
ÎLE DE FRANCE (plans 18 19 20 21)
Trun
Gacé
St-Evroult-Notre-Dame-du-Bois
Argentan
L'Aigle
Bourth
Le Pin-au-Haras
Aube
Chandai
Verneuil-sur-Avre
Dreux
Macé
Rambouillet
Moulins-la-Marche
Sées
Moulicent
CENTRE (plans 11 12)
Mortagne-au-Perche
Alençon
Bellême
Nocé
Mamers
Nogent-le-Rotrou

LE MANS

Localité possédant au moins :
- un hébergement ou un restaurant
- une table étoilée
- un restaurant "Bib Gourmand"
- un hôtel "Bib Hôtel"
- un restaurant agréable
- une maison d'hôte agréable
- un hôtel agréable
- un hôtel très tranquille

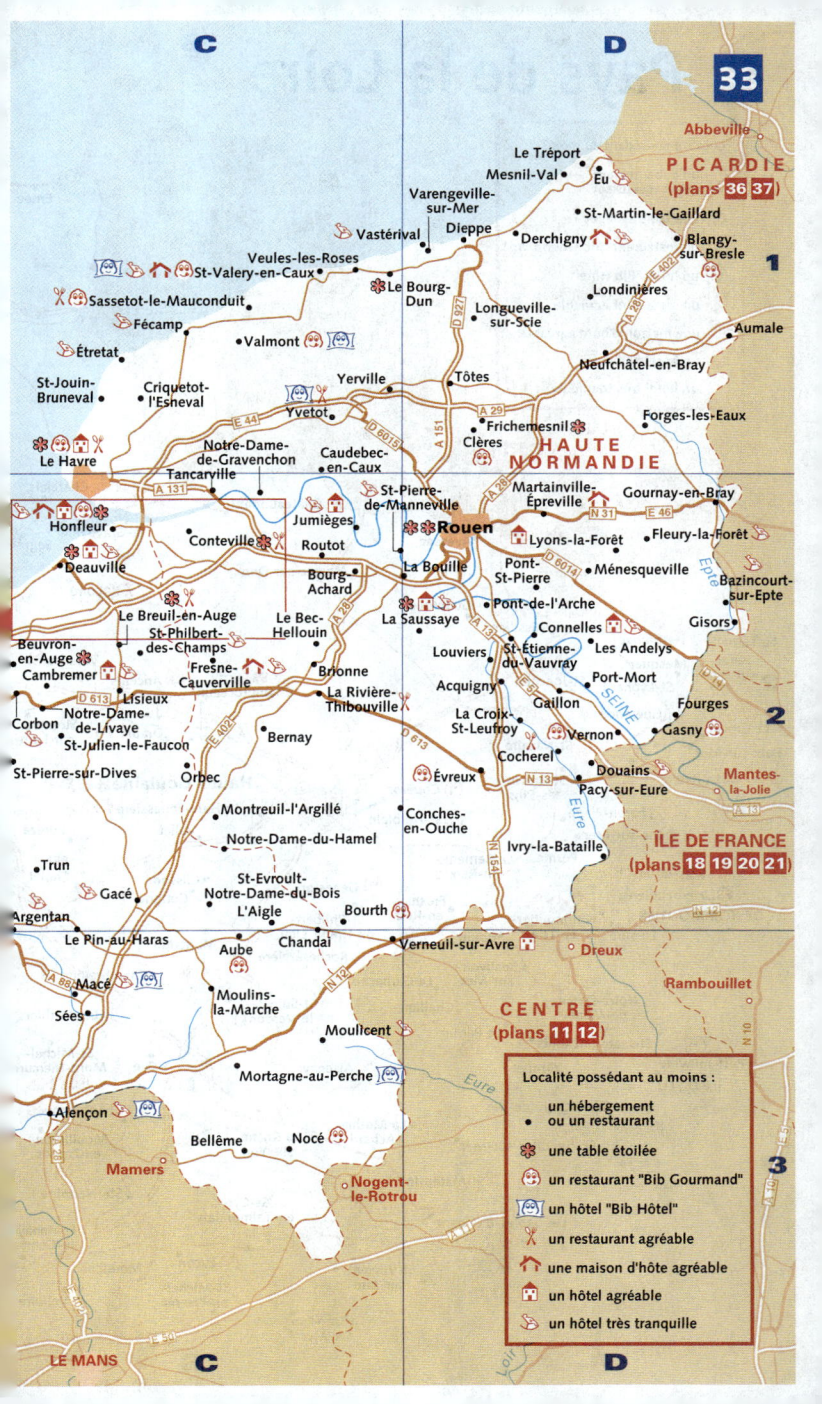

34 Pays de la Loire

Localité possédant au moins :
- un hébergement ou un restaurant
- une table étoilée
- un restaurant "Bib Gourmand"
- un hôtel "Bib Hôtel"
- un restaurant agréable
- une maison d'hôte agréable
- un hôtel agréable
- un hôtel très tranquille

BRETAGNE (plans 9 10)

Fougères
Ernée
RENNES
Châtelais
Noyant-la-Gravoyère
Segré
Redon
Avessac
Châteaubriant
Marsac-sur-Don
Guenrouet
Loiré
La Turballe
Piriac-sur-Mer
Herbignac
Mesquer
Missillac
St-Lyphard
St-Joachim
Varades
Champtoceaux
Ancenis
Le Croisic
Guérande
Drain
Montjean-sur-Loire
Batz-sur-Mer
La Baule
Pornichet
St-Nazaire
St-Brevins-les-Pins
Couëron
Nantes
Haute-Goulaine
La Haie-Fouassière
Tharon-Plage
St-Herblain
Vallet
Andrezé
La Plaine-sur-Mer
Bois-de-la-Chaize
Pornic
La Bernerie-en-Retz
Clisson
Gétigné
Cholet
L'Herbaudière
Fresnay-en-Retz
Geneston
ÎLE DE NOIRMOUTIER
Noirmoutier-en-l'Île
St-Philbert-de-Grand-Lieu
L'Épine
Bouin
Montaigu
Beauvoir-sur-Mer
La Garnache
Rochesservière
Chambretaud
Notre-Dame-de-Monts
Challans
St-Sulpice-le-Verdon
Les Brouzils
Les Herbiers
Port-Joinville
St-Jean-de-Monts
Le Perrier
ÎLE D'YEU
Orouet
Aizenay
L'Oie
St-Michel-Mont-Mercure
St-Gilles-Croix-de-Vie
Chantonnay
Brétignolles-sur-Mer
La Mothe-Achard
La Roche-sur-Yon
Mouilleron-en-Pareds
St-Mathurin
Ste-Hermine
Les Sables-d'Olonne
St-Cyr-en-Talmondais
Fontenay-le-Comte
St-Vincent-sur-Jard
Luçon
Moreilles
Velluire
St-Michel-en-l'Herm
La Tranche-sur-Mer
Sèvre Niortaise

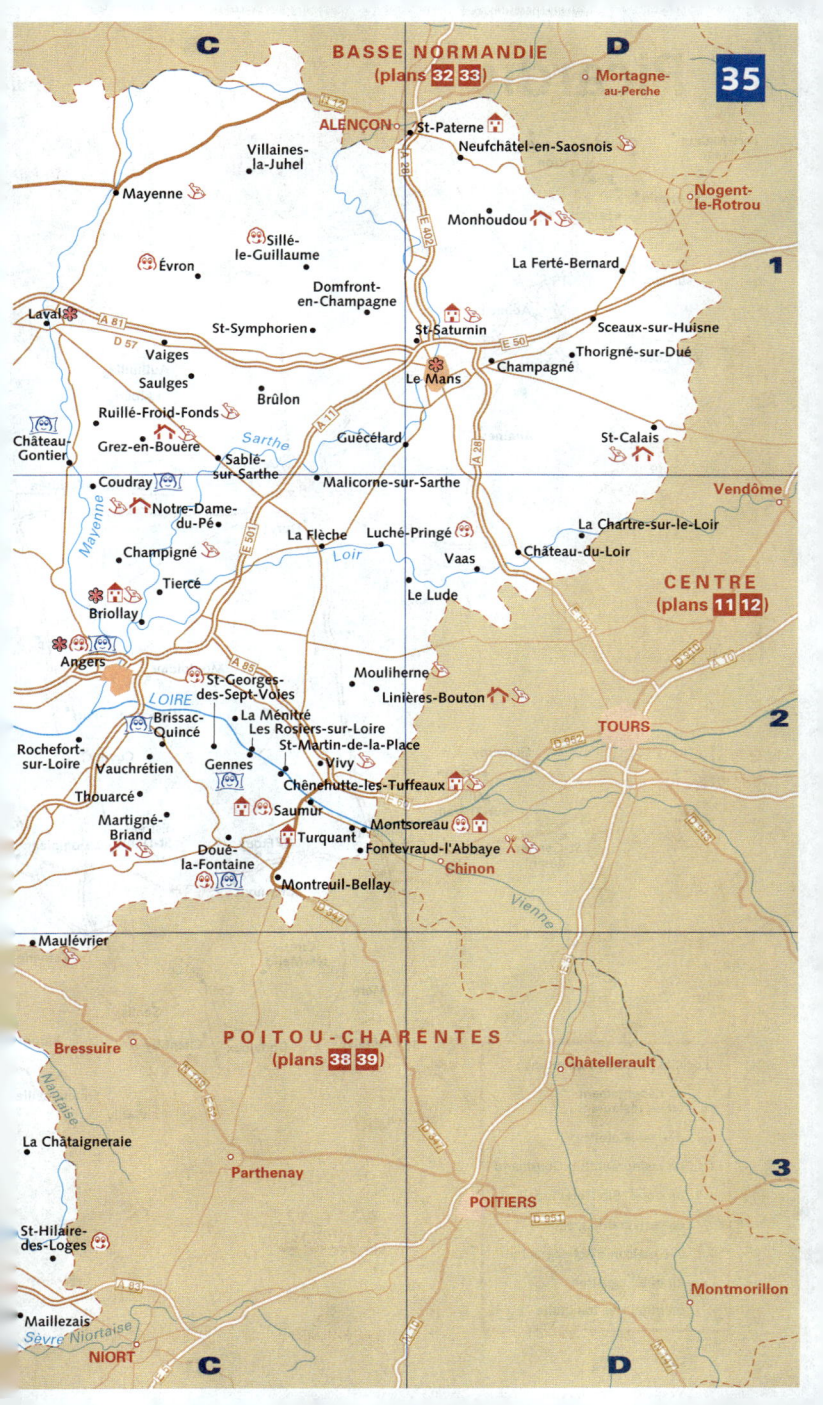

35

BASSE NORMANDIE (plans 32 33)

- Mortagne-au-Perche
- ALENÇON
- St-Paterne
- Villaines-la-Juhel
- Neufchâtel-en-Saosnois
- Mayenne
- Nogent-le-Rotrou
- Sillé-le-Guillaume
- Évron
- Monhoudou
- Domfront-en-Champagne
- La Ferté-Bernard
- Laval
- St-Symphorien
- St-Saturnin
- Sceaux-sur-Huisne
- Vaiges
- Le Mans
- Thorigné-sur-Dué
- Saulges
- Brûlon
- Champagné
- Ruillé-Froid-Fonds
- Guécélard
- Château-Gontier
- Grez-en-Bouère
- Sablé-sur-Sarthe
- St-Calais
- Coudray
- Malicorne-sur-Sarthe
- Notre-Dame-du-Pé
- Vendôme
- Champigné
- La Flèche
- Luché-Pringé
- La Chartre-sur-le-Loir
- Tiercé
- Vaas
- Château-du-Loir
- Briollay
- Le Lude

CENTRE (plans 11 12)

- Angers
- Mouliherne
- St-Georges-des-Sept-Voies
- Linières-Bouton
- Brissac-Quincé
- La Ménitré
- TOURS
- Rochefort-sur-Loire
- Les Rosiers-sur-Loire
- Vauchrétien
- Gennes
- St-Martin-de-la-Place
- Vivy
- Thouarcé
- Chênehutte-les-Tuffeaux
- Martigné-Briand
- Saumur
- Montsoreau
- Doué-la-Fontaine
- Turquant
- Fontevraud-l'Abbaye
- Montreuil-Bellay
- Chinon
- Maulévrier

POITOU-CHARENTES (plans 38 39)

- Bressuire
- Châtellerault
- La Châtaigneraie
- Parthenay
- POITIERS
- St-Hilaire-des-Loges
- Montmorillon
- Maillezais
- NIORT

Picardie 36

Localité possédant au moins :
- 🏠 un hébergement
- • ou un restaurant
- ❀ une table étoilée
- 😊 un restaurant "Bib Gourmand"
- 🏨 un hôtel "Bib Hôtel"
- ✕ un restaurant agréable
- 🏠 une maison d'hôte agréable
- 🏡 un hôtel agréable
- 🌀 un hôtel très tranquille

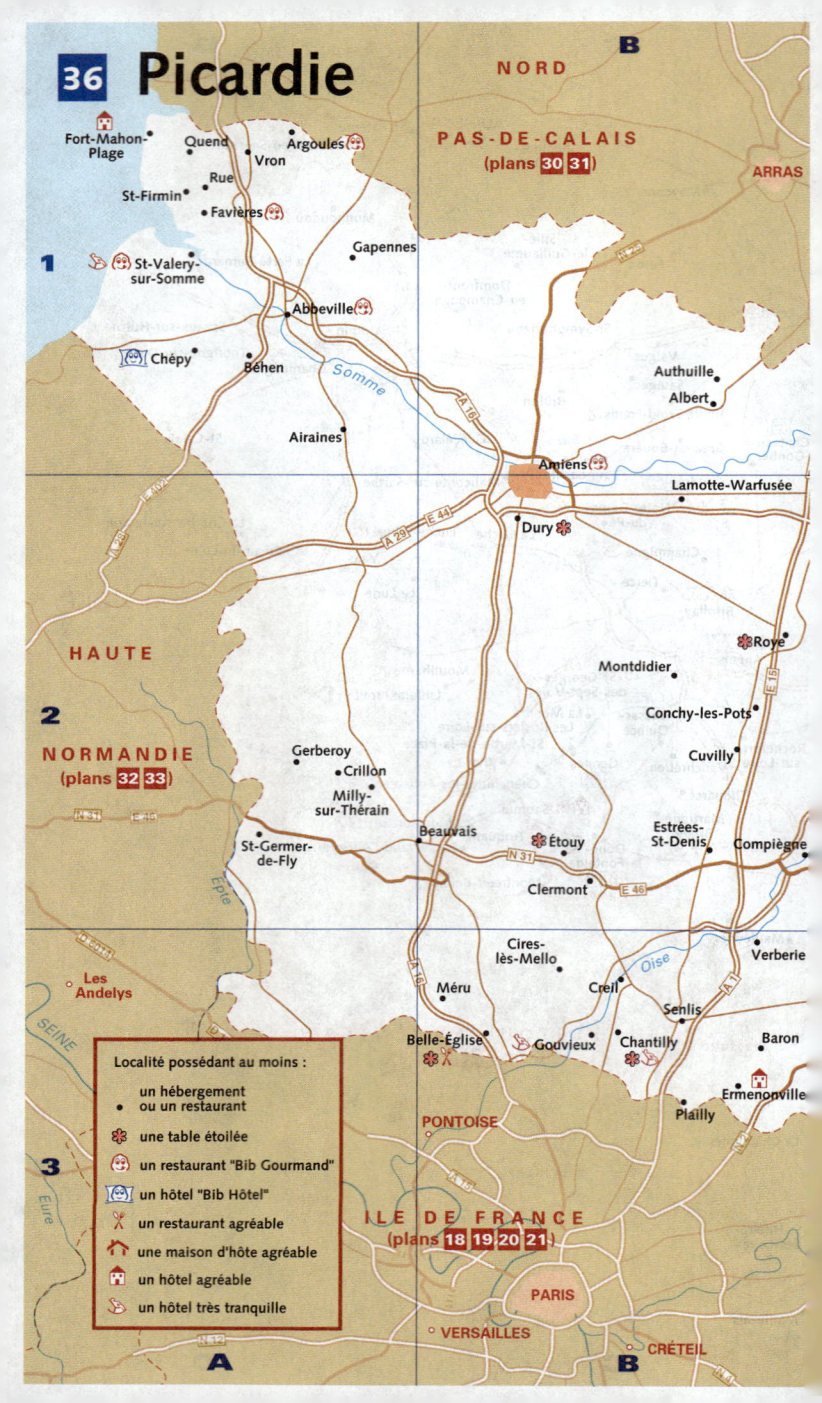

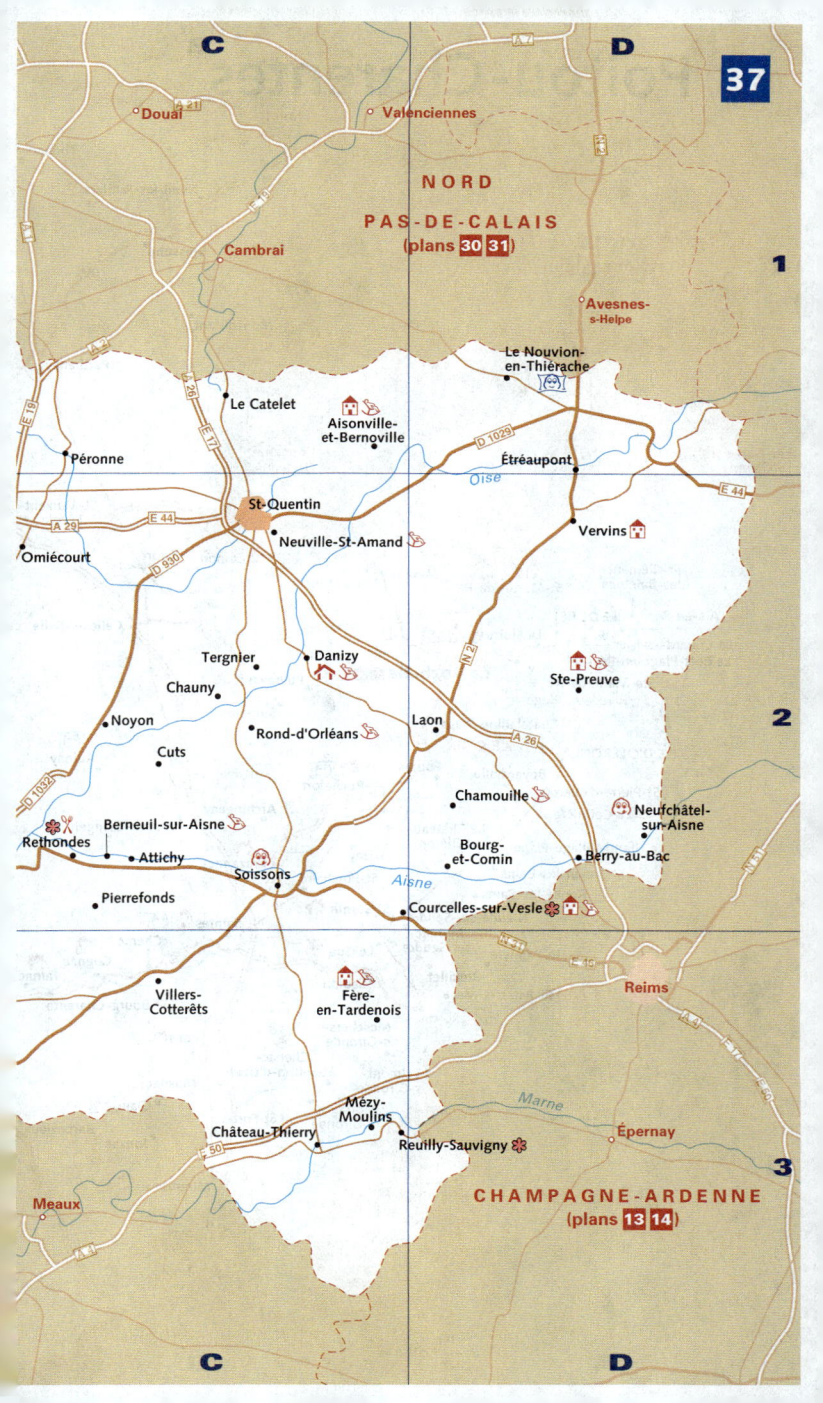

37

NORD
PAS-DE-CALAIS
(plans 30 31)

- Douai
- Valenciennes
- Cambrai
- Avesnes-s-Helpe
- Le Catelet
- Le Nouvion-en-Thiérache
- Aisonville-et-Bernoville
- Étréaupont
- Péronne
- St-Quentin
- Vervins
- Omiécourt
- Neuville-St-Amand
- Tergnier
- Danizy
- Ste-Preuve
- Chauny
- Noyon
- Rond-d'Orléans
- Laon
- Cuts
- Chamouille
- Neufchâtel-sur-Aisne
- Rethondes
- Berneuil-sur-Aisne
- Bourg-et-Comin
- Berry-au-Bac
- Attichy
- Soissons
- Pierrefonds
- Courcelles-sur-Vesle
- Villers-Cotterêts
- Fère-en-Tardenois
- Reims
- Mézy-Moulins
- Château-Thierry
- Reuilly-Sauvigny
- Épernay
- Meaux

CHAMPAGNE-ARDENNE
(plans 13 14)

38 Poitou-Charentes

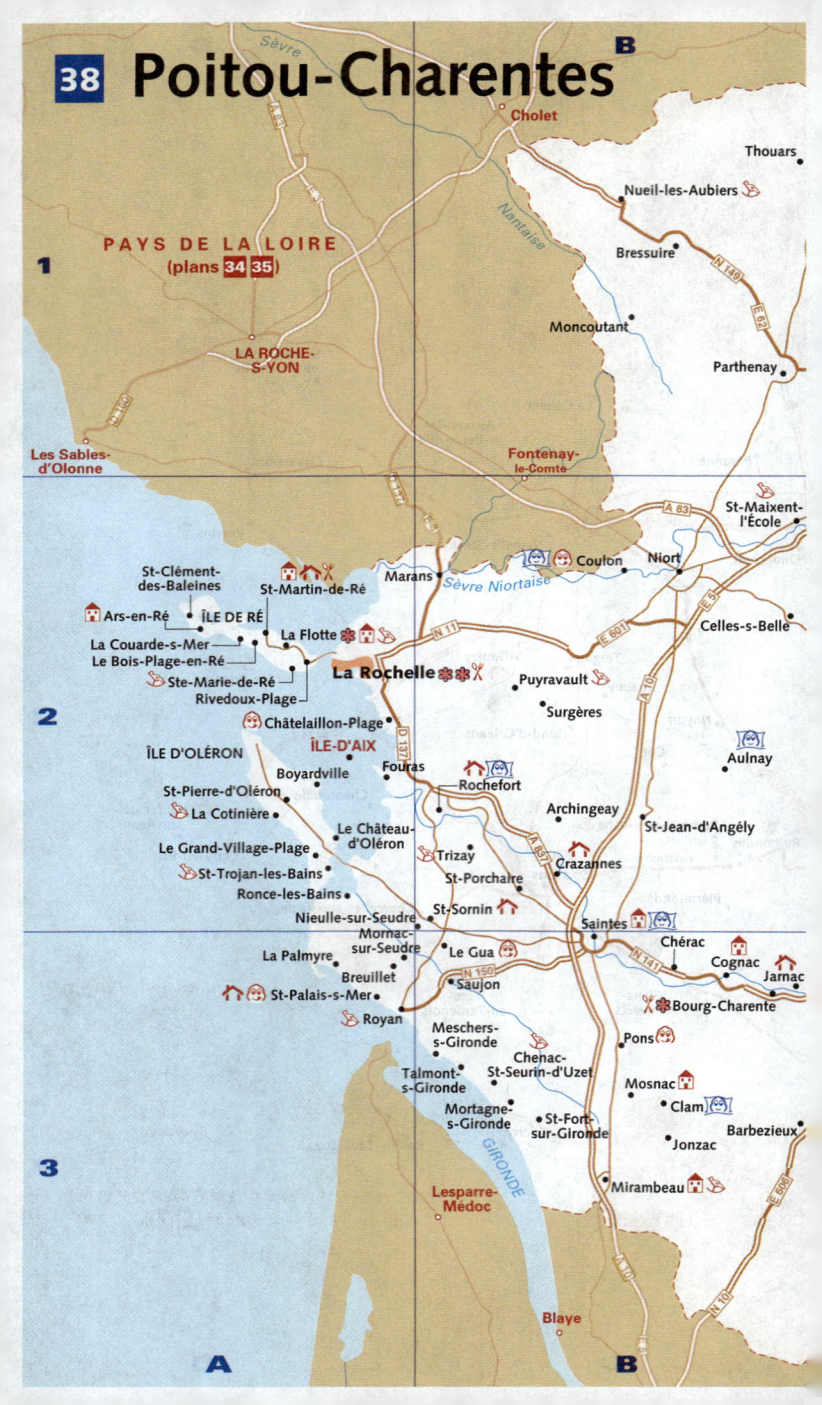

PAYS DE LA LOIRE (plans 34 35)

Cholet
Thouars
Nueil-les-Aubiers
Bressuire
Moncoutant
Parthenay
La Roche-s-Yon
Les Sables-d'Olonne
Fontenay-le-Comte
St-Maixent-l'École
Coulon
Niort
Marans
Sèvre Niortaise
Celles-s-Belle
St-Clément-des-Baleines
St-Martin-de-Ré
Ars-en-Ré
ÎLE DE RÉ
La Couarde-s-Mer
La Flotte
Le Bois-Plage-en-Ré
Ste-Marie-de-Ré
Rivedoux-Plage
La Rochelle
Puyravault
Surgères
Châtelaillon-Plage
ÎLE D'OLÉRON
ÎLE-D'AIX
Fouras
Aulnay
Boyardville
Rochefort
St-Pierre-d'Oléron
Archingeay
St-Jean-d'Angély
La Cotinière
Le Château-d'Oléron
Le Grand-Village-Plage
Trizay
Crazannes
St-Trojan-les-Bains
St-Porchaire
Ronce-les-Bains
Nieulle-sur-Seudre
St-Sornin
Saintes
Mornac-sur-Seudre
Chérac
La Palmyre
Le Gua
Cognac
Breuillet
Saujon
Jarnac
St-Palais-s-Mer
Bourg-Charente
Royan
Meschers-s-Gironde
Pons
Talmont-s-Gironde
Chenac-St-Seurin-d'Uzet
Mosnac
Mortagne-s-Gironde
St-Fort-sur-Gironde
Clam
Barbezieux
Jonzac
Mirambeau
Lesparre-Médoc
GIRONDE
Blaye

39

C

- Chinon
- Pouançay
- Loudun
- Savigny-sous-Faye
- Vellèches
- Lencloître
- Châtellerault
- Neuville-de-Poitou
- Dissay
- Bonneuil-Matours
- Vouillé
- Périgny
- Chasseneuil-du-Poitou
- Poitiers
- Lavoux
- Curzay-s-Vonne
- St-Benoît
- Chauvigny
- St-Savin
- Coulombiers
- Morthemer
- Vivonne
- Verrières
- Lussac-les-Châteaux
- Montmorillon
- Melle
- L'Isle-Jourdain
- Port de Salles
- Availles-Limouzine
- Bellac
- Verteuil-sur-Charente
- Tusson
- Luxé
- St-Claud
- Nieuil
- Mansle
- Rochechouart
- LIMOGES
- St-Adjutory
- La Rochefoucauld
- Bonneuil
- Angoulême
- Pérignac
- Nontron
- Chalais
- Aubeterre-s-Dronne
- PÉRIGUEUX

D

- Loches
- La Roche-Posay
- Angles-s-l'Anglin
- Le Blanc

CENTRE (plans 11 12)

LIMOUSIN (plans 24 25)

AQUITAINE (plans 3 4)

Localité possédant au moins :

- • un hébergement ou un restaurant
- ✻ une table étoilée
- 😊 un restaurant "Bib Gourmand"
- 🛏 un hôtel "Bib Hôtel"
- ✗ un restaurant agréable
- 🏠 une maison d'hôte agréable
- 🏨 un hôtel agréable
- 💤 un hôtel très tranquille

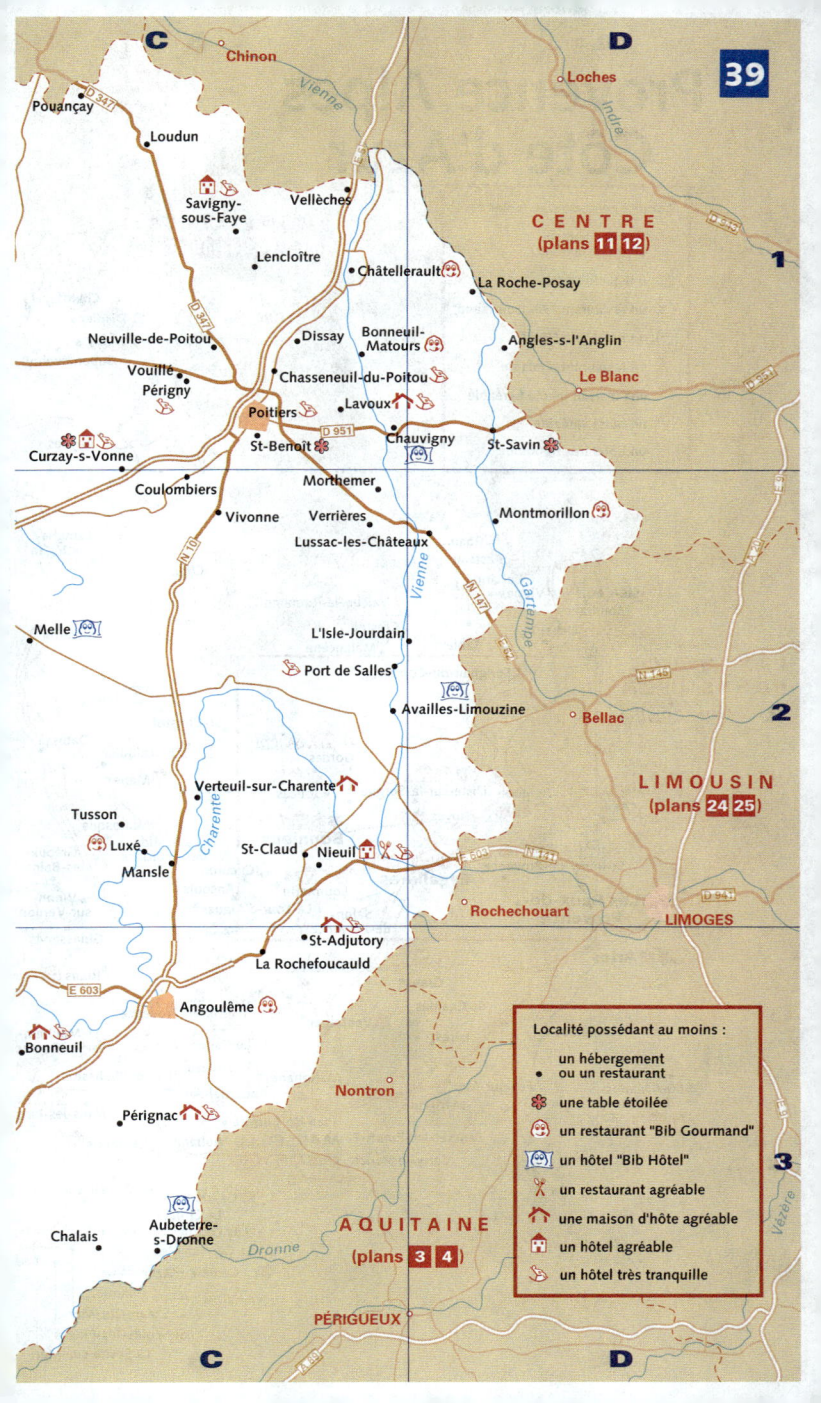

Provence Alpes Côte d'Azur

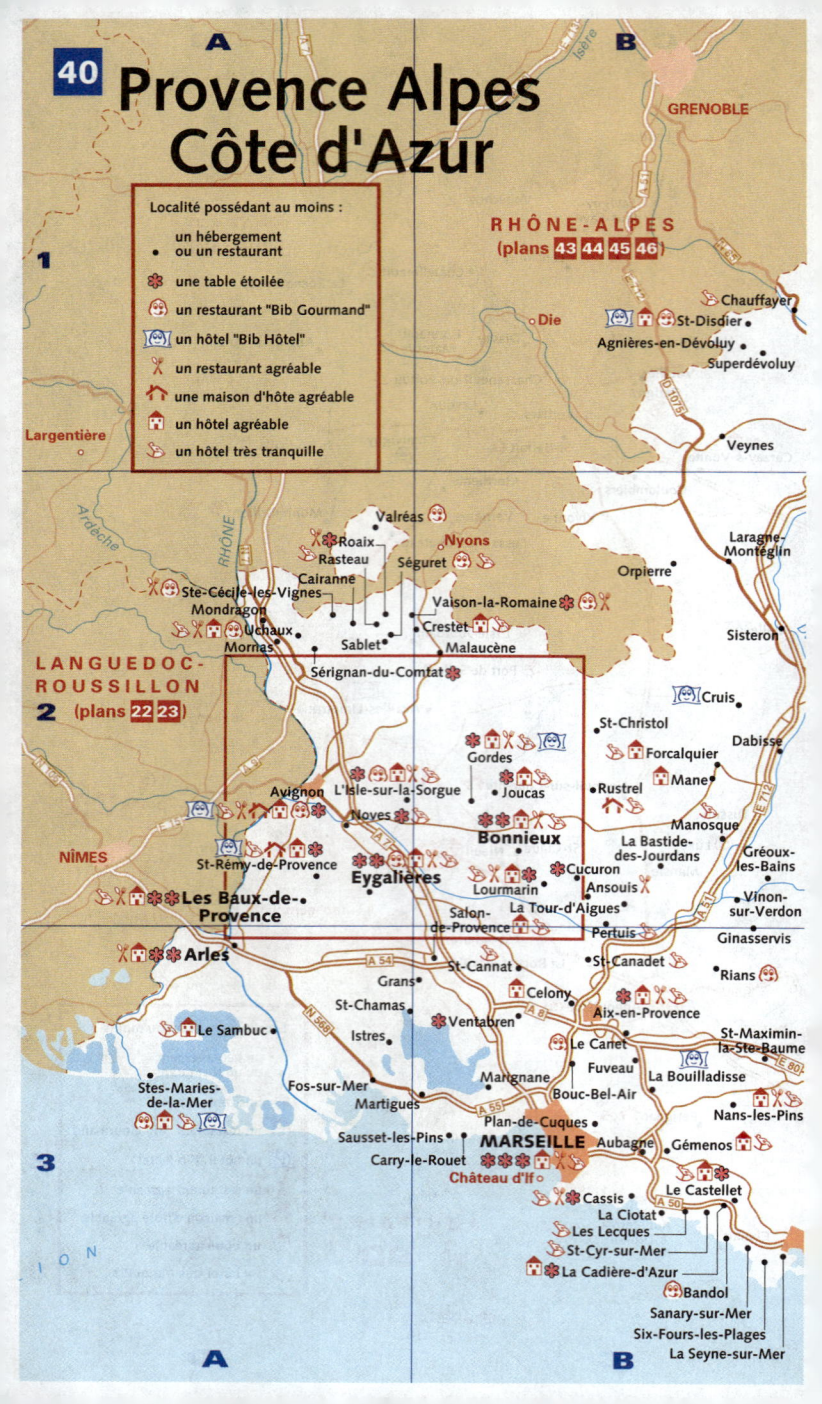

40

Localité possédant au moins :
- un hébergement ou un restaurant
- ✽ une table étoilée
- 😊 un restaurant "Bib Gourmand"
- un hôtel "Bib Hôtel"
- ✕ un restaurant agréable
- ⌂ une maison d'hôte agréable
- un hôtel agréable
- un hôtel très tranquille

RHÔNE-ALPES (plans 43 44 45 46)

LANGUEDOC-ROUSSILLON (plans 22 23)

Largentière

Die · Chauffayer
St-Disdier
Agnières-en-Dévoluy
Superdévoluy
Veynes
Laragne-Montéglin
Sisteron

Valréas
Roaix
Rasteau · Nyons
Séguret
Ste-Cécile-les-Vignes · Cairanne · Orpierre
Mondragon · Vaison-la-Romaine
Uchaux · Sablet · Crestet
Mornas · Malaucène
Sérignan-du-Comtat

Cruis
St-Christol
Gordes · Forcalquier · Dabisse
L'Isle-sur-la-Sorgue · Joucas · Mane
Avignon · Noves · Rustrel
Bonnieux · Manosque
St-Rémy-de-Provence · La Bastide-des-Jourdans
Eygalières · Cucuron · Gréoux-les-Bains
Les Baux-de-Provence · Lourmarin · Ansouis
Salon-de-Provence · La Tour-d'Aigues · Vinon-sur-Verdon
Pertuis · Ginasservis

NÎMES
Arles · Grans · St-Cannat · St-Canadet · Rians
St-Chamas · Celony · Aix-en-Provence
Le Sambuc · Istres · Ventabren · St-Maximin-la-Ste-Baume
Stes-Maries-de-la-Mer · Fos-sur-Mer · Le Canet · Fuveau · La Bouilladisse
Martigues · Marignane · Bouc-Bel-Air · Nans-les-Pins
Plan-de-Cuques
Sausset-les-Pins · MARSEILLE · Aubagne · Gémenos
Carry-le-Rouet · Château d'If
Cassis · Le Castellet
La Ciotat
Les Lecques
St-Cyr-sur-Mer
La Cadière-d'Azur · Bandol
Sanary-sur-Mer
Six-Fours-les-Plages
La Seyne-sur-Mer

41

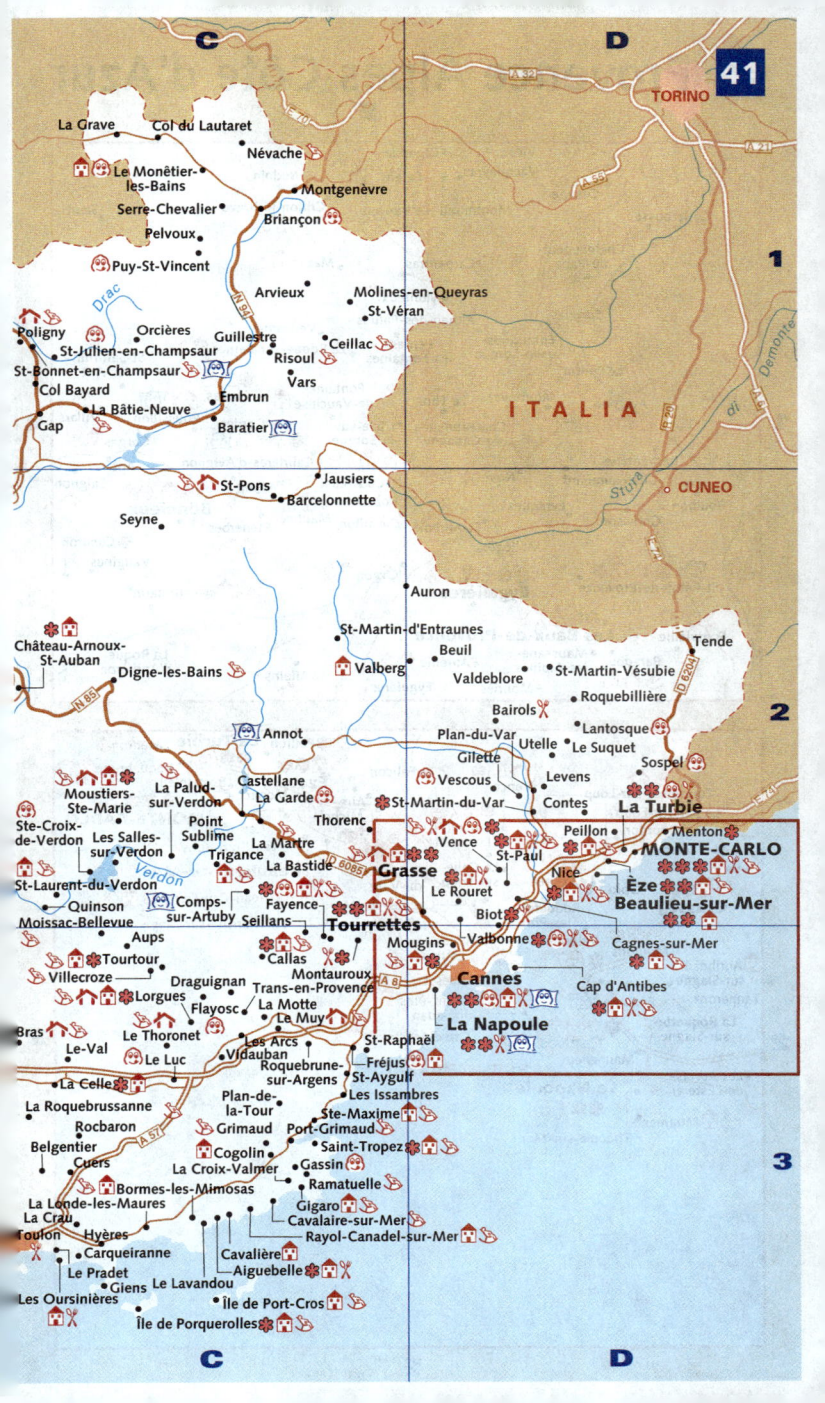

C

- La Grave
- Col du Lautaret
- Le Monêtier-les-Bains
- Névache
- Serre-Chevalier
- Montgenèvre
- Pelvoux
- Briançon
- Puy-St-Vincent
- Arvieux
- Molines-en-Queyras
- St-Véran
- Poligny
- Orcières
- Guillestre
- Ceillac
- St-Julien-en-Champsaur
- Risoul
- St-Bonnet-en-Champsaur
- Vars
- Col Bayard
- La Bâtie-Neuve
- Embrun
- Baratier
- Gap
- St-Pons
- Jausiers
- Barcelonnette
- Seyne
- Auron
- St-Martin-d'Entraunes
- Beuil
- Château-Arnoux-St-Auban
- Valberg
- Valdeblore
- St-Martin-Vésubie
- Tende
- Digne-les-Bains
- Bairols
- Roquebillière
- Annot
- Plan-du-Var
- Lantosque
- Castellane
- Gilette
- Utelle
- Le Suquet
- Moustiers-Ste-Marie
- La Palud-sur-Verdon
- La Garde
- Vescous
- Levens
- Sospel
- Ste-Croix-de-Verdon
- Les Salles-sur-Verdon
- Point Sublime
- La Martre
- Thorenc
- St-Martin-du-Var
- Contes
- La Turbie
- St-Laurent-du-Verdon
- Trigance
- La Bastide
- Vence
- Peillon
- Menton
- Quinson
- Comps-sur-Artuby
- Grasse
- St-Paul
- Nice
- MONTE-CARLO
- Moissac-Bellevue
- Fayence
- Le Rouret
- Èze
- Seillans
- Tourrettes
- Biot
- Beaulieu-sur-Mer
- Aups
- Mougins
- Valbonne
- Tourtour
- Montauroux
- Cagnes-sur-Mer
- Villecroze
- Draguignan
- Trans-en-Provence
- Cannes
- Cap d'Antibes
- Lorgues
- Flayosc
- La Motte
- La Napoule
- Bras
- Le Thoronet
- Les Arcs
- St-Raphaël
- Le-Val
- Le Luc
- Vidauban
- Fréjus
- La Celle
- Roquebrune-sur-Argens
- St-Aygulf
- Les Issambres
- La Roquebrussanne
- Plan-de-la-Tour
- Ste-Maxime
- Belgentier
- Rocbaron
- Grimaud
- Port-Grimaud
- Cuers
- Cogolin
- Saint-Tropez
- Bormes-les-Mimosas
- La Croix-Valmer
- Gassin
- La Londe-les-Maures
- Ramatuelle
- La Crau
- Hyères
- Gigaro
- Toulon
- Carqueiranne
- Cavalaire-sur-Mer
- Le Pradet
- Giens
- Le Lavandou
- Rayol-Canadel-sur-Mer
- Les Oursinières
- Cavalière
- Aiguebelle
- Île de Port-Cros
- Île de Porquerolles

ITALIA
- TORINO
- CUNEO

1
2
3

42 Provence Alpes Côte d'Azur

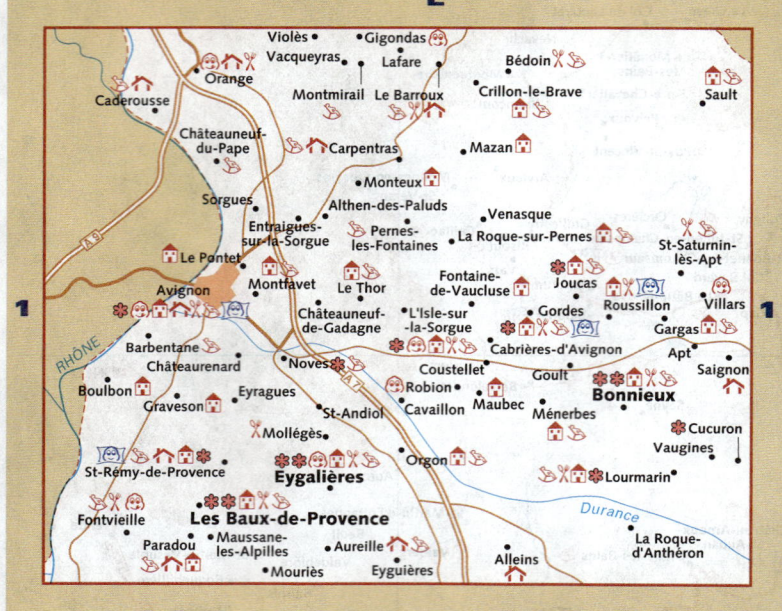

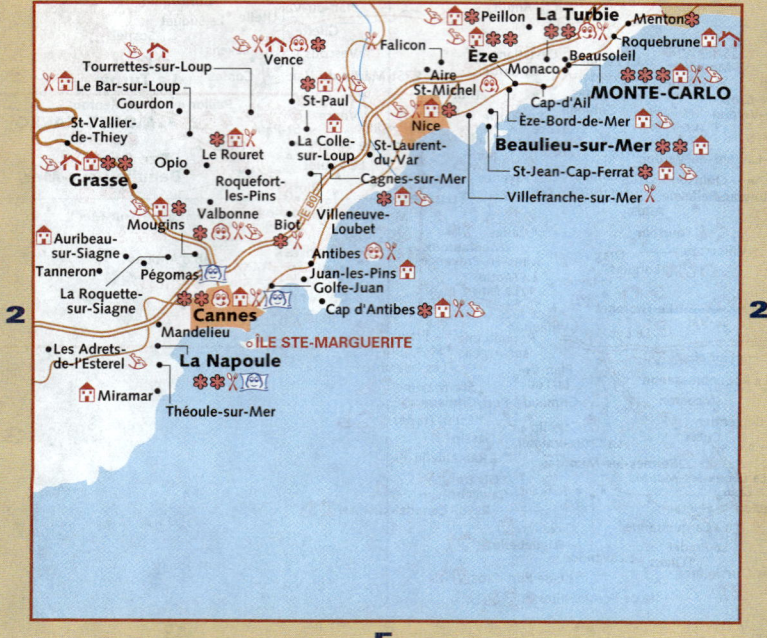

Map 1

- Caderousse
- Orange
- Violès
- Vacqueyras
- Gigondas
- Montmirail
- Lafare
- Le Barroux
- Bédoin
- Crillon-le-Brave
- Sault
- Châteauneuf-du-Pape
- Carpentras
- Mazan
- Sorgues
- Monteux
- Althen-des-Paluds
- Venasque
- Entraigues-sur-la-Sorgue
- Pernes-les-Fontaines
- La Roque-sur-Pernes
- St-Saturnin-lès-Apt
- Le Pontet
- Avignon
- Montfavet
- Le Thor
- Fontaine-de-Vaucluse
- Joucas
- Villars
- Châteauneuf-de-Gadagne
- L'Isle-sur-la-Sorgue
- Gordes
- Roussillon
- Gargas
- Barbentane
- Cabrières-d'Avignon
- Apt
- Châteaurenard
- Noves
- Coustellet
- Goult
- Saignon
- Boulbon
- Graveson
- Eyragues
- Robion
- Cavaillon
- Maubec
- Ménerbes
- Bonnieux
- Mollégès
- St-Andiol
- Cucuron
- St-Rémy-de-Provence
- Orgon
- Vaugines
- Lourmarin
- Fontvieille
- Eygalières
- Les Baux-de-Provence
- Durance
- Paradou
- Maussane-les-Alpilles
- Aureille
- Alleins
- La Roque-d'Anthéron
- Mouriès
- Eyguières

Map 2

- Tourrettes-sur-Loup
- Vence
- Peillon
- La Turbie
- Menton
- Le Bar-sur-Loup
- Falicon
- Èze
- Roquebrune
- Gourdon
- Aire St-Michel
- Beausoleil
- St-Vallier-de-Thiey
- St-Paul
- Monaco
- MONTE-CARLO
- Opio
- Le Rouret
- Cap-d'Ail
- Grasse
- La Colle-sur-Loup
- Nice
- Èze-Bord-de-Mer
- Roquefort-les-Pins
- St-Laurent-du-Var
- Beaulieu-sur-Mer
- Auribeau-sur-Siagne
- Mougins
- Valbonne
- Cagnes-sur-Mer
- St-Jean-Cap-Ferrat
- Tanneron
- Biot
- Villeneuve-Loubet
- Villefranche-sur-Mer
- Pégomas
- Antibes
- La Roquette-sur-Siagne
- Juan-les-Pins
- Golfe-Juan
- Cannes
- Cap d'Antibes
- Les Adrets-de-l'Esterel
- Mandelieu
- ÎLE STE-MARGUERITE
- La Napoule
- Miramar
- Théoule-sur-Mer

Rhône-Alpes

43

Localité possédant au moins :
- un hébergement
- ou un restaurant
- 🏵 une table étoilée
- 😊 un restaurant "Bib Gourmand"
- 🛏 un hôtel "Bib Hôtel"
- ✗ un restaurant agréable
- 🏠 une maison d'hôte agréable
- 🏠 un hôtel agréable
- 🏝 un hôtel très tranquille

Carte 1 (Nord)

- Jullié
- Juliénas
- VONNAS 🏠🏵🏵🏵
- Émeringes
- Chénas
- Buellas
- Fleurie
- Lancié
- Chiroubles
- Villié-Morgon 😊
- L'Abergement-Clémenciat ✗
- Pizay
- Quincié-en-Beaujolais
- Belleville 😊
- Châtillon-s-Chalaronne 🏠
- Montmerle-s-Saône
- Bouligneux
- Vaux-en-Beaujolais
- Ambérieux-en-Dombes
- Villars-les-Dombes
- Villefranche-s-Saône 😊
- Ste-Euphémie
- Rancé
- Monthieux 🏝
- Pommiers
- Anse • Saint-Bernard
- St-Marcel-en-Dombes
- Lachassagne
- Lucenay
- Bagnols 🏠🏠
- Alix
- Chasselay 🏵🏵
- Mionnay 🏵🏵🏵✗
- Bully 😊✗
- Les Échets
- Montluel 🛏
- L'Arbresle
- St-Cyr-au-Mont-d'Or 🏵
- Rillieux-la-Pape ✗
- COLLONGES-AU-MONT-D'OR 🏵🏵🏵✗
- Jons
- Charbonnières-les-Bains ✗🏠🏵
- Écully 🏠
- Meyzieu
- Lyon 🏵🏵 😊🏠🛏
- Genas
- Aéroport de Lyon-St-Exupéry
- St-Laurent-de-Mure

Carte 2 (Sud)

- Chanas
- Bressieux
- Serrières
- Épinouze
- Viriville
- St-Désirat
- Hauterives
- Châteauneuf-de-Galaure
- Sarras
- St-Vallier 😊🏠🏝
- St-Antoine-l'Abbaye
- Margès 😊
- St-Marcellin
- St-Donat-s-l'Herbasse
- Tain-l'Hermitage 🛏
- St-Lattier
- Granges-les-Beaumont 🏵🏵🏵✗
- St-Nazaire-en-Royans
- Choranche
- Tournon-s-Rhône 🛏
- Pont-en-Royans
- Romans-s-Isère 🏠
- St-Jean-en-Royans 🏝🛏
- Pont-de-l'Isère 🏵
- St-Péray
- Montélier 🛏
- VALENCE 🏵🏵🏵 😊🏠

44 Rhône-Alpes

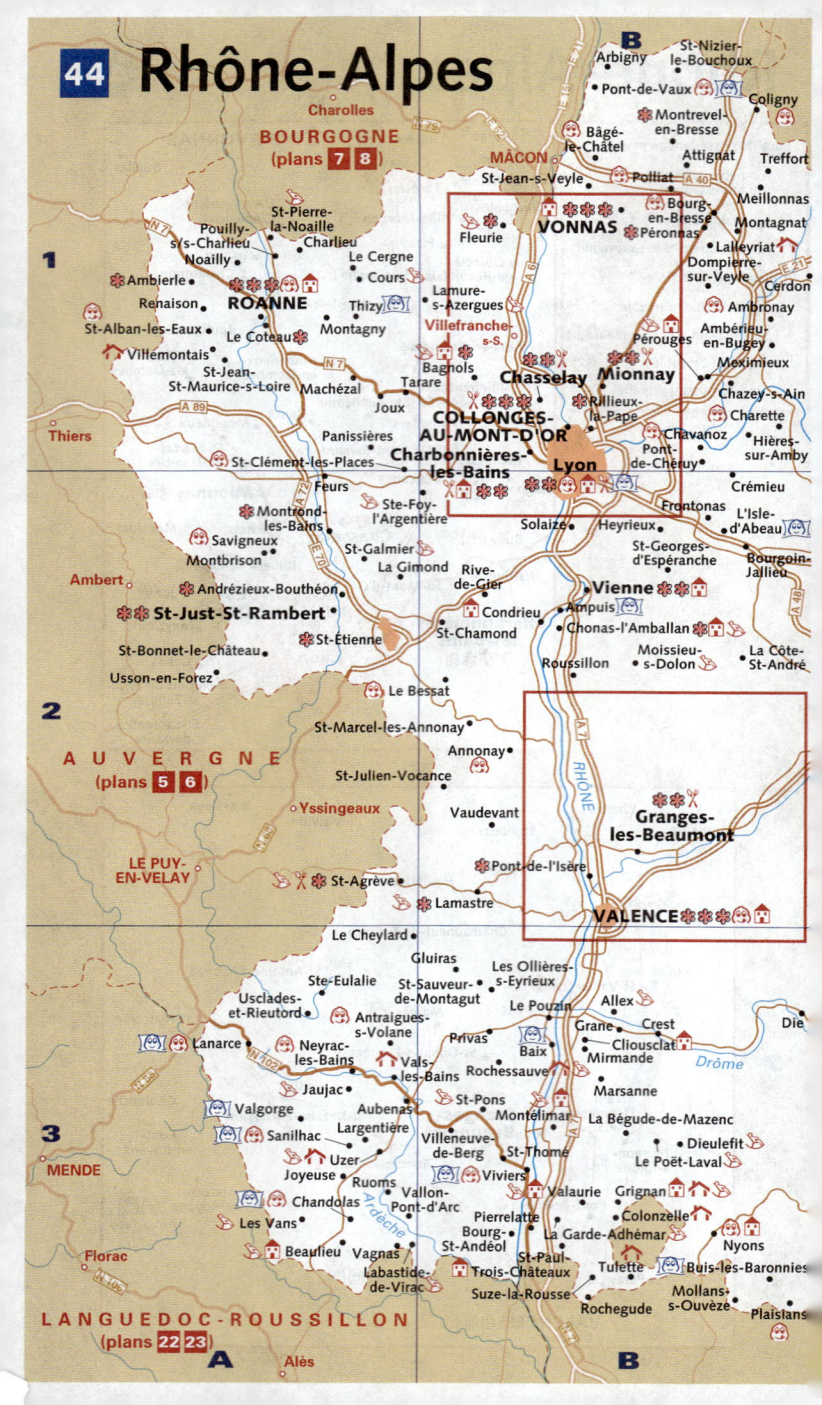

BOURGOGNE (plans 7 8)

AUVERGNE (plans 5 6)

LANGUEDOC-ROUSSILLON (plans 22 23)

Charolles
Arbigny — St-Nizier-le-Bouchoux
Pont-de-Vaux — Coligny
Montrevel-en-Bresse
Bâgé-le-Châtel
MÂCON — Attignat — Treffort
St-Jean-s-Veyle — Polliat
St-Pierre-la-Noaille — Fleurie — **VONNAS** — Bourg-en-Bresse — Meillonnas
Pouilly-s/s-Charlieu — Charlieu — Péronnas — Montagnat
Noailly — Le Cergne — Lalleyriat
Ambierle — Cours — Lamure-s-Azergues — Dompierre-sur-Veyle
Renaison — Thizy — Villefranche-s-S. — Cerdon
ROANNE — Montagny — Ambronay
St-Alban-les-Eaux — Bagnols — Pérouges — Ambérieu-en-Bugey
Le Coteau — Tarare — **Chasselay** — **Mionnay** — Meximieux
Villemontais — St-Jean-St-Maurice-s-Loire — Joux — **COLLONGES-AU-MONT-D'OR** — Rillieux-la-Pape — Chazey-s-Ain
Thiers — Machézal — Panissières — **Charbonnières-les-Bains** — Charette
St-Clément-les-Places — Chavanoz — Hières-sur-Amby
Feurs — Ste-Foy-l'Argentière — **Lyon** — Pont-de-Chéruy
Montrond-les-Bains — St-Galmier — Solaize — Frontonas — Crémieu
Savigneux — La Gimond — Heyrieux — L'Isle-d'Abeau
Montbrison — Andrézieux-Bouthéon — Rive-de-Gier — St-Georges-d'Espéranche — Bourgoin-Jallieu
Ambert — **St-Just-St-Rambert** — Condrieu — **Vienne** —
St-Bonnet-le-Château — St-Étienne — St-Chamond — Ampuis — Chonas-l'Amballan
Usson-en-Forez — Roussillon — Moissieu-s-Dolon — La Côte-St-André
Le Bessat
St-Marcel-les-Annonay
Annonay
St-Julien-Vocance
Yssingeaux — Vaudevant — **Granges-les-Beaumont**
LE PUY-EN-VELAY — St-Agrève — Pont-de-l'Isère
Lamastre — **VALENCE**
Le Cheylard
Gluiras — Les Ollières-s-Eyrieux
Ste-Eulalie — St-Sauveur-de-Montagut — Le Pouzin — Allex
Usclades-et-Rieutord — Antraigues-s-Volane — Privas — Grane — Crest — Die
Lanarce — Neyrac-les-Bains — Vals-les-Bains — Baix — Cliousclat — Mirmande
Jaujac — Rochessauve — Marsanne
Valgorge — Aubenas — La Bégude-de-Mazenc
Sanilhac — Largentière — St-Pons — Montélimar
MENDE — Joyeuse — Villeneuve-de-Berg — St-Thomé — Dieulefit
Uzer — Viviers — Le Poët-Laval
Chandolas — Ruoms — Valaurie — Grignan
Les Vans — Vallon-Pont-d'Arc — Bourg-St-Andéol — Colonzelle
Florac — Beaulieu — Vagnas — Pierrelatte — La Garde-Adhémar — Nyons
Labastide-de-Virac — Trois-Châteaux — St-Paul — Tulette — Buis-les-Baronnies
Suze-la-Rousse — Rochegude — Mollans-s-Ouvèze — Plaisians
Alès

45

FRANCHE-COMTÉ
(plans 16 17)

SUISSE

C1 / D1

Oyonnax • Chézery-Forens • Thoiry • GENÈVE • Thonon-les-Bains • Douvaine • SION
Nantua • St-Germain-de-Joux • Challex • Bossey • Vallorcine • Argentière • Le Lavancher
Bellegarde-s-Valserine • Éloise • Les Praz-de-Chamonix • Cordon • Chamonix-Mont-Blanc
Évosges • Rumilly • **Annecy** • **VEYRIER-DU-LAC** • **Megève** • AOSTA/AOSTE
Seillonnaz • Chindrieux • Talloires • Les Saisies
Belley • Jongieux • Faverges • Ugine • Hauteluce • Beaufort • Arèches

C2 / D2

Champagneux • Les Catons • **Le-Bourget-du-Lac** • Bourg-St-Maurice • La Rosière-1850
St-Genix-s-Guiers • Novalaise • Chambéry-le-Vieux • Les Arcs • Ste-Foy-Tarentaise
Aoste • Romagnieu • Peisey-Nancroix • Tignes • Val-d'Isère
La Tour-du-Pin • La Bâtie-Divisin • Champagny-en-Vanoise
Les Échelles • La Tania • **Courchevel 1850** • Bonneval-s-Arc
Voiron • St-Laurent-du-Pont • **St-Martin-de-Belleville** • Pralognan-la-Vanoise • Bessans
Le Sappey-en-Chartreuse • Val-Thorens • Aussois • Lanslebourg-Mont-Cenis

C3 / D3

Autrans • Grenoble • **Uriage-les-Bains** • St-Sorlin-d'Arves • Valloire
Lans-en-Vercors • Villard-de-Lans • Villard-Reculas • Alpe-d'Huez
Corrençon-en-Vercors • Mizoën • Le Freney-d'Oisans • **ITALIA**
La Chapelle-en-Vercors • Treffort • Venosc • Les Deux-Alpes
Gresse-en-Vercors • Monestier-de-Clermont • Briançon
Corps

PROVENCE-ALPES-CÔTE D'AZUR
(plans 40 41 42)

GAP

Les Nonières

Montauban-s-l'Ouvèze

Localité possédant au moins :

- un hébergement ou un restaurant
- ✾ une table étoilée
- 🅑 un restaurant "Bib Gourmand"
- 🅗 un hôtel "Bib Hôtel"
- ✗ un restaurant agréable
- ⌂ une maison d'hôte agréable
- 🏠 un hôtel agréable
- 😌 un hôtel très tranquille

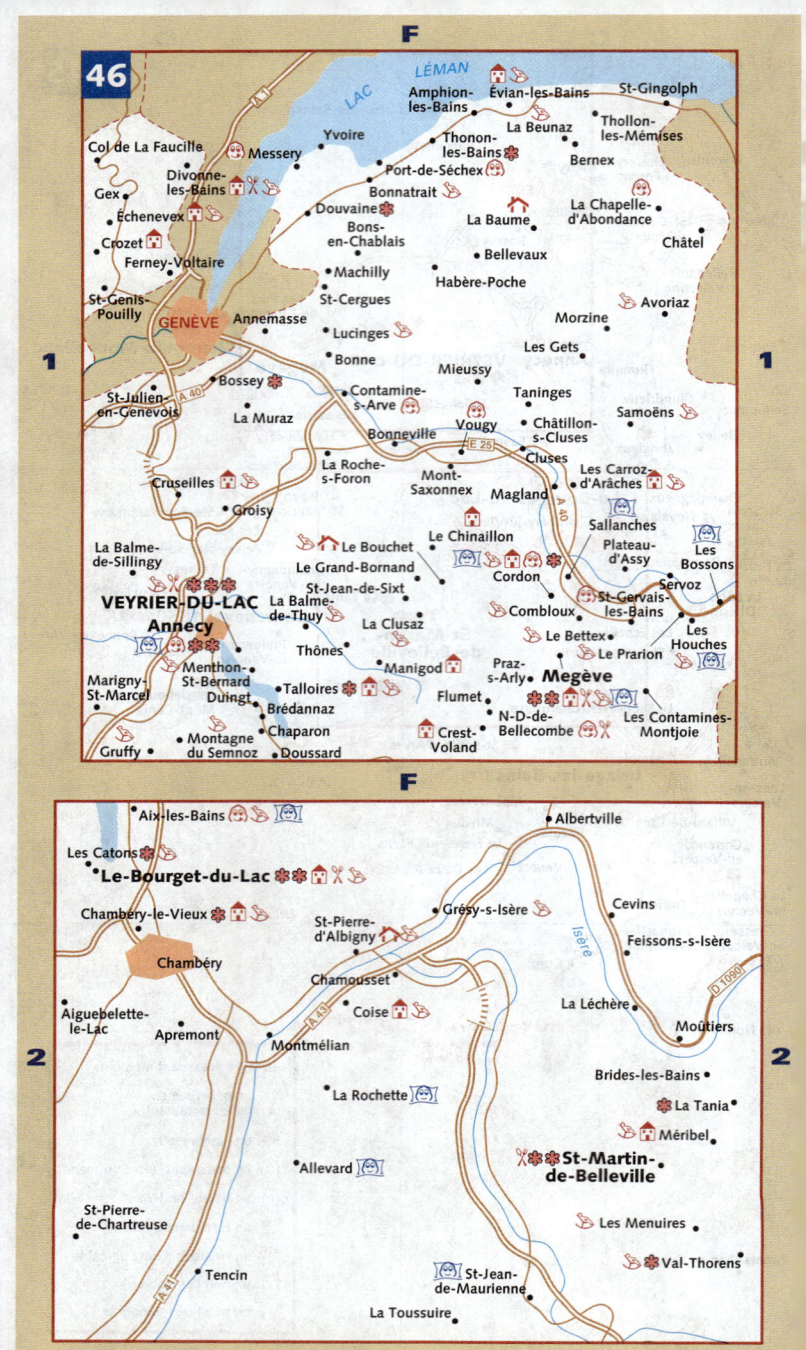

46

Map 1 (upper)

- Col de La Faucille
- Messery
- Yvoire
- LAC LÉMAN
- Amphion-les-Bains
- Évian-les-Bains
- St-Gingolph
- La Beunaz
- Thonon-les-Bains
- Thollon-les-Mémises
- Divonne-les-Bains
- Port-de-Séchex
- Bernex
- Gex
- Bonnatrait
- Échenevex
- Douvaine
- La Baume
- La Chapelle-d'Abondance
- Crozet
- Bons-en-Chablais
- Ferney-Voltaire
- Bellevaux
- Châtel
- St-Genis-Pouilly
- Machilly
- Habère-Poche
- GENÈVE
- Annemasse
- St-Cergues
- Avoriaz
- Lucinges
- Morzine
- Bonne
- Mieussy
- Les Gets
- St-Julien-en-Genevois
- Bossey
- Contamine-s-Arve
- Taninges
- La Muraz
- Bonneville
- Vougy
- Châtillon-s-Cluses
- Samoëns
- Cruseilles
- La Roche-s-Foron
- Cluses
- Les Carroz-d'Arâches
- Groisy
- Mont-Saxonnex
- Magland
- La Balme-de-Silingy
- Le Bouchet
- Le Chinaillon
- Sallanches
- Plateau-d'Assy
- Les Bossons
- Le Grand-Bornand
- Cordon
- Servoz
- VEYRIER-DU-LAC
- St-Jean-de-Sixt
- Combloux
- St-Gervais-les-Bains
- Annecy
- La Balme-de-Thuy
- La Clusaz
- Le Bettex
- Les Houches
- Marigny-St-Marcel
- Menthon-St-Bernard
- Thônes
- Le Prarion
- Duingt
- Manigod
- Praz-s-Arly
- Megève
- Talloires
- Brédannaz
- Flumet
- Les Contamines-Montjoie
- Gruffy
- Montagne du Semnoz
- Chaparon
- N-D-de-Bellecombe
- Doussard
- Crest-Voland

Map 2 (lower)

- Aix-les-Bains
- Albertville
- Les Catons
- Le-Bourget-du-Lac
- Chambéry-le-Vieux
- St-Pierre-d'Albigny
- Grésy-s-Isère
- Cevins
- Chambéry
- Chamousset
- Feissons-s-Isère
- Coise
- Aiguebelette-le-Lac
- La Léchère
- Apremont
- Montmélian
- Moûtiers
- La Rochette
- Brides-les-Bains
- La Tania
- Allevard
- Méribel
- St-Pierre-de-Chartreuse
- St-Martin-de-Belleville
- Les Menuires
- Tencin
- Val-Thorens
- St-Jean-de-Maurienne
- La Toussuire

Distances entre principales villes
Distances between major towns
Distanze tra le principali città
Entfernungen zwischen den größeren Städten
Distancias entre las ciudades principales

Marseille – Strasbourg : 808 km

	Amiens	Angers	Bayonne	Besançon	Bordeaux	Brest	Caen	Calais	Cherbourg	Clermont-Ferrand	Dijon	Grenoble	Le Havre	Lille	Limoges	Lyon	Le Mans	Marseille	Metz	Montpellier	Mulhouse	Nancy	Nantes	Nice	Orléans	Paris	Perpignan	Reims	Rennes	Rouen	Saint-Etienne	Strasbourg	Toulon	Toulouse
Angers	422																																	
Bayonne	884	563																																
Besançon	551	664	915																															
Bordeaux	704	383	191	736																														
Brest	629	377	830	962	633																													
Caen	256	255	776	648	597	376																												
Calais	167	512	1033	651	854	719	345																											
Cherbourg	379	342	880	770	683	425	126	468																										
Clermont-Ferrand	557	459	553	367	374	829	608	708	716																									
Dijon	471	568	836	94	673	866	550	574	674	305																								
Grenoble	710	741	824	318	690	932	870	932	1072	514	298																							
Le Havre	185	331	852	610	673	610	96	220	111	573	462	569																						
Lille	139	514	967	673	788	788	274	111	390	569	478	692	166																					
Limoges	526	291	407	582	228	570	391	513	516	193	505	549	549	698																				
Lyon	600	589	749	257	610	1013	749	822	542	647	188	275	810	505	424																			
Le Mans	335	96	540	577	429	397	159	397	424	429	502	597	286	478	292	492																		
Marseille	471	568	542	542	637	736	919	1000	1072	468	482	274	969	969	426	305	888																	
Metz	360	618	919	236	892	1120	698	569	1010	569	382	529	692	916	569	550	541	808	757															
Montpellier	885	787	529	529	482	837	829	1044	1132	669	460	294	1036	929	415	382	610	297	160	796														
Mulhouse	547	731	1028	136	803	713	1227	1227	1165	660	328	434	597	802	765	471	694	434	170	804	178													
Nancy	731	633	1039	208	889	1089	684	530	1082	666	492	283	1120	597	458	323	325	809	702	804	821													
Nantes	375	90	406	669	357	298	447	444	298	299	268	758	144	850	144	426	425	915	833	204	810	911	870												
Nice	509	245	751	135	298	595	320	357	674	317	269	394	420	395	528	332	313	914	933															
Orléans	1067	298	414	447	513	978	1165	1136	1136	436	640	229	1067	493	644	435	749	225	205	850	686	225	769	475											
Paris	269	1074	677	1441	1028	1134	1085	1289	640	997	676	451	835	744	849	850	725	849	135															
Perpignan	135	431	852	803	447	275	275	275	381	301	444	510	487	517	528	481	144	205	380	143	269	849	934												
Reims	983	884	728	543	381	705	134	448	353	450	301	533	421	487	487	534	380	132	332	355	355	289	934												
Rennes	173	378	451	320	243	214	251	236	500	528	584	487	917	776	793	487	207	551	217	887	491	289	934												
Rouen	441	134	243	188	500	748	127	420	504	526	350	451	453	161	511	951	353	1063	131	934	491	292	314												
Saint-Etienne	125	630	820	641	962	848	962	448	253	436	490	448	205	396	209	908	480	385	289															
Strasbourg	623	292	544	962	1074	145	215	127	169	704	440	154	258	907	908	480	480	322	442	463	487	579	944	547	883	638								
Toulon	518	592	720	962	962	289	741	848	621	253	156	704	74	395	561	431	463	471	723															
Toulouse	776	776	1073	249	1097	1197	727	1433	850	253	253	699	495	67	808	156	834	788	489	863	383	637												
Tours	976	983	1153	974	1153	1197	1154	1154	1197	540	433	329	379	734	67	406	863	150	863	1114	971	551	874												
Tours	373	123	515	518	336	498	264	385	337	617	341	457	230	466	97	796	562	645	550	210	952	117	718	374	259	309	470	690	861	516				

Manufacture française des pneumatiques Michelin
Société en commandite par actions au capital de 304 000 000 EUR
Place des Carmes-Déchaux – 63 Clermont-Ferrand (France)
R.C.S. Clermont-Fd B 855 200 507

© **Michelin, Propriétaires-Éditeurs**

Dépôt légal février 2009
Printed in France, 01-2009/07.1-1

Toute reproduction, même partielle et quel qu'en soit le support
est interdite sans autorisation préalable de l'éditeur.

Compogravure : MAURY, Malesherbes
Impression : BRODARD GRAPHIQUE, Coulommiers
Reliure : S.I.R.C., Marigny-le-Châtel

Parution 2009

L'équipe éditoriale a apporté le plus grand soin à la rédaction de ce guide et à sa vérification. Toutefois, les informations pratiques (formalités administratives, prix, adresses, numéros de téléphone, adresses Internet...) doivent être considérées comme des indications du fait de l'évolution constante de ces données : il n'est pas totalement exclu que certaines d'entre elles ne soient plus, à la date de parution du guide, tout à fait exactes ou exhaustives. Avant d'entamer toutes démarches (formalités administratives et douanières notamment), vous êtes invités à vous renseigner auprès des organismes officiels. Ces informations ne sauraient de ce fait engager notre responsabilité.

Centième ÉDITION
guide MICHELIN

le Mois GOURMAND
PASS PRIVILÈGE

MICHELIN
Une meilleure façon d'avancer

Participez à la Centième Édition du guide MICHELIN.

Véritable sésame, votre Pass Privilège vous ouvre les portes de plus de 800 restaurants

le Mois GOURMAND

du 9 mars au 5 avril 2009

Bénéficiez d'offres aussi exclusives que gourmandes dans tous les restaurants partenaires du Mois Gourmand : menu Centième Édition, ateliers découvertes, prix mitonnés … et plein d'autres surprises.

A découvrir sans plus tarder sur www.guide-michelin-centieme.com

Ce Pass Privilège est valable pour 2 personnes dans tous les établissements participants. Son utilisation est illimitée pendant la durée de l'opération. Vous devrez présenter votre Pass Privilège dans chaque restaurant pour bénéficier des offres Mois Gourmand. Conservez-le précieusement !

Centième ÉDITION guide MICHELIN